Koch
Aktiengesetz

Beck'sche Kurz-Kommentare

Band 53

Aktiengesetz

Begründet von

Dr. Uwe Hüffer

weiland Rechtsanwalt in Mannheim
em. Professor an der Ruhr-Universität Bochum
Richter am Oberlandesgericht Hamm a. D.
1.–10. Auflage

Bearbeitet von

Dr. Jens Koch

Professor an der Universität zu Köln

18. Auflage 2024

C.H.BECK

Zitiervorschlag:
Koch § … Rn. …
Koch AktG § … Rn. …

beck.de

ISBN 978 3 406 81421 1

Wilhelmstraße 9, 80801 München
Satz, Druck und Bindung: Druckerei C.H.Beck Nördlingen
(Adresse wie Verlag)
Umschlag: Fotosatz Amann, Memmingen

myclimate
shape our future

chbeck.de/nachhaltig

Gedruckt auf säurefreiem, alterungsbeständigem Papier
(hergestellt aus chlorfrei gebleichtem Zellstoff)

Vorwort zur 18. Auflage

Auch im Jahr 2023 ist das Aktienrecht nicht zur Ruhe gekommen. Während 2022 die Einführung der virtuellen Hauptversammlung den legislativen Schwerpunkt bildete, ist es in diesem Jahr das Gesetz zur Finanzierung von zukunftssichernden Investitionen (ZuFinG), das im Mittelpunkt der rechtspolitischen Aufmerksamkeit stand. Ziel dieses Reformgesetzes ist es (unter anderem), das Recht der Unternehmensfinanzierung zu modernisieren, was dringend erforderlich ist, damit die deutsche Aktiengesellschaft im Rechtsformenwettbewerb dauerhaft bestehen kann.

Dieser Wettbewerb hat sich auf europäischer Ebene mit dem – ebenfalls 2023 erfolgten – Inkrafttreten des Gesetzes zur Umsetzung der Umwandlungsrichtlinie (UmRUG) deutlich verschärft. In der Beratungspraxis werden namentlich die Rechtsformvorzüge niederländischer und luxemburgischer Gesellschaften hervorgehoben, die nach dem neuen Regime nun auch für deutsche Gesellschaften noch leichter als zuvor zugänglich sein werden. Ob die jetzt angestoßenen Reformen ausreichen, um das deutsche Aktienrecht gegenüber solchen Gestaltungsalternativen wieder wettbewerbsfähig zu machen, bleibt abzuwarten. Positiv zu werten ist aber jedenfalls, dass ein Schritt in diese Richtung unternommen wurde.

Als Kollateralnutzen des UmRUG sind überdies die hilfreichen Neuerungen innerhalb des Spruchverfahrensgesetzes hervorzuheben. Im 30. Jahr seines Bestehens sind mit diesem Gesetzeswerk zahlreiche Reformanliegen der unternehmerischen Praxis umgesetzt worden. Schützenhilfe erhält der Gesetzgeber dabei durch den Bundesgerichtshof, der mit der zunehmenden Anerkennung einer marktorientierten Bewertung nach dem Börsenkurs ein weiteres zur Verschlankung dieses immer noch sehr komplexen und zeitaufwendigen Verfahrens beigetragen hat.

Als weitere legislative Neuerung, die in dieser Auflage nachzuzeichnen war, ist das Hinweisgeberschutzgesetz zu nennen, das ein zentrales Compliance-Element zwingend vorschreibt und ausgestaltet.

Auf den ersten Blick nicht unbedingt von aktienrechtlicher Relevanz erscheinen die am 1. Januar 2024 in Kraft getretenen Änderungen durch das Gesetz zur Modernisierung des Personengesellschaftsrechts (MoPeG), doch bringt diese Neuerung auch für das Kapitalgesellschaftsrecht tiefgreifende Veränderungen. Man denke nur an die KGaA, deren rechtliche Behandlung nur zur Hälfte dem Aktienrecht, zur anderen Hälfte aber dem Personengesellschaftsrecht unterworfen ist.

Zu großem Dank verpflichtet bin ich auch in diesem Jahr wieder meinen Mitarbeiterinnen und Mitarbeitern, die mir geholfen haben, die zahlreichen Entwicklungslinien in Gesetzgebung, Rechtsprechung und Schrifttum nachzuzeichnen. Besonders hervorzuheben sind hier Frau Vanessa Akbari, Herr Max Brandt, Frau Rebekka Lucia Goldmann, Herr Privatdozent Dr. Philipp Maximilian Holle, Herr Johannes Linnartz, Frau Vera Obernosterer, Herr Niklas Ransiek und Herr Florian Walka. Professor Dr. Rafael Harnos ist mittlerweile selbst schon seit Jahren Inhaber eines eigenen Lehrstuhls, hat mich bei der Kommentierungsaufgabe aber auch weiterhin mit besonders großem Engagement unterstützt.

Schließlich habe ich für die vielen hilfreichen Zuschriften zu danken, die ich von Seiten meiner Kollegen und aus der Praxis erhalten habe. Auch in Zukunft

Vorwort zur 18. Auflage

ist jede Kritik und Anregung hochwillkommen und am besten zu richten an: koch.jens@uni-koeln.de. Das Manuskript ist auf dem Stand vom 31. Dezember 2023; spätere Entwicklungen konnten vereinzelt noch berücksichtigt werden.

Köln, im Dezember 2023 *Jens Koch*

Inhaltsübersicht

Inhaltsübersicht

Inhaltsverzeichnis

Aktiengesetz

Erstes Buch. Aktiengesellschaft

Erster Teil. Allgemeine Vorschriften

Zweiter Teil. Gründung der Gesellschaft

Inhaltsverzeichnis

Zweiter Abschnitt. Aufsichtsrat

Dritter Abschnitt. Benutzung des Einflusses auf die Gesellschaft

Vierter Abschnitt. Hauptversammlung

Erster Unterabschnitt. Rechte der Hauptversammlung

Zweiter Unterabschnitt. Einberufung der Hauptversammlung

Zweiter Teil. Leitungsmacht und Verantwortlichkeit bei Abhängigkeit von Unternehmen

Erster Abschnitt. Leitungsmacht und Verantwortlichkeit bei Bestehen eines Beherrschungsvertrags

Zweiter Abschnitt. Verantwortlichkeit bei Fehlen eines Beherrschungsvertrags

Dritter Teil. Eingegliederte Gesellschaften

Inhaltsverzeichnis

Abkürzungsverzeichnis

aA .... anderer Ansicht
Abdr. .... Abdruck
abl. .... ablehnend
ABl. EU .... Amtsblatt der Europäischen Union
Abs. .... Absatz (Absätze)
Abschlussprüfer-RL 2006 .... Richtlinie 2006/43/EG des Europäischen Parlaments und des Rates vom 17.5.2006 über Abschlussprüfungen von Jahresabschlüssen und konsolidierten Abschlüssen, zur Änderung der Richtlinien 78/660/EWG und 83/349/EWG des Rates und zur Aufhebung der Richtlinie 84/253/EWG des Rates (ABl. EG 2006 L 157, 87)
Abschlussprüfer-RL .... Richtlinie 2014/56/EU des Europäischen Parlaments und des Rates vom 16.4.2014 zur Änderung der Richtlinie 2006/43/EG über Abschlussprüfungen von Jahresabschlüssen und konsolidierten Abschlüssen (ABl. EU 2014 L 158, 196)
Abschlussprüfer-VO ... Verordnung Nr. 537/2014 des Europäischen Parlaments und des Rates vom 16.4.2014 über spezifische Anforderungen an die Abschlussprüfung bei Unternehmen von öffentlichem Interesse und zur Aufhebung des Beschlusses 2005/909/EG der Kommission (ABl. EU 2014 L 158, 77)
abw. .... abweichend
AcP .... Archiv für die civilistische Praxis
ADHGB .... Allgemeines Deutsches Handelsgesetzbuch
aE .... am Ende
aF .... alte Fassung
AG .... Aktiengesellschaft; Die Aktiengesellschaft (Zeitschrift); Amtsgericht
AGB .... Allgemeine Geschäftsbedingungen
AGBG .... Gesetz zur Regelung des Rechts der Allgemeinen Geschäftsbedingungen, aufgehoben
AGG .... Allgemeines Gleichbehandlungsgesetz vom 14.8.2006 (BGBl. 2006 I 1897)
AIF .... Alternative Investmentfonds
AK .... Arbeitskreis
AktG .... Aktiengesetz
Aktienrechtsnovelle 2016 .... Gesetz zur Änderung des Aktiengesetzes (Aktienrechtsnovelle 2016) vom 22.12.2015 (BGBl. 2015 I 2565)
Aktionärsrechte-RL .... Richtlinie 2007/36/EG des Europäischen Parlaments und des Rates vom 11.7.2007 über die Ausübung bestimmter Rechte von Aktionären in börsennotierten Gesellschaften (ABl. EU 2007 L 184, 17)

Abkürzungsverzeichnis

Aktionärsrechte-RL II .	Richtlinie (EU) 2017/828 vom 17.5.2017 im Hinblick auf die Förderung der langfristigen Mitwirkung der Aktionäre (ABl. EU 2017 L 132, 1)
Aktionärsrechte-RL II-DVO	Durchführungsverordnung (EU) 2018/1212 vom 3.9.2018 zur Festlegung von Mindestanforderungen zur Umsetzung der Bestimmungen der Richtlinie 2007/36/EG in Bezug auf die Identifizierung der Aktionäre, die Informationsübermittlung und die Erleichterung der Ausübung der Aktionärsrechte (ABl. EU 2018 L 223, 1)
allg.	allgemein
allgM	allgemeine Meinung
Alt.	Alternative
AMG	Arzneimittelgesetz
amtl.	amtlich
Amtl. Begr.	Amtliche Begründung
AN	Arbeitnehmer
AnfG	Anfechtungsgesetz
Anh.	Anhang
Anm.	Anmerkung(en)
AO	Abgabenordnung
AöR	Archiv des öffentlichen Rechts
APAReG	Abschlussprüferaufsichtsreformgesetz vom 31.3.2016 (BGBl. 2013 I 518)
APAS	Abschlussprüferaufsichtsstelle
AR	Aufsichtsrat, Der Aufsichtsrat (Zeitschrift)
AReG	Abschlussprüfungsreformgesetz vom 10.5.2016 (BGBl. 2016 I 1442)
ArbG	Arbeitsgericht
ArbGG	Arbeitsgerichtsgesetz
arg.	argumentum
ARRL	s. Aktionärsrechte-RL
Art.	Artikel
ARUG	Gesetz zur Umsetzung der Aktionärsrechterichtlinie vom 30.7.2009 (BGBl. 2009 I 2479)
ARUG II	Gesetz zur Umsetzung der zweiten Aktionärsrechterichtlinie vom 12.12.2019 (BGBl. 2019 I 2637)
AT	Allgemeiner Teil
AÜG	Arbeitnehmerüberlassungsgesetz
Aufl.	Auflage
AuR	Arbeit und Recht
ausdr.	ausdrücklich
ausf.	ausführlich
Ausn.	Ausnahme
AusschussB	Ausschussbericht
Ausschussbegr.	Ausschussbegründung
AWD	Außenwirtschaftsdienst des Betriebs-Beraters
AWG	Außenwirtschaftsgesetz
AWV	Außenwirtschaftsverordnung
BAFA	Bundesamt für Wirtschaft und Ausfuhrkontrolle
BaFin	Bundesanstalt für Finanzdienstleistungsaufsicht

Abkürzungsverzeichnis

BAG	Bundesarbeitsgericht
BAGE	Entscheidungen des Bundesarbeitsgerichts
BankArch	Bank-Archiv. Zeitschrift für Bank- und Börsenwesen
BankBiRiLiG	Bank-Bilanzrichtliniengesetz
BAnz.	Bundesanzeiger
BausparkG	Bausparkassengesetz
BAV	Bundesaufsichtsamt für das Versicherungswesen
BAWe	Bundesaufsichtsamt für den Wertpapierhandel
BayObLG	Bayerisches Oberstes Landesgericht
BayObLGZ	Entscheidungen des Bayerischen Obersten Landesgerichts in Zivilsachen
BB	Betriebs-Berater
BBankG	Bundesbankgesetz
BBergG	Bundesberggesetz
BBG	Bundesbeamtengesetz
Bd.	Band
BDSG	Bundesdatenschutzgesetz
BeckRS	Rechtsprechungssammlung in Beck-Online (Jahr, Nummer)
BEEG	Bundeselterngeld- und Elternzeitgesetz
Begr.	Begründung
Beil.	Beilage
Bek.	Bekanntmachung
bes.	besondere(r), besonders
betr.	betreffen(d), betrifft
BetrAVG	Gesetz zur Verbesserung der betrieblichen Altersversorgung
BetrVG	Betriebsverfassungsgesetz
BeurkG	Beurkundungsgesetz
BewG	Bewertungsgesetz
BezG	Bezirksgericht
BFH	Bundesfinanzhof
BFHE	Sammlung der Entscheidungen des Bundesfinanzhofs
BfJ	Bundesamt für Justiz
BFuP	Betriebswirtschaftliche Forschung und Praxis
BGB	Bürgerliches Gesetzbuch
BGBl.	Bundesgesetzblatt
BGE	Entscheidungen des Schweizerischen Bundesgerichts
BGH	Bundesgerichtshof
BGHSt	Entscheidungen des Bundesgerichtshofs in Strafsachen
BGHZ	Entscheidungen des Bundesgerichtshofs in Zivilsachen
BHO	Bundeshaushaltsordnung
Bilanz-RL	Richtlinie 2013/34/EU des Europäischen Parlaments und des Rates vom 26.6.2013 über den Jahresabschluss, den konsolidierten Abschluss und damit verbundene Berichte von Unternehmen bestimmter Rechtsformen und zur Änderung der Richtlinie 2006/43/EG des Europäischen Parlaments und des Rates und zur Aufhebung der Richtlinien 78/660/EWG und 83/349/EWG des Rates (ABl. EU 2013 L 182, 19)
BilKoG	Bilanzkontrollgesetz vom 15.12.2004 (BGBl. 2004 I 3408)

Abkürzungsverzeichnis

BilMoG	Bilanzrechtsmodernisierungsgesetz vom 25.5.2009 (BGBl. 2009 I 1102)
BilReG	Bilanzrechtsreformgesetz vom 4.12.2004 (BGBl. 2004 I 3166)
BilRUG	Bilanzrichtlinie-Umsetzungsgesetz vom 17.7.2015 (BGBl. 2015 I 1245)
BiRiLiG	Bilanzrichtliniengesetz vom 19.12.1985 (BGBl. 1985 I 2355)
BJR	Business Judgment Rule
BKR	Zeitschrift für Bank- und Kapitalmarktrecht
BMAG	Börsenmantelaktiengesellschaft
BMF	Bundesministerium der Finanzen
BMJ	Bundesministerium der Justiz
BNotO	Bundesnotarordnung
BörsZulV	Börsenzulassungsverordnung
BörsG	Börsengesetz
BR	Bundesrat
BRAO	Bundesrechtsanwaltsordnung
BR-Drs.	Bundesrats-Drucksache
BRHG	Gesetz über Errichtung und Aufgaben des Bundesrechnungshofes
BRRG	Beamtenrechtsrahmengesetz
BSG	Bundessozialgericht
BSGE	Entscheidungen des Bundessozialgerichts
BSIG	Gesetz über das Bundesamt für Sicherheit in der Informationstechnik
Bsp.	Beispiel(e)
BStBl	Bundessteuerblatt
BT-Drs.	Bundestags-Drucksache
BuB	Bankrecht und Bankpraxis
Buchst.	Buchstabe
BVA	Bundesverwaltungsamt
BVerfG	Bundesverfassungsgericht
BVerfGE	Entscheidungen des Bundesverfassungsgerichts
BVerwG	Bundesverwaltungsgericht
BVerwGE	Entscheidungen des Bundesverwaltungsgerichts
bzgl.	bezüglich
BZRG	Bundeszentralregistergesetz
bzw.	beziehungsweise
CCZ	Corporate Compliance Zeitschrift
CETA	Comprehensive Economic and Trade Agreement between Canada and the EU ABl. EG 2017 L 11, 23.
CFL	Corporate Finance law (Zeitschrift)
cic	culpa in contrahendo
COVFAG	Gesetz zur Abmilderung der Folgen der COVID-19-Pandemie im Zivil-, Insolenz- und Strafrecht vom 27.3.2020 (BGBl I 2020, 569)
COVInsAG	Gesetz zur vorübergehenden Aussetzung der Insolvenzantragspflicht und zur Begrenzung der Organhaftung bei einer durch die COVID-19-Pandemie bedingten Insolvenz – veröffentlicht als Art. 2 des COVFAG (BGBl I 2020, 569)

COVInsAG-Änderungsgesetz .... Gesetz zur Änderung des COVID-19-Insolvenzaussetzungsgesetzes vom 25.9.2020 (BGBl I 2020, 2016)
COVMG .... Gesetz über Maßnahmen im Gesellschafts-, Genossenschafts-, Vereins-, Stiftungs- und Wohnungseigentumsrecht zur Bekämpfung der Auswirkungen der COVID-19-Pandemie vom 27.3.2020 – veröffentlicht als Art. 2 des COVFAG (BGBl I 2020, 569)
CRD .... Capital Requirement Directive
CRR .... Verordnung (EU) 575/2013 des Europäischen Parlaments und des Rates vom 26.6.2013 über Aufsichtsanforderungen an Kreditinstitute und Wertpapierfirmen und zur Änderung der Verordnung (EU) Nr. 646/2012 (ABl. EU 2013 L 176, 1, berichtigt ABl. EU 2013 L 321, 6 und ABl. EU 2015 L 193, 166)
CSDD-RL-E .... Vorschlag der EU-Kommission für eine Richtlinie des Europäischen Parlaments und des Rates über die Sorgfaltspflichten von Unternehmen im Hinblick auf Nachhaltigkeit und zur Änderung der Richtlinie (EU) 2019/1937 vom 23.2.2022 – COM(2022), 71 final (Corporate Sustainability Due Diligence-Richtlinienentwurf)
CSRD-RL .... Richtlinie (EU) 2022/2464 des Europäischen Parlaments und des Rates vom 14. Dezember 2022 zur Änderung der Verordnung (EU) Nr. 537/2014 und der Richtlinien 2004/109/EG, 2006/43/EG und 2013/34/EU hinsichtlich der Nachhaltigkeitsberichterstattung von Unternehmen
CSR-RL .... Richtlinie 2014/95/EU des Europäischen Parlaments und des Rates vom 22.10.2014 zur Änderung der Richtlinie 2013/34/EU im Hinblick auf die Angabe nichtfinanzieller und die Diversität betreffender Informationen durch bestimmte große Unternehmen und Gruppen Text von Bedeutung für den EWR (ABl. EU 2014 L 330, 1)
CSR-RL-UG .... Gesetz zur Stärkung der nichtfinanziellen Berichterstattung der Unternehmen in ihren Lage- und Konzernberichten vom 11.4.2017 (BGBl. 2017 I 802)

DAV .... Deutscher Anwaltverein
DB .... Der Betrieb
DCGK .... Deutscher Corporate Governance Kodex
dgl. .... dergleichen
dementspr. .... dementsprechend
demgem. .... demgemäß
DepotG .... Depotgesetz
ders. .... derselbe, dieselbe
DGWR .... Deutsches Gemein- und Wirtschaftsrecht
dh .... das heißt
Digitalisierungs-RL .... Richtlinie (EU) 2019, 1151 des Europäischen Parlaments und des Rates vom 20. Juni 2019 zur Änderung der Richtlinie (EU) 2017/1132 im Hinblick auf den

	Einsatz digitaler Werkzeuge und Verfahren im Gesellschaftsrecht v. 20.6.2019, ABl. EU 2019 L 186, 80
DiREG	Gesetz zur Ergänzung der Regelungen zur Umsetzung der Digitalisierungsrichtlinie und zur Änderung weiterer Vorschriften v. 15.7.2022 (BGBl. 2022 I 1146)
DiRUG	Gesetz zur Umsetzung der Digitalisierungsrichtlinie vom 5.7.2021 (BGBl. 2021 I 3338)
Diss.	Dissertation
DJ	Deutsche Justiz
DJT	Deutscher Juristentag
DJZ	Deutsche Juristenzeitung
DLT	Distributed-Ledger-Technologie
DM-BilG	DM-Bilanzgesetz
DNotI	Deutsches Notarinstitut
DNotZ	Deutsche Notarzeitung
DöH	Der öffentliche Haushalt (Zeitschrift)
DÖV	Die öffentliche Verwaltung
DONot	Dienstordnung für Notare
DPR	Deutsche Prüfstelle für Rechnungslegung
DR	Deutsches Recht
DrittelbG	Drittelbeteiligungsgesetz
DRiZ	Deutsche Richterzeitung
DRS	Deutsche Rechnungslegungs Standards
DS-GVO	Verordnung (EU) 2016/679 des Europäischen Parlaments und des Rates vom 27.4.2016 zum Schutz natürlicher Personen bei der Verarbeitung personenbezogener Daten, zum freien Datenverkehr und zur Aufhebung der Richtlinie 95/46/EG (Datenschutz-Grundverordnung) vom 27.4.2016 (ABl. EU 2016 L 119, 1)
DSR	Deutscher Standardisierungsrat
DStBl	Deutsches Steuerblatt
DStR	Deutsches Steuerrecht
DStZ	Deutsche Steuer-Zeitung
DVBl	Deutsches Verwaltungsblatt
DZWir	Deutsche Zeitschrift für Wirtschaftsrecht
ebda.	ebenda
ECLI	European Case Law Identifier
EDV	elektronische Datenverarbeitung
EFG	Entscheidungen der Finanzgerichte
EFZG	Entgeltfortzahlungsgesetz
EG	Europäische Gemeinschaften; Vertrag zur Gründung der Europäischen Gemeinschaften
EGAktG	Einführungsgesetz zum Aktiengesetz
EGBGB	Einführungsgesetz zum Bürgerlichen Gesetzbuch
EGHGB	Einführungsgesetz zum Handelsgesetzbuch
EGInsO	Einführungsgesetz zur Insolvenzordnung
EGV	Vertrag zur Gründung der Europäischen Gemeinschaften
EHUG	Gesetz über elektronische Handelsregister und Genossenschaftsregister sowie das Unternehmensregister vom 10.11.2006 (BGBl. 2006 I 2553)

EigenbetriebsV	Eigenbetriebsverordnung
Eigenkapital-RL	Richtlinie 2013/36/EU des Europäischen Parlaments und des Rates von 26.6.2013 über den Zugang zur Tätigkeit von Kreditinstituten und die Beaufsichtigung von Kreditinstituten und Wertpapierfirmen, zur Änderung der Richtlinie 2002/87/EG und zur Aufhebung der Richtlinien 2006/48/EG und 2006/49/EG
Einf.	Einführung
Einl.	Einleitung
Einpersonen-Gesellschafts-RL	Richtlinie 2009/102/EG des Europäischen Parlaments und des Rates vom 16.9.2009 auf dem Gebiet des Gesellschaftsrechts betreffend Gesellschaften mit beschränkter Haftung mit einem einzigen Gesellschafter (ABl. EG 2009 L 258, 20)
einschr.	einschränkend
einstw.	einstweilig(e)
EnSiG	Gesetz zur Sicherung der Energieversorgung (Energiesicherungsgesetz)
Entspr.	Entsprechendes
entspr.	entsprechen(d), entspricht
E	Entwurf
EL	Ergänzungslieferung
ErgBd.	Ergänzungsband
Erl.	Erläuterung(en); Erlass
ErwG	Erwägungsgrund
ESG	Environmental, Social and Governance; Zeitschrift für nachhaltige Unternehmensführung
EStG	Einkommensteuergesetz
ESUG	Gesetz zur weiteren Erleichterung der Sanierung von Unternehmen vom 7.12.2011 (BGBl. 2011 I 2582)
EU	Europäische Union
EuGH	Europäischer Gerichtshof
EuroEG	Euro-Einführungsgesetz
Europ.	Europäisch
EU-Kapital-Ertragsteu-ernRL	Richtlinie 2008/7/EG des Rates vom 12.2.2008 betreffend die indirekten Steuern auf die Ansammlung von Kapital (ABl. EG 2008 L 46, 11)
EV	Einigungsvertrag
evtl.	eventuell
EWiR	Entscheidungen zum Wirtschaftsrecht
eWpG	Gesetz über elektronische Wertpapiere vom 3.6.2021 (BGBl. 2021 I 1423)
EWR	Europäischer Wirtschaftsraum (Abkommen)
EWS	Europäisches Wirtschafts- und Steuerrecht
EWWU	Europäische Wirtschafts- und Währungsunion
f., ff.	folgende
FamAusschuss	Familienausschuss
FamFG	Gesetz über das Verfahren in Familiensachen und in den Angelegenheiten der freiwilligen Gerichtsbarkeit
FamGKG	Gesetz über Gerichtskosten in Familiensachen

FAUB	Fachausschuss für Unternehmensbewertung und Betriebswirtschaft des IDW
FG	Fachgutachten; Festgabe; Finanzgericht
fG	freiwillige Gerichtsbarkeit
FGG	Gesetz über die Angelegenheiten der freiwilligen Gerichtsbarkeit, aufgehoben
FGG-ReformG	Gesetz zur Reform des Verfahrens in Familiensachen und in den Angelegenheiten der freiwilligen Gerichtsbarkeit vom 17.12.2008 (BGBl. 2008 I 2586)
FGPrax	Praxis der Freiwilligen Gerichtsbarkeit. Vereinigt mit OLGZ
FinMin/FM	Finanzministerium
FISG	Gesetz zur Stärkung der Finanzmarktintegrität vom 3.6.2021 (BGBl. 2021 I 1534)
FMS	Finanzmarktstabilisierungsfonds
FMStBG	Finanzmarktstabilisierungsbeschleunigungsgesetz vom 17.10.2008 (BGBl. 2008 I 1982; mittlerweile umbenannt in Wirtschaftsstabilisierungsbeschleunigungsgesetz – WiStBFG)
FMStFG	Finanzmarktstabilisierungsfondsgesetz vom 17.10.2008 (BGBl. 2008 I 1982; mittlerweile umbenannt in Stabilisierungsfondsgesetz – StFG)
FMStG	Finanzmarktstabilisierungsgesetz
FMStFV	Finanzmarktstabilisierungsfonds-Verordnung
Fn.	Fußnote
Form.	Formular
FormAnpG	Gesetz zur Anpassung der Formvorschriften des Privatrechts und anderer Vorschriften an den modernen Rechtsgeschäftsverkehr
FormblattVO	Formblattverordnung
FR	Finanz-Rundschau
FraktE	Fraktionsentwurf
Fraktionsbegr.	Fraktionsbegründung
FS	Festschrift
FüPoG I	Gesetz für die gleichberechtigte Teilhabe von Frauen und Männern an Führungspositionen in der Privatwirtschaft und im öffentlichen Dienst vom 24.4.2015 (BGBl. 2015 I 642)
FüPoG II	Gesetz zur Ergänzung und Änderung der Regelungen für die gleichberechtigte Teilhabe von Frauen an Führungspositionen in der Privatwirtschaft und im öffentlichen Dienst vom 7.8.2021 (BGBl. 2021 I 3311)
GastG	Gaststättengesetz
GBO	Grundbuchordnung
GbR	Gesellschaft bürgerlichen Rechts
GebrMG	Gebrauchsmustergesetz
4. Geldwäsche-RL	Richtlinie (EU) 2015/849 des Europäischen Parlaments und des Rates vom 20.5.2015 zur Verhinderung der Nutzung des Finanzsystems zum Zwecke der Geldwäsche und der Terrorismusfinanzierung, zur Änderung der Verordnung (EU) Nr. 648/2012 des Europäischen Parlaments und des Rates und zur

	Aufhebung der Richtlinie 2005/60/EG des Europäischen Parlaments und des Rates und der Richtlinie 2006/70/EG der Kommission (ABl. EU 2015 L 141, 73)
5. Geldwäsche-RL	Richtlinie (EU) 2018/843 des Europäischen Parlaments und des Rates vom 30.5.2018 zur Änderung der Richtlinie (EU) 2015/849 zur Verhinderung der Nutzung des Finanzsystems zum Zwecke der Geldwäsche und der Terrorismusfinanzierung und zur Änderung der Richtlinien 2009/138/EG und 2013/36/EU (ABl. EU 2018 L 156, 43)
gem.	gemäß
GenG	Genossenschaftsgesetz
gerichtl.	gerichtlich
Ges.	Gesetz(e)
ges.	gesetzlich
GES	Zeitschrift für Gesellschaftsrecht (Österreich)
GesR	Gesellschaftsrecht
GESRBLOG	Blog Gesellschaftsrecht Dr. Otto Schmidt; abrufbar unter https://blog.otto-schmidt.de/gesellschaftsrecht/
GesRGenCOVMVV	Verordnung zur Verlängerung von Maßnahmen im Gesellschafts-, Genossenschafts-, Vereins- und Stiftungsrecht zur Bekämpfung der Auswirkungen der COVID-19-Pandemie vom 20.10.2020 (BGBl. 2020 I 2258)
GesR-RL	Richtlinie (EU) 2017/1132 des Europäischen Parlaments und des Rates vom 14.6.2017 über bestimmte Aspekte des Gesellschaftsrechts (ABl. EU 2017 L 169, 46)
GesRZ	Der Gesellschafter. Zeitschrift für Gesellschaftsrecht (Österreich)
GewArch	Gewerbearchiv. Zeitschrift für Wirtschaftsverwaltungsrecht
GewO	Gewerbeordnung
GewStG	Gewerbesteuergesetz
ggf.	gegebenenfalls
ggü.	gegenüber
GHH	Der Gemeindehaushalt (Zeitschrift)
GKG	Gerichtskostengesetz
glA	gleicher Ansicht
GmbH	Gesellschaft mit beschränkter Haftung
GmbHG	Gesetz betreffend die Gesellschaften mit beschränkter Haftung
GmbHR	GmbH-Rundschau
GNotKG	Gesetz über Kosten der freiwilligen Gerichtsbarkeit für Gerichte und Notare
GO	Gemeindeordnung
GoB	Grundsätze ordnungsmäßiger Buchführung
grds.	grundsätzlich
GRUR	Gewerblicher Rechtsschutz und Urheberrecht (Zeitschrift)
GS	Gedächtnisschrift; Gesammelte Schriften; Großer Senat; Grundsatz (iSd DCGK)

gutgl.	gutgläubig
GuV	Gewinn- und Verlustrechnung
GV	Gebührenverzeichnis
GVG	Gerichtsverfassungsgesetz
GWB	Gesetz gegen Wettbewerbsbeschränkungen
GwG	Geldwäschegesetz
HansRGZ	Hanseatische Rechts- und Gerichtszeitschrift
HdB	Handbuch
HFA	Hauptfachausschuss
HGB	Handelsgesetzbuch
HGrG	Haushaltsgrundsätzegesetz
HinSchG	Hinweisgeberschutzgesetz vom 31.5.2023 (BGBl. 2023 I 140)
HintG	Hinterlegungsgesetz
HintO	Hinterlegungsordnung, aufgehoben
HKWP	Handbuch der kommunalen Wissenschaft und Praxis
hL	herrschende Lehre
hLit	herrschende Literatur
hM	herrschende Meinung
HR	Handelsregister
HRefG	Handelsrechtsreformgesetz vom 22.6.1998 (BGBl. 1998 I 1474)
HRegGebV	Handelsregistergebührenverordnung
HRR	Höchstrichterliche Rechtsprechung
Hrsg.	Herausgeber
HRV	Handelsregisterverfügung
Hs.	Halbsatz
HV	Hauptversammlung
HwO	Handwerksordnung
idF	in der Fassung
idR	in der Regel
IdW	Institut der Wirtschaftsprüfer
iE	im Einzelnen
iErg	im Ergebnis
ieS	im engeren Sinne
iGgs	im Gegensatz
IHK	Industrie- und Handelskammer
insbes.	insbesondere
insges.	insgesamt
InsO	Insolvenzordnung
int.	international
IPRax	Praxis des internationalen Privat- und Verfahrensrechts
IPRG	Gesetz zur Neuregelung des Internationalen Privatrechts
iR	im Rahmen
iRd	im Rahmen des (der)
iSd	im Sinne des (der)
iSv	im Sinne von
iÜ	im Übrigen
iVm	in Verbindung mit

iwS .... im weiteren Sinne
iZw .... im Zweifel

JbFSt .... Jahrbuch der Fachanwälte für Steuerrecht
JFG .... Jahrbuch für Entscheidungen in Angelegenheiten der freiwilligen Gerichtsbarkeit und des Grundbuchrechts
JMBl .... Justizministerialblatt
JR .... Juristische Rundschau
jur. .... juristisch
JurBüro .... Das juristische Büro
JuS .... Juristische Schulung
Justiz .... Die Justiz (Zeitschrift)
JVEG .... Justizvergütungs- und Entschädigungsgesetz
JW .... Juristische Wochenschrift
JZ .... Juristenzeitung

KAGB .... Kapitalanlagegesetzbuch
Kap. .... Kapitel
KapCoRiLiG .... Kapitalgesellschaften- und Co-Richtlinie-Gesetz
KapErhG .... Kapitalerhöhungsgesetz
KapErhStG .... Gesetz über steuerrechtliche Maßnahmen bei Erhöhung des Nennkapitals aus Gesellschaftsmitteln
Kapital-RL .... Richtlinie 2012/30/EU des Europäischen Parlaments und des Rates vom 25.10.2012 zur Koordinierung der Schutzbestimmungen, die in den Mitgliedstaaten den Gesellschaften im Sinne des Art. 54 Abs. 2 des Vertrages über die Arbeitsweise der Europäischen Union im Interesse der Gesellschafter sowie Dritter für die Gründung der Aktiengesellschaft sowie für die Erhaltung und Änderung ihres Kapitals vorgeschrieben sind, um diese Bestimmungen gleichwertig zu gestalten (ABl. EU 2012 L 315, 74); aufgehoben mit Ablauf des 19.7.2017 durch Art. 166 GesR-RL
KfH .... Kammer für Handelssachen
KG .... Kammergericht; Kommanditgesellschaft
KGaA .... Kommanditgesellschaft auf Aktien
KGJ .... Jahrbuch für Entscheidungen des Kammergerichts in Sachen der freiwilligen Gerichtsbarkeit in Kosten-, Stempel- und Strafsachen
KI .... Kreditinstitut; künstliche Intelligenz
KonsularG .... Konsulargesetz
KonTraG .... Gesetz zur Kontrolle und Transparenz im Unternehmensbereich vom 27.4.1998 (BGBl. 1998 I 786)
Konzern .... Der Konzern (Zeitschrift)
KoR .... Zeitschrift für internationale und kapitalmarktorientierte Rechnungslegung
KostO .... Kostenordnung, aufgehoben
KostRMoG .... Gesetz zur Modernisierung des Kostenrechts
KostRspr .... Kostenrechtsprechung (Nachschlagewerk)
KredAufwErsVO .... Verordnung über den Ersatz von Aufwendungen der Kreditinstitute vom 17.6.2003 (BGBl. 2003 I 885)
KrG .... Kreisgericht
krit. .... kritisch

Abkürzungsverzeichnis

KSchG	Kündigungsschutzgesetz
KStG	Körperschaftsteuergesetz
KStR	Körperschaftsteuerrichtlinien
KSzW	Kölner Schrift zum Wirtschaftsrecht
KTS	Zeitschrift für Insolvenzrecht, Konkurs/Treuhand/Sanierung
KV	Kostenverzeichnis
KVStG	Kapitalverkehrsteuergesetz, aufgehoben
KVStDVO	Kapitalverkehrsteuer-Durchführungsverordnung, aufgehoben
KWG	Kreditwesengesetz
KYC	Know your customer
LAG	Landesarbeitsgericht
LBG	Landesbeamtengesetz
LID	Lead Independent Director
LG	Landgericht
LHO	Landeshaushaltsordnung
LkSG	Gesetz über die unternehmerischen Sorgfaltspflichten zur Vermeidung von Menschenrechtsverletzungen in Lieferketten vom 16.7.2021 (Lieferkettensorgfaltspflichtengesetz – BGBl. 2021 I 2959 ff.)
Lit.	Literatur
lit.	litera
LM	Nachschlagewerk des Bundesgerichtshofs, hrsg. von Lindenmaier, Möhring ua
LPartG	Gesetz über die Eingetragene Lebenspartnerschaft
Ls.	Leitsatz
LZ	Leipziger Zeitschrift für deutsches Recht
LZB	Landeszentralbank
MarkenG	Markengesetz
mAnm	mit Anmerkung
MAR	Verordnung (EU) 596/2014 des Europäischen Parlaments und des Rates vom 16.4.2014 über Marktmissbrauch (Marktmissbrauchsverordnung) und zur Aufhebung der Richtlinie 2003/6/EG des Europäischen Parlaments und des Rates und der Richtlinien 2003/124/EG, 2003/125/EG und 2004/72/EG der Kommissionzur Fussnote (ABl. EU L 173, 1, ber. ABl. EU 2016 L 287, 320 und ABl. EU 2016 L 348, 83)
maW	mit anderen Worten
MDR	Monatsschrift für deutsches Recht
MgFSG	Gesetz über die Mitbestimmung der Arbeitnehmer bei grenzüberschreitendem Formwechsel
MgVG	Gesetz über die Mitbestimmung der Arbeitnehmer bei einer grenzüberschreitenden Verschmelzung
MicroBilG	Kleinstkapitalgesellschaften-Bilanzrechtsänderungsgesetzes vom 20.12.2012 (BGBl. 2012 I 2751)
MinBlFin	Ministerialblatt des Bundesministers der Finanzen
Mio.	Million(en)
MitbestErgG	Mitbestimmungsergänzungsgesetz

MitbestG	Mitbestimmungsgesetz
MittBayNot	Mitteilungen der Bayerischen Notarkammer
MittRhNotK	Mitteilungen der Rheinischen Notarkammer
MiZi	Allgemeine Verfügung über Mitteilungen in Zivilsachen
MMVO	s. MAR
mN	mit Nachweisen
Mobilitäts-RL	s. Umwandlungs-RL
MoMiG	Gesetz zur Modernisierung des GmbH-Rechts und zur Bekämpfung von Missbräuchen vom 23.10.2008 (BGBl. 2008 I 2026)
MontanMitbestG	Montan-Mitbestimmungsgesetz
MoPeG	Gesetz zur Modernisierung des Personengesellschaftsrechts v. 10.8.2021 (BGBl. 2021 I Nr. 53, S. 3436)
Mot.	Motive
Mrd.	Milliarde(n)
MuSchG	Mutterschutzgesetz
mwN	mit weiteren Nachweisen
NachhBG	Nachhaftungsbegrenzungsgesetz
Nachtr.	Nachtrag
Nachw.	Nachweis(e)
namentl.	namentlich
NaStraG	Namensaktiengesetz vom 18.1.2001 (BGBl. 2001 I 123)
nat.	national
NdsRPfl	Niedersächsische Rechtspflege
nF	neue Fassung
NJW	Neue Juristische Wochenschrift
NJW-RR	NJW-Rechtsprechungs-Report Zivilrecht
NLF	Niederlassungsfreiheit
Nr.	Nummer(n)
Nv	nicht veröffentlicht
N. V.	Naamloze Vennootschap
NW	Nordrhein-Westfalen
NWVBl	Nordrhein-Westfälische Verwaltungsblätter
NZA	Neue Zeitschrift für Arbeitsrecht
NZG	Neue Zeitschrift für Gesellschaftsrecht
o.	oben
oÄ	oder Ähnliches
obj.	objektiv
öffentl.	öffentlich
öOGH	Oberster Gerichtshof (Österreich)
örtl.	Örtlich
österr.	österreichisch
OFD	Oberfinanzdirektion
Offenlegungs-VO	Verordnung (EU) 2019/2088 des Europäischen Parlaments und des Rates vom 27.11.2019 über nachhaltigkeitsbezogene Offenlegungspflichten im Finanzdienstleistungssektor, ABl. EU 2019, L 317, 1
OGAW	Organismen für gemeinsame Anlagen in Wertpapieren

OGHZ .... Entscheidungen des obersten Gerichtshofs für die britische Zone in Zivilsachen
OHG .... Offene Handelsgesellschaft
OLG .... Oberlandesgericht
OLGRspr .... Die Rechtsprechung der Oberlandesgerichte auf dem Gebiet des Zivilrechts
OLGZ .... Entscheidungen der Oberlandesgerichte in Zivilsachen einschließlich der freiwilligen Gerichtsbarkeit
OWi .... Ordnungswidrigkeit
OWiG .... Gesetz über Ordnungswidrigkeiten

PAO .... Patentanwaltsordnung
PatG .... Patentgesetz
PCGK .... Public Corporate Governance Kodex
PersBefG .... Personenbeförderungsgesetz
PfandBG .... Pfandbriefgesetz
PflegeZG .... Pflegezeitgesetz
plc .... public limited company
Prospekt-RL .... Richtlinie 2003/71/EG des Europäischen Parlaments und des Rates vom 4.11.2003 betreffend den Prospekt, der beim öffentlichen Angebot von Wertpapieren oder bei deren Zulassung zum Handel zu veröffentlichen ist, und zur Änderung der Richtlinie 2001/34/EG (ABl. EG 2003 L 345, 64, berichtigt ABl. EU 2014 L 218, 8), aufgehoben mit Ablauf des 20.7.2019 durch Art. 46 VO (EU) 2017/1129
Prospekt-VO .... Verordnung (EU) 2017/1129 des Europäischen Parlaments und des Rates vom 14.6.2017 über den Prospekt, der beim öffentlichen Angebot von Wertpapieren oder bei deren Zulassung zum Handel an einem geregelten Markt zu veröffentlichen ist und zur Aufhebung der Richtlinie 2003/71/EG (ABl. EU 2017 L 168, 12)
PublG .... Publizitätsgesetz
Publizitäts-RL .... Richtlinie 2009/101/EG des Europäischen Parlaments und des Rates vom 16.9.2009 zur Koordinierung der Schutzbestimmungen, die in den Mitgliedstaaten den Gesellschaften im Sinne des Art. 48 Abs. 2 des Vertrags im Interesse der Gesellschafter sowie Dritter vorgeschrieben sind, um diese Bestimmungen gleichwertig zu gestalten (ABl. EG 2009 L 258, 11), aufgehoben mit Ablauf des 19.7.2017 durch Art. 166 GesR-RL)
pVV .... positive Vertragsverletzung

RAnz .... Reichsanzeiger
RAusschuss .... Rechtsausschuss
RDi .... Recht Digital
RdL .... Recht der Landwirtschaft (Zeitschrift)
RdW .... (Österreichisches) Recht der Wirtschaft
Recht .... Das Recht (Zeitschrift)
RegBegr. .... Regierungsbegründung
RegE .... Regierungsentwurf

RegVerknüpfUmsetzG	Gesetz v. 22.12.2014 zur Umsetzung der RL 2012/17/EU in Bezug auf die Verknüpfung von Zentral-, Handels- und Gesellschaftsregistern in der EU (BGBl. 2014 I 2409)
REIT	Gesetz über deutsche Immobilien-Aktiengesellschaften mit börsennotierten Anteilen
RestrukturierungsG	Gesetz zur Restrukturierung und geordneten Abwicklung von Kreditinstituten, zur Errichtung eines Restrukturierungsfonds für Kreditinstitute und zur Verlängerung der Verjährungsfrist der aktienrechtlichen Organhaftung
Restrukturierungs-RL	Richtlinie (EU) 2019/1023 des Europäischen Parlaments und des Rates vom 20.6.2019 über präventive Restrukturierungsrahmen, über Entschuldung und über Tätigkeitsverbote sowie über Maßnahmen zur Steigerung der Effizienz von Restrukturierungs-, Insolvenz- und Entschuldungsverfahren und zur Änderung der Richtlinie (EU) 2017/1132 (ABl. EG 2019 L 172, 18)
RFamU	Recht der Familienunternehmen
RFH	Reichsfinanzhof
RFHE	Entscheidungen des Reichsfinanzhofs
RG	Reichsgericht
RGBl	Reichsgesetzblatt
RGeschäft	Rechtsgeschäft
RGSt	Entscheidungen des Reichsgerichts in Strafsachen
RGZ	Entscheidungen des Reichsgerichts in Zivilsachen
RHO	Reichshaushaltsordnung
RisikobegrenzungsG	Gesetz zur Begrenzung der mit Finanzinvestitionen verbundenen Risiken (Risikobegrenzungsgesetz) vom 12.8.2008 (BGBl. 2008 I 1666)
RIW	Recht der internationalen Wirtschaft
RJA	Entscheidungen in Angelegenheiten der freiwilligen Gerichtsbarkeit und des Grundbuchrechts, zusammengestellt im Reichsjustizamt
RJM	Reichsjustizministerium
RL 91/674/EWG	Richtlinie 91/674/EWG des Rates vom 19.12.1991 über den Jahresabschluss und den konsolidierten Abschluss von Versicherungsunternehmen (ABl. EG 1991 L 374, 7)
RL 2006/43/EG	Richtlinie 2006/43/EG des Europäischen Parlaments und des Rates vom 17.5.2006 über Abschlussprüfungen von Jahresabschlüssen und konsolidierten Abschlüssen, zur Änderung der Richtlinien 78/660/EWG und 83/349/EWG des Rates und zur Aufhebung der Richtlinie 84/253/EWG des Rates (ABl. EG 2006 L 157, 87)
RL 2009/138/EG	Richtlinie 2009/138/EG des Europäischen Parlaments und des Rates vom 25.11.2009 betreffend die Aufnahme und Ausübung der Versicherungs- und der Rückversicherungstätigkeit (Solvabilität II-RL) (ABl. EG 2009 L 335, 1, berichtigt ABl. EU 2014 L 219, 66)

Abkürzungsverzeichnis

Rn.	Randnummer(n)
RNotZ	Rheinische Notar-Zeitschrift
ROHG	Reichsoberhandelsgericht
ROHGE	Entscheidungen des Reichsoberhandelsgerichts
RPfl	Der deutsche Rechtspfleger
RPflG	Rechtspflegergesetz
Rspr.	Rechtsprechung
RStBl	Reichssteuerblatt
RT-Drs.	Reichstags-Drucksache
RVG	Rechtsanwaltsvergütungsgesetz
S.	Satz; Seite
s.	siehe
sa	siehe auch
SAG	Gesetz zur Sanierung und Abwicklung von Instituten und Finanzgruppen (Sanierungs- und Abwicklungsgesetz) vom 10.12.2014 (BGBl. 2014 I 2091)
SAG	Die Schweizerische Aktiengesellschaft
SanInsFoG	Gesetz zur Fortentwicklung des Sanierungs- und Insolvenzrechts vom 22.12.2020 (BGBl. 2020 I 3256)
SCE	Statut der Europäischen Genossenschaft
SCEAG	SCE-Ausführungsgesetz
ScheckG	Scheckgesetz
SchlHA	Schleswig-Holsteinische Anzeigen
SE	Societas Europaea
SE-VO	Verordnung (EG) 2157/2001 des Rates vom 8.10.2001 über das Statut der Europäischen Gesellschaft (SE) (ABl. EG 2001 L 294, 1)
SEAG	SE-Ausführungsgesetz
SEEG	SE-Einführungsgesetz
SeuffArch	Seufferts Archiv für Entscheidungen der obersten Gerichte in den deutschen Staaten
SG	Sicherungsgeber
SGB	Sozialgesetzbuch
SH	Sonderheft
sinngem.	sinngemäß
SJZ	Süddeutsche Juristenzeitung
Slg.	Sammlung
SN	Sicherungsnehmer
so	siehe oben
sog	so genannt
SozPraxis	Soziale Praxis (Zeitschrift)
Sp.	Spalte
SPAC	Special Purpose Acquisition Company
Spaltungs-RL	Sechste Richtlinie 82/891/EWG des Rates vom 17.12.1982 gemäß Art. 54 Abs. 3 Buchstabe g) des Vertrages betreffend die Spaltung von Aktiengesellschaften (ABl. EG 1982 L 378, 47); aufgehoben mit Ablauf des 19.7.2017 durch Art. 166 GesR-RL
SprAuG	Sprecherausschussgesetz
SpruchG	Spruchverfahrensgesetz
SpV	Spektrum für VersicherungsrechtStÄndG Steueränderungsgesetz

StaRUG	Gesetz über den Stabilisierungs- und Restrukturierungsrahmen für Unternehmen, eingeführt als Art. 1 SanInsFoG
stat.	statistisch
StBerG	Steuerberatungsgesetz; Steuerbereinigungsgesetz
StFG	Stabilisierungsfondsgesetz, eingeführt als Art. 1 WStFG
StGB	Strafgesetzbuch
StPO	Strafprozessordnung
str.	streitig
STP	Straight-Through-Processing
StReformG	Steuerreformgesetz
stRspr	ständige Rechtsprechung
StückAG	Stückaktiengesetz
StuW	Steuer und Wirtschaft
su	siehe unten
subj.	subjektiv
SÜ	Sicherungsübereignung
Tab.	Tabelle
tats.	tatsächlich
Taxonomie-VO	Verordnung (EU) 2020/852 des Europäischen Parlaments und des Rates vom 18.6.2020 über die Einrichtung eines Rahmens zur Erleichterung nachhaltiger Investitionen und zur Änderung der Verordnung (EU) 2019/2088, ABl. EU 2020, L 198, 13
TBelV	Transparenzregisterbeleihungsverordnung
teilw.	teilweise
TOP	Tagesordnungspunkt
Transparenz-RL	Richtlinie 2004/109/EU des Europäischen Parlaments und des Rates vom 15.12.2004 zur Harmonisierung der Transparenzanforderungen in Bezug auf Informationen über Emittenten, deren Wertpapiere zum Handel auf einem geregelten Markt zugelassen sind (ABl. EU 2004 L 390, 38)
TransPuG	Gesetz zur weiteren Reform des Aktien- und Bilanzrechts, zu Transparenz und Publizität vom 19.7.2002 (BGBl. 2002 I 2681)
TrG	Treuhandgesetz
TUG	Transparenzrichtlinie-Umsetzungsgesetz
Tz.	Textziffer
TzBfG	Gesetz über Teilzeitarbeit und befristete Arbeitsverträge
u.	unten
ua	und andere; unter anderem
UAbs.	Unterabsatz
uÄ	und Ähnliche(s)
Übernahme-RL	Richtlinie 2004/25/EG des Europäischen Parlaments und des Rates betreffend Übernahmeangebote vom 21.4.2004 (ABl. EG 2004 L 142, 12)
Ubg	Die Unternehmensbesteuerung (Zeitschrift)
UBGG	Gesetz über Unternehmensbeteiligungsgesellschaften vom 9.9.1998 (BGBl. 1998 I 765)

Abkürzungsverzeichnis

UG .... Umsetzungsgesetz
UKuR .... Ukraine-Krieg und Recht (Zeitschrift)
UMAG .... Gesetz zur Unternehmensintegrität und Modernisierung des Anfechtungsrechts vom 22.9.2005 (BGBl. 2005 I 2802)
UmRUG .... Gesetz zur Umsetzung der Umwandlungsrichtlinie und zur Änderung weiterer Gesetze vom 22.2.2023 (BGBl. 2023 I Nr. 51)
UmRUGMitbestG ..... Gesetz zur Umsetzung der Bestimmungen der Umwandlungsrichtlinie über die Mitbestimmung der Arbeitnehmer bei grenzüberschreitenden Umwandlungen, Verschmelzungen und Spaltungen vom 13.1.2023 (BGBl. 2023 I Nr. 10)
Umwandlungs-RL ..... Richtlinie (EU) 2019/2121 des Europäischen Parlaments und des Rates vom 27.11.2019 zur Änderung der Richtlinie (EU) 2017/1132 in Bezug auf grenzüberschreitende Umwandlungen, Verschmelzungen und Spaltungen (ABl. EU 2019 L 321, 1)
UmwBerG .... Umwandlungsbereinigungsgesetz
UmwG .... Umwandlungsgesetz
UmwR .... Umwandlungsrecht
UmwStG .... Umwandlungssteuergesetz
uneinheitl. .... uneinheitlich
unstr. .... unstreitig
unzutr. .... unzutreffend
UStG .... Umsatzsteuergesetz
uU .... unter Umständen
UWG .... Gesetz gegen den unlauteren Wettbewerb

VA .... Verwaltungsakt
VAG .... Versicherungsaufsichtsgesetz
Var. .... Variante
VerBAV .... Veröffentlichungen des Bundesaufsichtsamtes für das Versicherungswesen
Verf. .... Verfasser
VermAnlG .... Vermögensanlagengesetz
VermRÄndG .... Vermögensrechtsänderungsgesetz
Verschmelzungs-RL ... Richtlinie 2011/35/EU des Europäischen Parlaments und des Rates vom 5.4.2011 über die Verschmelzung von Aktiengesellschaften (ABl. EU 2011 L 110, 1); aufgehoben mit Ablauf des 19.7.2017 durch Art. 166 GesR-RL
VersR .... Versicherungsrecht
VersRiLiG .... Versicherungsbilanzrichtlinie-Gesetz
VerwArch .... Verwaltungsarchiv
VglO .... Vergleichsordnung, aufgehoben
vHV .... virtuelle Hauptversammlung
VHVG .... Gesetz zur Einführung virtueller Hauptversammlungen von Aktiengesellschaften und Änderung genossenschafts- sowie insolvenz- und restrukturierungsrechtlicher Vorschriften vom 20.7.2022 (BGBl. 2022 I 1166)

VkBkmG	Gesetz über die Verkündung von Rechtsverordnungen und Bekanntmachungen
VO	Verordnung
Vorb.	Vorbemerkung(en)
VorstAG	Gesetz zur Angemessenheit der Vorstandsvergütung vom 31.7.2009 (BGBl. 2009 I 2509)
VorstOG	Gesetz über die Offenlegung von Vorstandsvergütungen vom 3.8.2005 (BGBl. 2005 I 2267)
VVG	Versicherungsvertragsgesetz
VwGO	Verwaltungsgerichtsordnung
Warn	Warneyer's Rechtsprechung (Entscheidungssammlung)
WBRL	Richtlinie (EU) 2019/1937 des Europäischen Parlaments und des Rates zum Schutz von Personen, die Verstöße gegen das Unionsrecht melden, vom 23.10.2019 (Whistleblower-Richtlinie – ABl. EG 2019 L 305)
WG	Wechselgesetz
WiB	Wirtschaftsrechtliche Beratung
WiGBl	Gesetzblatt der Verwaltung des Vereinigten Wirtschaftsgebietes
WM	Wertpapier-Mitteilungen
wN	weitere Nachweise
WPg	Die Wirtschaftsprüfung
WP-HdB	Handbuch der Wirtschaftsprüfung
WpHG	Wertpapierhandelsgesetz
WpIG	Wertpapierinstitutsgesetz, eingeführt als Art. 1 des Gesetzes zur Umsetzung der RL (EU) 2019/2034 über die Beaufsichtigung von Wertpapierinstituten vom 12.5.2021 (BGBl. 2021 I 990)
WPO	Wirtschaftsprüferordnung
WpPG	Wertpapierprospektgesetz
WpÜG	Wertpapiererwerbs- und Übernahmegesetz
WpÜG-AV	Verordnung über den Inhalt der Angebotsunterlage, die Gegenleistung bei Übernahmeangeboten und Pflichtangeboten und die Befreiung von der Verpflichtung zur Veröffentlichung und zur Abgabe eines Angebotes
WRP	Wettbewerb in Recht und Praxis
WStBG	Wirtschaftsstabilisierungsbeschleunigungsgesetz, eingeführt als Art. 2 WStFG
WSF	Wirtschaftsstabilisierungsfonds
WStFG	Gesetz zur Errichtung eines Wirtschaftsstabilisierungsfonds (Wirtschaftsstabilisierungsfondsgesetz – WStFG) vom 27.3.2020 (BGBl. 2020 I 543)
WuB	Entscheidungssammlung zum Wirtschafts- und Bankrecht
XAI	eXplainable Artificial Intelligence
ZAkDR	Zeitschrift der Akademie für Deutsches Recht
ZBB	Zeitschrift für Bankrecht und Bankwirtschaft

Abkürzungsverzeichnis

ZBlHR .... Zentralblatt für Handelsrecht
ZCG .... Zeitschrift für Corporate Governance
zfbf .... Schmalenbachs Zeitschrift für betriebswirtschaftliche Forschung
ZfPW .... Zeitschrift für die gesamte Privatrechtswissenschaft
ZfgG .... Zeitschrift für das gesamte Genossenschaftswesen
ZfK .... Zeitschrift für das gesamte Kreditwesen
zgDr .... zugunsten Dritter
ZGR .... Zeitschrift für Unternehmens- und Gesellschaftsrecht
ZHR .... Zeitschrift für das gesamte Handels- und Wirtschaftsrecht
Ziff. .... Ziffer(n)
ZInsO .... Zeitschrift für das gesamte Insolvenzrecht
ZIP .... Zeitschrift für Wirtschaftsrecht
ZIR .... Zeitschrift für interne Revision
ZKW .... Zeitschrift für das gesamte Kreditwesen
ZNotP .... Zeitschrift für die NotarPraxis
ZögU .... Zeitschrift für öffentliche und gemeinwirtschaftliche Unternehmen
ZPG .... Zeitschrift für das Recht der Personengesellschaften und Einzelunternehmen
ZPO .... Zivilprozessordnung
ZRI .... Zeitschrift für Restrukturierung und Insolvenz
ZSEG .... Gesetz über die Entschädigung von Zeugen und Sachverständigen, aufgehoben
ZSR .... Zeitschrift für Schweizerisches Recht
zT .... zum Teil
ZuFinG .... Gesetz zur Finanzierung von zukunftssichernden Investitionen v. 11.12.2023 (BGBl. 2023 I Nr. 354)
zust. .... zustimmend
ZustErgG .... Zuständigkeitsergänzungsgesetz
zutr. .... zutreffend
ZVertriebsR .... Zeitschrift für Vertriebsrecht
ZVG .... Zwangsversteigerungsgesetz
Zweigniederlassungs-RL .... Elfte Richtlinie 89/666/EWG des Rates vom 21.12.1989 über die Offenlegung von Zweigniederlassungen, die in einem Mitgliedstaat von Gesellschaften bestimmter Rechtsformen errichtet wurden, die dem Recht eines anderen Staates unterliegen (ABl. EG 1989 L 395, 36), aufgehoben mit Ablauf des 19.7.2017 durch Art. 166 GesR-RL
ZZP .... Zeitschrift für Zivilprozess

Literaturverzeichnis

Adler, H./Düring, W./Schmaltz, K. Rechnungslegung und Prüfung der Unternehmen, 6. Aufl., Stuttgart 1995 ff.; zitiert: ADS

Altmeppen, Holger Gesetz betreffend die Gesellschaften mit beschränkter Haftung, Kommentar, 11. Aufl., München 2023; zitiert: Altmeppen GmbHG

Angerer, Lutz/Brandi, Tim Oliver/Süßmann, Rainer Wertpapiererwerbs- und Übernahmegesetz (WpÜG), 4. Aufl., München 2023; zitiert: Angerer/Brandi/Süßmann/Bearbeiter

Assmann, Heinz Dieter/Schneider, Uwe H./Mülbert, Peter Wertpapierhandelsrecht, Kommentar, 7. Aufl., Köln 2019; zitiert: Assmann/Schneider/Mülbert/Bearbeiter WpHR

Assmann, Heinz Dieter/Pötzsch, Thorsten/Schneider, Uwe H. (Hrsg.) Wertpapiererwerbs- und Übernahmegesetz, 3. Aufl., Köln 2019; zitiert: Assmann/Pötzsch/Schneider/Bearbeiter WpÜG

Backhaus, Richard/Tielmann, Jörgen (Hrsg.) Der Aufsichtsrat, 2. Aufl., München 2023 (zitiert: Backhaus/Tielmann AR/Bearbeiter)

Baumbach, Adolf/Hopt, Klaus J. Handelsgesetzbuch (ohne Seerecht), Kommentar, 39. Aufl., München 2020; zitiert: Baumbach/Hopt/Bearbeiter HGB (seit der 40. Aufl.: Hopt)

Baumbach, Adolf/Hueck, Alfred Aktiengesetz, Kommentar, 13. Aufl., München 1968, ergänzt 1970; zitiert: Baumbach/Hueck

Baumbach, Adolf/Hueck, Alfred GmbH-Gesetz, Kommentar, 22. Aufl., München 2019; zitiert: Baumbach/Hueck/Bearbeiter GmbHG (seit der 23. Aufl.: Noack/Servatius/Haas)

Beck'scher Bilanzkommentar Handels- und Steuerbilanz, 13. Aufl., München 2022; zitiert: BeBiKo/Bearbeiter

Beck'scher Online-Großkommentar, Zivilrecht hrsg. v. Gsell, Beate/Krüger, Wolfgang/Lorenz, Stephan/Reymann, Christoph, München; Aktienrecht hrsg. v. Henssler, Martin; zitiert: BeckOGK/Bearbeiter – Bearbeitungsstand: 1.10.2023; für das AktG zitiert nach Druckausgabe, 5. Aufl., 2022, sofern keine gesonderte Aktualisierungsangabe erfolgt

Beck'scher Online-Kommentar zum FamFG hrsg. v. Hahne, Meo-Micaela/Schlögel, Jürgen/Schlünder, Rolf, 48. Edition, München 2023; zitiert: BeckOK FamFG/Bearbeiter

Beck'scher Online-Kommentar zum GwG hrsg. v. Frey, Tobias/Pelz, Christian, 15. Edition, München 2023; zitiert: BeckOK GwG/Bearbeiter

Beck'sches Handbuch der AG hrsg. v. Drinhausen, Florian/Eckstein, Hans-Martin, 3. Aufl., München, 2018; zitiert: BeckHdB AG/Bearbeiter

Braun, Eberhard Insolvenzordnung, Kommentar, 9. Aufl., München 2022; zitiert: Braun/Bearbeiter

Bürgers, Tobias/Fett, Thorsten Die Kommanditgesellschaft auf Aktien. Handbuch mit Mustern, 3. Aufl., München 2022; zitiert: Bürgers/Fett/Bearbeiter HdB KGaA

Bürgers, Tobias/Körber, Torsten/Lieder, Jan Aktiengesetz, Kommentar, 5. Aufl., Heidelberg 2021; zitiert: B/K/L/Bearbeiter

Burgi, Martin/Habersack, Mathias Handbuch Öffentliches Recht des Unternehmens, 1. Aufl., München 2023; zitiert: Burgi/Habersack/Bearbeiter

Butzke, Volker Die Hauptversammlung der Aktiengesellschaft, 5. Aufl., Stuttgart 2011; zitiert: Butzke HV

Literaturverzeichnis

Doralt, Peter/Nowotny, Christian/Kalss, Susanne Aktiengesetz, 3. Aufl., Wien 2021; zitiert: Doralt/Nowotny/Kalss/Bearbeiter

Dreier, Peter/Fritzsche, Michael/Verfürth, Ludger Spruchverfahrensgesetz, 2. Aufl., München 2016; zitiert: DFV/Bearbeiter SpruchG

Düringer, A./Hachenburg, Max Das Handelsgesetzbuch (unter Ausschluss des Seerechts), 3. Aufl., Mannheim ua 1930 ff.; zitiert: Düringer/Hachenburg HGB

Ebenroth, Thomas/Boujong, Karlheinz/Joost, Detlev/Strohn, Lutz (Hrsg.) Handelsgesetzbuch, Bd. 1, 4. Aufl., München 2020, Bd. 2, 4. Aufl., München 2020; zitiert: EBJS/Bearbeiter HGB

Eckert, Georg/Schopper, Alexander AktG-ON, Wien 2021; zitiert: Eckert/Schopper/Bearbeiter

Ekkenga, Jens Handbuch der AG-Finanzierung, 2. Aufl., Köln 2019; zitiert: Ekkenga/Bearbeiter AG-Finanzierung Kap.

Emmerich, Volker/Habersack, Mathias Aktien- und GmbH-Konzernrecht, 10. Aufl., München 2022; zitiert: Emmerich/Habersack/Bearbeiter

Emmerich, Volker/Habersack, Mathias Konzernrecht, 11. Aufl., München 2020, zitiert: Emmerich/Habersack KonzernR

Fleischer, Holger/Hüttemann, Rainer Rechtshandbuch Unternehmensbewertung, 2. Aufl., Köln 2019; zitiert: Bearbeiter in Fleischer/Hüttemann UB-HdB

Fleischer, Holger/Koch, Jens/Kropff, Bruno/Lutter, Marcus 50 Jahre Aktiengesetz, Berlin/Boston, 2016; zitiert: Bearbeiter in 50 Jahre AktG

Florstedt, Tim Related Party Transactions, München 2021; zitiert: Florstedt RPT

Flume, Werner Allgemeiner Teil des Bürgerlichen Rechts, Band I 2: Die juristische Person, Berlin 1983; zitiert: Flume JurPerson

Frodermann, Jürgen/Jannott, Dirk Handbuch des Aktienrechts, 9. Aufl., Heidelberg 2017; zitiert HdB AktienR/Bearbeiter

Fuchs, Andreas WpHG, 2. Aufl., München 2016; zitiert: Fuchs/Bearbeiter WpHG

Geßler, Ernst/Hefermehl, Wolfgang/Eckardt, Ulrich/Kropff, Bruno Aktiengesetz, Kommentar, 1. Aufl., München 1973 ff. (ab 2. Aufl.: Münchener Kommentar zum Aktiengesetz); zitiert: Geßler/Hefermehl/Bearbeiter

Ghassemi-Tabar Deutscher Corporate Governance Kodex, 2. Aufl. 2023; zitiert: Ghassemi-Tabar/Bearbeiter DCGK

Ghassemi-Tabar, Nima/Cordes, Malte Handbuch Vorstand und Aufsichtsrat, 2. Aufl., Köln 2022; zitiert Ghassemi-Tabar/Cordes/Bearbeiter

v. Godin, R./Wilhelmi, Hans Aktiengesetz, Kommentar, 4. Aufl., Berlin ua 1971; zitiert: v. Godin/Wilhelmi

Goette, Wulf/Arnold, Michael Handbuch Aufsichtsrat, München 2021; zitiert: Goette/Arnold AR-HdB/Bearbeiter

Grigoleit, Hans Christoph Aktiengesetz, Kommentar, 2. Aufl., München 2020; zitiert: Grigoleit/Bearbeiter

Großfeld, Bernhard/Egger, Ulrich/Tönnes, Achim Recht der Unternehmensbewertung, 9. Aufl., Köln 2020; zitiert: Großfeld/Egger/Tönnes Unternehmensbewertung

Großkommentar zum Aktiengesetz 4. Aufl., Berlin, New York 1992 ff.; 5. Aufl., Berlin, München, Boston 2015 ff. (bisher erschienen: Bd. 1 [§§ 1–22]; Bd. 2/1 [§§ 23–40]; Bd. 2/2 [§§ 41–53]; Bd. 3/1 [§§ 53a – 66]; Bd. 3/2 [§§ 67–75]; Bd. 4/1 [§§ 76–91]; Bd. 4/2 [§§ 92–94]; Bd. 5 [95–116]; Bd. 6 [§ 117; MitbestR; § 76 IV]; Bd. 7/1 [§§ 118–130]; Bd. 7/2 [§§ 131–146]; Band 7/3 [§§ 147–149]; Bd. 8 [§§ 150–178]); Bd. 12 [§§ 256–290]; zitiert: GK-AktG/Bearbeiter

Habersack, Mathias/Casper, Matthias/Löbbe, Marc (Hrsg.) GmbHG, Großkommentar, 3. Aufl., Tübingen, 2019 ff.; zitiert HCL/Bearbeiter (vormals: Ulmer/Habersack/Löbbe)

Habersack, Mathias/Henssler, Martin Mitbestimmungsrecht, Kommentar, 34. Aufl., München 2018; zitiert: Habersack/Henssler/Bearbeiter MitbestR

Habersack, Mathias/Mülbert, Peter O./Schlitt, Michael Unternehmensfinanzierung am Kapitalmarkt, 4. Aufl., Köln 2019; zitiert: Habersack/Mülbert/Schlitt/Bearbeiter Unternehmensfinanzierung

Habersack, Mathias/Verse, Dirk Europäisches Gesellschaftsrecht, 5. Aufl., München 2019; zitiert: Habersack/Verse EuropGesR

Hachenburg, Max Gesetz betreffend die Gesellschaften mit beschränkter Haftung, Großkommentar, 8. Aufl., Berlin, New York 1989 ff.; zitiert: Bearbeiter in Hachenburg GmbHG; Neubearbeitung unter Ulmer/Habersack/Winter

Hahn, Carl/Mugdan, B. Materialien zu den Reichsjustizgesetzen, Band 6: Materialien zum Handelsgesetzbuch, Berlin 1897

Happ, Wilhelm Aktienrecht. Handbuch-Mustertexte-Kommentar, 5. Aufl., Köln ua 2019 (Bd. I), 2020 (Bd. II); zitiert: Happ/Bearbeiter AktienR

Happ, Wilhelm Konzern- und Umwandlungsrecht, Kölner u. a. 2012; zitiert: Happ/Bearbeiter KonzernR/UmwR

Haußleiter, Martin (Hrsg.) FamFG, Kommentar, 2. Aufl., München 2017; zitiert: Haußleiter/Bearbeiter FamFG

Heidel, Thomas (Hrsg.) Nomos-Kommentar Aktienrecht und Kapitalmarktrecht, 5. Aufl., Baden-Baden 2020; zitiert: NK-AktR/Bearbeiter

Henssler, Martin/Strohn, Lutz Gesellschaftsrecht, Kommentar, 5. Aufl., München 2021; zitiert: Henssler/Strohn/Bearbeiter

Henze, Hartwig/Born, Manfred/Drescher, Ingo Höchstrichterliche Rechtsprechung zum Aktienrecht, 6. Aufl., Köln 2015; zitiert: Henze/Born/Drescher HRR AktienR

Herzog, Felix/Achtelik, Olaf Geldwäschegesetz, Kommentar, 5. Aufl., München 2023; zitiert: Herzog/Bearbeiter GwG

Hirte, Heribert/Heidel, Thomas Das neue Aktienrecht, 2020; zitiert: Hirte/Heidel/Bearbeiter

Hölters, Wolfgang, Weber, Markus (Hrsg.) Aktiengesetz, Kommentar, 4. Aufl., München 2022; zitiert: Hölters/Weber/Bearbeiter

Hommelhoff, Peter/Kley, Karl-Ludwig/Verse, Dirk A. Reform des Aufsichtsratsrechts, 2021; zitiert: Bearbeiter in Hommelhoff/Kley/Verse AR-Reform

Hopt, Klaus Handelsgesetzbuch, 42. Aufl., München 2023; zitiert: Hopt/Bearbeiter HGB (vormals: Baumbach/Hopt)

Hopt, Klaus/Seibt, Christoph Schuldverschreibungsrecht, 2. Aufl., Köln 2023; zitiert: Hopt/Seibt/Bearbeiter SVR

Hueck, Alfred/Canaris, Claus-Wilhelm Recht der Wertpapiere, 12. Aufl., München 1986; zitiert: Hueck/Canaris WPR

Ihrig, Hans-Christoph/Schäfer, Carsten Rechte und Pflichten des Vorstands, 2. Aufl., Köln 2020; zitiert: Ihrig/Schäfer Vorstand

Immenga, Ulrich/Mestmäcker, Ernst-Joachim Wettbewerbsrecht, Kommentar, 6. Aufl., München 2019 ff.; zitiert: Immenga/Mestmäcker/Bearbeiter GWB

Jaeger, Ernst Insolvenzordnung, Großkommentar, hrsg. von Henckel, Wolfram/Gerhardt, Walter, Berlin 2004 ff.; zitiert: Jaeger/Bearbeiter InsO

Klausing, Friedrich Gesetz über Aktiengesellschaften und Kommanditgesellschaften auf Aktien (Aktien-Gesetz) nebst Einführungsgesetz und „Amtlicher Begründung", Berlin 1937; zitiert: AmtlBegr Klausing

Klöhn, Lars (Hrsg.) Marktmissbrauchsverordnung, 2. Aufl., München 2023; zitiert: Klöhn/Bearbeiter MAR

Koch, Jens Gesellschaftsrecht, 13. Aufl., München 2023; zitiert: J. Koch GesR

Literaturverzeichnis

Koch, Jens Personengesellschaftsrecht (Hrsg.), Köln 2024; zitiert: Koch PersG/Bearbeiter

Kölner Kommentar zum Aktiengesetz, 3. Aufl., Köln ua, 2004 ff.; 5. Aufl., 2021 ff. (soweit erschienen – Bd. 1, 2, 2/1, 4, 7, 9/1, 9/2, 9/3, 23); zitiert: KK-AktG/BearbeiterKölner Kommentar zum WpHG, 2. Aufl., Köln ua, 2014; zitiert: KK-WpHG/Bearbeiter

Kölner Kommentar zum WpÜG, 2. Aufl., Köln ua 2010; zitiert: KK-WpÜG/Bearbeiter

Kölner Kommentar zum UmwG, Köln ua, 2009 (§§ 72a, b – nach Manuskript 2. Aufl., 2024); zitiert: KK-UmwG/Bearbeiter

Korintenberg, Werner Gerichts- und Notarkostengesetz: GNotKG, Kommentar, 22. Aufl., München 2022; zitiert: Korintenberg/Bearbeiter GNotKG

Krafka, Alexander Registerrecht, 11. Aufl., München 2019; zitiert: Krafka RegisterR

Kremer, Thomas/Bachmann, Gregor/Favoccia, Daniela/v. Werder, Axel Deutscher Corporate Governance Kodex, 9. Aufl., München 2023; zitiert: KBFW/Bearbeiter

Krieger, Gerd/Schneider, Uwe H. Handbuch Managerhaftung, 4. Aufl., Köln 2023; zitiert: HdB Managerhaftung/Bearbeiter

Kropff, Bruno Aktiengesetz. Textausgabe des Aktiengesetzes vom 6.9.1965 mit Begründung des Regierungsentwurfs und Bericht des Rechtsausschusses des Deutschen Bundestags, Düsseldorf 1965; zitiert: RegBegr. Kropff bzw. AusschussB Kropff

Kubis, Dietmar/Tödtmann, Ulrich (Hrsg.) Arbeitshandbuch für Vorstandsmitglieder, 3. Aufl., München 2022; zitiert: Kubis/Tödtmann Vorstands-HdB/Bearbeiter

Lutter, Marcus/Bayer, Walter Holding-Handbuch, 5. Aufl., Köln 2015; zitiert Lutter/Bayer Holding-HdB/Bearbeiter

Lutter, Marcus/Bayer, Walter/Schmidt, Jessica Europäisches Unternehmens- und Kapitalmarktrecht, 6. Aufl., Berlin/Boston 2017; zitiert: Lutter/Bayer/Schmidt EuropUntKapMR

Lutter, Marcus/Bayer, Walter/Vetter, Jochen (Hrsg.) Umwandlungsgesetz, Kommentar, 5. Aufl., Köln 2014; zitiert: Lutter/Bearbeiter UmwG

Lutter, Marcus/Hommelhoff, Peter GmbH-Gesetz, Kommentar, 21. Aufl., Köln 2023; zitiert: Lutter/Hommelhoff/Bearbeiter GmbHG

Lutter, Marcus/Krieger, Gerd/Verse, Dirk Rechte und Pflichten des Aufsichtsrats, 7. Aufl., Freiburg i. Br. 2020; zitiert: Lutter/Krieger/Verse AR

Mann, Thomas/Püttner, Günter Handbuch der kommunalen Wissenschaft und Praxis, Band 2: Kommunale Wirtschaft, 3. Aufl., Berlin, Heidelberg, 2011; zitiert: Mann/Püttner Kommunale Wissenschaft-HdB/Bearbeiter

Marsch-Barner, Reinhard/Schäfer, Frank A. Handbuch börsennotierte AG, 5. Aufl., Köln 2022; zitiert: Marsch-Barner/Schäfer/Bearbeiter

Melot de Beauregard/Lieder, Jan/Liersch, Jan Managerhaftung, 2022; zitiert: Melot de Beauregard/Lieder/Liersch Managerhaftung/Bearbeiter

Meyer, Dieter GKG/FamGKG 2016 – Kommentar zum Gerichtskostengesetz (GKG) und zum Gesetz über Gerichtskosten in Familiensachen (FamGKG), 17. Aufl., Berlin/Boston 2020; zitiert: Meyer GKG

Münchener Anwalts-Handbuch Aktienrecht, 3. Aufl., München 2019; zitiert: MAH AktienR/Bearbeiter

Münchener Handbuch des Gesellschaftsrechts Band 4: Aktiengesellschaft, 5. Aufl., München 2020; zitiert: MHdB AG/Bearbeiter

Münchener Handbuch des Gesellschaftsrechts Corporate Litigation, 2. Aufl., München 2020; zitiert: MHdB CL/Bearbeiter

Münchener Kommentar zum Aktiengesetz, 5. Aufl., München 2019 ff., 6. Aufl., München 2023 ff. (soweit erschienen, bisher: Bd. 2 [§§ 76–118], Bd. 5 [§§ 278–328]); zitiert: MüKoAktG/Bearbeiter

Münchener Kommentar zum Bilanzrecht, 5. Ergänzungslieferung, München 2014; zitiert: MüKoBilR/Bearbeiter

Münchener Kommentar zum Bürgerlichen Gesetzbuch, 8. Aufl., München 2018 ff.; 9. Aufl., München 2021 ff. (soweit erschienen, bisher: Bd. 1 [§§ 1–240]; Bd. 2 [§§ 241–310]; Bd. 3 [§§ 311–432]; Bd. 4/2 [§§ 481–534]; Bd. 5 [§§ 535-630h]; Bd. 6 [§§ 631–704]; Bd. 8 [§§ 845–1296]; Bd. 9 [§§ 1297–1588]; Bd. 10 [§§ 1589–1921]; Bd. 11 [§§ 1922–2385]); zitiert: MüKoBGB/Bearbeiter

Münchener Kommentar zum FamFG 3. Aufl., München 2019; zitiert: MüKo-FamFG/Bearbeiter

Münchener Kommentar zum Handelsgesetzbuch, 4. Aufl., München 2016 ff.; 5. Aufl., München 2021 f. (soweit erschienen, bisher: Bd. 1 [§§ 1–104a]; Bd. 2 [§§ 105–229]; Bd. 3 [§§ 230–237]; Bd. 5 [§§ 343–406; CISG]); Bd. 7 [§§ 407–619]; zitiert: MüKoHGB/Bearbeiter

Münchener Kommentar zur Zivilprozessordnung, 6. Aufl., München 2020 ff.; zitiert: MüKoZPO/Bearbeiter

Musielak, Hans-Joachim/Voit, Wolfgang Zivilprozessordnung, Kommentar, 20. Aufl., München, 2023; zitiert: Musielak/Voit/Bearbeiter ZPO

Noack, Ulrich/Servatius, Wolfgang/Haas, Ulrich GmbHG, 23. Aufl. 2022 (zitiert: Noack/Servatius/Haas GmbHG; vormals: Baumbach/Hueck)

Paal, Boris/Pauly, Daniel Datenschutz-Grundverordnung Bundesdatenschutzgesetz, 3. Aufl., München, 2021; zitiert: Paal/Pauly/Bearbeiter DS-GVO

Raiser, Thomas/Veil, Rüdiger Recht der Kapitalgesellschaften, 6. Aufl., München 2015; zitiert: Raiser/Veil KapGesR

Reichert, Jochem (Hrsg.) Arbeitshandbuch für die Hauptversammlung, 5. Aufl., München 2021; zitiert: HV-HdB/Bearbeiter

Ritter, Carl Aktiengesetz, Kommentar, 2. Aufl., Berlin, München 1939

Rowedder, Heinz/Pentz, Andreas Gesetz betreffend die Gesellschaften mit beschränkter Haftung, Kommentar, 7. Aufl., München 2022; zitiert: Rowedder/Pentz/Bearbeiter GmbHG

Ruthig, Josef/Storr, Stefan Öffentliches Wirtschaftsrecht, 5. Aufl., Heidelberg 2020; zitiert: Ruthig/Storr Öffentliches Wirtschaftsrecht

Schall, Alexander/Theusinger, Ingo/Pour Rafsendjani, Mansur Lieferkettensorgfaltspflichtengesetz, Kommentar, Berlin/Bosten 2023, zitiert Schall/Theusinger/Pour Rafsendjani/Berabeiter LkSG

Schlegelberger, Franz/Quassowski, Leo Aktiengesetz vom 30. Januar 1937, Kommentar, 3. Aufl., Berlin 1939; zitiert: Schlegelberger/Quassowski AktG 1937

Schmidt, Karsten Gesellschaftsrecht, 4. Aufl., Köln ua 2002; zitiert: K. Schmidt GesR

Schmidt, Karsten Handelsrecht. Unternehmensrecht I, 6. Aufl., Köln ua 2014; zitiert: K. Schmidt UnternehmensR I

Schmidt, Karsten Insolvenzordnung, 20. Aufl., München 2023; zitiert: K. Schmidt/Bearbeiter InsO

Schmidt, Karsten/Lutter, Marcus (Hrsg.) Aktiengesetz, Kommentar, 4. Aufl., Köln 2020; zitiert: S/L/Bearbeiter

Schmitt, Joachim/Hörtnagl, Robert Umwandlungsgesetz – Umwandlungssteuergesetz, Kommentar, 9. Aufl., München 2020; zitiert: Schmitt/Hörtnagl/Bearbeiter UmwR

Schnitger, Arne/Fehrenbacher, Oliver Körperschaftsteuer KStG, 2. Aufl., Wiesbaden 2018; zitiert: Schnitger/Fehrenbacher/Bearbeiter

Literaturverzeichnis

Scholz, Franz Kommentar zum GmbH-Gesetz, Köln, Bd. 1, 13. Aufl., 2022, Bd. 2, 12. Aufl., 2021, Bd. 3, 12. Aufl., 2021; zitiert: Scholz/Bearbeiter GmbHG

Schwark, Eberhard/Zimmer, Daniel (Hrsg.) Kapitalmarktrechts-Kommentar, 5. Aufl., München 2020; zitiert: Schwark/Zimmer/Bearbeiter KMRK

Semler, Johannes/von Schenck, Kersten/Wilsing, Hans-Ulrich (Hrsg.) Arbeitshandbuch für Aufsichtsratsmitglieder, 5. Aufl., München 2021; zitiert: Semler/ v. Schenck/Wilsing AR-HdB/Bearbeiter

Seyfarth, Georg Vorstandsrecht, 2. Aufl., München 2023 (zitiert: Seyfarth VorstandsR)

Spindler, Gerald/Stilz, Eberhard Kommentar zum Aktiengesetz, 4. Aufl., München 2019; zitiert: Spindler/Stilz/Bearbeiter – fortgeführt als BeckOGK AktG

Staub, Hermann Handelsgesetzbuch, Großkommentar, 5. Aufl., Berlin 2008 ff.; 6. Aufl., Berlin 2021 ff. (bisher erschienen: Band 1/1 [§§ 1–16; 104a]; Band 2/1 [§§ 84–88a]; Band 2/2 [§§ 89–104]; Band 5 [§§ 238–288]; Band 6/ 1 [§§ 290–314]; Band (6/2 [§§ 289–289f; 315–315e); Band 15 [CMR] zitiert: GK-HGB/Bearbeiter

Staub, Hermann Kommentar zum Handelsgesetzbuch, 14. Aufl., Berlin, Leipzig 1932 ff.; zitiert: Staub/Bearbeiter HGB

v. Staudinger, Julius Kommentar zum Bürgerlichen Gesetzbuch, Berlin, Neubearbeitung; zitiert: Staudinger/Bearbeiter BGB bzw. Staudinger/Großfeld IntGesR

Sternal, Werner FamFG, Kommentar, 21. Aufl., München 2023; zitiert: Sternal/ Bearbeiter FamFG (vormals: Keidel)

Teichmann, Robert/Koehler, Walter Aktiengesetz, Kommentar, 3. Aufl., Heidelberg 1950

Uhlenbruck, Wilhelm Insolvenzordnung, Kommentar, 15. Aufl., München 2019; zitiert: Uhlenbruck/Bearbeiter InsO

Wachter, Thomas Kommentar zum Aktiengesetz, 4. Aufl., Köln 2022; zitiert Wachter/Bearbeiter

Wicke, Hartmut GmbHG, 4. Aufl., München 2020; zitiert Wicke GmbHG

Wiedemann, Herbert Gesellschaftsrecht. Band I: Grundlagen, München 1980; Band II: Recht der Personengesellschaften, München 2004; zitiert: Wiedemann GesR Bd I bzw. Bd II

Wirtschaftsprüfer-Handbuch Wirtschaftsprüfung und Rechnungslegung, 17. Aufl., Düsseldorf 2021; zitiert: WP-HdB/Bearbeiter

Ziekow, Jan Öffentliches Wirtschaftsrecht, 5. Aufl., München 2020; zitiert: Ziekow Öffentliches Wirtschaftsrecht

Zöllner, Wolfgang Wertpapierrecht, 14. Aufl., München 1987; zitiert: Zöllner WPR

Aktiengesetz

Vom 6. September 1965
(BGBl. 1965 I 1089)
FNA 4121-1

Zuletzt geändert durch das Gesetz zur Finanzierung von zukunftssichernden Investitionen vom 11.12.2023 (BGBl. 2023 I Nr. 354)

Erstes Buch. Aktiengesellschaft

Erster Teil. Allgemeine Vorschriften

Wesen der Aktiengesellschaft

1 (1) [1] **Die Aktiengesellschaft ist eine Gesellschaft mit eigener Rechtspersönlichkeit.** [2] **Für die Verbindlichkeiten der Gesellschaft haftet den Gläubigern nur das Gesellschaftsvermögen.**

(2) **Die Aktiengesellschaft hat ein in Aktien zerlegtes Grundkapital.**

Übersicht

I. Normzweck

1 § 1 legt wesentliche **rechtl. Eigenschaften** der AG fest, bestimmt also ihre Strukturmerkmale und erlaubt damit Abgrenzung der AG von anderen Gesellschaftsformen. Strukturmerkmale der AG sind: korporativer Charakter, Rechtspersönlichkeit, keine Haftung der Aktionäre, Existenz eines in Aktien zerlegten Grundkapitals, Kaufmannseigenschaft (insoweit: § 3 I).

II. Strukturmerkmale der AG

2 **1. Korporativer Charakter. a) Dogmatische Einordnung.** § 1 I 1 bezeichnet AG als Gesellschaft; § 2 stellt Gesellschaftsvertrag und Satzung gleich. Hierzu gilt: AG ist **Gesellschaft iwS.** Wenn sie durch mehrere Personen errichtet wird, folgt das schon aus Verwirklichung der Merkmale des § 705 I BGB. Für Einmanngründung (→ § 2 Rn. 1) scheitert zwar die Subsumtion unter § 705 I BGB, solange sich alle Aktien in der Hand des Alleingründers befinden (→ § 2 Rn. 2 ff.; → § 41 Rn. 17a ff.). Auch insoweit lässt sich jedoch von einer Gesellschaft iwS sprechen (freilich im Vergleich mit § 705 I BGB neuen Typs), weil wenigstens ein rechtsgeschäftlicher Entstehungstatbestand (einseitige Gründungserklärung) gegeben ist und die Gesellschaft durch Hinzutreten weiterer Aktionäre zum Personenverband werden kann, dessen Mitglieder einen gemeinsamen Zweck verfolgen. Ohne Rücksicht auf ihren Entstehungstatbestand ist AG jedoch nicht auch Gesellschaft ieS, sondern **Korporation, also Verein** iSd §§ 21 ff. BGB. Das folgt aus den rechtl. Merkmalen ihrer Organisationsstruktur und findet in § 6 II HGB iVm § 3 I ges. Ausdruck (→ § 3 Rn. 3 f.); vgl. zur Systematisierung der Gesellschaftsformen zB K. Schmidt GesR § 3 I 2. Merkmale der aktienrechtl. Organisationsstruktur: eine auf Satzung (§§ 2, 23) beruhende Ordnung; Vorstand (§§ 76 ff.), AR (§§ 95 ff.) und HV (§§ 118 ff.) als Organe mit festgelegten Kompetenzen; Mitgliedschaft (§§ 53a ff.) mit grds. einheitlichem Rechts- und Pflichtenstandard.

3 **b) Rechtliche Konsequenzen.** Im Fall der Mehrpersonengründung kann AG nur entstehen, wenn wenigstens die Voraussetzungen des § 705 I BGB erfüllt sind; weitergehende Anforderungen: §§ 2, 23, 41. Im Fall der Einmanngründung tritt an die Stelle des Gesellschaftsvertrags die **einseitige Gründungserklärung.** Insoweit wird § 705 I BGB durch § 2 verdrängt. Die weitergehenden Anforderungen der § 2 (Einheitsgründung, → § 2 Rn. 12), §§ 23, 41 müssen auch hier erfüllt sein. Zulässigkeit der als jur. Person (§ 41 I 1) entstandenen **Einmann-AG** ist seit Neufassung des § 2 und Einfügung des § 42 kein Thema mehr und war auch schon zuvor anerkannt (statt vieler BGHZ 21, 378, 383 f. = NJW 1957, 19 zur GmbH). Weil AG nicht Gesellschaft ieS, sondern Korporation ist, sind subsidiär, also bei Fehlen aktienrechtl. Regelung, **§§ 21 ff. BGB analog** anzuwenden (Überblick bei MüKoAktG/Heider Rn. 15 ff.). Das gilt namentl. für §§ 30, 31 BGB (→ § 78 Rn. 23; → § 93 Rn. 133 ff.) und § 35 BGB, soweit sich Son-

derrecht in diesem Sinne aus Satzung ableiten lässt (wie hier GK-AktG/Bachmann Rn. 29; aA MüKoAktG/Heider Rn. 22).

2. Juristische Person. a) Allgemeines. AG hat **eigene Rechtspersönlichkeit** (§ 1 I 1), ist also nach üblicher ges. Begrifflichkeit jur. Person (zur ges. Umschreibung bloßer Rechtsfähigkeit vgl. § 705 II 1, § 105 II HGB). Beginn: Eintragung in das HR (§ 41 I 1); bis dahin besteht Vor-AG bei Errichtung durch mehrere Personen als körperschaftlich strukturierte Gesellschaft sui generis (→ § 41 Rn. 4), und zwar nach zutr. hM auch im Fall der Einmanngründung (→ § 41 Rn. 17a ff.). Ende: Löschung im Register (§ 262 I Nr. 6, § 273 I 2; genaue Konstruktion ist str., → § 262 Rn. 23 f.; → § 273 Rn. 7, 13). Bedeutung: Als jur. Person iS eines rechtstechnischen Verständnisses des Begriffs ist AG selbst **Trägerin von Rechten und Pflichten** (Vermögens- und Verpflichtungsfähigkeit; s. dazu und zu alternativen Deutungsversuchen Raiser AcP 199 [1999], 104 ff.), und zwar prinzipiell umfassend, so dass sie sich als Teilnehmerin des Rechtsverkehrs mit natürlichen Personen vergleichen lässt (Rittner FS Hüffer, 2010, 843, 847). Besonderheit ggü. anderen Gesellschaften, namentl. Personengesellschaften, besteht nach heutigem Verständnis aber nicht in eigener Rechtsfähigkeit, sondern in der Möglichkeit, **Haftung** auf Rechtspersönlichkeit zu beschränken, was erst mit Verfestigung zur jur. Person vollzogen wird (→ Rn. 8). Nur AG selbst ist Zuordnungssubjekt, nicht auch ihre Aktionäre (Trennungsprinzip, s. BGHZ 156, 310, 314 = NJW 2004, 217), soweit es um Rechtsbeziehungen zu Dritten geht. Ausnahmen sind Gegenstand der Durchgriffslehre (→ Rn. 15 ff.). Trennungsprinzip wird nicht durchbrochen, wenn Aktionäre von Dritten gem. § 826 BGB Schadensersatz wegen Entwertung ihrer Aktien durch Leistung an AG fordern, die zur Anspruchsverfolgung nicht selbst bereit ist (vgl. zum Fall LG Hamburg AG 1998, 432 ff. und dazu Brosius-Gersdorf NZG 1998, 664, 668 ff.; seither OLG Hamburg AG 1999, 380 f.). AG ist durch ihre Organe handlungsfähig. Beschränkungen der Rechts- und Handlungsfähigkeit durch Gegenstand des Unternehmens oder Zweck der Gesellschaft (Ultra-Vires-Doktrin) sind dem deutschen Recht unbekannt (→ § 82 Rn. 1). Zur theoretischen Erfassung der jur. Person (bes.: Fiktionstheorie; Theorie der realen Verbandsperson; Zweckvermögenstheorie) zusammenfassende Darstellungen bei K. Schmidt GesR § 8 II; John, Die organisierte Rechtsperson, 1977, 22 ff. 4

b) Einzelne Fähigkeiten. Folgende Einzelfähigkeiten der AG sind hervorzuheben: Als jur. Person ist AG **konto-, grundbuch- und beteiligungsfähig.** Bankkonten, die unter der Firma der AG errichtet werden, sind Konten der Gesellschaft, nicht etwa Sonderkonten des Vorstands (→ § 54 Rn. 19). Umschreibung von Rechten, die auf Vor-AG eingetragen worden sind, auf entstandene AG ist Grundbuchberichtigung (§ 894 BGB); → § 41 Rn. 16. Fähigkeit der AG, sich an anderen Gesellschaften zu beteiligen, ist umfassend; namentl. kann sie einzige Komplementärin der AG & Co KG und auch der KGaA sein; das findet in § 279 II ges. Ausdruck (→ § 278 Rn. 8 ff.; → § 279 Rn. 3). 5

Als jur. Person ist AG auch **besitzfähig.** Soweit Vorstand Voraussetzungen des § 854 BGB oder Erfordernisse einer anderen Besitzform (zB § 868 BGB) erfüllt, vermittelt er der AG kraft seiner Organstellung eigenen Besitz in der jeweiligen rechtl. Ausgestaltung; § 855 BGB ist unanwendbar. Zum Besitz der jur. Person vgl. BGH NJW 1954, 428 Ls.; AG 1958, 134, 138; BGHZ 56, 73, 77 = NJW 1971, 1358; BGHZ 57, 166, 167 ff. = NJW 1972, 43; BGHZ 156, 310, 316 = NJW 2004, 217. 6

Prozess- und Insolvenzrecht: Als jur. Person ist AG aktiv und passiv **parteifähig** (§ 50 ZPO). Nach richtiger, wenngleich umstrittener Ansicht ist sie gem. § 51 ZPO auch **prozessfähig** (BGH NJW 1965, 1666, 1667; BeckOGK/Fleischer § 78 Rn. 7; GK-AktG/Habersack/Foerster § 78 Rn. 27; aA BGHZ 38, 7

71, 75 = NJW 1963, 441; BGH NZG 2011, 26 Rn. 11 ff.). Gegenansicht übersieht, dass sich AG durch ihre Organe vertraglich verpflichten kann (§ 52 ZPO), und vermag deshalb nicht zu überzeugen. **Insolvenzfähigkeit** der AG folgt aus §§ 11 I 1, 19 I InsO. Verfahrenssubjekt ist die Gesellschaft, nicht ihr Unternehmen; Unternehmen ist in den Grenzen der §§ 35, 36 InsO Objekt des Insolvenzverfahrens. Einzelfragen zur Insolvenz: → § 264 Rn. 3 ff.

8 **3. Keine Haftung der Aktionäre. a) Grundsatz.** Für Verbindlichkeiten der AG haftet nach § 1 I 2 nur das Gesellschaftsvermögen. Gläubiger können sich also nicht an Aktionäre halten. Haftungsregelung folgt nicht schon zwingend aus **Rechtspersönlichkeit** der AG; denn neben deren Haftung könnten – wie bei den Personengesellschaften – akzessorische Verbindlichkeiten der Aktionäre (oder auch der Organmitglieder) bestehen, und zwar jedenfalls als subsidiäre Verpflichtungen für den Insolvenzfall. Auch **körperschaftliche Struktur** ist zwar auf Loslösung von Gesellschaftern ausgerichtet, aber – wie nicht eingetragener Verein zeigt (§ 54 II BGB) – nicht zwangsläufig mit Haftungsausschluss verbunden. Wenn Loslösung aber mit Eintragung zur **jur. Person** endgültig vollzogen ist (→ Rn. 4), geht damit nach durchgängiger gedanklicher Konzeption des Gesetzgebers Haftungskonzentration auf Sondervermögen einher (Wiedemann FS Hüffer, 2010, 1091, 1097 ff.). Auch **europarechtl.** ist Haftungskonzentration geboten und darf durch Vorschriften jenseits des Aktienrechts nicht in Frage gestellt werden (EuGH Slg. 2010, I-10161 Rn. 47 ff. = NZG 2011, 183; sa Stöber ZVglRWiss 133 [2014], 57 ff.).

9 **b) Ausnahmen.** § 1 I 2 gilt nicht zu Lasten der Gläubiger einer eingegliederten AG (§§ 319 ff.); denn ihnen haftet die Hauptgesellschaft gem. § 322 als Gesamtschuldnerin. Andere Vorschriften erlauben Gläubigern der AG unter wechselnden Voraussetzungen (verbotene Leistungen; Schadensersatzpflicht; Beherrschungsvertrag; faktischer Konzern), deren Ansprüche gegen Aktionäre oder Organmitglieder geltend zu machen, wenn sie von ihr keine Befriedigung erlangen können (§ 62 II, § 93 V, §§ 116, 117 V, § 309 IV 3, § 317). Insoweit handelt es sich zwar nicht um echte Ausnahmen von § 1 I 2, aber doch um Lockerungen des Grundsatzes. Zur Durchgriffshaftung → Rn. 15 ff.

10 **4. Kapitalgesellschaft. a) Grundkapital. aa) Allgemeines.** Gem. § 1 II hat AG ein in Aktien zerlegtes Grundkapital (umfassende Darstellung bei Lutter [Hrsg.], Kapital der AG, 2006). Existenz eines Grundkapitals bietet den notwendigen Ausgleich für den in § 1 I 2 angeordneten Haftungsausschluss. Das Grundkapital dient nämlich der **Sicherung der Gläubiger** (und der künftigen Aktionäre), weil AG über Vermögensgegenstände verfügen muss, deren Gesamtwert wenigstens dem Betrag des Grundkapitals entspr. Sicherungsfunktion wird dadurch in Frage gestellt, dass zur Aufbringung des Grundkapitals eingezahltes Vermögen (→ Rn. 11) nicht nur Haftungsfonds der AG bildet, sondern zugleich auch ihr **Betriebsvermögen** (S/L/Lutter Rn. 24). Diese beiden Zielsetzungen stehen in einem offenkundigen Spannungsverhältnis, das durch die Regeln der Kapitalerhaltung aufgelöst wird (→ Rn. 12). Sie können dahingehend zusammengefasst werden, dass es AG gestattet ist, aufgebrachtes Kapital einzusetzen, um unternehmerische Ziele zu verfolgen, dass es ihr aber verwehrt ist, dieses Kapital an die Aktionäre zurückzuzahlen (zur rechtspolitischen Sinnhaftigkeit des Mindestkapitalsystems → § 7 Rn. 2). Grundkapital ist in Euro auszudrücken (§ 6; zum DM-Ausweis in Altfällen → § 6 Rn. 4), darf 50.000 Euro (übergangsweise: 100.000 DM oder einen 50.000 Euro entsprechenden DM-Betrag) nicht unterschreiten (§ 7; → § 7 Rn. 2), bildet einen notwendigen Satzungsbestandteil (§ 23 III Nr. 3) und ist im Jahresabschluss als Passivposten auszuweisen (§ 266 III A I HGB). Diese zunächst überraschende Zuordnung erklärt sich daraus, dass

Grundkapital nicht mit Vermögen der AG identisch ist, sondern vielmehr im Hinblick auf dieses Vermögen den Charakter einer **satzungsmäßig fixierten Sollziffer** hat (K. Schmidt GesR § 26 IV 1a). Da Vermögen nach § 57 III nur iRd regulären Gewinnverwendung an Aktionäre ausgezahlt werden darf und Passivierung bewirkt, dass Bilanzgewinn erst ausgewiesen wird, wenn Vermögen der AG nicht nur Verbindlichkeiten, sondern auch Grundkapital deckt, wird Grundkapital zwar nicht vor Verlusten der AG, aber doch zumindest vor Ausschüttung an Aktionäre geschützt (zu weiteren Funktionen des Grundkapitals im Aufbau der AG s. Baums ZHR [2011], 160, 164 ff.; zur Beteiligungsquote des Aktionärs → Rn. 13). Vom Grundkapital strikt zu unterscheiden ist das **Gesellschaftsvermögen.** Sein Wert schwankt und kann schon deshalb nicht in die Satzung aufgenommen werden; die verschiedenen Vermögensgruppen sind – Ansatzfähigkeit vorausgesetzt – als Aktivposten zu bilanzieren.

bb) Prinzip der Kapitalaufbringung. Mit dem Grundkapital allein ist den Gläubigern nicht gedient. Ges. muss vielmehr dafür vorsorgen, dass ein der Grundkapitalziffer entspr. Vermögen auch **tats. aufgebracht** wird (Prinzip der Kapitalaufbringung). Diesem Prinzip sind vor allem zuzuordnen: Verbot der Stufengründung (§§ 2, 29) und der Unterpariemission (§ 9 I); Satzungspublizität von Sondervorteilen, Gründungsaufwand, Sacheinlagen und -übernahmen (§§ 26, 27); Gründungsprüfung, namentl. § 32 II, § 33 II Nr. 4, § 34; Vorschriften über die Einlagenleistung (§ 36 II iVm § 54 III, § 36a); gerichtl. Prüfung des Gründungshergangs, bes. § 38 II 2; Regelung der Gründerhaftung (§§ 46 ff.), namentl. auch wegen ihrer präventiven Wirkung; Nachgründungserfordernis (§ 52). Auch wenn Kapital sodann als Betriebsvermögen eingesetzt werden kann (→ Rn. 10), kann es doch jedenfalls als **Seriositätsnachweis** der Aktionäre dienen (S/L/Lutter Rn. 24). 11

cc) Prinzip der Kapitalerhaltung. Seine Garantiefunktion kann das Grundkapital nur erfüllen, wenn entspr. Mindestvermögen nicht nur aufgebracht wird, sondern auch **erhalten bleibt** (Prinzip der Kapitalerhaltung). Da es zugleich auch Betriebsvermögen ist, kann dieses Ziel nur sehr begrenzt in der Weise realisiert werden, dass kein Rückfluss an Aktionäre erfolgt (→ Rn. 10). Auf das in dieser Weise eingegrenzte Prinzip der Kapitalerhaltung sind neben den Vorschriften zur Bilanzierung des Grundkapitals (→ Rn. 10) drei Regelungskomplexe zurückzuführen: das Verbot jeglicher Einlagenrückgewähr (§ 57 I und II); das prinzipielle Verbot der §§ 71–71e, eigene Aktien zu erwerben (sonst: Zahlung des Kaufpreises als verdeckte Einlagenrückgewähr); das Verbot, vor Auflösung der AG mehr Dividende auszuschütten, als dem Bilanzgewinn entspr. (§ 57 III). 12

b) Zerlegung in Aktien. Das Grundkapital ist in Aktien zerlegt (§ 1 II). Begriff der Aktie hat drei Bedeutungen; er kann die Mitgliedschaft des Aktionärs oder das sie verbriefende Wertpapier oder die **Beteiligungsquote** ausdrücken. In § 1 II ist die Beteiligungsquote gemeint. Sie ergibt sich bei Nennbetragsaktien (§ 8 I und II) aus der Relation zwischen dem Betrag des Grundkapitals und dem Nennbetrag der Aktie, bei Stückaktien (§ 8 I und III) aus ihrer Zahl (§ 8 IV; → § 8 Rn. 25). An sich mögliche Quotenaktie hat Ges. bewusst nicht zugelassen (→ § 8 Rn. 2 f.). **Zerlegung** bedeutet im Wortsinne Aufteilung in mehrere (mindestens zwei) Aktien; ihre Zahl ist in Satzung anzugeben (§ 23 III Nr. 4). Das soll auch für Einmanngründung (§ 2) gelten (MüKoAktG/Heider Rn. 99). Weil Aktienzahl ohne selbständige sachliche Bedeutung ist, insbes. keine Schutzfunktion entfaltet, lässt sich aber eher daran denken, Zerlegung nur als Ausdruck des Regelfalls aufzufassen und für Einmann-AG eine Aktie genügen zu lassen (wie hier KK-AktG/Dauner-Lieb Rn. 29; BeckOGK/Fock Rn. 103; S/L/Lut- 13 ter Rn. 31). Bei Verbreiterung des Aktionärskreises ist Neustückelung des Grundkapitals (→ § 8 Rn. 27) bes. bei Stückaktien (§ 8 I und III) kein Problem.

14 **5. Formkaufmann.** Zu den Strukturmerkmalen der AG gehört schließlich ihr Charakter als Handelsgesellschaft (§ 3 I). Aus § 3 I iVm § 6 HGB folgt, dass AG notwendig den Bestimmungen des Handelsrechts unterliegt. Näheres → § 3 Rn. 3 f.

III. Durchgriffslehre

15 **1. Problemaufriss.** Zuordnungssubjekt für Rechte und Pflichten ist AG; ihre Rechtssphäre und diejenige der Aktionäre sind getrennt (Trennungsprinzip, → Rn. 4). Diesen Regelsatz ergänzt die Durchgriffslehre durch die Frage nach der Ausnahme, also nach den Grenzen der rechtl. Selbständigkeit. Regel ist zB, dass die Aktionäre für Schulden der AG nicht haften (§ 1 I 2); Durchgriff findet statt, wenn sie ausnahmsweise doch zur Haftung herangezogen werden. Derartiger **Haftungsdurchgriff** ist wichtigstes Beispiel, doch ist Durchgriffslehre darauf nicht beschränkt. Auch wenn es um die Frage geht, inwiefern Eigenschaften, Kenntnisse, Erklärungen oder Verhaltensweisen des Gesellschafters der AG zuzurechnen sind und umgekehrt, handelt es sich um eine Erscheinungsform des Durchgriffs (**Zurechnungsdurchgriff;** vgl. Scholz/Bitter GmbHG § 13 Rn. 69 ff.; → Rn. 32). Durchgriff ist kein spezifisch aktienrechtl. Problem. Es stellt sich vielmehr bei allen rechtl. verselbständigten Verbänden, insbes. bei allen jur. Personen (K. Schmidt GesR § 9 I 2a) und hier hauptsächlich bei der GmbH, namentl. in Gestalt der Einmann-GmbH. EU-Recht steht Durchgriff nicht entgegen (Kindler FS Säcker, 2011, 393 ff.).

16 **2. Zur ausnahmsweisen Zulässigkeit des Durchgriffs.** Nach Rspr. darf über jur. Person **nicht leichtfertig und schrankenlos** hinweggegangen werden; durchzugreifen sei aber, wenn „die Wirklichkeiten des Lebens und die Macht der Tatsachen", die wirtschaftlichen Gegebenheiten uä Zwänge dies erforderten (so oder sinngleich vor allem RGZ 156, 271, 277; BGHZ 20, 4, 11 = NJW 1956, 785; BGHZ 54, 222, 224 = NJW 1970, 2015; BGHZ 68, 312, 314 f. = NJW 1977, 1449; BGHZ 78, 318, 334 = NJW 1981, 522; Analyse der Rspr.: Scholz/Bitter GmbHG § 13 Rn. 113 ff.; v. Arnim NZG 2000, 1001, 1002 ff.). Praxis muss sich demnach auf Zulässigkeit des Durchgriffs in Ausnahmefällen einstellen, doch ist damit noch nicht beantwortet, wann solche Ausnahmefälle gegeben sind (→ Rn. 17 ff.). Während BGH Ausnahmen in der Vergangenheit überaus restriktiv gehandhabt hat, sind im Europarecht, namentl. im Kartell- und Kapitalmarktrecht, mittlerweile starke bereichsspezifische Tendenzen zur **Aufgabe des Trennungsprinzips** erkennbar, die das deutsche Regel-Ausnahme-Verhältnis zumindest in Abhängigkeits- und Konzernsituationen bedenklich zu relativieren drohen (vgl. auch Habersack AG 2016, 691, 697: „systemsprengende Durchbrechung des konzernrechtlichen Trennungsgrundsatzes"; Hommelhoff ZGR 2019, 379 ff.; dazu → Rn. 21).

17 **3. Dogmatische Konzepte im Überblick. a) Darstellung.** Jenseits der Sonderfragen in Abhängigkeits- und Konzernverhältnissen werden zur Begründung des Durchgriffs im Wesentlichen zwei dogmatische Konzepte vertreten: Der eine Teil des Schrifttums hebt auf **Missbrauch der jur. Person** ab, und zwar entweder subj. iSv Absicht der Gesetzesumgehung oder fraudulöser Schädigung Dritter oder obj. iSv zweckwidriger Verwendung der jur. Person (zur subj. geprägten Missbrauchstheorie vgl. namentl. Serick, Rechtsform und Realität, 1955, passim, zB S. 203 ff.; obj. Variante: Reinhardt FS H. Lehmann, 1956, 576 ff.). Im Schrifttum herrschend ist heute **Normanwendungslehre,** die nicht

vom allg. Tatbestand des Missbrauchs der jur. Person ausgeht, sondern von der konkreten Norm, deren Anwendung jeweils in Frage steht. Ob Trennung zwischen jur. Person und Gesellschafter Bestand hat, soll von Sinn und Zweck der Norm abhängen (so mit Unterschieden iE Müller-Freienfels AcP 156 [1957], 522 ff.; Schanze, Einmanngesellschaft und Durchgriffshaftung, 1975, 102 ff.). Schließlich finden sich **Mischtheorien** mit unterschiedlicher Akzentuierung (vgl. K. Schmidt GesR § 9 II 3, der unter GesR § 9 II 1c zu Recht darauf hinweist, dass selbst die Hauptvertreter der verschiedenen Ansätze unterschiedliche Elemente kombinieren; wN auch in → Rn. 19 ff.). Neben diesen Durchgriffskonzepten begegnet weitere Meinungsgruppe, die Trennungsprinzip ausnahmslos anwendet und Missbrauchsfällen namentl. in Haftungssituationen dadurch begegnet, dass unter näheren Voraussetzungen entspr. § 93 II Gesellschafterhaftung für Sorgfaltsverstöße angenommen wird (Altmeppen ZIP 2002, 1553, 1557 ff.; Wilhelm, Rechtsform und Haftung bei der juristischen Person, 1981, 285 ff.). **Rspr. des BGH** (→ Rn. 16) lässt sich keinem dieser dogmatischen Konzepte durchgängig zuordnen, sondern folgt pragmatischerem Ansatz, der im Einzelfall entscheidet, ob Durchgriff geboten ist. Wichtiger als die dazu herangezogene Formel (→ Rn. 16) ist Herausbildung von **Fallgruppen,** in denen Durchgriff in Betracht gezogen wird (→ Rn. 19 ff.).

b) Würdigung. Der **Missbrauchstheorie** kann weder in ihrer subj. noch in ihrer obj. Variante gefolgt werden. Sie findet ihr Vorbild vor allem im angloamerikanischen Gesellschaftsrecht (Überblick bei Merkt, US-amerikanisches Gesellschaftsrecht, 3. Aufl. 2013, Rn. 414 ff.), das anders strukturiert ist als das deutsche, insbes. keine vergleichbar dichte, auf Prävention angelegte Regelung des Gründungshergangs, der Kapitalausstattung und der Konzernverhältnisse kennt (Angaben dazu bei v. Arnim NZG 2000, 1001, 1004 ff.). Es ist auch nicht gut erkennbar, welche Anwendungsfälle für subj. verstandenen Missbrauch neben § 826 BGB (dazu zB BGH NJW 2004, 145, 146) verbleiben sollen und was (schon begrifflich problematische) Idee obj. Missbrauchs bei hinlänglich konkreter Betrachtung über die **Normanwendungstheorie** hinaus leistet. Umgekehrt entspr. Normanwendungslehre der strukturellen Eigenart des auf vollständige Normierung und Rechtssicherheit angelegten deutschen Rechts. Sie ist daher **als theoretisches Konzept der Missbrauchslehre überlegen,** erlaubt aber noch keine Entscheidung der jeweiligen Sachfrage (krit. deshalb GK-AktG/Bachmann Rn. 87 ff.). Diese ist vielmehr durch Auslegung und, namentl. in den verschiedenen Haftungsfällen, durch Fortbildung der vorhandenen ges. Regelung zu gewinnen. Ökonomische Analyse wird derartige normorientierte Konstruktion nicht ersetzen können (weitergehend wohl GK-AktG/Bachmann Rn. 92 f.), kann aber unter teleologischen Gesichtspunkten in Ausdeutung des jew. einschlägigen Normenbestands einfließen. Insbes. im Haftungsbereich wird es dabei als rechtspolitischer Vorzug angesehen, wenn Ansprüche gegen die Gesellschafter bei der Gesellschaft konzentriert werden können, ein direkter Zugriff von Einzelgläubigern also möglichst vermieden wird. Dieses Bemühen hat sich namentl. in Entwicklung der Existenzvernichtungshaftung deutlich niedergeschlagen (→ Rn. 22 ff.). Tats. handelt es sich bei derartiger Innenhaftung aber nicht mehr um Durchgriffshaftung, da Durchgriff den Gläubigern gerade verweigert wird. Analyse der nach Ausklammerung der Existenzvernichtungshaftung verbleibenden Fallgruppen (→ Rn. 22 ff.) zeigt, dass dem Durchgriffskonzept insges. jedenfalls für das Aktienrecht **bislang keine herausragende praktische Bedeutung** zukommt (GK-AktG/Bachmann Rn. 84, 94 ff.), sofern man Begriff nicht weiter fasst und auch konzernrechtl. Einzelnormen in diese Konzeption einbezieht (für derart umfassende Fragestellung MüKoAktG/Heider Rn. 63 ff.). Dieser Befund kann sich künftig allerdings verschieben, weil gerade 18 im Europarecht Tendenzen erkennbar sind, in Abhängigkeits- und Konzernverhältnissen auch ohne solche normative Fundierung das Trennungsprinzip auszuhöhlen (→ Rn. 21).

19 **4. Fallgruppen (Auswahl). a) Haftungsprobleme. aa) Unterkapitalisierung.** Fallgruppe der Unterkapitalisierung hat – wie alle Fallgruppen des Haftungsdurchgriffs – praktisches Schwergewicht bei der GmbH, nicht im Aktienrecht. Materielle Unterkapitalisierung liegt begrifflich vor, wenn AG von vornherein mit derart unzureichendem Eigenkapital ausgestattet wird, dass sie nach Art und Umfang ihrer Geschäftstätigkeitkeit offensichtlich nicht in der Lage sein wird, ihren Finanzbedarf zu befriedigen (auch Aschenputtel-Gesellschaft). Haftungsdurchgriff kommt aber allenfalls bei **qualifizierter Unterkapitalisierung** in dem Sinne in Betracht, dass Kapitalausstattung eindeutig und für Insider klar erkennbar unzureichend ist (grdl. Ulmer FS Duden, 1977, 661, 679; eingehend Eckhold, Materielle Unterkapitalisierung, 2002; vgl. auch Roth ZGR 1993, 170, 177 ff.). Nachdem dogmatische Grundlagen und weitere Voraussetzungen auch nach jahrzehntelanger Diskussion ungeklärt sind, wird **Existenzberechtigung** dieser Fallgruppe mittlerweile grds. in Frage gestellt (vgl. Grigoleit/Grigoleit Rn. 98; C. Goette/M. Goette FS Goette, 2011, 97, 109 f.; Veil NJW 2008, 3264, 3266). Auch BGH hat mittlerweile klargestellt, dass Finanzausstattungspflicht des Gesellschafters systemwidrig wäre und zumindest obj. Missbrauch der Rechtsform Haftungsdurchgriff nicht begründen könne (BGHZ 176, 204 Rn. 21, 23 = NJW 2008, 2437). Offengelassen hat er jedoch, ob sich im Falle subj. Missbrauchs aus § 826 BGB etwas anderes ergeben könnte (BGHZ 176, 204 Rn. 25).

20 **bb) Vermögensvermischung.** Auch Vermögensvermischung iS **gegenständlicher Sphärenvermischung** gehört in der Lehre zu den Standardbeispielen des Haftungsdurchgriffs (vgl. zB Wiedemann GesR Bd. I § 4 III 1a). Sie soll im GmbH-Recht Durchgriff begründen, wenn Vermögensmassen der Gesellschaft und der Gesellschafter in einem solchen Maße miteinander vermischt sind, dass Kapitalerhaltungspflichten der §§ 30, 31 GmbHG nicht mehr erfüllt werden können, also nicht festgestellt werden kann, ob an Gesellschafter ausgezahlte Summe seinem Vermögen oder dem der Gesellschafter zuzuordnen ist (vgl. etwa BGHZ 125, 366, 368 = NJW 1994, 1801). Schon Rspr. zur GmbH gibt sich jedoch bei Beurteilung der tatbestandlichen Voraussetzungen deutlich zurückhaltend (vgl. BGH AG 1958, 106; NJW 1985, 740; BGHZ 95, 330, 333 = NJW 1986, 188; BGHZ 125, 366, 368 ff.; BSGE 75, 82, 84) und verlangt insbes., dass vom Ges. geforderte Kapitalerhaltung durch Verschleierungstaktiken unkontrollierbar wird (s. AG Brühl NZG 2002, 584: missbräuchliche Verschleierung der Vermögenszuordnung). Im Aktienrecht sollte vor diesem Hintergrund für Durchgriffslehre nur **wenig Raum** bleiben, weil jede Privatentnahme über Verteilung des Bilanzgewinns hinaus (also nicht nur der Zugriff auf das zur Erhaltung des Nennkapitals erforderliche Vermögen) schlechthin verboten ist und Aktionär nach § 62 haftbar macht. IdR werden §§ 57, 62 für diese Fallgruppe genügen. Sollte das ausnahmsweise nicht der Fall sein, kann Durchgriff auch hier zugelassen werden (BeckOGK/Fock Rn. 59; MüKoAktG/Heider Rn. 72; Schall FS Stilz, 2014, 537, 553 f.). Vermögensvermischung kann aber **keinen umgekehrten Haftungsdurchgriff** rechtfertigen, also keine Haftung der AG für Schulden ihrer Aktionäre, auch nicht bei maßgeblicher Beteiligung (s. schon BGHZ 78, 318, 333 = NJW 1981, 522 mit einschränkendem Zusatz „regelmäßig"). Weitergehend ist richtig, dass AG für Schulden ihrer Aktionäre nur haften kann, wenn sie entspr. Verpflichtung als eigene begründet hat (BGH DStR 1999, 1822).

cc) Abhängigkeits- und Konzernverhältnisse. Abhängigkeits- und Konzernverhältnisse sind nach herkömmlichem gesellschaftsrechtl. Verständnis angesichts vorhandener aktienrechtl. Regelung ebenfalls wenig geeignet, Durchgriff durch AG zu proben. **Abhängigkeit** iSd § 17 oder **einfache faktische Konzernierung** reichen keinesfalls aus, um auf herrschendes Unternehmen durchzugreifen (vgl. statt vieler K. Schmidt GesR § 9 IV 3b; aA K. Müller ZGR 1977, 1, 4 ff.); vielmehr bleibt es beim System des Einzelausgleichs nach §§ 311 ff. Weil Abschluss eines **Beherrschungsvertrags** nach §§ 302 f. zur Verlustübernahme verpflichtet, ist auch insoweit für Durchgriff kein Raum. Problemlos ist auch **Eingliederung,** weil § 322 ges. Haftungsanordnung enthält. Es kann allerdings nicht übersehen werden, dass diese klassische nationale Sichtweise des Gesellschaftsrechts neuerdings verstärkt unter Beschuss steht, und zwar namentl. von Seiten des Europarechts. Dort sind zunächst im Kartellrecht, in jüngerer Zeit aber auch im Kapitalmarkt- und Datenschutzrecht, unter dem Schlagwort der **wirtschaftlichen Einheit** wirkungsmächtige Tendenzen erkennbar, in Abhängigkeits- und Konzernverhältnissen das **Trennungsprinzip zu relativieren** (symptomatischer Aufsatztitel bei Weck NZG 2016, 1374: „Das gesellschaftsrechtliche Trennungsprinzip – Verabschiedung einer Illusion im Kartellrecht"; gegen diese Tendenz auf nationaler Ebene noch LG Düsseldorf WuW 2017, 106 Rn. 223 ff.; zur damit verwandten Diskussion um Konzern-Compliance → § 76 Rn. 50 ff.). Diese Ansätze fanden sich zunächst in der Kartellrechtspraxis der EU-Kommission und des EuGH (vgl. zur Rspr. des EuGH Bauermeister NZG 2022, 59 ff.), in deren Gefolge auch in der nationalen Aufsichtspraxis und haben schließlich im neuen § 81 IIIa idF der 9. GWB-Novelle eine ges. Bestätigung gefunden (vgl. dazu Meyer-Lindemann in Kersting/Podszun, Die 9. GWB-Novelle, 2017, Kap. 17 Rn. 53 ff.; Haus Konzern 2017, 381 ff.; Meixner WM 2017, 1281, 1285 f.; Thomas AG 2017, 637 ff.). Vom Kartellrecht haben sie – wiederum auf europäische Initiative – zunächst weiter auf das Kapitalmarktrecht und Datenschutzrecht ausgestrahlt (zum Ersten § 120 XXIII 2 WpHG; Krause CCZ 2014, 248, 259; zum Zweiten Art. 83 IV–VI DS-GVO iVm ErwG 150 S. 3 DS-GVO mit ausdr. Bezugnahme auf EU-Kartellrecht; sa Cornelius NZWiSt 2016, 421 ff.; Neun/Lubitzsch BB 2017, 1538, 1543; Faust/Spittka/Wybitul ZD 2016, 120, 124; Räther ZHR 183 [2019], 94, 96). Sie drohen nun, sich als zunehmend übergriffiger Rechtsgedanke auch in andere Gebiete „weiterzufressen" (zur Aufgabe des Trennungsprinzips im Atomrecht durch das Nachhaftungsgesetz [BGBl. 2017 I 114] vgl. König Konzern 2017, 61 ff.; zu den Grundzügen des unionsrechtl. Unternehmensbußgeldrechts vgl. Dannecker NZWiSt 2022, 85 ff.). Mittlerweile hat EuGH auch für zivilrechtl. Kartellschadensersatzschulden einer 100 %-Tochter Haftung der Mutter angeordnet (EuGH NZKart 2019, 217 Rn. 29 ff. – Skanska; EuGH NZG 2021, 1510 Rn. 37 ff. – Sumal; vgl. dazu Ackermann ZEuP 2023, 529, 544 ff.; Kersting WuW 2019, 290 ff.; Haus/Schmid Konzern 2020, 1 ff.; Heinichen/Schmidt DB 2019, 2337 ff.; Palzer EWS 2022, 23 ff.; Richter BB 2019, 1154 ff.; Uebele WuW 2021, 683 ff.). Haftungserstreckung auf Schwestergesellschaften wird in Rs. Sumal angedeutet (EuGH NZG 2021, 1510 Rn. 46 f.), aber nicht abschließend entschieden (Bauermeister NZG 2022, 59, 67; s. dazu auch Ackermann ZEuP 2023, 529, 550 ff.). Aus der Perspektive des deutschen Gesellschaftsrechts wohnt diesen Ansätzen eine systemsprengende Kraft inne, die den großen Nutzen des gesellschaftsrechtl. Trennungsprinzips auszuhöhlen droht (→ § 311 Rn. 48a f.; Beurskens Konzern 2017, 425 ff.; Habersack AG 2016, 691, 697; Hommelhoff ZGR 2019, 379; J. Koch FS Windbichler, 2020, 817 ff.; Poelzig VGR 23 GesR 2017, 83 ff.; Poelzig AG 2023, 97 Rn. 1 ff.; Schockenhoff NZG 2020, 1001 ff.; zur Frage einer Zuordnung zum ordre public vgl. Mansel FS Henssler, 2023, 1083 ff.). Wissenschaft und Praxis sollten diesen Tendenzen, wo sie noch keinen Eingang in das Gesetz gefunden 21 haben, entgegenwirken (gegen eine Expansion des unionskartellrechtl. Konzepts auch Ackermann ZEuP 2023, 529, 555 ff.; Zimmermann/Habrich/Korn/Weller ZGR 2023, 399 ff.).

22 **dd) Existenzvernichtender Eingriff. (1) Begrifflichkeit.** Als Existenzvernichtungshaftung bezeichnet BGH **Missbrauchshaftung** des Gesellschafters einer **GmbH.** Missbrauch wird in Eingriffen des Gesellschafters in das dem Gläubigerschutz dienende Gesellschaftsvermögen gefunden, sofern sie Insolvenz der GmbH bewirken oder vertiefen. Gerechtfertigt wird Missbrauchshaftung aus Schutzlücke im Haftungssystem der §§ 30, 31 GmbHG (vgl. BGHZ 151, 181, 186 ff. = NJW 2002, 3024; BGH NZG 2005, 177 f.; NJW 2007, 2689 Rn. 16; Röhricht FS 50 Jahre BGH, 2000, 83, 92 ff.). Entwicklung der Judikatur, der Schrifttum verbreitet gefolgt ist, zeigt drei Stufen: Am Anfang stand Haftung wegen qualifizierter faktischer Konzernierung (→ Rn. 23). Abgelöst wurde sie durch Außenhaftung kraft Durchgriffs (→ Rn. 24). Nunmehr ist BGHZ 173, 246 Rn. 15 ff. = NJW 2007, 2689 zur Innenhaftung gem. § 826 BGB übergegangen (→ Rn. 25). Das kommt auch bei AG in Betracht, doch konkurriert sittenwidrige Schädigung hier mit Haftung aus § 117 (→ Rn. 30).

23 **(2) Entwicklungsstufen der Rechtsprechung.** Missbrauchsproblem wurde zunächst enger aufgefasst, nämlich als unzulässiger Zugriff auf das Gesellschaftsvermögen durch den Gesellschafter, der GmbH als herrschendes Unternehmen ggü. tritt und ohne beherrschungsvertragliche Legitimation derart breitflächig Einfluss nimmt, dass Ausgleich der Vermögenseinbußen durch Einzelansprüche scheitern musste. Beschrieben wurde diese Lage als **qualifizierte faktische Konzernierung,** als deren Folge ein Verlustausgleichsanspruch analog § 302 angenommen wurde (vgl. noch BGHZ 95, 330, 343 = NJW 1986, 188; BGHZ 107, 7, 15 f. = NJW 1989, 1800; BGHZ 115, 187, 192 = NJW 1991, 3142). Analogieschluss wurde damit gerechtfertigt, dass es unangemessen sei, Verlustausgleichsfolge des § 302 nur deshalb nicht eingreifen zu lassen, weil qualifizierte Abhängigkeit auf irreguläre (nämlich faktische) Weise ohne Unternehmensvertrag zustande gekommen sei (K. Schmidt GesR § 31 IV 4). § 302 hätte aber als Rechtsfolge reine Zustandshaftung auslösen müssen (so in der Tat noch BGHZ 115, 187, 193 f.), die Praxis mit erheblichen und sachlich nicht zu rechtfertigenden Haftungsfolgen belastet hätte (K. Schmidt GesR § 39 III 4a). Sachlich angemessenere Verhaltenshaftung für missbräuchliche Eingriffe war aber mit verhaltensunabhängiger Analogiegrundlage des § 302 nur schwer in Einklang zu bringen. Nach der eine Wende anbahnenden Entscheidung BGHZ 122, 123, 126 f. = NJW 1993, 1200 hat BGH im Anschluss an den grundlegenden Beitrag von Röhricht FS 50 Jahre BGH, 2000, 83 ff. seine Judikatur aufgegeben und jedenfalls im Grundsatz **eigenständiges Bestandsinteresse** auch der Einpersonengesellschaft ggü. ihrem Gesellschafter anerkannt (BGHZ 149, 10, 16 f. = NJW 2001, 3622). Haftung wegen qualifizierter faktischer Konzernierung wurde in BGHZ 151, 181, 186 ff. = NJW 2002, 3024 durch Durchgriffshaftung ersetzt (für Fortbestand der älteren Rspr. zur Schließung von Schutzlücken im Einzelfall aber OLG Schleswig NZG 2022, 173 Rn. 26; überzeugend dagegen Beurskens NZG 2022, 177 f.; Jaspers/Schiller GWR 2022, 107 ff.). Eindrucksvolle Aufarbeitung der Entwicklungsgeschichte bei Fleischer/Trinks in Fleischer/Thiessen, Gesellschaftsrechts-Geschichten, 2018, 657 ff.

24 **Ursprüngliches Konzept** des existenzvernichtenden Eingriffs war **Durchgriffshaftung** in Gestalt einer Außenhaftung. Ihrer dogmatischen Konstruktion lag missbrauchsbedingter Verlust des Haftungsprivilegs nach § 13 II GmbHG zugrunde, der dazu führte, dass Grundsatz akzessorischer Gesellschafterhaftung nach **§§ 721, 721b, §§ 126, 128 HGB** wieder zum Tragen kommen sollte (BGHZ 151, 181, 186 f. = NJW 2002, 3024; BGH NZG 2005, 214). Es handelte

sich also nicht um neue Anspruchsgrundlage, sondern um Mithaftung von Gesellschaftern für Anspruch gegen GmbH.

Mittlerweile hat BGH für GmbH aber auch dieses Haftungskonzept aufgegeben und durch **deliktische Innenhaftung nach § 826 BGB** ersetzt (BGHZ 173, 246 Rn. 15 ff. = NJW 2007, 246), wobei ausschließlich dogmatische Grundlage und Rechtsfolgenseite ausgewechselt wurden, tatbestandliche Voraussetzungen aber nahezu identisch geblieben sind. Einordnung als Durchgriffshaftung ist damit überholt. Missbräuchliche Eingriffe (dazu BGHZ 176, 204 Rn. 12 f. = NJW 2008, 2437) in Vermögen der GmbH etabliert BGH also im Wege eines „richterlichen Gestaltungsakts" als bes. Fallgruppe sittenwidriger vorsätzlicher Schädigung der GmbH, nicht ihrer Gläubiger (BGHZ 173, 246 Rn. 15 ff.; seither BGHZ 176, 204 Rn. 10, 13; BGH NZG 2008, 187 Rn. 11 ff.; BGHZ 179, 344 Rn. 15 = NJW 2009, 2127). Mit Übergang zur deliktischen Innenhaftung soll „unangemessen harten Ergebnissen" des früher praktizierten Haftungsdurchgriffs begegnet werden (Goette DStR 2007, 1586, 1594). Insbes. ist dem Gericht daran gelegen, Haftung an mindestens **eventualvorsätzliches Handeln** des Gesellschafters zu knüpfen (BGHZ 173, 246 Rn. 31), weshalb Haftungsgrundlage auch „ausschließlich" oder „allein" in § 826 BGB gefunden werden soll (BGHZ 173, 246 Rn. 15, 17), also nicht auch in einer Verletzung der mitgliedschaftlichen Treupflicht (dafür aber zB Stöber ZIP 2013, 2295 ff.). Zugleich verspricht man sich davon auch Anwendbarkeit auf Auslandsgesellschaften (Osterloh-Konrad ZHR 172 [2008], 274, 276; → Rn. 47). Im Schrifttum ist Entscheidung weithin auf Zustimmung gestoßen (Besprechungen etwa bei Altmeppen NJW 2007, 2657; Habersack ZGR 2008, 533; Weller ZIP 2007, 1681; krit. Hönn WM 2008, 769, 771 ff.; Osterloh-Konrad ZHR 172 [2008], 274, 287 ff.). 25

(3) Tatbestand. Tatbestandlich wird existenzvernichtender Eingriff dahingehend umschrieben, dass Alleingesellschafter **Rechtsform der Kapitalgesellschaft missbraucht,** indem er Zweckbindung des Gesellschaftsvermögens zur vorrangigen Gläubigerbefriedigung durch unangemessenen und ins Gewicht fallenden Zugriff auf Gesellschaftsvermögen außer Acht lässt und Nachteilszufügung nicht durch Einzelansprüche, bes. durch Kapitalschutz nach §§ 30, 31 GmbHG, ausgeglichen werden kann (BGHZ 151, 181, 187 = NJW 2002, 3024; BGHZ 173, 246 Rn. 18, 20 = NJW 2007, 246). Das gilt entspr. bei mehrgliedriger Gesellschaft, und zwar jedenfalls dann, wenn Gesellschafter einverständlich handeln und deshalb mitgliedschaftliche Treupflicht im Verhältnis der Gesellschafter untereinander als Lösungsansatz ausscheidet. Grundsätze gelten auch bei nur mittelbarer Beteiligung im Falle beherrschenden Einflusses (dazu BGH NZG 2005, 214; BGHZ 173, 246 Rn. 44). Abfluss von Vermögenswerten ist nicht erforderlich, sondern es genügt Erhöhung der Verbindlichkeiten (BGHZ 220, 179 Rn. 27 ff. = NJW 2019, 589 zur Verschmelzung eines insolvenzreifen übertragenden Rechtsträgers). Auch Entzug von Geschäftschancen (→ § 88 Rn. 4a) kann existenzvernichtenden Eingriff begründen (BGH NZG 2005, 214, 215). Bloße Unterkapitalisierung genügt dagegen nicht, doch hält BGH hier eigenständige Fallgruppe des § 826 BGB für möglich (BGHZ 176, 204 Rn. 25 = NJW 2008, 2437; → Rn. 19). Als Eingriffsfolge muss **Insolvenzreife** eintreten oder vertieft werden (BGHZ 173, 246 Rn. 16; Röhricht FS 50 Jahre BGH, 2000, 83, 113), was aber auch noch im Stadium der Liquidation möglich ist (BGHZ 179, 344 Rn. 39 f. = NJW 2009, 2127; BGHZ 193, 96 Rn. 13 = NZG 2012, 667). Reine Managementfehler genügen nicht, so dass idR vorauszusetzen ist, dass entzogenes Vermögen in Sphäre mindestens eines Gesellschafters bzw. ihm nahestehender Person fließt (sa BGHZ 173, 246 Rn. 30). Schließlich setzt Haftung nach Verankerung in § 826 BGB auch vorsätzliches Handeln voraus, 26 wobei iS eines **Eventualvorsatzes** genügt, dass Existenzvernichtung voraussehbare Folge des Eingriffs war und Gesellschafter dies billigend in Kauf genommen hat (BGHZ 173, 246 Rn. 30 f.; BGHZ 179, 344 Rn. 24; sa OLG Celle NZG 2023, 845 Rn. 16: planmäßiger Entzug; krit. Habersack ZGR 2008, 533, 544 ff.). Nicht mehr erforderlich ist, dass Gesellschafter herrschendes Unternehmen iSd §§ 15 ff. ist. Haftung hat mit neuer dogmatischer Fundierung konzernrechtl. Ansatz verloren (BGHZ 151, 181, 186 f.). **Darlegungs- und beweisbelastet** für Voraussetzungen des § 826 BGB, einschließlich Kausalitätsnachweis, ist Gesellschaft als angebliche Ersatzgläubigerin bzw. Insolvenzverwalter (BGHZ 173, 246 Rn. 41; BGH NZG 2008, 187 Rn. 14; BGHZ 193, 96 Rn. 13). Faktische Beweiserleichterung tritt aber ein durch Ausdehnung auf bloße Insolvenzvertiefung, die überdies durch Anscheinsbeweis über „schadensgeneigten Eingriff" dargelegt werden kann (Oechsler FS U. H. Schneider, 2011, 913, 918 ff.).

27 **(4) Rechtsfolge.** Rechtsfolge ist **Innenhaftungsanspruch** gegen AG, dh Gläubiger der Gesellschaft sind darauf verwiesen, außerhalb des Insolvenzverfahrens die Gesellschaftsansprüche durch Pfändung und Überweisung (§§ 829, 835 ZPO) an sich zu ziehen (BGHZ 173, 246 Rn. 36 = NJW 2007, 2689). Erfasst werden auch Schäden jenseits der Stammkapitalziffer, dh weitergehende Kollateralschäden als Folge des Eingriffs (BGHZ 173, 246 Rn. 39). Ansprüche aus §§ 30, 31 GmbHG (für AG: §§ 57, 62) werden nicht verdrängt (BGHZ 173, 246 Rn. 3 ff.). Entspr. deliktischem Ansatz des § 826 BGB wird angenommen, dass rechtswidrig handelnder Gesellschafter vom haftungsbegründenden Eingriff an nach § 286 II Nr. 4 BGB ohne Mahnung Verzugszinsen schuldet (BGH WM 2008, 449 Rn. 13; Grigoleit/Grigoleit Rn. 124). **Beteiligung** ist unter Voraussetzungen des § 830 BGB möglich (BGHZ 173, 246 Rn. 46; BGH NZG 2012, 1069 Rn. 14), wobei § 830 I BGB aber auch bei Mittäter Gesellschafterstellung voraussetzt (Weller ZIP 2007, 1681, 1687). Teilnehmer iSd § 830 II BGB kann dagegen auch Außenstehender sein, namentl. auch Geschäftsleiter der Obergesellschaft (so auch Lutter/Hommelhoff/Bayer GmbHG § 13 Rn. 44; Staudinger/Oechsler [2009] BGB § 826 Rn. 325b; Habersack ZGR 2008, 533, 546; zur „systematischen Sprengkraft" des § 830 BGB im Gesellschaftsrecht Oechlser AcP 214 [2014], 542 ff.). Gegengründe sind insofern zwar bedenkenswert (S. H. Schneider FS U. H. Schneider, 2011, 1177 ff.; S. H. Schneider GmbHR 2011, 685 ff.; Tröger/Dangelmayer ZGR 2011, 558, 580 ff. [iE über § 826 BGB aber wie hier]), aber nicht derart zwingend, dass sie nach deliktischer Fundierung der Existenzvernichtungshaftung systematisch folgerichtige Anwendung des § 830 II BGB widerlegen könnten; Konstellation, dass Handelnder wegen fehlender Subjektqualität nicht Täter, wohl aber Gehilfe sein kann, ist im Strafrecht keinesfalls unbekannt (vgl. LK-StGB/Roxin, 12. Aufl. 2007, StGB § 25 Rn. 40 ff.). **Verjährung** richtet sich nach allg. Grundsätzen (§§ 195, 199 BGB; vgl. BGHZ 179, 344 Rn. 34 = NJW 2009, 2127; BGH NZG 2012, 1069 Rn. 14; 2013, 827 Rn. 25) und beginnt nach § 199 I Nr. 2 BGB mit dem Schluss des Jahres, in dem der Gläubiger bzw. Insolvenzverwalter von den Umständen, die den Anspruch begründen, Kenntnis erlangt oder ohne grobe Fahrlässigkeit erlangen müsste (BGH NZG 2012, 1069 Rn. 15; Hermann/v. Woedtke NZG 2012, 1297).

28 **(5) Würdigung.** Grds. zu begrüßen ist, dass sich neues Konzept vom definitionsfeindlichen Tatbestand (oder Scheintatbestand) qualifiziert faktischer Konzernierung löst und **fehlgehende Anknüpfung an Konzernverhältnis** aufgibt (vgl. schon M. Winter, Mitgliedschaftliche Treubindungen im GmbH-Recht, 1988, 205 ff.; gegen konzernrechtl. Verengung auch Röhricht FS 50 Jahre BGH, 2000, 87, 118 ff.). Neues dogmatisches Konzept überzeugt im praktischen Ergebnis durch Übergang zur Innenhaftung, stößt iÜ aber auf dogmatische und

hinsichtlich des zwingenden Vorsatzerfordernisses auch auf praktische Bedenken (Habersack ZGR 2008, 533, 545 ff.; Schwab ZIP 1998, 341, 343 f.).

(6) Existenzvernichtungshaftung im Aktienrecht. Akzeptiert man trotz dieser Zweifel Ansatz des BGH für GmbH, so stellt sich Frage nach Übertragbarkeit auf Aktienrecht. Hierzu ist zunächst davon auszugehen, dass sich Haftung analog § 302, erst recht ein direkter Gläubigerzugriff in loser Anlehnung an § 303, wegen qualifizierter faktischer Konzernierung (→ Rn. 23) oder wegen qualifizierter Nachteilszufügung auch im Aktienrecht überholt hat (OLG Stuttgart AG 2007, 633, 636; 2007, 873, 875; MüKoAktG/Altmeppen Anh. § 317 Rn. 14; Grigoleit/Grigoleit Rn. 115 f.; KK-AktG/Koppensteiner Anh. § 318 Rn. 72 ff.; Hüffer FS Goette, 2011, 192, 200 ff.; aA OLG Frankfurt NZG 2015, 829; GK-AktG/Fleischer Anh. § 317 Rn. 21 ff.; Emmerich/Habersack/Habersack Anh. § 317 Rn. 1, 5 ff.; Grigoleit/Servatius § 302 Rn. 1; Schall FS Stilz, 2014, 537, 548 ff.). Schon für Analogieschluss erforderliche **Schutzlücke** ist trotz Einschränkung des treupflichtgestützten Schädigungsverbots in §§ 311 ff. fraglich, da Aktienrecht mit strikter Vermögensbindung nach §§ 57, 62 und Pflicht zur Rücklagenbildung höheres Schutzniveau aufweist als §§ 30, 31 GmbHG und diese Instrumentarien überdies durch Schadensersatzpflicht aus §§ 117, 317 flankiert werden (MüKoAktG/Altmeppen Anh. § 317 Rn. 14; Hüffer FS Goette, 2011, 191, 201 f.). Befund wird dadurch bestärkt, dass es – anders als bei GmbH – an aktienrechtl. Fallmaterial weitgehend fehlt, in dem sich vermeintliche Schutzdefizite niedergeschlagen hätten (MüKoAktG/Altmeppen Anh. § 317 Rn. 14; S/L/J. Vetter § 317 Rn. 50). Tats. handelt es sich nicht um Lücken-, sondern um **Beweisproblem,** dem im Rahmen des § 317 durch Anwendung des § 287 ZPO abgeholfen werden kann (MüKoAktG/Altmeppen Anh. § 317 Rn. 22; ausf. → § 317 Rn. 9a). Weiterhin spricht gegen Analogielösung, dass es trotz intensiver wissenschaftlicher Ausleuchtung der qualifizierten Nachteilszufügung nicht gelungen ist, sie tatbestandlich in praktisch brauchbarer Weise zu formulieren, ohne zugleich Analogiegrundlage der Zustandshaftung nach §§ 302, 303 gänzlich zu verlassen (→ Rn. 23). Verbreitete Umschreibungen wie dauernde und umfassende Geschäftsführung, nachhaltige Beeinträchtigung der Eigeninteressen der abhängigen Gesellschaft, Versagen des Einzelausgleichskonzepts etc haben sich als kaum subsumtionsfähig erwiesen und in gerichtl. Praxis zT dazu geführt, dass sorgfältiger Schädigungsnachweis durch Pauschalberufung auf qualifizierte Konzernierung verdrängt wurde (Hüffer FS Goette, 2011, 191, 199 f., 202). Jedenfalls mit Zustandshaftung nach §§ 302, 303 lassen sie sich nicht in Einklang bringen, sondern auch hier erweist sich Weg über § 317 als überlegen (→ § 317 Rn. 9a). 29

Übergang des BGH zur Innenhaftung nach § 826 BGB ist für GmbH neu, findet bei AG jedoch **Seitenstück in Haftung nach § 117,** die ebenfalls Innenhaftung ist, und zwar deliktischen Ursprungs (→ § 117 Rn. 2). Sie ist mit § 101 AktG 1937 eingeführt worden, um Rückgriff auf § 826 BGB entbehrlich, nicht auch unzulässig zu machen (Hüffer FS Kropff, 1997, 127, 135 f.). Dass vom BGH neu konzipierte Fallgruppe des § 826 BGB über Generalklausel des § 117 I hinausführt, ist kaum anzunehmen, womit sich das Problem einer Existenzvernichtungshaftung iErg weitgehend erledigt. Weil § 117 und § 826 BGB konkurrierend zur Anwendung kommen (→ § 117 Rn. 14), bestehen allerdings beide Begründungswege nebeneinander (statt vieler Emmerich/Habersack/Habersack Anh. § 317 Rn. 5a; aA Schall FS Stilz, 2014, 537, 546 ff., der Anwendung des § 826 BGB zu Unrecht an Rechtsfortbildungsvoraussetzungen misst). 30

ee) Besondere Verpflichtungsgründe. Solche sind zB Bürgschaft, Garantie, Patronatserklärung von Gesellschaftern, soweit tatbestandlich ausnahmsweise verwirklicht, auch Fälle des § 311 II und III BGB, also namentl. bei Vertrauens- 31 tatbestand. Sog **Haftung aus Konzernvertrauen** ist dagegen jenseits des § 311 III BGB nicht als eigenständige Haftungskategorie anzuerkennen (ausf. J. Koch, Die Patronatserklärung, 2005, 438 ff.; sa S/L/Langenbucher § 291 Rn. 43 ff.; Rieckers, Konzernvertrauen und Konzernrecht, 2004, 75 ff.; vgl. auch OLG Stuttgart AG 2021, 119, 120: allein guter Name der Mutter kann Haftung nicht begründen; weitergehend Broichmann/Burmeister NZG 2006, 687 ff.; Druey FS Lutter, 2009, 1069, 1071 ff.; Stein FS Peltzer, 2001, 557, 568 ff. – jew. im Anschluss an Bundesgericht [Schweiz] BGE 120 II 331, 335 ff.; BGE 124 III 297). Weitere Verpflichtungsgründe können ferner § 823 II BGB, § 826 BGB sein, wobei vor allem §§ 263, 266 StGB als Schutzgesetze in Betracht zu ziehen sind (illustrativ BGHZ 149, 10, 17 ff. = NJW 2001, 3622). Ohne Ausnahme geht es insoweit überhaupt nicht um Durchgriffshaftung (BGHZ 31, 258, 271 = NJW 1960, 285; Nirk FS Stimpel, 1985, 443, 449). Fälle dieser Art sind deshalb grds. auszuklammern. Im Einzelfall kann sich allerdings nicht eingestandener Durchgriff in Vertragsfiktion oder generöser Annahme von § 311 II BGB verbergen.

32 **b) Normanwendungsfragen.** Durchgriffsgedanke wird üblicherweise mit Haftungsfragen in Verbindung gebracht, geht tats. aber darüber hinaus (→ Rn. 15). Auch bei Anwendung sonstiger Einzelnormen kann sich die Frage stellen, ob **rechtl. Trennung zwischen jur. Person und Mitglied** durchzuhalten oder gerade außer Acht zu lassen ist, weil sonst Ergebnisse erzielt würden, die mit Sinn und Zweck der jeweiligen Bestimmung nicht vereinbart werden könnten. Bsp. bieten insbes. sog Maklerfälle und Frage gutgl. Erwerbs vom Nichtberechtigten. Betroffen ist regelmäßig, aber nicht notwendig eine GmbH, etwa in der Form, dass von ihr als Bauträgerin erstellte Objekte von ihrem Alleingesellschafter „vermakelt" werden. Provision ist in solchen Fällen nicht verdient (BGH NJW 1971, 1839; 1973, 1649; 1974, 1130 f.), weil keine Vermittlungstätigkeit iSd § 652 BGB vorliegt. In vergleichbarer Weise kann Alleingesellschafter von „seiner" GmbH oder AG nicht gutgl. Eigentum erwerben (dazu Lutter AcP 162 [1964], 122, 159 ff.). Ähnliche Probleme können sich auch im Aktienrecht stellen und sind dann in gleicher Weise zu entscheiden (s. zur Anwendung des § 114a ZVG bei Konzernverhältnis BGHZ 117, 8, 12 = NJW 1992, 1702; zur Berücksichtigung der Leistungsfähigkeit des Großaktionärs iRd § 116 S. 1 Nr. 2 ZPO LG Dresden AG 1995, 335). Aus dem Arbeitsrecht gehört sog Berechnungsdurchgriff (§ 16 BetrAVG) in diesen Zusammenhang (dazu BAGE 78, 87, 100 ff. mwN = NJW 1995, 2127 Ls.; aus jüngerer Zeit BGH AG 2017, 33). Auch darf GmbH, auf die Vorstandsmitglied einer AG seine Aktien übertragen hat, bei Beschlussfassung über Entlastung des Vorstands nicht mitstimmen, weil sonst Sinn und Zweck des § 136 I verfehlt würden (RGZ 146, 385, 390 ff.; → § 136 Rn. 14). Schließlich erzielt BGH im Holzmüller-Fall ein vergleichbares Resultat, indem er Kapitalerhöhung in der ausgegliederten Tochter an zustimmenden Beschluss der HV in der Obergesellschaft bindet; gewahrt wird damit das aus § 119 I Nr. 7, §§ 182 ff. folgende Mitwirkungsrecht der Aktionäre (BGHZ 83, 122, 141 ff. = NJW 1982, 1703; näher → § 119 Rn. 16 ff.).

33 **c) Vertragsauslegung.** Im Zusammenhang der Durchgriffslehre werden schließlich **vertragliche Wettbewerbsverbote** erörtert, die vom Unterlassungsschuldner durch von ihm errichtete GmbH verletzt werden, und vor allem Fälle diskutiert, in denen Aktien oder Geschäftsanteile sämtlich oder bis auf unbedeutenden Rest veräußert werden und sich im Nachhinein das Gesellschaftsunternehmen als mangelbehaftet darstellt (vgl. BGHZ 20, 4, 13 mwN = NJW 1956, 785; BGHZ 65, 246, 251 = NJW 1976, 236; Hiddemann ZGR 1982, 435, 439). Insoweit geht es aber nach richtiger Ansicht überhaupt nicht um Durch-

griff, sondern um **Auslegung** des geschlossenen Vertrags und des Leistungsstörungsrechts.

IV. Internationales Gesellschaftsrecht (Überblick)

1. Grundlagen. a) Sitztheorie und Gründungstheorie. Bei Sachverhalten mit Auslandsberührung stellt sich für AG wie für jeden Rechtsträger Frage, welche nationale Rechtsordnung Anwendung findet. Danach maßgebliche Rechtsordnung wird als **Gesellschaftsstatut** oder lex societatis bezeichnet (S/L/Ringe IntGesR Rn. 1). Herkömmliche und international anzutreffende Lösungen sind Sitztheorie und Gründungstheorie (Überblick zB bei MüKoBGB/Kindler IntGesR Rn. 359 ff., 420 ff.). Während die Sitztheorie die wesentlichen gesellschaftsrechtl. Fragen nach dem Recht des effektiven Verwaltungssitzes beantwortet (→ Rn. 37), stellt die Gründungstheorie auf Recht des Inkorporationsortes ab (→ Rn. 42). Hauptanliegen der **Sitztheorie** sind **Schutz des inländischen Geschäftsverkehrs** vor unseriösen Auslandsgründungen sowie numerus clausus der Gesellschaftsformen. Dagegen zielt die dem anglo-amerikanischem Rechtskreis entstammende **Gründungstheorie** darauf ab, Sitzverlegungen über die Grenze unter **Mitnahme des Heimatrechts** zu ermöglichen. Sitztheorie hat dominierende Rolle, die ihr für das deutsche Kollisionsrecht zukam, in den letzten Jahren teilw. eingebüßt, was gemeinschaftsrechtl. bedingt ist, nämlich auf Niederlassungsfreiheit nach Art. 49, 54 AEUV zurückgeht. Auch in dem 2007 vorgelegten RefE eines Ges. zum IPR der Gesellschaften, Vereine und jur. Personen war Übergang zur Gründungstheorie vorgesehen, genauer Übergang zum Recht der erstmaligen Registereintragung (Überblick bei Wagner/Timm IPRax 2008, 81, 84 ff.). Gesetzesvorhaben wurde indes nicht abgeschlossen und scheint nicht weiter verfolgt zu werden (MüKoAktG/Ego Europ. NLF Rn. 188). 34

b) Drittstaaten und EU(EWR)-Staaten: gespaltene Beurteilung. Bedeutungsverlust der Sitztheorie (→ Rn. 36) ist darauf zurückzuführen, dass EuGH in **Entscheidungstrilogie** Centros, Überseering, Inspire Art festgestellt hat, dass aus Sitztheorie folgende Nichtanerkennung von Gesellschaften aus EU-Mitgliedstaaten in ihrer originären Rechtsform mit der in **Art. 49, 54 AEUV** gewährleisteten Niederlassungsfreiheit nicht zu vereinbaren ist (Einzelnachw. in → Rn. 42; vgl. auch EuGH Slg. 2005, I-10825 = NJW 2006, 425 zur grenzüberschreitenden Hineinverschmelzung; Regelung seit UmRUG 2023 in §§ 305 ff. UmwG). HM zieht daraus die Konsequenz, (zumindest) innerhalb der EU kollisionsrechtl. Anknüpfungspunkt auszuwechseln: Traditionelle Sitztheorie wird durch Gründungstheorie ersetzt, und zwar iS eines kollisionsrechtl. Grundsatzes. Maßgeblich ist also Herkunftslandprinzip (→ Rn. 42 ff.), soweit Art. 49, 54 AEUV räumliche Geltung beanspruchen. Das gilt für EU-Staaten und für EWR-Staaten; zu Staatsverträgen → Rn. 39. 35

Nicht veranlasst ist dagegen genereller, also auch **Drittstaaten** einschließender Übergang von Sitz- zur Gründungstheorie (so auch BGHZ 178, 192 Rn. 19 ff. = NJW 2009, 289; BGH AG 2010, 79 Rn. 4; BGHZ 212, 381 Rn. 21 = NZG 2017, 347; aus dem Schrifttum zB MüKoBGB/Kindler IntGesR Rn. 361 ff., 420 ff., 455 ff.; Ebke FS Hellwig, 2011, 117, 133 ff.; Hellgardt/Illmer NZG 2009, 94, 95 f.; für einen solchen Übergang aber Balthasar RIW 2009, 221, 223 ff.; Bayer/Schmidt ZHR 173 [2009], 735, 740 f.; Eidenmüller ZIP 2002, 2233, 2244). Solcher Übergang ist gemeinschaftsrechtl. nicht geboten (GK-HGB/J. Koch/Harnos § 13 Rn. 41 f.) und auch kollisionsrechtl. nicht vorzugswürdig (insoweit aA S/L/Ringe IntGesR Rn. 73 ff.), weil damit **berechtigten Schutzanliegen der Sitztheorie** nicht Rechnung getragen würde. Gespaltene Beurteilung von Drittstaaten (Sitztheorie) und EU(EWR)-Staaten (Gründungstheorie) 36 ist auch kein Mangel. Vielmehr reflektiert sie grds. Maßgeblichkeit der Sitztheorie, die sich aber mit Niederlassungsfreiheit jedenfalls dann nicht vereinbaren lässt, wenn sie Geltungsanspruch des Sitzstaates für sein gesamtes Gesellschaftsrecht zum Ausdruck bringt. Anders gewendet: Die Vorstellung der EU als eines vorrangig durch die Grundfreiheiten geprägten und zur Wahrung ihrer Funktionsbedingungen einheitlichen Rechtsraums nötigt zur (mangels hinreichender Rechtsangleichung teilw. verfrühten) Aufgabe der Sitztheorie.

37 **2. Drittstaaten: Sitztheorie. a) Bedeutung.** Sitztheorie ist kollisionsrechtl. Norm, nach der AG oder andere Gesellschaft prinzipiell dem Recht des Sitzstaates unterliegt, also insbes. seinen Sachnormen. Dabei ist Sitz nicht iSd § 5 als Satzungssitz zu verstehen. Maßgeblich ist vielmehr der **effektive Sitz,** der seinerseits nach dem Ort der Hauptverwaltung zu bestimmen ist (so zB BGHZ 78, 318, 334 = NJW 1981, 522; BGHZ 97, 269, 271 = NJW 1986, 2194; BGHZ 153, 353, 355 = NJW 2003, 1607; BGHZ 178, 192 Rn. 21 f. = NJW 2009, 289; BayObLGZ 1998, 195, 197 f.). Dahinter steht die Überlegung, dass dieser Staat am stärksten von unternehmerischer Betätigung der AG betroffen ist und er deshalb Schutzniveau festlegen soll, das für seinen Rechtsverkehr gelten soll (S/L/Ringe IntGesR Rn. 6).

38 **b) Folgerungen. aa) Auslandssitz.** Für Einzelheiten ist danach zu unterscheiden, ob sich Gesellschaftssitz im Ausland oder im Inland befindet. Sofern effektiver Sitz (→ Rn. 37) im Ausland liegt, erledigt sich mit Sitztheorie zunächst sog **Anerkennungsproblematik,** also Frage, ob nach ihrem Heimatrecht voll rechtsfähige Gesellschaft nach deutschem Recht als jur. Person zu behandeln ist. Wenn Gesellschaft nämlich nach ihrem Heimatrecht rechtsfähig ist, ist sie es auch für das deutsche Recht (unstr., vgl. Staudinger/Großfeld, 1998, IntGesR Rn. 126). Auch sonst sind prinzipiell alle Rechtsbeziehungen der ausländischen Gesellschaft nach ihrem Statut zu beurteilen (Staudinger/Großfeld, 1998, IntGesR Rn. 180 ff.). Wichtige Ausnahme besteht für **registergerichtliches Verfahren,** das vom deutschen Recht als lex fori bestimmt wird (→ HGB § 13d Rn. 5; → HGB § 13e Rn. 6 f.; → HGB § 13f Rn. 5; Ebert NZG 2002, 937, 938). Gesellschaftsstatut gilt auch für Beurkundung der Satzung (str.; → § 23 Rn. 10); danach für inländische Gesellschaft erforderliche deutsche Form kann aber nach hM durch gleichwertige Auslandsbeurkundung gewahrt werden (str.; → § 23 Rn. 11). HV im Ausland ist zulässig, wenn Satzung ausländischen Versammlungsort bestimmt (str.; → § 121 Rn. 14 ff.). Maßgeblich für Konzernrecht ist Schutzbedürfnis der inländischen beherrschten Gesellschaft, so dass deutsches Konzernrecht auch für Beziehungen zu herrschendem Unternehmen mit Auslandssitz gilt (→ § 291 Rn. 5, 8; → § 311 Rn. 12).

39 **bb) Inlandssitz (Zuzug).** Bei Gesellschaften mit Inlandssitz ergeben sich kollisionsrechtl. Probleme, wenn es sich um Auslandsgründungen handelt, bei denen effektiver Verwaltungssitz in das Inland verlegt worden ist (Zuzugsfälle). Als kollisionsrechtl. Norm (→ Rn. 37) verweist Sitztheorie auf deutsches Sachrecht. Ungeachtet ausländischen Gründungsorts ist also deutsches Recht anzuwenden, soweit sich nicht aus Staatsvertrag oder aus Vorrang des Gemeinschaftsrechts (→ Rn. 42 ff.) etwas anderes ergibt. **Staatsvertrag:** Sitztheorie als allg. Kollisionsnorm tritt unter den Voraussetzungen des Art. 3 II 1 EGBGB hinter staatsvertragliche Sonderregelung zurück, also dann, wenn Staatsvertrag Gründungsstatut maßgeblich sein lässt. Das ist nach zutr. hM insbes. für Art. XXV Abs. 5 S. 2 deutsch-amerikanischer Freundschafts-, Handels- und Schifffahrtsvertrag v. 1954 der Fall (BGHZ 153, 353, 355 ff. = NJW 2003, 1607; BGH AG 2004, 607, 608; NZG 2005, 44 f.; aA noch OLG Hamm GmbHR 2003, 302 Ls.).

Bes. Herausforderungen haben sich aus **Brexit** für britische Gesellschaften mit deutschem Verwaltungssitz ergeben (vgl. J. Schmidt ZIP 2019, 1093 ff.). Praktische Probleme begegnen vornehmlich bei anderen Gesellschaftsformen als AG bzw. plc (vgl. Mohamed ZVglRWiss 177 [2018], 189, 192 f.), doch wurde iRv Insolvenzverfahren mittlerweile auch schon Inanspruchnahme von Aktionären auf gerichtl. Prüfstand gestellt (AirBerlin – Clearstream). Durch Ablauf der Übergangsphase zum 31.12.2020 (Art. 126 des Austrittsabkommens) ist Vereinigtes Königreich seit 1.1.2021 nicht mehr Teil des Binnenmarktes und der EU-Zollunion. Vorbehaltlich staatsvertraglicher Regelung (→ Rn. 39b) sind britische Gesellschaften deshalb nunmehr solche aus **Drittstaaten,** auf die Regelungen des AEUV, insbes. Niederlassungsfreiheit, nicht mehr anwendbar sind (BGH NZG 2021, 702 Rn. 9; OLG München NZG 2021, 1518 Rn. 12 ff.). Für Eigenschaft des Gründungsstaats als EU-Mitgliedsstaat kommt es auf **Zeitpunkt der Inanspruchnahme der Niederlassungsfreiheit** an, nicht auf Zeitpunkt der Gründung (BGH NZG 2021, 702 Rn. 11). BGH hat daher Vorlagebeschluss zu Fragen der Anwendung des AEUV mangels Entscheidungserheblichkeit folgerichtig aufgehoben (BGH NZG 2021, 702 ff.; zust. OLG München NZG 2021, 1518 Rn. 12 ff.; Fischer NZG 2021, 1497 ff.; Lieder EWiR 2021, 423, 424; zu früher erwogenen Modellen intertemporaler Anerkennung s. noch → 15. Aufl. 2021, Rn. 39a). Nat. Gesetzgeber hat betroffenen Gesellschaften vor Inkrafttreten des Austrittsabkommens durch **4. UmwG-ÄnderungsG** Möglichkeit eröffnet, austrittsbedingte Folgen dadurch abzumildern, dass nach §§ 305 ff. erleichterter Wechsel in deutsche Rechtsform ermöglicht wurde, soweit entspr. Verschmelzungsplan vor Ablauf des 31.12.2020 notariell beurkundet worden ist (vgl. dazu Lieder/Bialluch NJW 2019, 805 ff.; Luy DNotZ 2019, 484 ff.; Zweifel an Tragfähigkeit dieser Lösung bei Grzeszick/Verse NZG 2019, 1129, 1131 f.). Auch Polbud-Entscheidung des EuGH (→ § 5 Rn. 16) hat im Vorfeld des Austritts weitere kautelarjuristische Auswege eröffnet (vgl. Atta GmbHR 2017, 567, 569 f.). 39a

Wo diese Möglichkeiten nicht genutzt wurden, sind britische Gesellschaften nunmehr jedenfalls dem originären Schutz der Niederlassungsfreiheit entzogen und würden deshalb nach allg. Grundsätzen der **Sitztheorie** unterfallen (vgl. zum Folgenden MüKoAktG/J. Koch § 262 Rn. 39a). ZT wird allerdings auch Fortgeltung der Gründungstheorie angenommen, und zwar **aufgrund Freihandelsabkommens** zwischen Vereinigtem Königreich und EU („EU-UK TCA"), das seit 1.1.2021 vorläufig und seit 1.5.2021 endgültig in Kraft ist: Aus Meistbegünstigungs-, Marktzugangs- und Inländerbehandlungsklauseln in Art. 128, 129, 130 EU-UK TCA soll Parallelität zur Anerkennung US-amerikanischer Gesellschaften nach Art. XXV Abs. 5 S. 2 des Handelsabkommens erkennbar sein, für die Gründungstheorie anwendbar bleibe (so J. Schmidt GmbHR 2021, 229, 233 ff; J. Schmidt EuZW 2021, 613, 614 ff.; Otte-Grübener BB 2021, 717; Zwirlein-Forschner IPRax 2021, 357, 360 f.). Lösung ist jedoch nicht zweifelsfrei, weil sowohl Freihandelsabkommen mit Vereinigten Staaten als auch Art. 8 CETA Niederlassungsfreiheit explizit einräumen, EU-UK TCA aber nicht (LG Berlin NZG 2023, 706 Rn. 35 ff.; Knaier GmbHR 2021, 486, 491). Für stattdessen gewährleisteten **diskriminierungsfreien Marktzugang** für Waren, Dienstleistungen und Kapital ist Niederlassungsfreiheit nicht zwingend erforderlich, was auch durch **Anh. SERVIN-1 Nr. 10** unterstrichen wird, wonach Inländerbehandlung nicht verlangt, jur. Personen und Zweigniederlassungen sowie Repräsentanzen des Vereinigten Königreichs zu behandeln wie jur. Personen, die nach Recht der EU oder Mitgliedsstaat gegründet worden sind (abl. deshalb öOGH NZG 2022, 1072 Rn. 26; OLG München NZG 2021, 1518 Rn. 22; Knaier GmbHR 2021, 486, 490 ff.; Kumpan/Pauschinger EuZW 2022, 445, 447 f.; Schollmeyer NZG 2021, 692, 694; weiter differenzierend Behme ZIP 2021, 2557, 2561 ff.). 39b

39c Bleibt es danach bei Anwendung der Sitztheorie, dürfte es in der Konsequenz von BGHZ 151, 204, 206 ff. = NJW 2002, 3539 (→ Rn. 42) auch unter EU-UK-TCA am nächsten liegen, ausländische Gesellschaft in diesem Fall als **OHG,** bei Einpersonengesellschaft als Einzelkaufmann, zu qualifizieren (LG Berlin NZG 2023, 706 Rn. 33 ff.; Atta GmbHR 2017, 567 f.; Jaschinski/Wentz WM 2019, 438, 440; Weller/Thomale/Benz NJW 2016, 2378, 2380 f.; Zwirlein/Großerichter/Gätsch NZG 2017, 1041, 1042; vgl. für das österr. Recht auch öOGH NZG 2022, 1072 Rn. 29 ff.). Auch Gegenauffassung würde häufig nicht zu gegenteiligem Ergebnis gelangen, da selbst bei Anerkennung der britischen Gesellschaften in originärer Rechtsform Voraussetzung der **substantive business operations** gelten würde, die jedenfalls Briefkastengesellschaften selbst bei sehr niedrigen Anforderungen (dafür J. Schmidt GmbHR 2021, 229, 232 f.) zumeist nicht erfüllen werden (überzeugend Knaier GmbHR 2021, 486, 492; zust. Behme ZIP 2021, 2557, 2563).

40 **Geltung deutschen Sachrechts** kann deshalb in erhebliche Schwierigkeiten führen, weil bei Auslandsgründung für Anerkennung als AG oder GmbH erforderliche Inlandseintragung (§ 41 I 1, § 11 I GmbHG) zwangsläufig fehlt (Überblick bei Eidenmüller/Rehm ZGR 1997, 89, 92 ff.; ausf. zu praktischen Problemen am Bsp. einer Schweizer AG Heckschen/Hilser DStR 2022, 1005 ff., 1053 ff.). Wesentliche Einzelfragen: **Rechts- und Parteifähigkeit** der Auslandsgesellschaft bestimmen sich im Falle einer GbR nach § 705 II BGB. BBetreibt Auslandsgesellschaft im Inland **Handelsgewerbe,** so unterliegt sie § 105 II HGB, was zu denselben Ergebnissen führt. Wegen Rechtsfähigkeit zu bejahen sind etwa auch Grundbuchfähigkeit, ferner gem. § 11 II Nr. 1 InsO **Insolvenzfähigkeit** der im Inland niedergelassenen Auslandsgründung (AG Hamburg NJW 2003, 2835, 2836); das Insolvenzverfahren richtet sich nach §§ 335 ff. InsO. **Haftungsfragen** sind nach der Logik von BGHZ 151, 204, 206 f. iS akzessorischer Gesellschafterhaftung zu lösen, was für GbR unmittelbar aus § 721 BGB, für Handelsgesellschaften aus § 126 HGB folgt (s. zB OLG München ZIP 2002, 2132 f.; H.-F. Müller ZIP 1997, 1049, 1050 f.).

41 **cc) Statutenwechsel (Wegzug).** Wegzug einer inländischen AG in Drittstaat ist iS einer Verlegung des Satzungssitzes grds. nicht möglich, und zwar weder in Gestalt der identitätswahrenden noch der formwahrenden Sitzverlegung (→ § 5 Rn. 14). Verlegung des Verwaltungssitzes ist möglich, wenn Drittstaat seinerseits Gründungstheorie folgt; folgt der Drittstaat dagegen der Sitztheorie, erfolgt ein Statutenwechsel (→ § 5 Rn. 13). Für Besteuerung gilt § 12 III KStG (vgl. dazu Schnitger/Fehrenbacher/Kessens KStG § 12 Rn. 241 ff.).

42 **3. EU(EWR)-Staaten: Gründungstheorie. a) Bedeutung (Herkunftslandprinzip).** Die Vereinbarkeit der früher vorherrschenden Sitztheorie (→ Rn. 34) mit der europäischen Niederlassungsfreiheit war schon durch **Centros-Entscheidung** des EuGH (Slg. 1999, I-1484, 1489 ff. = NJW 1999, 2027) fraglich geworden. Diese Zweifel wurden sodann mit **Überseering-Entscheidung** (EuGH Slg. 2002, I-9919, 9943 = NJW 2002, 3614) zur Gewissheit verstärkt, dass bislang praktizierte Sitztheorie in ihrer ursprünglichen Form, nach der Gesellschaften aus Mitgliedstaaten mit Inlandssitz jede Rechts- und Parteifähigkeit abgesprochen werden sollte, für EU(EWR)-Staaten im Hinblick auf Art. 49, 54 AEUV nicht mehr zu halten ist. Auch einem erst kurz vor der Entscheidung vollzogenen Rettungsversuch des BGH, zuziehende Auslandsgesellschaft in Gestalt einer modifizierten Sitztheorie kurzerhand in deutsche Personengesellschaft umzuqualifizieren (BGHZ 151, 204, 206 ff. = NJW 2002, 3539), hat EuGH eine deutliche Absage erteilt und festgestellt, dass Niederlassungsfreiheit es erfordere, Gesellschaft in ihrer originären Rechtsform anzuerkennen (EuGH Slg. 2002, I-9919, 9943 Rn. 95). **Inspire Art-Entscheidung**

schließlich stellte klar, dass einer nach dem Recht eines anderen Mitgliedstaats gegründeten Gesellschaft keine Beschränkungen auferlegt werden dürfen, die nach innerstaatlichem Recht Voraussetzung für die Gründung von Gesellschaften, durch Gründe des Allgemeinwohls aber nicht gerechtfertigt sind; namentl. das Mindestkapitalerfordernis erfülle diese Voraussetzungen nicht (EuGH Slg. 2003, I-10155, 10195 Rn. 95 ff. = NJW 2003, 331; zu zurückhaltenderen Tendenzen in jüngerer Zeit, namentl. in sog Kornhaas-Entscheidung s. Mankowski NZG 2016, 281, 284 f.; Verse/Wiersch EuZW 2016, 330, 331; abw. Wahrnehmung bei Bayer/Schmidt BB 2016, 1923, 1931; Wansleben EuZW 2016, 72, 76 ff.).

Obwohl EuGH aufgrund seiner nur begrenzten Zuständigkeit keine kollisions- 43 rechtl. Entscheidung zugunsten der Gründungstheorie treffen konnte, war den genannten Entscheidungen doch klar zu entnehmen, dass die aus der Sitztheorie resultierenden Ergebnisse mit der Niederlassungsfreiheit nicht zu vereinbaren waren (Schanze/Jüttner AG 2003, 661, 665). Daraus wurde die Konsequenz eines kollisionsrechtl. Neubeginns in der Weise gezogen, dass im innereuropäischen Bereich der Wechsel von der **Sitz zur Gründungstheorie** als einschlägiger Kollisionsnorm vollzogen wurde. Europäische Auslandsgründung muss deshalb „nach dem Recht ihres Gründungsstaats" im Inland Anerkennung finden, und zwar in ihrer originären (ausländischen) Rechtsform (vgl. dazu BGHZ 154, 185, 190 = NJW 2003, 1461; BGHZ 164, 148, 151 = NJW 2005, 3351; BGHZ 178, 192 Rn. 19 = NJW 2009, 289; BGHZ 190, 242 Rn. 14 ff. = NJW 2011, 3372; öOGH ZIP 2003, 1086, 1088 ff.; Überblick über das unüberschaubare Schrifttum bei S/L/Ringe IntGesR Rn. 18 ff.). Namentl. das innere **Organisationsrecht** der AG (Organstruktur, Kapitalgrundlagen, Mitgliedschaft etc) unterfällt deshalb dem so bestimmten Gesellschaftsstatut (ausf. MüKoBGB/Kindler IntGesR Rn. 567; GK-HGB/J. Koch/Harnos § 13d Rn. 31 f.). Dasselbe gilt zu weiten Teilen für das gesellschaftsrechtl. Außenverhältnis (S/L/Ringe IntGesR Rn. 80).

b) Folgerungen. aa) Rechts- und Parteifähigkeit. Maßgeblichkeit der 44 Gründungstheorie bedeutet, dass deutsches Kollisionsrecht auf **Sachnormen des Inkorporationsstaats** verweist, sofern dieser der EU angehört (vgl. aber zur uU möglichen konkurrierenden deliktsrechtl. Qualifikation Kindler FS Jayme, 2004, 409, 411 ff.). Auslandsgründung ist deshalb nach diesen Sachnormen im Inland rechts- und parteifähig, also zB als französische SA oder niederländische BV (vgl. bes. BGHZ 154, 185, 188 ff. = NJW 2003, 1461; GK-HGB/J. Koch/Harnos § 13d Rn. 21, 42; S/L/Ringe IntGesR Rn. 83 ff.), nicht dagegen als GbR oder OHG deutschen Rechts (→ Rn. 42).

Auch nach EuGH bleiben jedoch einzelne **Beschränkungen der Nieder-** 45 **lassungsfreiheit** zulässig, soweit zwingende Gründe des Gemeinwohls dies unter bestimmten Umständen und Voraussetzungen gebieten (EuGH Slg. 2002, I-9919 Rn. 92 = NJW 2002, 3614). Kollisionsrechtl. läuft das auf **Sonderanknüpfungen** hinaus, die nur dann zulässig sind, wenn bes. Belange Eingriff in gemeinschaftsrechtl. Niederlassungsfreiheit als verhältnismäßig erscheinen lassen (S/L/Ringe IntGesR Rn. 63 f.). Allg. Gesichtspunkte wie Schutz der Gläubiger oder des redlichen Geschäftsverkehrs oder unspezifizierte Missbrauchserwägungen genügen dafür nicht (EuGH Slg. 2003, I-10155 Rn. 132 ff. = NJW 2003, 3331; Bayer BB 2003, 2357, 2364 f.). Umfassender Geltungsanspruch der Sitztheorie (→ Rn. 37) darf also nicht durch Sonderanknüpfung wiederbelebt werden. Dogmatisches Vorbild ist vielmehr **Überlagerungstheorie** (Sandrock RabelsZ 42 [1978], 227, 246 ff.; Neuformulierung in Sandrock ZVglRWiss 102 [2003], 447 ff.; Überblick bei MüKoBGB/Kindler IntGesR Rn. 397 ff.). In letzter Linie, also bei Unerträglichkeit des Ergebnisses im Einzelfall, bleibt ausländische Norm auch gem. Art. 6 EGBGB außer Anwendung, was aber grds. nicht zur Anwendung deutschen Rechts, sondern zur lückenschließenden Anwendung des Rechts des Inkorporationsstaates führt, und zwar auch dann, wenn seine Lösung dem deutschen Recht etwa fremd sein sollte.

46 **bb) Einzelfragen.** Für Einzelfragen gilt: **Grundbuchfähigkeit** der Auslandsgründung ist richtigerweise generell (→ Rn. 34), jedenfalls aber bei Gründung in EU-Staat zu bejahen (BayObLGZ 2002, 413, 416). **Insolvenzstatut** ist nach Art. 4 I EuInsVO Recht des Staates, in dem Insolvenzverfahren eröffnet wurde; es erfasst nach zutr. Auffassung auch Insolvenzverschleppung (Altmeppen NZG 2016, 521, 527; Mankowski NZG 2016, 281, 282; Schall ZIP 2016, 289, 293; so auch schon LG Kiel NZG 2006, 672; K. Schmidt/Brinkmann EuInsVO Art. 4 Rn. 12; Servatius DB 2015, 1087, 1091 f.). Maßgeblich für Verfahrenseröffnung ist nach COMI-Vorgabe (Centre of Main Interests) des Art. 3 I EuInsVO Schwerpunkt der geschäftlichen Tätigkeit. **Registergerichtl. Behandlung** richtet sich für jede außerhalb des Satzungssitzes liegende Niederlassung nach Zweigniederlassungsrecht (§§ 13 ff. HGB; → Anh. § 45), also auch dann, wenn tats. Hauptniederlassung im Inland liegt (vgl. schon EuGH Slg. 1999, I-1484, 1494 = NJW 1999, 2027; zutr. nunmehr OLG Celle GmbHR 2003, 532, 533; OLG Naumburg GmbHR 2003, 533, 534; OLG Zweibrücken FGPrax 2003, 135, 136 f.; GK-HGB/J. Koch/Harnos § 13 Rn. 19 ff., HGB § 13d Rn. 16), ohne dass dafür bes., nur für Auslandsgründungen vorgesehene Anforderungen aufgestellt werden dürften (EuGH Slg. 2003, I-10155, 10223 Rn. 99 ff.= NJW 2003, 3331). **Firma** richtet sich ebenfalls nach Gründungsrecht, wird aber zT durch Sonderanknüpfung überlagert, wenn Schutz des Geschäftsverkehrs dies erforderlich macht, namentl. durch Erfordernis des (ausländischen) Rechtsformzusatzes (vgl. BGH NJW 1971, 1522, 1523; BayObLGZ 1986, 61, 64; OLG München NZG 2007, 824, 825; ausf. GK-HGB/J. Koch/Harnos § 13d Rn. 22 ff.; MüKoBGB/Kindler IntGesR Rn. 242 ff.).

47 Persönliche **Haftung** von Gesellschaftern oder Geschäftsleitern kann nicht nach deutschem Recht begründet werden (EuGH Slg. 2003, I-10155 Rn. 95 ff. = NJW 2003, 3331; BGHZ 154, 185, 189 = NJW 2003, 1461; BGH NJW 2005, 1648, 1649; GK-HGB/J. Koch/Harnos § 13 Rn. 35 ff.). Insbes. gibt es keine akzessorische Gesellschafterhaftung nach Vorbild des § 128 HGB (→ Rn. 40), weil und soweit Gründungsrecht Haftung ausschließt oder beschränkt. Wie Schutz inländischen Geschäftsverkehrs unter diesen Umständen gemeinschaftskonform erfolgen kann, ist nicht abschließend geklärt. Generelle Durchgriffslösung kann es nicht geben, weil Gründungstheorie als Kollisionsnorm auf Auslandsrecht verweist, das mit weitgehend unterkapitalisierter jur. Person gerade einverstanden ist (GK-HGB/J. Koch/Harnos § 13d Rn. 37; Eidenmüller ZIP 2002, 2033, 2042; weitergehend MüKoBGB/Kindler IntGesR Rn. 618 ff.). Möglich ist Inanspruchnahme der Gesellschafter oder Geschäftsleiter aber, soweit sie nicht auf Verletzung spezifischer Organpflichten gründet, sondern aus allg. Verkehrsrecht folgt, was aus gesellschaftsrechtl Perspektive namentl. für mittlerweile deliktisch verstandene **Existenzvernichtungshaftung** (→ Rn. 22 ff.) zu bejahen ist (GK-HGB/J. Koch/Harnos § 13d Rn. 38 f.; Bitter WM 2004, 2190, 2197; Borges ZIP 2004, 733, 741 f. und insofern auch MüKoBGB/Kindler IntGesR Rn. 621 ff.; ausgehend von Treupflichtkonzeption konsequent aA Stöber ZIP 2013, 2295, 2301 ff.). In diesen Fällen kann angenommen werden, dass Haftung auch durch zwingende Gründe des Gemeinwohls (→ Rn. 40) geboten ist. Abzulehnen ist dagegen **Handelndenhaftung,** da sie auch für inländische AG bei Errichtung einer Zweigniederlassung nicht gilt und damit ausländische Unternehmen diskriminieren würde (BGH NJW 2005, 1648, 1649 f.; GK-HGB/J. Koch/Harnos § 13d Rn. 37).

Von **Unternehmensmitbestimmung** sind Auslandsgesellschaften ausgenommen; denkbare richterrechtl. Sonderanknüpfung wird de lege lata abgelehnt (allgM – s. nur S/L/Ringe IntGesR Rn. 72). Umstr. ist allein, ob Sonderanknüpfung de lege ferenda eingeführt werden kann (zu entspr. legislativen Ansätzen Merkt ZIP 2011, 1237 ff.; Schockenhoff AG 2012, 185 ff.; Teichmann ZIP 2016, 899 ff. [Verhandlungslösung]; zum Alternativentwurf des AK „Unternehmerische Mitbestimmung" vgl. Hommelhoff ZGR 2010, 48 ff.). Richtigerweise ist Frage zu verneinen (Habersack/Henssler/Habersack MitbestG § 1 Rn. 8a; GK-HGB/J. Koch/Harnos § 13d Rn. 33; Eidenmüller/Rehm ZGR 2004, 159, 184 f.; Merkt ZIP 2011, 1237 ff.; Paefgen DB 2003, 487, 491 f.; aA Bayer AG 2004, 534, 537 f.; Weller FS Hommelhoff, 2012, 1275, 1292 ff.). Unternehmensmitbestimmung gehört zwar als Kernstück der ges. gestalteten Unternehmensverfassung zum **wirtschaftsrechtl. ordre public** (→ § 241 Rn. 19 f.), doch handelt es sich dabei um eine nur nationale, auch insoweit nur selektiv praktizierte und zunehmenden inhaltlichen Zweifeln ausgesetzte Rechtseinrichtung. **Betriebliche Mitbestimmung** richtet sich dagegen unstr. nach deutschem BetrVG (GK-HGB/J. Koch/Harnos § 13d Rn. 33; EBJS/Pentz HGB § 13d Rn. 21). 48

Gründerzahl

2 An der Feststellung des Gesellschaftsvertrags (der Satzung) müssen sich eine oder mehrere Personen beteiligen, welche die Aktien gegen Einlagen übernehmen.

Übersicht

I. Normzweck

§ 2 enthält grds. **Anforderungen an Errichtung** der AG. Norm verlangt dafür Feststellung des Gesellschaftsvertrags, der durch Klammerzusatz mit Satzung identifiziert wird (Legaldefinition). Einzelheiten zu Form und Inhalt der Satzung: § 23. Ferner wird Gründerzahl bestimmt und Einheitsgründung vorgeschrieben (→ Rn. 12). Hinsichtlich der Gründerzahl ist mit dem Ges. für kleine Aktiengesellschaften und zur Deregulierung des Aktienrechts v. 2.8.1994 (BGBl. 1994 I 1

1961) eine wesentliche Änderung eingetreten. Zulässig ist seither auch **Einmanngründung** der AG (Feststellung der Satzung durch eine Person); zur weiteren rechtl. Behandlung der Einmann-AG → § 42 Rn. 2. Nach heute ganz hM kann auch Vor-AG von nur einer Person begründet werden (→ § 41 Rn. 17a ff.). Auslegung hat nach Art. 6 Einpersonen-Gesellschafts-RL im Lichte dieser RL zu erfolgen.

II. Feststellung der Satzung

2 **1. Grundlagen.** Nach Wortlaut des § 2 scheint regelungsbedürftig, dass wenigstens eine Person an der Feststellung der Satzung mitwirken muss. Andererseits entsteht der Eindruck, dass eine Person einen Gesellschaftsvertrag zustande bringen kann, was (auch gebührenrechtl.) nicht zutrifft (→ Rn. 4a). Text meint: „Die AG kann durch eine oder durch mehrere Personen errichtet werden. Bei Beteiligung mehrerer Personen wird die Satzung durch Vertrag festgestellt, sonst durch die Erklärung des Gründers. Die Aktien müssen von den Gründern oder dem Gründer gegen Einlagen übernommen werden." Dabei ist die Satzung als **obj. Regelung** verstanden, während Vertrag bzw. Erklärung den **Geltungsgrund** bezeichnen. Entspr. ist im Folgenden zu unterscheiden.

3 **2. Feststellung der Satzung durch Vertrag. a) AG mit mehreren Mitgliedern als Gründungsziel.** Wenn AG mehrere Mitglieder haben soll, kann Satzung nur durch **Gesellschaftsvertrag** (nicht auch: durch einseitige Gründungserklärungen) festgestellt werden (andere Konstruktion bei GK-AktG/Bachmann Rn. 13: kein Vertrag, sondern mehrseitiges Rechtsgeschäft). Ohne Gesellschaftsvertrag iSd § 705 I BGB gibt es in diesem Fall keine AG (→ § 1 Rn. 3). Vom gänzlichen Fehlen des Vertrags ist der Fall zu unterscheiden, dass der Vertrag geschlossen ist, aber unter **Gültigkeitsmängeln** leidet. Dann kommt vor Eintragung eine fehlerhafte Vor-AG in Betracht (→ § 275 Rn. 8). Nach Eintragung ist Mangel nur noch nach Maßgabe der §§ 275–277 beachtlich (s. Erl. dort). Durch Legaldefinition der Satzung stellt § 2 zugleich deren vertraglichen (bei Einmanngründung: rechtsgeschäftlichen) Charakter klar, der heute unstr. ist. Zweifelhaft kann nur sein, welchen Regeln der Vertrag unterliegt, insbes., ob und in welchen Grenzen §§ 320 ff. BGB anwendbar sind (→ § 23 Rn. 7 f.).

4 **b) Einmann-AG als Gründungsziel.** Vor ges. Gestattung der Gründung durch einseitiges Rechtsgeschäft (→ Rn. 4a) wurde in der Praxis verbreitet auf Instrument der **Strohmanngründung** zurückgegriffen, um wirtschaftlich gewünschtes Ergebnis der Einmann-AG herbeizuführen. Dabei versichert sich späterer Alleinaktionär auf vertraglicher Grundlage der Mitwirkung eines Dritten, dessen Aktien er nach Eintragung (→ § 41 Rn. 30) übernimmt. Nach Neufassung des Gesetzes hat sich praktisches Bedürfnis für solche Gestaltung weitgehend erledigt, doch besteht Einigkeit darüber, dass auch diese Gründungsform weiterhin rechtl. bedenkenfrei ist. Sie stellt also weder ein Scheingeschäft nach § 117 BGB dar noch kann sie als Gesetzesumgehung mit Nichtigkeitsfolge (§ 134 BGB) qualifiziert werden (vgl. statt aller MüKoAktG/Heider Rn. 22 ff.).

4a **3. Feststellung der Satzung durch einseitiges Rechtsgeschäft.** Wenn AG durch nur eine Person errichtet wird, liegt in Feststellung der Satzung ungeachtet des wenig gelungenen Wortlauts des § 2 notwendig ein einseitiges Rechtsgeschäft, weil es Verträge ohne Konsens von wenigstens zwei Personen nicht gibt (insoweit zust. GK-AktG/Bachmann Rn. 13). Erklärung wird mit ihrer formgerechten (§ 23) Abgabe wirksam, weil sie nicht empfangsbedürftig ist. Für **Notargebühren** gilt KV 21200 GNotKG, nicht KV 21100 GNotKG; es fällt also nur eine Gebühr an (MüKoAktG/Heider Rn. 33; hM auch schon zur KostO aF, s.

zur GmbH BayObLGZ 1982, 467, 470 f.; OLG Frankfurt WM 1983, 405; OLG Hamm DB 1983, 2679; HCL/Ulmer/Löbbe GmbHG § 2 Rn. 7 mwN; aA noch Willemer DNotZ 1981, 469, 473). Geschäftswert berechnet sich nach §§ 97, 107 GNotKG.

III. Gründerfähigkeit

1. Grundsatz. An der Gründung einer AG können sich natürliche und jur. Personen sowie Personenhandelsgesellschaften beteiligen. Im Übrigen (zB GbR, Erbengemeinschaft) kommt es darauf an, ob der jeweilige Zusammenschluss nach seiner Eigenart den aktienrechtl. Erfordernissen entspr. 5

2. Einzelfragen. a) Natürliche Personen. Jede natürliche Person kann Gründer sein. Kaufleute können unter ihrer Firma gründen (GK-HGB/Burgard § 17 Rn. 56). Für Geschäftsunfähige oder nur beschränkt Geschäftsfähige handelt ges. Vertreter. Er bedarf nach § 1643 I, § 1799 I – jew. iVm § 1852 Nr. 2 BGB der **Genehmigung des Familiengerichts,** wenn AG (wie regelmäßig) auf Betrieb eines Erwerbsgeschäfts gerichtet ist (str., wie hier S/L/Lutter Rn. 3; Hölters/Weber/Solveen Rn. 14; HCL/Ulmer/Löbbe GmbHG § 2 Rn. 82 ff.; Grigoleit/Vedder Rn. 3; aA [Genehmigung entbehrlich] die ältere Lit. zum Aktienrecht; vgl. Winkler ZGR 1973, 177, 181 f. mwN in Fn. 19). Weitergehende Ansicht, wonach Genehmigung immer erforderlich sein soll, ist mit Wortlaut und Sinn des § 1852 Nr. 2 BGB nicht vereinbar und überschätzt die Bedeutung der § 6 I HGB, § 3 I AktG (so aber GK-AktG/Bachmann Rn. 19; BeckOGK/Drescher Rn. 9; MüKoAktG/Heider Rn. 11). 6

Auch **ausländische Staatsangehörige** können Gründer einer AG sein. Aufenthaltsbeschränkungen betreffen idR nur Erwerbstätigkeit und berühren Wirksamkeit der Gründungserklärung deshalb grds. nicht. Nur als Vorstand oder Angestellter darf Ausländer in diesem Fall nicht beteiligt sein. HM zum GmbH-Recht lässt weitergehende Einschränkung zu, wenn Gesetzesumgehung bezweckt ist, was namentl. bei Einmann-Gründung naheliegt (OLG Celle DB 1977, 993; OLG Stuttgart OLGZ 1984, 143, 145 f.; KG NJW-RR 1997, 794, 795; LG Hannover GmbHR 1976, 111 f.; LG Krefeld Rpfleger 1982, 475; Lutter/Hommelhoff/Bayer GmbHG § 1 Rn. 16; aA LG Ulm Rpfleger 1982, 228). Das ist insofern auch auf die AG zu übertragen, als **evidenter Rechtsformmissbrauch** Wirksamkeit entgegenstehen muss (sa NK-AktR/Fischer Rn. 7). Da Vorstand aber anders als GmbH-Geschäftsführer keinen Weisungen unterliegt, wird man solchen Missbrauch nur unter gesteigerten Voraussetzungen annehmen können; Einmann-Gründung allein genügt nicht (wohl noch großzügiger die hM, BeckOGK/Drescher Rn. 9; MüKoAktG/Heider Rn. 12; Hölters/Weber/Solveen Rn. 15). 7

b) Juristische Personen, Körperschaften. Jede jur. Person kommt als Gründerin einer AG in Betracht, namentl. andere AG oder GmbH, aber auch jur. Personen des öffentl. Rechts (zB Gebietskörperschaften), ferner ausländische Handelsgesellschaften, sofern sie nach ihrem Heimatrecht einer inländischen jur. Person gleichstehen (→ § 1 Rn. 34 ff.). Voraussetzung ist allerdings stets **Rechtsfähigkeit,** so dass etwa kommunale Eigenbetriebe ohne Rechtspersönlichkeit (vgl. etwa § 114 I GO NRW) als Gründer nicht in Betracht kommen. Erforderlich ist Handeln der Mitglieder des jeweils zuständigen Organs in vertretungsberechtigter Zahl. Keine jur. Person sind **Vor-AG und Vor-GmbH,** doch kommt ihnen nach den dazu in Rspr. entwickelten Grundsätzen aufgrund körperschaftlicher Struktur ebenfalls Rechtsfähigkeit zu, so dass sie als Gründer auftreten können. Gleiches gilt für **nicht eingetragenen Verein,** und zwar für Idealverein nach § 54 I 1 BGB durch Verweisung auf Vereinsrecht, für Wirtschaftsverein durch Verweis auf § 705 II BGB. 8

9 **c) Personenhandelsgesellschaften und Partnerschaftsgesellschaft.** OHG und KG (damit auch AG & Co KG, GmbH & Co KG) können sich unstr. an der Gründung einer AG beteiligen. Mitgliedschaft und Einlagepflicht liegen dann bei der Gesellschaft als rechtsfähiger Wirkungseinheit (§ 105 II HGB, § 161 II HGB). Für Einlagenleistung haften die Gesellschafter auch persönlich und akzessorisch (§ 126 S. 1 HGB, § 161 II HGB, §§ 171 ff. HGB). Wegen enger Anlehnung des Rechts der Partnerschaftsgesellschaft an OHG-Recht (vgl. § 7 II PartGG) sind diese Grundsätze auch auf sie zu übertragen. **Haftungsbeschränkungen** nach § 8 II, IV PartGG können schon tatbestandlich nicht einschlägig sein.

10 **d) GbR.** GbR ist seit MoPeG 2021 gem. § 705 II BGB jedenfalls dann als rechtsfähige Einheit anerkannt, wenn sie nach dem gemeinsamen Willen der Gesellschafter am Rechtsverkehr teilnimmt. Das wird regelmäßig der Fall sein, wenn sie sich als Aktionärin beteiligt. Schuldnerin der Einlagepflicht ist die GbR. Daneben haften die Gesellschafter zwingend als Gesamtschuldner (§ 721 S. 1 BGB).

11 **e) Erbengemeinschaft; Gütergemeinschaft.** Weil Rechtsfigur der Gesamthand kein einheitliches Gepräge hat, sind für GbR geltende Grundsätze **nicht** ohne weiteres **verallgemeinerungsfähig.** Entscheidender Unterschied zu vergleichbaren Gesamthandsgebilden der Erben- und der Gütergemeinschaft ist die fehlende Rechtsfähigkeit dieser Gebilde (hM – vgl. MüKoBGB/Schäfer BGB § 705 Rn. 297 ff.). Früher wurde aus diesem Grund die Gründerfähigkeit etwa der **Erbengemeinschaft** verneint (vgl. zur GmbH KGJ 33 A 135, 138), während die heute hM sie bejaht. Weil die Fortführung einer schon vom Erblasser begonnenen Gründung zulässig sein müsse, sei nicht einzusehen, warum sie nicht auch gemeinschaftlich eine Gründung sollten beginnen dürfen (BeckOGK/Drescher Rn. 13; MüKoAktG/Heider Rn. 19; S/L/Lutter Rn. 7; Grunewald AcP 197 [1997], 305, 310 f.). Tats. erweist sich dieses Argument aber nicht als durchschlagend (vgl. zum Folgenden KK-AktG/Dauner-Lieb Rn. 11; zust. GK-AktG/Bachmann Rn. 29). Nach heutigem Verständnis der Vor-AG ist Erblasser, der Gründung initiiert hat, zu diesem Zeitpunkt schon Mitglied der Vor-AG und kann diese Position im Wege der Gesamtrechtsnachfolge auf seine Erben übertragen. Daraus muss aber nicht folgen, dass Erben auch selbständig solche Position begründen können (GK-AktG/Bachmann Rn. 29). Entschließt sich schon bestehende Erbengemeinschaft zu solchem Gründungsakt ohne vorangegangenen Initiierungsakt des Erblassers, wird sie mit weitergehender Zwecksetzung selbst zur GbR, die dann als Gründer zur Verfügung steht. Aus denselben Gründen ist auch Gründerfähigkeit der **Gütergemeinschaft** – wenngleich abermals gegen die bislang hM – zu verneinen (vgl. zur hM BeckOGK/Drescher Rn. 14; S/L/Lutter Rn. 8; wie hier GK-AktG/Bachmann Rn. 31; KK-AktG/Dauner-Lieb Rn. 12; MüKoAktG/Heider Rn. 21; Haegele GmbHR 1968, 95, 98). Da sie in keine fremde Rechtsposition eintritt, besteht hier noch weniger Anlass als bei der Erbengemeinschaft, ihre Gründerfähigkeit anzuerkennen.

IV. Übernahme der Aktien

12 **1. Einheitsgründung.** Es genügt nicht, dass eine oder mehrere Personen die Satzung feststellen. Sie müssen auch „die" Aktien, also alle, gegen Einlagen übernehmen. Gründer ist deshalb nur, wer entspr. Erklärung abgibt und damit zu seinen Lasten eine **Einlagepflicht** begründet. Damit ist schon vor 1965 unübliche und unter dem Aspekt des Gläubiger- und Anlegerschutzes auch nicht ungefährliche (vgl. RegBegr. Kropff S. 57) Stufengründung abgeschafft (→ § 23 Rn. 16; → § 29 Rn. 2). Feststellung der Satzung und Übernahmeerklärung müssen in einer Urkunde zusammengefasst sein (§ 23 II; → § 23 Rn. 16 ff.). Erst mit

Übernahme aller Aktien entsteht die Vor-AG (§ 29; → § 29 Rn. 1; → § 41 Rn. 3).

2. Mitwirkung von Personen ohne Einlagepflicht? Der Wortlaut des § 2 lässt es zu, dass Personen die Satzung feststellen, die keine Einlagepflicht übernehmen, sofern nur wenigstens ein einlagewilliger Gründer vorhanden ist. Gleichwohl ist diese Art der Mitwirkung abzulehnen, weil es **ohne Einlage keine Aktie,** also auch keine Mitgliedschaft gibt. Wer nicht Mitglied werden will, kann auch nicht an der Gründung der Korporation mitwirken (zust. NK-AktR/Fischer Rn. 20; KK-AktG/Dauner-Lieb Rn. 21; BeckOGK/Drescher Rn. 7; aA S/L/Lutter Rn. 14). Im Einzelfall ist Umdeutung in schuldrechtl. Förderpflicht denkbar (zust. MüKoAktG/Heider Rn. 32), deren Inhalt sich aber – so die berechtigte methodische Kritik – im Wesentlichen darin erschöpft, Gründungsakt „retten" zu können (GK-AktG/Bachmann Rn. 15; Hölters/Weber/Solveen Rn. 6). 13

V. Rechtsfolgen

Bei Gültigkeitsmängeln des rechtsgeschäftlichen Entstehungstatbestands kann **vor Eintragung** eine fehlerhafte Vor-AG gegeben sein (→ § 275 Rn. 8). **Nach Eintragung** gilt Sonderregelung der §§ 275 ff., die nicht Mängel des rechtsgeschäftlichen Entstehungstatbestands, sondern nur bestimmte Regelungsdefizite der Satzung als Auflösungsgründe anerkennen. Früher erörterte Unterschreitung der Mindestgründerzahl (Eintragungshindernis) kann sich nach geltender Fassung des § 2 nicht mehr ergeben. 14

Formkaufmann; Börsennotierung

3 (1) **Die Aktiengesellschaft gilt als Handelsgesellschaft, auch wenn der Gegenstand des Unternehmens nicht im Betrieb eines Handelsgewerbes besteht.**

(2) **Börsennotiert im Sinne dieses Gesetzes sind Gesellschaften, deren Aktien zu einem Markt zugelassen sind, der von staatlich anerkannten Stellen geregelt und überwacht wird, regelmäßig stattfindet und für das Publikum mittelbar oder unmittelbar zugänglich ist.**

I. Normzweck

§ 3 I ergänzt in §§ 1 ff. HGB getroffene Regelung und bezweckt, AG ohne Rücksicht auf Gegenstand ihres Unternehmens der **Geltung des Handelsrechts** zu unterwerfen. Sie ist deshalb wie GmbH (§ 13 III GmbHG) und im Grundsatz auch Genossenschaft (§ 17 II GenG) Kaufmann kraft Rechtsform (Formkaufmann). § 3 II ist angefügt durch KonTraG 1998 und enthält eine Legaldefinition der börsennotierten AG (→ Rn. 5 f.). 1

II. Kreis der erfassten Gesellschaften

§ 3 I gilt für **als jur. Person entstandene AG** (§ 41 I 1). Dagegen ist Vor-AG (→ § 41 Rn. 10) noch nicht Formkaufmann, weil § 3 I Eintragung in das HR voraussetzt (hM, vgl. BeckOGK/Drescher Rn. 3). Inländische Zweigniederlassungen ausländischer Gesellschaft (§§ 13d ff. HGB): Kaufmannseigenschaft kann mangels Rechtsfähigkeit nicht der Zweigniederlassung, sondern nur der ausländischen Gesellschaft zukommen. Gesellschaftsstatut (→ § 1 Rn. 34 ff.) ent- 2 scheidet insoweit nicht; zu differenzieren ist vielmehr nach der Bedeutung der Kaufmannseigenschaft im jeweiligen Normzusammenhang.

III. Die AG als Handelsgesellschaft

3 § 3 I fingiert Handelsgesellschaft und erübrigt damit Prüfung der §§ 1 ff. HGB. Sachliche Bedeutung hat **Fiktion** nur, wenn Gegenstand des Unternehmens (→ § 23 Rn. 21 ff.) nicht unter §§ 1 ff. HGB fällt (so aber die Regel), was insbes. bei **freiberuflicher Tätigkeit** der Fall ist (zB Wirtschaftsprüfungs- oder Rechtsanwaltsgesellschaften). Auch dann ist gem. § 6 I HGB Handelsrecht anzuwenden. Dasselbe gilt gem. Klarstellung in § 6 II HGB, wenn das von AG betriebene Gewerbe keiner kaufmännischen Betriebsorganisation bedarf (§ 1 II HGB). Zur Vereinseigenschaft der AG → § 1 Rn. 2.

4 Geschäfte der AG sind danach ohne weiteres Handelsgeschäfte; sog Privatsphäre gibt es bei ihr nicht. Angestellte der AG sind stets, also unabhängig von § 1 HGB, **Handlungsgehilfen** iSd §§ 59 ff. HGB (BAGE 18, 104, 109 zur GmbH; MüKoAktG/Heider Rn. 34; aA v. Godin/Wilhelmi Rn. 2). Keine Bedeutung hat Fiktion für **Gewerbe- und Steuerrecht** (unstr.). Insoweit entscheidet, ob tats. Gewerbe betrieben wird (GK-AktG/Bachmann Rn. 5).

IV. Börsennotierte Gesellschaften

5 **1. Allgemeines.** § 3 II enthält Legaldefinition der iSd AktG börsennotierten Gesellschaften und erlaubt damit zunächst **sprachliche Entlastung** zahlreicher Vorschriften des AktG, die an Börsennotierung oder deren Fehlen anknüpfen (Einzelaufzählung bei BeckOGK/Drescher Rn. 4.1). Sachliche Bedeutung liegt zumeist darin, dass für nichtbörsennotierte AG Spielräume bestehen (§ 130 I 3, § 134 I 2) oder Verschärfungen ges. Erfordernisse nicht gelten, während solche Spielräume bei Börsennotiz nicht zur Verfügung stehen und Verschärfungen zu beachten sind (§ 87 I, § 93 VI, § 96 II, III, § 110 III, §§ 161, 171 II 2, § 328 III). Differenzierung nach Kapitalmarktzugang ist griffig; inwieweit er für unterschiedliche rechtl. Anforderungen das sachlich überzeugende Kriterium liefert (Geschlechterquote, Verjährung?), ist jedoch nach wie vor offen (Förster AG 2011, 362, 363 ff.). Dabei könnte sich Gedanke an aktienrechtl. Regelungsverzicht bei funktional vergleichbaren Anforderungen des Kapitalmarktrechts eher als belastbar erweisen als Vorstellung, bei sog **kleiner AG** breitflächig legislatorische Zurückhaltung üben zu können. Legaldefinition der sog kleinen AG ist weder in § 3 II noch anderweitig gegeben. Rechtstats. überschneidet sie sich weitgehend, aber nicht vollständig mit AG ohne Börsennotierung (Claussen FS Röhricht, 2005, 63, 67 ff.: „börsennotierte kleine Aktiengesellschaft"). Zur kleinen AG als Rechtsformalternative zur GmbH vgl. Böcker RNotZ 2002, 129 ff. Zu SPACs als Sonderfall börsennotierter AG s. §§ 44 ff. BörsG und → § 23 Rn. 48 ff.

6 **2. Begriff.** § 3 II setzt dort umschriebenen Markt und Zulassung der Aktien zu diesem Markt voraus. Umschreibung lehnt sich an Definition des organisierten Marktes in § 2 XI WpHG an (BeckOGK/Drescher Rn. 6; vgl. ferner Art. 4 I Nr. 21 MiFID II). Abgedeckt ist **Handel im regulierten Markt** (§§ 32 ff. BörsG), nicht aber Freiverkehr nach § 48 BörsG (OLG München NZG 2008, 755, 758; RegBegr. BT-Drs. 13/9712, 12). Aktienrecht hält damit an strikter Trennung dieser beiden Segmente fest, was rechtspolitisch nicht mehr selbstverständlich ist, nachdem kapitalmarktrechtl. Zulassungsfolgepflichten mittlerweile weitgehend auch auf multilaterale Handelssysteme ausgedehnt wurden (vgl. Art. 2 I lit. b MAR, § 48 III 2 BörsG; zust. Kiem FS Seibert, 2019, 449, 461). De lege lata ist aktienrechtl. Trennung aber weiterhin zu respektieren. Mangels ges. Vorgabe muss es sich nicht um deutsche Börse handeln; vergleichbare

Auslandsnotierung genügt (RegBegr. BT-Drs. 13/9712, 12). In anderen EU-Mitgliedstaaten ist das nicht gleichermaßen der Fall, was dazu führt, dass strenge Vorgaben für börsennotierte AG (etwa zur Vergütung) vermieden werden können, wenn Wahl solcher Rechtsform mit Auslandslisting kombiniert wird (vgl. zur niederländischen N. V. Hutter/Stürwald BKR 2023, 409, 412 f.). Nicht deckungsgleich ist Begriff der börsennotierten AG dagegen mit der „kapitalmarktorientierten AG" iSd **§ 264d HGB,** auf den etwa in § 316a S. 2 Nr. 1 HGB verwiesen wird, weil dieser auch den Handel mit anderen Wertpapieren als eigenen Aktien erfasst (MüKoHGB/Reiner § 264d Rn. 7). Aus demselben Grund steckt auch die „Ausgabe von Wertpapieren iSd § 2 I WpHG", auf die in § 142 VII abgestellt wird, nicht das gleiche Anwendungsfeld ab wie der Verweis auf die börsennotierte AG iSd § 3 II (BeckOGK/Mock § 142 Rn. 303). Auch AG mit Kapitalmarktzugang iSd § 161 I 2 ist nicht mit börsennotierter AG identisch, sondern ergänzt Begriff der Börsennotierung, der in § 161 I 1 verwendet wird, um weitere Angaben (→ § 161 Rn. 6b).

Firma

4 Die Firma der Aktiengesellschaft muß, auch wenn sie nach § 22 des Handelsgesetzbuchs oder nach anderen gesetzlichen Vorschriften fortgeführt wird, die Bezeichnung „Aktiengesellschaft" oder eine allgemein verständliche Abkürzung dieser Bezeichnung enthalten.

Übersicht

I. Normzweck

1 § 4 regelt entgegen der Überschrift nicht Firma der AG, sondern **Rechtsformzusatz.** Neugebildete und fortgeführte Firmen müssen Bezeichnung „Aktiengesellschaft" ausgeschrieben oder in allg. verständlicher Abkürzung enthalten (→ Rn. 17). Damit sollen Rechtsverhältnisse der Gesellschaft offengelegt werden (RegBegr. BT-Drs. 13/8444, 54 zu § 19 HGB). Geltender Normtext beruht auf HRefG 1998. Parallelvorschrift für KGaA: § 279 I (→ § 279 Rn. 1); sa § 4 GmbHG. Firmenbildung bestimmt sich iÜ nach § 18 HGB (→ Rn. 11 ff.).

II. Allgemeines Firmenrecht (Überblick)

2 **1. Begriff und Rechtsnatur der Firma.** Die Firma ist Geschäftsname des Kaufmanns (§ 17 I HGB) und Name der Handelsgesellschaften, also auch der AG (§ 3 I). Zwischen bürgerlichem Namen und Geschäftsnamen zu unterscheiden, ist insoweit sachwidrig, weil AG außer ihrer Firma keinen Namen hat. Die Firma ist **nur ein Name;** ihre umgangssprachliche Gleichsetzung mit Unternehmen oder Betrieb trifft rechtl. nicht zu. Wortschöpfung „Firmenname" ist jur. Unding. Firma ist auch nicht Name des Unternehmens, sondern nur Name der Gesellschaft. Name des Unternehmens ist allg. Geschäftsbezeichnung (§ 1 Nr. 2 MarkenG, § 5 II 1 Fall 1 MarkenG) und braucht nicht mit Firma übereinstimmen.

3 An ihrem Namen hat AG wie jeder Unternehmensträger ein **absolutes subj. Recht,** das zugleich Persönlichkeits- und Immaterialgüterrecht ist (Doppelnatur); heute hM, vgl. BGHZ 85, 221, 223 = NJW 1983, 755; GK-HGB/Burgard § 17 Rn. 50 mwN. Entgegenstehende, von rein persönlichkeitsrechtl. Sicht geprägte Rspr. des RG (Leitentscheidung: RGZ 9, 104, 106) ist überholt. Hauptfolge der vermögensrechtl. Komponente: Gesellschaftsfirma gehört zur Insolvenzmasse (→ § 264 Rn. 11). Auch bei Personenfirma (→ Rn. 5, 11, 14) ist Zustimmung des Namensträgers bei Veräußerung durch den Insolvenzverwalter nicht erforderlich (BGHZ 85, 221, 224 f. = NJW 1983, 755). Für Verlagerung der namensrechtl. Fragen in etwa erforderliche Gestattung und rein immaterialgüterrechtl. Verständnis der Firma J. W. Flume DB 2008, 2011, 2012 ff.

4 **2. Beginn und Ende der Firmenfähigkeit.** Firmenfähig ist als jur. Person entstandene AG. Firmenfähigkeit beginnt also mit **Eintragung** in das HR (§ 41 I 1). Vor-AG ist nicht Formkaufmann (→ § 3 Rn. 2) und deshalb nicht schon als solche firmenfähig. Ihr Name (→ § 41 Rn. 10) ist aber dann Firma, wenn schon im Gründungsstadium ein Gewerbe betrieben wird, das kaufmännischer Betriebsorganisation bedarf (§ 1 II HGB; vgl. MüKoAktG/Heider Rn. 11). Dem Rechtsgedanken des § 19 I HGB und des § 4 entspr. es, dass firmenführende Vor-AG auch einen Rechtsformzusatz ausgeschrieben oder abgekürzt (→ Rn. 17) annehmen muss, zB „AG i. Gr.". AG ist firmenfähig und muss Firma haben, solange sie jur. Person ist. Firmenfähigkeit besteht deshalb bis zur **Löschung** der AG gem. § 273 I 2 (→ § 1 Rn. 4; ebenso MüKoAktG/Heider Rn. 12). Sie endet also nicht schon mit Auflösung (§ 262) und auch nicht mit bloßem Eintritt der Vermögenslosigkeit (→ § 262 Rn. 23; → § 273 Rn. 7).

5 **3. Grundbegriffe.** Zu unterscheiden ist zwischen Firmenkern und -zusatz sowie zwischen ursprünglicher und abgeleiteter Firma. **Firmenkern und -zusatz:** Firmenkern erfüllt Namensfunktion der Firma, kennzeichnet AG also durch unterscheidungskräftige Bezeichnung. Firmenzusätze sind weitere, die namensmäßige Kennzeichnung ergänzende Firmenbestandteile, darunter auch Rechtsformzusatz der AG. **Ursprüngliche und abgeleitete Firma:** Ursprüngliche Firma ist der neugebildete Gesellschaftsname, abgeleitete Firma ist der Gesell-

schaftsname, den Erwerber des Handelsgeschäfts fortführt, bes. in den Fällen des § 22 HGB. Unterscheidung zwischen **Personen- und Sachfirma** hat nur noch deskriptiven Wert, seit § 18 I HGB (→ Rn. 1) für Einzelkaufleute, OHG, KG und Kapitalgesellschaften unterschiedslos jede Bezeichnung genügen lässt, die zur Kennzeichnung geeignet und unterscheidungskräftig ist (→ Rn. 11 ff.). Mit dieser Maßgabe kann von Personenfirma gesprochen werden, wenn sie aus einem anderen Namen abgeleitet (→ Rn. 11, 14), dagegen von Sachfirma, wenn sie dem Gegenstand des Unternehmens entnommen ist (→ Rn. 11, 15). Weil nunmehr auch Fantasiebezeichnungen als Firma zulässig sind, tritt die Fantasiefirma (→ Rn. 11, 16) als dritte Kategorie hinzu.

4. Grundsätze des Firmenrechts. a) Übersicht. Das Firmenrecht leitende Prinzipien sind in Stichworten: Firmenwahrheit, -beständigkeit, -einheit, -unterscheidbarkeit und -öffentlichkeit (Übersicht zB bei Ammon DStR 1994, 325 f.). **Firmenwahrheit:** Die in der Firma enthaltenen Angaben dürfen nicht irreführend iSd § 18 II HGB sein (→ Rn. 13). Irreführend und unzulässig sind namentl. auf -ag endende Firmenschlagworte, wenn es sich nicht um die Firma einer AG handelt (unstr. – vgl. zur früheren Gesetzeslage BGHZ 22, 88 = NJW 1956, 1873). **Firmenbeständigkeit:** Die korrekt gebildete Firma darf auch dann fortgeführt werden, wenn sie infolge nachträglicher Veränderung der Verhältnisse (einschließlich Inhaberwechsels, § 22 HGB) nicht mehr zutrifft (Einschränkung der Firmenwahrheit). **Firmeneinheit:** Während Einzelkaufleute für mehrere Unternehmen mehrere Firmen führen dürfen (sonst nicht), haben Handelsgesellschaften und damit auch AG (§ 3) stets nur eine Firma (→ Rn. 7). **Firmenunterscheidbarkeit:** Jede in das Handels- oder Genossenschaftsregister eingetragene Firma schließt innerhalb der räumlichen Grenzen des § 30 I HGB Firmen aus, die sich von ihr nicht deutlich unterscheiden (→ Rn. 8). **Firmenöffentlichkeit:** AG muss nicht nur Firma haben; sie soll davon auch Gebrauch machen, wenn sie im Verkehr auftritt. 6

b) Insbesondere: Firmeneinheit. Dass AG als Handelsgesellschaft nur eine Firma haben kann, gilt auch in den Fällen des § 22 HGB. Folge: entweder Preisgabe der bisherigen Gesellschaftsfirma oder keine Fortführung. Im wirtschaftlichen Ergebnis zu vermeiden durch Errichtung einer **Tochter-GmbH,** die das Unternehmen mit Firma erwirbt und fortführt. Zur Firma der Zweigniederlassung als weitere Möglichkeit, Preisgabe sowohl bisheriger als auch erworbener Firma zu vermeiden → Rn. 20 f. Firmeneinheit als zwingendes Gebot bei Handelsgesellschaften entspr. stRspr (vgl. zur AG KGJ 16, 5, 9; zur GmbH RGZ 85, 397, 399; RGZ 113, 213, 216; KGJ 14, 33, 36 ff.; ebenso hL, vgl. statt vieler MüKoAktG/Heider Rn. 32; aA Wamser, Die Firmenmehrheit, 1996, 132, 139 ff., 195 ff.). 7

c) Insbesondere: Firmenunterscheidbarkeit. Ob sich zwei Firmen deutlich voneinander unterscheiden, ist nach **Verkehrsauffassung** zu beurteilen. Zu den für AG relevanten Einzelfragen gilt: Bloß abw. Rechtsformzusatz reicht zur Unterscheidung nicht aus, gleichgültig, ob er abgekürzt oder ausgeschrieben verwandt wird (heute allgM, vgl. BGHZ 46, 7, 12 f. = NJW 1966, 1813; BeckOGK/Drescher Rn. 11). Für Sach- oder Fantasiefirmen verlangt Gebot der Firmenunterscheidbarkeit, dass Firmen nach **Wortbild und -klang** differieren oder jedenfalls einen nach Verkehrsauffassung unterschiedlichen Wortsinn haben. Verwechselungsfähig sind danach „Chemphar Chemisch-pharmazeutische Handelsgesellschaft mbH“ und „Chemoppharm GmbH“ (RGZ 171, 321, 324 f.). **Zweigniederlassung:** § 30 III HGB gilt, ist jedoch bei Eintragung nicht zu prüfen, so dass betroffener Firmeninhaber auf Unterlassung klagen muss (→ Rn. 20; → HGB § 13 Rn. 14). **AG & Co KG:** § 30 I HGB gilt hier ebenso wie bei GmbH & Co KG; Firma der Komplementär-AG und die der KG müssen sich also hinreichend unterscheiden (→ Rn. 24). 8

9 **5. Haftung bei Firmenfortführung (§ 25 HGB).** Nach § 25 I HGB haftet Erwerber eines Handelsgeschäfts für die Geschäftsverbindlichkeiten des früheren Inhabers, wenn er Geschäft unter bisheriger Firma mit oder ohne Nachfolgezusatz fortführt, es sei denn (§ 25 II HGB), dass abw. Vereinbarung getroffen, in das HR eingetragen sowie bekanntgemacht oder dem Gläubiger mitgeteilt worden ist. Diese Haftung trifft Erwerber des von AG betriebenen Geschäfts (notwendig Handelsgeschäft nach § 3) und greift auch im Umkehrfall ein, dass AG als Erwerberin auftritt. AG kann ihre Haftung nicht allein dadurch vermeiden, dass sie fortgeführter Firma des Veräußerers ihren **Rechtsformzusatz** beifügt (BGH NJW 1982, 1647, 1648 zur GmbH). Auch sonstige nach Verkehrsanschauung unwesentliche Änderungen genügen nicht (BGH NJW 1959, 1081). Haftungsauslösende Firmenfortführung ist dagegen verneint worden bei der Firmierung „Eumuco AG" nach „Eugen Mutz & Co" (RGZ 145, 274, 278 f.).

10 **6. Firmenschutz.** AG muss bei Bildung ihrer Firma bereits bestehende Firmen respektieren, kann aber auch ihrerseits Firmenschutz in Anspruch nehmen. Sie kann also **Firmenmissbrauchsverfahren** sowie Löschungs- oder Auflösungsverfahren anregen (§ 37 I HGB iVm § 392 FamFG bzw. §§ 395, 399 FamFG), zB wegen Täuschungseignung der Konkurrenzfirma (→ Rn. 6, 8), parallel hierzu auf Unterlassung klagen (§ 37 II HGB) und insbes. **materiellen Firmenschutz** (Namensschutz) nach § 12 BGB in Anspruch nehmen (MüKo-FamFG/Krafka FamFG § 392 Rn. 4 ff.). Dass auch AG Namensschutz nach § 12 BGB genießt, hat schon RG anerkannt (RGZ 100, 182, 186 f.; RGZ 109, 213 f.). BGH hat diese Rspr. fortgeführt und dahin ausgebaut, dass § 12 BGB auf jede Firma (auch Sachfirma) ohne Einschränkung anzuwenden ist (BGHZ 11, 214 f. = NJW 1954, 388; BGHZ 14, 155, 159 = NJW 1954, 1681; BGHZ 15, 107, 110 f. = NJW 1955, 137; BGHZ 19, 23, 27 = NJW 1956, 591; BGH NJW 1971, 1522 f.). Firma genießt auch Schutz als sog Unternehmenskennzeichen nach §§ 15, 5 II 1 Fall 2 MarkenG sowie nach §§ 8, 9, 3 I UWG, § 5 I 2 Nr. 3 UWG.

III. Ursprüngliche Firma

11 **1. Allgemeines.** Firmenbildung ist mangels aktienrechtl. Sondervorschrift in § 18 HGB geregelt, der seinerseits durch HRefG 1998 vollständig umgestaltet und nunmehr die zentrale Vorschrift für die Firmen aller Kaufleute ist. Norm gilt gem. § 6 HGB iVm § 3 auch für AG. Aufgegeben ist damit früheres Entlehnungsgebot, nach dem Firma grds. aus Satzungsbestimmung über Gegenstand des Unternehmens (§ 23 III Nr. 2) abzuleiten und deshalb Sachfirma zu sein hatte; bezweckt ist, **Gestaltungsfreiheit und Wettbewerbsfähigkeit** der AG in den Grenzen des Irreführungsverbots (§ 18 II HGB) zu steigern (RegBegr. BT-Drs. 13/8444, 73 f.). Firma kann danach wie früher Sachfirma sein (→ Rn. 15). Zulässig sind aber auch Personenfirma (→ Rn. 14), ohne dass dafür noch wie früher bes. schutzwürdiges Interesse bestehen müsste (vgl. noch Denkschrift 1897, 36), und mangels beschränkender Vorgabe bloße Fantasiebezeichnung (→ Rn. 16). Weil alle drei Typen zulässig sind, sind auch Mischformen erlaubt (zust. BayObLGZ 2000, 83, 85). **Spezialges. Einschränkungen** bspw. in §§ 39 ff. KWG (für die Worte „Bank", „Bankier", „Sparkasse"), § 11 I PartGG (für die Worte „Partnerschaft" oder „und Partner"), § 3 KAGB (für die Worte „Kapitalverwaltungsgesellschaft", „Investmentvermögen", „Investmentfonds" oder „Investmentgesellschaft") sind aber zu beachten.

12 **2. Firmenbildung. a) Namensfunktion der Firma.** Weil Firma der Name der AG ist (→ Rn. 2 f.), kommt als zulässige Firma nur eine Bezeichnung in Betracht, die der Namensfunktion (Individualisierung der AG als Inhaberin ihres

Unternehmens) gerecht werden kann (Lutter/Welp ZIP 1999, 1073, 1074). Erforderlich, aber auch genügend sind nach § 18 I HGB Kennzeichnungsfähigkeit und Unterscheidungskraft. **Kennzeichnungsfähigkeit** kommt einer (auch fremdsprachlichen) Bezeichnung zu, die wörtlich ist und sich auch aussprechen lässt. Bildzeichen können nicht Firma sein (BGHZ 14, 155, 160 = NJW 1954, 1681; BayObLGZ 2001, 83, 84 f. = NJW 2001, 2337; Lutter/Welp ZIP 1999, 1073, 1077). Dagegen kommen Abkürzungen oder bloße **Buchstabenkombinationen** als Firma in Betracht, wenn sie sich iS einer „Artikulierbarkeit" aussprechen lassen (BGH ZIP 2022, 792 Rn. 12 f.); nicht mehr verlangt wird, dass sie sich „wie ein Wort" aussprechen lassen (BGH NZG 2009, 192 Rn. 5 ff.). Mangels einheitlicher Sprechweise bzw. aufgrund reiner Bildzeichenqualität wurde ursprünglich auch das „@"-Zeichen als nicht kennzeichnungsfähiger Firmenbestandteil angesehen (vgl. BayObLGZ 2001, 83, 84 f. = NJW 2001, 2337; OLG Braunschweig MMR 2001, 541; Lutter/Welp ZIP 1999, 1073, 1077), was jedoch richtigerweise zunehmend unter Verweis auf die Zulassung der Zeichen „&„, „+" und „§„ anders gesehen wird (vgl. LG Cottbus CR 2002, 134; LG Berlin NZG 2004, 532; LG München I MittBayNot 2009, 315; NK-AktR/Fischer/Ammon Rn. 17; BeckOGK/Drescher Rn. 10 Fn. 20; S/L/Langhein/Hupka Rn. 19; Hölters/Weber/Solveen Rn. 9; Mankowski MDR 2001, 1124; Wachter GmbHR 2001, 477; stillschweigend gebilligt wohl auch von BGH ZIP 2022, 792 Rn. 13). Hinzutreten muss gewisse Geläufigkeit der Aussprache in allg. Marktkreisen (verneint für „//crash" in BGH ZIP 2022, 792 Rn. 16; zust. Wachter EWiR 2022, 359, 360). Zur erforderlichen Individualisierung ungeeignet ist jedenfalls „A. A. A. A. A. A." oder ähnlicher Fehlgriff (OLG Frankfurt FGPrax 2002, 131 f.; NK-AktR/Fischer/Ammon Rn. 15: Missbrauch). **Unterscheidungskraft** (sa § 3 I MarkenG) hat Bezeichnung, wenn sie ohne Rücksicht auf die Umstände des Einzelfalls (abstrakt) geeignet ist, AG von anderen Unternehmensinhabern zu unterscheiden. Das ist bei Personenfirmen idR anzunehmen. Bei Sach- oder Fantasiefirmen kommt es auf Umstände des Einzelfalls an (→ Rn. 15 f.). Bloße Verknüpfung von Branchen- und Ortsangabe („Autodienst Berlin") begründet keine hinreichende Unterscheidungskraft (aA KG DNotZ 2008, 392 f. m. abl. Anm. Kanzleiter).

b) Irreführungsverbot. § 18 II 1 HGB (→ Rn. 1, 11) verbietet irreführende 13
Angaben (sa §§ 5, 5a UWG, § 8 II Nr. 4 MarkenG). Eignung zur Irreführung genügt. Angaben müssen sich auf geschäftliche Verhältnisse beziehen, die für angesprochene Verkehrskreise wesentlich sind. Einschr. wirkt an § 13a UWG aF angelehntes Erfordernis, dass angesprochene Verkehrskreise über wesentliche Verhältnisse irregeführt werden. Es kommt auf **obj. Sicht des durchschnittlichen Adressaten** an (normativer Standard); nicht entscheidend ist Verständnis eines nicht unerheblichen Teils der angesprochenen Verkehrskreise (OLG Jena NZG 2011, 1191 f.; RegBegr. BT-Drs. 13/8444, 53). Von Streichung wurde zu Recht abgesehen (vgl. RegBegr. BT-Drs. 13/8444, 36, 38; MüKoAktG/Heider Rn. 22). Liberalisierung der Firmenbildung durch § 18 I HGB wertet praktische Bedeutung des Verbots teilw. auf, weil sie zwangsläufig Möglichkeiten der Irreführung eröffnet, denen früher durch spezielle Vorschriften zur Firmenbildung begegnet wurde. Beschränkung der registergerichtlichen Prüfung in **§ 18 II 2 HGB** auf ersichtliche Eignung zur Irreführung soll Eintragungsverfahren entlasten und beschleunigen. Gemeint ist nicht ersichtlich, sondern offensichtlich. Eignung ist ersichtlich, wenn sie „nicht allzu fern liegt und ohne umfangreiche Beweisaufnahme bejaht werden kann" (RegBegr. BT-Drs. 13/8444, 54; präzisierend BeckOGK/Drescher Rn. 12). Hat Registergericht Eignung zur Irreführung bejaht, so kann Beschwerde gegen Zurückweisung der Anmeldung nicht darauf gestützt werden, dass es an Offenkundigkeit fehle (RegBegr. BT-Drs. 13/8444, 54; NK-AktR/Fischer/Ammon Rn. 21).

14 **c) Einzelfragen. aa) Personenfirma.** AG hat Personenfirma, wenn sie nach dem Namen einer natürlichen oder jur. Person oder einer namensfähigen Personenvereinigung wie GbR, OHG oder KG benannt ist. § 18 I HGB lässt das zu, ohne dass dafür bes. schutzwürdiges Interesse erforderlich wäre (→ Rn. 11). Bei Firmenneubildung wird es sich idR um den Namen eines Gründungsaktionärs handeln. Firma kann aber auch von Anfang an oder später aus dem **Namen eines Nichtaktionärs** gebildet werden (OLG Rostock NZG 2015, 243; BeckOGK/Drescher Rn. 15). Folgerichtig ist auch nicht erforderlich, dass ein namensgebender Aktionär maßgeblich beteiligt ist. In § 18 I HGB würden derartige Beschränkungen keine Grundlage finden. Auch Irreführung über geschäftliche Verhältnisse (§ 18 II HGB) ist idR nicht zu befürchten (für GmbH LG Wiesbaden NZG 2004, 829), weil Verkehr aus Namensverwendung nicht auf Aktionärseigenschaft oder maßgebliche Beteiligung zu schließen pflegt (anders bei OHG oder KG wegen § 19 I und IV HGB aF). Wenn doch, ist zu prüfen, ob Beteiligung trotz Haftungsausschlusses durch § 1 I 2 zu den wesentlichen Verhältnissen iSd § 18 II 1 HGB gehört; das wird nur bei Hinzutreten bes. Umstände zu bejahen sein (MüKoAktG/Heider Rn. 30).

15 **bb) Sachfirma.** Sachfirma ist dem Gegenstand des Unternehmens entlehnt, und zwar derart, dass sie ihn in sprachlicher Verknappung für Verkehrsanschauung erkennbar macht (Ammon DStR 1994, 325, 326). Wenn Satzung mehrere Unternehmensgegenstände vorsieht, kann Sachfirma aus Oberbegriff oder einem der wesentlichen Gegenstände gebildet werden. Auch wenn Wegfall des Entlehnungsgebots bei der Sachfirma mit der Neufassung von § 4 (→ Rn. 1) beabsichtigt war (RegBegr. BT-Drs. 13/8444, 37), darf Sachfirma nicht zur **Irreführung** geeignet sein (§ 18 II HGB), was faktisch, in den Grenzen einer offensichtlichen Irreführung (→ Rn. 13), einer Beibehaltung des Entlehnungsgebotes entspricht. Irreführung kommt nämlich in Betracht, wenn vernünftig urteilender Durchschnittsadressat (→ Rn. 13) nach der Firmenaussage einen Unternehmensgegenstand vermutet, der nicht oder nicht in erwartbarer Weise vorhanden ist (MüKoAktG/Heider Rn. 29; Lutter/Welp ZIP 1999, 1073, 1081 f. mit Bsp.; ausf. zu Fallgruppen MüKoHGB/Heidinger HGB § 18 Rn. 116 ff.). Dem Liberalisierungszweck (→ Rn. 11) entspr. jedoch, bei Annahme wesentlicher Abweichungen Zurückhaltung zu üben (OLG Stuttgart FGPrax 2012, 177). Früher zur Sachfirma erörterte Streitfragen haben sich durch Zulassung der Fantasiefirma und entspr. Mischformen in § 18 I HGB erledigt (→ Rn. 11, 16). Auch **Rechtsanwalts-AG** (→ § 23 Rn. 23) darf Sachfirma führen, was spätestens mit Streichung anderslautender Regelung für GmbH in § 59k BRAO unbestritten sein dürfte (S/L/Langhein/Hupka Rn. 34; ebenso aber auch schon BayObLGZ 2000, 83, 86).

16 **cc) Fantasiefirma.** Als Fantasiefirma ist jede Bezeichnung der AG zulässig (so ausdr. RegBegr. BT-Drs. 13/8444, 37), wenn sie zwar nicht Personen- oder Sachfirma ist, aber namensmäßige Individualisierung in gleichwertiger Weise leistet; es handelt sich also um Sammelbegriff. Erlaubt sind danach vor allem auch Firmen, die den Unternehmensgegenstand nach Verkehrsauffassung (obj. Sicht) nicht erkennbar zum Ausdruck bringen. **Bsp.:** „Aeriola" (KG OLGR 44, 221 = JW 1925, 639); „Kosmoppharm" (KG JW 1927, 130); „Bauhelf" (OLG Neustadt NJW 1962, 2208 f.); „Fluidtechnik" (OLG Stuttgart OLGZ 1974, 337 = BB 1974, 756). Auch genügen **Abkürzungen** oder aussprechbare **Buchstabenkombinationen,** wenn sie nach vernünftiger Verkehrsauffassung auf AG hinweisen, etwa als Abkürzung Namensfunktion erlangt haben, desgleichen **Marken,** wenn sie Wortzeichen sind (aber → Rn. 12) und AG mit ihrer Ware oder Dienstleistung bezeichnen, schließlich auch **ganze Sätze,** Werbeslogans (KK-AktG/Dauner-Lieb Rn. 11; BeckOGK/Drescher Rn. 17) sowie reine **Branchenbezeichnungen** (Industrie- und Baubedarf, Transportbeton), weil es nach

§ 18 I HGB nur auf Namensfunktion ankommt. Dafür erforderliche Unterscheidungskraft (→ Rn. 12) kann allerdings bei Fantasiebezeichnungen generell und insbes. bei Branchen- oder rein geographischen Bezeichnungen fehlen. Ggf. ist Firma durch individualisierende Zusätze zu erweitern, etwa (vorbehaltlich § 18 II HGB) um geographische Angaben, ergänzende Firmenschlagworte oder Benennung des Hauptprodukts (Lutter/Welp ZIP 1999, 1073, 1074 f.; allg. zur Verwendung der Ortsangabe OLG Jena NZG 2011, 1191, 1192 f. mwN).

3. Rechtsformzusatz. Rechtsformzusatz bildet eigentlichen Gegenstand des 17
§ 4 (→ Rn. 1) und muss sowohl in ursprünglicher als auch in abgeleiteter Firma (→ Rn. 18 f.) enthalten sein. Irreführungsverbot des § 18 II gilt auch insoweit (BayObLGZ 1998, 226, 229 f.). Vorgaben zur Art und Weise der Abkürzung enthält § 4 nicht, doch wird praktisch nur „AG" in Betracht kommen. Dieser Zusatz ist stets ausreichend, und zwar auch im Grundbuchverfahren (OLG Zweibrücken AG 2023, 55). Mischformen (Rechtsformzusatz ist teils ausgeschrieben, teils abgekürzt, zB „AktG") sind daneben zulässig (RegBegr. BT-Drs. 13/8444, 74). Nicht genügend ist Verwendung des Wortteils „Aktien" (zB „Aktienbrauerei"; s. NK-AktR/Fischer/Ammon Rn. 39; MüKoAktG/Heider Rn. 19). Freigestellt ist Standort des Rechtsformzusatzes (am Anfang der Firma, in Klammern; sa öOGH AG 2001, 154, 155: nicht notwendig am Firmenende), solange er nicht in einer Buchstabenkombination verschwindet. Zu den Rechtsfolgen eines fehlenden Rechtsformzusatzes → Rn. 22. Zum Rechtsformzusatz und dessen Abkürzung bei SPACs s. § 44 V 2 BörsG und → § 23 Rn. 54, 56.

IV. Abgeleitete Firma

1. Recht zur Firmenfortführung. Recht der AG, abgeleitete Firma (Begriff 18
→ Rn. 5) zu führen, ist in § 4 vorausgesetzt. Tatbestandliche Erfordernisse des **§ 22 HGB** müssen gegeben sein. Erforderlich ist also, dass der Kern (nicht nur Teile) eines kaufmännischen Unternehmens erworben wird (BGH WM 1977, 891, 892 f. = JR 1978, 67; Einzelheiten: GK-HGB/Burgard § 22 Rn. 17 ff.) und auch das Firmenrecht übertragen worden ist (dazu GK-HGB/Burgard § 22 Rn. 27 ff.). Rechtsformzusätze, die auf AG als neue Inhaberin nicht zutreffen (bes. OHG, KG, GmbH), sind zu streichen (GK-HGB/Burgard § 22 Rn. 87 ff.; sa öOGH AG 2001, 155, 156). Auf Seiten der AG ist Satzungsänderung (§ 23 III Nr. 1 iVm §§ 179 ff.) erforderlich, weil bisherige und erworbene Firma nicht nebeneinander geführt werden dürfen (Grundsatz der Firmeneinheit → Rn. 7); zur Firmenvereinigung → Rn. 21. Soweit AG Gesellschafterin einer GmbH & Co KG ist und ihre Firma den Namen der KG abgeben soll, ist AG-Zusatz als irreführend zu streichen (OLG Stuttgart FGPrax 2001, 28 zu „Lavatec AG Wäschereimaschinen GmbH & Co KG").

2. Rechtsformzusatz. Auch bei Firmenfortführung nach § 22 HGB verlangt 19
§ 4 Rechtsformzusatz; ebenso § 4 GmbHG und § 19 HGB (→ Rn. 1). Bezweckt ist, Information des Rechtsverkehrs über Gesellschafts- und Haftungsverhältnisse in jedem Fall zu gewährleisten (BGHZ 62, 216, 226 f. = NJW 1974, 1191). Zur Gestaltung des Rechtsformzusatzes gelten die in → Rn. 17 entwickelten Grundsätze.

V. Firma der Zweigniederlassung

1. Ursprüngliche Firma. Wenn AG eine (oder mehrere) Zweigniederlassun- 20
gen unterhält (Begriff → HGB § 13 Rn. 4 f.), kann sie ihre Firma auch für diesen Unternehmensteil ohne Zusatz (Ausnahme: § 30 III HGB) verwenden. Es ist also nicht nötig, bes. Zweigniederlassungsfirma zu bilden. Der beschränkten Selb-

ständigkeit der Zweigniederlassung entspr. es jedoch, dass AG dafür bes. Firma bilden darf, solange **Zusammenhang zwischen Hauptgeschäft und Filiale** in deren Firma noch deutlichen Ausdruck findet (hM seit RGZ 113, 213, 217; RGZ 114, 318, 320). Ob Firmenkern (→ Rn. 5) der AG in Zweigniederlassungsfirma verwendet werden muss oder ob im Falle einer vom Firmenkern der AG abweichenden Zweigniederlassungsfirma diese in Satzung der AG festzulegen ist, ist str. (vgl. MüKoAktG/Heider Rn. 54 f. mwN). Stets unverzichtbar ist Rechtsformzusatz. Eintragung der Firma verfügt Sitzgericht (§ 13 I HGB); Prüfung der Firmenunterscheidbarkeit (→ Rn. 6, 8) erfolgt bei Eintragung nicht (→ HGB § 13 Rn. 14). **Grundbuchverkehr:** Zweigniederlassung ist nicht grundbuchfähig (→ HGB § 13 Rn. 6). Grundbuchfähige AG kann aber nach hM auch unter Firma ihrer Zweigniederlassung eingetragen werden, wenn Grundstück oder Grundstücksrecht zum Geschäftsvermögen der Zweigniederlassung gehört (→ HGB § 13 Rn. 6; RGZ 62, 7, 10; MüKoAktG/Heider Rn. 58; GK-HGB/J. Koch/Harnos § 13 Rn. 81).

21 **2. Abgeleitete Firma.** Praktische Bedeutung hat Möglichkeit einer bes. Zweigniederlassungsfirma vor allem in den Fällen des § 22 HGB, weil es auf diese Weise möglich ist, übernommene Firma fortzuführen und bisherige Firma der AG beizubehalten, ohne gegen Prinzip der Firmeneinheit (→ Rn. 7, 18) zu verstoßen. HM lässt in diesen Fällen Bildung der Zweigniederlassungsfirma durch **Vereinigung der übernommenen und der bisherigen Firma** zu (GK-HGB/Burgard § 22 Rn. 102 f.). Bsp. nach RGZ 113, 213: „Robert Peitz Nachf. G. Neuenhahn GmbH in Jena“ als Zweigniederlassungsfirma der G. Neuenhahn GmbH nach Erwerb des unter der Firma Robert Peitz geführten Unternehmens. Rechtsformzusatz ist auch hier erforderlich.

VI. Rechtsfolgen der fehlerhaften Firmenbildung

22 Unzulässige Firmenbildung hat zur Folge, dass Registergericht gem. § 38 I 2, IV Nr. 1 iVm § 23 III Nr. 1 **Eintragung abzulehnen** hat; beschränkter Prüfungsumfang aber nach § 18 II 2 HGB (→ Rn. 11, 13 ff.). Marken- oder namensrechtl. Verstöße sind insofern jedoch unbeachtlich, und zwar auch dann, wenn sie durch rechtskräftiges Unterlassungsurteil bestätigt sind (OLG München ZIP 2013, 1324, 1325; BeckOGK/Drescher Rn. 21). Bei dennoch erfolgender Eintragung ist AG wirksam entstanden; es kann dann aber Firmenmissbrauchsverfahren gem. § 37 I HGB iVm § 392 FamFG angeregt werden mitsamt Möglichkeit eines Ordnungsgeldes sowie Auflösung gem. § 262 I Nr. 5 iVm § 399 FamFG iVm § 23 III Nr. 1. **Fehlender Rechtsformzusatz** kann Rechtsscheinhaftung der Handelnden begründen, wenn Vertragspartner in schutzwürdiger Weise auf fehlende Haftungsbeschränkung vertraut hat und dieses Vertrauen kausal für Abschluss war (BGHZ 64, 11, 17 f. = NJW 1975, 1166; BGH NJW 1981, 2569; NJW 2012, 2871 Rn. 10; ZIP 2022, 481 Rn. 22 ff.; KK-AktG/Dauner-Lieb Rn. 9; BeckOGK/Drescher Rn. 7; krit. GK-AktG/Bachmann Rn. 43; Altmeppen NJW 2012, 2833 ff.; Beurskens NZG 2016, 681 ff.; N. Klein NJW 2015, 3607 ff.).

VII. Altfirmen (vor 1900)

23 Firmen aus der Zeit vor Inkrafttreten des HGB am 1.1.1900 dürfen nach **Art. 22 I EGHGB** auch dann weitergeführt werden, wenn sie den Anforderungen des § 18 I HGB nicht entspr. Praktische Bedeutung (vor allem: Personenfirma ohne Rücksicht auf Vorliegen bes. Gründe) dürfte mit Liberalisierung durch HRefG 1998 entfallen sein. Rechtsformzusatz ist auch hier unverzichtbar, und zwar gem. § 26a EGAktG (eingefügt durch 2. KoordG v. 13.12.1978,

BGBl. 1978 I 1959). „Aktienverein" genügt nicht (s. Heinrich BB 1979, 1480; Hüffer NJW 1979, 1065, 1070).

VIII. Ergänzende Hinweise

1. AG & Co KG. AG kann **Komplementärin der KG** sein (→ § 1 Rn. 5). 24
Sie ist deren namensgebende Gesellschafterin, wenn KG nach ihrer Komplementärin benannt werden soll (nach § 18 I HGB [→ Rn. 8, 11, 14] nicht mehr notwendig). Durch Sachfirma darf nicht über Unternehmensgegenstand der KG getäuscht werden; notfalls muss AG Personenfirma erhalten. Anforderungen des § 19 II HGB gelten auch für AG & Co KG. Weil abgekürzte Verwendung des Rechtsformzusatzes nunmehr ausdr. zugelassen ist (→ Rn. 17), bestehen gegen Zusatz „AG & Co KG" keine Bedenken, was auch schon früher zutraf (vgl. Heinrich, Firmenwahrheit und Firmenbeständigkeit, 1982, Rn. 137).

2. Verschmelzung; Vermögensübertragung; Formwechsel. Die genannten 25
Rechtsvorgänge werfen firmenrechtl. Probleme auf, die denen des § 22 HGB teilw. vergleichbar sind. Sonderregelung besteht für Verschmelzung (§§ 18, 36 UmwG) und für Formwechsel (§ 200 UmwG). Neufassung der §§ 18, 200 UmwG durch Art 7 Nr. 1 und 3 HRefG 1998 hat im Wesentlichen redaktionelle Bedeutung. Zum Firmenrecht im UmwG BeckOGK/Drescher Rn. 20; MüKoAktG/Heider Rn. 41 ff.

Sitz

5 Sitz der Gesellschaft ist der Ort im Inland, den die Satzung bestimmt.

Übersicht

I. Normzweck

§ 5 hat zunächst Bedeutung als **Definitionsnorm** (→ Rn. 4) und dient damit 1
sprachlicher Entlastung anderer Regelungen (BeckOGK/Drescher Rn. 2). Vorschrift begründet ferner **Inlandserfordernis,** soweit es um **Satzungssitz** geht (→ Rn. 7). IÜ besteht jedoch volle Satzungsautonomie. Insbes. bedarf es entgegen § 5 II aF keiner Verknüpfung des Satzungssitzes mit realen Gegebenheiten wie Ort des Betriebs oder der Verwaltung. Vielmehr kann sog **Verwaltungssitz**

frei gewählt werden und, anders als Satzungssitz, namentl. **auch im Ausland** liegen. Dadurch soll erreicht werden, dass AG ungeachtet ihres Ursprungs im deutschen Recht auch ausschließlich im Ausland geschäftlich tätig sein darf (RegBegr. BT-Drs. 16/6140, 29), was namentl. für Konzerne interessant sein kann, die auf diese Weise sämtliche Tochtergesellschaften in einheitlicher Rechtsform organisieren können. Weiteres Ziel ist Parität mit ausländischen Gesellschaften, die nach Rspr. des EuGH unter Wahrung ihrer rechtl. Identität allein im (deutschen) Inland Geschäfte machen dürfen (→ § 1 Rn. 38 ff.). Geltende Fassung, bes. Aufhebung des früheren § 5 II, geht auf MoMiG 2008 zurück. Inhaltsgleiche Regelung enthält § 4a GmbHG.

2 In seiner jetzigen Konzeption bricht § 5 mit früherer Rechtstradition, und zwar zunächst, indem mit Aufhebung des § 5 II aF auf früher für wichtig gehaltene **Missbrauchsprävention** verzichtet wird. Namentl. sollte durch Beschränkungen bei Wahl des Satzungssitzes verhindert werden, dass Zuständigkeit eines Registergerichts begründet wurde, bei dem Eintragung mangels Praxis in Handelssachen leicht zu erlangen war (Meckbach NZG 2014, 526 ff.; Preuß GmbHR 2007, 57, 58 f.). Gesetzgeber der Handelsrechtsreform von 1998 hat diese Zielsetzung noch bestätigt und auch für GmbH verwirklicht (§ 4a GmbHG). Gesetzgeber von 2008 hat sich aus den in → Rn. 1 genannten Gründen zu rechtspolitischer Kehrtwende entschlossen.

3 Weitere **kollisionsrechtl. Neuerung** hat § 5 insofern gebracht, als bis zu seiner Einführung (jedenfalls bei Statutenwechsel) unzulässige **Verlegung des effektiven Verwaltungssitzes** in andere Rechtsordnung auch in diesem Fall, also einschränkungslos, erlaubt wird. Das folgt zwar nicht allein aus Wortlaut des § 5, aber aus Wortlaut und Zweck der Regelung in seiner Umschreibung durch RegBegr. (→ Rn. 1). Damit erzielte Wettbewerbsgleichheit für deutsche Unternehmen ist zu begrüßen (DAV-HandelsrechtsauschussRA NZG 2007, 211 Rn. 6). Ergebnis sollte auch nicht kollisionsrechtl. in Frage gestellt werden, etwa wegen Unanwendbarkeit der deutschen Sachnorm bei Geltung ausländischen Rechts (vgl. Flesner NZG 2006, 641 f.). Vielmehr ist den Beteiligten Rechtssicherheit zu geben, indem § 5 auch als **spezielle (versteckte) Kollisionsregel** verstanden wird, die etwa entgegenstehende allg. Grundsätze verdrängt (ebenso BeckOGK/Drescher Rn. 12; S/L/Ringe Rn. 12; Bayer/Schmidt ZHR 173 [2009], 735, 749 ff.; Hoffmann ZIP 2007, 1581, 1584 ff.). Anderenfalls würde das materiell-rechtl. gewollte Ziel durch das Kollisionsrecht konterkariert. Kollisionsrechtl. Hürden werden damit aber nur von deutscher Seite beseitigt; weiterhin zu prüfen ist, ob auch Kollisionsrecht des Aufnahmestaates den Zuzug gestattet, was aber jedenfalls in EU-Mitgliedstaaten unproblematisch der Fall sein muss (→ Rn. 12; → § 1 Rn. 30 ff.; sa Bayer/Schmidt ZHR 173 [2009], 735, 751 f.).

II. Bedeutung des Gesellschaftssitzes

4 **1. Allgemeines.** Neben Firma (§ 4) dient Sitz der **Individualisierung der AG.** Hauptbedeutung des Sitzes liegt im **Verfahrensrecht** (Einzelheiten bei MüKoAktG/Heider Rn. 12 ff.). So bestimmt sich örtl. Zuständigkeit im Verfahren nach FamFG gem. § 377 I FamFG grds. nach Gesellschaftssitz (→ § 14 Rn. 2 f.). § 376 I FamFG ist weitere Norm bzgl. örtl. Zuständigkeit für dort benannte Verfahren und dient als Konzentrationsregelung, die effektive Bearbeitung der Verfahren fördert. Hiernach ist Amtsgericht, in dessen Bezirk ein LG seinen Sitz hat, für ganzen LG-Bezirk zuständig; allerdings besteht Abweichungsmöglichkeit der Länder nach § 376 II FamFG (vgl. Sternal/Eickelberg FamFG § 376 Rn. 11 ff. für Übersicht der Regelungen in Bundesländern). Für str. Gerichtsbarkeit ergibt Sitz der AG ihren allg. Gerichtsstand (§ 17 I 1 ZPO), der seinerseits gem. § 3 I InsO ausschließliche örtl. Zuständigkeit des Insolvenz-

gerichts bestimmt (BayObLGZ 2003, 192, 194 f.). Dabei ist § 5 anderweitige Bestimmung iSd § 17 I 2 ZPO. Auch insoweit kommt es also nicht auf Verwaltungs-, sondern auf Satzungssitz an. Satzungssitz ist ferner (ggf. neben Börsensitz) der regelmäßige **Ort der HV** (§ 121 V; → § 121 Rn. 12 ff.). Auch das Steuerrecht knüpft gem. §§ 11, 20 AO an Sitz an. Weiterhin nehmen auf Sitz Bezug die Regelungen zu: § 98 (Streitigkeit über Zusammensetzung des AR), § 132 I (Streit über Auskunftsrecht), § 246 III 1 (Zuständigkeit für Anfechtungs- und Nichtigkeitsklage), § 148 II 1 (Aktionärsklage), § 293c I 3 (Bestellung der Vertragsprüfer), § 396 (Auflösung der AG), § 2 SpruchG (Zuständigkeit für Spruchverfahren).

2. Insbesondere: Gesellschaftssitz und Hauptniederlassung. Niederlassung am Sitz der AG ist ihre Hauptniederlassung, alle anderen Niederlassungen sind nur Zweigniederlassungen, ohne dass es auf ihre tats. Bedeutung iRd gesamten Geschäftsbetriebs ankäme (ganz hM, vgl. RGZ 107, 44, 46; BayObLG WM 1981, 1396 f.; BeckOGK/Drescher Rn. 4). 5

III. Maßgeblichkeit des Satzungssitzes

1. Satzungssitz und tatsächlicher Sitz. Allein die Satzung bestimmt den Gesellschaftssitz (§ 5). Tats. Verhältnisse der AG bleiben insoweit unerheblich. Anderes gilt nur im int. Privatrecht für Bestimmung des anwendbaren Rechts (Maßgeblichkeit des [effektiven] Verwaltungssitzes, soweit nicht Herkunftslandprinzip eingreift (→ § 1 Rn. 34 ff.). Ort muss in Satzung so genau bezeichnet werden, dass Angabe der Bedeutung des Gesellschaftssitzes (→ Rn. 4) gerecht wird. Es muss also vor allem möglich sein, anhand der Satzung jeweils zuständiges **Gericht zweifelsfrei zu bestimmen** (BeckOGK/Drescher Rn. 6; MüKoAktG/Heider Rn. 24). Bei Großgemeinden kann Zusatzangabe erforderlich sein, um Unklarheiten zu vermeiden. IdR wird dieses Problem mittlerweile aber durch Registerkonzentration vermieden; in diesen Fällen bedarf es keiner weiteren Angabe, die in diesem Fall eher verwirrend als erhellend wirken müsste (GK-AktG/Bachmann Rn. 25; BeckOGK/Drescher Rn. 6; enger MüKoAktG/Heider Rn. 24). 6

2. Erfordernis eines inländischen Satzungssitzes. Satzung kann nach § 5 nur Ort im Inland als Gesellschaftssitz bestimmen. Erst durch MoMiG 2008 ausdr. formuliertes Erfordernis soll gewährleisten, dass nach Verzicht auf tats. Nähebeziehung durch Aufhebung des § 5 II aF wenigstens „juristisch-virtuelle" **Anbindung der AG an deutsches Recht** vorhanden ist (Preuß GmbHR 2007, 57, 58). Gründung mit Auslandssitz oder Verlegung des Satzungssitzes in das Ausland sind danach ausgeschlossen, soweit gemeinschaftskonforme Auslegung des § 5 nicht zu anderem Ergebnis führt. Diese gebietet, identitätswahrenden Wegzug zumindest dann zuzulassen, wenn er unter Aufgabe der deutschen Rechtsform erfolgt (→ Rn. 14 ff. mwN). 7

3. Keine weitere Beschränkung der Satzungsautonomie. Über Erfordernis inländischen Satzungssitzes hinausgehende Beschränkungen der Satzungsautonomie kennt § 5 in seiner geltenden Fassung nicht mehr (→ Rn. 1 f.). Insbes. kann entgegen früherer Rechtslage nicht gefordert werden, dass sich Satzungssitz am Ort des Betriebs, der Geschäftsleitung oder der Verwaltung befindet. Dadurch wird jedoch nicht ausgeschlossen, dass Satzungsgeber **rechtsmissbräuchlich** handelt, indem er Satzungssitz wählt, der mit tats. Verhältnissen der AG nichts zu tun hat und nur schutzwürdige Belange Dritter oder einer Aktionärsminderheit hinter den Interessen der Gesellschaft oder ihrer Mehrheitsaktionäre zurücksetzen soll. Dass sich keiner der drei genannten Anknüpfungspunkte am Satzungssitz 8 befindet, reicht für Missbrauchsvorwurf allerdings nicht aus. Wegen grds. allg. Geltung des aus § 242 BGB hergeleiteten Missbrauchseinwands kann ihm nicht pauschal jede Berechtigung versagt werden (so aber Meckbach NZG 2014, 526 ff.; zust. BeckOGK/Drescher Rn. 5; MüKoAktG/Heider Rn. 29; wie hier GK-AktG/Bachmann Rn. 36). Richtig ist aber, dass angesichts bewusster Liberalisierungstendenz der Reform ein solcher Einwand auf seltene Ausnahmefälle beschränkt werden muss. Für Sitzverlegung im Liquidationsstadium ist solche Ausn. nicht per se anzunehmen, da mit Liquidationsphase häufig Verkleinerung der Geschäftsräume einhergehen wird, die Sitzverlegung nahelegen kann (OLG Celle ZIP 2021, 223 f.).

9 **4. Rechtsfolgen bei unzulässiger Bestimmung des Satzungssitzes.** Bei **anfänglichem Verstoß der Satzung** gegen § 5 (kein Inlandsort; keine hinreichend genaue Ortsangabe [→ Rn. 6]; Rechtsmissbrauch im Einzelfall) ist Eintragung abzulehnen. Wenn gleichwohl eingetragen wird, ist AG voll wirksam entstanden. Es findet aber Amtsauflösung nach § 262 I Nr. 5, § 399 FamFG iVm § 23 III Nr. 1 statt, wenn Satzungsmangel von Anfang an besteht (→ § 262 Rn. 16; näher dazu MüKoAktG/J. Koch § 262 Rn. 66). Verstößt **nachträglich gefasster satzungsändernder HV-Beschluss** gegen § 5 (Gesellschaftssitz soll in Zürich oder im Regierungsbezirk Nordbaden sein), so ist er nach § 241 Nr. 3 nichtig (BGH NJW 2008, 2914 Rn. 8 zur GmbH). Deshalb ist bisherige Satzungsbestimmung weiter maßgeblich und folglich für Amtsauflösung insoweit kein Raum; der dennoch eingetragene, nichtige HV-Beschluss kann unter Voraussetzungen des § 398 FamFG von Amts wegen gelöscht werden (str, vgl. MüKoAktG/J. Koch § 262 Rn. 67, 63; BeckOGK/Bachmann § 262 Rn. 51; aA MüKoFamFG/Krafka FamFG § 399 Rn. 4; Sternal/Eickelberg FamFG § 399 Rn. 9; in diese Richtung auch BGH NJW 2008, 2914 Rn. 8 f. zur tats. Sitzverlegung einer GmbH). Eintragung der nur scheinbaren Verlegung des Satzungssitzes ist abzulehnen (LG Leipzig AG 2004, 459). Zur nachträglichen Veränderung der tats. Verhältnisse → Rn. 11.

IV. Doppelsitz

10 Von Doppelsitz wird gesprochen, wenn Satzung der AG zwei Orte als Gesellschaftssitz bestimmt; entspr. ist auch mehrfacher Gesellschaftssitz denkbar (AG Bremen AG 1977, 26 Ls. = DB 1976, 1810). **In Ausnahmefällen** ist Doppelsitz **zulässig** (stRspr, vgl. BayObLGZ 1962, 107, 111 f. = NJW 1962, 1014; BayObLG OLGZ 1985, 111, 115 ff.; OLG Düsseldorf NJW-RR 1988, 354; OLG Frankfurt FGPrax 2001, 86; KG OLGZ 1973, 272, 273 = NJW 1973, 1201; LG Essen AG 2001, 429, 430; LG Hamburg DB 1973, 2237; LG Köln NJW 1950, 352; 1950, 871; AG Heidelberg SJZ 1949, 342, und hM des Schrifttums, vgl. zB GK-AktG/Bachmann Rn. 30 ff.; GK-HGB/J. Koch/Harnos § 13 Rn. 50 ff.; König AG 2000, 18, 21 ff.; aA mit gewichtigen Gründen MüKoFamFG/Krafka FamFG § 377 Rn. 6, 19; Sternal/Eickelberg FamFG § 377 Rn. 14, 46). An dieser Beurteilung ist im Anschluss an Gesetzesmaterialien, die gerade für Doppelsitz „Anpassungsfähigkeit des Gesetzes" für Ausnahmefälle erhalten wollten (RegBegr. BT-Drs. 4/171, 96), gegen strengere Stellungnahmen (s. etwa Karl AcP 159 [1960], 302), aber auch gegen weitergehende Lockerungen (s. Borsch GmbHR 2003, 258, 260 f., 262: zulässig bis Missbrauchsgrenze) festzuhalten. Ein solcher Ausnahmefall liegt vor, wenn **Vorteile für Unternehmen** Nachteile für Allgemeinheit deutlich überwiegen. Nachteile können namentl. in registerrechtl. Verfahrenserschwernissen (→ § 14 Rn. 4) und Irritationen des Rechtsverkehrs liegen; Verfahrensschwierigkeiten dürfen allerdings nicht zu hoch gewichtet werden, wenn man bedenkt, dass bis 1937 registergerichtl. Doppelprüfung für

Zweigniederlassungen noch Regelfall war (Einzelheiten bei GK-HGB/J. Koch/Harnos § 13 Rn. 52). Bei dieser Beurteilung verbleibt es namentl. auch in **Verschmelzungsfällen.** Nicht anzunehmen ist also, dass in diesen Fällen allein wegen der Fusion ein schutzwürdiges Interesse am Doppelsitz bestehe (insoweit zutr. AG Essen AG 2001, 434, 435; NK-AktR/Fischer Rn. 9; BeckOGK/Drescher Rn. 8; GK-HGB/J. Koch/Harnos § 13 Rn. 51 f.; aA Katschinski ZIP 1997, 620, 621 ff.; Pluskat WM 2004, 601, 603). Vielmehr müssen auch hier tats. Umstände vorhanden sein und vom Anmelder auch beigebracht werden, nach denen die Interessen der Gesellschaft am Doppelsitz eine Abweichung von der im Allgemeininteresse liegenden Regel erforderlich machen (klärend König AG 2000, 21 ff., bes. 23). Das wird sich bei sonst erwartbarer Beeinträchtigung wesentlicher Vermögensinteressen und der Fusionen einschließenden Betätigungsfreiheit der Gesellschaft bejahen lassen (zu eng deshalb AG Essen AG 2001, 434, 435). Soweit Doppelsitz zulässig ist, sind beide Registergerichte für Eintragungen zuständig und haben unabhängig voneinander zu entscheiden (ausf. → § 14 Rn. 4). Im Jahr 2019 existierten in Deutschland elf AG mit Doppelsitz (Bayer/Hoffmann AG 2019, R 148).

V. Sitzverlegung

1. Allgemeines. Weil Sitz der AG durch Satzung bestimmt wird, kann er nur durch **Satzungsänderung** verlegt werden. Wechsel in den tats. Verhältnissen ist keine Sitzverlegung (BeckOGK/Drescher Rn. 10), und zwar auch dann nicht, wenn tats. Sitz und Satzungssitz bisher übereinstimmten. Str. war unter der Geltung des § 5 II aF, ob und wie sich Änderung der tats. Verhältnisse (Verwaltungssitz) auf gleichwohl fortgeführte Satzungsbestimmung auswirkt (s. dazu noch Bandezadeh/Thoß NZG 2002, 203 ff.; seither vor allem BGH NJW 2008, 2914 Rn. 11 ff.). Mit Aufhebung des § 5 II aF dürfte sich Frage zumindest für Inlandssachverhalte erledigt haben (ebenso BeckOGK/Drescher Rn. 15; für Auslandssachverhalte → Rn. 12). Auch Rechtsmissbrauch drängt sich bei unterlassener Satzungsänderung weniger auf als bei Wahl eines Satzungssitzes (→ Rn. 8). 11

2. Sitzverlegung in das Ausland. a) Verwaltungssitz. Wird nicht Satzungssitz (→ Rn. 13 ff.), sondern nur Verwaltungssitz in das Ausland verlegt, hat früher hM Auflösung nach § 262 I Nr. 1 angenommen (vgl. Darstellung bei MüKoBGB/Kindler IntGesR Rn. 825). Streichung des § 5 II aF soll Auslandsverlegung aber gerade ermöglichen (→ Rn. 3), so dass diese Auffassung überholt ist. AG bleibt zumindest dann in bisheriger Rechtsform bestehen, wenn Zuzugsstaat **Gründungstheorie** folgt (vgl. GK-HGB/J. Koch/Harnos § 13h Rn. 28 mwN; für die GmbH auch Bork/Schäfer/Kindler GmbHG § 4a Rn. 22 unter Aufgabe seiner früheren Ansicht), was in EU-/EWR-Mitgliedstaaten durch neuere Rspr. zur Niederlassungsfreiheit erzwungen ist (→ § 1 Rn. 30 ff.). Gleiches gilt bei entspr. bilateralen Anerkennungsabsprachen (→ § 1 Rn. 35; GK-HGB/J. Koch/Harnos § 13 Rn. 37). Folgt Zuzugsstaat Sitztheorie, führt Verlegung zu Statutenwechsel, der idR Neugründung im Ausland erforderlich macht (EBJS/Pentz HGB § 13h Rn. 48; MüKoBGB/Kindler IntGesR Rn. 830). Aus deutscher Sicht liegt Auflösung nach § 262 II (→ § 262 Rn. 10) vor, da Gesellschaft nicht als AG nach deutschem Recht fortbestehen kann, wenn sie fremdem Recht unterstellt ist (ausf. MüKoAktG/J. Koch § 262 Rn. 35 ff.; B/K/L/Füller § 262 Rn. 9; KK-AktG/Winnen § 262 Rn. 33; MüKoBGB/Kindler IntGesR Rn. 830; aA BeckOGK/Bachmann § 262 Rn. 79). 12

b) Satzungssitz. aa) Drittstaaten. HM hat grenzüberschreitende Verlegung des Satzungssitzes schon vor Änderung des § 5 im Zuge des MoMiG 2008 nicht zugelassen. Gesetzgeber hat diese Sichtweise durch Einfügung des Passus „Ort im 13

Inland" bestätigt; inhaltliche Änderung ist damit nicht verbunden (→ Rn. 7; sa GK-HGB/J. Koch/Harnos § 13h Rn. 30 ff.; Kindler AG 2007, 721, 725 f.). Str. sind **Folgen eines Verstoßes gegen § 5.** Nach früher hM ist Beschluss der HV, den Sitz der AG in das Ausland zu verlegen, Auflösungsbeschluss iSd § 262 I Nr. 2 (RGZ 107, 94, 97 mwN; BayObLGZ 1992, 113, 116; OLG Düsseldorf FGPrax 2001, 127; OLG Hamm ZIP 1997, 1696 f.; FGPrax 2001, 123). Dieser Ansicht ist nicht zu folgen. Vielmehr ist Verlegungsbeschluss nichtig gem. § 241 Nr. 3, seine Eintragung also abzulehnen, da Fortsetzung der werbenden Tätigkeit beabsichtigt ist (ausf. MüKoAktG/J. Koch § 262 Rn. 38; KK-AktG/Dauner-Lieb Rn. 23 mit Fn. 24; BeckOGK/Drescher Rn. 14; NK-AktR/Fischer Rn. 18; Grigoleit/Wicke Rn. 12; offenlassend BayObLGZ 2004, 24, 27). Es bleibt AG unbenommen, förmlichen Auflösungsbeschluss zu fassen und im Ausland Neugründung vorzunehmen (weitergehend, nämlich für identitätswahrenden Wechsel der Nationalität, Bungert AG 1995, 489, 499 ff. mwN; Knobbe-Keuk ZHR 154 [1990], 325, 334 ff., 350 ff.). Wenn Verlegung fälschlich eingetragen wird, kann der nichtige Beschluss nach § 398 FamFG gelöscht werden; für Amtsauflösungsverfahren nach § 399 FamFG besteht kein Raum (str. vgl. MüKoAktG/Koch § 262 Rn. 67, 63; aA BeckOGK/Drescher Rn. 13; MüKoFamFG/Krafka FamFG § 399 Rn. 6). Zu den Folgen des Brexit → § 1 Rn. 39a ff.

14 **bb) EU- und EWR-Staaten.** Europäische Union hat sich Auslandssachverhalten zunächst in Gestalt einer Richtlinie zur **grenzüberschreitenden Sitzverlegung** zuwenden wollen, die allerdings über Vorschlagsstadium nicht hinausgekommen ist (s. dazu Grundmann EuropGesR, 2. Aufl. 2011, Rn. 835 ff.). Pläne zur unionsrechtl. Vereinheitlichung sind mittlerweile durch Company Law Package wieder aufgenommen worden, das mit UmRUG 2023 in nat. Recht umgesetzt worden ist (→ Rn. 17). Wo diese Instrumente nicht genutzt werden, muss aber auch weiterhin Frage nach Folgen einer tats. erfolgten Sitzverlegung unionsrechtl. beantwortet werden (ausf. → § 1 Rn. 34 ff.). Insofern ist anerkanntermaßen zu unterscheiden, ob Sitzverlegung unter Wahrung von Identität (keine Auflösung und Abwicklung) und Rechtsform (AG deutschen Rechts) oder zwar identitätswahrend, aber formwechselnd (Übergang von AG deutschen Rechts in eine Rechtsform des Zuzugstaats) erfolgen soll.

15 **Echte Sitzverlegung** iSd ersten Variante entspr. zwar der Integrationslogik, ist nach **Cartesio-Entscheidung** des EuGH aber nicht schon durch Art. 49, 54 AEUV gemeinschaftsrechtl. geboten; vielmehr kann jeder Mitgliedstaat selbst festlegen, welche Anforderungen die seiner Rechtsordnung unterstehenden Gesellschaften zu erfüllen haben („Geschöpftheorie" – vgl. schon EuGH Slg. 1988, 5505, 5512 = NJW 1989, 2186 – Daily Mail; Slg. 2002, I-9919, 9943 Rn. 70 = NJW 2002, 3614; Slg. 2008, I-9641, 9664 = NJW 2009, 569 – Cartesio unter Ablehnung von GA Maduro NZG 2008, 498 Rn. 22 ff.; EuGH NJW 2012, 2715 Rn. 27 ff., 32 – Vale; OLG Düsseldorf FGPrax 2001, 127 f.; OLG Hamm FGPrax 2001, 123, 124; OLG München ZIP 2007, 2124, 2125; W.- H. Roth FS Hoffmann-Becking, 2013, 965, 972 ff.).

16 Etwas anderes gilt bei **formwechselnder Sitzverlegung,** genauer bei Verlegung des Satzungssitzes unter Übergang in Rechtsform des Zuzugsstaats (rechtstats. Aufarbeitung: Bayer/Hoffmann AG 2019, R 40 ff.). Einen solchen Formwechsel muss EU/EWR-Zuzugsstaat nach **Vale-Entscheidung** des EuGH gem. Art. 49, 54 AEUV gestatten, wenn er auch nach seinem Recht für inländische „Umwandlungen" möglich wäre und Einschränkungen nicht durch spezielle Rechtfertigungsgründe des AEUV oder zwingende Gründe des Allgemeininteresses gerechtfertigt sind (EuGH NJW 2012, 2715 Rn. 30 ff., 39; sa EuGH NZG 2017, 1308 Rn. 33). AG muss in diesem Fall aber **Gründungs-/Umwandlungsregeln des Aufnahmestaats** einschließlich Regeln zur Kapitalaufbringung

beachten (vgl. bereits EuGH Slg. 2008, I-9641, 9664 Rn. 111 ff. = NJW 2009, 569; NZG 2017, 1308 Rn. 35). Mit nachfolgender **Polbud-Entscheidung** wurde klargestellt, dass dies auch für isolierte Satzungssitzverlegung ohne gleichzeitige Verlegung des Verwaltungssitzes gilt; bloßes Anliegen, in Genuss günstigerer Rechtsvorschriften zu gelangen, stellt keinen Rechtsmissbrauch dar (EuGH NZG 2017, 1308 Rn. 37 ff.; zust. Bayer/Schmidt ZIP 2017, 2225, 2228 ff.).

Namentl. Vorgabe der Vale-Entscheidung, dass Recht des Aufnahmestaates partiell zu beachten ist (→ Rn. 16), hat in den Folgejahren für große Verfahrensunsicherheit gesorgt (ausf. dazu noch → 16. Aufl. 2022, § 5 Rn. 15 ff.), der europ. Gesetzgeber durch **Company Law Package** abgeholfen hat (vgl. dazu DAV-HRA NZG 2018, 857 ff.; Bayer/Schmidt BB 2019, 1922 ff.; Bock DNotZ 2018, 643 ff.; Habersack ZHR 182 [2018], 495 ff.; Luy NJW 2019, 1905 ff.; M. Noack AG 2018, 780 ff.; Noack/Kraft DB 2018, 1577 f.; J. Schmidt FS Grunewald, 2021, 1005 ff.; Teichmann ZIP 2018, 2451 ff.; Teichmann NZG 2019, 241 ff.). Entstanden ist daraus Digitalisierungs-RL, die bereits mit **DiRUG 2021** in deutsches Recht umgesetzt worden ist, das am 1.8.2022 in Kraft getreten ist. In zweiten Schritt wurde schließlich auch Umwandlungs-RL (verbreitet auch als Mobilitäts-RL bezeichnet) durch **UmRUG 2023** in deutsches Recht umgesetzt (vgl. dazu Heckschen/Knaier GmbHR 2022, 501 ff., 613 ff.; M. Noack ZGR 2020, 90 ff.; J. Schmidt ZEuP 2020, 565 ff.; Schollmeyer ZGR 2020, 62 ff.; Stelmaszczyk Konzern 2021, 1 ff., 48 ff.). Damit eingeführte **§ 333 UmwG** regeln grenzüberschreitenden Formwechsel mit EU/EWR-Mitgliedstaaten und schaffen damit unionsrechtl. einheitliches Gesetzesgefüge, um formwechselnde Sitzverlegung rechtssicher zu ermöglichen (vgl. dazu die Darstellung bei Brandi/Schmidt DB 2022, 1880 ff.; Heckschen/Knaier GmbHR 2022, 613, 617 ff.).18 17

Steuerliche Wegzugsbeschränkungen (Sitzverlegung als fiktive Realisierung stiller Reserven) sind innerhalb der EU unvereinbar mit Art. 49, 54 AEUV; Wegzug an sich ist kein Realisierungstatbestand (EuGH Slg. 2004, I-2431 Rn. 38 ff. = NJW 2004, 2439; Kleinert/Probst NJW 2004, 2425), doch ist es zulässig, im Zeitpunkt des Wegzugs die Steuer für während des Bestehens im Inland entstandene stille Reserven festzusetzen und lediglich ihre Zahlung bis zur tats. Realisierung des Wirtschaftsguts zu stunden (EuGH NZG 2012, 114, 115 ff.; vgl. dazu Schall/Barth NZG 2012, 414 ff.). 18

Grundkapital

6 Das Grundkapital muß auf einen Nennbetrag in Euro lauten.

I. Regelungsgegenstand und -zweck

§ 6 schreibt vor, dass Grundkapital Nennbetrag haben und dieser in Euro ausgedrückt sein muss. Vorausgesetzt ist Notwendigkeit des Grundkapitals; sie folgt aus § 1 II (→ § 1 Rn. 10 ff.). Weil Grundkapital **Nennbetrag** haben muss, kann es nur beziffert ausgedrückt werden. Umschreibungen (zB als Summe der Einlagen) genügen nicht. Seine Mindesthöhe ist angegeben in § 7. **Bezifferung** schafft klare Verhältnisse und informiert Gläubiger sowie künftige Aktionäre auf einfache Weise über Mindestvermögen und Rechnungsgrundlage für Bestimmung des auf die Aktie entfallenden Anteils. Über tats. Vermögensverhältnisse der AG gibt Grundkapital ebenso wenig Auskunft wie über vorhandene Haftungsmasse (BeckOGK/Drescher Rn. 3). Norm ist geändert durch StückAG v. 25.3.1998 (BGBl. 1998 I 590) und durch EuroEG v. 9.6.1998 (BGBl. 1998 I 1

1242), um Umstellung von DM auf Euro zu gewährleisten (Überblick über die europarechtl. Entwicklung bei MüKoAktG/Heider Rn. 21 ff.; → Rn. 4).

II. Festsetzung

2 Festsetzung erfolgt in Satzung (§ 23 III Nr. 3) durch Angabe eines Nennbetrags (→ Rn. 1), der mindestens Summe aller Nennbetragsaktien entspr. muss (zur Möglichkeit eines Agio → § 9 Rn. 8 f.). Bei Stückaktien erfolgt Verknüpfung mit Grundkapital durch notwendige Anteilsgleichheit (§ 8 III 2), so dass sich auf die Aktie entfallender Anteil durch ausgegebene Aktienanzahl bestimmen lässt; an die Stelle des Nennbetrags tritt dabei der anteilige Betrag des Grundkapitals (§ 8 III 3). Ob Gesellschafter Höhe des Mindestkapitals iSd § 7 überschreiten möchten, liegt in ihrem unternehmerischen Ermessen. **Großzügigere Ausstattung** kann – je nach Unternehmensgegenstand – nicht nur sinnvoll sein, um tragfähige Eigenkapitalausstattung und hinreichenden Seriositätsausweis zu haben, sondern auch um Nachgründungsprobleme (§ 52) zu vermeiden (→ § 7 Rn. 3).

III. Rechtsfolgen bei Verstoß

3 Wenn Satzung Grundkapital nicht beziffert oder nicht in Euro angibt (Fremdwährung), muss Registergericht **Eintragung** nach § 38 I 2 **ablehnen.** Ist gleichwohl eingetragen worden, so ist AG trotz Satzungsmangels wirksam entstanden. Fehlen der Bezifferung ist jedoch Nichtigkeitsgrund nach § 275 I 1 Fall 1 und rechtfertigt auch Amtslöschung nach § 397 FamFG (→ § 275 Rn. 9, 30 ff.). Bei Bezifferung in unzulässiger Währung findet gem. § 262 I Nr. 5 iVm § 399 FamFG Verfahren der Amtsauflösung statt (→ § 262 Rn. 15 ff.). Satzungsändernder HV-Beschluss, der Nennbetrag des Grundkapitals streichen oder in unzulässiger Währung ausdrücken wollte, wäre nichtig gem. § 241 Nr. 3 (→ § 241 Rn. 14 ff.); nichtige Beschlüsse können nach § 398 FamFG von Amts wegen gelöscht werden (str., vgl. zum Parallelproblem bzgl. Sitz der Gesellschaft → § 5 Rn. 9).

IV. Altfälle

4 Auch nach der am 1.1.1999 erfolgten Euro-Umstellung (→ Rn. 1) muss Nennbetrag bei Altgesellschaften nicht zwingend auf Euro lauten. Für sie wurden Umstellungsmöglichkeiten geschaffen, die Umstellung aber nicht erzwungen (ausf. Hölters/Weber/Solveen Rn. 4). Nur **Neugründungen** durften seit dem 1.1.2002 mit auf DM lautendem Grundkapital nicht mehr eingetragen werden (§ 1 II 3 EGAktG). Alle bis zum 31.12.2001 **bereits eingetragenen Gesellschaften** dürfen ihr Grundkapital dagegen weiterhin in DM ausweisen, und zwar auch dann, wenn sie börsennotiert (§ 3 II) sind. Das bedeutet allerdings nicht, dass AG auch materiell noch ein auf DM lautendes Grundkapital hätte (MüKoAktG/Heider Rn. 49). Vielmehr hat sie das Grundkapital, das sich aus Umrechnung in Euro ergibt (Umtauschkurs nach Art. 14 VO (EG) 1103/97 v. 17.6.1997 [ABl. EG 1997 L 162, 1]: 1,95583 DM für 1 Euro). Sobald AG Kapitalmaßnahme vornimmt, darf Beschluss nach § 1 II 3 Hs. 2, § 3 V EGAktG aber nur eingetragen werden, wenn Nennbeträge von Grundkapital und Aktien in Euro bezeichnet werden, so dass zu diesem Zeitpunkt Umstellung erfolgen muss (GK-AktG/Mock Rn. 20; zum Parallelproblem bei Umstellung der Aktien → § 8 Rn. 13).

Mindestnennbetrag des Grundkapitals

7 Der Mindestnennbetrag des Grundkapitals ist fünfzigtausend Euro.

I. Regelungsgegenstand und -zweck

Norm verlangt, dass obligatorischer Nennbetrag des Grundkapitals (§ 6) mindestens 50.000 Euro ausmacht. Erfordernis eines Mindestnennbetrags geht auf § 7 I AktG 1937 zurück und dient dem **Gläubigerschutz** (→ § 1 Rn. 10 ff.). Mindestnennbetrag hat auch **Sperrfunktion** ggü. solchen Unternehmen, für deren Betrieb nicht einmal ein Eigenkapital von 50.000 Euro erforderlich ist. Ihnen soll Rechtsform der AG nicht zur Verfügung stehen. § 7 ist im Zuge der Währungsumstellung geändert durch Umstellung der früher vorgeschriebenen 100.000 DM auf 50.000 Euro (EuroEG v. 9.6.1998 – BGBl. 1998 I 1242). Ausf. zur Behandlung von Altfällen und Übergangsproblem MüKoAktG/Heider Rn. 23 f. 1

II. Betragshöhe

1. Kompromisscharakter. § 7 setzt Mindestnennbetrag auf 50.000 Euro fest. 2 Dass es sich bei dieser Summe um eher **willkürlich gegriffene Größe** handelt, ist schon daran erkennbar, dass sie seit 1949 im Ges. vorgesehen (GK-AktG/Mock Rn. 9) und trotz Inflation um viele hundert Prozent seitdem unverändert geblieben ist. Regelung hat **Kompromisscharakter.** Höherer Mindestnennbetrag (§ 7 I AktG 1937: 500.000 RM) oder differenzierende Regelung (Albach/Lutter, Deregulierung des Aktienrechts, 1988, 54: je nach Kapitalmarktzugang 100.000 DM, 500.000 DM oder 2,5 Mio. DM) wäre denkbar, ist aber schlecht vereinbar mit dem Bestreben, auch Gründung der kleinen AG zu fördern, eher überflüssig bei AG & Co (OHG oder KG) und dem Gläubigerschutz (→ Rn. 1) nur begrenzt dienlich, weil auch deutlich höhere Beträge dafür idR nicht ausreichend wären (zur damit korrespondierenden Problematik materieller Unterkapitalisierung → § 1 Rn. 19). Dafür genügender Betrag ist wiederum nicht einheitlich bestimmbar, wäre teilw. prohibitiv und jedenfalls kostentreibend. Kompromiss des § 7 ist danach brauchbar, zumal Marktkräfte (etwa bei Kreditvergabe) auch jenseits des Aktienrechts angemessene Eigenkapitalausstattung erzwingen können (MHdB AG/Sailer-Coceani § 11 Rn. 5). Daneben erfüllt aber auch Grundkapital zumindest als Seriositätsschwelle auch in dieser moderaten Höhe sinnvolle Funktion (umfassende ökonomische Analyse bei GK-AktG/Mock Rn. 22 ff.). Die teilw. in eine andere Richtung gehende rechtsvergleichende, bes. europäische Diskussion, in der die **Funktionstauglichkeit des Mindestkapitals** angesichts seiner nur beschränkt gläubigerschützenden Wirkung gänzlich in Frage gestellt wird, hat ihren Schwerpunkt bei geschlossenen, also GmbH-ähnlichen Gesellschaften (s. mit Unterschieden iE GK-AktG/Henze/Notz Vor § 53a Rn. 76 ff. mwN; Bachmann ZGR 2001, 351; Merkt ZGR 2004, 305; Mülbert Konzern 2004, 151; Schön Konzern 2004, 162). Tats. liegt Grundkapital idR auch wesentlich höher. Abschreckende Wirkung für kleinere Gründungen lösen insofern nicht so sehr Mindestkapitalanforderungen aus, sondern Publizitätsvorschriften sowie aufwendige und wegen § 23 V wenig flexible Organisationsstruktur (BeckOGK/Drescher Rn. 2). Für AG geht rechtspolitische Tendenz heute eher dahin, **Freiheit der Finanzierungsentscheidung** grds. unangetastet zu lassen und nur für bestimmte Branchen und Geschäftsarten (insbes. im Bank- und Versicherungsbereich) mit zT erheblichem Aufwand höhere Kapitalausstattung zu gewährleisten (→ Rn. 6).

3 **2. Nachgründungsprobleme.** Bei Wahl des Grundkapitals ist Regelung der **Nachgründung** in § 52 rechtzeitig zu bedenken. Weil Nachgründung unter den weiteren Voraussetzungen des § 52 I schon dann vorliegt, wenn Vergütung **10 % des Grundkapitals** übersteigt, zur Unwirksamkeit des Geschäfts führt und § 52 IX nur begrenzt hilfreich ist (→ § 52 Rn. 14 f.; zur Satzungsgestaltung → § 23 Rn. 24), sollte sorgfältig geprüft werden, ob wirklich mit Mindestkapital oder anderen geringen Ziffern auszukommen ist. Ggf. sind Erfordernisse des § 52 zu beachten, und zwar auch bei Sachkapitalerhöhung (→ § 52 Rn. 11). Problem stellt sich seit 2001 allerdings nicht mehr in vergleichbarer Form wie früher, nachdem Regelung durch NaStraG 2001 wesentlich entschärft worden ist, indem ihr Anwendungsbereich auf Geschäfte mit Gründern und maßgeblich beteiligten Aktionären beschränkt wurde (→ § 52 Rn. 3).

4 **3. Produkt aus Nennbetrag (anteiligem Betrag) und Aktienanzahl.** § 7 beschränkt sich auf Vorgabe eines Mindestnennbetrags. Einen entspr. Höchstbetrag gibt es nicht. Über den Mindestnennbetrag hinausgehende Anforderungen folgen aus dem Zusammenhang von Grundkapital und Aktie sowie § 8 II–IV. Dass Grundkapital in Aktien zerlegt ist (§ 1 II), bedeutet zugleich, dass sich seine Höhe durch Multiplikation des Aktiennennbetrags (§ 8 I und II) mit Aktienanzahl ergibt; bei unterschiedlichen Nennbeträgen folgt Grundkapital aus Addition der Teilprodukte. Bei Stückaktien tritt auf die einzelne Aktie entfallender anteiliger Betrag an die Stelle des Aktiennennbetrags (§ 8 I und III). Bezifferung des Grundkapitals spiegelt danach diejenige der Aktien oder die auf sie entfallenden anteiligen Beträge wider.

III. Rechtliche Behandlung

5 Höhe des Grundkapitals ist in der Satzung anzugeben (§ 23 III Nr. 3). Mindestbetrag des § 7 darf nicht unterschritten werden, und zwar weder bei Gründung noch nachträglich bei Kapitalherabsetzung, es sei denn, dass zugleich Barkapitalerhöhung beschlossen wird (§ 228 I, § 229 III; → § 228 Rn. 2 ff.; → § 229 Rn. 22). Wird er unterschritten, so ist Eintragung der AG abzulehnen (§ 38 I 2). Wenn gleichwohl eingetragen wird, ist AG wirksam entstanden. Es liegt auch kein Grund für eine Nichtigkeitsklage nach § 275 I 1 vor, wohl aber Satzungsmangel, der gerichtl. Auflösungsverfügung nach § 262 I Nr. 5 iVm § 399 FamFG trägt (→ § 262 Rn. 17; NK-AktR/Fischer Rn. 11; MüKoAktG/J. Koch § 262 Rn. 70). Kapitalherabsetzungsbeschluss, den HV nach Eintragung der AG unter Verstoß gegen § 7 fasst, ist nichtig gem. § 241 Nr. 3 Fall 2 (Gläubigerschutz; ebenso BeckOGK/Drescher Rn. 5; MüKoAktG/Heider Rn. 32); Ausnahme: § 228 I. Nichtiger HV-Beschluss kann nach § 398 FamFG von Amts wegen gelöscht werden (str.; vgl. → § 5 Rn. 9 zu Parallelproblem bzgl. Sitz der Gesellschaft).

IV. Sonderbestimmungen

6 Für **Kredit- und Versicherungswirtschaft** bestehen Sonderbestimmungen, die auf höhere Eigenkapitalausstattung abzielen, und zwar teils durch ges. Erfordernis eines höheren Grundkapitals, teils durch ges. Erfordernis eines höheren eingezahlten Grundkapitals, teils durch Maßnahmen der Aufsichtsbehörde (MüKoAktG/Heider Rn. 15 ff.). Dazu zählen etwa Kapitalverwaltungsgesellschaften (§ 25 I Nr. 1 lit. a, b KAGB: 300.000 Euro für interne; 125.000 Euro für externe), Unternehmensbeteiligungsgesellschaften (§ 2 IV UBGG: 1 Mio. Euro), REIT-AG (§ 4 REITG: 15 Mio. Euro). Wenn höhere Grundkapitalziffer nicht erreicht wird, verbleibt es bei aufsichtsrechtl. Konsequenzen. Aktienrechtl. Folgen (→ Rn. 5) treten also nicht ein (Ausnahme: REIT-AG gem. § 1 III REITG). In anderen Fällen verlangt Ges. zwar kein höheres Grundkapital, aber eine höhere Mindesteinzahlung als nach § 36a I (vgl. § 28 VI 2 WPO).

Form und Mindestbeträge der Aktien

8 (1) **Die Aktien können entweder als Nennbetragsaktien oder als Stückaktien begründet werden.**

(2) [1]**Nennbetragsaktien müssen auf mindestens einen Euro lauten.** [2]**Aktien über einen geringeren Nennbetrag sind nichtig.** [3]**Für den Schaden aus der Ausgabe sind die Ausgeber den Inhabern als Gesamtschuldner verantwortlich.** [4]**Höhere Aktiennennbeträge müssen auf volle Euro lauten.**

(3) [1]**Stückaktien lauten auf keinen Nennbetrag.** [2]**Die Stückaktien einer Gesellschaft sind am Grundkapital in gleichem Umfang beteiligt.** [3]**Der auf die einzelne Aktie entfallende anteilige Betrag des Grundkapitals darf einen Euro nicht unterschreiten.** [4]**Absatz 2 Satz 2 und 3 findet entsprechende Anwendung.**

(4) **Der Anteil am Grundkapital bestimmt sich bei Nennbetragsaktien nach dem Verhältnis ihres Nennbetrags zum Grundkapital, bei Stückaktien nach der Zahl der Aktien.**

(5) **Die Aktien sind unteilbar.**

(6) **Diese Vorschriften gelten auch für Anteilscheine, die den Aktionären vor der Ausgabe der Aktien erteilt werden (Zwischenscheine).**

Übersicht

I. Regelungsgegenstand und -zweck

1 Während Ausgestaltung als Inhaber- oder Namensaktie nach § 10 I darüber entscheidet, wie berechtigter Aktionär durch die Aktie ausgewiesen wird, betrifft die in § 8 I vorgesehene Ausgestaltung als Nennbetrags- oder Stückaktie die Frage, wie **Beteiligungshöhe** in der Aktie zum Ausdruck kommt. Traditionelle Form der **Stückelung von Aktien** ist die sog Nennbetragsaktie. Im Zuge des StückAG v. 25.3.1998 (BGBl. 1998 I 590) wurde daneben alternativ auch Stückaktie zugelassen, um Alternative zur Euro-Umstellung der Nennbetragsaktien zu eröffnen (RegBegr. BT-Drs. 13/9573, 10). In § 8 II sodann geregelter **Mindestbetrag** ist Oberbegriff, der Mindestnennbetrag (§ 8 II 1: ein Euro) oder bei Stückaktien den anteiligen Betrag des Grundkapitals bezeichnet (§ 8 III 1: ein Euro). § 8 II-IV ordnen weitere Einzelheiten der Nennbetrags- und der Stückaktien, wobei § 8 III deren rechtl. Eigenheiten festschreibt. § 8 IV hat nur klarstellende Bedeutung. § 8 V ordnet Unteilbarkeit der Aktien an. § 8 VI enthält Legaldefinition der Zwischenscheine, die ebenfalls Regelungsregime des § 8 I–V unterworfen werden; weitere Vorschriften sind über AktG verstreut.

II. Aktienformen (§ 8 I)

2 **1. Nennbetrags-, Stück- und Quotenaktien. Zerlegung des Grundkapitals** (§ 1 II) kann durch Nennbeträge der Aktien erfolgen oder ohne Nennbeträge, indem Grundkapital entspr. der Aktienanzahl zerlegt wird, was Anteile gleichen Umfangs bedingt (näher → Rn. 17). Die erste Form bezeichnet § 8 I als Nennbetragsaktie, die zweite als Stückaktie. Nicht zugelassen ist Quotenaktie, die Mitgliedschaft des Aktionärs zwar durch Angabe eines Bruchteils ausdrückt, damit aber nicht Zerlegung des Grundkapitals, sondern Verhältnis der einzelnen Mitgliedsstelle zur Gesamtzahl der Mitgliedsstellen bezeichnet. Quotale Darstellung würde namentl. bei Kapitalveränderungen zu Problemen führen.

3 Heute geltendes Nebeneinander von Nennbetrags- und Stückaktien ist auf technische Probleme infolge der Euro-Einführung zurückzuführen, weil sie zur Euro-Umstellung einschließlich damit verbundener Glättungsprobleme (→ Rn. 15 f.) eine Alternative bietet, ohne Gläubigerschutzfunktion des festen Grundkapitals (→ § 1 Rn. 10 ff.) in Frage zu stellen (eingehend Heider AG 1998, 1, 3 f.). Stückaktie bietet allerdings **bei Kapitalmaßnahmen Verfahrenserleichterungen** und hat sich deshalb in der Praxis mittlerweile weitgehend durchgesetzt (vgl. BeckOGK/Vatter Rn. 5; zur früheren Diskussion um zweckmäßige Aktienform vgl. Kübler, Aktie, Unternehmensfinanzierung und Kapitalmarkt, 1989, bes. 59 f.).

4 **2. Nennbetrags- oder Stückaktien.** Gesellschaften müssen wählen, ob ihre Aktien Nennbetrag haben oder Stückaktien sein sollen. Aktienformen können also **nicht nebeneinander** bestehen. Das stellt § 8 I durch „entweder … oder" klar (RegBegr. BT-Drs. 13/9573, 11, 14; KG AG 2016, 550, 551; LG München I AG 2015, 639, 640). Damit sollen Klarheit und Praktikabilität gewährleistet werden. Für Gesellschaften mit Publikumsaktionären ist das richtig. Für Gesellschaften ohne solche Aktionäre ist das Argument weniger zwingend, doch besteht auch insoweit kein Bedarf für das Nebeneinander beider Formen. Insbes. können mangels ges. Beschränkung sowohl Nennbetrags- als auch Stückaktien als Inhaber- oder Namensaktien (§ 10 I), Vorzüge oder Stämme (§ 12 I) begründet werden (RegBegr. BT-Drs. 13/9573, 12). Für die mit ZuFinG 2023 neu eingeführten Mehrstimmrechtsaktien wird in § 135a I 1 allerdings zwingend Ausgabe von Namensaktien vorgeschrieben (→ § 135a Rn. 3).

III. Nennbetragsaktien (§ 8 II)

1. Gesetzliches Minimum. Die nach wie vor zulässigen Nennbetragsaktien (→ Rn. 2) müssen gem. § 8 II 1 auf wenigstens **einen Euro** oder übergangsweise (→ Rn. 13 f.) auf fünf DM lauten; das gilt auch bei Kapitalerhöhungen (§§ 182 ff.). Betrag stellt zugleich Untergrenze der **Einlagepflicht** pro Aktie dar; denn für geringeren Betrag darf Aktie gem. § 9 I nicht ausgegeben werden (Verbot der Unterpariemission). Dagegen ist Überpariemission zulässig (§ 9 II). Erlaubt ist auch Stückelung des Grundkapitals in Aktien verschiedenen Nennbetrags (§ 23 III Nr. 4). Bei formwechselnder Umwandlung von GmbH in AG kann sogleich auf ges. Mindestbetrag zurückgegangen werden; Satzungsänderung nach Umwandlung ist nicht erforderlich. Wortlaut des § 243 III 2 UmwG, der dem früher entgegenstand, ist durch StückAG (→ Rn. 1) geändert (dazu RegBegr. BT-Drs. 13/9573, 19 und RegBegr. BT-Drs. 13/9347, 39: keine Notwendigkeit höheren Nennbetrags). Bei **Kapitalmaßnahmen** kann Mehrheitsaktionär kraft seiner mitgliedschaftlichen Treubindung zu Mitaktionären (→ § 53a Rn. 20 ff.) ausnahmsweise verpflichtet sein, geringstzulässigen Nennbetrag zu wählen, um überflüssige Spitzen zu vermeiden (zurückhaltend J. Vetter AG 2000, 193, 201 ff.); zur Kapitalherabsetzung → § 222 Rn. 23; BGHZ 142, 167, 170 f. = NJW 1999, 3197; insoweit zust. J. Vetter AG 2000, 193, 206 f. 5

Mit Übergang auf einen Euro statt wie früher fünf DM setzt sich **Tendenz zu geringen Nominalbeträgen** fort (zum kapitalmarktrechtl. Hintergrund vgl. RegBegr. BT-Drs. 12/6679, 82 f.; sa Seibert AG 1993, 315 f.). Absenkung ist verbreitet mit Blick auf missbräuchliche Ausübung von Anfechtungs- und Auskunftsrechten kritisiert worden (so auch → 17. Aufl. 2023, Rn. 6), doch würden diese Probleme nur mit sehr weitreichendem Systemwechsel wirksam bekämpft werden können. Zu Recht geht neuere Diskussion daher eher in die Richtung, Nennbetrag noch weiter auf rechnerischen Mindestnennbetrag von einem Cent zu reduzieren (vgl. zum Folgenden DAV-HRA NZG 2023, 738 Rn. 81 ff.). Damit ginge wesentliche Erleichterung bei Kapitalerhöhung einher, weil sich Aktien aus Bezugsrechtskapitalerhöhung idR nur mit Abschlag zum Börsenkurs platzieren lassen. Sind Aktien aber mit Mindestnennbetrag von einem Euro ausgegeben worden, ist Unterschreitung kaum möglich (zur derzeit noch erforderlichen gestalterischen Umgehung über Kapitalherabsetzung vgl. DAV-HRA NZG 2023, 738 Rn. 83 f.). 6

2. Rechtsfolgen bei Verstoß. a) Entstehung und Bestand der AG. § 8 II 2 ordnet **Nichtigkeit** von Aktien an, die Mindestnennbetrag unterschreiten. Was diese Nichtigkeitsfolge bedeutet (→ Rn. 8 f.), hängt von vorgelagerter Frage ab, welche Konsequenzen Gesetzesverstoß für AG selbst hat. Vor ihrer Eintragung ausgegebene Aktien sind immer nichtig (§ 41 IV 2), so dass Verstoß gegen § 8 II 2 insoweit ohne zusätzliche Bedeutung ist. Er kann aber als Mangel der Satzung (§ 23 III Nr. 4) relevant sein. Verstoß der Satzung gegen § 8 II 1 bewirkt ihre Nichtigkeit einschließlich der Übernahmeerklärungen, so dass AG nicht, auch nicht als Vor-AG, entsteht (KK-AktG/Dauner-Lieb Rn. 18; MüKo-AktG/Heider Rn. 65), es sei denn, dass Sonderregeln über fehlerhafte Gesellschaft eingreifen (→ § 275 Rn. 8). Registergericht hat Eintragung gem. § 38 I 2 abzulehnen. Nach Eintragung ist AG jedoch wirksam entstanden. Nichtigkeitsgrund nach § 275 I liegt nicht vor. In Betracht kommt nur Amtsauflösung gem. § 262 I Nr. 5 iVm § 399 FamFG. 7

b) Aktien. Formulierung des § 8 II 2 ist unscharf, weil nicht klar wird, ob sich Nichtigkeitsfolge auf Aktie als Mitgliedschaft oder als Wertpapier (→ § 1 Rn. 13) bezieht. Hierzu gilt auf Basis der Grundsätze in → Rn. 7: Weil und soweit Gesell- 8 schaft **vor Eintragung** nicht entstanden ist, gibt es auch keine Mitgliedschaft. Soweit sie dagegen als fehlerhafte Vor-AG besteht, sind auch die Mitgliedsrechte entstanden.

9 Weil AG **nach Eintragung** wirksam besteht, bestehen auch die Mitgliedschaften. Nichtigkeitsfolge des § 8 II 2 bezieht sich also nur auf Aktie als Wertpapier (KK-AktG/Dauner-Lieb Rn. 20; MüKoAktG/Heider Rn. 68 f.). Dh: Alle an gültige Verbriefung anknüpfenden Vorschriften sind unanwendbar. Möglich bleibt aber Übertragung der Mitgliedschaft nach allg. Grundsätzen. Mitgliedschaft erlischt nur infolge Löschung der AG als Abwicklungsfolge nach § 273 I 2, §§ 264, 262 I Nr. 5 iVm § 399 FamFG. Dafür vorausgesetzte Amtsauflösung ist ihrerseits nur möglich, wenn Satzungsmangel nach § 23 III Nr. 4 vorliegt, dagegen nicht, wenn Mindestnennbetrag nur in Übernahmeerklärung des § 23 II Nr. 2 unterschritten wird; denn § 23 II Nr. 2 ist in § 399 FamFG nicht aufgeführt (KK-AktG/Dauner-Lieb Rn. 19).

10 **c) Schadensersatz; Bußgeld.** § 8 II 3 begründet **Schadensersatzpflicht der Ausgeber.** Geschädigt ist, wer als Eigentümer Urkunde innehat, die keine gültige Verbriefung der Mitgliedschaft enthält (→ Rn. 8 f.), und deshalb das Recht trotz guten Glaubens nicht erworben hat. Ausgeber ist, wer Urkunde erstmals in Verkehr bringt, nicht Unterzeichner als solcher (→ § 13 Rn. 6), schon gar nicht AG, auch nicht KI oder gleichgestelltes Unternehmen, das iRd § 186 V tätig geworden ist (KK-AktG/Dauner-Lieb Rn. 25). Schuldner werden danach regelmäßig die Mitglieder des Vorstands sein. Verschulden ist nicht vorausgesetzt (ganz hM: Gefährdungshaftung, vgl. MüKoAktG/Heider Rn. 72; GK-AktG/Mock Rn. 128). Verstoß gegen § 8 II 1 ist schließlich OWi nach § 405 I Nr. 3; Sanktion: Geldbuße bis 25.000 Euro (§ 405 IV).

11 **3. Höhere Nennbeträge. a) Zulässigkeit.** Zulässigkeit höherer Aktiennennbeträge ist in § 8 II 4 vorausgesetzt. Sie müssen jedoch auf **volle Euro** (übergangsweise: volle fünf DM) lauten. AG wird von hohen Nennwerten (500 oder 5.000 Euro) namentl. dann Gebrauch machen, wenn ihr an breiter Streuung der Aktien unter Beteiligung von Kleinanlegern nicht gelegen ist (sog schwere Stücke).

12 **b) Rechtsfolgen bei Zwischenbeträgen.** Wenn Nennbeträge nicht auf volle Euro (übergangsweise: auf volle fünf DM) lauten, können sich für AG praktische Schwierigkeiten ergeben, namentl. bei Kapitalerhöhung aus Gesellschaftsmitteln (etwa: Aktienspitzen, vgl. § 213). Weil Ges. solche Schwierigkeiten verhindern will, enthält § 8 II 4 Mussvorschrift. **Registergericht** muss Eintragung also ablehnen, wenn Satzung gegen § 8 II verstößt (§ 38 I 2); Ausnahmen darf es nicht zulassen. Wenn AG gleichwohl eingetragen wird, bleibt Verstoß jedoch folgenlos. Nichtigkeit nach § 8 II 2 bezieht sich nicht auf § 8 II 4 (so ausdr. RegBegr. Kropff S. 23 zur früheren Gesetzeslage). Voraussetzungen der Nichtigerklärung, Amtslöschung oder Amtsauflösung (§ 275 I iVm § 397 FamFG; § 262 I Nr. 5 iVm § 399 FamFG) sind ohnehin nicht gegeben (MüKoAktG/Heider Rn. 78). Beschluss der HV, der gegen § 8 II verstößt, ist wegen Inhaltsmangels anfechtbar nach § 243 I.

13 **4. Altfälle. a) Grundsatz.** Behandlung von Altfällen folgt weitgehend dem für Umstellung des Grundkapitals geltenden Grundsätzen (→ § 6 Rn. 4): Während in Übergangszeitraum bis Ende 2001 auch noch Nennbetragsaktien auf DM ausgegeben wurden (zu den Einzelheiten BeckOGK/Vatter Rn. 67 ff.), dürfen nach Ablauf dieses Zeitraums Neugründungen und kapitaländernde Beschlüsse seit 1.1.2002 nur noch in das HR eingetragen werden, wenn Nennbetragsaktien auf Euro lauten (§ 1 II 3 EGAktG). Für Altfälle gilt: Aktiennennbeträge dürfen weiterhin in DM ausgedrückt sein, und zwar auch bei börsennotierten (§ 3 II)

Gesellschaften; materiell gelten sie aber ebenso wie Grundkapital als rechnerisch auf Euro umgestellt (Einzelheiten: → § 6 Rn. 4). Damit im Grundsatz gewährter Bestandsschutz wird allerdings dadurch eingeschränkt, dass Kapitalmaßnahmen nach § 1 II 3 Hs. 2 EGAktG, § 3 V EGAktG nur dann eingetragen werden, wenn Nennbeträge und Aktien in Euro bezeichnet werden, woraus sich mittelbarer Anpassungszwang ergibt (zum Parallelproblem bei Umstellung des Grundkapitals → § 6 Rn. 4).

Bloße Umrechnung in Euro (ohne gleichzeitige Glättung) ergibt **Rundungsprobleme,** weil sie zu „krummen" Aktiennennbeträgen führt. § 3 IV 1 EGAktG stellt dazu klar, dass bloße Umrechnung die Anteilsverhältnisse nicht verschiebt. Gebrochene Beträge können jedoch vereinfacht dargestellt werden, nämlich durch Rundung auf zwei Stellen hinter dem Komma (§ 3 IV 2 Hs. 1 EGAktG). Rechtswirkung kommt der Rundung, wie § 3 IV 2 Hs. 2 EGAktG eigens hervorhebt, nicht zu. Auf die Rundung ist gem. § 3 IV 3 EGAktG in Beschlüssen und in der Satzung mit dem Ziel (Sollvorschrift) hinzuweisen, dass Anteil der einzelnen Aktie am Grundkapital erkennbar bleibt. Wie das in praktikabler Weise geschehen soll und an welche Anwendungsfälle konkret gedacht ist, bleibt unklar (DAV-HRA Stellungnahme, Januar 1998, 5 Rn. 8 f.). 14

b) Verfahrensfragen, besonders bei Glättung von Aktiennennbeträgen. 15
§ 8 II 1 und 4 erzwingen mittelbar (§ 1 II 3 Hs. 2 EGAktG, § 3 V EGAktG) Glättung der Aktiennennbeträge auf volle Euro, ferner des Grundkapitals, weil sich sein Betrag als Produkt aus Nennbetrag und Aktienanzahl ergibt (→ § 7 Rn. 4). § 4 II und III EGAktG stellt dafür als Lösungswege Anpassung des Grundkapitals durch Kapitalerhöhung aus Gesellschaftsmitteln (§§ 207 ff.) oder durch Kapitalherabsetzung (§§ 222 ff.) unter erleichterten Bedingungen zur Verfügung, sofern sie nur der Anpassung der Aktiennennbeträge auf volle Euro dienen (nächsthöherer oder nächstniedrigerer Betrag, nicht auch weitergehende Rundungen [OLG Frankfurt AG 2003, 334, 335, 336]). Beide Maßnahmen können durch Veränderung des Aktiennennbetrags oder durch seine Neueinteilung vorgenommen werden (§ 4 III 1 EGAktG; zu Einzelheiten OLG Düsseldorf NZG 2022, 1103 Rn. 10 ff. [GmbH]). Das Erste ist Sonderregelung ggü. § 182 I 4 iVm § 207 II (→ § 182 Rn. 13, 17). Mit dem Zweiten ist Neueinteilung des Grundkapitals gemeint, die zu glatten Nennbeträgen führt. Dabei werden sich vielfach Änderungen des Anteilsbesitzes der Aktionäre ergeben. Wegen Eingriffs in die Mitgliedschaft bedarf der satzungsändernde Beschluss der Einzelzustimmung betroffener Aktionäre (§ 4 III 2 EGAktG), weshalb dieser Weg nur ausnahmsweise in Betracht kommen wird (RegBegr. BT-Drs. 13/9347, 36). Umstellung auf Euro und Kapitalmaßnahmen müssen derart nachvollziehbar gestaltet werden, dass Registergericht sie prüfen kann (OLG Frankfurt AG 2001, 359; vgl. zu weiteren Einzelheiten aus neuerer Zeit auch OLG Hamm FGPrax 2011, 244 ff.; OLG Düsseldorf NZG 2022, 1103 [jew. zur GmbH]).

Praktisch wird durchweg nur **Kapitalerhöhung aus Gesellschaftsmitteln** mit anschließendem Aktiensplit in Betracht kommen, etwa derart, dass durch Kapitalerhöhung Aktien mit bisherigem Nennbetrag von fünf DM auf drei Euro umgestellt und anschließend durch Beschluss mit einfacher Mehrheit (§ 4 II 2 EGAktG) so geteilt werden, dass sich Mindestnennbetrag von einem Euro ergibt (Muster: Schröer ZIP 1998, 529, 531). Das setzt jedoch hinreichende umwandlungsfähige Rücklagen (§ 208) voraus. Abw. von §§ 150 III, 208 I 2 gestattet Sonderregelung des § 4 V 1 EGAktG deshalb, Kapital- und Gewinnrücklage einschließlich des gebundenen Sockelbetrags von 10 % oder des höheren satzungsmäßigen Prozentsatzes in Anspruch zu nehmen. Gleichwohl kann Kapitalerhöhung aus Gesellschaftsmitteln namentl. bei Ausgabe bisheriger 5 DM-Aktien wegen Erhöhung des dividendenberechtigten Kapitals und wegen des Rück- 16 lagenbedarfs wenig sinnvoll erscheinen. Für diesen Fall bietet sich an, auf Stückaktien überzugehen, bei denen Glättungsbedarf wegen Fehlens von Nennbeträgen vermieden wird (dazu schon König EWS 1996, 156, 157 ff.).

IV. Stückaktien (§ 8 III)

17 **1. Begriff.** § 8 III 1 enthält nur Negativabgrenzung der Stückaktie ggü. der Nennbetragsaktie. Entscheidend sind **Beteiligung gleichen Umfangs** (§ 8 III 2) und Existenz (nicht auch Höhe) eines anteiligen Betrags am Grundkapital (§ 8 III 3). Stückaktien sind danach Anteile am Grundkapital, die durch seine Zerlegung (§ 1 II) entstehen, notwendig den gleichen Umfang haben und deshalb auf quantitative Unterscheidungsmerkmale (Betrags- oder Quotenangabe) verzichten (sa RegBegr. BT-Drs. 13/9573, 11 f.). Weil sie Anteile am Grundkapital sind, entfällt auf sie auch ein **anteiliger Betrag.** Dieser wird aber nicht zur Kennzeichnung der Aktie oder zur Ermittlung der Beteiligungsquote herangezogen, sondern bildet nur den Anknüpfungspunkt für ges. Kapitalschutz, der nach denselben Regeln stattfindet wie bei Nennbetragsaktien. Die „Beteiligung" des § 8 II 2 meint kein wie immer geartetes subj. Recht, sondern den zerlegungsbedingten Anteil am Grundkapital. Dieser steht auch weder den Aktionären zu noch wird er durch die Aktie verkörpert (zu beidem DAV-HRA Stellungnahme, Januar 1998, 40 f. Rn. 92); denn als bloße Bilanzziffer (→ § 1 Rn. 10) ist Grundkapital weder als Ganzes noch anteilig Gegenstand subj. Zuordnung und die Aktie als Mitgliedschaft verkörpert auch nichts, sondern wird verkörpert, nämlich durch die Urkunde als Wertpapier (→ § 10 Rn. 4).

18 **2. Gesetzliches Minimum des anteiligen Betrags.** Anteiliger Betrag des Grundkapitals darf wie bei Nennbetragsaktien (§ 8 II 1) **einen Euro** nicht unterschreiten (§ 8 III 3). Auch hier gilt (→ Rn. 5), dass ges. Minimum auch bei Kapitalerhöhungen (§§ 182 ff.) gewahrt sein muss (zu daraus resultierenden Problemen → Rn. 6), dass Unterpariemission verboten (§ 9 I) und Überpariemission erlaubt ist (§ 9 II). Mit Minimalbetrag ist bezweckt, dass **keine Penny-Stocks** begründet werden, die mangels Nennbetragsangabe nicht erkennbar wären (RegBegr. BT-Drs. 13/9573, 11). Gefahr der Irreführung von Anlegern (RegBegr. BT-Drs. 13/9573, 11) mag noch bestanden haben, als sich Stückaktien noch nicht eingebürgert hatten; mittlerweile dürfte darin kein tragfähiges Argument mehr zu sehen sein. Bei **Unterschreitung** des Minimums findet § 8 II 2 und 3 gem. § 8 III 4 entspr. Anwendung (→ Rn. 7–10).

19 **3. Höhere anteilige Beträge.** Schwellenwert von einem Euro oder übergangsweise fünf DM darf nicht unterschritten, aber überschritten werden. Mangels entgegenstehenden Verbots kann Satzung Grundkapital und Aktienanzahl also so wählen, dass sich anteiliger Betrag des Grundkapitals in beliebiger Höhe oberhalb des Mindestbetrags ergibt (auch deshalb kann sich Irreführungsargument [→ Rn. 18] allenfalls auf Vergleich mit Nennbetragsaktien stützen). Insbes. gibt es anders als bei Nennbetragsaktien (§ 8 II 4 → Rn. 11 f.) **keine Betragsstufen** (RegBegr. BT-Drs. 13/9573, 11). Sie ließen sich auch nicht rechtfertigen, weil bei Stückaktien auf quantitative Unterscheidungsmerkmale verzichtet wird (→ Rn. 17), so dass sich praktische Schwierigkeiten (Teilrechtsproblematik) nicht ergeben können. Weil es weder Nennbeträge noch Betragsstufen gibt, entsteht der Glättungsbedarf nicht, der bei Euro-Umstellung von Nennbetragsaktien Schwierigkeiten bereiten kann (→ Rn. 16). Einführung von Stückaktien bietet deshalb sinnvolle Alternative (→ Rn. 3).

20 **4. Einführung von Stückaktien. a) Satzung und Satzungsänderung.** Nach § 23 III Nr. 4 muss Satzung bestimmen, ob Grundkapital in Nennbetrags-

oder in Stückaktien zerlegt ist (→ Rn. 4); im ersten Fall muss sie die Nennbeträge, im zweiten Fall die Aktienanzahl angeben. Umstellung von Nennbetrags- auf Stückaktien ist also notwendig Satzungsänderung und vollen Umfangs nach §§ 179 ff. zu behandeln. Verfahrenserleichterungen wie bei Euro-Umstellung (→ Rn. 15) gibt es dafür nicht (RegBegr. BT-Drs. 13/9573, 13). **Kosten:** Geschäftswert richtet sich nach § 105 IV Nr. 1 GNotKG. Halbe Gebühr gem. KV 21201 Nr. 5 GNotKG. Bescheinigung des Notars nach § 181 I 2 Hs. 2 ist gem. KV Vorb. 2.1 II Nr. 4 GNotKG dadurch abgegolten (→ § 181 Rn. 8). Ein mitgliedschaftliches Recht auf Beibehaltung von Nennbetragsaktien gibt es nicht, so dass Einzelzustimmung der Aktionäre nicht erforderlich ist; es bedarf auch keiner Sonderbeschlussfassung nach § 179 III (BeckOGK/Vatter Rn. 11; Heider AG 1998, 1, 8; Ihrig/Streit NZG 1998, 201, 206). Wenn Aktien mit verschiedenen Nennbeträgen bestehen, muss Grundkapital mit dem Ziel gleicher Nennbeträge **neu gestückelt** werden. Das ist mit § 8 V vereinbar (→ Rn. 27). Neustückelung und Umstellung auf Stückaktien können in einem Beschluss zusammengefasst werden, wobei allerdings Zerlegung bisheriger Aktien mit höheren Nennbeträgen hinreichend deutlich Ausdruck finden sollte (RegBegr. BT-Drs. 13/9573, 13; Ihrig/Streit NZG 1998, 201, 206). Nicht geboten ist, Eintragung des Neustückelungsbeschlusses gem. § 181 abzuwarten, bevor über Einführung von Stückaktien beschlossen wird; beide Beschlüsse können zusammengefasst und gleichzeitig zur Eintragung angemeldet werden (BeckOGK/Vatter Rn. 12; Kopp BB 1998, 701, 703; nicht eindeutig Heider AG 1998, 1, 8 f.).

b) Folgemaßnahmen auf Satzungsebene. Frage nach Folgemaßnahmen stellt sich bei genehmigtem Kapital, bedingtem Kapital, Ausgabe von Wandel- und Optionsanleihen sowie bei Satzungsklauseln, die auf Nennbeträge Bezug nehmen. **Genehmigtes Kapital** muss in Satzung geregelt sein (§ 202). Wenn HV Nennbetrag der neuen Aktien festgelegt hat, was sie kann, aber nicht muss (→ § 202 Rn. 16), ist Anpassung der Ermächtigung an neue Satzungslage durch Satzungsänderung erforderlich (RegBegr. BT-Drs. 13/9573, 13; BeckOGK/Vatter Rn. 14). Gibt es keine derartige Festlegung, so kann Vorstand gem. § 204 I mit Zustimmung des AR entscheiden, dass neue Aktien als Stückaktien ausgegeben werden; denn die Begründungsformen des § 8 gehören zum Inhalt der Aktienrechte (→ § 204 Rn. 4; RegBegr. BT-Drs. 13/9573, 13; Ihrig/Streit NZG 1998, 201, 207). 21

Bei **bedingtem Kapital** ist Anpassung durch satzungsändernden HV-Beschluss (§§ 179 ff.) notwendig, wenn es wie üblich in Satzungsurkunde aufgenommen wurde (→ § 192 Rn. 5). Anpassungsbeschluss mit einfacher Mehrheit genügt nur, wenn es daran fehlt und auch Bestimmungen über Nennbeträge in der Satzung (§ 23 III Nr. 4) sich nicht auf junge Aktien erstrecken. Ohne HV-Beschluss ist nicht auszukommen, weil bisher nur Nennbetragsaktien zulässig waren und Angabe der Nennbeträge zum notwendigen Inhalt des Beschlusses gehört (→ § 193 Rn. 4; RegBegr. BT-Drs. 13/9573, 13; Ihrig/Streit NZG 1998, 201, 207). § 192 IV greift nicht ein, wenn bei Anpassung gleichwertige Verhältnisse hergestellt werden (→ § 192 Rn. 27: keine Erschwerung von Umtausch oder Bezug). Bei **Wandel- und Optionsanleihen** (§ 221) soll Auslegung des HV-Beschlusses helfen (RegBegr. BT-Drs. 13/9573, 14). Empfehlenswert ist klarstellender HV-Beschluss mit einfacher Mehrheit. 22

Satzungsklauseln nehmen vielfach (Stimmrechte, Dividendenvorzüge) auf Nennbeträge Bezug und sind bei Einführung von Stückaktien ebenfalls änderungsbedürftig. HV muss Änderung selbst beschließen (§ 179 I 1). Folgeänderungen sind also nicht allein deshalb Fassungsänderung (§ 179 I 2), weil HV zuvor Einführung von Stückaktien beschlossen hat; Herstellung des neuen Satzungs- 23 textes kann aber AR überlassen werden (→ § 179 Rn. 11). Einzelfragen bei Ihrig/Streit NZG 1998, 201, 206 ff.; Schröer ZIP 1998, 306, 308. Dividendenvorzug kann statt mit Nennbetrag mit anteiligem Betrag des Grundkapitals verknüpft werden, weil dieser vergleichbare Bedeutung hat (→ Rn. 1, 17; klarstellend § 8 IV); zutr. Ihrig/Streit NZG 1998, 201, 206 bei Fn. 58.

24 **c) Verbriefung von Stückaktien.** Nach § 10 V kann Satzung Einzel- und Mehrfachverbriefung für Nennbetrags- und Stückaktien ausschließen oder einschränken (→ § 10 Rn. 12 ff.; → § 73 Rn. 7). Wenn davon kein Gebrauch gemacht wird, haben Aktionäre mitgliedschaftliches Recht auf Einzelverbriefung. Urkunde gibt nur an: eine Aktie oder ein Stück. Würde man weitergehend Anteil der Stückaktie am Grundkapital oder Gesamtzahl der Stückaktien angeben, so würde Urkunde bei jeder Kapitalveränderung unrichtig. Weil sich Gesamtzahl der Stückaktie gem. § 23 III Nr. 3 aus Satzung ergibt, kann Zusatzinformation dort gewonnen werden (RegBegr. BT-Drs. 13/9573, 12). Bisher ausgegebene Nennbetragsaktien werden mit Umstellung auf Stückaktien unrichtig. Sie können gem. § 73 I 1 **für kraftlos erklärt** werden. § 73 I 2 greift nicht ein, weil Wechsel der Aktienform gerade nicht bloße Nennbetragsänderung darstellt (RegBegr. BT-Drs. 13/9573, 14; Heider AG 1998, 1, 6). Weil es Pflicht zur Kraftloserklärung nicht gibt, können bisherige Urkunden auch Stückaktien verbriefen, solange keine Irreführung zu befürchten ist (GK-AktG/Mock Rn. 175; BeckOGK/Vatter Rn. 15; Ihrig/Streit NZG 1998, 201, 204). Als Dauerzustand ist das jedoch zumindest misslich, so dass sich empfiehlt, entweder von Möglichkeit des § 10 V Gebrauch zu machen oder Urkunden in Ordnung zu bringen.

V. Verhältnis zum Grundkapital (§ 8 IV)

25 **Klarstellung** des § 8 IV betr. Zerlegung des Grundkapitals (§ 1 II). Anteil daran, also kapitalbezogene Beteiligungsquote der Aktie als Mitgliedsstelle, bestimmt sich bei Nennbetragsaktien (§ 8 II) nach Verhältnis von Nennbetrag und Grundkapital (→ § 1 Rn. 13). Bei Stückaktien (§ 8 III) ist stattdessen Aktienanzahl entscheidend. Weil jede Aktie in gleichem Umfang beteiligt ist (§ 8 III 2), ergibt sich kapitalbezogene Beteiligungsquote der Aktie als Mitgliedsstelle, indem Kapitalziffer durch Gesamtzahl der Aktien dividiert wird. Teilt man Kapital stattdessen durch Gesamtzahl der einem Aktionär zustehenden Aktien, so erhält man seine Beteiligungsquote (RegBegr. BT-Drs. 13/9573, 15).

VI. Unteilbarkeit (§ 8 V)

26 **1. Auf- und Abspaltungsverbot.** Nach § 8 V sind Aktien unteilbar. Weder Aktionär noch AG kann deshalb sog Realteilung vornehmen, also eine Aktie in mehrere je für sich bestehende Mitgliedsrechte aufspalten (Seibt ZGR 2010, 795, 814 ff.). Entspr. Rechtsgeschäfte wären nichtig. Unzulässig und nichtig ist auch **Trennung der Verwaltungsrechte** (zB Stimmrecht, Anfechtungsbefugnis) von Mitgliedschaft (allgM, s. RGZ 132, 149, 159; BGH NJW 1987, 780; Habersack, Die Mitgliedschaft, 1996, 78 ff.), weil subj. Recht des Mitglieds notwendig einheitlich und der Fremdbestimmung entzogen ist. Insoweit handelt es sich allerdings weniger um Anwendungsfall des § 8 V als um aktienrechtl. Ausprägung des in § 711a S. 1 BGB ausgedrückten allg. Rechtsgedankens (BeckOGK/Vatter Rn. 52; Butzke GS M. Winter, 2011, 59, 60; Überblick zB bei Reichert/Harbarth AG 2001, 447, 448). Ausgeschlossen ist ferner Abspaltung des mitgliedschaftlichen Rechts auf Gewinnteilhabe; zessionsfähig sind nur entstandene oder künftige Dividendenzahlungsansprüche (zur Unterscheidung → § 58 Rn. 26, 28). Auch Teilnahmerecht kann nicht selbständig veräußert werden (→ § 118 Rn. 25). **Abgrenzungen:** Zulässig ist Rechtsgemeinschaft (§§ 705, 741, 2032

BGB) an ungeteilter Mitgliedschaft (vgl. § 69), ebenso Übertragung von treuhänderischen Befugnissen. Auch sog empty voting verstößt nicht gegen Abspaltungsverbot (Tautges, Empty voting, 2015, 215 f.). Noch nicht abschließend geklärt ist Zuordnung des **§ 2c II 2 KWG** (ggf. iVm § 14 I 2 ZAG), wonach zust. AG am Sitz eines KI Treuhänder anstelle eines unzuverlässigen Aktionärs des Instituts bestellen und auch die Übertragung von Stimmrechten anordnen kann. Während OLG Frankfurt NZG 2015, 68, 69 darin lex specialis ggü. § 8 V sieht, geht Anordnung nach aA wegen § 8 V bei AG ins Leere (Boos/Fischer/Schulte-Mattler/F. Schäfer KWG, CRR-VO, 5. Aufl. 2016, § 2c KWG Rn. 34; Schwennicke/Auerbach/Süßmann KWG/ZAG/FKAG, 3. Aufl. 2016, § 2c KWG Rn. 48). Wegen umfassender Geltung des Abspaltungsverbots, die ges. Vorgabe weitgehend gegenstandslos machen würde, sprechen bessere Gründe für erstgenannte Deutung. Speziell zur Abspaltung des Stimmrechts s. noch → § 133 Rn. 17 f.; → § 134 Rn. 21.

2. Neustückelung. § 8 V steht Neustückelung des Grundkapitals nicht entgegen (allgM, s. zB RegBegr. BT-Drs. 12/6679, 83; MüKoAktG/Heider Rn. 95; eingehend Zöllner AG 1985, 19 ff.). Neustückelung ist nämlich nicht Teilung iSd § 8 V, sondern Neufestsetzung des Verhältnisses zwischen Aktie und Grundkapital, namentl. bei Nennbetragsaktien durch Herabsetzung ihres Nennbetrags (Minimum: § 8 II 1) und Ausgabe entspr. vieler neuer Aktien. Erforderlich und genügend ist satzungsändernder Beschluss der HV (hM, MüKoAktG/Heider Rn. 95; BeckOGK/Vatter Rn. 28). Zusätzliche individuelle Zustimmung einzelner Aktionäre ist nur dann erforderlich, wenn sie durch Nennbetragsänderung Beeinträchtigung ihrer Beteiligungsquote erfahren, was namentl. dann der Fall ist, wenn kein die quotale Beteiligung wahrender Umtausch der Nennbetragsaktien möglich ist (GK-AktG/Mock Rn. 103). 27

VII. Zwischenscheine (§ 8 VI)

Begriff und Zweck. Zwischenscheine oder Interimsscheine sind Wertpapiere, die Mitgliedsrechte wie Aktien verbriefen (RGZ 36, 35, 40), aber nur vorläufig, nämlich bis zur Ausgabe der Aktienurkunden, weil diese vor voller Leistung des Ausgabebetrags (→ § 9 Rn. 2) nicht erfolgen darf (§ 10 II 1). Zwischenscheine dienen in diesem Stadium der Verbriefung, wenn Satzung keine Namensaktien vorsieht. Praktische Bedeutung ist im Lichte von Globalaktie und elektronischer Übertragung gering (GK-AktG/Mock Rn. 210). **Rechtl. Behandlung:** Nach § 8 VI gelten § 8 II bis V auch für Zwischenscheine. Weitere Bestimmungen enthalten § 10 III und IV (notwendig Namenspapiere) und § 41 IV (keine Ausgabe vor Eintragung); → § 10 Rn. 10 f.; → § 41 Rn. 31. Anspruch auf Ausgabe von Zwischenscheinen haben Aktionäre nur, wenn Satzung ihn vorsieht; sonst entscheidet Vorstand nach Ermessen (KK-AktG/Dauner-Lieb Rn. 53; MüKoAktG/Heider Rn. 100). 28

Ausgabebetrag der Aktien

9 (1) **Für einen geringeren Betrag als den Nennbetrag oder den auf die einzelne Stückaktie entfallenden anteiligen Betrag des Grundkapitals dürfen Aktien nicht ausgegeben werden (geringster Ausgabebetrag).**

(2) **Für einen höheren Betrag ist die Ausgabe zulässig.**

Übersicht

I. Normzweck

1 § 9 verbietet Unterpariemission unter gleichzeitiger Definition des geringsten Ausgabebetrags und erlaubt Überpariemission. Zweck des Verbots ist **Gläubigerschutz** durch Sicherung der Kapitalaufbringung (BGHZ 64, 52, 62 = NJW 1975, 974; BGHZ 68, 191, 195 = NJW 1977, 1196; LG München I ZIP 2010, 1995, 1997; RegBegr. Kropff S. 24).

II. Verbot der Unterpariemission

2 **1. Tatbestand. a) Ausgabebetrag und geringster Ausgabebetrag.** § 9 I verbietet Unterpariemission und definiert geringsten Ausgabebetrag; wenn er unterschritten wird, liegt Unterpariemission vor. Ausgabebetrag bezeichnet Zahlung, die Aktionär iRd Kapitalaufbringung für Aktie zu erbringen hat, oder Wert, den etwa vereinbarte Sacheinlage wenigstens erreichen muss (→ Rn. 3); er begrenzt Einlagepflicht der Aktionäre (§ 54 I; → § 54 Rn. 5). Seine Höhe ergibt sich aus Übernahmeerklärung (§ 23 II Nr. 2) und schließt etwa geschuldetes **Agio** (→ Rn. 8 f.) ein. Demgegenüber entspr. geringster Ausgabebetrag bei Nennbetragsaktien (§ 8 II) dem Nennbetrag, bei Stückaktien (§ 8 III) dem auf sie entfallenden anteiligen Betrag des Grundkapitals (→ § 8 Rn. 17). Stückaktien unterliegen also denselben kapitalschützenden Regeln wie Nennbetragsaktien (RegBegr. BT-Drs. 13/9573, 15). Unterschreitung des geringsten Ausgabebetrags ist durch § 9 I für jede einzelne Aktie verboten. Sie darf **auch nicht verdeckt** erfolgen, also durch Provisionen, Skonti oder sonstige Nachlässe.

3 **b) Insbesondere: Sacheinlagen.** Verbot des § 9 I wird für Sacheinlagen in § 36a II 3 bekräftigt. Kapitalaufbringung (→ Rn. 1) wird durch Überbewertung der Einlagegegenstände verfehlt. Vor **Überbewertungen** sollen vor allem §§ 27, 32 II, § 33 II Nr. 4, § 34 I, § 37 IV Nr. 2, § 38 II 2 schützen (BGHZ 29, 300, 305 = NJW 1959, 934). Haben präventive Maßnahmen des Ges. nicht zum Erfolg geführt, so haftet Gründer für Differenz zwischen Summe der Ausgabebeträge der von ihm übernommenen Aktien (geschuldete Einlage) und dem niedrigeren Wert der Sacheinlage (→ Rn. 6).

4 **c) Insbesondere: Kapitalerhöhung.** Auch bei Kapitalerhöhung gilt Verbot des § 9 I (LG München I ZIP 2010, 1995, 1997). **§ 182 III** lässt nur Pari- und Überpariemission zu (→ § 182 Rn. 22 f.). Auf diesem Wege neue Eigenmittel zu beschaffen, ist allerdings dann kaum möglich, wenn **Kurs der Aktie** unter geringstem Ausgabebetrag liegt. Deshalb am rechtspolitischen Sinn des Verbots

zu zweifeln, ist nicht veranlasst. Der richtige Weg liegt darin, aus schon eingetretener negativer Entwicklung die Konsequenz der Kapitalherabsetzung zu ziehen, bevor neue Eigenmittel durch Ausgabe junger Aktien eingeworben werden (KK-AktG/Dauner-Lieb Rn. 13; MüKoAktG/Heider Rn. 20).

2. Rechtsfolgen. a) Bei Gründungsmangel. Zu unterscheiden ist, ob AG trotz Gesetzesverstoßes eingetragen wird oder nicht. Registergericht hat Eintragung abzulehnen (§ 38 I 2 und II 2). **Vor Eintragung** ist Übernahmeerklärung wegen Verstoßes gegen § 9 I nichtig (KK-AktG/Dauner-Lieb Rn. 18; S/L/Ziemons Rn. 8; Grigoleit/Vedder Rn. 4; aA GK-AktG/Mock Rn. 61; MüKo-AktG/Pentz § 27 Rn. 42). Die Einlagepflicht kann allerdings trotzdem entstanden sein, und zwar nach den Grundsätzen über die fehlerhafte Vor-AG (→ § 275 Rn. 3, 8). Auf diese Weise werden auch die von Gegenansicht befürchteten gravierenden Folgen (GK-AktG/Mock Rn. 61) weitgehend vermieden. 5

Nach Eintragung ist AG trotz Gründungsmangels wirksam entstanden. Auch liegen Voraussetzungen einer Nichtigerklärung oder Amtsauflösung (§ 275 [ggf. iVm § 397 FamFG], § 399 FamFG) nicht vor. Ohne Rücksicht auf abw. Inhalt ihrer Übernahmeerklärung sind Aktionäre nunmehr kraft Ges verpflichtet, **Einlagen bis zur Höhe der Ausgabebeträge** (→ Rn. 2) zu erbringen. Das lässt sich auf Rechtsgedanken des § 66 stützen und ist auch unabweisbare Folge des Prinzips der Kapitalaufbringung (KK-AktG/Dauner-Lieb Rn. 21). Bei **Überbewertung** von Sacheinlagen hat BGH aus Kapitaldeckungszusage **Differenzhaftung** des Einlegers hergeleitet, die sich auch auf ein etwaiges Agio (→ Rn. 8 f.) bezieht (ausf. → § 27 Rn. 21). Schließlich wird Einlagepflicht der Aktionäre durch Haftungsbestimmungen der §§ 46 ff. ergänzt. Als Schutzgesetz iSd § 823 II BGB zugunsten von Aktionären und Gläubigern ist § 9 I nicht anzuerkennen (BGH NJW 1992, 3167, 3172; GK-AktG/Mock Rn. 70). 6

b) Bei fehlerhafter Kapitalerhöhung. Fehlerhafter Kapitalerhöhungsbeschluss der HV ist **nichtig nach § 241 Nr. 3 Fall 2** und darf nicht in HR eingetragen werden (vgl. auch § 183 III 3; OLG München AG 2023, 707, 708; aA GK-AktG/Mock Rn. 73). Ebenso nichtig ist Zeichnung junger Aktien (§ 185). Anders als bei Gründung (→ Rn. 6) kommt auch der Eintragung in das HR vorbehaltlich § 242 II keine heilende Wirkung zu (MüKoAktG/Heider Rn. 30). Kapitalerhöhung ist damit gescheitert. Es gibt keine neuen Aktien und grds. auch keine Einlagepflichten. Ausnahme: analoge Anwendung des § 277 III (str. → § 277 Rn. 5). Gesichtspunkt des Gläubigerschutzes trägt aber nur Einlagepflicht; Mitgliedsrechte entstehen nicht (→ § 189 Rn. 6). 7

III. Überpariemission

1. Agio. Überpariemission liegt vor, wenn Aktien zu einem höheren Betrag als Nennbetrag oder bei Stückaktien als anteiligem Betrag des Grundkapitals (→ § 8 Rn. 17) ausgegeben werden (§ 9 II). Differenz ist **Agio.** Zulässigkeit dieses Vorgehens wird in § 9 II nur klargestellt. Agio kann als Baragio, aber auch als Sachagio erbracht werden (zur zweiten Gestaltung und namentl. zum Problem des Negativwerts Heidinger/Knaier FS 25 Jahre DNotI, 2018, 467 ff.). Es kann sowohl bei Gründung als auch bei Kapitalerhöhung begegnen; praktischer Schwerpunkt liegt bei **Kapitalerhöhung,** um Differenz zwischen Nennwert und tats. Anteilswert auszugleichen (→ § 182 Rn. 22). Hier muss im Falle einer Überpariemission schon Erhöhungsbeschluss geringsten Ausgabebetrag angeben (§ 182 III; vgl. BGHZ 33, 175, 178 = NJW 1961, 26; → § 182 Rn. 22 f.; zur Angabe im Zeichnungsschein → § 185 Rn. 12). IR der **Gründung** dient Agio dazu, der AG finanzielle Spielräume zu schaffen, da Kapitalbindung hinsichtlich Agio schwächer ist (s. dazu und zu weiteren Funktionen Baums FS Hommelhoff, 2012, 8

61, 62 f., 72 ff.): Agio wird nicht dem Grundkapital zugerechnet, sondern gem. § 272 II Nr. 1 HGB in **gesonderte Kapitalrücklage** eingestellt, die dann bes. Bindung nach § 150 III, IV unterliegt (insbes. keine Verwendung zur Gewinnausschüttung → § 150 Rn. 8 ff.). Soweit Agio als sog **korporatives Agio** ausgestaltet ist, muss es in die Satzung aufgenommen werden (→ § 23 Rn. 18; zur davon zu unterscheidenden schuldrechtl. Ausgestaltung → Rn. 10 ff.) und ist auch von Einzahlungspflicht nach § 36a I erfasst (→ § 36a Rn. 2; zur Prüfung des Registergerichts → § 38 Rn. 9).

9 **Überpariemission bei Sacheinlage** erfolgt durch ausdr. über den geringsten Ausgabebetrag der Aktien hinausgehende Bewertung in der Satzung (vgl. § 27 I). In diesem Fall wird Agio auch von **Differenzhaftung** (→ Rn. 6) erfasst (→ § 27 Rn. 21). Gerade um diesem Risiko der Differenzhaftung zu entgehen, wird in der Praxis häufig **bewusste Unterbewertung** der Sacheinlage vereinbart, indem diese in der Übernahmeerklärung bzw. im Kapitalerhöhungsbeschluss mit geringstem Ausgabebetrag angesetzt wird (stilles Aufgeld). Diese Vorgehensweise ist zulässig; es besteht keine Pflicht, höheren Ausgabebetrag zu veranschlagen (S/L/Ziemons Rn. 16; Atta AG 2021, 306 Rn. 32; Baums FS Hommelhoff, 2012, 61, 66; Hoffmann-Becking FS Lutter, 2000, 453, 465 ff.; Verse ZGR 2012, 875, 882 ff.; aA Herchen, Agio und verdecktes Agio, 2004, 188 ff., 204 ff.). Auch stilles Aufgeld ist aber in gebundene Kapitalrücklage nach § 272 II Nr. 1 HGB einzustellen (Baums FS Hommelhoff, 2012, 61, 66; Schnorbus/Plassmann ZIP 2016, 693, 696; aA Cahn FS Baums, 2017, 169, 185 ff.). Weitere Besonderheiten gelten, wenn derart unterbewertete Sacheinlage zwar noch Nennwert, aber nicht mehr realen Marktwert der dafür ausgegebenen Anteile erreicht (→ Rn. 10 ff.).

10 **2. Schuldrechtliche Zuzahlungen. a) Erscheinungsformen.** Nicht in § 9 II angesprochen und von Überpariemission zu unterscheiden sind schuldrechtl. Zuzahlungen oder ähnliche Leistungen an AG. Ihre Verpflichtung folgt aus **nicht-korporativer Gesellschaftervereinbarung,** und zwar auch dann, wenn AG oder Vor-AG kraft eigener Beteiligung oder gem. § 328 BGB unmittelbar berechtigt wird. In der Praxis hat sich dafür Begriff des schuldrechtl. Agios eingebürgert, was insofern missverständlich ist, als gerade kein Bezug zum korporativen Agio (→ Rn. 8) besteht (BeckOGK/Vatter Rn. 36). Schuldrechtl. Zuzahlungen werden namentl. von Venture-Capital-Gesellschaften eingesetzt, die damit Beachtung strenger aktienrechtl. **Kapitalaufbringungsregeln zu vermeiden** suchen, und zwar insbes. die für das korporative Agio geltende Pflicht zur Volleinzahlung nach § 36a I (→ § 36a Rn. 2a; vgl. Atta AG 2021, 306 Rn. 1; C. Becker NZG 2003, 510). Zahlung soll nicht sofort erfolgen, sondern „nach Baufortschritt", dh abhängig von Erreichung bestimmter Unternehmensziele (KK-AktG/Drygala § 54 Rn. 48). Überdies wird Einstellung in **Kapitalrücklage nach § 272 II Nr. 4 HGB** bezweckt, weil diese anders als das unter § 272 II Nr. 1 HGB fallende korporative Agio nicht bes. Bindung nach § 150 III, IV unterliegt und eingestellte Beträge deshalb zu späterem Zeitpunkt an Aktionäre ausgeschüttet werden können, ohne dass Voraussetzungen der Kapitalherabsetzung beachtet werden müssen (C. Schäfer ZIP 2016, 953; Schnorbus/Plassmann ZIP 2016, 693).

11 **b) Zulässigkeit.** Da schuldrechtl. Zuzahlungen nicht aufgrund unmittelbarer korporativer Pflicht erfolgen, werden sie verbreitet als „freiwillige" Zuzahlungen apostrophiert, deren Zulässigkeit unbedenklich sei, da weder AG noch Gläubiger darauf einen Anspruch hätten. Problematisch ist diese Einordnung aber, wenn schuldrechtl. versprochene Leistung in der Weise im sachlichen Zusammenhang mit Gründung/Kapitalerhöhung steht, dass sie – wie es regelmäßig der Fall sein wird – wirtschaftlich **Gegenleistung für ausgegebene Aktien** darstellt und erforderlich ist, um deren Wert zu decken; tats. liegt in diesem Fall durchaus

Leistungspflicht vor, die aber nicht auf korporativer Grundlage ruht (aufschlussreich Herchen, Agio und verdecktes Agio, 2004, 284 ff.). HM gestattet auch solche Vereinbarung, um praktischem Bedürfnis an den in → Rn. 10 dargestellten Gestaltungen Rechnung zu tragen (OLG München WM 2007, 123, 126; MüKoAktG/Schürnbrand/Verse § 182 Rn. 62; Baums FS Hommelhoff, 2012, 61, 78 ff.; Cahn FS Baums, 2017, 169, 172 ff.; Kuntz, Gestaltung von Kapitalgesellschaften, 2016, 638 ff.; Lubberich DNotZ 2016, 164, 170 ff.; Schnorbus/Plassmann ZIP 2016, 693, 701 ff.; Schorling/Vogel AG 2003, 86, 87 ff.; Wieneke NZG 2012, 136, 137 f.; zuneigend BayObLG AG 2002, 510 f.; aA LG München I AG 2003, 108; Herchen, Agio und verdecktes Agio, 2004, 315 ff.; C. Schäfer FS Stilz, 2014, 525, 527 ff.; C. Schäfer ZIP 2016, 953 ff.; für Zulässigkeitsgrenzen auch BeckOGK/Vatter Rn. 39).

Stellungnahme. Zulässigkeit schuldrechtl. Zuzahlungen wird unter unterschiedlichsten Aspekten des Gläubiger- und Anlegerschutzes kontrovers diskutiert, doch können die meisten Bedenken ausgeräumt werden (vgl. Atta AG 2021, 306 Rn. 4 ff.; Cahn FS Baums, 2017, 169 ff.). Eine Hürde stellt sich allerdings als nicht ohne weiteres überwindbar dar, und das ist Anliegen des **Verwässerungsschutzes** zugunsten der Mitaktionäre. Unter diesem Gesichtspunkt steht bislang hM spätestens seit **Babcock-Entscheidung** des BGH nicht mehr auf sicherem Fundament (ausf. zum Folgenden C. Schäfer FS Stilz, 2014, 525, 527 ff.; C. Schäfer ZIP 2016, 953 ff.; zust. Atta AG 2021, 306 Rn. 21 ff.). Darin hat BGH, in Abweichung von früher augenscheinlich großzügigerer Handhabung nach Kali + Salz-Entscheidung (BGHZ 71, 40, 50 = NJW 1978, 1316), gerade mit Blick auf Verwässerungsschutz eine „in das Belieben des Inferenten gestellte Haftung" abgelehnt (BGHZ 191, 364, 372 = NZG 2012, 69). Eine solche Verwässerung kann auch durch Zulassung schuldrechtl. Zuzahlungen drohen, da **vollständige Wertaufbringung** dadurch nicht nur Registerkontrolle, sondern – bei Sacheinlage – auch Differenzhaftung (→ § 27 Rn. 21) entzogen wird (ausf. Atta AG 2021, 306 Rn. 21 ff.; Herchen, Agio und verdecktes Agio, 2004, 332 ff.; C. Schäfer FS Stilz, 2014, 525, 527 ff.; sa BeckOGK/Vatter Rn. 39). Das ist unter Gesichtspunkt des Gläubigerschutzes zwar unschädlich, da kein höherer Wert nach außen verlautbart wird; mit Blick auf Verwässerungsschutz ist solche Gestaltung aber bedenklich (C. Schäfer ZIP 2016, 953 ff.; zust. Atta AG 2021, 306 Rn. 26 f.). 12

Welche Konsequenzen **Praxis** aus diesen Bedenken ziehen muss, ist noch offen. Auf fortdauernde Zulässigkeit schuldrechtl. Zuzahlungen darf nach Babcock-Entscheidung jedenfalls für Kapitalerhöhung mit Bezugsrechtsausschluss nicht mehr sicher vertraut werden. Urteil kann allerdings auch keine abschließende Aussage entnommen werden; entspr. Passage ist textlich eher knapp gefasst und bezieht sich nicht auf schuldrechtl. Zuzahlungen, sondern korporatives Agio (Schnorbus/Plassmann ZIP 2016, 693, 702; Verse ZGR 2012, 875, 883; Wieneke NZG 2012, 136, 137 f.). Derzeit hM tendiert weiterhin dazu, schuldrechtl. Zuzahlungen zu gestatten (→ Rn. 11), was insofern nachvollziehbar ist, als zugrunde liegende Gestaltungen zumeist nicht auf missbräuchliche Umgehungsabsichten zurückgehen, sondern Parteien legitimes Interesse haben, bei schwer zu bestimmendem Wert einer Sacheinlage verschuldensunabhängige **Differenzhaftung** zu vermeiden (Cahn FS Baums, 2017, 169, 172 f.; Verse ZGR 2012, 875, 884 f.). Folgt man dieser eher pragmatischen Sichtweise, ist zumindest zu verlangen, dass schuldrechtl. Zuzahlungen im Falle einer Sachkapitalerhöhung in **Vorstandsbericht nach § 186 IV 2** aufgenommen werden, um Aktionären auf diesem Wege Werthaltigkeitskontrolle zu ermöglichen (KK-AktG/Drygala § 54 Rn. 50; Verse ZGR 2012, 875, 884; weiter differenzierend Atta AG 2021, 306 Rn. 28 ff.). Spiegelbildlich können Zuzahlungen bei Angemessenheitsprüfung nach § 255 IV berücksichtigt werden. Von herkömmlichen Regeln der Kapital- 13 aufbringung und Registerkontrolle werden sie aber nicht erfasst (→ § 36a Rn. 2a; → § 183 Rn. 16). Auch Differenzhaftung greift in diesem Verständnis nicht ein, wenngleich Babcock-Entscheidung (→ Rn. 12) gerade in diesem Punkt Zweifel begründet (für eine solche Kontrolle C. Schäfer FS Stilz, 2014, 525, 527 ff.; C. Schäfer ZIP 2016, 953, 954 ff.). Ausgeräumt werden können rechtl. Bedenken allerdings durch **Zustimmung aller Gesellschafter,** da sie allein durch § 255 IV geschützt sind (BeckOGK/Vatter Rn. 39; Atta AG 2021, 306 Rn. 24; C. Becker NZG 2003, 510, 514; Hermann ZIP 2003, 788, 791; Mellert NZG 2003, 1096, 1097). Solche umfassende Einbeziehung ist zwar bei AG zumeist wenig hilfreich, doch kann speziell im hier vornehmlich betroffenen Venture-Capital-Bereich (→ Rn. 10) etwas anderes gelten (BeckOGK/Vatter Rn. 39; Atta AG 2021, 306 Rn. 32).

14 **c) Bilanzielle Behandlung.** Zweifel an genereller Zulässigkeit (→ Rn. 12 f.) setzen sich bei bilanzieller Behandlung fort (Streitstand → Rn. 11). Nimmt man – sofern zur Wertdeckung erforderlich – korporative Einzahlungspflicht an, so folgt daraus zwangsläufig auch Einstellung in **Kapitalrücklage nach § 272 II Nr. 1 HGB.** Lässt man schuldrechtl. Zuzahlung mit hM (→ Rn. 11) zu, ist bilanzielle Zuordnung weiterhin unklar. Während verbreitete Auffassung auch in diesem Fall Zuordnung zu § 272 II Nr. 1 HGB befürwortet, nimmt gleichermaßen stark vertretene Gegenauffassung Zuordnung zu § 272 II Nr. 4 HGB an (für § 272 II Nr. 1 ADS HGB § 272 Rn. 90; KK-AktG/Ekkenga Vor § 182 Rn. 22; MüKo-BilanzR/Kropff HGB § 272 Rn. 102; MHdB AG/Hoffmann-Becking § 4 Rn. 19; Baums FS Hommelhoff, 2012, 61, 84 ff.; C. Becker NZG 2003, 510, 515 ff.; für § 272 II Nr. 4 OLG München WM 2007, 123, 126; MüKoAktG/Hennrichs/Pöschke § 150 Rn. 17; GK-AktG/Mock Rn. 141; MüKoAktG/Schürnbrand/Verse § 182 Rn. 64; Cahn FS Baums, 2017, 169, 177 ff.; Priester FS Röhricht, 2005, 467, 476 f.; Schnorbus/Plassmann ZIP 2016, 693 ff.; Stein/Fischer ZIP 2014, 1362, 1368). Streit hat für Praxis große Bedeutung, da nur Rücklage nach § 272 II Nr. 1 HGB **strenger Kapitalbindung nach § 150 III, IV** unterliegt.

15 Namentl. der von § 150 III, IV bezweckte **Schutz vor Agiotage** (Irreführung über Ertragskraft der AG durch Gewinnausschüttung aus Agio) spricht eher für Zuordnung zu § 272 II Nr. 1 HGB als für Zuordnung zu § 272 II Nr. 4 HGB (Baums FS Hommelhoff, 2012, 61, 85). Verweis auf anderweitige Transparenz in Gestalt der Rechnungslegung (Cahn FS Baums, 2017, 169, 179 f.) kann diese Bedenken nicht ausräumen, da dadurch gewährtes Schutzniveau zu deutlich hinter dem Schutz der Vermögensbindung nach § 150 III, IV zurückbleibt. Stärker wiegt das Gegenargument, dass Möglichkeit der Agiotage auch sonst in § 272 II Nr. 4 HGB angelegt ist und vom Gesetzgeber hingenommen wird (Cahn FS Baums, 2017, 169, 180). In einem solchen Konflikt zwischen Regelziel und ausnahmsweiser Gestattung muss aber schon mit Blick auf Charakter des § 272 II Nr. 4 HGB als **Auffangtatbestand** der Regelzuweisung zu § 272 II Nr. 1 HGB der Vorzug gegeben werden. Auch Wortlaut des § 272 II Nr. 1 HGB („bei der Ausgabe von Anteilen erzielt") deutet – wenngleich ebenfalls nicht eindeutig – eher auf ein solches Verständnis hin. Zwar eröffnet § 272 II Nr. 4 HGB grds. Wahlfreiheit, die aber dort an ihre Grenze stößt, wo schon Zuordnung zu § 272 II Nr. 1–3 eingreift.

Aktien und Zwischenscheine

10 (1) [1]**Die Aktien lauten auf Namen.** [2]**Sie können auf den Inhaber lauten, wenn**

1. die Gesellschaft börsennotiert ist oder

2. der Anspruch auf Einzelverbriefung ausgeschlossen ist und die Sammelurkunde bei einer der folgenden Stellen hinterlegt wird:
a) einer Wertpapiersammelbank im Sinne des § 1 Absatz 3 Satz 1 des Depotgesetzes,
b) einem zugelassenen Zentralverwahrer oder einem anerkannten Drittland-Zentralverwahrer gemäß der Verordnung (EU) Nr. 909/2014 des Europäischen Parlaments und des Rates vom 23. Juli 2014 zur Verbesserung der Wertpapierlieferungen und -abrechnungen in der Europäischen Union und über Zentralverwahrer sowie zur Änderung der Richtlinien 98/26/EG und 2014/65/EU und der Verordnung (EU) Nr. 236/2012 (ABl. L 257 vom 28.8.2014, S. 1) oder
c) einem sonstigen ausländischen Verwahrer, der die Voraussetzungen des § 5 Absatz 4 Satz 1 des Depotgesetzes erfüllt, oder

3. die Verbriefung ausgeschlossen ist und die Aktie in einem zentralen Wertpapierregister gemäß § 12 des Gesetzes über elektronische Wertpapiere eingetragen wird.

[3] Solange im Fall des Satzes 2 Nummer 2 die Sammelurkunde nicht hinterlegt ist, ist § 67 entsprechend anzuwenden.

(2) **[1] Die Aktien müssen auf Namen lauten, wenn sie vor der vollen Leistung des Ausgabebetrags ausgegeben werden. [2] Der Betrag der Teilleistungen ist in der Aktie anzugeben.**

(3) **Zwischenscheine müssen auf Namen lauten.**

(4) **[1] Zwischenscheine auf den Inhaber sind nichtig. [2] Für den Schaden aus der Ausgabe sind die Ausgeber den Inhabern als Gesamtschuldner verantwortlich.**

(5) **In der Satzung kann der Anspruch des Aktionärs auf Verbriefung seines Anteils ausgeschlossen oder eingeschränkt werden.**

(6) **In der Satzung ist die Verbriefung für solche Aktien auszuschließen, die als elektronische Aktien in einem elektronischen Wertpapierregister eingetragen werden. Die Eintragung in ein Kryptowertpapierregister gemäß § 16 des Gesetzes über elektronische Wertpapiere ist nur zulässig, wenn dies in der Satzung ausdrücklich zugelassen ist.**

Übersicht

I. Regelungsgegenstand und -zweck

1 § 10 betr. **wertpapiermäßige Verbriefung** der Mitgliedschaft, also die Aktie als Urkunde (zur Alternative des Wertrechts → Rn. 3a). Während die in § 8 I vorgesehene Ausgestaltung als Nennbetrags- oder Stückaktie Auskunft darüber gibt, wie **Beteiligungshöhe** in der Aktie zum Ausdruck kommt (→ § 8 Rn. 1), entscheidet Ausgestaltung als Inhaber- oder Namensaktie nach § 10 I darüber, wie berechtigter Aktionär durch die Aktie ausgewiesen wird. Als Verbriefungsarten kommen insofern Namens- und Inhaberaktien in Betracht. In der deutschen Praxis dominierte traditionell Inhaberaktie, weil sie dem häufigen, an bloßer Kapitalanlage orientierten Aktionärstypus am besten entspr. und auch auf Seiten der AG Verwaltungsaufwand minimiert; Legitimation des Aktionärs folgt aus Inhaberschaft an Aktienurkunde (bzw. entspr. Bankbestätigung). Namensaktie begegnete ursprünglich vorwiegend bei der Familien-AG und strukturell vergleichbaren Gesellschaften, hat sich seit Ende der 1990er Jahre aber auch bei Publikumsgesellschaften durchgesetzt (ausf. → § 67 Rn. 3) und ist seit **Aktienrechtsnovelle 2016** mittlerweile auch ges. als **Standardverbriefung** vorgesehen; nur noch unter bestimmten Umständen können neu zu gründende Gesellschaften für Inhaberaktien optieren (RegE BT-Drs. 18/4349, 15 ff.; ausf. zu dieser Entwicklung → § 67 Rn. 3). Im Zuge dieser Änderung ist auch satzungsrechtl. Umwandlungsanspruch nach § 24 entfallen (→ § 24 Rn. 1). Im Schrifttum wurde Dringlichkeit einer ges. Standardvorgabe zwar verbreitet in Zweifel gezogen, da dafür vorgebrachte Motive der Geldwäsche- und Terrorismusbekämpfung empirisch nicht hinreichend untermauert schienen (statt vieler Einsele JZ 2019, 121, 123 ff.; Stöber DStR 2016, 611, 612 f.; dagegen aber Seibert/Böttcher ZIP 2012, 12 f.). Auf der anderen Seite ist zu berücksichtigen, dass namentl. nach Einführung eines (im RefE noch nicht vorgesehenen) Bestandsschutzes für Altgesellschaften die mit der Neuregelung verbundenen Belastungen für die Praxis gering geblieben sind (zum wesentlich strengeren RefE s. noch Drygala ZIP 2011, 798 ff.). Zumindest für den Regelfall stellt sich die **Namensaktie** angesichts der mit ihr verbundenen Vorzüge (vgl. dazu RegE BT-Drs. 18/4349, 17 f.) in der Tat zumindest unter rein rechtl. Gesichtspunkten als überlegene Gestaltungsform dar und ist schon heute **best practice in der notariellen Beratung.** Nicht verschwiegen werden darf allerdings, dass von Unternehmensseite Kosten der Registerführung oft als abschreckend empfunden werden, weshalb derzeit bei Börsengängen in Deutschland Inhaberaktien noch deutlich dominieren; verbreitet prophezeiter Niedergang der Inhaberaktie ist tats. nicht zu beobachten.

1a Durch Änderung des eWpG 2021 iRd **ZuFinG 2023** wird erstmals Begebung entmaterialisierter, **elektronischer Aktien** möglich, wofür Verbriefung in der Satzung auszuschließen ist (§ 10 VI 1). Gesetzesänderung liegt in Fließrichtung des ZuFinG, Digitalisierung und damit zugleich auch Internationalisierung und Attraktivität des dt. Kapitalmarktes zu steigern (RegBegr. BT-Drs. 20/8292, 58). Elektronische Aktie stellt **keine eigene Aktienform** dar, sondern kann bei im elektronischen Zentralregister (§§ 12 ff. eWpG) eingetragenen Aktien sowohl als Inhaber- als auch als Namensaktien, bei sog. Krypto-Aktien (§§ 16 ff. eWpG) lediglich als Namensaktie ausgestaltet werden (vgl. § 10 I 2 Nr. 3). Differenzierung erfolgt ausweislich Gesetzesmaterialien aus geldwäscherechtl. Gründen, wobei insbes. Verhandlungen über noch zu verabschiedende EU-GeldwäscheVO abgewartet werden soll (RegBegr. BT-Drs. 20/8292, 60; iErg zust. Guntermann AG 2023, 426 Rn. 24 f.; Maume BKR 2023, 282, 285; aA Romba/Grimm DB 2023, 2868, 2869; ausf. → Rn. 15 ff.).

II. Recht auf Verbriefung (§ 10 I)

Der in § 10 geregelten Frage nach Art der Verbriefung ist Frage vorgelagert, ob Mitgliedschaft überhaupt in Wertpapier verkörpert werden muss. Dafür ist zu unterscheiden: Zum notwendigen **Satzungsinhalt** gehört die Ausgabe von Urkunden ungeachtet des § 23 III Nr. 5 (→ Rn. 5) nicht, auch nicht zu den Entstehungsvoraussetzungen der Mitgliedschaft. AG und mit ihr Mitgliedschaft des Aktionärs entstehen also auch dann rechtl. fehlerfrei, wenn Verbriefung weder vorgesehen noch tats. erfolgt ist (hM, vgl. MüKoAktG/Heider Rn. 5 f.; BeckOGK/Vatter Rn. 32). Übertragung der Mitgliedschaft erfolgt in diesem Fall gem. §§ 398, 413 BGB (RGZ 86, 154 f.; LG Berlin AG 1994, 378, 379; Mülbert FS Nobbe, 2009, 691, 699). Gutgläubiger Erwerb ist auf dieser Basis allerdings nicht möglich (BGHZ 122, 180, 195 f. = NJW 1993, 1983; BeckOGK/Vatter Rn. 57). Bloß unrichtige Form der Verbriefung, etwa durch Bezeichnung als Nennbetrags- statt als Stückaktie, steht Erwerb des Mitgliedschaftsrechts ebenfalls nicht entgegen (BGHZ 122, 180, 195; BFHE 234, 199 Rn. 20 = NZG 2012, 439). 2

Der einzelne Aktionär hat jedoch nach hM **mitgliedschaftlichen Anspruch** auf Verbriefung, obwohl Ges. ausdr. Bestimmung dieses Inhalts nicht enthält (RGZ 94, 61, 64; MüKoAktG/Heider Rn. 13; GK-AktG/Mock Rn. 56; Mülbert FS Nobbe, 2009, 691, 697; aA Schwennicke AG 2001, 118, 119 ff., 124). Verbriefungsfunktionen (gesteigerte Verkehrsfähigkeit) gehören zu den Strukturmerkmalen der aktienrechtl. Mitgliedschaft. Auch § 10 V setzt diesen Anspruch voraus, unterwirft ihn jedoch weithin abw. Satzungsregelung; unentziehbar ist außerhalb des § 10 VI, der vollständige Entmaterialisierung ausdr. zulässt (Guntermann AG 2023, 426 Rn. 11 f.; Maume BKR 2023, 282, 284), nur **Anspruch auf Ausstellung einer Globalurkunde** und auf deren Hinterlegung nach Maßgabe der §§ 2 ff., 5, 9a DepotG (→ Rn. 13). Vollständige Erfüllung der Einlagepflicht bildet nach richtiger, wenngleich umstrittener Ansicht keine Voraussetzung des Verbriefungsanspruchs (MüKoAktG/Heider Rn. 15; BeckOGK/Vatter Rn. 34). AG hat in diesem Stadium aber die Wahl, ob sie Namensaktien (§ 10 II) oder Zwischenscheine (§ 10 III) ausgeben will (wohl aA RGZ 79, 174, 175 f.); Inhaberaktien darf sie nach § 10 II 1 nicht ausgeben. Verbriefung erfolgt durch Unterzeichnung der Aktienurkunde, die dem Vorstand obliegt (→ § 13 Rn. 6). 3

Insges. ist ges. Ausgestaltung dadurch gekennzeichnet, dass sie nur noch **in geringem Maße Rechtswirklichkeit widerspiegelt.** Ges. geht vom Normalfall der Einzelverbriefung aus, die das sachenrechtl. Fundament der §§ 929 ff. BGB (und namentl. den gutgläubigen Erwerb nach § 932 BGB) erschließen soll, um Verkehrsfähigkeit der Aktie herzustellen. Tats. ist Einzelverbriefung aber Ausnahmefall, der zunehmend von **Globalurkunden und Depotverwahrung** samt depotrechtl. Regelungswerk überlagert wird, auf die namentl. sachenrechtl. Grundsätze nur noch auf sehr verschlungenen Pfaden anwendbar sind (vgl. etwa zum Besitzerfordernis an Globalurkunden Brand ZBB 2015, 40 ff.; sa Habersack/Mayer WM 2000, 1678 ff.; M. Scholz WM 2022, 1104 ff.). Das hat zur Folge, dass sich zentrale Regelungen zu Besitz, Übertragung und Verpfändung von Aktien nur noch sehr eingeschränkt dem AktG entnehmen lassen (zur Verpfändung von in Dauerglobalurkunden verbrieften Inhaberaktien vgl. BGH NZG 2016, 187 Rn. 10 ff.). Vor diesem Hintergrund naheliegendem Übergang zur Ausgestaltung als **reinem Wertrecht** hat Gesetzgeber aber eine Absage erteilt und sich stattdessen für grds. Fortbestand des wertpapierrechtl. Effektenwesens ausgesprochen (AusschussB BT-Drs. 13/10038, 25; Eder NZG 2004, 107, 112; krit. Habersack/Mayer WM 2000, 1678, 1681 ff.; grds. zum Übergang zu Wertrechten MüKoHGB/Einsele Depotgeschäft Rn. 61; MüKoBGB/Habersack Vor § 793 Rn. 37 ff.). 3a

3b Dieses Konzept hat Gesetzgeber mit **Einführung der elektronischen Wertpapiere** durch das eWpG 2021 (zunächst beschränkt auf Inhaberschuldverschreibungen) aufgelockert, aber nicht aufgegeben. Elektronische Wertpapiere gelten nämlich auch weiterhin als **Sache iSd § 90 BGB** (§ 3 III eWpG) und sind physischen Wertpapieren insofern überwiegend gleichgestellt, was sich insbes. auf **Übertragungsmöglichkeiten** auswirkt. Es bleibt auch bei Sammeleintragung **Übertragung** im Wege der Übereignung (§§ 929 ff. BGB) möglich. Lediglich bei Einzeleintragung gilt zusätzliches neues Übertragungsregime „off the chain" der §§ 24 ff. eWpG (ausf. → § 67 Rn. 20a). Trotz voranschreitender Entmaterialisierung behält das Ges. Pfadabhängigkeit im Wertpapier- und Depotrecht also bei (Casper AG 2022, 714 Rn. 24; Guntermann AG 2021, 449 Rn. 23; allg. zum Ges. Döding/Wentz WM 2020, 2312 ff.; Mittwoch WM 2021, 375 ff.; Segna WM 2021, 2301 ff.) und hat diese Lösung mit **ZuFinG 2023** auch für AktG in Gestalt der elektronische Aktie fortgeschrieben (ausf. → Rn. 15 ff.). Festhalten an der **gedanklichen Krücke** (so erstmals Zöllner in FS Raiser 1974, 249, 255) des verbrieften Wertpapiers erscheint allerdings zunehmend gekünstelt (Casper ZHR 187 [2023], 5, 46; Harnos AG 2023, 348 Rn. 8).

III. Inhaber- oder Namensaktien (§ 10 I und II)

4 **1. Begriff und Bedeutung.** Verbriefte Inhaber- und Namensaktien sind Wertpapiere iwS, weil die mitgliedschaftlichen Befugnisse nur von dem ausgeübt werden können, der Inhaber der Urkunde ist (Vorlegungserfordernis). Sie sind überdies Wertpapiere ieS, weil Übertragung der Mitgliedschaft durch Übertragung der Urkunde erfolgen kann. Während Inhaberaktie jedoch entspr. dem Wortsinn **Inhaberpapier** und analog §§ 793 ff. BGB zu behandeln ist (Bsp.: OLG Oldenburg AG 2000, 367 f.), gehört Namensaktie entgegen dem Wortsinn zu den **Orderpapieren** (vgl. § 68 I; → § 68 Rn. 2 ff.). Zu Begriff und Einteilung der Wertpapiere s. MüKoBGB/Habersack BGB Vor § 793 Rn. 7 ff., 15 ff. Wählt AG Namensaktien, so greift Pflicht zur Führung eines Aktienregisters nach § 67 I ein. Zugleich eröffnet Namensaktie aber auch Möglichkeit zur Vinkulierung nach § 68 und der Entsendung nach § 101 II 2; zu weiteren Vorzügen → § 67 Rn. 3. Grds. hat sich hieran durch Einführung elektronischer Aktien nichts geändert; sie stellen keine neue Aktiengattung, sondern lediglich Art der Ausgestaltung von Inhaber- und Namensaktien dar (ausf. dazu → Rn. 1a).

5 **2. Namensaktie als Standardverbriefungsart.** Während § 10 I aF Beteiligten grds. freie Wahl zwischen Inhaber- und Namensaktien gestattete, sieht § 10 I 1 idF der **Aktienrechtsnovelle 2016** (→ Rn. 1) Namensaktie als Regelfall vor. Inhaberaktien werden nur bei Erfüllung weiterer Voraussetzung zugelassen, nämlich wenn AG börsennotiert ist (§ 3 II) oder Anspruch auf Einzelverbriefung gem. § 10 V ausgeschlossen ist (zu weiterer Einschränkung nach § 10 II → Rn. 8). Entfällt Börsennotierung nachträglich (Delisting, → § 119 Rn. 30 ff.), ohne dass Voraussetzungen des § 10 I 2 Nr. 2 vorliegen, müssen neue Aktien ausgestellt werden; vorher ausgestellte Aktienurkunden werden ipso iure unrichtig gem. § 73 (RegBegr. BT-Drs. 18/4349, 17; zu den Folgen → § 73 Rn. 6 ff.). Ein noch weitergehender Zwang zur vinkulierten (§ 68) Namensaktie besteht aufgrund einzelner gewerberechtl. Vorschriften, nämlich § 28 V WPO, § 130 II WPO, § 50 V StBerG, § 59m I BRAO. Wahl der Aktienform kann nur und muss **durch Satzung** erfolgen (§ 23 III Nr. 5). Bei Umstellung der Aktienart durch satzungsändernden HV-Beschluss ist individuelle Zustimmung der Aktionäre nicht erforderlich (Mock AG 2016, 261, 266).

6 Beschränkung der Wahlfreiheit im Zuge der Aktienrechtsnovelle (→ Rn. 5) geht zurück auf Beanstandung der supranationalen Financial Action Task Force,

deutsche Inhaberaktien könnten zu **Geldwäsche und Terrorismusfinanzierung** missbraucht werden (RegBegr. BT-Drs. 18/4349, 15 f.). Obwohl dieser Befund empirisch nur unzureichend abgesichert scheint (→ Rn. 1), hat Gesetzgeber ihn zum Anlass genommen, Inhaberaktie nur noch dort zuzulassen, wo trotz grds. Anonymität des Anlegers sog **Ermittlungsspur** erhalten bleibt (vgl. zur Flankierung durch Transparenzregister → § 67 Rn. 76 ff.). Das ist zum einen der Fall bei börsennotierter AG (mit Blick auf kapitalmarktrechtl. Beteiligungspublizität nach § 33 I 1 WpHG), zum anderen bei AG mit Aktien in Sammelverwahrung (→ Rn. 7). Bei nunmehr als Standardverbriefungsart zugelassener Namensaktie wird Transparenz hingegen über Aktienregister (§ 67) gewährleistet; mit ARUG II 2019 ist zusätzlich (§ 67 IV 7; → § 67 Rn. 63) Weg über Identifikationsverfahren nach § 67d ergänzt worden. Auf dieses Argumentationsmuster beruft sich Gesetzgeber auch im Zuge der Erweiterung des eWpG durch ZuFinG 2023 (→ Rn. 3b). **Übergangsregelung:** Neuregelung ist nach § 26h I EGAktG nicht auf Gesellschaften anzuwenden, deren Satzung vor dem 31.12.2015 durch notarielle Beurkundung festgestellt wurde und deren Aktien auf Inhaber lauten. Damit bewirkter Schutz für Altgesellschaften ist sinnvoll, um Belastungen der Praxis überschaubar zu halten. Zugleich erscheint es gerade mit Blick auf diese Einschränkung aber auch zweifelhaft, ob das mit der Neufassung der §§ 10, 67 verfolgte Reformziel erreicht werden kann, da bereits bestehende Gesellschaften von der Neuregelung nicht erfasst werden (Bayer AG 2012, 141, 145 f.) und überdies Transparenz des Aktienregisters ohnehin nur **Binnentransparenz** zugunsten des Vorstands eröffnet, die durch Treuhandverhältnisse unterlaufen werden kann (→ § 67 Rn. 53 ff.; sa Einsele JZ 2019, 121, 123 ff.; Mock AG 2016, 261, 262). Ermittlungsbehörden können auch weiterhin nur über Beschlagnahme nach § 94 StPO unter Voraussetzung dringenden Tatverdachts auf Aktienregister zugreifen. Im Hinblick auf zahlreiche weitere Vorteile der Namensaktie (RegE BT-Drs. 18/4349, 17 f.; → § 67 Rn. 3) sah Gesetzgeber diese Zweifel aber nicht als hinreichend gewichtig an, um von Reformvorhaben Abstand zu nehmen. Aufgrund dieser **bewussten Lückenhaftigkeit** der Regelung besteht aber auch kein Anlass, Übergangsregelung in den Fällen teleologisch zu reduzieren, in denen bei Altgesellschaften die Voraussetzungen für die Ausgabe von Inhaberaktien nachträglich entfallen (dafür aber Mock AG 2016, 261, 268). Erst recht kommt im Lichte des klaren Willens des Gesetzgebers, Altgesellschaften Bestandsschutz zu gewähren, bei den von ihnen durchgeführten Kapitalerhöhungen eine solche Reduktion nicht in Betracht (auch dafür Mock AG 2016, 261, 268 f.; wie hier Hölters/Weber/Solveen Rn. 22; Grigoleit/Vedder Rn. 13; S/L/Ziemons Rn. 28).

Zulässigkeit von Inhaberaktien ist außer bei Altgesellschaften (→ Rn. 6) 7
zunächst nach § 10 I 2 Nr. 1 gegeben bei Börsennotierung iSd § 3 II, also nicht im Freiverkehr (→ § 3 Rn. 6). Nach § 10 I 2 Nr. 2 genügt auch Verbriefung in Sammelurkunde (synonym: Globalurkunde → Rn. 12) bei Wertpapiersammelbank iSd § 1 III 1 DepotG (lit. a) oder Zentralverwahrer gem. VO (EU) 909/2014 (lit. b) oder einem sonstigen qualifizierten ausländischen Verwahrer gem. § 5 IV DepotG (lit. c). Ermittlungsspur ist dann Sammelbank oder Verwahrer. Spur kann in diesem Fall auch nicht durch Auslieferungsanspruch verwischt werden, da Anspruch nach §§ 7, 8 DepotG nicht besteht, solange Einzelverbriefungsanspruch ausgeschlossen ist (§ 9a III 2 DepotG; vgl. RegBegr. BT-Drs. 18/4349, 16). Nr. 3 lässt im Bereich der elektronischen Aktie bei satzungsmäßigem Ausschluss der Verbriefung Inhaberaktien lediglich als Zentralregisterwertpapiere, nicht dagegen als Kryptowertpapiere zu (ausf. → Rn. 18). Um missbräuchliche Verzögerung der Hinterlegung zu verhindern, gilt gem. § 10 I 3 **bis zur Hinterlegung** § 67 entsprechend, der in § 67 I dahingehend angepasst wurde, dass Eintragungspflicht in Aktienregister unabhängig von der Verbriefung entsteht

(→ § 67 Rn. 6). Inhaberaktionäre werden also wie Namensaktionäre behandelt, was namentl. bedeutet, dass sie in Aktienregister einzutragen sind und ggü. AG nach § 67 II nicht als Aktionär anerkannt werden, solange Eintragung nicht erfolgt ist (RegBegr. BT-Drs. 18/4349, 17; zu daraus resultierenden Schwierigkeiten s. DAV-HRA NZG 2012, 380, 381). Dasselbe gilt bei nachträglicher Aufhebung der Sammelverwahrung. Sieht dagegen Satzung einer nicht börsennotierten AG zwar von vornherein Inhaberaktie vor, aber keine Sammelverwahrung, muss Registergericht Eintragung nach § 38 IV Nr. 2 ablehnen, da Vorgabe des § 10 I im öffentl. Interesse liegt. Dagegen genügt es nicht, wenn nur künftig angestrebte Börsennotierung glaubhaft gemacht wird (so aber Mock AG 2016, 261, 263 f.; vgl. aber auch die Darstellung der Folgeprobleme dieses Verständnisses auf S. 264 ff.; wie hier Hölters/Weber/Solveen Rn. 21). Verfolgt die AG dieses Anliegen, muss sie sich mit vorläufiger Sammelverwahrung und entspr. „Solange"-Formulierung begnügen (Muster bei Wälzholz/Graf Wolffskeel v. Reichenberg MittBayNot 2016, 197, 199). Trägt Registergericht ein, obwohl Voraussetzungen nicht vorliegen, ist Zwangsauflösungsverfahren nach § 399 FamFG zu initiieren (RegBegr. BT-Drs. 18/4349, 18; Hölters/Weber/Solveen Rn. 21; aA Mock AG 2016, 261, 264 aufgrund verengten Verständnisses des § 399 FamFG). Auch entspr. Satzungsänderung ist nach § 241 Nr. 3 nichtig. Im Fall des Delistings einer börsennotierten AG mit Inhaberaktien, aber ohne Sammelverwahrung, ist satzungsändernder HV-Beschluss erforderlich (§ 23 III Nr. 5, § 179 I 1). Vorher ausgestellte Inhaberaktien werden unabhängig von diesem Beschluss ipso iure unrichtig mit den Folgen des § 73 (Berichtigung, Umtausch, Kraftloserklärung – RegBegr. BT-Drs. 18/4349, 17). Bei Zulässigkeit von Inhaberaktien können sie – wie nach alter Rechtslage – auch neben Namensaktien ausgegeben werden. Zu spezialgesetzlichen Einschränkungen des Wahlrechts s. GK-AktG/Mock Rn. 144 ff.

8 **3. Namensaktien vor vollständiger Einlagenleistung.** Nach § 10 II 1 dürfen nur Namensaktien (oder Zwischenscheine, → Rn. 10) ausgegeben werden, wenn **Ausgabebetrag noch nicht vollständig geleistet** ist. Grund: AG soll ihre Schuldner problemlos feststellen können (s. § 67; → § 67 Rn. 27). Ausgabe der Urkunde ist Begebung, durch die Aktionär Eigentum erwirbt. Ausgabebetrag ist Nennbetrag der Aktie (§ 8 II) oder bei Stückaktien der auf sie entfallende anteilige Betrag des Grundkapitals (§ 8 III 3), beides ggf. zzgl. Agio (§ 9). Mit Leistung sind befreiende (vor Anmeldung: § 54 III) Zahlungen oder Sacheinlagen (§ 27) gemeint, die nach Betrag oder Wert den Ausgabebetrag (→ § 9 Rn. 2) erreichen. Unvollständiger Leistung ist offener Anspruch aus Unterbilanzhaftung des Aktionärs gleichzustellen (Grigoleit/Vedder Rn. 16). Wenn Namensaktien ausgegeben werden, ist Betrag der Teilleistung nach § 10 II 2 in Urkunde zu vermerken. Das ist notwendig, um bei Weiterveräußerung guten Glauben des Erwerbers an Volleinzahlung auszuschließen; denn gutgl. Erwerber haftet nach hM nicht für rückständige Einlage (RGZ 144, 138, 145; BGHZ 122, 180, 196 f. = NJW 1993, 1983; OLG Köln AG 2002, 92 f.; GK-AktG/Henze/Notz § 54 Rn. 28 ff.). **Teileingezahlte Namensaktien** begegnen bes. bei Versicherungsgesellschaften; restliche Einlagenansprüche dienen der Risikovorsorge. Daneben ist Namensaktie auch im Fall einer Nebenleistungsaktiengesellschaft (§ 55 I) obligatorisch sowie in den Fällen, in denen dem Inhaber das Recht gewährt werden soll, AR-Mitglieder zu entsenden (§ 101 II 2). Weitere gewerberechtl. Vorgaben zur Namensaktie sind vorgesehen in § 50 V 1, 2 StBerG, § 28 V 1, 2 WPO und § 130 II WPO sowie § 2 I Luftverkehrsnachweissicherungsgesetz.

9 **4. Rechtsfolgen bei Verstoß gegen § 10 II.** Wenn entgegen § 10 II Inhaberaktien ausgegeben werden oder in Namensaktien Betrag der Teilleistungen nicht vermerkt ist, entsteht gleichwohl gültige wertpapiermäßige Verbriefung.

Mitgliedschaft kann also nach sachenrechtl. Regeln übertragen werden; auch § 18 III DepotG, § 24 DepotG sind anzuwenden. Vorstand und AR machen sich mit Aktienausgabe jedoch **schadensersatzpflichtig** (§ 93 III Nr. 4, § 116). Schaden kann sich insbes. daraus ergeben, dass gutgl. Erwerber nach hM nicht einlagepflichtig sind (→ Rn. 8). Verstöße gegen § 10 II sind überdies nach § 405 I Nr. 1 bußgeldbewehrte OWi.

IV. Zwischenscheine (§ 10 III und IV)

1. Orderpapiere. Zwischenscheine (Begriff: § 8 VI; → § 8 Rn. 28) dürfen nach § 10 III nicht als Inhaberpapiere ausgegeben werden. Sie müssen also den Berechtigten **namentlich bezeichnen.** Ihrer Rechtsnatur nach sind sie jedoch nicht Rekta-, sondern Orderpapiere (vgl. § 67 I und VII). Zwischenscheine dürfen vor Volleinzahlung ausgegeben werden. Betrag der Teilleistung anzugeben, ist insoweit nicht vorgeschrieben, aber zweckmäßig. 10

2. Rechtsfolgen bei Verstoß gegen § 10 III. Gem. § 10 IV 1 sind auf Inhaber lautende Zwischenscheine nichtig. Es liegt also keine gültige Verbriefung vor. Möglich bleibt Übertragung der Mitgliedschaft nach §§ 398, 413 BGB; sie kann durch Übergabe des nichtigen Scheins indiziert sein. Für aus der Ausgabe folgenden Schaden sind Vorstand und AR als Gesamtschuldner **ersatzpflichtig** (§ 10 IV 2). Sie sind **Ausgeber** iS dieser Norm (aA S/L/Ziemons Rn. 33). Ahndung als OWi oder als Straftat ist nicht vorgesehen. 11

V. Satzungsregeln zur Verbriefung (§ 10 V)

1. Allgemeines. Gem. § 10 V kann Satzung Anspruch des Aktionärs auf Verbriefung seines Anteils ausschließen oder einschränken und setzt damit implizit entspr. mitgliedschaftlichen Verbriefungsanspruch (→ Rn. 3) zumindest als ges. Regelfall voraus. Nach zu Recht ganz hM kann Verbriefung damit außerhalb des Anwendungsbereiches des § 10 VI bei elektronischen Aktien (→ Rn. 15 ff.) nicht ganz entfallen, sondern Vorschrift erlaubt lediglich, alle Mitgliedsrechte in einer Urkunde, der sog **Sammel- oder Globalurkunde,** zusammenzufassen (OLG München AG 2005, 584; – MüKoHGB/Einsele Depotgeschäft Q Rn. 55 ff., 60; MüKoAktG/Heider Rn. 62; Mülbert FS Nobbe, 2009, 691, 697; aA S/L/Ziemons Rn. 55). Wenn Aktionär Verbriefung fordert, bleibt ihre Erstellung und Hinterlegung also als Minimum unverzichtbar, alles andere steht zur Disposition der Satzung (Modlich DB 2002, 671 f.; Seibert DB 1999, 267 ff.; → Rn. 13). Selbst Erstellung der Globalurkunde ist verzichtbar, wenn kein Aktionär dies verlangt; Mitgliedschaft entsteht auch ohne Verbriefung, doch entfällt dann Möglichkeit des gutgläubigen Erwerbs nach sachenrechtl. Regeln (→ Rn. 2). In Satzung kann gemeinschaftlicher Verzicht auf Verbriefung nicht festgeschrieben werden, da sonst auch künftige Aktionäre entgegen § 23 V gebunden wären (KK-AktG/Dauner-Lieb Rn. 12); möglich ist schuldrechtl. Nebenabrede, die aber künftige Aktionäre nicht binden kann. **Fortdauernder Verbriefungsanspruch** kommt im Ges. allerdings nur sehr unzureichend zum Ausdruck. Er folgt nicht aus § 10 V selbst, sondern nur aus erklärtem Willen des Gesetzgebers, jedenfalls im Grundsatz an **wertpapiermäßigem Effektenwesen** als Grundlage der Verkehrsfähigkeit festzuhalten und nicht zu rechtspolitisch alternativ erwogenen Wertrechten überzugehen (→ Rn. 3a). Mit Ausschluss des Einzelverbriefungsanspruchs wird die Entwicklung fortgesetzt, die mit Ges. für kleine Aktiengesellschaften und zur Deregulierung des Aktienrechts v. 2.8.1994 (BGBl. 1994 I 1961) eingeleitet worden ist (sa BeckOGK/Vatter Rn. 45 f.). Nach früher hM bestand Anspruch auf Einzelverbriefung. Nach Ges. von 1994 war dieser ausschließbar, nicht aber derjenige auf Mehrfachurkunde. Jetzt steht auch dieser zur 12

Disposition der Satzung. Bezweckt ist, **Kostenersparnis** zu ermöglichen. Namentl. Sollten Umstempelung oder Neudruck von Einzel- oder Mehrfachurkunden vermeidbar sein, die Umstellung auf Euro sonst seinerzeit mit sich gebracht hätte (→ § 73 Rn. 7). Norm beruht auf Empfehlung des Rechtsausschusses; s. AusschussB BT-Drs. 13/10038, 4 und zur Begr. AusschussB BT-Drs. 13/10038, 25.

13 **2. Einzelfragen.** Verbriefungsanspruch des Aktionärs ist mit **Globalurkunde** und deren Hinterlegung (→ Rn. 3) erfüllt. Sie kann sich auf alle Aktien beziehen oder näher bezeichnete Tranchen zum Gegenstand haben. Hinterlegung erfolgt in der Praxis bei Clearstream Banking AG (vgl. dazu MüKoHGB/Einsele Depotgeschäft Rn. 52; zur Frage der Haftung der Clearstream Banking AG bei Mängeln der verwahrten Globalurkunde s. OLG Frankfurt AG 2020, 918, 919 f.). Weil Globalurkunde (§ 9a DepotG) außerhalb elektronischer Aktien unverzichtbar bleibt, behält Effektenwesen seine **wertpapiermäßige Basis** (Seibert DB 1999, 267, 269). Auch globalverbriefte Aktien sind deshalb Sachen; Vollstreckung eines auf ihre Übertragung gerichteten Titels erfolgt analog § 886 ZPO (BGHZ 160, 121, 125 = NJW 2004, 3340). **Übereignung** folgt allg. Regeln, und zwar unter Anknüpfung an mittelbaren Eigenbesitz des Hinterlegers an Globalurkunde (str., vgl. zu den Einzelheiten, aber auch zu den praktischen Folgen Brand ZBB 2015, 40 ff.; sa Eder NZG 2004, 107, 113 ff.; aA aber etwa Habersack/Mayer WM 2000, 1678, 1679). Über Annahme des Eigenbesitzes wird auch Übertragung nach § 929 S. 1 BGB, gutgläubiger Erwerb nach §§ 929, 934 BGB sowie (gutgläubiger) Pfanderwerb nach §§ 1205 ff. BGB ermöglicht (Brand ZBB 2015, 40, 47 f.). Nach wie vor möglich bleibt, **Einzelverbriefung** vorzusehen oder Verbriefungsanspruch auf **Mehrfachurkunde** zu beschränken (100 Aktien = eine Urkunde). Zulässige Einschränkung liegt auch vor, wenn Einzelverbriefung von **Kostenübernahme** durch Aktionär abhängig gemacht wird (FraktionsBegr. BT-Drs. 12/6721, 7; Lutter FS Vieregge, 1995, 603, 611). Satzung kann ferner vorsehen, dass Verbriefung global erfolgt, aber Mehrfachurkunde gegen Kostenübernahme ausgestellt wird; darin liegt zulässige Anspruchsbeschränkung iSd § 10 V. In der Praxis wird Anliegen des Gesetzgebers, kostengünstige Verbriefung und Verwahrung zu gestatten zT durch gegenläufige Bestimmungen des Bankaufsichts- und Kapitalmarktrecht konterkariert, die insbes. An **Verwahrung der Globalurkunde** hohe Anforderungen stellen (BeckOGK/Vatter Rn. 47). Durch Aktienrechtsnovelle 2016 sind diese für Inhaberaktie noch einmal deutlich verschärft worden (→ Rn. 7), da nunmehr die bislang von der BaFin zugelassene Verwahrung durch die nicht börsennotierte „kleine" AG nicht mehr zulässig ist (Schäfer/Hoffman GWR 2016, 478, 480 f.).

14 **Satzungsänderung.** Ausschluss des Verbriefungsanspruchs (vorbehaltlich Globalurkunde) oder seine Einschränkung sind unproblematisch, wenn sie schon in Ursprungssatzung enthalten sind, dagegen wegen Eingriffs in schon bestehende Verbriefungsrechte nicht problemfrei, wenn sie nachträglich durch Satzungsänderung eingeführt werden. Nach allg. Grundsätzen wäre nämlich wegen Eingriffs in die Mitgliedschaft Einzelzustimmung der betroffenen Aktionäre erforderlich, woran Satzungsänderung vielfach scheitern würde. Die Sache liegt ähnlich wie bei nachträglicher Einführung des Höchststimmrechts gem. § 134 I 2 (zust. MüKoAktG/Heider Rn. 63 m. Fn. 101). Wie dort ist Zulässigkeit aufgrund bes. ges. Regelung anzunehmen (BeckOGK/Vatter Rn. 85; MHdB/Sailer-Coceani § 12 Rn. 6; Harbarth AG 2004, 573, 583 f.; Seibert DB 1999, 267, 268; str. zu § 134; → § 134 Rn. 8). Satzung muss **Gleichbehandlungsgebot** des § 53a beachten (→ § 53a Rn. 5), darf Einzelverbriefung also nicht unter sonst gleichen Umständen nur für einen Teil der Aktionäre ausschließen. Zulässige sachgerechte Differenzierung ist es aber wegen der von § 10 V bezweckten Kostenentlastung

(→ Rn. 12) Einzelverbriefung nur bei Aktien mit geringem Nennbetrag und entspr. Stückaktien auszuschließen, bes. bei 1 Euro-Aktien. Da elektronische Aktie keine eigene Aktienart darstellt (→ Rn. 1a) und Verhältnis zw. AG und Aktionären sich insofern nicht verändert, berührt ihre Ausgabe nicht das Gleichbehandlungsgebot (Maume BKR 2023, 282, 284).

VI. Elektronische Aktien (§ 10 I 2 Nr. 3, VI)

1. Allgemeines. Vollständige Entmaterialisierung ist nur bei Begebung **elektronischer Aktien** möglich, die durch Änderung des eWpG iRd ZuFinG 2023 eingeführt wurden. Dafür stehen wie bereits bei elektronischer Inhaberschuldverschreibung Formen des Zentralregister- und des Kryptowertpapiers zur Verfügung. **Zentralregisterwertpapiere** sind in einem von Wertpapiersammelbank (§ 4 V, § 12 II Nr. 1 eWpG, idR: Clearstream Banking AG; Poelzig/v. Zehmen RDi 2023, 333 Rn. 10) oder von durch Emittenten ermächtigte Depotbank (§§ 4 VI, 12 II Nr. 2 eWpG) geführten, zentralen Register einzutragen. Entspr. Eintragung von **Kryptowertpapieren** erfolgt dagegen in ein Register, das von Emittenten selbst oder durch eine von ihm benannte Stelle geführt wird (§ 16 II 1, 2 eWpG), wobei registerführende Stelle zwingend Lizenz nach § 32 I iVm § 1 Ia Nr. 8 KWG benötigt. 15

Kryptowertpapierregister soll nach § 16 I eWpG dezentral und fälschungssicher ausgestaltet sein. Wortlaut bleibt zwar technologieoffen, ist aber auf Blockchain- bzw. Distributed-Ledger-Technologie (DLT) ausgerichtet (Casper ZRP 2023, 105, 106; Poelzig/v. Zehmen RDi 2023, 333 Rn. 12; zu technologischen Grundlagen: Maume/Fromberger ZHR 185 [2021], 507 ff.; P. Koch ZBB 2018, 359 ff.). Voraussetzung für Ausgabe elektronischer Aktien ist der hier vollständig mögliche Ausschluss der Verbriefung in Satzung (§ 10 VI 1). Nur bei Kryptoaktien muss auch deren Zulassung ausdr. in **Satzung** vorgesehen sein (§ 10 VI 2). Grund für Differenzierung ist Neuartigkeit der DLT/Blockchain-Technologie, mit der Aktionäre nicht vertraut seien und gegen die sie ggf. Vorbehalte hegen (RegBegr. BT-Drs. 20/82892, 107). Auch **nachträgliche Ersetzung** verbriefter Aktien durch elektronische ist möglich (§ 33 S. 1 eWpG); hierfür ist entspr. Ausschluss der Verbriefung in Satzung und Zustimmung des Berechtigten erforderlich, es sei denn, es werden Zentralregisterwertpapiere ausgegeben, die auf sammeleingetragene Wertpapiersammelbank lauten und in ein von Wertpapiersammelbank geführtes Zentralregister eingetragen sind (§ 6 V 2 iVm § 6 III, IV eWpG; krit. hierzu Guntermann AG 2023, 426 Rn. 13). 16

2. Einzelfragen. Elektronische Wertpapiere können in **Sammel- oder Einzeleintragung** in Zentralregister bzw. Kryptowertpapierregister dokumentiert werden (§ 8 I Nr. 1, Nr. 2 eWpG). Während bei Einzeleintragung Eingetragener (und damit Inhaber) sowie Berechtigter (zur Terminologie: § 3 I, II eWpG) der Aktie identisch sind, fallen diese bei Sammeleintragung auseinander: Wertpapiersammel- oder Depotbanken als Verwahrer (§ 4 V, VI eWpG) gelten als Inhaber, die Sammeleintragung treuhänderisch für (wirtschaftlich) Berechtigten verwalten (§ 8 I Nr. 1, § 9 II 1 eWpG). Elektronische Aktien in Sammeleintragung gelten als Wertpapiersammelbestand, wodurch Berechtigte als Miteigentümer nach Bruchteilen an eingetragenen Aktien gelten (§ 9 I 1, 2 eWpG). Auf elektronische Wertpapiere in Sammeleintragung finden dann Vorschriften des DepotG über Sammelverwahrung Anwendung (§ 9b I DepotG). 17

Im Bereich **elektronischer Inhaberaktie** ist lediglich Begebung als Zentralregisterwertpapier möglich (§ 10 I 2 Nr. 3). Fehlende Möglichkeit zur Begebung von Kryptoinhaberaktien wurde mit geldwäscherechtl. Bedenken begründet; zudem seien Namensaktien international verbreiteter (RegBegr. BT-Drs. 20/ 18

8292, 107). So existiere nur bei dem durch Intermediär geführten Zentralregister notwendige Ermittlungs- und Papierspur als Grundlage für Zulässigkeit von Inhaberaktien, weshalb bei Kryptoaktien in Einzeleintragung wohl Verbot durch die kommende EU-GeldwäscheVO drohe (Guntermann AG 2023, 426 Rn. 25; iE zust. Harnos AG 2023, 348 Rn. 6 „nicht gänzlich unplausibel"; Maume BKR 2023, 282, 285). Dies wird jedoch bei Einzeleintragung unter Berufung auf Erlaubniserfordernis und Aufsicht über Kryptoverwahrer (§ 1 Ia 1 Nr. 6 KWG) und bei Sammeleintragung im Hinblick auf Verbuchung der Aktien auf vom Intermediär beaufsichtigten Depotkonten bezweifelt (Casper ZHR 187 [2023], 5, 38 ff.; Kuthe BB 2023, 1603, 1608; Romba/Grimm DB 2023, 2868, 2869). Zu Neuerungen beim Aktienregister → § 67 Rn. 20a.

19 **Übertragung elektronischer (Zentralregister-)Inhaberaktien** erfolgt bei **Einzeleintragung** nach gesondertem Übertragungsregime der §§ 24 ff. eWpG. Insofern bedürfen Verfügungen über elektronisches Wertpapier der Einigung zwischen Berechtigtem und Erwerber sowie der Umtragung im Register auf Weisung des Berechtigten (§ 25 I 1 eWpG). Recht aus Wertpapier folgt dann Recht am Wertpapier (§ 25 II eWpG). Auch gutgl. Erwerb ist gem. § 26 eWpG möglich. Bei **Sammeleintragung** bleibt nur Rückgriff auf Sachfiktion des § 2 III eWpG, die Übertragung im Wege der §§ 929 ff. BGB ermöglicht. Sowohl bei Einzel- als auch bei Sammeleintragung kann Übertragung auch im Wege der Abtretung (§§ 398, 413 BGB) des „verbrieften" Rechts nach § 2 II, III eWpG iVm § 952 II BGB analog erfolgen, wobei bei Einzeleintragung Verfügungen außerhalb des Registers ausgeschlossen sein sollen, so dass auch hier Umtragung im Register erforderlich ist (§ 24 Nr. 2 eWpG; Guntermann AG 2023, 426 Rn. 3). Zur Übertragung und Vinkulierung elektronischer Namensaktien ausf. → § 68 Rn. 3a.

Aktien besonderer Gattung

11 **[1] Die Aktien können verschiedene Rechte gewähren, namentlich bei der Verteilung des Gewinns und des Gesellschaftsvermögens. [2] Aktien mit gleichen Rechten bilden eine Gattung.**

I. Regelungsgegenstand und -zweck

1 Norm betr. Aktie iSd **Mitgliedschaft** und überlässt deren inhaltliche Ausgestaltung der Satzungsautonomie (vgl. § 23 III Nr. 4), indem sie erlaubt, Aktien mit unterschiedlichen Rechten zu bilden (§ 11 S. 1). Zugleich wird Begriff der Aktiengattung als Zusammenfassung von Aktien mit gleichen Rechten definiert (§ 11 S. 2); vgl. dazu RegBegr. Kropff S. 24.

II. Verhältnis zum Gleichbehandlungsgebot

2 Gem. § 53a sind Aktionäre unter gleichen Voraussetzungen gleich zu behandeln (→ § 53a Rn. 3 ff.). Gleichbehandlungsgebot verlangt aber nicht schlechthin Gleichberechtigung der Aktionäre. Vielmehr ist durch § 11 S. 1 iVm § 23 III Nr. 4 klargestellt, dass mitgliedschaftliche Ansprüche und Befugnisse unterschiedlich sein dürfen, soweit dafür eine **Grundlage in der Satzung** besteht (→ § 53a Rn. 5). Gleichbehandlungsgebot und damit Erfordernis sachlicher Rechtfertigung für Ungleichbehandlungen betr. demgegenüber Verhalten der Gesellschaftsorgane einschließlich einer HV-Mehrheit unterhalb der Satzungsebene (zust. OLG Hamm NZG 2008, 914, 915).

III. Gewährung verschiedener Rechte

1. Verwaltungsrechte. § 11 S. 1 betr. nur solche Einzelrechte, die überhaupt durch Aktien gewährt werden können, also **mitgliedschaftliche Befugnisse.** Sie werden in Herrschafts- oder Verwaltungsrechte einerseits und Vermögensrechte andererseits eingeteilt. Verwaltungsrechte sind vor allem Recht auf Teilnahme an HV (§ 118 I), Auskunftsrecht (§§ 131 f.), Stimmrecht (§ 12, §§ 133 ff.) und Recht zur Anfechtung von HV-Beschlüssen (§ 245 S. 1 Nr. 1–3). In diesem Rahmen ist **für Gewährung verschiedener Rechte wenig Raum,** weil die Satzungsautonomie (→ Rn. 1) ihrerseits durch die prinzipiell zwingende ges. Regelung begrenzt wird (§ 23 V). Aus diesem Grund stößt auch im angloamerikanischen Recht verbreitete Ausgabe sog Preferred Shares mit bes. Verwaltungsrechten, wie etwa Informations- oder Weisungsrechten (namentl. für Venture Capital Investoren), in Deutschland an rechtl. Grenzen (GK-AktG/Mock Rn. 64). Ausnahmen: Mehrstimmrechte und Vorzugsaktien ohne Stimmrecht (§ 12 S. 2; → § 12 Rn. 7 ff., 15). Ferner gehört zu Verwaltungsrechten das Recht von Aktionären, Mitglieder in den AR zu entsenden (§ 101 II), das aber nach § 101 II 3 keine eigenständige Gattung begründet (→ § 101 Rn. 9 ff.). 3

2. Vermögensrechte. Vermögensrechte der Aktionäre sind Dividendenrecht (§ 58 IV), Recht zum Bezug junger Aktien (§ 186) und Recht auf Abwicklungsüberschuss (§ 271). Bei Dividende und Abwicklungsüberschuss darf Satzung Aktien mit verschiedenen Rechten vorsehen (§§ 139 ff., § 271 II). Zwar in Deutschland ungebräuchlich, aber gem. § 11 S. 1 als Satzungsregelung zulässig sind auch **Tracking Stocks,** also Aktien, deren Gewinnteilhabe sich gattungsbegründend auf Unternehmensteil oder Tochtergesellschaft der Emittentin bezieht (BeckOGK/Vatter Rn. 3, 10; Baums FS Boujong, 1996, 19, 27 ff.; Bayer/Hoffmann AG 2010, R 180 ff.; Brauer AG 1993, 324, 325 ff.; Cichy/Heins AG 2010, 181 ff.). Satzungsfest ist dagegen Recht zum Bezug junger Aktien. Bezugsrecht kann also nur im Kapitalerhöhungsbeschluss ausgeschlossen werden (§ 186 III), und auch das nur, wenn Maßnahme sachlich gerechtfertigt und verhältnismäßig ist (→ § 186 Rn. 20 ff., 25 ff.). 4

3. Gläubigerrechte. Für **bloße Forderungen** der Aktionäre gilt § 11 S. 1 nicht (→ Rn. 3), und zwar ohne Rücksicht darauf, ob sie von vornherein unabhängig von der Aktie entstehen (zB durch Darlehensgewährung) oder sich aus mitgliedschaftlicher Berechtigung entwickelt haben (zB Dividendenzahlungsanspruch nach HV-Beschluss). Solche Rechte können durch Satzung in keinem Fall beeinträchtigt werden, auch dann nicht, wenn sich Maßnahme nicht gegen einzelne Aktionäre, sondern gegen Aktionärsgruppe richten soll. 5

4. Sonderrechte. Schrifttum erörtert im Zusammenhang des § 11 auch Sonderrechte von Aktionären (zB KK-AktG/Dauner-Lieb Rn. 24 f.). Ob Begriff allg. und für Aktienrecht insbes. hilfreich ist, erscheint zweifelhaft (MüKoAktG/Heider Rn. 14 ff.). Jedenfalls sind zwei Bedeutungen des Begriffs zu unterscheiden; er kann **inhaltlich** aufgefasst werden, kann aber auch einen **erhöhten Bestandsschutz** ausdrücken. In der ersten Bedeutungsvariante können Vorrechte einer Aktiengattung als Sonderrechte bezeichnet werden, ohne dass damit sachlich ein Fortschritt ggü. dem Wortlaut des § 11 S. 1 erzielt wäre. In der zweiten Bedeutungsvariante kann Begriff nur anderweitig gefundene Lösungen auf einen sprachlichen Nenner bringen; entscheidende Frage, wann Rechtsposition erhöhten Bestandsschutz erfährt, kann nämlich nicht durch begriffliche Argumentation beantwortet werden. Für Aktiengattungen verliert Frage durch § 179 III an praktischer Bedeutung. Danach ist klar, dass jede Form nachteiliger 6

Veränderung von Aktiengattungen eines mit qualifizierter Mehrheit gefassten Sonderbeschlusses bedarf (→ § 179 Rn. 44 f.), mit diesem Beschluss aber auch möglich ist (→ § 179 Rn. 41). Klare Ausnahme davon ist satzungsmäßiges Recht zur Entsendung von AR-Mitgliedern (§ 101 II); es kann mangels bes. Auslegungsgesichtspunkte nur mit Zustimmung des Berechtigten beseitigt werden (→ § 101 Rn. 9).

IV. Zusammenfassung zu Aktiengattungen

7 § 11 S. 2 definiert Begriff der Aktiengattung. Das hat Bedeutung, wenn es um Anwendung der § 23 III Nr. 4, § 179 III, § 182 II, § 222 II (namentl. um Erfordernis eines Sonderbeschlusses) geht, die Begriff sämtlich voraussetzen. Auch § 5 I REITG nimmt Gattungsbegriff in Bezug. Wortlaut des § 11 S. 2 stellt zunächst nur auf Aktien **mit gleichen Rechten** ab. Der wichtigste Gattungsunterschied besteht insofern zwischen den das Stimmrecht gewährenden Stammaktien und stimmrechtslosen Vorzugsaktien (→ Rn. 3). Mit ZuFinG 2023 wurden sie durch wieder zugelassene Mehrstimmrechtsaktien ergänzt, ohne dass praktische Relevanz dieser Entwicklung derzeit absehbar ist (→ § 12 Rn. 7 ff.). Weitere wichtige Unterschiede bestehen bei disproportionaler Gewinnberechtigung aufgrund von Tracking Stocks (→ Rn. 4) oder Spartenaktien (S/L/Ziemons Rn. 9). Über Wortlaut hinaus bilden auch Aktien **mit gleichen Pflichten** eine Gattung, was namentl. in den Fällen des § 55 von Bedeutung ist (allgM seit RGZ 80, 95, 97). Bedeutungslos ist, ob unterschiedliche Rechte oder Pflichten von Anfang an bestanden oder nachträglich begründet wurden; Gattungsverschiedenheit liegt in beiden Fällen vor. **Keine Gattungsverschiedenheit** entsteht dagegen durch unterschiedliche Aktiennennbeträge oder differierende Ausgestaltung der Wertpapiere (Inhaber- und Namensaktien; ganz hM – s. nur GK-AktG/Mock Rn. 67; aA aber B/K/L/Westermann Rn. 10). Ferner fingiert § 101 II 3 (→ § 101 Rn. 9), dass Aktien mit Entsendungsrechten keine Gattung bilden. Fiktion macht zugleich deutlich, dass durch Vinkulierung von Namensaktien gem. § 68 II keine eigene Gattung entsteht (ganz hM, s. MüKoAktG/Bayer § 68 Rn. 44; KK-AktG/Dauner-Lieb Rn. 17; Bermel/Müller NZG 1998, 331, 332 bei Fn. 11). Ebenfalls nicht gattungsbegründend sind Verbriefung, Höchststimmrecht, Börsenzulassung oder abw. satzungsmäßige Zwangseinziehung (S/L/Ziemons Rn. 11 mwN). Dasselbe gilt für voll- und teileingezahlte Aktien iSd § 60 II (zutr. RGZ 132, 149, 159 f.; Marsch-Barner/Schäfer/Butzke Rn. 6.5; Polte, Aktiengattungen, 2005, 45). Für Nennbetrags- oder Stückaktien kann sich Frage der Gattungsverschiedenheit nicht stellen, weil AG nur eine der beiden Aktienformen haben kann (→ § 8 Rn. 4; sa MüKoAktG/Heider Rn. 31).

8 Schwieriger zu beantworten ist, ob auch bloß **abw. Beginn der Gewinnbezugsberechtigung** infolge Kapitalerhöhung eigene Gattung begründen kann (dafür B/K/L/Westermann Rn. 10; S/L/Ziemons Rn. 8). Frage ist richtigerweise zu verneinen, da zwischen den Aktien, abgesehen von Gewinnverwendung für das zurückliegende Geschäftsjahr, für die ohnehin Sonderbeschlussfassung nicht vorgesehen wäre, kein materieller Unterschied besteht (so zutr. GK-AktG/Mock Rn. 70; FK- WpPG/Schnorbus WpPG § 4 Rn. 61 mit Fn. 81a; Marsch-Barner/Schäfer/Butzke Rn. 6.5a; Franck MittBayNot 2007, 173, 175; Singhof FS Hoffmann-Becking, 2013, 1163, 1180 f.; Trapp/Schlitt/Becker AG 2012, 57, 61 mit Fn. 30; sa RegBegr. zu § 4 II WpPG aF, BT-Drs. 15/4999, 30). Andere Sichtweise könnte namentl. bei Ausübung von **Options- oder Wandlungsrechten** zu erheblichen Verfahrenserschwernissen führen (Marsch-Barner/Schäfer/Butzke Rn. 6.5a). Zur Herbeiführung einer Ausstattungsidentität bei Kapitalerhöhung → § 60 Rn. 10; → § 204 Rn. 4.

Stimmrecht

12 **[1]Jede Aktie gewährt das Stimmrecht. [2]Nach den Vorschriften dieses Gesetzes können Mehrstimmrechtsaktien sowie Vorzugsaktien als Aktien ohne Stimmrecht ausgegeben werden.**

Übersicht

I. Normzweck

§ 12 regelt das Stimmrecht und stellt in S. 1 klar, dass es grds. **keine Aktie ohne Stimmrecht** gibt. Dabei ist Begriff der Aktie iSv Mitgliedschaft gebraucht. Norm trägt also dem Umstand Rechnung, dass Stimmberechtigung aus der Mitgliedschaft folgende und von ihr nicht abspaltbare Einzelbefugnis ist (→ Rn. 3). Bis zum **ZuFinG 2023** enthielt § 12 II aF überdies das Verbot sog Mehrstimmrechtsaktien und brachte damit zum Ausdruck, dass jeder Aktionär Inhalt von HV-Beschlüssen nur nach Maß seiner Beteiligung am Grundkapital beeinflussen soll (RegBegr. Kropff S. 25). Durchbrochen wurde Prinzip des proportionalen Stimmrechts (one share – one vote; ausf. dazu Kalss ZHR 187 [2023], 438, 441 ff.) nur durch Zulassung von Vorzugsaktien in § 12 I 2 aF. Mit ZuFinG 2023 wird Grundsatz noch weiter aufgegeben, um Wunsch der Praxis nach stärkerer Einflusssicherung für bes. bedeutsame und prägende (insbes. Gründungs-)Aktionäre nachzukommen (ausf. → Rn. 8 f.). Verbot der Mehrstimmrechtsaktien in § 12 II aF wurde gestrichen und Ausgabe von **Mehrstimmrechtsaktien** (dual class shares) ebenso wie von Vorzugsaktien in § 12 S. 2 nF zugelassen (ausf. → Rn. 7 ff.). Mehrstimmrechtsaktien stehen deshalb als **hybride Zusatzform** der Aktie neben der klassischen Dichotomie von Stamm- und Vorzugsaktien zur Verfügung (S/L/Spindler, 5. Aufl. 2024 [Vorab-Onlinefassung], § 135a Rn. 79; zur rechtspolit. Kritik → Rn. 10 f.). 1

II. Aktie und Stimmrecht

1. Verknüpfung von Aktie und Stimmrecht. a) Keine Aktie ohne Stimmrecht. Nach § 12 S. 1 gewährt jede Aktie das Stimmrecht. Das gilt zwar **nicht ausnahmslos,** doch kennt Ges. nur wenige, zudem deutlich umrissene Ausnahmen (→ Rn. 6 f., 15). Unerheblich ist also, welche Interessen Aktionär mit seiner Beteiligung verfolgt, ferner, wie lange er schon Aktionär ist. Begriff des Stimmrechts: Stimmrecht gehört zu den Verwaltungsrechten des Aktionärs 2

(→ § 11 Rn. 3). Es ist das Recht, durch Stimmabgabe (Willenserklärung) am Zustandekommen von HV-Beschlüssen mitzuwirken und iRd Stimmenzahl deren Inhalt zu beeinflussen. Gegen seinen Willen kann dem Aktionär Stimmrecht nicht genommen werden; auch Umwandlung in stimmrechtslose Vorzugsaktien bedarf seiner Zustimmung (→ § 139 Rn. 16).

3 **b) Kein Stimmrecht ohne Aktie.** Negativ bedeutet § 12 S. 1, dass es kein Stimmrecht ohne Aktie gibt (allgM, vgl. MüKoAktG/Heider Rn. 6). Namentl. kann Stimmrecht nach dem Rechtsgedanken des § 711a S. 1 BGB nicht durch isolierte Übertragung einem Nichtaktionär verschafft werden; sog **Abspaltungsverbot** (allg. → § 8 Rn. 26; speziell zum Stimmrecht → § 133 Rn. 17 f.; → § 134 Rn. 21). Nicht stimmberechtigt sind auch Inhaber von Anleihen oder Genussscheinen (→ § 221 Rn. 26), die von AG ausgegeben worden sind; denn dadurch werden nur Gläubigerrechte, keine Mitgliedschaften begründet. Bruchteilsstimmrechte können bei Restgesellschaft vorübergehend zulässig sein (BGH AG 1992, 27, 29).

4 **2. Ausübung des Stimmrechts (Überblick).** Einzelheiten der Stimmrechtsausübung regelt Ges. im jew. Zusammenhang (vgl. § 123 II–V, § 129 III, §§ 134 ff.). Hervorzuheben ist satzungsmäßiges **Anmeldeerfordernis** nach § 123 II (→ § 123 Rn. 4 ff.). Trotz Miteigentums am Sammelbestand behält jeder Aktionär seine Stimme. Er muss sein Stimmrecht nicht in Person ausüben. Vielmehr erlaubt Ges. **Ermächtigung Dritter** (vorausgesetzt in § 129 III) und **Stimmrechtsvollmacht** (§ 134 III). Intermediäre dürfen Stimmrechte aus Aktien ihrer Depotkunden nur kraft dokumentationsfähiger und jederzeit widerrufbarer (Dauer-)Vollmacht ausüben (§ 135; → § 135 Rn. 4 ff.).

5 **3. Beschränkungen der Stimmrechtsausübung. a) Höchststimmrechte.** Nach § 134 I 2 darf Satzung bei **nichtbörsennotierten Gesellschaften** (§ 3 II; → § 3 Rn. 5 f.) Höchststimmrecht einführen. Danach ist zB zulässig, Stimmrecht auf Aktien zu beschränken, deren Gesamtnennbetrag (§ 8 II) oder gesamter anteiliger Betrag des Grundkapitals (§ 8 III) 1 Mio. Euro ausmacht; darüber hinausgehender Aktienbesitz schlägt sich dann nicht mehr in Stimmrechten nieder. Einzelheiten, insbes. zur Beschränkung des Höchststimmrechts auf nichtbörsennotierte Gesellschaften und zu seiner nachträglichen Einführung durch Satzungsänderung (→ § 134 Rn. 4, 8). Bezweckt ist mit Höchststimmrechten, Einflusspotenzial von Großaktionären zu beschränken. Sie können aber nur generell, nicht zu Lasten einzelner Aktionäre vorgesehen werden. Wenn Aktien veräußert werden, hat Erwerber das Stimmrecht, solange er festgesetzte Höchstgrenze nicht seinerseits überschreitet. Der rechtl. Konstruktion nach handelt es sich also nicht um Ausschluss des Stimmrechts, sondern um Ausübungsbeschränkung.

6 **b) Ausübungsverbote.** Im Einzelnen unterschiedlich formulierte und strukturierte **Ausnahmen** vom Grundsatz des § 12 S. 1 bestehen bei Verletzung von Mitteilungspflichten nach § 20 VII 1 (→ § 20 Rn. 12, 14), § 21 IV (→ § 21 Rn. 4), § 44 I 1 WpHG; für eigene Aktien der AG gem. § 71b (→ § 71b Rn. 3 ff.); bei Interessenkollision in den Fällen, die § 136 tatbestandlich umschreibt (→ § 136 Rn. 5 ff., 17 ff.), zB bei Entlastungsbeschlüssen (→ § 1 Rn. 32 zu RGZ 146, 385, 390 ff.).

III. Mehrstimmrechte

7 **1. Einführung, Abschaffung, Wiedereinführung.** § 12 S. 2 gestattet – in Abweichung von bisheriger Rechtslage – Mehrstimmrechte. Gemeint sind Satzungsgestaltungen, nach denen eine Aktie ihrem Inhaber mehr Stimmen gibt, als

es seiner auf das Grundkapital bezogenen Beteiligungsquote entspr. Solche Gestaltungen waren zunächst uneingeschränkt, seit § 12 II AktG 1937 dann nur noch mit ministerieller Genehmigung zulässig, soweit das zur Wahrung überwiegender gesamtwirtschaftlicher Belange erforderlich war. Auch diese Regelung wurde durch KonTraG 1998 aufgehoben, um **Übereinstimmung von Kapitaleinsatz und Stimmrechtseinfluss** grds. herzustellen. Übereinstimmung sollte der Erwartung des Kapitalmarkts entspr. und „Eigentümerkontrolle" verbessern (RegBegr. BT-Drs. 13/9712, 12). Bis zum AktG 1937 im Vordergrund stehender Überfremdungsschutz wurde nicht mehr als ausreichender Sachgesichtspunkt anerkannt (zur Geschichte DAV-HRA NZG 2023, 464 ff.; Casper ZHR 187 [2023], 5, 20 ff.; Hammen DK 2023, 289 ff.; Kalss ZHR 187 [2023], 438, 473 ff.).

Mit **ZuFinG 2023** wurde neuerliche **Kehrtwende** vollzogen und Ausgabe von Mehrstimmrechtsaktien ausdr. wieder zugelassen, zugleich aber auch zum Ausdruck gebracht, dass dies nur innerhalb ges. Grenzen zulässig sein soll (RegBegr. BT-Drs. 20/8292, 107). § 12 S. 2 regelt allein Gestattung; nähere Ausgestaltung ist in neu eingefügtem § 135a enthalten (→ § 135a Rn. 1 ff.). Mit Neuausrichtung soll Bedürfnissen der Unternehmenspraxis entgegengekommen werden. RegBegr. stellt dabei insbes. Wachstumsunternehmen in den Vordergrund, die häufig Eigenkapital benötigen, aber namentl. bei innovativem Geschäftsmodell mit spezifischem Knowhow vor Börsengang zurückschrecken, um nicht Einfluss und Kontrolle über strategische Ausrichtung des Unternehmens aufgeben zu müssen (Pferr FS Strenger, 2023, 352, 356 f.; zu bislang genutzten kautelarjur. Ausweichstrategien vgl. Kuntz, Gestaltung von Kapitalgesellschaften, 2016, 556 ff.; zum weiteren potenziellen Adressatenkreis der Familienunternehmen s. Volkmann/Thoma RFamU 2023, 443 ff.). Da überdies andere Rechtsordnungen Mehrstimmrechte zuließen (rechtsvergleichend Kalss ZHR 187 [2023], 438, 444 ff.), sei bisheriges Verbot **Wettbewerbs- und Standortnachteil,** der dazu führe, dass es Wachstumsunternehmen entweder an Investitionskapital und damit Innovations- und Wachstumsmöglichkeiten fehle oder aber der Weg über ausländische Rechtsformen bzw. Auslandslistings gewählt werde (RegBegr. BT-Drs. 20/8292, 108). Ausgabe von **Vorzugsaktien** sei keine Alternative, da Kapitalgeber nicht bereit seien, auf Möglichkeit der Einflussnahme gänzlich zu verzichten (RegBegr. BT-Drs. 20/8292, 108). Ob sie bereit sein werden, geminderten Einfluss ggü. Inhaber von Mehrstimmrechtsaktien zu akzeptieren, bleibt abzuwarten (Seidel NZG 2023, 1205, 1207). 8

Ablehnende Haltung der Kapitalmärkte soll – nach Beobachtung des Gesetzgebers – mittlerweile nicht mehr bestehen und insbes. keine Korrelation von Kapitaleinsatz und Stimmrecht angenommen werden (RegBegr. BT-Drs. 20/8292, 108). Deshalb enthalte auch neuer **EU-Listing Act** Vorschlag für eine RL, die zumindest für KMU Ausgabe von Mehrstimmrechtsaktien gestatte (COM (2022) 761 final; ausf. zur europ. Entwicklung Kalss ZHR 187 [2023], 438, 467 ff.). Auch vor diesem Hintergrund soll Einführung von Mehrstimmrechtsaktien wieder zugelassen werden. Deutsches **Börsenrecht** steht Mehrstimmrechtsstrukturen ohnehin nicht entgegen, weshalb Mehrstimmrechtsaktien ausländischer Gesellschaften schon zuvor am Kapitalmarkt gehandelt werden konnten. Gleiche Möglichkeit soll auch deutschen Gesellschaften eingeräumt werden, und zwar nicht nur AG, sondern **auch SE und KGaA.** Ergänzend eingeführt wird neuer § 135a, der konkrete Vorgaben zum Anleger- und Minderheitenschutz ergänzt und damit bisherigen (und zT auch fortdauernden) Einwänden gegen Mehrstimmrechtsaktien (→ Rn. 10) zumindest durch volumenmäßige und zeitliche Begrenzungen Rechnung tragen soll (RegBegr. BT-Drs. 20/8292, 108 f.; ausf. → § 135 Rn. 1 ff.). 9

10 **2. Rechtspolitische Kritik.** Obgleich Mehrstimmrechte von Praxis verbreitet gefordert wurden, ist ihre Wiedereinführung nicht uneingeschränkt begrüßt worden. **Rechtspolitische Einschätzung** fällt weiterhin ambivalent aus. Bedenken resultieren nicht allein aus allg. Gleichheitsvorstellungen, sondern auch aus Sorge um funktionierenden **Übernahmemarkt** (Casper ZHR 187 [2023], 5, 24 f.; vgl. zu spezifisch übernahmerechtl. Aspekten auch Denninger/v. Bülow AG 2023, 417 Rn. 1 ff.; Kraack NZG 2023, 1151, 1153 f.) und um **Corporate Governance.** Unter letztgenanntem Gesichtspunkt wird insbes. befürchtet, dass Inhaber von Mehrstimmrechtsaktien, die zugleich Organfunktion innehaben, durch geringen Kapitaleinsatz zu übermäßig risikoaffinem Handeln verleitet werden könnten (S/L/Spindler, 5. Aufl. 2024 [Vorab-Onlinefassung], § 135a Rn. 82; Casper ZHR 187 [2023], 5, 25 ff.; Denninger DB 2023, 2329, 2332 f.; Kalss ZHR 187 [2023], 438, 465 f., 480 ff.). Ähnliche Probleme konnten sich allerdings auch schon bislang bei den in der Praxis gewählten Alternativgestaltungen zur Einflusssicherung (Vorzugsaktien, KGaA, Stimmbindungsverträge) ergeben (ausf. dazu Kalss ZHR 187 [2023], 438, 453 ff.; sa v. der Linden/Schäfer DB 2023, 1077, 1078).

11 Schließlich werden auch Zweifel geäußert, ob legislative Wiedereinführung mit unionsrechtl. Vorgaben, namentl. **Kapitalverkehrsfreiheit,** zu vereinbaren sei (zweifelnd Bayer BB 2002, 2289, 2290 f.; Grundmann/Möslein ZGR 2003, 317, 351 ff. im Lichte der Golden Shares-Rspr. des EuGH – vgl. EuGH v. 23.5.2000, C-58/99, ECLI:EU:C:2000:280 = BeckRS 2004, 77589; EuGH v. 4.6.2002, C-367/98, ECLI:EU:C:2002:326 = BeckRS 2004, 76788; EuGH v. 4.6.2002, C-483/99, ECLI:EU:C:2002:327 = BeckRS 2004, 77466; EuGH v. 4.6.2002, C-503/99, ECLI:EU:C:2002:328 = BeckRS 2002, 70273; EuGH v. 23.10.2007, C-112/05, ECLI:EU:C:2007:623 = BeckRS 2007, 70828; ausf. Analyse dieser Rspr. bei Lutter/Bayer/Schmidt EuropUntKapMR Rn. 15.1 ff.; Klausmann, Entsendungsrechte, 2016, 245 ff.; für Zulässigkeit GK-AktG/Mock Rn. 24; S/L/Spindler, 5. Aufl. 2024 [Vorab-Onlinefassung], § 135a Rn. 79; Denninger DB 2022, 2329, 2335; Ferrarini ECFR 2006, 147, 168 ff.; Nicolussi AG 2022, 753 Rn. 14 f.). Speziell diese Bedenken sind im Lichte der Initiative von EU-Seite (→ Rn. 9) allerdings zT relativiert. Dennoch zeigen sich **Investoren und Stimmrechtsberater** angesichts verbleibender rechtspolit. Bedenken derzeit noch reserviert (v. der Linden/Schäfer DB 2023, 1077, 1078: Ausn. bei „newly-public companies"). Das wird zwar Einführung, die faktisch allein vor Börsengang erfolgen kann (→ § 135a Rn. 6), meist nicht verhindern, wohl aber Nachfrage beim Börsengang schwächen (v. der Linden/Schäfer DB 2023, 1077, 1078; Volkmann/Thoma RFamU 2023, 443, 447).

12 **3. Altfälle (Mehrstimmrechte bis 2003). a) Bisherige Behandlung.** Durch **wechselvolle Legislativgeschichte** der Mehrstimmrechte, die von Gestattung zum Verbot mit teilweiser Fortgeltung für Altfälle und neuerlicher Zulassung reicht, ist Behandlung von Altfällen etwas unübersichtlich geworden. **Verbot im Jahr 1998** (→ Rn. 7) führte ursprünglich dazu, dass Mehrstimmrechte am 1.6.2003 gem. § 5 I 1 Hs. 1 EGAktG aF erloschen und damit eine **Ausgleichspflicht** nach § 5 III 1 EGAktG aF eintrat. Für diesen Fall ordnete § 5 V EGAktG aF Spruchverfahren an. Es war aber auch möglich, **einverständliche Lösung** zu entwickeln oder nach § 5 I 1 Hs. 2 EGAktG aF Fortgeltungsbeschluss zu fassen, um Belastung der AG mit Ausgleichsleistung zu vermeiden (AusschussB BT-Drs. 13/10038, 28). Zu Einzelheiten → 17. Aufl. 2023, Rn. 9 ff.

13 **b) Neuregelung.** Mit ZuFinG 2023 neu eingeführter **§ 5 I EGAktG nF** behandelt zunächst den (Regel-)Fall, dass Mehrstimmrechte zum 1.6.2003 erloschen sind und trägt dem Umstand Rechnung, dass möglicherweise **noch Ver-**

fahren anhängig sein können, die auf einen Ausgleich wegen Erlöschens oder Beseitigung von Mehrstimmrechten gerichtet sind. Für diese sollen deshalb die bisher in § 5 III – VI EGAktG aF enthaltenen Regelungen weiter Geltung beanspruchen (§ 5 I EGAktG nF).

§ 5 II EGAktG nF enthält Regelung für solche Mehrstimmrechtsaktien, deren **Fortgeltung** über den 1.6.2003 nach Maßgabe des § 5 I 1 EGAktG aF beschlossen wurde. Durch die Wiederzulassung von Mehrstimmrechtsaktien ist diese Fortgeltung grds. unproblematisch, doch stellt sich die Frage, ob die neu in **§ 135a** eingeführten Restriktionen für sie Geltung beanspruchen sollen. § 5 II EGAktG nF löst Problem in der Weise, dass Regelungen des § 135 I 2, II erst ab dem Zeitpunkt gelten, in dem nach Inkrafttreten des ZuFinG 2023 AG börsennotiert iSd § 3 II wird (→ § 3 Rn. 5 f.) oder Aktien der AG in Freiverkehr nach § 48 BörsG einbezogen werden. Die in § 135a I 1 AktG vorgesehene Beschränkung auf Namensaktien soll für sie dagegen nicht gelten (§ 5 II, letzter Hs. EGAktG). 14

IV. Stimmrechtsausschluss bei Vorzugsaktien

Seit AktG 1937 dürfen Vorzugsaktien ohne Stimmrecht ausgegeben werden (§ 12 S. 2). Einzelheiten regeln §§ 139–141. Danach gilt: Stimmrecht kann ausgeschlossen werden, wenn Aktien mit einem **Dividendenvorzug** ausgestattet sind (§ 139 I). Verteilung von Vorzügen und Stämmen darf Verhältnis 1:1 nicht übersteigen (§ 139 II). Vorzugsaktionär hat alle Rechte mit Ausnahme des Stimmrechts (§ 140 I). Stimmrechtsausschluss tritt zurück, sobald und solange der Dividendenvorzug rückständig ist (Einzelheiten: § 140 II). Beschlüsse, durch die Rechtsstellung der Vorzugsaktionäre beeinträchtigt wird, bedürfen ihrer Zustimmung durch Sonderbeschluss, der mit qualifizierter Mehrheit zu fassen ist (§ 141). Gegen den Willen ihres Inhabers kann Stamm- nicht zur Vorzugsaktie werden (→ Rn. 2). 15

Unterzeichnung der Aktien

13 **[1] Zur Unterzeichnung von Aktien und Zwischenscheinen genügt eine vervielfältigte Unterschrift. [2] Die Gültigkeit der Unterzeichnung kann von der Beachtung einer besonderen Form abhängig gemacht werden. [3] Die Formvorschrift muß in der Urkunde enthalten sein. [4] Bei elektronischen Aktien findet keine Unterzeichnung statt.**

I. Regelungsgegenstand und -zweck

§ 13 betr. urkundliche Verbriefung der Mitgliedschaft des Aktionärs, ohne diesen Vorgang vollständig zu erfassen. Bezweckt und erreicht wird nur, **Unterzeichnungsvorgang technisch zu erleichtern.** Dabei hat § 13 klarstellende Bedeutung ggü. §§ 126, 127 BGB, die eigenhändige Namensunterschrift verlangen. Sie wäre bei Massenemission nicht praktikabel. Der Sache nach übereinstimmende Regelung enthält § 793 II BGB für Inhaberschuldverschreibungen. Rationalisierung des Effektenwesens durch Global- oder Sammelurkunden (§ 9a DepotG) mindert praktische Bedeutung des Problems, ohne es zu beseitigen. 1

II. Urkundliche Verbriefung

1. Die Urkunden und ihre Herstellung. § 13 gilt zunächst für Aktien. Gemeint ist **Aktienurkunde** (zu den Bedeutungen des Begriffs Aktie → § 1 2

Rn. 13). Ob es sich um Inhaber- oder Namensaktien, Stämme oder Vorzüge, bei der Gründung oder iR einer Kapitalerhöhung emittierte Stücke handelt, ist ebenso unerheblich wie technische Herstellung der Urkunde (Fotokopie, Computerdruck usw; → Rn. 5). § 13 gilt ferner für **Zwischenscheine** (Begriff → § 8 Rn. 28). Norm ist auch anzuwenden, wenn mehrere Mitgliedsrechte endgültig (Aktie) oder vorläufig (Zwischenschein) in einer Globalurkunde (§ 9a DepotG) verbrieft werden. Dagegen gilt § 13 nicht für Genuss- und Optionsscheine. Beide verbriefen nämlich keine Mitgliedschaft, sondern Forderungen (auf Zahlung bzw. Aktienbezug); → § 221 Rn. 24 f. (Genussschein) und → § 221 Rn. 6, 55 (Optionsschein). Dasselbe gilt für Dividendenscheine. Insoweit führt jedoch § 793 II BGB zu denselben technischen Erleichterungen.

3 **2. Mitgliedschaft und Urkunde.** Mitgliedschaft entsteht durch wirksame Teilnahme an Gründung oder Kapitalerhöhung, nicht erst durch urkundliche Verbriefung, der also nur deklaratorische Bedeutung zukommt (unstr.). Auch Pflicht zur Verbriefung spricht Ges. nicht aus. Nach allgM hat Aktionär jedoch aus seiner Mitgliedschaft folgenden unentziehbaren Anspruch auf Verbriefung seines Rechts in der Aktie, dagegen nicht auf die Ausgabe von Zwischenscheinen (→ § 10 Rn. 3).

4 **3. Inhalt und Herstellung der Urkunde.** Es gibt **keine zusammenfassende Vorschrift** zum Inhalt der Aktienurkunde oder des Zwischenscheins. Einzelbestimmungen: §§ 6, 8, 10, 55. Die hM verlangt über Gesetzeswortlaut hinaus: Aus Text muss sich ergeben, dass Mitgliedsrecht verbrieft wird (nicht zwingend: ausdr. Bezeichnung als Aktie); ausstellende Gesellschaft muss bezeichnet sein; Urkunden müssen durch Serienzeichen und Nummern unterscheidbar sein. Nicht notwendig ist Angabe von Ort und Tag der Ausstellung, auch nicht Verwendung deutscher Sprache (vgl. zum Ganzen KK-AktG/Dauner-Lieb Rn. 9 ff., 20; Kümpel FS Werner, 1984, 449, 462 f.).

5 Auch **Technik der Urkundenherstellung** ist ges. nicht geregelt; Handschrift, Maschinenschrift, Fotokopie, Druck kommen deshalb in gleicher Weise in Betracht. Zulassung zum Börsenhandel setzt jedoch Druck der Urkunden voraus. Sie müssen den Gemeinsamen Grundsätzen der deutschen Wertpapierbörse für den Druck von Wertpapieren entspr., die zwecks Fälschungssicherheit von den Börsenvorständen und den Zulassungsstellen herausgegeben worden sind (Druckrichtlinien v. 13.10.1991, zuletzt geändert am 17.4.2000 – abrufbar über die Homepage der Deutsche Börse AG, www.deutsche-boerse.com).

6 **4. Unterzeichnung der Urkunde.** Aktienurkunde muss unterzeichnet sein (§ 13 S. 1), und zwar mangels bes. Bestimmung von **Vorstandsmitgliedern** in jeweils vertretungsberechtigter Zahl (§ 78) oder von Personen, die sie dazu bevollmächtigt haben. Prokura oder Handlungsvollmacht genügen als solche nicht, weil Verbriefung der Mitgliedschaft von Aktionären kein Handelsgeschäft ist (§§ 49, 54 HGB). Etwas anderes gilt aber für unechte Gesamtvertretung qua Satzungsanordnung nach § 78 III 1, weil in diesem Fall Beschränkungen des § 49 HGB nicht gelten (→ § 78 Rn. 17). Art und Weise der Unterschrift: Eigenhändige Namensunterschrift genügt stets, ist aber entbehrlich. Vervielfältigung der Unterschrift reicht aus. Es muss sich aber um Wiedergabe der Unterschrift handeln (Faksimile), die durch Stempel, Druck oder andere Vervielfältigung (Scanner) auf Urkunde gelangt ist (MüKoAktG/Heider Rn. 26). Keine Unterschrift, sondern bloße Namensangabe und deshalb nicht genügend ist Bezeichnung des oder der Vertretungsberechtigten in Druckbuchstaben. Krit. de lege ferenda zu § 793 II BGB (aber verallgemeinerungsfähig): Koller in BMJ, Gutachten und Vorschläge zur Überarbeitung des Schuldrechts, Bd. II, 1981, 1427, 1438 f. Für **elektronische Aktien** wird in S. 4 klargestellt, dass es keiner Unter-

zeichnung, auch keiner elektronischer Art, bedarf, da ursprünglicher Normzweck der erhöhten Fälschungssicherheit hier durch Eintragung in entspr. Register sowie Pflichtenbindung der registerführenden Stelle nach § 7 eWpG erreicht wird (RegBegr. BT-Drs. 20/8292, 109; sa schon Maume/Fromberger ZHR 185 [2021], 507, 524). Dadurch wird Medienbruch vermieden (Harnos AG 2023, 348 Rn. 7).

5. Zusätzliche Formerfordernisse. Nach § 13 S. 2 kann Gültigkeit der Unterzeichnung von Beachtung bes. Form abhängig gemacht werden. Hauptfall: **zusätzliche Unterschrift** eines sog Kontrollbeamten oder eines AR-Mitglieds. Solche Erfordernisse sind von den Gründern in der Satzung oder durch Beschluss der HV vorzusehen; Vorstand und/oder AR haben keine eigene Zuständigkeit (KK-AktG/Dauner-Lieb Rn. 17; MüKoAktG/Heider Rn. 27). Beachtlich sind solche Gültigkeitserfordernisse zum Schutz des Rechtsverkehrs jedoch nur dann, wenn sie in den Urkundentext aufgenommen worden sind (§ 13 S. 2). 7

III. Rechtsfolgen bei Verstoß

Verstöße gegen § 13 sollen zur **Unwirksamkeit der Verbriefung** oder des Zwischenscheins führen (KK-AktG/Dauner-Lieb Rn. 21). Genauer lassen sich die Rechtsfolgen so fassen: Das Recht des Aktionärs auf Verbriefung (→ Rn. 3) ist nicht erfüllt. Urkunden, die gegen § 13 verstoßen, darf er zurückweisen (ebenso GK-AktG/Mock Rn. 15; BeckOGK/Vatter Rn. 12). Wenn er sie angenommen hat, darf er Auslieferung ordnungsmäßiger Stücke Zug um Zug gegen Ablieferung der mangelhaften verlangen. Bis dahin ist Übertragung des Rechts nach wertpapierrechtl. Grundsätzen (§§ 929 ff. BGB) ausgeschlossen. 8

Zuständigkeit

14 Gericht im Sinne dieses Gesetzes ist, wenn nichts anderes bestimmt ist, das Gericht des Sitzes der Gesellschaft.

I. Regelungsgegenstand und -zweck

§ 14 regelt **örtl. Zuständigkeit,** soweit Aktiensachen **im Verfahren der fG** entschieden werden und Ges. keine andere Bestimmung trifft. Maßgeblich ist Satzungssitz (→ Rn. 3 f.). Bezweckt ist, wiederholende Zuständigkeitsregeln zu vermeiden. Vorschrift ist heute aber überflüssig, da durchgängig ausdr. Einzelregelungen bestehen (BeckOGK/Drescher Rn. 3). Insbes. § 377 FamFG ist mit § 14 inhaltsgleich und § 376 FamFG beansprucht in jedem Fall aufgrund der in § 14 enthaltenen Öffnungsklausel auch in aktienrechtl. Verfahren Gültigkeit (Jänig/Leißring ZIP 2010, 110, 113). 1

II. Anwendungsbereich

Norm gilt nur in Verfahren, die nach FamFG durchgeführt werden. Für str. Gerichtsbarkeit verbleibt es bei §§ 12 ff. ZPO, bes. § 17 ZPO, soweit keine Sondervorschrift wie etwa § 246 III 1 besteht. FamFG ist zunächst maßgeblich für **Tätigkeit des Registergerichts** (§ 374 FamFG; vgl. Kropff Rpfleger 1966, 33), ferner für **Maßnahmen nach § 375 Nr. 3 FamFG** (sog unternehmensrechtl. Verfahren, Registersachen iwS, etwa: Notbestellung von Organmitgliedern). Für Streitsachen der fG gilt § 14 dagegen nicht; insoweit bestehen spezielle Zuständigkeitsregelungen (§ 98 I, § 132 I, § 260 I, § 320 VII 3; § 2 SpruchG). 2

III. Maßgeblichkeit des Satzungssitzes

3 **1. Grundsatz.** Örtl. Zuständigkeit richtet sich nach Sitz der Gesellschaft, der sich seinerseits nach Satzung bestimmt (§ 5 I; → § 5 Rn. 4 ff.). Das gilt auch dann, wenn Registergericht vor Eintragung tätig wird, wie in § 33 III, §§ 35–38 vorgesehen. Über die sachliche Zuständigkeit enthält § 14 nichts. Sie liegt grds. bei den Amtsgerichten (§§ 23a II Nr. 3, 4 GVG nF), nur für die Streitsachen der fG bei den Landgerichten (vgl. zB § 98 I 1).

4 **2. Sonderfälle.** Für Gesellschaften mit **Doppelsitz** (→ § 5 Rn. 10) sind grds. die Gerichte beider Gesellschaftssitze zuständig. Sie werden sich in der Praxis abstimmen, sind grds. aber in ihrer Entscheidung voneinander unabhängig (BayObLGZ 1962, 107, 112 = NJW 1962, 1014; OLG Düsseldorf AG 1988, 50, 51; OLG Stuttgart NJW 1953, 748). Daraus resultierende Nachteile (zB Entstehung der AG erst mit Eintragung auch in das zweite Register) sind von AG, nicht vom Rechtsverkehr zu tragen (Schlechterstellungsprinzip, ausf. GK-HGB/J. Koch/Harnos § 13 Rn. 76 f.; sa BeckOGK/Drescher Rn. 6; MüKoAktG/Heider § 5 Rn. 37 ff.). Ist im fG-Verfahren ein Sitzgericht tätig geworden (Bestellung von Abwicklern), so verliert das andere gem. § 2 I FamFG die Zuständigkeit. Zwar schließt § 377 IV FamFG Anwendung des § 2 I FamFG (Prioritätsprinzip) aus, doch geht dies auf Vorstellung des Gesetzgebers zurück, dass Norm hier generell „ungeeignet" sei, da keine konkurrierenden Zuständigkeiten möglich seien (vgl. RegE BT-Drs. 16/6308, 285; sa MüKoFamFG/Krafka FamFG § 377 Rn. 19). Für Sonderfall des Doppelsitzes ist daher entgegen § 377 IV FamFG § 2 I FamFG anzuwenden (vgl. KK-AktG/Dauner-Lieb § 5 Rn. 22; sa noch zur alten Rechtlage KG AG 1992, 29, 31; zu Besonderheiten im Anfechtungsverfahren → § 246 Rn. 37). Besonderheiten gelten für sog **Spaltgesellschaften.** Darunter versteht man üblicherweise solche Gesellschaften, die als Folge ausländischer Enteignungsmaßnahme in ihrem Sitzstaat aufgelöst sind, aufgrund verbleibenden Auslandsvermögen aber noch als Restgesellschaft fortbestehen (vgl. MüKoAktG/Heider Rn. 13). Hier kann Fehlen des Sitzes nur durch Bestimmung des zuständigen Gerichts analog § 5 I Nr. 1 FamFG abgeholfen werden (BGHZ 19, 102, 105 ff. = NJW 1956, 183; BGH WM 1981, 566; OLG Karlsruhe NZG 2014, 667, 668). Nach Streichung der Sonderregeln in §§ 14, 15 ZustErgG gilt das auch für Fälle, in denen am Gesellschaftssitz seit dem 8.5.1945 **keine deutsche Gerichtsbarkeit** mehr besteht (Ostgebiete; vgl. OLG Karlsruhe NZG 2014, 667, 668). Problem der Spaltgesellschaft schien durch Beendigung der deutschen Teilung an Relevanz verloren zu haben (vgl. aber OLG Karlsruhe NZG 2014, 667: in Polen enteignete AG). Neue Relevanz hat sie in jüngerer Zeit aber dadurch gewonnen, dass auch **gelöschte Gesellschaften ausländischen Rechts** (insbes. gelöschte englische Limiteds) mit Vermögen in Deutschland als Spaltgesellschaften behandelt werden (BGHZ 212, 381 Rn. 11 ff. mwN in Rn. 14 = NZG 2017, 347; OLG Jena NZG 2007, 877, 878; KG AG 2019, 431, 432; Froehner NZG 2017, 349 f.). Ihre Vertretungsfähigkeit kann durch Nachtragsliquidator entspr. § 273 IV hergestellt werden (→ § 273 Rn. 13). Sind Voraussetzungen einer Spaltgesellschaft nicht erfüllt, verliert Gesellschaft mit Löschung im Gründungsstaat ihre Partei- und Prozessfähigkeit (BGH NZG 2017, 394 Rn. 19 ff. mit weiteren Ausführungen zu den Folgen einer Wiedereintragung im Register des Gründungsstaats). Ist Gesellschaft weiterhin partei- und prozessfähig, ohne dass eine Spaltgesellschaft vorliegt, bleibt es bei § 14; Bestimmung eines anderen zuständigen Gerichts ist ausgeschlossen (BGH AG 1991, 106; 2007, 166, 167).

Verbundene Unternehmen

15 **Verbundene Unternehmen sind rechtlich selbständige Unternehmen, die im Verhältnis zueinander in Mehrheitsbesitz stehende Unternehmen und mit Mehrheit beteiligte Unternehmen (§ 16), abhängige und herrschende Unternehmen (§ 17), Konzernunternehmen (§ 18), wechselseitig beteiligte Unternehmen (§ 19) oder Vertragsteile eines Unternehmensvertrags (§§ 291, 292) sind.**

Übersicht

I. Grundlagen

1 **1. Regelungsgegenstand und -zweck.** § 15 führt **Sammelbegriff** verbundener Unternehmen ein. Er deckt aufgeführte fünf Arten von Unternehmensverbindungen (→ Rn. 21) ab, die ihrerseits regelungstechnisch miteinander verflochten sind und deshalb Überschneidungen aufweisen. Regelungszweck ist rechtstechnischer Natur. Ges. braucht Oberbegriff, um andere Vorschriften sprachlich zu vereinfachen, die für alle fünf Arten von Unternehmensverbindungen gelten sollen (zB § 90 III 1, § 131 I 2); vgl. RegBegr. Kropff S. 27; umfassende Aufzählung → Rn. 22. Zugleich erlaubt Oberbegriff, die in §§ 291 ff. getroffene Regelung zusammenfassend zu überschreiben. Nicht gleichbedeutend ist Verwendung des Begriffs in § 271 II HGB (→ Rn. 22).

2 **2. Begriff und Systematik des Konzernrechts.** Nach ges. Terminologie wäre von Recht der verbundenen Unternehmen zu sprechen. Das hat sich jedoch nicht durchgesetzt. Verbreitet ist stattdessen wie vor AktG 1965 und seinerzeit aufgrund der Konzernfiktion des § 15 II AktG 1937 auch rechtl. zutr. von Konzernrecht die Rede. Das überschreitet zwar tatbestandliche Grenzen des § 18 I 1, dient aber der sprachlichen Vereinfachung, und ist in der Sache unbedenklich (vgl. etwa Emmerich/Habersack/Habersack Einl. Rn. 1). **Konzernrecht iwS** umfasst Definitionsnormen der §§ 15–19, Mitteilungspflichten nach §§ 20–22, materielles Konzernrecht der §§ 291–327, Rechnungslegungsvorschriften der §§ 290 ff. HGB und an Oberbegriff der verbundenen Unternehmen anknüpfende Einzelvorschriften (→ Rn. 1). Regelung ist mit Aktienrechtsreform

1965 neu geschaffen worden (dazu Dettling, Die Entstehungsgeschichte des Konzernrechts, 1997, 83 ff.; J. Vetter in 50 Jahre AktG, 2016, 231, 233 ff.). Da Definitionsnormen der §§ 15–19 nicht nur im AktG, sondern auch in anderen Gesetzen in Bezug genommen werden (vgl. zB § 5 MitbestG, § 51a II 1 GmbHG), wird häufig von **Allg. Teil des Konzernrechts** gesprochen, doch bildet sich verstärkt (zT unionsrechtl. bedingt) auch eigenständige sektorenspezifische Begrifflichkeit aus, die von §§ 15 ff. abweicht (Emmerich/Habersack/Emmerich Rn. 2) und damit zum Bedeutungsverlust des Aktienkonzernrechts führt (BeckOGK/Schall Rn. 2).

3 **3. Regelungsaufgaben des Konzernrechts.** Regelungsaufgabe des kodifizierten Konzernrechts ist **Gefahrenabwehr** (zur rechtspolitischen Seite s. zB K. Schmidt JZ 1992, 856). Gefahren erwachsen für Gläubiger und Minderheitsaktionäre (außenstehende Gesellschafter) der abhängigen Gesellschaft im Kern daraus, dass unter Konzernbedingungen **gesellschaftsfremde Partikularinteressen** des herrschenden Unternehmens bestehen und auch wirksam zur Geltung gebracht werden können (RegBegr. Kropff S. 373 f.). Vermögensbasis der abhängigen Gesellschaft kann durch Aushöhlung und Gewinnabschöpfung untergraben werden, wodurch Gläubigerinteressen gefährdet werden, zugleich aber auch mitgliedschaftliches Gewinnrecht außenstehender Gesellschafter ins Leere geht.

4 Schwerpunkt der ges. Regelung liegt auf der bereits abhängigen AG, die vor Konzerngefahren zu schützen ist. Präventiver Schutz vor Konzernierung an sich in Gestalt einer sog **Konzernbildungskontrolle** ist dagegen nicht vorgesehen (ausf. dazu GK-AktG/Fleischer Vor §§ 311 ff. Rn. 47 ff.). Auch Aktionäre selbst können sich nur im engen Rahmen des § 23 V in Gestalt von Satzungsvorkehrungen schützen (s. dazu Emmerich/Habersack/Habersack Vor § 311 Rn. 2 f.). Weitere Einzelelemente einer solchen präventiven Kontrolle finden sich in Beteiligungspublizität nach §§ 20 f. (kapitalmarktrechtl. erweitert in §§ 33 ff. WpHG), in Regeln zum Abschluss von Unternehmensverträgen in §§ 293 ff. sowie in übernahmerechtl. Regeln des WpÜG; flankierenden Schutz bietet Rspr. namentl. in Gestalt mitgliedschaftlicher Treubindungen und darauf gestützter materieller Beschlusskontrolle sowie über Holzmüller-Grundsätze (→ § 119 Rn. 16 ff.; ausf. Emmerich/Habersack/Habersack Vor § 311 Rn. 1 ff.).

5 Während Konzernrecht aus Blickwinkel der Gefahrenabwehr (→ Rn. 3) auf detaillierter ges. Grundlage hohen Entwicklungsstand erreicht hat und auch konkrete Ansätze für Konzernbildungskontrolle erkennbar sind (→ Rn. 4), haben früher verbreitete Bemühungen um sog **Konzernorganisationsrecht** nur bedingt zu greifbaren Ergebnissen geführt. Diese Bemühungen zielen darauf ab, Konzern wie eigenständiges Unternehmen rechtl. zu gliedern und zu ordnen (vgl. insbes. Lutter ZGR 1987, 324, 334 ff.; monographisch Hommelhoff Konzernleitungspflicht, 1982, 35 ff.; eingehend, aber skeptisch Mülbert, Aktiengesellschaft, Unternehmensgruppe und Kapitalmarkt, 2. Aufl. 1996, 20 ff.). Entspr. Ansätze sind zunächst unter dem Schlagwort der Konzernleitungsmacht diskutiert worden, überwiegend aber auf Ablehnung gestoßen (→ § 311 Rn. 5). Unter anderem Vorzeichen und auf abw. dogmatischer Grundlage, aber mit ähnlichen Folgen iErg haben sie in neuerer Zeit unter dem Schlagwort der **Konzern-Compliance** wieder größere Aufmerksamkeit erfahren (→ § 76 Rn. 50 ff.; → § 311 Rn. 5). Den Anstoß für diese Entwicklung gab insbes. das Kartellrecht, wo sich entspr. Sichtweise des Konzerns als einheitliches Unternehmen bereits durchgesetzt hat. Das entspr. europäischem Verständnis, an dem sich nationales Kartellrecht aufgrund enger Verbindung der beiden Rechtsordnungen naturgemäß zu orientieren hat, doch darf nicht übersehen werden, dass solches Verständnis im nationalen Gesellschaftsrecht systemwidrigen Fremdkörper darstellt (ausf. J. Koch ZHR 171 [2007], 554 ff.; J. Koch WM 2009, 1013 ff.; zur

schleichenden Erosion des Trennungsprinzips aber auch → § 1 Rn. 16 und 21). Neben derart beschränkenden Funktionen des Konzernrechts darf nicht aus dem Blick verloren werden, dass es auch **Gestaltungsmöglichkeiten erweitert,** indem es etwa Einflussmöglichkeiten herrschender Unternehmen zT ausdehnt, was dann flankierend noch weitergehende Gefahrenabwehr erforderlich macht (Mülbert ZHR 163 [1999], 1, 20 ff.; J. Vetter in 50 Jahre AktG, 2016, 231, 241; vgl. zur Privilegierungsfunktion des § 311 etwa → § 311 Rn. 4).

4. Fragen des Geltungsbereichs. a) GmbH; Personengesellschaften. 6
Definitionsnormen der **§§ 15–19** sind rechtsformneutral (→ Rn. 8). Sie finden deshalb auch außerhalb des Aktienkonzernrechts Anwendung, also dann, wenn abhängiges Unternehmen nicht Rechtsform der AG oder KGaA hat, sondern von GmbH, Verein oder Personengesellschaft getragen wird (ganz hM – vgl. zur GmbH zB BGHZ 80, 69, 72 = NJW 1981, 1512; BGHZ 95, 330, 337 f. = NJW 1986, 188; BGHZ 107, 7, 15 = NJW 1989, 1800; zu den Personengesellschaften BGHZ 89, 162, 167 = NJW 1984, 1351; Kleindiek, Strukturvielfalt im Personengesellschaftskonzern, 1991, 4 ff.; in der Konstruktion, aber nicht iErg abw. Grigoleit/Grigoleit Rn. 7: Analogie zu AktienkonzernR). Über Anwendung der **§§ 291 ff.** auf GmbH, Verein oder Personengesellschaft ist damit nicht entschieden. Insoweit scheidet umfassende Übertragung aus. Stattdessen muss jeweilige Norm oder Normengruppe auf **Verallgemeinerungsfähigkeit** untersucht werden; → § 291 Rn. 6 f. (Beherrschungsvertrag); → § 302 Rn. 7 (Haftung nach allg. Grundsätzen statt Verlustübernahme); → § 311 Rn. 52 (Treupflicht statt Nachteilsausgleich); umfassender Überblick zur GmbH etwa bei Noack/Servatius/Haas/Beurskens GmbHG KonzernR; zur Personengesellschaft bei GK-HGB/C. Schäfer Anh. § 105; zum Verein bei Leuschner, Das Konzernrecht des Vereins, 2011, 198 ff.).

b) Auslandsberührung. Internationales Konzern-Kollisionsrecht als sol- 7
ches gibt es nicht; es gelten vielmehr allg. Kollisionsregeln (MHdB IntGesR/Drinhausen § 44 Rn. 7). Maßgeblich sind danach Auslegung und Anknüpfung einzelner Sachnormen (BeckOGK/Schall Rn. 36). Daraus wird der Schluss gezogen, dass sich die Vorschriften, die dem Schutz der abhängigen Gesellschaft, ihrer Minderheitsgesellschafter und Gläubiger dienen (Regelfall), an ihrem Gesellschaftsstatut orientieren (BGH NZG 2005, 214, 215; MHdB IntGesR/Drinhausen § 44 Rn. 8; zur Bestimmung des Gesellschaftsstatuts → § 1 Rn. 34 ff.). Dienen konzernrechtl. Vorschriften dagegen dem Schutz des herrschenden Unternehmens, ist dessen Gesellschaftsstatut maßgeblich (MHdB IntGesR/Drinhausen § 44 Rn. 9). Für allg. Definitionsnormen der §§ 15 ff. bedeutet dies, dass sie nicht pauschal auf int. Konzern zu übertragen sind, sondern ihre Anwendung vom Inhalt der **sachrechtl. Vorschrift** abhängt; sie sind in das Sachrecht „hinein zu lesen" (BeckOGK/Schall Rn. 36). Einzelne konzernrechtl. Vorschriften setzen aber auch ausdr. inländisches Unternehmen (§ 19 I, § 20 I, § 21 I, § 319 I, § 320 I, § 327 I Nr. 2) oder solches mit Sitz in EU/EWR-Mitgliedstaat voraus (§ 305 II Nr. 1, 2).

II. Unternehmensbegriff: Allgemeines

1. Rechtsformneutralität. §§ 15 ff. verwenden Unternehmensbegriff, ohne 8
ihn zu definieren. Gesetzgeber hat wegen praktischer Schwierigkeiten auf Umschreibung verzichtet (RegBegr. Kropff S. 27). Sie ist für Rechtsanwendung aber unverzichtbar. Einigkeit besteht immerhin darüber, dass Begriff als abkürzende rechtsformneutrale Bezeichnung gewählt ist, also Differenzierungen zwischen AG, GmbH, Personengesellschaften usw entbehrlich machen soll (RegBegr. Kropff S. 27; genauer → Rn. 14). Adressat von Normen, die an Unternehmen

anknüpfen, kann schließlich auch der Einzelkaufmann sein (RegBegr. Kropff S. 27).

9 **2. Ableitung aus dem Regelungszweck.** Umfassender, für alle oder doch für Mehrzahl von Regelungszusammenhängen passender Basisbegriff des Unternehmens existiert nicht (OLG Frankfurt ZIP 2008, 880, 881; Emmerich/Habersack/Emmerich Rn. 6 ff.). Erforderlich ist **zweckbezogene (teleologische) Interpretation** des Unternehmensbegriffs (BGHZ 159, 234, 236 ff.; MüKoAktG/Bayer Rn. 10). Es geht nicht um Unternehmen als Rechtsobjekt, sondern als Normadressaten, weshalb Normadressat so bestimmt werden muss, wie es Regelungsaufgaben des Konzernrechts (→ Rn. 3) entspr. Dabei steht sachgerechte Umschreibung des Anwendungsbereichs der als Schutzrecht verstandenen konzernrechtl. Regelung im Mittelpunkt. Selbst innerhalb des Konzernrechts kann infolgedessen nicht von einem einheitlichen Unternehmensbegriff ausgegangen werden. Vielmehr ist zwischen Begriff des herrschenden und dem des abhängigen Unternehmens zu unterscheiden (hM, s. MüKoAktG/Bayer Rn. 11 mwN). Weitere teleologische Unterscheidungen können im Lichte der jeweiligen Einzelnorm angezeigt sein (s. dazu BeckOGK/Schall Rn. 11 ff., 30 ff.), wenngleich aus Praktikabilitätsgründen die teleologische Ausdifferenzierung im Sinne der Rechtssicherheit bis zu einem gewissen Grad auch hinter den Interessen an einer einheitlichen Systematik und Begrifflichkeit zurückstehen muss (S/L/J. Vetter Rn. 59; zu kleinteilig diff. deshalb Leuschner, Das Konzernrecht des Vereins, 2011, 66 ff.; krit. insofern schon J. Koch ZHR 178 [2014], 213 f.; sa → Rn. 10).

III. Begriff des (herrschenden) Unternehmens

10 **1. Grundsatz.** Zweckbezogene Interpretation (→ Rn. 9) ergibt: Unternehmen ist jeder Gesellschafter ohne Rücksicht auf Rechtsform, wenn er neben Beteiligung an AG **anderweitige wirtschaftliche Interessenbindungen** aufweist, die nach Art und Intensität ernsthafte Sorge begründen, er könne wegen dieser Bindungen seinen aus der Mitgliedschaft folgenden Einfluss auf AG nachteilig ausüben (stRspr – vgl. etwa BGHZ 69, 334, 336 ff. = NJW 1978, 104; BGHZ 74, 359, 364 f. = NJW 1979, 2401; BGHZ 148, 123, 125 = NJW 2001, 2973; aus dem Schrifttum statt vieler MüKoAktG/Bayer Rn. 13). Nur in diesem Fall entsteht typische Konzerngefahr, dass **natürlicher Interessengleichlauf** der Gesellschafter durch gesellschaftsfremde Partikularinteressen (→ Rn. 3) **durchbrochen** wird (K. Schmidt GesR § 17 I 1a). Diesem Verständnis wird allerdings entgegengehalten, dass auch von einem Aktionär ohne anderweitige wirtschaftliche Interessenbindungen Gefahren für die AG ausgehen können (s. etwa BeckOGK/Schall Rn. 32 f.; Leuschner, Das Konzernrecht des Vereins, 2011, 26 f.; rechtspolitische Kritik auch bei J. Vetter in 50 Jahre AktG, 2016, 231, 239 f.). Diese Kritik ist namentl. dann nachvollziehbar, wenn man Interesse der AG nicht allein in Maximierung des Shareholder Value sieht, sondern mit zu Recht hM interessenplurale Zielkonzeption unter Einschluss sonstiger Stakeholder zugrunde legt (ausf. → § 76 Rn. 63 ff.). Allerdings wird es sich insofern eher um Ausnahmefälle handeln, die nicht zwangsläufig einer konzernrechtl. notwendigen Typisierung zugrunde gelegt werden müssen, sondern über verbleibendes Instrumentarium, etwa Treupflichten oder §§ 57, 117, gelöst werden können. Da überdies auch die Gesetzesmaterialien deutlich zwischen Privat- und Unternehmensaktionär unterscheiden (AusschussB Kropff S. 41 f. [zu §§ 20, 21]), ist zumindest de lege lata mit der hM am Merkmal anderweitiger Interessenbindung festzuhalten. Neben dieser moderneren Diskussion ist früher vertretener institutioneller Unternehmensbegriff (Anknüpfung an Kaufmannseigenschaft iSd

§§ 1 ff. HGB; vgl. Janberg/Schlaus AG 1967, 33, 37 f.) mittlerweile ebenso überholt wie rein funktionaler Unternehmensbegriff (marktstrategische Planung und Entscheidung für AG; s. Kropff BB 1965, 1281, 1284 f.). Weiterhin relevant ist dagegen organisationsrechtl. Ansatz, der es erlaubt, das herrschende Unternehmen zunächst als Organisationsspitze zu begreifen und für §§ 15 ff. Erweiterungen zu entwickeln (Mülbert ZHR 163 [1999], 1, 28 ff.; zutr. Kritik daran bei KK-AktG/Koppensteiner Rn. 13; sa → Rn. 5).

2. Einzelfragen. a) Anderweitige wirtschaftliche Interessenbindung. 11
Aus Erfordernis anderweitiger Bindung folgt, dass **bloße Beteiligung** an AG, auch als Großaktionär, ihren Inhaber nicht zum Unternehmen macht, da in diesem Fall natürlicher Interessengleichlauf der Aktionäre (→ Rn. 10) noch nicht durchbrochen ist (OLG Düsseldorf AG 2004, 212, 214; OLG Hamm AG 2001, 146, 148; nicht berücksichtigt von LG Bielefeld AG 2000, 232, 233). Bes. Grundsätze werden nur praktiziert, soweit öffentl. Hand Aktionär ist (→ Rn. 16). Bei diesem Erfordernis anderweitiger Bindung bleibt es auch bei Abschluss eines Beherrschungsvertrags (ausf. → § 291 Rn. 8). Erforderlich und genügend sind Betätigung als Einzelunternehmer (→ Rn. 14) und namentl. weitere **maßgebliche Beteiligung** an anderer Gesellschaft (BGHZ 135, 107, 113 = NJW 1997, 1855; wohl auch BGH NJW 1994, 446; Emmerich/Habersack/Emmerich Rn. 13 ff.). Maßgeblich ist sie nach dem Rechtsgedanken des § 16 vor allem bei Mehrheit des Kapitals oder der Stimmen sowie bei Übernahme persönlicher Haftung (MüKoAktG/Bayer Rn. 22 f.). Solche Mehrheit ist aber nicht erforderlich, sondern es genügt, wenn wirtschaftliche Betrachtungsweise auch nach Gegenstand und Umfang der anderweitigen Interessenbindung ernsthafte Sorge nachteiliger Einflussnahme begründet (BeckOGK/Schall Rn. 31; GK-AktG/Windbichler Rn. 36 ff.). Zweifelhaft deshalb BGHZ 148, 123, 126 f., wonach Mehrheitsaktionär und Vorstandsvorsitzender der Mutter durch weitere Minderheitsbeteiligungen an ihren Töchtern, einschließlich AR-Tätigkeit, nicht Unternehmen im konzernrechtl. Sinne wird (krit. auch mit Unterschieden iE Bayer ZGR 2002, 933, 947 ff.; Cahn AG 2002, 30, 33 ff.). Interessenkonflikt muss derart sein, dass § 117 II, § 243 II und mitgliedschaftliche Treubindungen zu seiner Bewältigung nicht ausreichen, vielmehr unter Hinzutreten von Beherrschung berichtspflichtige Vorgänge (→ § 312 Rn. 11 ff.) erwartbar sind (s. dazu BGHZ 148, 123, 127 = NJW 2001, 2973; LG Heidelberg AG 1999, 135, 136 f.). Einschränkungen der Art, dass Aktionär sich bei einer der Gesellschaften unternehmerisch betätigen (so etwa noch Mertens AG 1996, 241, 243) oder gar übergreifend-koordinierend tätig sein müsse (ADS Rn. 8 mwN), sind nicht angezeigt (MüKoAktG/Bayer Rn. 21). Zur Vermeidung von Abgrenzungsschwierigkeiten genügt insofern **abstrakte Konzerngefahr** (→ Rn. 15). Frühere restriktive Tendenzen erklären sich zT aus weitreichenden Haftungsfolgen qualifiziert-faktischer Konzernierung, die durch Rspr.-Änderung aber entschärft worden sind (→ § 1 Rn. 22 ff.; s. zu diesem Zusammenhang auch MüKoAktG/Bayer Rn. 18). IdR nicht erforderlich ist Branchengleichheit, da jedenfalls in Finanzierungsfragen Konfliktsituationen auch zwischen branchenfremden Unternehmen erwachsen können (KK-AktG/Koppensteiner Rn. 30); bei erheblichen Unterschieden kann die insofern bestehende Konfliktvermutung aber widerlegt werden (vgl. auch BeckOGK/Schall Rn. 67).

Bei von nat. Person oder Spitzenholding eingeschalteter **Zwischenholding** ist 12
zu differenzieren: Verwaltet sie nur eine einzelne Beteiligung, ist Unternehmenseigenschaft mangels Konzernkonflikts nicht gegeben (BGH AG 1980, 432; OLG Saarbrücken AG 1980, 26, 28; MüKoAktG/Bayer Rn. 26; aA Emmerich/Habersack/Emmerich Rn. 16; GK-AktG/Windbichler Rn. 20); Unternehmenseigenschaft kann dann nur bei Gesellschafter der Zwischenholding bzw. Spitzenholding

liegen, sofern diese anderweitige Interessenbindungen aufweist (zur mittlerweile großzügigeren Sichtweise beim Abschluss von Unternehmensverträgen → § 291 Rn. 16). Verwaltet Zwischenholding hingegen mehrere Beteiligungen oder ist selbst unternehmerisch tätig, ist sie Unternehmen (ganz hM – vgl. statt vieler MüKoAktG/Bayer Rn. 26 f.). Fraglich ist Unternehmenseigenschaft des Gesellschafters der Zwischenholding, der über mehrere unternehmerische Beteiligungen verfügt, diese aber allesamt in Zwischenholding bündelt und damit letztlich nur an dieser Gesellschaft beteiligt ist. Sie wird jedenfalls dann bejaht, wenn Verwaltung weiterhin rechtl. (Stimmrechtsvollmacht) oder tats. in Händen des früheren Gesellschafters verbleibt (MHdB AG/Krieger § 69 Rn. 8), sollte zur Vermeidung von Umgehungen, aber auch jenseits dieser Konstellationen gelten, womit zugleich Abgrenzungsschwierigkeiten vermieden werden (MüKoAktG/Bayer Rn. 33; Emmerich/Habersack/Emmerich Rn. 17; Grigoleit/Grigoleit Rn. 33; KK-AktG/Koppensteiner Rn. 67 f.; aA MHdB AG/Krieger § 69 Rn. 8; BeckOGK/Schall Rn. 82; Cahn AG 2002, 30, 32 ff.). In diesem Fall entsteht uU mehrstufige Abhängigkeit (MüKoAktG/Bayer Rn. 34). Für Zwischenholding entwickelte Grundsätze können auf Einschaltung eines Treuhänders und auf NewCo-Gestaltungen in Private-Equity-Fonds-Strukturen übertragen werden. **Leitungsorgan eines Gleichordnungskonzerns** (§ 18 II) hat keine Unternehmensqualität, weil es kein unternehmerisches Eigeninteresse verfolgt, sondern für Willensbildung der Konzernunternehmen eingesetzt ist (hM – s. nur Emmerich/Habersack/Emmerich Rn. 20a; Grigoleit/Grigoleit Rn. 33; KK-AktG/Koppensteiner Rn. 61; aA S/L/J. Vetter Rn. 64; Gromann, Die Gleichordnungskonzerne im Konzern- und Wettbewerbsrecht, 1979, 43 ff.).

13 Auch **Stimmrechtskonsortien** sind idR nicht Unternehmen. Das ist unstr., wenn Konsorten keine anderweitigen Interessenbindungen aufweisen (s. OLG Hamburg AG 2001, 479, 481; OLG Hamm AG 2001, 146, 147; OLG Köln AG 2002, 89, 90; LG Heidelberg AG 1998, 47, 48; ADS Rn. 11; MüKoAktG/Bayer Rn. 28). Liegen solche Interessenbindungen vor (namentl. bei Koordinierung anderer maßgeblicher Beteiligungen), wäre Konzernkonflikt grds. gegeben, doch ergeben sich konstruktive Schwierigkeiten, wenn Konsortium als reine **Innen-GbR** ausgestaltet ist, da in diesem Fall nach hM rechtsfähiger Unternehmensträger fehlt (statt vieler MüKoBGB/Schäfer BGB § 705 Rn. 285). Konsortium kommt deshalb – wie generell Innen-GbR – nicht als Unternehmen in Betracht (BAGE 112, 166, 173 ff. = AG 2005, 533; MüKoAktG/Bayer Rn. 29; Emmerich/Habersack/Emmerich Rn. 20a; GK-AktG/Windbichler Rn. 48; Böffel ZIP 2021, 777 ff.). Vermeintliche Ausnahme bei anderweitiger unternehmerischer Betätigung (vgl. dazu MHdB AG/Krieger § 69 Rn. 9) ist keine Ausnahme, da dann Außen-GbR vorliegt und Unternehmenseigenschaft unproblematisch bejaht werden kann (ähnlich B/K/L/Fett Rn. 20; zu den Anforderungen an einen GbR-Vertragsschluss vgl. LAG Köln NZG 2021, 156 Rn. 35 ff.); Gesellschaftsvermögen ist dafür nicht erforderlich. Auch bei Innen-GbR bleibt es aber möglich, **Gesellschaftern** die Unternehmenseigenschaft qua Zurechnung zuzuweisen, wenn sie anderweitigen Interessenbindungen unterliegen und zugleich beherrschenden Einfluss auf GbR ausüben können; reine Minderheitsbeteiligung genügt nicht (MüKoAktG/Bayer Rn. 35; Hölters/Weber/Krebs Rn. 7; ähnlich MHdB AG/Krieger § 69 Rn. 9; weitergehend Emmerich/Habersack/Emmerich Rn. 20b; Grigoleit/Grigoleit Rn. 35). Unter Voraussetzungen der Mehrmütterherrschaft (→ § 17 Rn. 13 ff.) ist aber auch Zurechnung an alle Gesellschafter möglich (vgl. – mit Unterschieden iE – BeckOGK/Schall Rn. 77; S/L/J. Vetter Rn. 67). Entspr. Grundsätze gelten für **sonstige Innengesellschaften,** zB Familiengesellschaften, Arbeitsgemeinschaften).

14 Welche **Rechtsform** Träger anderweitiger wirtschaftlicher Interessenbindung hat, ist für seine Unternehmenseigenschaft **ohne Belang** (BGHZ 69, 334, 338 =

NJW 1978, 104; BGHZ 122, 123, 127 = NJW 1993, 1200; RegBegr. Kropff S. 27). Auch Vereine, Stiftungen (Emmerich/Habersack/Emmerich Rn. 18; Hüffer GS Tettinger, 2007, 449, 460; Ihrig/Wandt FS Hüffer, 2010, 387, 388; grds. zur Stiftung als Aktionär Fleischer ZIP 2022, 2045 ff.) und Privatpersonen (sog Aktionär mit multiplem Beteiligungsbesitz – s. BGH NJW 1996, 1283 f.; 1997, 943; BAG NJW 1996, 2884; OLG Frankfurt ZIP 2008, 880, 881; Emmerich/Habersack/Emmerich Rn. 11a) kommen in Betracht. Entscheidend ist stets, ob anderweitige wirtschaftliche Interessenbindung vorliegt (→ Rn. 11), was auch bei freiberuflicher Tätigkeit gegeben sein kann (BGH NJW 1994, 3288, 3290; 1995, 1544, 1545). Umgekehrt hat Eigenschaft als **Formkaufmann** (§ 6 II HGB) als solche keine Bedeutung für Unternehmenseigenschaft, weil Anwendung von Handelsrecht auf jur. Personen ohne Rücksicht auf Handelsgewerbe nichts mit spezifischen Regelungszielen des Konzernrechts (→ Rn. 3) zu tun hat (hM, MüKoAktG/Bayer Rn. 16; Grigoleit/Grigoleit Rn. 30; KK-AktG/Koppensteiner Rn. 60; MHdB AG/Krieger § 69 Rn. 10). Gegenansicht (Hefermehl FS Geßler, 1971, 203, 214; heute noch Emmerich/Habersack/Emmerich Rn. 22; J. Vetter FS Marsch-Barner, 2018, 575, 578 ff.) beruht auf institutionellem Unternehmensbegriff und ist mit diesem überholt (→ Rn. 10). Deshalb ist auch unter diesem Gesichtspunkt keine Sonderbehandlung der Holding (→ Rn. 12) oder des Leitungsorgans eines Gleichordnungskonzerns (→ Rn. 12) angezeigt.

b) Möglichkeit nachteiligen Einflusses. Es genügt, dass aufgrund der anderweitigen Interessenbindung die ernsthafte Möglichkeit nachteiliger Einflussnahme besteht (s. zB KK-AktG/Koppensteiner Rn. 36 f.). Dass von dieser Möglichkeit tats. Gebrauch gemacht wird, ist nicht erforderlich (unstr.). Maßgeblich ist entspr. dem Schutzzweck des Konzernrechts (→ Rn. 3) die **Perspektive des abhängigen Unternehmens.** Einflussmöglichkeit muss aber gesellschaftsrechtl. fundiert sein. Nicht genügend sind also schuldrechtl. Beziehungen wie Liefer- oder Kreditverträge (hM, vgl. BGHZ 90, 381, 395 = NJW 1984, 1893; H. P. Westermann ZIP 1982, 379, 383 ff.). 15

3. Insbesondere: Öffentliche Hand; Gewerkschaften. Unternehmensqualität der **Gebietskörperschaften,** bes. der Bundesrepublik, und damit Anwendung des Konzernrechts ist grds. geklärt (grdl. BGHZ 69, 334, 338 ff. = NJW 1978, 104; ferner BGHZ 105, 168, 176 f. = NJW 1988, 3143; BGHZ 135, 107, 113 = NJW 1997, 1855; BGHZ 175, 365 Rn. 10 = NJW 2008, 1583; BGHZ 190, 7 Rn. 30 = NJW 2011, 2719; BAG AG 2011, 382 Rn. 31; zusammenfassend Bayer FS K. Schmidt, Bd. I, 2019, 65 ff.). **Anderweitige wirtschaftliche Interessenbindung** (→ Rn. 10) ist nach BGHZ 135, 107, 113 f. nicht Voraussetzung der Unternehmenseigenschaft. Vielmehr soll bloße Gefahr, öffentl. Interessen zu Lasten der Beteiligungsgesellschaft zu fördern, ausreichen, um Eingangsvoraussetzung des Konzernrechts zu bejahen (sa OLG Celle AG 2001, 474, 476; KK-AktG/Koppensteiner Rn. 73). Schrifttum hat sich dem ganz überwiegend angeschlossen (vgl. nur MüKoAktG/Bayer Rn. 38 ff.; Emmerich/Habersack/Emmerich Rn. 33 f.; KK-AktG/Koppensteiner Rn. 75 ff.; krit. Grigoleit/Grigoleit Rn. 37; Mülbert ZHR 163 [1999], 1, 15 ff.). Dem ist im Lichte des teleologischen Unternehmensbegriffs zuzustimmen (→ Rn. 9), da es aus maßgeblicher Sicht betroffener Minderheitsgesellschafter oder Gläubiger keinen Unterschied macht, ob sich anderweitige Interessenbindung aus unternehmerischer oder hoheitlicher Tätigkeit ergibt (zur ursprünglich anderen Konzeption im Lichte des institutionellen oder funktionalen Unternehmensbegriffs s. noch MüKoAktG/Bayer Rn. 39). Folgt man dem, so ist Konzernrecht umfassend anzuwenden. Öffentl. Interessen rechtfertigen kein konzernrechtl. Sonderstatut und damit auch keine schädliche Einflussnahme (MüKoAktG/Bayer Rn. 42). Haftung nach 16

§ 117 sowie (insoweit auch bei GmbH) wegen Verletzung mitgliedschaftlicher Treupflicht ist deshalb möglich.

17 Entspr. Verzicht auf anderweitige wirtschaftliche Interessenbindung bei **Stiftung** wegen angeblicher Unzulässigkeit von Selbstzweckstiftungen dürfte nicht veranlasst sein (Ihrig/Wandt FS Hüffer, 2010, 387, 389 f.). Auch Unternehmenseigenschaft von **Gewerkschaften** ist zu bejahen. Organisationsform als Verein steht ersichtlich nicht entgegen (→ Rn. 14), Möglichkeit nachteiliger Einflussnahme kann schwerlich bestritten werden (wie hier MüKoAktG/Bayer Rn. 43; KK-AktG/Koppensteiner Rn. 58; Werner ZGR 1976, 447, 474 ff.).

18 Herrschende Unternehmen iSd Konzernrechts können auch **Gemeinden** sein, wenn sie in → Rn. 10, 16 dargelegte Merkmale erfüllen; anderweitige wirtschaftliche Interessenbindung ist nach Rspr. auch insoweit verzichtbar (OLG Celle AG 2001, 474, 476; ebenso Keßler GmbHR 2001, 320, 323 ff.). Daraus folgende ges. Rechte und Pflichten stehen oftmals in Widerspruch zum Gemeindewirtschaftsrecht, das auf bundesges. Vorgaben oft nur wenig Rücksicht nimmt (krit. auch Grigoleit/Grigoleit Rn. 38; S/L/J. Vetter Rn. 71). Widerspruch ist nach **Art. 31 GG** (Bundesrecht bricht Landesrecht) zugunsten aktienrechtl. Vorgaben aufzulösen, was in Gemeindeordnungen zT ausdr. klargestellt wird (s. etwa § 113 I 4 GO NW – krit. zu dieser Regelungstechnik → § 394 Rn. 16). Vorrang des Gesellschaftsrechts wird auch nicht durch das aus Art. 28 GG abgeleitete **Ingerenzprinzip** in Frage gestellt, wonach Gemeinde sich nicht selbst von ihrem durch Wahl erteilten Mandat entbinden darf, alle Angelegenheiten der örtlichen Gemeinschaft gemeinwohlbezogen zu erledigen. Dieses Prinzip begründet allein vorgeschaltete Pflicht der Gemeinde, sich ausschließlich solcher Rechtsformen zu bedienen, in denen ihr hinreichender Einfluss eingeräumt werden kann (ausf. → § 394 Rn. 17. mwN). Zu möglichen Gestaltungen → § 394 Rn. 20 ff.

IV. Begriff des (abhängigen) Unternehmens

19 IdR spricht Ges. von abhängiger Gesellschaft (AG). Insoweit erledigen sich Unternehmensbegriff und dessen Definition. Anders aber in Normen wie zB § 20 VII, § 71d S. 2, § 89 II, § 136 II AktG, §§ 290 ff. HGB. Auch dafür bedarf es einer **am Normzweck ausgerichteten Definition** (→ Rn. 9). Regelungszweck ist insoweit, Kapital- und Vermögensverbindungen sichtbar zu machen und zu verhindern, dass herrschendes Unternehmen Ge- oder Verbote durch Einschaltung eines abhängigen Unternehmens umgeht (s. zB in KK-AktG/Koppensteiner Rn. 86). Begriff wird daher extensiv verstanden (Emmerich/Habersack/Emmerich Rn. 25). Folglich genügt insoweit **jede rechtl. bes. organisierte Vermögenseinheit** ohne Rücksicht auf Rechtsform oder Geschäftsbetrieb, auch Verein oder Stiftung, in Sonderfällen auch Einzelunternehmer, nämlich bei atypischer stiller Beteiligung des herrschenden Unternehmens (str.; wie hier Emmerich/Habersack/Emmerich Rn. 25; KK-AktG/Koppensteiner Rn. 86 für Einzelkaufmann). Auch öffentl.-rechtl. Anstalten (zB Landesbanken) haben insoweit keinen Sonderstatus, können also abhängige Unternehmen in diesem Sinne sein. Davon zu unterscheiden ist Frage, ob sie iSd § 17 abhängig und weitergehend auch verpflichtete Partei eines Beherrschungsvertrags (§ 291 I 1 Fall 1) sein können, was grds. zu bejahen ist (Emmerich/Habersack/Emmerich Rn. 25 mwN; aA Raiser ZGR 1996, 458, 467). Insbes. kann konzernrechtl. Gläubigerschutz auch neben Gewährträgerhaftung sinnvoll und geboten sein. Im Übrigen → § 17 Rn. 9; → § 291 Rn. 7.

V. Rechtliche Selbständigkeit

§ 15 verlangt für jedes der verbundenen Unternehmen rechtl. Selbständigkeit. Erforderlich und genügend ist, dass sie **nicht demselben Rechtsträger zugeordnet** sind (allgM, s. MHdB AG/Krieger § 69 Rn. 15). Bes. Status als jur. Person ist also nicht gemeint. Insoweit verbleibt es bei zweckorientierten Definitionen der Unternehmensbegriffe (→ Rn. 9 ff., 19). 20

VI. Arten der Unternehmensverbindung

§ 15 nennt – abschließend – **fünf Gruppen** von Unternehmensverbindungen: Mehrheitsbeteiligung (§ 16); Beherrschung (§ 17); Konzernierung (§ 18); wechselseitige Beteiligung (§ 19); Verbindung durch Unternehmensvertrag (§§ 291, 292). Überschneidungen sind ebenso häufig wie unerheblich. Nicht ausdr. genannte **Eingliederung** (§§ 319 ff.) wird als Mehrheitsbeteiligung (§ 16) erfasst. **Mittelbare Verbindung** reicht aus (Abhängigkeit der Tochter- von der Obergesellschaft und der Enkel- von der Tochtergesellschaft macht Ober- und Enkelgesellschaft zu verbundenen Unternehmen). Nicht genügend ist jedoch wechselseitige Beteiligung zwischen herrschendem Unternehmen und Drittunternehmen, um auch zwischen diesem und dem abhängigen Unternehmen Verbindung iSd § 15 anzunehmen (MüKoAktG/Bayer Rn. 2). Auch nur schuldrechtl. Beziehungen reichen für Unternehmensverbindung iSd § 15 nicht aus (→ Rn. 15). 21

VII. Rechtsfolgen

§ 15 kennt als bloße **Definitionsnorm** (→ Rn. 1) keine selbständigen Rechtsfolgen. Subsumtion unter Tatbestand ergibt jedoch Anwendbarkeit derjenigen Rechtsnormen, die an Begriff der verbundenen Unternehmen anknüpfen, sofern auch ihre weiteren Voraussetzungen vorliegen (vgl. zB § 71 I 1 Nr. 2, § 90 I 3, III 1, § 131 I 2, III Nr. 1, § 312 I 1 und 2, §§ 313–316, 318, 400 I Nr. 1 und 2; Einzelaufzählung: GK-AktG/Windbichler Rn. 4 ff.). Ursprünglich vorhandene weitere Vorschriften gehören zum Komplex Rechnungslegung und sind durch BiRiLiG ausgeklammert sowie teilw. neu gefasst worden. **Nicht deckungsgleich** mit § 15 sind die in **§ 271 II HGB** – wenig glücklich – als „verbundene Unternehmen im Sinne dieses Buches" bezeichneten, durch die Konsolidierungsvoraussetzungen des § 290 I und II HGB geprägten Mutter-Tochter-Beziehungen. Insbes. beurteilt sich allein nach § 271 II HGB und nicht nach §§ 15 ff., ob § 319 III 1 Nr. 2 HGB eingreift oder nicht (BGH NZG 2004, 770 f.). 22

In Mehrheitsbesitz stehende Unternehmen und mit Mehrheit beteiligte Unternehmen

16 (1) **Gehört die Mehrheit der Anteile eines rechtlich selbständigen Unternehmens einem anderen Unternehmen oder steht einem anderen Unternehmen die Mehrheit der Stimmrechte zu (Mehrheitsbeteiligung), so ist das Unternehmen ein in Mehrheitsbesitz stehendes Unternehmen, das andere Unternehmen ein an ihm mit Mehrheit beteiligtes Unternehmen.**

(2) [1] **Welcher Teil der Anteile einem Unternehmen gehört, bestimmt sich bei Kapitalgesellschaften nach dem Verhältnis des Gesamtnennbetrags der ihm gehörenden Anteile zum Nennkapital, bei Gesellschaften mit Stückaktien nach der Zahl der Aktien.** [2] **Eigene Anteile sind bei Kapitalgesellschaften vom Nennkapital, bei Gesellschaften mit Stück-**

aktien von der Zahl der Aktien abzusetzen. [3]Eigenen Anteilen des Unternehmens stehen Anteile gleich, die einem anderen für Rechnung des Unternehmens gehören.

(3) **[1]Welcher Teil der Stimmrechte einem Unternehmen zusteht, bestimmt sich nach dem Verhältnis der Zahl der Stimmrechte, die es aus den ihm gehörenden Anteilen ausüben kann, zur Gesamtzahl aller Stimmrechte. [2]Von der Gesamtzahl aller Stimmrechte sind die Stimmrechte aus eigenen Anteilen sowie aus Anteilen, die nach Absatz 2 Satz 3 eigenen Anteilen gleichstehen, abzusetzen.**

(4) **Als Anteile, die einem Unternehmen gehören, gelten auch die Anteile, die einem von ihm abhängigen Unternehmen oder einem anderen für Rechnung des Unternehmens oder eines von diesem abhängigen Unternehmens gehören und, wenn der Inhaber des Unternehmens ein Einzelkaufmann ist, auch die Anteile, die sonstiges Vermögen des Inhabers sind.**

Übersicht

I. Regelungsgegenstand und -zweck

1 § 16 definiert Mehrheitsbeteiligung als **eigenständige Form der Unternehmensverbindung** und zugleich als **Vermutungstatbestand,** bei dessen Vorliegen Abhängigkeit anzunehmen ist, wenn Vermutung nicht widerlegt werden kann (→ § 17 Rn. 17 ff.). In dieser Vermutung liegt die größte Relevanz der Vorschrift. Daneben knüpfen einzelne Vorschriften aber auch ohne Zwischenschritt der Abhängigkeit Rechtsfolgen an Definition der Mehrheitsbeteiligung an, zB § 56 II und III, § 71d S. 2 (Einzelaufzählung → Rn. 14). Vgl. zum Ganzen RegBegr. Kropff S. 28 f.

II. Mehrheitsbeteiligung (§ 16 I)

2 **1. Anteils- oder Stimmenmehrheit.** Mehrheitsbeteiligung kann nach § 16 I Anteils- oder Stimmenmehrheit sein. **Anteilsmehrheit** ist Mehrheit der Kapitalanteile und setzt deren Bestehen voraus (→ Rn. 8). Ob es sich um Aktien, Geschäftsanteile oder Anteile am Vermögen von Personengesellschaften handelt,

bleibt gleich (unstr.). Sieht Gesellschaftsvertrag zB der OHG veränderliche Kapitalkonten vor, so ist bei Berechnung der Anteilsmehrheit auf den einzelnen Bilanzstichtag abzuheben (KK-AktG/Koppensteiner Rn. 14, 26). **Stimmenmehrheit** ist Mehrheit der aus den Anteilen (vgl. § 16 III 1) folgenden Stimmrechte, die bei Willensbildung in HV oder Gesellschafterversammlung ausgeübt werden können. Anteils- und Stimmenmehrheit fallen regelmäßig, aber nicht notwendig zusammen. Divergenzen gibt es vor allem bei Ausgabe von Mehrstimmrechtsaktien (§ 12 S. 2, § 135a), bei Vorzügen ohne Stimmrecht (§ 12 S 2, §§ 139 ff.) oder bei Festsetzung von Höchstbeträgen, soweit noch zulässig (→ § 134 Rn. 4 ff.). Für § 16 I genügt die eine oder die andere Mehrheit. Hat das eine Unternehmen die Anteils-, das andere die Stimmenmehrheit, so sind sie beide mit Mehrheit beteiligt (MüKoAktG/Bayer Rn. 4; Emmerich/Habersack/Emmerich Rn. 3).

2. Unternehmen und Rechtsform. a) Grundsatz: Rechtsformneutralität. § 16 I setzt voraus, dass die Mehrheit an einem rechtl. selbständigen Unternehmen einem anderen Unternehmen zusteht. Begriffe sind so zu verstehen wie in → § 15 Rn. 8 ff., 20 erläutert. Rechtsform ist also prinzipiell unerheblich, rechtl. Selbständigkeit schon zu bejahen, wenn die Unternehmen nicht demselben Rechtsträger zugeordnet sind (allgM, s. MüKoAktG/Bayer Rn. 7 ff.). Einzelne bei Mehrheitsbeteiligung anwendbare Normen können allerdings fordern, dass Unternehmen Rechtsform der AG hat; vgl. zB § 71d: Mit Mehrheit beteiligtes Unternehmen muss AG sein, während Rechtsform des in Mehrheitsbesitz stehenden Unternehmens gleichgültig ist. 3

b) Ausnahmen wegen Mehrheitserfordernisses. Ausnahmen vom Grundsatz der Rechtsformneutralität (→ Rn. 3) ergeben sich wegen vorausgesetzter Anteils- oder Stimmenmehrheit (→ Rn. 2). **Anteilsmehrheit** ist beim einzelkaufmännischen Unternehmen ausgeschlossen, es sei denn, dass **atypische stille Gesellschaft** vorliegt. Vermögensbeteiligung des stillen Gesellschafters im Innenverhältnis ist für § 16 I ausreichende Vermögensverflechtung (hM, s. MüKo-AktG/Bayer Rn. 18; Emmerich/Habersack/Emmerich Rn. 8; aA S/L/J. Vetter Rn. 6). Beim **Verein** hat jedes Mitglied lediglich einen Anteil, so dass grds. nur Stimmenmehrheit über Sonderrecht nach § 35 BGB begründet werden kann; ob darüber hinaus auch Kapitalmehrheit einzelner Mitglieder konstruiert werden kann, ist str. (dafür BeckOGK/Schall Rn. 41; aA MüKoAktG/Bayer Rn. 17). Beim **VVaG** schließt Gleichbehandlungsgebot der Mitglieder Stimmen- oder Kapitalmehrheit idR ebenfalls aus (MüKoAktG/Bayer Rn. 17; BeckOGK/Schall Rn. 41). In der **Genossenschaft** ist die Stimmenmehrheit eines einzelnen Mitglieds nicht möglich, da jedes Mitglied nach § 43 III 1 GenG nur eine Stimme hat. Auch eine Kapitalmehrheit ist grds. ausgeschlossen und kann nur durch bes. Gestaltung konstruiert werden (MüKoAktG/Bayer Rn. 15 f. – eher theoretischer Fall). An **Anstalt öffentl. Rechts** kann keine Mehrheitsbeteiligung bestehen (→ § 17 Rn. 17). 4

Stimmenmehrheit kann es nur geben, wenn Verbandswille in Mitgliederversammlung nach Mehrheitsprinzip gebildet wird. Schon mangels mitgliedschaftlicher Verfassung gibt es in der **Stiftung** keine Stimmenmehrheit (MüKo-AktG/Bayer Rn. 19; Emmerich/Habersack/Emmerich Rn. 8), weshalb auch Vermutung des § 17 II nicht greifen kann (Ihrig/Wandt FS Hüffer, 2010, 387, 397 ff.). **Personengesellschaften** haben zwar Mitglieder, doch ist nach der jeweiligen Abstimmungsregelung zu unterscheiden. Wenn Gesellschaft nach dem ges. Leitbild der Einstimmigkeit geführt wird (§ 714 BGB; § 109 III HGB, § 161 II HGB), ist Stimmenmehrheit nicht relevant, weil Gesellschafter bei jeder Maßnahme zusammenwirken müssen. Wird dagegen nach Kapitalanteilen abgestimmt, so ergibt Anteilsmehrheit zugleich Stimmenmehrheit iSd § 16 I. Das gilt 5 trotz Wortlauts des § 16 III 1 auch dann, wenn Gesellschaftsvertrag von Kapitalanteilen unabhängige Stimmenmehrheit begründet (hM, s. MüKoAktG/Bayer Rn. 13; GK-AktG/Windbichler Rn. 45). **Atypische stille Gesellschaft** mit Stimmrechtsabsprache ist wie entspr. andere Personengesellschaft zu behandeln (str., wie hier MüKoAktG/Bayer Rn. 18).

6 **3. Zuordnung von Anteilen und Stimmrechten. a) Grundsatz.** Anteile müssen dem anderen Unternehmen gehören, Stimmrechte ihm zustehen. Anteile gehören ihm, wenn es Rechtsinhaber, bei Aktien Eigentümer ist. Stimmrechte stehen ihm im Allgemeinen als Anteilsinhaber zu, im Einzelfall auch kraft Vertrags (→ Rn. 5). Zum Nießbrauch → Rn. 7. Auch wer nicht Rechtsinhaber ist, kann kraft der Zurechnungsvorschrift des § 16 IV als solcher zu behandeln sein (→ Rn. 12 f.).

7 **b) Pfandrecht; Treuhand; Nießbrauch.** Bei Bestellung eines **Pfandrechts** oder auch Pfändung ist nur Inhaber des Vollrechts stimmberechtigter Anteilsinhaber, nicht Pfandgläubiger (unstr.). Anders bei **Treuhand,** bes. SÜ: Inhaber der Anteile und damit auch des Stimmrechts wird ungeachtet schuldrechtl. Bindungen der Treuhänder (allgM, vgl. zB BGHZ 104, 66, 74 = NJW 1988, 1844 zur GmbH). Treugeber muss sich kraft Zurechnung nach § 16 IV als zusätzlicher Inhaber behandeln lassen (→ Rn. 12). Schwierig ist Rechtslage bei **Nießbrauch** (zum sehr umstr. Meinungsbild vgl. Wedemann ZGR 2016, 798, 799 ff.). Besteller bleibt jedenfalls Anteilsinhaber und fällt als solcher unter § 16 I. Nach heute ganz hM steht ihm auch das Stimmrecht zu (→ § 134 Rn. 17a). Etwas anderes kann dann gelten, wenn man mit verbreiteter Auffassung mitgliedschaftsspaltenden Nießbrauch für zulässig hält, durch den das Stimmrecht zwischen Nießbraucher (laufende Verwaltung) und Besteller (außergewöhnliche Maßnahmen und Grundlagenentscheidungen) aufgeteilt wird (dafür MüKoAktG/Bayer Rn. 28; BeckOGK/Schall Rn. 31; Fleck FS Rob Fischer, 1979, 107, 125 f.). Aufgrund dadurch aufgeworfener praktischer Abgrenzungsschwierigkeiten begegnet diese Konstruktion jedoch Bedenken; auch Rspr. scheint ihr reserviert gegenüberzustehen (ausf. → § 134 Rn. 17).

III. Berechnung der Anteilsmehrheit (§ 16 II)

8 **1. Kapitalgesellschaften. a) Anteilige Beteiligung.** Bei Gesellschaften mit **Nennbetragsaktien** (§ 8 I und II) ist gem. § 16 II 1 Verhältnis des Gesamtnennbetrags der dem Unternehmen gehörenden Aktien zum Grundkapital maßgeblich; bei GmbH ist auf Stammeinlagen und Stammkapital abzustellen. Hat Gesellschaft **Stückaktien** (§ 8 I und III), so kommt es statt auf Summe der Nennbeträge auf Aktienanzahl an. Zur Zuordnung der Anteile („gehören") → Rn. 6 f. und 9. Nennkapital ist, auch wenn nur zT eingezahlt, in voller Höhe anzusetzen (MüKoAktG/Bayer Rn. 30). Genehmigtes oder bedingtes Kapital kann erst berücksichtigt werden, wenn Kapitalerhöhung durchgeführt und in das HR eingetragen ist (MHdB AG/Krieger § 69 Rn. 22). Rücklagen jedweder Art bleiben bei Ermittlung des Nennkapitals außer Betracht (KK-AktG/Koppensteiner Rn. 22).

9 **b) Eigene oder zurechenbare Anteile.** Eigene Anteile bleiben bei Kapitalgesellschaften gem. § 16 II 2 außer Ansatz; Stückaktien (→ Rn. 8) sind von Aktienanzahl abzuziehen. Außer Ansatz bleiben gem. § 16 II 3 auch Anteile, die Dritten für Rechnung der Kapitalgesellschaft gehören, also von ihnen auf Kosten und Risiko der Gesellschaft gehalten werden (Hauptfall: Treuhänder). Dagegen sind Anteile, die von einem **abhängigen Unternehmen** oder auf dessen Rechnung von einem Dritten gehalten werden, nach dem Wortlaut der Vorschrift bei

Berechnung der Beteiligungsquote nicht zu berücksichtigen (für wortlautgetreues Verständnis die früher hM – s. ADS Rn. 16; GK-AktG/Windbichler Rn. 13). Diese Ausklammerung steht aber im **Widerspruch zu §§ 71b, 71d** S. 2 und 3, die auch hier Zurechnung vorsehen (zweifelnd deshalb KK-AktG/Koppensteiner Rn. 25). Diskrepanz dürfte sich aus ursprünglich engerer Konzeption des § 71b erklären (BeckOGK/Schall Rn. 15), kann gerade angesichts dieser neuen ges. Wertung aber durch Analogieschluss beseitigt werden (MüKoAktG/Bayer Rn. 34; Grigoleit/Grigoleit Rn. 12; BeckOGK/Schall Rn. 15; S/L/J. Vetter Rn. 10; MHdB AG/Krieger § 69 Rn. 25).

2. Andere Rechtsformen. Die in → Rn. 8 f. dargestellten Grundsätze gelten entspr. Bei Personengesellschaften entscheidet Verhältnis der Kapitalkonten, bei variablen zum Stichtag (→ Rn. 2). § 16 II 2 und 3 sind insoweit gegenstandslos, weil es eigene Anteile an Personengesellschaften nicht gibt. 10

IV. Berechnung der Stimmenmehrheit (§ 16 III)

Maßgeblich ist nach § 16 III 1 ohne Rücksicht auf Rechtsform Verhältnis der durch das Unternehmen ausübbaren Stimmrechte zur **Gesamtzahl aller Stimmrechte.** Diese ist identisch mit Stimmrechtssumme aus allen Anteilen, dh Stimmrechtsbeschränkungen aller Art (zB § 20 VII, § 21 IV, § 134 I 2, II 1) bleiben außer Betracht (MüKoAktG/Bayer Rn. 37; KK-AktG/Koppensteiner Rn. 41). Abzusetzen sind jedoch die Stimmrechte aus eigenen Anteilen (§ 16 III 2 Fall 1) und aus ihnen gem. § 16 II 3 gleichstehenden, also von Dritten für Rechnung des Unternehmens gehaltenen Anteilen (§ 16 III 2 Fall 2) bzw. (qua teleologischer Gleichstellung) Anteile, die von einem abhängigen Unternehmen oder auf dessen Rechnung von einem Dritten gehalten werden (→ Rn. 9). Weil es auf die **ausübbaren Stimmrechte** des beteiligten Unternehmens ankommt, sind auf seiner Seite **Stimmrechtsbeschränkungen** grds. zu berücksichtigen, doch ist umstr., welche Formen davon erfasst sind. Nach allg. Auffassung bleiben jedenfalls solche Anteile unberücksichtigt, für die dauerhafte Beschränkung besteht, dh insbes. Höchststimmrecht nach § 134 I 2 und Vorzugsaktien ohne Stimmrecht nach § 12 S. 2, §§ 139 ff. (S/L/J. Vetter Rn. 17 ff.). Mehrstimmrechtsaktien fallen auf jeden Fall darunter, sofern sie nicht zeitlich beschränkt sind, was allein bei nichtbörsennotierter AG möglich ist (→ § 135a Rn. 3); Gleiches wird aber auch bei börsennotierter AG gelten, für die ges. Bestehensfrist nach § 135a II 2 auf langen Zeitraum von zehn Jahren ausgedehnt ist (→ § 135a Rn. 12; ebenso bei langfristiger Satzungsbindung, → § 135a Rn. 3). Bei nur vorübergehend „ruhender Stimmrechtsmacht" in Gestalt von Stimmrechtsbeschränkungen nach § 20 VII, § 21 IV, § 134 II 1, 136 AktG, § 44 I 1 WpHG soll dagegen nach heute hM Anrechnung erfolgen (MüKoAktG/Bayer Rn. 40; Emmerich/Habersack/Emmerich Rn. 24; S/L/J. Vetter Rn. 20; aA BeckOGK/Schall Rn. 35; GK-AktG/Windbichler Rn. 35). Dem ist zuzustimmen, da in diesen Fällen Machtverhältnisse in der Gesellschaft durch einseitige Handlung des Gesellschafters verschoben werden können; diesem schlummernden Einflusspotenzial muss Auslegung des § 16 Rechnung tragen (MüKoAktG/Bayer Rn. 40). Dieselben Grundsätze gelten für fehlende Legitimation nach § 67 II AktG, § 16 I GmbHG (Emmerich/Habersack/Emmerich Rn. 24; S/L/J. Vetter Rn. 21). Zur Behandlung von Stimmbindungsverträgen → Rn. 13. 11

V. Zurechnung von Anteilen (§ 16 IV)

1. Fallgruppen und Allgemeines. Unter den Voraussetzungen des § 16 IV muss sich Unternehmen Anteile Dritter oder Anteile aus Privatvermögen seines Inhabers mit der Folge zurechnen lassen, dass sie Mehrheitsbeteiligung (§ 16 I) 12 ergeben können. Norm umfasst **drei Fallgruppen:** (1.) Als Anteile eines Unternehmens gelten auch Anteile, die ein von ihm abhängiges Unternehmen hält, auch dann, wenn es seinen Verwaltungssitz im Ausland hat (→ § 15 Rn. 7; MüKoAktG/Bayer Rn. 43). (2.) Zurechnung findet ferner bzgl. der Anteile statt, die einem anderen für Rechnung des Unternehmens oder eines von diesem abhängigen Unternehmen gehören. Für Rechnung heißt: auf Kosten und Risiko. Hauptfall ist Treuhand; s. dazu Vedder, Zum Begriff „für Rechnung", 1999, 154 ff. (3.) Dem Einzelkaufmann werden in dieser Eigenschaft auch Anteile zugerechnet, die er in seinem Privatvermögen hält. Zweck des § 16 IV ist, der **Umgehung** des § 16 I vorzubeugen (RegBegr. Kropff S. 30). Unternehmenseigenschaft ist in allen drei Fallgruppen vorausgesetzt, kann also nicht durch Zurechnung begründet werden (BGH NJW 2001, 2973, 2974). Zur Frage, ob Zurechnung auf Fiktion oder unwiderlegbarer Vermutung beruht, s. Zilias WPg 1967, 465, 467 mit Fn. 4. Anwendungsbereich des § 16 IV iR anderer Vorschriften ist gelegentlich zweifelhaft (mit unterschiedlichen Ergebnissen → § 20 Rn. 6; → § 21 Rn. 3; → § 42 Rn. 4; → § 293b Rn. 9; → § 319 Rn. 4; → § 320 Rn. 3; → § 328 Rn. 5).

13 **2. Einzelfragen.** Mehrheitsbeteiligung iSd § 16 I kann sich **allein durch Zurechnung** ergeben. Unerheblich ist für § 16 IV also, ob dem Unternehmen eigene Anteile gehören oder ob Einzelkaufmann Anteile auch in seinem Geschäftsvermögen hält. Das ist wegen der anderenfalls eröffneten Umgehungsgefahren (→ Rn. 12) heute einhellig anerkannt; Wortlaut („auch") steht solcher teleologisch dringend gebotenen Deutung nicht zwingend entgegen (OLG Hamm AG 1998, 588; MüKoAktG/Bayer Rn. 44; Emmerich/Habersack/Emmerich Rn. 17; S/L/J. Vetter Rn. 23; aA noch Schäfer BB 1966, 229, 231). Zurechnung von Anteilen Dritter bewirkt **keine Absorption** zu ihren Gunsten. Anteile sind vielmehr bei ihnen und daneben bei dem Unternehmen in Ansatz zu bringen (→ Rn. 7; wie hier hM, s. LG Berlin AG 1998, 195, 196; MüKoAktG/Bayer Rn. 45; S/L/J. Vetter Rn. 23; aA Schäfer BB 1966, 229, 230). Bloße **Stimmbindungsverträge** (Innenkonsortien) rechtfertigen es nicht, den Aktionären die gebundenen Stimmen zuzurechnen (hM, s. BeckOGK/Schall Rn. 23, 34; S/L/J. Vetter Rn. 29; GK-AktG/Windbichler Rn. 29, 37 ff.; MHdB AG/Krieger § 69 Rn. 34; Hüffer FS K. Schmidt, 2009, 747, 751 ff.; Schnorbus/Ganzer AG 2016, 565, 568 ff.; Vedder, Zum Begriff „für Rechnung", 1999, 135; aA Mertens FS Beusch, 1993, 583, 589 ff.; MüKoAktG/Bayer Rn. 41, 48; Emmerich/Habersack/Emmerich Rn. 25; Grigoleit/Grigoleit Rn. 19). Angesichts vielzähliger und in Intensität divergierender Erscheinungsformen von Stimmbindungsvereinbarungen sollte insofern aus Gründen der Rechtssicherheit formaler Ansatz des § 16 III beibehalten und keine Ausdehnung über § 16 IV vorgenommen werden; wegen § 17 werden in diesen Fällen auch ohne Vermutung des § 16 II keine erheblichen Schutzlücken entstehen (S/L/J. Vetter Rn. 29). Analoge Anwendung des § 16 IV Fall 3 (Einzelkaufmann) auf Gesellschafter einer **Personengesellschaft** findet nicht statt (ganz hM, s. statt vieler MüKoAktG/Bayer Rn. 51). Zuzurechnen ist aber **Gebietskörperschaft** mit Unternehmenseigenschaft (→ § 15 Rn. 16 ff.), auch wenn Beteiligung von kommunalen Betrieben gehalten wird, und ohne Rücksicht auf deren erwerbswirtschaftliche Führung (MüKoAktG/Bayer Rn. 50; KK-AktG/Koppensteiner Rn. 33).

VI. Rechtsfolgen

14 Als bes. **Vorschriften,** die schon an Mehrheitsbeteiligung bzw. -besitz anknüpfen und damit ohne Rücksicht auf ein Abhängigkeitsverhältnis eingreifen

(→ Rn. 1), sind zu nennen: § 56 II, III, § 71a II, § 71d S. 2, § 160 I Nr. 1, 2, § 305 II Nr. 1, 2, § 327a II. Ferner resultieren aus Mehrheitsbeteiligung **Mitteilungspflichten** gem. § 20 IV, V, § 21 II, III und Nachweispflichten gem. § 22. Entspr. Anwendung der Berechnungsvorschriften des § 16 ist bestimmt in § 271 I 4 HGB. Schließlich begründet Mehrheitsbesitz **Abhängigkeitsvermutung** des § 17 II (→ § 17 Rn. 17 ff.), an die wiederum Konzernvermutung des § 18 I 3 anknüpft (→ § 18 Rn. 18).

Abhängige und herrschende Unternehmen

17 (1) **Abhängige Unternehmen sind rechtlich selbständige Unternehmen, auf die ein anderes Unternehmen (herrschendes Unternehmen) unmittelbar oder mittelbar einen beherrschenden Einfluß ausüben kann.**

(2) **Von einem in Mehrheitsbesitz stehenden Unternehmen wird vermutet, daß es von dem an ihm mit Mehrheit beteiligten Unternehmen abhängig ist.**

Übersicht

I. Grundlagen

1. Regelungsgegenstand und -zweck. Norm umschreibt Abhängigkeitstatbestand (§ 17 I) und ergänzt ihn um widerlegbare Abhängigkeitsvermutung (§ 17 II). Bezweckt ist wie bei § 16 (→ Rn. 1), Abhängigkeit als **eigenständige Form der Unternehmensverbindung** zu definieren und zugleich **Vermutungstatbestand** zu schaffen (AusschussB Kropff S. 29), bei dessen Vorliegen Konzernverhältnis anzunehmen ist, wenn darauf gerichtete Vermutung nicht widerlegt werden kann (§ 18 I 3; → Rn. 17 ff.). 1

Abhängigkeit ist für Konzernrecht iwS (→ § 15 Rn. 2) in seiner ges. Ausgestaltung der **zentrale Tatbestand,** weil außerhalb des Vertrags- und Eingliederungskonzerns durchgängig schon daran und nicht erst an konzernbegründen- 2 des Merkmal einheitlicher Leitung angeknüpft wird; so namentl. in §§ 311 ff., aber auch in § 16 IV, § 56 II, § 71d S. 2, § 89 II usw (→ Rn. 24). Anderer konzeptioneller Ansatz findet sich aber in § 290 II HGB. Der Grund für diese von der landläufig üblichen Terminologie („Konzernrecht") abweichende Anknüpfung an bloße Abhängigkeit ist darin zu sehen, dass sich die für das gesamte Konzernrecht zentrale Gefahrenlage (→ § 15 Rn. 3) nach Überzeugung des Gesetzgebers schon dann ergibt, wenn eine Abhängigkeitslage entsteht, nicht erst dann, wenn die sich daraus eröffnenden Einflussmöglichkeiten auch tats. ausgeübt werden. Erst diese ausgeübte Leitungsmacht kennzeichnet aber den Konzern (Lutter ZGR 1987, 324, 348).

3 **2. Dogmatische Grundposition.** Nach heute wohl einhelliger Auffassung muss aktienrechtl. **Abhängigkeitsbegriff im Grundsatz einheitlich** bestimmt werden (MüKoAktG/Bayer Rn. 4; Emmerich/Habersack/Emmerich Rn. 4; S/L/J. Vetter Rn. 3; Ulmer ZGR 1978, 457, 459 ff.; in der Sache auch BGHZ 90, 381, 394 ff. = NJW 1984, 1893; offengelassen in BGHZ 62, 193, 198 = NJW 1974, 855; ausf. zum Abhängigkeitsbegriff in verschiedenen Verbundkonzepten Schenk, Vielfalt und Einheit beherrschenden Einflusses, 2021). Anders als beim Unternehmensbegriff ist daher keine an Normzwecken orientierte Differenzierung vorzunehmen, die in unterschiedlichen Regelungszusammenhängen zu unterschiedlicher tatbestandlicher Umschreibung gelangt. Dieser uneinheitlichen Behandlung von Unternehmens- und Abhängigkeitsbegriff ist zuzustimmen, weil Ges. für Abhängigkeit – anders als beim Unternehmensbegriff (→ § 15 Rn. 8) – auf Umschreibung nicht verzichtet hat. Vielmehr ist Möglichkeit beherrschenden Einflusses mit Rücksicht auf Normzweck (→ Rn. 1) und systematische Stellung als konstitutives Begriffsmerkmal aufzufassen und zu konkretisieren. Praktische Schwierigkeiten erscheinen lösbar. Soweit für Konkretisierung teleologische Erwägungen erforderlich sind, müssen sie an **§§ 311 ff. als Regelungsschwerpunkt** (zu den Aufgaben des Konzernrechts → § 15 Rn. 3) orientiert sein, was zugleich Raum für etwa notwendige Modifikationen lässt (zutr. Ulmer ZGR 1978, 457, 459 ff.).

II. Abhängigkeitstatbestand (§ 17 I)

4 **1. Grundsatz.** Der Abhängigkeitstatbestand ist erfüllt, wenn ein rechtl. selbständiges Unternehmen, aus seiner Perspektive, in eine Situation geraten ist, in der es der Möglichkeit einer Beherrschung durch ein anderes Unternehmen ausgesetzt ist (stRspr – vgl. schon RGZ 167, 40, 49; BGHZ 69, 334, 347 = NJW 1978, 104; BGHZ 89, 162, 165 ff. = NJW 1984, 1351; aus neuerer Zeit etwa BGH AG 2012, 594 Rn. 15; aus dem Schrifttum statt vieler Emmerich/Habersack/Emmerich Rn. 5 ff.). Möglichkeit unmittelbarer oder mittelbarer Einflussnahme genügt; nicht erforderlich ist tats. Ausübung des Einflusses. Möglichkeit dazu muss jedoch **beständig, umfassend und gesellschaftsrechtl. fundiert** sein. Für den Regelfall kann Abhängigkeit auch als potenzielle Konzernierung verstanden werden, doch zeigt Mehrmütterherrschaft (→ Rn. 13 ff.), dass Abhängigkeit nicht stets notwendig Vorstufe zum Konzern darstellt. Wie Gegenschluss aus § 17 II ergibt, trägt jenseits der dort vorgesehenen Abhängigkeitsvermutung derjenige **Darlegungs- und Beweislast,** der positive Rechtsfolgen aus § 17 I ableiten möchte (BGH AG 2012, 594 Rn. 17).

5 **2. Möglichkeit beherrschenden Einflusses. a) Beherrschender Einfluss.** Anforderungen an beherrschenden Einfluss ergeben sich in erster Linie aus § 17 II. Weil Norm bei Mehrheitsbeteiligung Abhängigkeit vermutet (→ Rn. 17), ist Einfluss dann als beherrschend zu qualifizieren, wenn er seiner Art nach dem **Einflusspotenzial einer Mehrheitsbeteiligung** entspr. (MüKo-

AktG/Bayer Rn. 25). Früher im Anschluss an RGZ 167, 40, 49 (Thega) vertretene Ansicht, herrschendes Unternehmen müsse seinen Willen aufzwingen können (Baumbach/Hueck Rn. 2), ist zu eng und dahin zu relativieren, dass maßgeblicher Einfluss auf personelle Besetzung der Verwaltungsorgane und daraus folgende Wahrscheinlichkeit einflusskonformen Verhaltens der Organmitglieder (Interesse an Wiederwahl usw) für Annahme beherrschenden Einflusses erforderlich und auch genügend ist (OLG Düsseldorf AG 1994, 36, 37; 2003, 688, 689; OLG Saarbrücken BeckRS 2013, 11958; MüKoAktG/Bayer Rn. 26 f.; Emmerich/Habersack/Emmerich Rn. 8). § 17 II lässt darauf schließen, dass beherrschender Einfluss namentl. aus Stimmmacht erwächst (OLG Frankfurt NZG 2021, 777 Rn. 29). Sofern nach § 17 II (→ Rn. 17) Beherrschung durch Mehrheitsgesellschafter vermutet wird, kann beherrschender Einfluss eines Minderheitsgesellschafters nach § 17 I nur dann angenommen werden, wenn Vermutung widerlegt wurde (OLG Frankfurt NZG 2021, 777 Rn. 30).

b) Möglichkeit. Tats. Ausübung des Einflusses ist nicht erforderlich; Möglichkeit der Einflussnahme genügt (unstr.; → Rn. 4). Sie muss jedoch **beständig und umfassend** sein (BGH AG 2012, 594 Rn. 16; OLG Frankfurt AG 2004, 567 f.). Zur Notwendigkeit gesellschaftsrechtl. Fundierung → Rn. 8. Beständig im Gegensatz zu zufällig ist Möglichkeit der Einflussnahme, wenn Unternehmen kraft eigener Befugnisse Einfluss ausüben kann (unmittelbare Abhängigkeit) oder die Mitwirkung von Dritten sichergestellt ist, etwa durch Stimmbindungsverträge oder Treuhandabreden (mittelbare Abhängigkeit). Ist gleichzeitig der Dritte von dem mittelbar beherrschenden Unternehmen unmittelbar abhängig, so liegt **mehrstufige Abhängigkeit** vor (MüKoAktG/Bayer Rn. 76; Pentz, Die Rechtsstellung der Enkel-AG, 1994, 21; sa BGHZ 117, 8, 15 f. = NJW 1992, 1702). Abhängigkeit ist dagegen zu verneinen, wenn Mitwirkung Dritter benötigt wird, aber wie bei Zufallskoalitionen nicht gesichert ist (RGZ 167, 40, 49 f., 52; BGHZ 62, 193, 199 = NJW 1974, 855; BGHZ 80, 69, 73 = NJW 1981, 1512; BGHZ 125, 366, 369 = NJW 1994, 1801; BGH AG 2012, 594 Rn. 20; MüKoAktG/Bayer Rn. 51); unbeständiger Zufallsmehrheit ist Mehrheit gleichzustellen, die durch temporäres Stimmverbot eines Mitaktionärs begründet wird (S/L/J. Vetter Rn. 12). Bloße Familienverbundenheit von zwei Gesellschaftern, die nur zusammen über Mehrheit verfügen, genügt noch nicht (BGHZ 80, 69, 73). Liegt zugleich unmittelbare und mittelbare Abhängigkeit vor, so sind beide zu berücksichtigen (MüKoAktG/Bayer Rn. 73 ff.; KK-AktG/Koppensteiner Rn. 31). 6

Beständige Einflussmöglichkeit wird idR von gewisser **Dauer** sein. Doch ist das nicht notwendig. Gemeint ist verlässlich, nicht kontinuierlich (RegBegr. Kropff S. 31 aE; MüKoAktG/Bayer Rn. 13; Emmerich/Habersack/Emmerich Rn. 13). Vorübergehende Beteiligung kann also genügen. Einflussmöglichkeit muss aber umfassend iGgs zu punktuell sein, also eine gewisse **Breite** erreichen (OLG Frankfurt NZG 2021, 777 Rn. 28; Ulmer ZGR 1978, 457, 461; krit. KK-AktG/Koppensteiner Rn. 26 f. mwN). Der hM ist beizupflichten, weil und soweit Abhängigkeit von Unternehmen insges. nicht Folge von nur punktuellen Bindungen sein kann. Einfluss auf wesentliche unternehmerische Teilfunktionen ist aber genügend. 7

3. Beherrschungsmittel. a) Gesellschaftsrechtlich vermittelte Einflussmöglichkeit. Abhängigkeit iSd § 17 liegt nur vor, wenn es um gesellschaftsrechtl. fundierte, dh in Innenstruktur der AG eingreifende Einflussmöglichkeiten geht. Externe Abhängigkeiten, bes. als Folge von **Kredit- oder Lieferbeziehungen reichen nicht** aus (so ausdr. und zutr. BGHZ 90, 381, 395 f. = NJW 1984, 1893; BGH AG 2012, 594 Rn. 16; OLG Düsseldorf AG 2009, 873, 874 f.; OLG Frankfurt AG 2004, 567, 568; OLG Frankfurt NZG 2021, 777 Rn. 28; 8

OLG Karlsruhe AG 2004, 147, 148; heute hL, s. MüKoAktG/Bayer Rn. 29; Emmerich/Habersack/Emmerich Rn. 15; KK-AktG/Koppensteiner Rn. 59; aA noch Dierdorf, Herrschaft und Abhängigkeit, 1978, 152 ff.; Werner, Der aktienrechtliche Abhängigkeitstatbestand, 1979, 140 ff.; erweiternd aus neuerer Zeit auch BeckOGK/Schall Rn. 21 ff.; Sondry/Löb GWR 2011, 127, 128 ff.). Für hM spricht, dass § 17 spezifisch aktienrechtl. Regelung trifft und §§ 311 ff. (zu ihrer Bedeutung bei Auslegung des § 17 → Rn. 3) auf externe Abhängigkeiten nicht zugeschnitten sind. Gegenauffassung würde Abhängigkeitsfeststellung von konturloser und damit höchst **streitanfälliger Einzelfallbeurteilung** abhängig machen. Allenfalls in Kombination mit gesellschaftsrechtl. Einflussmöglichkeit soll wirtschaftliche Machtposition als „kombinierte Beherrschung" berücksichtigt werden können (MüKoAktG/Bayer Rn. 31 ff.); aus Gründen der Rechtssicherheit sollte diese Figur aber nur zurückhaltend und in klaren Ausnahmefällen anerkannt werden. Erwogen wird ferner Einbeziehung von Zweckgesellschaften von Banken, bei denen Gründung gesellschaftsrechtl. initiiert wird, weitere Entwicklung dann aber wegen eindeutiger Vorgaben nicht mehr dominiert werden muss (S/L/J. Vetter Rn. 15: „Autopilot"; iErg ähnlich, aber mit überschießendem Ansatz BeckOGK/Schall Rn. 23). Ob es tats. Aufgabe des Konzernrechts sein soll, zugrunde liegende bankaufsichtsrechtl. Defizite auszugleichen, bleibt jedoch fraglich.

9 **b) Einflussmöglichkeit kraft Beteiligung.** Erforderlich ist Einflussmöglichkeit kraft Mitgliedschaft, wobei auch mittelbare Beteiligung ausreicht (→ Rn. 6), nicht aber bloß zukunftsgerichtetes Andienungsrecht (OLG Frankfurt NZG 2021, 777 Rn. 35). Bloßer Interessenwahrungsvertrag, der nicht beteiligtem Unternehmen erlaubt, durch bindende Vorschlagsrechte Mehrheit von AR-Mitgliedern zu bestimmen, genügt nicht (aA wohl Bezzenberger/Schuster ZGR 1996, 481, 497); anders aber, soweit der Interessenwahrung atypisches stilles Gesellschaftsverhältnis zugrunde liegt (dazu Bezzenberger/Schuster ZGR 1996, 481, 493 f.) und Gesamtwürdigung ergibt, dass Einflusspotenzial einer Mehrheitsbeteiligung entspr. (sa MüKoAktG/Bayer Rn. 28). Weil es auf Mitgliedschaft ankommt, ist bei Veränderungen im Aktionärskreis jedenfalls grds. **Zeitpunkt dinglichen Aktienerwerbs** maßgeblich (OLG Düsseldorf AG 1994, 36, 38 f.; ADS Rn. 18; S/L/J. Vetter Rn. 35; Krieger FS Semler, 1993, 503, 507 ff.; teilw. aA [vorauseilendes Vorstandsverhalten] MüKoAktG/Bayer Rn. 54 f.; Lutter FS Steindorff, 1990, 125, 132 ff.). Aus § 20 II (→ Rn. 4) folgt nichts anderes, weil Norm Offenlegung gerade im Vorfeld von Abhängigkeit und Konzernierung bezweckt. IÜ kommt es darauf an, welche Einflussmöglichkeit Stimmrecht bietet. Bei absoluter **Stimmrechtsmehrheit** greift schon Vermutung des § 17 II ein. **Minderheitsbeteiligung** kann genügen, wenn sie tats. wie Mehrheit wirkt (tabellarische Übersicht zu den DAX 30-Gesellschaften bei Küting DB 2009, 73), bes. aufgrund Zusammensetzung des Aktionärskreises und regelmäßiger Präsenz in HV (BGHZ 69, 334, 347 = NJW 1978, 104 [Beteiligung von 43,74 % bei 80 % Präsenz]; BGHZ 135, 107, 114 f. = NJW 1997, 1855 [Beteiligung von 20 % bei 37 % Präsenz im mehrjährigen Durchschnitt; OLG Düsseldorf AG 2000, 356, 366; OLG Karlsruhe AG 2004, 147, 148; aA AG Wolfsburg AG 1995, 238 f. als Eingangsgericht zum Volkswagen-Fall). 30 %-Kontrollgrenze des **§ 29 WpÜG** ist für § 17 nicht maßgeblich (BGH AG 2012, 594 Rn. 22; zust. und vertiefend Brellochs NZG 2012, 1010 ff.; sa Emmerich/Habersack/Habersack Vor § 311 Rn. 27; aA BeckOGK/Schall Rn. 30). Minderheit wirkt auch dann wie Mehrheit und genügt deshalb, wenn weitere Beherrschungsmittel wie Identität der Leitungspersonen hinzutreten (OLG München AG 1995, 383). Gleiches gilt für Stimmbindungsverträge. Möglichkeit des Großaktionärs, AR-Mitglieder zu entsenden, kann Abhängigkeit verstärken, aber nicht selbständig begründen (BGH

AG 2012, 594 Rn. 16, 21). Bei Familienbesitz genügt zwar nicht bloße Familienverbundenheit (→ Rn. 6), wohl aber tats. Auftreten als geschlossene Einheit (BGHZ 80, 69, 73 = NJW 1981, 1512).

Sperrminorität als solche wirkt nach heute allg. Auffassung nicht abhängigkeitsbegründend, weil durch sie Entscheidungen nur blockiert werden können. Erforderlich ist aber Möglichkeit, AG zu einem bestimmten Handeln zu veranlassen (OLG Stuttgart AG 2013, 604, 609; MüKoAktG/Bayer Rn. 43 ff.; KK-AktG/Koppensteiner Rn. 43 f.; aA noch Peters/Werner AG 1978, 297, 299; Werner/Peters BB 1976, 393, 394). Verdichtung zu potenziellem Einfluss durch strukturelle Besonderheiten der AG ist denkbar (BGHZ 90, 381, 397 = NJW 1984, 1893), aber bei bloßen Schachtelbeteiligungen Ausnahme und zumindest dann abzulehnen, wenn unabhängiger Dritter gleich hohe oder höhere Beteiligung hält. **Vollmachtsstimmrecht** (§ 135) ist nicht geeignet, beherrschenden Einfluss zu begründen, weil Intermediär Weisungen des Vollmachtgebers unterworfen und Vollmacht widerruflich ist (§ 135 I 6; → § 135 Rn. 8; hM, s. OLG Düsseldorf AG 2003, 688, 689; ADS Rn. 31; Emmerich/Habersack/Emmerich Rn. 24; KK-AktG/Koppensteiner Rn. 49; MHdB AG/Krieger § 69 Rn. 44; Rittner DB 1976, 1514 f.; aA MüKoAktG/Bayer Rn. 46 ff., 49; BeckOGK/Schall Rn. 31). 10

Auswirkungen der **Unternehmensmitbestimmung** auf Abhängigkeitstatbestand sind zu verneinen, und zwar zunächst, soweit es um **MitbestG 1976** geht (heute allgM – vgl. MüKoAktG/Bayer Rn. 93; KK-AktG/Koppensteiner Rn. 121; S/L/J. Vetter Rn. 7; aA noch Werner ZGR 1976, 447, 455). Der hM ist beizutreten, weil sich Vertreter der Anteilseigner im AR durch Zweitstimme des Vorsitzenden durchsetzen können, so dass Einflussmöglichkeit der Stimmenmehrheit bes. in Personalfragen (→ Rn. 5) gewahrt bleibt. Zu demselben Ergebnis gelangt hM zu Recht für **Montanmitbestimmung** (s. BAGE 22, 390, 397 f. = NJW 1970, 1766; MHdB AG/Krieger § 69 Rn. 64; Habersack/Henssler/Habersack MitbestG § 5 Rn. 19; aA KK-AktG/Koppensteiner Rn. 120). Dasselbe gilt für Unabhängigkeitsvorgaben nach DCGK (S/L/J. Vetter Rn. 7; ausf. → § 100 Rn. 36 ff.). 11

c) Einflussmöglichkeit kraft Organisationsvertrags. Besteht **Beherrschungsvertrag** (§ 291 I 1 Fall 1), so liegt Konzern und damit auch Abhängigkeit vor (BGHZ 62, 193, 196 = NJW 1974, 855). Dasselbe gilt, wenn zusätzlich **Gewinnabführungsvertrag** (§ 291 I 1 Fall 2) geschlossen ist. Isolierter Gewinnabführungsvertrag (→ § 291 Rn. 24) vermittelt seinem Inhalt nach keinen beherrschenden Einfluss, indiziert aber zumindest Abhängigkeit, da sein Abschluss ohne solchen Einfluss kaum erfolgen wird (zutr. Emmerich/Habersack/Emmerich Rn. 22; GK-AktG/Mülbert § 291 Rn. 175). Die **anderen Unternehmensverträge des § 292** haben keinen organisations-, sondern schuldrechtl. Charakter (→ § 292 Rn. 2). Deshalb handelt es sich bei den entstehenden Pflichten um externe, für § 17 I nicht genügende Abhängigkeiten (→ Rn. 8). Möglich ist allerdings, dass Verträge des § 292 einschließlich etwa getroffener Nebenabreden Minderheitsbeteiligung tats. wie Mehrheitsbeteiligung wirken lassen (→ Rn. 9; sa KK-AktG/Koppensteiner Rn. 53 ff.). 12

III. Insbesondere: Mehrmütterherrschaft (noch: § 17 I)

1. Mehrfache Abhängigkeit. Frage nach mehrfacher Abhängigkeit stellt sich bei **Gemeinschaftsunternehmen,** also dann, wenn mehrere andere Unternehmen zum gemeinsamen Nutzen durch Gründung oder Anteilserwerb an Tochtergesellschaft beteiligt sind und ihre Einflusspotenziale nicht einzeln, aber bei Zusammenrechnung Stimmenmehrheit ergeben (Praxisbeispiele: Joint Ventures, 13

Einkaufs- oder Verkaufsgemeinschaften, gemeinsame Forschungseinrichtungen etc.). Dann kann **Abhängigkeit ggü. jedem der beteiligten Unternehmen** vorliegen (zur erforderlichen Interessenkoordination → Rn. 15 f.). Das ist heute im Anschluss an BGHZ 62, 193, 196 (= NJW 1974, 855) anerkannt (vgl. auch BGHZ 80, 69, 73 = NJW 1981, 1512; BGHZ 99, 1, 3 ff. = NJW 1987, 1639; GK-AktG/Windbichler Rn. 59 f.). Früher geäußerte Bedenken (s. noch Schweda DB 1974, 1993, 1995) überzeugen nicht: In § 17 I verwandter Singular darf nicht als ges. Problemlösung verstanden werden. Auch ist unerheblich, ob Mehrmütterherrschaft in Konzernierung des Gemeinschaftsunternehmens übergehen kann; denn potenzielle Konzernierung ist zwar typologischer Regelfall der Abhängigkeit, aber kein ausschlaggebendes rechtl. Kriterium (→ Rn. 4). Erfüllt nur ein Partner des Gemeinschaftsunternehmens Unternehmenseigenschaft des § 15, so schließt dies Zusammenrechnung entgegen OLG Frankfurt AG 2004, 567, 568 nicht aus, doch kann Abhängigkeit nur ggü. diesem Unternehmen bestehen (Emmerich/Habersack/Emmerich Rn. 30; S/L/J. Vetter Rn. 49; BeckOGK/Schall Rn. 19).

14 **Herrschend** sind die mehreren beteiligten **Unternehmen** selbst, **nicht** zwischen ihnen häufig bestehende **Innen-GbR.** Auch das kann als geklärt angesehen werden (s. nur BGHZ 62, 193, 196 = NJW 1974, 855; OLG Hamm AG 2001, 146, 147; MüKoAktG/Bayer Rn. 84). Früher vertretene Gegenansicht (Kropff DB 1965, 1281, 1285) führt zu kaum sinnvollen Differenzierungen je nach Bestand oder Fehlen der GbR, ist dogmatisch nicht geboten (Aktien werden nicht eingebracht) und liefert, bes. im Bereich eigener Aktien (§§ 71 ff.), auch nicht immer adäquate Ergebnisse. Wird dagegen zur Koordination Zwischenholding als eigenständiger Rechtsträger (idR Außen-GbR) gegründet, wird sie neben Beteiligten herrschendes Unternehmen (MüKoAktG/Bayer Rn. 84; S/L/J. Vetter Rn. 49). Innen-GbR ist hingegen generell nicht als Unternehmen iSd §§ 15 ff. anzuerkennen (→ § 15 Rn. 13; ausf. Böffel ZIP 2021, 777 ff.).

15 **2. Interessenkoordination.** Zusammenrechnung der Einflusspotenziale (→ Rn. 13) setzt sog Interessenkoordination von gewisser Verlässlichkeit und Dauer voraus; bloß kumulierte Mehrheitsbeteiligung genügt ebenso wenig wie fallweise getroffene Ad-hoc-Entscheidungen (MüKoAktG/Bayer Rn. 78). Maßgeblich ist Perspektive der abhängigen Gesellschaft und ihrer Verwaltungsorgane. In Betracht kommen: **Gleichordnungskonzern** (§ 18 II) zwischen den Müttern, **vertragliche Vereinbarungen** über einheitliche Stimmabgabe, aber auch Grundverträge oder Ähnliches über Geschäftstätigkeit des Gemeinschaftsunternehmens und Mitteleinsatz in ihm (eingehend KK-AktG/Koppensteiner Rn. 90). Aufgrund der zT weitreichenden und belastenden Folgen, die sich aus der Abhängigkeit für herrschende Unternehmen ergibt, bemüht sich Praxis verbreitet um Gestaltungen, die Annahme der Mehrmütterschaft ausschließen (Schnorbus/Ganzer AG 2016, 565, 567 ff.; krit.: S/L/J. Vetter Rn. 47 Fn. 83: „sehr weitgehend"). Nach hM sind Anforderungen an Koordination indes verhältnismäßig gering. Statt verbindlicher Strukturierung genügen auch „rechtl. und tats. Umstände sonstiger Art" (BGH NJW 1974, 855, 857), wobei weitläufige Umschreibung trennscharfe Abgrenzung zwar erschwert, aber aus Gründen des Umgehungsschutzes sinnvoll ist (Grigoleit/Grigoleit Rn. 18). Jedenfalls genügend ist umfassender Absprachenkatalog, namentl. hinsichtlich Vorstandsbesetzung (BGH NJW 1979, 2401, 2403). Daneben genügt es auch, wenn durch gemeinsame Streitschlichtungsmechanismen eine **koordinierte Stimmbündelung** gewährleistet wird, ohne dass es insofern darauf ankommt, ob der Vorstand von der Existenz der zugrunde liegenden Konsortialvereinbarung Kenntnis hat (ausdr. abl. S/L/J. Vetter Rn. 13, 56; ohne ein solches subj. Erfordernis auch MüKoAktG/Bayer Rn. 77 ff.; B/K/L/Fett Rn. 23 ff.; Grigoleit/Grigoleit

Rn. 16 ff.; BeckOGK/Schall Rn. 16 ff.; aA Schnorbus/Ganzer AG 2016, 565, 571 ff.; zust. Emmerich/Habersack/Emmerich Rn. 11; MHdB AG/Krieger § 69 Rn. 51). Gegenauffassung, die sich auf unabhängige Stellung des Vorstands (§ 76) beruft, trägt Einflussmöglichkeiten jenseits der Geschäftsführung, namentl. über HV und AR, nicht hinreichend Rechnung. Nicht ausreichend sind dagegen bloße Konsultationen ohne Stimmbindung (KK-AktG/Koppensteiner Rn. 90; Schnorbus/Ganzer AG 2016, 565, 570).

Auch nur tats. **Verhältnisse** können Koordination ergeben (zum Grundsätzlichen → Rn. 4, 10). Die erforderliche ausreichend sichere Grundlage potenzieller Einflussnahme findet BGHZ 62, 193, 199 = NJW 1974, 855 bei paritätischer Beteiligung von zwei Familienstämmen an mehreren Obergesellschaften im dadurch bedingten Interessengleichlauf. Verallgemeinerungsfähigkeit dieses Gesichtspunkts (vgl. BGHZ 74, 359, 368 = NJW 1979, 2401) bleibt fraglich, da Familienangehörige keinesfalls stets gleichgerichtete Interessen verfolgen (s. KK-AktG/Koppensteiner Rn. 92). Ausreichend ist dagegen Beherrschung der Mütter durch dieselbe Person (S/L/J. Vetter Rn. 48). Dass bei sog **paritätischen Gemeinschaftsunternehmen** wegen faktischen Einigungszwangs stets Abhängigkeit gegeben oder tats. zu vermuten sei, ist abzulehnen (hM – s. OLG Frankfurt AG 2004, 567, 568; OLG Frankfurt NZG 2021, 777 Rn. 33; OLG Hamm AG 1998, 588; OLG Stuttgart AG 2013, 604, 608; KK-AktG/Koppensteiner Rn. 93; GK-AktG/Windbichler Rn. 65; Böttcher/Liekefett NZG 2003, 701, 703; Schnorbus/Ganzer AG 2016, 565, 574; aA noch Säcker NJW 1980, 801, 804; für Beweis des ersten Anscheins auch MüKoAktG/Bayer Rn. 82; S/L/J. Vetter Rn. 47). Insbes. einer entspr. Vermutung fehlt die empirische Basis, da auch ohne Einigung unternehmerische Betätigung der Tochter keinesfalls blockiert wird, sondern sie stattdessen unabhängig agieren kann, was von Eigentümern auch durchaus gewollt sein kann (KK-AktG/Koppensteiner Rn. 92). **Personenidentität** der Vorstände kann dagegen genügen (BAGE 80, 322, 327 = NJW 1996, 1691), weil sie Interessenkoordination ohne vertragliche Vereinbarung erlaubt. 16

IV. Abhängigkeitsvermutung (§ 17 II)

1. Tatbestand und Folgen. § 17 II begründet **widerlegbare Vermutung** der Abhängigkeit, wenn AG in Mehrheitsbesitz eines anderen Unternehmens (gleich welcher Rechtsform) steht. Maßgeblich ist Begriff der Mehrheitsbeteiligung iSd § 16 I. Vermutung greift also bei Kapital- und Stimmenmehrheit gleichermaßen ein (RegBegr. Kropff S. 31). Bezweckt ist, Unbestimmtheit des Abhängigkeitstatbestands zu kompensieren und dadurch Rechtssicherheit zu schaffen (RegBegr. Kropff S. 31). Tats. dürfte dieses rechtl. Instrumentarium viel dazu beitragen, dass sich Handhabung der Definitionsnormen in §§ 15 ff. in der Praxis als weitgehend problemlos erweist (J. Vetter in 50 Jahre AktG, 2016, 231, 238). Widerlegbarkeit der Vermutung ist abw. vom RegE im Gesetzgebungsverfahren eingeführt worden und soll Sonderlagen Rechnung tragen (AusschussB Kropff S. 28; sa → Rn. 20 ff.). Ausgeschlossen ist Widerlegung bei wechselseitiger Beteiligung (§ 19 II, III; → Rn. 4, 7). Bei **Personengesellschaft** ist Abhängigkeitsvermutung iSd § 17 II wegen ges. Einstimmigkeitsprinzips nicht begründet, solange dieses nicht vertraglich abbedungen ist (BAG AG 2012, 632 Rn. 49: Ausnahme aber für KG mit einem einzigen Komplementär; Emmerich/Habersack/Emmerich Rn. 48). BGHZ 89, 162, 167 = NJW 1984, 1351 bejaht allerdings bei Anteilsmehrheit (§ 16 II) tats. Vermutung unter Hinweis auf Wertung des § 17 II. IÜ entscheidet Ausgestaltung des Gesellschaftsvertrags. Nicht anzuwenden ist § 17 II auf Rechtsformen ohne mitgliedschaftliche Verfassung wie **Stiftung** (→ § 16 Rn. 5) oder **Anstalt öffentlichen Rechts** (OLG Düssel- 17 dorf AG 2008, 859, 860); denn insoweit kann es vorausgesetzten Mehrheitsbesitz nicht geben.

18 Unmittelbare Folge der Vermutung ist **Umkehr der Darlegungs- und Beweislast;** mittelbare Folge nicht ausgeräumter Abhängigkeitsvermutung besteht in Konzernvermutung des § 18 I 3. Darlegungs- und Beweislast für Unabhängigkeit der AG trifft denjenigen, der sich darauf als ihm günstig beruft. Das ist idR das mehrheitlich beteiligte Unternehmen, kann aber auch die in Mehrheitsbesitz stehende AG sein, wenn sie Abhängigkeitsbericht nach § 312 nicht aufstellen will (MüKoAktG/Bayer Rn. 91; Richter AG 1982, 261, 263).

19 **2. Widerlegung. a) Grundsatz.** Widerlegung gelingt, wenn Tatsachen behauptet und bewiesen werden, aus denen sich ergibt, dass beherrschender Einfluss aus Rechtsgründen nicht ausgeübt werden kann. Widerlegung der Konzernvermutung hat in erster Linie bei den einzelnen Indizien anzusetzen, die typischerweise auf Vorliegen einheitlicher Leitung hindeuten (OLG Düsseldorf AG 2013, 720, 721; zu diesen Indizien → § 18 Rn. 8 ff., 11). Dass vorhandener Einfluss tats. nicht ausgeübt wird, ist unerheblich, weil schon Möglichkeit der Einflussnahme Abhängigkeit begründet (→ Rn. 4, 6); angebotener Beweis ist nicht zu erheben. Deshalb muss Ausübungshindernis in aller Regel auch rechtl. verfestigt sein (OLG Frankfurt NZG 2021, 777 Rn. 30; OLG Stuttgart BeckRS 2023, 5754 Rn. 443; MüKoAktG/Bayer Rn. 95). Str. ist, ob es für Widerlegung ausreicht, dass Mehrheitsaktionär trotz seiner Mehrheit nicht Zusammensetzung des AR bestimmen kann, oder ob auch **Fehlen sonstiger Beherrschungsmittel** unter Beweis gestellt werden muss (für das Erste: KK-AktG/Koppensteiner Rn. 100; GK-AktG/Windbichler Rn. 71; Werner, Der aktienrechtliche Abhängigkeitstatbestand, 1979, 171 f.; für das Zweite: BVerfGE 98, 145, 162 = NZG 1998, 942; ADS Rn. 98 f.; MüKoAktG/Bayer Rn. 96 f.; MHdB AG/Krieger § 69 Rn. 60; IdW Stellungnahme HFA 3/1991 Slg. IdW/HFA S. 227 f. = WPg 1992, 91). Der zweiten Ansicht ist beizutreten, weil § 17 II bloße Kapitalmehrheit für Vermutung genügen lässt (→ Rn. 17), die allein keine Bestimmung über Zusammensetzung des AR ermöglicht.

20 **b) Taugliche Widerlegungsmittel.** Zu unterscheiden ist zwischen bloßer Kapitalmehrheit und Stimmrechtsmehrheit. Insbes. für **bloße Kapitalmehrheit** hat Frage Bedeutung, ob auch Fehlen sonstiger Beherrschungsmittel unter Beweis gestellt werden muss. Weil das zu bejahen ist (→ Rn. 19), genügt nicht, dass Fehlen der Stimmrechtsmehrheit bewiesen wird (Emmerich/Habersack/Emmerich Rn. 39 f.). Wer sich auf Existenz sonstiger Beherrschungsmittel beruft, muss aber substanziiert darlegen, um was es geht; sonst könnte Gegenbeweis nicht vernünftig erbracht werden (zust. MüKoAktG/Bayer Rn. 96).

21 Bei **Stimmrechtsmehrheit** ist Abhängigkeitsvermutung widerlegt, wenn Mehrheit ihr sonst zukommenden Einfluss nach Satzung oder Vertrag nicht entfalten kann (OLG München AG 2004, 455 f.; abw. Begr. bei GK-AktG/Windbichler Rn. 74). Als **Regelungen der Satzung** kommen einerseits Stimmrechtsbeschränkungen in Gestalt von Vorzugs- oder Höchststimmrechtsaktien (§ 12 S. 2, § 134 I 2), andererseits bes. Beschlussmehrheiten in Betracht, nach denen Stimmenzahl des Mehrheitsaktionärs abw. vom Grundsatz des § 133 I nicht genügt, auch nicht unter Berücksichtigung der Anteilszurechnung nach § 16 IV. Qualifizierte Mehrheit der Satzung muss sich auf **Wahlen zum AR** beziehen. Teilw. weitergehend gestellte Anforderungen sind abzulehnen (vgl. dazu KK-AktG/Koppensteiner Rn. 104). Insbes. entspr. es nicht dem richtigen Verständnis von BGHZ 83, 122 = NJW 1982, 1703 – Holzmüller, dass sich Satzungsregelung auf sog Grundlagenbeschlüsse erstrecken muss (KK-AktG/Koppensteiner Rn. 104; aA ADS Rn. 104).

Zur Widerlegung geeignet ist ferner **Stimmbindungsvertrag** zwischen Gesellschaftern der Tochter, nach dem Stimmrechtsmehrheit nicht ausgeübt werden darf (vgl. zur Durchsetzung BGHZ 48, 163, 169 ff. = NJW 1967, 1963; OLG Düsseldorf AG 2013, 720, 721; OLG Köln WM 1988, 974, 976 ff.); entgegenstehende Rspr. des RG (zuletzt RGZ 170, 358, 371 f.) ist überholt (Einzelheiten → § 133 Rn. 27 ff. mwN). Abhängigkeitsvermutung kann schließlich insbes. ausgeräumt werden durch **Entherrschungsvertrag** zwischen den beteiligten Unternehmen, der überdies auch eingesetzt wird, um bilanzielles Einbeziehungswahlrecht nach § 296 I Nr. 1 HGB zu eröffnen (Bungert/Becker DB 2020, 2456, 2457). Seine Zulässigkeit ist heute weitgehend anerkannt (BAG AG 2007, 665, 669; MüKoAktG/Bayer Rn. 100; K. Schmidt FS Hommelhoff, 2012, 985, 993 f.; Gräler, Entherrschungsvertrag, 2018, 54 ff.; aA Hoffmann-Becking ZGR 2021, 309 ff. [mit Blick auf § 136 II]; Hüttemann ZHR 156 [1992], 314, 324 ff. [mit Blick auf aktienrechtl. Kompetenzordnung]). Höchstrichterliche Bestätigung des BGH steht allerdings noch aus. In neuerer Entscheidung hat BGH Wirkung eines Entherrschungsvertrags iR kapitalmarktrechtl. Beteiligungspublizität mit Hinweis relativiert, dass Ausschluss der Stimmrechtsausübung durch Vertrag nicht die tats. Ausübung hindere, möge diese auch vertraglich unzulässig sein (BGH NZG 2020, 1349 Rn. 24; vgl. dazu Hirschfeld AG 2021, 230 Rn. 1 ff.; John NZG 2021, 419 ff.). Jedenfalls Wirksamkeit des Vertrags wird darin aber nicht in Frage gestellt, sondern augenscheinlich unterstellt. Auch Widerlegung der Abhängigkeitsvermutung wird damit nicht die Grundlage entzogen, da BGH lediglich den Gedanken einer teleologischen Reduktion der § 34 I Nr. 1, § 35 I Nr. 1 WpHG, § 290 I, II Nr. 1 HGB verwirft (BGH NZG 2020, 1349 Rn. 18 ff.). Verweigerung der Rechtsfortbildung gegen klaren Wortlaut (§ 290 II Nr. 1 HGB) muss nicht auf deutungsoffeneren § 17 II zurückstrahlen. Praxis macht von Entherrschungsverträgen neuerdings verstärkt auch im Rahmen von Investorenvereinbarungen und Business Combination Agreements Gebrauch (→ § 76 Rn. 124 ff.; Kiefner ZHR 178 [2014], 547, 567 f.; weitere rechtstatsächliche Angaben [in Ermangelung von Registerpublizität und HV-Zuständigkeit allerdings auf schwacher empirischer Grundlage] bei Bayer/Hoffmann AG 2014, R 107 ff.). Erforderlich ist zunächst Vertragsschluss; einseitige Erklärungen des herrschenden Unternehmens genügen nicht (unstr.). Entherrschungsvertrag bedarf der Schriftform, muss Laufzeit von wenigstens fünf Jahren vorsehen (außerordentliche Kündigung aber möglich), und darf inhaltlich nicht hinter entspr. Satzungsregelung (→ Rn. 21) zurückbleiben (Einzelheiten bei MüKoAktG/Bayer Rn. 101 ff., 107 ff.; Formular: Happ Konzern- und UmwR, Muster 4.02, 40.3). Zumindest bei **AR-Wahl** muss Stimmrechtsmacht danach begrenzt sein (praktische Gestaltungsvorschläge bei Schnorbus/Ganzer AG 2016, 565, 575 ff.); weitergehende Beschränkungen sind sinnvoll, aber nicht geboten. Auf Seiten der Obergesellschaft bedarf es wegen Beschränkung der unternehmerischen Betätigung Satzungsgrundlage (Verweis auf nichtunternehmerische Beteiligungsverwaltung genügt), aber keines HV-Beschlusses (MüKoAktG/Bayer Rn. 110 f.; BeckOGK/Schall Rn. 53; Gräler, Entherrschungsvertrag, 2018, 58 ff.), erst recht keiner HR-Eintragung (so noch Hommelhoff, Konzernleitungspflicht, 1982, 107); auf Seiten der Tochter ist weder Satzungsgrundlage noch HV-Beschluss erforderlich, da Beseitigung des Konzernkonflikts ausschließlich vorteilhaft ist (LG Mainz AG 1991, 30, 32). Entherrschungsvertrag darf nach § 117 BGB kein Scheingeschäft sein. Ernstlichkeit kann durch weitergehende Kautelen (Vertragsstrafen oÄ) bekräftigt werden, doch ist auch dies nicht zwingend (BeckOGK/Schall Rn. 53; S/L/J. Vetter Rn. 63). Zu weiteren Einzelheiten vgl. OLG Köln AG 1993, 86, 87; LG Mainz AG 1991, 30, 32; ADS Rn. 116 ff.; KK-AktG/Koppensteiner Rn. 109 ff.; Götz, Entherrschungsvertrag, 1991, 60 f.; Gräler, Entherrschungsvertrag, 2018, 25 ff.; Jäger DStR 1995, 1113, 1114 ff.; Larisch/Bunz NZG 2013, 1247 ff. 22

23 **c) Widerlegung bei mehrstufiger Abhängigkeit.** Mehrstufige Abhängigkeit liegt vor, wenn herrschendes Unternehmen X gemeinsam mit von ihm abhängigem Drittunternehmen Y Möglichkeit beherrschenden Einflusses bei AG Z hat (→ Rn. 6). Zu vermuten ist Abhängigkeit der Z gem. § 17 II, wenn sich Mehrheit aus Zusammenrechnung (§ 16 IV) ergibt. Vermutung ist auch ggü. X widerlegt, wenn Fehlen von Abhängigkeit ggü. Y bewiesen wird (MüKoAktG/Bayer Rn. 115; Emmerich/Habersack/Emmerich Rn. 41a). Bei Beherrschungsverträgen ist zu unterscheiden: Vertrag zwischen Y und Z kann Vermutung im Verhältnis zu X nicht widerlegen. Dagegen ist Vermutung im Verhältnis zu Y entkräftet, wenn Vertrag zwischen X und Z vorliegt (MüKoAktG/Bayer Rn. 115; KK-AktG/Koppensteiner Rn. 126).

V. Rechtsfolgen

24 Bei **faktischer Beherrschung** bildet durchgängig schon Abhängigkeit, nicht erst einheitliche Leitung Bezugspunkt von Rechtsfolgen (→ Rn. 1). Von zentraler Bedeutung sind aus dem Dritten Buch §§ 311 ff. Ferner gilt gem. § 56 II, § 71d S. 2 Verbot der Zeichnung und des Erwerbs von Aktien des herrschenden Unternehmens. Aus Aktien des herrschenden Unternehmens stehen dem abhängigen Unternehmen nach §§ 71d S. 4, 71b keine Rechte zu. Weitere an Abhängigkeit anknüpfende Regelungen enthalten bes. § 16 IV, § 20 II, VII, § 71a II, § 89 II, § 100 II 1 Nr. 2, § 115 I 2, § 134 I 4, § 136 II 1, § 145 III, § 160 I Nr. 1 und 2. Schließlich begründet Abhängigkeit (auch vermutete) Konzernvermutung des § 18 I 3.

Konzern und Konzernunternehmen

18 (1) [1] **Sind ein herrschendes und ein oder mehrere abhängige Unternehmen unter der einheitlichen Leitung des herrschenden Unternehmens zusammengefaßt, so bilden sie einen Konzern; die einzelnen Unternehmen sind Konzernunternehmen.** [2] **Unternehmen, zwischen denen ein Beherrschungsvertrag (§ 291) besteht oder von denen das eine in das andere eingegliedert ist (§ 319), sind als unter einheitlicher Leitung zusammengefaßt anzusehen.** [3] **Von einem abhängigen Unternehmen wird vermutet, daß es mit dem herrschenden Unternehmen einen Konzern bildet.**

(2) **Sind rechtlich selbständige Unternehmen, ohne daß das eine Unternehmen von dem anderen abhängig ist, unter einheitlicher Leitung zusammengefaßt, so bilden sie auch einen Konzern; die einzelnen Unternehmen sind Konzernunternehmen.**

Übersicht

I. Grundlagen

1. Regelungsgegenstand und -zweck. § 18 umschreibt Konzern als Zusammenfassung mehrerer rechtl. selbständiger Unternehmen unter einheitlicher Leitung (→ Rn. 2 f.). Norm ist wie §§ 15–17 als **Definitionsnorm** angelegt und soll Inhalt der Anknüpfungsbegriffe Konzern bzw. Konzernunternehmen festlegen (RegBegr. Kropff S. 32; vgl. zum Konzern etwa § 100 II 2, zum Konzernunternehmen § 97 I). Praktische Bedeutung der Konzernierung tritt insbes. nach Lösung der Konzernrechnungslegung in §§ 290 ff. HGB vom Konzernbegriff des § 18 (→ Rn. 22) deutlich hinter diejenige der Abhängigkeit zurück, weil Ges. durchgängig schon daran anknüpft (→ § 17 Rn. 1). Gegenteiliger Eindruck entsteht durch eingebürgerte Terminologie, die Recht der verbundenen Unternehmen als Konzernrecht iwS bezeichnet (→ § 15 Rn. 2). Einzelaufzählung der einschlägigen Vorschriften in → Rn. 22. Größte Bedeutung hat Konzernbegriff heute im Bereich der Konzernmitbestimmung. 1

2. Grundbegriffe. § 18 geht von **einheitlichem Konzernbegriff** aus und umschreibt ihn als Zusammenfassung mehrerer rechtl. selbständiger Unternehmen unter einheitlicher Leitung; Merkmal rechtl. Selbständigkeit ist für § 18 I aus § 17 I zu übernehmen. Im Einzelnen ist zwischen Unterordnungskonzern (§ 18 I) und Gleichordnungskonzern (§ 18 II) zu unterscheiden. **Unterordnungskonzern** ist praktischer Hauptfall. Er liegt vor, wenn sich Zusammenfassung unter einheitlicher Leitung auf herrschende und abhängige Unternehmen (§ 17) bezieht. Dagegen ist **Gleichordnungskonzern** dadurch gekennzeichnet, dass Zusammenfassung unter einheitlicher Leitung ohne Abhängigkeit des einen von dem anderen Unternehmen zustande kommt. 2

Unterordnungskonzerne begegnen als Vertragskonzerne, als Eingliederungskonzerne oder als sog faktische Konzerne. **Vertragskonzern** ist durch ges. anerkannte Leitungsmacht (§ 308) des herrschenden Unternehmens gekennzeichnet, die ihrerseits auf Beherrschungsvertrag (§ 291 I 1 Fall 1) beruht. Gewinnabführungsvertrag (§ 291 I 1 Fall 2) oder andere Unternehmensverträge (§ 292) genügen nicht. Einschlägige Vorschriften des Dritten Buches sind §§ 291–310. Im **Eingliederungskonzern** besteht ebenfalls ges. anerkannte Leitungsmacht, nämlich der Hauptgesellschaft (§ 323). Eingliederung vollzieht sich durch Beschlussfassung; dabei liegen alle Aktien in der Hand der Hauptgesellschaft oder gehen auf sie über (Mehrheitsbeschluss). Einschlägig: §§ 319–327. Im **faktischen Konzern** gibt es ungeachtet seiner rechtl. Zulässigkeit (→ Rn. 4; → § 311 Rn. 3 f.) keine ges. oder sonstwie anerkannte Konzernleitungsmacht (→ § 305 Rn. 5). Faktischer Konzern ist Sammelbegriff ohne ges. Basis, der überdies in missverständlicher Weise verwandt wird. Üblicherweise umschreibt er Regelungsmodell der §§ 311 ff. AktG, die indes gerade keine (konzerncharakteristische) einheitliche Leitung, sondern bloße Abhängigkeit voraussetzen (→ § 311 Rn. 8). Kennzeichnend ist neben dieser Abhängigkeit und in Abgrenzung zum 3

Regelungsmodell der §§ 291 ff., dass sich Abhängigkeit nicht auf Beherrschungsvertrag oder Eingliederung stützt. Schließlich können auch Gleichordnungskonzerne auf vertraglicher Grundlage oder aufgrund tats. Verhältnisse entstehen. Begriffe haben insoweit aber andere Bedeutung als beim Unterordnungskonzern (→ Rn. 20 f.).

4 **3. Zulässigkeitsfragen.** Zulässigkeit von Vertrags- und Eingliederungskonzernen folgt aus ihrer ges. Regelung in §§ 291–310 bzw. 319–327. **Zulässigkeit faktischer Konzernierung** ist in dem Sinne zu bejahen, dass sie in §§ 311 ff. ersichtlich nicht verboten, also jedenfalls hingenommen, nach richtiger Ansicht auch legislativ gebilligt wird; AG ist in diesem Sinne konzernoffen (ausf. → § 311 Rn. 3 f. mwN). Weitergehende Frage nach normativer Anerkennung von Konzernleitungsmacht ist hier ohne Belang; nach zutr. hM gibt es solche Anerkennung nicht (→ § 311 Rn. 5).

5 Andere Beurteilung wird erörtert für sog **qualifiziert faktische Konzernierung,** bei der Einflussnahme derart breitflächig erfolgt, dass von §§ 311 ff. vorausgesetzter Einzelausgleich nicht funktioniert (ausf. → § 1 Rn. 23 mwN). Frühere Rspr. hatte an derartige Beherrschung zunächst Zustands-, dann Verhaltenshaftung entspr. § 302 geknüpft (ausf. → § 1 Rn. 23). Um Übergang zur Verhaltenshaftung auch terminologisch zu unterstreichen, wurde verbreitet präzisierende Begrifflichkeit der **qualifiziert faktischen Nachteilszufügung** verwandt. BGH hat Haftungskonzept nach § 302 analog für GmbH verworfen und durch Existenzvernichtungshaftung ersetzt (→ § 1 Rn. 23 ff.), was nach umstr., aber zutr. Auffassung auch für AG zu gelten hat (→ § 1 Rn. 29). Qualifiziert faktische Nachteilszufügung umschreibt daher nicht mehr daran anknüpfendes Haftungskonzept, sondern eine Form der Beherrschung, die nach heute hM unzulässig ist. Insofern können abhängiger Gesellschaft und Aktionären in der Tat nicht nur Ersatzansprüche (→ § 1 Rn. 22 ff.; → § 317 Rn. 9 f.), sondern auch Unterlassungs- und Schadensersatzansprüche zustehen (→ § 317 Rn. 7, 10; sa MüKo-AktG/Bayer Rn. 14).

II. Unterordnungskonzern: Tatbestand (§ 18 I)

6 **1. Unternehmen; rechtliche Selbständigkeit; Abhängigkeit.** Unterordnungskonzern setzt gem. § 18 I 1 Zusammenfassung mehrerer rechtl. selbständiger Unternehmen voraus, von denen eines herrschend und wenigstens eines abhängig ist. Maßgeblich ist am Regelungszweck des Konzernrechts orientierter **Unternehmensbegriff** (→ § 15 Rn. 8 ff.); als herrschendes Unternehmen kommt also jeder Aktionär ohne Rücksicht auf seine Rechtsform in Betracht, wenn er neben der Mitgliedschaft anderweitige wirtschaftliche Interessenbindungen mit konzernrelevantem Gefährdungspotenzial aufweist (→ § 15 Rn. 10). Syndikatsartige Zusammenfassung von Unternehmensteilen (zB Verkauf) genügt nicht (MüKoAktG/Bayer Rn. 26; KK-AktG/Koppensteiner Rn. 5). Das in § 18 I 1 wegen Rückverweises auf § 17 I nicht bes. hervorgehobene Tatbestandsmerkmal **rechtl. Selbständigkeit** bedeutet Zuordnung der Unternehmen zu verschiedenen Rechtsträgern (→ § 15 Rn. 20). Zwischen Haupt- und Zweigniederlassungen derselben Gesellschaft kann also kein Konzernverhältnis vorliegen (MüKoAktG/Bayer Rn. 26; KK-AktG/Koppensteiner Rn. 5). **Abhängigkeit** ist iSd § 17 zu verstehen; sie muss insbes. gesellschaftsrechtl. vermittelt sein (→ § 17 Rn. 4, 8).

7 **2. Zusammenfassung von Unternehmen.** § 18 I 1 verlangt Zusammenfassung des herrschenden und der abhängigen Unternehmen. Selbständige Bedeutung kommt diesem Merkmal neben weiter erforderlicher einheitlicher Leitung (→ Rn. 8 ff.) nach hM nicht zu (MüKoAktG/Bayer Rn. 27; KK-AktG/Koppen-

steiner Rn. 4; Henssler/Strohn/Keßler Rn. 3; aA Emmerich/Habersack/Emmerich Rn. 15). Der hM ist beizupflichten. Merkmal der Zusammenfassung stammt noch aus § 15 I AktG 1937 (dort: „zu wirtschaftlichen Zwecken") und ist iRd § 18 I 1 **nichtssagend,** weil es einheitliche Leitung ohne Zusammenfassung nicht geben kann. Konzernrechtl. Zusammenfassung im Unterordnungskonzern begründet keine GbR (→ § 76 Rn. 54; anders im Gleichordnungskonzern, → § 18 Rn. 20). **Außen-GbR** scheitert schon daran, dass andere Sichtweise haftungsabschottende Funktion des Konzerns nicht nur im Sanktions-, sondern auch im Vertragsrecht zunichte machen würde (aA Kersting Konzern 2012, 445 ff. mit weitreichenden kartellrechtl. Haftungsfolgen; ausf. → § 76 Rn. 54). Auch **Innen-GbR** liegt nicht vor, da Gesellschaftsgründung privatautonomen Ursprungs ist, im Bewusstsein der für die Konzerngesellschaften handelnden Organwalter aber keinerlei Grundlage findet. Tats. ist aus ihrer Sicht kein Grund erkennbar, warum sie an Zusammenfassung zur GbR interessiert sein sollten. Vielmehr laufen nahezu alle gesellschaftsrechtl. Folgen des Zusammenschlusses (gemeinsame Geschäftsführung und Vertretung, Bildung von Gesellschaftsvermögen, Auseinandersetzung nach gesellschaftsrechtl. Regeln) ihrem Gestaltungswillen zuwider (ausf. dazu J. Koch/Harnos in Eisele/Koch/Theile, Sanktionsdurchgriff im Konzern, 2014, 171 ff., 180 ff.).

3. Einheitliche Leitung. a) Enger und weiter Konzernbegriff. Konzernspezifisches Merkmal des Unternehmensverbunds ist nach § 18 I 1 die einheitliche Leitung der Unternehmen. **Ges. Definition fehlt** und ist bewusst nicht gegeben worden (RegBegr. Kropff S. 33). Im Zusammenhang der Konzernrechnungslegung wird allerdings aus der einheitlichen Leitung gefolgert, Konzern sei wirtschaftliche Einheit (RegBegr. Kropff S. 436). Gerichtspraxis ist nicht ersichtlich. Schrifttum differiert in methodischen Ansätzen und jedenfalls tendenziell auch in Reichweite des Konzernbegriffs. 8

In groben Zügen ergibt sich folgendes Bild: Zu unterscheiden sind **enger und weiter Konzernbegriff** (MüKoAktG/Bayer Rn. 28 ff.; Emmerich/Habersack/Emmerich Rn. 10 ff.; aA GK-AktG/Windbichler Rn. 19 ff.). Früher herrschender enger Konzernbegriff betrachtet Konzern als wirtschaftliche Einheit und verlangt eine auf das Gesamtinteresse der verbundenen Unternehmen ausgerichtete Zielkonzeption für nahezu alle zentralen unternehmerischen Bereiche, wie etwa Personalwesen, Beschaffung, Produktion, Finanzierung, Absatz etc (ADS Rn. 6; KK-AktG/Koppensteiner Rn. 19; Lutter ZGR 1987, 324, 330). Heute herrschender weiter Konzernbegriff will darüber hinausgehen und einheitliche Leitung (Planung, Durchführung, Kontrolle) in wenigstens einem wesentlichen Bereich unternehmerischer Tätigkeit (zB Produktion, Verkauf, Organisation) genügen lassen (s. mit Unterschieden iE: OLG Stuttgart BeckRS 2023, 5754 Rn. 448 ff.; LAG Düsseldorf Konzern 2010, 632, 637; MüKoAktG/Bayer Rn. 33; Emmerich/Habersack/Emmerich Rn. 13 ff.; S/L/J. Vetter Rn. 6 ff.; BeckOGK/Schall Rn. 14). Aussagekräftige Rspr. zu dieser Frage gibt es lediglich für **Konzernmitbestimmung** als wichtigste Folge des § 18 (→ Rn. 1, 22). Hier hat Rspr. weiten Konzernbegriff übernommen, um möglichst breitflächige Arbeitnehmermitbestimmung zuzulassen (BAG AG 1998, 367, 368; BAG AG 2012, 632 Rn. 52 [Rückschluss aus hohen Widerlegungsanforderungen; → Rn. 19]; BAG ZIP 2021, 1492 Rn. 27 ff.; BayObLGZ 1998, 85, 90 f. = AG 1998, 523, 524; BayObLGZ 2002, 46, 50 = AG 2002, 511; OLG Dresden AG 2011, 88; OLG Düsseldorf AG 2013, 720, 721). BAG AG 2012, 632 Rn. 46 geht allerdings von einheitlichem Konzernbegriff aus, was darauf hinzudeuten scheint, dass weites Verständnis auch für sonstiges Konzernrecht gelten soll. Einigkeit besteht zwischen Vertretern beider Lager darüber, dass **verbundweite Koordination des Finanzbereichs** dem Erfordernis einheitlicher Leitung genügt (namentl. 9

durch Cash Pool [→ § 57 Rn. 42 f.] – vgl. OLG Düsseldorf AG 2013, 720, 721; MüKoAktG/Bayer Rn. 31; KK-AktG/Koppensteiner Rn. 25), wodurch Tragweite des Streits relativiert wird. IÜ ist Streitentscheid auch deshalb zumeist nicht erforderlich, da Ges. die meisten Rechtsfolgen an Abhängigkeitsbegriff knüpft (→ Rn. 1) und in verbleibenden Fällen oft Vermutung des § 18 I 3 eingreift (sa MüKoAktG/Bayer Rn. 32).

10 **Herrschendem weitem Konzernbegriff** ist zu folgen. Enger Konzernbegriff fand seine Rechtfertigung ursprünglich in funktionaler Ausrichtung auf **Konzernrechnungslegung** (**§§ 290 ff. HGB**) als wichtigster Rechtsfolge, doch ist dieses Begründungsfundament weggebrochen, seit § 290 I, II HGB nach Änderung durch BilMoG 2009 nicht mehr auf Konzernierung, sondern auf beherrschenden Einfluss abstellt (→ Rn. 22; ferner BeckOGK/Schall Rn. 5, 14). Auch **Vermutungskaskade** der §§ 17 II, 18 I 3 lässt sich mit engem Konzernbegriff kaum in Einklang bringen, da reine Abhängigkeit zwar Leitungsvermutung für einzelne Bereiche, namentl. Personalwesen, tragen mag, nicht aber Vermutung umfassender Koordination aller zentralen Unternehmensfunktionen (Emmerich/Habersack/Emmerich Rn. 13 f.; S/L/J. Vetter Rn. 11). Schließlich kann auch nur weiter Konzernbegriff Umgehung der Konzernfolgen wirksam begegnen.

11 **b) Folgerungen.** Auf der Grundlage des weiten Konzernbegriffs ist einheitliche Leitung eines zentralen Bereichs der unternehmerischen Tätigkeit ausreichend. Augenfällige **Indizien** dafür sind **insbes. personelle Verflechtungen** (OLG Dresden AG 2011, 88) und Koordinierung des Finanzbereichs (→ Rn. 9), Genehmigungsvorbehalte zugunsten Obergesellschaft, Erstellung eines Konzernabschlusses, umfassender Informationsfluss innerhalb des Konzerns, Auftreten der Unternehmen am Markt als Einheit und Errichtung eines Konzernbetriebsrats (Beispiele nach Emmerich/Habersack/Emmerich Rn. 14a f.; sa Aufzählung bei BAG ZIP 2021, 1492 Rn. 42; OLG Düsseldorf AG 2013, 720, 721; OLG Stuttgart BeckRS 2023, 5754 Rn. 450).

12 **c) Leitungsformen.** In welchen Formen sich einheitliche Leitung vollzieht, ist **gleichgültig,** soweit es um Konzernbegriff geht. Auf ihre Detaillierung hat Ges. bewusst verzichtet (RegBegr. Kropff S. 33). Es kommen im Unterordnungskonzern alle Formen der Einflussnahme in Betracht (zur Abhängigkeit als idR potenzieller Konzernierung → § 17 Rn. 4). Weisungsrecht nach § 308 oder nach § 323 ist nicht erforderlich, auch nicht, dass tats. (mit oder ohne entspr. Befugnis) Weisungen erteilt werden (MüKoAktG/Bayer Rn. 34; S/L/J. Vetter Rn. 12). Vielmehr genügt jede Form der Einflussnahme, etwa durch Doppelmandate oder andere personelle Verflechtungen, gemeinsame Beratungen, Empfehlungen oder Zielvorgaben (vgl. OLG Dresden AG 2011, 88; OLG Düsseldorf NZG 2018, 1229 Rn. 33; Meier WPg 1966, 570, 572 f.; aA Habersack FS Bergmann, 2018, 227, 237 mit Fn. 42, der aber nicht hinreichend zwischen Form und Ausmaß der Leitung unterscheidet).

13 **4. Mehrstufige und mehrfache Konzernbindung. a) Mehrstufige Konzernbindung.** Mehrstufige Konzernbindung liegt vor, wenn beteiligte Unternehmen (Mutter-, Tochter-, Enkelgesellschaft) in der Form einheitlich geleitet werden, dass sich Zielkonzeption, Durchführung und Kontrolle des Mutterunternehmens X unmittelbar auf Tochtergesellschaft Y und zugleich mittelbar auf Enkelgesellschaft Z beziehen. Dann ist auch Enkelgesellschaft Z Konzernunternehmen der X. Zur mehrstufigen Abhängigkeit → § 17 Rn. 6.

14 **b) Mehrfache Konzernbindung: Grundsatz.** Frage nach mehrfacher Konzernbindung wird vornehmlich unter dem Stichwort des **Konzerns im Konzern** diskutiert. Es geht darum, ob (Fortführung des Bsp. → Rn. 13) Z nicht nur ggü. X, sondern zusätzlich ggü. Y konzerngebunden ist. Das ist für Konzernrecht

nach zutr. hM zu verneinen, weil einheitliche Leitung (→ Rn. 8 ff.) durch herrschendes Unternehmen X für entspr. unternehmensführende Tätigkeit der Y keinen Raum lässt (OLG Stuttgart BeckRS 2023, 5754 Rn. 466; MüKoAktG/Bayer Rn. 42; KK-AktG/Koppensteiner Rn. 31 f.; v. Hoyningen-Huene ZGR 1978, 515, 528 f.). Zu wichtigstem Anwendungsfall des **Konzernmitbestimmungsrechts** gilt nach zu Recht hM etwas anderes (Nachw in → § 96 Rn. 4a), doch erklärt sich diese Sichtweise aus mitbestimmungsrechtl. Besonderheiten (Umgehungsproblematik) und kann nicht verallgemeinert werden (Habersack/Henssler/Habersack MitbestG § 5 Rn. 35 ff.; → § 96 Rn. 4a).

Mehrfache Konzernzugehörigkeit liegt auch dann nicht vor, wenn Obergesellschaft des Unterordnungskonzerns mit anderem Unternehmen zu einem **Gleichordnungskonzern** (→ Rn. 20 f.) verbunden ist. Vielmehr gehören alle Konzerntöchter dem Gleichordnungskonzern an, weil sie von den Partnern des Gleichordnungskonzerns einheitlich geleitet werden. Überordnungskonzernverhältnis der Mutter zu den Untergesellschaften wird durch Integration in Gleichordnungskonzern überlagert, so dass § 100 II 2 zwar nicht direkt, aber analog zugunsten der Vorstände des Mutterunternehmens anwendbar ist (Emmerich/Habersack/Emmerich Rn. 7; KK-AktG/Koppensteiner Rn. 33; v. Hoyningen-Huene ZGR 1978, 515, 533). 15

c) Gemeinschaftsunternehmen. Gemeinschaftsunternehmen sind entgegen dem Grundsatz in → Rn. 14 f. nicht nur mehrfach abhängig (→ § 17 Rn. 13 f.), sondern mehrfach konzernzugehörig (MüKoAktG/Bayer Rn. 43; S/L/J. Vetter Rn. 15). Grund liegt in der Integration des Gemeinschaftsunternehmens in die Konzerninteressen der verschiedenen Mütter. Dem korrespondiert bilanzrechtl. die anteilmäßige Konsolidierung des § 310 I HGB (BeBiKo/Störk/Lewe § 310 Rn. 5; aA MüKoAktG/Bayer Rn. 43). 16

III. Unterordnungskonzern: Konzernvermutungen (noch: § 18 I)

1. Beherrschungsvertrag; Eingliederung. Nach § 18 I 2 ist konzernbegründendes Merkmal einheitlicher Leitung als gegeben anzusehen, wenn Beherrschungsvertrag besteht (§ 291 I 1 Fall 1) oder Eingliederung erfolgt ist (§§ 319 ff.). Es handelt sich dabei um ges. Konzernvermutung (ganz hM, s. nur MüKoAktG/Bayer Rn. 44), nicht um ges. Fiktion. **Vermutung ist unwiderlegbar,** weil Begründung rechtl. anerkannter Leitungsmacht (§§ 308, 323; → Rn. 3) Entwicklung und Durchsetzung einer auf Gesamtinteresse des Konzerns ausgerichteten Konzeption (→ Rn. 11) erlaubt; dass rechtl. Organisation entspr. angelegt und dann von den Möglichkeiten kein Gebrauch gemacht wird, ist tats. fernliegend (ähnlich KK-AktG/Koppensteiner Rn. 39, der aber auf Weisungen abstellt). **Mitbestimmung** ändert nichts, gleich, ob es sich um MitbestG, DrittelbG oder um Montanmitbestimmung handelt (Habersack/Henssler/Habersack MitbestG § 5 Rn. 26; sa → § 17 Rn. 11). § 18 I 2 gilt schließlich auch bei **Gemeinschaftsunternehmen,** also dann, wenn die mehreren Mütter mit ihm Beherrschungsverträge geschlossen haben (unstr., s. MüKoAktG/Bayer Rn. 45; KK-AktG/Koppensteiner Rn. 43; → Rn. 18). Für bloße Ergebnisabführung gilt § 18 I 2 nicht (OLG Düsseldorf AG 2013, 720, 722). 17

2. Abhängigkeit. § 18 I 3 vermutet Konzern, wenn Abhängigkeit vorliegt. Tragend ist Erfahrungstatsache, dass vorhandenes Einflusspotenzial auch tats. ausgeübt wird (RegBegr. Kropff S. 33). Norm bezweckte ursprünglich vor allem, Stellung des Konzernabschlussprüfers bei Entscheidung über den Konsolidierungskreis zu stärken (RegBegr. Kropff S. 33). Heute liegt ihre wichtigste Bedeutung (→ Rn. 1) im Mitbestimmungsrecht. Wie bei § 18 I 2 (→ Rn. 17) bleibt auch Geltung des § 18 I 3 durch **Mitbestimmung** unberührt (Habersack/ 18

Henssler/Habersack MitbestG § 5 Rn. 27). Das gilt auch im Anwendungsbereich des DrittelbG, da § 2 DrittelbG auch auf § 18 I 3 verweist. Vermutung ist, anders als die nach § 18 I 2, **widerlegbar** (→ Rn. 19). Nach heute zu Recht hM gilt widerlegbare Konzernvermutung darüber hinaus auch bei **Gemeinschaftsunternehmen,** sofern abhängigkeitsbegründende Koordination (→ § 17 Rn. 13 ff.) nachgewiesen werden kann (S/L/J. Vetter Rn. 21; MHdB AG/Krieger § 69 Rn. 77).

19 **3. Widerlegung der Konzernvermutung.** Konzernvermutung des § 18 I 3 kann zunächst durch Nachweis angegriffen werden, dass Abhängigkeit (§ 17, bes. § 17 II) nicht besteht. Es fehlt dann schon am Vermutungstatbestand. Zu eigentlicher Widerlegung kommt es nur, wenn ohne Rücksicht auf Abhängigkeit Tatsachen behauptet und bewiesen werden, nach denen Konzernverhältnis fehlt (KK-AktG/Koppensteiner Rn. 45). Welche Tatsachen beigebracht werden müssen, ist auf Basis des **engen** bzw. **weiten Konzernbegriffs** (→ Rn. 9 f.) unterschiedlich zu beurteilen. Nach enger Ansicht genügt es, wenn trotz Abhängigkeit Gesamtkonzeption fehlt oder zwar vorhanden ist, aber nicht durchgeführt wird (→ Rn. 11). Vom hier vertretenen weiten Konzernbegriff aus sind höhere Anforderungen zu stellen: Es muss nachgewiesen werden, dass beherrschendes Unternehmen in keinem zentralen Funktionsbereich beherrschenden Einfluss ausübt (BAG AG 2012, 632 Rn. 52; LAG Düsseldorf Konzern 2010, 632, 637; S/L/J. Vetter Rn. 18). Einzelheiten sind ungeklärt (so auch MüKoAktG/Bayer Rn. 48; Habersack FS Bergmann, 2018, 227, 234 ff.). Keinesfalls genügt Prima-facie-Beweis (MüKoAktG/Bayer Rn. 48; aA KK-AktG/Koppensteiner Rn. 45). Herrschendes Unternehmen ist aber seiner Beweislast nachgekommen, wenn feststeht, dass finanzielle Koordination in wesentlichen Bereichen nicht erfolgt (BayObLGZ 2002, 46, 52 ff.: Holding ohne feststellbare Leitungsfunktion). Neuerliche Beweislast kann nicht durch bloßen Hinweis auf konzerneinheitlichen Willen (vgl. Giese WPg 1974, 464, 468 f.), sondern nur durch substanziierte Tatsachenbehauptungen ausgelöst werden (so iErg wohl auch KK-AktG/Koppensteiner Rn. 45).

IV. Gleichordnungskonzern (§ 18 II)

20 **Begriff** des Gleichordnungskonzerns ist nach § 18 II dadurch gekennzeichnet, dass einheitliche Leitung mehrerer Unternehmen ohne Beherrschung bzw. Abhängigkeit zustande kommt (hM, BeckOGK/Schall Rn. 30; S/L/J. Vetter Rn. 22; aA K. Schmidt ZHR 155 [1991], 417, 423 ff.; → § 291 Rn. 34 f.). Fusionskontrollpraxis hat gezeigt, dass Gleichordnungskonzerne häufiger sind, als früher angenommen, namentl. bei grenzüberschreitenden Kooperationen, Familienunternehmen und in der Versicherungswirtschaft (Emmerich/Habersack/Emmerich Rn. 26; sa Gromann, Die Gleichordnungskonzerne, 1979, 10 ff. sowie Timm/Messing FS Hommelhoff, 2012, 1237, 1238 f. zum Gleichordnungskonzern zwischen VVaG). IdR liegt einheitlicher Leitung **Gleichordnungsvertrag** zugrunde, der Umfang und Art der Leitung regelt. Seiner **Rechtsnatur** nach ist Gleichordnungskonzern dann GbR (zur abw. Einordnung des Unterordnungskonzerns → § 76 Rn. 54; zur Kündigung → § 291 Rn. 34). § 291 II stellt klar, dass Gleichordnungsvertrag kein Beherrschungsvertrag ist (auch darin aA K. Schmidt ZHR 155 [1991], 417, 426 ff.). Auf ihn sind deshalb §§ 293 ff. grds. nicht anzuwenden (ausf. dazu und zum Außenseiterschutz → § 291 Rn. 34 f.). Anders aber, wenn, wie häufig, zugleich Gewinngemeinschaft (§ 292 I Nr. 1) oder Betriebsüberlassung (§ 292 I Nr. 3) vereinbart sind; dann gelten §§ 293 ff. unter dem Aspekt „anderer" Unternehmensverträge. Einschaltung bes. **Leitungsgesellschaft** (dazu Gromann, Die Gleichordnungskonzerne, 1979, 47 ff.)

kann ebenfalls einheitliche Leitung eröffnen. Voraussetzung für Anwendung des § 18 II ist aber, dass Unternehmen an einheitlicher Leitung gleichberechtigt beteiligt sind und Leitungsgesellschaft sich auf Koordination beschränkt. Bei intensiverer Ausübung von Leitungsmacht entsteht Abhängigkeitsverhältnis ggü. Leitungsgesellschaft, das zum Unterordnungskonzern führt (MüKoAktG/Bayer Rn. 53).

Möglich ist auch **faktischer Gleichordnungskonzern.** Begriff entspr. nicht 21 dem des faktischen Unterordnungskonzerns (→ Rn. 3), sondern besagt, dass Gleichordnung ohne Vertragsgrundlage, bes. durch personelle Verflechtung der Leitungsorgane, erfolgt (BGHZ 121, 137, 146 f. = NJW 1993, 2114; BGH AG 1999, 181, 182; Emmerich/Habersack/Emmerich Rn. 30; Timm/Messing FS Hommelhoff, 2012, 1237, 1240 f.). Grenze zum konkludenten Abschluss des Gleichordnungsvertrags erscheint jedoch fließend. Bloße Koordination der Herrschaftsmacht mehrerer Unternehmen über beherrschte Gesellschaften ergibt noch keinen Gleichordnungskonzern. Ebenso wenig genügt gemeinsame Unternehmenspolitik für Teilbereich (MüKoAktG/Bayer Rn. 51). Erforderlich ist vielmehr, dass sich Unternehmen einheitlicher Leitung unterstellen. Zweite Voraussetzung **fehlender Abhängigkeit** ist erfüllt, wenn keine der Schwestergesellschaften von einer anderen abhängig ist, wohingegen Abhängigkeit ggü. Dritten denkbar ist (MüKoAktG/Bayer Rn. 55; Emmerich/Habersack/Emmerich Rn. 32). Nur gleichzeitige Einbindung in Unterordnungskonzern iSd § 18 I ist mit Gleichordnungskonzern nicht zu vereinbaren, da nicht in beide Richtungen einheitliche Leitung bestehen kann (MüKoAktG/Bayer Rn. 55).

V. Rechtsfolgen

Für Unterordnungs- und Gleichordnungskonzerne gelten zunächst glei- 22 chermaßen die Bestimmungen über verbundene Unternehmen (→ § 15 Rn. 22) sowie die spezifisch konzernrechtl. Regeln der § 100 II 2, § 134 I 4, § 145 III, § 293d I 3, § 313 I 4. Nur für **Unterordnungskonzerne** gelten §§ 291 ff. sowie an Abhängigkeit anknüpfende Normen (→ § 17 Rn. 24); analoge Anwendung auf Gleichordnungskonzern ist abzulehnen (Einzelheiten → § 291 Rn. 34 f.). Des Weiteren sind auch **mitbestimmungsrechtl. Regeln** der § 5 MitbestG, § 2 I DrittelbG und § 54 BetrVG, die heute die wichtigste Konzernfolge darstellen, nur auf Unterordnungskonzern zugeschnitten, weshalb (ohne ausdr. Anordnung) auch damit im Zusammenhang stehende § 97 I, § 104 I 3 Nr. 1, 2 und § 250 II Nr. 1 nicht auf Gleichordnungskonzern angewandt werden können (Grigoleit/Grigoleit Rn. 18). Ebenfalls nur auf Unterordnungskonzerne anwendbar war früher wichtigste Folge des Konzerntatbestands, nämlich die Anwendbarkeit der Vorschriften über **Konzernrechnungslegung in §§ 290 ff. HGB aF.** Durch Neufassung des § 290 I, II HGB im Zuge des BilMoG 2009, der nicht mehr an einheitliche Leitung, sondern entspr. europäischem Control-Konzept an beherrschenden Einfluss anknüpft, ist dieser Zusammenhang allerdings beseitigt worden (sa OLG Stuttgart BeckRS 2023, 5754 Rn. 450; BeckOGK/Schall Rn. 20). Auf **Gleichordnungskonzerne** kann Kartellverbot des Art. 101 AEUV bzw. des § 1 GWB anwendbar sein, das neben Fusionskontrolle zur Anwendung gelangt (vgl. Immenga/Mestmäcker/Zimmer GWB § 1 Rn. 127; Gromann, Die Gleichordnungskonzerne, 1979, 96 ff.).

Wechselseitig beteiligte Unternehmen

19 (1) [1]**Wechselseitig beteiligte Unternehmen sind Unternehmen mit Sitz im Inland in der Rechtsform einer Kapitalgesellschaft, die dadurch verbunden sind, daß jedem Unternehmen mehr als der vierte**

Teil der Anteile des anderen Unternehmens gehört. [2]Für die Feststellung, ob einem Unternehmen mehr als der vierte Teil der Anteile des anderen Unternehmens gehört, gilt § 16 Abs. 2 Satz 1, Abs. 4.

(2) **Gehört einem wechselseitig beteiligten Unternehmen an dem anderen Unternehmen eine Mehrheitsbeteiligung oder kann das eine auf das andere Unternehmen unmittelbar oder mittelbar einen beherrschenden Einfluß ausüben, so ist das eine als herrschendes, das andere als abhängiges Unternehmen anzusehen.**

(3) **Gehört jedem der wechselseitig beteiligten Unternehmen an dem anderen Unternehmen eine Mehrheitsbeteiligung oder kann jedes auf das andere unmittelbar oder mittelbar einen beherrschenden Einfluß ausüben, so gelten beide Unternehmen als herrschend und als abhängig.**

(4) **§ 328 ist auf Unternehmen, die nach Absatz 2 oder 3 herrschende oder abhängige Unternehmen sind, nicht anzuwenden.**

I. Regelungsgegenstand und -zweck

1 § 19 betr. wechselseitige Beteiligung, unterscheidet zwischen einfacher wechselseitiger Beteiligung (§ 19 I) und ihren qualifizierten Formen (§ 19 II, III) und lenkt sie über **Weichenstellernorm des § 19 IV** in unterschiedliche Regelungsregime: Während für einfache wechselseitige Beteiligung § 328 gilt (→ Rn. 2 f.), unterliegen die qualifizierten Formen den für Abhängigkeitsverhältnisse geltenden Regeln (→ Rn. 9). Erforderlich ist in beiden Erscheinungsformen, dass in § 19 I vorausgesetzte Beteiligungshöhe (→ Rn. 4) beidseitig erreicht ist; darunter verbleibende schlichte „gegenseitige Beteiligung" ist nur geregelt, wenn Abhängigkeit hinzutritt, nämlich in § 56 II und § 71d S. 2 (→ § 56 Rn. 7 ff.; § 71d Rn. 5 ff.). §§ 19, 328 bezwecken erstens Schutz von Gläubigern und Aktionären vor sog **Kapitalverwässerung** (oder -aushöhlung), was allerdings nicht lückenlos erreicht wird (Adams AG 1994, 148, 151 ff.; zur daraus entsprungenen Diskussion um Mehrleistungspflicht → § 54 Rn. 5a). Sie resultiert daraus, dass bei wechselseitiger Zeichnung wirtschaftlich nur eine Einlage erbracht, bei wechselseitigem Aktienerwerb durch Zahlung des Preises ein der verbotenen Einlagenrückgewähr (§ 57) vergleichbares Ergebnis erzielt wird (vgl. dazu Klix, Wechselseitige Beteiligungen, 1981, 13 ff., 23 ff.). Zweitens geht es um Begrenzung oder Ausschluss von **Verwaltungsstimmrechten,** durch die Einfluss und Kontrolle der anderen Aktionäre in jew. HV in rechtl. nicht hinnehmbarer Weise (§ 328 III; → § 328 Rn. 7) beschränkt oder gar unterbunden würden (vgl. zu beiden Gesichtspunkten RegBegr. Kropff S. 34 ff.; MüKoAktG/Bayer Rn. 1 ff.; Emmerich NZG 1998, 622 f.; Kropff DB 1959, 15 ff.; Wastl/Wagner AG 1997, 241 ff.). Fallanschauung vermittelt RGZ 149, 305 (Iduna); zur praktischen Bedeutung → § 328 Rn. 1.

II. Einfache wechselseitige Beteiligung (§ 19 I)

2 **1. Unternehmensbegriff.** § 19 I erfasst einfache wechselseitige Beteiligung, bei der keines der verflochtenen Unternehmen an dem anderen eine Mehrheitsbeteiligung hält oder beherrschenden Einfluss ausüben kann (→ Rn. 4). Insoweit gilt nicht der rechtsformneutrale Unternehmensbegriff des § 15 (→ § 15 Rn. 8 ff.). Vielmehr sind Unternehmen iSd § 19 nur **Kapitalgesellschaften** (AG, KGaA, GmbH), die zudem **inländischen Satzungssitz** haben müssen (BeckOGK/Schall Rn. 11 f.; S/L/J. Vetter Rn. 5). Auf zusätzliche Unternehmenseigenschaft kommt es wegen bes. teleologischer Zielrichtung (→ Rn. 1: insbes. Schutz vor Kapitalverwässerung) nicht an (iErg allgM – ausf. Mülbert ZHR 163 [1999], 1, 43). Wechselseitige Beteiligungen mit **anderen Unterneh-**

men (Personengesellschaften; Auslandssitz) werden nicht unmittelbar erfasst und sind wegen eindeutigen Wortlauts sowie voller Problemerfassung durch Gesetzgeber (→ Rn. 1) keiner erweiternden Auslegung und grds. auch keiner analogen Anwendung des § 19 zugänglich (sa BGHZ 119, 346, 355 = NJW 1993, 1265). Andere Sichtweise, die § 19 auch auf Verflechtung mit **ausländischen Unternehmen** aus EU-Mitgliedstaaten erstreckt (BeckOGK/Schall Rn. 11 f.), ist auch durch europarechtl. Niederlassungsvorgaben und Diskriminierungsverbot nicht geboten, da § 19 nicht etwa nur innerhalb seines Anwendungsbereichs Privilegierung vom Verbot der Einlagenrückgewähr statuiert, sondern a maiore ad minus generell zum Ausdruck bringt, dass wechselseitige Beteiligungen dem Regime des § 57 entzogen sind (MüKoAktG/Bayer Rn. 26; Grigoleit/Grigoleit Rn. 3; S/L/J. Vetter Rn. 5, 13; GK-AktG/Windbichler Rn. 14 mit Fn. 36). Auch wechselseitige Beteiligungen mit ausländischen Unternehmen bleiben aber Regeln für verbundene und – im Falle der Qualifizierung nach § 19 II, III – für abhängige/beherrschende Unternehmen unterworfen (ausf. MüKoAktG/Bayer Rn. 27 f.; KK-AktG/Koppensteiner Rn. 31 f.). Ungeklärt ist, ob § 57 uU Anwendung finden kann, wenn inländische AG eine über 25 % hinausgehende Beteiligung an bereits mit mehr als 25 % an ihr beteiligtem Auslandsunternehmen erwirbt (MHdB AG/Krieger § 69 Rn. 109; sa Emmerich/Habersack/Emmerich Rn. 26; KK-AktG/Koppensteiner Rn. 30; zweifelnd Wastl/Wagner, Wechselseitige Beteiligungen, 1997, 55 Fn. 96).

2. Erfordernis unmittelbarer wechselseitiger Minderheitsbeteiligung. 3
Jedem der Unternehmen müssen **mehr als 25 % der Anteile** des anderen Unternehmens gehören (§ 19 I 1). **Berechnung** erfolgt nach § 16 II 1, IV iVm § 19 I 2 (→ § 16 Rn. 6, 12 f.). Maßgeblich ist allein Höhe der Kapitalbeteiligung, nicht Zahl der Stimmrechte; denn auf § 16 III wird in § 19 I 2 nicht verwiesen. Eigene Anteile sind nicht abzusetzen, weil sich Verweis des § 19 I 2 nicht auf § 16 II 2 und 3 erstreckt (allgM – vgl. MüKoAktG/Bayer Rn. 30). **Dreiecksbeteiligungen** (oder ringförmige Beteiligungen) sind nicht unmittelbar wechselseitig iSd § 19 I und fallen deshalb nicht in den Anwendungsbereich der Vorschrift (MüKoAktG/Bayer Rn. 36; MHdB AG/Krieger § 69 Rn. 98). Sofern sich daraus Abhängigkeitsverhältnis ergibt, können sie aber von § 19 II, III erfasst sein (→ Rn. 5, 8).

III. Einseitig qualifizierte wechselseitige Beteiligung (§ 19 II)

1. Grundsatz. § 19 II betr. einseitig qualifizierte wechselseitige Beteiligung, 4
dh dass ein Unternehmen an dem anderen Mehrheitsbeteiligung besitzt oder sonst beherrschenden Einfluss ausüben kann, während das andere Unternehmen nur iSd § 19 I beteiligt ist. Daran geknüpfte **Zuordnung zu § 17 I** und dafür geltendem Regelungsregime (namentl. §§ 311 ff.) ist für Fall der Beherrschung selbstverständlich. Zusätzlicher Erkenntniswert liegt allein darin, dass im Fall einer Mehrheitsbeteiligung Abhängigkeitsvermutung des § 17 II nicht widerlegt werden kann; damit ist Klarstellung bezweckt, dass Wechselseitigkeit Beherrschung nicht ausräumt (MüKoAktG/Bayer Rn. 46; zweifelnd für Fälle beidseitig qualifizierter Wechselseitigkeit noch RGZ 149, 305, 308). Für **Feststellung einer Mehrheitsbeteiligung** gilt § 16 vollen Umfangs (heute allgM, s. nur KK-AktG/Koppensteiner Rn. 24). Insoweit sind also, anders als bei einfacher wechselseitiger Beteiligung (→ Rn. 3), auch § 16 II 2 und 3 sowie § 16 III zu beachten; insbes. genügt Stimmenmehrheit.

2. Dreiecksbeteiligungen. Bei Dreiecksbeteiligung kann Abhängigkeit des 5
anderen Unternehmens zur **Anwendung des § 16 IV** führen und wechselseitige Beteiligung zwischen dem herrschenden und dem dritten Unternehmen ergeben.

Bsp.: X hält 30% an Y, Y 40% an Z, Z 40% an X; X beherrscht Y, wenn zu der Beteiligung andere Umstände hinzutreten. Dann muss sich X die Anteile der Y zurechnen lassen, so dass einfache wechselseitige Beteiligung zwischen X und Z entsteht, dagegen nicht zwischen Y und Z (sa MüKoAktG/Bayer Rn. 37). Zu allseitiger Abhängigkeit → Rn. 7 f.

6 3. **Auswirkungen der §§ 71 ff.** Unter Voraussetzung der Abhängigkeit (→ Rn. 4) begründet § 71d S. 2 ein **Erwerbsverbot,** wenn nicht Voraussetzungen des § 71 I und II vorliegen; hinzu treten Rechtsausschluss nach § 71b und Veräußerungsgebot des § 71c (jew. iVm § 71d S. 4). Nach Einführung dieser Regeln durch 2. KoordG 1978 war Frage nach Verhältnis zu § 19 II (und III; → Rn. 8) aufgeworfen worden: Vereinzelt wurde **Spezialität** des § 19 II und Verdrängung der §§ 71b – 71d für vor Begründung der Abhängigkeit erworbene Aktien angenommen (Cahn/Farrenkopf AG 1984, 178, 179). Ansicht hat sich zu Recht nicht durchgesetzt, da sie restriktiver Tendenz des 2. KoordG 1978 widerspricht und auch **kein zwingender systematischer Widerspruch** erkennbar ist (heute allgM – vgl. MüKoAktG/Bayer Rn. 49 f.; Emmerich/Habersack/Emmerich Rn. 16; MHdB AG/Krieger § 69 Rn. 113). § 71d S. 2–4 bleiben deshalb anwendbar (zu den Folgen → § 71d Rn. 5 ff., 13 ff.).

IV. Beidseitig qualifizierte wechselseitige Beteiligung (§ 19 III)

7 Dieser Fall liegt vor, wenn beide Unternehmen aneinander mehrheitlich beteiligt sind oder aufeinander beherrschenden Einfluss ausüben können. § 19 III vermutet unwiderlegbar, dass jedes Unternehmen zugleich herrschend und abhängig ist (iÜ → Rn. 4). Daran geübte Kritik (KK-AktG/Koppensteiner Rn. 27 mwN) ist dann unbegründet, wenn man Vorschrift als sprachliche Abkürzung des Rechtssatzes versteht, dass beide Unternehmen entgegen der Neutralisierungs-These von RGZ 149, 305, 308 (Iduna) den für abhängige Gesellschaften geltenden Beschränkungen, bes. dem Stimmverbot (§ 71b), unterliegen sollen (→ Rn. 4, 10).

8 Für **Dreiecksbeteiligungen** gilt unter Fortführung der Erl. in → Rn. 5: Wenn X die AG Y, diese die Z und Z die X beherrscht, liegen infolge der Zurechnung nach § 16 IV drei wechselseitige Beteiligungen vor (str., wie hier MüKoAktG/Bayer Rn. 38 f.; KK-AktG/Koppensteiner Rn. 23; MHdB AG/Krieger § 69 Rn. 98). Weil sie mit Abhängigkeiten zusammentreffen, handelt es sich um qualifizierte wechselseitige Beteiligungen, für die § 328 nicht gilt (ebenso MüKoAktG/Bayer Rn. 38 f.). Bei den **Auswirkungen der §§ 71 ff.** (→ Rn. 6) ist zu beachten, dass § 71d S. 4 iVm § 71c I keine Entscheidung darüber erlaubt, welche der beiden abhängigen Gesellschaften ihre Beteiligung an der anderen abbauen muss (darin zutr. Cahn/Farrenkopf AG 1984, 178, 179). Früher hM folgerte daraus „Perplexität" mit der Folge, dass beiderseits keine Übertragungs- und Rückführungspflichten bestehen, sondern es bei Ausübungsverbot des § 71b verbleibe (KK-AktG/Lutter/Drygala § 71d Rn. 76 f.; MüKoAktG/Oechsler § 71d Rn. 33). Vorzugswürdig ist indes die wortlautgetreue und normzweckentspr. **beiderseitige Anwendung** des § 71d S. 2 iVm § 71c I (Emmerich/Habersack/Emmerich Rn. 19; BeckOGK/Schall Rn. 6; S/L/J. Vetter Rn. 18; GK-AktG/Windbichler Rn. 35). Der beiderseitige Anteilsbesitz muss bis auf die Obergrenze von 10% abgebaut werden.

V. Keine Geltung des § 328 (§ 19 IV)

9 Nach § 19 IV gilt § 328 nicht bei qualifizierten wechselseitigen Beteiligungen (→ Rn. 4, 7). § 328 beschränkt sich also auf einfache wechselseitige Beteiligungen (→ Rn. 2 f.; → § 328 Rn. 1). Norm ist bei Abhängigkeit unpassend (KK-

AktG/Koppensteiner Rn. 23), weil abhängige Gesellschaft überhaupt keine Rechte aus ihren Aktien an Obergesellschaft ausüben darf (§ 71b iVm § 71d S. 4), während Obergesellschaft die Rechte, bes. Stimmrechte, in der abhängigen AG voll zustehen (→ Rn. 10).

VI. Rechtsfolgen

Für alle wechselseitigen Beteiligungen gelten die **Vorschriften über verbundene Unternehmen** (§ 15 → Rn. 22). Ferner sind Angaben im Anh. zu machen (§ 160 I Nr. 7); zu fehlender Mehrleistungspflicht → § 54 Rn. 5a. Bei einfacher wechselseitiger Beteiligung sind neben § 328 (→ Rn. 9) die Mitteilungs- und Nachweispflichten der § 20 III, § 21 I, § 22 zu beachten. Zur Sonderregelung für wechselseitige Beteiligungen, die vor Inkrafttreten des AktG begründet wurden, s. §§ 6, 7 EGAktG (heute wohl ohne Bedeutung – Emmerich/Habersack/Emmerich § 328 Rn. 2). Bei qualifizierter wechselseitiger Beteiligung sind Vorschriften über abhängige Unternehmen anwendbar, bes. § 18 I 3, § 20 IV, § 21 II–IV, §§ 22, 71b ff. (→ Rn. 6, 8), §§ 311 ff., 405 I Nr. 4 lit. a und b. Das gilt im Anwendungsbereich des § 19 III (→ Rn. 7) für beide Gesellschaften. Kernfolge ist insoweit der Ausschluss von Verwaltungsstimmrechten (grdl. Hefermehl DB 1955, 304). 10

Mitteilungspflichten

20 (1) [1] **Sobald einem Unternehmen mehr als der vierte Teil der Aktien einer Aktiengesellschaft mit Sitz im Inland gehört, hat es dies der Gesellschaft unverzüglich schriftlich mitzuteilen.** [2] **Für die Feststellung, ob dem Unternehmen mehr als der vierte Teil der Aktien gehört, gilt § 16 Abs. 2 Satz 1, Abs. 4.**

(2) **Für die Mitteilungspflicht nach Absatz 1 rechnen zu den Aktien, die dem Unternehmen gehören, auch Aktien,**

1. **deren Übereignung das Unternehmen, ein von ihm abhängiges Unternehmen oder ein anderer für Rechnung des Unternehmens oder eines von diesem abhängigen Unternehmens verlangen kann;**
2. **zu deren Abnahme das Unternehmen, ein von ihm abhängiges Unternehmen oder ein anderer für Rechnung des Unternehmens oder eines von diesem abhängigen Unternehmens verpflichtet ist.**

(3) **Ist das Unternehmen eine Kapitalgesellschaft, so hat es, sobald ihm ohne Hinzurechnung der Aktien nach Absatz 2 mehr als der vierte Teil der Aktien gehört, auch dies der Gesellschaft unverzüglich schriftlich mitzuteilen.**

(4) **Sobald dem Unternehmen eine Mehrheitsbeteiligung (§ 16 Abs. 1) gehört, hat es auch dies der Gesellschaft unverzüglich schriftlich mitzuteilen.**

(5) **Besteht die Beteiligung in der nach Absatz 1, 3 oder 4 mitteilungspflichtigen Höhe nicht mehr, so ist dies der Gesellschaft unverzüglich schriftlich mitzuteilen.**

(6) [1] **Die Gesellschaft hat das Bestehen einer Beteiligung, die ihr nach Absatz 1 oder 4 mitgeteilt worden ist, unverzüglich in den Gesellschaftsblättern bekanntzumachen; dabei ist das Unternehmen anzugeben, dem die Beteiligung gehört.** [2] **Wird der Gesellschaft mitgeteilt, daß die Beteiligung in der nach Absatz 1 oder 4 mitteilungspflichtigen Höhe nicht**

mehr besteht, so ist auch dies unverzüglich in den Gesellschaftsblättern bekanntzumachen.

(7) [1]**Rechte aus Aktien, die einem nach Absatz 1 oder 4 mitteilungspflichtigen Unternehmen gehören, bestehen für die Zeit, für die das Unternehmen die Mitteilungspflicht nicht erfüllt, weder für das Unternehmen noch für ein von ihm abhängiges Unternehmen oder für einen anderen, der für Rechnung des Unternehmens oder eines von diesem abhängigen Unternehmens handelt.** [2]**Dies gilt nicht für Ansprüche nach § 58 Abs. 4 und § 271, wenn die Mitteilung nicht vorsätzlich unterlassen wurde und nachgeholt worden ist.**

(8) **Die Absätze 1 bis 7 gelten nicht für Aktien eines Emittenten im Sinne des § 33 Absatz 4 des Wertpapierhandelsgesetzes.**

Übersicht

I. Regelungsgegenstand und -zweck

1 § 20 betr. Mitteilungspflichten von Unternehmen (→ Rn. 2) ggü. inländischer AG (→ Rn. 2) bzgl. Erwerb oder Wegfall wesentlicher Beteiligung. 1965 eingeführte Norm bezweckt zusammen mit §§ 21, 22 **Offenlegung der Beteiligungsverhältnisse;** Aktionäre, Gläubiger und Öffentlichkeit sollen über Konzernverbindungen unterrichtet werden (BGHZ 114, 203, 215 = NJW 1991, 2765; RegBegr. Kropff S. 38; sa Witt, Übernahmen, 1998, 4 ff., 76 ff.). Regelung wird von manchen als unzureichend empfunden (s. Emmerich/Habersack/Emmerich Rn. 2; Burgard AG 1992, 41, 44). Zur rechtstatsächlichen Verbreitung s. Bayer/Hoffmann AG 2013, R 143 ff. **Konkurrenzen:** Sind wie häufig Tatbestände der §§ 20, 21 zugleich verwirklicht, so hat § 20 als strengere Bestimmung Vorrang (allgM, s. zB KK-AktG/Koppensteiner Rn. 7). Bei wechselseitiger Beteiligung (§ 19) bestehen die Mitteilungspflichten nach § 328 IV (→ § 328 Rn. 8). Erheblich weitergehend als §§ 20, 21 sehen §§ 33 ff. WpHG Mitteilungspflichten bei Stimmrechtsbeteiligungen von 3, 5, 10, 15, 20, 25, 30, 50 und 75 % vor. Da Anwendungsbereich dieser Vorschriften aber auf börsennotierte AG mit Sitz im Inland beschränkt ist, haben auch §§ 20, 21 daneben noch große Bedeutung (Naumann AG 2017, 300, 301). Eine deutlich weiterreichende Veröffentlichungspflicht trifft auch den erfolgreichen Bieter nach § 35 I 1 WpÜG. Darüber hinausgehende Erweiterung der Offenlegungspflichten auf Basis von Treupflichten (dafür Burgard AG 1992, 41, 47 ff.) ist nicht geboten, sondern ges. Offenlegungspflichten sind insofern als abschließende Regelung aufzufassen (BeckOGK/Petersen Rn. 13; GK-AktG/Windbichler Rn. 1).

II. Normadressaten

Mitteilungspflichten des § 20 betr. **Unternehmen,** auch solche mit **Sitz im Ausland** (allgM, s. RegBegr. Kropff S. 39; Emmerich/Habersack/Emmerich Rn. 13a). Privataktionäre ohne Unternehmenseigenschaft sind also nicht erfasst (KG AG 2010, 497, 501 f.). Unternehmensbegriff ist grds. rechtsformneutral iSd § 15 (→ § 15 Rn. 8) zu verstehen; Ausnahme: § 20 III (→ Rn. 5). Zu den Einzelheiten → § 15 Rn. 8 ff. Beteiligung muss sich jedoch auf **AG mit Sitz im Inland** beziehen (vgl. MüKoAktG/Bayer Rn. 6). KGaA steht gem. § 278 III gleich (→ § 278 Rn. 20). Mitteilungspflichtig ist auch **Beteiligung an Vor-AG,** also zB Übernahme von mehr als 25 % am Kapital der neuen Gesellschaft, sofern Zeichnung durch Unternehmen, nicht durch Privataktionär erfolgt (S/L/Veil Rn. 11; Priester AG 1974, 212, 213 f.; aA GK-AktG/Windbichler Rn. 19). Dass Mitteilung infolge anderweitiger Kenntnis des Vorstands (bes. § 33) entbehrlich wird (Priester AG 1974, 212, 213), ist mit gebotener Rechtssicherheit nicht vereinbar und deshalb abzulehnen (→ Rn. 8; BGHZ 167, 204 Rn. 13 = AG 2006, 501; KG AG 1990, 500 zu § 20 II; MüKoAktG/Bayer Rn. 11). Auch wenn Vorstand aufgrund solch anderweitig erlangter Kenntnis die mitteilungsbedürftige Tatsache bekannt macht, entfällt Rechtsfolge des § 20 VII nicht (MüKoAktG/Bayer Rn. 12; Emmerich/Habersack/Emmerich Rn. 30a, 37; MHdB AG/Krieger § 69 Rn. 130; aA KK-AktG/Koppensteiner Rn. 45; offenlassend BGH NZG 2016, 1182 Rn. 27). Bek. durch Gesellschaft erfolgt gem. § 20 VI richtigerweise unverzüglich, nicht erst nach Eintragung (aA Priester AG 1974, 212, 214). 2

III. Mitteilungspflichtige Vorgänge

1. Schachtelbeteiligung (§ 20 I). Mitteilungspflichtig ist zunächst Erwerb einer Schachtelbeteiligung, also Beteiligung von mehr als 25 % (§ 20 I 1). Erwerb setzt idR Wechsel der Rechtszuständigkeit voraus, auch durch Gesamtrechtsnachfolge einschließlich Verschmelzung oder Spaltung (§ 20 I Nr. 1 UmwG, § 131 I Nr. 1 UmwG, § 135 I 1 UmwG). Aber auch ohne Beteiligungswechsel kann Mitteilungspflicht etwa dann entstehen, wenn Aktionär erst nachträglich Unternehmenseigenschaft (→ § 15 Rn. 8 ff.) erwirbt (Henssler/Strohn/Keßler Rn. 3). Nicht nur derivativer Erwerb, sondern auch originäre **Gründungsbeteiligung** werden von § 20 I erfasst (BGHZ 167, 204 Rn. 13 = AG 2006, 501). Bloßer Formwechsel auf Ebene des Anteilseigners genügt dagegen nicht, wohl aber Formwechsel auf Ebene der Gesellschaft (sa LG Düsseldorf ZIP 2010, 1129, 1131; GK-AktG/Windbichler Rn. 19; Irriger/Longrée NZG 2013, 1289 ff.). Berechnung der Beteiligungshöhe erfolgt gem. § 20 I 2 nach § 16 II 1 und IV (→ Rn. 8, 12 f.). Damit ist im Gegensatz zu den Meldepflichten der §§ 33 ff. WpHG (→ Rn. 20 f.) nur die Kapital- und nicht die Stimmenquote relevant (MüKoAktG/Bayer Rn. 13; KK-AktG/Koppensteiner Rn. 14). Soweit Zurechnung nach § 16 IV stattfindet, ist Person des Mitteilungspflichtigen str., wenn abhängiges Unternehmen oder sonstiger Dritter selbst mehr als 25 % hält. Zutr. ist, dass auch hier **keine Absorption** stattfindet, so dass herrschendes und abhängiges Unternehmen (Dritter) mitteilungspflichtig sind (vgl. BGHZ 114, 203, 217 = NJW 1991, 2765; BGH NJW 2000, 3647; LG Berlin AG 1998, 195, 196; MüKoAktG/Bayer Rn. 10; Emmerich/Habersack/Emmerich Rn. 19; aA 3 noch v. Falkenhausen BB 1966, 875). Auch **Erwerb aller Anteile** ist mitteilungspflichtig, weil es dabei auch um Unterrichtung der Gläubiger und der Öffentlichkeit geht (→ Rn. 1; s. Hägele NZG 2000, 726, 729; für Erwerb aller Geschäftsanteile einer GmbH → § 21 Rn. 2). Zur Anwendung der Vorschrift auf Legitimationsaktionär → § 67 Rn. 34 f. mwN.

4 **2. Schachtelbeteiligung kraft Zurechnung (§ 20 II).** Zurechnung nach § 16 IV iVm § 20 I 2 wird durch Zurechnung nach § 20 II ergänzt. Danach genügen Übereignungsanspruch (Nr. 1) oder Abnahmepflicht (Nr. 2), um Mitteilungspflicht anzunehmen; das soll ihrer Umgehung vorbeugen. Unter § 20 II Nr. 1 fallen auch Optionen und Rechte aus bindenden Angeboten (hM, s. MüKoAktG/Bayer Rn. 19; KK-AktG/Koppensteiner Rn. 17). Für § 20 II gilt wie für § 16 IV, dass Unternehmen, dessen Aktien der Zurechnung unterliegen, bei entspr. Höhe seiner Beteiligung selbst mitteilungspflichtig bleibt (MüKoAktG/Bayer Rn. 16; GK-AktG/Windbichler Rn. 27, 53). Nur tats. Einflussmöglichkeiten begründen keine Zurechnung (LG Berlin AG 1991, 34, 35; aA Koppensteiner FS Rowedder, 1994, 213, 224).

5 **3. Schachtelbeteiligung ohne Zurechnung (§ 20 III).** Mit Rücksicht auf § 19 I, § 328 ist Schachtelbeteiligung ohne Zurechnung nach § 20 II gem. § 20 III **gesondert mitteilungspflichtig,** wenn sie (entspr. § 19 I; s. → § 19 Rn. 2) von inländischer (MüKoAktG/Bayer Rn. 23; Emmerich/Habersack/Emmerich Rn. 26; aA KK-AktG/Koppensteiner Rn. 34) Kapitalgesellschaft erworben wird. Berechnung erfolgt auch hier nach § 16 II 1, IV. Kenntnis der Gesellschaft aus anderen Quellen befreit Unternehmen nicht von Mitteilungspflicht, da AG erst aufgrund der schriftlichen Mitteilung nach § 20 VI verpflichtet ist, die Beteiligung bekannt zu machen (BGHZ 114, 203, 213 = NJW 1991, 2765).

6 **4. Erwerb einer Mehrheitsbeteiligung (§ 20 IV).** Erwerb einer Mehrheitsbeteiligung löst nach § 20 IV **erneute Mitteilungspflicht** aus; bis Mehrheitsschwelle erreicht ist, muss Hinzuerwerb von Aktien nicht mitgeteilt werden. Obwohl § 20 IV für Begriff der Mehrheitsbeteiligung nur auf § 16 I verweist, enthält Norm nach allgM Generalverweisung, weil § 16 II–IV den Grundsatz des § 16 I nur konkretisieren (KG AG 1999, 126, 127; KG AG 2000, 227; KK-AktG/Koppensteiner Rn. 20; ausf. Bernhardt BB 1966, 678, 680 f.). Mithin sind – anders als bei § 20 I (→ Rn. 3) – sowohl Kapital- als auch Stimmrechtsmehrheit mitteilungspflichtig. Wenn sie auseinanderfallen, können zwei Unternehmen mitteilungspflichtig sein. § 20 II bleibt unberücksichtigt. Der Mitteilungspflicht nach § 20 IV unterliegt auch Unternehmen, das durch Erwerb Alleinaktionär wird (BGH NZG 2016, 1182 Rn. 13).

7 **5. Wegfall mitteilungspflichtiger Beteiligung (§ 20 V).** Auch Wegfall einer Beteiligung, die nach § 20 I, III oder IV mitteilungspflichtig war, ist mitzuteilen (§ 20 V). Mitteilungspflichtig ist das Unternehmen, das auch Bestehen der Beteiligung mitteilen musste. Wegfall des entspr. Aktienbesitzes ist auch dann mitzuteilen, sofern ursprüngliche Mitteilung nach § 20 I, III oder IV unterblieben ist (MüKoAktG/Bayer Rn. 27; Emmerich/Habersack/Emmerich Rn. 29; BeckOGK/Petersen Rn. 51; S/L/Veil Rn. 31; MHdB AG/Krieger § 69 Rn. 126; Burgard, Die Offenlegung von Beteiligungen, 1990, 52 f.; jetzt auch GK-AktG/Windbichler Rn. 38; aA KK-AktG/Koppensteiner Rn. 21; Henssler/Strohn/Keßler Rn. 7). Wie bei ähnlich gelagerter Konstellation fehlender Voreintragung iRd § 15 I HGB (s. dazu GK-HGB/J. Koch/Harnos § 15 Rn. 44 ff.) können interessierte Normadressaten auch hier auf anderem Wege von Beteiligung Kenntnis erlangt haben, so dass für Mitteilung ihres Wegfalls weiterhin Bedarf besteht. Da dieses Verständnis auch der wortlautgetreuen Lesart entspr., ist für teleologische Reduktion kein Raum. Praktische Bedeutung des § 20 V wird

aber dadurch relativiert, dass Verletzung dieser Variante nach klarem Wortlaut des § 20 VII („nach Abs 1 oder 4 mitteilungspflichtiges Unternehmen“) keinen Stimmrechtsausschluss gem. § 20 VII nach sich zieht (OLG Stuttgart AG 2013, 604, 607; MüKoAktG/Bayer Rn. 43).

IV. Modalitäten der Mitteilung

Zeitpunkt, Inhalt und Form. § 20 I, III–V verlangen **unverzügliche Mitteilung,** also ohne schuldhaftes Zögern (§ 121 I 1 BGB) seit Erwerb der letzten bzw. (§ 20 V) Abgabe der ersten Aktie, mit der ein Tatbestand des § 20 verwirklicht wird. Mitteilung vor endgültigem Erwerb, etwa aufgrund bloßen Kaufvertrags, genügt nicht (BGH NZG 2016, 1182 Rn. 23 f.). Zunächst versäumte Mitteilung kann nachgeholt werden, auch in HV, in der Aktionär oder sein Vertreter ohne Teilnahmerecht (§ 20 VII) anwesend sind (OLG München AG 2012, 45, 47; Happ FS K. Schmidt, 2009, 545, 550 f.). Bes. Vorschriften zum **Inhalt** der Mitteilung gibt es nicht (OLG München AG 2012, 45, 47 – Muster bei Happ/Bednarz AktienR 7.01). AG muss als Empfängerin jedenfalls erkennen können, welchem Unternehmen die Beteiligung zusteht (vgl. auch § 20 VI 1 Hs. 2) und ob es sich um Mitteilung nach § 20 I oder III oder IV handelt (BGHZ 114, 203, 215 = NJW 1991, 2765: nicht kumulativ nennen; BGH NJW 2000, 3647, 3648; NZG 2016, 1182 Rn. 17; KG AG 1999, 126, 127; KG AG 2000, 227; OLG München AG 2010, 842, 843). Bezeichnung der entspr. Rechtsgrundlage ist jedenfalls zweckmäßig und zumindest dann anzuraten, wenn Mitteilung mit anderen Informationen verbunden wird (Burgard WM 2012, 1937, 1938 ff.). Ob Unternehmen Anteile direkt hält oder sie ihm nach § 16 II 1, IV zuzurechnen sind, muss dagegen nicht angegeben werden (OLG München AG 2019, 266, 267 f. mwN; aA Emmerich/Habersack/Emmerich Rn. 34). Für Mitteilung nach § 20 IV genügt Angabe der Prozentsätze, aus denen Mehrheit folgt (LG Hamburg AG 1996, 233). Mitteilungen Dritter genügen nicht, sofern Dritter nicht erkennbar im Auftrag des mitteilungspflichtigen Unternehmens handelt (BGHZ 114, 203, 215; BGH NJW 2000, 3647, 3648; NZG 2016, 1182 Rn. 17). Inhaltsfehler führen nur dann zur Pflichtverletzung, wenn Informationszweck dadurch beeinträchtigt wird (OLG Stuttgart AG 2013, 604, 607; BeckOGK/Petersen Rn. 67). Zu weiteren Einzelheiten (teilw. str.) vgl. MüKoAktG/Bayer Rn. 33 ff.; KK-AktG/Koppensteiner Rn. 25 ff.; MHdB AG/Krieger § 69 Rn. 127 ff. § 20 I 1 verlangt **Schriftform** (§ 126 BGB), die in § 126a auf elektronische Form ausgedehnt wird. Mündliche oder telefonische Mitteilung genügen nicht (s. BGHZ 24, 297, 300 = NJW 1957, 1275; BGHZ 121, 224, 230 = NJW 1993, 1126), auch nicht Hinzufügen einer Unterschrift durch Einscannen (OLG Schleswig AG 2008, 129, 131). Ausreichend ist jedoch, dass Mitteilung eigenhändig unterschrieben (§ 126 BGB) und per Telefax übermittelt wird (zust. MüKoAktG/Bayer Rn. 37; Happ FS K. Schmidt, 2009, 545, 552). Abw. Rspr. zur Bürgschaft (BGHZ 121, 224, 228 ff.) steht nicht entgegen, weil bei bloßer Mitteilung kein § 766 BGB vergleichbarer Formzweck besteht. Mitteilung ist **geschäftsähnliche Handlung** (Hägele NZG 2000, 726, 727) und kann deshalb auch durch Bevollmächtigten abgegeben werden (Happ FS K. Schmidt, 2009, 545, 552 ff.). Nicht genügend ist **anderweitig erlangte Kenntnis** der AG (KG AG 1990, 500, 501; LG Berlin AG 1979, 109; LG Oldenburg AG 1994, 137), solange sie nicht durch „Mitteilung“ vermittelt wurde, sondern etwa nur aus Aktienregister ersichtlich ist (BGHZ 167, 204 Rn. 13 = AG 2006, 501; BGH NZG 2016, 1182 Rn. 17; LG Düsseldorf ZIP 2010, 1129, 1131; Emmerich/Habersack/Emmerich Rn. 30; vgl. auch OLG München AG 2012, 45, 47: nicht genügend: Jahresabschluss, Lagebericht, Aktionärsbrief; aA Fatemi NZG 2013, 2195, 2198). Hat Mitteilung vornehmlich **anderen Inhalt** und andere Bezeich- 8 nung (zB Umschreibungsantrag), vermittelt zugleich aber unmissverständlich Kenntnis von Beteiligungshöhe, ist str., ob Mitteilungspflicht erfüllt ist (dafür OLG München AG 2010, 842, 843; 2012, 45, 47 f.; aA KG AG 1990, 500, 501; MüKoAktG/Bayer Rn. 11; Emmerich/Habersack/Emmerich Rn. 31; Burgard WM 2012, 1937 ff.). Da § 20 keine bes. Erfordernisse vorsieht, sind BGB-Regeln maßgeblich, so dass entspr. allg. Zugangsgrundsätzen (§ 130 BGB; zur Anwendung auf geschäftsähnliche Handlungen MüKoBGB/Einsele BGB § 130 Rn. 4) darauf abzustellen ist, ob trotz weiteren Kontextes mit Kenntnisnahme des Vorstands zu rechnen ist. Das ist auch bei inzidenten Mitteilungen möglich, sofern sie inhaltlich unmissverständlich und vom Umfang klar begrenzt sind (keine Verschleierung durch information overload). BGH verlangt insofern, dass Mitteilung nach Form und Inhalt darauf ausgerichtet sein muss, von dem Vorstand der AG als Mitteilung iSd § 20 erfasst zu werden (BGH NZG 2016, 1182 Rn. 17).

V. Bekanntmachung der Beteiligungsverhältnisse (§ 20 VI)

9 **Gesellschaft, an der Beteiligung besteht,** ist gem. § 20 VI in den Fällen des § 20 I (→ Rn. 3), des § 20 IV (→ Rn. 6) und des § 20 V (→ Rn. 7) bekanntmachungspflichtig. Grund: Aktionäre sollen alsbald unterrichtet werden (AusschussB Kropff S. 42). Bekanntmachungspflicht besteht auch, wenn Beteiligung iSd § 20 I nur durch **Zurechnung** nach § 20 II entsteht, dagegen grds. nicht in den Fällen des § 20 III. AG muss jedoch prüfen, ob in Mitteilung gem. § 20 III solche gem. § 20 I enthalten ist. Dann besteht Bekanntmachungspflicht (MüKoAktG/Bayer Rn. 41; KK-AktG/Koppensteiner Rn. 44), und zwar ohne Rücksicht auf Zustimmung des Unternehmens. Bekanntmachungspflicht besteht aber nur dann, wenn tats. auch auf Seiten des Unternehmens Mitteilungspflicht bestand, nicht dagegen bei mehrfachen Meldungen, denen keine entspr. Pflicht zugrunde lag (Naumann AG 2017, 300 ff.). Pflicht ist weiterhin beschränkt auf Beteiligungen, die der AG selbst mitgeteilt worden sind; sie selbst trifft keine Informationsbeschaffungspflicht, ob mitteilungspflichtige Beteiligung besteht (OLG Stuttgart AG 2013, 604, 608). UU kann Aktionär aber aus gesellschaftsrechtl. Treupflicht (→ § 53a Rn. 13 ff.) zur Auskunft über seinen Aktienbesitz verpflichtet sein, wenn hohe Wahrscheinlichkeit besteht, dass er Mitteilungspflicht verletzt und deshalb Dividenden nach § 20 VII oder § 44 WpHG zu Unrecht bezogen hat (LG Heidelberg AG 2016, 257 f.). Bek. erfolgt unverzüglich (§ 121 I 1 BGB) in den Gesellschaftsblättern, also jedenfalls im BAnz. (§ 20 VI 1 Hs. 1, § 25). Beteiligtes Unternehmen ist zu bezeichnen (§ 20 VI 1 Hs. 2). Bis zum Erhalt eines Nachweises iSd § 22 darf nicht gewartet werden (MüKoAktG/Bayer Rn. 39; KK-AktG/Koppensteiner Rn. 43). Verstoß gegen § 20 VI kann Schadensersatzpflicht begründen (§ 823 II BGB; → Rn. 11a), führt aber nicht zur Ausübungssperre des § 20 VII (OLG München AG 2012, 45, 48; OLG Stuttgart AG 2013, 604, 607; LG Mannheim AG 1988, 248, 252 mwN).

VI. Rechtsfolgen (§ 20 VII)

10 **1. Grundposition und betroffene Unternehmen.** § 20 VII enthält **drei Aussagen:** (1.) Mitgliedsrechte des Unternehmens bestehen grds. nicht, solange es seine Mitteilungspflicht nicht erfüllt (zeitweiliger Rechtsverlust). (2.) Ausgenommen vom zeitweiligen Rechtsverlust sind Recht auf Dividende (§ 58 IV) und auf Abwicklungsüberschuss (§ 271), sofern dem Unternehmen nicht Vorsatz zur Last fällt; sie ruhen jedoch, bis Mitteilung nachgeholt wird. (3.) Dem mitteilungspflichtigen Unternehmen stehen von ihm abhängige Unternehmen (§ 17) oder Dritte gleich, die für Rechnung des einen oder des anderen handeln. Rechtsverlust trifft damit nicht nur mitteilungspflichtiges Unternehmen selbst,

sondern auch Unternehmen, deren Aktien gem. § 20 I 2, § 16 IV zugerechnet werden, ohne dass es auf ihr Verschulden ankommt – sog **konzernweiter Rechtsverlust** (BGH NZG 2016, 1182 Rn. 41; MüKoAktG/Bayer Rn. 50; diff. Klöhn/Parhofer NZG 2017, 321, 323 f.; krit. Cahn Konzern 2017, 217 ff. unter Verweis auf Art. 14 GG; Habersack AG 2018, 133, 138 f. mit entspr. restriktiver Auslegung; Stephan Konzern 2021, 45, 47). Zurechnung nach § 20 II löst dagegen keine Erstreckung des Rechtsverlusts aus (MüKoAktG/Bayer Rn. 50). Umgekehrt kann auch herrschendes Unternehmen durch Beteiligungserwerb des von ihm abhängigen Unternehmens betroffen sein. In diesem Fall trifft es nach § 20 I, IV eigene Mitteilungspflicht, deren Verletzung zum zeitweiligen Rechtsverlust führen kann (BGH NZG 2016, 1182 Rn. 41). Erfüllt es diese Pflicht, ist aber abhängiges Unternehmen einer auch von ihm selbst zu erfüllenden Mitteilungspflicht nicht nachgekommen, tritt ebenfalls Rechtsverlust des herrschenden Unternehmens ein, allerdings nur für zugerechnete, nicht für weitere eigene Anteile (MüKoAktG/Bayer Rn. 50; BeckOGK/Petersen Rn. 72). Rechtsfolge des § 20 VII gilt allein für mitteilungspflichtige Unternehmen nach § 20 I oder IV. Verstöße nach § 20 III bedürfen keiner eigenständigen Sanktion, weil sich Meldepflicht hier zugleich aus § 20 I ergibt und vollständiges Ausbleiben der Meldung über diesen Umweg „mitsanktioniert" wird (ausf. Grigoleit/Rachlitz Rn. 30); bloßes Fehlen der Zusatzinformation nach § 20 III muss nicht mit Rechtsverlust bestraft werden. Auch auf Verstöße gegen § 20 V findet § 20 VII keine Anwendung (→ Rn. 7 mwN). Ausnahme von § 20 VII ist nach hLit für **Einmann-AG** zuzulassen, wenn Vorstand ohne vorangegangene Mitteilung Beteiligung bekannt macht, weil in diesem Fall Öffentlichkeit hinreichend informiert ist, keine schutzbedürftigen Mitaktionäre vorhanden sind und anderenfalls überhaupt keine funktionierende HV mehr vorhanden wäre (MüKoAktG/Bayer Rn. 52; S/L/Veil Rn. 37; offenlassend BGH NZG 2016, 1182 Rn. 27).

Nach wie vor ohne ges. Klärung ist Frage nach **Verschuldenserfordernis.** 11
Sie ist allerdings, abgesehen vom Vorsatz des § 20 VII 2, auch mehr von grundsätzlicher als praktischer Bedeutung, weil normativer Standard des § 276 II BGB bei unterbliebener Mitteilung idR verfehlt wird; notwendig ist das jedoch nicht. Nach einer Ansicht kam es auf Verschulden jedenfalls nach früherer Gesetzeslage nicht an (Quack FS Semler, 1993, 581, 585), während hM Rechtsverlust nach § 20 VII 1 bei entschuldbarem Rechtsirrtum nicht eingreifen lässt, dabei allerdings einen strengen Prüfungsmaßstab anlegt (KG AG 1990, 500, 501; sa KG AG 1999, 126, 127; MüKoAktG/Bayer Rn. 51; Fleischer DB 2009, 1335 ff. [dort vor allem zum Rechtsirrtum infolge fehlerhafter Auskünfte]; Hagen, Der Rechtsverlust im Aktien- und Kapitalmarktrecht, 2012, 103 ff.). HM ist zuzustimmen, da angesichts des einschneidenden Strafcharakters der Norm nach verfassungsrechtl. Schuldprinzip Verschulden erforderlich ist. Auch in Gesetzgebungsverfahren jüngeren Datums wurde Verschuldenserfordernis durchgängig anerkannt (vgl. RegE 3. FMFG, BT-Drs. 13/8933, 183 zu Nr. 18; Bericht Finanzausschuss RisikobegrenzungsG BT-Drs. 16/9821, 12; s. dazu auch Verse BKR 2010, 328, 331). Weiter herangezogenes Argument, dass auch Hinweis auf „unverzügliche" Mitteilungspflicht (= ohne schuldhaftes Zögern, § 121 I BGB) diese Sichtweise bestätige (Segna AG 2008, 311, 315), ist dagegen von eher schwacher Überzeugungskraft, da damit lediglich zeitliche Vorgabe formuliert werden soll (zust. Klöhn/Parhofer NZG 2017, 321, 323). ZT vertretene Differenzierung nach versammlungsbezogenen und nicht versammlungsbezogenen Rechten (vgl. OLG Schleswig AG 2008, 129, 131) ist abzulehnen, da sie im Wortlaut nicht angelegt ist und Sanktionsfolge gerade bei Stimmausübung in HV schwerwiegende Folgen haben kann (so auch Henssler/Strohn/Keßler Rn. 13; Fleischer DB 2009, 1335 f.; Hagen, Der Rechtsverlust im Aktien- und Kapitalmarktrecht, 2012,

126 f.; Mülbert FS K. Schmidt, 2009, 1219, 1230 f.). Darlegungs- und Beweislast für fehlendes Verschulden liegen bei Aktionär.

11a Umstr. ist, ob im Verschuldensfall daneben auch noch **Schadensersatzansprüche aus § 823 II BGB** in Betracht kommen (dafür die hM – vgl. MüKoAktG/Bayer Rn. 88; KK-AktG/Koppensteiner Rn. 88). Bessere Gründe sprechen dagegen, da solche Ansprüche nur anzuerkennen sind, wenn sie sich in umrahmendes Rechtsfolgensystem einpassen (BGHZ 66, 388, 390 f. = NJW 1976, 1730; BGHZ 125, 366, 374 = NJW 1994, 1801). Das ist jedenfalls für § 20 I, IV mit Blick auf hinreichende Sanktionierung und Steuerung über Rechtsverlust zu verneinen (überzeugend Grigoleit/Rachlitz Rn. 8; GK-AktG/Windbichler Rn. 89). Andere Wertung ist wegen fehlender Sanktionierung über Rechtsverlust für Bekanntmachungspflicht nach § 20 VI anzunehmen (KK-AktG/Koppensteiner Rn. 90 f.).

12 **2. Zeitweiliger Rechtsverlust (§ 20 VII 1).** Rechte aus betroffenen Aktien „bestehen" nicht, solange Mitteilungspflicht nicht erfüllt ist. Damit ist klargestellt, dass zeitweiliger Rechtsverlust eintritt, soweit nicht § 20 VII 2 eingreift (sa RegBegr. BT-Drs. 13/8933, 96 [zu § 28 WpHG aF; jetzt § 44 WpHG]; Witt WM 1998, 1153, 1157). Rechte aus Aktien sind **aus der Mitgliedschaft folgende Einzelrechte,** nicht die Mitgliedschaft selbst; diese ist sanktionsfest (BGH AG 2009, 534, 535; Riegger/Wasmann FS Hüffer, 2010, 823, 830). **Missbräuchliche Beschlussfassung** muss vom Rechtsverlust betroffener Aktionär deshalb nicht hinnehmen (BGH AG 2009, 534, 535). Erfasst werden alle Verwaltungsrechte (→ Rn. 14) und von den Vermögensrechten namentl. das Bezugsrecht des § 186 I, ferner das Dividendenrecht des § 58 IV und das Recht auf Abwicklungsüberschuss nach § 271, wenn Nachweis fehlenden Vorsatzes nicht gelingt. Rechtsverlust endet mit Unterschreiten der Meldeschwelle (KK-AktG/Koppensteiner Rn. 50; GK-AktG/Windbichler Rn. 38; aA Burgard, Die Offenlegung von Beteiligungen, 1990, 53).

13 **3. Ruhen von Rechten (§ 20 VII 2).** Vom zeitweiligen Rechtsverlust ausgenommen sind gem. § 20 VII 2 Ansprüche nach § 58 IV und nach § 271, sofern Pflichtverstoß nicht vorsätzlich erfolgt ist und unverzüglich (§ 121 I 1 BGB) nachgeholt wird (zum ungeschriebenen Unverzüglichkeitserfordernis BGH NZG 2016, 1182 Rn. 38). Wenn Mitteilung nachgeholt wird, entfaltet sie Rückwirkung, so dass Dividende und Abwicklungsüberschuss auch für Vergangenheit zu zahlen sind. Vorausgesetzt ist in jedem Fall, dass Pflichtverstoß ohne Vorsatz erfolgt, wobei bedingter Vorsatz genügt (BGH NZG 2016, 1182 Rn. 36). Es gilt insofern zivilrechtl. Vorsatzbegriff, so dass Rechtsirrtum Vorsatz ausschließt (BGH NZG 2016, 1182 Rn. 36). Fahrlässigkeit (§ 276 II BGB) schadet nicht, auch nicht bei grobem Sorgfaltsverstoß. Beweislast für fehlenden Vorsatz und Nachholung trägt der Mitteilungspflichtige (RegBegr. BT-Drs. 13/8933, 95; BGH NZG 2016, 1182 Rn. 35, 38: gilt auch für Unverzüglichkeit). Das gilt auch in Fällen konzernweiten Rechtsverlusts qua Zurechnung (→ Rn. 10; vgl. BGH NZG 2016, 1182 Rn. 43 ff.). Wenig überzeugend ist § 20 VII 2, soweit es um **Abwicklungsüberschuss** geht; dieser substituiert Mitgliedschaft und sollte deshalb weder erlöschen noch ruhen (Hüffer FS Boujong, 1996, 277, 286 f.; Schäfer BB 1966, 1004, 1007; Witt WM 1998, 1153, 1157; andere Wertung bei MüKoAktG/Bayer Rn. 70 f.). Schließlich lassen sich auch keine Sachgesichtspunkte dafür finden, dass Aktionär Dividende nur bei Vorsatz verliert, dagegen Bezugsrecht des § 186 I auch ohne solchen (sa Witt WM 1998, 1153, 1157). Es hätte nahegelegen, junge Aktien wie Dividende zu behandeln, wenn man Bezugsrecht nicht überhaupt aus Sanktionsregelung ausklammern will (s. Hüffer FS Boujong, 1996, 277, 297).

4. Einzelfragen. a) Verwaltungsrechte. Recht auf Teilnahme an HV, Stimmrecht (§§ 12, 134) und Auskunftsrecht (§ 131) erlöschen, wenn erforderliche Mitteilung **zum Zeitpunkt der HV** nicht vorliegt (BGH NZG 2018, 1350 Rn. 12 [Teilnahmerecht – zu § 22 WpHG aF]; OLG Düsseldorf AG 2010, 711, 712 [Stimmrecht]; KG AG 1990, 500 f. [Auskunft]; LG Hannover AG 1993, 187, 188 f. [Stimmrecht]). HV-Leiter darf von Stimmrecht ausgeschlossenen Aktionär nicht an Abstimmung teilnehmen lassen, was allerdings voraussetzt, dass ihm Stimmrechtsausschluss bekannt ist oder er diesen auch unter HV-Rahmenbedingungen erkennen kann (→ § 130 Rn. 22 ff. sowie → § 136 Rn. 24; ausf. U. H. Schneider AG 2021, 58 Rn. 12 ff. mit tendenziell strengen Anforderungen). Rechtsausschluss erfasst auch Anfechtungsbefugnis nach § 245 S. 1 Nr. 1 oder 2 (BGHZ 167, 204 Rn. 14 = AG 2006, 501; OLG Frankfurt AG 2007, 592, 593; OLG Schleswig AG 2006, 120, 121 f.; OLG Stuttgart AG 2005, 125, 127). In den Fällen des § 245 S. 1 Nr. 3 entscheidet stattdessen Ablauf der Anfechtungsfrist (§ 246 I); BGH NJW 2009, 2458 Rn. 4; iErg zutr. deshalb auch OLG Schleswig AG 2008, 129, 131. Anfechtung wegen Beschlussbeteiligung von nach § 20 VII ausgeschlossenen Aktionären ist nur möglich, wenn Verstoß Einfluss auf das Ergebnis der Abstimmung hatte (BGH AG 2014, 624 Rn. 8). 14

b) Vermögensrechte. aa) Dividendenanspruch. Zu unterscheiden ist zwischen Rechtsverlust und bloßem Ruhen des Anspruchs (→ Rn. 12 f.). Maßgeblicher Zeitpunkt für **Rechtsverlust** ist Gewinnverwendungsbeschluss (§ 174). Wenn Mitteilung bis dahin erfolgt ist, geht Dividendenzahlungsanspruch schon deshalb nicht gem. § 20 VII 1 verloren, weil er erst mit Beschlussfassung entsteht (→ § 58 Rn. 28 ff.; → § 174 Rn. 4). Bis dahin handelt es sich also nicht um Nachholung, sondern um noch genügende Mitteilung (MüKoAktG/Bayer Rn. 84; Emmerich/Habersack/Emmerich Rn. 53; MHdB AG/Krieger § 69 Rn. 141; Gelhausen/Bandey WPg 2000, 497, 500; aA GK-AktG/Windbichler Rn. 76: heilende Nachholung). Fall des § 20 VII 1 liegt also nur vor, wenn Mitteilung bis zur Feststellung des Vorsitzenden über die Beschlussfassung unterblieben ist. Dann muss weiter unterschieden werden: Bei Vorsatz ist Rechtsverlust endgültig, weil § 20 VII 2 nicht eingreift (→ Rn. 12). Für das jeweilige Geschäftsjahr entsteht kein Dividendenzahlungsanspruch (zutr. BGHZ 114, 203, 218 = NJW 1991, 2765 für Bezugsanspruch; BGH AG 2014, 624 Rn. 11; sa Hüffer FS Boujong, 1996, 277, 290 f.). Wenn kein Vorsatz vorliegt, kommt es dagegen nach § 20 VII 2 zum bloßen Ruhen des Dividendenanspruchs (→ Rn. 13). Dieser wird, wenn Mitteilung nachgeholt wird, rückwirkend voll wirksam (BGH AG 2014, 624 Rn. 11), und zwar auch für mehrere Geschäftsjahre, weil § 20 VII 2 für Nachholung keine zeitliche Beschränkung enthält. Folge ist, dass im Gewinnverwendungsbeschluss zunächst auch die Aktionäre zu berücksichtigen sind, die wegen Rechtsverlusts kein Dividendenrecht haben (BGH AG 2014, 624 Rn. 9, 11); zur weiteren Behandlung → Rn. 15a. 15

Bilanzielle Behandlung: Bei endgültigem Rechtsverlust (vorsätzliches Unterlassen der Mitteilung bis zur Beschlussfassung) ist auf dividendenlose Aktien entfallender Gewinnanteil von AG als Ertrag zu verbuchen (jetzt hM, s. LG München I NZG 2009, 226, 227 zu § 59 WpÜG; MüKoAktG/Bayer Rn. 76; Emmerich/Habersack/Emmerich Rn. 56a; MHdB AG/Krieger § 69 Rn. 143; Hüffer FS Boujong, 1996, 277, 291; aA [Rückstellung] KK-AktG/Koppensteiner Rn. 77; S/L/Veil Rn. 42; Gelhausen/Bandey WPg 2000, 497, 501 f.). Wenn Anspruch nur ruht (kein Vorsatz), wird man nicht ausgeschüttete Dividende in neuer Rechnung als sonstige Verbindlichkeit ausweisen müssen (Einzelheiten zur Parallelnorm des § 28 WpHG aF [jetzt § 44 WpHG] bei KK-WpHG/Kremer/Oesterhaus § 28 Rn. 64 ff.; H.-P. Müller AG 1996, 936, 937; abw. Gelhausen/Bandey WPg 2000, 497, 503: handelsrechtl. Rückstellung, die steuerrechtl. wie 15a

Verbindlichkeit zu behandeln sein soll). Weitergehend ist Passivierungspflicht auch bei Unklarheit über Vorsatz anzunehmen. Einbuchung als Ertrag und damit Möglichkeit anderer Verwendung als zur Dividendenzahlung kommt nur in Frage, wenn Vorsatz und damit Rechtsverlust für AG geklärt sind (sa Gelhausen/Bandey WPg 2000, 497, 503 ff. mit weiteren Differenzierungen).

16 **bb) Kapitalerhöhung.** Bei Kapitalerhöhung **aus Gesellschaftsmitteln** ist § 20 VII wegen bloßer Umstrukturierung der Mitgliedschaft und nach dem Rechtsgedanken des § 215 I überhaupt nicht anwendbar (hM, s. RegBegr. BT-Drs. 13/8933, 95 [zu § 28 WpHG aF; jetzt § 44 WpHG]; MHdB AG/Krieger § 69 Rn. 145; Happ/F. Schmidt FS Krieger, 2020, 295, 302 ff.; Hüffer FS Boujong, 1996, 277, 285; Riegger/Wasmann FS Hüffer, 2010, 823, 831 f.; Witt WM 1998, 1153, 1156; aA MüKoAktG/Bayer Rn. 69). Bei Kapitalerhöhung **gegen Einlagen** fallen Bezugsrechte unter § 20 VII 1, und zwar mit der Maßgabe, dass es auf Zeitpunkt des Kapitalerhöhungsbeschlusses ankommt (MüKoAktG/Bayer Rn. 63; Emmerich/Habersack/Emmerich Rn. 60; Happ/F. Schmidt FS Krieger, 2020, 295, 304 f.; aA MHdB AG/Krieger § 69 Rn. 146; Habersack FS Säcker, 2011, 355, 357 ff.). Zwar dient auch Bezugsrecht Substanzerhaltung, doch lässt eindeutig gefasster Normbefehl, der auch in RegBegr. BT-Drs. 13/8933, 95 klare Bestätigung gefunden hat, Korrektur nicht zu (Happ/F. Schmidt FS Krieger, 2020, 295, 304 f. mw Ausführungen zu Möglichkeiten des Rechtsschutzes auf S. 305 f.). Dagegen gibt es keine automatische Erhöhung des Bezugsrechts anderer Aktionäre; vielmehr kann Vorstand über junge Aktien verfügen (Marsch-Barner/Schäfer/Busch/Busch Rn. 44.46; MHdB AG/Krieger § 69 Rn. 146 ff.; Heinsius FS Rob. Fischer, 1979, 215, 232 ff.; Hüffer FS Boujong, 1996, 277, 293 f.; Quack FS Semler, 1993, 581, 590; iErg auch MüKoAktG/Bayer Rn. 66 ff.; sa [offenlassend] BGHZ 114, 203, 214, 218 = NJW 1991, 2765).

17 **5. Folgen unzulässiger Rechtsausübung. HV-Beschluss** ist nach § 243 I anfechtbar, wenn Stimmen entgegen § 20 VII mitgezählt wurden und Beschluss darauf beruht (BGHZ 167, 204 Rn. 26 = AG 2006, 501; OLG Brandenburg BeckRS 2023, 26120 Rn. 117; OLG Düsseldorf AG 2010, 330, 331 [zu § 28 WpHG aF; jetzt § 44 WpHG]; LG Hannover AG 1993, 187, 188 f.; MüKoAktG/Bayer Rn. 58; zu Beweisfragen s. einerseits OLG Oldenburg AG 1994, 415, 416; andererseits LG Oldenburg AG 1994, 137). Anfechtbarkeit und nicht Nichtigkeit tritt auch ein, wenn alle Stimmabgaben unzulässig sind (sog stimmrechtsloser Beschluss, s. BGHZ 167, 204 Rn. 26). Zu Unrecht bezogene **Dividende** ist zurückzuzahlen (iE unstr.), nach zutr. hM gem. § 62 I (MüKoAktG/Bayer Rn. 78; KK-AktG/Koppensteiner Rn. 82). Schicksal zu Unrecht bezogener **junger Aktien** ist heute in dem Sinne geklärt, dass Aktionär gem. § 62 I Vermögenswert zu Unrecht ausgeübter Bezugsansprüche an AG zu vergüten hat (hM, s. Emmerich/Habersack/Emmerich Rn. 62; MHdB AG/Krieger § 69 Rn. 147); überholt ist früher vertretene Herausgabe an AG zwecks Bezugsangebots an übrige Aktionäre. Auch infolge fehlerhafter Berechnung überhöhtes Abfindungsguthaben ist gem. § 62 I zurückzugewähren.

VII. Keine Geltung für Emittenten iSd § 33 IV WpHG (§ 20 VIII)

18 § 20 VIII enthält **negative Geltungsanordnung:** § 20 I–VII gilt nicht für Emittenten iSd § 33 IV WpHG. Unter **Legaldefinition** des § 33 IV WpHG fallen Inlandsemittenten sowie Emittenten, für die Bundesrepublik Deutschland Herkunftsstaat ist, sofern ihre Aktien zum Handel an einem organisierten Markt zugelassen sind. § 33 IV WpHG ist Kollisionsnorm, indem räumlicher Geltungsbereich der §§ 33 ff. WpHG bestimmt wird (s. dazu § 2 XIII WpHG). Selb-

ständige Definition erledigt Streit um Sitz- oder Gründungstheorie (→ § 1 Rn. 34 ff.). Aktien müssen ferner zum Handel an einem organisierten Markt zugelassen sein, wobei es gleichgültig ist, ob Börsenzulassung im Inland, in anderem Mitgliedstaat der EG oder Vertragsstaat des EWR-Abkommens erfolgt ist. Organisierter Markt deckt Handel im regulierten Markt ab (§§ 32 ff. BörsG). Das entspr. Begriff der börsennotierten Gesellschaft in § 3 II (→ Rn. 5 f.). Entfällt Börsennotierung durch **Delisting,** entfällt zugleich auch Sanktionsfolge des § 44 WpHG; sie wirkt in Gestalt des § 20 VII nur fort, wenn auch die Voraussetzungen dieser Norm erfüllt sind (OLG München NZG 2023, 512 Rn. 81 ff.; zust. Korkmaz/Stepper NZG 2023, 519 ff.).

Negative Geltungsanordnung bewirkt, dass **Mitteilungspflichten entweder nach § 20 oder nach §§ 33 ff. WpHG** bestehen, aber nicht wie bis 1998 kumulativ nach beiden Normkomplexen. Durch diese Trennung wird bezweckt und erreicht, dass börsennotierte Emittenten mit hinreichendem Inlandsbezug (→ Rn. 18) von bisheriger Doppelverpflichtung befreit sind (OLG München NZG 2023, 512 Rn. 81 ff.; RegBegr. BT-Drs. 13/8933, 147; sa Neye ZIP 1996, 1853, 1856 ff.). Parallelvorschrift: § 21 V (→ § 21 Rn. 5). Lösung ist, auch in dieser Form, zu begrüßen. Sie verwirklicht ihr Ziel mit dem einfachsten Mittel und vermeidet unstimmige (aA Witt AG 1998, 171 ff.) Übertragung aktienrechtl. Pflichten in kapitalmarktrechtl. Regelung der §§ 33 ff. WpHG. Bestehende Transparenzlücken sind marginal und hinzunehmen (RegBegr. BT-Drs. 13/8933, 148; krit. aber U. H. Schneider AG 1997, 81, 82). 19

Mitteilungspflichten der Gesellschaft

21 (1) [1] **Sobald der Gesellschaft mehr als der vierte Teil der Anteile einer anderen Kapitalgesellschaft mit Sitz im Inland gehört, hat sie dies dem Unternehmen, an dem die Beteiligung besteht, unverzüglich schriftlich mitzuteilen.** [2] **Für die Feststellung, ob der Gesellschaft mehr als der vierte Teil der Anteile gehört, gilt § 16 Abs. 2 Satz 1, Abs. 4 sinngemäß.**

(2) **Sobald der Gesellschaft eine Mehrheitsbeteiligung (§ 16 Abs. 1) an einem anderen Unternehmen gehört, hat sie dies dem Unternehmen, an dem die Mehrheitsbeteiligung besteht, unverzüglich schriftlich mitzuteilen.**

(3) **Besteht die Beteiligung in der nach Absatz 1 oder 2 mitteilungspflichtigen Höhe nicht mehr, hat die Gesellschaft dies dem anderen Unternehmen unverzüglich schriftlich mitzuteilen.**

(4) [1] **Rechte aus Anteilen, die einer nach Absatz 1 oder 2 mitteilungspflichtigen Gesellschaft gehören, bestehen nicht für die Zeit, für die sie die Mitteilungspflicht nicht erfüllt.** [2] **§ 20 Abs. 7 Satz 2 gilt entsprechend.**

(5) **Die Absätze 1 bis 4 gelten nicht für Aktien eines Emittenten im Sinne des § 33 Absatz 4 des Wertpapierhandelsgesetzes.**

I. Regelungsgegenstand und -zweck

§ 21 betr. Mitteilungspflichten der Gesellschaft (→ Rn. 2) ggü. anderem Unternehmen (→ Rn. 2 f.) über Erwerb oder Wegfall wesentlicher Beteiligung. Norm bezweckt **Offenlegung der Beteiligungsverhältnisse** im Interesse der Aktionäre, der Gläubiger und der Öffentlichkeit, ferner **Rechtssicherheit** im Umgang mit an Beteiligungshöhe anknüpfenden Vorschriften (RegBegr. Kropff S. 38). Darüber hinaus dient Vorschrift aber auch dem Schutz des Beteiligungsunternehmens, der Durchsetzung der Verbote der § 56 II, § 71a S. 2–4, § 136 II 1 sowie der Aufdeckung wechselseitiger Beteiligungen (Henssler/Strohn/Keßler Rn. 1). § 21 steht in sachlichem Zusammenhang mit § 20. Während § 20 Beteiligungen erfasst, die Unternehmen (gleich welcher Rechtsform) an AG erwirbt, geht es in § 21 um den Fall, dass AG an anderem Unternehmen (→ Rn. 2 f.) beteiligt ist. Wenn es sich bei Zielgesellschaft um AG handelt, wird § 21 durch § 20 verdrängt (KG AG 2000, 227). Weitergehende Mitteilungspflichten bestehen bei wechselseitig beteiligten Unternehmen (§ 19) nach § 328 III. Anders als bei § 20 (→ Rn. 9) sind die Mitteilungen nicht durch die Gesellschaft bekannt zu machen.

II. Mitteilungspflichten (§ 21 I–III)

2 Mitzuteilen ist zunächst sog **Schachtelbeteiligung** von mehr als 25 %. Sie muss der „Gesellschaft", also einer AG oder KGaA, zustehen. Anderes Unternehmen muss nach § 21 I Rechtsform einer Kapitalgesellschaft (AG, KGaA, GmbH) haben. Sein Verwaltungssitz muss im Inland liegen. Dasselbe gilt für mitteilungspflichtige Gesellschaft (MüKoAktG/Bayer Rn. 3; Emmerich/Habersack/Emmerich Rn. 8). Berechnung der Beteiligungsquote erfolgt gem. § 21 I 2 nach § 16 II 1 und IV (→ Rn. 8, 12 f.). Mitteilung ist unverzüglich und schriftlich vorzunehmen (→ § 20 Rn. 8). Übermittlung einer Abschrift der GmbH-Gesellschafterliste (§ 16 GmbHG) durch Notar gem. § 40 II 1 GmbHG genügt als anderweitige Kenntniserlangung iSv → § 20 Rn. 8 nicht (Leitzen MittBayNot 2012, 183, 185; Bürger GWR 2017, 26). Bei Erwerb einer unmittelbaren **100 %-Beteiligung** an GmbH wird von hM allerdings zu Recht teleologische Reduktion des § 21 I und II zugelassen (NK-AktR/Heinrich Rn. 4; B/K/L/Shilha Rn. 2; GK-AktG/Windbichler Rn. 10; MHdB AG/Krieger § 69 Rn. 152; Grimm/Wenzel AG 2013, 274, 280 ff.; Hägele NZG 2006, 726, 729; Holland/Burg NZG 2006, 601 ff.; noch weitergehend Leitzen MittBayNot 2012, 183, 185 f. [Gründungsakt generell ausgenommen]; aA aber Emmerich/Habersack/Emmerich Rn. 8). Dem ist zuzustimmen, da Minderheitenschutz hier nicht mehr erforderlich ist und fehlende Veröffentlichungspflicht entspr. § 20 VI 1 darauf hindeutet, dass Interessen der Allgemeinheit hier allenfalls nachrangig geschützt sind (Noack/Servatius/Haas/ Noack GmbHG § 47 Rn. 57).

3 Mitteilungspflichtig ist ferner Erwerb einer **Mehrheitsbeteiligung** (§ 21 II). Begriff bestimmt sich nach § 16 I; auch Berechnungsregeln (§ 16 II und III) sowie Zurechnungsnorm (§ 16 IV) sind anwendbar. Anders als bei Schachtelbeteiligung (→ Rn. 2) sind Unternehmen jeder Rechtsform mitteilungsbegünstigt (hM, vgl. RegBegr. Kropff S. 39; KK-AktG/Koppensteiner Rn. 4; GK-AktG/Windbichler Rn. 9; Bernhardt BB 1966, 678, 679). Nach bislang hM besteht Mitteilungspflicht nur, wenn Gesellschaft und begünstigtes Unternehmen ihren **Verwaltungssitz** im Inland haben (Emmerich/Habersack/Emmerich Rn. 8; MHdB AG/Krieger § 69 Rn. 152). Richtigerweise ist Vorschrift aber auch dann anwendbar, wenn das begünstigte Unternehmen keinen Inlandssitz hat; dafür spricht der Verzicht auf den Zusatz „mit Sitz im Inland", wie er sowohl in § 20 I als auch in § 21 I vorkommt, sowie die Förderung der Durchsetzung der § 56 II, § 71d S. 2 (so auch KK-AktG/Koppensteiner Rn. 4; Henssler/Strohn/Keßler Rn. 4; GK-AktG/Windbichler Rn. 9; Grimm/Wenzel AG 2012, 274 ff.). Ausnahme für 100 %-Beteiligung (→ Rn. 2) sollte auch für andere Unternehmen als GmbH anerkannt werden. Mitteilungspflichtig ist schließlich **Wegfall** einer Schachtel- oder Mehrheitsbeteiligung (§ 21 III). Das entspr. § 20 V (→ § 20 Rn. 7).

III. Rechtsfolgen bei Verstoß (§ 21 IV)

4 § 21 IV entspr. § 20 VII und soll wie diese Vorschrift Verstoß gegen Mitteilungspflicht sanktionieren. Sanktionen beziehen sich auch auf Anteile, die nach § 16 IV zuzurechnen sind (ganz hM – s. nur MüKoAktG/Bayer Rn. 6; Bürger GWR 2017, 26 f.; aA BeckOGK/Peters Rn. 12). Infolge der Neufassung tritt grds. Rechtsverlust für die Vergangenheit ein. Für Dividendenanspruch (§ 58 IV) und Recht auf Abwicklungsüberschuss (§ 271) verbleibt es jedoch beim Ruhen des Rechts, wenn der Gesellschaft kein Vorsatz zur Last fällt; Mitteilung ist also nachholbar. Bei 100 %-Beteiligung entfällt schon Mitteilungspflicht (→ Rn. 2), so dass Stimmverlust in diesen Fällen nicht eintritt (damit erübrigen sich die von Bürger GWR 2017, 26, 27 f. aufgeworfenen Problemstellungen). Hält man bei § 21 II auch die Mehrheitsbeteiligung an ausländischen Gesellschaften für meldepflichtig (→ Rn. 3), ist Rechtsverlust in solchem Fall nicht möglich, da das deutsche Aktienrecht keine Regelung treffen kann, inwieweit Rechte an ausländischen Gesellschaften ausgeübt werden können (Grimm/Wenzel AG 2012, 274, 278 ff. auch zu mehrstufigen Konzernstrukturen; für Einzelfallenscheidung GK-AktG/Windbichler Rn. 9; iÜ → § 20 Rn. 10 ff.).

IV. Keine Geltung für Emittenten iSd § 33 IV WpHG

5 § 21 V entspr. § 20 VIII (→ § 20 Rn. 18). Negative Geltungsanordnung soll auch hier sicherstellen, dass Emittenten iSd § 33 IV WpHG keiner doppelten Mitteilungspflicht unterliegen. Es verbleibt bei §§ 33 ff. WpHG.

Nachweis mitgeteilter Beteiligungen

22 **Ein Unternehmen, dem eine Mitteilung nach § 20 Abs. 1, 3 oder 4, § 21 Abs. 1 oder 2 gemacht worden ist, kann jederzeit verlangen, daß ihm das Bestehen der Beteiligung nachgewiesen wird.**

I. Nachweis der Beteiligung

1 Nach § 22 kann Empfänger einer Mitteilung nach § 20 I, III, IV, § 21 I oder II den Nachweis verlangen, dass Beteiligung besteht. **Inhalt** des Nachweises beschränkt sich auf Richtigkeit der Mitteilung. Genaue Höhe der Beteiligung, ihre Zusammensetzung oder Herkunft unterliegen keiner Nachweispflicht (MüKoAktG/Bayer Rn. 3; KK-AktG/Koppensteiner Rn. 1). Nachweis kann in jeder **Form** geführt werden, die geeignet ist, Gewissheit über Bestehen der Beteiligung zu verschaffen, namentl. durch Urkunden. Auf Nachweis kann geklagt werden. Vollstreckung erfolgt nach § 888 ZPO.

II. Wegfall einer Beteiligung

2 Über Wegfall einer Beteiligung kann **kein Nachweis** verlangt werden. Besteht jedoch Anlass zu der Annahme, dass mitteilungspflichtige Beteiligung entfallen sein könnte und liegt keine Mitteilung nach § 20 V, § 21 III vor, so kann Nachweis über Fortbestand der schon nachgewiesenen Beteiligung gefordert werden (RegBegr. Kropff S. 43; MüKoAktG/Bayer Rn. 2; Emmerich/Habersack/Emmerich Rn. 6; GK-AktG/Windbichler Rn. 3, 6; zweifelnd KK-AktG/Koppensteiner Rn. 3). Dafür spricht schon, dass der Nachweis „jederzeit“ verlangt werden kann (RegBegr. Kropff S. 43; Emmerich/Habersack/Emmerich Rn. 6).

Zweiter Teil. Gründung der Gesellschaft

Feststellung der Satzung

23 (1) [1] **Die Satzung muß durch notarielle Beurkundung festgestellt werden.** [2] **Bevollmächtigte bedürfen einer notariell beglaubigten Vollmacht.**

(2) **In der Urkunde sind anzugeben**

1. die Gründer;
2. bei Nennbetragsaktien der Nennbetrag, bei Stückaktien die Zahl, der Ausgabebetrag und, wenn mehrere Gattungen bestehen, die Gattung der Aktien, die jeder Gründer übernimmt;
3. der eingezahlte Betrag des Grundkapitals.

(3) **Die Satzung muß bestimmen**

1. die Firma und den Sitz der Gesellschaft;
2. den Gegenstand des Unternehmens; namentlich ist bei Industrie- und Handelsunternehmen die Art der Erzeugnisse und Waren, die hergestellt und gehandelt werden sollen, näher anzugeben;
3. die Höhe des Grundkapitals;
4. die Zerlegung des Grundkapitals entweder in Nennbetragsaktien oder in Stückaktien, bei Nennbetragsaktien deren Nennbeträge und die Zahl der Aktien jeden Nennbetrags, bei Stückaktien deren Zahl, außerdem, wenn mehrere Gattungen bestehen, die Gattung der Aktien und die Zahl der Aktien jeder Gattung;
5. ob die Aktien auf den Inhaber oder auf den Namen ausgestellt werden;
6. die Zahl der Mitglieder des Vorstands oder die Regeln, nach denen diese Zahl festgelegt wird.

(4) **Die Satzung muß ferner Bestimmungen über die Form der Bekanntmachungen der Gesellschaft enthalten.**

(5) [1] **Die Satzung kann von den Vorschriften dieses Gesetzes nur abweichen, wenn es ausdrücklich zugelassen ist.** [2] **Ergänzende Bestimmungen der Satzung sind zulässig, es sei denn, daß dieses Gesetz eine abschließende Regelung enthält.**

Übersicht

I. Regelungsgegenstand und -zweck

§ 23 regelt Feststellung der Satzung als vertragliche Basis der AG (→ § 2 Rn. 2). Norm bestimmt formelle Voraussetzungen (§ 23 I), notwendigen Inhalt (§ 23 III, IV) einschließlich der Aktienübernahmeerklärung (§ 23 II) und Grenzen der Satzungsautonomie (§ 23 V). Formvorschrift dient der **Rechtssicherheit** (allgM), aber auch (Warnfunktion) dem Schutz der Gründer (RGZ 54, 418, 419; RGZ 66, 116, 121; RGZ 149, 385, 395). **Satzungsstrenge** ist Grundlage für Verkehrsfähigkeit der Aktie, indem sie diese zu standardisiertem und damit umlauffähigem Produkt macht. § 23 III–V ist auch bei Satzungsänderungen (§§ 179 ff.) zu beachten. Aufschlussreiche Übersicht zur Satzungsgestaltung in DAX-Unternehmen bei Fleischer/Maas AG 2020, 761 ff. 1

II. Feststellung der Satzung (§ 23 I)

2 **1. Grundlagen. a) Begriff der Satzung. aa) Allgemeines.** AktG verwendet Begriffe **Satzung und Gesellschaftsvertrag** synonym (§ 2), trennt in der Sache aber zwischen in § 23 II geregelter Übernahmeerklärung und dem in § 23 III–V vorgegebenen Satzungsinhalt (GK-AktG/Röhricht/Schall Rn. 2). Satzungsbegriff hat damit formelle und materielle Bedeutung. Förmlich verstandene Satzung umfasst gesamten Inhalt der Satzungsurkunde, mithin nicht nur Angaben gem. § 23 III, IV, sondern zB auch Aktienübernahmeerklärung gem. § 23 II sowie in die Urkunde aufgenommene bes. Abreden. Insbes. im Hinblick auf Auslegung (→ Rn. 39 f.), Satzungsänderung (→ § 179 Rn. 4 ff.) und Anfechtung (→ § 243 Rn. 8) ist jedoch zwischen materiellen (auch: echte, körperschaftliche, korporative, normative) Satzungsbestimmungen einerseits und formellen (auch: unechte, zufällige, individuelle, nichtkorporative) Satzungsbestimmungen andererseits zu unterscheiden. Uneinheitliche Terminologie ist auch Ausdruck von zT unterschiedlichen Inhalten. Satzungsbestimmungen können notwendig materieller oder formeller Natur sein; daneben existieren Regelungen, die indifferent sind (→ Rn. 5). Zu schuldrechtl. Nebenabreden → Rn. 45 ff.

3 **bb) Materielle Satzungsbestimmungen.** Abgrenzung materieller und formeller Satzungsbestandteile richtet sich nach ihrer unterschiedlichen Funktion, namentl. mit Blick auf umfassende Geltung ggü. allen, auch künftigen Gesellschaftern und daraus folgendem Erfordernis obj. Auslegung (→ Rn. 39 f.). Unter materielle Satzungsbestandteile fallen deshalb alle Regelungen bzgl. der AG und ihrer Beziehungen zu den Gründern oder künftigen Aktionären (BGHZ 123, 347, 350 = NJW 1994, 51; MüKoAktG/Pentz Rn. 40; krit. GK-AktG/Röhricht/Schall Rn. 17 f.; generell gegen diese Unterscheidung P. Meier ZGR 2020, 124 ff.). **Notwendig materielle Satzungsbestimmungen** sind insbes. zwingende Satzungsbestimmungen gem. § 23 III, IV (→ Rn. 20 f.); Ausgestaltung der mitgliedschaftlichen Einlagepflicht (Bar- oder Sacheinlage) gem. § 23 II, § 36a (vgl. BGHZ 45, 338, 342 = NJW 1966, 1311); gesellschaftsrechtl. Verpflichtungen der AG ggü. Aktionären, zB deren Sonderrechte; Abweichungen gem. § 23 V 1 (→ Rn. 35 f.); Bestimmungen zur Dauer der AG (§ 39 II iVm § 262 I Nr. 1) oder zur Wahl des AR-Vorsitzenden (§ 107 I 1). Ergänzungen gem. § 23 V 2 (→ Rn. 37 f.) sind idR notwendig materieller Natur, zB § 10 V, §§ 11, 25 S. 2, auch Feststellung des Geschäftsjahres (heute allgM, vgl. aber auch KG JW 1926, 599), ferner Gerichtsstandsklausel, wenn sie für alle gegenwärtigen und zukünftigen Aktionäre Geltung beansprucht (BGHZ 123, 347, 350). Sie können aber auch indifferent sein (→ Rn. 5). Nach heute ganz hM ist auch Sachübernahme materieller Natur (MüKoAktG/Pentz Rn. 40; GK-AktG/Röhricht/Schall Rn. 20; S/L/Seibt Rn. 5; aA Priester DB 1979, 681, 682).

4 **cc) Formelle Satzungsbestimmungen.** Satzung muss sich nicht auf materielle Bestimmungen beschränken, sondern kann weitere Regelungen enthalten (allgM). Ihre Aufnahme in die Satzungsurkunde hat keinen Einfluss auf Rechtsnatur (zumeist schuldrechtl., s. BGHZ 123, 347, 350 = NJW 1994, 51) und Rechtswirkungen (Ulmer FS Werner, 1984, 911, 915); ihre (inhaltliche) Änderung oder Aufhebung vollzieht sich außerhalb des für Satzungsänderungen vorgeschriebenen Verfahrens (→ § 179 Rn. 5). **Notwendig formelle Satzungsbestimmungen** sind insbes. solche, deren Inhalt über die Grenzen der Satzungsautonomie gem. § 23 V hinausgeht, die mithin nicht wirksam als materielle Regelung vereinbart werden können, zB Bestellung der ersten AR-Mitglieder (→ § 30 Rn. 3), Begründung über § 55 hinausgehender Nebenleistungspflichten, Vereinbarungen über Kurspflege oder sonstige Konsortialabreden (Priester DB

1979, 681, 682). Ferner sind formeller Natur Absprachen über Sondervorteile und Gründungsaufwand (MüKoAktG/Pentz Rn. 42), obwohl sie nur als Satzungsbestandteile ggü. der AG wirksam werden (→ § 26 Rn. 7). Formeller Natur sind schließlich auch Satzungsbestimmungen von nur deklaratorischer Bedeutung, zB Feststellung des eingezahlten Betrags gem. § 23 II Nr. 3.

dd) Indifferente Satzungsbestimmungen. Neben notwendig materiellen oder notwendig formellen Satzungsbestimmungen gibt es solche, die sowohl zur einen wie zur anderen Kategorie gehören können. Es handelt sich dabei im Wesentlichen um Satzungsergänzungen iSd § 23 V 2, zB um Bestimmungen über Nebenleistungspflichten iRd § 55, Vergütung der AR-Mitglieder gem. § 113 I 1. Für solche indifferenten Bestimmungen ist **Gestaltungswahlrecht der Gründer** bzw. Aktionäre allg. anerkannt (vgl. BGHZ 38, 155, 161 = NJW 1963, 203; BGH WM 1981, 438, 440). Haben sie keine eindeutige Zuordnung getroffen, kann **Abgrenzung** zwischen der einen oder anderen Kategorie zweifelhaft sein; maßgebend ist durch Auslegung zu ermittelnder Wille der Gründer, wobei die Grundsätze der obj. Auslegung (→ Rn. 39 f.) gelten (MüKoAktG/Pentz Rn. 44; abw. Priester DB 1979, 681, 684). IZw spricht Aufnahme in die Satzung für materielle Regelung (MüKoAktG/Pentz Rn. 45; S/L/Seibt Rn. 8). 5

b) Begriff der Satzungsfeststellung. Satzungsfeststellung ist Abschluss des Gesellschaftsvertrags (→ § 2 Rn. 3 f.) oder einseitiges Rechtsgeschäft des Alleingründers (→ § 2 Rn. 4a). Zum Verhältnis von Satzungsfeststellung und Aktienübernahme → Rn. 16. 6

c) Rechtsnatur der Satzungsfeststellung. Feststellung der Satzung ist weder rein schuldrechtl. Vertrag noch von jedwedem Rechtsgeschäft zu unterscheidender sozialrechtl. Konstitutivakt (so Gierke Deutsches Privatrecht I, 1895, 486), sondern Vertrag sui generis, der als **Schuld- und Organisationsvertrag** bezeichnet werden kann (MüKoAktG/Pentz Rn. 10; GK-AktG/Röhricht/Schall Rn. 6 ff.). Er enthält zum einen die Vereinbarungen der Gründer über Errichtung der AG und sich daraus ergebende Rechte und Pflichten (zB Aufteilung der Anteile, Einlagepflicht), zum anderen die Regelungen über inneren Aufbau der AG als Korporation (→ § 1 Rn. 2 f.). Mit ihrer Entstehung löst sich Satzung vom Vertragswillen der Gründer und wird als obj. Normensystem zum **Lebensges. der Korporation,** so dass Regelungen auch ggü. neuen Aktionären gelten, der Satzung somit Funktion obj. Rechts zukommt (RGZ 165, 140, 143; BGHZ 47, 172, 179 = NJW 1967, 1268 jew. zum Verein; MüKoAktG/Heider § 1 Rn. 36). 7

d) Anwendbare Vorschriften. Wegen des Vertragscharakters der Satzungsfeststellung sind **§§ 104 ff. BGB** grds. anwendbar. Zur Gründerfähigkeit → § 2 Rn. 5 ff. Satzung wird durch aufeinander bezogene und inhaltlich übereinstimmende Willenserklärungen festgestellt. Mit Abweichungen sind auch §§ 164 ff. BGB anwendbar (→ Rn. 12 f.). Nicht anzuwenden sind §§ 320 ff. BGB, weil vertragliche Einigung nicht auf Leistungsaustausch, sondern auf verbandsinterne Geltung der Satzung gerichtet ist (allgM). Mängel des Vertrags (zB §§ 125, 134, 138 BGB) und der ihn konstituierenden Willenserklärungen (zB §§ 104, 119 ff. BGB) können nur mit erheblichen Einschränkungen geltend gemacht werden → Rn. 41 f. 8

2. Form der Satzungsfeststellung. a) Notarielle Beurkundung. Satzung muss durch notarielle Beurkundung festgestellt werden (§ 23 I 1). Für Niederschrift gelten §§ 8 ff. BeurkG. Gleichzeitige Anwesenheit der Gründer ist nicht erforderlich; ihre Beitrittserklärungen können nacheinander vor dem Notar abgegeben werden, der hierüber ein einheitliches Protokoll fertigt (KK-AktG/A. Arnold Rn. 31; sa RG JW 1908, 520, 521). Mit der letzten Unterzeichnung ist 9

Satzung wirksam festgestellt; Zugang der Beitrittserklärung bei den anderen Gründern ist nicht erforderlich (§ 152 S. 1 BGB). Erklärungen können auch in getrennten, inhaltlich aufeinander verweisenden Urkunden enthalten sein (MüKoAktG/Pentz Rn. 29; GK-AktG/Röhricht/Schall Rn. 56 ff.). Vollständiger Wortlaut der Satzung muss nicht jeder Niederschrift beigefügt, aber in mindestens einer Urkunde vollständig enthalten sein, die analog § 181 I 2 (→ Rn. 7) zum HR einzureichen ist (GK-AktG/Röhricht/Schall Rn. 61; vgl. zur GmbH mit Unterschieden iE OLG Frankfurt OLGZ 1981, 310, 311; OLG Köln GmbHR 1973, 11; OLG Stuttgart DNotZ 1979, 359 f.).

10 **b) Satzungsfeststellung im Ausland.** Fraglich ist, (1.) ob es in § 23 I 1 vorgeschriebener notarieller Beurkundung auch dann bedarf, wenn Satzung bei inländischem Verwaltungssitz im Ausland festgestellt wird, und, falls ja, (2.) ob deutsche Form auch durch Auslandsbeurkundung gewahrt werden kann (→ Rn. 11). Zu (1.): Wenn Gesellschaftsstatut entscheidet, führt inländischer Verwaltungssitz zwangsläufig zur **Geschäftsform** des § 23 I 1 (→ § 1 Rn. 25). Aus Art. 11 I Fall 2 EGBGB könnte man allerdings folgern, dass **Ortsform** genügt, also Auslandsbeurkundung nach den am Vornahmeort geltenden Regeln. Zwar wird Norm durch Art. 11 Rom I-VO nicht verdrängt, da diese nach Art. 1 II lit. f Rom-I-VO für gesellschaftrechtl. Vorgänge nicht gilt (BGHZ 203, 68 Rn. 16 = NJW 2015, 336). Dennoch gelangt auch Art. 11 I EGBGB nicht zur Anwendung, da sich aus RegBegr. BT-Drs. 10/504, 49 zu IPRG 1986 ergibt, dass auch diese Vorschrift auf gesellschaftsrechtl. Vorgänge nicht anwendbar ist (vgl. statt vieler KG NZG 2018, 304 Rn. 14 ff.). Wohl hM geht daher heute auf Grundlage des Gesellschaftsstatuts von **Geltung des § 23 I 1** aus (vgl. OLG Hamm OLGZ 1974, 149, 152 ff. = NJW 1974, 1057; OLG Karlsruhe RIW 1979, 567, 568; KG NZG 2018, 304 Rn. 14 ff.; 2018, 1195 Rn. 7; LG Augsburg ZIP 1996, 1872, 1873; AG Köln WM 1989, 1810, 1811; AG Köln GmbHR 1990, 171, 172; BeckOGK/Limmer Rn. 22; MüKoAktG/Pentz Rn. 30; GK-AktG/Röhricht/Schall Rn. 68 ff.; aA OLG Düsseldorf NJW 1989, 2200; OLG Stuttgart NJW 1981, 1176 Ls. = IPRax 1983, 79; MüKoBGB/Spellenberg EGBGB Art. 11 Rn. 197; offenlassend BGHZ 80, 76, 78 = NJW 1981, 1160; BGHZ 203, 68 Rn. 16 [zur HV-Beurkundung → § 121 Rn. 16]).

11 Auf Basis der hM (→ Rn. 10) fragt sich (2.), ob **deutsche Form durch Auslandsbeurkundung** gewahrt werden kann. HM bejaht diese Frage bei sog **Gleichwertigkeit:** Ausländische Urkundsperson müsse nach Vorbildung und Stellung im Rechtsleben der Tätigkeit des deutschen Notars entspr. Funktion ausüben und Verfahrensrecht zu beachten haben, das tragenden Grundsätzen des deutschen Beurkundungsrechts entspr. (BGHZ 80, 76, 78 = NJW 1981, 1160; so auch RGZ 88, 227, 231; OLG Celle NZG 2023, 1028 Rn. 5 ff.; KK-AktG/A. Arnold Rn. 37; MüKoAktG/Pentz Rn. 33 f.; GK-AktG/Röhricht/Schall Rn. 75 ff.; Mann ZHR 138 [1974], 448, 453 f.). Das ist in jüngerer Zeit unter Hinweis auf **materielle Richtigkeitsgewähr** sowie Prüfungs- und Betreuungsfunktion, die gerade durch MoMiG 2008 noch höhere Bedeutung erlangt haben, mit beachtlichen Argumenten zunehmend in Zweifel gezogen worden (vgl. OLG Hamm OLGZ 1974, 149, 156 = NJW 1974, 1057; OLG Karlsruhe RIW 1979, 567, 568; AG Charlottenburg RNotZ 2016, 119, 121 ff.; Lutter/Hommelhoff/Bayer GmbHG § 2 Rn. 29 f.; Goette FS Boujong, 1996, 131, 140 ff.). Nachdem BGH Gleichwertigkeits-Rspr. aber sowohl für Auslandsbeurkundung der Übertragung von GmbH-Geschäftsanteilen durch Baseler Notar (BGHZ 199, 270 Rn. 13 ff. = NJW 2014, 2026; BGH NJW 2020, 1670 Rn. 7; s. dazu Lieder NZG 2020, 1081, 1082 ff.; Weller ZGR 2014, 865 ff.) als auch für Beurkundung nach § 130 I bestätigt hat (BGHZ 203, 68 Rn. 16 = NJW 2015, 336; → § 121 Rn. 16), deutet vieles darauf hin, dass sie auch für Gründungsakt weiter Bestand

haben soll, wenngleich im Hinblick auf unterschiedliche Prüfungsgegenstände Gleichlauf nicht zwangsläufig ist (abl. daher AG Charlottenburg RNotZ 2016, 119, 121 f.; Lieder ZIP 2018, 805 ff.; sa Heinze NZG 2017, 373 ff. unter Berufung auf steuerliche Anzeigepflichten). In jedem Fall verbleibt Risiko der **Rechtsunsicherheit,** die mit Fragen der Vergleichbarkeitsprüfung einhergeht (zu „gleichwertigen" Notariatsverfassungen s. etwa Angaben bei MüKoAktG/Pentz Rn. 35; verneinend für Züricher Notar entgegen BGHZ 80, 76, 78: LG Augsburg ZIP 1996, 1872, 1873 [Verschmelzung]; bejahend für Baseler Notar KG NZG 2018, 1195 Rn. 9 ff.; für Berner Notar KG NZG 2018, 304 Rn. 20 ff. in Abweichung von AG Charlottenburg RNotZ 2016, 119, 121 ff. [GmbH-Gründung]; krit. Heckschen DB 2018, 685 ff.; Lieder ZIP 2018, 805 ff.; Lieder NZG 2020, 1081, 1082 ff.; verneinend für österr. Notar Lieder NZG 2022, 1043 ff.), so dass Praxis zumindest bei Wahl des Beurkundungsortes weiterhin zu Vorsicht zu raten ist (zur Zulässigkeit informeller Abstimmung mit dem HR S. Schulz NJW 2016, 1483). Umgekehrt, also bei **Tätigkeit deutschen Notars im Ausland,** ist Rechtslage klar: Rechtsgeschäft ist formnichtig gem. § 125 BGB (MüKoAktG/Pentz Rn. 32). Nur deutscher Konsul kann im Ausland gültig beurkunden; zu Einzelheiten s. §§ 10–13, 19, 24 KonsularG v. 11.9.1974 (BGBl. 1974 I 2317). Konsul entscheidet nach pflichtgem. Ermessen, ob er Beurkundung vornimmt oder nicht.

3. Vertretung. a) Bevollmächtigung. Für rechtsgeschäftliche Vertretung 12
bei Satzungsfeststellung gelten grds. §§ 164 ff. BGB (→ Rn. 8); abw. von § 167 II BGB bedarf Vollmacht jedoch der **notariellen Beglaubigung** (§ 23 I 2); dazu § 129 BGB und § 40 BeurkG (zur erforderlichen Individualisierung des Vollmachtgebers vgl. OLG Bremen NZG 2022, 272 Rn. 7 ff.). Formerfordernis ist nicht nur Ordnungsvorschrift mit dem Zweck, Registergericht Prüfung der Legitimation des Bevollmächtigten iRd Gründungsprüfung gem. § 38 I zu erleichtern, sondern **Wirksamkeitsvoraussetzung** (MüKoAktG/Pentz Rn. 15). Vollmacht ist bei Formmangel nichtig (§ 125 BGB). Erforderlich ist deshalb Genehmigung des Vertretenen, die entspr. § 23 I 2 ebenfalls in notariell beglaubigter Form vorzulegen ist (allgM; Einzelheiten bei BeckOGK/Limmer Rn. 26 f.). Keiner notariell beglaubigten Vollmacht bedarf nach zutr. hM der **Prokurist,** da Belange des Rechtsverkehrs insofern durch Gutglaubensschutz des HR hinreichend gewahrt werden; ausreichend ist Vorlage eines Registerauszugs bei Gericht (KK-AktG/A. Arnold Rn. 46; GK-AktG/Röhricht/Schall Rn. 90; HCL/Ulmer/Löbbe GmbHG § 2 Rn. 34; aA MüKoAktG/Pentz Rn. 18). **Inhalt der Vollmacht** muss Berechtigung zur Vornahme der Gründung erkennen lassen. Nicht erforderlich ist, dass Vollmachtsurkunde Vorgaben zum Satzungsinhalt enthält oder Höhe der Einlage festlegt (KGJ 19, 17, 19). Auch Generalvollmacht kann ausreichen; gewöhnliche Handlungsvollmacht wird idR nicht genügen. Wie bei Beurkundung (→ Rn. 10 f.) ist auch bei Beglaubigung nicht abschließend geklärt, inwiefern sie durch **ausländische Beglaubigungsakte** ersetzt werden kann (GK-HGB/J. Koch/Harnos § 12 Rn. 82; ausf. Beckmann/Winter ZIP 2023, 1729 ff.). Nach hier vertretener Auffassung findet Art. 11 I EGBGB auch auf diesen Fall keine Anwendung (→ Rn. 10); jedenfalls sollte sich Praxis auf damit verbundene Unwägbarkeiten nicht einlassen (vgl. speziell zur Beglaubigung Beckmann/Winter ZIP 2023, 1729, 1730 ff.). Hinsichtlich dann maßgeblicher Substitution bildet sich instanzgerichtl. Rspr. erst langsam und nicht einheitlich heraus (bejahend für Beglaubigung durch österr. Notar OLG Celle GmbHR 2023, 560, 561; ebenso für Beglaubigung durch finnischen und belgischen Notar OLG Celle NZG 2023, 1028 Rn. 7; krit dazu Bormann GmbHR 2023, 533 Rn. 1 ff.; Lieder ZIP 2023, 1923 ff.). Verneint wird Gleichwertigkeit aber dann, wenn ausländischer Notar lediglich Unterschriftenabgleich

vornimmt (so für Schweizer Notar OLG Karlsruhe NZG 2022, 1603 Rn. 14 ff.; für luxemburgischen Notar KG GmbHR 2022, 636, 637 f. m. Anm. Wachter). Praxis sollte aus Vorsichtsgründen genau auf Gleichwertigkeit des ausländischen Beglaubigungsverfahrens achten und möglichst zweisprachige Beglaubigungsvermerke nach deutschem Vorbild verwenden (Beckmann/Winter ZIP 2023, 1729, 1732 ff.).

13 **b) Gesetzliche oder organschaftliche Vertretung.** Keine Anwendung findet § 23 I 2 bei ges. Vertretern, Organen von jur. Personen und vertretungsbefugten Gesellschaftern einer OHG oder KG. Vertretungsbefugnis und Vertretungsumfang ergeben sich bei ihnen aus den jew. geltenden **ges. Vorschriften.** Sie müssen aber Gericht nachweisen, dass sie behauptete Stellung innehaben (allgM). In Betracht kommen: Geburts- oder (zB Vormund) Bestallungsurkunde; HR-Auszug; bei öffentl.-rechtl. Körperschaften Legitimationsurkunde, für die § 23 I 2 nicht gilt (KK-AktG/A. Arnold Rn. 50; vgl. aber KG OLGR 3, 259, 260 f.).

14 **4. Exkurs: Vorvertrag.** Der Satzungsfeststellung kann Abschluss eines Vorvertrags (Vorgründungsvertrags) vorausgehen, mit dem sich künftige Gründer zur Gründung einer AG verpflichten (vertraglicher Abschlusszwang; ausf. – bezogen auf GmbH – Geißler GmbHR 2023, 1139 Rn. 1 ff.). Titel ist gem. § 894 ZPO vollstreckbar (allgM). Vorvertrag bedarf wegen von ihm ausgehenden Abschlusszwangs der **notariellen Form** (heute allgM – s. nur RGZ 156, 129, 138; BGH WM 1988, 163, 164; KG AG 2004, 321; GK-AktG/Röhricht/Schall Rn. 339); Formverstoß führt zur Nichtigkeit (§ 125 BGB). Trotz § 167 II BGB gilt nach hM § 23 I 2 auch für Vollmacht zum Abschluss eines Vorvertrages (KK-AktG/A. Arnold Rn. 55; S/L/Seibt Rn. 21); dem steht BGH NJW 1969, 1856 nicht entgegen (Sonderfall). Formmangel der Vollmacht kann durch Genehmigung gem. § 177 BGB in der Form des § 23 I 2 geheilt werden. **Formfrei** gültig ist allerdings Vereinbarung, die ohne bindende Verpflichtung Gründung einer AG vorsieht (Noack/Servatius/Haas/Servatius GmbHG § 2 Rn. 35). Formfrei möglich sind ferner bloße Nebenabreden, die nicht Inhalt der Satzung werden sollen (BGH WM 1969, 291, 292; GK-AktG/Röhricht/Schall Rn. 341), sowie Verpflichtung, als Treuhänder für künftigen Gründer an Satzungsfeststellung mitzuwirken (BGH WM 1971, 306, 307). Zur Teilnahme an Gründung verpflichtender Vorvertrag muss derart **inhaltlich bestimmt** sein, dass wesentlicher Inhalt der Satzung (§ 23 II, III, IV) festgelegt oder durch Auslegung feststellbar ist (RGZ 156, 129, 138; GK-AktG/Röhricht/Schall Rn. 337). Auslegung nicht obj., sondern nach §§ 133, 157 BGB (Noack/Servatius/Haas/Servatius GmbHG § 2 Rn. 34). Regelung, nach der Einzelpunkte künftigen Satzungsinhalts durch Mehrheitsbeschluss bestimmt werden, ist gültig (RGZ 156, 129, 138; HCL/Ulmer/Löbbe GmbHG § 2 Rn. 55).

15 Mit Abschluss des Vorvertrags entsteht **Vorgründungsgesellschaft** (nicht Vor-AG → § 41 Rn. 2 ff.), auf die AktG keine Anwendung findet. Sie ist idR **GbR** (§§ 705 ff. BGB) mit dem Zweck, AG zu gründen, kann unter den Voraussetzungen des § 1 II HGB aber auch OHG sein (Einzelheiten → § 41 Rn. 3). Im Falle der Formnichtigkeit (→ Rn. 14) ist auch Gründungsvertrag nichtig (Lutter/Hommelhoff/Bayer GmbHG § 11 Rn. 4), doch kann dieses Defizit uU nach Regeln zur **fehlerhaften Ges.** unbeachtlich sein (vgl. dazu Überblick bei MüKoBGB/Schäfer BGB § 705 Rn. 306 ff.); höherrangige Schutzbelange sind bei bloßem Formmangel nach § 125 BGB nicht gegeben (vgl. MüKoBGB/Schäfer BGB § 705 Rn. 312). Vorgründungsgesellschaft endet durch Zweckerreichung (§ 729 II BGB) mit Satzungsfeststellung (→ § 41 Rn. 3). Zur Parallelkonstruktion einer Vorbeteiligungsgesellschaft im Vorfeld einer Kapitalerhöhung → § 185 Rn. 31 f.

III. Erklärung der Aktienübernahme (§ 23 II)

1. Allgemeines. § 23 II betr. sog Aktienübernahmeerklärung, mit der sich Gründer zur Übernahme von Aktien und damit (§ 54) zur Leistung der Einlagen verpflichten (Muster bei Happ/Mulert AktienR 2.01 lit. a [bes. I und III]). Nach älterer Ansicht ist sie von Feststellung der Satzung zu unterscheidendes Rechtsgeschäft (v. Godin/Wilhelmi Rn. 18). Zutr. ist jedoch, dass Einlageverpflichtung **notwendig materieller Satzungsbestandteil** ist (→ Rn. 3). Für Trennung zwischen Satzung und Übernahmeerklärung ist nach Abschaffung früherer Stufengründung (→ § 29 Rn. 2) durch AktG 1965 kein Bedürfnis mehr erkennbar (sa KK-AktG/A. Arnold Rn. 57 f.; MüKoAktG/Pentz Rn. 55). Ausgliederung der Aktienübernahmeerklärung aus der Satzung iSd § 23 III beruht auf formalen Erwägungen; Satzung soll nicht mit Angaben belastet werden, die nur im Gründungsstadium von öffentl. Interesse sind (Hüffer NJW 1979, 1065, 1066; zust. Hölters/Weber/Solveen Rn. 15). Übernahmeerklärung darf weder bedingt noch befristet werden; aus Gründen der Rechtssicherheit führt auch Eintritt der Bedingung oder Befristung vor Eintragung nicht zur Heilung (KK-AktG/A. Arnold Rn. 59; MüKoAktG/Pentz Rn. 56; Hölters/Weber/Solveen Rn. 15; aA BeckOGK/Limmer Rn. 43). Zur Mitteilungspflicht gem. § 20 I, IV → § 20 Rn. 2. 16

2. Inhalt. a) Gründer (Nr. 1). Zum Gründerbegriff vgl. § 28 und → § 28 Rn. 2. Nur wer Aktien übernimmt, kann auch Gründer sein (str.; → § 2 Rn. 13). Angaben müssen **Individualisierung** ermöglichen. Bei natürlichen Personen sind Vor- und Nachname sowie Anschrift anzugeben, bei jur. Personen Firma und Sitz (allgM, vgl. BT-Drs. 8/1678, 11). Str. ist Behandlung der **GbR.** Im Hinblick auf neuere grundbuchrechtl. Vorgaben (§ 47 II 1 GBO) wird hier neben Angabe der Gesellschaft auch die ihrer Gesellschafter zu verlangen sein (Hölters/Weber/Solveen Rn. 16; MüKoGmbHG/Wicke GmbHG § 3 Rn. 54). Die noch in eine andere Richtung deutende Entscheidung BGHZ 179, 102 Rn. 8 ff. (= NJW 2009, 594) wurde durch § 47 II 1 GBO mittlerweile legislativ „korrigiert" (augenscheinlich zweifelnd aber noch Grigoleit/Vedder Rn. 19). Vertreter werden von § 23 II Nr. 1 nicht erfasst; vgl. aber §§ 10, 12 BeurkG. 17

b) Angaben zu Aktien (Nr. 2). Anzugeben sind bei Nennbetragsaktien Nennbetrag (§ 8 II), Ausgabebetrag (§ 9) und ggf. Aktiengattung (§ 11), die jeder einzelne Gründer übernimmt. Bei **Stückaktien** (§ 8 III) lässt § 23 II Nr. 2 Angabe ihrer Zahl sowie ihres Ausgabebetrags und ggf. der Gattung genügen. Nicht erforderlich ist also, den auf einzelne Stückaktie entfallenden anteiligen Betrag des Grundkapitals (§ 8 III 3) zu bezeichnen (RegBegr. BT-Drs. 13/9573, 15). Wortlaut des § 23 II Nr. 2 lässt es ausreichen, dass Summe der Nennbeträge (bei Stückaktien die Aktienzahl) und Summe der Ausgabebeträge für jeden einzelnen Gründer angegeben werden. Aus Normzweck (→ Rn. 16) folgt jedoch, dass weitere Angaben erforderlich sein können; insbes. bei Ausgabe von Aktien mit unterschiedlichen Nenn- und/oder Ausgabebeträgen und bei Zeichnung verschiedener Gattungen durch einen Gründer. Anzugeben ist dann, wieviele Aktien der jew. unterschiedlichen Art jeder Gründer übernimmt (wie hier MüKoAktG/Pentz Rn. 59; S/L/Seibt Rn. 26). Nur so können Rechte und Pflichten zwischen Gründern und AG eindeutig festgelegt werden. Angabe des **Ausgabebetrags** auch, wenn kein Agio vereinbart ist (GK-AktG/Röhricht/Schall Rn. 104). Festsetzung unterschiedlicher Ausgabebeträge ist zulässig. Es bedarf dann der Aufteilung der Nennbeträge oder bei Stückaktien der Stückzahl nach Gattungsart. Werden Namens- und Inhaberaktien ausgegeben, so muss ersichtlich sein, welcher Gründer welche Anzahl übernimmt; Unklarheiten über 18

Verteilung der Stücke sind sonst nicht zu vermeiden (MüKoAktG/Pentz Rn. 61; aA KK-AktG/A. Arnold Rn. 61; GK-AktG/Röhricht/Schall Rn. 105).

19 **c) Eingezahlter Betrag (Nr. 3).** Anzugeben ist von den Gründern zum Zeitpunkt der Satzungsfeststellung (KK-AktG/A. Arnold Rn. 65) auf das Grundkapital tats. eingezahlter (Gesamt-)Betrag (allgM). Er kann somit von dem bei Anmeldung gem. § 37 I 1 anzugebenden Betrag abweichen.

IV. Notwendiger Inhalt der Satzung (§ 23 III, IV)

20 **1. Bestimmungen gem. § 23 III. a) Firma und Sitz (Nr. 1).** Zur Firma und Firmenbildung vgl. Erl. zu § 4; Bezeichnung „Aktiengesellschaft" ist aufzunehmen, wobei nach § 4 auch Abkürzung genügt (→ § 4 Rn. 17); zum Rechtsformzusatz und dessen Abkürzung bei SPACs s. § 44 V 2 BörsG und → Rn. 54, 56. Nicht zur Firma gehörende Zusätze (zB Geschäftsbezeichnungen) werden nicht angegeben. In die Satzung gehört auch Zweigniederlassungsfirma, wenn sie von Hauptfirma abweicht (BayObLGZ 1992, 59, 62 f.). Zum Sitz vgl. § 5 und Erl. dort. Anzugeben ist Name der politischen Gemeinde; bei gleichnamigen Gemeinden ist unterscheidungskräftiger Zusatz erforderlich. Bei Doppelsitz (→ § 5 Rn. 10) sind beide Gemeinden zu nennen.

21 **b) Gegenstand des Unternehmens (Nr. 2). aa) Allgemeines.** § 23 III Nr. 2 betr. Unternehmensgegenstand und bezweckt, **Grenze der Geschäftsführungsbefugnis** des Vorstands (§ 82 II; → § 82 Rn. 9) zu bestimmen und außenstehende Dritte über Tätigkeitsbereich der AG zu informieren (BGH WM 1981, 163, 164; BayObLG NJW-RR 1996, 413). Damit Satzungsangabe diese Funktion erfüllen kann, verlangt der 1965 angefügte § 23 III Nr. 2 Hs. 2 nähere Präzisierung (→ Rn. 24), die farblose und deshalb nichtssagende Angaben unterbinden soll (RegBegr. Kropff S. 43; zur Anpassung älterer Fassungen s. § 8 EGAktG). Begrenzungsfunktion macht nicht nur Über-, sondern auch Unterschreitung des Unternehmensgegenstands problematisch (→ § 179 Rn. 9a). Mit welchen **Mitteln** (auch Sozialaufwendungen) Unternehmensgegenstand verfolgt wird, entscheidet Vorstand iR seines Leitungsermessens (→ § 76 Rn. 63 ff.). Inwiefern Unternehmensgegenstand auch in dieser Hinsicht eingrenzende Vorgaben enthalten darf, ist umstr. (→ § 82 Rn. 10). Zum Unternehmensgegenstand bei SPACs s. § 44 I 2, IV Nr. 1 BörsG und → Rn. 54, 56.

22 **bb) Begriff.** Ansatzpunkt für Begriffsbestimmung ist **Verhältnis zum Gesellschaftszweck.** Obwohl AktG den Begriff des Gesellschaftszwecks (anders als § 61 I GmbHG) nicht kennt, sind beide Begriffe auch hier streng zu unterscheiden (LG Siegen BB 1965, 1419, 1422; MüKoAktG/Pentz Rn. 70 ff.; GK-AktG/Röhricht/Schall Rn. 125 ff.). Nach jedenfalls im Aktienrecht hM stehen Unternehmensgegenstand und Gesellschaftszweck in **Mittel-Zweck-Relation.** Während Gesellschaftszweck finalen Sinn des Zusammenschlusses bezeichnet (idR: Gewinnerzielung), gibt Unternehmensgegenstand eingesetztes Mittel an (OLG Hamburg BB 1968, 267; KK-AktG/A. Arnold Rn. 76; S/L/Seibt Rn. 34; wohl auch BGHZ 96, 245, 251 f. = NJW 1986, 1083 zum eV). Frage ist jedoch str., und zwar vor allem für GmbH (vgl. dazu HCL/Ulmer/Löbbe GmbHG § 1 Rn. 5 ff.). Begriffliche Abgrenzung ist deshalb bedeutsam, weil **Änderungen** des Unternehmensgegenstands gem. § 179 II durch Mehrheitsbeschluss erfolgen können, während Änderungen des Gesellschaftszwecks gem. § 33 I 2 BGB zusätzlich der Zustimmung aller Aktionäre bedürfen (→ § 179 Rn. 33). Lösung muss § 262 I Nr. 2 Hs. 2, § 274 I 2, § 293 Rechnung tragen, die für wesentliche Strukturänderungen Mehrheitsentscheidung zulassen (sa Kort AG 2011, 611, 614 f.; aA MüKoAktG/Pentz Rn. 74, 76). Das entspr. auch den typischen Bedingungen der AG, unter

denen Zustimmung aller Aktionäre nicht zu erzielen ist. Insges. sollte deshalb Unternehmensgegenstand nur sehr zurückhaltend dem Gesellschaftszweck zugeordnet oder gleichgestellt werden (ähnlich GK-AktG/Röhricht/Schall Rn. 125 ff.). Kein Fall der Zweckänderung ist jedenfalls bloße Ausweitung des bisherigen Unternehmensgegenstands (KG NZG 2005, 88, 89). Klarer Fall der Zweckänderung ist dagegen gänzlicher oder teilw. Übergang von erwerbswirtschaftlicher zu **gemeinnütziger Tätigkeit** (zur gemeinnützigen AG vgl. Binnewies/Hertwig AG 2020, 739 ff.; Momberger, Social Entrepreneurship, 2014, 95 ff.; zur bes. Bedeutung in Familienunternehmen Fleischer ZIP 2023, 2385, 2389 f.).

cc) Schranken. Zu beachten sind insbes. §§ 134, 138 BGB. Bsp. zu **§ 134 BGB:** Verbotene Glücksspiele, gewerbsmäßige Hehlerei (vgl. RGZ 96, 282 f.); Verstoß gegen § 1 GWB (MüKoAktG/Pentz Rn. 84); zur Frage, ob Gründung durch Ausländer gegen § 134 BGB verstößt, wenn deren Aufenthaltserlaubnis eine Erwerbstätigkeit nicht zulässt, → § 2 Rn. 7. Bsp. zu **§ 138 I BGB:** Betrieb eines Bordells (vgl. BGHZ 41, 341, 342 = NJW 1964, 1791); organisierter Austausch von Finanzwechseln (BGHZ 27, 172, 176 = NJW 1958, 989). Weitere Beschränkungen bestehen zT für **freie Berufe** aus standesrechtl., nicht aber aktienrechtl. Gründen; so für Apotheker (§§ 7, 8 ApoG – Ges. über das Apothekenwesen idF v. 15.10.1980, BGBl. 1980 I 1994), Ärzte (s. aber BGHZ 124, 224, 226 ff. = NJW 1994, 786: kein wettbewerbsrechtl. Unterlassungsanspruch gegen Zahnarzt-GmbH) oder Anwaltsnotare. In der Rechtsform der AG können jedenfalls Wirtschaftsprüfer (§ 27 I WPO), Steuerberater (§ 49 I StBerG) sowie Architekten und Ingenieure tätig werden. Für Rechtsanwälte und Patentanwälte ist es bei Stückwerk geblieben: Ges. zur Änderung der BRAO, der PAO und anderer Ges. v. 31.8.1998 (BGBl. 1998 I 2600) lässt in Art. 1 Nr. 2 bzw. Art. 2 Nr. 2 zwar GmbH zu (dafür schon BayObLGZ 1994, 353, 356 ff.; seither BayObLGZ 1996, 188, 191; LG Baden-Baden GmbHR 1996, 924 f.; aA noch LG München I NJW 1994, 1882 f.), enthält sich aber einer Regelung zur AG (RegBegr. BR-Drs. 1002/97, 12, 14). Beschränkungen für freie Berufe sollten insges. überdacht und grds. aufgegeben werden (sa Henssler ZHR 161 [1997], 305 ff.). Insbes. ist nicht ersichtlich, warum zwar GmbH, aber nicht AG zur Verfügung stehen sollte. Zulässigkeit der **Rechtsanwalts-AG** wird deshalb zu Recht bejaht von BFH NJW 2004, 1974; BayObLGZ 2000, 83, 85; vor allem sog kleine AG kommt auch praktisch in Betracht (ausf. Döge ZIP 2019, 596 ff.). Hinweise zum Berufsrecht bei Kempter/Kopp NJW 2000, 3449 ff. und zur Satzungsgestaltung bei Kempter/Kopp NJW 2001, 777 ff. AG kann, obwohl sie nicht unter §§ 59c ff. BRAO fällt, auch zur Anwaltschaft zugelassen werden; das folgt aus Art. 12 I GG, Art. 3 I GG (BGHZ 161, 376, 381 = NJW 2005, 1568; BGH ZIP 2006, 282 Rn. 7; noch aA Kempter/Kopp NJW 2004, 3605, 3606 ff.). 23

dd) Individualisierung. Unternehmensgegenstand muss derart individualisiert angegeben werden, dass **Schwerpunkt der Geschäftstätigkeit** für außenstehende Dritte (→ Rn. 21) erkennbar wird (zum Zweck → Rn. 21); Aktivitäten in **Randbereichen** wie etwa Hilfsgeschäfte (→ Rn. 24a) werden dadurch nicht ausgeschlossen (→ § 82 Rn. 9). Erfordernis gilt allg. und nicht nur für in § 23 III Nr. 2 namentl. genannte Industrie- und Handelsunternehmen (MüKoAktG/Pentz Rn. 68; GK-AktG/Röhricht/Schall Rn. 142; zur GmbH BGH WM 1981, 163, 164; OLG Düsseldorf BB 2011, 272, 273). Dass Individualisierungspflicht wegen Aufhebung des früheren § 37 IV Nr. 5 (→ § 37 Rn. 14) als weitgehend abgeschafft zu betrachten sei (Hirte FS Hüffer, 2010, 329, 335), wird wegen unveränderten Wortlauts und bezweckter Beschränkung der Leitungsbefugnis (→ Rn. 21) nicht anzunehmen sein. Anzugeben ist, ob Produkte erzeugt, bearbeitet oder gehandelt werden; sie sind der Art nach zu bezeichnen (zB Herstellung und Vertrieb von Werkzeugmaschinen). Bei Dienstleistungsunter- 24 nehmen ist Tätigkeit (zB Vermögensverwaltung) anzugeben. Leerformeln (zB Betrieb eines Kaufmannsgeschäfts) reichen nicht (BayObLG NJW-RR 1996, 413, 414; KGJ 34, A 149, 150). **Weitreichende Formulierungen** (zB Import von oder Handel mit Waren aller Art; Verwaltung von Vermögen und Beteiligung an anderen Unternehmen; Produktion von Waren aller Art) sind nur zulässig, wenn weitere Präzisierung nicht möglich sein sollte (BayObLGZ 1994, 224, 226 f.; BayObLG NZG 2003, 482; OLG Düsseldorf NJW 1970, 815; BB 2011, 272, 273). Unzureichende Individualisierung ist Eintragungshindernis gem. § 38 I (→ Rn. 7). Unbedenklich sind die Zusätze „und verwandte Geschäfte" oder „einschließlich des Erwerbs von Beteiligungen und der Gründung von Zweigniederlassungen" (allgM, OLG Frankfurt OLGZ 1987, 40). Umstr. ist, ob Unternehmensgegenstand auch noch auf solche Angaben erweitert werden darf, die nicht nur Betätigungsfeld der AG abstecken, sondern darüber hinaus auch noch sachlich-gegenständliche, weltanschauliche oder politische Vorgaben enthalten (→ § 82 Rn. 10; zur Festschreibung der Börsennotierung → § 119 Rn. 45).

24a **Hilfsgeschäfte** in der Satzung zu nennen, kann im Hinblick auf § 52 IX (→ § 52 Rn. 18) sinnvoll sein, ebenso Bezeichnung schon absehbarer Großvorhaben. Mangels Individualisierbarkeit nicht akzeptabel ist Zusatz: „alle Geschäfte und Rechtshandlungen, die den Zwecken der Gesellschaft dienlich sind" (OLG Köln OLGZ 1981, 428). Auch ohne solche Zusätze darf Vorstand Hilfsgeschäfte vornehmen, und zwar auch dann, wenn sie nicht unmittelbar vom Unternehmensgegenstand erfasst sind (→ § 82 Rn. 9). Hat AG mehrere Unternehmensgegenstände, so sind sie sämtlich anzugeben. Nach heute ganz hM gehört zur Individualisierung des Unternehmensgegenstands auch, ob sich AG auf ihrem Tätigkeitsgebiet unmittelbar oder auch mittelbar, dh durch Beteiligung an anderen Unternehmen, betätigen will (ausf. MüKoAktG/Stein § 179 Rn. 113 mwN). Deshalb sollte Unternehmensgegestand durch sog **Konzernöffnungsklausel** entspr. erweitert werden (zur Verbreitung vgl. Fleischer/Maas AG 2020, 761 Rn. 10), wobei auch Klarstellung erfolgen sollte, ob nur unternehmerische oder auch rein kapitalistische Beteiligungen gestattet sein sollen (ausf. zu den Folgen des Beteiligungserwerbs mit und ohne Konzernöffnungsklausel → § 179 Rn. 34). Bei **Holdinggesellschaft** erfolgt genügende Individualisierung jedenfalls dann, wenn Gruppenleitung in sog Holdingklausel als eigentlicher Unternehmensgegenstand benannt ist und Geschäftstätigkeit der Gruppengesellschaften in Klausel selbst zusammenfassend umschrieben oder zusätzlich aufgelistet wird (Spiegelstrichlösung; s. dazu Tieves, Der Unternehmensgegenstand, 1998, 418 f.). Kombination beider Lösungen ist möglich, Zusatzauflistung neben integrierter Tätigkeitsangabe aber nicht erforderlich. Soll Holdinggesellschaft tats. als sachbereichsneutrale Beteiligungsgesellschaft konzipiert sein, kann auch auf derartige Konkretisierung noch verzichtet werden. Es ist nicht Aufgabe des Satzungsrechts, solche Betätigung zu verbieten (zutr. Holding HdB/Stephan Rn. 3.187). Während solchermaßen umschriebene Konzernöffnungsklausel Erweiterung „nach unten" gestattet, ist fraglich, ob es auch „nach oben" erforderlich ist, satzungsmäßig festzuschreiben, dass **AG als abhängige Gesellschaft** geführt werden darf. In solcher Situation hat namentl. Strohn gefordert, Konzernöffnungsklausel müsse Vorstand berechtigen, AG als abhängige Gesellschaft in einen Konzern einzubringen (Strohn ZHR 182 [2018], 114, 128 ff.). Das ist abzulehnen, weil Vorstand nach konzernoffener Ausgestaltung des AktG keinesfalls zwangsläufig an Begründung der Abhängigkeit beteiligt sein muss. Wenn Ges. in dieser Weise Abhängigkeit gestattet, bedarf es dafür keiner weiteren Satzungsgrundlage (LG München I NZG 2019, 384 Rn. 29, 45; ausf. J. Koch ZGR 2019, 588, 600 ff.; sa KK-AktG/Zetzsche § 179 Rn. 301; Horn, Fusion durch NewCo-Übernahme, 2020, 85 ff.; Rieckers DB 2020, 207, 213; Schmidbauer/Kürten NZG 2021,

1150, 1154 f.; Schmolke VGR 24, GesR 2018, 137 Rn. 15 f.; J. Vetter in Veil/Grigoleit/Habersack, Öffentliche Unternehmensübernahmen, 2022, 177, 202 ff.; Wilsing FS Marsch-Barner, 2018, 595, 600). Zur Frage einer Zuständigkeit nach Holzmüller-Grundsätzen → § 119 Rn. 24b.

c) Exkurs: Mantelkauf und Mantelgründung. aa) Mantel- oder Vorratsgründung. Wirtschaftlich nicht oder nicht mehr tätige AG (Unternehmens-, meist auch Vermögenslosigkeit → Rn. 27d), die jedoch wegen fortdauernder HR-Eintragung als jur. Person besteht, wird als AG-Mantel bezeichnet. Mantel kann dadurch entstehen, dass früher aktive AG Geschäftsbetrieb eingestellt hat, aber auch durch sog Mantelgründung. Darunter versteht man gezielte Errichtung einer AG, die wenigstens vorerst, abgesehen von Verwaltung eigenen Vermögens, kein Unternehmen betreiben soll; im letztgenannten Fall spricht man auch von Vorratsgründung. Rechtl. werden beide Fälle im Wesentlichen gleich behandelt (BGHZ 192, 341 Rn. 9 = NJW 2012, 1875; zweifelnd insofern aber Ulmer ZIP 2012, 1265, 1269). **Verdeckte Mantelgründung** unter Angabe fiktiven Unternehmensgegenstands einschließlich der Fälle, in denen es an konkreter Betriebsabsicht fehlt (zweifelnd insofern jetzt aber GK-AktG/Röhricht/Schall Rn. 351 in Abw. von GK-AktG/Röhricht, 4. Aufl. 1997, Rn. 124), ist nach allgM unzulässig; zur Begründung wird teils § 117 BGB herangezogen (so zB KG JFG 1, 200, 202; KG JFG 3, 193, 195; Meyding, Die Mantel-GmbH, 1989, 37 f.), teils auf § 134 BGB abgehoben (Kantak, Mantelgründung und Mantelverwendung, 1988, 65 f.; nur zutr., wenn verbotener Unternehmensgegenstand verdeckt wird). Zur Nichtigkeitsklage → § 275 Rn. 17. Zulässig ist jedoch **offene Mantelgründung,** insbes. in der Form, dass als Unternehmensgegenstand Verwaltung und Erhaltung des eigenen, vor allem durch Einlagen gebildeten Vermögens offengelegt wird (geklärt seit BGHZ 117, 323, 325 f. = NJW 1992, 1824; sa BGHZ 153, 158, 161 = NJW 2003, 892; BGH NZG 2010, 427 Rn. 6 ff.; GK-AktG/Röhricht/Schall Rn. 347 ff.). Neben entspr. Bezeichnung des Unternehmensgegenstands ist zu beachten, dass auch Firma nicht irreführenden Eindruck aktiver AG hervorrufen darf (HCL/Ulmer/Löbbe GmbHG § 3 Rn. 130). Aktivierung des Mantels erfolgt durch Satzungsänderung (→ Rn. 27a), für die Dreiviertelmehrheit des § 179 II genügt (str. – s. HCL/Ulmer/Löbbe GmbHG § 3 Rn. 151). Zum Sonderfall eines bewusst unrichtig angegebenen Unternehmensgegenstands → § 275 Rn. 17. Zum Sonderfall der Börsenmantelaktiengesellschaft → Rn. 48 ff. **25**

Wirtschaftliches Ziel der Mantelgründung ist in erster Linie, die mit uU langwierigem Eintragungsverfahren verbundenen Haftungsrisiken nach Regeln der Vor-AG (→ § 41 Rn. 8 ff.) zu reduzieren (GK-AktG/Röhricht/Schall Rn. 344 f.). Dieser Zweck kann auch nach heute weitgehend anerkannter analoger Geltung des Gründungsrechts zumindest zT noch erreicht werden, da Deckungshaftung nicht Zeitraum bis zur Eintragung abdeckt, sondern nur bis zum erstmaligen Auftreten der wirtschaftlichen Neugründung im Außenverhältnis vorliegen muss (→ Rn. 27 f.). Durch zahlreiche Gründungserleichterungen in den letzten Jahren ist **Eintragungsprozess beschleunigt** und damit auch Bedürfnis nach Mantelgründungen relativiert worden; auch früher bestehende steuerliche Vorteile sind durch § 8c KStG entfallen. Weiterhin hohe Verbreitung der Vorratsgründung belegt aber, dass Interesse der Praxis an dieser Gestaltungsform fortbesteht (HCL/Ulmer/Löbbe GmbHG § 3 Rn. 133). Insbes. können damit Verzögerungen im Eintragungsverfahren vermieden werden, wenn bei ausländischen Gesellschaften als Gründer die Existenz- und Vertretungsnachw. nicht kurzfristig in der erforderlichen rechtssicheren Form beigebracht werden (Wicke GmbHG § 3 Rn. 9; vgl. zu entspr. Schwierigkeiten Hertel FS Heidinger, 2023, 219 ff.; zu weiteren Motiven Winnen RNotZ 2013, 389, 390 f.). **25a**

26 **bb) Mantelverwendung und -kauf.** Mantelverwendung ist Gebrauch eines AG-Mantels zwecks wirtschaftlicher Neugründung eines Unternehmens. Beim Mantelkauf erfolgt Neugründung durch Dritte nach Erwerb der Aktien. Satzung muss in beiden Fällen geändert werden, um neuem Unternehmensgegenstand (zum bisherigen → Rn. 25) Rechnung zu tragen. Daneben können Änderungen der Firma und des Sitzes erforderlich sein. Mantelverwendung und -kauf sind nicht grds. unzulässig, da damit legitimes unternehmerisches Anliegen verfolgt wird (→ Rn. 25a) und überdies ein Verbot ges. Grundlage entbehrt. Da aber Umgehung der Gründungsvorschriften vermieden werden muss, ist heute weitgehend anerkannt, dass **Zulässigkeit** nur dann angenommen werden kann, wenn **analoge Geltung der Gründungsvorschriften** (→ Rn. 27a) beachtet wird (s. BGHZ 117, 323, 331 ff. = NJW 1992, 1824; BGHZ 153, 158, 160 ff. = NJW 2003, 892; GK-AktG/Röhricht/Schall Rn. 365 ff.; mit Abweichungen iErg auch Altmeppen NZG 2003, 145, 146 ff.; Heidinger ZNotP 2003, 82, 85 ff.). Ältere Ansicht, nach der Mantelverwendung unzulässig sein sollte (insbes. KG-Rspr., s. KG JW 1924, 1535, 1537; KG JW 1925, 635 f.; ferner OLG Hamburg ZIP 1983, 570, 571 f.) verkannte, dass ihrem Schutzanliegen durch entspr. Anwendung der Gründungsvorschriften Rechnung getragen werden kann. Dritte Meinung, die Mantelverwendung ohne Beachtung des Gründungsrechts zulassen und stattdessen unseriösen Praktiken mit Durchgriffshaftung begegnen will (Bommert GmbHR 1983, 209, 211; sa Mayer NJW 2000, 175, 177 ff.), ersetzt gebotene reale Kapitalaufbringung durch Außenhaftung auf wenig strukturierter Grundlage (→ § 1 Rn. 15 ff.) und kann deshalb keine Zustimmung finden.

27 **Einzelfragen.** Auf Basis der zutr. hM (→ Rn. 26) bleibt zu klären, wie weit analoge Anwendung der Gründungsvorschriften reicht und wie wirtschaftliche Neugründung von bloßer Umorganisation abzugrenzen ist (→ Rn. 27c). BGHZ 117, 323, 336 = NJW 1992, 1824 lässt Frage nach **Reichweite der Gründungsvorschriften** offen. Wenigstens anzuwenden sind §§ 7, 36a betr. Grundkapital und Mindesteinlage (BGHZ 192, 341 Rn. 17 = NJW 2012, 1875; KG NZG 2023, 888 Rn. 10; Hölters/Weber/Solveen Rn. 48; Winnen RNotZ 2013, 389, 400 f.), und zwar bezogen auf satzungsmäßiges Grundkapital, nicht ges. Mindestkapital (Pentz FS Hoffmann-Becking, 2013, 871, 884). Überschuldung der AG erhöht Einlagepflicht (Hölters/Weber/Solveen Rn. 48); umgekehrt ist Restvermögen zu berücksichtigen (Berkefeld GmbHR 2018, 337, 339). Zahlungspflicht nach § 54 I muss nach Maßgabe des § 54 III erfüllt werden und verjährt gem. § 54 IV 1 ab Zeitpunkt der wirtschaftlichen Neugründung (LG München I ZIP 2012, 2152, 2154, 2156). Auch Regeln zur Einzahlung nach §§ 63 – 66, einschließlich Zahlungspflicht des Vormanns nach § 65, sind auf wirtschaftliche Neugründung anwendbar (LG München I ZIP 2012, 2152, 2153 f.). Für Sacheinlagen ist § 27 entspr. anzuwenden (Einzelheiten: KK-AktG/A. Arnold Rn. 106; Winnen RNotZ 2013, 389, 404 f.). Noch ungeklärt ist, inwiefern auch Vorschriften über **Gründungsbericht und -prüfung** nach §§ 32 ff. auf Vorrats-AG anzuwenden sind. Für GmbH, bei der die Anforderungen insofern allerdings deutlich geringer sind, wird diese Frage in der Rspr. bejaht (BGHZ 153, 158, 162 ff. = NJW 2003, 892 mit Besprechung von Krafka ZGR 2003, 577, 580 ff. [Gründungsprüfung analog § 7 II und III 1 GmbHG, § 8 II 1 GmbHG, § 9c GmbHG]; BGHZ 155, 318, 321 ff. = NJW 2003, 3198 [Versicherung analog § 8 II GmbHG]; OLG Brandenburg FGPrax 2002, 129 f.; OLG Celle FGPrax 2002, 183 f.; OLG München ZIP 2010, 579, 580 ff.; OLG Schleswig FGPrax 2002, 261, 262). Dem hat sich hM im Aktienrecht angeschlossen, wobei angenommen wird, dass Prüfung auf reale Kapitalaufbringung beschränkt werden kann, ggf. einschließlich der § 33 II Nr. 3 und 4, § 34 I, § 37 IV Nr. 2 (MüKoAktG/Pentz Rn. 103; GK-AktG/Röhricht/Schall Rn. 369; Grigoleit/Vedder Vor § 23 Rn. 14; Winnen RNotZ 2013, 389, 406). Vor dem Hintergrund, dass

BGH grds. Bedürfnis nach prozeduralen Erleichterungen gerade im Aktienrecht anerkannt hat (BGHZ 117, 323, 332), wird dagegen im neueren Schrifttum mit überzeugenden Argumenten auch Verzicht auf Gründungsbericht, Gründungsprüfung und Sachgründungsbericht für zulässig gehalten; an ihrer Stelle soll allein Nachw. der Kapitalaufbringung im Rahmen der Anzeige der wirtschaftlichen Neugründung (→ Rn. 27a) genügen (BeckOGK/Limmer Rn. 71; Krafka RegisterR Rn. 1594b; Schaefer/Steiner/Link DStR 2016, 1166, 1168). Da Positionierung des BGH in diesem Punkt nicht hinreichend klar ist und auch teleologischer Befund nicht eindeutig ausfällt, sollte Vorgehensweise vorab mit Registergericht abgeklärt werden. Nicht zu fordern ist **Bankbestätigung** analog § 37 I 2, 3, da Kreditinstitut Vermögensverhältnisse der AG in dieser Situation nicht hinreichend überblicken kann (BeckOGK/Limmer Rn. 71; Krafka RegisterR Rn. 1594b; Heinze BB 2012, 67, 68 f.; Melchior AG 2013, R 223, 225; Schaefer/Steiner/Link DStR 2016, 1166, 1169). Ebenfalls nicht abschließend geklärt ist Behandlung des **Gründungsaufwands** (vgl. BeckOGK/Limmer Rn. 71; Krafka RegisterR Rn. 1594c; Winnen RNotZ 2013, 389, 405). Nach OLG Stuttgart AG 2013, 95 f. soll es jedenfalls zulässig sein, wenn iRd wirtschaftlichen Neugründung anfallender Gründungsaufwand von AG übernommen und entspr. Satzungsergänzung in HR eingetragen wird. Unzulässig ist es dagegen, der AG kumulativ die Kosten der rechtl. und der wirtschaftlichen Neugründung aufzuerlegen (Winnen RNotZ 2013, 389, 405).

Um gebotene Kontrolle durch Registergericht analog § 38 zu ermöglichen, **27a** muss Neugründung ihm ggü. **offen gelegt** werden (KK-AktG/A. Arnold Rn. 109: verfahrensrechtl. Kernstück), was bei Vorratsgründung schon durch gebotene Satzungs-, Firmen- und idR auch Sitzänderung erforderlich wird, aber auch bei Verwendung eines Alt-Mantels analog §§ 36 f. erfolgen muss; insbes. erforderlich ist Versicherung über ordentliche Kapitalaufbringung (BGHZ 155, 318, 323 f. = NJW 2003, 3198; BGHZ 192, 341 Rn. 13, 17 f. = NJW 2012, 1875; Einzelheiten zu den registergerichtl. Voraussetzungen der Offenlegung bei Melchior AG 2013, R 223 ff.). Umstr. ist, wer **Anmeldeerklärung** abzugeben hat. Im Gründungsrecht sehen §§ 36 I, 37 Anmeldung durch alle Gründer und Mitglieder des Vorstands und des AR vor, doch erweist sich schon Festlegung der Gründer bei Mantelverwendung als schwierig (vgl. dazu BeckOGK/Limmer Rn. 71). HM versteht darunter Erwerber der Vorrats-AG (KK-AktG/A. Arnold Rn. 108; Priester DB 2001, 467, 468; Reichert ZGR 2001, 554, 559; aA [Gründer der Vorrats-AG] Dormann/Formholzer AG 2001, 242, 243; Werner ZIP 2001, 1403, 1404). Auch das erweist sich aber in vielen Fällen als unpraktikabel, etwa bei bloßer Neuaktivierung eines börsennotierten Mantels (vgl. Schaefer/Steiner/Link DStR 2016, 1166, 1167 f.). Neuere Auffassung lässt es daher zu Recht genügen, wenn **Offenlegung allein durch Vorstand und AR** erfolgt (BeckOGK/Limmer Rn. 71; Grigoleit/Vedder Vor § 23 Rn. 14; Krafka RegisterR Rn. 1594b; DNotI-Report 2012, 93, 96; Heinze BB 2012, 67, 69 f.; Schaefer/Steiner/Link DStR 2016, 1166, 1168; ähnlich auch Melchior AG 2013, R 223, 224). Haftungsrechtl. Folgen unterbliebener Offenlegung treffen die Gesellschafter (BGHZ 192, 341 Rn. 42; → Rn. 27b). Wegen strafrechtl. Analogieverbots ist unterlassene Offenlegung aber nicht nach § 399 I Nr. 1 strafbewehrt (BGHZ 192, 341 Rn. 27). Nur bei Falschangaben kommt Strafbarkeit nach §§ 156, 161 StGB in Betracht (Melchior AG 2013, R 223, 225). Zuführung von Sachwerten nach Mantelgründung kann auch § 52 (direkt) anwendbar machen (Nachgründung). Als Gründer iSd § 52 I 1 sind dann die ersten Verwender der AG anzusehen (MüKoAktG/Pentz Rn. 114; Hölters/Weber/Solveen Rn. 48; Winnen RNotZ 2013, 389, 407). Als maßgeblichen Zeitpunkt für Bemessung der Zweijahresfrist hat bislang hM auf Eintragung der entspr. Satzungsänderungen in das HR abgestellt (vgl. etwa Grooterhorst NZG 2001, 145,

148; Priester DB 2001, 467, 468). Nachdem BGHZ 192, 341 Rn. 23 ff. als maßgeblichen Zeitpunkt erstmaliges Auftreten im Rechtsverkehr identifiziert hat, dürfte dieser Zeitpunkt auch für **Nachgründung** zugrunde zu legen sein (so auch Grigoleit/Vedder Vor § 23 Rn. 19; Pentz FS Hoffmann-Becking, 2013, 871, 886 f.; Winnen RNotZ 2013, 389, 407).

27b Unterbleibt gebotene Offenlegung der wirtschaftlichen Neugründung (→ Rn. 27), so führt Analogie zum Gründungsrecht auch zur **Unterbilanzhaftung** der mit Neugründung einverstandenen Aktionäre, die also das satzungsmäßige Garantiekapital unter Beseitigung etwa aufgetretener Verluste aufzufüllen haben (BGHZ 155, 318, 326 = NJW 2003, 3198; BGHZ 192, 341 Rn. 15 ff., 36 = NJW 2012, 1875; OLG Düsseldorf ZIP 2012, 2011, 2012 f.; KG ZIP 2012, 1863, 1864; zur Kritik am Haftungskonzept vgl. etwa Altmeppen DB 2003, 2050 ff.; K. Schmidt ZIP 2010, 857, 863 ff.). Nicht erforderlich ist dagegen die Zustimmung sämtlicher Gesellschafter (Berkefeld GmbHR 2018, 337, 341). Zeitlich ist diese Unterbilanzhaftung allerdings auf Zeitpunkt beschränkt, in dem wirtschaftliche (Neu-)Gründung durch Anmeldung der damit einhergehenden Satzungsänderungen oder Aufnahme der neuen Geschäftstätigkeit erstmals **nach außen hin in Erscheinung tritt** (BGHZ 192, 341 Rn. 23 mwN zur umfangreichen Lit.; bekräftigend BGH NZG 2014, 264 Rn. 8; wie BGH etwa MüKoGmbHG/Wicke GmbHG § 3 Rn. 32; Habersack AG 2010, 845, 849 f.; Herresthal/Servatius ZIP 2012, 197, 200 f., 202 f.; Kuszlik GmbHR 2012, 882, 884 ff.; Pentz FS Hoffmann-Becking, 2013, 871, 880 ff.; Ulmer ZIP 2012, 1265, 1267 ff.). Gegenauffassung, die stattdessen wie bei unterbliebener Ersteintragung für zeitlich unbegrenzte Verlustdeckungshaftung bis zur Offenlegung ggü. Registergericht plädiert (s. insbes. OLG Jena NZG 2004, 114, 115; OLG Jena ZIP 2007, 124, 125; Bachmann NZG 2011, 441, 443 ff.; Bayer FS Goette, 2011, 15, 20 ff.; Hüffer NJW 2011, 1772, 1773), belastet Gründer in einer Weise, die durch angestrebten Gläubigerschutz nicht mehr geboten ist, da Gläubiger kein schutzwürdiges Vertrauen auf Verlustausgleich der Gesellschafter nach diesem Zeitpunkt haben (ausf. BGHZ 192, 341 Rn. 23 ff.). Unterbliebene Offenlegung ist damit auch nicht sanktionslos (so der Einwand von Bachmann NZG 2011, 441, 443 f.), da Gesellschafter mit **Beweislastumkehr** belastet bleiben, also darlegen und beweisen müssen, dass AG, als sie nach außen in Erscheinung trat, mit statutarischem Grundkapital ausgestattet war; damit wird Verhinderung registergerichtl. Präventivkontrolle hinreichend sanktioniert (BGHZ 192, 341 Rn. 42; HCL/Ulmer/Löbbe GmbHG § 3 Rn. 162; Herresthal/Servatius ZIP 2012, 197, 203; v. Selle NZG 2023, 1199, 1201; Winnen RNotZ 2013, 389, 407 ff.). Wird Offenlegung nachgeholt und auf dieser Grundlage registergerichtl. Kontrolle durchgeführt, entfällt Beweislastumkehr, allerdings muss sich Deckungsnachweis ebenfalls auf Zeitpunkt des erstmaligen Auftretens beziehen, um zu verhindern, dass Gesellschafter auf günstige Geschäftsentwicklung spekulieren (HCL/Ulmer/Löbbe GmbHG § 3 Rn. 164; Pentz FS Hoffmann-Becking, 2013, 871, 882 f.; ohne die zuletzt genannte Einschränkung Jeep NZG 2012, 1209, 1216 f.; aA C. Horn DB 2012, 1255, 1256 f.; grds. konzeptionelle Einwände bei A. Götz GmbHR 2013, 290 ff.). Für fehlerhafte Offenlegung gilt § 46 (s. BGH AG 2011, 751 Rn. 13; Bachmann NZG 2012, 579, 580 zur Parallelvorschrift in § 9c GmbHG).

27c Str. ist **Handelndenhaftung** entspr. § 41 I 2, die hier allerdings nicht bis zur Eintragung, sondern allenfalls bis zur Offenlegung der wirtschaftlichen Neugründung in Betracht kommt (dafür etwa KG NZG 1998, 731 f.; LG Hamburg NJW 1985, 2426; S/L/Seibt Rn. 45; Hüffer NZG 2011, 1257, 1259; dagegen OLG Brandenburg ZIP 1998, 2095 f.; OLG Karlsruhe DB 1978, 1219, 1220; OLG Koblenz WM 1989, 304, 305; GK-AktG/Röhricht/Schall Rn. 372; Scholz/K. Schmidt GmbHG § 11 Rn. 109; HCL/Ulmer/Löbbe GmbHG § 3 Rn. 168;

Berkefeld GmbHR 2018, 337, 344; Herresthal/Servatius ZIP 2012, 197, 203 f.; Pentz FS Hoffmann-Becking, 2013, 871, 889 ff.; Ulmer ZIP 2012, 1265, 1271; vgl. auch OLG Hamburg BB 1987, 505; offenlassend BGHZ 155, 318, 327 = NJW 2003, 3198; BGH AG 2011, 751 Rn. 13 f.; vgl. auch OLG Hamburg ZIP 1983, 570, 571 f.). Richtigerweise ist Handelndenhaftung abzulehnen. § 41 I 2 wird schon in originärem Anwendungsbereich äußerst restriktiv gehandhabt (→ § 41 Rn. 18 ff.), so dass bei Analogie erst recht Zurückhaltung geboten ist. Da auf Unterbilanzhaftung gestütztes Schutzkonzept (→ Rn. 27a) Gläubigerinteressen hinreichend Rechnung trägt, ist weitergehende Haftung nicht geboten.

Wird Alt-Mantel verwendet, ist Anwendung vorstehender Grundsätze nur möglich, wenn wirtschaftliche Neugründung und **nicht bloße Umorganisation** vorliegt (ausf. zum Folgenden Winnen RNotZ 2013, 389, 393 ff.). Bei danach erforderlicher und im Einzelfall schwieriger Abgrenzung spricht entscheidend für Neugründung, dass Unternehmenstätigkeit erstmals oder nach auch nur kurzfristiger, aber Kontinuität des gesamten Gründungsvorgangs aufhebender Volleinstellung der früheren Tätigkeit aufgenommen wird (dazu Bayer FS Goette, 2011, 15, 25 f.; zu möglichen Indizien vgl. KG NZG 2023, 888 Rn. 12 ff.). Gemeint ist damit **Unternehmenslosigkeit** (nur idR mit Vermögenslosigkeit zusammenfallend). An solcher die Kontinuität aufhebenden Unternehmenslosigkeit fehlt es schon dann, wenn sich an Registereintragung konkrete Planungs- und Vorbereitungsmaßnahmen iS einer **Aufbauphase** anschließen (BGH NJW 2010, 1459 Rn. 5 ff.; KG ZIP 2012, 1863, 1864; sa Winnen RNotZ 2013, 389, 396 ff.). An Unternehmenslosigkeit fehlt es ferner bei bloßer **Umorganisation,** also dann, wenn bisherige Unternehmenstätigkeit als Basis für Fortführung dient (BGHZ 155, 318, 324 = NJW 2003, 3198; BGH NJW 2010, 1459 Rn. 2; OLG Jena NZG 2004, 1114 f.; OLG München ZIP 2010, 579, 580; HCL/Ulmer/Löbbe GmbHG § 3 Rn. 139 f.; Heidinger/Meyding NZG 2003, 1129, 1133 f.; Lieder NZG 2010, 410, 411 f.; Priester ZHR 168 [2004], 248, 256 f.). Satzungsänderungen (Unternehmensgegenstand, Firma und Sitz; → Rn. 26) sind nicht als solche entscheidend, haben aber indizierende Bedeutung und sind in diesem Sinne vom Registergericht zu beachten. Auch bloße **Abwicklung des Geschäftsbetriebs** führt noch nicht zur Unternehmenslosigkeit (KG ZIP 2012, 1863, 1864 f.), und zwar auch nicht in der Liquidation der AG (BGH NZG 2014, 264 Rn. 10 ff.). Entscheidend ist insofern vielmehr, dass Geschäftsbetrieb tats. zum Erliegen gekommen ist. Das ist aber nicht anzunehmen, solange zumindest noch nennenswerte Liquidationsaufgaben zu erfüllen sind und Liquidation auch noch aktiv betrieben wird (BGH NZG 2014, 264 Rn. 12 ff.; sa Priester GmbHR 2021, 1327 Rn. 9 ff. [Aufschluss durch Rechnungslegung]; eher zurückhaltend aber Böcker DZWIR 2014, 389, 396). Wirtschaftliche Neugründung ist anzunehmen, sobald tats. Geschäftsaufnahme erfolgt. Bloße Anmeldung der Satzungsänderung zum HR genügt nach KG ZIP 2012, 1863, 1864 f. noch nicht (aA Schaub NJW 2003, 2125, 2128). 27d

d) Höhe des Grundkapitals (Nr. 3). Grundkapital (§ 1 II) ist konkret in Euro (§ 6) zu beziffern; Berechenbarkeit aus der Zahl der Aktien und ihrer Ausgabebeträge (§ 9) reicht nicht (allgM, KG RJA 9, 185, 189). Bestimmung eines beweglichen Grundkapitals durch Angabe von Mindest- und Höchstgrenzen ist unzulässig. Zum Mindestbetrag s. § 7. § 23 III Nr. 3 erfasst nicht genehmigtes Kapital (§§ 202 ff.). Zur Angabe der bereits geleisteten Einlagen in der Urkunde vgl. § 23 II Nr. 3 (→ Rn. 19). 28

e) Angaben zur Zerlegung des Grundkapitals (Nr. 4). § 23 III Nr. 4 soll Klarheit über Zerlegung des Grundkapitals (§ 1 II) schaffen. Erforderlich sind deshalb zunächst Angaben über Aktienform (Nennbetrags- oder Stückaktien), sodann über Einteilung des Grundkapitals (Nennbeträge bzw. Aktienanzahl), 29 schließlich auch über Aktiengattung und Zahl der Aktien jeder Gattung, sofern mehrere Gattungen bestehen. Weil Grundkapital entweder in Nennbetrags- oder Stückaktien zerlegt sein muss, können nicht beide Aktienformen nebeneinander bestehen (→ § 8 Rn. 4; RegBegr. BT-Drs. 13/9573, 16). Wenn verschiedene Gattungen (§ 11) ausgegeben werden, sind sie durch die unterschiedlichen Rechte und Pflichten zu beschreiben (MüKoAktG/Pentz Rn. 131 f.). Bei Ausgabe von Aktiengattungen zu unterschiedlichen Nennbeträgen (§ 8 II) gebietet Normzweck Angabe der jeweiligen Zahl der Aktien pro Gattung und Nennbetrag (KK-AktG/A. Arnold Rn. 119; GK-AktG/Röhricht/Schall Rn. 156). Auf Stückaktien (§ 8 III) ist Ergebnis nicht zu übertragen, weil anteiliger Betrag des Grundkapitals zur Beschreibung der Mitgliedschaft nichts beiträgt (→ Rn. 18).

30 **f) Inhaber- oder Namensaktien (Nr. 5).** Anzugeben ist, ob Inhaber- oder Namensaktien (§ 10 I; → § 10 Rn. 4 ff.) oder beide Aktienformen ausgestellt werden. Unterscheidung bezieht sich auf urkundliche Verbriefung. Angabe der jeweiligen Anzahl ist in allen Fällen entbehrlich (KK-AktG/A. Arnold Rn. 123; MüKoAktG/Pentz Rn. 140). Gründer bzw. Aktionäre hatten früher grds. freie Wahl zwischen den Aktienformen; durch **Aktienrechtsnovelle 2016** ist Namensaktie für neu zu gründende Gesellschaften als Standardverbriefungsart vorgeschrieben worden. Gesellschafter können nur unter bestimmten Voraussetzungen noch für Inhaberaktie optieren (→ § 10 Rn. 1, 5 ff.). Umwandlung in andere Aktienart erfordert Satzungsänderung (KK-AktG/A. Arnold Rn. 123; MüKoAktG/Pentz Rn. 133). **Entgegen der Satzung ausgegebene Aktien** sind nach allg. wertpapierrechtl. Grundsätzen wirksam (OLG Hamburg AG 1970, 230; MüKoAktG/Pentz Rn. 139; GK-AktG/Röhricht/Schall Rn. 162; aA v. Godin/Wilhelmi § 24 Rn. 5); Verwaltungsmitglieder haften ggf. gem. §§ 93, 116. Aktionäre haben Anspruch auf satzungsgem. Aktienart. Satzung konnte nach § 24 aF, der qua Übergangsregelung noch fortgelten kann (→ § 24 Rn. 1) auch Recht auf nachträgliche Umwandlung begründen.

31 **g) Zahl der Vorstandsmitglieder (Nr. 6).** Anzugeben ist (konkrete) Zahl der Vorstandsmitglieder oder Regel, nach der diese Zahl festgelegt wird. Ausreichend konkret ist auch Vorgabe einer Mindest- und Höchstzahl (LG Köln AG 1999, 137 f.; RegBegr. BT-Drs. 8/1678, 12; MüKoAktG/Pentz Rn. 144; Ganske DB 1978, 2461 f.; wohl auch GK-AktG/Röhricht/Schall Rn. 164). Als Regel genügt Satzungsbestimmung, dass konkrete Zahl **vom AR festgelegt** wird (BGH NZG 2002, 817, 818; RegBegr. BT-Drs. 8/1678, 12; KK-AktG/A. Arnold Rn. 126; MüKoAktG/Pentz Rn. 146; letztlich auch C. Schäfer ZGR 2003, 147, 155 ff.; zweifelnd GK-AktG/Röhricht/Schall Rn. 166). Stellvertretende Vorstandsmitglieder (§ 94) sind einzubeziehen; § 76 II (→ Rn. 55) ist zu beachten. Scheidet Vorstandsmitglied aus, so ist Satzungsänderung nur dann erforderlich, wenn Vorstandsbesetzung der Satzung nicht mehr entspr. und Neubesetzung nicht erfolgen soll; § 399 FamFG ist bei rein faktischer Unterbesetzung unanwendbar (Sternal/Eickelberg FamFG § 399 Rn. 17).

32 **2. Form der Bekanntmachung (§ 23 IV).** Regelungsgehalt erschließt sich nur im **Zusammenhang mit § 25,** der sog Pflichtbekanntmachungen erfasst (→ § 25 Rn. 1) und für diese BAnz. als Pflicht-Gesellschaftsblatt vorschreibt. § 25 ist insoweit abschließend. § 23 IV erfasst daher nur sog **freiwillige Bek.,** die Ges. oder Satzung vorschreiben, ohne zugleich als Publikationsorgan die Gesellschaftsblätter zu bestimmen (zB Vierteljahresbericht, § 63 I). Für solche Bek. ist Form (nicht: Zeitpunkt uä) zu bestimmen. Es besteht Wahlfreiheit, zB BAnz. oder Tageszeitung, eingeschriebener Brief usw (KK-AktG/A. Arnold Rn. 130; MüKoAktG/Pentz Rn. 151). Wahlfreiheit umfasst auch Bek., die nicht papiergebun-

den ist, vor allem Publikation in elektronischen Medien (RegBegr. BT-Drs. 14/4051, 9 f.).

3. Weitere notwendige Satzungsbestimmungen. Neben § 23 III, IV können andere Ges. vorschreiben, dass bestimmte Regelungen in der Satzung zu treffen sind. Bsp: Ges. über die Wahrnehmung von Urheberrechten und verwandten Schutzrechten v. 9.9.1965 (BGBl. 1965 I 1294); danach erforderlich: Wahlbestimmung über die Vertreter der Berechtigten, die nicht Aktionäre sind (§ 6 II 2); Grundsätze über die Aufteilung der Einnahmen (§ 7 S. 3). Fehlen diese Satzungsbestimmungen, kann erforderliche Genehmigung nicht erteilt werden (§ 3 I Nr. 1); auch ist AG dann nicht ordnungsgem. errichtet (§ 38 I); vgl. MüKoAktG/Pentz Rn. 154; GK-AktG/Röhricht/Schall Rn. 172. 33

V. Satzungsstrenge; Regelungswahlrechte (§ 23 V)

1. Allgemeines. § 23 V schränkt zum Schutz von Gläubigern und künftigen Aktionären Satzungsautonomie stark ein, macht Aktie auf diese Weise zu **standardisiertem Produkt** und erhöht damit ihre Umlauffähigkeit, indem sie Informationsaufwand und damit Transaktionskosten potenzieller Anleger reduziert (KK-AktG/A. Arnold Rn. 133; grdl. Kritik bei Kuntz, Gestaltung von Kapitalgesellschaften, 2016, 345 ff.). Da diese Zielsetzung in erster Linie börsennotierte AG betrifft, große Mehrheit deutscher AG aber nicht börsennotiert ist, wird pauschale Geltung des Grundsatzes zunehmend in Frage gestellt (zur Diskussion Fleischer ZHR 168 [2004], 673, 687 ff.; zu europarechtl. Bedenken sa Grundmann/Möslein ZGR 2003, 317, 363 f.; rechtsvergleichend Hopt in Gestaltungsfreiheit [ZGR-Sonderheft 13], 1998, 123 ff.). 67. DJT 2008 hat **Deregulierungsproblem** erneut aufgegriffen (Gutachter: Bayer) und an § 23 V ausdr. festgehalten (Beschlüsse Nr. 4a, 4b). Auch insges. moderate Gestaltungsspielräume für nicht börsennotierte Gesellschaften haben keine Zustimmung gefunden (Beschlüsse Nr. 9–13). Soweit Sonderregeln für börsennotierte Gesellschaften befürwortet werden, ist Differenzierung weithin durch Anfechtungsproblematik bedingt (Beschlüsse Nr. 6, 7c, 8). Insges. ist danach zu erwarten, dass es (auch für nicht börsennotierte Gesellschaften) beim Grundsatz der Satzungsstrenge verbleibt (so auch Bayer Gutachten E zum 67. DJT, 2008, 81 ff.; Mülbert Verh. 67. DJT, Bd. II/1, 2009, N 51, 55 ff.; für mehr Gestaltungsspielraum jedoch Spindler AG 2008, 598, 600 ff.). Abweichungen vom Ges. sind nur erlaubt, wenn dieses sie ausdr. zulässt, Ergänzungen nur, soweit Ges. nicht abschließende Regelung enthält (ähnlich bereits RGZ 49, 77, 80; RGZ 65, 91, 92; vgl. aber auch RGZ 120, 177, 180). Ges. iSd § 23 V ist nur AktG (KK-AktG/A. Arnold Rn. 140 ff.; GK-AktG/Röhricht/Schall Rn. 180; aA Geßler ZGR 1980, 427, 441: analog auch MitbestG). Rechtsfolgen bei Verstoß gegen § 23 V → Rn. 43. 34

2. Abweichung (§ 23 V 1). Abweichung liegt vor, wenn ges. Regelung durch eine andere ersetzt wird. Sie kann nur getroffen werden, wenn sie im Ges. **ausdr. zugelassen** ist. Ausdr. bedeutet: Abweichungsbefugnis muss sich aus Wortlaut des Ges., ggf. mittels Auslegung, eindeutig ergeben (MüKoAktG/Pentz Rn. 160 ff.; S/L/Seibt Rn. 54; Wahlers ZIP 2008, 1897, 1899); bloßes Schweigen des Ges. kann Abweichungsbefugnis nicht begründen. Zulässige Abweichungen betr. ua die Bestimmung „andere Mehrheiten" und „weitere Erfordernisse" für HV-Beschlüsse (vgl. zB § 52 V 3; § 103 I 3; § 133 I, II; § 179 II 2, 3). Abweichungen anderer Art werden zB zugelassen in: § 58 II 2, III 2; § 59 I; § 78 II 1, III 1. Gegliederte Übersicht bei KK-AktG/A. Arnold Rn. 143 ff. und GK-AktG/Röhricht/Schall Rn. 185 ff. 35

Zwingender Natur sind insbes.: Normen, die Zuständigkeitsbereich der Organe (S/L/Seibt Rn. 55), ihre Zusammensetzung und ihre innere Organisa- 36 tion regeln (KK-AktG/A. Arnold Rn. 152), einschließlich der Beteiligungsquote der AN-Vertreter im AR (→ § 96 Rn. 3; → § 251 Rn. 2; OLG Stuttgart AG 2021, 522, 525; MüKoAktG/Pentz Rn. 164). Ferner Bestimmungen über Minderheitsrechte; sie dürfen auch grds. (Ausnahme: § 122 I 2) nicht abgeschwächt werden (MüKoAktG/Pentz Rn. 164). Sodann Regelung der Verschwiegenheitspflicht der Verwaltungsmitglieder (§ 93 I 3, § 116); sie kann weder verschärft noch gemindert werden (→ § 116 Rn. 9 ff. mwN); Gleiches gilt für Umfang ihrer Sorgfaltspflichten gem. §§ 93, 116 (Geßler FS Luther, 1976, 67, 83 f.). Zwingend erforderlich ist schließlich Zustimmung der Vorzugsaktionäre gem. § 141 I (MüKoAktG/Pentz Rn. 164; Werner AG 1971, 69, 70).

37 **3. Ergänzungen (§ 23 V 2).** Ergänzung liegt vor, wenn Ges. **entspr. Regelungsinhalt nicht enthält** oder ges. Regelung ihrem Gedanken nach weitergeführt wird, also im Grundsatz unberührt bleibt. Ergänzungen sind zulässig, es sei denn, Ges. enthält abschließende Regelung; zT sind sie ausdr. zugelassen: zB § 8 II, § 11, § 39 II iVm § 262 I Nr. 1; § 55 I, § 63 III, § 67 I 5, § 68 II 1; § 100 IV; § 107 I 1 (auch Zahl der Stellvertreter, dazu BGHZ 83, 106, 111 = NJW 1982, 1525; Wank AG 1980, 148). IÜ ist durch **Auslegung** festzustellen, ob Norm abschließend ist, was wegen Formulierung „es sei denn" Ausnahme darstellt. Möglich ist jede zusätzliche Regelung; Ergänzungsbefugnis besteht in den Grenzen der allg. Ges. und der zwingenden Vorschriften des AktG auch, wenn AktG keinerlei Regelung vorgibt (GK-AktG/Röhricht/Schall Rn. 248; Geßler FS Luther, 1976, 69, 74 f.), und nicht nur dort, wo sie der Ausfüllung eines vom Ges. festgelegten Rahmens dient.

38 **Zulässig sind ua:** Aufstellung persönlicher Voraussetzungen für Vorstandsmitglieder (zB Mindestalter, Staatsangehörigkeit, berufliche Qualifikation), wenn auch nur unter Wahrung des Auswahlermessens des AR (ausf. → § 76 Rn. 144; problematisch ist insofern im Lichte des AGG insbes. Höchstalter; → § 76 Rn. 152) sowie Vorgabe der Familienzugehörigkeit (→ § 100 Rn. 20); Erweiterung des Auskunftsrechts der Aktionäre (KK-AktG/A. Arnold Rn. 156), aber nur unter Beachtung des § 53a; Bildung fakultativer Gremien, zB Beiräte, Verwaltungsräte (→ § 76 Rn. 7; sa KK-AktG/A. Arnold Rn. 155; GK-AktG/Röhricht/Schall Rn. 246), jedoch ohne Änderung der ges. Zuständigkeitsverteilung → Rn. 36; Bestellung eines Ehrenvorsitzenden des AR (→ § 107 Rn. 15 ff.), Schaffung des Amts eines Vorstandssprechers (GK-AktG/Röhricht/Schall Rn. 246; Lutter ZIP 1984, 645, 648); Bestimmungen zur Festlegung des Geschäftsjahrs (Fleischer/Maas AG 2020, 761 Rn. 11). Zulässig sind auch **Gerichtsstandsklauseln,** soweit anderweitige ges. Zuständigkeit nicht ausschließlich ist (BGHZ 123, 347, 349 ff. = NJW 1994, 51; LG München I AG 2007, 255, 258; GK-AktG/Röhricht/Schall Rn. 246). Bes. Bedeutung solcher Klauseln ist darin zu sehen, dass sie von EuGH auch bei satzungsmäßiger Verankerung als vertragliche Gerichtsstandsvereinbarungen iSd Art. 25 Brüssel Ia-VO angesehen werden, die zur ausschließlichen int. Zuständigkeit führen (EuGH Slg. 1992, I-01745 Rn. 20 – Powell Duffryn v. Petereit; vgl. zu dieser Zielrichtung auch Fleischer/Maas AG 2020, 761 Rn. 7); ausländisches Urteil wäre deshalb nach § 328 I ZPO in Deutschland nicht vollstreckbar (speziell zu derivative suits entspr. § 148 → § 148 Rn. 12a). **Abschließende Regelungen enthalten** zB: §§ 241, 275 (allgM); § 107 III 1 (BGHZ 83, 106, 115 mwN = NJW 1982, 1525); § 130 IV 1, also keine Unterzeichnung durch weitere Personen (vgl. RGZ 65, 91, 92); § 134 III (→ § 134 Rn. 25 mN). Befugnis, **Satzungsfassung** zu ändern, kann HV gem. § 179 I 2 nicht nur im Einzelfall, sondern generell an AR übertragen (str.; → § 179 Rn. 11). Abweichung (→ Rn. 35 f.) und Ergänzung (→ Rn. 37 f.) beziehen sich auf Vorgaben des AktG. Regelungswahlrechte dieser Art können aber auch **außerhalb des Aktienrechts** derart begründet sein,

dass ihre Ausübung nur in der Satzung erfolgen kann (§§ 33a, 33b WpÜG oder § 43 WpHG).

VI. Auslegung der Satzung

1. Materielle Satzungsbestimmungen. Trotz Vertragsnatur der Satzungsfeststellung finden §§ 133, 157 BGB nach Eintragung auf materielle Satzungsbestimmungen (→ Rn. 3) keine Anwendung. Sie unterliegen nach zutr. hM im Grundsatz obj. **Auslegung** (BGHZ 14, 25, 36 ff. = NJW 1954, 1401; BGHZ 96, 245, 250 = NJW 1986, 1083; BGHZ 123, 347, 350 f. = NJW 1994, 51; BGH NZG 2008, 309 Rn. 2; NZG 2022, 208 Rn. 12; NZG 2023, 1068 Rn. 28; KG AG 2016, 550, 551; OLG Frankfurt BeckRS 2018, 19511 Rn. 59; OLG Frankfurt AG 2011, 36, 38; OLG Stuttgart AG 1995, 283, 284; KK-AktG/A. Arnold Rn. 20; MüKoAktG/Pentz Rn. 49 f.; aA [§§ 133, 157 BGB im Prinzip anwendbar] RGZ 79, 418, 422; RGZ 159, 321, 326; GK-AktG/Röhricht/Schall Rn. 40; Fleischer DB 2013, 1466; Schockenhoff ZGR 2013, 76 ff.). Berücksichtigt werden **Wortlaut, Zweck und systematische Stellung.** Darüber hinaus können zur Auslegung nur **allg. zugängliche Unterlagen** herangezogen werden, insbes. Registerakten wegen der Anlagen gem. § 37 IV (→ Rn. 9 ff., 18; vgl. RGZ 165, 68, 73; BGH NZG 2008, 309 Rn. 2; OLG Frankfurt AG 2009, 699, 700 f.; GK-AktG/Röhricht/Schall Rn. 60). Das erstreckt sich auch auf Vorstandsberichte nach § 124 II 3 oder nach § 186 IV 2, die gem. § 130 III der Niederschrift als Anlage beigefügt oder inhaltlich in Niederschrift aufgenommen und nach HV gem. § 130 V in Form öffentl. beglaubigter Abschrift zum HR eingereicht werden (→ § 130 Rn. 24). Absichten und Erwägungen der Gründer, die Dritten nicht erkennbar sind, bleiben grds. auch dann unberücksichtigt, wenn Auslegung nur zwischen den Gründern str. ist. Nur so ist gewährleistet, dass Auslegung für alle Beteiligten einheitlich erfolgt (vgl. RGZ 127, 186, 190; BGHZ 14, 25, 37; BGH WM 1955, 65, 66). Gegenauffassung, die bis zum Hinzutreten weiterer Gesellschafter im Binnenverhältnis §§ 133, 157 BGB anwenden will (aus neuerer Zeit insbes. Fleischer DB 2013, 1466, 1471 ff.; Schockenhoff ZGR 2013, 76 ff.; ähnlich Lutter/Hommelhoff/Bayer GmbHG § 2 Rn. 19), ist zuzugeben, dass obj. Auslegung ihre Rechtfertigung in erster Linie in körperschaftstypischer **Beitrittsoffenheit** findet; künftige Gesellschafter müssen sich auf obj. Verständnis verlassen können. Diese Folgerung aus beitrittsoffenem Charakter muss aber auch auf Zeitraum vor weiterem Beitritt ausstrahlen, da sich sonst vertraglich fixierter Satzungsinhalt mit dem Beitritt inhaltlich verändern würde, was dogmatisch schwer konstruierbar erscheint (ähnlich HCL/Ulmer/Löbbe GmbHG § 2 Rn. 195). Mehr noch als bei GmbH muss dies bei AG gelten, wo § 23 V – unabhängig von Zuschnitt des Gesellschafterkreises – den Satzungsinhalt generell vertraglicher Gestaltung der Gesellschafter entzieht (s. zu diesen Unterschieden auch Schockenhoff ZGR 2013, 76, 104 f.); auch Gläubigerschutz kann letztlich nur durch obj. Lesart gewährleistet werden. Ausnahmen sind bei missbräuchlicher Berufung auf eindeutig misslungene Satzungsformulierung denkbar (GK-AktG/Röhricht/Schall Rn. 46; insoweit aA Grunewald ZGR 1995, 68, 84 f.). Grundsatz des obj. Verständnisses gilt auch für **ergänzende Auslegung** (BGH WM 1983, 835, 837; KK-AktG/A. Arnold Rn. 24). Mehrdeutige Bestimmung ist ggf. **restriktiv** gesetzeskonform auszulegen (RGZ 165, 78). Auslegung ist in **Revisionsinstanz** unbeschränkt nachprüfbar (stRspr seit RGZ 165, 68, 73 f.; BGHZ 9, 279, 281 = NJW 1953, 1021; BGHZ 123, 347, 350; aus jüngerer Zeit vgl. BGH NZG 2023, 1068 Rn. 28). 39

2. Formelle Satzungsbestimmungen; Rechtslage vor Eintragung. Formelle Satzungsbestimmungen (→ Rn. 4) werden gem. **§§ 133, 157 BGB** aus- 40 gelegt (KK-AktG/A. Arnold Rn. 19; MüKoAktG/Pentz Rn. 49). Es kann insoweit auch auf Absichten und Motive der Gründer zurückgegriffen werden (GK-AktG/Röhricht/Schall Rn. 54). Auslegung ist gem. §§ 133, 157 BGB in **Revisionsinstanz** nur dahingehend nachprüfbar, ob ges. Auslegungsregeln, anerkannte Auslegungsgrundsätze, Denkgesetze, Erfahrungssätze oder Verfahrensvorschriften verletzt worden sind (BGH WM 1955, 65, 66; 1991, 495, 496). Teilw. werden diese Grundsätze auch auf materielle Satzungsbestimmungen **vor Eintragung** in das HR angewandt, da im Gründungsstadium noch keine hinreichend gewichtigen Drittinteressen für obj. Auslegung sprächen (Hölters/Weber/Solveen Rn. 7; MüKoAktG/Pentz Rn. 48; Grigoleit/Vedder Rn. 45). Dagegen spricht aber auch hier Gedanke einer **Kontinuität des Vertragsinhalts** (→ Rn. 39); anderenfalls müsste in der Tat nicht Eintragung, sondern Beitritt weiterer Gesellschafter maßgebliche Zäsur für Wechsel der Auslegungsperspektive sein (iE auch KK-AktG/A. Arnold Rn. 25; GK-AktG/Röhricht/Schall Rn. 48).

VII. Satzungsmängel

41 **1. Gründungsmängel. a) Vor Eintragung.** Zu unterscheiden ist, ob Vor-AG (→ § 41 Rn. 2 ff.) **in Vollzug gesetzt** ist oder nicht. Hat sie Geschäfte nicht aufgenommen und noch kein Vermögen gebildet, so folgt aus Vertragsnatur der Satzungsfeststellung (→ Rn. 7), dass allg. Vorschriften des BGB über Willensmängel und sonstige Fehler von Rechtsgeschäften anwendbar sind (RGZ 127, 186, 191; KK-AktG/A. Arnold Rn. 162; MüKoAktG/Pentz Rn. 165). Anzuwenden sind zB §§ 119, 123, 125, 134, 138 BGB, dagegen nicht § 139 BGB (RGZ 114, 77, 80 f.; MüKoAktG/Pentz Rn. 175; HCL/Ulmer/Löbbe GmbHG § 2 Rn. 139; str., einschr. KK-AktG/A. Arnold Rn. 163; GK-AktG/Röhricht/Schall Rn. 270). Ist Vor-AG in Vollzug gesetzt, so findet das Sonderrecht der fehlerhaften Gesellschaft Anwendung → § 275 Rn. 3, 8.

42 **b) Nach Eintragung.** Mit Eintragung der AG in das HR können Gründungsmängel aller Art grds. nicht mehr geltend gemacht werden, und zwar auch dann nicht, wenn sich zuvor schon Gründer darauf berufen haben (RGZ 82, 375, 377; BGHZ 21, 378, 382 f. = NJW 1957, 19; GK-AktG/Röhricht/Schall Rn. 278). Ausnahmen ergeben sich ausschließlich (vgl. § 275 I 2) nach **Maßgabe des § 275:** Aktionäre können auf Nichtigkeit klagen, wenn Satzung keine Bestimmung über Höhe des Grundkapitals oder über Gegenstand des Unternehmens enthält oder letztgenannte Angaben zwar enthält, Bestimmung aber nichtig ist (275 I 1; → § 275 Rn. 9 ff.). Registergericht kann bei Mangel gem. § 275 I 1 Löschung von Amts wegen vornehmen (§ 397 FamFG; → § 275 Rn. 30 ff.). Fehlende oder nichtige Bestimmungen nach § 23 III Nr. 1, 4, 5 oder 6 können zur Auflösung der AG gem. § 399 FamFG, § 262 I Nr. 5 führen, wenn Mangel nicht beseitigt wird (→ § 262 Rn. 15 ff.); abw. von §§ 395, 397 FamFG hat Gericht insofern kein Ermessen (Sternal/Eickelberg FamFG § 399 Rn. 20). In bes. Fällen kommt auch Löschung nach § 395 FamFG in Betracht (→ § 275 Rn. 18). Verstoß gegen § 23 IV bleibt sanktionslos.

43 **2. Rechtsfolgen bei Verstößen gegen § 23 V.** Von Mängeln der Gründung zu unterscheiden sind Mängel einzelner Satzungsbestandteile. Auch insoweit ist zwischen Rechtslage vor und nach Registereintragung zu differenzieren. Verstöße gegen § 23 V sind Errichtungsmangel und führen, wenn einer Zwischenverfügung des Registergerichts nicht abgeholfen wird, zur **Zurückweisung der Anmeldung.** Ist AG jedoch eingetragen, so sind Rechtsfolgen eines Verstoßes gegen § 23 V weithin unklar. Dies vor allem, weil Problematik durchgängig nicht für ursprüngliche Satzung, sondern für Satzungsänderungen erörtert wird (zutr. Geßler ZGR 1980, 427, 442). Die dazu zT entwickelte These, dass Satzungs-

änderung allein am Maßstab des § 241 Nr. 3 zu messen sei (→ § 241 Rn. 15), lässt sich aber auf Ursprungssatzung nicht übertragen, da sie nicht auf Beschluss, sondern Vertrag beruht (zutr. MüKoAktG/Pentz Rn. 171). Unwirksamkeitsfolge kann daher nur aus § 23 V selbst hergeleitet werden. Dass insofern Maßstab des § 241 Nr. 3 auf § 23 V ausstrahlt (so etwa KK-AktG/A. Arnold Rn. 157), ist abzulehnen, da historische Auslegung ergibt, dass Verstöße gegen § 23 V stets von § 241 Nr. 3 erfasst sind (ausf. → § 241 Rn. 15 mwN). Auch für **Heilung von Mängeln** der Ursprungssatzung trifft § 23 keine Regelung. Analog anzuwenden ist § 242 II (BGHZ 144, 365, 368 = NJW 2000, 2819; KK-AktG/A. Arnold Rn. 159; Emde ZIP 2000, 1753, 1755; Geßler ZGR 1980, 427, 453; noch offenlassend BGHZ 99, 211, 217 = NJW 1987, 902; aA Goette FS Röhricht, 2005, 115, 123 ff.; wohl auch GK-AktG/K. Schmidt § 242 Rn. 8). Aus sinngem. Anwendung des § 242 II ergibt sich, dass Nichtigkeit einzelner Satzungsbestimmungen rückwirkend wegfällt, wenn AG trotz dieser Nichtigkeit in das HR eingetragen wird und seither drei Jahre verstrichen sind.

VIII. Kosten

Gebühren für Beurkundung bestimmen sich nach KV GNotKG (Kostenverzeichnis). IdR fällt danach die doppelte Gebühr an (KV 21100 GNotKG). Ausnahmsweise, nämlich bei Einmanngründung, wird nur eine Gebühr geschuldet (KV 21200 GNotKG); → § 2 Rn. 4a. Geschäftswert berechnet sich nach §§ 97, 107 GNotKG. Maßgeblich ist Höhe des Grundkapitals; ein schon in der Satzung bestimmtes genehmigtes Kapital wird jedoch hinzugerechnet. Höchstbetrag nach § 107 I 1 GNotKG: 10 Mio. Euro. Rspr. des EuGH, nach der auch Notariatsgebühren gegen EU-Kapital-ErtragsteuernRL verstoßen, wenn sie nicht nach tats. Aufwand erhoben werden (→ § 38 Rn. 18 zu Kosten der Eintragung), betr. nur Beurkundung, die von beamteten Notaren als Staatsaufgabe wahrgenommen wird (EuGH Slg. 1999, I-6449, 6458 ff. = NJW 2000, 939; Slg. 2000, I-7213, 7241 ff. = NZG 2000, 1115; Slg. 2002, I-3335, 3347 = NJW 2002, 2377 Ls.; NZG 2007, 626, 627 ff. [auch bei Gläubigereigenschaft beamteter Notare]; ebenso OLG Karlsruhe FGPrax 2002, 275, 276 f.; ZIP 2003, 800, 801 ff.; GmbHR 2004, 670), ist also nicht zu verallgemeinern (keine Erstreckung auf Anwaltsnotare: OLG Hamm FGPrax 2002, 269 f.). Für Beurkundung einer Vollmacht fällt gem. § 98 I GNotKG iVm KV 21200 GNotKG eine volle Gebühr des halben Geschäftswerts an (vgl. BT-Drs. 17/11471, 180), für Beglaubigung einer Vollmacht gem. § 121 GNotKG iVm KV 25100 GNotKG eine 0,2-fache Gebühr bei vollem Geschäftswert (vgl. BT-Drs. 17/11471, 230 f.). Kostenschuldner sind im Außenverhältnis gem. § 29 Nr. 1 GNotKG die Gründer, da sie bei Erteilung des Beurkundungsauftrags nicht im Namen der Vor-AG handeln können, da diese erst mit Abschluss des Beurkundungsvorgangs entsteht (→ § 29 Rn. 2). Im Innenverhältnis können Kosten gem. § 26 II (→ § 26 Rn. 5 f.) von AG übernommen werden. Eintragungskosten → § 38 Rn. 18. 44

IX. Satzungsergänzende Nebenabreden

1. Begriff und Inhalt. Satzungsergänzende Nebenabreden sind Vereinbarungen, die Aktionäre bei oder nach Gründung zur Regelung ihrer Rechtsverhältnisse untereinander oder zur AG außerhalb der Satzungsurkunde treffen (HCL/Ulmer/Löbbe GmbHG § 3 Rn. 114; Noack NZG 2013, 281 ff.). Gleichbedeutend wird von schuldrechtl. Nebenabreden gesprochen (→ Rn. 46). Sie erfreuen sich gerade im Hinblick auf aktienrechtl. Satzungsstrenge nach § 23 V großer praktischer Beliebtheit, namentl. zur Steuerung des Gesellschafterbestandes in personalistisch geprägten Gesellschaften (Cziupka/Kliebisch BB 2013, 715; 45

Schatz FS E. Vetter, 2019, 681, 687 ff.). Zulässigkeit ist im Prinzip unstr. (vgl. BGH NJW 1987, 1890, 1891; BGHZ 123, 15, 20 = NJW 1993, 2246; BGH NJW 2010, 3718 Rn. 7; AG 2013, 224 Rn. 11; MüKoAktG/Pentz Rn. 196). Gegenstände solcher Vereinbarungen können sein: Vorhand- und Vorkaufsrechte (OLG Karlsruhe AG 1990, 499; LG Offenburg AG 1989, 134, 137), Stimmbindungen (→ § 133 Rn. 25 ff.), Abreden zur Besetzung des AR (→ § 101 Rn. 9) oder des Vorstands, auch Informationspflichten (vgl. die rechtstats. Untersuchung von Baumann/Reiß ZGR 1989, 157, 181 ff.; sa Ditters, Satzungsergänzende Aktionärsvereinbarungen, 2009, 69 ff.; Noack, Gesellschaftervereinbarungen, 1994, 1 ff., 37 ff.; Schatz FS E. Vetter, 2019, 681, 693 ff.). Problematisch ist dagegen schuldrechtl. Verwässerungsschutz (Kuntz, Gestaltung von Kapitalgesellschaften, 2016, 686 ff.). Schuldrechtl. Abrede über unentgeltliche Rückübertragung von Aktien auf AG ist wegen Verstoßes gegen Art. 14 I GG und § 138 BGB zumindest dann unzulässig, wenn Aktionär Aktien zuvor entgeltlich erworben hat (BGH AG 2013, 224 Rn. 16 f. mit krit. Anm. Cziupka/Kliebisch BB 2013, 715 ff.). Zulässig ist allerdings, dass sich Aktionäre verpflichten, weitere, über ihre Einlagepflicht hinausgehende Leistungen zu erbringen (BGH AG 1970, 86 f.; HCL/Ulmer/Löbbe GmbHG § 3 Rn. 121; Noack NZG 2013, 281, 283), zB Darlehen zu gewähren oder Verluste zu übernehmen. Speziell in zweigliedriger AG mit gleich hoch beteiligten Gesellschaftern (insbes. bei paritätischen Joint Ventures) begegnen auch **Shoot out-Klauseln** (in Unterformen Russian Roulette-Klauseln, Texan Shoot Out-Klauseln und sizilianische Eröffnung), die etwaige Blockadesituation zwischen Gesellschaftern (sog deadlock) dadurch auflösen, dass jeder Gesellschafter berechtigt ist, seine Beteiligung dem anderen zu best. Preis zum Kauf anzubieten. Lehnt Angebotsempfänger ab, ist er verpflichtet, seinerseits Gegenangebot für Ankauf zu mindestens demselben Preis zu unterbreiten (zu Erscheinungsformen und Verhaltensanreizen Schroeder/Welpot NZG 2014, 609, 610 f.; monographisch Schmitt, Radikale Beendigungsmechanismen, 2020). Vereinbarung ist als schuldrechtl. Nebenabrede im Lichte des § 23 V grds. wirksam und trotz radikaler Auflösung der Blockadesituation aufgrund legitimen Regelungsanliegens auch nicht sittenwidrig iSd § 138 BGB (OLG Nürnberg NZG 2014, 222, 223 ff.; Schmolke ZIP 2014, 897, 902; zur Wirksamkeit einer flankierenden Verpflichtung zur Niederlegung des Vorstandsamts → § 84 Rn. 83). Missbräuchlicher Ausübung ist ggf. mittels Treupflichten (→ § 53a Rn. 13 ff.) entgegenzuwirken (OLG Nürnberg NZG 2014, 222, 224; Schaper DB 2014, 821, 824; Schmolke ZIP 2014, 897, 901; Schroeder/Welpot NZG 2014, 609, 615; Valdini/M. Koch GWR 2016, 179 ff.; Weidmann DStR 2014, 1500, 1503 f.; Willms/Bicker BB 2014, 1347, 1351 f.).

46 **2. Rechtsnatur.** Satzungsergänzende Nebenabreden sind **schuldrechtl. Verträge,** vielfach Innengesellschaften bürgerlichen Rechts gem. §§ 705 ff. BGB (BGH AG 2013, 224 Rn. 11; MüKoAktG/Pentz Rn. 198; GK-AktG/Röhricht/Schall Rn. 322; Baumann/Reiß ZGR 1989, 157, 200 f.). Sie sind ggü. der Satzung selbständig, unterliegen also nicht der Formvorschrift des § 23 I, können nur mit Zustimmung aller Beteiligten geändert werden, sind gem. §§ 133, 157 BGB auszulegen (OLG München AG 2017, 441, 444; zur Satzung → Rn. 39 f.) und unterliegen nicht der HR-Publizität. Ihre Verletzung kann **Schadensersatzpflichten** nach allg. Leistungsstörungsrecht begründen. Veräußerung der Aktien bewirkt nicht Übergang von Pflichten auf Neu-Aktionär, auch dann nicht, wenn er beim Erwerb von ihrem Bestehen Kenntnis hatte (MüKoAktG/Götze § 54 Rn. 42; GK-AktG/Röhricht/Schall Rn. 328 ff.). Erforderlich ist vielmehr Vertragsübernahme und damit Vereinbarung zwischen allen Beteiligten (wie hier KK-AktG/A. Arnold Rn. 181; MüKoAktG/Pentz Rn. 198; für Vertrags- oder Schuldübernahme Noack, Gesellschaftervereinbarungen, 1994, 173 f.;

sa GK-AktG/Röhricht/Schall Rn. 330). Ob AG aus der Nebenabrede auch eigene Rechte erwerben soll (zB bei Darlehensvereinbarung), bestimmt sich ausschließlich nach § 328 BGB (dazu BGH NJW 2010, 3718 Rn. 8 f.; Ulmer GS M. Winter, 2011, 691, 696 ff.).

3. Verhältnis zur Satzung. Satzung und satzungsergänzende Nebenabreden 47 sind selbständige rechtsgeschäftliche Regelungen, die voneinander unterschieden werden müssen, und zwar auch, wenn Aktionäre zugleich an der Nebenabrede beteiligt sind (MüKoAktG/Pentz Rn. 200; HCL/Ulmer/Löbbe GmbHG § 3 Rn. 14; eingehend Ulmer FS Röhricht, 2005, 633 ff., 650 ff.; für Integration in Verbandsordnung iwS Noack, Gesellschaftervereinbarungen, 1994, 116 ff.; tendenziell auch Priester FS Claussen, 1997, 319, 328 ff.). Satzungsklauseln können deshalb nicht anhand von Nebenabreden ausgelegt werden; Nebenabreden bestimmen auch nicht Inhalt oder Umfang der Treupflicht der beteiligten Aktionäre (MüKoAktG/Pentz Rn. 201; M. Winter, Mitgliedschaftliche Treubindungen im GmbH-Recht, 1988, 51 f.; HCL/Ulmer/Löbbe GmbHG § 3 Rn. 117; zweifelnd GK-AktG/Röhricht/Schall Rn. 313; aA Baumann/Reiß ZGR 1989, 157, 214 f.; → § 243 Rn. 10). Noch weitergehend wird im aktienrechtl. Schrifttum verbreitet angenommen, Nebenabrede dürfe nicht gegen **höherrangiges Satzungsrecht** verstoßen und sei anderenfalls unwirksam (KK-AktG/A. Arnold Rn. 185 f.; B/K/L/Körber Rn. 53; MüKoAktG/Pentz Rn. 196; S/L/Seibt Rn. 65), was indes mit Anerkennung einer **Satzungsüberlagerung** in BGH NJW 1983, 1910, 1911; 1987, 1890, 1892 (jew. zur GmbH) nicht in Einklang zu bringen ist (sa GK-AktG/Röhricht/Schall Rn. 315 f.; ausf. J. Koch AG 2015, 213 ff.; zust. Grigoleit/Grigoleit/Rachlitz § 60 Rn. 17; Harbarth/Zeyher/Brechtel AG 2016, 801, 807 f.; offener jetzt auch BeckOGK/Limmer Rn. 61). Diese Entscheidungen sind in BGHZ 123, 15, 20 (= NJW 1993, 2246) aber dahingehend fortentwickelt worden, dass Überlagerung nur dann zulässig ist, wenn Abweichung von Satzung lediglich gesellschaftsinterne Wirkung hat und weder Rechtsverkehr noch später eintretende Gesellschafter berührt (J. Koch AG 2015, 213, 217 f.; zust. B/K/L/Westermann § 60 Rn. 11; Kuntz, Gestaltung von Kapitalgesellschaften, 2016, 325 ff.; sa Goette in RWS-Forum 8, 1991, 113, 120 ff.). Derartige Dauerwirkung wird bei den meisten Satzungsvorgaben anzunehmen sein (zutr. deshalb die Kritik von Goette RWS-Forum 8, 1991, 113, 120 ff. und Tieves, Der Unternehmensgegenstand, 1998, 203 ff. an BGH NJW 1983, 1910). Ausnahmen sind aber möglich, etwa bei Abweichung von satzungsmäßiger Gewinnverteilung gem. § 60 III, sofern Nebenabrede nur derzeitigen Gesellschafterbestand binden soll (zum wirtschaftlichen Hintergrund vgl. Harbarth/Zeyher/Brechtel AG 2016, 801). Derartige Abrede ist deshalb zulässig und verdrängt bei Beteiligung aller Aktionäre im Verhältnis untereinander die anders lautende Satzungsvorgabe (ausf. Nachw. → § 60 Rn. 6). Davon zu trennen ist die Frage, ob HV-Beschluss bei Verstoß gegen derartige satzungsüberlagernde Nebenabrede **angefochten** werden kann. Nach Rspr. des BGH zur GmbH (BGH NJW 1983, 1910, 1911; 1987, 1890, 1892) besteht diese Möglichkeit und ist auch durch BGHZ 123, 15, 20 nicht aufgegeben worden (insofern aA MüKoAktG/Pentz Rn. 202 unter Berufung auf Goette RWS-Forum 8, 1991, 113, 119 ff., der sich auf 122 aber gerade für Anfechtbarkeit ausspricht). Rspr. ist aber schon für GmbH sehr bedenklich und zumindest für AG abzulehnen (ausf. → § 243 Rn. 10). Verletzung schuldrechtl. Nebenabreden kann schließlich nicht durch Satzungsklausel organisationsrechtl. Sanktionen wie Kaduzierung (§ 64) unterworfen werden; eine solche Klausel verstößt gegen § 23 V (BGH AG 2013, 224 Rn. 13; MüKoAktG/Pentz Rn. 201; M. Winter ZHR 154 [1990], 259, 281).

X. Börsenaktiengesellschaft (BMAG) als Sonderfall der Mantelgesellschaft

48 **1. Entwicklung und Ausgestaltung der Special Purpose Acquisition Companies (SPACs).** Sonderform der Mantelgesellschaften (→ Rn. 26 ff.) sind sog SPACs, die in den USA schon in den 1980er Jahren ihren Ursprung genommen haben, in Deutschland aber erst seit wenigen Jahren größere Verbreitung finden (vgl. Hell BKR 2021, 26 f.; Schalast/Geurts/Türkmen BB 2021, 1283 ff.; Schnorbus/Kornack BB 2022, 1667 ff.; Seiler/Widder BKR 2021, 676; Selzner ZHR 174 [2010], 318 ff.; Swalve NZG 2021, 909 ff.; zur aktuellen Marktentwicklung Geurts RdF 2023, 172, 173). Umschrieben wird damit AG als Unternehmensträger, die – ähnlich wie bei Mantelgründung – noch **kein operatives Geschäft** betreibt, sondern das Ziel verfolgt, durch Börsengang Kapital einzusammeln, um sodann innerhalb eines begrenzten Zeitraums nicht börsennotiertes Unternehmen (Target bzw. Zielgesellschaft, s. § 44 II BörsG und → Rn. 54) zu übernehmen und so an die Börse zu bringen (Hell BKR 2021, 26; Selzner ZHR 174 [2010], 318, 319 ff.; Swalve NZG 2021, 909: „Börsengang durch die Hintertür"). Welches Unternehmen übernommen wird, steht zum Zeitpunkt des Börsengangs noch nicht fest (Hell BKR 2021, 26). Daher ist Inhalt des **Börsenzulassungsprospekts** bei SPACs im Vergleich zu klassischen IPOs modifiziert: Darzustellen sind in erster Linie Erwerbsstrategie und abstrakte Charakteristika des Targets, nicht aber operatives Geschäft und historische Finanzdaten (s. etwa Hell BKR 2021, 26, 29; vgl. ferner ESMA, Public Statement v. 15.7.2021, SPACs: prospectus disclosure and investor protection considerations, ESMA32-384–5209; dazu Fuhrmann ZBB 2021, 390, 392 ff.; Schnorbus/Kornack BB 2022, 1667, 1668 ff. mit Ausführungen zu SPACs-spezifischen Risikofaktoren iSd Art. 16 Prospekt-VO auf S. 1672 f.).

49 **Vorteile** werden aus Sicht der Zielgesellschaft in zeitl. Verkürzung und in erleichterter Preisfindung gesehen (Swalve NZG 2021, 909, 910; sa Hell BKR 2021, 26, 28). Anleger, die Wertpapiere der SPACs erwerben, erhalten im Hinblick auf spätere Übernahme des Targets die Möglichkeit, mittelbar in ein – im Zeitpunkt des Wertpapiererwerbs unbekanntes – nicht börsennotiertes Unternehmen zu investieren (zu Anlegerschutzmechanismen, die wegen „blinder" Investition geboten sind, → Rn. 48). Solche Option steht idR nur **Private-Equity- und Venture-Capital-Investoren** offen, die sich allerdings auf illiquide Anteile einlassen. Dagegen ist SPAC-Beteiligung liquide, weil Wertpapiere der SPACs börsennotiert sind (s. noch → Rn. 50 und → Rn. 56; zu Vorteilen der Anleger vgl. etwa Geurts RdF 2023, 172, 173; Hell BKR 2021, 26, 28; Swalve NZG 2021, 909, 910).

50 Entspr. US-amerikanischer Regulierungsvorgaben (vgl. dazu Hell BKR 2021, 26, 27; Selzner ZHR 174 [2010], 318, 319 ff.) zeichnet sich Grundstruktur der SPACs dadurch aus, dass Mantelgesellschaft zunächst von sog **Sponsors** (in Deutschland: Initiatoren, s. § 44 VI BörsG und → Rn. 57) gegründet wird, die über sog **Units** vergütet werden (zur Ausgestaltung der Vergütung s. nur Hell BKR 2021, 26, 28: sponsor promote). Units, die iRd Börsengangs auch an Anleger ausgegeben werden (→ Rn. 49), setzen sich aus herkömmlichen Aktien (common stock) und selbständigen Optionsscheinen (naked warrants, → § 221 Rn. 75) zusammen (Selzner ZHR 174 [2010], 318, 322 f.; sa → Rn. 59). Beide Bestandteile sind nach kurzer Frist getrennt an der Börse handelbar (Hell BKR 2021, 26, 27; Schalast/Geurts/Türkmen BB 2021, 1283, 1284; Swalve NZG 2021, 909). Sodann beginnt Suche nach Target, während Großteil des IPO-Erlöses auf **Treuhandkonto** (escrow account) angelegt wird (Swalve NZG 2021, 909; s. auch § 45 BörsG und → Rn. 58). Ist Target identifiziert, wird Transaktion

HV zur Entscheidung vorgelegt (erforderlich idR 50 %-Mehrheit; zur ¾-Mehrheit nach § 46 III 1 BörsG → Rn. 60). Wird Zustimmung erteilt, erfolgt Zusammenführung von Mantel und Target, sog **De-SPAC** (in Deutschland: Zieltransaktion, s. § 44 II BörsG und → Rn. 54), etwa durch Verschmelzung (ausf. dazu Seiler/Widder BKR 2021, 676; zur De-SPAC-Litigation Fuhrmann AG 2022, R91). Dissentierenden Aktionären wird Recht zum Opt-Out (sog redemption right; in Deutschland: Andienungsrecht, s. § 47 BörsG und → Rn. 65) eingeräumt, so dass sie Kapital zurückerhalten können (Swalve NZG 2021, 909 f.; häufig erhalten mittlerweile auch konsentierende Aktionäre redemption rights – zum Hintergrund: Seiler/Widder BKR 2021, 676 f.; in Deutschland ist dies wegen des Widerspruchserfordernisses in § 47 I BörsG nicht möglich, s. noch → Rn. 65). Wird in angemessenem Zeitraum (typischerweise 24 Monate – vgl. Seiler/Widder BKR 2021, 676, 677) kein Target gefunden, wird SPAC liquidiert und Kapital an Aktionäre zurückgezahlt (zu den Einzelheiten Hell BKR 2021, 26, 27 f.; zur deutschen Rechtslage nach § 47b BörsG → Rn. 66 ff.).

2. SPACs-Hemmnisse vor dem ZuFinG. Obwohl SPACs auch in Deutschland mittlerweile kapitalmarktrechtl. Verbreitung gefunden haben, wurden Gesellschaften bislang **idR nicht nach deutschem Recht organisiert,** da allg. nat. Aktienrecht mehrere Hindernisse begründete (vgl. zum Folgenden Hell BKR 2021, 26, 30 ff.; Schnorbus/Kornack BB 2022, 1667, 1671; Seiler/Widder BKR 2021, 676, 678; Selzner ZHR 174 [2010], 318, 331 ff.; Swalve NZG 2021, 909, 910 ff.; großzügiger Oechsler/Dörrhöfer ZIP 2022, 609 ff. [im Wege einer Amortisation nach § 237 III Nr. 3]; Schalast/Geurts/Türkmen BB 2021, 1283, 1284 ff.; zur möglichen Gestaltung des Unternehmensgegenstands Seiler/Widder BKR 2021, 676). Sie setzten schon bei Erfordernis der Kapitalaufbringung ein, da Einzahlung auf Treuhandkonto (→ Rn. 50) und weitreichende Verwendungsbindung mit Erfordernis einer Einlageleistung zur **endgültig freien Verfügung** nach § 36 II (→ § 36 Rn. 7 ff.) kaum vereinbar erschien (Hell BKR 2021, 26, 30; Selzner ZHR 174 [2010], 318, 331 ff.; Swalve NZG 2021, 909, 910 f.; Strohmeier, SPACs, 2012, 145 ff.; für Zulässigkeit bei entspr. Gestaltung der Treuhandabrede Schalast/Geurts/Türkmen BB 2021, 1283, 1284). In USA verbreitete Ausgestaltung als penny stocks scheiterte (und scheitert auch weiterhin) an Mindestnennbetrag nach § 8 II 1, III 3 (→ § 8 Rn. 18; Hell BKR 2021, 26, 30). Auf Investorenseite war namentl. herkömmliche Ausgestaltung über Ausgabe von **naked warrants** mit Unsicherheit über deren Zulässigkeit nach deutschem Recht (→ § 221 Rn. 75 f.) belastet (Hell BKR 2021, 26, 30; Selzner ZHR 174 [2010], 318, 343 f.; Swalve NZG 2021, 909, 911). 51

HV-Zuständigkeit könnte über § 119 II oder über erforderliche Satzungsänderung zur Änderung des Unternehmensgegenstands begründet werden (vgl. Schalast/Geurts/Türkmen BB 2021, 1283, 1285; Selzner ZHR 174 [2010], 318, 333 ff.). Gestaltungselement der **redemption rights** lässt sich dagegen mit allg. deutschen Regeln der Kapitalerhaltung kaum in Einklang bringen (Hell BKR 2021, 26, 30 f.; Schalast/Geurts/Türkmen BB 2021, 1283, 1286; Selzner ZHR 174 [2010], 318, 337 ff.; Swalve NZG 2021, 909, 911). Automatische Liquidation bei Scheitern der Transaktion könnte über Befristung nach § 262 I Nr. 1 ermöglicht werden, würde dann aber **einjährige Auskehrsperre** nach § 272 I auslösen, was Investoren ebenfalls kaum zumutbar erscheint (Hell BKR 2021, 26, 31; Schalast/Geurts/Türkmen BB 2021, 1283, 1287 f.; Selzner ZHR 174 [2010], 318, 345 f.; Swalve NZG 2021, 909, 911 f.; zu weiteren kapitalmarktrechtl. Hürden vgl. Hell BKR 2021, 26, 29 f.; Selzner ZHR 174 [2010], 318, 328 ff.). Aus diesen Bedenken erklärt sich, dass es bislang keine nach deutschem Gesellschaftsrecht errichteten SPACs gab. **Deutschlandbezug** konnte sich vornehmlich aus deutscher Börsennotierung, aus deutscher Sponsoreninitiierung oder aus 52 auf Deutschland bezogenem regionalen Investmentfokus ergeben (Seiler/Widder BKR 2021, 676, 678).

53 **3. Voraussetzungen der BMAG nach §§ 44 ff. BörsG.** Um AG als nat. Rechtsform im Wettbewerb der Gesellschaftsrechtsordnungen zu stützen (zu diesem Gesichtspunkt im Hinblick auf Kapitalerhaltungsrecht Herzog/Gebhard NZG 2023, 1055, 1058), hat Gesetzgeber im Zuge des **ZuFinG 2023** in §§ 44 ff. BörsG Regelungen eingeführt, die nach deutschem Aktienrecht organisierte SPACs ermöglichen sollen (begrüßend Harnos AG 2023, 348 Rn. 39; Herzog/Gebhard NZG 2023, 1055, 1059; Joser ZIP 2023, 1006, 1009 [der indes die Wettbewerbsfähigkeit wegen Satzungsstrenge bezweifelt]; zurückhaltend hinsichtlich praktischer Verbreitung Kuthe BB 2023, 1603, 1608). **Börsenrechtlicher Regelungsstandort** darf nicht darüber hinwegtäuschen, dass es sich um Modifizierungen aktienrechtl. Vorgaben handelt, was namentlich in § 44 VII 1 BörsG zum Ausdruck kommt (krit. zur Verortung der Regelungen etwa BR-Stellungnahme BT-Drs. 362/23 (B), 10 f.; Harnos AG 2023, 348 Rn. 40 f.; Herzog/Gebhard NZG 2023, 1055, 1056 [Ansiedlung in §§ 277a ff. vorzugswürdig]; Kuthe BB 2023, 1603, 1606 f.). Kapitalmarktrechtl. Fragen europäischer Provenienz, namentl. Prospektpflicht und Prospektinhalt, adressiert ZuFinG nicht, was an fehlender Regelungskompetenz nat. Gesetzgebers liegt (vgl. Herzog/Gebhard NZG 2023, 1055, 1056; zum Anlegerschutzniveau wegen Prospektinhalts krit. Geurts RdF 2023, 172, 179).

54 SPACs deutscher Prägung tragen den umständlichen, aber doch treffenden Namen der **Börsenmantelaktiengesellschaft** (Abkürzung: BMAG, s. RegBegr. BT-Drs. 20/8292, 100; zur Namensgebung krit. Herzog/Gebhard NZG 2023, 1055, 1057). Aus dogmatischer Perspektive ist BMAG Rechtsformvariante der herkömmlichen AG (Fleischer ZIP 2023, 1505, 1511; Harnos AG 2023, 348 Rn. 34; Herzog/Gebhard NZG 2023, 1055, 1056; Kuthe BB 2023, 1603, 1606). Sie wird in § 44 I 1 BörsG als Gesellschaft zur Erreichung eigener Börsenzulassung umschrieben. Ihr **Gegenstand** – der gem. § 44 IV Nr. 1 BörsG in dieser Form in der Satzung verankert sein muss (→ Rn. 56) – ist Verwaltung eigenen Vermögens, Vorbereitung und Durchführung eigenen Börsengangs sowie Vorbereitung und Abschluss einer Zieltransaktion. Als **Zieltransaktion** (De-SPAC, → Rn. 50) wird in § 44 I BörsG Übernahmetransaktion legaldefiniert, die den im Börsenzulassungsprospekt beschriebenen Kriterien entspr. (zum Inhalt des Börsenzulassungsprospekts bei BMAG → Rn. 48) und sich auf ein Unternehmen bezieht, das nicht an Wertpapierbörse notiert ist (Zielgesellschaft; sa bereits → Rn. 48: Target). Zieltransaktion umfasst nach § 44 II BörsG sämtliche Erwerbsvorgänge einschließlich **Umwandlungen** nach UmwG, bei denen BMAG mindestens ¾ der Anteile der Zielgesellschaft erwirbt oder Vermögen der Zielgesellschaft **vollständig** auf AG übergeht (zu Unklarheiten des Vollständigkeitsbegriffs Harnos GESRBLOG0001593 unter 1.). Als Zieltransaktionen kommen namentl. auch **asset und share deals** in Betracht (vgl. RegBegr. BT-Drs. 20/8292, 100; Herzog/Gebhard NZG 2023, 1055, 1057).

55 Zieltransaktion muss gem. § 44 III 2 BörsG innerhalb einer in Satzung festgelegten **Frist** zwischen 24 und 36 Monaten erfolgen. Frist beginnt gem. § 44 III 3 BörsG am Tag der Zulassung der Aktien zum Handel am regulierten Markt (s. § 32 BörsG) zu laufen. Fristverlängerung ist gem. § 44 III 4 BörsG durch Satzungsänderung (mit der sonst erforderlichen ¾-Mehrheit des § 179 II 1; → § 179 Rn. 14 ff.) um jeweils bis zu 12 Monate auf insges. max. 48 Monate möglich. Wird Zieltransaktion nicht innerhalb der Frist durchgeführt, so wird BMAG nach § 47b I 1 BörsG iVm § 262 I Nr. 1 **aufgelöst** (dazu noch → Rn. 67). Entgegen missverständlicher Formulierung in § 44 III 1 BörsG hängt also Bestand der BMAG nicht von Transaktionsdurchführung ab (zutr. BR-

Stellungnahme BT-Drs. 362/23 (B), 15 mit begrüßenswertem Änderungsvorschlag). Begriff der **Durchführung** wird weder im Gesetz noch in den Materialien definiert (krit. deshalb Harnos GESRBLOG0001593 unter 2.). Systematischer Vergleich mit Kapitalerhöhungsrecht, wo herkömmlich zwischen Kapitalerhöhungsbeschluss und dessen Durchführung unterschieden wird (→ § 182 Rn. 4), spricht dafür, auf Zeitpunkt abzustellen, zu dem BMAG-HV die der Zieltransaktion zugrunde liegenden Verträge billigt (→ Rn. 60).

Schwerpunkt der §§ 44 ff. BörsG liegt in Modifizierung des allg. Aktienrechts (s. bereits → Rn. 53), die nach § 44 IV BörsG dreierlei voraussetzt: Erstens muss **Satzung** der BMAG Unternehmensgegenstand iSd § 44 I 2 BörsG (→ Rn. 53) und Frist iSd § 44 III 2 BörsG (→ Rn. 55) enthalten (§ 44 IV Nr. 1 BörsG). Zweitens müssen Wertpapiere der BMAG zum **Handel am regulierten Markt** (§ 32 BörsG) zugelassen worden sein (§ 44 IV Nr. 2 BörsG). Indes muss diese Vorgabe nicht bei sämtlichen Wertpapieren der BMAG erfüllt sein. Namentl. Wertpapiere, die als Vergütung der Initiatoren (s. § 44 VI BörsG und → Rn. 57) dienen, müssen nicht von vornherein börsennotiert sein. Anderenfalls wären Anreize für Initiatoren beseitigt, BMAG zu gründen (zur Vergütung der Initiatoren über Gewährung der Wertpapiere der BMAG [Units] → Rn. 50; sa DAV-HRA NZG 2023, 738 Rn. 17; Harnos GESRBLOG0001593 unter 4.). Schließlich muss Satzung der BMAG die Möglichkeit vorsehen, **virtuelle HV** nach § 118a durchzuführen (§ 44 IV Nr. 3 BörsG). Vorgabe soll Aktionären die Ausübung des Andienungsrechts nach § 47 BörsG erleichtern (RegBegr. BT-Drs. 20/8292, 101; krit. Herzog/Gebhard NZG 2023, 1055, 1057; DAV-HRA NZG 2023, 738 Rn. 18; zum Andienungsrecht → Rn. 65). Ob HV virtuell oder in Präsenz stattfindet, liegt gem. § 118a I auch bei BMAG im Ermessen des Satzungsgebers oder des Vorstands (→ § 118a Rn. 7 ff.; sa Herzog/Gebhard NZG 2023, 1055, 1057). Ferner schreibt § 44 V 1 BörsG eine Selbstverständlichkeit vor: BMAG muss als AG iSd § 1 verfasst sein. Zudem muss sie gem. § 44 IV 2 BörsG als BMAG firmieren. In der Praxis wird Gesellschaft wohl zunächst gewöhnlichen **Rechtsformzusatz** (AG) führen müssen. Erst Erfüllung der Voraussetzungen des § 44 IV BörsG, namentl. Börsennotierung, löst Pflicht zur Firmenänderung aus, die wie sonst iRd Satzungsänderung (§§ 179 ff. AktG) erfolgt (aA DAV-HRA NZG 2023, 738 Rn. 15: Gründung als BMAG möglich; sa Harnos GESRBLOG0001593 unter 5., der de lege ferenda Führung des Rechtsformzusatzes „BMAG i.Gr." erwägt). 56

In § 44 VI 1 BörsG werden **Initiatoren** (Sponsors, → Rn. 50) als Aktionäre der BMAG definiert, die als **Gründer** iSd § 28 anzusehen sind (→ § 28 Rn. 2). **Vorstandsmitglieder** der BMAG, die keine Gründer sind, gelten gem. § 44 VI 1 BörsG als Initiatoren, wenn sie Aktien oder sonstige Bezugsrechte der BMAG innehaben; dies dürfte praktischem Regelfall entspr. Nach § 44 VI 2 BörsG, der Umgehungsschutz dient (s. RegBegr. BT-Drs. 20/8292, 101), werden Aktien und sonstige Bezugsrechte, die von anderen Personen als Initiatoren gehalten werden, Initiatoren gem. § 34 WpHG zugerechnet (hierzu etwa BeckOK WpHG/Kraack WpHG § 34 Rn. 1 ff.). Zum Stimmverbot der Initiatoren gem. § 46 III 3 BörsG → Rn. 60. § 44 VIII BörsG enthält mitbestimmungsrechtl. Sonderregelungen für BMAG, die als **SE** organisiert sind (BMSE – ausf. RegBegr. BT-Drs. 20/8292, 101 f.; v. der Linden/Schäfer DB 2023, 2292, 2295 f.). 57

4. Sonderregelungen für BMAG. Sind Voraussetzungen des § 44 IV BörsG erfüllt, greifen Sonderregelungen in §§ 45 ff. BörsG ein, die allg. Aktienrecht modifizieren. Zunächst ermöglicht § 45 BörsG Einrichtung eines **Treuhandkontos** (zum Spannungsverhältnis mit Kapitalaufbringungsgrundsatz vor ZuFinG → Rn. 51): Nach § 45 I BörsG sind die auf Einlagenverpflichtung sowie auf 58

Verpflichtung zur Zahlung eines Aufgelds (Agio, → § 9 Rn. 8f.) geleisteten Zahlungen der Aktionäre zur Sicherstellung des zweckgerechten Einsatzes der Zahlungen durch geeigneten Treuhänder zu halten, bis die Zieltransaktion durchgeführt wird. **Geeigneter Treuhänder** ist gem. § 45 II 1 BörsG ein Notar, ein KI iSd § 1 I 1 KWG oder ein nach §§ 53 I 1, 53b I 1 oder VII KWG tätiges ausländisches Unternehmen. Treuhänder muss nach § 45 II 2 BörsG ein gesondertes, angemessen verzinstes Konto führen, das **Zugriff** des Vorstands oder anderer Organe oder Vertreter der BMAG entzogen ist und auf das nur Treuhänder unmittelbaren Zugriff hat. **Ausnahme** gilt gem. § 45 II 3 BörsG für Geldmittel, die für laufende Verwaltungskosten, Erfüllung gesetzlicher Anforderungen und Vorbereitung der Zieltransaktion erforderlich sind, bis zur Höhe von insg. 5% der Einlageverpflichtungen einschließlich Aufgeld (zum teleologischen Hintergrund RegBegr. BT-Drs. 20/8292, 102; Joser GESRBLOG0001535 unter II.2; v. der Linden/Schäfer DB 2023, 2292, 2296; sa zum RefE, in dem Ausnahmeregelung noch fehlte, DAV-HRA NZG 2023, 738 Rn. 23; Herzog/Gebhard NZG 2023, 1055, 1058). Ist Treuhänder **Notar,** hat er Zahlungen gem. § 45 II 4 BörsG nach Maßgabe der §§ 57ff. BeurkG zu verwahren. § 45 III BörsG suspendiert Vorgaben des Kapitalaufbringungsrechts in §§ 36 II, 37 I 1, 2, 188 II 1 (zur Verhinderungswirkung dieser Regelungen vor ZuFinG → Rn. 51): Die von den Aktionären erbrachten Einlagen können an Treuhänder übertragen oder auf Treuhandkonto unmittelbar eingezahlt werden. In der Praxis ist **Treuhandabrede** zwischen BMAG und Treuhänder erforderlich, die insbes. festschreibt, dass Treuhänder die von ihm gehaltenen Mittel zur Durchführung der Zieltransaktion freigeben muss (zur Mittelfreigabe DAV-HRA NZG 2023, 738 Rn. 23).

59 Wirtschaftlicher Anreiz für Gründung der und Investition in BMAG besteht u. a. herkömmlich darin, dass Gesellschaft neben Aktien auch **selbständige Aktienoptionen** (naked warrants) emittiert (→ Rn. 50; sa RegBegr. BT-Drs. 20/8292, 104). Vor diesem Hintergrund stellt § 47a I BörsG klar, dass BMAG selbständige Optionsscheine ausgeben kann, die auf Bezug von BMAG-Aktien gerichtet sind und aus bedingter Kapitalerhöhung nach § 192 bedient werden; Verbot der Unter-pari-Emission (§ 9 I) ist zu beachten (RegBegr. BT-Drs. 20/8292, 104). Aus § 47a I BörsG folgt nicht, dass naked warrants im Übrigen unzulässig sind (zum Diskussionsstand → § 221 Rn. 75; von Klarstellung spricht RegBegr. BT-Drs. 20/8292, 104; s. ferner Harnos GESRBLOG0001593 unter 6.; Joser GESRBLOG0001535 unter II.3.; zur unglücklichen Formulierung des RefE vgl. DAV-HRA NZG 2023, 738 Rn. 34; Joser ZIP 2023, 1006, 1008f.). Echte Modifizierung des allg. Aktienrechts ist in § 47a II BörsG vorgesehen: Dient bedingtes Kapital der Schaffung von **Bezugsrechten für AN und Geschäftsführungsmitglieder** (§ 192 II Nr. 3 und → § 192 Rn. 15ff.), gilt die in § 193 II Nr. 4 vorgesehene Frist für erstmalige Ausübung des Bezugsrechts von mindestens vier Jahren (zum Ausübungszeitraum → § 193 Rn. 9b) nicht; Sonderregelung soll zügige Durchführung der Zieltransaktion fördern (RegBegr. BT-Drs. 20/8292, 104; vgl. ferner Geurts RdF 2023, 172, 176). Da § 8 II 1, III 3 durch §§ 44ff. BörsG nicht modifiziert wird, ist Einsatz von penny stocks auch bei BMAG nach wie vor nicht möglich (s. bereits → Rn. 50). Für Erhöhung des Höchstbetrags in § 192 III 1 Var. 1 (Hälfte des Grundkapitals, → § 192 Rn. 23) für BMAG de lege ferenda DAV-HRA NZG 2023, 738 Rn. 35; s. dazu ferner Geurts RdF 2023, 172, 176.

60 **5. Aktionärsschutz.** Gesetzesbegründung qualifiziert Zieltransaktion (→ Rn. 54) zutr. als **Strukturmaßnahme** (RegBegr. BT-Drs. 20/8292, 102). Dogmatisch konsequent ist insoweit, dass Entscheidung über Zieltransaktion, die im Ausgangspunkt gem. §§ 76 I, 77 Vorstand obliegt, gem. § 46 I 1 BörsG der

Zustimmung der BMAG-HV bedarf. Bei Zieltransaktionen im Wege einer Umwandlungsmaßnahme nach UmwG folgt dies aus allg. umwandlungsrechtl. Vorgaben (vgl. insbes. §§ 13, 65 UmwG: Verschmelzungsbeschluss). Bei sonstigen Zieltransaktionen ordnet § 46 I 2 BörsG an, dass Vorstand der BMAG der HV Zieltransaktion zur Zustimmung vorlegen muss. Dabei muss er in HV-Einberufung gem. § 46 II BörsG auf Kosten der BMAG **Bevollmächtigten** benennen, den Aktionäre in Textform zu Stimmrechtsausübung und Widerspruch zu HV-Protokoll bevollmächtigen können. Um effektive Aktionärsinformation zu gewährleisten, muss Einberufung auf Widerspruch und dessen Bedeutung für Andienungsrecht aus § 47 I BörsG (→ Rn. 65) deutlich und gesondert hinweisen (RegBegr. BT-Drs. 20/8292, 103). Zustimmungsbeschluss bedarf gem. § 46 III 1 BörsG – dem Charakter der Zieltransaktion als Strukturmaßnahme entsprechend (s. RegBegr. BT-Drs. 20/8292, 103; Geurts RdF 2023, 172, 177 f.) – einer **Mehrheit** von drei Vierteln des bei Beschlussfassung vertretenen Grundkapitals (für Möglichkeit der Satzungsabweichung gem. § 179 II 2 de lege ferenda DAV-HRA NZG 2023, 738 Rn. 27). **Initiatoren** iSd § 44 VI BörsG (→ Rn. 57) unterliegen gem. § 46 III 2 BörsG **Stimmverbot,** weil sie wegen Struktur ihrer Vergütung und wegen Vermeidung von Ansehensverlusten typischerweise erhöhtes Eigeninteresse an Durchführung der Zieltransaktion haben (zum teleologischen Hintergrund des Stimmverbots RegBegr. BT-Drs. 20/8292, 104; Geurts RdF 2023, 172, 178; Joser GESRBLOG0001535 unter II.1; de lege ferenda krit. DAV-HRA NZG 2023, 738 Rn. 26). Zur flankierenden Satzungsänderung s. noch → Rn. 69.

Aktionärsinformation im Vorfeld der Beschlussfassung erfolgt bei Zieltransaktionen im Wege einer Umwandlungsmaßnahme nach UmwG, insbes. durch Verschmelzung, nach allg. umwandlungsrechtl. Regeln. Insbes. hat Vorstand der BMAG **Verschmelzungsbericht** zu erstellen, der Vorgaben des § 8 UmwG entsprechen und nach Maßgabe der § 63 I Nr. 4, § 64 UmwG ausgelegt sowie Aktionären der BMAG zugänglich gemacht werden muss (zum Inhalt des Verschmelzungsbericht etwa Semler/Stengel/Leonard UmwG/Gehling § 8 Rn. 11 ff.; zur Auslage und Zugänglichmachung Semler/Stengel/Leonard UmwG/Diekmann § 63 Rn. 10 ff., § 64 Rn. 4 ff.). Über die in § 8 I UmwG ausdrücklich genannten Angaben hinaus muss Verschmelzungsbericht auch Vereinbarkeit mit den im **Börsenzulassungsprospekt** niedergelegten Kriterien für Zieltransaktion erläutern und begründen (zum Inhalt des Börsenzulassungsprospekts bei BMAG → Rn. 48). Auf diesem Weg wird systematischer Gleichklang mit § 46 I 5 BörsG erreicht, der Informationen über Prospektkonformität im Zieltransaktionsbericht vorschreibt (dazu sogleich in → Rn. 63). Überdies muss Einberufung zur Verschmelzungs-HV auf Widerspruchsmöglichkeit und Bedeutung des Widerspruchs für Andienungsrecht aus § 47 I BörsG (→ Rn. 65) deutlich und gesondert hinweisen (s. bereits → Rn. 66; vgl. ferner im Kontext des § 46 II BörsG RegBegr. BT-Drs. 20/8292, 103). 61

Bei **sonstigen Zieltransaktionen** erfolgt Aktionärsinformation nach Maßgabe des § 46 I 3–8 BörsG, der zum einen im S. 3 entsprechende Anwendung des § 179a II anordnet (hierzu noch → Rn. 64), zum anderen in S. 4–8 Inhalt des **Zieltransaktionsberichts** bestimmt. Bei Ausgestaltung des § 46 I 4–8 BörsG hat sich Gesetzgeber am Inhalt des Verschmelzungsberichts (§ 8 UmwG, → Rn. 61) orientiert (RegBegr. BT-Drs. 20/8292, 103). Nach § 46 I 4 BörsG hat Vorstand der BMAG einen Zieltransaktionsbericht zu erstatten, in dem Zieltransaktion, der der Zieltransaktion zugrunde liegende Vertrag sowie Angemessenheit der der Zielgesellschaft versprochenen Gegenleistung im Verhältnis zum Wert der Zielgesellschaft rechtlich und wirtschaftlich erläutert und begründet werden. Vorgaben zur **Angemessenheit der Gegenleistung** erstrecken sich nach Wortlaut des § 46 I 4 BörsG nur auf asset deal. Share deal, bei dem Gegen- 62 leistung nicht an Zielgesellschaft, sondern an ihre Gesellschafter fließt, ist von § 46 I 4 BörsG nicht erfasst. Dies dürfte im Lichte des § 44 II BörsG, der auch share deal als denkbare Zieltransaktion vorsieht (→ Rn. 54), **Redaktionsversehen** sein, das rechtsfortbildend dahin zu korrigieren ist, dass Zieltransaktionsbericht auch Angaben zur Angemessenheit der den Gesellschaftern der Zielgesellschaft versprochenen Gegenleistung enthalten muss (dafür Harnos GESRBLOG0001593 unter 9.).

63 Über Wortlaut des § 46 I 4 BörsG hinaus, aber in Anlehnung an § 8 I 1 Nr. 2 UmwG und im Einklang mit Gesetzesmaterialien, muss Zieltransaktionsbericht auch auf **Bewertungsmethoden** eingehen (vgl. RegBegr. BT-Drs. 20/8292, 103, wo „Methoden der Unternehmensbewertung" ausdrücklich erwähnt sind). Zudem muss sich Bericht gem. § 46 I 5 BörsG zur **Prospektkonformität** der Zieltransaktion äußern (zum teleologischen Hintergrund Geurts RdF 2023, 172, 178; zum Inhalt des Börsenzulassungsprospekts bei BMAG → Rn. 48). **Geheimhaltungsbedürftige Angaben** brauchen nach Maßgabe des § 46 I 6 und 7 BörsG, der an § 8 II UmwG angelehnt ist, nicht in Zieltransaktionsbericht übernommen zu werden; insoweit erscheint Übertragung umwandlungsrechtl. Grundsätze geboten (zur Geheimhaltung bei Verschmelzungsbericht etwa Semler/Stengel/Leonard UmwG/Gehling § 8 Rn. 65 ff.; speziell zu BMAG Herzog/Gebhard NZG 2023, 1055, 1058). Schließlich ordnet § 46 I 8 BörsG an, dass sich **Bekanntmachungspflicht** nach § 124 III 1 auch auf den Zieltransaktionsbericht erstreckt. Vorgabe ist schleierhaft, weil § 124 III 1 keine Bekanntmachungspflicht regelt, sondern Verwaltungsorgane zur Unterbreitung von Beschlussvorschlägen verpflichtet (→ § 124 Rn. 19 ff.). Dies bedarf wegen § 44 VII 1 BörsG keiner Sonderregelung für BMAG (sa DAV-HRA NZG 2023, 738 Rn. 25; Harnos GESRBLOG0001593 unter 10.). Information über Widerspruch und dessen Bedeutung für Andienungsrecht aus § 47 I BörsG (→ Rn. 65) erfolgt iRd HV-Einberufung (s. bereits → Rn. 60).

64 Nach § 46 I 3 BörsG gilt **§ 179a II entsprechend** (zu Informationspflichten bei Übertragung des ganzen Gesellschaftsvermögens → § 179a Rn. 19). Das bedeutet, dass der der Zieltransaktion zugrunde liegende **Vertrag** von Einberufung der HV an, die über Zieltransaktion beschließen soll, im Geschäftsraum der BMAG zur Einsicht der Aktionäre **auszulegen** ist (§ 179a II 1). Auf Aktionärsverlangen sind **Abschriften** zu erteilen (§ 179a II 2). Diese Verpflichtungen entfallen, wenn Vertrag ab HV-Einberufung über **Internetseite** der BMAG abrufbar ist (§ 179a II 3). Vertrag ist in der HV zugänglich zu machen (§ 179a II 4); Vorstand hat ihn zu erläutern (§ 179a II 5). Er ist Niederschrift als Anlage beizufügen (§ 179a II 6). Verweis des § 46 I 3 BörsG auf § 179a II erstreckt sich nach Gesetzeswortlaut und -systematik nicht auf Zieltransaktionsbericht. Gleichwohl spricht viel dafür, dass auch **Zieltransaktionsbericht** nach Maßgabe des § 179a II auszulegen und zugänglich zu machen ist. Auf diese Weise kann gesetzgeberisches Ziel erreicht werden, Aktionäre effektiv zu informieren und systematischen Gleichklang mit Verschmelzungsrecht – das in § 63 I Nr. 4, § 64 UmwG mit § 179a II vergleichbare Vorgaben auch hinsichtlich Verschmelzungsberichts enthält (dazu bereits → Rn. 61) – herzustellen (RegBegr. BT-Drs. 20/8292, 103).

65 Aktionäre, die gegen Umwandlungs- oder Zieltransaktionsbeschluss (→ Rn. 60) Widerspruch zur Niederschrift erklärt haben, können gem. § 47 I BörsG **Andienungsrecht** geltend machen (für generelle Einführung sog redeemable shares DAV-HRA NZG 2023, 738 Rn. 31). Anders als in den USA ist es also nicht möglich, dass auch konsentierende Aktionäre Opt-out-Recht erhalten (→ Rn. 49; Geurts RdF 2023, 172, 178; Herzog/Gebhard NZG 2023, 1055, 1058; de lege ferenda krit. DAV-HRA NZG 2023, 738 Rn. 32). Ausübung des Andienungsrechts muss innerhalb einer (materiellen) **Ausschlussfrist** von zwei

Monaten ab Fassung des HV-Beschlusses über Zieltransaktion iSd § 46 I BörsG erfolgen. Üben Aktionäre diese Option aus, haben sie Anspruch auf Übertragung ihrer Aktien auf BMAG gegen Zahlung eines Betrags in Höhe der geleisteten Bareinlage zzgl. Agio. Über Wortlaut des § 47 I BörsG hinaus, aber im systematischen Einklang mit § 45 II 2 BörsG, wonach Einlagen auf angemessen verzinstem Treuhandkonto zu verwahren sind (→ Rn. 58), können Aktionäre auch **Zinsen** für Bereitstellung ihrer Einlage verlangen (ges. Klarstellung anmahnend Harnos GESRBLOG0001593 unter 7.). Um Andienungsrecht zu erfüllen, kann BMAG gem. § 47 II BörsG iVm § 71 I Nr. 3, II 1 **eigene Aktien** einsetzen, wobei Obergrenze des § 71 II 1 (→ § 71 Rn. 21) von 10 % auf 30 % angehoben ist. Überdies sind Regelungen des Kapitalaufbringungs- und Kapitalerhaltungsrechts in §§ 27 IV, 57 I, II, 71 II gem. § 47 III BörsG suspendiert, soweit BMAG Andienungsrecht erfüllt.

6. Beendigung der BMAG. Wegen Frist für Durchführung der Zieltransaktion (§ 44 III BörsG und → Rn. 55) ist BMAG nicht auf dauerhaften Bestand ausgerichtet. Vielmehr ist Lebensdauer der Rechtsformvariante zeitlich begrenzt, wobei zwischen **drei Szenarien** zu unterscheiden ist: keine fristgemäße Durchführung der Zieltransaktion ohne Überführung in reguläre AG (→ Rn. 67), keine fristgemäße Durchführung der Zieltransaktion mit Überführung in reguläre AG (→ Rn. 68), erfolgreiche Durchführung der Zieltransaktion innerhalb der Frist (→ Rn. 69). **66**

Wird Zieltransaktion innerhalb satzungsmäßiger Frist (s. § 44 III BörsG und → Rn. 55) **nicht durchgeführt** (zum unklaren Durchführungsbegriff → Rn. 55), so wird BMAG gem. § 47b I 1 BörsG iVm § 262 I Nr. 1 **aufgelöst** (vgl. Geurts RdF 2023, 172, 176 f. [Zwangsliquidation], der indes zu Unrecht davon ausgeht, dass HV Beendigung der AG beschließen muss). Fortsetzungsbeschluss (→ § 262 Rn. 9) ist nach Ablauf der Durchführungsfrist im Lichte des § 47b II 1 BörsG (→ Rn. 69) unzulässig. Zudem kann gem. § 47b I 1 BörsG iVm § 39 I BörsG **Zwangsdelisting** erfolgen, das im Ermessen der Börsengeschäftsführung liegt (RegBegr. BT-Drs. 20/8292, 105; vgl. ferner Geurts RdF 2023, 172, 177: keine Ermessensreduktion auf Null; zum Zwangsdelisting sa → § 119 Rn. 30). Auflösungsfolge greift nach § 47b I 2 Hs. 2 BörsG auch ein, wenn Zieltransaktion zwar fristgerecht durchgeführt wurde, der Wert der im Zuge der Zieltransaktion durch BMAG erworbenen Vermögenswerte aber um mehr als 20 % hinter Wert der Einlagen inkl. Agio zurückbleibt. Regelung soll **unbedeutende Zieltransaktionen** verhindern, zu denen Initiatoren (§ 44 VI BörsG und → Rn. 57) uU neigen könnten, um die mit Zieltransaktion wirtschaftlich verknüpfte Vergütung zu realisieren (zum teleologischen Hintergrund DAV-HRA NZG 2023, 738 Rn. 16; krit. zur Ausgestaltung Harnos GESRBLOG0001593 unter 8.). Wird BMAG nach § 47b I 1 BörsG aufgelöst, verkürzt § 47b III BörsG die **Sperrfrist** des § 272 I (→ § 272 Rn. 2 f.) von einem Jahr auf zwei Monate seit Bekanntmachung des Gläubigeraufrufs (zur Vereinbarkeit mit Gläubigerinteressen zutr. RegBegr. BT-Drs. 20/8292, 105 f.; Geurts RdF 2023, 172, 177). **67**

Droht satzungsmäßige Durchführungsfrist (s. § 44 III BörsG und → Rn. 55) erfolglos abzulaufen, kann HV gem. § 47b II 1 BörsG im Wege der Satzungsänderung nach § 179 I beschließen, dass Satzungsregelungen nach § 44 IV BörsG (Zitierung des § 44 IV AktG in § 47b II 1 BörsG ist offensichtliches Redaktionsversehen, s. Herzog/Gebhard NZG 2023, 1055, 1059) aufgehoben werden und Gesellschaft als reguläre AG **fortgeführt** wird. Aufhebung der Ermächtigung zur Durchführung virtueller HV nach § 44 IV Nr. 3 BörsG iVm § 118a dürfte nicht zwingend sein (zur BMAG-Satzung → Rn. 56). Da mit Fortführungsbeschluss iSd § 47b II 1 BörsG die Grundlage für Modifizierungen des allg. Aktienrechts **68** durch §§ 44 ff. BörsG wegfällt, müssen die auf Treuhandkonto (§ 45 BörsG und → Rn. 58) verwahrten **Einlagen** nebst Agio endgültig zur **freien Verfügung des Vorstands** stehen (§ 36 II). Vor diesem Hintergrund konsequent ordnet § 47b II 2 BörsG an, dass dem Antrag auf Eintragung der Satzungsänderung in das HR (§ 181 I und → § 181 Rn. 2 ff.) Einzahlungsbestätigung nach § 37 I 3 hinsichtlich der Übertragung der Gelder vom Treuhandkonto nach § 45 II BörsG auf AG zur freien Verfügung des Vorstands beizufügen ist (vgl. DAV-HRA NZG 2023, 738 Rn. 38; Joser GESRBLOG0001535 unter II.5.; v. der Linden/Schäfer DB 2023, 2292, 2296; zur Einzahlungsbestätigung → § 37 Rn. 3 f.). Überdies ordnet § 47b II 3 BörsG an, dass Vorstand der BMAG **Delisting-Antrag** nach § 39 II 1 BörsG stellen muss. Anlegerschützende Regelungen in § 39 II, III BörsG (→ § 119 Rn. 36 ff.) gelten nach § 47b II 4 BörsG mit der Maßgabe, dass Gegenleistung nicht unter Ausgabebetrag der Aktien einschließlich Agio liegen darf. Zusammenspiel zwischen § 47b II 4 BörsG und Delisting-Erwerbsangebot gewährleistet in wirtschaftlicher Hinsicht, dass Aktionäre auch in Fällen eines Fortsetzungsbeschlusses nach § 47b II 1 BörsG ein mit § 47 I BörsG vergleichbares Andienungsrecht erhalten.

69 Wird **Zieltransaktion,** deren Volumen 80 % des Wertes der Einlagen einschließlich Agio erreicht (s. v. der Linden/Schäfer DB 2023, 2292, 2296 m. Fn. 34 zu fehlerhaften Ausführungen in RegBegr. BT-Drs. 20/8292, 105, wo von 20 % die Rede ist), **erfolgreich durchgeführt** und wird Andienungsrecht aus § 47 I BörsG bedient, greift Auflösungsfolge des § 47b I 1 BörsG gem. § 47b I 2 BörsG nicht ein. Vielmehr gelten Sonderregelungen in §§ 44 ff. BörsG nach § 47b I 3 BörsG nicht mehr und Gesellschaft wird als **reguläre börsennotierte AG** fortgeführt; sie muss gem. § 47b I 4 BörsG den Rechtsformzusatz BMAG (s. § 44 V 2 BörsG und → Rn. 56) abstreifen. Durchführung der Zieltransaktion führt zur **Änderung des Unternehmensgegenstands** (operatives Geschäft statt Aufzählung in § 44 I 2 BörsG, → Rn. 51) und wegen § 47b I 4 BörsG zur **Firmenänderung.** Beides erfordert wegen § 23 III Nr. 1, 2 (→ Rn. 20 ff.) **Satzungsänderung,** die mit dem Zieltransaktionsbeschluss erfolgen muss und für die allg. Vorgaben der §§ 179 ff. gelten (vgl. RegBegr. BT-Drs. 20/8292, 105; zu beschlussmängelrechtl. Ungereimtheiten DAV-HRA NZG 2023, 738 Rn. 29; Harnos GESRBLOG0001593 unter 12.).

24 *(aufgehoben)*

1 § 24 enthielt **Klarstellung,** dass Satzung einzelnem Aktionär Recht auf Umwandlung von Inhaber- in Namensaktien (§ 10 I) oder umgekehrt einräumen kann. Vorschrift wurde durch Aktienrechtsnovelle 2016 gestrichen, weil sie zum einen mit Neuregelung der Inhaberaktie nicht mehr ohne weiteres zu vereinbaren ist (→ § 10 Rn. 5 ff.) und zum anderen Praxis von der Regelung auch in der Vergangenheit ohnehin kaum Gebrauch gemacht hatte (RegBegr. BT-Drs. 18/4349, 24). Da Namensaktie als Standardverbriefung allerdings nur für neu gegründete Gesellschaften gilt (→ § 10 Rn. 6), bedarf es auch hier **Übergangsregelung:** Sieht die Satzung einer AG einen Umwandlungsanspruch gem. § 24 aF in der bis zum 30.12.2015 geltenden Fassung vor, so bleibt diese Satzungsbestimmung nach § 26h II EGAktG wirksam (zu den Folgen → 11. Aufl. 2014, Rn. 1 ff.).

Bekanntmachungen der Gesellschaft

25 Bestimmt das Gesetz oder die Satzung, daß eine Bekanntmachung der Gesellschaft durch die Gesellschaftsblätter erfolgen soll, so ist sie in den Bundesanzeiger einzurücken.

I. Regelungsgegenstand und -zweck

§ 25 bestimmt BAnz. als **Pflicht-Gesellschaftsblatt** (zwingend) und ergänzt 1
damit Ges. und Satzung, soweit sie Bek. der AG (nicht des Registergerichts über AG gem. § 10 HGB) in den Gesellschaftsblättern vorschreiben. Derartige ges. Vorschriften sind teils zwingend (zB § 20 VI, § 64 II, § 97 I, § 106, § 121 IV, § 325 I, II HGB), teils steht Bek. in den Gesellschaftsblättern unter Vorbehalt anderslautender Satzungsbestimmung (§ 63 I). Von Pflichtbek. zu unterscheiden sind sog freiwillige Bek., die Ges. oder Satzung vorschreiben, ohne Gesellschaftsblätter als Publikationsorgan zu bestimmen (zB Quartalsberichte). Insoweit gilt § 25 nicht; vielmehr sind Gründer gem. § 23 IV verpflichtet, Art und Weise der Publikation in Satzung zu regeln (→ § 23 Rn. 32). Ursprünglich als Pflicht-Gesellschaftsblatt maßgebende Druckausgabe des BAnz. wurde zunächst durch TransPuG 2002 durch elektronischen BAnz. ersetzt. Nachdem BAnz. nunmehr ausschließlich elektronisch geführt wird, ist bisheriger Zusatz „elektronischen" gestrichen worden durch Ges. zur Änderung von Vorschriften über die Verkündung und Bekanntmachungen sowie der ZPO, des EGZPO und der AO v. 22.12.2011 (BAnzDiG – BGBl. 2011 I 3044). **Gestrichen** wurde durch Aktienrechtsnovelle 2016 auch **§ 25 S. 2,** wonach Satzung andere Blätter oder elektronische Informationsmedien als Gesellschaftsblätter bezeichnen kann. Nebeneinander zweier Pflichtblätter hatte namentl. bei Fristberechnungen in der Praxis für Verwirrung gesorgt, die durch Neuregelung zu Recht beseitigt wurde (RegBegr. BT-Drs. 18/4349, 18 f.). Praxis hatte von dieser Möglichkeit ohnehin nur noch selten Gebrauch gemacht. Zu beachten ist allerdings, **Übergangsregelung** nach § 26h III EGAktG, wonach entspr. Angaben in Altsatzungen (Stichtag: 30.12.2015) auch weiterhin wirksam bleiben. Für einen Fristbeginn oder das sonstige Eintreten von Rechtsfolgen ist ab dem 31.12.2015 aber nur noch die Bekanntmachung im BAnz. maßgeblich. Unbenommen bleibt AG freiwillige Veröffentlichung in anderen Publikationsorganen, und zwar entweder solchen iSd § 23 IV (→ § 23 Rn. 32; RegBegr. BT-Drs. 14/4051, 9; DAV-HRA NZG 2000, 443), aber auch anderen papiergebundenen oder elektronischen Medien. Rechtswirkung kommt diesen Veröffentlichungen aber nicht mehr zu (RegBegr. BT-Drs. 18/4349, 19). Vor diesem Regelungshintergrund drängt sich allerdings die Frage auf, ob es dann nicht sinnvoll gewesen wäre, auf Begriff der „Gesellschaftsblätter", der auf elektronischen BAnz ohnehin nur bedingt passt, ganz zu verzichten und ihn in einschlägigen Verweisungsnormen schlicht durch „Bundesanzeiger" zu ersetzen. Parallelvorschrift seit 1.4.2005: § 12 GmbHG.

II. Pflicht-Gesellschaftsblatt

1. Elektronische Publikation. § 25 bestimmt BAnz. als Pflichtblatt oder 2
besser als **Pflichtmedium,** damit unbestimmtem Adressatenkreis allg. zugängliche Quelle zur Verfügung steht, die über wesentliche Tatsachen oder Verhältnisse der AG unterrichtet. Übergang von Druckausgabe zum elektronischen Medium durch TransPuG 2002 bezweckt Verbesserung der Information durch technische Möglichkeiten, bes. verbesserte Information ausländischer Interessenten, ferner Flexibilität und Kostenvorteile für Gesellschaft (RegBegr. BT-Drs. 14/8769, 11; Noack BB 2002, 2025). BAnz. wird betrieben von BAnz. Verlags-

gesellschaft mbH, Köln, und herausgegeben vom BMJ. Web-Adresse ist www.bundesanzeiger.de. „Eingerückt" in elektronisches Medium ist Bek., wenn sie auf Website eingestellt ist; weitere Maßnahmen zur Verbreitung der Information sind denkbar, werden aber von § 25 nicht gefordert (RegBegr. BT-Drs. 14/8769, 11). Aus Pflicht, Bek. in BAnz. einzustellen, folgt Kontrahierungszwang des Betreibers zugunsten der AG (s. MüKoAktG/Pentz Rn. 7; GK-AktG/Röhricht/Schall Rn. 2). Alleinige Publikation in anderen Medien genügt nicht (Mimberg ZGR 2003, 21, 26). Nach §§ 5 I, 6 I VkBkmG ist Zugriff auf BAnz. jederzeit kostenfrei möglich.

3 **2. Einzelfragen zum BAnz.** Nach Abschaffung der Druckausgabe ist elektronischer BAnz. alleiniges Pflichtmedium (→ Rn. 2). Auch soweit es sich um **andere Publikationen** als um Pflichtbek. der AG handelt (zB §§ 231 S. 2, 238 UmwG, § 19 S. 1 MitBestG), wird allein auf BAnz., und zwar in seiner nunmehr ausschließlich elektronischen Form, verwiesen. Nach erstmaliger Einführung des elektronischen BAnz. entstandenes Problem, ob übliche Satzungsklauseln, die auf BAnz. als Pflichtblatt verweisen, elektronische Fassung oder Druckfassung meinen (vgl. etwa noch Groß DB 2003, 867, 868 f.), hat sich mit Aufgabe des Dualismus dieser Publikationsformen erledigt. Sämtliche Verweise auf elektronische oder gedruckte Form sind heute als Verweis auf den ausschließlich elektronisch geführten BAnz. zu verstehen. Eine vorsorgliche Satzungsanpassung, wie sie nach dem EHUG (→ Rn. 1) zT empfohlen wurde, erscheint nicht erforderlich (so auch Hölters/Weber/Solveen Rn. 5). Bekanntmachungssprache ist deutsch.

III. Rechtsfolgen

4 Wird durch Bek. **Frist** in Lauf gesetzt, so ist Ereignis, das Frist gem. § 187 BGB beginnen lässt, das Einstellen der Information auf Website des BAnz. (→ Rn. 2). Frühere Zweifelsfragen, die sich aus abw. Erscheinungsdatum in Printfassung und elektronischer Fassung ergaben, stellen sich nach BAnzDiG (→ Rn. 1) nicht mehr. Dasselbe gilt für frühere Zweifelsfragen bei mehreren Gesellschaftsblättern (→ Rn. 1). **Fehlerhafte Bek.** setzt Frist nicht in Lauf. Soweit Bek. Wirksamkeitsvoraussetzung ist (zB § 64), treten Rechtsfolgen (zB Verlust der Mitgliedschaft) bei fehlerhafter Bek. nicht ein. Fehlerhafte Einberufung der HV (§ 121 III) führt gem. § 241 Nr. 1 grds. zur Nichtigkeit gleichwohl gefasster HV-Beschlüsse (→ § 241 Rn. 8 ff., 10).

Sondervorteile. Gründungsaufwand

26 (1) **Jeder einem einzelnen Aktionär oder einem Dritten eingeräumte besondere Vorteil muß in der Satzung unter Bezeichnung des Berechtigten festgesetzt werden.**

(2) **Der Gesamtaufwand, der zu Lasten der Gesellschaft an Aktionäre oder an andere Personen als Entschädigung oder als Belohnung für die Gründung oder ihre Vorbereitung gewährt wird, ist in der Satzung gesondert festzusetzen.**

(3) [1] **Ohne diese Festsetzung sind die Verträge und die Rechtshandlungen zu ihrer Ausführung der Gesellschaft gegenüber unwirksam.** [2] **Nach der Eintragung der Gesellschaft in das Handelsregister kann die Unwirksamkeit nicht durch Satzungsänderung geheilt werden.**

(4) **Die Festsetzungen können erst geändert werden, wenn die Gesellschaft fünf Jahre im Handelsregister eingetragen ist.**

(5) **Die Satzungsbestimmungen über die Festsetzungen können durch Satzungsänderung erst beseitigt werden, wenn die Gesellschaft dreißig Jahre im Handelsregister eingetragen ist und wenn die Rechtsverhältnisse, die den Festsetzungen zugrunde liegen, seit mindestens fünf Jahren abgewickelt sind.**

I. Regelungsgegenstand und -zweck

§ 26 betr. Sondervorteile und Gründungsaufwand, also Fälle der qualifizierten Gründung, zu denen noch die in § 27 geregelten Sachverhalte gehören (→ Rn. 1). Bezweckt ist **Schutz der Gläubiger und Aktionäre** vor damit verbundenen Risiken; sie liegen im Kern darin, dass Initiatoren aus der Gründung ein Geschäft zu Lasten von Aktionären oder Gläubigern machen (GK-AktG/Röhricht/Schall Rn. 2; Junker ZHR 159 [1995], 207, 209 f.). Das eingesetzte Mittel ist **Satzungspublizität,** die ihrerseits Information ermöglicht (keine versteckten Absprachen); zur Registerkontrolle → Rn. 6 und 7. Für Sondervorteile hat Regelung mit Art. 4 lit. k GesR-RL auch unionsrechtl. Grundlage erhalten. Praktische Bedeutung von Sondervorteilen ist aber jedenfalls im Aktienrecht gering (so für das österr. Recht auch Kalss FS Krieger, 2020, 451, 453). Für **GmbH** gilt § 26 sinngem. (unstr. → Rn. 6). Entspr. Regelung war in § 5a RegE GmbH-Novelle 1980 noch vorgesehen, erschien dem Rechtsausschuss des Bundestags jedoch überflüssig, weil Norminhalt bereits ungeschriebenes geltendes Recht sei (AusschussB, BT-Drs. 8/3908, 70). 1

II. Sondervorteile

1. Begriff und Rechtsnatur; Inhaltsschranken. Sondervorteile sind Gläubigerrechte, die einzelnen oder allen Aktionären oder Dritten aus Anlass der Gründung gewährt werden. **Gläubigerrecht** heißt, dass jeweiliger Anspruch nicht aus Mitgliedschaft folgt, sondern neben ihr besteht (B/K/L/Lieder Rn. 2; GK-AktG/Röhricht/Schall Rn. 7). Er ist deshalb, soweit seinem Inhalt nach verkehrsfähig (vgl. §§ 399, 413 BGB), unabhängig von der Aktie übertragbar. Als Sondervorteile kommen (vermögens- oder nicht vermögensbezogene) Vorzüge jeder Art in Betracht, die dem Begünstigten **gegenleistungsfrei** zufließen (Kalss FS Krieger, 2020, 451, 454). Da Vorschrift darauf abzielt, Belastungen der AG offenzulegen, muss sie es sein, die entspr. Leistungen (ggf. auch neben den Aktionären) erbringt (KK-AktG/A. Arnold Rn. 7; MüKoAktG/Pentz Rn. 9; S/L/Seibt Rn. 4; aA BeckOGK/Limmer Rn. 3: AG oder Aktionäre). Früher vertretene Ansicht, gerade von AG zu erbringende Leistungen seien keine Sondervorteile (Schlegelberger/Quassowski AktG 1937 § 19 Rn. 4), entspr. nicht dem Regelungszweck (→ Rn. 1) und ist überholt (MüKoAktG/Pentz Rn. 9; GK-AktG/Röhricht/Schall Rn. 6). Aus Anlass der Gründung bedeutet: Vorteilsgewährung und Gründung müssen in sachlichem Zusammenhang stehen; günstige Geschäfte mit der Gesellschaft ergeben als solche noch keinen Sondervorteil. 2

Bsp für Sondervorteile: Recht zum Bezug von Waren (RG LZ 1908, 297); Ansprüche auf Umsatzprovision (KG JW 1938, 2754); Recht zum Wiederkauf eingebrachter Sachen (RGZ 81, 404, 409); nach richtiger, wenngleich umstrittener Ansicht auch Recht zur Entsendung von AR-Mitgliedern (§ 101 II; → § 101 Rn. 9 ff.); bes., also über § 131 hinausgehende Informationsrechte (hM, s. KK-AktG/A. Arnold Rn. 12; MüKoAktG/Pentz Rn. 12). **Abgrenzungen.** Keine Sondervorteile sind bes. Vorteile iSd § 243 II (→ § 243 Rn. 30 ff.), auch nicht (weil kein Gläubigerrecht) aus der Mitgliedschaft folgende Sonderrechte iSd § 11 S. 1 (→ § 11 Rn. 6). Vereinbarung von Sondervorteilen darf nicht gegen **zwingendes Aktienrecht** verstoßen (GK-AktG/Röhricht/Schall Rn. 9, 18; Junker 3

ZHR 159 [1995], 207, 214). Liegt solcher Verstoß vor, so ist Vereinbarung auch dann nichtig, wenn sie in der Form des § 26 I getroffen wird. So zB Vereinbarung von Einlagenrückgewähr (§ 57 I – ausf. Kalss FS Krieger, 2020, 451, 461) oder Zinsen (§ 57 II) oder Abreden über Vorstandsposten (§ 84). Auch Vereinbarung überhöhter Vergütung iSd § 26 II an Aktionär ist daher unzulässig (MüKoAktG/Pentz Rn. 13; GK-AktG/Röhricht/Schall Rn. 12).

4 **2. Festsetzung in der Satzung.** § 26 I verlangt Festsetzung des Sondervorteils in der Satzung unter Bezeichnung des Berechtigten (zur Rechtsfolge bei Verstoß → Rn. 7). Es handelt sich nicht um materiellen, sondern **formellen Satzungsbestandteil** (→ § 23 Rn. 4), für dessen Auslegung §§ 133, 157 BGB gelten; seine Änderung erfolgt auf schuldrechtl. Grundlage; Verfahren nach § 179 muss nicht beachtet werden (→ § 23 Rn. 4; Kalss FS Krieger, 2020, 451, 459 f.). Auch Übertragung – sofern satzungsmäßig gestattet – und Aufhebung erfolgen auf schuldrechtl. Basis (Kalss FS Krieger, 2020, 451, 460). **Angaben** müssen genau sein; Bezugnahmen, summarische Beschreibungen oder Ermächtigungen genügen nicht (allgM). Wenn sich Gründer darauf nicht verständigen können, scheitert ggü. der Gesellschaft wirksame Vereinbarung von Sondervorteilen. Festsetzung in der Satzung heißt dagegen nicht, dass anspruchsgewährender Vertrag selbst in die Satzung aufgenommen werden muss. Er kann nach allg. Grundsätzen **formfrei** geschlossen werden (GK-AktG/Röhricht/Schall Rn. 20). Auch aus § 37 IV Nr. 2 folgt nichts anderes. Verträge sind danach (nur) beizufügen, soweit sie schriftlich existieren; sonst ist Fehlanzeige erforderlich und genügend (→ § 37 Rn. 10).

III. Gründungsaufwand

5 **1. Gründungsentschädigung und Gründerlohn.** Satzungspublizität schreibt § 26 II auch für Gesamtbetrag des Gründungsaufwands vor. Gründungsaufwand umfasst Gründungsentschädigung und Gründerlohn. **Entschädigung** ist Ersatz von Aufwendungen für Kosten der Gründung und der Einlagenleistung, also insbes. Notar- und Gerichtsgebühren (Kosten der Bek. sind weggefallen, → § 39 Rn. 7), ggf. auch Rechts- und Steuerberatung, Bankgebühren, Honorare der Gründungsprüfer, Kosten für (Global-)Verbriefung (→ § 10 Rn. 12 ff.) sowie Reise- und Übernachtungskosten (Gründungskosten iSd § 248 I HGB), dagegen nicht Aufwendungen für Aufbau der Betriebs-, Verwaltungs- und Vertriebsorganisation (ausf. – zur GmbH – Wachter GmbHR 2023, 537 Rn. 20 ff.). **Gründerlohn** ist (wie auch immer deklarierte) Tätigkeitsvergütung für Mitwirkung bei der Gründung und ihrer Vorbereitung einschließlich der Honorare für Gutachten, Beratung, Vermittlung, gleichgültig, ob Leistung an Gründer oder an Dritte erfolgt. Kein Gründungsaufwand ist nach BGH NJW 2004, 2519, 2520 Vergütung des ersten Vorstands (→ § 30 Rn. 12).

6 **2. Festsetzung in der Satzung.** Gesamtbetrag von Gründungsentschädigung und Gründerlohn ist in Satzung festzusetzen, wobei Übernahme durch AG auch erst bei wirtschaftlicher Neugründung (→ § 23 Rn. 25 ff.) erfolgen kann (OLG Stuttgart AG 2013, 95 f.). Angabe einzelner Kostenpunkte ist nicht genügend, sondern sie müssen zusammengefasst als Gesamtbetrag in Satzung angeführt werden (BGHZ 107, 1, 6 = NJW 1989, 1610; BayObLGZ 1988, 293, 296 ff.; OLG Düsseldorf GmbHR 1987, 59; GK-AktG/Röhricht/Schall Rn. 36). Neben dieser Angabe sind nach hM im Aktienrecht Einzelangaben aber auch nicht erforderlich (KK-AktG/A. Arnold Rn. 27 mwN). Gläubiger werden durch Endsumme hinreichend informiert; Gericht kann Prüfung anhand detaillierterer Angaben nach § 37 IV Nr. 2 vornehmen. Zur GmbH werden allerdings zT strengere Anforderungen vertreten, wonach etwa Einzelangaben erforderlich

seien (BGH NZG 1998, 103, 104: Benennung; noch weitergehend OLG Schleswig NZG 2023, 470 Rn. 20: Benennung und Bezifferung) bzw. Gründungskosten „zumindest der Art nach" umschrieben werden müssten (OLG Celle NZG 2016, 586 Rn. 10). Das ist schon für GmbH nicht zweifelsfrei (Wachter GmbHR 2023, 537 Rn. 47 ff.), jedenfalls für AG mit Blick auf § 37 IV Nr. 2 abzulehnen, doch können sich solche Angaben aus Sicherheitsgründen auch hier empfehlen (aA für die GmbH aber Wachter GmbHR 2023, 537 Rn. 68). Einzelbeträge, deren Höhe noch nicht feststeht, sind zu schätzen (BGHZ 107, 1, 6; OLG Schleswig NZG 2023, 470 Rn. 18); bloße Angabe einer Obergrenze genügt jedoch nicht (OLG Schleswig NZG 2023, 470 Rn. 18; OLG Zweibrücken ZIP 2014, 623, 624). Verträge (→ Rn. 4 aE) und eine Berechnung des der Gesellschaft zur Last fallenden Gründungsaufwands sind erst der Anmeldung zum HR beizufügen (§ 37 IV Nr. 2; → § 37 Rn. 10). **Rechtsfolge** ordnungsgem. Festsetzung ist nicht nur Wirksamkeit ggü. Gesellschaft (→ Rn. 7), sondern auch Unschädlichkeit einer gerade daraus folgenden Unterbilanz (Vorbelastung) für ihre Eintragung (KG NZG 2004, 826, 827; MüKoAktG/Pentz Rn. 27; GK-AktG/Röhricht/Schall Rn. 38). Auf Höhe des Gründungsaufwands kommt es iRd § 26 II zwar nicht an. Instanzgerichtl. Rspr. nimmt jedoch auch bei sonstigen Gründungskosten **Angemessenheitsprüfung** vor und verweigert bei Unangemessenheit die Eintragung. Zumindest für GmbH wird Gründungsaufwand idR bis 10 % des ausgewiesenen Stammkapitals noch ohne Einzelnachw. akzeptiert (OLG Celle NZG 2014, 1383 Rn. 9 ff.; sa OLG Celle NZG 2016, 1383 Rn. 10 f.; BeckOGK/Limmer Rn. 13; auch höher, wenn sonstiges freies Vermögen zur Verfügung steht – vgl. KG ZIP 2021, 2333, 2334 f.; sa Wachter GmbHR 2023, 537 Rn. 46: keine starre Grenze, sondern „Faustformel", mit Plädoyer für Anhebung auf 15 %). Absolute Höchstgrenze für Angemessenheitsprüfung ist aber allein Grundkapital (KK-AktG/A. Arnold Rn. 28). Entspr. Anwendung auf **GmbH** (→ Rn. 1) bedeutet nach BGHZ 107, 1, 3 ff., dass gesamter Gründungsaufwand einschließlich Kosten der Anmeldung festgesetzt werden muss (zust. KG ZIP 2012, 1213 f.; HCL/Ulmer/Casper GmbHG § 5 Rn. 213). Gesamtbetrag darf geschätzt, aber nicht einfach gegriffen werden (LG Essen GmbHR 2003, 471 f.).

IV. Rechtsfolgen bei fehlender Satzungspublizität

1. Errichtungsmangel; Unwirksamkeit. Fehlende oder unrichtige Festset- 7
zungen sind Errichtungsmangel iSd § 38 I und rechtfertigen **Ablehnung der Eintragung,** wenn Mangel nicht auf Zwischenverfügung behoben wird. Schadensersatzpflicht von Gründern und Vergütungsempfängern besteht nach § 46 (→ § 46 Rn. 6 ff., 11) bzw. § 47 Nr. 1 (→ § 47 Rn. 5 f.). Strafrechtl. Verantwortlichkeit von Gründern und Organmitgliedern ergibt sich aus § 399 I Nr. 1. **Zivilrechtl. Folgen** regelt § 26 III 1. Danach sind Verträge und Ausführungsgeschäfte ggü. AG unwirksam, wenn nach § 26 I oder II erforderliche Festsetzungen in der Satzung nicht vorgenommen worden sind. Eintragung der Gesellschaft in das HR (unter Verstoß gegen § 38 I) ändert daran nichts (RG LZ 1908, 297, 298). Gesellschaft muss Leistungen verweigern (GK-AktG/Röhricht/Schall Rn. 39, 41). Leistet sie gleichwohl, so verschafft sie dem Empfänger grds. keine Berechtigung, zB kein Eigentum an bar gezahltem Geld. Tritt Erwerb nach anderen Vorschriften doch ein (zB §§ 946 ff., bes. 948 BGB), so ist sein Wert nach Bereicherungsgrundsätzen (§§ 812 ff., 951 BGB) zurückzugewähren. Bei zu niedriger Festsetzung sind Leistungen anteilmäßig zu kürzen (KK-AktG/A. Arnold Rn. 36; MüKoAktG/Pentz Rn. 51; str.). Wirksamkeit von Verträgen im Verhältnis der Gründer untereinander und zu Dritten bleibt unberührt. Gründer müssen an Außenstehende aus Privatvermögen leisten. Ansprüche der Gründer

untereinander sind möglich, doch kann Vertragsauslegung nach § 157 BGB ergeben, dass nur Gesellschaft verpflichtet werden sollte.

8 **2. Heilung.** Bis zur Eintragung der Gesellschaft in das HR kann fehlende Festsetzung durch Satzungsänderung (einstimmig, notariell beurkundet und unter Zustimmung aller Gründer, → § 41 Rn. 7; → § 179 Rn. 2) nachgeholt werden. Später nicht (§ 26 III 2), Unwirksamkeit (→ Rn. 7) wird also endgültig (GK-AktG/Röhricht/Schall Rn. 63). Für **GmbH** hat RGZ 165, 129, 135 Heilung durch nachträgliche Satzungsänderung zugelassen (§ 53 GmbHG). Auch das ist abzulehnen.

V. Änderung und Beseitigung von Festsetzungen

9 **1. Änderungen.** Für Änderungen in der Satzung getroffener Festsetzungen gilt nach § 26 IV eine **Sperrfrist von fünf Jahren** seit Eintragung der AG in das HR. Das entspr. der Verjährungsfrist des § 51 und soll verhindern, dass Ersatzpflicht nach §§ 46, 47 Nr. 1 (→ Rn. 7) die Grundlage entzogen wird (OLG Oldenburg NZG 2016, 1265 Rn. 13; MüKoAktG/Pentz Rn. 55). Vor Ablauf der Sperrfrist können Änderungen überhaupt nicht erfolgen, nachher nur zugunsten der AG und unter Zustimmung des von Änderung nachteilig betroffenen Gläubigers (KK-AktG/A. Arnold Rn. 41 f.; MüKoAktG/Pentz Rn. 55). Dass nach Wortlaut des § 26 IV denkbare Änderung zu Lasten der AG unzulässig bleibt, folgt aus der in § 26 III 2 angeordneten endgültigen Unwirksamkeit (→ Rn. 8). Zustimmung des Gläubigers ist notwendig, weil Regelungskompetenz der HV zur Beseitigung entstandener Rechte nicht ausreicht (GK-AktG/Röhricht/Schall Rn. 68).

10 **2. Beseitigung.** Beseitigung ist im Unterschied zur Änderung (§ 26 IV) **Streichung von Satzungsbestimmungen,** die gegenstandslos geworden sind; sie ist nur durch Satzungsänderung möglich (str.; → § 179 Rn. 6). Festsetzungen über Sondervorteile (§ 26 I) oder Gründungsaufwand (§ 26 II) werden gegenstandslos, wenn entspr. Verpflichtungen weggefallen, bes. durch Erfüllung erloschen sind (§ 362 I BGB); Erlassvertrag gehört wohl eher zu § 26 IV (GK-AktG/Röhricht/Schall Rn. 73 mwN). Beseitigung erst zulässig, wenn 30 Jahre seit Eintragung der AG und zusätzlich fünf Jahre seit Wegfall der Verpflichtungen verstrichen sind (§ 26 V). Ges. verfolgt mit Fortschreibung nur noch historischer Festsetzungen seine Konzeption, Gläubiger und Aktionäre durch Information vor potenziell gefährlichen Abreden zu schützen (→ Rn. 1; zust. OLG Oldenburg NZG 2016, 1265 Rn. 14). Seit Abschaffung der früheren Regelverjährung nach 30 Jahren und Einführung der obj. Verjährung von Einlagenansprüchen in zehn Jahren (§ 54 IV 1, § 62 III 1) sollte auch in § 26 V von 30 auf zehn Jahre übergegangen werden (zust. OLG Oldenburg NZG 2016, 1265 Rn. 19; OLG Celle NZG 2018, 308 Rn. 2 f. – jew. mit auf AktR nicht übertragbarer Korrektur de lege lata). Zur analogen Anwendung des § 26 V auf GmbH vgl. OLG Celle NZG 2018, 308 Rn. 2 f.; OLG Oldenburg NZG 2016, 1265 Rn. 14 ff.

Sacheinlagen. Sachübernahmen; Rückzahlung von Einlagen

27 (1) [1] **Sollen Aktionäre Einlagen machen, die nicht durch Einzahlung des Ausgabebetrags der Aktien zu leisten sind (Sacheinlagen), oder soll die Gesellschaft vorhandene oder herzustellende Anlagen oder andere Vermögensgegenstände übernehmen (Sachübernahmen), so müssen in der Satzung festgesetzt werden der Gegenstand der Sacheinlage oder der Sachübernahme, die Person, von der die Gesellschaft den Gegenstand erwirbt, und der Nennbetrag, bei Stückaktien die Zahl der**

bei der Sacheinlage zu gewährenden Aktien oder die bei der Sachübernahme zu gewährende Vergütung. [2] Soll die Gesellschaft einen Vermögensgegenstand übernehmen, für den eine Vergütung gewährt wird, die auf die Einlage eines Aktionärs angerechnet werden soll, so gilt dies als Sacheinlage.

(2) **Sacheinlagen oder Sachübernahmen können nur Vermögensgegenstände sein, deren wirtschaftlicher Wert feststellbar ist; Verpflichtungen zu Dienstleistungen können nicht Sacheinlagen oder Sachübernahmen sein.**

(3) **[1] Ist eine Geldeinlage eines Aktionärs bei wirtschaftlicher Betrachtung und auf Grund einer im Zusammenhang mit der Übernahme der Geldeinlage getroffenen Abrede vollständig oder teilweise als Sacheinlage zu bewerten (verdeckte Sacheinlage), so befreit dies den Aktionär nicht von seiner Einlageverpflichtung. [2] Jedoch sind die Verträge über die Sacheinlage und die Rechtshandlungen zu ihrer Ausführung nicht unwirksam. [3] Auf die fortbestehende Geldeinlagepflicht des Aktionärs wird der Wert des Vermögensgegenstandes im Zeitpunkt der Anmeldung der Gesellschaft zur Eintragung in das Handelsregister oder im Zeitpunkt seiner Überlassung an die Gesellschaft, falls diese später erfolgt, angerechnet. [4] Die Anrechnung erfolgt nicht vor Eintragung der Gesellschaft in das Handelsregister. [5] Die Beweislast für die Werthaltigkeit des Vermögensgegenstandes trägt der Aktionär.**

(4) **[1] Ist vor der Einlage eine Leistung an den Aktionär vereinbart worden, die wirtschaftlich einer Rückzahlung der Einlage entspricht und die nicht als verdeckte Sacheinlage im Sinne von Absatz 3 zu beurteilen ist, so befreit dies den Aktionär von seiner Einlageverpflichtung nur dann, wenn die Leistung durch einen vollwertigen Rückgewähranspruch gedeckt ist, der jederzeit fällig ist oder durch fristlose Kündigung durch die Gesellschaft fällig werden kann. [2] Eine solche Leistung oder die Vereinbarung einer solchen Leistung ist in der Anmeldung nach § 37 anzugeben.**

(5) **Für die Änderung rechtswirksam getroffener Festsetzungen gilt § 26 Abs. 4, für die Beseitigung der Satzungsbestimmungen § 26 Abs. 5.**

Übersicht

I. Grundlagen

1 **1. Regelungsgegenstand und -zweck.** § 27 betr. qualifizierte Gründung durch Sacheinlagen oder -übernahmen (Sachgründung). Norm verfolgt zunächst einen gesetzestechnischen Zweck: Sie gibt **Legaldefinitionen** der genannten Begriffe, die mit der festgelegten Bedeutung in anderen Normen (zB § 32 II 1, § 33 II Nr. 4, § 33a) verwandt werden. Materiell bezweckt sie ebenso wie § 26 (→ Rn. 1) **Schutz der Gläubiger und der Aktionäre,** und zwar vor unzureichender Kapitalaufbringung. Mindestvermögen in Höhe des Grundkapitals ist im Vergleich zur Bargründung gefährdet, weil mit Leistung von Gegenständen gerechnet werden muss, die nicht einlagefähig oder nicht werthaltig oder überbewertet sind. Das von § 27 eingesetzte Mittel ist (wie in § 26) Satzungspublizität, also Information der Beteiligten. Weitere Sicherungen gegen unsolide Gründungen liegen in Prüfungs- und Einlagevorschriften, namentl. in der durch § 38 II 2 betonten Registerkontrolle (→ § 26 Rn. 6 und 7) sowie in den Haftungsvorschriften der §§ 46 ff. § 27 III, IV ist neu gefasst durch ARUG 2009. Der Sache nach handelt es sich dabei um Neuregelungen der verdeckten Sacheinlage sowie des Hin- und Herzahlens (→ Rn. 23 ff., 47 ff.).

2 **2. Zum Verhältnis von Bar- und Sachgründung.** § 27 setzt Zulässigkeit der Sachgründung voraus, stellt sie jedoch nicht gleichrangig neben die Bargründung. Vielmehr gilt als Grundsatz, dass Aktionäre ihre Einlagepflichten durch Zahlung von Geld zu erfüllen haben. Sacheinlagen oder -übernahmen genügen nur ausnahmsweise, nämlich bei **Wahrung der vorgeschriebenen Satzungspublizität** (vgl. OLG Dresden NZG 2017, 985 Rn. 46; Ulmer ZHR 154 [1990], 128, 130). Fehlt es daran, so ist Ausgabebetrag der Aktien (→ Rn. 3) zwar nicht mehr durch Geldzahlung zu bedienen, weil es zur zeitversetzten Anrechnung des Wertes der Sacheinlage kommt (§ 27 III 3, 4). Nach Anrechnung verbleibende Differenz hat Inferent jedoch durch Zahlung auszugleichen

(→ Rn. 38 ff.). Auch trägt er gem. § 27 III 5 die Beweislast für die Werthaltigkeit seiner Sacheinlage. Auch wenn sich Sacheinlage als nicht werthaltig erweist (→ Rn. 21) oder von Leistungsstörungen betroffen ist (→ Rn. 11), bleibt Geldeinlagepflicht doch erhalten.

II. Formen der Sachgründung und notwendiger Satzungsinhalt (§ 27 I)

1. Sacheinlagen. a) Begriff. Sacheinlage ist nach § 27 I Fall 1 **jede Einlage, die nicht durch Einzahlung** des Ausgabebetrags **zu erbringen ist.** Einlagen sind Leistungen auf Aktien (§ 2). Nebenleistungen (§ 55) sind also auch dann keine Sacheinlagen, wenn sie ihnen äußerlich gleichen. Ausgabebetrag folgt aus der Satzung, die ihrerseits Verbot der Unterpariemission (§ 9 I) zu beachten hat. Er entspr. dem Nennbetrag der Aktien (§ 8 II) oder bei Stückaktien dem auf sie entfallenden anteiligen Betrag des Grundkapitals (§ 8 III 3), in beiden Fällen zuzüglich eines etwa vereinbarten Agios (§ 9 II). Entscheidend für Legaldefinition der Sacheinlagen ist nur fehlende Einzahlung. Auf Sachbegriff des § 90 BGB kommt es nicht an. Vielmehr unterliegt Leistung jedes Vermögensgegenstands, der nicht Geld ist, den Regeln über Sacheinlagen (→ Rn. 13 ff.). Unerheblich ist schließlich auch, ob AG Gegenstand endgültig erwerben oder nur ein miet- bzw. pachtähnliches Nutzungsrecht erlangen soll. 3

b) Sacheinlagevereinbarungen. Zu unterscheiden ist zwischen pflichtbegründendem Rechtsgeschäft und Vollzugsgeschäft. Tatbestand und Rechtsnatur des **pflichtbegründenden Geschäfts** sind str. Nach heute ganz hM handelt es sich um unselbständigen Bestandteil des Gesellschaftsvertrags („körperschaftsrechtliche Regelung" – BGHZ 45, 338, 345 = NJW 1966, 1311 zur GmbH; MüKoAktG/Pentz Rn. 16; GK-AktG/Röhricht/Schall Rn. 101 ff.). Früher vertretene Gegenansicht will davon unabhängiges zusätzliches Rechtsgeschäft annehmen, dessen Eigenart wiederum unterschiedlich bestimmt wird; favorisiert wird etwa das Vorliegen eines einseitig verpflichtenden Vertrags (Schönle NJW 1966, 2161 f.). Das ist überkonstruiert und für angestrebtes Ziel (Geldleistungspflicht bei unwirksamer Sacheinlagevereinbarung) entbehrlich (→ Rn. 11); zu folgen ist also der hM. **Vollzugsgeschäft** unterliegt jew. einschlägigen Vorschriften (§§ 398 ff., 413 BGB; §§ 873, 925 BGB; §§ 929 ff. BGB). Übertragung erfolgt an Vor-AG, die dabei durch ihren Vorstand vertreten wird (→ § 41 Rn. 2 ff.). Abschluss des Gesellschaftsvertrags (§ 2) und Erklärung der Auflassung (§ 925 BGB) können in einer notariellen Urkunde erfolgen (S/L/Bayer Rn. 9). 4

2. Sachübernahmen. a) Begriff. Sachübernahme ist nach § 27 I Fall 2 **jedwede Übernahme von Vermögensgegenständen,** bes. von vorhandenen oder herzustellenden Anlagen. Vorausgesetzt ist, dass Übernahme gegen Vergütung erfolgt, die nicht in Begründung von Mitgliedsrechten (Aktien) besteht, idR also in einem Kaufpreis; das begründet den Unterschied zur Sacheinlage. Jedwede Übernahme heißt, dass es (anders als bei GmbH, vgl. BGHZ 28, 314, 318 f. = NJW 1959, 383) nicht auf eine Verrechnungsabrede ankommt, nach welcher der Aktionär sich von seiner Einlagepflicht unter einverständlicher Verwendung seiner Vergütungsforderung befreit (Aufrechnung ist ohnehin unzulässig, § 66 I 2). Liegt Verrechnungsabrede vor, so gilt die Sachübernahme gem. § 27 I 2 als Sacheinlage (→ Rn. 7). Satzungspublizität ist aber stets wegen des Risikos überhöhter Vergütungen geboten. Weil kein notwendiger Bezug zur Einlagepflicht besteht, kann für das Aktienrecht (anders als nach § 5 IV GmbHG) **auch ein Dritter Partei** einer Sachübernahmevereinbarung sein (ganz hM, s. BGHZ 28, 314, 318 f.; KK-AktG/A. Arnold Rn. 25 f.; MüKoAktG/Pentz 5

Rn. 61; GK-AktG/Röhricht/Schall Rn. 223; aA offenbar Binz/Freudenberg DB 1992, 2281, 2283).

5a Ob nur Abreden der Gründer mit Aktionären oder Dritten (insoweit unstr., s. zB Martens AG 2007, 732, 733) oder auch **Vorstandsgeschäfte mit Dritten** (genauer: Geschäfte des Vorstands für die Vor-AG) unter § 27 I 1 fallen, mochte früher als zweifelhaft erscheinen. Heute hM verneint Frage jedoch (S/L/Bayer Rn. 27; MüKoAktG/Pentz Rn. 62; GK-AktG/Röhricht/Schall Rn. 226; v. Godin AcP 147 [1941], 26, 37; J. Koch, Die Nachgründung, 2002, 144 ff.; Priester ZHR 165 [2001], 383 ff.; noch weiter diff. BeckOGK/Katzenstein Rn. 54). Das ist richtig wegen des zur Vor-AG erreichten Entwicklungsstands. Er erlaubt es, Drittgeschäfte des Vorstands nicht unter § 27 I 1 zu subsumieren, sondern ihre Wirksamkeit ggü. der Vor-AG vom Umfang der Vertretungsmacht abhängen zu lassen, der sich seinerseits vor Eintragung nicht nach § 82 bestimmt, sondern vom Satzungsinhalt abhängt (→ § 41 Rn. 11).

6 **b) Sachübernahmevereinbarungen.** Zu unterscheiden sind drei Stufen: Verrechnungsabrede, wenn sie, obgleich nicht begriffsnotwendig (→ Rn. 5), im Einzelfall getroffen ist; das pflichtbegründende Rechtsgeschäft; das jeweilige Vollzugsgeschäft. **Verrechnungsabrede** ist wegen direkten Bezugs zur Einlagepflicht ebenso Bestandteil des Gesellschaftsvertrags wie Sacheinlagevereinbarung (→ Rn. 4); vgl. zur entspr. Frage bei der GmbH HCL/Ulmer/Casper GmbHG § 5 Rn. 123 ff. Bestätigt wird Ergebnis durch Fiktion des § 27 I 2. **Verpflichtungsgeschäft** hat dagegen schuldrechtl. Charakter; typischerweise ist es Kauf (unstr., vgl. B/K/L/Lieder Rn. 20; MüKoAktG/Pentz Rn. 66). Überwiegend wird angenommen, dass das Erfordernis der Satzungspublizität früher einsetzt als bei einem wirksamen Vertragsschluss, nämlich schon bei fester Absicht und sicherer Aussicht auf Übernahme (MüKoAktG/Pentz Rn. 63; GK-AktG/Röhricht/Schall Rn. 227). Das überzeugt nicht voll, wird aber vorsorglich zu beachten sein. **Vollzugsgeschäft:** §§ 398 ff., 413 BGB; §§ 873, 925 BGB; §§ 929 ff. BGB.

7 **3. Fingierte Sacheinlagen.** Nach § 27 I 2 gilt Übernahme eines Vermögensgegenstandes als Sacheinlage, wenn Vergütung auf Einlage eines Aktionärs **angerechnet** werden soll → Rn. 5. Normzweck bleibt bei auf § 27 beschränkter Betrachtung fragwürdig, weil ohnehin Satzungspublizität vorgeschrieben ist (MüKoAktG/Pentz Rn. 68; GK-AktG/Röhricht/Schall Rn. 224). Regelung zielt ab auf § 36a II 1. Für Gegenstand eines Übernahmevertrags soll **vorverlegte Leistungspflicht** zwar nicht generell, aber bei Existenz einer Verrechnungsabrede (→ Rn. 5, 6) und damit im Kernbereich von Sachübernahmen gelten (BGHZ 110, 47, 52 ff. = NJW 1990, 982; RegBegr. BT-Drs. 8/1678, 12; MüKoAktG/Pentz Rn. 68).

8 **4. Gemischte Sacheinlagen. Begriff.** Gemischte Sacheinlage ist dadurch gekennzeichnet, dass AG für den Erwerb eines Gegenstands eine Vergütung erbringt, die sich aus **zwei Bestandteilen** zusammensetzt: Zu einem Teil wird Gegenstand als Einlage gegen Gewährung von Anteilsrechten erbracht; darüber hinausgehender Wert wird auf andere Weise entgolten (RGZ 159, 321, 326 f. zur GmbH; BGHZ 170, 47 Rn. 17 = NJW 2007, 765; BGHZ 173, 145 Rn. 15 = NJW 2007, 3425; BGHZ 175, 265 Rn. 14 = NZG 2008, 425; BGH AG 2009, 493, 494; KK-AktG/A. Arnold Rn. 35; MüKoAktG/Pentz Rn. 69; J. Koch ZHR 175 [2011], 55, 56 f.). Davon zu unterscheiden ist **gemischte Einlage,** bei der Geld- und Sachleistung nebeneinander stehen (→ § 36 Rn. 12). Als anderweitiges Entgelt kommt bei gemischter Sacheinlage Geldleistung, alternativ aber zB auch Übernahme von Schulden des Inferenten oder Erbringung von Dienstleistungen in Betracht (J. Koch ZHR 175 [2011], 55, 57 mwN). Motiv für eine solche

Aufspaltung kann etwa sein, dass AG vom Inferenten Gegenstand erwerben will, dessen Wert Betrag übersteigt, mit dem er sich engagieren will oder soll (ausf. J. Koch ZHR 175 [2011], 55, 57; zur Sonderform von Rückbeteiligungen [„Rollover"] iRv Private Equity-Transaktionen Scheller FS Heidinger, 2023, 437 ff.).

Rechtliche Behandlung. Gemischte Sacheinlagen unterliegen jedenfalls dann vollen Umfangs den für Sacheinlagen geltenden Regeln, wenn Sachleistung unteilbar ist, wofür entspr. Parteivereinbarung genügt (BGHZ 170, 47 Rn. 17 = NJW 2007, 765; BGHZ 173, 145 Rn. 15 = NJW 2007, 3425; BGH AG 2009, 493, 494 f.; OLG Frankfurt AG 2010, 793, 794). In diesem Fall liegt einheitliches Geschäft vor, das seinerseits Bestandteil des Gesellschaftsvertrags ist (→ Rn. 4). Aus diesem Grund bedarf Vereinbarung auch insoweit der Satzungspublizität des § 27 I 1, als es um die Zusatzvergütung geht (BGHZ 170, 47 Rn. 17; → Rn. 42 zur Anrechnung nach § 27 III 3). Auch Registerkontrolle und Differenzhaftung finden Anwendung, wobei Differenzhaftung auch das Agio erfasst (J. Koch ZHR 175 [2011], 55, 59 f.). Ob umfassende Geltung der Sacheinlageregeln auch für **teilbare Leistung** (zB Wertpapiere, Anteilsrechte) gilt, ist umstr., für das Gründungsrecht aber von geringer Bedeutung, da Sachübernahme und Sacheinlage hier gleichbehandelt werden. Brisanz erhält die Frage erst bei Kapitalerhöhung, die nur Sacheinlage bes. Regeln unterwirft (Maier-Reimer FS Hoffmann-Becking, 2013, 757 f.). Für Kapitalerhöhung hat BGHZ 191, 364 Rn. 49 (= NZG 2012, 69) unterschiedliche Behandlung im Falle der Teilbarkeit angenommen, also publizitätspflichtige Sacheinlage von nicht publizitätspflichtiger Sachübernahme unterschieden (→ § 183 Rn. 3). HM hatte Frage zum Gründungsrecht bislang abw. beurteilt und einheitliche Sacheinlage angenommen (vgl. RGZ 159, 321, 326; KG JW 1928, 1822; GK-AktG/Röhricht/Schall Rn. 218; Hölters/Weber/Solveen Rn. 19; HCL/Ulmer/Casper GmbHG § 5 Rn. 134; Habersack FS Konzen, 2006, 179, 188 ff., 190; dafür auch weiterhin BeckOGK/Katzenstein Rn. 66; MüKoAktG/Pentz Rn. 70). Im Hinblick auf unterschiedliche rechtl. Rahmenbedingungen für Gründung und Kapitalerhöhung hat BGHZ 191, 346 Rn. 49 diese abw. Sichtweise auch weiterhin als zulässig anerkannt, doch sprechen aus Gründen systematischer Geschlossenheit nunmehr die besseren Argumente dafür, auch hier Aufteilung in Sacheinlage und Sachübernahme anzunehmen (so auch Verse ZGR 2012, 875, 898; aA B/K/L/Lieder Rn. 24). 8a

5. Festsetzungen in der Satzung. a) Grundsatz. § 27 I 1 verlangt, dass in Satzung festgesetzt werden: Gegenstand der Sacheinlage oder -übernahme; Person des Einlegers oder Veräußerers; bei Nennbetragsaktien (§ 8 II) Nennbetrag, bei Stückaktien (§ 8 III) Zahl der im Gegenzug zu gewährenden Aktien bzw. Höhe der Übernahmevergütung. Alle Angaben müssen im Satzungstext selbst enthalten und so vollständig und so genau sein, dass Schutzzweck der Satzungspublizität (→ Rn. 1) erreicht wird, dh Rechtsverkehr über Art der Kapitalaufbringung informiert und zugleich Registergericht Prüfungsaufgabe ermöglicht wird (MüKoAktG/Pentz Rn. 70 ff.). Insbes. beim Gegenstand wird Bestimmtheitsanforderung oft nicht hinreichend beachtet (→ Rn. 10). Person des Einlegers oder Veräußerers wird durch Name und Anschrift bzw. Firma und Niederlassung (Sitz) bezeichnet. Soweit Grundkapital in **Nennbetragsaktien** zerlegt ist, muss Nennbetrag der zu gewährenden Aktien in Satzung enthalten sein. Weil § 27 I 1 nicht Angabe des Gesamtnennbetrags verlangt, genügt Angabe, dass Einleger zB 1 Mio. Aktien im Nennbetrag von zB einem Euro (§ 8 II 1) erhalten soll. Bezifferungen sind unerlässlich und erlauben Berechnung des Gesamtnennbetrags. Bei **Stückaktien** lässt § 27 I 1 zahlenmäßige Angabe der zu gewährenden Aktien genügen, weil sie keinen Nennbetrag haben (§ 8 III 1). Soweit anteiliger Betrag des Grundkapitals (§ 8 III 3) den Mindestbetrag überschreitet (→ § 8 Rn. 18), kann Angabe der bloßen Zahl irreführend wirken. Jedenfalls empfehlenswert ist dann Satzungsanga- 9 be, dass Einleger zB 1 Mio. Stückaktien erhalten soll, deren anteiliger Betrag am Grundkapital im Gründungszeitpunkt zB zehn Euro pro Stück ausmacht. Bei **gemischten Sacheinlagen** muss sich auch gesonderte Gegenleistung aus Satzung ergeben (→ Rn. 8 f.). Soweit diese noch nicht feststeht (insbes. bei Unternehmen), genügt nach hM, dass sich aus Satzung Berechenbarkeit ergibt (OLG Zweibrücken GmbHR 1981, 214, 215 [GmbH]; MüKoAktG/Pentz Rn. 74; GK-AktG/Röhricht/Schall Rn. 218; aA OLG Stuttgart GmbHR 1982, 109, 110 f. [GmbH]). **Nebenabsprachen** sind zwar nicht vollen Umfangs, aber insoweit in Satzung aufzunehmen, als sie für Wert der einzubringenden Gegenstände oder ihre Identität oder ihren Umfang Bedeutung haben (RGZ 114, 77, 81 f.; RGZ 118, 113, 117; KK-AktG/A. Arnold Rn. 39; MüKoAktG/Pentz Rn. 71). Bsp. nach RGZ 114, 77: Bei Einbringung eines Brauereigrundstücks gehört vorbehaltenes Wohn- und Benutzungsrecht des Inferenten in die Satzung. Angesichts praktischer Schwierigkeiten bei **Vertragswerken von höherer Komplexität** (dazu ausf. Wieneke AG 2013, 437 ff.) sollte insofern aber keine übermäßige Detailtiefe verlangt werden (noch weitergehend Wieneke AG 2013, 437, 439 ff.: keine Aufnahme erforderlich; zust. S/L/Bayer Rn. 36).

10 **b) Einzelheiten zur Bezeichnung des Gegenstands.** Gegenstand einer Sacheinlage oder -übernahme muss zunächst der Identität nach hinlänglich genau bezeichnet sein (ausf. Wieneke AG 2013, 437, 439 f.). Bei Grundstücken kann auf Grundbucheintragung Bezug genommen werden. Obj. **Bestimmbarkeit** genügt: alle Grundstücke des Einlegers, die am Gründungstag auf seinen Namen im Grundbuch von X-Stadt eingetragen sind (HCL/Ulmer/Casper GmbHG § 5 Rn. 150); „alle seine Schiffe" (KG OLGR 22, 25 f.; KK-AktG/A. Arnold Rn. 38); „das unter der Firma XY betriebene Handelsgeschäft mit sämtlichen Aktiven und Passiven" (HCL/Ulmer/Casper GmbHG § 5 Rn. 155). Ausgenommene Gegenstände sind bes. zu bezeichnen (OLG München OLGR 32, 135). Auch **Art und Umfang** müssen festliegen. Bei vertretbaren Sachen, zB Wertpapieren, genügt Bezeichnung entspr. § 91 BGB. Deshalb nicht genügend außerhalb einer Unternehmenseinbringung: „Material, Werkzeug, Maschinen und Einrichtungsgegenstände" (OLG Kiel JR 1948, 325).

11 **6. Vertragsmängel und Leistungsstörungen.** Vereinbarung einer **Sacheinlage** (→ Rn. 4) kann von Wirksamkeitsmängeln oder Leistungsstörungen (Unmöglichkeit, Verzug, Rechts- oder Sachmangel) betroffen sein. Denkbare zivilrechtl. Folgen werden vorbehaltlich der Sonderregelung für verdeckte Sacheinlagen in § 27 III (→ Rn. 23 ff.) durch Grundsatz der realen Kapitalaufbringung überlagert. Anfechtung (§§ 119, 123 BGB) deshalb nicht ohne weiteres möglich. Leistungsstörungen führen idR entspr. dem Grundsatz der Bareinlagepflicht (→ Rn. 2) zur Notwendigkeit, Einlage in Geld zu leisten; so bes. auch bei nicht zu vertretender nachträglicher Unmöglichkeit. Befreiungswirkung des § 275 BGB bezieht sich also nur auf Sachleistung, nicht auf Einlagepflicht schlechthin (BGHZ 45, 338 = NJW 1966, 1311). Einzelheiten sind str. (vgl. KK-AktG/A. Arnold Rn. 19 ff.; MüKoAktG/Pentz Rn. 50 ff.). Bei **Sachübernahme** ist Ausgangspunkt anders als bei Sacheinlage, weil Verpflichtungsgeschäft schuldrechtl. Charakter hat (→ Rn. 6). Soweit Verrechnungsabrede vorliegt (→ Rn. 5, 6), kommt allerdings deren Anfechtung wegen Willensmangels auch hier nur ausnahmsweise in Betracht (HCL/Ulmer/Casper GmbHG § 5 Rn. 129). Leistungsstörungen können nach kaufrechtl. Grundsätzen (s. bes. § 437 BGB) behandelt werden (KK-AktG/A. Arnold Rn. 34; sa Schlösser/Pfeiffer NZG 2012, 1047 ff.). Scheitert danach geplante Verrechnung mangels Forderung des Veräußerers, so bleibt es bei Geldleistungspflicht, die er als Aktionär übernommen hat.

12 **7. Rechtsfolgen bei fehlender oder unzureichender Satzungspublizität. a) Korporationsrechtliche Ebene.** Fehlen der nach § 27 I erforderlichen Festsetzungen ist **Errichtungsmangel** iSd § 38 I und führt zur Ablehnung der Eintragung (GK-AktG/Röhricht/Schall Rn. 254), wenn Mangel nicht beseitigt wird, nämlich durch nachträgliche Aufnahme erforderlicher Angaben in die Satzung (S/L/Bayer Rn. 42; HCL/Ulmer/Casper GmbHG § 5 Rn. 165 f.; Lutter/Gehling WM 1989, 1445, 1454). Ist AG gleichwohl eingetragen, so entsteht sie wirksam. Inferent ist zur Leistung der Einlage in Geld verpflichtet (BeckOGK/Katzenstein Rn. 79; Hoffmann-Becking GS M. Winter, 2011, 239, 250), soweit nicht Anrechnungslösung des § 27 III 3 unmittelbar (→ Rn. 37 ff.) oder über den Wortlaut hinaus (→ Rn. 12a) eingreift. Einlagenforderung der AG **verjährt** analog §§ 54 IV 1, § 62 III 1, § 9 II GmbHG in zehn Jahren (ebenso BeckOGK/Katzenstein Rn. 79). Schließlich kann mangelnde Satzungspublizität **Straftat** nach § 399 I Nr. 1 darstellen. Für **Absprachen und Durchführungsgeschäfte** hat ARUG 2009 in § 27 III bes. Regelung getroffen, soweit es um verdeckte Sacheinlagen geht (→ Rn. 23 ff.). Problematik wird damit aber nicht ausgeschöpft, weil Verstöße gegen § 27 I auch bei offener Sacheinlage möglich sind, bes. derart, dass Einlagegegenstand unvollständig oder zu unbestimmt bezeichnet wird (Hoffmann-Becking GS M. Winter, 2011, 239, 243 f.). Diese wegen Unwirksamkeit der körperschaftsrechtl. Sacheinlagevereinbarung (→ Rn. 4) missglückten Festsetzungen sind ebenso Errichtungsmängel wie gänzliches Fehlen der erforderlichen Satzungsangaben und sind ebenso zu behandeln (Eintragungshindernis, aber Wirksamkeit bei erfolgter Eintragung).

12a **b) Rechtslage bei Erbringung der Sacheinlage.** Wird Sacheinlage trotz fehlerhafter Festsetzung dennoch geleistet, so entspr. diese Leistung nicht der Einlagepflicht, die nunmehr auf Barleistung gerichtet ist. Auch § 27 III 2 ist nicht anwendbar, da er sich nicht auf fehlerhafte offene Sacheinlagen bezieht. Nach heute zu Recht ganz hM sind in diesem Fall aber sowohl **Wirksamkeitsfolge** des § 27 III 2 als auch **Anrechnungslösung** des § 27 III 3 im Analogiewege auf fehlerhafte offene Sacheinlagen zu erstrecken (KK-AktG/A. Arnold Rn. 41; BeckOGK/Katzenstein Rn. 79; Hölters/Weber/Solveen Rn. 25; hinsichtlich der Anrechnung auch Hoffmann-Becking GS M. Winter, 2011, 239, 251 ff.). Lösung ist auch der Sache nach gerechtfertigt, weil es nur um missglückte Festsetzungen geht. Unterbleibt überdies die Sachleistung, so ist ohnehin nichts anzurechnen. Fehlt es an jeder satzungsmäßigen Festsetzung der verabredeten Sacheinlage, so ist § 27 III wegen verdeckter Sacheinlage schon unmittelbar anwendbar (Hoffmann-Becking GS M. Winter, 2009, 239, 251 f.).

III. Inhaltliche Anforderungen (§ 27 II)

13 **1. Einlagefähigkeit. a) Grundsätze.** Zwar ist alles Sacheinlage, was nicht Geldeinlage ist (→ Rn. 3). Aber nicht alles Beliebige kann auch Sacheinlage oder -übernahme sein. Vielmehr fordert § 27 II Hs. 1 Vermögensgegenstände mit feststellbarem wirtschaftlichen Wert, weil nur dann **funktionale Äquivalenz zur Bareinlage** gegeben und Kapitalaufbringung gewährleistet ist (Hölters/Weber/Solveen Rn. 7; HCL/Ulmer/Casper GmbHG § 5 Rn. 52). Daraus folgt, dass Gegenstand selbständig bewertbar ist und es möglich sein muss, ihn zu bestimmtem Stichtag „zur freien Verfügung" des Vorstands in Vermögen der AG zu überführen (Hölters/Weber/Solveen Rn. 7). Abgrenzung ggü. nicht einlagefähigen Gegenständen ist im Einzelfall schwierig und umstr., wird heute aber zumeist teleologisch anhand des Merkmals der funktionalen Äquivalenz nach Eignung zur realen Kapitalaufbringung beurteilt; anderen, früher herangezogenen Kriterien

wird dagegen nur noch Indizwirkung beigemessen (HCL/Ulmer/Casper GmbHG § 5 Rn. 52; → Rn. 14 f.)

14 Bes. umstr. war lange Zeit, ob Vermögensgegenstände als **aktivierungsfähige Vermögenspositionen einlagefähig** sein müssen. Schon BGHZ 29, 300, 304 = NJW 1959, 934 wollte Bilanzfähigkeit als Einlagevoraussetzung entgegen älterer Praxis (vgl. zB KGJ 44, A 146; KGJ 45, 175) „nicht wörtlich" nehmen, ohne dass genaues Konzept erkennbar war. Mittlerweile deutlich hM verzichtet auf Aktivierungsfähigkeit (vgl. S/L/Bayer Rn. 11; BeckOGK/Katzenstein Rn. 12; MüKoAktG/Pentz Rn. 18 f.; Hölters/Weber/Solveen Rn. 7; Steinbeck ZGR 1996, 116, 122 f.; aA KK-AktG/A. Arnold Rn. 43; GK-AktG/Röhricht/Schall Rn. 111 ff.; Groß DB 1988, 514, 519; Knobbe-Keuk ZGR 1980, 214, 217). Dem ist zuzustimmen, weil Gläubigerschutzkonzeption der Gewinnermittlungsbilanz sich nicht auf Beurteilung der Einlagefähigkeit übertragen lässt, sondern beide Regelungsbereiche **unterschiedliche Funktionen** erfüllen (BeckOGK/Katzenstein Rn. 12; HCL/Ulmer/Casper GmbHG § 5 Rn. 53). Dass Verkürzung der Aktivseite Gewinnausweis erschwert, müssen mit solcher Sacheinlage einverstandene Aktionäre hinnehmen. Gelegentlich befürchtete Überschuldung (→ § 92 Rn. 36 ff.) kann ohnehin nicht nach den Ansatzregeln der Jahresbilanz festgestellt werden (KK-AktG/A. Arnold Rn. 44). Relevanz kann Aktivierungsfähigkeit in Gewinnermittlungsbilanz daher nur im positiven Sinne haben: Was hier eingeordnet werden kann, ist jedenfalls und unbedenklich einlagefähig, freilich nicht Rechnungsabgrenzungsposten uä. Ansonsten ist ihr nur Indizwirkung zuzuerkennen (HCL/Ulmer/Casper GmbHG § 5 Rn. 55).

15 Auch weitere Kriterin, die im älteren Schrifttum zT ergänzend herangezogen wurden, werden mittlerweile von hM zu Recht als obsolet angesehen. So kommt es insbes. auch nicht mehr darauf an, ob Vermögensgegenstand **übertragbar** bzw. iSd Einzelveräußerung im Zerschlagungsfall abstrakt verkehrsfähig ist (so insbes. Lutter, Kapital, Sicherung der Kapitalaufbringung und Kapitalerhaltung, 1964, 232), da auch nicht isoliert veräußerbarer Gegenstand im Rahmen des Gesamtvermögens Gläubigerinteressen dienen kann (BeckOGK/Katzenstein Rn. 13; MüKoAktG/Pentz Rn. 21). Selbst **Verwertbarkeit zusammen mit Gesamtunternehmen** wird heute zu Recht nicht mehr gefordert, da selbst bei Bareinlagen nicht gewährleistet wäre, dass sie bis zur Insolvenz noch als verwertungsfähige Vermögensgegenstände im AG-Vermögen verbleiben (BeckOGK/Katzenstein Rn. 14).

16 **b) Einzelne Vermögensgegenstände.** Ohne weiteres **einlagefähig** sind nach den dargestellten Grundsätzen: Sachen (bewegliche wie unbewegliche), sofern AG das Eigentum erwerben soll; beschränkt dingliche Rechte an Sachen (Dienstbarkeiten, Nießbrauch); sonstige Rechte wie Gesellschaftsanteile (sofern übertragbar; auch stille Beteiligung – vgl. BGH NZG 2015, 1396 Rn. 18) oder Immaterialgüterrechte (Patent-, Urheberrechte, Marken, Logos, Geschmacks- und Gebrauchsmusterrechte); Sach- und Rechtsgesamtheiten, bes. Unternehmen, einschließlich good will, Kundenstamm und betriebszugehöriger Kennzeichenrechte wie Firma (§ 22 HGB; Haftungsrisiko: § 25 HGB), aber auch Know-How und Fabrikationsgeheimnisse oder Erfindungen (ausf. Überblick bei MüKoAktG/Pentz Rn. 22 ff.). Unproblematisch übertragbar sind auch **Forderungen** gegen Dritte, sofern das Gläubigerrecht auf AG übertragen werden soll. Aufschiebend bedingte Forderungen sind dagegen nicht einlagefähig, solange Bedingung nicht eingetreten und Bedingungseintritt auch nicht überwiegend wahrscheinlich ist (BGH NZG 2011, 667 Rn. 14; GK-AktG/Röhricht/Schall Rn. 176; grds. gegen Einlagefähigkeit S/L/Bayer Rn. 15). Dasselbe muss erst recht für künftige Ansprüche wie zB künftige Dividendenansprüche gelten; gegen befristete Forderungen bestehen keine Bedenken. Wird Forderung bestrit-

ten oder ist ihre Realisierung zweifelhaft, ist das bei Bewertung zu berücksichtigen. Noch nicht vertieft diskutiert, iErg aber zu bejahen, ist Einlagefähigkeit von Bitcoins und anderen Kryptowährungen (Güldü GmbHR 2019, 565 ff.). Ohne weiteres **nicht einlagefähig** sind auch bloße Forderungen gegen den Aktionär (keine Aussonderung und Vermögensüberführung), bes. nicht auf Dienstleistungen (klarstellend § 27 II Hs. 2; → Rn. 22). Für Forderungen gegen Mitgesellschafter sollte dasselbe gelten (S/L/Bayer Rn. 15). Zu der nur bei Kapitalerhöhung denkbaren (aber unzulässigen) Einbringung eigener Aktien der AG → § 183 Rn. 2.

Einlagefähig sind nach ganz hM auch **Forderungen gegen AG.** Sie sind unter dem Aspekt verdeckter Sachgründung (→ Rn. 23 ff.) problematisch, dagegen nicht, sofern sie als Sacheinlage unter Wahrung der dafür geltenden Regeln eingebracht werden (BGHZ 110, 47, 60 = NJW 1990, 982; MüKoAktG/Pentz Rn. 29; Ekkenga ZGR 2009, 581, 589). Problem stellt sich allerdings eher bei Kapitalerhöhung als bei Gründung, da hier allenfalls Forderungen gegen Vor-AG eingebracht werden können. Einbringung erfolgt durch Übertragung (Forderung erlischt durch Konfusion) oder Erlassvertrag nach § 397 BGB. Probleme liegen nicht in Einlagefähigkeit, sondern in Bewertung, bes. bei Umwandlung von fälligen Verbindlichkeiten der AG in haftendes Kapital im Wege der Kapitalerhöhung. Werthaltig ist Forderung nur insoweit, als AG imstande wäre, sie ohne Kapitalerhöhung zu bezahlen (sa OLG Düsseldorf ZIP 1991, 161, 162 [BuM; insoweit nicht in AG 1991, 149]). Dagegen in jüngerer Zeit vorgebrachte Einwände, die unter Verweis auf bloßen Passivtausch, Einbringung zum **Nominalwert** gestatten wollen, erweisen sich als nicht durchschlagend (s. insbes. Cahn/Simon/Theiselmann DB 2010, 1629 ff.; Cahn/Simon/Theiselmann DB 2012, 501 ff.; Simon CFL 2010, 448 ff.; Spliedt GmbHR 2012, 462 ff.; Wansleben WM 2012, 2083 ff.). Einbringung zum Nominalwert kann Anforderungen an reale Kapitalaufbringung, insbes. aus Gläubigersicht, nicht genügen, was insbes. dann deutlich wird, wenn Bonität bereits stark gelitten hat und deshalb Forderung nur noch Bruchteil ihres Nominalwertes besitzt (abl. auch die hM – s. KK-AktG/A. Arnold Rn. 55 ff.; S/L/Bayer Rn. 20; MüKoAktG/Pentz Rn. 29; MüKoAktG/Schürnbrand/Verse Rn. 21 ff.; Marsch-Barner/Schäfer/Busch/Busch Rn. 44.30; A. Arnold FS Hoffmann-Becking, 2013, 29 ff.; Ekkenga DB 2012, 331 ff.; Priester DB 2010, 1445, 1448 f.; Seibt/Schulz CFL 2012, 313, 326 f.; Wiedemann FS Hoffmann-Becking, 2013, 1387, 1391 f.). Auch im Bereich des § 66 I 2 (verbotene Aufrechnung gegen Einlageforderung), der wirtschaftlich vergleichbar (→ § 66 Rn. 5) Sacheinlageregeln flankiert, geht BGH in stRspr von **Vollwertigkeitserfordernis** aus (→ § 66 Rn. 6 f.; konsequent aA deshalb auch dort BeckOGK/Cahn § 66 Rn. 32 ff.; → § 66 Rn. 6), so dass für § 27 II nicht anderes gelten kann. Das gilt auch für Sachkapitalerhöhung im Zuge eines Debt-Equity-Swap nach § 225a II InsO (→ § 182 Rn. 32c). Zur Einbringung von Dienstleistungen → Rn. 22. 17

Breit diskutiert wird **Einlagefähigkeit obligatorischer Nutzungsrechte** (→ Rn. 17) der AG gegen ihre Aktionäre. Frage ist vor allem für GmbH relevant, kann aber für AG nicht anders entschieden werden. Heute klar hM bejaht Einlagefähigkeit jedenfalls im Grundsatz (BGHZ 144, 290, 294 = NJW 2000, 2356; OLG Nürnberg AG 1999, 381, 382; KK-AktG/A. Arnold Rn. 63; MüKoAktG/Pentz Rn. 31; GK-AktG/Röhricht/Schall Rn. 158; Döllerer FS Fleck, 1988, 35, 38 ff.; Steinbeck ZGR 1996, 116, 117 ff., 127), Gegenansicht verneint Frage mangels hinreichend gefestigter Rechtsposition (Boehme, Kapitalaufbringung durch Sacheinlagen, 1999, 88 ff.) oder mangels Aktivierungsfähigkeit (bes. Knobbe-Keuk ZGR 1980, 214, 217 ff.; nicht gänzlich abl., aber bes. für Grundstücke verneinend K. Schmidt ZHR 154 [1990], 237, 254 ff., 257). Der hM ist beizutreten, weil es auf Aktivierungsfähigkeit nicht zwingend ankommt 18

(→ Rn. 14 f.), aber mit der Maßgabe, dass Nutzungsdauer wenigstens iS einer Mindestlaufzeit feststehen muss (sonst kein feststellbarer wirtschaftlicher Wert, → Rn. 16; BGHZ 144, 290, 294; BGH AG 2004, 548 f.; OLG Nürnberg AG 1999, 381, 382; KK-AktG/A. Arnold Rn. 63; GK-AktG/Röhricht/Schall Rn. 159) und AG Besitz erlangt hat (sonst keine Aussonderung, → Rn. 16; HCL/Ulmer/Casper GmbHG § 5 Rn. 65). Weil schon im Grenzbereich der Einlagefähigkeit, ist jedenfalls zurückhaltende Bewertung geboten (allgM). Obligatorische Nutzungsrechte ggü. Dritten werden dagegen, sofern sie übertragbar sind und Mindestdauer feststeht, als einlagefähig angesehen (BGHZ 144, 290, 294).

19 **2. Bewertung; Verbot der Unterpariemission.** Überbewertung von Sacheinlagen ist unzulässig (§ 9 I, § 34 I Nr. 2, § 36a II 3, § 38 II 2; → § 9 Rn. 6). Auch Unterbewertung ist nicht zuzulassen, um **willkürlicher Bildung stiller Reserven** entgegenzuwirken (→ § 34 Rn. 3; KK-AktG/A. Arnold Rn. 70; MüKoAktG/Pentz Rn. 39; so jetzt auch weitgehend HCL/Ulmer/Casper GmbHG § 5 Rn. 94 mwN). Gegenauffassung schließt zT aus Streichung des § 279 HGB aF, aus dem entspr. Verbot früher hergeleitet wurde, dass Unterbewertung nunmehr zulässig sei (BeckOGK/Katzenstein Rn. 44). Tats. belegt aber gleichzeitig erfolge Streichung des § 253 IV HGB aF, wonach Bildung stiller Reserven zT zugelassen wurde, dass damit keinesfalls willkürliche Reservenbildung gestattet werden sollte (HCL/Ulmer/Casper GmbHG § 5 Rn. 94).

20 Maßgeblich für Bewertung ist bei Gegenständen des Anlagevermögens Wiederbeschaffungswert, bei solchen des Umlaufvermögens Einzelveräußerungswert, jew. im Zeitpunkt der Anmeldung (so ausdr. § 9 GmbHG; vgl. KK-AktG/A. Arnold Rn. 71; BeckOGK/Katzenstein Rn. 35; zu Einzelheiten vgl. Nestler GWR 2014, 121 ff.). Für Forderungen gilt Nennwert, doch ist uU Bewertungsabschlag vorzunehmen (→ Rn. 16). Obligatorische Nutzungsrechte sind höchstens mit abgezinster Vergleichsmiete oder -pacht für Nutzungszeitraum anzusetzen (→ Rn. 18). Bei immateriellen Wirtschaftsgütern kann auf voraussichtlichen Ertrag abgestellt werden (BeckOGK/Katzenstein Rn. 37). Bei Einbringung von Unternehmen zum Weiterbetrieb ist abw. von allg. Grundsätzen Fortführung der bisherigen Buchwerte (Buchwertverknüpfung) zulässig (BeckOGK/Katzenstein Rn. 41; MüKoAktG/Pentz Rn. 38). Im Übrigen ist Ertragswertverfahren anzuwenden (→ § 305 Rn. 24 ff.). AG ist bei Bewertung Beurteilungsspielraum zuzubilligen (sa § 38 II 2), so dass Überbewertung nur dann anzunehmen ist, wenn dieser Spielraum überschritten wird (MüKoAktG/Pentz Rn. 37).

21 **Rechtsfolgen bei Überbewertung.** Überbewertung ist **Errichtungsmangel** und führt zur Ablehnung der Eintragung nach § 38 II 2 (→ § 38 Rn. 9), es sei denn, dass Gesellschafter Wertansätze berichtigen und Einlage durch Geldleistung (→ Rn. 2) auffüllen. Ist eingetragen, so entsteht AG wirksam. Gründer trifft hinsichtlich nicht gedeckter Summe **Differenzhaftung** (BGHZ 64, 52, 62 = NJW 1975, 974; BGHZ 68, 191, 195 = NJW 1977, 1196; BGHZ 171, 293 Rn. 5 = NZG 2007, 513; BGHZ 191, 364 Rn. 16 = NZG 2012, 69; speziell zur Differenzhaftung bei Kapitalerhöhung sa → § 183 Rn. 21). Sie ist ges. nicht vorgesehen, wird aber aus § 36a II iVm §§ 183, 188 II 1 sowie der mit der Zeichnung zwingend verbundenen Kapitaldeckungszusage hergeleitet und findet Bestätigung in Analogie zu § 9 I GmbHG (s. zuletzt BGHZ 191, 364 Rn. 16); Gesetzgeber hat mit Blick auf diese allg. anerkannte Analogie von eigenständig aktienrechtl. Regelung abgesehen (RegE SchuldRModG, BT-Drs. 15/3653, 24). Nach zutr. hM besteht ges. Differenzhaftungsanspruch nicht nur hinsichtlich geringsten Ausgabebetrags, sondern auch hinsichtlich des **korporativen Agios** (BGHZ 191, 364 Rn. 17 ff.; OLG Jena AG 2007, 31, 37; KK-AktG/A. Arnold Rn. 77; S/L/Bayer Rn. 26; MüKoAktG/Pentz Rn. 44; Verse ZGR 2012, 875,

878 ff.; Wieneke NZG 2012, 136, 137; aA KK-AktG/Lutter, 2. Aufl. 1989, § 183 Rn. 66; Habersack FS Konzen, 2006, 179, 183; zum Agio → § 9 Rn. 8 f.; zum Gegenbegriff des schuldrechtl. Agios → § 9 Rn. 10 ff.). Von Gegenauffassung präferierte Einordnung als rein vertragliche Deckungszusage lässt sich mit dem Wesen der Wertdeckungspflicht als mitgliedschaftliche Leistungspflicht, das namentl. auch in der Einbeziehung in die gläubigerschützende Einlagepflicht nach § 54 I zum Ausdruck kommt (Verse ZGR 2012, 875, 880), nicht in Einklang bringen (BGHZ 191, 364 Rn. 17; zur Möglichkeit eines Vergleichs über Differenzhaftungsanspruch → § 66 Rn. 2). Noch ungeklärt ist Differenzhaftung im Bereich schuldrechtl. Zuzahlungen (→ § 9 Rn. 10 ff.). Verjährung der Differenzhaftung bestimmt sich nach § 9 II GmbHG analog (BGHZ 191, 364 Rn. 41: fünf Jahre). Ergänzend zur Differenzhaftung kann Haftung nach §§ 46 ff. eingreifen. Strafbarkeit: § 396 I Nr. 1.

3. Dienstleistungen. Gem. § 27 II Hs. 2 können Verpflichtungen zu Dienstleistungen nicht Sacheinlage oder Gegenstand einer Sachübernahme sein. Auch diese Vorschrift beruht auf Durchführung der früheren Kapital-RL (jetzt: GesR-RL). Wortlaut differenziert nicht zwischen Dienstleistungen eines Gründers und Dienstleistungen Dritter; Konkretisierung anhand der RL ist nicht möglich (Hüffer NJW 1979, 1065, 1067). Dass **Dienstleistungen von Gründern** nicht einlagefähig sind, ist heute nahezu allg. anerkannt (BGHZ 180, 38 Rn. 9 = NJW 2009, 2375; KK-AktG/A. Arnold Rn. 67; MüKoAktG/Pentz Rn. 33; Giedinghagen/Lakenberg NZG 2009, 201, 202; aA Hofmeister AG 2010, 261, 264 ff.). Zur Begründung verweist BGHZ 180, 38 Rn. 9 auf Schwierigkeiten bei vollstreckungsrechtl. Durchsetzung von Dienstleistungsverpflichtungen (§§ 887, 888 III ZPO); im Schrifttum wird ferner auf übergroße persönliche Risiken der Wertaufbringung hingewiesen (HCL/Ulmer/Casper GmbHG § 5 Rn. 73). Beide Argumente sprechen dafür, Sacheinlagefähigkeit mit heute hM auch bei übertragbaren **Dienstleistungsansprüchen gegen Dritte** zu verneinen (so auch KK-AktG/A. Arnold Rn. 67; MüKoAktG/Pentz Rn. 33; GK-AktG/Röhricht/Schall Rn. 179; HCL/Ulmer/Casper GmbHG § 5 Rn. 74; Bayer/Lieder NZG 2010, 86, 87; Habersack FS Priester, 2007, 157, 162; Penné WPg 1988, 35, 39 f.; aA BeckOGK/Katzenstein Rn. 32; Skibbe GmbHR 1980, 73, 74 f.; Sudhoff/Sudhoff NJW 1982, 129, 130). 22

IV. Verdeckte Sacheinlagen (§ 27 III)

1. Einführung. Für Gründer, die Aufwand und Kosten einer Sacheinlage scheuen oder Zweifel haben, ob externe Gründungsprüfung ihre persönliche Wertfeststellung bestätigen wird, liegt Umgehung in der Weise nahe, dass Bareinlage erbracht wird, die nach Entstehung der AG genutzt wird, um Gegenstand, der von vornherein eingebracht werden sollte, zu verabredetem Preis zu erwerben (verdeckte Sacheinlage, → Rn. 26 ff.). Ges. hat solcher Umgehungsstrategie nur unter engen Voraussetzungen des § 52 Rechnung getragen, wenn Vergütung von mehr als 10 % des Grundkapitals verabredet ist. Dem Umstand, dass auch unterhalb dieser Schwelle Umgehungsschutz geboten ist, hat zunächst Rspr. durch sog **Lehre von verdeckter Sacheinlage** Rechnung getragen: Ursprünglicher Bareinlage wurde jegliche Erfüllungswirkung versagt, was namentl. in Insolvenzsituation dazu führen konnte, dass Inferent gezwungen war, gesamte Leistung noch einmal zu erbringen, und zwar unabhängig von tats. Werthaltigkeit des verdeckt eingebrachten Sachgegenstandes (vgl. BGHZ 110, 47 = NJW 1990, 982; BGHZ 118, 83, 93 ff. = NJW 1992, 2222; BGH NJW 1996, 524, 525; 2000, 725, 726). Diese scharfe Folge wurde als **richterrechtl. Überreaktion auf formalen Fehler** kritisiert (K. Schmidt GesR § 37 II Rn. 4b). Durch Neufas- 23 sung des § 27 III im Zuge des ARUG 2009 (→ Rn. 1; entspr. Regelung für GmbH bereits seit MoMiG 2008 in § 19 IV GmbHG) wurde dieser Kritik Rechnung getragen, indem Regeln der verdeckten Sacheinlage in deutlich entschärfter Form in Ges. aufgenommen wurden. Neuregelung war ursprünglich nicht geplant (s. noch RegBegr. BT-Drs. 16/11642, 28), ist jedoch in Schlussphase der Gesetzgebung im Eilverfahren eingeführt worden (vgl. dazu Hoffmann-Becking GS M. Winter, 2011, 239, 242 f.), weil Rechtsausschuss zu der Auffassung gelangt war, traditionell anerkannte Sanktion sei unverhältnismäßig und auch gemeinschaftsrechtl. nicht geboten (AusschussB BT-Drs. 16/13098, 53 ff.). **Übergangsvorschrift** ist § 20 VII EGAktG, der mit abw. Daten § 3 IV EGGmbHG entspricht. Norm ist verfassungsgemäß (BGHZ 185, 44 Rn. 20 ff. = NJW 2010, 1948; OLG Köln GmbHR 2010, 1213, 1215 f.), sieht insbes. keine echte Rückwirkung vor (BGHZ 185, 44 Rn. 36 ff.; Kleindiek ZGR 2011, 334, 341 ff.).

24 Kern der Neuregelung ist sog **Anrechnungslösung** des § 27 III 3, bei der Wert des Vermögensgegenstands auf fortbestehende Geldeinlagepflicht angerechnet wird (Einzelheiten in → Rn. 38 ff.). Anrechnungslösung stellt Mittelweg dar zwischen Weiterführung der bisherigen Rechtslage – nochmalige Zahlung des vollen Ausgabebetrags (→ Rn. 23) – und von anderen gefordertem Übergang zu kommanditistenähnlichem Haftungsmodell (Bayer ZGR 2007, 220, 234 ff.; J. Vetter Verh. 66. DJT, Bd. II, 2006, P 89 ff.). Auch wenn Entschärfung der früher übertrieben strengen Rspr. (→ Rn. 23) grds. überwiegend begrüßt wurde, ist auch Neuregelung **rechtspolitischer Kritik** ausgesetzt, da es gesetzestechnisch kaum stimmig erscheint, auf der einen Seite aufwendiges Sachgründungsverfahren zu formulieren, auf der anderen Seite naheliegende Umgehungsmöglichkeit weitgehend sanktionslos zu lassen (Büchel GmbHR 2007, 1065, 1070; Dauner-Lieb AG 2009, 217, 219). Tats. kann nach Anrechnungslösung verbleibende Differenzhaftung des Inferenten (→ Rn. 38 ff.) nur wenig Anreiz bieten, allg. Kapitalaufbringungsregeln von vornherein zu beachten, da er iErg nichts zu fürchten hat, was über die zunächst zugesagte Bareinlage hinausgeht (Priester, Die GmbH-Reform in der Diskussion, VGR 2006, 1, 21). Gesetzgeber hat trotz entspr. Kritik im Gesetzgebungsverfahren an Regelung festgehalten: Er sieht **verbleibende Sanktionswirkung** insbes. darin, dass Registergericht bei verdeckter Sacheinlage Eintragung ablehnen werde (Entdeckung allerdings unwahrscheinlich) und Aktionär Werthaltigkeit im Streitfall zu beweisen habe (→ Rn. 44); überdies drohen Vorstand straf- und haftungsrechtl. Sanktionen nach § 399 I Nr. 1 und 93 II (→ Rn. 43; vgl. RegBegr. MoMiG, BT-Drs. 16/6140, 40). Beratungspraxis berichtet allerdings, dass verbleibendes Instrumentarium als wenig abschreckend empfunden und selbst strafrechtl. Sanktion verbreitet als „Kavaliersdelikt" eingeordnet werde.

25 Ungeachtet rechtspolitischer Überzeugungskraft dieser Argumente stellt sich die Frage, ob Regelung Anforderungen der GesR-RL (früher Kapital-RL) hinreichend Rechnung trägt und insbes. dem **Gebot der praktischen Wirksamkeit** der Art. 4 lit. h GesR-RL, Art. 49, 70 GesR-RL gerecht wird. Richtigerweise dürfte Frage mit Blick auf wenigstens zT fortbestehendes Sanktionsgefälle zwischen offener und verdeckter Sacheinlage (→ Rn. 43) zu bejahen sein (KK-AktG/A. Arnold Rn. 89 ff.; S/L/Bayer Rn. 58; BeckOGK/Katzenstein Rn. 107; Bayer/Schmidt ZGR 2009, 805, 831 ff.; Habersack AG 2009, 557, 559 f.; strenger MüKoAktG/Pentz Rn. 89; Andrianesis WM 2011, 968, 972 f.). Eher krit. zu sehen ist jedoch § 27 IV (→ Rn. 47, 53 f.).

26 **2. Voraussetzungen. a) Objektiver Tatbestand. aa) Grundsatz.** Obj. Tatbestand der verdeckten Sacheinlage umschreibt § 27 III 1 als denjenigen einer Geldeinlage, die bei wirtschaftlicher Betrachtung ganz oder teilw. als Sacheinlage

zu bewerten ist. Gesetzgeber hat gemeint, mit dieser Umschreibung bisher anerkanntes Begriffsverständnis zu treffen (RegBegr. BT-Drs. 16/6140, 40 zu § 19 IV GmbHG), will also insoweit bisherige Praxis und Lehre fortführen. Das ist für Praxis insofern ein wichtiges Datum, als auf bisherige Rspr. weitgehend zurückgegriffen werden kann. Gewählte Umschreibung ist allerdings nicht glücklich (zutr. Pentz FS K. Schmidt, 2009, 1265, 1273 f.; sa KK-AktG/A. Arnold Rn. 92). Bei verdeckter Sacheinlage handelt es sich nämlich überhaupt nicht um Geldeinlage, insbes. nicht um Geldeinlage, die (nur) als Sacheinlage zu bewerten wäre. Vielmehr ist sie ein aliud, das wegen Verfehlung oder zumindest Gefährdung der Kapitalaufbringung auch nicht als Leistung an Erfüllungs statt oder als Erfüllungssurrogat zugelassen wird. Kern des obj. Tatbestands ist gesetzesumgehende (Benecke ZIP 2010, 105, 106 ff.) **Aufspaltung des wirtschaftlich einheitlichen Sacheinlagevorgangs** in nur scheinbare Leistung der geschuldeten Bareinlage und Rückfluss der dadurch von AG eingenommenen Geldmittel an Inferenten, zu dem es infolge eines den Zufluss der Barmittel kompensierenden Gegengeschäfts kommt (vgl. aus neuerer Zeit BGHZ 166, 8 Rn. 10 ff. = NJW 2006, 1736; BGHZ 170, 47 Rn. 11 = NJW 2007, 765; BGHZ 171, 113 Rn. 7 = NJW 2007, 3285; BGHZ 182, 103 Rn. 10 = NJW 2009, 3091; BGHZ 185, 44 Rn. 11 = NJW 2010, 1948; MüKoAktG/Pentz Rn. 86 f.; Habersack FS Priester, 2007, 157, 158 ff.). Entscheidend für wirkliche statt scheinbarer Leistung ist endgültige freie Verfügungsmacht des Vorstands. Deshalb keine verdeckte Sacheinlage, wenn Vorstand von Aktionären eingeworbene Mittel schuldbefreiend an Gesellschaftsgläubiger weiterleitet (BGH NZG 2011, 667 Rn. 12). Zu Sonderregeln bei mittelbarem Bezugsrecht gem. § 186 V → § 186 Rn. 55a.

bb) Fallgruppen. Tatbestand der verdeckten Sacheinlage kann grob in **obj. und subj. Tatbestand** unterteilt werden, wobei obj. Tatbestand nochmals in mehrere Teilaspekte zu zergliedern ist (HCL/Casper GmbHG § 19 Rn. 124). Einzelne Problemfelder sind vor dem Hintergrund der wesentlichen Fallgruppen verdeckter Sacheinlagen zu begreifen (Priester in VGR [Hrsg.] Die GmbH-Reform in der Diskussion, 2006, 1, 19). Verblieben sind nur zwei, nachdem es für früher als verdeckte Sacheinlage behandelten Sonderfall einer kapitalerhöhenden Einlage aus vorangehender Gewinnausschüttung zu Recht als genügend angesehen wird, dass die Beteiligten wie bei einer Kapitalerhöhung aus Gesellschaftsmitteln (§§ 207 ff.) verfahren (BGHZ 135, 381, 384 ff. = NJW 1997, 2514; BGH NJW 2000, 725, 726; Lutter/Zöllner ZGR 1996, 164, 178 f. und 185 ff.). In die **Fallgruppe 1** gehören Gesellschaftergeschäfte, durch die AG Leistungen von Aktionären vergütet, sofern die Vergütung in engem zeitlichen Zusammenhang mit der Gründung oder einer Kapitalerhöhung steht (Bsp.: BGHZ 110, 47 = NJW 1990, 982; BGHZ 118, 83, 94 = NJW 1992, 2222). Die **Fallgruppe 2** liegt in der Tilgung von Gesellschafterforderungen aus Mitteln, die AG zuvor durch Kapitalerhöhung bei dem Gesellschafter-Gläubiger eingeworben hat (Bsp: BGHZ 166, 8 Rn. 12 ff. = NJW 2006, 1736). 27

cc) Bareinlage, Rückfluss, Sacheinlagefähigkeit. In beiden Fallgruppen unproblematisch ist jew. zunächst **Vereinbarung einer Bareinlage.** Bareinlage muss nicht geleistet werden, sondern es genügt Verrechnung (BGHZ 152, 37, 42 = NJW 2002, 3774). Auch Eintragung in HR ist nicht erforderlich, doch kann Rechtsfolge der Anrechnung frühestens zu diesem Zeitpunkt eintreten (HCL/Casper GmbHG § 19 Rn. 124). Hinzutreten muss Rückfluss durch Gegengeschäft mit der Folge, dass wirtschaftliches Ergebnis einer Sacheinlage entspr., so dass Bareinlage letztlich „neutralisiert" wird (OLG Dresden NZG 2017, 985 Rn. 54; BeckOGK/Katzenstein Rn. 134). Dieser Schutz bezieht sich nicht nur auf Nominalbetrag, sondern auch auf **Agio,** das – anders als im GmbH-Recht – vom Kapitalaufbringungsschutz erfasst wird. Erfolgt Rückfluss an Aktionär hin- 28 gegen lediglich aus freier Kapitalrücklage nach § 272 II Nr. 4, liegt keine verdeckte Sacheinlage vor (BGH AG 2008, 122; BeckOGK/Katzenstein Rn. 146; ZB/Ziemons/Herchen, 63. EL 2013, Rn. I 5.588). Ob Neutralisierung erfolgt, ist nicht gegenständlich in dem Sinne zu verstehen, dass identische Mittel zurückfließen müssen, sondern **bilanziell** (BeckOGK/Katzenstein Rn. 137 f.).

29 Weiterhin setzt wirtschaftliches Ergebnis einer Sacheinlage voraus, dass Gegenstand des Gegengeschäfts **sacheinlagefähig** ist (BGH AG 2011, 876 Rn. 15; Binder ZGR 2012, 757, 765 ff.; krit. dazu Altmeppen FS Hoffmann-Becking, 2013, 1, 8 f.). Daran fehlt es vor Bedingungseintritt bei aufschiebend bedingten Forderungen (BGH NZG 2011, 667 Rn. 14). Auch Dienstleistungen können nicht Sacheinlagen sein (→ Rn. 22), weshalb insoweit auch verdeckte Sacheinlage ausscheidet (BGHZ 180, 38 Rn. 11 f. = NJW 2009, 2375; BGHZ 184, 158 Rn. 17 f. = NJW 2010, 1747; BeckOGK/Katzenstein Rn. 149; Habersack FS Priester, 2007, 157, 164 ff.; Hentzen/Schwandtner ZGR 2009, 1007, 1013; Kersting FS Hopt, 2010, 919, 923 f.; teilw. krit. Bayer/Lieder NZG 2010, 86, 88 ff.; Herrler NZG 2010, 407, 408 ff.). Unbeachtlich ist, ob sacheinlagefähiger Gegenstand erst nach oder schon vor Bareinlage eingebracht ist (OLG Dresden NZG 2017, 985 Rn. 59; BeckOGK/Katzenstein Rn. 150). Gesellschaftsanteile sind entgegen einer vereinzelt vertretenen Literaturauffassung (vgl. MüKoGmbHG/Lieder GmbHG § 56 Rn. 16) auch dann sacheinlagefähig, wenn es sich um einen Teil eines im Mehrheitsbesitz der AG stehenden Unternehmens handelt, sofern es sich nur um Anteile Dritter handelt und wechselseitige Beteiligungen der Unternehmen nicht vorliegen (OLG Jena NZG 2018, 1391 Rn. 7; Noack/Servatius/Haas/Servatius GmbHG § 56 Rn. 7; N. Klein GmbHR 2016, 461).

30 Namentl. in Fallgruppe 2 (→ Rn. 27) stellt sich überdies die Frage, ob auch **Forderungen gegen AG,** bes. auf Tilgung von Darlehen, als **Sacheinlage** eingebracht werden müssen (Übertragung mit Konfusionsfolge oder Erlassvertrag). Das ist zu bejahen, weil es nicht zur Einzahlung des Ausgabebetrags kommt (→ Rn. 3). Wenn nicht entspr. verfahren wird, liegt in Tilgung aus vorher zugeflossenen Geldmitteln verdeckte Sacheinlage (BGHZ 113, 335, 341 = NJW 1991, 1754; BGHZ 125, 141, 149 f. = NJW 1994, 1477; BGHZ 135, 381, 383 f. = NJW 1997, 2516; BGHZ 152, 37, 42 f. = NJW 2002, 3774; BGHZ 166, 8 Rn. 12 ff. = NJW 2006, 1736; aA zB Geßler FS Möhring, 1975, 173, 189). Behandlung als verdeckte Sacheinlage rechtfertigt sich daraus, dass Inferent Forderung zum Gegenstand einer Sacheinlage hätte machen können, statt AG Barmittel zuzuführen, die alsbald zur Tilgung eingesetzt werden (s. zB Henze ZHR 154 [1990], 105, 122). Daraus ergibt sich, dass es sich wenigstens grds. um **Altforderung iGgs zur Neuforderung** handeln muss (BGHZ 113, 335, 341; BGHZ 125, 141, 149 f.; BGHZ 132, 141, 144 f. = NJW 1996, 1473; OLG Dresden NZG 2017, 985 Rn. 59). Ausnahmen setzen wenigstens Vorabsprache voraus (S/L/Bayer Rn. 67; BeckOGK/Katzenstein Rn. 152) und kommen auch nur in bestimmten Fallgruppen in Betracht. Altforderung liegt vor, wenn sie bei Begründung der Einlagenverbindlichkeit schon besteht. Bei Kapitalerhöhung kommt es stattdessen auf Zeitpunkt des Kapitalerhöhungsbeschlusses an (vgl. BGHZ 152, 37, 43). Zu dem insbes. bei Kapitalerhöhung begegnenden Schütt-aus-hol-zurück-Verfahren → § 183 Rn. 12.

31 **dd) Drittbeteiligung.** Insbes. in Fallgruppe 1 (→ Rn. 27) können sich überdies Schwierigkeiten ergeben, wenn als Vergütung abfließende Geldmittel nicht unmittelbar an den Inferenten gelangen, sondern an einen Drittbeteiligten. Weil es ohnehin um Umgehungssachverhalte geht, hilft auch Einschaltung von Dritten nichts, soweit sie Teil der Umgehungsstrategie ist, wie vor allem dann, wenn an vom Inferenten **beherrschtes Unternehmen** bezahlt wird (BGHZ 153, 107, 111 = NJW 2003, 825; BGHZ 166, 8 Rn. 12 ff. = NJW 2006, 1736; BGHZ

171, 113 Rn. 8 = NJW 2007, 3285 [dazu Bork NZG 2007, 375, 376 und teilw. krit. Koppensteiner GES 2007, 282 ff.]; BGHZ 184, 158 Rn. 13 = NJW 2010, 1746). Erforderlich ist nach BGHZ 110, 47, 60 = NJW 1990, 982, dass Inferent durch Leistung des Dritten bzw. an Dritten mittelbar in gleicher Weise begünstigt wird wie durch unmittelbare Leistung (sa BGHZ 125, 141, 144 = NJW 1994, 1477; BGHZ 153, 107, 111), wofür es bei Unternehmensverbindung genügt, wenn Dritter von Inferent beherrschtes Unternehmen ist (BGHZ 153, 107, 111; BGHZ 166, 8 Rn. 17 f.). Leistung an Enkelgesellschaft kann genügen (BGHZ 171, 113 Rn. 8). Auch **persönliche Nähebeziehungen sowie Treuhand- und ähnliche Rechtsverhältnisse** (→ § 57 Rn. 37) können Annahme rechtfertigen, dass Leistung der AG dem Aktionär mittelbar zufließt (KK-AktG/A. Arnold Rn. 104; MüKoAktG/Pentz Rn. 200 ff.). Verwandtschaftsverhältnis allein genügt dafür nicht, kann aber indizierend wirken (BeckOGK/Katzenstein Rn. 163 f.). So genügt etwa auch Tilgung eines von Ehefrau des Inferenten gewährten Darlehens nicht, solange es nicht wirtschaftlich vom Inferenten gewährt wurde oder Einlage mit Mitteln bewirkt wurde, die dem Inferenten vom Ehegatten zur Verfügung gestellt wurden (BGH NZG 2011, 667 Rn. 15). Das spricht zugleich gegen in Lit. zT erwogene Orientierung an § 89 III 1, § 115 II AktG, § 138 I InsO (S/L/Bayer Rn. 71). Ebenso wenig genügt es für Annahme verdeckter Sacheinlage, wenn mit Bareinlage ein Darlehen abgelöst wird, für das sich Inferent verbürgt hat (BGH NZG 2011, 667 Rn. 14).

ee) Keine weiteren Eingrenzungen. Keine Voraussetzung für Annahme einer verdeckten Sacheinlage ist **enger zeitlicher und sachlicher Zusammenhang,** dem spätestens nach Ausgestaltung durch ARUG 2009 (→ 23 f.) nur noch Indizwirkung für tats. maßgebliche subj. Verbindung beizumessen ist (→ Rn. 33 f.; überzeugend BeckOGK/Katzenstein Rn. 157 ff.; sa ZB/Ziemons/Herchen, 63. EL 2013, Rn. I 5.599). Ausnahme von Anwendung des § 27 III ist im Lichte des § 52 IX für **Geschäfte des laufenden Geschäftsbetriebs** erwägenswert, doch ist Rspr. insofern zurückhaltend und hat jedenfalls generelle „Bereichsausnahme" abgelehnt (BGHZ 170, 47 Rn. 21 ff. = NJW 2007, 765; BGHZ 180, 38 Rn. 12 = NJW 2009, 2375; HCL/Casper GmbHG § 19 Rn. 143; aA OLG Hamm NZG 2005, 184, 185 f.; Henze ZHR 154 [1990], 105, 112 f.; Krolop NZG 2007, 577, 579 f.). Relevanz kann auch diese Besonderheit allerdings im subj. Tatbestand haben, da bei gewöhnlichem Umsatzgeschäft Umgehungswille nicht zu vermuten ist (BeckOGK/Katzenstein Rn. 161; GK-AktG/Röhricht/Schall Rn. 333; Hölters/Weber/Solveen Rn. 33). Frage wurde früher intensiv diskutiert, als Rechtsfolgen verdeckter Sacheinlagen Inferent noch deutlich gravierender treffen konnten (→ Rn. 23). Mit Anrechnungslösung haben solche eingrenzenden Ansätze ihre frühere Bedeutung aber verloren und sollten deshalb restriktiv gehandhabt werden. Zum weiteren Sonderfall des mittelbaren Bezugsrechts → § 186 Rn. 44 ff. 32

b) Subjektiver Tatbestand. Neben den obj. Erfordernissen (→ Rn. 26 ff.) setzt § 27 III 1 weiter voraus, dass zwischen den Beteiligten eine **Abrede** besteht, die im Zusammenhang mit der Übernahme der Geldeinlage getroffen worden ist. Das entspr. der schon bislang hM, die zwar keine Umgehungsabsicht fordert (so aber noch die ältere Judikatur, zuletzt BGH NJW 1982, 2444), aber iS eines obj./subj. gemischten Tatbestands doch zutr. eine (auch unwirksame) Abrede der Beteiligten über Veräußerung oder Verrechnung voraussetzt (BGHZ 132, 133, 139 = NJW 1996, 1286; BGH NJW 2000, 725, 726; BGHZ 152, 37, 43 = NJW 2002, 3774; BGHZ 170, 47 Rn. 13 = NJW 2007, 765; MüKoAktG/Pentz Rn. 100). Einseitige Absicht genügt daher nicht; Ausnahme gilt nur für **Einmann-Gründung** (HCL/Casper GmbHG § 19 Rn. 144; Hölters/Weber/Solveen Rn. 37). Abrede kann auch erst nach Vereinbarung der Barabrede getroffen 33 werden, sofern diese noch nicht erfüllt ist (OLG Dresden NZG 2017, 985 Rn. 66; Grigoleit/Vedder Rn. 54).

34 Nach allg. Grundsätzen obläge es der AG und im Insolvenzfall dem Verwalter, die Zweckabrede (→ Rn. 33) als Voraussetzung einer erfolgreichen Inanspruchnahme des Inferenten darzulegen und zu beweisen (OLG Dresden NZG 2017, 985 Rn. 67). Nach gesicherter Rspr. (BGHZ 125, 141, 143 f. = NJW 1994, 1477; BGHZ 132, 133, 139 = NJW 1996, 1826; BGHZ 153, 107, 109 f. = NJW 2003, 825; BGH NZG 2008, 511 Rn. 4) und Lehre (statt aller MüKoAktG/Pentz Rn. 106) spricht jedoch **Vermutung für Vorliegen einer Absprache,** wenn zwischen Bareinlage und Rückfluss an Inferenten sachlicher und zeitlicher Zusammenhang besteht. Inferent hat also das Fehlen einer Absprache zu beweisen, was idR nicht gelingt (OLG Dresden NZG 2017, 985 Rn. 70). Vermutungsbasis des sachlichen und zeitlichen Zusammenhangs muss allerdings beweisen, wer offenen Einlageanspruch geltend macht (BGHZ 125, 141, 143 f.; OLG Dresden NZG 2017, 985 Rn. 75 ff.: abgelehnt für späteren Gewinnausschüttungsanspruch). Auf ges. Eingrenzung des zeitlichen Zusammenhangs hat Gesetzgeber bewusst verzichtet, um nicht weiteres Umgehungspotenzial zu eröffnen (RegBegr. BT-Drs. 16/6140, 41). Frist von sechs Monaten ist durchweg, aber nicht zwangsläufig angemessen. Für Besonderheiten bei Umsatzgeschäften des täglichen Lebens → Rn. 32.

35 **3. Rechtsfolgen. a) Überblick.** Liegen obj. und subj. Voraussetzungen einer verdeckten Sacheinlage vor, so bleibt Einlageverpflichtung des Aktionärs bestehen (§ 27 III 1; Verjährung richtet sich nach § 54 IV; → § 54 Rn. 21). Entgegen ursprünglichen Vorstellungen der Gesetzesverfasser des MoMiG 2008 (s. noch § 19 IV GmbHG idF des RegE BT-Drs. 16/6140, 7) kommt es also zu **keiner Erfüllungswirkung** (krit. Altmeppen FS Seibert, 2019, 1 ff.). Abw. vom bisherigen Recht ist in § 27 III 2 sodann ausgesprochen, dass die schuldrechtl. Verträge über die verdeckte Sacheinlage und die Geschäfte zu ihrer Durchführung nicht unwirksam sind. § 27 III 3, 4 enthält das Kernstück der Regelung, nämlich bis zur Registereintragung **zeitversetzte Anrechnung** des Wertes des Einlagegegenstands auf die fortdauernde Bareinlageschuld. An die Stelle der früher anerkannten Pflicht, die Geldeinlage vollen Umfangs zu leisten, ist deshalb eine bloße Differenzhaftung getreten. Schließlich legt § 27 III 5 dem Inferenten die Beweislast dafür auf, dass und in welcher Höhe von ihm eingebrachter Vermögensgegenstand werthaltig ist.

36 **b) Keine Befreiungswirkung.** Sprachlich wenig präzise Vorschrift des § 27 III 1 meint, dass auf Leistung der Geldeinlage gerichtete Verpflichtung weder durch die nur scheinbare Zahlung (→ Rn. 26) noch durch verabredete Leistung eines anderen Vermögensgegenstands erlischt (Bayer/Schmidt ZGR 2009, 805, 825; W. Müller NJW 2009, 2862, 2863). Beides entspr. bisher anerkannten Grundsätzen, die unverändert überzeugen. Die Zahlung kann nämlich nicht schuldbefreiend wirken, weil die entspr. Geldmittel infolge der mit dem Inferenten getroffenen Absprache **nicht endgültig zur freien Verfügung** des Vorstands stehen (§ 36 II; → § 36 Rn. 8). Die Übertragung des Vermögensgegenstandes hat ebenfalls keine Erfüllungswirkung (§ 362 BGB), weil die Gesellschaft ein **aliud** erhält (→ Rn. 26). Vom Gesetzgeber des MoMiG 2008 zunächst angedachte Erfüllungslösung (→ Rn. 35) wäre deshalb dogmatisch nicht nachvollziehbar gewesen (vgl. zur Kritik M. Winter FS Priester, 2007, 867, 872 ff.).

37 **c) Keine Unwirksamkeit.** Nach § 27 III 2 sind die Verträge über die Sacheinlage und die zugehörigen Durchführungsgeschäfte „nicht unwirksam". § 27 III 1 aF bestimmte noch das Gegenteil, soweit es um das Verhältnis des Inferenten zur AG geht. Wendet man negative Formulierung des Gesetzes ins

Positive, so ordnet Norm an, dass **dinglicher Übertragungserfolg** des Ausführungsgeschäfts eintritt und auch erhalten bleibt, obwohl eingebrachter Gegenstand nach § 27 III 1 erfüllungsuntauglich ist. Das mag überraschen, ist aber im Hinblick auf die Anrechnung, die § 27 III 3 vorsieht, unverzichtbar. Die Anrechnung setzt nämlich voraus, dass der Gesellschaft ein entspr. Vermögenswert zugeflossen ist und auch keiner Leistungskondiktion nach § 812 I 1 BGB unterliegt, wie sie bei Unwirksamkeit der Sacheinlagevereinbarung als Kausalgeschäft folgerichtig wäre. § 27 III 2 ist also das notwendige Bindeglied zwischen § 27 III 1 und 3 (zutr. M. Winter FS Priester, 2007, 867, 877; anders jedoch Dauner-Lieb AG 2009, 217, 219 f.; Heinze GmbHR 2008, 1065, 1068).

d) Differenzhaftung. aa) Anrechnungslösung. § 27 III 3 bestimmt, dass Wert des eingebrachten Vermögensgegenstandes auf fortbestehende Geldeinlagepflicht (§ 27 III 1) angerechnet wird. Danach beschränkt sich Einlageschuld des Aktionärs auf Differenz, die nach Abzug des eingebrachten Werts von zunächst geschuldeter Geldeinlage (→ Rn. 36) verbleibt. Darin liegt zentrale Entschärfung ggü. früherem Recht (→ Rn. 23), zugleich aber auch deutliche Schwächung der aktienrechtl. Kapitalaufbringung, da sich mit der Differenzhaftung keine präventive Wirkung verbindet: Der Inferent braucht iErg nichts zu fürchten, was über die zunächst zugesagte Bareinlage hinausgeht (→ Rn. 24). Weitere Schwächung ist darin zu sehen, dass Zahlungsanspruch, den Insolvenzverwalter geltend zu machen hat, bei bloßer Differenzhaftung mit **Wertdiskussion** belastet wird, die der Rechtsverfolgung abträglich ist (Boujong JbFSt 1996/97, 51, 58; zust. Pentz/Priester/Schwanna in Lutter [Hrsg.] Kapital der AG, 2006, 42, 78). Insges. bleibt jetzige Lösung, namentl. auch unter Berücksichtigung unionsrechtl. Bedenken (→ Rn. 25) gerade für AG daher mit Zweifeln behaftet. 38

Sehr umstr. ist, wie Anrechnungslösung in konsistentes dogmatisches System eingefügt werden kann (Übersicht bei Bayer ZGR 2009, 805, 826 f.; Sernetz ZIP 2010, 2173, 2174 ff. und 2176 ff.), ohne dass diese Einordnung wesentliche praktische Folgen nach sich ziehen würde. Nach zutr. Ansicht liegt in Anrechnung **ges. Vorteilsabschöpfung,** indem AG oder GmbH ihren zunächst fortdauernden Anspruch auf die Geldeinlage insoweit verliert, als ihr durch Übertragung von anderen Vermögensgegenständen ein (vom Inferenten zu beweisender, → Rn. 44) Vermögenswert zugeflossen ist. Die bürgerlich-rechtl. Parallele liegt also in den verschiedenen Fällen einer Vorteilsanrechnung wie etwa nach § 326 II 2 BGB (Ulmer ZIP 2009, 293, 296 ff.; teilw. abw. KK-AktG/A. Arnold Rn. 109 ff.; Dauner-Lieb AG 2009, 217, 224 f.; Pentz GmbHR 2010, 673, 680 ff.). Weniger überzeugend wird aber auch von nachträglicher Umwidmung der Sachleistung in eine Leistung an Erfüllungs statt gesprochen (Maier-Reimer/Wenzel ZIP 2008, 1449, 1451 f.; Maier-Reimer/Wenzel ZIP 2009, 1185, 1190 f.). 39

bb) Modalitäten. Angerechnet wird auf zunächst geschuldete Geldeinlage (→ Rn. 36), also auf Ausgabebetrag, der Agio (§ 9 II) einschließt (J. Koch ZHR 175 [2011], 55, 64). Maßgebender **Stichtag** für anzurechnenden Wert des Vermögensgegenstands ist grds. Zeitpunkt der Anmeldung; wird Gegenstand der AG erst später überlassen, so ist dieser spätere Zeitpunkt maßgebend (§ 27 III 3). Weil Anrechnung so erfolgt, als ob die Beteiligten den Weg der Sachgründung oder Sachkapitalerhöhung richtig beschritten hätten, sind für Bewertung die für Sacheinlagen geltenden Grundsätze (→ Rn. 20) maßgebend. Von Bewertungsstichtag zu unterscheiden ist **Zeitpunkt der Anrechnung.** Diese erfolgt nach § 27 III 4 nicht vor Eintragung. Es verbleibt also trotz Anmeldung bei einem Errichtungsmangel (→ Rn. 12). Auch dürfen die Anmelder (§ 36 I) selbst bei Vollwertigkeit des Vermögensgegenstands weder erklären noch nachzuweisen versuchen, dass die Bareinlagen endgültig zur freien Verfügung des Vorstands stehen (§ 37 I). 40

Selbst wenn man der Anrechnung eine entspr. Wirkung beilegen wollte, wäre die Erklärung falsch, weil es vor der Eintragung keine Anrechnung gibt. Falscherklärung kann für Vorstand zu erheblichen Sanktionsfolgen führen (→ Rn. 43).

41 **cc) Verdeckte gemischte Sacheinlage.** Ohne bes. Regelung sind Fälle einer **verdeckten gemischten Sacheinlage** geblieben, also Vergütung des Aktionärs für von AG zu erwerbende Gegenstände teils in Aktien, teils durch schuldrechtl. Gegenleistung (→ Rn. 8), ohne dass dies durch Satzung verlautbart würde. Grundsatz ist, dass auch schuldrechtl. Geschäftsteil als Sacheinlage behandelt wird (→ Rn. 8). Gesellschafter wird daher durch Leistung seiner Einlage nach § 27 III 1 noch nicht von Einlagepflicht befreit, und zwar auch nicht, wenn Einlage ggü. Kaufpreis nur unwesentlich ins Gewicht fällt (BGHZ 170, 47 Rn. 16 = NJW 2007, 765; BGHZ 173, 145 Rn. 15 = NJW 2007, 3425; BGHZ 185, 44 Rn. 11 = NJW 2010, 1948). Früher noch unverhältnismäßig erscheinende Folgen werden nun dadurch abgemildert, dass § 27 III 3 auch hier zur Anwendung kommt, so dass Wert des Vermögensgegenstandes auf noch offene Einlagepflicht angerechnet wird, und zwar unter Einschluss des Agios (J. Koch ZHR 175 [2011], 55, 63 f.; zust. Marsch-Barner/Schäfer/Busch/Busch Rn. 44.23; Maier-Reimer FS Hoffmann-Becking, 2013, 755, 775 f.). Für verbleibende Unterdeckung besteht **Nachzahlungsanspruch** (BGHZ 185, 44 Rn. 59 ff.; zu den Einzelheiten vgl. HCL/Casper GmbHG § 19 Rn. 176 ff.; J. Koch ZHR 175 [2011], 55, 65 ff.; Pentz GmbHR 2010, 673 ff.; Pentz GS M. Winter, 2011, 501, 507 ff.), der allerdings entgegen BGHZ 185, 44, 59 ff. nicht aus §§ 57, 62 (in BGH-Entscheidung: §§ 30, 31 GmbHG) abzuleiten ist, sondern im System des Kapitalaufbringungsrechts aus § 9 I GmbHG analog (S/L/Bayer Rn. 87; BeckOGK/Katzenstein Rn. 197; MüKoAktG/Schürnbrand/Verse § 183 Rn. 61; HCL/Casper GmbHG § 19 Rn. 178; Ekkenga ZIP 2013, 541, 545; Gerlach, Gemischte Sacheinlage, 2016, 168 ff.; Kleindiek ZGR 2011, 33, 349 f.; ausf. auch bereits J. Koch ZHR 175 [2011], 55, 70 ff.; aA MüKoAktG/Pentz Rn. 138; Pentz FS Bergmann, 2018, 541, 557 ff.).

42 Eng mit vorgenannter Konstellation verwandt ist ähnlich gelagerte Gestaltung einer **bloß verschleierten Zusatzvergütung,** bei der also Sacheinlage ordnungsgemäß dokumentiert wird und lediglich Zahlung einer weiteren Vergütung am HR vorbei erfolgt. ZT wird auch hier Anrechnung nach § 27 III 3 befürwortet, da Inferent bei vollständiger Verschleierung nicht schlechter stehen könne als bei teilw. Verschleierung (Habersack GWR 2010, 107, 109; zust. HCL/Casper GmbHG § 19 Rn. 1180 [offenlassend HCL/Ulmer/Casper GmbHG § 5 Rn. 137 ff.]; mit anderer Konstruktion, aber iErg ähnlich Benz, Verdeckte Sacheinlage und Einlagenrückzahlung, 2009, 193 ff.; Stiller/Redeker ZIP 2010, 865, 868 f.). Erst-Recht-Schluss führt aber in die Irre, da er auf persönliche Sanktionswürdigkeit des Inferenten abstellt, vorrangiges Regelungsziel des § 27 jedoch Kapitalaufbringung und deren Publizität sind. Namentl. Publizitätsziel würde verfehlt, da sich auch nach erfolgter Anrechnung aus ges. vorgeschriebenen Publizitätsakten günstigere Vermögenslage der AG ergeben würde, als es den Tatsachen entspr. (ausf. J. Koch ZHR 175 [2011], 55, 76 ff.; zust. MüKoAktG/Schürnbrand/Verse § 183 Rn. 76 f.; Marsch-Barner/Schäfer/Busch/Busch Rn. 44.23; Gerlach, Gemischte Sacheinlage, 2016, 181 ff.; Maier-Reimer FS Hoffmann-Becking, 2013, 755, 767 f.; Pentz GS M. Winter, 2009, 504 ff.). Richtigerweise ist nur Einlagepflicht als erfüllt anzusehen, zusätzliche verschleierte Vergütungsabrede aber **unwirksam.** Wird sie dennoch erfüllt, besteht Rückzahlungsanspruch nach § 62 I; ggf. können weitere Ansprüche gegen Mitgesellschafter hinzutreten (Einzelheiten bei J. Koch ZHR 175 [2011], 55, 80 ff.; sa HCL/Ulmer/Casper GmbHG § 5 Rn. 137 ff.).

dd) Verbleibende Sanktionswirkung, Beweislast. Falschangaben nach § 37 I (→ Rn. 40) können für Vorstandsmitglieder zur Haftung nach §§ 46, 48 und zur Strafbarkeit nach § 399 I Nr. 1 und 6 führen (→ § 37 Rn. 18), was dann wiederum Inhabilität als Vorstand gem. § 76 III 2 Nr. lit. c auslösen kann. Zivilrechtl. trifft ihn Haftung gem. §§ 48, 93 II 1, ggf. auch § 93 III Nr. 4. Da § 399 Schutzgesetz iSd § 823 II BGB ist, können daraus auch Gläubiger (alternativ: § 826 BGB) Ansprüche geltend machen (ZB/Ziemons/Herchen, 63. EL 2013, Rn. I 5.617). Zentrale Sanktionsfolgen sind daher allesamt eher beim Vorstand als beim Gesellschafter angesiedelt, woraus sich **bedenkliche Risikoverlagerung** ergibt (K. Schmidt GmbHR 2008, 449 ff.). 43

Inferenten trifft im Wesentlichen nur **Beweislast** für Existenz und Höhe des Wertes, der angerechnet werden soll (§ 27 III 5). RegBegr. BT-Drs. 16/6140, 40 verspricht sich gerade davon deutliche Abmilderung der Bewertungsprobleme (→ Rn. 38). Praxis empfiehlt insofern rechtzeitige Beweissicherung, weist aber auch darauf hin, dass Gerichte sog „Schubladengutachten" oft skeptisch gegenüberstehen werden und sie uU auch als Indiz für vorsätzliches Verhalten im Rahmen des § 399 werten können (BeckOGK/Katzenstein Rn. 191; sa Beratungshinweise von Kallmeyer DB 2007, 2755, 2756 f. und dazu Goette WPg 2008, 231, 234). Als Alternative kann selbständiges Beweisverfahren nach §§ 485 ff. ZPO in Betracht kommen (Bayer/Illhardt GmbHR 2011, 505, 511). Überdies sollte erleichterte Wertfeststellung nach § 33a analoge Anwendung finden (HCL/Casper GmbHG § 19 Rn. 1190). Weitere Sanktion für Gründer kann darin liegen, dass ihn Haftung nach §§ 46 trifft. Bei offensichtlicher Wertverfehlung trifft ihn ggf. auch Stimmrechtsausschluss gem. § 134 II 2 (S/L/Bayer Rn. 84). 44

4. Heilungsfragen. Zu unterscheiden ist Rechtslage vor und nach Eintragung in das HR. **Bis zur Eintragung** kann Errichtungsmangel (→ Rn. 12) durch Satzungsänderung geheilt werden, also im Verfahren der §§ 179 ff. unter nachträglicher Aufnahme der nach § 27 I erforderlichen Festsetzung in den Satzungstext (S/L/Bayer Rn. 42; Lutter/Gehling WM 1989, 1445, 1454). Wenn so verfahren worden ist, wird Einlagepflicht mit Sacheinlage erfüllt. **Beweislast** für etwaige Überbewertung liegt in dieser Fallkonstellation bei AG (AusschussB BT-Drs. 16/13098, 54). 45

Nach Eintragung hatte Satzungsänderung dagegen nach § 27 IV aF keine Heilungswirkung mehr. Neufassung des § 27 IV durch ARUG 2009 hat fortdauernde Unwirksamkeit des alten Rechts ersatzlos entfallen lassen (AusschussB BT-Drs. 16/13098, 54), was auch in Aufhebung des früheren § 52 X Ausdruck findet. Damit ist Weg frei für bislang nicht bestehende (Krieger ZGR 1996, 674, 691) Heilung nach den von BGHZ 132, 141, 150 ff. = NJW 1996, 1473 zunächst für GmbH entwickelten Grundsätzen. In dieser Entscheidung hat BGH auf Vorlage von OLG Stuttgart FGPrax 1996, 69 zugelassen, dass Heilung auch nach Eintragung durch Satzungsänderung erfolgt, sofern dem Ausgabebetrag entspr. Werthaltigkeit nachgewiesen oder Wertdifferenz durch Zahlung ausgeglichen wird. Es ist folgerichtig und entspr. den Vorstellungen der Gesetzesverfasser (AusschussB BT-Drs. 16/13098, 54), die Heilung jetzt auch für AG zuzulassen. **Bewertungsstichtag** ist dabei nicht Tag der Satzungsänderung, sondern entspr. § 27 III 3 Zeitpunkt der Anmeldung der vorgeblichen Bargründung bzw. der späteren Überlassung des Gegenstands (KK-AktG/A. Arnold Rn. 130; Hölters/Weber/Solveen Rn. 42; Bayer/Schmidt ZGR 2009, 805, 830; M. Winter FS Priester, 2007, 867, 877 f.). Mit Gestattung der Heilung geht allerdings auch deutlich geringeres Interesse der Praxis an dieser Möglichkeit einher, da über Anrechnungslösung die gravierendsten Folgen beseitigt werden können. Vorteile kann sie namentl. dann noch bringen, wenn Inferent befürchtet, dass sich Beweis- 46 lage hinsichtlich Werthaltigkeit der Sache verschlechtern könnte (HCL/Casper GmbHG § 19 Rn. 195).

V. Hin- und Herzahlen (§ 27 IV)

47 **1. Einführung.** Durch ARUG 2009 eingeführter § 27 IV regelt in Anlehnung an § 19 V GmbHG erstmals sog Hin- und Herzahlen, also Situation, dass Bareinlage erbracht und sogleich wieder an Aktionär oder ihm nahestehende Person zurückfließt, was üblicherweise in Gestalt eines Darlehens erfolgt. Diese Konstellation wurde früher als Untergruppe der verdeckten Sacheinlage verstanden, von Rspr. und Schrifttum aber schon bald als **eigenständiger Fall** einer scheiternden Einlageleistung aufgefasst, die mangels Befreiungswirkung ebenfalls Fortdauer der Einlagepflicht zur Folge haben sollte (BGHZ 165, 113, 116 f. = NJW 2006, 509; BGHZ 165, 352, 355 f. = NJW 2006, 906). Neuregelung durch ARUG 2009 knüpft an diese Rspr. an (vgl. zu dieser Kontinuität BGHZ 184, 158 Rn. 23 f. = NJW 2010, 1747), will bisher eintretende Haftungsfolgen aber vor allem in Cash Pool-Fällen dann nicht eintreten lassen, wenn AG infolge ihrer Leistung an Aktionär vollwertiger und liquider Rückgewähranspruch zusteht, wofür Parallele zu § 57 I 3 gezogen wird (AusschussB BT-Drs. 16/13098, 55). Vorschrift statuiert damit gleichermaßen Verbot und davon befreiende Privilegierung. In der Tat ist nicht zu verkennen, dass Hin- und Herzahlen zwar tatbestandliche Nähe zur verdeckten Sacheinlage (→ Rn. 23 ff.) aufweist, aber ebenso zu gedeckten **Leistungen an Aktionäre iSd § 57 I 3 Hs. 2,** so dass dem zugrunde liegende Wertung als bilanzieller Aktiventausch (→ §§ 57 Rn. 40 ff.) auch in § 27 IV einfließen muss. Zugleich setzen sich damit aber auch die gegen § 57 I 3 vorgebrachten dogmatischen Bedenken hinsichtlich der stimmigen Einordnung in das System der Kapitalaufbringung und -erhaltung (→ § 57 Rn. 43) bei § 27 IV fort. Sie wiegen bei AG noch schwerer als bei Parallelregelung in § 19 V GmbHG (krit. dazu Lutter/Hommelhoff/Bayer GmbHG § 19 Rn. 104; K. Schmidt GmbHR 2008, 449, 451 ff.), weil auch werthaltiger Anspruch der Tochter-AG auf Darlehensrückzahlung nicht die **Mindesteinzahlung** ersetzt, die nach §§ 36a I, 188 II 1 in ihr Vermögen geleistet werden muss (sa KK-AktG/A. Arnold Rn. 139). Diese Pflicht geht zurück auf Art. 48 I GesR-RL (früher Art. 9 I Kapital-RL) und steht deshalb nicht zur Disposition des Gesetzgebers; das herrschende Unternehmen muss also seiner Tochter-AG trotz Cash Pooling die Mindesteinzahlung gewähren (KK-AktG/A. Arnold Rn. 140; MüKoAktG/Pentz Rn. 213; MüKoAktG/Schürnbrand/Verse § 183 Rn. 66; Ekkenga ZIP 2010, 2469, 2470; Habersack AG 2009, 557, 560 f.; zweifelnd S/L/Bayer Rn. 101). Zusätzliche Probleme folgen aus Finanzierungsverbot des § 71a I 1 (→ Rn. 53 f.). Trotz dieser Bedenken muss ges. Wertung akzeptiert und deshalb Hin- und Herzahlen streng von verdeckter Sacheinlage getrennt werden, zumal auch Rechtsfolgenanordnung des § 27 IV deutliche Unterschiede zu § 27 III aufweist (sa BeckOGK/Herrler Rn. 218; Herrler/Reymann DNotZ 2009, 914, 925 f.). In der Praxis wird von durch § 27 IV eröffneter Möglichkeit angesichts vielfacher rechtl. Unsicherheiten nur sehr zurückhaltend Gebrauch gemacht. Zur Suspendierung des § 27 IV bei Erfüllung des Andienungsrechts der SPACs-Aktionäre (§ 47 I BörsG) s. § 47 III 2 BörsG und → § 23 Rn. 65.

48 **2. Privilegierungsvoraussetzungen.** § 27 IV 1 lässt befreiende Wirkung eintreten, wenn (1.) die Geldeinlage eingezahlt ist, dies (2.) aufgrund vorangehender Abrede wirtschaftlich einer Rückzahlung der Einlage entspr., (3.) der Vorgang keine verdeckte Sacheinlage darstellt und (4.) AG aus dem Rückzahlungsvorgang vollwertigen und liquiden Rückgewähranspruch erlangt hat. Ferner

ist anzunehmen, dass auch (5.) die Offenlegung in der Anmeldung, die § 27 IV 2 vorschreibt, Voraussetzung der ausnahmsweise eintretenden Befreiungswirkung ist (str. → Rn. 50). In § 27 IV angeordnete Erfüllungswirkung tritt nur ein, wenn genannte Voraussetzungen vollständig vorliegen; insbes. tritt **keine anteilige Tilgung** der Einlageforderung ein. Sind Voraussetzungen nicht erfüllt, gelten allg. Regeln (→ Rn. 51 f.). Ob Privilegierung eingreift, ist allerdings noch mit der weiteren **Unsicherheit** belastet, dass nach ganz hM von § 71a eine Sperrwirkung ausgeht, deren inhaltliche Reichweite ungeklärt ist (ausf. → Rn. 53).

Im Einzelnen gilt: In → Rn. 48 genannte **Voraussetzungen (1.) bis (3.)** der **49** neu eingeführten Regelung entsprechen dem schon früher ohne ges. Grundlage entwickelten Verständnis des unzulässigen Hin- und Herzahlens. Bsp. in Anlehnung an BGHZ 165, 113 = NJW 2006, 509: Bareinlage wird zeitnah als Darlehen zurückgezahlt, was wegen Unwirksamkeit der Darlehensabrede keinen Rückgewähranspruch (§ 488 BGB) der AG begründet. Vielmehr hat sie Einlage schon nicht ordnungsmäßig erhalten, nämlich nicht zur freien Verfügung ihres Vorstands (§ 36 II, § 188 II 1). **Einzahlung** iSv Voraussetzung (1.) aus → Rn. 48 wird wegen wirtschaftlicher Vergleichbarkeit mit § 27 IV der Fall gleichgestellt, dass AG dem Aktionär Mittel für Erfüllung seiner Bareinlagepflicht bereitstellt (BGHZ 184, 158 Rn. 24 = NJW 2010, 1747; sa MüKoAktG/Pentz Rn. 222; Maier-Reimer/Wenzel ZIP 2008, 1449, 1454). Rückausnahme gilt, wenn geleistete Bareinlage später als Vergütung für Leistung zurückgezahlt wird, die bei Begründung der Einlagepflicht noch nicht erbracht war und nicht sacheinlagefähig ist (insbes. Dienstleistungen, zB Geschäftsführertätigkeit, Beratungsleistungen). Hinzukommen muss aber (kumulativ), dass Bareinlage nicht für Inferenten reserviert war, tats. erbrachte Leistung entgolten wird, gezahlte Vergütung Drittvergleich standhält und objektiv werthaltige Leistung auch aus Sicht der AG nicht unbrauchbar ist (BGHZ 184, 158 Rn. 23 f.). BGH sieht in solchen Fällen Bareinlagepflicht nach § 36 II iVm § 54 III als erfüllt, unabhängig davon, ob Voraussetzungen des § 27 IV vorliegen. Ist das nicht der Fall, ist § 27 IV anwendbar (sa S/L/Bayer Rn. 105; Grigoleit/Vedder Rn. 69; krit. BeckOGK/Herrler Rn. 237 ff.; s. zur Diskussion Bayer/Lieder NZG 2010, 86, 87 ff.; Giedinghagen/Lakenberg NZG 2009, 201, 204 f.; Habersack GWR 2010, 107, 107 ff.; Hentzen/Schwandtner ZGR 2009, 1007, 1012 ff. jew. mwN). Auch wenn bei AG eingelegte Mittel auf Zentralkonto eines Cash Pools transferiert werden, dessen Saldo ausgeglichen oder positiv ist, liegt ein Hin- und Herzahlen vor, wohingegen BGH bei negativem Saldo verdeckte Sacheinlage annimmt (BGHZ 182, 103 Rn. 10 ff. = NJW 2009, 3091; krit. Böffel ZIP 2018, 1011, 1015 ff.). **Vereinbarung** (Voraussetzung [2.] aus → Rn. 48) bedarf keines rechtsverbindlichen Vertrages; Tatbestandsmerkmal ist in Anknüpfung an Rspr. des BGH zum Hin- und Herzahlen weit auszulegen, so dass bloße Übereinkunft der Beteiligten auch ohne Rechtsbindungswillen oder Rechtswirksamkeit genügt (BeckOGK/Herrler Rn. 224). Bei Einmann-AG ist entscheidend, ob Gesamtzusammenhang entspr. Vorhaben des Alleingesellschafters erkennen lässt (BeckOGK/Herrler Rn. 226). Vereinbarung in diesem Sinne muss vor der Leistung auf die Bareinlage bestanden haben (S/L/Bayer Rn. 106; Grigoleit/Vedder Rn. 67). Bei engem sachlichen und zeitlichen Zusammenhang zwischen Einlageleistung und Rückgewähr wird Vorabsprache aber widerleglich vermutet (s. nur BGH NZG 2008, 511 Rn. 4; NJW 2012, 3035 Rn. 16; S/L/Bayer Rn. 106; Habersack FS Priester, 2007, 157, 169 [Ausnahme bei normalen Umsatzgeschäften des laufenden Geschäftsverkehrs]). Fehlt Vereinbarung oder wird sie erst nach Einlageleistung getroffen, ist Anwendungsbereich des § 27 IV nicht eröffnet (S/L/Bayer Rn. 106; vgl. auch KK-AktG/A. Arnold Rn. 147); möglich bleibt Verstoß gegen § 57 (s. statt aller S/L/Bayer Rn. 106 mwN; BeckOGK/Herrler Rn. 227). Negatives Tatbestandsmerkmal (3.) aus → Rn. 48 (keine verdeckte Sacheinlage) stellt **Subsidiarität** des

§ 27 IV ggü. § 27 III klar (s. BeckOGK/Herrler Rn. 227; Maier-Reimer/Wenzel ZIP 2008, 1449, 1454).

50 Ist ein Rückgewähranspruch gem. Voraussetzung (4.) vorhanden, vollwertig und liquide, lässt § 27 IV 1 die Rückzahlung ausnahmsweise zu, weshalb in dieser Fallgruppe nicht nur die Befreiungswirkung eintritt, sondern auch der die Einlageforderung substituierende Rückgewähranspruch entsteht. **Vollwertigkeit** ist zu bejahen, wenn nach den Vermögensverhältnissen des Inferenten damit zu rechnen ist (Prognose), dass er im Zeitpunkt der Rückgewähr imstande ist, seine Verbindlichkeiten vollständig zu erfüllen; Wiederherstellung der Einlage darf in keiner Weise als gefährdet erscheinen (ähnlich KK-AktG/A. Arnold Rn. 155; S/L/Bayer Rn. 109). Unter bilanzieller Betrachtungsweise spricht für Vollwertigkeit, wenn Forderung **in voller Höhe aktiviert** werden darf (s. nur BeckOGK/Herrler Rn. 246; MüKoAktG/Pentz Rn. 227; Schall ZGR 2009, 126, 142 f.; vgl. auch BGHZ 179, 71 Rn. 13 = NJW 2009, 850; krit. KK-AktG/A. Arnold Rn. 155). Zur Vollwertigkeit gehört auch angemessene Verzinsung entspr. den zu § 57 I 3 Hs. 2 entwickelten Grundsätzen (→ § 57 Rn. 49; KK-AktG/A. Arnold Rn. 156; BeckOGK/Herrler Rn. 251 f.; aA MüKoAktG/Pentz Rn. 230). Vollwertigkeit ist dem Registergericht idR nachzuweisen (OLG München ZIP 2011, 567 f.; Krafka RegisterR Rn. 1320a; aA Schall ZGR 2009, 126, 143). **Liquide** ist Anspruch der AG, wenn er jederzeit fällig ist (§ 271 BGB) oder es nur von ihr abhängt, ihn durch fristlose Kündigung fällig zu machen. In Fällen der Einzahlung auf Zentralkonto eines Cash Pools kann es an Liquidität selbst dann fehlen, wenn dieser zugunsten der Gesellschaft positives Saldo aufweist, sofern unmittelbare Realisierung aus anderen Gründen scheitern kann (zB keine jederzeitige Kündbarkeit – s. BGHZ 182, 103 Rn. 24, 26 ff. = NJW 2009, 3091). Weitergehend wird man im Interesse der Kapitalaufbringung zu fordern haben, dass der Anspruch **vollwirksam** (einredefrei) ist und sich auch **Erfüllungsbereitschaft** des Aktionärs prognostizieren lässt (KK-AktG/A. Arnold Rn. 158; Bayer ZGR 2009, 805, 835). Es ist Aufgabe des Vorstands, Darlehensvertrag oder anderes der Rückzahlung zugrunde liegendes Verkehrsgeschäft so zu gestalten, dass diesen Erfordernissen Rechnung getragen wird. Lässt sich Aktionär darauf nicht ein, so ist von fehlender Liquidität des Anspruchs auszugehen; die privilegierende Erfüllungswirkung der ersten Einzahlung tritt dann bei verabredeter Rückzahlung nicht ein. Dass auch die Erfüllung der **Offenlegungspflicht** (Voraussetzung [5.] aus → Rn. 48) zu den Privilegierungsvoraussetzungen gehört, ist str., kann nach heutiger Gesetzesfassung aber auf § 27 IV 2 gestützt werden und ist auch in der Sache zum notwendigen Schutz der Kapitalaufbringung durch registerrichterliche Prüfung geboten (BGHZ 180, 38 Rn. 16 = NJW 2009, 2375; BGHZ 182, 103 Rn. 24 f.; OLG Stuttgart FGPrax 2011, 312, 313; KK-AktG/A. Arnold Rn. 161; MüKoAktG/Pentz Rn. 233; aA [nur formell-rechtl. Verpflichtung] BeckOGK/Herrler Rn. 261; Schockenhoff/Wexler-Uhlich NZG 2009, 1327, 1328 ff.; zu Altfällen → 14. Aufl. 2020, Rn. 50). Aus negativer Formulierung des § 27 IV S. 1 folgt Darlegungs- und Beweislast des Inferenten bzgl. Vollwertigkeit und Liquidität; ansonsten gelten allg. Beweislastregeln (s. BGHZ 182, 103 Rn. 25; BeckOGK/Herrler Rn. 257; Heckschen DStR 2009, 166, 173 f.).

51 **3. Rechtsfolgen.** Sieht man zunächst von Privilegierung durch § 27 IV 1 ab, so ist Hinzahlung bei vereinbarter Rückgewähr als Nichtleistung zu bewerten, weil Betrag **nicht zur freien Verfügung des Vorstands** (§ 36 II, § 188 II 1) steht (BGHZ 165, 113, 116 f. = NJW 2006, 509; BGHZ 165, 352, 355 f. = NJW 2006, 906; → Rn. 47). Nach Rückgewähr kann AG also erneut Zahlung der Bareinlage fordern. Anders als bei verdeckter Sacheinlage (→ 38 f.) erfolgt auch **keine anteilige Tilgung durch Anrechnung** des Werts des Rückzahlungs-

anspruchs, da entspr. Vorschlag im Gesetzgebungsverfahren bewusst nicht aufgegriffen wurde (Gegenäußerung BReg BT-Drs. 16/6140, 76). Zahlt Aktionär allerdings ein zweites Mal (Rückführung des angeblichen Darlehens), so ist Zahlung auf offene Einlageschuld zu verrechnen, weshalb AG oder ihr Insolvenzverwalter keinen Anspruch auf nochmalige (dritte) Zahlung haben (BGHZ 165, 113, 117 f.). **Umgekehrter Fall** mit ähnlichen Rechtsfolgen ist bloßes Her- und Hinzahlen von Beträgen aus dem Gesellschaftsvermögen: AG zahlt an Aktionär unter Verstoß gegen § 57 I 1 (also ohne Privilegierung durch § 57 I 3 Hs. 2) und dieser an AG zwecks angeblicher Erfüllung einer Einlageschuld. Erfüllung scheitert am Rechtsgedanken des § 66 I 2 (BGHZ 179, 285 Rn. 10 = NJW 2009, 1418). Zahlung tilgt aber mangels sonstiger Verbindlichkeit den Rückgewähranspruch aus § 62 I 1 (BGHZ 179, 285 Rn. 11).

Privilegierungsfolge des § 27 IV 1 besteht unmittelbar im Eintritt der **Erfüllungswirkung** (→ Rn. 48), die nach allg. Grundsätzen (→ Rn. 51) ausgeschlossen wäre. Mittelbar bewirkt Privilegierung **Forderungsaustausch,** indem Rückgewähranspruch (→ Rn. 49 f.) an die Stelle des Einlageanspruchs tritt. Gerade darin liegt aber die Problematik (Goette, Einführung in das neue GmbH-Recht, 2008, Rn. 23), weil für Rückgewähranspruch nicht die Sicherungen gelten, die für Einlageanspruch bestehen (§§ 63–66). Vollwertigkeit, Liquidität und Offenlegung sind dafür kein adäquater Ersatz. Gläubigerinteresse an gesicherter Kapitalaufbringung soll aber nach Wertentscheidung des Gesetzgebers hinter Belange des Cash Pooling zurücktreten (zur Parallelproblematik bei Einlagenrückgewähr → § 57 Rn. 40 ff.). Gemeinschaftsrechtl. ist diese Lösung offenbar nicht durchdacht, weil privilegierende uneingeschränkte Erfüllungswirkung mit europarechtl. vorgegebenem § 36a I in Konflikt gerät (→ Rn. 47). 52

4. Unzulässige Finanzierung des Aktienerwerbs (§ 71a). § 71a I 1 verbietet es, zur Finanzierung des Aktienerwerbs Vermögen der AG einzusetzen (→ Rn. 47), und zwar auch durch Vorschuss oder Darlehen oder in ähnlicher Weise (offener Tatbestand mit Regelbeispielen, → § 71a Rn. 2). Danach gilt **außerhalb von Konzernverhältnissen:** Klar ist, dass Rückzahlung des Einlagebetrags unter gleichzeitiger Begründung eines Rückgewähranspruchs gegen § 71a I 1 verstoßen kann. Typischerweise erhält Aktionär nämlich ein Darlehen der AG, das ihm erlaubt, seinen aus dem Aktienerwerb folgenden Einlagepflichten unter Schonung der eigenen Liquidität nachzukommen. Daraus folgende Frage nach dem Rangverhältnis zwischen § 27 IV und § 71a ist iS eines **Vorrangs des § 71a** zu beantworten (S/L/Bayer Rn. 100; MüKoAktG/Pentz Rn. 215; Hölters/Weber/Solveen Rn. 54). Privilegierung des Hin- und Herzahlens bleibt also aus, wenn gem. § 71a kein wirksamer Rückgewähranspruch entsteht oder Zahlungsvorgang zugleich verbotene finanzielle Unterstützung nach § 71a ist (AusschussB BT-Drs. 16/13098, 38; Bayer ZGR 2009, 805, 840). Ergebnis ist unausweichlich, soweit Verbotstatbestand des § 71a durch Art. 64 GesR-RL (früher Art. 25 Kapital-RL) vorgegeben ist. Obwohl Art. 64 GesR-RL mittlerweile finanzielle Unterstützung (financial assistance) bei Erwerb eigener Aktien nicht mehr strikt verbietet (ausf. dazu Lutter/Bayer/Schmidt EuropUntKapMR Rn. 19.151 ff.), hat der deutsche Gesetzgeber von dieser Erleichterung keinen Gebrauch gemacht (AusschussB BT-Drs. 16/13098, 38). Insbes. erfüllt § 27 IV Voraussetzungen der RL (Genehmigung der HV, Bericht des Leitungsorgans usw.) nicht (BeckOGK/Cahn/v. Spannenberg § 56 Rn. 15). Aufgrund dieses Vorrangverhältnisses ist für Anwendungsbereich des § 27 IV Reichweite des § 71a I maßgeblich (sa Hölters/Weber/Solveen Rn. 54). Geht man mit hier vertretener Auffassung davon aus, dass § 71a I grds. auch **originären Erwerb erfasst** (str.; → § 71a Rn. 1 mwN), ist verbleibender Anwendungsbereich zweifelhaft (vgl. KK-AktG/A. Arnold Rn. 145: nur originärer Erwerb 53 bei Kapitalerhöhung erfasst; Habersack AG 2009, 557, 563: Privilegierung gem. § 27 IV neben § 71a funktionslos; offenlassend S/L/Bayer Rn. 100; MüKo-AktG/Pentz Rn. 215). Gleichwohl glauben die Gesetzesverfasser an einen **Anwendungsbereich des § 27 IV** neben § 71a; denn nicht in jedem Hin- und Herzahlen liege „eindeutig" (sic!) auch eine verbotene finanzielle Unterstützung (AusschussB BT-Drs. 16/13098, 38). Entspr. dieser ungenauen legislativen Vorgabe ist Frage noch ungeklärt. Wenn man Funktionslosigkeit des § 27 IV nicht hinnehmen will, dürfte plausibelste Lösung wohl darin liegen, Verbotsnorm des § 71a I auch im Lichte des Art. 64 GesR-RL eng auszulegen und auf solche Gestaltungen zu beschränken, in denen es zu einer Änderung der Herrschaftsverhältnisse kommt (ausf. BeckOGK/Herrler Rn. 300 ff.; sa Hölters/Weber/Solveen Rn. 54a; Herrler/Reymann DNotZ 2009, 914, 929; in diese Richtung wohl auch AusschussB BT-Drs. 16/13098, 38). Das hätte zur Folge, dass § 27 IV auf Gründung und verhältniswahrende Kapitalerhöhung noch anwendbar bliebe (BeckOGK/Herrler Rn. 304). Auch diese Lösung ist indes noch mit solcher Unsicherheit behaftet, dass Praxis nur sehr zurückhaltend von § 27 IV Gebrauch machen sollte (S/L/Bayer Rn. 100).

54 Bei **Konzernverhältnissen** ist § 71a I 3 zu beachten. Danach gilt Finanzierungsverbot des § 71a I 1 nicht im **Vertragskonzern** oder bei Gewinnabführungsvertrag (→ § 71a Rn. 6a). Insoweit dürfte sich deshalb auch bei Privilegierung der Cash Pool-Fälle ein Anwendungsbereich ergeben (Ekkenga ZIP 2010, 2469, 2470). Sonst, also im Geltungsbereich der **§§ 311 ff.,** verbleibt es dagegen beim Verbotstatbestand des § 71a I 1, so dass Privilegierung des Cash Poolings insoweit fehlschlägt. Angebliche Spezialität der §§ 311 ff. vermochte schon früher nicht zu überzeugen (→ § 71a Rn. 6a) und scheitert jetzt auch daran, dass § 71a I 3 nur auf Beherrschungs- und Gewinnabführungsverträge Bezug nimmt.

VI. Änderung und Beseitigung (§ 27 V)

55 Für Änderung wirksamer Festsetzungen in der Satzung sowie für deren Bereinigung durch Streichung gegenstandslos gewordener Bestimmungen gilt Regelung entspr., die § 26 IV, V für Sondervorteile und Gründungsaufwand trifft (§ 27 V); Einzelheiten → § 26 Rn. 9 f. Hauptfall der **Änderung** ist Übergang von Sach- auf Bargründung. Weil Beseitigung obsolet gewordener Satzungsbestandteile gem. § 26 V erst nach Mindestfrist von 30 Jahren seit Eintragung zulässig ist, kann es sich empfehlen, umfangreiche Regelungstexte insoweit nur in eine Anlage aufzunehmen, als sie nicht der Satzungsform des § 27 I 1 unterliegen; soweit Satzungsform geboten ist (→ Rn. 9 f.), genügen Anlagen dagegen nicht (hM, s. GK-AktG/Röhricht/Schall Rn. 247 mwN).

Gründer

28 **Die Aktionäre, die die Satzung festgestellt haben, sind die Gründer der Gesellschaft.**

I. Normzweck

1 § 28 enthält **Legaldefinition** und bestimmt Begriff des Gründers einheitlich für das gesamte AktG; vgl. zB § 23 II 1; § 30 I; § 31 I; § 32 I; § 33 II 1, III; § 35 I, II; § 36 I; § 46 I-IV; §§ 50; 160 I Nr. 1; § 399 I 1 und 2. Norm hat insbes. bei zivilrechtl. und strafrechtl. Gründerhaftung nach §§ 46, 399 I 1 und 2 Bedeutung. Keine Geltung erlangt § 28 bei Verschmelzung durch Neugründung oder beim Formwechsel; insoweit bestehen Sondervorschriften (vgl. § 36 II 2 UmwG, § 245 UmwG).

II. Begriff des Gründers

Ausschließlich Personen (auch jur. Personen) oder Personengesamtheiten mit Gründerfähigkeit (→ § 2 Rn. 5–11) kommen als Gründer in Betracht. Erforderlich ist ihre rechtswirksame Mitwirkung bei Feststellung der Satzung (§ 23) und Zeichnung mindestens einer Aktie. Bei Stellvertretung ist wegen § 164 I BGB der Vertretene Gründer (MüKoAktG/Pentz Rn. 7). Der als Treuhänder oder Strohmann im eigenen Namen, aber auf fremde Rechnung Handelnde ist in seiner Person Gründer (MüKoAktG/Pentz Rn. 5). Gründer ist nicht, wer nur eine Sachübernahme gem. § 27 zusagt; er tritt lediglich in schuldrechtl., nicht aber gesellschaftsrechtl. Bindung zur Gesellschaft. Zu Gründern als SPACs-Initiatoren iSd § 44 VI BörsG → § 23 Rn. 57. 2

III. Mängel bei der Satzungsfeststellung

Eine bei Satzungsfeststellung **geschäftsunfähige Person** wird nicht Gründer; anders bei nachträglicher Geschäftsunfähigkeit (arg. § 130 II BGB). Bei **Anfechtung** auf Satzungsfeststellung gerichteter Willenserklärung nach §§ 119, 123 BGB (→ § 23 Rn. 8) gilt: Vor Entstehung der Vor-AG (→ § 41 Rn. 3) tritt gem. § 142 I BGB rückwirkend Nichtigkeit ein; der Anfechtende ist nicht Gründer, kann aber nach Rechtsscheingrundsätzen haften (KK-AktG/A. Arnold Rn. 6). Nach Entstehung der Vor-AG und bis zur Eintragung der AG finden die Sonderregeln der fehlerhaften Gesellschaft Anwendung. Der Anfechtende ist insoweit Gründer; Anfechtung kann nur noch zum Ausscheiden ex nunc führen (MüKoAktG/Pentz Rn. 14). 3

IV. Tod eines Gründers

Tod eines Gründers berührt grds. die in Entstehung befindliche AG nicht. In seine Rechtsstellung treten gem. § 1922 BGB die Erben ein (KK-AktG/A. Arnold Rn. 7; MüKoAktG/Pentz Rn. 15). Wenn bes. Umstände Auflösung der AG erfordern, muss aus wichtigem Grund gekündigt oder Auflösungsbeschluss gefasst werden. Für Gründerhaftung ist zu differenzieren: Haftung des Erblassers setzt sich in der Person des Erben fort (§§ 1967 ff. BGB einschließlich des Rechts zur Haftungsbeschränkung). Wirkt Erbe nach Erbfall an weiter erforderlichen Gründungshandlungen selbst mit, so trifft ihn insoweit die Gründerhaftung persönlich. Dann ist er auch strafrechtl. verantwortlich. 4

Errichtung der Gesellschaft

29 **Mit der Übernahme aller Aktien durch die Gründer ist die Gesellschaft errichtet.**

I. Regelungsgegenstand und -zweck

§ 29 betr. Zeitpunkt, in dem Vor-AG entsteht. Weil Ges. keine konkreten Rechtsfolgen anordnet, hat lehrhaft wirkende Norm nur klarstellende Bedeutung. 1

II. Aktienübernahme und Errichtung

Durch Aktienübernahme wird Einlagepflicht begründet (→ § 2 Rn. 12). Nur die Gründer (§ 28) sind zur Übernahme zugelassen (Einheitsgründung). Weil Gründer nur ist, wer an Feststellung der Satzung mitwirkt (§ 28), und schon die 2

Feststellungsurkunde Gründer und von ihnen übernommene Aktien benennen muss (§ 23 II Nr. 1 und 2), entsteht Gesellschaft mit Abschluss des Beurkundungsvorgangs. Gesellschaft ist, wie § 41 I 1 zeigt, noch nicht (eintragungsabhängige) AG als jur. Person, Kapitalgesellschaft und Formkaufmann, sondern Vor-AG als körperschaftlich strukturierte Gesellschaft sui generis (→ § 41 Rn. 3 f.), und zwar nach zutr. hM auch im Fall der Einmanngründung (insoweit str. → § 41 Rn. 17a ff.).

Bestellung des Aufsichtsrats, des Vorstands und des Abschlußprüfers

30 (1) [1]**Die Gründer haben den ersten Aufsichtsrat der Gesellschaft und den Abschlußprüfer für das erste Voll- oder Rumpfgeschäftsjahr zu bestellen.** [2]**Die Bestellung bedarf notarieller Beurkundung.**

(2) **Auf die Zusammensetzung und die Bestellung des ersten Aufsichtsrats sind die Vorschriften über die Bestellung von Aufsichtsratsmitgliedern der Arbeitnehmer nicht anzuwenden.**

(3) [1]**Die Mitglieder des ersten Aufsichtsrats können nicht für längere Zeit als bis zur Beendigung der Hauptversammlung bestellt werden, die über die Entlastung für das erste Voll- oder Rumpfgeschäftsjahr beschließt.** [2]**Der Vorstand hat rechtzeitig vor Ablauf der Amtszeit des ersten Aufsichtsrats bekanntzumachen, nach welchen gesetzlichen Vorschriften der nächste Aufsichtsrat nach seiner Ansicht zusammenzusetzen ist; §§ 96 bis 99 sind anzuwenden.**

(4) **Der Aufsichtsrat bestellt den ersten Vorstand.**

Übersicht

I. Regelungsgegenstand und -zweck

1 § 30 regelt Bestellung, Zusammensetzung und Amtszeit des ersten AR sowie Bestellung des Abschlussprüfers für erstes Geschäftsjahr und Bestellung des ersten Vorstands. Norm bezweckt, soweit es um AR und Vorstand geht, **Handlungsfähigkeit der Vor-AG** sicherzustellen; auch ist Mitwirkung dieser Organe zur Entstehung der AG unverzichtbar (§ 30 IV, §§ 33, 36). Bzgl. der Abschlussprüfer geht es darum, sonst nur zu diesem Zweck erforderliche HV entbehrlich zu machen (RegBegr. Kropff S. 51 f.). § 30 II stellt klar, dass für ersten AR grds. noch kein Mitbestimmungsrecht gilt (Ausnahme § 31); erforderlicher Ausgleich liegt in kurzer Amtszeit des ersten AR gem. § 30 III 1 (RegBegr. Kropff S. 49; zur rechtspolitischen Kritik → Rn. 7). Anderes gilt in den Fällen des § 31 (→ § 31 Rn. 7 ff.).

II. Erster Aufsichtsrat

1. Bestellung. Erster AR wird **von den Gründern** (§ 28) bestellt. Gerichtl. Ersatzbestellung ist grds. nicht möglich; Ausnahme ist nur angezeigt, wenn Entsendungsberechtigter seiner Entsendungspflicht nicht nachkommt und erster AR deshalb nicht zustande kommt (MHdB CL/Pentz § 25 Rn. 59). Fehlt AR, so kann AG nicht in das HR eingetragen werden (vgl. §§ 36, 37). Grds. finden allg. Vorschriften zur Bestellung des AR Anwendung, da Gründer anstelle der HV handeln. AR-Mitglied kann mithin nur werden, wer persönliche Voraussetzungen gem. §§ 100, 105 erfüllt; dies kann auch ein Gründer sein. Bestellung ersten AR kann unmittelbar in der Satzung als formeller Satzungsbestandteil erfolgen; regelmäßig werden Mitglieder aber unmittelbar im Anschluss an die Feststellung der Satzung gesondert bestellt; für Bestellung kann auch bes. Versammlung der Gründer einberufen werden (MHdB CL/Pentz § 25 Rn. 48, 50 f.). Zur Wahl gestellter Gründer ist bei Beschlussfassung selbst stimmberechtigt (GK-AktG/Röhricht/Schall Rn. 6). Die Gründer beschließen mit **einfacher Mehrheit** (vgl. § 133), sofern Satzung nichts anderes bestimmt (→ § 41 Rn. 7; KK-AktG/A. Arnold Rn. 7). Mitwirkung aller Gründer ist bei Beschlussfassung nicht erforderlich (heute allgM, s. MüKoAktG/Pentz Rn. 11). Vertretung ist unter Beachtung der Formvorschrift des § 134 III möglich (allgM). Mehrheit berechnet sich nach den Aktiennennbeträgen oder Stückzahlen, die auf anwesende Gründer entfallen. Wirksamkeit der Wahl hängt nicht von Anwesenheit des Gewählten ab. Er muss Wahl jedoch annehmen (ggf. konkludent zB durch Aufnahme der Amtstätigkeit oder Mitwirkung bei Anmeldung nach § 36 I), damit sie wirksam wird (KK-AktG/A. Arnold Rn. 10; MüKoAktG/Pentz Rn. 14). Soweit Satzung ein Entsendungsrecht vorsieht (§ 101 II → § 101 Rn. 9 ff.), gilt es auch für Bestellung des ersten AR (MüKoAktG/Pentz Rn. 15). Bestellungskompetenz der Gründer tritt hinter Entsendung zurück (sa → Rn. 3). 2

Gem § 30 I 2 bedarf Bestellung, nicht jedoch Erklärung der Annahme, **notarieller Beurkundung.** In die Urkunde sind aufzunehmen: Anwesenheit der Gründer und jew. auf sie entfallende Aktiennennbeträge oder Stückzahlen; Inhalt ihrer Erklärungen; Namen der Gewählten (MüKoAktG/Pentz Rn. 13). Bestellung kann mit Feststellung der Satzung (§ 23) verbunden werden (Muster bei Happ/Mulert AktienR 2.01 lit. a [bes. II und IV]). Bestellungsbeschluss ist gem. § 110 Nr. 1 GNotKG von Satzungsfeststellung verschiedener Beurkundungsgegenstand. Geschäftswert für Bestellungsbeschluss bestimmt sich nach § 108 GNotKG. Bei Verbindung mit Satzungsfeststellung in einem Beurkundungsverfahren ist er gem. § 35 I GNotKG mit Geschäftswert der Satzungsfeststellung gem. §§ 97, 107 GNotKG (→ § 23 Rn. 44) zu addieren. Gebühr für Satzungsfeststellung und für Bestellungsbeschluss bestimmt sich jew. nach KV 21100 GNotKG, da KV 21100 GNotKG den Anwendungsbereich von § 36 II KostO aF und von § 47 KostO aF erfassen soll (vgl. BT-Drs. 17/11471, 218). E contrario § 94 I GNotKG entsteht somit abweichend von der hM zur KostO aF (s. OLG Zweibrücken FGPrax 2002, 187: zusätzliche Gebühr) eine Gesamtgebühr (vgl. Pfeiffer NZG 2013, 244, 246). Daneben kann für die beratende Mitwirkung bei Vorbereitung und Durchführung der HV eine 0,5- bis 2,0-fache Beratungsgebühr nach KV 24203 GNotKG neben der Beurkundungsgebühr anfallen (vgl. BT-Drs. 17/11471, 140). Geschäftswert für Beratung bestimmt sich nach § 120 GNotKG. Bestellungserklärung des Entsendungsberechtigten (§ 101 II) ist entspr. § 30 I 2 notariell zu beurkunden (GK-AktG/Röhricht/Schall Rn. 4 aE). 3

Ausscheiden. Scheidet AR-Mitglied vorzeitig durch Tod, Amtsniederlegung oder Abberufung (§ 103) aus, so bestellen die Gründer nach den Grundsätzen in → Rn. 2 f. neues AR-Mitglied, wenn AG noch nicht im HR eingetragen ist 4

(§ 41). Nach Eintragung gilt § 101; HV bestellt nach allg. Vorschriften (MHdB AG/Hoffmann-Becking § 3 Rn. 21). Für Abberufung und Amtsniederlegung eines AR-Mitglieds für die Zeit vor Eintragung der AG gelten dieselben ges. Bestimmungen bzw. Grundsätze wie für die Zeit danach (KK-AktG/A. Arnold Rn. 19 f.; MüKoAktG/Pentz Rn. 28 f.). Deshalb ist vorbehaltlich anderslautender Satzungsbestimmung (vgl. § 103 I 3) für Abberufung Dreiviertelmehrheit der Gründer erforderlich (§ 103 I 2); wegen des übereinstimmenden Bedürfnisses nach Rechtssicherheit vor und nach Eintragung der AG bedarf es dafür gem. § 30 I 2 analog der notariellen Beurkundung; Aufnahme in privatschriftliches Protokoll genügt nicht (KK-AktG/A. Arnold Rn. 19; MüKoAktG/Pentz Rn. 29; dagegen auf § 130 I 1 abstellend GK-AktG/Röhricht/Schall Rn. 15). Zur Amtsniederlegung → § 103 Rn. 17. Erklärung ist an die Gründer zu richten, wenn AR den ersten Vorstand (→ Rn. 12) noch nicht bestellt hat. Durch den Wechsel der Mitglieder wird Charakter als erster AR iSd § 30 I nicht berührt (GK-AktG/Röhricht/Schall Rn. 18; vgl. RGZ 24, 54, 56 f.).

5 **2. Zusammensetzung.** Die Gründer haben die ges. oder satzungsmäßig vorgeschriebene Zahl von AR-Mitgliedern zu bestellen (§ 95 I). Die Vorschriften über die Bestellung von **AN-Vertretern** gem. DrittelbG, MitbestG, MontanMitbestG und MitbestErgG finden gem. § 30 II beim ersten AR grds. keine Anwendung (→ Rn. 1). Grund der Einschränkung ist, dass AG zu Anfang ihres Bestehens idR nur verhältnismäßig wenig AN beschäftigt. AR-Mitglieder durch diese AN wählen zu lassen, ist unzweckmäßig, da zu diesem Zeitpunkt eine Auswahl geeigneter AR-Mitglieder nicht gewährleistet ist und später hinzukommenden AN die Möglichkeit genommen wird, Auswahl der AN-Vertreter im AR mitzubestimmen (RegBegr. Kropff S. 49). Ausgleich für fehlende AN-Beteiligung liegt in kurzer Amtszeit (KK-AktG/A. Arnold Rn. 4). Bei **Erwerb eines mitbestimmten Unternehmens** durch der Gründung nachfolgende Verschmelzung auf AG als Übernehmerin soll § 30 II nur bis zum Wirksamwerden der Verschmelzung gelten (Heither DB 2008, 109, 110 ff.), was aber im Gesetzeswortlaut keine Stütze findet und zu erheblichen Folgeprobleme für Größe und Zusammensetzung des AR führt. Außerges. Beschränkung der Mitbestimmungsfreiheit ist deshalb abzulehnen (LG Berlin BeckRS 2009, 11392; KK-AktG/A. Arnold Rn. 13; Kuhlmann NZG 2010, 46, 47 ff.). Berücksichtigung findet Mitbestimmungsrecht jedoch gem. § 31, wenn Gegenstand einer Sacheinlage oder Sachübernahme ein Unternehmen oder Unternehmensteil ist. Ist absehbar, dass bei der Neuwahl des AR Mitbestimmungsrecht greift, so empfiehlt sich, Zahl der Mitglieder für ersten AR in der Satzung entspr. niedriger zu bestimmen, um sonst unvermeidliches Ausscheiden zu vermeiden (KK-AktG/A. Arnold Rn. 14; MHdB AG/Hoffmann-Becking § 3 Rn. 16).

6 **3. Aufgaben.** Dem ersten AR sind iRd Gründung spezielle Aufgaben zugewiesen, zB Bestellung des ersten Vorstands (§ 30 IV), Gründungsprüfung (§ 33 I), Mitwirkung bei Anmeldung (§ 36 I). Darüber hinaus bestehen aus §§ 111, 112 folgende allg. Aufgaben auch im Gründungsstadium (RGZ 144, 348, 351; MüKoAktG/Pentz Rn. 31; GK-AktG/Röhricht/Schall Rn. 19). Pflichtverletzungen bei der Gründung führen zur Haftung nach § 48. IÜ (§§ 111, 112) gilt § 93 iVm § 116.

7 **4. Amtszeit.** Gem. § 30 III 1 endet Amtszeit des ersten AR mit Beendigung der HV, die gem. § 120 über die Entlastung für das erste Rumpf- oder Vollgeschäftsjahr beschließt. Unerheblich ist, ob Entlastung erteilt oder versagt wird (MüKoAktG/Pentz Rn. 24). Aus dem Regelungszusammenhang (§ 120 I 1, § 30 III 1 und § 240 II 2 HGB) folgt damit idR eine Höchstdauer von 20 Monaten (RegBegr. Kropff S. 49; BeckOGK/Gerber Rn. 14). Wegen des zu § 102

ergangenen Urteils BGH AG 2002, 676, 677 (→ § 102 Rn. 3) nimmt heute ganz hM auch zu § 30 an, dass Amtszeit der Mitglieder auch dann mit HV endet, wenn sie nicht in gebotener Weise über Entlastung beschlossen hat (KK-AktG/A. Arnold Rn. 17; S/L/Bayer Rn. 10; BeckOGK/Gerber Rn. 14; MüKoAktG/Pentz Rn. 24; DNotI Report 2008, 137, 138). In der Tat kann Frage zu § 30 III 1 nicht anders entschieden werden als zu § 102 I 1, so dass dort geltender Maßstab auf § 30 III zu übertragen ist (GK-AktG/Röhricht/Schall Rn. 10 f.). § 30 III 1 bestimmt **Höchstdauer** („nicht für längere Zeit als"); kürzere Amtszeit ist mithin möglich, sie muss aber nach Sinn und Zweck der Gründungsvorschriften über Zeitpunkt der Eintragung hinausreichen (KK-AktG/A. Arnold Rn. 18; BeckOGK/Gerber Rn. 14; B/K/L/Lieder Rn. 7; MüKoAktG/Pentz Rn. 26; GK-AktG/Röhricht/Schall Rn. 12; aA Grigoleit/Vedder Rn. 9). Beschließen die Gründer Bestellung für längere Zeit, als in § 30 III 1 vorgesehen, so ist Bestellung wirksam, endet aber mit Ablauf der ges. Frist (MüKoAktG/Pentz Rn. 23; GK-AktG/Röhricht/Schall Rn. 14). Daraus können erhebliche Gefahren für wirksame Bestellung des AR und damit auch für Bestandskraft seiner Beschlüsse folgen. Sie entstehen weniger bei Neugründung als bei Mitgliederwechsel im ersten AR, zu dem es namentl. bei Vorrats-AG kommt (s. Thoelke AG 2014, 137, 143). Gem. § 31 V gilt § 30 III 1 nicht für AR-Mitglieder der AN, die gem. § 31 III bestellt sind (→ § 31 Rn. 1, 14). **Rechtspolitische Würdigung** des § 30 III fällt krit. aus (aufschlussreich zum Folgenden Thoelke AG 2014, 137 ff.). Vorgängervorschrift des Art. 191 II ADHGB 1884 diente noch dazu, Aktionäre vor fortdauerndem Gründereinfluss zu schützen, während heute mitbestimmungsrechtl. Regelungsanliegen überwiegt. Auch mitbestimmungsrechtl. Normumfeld hat sich mit Ges. über kleine AG v. 1994 (BGBl. 1994 I 1961) aber wesentlich verschoben. Beide einschneidenden Veränderungen haben sich in § 30 III nur unzureichend niedergeschlagen. Insbes. ist nicht ersichtlich, warum auch bei AG mit weniger als 500 Mitarbeitern Statusverfahren durchzuführen ist und Amtszeit beschränkt sein muss. Korrektur kann aber wohl nur über Gesetzgeber, nicht rechtsfortbildend erfolgen (insoweit wie hier KK-AktG/A. Arnold Rn. 5; aA insofern Thoelke AG 2014, 137, 144 f. mit weitreichenden Vorschlägen zur Neuinterpretation).

5. Vergütung. Ges. Vergütungsanspruch der Mitglieder des ersten AR besteht 8
nicht. Aus § 32 III, § 33 II Nr. 3 folgt, dass Vergütung in Form eines Gründerlohns oder eines Sondervorteils ausbedungen werden kann. AG wird aber nur bei Festsetzung in der Satzung verpflichtet (§ 26 I, III 1). IÜ entscheidet gem. § 113 II nur **HV im Nachhinein** über eine Vergütung, also am Ende der Amtszeit. Zusagen der Gründer sind nichtig gem. § 134 BGB (→ § 113 Rn. 27).

III. Bekanntmachung gem. § 30 III 2

Mit Bek. gem. § 30 III 2 (Muster bei Happ/Mulert AktienR, 2.01 lit. p) wird 9
ggf. notwendige **Beteiligung der AN im AR** vorbereitet. Bek. muss enthalten: nach Ansicht des Vorstands maßgebliche ges. Grundlage für Zusammensetzung des AR (vgl. § 96 I), in Abweichung von § 97 I 1 auch dann, wenn Vorstand der Meinung ist, Zusammensetzung des ersten AR gelte auch für den folgenden (KK-AktG/A. Arnold Rn. 24; GK-AktG/Röhricht/Schall Rn. 21), ferner Hinweis auf die Präklusion gem. § 97 II 2. Bek. erfolgt gem. § 97 I 1 durch Veröffentlichung in den Gesellschaftsblättern (§ 25) und durch Aushang in den Betrieben der AG und ihrer Konzernunternehmen. Inhalt der Bek. wird gem. § 97 II 1 verbindlich, wenn nicht ein Berechtigter (§ 98 II) Antrag auf gerichtl. Verfahren gem. §§ 98, 99 stellt. Bek. muss nach § 30 III 2 **rechtzeitig** vor Ablauf der Amtszeit erfolgen. Rechtzeitigkeit liegt vor, wenn vor Ablauf der

Amtszeit des ersten AR genug Zeit verbleibt, um die Vertretung der AN im AR nach ges. Verfahren sicherzustellen (Grigoleit/Vedder Rn. 12). Unter Berücksichtigung der Monatsfrist des § 97 II, der Möglichkeit eines gerichtl. Verfahrens und der ggf. nach den Mitbestimmungsgesetzen erforderlichen Wahlen dürfte Frist von vier bis fünf Monaten vor HV angemessen sein (KK-AktG/A. Arnold Rn. 26; GK-AktG/Röhricht/Schall Rn. 22). Verbleiben dem Vorstand Zweifel bzgl. der Zusammensetzung des AR, so kann er auch selbst gerichtl. Verfahren einleiten; § 98 I, II Nr. 1. Verspätete oder unterlassene Bek. macht Neuwahl von AR-Mitgliedern nicht mangelhaft (MüKoAktG/Pentz Rn. 36; Kowalski/Schmidt DB 2009, 551, 552; aA Brungs, Statusverfahren, 2015, 21 ff.), kann aber Schadensersatzpflicht gem. § 93 begründen, zB wegen der Kosten einer außerordentlichen HV (KK-AktG/A. Arnold Rn. 26; GK-AktG/Röhricht/Schall Rn. 22). Endet Amtszeit des ersten AR noch vor Abschluss eines Verfahrens nach §§ 98, 99, so setzt sich der Interims-AR ebenso zusammen wie der erste AR (KK-AktG/A. Arnold Rn. 27; S/L/Bayer Rn. 21). Seine Amtszeit endet mit Neuwahl durch außerordentliche HV nach Maßgabe der gerichtl. Entscheidung.

IV. Erster Abschlussprüfer

10 **1. Allgemeines.** Gründer (und nicht HV → Rn. 1) bestellen gem. § 30 I 1 ersten Abschlussprüfer. Gesetzgeber will damit verhindern, dass nach Eintragung der AG direkt HV zur Bestellung der Prüfer einberufen werden muss. Abschlussprüfer ist auch zu bestellen, wenn Gründer annehmen, dass es sich bei der zu gründenden AG voraussichtlich um kleine Kapitalgesellschaft iSd § 267 HGB handelt, bei der nach § 316 I HGB eine Abschlussprüfung unterbleiben kann. Grund dafür ist, dass zZ der Gründung nicht sicher ist, ob Voraussetzungen des § 267 I HGB zum ersten Bilanzstichtag gegeben sind (KK-AktG/A. Arnold Rn. 28; GK-AktG/Röhricht/Schall Rn. 25; MHdB AG/Hoffmann-Becking § 3 Rn. 25; aA BeckOGK/Gerber Rn. 20; Hölters/Weber/Solveen Rn. 13). Auf das Verfahren finden die für AR geltenden Grundsätze Anwendung (→ Rn. 2). Bestellung bedarf also gem. § 30 I 2 der notariellen Beurkundung. Von Bestellung ist Prüfungsauftrag zu unterscheiden. Zuständigkeit dafür liegt gem. § 111 II 3 beim AR (→ § 111 Rn. 42 ff.). Das gilt auch für ersten AR, weil insoweit keine Besonderheiten bestehen. Annexkompetenz der Gründer scheitert daran, dass auch im Basisfall des § 119 I Nr. 5 durch § 111 II 3 keine Annexzuständigkeit vorgesehen ist (S/L/Bayer Rn. 28; MüKoAktG/Pentz Rn. 46). Als Abschlussprüfer kommen Wirtschaftsprüfer sowie Wirtschaftsprüfungsgesellschaften in Betracht; § 319 I HGB. Ihnen sind allg. Aufgaben gem. §§ 316 ff. HGB zugewiesen, bezogen auf das erste Rumpf- oder Vollgeschäftsjahr. Unterlassen Gründer Bestellung, so hat dies für Gründung keine Konsequenzen; AG ist ordnungsgem. errichtet; Registergericht hat Eintragung gem. § 38 I vorzunehmen. Nach Eintragung ist gerichtl. Ersatzbestellung gem. § 318 IV HGB möglich (MüKoAktG/Pentz Rn. 49; GK-AktG/Röhricht/Schall Rn. 29). Bei fehlerhafter Bestellung des Abschlussprüfers wird Nichtigkeits- und Anfechtungsklage (§§ 241 ff. analog) durch § 318 III HGB beschränkt (GK-AktG/Röhricht/Schall Rn. 28; MHdB CL/Pentz § 25 Rn. 70).

11 **2. Abberufung. Nach Eintragung** der AG (§ 41) kann Abschlussprüfer nur nach Maßgabe des § 318 III HGB durch das Gericht abberufen werden. Vorschrift dient der Sicherung der Unabhängigkeit des Prüfers ggü. Bestellungsorgan. Laut hM ist Bestimmung auch **vor Eintragung** der AG anwendbar. Dafür spricht Sinn und Zweck der Neuregelung des § 318 III HGB durch BiRiLiG, wonach Rechtsstellung und Unabhängigkeit des Prüfers im Verhältnis zum Bestellungsorgan gestärkt werden sollen (S/L/Bayer Rn. 29; MüKoAktG/Pentz

Rn. 50; GK-AktG/Röhricht/Schall Rn. 28). Nach aA können Gründer im Gründungsstadium den gewählten Prüfer durch einfachen Mehrheitsbeschluss abberufen, da AG erst mit Eintragung den Status einer Kapitalgesellschaft mit Prüfungspflicht erlangt. Mangels bestehender Prüfungspflicht bedürfe es keiner bes. Unabhängigkeitssicherung des Prüfers (ADS § 318 HGB Rn. 18). Das überzeugt nicht, da für ges. bezweckte Sicherung der Prüferunabhängigkeit Zeitpunkt der Bestellung nicht maßgeblich sein kann (sa MüKoAktG/Pentz Rn. 50; Hölters/Weber/Solveen Rn. 14).

V. Erster Vorstand

Gem. § 30 IV bestellt AR (auch der nach § 31 I unvollständig besetzte; s. RegBegr. Kropff S. 51) den ersten Vorstand. **Bestellung** erfolgt durch Beschluss gem. § 108 mit einfacher Mehrheit (allgM); Satzung kann qualifizierte Mehrheit nicht festlegen (→ § 108 Rn. 8). Bestellung unterliegt keiner Form; insbes. keiner notariellen Beurkundung, da eine § 30 I 2 entspr. Vorschrift nicht existiert. Sitzungsniederschrift (§ 107 II) ist nur Beweisurkunde (→ § 107 Rn. 20; Muster bei Happ/Mulert AktienR, 2.01 lit. c). Wenn sie der Anmeldung nicht beigefügt werden kann (§ 37 IV Nr. 3), ist Eintragung allerdings gem. § 38 I abzulehnen. Kommt AR seiner Verpflichtung aus § 30 IV nicht nach, so besteht Eintragungshindernis; Ersatzbestellung durch Gericht ist nicht vorgesehen. Die Gründer haben nur die Möglichkeit, die AR-Mitglieder abzuberufen und neue zu bestellen (KK-AktG/A. Arnold Rn. 33; S/L/Bayer Rn. 22). Zum Anstellungsvertrag → § 84 Rn. 2, 14 ff. AG tritt nach zutr. Auffassung qua Identität mit der Vor-AG in Anstellungsverhältnis ein, sobald sie in das HR eingetragen wird (→ § 41 Rn. 16). Für **Zusammensetzung** gilt § 76 II iVm der Satzung → § 76 Rn. 138 f. Ein Arbeitsdirektor (→ § 76 Rn. 140) ist als Mitglied des ersten Vorstands nicht zu bestellen (AG Bremen AG 1979, 207; RegBegr. Kropff S. 51; MHdB AG/Hoffmann-Becking § 4 Rn. 25). Dem ersten Vorstand sind bes. **Aufgaben** zugewiesen, zB Prüfungspflicht (§ 33), Anmeldung der Gesellschaft (§ 36), Bek. gem. § 30 III 2 (→ Rn. 9) und ggf. gem. § 31 III 1. Zudem hat Vorstand Leitungsfunktion des § 76 I, soweit im Gründungsstadium entspr. Aufgaben anfallen (→ § 41 Rn. 6). Sorgfaltspflichten bestimmen sich nach § 93 I; Haftung iRd Gründung nach § 48. Anspruch auf Vergütung folgt aus dem Anstellungsvertrag; § 87 ist auch vor Eintragung zu beachten. **Vergütung** ist nach BGH NJW 2004, 2519, 2520 kein Gründungsaufwand, so dass AG aus Anstellungsvertrag auch ohne Satzungspublizität gem. § 26 II verpflichtet wird (ebenso MüKoAktG/Pentz Rn. 41; GK-AktG/Röhricht/Schall Rn. 35). Organstellung endet idR durch Zeitablauf. Es gilt § 84 I 1, Höchstgrenze liegt damit bei fünf Jahren, gerechnet ab Aufnahme der Amtstätigkeit, nicht ab Eintragung. 12

Bestellung des Aufsichtsrats bei Sachgründung

31 (1) [1]**Ist in der Satzung als Gegenstand einer Sacheinlage oder Sachübernahme die Einbringung oder Übernahme eines Unternehmens oder eines Teils eines Unternehmens festgesetzt worden, so haben die Gründer nur so viele Aufsichtsratsmitglieder zu bestellen, wie nach den gesetzlichen Vorschriften, die nach ihrer Ansicht nach der Einbringung oder Übernahme für die Zusammensetzung des Aufsichtsrats maßgebend sind, von der Hauptversammlung ohne Bindung an Wahlvorschläge zu wählen sind.** [2]**Sie haben jedoch, wenn dies nur zwei Aufsichtsratsmitglieder sind, drei Aufsichtsratsmitglieder zu bestellen.**

(2) **Der nach Absatz 1 Satz 1 bestellte Aufsichtsrat ist, soweit die Satzung nichts anderes bestimmt, beschlußfähig, wenn die Hälfte, mindestens jedoch drei seiner Mitglieder an der Beschlußfassung teilnehmen.**

(3) [1]**Unverzüglich nach der Einbringung oder Übernahme des Unternehmens oder des Unternehmensteils hat der Vorstand bekanntzumachen, nach welchen gesetzlichen Vorschriften nach seiner Ansicht der Aufsichtsrat zusammengesetzt sein muß.** [2]**§§ 97 bis 99 gelten sinngemäß.** [3]**Das Amt der bisherigen Aufsichtsratsmitglieder erlischt nur, wenn der Aufsichtsrat nach anderen als den von den Gründern für maßgebend gehaltenen Vorschriften zusammenzusetzen ist oder wenn die Gründer drei Aufsichtsratsmitglieder bestellt haben, der Aufsichtsrat aber auch aus Aufsichtsratsmitgliedern der Arbeitnehmer zu bestehen hat.**

(4) **Absatz 3 gilt nicht, wenn das Unternehmen oder der Unternehmensteil erst nach der Bekanntmachung des Vorstands nach § 30 Abs. 3 Satz 2 eingebracht oder übernommen wird.**

(5) **§ 30 Abs. 3 Satz 1 gilt nicht für die nach Absatz 3 bestellten Aufsichtsratsmitglieder der Arbeitnehmer.**

Übersicht

I. Regelungsgegenstand und -zweck

1 § 31 regelt Zusammensetzung und Amtszeit des ersten AR bei Sachgründung durch Einlage oder Übernahme eines Unternehmens oder Unternehmensteils und bezweckt möglichst rasche spätere **Beteiligung der AN** des übernommenen Unternehmens am AR der aufnehmenden Gesellschaft. Das ist sachgerecht; denn bei Unternehmensübernahme ist Belegschaft vorhanden, die Berücksichtigung der Mitbestimmungsgesetze nahelegt (RegBegr. Kropff S. 49). Neufassung des § 31 V durch Ges. für kleine Aktiengesellschaften und zur Deregulierung des Aktienrechts v. 2.8.1994 (BGBl. 1994 I 1961) betr. nur AR-Mitglieder der AN und beseitigt für sie bisherige Beschränkung der Amtszeit (→ Rn. 14). Weitergehender Regelungsgehalt des § 30 wird durch § 31 nicht berührt.

II. Anwendungsbereich

2 § 31 findet Anwendung, wenn Gegenstand einer Sacheinlage oder Sachübernahme (→ § 27 Rn. 3, 5) die **Einbringung** oder Übernahme eines Unternehmens oder eines Unternehmensteils ist (§ 31 I 1). Formell bedarf es der **Festsetzung in der Satzung** (§ 27 I 1); die Absicht der Gründer ist unerheblich.

Auch bei verdeckten Sacheinlagen scheidet Anwendbarkeit des § 31 aus. Das widerspricht zwar der Intention der Vorschrift (frühzeitige AN-Beteiligung), ist aber aus Rechtssicherheitsgründen geboten (MüKoAktG/Pentz Rn. 6). **Unternehmen** ist, anders als nach §§ 15 ff., betriebsfähige Wirtschaftseinheit, die dem Unternehmer das Auftreten am Markt ermöglicht; **Unternehmensteil** ist aussonderungsfähige Wirtschaftseinheit. Unternehmen oder Unternehmensteil müssen über eine dem Beteiligungszweck (→ Rn. 1) entspr. Zahl von AN verfügen (allgM). § 31 findet auch Anwendung, wenn Unternehmen nicht fortgeführt werden soll (KK-AktG/A. Arnold Rn. 6; S/L/Bayer Rn. 5). Vorschrift ist richtigerweise auch dann anzuwenden, wenn nur **Geschäftsanteile** eingebracht werden. Das wird zwar zT bestritten, da in diesem Fall kein Arbeitgeberwechsel eintritt (BeckOGK/Gerber Rn. 5; Grigoleit/Vedder Rn. 3), der von § 31 I aber auch nicht vorausgesetzt wird; auch in diesem Fall kann sich Mitbestimmung aus § 5 MitbestG ergeben (wie hier KK-AktG/A. Arnold Rn. 5; S/L/Bayer Rn. 4; B/K/L/Lieder Rn. 3). Unerheblich ist auch, ob bereits AR bestand (RegBegr. Kropff S. 50; S/L/Bayer Rn. 5), ob Voraussetzungen eines Mitbestimmungsgesetzes tats. vorliegen (MüKoAktG/Pentz Rn. 10) und zu welchem Zeitpunkt Einbringung oder Übernahme (vor oder nach Eintragung) geplant ist (MüKoAktG/Pentz Rn. 11). Das gilt auch, wenn zur Zeit der Einbringung Amtszeit des ersten AR bereits abgelaufen ist (KK-AktG/A. Arnold Rn. 6).

III. Bestellung des Aufsichtsrats durch die Gründer (§ 31 I und II)

1. Allgemeines. Gem. § 31 I bestellen die Gründer (vgl. § 28) eine unter Berücksichtigung der Mitbestimmungsgesetze bestimmte Zahl von AR-Mitgliedern. So bestellter, ggf. unvollständig besetzter AR ist erster **AR iSd § 30;** bzgl. Bestellung, Aufgaben und Vergütung gelten die Ausführungen zu § 30 (→ § 30 Rn. 2–4, 6, 8). Ggf. unvollständiger AR ist auch funktionsfähig (RegBegr. Kropff S. 51; GK-AktG/Röhricht/Schall Rn. 11). Insbes. bestellt er ersten Vorstand (§ 30 IV), dem die Aufgaben des § 31 III zufallen. 3

2. Zusammensetzung. Die Gründer bestellen gem. § 31 I 1 die Zahl von AR-Mitgliedern, die bei Anwendung der ges. Vorschriften, die nach ihrer Ansicht für Zusammensetzung des AR maßgeblich sind, von HV ohne Bindung an Wahlvorschläge bestellt werden könnten. **Zusammensetzung des AR regelnde Vorschriften** sind: MitbestG, MontanMitbestG, MitbestErgG, DrittelbG und § 101 I (mitbestimmungsfreier AR) → § 96 Rn. 4 ff., 12. Gründer wenden nach ihrer Ansicht einschlägiges Ges. an. Entscheidung ergeht durch Beschluss mit einfacher Mehrheit (MüKoAktG/Pentz Rn. 16) und bindet auch das Registergericht (KK-AktG/A. Arnold Rn. 7). Korrektur erfolgt ggf. über § 31 III (→ Rn. 7 ff.). Ohne Bindung an Wahlvorschläge können gewählt werden: nach §§ 7 ff. MitbestG die Hälfte der ges. oder durch Satzung bestimmten Zahl; nach §§ 4–9 MontanMitbestG und § 5 MitbestErgG die Hälfte der um ein Mitglied reduzierten Gesamtzahl (das gem. § 8 MontanMitbestG bzw. § 5 III MitbestErgG auf Vorschlag der übrigen AR-Mitglieder gewählt wird); nach § 4 I DrittelbG zwei Drittel der AR-Mitglieder. Greifen Mitbestimmungsgesetze nicht ein, so bestellen die Gründer sämtliche AR-Mitglieder (§ 101 I). Sonst ist AR grds. unvollständig zu besetzen. Ausnahme gem. § 31 I 2: Besteht AR nach Ges. oder Satzung nur aus drei Mitgliedern, so haben Gründer alle drei AR-Mitglieder zu bestellen. Grund der Ausnahme: Funktionsfähigkeit des ersten AR soll sichergestellt werden (RegBegr. Kropff S. 50). 4

3. Beschlussfähigkeit. Sofern Satzung nichts anderes bestimmt, ist nach § 31 I bestellter AR beschlussfähig, wenn **die Hälfte, mindestens aber drei seiner Mitglieder** an Beschlussfassung teilnehmen (§ 31 II). Voraussetzungen 5 sind § 108 II 2, 3 entlehnt (RegBegr. Kropff S. 50); es fehlt allerdings der Zusatz, dass sich die Hälfte nach der ges. oder satzungsmäßig bestimmten Zahl errechnet. Daraus folgt jedoch nicht, dass sich die Hälfte aus der Zahl der tats. amtierenden AR-Mitglieder bestimmt, zB durch Tod ausgeschiedenes AR-Mitglied unberücksichtigt bliebe. Bewusste Anlehnung des § 31 II an § 108 II 2, 3 gebietet vielmehr, Berechnungsbasis absolut nach von den Gründern gem. § 31 I zu bestellender Zahl von AR-Mitgliedern zu bestimmen (wie hier S/L/Bayer Rn. 13; MüKoAktG/Pentz Rn. 21; GK-AktG/Röhricht/Schall Rn. 13). Solange AR unvollständig besetzt ist, verdrängt § 31 II Regelung in § 28 MitbestG, § 10 MontanMitbestG und § 11 MitbestErgG (allgM); nach erfolgter Ergänzung bzw. Neuwahl entfaltet § 31 II keine Wirkung mehr.

6 Eine von § 31 II **abw. Satzungsbestimmung** geht dem Ges. vor (§ 31 II). Bestimmt Satzung lediglich allg. von § 108 II 2, 3 abw. Beschlussfähigkeit, so ist durch Auslegung zu ermitteln, ob diese auch auf ersten AR Anwendung findet (idR zu bejahen). Auslegung muss auf die Besonderheit Rücksicht nehmen, dass erster AR vielfach unvollständig ist. Das Satzungsquorum ist dann verhältnismäßig herabzusetzen (KK-AktG/A. Arnold Rn. 11; GK-AktG/Röhricht/Schall Rn. 14). Satzungsbestimmung oder Auslegung, die dazu führt, dass erster AR auch beschlussfähig ist, wenn weniger als drei Mitglieder teilnehmen, ist entspr. § 108 II 3 unzulässig (wie hier MüKoAktG/Pentz Rn. 22).

IV. Berücksichtigung von Arbeitnehmervertretern (§ 31 III und IV)

7 **1. Allgemeines.** § 31 III stellt Beteiligung der AN-Vertreter an AR sicher und steht unter Vorbehalt des § 31 IV (→ Rn. 13). Erster Schritt ist Bek. durch Vorstand gem. § 31 III 1 (→ Rn. 8); ferner sind gem. § 31 III 2 die §§ 97–99 entspr. anwendbar. Anschließend erfolgt, soweit erforderlich, Beteiligung der AN-Vertreter am ersten AR durch dessen Ergänzung oder durch Neuwahl (§ 31 III 3 und → Rn. 10). Auch der ergänzte bzw. neugewählte AR ist erster AR iSd § 30. § 104 II ist neben § 31 III anwendbar (→ § 104 Rn. 8).

8 **2. Bekanntmachungspflicht.** Vorstand hat gem. § 31 III 1 unverzüglich (§ 121 I 1 BGB) nach Einbringung oder Übernahme des Unternehmens oder Unternehmensteils bekanntzugeben, nach welchen ges. Vorschriften AR nach seiner Ansicht zusammengesetzt sein muss. Für Auslegung der Tatbestandsmerkmale **Einbringung** bzw. **Übernahme** kann auf zu § 613a BGB anerkannte Grundsätze zurückgegriffen werden (MüKoAktG/Pentz Rn. 25). Entscheidend ist somit, zu welchem Zeitpunkt AG oder Vor-AG Unternehmen bzw. Unternehmensteil nutzen kann; unerheblich ist Vollzug der Verfügungsgeschäfte (S/L/Bayer Rn. 17; GK-AktG/Röhricht/Schall Rn. 17). Übernahme kann vor oder nach Eintragung in das HR erfolgen (RegBegr. Kropff S. 50); auch nach der Wahl des zweiten AR, vgl. § 31 V. Zum Inhalt der Bek. → § 30 Rn. 9. Sie ist in Abweichung von § 97 I auch erforderlich, wenn Vorstand die Ansicht der Gründer teilt (MüKoAktG/Pentz Rn. 24; Hölters/Weber/Solveen Rn. 10). Vorstand kann bei eigenen Zweifeln von Bek. Abstand nehmen und selbst gerichtl. Entscheidung herbeiführen; vgl. § 98 I, II (MüKoAktG/Pentz Rn. 26).

9 **3. Wirkung der Bekanntmachung.** Gem. § 31 III 2 finden die §§ 97–99 entspr. Anwendung. Nach § 97 II wird vom Vorstand bekanntgegebene ges. Vorschrift verbindlich, wenn nicht innerhalb eines Monats nach Bek. im BAnz. (→ § 25 Rn. 4) gerichtl. Verfahren nach §§ 98, 99 eingeleitet wird. Ergeht gerichtl. Entscheidung (zur Antragsberechtigung s. § 98 II), so ist sie für und gegen alle verbindlich (§ 99 V 2). Zur Zuständigkeit und zum Verfahren vgl. Erl. zu §§ 98, 99.

4. Ergänzung; Neuwahl. Weiteres Schicksal des von den Gründern gem. § 31 I bestellten AR ist gem. **§ 31 III 3 Fall 1** davon abhängig, ob sie AR richtig zusammengesetzt haben oder ob andere Vorschriften anzuwenden sind. Bestätigt Vorstand in seiner unangefochten gebliebenen Bek. oder Gericht in seiner Entscheidung (→ Rn. 9) die Ansicht der Gründer über die anzuwendenden Vorschriften, bleiben die von ihnen bestellten AR-Mitglieder grds. im Amt; Ausnahme: § 31 III 3 Fall 2 (→ Rn. 11). Finden Mitbestimmungsgesetze Anwendung, wird AR durch Wahl der AN-Vertreter nach Maßgabe des jeweiligen AR-Systems ergänzt (RegBegr. Kropff S. 51). Wird Ergänzungswahl nicht durchgeführt, so kommt gerichtl. Ersatzbestellung gem. § 104 in Betracht (→ § 104 Rn. 8; B/K/L/Lieder Rn. 8; MüKoAktG/Pentz Rn. 30; Oetker ZGR 2000, 19, 42). Wenn AR nach anderen als von den Gründern für maßgeblich gehaltenen ges. Vorschriften zusammenzusetzen ist, erlischt das Amt der von ihnen bestellten AR-Mitglieder. Es findet Neuwahl des gesamten AR statt (§ 31 III 3 Fall 1). Nach zutr. Ansicht gilt das bei jeder Fehlbesetzung, also nicht nur bei Bestellung einer Überzahl, sondern auch bei Unterzahl (S/L/Bayer Rn. 22; GK-AktG/Röhricht/Schall Rn. 23; Brox AG 1966, 347, 349 f.; aA KK-AktG/A. Arnold Rn. 26; Brauksiepe BB 1967, 484); denn es kann nicht ausgeschlossen werden, dass die Gründer in richtiger Einschätzung der Gesetzeslage andere Personen bestellt hätten. 10

Zum anderen ist gem. **§ 31 III 3 Fall 2** Neuwahl erforderlich, wenn Gründer drei AR-Mitglieder bestellt haben (vgl. § 31 I 2), AR aber auch aus Mitgliedern der AN zu bestehen hat. Das Amt aller von den Gründern nach § 31 I bestellten AR-Mitglieder erlischt, um auf diese Weise Unklarheiten zu vermeiden, welches AR-Mitglied sein Amt verliert (Brox AG 1966, 347, 349). § 31 III 3 Fall 2 bedarf jedoch in zwei Fällen der teleologischen Reduktion. Erstens: Gründer haben bereits bei Bestellung bestimmt, dass für den später zu wählenden AN-Vertreter ein bestimmtes Mitglied (seine Annahme muss in Kenntnis des Vorbehalts erfolgt sein) ausscheidet (KK-AktG/A. Arnold Rn. 22; MüKoAktG/Pentz Rn. 38 f.). Nicht ausreichend ist es, wenn AR-Mitglieder sich untereinander einigen, weil dies außerhalb ihrer Kompetenz liegt (MüKoAktG/Pentz Rn. 39; GK-AktG/Röhricht/Schall Rn. 22). Zweitens: AR ist nach nicht angefochtener oder nach gerichtl. Entscheidung ohne AN-Vertreter oder mit mindestens drei Aktionärsvertretern zu besetzen. Anlass zur Neubesetzung besteht dann nicht, da Gründer die auf Aktionärsvertreter entfallende Zahl der AR-Mitglieder zB bestellt haben (S/L/Bayer Rn. 12; GK-AktG/Röhricht/Schall Rn. 22). In beiden Fällen ist Ergänzung des AR ausreichend (nur iErg zust. KK-AktG/A. Arnold Rn. 23). 11

Ist Neuwahl erforderlich (→ Rn. 10 f.), so **endet Amtszeit** des von den Gründern gem. § 31 I (nicht: § 31 III → Rn. 14) bestellten AR gem. § 97 II 3 mit Beendigung der HV, die nach Ablauf der Frist nach § 97 II 1 einberufen wird, spätestens aber sechs Monate nach Ablauf dieser Frist (vgl. RegBegr. Kropff S. 51; MüKoAktG/Pentz Rn. 32 ff.). Erging gerichtl. Entscheidung, so gilt § 97 II 3 gem. § 98 IV entspr. mit der Maßgabe, dass Frist mit Eintritt der Rechtskraft beginnt. Ist AG zum Zeitpunkt der Neuwahl noch nicht eingetragen, so entscheiden die Gründer anstelle der HV (GK-AktG/Röhricht/Schall Rn. 23). 12

5. Nachträglicher Unternehmenserwerb. § 31 IV schließt Geltung des § 31 III und damit ggf. erforderliche Ergänzung oder Neuwahl des AR aus, wenn Unternehmen oder Unternehmensteil nach Bek. gem. § 30 III 2 übernommen wird; Bek. gem. § 31 III 1 ist dann nicht erforderlich. Amtszeit des von den Gründern nach § 31 I bestellten AR endet gem. § 30 III (→ § 30 Rn. 7). Zum Zeitpunkt der Übernahme → Rn. 7. Zeitpunkt der Bek. entspr. dem des Fristbeginns (→ 25 Rn. 4; MüKoAktG/Pentz Rn. 45; GK-AktG/Röhricht/Schall 13

Rn. 27). Zusammensetzung des neuen AR richtet sich nach den durch Bek. gem. § 30 III 2 bestimmten ges. Vorschriften (→ § 30 Rn. 9). Nach erfolgter Übernahme kann sich herausstellen, dass diese ges. Vorschriften nicht mehr zutreffen; §§ 97–99 gelten dann unmittelbar (RegBegr. Kropff S. 51; KK-AktG/A. Arnold Rn. 29).

V. Amtszeit (§ 31 V)

14 Für Amtszeit der AR-Mitglieder ist zu unterscheiden: Für gem. § 30 I, § 31 I von den Gründern zu bestellende **Verteter der Aktionäre** verbleibt es bei bisheriger Beschränkung der Amtszeit gem. § 30 III 1 (GK-AktG/Röhricht/Schall Rn. 25). Ihr Amt endet also mit Beendigung der HV, die über Entlastung für das erste Geschäftsjahr beschließt (→ § 30 Rn. 7). Unerheblich ist, ob AR durch Zuwahl ergänzt oder neu bestellt wurde. Für **Vertreter der AN,** die gem. § 31 III bestellt sind, also bei Sachgründung (genauer → Rn. 2), gibt es keine Beschränkung der Amtszeit gem. § 30 III 1, weil § 31 V diese Norm insoweit außer Geltung setzt. Sie können also für Höchstdauer des § 102 bestellt werden. Daraus folgende unterschiedliche Amtszeiten sind ohnehin zulässig (→ § 102 Rn. 4) und können von HV bei Bestellung des zweiten AR nivelliert werden. Neuregelung will bei Sachgründung nicht förderliche kostspielige Doppelwahl innerhalb kurzer Zeit oder Umweg über gerichtl. Bestellung gem. § 104 entbehrlich machen (Fraktionsbegr. BT-Drs. 12/6721, 7). Gerichtl. Bestellung bleibt indessen zulässig und kann auch sinnvoll sein (Hoffmann-Becking ZIP 1995, 1, 4; teilw. abw. Lutter AG 1994, 429, 446).

Gründungsbericht

32 (1) **Die Gründer haben einen schriftlichen Bericht über den Hergang der Gründung zu erstatten (Gründungsbericht).**

(2) [1]**Im Gründungsbericht sind die wesentlichen Umstände darzulegen, von denen die Angemessenheit der Leistungen für Sacheinlagen oder Sachübernahmen abhängt.** [2]**Dabei sind anzugeben**

1. **die vorausgegangenen Rechtsgeschäfte, die auf den Erwerb durch die Gesellschaft hingezielt haben;**
2. **die Anschaffungs- und Herstellungskosten aus den letzten beiden Jahren;**
3. **beim Übergang eines Unternehmens auf die Gesellschaft die Betriebserträge aus den letzten beiden Geschäftsjahren.**

(3) **Im Gründungsbericht ist ferner anzugeben, ob und in welchem Umfang bei der Gründung für Rechnung eines Mitglieds des Vorstands oder des Aufsichtsrats Aktien übernommen worden sind und ob und in welcher Weise ein Mitglied des Vorstands oder des Aufsichtsrats sich einen besonderen Vorteil oder für die Gründung oder ihre Vorbereitung eine Entschädigung oder Belohnung ausbedungen hat.**

I. Regelungsgegenstand und -zweck

1 § 32 verpflichtet Gründer zur Erstattung eines Gründungsberichts, und zwar gleichermaßen bei Bar- und Sachgründung. Norm bezweckt **Schutz gegen unzulängliche Gründungen** und Erleichterung der gerichtl. Prüfung gem. § 38 (RegBegr. Kropff S. 52); sa § 37 IV Nr. 4. Gründungsbericht ist zudem Basis der Gründungsprüfung (§§ 33 ff.) und dient gem. § 9 I HGB auch der Information der Öffentlichkeit (→ § 37 Rn. 18).

II. Gründungsbericht: Allgemeines

2 Gem. § 32 I ist Gründungsbericht schriftlicher Bericht über den Hergang der Gründung. Berichterstattung ist **höchstpersönliche Gründerpflicht;** Vertretung durch Bevollmächtigte ist ausgeschlossen (allgM), Hinzuziehung von Gehilfen erlaubt. Für jur. Person handelt vertretungsberechtigtes Organ, für Nichtgeschäftsfähigen sein ges. Vertreter. Ges. geht von einem gemeinsamen Bericht aller Gründer aus; Zusätze einzelner Gründer zum Gesamtbericht sind indes ebenso zulässig wie äußerlich getrennte Berichte (allgM). Erforderlich ist **Schriftform,** dh gem. § 126 I BGB eigenhändige Namensunterschrift. Gründer müssen nicht dasselbe Berichtsexemplar unterschreiben; Unterzeichnung inhaltlich identischer, aber körperlich getrennter Berichtsexemplare genügt (BeckOGK/Gerber Rn. 4). Zeitlich ist Gründungsbericht nach Bestellung des Vorstands (§ 32 III), aber vor Gründungsprüfung gem. §§ 33 ff. (→ Rn. 1) zu erstellen (ebenso S/L/Bayer Rn. 2). Wird kein Gründungsbericht erstellt oder verweigert ein Gründer die Mitwirkung, besteht Eintragungshindernis nach § 38 I 2, bei offensichtlicher Unvollständigkeit, Unrichtigkeit, Widersprüchlichkeit Eintragungshindernis nach § 38 II (→ § 38 Rn. 7, 11). Untereinander sind Gründer zur Mitwirkung verpflichtet; Verpflichtung ist klagbar und gem. § 888 I ZPO vollstreckbar (KK-AktG/A. Arnold Rn. 3; MüKoAktG/Pentz Rn. 8). Dies gilt nicht nur für Erstattungspflicht, sondern auch für die gegen die Gründer bestehende Offenlegungspflicht aller im Gründungsbericht anzugebender Umstände (Grigoleit/Vedder Rn. 3). Gründer haften für Richtigkeit und Vollständigkeit des Berichts strafrechtl. gem. § 399 I Nr. 2 (bei jur. Person das Organ; § 14 StGB), zivilrechtl. ggü. der AG nach Maßgabe des § 46 und ggü. den Aktionären und Gesellschaftsgläubigern gem. § 823 II BGB iVm § 399 I Nr. 2 (vgl. RGZ 157, 213, 217; BeckOGK/Gerber Rn. 5). Ändern sich nach Erstattung des Gründungsberichts wesentliche Umstände, muss ein **Nachtragsbericht** nach Maßgabe des § 32 erstellt werden (KG OLGR 43, 299, 301; MüKoAktG/Pentz Rn. 37).

III. Gründungsbericht: Inhalt

3 **1. Allgemeine Angaben.** Zum Hergang der Gründung gehören alle für Entstehung der AG **wesentlichen Umstände,** ohne Rücksicht darauf, ob sie sich bereits aus der Satzung ergeben oder nicht (S/L/Bayer Rn. 4; MüKoAktG/Pentz Rn. 12); zB Angaben zur Errichtung der AG (Tag der Satzungsfeststellung, Grundkapital, dessen Zerlegung in Nennbetrags- oder Stückaktien, Zahl der von jedem Gründer übernommenen Aktien, Zusatzangaben nach § 23 II Nr. 2 [→ § 23 Rn. 18]); Höhe der geleisteten Bareinlagen; Tag der Wahl der ersten Organe (§§ 30, 31); Mitglieder des AR und des Vorstands; ob diesen oder einem Gründer Sondervorteile oder Gründerlohn (§ 26) versprochen wurden; Identität zwischen Gründer und Organmitglied. Muster bei Happ/Mulert AktienR 2.01 lit f. Zur Strohmanngründung → Rn. 6.

4 **2. Angaben bei Sachgründung.** § 32 II erweitert die erforderlichen Angaben bei Sachgründungen. Gem. § 32 II 1 sind auch die Umstände darzulegen, die für Beurteilung der Angemessenheit der Leistungen für die Sacheinlage oder Sachübernahme wesentlich sind. Sie sind angemessen, wenn ihr Wert dem Ausgabebetrag der zu gewährenden Aktien entspr. (sa § 34 I Nr. 2). Wesentliche Abweichung ist Eintragungshindernis (→ § 38 Rn. 9). Anzugeben sind zB: Ausgabebetrag der als Gegenleistung gewährten Aktien; Beschaffenheit der eingebrachten oder übernommenen Gegenstände (RGZ 18, 56, 68), wie Größe und Lage eines Grundstücks und etwaige Mieterträge.

5 Konkretisiert wird § 32 II 1 durch S. 2 Nr. 1–3; diese Angaben sind Pflichtangaben, ggf. durch Fehlanzeige ausdr. zu verneinen (allgM). Nr. 1 fordert Angabe der **vorausgegangenen Rechtsgeschäfte** (auch mehr als zwei Jahre zurückliegende), die auf Erwerb der Sacheinlage durch AG hingezielt haben. Entscheidend soll sein, dass Zweck des Rechtsgeschäfts die spätere Verwendung des Leistungsgegenstands bei der Gründung ist (KK-AktG/A. Arnold Rn. 10; S/L/Bayer Rn. 7). Aus § 32 II 2 Nr. 1 folgt kein Auskunftsanspruch ggü. Dritten, nur leistender Gründer ist aufgrund des Gesellschaftsvertrags auskunftspflichtig (MüKoAktG/Pentz Rn. 19; GK-AktG/Röhricht/Schall Rn. 12 aE). Gem. Nr. 2 sind ferner **Anschaffungs- und Herstellungskosten** (§ 255 HGB) aus den letzten beiden Jahren anzugeben; Differenz zwischen den Aufwendungen des Einlegers bzw. Einbringers und der Gegenleistung der AG soll feststellbar sein. Maßgebender Zeitpunkt für Fristberechnung ist nach zutr. hM Tag der Satzungsfeststellung (nicht des Gründungsberichts), da zu diesem Zeitpunkt die (wertmäßig in Relation zu setzende) Gegenleistung festgelegt wird. Haben mehrere Erwerbsvorgänge innerhalb der zwei Jahre stattgefunden, kommt es nur auf die Kosten des Gründers bzw. des letzten Veräußerers an, nicht aber auf die Kosten der vorgelagerten Veräußerer (MüKoAktG/Pentz Rn. 20). Bei **Unternehmensübergang** verlangt Nr. 3 Angabe der Betriebserträge aus den letzten zwei Geschäftsjahren. Zum Unternehmensbegriff → § 31 Rn. 2; Fristberechnung erfolgt wie bei Nr. 2. Begriff des Betriebsertrags ist nicht eindeutig: Bei Kapitalgesellschaften soll insoweit auf Jahresüberschuss/-fehlbetrag gem. § 275 II Nr. 17 oder III Nr. 16 HGB abzustellen sein, bei anderen Gesellschaften auf entspr. Betrag (vgl. MüKoAktG/Pentz Rn. 25). Frage bleibt zweifelhaft, weil solche Zahlen wenig aussagen. Angemessenheitsurteil (§ 32 II 1) erfordert, dass wenigstens außerordentliche Erträge gesondert angegeben werden (sa KK-AktG/A. Arnold Rn. 16; GK-AktG/Röhricht/Schall Rn. 21). Angabe muss getrennt für jedes Betriebsjahr erfolgen (allgM). Bei kürzerer Unternehmensdauer sind sämtliche Erträge anzugeben (S/L/Bayer Rn. 12).

6 **3. Besondere Angaben.** Weitere Angaben sind gem. § 32 III zum einen dann erforderlich, wenn Aktien für Rechnung eines Mitglieds des Vorstands oder des AR übernommen wurden **(Strohmanngründung);** zum anderen, wenn ein Mitglied des Vorstands oder des AR sich einen **bes. Vorteil** (Sondervorteil) oder für die Gründung oder ihre Vorbereitung eine Entschädigung oder Belohnung ausbedungen hat. In beiden Fällen ist ggf. Fehlanzeige erforderlich. Bezweckt ist, Interessenkollision iRd Gründungsprüfung (vgl. § 33 II Nr. 2 und Nr. 3) aufzudecken und zu beurteilen, ob und inwieweit AG von den Organmitgliedern beherrscht wird. Aus dem Gesellschaftsvertrag folgt Offenbarungspflicht des Strohmanns. Zum Begriff des Sondervorteils → § 26 Rn. 2f.; Gründungsentschädigung und Gründerlohn sind Gründungsaufwand (→ § 26 Rn. 5). Pflicht zur Offenlegung besteht auch dann, wenn entspr. Leistungen von einem Dritten erbracht werden (allgM). Anzugeben sind nach hM jew. Name des Empfängers und Umfang des dem einzelnen Organmitglied eingeräumten Vorteils bzw. der Entschädigung (S/L/Bayer Rn. 16), nicht ausreichend ist Gesamtbetrag (so aber v. Godin/Wilhelmi Anm. 9).

Gründungsprüfung. Allgemeines

33 (1) **Die Mitglieder des Vorstands und des Aufsichtsrats haben den Hergang der Gründung zu prüfen.**

(2) **Außerdem hat eine Prüfung durch einen oder mehrere Prüfer (Gründungsprüfer) stattzufinden, wenn**

1. ein Mitglied des Vorstands oder des Aufsichtsrats zu den Gründern gehört oder
2. bei der Gründung für Rechnung eines Mitglieds des Vorstands oder des Aufsichtsrats Aktien übernommen worden sind oder
3. ein Mitglied des Vorstands oder des Aufsichtsrats sich einen besonderen Vorteil oder für die Gründung oder ihre Vorbereitung eine Entschädigung oder Belohnung ausbedungen hat oder
4. eine Gründung mit Sacheinlagen oder Sachübernahmen vorliegt.

(3) [1] **In den Fällen des Absatzes 2 Nr. 1 und 2 kann der beurkundende Notar (§ 23 Abs. 1 Satz 1) anstelle eines Gründungsprüfers die Prüfung im Auftrag der Gründer vornehmen; die Bestimmungen über die Gründungsprüfung finden sinngemäße Anwendung.** [2] **Nimmt nicht der Notar die Prüfung vor, so bestellt das Gericht die Gründungsprüfer.** [3] **Gegen die Entscheidung ist die Beschwerde zulässig.**

(4) **Als Gründungsprüfer sollen, wenn die Prüfung keine anderen Kenntnisse fordert, nur bestellt werden**
1. Personen, die in der Buchführung ausreichend vorgebildet und erfahren sind;
2. Prüfungsgesellschaften, von deren gesetzlichen Vertretern mindestens einer in der Buchführung ausreichend vorgebildet und erfahren ist.

(5) [1] **Als Gründungsprüfer darf nicht bestellt werden, wer nach § 143 Abs. 2 nicht Sonderprüfer sein kann.** [2] **Gleiches gilt für Personen und Prüfungsgesellschaften, auf deren Geschäftsführung die Gründer oder Personen, für deren Rechnung die Gründer Aktien übernommen haben, maßgebenden Einfluß haben.**

Übersicht

I. Regelungsgegenstand und -zweck

§ 33 I verlangt Prüfung des Gründungshergangs durch Verwaltungsmitglieder. 1
Unter den Voraussetzungen des § 33 II hat außerdem externe Prüfung stattzufinden, und zwar gem. § 33 III entweder durch Urkundsnotar (möglich bei qualifizierter Bargründung iSd § 33 II Nr. 1 und 2) oder durch bes. Gründungsprüfer (notwendig, wenn in den Fällen des § 33 II Nr. 1 und 2 keine notarielle Prüfung stattfindet oder wenn § 33 II Nr. 3 oder 4 eingreift, also Gründung durch Sondervorteile, Sacheinlagen oder Sachübernahmen qualifiziert wird). Bezweckt ist, **ordnungsgem. Errichtung** einer AG sicherzustellen, die „im Interesse der künftigen Gläubiger und Aktionäre die notwendigen Sicherungen" erfüllt (RegBegr. Kropff S. 53). Zudem soll der Öffentlichkeit ein Überblick über

Gründungsverhältnisse gegeben (vgl. § 34 III 2) und gerichtl. Gründungsprüfung (§ 38) erleichtert werden. Basis der Gründungsprüfung ist Gründungsbericht (§ 32); Prüfungsumfang und Formalien bestimmt § 34.

II. Gründungsprüfung durch Verwaltungsmitglieder (§ 33 I)

2 Jedes in der Anmeldung zum HR genannte Mitglied des Vorstands einschließlich der Stellvertreter (§ 94) und des AR ist persönlich zur Prüfung des Gründungshergangs verpflichtet. Prüfungspflicht besteht unabhängig vom Erfordernis externer Gründungsprüfung nach § 33 II („außerdem"). Sie ist höchstpersönlicher Natur; Stellvertretung ist unzulässig (allgM, vgl. auch KGJ 28, A 228, 236 f.), erlaubt aber Zuziehung von Gehilfen. Im Verhältnis zur Vor-AG ist Prüfungspflicht zunächst aus der Organstellung abzuleiten (GK-AktG/Röhricht/Schall Rn. 6). Sie ist ferner Nebenpflicht aus dem Anstellungsverhältnis (BeckOGK/Gerber Rn. 6; MüKoAktG/Pentz Rn. 11). Prüfungspflicht kann gerichtl. geltend gemacht werden; Zwangsvollstreckung scheitert jedoch für beide Rechtsgründe an § 888 III ZPO. Bei Nichterfüllung kann Verwaltungsmitglied aber abberufen werden (→ § 30 Rn. 4, 12). Derartige Vorkommnisse sind im Prüfungsbericht zu erwähnen. Für Vollständigkeit und Richtigkeit des Prüfungsberichts haftet das einzelne Organmitglied zivilrechtl. der AG nach § 48 (MüKoAktG/Pentz Rn. 12). Daneben haftet es über § 823 II BGB iVm § 399 I Nr. 2 ggü. AG, Aktionären und Gesellschaftsgläubigern (vgl. GK-AktG/Röhricht/Schall Rn. 7; bzgl. Reichweite des Schutzgesetzcharakters des § 399: MüKoAktG/Wittig § 399 Rn. 5). § 399 I Nr. 2 begründet zugleich strafrechtl. Verantwortung. Gründungsprüfung ist Eintragungsvoraussetzung (vgl. § 37 IV Nr. 4, § 38 I 2). Erfolgt Eintragung ohne Prüfung, so ist AG jedoch wirksam entstanden (KK-AktG/A. Arnold Rn. 10; BeckOGK/Gerber Rn. 2); Nichtigkeitsklage oder Amtslöschung und Amtsauflösung sind nicht gerechtfertigt (vgl. § 275 iVm §§ 397, 399 FamFG). Muster bei Happ/Mulert AktienR 2.01 lit. g, 2.02 lit. h.

III. Externe Prüfung

3 **1. Allgemeines.** In Fällen des § 33 II muss neben Prüfung durch Verwaltungsmitglieder Prüfung durch einen oder mehrere Prüfer (Gründungsprüfer) erfolgen. Sie sind nicht Organ der AG, sondern üben nach zutr. hM ein Amt aus, vergleichbar dem des Insolvenzverwalters (BayObLGZ 1973, 235, 240; GK-AktG/Röhricht/Schall Rn. 39; MHdB CL/Pentz § 25 Rn. 78; aA Dienst, Die aktienrechtliche externe Gründungsprüfung, 1959, 95: Vertrag mit AG). Zivilrechtl. haften Gründungsprüfer gem. § 49 iVm § 323 I–IV HGB, strafrechtl. gem. §§ 403, 404 I Nr. 2.

4 **2. Notwendigkeit (§ 33 II).** § 33 II bestimmt abschließend, unter welchen Voraussetzungen externe Prüfung notwendig ist. Entspr. Tatsachen sind aus Gründungsbericht (§ 32) ersichtlich. Gem. **Nr. 1** ist Prüfung erforderlich, wenn Mitglied des Vorstands oder des AR zu den Gründern (§ 28) gehört; entscheidend ist Zeitpunkt der Registereintragung (MüKoAktG/Pentz Rn. 18). Ist Gründer eine Gesamthandsvereinigung (→ § 2 Rn. 9 f.), so greift Nr. 1 ein, wenn geschäftsführender Gesellschafter Verwaltungsmitglied der Vor-AG ist (S/L/Bayer Rn. 5; MüKoAktG/Pentz Rn. 19). Bei Erben- oder Gütergemeinschaften (→ § 2 Rn. 11) greift Nr. 1 immer ein, wenn Miterbe bzw. Ehegatte Verwaltungsmitglied ist. Bei jur. Personen findet Nr. 1 Anwendung, wenn vertretungsberechtigtes Organmitglied der Gründerin der Verwaltung angehört (allgM, vgl. KG OLGR 24, 171, 172; KGJ 41, A 123, 125). Gleiches gilt, wenn Verwaltungsmitglied beherrschenden Einfluss auf die bei Gründung beteiligte jur. Person hat (KK-

AktG/A. Arnold Rn. 13; MüKoAktG/Pentz Rn. 17; aA GK-AktG/Röhricht/Schall Rn. 12ff., die solche Fälle § 33 II Nr. 2 zuordnen). Nr. 1 ist ferner anwendbar, wenn ges. Vertreter eines Gründers Verwaltungsmitglied ist (allgM) oder wenn Organmitglied wird, wer bei Feststellung der Satzung als Bevollmächtigter eines Gründers tätig war (S/L/Bayer Rn. 5; B/K/L/Lieder Rn. 5; MüKoAktG/Pentz Rn. 21; Hölters/Weber/Solveen Rn. 7; aA KK-AktG/A. Arnold Rn. 13; GK-AktG/Röhricht/Schall Rn. 21).

Nr. 2 setzt voraus, dass bei Gründung für Rechnung eines Mitglieds des Vorstands oder des AR Aktien übernommen worden sind, also Strohmann-Geschäft vorliegt; Umfang ist unerheblich. Gem. **Nr. 3** ist externe Prüfung erforderlich, wenn Mitglied des Vorstands oder des AR sich bes. Vorteil oder für die Gründung oder ihre Vorbereitung Entschädigung oder Belohnung ausbedungen hat. Zu den Voraussetzungen → § 26 Rn. 2f., 5; → § 32 Rn. 6. Letztlich muss gem. **Nr. 4** externe Prüfung stattfinden, wenn Sacheinlage oder Sachübernahme gem. § 27 vorliegt; Wert ist unerheblich. Pflicht zur externen Prüfung wird wesentlich gelockert durch § 33a. Insbes. kann danach Börsenpreis des Einlagegegenstands genügen (→ § 33a Rn. 3f.). Muster für Bericht des Gründungsprüfers bei Happ/Mulert AktienR 2.01 lit. k, 2.02 lit. k. 4a

3. Notarielle Prüfung und eigentliche Gründungsprüfung (§ 33 III). 5
Gem. § 33 III 1 kann Gründungsprüfung durch beurkundenden Notar statt durch gerichtl. zu bestellenden Gründungsprüfer erfolgen. Regelungszweck ist die **Erleichterung des Gründungshergangs** bei sog kleiner AG (RegBegr. BT-Drs. 14/8769, 12; Hermanns ZIP 2002, 1785; Ihrig/Wagner BB 2002, 789, 792), die nach darin zum Ausdruck gelangender ges. Wertung vor Registereintragung immer vorliegt (→ § 41 Rn. 7). Voraussetzung ist materiell Bargründung, die nach § 33 II Nr. 1 oder 2 prüfungspflichtig ist (→ Rn. 4). Wenn Voraussetzungen des § 33 II Nr. 3 oder 4 vorliegen (ausschließlich oder kumulativ), genügt notarielle Prüfung nicht (RegBegr. BT-Drs. 14/8769, 12). Formell müssen Auftrag der Gründer und dessen Annahme durch Notar hinzutreten. Grds. naheliegende Auftragserteilung durch Vor-AG, diese vertreten durch ersten Vorstand (§ 30 V), sieht § 33 III 1 nicht vor. Notar kann Auftrag ablehnen (RegBegr. BT-Drs. 14/8769, 12), was Eigenart der Prüfung als sonstiger vorsorgender Betreuung entspr. (§ 24 I BNotO). Urkundsnotar ist, wer Satzung als inländischer Notar festgestellt hat (§ 23 I).

Auf die vom Notar übernommene Prüfungstätigkeit finden die Bestimmungen über die Gründungsprüfung (§§ 34, 35) entspr. Anwendung (s. § 33 III 1 Hs. 2).Verantwortlichkeit des Notars folgt nicht aus § 49 iVm § 323 HGB, da § 323 HGB auf bes. Probleme bei Bewertungsfragen zugeschnitten ist, die sich bei Prüfung durch Notar grds. nicht stellen (so iErg auch Papmehl MittBayNot 2003, 187, 191). Notar haftet nach § 19 BNotO; Haftungsprivileg aus § 19 I 2 BNotO findet keine Anwendung (S/L/Bayer Rn. 9; Heckschen NotBZ 2002, 429, 431; Papmehl MittBayNot 2003, 187, 191). Muster eines Prüfungsberichts bei Hermanns ZIP 2002, 1785, 1788f. Kündigung des Prüfungsverhältnisses ist möglich (anders bei Gründungsprüfern; s. MüKoAktG/Pentz Rn. 67). Findet **keine notarielle Prüfung** (→ Rn. 5) statt, weil § 33 II Nr. 3 oder 4 eingreift oder Gründer keinen Auftrag erteilen oder Notar ihn nicht annimmt, so bestellt Gericht Gründungsprüfer (§ 33 III 2; → Rn. 7). Deren Tätigkeit ist eigentliche Gründungsprüfung, weil §§ 34, 35 unmittelbar gelten; auch ist § 33 IV und V zu beachten. 5a

Prüfungskosten. Kostenschuldner sind Gründer, weil sie nach dem Wortlaut von § 33 III 1 Hs. 1 Auftrag erteilen (§ 29 Nr. 1 Fall 1 GNotKG), also nicht AG oder Vor-AG wie bei gerichtl. Prüferbestellung (→ Rn. 7). Kostenschuld der Gründer entspr. der bei Beurkundungskosten bestehenden Rechtslage (→ § 23 6

Rn. 44). Wie diese können auch Prüfungskosten gem. § 26 II von Gesellschaft übernommen werden, soweit Gründer nicht Organmitglied ist; sonst: § 33 II Nr. 3. Vergütungshöhe: volle Gebühr gem. KV 25206 GNotKG. Prüfungstätigkeit nach § 33 ist wegen ihres eigenständigen Charakters nicht bloßes Nebengeschäft der Beurkundung des Gründungsprotokolls, so dass daneben Gebühr für Gesellschaftsgründung gem. KV 21100 GNotKG zulässig ist (vgl. auch BT-Drs. 17/11471, 232). **Geschäftswert** ergibt sich aus § 123 GNotKG (MüKoAktG/Pentz Rn. 30).

7 **4. Gerichtliche Bestellung von Prüfern (noch: § 33 III). a) Verfahrensfragen.** Sachlich zuständig ist das **Amtsgericht** gem. § 23a I Nr. 2, II Nr. 4 GVG iVm § 375 Nr. 3 FamFG. Örtliche Zuständigkeit bestimmt sich nach §§ 376, 377 FamFG. Für Verfahren nach § 375 Nr. 3 FamFG ist gem. § 376 I FamFG Amtsgericht, in dessen Bezirk ein Landgericht seinen Sitz hat, für den gesamten LG-Bezirk zuständig (Konzentrationsregelung zur Förderung effektiver Verfahrensbearbeitung); Landesregierungen können nach § 376 II FamFG aber durch RechtsVO abweichen (Überblick bei Sternal/Eickelberg FamFG § 376 Rn. 11 ff.). Im Zusammenspiel mit § 377 I FamFG ist Bezirk maßgeblich, in dem Satzungssitz der AG liegen wird (vgl. S/L/Bayer Rn. 10; Grigoleit/Vedder Rn. 12). Hat AG Doppelsitz (→ § 5 Rn. 10), so sind beide Gerichte zuständig (→ § 14 Rn. 4). Gericht wird nur auf **Antrag** tätig (Formulierungsvorschlag bei Happ/Mulert AktienR 2.01 lit. h). Antragsberechtigt sind Gründer (gemeinsam, s. KK-AktG/A. Arnold Rn. 22; S/L/Bayer Rn. 10; aA MüKoAktG/Pentz Rn. 33; GK-AktG/Schall/Röhricht Rn. 36: einzeln) und Vorstand (KK-AktG/A. Arnold Rn. 22; GK-AktG/Röhricht/Schall Rn. 36). § 33 III aF sah zwingend Anhörung der IHK vor. Durch § 33 III nF ist diese Pflicht entfallen; Anhörung steht seither im Verfahrensermessen des Gerichts (BeckOGK/Gerber Rn. 17). Gericht hat sachliche (§ 33 IV, → Rn. 8) und persönliche (§ 33 V, → Rn. 9) Voraussetzungen der Prüferbestellung zu beachten. Sonst stehen Auswahl und Anzahl der Prüfer im **Ermessen des Gerichts** (→ Rn. 9). Insbes. ist entgegen missverständlichem Wortlaut des § 33 III 2 auch die Bestellung nur eines Prüfers zulässig (sa S/L/Bayer Rn. 10). Bestellung erfolgt durch Beschluss. Da externer Gründungsprüfer im öffentlichen Interesse handelt, kann Gericht (nicht Vor-AG oder Gründer) ihn jederzeit ohne wichtigen Grund abberufen; auch Amtsniederlegung ist zulässig (S/L/Bayer Rn. 10; – wieder anders bei Notar als Gründungsprüfer – vgl. MHdB CL/Pentz § 25 Rn. 91 f.). Kostenschuldner für Bestellungsverfahren sind nicht Gründer; Schuldnerin ist vielmehr die AG (BayObLGZ 1973, 235, 240). Gerichtskosten: Doppelte Gebühr gem. KV 13500 GNotKG (vgl. KV Vorb. 1.3.5 Nr. 1 GNotKG iVm § 375 Nr. 3 FamFG). Geschäftswert beträgt gem. § 67 I 1 Nr. 1 GNotKG 60.000 Euro.

7a Gegen Bestellungsbeschluss bzw. gegen Zurückweisung des Bestellungsantrags (§ 33 III 2) ist als **Rechtsmittel** Beschwerde gegeben (§ 33 III 3). Maßgebend sind §§ 58 ff. FamFG. Beschwerdefrist: ein Monat ab schriftlicher Bekanntgabe (§ 63 I, III FamFG). Beschwerdegericht ist nach § 119 I Nr. 1b GVG das OLG. Gegen die Beschwerdeentscheidung ist nach §§ 70 ff. FamFG die zulassungsabhängige Rechtsbeschwerde statthaft. Rechtsbeschwerdegericht ist gem. § 133 GVG der BGH. Dass Zulassungsvoraussetzungen im Kontext der Prüferbestellung erfüllt sein könnten, ist nicht ernsthaft vorstellbar.

8 **b) Sachliche Eignung der Prüfer (§ 33 IV).** Es sollen nur solche Personen zum Gründungsprüfer bestellt werden, die in Buchführung ausreichend vorgebildet und erfahren sind (Nr. 1); bei Bestellung einer Prüfungsgesellschaft soll mindestens einer der ges. Vertreter diese Kenntnis und Erfahrung aufweisen (Nr. 2). Zusätzliche Voraussetzungen des § 319 HGB gelten für externe Gründungsprüfung nicht. Gründungsprüfer muss damit kein Wirtschaftsprüfer sein,

wobei allerdings Wirtschaftsprüfer, Wirtschaftsprüfungsgesellschaften und vereidigte Buchprüfer regelmäßig ausreichend qualifiziert sind (vgl. §§ 2, 129 WPO). § 33 IV ist als Sollvorschrift formuliert, von deren Vorgaben das Gericht nur begrenzt abweichen darf, wenn für die Gründungsprüfung bes. Kenntnisse notwendig sind. In diesem Fall müssen Personen berufen werden, die über die bes. Kenntnisse und ausreichende Vorbildung in der Buchführung verfügen. Fehlt es an derartigen Personen mit Eigenschaftskumulation, muss das Gericht Prüfer sowohl mit dem (separat) notwendigen Fachwissen als auch mit Kenntnissen in der Buchführung berufen (KK-AktG/A. Arnold Rn. 25; S/L/Bayer Rn. 11). Nur in Ausnahmefällen reicht Berufung einer Person ohne Buchführungskenntnisse aus (iE KK-AktG/A. Arnold Rn. 25).

c) Persönliche Eignung der Prüfer (§ 33 V). Um unparteiische Prüfung sicherzustellen, enthält § 33 V zwingende Bestellungsverbote. S. 1 verweist auf § 143 II, der seinerseits auf §§ 319 II, III HGB Bezug nimmt (→ § 143 Rn. 3 f.). Ferner sind gem. S. 2 auch Prüfer oder Prüfungsgesellschaften ausgeschlossen, auf die bzw. deren Geschäftsführung Gründer oder Personen, für deren Rechnung die Gründer Aktien übernommen haben, maßgebenden Einfluss haben. Maßgebender Einfluss ist weniger als beherrschender Einfluss, vgl. § 17 (KK-AktG/A. Arnold Rn. 31; MüKoAktG/Pentz Rn. 60). Tats. Einflussnahme ist nicht erforderlich, ausreichend ist Möglichkeit (allgM). Unerheblich ist, worauf sie beruht (zB rechtl., wirtschaftliche, persönliche Beziehungen). Aus Regelungszweck des § 33 V folgt, dass auch vom Wortlaut nicht erfasste Interessenkollisionen (zB Angestellter der Gesellschaft) iRd gerichtl. Ermessensentscheidung zu berücksichtigen sind. Sinnwidrig wäre auch Bestellung eines Gründers (iE übereinstimmend MüKoAktG/Pentz Rn. 63) oder eines Verwaltungsmitglieds (iE auch GK-AktG/Röhricht/Schall Rn. 49 aE). 9

5. Rechtsfolgen bei Verstoß. Findet erforderliche externe Prüfung nicht statt, besteht Eintragungshindernis gem. § 38 I. Bestellung des Gründungsprüfers entgegen den Voraussetzungen des § 33 IV ist wirksam, nicht jedoch entgegen § 33 V (KK-AktG/A. Arnold Rn. 37; S/L/Bayer Rn. 14; B/K/L/Lieder Rn. 12; MüKoAktG/Pentz Rn. 70 ff.). Die Ansicht, dass die Bestellung trotz Verstoßes gegen § 33 V wegen der Beschränkung des § 18 II FGG aF wirksam und nur auf sofortige Beschwerde hin abänderbar ist, ist mit Wegfall dieser Vorschrift infolge der FGG-Reform nicht mehr haltbar (S/L/Bayer Rn. 14). Unwirksamkeit der Bestellung liegt auch vor, wenn Ausschlussgrund nach § 33 V nachträglich eintritt (S/L/Bayer Rn. 14; aA MüKoAktG/Pentz Rn. 74). Dagegen berühren Verstöße gegen berufsrechtl. Vorschriften, die die Prüfung untersagen (zB § 49 WPO), die Wirksamkeit der Bestellung und der Prüfung nicht. Erfolgt Eintragung aufgrund eines Berichts, an dem fehlerhaft bestellter Gründungsprüfer mitgewirkt hat, so ist AG gleichwohl ordnungsgem. entstanden, und zwar auch bei unwirksamer Prüferbestellung. Es liegt kein Fall des § 275 vor, so dass eingetragene AG Bestandsschutz erfährt; daher ist Amtslöschung nach § 397 FamFG nicht möglich. Registergericht kann jedoch gem. § 14 HGB nachträgliche Einreichung der Prüfungsberichte verlangen (→ § 34 Rn. 7). 10

Sachgründung ohne externe Gründungsprüfung

33a (1) **Von einer Prüfung durch Gründungsprüfer kann bei einer Gründung mit Sacheinlagen oder Sachübernahmen (§ 33 Abs. 2 Nr. 4) abgesehen werden, soweit eingebracht werden sollen:**

1. übertragbare Wertpapiere oder Geldmarktinstrumente im Sinne des § 2 Absatz 1 und 2 des Wertpapierhandelsgesetzes, wenn sie mit dem

gewichteten Durchschnittspreis bewertet werden, zu dem sie während der letzten drei Monate vor dem Tag ihrer tatsächlichen Einbringung auf einem oder mehreren organisierten Märkten im Sinne von § 2 Absatz 11 des Wertpapierhandelsgesetzes gehandelt worden sind,

2. andere als die in Nummer 1 genannten Vermögensgegenstände, wenn eine Bewertung zu Grunde gelegt wird, die ein unabhängiger, ausreichend vorgebildeter und erfahrener Sachverständiger nach den allgemein anerkannten Bewertungsgrundsätzen mit dem beizulegenden Zeitwert ermittelt hat und wenn der Bewertungsstichtag nicht mehr als sechs Monate vor dem Tag der tatsächlichen Einbringung liegt.

(2) **Absatz 1 ist nicht anzuwenden, wenn der gewichtete Durchschnittspreis der Wertpapiere oder Geldmarktinstrumente (Absatz 1 Nr. 1) durch außergewöhnliche Umstände erheblich beeinflusst worden ist oder wenn anzunehmen ist, dass der beizulegende Zeitwert der anderen Vermögensgegenstände (Absatz 1 Nr. 2) am Tag ihrer tatsächlichen Einbringung auf Grund neuer oder neu bekannt gewordener Umstände erheblich niedriger ist als der von dem Sachverständigen angenommene Wert.**

I. Regelungsgegenstand und -zweck

1 § 33a schließt an § 33 II Nr. 4 an, betr. also Sachgründung. Norm ist durch das ARUG 2009 eingeführt worden und beruht auf Deregulierungsoption des Art. 50 GesR-RL (früher Art. 11 Kapital-RL). Bezweckt ist **Vereinfachung von Sachgründungen.** Sie liegt darin, dass externe Gründungsprüfung (§ 33 II) nicht erforderlich ist, wenn sich Bewertung der Einlagegegenstände auf klare Anhaltspunkte stützen kann (Bayer ZGR 2009, 805, 806 ff.). Klare Anhaltspunkte nimmt § 33a in Fällen an, in denen Marktpreise bestehen (§ 33a I Nr. 1) oder in denen fair value-Bewertung zeitnah stattgefunden hat (§ 33a I Nr. 2), sofern nicht Preisen oder Bewertungen aufgrund bes. Umstände die übliche Aussagekraft abgeht (§ 33a II).

II. Ausnahmen vom Erfordernis externer Gründungsprüfung (§ 33a I)

2 **1. Marktgängige Wertpapiere oder Geldmarktinstrumente (§ 33a I Nr. 1). a) Ausnahmefähige Einlagengegenstände.** Von externer Gründungsprüfung kann nur abgesehen werden, wenn übertragbare Wertpapiere (§ 2 I WpHG) oder Geldmarktinstrumente (§ 2 II WpHG) eingebracht werden sollen. Das entspr. Art. 50 I 1 GesR-RL; die dort genannte RL 2014/65/EU (ABl. EU 2014 L 173, 349; MiFID II) ist nämlich mit der geltenden Fassung des § 2 WpHG durchgeführt. **Wertpapiere** iSd § 2 I WpHG sind vor allem Aktien (auch vinkulierte Namensaktien), Schuldverschreibungen und Genussrechte. Als Geldmarktinstrumente umschreibt der Auffangtatbestand des § 2 II WpHG Forderungen wie etwa aus Schuldscheindarlehen, die nicht zu den Effekten zählen, aber handelbar sind.

3 **b) Gewichteter Durchschnittspreis.** Verzicht auf externe Gründungsprüfung setzt weiter voraus, dass Wertpapiere oder Geldmarktinstrumente zu dem gewichteten Durchschnittspreis bewertet werden, zu dem sie während einer Referenzperiode (→ Rn. 4) gehandelt worden sind. § 33a I Nr. 1 folgt damit der Vorgabe in Art. 50 I 1 GesR-RL (früher Art. 11 I 1 Kapital-RL). RegBegr. BT-Drs. 16/11642, 22 spricht insoweit von einem abstrakten Maßstab, von dem offen bleibt, von wem und wie er zu ermitteln ist, dem jedoch von BaFin laufend

ermittelte Daten entspr. sollen. Daraus und aus dem systematischen Zusammenhang von § 5 I WpÜG-AV, auf den Fristbestimmung des § 33a I Nr. 1 mittelbar Bezug nimmt (→ Rn. 4), mit § 5 III WpÜG-AV ist abzuleiten, dass **nach Umsätzen gewichteter Durchschnittskurs** gemeint ist.

Gewichteter Durchschnittskurs ist für **Dreimonatsperiode** zu ermitteln, die vom Tag der tats. Einbringung an durch Rückwärtsrechnung zu bestimmen ist. § 33a I Nr. 1 entspr. damit Art. 50 I 1 GesR-RL unter Konkretisierung der dort genannten ausreichenden Zeitspanne. Regelungsvorbild ist **§ 5 I WpÜG-AV,** auf den RegBegr. BT-Drs. 16/11642, 22 ausdr. Bezug nimmt. Damit zeigt sich, dass § 5 I WpÜG-AV verallgemeinerungsfähigen Rechtsgedanken enthält, auf den zu Recht auch anderweitig zurückgegriffen wird (→ § 305 Rn. 24e). Den **relevanten Markt** bestimmt § 33a I Nr. 1 durch Bezugnahme auf § 2 XI WpHG, was dem gewählten Durchführungsansatz entspr. (→ Rn. 2). Vereinfacht muss danach Börsenhandel bestehen, und zwar im Inland oder in einem EU- oder EWR-Staat. Mit dieser Maßgabe können zB auch ausländische Aktien ohne externe Gründungsprüfung eingebracht werden. Insoweit nicht verfügbare BaFin-Angaben (→ Rn. 3) sind durch äquivalente andere Angaben zu ersetzen, wofür auch sachverständige Ermittlung des ausländischen Durchschnittskurses in Betracht kommt. 4

2. Andere Vermögensgegenstände. Bei anderen als den in § 33a I Nr. 1 genannten Vermögensgegenständen (§ 27 II; → Rn. 20 ff.) kann von externer Gründungsprüfung abgesehen werden, wenn Einbringung zum fair value erfolgt, wenn sich dieser aus sachverständiger Begutachtung nach allg. anerkannten Bewertungsgrundsätzen ergibt und wenn Bewertungsstichtag nicht mehr als sechs Monate vor der tats. Einbringung liegt (§ 33a I Nr. 2). Registergericht hat in diesem Fall nur zu prüfen, ob Gutachter die nach § 33a I Nr. 2 erforderlichen Voraussetzungen erfüllt und ob er von zutr. Anknüpfungstatsachen ausgegangen ist. Die Auswahl des Bewertungsverfahrens obliegt dagegen grds. dem Sachverständigen (KG NZG 2016, 620 Rn. 7). Auch in § 33a I Nr. 1 genannte Wertpapiere sind von Erleichterung des § 33a I Nr. 2 nicht ausgeschlossen, sondern nur, wenn sie tats. mit Durchschnittskurs bewertbar sind (Leuering NZG 2016, 208 f.; zust. MüKoAktG/Pentz Rn. 26). **Fair value** oder beizulegender Zeitwert ist vorgegeben durch Art. 50 II GesR-RL. Seine Maßgeblichkeit entspr. den schon bisher zu § 27 anerkannten Grundsätzen. An fair value knüpft Erklärungspflicht des § 37a I 3 an. Nach § 37a I 4 ist er ggü. Registergericht auch zu beziffern (→ § 37a Rn. 2). 5

Erfordernis **sachverständiger Begutachtung** ist durch Art. 50 II GesR-RL (früher Art. 11 II Kapital-RL) vorgegeben, so dass Gesetzgeber daran gebunden ist; s. dazu § 33 IV (→ § 33 Rn. 8). Praktische Relevanz des § 33a I Nr. 2 bleibt deshalb beschränkt (krit. DAV-HRA NZG 2008, 534 Rn. 7), nämlich auf die Fälle, in denen auf ältere sachverständige Bewertung zurückgegriffen werden kann. Danach bleibt es immerhin möglich, vorbereitende Wertgutachten im Eintragungsverfahren zu verwenden. Zu beachten bleibt schließlich **Sechsmonatsfrist,** die ebenfalls Art. 50 II GesR-RL entnommen ist. Rückwärtsberechnung erfolgt nach RL und § 33a I Nr. 2 vom Tag der tats. Einbringung an, nicht vom Tag der Anmeldung (MüKoAktG/Pentz Rn. 31). 6

3. Wahlrecht der Gründungsbeteiligten. Nach § 33a I „kann" von externer Gründungsprüfung abgesehen werden, wenn in Nr. 1 oder 2 umschriebene Voraussetzungen vorliegen. Erst im RegE gefundene Formulierung bringt zum Ausdruck, dass Gründer und andere Beteiligte Wahlrecht haben, sich also auch freiwillig der Prüfung durch Gründungsprüfer stellen können (RegBegr. BT-Drs. 16/11642, 22; DAV-HRA NZG 2008, 534 Rn. 5; DAV-HRA NZG 2009, 96 Rn. 2; KK-AktG/A. Arnold Rn. 3; Paschos/Goslar AG 2009, 14, 19 f.; Sauter 7

ZIP 2008, 1706, 1709 f.). Das hat nicht nur, aber vor allem bei Sachkapitalerhöhung Bedeutung. § 183a knüpft dafür an § 33a an, führt jedoch in § 183a II 2 Registersperre von vier Wochen ein, wenn auf externe Gründungsprüfung verzichtet wird. Deren freiwillige Durchführung lässt Sperre entfallen (s. dazu DAV-HRA NZG 2008, 534 Rn. 60; Drinhausen/Keinath BB 2009, 64, 65).

III. Gegenausnahmen (§ 33a II)

8 **1. Wertbeeinflussung durch außergewöhnliche Umstände.** Option des § 33a beruht auf tats. Vermutung, dass Bewertung mit gewichteten Durchschnittskursen (Nr. 1) oder mit anderweitig schon ermitteltem fair value (Nr. 2) zu Wertannahmen führt, die externer Gründungsprüfung standhalten würden. Deshalb muss diese Prüfung stattfinden, wenn Vermutung nicht gerechtfertigt ist. Dazu benennt § 33a II zwei abschließende Fallgruppen (KG NZG 2022, 1593 Rn. 16). Als erste nennt § 33a II Hs. 1 im Anschluss an § 33a I Nr. 1 erhebliche Beeinflussung des gewichteten Durchschnittspreises durch außergewöhnliche Umstände. Das folgt der Vorgabe in Art. 50 I 2 GesR-RL (früher Art. 11 I 2 Kapital-RL). **Außergewöhnliche Umstände** können vorliegen, wenn der Handel mit den betreffenden Papieren völlig zum Erliegen gekommen ist oder ausgesetzt war (RegBegr. BT-Drs. 16/11642, 22 mit Verweis auf BVerfGE 100, 289, 310 = NJW 1999, 3769; BGHZ 147, 108, 122 = NJW 2001, 2080). Ebenso, wenn der Marktpreis durch verbotene Kursmanipulation (vgl. Art. 15 iVm Art. 12 MAR) erheblich beeinflusst wurde (RegBegr. BT-Drs. 16/11642, 22). Marktübliches Verhalten iSd Art. 13 MAR sowie erlaubte Rückkaufprogramme eigener Aktien und Kursstabilisierungsmaßnahmen, die sich im Rahmen des Art. 5 MAR halten, fallen nicht darunter (RegBegr. BT-Drs. 16/11642, 22). Wann Beeinflussung des gewichteten Durchschnittspreises **erheblich** ist, lässt sich weder § 33a II Hs. 1 noch der RegBegr. dazu entnehmen. Auch Art. 50 I 2 GesR-RL lässt Frage offen. Vorgeschlagen wird, jedenfalls Abweichungen von 5 % als erheblich anzusehen (Zetzsche Konzern 2008, 321, 330). Maßgeblich ist, dass übliche Bandbreite bei sachverständiger Ermittlung des objektivierten Werts eindeutig verfehlt wird (zust. S/L/Bayer Rn. 9; Hölters/Weber/Solveen Rn. 8). Quantifizierung bei 5 % dürfte danach zu niedrig liegen (Bayer/Lieder GWR 2010, 3: Orientierung an 10 %-Grenze). Maßgebend für die Werterkenntnis ist **Zeitpunkt** der tats. Einbringung (Art. 50 I 2 GesR-RL; sa RegBegr. BT-Drs. 16/11642, 23 zu § 33a II Hs. 2).

9 **2. Verfehlung des beizulegenden Zeitwerts.** Bei den anderen Vermögensgegenständen des § 33a I Nr. 2 ist tats. Vermutung nicht mehr gerechtfertigt und externe Gründungsprüfung deshalb notwendig, wenn neue oder neu bekannt gewordene Umstände annehmen lassen, dass der fair value erheblich niedriger ist als vom Sachverständigen bisher angenommener Wert. Regelung knüpft an Art. 50 II 2 GesR-RL an. Nicht erforderlich ist, dass unterschiedliche Bewertungen vorliegen. Es genügt, dass **tats. Umstände** auf die Wertdifferenz schließen lassen (RegBegr. BT-Drs. 16/11642, 23). Von einem fair value, der **erheblich niedriger** ist, kann auch hier (→ Rn. 8) nur ausgegangen werden, wenn bisherige Wertannahme die Bandbreite vertretbarer Wertzuschreibungen eindeutig unterschreitet (glA KK-AktG/A. Arnold Rn. 24; Hölters/Weber/Solveen Rn. 9). Als maßgeblichen **Zeitpunkt** benennt § 33a II Hs. 2 in Übereinstimmung mit Art. 50 II 2 GesR-RL den der tats. Einbringung.

Umfang der Gründungsprüfung

34 (1) **Die Prüfung durch die Mitglieder des Vorstands und des Aufsichtsrats sowie die Prüfung durch die Gründungsprüfer haben sich namentlich darauf zu erstrecken,**

1. ob die Angaben der Gründer über die Übernahme der Aktien, über die Einlagen auf das Grundkapital und über die Festsetzungen nach §§ 26 und 27 richtig und vollständig sind;

2. ob der Wert der Sacheinlagen oder Sachübernahmen den geringsten Ausgabebetrag der dafür zu gewährenden Aktien oder den Wert der dafür zu gewährenden Leistungen erreicht.

(2) [1]**Über jede Prüfung ist unter Darlegung dieser Umstände schriftlich zu berichten.** [2]**In dem Bericht ist der Gegenstand jeder Sacheinlage oder Sachübernahme zu beschreiben sowie anzugeben, welche Bewertungsmethoden bei der Ermittlung des Wertes angewandt worden sind.** [3]**In dem Prüfungsbericht der Mitglieder des Vorstands und des Aufsichtsrats kann davon sowie von Ausführungen zu Absatz 1 Nr. 2 abgesehen werden, soweit nach § 33a von einer externen Gründungsprüfung abgesehen wird.**

(3) [1]**Je ein Stück des Berichts der Gründungsprüfer ist dem Gericht und dem Vorstand einzureichen.** [2]**Jedermann kann den Bericht bei dem Gericht einsehen.**

I. Regelungsgegenstand und -zweck

§ 34 regelt wesentliche **Einzelaspekte der Gründungsprüfung,** Form und Inhalt des Prüfungsberichts sowie weitere Formalien. § 34 II 3 ist angefügt durch ARUG 2009 (→ Rn. 6). 1

II. Gründungsprüfung (§ 34 I)

1. Allgemeines zum Umfang. § 34 I regelt Prüfungsumfang nicht abschließend, sondern nennt nur wesentliche Prüfungsgegenstände („namentlich"). Umfang der Gründungsprüfung muss sich an ihren Zwecken (→ § 33 Rn. 1) orientieren (GK-AktG/Röhricht/Schall Rn. 3). Deshalb sind alle tats. und rechtl. Vorgänge zu prüfen, die mit Gründung zusammenhängen, zB Feststellung und Inhalt der Satzung; Bestellung der Verwaltungsmitglieder und der Abschlussprüfer; Gründungsbericht (§ 32); Formvorschriften; Genehmigungserfordernisse. Gründungsprüfer prüfen außerdem Prüfungsbericht der Verwaltungsmitglieder, wie auch von § 38 II 1 vorausgesetzt. Prüfungsgrundlage ist namentl. Gründungsbericht. Gründungsprüfer können aber fehlende prüfungsrelevante Informationen von den Gründern verlangen (§ 35 I). **Nicht zu prüfen** sind: wirtschaftliche Sinnhaftigkeit der Gründung, Lebensfähigkeit des Unternehmens (BGHZ 64, 52, 60 = NJW 1975, 974; Hölters/Weber/Solveen Rn. 2), Zweckmäßigkeit der gewählten Rechtsform, Qualifikation der Verwaltungsmitglieder oder Liquidität der Gründer (MüKoAktG/Pentz Rn. 9). Ergeben sich jedoch Hinweise auf ihre Zahlungsunfähigkeit, ist dies im Bericht zu vermerken. Entspr. gilt bei Sacheinlagen und -übernahmen für den Fall der Leistungsstörung sowie bei kurzfristig zu erwartender Entwertung (GK-AktG/Röhricht/Schall Rn. 18). 2

2. Einzelgegenstände. In § 34 I hervorgehobene Prüfungsgegenstände betr. Kapitalgrundlagen der AG und typische Gefahrenlagen (qualifizierte Gründungen). Zu **Nr. 1:** Wirksame Begründung der Einzahlungspflicht genügt, weil Leistung auf die Einlage zum Prüfungszeitpunkt noch nicht erforderlich ist (§ 36 3

II). Wenn Leistung erfolgt ist, bezieht sich Prüfung jedoch auch darauf. Wegen der Festsetzungen nach §§ 26, 27 s. Erl. dort. Zu prüfen ist weiter, ob Sondervorteile und Gründerlohn angemessen sind (MüKoAktG/Pentz Rn. 13; GK-AktG/Röhricht/Schall Rn. 11). Zu **Nr. 2:** Bei Sacheinlagen oder -übernahmen ist zu prüfen, ob Wert der Leistung wenigstens geringstem Ausgabebetrag der dafür zu gewährenden Aktien bzw. Wert der entspr. Leistung erreicht. Maßgeblich für geringsten Ausgabebetrag ist Legaldefinition des § 9 I (→ § 9 Rn. 2). Nicht in § 34 I Nr. 2 genannt ist Agio (→ § 9 Rn. 8 f.). Prüfung hat sich aber auch darauf zu erstrecken, um Art. 49 II GesR-RL (früher Art. 10 II Kapital-RL) zu entsprechen, was gem. §§ 183 III 2, 194 IV 2, 205 V 1 auch bei Kapitalerhöhung zu beachten ist (Art. 70 II GesR-RL; hM, s. BGHZ 191, 364 Rn. 17 ff. = NZG 2012, 69; KK-AktG/A. Arnold Rn. 8; Bayer ZGR 2009, 805, 843 f.; Verse ZGR 2012, 875, 880 f.). Die Vorschrift erfasst vom Wortlaut nur Prüfungs- und Berichtspflicht bzgl. Überbewertung der Sacheinlage und Sachübernahme. Nach hM besteht Prüfungspflicht auch bzgl. Unterbewertung, allerdings nur insoweit, wie es um die Aufdeckung unzulässiger willkürlicher stiller Reserven geht, auf deren Vorliegen im Prüfungsbericht hinzuweisen ist (vgl. MüKoAktG/Pentz Rn. 17; GK-AktG/Röhricht/Schall Rn. 16; Hölters/Weber/Solveen Rn. 5; für stetige Prüfungs- und Berichtspflicht bei Unterbewertung wohl KK-AktG/A. Arnold Rn. 9; aA RGZ 127, 186, 192, das Unterbewertung generell für unbedenklich hält). Maßgebender Zeitpunkt ist Tag der Prüfung (BeckOGK/Gerber Rn. 9; MüKoAktG/Pentz Rn. 16), nicht Tag der Eintragung (so aber Schiller AG 1992, 20, 22 f.).

III. Prüfungsbericht (§ 34 II)

4 **1. Form.** Gem. § 34 II 1 ist über jede Prüfung **schriftlich** (§ 126 BGB: eigenhändige Namensunterschrift) zu berichten. Mit „jede" differenziert Ges. zwischen Bericht der Gründungsprüfer und dem der Verwaltungsmitglieder. Vorstand und AR können dagegen in einer gemeinsamen Urkunde berichten (KK-AktG/A. Arnold Rn. 10; MHdB AG/Hoffmann-Becking § 3 Rn. 27). Bei Meinungsverschiedenheiten zwischen Vorstand und AR sind getrennte Berichte zu erstellen oder dem gemeinsamen Bericht entspr. Zusätze beizufügen (MüKoAktG/Pentz Rn. 18; Hölters/Weber/Solveen Rn. 6). Prüfungsbericht der Gründungsprüfer muss zwingend gesondert erfolgen. IÜ gelten gleiche Grundsätze wie beim Prüfungsbericht (→ § 32 Rn. 2). Da Gründungsprüfer auch den Bericht der Verwaltungsmitglieder zu prüfen haben (vgl. § 38 II 1), müssen diese ihren Bericht zuerst anfertigen.

5 **2. Inhalt.** Unabhängig vom Prüfungsergebnis muss Bericht **alle Umstände** enthalten, **die Gegenstand der Prüfung** waren (allgM). Nur so kann Registergericht Zuverlässigkeit der Prüfungen beurteilen. Bei Sacheinlagen und -übernahmen sind gem. § 34 II 2 grds. auch die Gegenstände (insbes. unter Berücksichtigung der wertbestimmenden Faktoren) zu beschreiben sowie die zur Wertermittlung angewandten Methoden (dazu Schiller AG 1992, 20, 24 ff.) anzugeben. Meinungsverschiedenheiten der Prüfer sind offenzulegen. Geschäfts- und Betriebsgeheimnisse dürfen nicht offenbart werden; § 145 VI 2 kann wegen § 34 III 2 nicht entspr. angewandt werden (KK-AktG/A. Arnold Rn. 12; MüKoAktG/Pentz Rn. 22); vgl. auch § 93 I 3, § 116 und § 49 iVm § 323 I 2 HGB.

6 Durch ARUG 2009 eingeführte **Sonderregelung** trifft **§ 34 II 3** für den Fall, dass gem. § 33a von externer Gründungsprüfung abgesehen wird. Dann bleiben Verwaltungsmitglieder zwar prüfungs- und berichtspflichtig (§ 33 I, § 34 II 1). Ihr Bericht braucht jedoch Angaben nach § 34 II 2 nicht zu enthalten und muss

sich auch nicht dazu äußern, ob Wert der Sacheinlagen geringsten Ausgabebetrag (§ 9 I) der dafür zu gewährenden Aktien erreicht bzw. Wert der Übernahmegegenstände der festgesetzten Vergütung entspr. (§ 27 I 1, § 34 II 3). Sinn der Sonderregelung erschließt sich aus **§ 37a,** der seinerseits durch Art. 51 GesR-RL (früher Art. 12 Kapital-RL) bedingt ist. Danach findet sich früherer Berichtsinhalt als Inhalt der Anmeldung wieder. § 34 II 3 vermeidet also, dass sich Verwaltungsmitglieder doppelt zu erklären haben.

IV. Einreichung des Prüfungsberichts (§ 34 III)

Bericht der Gründungsprüfer ist dem Gericht und dem Vorstand einzureichen. Ausreichend ist jew. ein Exemplar. Einzureichen ist Bericht bei dem für die Eintragung zuständigen Registergericht (→ § 36 Rn. 2), dagegen nicht mehr der IHK. Entspr. Verpflichtung ist mit Neufassung des § 34 III als unnötiger Formalismus (Fraktionsbegr. BT-Drs. 12/6721, 7) entfallen. Einreichung bei Gericht erfolgt elektronisch (§ 12 II 1 HGB) und nach Inkrafttreten des DiRUG 2021 überdies in einem maschinenlesbaren und durchsuchbaren Datenformat. Verantwortlich für Einreichung sind Gründungsprüfer. Sie können Berichte selbst einreichen; dann ist Bericht der Anmeldung trotz § 37 IV Nr. 4 nicht nochmals beizufügen (MüKoAktG/Pentz Rn. 24; GK-AktG/Röhricht/Schall Rn. 27). Stattdessen können Gründungsprüfer Bericht auch dem Vorstand aushändigen, der ihn seinerseits bei Gericht (iRd Anmeldung, § 37 IV Nr. 4) einreicht (MüKoAktG/Pentz Rn. 24; GK-AktG/Röhricht/Schall Rn. 27). Wird Bericht nicht eingereicht, AG aber dennoch eingetragen, so entsteht sie wirksam (RGZ 130, 248, 256). Gericht kann nach § 14 HGB erzwingen, dass der Bericht nachträglich eingereicht wird. § 407 II steht dem nicht entgegen (B/K/L/Lieder Rn. 9; MüKoAktG/Pentz Rn. 28; zum entgegengesetzten Streitstand bei § 183 → § 183 Rn. 19); Vorschrift soll nur Zwang zur Anmeldung vermeiden (→ § 407 Rn. 9; KGJ 41, A 123, 130). Zweckmäßig, wenngleich nicht vorgeschrieben ist es, Bericht auch den Gründern auszuhändigen. **Prüfungsbericht der Verwaltungsmitglieder** ist gem. § 37 IV Nr. 4 nur beim Registergericht einzureichen. Jedermann kann Bericht der Gründungsprüfer bei Gericht einsehen (§ 34 III 2), und zwar gebührenfrei und ohne Nachweis eines rechtl. oder wirtschaftlichen Interesses. Einsichtsrecht in den Prüfungsbericht der Mitglieder des Vorstands und des AR folgt aus § 37 IV Nr. 4 AktG iVm § 9 HGB. 7

Meinungsverschiedenheiten zwischen Gründern und Gründungsprüfern. Vergütung und Auslagen der Gründungsprüfer

35 (1) **Die Gründungsprüfer können von den Gründern alle Aufklärungen und Nachweise verlangen, die für eine sorgfältige Prüfung notwendig sind.**

(2) **[1] Bei Meinungsverschiedenheiten zwischen den Gründern und den Gründungsprüfern über den Umfang der Aufklärungen und Nachweise, die von den Gründern zu gewähren sind, entscheidet das Gericht. [2] Die Entscheidung ist unanfechtbar. [3] Solange sich die Gründer weigern, der Entscheidung nachzukommen, wird der Prüfungsbericht nicht erstattet.**

(3) **[1] Die Gründungsprüfer haben Anspruch auf Ersatz angemessener barer Auslagen und auf Vergütung für ihre Tätigkeit. [2] Die Auslagen und die Vergütung setzt das Gericht fest. [3] Gegen die Entscheidung ist die Beschwerde zulässig; die Rechtsbeschwerde ist ausgeschlossen. [4] Aus der rechtskräftigen Entscheidung findet die Zwangsvollstreckung nach der Zivilprozeßordnung statt.**

I. Regelungsgegenstand und -zweck

1 § 35 I berechtigt Gründungsprüfer, von den Gründern zur Prüfung erforderliche **Informationen** zu verlangen (→ § 34 Rn. 2). Damit soll sichergestellt werden, dass sie ihre Aufgabe erfüllen können (BT-Drs. 8/1347, 59). § 35 II regelt Verfahren bei Meinungsverschiedenheiten über Umfang der Aufklärungen und Nachweise, die von den Gründern zu gewähren sind. § 35 III betr. Entschädigung und Vergütung der Gründungsprüfer. Insbes. soll gerichtl. Festsetzung der Auslagen- und Vergütungshöhe Unabhängigkeit der Gründungsprüfer ggü. Gründern sichern.

II. Aufklärung durch Gründer (§ 35 I)

2 Gründungsprüfer können von Gründern alle Aufklärungen und Nachweise verlangen, die für sorgfältige Prüfung erforderlich sind. § 35 I schafft keinen Rechtsanspruch, der zwangsweise durchgesetzt werden kann (allgM, sa § 35 II 3); vielmehr handelt es sich um sog **Obliegenheit** (→ Rn. 5). Berechtigt aus § 35 I sind nur Gründungsprüfer (§ 33 II) und gründungsprüfender Notar (vgl. § 33 III 1 Hs. 2), dagegen nicht Verwaltungsmitglieder (§ 33 I). Bei mehreren Prüfern ist jeder für sich berechtigt. Gründer (§ 28) können einzeln oder zusammen in Anspruch genommen werden (allgM). Welche Aufklärungen und Nachweise zur sorgfältigen Prüfung erforderlich sind, ist abhängig vom Prüfungsumfang (vgl. § 34). Auch Geschäfts- und Betriebsgeheimnisse sind zu offenbaren (allgM), jedoch nicht in Prüfungsbericht aufzunehmen (→ § 34 Rn. 4). Aufklärungen erfolgen mündlich oder schriftlich. Vorhandene Belege (zB Schriftstücke, Rechnungen) sind vorzulegen. Falsche Angaben oder das Verschweigen erheblicher Umstände begründen Strafbarkeit nach § 400 II.

3 Gründungsprüfer können sich auch an Verwaltungsmitglieder wenden, um an Informationen zu gelangen, die sie zur Prüfung benötigen. Ein Recht entspr. § 35 I besteht jedoch nicht (anders § 145 II, § 320 II HGB). Sie können auch **eigene Ermittlungen** anstellen (allgM). Ob sie es müssen, ist str.: Nach zutr. Ansicht besteht angesichts der über § 35 I begründeten umfangreichen Aufklärungsobliegenheit der Gründer grds. keine Ermittlungspflicht (KK-AktG/A. Arnold Rn. 8; MüKoAktG/Pentz Rn. 12). Im Einzelfall kann jedoch aus Sorgfaltspflicht der Prüfer Pflicht zur eigenen Nachforschung folgen, da sich diese nicht stets ohne weiteres mit den von den Gründern gegebenen Auskünften im Rahmen ihrer Prüfung begnügen dürfen (S/L/Bayer Rn. 5; GK-AktG/Röhricht/Schall Rn. 6). Auskunftsverlangen nach § 35 I ist auch dann zulässig, wenn Gründungsprüfern eigene Ermittlungen ohne Schwierigkeiten möglich sind (KK-AktG/A. Arnold Rn. 6; GK-AktG/Röhricht/Schall Rn. 2).

III. Meinungsverschiedenheiten (§ 35 II)

4 In § 35 II geregeltes Verfahren betr. allein den Fall, dass Gründer und Gründungsprüfer über den Umfang der geschuldeten Aufklärungen und Nachweise unterschiedlicher Meinung sind. Sachlich zuständig ist das **Amtsgericht** gem. § 23a I Nr. 2, II Nr. 4 GVG iVm § 375 Nr. 3 FamFG. Örtl. Zuständigkeit bestimmt sich nach §§ 376, 377 FamFG. Für Verfahren nach § 375 Nr. 3 FamFG ist das Amtsgericht, in dessen Bezirk ein Landgericht seinen Sitz hat, für den Bezirk dieses Landgerichts zuständig. Im Zusammenspiel mit § 377 I FamFG ist der Bezirk maßgeblich, in dem Satzungssitz der AG (§ 14) liegt (vgl. Hölters/Weber/Solveen Rn. 5). Gericht entscheidet nur auf Antrag. Antragsberechtigt ist jeder Gründungsprüfer, wenn Gründer dem Auskunftsbegehren widersprechen, und jeder Gründer, der sich dem Auskunftsverlangen widersetzen möchte. Ent-

scheidung ergeht durch unanfechtbaren Beschluss (vgl. § 35 II 2). Anhörung des Antragsgegners ist zwingend erforderlich (§ 34 I FamFG, Art. 103 I GG). Begründetheit bestimmt sich nach § 35 I (→ Rn. 2). Verfahren schließt Klage aus (MüKoAktG/Pentz Rn. 15).

Entscheidung zugunsten weitergehender Information kann nicht 5 zwangsweise durchgesetzt werden (allgM, → Rn. 2). Kommen Gründer der Entscheidung nach, so nimmt Gründungsprüfung ihren Fortgang. Wenn sie die Aufklärung verweigern, wird Prüfungsbericht nicht erstattet (§ 35 II 3), so dass Eintragungshindernis besteht (→ § 37 Rn. 14, 18; → § 38 Rn. 8). Fertigen die Gründungsprüfer den Bericht gleichwohl an, weil sie ihre Bedenken fallen gelassen haben, so ist Eintragung nicht wegen Informationsverweigerung abzulehnen. Vielmehr ist Bericht für Gericht bindend und nach § 38 zu entscheiden (KK-AktG/A. Arnold Rn. 12; MüKoAktG/Pentz Rn. 19). Gericht wird allerdings mit bes. Sorgfalt prüfen, ob offensichtlicher Mangel iSd § 38 II 1 vorliegt. Bei **Entscheidung gegen weitergehende Information** müssen Gründungsprüfer den Gründungsbericht erstatten. Verweigerung begründet Schadensersatzpflicht; § 49 iVm § 323 HGB. Sie können jedoch um ihre Abberufung bitten (allgM).

IV. Ansprüche der Gründungsprüfer (§ 35 III)

§ 35 III 1 begründet Anspruch der Gründungsprüfer auf **Ersatz angemessener barer Auslagen** und auf **Vergütung** für ihre Prüfungstätigkeit. Nur Gericht 6 kann die Beträge festsetzen; § 35 III 2. Um Unabhängigkeit der Gründungsprüfer zu gewährleisten, ist vertragliche Vereinbarung mit AG oder Dritten unwirksam (B/K/L/Lieder Rn. 5; MüKoAktG/Pentz Rn. 26). Entscheidung ergeht im Verfahren der fG durch Beschluss. Örtl. und sachliche Zuständigkeit wie bei § 35 II (→ Rn. 4). Gericht entscheidet auf Antrag, der beziffert gestellt werden kann (nicht: muss). Antragsberechtigt sind Gründungsprüfer und Gesellschaft als Schuldnerin (→ Rn. 7). Zur Anhörung des Antragsgegners → Rn. 4. Erstattungsfähig sind nur die angemessenen Auslagen. Vergütung bestimmt sich nach den für Wirtschaftsprüfer geltenden Grundsätzen unter Berücksichtigung der Prüfungsschwierigkeit (ähnlich MüKoAktG/Pentz Rn. 23; GK-AktG/Röhricht/Schall Rn. 15). Anspruch auf Vergütung besteht auch, wenn Gründungsprüfer gem. § 35 II 3 Prüfungsbericht nicht erstatten. Anders, wenn sie abberufen werden. Dann nur Anspruch auf Auslagenersatz, soweit Auslagen für die neuen Gründungsprüfer von Nutzen gewesen sind (KK-AktG/A. Arnold Rn. 16; Hölters/Weber/Solveen Rn. 8). § 35 III gilt nach zutr. hM nicht zugunsten des Notars, der die Gründungsprüfung vornimmt (§ 33 III); vielmehr sind §§ 125 f. GNotKG abschließende Regelungen und Prüfungsvergütung bestimmt sich nach § 123 GNotKG iVm KV 25206 GNotKG (→ § 33 Rn. 6).

Schuldnerin ist bei Festsetzung nach Eintragung die **AG** (allgM); bei Fest- 7 setzung vor Eintragung die **Vor-AG** (KK-AktG/A. Arnold Rn. 18; MüKoAktG/Pentz Rn. 24). Die Gründer sind nur dann Schuldner, wenn sie sich unmittelbar ggü. Gericht oder Gründungsprüfern zur Zahlung des gerichtl. festgesetzten Betrages verpflichtet haben. Zu Haftungsfragen in der Vor-AG → § 41 Rn. 10 ff., 14 f. Ein Befreiungs- bzw. Erstattungsanspruch der AG ggü. den Gründern besteht aber, sofern gerichtl. bestimmte Vergütung nicht als Gründungsaufwand (§ 26 II) festgesetzt ist (MüKoAktG/Pentz Rn. 24 f.; GK-AktG/Röhricht/Schall Rn. 21).

Gegen Beschluss nach § 35 III 2 ist als **Rechtsmittel** Beschwerde gegeben 8 (§ 35 III 3 Hs. 1 AktG, § 58 I FamFG). Die nach §§ 70 ff. FamFG im zweiten und letzten Rechtszug grds. gegebene zulassungsabhängige Rechtsbeschwerde wird durch § 35 III 3 Hs. 2 ausdr. ausgeschlossen. Sie beruht auf richtiger Einschätzung, dass Streitigkeiten über Vergütung und Auslagenersatz schlechthin keiner höchstrichterlichen Klärung bedürfen (RegBegr. BT-Drs. 16/6308, 353). Parallelnormen: § 85 III 3, § 104 VII 3, § 142 VI 3, § 147 II 7, § 265 IV 3. Rechtskräftige Festsetzung ist gem. § 35 III 4 Vollstreckungstitel nach § 794 I Nr. 3 ZPO. Klage ist also unzulässig.

Anmeldung der Gesellschaft

36 (1) **Die Gesellschaft ist bei dem Gericht von allen Gründern und Mitgliedern des Vorstands und des Aufsichtsrats zur Eintragung in das Handelsregister anzumelden.**

(2) **Die Anmeldung darf erst erfolgen, wenn auf jede Aktie, soweit nicht Sacheinlagen vereinbart sind, der eingeforderte Betrag ordnungsgemäß eingezahlt worden ist (§ 54 Abs. 3) und, soweit er nicht bereits zur Bezahlung der bei der Gründung angefallenen Steuern und Gebühren verwandt wurde, endgültig zur freien Verfügung des Vorstands steht.**

Übersicht

I. Regelungsgegenstand und -zweck

1 § 36 I stellt klar, dass Eintragung in das HR nur nach vorheriger Anmeldung erfolgt, und legt **Kreis der Anmeldepflichtigen** fest. § 36 II bestimmt, dass Anmeldung erst nach Mindestleistung (zur Höhe § 36a) auf die Einlagepflicht zulässig ist, ferner, dass diese Leistungen grds. **endgültig zur freien Verfügung** des Vorstands stehen müssen. Bezweckt ist, im Verbund mit §§ 36a, 54 III unseriöse Gründungen zu vermeiden. Besonderheiten bestehen bei **Barkapitalerhöhung** (→ § 188 Rn. 6). Weitere Anmeldevoraussetzungen nennt § 37. § 36 II erfasst nur Bareinlagen; zu Sacheinlagen vgl. § 36a II und → § 36a Rn. 4 ff., zur gemischten Einlage → Rn. 12. Norm ist geändert (§ 36 II 2 aufgehoben) durch MoMiG 2008 (→ Rn. 13).

II. Anmeldung (§ 36 I)

2 **1. Allgemeines.** Anmeldung bezweckt, zur Entstehung der AG als jur. Person (§ 41) führendes Registerverfahren einzuleiten. Sie ist deshalb zugleich **Verfahrenshandlung und Organisationsakt,** nicht Rechtsgeschäft (vgl. BayObLGZ

1985, 82, 83, 87; GK-HGB/J. Koch/Harnos § 12 Rn. 10 f.). Gleichwohl können einzelne Vorschriften über Willenserklärungen entspr. Anwendung finden, zB § 130 II BGB; Tod oder Geschäftsunfähigkeit nach Anmeldung berühren ihre Wirksamkeit nicht (allgM, s. OLG Dresden OLGR 4, 22; GK-AktG/Schall Rn. 41). Zum **Inhalt** der Anmeldung s. § 37; Muster bei Happ/Mulert AktienR 2.01 lit m. Örtl. Zuständigkeit des nach § 23a I Nr. 2, II Nr. 3 GVG iVm § 374 Nr. 1 FamFG sachlich zuständigen **Amtsgerichts** bestimmt sich nach §§ 376, 377 FamFG (→ § 35 Rn. 4). Hat AG Doppelsitz (→ § 5 Rn. 10), ist sie bei beiden Sitzgerichten anzumelden (→ § 14 Rn. 4). Es gilt **Formzwang** des § 12 I HGB, dh Anmeldung in öffentl. beglaubigter Form (§ 129 I BGB; § 39a BeurkG), die durch notarielle Beurkundung ersetzt werden kann (§ 129 II BGB; zur Auslandsbeglaubigung → § 23 Rn. 12). Durch Neufassung des § 12 I 1 HGB im Zuge des DiRUG 2021 ist öffentl. Beglaubigung für AG (§ 12 I 1 Nr. 2) auch mittels Videokommunikation gem. § 40a BeurkG zulässig, so dass es persönlicher Anwesenheit beim Notar nicht mehr bedarf (vgl. dazu Linke NZG 2021, 309, 312; J. Schmidt ZIP 2021, 112, 118; Stelmaszczyk/Kienzle ZIP 2021, 765, 767 ff.). Bundesnotarkammer wird durch § 78p BNotO verpflichtet, entspr. Videokommunikationssystem zu betreiben (J. Schmidt ZIP 2021, 112, 113; Stelmaszczyk/Kienzle ZIP 2021, 765, 769). Nach § 378 III FamFG ist Anmeldung vor ihrer Einreichung **von einem Notar auf Eintragungsfähigkeit zu prüfen** (zu Einzelheiten Attenberger MittBayNot 2017, 335 ff.; Krafka NZG 2017, 889 ff.). Hat Bundesland von Möglichkeit des § 68 BeurkG Gebrauch gemacht, wonach Zuständigkeit für öffentl. Beglaubigung auch anderen Personen oder Stellen übertragen werden kann, greift Pflicht zur Vorprüfung gem. § 486 III FamFG nicht ein (krit. Krafka NZG 2017, 889, 890). Anmeldepflichtige (→ Rn. 3) müssen Anmeldung nicht gleichzeitig vornehmen; getrennte Beurkundung ist zulässig (allgM). **Frühester Zeitpunkt** der Anmeldung wird durch Voraussetzungen der § 36 II, §§ 36a, 37 bestimmt. Anmelder haften für Richtigkeit der Anmeldung gem. §§ 46, 48 und sind gem. § 399 auch strafrechtl. verantwortlich.

2. Anmeldepflichtige Personen. a) Anmeldung namens der Vor-AG. 3
AG ist von allen Gründern und Mitgliedern des Vorstands und des AR anzumelden. Anmelder handeln nicht im eigenen Namen, sondern im Namen der Vor-AG. Sie ist rechtsfähig (→ § 41 Rn. 4, 10), damit **beteiligtenfähig,** und zwar auch **im Verfahren der eigenen Eintragung** (BGHZ 117, 323, 327 = NJW 1992, 1824; BayObLG NJW-RR 1996, 413; OLG Stuttgart ZIP 1992, 250, 251; GK-AktG/Schall Rn. 23; sa BGHZ 105, 324, 327 f. = NJW 1989, 295; → § 181 Rn. 4; → § 294 Rn. 2). Entgegenstehende früher hM, nach der Anmelder im eigenen Namen tätig wurden (s. noch KGJ 21, A 271, 272 zum eV; sa BeckOGK/Stelmaszczyk Rn. 13: gleichzeitiges Handeln im eigenen Namen und im Namen der Vor-AG), widerspricht der Rechtsnatur der Vor-AG und ist von BGHZ 117, 323, 327 zu Recht aufgegeben. Weil Vor-AG verfahrensbeteiligt ist, hat sie bei Zurückweisung ihrer Anmeldung auch Beschwerdebefugnis. Sie wird auch insoweit vom Vorstand vertreten (BGHZ 117, 323, 329; BayObLG NJW-RR 1996, 413; OLG Hamm DB 1992, 264). Handeln von Vorstandsmitgliedern in vertretungsberechtigter Zahl genügt (BGHZ 117, 323, 329; KK-AktG/A. Arnold Rn. 16). Früher geforderte Mitwirkung aller Anmelder (so noch BayObLGZ 1973, 205, 208 = NJW 1973, 2162; BayObLGZ 1974, 116, 117 f. für eG) ist entbehrlich. Ob die anderen Anmelder beschwerdebefugt sind, wenn Vorstand Eintragungsabsicht nach Zurückweisung der Anmeldung fallen lässt, ist bislang nicht entschieden. Frage sollte für die Gründer bejaht werden (zust. KK-AktG/A. Arnold Rn. 16; GK-AktG/Schall Rn. 24), weil sie sonst vom Vorstand abhängig würden, was sich aus Rechtsfähigkeit der Vor-AG nicht rechtfertigen

lässt (→ § 38 Rn. 14). In diese Richtung deutet auch BGH NZG 2020, 1070. Dort wird zwar in Rn. 27 angenommen, dass § 59 II FamFG Beschwerderecht ggü. § 59 I FamFG auf Antragsteller begrenzen soll, so dass bloße Rechtsbeeinträchtigung nicht genügt. Rn. 25 lässt aber erkennen, dass neben Gesellschaft selbst noch weitere beschwerdeberechtigte Personen anerkannt werden, die hier nur Gesellschafter selbst sein können (beschwerdeberechtigt ist „auch" der von der Anmeldung betroffene Rechtsträger). Dagegen ist Beschwerdebefugnis der AR-Mitglieder abzulehnen, weil Vor-AG durch Vorstand vertreten wird und sie kein Eigeninteresse an der Anmeldung verfolgen (so auch KK-AktG/A. Arnold Rn. 16).

3a **b) Einzelfragen zum anmeldepflichtigen Personenkreis.** § 36 I begnügt sich nicht mit Anmeldung durch Vorstandsmitglieder in vertretungsberechtigter Zahl, sondern verlangt Anmeldung durch alle Gründer und Verwaltungsmitglieder, um sie in **zivil- und strafrechtl. Verantwortung** (→ Rn. 2 aE) einzubeziehen (BGHZ 117, 323, 328 = NJW 1992, 1824). Wer Gründer ist, bestimmt sich nach § 28. Anmeldepflichtig sind auch stellvertretende Vorstandsmitglieder (§ 94), nicht aber noch nicht eingerückte Ersatzmitglieder des AR (MüKoAktG/Pentz Rn. 9; GK-AktG/Schall Rn. 10). Verwaltungsmitglieder müssen in der Sollzahl anmelden, die sich für Vorstand bzw. AR aus Satzung oder Ges. ergibt (§ 23 III Nr. 6, § 76 II, § 95). Nicht genügend ist geringere Zahl der tats. bestellten Verwaltungsmitglieder; auch wenn sie alle anmelden, liegt keine ordnungsgem. Anmeldung vor (MüKoAktG/Pentz Rn. 9; GK-AktG/Schall Rn. 10). Nur im Fall des § 31 ist Bestellung der AR-Mitglieder ausreichend, die ohne Bindung an Wahlvorschläge zu wählen sind (allgM); Ausnahme: Voraussetzungen des § 31 III für Ergänzung oder Neuwahl des AR liegen bereits vor (→ § 31 Rn. 10). Gericht prüft Zahl von Amts wegen (§ 26 FamFG). Erfolgt Eintragung, obwohl nicht alle Anmeldepflichtigen mitgewirkt haben, so ist AG wirksam entstanden (KK-AktG/A. Arnold Rn. 18; MüKoAktG/Pentz Rn. 35); grds. keine Nichtigkeitsklage oder Amtslöschung nach § 275 bzw. §§ 397, 399 FamFG. Allerdings kann Eintragung nach § 395 FamFG gelöscht werden, wenn nicht alle zur Anmeldung verpflichteten Personen angemeldet haben, da dies wesentlichen Verfahrensmangel darstellt (Sternal/Eickelberg FamFG § 395 Rn. 23). Gleiches gilt, wenn Eintragung ohne (den Anmeldern zurechenbare) Anmeldung vorgenommen worden ist und Anmeldung auch inhaltlich nicht dem Willen der Beteiligten entsprach, allerdings nur, soweit nicht Eintragung sachlich zutr. war (MüKoAktG/Pentz § 39 Rn. 26; GK-AktG/Schall Rn. 282, § 39 Rn. 148; sa → § 39 Rn. 5; zur sachlich zutr. Eintragung unter Missachtung der formellen Vorgaben: Krafka RegisterR Rn. 443; BayObLG FGPrax 2001, 213 zur Parallele bei Auflösung der Gesellschaft).

4 **3. Vertretung der Anmelder.** Zu unterscheiden ist zwischen ges. oder organschaftlicher Vertretung einerseits, rechtsgeschäftlicher Vertretung andererseits; die Erstgenannte ist wegen § 76 III 1, § 100 I nur bei Gründern möglich, die Letztgenannte dagegen für alle Beteiligten zu prüfen. Ges. bzw. **organschaftliche Vertretung** ist zulässig. Es gelten allg. Vertretungsbestimmungen der Satzung oder des Ges. (allgM). Nicht zulässig ist dagegen nach hM Anmeldung durch **Bevollmächtigte** (BayObLGZ 1986, 203, 205 = NJW 1987, 136; BayObLGZ 1986, 454, 457; MüKoAktG/Pentz Rn. 26; GK-AktG/Schall Rn. 20). Dies gilt trotz § 12 I 3 HGB, da rechtsgeschäftliche Vertretung mit der gleichzeitig persönlich abzugebenden Versicherung nach § 37 I nicht vereinbar wäre und rechtsgeschäftliche Vertretung überdies der zivil- und strafrechtl. Verantwortlichkeit der Gründer und Verwaltungsmitglieder nach §§ 46, 48, 399 widerspräche (KK-AktG/A. Arnold Rn. 11; Hölters/Weber/Solveen Rn. 9). Vor diesem Hintergrund gilt auch Vollmachtsvermutung des § 378 FamFG zugunsten

des Notars nicht (BayObLGZ 1986, 203, 204 f.; KK-AktG/A. Arnold Rn. 11; GK-AktG/Schall Rn. 21; aA das notarrechtl. Schrifttum – vgl. v. Werder/Hobuß BB 2019, 1031, 1033 ff.; sa Sternal/Eickelberg FamFG § 378 Rn. 15; Krafka RegisterR Rn. 1314; Grau/Kirchner GWR 2021, 23 ff.: Vertretung bei Anmeldung zulässig, nicht aber bei höchstpersönlich abzugebenden Erklärungen nach § 37). Allerdings kann Notar (vgl. § 53 BeurkG) oder Dritter als Bote tätig werden, dh er kann die Anmeldung zwar nicht selbst vornehmen, sie aber doch einreichen (→ Rn. 5). Auch Beschwerde kann Notar nur als Bote einlegen.

4. Anmeldepflicht. § 36 I begründet **keine öffentl.-rechtl. Pflicht** zur 5
Anmeldung (sa § 407 II und → § 407 Rn. 10). Gründer können bis zur Eintragung jederzeit Gründungsvorgang abbrechen und Vor-AG abwickeln. Anmeldung kann auch zurückgenommen werden, und zwar von jedem Anmelder einzeln (allgM, KG OLGR 43, 204, 205 zur GmbH). Diese verfahrensrechtl. Befugnis wird durch die privatrechtl. Pflicht zur Anmeldung nicht beschränkt. Es fehlt dann an ordnungsgem. Anmeldung wegen fehlender Gesamtanmeldung nach § 36 I; Registergericht darf Eintragung nicht vornehmen. Anders, wenn der Betreffende aus dem Kreis der Anmeldepflichtigen ausscheidet. **Privatrechtl. Pflicht** zur Anmeldung folgt für Gründer aus Gesellschaftsvertrag, für Verwaltungsmitglieder aus Organstellung sowie aus Anstellungsverhältnis, sofern vorhanden. Stellvertretung ist nicht möglich, da es sich um höchstpersönliche Erklärung mit Haftungs- und Sanktionsfolgen handelt; praktisches Bedürfnis für abw. Sichtweise ist auch nicht ersichtlich, wenn man – wie zutr. – zwischen Abgabe der Erklärung und ihrer Einreichung unterscheidet. Einreichung kann auch durch Dritte, namentl. beurkundenden Notar erfolgen (ausf. GK-HGB/J. Koch/Harnos § 12 Rn. 43 f. mwN auch zur Gegenauffassung). Anmeldung ist nach zutr. Ansicht auch klageweise durchsetzbar (KK-AktG/A. Arnold Rn. 10; MüKo-AktG/Pentz Rn. 17 f.; GK-AktG/Schall Rn. 13). Vollstreckung erfolgt jedoch nicht nach § 894 ZPO, sondern nach § 888 ZPO wegen Höchstpersönlichkeit der Anmeldung (str.; wie hier KK-AktG/A. Arnold Rn. 10; GK-AktG/Schall Rn. 13; sa GK-HGB/J. Koch/Harnos HGB § 16 Rn. 20). Bei Verstoß können Organmitglieder überdies wegen Nichterfüllung der Anmeldepflicht abberufen und auf Schadensersatz in Anspruch genommen werden (KK-AktG/A. Arnold Rn. 10; Lutter/Hommelhoff/Bayer GmbHG § 7 Rn. 1).

III. Bareinlage (§ 36 II)

1. Allgemeines. § 36 II betr. nur **Bareinlagen.** Zu Sacheinlagen s. § 36a II; 6
zur gemischten Einlage → Rn. 12. **Vorstand** fordert Bareinlage ein (→ § 36a Rn. 2; Muster bei Happ/Mulert AktienR 2.01 lit. d). Zur **ordnungsgem. Einzahlung** vgl. § 54 III und → § 54 Rn. 11 ff.; nicht genügend ist insbes. direkte Leistung an Gesellschaftsgläubiger (BGHZ 119, 177, 183 f. = NJW 1992, 3300; str.). Mindestleistung muss für jede Aktie vorliegen; es genügt nicht, dass eingeforderter Gesamtbetrag eingezahlt wurde. Einzuzahlender Betrag wird in seiner Mindesthöhe durch § 36a I bestimmt (→ § 36a Rn. 2). Regelungszweck des § 36 II ist, dass einzubringendes Kapital Vorstand auch tats. zur Verfügung steht und unseriöse Gesellschaftsgründungen von vornherein unterbunden werden. Gleicher Zweck wird bei Sachgründung über spezielleren § 36a II verfolgt. Zur Ausnahme von § 36 II bei Einlagenleistung auf SPACs-Treuhandkonto (s. § 45 III BörsG) → § 23 Rn. 58.

2. Endgültig zur freien Verfügung des Vorstands. a) Grundsatz. Einge- 7
forderter Betrag muss endgültig zur freien Verfügung des Vorstands stehen, damit **Erfüllungswirkung** eintritt. Freie Verfügbarkeit liegt grds. vor, wenn Einlage aus dem Herrschaftsbereich des Einlegers ausgesondert und dem Vorstand so

übergeben wurde, dass er nach eigenem Ermessen unter Berücksichtigung seiner Verantwortung für die Gesellschaft (§§ 76, 93 I) über die Einlage verfügen kann (vgl. BGHZ 113, 335, 348; OLG München WM 2007, 123, 125; OLG Frankfurt AG 1991, 402, 403; KK-AktG/A. Arnold Rn. 30; GK-AktG/Schall Rn. 137 ff.). Bei Bareinlage bedeutet dies, dass Vorstand über den Betrag **ohne Einschränkung disponieren** kann und weder rechtl. noch tats. an Verwendung gehindert ist (Hölters/Weber/Solveen Rn. 15; K. Schmidt AG 1986, 106, 109); zur Verwendungsbindung → Rn. 9. Am sichersten ist dies durch Einzahlung auf Geschäftskonto der künftigen AG möglich (Klaiber NZG 2021, 970, 971). Ebenso kann diese Voraussetzung aber auch bei treuhänderischer Verwahrung des Geldes auf einem Notaranderkonto erfüllt sein (GK-AktG/Schall Rn. 202; Lutter FS Heinsius, 1991, 497, 517 ff.; aA MüKoAktG/Pentz Rn. 50). Erforderlich ist aber, dass Vorstand nach dem Inhalt des Treuhandauftrags allein verfügen kann (zur Minderung des Vorleistungsrisikos durch Vereinbarung von Bedingungen [Anmeldung oder Eintragung] s. Lutter FS Heinsius, 1991, 497, 509 ff.). Reine **Barzahlung** setzt obj. erkennbare Überführung der Einlageleistung in das der Vor-AG zugeordnete Sondervermögen voraus. Es genügt nicht, wenn Alleingesellschafter, der zugleich Vorstand ist, Bargeld in der Hand hält (KG NZG 2021, 747 Rn. 7 ff.). Bei zentralem **Cash Management** ist Sonderregelung des § 27 IV zu beachten. Soweit danach Absprache über Rückzahlung der Einlage befreiender Wirkung ausnahmsweise nicht entgegensteht (→ § 27 Rn. 47 ff.), muss auch hinreichende Verfügungsbefugnis des Vorstands angenommen werden (KK-AktG/A. Arnold Rn. 37; Hölters/Weber/Solveen Rn. 16; abw. MüKo-AktG/Pentz Rn. 48).

8 **Freie Verfügbarkeit ist nicht gegeben,** wenn Einzahlung nur zum Schein erfolgt (RGZ 157, 213, 225; BGH NZG 2004, 618; OLG Frankfurt AG 1991, 402, 403 f.) oder Rückzahlung (auch indirekte, zB als Kredit) vereinbart wird (BGHZ 122, 180, 184 f. = NJW 1993, 1983; sa BGH NJW 2001, 3781; OLG Oldenburg GmbHR 2003, 233, 234; GK-AktG/Schall Rn. 149). Ferner, wenn Vor-AG dem einzahlenden Gründer für Einlage Darlehen gewährt oder sich für solches Darlehen verbürgt (RGZ 47, 180, 185 f.; BGHZ 28, 77, 78 = NJW 1958, 1351; OLG Frankfurt AG 1991, 402, 404) oder kreditierende Bank durch blanko unterschriebene Überweisungsformulare sichert (öOGH AG 1994, 569, 570). Keine freie Verfügbarkeit bei Einzahlung auf gesperrtes (BGH WM 1962, 644; OLG Hamburg AG 1980, 275, 277), bereits gepfändetes (LG Flensburg GmbHR 1998, 739 Ls.; Hommelhoff/Kleindiek ZIP 1987, 477, 490) oder debitorisches Konto, sofern Kreditlinie überschritten und Kontokorrentkredit fällig ist, so dass Bank Einzahlung mit Schuldsaldo verrechnen kann (BGH NJW 1991, 226 f.; öOGH NZG 1998, 731 Ls.; OLG Düsseldorf AG 1984, 188, 191; OLG Frankfurt WM 1984, 1448; OLG Stuttgart AG 1995, 516, 517). Anders – also Erfüllungswirkung – jedoch, wenn Vorstand iR einer gewährten Kreditlinie über eingezahlten Betrag verfügen kann (BGH NJW 1991, 226 f.; DStR 1996, 1416, 1417; BayObLG FGPrax 1998, 151, 152; OLG Frankfurt WM 1984, 1449; OLG Hamm GmbHR 1985, 326, 327). Dieser Fall liegt wiederum nicht vor und freie Verfügbarkeit ist nicht gegeben, wenn auf Gesellschaftskonto gezahlt wird, um Forderung der kontoführenden Bank zu tilgen, gleichgültig, ob Konto als Kreditkonto oder in laufender Rechnung geführt wird (BGHZ 119, 177, 190 = NJW 1992, 3300). Weitere Einzelheiten zur Kontozahlung bei GK-AktG/Schall Rn. 193 ff.

9 **b) Verwendungsbindung.** Fraglich ist, ob und unter welchen Voraussetzungen eine Verwendungsbindung dem Erfordernis endgültig freier Verfügung entgegensteht. Das ist schon deshalb schwierig, weil unter Verwendungsbindung unterschiedliche Sachverhalte verstanden werden können. Zumindest schließen

sämtliche Abreden freie Verfügbarkeit aus, die dem Interesse des Einlegers an auch nur mittelbarer Rückführung der Einlagen dienen (BGHZ 113, 335, 343 ff. = NJW 1991, 1754; BGH NJW 1991, 226 f.; OLG Köln NZG 2001, 615 f.; eingehend Ihrig, Die endgültige freie Verfügung, 1991, 183 ff., 191 ff.), sofern sie nicht durch § 27 IV privilegiert werden. Im Konzern kann solche Rückführung auch als Darlehensgewährung an Tochtergesellschaft erfolgen. Andererseits kann nicht jegliche Vereinbarung zwischen Vorstand und einzahlendem Gründer oder zwischen den Gründern in der Errichtungsurkunde über die Verwendung der Einlagen zum Ausschluss der freien Verfügbarkeit führen (BGHZ 113, 335, 343 ff.; KG NZG 2004, 826, 827; GK-AktG/Schall Rn. 176 ff.; Hommelhoff/Kleindiek ZIP 1987, 477, 482; G. H. Roth FS Semler, 1993, 299, 303 ff.; abw. wohl OLG Koblenz AG 1987, 88 f.; LG Mainz AG 1987, 91, 95). Problematisch ist Abgrenzung zwischen Fällen der ersten und zweiten Art. Nicht zu überzeugen vermag formale Betrachtungsweise, nach der Verwendungsbindung als Problem der Kapitalerhaltung die freie Verfügung als Erfordernis der Kapitalaufbringung nicht ausschließen kann (so jedoch K. Schmidt AG 1986, 106, 109 ff.; Wilhelm ZHR 152 [1988], 333, 367 f.); strikte Abschichtung trägt der Bedeutung der Kapitalaufbringung nicht genügend Rechnung (abl. auch Röhricht FS Boujong, 1996, 457, 461 f.). Gleichfalls nicht überzeugend wäre Unterscheidung nach wirtschaftlichem Nutzen der Verwendungsbindung (so aber Bergmann AG 1987, 57, 86 f.). Maßgeblich sollte vielmehr sein, ob Vorstand hinreichend eigener Entscheidungsspielraum verbleibt und er nicht nur Investitions- und Finanzplanung des Kapitalgebers ohne eigene Entscheidungsbefugnisse umzusetzen hat (LG München I ZIP 2012, 2152, 2155; MüKoAktG/Pentz Rn. 53). Frage sollte wegen vielfältiger Überschneidungen mit verdeckten Sacheinlagen (→ § 27 Rn. 23 ff.) iZw dahin entschieden werden, dass Verwendungsabreden die vorgeschriebene freie Verfügung beeinträchtigen (reserviert auch Ihrig, Die endgültige freie Verfügung, 1991, 200 ff., 218 ff.).

3. Steuern und Gebühren. Von dem Erfordernis freier Verfügbarkeit ausgenommen ist Betrag, aus dem bei Gründung angefallene Steuern und Gebühren bezahlt wurden. Erfasst werden nur Steuern und Gebühren einschließlich Auslagen gem. KV Teil 3 GNotKG, wenn sie für Gründung erforderlich und von AG kraft Ges. oder als Gründungsaufwand entspr. der Satzung (§ 26 II) zu tragen sind (KK-AktG/A. Arnold Rn. 52; MüKoAktG/Pentz Rn. 75), zB Bekanntmachungskosten, Notargebühren, ggf. Grunderwerbsteuern; nicht aber zB Kosten für Druck der Aktien, Vermittlungsgebühren, andere privatrechtl. Verbindlichkeiten. Nicht erfasst werden ferner Kosten, die im Zusammenhang mit dem Betrieb eines übernommenen Unternehmens anfallen (allgM). Dagegen kann Vergütung der Gründungsprüfer (vgl. § 35 III) zum Abzug gebracht werden (KK-AktG/A. Arnold Rn. 52; MüKoAktG/Pentz Rn. 77), da die Höhe der Vergütung ebenso wie bei Steuern und Gebühren der Disposition der Beteiligten entzogen ist (→ § 35 Rn. 6). 10

4. Dispositionsbefugnis des Vorstands vor Anmeldung. Fraglich ist, ob Vorstand über Bareinlagen vor Anmeldung verfügen und gleichwohl zu Recht Erklärung des § 37 I 1 abgeben kann. In älterer instanzgerichtl. Rspr. wurde dies zT zugunsten einer Thesaurierungspflicht (Sonderkonto) verneint (BayObLG NJW 1988, 1599; OLG Köln DB 1988, 955; ZIP 1989, 238, 240 [alle zur GmbH]), im Schrifttum zT aber auch vorbehaltlos bejaht, weil endgültiger und ordnungsmäßiger Mittelzufluss genügen soll (Hommelhoff/Kleindiek ZIP 1987, 477, 485; Lutter NJW 1989, 2649, 2652 f., 2655; so neuerdings auch wieder GK-AktG/Schall Rn. 73 ff.). Im Anschluss an BGHZ 119, 177, 187 f. = NJW 1992, 330 hat sich vermittelnde Ansicht durchgesetzt, wonach Dispositionsbefugnis des Vorstands unter **Vorbehalt wertgleicher Deckung** anzunehmen ist (sa BGH 11

DStR 1996, 1416, 1417; BGHZ 155, 318, 325 = NJW 2003, 3198; LG Bonn GmbHR 1988, 193; KK-AktG/A. Arnold Rn. 49; MüKoAktG/Pentz Rn. 79 ff.; Hüffer ZGR 1993, 474, 480 ff.). Dieser Auffassung ist zuzustimmen. Thesaurierungsgebot ist mit Handlungsfähigkeit der durch Vorstand vertretenen Vor-AG bei gleichzeitiger Unterbilanzhaftung (→ § 41 Rn. 8 f., 11 f.) unvereinbar (Ihrig, Die endgültige freie Verfügung, 1991, 296). Deshalb zugleich auf wertgleiche Deckung zu verzichten, schießt über das Ziel hinaus (Hüffer ZGR 1993, 474, 482 ff.) und ist entgegen einer in der Lehre verbreiteten These (s. bes. K. Schmidt AG 1986, 106, 107 f.) auch nicht aus der Entstehungsgeschichte der §§ 36, 37 abzuleiten (zutr. Ihrig, Die endgültige freie Verfügung, 1991, 44 f.; sa Hüffer ZGR 1993, 474, 482 ff.). Weitergehende Rspr., nach der Zahlung zur freien Verfügung genügt, wenn sie nicht an Inferenten zurückgeflossen ist, betr. Barkapitalerhöhung (→ § 188 Rn. 6) und kann nicht auf Gründung erstreckt werden (so aber GK-AktG/Schall Rn. 73 ff.). BGH hat Unterschied zur Gründung in dieser Entscheidung ausdr. hervorgehoben und damit begründet, dass Einlage an bereits bestehende AG fließe (BGHZ 150, 197, 199 f. = NJW 2002, 1716). Unterscheidung ist auch nachvollziehbar, weil anders als bei Gründung nicht anzunehmen ist, dass Vorstand unter fortdauerndem Gründereinfluss steht (aA GK-AktG/Schall Rn. 80). Maßgeblicher Zeitpunkt für wertgleiche Deckung ist Anmeldung (BGHZ 119, 177, 187 f.; GK-AktG/Schall Rn. 182), nicht Eintragung (so aber Schippel FS Steindorff, 1990, 249, 252 f. für angeblich erforderliche gegenständliche Unversehrtheit). Unberührt bleibt Erfordernis ordnungsgem. Einzahlung gem. § 54 III (→ Rn. 6; → § 54 Rn. 12).

IV. Gemischte Einlage

12 **Begriff.** Gemischte Einlage liegt vor, wenn Gründer für jede ihm zu gewährende Aktie teils Geld-, teils Sachleistung zu erbringen hat (anders bei gemischter Sacheinlage, bei der Gründer teils Aktien, teils andere Vergütung erhält; → § 27 Rn. 8). **Rechtl. Behandlung** beider Leistungen erfolgt getrennt; für Bareinlage gelten § 36 II, § 36a I, für Sacheinlage § 36a II (heute hM, s. S/L/Kleindiek Rn. 37; GK-AktG/Schall Rn. 209). Aus Trennung folgt: Wert der Sacheinlage muss beziffert werden. Wenn kein Agio vereinbart ist, muss vor Anmeldung mindestens ein Viertel aus der Differenz bezahlt sein, die sich nach Abzug des Sacheinlagenteils von der Gesamteinlage ergibt. Ist Agio festgesetzt, so ist es zusätzlich in voller Höhe in Geld zu bedienen (§ 36a I). Geringster Ausgabebetrag ist in § 36a I also einschr. auszulegen. Weil Norm insges. auf § 36 II Bezug nimmt, gilt Vorbehalt für Sacheinlagen auch hier, so dass nur durch Zahlung von Geld zu bedienender Teil des geringsten Ausgabebetrags gemeint ist (GK-AktG/Schall Rn. 209). Sofern Satzung zwar Geld- und Sachleistung durch einen Gründer vorsieht, diese aber einer bestimmten Aktienanzahl jew. getrennt zuordnet, ist jede Einlage nach für sie geltenden Grundsätzen zu behandeln. Namentl. kann Mindestbetrag der Bareinlage nicht wegen auch geschuldeter Sacheinlage gekürzt werden. Dem steht schon entgegen, dass Mindestleistung für jede Aktie erfolgen muss (→ Rn. 6).

V. Keine Besonderheiten bei Einmanngründung

13 § 36 II 2 aF verpflichtete Alleingründer zur Bestellung einer Sicherheit für Betrag der nicht eingeforderten Geldeinlage. Norm ist aufgehoben durch MoMiG 2008. Entspr. ist § 7 II 3 GmbHG weggefallen. Danach besteht auch bei Einmanngründung **keine Sicherungspflicht.** Das ist zu begrüßen, weil Sicherungspflicht ohnehin mehr theoretisch interessant als praktisch nützlich war und auch unionsrechtl. nicht geboten ist (C. Schäfer DStR 2006, 2085, 2086).

Leistung der Einlagen

36a (1) **Bei Bareinlagen muß der eingeforderte Betrag (§ 36 Abs. 2) mindestens ein Viertel des geringsten Ausgabebetrags und bei Ausgabe der Aktien für einen höheren als diesen auch den Mehrbetrag umfassen.**

(2) [1] **Sacheinlagen sind vollständig zu leisten.** [2] **Besteht die Sacheinlage in der Verpflichtung, einen Vermögensgegenstand auf die Gesellschaft zu übertragen, so muß diese Leistung innerhalb von fünf Jahren nach der Eintragung der Gesellschaft in das Handelsregister zu bewirken sein.** [3] **Der Wert muß dem geringsten Ausgabebetrag und bei Ausgabe der Aktien für einen höheren als diesen auch dem Mehrbetrag entsprechen.**

I. Regelungsgegenstand und -zweck

§ 36a I bestimmt iVm § 36 II Höhe des Mindestbetrags, der vor Anmeldung auf Bareinlage einzuzahlen ist; § 36a II betr. Sacheinlage und bestimmt Umfang (vgl. aber → Rn. 4), Art und Weise sowie Zeitpunkt der Leistung. Vorschrift bezweckt **Sicherung der effektiven Kapitalaufbringung.** Dass dennoch nicht volle Summe einzuzahlen ist, erklärt sich aus idR geringerem Kapitalbedarf in Gründungsphase der AG (KK-AktG/A. Arnold Rn. 2; MüKoAktG/Pentz Rn. 6). 1

II. Bareinlagen

1. Höhe. Gem § 36a I iVm § 36 II muss vor Anmeldung einzuzahlender Betrag **mindestens ein Viertel des geringsten Ausgabebetrags** umfassen. Maßgeblich ist Legaldefinition des § 9 I (→ § 9 Rn. 2). Höhe des einzufordernden Betrages bestimmt sich grds. nach Satzung, die höhere Quote festschreiben kann (allgM; vgl. § 23 V 2). Daneben kann Vorstand – ggf. mit Zustimmung des AR (§ 111 IV 2) – einen höheren Betrag auf die Bareinlage einfordern, der dann maßgeblich ist. Liegt einzufordernder Betrag über Mindestbetrag des § 36a I, ist Vorstand zur Einforderung des höheren Betrags verpflichtet. Anmeldung setzt dann voraus, dass der höhere eingeforderte Betrag (§ 36 II) auch eingezahlt ist. Wenn Vorstand anmeldet, obwohl höher eingeforderter Betrag nicht eingezahlt ist, handelt er im Innenverhältnis pflichtwidrig; dies steht allerdings Eintragung der AG nicht entgegen, sofern sowohl Voraussetzungen des § 36 II als auch die des § 36a I erfüllt sind (BeckOGK/Stelmaszczyk Rn. 4; Hölters/Weber/Solveen Rn. 3). Bei **Überpariemission,** also Überschreitung des geringsten Ausgabebetrags (§ 9 II), ist zudem das **Agio** (→ § 9 Rn. 8 f.) **in voller Höhe** einzuzahlen (s. dazu LG Frankfurt AG 1992, 240; Koppensteiner Der Gesellschafter 2015, 6). Zuständigkeit des Vorstands folgt aus § 63 I 1 (RGZ 144, 348, 351; KK-AktG/A. Arnold Rn. 5; MüKoAktG/Pentz Rn. 7, § 36 Rn. 42). Einforderung durch Gründer wäre wirkungslos. 2

Sog **schuldrechtl. Agio** ist Zusatzleistung, die Aktionäre neben Einlage (Ausgabebetrag plus Agio) übernehmen (→ § 9 Rn. 10 ff.). Zweck dieser Gestaltung liegt in erster Linie darin, Einhaltung strenger Kapitalaufbringungs- und -erhaltungsregeln zu vermeiden (ausf. → § 9 Rn. 10). Ihre Zulässigkeit wird im Gefolge der **Babcock-Entscheidung des BGH** neuerdings aber in den Fällen in Zweifel gezogen, in denen Zuzahlungen wirtschaftlich Gegenleistung für ausgegebene Aktien darstellen und erforderlich sind, um deren Wert zu decken (ausf. → § 9 Rn. 10 ff.). HM hält solche Gestaltungen trotz gewichtiger Bedenken weiterhin für zulässig (→ § 9 Rn. 11 ff.). Folgt man dem, müssen Vertragsunterlagen im **Registerverkehr** nach hM nicht vorgelegt werden (MüKoAktG/Schürn- 2a brand/Verse § 188 Rn. 58; BeckOGK/Servatius § 188 Rn. 30; BeckOGK/Vatter § 9 Rn. 44; Gerber MittBayNot 2002, 305; Hermanns ZIP 2003, 788, 791; Priester FS Röhricht, 2005, 467, 474 f.; konsequent aA C. Schäfer FS Stilz, 2014, 525, 530). Richtigerweise ist diese Befreiung allerdings nur dahingehend zu verstehen, dass entspr. Vorlage nicht schon nach §§ 37 IV, 188 III zwingend vorgegeben ist. Registergericht darf Vorlage aber ausnahmsweise verlangen, um Gesetzmäßigkeit der Gründung oder Kapitalerhöhung zu prüfen (→ § 188 Rn. 20; BayObLG AG 2002, 510). Vertragsunterlagen bleiben Gegenstand der Verfahrensakte, sind also nicht zwecks Herstellung von Registerpublizität in den für AG gem. §§ 8, 9 HRV geführten Registerordner aufzunehmen.

3 **2. Schuldbefreiende Leistung.** Zahlungen auf ges. **Mindestbetrag** haben ohne weiteres schuldbefreiende Wirkung, soweit sie Voraussetzungen des § 36 II iVm § 54 III erfüllen (→ § 36 Rn. 6 ff.). Dasselbe gilt, soweit Zahlungen zwar ges. Mindestbetrag überschreiten, Aktionäre damit aber einer **Satzungspflicht** nachkommen (RGZ 149, 293, 303 f.; BGHZ 15, 66, 68 = NJW 1954, 1844). Dagegen sollten nach früher hM **freiwillige Mehrleistungen,** also weder durch Ges. noch durch Satzung gebotene Zahlungen, keine schuldbefreiende Wirkung entfalten, sofern Gegenwert im Zeitpunkt der Eintragung nicht mehr zur Verfügung stand (s. etwa RGZ 149, 293, 303 f.; BGHZ 80, 129, 137 = NJW 1981, 1373). BGH hat frühere Rspr. für GmbH aufgegeben (BGHZ 105, 300, 303 = NJW 1989, 710), weil mit Unterbilanzhaftung der Gesellschafter (→ § 41 Rn. 8 f.) unvereinbar (sa schon Stimpel FS Fleck, 1988, 345, 347 f.). Dieser Ansicht ist auch für AG zu folgen. Da aber Vorbelastungshaftung alle Gründer gleichermaßen trifft, ist Voraussetzung der Erfüllungswirkung, dass alle Gründer dem Geschäftsbetrieb vor Eintragung der AG zugestimmt haben (GK-AktG/Schall § 36 Rn. 106, vgl. auch Lutter/Hommelhoff/Bayer GmbHG § 7 Rn. 9 mit zT weiteren Anforderungen; aA KK-AktG/A. Arnold § 36 Rn. 25; BeckOGK/Cahn/v. Spannenberg § 54 Rn. 50 f., die Einverständnis aller Gründer in freiwillige Mehrleistung verlangen).

III. Sacheinlagen

4 **1. Leistungszeitpunkt.** § 36a II ist unverständlich; Auslegung str. Teile der Literatur räumen S. 1 Vorrang ein. Demnach müsse bei Sacheinlagen dinglicher Vollzug immer vor Anmeldung bewirkt werden. S. 2 regele nur den Fall, dass Lieferanspruch des Einlageverpflichteten gegen Dritten eingelegt werde und nur solche Ansprüche einlagefähig seien, wo der Dritte seine Leistungspflicht innerhalb der fünf Jahre zu erfüllen habe. Einlageverpflichteter selbst müsse vor Anmeldung die Einlagepflicht durch Abtretung des Anspruches gegen Dritten an die AG erfüllen (BeckOGK/Stelmaszczyk Rn. 11; Mayer ZHR 154 [1990], 535, 542 ff.). Mit zutr. hM ist davon auszugehen, dass S. 1 rechtstechnisch der Grundsatz ist, nach dem Sacheinlagen vor Anmeldung zu leisten sind, 2 der Ausnahmetatbestand, der Leistung innerhalb von fünf Jahren vorsieht, wenn Sacheinlageverpflichtung – wie überwiegend – durch dingliches Rechtsgeschäft zu bewirken ist. **Praktisch** ist somit **S. 2 die Regel,** während S. 1 im Wesentlichen nur die Fälle der Gebrauchs- oder Nutzungsüberlassungen betr. (KK-AktG/A. Arnold Rn. 11 ff.; S/L/Kleindiek Rn. 5 f.; MüKoAktG/Pentz Rn. 12 ff.; GK-AktG/Röhricht/Schall Rn. 6 ff.; MHdB AG/Hoffmann-Becking § 4 Rn. 44; Krebs/Wagner AG 1998, 467, 468 ff.). Dafür spricht bereits Wortlaut des S. 2, der oben genannte Einschränkung nicht trägt, sowie Entstehungsgeschichte der Vorschrift, da es Absicht des Gesetzgebers war, Art. 9 II Kapital-RL (jetzt: Art. 48 II GesR-RL) richtlinienentspr. umzusetzen (s. BT-Drs. 8/1678, 12 f.). Registergericht kann Frist nicht überwachen; bei Nichteinhaltung besteht insoweit keine rechtl. Handhabe. AG kann aber nach Fristablauf auf Leistung klagen. Rechtspolitisch ist

5-Jahresfrist heute nicht mehr zu erklären, gefährdet reale Kapitalaufbringung, erhöht Aufwand für Dokumentation von Prüfung der Werthaltigkeit von Sacheinlagen und sollte deshalb in dieser Form nicht beibehalten werden.

2. Art und Weise der Leistung. Gem. § 36a II 1 sind Sacheinlagen entspr. 5
§ 266 BGB **vollständig** zu leisten. Anders als bei Bareinlage (→ Rn. 2) findet also keine Aufteilung von Ges. wegen statt. Dagegen kann Satzung Teilleistungen vorsehen. Das folgt aus § 36a II 2, dessen Grenzen (→ Rn. 4) einzuhalten sind. IÜ kann für Sacheinlage nichts anderes gelten als für Bareinlage; auch sie muss, damit Erfüllungswirkung eintritt, zur **freien Verfügung des Vorstands** stehen (vgl. § 7 III GmbHG und → § 36 Rn. 7). Dem Vorstand als Organ der Vor-AG muss umfassende Verfügungsbefugnis unter idR dinglicher Vollrechtsübertragung auf die Gesellschaft (anders bei Gebrauchs- und Nutzungsüberlassung; → § 27 Rn. 27) eingeräumt werden (KK-AktG/A. Arnold Rn. 19; HCL/Ulmer/Casper GmbHG § 7 Rn. 53). Bei **Mischeinlage** ist Sacheinlage vollständig und Bareinlage nach den in → Rn. 2 ff. skizzierten Regeln zu erbringen. Sacheinlage wird also nicht auf erforderliche Zahlung von einem Viertel des Ausgabebetrags angerechnet (RGSt 48, 153, 160; OLG Celle NZG 2016, 300 [GmbH]; zust. Hauschild/Maier-Reimer DB 2016, 1683, 1684; Sammet NZG 2016, 344 f.; aA Cavin NZG 2016, 734 ff.).

3. Verbot der Unterpariemission. § 36a II 3 wiederholt Verbot der Unter- 6
pariemission (§ 9 I, → § 9 Rn. 3, 6; BGHZ 171, 293 Rn. 6). Wert der Sacheinlage muss geringstem Ausgabebetrag entspr. und auch Mehrbetrag umfassen, wenn Agio vorgesehen ist. Verbot ergibt sich auch aus §§ 34 I Nr. 2, 37 I 1, 38 II 2. Wird AG trotz Unterpariemission in das HR eingetragen, so ist sie wirksam entstanden; Nichtigkeitsgrund nach § 275 oder Löschungs- bzw. Auflösungsgrund nach §§ 397, 399 FamFG liegt nicht vor. Bei Verstoß hat AG gegen Gründer aus dessen Übernahmeerklärung Anspruch auf Zahlung des Differenzbetrags (BGHZ 64, 52, 62 = NJW 1975, 974; MüKoAktG/Pentz Rn. 29). Es liegt sodann eine gemischte Einlage vor (→ § 36 Rn. 4). BGHZ 64, 52, 62 fordert insoweit eine „erhebliche Überbewertung".

Inhalt der Anmeldung

37 (1) [1]**In der Anmeldung ist zu erklären, daß die Voraussetzungen des § 36 Abs. 2 und des § 36a erfüllt sind; dabei sind der Betrag, zu dem die Aktien ausgegeben werden, und der darauf eingezahlte Betrag anzugeben.** [2]**Es ist nachzuweisen, daß der eingezahlte Betrag endgültig zur freien Verfügung des Vorstands steht.** [3]**Ist der Betrag gemäß § 54 Abs. 3 durch Gutschrift auf ein Konto eingezahlt worden, so ist der Nachweis durch eine Bestätigung des kontoführenden Instituts zu führen.** [4]**Für die Richtigkeit der Bestätigung ist das Institut der Gesellschaft verantwortlich.** [5]**Sind von dem eingezahlten Betrag Steuern und Gebühren bezahlt worden, so ist dies nach Art und Höhe der Beträge nachzuweisen.**

(2) [1]**In der Anmeldung haben die Vorstandsmitglieder zu versichern, daß keine Umstände vorliegen, die ihrer Bestellung nach § 76 Absatz 3 Satz 2 Nummer 2 und 3 sowie Satz 3 und 4 entgegenstehen, und daß sie über ihre unbeschränkte Auskunftspflicht gegenüber dem Gericht belehrt worden sind.** [2]**Die Belehrung nach § 53 Abs. 2 des Bundeszentralregistergesetzes kann schriftlich vorgenommen werden; sie kann auch durch einen Notar oder einen im Ausland bestellten Notar, durch einen**

Vertreter eines vergleichbaren rechtsberatenden Berufs oder einen Konsularbeamten erfolgen.

(3) **In der Anmeldung sind ferner anzugeben:**

1. eine inländische Geschäftsanschrift,
2. Art und Umfang der Vertretungsbefugnis der Vorstandsmitglieder.

(4) **Der Anmeldung sind beizufügen**

1. die Satzung und die Urkunden, in denen die Satzung festgestellt worden ist und die Aktien von den Gründern übernommen worden sind;
2. im Fall der §§ 26 und 27 die Verträge, die den Festsetzungen zugrunde liegen oder zu ihrer Ausführung geschlossen worden sind, und eine Berechnung des der Gesellschaft zur Last fallenden Gründungsaufwands; in der Berechnung sind die Vergütungen nach Art und Höhe und die Empfänger einzeln anzuführen;
3. die Urkunden über die Bestellung des Vorstands und des Aufsichtsrats;
3a. eine Liste der Mitglieder des Aufsichtsrats, aus welcher Name, Vorname, ausgeübter Beruf und Wohnort der Mitglieder ersichtlich ist;
4. der Gründungsbericht und die Prüfungsberichte der Mitglieder des Vorstands und des Aufsichtsrats sowie der Gründungsprüfer nebst ihren urkundlichen Unterlagen.

(5) **Für die Einreichung von Unterlagen nach diesem Gesetz gilt § 12 Abs. 2 des Handelsgesetzbuchs entsprechend.**

Übersicht

I. Regelungsgegenstand und -zweck

§ 37 bestimmt, welche **Erklärungen** den notwendigen Inhalt der Anmeldung ausmachen, welche **Nachweise** zu führen und welche **Unterlagen** beizufügen sind. Ferner begründet § 37 eine **Bankenhaftung** bei unzutreffender Bankbestätigung. Norm bezweckt, unseriöse Gründungen zu vermeiden, und stellt sicher, dass Gericht Prüfung nach § 38 vornehmen kann. Bankenhaftung dient Schutz der Kapitalaufbringung. Ergänzend gilt § 37a für Anmeldungen bei Sachgründungen ohne externen Gründungsprüfer. Wer anmelden muss, bestimmt § 36 I. Zu Rechtsnatur und Verfahrensfragen → § 36 Rn. 2. Zur Ausnahme bei Einlagenleistung auf SPACs-Treuhandkonto (s. § 45 III BörsG) → § 23 Rn. 58. 1

II. Einlagen (§ 37 I)

1. Erklärung und Nachweise. a) Notwendigkeit. Erklärung nach § 37 I 1 ist Tatsachenbehauptung und betr. Anmeldevoraussetzungen der §§ 36 II, 36a. Sie ist immer notwendig; unerheblich ist, ob sich Tatsachen aus anderen, dem Registergericht zugänglichen Unterlagen ergeben (KK-AktG/A. Arnold Rn. 10; MüKoAktG/Pentz Rn. 12). Wegen ihres zeitlichen Moments (freie Verfügung zum Zeitpunkt der Anmeldung; → § 36 Rn. 7; → § 36a Rn. 4) ist Erklärung zu wiederholen, wenn ursprüngliche Anmeldung unvollständig war und deshalb wiederholt werden muss (KG OLGZ 1972, 151 = NJW 1972, 951; KK-AktG/A. Arnold Rn. 10; Hölters/Weber/Solveen Rn. 4). Bei Beanstandung durch Zwischenverfügung ist dagegen keine Wiederholungspflicht anzunehmen, sofern sich Sachlage nicht bis Vorlage „eintragungsreifer" Unterlagen geändert hat (str.; wie hier KK-AktG/A. Arnold Rn. 10; GK-AktG/Röhricht/Schall Rn. 15). 2

b) Bareinlage. Haben Gründer Bareinlage vereinbart, so ist zu erklären, dass eingeforderter Betrag (→ § 36a Rn. 2) auf jede Aktie ordnungsgem. eingezahlt ist (→ § 36 Rn. 6 ff.; → § 54 Rn. 13 ff.) und endgültig zur freien Verfügung des Vorstands steht (→ § 36 Rn. 7 ff.). Anzugeben sind dabei Betrag, zu dem die Aktien ausgegeben werden (§ 23 II Nr. 2), sowie darauf eingezahlter Betrag, und zwar für jeden Gründer getrennt. Sind Geldeinlagen nicht mehr in ursprünglicher Form vorhanden, ist aber wertgleiche Deckung gegeben (→ § 36 Rn. 11, 11a), sind die getätigten Geschäfte darzulegen und zu erklären, dass betreffende Gegenstände zur freien Verfügung des Vorstands stehen und ihr Wert den ausgegebenen Beträgen entspricht (MüKoAktG/Pentz Rn. 20; Bayer FS Horn, 2006, 271, 279 f.). Stets nachzuweisen ist, dass eingezahlter Betrag **endgültig zur freien Verfügung des Vorstands** steht (§ 37 I 2). Bei Leistung der Bareinlage durch Kontogutschrift iSd § 54 III kann und muss **Nachweis** gem. § 37 I 3 durch Bankbestätigung geführt werden (→ Rn. 3a). Norm nennt keine bes. formalen Anforderungen an die Bankbestätigung. Insbes. wird keine Schriftform (§ 126 BGB) verlangt. Es genügt vielmehr jede Form, soweit Eignung zum Nachweis ggü. Registergericht erhalten bleibt, also neben Telefax auch elektronische Übermittlung (E-Mail, SMS, Instant Messaging), aber auch mündliche oder telefonische Bestätigung ggü. dem Gericht, die diese zu den Akten vermerkt (BeckOGK/Stelmaszczyk Rn. 6; MüKoAktG/Pentz Rn. 27). Früher vertretene Gegenmeinung wollte Vorlage des Einzahlungsabschnitts genügen lassen (LG Hamburg NJW 1976, 1980), was schon seinerzeit nicht überzeugen konnte. Soweit Nachweis nicht durch Bankbestätigung erbracht werden kann, muss Gericht auf andere Weise überzeugt werden, zB durch Belege über Einreichung und Einlösung von Schecks (→ § 54 Rn. 13; BayObLG AG 2002, 397, 398; S/L/Kleindiek Rn. 12). Schwierigkeiten der Bank-AG bei eigener Kapitalerhöhung sollten durch Einschaltung eines Drittinstituts vermieden werden (F. A. Schäfer 3

FS Hüffer, 2010, 877, 883). Bei nach § 54 III 1 ebenfalls zulässiger **Barzahlung** (→ § 54 Rn. 13) wird man Versicherung des Vorstands genügen lassen müssen, was zu auffälliger Diskrepanz des Sicherheitsniveaus bei Barzahlung einerseits und Kontogutschrift andererseits (s. noch → Rn. 3a) führt. **Steuern und Gebühren** (→ § 36 Rn. 10) sind gem. § 37 I 5 nach Art und Höhe nachzuweisen, indem Bescheide und Zahlungsbelege beigefügt werden (MüKoAktG/Pentz Rn. 25).

3a **c) Inhalt der Bankbestätigung.** Noch nicht abschließend geklärt ist, welchen Inhalt Bankbestätigung gem. § 37 I 3 hat. Frage ist aber wegen daran anknüpfender Bankenhaftung (§ 37 I 4; → Rn. 5) wesentlich. Wortlaut und Zusammenhang des § 37 I 2 und 3 legen Schluss nahe, dass Bestätigung der Bank **denselben Inhalt wie Bestätigung der Anmelder** hat, so dass sie vollen Umfangs für freie Verfügung und auch bei verdeckter Sacheinlage haften würde. Das hat BGH in der Tat – wenngleich noch ohne Vertiefung – in zwei aufeinanderfolgenden Entscheidungen so angenommen (BGHZ 113, 335, 350 = NJW 1991, 1754; BGHZ 119, 177, 180 f. = NJW 1992, 3300). In der sich anschließenden kontroversen Diskussion wurde dagegen verbreitet der zutr. Einwand vorgetragen, dass Bank aufgrund ihrer nur beschränkten Funktion im Gesamtablauf des Kapitalaufbringungsprozesses gerade im Lichte verschuldensunabhängiger Gewährleistungshaftung (→ Rn. 5, 5a) derart weitgehende Bestätigung nicht abgeben könne (krit. mit Unterschieden iE Appell ZHR 157 [1993], 213, 221 ff.; Kübler ZHR 157 [1993], 196, 200 ff.; Ulmer GmbHR 1993, 189, 195 ff.). Verbreitet wurde deshalb vorgeschlagen, Bank müsse – anders als Vorstand – lediglich bestätigen, dass Vorstand ggü. Bank frei verfügen kann (→ § 36 Rn. 8), insbes. **keine Gegenrechte der Bank** bestehen und auch keine ihr aus der Kontoführung bekannten Rechte Dritter, zB aus Pfändung, vorhanden sind (s. insbes. Hüffer ZGR 1993, 474, 486 f.; iErg auch Butzke ZGR 1994, 94, 97 ff.; Wastl/Pusch WM 2007, 1403, 1405). BGHZ 175, 86 (= NZG 2008, 304) ist dem nicht gefolgt, hat Kritik aber zumindest teilweise aufgegriffen und ursprünglich zu weit geratenen Aussagen um **subj. Element** ergänzt. Danach soll es genügen, wenn KI sich auf zutr. Angabe von Tatsachen beschränkt, die ihm aufgrund seiner Funktion innerhalb des konkreten Kapitalaufbringungsvorgangs bekannt sind. Soweit KI Einlageleistung zu freier Verfügung des Vorstands bestätige, beziehe sich das inhaltlich darauf, dass nach ihrer Kenntnis keine der freien Verfügungsmacht des Vorstands entgegenstehenden Umstände vorliegen, was dann aber auch alle derartigen ihr bekannten Umstände umfasse. Je nach Kenntnisstand könne Bestätigung also die gleiche oder auch geringere inhaltliche Tragweite als die Erklärungen der Anmelder (§ 37 I 1) haben (BGHZ 175, 86 Rn. 25). Darin liegt sinnvoller Kompromiss, der iR der durch Wortlaut gezogenen Grenzen dem Anliegen der krit. Stimmen hinreichend entgegenkommt (zust. deshalb auch – mit Abweichungen im Detail – KK-AktG/A. Arnold Rn. 21 ff.; S/L/Kleindiek Rn. 14; MüKoAktG/Pentz Rn. 30 ff.; GK-AktG/Röhricht/Schall Rn. 25 ff.; zuvor bereits Bayer FS Horn, 2006, 271, 287 ff.; Röhricht FS Boujong, 1996, 457, 462 ff.; Spindler ZGR 1997, 537, 541, 548). Allg. Formulierungsvorschlag bei Happ/Mulert AktienR 2.01 lit. e. Zur Einzahlungsbestätigung bei Umgestaltung eines SPACs in reguläre AG (s. § 47b II 2 BörsG) → § 23 Rn. 68.

4 **d) Sacheinlage.** Haben Gründer Sacheinlage vereinbart, ist zu erklären, dass Wert der Sacheinlage dem geringsten Ausgabebetrag, bei Überpariemission auch dem Mehrbetrag entspr. (s. § 36a II 3). Bes. Begründung der Wertgleichheit ist nicht erforderlich (KK-AktG/A. Arnold Rn. 13; MüKoAktG/Pentz Rn. 40); sie ergibt sich aus Gründungsbericht und Gründungsprüfungen. Anzugeben ist jedoch, ob Leistung vor oder nach Anmeldung vereinbart ist (→ § 36a Rn. 4). Je nachdem ist zu erklären, dass Sacheinlage zur freien Verfügung des Vorstands

steht (→ § 36a Rn. 5; zust. GK-AktG/Röhricht/Schall Rn. 40), oder vereinbarter Leistungszeitpunkt zu nennen.

2. Haftung gem. § 37 I 4. a) Grundsatz. Deutsche Bundesbank oder KI haften ggü. AG für **Richtigkeit ihrer Bestätigung** nach § 37 I 3 gem. § 37 I 4. Norm bezweckt Schutz der Kapitalaufbringung. Inhalt der Haftung wird durch Inhalt der (Tatsachen-)Bestätigung festgelegt (→ Rn. 3a). Gegenmeinung, nach der Bestätigung umfassende Bedeutung haben, aber Haftung gegenständlich eingeschränkt sein soll (Röhricht FS Boujong, 1996, 457, 470 ff., 474 ff.), widerspricht Wortlaut der Norm und ihrem systematischen Zusammenhang mit § 37 I 3. Maßgebend ist Zeitpunkt der Abgabe der Bestätigung (MüKoAktG/Pentz Rn. 31, 33), nicht zukünftiger Zeitpunkt der Eintragung (so aber wohl LG Hamburg NJW 1976, 1980). Letztgenanntes Verständnis ist mit einer Bestätigung von Tatsachen nicht vereinbar, sondern wäre Garantieerklärung. Damit erübrigt sich Konstruktion des LG Hamburg NJW 1976, 1980, das für Kontoverfügungen des Vorstands zwischen Bestätigung und Eintragung die Haftung der Bank über § 242 BGB einschränkt. 5

b) Einzelfragen. Verschulden ist nach hM nicht erforderlich; vielmehr geht es um Gewährleistungshaftung für Richtigkeit der eigenen Erklärung (BGHZ 113, 335, 355 = NJW 1991, 1754; BGHZ 119, 177, 180 f. = NJW 1992, 3300; BGHZ 175, 86 Rn. 19 = NZG 2008, 304; sa öOGH AG 1994, 569, 570; OLG München ZIP 1990, 785, 788; MüKoAktG/Pentz Rn. 37; aA Butzke ZGR 1994, 94, 107 f.). Wegen der gläubigerschützenden Funktion der Haftung kann sich KI nicht auf Mitverschulden (§ 254 BGB) der AG berufen, selbst dann nicht, wenn Gründer oder Verwaltungsmitglieder Kenntnis von Unrichtigkeit der Bestätigung haben (BGHZ 113, 335, 355; 119, 177, 181; Butzke ZGR 1994, 94, 105; aA noch OLG Düsseldorf AG 1991, 278, 279 f.). Daran zT geübter Kritik wird auch hier hinreichend Rechnung getragen, wenn man mit heute ganz hM Bestätigungsanforderungen um subj. Element ergänzt (→ Rn. 3a). Weitergehend ist auch Kenntnis der Bank vom Vorlagezweck ihrer Bestätigung vorauszusetzen (BGHZ 175, 86 Rn. 19). **Verjährung:** Fünfjahresfrist analog § 51 (OLG Hamburg AG 2007, 500, 504; MüKoAktG/Pentz Rn. 38; Hölters/Weber/Solveen Rn. 8); unerlaubte Handlung ist nicht gegeben (BGHZ 57, 170, 176 = NJW 1972, 204; zweifelnd noch LG Hamburg NJW 1976, 1980). **Haftungsumfang:** AG ist so zu stellen, als wenn Bestätigung richtig gewesen wäre; bestätigte, aber nicht erbrachte Einlage ist also von Bank zu leisten (ganz hM, s. BGHZ 113, 335, 355 mwN; seither Wastl/Pusch WM 2007, 1403, 1406). Stichtagsbezogenheit der Haftung lässt es nicht zu, nachträgliche Leistungen der anderen Einlagenschuldner über § 421 BGB hinaus als enthaftend zu berücksichtigen (aA Wastl/Pusch WM 2007, 1403, 1406 f.). § 37 I 4 findet entspr. Anwendung im **GmbH-Recht** (BGHZ 113, 335, 351 ff.; 119, 177, 180 f.; OLG München ZIP 1990, 785, 788 f.; OLG Stuttgart AG 1995, 516, 517); denn iRd registergerichtl. Prüfung erfüllt ohne Rechtspflicht beigebrachte Bestätigung eine der vorgeschriebenen Bestätigung vergleichbare Funktion. Bestätigung der Kontogutschrift enthält aber nicht auch Bestätigung der endgültig freien Verfügung, wenn Registergericht nur „Vorlage eines Bankauszugs oder einer Bankbestätigung" erbeten hat (BGH NJW 1997, 945 f.; zust. Spindler ZGR 1997, 537, 543 ff.). 5a

III. Bestellungshindernisse (§ 37 II)

1. Erklärung. Vorstandsmitglieder einschließlich der Stellvertreter (§ 94) müssen gem. § 37 II versichern, dass keine Umstände vorliegen, die ihrer Bestellung nach § 76 III 2 Nr. 2 und 3 sowie S. 3 und 4 (→ Rn. 6a) entgegenstehen. Damit angesprochen sind Inhabilitätsvorschriften des § 76 (näher → § 76 Rn. 141 ff.). 6

Soweit es um Verurteilung wegen einer Straftat geht (§ 76 III 2 Nr. 3), muss Versicherung der Vorstandsmitglieder zum Ausdruck bringen, dass keine (neue) Verurteilung in fünf Jahren seit Rechtskraft einer Vorverurteilung erfolgt ist. Bestellungshindernis wäre nämlich auch fünf Jahre oder länger zurückliegende Verurteilung, deren Rechtskraft noch in die Frist hineinreicht (BGH FGPrax 2011, 237 Rn. 11 ff.). Versicherung ist höchstpersönlicher Natur; Stellvertretung scheidet aus. Auch gemeinschaftliche Versicherung mehrerer Vorstandsmitglieder ist unzulässig (so zur GmbH OLG Frankfurt NZG 2016, 918 Rn. 17 ff.). Begriff „versichern“ muss nicht verwandt werden, sondern es genügt synonyme Wendung, zB „erklären“, „angeben“ (OLG Karlsruhe NZG 2012, 598). Falsche Versicherung ist strafbewehrt (vgl. § 399 I Nr. 6). Bestellungshindernisse bewirken Nichtigkeit der Organbestellung. Der Praxis genügt pauschale Wiederholung des Wortlauts des § 37 II nicht. Sie verlangt inhaltlich an § 76 III 2 angelehnte Erklärung (BayObLGZ 1981, 396, 398 ff.; OLG Celle NZG 2023, 752 Rn. 6 ff.; OLG Frankfurt ZIP 2012, 870; OLG Karlsruhe GmbHR 2010, 643 f.; aA OLG Stuttgart ZIP 2013, 671, 672; LG Kassel Rpfleger 1982, 229); vgl. Formulierungsvorschlag bei Happ/Mulert AktienR 2.01 lit. m unter IV; sa Wachter GmbHR 2011, 866 f. Weitergehende Benennung der einzelnen **Straftatbestände** des § 76 III 2 Nr. 3 ist dagegen entbehrlich; genügend ist also weitergehende Versicherung, noch nie im In- oder Ausland wegen einer Straftat verurteilt worden zu sein (BGH FGPrax 2010, 246 Rn. 8 ff.; OLG Karlsruhe GmbHR 2010, 643 f. [Vorlagebeschluss]; aA OLG München GmbHR 2009, 831). Wenn Untersagung nach § 76 III 2 Nr. 2 vorliegt, sind konkrete Angaben zum Verbot zu machen, damit Registergericht überprüfen kann, ob Verbot der Bestellung entgegensteht (GK-AktG/Röhricht/Schall Rn. 45; Hölters/Weber/Solveen Rn. 11). Versicherungspflicht bzgl. Bestellungshindernissen soll Registergericht im Eintragungsverfahren Anfragen an Bundeszentralregister ersparen (MüKoAktG/Pentz Rn. 44).

6a Durch **DiRUG 2021** ist § 37 II 1 auch auf neu gefassten § 76 III 3 und 4 erstreckt worden; Anwendbarkeit wird durch § 26m I EGAktG aber auf 1.8.2023 verschoben. In § 76 III 3 vorgesehenes Bestellungshindernis bei **ausländischem Berufs- und Gewerbeverbot** in EU-Mitgliedstaat oder EWR-Vertragsstaat (→ § 76 Rn. 147 ff.) wird damit im Wege einer Folgeänderung auch auf Inhalt der Versicherungserklärung nach § 37 II 1 ausgedehnt. Diese hat sich künftig also auch auf solche Verbote zu erstrecken, soweit deren Gegenstand zumindest teilidentisch mit dem Unternehmensgegenstand ist (→ § 76 Rn. 147 f..). Eine solche Erstreckung ist nach Art. 13i II Unterabs. 1 GesR-RL zulässig und für Betroffenen auch im Lichte der Strafbewehrung nach § 399 I Nr. 6 keine unverhältnismäßige Belastung, da er von Verbot wie von Verurteilung Kenntnis haben muss (RegBegr. DiRUG BT-Drs. 19/28177, 159).

6b **2. Belehrung.** Vorstandsmitglieder und ihre Stellvertreter (§ 94) haben gem. § 37 II 1 zu versichern, dass sie nach § 53 II BZRG über ihre unbeschränkte Auskunftspflicht ggü. dem Gericht belehrt worden sind. Ohne Belehrung könnten sie sich auf beschränkte Offenbarungspflicht nach § 53 I Nr. 1 BZRG berufen. Versicherung bedarf wie übriger Inhalt der Anmeldung (→ § 37 Rn. 2) der öffentl. Beglaubigung, und zwar auch dann, wenn sie in gesonderter Erklärung nachgereicht wird (OLG München ZIP 2010, 1494, 1495; zur Auslandsbeglaubigung → § 23 Rn. 12). Belehrung kann mündlich oder, wie § 37 II 2 Hs. 1 eigens hervorhebt, **auch schriftlich** (zB durch Formblatt) erfolgen. Sie kann durch Registergericht oder Notar (der aber nur bei gesondertem Auftrag belehrungspflichtig ist) vorgenommen werden, auch durch **ausländischen Notar,** ferner durch Angehörigen eines vergleichbaren rechtsberatenden Berufs (RegBegr. BT-Drs. 16/6140, 35: insbes. Rechtsanwälte), auch durch ausländischen

Berufsträger, schließlich durch Konsularbeamte. Erweiterung des § 37 II 2 Hs. 2 beruht auf MoMiG 2008 und steht auch im Zusammenhang mit der gleichzeitig vorgenommenen Änderung des § 5. Bei danach zulässiger Wahl ausländischen Geschäftssitzes (→ § 5 Rn. 3) soll Belehrung des Vorstandsmitglieds auch im Ausland erfolgen können (RegBegr. BT-Drs. 16/6140, 35; sa Lutter/Hommelhoff/Bayer GmbHG § 8 Rn. 18).

IV. Inländische Geschäftsanschrift; Vertretungsbefugnis (§ 37 III)

In Anmeldung ist gem. § 37 III Nr. 1 ferner, also neben Erklärungen und Versicherungen nach § 37 I und II, **inländische Geschäftsanschrift** anzugeben (rechtspolit. für Ausdehnung auf Anschrift im EU-Ausland nach Vorbild des § 707 II Nr. 1 lit. c BGB Lieder/Hilser ZHR 185 [2021], 471, 483). Durch MoMiG 2008 neu eingeführtes Anmeldungserfordernis vermeidet Zustellungsprobleme und dient damit dem Gläubigerschutz (RegBegr. BT-Drs. 16/6140, 35). Namentl. bei Gesellschaften mit einem nach § 5 zulässigen Verwaltungssitz im Ausland liegt inländische Geschäftsanschrift im Gläubigerinteresse. Sie ist auch ohne weiteres feststellbar, weil sie nach § 39 I 1 zum notwendigen Eintragungsinhalt gehört (→ § 39 Rn. 2) und damit an Publizität des HR teilnimmt (§§ 9, 10 HGB). Bei Abgabe von Willenserklärungen ggü. organschaftlichen Vertretern der AG und bei Zustellung von Schriftstücken kann im HR eingetragene Geschäftsanschrift nach § 78 II 3 auch dann verwandt werden, wenn sich tats. Verwaltungssitz an anderem Ort, namentl. im Ausland, befindet (→ § 78 Rn. 13a). Erforderliche Angaben sind: Straße, Hausnummer, PLZ und Ort. Auch c/o-Anschrift kann angegeben werden, wenn sie zur verbesserten Zustellungsmöglichkeit führt und nicht nur Zustellungsmöglichkeit vortäuscht oder verschleiert (OLG Hamm NZG 2011, 994; 2015, 833; 2016, 386; Hölters/Weber/Solveen Rn. 14). Änderungen der inländischen Geschäftsschrift sind nach § 31 HGB anzumelden (zu den Kosten vgl. OLG München NZG 2016, 1273). **Übergangsregelung** für Altgesellschaften: § 18 EGAktG. Danach besteht auch für sie Anmeldepflicht, es sei denn, dass Anschrift gem. § 24 II HRV bereits mitgeteilt worden ist und sich nicht geändert hat (§ 18 S. 1 EGAktG). § 18 S. 2 EGAktG regelt **Modalitäten** bei bestehender Anmeldepflicht (Simultananmeldung). Dagegen verbleibt es im Ausnahmebereich (§ 18 S. 1 Hs. 2 EGAktG) bei amtswegiger Eintragung gem. § 18 S. 3 EGAktG, kann also keine Simultananmeldung gefordert werden (OLG München NZG 2009, 304 f. zur GmbH; ZIP 2009, 619 f.; Wicke NZG 2009, 296 f.). 7

In Anmeldung ist gem. § 37 III Nr. 2 anzugeben, welche **Vertretungsbefugnis** Vorstandsmitglieder haben. Damit wird Eintragung der Vertretungsbefugnis gem. § 39 I 2 vorbereitet. Norm beruht auf Art. 14 und 16 GesR-RL (früher Art. 2, 3 Publizitäts-RL). Sie soll es Ausländern ohne Kenntnis des nat. Rechts ermöglichen, sich ausschließlich durch Blick in das Register über Vertretungsverhältnisse der AG zu informieren. Die Vertretungsbefugnis ergibt sich entweder aus Ges. (§ 78 I, II 1 und 2) oder Satzung (§ 78 II 1, III). Sie ist **in abstrakter Formulierung** (Gesamtvertretung, Einzelvertretung, unechte Gesamtvertretung) anzugeben (BayObLGZ 1974, 49, 51 ff.; OLG Frankfurt OLGZ 1970, 404, 405; OLG Köln OLGZ 1970, 265, 266, alle zur GmbH; MüKoAktG/Pentz Rn. 54; GK-AktG/Röhricht/Schall Rn. 51) und nicht in konkreter Form durch namentl. Nennung der Vorstandsmitglieder (so aber Gustavus BB 1970, 594, 595; Lappe GmbHR 1970, 90 f.). Letztgenanntes Verständnis hätte stdg. HR-Änderungen zur Folge. Anderes gilt nur, wenn einzelne Vorstandsmitglieder unterschiedliche Vertretungskompetenz haben; dann ist diese unter Namensnennung anzugeben (KK-AktG/A. Arnold Rn. 36; GK-AktG/Röhricht/Schall Rn. 52). Vertetungsbefugnis ist auch anzugeben, wenn Vorstand nur aus einer Person 8 besteht und mithin ausschließlich Alleinvertretungsbefugnis vorliegen kann (EuGH Slg. 1974, 1201, 1207 = BB 1974, 1500; BGHZ 63, 261, 263 ff. = NJW 1975, 213; MüKoAktG/Pentz Rn. 53; GK-AktG/Röhricht/Schall Rn. 51 aE; sa OLG Frankfurt AG 1971, 302). Auch Angaben zur passiven Vertretung (§ 78 II 2) sind erforderlich, da Wortlaut des § 37 III nicht zwischen Aktiv- und Passivvertretung differenziert und Schutzzweck der Norm dafür spricht (KK-AktG/A. Arnold Rn. 35; MüKoAktG/Pentz Rn. 55; aA BeckOGK/Stelmaszczyk Rn. 13). Angegeben werden muss auch in Satzung enthaltene Ermächtigung des AR, Einzelvertretung oder gemischte Gesamtvertretung anzuordnen (§ 78 III 2), sowie auf dieser Grundlage bereits vorgenommene Anordnung, ferner Befreiung einzelner Vorstandsmitglieder vom Verbot des § 181 BGB (BGHZ 87, 59, 60 f. mwN = NJW 1983, 1676; KK-AktG/A. Arnold Rn. 35, 37; aA BeckOGK/Stelmaszczyk Rn. 13). Nicht anzugeben ist Ermächtigung nach § 78 IV (MüKo-AktG/Pentz Rn. 57).

V. Anlagen zur Anmeldung (§ 37 IV)

9 **1. Katalog. a) Nr. 1.** Satzung sowie Urkunden über Feststellung der Satzung und der Aktienübernahmen (→ § 23 Rn. 16 ff.) sind beizufügen; regelmäßig wird dies in einer Urkunde erfolgt sein. Wurde von Möglichkeit der getrennten Beurkundung Gebrauch gemacht (→ § 23 Rn. 16), sind sämtliche Urkunden, bei Satzungsänderung oder -ergänzung auch diese beizufügen.

10 **b) Nr. 2.** Haben Gründer Sondervorteile (§ 26 I), Vergütung von Gründungsaufwand (§ 26 II), Sacheinlagen (§ 27 I 1 Fall 1) oder Sachübernahmen (§ 27 I 1 Fall 2) vereinbart, so sind die schriftlichen Verträge, die der Festsetzung zugrunde liegen oder die zu ihrer Ausführung (dinglicher Vollzug/Leistung) geschlossen wurden, sowie die Berechnung des von AG zu tragenden Gründungsaufwands unter Angabe der Art und Höhe der Vergütung sowie der einzelnen Empfänger beizufügen. Damit soll Gericht von Einzelheiten der Vertragsgestaltung unterrichtet werden. Festsetzung selbst ergibt sich bereits aus der Satzung; s. § 26 I, II, § 27 I 1. Bei Berechnung des Gründungsaufwands können gleichartige Positionen (zB Porto- und Telefonkosten) zusammengefasst werden; Belege sind nicht beizufügen. Noch nicht angefallener, aber festgesetzter Gründungsaufwand ist der Höhe nach zu schätzen (KK-AktG/A. Arnold Rn. 41; B/K/L/Lieder Rn. 16). § 37 IV Nr. 2 setzt Vorliegen schriftlicher Verträge voraus, begründet aber keinen Formzwang für erfasste Rechtsgeschäfte (hM); fehlen schriftliche Verträge, ist dies anzugeben (allgM).

11 **c) Nr. 3.** Beizufügen sind die Urkunden über die Bestellung der amtierenden Mitglieder des Vorstands und des AR (§ 30 I). Annahme der Bestellung ist nicht nachzuweisen; sie ergibt sich aus Mitwirkung bei der Anmeldung.

12 **d) Nr. 3a.** Der Anmeldung beizufügen ist **Liste der AR-Mitglieder.** Norm trägt Art. 14 GesR-RL (früher Art. 2 Publizitäts-RL) Rechnung (s. RegBegr. BT-Drs. 16/960, 65). Gemeint sind Mitglieder des ersten AR (§ 30 I). Für späteren Wechsel gilt § 106; danach ist jew. neue Liste einzureichen. Anzugeben sind Name, Vorname, ausgeübter Beruf und Wohnort (zu Einzelheiten Wachter AG 2016, 776, 777). Das entspr. notwendigem Inhalt des Wahlvorschlags (§ 124 III 4) und ist entspr. auszulegen (→ § 124 Rn. 33). Wohnort ist Gemeinde, nicht konkrete Adresse. **Freiwillige Zusatzangaben,** etwa zur Bestellung aufgrund Entsendung oder gerichtl. Bestellung, sind – anders als im GmbH-Recht (vgl. dazu BGH NJW 2015, 1303 Rn. 9 ff.) – zulässig (Hölters/Weber/Simons § 106 Rn. 5; Wachter AG 2016, 776, 778 f.). Zuständig für Erstellung der Liste sind die Gründer (Wachter AG 2016, 776, 780).

e) Nr. 4. Beizulegen sind Gründungsbericht (§ 32), Prüfungsbericht der Mitglieder des Vorstands und des AR (§ 33 I) sowie Bericht der Gründungsprüfer (§ 33 II), jew. nebst ihren urkundlichen Unterlagen (zB Gutachten, Hilfsberechnungen). Überschneidung mit § 37 IV Nr. 2 ist möglich. Haben Gründungsprüfer ihren Prüfungsbericht unmittelbar dem Gericht eingereicht (§ 34 III), so bedarf es nach zutr. Ansicht keiner weiteren Einreichung (→ § 34 Rn. 6). 13

2. Abkoppelung vom Genehmigungsverfahren. Nach § 37 IV Nr. 5 aF war Genehmigungsurkunde beizufügen, wenn Gegenstand des Unternehmens oder andere Satzungsbestimmung staatlicher Genehmigung bedurfte; aufgehoben durch MoMiG 2008. Nach Wegfall des Beifügungserfordernisses ist AG ohne Rücksicht auf Genehmigungsverfahren einzutragen. Das entspr. der Grundwertung des § 7 HGB und stellt nicht unbedeutende **Vereinfachung** des Eintragungsverfahrens dar. Genehmigungsurkunde muss auch nicht etwa, wie zunächst geplant, später nachgereicht werden (Möller Konzern 2008, 1, 3). Vom Genehmigungsverfahren abgekoppelt ist ferner Eintragung einer Satzungsänderung (Aufhebung des § 181 I 3 aF durch ARUG 2009; → § 181 Rn. 10). Aufhebung des § 37 IV Nr. 5 aF wird überwiegend und zu Recht begrüßt (Hirte FS Hüffer, 2010, 329, 333; Noack DB 2007, 1395, 1398; Schäfer DStR 2006, 2085, 2086). Weitgehender Wegfall der Individualisierungspflicht (Hirte FS Hüffer, 2010, 329, 335) sollte daraus aber nicht abgeleitet werden (→ § 23 Rn. 24). Genehmigung bleibt allerdings Eintragungsvoraussetzung, wenn **rechtsformunabhängige Norm** des Registerverfahrensrechts explizit anordnet, dass Registereintragung nur vorgenommen werden darf, wenn entspr. Genehmigung dem HR vorgelegt worden ist, wie zB bei § 43 I KWG, § 3 V KAGB (Hölters/Weber/Solveen Rn. 25; Leitzen GmbHR 2009, 480, 481). Registerverfahren findet auch ohne Eintragung in **Handwerksrolle** statt. Das ist von BGHZ 102, 209, 211 ff. = NJW 1988, 1087 für GmbH zwar anders entschieden worden, mit Aufhebung des § 37 IV Nr. 5 aF sowie des § 7 IV 1 HandwerksO aF ist aber dafür normative Basis entfallen (vgl. Leitzen GmbHR 2009, 480, 481). 14

3. Weitere Anlagen. Soweit ges. Vorschriften außerhalb des Aktienrechts weitere Anlagen fordern, sind auch diese der Anmeldung beizufügen. Vorzulegen sind ferner Urkunden oder Nachweise, die Registergericht für Prüfung der formellen und materiellen Richtigkeit der Anmeldung (→ § 38 Rn. 2 f.) benötigt, namentl. bei Beteiligung ausländischer Gründer oder bei Auslandsbeurkundung. 15

VI. Kein Zeichnungserfordernis

Zeichnungserfordernis meint **Unterschriftsprobe.** Sie war nach § 37 V aF erforderlich. Unterschriftsprobe und deren Aufbewahrung sind **abgeschafft,** weil sie nicht zur elektronischen Registerführung passen: Echtheitsprüfung nur teilw. möglich, gesteigertes Missbrauchsrisiko bei eingescannten Unterschriften (RegBegr. BT-Drs. 16/960, 47, 65; DAV-HRA NZG 2005, 586, 588 f.). Weiterhin geäußerte Erwartung, dass elektronische Signatur (§ 126a BGB) handschriftliche Zeichnung ablösen werde (RegBegr. BT-Drs. 16/960, 47, 65), verkennt allerdings damit verbundenen Aufwand. Korrespondierende Zeichnungsvorschriften in § 81 IV, § 266 V sind ebenfalls aufgehoben. 16

VII. Einreichung von Unterlagen (§ 37 V)

§ 37 V verweist bzgl. der Form der Einreichung von Unterlagen auf **§ 12 II HGB.** Einreichung von Unterlagen kann und muss also **elektronisch** und idF des DiRUG 2021 „in einem maschinenlesbaren und durchsuchbaren Datenfor- 17 mat" erfolgen. Ist Urschrift oder einfache Abschrift einzureichen oder wird für Dokument Schriftform verlangt, genügt elektronische Aufzeichnung. Bei notariellen Urkunden oder beglaubigten Abschriften ist ein mit einfachem elektronischen Zeugnis (§ 39a BeurkG) versehenes Dokument zu übermitteln. Einreichungen **bei anderen Anmeldungen** als denen nach § 37 werden entgegen der Gesetzessystematik von Sinn und Zweck der Klarstellung erfasst. § 12 II HGB gilt also auch für sie. Aufgehoben ist frühere Aufbewahrungsregelung des § 37 VI aF. Sie passt mit elektronischer Einreichung und Registerführung nicht zusammen.

VIII. Rechtsfolgen bei Verstoß

18 Wenn Anmeldung nicht den Anforderungen des § 37 entspr., besteht **Eintragungshindernis** nach § 38 I. Registergericht wird vor Zurückweisung durch Zwischenverfügung gem. § 382 IV FamFG auf Fehler hinweisen und ihre Beseitigung ermöglichen. Trägt Gericht trotzdem ein, so entsteht AG wirksam; Voraussetzungen der Nichtigkeitsklage gem. § 275 oder der Löschung oder Auflösung nach §§ 397, 399 FamFG liegen nicht vor (hM, s. nur GK-AktG/Röhricht/Schall Rn. 62). Jedoch kann Gericht in diesem Fall (sonst nicht, GK-HGB/J. Koch/Harnos § 14 Rn. 8) fehlende Unterlagen anfordern und Einreichung durch Zwangsgeld nach § 14 HGB erzwingen (RGZ 130, 248, 255 f.; KGJ 41, A 123, 130). § 407 II steht dem nicht entgegen, da sich Rechtszwang nicht auf Anmeldung bezieht. Unrichtige und unvollständige Angaben können zivilrechtl. Haftung nach §§ 46, 48 und Strafbarkeit nach § 399 I Nr. 1, 6 begründen.

Anmeldung bei Sachgründung ohne externe Gründungsprüfung

37a (1) [1]**Wird nach § 33a von einer externen Gründungsprüfung abgesehen, ist dies in der Anmeldung zu erklären.** [2]**Der Gegenstand jeder Sacheinlage oder Sachübernahme ist zu beschreiben.** [3]**Die Anmeldung muss die Erklärung enthalten, dass der Wert der Sacheinlagen oder Sachübernahmen den geringsten Ausgabebetrag der dafür zu gewährenden Aktien oder den Wert der dafür zu gewährenden Leistungen erreicht.** [4]**Der Wert, die Quelle der Bewertung sowie die angewandte Bewertungsmethode sind anzugeben.**

(2) **In der Anmeldung haben die Anmeldenden außerdem zu versichern, dass ihnen außergewöhnliche Umstände, die den gewichteten Durchschnittspreis der einzubringenden Wertpapiere oder Geldmarktinstrumente im Sinne von § 33a Abs. 1 Nr. 1 während der letzten drei Monate vor dem Tag ihrer tatsächlichen Einbringung erheblich beeinflusst haben könnten, oder Umstände, die darauf hindeuten, dass der beizulegende Zeitwert der Vermögensgegenstände im Sinne von § 33a Abs. 1 Nr. 2 am Tag ihrer tatsächlichen Einbringung auf Grund neuer oder neu bekannt gewordener Umstände erheblich niedriger ist als der von dem Sachverständigen angenommene Wert, nicht bekannt geworden sind.**

(3) **Der Anmeldung sind beizufügen:**

1. **Unterlagen über die Ermittlung des gewichteten Durchschnittspreises, zu dem die einzubringenden Wertpapiere oder Geldmarktinstrumente während der letzten drei Monate vor dem Tag ihrer tatsächlichen Einbringung auf einem organisierten Markt gehandelt worden sind,**
2. **jedes Sachverständigengutachten, auf das sich die Bewertung in den Fällen des § 33a Abs. 1 Nr. 2 stützt.**

I. Regelungsgegenstand und -zweck

Norm betr. Sachgründung ohne externe Gründungsprüfung (§ 33a) und ergänzt für diesen Fall § 37. Erweiterter Inhalt der Anmeldung (§ 37a I, II) und Beifügung bestimmter Bewertungsunterlagen (§ 37a III) bezwecken, gerichtl. **Prüfung** der Anmeldung (§ 38) zu erleichtern und **Publizität des HR** (§ 9 HGB) herzustellen. Sie bezieht sich auf Anmeldung als eingereichtes Dokument (Angaben bzw. Versicherung nach § 37a I, II) sowie auf beizufügende Bewertungsunterlagen (§ 37a III). § 37a I, II dient der Durchführung von Art. 51 GesR-RL (früher Art. 12 Kapital-RL). Dagegen ist § 37a III nicht schon durch die RL geboten. Erweiterte Einreichungspflicht ist aber sinnvoll, weil sie Transparenz des Vorgangs und seine Nachprüfbarkeit verbessert (RegBegr. BT-Drs. 16/11642, 24; Sauter ZIP 2008, 1706, 1710). Falsche Angaben in der Anmeldung (§ 37a I) oder in der Versicherung (§ 37a II) begründen Strafbarkeit nach § 399 I Nr. 1 (bei Kapitalerhöhung: Nr. 4). 1

II. Zusatzangaben in der Anmeldung (§ 37a I)

1. Überblick. Anmeldung muss zunächst Erklärung enthalten, dass vom Wahlrecht des § 33a Gebrauch gemacht wird (§ 37a I 1). Dass Voraussetzungen dafür vorliegen, muss nicht eigens erklärt werden (RegBegr. BT-Drs. 16/11642, 23). Zum Inhalt der Anmeldung gehört weiter, dass Gegenstand jeder Sacheinlage (§ 27 I 1 Fall 1) oder Sachübernahme (§ 27 I 1 Fall 2) beschrieben wird (§ 37a I 2). Beschreibung soll zusammen mit beizufügenden Bewertungsunterlagen (§ 37a III) Außenstehenden erlauben, sich eigenes Urteil über Werthaltigkeit des Einlage- oder Übernahmegegenstands zu bilden (RegBegr. BT-Drs. 16/11642, 23). Deshalb hat Beschreibung konkretisierende, individualisierende und wertbildende Faktoren zu benennen (BeckOGK/Stelmaszczyk Rn. 4). Drittens muss Anmeldung die Erklärung aller Anmelder einschließen, dass Wert der Sacheinlagen oder zu übernehmender Gegenstände geringsten Ausgabebetrag (§ 9 I) bzw. Wert der Vergütung erreicht (§ 37a I 3; → Rn. 3). Schließlich muss Wert der Sacheinlage oder der zu übernehmenden Gegenstände zum Stichtag der Einbringung konkret beziffert werden, und zwar unter Angabe der „Quelle der Bewertung" (Börsenkurse, Wertgutachten) und der Bewertungsmethode (Ertragswertverfahren, DCF-Verfahren); das folgt aus § 37a I 4. 2

2. Insbesondere: § 37a I 3. Nach § 37a I 3 muss Anmeldung Erklärung beinhalten, dass Wert der Sacheinlagen oder Sachübernahmen den geringsten Ausgabebetrag der dafür zu gewährenden Aktien oder Wert der dafür zu gewährenden Leistungen erreicht. Ziel ist insoweit, Verbot der Unterpariemission zu sichern (s. § 9 I). Nach Wortlaut muss sich Erklärung nicht auf vorgesehenes Agio beziehen (sa Paschos/Goslar AG 2008, 605, 613), was begrifflich der in § 34 I Nr. 2, § 184 III 1 getroffenen Regelungen entspricht. § 37a I 3 soll aber Art. 51 GesR-RL (früher Art. 12 Kapital-RL) umsetzen. Art. 51 I lit. c GesR-RL verlangt für Sachgründung ohne externe Gründungsprüfung auch Angabe darüber, ob etwaiger Mehrbetrag abgedeckt ist. Richtlinienkonforme Auslegung der Norm verlangt daher, dass zusätzliche Deckung des Agios erklärt wird (wie hier KK-AktG/A. Arnold Rn. 7; Grigoleit/Vedder Rn. 3; vgl. auch Bayer FS Ulmer, 2003, 21, 31 ff.; → § 34 Rn. 3). 3

III. Versicherung als Inhalt der Anmeldung (§ 37a II)

Über Angaben nach § 37a I hinaus muss Anmeldung Versicherung der Anmelder enthalten, dass ihnen bestimmte wertbeeinflussende Umstände nicht be- 4 kannt geworden sind. In diesem Sinne erforderliche Negativerklärung ergänzt § 37 I. In den Fällen des § 33a I Nr. 1 haben Anmelder zu versichern, dass ihnen keine außergewöhnlichen Umstände bekannt geworden sind, die gewichteten Durchschnittspreis der einzubringenden Wertpapiere oder Geldmarktinstrumente während der letzten drei Monate vor dem Tag ihrer tats. Einbringung erheblich beeinflusst haben könnten. In den Fällen des § 33a Nr. 2 bezieht sich Negativerklärung auf neue oder neu bekannt gewordene Umstände, die darauf hindeuten, dass beizulegender Zeitwert der Vermögensgegenstände am Tag ihrer tats. Einbringung erheblich niedriger ist als vom Sachverständigen angenommener Wert.

5 Hierzu gilt iE: Anmelder (§ 36 I) sind nicht verpflichtet, Durchschnittspreis oder bisherige sachverständige Bewertung einem kontrollierenden Prüfungsverfahren zu unterziehen. Offenzulegendes **Überbewertungsrisiko** muss sich vielmehr iRd nach § 33a erleichterten Bewertung ergeben (Drinhausen/Keinath BB 2008, 2078, 2079 f.). Nur bei Bestimmung der Erheblichkeitsschwelle bietet sich an, auf fiktives anderweitiges Bewertungsverfahren abzustellen und Erheblichkeit nur zu bejahen, wenn Preis oder Kurs (§ 33a I Nr. 1) übliche Spanne fachgerechter Bewertungen eindeutig übersteigen bzw. schon vorliegende sachverständige Bewertung nach diesem Maßstab als eindeutig überhöht erscheint. **Außergewöhnliche Umstände** iSd § 37a II Hs. 1 sind Marktstörungen, die gewichtetem Durchschnittspreis die Aussagekraft nehmen, die ihm für den Regelfall zugesprochen wird, namentl. ausgeprägte Marktenge. Versicherung muss im Wesentlichen ges. vorgegebenen **Wortlaut** haben, weil damit Straftat iSd § 399 Nr. 1 umschrieben wird (RegBegr. BT-Drs. 16/11642, 23). Unzutreffende Versicherung begründet überdies Haftung der Anmelder (§ 36 I) nach §§ 46, 48.

IV. Beifügung von Unterlagen oder Gutachten (§ 37a III)

6 Über die GesR-RL hinausgehend, sind der Anmeldung gem. § 37a III die vorhandenen Bewertungsunterlagen beizufügen, nämlich etwaige Dokumente, aus denen sich gewichteter Durchschnittspreis ergibt (BaFin-Auskunft; Kurs- und Umsatztabellen von Finanzdienstleistern, soweit sie keinem Sperrvermerk unterliegen), oder in den Fällen des § 33a I Nr. 2 „jedes" die Bewertung stützende Sachverständigengutachten. Beigefügte Unterlagen nehmen als eingereichte Dokumente gem. § 9 HGB an **Publizität des HR** teil. Wenn keine Unterlagen beigefügt werden, wird Registergericht sie nachfordern und alternativ um die Erklärung ersuchen müssen, dass solche Unterlagen nicht vorhanden sind. Auch diese Erklärung ist nach § 9 HGB registeröffentlich.

V. Rechtsfolgen bei Verstoß

7 Weil § 37a Grundnorm des § 37 ergänzt (→ Rn. 1), bestimmen sich Rechtsfolgen eines Verstoßes nach den zu § 37 geltenden Grundsätzen (→ § 37 Rn. 18). Anmeldung unter Verstoß gegen § 37a ist nicht ordnungsgem., so dass nach § 38 I **Eintragungshindernis** besteht. Gleichwohl eingetragene AG entsteht wie bei Verstoß gegen § 37 auch bei Verletzung des § 37a wirksam. Nicht beigefügte Unterlagen (§ 37a III) kann Gericht in diesem Fall (sonst: Zurückweisung der Anmeldung) anfordern und Einreichung durch Zwangsgeld nach § 14 HGB durchsetzen (→ § 37 Rn. 18).

Prüfung durch das Gericht

38 (1) [1]**Das Gericht hat zu prüfen, ob die Gesellschaft ordnungsgemäß errichtet und angemeldet ist.** [2]**Ist dies nicht der Fall, so hat es die Eintragung abzulehnen.**

(2) [1]**Das Gericht kann die Eintragung auch ablehnen, wenn die Gründungsprüfer erklären oder es offensichtlich ist, daß der Gründungsbericht oder der Prüfungsbericht der Mitglieder des Vorstands und des Aufsichtsrats unrichtig oder unvollständig ist oder den gesetzlichen Vorschriften nicht entspricht.** [2]**Gleiches gilt, wenn die Gründungsprüfer erklären oder das Gericht der Auffassung ist, daß der Wert der Sacheinlagen oder Sachübernahmen nicht unwesentlich hinter dem geringsten Ausgabebetrag der dafür zu gewährenden Aktien oder dem Wert der dafür zu gewährenden Leistungen zurückbleibt.**

(3) [1]**Enthält die Anmeldung die Erklärung nach § 37a Abs. 1 Satz 1, hat das Gericht hinsichtlich der Werthaltigkeit der Sacheinlagen oder Sachübernahmen ausschließlich zu prüfen, ob die Voraussetzungen des § 37a erfüllt sind.** [2]**Lediglich bei einer offenkundigen und erheblichen Überbewertung kann das Gericht die Eintragung ablehnen.**

(4) **Wegen einer mangelhaften, fehlenden oder nichtigen Bestimmung der Satzung darf das Gericht die Eintragung nach Absatz 1 nur ablehnen, soweit diese Bestimmung, ihr Fehlen oder ihre Nichtigkeit**

1. **Tatsachen oder Rechtsverhältnisse betrifft, die nach § 23 Abs. 3 oder auf Grund anderer zwingender gesetzlicher Vorschriften in der Satzung bestimmt sein müssen oder die in das Handelsregister einzutragen oder von dem Gericht bekanntzumachen sind,**
2. **Vorschriften verletzt, die ausschließlich oder überwiegend zum Schutze der Gläubiger der Gesellschaft oder sonst im öffentlichen Interesse gegeben sind, oder**
3. **die Nichtigkeit der Satzung zur Folge hat.**

Übersicht

I. Regelungsgegenstand und -zweck

1 § 38 setzt **Normativsystem** voraus und verpflichtet Gericht mit den Einschränkungen des § 38 III, IV zur Prüfung, ob Gesellschaft ordnungsgem. errichtet und angemeldet ist. Norm stellt zugleich klar, dass Gericht Eintragung bei negativem Prüfungsergebnis abzulehnen hat (→ Rn. 16). Bezweckt ist **Schutz des Rechtsverkehrs,** bes. vor unseriösen oder von Anfang an verunglückten Gründungen. Daneben dienen Regelungen des § 38 II, III, IV der Beschleunigung des Eintragungsverfahrens zugunsten der Gesellschaft.

II. Prüfungsgrundsätze

2 **1. Umfang der Prüfung.** Gericht hat alle ges. Eintragungsvoraussetzungen zu prüfen, soweit nicht aus § 38 III etwas anderes folgt (→ Rn. 11 f.). Gericht prüft in formeller und materieller Hinsicht (unstr., s. zB GK-AktG/Röhricht/Schall Rn. 4 ff.; Ammon DStR 1995, 1311 f.). **Formelle Prüfung** betr. Ordnungsmäßigkeit der Anmeldung (→ Rn. 6). **Materielle Prüfung** bezieht sich auf Errichtungsvorgang (→ Rn. 7) einschließlich der bes. Prüfungsgegenstände des § 38 II (→ Rn. 8 ff.). Prüfung erfolgt anhand der bei Anmeldung beizufügenden Unterlagen (→ § 37 Rn. 9 ff.). Tatsachen und Wertungen sind auf Plausibilität zu prüfen. Genauere Prüfung ist nur notwendig, wenn sachlich berechtigter Anlass zu Zweifeln besteht (vgl. KG FGPrax 2012, 122, 123; sa BayObLGZ 1973, 158, 160 = NJW 1973, 2068; KK-AktG/A. Arnold Rn. 6). Prüfung wird erleichtert durch notarielle Vorprüfung gem. § 378 III FamFG (→ § 36 Rn. 2).

3 Auch Prüfung des Errichtungsvorgangs ist **nur Rechtsprüfung;** das ist in § 38 III vorausgesetzt und bekräftigt (→ Rn. 12 f.). Gericht prüft also nicht, ob Satzungsbestimmungen zweckmäßig, interessengerecht (BayObLGZ 1982, 368, 373 zur GmbH) und über Mindestinhalt hinaus vollständig sind (Lutter/Hommelhoff/Bayer GmbHG § 9c Rn. 2; GK-AktG/Röhricht/Schall Rn. 26). Auch wirtschaftliche Grundlagen der Gesellschaft, bes. Lebensfähigkeit, sind nicht Prüfungsgegenstand (OLG Braunschweig OLGR 43, 294, 295; KK-AktG/A. Arnold Rn. 14; GK-AktG/Röhricht/Schall Rn. 26). Zur Gründung durch ausländische Staatsangehörige → § 2 Rn. 7. Strohmanngründung ist unbedenklich (→ § 2 Rn. 4). Zur Mantelgründung → § 23 Rn. 25 ff.

4 **2. Zeitpunkt.** Prüfung erfolgt anhand der bei Anmeldung vorgelegten Unterlagen, so dass Gericht grds. nur Sachstand zum Zeitpunkt der Anmeldung berücksichtigen kann (GK-AktG/Röhricht/Schall Rn. 15; Hölters/Weber/Solveen Rn. 3). Gleichwohl müssen Eintragungsvoraussetzungen zum **Zeitpunkt der Eintragung** vorliegen. Gericht wird jedoch nur bei sachlich begründeten Zweifeln am Fortbestand aktuellere Erklärungen, Nachweise, Anlagen etc verlangen (S/L/Kleindiek Rn. 6; MüKoAktG/Pentz Rn. 20; ähnlich GK-AktG/Röhricht/Schall Rn. 15). Zur freien Verfügbarkeit von Geldeinlagen (§ 36 II) → Rn. 10. Bei Sacheinlagen und Sachübernahmen bewertet das Gericht selbständig und somit immer zum Zeitpunkt der eigenen Prüfung (→ Rn. 9). Zu Vorbelastungen infolge Geschäftstätigkeit vor Eintragung → Rn. 10; → § 41 Rn. 9.

5 **3. Keine Pflicht zur Nachmeldung.** Soweit Erklärungen, Versicherungen oder Unterlagen bei Anmeldung unrichtig oder unvollständig waren, sind sie von Anmeldern zu ergänzen bzw. zu berichtigen. Bei nachträglichen Veränderungen besteht dagegen grds. keine Mitteilungspflicht (KK-AktG/A. Arnold Rn. 10; GK-AktG/Röhricht/Schall Rn. 17). Ausgenommen sind Änderungen, die auch

nach Eintragung der AG anmeldepflichtig wären, zB Änderungen der Satzung (§ 181 I).

III. Errichtung und Anmeldung als Prüfungsgegenstände (§ 38 I)

1. Anmeldung. Zu prüfen sind insbes.: sachliche und örtl. Zuständigkeit des Registergerichts (→ § 36 Rn. 2); Anmeldung durch alle anmeldepflichtigen Personen (§ 36 I); Mindesteinzahlung auf die Bareinlage (§ 36a I), nicht aber, ob freiwillige Mehrleistungen erbracht sind (vgl. OLG Stuttgart FGPrax 2011, 264; HCL/Ulmer/Habersack GmbHG § 9c Rn. 35 f.); Leistung der Sacheinlage (§ 36a); Leistung jew. zur freien Verfügung des Vorstands; Abgabe der notwendigen Erklärungen (§ 37 I 1, III) und Nachweise (§ 37 I 2, 3, 5) sowie deren Richtigkeit; Abgabe der Versicherungen (§ 37 II) und deren Richtigkeit (sa → § 37 Rn. 6 f.); Beifügung sämtlicher Anlagen (§ 37 IV, V). Auf staatliche Genehmigung kommt es anders als früher nicht mehr an (→ § 37 Rn. 14). 6

2. Errichtung. Gericht prüft Gesetzmäßigkeit der Errichtung und nur diese (→ Rn. 3). Zu prüfen sind insbes.: Wirksamkeit der Satzung, zB notarielle Form (§ 23 I), Unterzeichnung durch sämtliche Gründer, notwendiger Mindestinhalt (§§ 23 II–IV), ordnungsgem. Vertretung (vgl. § 23 I 2) einschließlich etwa erforderlicher Genehmigung des Betreuungs- bzw. Familiengerichts (§ 1643 I, § 1799 I – jew. iVm § 1852 Nr. 2 BGB; → § 2 Rn. 6), wirksame Organbestellung (BGH NZG 2023, 567 Rn. 12), bei Gründung durch ausländische jur. Person deren Rechtsfähigkeit (→ § 1 Rn. 25 f.); Zulässigkeit des Gesellschaftszwecks und Unternehmensgegenstands (→ § 23 Rn. 23), nicht aber dessen Erreichbarkeit (LG Regensburg BB 1972, 853); ausreichende Individualisierung des Unternehmensgegenstands; Firma (§ 18 HGB iVm § 4); Grundkapital (§ 6); vollständige Aktienübernahme (§ 29); ordnungsgem. Festsetzung von Sondervorteilen, Gründungsaufwand, Sacheinlagen und Sachübernahmen in der Satzung (§§ 26, 27). Bestehen Anhaltspunkte für verdeckte Sachgründung, so ist auch diesen nachzugehen und Anmeldung ggf. zurückzuweisen (→ § 27 Rn. 12; KK-AktG/A. Arnold Rn. 12; GK-AktG/Röhricht/Schall Rn. 21). 7

IV. Berichte und Kapitalgrundlagen als Prüfungsgegenstände (§ 38 II)

1. Gründungs- und Prüfungsbericht. Gericht obliegen weitere Prüfungspflichten bzgl. des Gründungs- und Prüfungsberichts. Ablehnung der Eintragung „kann" (aber → Rn. 16) darauf gestützt werden, dass Gründungsprüfer erklären oder es offensichtlich ist, dass Gründungsbericht oder Prüfungsbericht der Mitglieder des Vorstands und des AR **unrichtig oder unvollständig** ist oder ges. Vorschriften nicht entspr. (§ 38 II 1). Erklärung der Gründungsprüfer ist für Gericht zwar nicht bindend, praktisch wird bei negativer Erklärung aber kaum Eintragung in Betracht kommen, es sei denn, dass Gericht Einwände der Gründungsprüfer für nicht stichhaltig hält (MüKoAktG/Pentz Rn. 54 f.; BeckOGK/Stelmaszczyk Rn. 9). Offensichtlich bedeutet zweifelsfrei, ggf. auch erst nach Ermittlungen gem. § 26 FamFG (MüKoAktG/Pentz Rn. 57; GK-AktG/Röhricht/Schall Rn. 32). Zu den ges. Anforderungen an Gründungsbericht und Prüfungsbericht der Verwaltungsmitglieder → § 32 Rn. 3 ff.; → § 34 Rn. 4 f. 8

2. Sacheinlagen und Sachübernahmen. Gericht hat Eintragung ferner abzulehnen, wenn es der Auffassung ist oder Gründungsprüfer erklären, dass Wert der Sacheinlagen oder Sachübernahmen nicht unwesentlich hinter geringstem Ausgabebetrag der dafür zu gewährenden Aktien oder Wert der dafür zu gewährenden Leistungen zurückbleibt (§ 38 II 2). Maßgeblich für geringsten Ausgabe- 9 betrag ist Legaldefinition des § 9 I; Norm bestimmt zugleich Verbot der Unterpariemission (→ § 9 Rn. 2 ff.). § 38 II 2 nennt nicht Situation, dass Agio besteht und Wert der Sacheinlage dieses nicht abdeckt. Aus § 37 I, § 36a II 2 ergibt sich allerdings, dass Gericht dann Eintragung zu verweigern hat (KK-AktG/A. Arnold Rn. 18; BeckOGK/Stelmaszczyk Rn. 10; Verse ZGR 2012, 875, 881). Zur Erklärung der Gründungsprüfer → Rn. 8. „Nicht unwesentlich" trägt Bewertungsschwierigkeit Rechnung; geringfügige Differenz reicht nicht. Bei Sacheinlagen muss Grundsatz der Kapitalaufbringung gefährdet sein, bei Sachübernahmen eindeutige und offensichtliche Überbewertung vorliegen. Das eine oder das andere ist schon dann der Fall, wenn übliche Bandbreite von Bewertungsdifferenzen überschritten wird (KK-AktG/A. Arnold Rn. 18; S/L/Kleindiek Rn. 13; MüKoAktG/Pentz Rn. 60). Gericht bewertet Sachleistung zum **Zeitpunkt der eigenen Prüfung** (BGHZ 80, 129, 136 f. = NJW 1981, 1373; KK-AktG/A. Arnold Rn. 9; MüKoAktG/Pentz Rn. 25; HCL/Ulmer/Habersack GmbHG § 9c Rn. 21, 41; aA S/L/Kleindiek Rn. 8; GK-AktG/Röhricht/Schall Rn. 16, die der Sache nach auf Zeitpunkt der Anmeldung abstellen); auf Berichtszeitpunkt abhebende Berichte der Gründer, Gründungsprüfer und Verwaltungsmitglieder enthalten mithin für Gericht nur Anhaltspunkte. Ursache der Wertdifferenz ist unerheblich, auch Entwertung durch Zeitablauf ist zu berücksichtigen, soweit wesentlich. Hat Gericht Zweifel bzgl. des Wertes (→ Rn. 2), so ist idR Sachverständigengutachten einzuholen. Dies wird insbes. nahe liegen bei gewerblichen Schutzrechten, Urheberrechten, Lizenzen, Beteiligungen an nicht börsennotierten Gesellschaften, Einbringung oder Übernahme eines Unternehmens oder Grundstücks.

10 **3. Vorbelastungen.** Hat Vor-AG ihre Geschäftstätigkeit bereits aufgenommen, so ist iE str., wie sich Vorbelastungen auswirken. Zur Dispositionsbefugnis des Vorstands vor Anmeldung unter dem Vorbehalt **wertgleicher Deckung** vgl. → § 36 Rn. 11 f.; → § 41 Rn. 9. Nach hier vertretener Auffassung besteht Eintragungshindernis, wenn Vorbelastungen aus der Anmeldung vorangehender Tätigkeit keine wertmäßige Deckung erfahren. Nach Anmeldung entstandene Vorbelastungen sind dagegen nach zutr. hM kein Eintragungshindernis (GK-AktG/Röhricht/Schall Rn. 15; aA zur GmbH BayObLG GmbHR 1998, 1225 mwN); Kapitalaufbringung wird durch Unterbilanzhaftung (→ § 41 Rn. 8 f.) sichergestellt; Ausnahme gilt nur, wenn Realisierung daraus folgender Ansprüche mangels Leistungsfähigkeit der Gründer ernsthaft gefährdet ist (S/L/Kleindiek Rn. 7; → § 41 Rn. 9 mwN).

V. Nur formale Prüfung bei Erklärung nach § 37a I 1 (§ 38 III)

10a § 38 III enthält Ausnahme von der dem Registergericht nach § 38 II 2 grds. obliegenden materiellen Wertprüfung (→ Rn. 9). Sie findet vorbehaltlich des § 38 III 2 nicht statt, wenn Anmeldung die Erklärung nach § 37a I 1 enthält. **Prüfungsgegenstand** ist dann, soweit es um Werthaltigkeit der Vermögensgegenstände geht, die eingebracht bzw. übernommen werden sollen, ausschließlich, ob **Voraussetzungen des § 37a** erfüllt sind: erweiterte Angaben nach § 37a I (→ § 37a Rn. 2 f.); Versicherung der Anmelder nach § 37a II (→ § 37a Rn. 4 f.); Beifügung von vorhandenen Bewertungsunterlagen nach § 37a III (→ § 37a Rn. 6). Gericht prüft also nicht, ob Werthaltigkeit der Einlagen oder der Übernahmegegenstände tats. gegeben ist; ob dazu von den Anmeldern abgegebene Erklärungen zutreffen; ob Voraussetzungen der Grundnorm des § 33a vorliegen (RegBegr. BT-Drs. 16/11642, 24; Hölters/Weber/Solveen Rn. 11; einschr. KK-AktG/A. Arnold Rn. 22). Fehlt Erklärung, ergibt sich aus Anmeldung aber anderweitig, dass es sich um vereinfachte Sachgründung oder Sachübernahme handeln soll, so wird Registergericht anheimgeben, Erklärung nachzuholen.

Grundsatz nur formaler Prüfung tritt gem. § 38 III 2 lediglich dann zurück, wenn **Überbewertung offenkundig und erheblich** ist. Dabei eröffnet § 38 III 2 keinen Raum für eigene Ermittlungen oder Tatsachenaufklärungen. § 38 III 2 meint vielmehr, dass Überbewertung offenkundig und nach dem offenkundigen Sachverhalt auch erheblich ist. Offenkundigkeit liegt wie bei § 291 ZPO vor, wenn die Tatsachen, aus denen sich erhebliche Überbewertung ergibt, dem Registergericht bereits bekannt sind (KG NZG 2016, 620 Rn. 9). Dabei kann es sich um allgemein bekannte Tatsachen handeln, doch ist das nicht notwendig. Unter den genannten Voraussetzungen „kann" Gericht Eintragung ablehnen. Darin liegt Ermächtigung, von der Gebrauch zu machen ist (→ § 38 Rn. 16). **10b**

VI. Allgemeine Prüfungsschranken (§ 38 IV)

1. Allgemeines. § 38 IV bezieht sich nur auf § 38 I und hier nur auf einzelne Satzungsmängel (RegBegr. BT-Drs. 13/8444, 77). Norm steht nicht nur systematisch unglücklich, sondern ist auch aus sich heraus schlecht verständlich, weil sie bisherigen Diskussionsstand voraussetzt und Unvollständigkeit sowie Gesetzwidrigkeit (mangelhafte oder nichtige Satzungsbestimmung) zusammenfassend regelt. Gemeint ist: (1.) Die Eintragung hindernde Errichtungsmängel liegen nur vor, wenn Satzung durch Unvollständigkeit oder durch Inhalt der getroffenen Regelung gegen das Gesetz verstößt. (2.) Unvollständigkeit bleibt unbeachtlich, wenn sie sich auf Tatsachen oder Rechtsverhältnisse bezieht, die nicht zum notwendigen Satzungsinhalt gehören und auch weder eintragungspflichtig noch von dem Gericht bekanntzumachen sind. (3.) Gesetzwidrigkeit einzelner Satzungsbestimmungen bleibt unbeachtlich, wenn Voraussetzungen des vorstehenden Satzes nicht erfüllt und auch keine Vorschriften verletzt sind, die ausschließlich oder überwiegend zum Schutze der Gläubiger der Gesellschaft oder sonst im öffentl. Interesse gegeben sind; das gilt wiederum nicht, wenn Nichtigkeit einzelner Satzungsbestimmungen Gesamtnichtigkeit der Satzung zur Folge hat. Regelung ist **abschließend;** Eintragung darf also, soweit es um Einzelregelungen der Satzung geht, nur in den Fällen des § 38 IV abgelehnt werden (RegBegr. BT-Drs. 13/8444, 77; MüKoAktG/Pentz Rn. 70). **11**

Keine Prüfung. Nach Wortlaut des § 38 IV ist Gericht nur gehindert, die Eintragung abzulehnen. Soweit Norm eingreift, hat aber schon Prüfung zu unterbleiben, weil sie Eintragungsverfahren verzögern würde. Es besteht also weder eine Pflicht noch ein Recht zur Prüfung. Belehrungen, Gegenvorschläge, erst recht Zwischenverfügungen haben also zu unterbleiben (wie hier MüKoAktG/Pentz Rn. 70). **12**

2. Einzelfragen. Dass nur Gesetzwidrigkeit der Satzung die Eintragung hindert (→ Rn. 11 [1.]), entspr. gängiger Rechtslage (→ Rn. 3). Bei **Unvollständigkeit** (→ Rn. 11 [2.]) ist zu unterscheiden: Anforderungen nach § 23 müssen sämtlich erfüllt sein (GK-AktG/Röhricht/Schall Rn. 50 ff.). Bei Verstoß gegen § 23 I oder II ist nämlich schon der Gründungsvorgang nicht in Ordnung. § 23 III ist in § 38 II Nr. 1, 1. Satzteil ausdr. genannt. Gleiches gilt für andere ges. Vorschriften, auch außerhalb des Aktienrechts, die zwingenden Satzungsinhalt bestimmen; zB § 23 IV, §§ 26, 27. § 38 II Nr. 1, 2. Satzteil enthält Erweiterungen, die für Unvollständigkeit wohl keine praktische Bedeutung haben. **13**

Bei **Gesetzwidrigkeit** (→ Rn. 11 [3.]) müssen auch Anforderungen nach § 38 IV Nr. 1 und 2 nicht kumulativ, sondern nur alternativ erfüllt sein, um Zurückweisung der Anmeldung zu rechtfertigen (hM; s. KK-AktG/A. Arnold Rn. 26; S/L/Kleindiek Rn. 19 f.; B/K/L/Lieder Rn. 17; MüKoAktG/Pentz **14**

Rn. 72, 77 ff.; aA BeckOGK/Stelmaszczyk Rn. 11). Das ist str., entspr. aber Wortlaut und Systematik des § 38 IV (s. Nr. 2 aE: „oder"). Es muss also entweder um Satzungsinhalt gehen, der zwingend ist oder der doch der Registerpublizität bedarf, oder alternativ um Verstoß gegen Vorschriften iSd § 241 Nr. 3, ferner inhaltliche Sittenwidrigkeit (§ 241 Nr. 4); vgl. RegBegr. BT-Drs. 13/8444, 78; GK-AktG/Röhricht/Schall Rn. 59. Neben den Satzungsbestimmungen, die mit dem Wesen der AG unvereinbar oder sittenwidrig sind, bleiben namentl. auch solche Regelungen der Satzung im Registerverfahren unberücksichtigt, die als Gegenstand einer Satzungsänderung den HV-Beschluss anfechtbar machen würden und überdies Außenwirkung hätten (genauer → § 243 Rn. 56). Solche Gesetzesverstöße rechtfertigten nach früher zutr. Auslegung des § 38 I, die Eintragung abzulehnen, liegen aber jetzt außerhalb der Prüfungsschranken (vgl. MüKoAktG/Pentz Rn. 83 f.). Ausnahme von den Beschränkungen des § 38 IV Nr. 2 gilt wiederum bei Gesamtnichtigkeit der Satzung (§ 38 IV Nr. 3); gemeint sind Fälle des § 139 BGB (Beispiele bei MüKoAktG/Pentz Rn. 76).

VII. Verfahren und Entscheidung; Rechtsmittel

15 **1. Gerichtliches Verfahren.** Sachlich zuständig ist **Amtsgericht** gem. § 23a I Nr. 2, II Nr. 3 GVG iVm § 374 Nr. 1 FamFG. Örtl. Zuständigkeit bestimmt sich nach §§ 376, 377 FamFG. Für Verfahren nach § 374 Nr. 1 FamFG ist das Amtsgericht, in dessen Bezirk ein Landgericht seinen Sitz hat, für den Bezirk dieses Landgerichts zuständig (vgl. § 376 I FamFG; Abweichungsmöglichkeit der Länder durch RechtsVO nach § 376 II FamFG; Überblick bei Sternal/Eickelberg FamFG § 376 Rn. 11 ff.). Im Zusammenspiel mit § 377 I FamFG ist Bezirk maßgeblich, in dem Satzungssitz der AG (§ 14) liegt (vgl. MüKoFamFG/Krafka § 377 Rn. 5; Hölters/Weber/Solveen Rn. 15). Hat Gesellschaft **Doppelsitz** (→ § 5 Rn. 10; → § 14 Rn. 4), so prüfen und entscheiden beide Gerichte unabhängig voneinander (→ § 14 Rn. 10; abw. allerdings Lit. zur fG, die Prioritätsprinzip nach § 2 I FamFG entgegen § 377 FamFG anwenden will – vgl. BeckOK FamFG/Otto FamFG § 377 Rn. 17; sa → § 36 Rn. 2). Funktional zuständig ist der Richter (§ 3 Nr. 2 lit. d, § 17 Nr. 1 lit. a RPflG). Verfahren bestimmt sich nach FamFG und §§ 23 ff. HRV.

16 **2. Entscheidung.** Gericht verfügt Eintragung oder weist Anmeldung durch Beschluss zurück, der zu begründen ist. Wenn Eintragungsvoraussetzungen vorliegen, besteht **Anspruch auf Eintragung.** Ist Gesellschaft dagegen nicht ordnungsgem. errichtet oder angemeldet, so hat Gericht Eintragung abzulehnen (§ 38 I 2). Anderes soll nach manchen im Fall des § 38 II gelten; hier dürfe Gericht nach pflichtgem. Ermessen entscheiden (mit Einschränkungen MüKoAktG/Pentz Rn. 52). Dem ist nicht zu folgen. Aus dem Wort „kann" folgt kein Ermessensspielraum; gemeint ist nur, dass Gericht Eintragung nicht ablehnen darf, wenn ges. Eintragungsvoraussetzungen gegeben sind; aber es muss ablehnen, wenn Voraussetzungen des § 38 II vorliegen (KK-AktG/A. Arnold Rn. 32; GK-AktG/Röhricht/Schall Rn. 31). Vor Zurückweisung der Anmeldung ist rechtl. Gehör zu gewähren. Bei **behebbaren Eintragungshindernissen** hat Gericht idR durch Zwischenverfügung (§ 382 IV 1 FamFG) Abhilfe zu ermöglichen und gleichzeitig rechtl. Gehör zu gewähren (OLG Hamm NJW 1963, 1554; KGJ 50, A 1, 3; Sternal/Eickelberg FamFG § 382 Rn. 25). Überbewertung einer Sacheinlage kann durch nachzuweisende Zahlung des Differenzbetrags ausgeglichen werden. Bei nicht behebbarem Mangel kann Gericht Rücknahme der Anmeldung zwecks Kostenersparnis anregen (OLG Hamm OLGZ 1973, 265, 266 f. zur GmbH). Auch Aussetzungsverfügung gem. §§ 21, 381 FamFG ist möglich (MüKoFamFG/Krafka FamFG § 382 Rn. 2).

3. Rechtsmittel. Gegen **abl. Entscheidungen** des Gerichts und **Zwischenverfügungen** ist Beschwerde (§ 58 I FamFG) mit Monatsfrist des § 63 FamFG ab schriftl. Bekanntgabe gegeben; für Zwischenverfügungen folgt dies aus § 382 IV 2 FamFG. Beschwerdeberechtigt (§ 59 I, II FamFG) sind Anmelder, also in erster Linie die Vor-AG (BGHZ 117, 323, 325 ff. = NJW 1992, 1824; GK-AktG/Röhricht/Schall Rn. 63; sa BGHZ 105, 324, 328 = NJW 1989, 295; BGHZ 107, 1, 2 = NJW 1989, 1610 [beide zur GmbH]), diese vertreten durch ihren Vorstand (näher → § 36 Rn. 3). Verbleibende Frage nach Beschwerdebefugnis der übrigen Anmeldungsbeteiligten ist für Gründer zu bejahen (→ § 36 Rn. 3). Nach älterer instanzgerichtl. Rspr. sollen sie dabei gemeinsam handeln müssen, weil sie auch Anmeldung nur gemeinsam betreiben können und sich Beschwerde als Wiederholen und Weiterbetreiben des Eintragungsantrags darstellt (BayObLGZ 1983, 250, 252; KG OLGR 41, 208; so auch noch → 14. Aufl. 2020, Rn. 17). Wortlaut und Teleologie des § 59 I FamFG dürfte es aber eher entspr., mit hM prozessökonomische Lösung zu wählen und auch einzelnen Gründern Beschwerdebefugnis zuzusprechen (KK-AktG/A. Arnold Rn. 34; MüKoAktG/Pentz Rn. 14; GK-AktG/Röhricht/Schall Rn. 63). Nicht beschwerdebefugt ist trotz § 378 FamFG der Notar, der Handelsregisteranmeldung beglaubigt hat, da er Anmelder auch nicht bei Anmeldung vertreten kann (KK-AktG/A. Arnold Rn. 34; → § 36 Rn. 4). Entscheidung des Beschwerdegerichts kann (nur) mit Rechtsbeschwerde angegriffen werden. Sie ist zulassungsabhängig und kann nur auf eine Rechtsverletzung gestützt werden (§ 69 III FamFG iVm §§ 70, 72 FamFG). **Eintragung** ist nicht rechtsmittelfähig (BGHZ 104, 61, 63 mwN = NJW 1988, 1840); ebenso wenig gerichtl. Anregung, Anmeldung bei unbehebbarem Mangel zurückzunehmen (OLG Hamm OLGZ 1973, 265, 267 f.). 17

VIII. Kosten

Eintragung ist gebührenpflichtig (§ 58 I GNotKG). **Geschäftswert** bestimmt sich zwar gem. § 105 I 1 Nr. 1 GNotKG nach dem Grund- oder Stammkapital (ggf. zzgl. eines genehmigten Kapitals). Eintragungsgebühren werden aber nicht mehr wie früher nach Geschäftswert, sondern **nach Aufwand** erhoben. § 58 I GNotKG verweist deshalb auf HRegGebV v. 30.9.2004 (BGBl. 2004 I 2562) mit Gebührenverzeichnis (GV) als Anlage, die durch 2. KostRMoG v. 23.7.2013 (BGBl. 2013 I 2586) geringfügig ergänzt wurde (vgl. BT-Drs. 17/11471, 101, 151). Orientierung am Aufwand trägt der EU-Kapital-ErtragsteuernRL und stRspr des EuGH Rechnung (RegBegr. BT-Drs. 15/2251, 9, 11); vgl. EuGH Slg. 1997, I-6783 = NZG 1998, 274; Slg. 2000, I-7717, 7746 ff. = WM 2000, 2542, 2544 f.; Slg. 2001, I-4679, 4709 ff. = ZIP 2001, 1145. Danach dürfen Eintragungsgebühren nur nach tats. Aufwand erhoben werden; → § 23 Rn. 44 (beamtete Notare). Einschlägig für Ersteintragung sind Ziff. 2102, 2103 und bei Entstehung durch Umwandlung GV 2105 HRegGebV. Frühere kapitalbezogene Gebühren verstießen also gegen Unionsrecht (so zutr. BayObLG NJW 1999, 652 und 654; BayObLG NZG 1999, 159; OLG Köln NJW 1999, 1341; OLG Zweibrücken FGPrax 1999, 195; OLG Zweibrücken NZG 2000, 363). **Kostenschuldner** sind gem. § 22 I GNotKG gesamtschuldnerisch Gründer persönlich und AG, für die (bzw. die Vor-AG) die Mitglieder des Vorstands und des AR Anmeldung vornehmen (BGHZ 107, 1, 4 = NJW 1989, 1610; GK-AktG/Röhricht/Schall Rn. 61; KK-AktG/A. Arnold Rn. 37; BeckOGK/Stelmaszczyk Rn. 21; MüKoAktG/Pentz Rn. 16; aA BayObLGZ 1973, 235, 240; → § 36 Rn. 3). Festsetzung als Gründungsaufwand ist gem. § 26 II möglich (KK-AktG/A. Arnold Rn. 37). Gericht kann Kostenvorschuss verlangen (§ 13 GNotKG). 18

Inhalt der Eintragung

39 (1) [1]**Bei der Eintragung der Gesellschaft sind die Firma und der Sitz der Gesellschaft, eine inländische Geschäftsanschrift, der Gegenstand des Unternehmens, die Höhe des Grundkapitals, der Tag der Feststellung der Satzung und die Vorstandsmitglieder anzugeben.** [2]**Wenn eine Person, die für Willenserklärungen und Zustellungen an die Gesellschaft empfangsberechtigt ist, mit einer inländischen Anschrift zur Eintragung in das Handelsregister angemeldet wird, sind auch diese Angaben einzutragen; Dritten gegenüber gilt die Empfangsberechtigung als fortbestehend, bis sie im Handelsregister gelöscht und die Löschung bekannt gemacht worden ist, es sei denn, dass die fehlende Empfangsberechtigung dem Dritten bekannt war.** [3]**Ferner ist einzutragen, welche Vertretungsbefugnis die Vorstandsmitglieder haben.**

(2) **Enthält die Satzung Bestimmungen über die Dauer der Gesellschaft oder über das genehmigte Kapital, so sind auch diese Bestimmungen einzutragen.**

I. Regelungsgegenstand und -zweck

1 § 39 bestimmt abschließend Inhalt der Eintragung in das HR, das von jedermann eingesehen werden kann (§ 9 I HGB). Norm bezweckt also **Publizität der wesentlichen Gesellschaftsverhältnisse.** Gericht darf Eintragung nur nach Maßgabe des § 38 vornehmen; einzutragen ist in Abteilung B § 3 III HRV, § 43 HRV). Eintragung soll den Tag, an dem sie vollzogen worden ist, angeben (§ 382 II Hs. 1 FamFG). Datum ist rechtl. Anknüpfungspunkt, zB für Entstehung der Gesellschaft (§ 41), Ende der Handelndenhaftung (§ 41), Verjährung von Ansprüchen im Zusammenhang mit Gründung (§ 51), Bestimmung der Höhe der Unterbilanzhaftung etc. Nachweis des unrichtigen Eintragungsdatums ist möglich (KK-AktG/A. Arnold Rn. 3; HCL/Ulmer/Habersack GmbHG § 10 Rn. 5). Eintragung ist den Anmeldern formlos mitzuteilen, wenn sie darauf nicht verzichtet haben (§ 383 I FamFG). Zu Amtshaftungsansprüchen im Zusammenhang mit der Eintragung vgl. BGHZ 84, 285, 287 = NJW 1983, 222. Eintragungserfordernisse nach allg. Vorschriften (zB Prokura) bleiben von § 39 unberührt (BeckOGK/Stelmaszczyk Rn. 2).

II. Inhalt der Eintragung

2 **1. § 39 I.** Einzutragen sind: **Firma** (§§ 4, 23 III Nr. 1); **Sitz** (§§ 5, 23 III Nr. 1), bei Doppelsitz (→ § 5 Rn. 10) beide; **inländische Geschäftsanschrift** (§ 37 III Nr. 1; → § 37 Rn. 7); **Gegenstand** des Unternehmens (§§ 3, 23 III Nr. 2); **Höhe des Grundkapitals** (§§ 7, 23 III Nr. 3), wie in der Satzung angegeben, unabhängig von bereits geleisteten Einlagen; **Tag der Satzungsfeststellung** (§ 23), wobei Tag der Errichtung der Urkunde maßgeblich ist (auch bei Genehmigung der Mitwirkung eines vollmachtlosen Vertreters [vgl. § 184 I BGB]), bei sukzessiver Beurkundung (→ § 23 Rn. 9) jeder Beurkundungstag (alle sind einzutragen); wurde Satzung vor Eintragung geändert, so muss auch Tag der Änderung eingetragen werden (KK-AktG/A. Arnold Rn. 11; BeckOGK/Stelmaszczyk Rn. 9); **Vorstandsmitglieder** (§ 30 IV), einzutragen sind Vor- und Nachname, Geburtsdatum und Wohnort (§ 43 Nr. 4 HRV; nicht auch Anschrift, Vertragsdauer, Beruf) aller Vorstandsmitglieder einschließlich der Stellvertreter (§ 94), jedoch ohne Eintragung eines Stellvertreterzusatzes; Vorstandsvorsitzender ist bes. zu bezeichnen (§ 43 Nr. 4 HRV; → § 81 Rn. 3). AR-Mitglieder werden nicht eingetragen, sondern § 37 IV Nr. 3a begnügt sich insofern mit Einreichung

einer Mitgliederliste (krit. Wachter AG 2016, 776 ff. mit europarechtl. Bedenken in AG 2016, 776, 783).

Nicht eintragungspflichtig wie in → Rn. 2 genannte Angaben, aber eintragungsfähig (RegBegr. BT-Drs. 16/6140, 37) sind **Person eines Empfangsberechtigten** für Willenserklärungen, die ggü. AG abgegeben werden, und für Zustellungen, die an sie gerichtet sind, sowie dessen **Inlandsanschrift** (§ 39 I 2). Regelung soll AG eine Option für den Fall bieten, dass inländische Geschäftsanschrift nicht dauerhaft oder nicht zuverlässig zustellungsgeeignet ist (RegBegr. BT-Drs. 16/6140, 37; KK-AktG/A. Arnold Rn. 13; Hölters/Weber/Solveen Rn. 11). Empfangsberechtigung kann nur rechtsgeschäftlich begründet werden. Vor allem Notar, Rechtsanwalt oder Steuerberater kommen dafür in Betracht. Regelung der Registerpublizität in § 39 I 2 Hs. 2 folgt Vorbild des § 15 I HGB, der mangels Eintragungspflichtigkeit nicht selbst angewandt werden kann. Eintragungspflichtig wie Angaben nach § 39 I 1 (→ Rn. 2) ist dagegen nach § 39 I 3 **Vertretungsbefugnis** der Vorstandsmitglieder (§ 78), und zwar in aus Ges. oder Satzung folgender für Anmeldung maßgeblicher Form (allgM); → § 37 Rn. 8. 3

2. § 39 II. Enthält die Satzung eine Bestimmung über **Dauer der Gesellschaft** (§ 262 I Nr. 1) oder über **genehmigtes Kapital** (§ 202 I 1), so ist auch dies einzutragen (§ 39 II). Wurde im Gründungsstadium bereits bedingtes Kapital (§ 192 I) geschaffen, so bedarf auch dies der Eintragung (vgl. § 195), aber nicht notwendig zeitgleich mit der „Eintragung der Gesellschaft" (MüKoAktG/Pentz Rn. 18; GK-AktG/Röhricht/Schall Rn. 12). 4

III. Eintragungsmängel

1. Fehlende Eintragungsvoraussetzungen. Hätte Eintragung wegen Fehlens einer Eintragungsvoraussetzung nicht erfolgen dürfen, hindert dies Entstehung der AG als jur. Person grds. nicht (vgl. auch → § 37 Rn. 19). Nur unter bes. Umständen kommen Nichtigkeitsklage nach § 275 oder Löschung auf der Grundlage der §§ 397, 399 FamFG in Betracht. Hat jedoch Gericht ohne eine (den Anmeldern zurechenbare) Anmeldung eingetragen, so ist nur § 395 FamFG einschlägig; Registergericht kann Eintragung von Amts wegen löschen; ihm steht Ermessen in Fällen der §§ 395, 397 FamFG zu, nicht jedoch nach § 399 FamFG (MüKoFamFG/Krafka FamFG § 399 Rn. 11, FamFG § 397 Rn. 13; Sternal/Eickelberg FamFG § 399 Rn. 20). Gleiches gilt, wenn nicht alle zur Anmeldung verpflichteten Personen (→ § 36 Rn. 3) angemeldet haben und Anmeldung auch inhaltlich nicht dem Willen der Beteiligten entsprach (→ § 36 Rn. 3a; → § 275 Rn. 18; KK-AktG/A. Arnold Rn. 19; aA Hölters/Weber/Solveen Rn. 15). 5

2. Unrichtige Eintragung. Ist Eintragung, gleich aus welchem Grund, unrichtig oder unvollständig, so ist AG als jur. Person gleichwohl entstanden; Gründungsmängel entfalten nach Eintragung grds. keine Wirkung mehr (MüKoAktG/Pentz Rn. 25, § 23 Rn. 174; GK-AktG/Röhricht/Schall Rn. 14). Nur Löschungs- oder Nichtigkeitsgründe gem. §§ 397, 399 FamFG, § 275 können sich noch auf Bestand der AG auswirken (BeckOGK/Stelmaszczyk Rn. 20; S/L/Kleindiek Rn. 8; anders Grigoleit/Vedder Rn. 4). Etwas anderes gilt nach hM für den – unwahrscheinlichen – Fall, dass aufgrund der Fehlerhaftigkeit die Identität der AG nicht festgestellt werden kann (KK-AktG/A. Arnold Rn. 21; MüKoAktG/Pentz Rn. 26); Eintragung kann dann von Amts wegen gem. § 395 FamFG gelöscht werden. Schreibfehler und offenbare Unrichtigkeiten können nach Maßgabe des § 17 HRV von Amts wegen berichtigt, offenbar unterlassene Eintragungen ergänzt werden (MüKoAktG/Pentz Rn. 28). Berichtigung im Rahmen einer Beschwerde (§ 58 FamFG) ist nicht möglich, da Eintragungen gem. § 383 III FamFG nicht rechtsmittelfähig sind; es verbleibt die Möglichkeit 6 einer Berichtigung nach § 395 FamFG (BeckOGK/Stelmaszczyk Rn. 23; Krafka RegisterR Rn. 2441; aA Grigoleit/Vedder Rn. 6). Berichtigungsantrag ist gerechtfertigt, wenn – auch unter Beachtung des dem Registergericht zustehenden Ermessens – Eintrag nicht die Mindestanforderungen des § 39 erfüllt (s. OLG Düsseldorf NZG 2015, 202 f.; vgl. auch S/L/Kleindiek Rn. 8).

IV. Bekanntmachung

7 Seit Streichung des § 40 aF (→ § 40 Rn. 1) enthält AktG **keine eigenständige Regelung** mehr zur Bek. der Eintragung, sondern es wurde stattdessen auf § 10 HGB abgestellt, der in seiner bis 2021 geltenden Fassung bestimmte, dass HR-Eintragung in dem von der Landesjustizverwaltung für Bek. von Eintragungen bestimmten elektronischen System veröffentlicht werden sollte, das von den Ländern zum **bundesweiten Registerportal** zusammengeführt worden war.

8 Mit **DiRUG 2021** ist gerichtl. Bek. allerdings neu geordnet worden, um Vorgaben des durch Digitalisierungs-RL (→ § 5 Rn. 17) neu gefassten Art. 16 GesR-RL zur Offenlegung von Informationen im Register umzusetzen. Mit Neufassung des § 10 HGB ist **bisherige Trennung aufgehoben** worden zwischen Informations- und Kommunikationssystem für Bek. nach § 10 HGB einerseits und System für Abruf von Handelsregisterdaten gem. § 9 HGB andererseits (RegBegr. DiRUG BT-Drs. 19/28177, 93). Bislang bestehendes Bekanntmachungsportal (→ Rn. 3) wurde abgeschafft. Stattdessen sind Informationen nur noch direkt bei jew. AG über das nach § 9 I HGB bestimmte Informations- und Kommunikationssystem abrufbar. Gedanklicher Hintergrund ist neues europ. **Register only-Prinzip,** das Aufsplitterung der Unternehmensinformationen über mehrere verschiedene Register und Portale durch konzentrierten Informationszugriff ersetzen will (J. Schmidt ZIP 2021, 112, 118; sa Linke NZG 2021, 309, 312 f.). Kostenlos zugängliches Bekanntmachungsportal wurde in Vergangenheit auch genutzt, um sich über etwaige Änderungen bei Vertragspartnern etc. zu informieren, ohne jedes Mal kostenpflichtigen Registerauszug abrufen zu müssen. Auch mit Änderung hat sich insofern aber keine Zusatzbelastung der Nutzer ergeben, da nunmehr für jedermann **Abruf von Registerauszügen kostenlos** ist (RegBegr. BT-Drs. 19/28177, 93; sa J. Schmidt ZIP 2021, 112, 119 f.; zu Kollateralschäden für empirische Rechtstatsachenforschung Ph. Scholz/Hoffmann AG 2021, 227 Rn. 1 ff.).

9 Übermäßig gravierende Eingriffe in bisherige Gesetzesstruktur werden dadurch vermieden, dass eigenständige Bek. zwar aufgegeben, aber **am ges. Tatbestandsmerkmal der Bek. festgehalten** wird. Das geschieht in der Weise, dass nach § 10 I 1 HGB nF sowohl Eintragungen in HR als auch Registerbekanntmachungen nach § 10 III HGB nF künftig **durch erstmalige Abrufbarkeit** über das nach § 9 I HGB bestimmte elektronische Informations- und Kommunikationssystem, dh Gemeinsame Registerportal der Länder (→ Rn. 3), bekannt gemacht werden (vgl. J. Schmidt ZIP 2021, 112, 118: „Kunstgriff"). Abrufbarkeit ist damit insbes. auch für Publizitätswirkung nach **§ 15 HGB** entscheidend; Wirksamkeit der Eintragung nach § 8a I HGB bleibt davon aber unberührt (RegBegr. DiRUG BT-Drs. 19/28177, 94).

10 § 10 II HGB nF ergänzt an Registergerichte und Landesjustizverwaltungen gerichtete Vorgabe, dass Eintragungen und die der Einsicht unterliegenden Dokumente zukünftig **unverzüglich** (§ 121 I 1 BGB) zum Abruf bereitgestellt werden müssen. Für Fälle, in denen Bek. zusätzlich zur Eintragung (zB § 225 I 2, § 233 II 4, § 303 I 2, § 321 I 2) oder davon unabhängig erfolgen soll (zB § 106 → § 106 Rn. 4), wird in § 10 III HGB nF Möglichkeit einer separaten Bek. im neuen Format einer sog **Registerbekanntmachung** vorgesehen, die dann aber ebenfalls über das Gemeinsame Registerportal der Länder zum Abruf bereit-

gestellt werden müssen (weitere registerrechtl. Einzelheiten in § 33 HRV vgl. zu diesem neuen Format Linke NZG 2021, 309, 314). § 10 IV HGB nF führt **widerlegliche Vermutung des Bekanntmachungszeitpunkts** ein, um technischen Schwierigkeiten bei Bestimmbarkeit des genauen Zeitpunkts der erstmaligen Abrufbarkeit entgegenzuwirken (RegBegr. DiRUG BT-Drs. 19/28177, 94). Danach gilt Eintragung mit dem Ablauf des Tages der Eintragung (ergibt sich aufgrund von § 27 IV HRV aus HR) und eine Registerbekanntmachung mit dem Ablauf des Tages der Registerbekanntmachung (ergibt sich aufgrund von § 33 V HRV aus HR) als bekannt gemacht. Vermutung kann nach § 10 IV 2 HGB nF **widerlegt** werden, wenn Nachw. erbracht wird, dass Abruf bereits zu früherem Zeitpunkt möglich war oder erstmalig erst zu einem späteren Zeitpunkt. Erstgenannter Nachw. kann etwa durch entspr. HR-Ausdruck erbracht werden, letztgenannter Nachw. über elektronische Aufzeichnung des Zeitpunktes der erstmaligen Abrufbarkeit des Registergerichts gem. § 27 V HRV (RegBegr. DiRUG BT-Drs. 19/28177, 94 f.).

40 *(aufgehoben)*

Norm regelte Inhalt der Bek. der Eintragung unter Ergänzung des § 10 HGB. 1
Aufgehoben durch EHUG v. 10.11.2006 (BGBl. 2006 I 2553), weil danach Bek. streng der Eintragung entspricht, also **keine Zusatzinformationen** mehr bieten sollte. DiRUG 2021 hat Parallelität noch weiter ausgebaut, indem Bek. heute nur noch als erstmalige Abrufbarkeit der Eintragung verstanden wird (→ § 39 Rn. 8 f.). Rechtsverkehr ist darauf verwiesen, sich online zu unterrichten (RegBegr. BT-Drs. 16/960, 65). Auch Parallelvorschriften § 45 III aF, §§ 190, 196 sind aufgehoben.

Handeln im Namen der Gesellschaft vor der Eintragung. Verbotene Aktienausgabe

41

(1) [1] **Vor der Eintragung in das Handelsregister besteht die Aktiengesellschaft als solche nicht.** [2] **Wer vor der Eintragung der Gesellschaft in ihrem Namen handelt, haftet persönlich; handeln mehrere, so haften sie als Gesamtschuldner.**

(2) **Übernimmt die Gesellschaft eine vor ihrer Eintragung in ihrem Namen eingegangene Verpflichtung durch Vertrag mit dem Schuldner in der Weise, daß sie an die Stelle des bisherigen Schuldners tritt, so bedarf es zur Wirksamkeit der Schuldübernahme der Zustimmung des Gläubigers nicht, wenn die Schuldübernahme binnen drei Monaten nach der Eintragung der Gesellschaft vereinbart und dem Gläubiger von der Gesellschaft oder dem Schuldner mitgeteilt wird.**

(3) **Verpflichtungen aus nicht in der Satzung festgesetzten Verträgen über Sondervorteile, Gründungsaufwand, Sacheinlagen oder Sachübernahmen kann die Gesellschaft nicht übernehmen.**

(4) [1] **Vor der Eintragung der Gesellschaft können Anteilsrechte nicht übertragen, Aktien oder Zwischenscheine nicht ausgegeben werden.** [2] **Die vorher ausgegebenen Aktien oder Zwischenscheine sind nichtig.** [3] **Für den Schaden aus der Ausgabe sind die Ausgeber den Inhabern als Gesamtschuldner verantwortlich.**

Übersicht

I. Regelungsgegenstand und -zweck

1 § 41 betr. **Rechtsverhältnisse der AG und ihrer Gesellschafter vor Eintragung** in das HR. Norm stellt klar, dass vor Eintragung keine jur. Person besteht, und zieht daraus Folgerungen für die Rechtsverhältnisse der Beteiligten, indem sie persönliche Haftung der Handelnden anordnet (§ 41 I 2), Übernahme von Verpflichtungen regelt (§ 41 II und III) und Gesellschafterwechsel ausschließt (§ 41 IV). Nicht ausdr. ausgesprochen, sondern vorausgesetzt ist, dass AG mit Eintragung als Schlusspunkt des Registerverfahrens zur jur. Person wird (System der Normativbedingungen – vgl. dazu K. Schmidt GesR § 8 II 5), sofern nicht bes. Vorschriften späteren Zeitpunkt wählen. So § 123 I Nr. 2 UmwG, § 130 I 2 UmwG iVm § 135 I 1 UmwG für **Spaltung zur Neugründung,** die AG als neuen Rechtsträger erst mit Eintragung der Spaltung in das HR des übertragenden Rechtsträgers wirksam werden lassen (wie hier Lutter/Teichmann

UmwG § 135 Rn. 1 mwN; Bruski AG 1997, 17, 18f. mwN; aA Heidenhain GmbHR 1995, 264, 265; → Rn. 17a, 17c).

II. Die Vor-AG (§ 41 I 1)

1. Grundlagen. § 41 I 1 enthält wie § 11 I GmbHG nur **Negativaussage,** 2 dass AG vor Registereintragung „als solche“, dh als jur. Person, Kapitalgesellschaft und Formkaufmann, nicht besteht. Positive Ordnung der Gründungsverhältnisse wollte Gesetzgeber der Klärung durch Rspr. und Wissenschaft überlassen (RegBegr. Kropff S. 60). Den ersten wesentlichen Schritt dazu hat schon BGHZ 21, 242, 246 = NJW 1956, 1435 unternommen; dort wird **Vorgesellschaft** (→ Rn. 3) als eigenständige Organisationsform anerkannt (heute allgM; → Rn. 4). Nachdem auch GmbH-Novelle 1980 zu § 11 GmbHG keinen ges. Fortschritt brachte, entschloss sich BGHZ 80, 129 = NJW 1981, 1373 zur **Rechtsfortbildung** in drei zentralen Fragen: Früheres Vorbelastungsverbot wurde endgültig aufgegeben (→ Rn. 12); an seine Stelle trat Unterbilanzhaftung der Gründer (→ Rn. 8f.); jur. Person tritt in alle Rechte und Verbindlichkeiten ihrer Vorform ein (→ Rn. 16). Diese Aussagen sind heute durchgängig und zu Recht akzeptiert (vgl. statt aller HCL/Ulmer/Habersack GmbHG § 11 Rn. 3) und treffen, weil nicht GmbH-spezifisch, auch für AG zu (allgM – vgl. nur MHdB AG/Hoffmann-Becking § 3 Rn. 37ff.). Entspr. muss § 41 ausgelegt werden. BGH konnte bisher offen lassen, ob für Vor-AG insbes. im Haftungsbereich gleiche oder ähnliche Grundsätze zu gelten haben wie für Vor-GmbH, neigt aber offenbar ebenfalls zur Gleichbehandlung beider Rechtsformen (s. namentl. BGHZ 117, 323, 326f. = NJW 1992, 1824; BGHZ 119, 177, 186 = NJW 1992, 3300; sa OLG München NZG 2017, 1106 Rn. 11ff.). Rspr. und Schrifttum vor BGHZ 80, 129 = NJW 1981, 1373 sind deshalb nur mit Vorsicht zu verwerten.

2. Begriff und Rechtsnatur der Vor-AG. a) Vorgründungs-AG und 3 **Vor-AG als Vorstufen der AG.** Vor Eintragung besteht AG zwar nicht als jur. Person, aber als Vorgesellschaft, und zwar nach richtiger Auffassung (→ Rn. 17aff.) auch dann, wenn reine Einmanngründung (→ § 2 Rn. 2ff.) vorliegt. Vorgesellschaft (auch Gründervereinigung) entsteht mit **Errichtung,** also Feststellung der Satzung (§ 23) und Übernahme sämtlicher Aktien durch die Gründer (§ 29). Zuvor kann (muss aber nicht) aufgrund Gründungsabrede davon zu unterscheidende **Vorgründungsgesellschaft** bestehen (→ § 23 Rn. 15 [insbes. zur Form]; Einzelheiten bei MüKoAktG/Pentz Rn. 10ff.). Sie hat – anders als Vor-AG (→ Rn. 4) – keine körperschaftliche Struktur, sondern wird idR GbR sein (unter den Voraussetzungen des § 1 II, § 105 I HGB uU auch OHG – vgl. BGHZ 229, 299 Rn. 24 = NZG 2021, 877), deren Zweck auf Gründung der AG gerichtet ist (BGHZ 22, 240, 244 = NJW 1957, 218; BGHZ 91, 148, 151 = NJW 1984, 2164; BGH NJW 1983, 2822; KG AG 2003, 431, 432; OLG Stuttgart NZG 2002, 910, 911). In beiden Fällen greift akzessorische Gesellschafterhaftung nach § 721 S. 1 BGB bzw. § 126 S. 1 HGB (vgl. BGH WM 1984, 1507f.); § 41 I 2 kommt daneben nicht zur Anwendung (→ Rn. 23). Vertretung richtet sich nach Regeln des Personengesellschaftsrechts (OLG Stuttgart NZG 2002, 910, 911ff.), wobei Grundsätze des unternehmensbezogenen Geschäfts zu beachten sind, so dass auch bei Handeln für AG Vorgründungsgesellschaft als wahre Rechtsträgerin verpflichtet wird (BGHZ 229, 299 Rn. 24). Aufgrund grundlegender Strukturunterschiede können Vor-AG oder AG als Körperschaften nicht in Rechtsposition der Vorgründungs-AG eintreten (BGHZ 91, 148, 151; BGHZ 229, 299 Rn. 24). Rechte und Verbindlichkeiten der Vorgründungsgesellschaft müssen deshalb, wenn sie in AG eingebracht werden sollen, durch bes. Rechtsgeschäft übertragen werden; Auslegung eines vor Abschluss des

Gesellschaftsvertrags von den Gründern eingegangenen Rechtsgeschäfts kann jedoch ergeben, dass ausschließlich die erst zu gründende, noch nicht existierende AG berechtigt und verpflichtet werden soll (BGHZ 229, 299 Rn. 24). In diesem Fall ist idR davon auszugehen, dass Wirksamkeit des Rechtsgeschäfts unter aufschiebender Bedingung der Entstehung der AG steht (BGHZ 229, 299 Rn. 24). Jenseits dieses Sonderfalls hat Vorgründungsgesellschaft mit Eintragung Zweck erreicht, was bei Qualifikation als GbR zur Auflösung nach § 729 II BGB führt (MüKoAktG/Pentz Rn. 21). Die von diesem gesicherten Bestand grdl. abw. Konzeption bei GK-AktG/Röhricht/Schall § 29 Rn. 21 ff., wonach Außen-Vorgründungsgesellschaft ebenfalls als körperschaftliche Einheit zu behandeln sei, trägt Zäsurwirkung des Errichtungsaktes, mit dem Gesellschaft erst ihre korporative Struktur erhält, nicht hinreichend Rechnung. Zur Übertragung dieser Grundsätze auf sog Vorbeteiligungs-AG im Vorfeld einer Kapitalerhöhung → § 185 Rn. 31 f. Anders als Vorgründungs-AG ist **Vor-AG notwendiges Durchgangsstadium** zur AG, die aufgrund übereinstimmender körperschaftlicher Struktur mit Eintragung in ihre Rechtsverhältnisse eintritt (→ Rn. 16). Bei Scheitern der Eintragung, bes. rechtskräftiger Zurückweisung der Anmeldung, kommt es zur Auflösung analog § 729 II BGB und im allg. auch zur Abwicklung (Einzelheiten bei HCL/Ulmer/Habersack GmbHG § 11 Rn. 52 ff.). Möglich ist **Kündigung** aus wichtigem Grund nach dem Rechtsgedanken des § 729 I Nr. 3 BGB, § 731 I BGB, etwa wegen Unfähigkeit des Mitgesellschafters zur Leistung der Einlage (BGHZ 169, 270 Rn. 12, 15 = NJW 2007, 589).

4 **b) Rechtsnatur der Vor-AG.** Vor-AG ist weder GbR noch Verein, sondern körperschaftlich strukturierte **Gesellschaft sui generis** (stRspr, s. BGHZ 21, 242, 246 = NJW 1956, 1435; BGHZ 117, 323, 326 f. = NJW 1992, 1824; BGHZ 143, 314, 319 = NJW 2000, 1193; BGHZ 169, 270 Rn. 10 = NJW 2007, 589 und auch hL – s. statt aller MüKoAktG/Pentz Rn. 24). Verbreitete Qualifikation als „gesamthänderisch strukturierte" Gesellschaft (vgl. etwa HCL/Ulmer/Habersack GmbHG § 11 Rn. 10 ff.) beruht auf früher strikter Zweiteilung zwischen jur. Person und Gesamthand, ist aber spätestens mit MoPeG 2021 hinfällig, weil damit die Rechtsfigur der Gesamthand für das Gesellschaftsrecht aufgegeben wurde (RegBegr. MoPeG, BT-Drs. 19/27635, 104: „ausgedient", sa Koch PersG/Tassius BGB § 740 Rn. 25). Wenn Vor-AG Rechtsträger ist, können es nicht mehr die Gesellschafter in ihrer gesamthänderischen Verbundenheit sein (vgl. iErg auch Lutter/Hommelhoff/Bayer GmbHG § 11 Rn. 5; S/L/Drygala Rn. 4; Scholz/K. Schmidt GmbHG § 11 Rn. 30 ff.; Kießling FS Hadding, 2004, 477, 484 ff.). Erst recht sollte unglücklicher Begriff der „Teilrechtsfähigkeit" (vgl. noch BGHZ 218, 162 Rn. 14 [VIII. ZS] = NJW 2018, 2187) aufgegeben werden (Scholz/K. Schmidt GmbHG § 11 Rn. 34; U. Huber FS Lutter, 2002, 107, 112; Leipold FS Canaris, Bd. II, 2007, 221, 224 ff.; Mülbert AcP 199 [1999], 104, 136 ff.). Vor-AG ist **rechtsfähige Wirkungseinheit,** also von den Gründern zu unterscheidendes, durch Organe handlungsfähiges Zuordnungssubjekt für Rechte (bes. Einlagen, § 36 II, § 36a) und Verbindlichkeiten (zB Gründungskosten). Das ist für Vorgesellschaft iErg unstr. (→ Rn. 10 ff.). Dogmatische Grundlegung erfolgt ausgehend von der Anerkennung der Rechtsfähigkeit der Außen-GbR (§ 705 II BGB) unter gleichzeitiger Respektierung der körperschaftlichen Strukturvorgabe der Gesellschafter. Gesellschaft eigener Art bedeutet in zutr. Formulierung des BGH Geltung eines Sonderrechts, „das aus den im Gesetz oder im Gesellschaftsvertrag gegebenen Gründungsvorschriften und dem Recht der rechtsfähigen Gesellschaft, soweit es nicht die Eintragung voraussetzt, besteht" (stRspr seit BGHZ 21, 242, 246; vgl. aus neuerer Zeit auch BGH NJW 2000, 1193, 1194; BGHZ 169, 270 Rn. 10). Weitergehende Qualifizierung als **jur. Person** (dafür S/L/Drygala Rn. 5 unter zweifelhafter Berufung

auf GK-AktG/K. Schmidt Rn. 42: „Körperschaft") weicht von herkömmlichem Verständnis der jur. Person ab, die definiert wird als Verbund, dem Rechtsfähigkeit aus Gründen der Rechtssicherheit in einem bestimmten, staatlich angeordneten Verfahren verliehen wurde (Soergel/Hadding BGB Vor § 21 Rn. 4; J. Koch GesR § 3 Rn. 16). In diesem Verständnis ist Einordnung als jur. Person mit § 41 I nicht zu vereinbaren.

3. Innenbeziehungen der Vor-AG. a) Überblick. Entspr. seinem Ausgangspunkt (→ Rn. 2) hat Ges. nur **bruchstückhafte Regelung** getroffen. Maßgeblich sind Gründungsvorschriften, Satzung und Recht der entstandenen AG (→ Rn. 4). Für Auslegung der Satzung gelten noch allg. Grundsätze; Prinzip der obj. Auslegung ist auch hier schon anwendbar (→ § 23 Rn. 40). Gründungsvorschriften ergeben als wesentliche Pflichten der Gründer: Bestellung des ersten AR und des ersten Abschlussprüfers (§ 30 I); Erstattung des Gründungsberichts (§ 32 I); Anmeldung zur Eintragung (§ 36 I); Leistung der Einlagen (§ 36 II, § 36a). Organpflichten sind: Gründungsprüfung (§§ 33 ff.), Einforderung der Einlagen (§ 36 II, § 36a), Anmeldung (§ 36 I) → Rn. 6 f. Geleistete Einlagen stehen der Vor-AG aufgrund eigener Rechtsträgerschaft selbst zu (→ Rn. 4); aus § 54 III 2 (Fiktion) folgt nichts anderes (→ § 54 Rn. 19). Entspr. gilt für sonstige Rechte und Verbindlichkeiten. Vinkulierungsklauseln werden idR schon für Vor-AG gelten (Stopppel WM 2008, 147, 148 ff.). Zur Auflösung → Rn. 3 aE, zum (nicht wirksam möglichen) Gesellschafterwechsel § 41 IV (→ Rn. 30 f.). 5

b) Insbesondere: Gesellschaftsorgane. Notwendige Organe der Vor-AG sind Vorstand, AR und Gründerversammlung (zu dieser OLG Zweibrücken FGPrax 2002, 187). Zum Vorstand → § 30 Rn. 12, zum AR → § 30 Rn. 2–8. **Leitungsfunktion des § 76 I** kommt Vorstand auch ohne bes. Zustimmung der Gründer zu, wenn Unternehmen oder betriebsfähiger Unternehmensteil iR einer Sachgründung (§ 27) eingebracht wird. Weiterführung des Unternehmens für Rechnung der Vor-AG ist nicht nur Recht, sondern Pflicht des Vorstands. Früher für richtig gehaltene Beschränkung des Umfangs der Vertretungsmacht (Vorbelastungsverbot) ist spätestens seit BGHZ 80, 129 = NJW 1981, 1373 überholt (→ Rn. 12). Entspr. gilt, wenn sonstige Sacheinlagen ihrer Art nach alsbaldige Nutzung oder bestimmte Erhaltungsmaßnahmen erfordern; hierher gehört auch Abwehr von Rechts-, zB Patentverletzungen. Außerhalb des genannten Aufgabenkreises, bes. bei Bargründung, bedarf Vorstand für Geschäftstätigkeit im Gründungsstadium dagegen (str. für Außenverhältnis → Rn. 11 f.) der **Zustimmung aller Gesellschafter,** wenn sich Einverständnis nicht schon aus Satzung ergibt (BGHZ 80, 129, 139; BGH NJW 2004, 2519; BayObLGZ 1965, 294, 305 f. = NJW 1965, 2254; LG Heidelberg AG 1998, 197, 198; KK-AktG/M. Arnold Rn. 31; MüKoAktG/Pentz Rn. 34). Nach hM soll Zustimmung auch formlos erklärt werden können (BGHZ 80, 129, 139; KK-AktG/M. Arnold Rn. 31; Hölters/Weber/Solveen Rn. 8). Das ist jedenfalls nicht zweifelsfrei; gute Gründe sprechen für Satzungsform (Ulmer ZGR 1981, 593, 597 f. und 601; ähnlich Heidinger GmbHR 2003, 189, 195). Soweit Vorstand geschäftsleitend tätig wird, besteht für AR auch allg. Überwachungsaufgabe des § 111. Für AR selbst gilt Abschluss des Dienstvertrags mit Vorstand als im Gründungsstadium unabdingbare Aufgabe, da AG ohne Vorstand nicht angemeldet werden kann und auch nicht erwartet werden kann, dass dieser ohne Dienstverhältnis tätig wird (OLG München NZG 2017, 1106 Rn. 14). 6

Unsicherheiten gibt es noch, soweit es um **Willensbildung der Gesellschafter in der Vor-AG** geht. Als geklärt kann gelten, dass auch insoweit das Versammlungs- und Beschlusserfordernis des § 118 I besteht, dass Beschlüsse grds. mit der einfachen Stimmenmehrheit des § 133 I zustande kommen (zB Wahl des ersten AR → § 30 Rn. 2) und dass selbst qualifizierte Mehrheit des § 179 II für 7

Satzungsänderungen im Gründungsstadium nicht genügt (OLG Köln WM 1996, 207 f. mwN zur GmbH; KK-AktG/M. Arnold Rn. 36). Erforderlich ist Einstimmigkeit des Beschlusses und überdies Zustimmung aller Gründer. Hinsichtlich **Versammlungs- und Beschlussförmlichkeiten** wurde vereinzelt mit Blick auf den im Gründungsstadium überschaubaren Personenkreis Heranziehung des Regelungsmodells der §§ 47 ff. GmbHG erwogen (vgl. noch → 10. Aufl. 2012, Rn. 7 [Hüffer]). Heute hM geht aber zu Recht davon aus, dass für derartigen Wertungstransfer mit Blick auf Erleichterungen des § 121 IV (erleichterte Einberufung namentlich bekannter Aktionäre; → § 121 Rn. 11a ff.) und des § 121 VI (Verfahrenserleichterung bei Vollversammlung; → § 121 Rn. 19 ff.) kein Bedürfnis besteht; es gelten daher §§ 121 ff. (KK-AktG/M. Arnold Rn. 35; S/L/Drygala Rn. 19; MüKoAktG/Pentz Rn. 38). Erforderlich ist insbes. auch Niederschrift gem. § 130, für die jedoch grds. gem. § 130 I 3 privatschriftliches Protokoll ausreicht (→ § 130 Rn. 14a ff.).

8 **c) Insbesondere: Unterbilanzhaftung.** Hinsichtlich der Haftung für Verbindlichkeiten der Vor-AG für vor Eintragung entstandene Schulden ist danach zu differenzieren, ob **Eintragung** später erfolgt oder nicht. Im ersten Fall greifen Grundsätze der sog Unterbilanzhaftung (auch: Differenzhaftung; Vorbelastungshaftung), die mittlerweile zumindest im Grundsatz anerkannt ist, wenn auch Einzelfragen str. bleiben (→ Rn. 9). Scheitert Eintragung, greift sog Verlustdeckungshaftung, die auch im Grundsatz noch stärker umstr. ist (→ Rn. 9a f.). Unterbilanzhaftung entsteht bei späterer Eintragung und umfasst den Betrag, um den das tats. Gesellschaftsvermögen im Eintragungszeitpunkt hinter dem Betrag des Nennkapitals zurückbleibt (Unterbilanz). Sie trifft die mit dem vorzeitigen Geschäftsbeginn einverstandenen Gesellschafter (→ Rn. 6; BGHZ 105, 300, 303 = NJW 1989, 710; OLG Hamm AG 2003, 278; aA MüKoAktG/Pentz Rn. 116). Gläubiger ist eingetragene AG; es handelt sich also um **Innenhaftung** (zur Außenhaftung → Rn. 14 f.). Diese Grundsätze sind von BGHZ 80, 129, 140 ff. = NJW 1981, 1373 in Anlehnung an § 9 GmbHG entwickelt worden und als rechtsfortbildende Konkretisierung des Prinzips der **Kapitalaufbringung** aufzufassen (aA Beuthien ZIP 1996, 360, 363 f.). Unterbilanzhaftung ist anerkannter Bestandteil des Gründungsrechts der GmbH (Scholz/K. Schmidt GmbHG § 11 Rn. 139 ff.; HCL/Ulmer/Habersack GmbHG § 11 Rn. 98 ff.), bildet dort die unabdingbare Prämisse für Aufgabe des Vorbelastungsverbots (→ Rn. 12) und ist wegen insoweit voll vergleichbarer Rechtslage auf Aktienrecht zu übertragen (KK-AktG/M. Arnold Rn. 49; MüKoAktG/Pentz Rn. 23, 113 f.; MHdB AG/Hoffmann-Becking § 3 Rn. 44; offenlassend BGHZ 119, 177, 186 mwN = NJW 1992, 3300).

9 Maßstab der Unterbilanzhaftung ist Betrag des Nennkapitals (→ Rn. 8). Agio erhöht die Haftung entspr., da es bei AG – anders als bei GmbH – Einlagencharakter hat (BeckOGK/Heidinger Rn. 88). Um festzustellen, ob Vermögen der AG dahinter zurückbleibt, bedarf es idR einer **Vermögensbilanz auf Stichtag der Eintragung** (HCL/Ulmer/Habersack GmbHG § 11 Rn. 108; Einzelheiten bei Hüttemann FS K. Schmidt, 2009, 757, 759 ff.). Geschäfts- oder Firmenwert des in Gang gesetzten Unternehmens ist zu berücksichtigen (Ertragswertmethode oder ähnliche Verfahren, s. BGH WM 1998, 2530, 2531 f.; NZG 2002, 636, 637; BGHZ 165, 391 Rn. 11 = NJW 2006, 1594; Hüttemann FS K. Schmidt, 2009, 757, 766 ff.), allerdings nur bei tats. als bewertbares Unternehmen anzusehender strukturierter Organisationseinheit, deren Geschäftskonzept am Markt Bestätigung gefunden hat (BGHZ 165, 391 Rn. 14; zust. Bayer/Lieder ZGR 2006, 875, 895 ff.; vgl. auch schon Hüttemann FS K. Schmidt, 2009, 757, 773 ff. – Markttest). Vom Nettowert dürfen Gründungskosten und Steuern abgezogen werden, nicht aber Anlaufkosten (Lutter/Hommelhoff/Bayer GmbHG § 11 Rn. 44 mwN). Haftung umfasst auch bereits eingetretene **Überschuldung,**

kann also Betrag des Grundkapitals übersteigen. Auch spätere Beseitigung der Unterbilanz lässt entstandenen Anspruch nach Rspr. nicht wieder entfallen (str., BGHZ 165, 391 Rn. 21 ff.; aA Scholz/K. Schmidt GmbHG § 11 Rn. 150; Bayer/Lieder ZGR 2006, 875, 878 ff.). Gesellschafter haften anteilig, also nicht als Gesamtschuldner, entspr. der Höhe der jew. übernommenen Einlagen (BGHZ 80, 129, 141 = NJW 1981, 1373; BGH WM 1982, 40; KK-AktG/M. Arnold Rn. 51; HCL/Ulmer/Habersack GmbHG § 11 Rn. 112 mwN). Darlegungs- und Beweislast trifft AG bzw. Insolvenzverwalter (BGH NJW 1998, 233, 234; vgl. dazu Bayer/Illhardt GmbHR 2011, 505, 507). Im Prozess kann Nachw. der Unterbilanz für Kläger (idR Insolvenzverwalter) allerdings Probleme aufwerfen, denen Rspr. durch Grundsätze **sekundärer Darlegungslast** Rechnung trägt: Bestehen Anhaltspunkte, dass Grundkapital der AG angegriffen oder verbraucht worden ist, kann dies aber in Ermangelung einer Vorbelastungsbilanz auf Eintragungsstichtag oder sonstiger geordneter Geschäftsaufzeichnungen nicht nachvollzogen werden, ist es Sache der Gesellschafter darzulegen, dass Unterbilanz nicht bestanden hat (BGH NZG 2003, 393, 394; v. Selle NZG 2023, 1199, 1201). **Eintragungshindernis** liegt vor, wenn ges. Mindesteinlagen nach Steuern und Gebühren schon im Anmeldungszeitpunkt (Ammon DStR 1995, 1311, 1313) nicht mehr dem Wert nach vorhanden sind (§ 36 II); wertmäßige, nicht gegenständliche Betrachtung entscheidet (BGHZ 119, 177, 187 f. = NJW 1992, 3300; → § 36 Rn. 11 f.). Dagegen ist nachträglich, also nach Anmeldung, eintretende Unterbilanz grds. kein Eintragungshindernis (→ § 38 Rn. 10); anders nur, wenn Unterbilanzhaftung mangels Leistungsfähigkeit der Gründer nicht zu realisieren ist (str., wie hier LG Bonn GmbHR 1988, 193; Lutter/Hommelhoff/ Bayer § 11 Rn. 51; Scholz/K. Schmidt GmbHG § 11 Rn. 138; HCL/Ulmer/ Habersack GmbHG § 11 Rn. 115 f.; klar dazu Ammon DStR 1995, 1311,1313; aA zB S/L/Drygala Rn. 13; Meister FS Werner, 1984, 521, 534 ff.; nicht eindeutig BGHZ 80, 129, 141).

d) Insbesondere: Verlustdeckungspflicht. Verlustdeckungspflicht ist Seitenstück zur Unterbilanzhaftung (→ Rn. 8 f.) und bezeichnet Haftung der Gründer für Anlaufverluste bei **Scheitern der Eintragung.** Auch damit wird Vor-AG beendet (OLG München NZG 2017, 1106 Rn. 23). Vorausgesetzt ist also stets, dass Aktionäre nach Aufgabe der Eintragungsabsicht (Scheitern der Gründung) Geschäfte nicht fortführen, sondern Vor-AG liquidieren (BGHZ 152, 290, 293 ff. mwN = NJW 2003, 429). In diesem Fall kommt Unterbilanzhaftung nicht in Frage, weil eintragungsabhängig (→ Rn. 8; s. OLG Dresden ZIP 1996, 178, 179). Jur. Konstruktion der stattdessen eingreifenden Haftung ist höchst umstr. (Überblick bei MüKoAktG/Pentz Rn. 55; sa → Rn. 14), doch hat sich zumindest in Rspr. zur GmbH Konzept einer **Verlustübernahme im Innenverhältnis** durchgesetzt (BGH NJW 1996, 1210, 1211 ff.; BGHZ 134, 333 = NJW 1997, 1507; sa schon BGHZ 80, 129, 144 = NJW 1981, 1373; Vorarbeiten des Schrifttums, namentl. von Stimpel FS Fleck, 1988, 345, 361 ff.; sa Huber FS Rob. Fischer, 1979, 263, 285 ff.). Dieses Konzept ist auch für Vor-AG zu übernehmen (OLG Hamm AG 2003, 278; OLG Karlsruhe AG 1999, 131, 132; LG Heidelberg AG 1998, 197, 198 f.; Wiedenmann ZIP 1997, 2029, 2030 ff.; sa BGHZ 149, 273, 274 f. = NJW 2002, 824 zur Vor-Genossenschaft; zur Kritik vgl. insbes. MüKoAktG/Pentz Rn. 55 ff.; GK-AktG/K. Schmidt Rn. 84 ff.; Zöllner FS Wiedemann, 2002, 1383, 1404 ff.). Schuldner sind auch hier die **Gründungsaktionäre,** aber nur dann, wenn sie dem Geschäftsbeginn zugestimmt haben (→ Rn. 6). Gläubiger ist Vor-AG selbst, es handelt sich also wie bei Unterbilanzhaftung um **Innenhaftung** (zu Ausnahmen → Rn. 15). Verlustdeckungspflicht umfasst **Gesamtverlust,** kennt also keine kommanditistenähnliche Beschränkung auf jew. übernommene Einlage. Nur das dem Grundkapital 9a entspr. Vermögen ist nicht wiederherzustellen, weil es bei fehlgeschlagener Gründung nur noch um Befriedigung der Gläubiger geht.

9b **Mehrere Gründer haften anteilig** nach dem Verhältnis ihrer durch Aktienübernahme begründeten Einlagepflichten (BGHZ 134, 333, 339 mwN = NJW 1997, 1507; zur AG LG Heidelberg AG 1998, 197, 198 f.). **Ausfallhaftung** nach Vorbild des § 24 GmbHG wird bislang verneint (OLG Karlsruhe AG 1999, 131, 132; LG Heidelberg AG 1998, 197, 198 f.; S/L/Drygala Rn. 15; Wiedenmann ZIP 1997, 2029, 2033 ff.), doch sprechen bessere Gründe dafür, wie bei GmbH Verantwortung jedes Gründungsaktionärs für Aufbringung des Gesamtkapitals zu bejahen (B/K/L/Körber/König Rn. 34; BeckOGK/Heidinger Rn. 103; MüKoAktG/Pentz Rn. 116; Hölters/Weber/Solveen Rn. 14). Gegenargumentation aus §§ 63 ff. und Hinweis auf Kapitalsammelfunktion der AG passen nicht, soweit Eintragung scheitert und deshalb nur Gründungsaktionäre Schuldner sein können (§ 23 II Nr. 2, §§ 29, 41 IV). Eines weitergehenden Schutzes bedürfen sie zumindest dann nicht, wenn man mit hier vertretener Auffassung (→ Rn. 6) Zustimmung zur Geschäftsaufnahme als Haftungsvoraussetzung annimmt (s. zu diesem Zusammenhang auch BeckOGK/Heidinger Rn. 103). Dass Gesetzgeber für AG bewusst andere Entscheidung als für GmbH getroffen habe (so S/L/Drygala Rn. 15), ist zweifelhaft, da speziell Vor-AG ausdr. entwicklungs- und wertungsoffen konzipiert worden ist (→ Rn. 2). Auch § 46 II nötigt zu keinem anderen Ergebnis, weil Bedeutung der Norm durch § 41 I 2, der ursprünglich auch Aktionäre erfasste (→ Rn. 20), relativiert wird. Dass Gründungsvorstand, der nicht Aktionär ist, Regressausfall erleidet (so LG Heidelberg AG 1998, 197, 198 f.), erscheint gleichfalls misslich. Übergang zur Einheitsgründung durch AktG 1965 (→ § 23 Rn. 16) schafft während der Gründungsphase GmbH-ähnliche Verhältnisse und erlaubt deshalb auch Ausfallhaftung.

10 **4. Außenbeziehungen der Vor-AG. a) Rechte und Pflichten der Gesellschaft.** Vor-AG ist zwar nicht jur. Person, aber als Gesellschaft sui generis **rechtsfähig** (→ Rn. 4). Daraus folgt iE: Vor-AG ist namensfähig (unstr., vgl. LG Düsseldorf NJW-RR 1987, 874). Formkaufmann ist sie nicht (→ § 3 Rn. 2), aber firmenfähig (§§ 17 ff. HGB), wenn sie Handelsgewerbe (§ 1 HGB) betreibt (BGHZ 120, 103, 106 = NJW 1993, 453; → § 4 Rn. 4). Maßgeblicher Zeitpunkt für Beginn des wettbewerblichen Firmenschutzes (Priorität) folgt aus Aufnahme der geschäftlichen Betätigung, auch vor Eintragung in das HR und auch dann, wenn Name (§ 12 BGB) noch nicht Firma (§ 17 HGB) ist (BGHZ 120, 103, 106 f.). Buchführungspflicht der Vor-AG ist ohne Rücksicht auf Kaufmannseigenschaft zu bejahen. Ferner ist Vor-AG gründerfähig (→ § 2 Rn. 10; KG NZG 2004, 826), kontofähig (BGH WM 1962, 644; BGHZ 45, 338, 347 = NJW 1966, 1311), grundbuchfähig (BGHZ 45, 338, 348 f.), komplementärfähig (BGHZ 80, 129 = NJW 1981, 1373; noch offengelassen in BGHZ 69, 95, 97 = NJW 1977, 1683; BGHZ 70, 132 = NJW 1978, 636), wechselfähig (aA noch BGH NJW 1962, 1008), insolvenzfähig (BGH NZG 2003, 1167; BayObLGZ 1965, 294, 311 = NJW 1965, 2254; OLG Nürnberg AG 1967, 362, 363), parteifähig, und zwar sowohl aktiv (BGH NJW 1998, 1079, 1080 [GmbH]; BGHZ 169, 270 Rn. 7 = NJW 2007, 589; BGH NJW 2008, 2441 Rn. 6) als auch passiv (BGHZ 79, 239, 241 = NJW 1981, 873; BAG NJW 1963, 680, 681; BayObLGZ 1965, 294, 311 = NJW 1965, 2254; OLG Hamburg BB 1973, 1505; OLG Hamm WM 1985, 658, 659), beiladungsfähig im Verfahren nach SGG (SG Frankfurt NZG 2004, 1119), schließlich beteiligtenfähig und beschwerdebefugt (→ § 36 Rn. 3; → § 38 Rn. 17) im Verfahren der eigenen Eintragung (BGHZ 117, 323, 325 ff. = NJW 1992, 1824). Allg. Gerichtsstand der Vor-AG bestimmt sich analog § 17 I 1 ZPO nach ihrem Satzungssitz (OLG Brandenburg NZG 2004, 100, 101).

b) Vertretung und Organhaftung. Vor-AG begründet ihre Rechte und Verbindlichkeiten durch ihre für sie handelnden Organe, bes. Vorstand (BGHZ 80, 129, 139 = NJW 1981, 1373: Organvertretungsmacht). Früher vertretene Ansicht, Vorstand handele für Vor-AG als Bevollmächtigter der Gründer (BGH AG 1961, 355), kann schon deshalb nicht aufrechterhalten werden, weil Vor-AG und Gründer verschiedene Rechtssubjekte sind (wie hier MüKoAktG/Pentz Rn. 53; Hölters/Weber/Solveen Rn. 10). Fraglich kann nur **Umfang organschaftlicher Vertretungsmacht** sein. Maßgeblich sind in → Rn. 6 zur Geschäftsleitung entwickelte Grundsätze. § 82 setzt Eintragung voraus, gilt also nicht, mithin keine unbeschränkte und unbeschränkbare Vertretungsmacht. Vielmehr entscheidet Inhalt der Satzung, deren Auslegung bei Sachgründung, bes. bei Unternehmen als Sacheinlage, nicht aber bei Bargründung umfassende Vertretungsmacht ergibt (BGHZ 80, 129, 139; HCL/Ulmer/Habersack GmbHG § 11 Rn. 68). Von Gegenansicht vertretene umfassende Vertretungsmacht (MüKoAktG/Pentz Rn. 34 f.; Scholz/K. Schmidt GmbHG § 11 Rn. 71 ff.) schießt über das Ziel funktionsfähiger, aber doch zeitlich beschränkt angelegter Vor-AG hinaus und begründet für Aktionäre unkontrollierbares Haftungsrisiko. Soweit Vertretungsmacht des Vorstands reicht, kann er für Vor-AG auch Sachübernahmevereinbarungen mit Dritten schließen, ohne dass Vereinbarung der Satzungspublizität des § 27 I 1 bedürfte; es genügt, dass Vertretungsmacht aus Satzung folgt (str.; → § 27 Rn. 5a mN). 11

Früher für richtig gehaltenes **Vorbelastungsverbot** (s. noch BGHZ 45, 338, 342 f. = NJW 1966, 1311) ist durch BGHZ 80, 129, 133 ff. = NJW 1981, 1373 **aufgegeben** (→ Rn. 2; BGHZ 105, 300, 302 f. = NJW 1989, 710; KG NZG 2004, 826). Dabei handelte es sich um ges. Ausschluss der Vertretungsmacht, soweit es um Verbindlichkeiten mit Ausnahme rechtl. oder wirtschaftlich notwendiger Geschäfte ging; Entstehung der jur. Person mit anfänglicher Unterbilanz sollte verhindert werden. Ausschluss der Vertretungsmacht war nicht überzeugend begründbar und überdies kaum wirkungsvoll, weil AG oder GmbH Verbindlichkeiten durch Genehmigung (§ 177 BGB) zu ihren Lasten wirksam machen konnten. Zweck des Vorbelastungsverbots wird heute durch Unterbilanzhaftung (→ Rn. 8 f.) erreicht. In BGHZ 80, 129, 139 für Aktienrecht beiläufig angedeutete Vorbehalte sind nicht berechtigt (sa Weimar AG 1992, 69, 71 f.). 12

Unerlaubte Handlungen (§§ 823 ff. BGB) oder andere eine Schadensersatzpflicht begründende Verhaltensweisen ihrer Organe oder Organmitglieder muss sich Vor-AG analog § 31 BGB als eigene zurechnen lassen (KK-AktG/M. Arnold Rn. 43; MüKoAktG/Pentz Rn. 54). Folge ist eigene Ersatzpflicht ohne Möglichkeit der Exculpation. Dagegen ergibt sich aus § 31 BGB keine persönliche Haftung der Gründer. Sie bestände nur bei Außenhaftung der Gründer für Schulden der Vor-AG, die nach richtiger Ansicht zu verneinen ist (→ Rn. 14). Persönlich ersatzpflichtig ist also nur, wer sich selbst haftbar macht. 13

c) Außenhaftung der Aktionäre? aa) Grundsatz: Nur interne Verlustdeckungspflicht. Neben Haftung der Vor-AG und Handelndenhaftung nach § 41 I 2 gibt es grds. **keine Außenhaftung** der Aktionäre. Direkte Inanspruchnahme durch Gesellschaftsgläubiger würde systemwidrigen Wettlauf um beschränkte Haftungsmasse eröffnen. Das überlegene Konzept liegt in als Innenhaftung ausgestalteter Verlustdeckungspflicht (→ Rn. 9a, 9b). Abw. Lösungen, nämlich persönliche und unbeschränkte oder kommanditistenähnliche (auf Einlagenbetrag beschränkte) Gesellschafterhaftung, hatten und haben Befürworter, können aber letztlich nicht überzeugen und sind durch neuere Rspr. des BGH überholt (vgl. Nachw. in → Rn. 9a; für unbeschränkte Haftung aber namentl. LSG Baden-Württemberg ZIP 1997, 1651, 1652 m. zust. Anm. Alt- 14 meppen; LAG Hessen GmbHR 1998, 782 und 785; MüKoAktG/Pentz Rn. 56 ff., 65 ff.; Lutter/Hommelhoff/Bayer GmbHG § 11 Rn. 22, 27; Flume FS v. Caemmerer, 1978, 517 ff.; Beuthien WM 2013, 1485 ff.; K. Schmidt ZHR 156 [1992], 93, 113 ff.; dagegen für kommanditistenähnliche Haftung die frühere, jetzt überholte Rspr.; vgl. etwa noch BGHZ 65, 378, 382 = NJW 1976, 419; BGHZ 72, 45, 48 f. = NJW 1978, 1978).

15 **bb) Durchgriffsähnliche Ausnahmen.** Weil Außenhaftung der Aktionäre ausscheidet (→ Rn. 14), müssen Gläubiger der Vor-AG, die einzelne Aktionäre in Anspruch nehmen wollen, zunächst gegen Vor-AG klagen und deren Ansprüche pfänden. Das überzeugt nicht, soweit diese Rechtsverfolgung wegen **formlosen faktischen Untergangs** der Vor-AG aussichtslos erscheinen muss (→ § 303 Rn. 7). In solchen Fällen ist direkter Gläubigerzugriff zuzulassen, und zwar derart, dass Verlustdeckungsanspruch (→ Rn. 9a, 9b) unmittelbar gegen Gründeraktionäre geltend gemacht wird (BGH NJW 1996, 1210, 1212; BGHZ 134, 333, 338 f. = NJW 1997, 1507; LG Heidelberg AG 1998, 197, 199; KK-AktG/M. Arnold Rn. 51; HCL/Ulmer/Habersack GmbHG § 11 Rn. 83).

16 **5. Vor-AG und juristische Person.** Mit Eintragung entsteht AG als jur. Person (§ 41 I 1); zugleich endet Vor-AG liquidationslos (→ Rn. 3; zum Scheitern der Eintragung als weiterem Beendigungstatbestand → Rn. 9a). Rechte und Pflichten der Vor-AG gehen auf AG als jur. Person über (grdl. BGHZ 80, 129, 137 und 140 = NJW 1981, 1373; seither allgM zur GmbH). Frühere Beschränkungen durch Vorbelastungsverbot sind entfallen (→ Rn. 12) und der Funktion nach durch Unterbilanzhaftung ersetzt (→ Rn. 8 f.). Diese zunächst für das GmbH-Recht im Wege richterlicher Rechtsfortbildung entwickelte Lösung, ist auch auf AG zu übertragen (heute allgM; vgl. OLG München NZG 2017, 1106 Rn. 23, 25; S/L/Drygala Rn. 18); namentl. § 41 II steht dem Wertungstransfer nicht entgegen (→ Rn. 28). Wie sich der **Wechsel der Rechtsträgerschaft** vollzieht, ist aber immer noch nicht abschließend geklärt, ohne dass dieser Frage große praktische Bedeutung zukäme. Befürwortet werden Gesamtrechtsnachfolge (so augenscheinlich BGHZ 80, 129, 140; vgl. auch Hölters/Weber/Solveen Rn. 12), Formwechsel (S/L/Drygala Rn. 18; HCL/Ulmer/Habersack GmbHG § 11 Rn. 89 f.) und Identität von Vor-AG und AG (KK-AktG/M. Arnold Rn. 26; MüKoAktG/Pentz Rn. 107 f.; Altmeppen GmbHG § 11 Rn. 17; Scholz/K. Schmidt GmbHG § 11 Rn. 151 ff.). Die beiden erstgenannten Auffassungen beruhen allerdings noch auf Verständnis der Vor-AG als „Gesamthandsgesellschaft sui generis" (→ Rn. 4), von der man konsequenterweise annehmen musste, dass sie mit einer als Rechtsträger auftretenden jur. Person nicht identisch sein kann. Verabschiedet man sich mit zutr. Auffassung (→ Rn. 4) von der Qualifikation als Gesamthand und fasst die Vor-AG als körperschaftlich strukturierte Gesellschaft sui generis auf, erhält **Identitätslösung** deutlich höhere Plausibilität, zumal sie auch in der Möglichkeit eines identitätswahrenden Formwechsels nach § 202 I Nr. 1 UmwG eine weitere Bestätigung findet (MüKoAktG/Pentz Rn. 107).

17 Bleibt die Kontinuität des Rechtsträgers über die Identitätslösung somit gewahrt, löst die Eintragung doch weitreichende Folgen im Hinblick auf die **Haftungsverhältnisse** aus. Mit der Eintragung entsteht neben der Forthaftung der AG für die Verbindlichkeiten der Vor-AG (→ Rn. 16) auch die Innenhaftung für eine etwaige Unterbilanz (→ Rn. 8 f.). Ist eine Unterbilanz nicht angefallen, können sich Gesellschafter ab Eintragung auf Haftungsbeschränkung nach § 1 I 2 verlassen. Auch zu einer Verlustdeckungshaftung kann es nach erfolgter Eintragung nicht mehr kommen, da diese das Scheitern der Eintragung voraussetzt (→ Rn. 9a). Schließlich erlöschen mit Eintragung bereits entstandene Ansprüche aus Handelndenhaftung nach § 41 II (→ Rn. 25). Weitere Folgen: Von hM

angenommene Beschränkungen der Vorstandshaftung (→ Rn. 11 ff.) entfallen. Befreiung der Vorstandsmitglieder von Rentenversicherungspflicht setzt Vorstandseigenschaft im rechtstechnischen Sinne und damit ebenfalls Eintragung der AG voraus (SG Frankfurt NZG 2004, 1119, 1120).

III. Besonderheiten der Einmann-Vor-AG

1. Begriff und Rechtsnatur. Einmanngründung liegt vor, wenn Satzung entspr. § 2 durch einseitiges Rechtsgeschäft des Alleingründers festgestellt wird (→ § 2 Rn. 4a). Was daraus über Satzung hinaus bis zur Eintragung in das HR entsteht, hat Gesetzgeber 1994 ebenso im Dunkeln gelassen wie sein Vorgänger bei GmbH-Novelle 1980. Insbes. ist fraglich, ob Einmanngründung nach Vorbild der Vor-AG (→ Rn. 3 f.) als rechtsfähige Wirkungseinheit verstanden werden kann oder ob bis zur Eintragung in das HR lediglich Sondervermögen des Alleingründers entsteht. Bes. Anwendungsfall der Einmanngründung ist auch **Spaltung zur Neugründung** (→ Rn. 1), weil nur übertragender Rechtsträger als Gründer fungiert (MüKoAktG/Pentz Rn. 74; Bruski AG 1997, 17, 19; Neye GmbHR 1995, 565, 566). **17a**

Meinungsstand. Die mittlerweile klar hM und wohl auch der BGH (NZG 1999, 960, 961) sprechen sich auch hier für die Annahme einer **rechtsfähigen Wirkungseinheit** aus (vgl. etwa OLG Dresden GmbHR 1997, 215, 217; OLG München NZG 2017, 1106 Rn. 12; KK-AktG/M. Arnold Rn. 96; BeckOGK/Heidinger Rn. 132; MüKoAktG/Pentz Rn. 76 ff.; GK-AktG/K. Schmidt Rn. 136 ff.; iErg auch BFHE 197, 304, 307 [nochmaliger Anfall von Grunderwerbsteuer bei Aufgabe der Eintragungsabsicht]). Für ein Sondervermögen des Alleingründers, dem namentl. Einlagenansprüche und darauf geleistete Einlagen zuzuordnen sind, plädieren dagegen: → 10. Aufl. 2012, Rn. 17c [Hüffer]; Fezer JZ 1981, 608, 616 ff.; Flume ZHR 146 (1982), 205, 208 f.; Ulmer/Ihrig GmbHR 1988, 373, 376 ff.; zur AG ebenso Bruski AG 1997, 17, 20. **17b**

Stellungnahme. Die ablehnende Haltung ggü. der Annahme einer rechtsfähigen Wirkungseinheit ist noch geprägt durch das ursprünglich gesamthänderische Verständnis der Vor-AG, das heute überkommen ist (→ Rn. 4). Da es eine Einmann-Gesamthand nicht gibt (vgl. auch MüKoGmbHG/Merkt GmbHG § 11 Rn. 181), wurde auch eine Einmann-Vor-AG verneint. Verlässt man aber diese gedankliche Grundlage (→ Rn. 4) und orientiert sich stattdessen an grds. Gestattung der Einmann-Gründung und ihrer ges. Ausgestaltung, sprechen die besseren Gründe für die hM. Namentl. belegt Anwendung der Gründungsregeln (insbes. §§ 36, 36a; vgl. auch § 36 II 2 aF), dass bereits vor Eintragung ein körperschaftlich strukturierter Rechtsträger anerkannt wird (BeckOGK/Heidinger Rn. 132; MüKoAktG/Pentz Rn. 78). Wenn Gesetzgeber nach § 2 **Einmann-AG als körperschaftliches Zuordnungsobjekt** anerkennt und diese körperschaftliche Strukturvorgabe nach Regeln zur Vor-AG auch bereits vor Entstehung der AG respektiert wird (→ Rn. 4), liegt es in der Konsequenz, auch Einmann-Vor-AG zuzulassen (Scholz/K. Schmidt GmbHG § 11 Rn. 167). **17c**

2. Innenbeziehungen. Vermögenserwerb der Vor-AG (→ Rn. 17c) kann nur vollzogen werden, wenn erforderliche **Organisation** entstanden ist (→ Rn. 5 f.). Gründer muss also gem. § 30 I vorgehen, insbes. ersten AR bestellen, der seinerseits gem. § 30 IV ersten Vorstand zu bestellen hat. Dieser handelt als Vertretungsorgan (§ 78) für Vor-AG. **Einlagenansprüche** sind durch Leistung an Vor-AG zu erfüllen, die von Vorstand vertreten wird (MüKoAktG/Pentz Rn. 79; Scholz/K. Schmidt GmbHG § 11 Rn. 171). Übertragung der Gründerstellung vor Eintragung ist nach § 41 IV ausgeschlossen. Auflösungsbeschluss (§ 262) kann allein Gründer als Vollversammlung (§ 121 VI) fassen. **Scheitern** **17d**

der Eintragung (bes. Zurückweisung oder Rücknahme der Anmeldung; vgl. OLG München NZG 2017, 1106 Rn. 23) wirft für hM (→ Rn. 17b) unbestreitbar dogmatische Probleme auf (Merkt FS K. Schmidt, 2009, 1161, 1181 f.), die unter Praktikabilitätsgesichtspunkten dahingehend gelöst werden, dass eingebrachte Vermögensgegenstände liquidationslos automatisch dem Gründer zufallen und er im Wege der Gesamtrechtsnachfolge in sämtliche Rechte und Pflichten der Einmann-Vor-AG eintritt (OLG München NZG 2017, 1106 Rn. 25; BeckOGK/Heidinger Rn. 138; MüKoAktG/Pentz Rn. 81; iErg auch BGH NZG 1999, 960, 962). **Unterbilanzhaftung** (→ Rn. 8 f.) trifft auch Alleingründer (Scholz/K. Schmidt GmbHG § 11 Rn. 179 mwN). Gläubiger ist durch Eintragung als jur. Person entstandene AG.

17e **3. Außenbeziehungen.** Im Außenverhältnis wird nicht Gründer, sondern Vor-AG als eigenständige Wirkungseinheit sui generis (→ Rn. 17b f.) berechtigt und verpflichtet (§ 164 I BGB). Das gilt vor allem bei Aufnahme unternehmerischer Tätigkeit vor Eintragung der AG. Vor-AG trifft demnach auch Schuldenhaftung. Fraglich ist allein, ob es dabei verbleibt oder ob Alleingründer unabhängig von § 41 I 2 bis zur Eintragung (danach: Unterbilanzhaftung, → Rn. 17d) ggü. Gläubigern auch mit seinem **Privatvermögen** haftet. Das ist anders als bei Mehrpersonengründungen (→ Rn. 14 f.) zu bejahen (vgl. zur GmbH Scholz/K. Schmidt GmbHG § 11 Rn. 175; HCL/Ulmer/Habersack GmbHG § 11 Rn. 84), weil Gläubiger durch Fehlen von Mitgründern ungeachtet der im Vergleich zur GmbH stabileren Organisationsstruktur der AG (§§ 76 ff.) vor deren Eintragung noch nicht hinlänglich gesichert sind. Einmanngründung sollte deshalb nur bei kurzfristig abzuwickelnder Bargründung in Betracht gezogen werden, bei der mit geschäftlicher Tätigkeit bis zur Eintragung gewartet werden kann. Auch Handelndenhaftung kommt unter den in → Rn. 18 ff. genannten Voraussetzungen zur Anwendung (BeckOGK/Heidinger Rn. 137; Scholz/K. Schmidt GmbHG § 11 Rn. 176).

17f Umgekehrte Fragestellung, nämlich, ob **Privatgläubiger** des Alleingründers in Vermögen der AG vollstrecken können, wirft für Vertreter der Sondervermögenslehre (→ Rn. 17b) Probleme auf, ist nach hier vertretener hM aber unproblematisch zu verneinen. Vorstand kann demnach Drittwiderspruchsklage nach § 771 ZPO erheben (BeckOGK/Heidinger Rn. 135; MüKoAktG/Pentz Rn. 77). Gepfändet werden kann allein die Mitgliedschaft in der Vor-AG (Scholz/K. Schmidt GmbHG § 11 Rn. 169).

17g **4. Einmanngründung und juristische Person.** Mit Eintragung in das HR entsteht auch von dem Alleingründer errichtete AG als jur. Person (§ 41 I 1). Dazu kann im Wesentlichen auf → Rn. 16 f. verwiesen werden. Aufgrund Identität von Vor-AG und AG (→ Rn. 16) tritt diese in Rechtsstellung der Vor-AG ein. Einer buchmäßigen Dokumentation des Vermögensübergangs bedarf es nicht (Scholz/K. Schmidt GmbHG § 11 Rn. 177); ggf. tritt Unterbilanzhaftung ein (→ Rn. 17d). Persönliche Außenhaftung des Alleingründers endet (→ Rn. 17e).

IV. Die Handelndenhaftung (§ 41 I 2)

18 **1. Grundlagen.** § 41 I 2 betr. sog Handelndenhaftung (§ 11 II GmbHG), sollte ursprünglich (Art. 211 II ADHGB; Konzessionssystem) aus rechtspolizeilichen Gründen Geschäftstätigkeit vor Eintragung verhindern (sog **Straffunktion,** zB RGZ 55, 302, 304), dann Geschäftspartner vor dem Risiko bewahren, ohne Schuldner dazustehen (sog **Sicherungsfunktion,** zB RGZ 159, 33, 44; BGHZ 53, 210, 214 = NJW 1970, 806). Bes. für GmbH wurde schließlich vertreten, Haftung bezwecke zügigen Betrieb von Anmeldung und Eintragung, soweit letztgenannte nicht allein vom Registergericht abhängt (sog **Druckfunk-**

tion, zB BGHZ 47, 25 = NJW 1967, 828). Vgl. zum Ganzen MüKoAktG/Pentz Rn. 126; HCL/Ulmer/Habersack GmbHG § 11 Rn. 122 ff.; Beuthien GmbHR 2013, 1, 2 ff.

Nach gegenwärtig erreichtem Stand des Rechts der Vorgesellschaft ist **rechtspolitische Existenzberechtigung** der Handelndenhaftung zweifelhaft geworden (dazu zB Weimar AG 1992, 69, 73 ff.; aA Beuthien GmbHR 2013, 1, 2 ff.). Straffunktion ist schon mit Konzessionssystem obsolet geworden, Druckfunktion wegen beschränkter Einflussmöglichkeiten der Organmitglieder, die nach § 36 I Anmeldung nur gemeinsam mit Gründern und AR-Mitgliedern vornehmen können, seit jeher problematisch (Beuthien GmbHR 2013, 1, 2 f.). Es verbleibt die Sicherungsfunktion, die aber nach Anerkennung von Schuldnereigenschaft der Vor-AG, Unterbilanzhaftung und Verlustdeckungspflicht ebenfalls nur noch wenige Schutzlücken zu schließen hat (krit. schon Lieb DB 1970, 961, 967 f.; insoweit abw. BGH NJW 2004, 2519). Allerdings können solche Schutzlücken mit Blick auf **fehlende Registerpublizität** auch nicht ganz geleugnet werden (Bergmann GmbHR 2003, 563, 570; krit. insofern Beuthien GmbHR 2013, 1, 4), und zwar insbes. dann, wenn man mit BGH (→ Rn. 6, 8) Haftung der Gründer auf solche beschränkt, die Geschäftsaufnahme zugestimmt haben (Lutter/Hommelhoff/Bayer GmbHG § 11 Rn. 28). Schon aus diesem Grund kann Vorschrift nicht gänzlich missachtet werden (vgl. aber Weimar GmbHR 1988, 289, 298); selbst de lege ferenda steht ihrer Streichung Art. 7 II GesR-RL entgegen (BGH NJW 2004, 2519; Habersack/Verse EuropGesR § 5 Rn. 29 f.). HM trägt rechtspolitischen Bedenken zu Recht aber zumindest dadurch Rechnung, dass Vorschrift durch restriktive Auslegung **auf Kernbestand reduziert** wird (ebenso OLG Köln NZG 2002, 1066, 1067). Dieser Tendenz ist zuzustimmen, da Handelndenhaftung im heutigen rechtl. Umfeld nicht nur weitgehend obsolet, sondern darüber hinaus auch übermäßig scharf ist: Handelnder wird mit Risiken des zT unvermeidbaren vorzeitigen Geschäftsbeginns belastet, ohne von den daraus resultierenden wirtschaftlichen Chancen zu profitieren (Beuthien ZIP 1996, 360, 366). 19

2. Subjektive Haftungsvoraussetzungen. Nach § 41 I 2 haftet, wer vor Eintragung der AG in ihrem Namen handelt. Das sind die Mitglieder des vertretungsberechtigten Organs, im allg. also die **Vorstandsmitglieder** (BGHZ 65, 378, 381 = NJW 1976, 419; BGHZ 66, 359, 361 = NJW 1976, 1685; MüKoAktG/Pentz Rn. 132). Dagegen haften Gründer als solche nicht, und zwar auch dann nicht, wenn sie der Aufnahme von Geschäften zugestimmt haben (BGHZ 47, 25, 28 f. = NJW 1967, 828 unter Aufgabe früherer Rspr., zB BGHZ 72, 45, 46 = NJW 1978, 1978). Vorstandsmitglieder, die andere Personen vorschieben oder Bevollmächtigte auftreten lassen, haften selbst (BGHZ 53, 206, 208 = NJW 1970, 1043; ausf. dazu Beuthien GmbHR 2013, 1, 6 ff.). Wer nicht Vorstandsmitglied ist, sich aber als solches geriert (sog faktisches Organmitglied → § 93 Rn. 73 ff.), muss Haftung nach § 41 I 2 hinnehmen (BGHZ 51, 30, 35 = NJW 1969, 509; BGHZ 65, 378, 380 f.; BGH NJW 1980, 287; aA Beuthien GmbHR 2013, 1, 9), ebenso das nur fehlerhaft bestellte Vorstandsmitglied (→ § 84 Rn. 11 f.). Wer nicht Organmitglied ist und auch nicht als solches auftritt, kann dagegen nicht nach § 41 I 2 haftbar gemacht werden, zB nicht Prokuristen (BGHZ 66, 359, 361; heute allgM). Haftbar können dagegen auch **AR-Mitglieder** sein, allerdings nur, wenn sie im Außenverhältnis auftreten (generell zu diesem Erfordernis → Rn. 21), nicht dagegen beim Handeln im Innenverhältnis (Be- und Anstellung des ersten Vorstands; BGH NJW 2004, 2519, 2520; OLG Köln NZG 2002, 1066, 1067 f.). Auf **ausländische AG** findet § 41 I 2 keine Anwendung, weil darin eine ungerechtfertigte Beschränkung der Niederlassungsfreiheit (Art. 49, 54 AEUV) läge (BGH NJW 2005, 1638, 1649 f.; OLG Hamm 20

NZG 826, 827; GK-HGB/J. Koch/Harnos § 13d Rn. 36 ff. mwN). Zur Anwendung auf wirtschaftliche Neugründung → § 23 Rn. 27.

21 **3. Objektive Haftungsvoraussetzungen. a) Rechtsgeschäftliches Handeln.** Nach § 41 I 2 sind Organmitglieder haftbar, wenn sie im Namen der Gesellschaft handeln, wobei als ungeschriebene Voraussetzung zu ergänzen ist, dass es sich um **Handeln ggü. außenstehenden Dritten** handeln muss, da anderenfalls Haftungsabwälzung auf Handelnde nicht durch schutzwürdiges Vertrauen geboten ist (BGHZ 76, 320, 325 = NJW 1980, 1630). Erforderlich ist rechtsgeschäftliches Handeln, dagegen nicht genügend, dass die Tatbestandsmerkmale ges. Verpflichtung erfüllt werden (vgl. KK-AktG/M. Arnold Rn. 74; MüKoAktG/Pentz Rn. 137 f.); außerhalb rechtsgeschäftl. Kontextes fehlt Vertrauen auf Haftung der AG, in dem § 41 I 2 seine verbleibende Rechtfertigung findet (abzulehnen deshalb Schwab NZG 2012, 481, 483 ff.; wie hier iErg S/L/Drygala Rn. 27 mit Fn. 90; BeckOGK/Heidinger Rn. 115; MüKoAktG/Pentz Rn. 137). Abgrenzung kann jedoch fraglich sein. So wird zu Recht vertreten, Ersatzansprüche aus Vertrag, Rückforderung aus ungerechtfertigter Bereicherung und Ansprüche aus GoA als rechtsgeschäftsähnliche Schuldverhältnisse für Handelndenhaftung genügen zu lassen (OLG Bremen AG 2005, 167; KK-AktG/M. Arnold Rn. 75; BeckOGK/Heidinger Rn. 115; HCL/Ulmer/Habersack GmbHG § 11 Rn. 136; aA Scholz/K. Schmidt GmbHG § 11 Rn. 117). Jedenfalls keine Haftung nach § 41 I 2 für **Ansprüche aus unerlaubter Handlung** (zur Haftung der Gesellschaft → Rn. 13) oder für Sozialversicherungsbeiträge (BSGE 60, 29, 31 f.).

22 **b) Im Namen der Gesellschaft.** § 41 I 2 setzt Handeln im Namen der Gesellschaft voraus. Rspr. versteht darunter Handeln im Namen der künftigen AG (BGH NJW 1974, 1284; BGHZ 72, 45, 47 = NJW 1978, 1978; OLG Hamm WM 1985, 658, 660), hält aber **Auslegung** des Rechtsgeschäfts (→ Rn. 21) gem. §§ 133, 157 BGB mit dem Ergebnis für möglich, dass zugleich im Namen der Vorgesellschaft und der künftigen jur. Person kontrahiert wurde (BGHZ 72, 45, 47; wohl auch BGHZ 91, 148, 149 = NJW 1984, 2164). HLit lässt dagegen auch Handeln **namens der Vorgesellschaft** genügen (KK-AktG/M. Arnold Rn. 72; MüKoAktG/Pentz Rn. 20, 139; GK-AktG/K. Schmidt Rn. 90; HCL/Ulmer/Habersack GmbHG § 11 Rn. 137). Dem ist schon zur Vermeidung von Zufallsergebnissen beizutreten (Lutter/Hommelhoff/Bayer GmbHG § 11 Rn. 34).

23 **c) Vor Eintragung.** Schließlich muss vor Eintragung gehandelt werden. Früher hM ließ jedes Handeln vor Eintragung genügen, also auch vor Errichtung der Vor-AG (Vorgründungsgesellschaft; → Rn. 3); vgl. BGH NJW 1962, 1008; NJW 1982, 932. BGHZ 91, 148, 150 ff. = NJW 1984, 2164 hat diese Rspr. für Recht der GmbH aufgegeben. Der Entscheidung ist iErg und in der Begründung beizupflichten. Für AG kann Frage nicht anders beurteilt werden, so dass § 41 I 2 **Entstehung der Vor-AG** (→ Rn. 3) voraussetzt (BAG AG 2006, 796, 797; OLG Köln WM 1996, 261; Hölters/Weber/Solveen Rn. 22).

24 **4. Haftungsfolgen und Regress. a) Inhalt und Umfang der Haftung.** § 41 I 2 ordnet persönliche Haftung der Handelnden an. Regelung ist dispositiv. Durch Vereinbarung mit Geschäftspartner (nicht durch Satzung) kann Haftung also ausgeschlossen werden (allgM, vgl. BGHZ 53, 210, 213 = NJW 1970, 806; BGH NJW 1973, 798). Haftung ist **akzessorisch** (HCL/Ulmer/Habersack GmbHG § 11 Rn. 141, 144). Inhalt und Umfang bestimmen sich also nach der realen oder (bei fehlender Vertretungsmacht der Vorstandsmitglieder → Rn. 6) der hypothetischen Verpflichtung der Gesellschaft (BGHZ 53, 210, 214). Schuldet sie Erfüllung, so muss auch Vorstandsmitglied erfüllen. Gläubiger kann nicht

analog § 179 I BGB zwischen Schadensersatz und Erfüllung wählen (KK-AktG/M. Arnold Rn. 77; MüKoAktG/Pentz Rn. 142). Haftung ist nicht in dem Sinne subsidiär, dass Gläubiger zunächst auf Inanspruchnahme der AG und ihrer Gesellschafter verwiesen werden kann; anderenfalls würde verbleibender Zweck des § 41 I 2, Gläubiger trotz fehlender Publizität unproblematische Haftungskompensation zu geben (→ Rn. 18 f.), verfehlt (Hölters/Weber/Solveen Rn. 23; Bergmann GmbHR 2003, 563, 572; aA Beuthien GmbHR 2013, 1, 11 f.). **Einwendungen und Einreden** (zB § 320 BGB) können entspr. § 128 HGB geltend gemacht werden (Scholz/K. Schmidt GmbHG § 11 Rn. 123; HCL/Ulmer/Habersack GmbHG § 11 Rn. 144). Summenmäßige Beschränkung der Haftung gibt es nicht. Mehrere Vorstandsmitglieder haften als Gesamtschuldner (§§ 421 ff. BGB), wenn sie sämtlich für Gesellschaft gehandelt haben, bes. als Gesamtvertreter. Gerichtl. **Zuständigkeit** liegt nach § 95 I Nr. 1 GVG bei KfH, wenn auch Geschäftspartner Kaufmann ist (Hölters/Weber/Solveen Rn. 24; HCL/Ulmer/Habersack GmbHG § 11 Rn. 141; weitergehend LG Hannover NJW 1968, 56).

b) Zeitliche Haftungsschranken. Handelndenhaftung erlischt, sobald AG als 25
jur. Person dem Geschäftspartner als Schuldnerin zur Verfügung steht, idR also mit **Registereintragung** (BGHZ 69, 95, 103 f. = NJW 1977, 1683; BGHZ 70, 132, 139 ff. = NJW 1978, 636; BGHZ 76, 320, 323 = NJW 1980, 1630; BGHZ 80, 182, 183 f. = NJW 1981, 1452; BGH NJW 1982, 932; OLG Brandenburg NZG 2002, 182, 183; aA Beuthien GmbHR 2013, 1, 13 f. aufgrund zweifelhafter Unterstellung, Gläubiger wollten gerade im Hinblick auf Handelndenhaftung bewusst mit Vor-AG kontrahieren). Frage kann im Aktienrecht nicht anders entschieden werden. § 41 II steht nicht entgegen, sondern tritt als zusätzlicher Befreiungstatbestand hinzu (KK-AktG/M. Arnold Rn. 63, 82). Bei **Dauerschuldverhältnissen** beschränkt sich Handelndenhaftung auf Bezahlung (oder sonstige Gegenleistung) für Teilleistungen, die Geschäftspartner vor Eintragung der AG erbracht hat (BGHZ 70, 132, 141; HCL/Ulmer/Habersack GmbHG § 11 Rn. 143; BeckOGK/Heidinger Rn. 120; aA MüKoAktG/Pentz Rn. 143). Entspr. gilt bei befreiender Schuldübernahme nach § 41 II. Entscheidend ist Eintragung, nicht erforderlich Eintragung unter der Firma, die bei haftungsbegründendem Vertragsschluss als Name verwandt wurde (OLG Oldenburg NZG 2001, 811, 812 zur GmbH; KK-AktG/M. Arnold Rn. 82).

c) Rückgriffsansprüche. Als **Regressschuldner** leistender Vorstandsmitglie- 26
der kommen in Betracht: andere, ebenfalls nach § 41 I 2 haftbare Vorstandsmitglieder; Gesellschaft, ob eingetragen oder nicht; Gründer. Mehrere Vorstandsmitglieder haften nach § 41 I 2 als **Gesamtschuldner** (→ Rn. 24). Regress bestimmt sich also nach § 426 I und II BGB. Zwischen Vorstandsmitglied und Gesellschaft besteht wegen akzessorischen Charakters der Haftung nach § 41 I 2 (→ Rn. 24) keine Gesamtschuld. Insoweit Rückgriff nach Auftragsrecht (§ 670 BGB) oder, bei Überschreitung der Vertretungsbefugnis (→ Rn. 6), nach GoA-Regeln (§§ 670, 683 BGB). Gegen Gründer hat BGHZ 86, 122, 126 = NJW 1983, 876 (zur GmbH) Ansprüche mit Auslegung des Anstellungsvertrags begründet. Besser verbleibt es bei Regress gegen Gesellschaft, zu deren Vermögen bei Scheitern der Eintragung (dann wäre Gründerhaftung bes. von Interesse) die Ansprüche aus Verlustdeckungspflicht (→ Rn. 9a, 9b) gehören (KK-AktG/M. Arnold Rn. 80; Hölters/Weber/Solveen Rn. 23).

V. Schuldübernahme (§ 41 II)

1. Besonderer Befreiungstatbestand. § 41 II bezweckt erleichterte Enthaf- 27
tung des Handelnden, knüpft also an § 41 I 2 an. Norm setzt tatbestandlich die

Vereinbarung befreiender Schuldübernahme zwischen durch Eintragung als jur. Person entstandener AG und vor der Eintragung für sie handelndem Vorstandsmitglied voraus (Fall des § 415 BGB); Verbot des Insichgeschäfts (§ 181 BGB) ist dabei zu beachten. Wenn im Namen der künftigen AG gehandelt worden ist, wirkt Übernahme abw. von § 415 I 1 BGB **ohne Genehmigung des Geschäftspartners schuldbefreiend,** sofern sie innerhalb von drei Monaten seit Eintragung erfolgt und dem Geschäftspartner mitgeteilt wird. Ist nicht im Namen der künftigen AG gehandelt worden, verbleibt es bei notwendiger Mitwirkung des Gläubigers (§§ 414, 415 BGB).

28 **2. Identitätsverhältnis und Schuldübernahme.** Fraglich ist hier angenommenes Identitätsverhältnis zwischen Vor-AG und AG als jur. Person (→ Rn. 16) zu bes. Befreiungstatbestand des § 41 II. Früher wurde aus § 41 II gefolgert, dass es keinen automatischen Übergang von Rechten und Pflichten geben könne (vgl. noch BGHZ 53, 210, 212 = NJW 1970, 806). Das ist mit Recht der Vor-AG in seinem heutigen Entwicklungsstand (→ Rn. 3 ff.) unvereinbar, passt mit bewusstem Regelungsverzicht des Gesetzgebers (→ Rn. 2) nicht zusammen (vgl. BGHZ 70, 132, 139 f. = NJW 1978, 636) und entspr. auch nicht auf erleichterte Enthaftung des Handelnden gerichtetem Regelungszweck (→ Rn. 27), der die Rechtsverhältnisse der Vor-AG nicht unmittelbar betr. (zutr. bes. Farrenkopf/Cahn AG 1985, 209 f.; vgl. auch Escher-Weingart AG 1987, 310, 311 f.). **Praktische Bedeutung** der Vorschrift wird durch Identitätsannahme allerdings wesentlich gemindert. Sie beschränkt sich auf den Fall, dass Vor-AG mangels Vertretungsbefugnis der Vorstandsmitglieder (→ Rn. 6, 11) nicht verpflichtet worden ist und Identitätsfolge deshalb ins Leere geht (vgl. Lutter NJW 1989, 2649, 2654; aA K. Schmidt FS Kraft, 1998, 573, 582 aufgrund anderen Ausgangspunkts zur Vertretungsmacht → Rn. 11).

VI. Verpflichtungen ohne vorgeschriebene Satzungspublizität (§ 41 III)

29 § 41 III betr. **qualifizierte Gründung** und bezweckt, **Umgehung** der §§ 26, 27, 52 zu verhindern (RegBegr. Kropff S. 60). AG kann deshalb Verpflichtungen, die mangels Satzungspublizität nicht wirksam begründet worden sind, überhaupt nicht, also auch nicht unter Mitwirkung des Gläubigers, übernehmen. Regelung ist nicht nötig (KK-AktG/M. Arnold Rn. 87), aber unschädlich. Bei wirksamer Vereinbarung in der Satzung bedarf es keiner Übernahme; vielmehr wird AG originär verpflichtet.

VII. Übertragungs- und Ausgabeverbot (§ 41 IV)

30 **1. Verkehrsgeschäfte über die Mitgliedschaft.** § 41 IV 1 schließt Übertragung von Anteilsrechten vor Eintragung der AG aus. Norm bezieht sich schon auf Mitgliedschaft in Vor-AG. Eintritt und Ausscheiden von Gesellschaftern während des Gründungsstadiums sind deshalb nicht unmöglich, können aber nicht nach §§ 398 ff. BGB vollzogen werden, sondern **nur durch einstimmige Satzungsänderung** in der Form des § 23 (BGHZ 169, 270 Rn. 14 = NJW 2007, 589; Lutter/Hommelhoff/Bayer GmbHG § 11 Rn. 14). Gültig sind Verpflichtungsgeschäfte wie Kaufvertrag, auch wenn Erfüllung derzeit nicht möglich ist (vgl. § 311a I BGB; sa MüKoAktG/Pentz Rn. 162; GK-AktG/K. Schmidt Rn. 68). Str. ist, ob auch Übertragung selbst erfolgen kann, sofern sie durch die Eintragung aufschiebend bedingt ist. Das wurde früher unter Verweis auf Einstimmigkeitsprinzip und Formzwang verbreitet abgelehnt (vgl. Baumbach/Hueck Rn. 12), ist mit heute ganz hM richtigerweise aber zu bejahen, da diese Prinzi-

pien Übertragung nach Eintragung der AG nicht mehr entgegenstehen (KK-AktG/M. Arnold Rn. 88; MüKoAktG/Pentz Rn. 164).

2. Verbot der Ausgabe von Aktien oder Zwischenscheinen. § 41 IV 1 verbietet im Interesse der Verkehrssicherheit Ausgabe von Aktien oder Zwischenscheinen (Begriffe: → § 10 Rn. 10; → § 8 Rn. 28) vor Eintragung der AG. Die in § 41 IV 2 angeordnete Nichtigkeit bedeutet, dass keine gültige wertpapiermäßige Verbriefung erfolgt. Also gibt es auch keinen gutgl. Erwerb. Für Schaden haften Ausgeber als Gesamtschuldner (§ 41 IV 3). Die Ausgabe ist OWi nach § 405 I Nr. 2. 31

Einpersonen-Gesellschaft

42 Gehören alle Aktien allein oder neben der Gesellschaft einem Aktionär, ist unverzüglich eine entsprechende Mitteilung unter Angabe von Name, Vorname, Geburtsdatum und Wohnort des alleinigen Aktionärs zum Handelsregister einzureichen.

I. Regelungsgegenstand und -zweck

§ 42 betr. Einmann-AG und bezweckt **Publizität** dieses Umstands durch Mitteilung an das Registergericht (empirische Daten bei Bayer/Hoffmann AG 2016, R 79 ff.). Entspr. Bedürfnis wird aus typischerweise geringerer Kontrolldichte bei vollständiger Beherrschung abgeleitet, über die Rechtsverkehr informiert werden soll (MüKoAktG/Pentz Rn. 7). Normzweck ist daher mit Mitteilungspflicht nach § 20 vergleichbar, doch kommen wegen unterschiedlicher Adressaten und Publikationsformen beide Vorschriften nebeneinander zur Anwendung (MüKoAktG/Pentz Rn. 7). Norm ist eingefügt durch Ges. für kleine Aktiengesellschaften und zur Deregulierung des Aktienrechts v. 2.8.1994 (BGBl. 1994 I 1961). Sie geht auf Art. 3 Einpersonen-Gesellschafts-RL zurück (dazu Eckert EuZW 1990, 54; zum Durchführungsgesetz Driesen MDR 1992, 324). § 42 ist neu gefasst (Einreichung statt Anmeldung; Geburtsdatum statt Beruf) durch HRefG 1998. **Praktische Bedeutung** liegt namentl. im Bereich des Konzernrechts, weshalb Alleinaktionär idR jur. Person ist. Häufig entsteht Einmann-AG seit 2002 auch durch Squeeze-Out (sa Bayer/Hoffmann AG 2016, R 79 f.). 1

II. Rechtliche Behandlung der Einmann-AG im Überblick

§ 42 erfasst von den Rechtsfragen der Einmann-AG nur einen Nebenaspekt. IÜ hat sie als Sonderform der AG **keine eigenständige Regelung** erfahren, was aus systematischen Gründen sinnvoll sein mag, in der Sache aber dazu führt, dass der sonstige, vornehmlich auf die Mehrpersonengesellschaft zugeschnittene Normenbestand des AktG auf Besonderheiten der Einmann-AG keine Rücksicht nimmt und deshalb ggf. teleologisch zu korrigieren ist; daraus entsteht Rechtsunsicherheit, die angesichts großer praktischer Verbreitung problematisch erscheint (vgl. Koppensteiner GES 2015, 5 ff.). Im Einzelnen ist hervorzuheben: Nicht geregelt, sondern vorausgesetzt ist in § 42 **Zulässigkeit** der Einmann-AG, die auch durch § 2 bestätigt wird. Auch nach § 2 ist Einmanngründung aber nur zulässig, nicht geboten; Strohmanngründung bleibt möglich (→ § 2 Rn. 4). Zu Einzelheiten des Gründungsrechts → § 2 Rn. 2 ff.; → § 36 Rn. 13; → § 41 Rn. 17a ff. Einmann-AG ist wie jede AG **jur. Person.** Es gilt deshalb das Trennungsprinzip (dazu und zum Durchgriff → § 1 Rn. 15 ff.). Auch im Organisationsrecht kennt Einmann-AG keine grds. Abweichungen von mehrgliedriger 2

Gesellschaft. Sie braucht also Vorstand, AR und HV. Kompetenzverteilung kann auch der Alleingesellschafter nicht verschieben (§ 23 V). Er kann Organmitglied, insbes. Alleinvorstand sein (§ 76 II). Überhöhte Bezüge können gegen § 57 verstoßen. Ob für Geschäfte zwischen Alleingesellschafter (-vorstand) und AG **§ 181 BGB** gilt, ist nicht zweifelsfrei (vgl. BGHZ 56, 97, 100 ff. = NJW 1971, 1355; BGHZ 75, 358 = NJW 1980, 932 zur fehlenden Interessenkollision). Nachdem GmbH-Novelle 1980 die (wenig hilfreiche) Regelung des § 35 III 1 GmbHG (zunächst § 35 IV 1 GmbHG aF) geschaffen hat, wird man Frage aber wohl bejahen müssen, um sachlich nicht gerechtfertigte Disparität zwischen Aktien- und GmbH-Recht zu vermeiden (BeckOGK/Gerber Rn. 12; MüKoAktG/Pentz Rn. 14; aA Bachmann NZG 2001, 961, 966). HV ist notwendig **Vollversammlung,** für die § 121 VI gilt. Einberufung ist danach entbehrlich. Notarielle Beurkundung von HV-Beschlüssen ist gem. § 130 I 3 nur noch erforderlich, soweit Ges. für Beschluss Dreiviertelmehrheit bestimmt (sog Grundlagenbeschlüsse). Sonst genügt vom Vorsitzenden des AR unterzeichnete Niederschrift (→ § 130 Rn. 14a ff.).

III. Voraussetzungen

3 Pflicht zur Einreichung nach § 42 besteht, sobald alle Aktien einem Aktionär oder einem Aktionär und der AG selbst gehören. Worauf im zweiten Fall Erwerb der AG beruht, welchen Zwecken er dient und ob er zulässig oder nach §§ 56, 71 ff. verboten ist, bleibt für Anwendung des § 42 gleich. Dogmatisch reizvoll, aber praktisch bedeutungslos dürfte zumindest für AG analoge Ausdehnung auf Keinmann-AG sein (Bayer/Hoffmann AG 2016, R 79, 81; vgl. zu diesem Phänomen MüKoAktG/J. Koch § 262 Rn. 103; sa → § 262 Rn. 24). Verstöße gegen Zeichnungs- oder Erwerbsverbot rechtfertigen keine Ausnahme von Publizitätspflicht. Pflicht zur Einreichung besteht gem. § 42 gleichermaßen bei **Einmanngründung** wie bei **nachträglicher Anteilsvereinigung** (MüKoAktG/Pentz Rn. 5; Planck GmbHR 1994, 501, 502); denn in beiden Fällen „gehören" die Aktien dem Einmann oder ihm und der AG (anders § 40 II GmbHG, der nachträgliche Anteilsvereinigung voraussetzt, aber durch § 8 I Nr. 3 GmbHG ergänzt wird).

4 Aktien **gehören** dem Aktionär oder der AG, wenn er bzw. sie Inhaber des Vollrechts (Eigentümer) ist (→ § 16 Rn. 6; Blanke BB 1994, 1505, 1506). Für Registerpublizität kommt es auf formale Betrachtung an, so dass zB Sicherungseigentum genügt, nicht aber (vorbehaltlich Gesetzesumgehung) beschränkte dingliche Rechte wie Nießbrauch. **§ 16 IV** wird teilw. mit der Folge für anwendbar gehalten, dass sog mittelbare Beteiligungen in der Hand von Tochtergesellschaften mitgerechnet werden (GK-AktG/Ehricke Rn. 47 f.; Hoffmann-Becking ZIP 1995, 1, 3; Kindler NJW 1994, 3041, 3043). Das trifft jedoch nicht zu (wie hier KK-AktG/M. Arnold Rn. 11; MüKoAktG/Pentz Rn. 21; Hölters/Weber/Solveen Rn. 3; Blanke BB 1994, 1505, 1506). Umkehrschluss aus § 20 I 2, § 21 I 2, § 328 I 3 steht sinngem. Anwendung des § 16 IV entgegen. Dadurch bedingte wesentliche Erweiterung des Anwendungsbereichs hätte nach Vorbild der genannten Vorschriften angeordnet werden können, aber ggf. auch müssen.

IV. Mitteilungspflicht

5 Mitzuteilen ist zunächst der Umstand, dass alle Aktien einem Aktionär allein oder neben ihm nur noch der AG selbst gehören. Wegen bezweckter Publizität (→ Rn. 1) muss Mitteilung die eine oder die andere Angabe enthalten. Nicht genügend ist, pauschal das Vorliegen einer Einpersonen-AG anzumelden (ebenso MüKoAktG/Pentz Rn. 24). Mitteilung muss ferner Namen, Vornamen, Ge-

burtsdatum und Wohnort des alleinigen Aktionärs enthalten. Berufsangabe ist entfallen. Angabe des Geburtsdatums ist zwecks Erleichterung der Identifikation (RegBegr. BT-Drs. 13/8444, 84) vorgeschrieben (→ Rn. 1). **Alleiniger Aktionär** iSd § 42 ist auch, wer neben der AG selbst einziger Aktionär ist. Sind AG oder GmbH oder Personengesellschaften Aktionär, ist Angabe von Firma (oder Name) und Sitz bzw. Hauptniederlassung erforderlich und genügend. Angabe des Geburtsdatums ist nicht durch Angabe des Eintragungstags (soweit vorhanden) zu ersetzen (ebenso KK-AktG/M. Arnold Rn. 17), weil sie zur Identifikation nichts Wesentliches beiträgt. Mangels bes. Vorschrift ist ausreichend, dass Vorstandsmitglieder in vertretungsberechtigter Zahl (§ 78) die Mitteilung vornehmen, und zwar unverzüglich (§ 121 I 1 BGB). Mitteilung nach § 42 kann, anders als Anmeldung der Gesellschaft (→ § 36 Rn. 4), auch durch Bevollmächtigte erfolgen. Nur in solcher Funktion kann auch Aktionär selbst Mitteilung machen (KK-AktG/M. Arnold Rn. 14 f.; MüKoAktG/Pentz Rn. 23; aA BeckOGK/Gerber Rn. 9; Lutter AG 1994, 429, 435). Nicht geregelt ist in § 42, was bei Aufnahme zusätzlicher Gesellschafter gilt. Um Fehlinformationen der Öffentlichkeit zu vermeiden, wird auch das mitzuteilen sein (zust. GK-AktG/Ehricke Rn. 64 unter Verweis auf § 40 II GmbHG; aA BeckOGK/Gerber Rn. 5; MüKoAktG/Pentz Rn. 20; Bayer/Hoffmann AG 2016, R 79, 81 f. allerdings mit entspr. Änderungsvorschlag de lege ferenda nach österreichischem Vorbild des § 35 III öAktG).

V. Gerichtliches Verfahren

Zuständig ist **Registergericht** (Amtsgericht) des **Gesellschaftssitzes** (§ 14). **6**
Seine Tätigkeit beschränkt sich darauf, die Mitteilung in den nach §§ 8, 9 HRV für die AG geführten Registerordner aufzunehmen, in den gem. § 9 I Fall 2 HGB jedermann Einsicht nehmen kann. Wie § 42 (Einreichung statt Anmeldung) klarstellt, erfolgt keine Eintragung in das HR; deshalb genügt schriftliche Mitteilung zu den Registerakten (MüKoAktG/Pentz Rn. 26). Status als Einmann-AG ist also nicht aus Registerauszug ersichtlich, für Dritte aber dennoch qua Einsicht ermittelbar (Bayer/Hoffmann AG 2016, R 79). Anmeldung zur Eintragung war noch im Fraktionsentwurf vorgesehen (BT-Drs. 12/6721, 3). Rechtsausschuss hielt Eintragung nicht für erforderlich (AusschussB BT-Drs. 12/7848, 8), behielt aber noch den unpassenden Ausdruck bei, was durch HRefG 1998 korrigiert worden ist. Unterbleibt Einreichung, ist gem. § 14 HGB im **Zwangsgeldverfahren** vorzugehen. Sonstige Sanktionen bestehen nicht.

43 *(aufgehoben)*

Während § 42 aF Errichtung von Zweigniederlassungen betraf (→ § 42 Rn. 1), **1**
ging es in § 43 um die registerrechtl. **Behandlung bestehender Zweigniederlassungen.** Aufgehoben durch Ges. zur Durchführung der Zweigniederlassungs-RL v. 22.7.1993 (BGBl. 1993 I 1282).

44 *(aufgehoben)*

§ 44 betraf **Zweigniederlassungen von Gesellschaften mit Sitz im Aus-** **1**
land. Aufgehoben durch Ges. zur Durchführung der Zweigniederlassungs-RL v. 22.7.1993 (BGBl. 1993 I 1282). Vgl. nunmehr §§ 13d–13f HGB (→ Anh. § 45).

Sitzverlegung

45 (1) **Wird der Sitz der Gesellschaft im Inland verlegt, so ist die Verlegung beim Gericht des bisherigen Sitzes anzumelden.**

(2) [1] **Wird der Sitz aus dem Bezirk des Gerichts des bisherigen Sitzes verlegt, so hat dieses unverzüglich von Amts wegen die Verlegung dem Gericht des neuen Sitzes mitzuteilen.** [2] **Der Mitteilung sind die Eintragungen für den bisherigen Sitz sowie die bei dem bisher zuständigen Gericht aufbewahrten Urkunden beizufügen; bei elektronischer Registerführung sind die Eintragungen und die Dokumente elektronisch zu übermitteln.** [3] **Das Gericht des neuen Sitzes hat zu prüfen, ob die Verlegung ordnungsgemäß beschlossen und § 30 des Handelsgesetzbuchs beachtet ist.** [4] **Ist dies der Fall, so hat es die Sitzverlegung einzutragen und hierbei die ihm mitgeteilten Eintragungen ohne weitere Nachprüfung in sein Handelsregister zu übernehmen.** [5] **Mit der Eintragung wird die Sitzverlegung wirksam.** [6] **Die Eintragung ist dem Gericht des bisherigen Sitzes mitzuteilen.** [7] **Dieses hat die erforderlichen Löschungen von Amts wegen vorzunehmen.**

(3) [1] **Wird der Sitz an einen anderen Ort innerhalb des Bezirks des Gerichts des bisherigen Sitzes verlegt, so hat das Gericht zu prüfen, ob die Sitzverlegung ordnungsgemäß beschlossen und § 30 des Handelsgesetzbuchs beachtet ist.** [2] **Ist dies der Fall, so hat es die Sitzverlegung einzutragen.** [3] **Mit der Eintragung wird die Sitzverlegung wirksam.**

I. Normzweck

1 § 45 betr. Verlegung des Gesellschaftssitzes, regelt aber allein deren registerrechtl. Behandlung (ausf. zur handelsrechtl. Parallelnorm des § 13h HGB GK-HGB/J. Koch/Harnos § 13h Rn. 1 ff.), und zwar vornehmlich mit dem Ziel, bei Sitzverlegung unter Wechsel des zuständigen Registergerichts die Verfahren der beteiligten Gerichte aufeinander abzustimmen (→ HGB § 13 Rn. 1 f.). Norm ist geändert durch EHUG 2006, und zwar in § 45 II 2, ferner durch Aufhebung von § 45 III sowie Umstellung des bisherigen § 45 IV zu III → Rn. 3, 6.

II. Anmeldung einer Sitzverlegung

2 § 45 I begründet Pflicht zur Anmeldung einer Sitzverlegung **im Inland.** Sitzverlegung kann nur durch Satzungsänderung erfolgen (→ § 5 Rn. 11; genauer → Rn. 4). Anzumelden ist Verlegung in der Form des § 12 I HGB (elektronisch) beim bisherigen Sitzgericht, und zwar mangels bes. Bestimmung durch Vorstand. Erforderlich und genügend ist also Handeln von Vorstandsmitgliedern in vertretungsberechtigter Zahl (§ 78 – Formulierungsbeispiel bei Krafka RegisterR Rn. 346). Zulässig ist auch unechte Gesamtvertretung (→ § 78 Rn. 16 f.), ebenso Anmeldung durch dafür vom Vorstand Bevollmächtigten, der auch Prokurist sein kann, dagegen nicht durch Prokuristen als solchen (ebenso S/L/Ringe Rn. 3). Wenn eingeforderter **Kostenvorschuss nicht gezahlt** wird, bleibt Anmeldung ordnungsgem.; sie ist deshalb auch nicht zurückzuweisen, sondern führt zum Ruhen des Verfahrens (LG Kleve NJW-RR 1996, 939). Nicht geregelt, auch nicht in anderer Vorschrift, ist Sitzverlegung **in das Ausland** (→ § 5 Rn. 12 ff.). Gleichfalls nicht geregelt ist Umkehrfall, also Sitzverlegung einer ausländischen Gesellschaft **in das Inland.** Insoweit ist zwischen Zuzug aus Drittstaaten und aus EU (EWR)-Staaten zu unterscheiden. Zuzug aus Drittstaaten ist zwar nicht identitätswahrend möglich, doch liegt es nahe, jur. Person des Auslands als rechtsfähige Personengesellschaft umzuqualifizieren (→ § 1 Rn. 40). Zuzug aus EU(EWR)-

Staaten kann nach Herkunftslandprinzip identitätswahrend erfolgen, also als jur. Person in ihrer jeweiligen gründungsrechtl. Ausformung (→ § 1 Rn. 44; ausführlich: GK-HGB/J. Koch/Harnos § 13h Rn. 25 ff.; S/L/Ringe Rn. 20 ff., 34).

III. Gerichtliches Verfahren bei Zuständigkeitswechsel

1. Bisheriges Gericht. Gericht des bisherigen Sitzes (→ Rn. 2) prüft, ob **Anmeldung formell ordnungsgem.** ist (OLG Frankfurt FGPrax 2002, 184, 185). Materielle Prüfung liegt dagegen nicht in seiner Zuständigkeit, sondern in der des neuen Sitzgerichts (OLG Frankfurt FGPrax 2005, 38; OLG Hamm GmbHR 1991, 321; OLG Köln Rpfleger 1975, 251 f.; OLG Köln FGPrax 2005, 40, 41; MüKoAktG/Pentz Rn. 7 f., 11). Ist Anmeldung formell ordnungsmäßig, so teilt bisher zuständiges Gericht Verlegung (genauer: Verlegungsbeschluss) dem neuen Gericht unverzüglich von Amts wegen mit (§ 45 II 1). **Andere Anmeldungen** können zuvor erledigt, aber auch dem neuen Gericht überlassen werden, wenn Eintragung der Sitzverlegung nach pflichtgem. Ermessen vorrangig erscheint (hM, s. KG BB 1997, 173, 174 mwN; S/L/Ringe Rn. 8). Der Mitteilung werden gem. § 45 II 2 Hs. 1 die bisherigen Eintragungen beigefügt (beglaubigte Abschrift des Registerblatts), ferner die aufbewahrten Urkunden (vollständige Registerakten). Bei elektronischer Registerführung sind die genannten Unterlagen nach § 45 II 2 Hs. 2 elektronisch zu übermitteln. Das geht auf Art. 9 Nr. 3a EHUG (→ Rn. 1) zurück und soll sicherstellen, dass elektronische Akten auch so übermittelt werden können. Da nach § 8 I elektronische Registerführung zwingend vorgeschrieben ist und auch Übergangsfristen mittlerweile abgelaufen sind (GK-HGB/J. Koch/Harnos § 8 Rn. 23), ist Voraussetzung grds. immer erfüllt. Durch jetzige Fassung wird aber klargestellt, dass es in den Fällen, in denen Altbestände papierschriftlich vorhanden sind, beim bisherigen Verwendungsverfahren verbleibt (RegBegr. BT-Drs. 16/960, 66; MüKoAktG/Pentz Rn. 9). Löschung der bisherigen Eintragungen erfolgt erst nach Eintragungsnachricht des neuen Sitzgerichts (→ Rn. 5). Bisher zuständiges Registergericht wird auch insoweit von Amts wegen tätig (§ 45 II 7) und verfährt dabei gem. § 20 HRV (Einzelheiten GK-HGB/J. Koch/Harnos § 13h Rn. 14). 3

Keine Eintragung beim bisherigen Sitzgericht. Fraglich ist, ob zur Sitzverlegung notwendiger satzungsändernder Beschluss der Eintragung in das HR des bisherigen Sitzgerichts bedarf. Frage wird von mittlerweile wohl allgM verneint (GK-AktG/Ehricke Rn. 25; GK-HGB/J. Koch/Harnos § 13h Rn. 15; MüKoAktG/Pentz Rn. 10; iErg auch LG Düsseldorf BB 1966, 1036). Das ist im Lichte des § 181 III nicht selbstverständlich, der bei wörtlicher Anwendung notwendig Eintragung in das HR des bisherigen Sitzgerichts zur Folge hätte. Das ist jedoch nicht richtig, weil Eintragung ohne materielle Prüfung keinen vernünftigen Sinn ergibt. Materielle Prüfung obliegt aber nur dem neuen Sitzgericht (→ Rn. 3, 5). Auch verlangt Wortlaut des § 45 I nur Anmeldung, nicht Anmeldung zur Eintragung. Korrespondierend heißt es in § 45 II 5, dass Sitzverlegung mit Eintragung in das Register des neuen Sitzgerichts wirksam wird. Abw. von § 181 III genügt deshalb Eintragung bei dem neuen Sitzgericht (vgl. zum Zweck der damaligen Neuregelung Groschuff JW 1937, 2425, 2429). 4

2. Gericht des neuen Sitzes. Gericht des neuen Sitzes hat gem. § 45 II 3 zu prüfen, ob **Sitzverlegung ordnungsmäßig beschlossen und § 30 HGB beachtet** ist. Verlegung ist ordnungsmäßig beschlossen, wenn wirksamer satzungsändernder Beschluss vorliegt (→ Rn. 2) und gewählter Ort der Satzungsvorgabe entspr. Ob auch eine Gewerbeummeldung vorliegt, ist nicht zu prüfen (LG Augsburg NZG 2009, 195). Bei Verstoß gegen § 30 HGB ist Änderung der bisherigen Firma anheim zu stellen. Was bei negativem Prüfungsergebnis zu 5 geschehen hat, sagt § 45 nicht. Nach zutr. hM muss nicht das abgebende, sondern das **übernehmende Gericht** die Anmeldung abweisen (OLG Köln FGPrax 2005, 40, 41; LG Leipzig AG 2004, 459; AG Memmingen NZG 2006, 70, 71; KK-AktG/M. Arnold Rn. 16; GK-HGB/J. Koch/Harnos § 13h Rn. 21; EBJS/Pentz HGB § 13h Rn. 33; S/L/Ringe Rn. 15). Eine andere Zuweisung mag zwar der Konzentrationsmaxime eher entsprechen (so noch → 10. Aufl. 2012, Rn. 5 [Hüffer]; NK-AktR/Höhfeld Rn. 3), doch liegt sachliche Prüfungspflicht allein bei übernehmendem Gericht, so dass Aufspaltung der gerichtl. Entscheidungskompetenz zu vermeiden ist. Wenn sich keine Beanstandungen ergeben, trägt Gericht des neuen Sitzes Verlegung ein, übernimmt bisherigen Registerinhalt ohne Prüfung (§ 45 II 4; s. dazu OLG Hamm NJW-RR 1997, 167, 168) und teilt Eintragung dem bisher zuständigen Gericht mit (§ 45 II 6). Wirksam ist Sitzverlegung bereits mit Eintragung (§ 45 II 5; OLG Hamm AG 2004, 147).

6 **Bekanntmachung.** Das Gericht des neuen Sitzes macht seine Eintragung gem. § 10 HGB elektronisch bekannt (zur neuen Bekanntmachungsform seit Inkrafttreten des DiRUG 2021 → § 39 Rn. 7 ff.). Bek. entspr. Eintragungsinhalt. Frühere Zusatzbek. wesentlicher Gesellschaftsverhältnisse, die § 45 III aF bei junger AG noch vorgesehen hatte, ist durch EHUG 2006 entfallen. Das entspr. der Aufhebung des früheren § 40 (→ Rn. 1).

IV. Verfahren bei Verlegung innerhalb des Gerichtsbezirks

7 In diesem Fall bleibt bisheriges Registergericht zuständig. Anmeldung ist in formeller und unter sinngem. Anwendung der in → Rn. 5 dargelegten Grundsätze auch in materieller Hinsicht zu prüfen (§ 45 III 1). Wenn sich keine Beanstandungen ergeben, wird eingetragen (§ 45 III 2), und zwar in Spalte 6 des Registerblatts (§ 43 HRV). Damit ist Sitzverlegung wirksam (§ 45 III 3). Bek. richtet sich nach § 10 HGB (zur neuen Bekanntmachungsform seit Inkrafttreten des DiRUG 2021 → § 39 Rn. 7 ff.).

Handelsgesetzbuch

vom 10. Mai 1897 (RGBl. 1897, 219)

zuletzt geändert durch Gesetz vom 22. Dezember 2023 (BGBl. 2023 I Nr. 411)

– Auszug: §§ 13–13h HGB (Zweigniederlassungen) –

§ 13 HGB Zweigniederlassungen von Unternehmen mit Sitz im Inland

(1) [1] Die Errichtung einer Zweigniederlassung ist von einem Einzelkaufmann oder einer juristischen Person beim Gericht der Hauptniederlassung, von einer Handelsgesellschaft beim Gericht des Sitzes der Gesellschaft, unter Angabe des Ortes und der inländischen Geschäftsanschrift der Zweigniederlassung und des Zusatzes, falls der Firma der Zweigniederlassung ein solcher beigefügt wird, zur Eintragung anzumelden. [2] In gleicher Weise sind spätere Änderungen der die Zweigniederlassung betreffenden einzutragenden Tatsachen anzumelden.

(2) Das zuständige Gericht trägt die Zweigniederlassung auf dem Registerblatt der Hauptniederlassung oder des Sitzes unter Angabe des Ortes sowie der inländischen Geschäftsanschrift der Zweigniederlassung und des Zusatzes, falls der Firma der Zweigniederlassung ein solcher beigefügt ist, ein, es sei denn, die Zweigniederlassung ist offensichtlich nicht errichtet worden.

(3) Die Absätze 1 und 2 gelten entsprechend für die Aufhebung der Zweigniederlassung.

Übersicht

I. Grundlagen

1. Regelungsgegenstand. Während §§ 36–41 Anmeldung und Eintragung der AG betr., normieren §§ 13–13g HGB Errichtung, Aufhebung und Verlegung einer Zweigniederlassung. Wie bei §§ 36 ff. steht **registerrechtl. Behandlung** im Vordergrund; materiell-rechtl. Fragen der Unternehmensgliederung werden nicht umfassend geregelt. Basisvorschrift für Errichtung ist § 13 HGB, der für alle Träger eines kaufmännischen Unternehmens, also auch für AG, gilt. §§ 13d ff. HGB gehen zurück auf Ges. zur Umsetzung der Zweigniederlassungs-RL v. 22.7.1993 (BGBl. I 1282), deren Vorgaben in Art. 29 der GesR-RL überführt wurden. § 13a HGB dient Umsetzung der Art. 28a VII 2, Art. 28c S. 2 GesR-RL und wurde durch DiRUG 2021 neu eingeführt. **Europäischer Ursprung** ist bei Auslegung zu berücksichtigen. Das gilt zwar nicht direkt für den (nur inländische Sachverhalte betreffenden) § 13 HGB, sondern zunächst nur für unmittelbar richtlinienbedingte §§ 13a, 13d ff. HGB. Dafür bestehende europarechtl. Vorgaben strahlen aber aufgrund einheitlicher Regelung in §§ 13 ff. HGB aus systematischen Gründen auch auf Verständnis des § 13 HGB aus (ausf. GK-HGB/J. Koch/Harnos Rn. 10). Zur rechtstatsächlichen Bedeutung vgl. Bayer/Hoffmann AG 2019, R 148 ff. 1

2. Regelungszweck. §§ 13 ff. HGB verfolgen das Ziel, registerrechtl. Dokumentationspflichten auch für Zweigniederlassung umzusetzen, zugleich aber auch an deren Besonderheiten, namentl. an ihre Abhängigkeit von Hauptniederlassung anzupassen. Diese Anpassung vollzieht sich nach Neufassung der Regelungen durch **EHUG 2006** in der Weise, dass Publizitätspflichten auf ein Registergericht konzentriert werden, nämlich das der Hauptniederlassung. Damit wird Registrierung vereinfacht; zugleich werden potenzielle Fehlerquellen aufgrund doppelter Dokumentation vermieden (RegBegr. BT-Drs. 16/960, 46; GK-HGB/J. Koch/Harnos Rn. 1). 2

3. §§ 13 ff. HGB im Überblick. § 13 HGB regelt Zweigniederlassungen inländischer Unternehmen. § 13a HGB ermöglicht Eintragung ausländischer Zweigniederlassungen von deutschen Unternehmen. §§ 13d–13g HGB normieren Zweigniederlassungen ausländischer Unternehmen. § 13h HGB betr. Sitzverletzung und wird für AG durch § 45 verdrängt. §§ 13d–13g HGB folgen einem Ergänzungsprinzip. Basisvorschrift des § 13d HGB wird zunächst um 3 gemeinsame Vorschriften für AG und GmbH ergänzt (§ 13e HGB), danach getrennt für AG (§ 13f HGB) und für GmbH (§ 13g HGB). § 13 HGB einerseits und §§ 13d–13g HGB andererseits sind als getrennte Regelungen konzipiert, also nicht wechselseitig zur Ergänzung heranzuziehen (Kindler NJW 1993, 3301, 3302; Seibert DB 1993, 1705).

II. Errichtung einer Zweigniederlassung (§ 13 I HGB)

4 **1. Zweig- und Hauptniederlassung; Sitz.** § 13 I 1 HGB verpflichtet jeweiligen **Rechtsträger des kaufmännischen Unternehmens,** Errichtung einer Zweigniederlassung zur Eintragung anzumelden. Das gilt auch für AG, weil sie notwendig Handelsgesellschaft ist (§ 3 I AktG). Nicht einschlägig ist dagegen Tatbestandsvariante der jur. Person. Begriff wird nämlich iSd § 33 HGB verwandt, meint also zB Vereine und Stiftungen (GK-HGB/J. Koch/Harnos Rn. 12). Begriff der Zweigniederlassung ist im Hinblick auf mit §§ 13 ff. HGB durchgeführte RL 89/666/EWG (→ Rn. 2) **gemeinschaftskonform** zu interpretieren, was auch auf den nicht unmittelbar richtlinienbedingten § 13 HGB ausstrahlt (→ Rn. 1). Unionsrechtl. Begriffsbildung ist allerdings wenig fortgeschritten (vgl. GK-HGB/J. Koch/Harnos Rn. 21 f.). Geklärt ist jedoch, dass Eintragung als Zweigniederlassung nicht deshalb abgelehnt werden darf, weil geschäftliche Tätigkeit nur dort und nicht auch am Ort des ausländischen Gesellschaftssitzes entfaltet wird (→ AktG § 1 Rn. 46). Speziell für Kapitalgesellschaften wird daraus der Schluss gezogen, dass Hauptniederlassung zwangsläufig am Satzungssitz iSd §§ 5, 23 III Nr. 1 AktG verortet sein muss, und zwar unabhängig davon, ob dort überhaupt Geschäftsaktivität entfaltet wird (GK-HGB/J. Koch/Harnos Rn. 33; EBJS/Pentz Rn. 26; krit. etwa Zöllner GmbHR 2006, 1, 4). Durch Neufassung des § 5 AktG, der Briefkasten-Kapitalgesellschaft bewusst gestattet, wird dieses Ergebnis bestätigt, so dass es zur Herleitung dieses Ergebnisses richtlinienkonformer Auslegung nicht mehr bedarf (GK-HGB/J. Koch/Harnos Rn. 38 f.). Zweigniederlassung ist deshalb jede Niederlassung außerhalb des Satzungssitzes (RegBegr. MoMiG BT-Drs. 16/6140, 29, 49). Zur schwierigeren Beurteilung bei Gesellschaften aus Drittstaaten, deren registerrechtl. Behandlung zunächst Anerkennungsfrage vorgeschaltet ist, vgl. GK-HGB/J. Koch/Harnos Rn. 41 f.

5 Kommt es danach auf unternehmerische Nachordnung der Zweigniederlassung ggü. Hauptniederlassung nicht mehr an (→ Rn. 4), so ist zur Einordnung als Zweigniederlassung die nicht am Satzungssitz befindliche Niederlassung lediglich **von bloßer Betriebsabteilung abzugrenzen** (GK-HGB/J. Koch/Harnos Rn. 49). Dazu ist erforderlich, dass von Niederlassung am Gesellschaftssitz räumlich getrennter Teil ihres Unternehmens existiert, der dauerhaft und selbständig Geschäfte schließt und in sachlicher sowie personeller Hinsicht dafür notwendige Organisation aufweist (GK-HGB/J. Koch/Harnos Rn. 20, 25 ff.; EBJS/Pentz Rn. 22). Im Lichte des Normzwecks bedeutet dies, dass Zweigniederlassung trotz ihrer rechtl. Einbindung in Gesamtunternehmen solches **Maß an Selbständigkeit** aufweisen muss, das eigenständige registerrechtl. Dokumentation rechtfertigt. Das wird dann angenommen, wenn sie trotz grds. Abhängigkeit selbständig am Geschäftsverkehr teilnimmt (Richter Rpfleger 1956, 270 f.). Dazu bedarf es personeller Selbständigkeit, also eines eigenen Leiters, der sie nach außen vertritt; bloße Zuständigkeit für Hilfs- und Ausführungsgeschäfte genügt nicht (RGZ 50, 428, 429 f.; GK-HGB/J. Koch/Harnos Rn. 25; EBJS/Pentz Rn. 25). Hinzutreten muss organisatorische Selbständigkeit, die sich namentl. In räumlicher Trennung, auf Dauer angelegter Struktur und eigenständigen Betriebsmitteln manifestiert (Einzelheiten GK-HGB/J. Koch/Harnos Rn. 27 ff.). Nach früher umstr., heute aber ganz hM bedarf es überdies **eigener Buchführung,** wobei es sich

allerdings nur um gesonderte, nicht aber auch um selbständige Buchführung handeln muss; es genügt also etwa bes. Datenspeicher in EDV-Buchführung der Hauptniederlassung (BayObLGZ 1979, 159, 161 f.; GK-HGB/J. Koch/Harnos Rn. 29; EBJS/Pentz Rn. 25; aA aber MüKoHGB/Krafka Rn. 14). Bloße Büroadressen sind danach keine Zweigniederlassung. Ob gesonderte Buchführung in Zweig- oder Hauptniederlassung erfolgt, bleibt dagegen unerheblich. Beides ist zulässig. Auch dezentrale Buchführung liegt aber in der aus § 91 I AktG folgenden Verantwortung des Vorstands.

2. Rechtliche Behandlung. Relative Selbständigkeit der Zweigniederlassung (→ Rn. 4 f.) ändert nichts an alleiniger **Rechtsträgerschaft** der AG; nur sie, nicht Zweigniederlassung ist Trägerin von Rechten und Pflichten (RGZ 62, 7, 10; RGZ 107, 44, 45 f.; BGHZ 4, 62, 65 = NJW 1952, 182; OGHZ 2, 143, 145 f. = NJW 1949, 621; OGHZ 2, 222 = NJW 1949, 712). Folglich kommt der Zweigniederlassung auch **keine Parteifähigkeit** zu (BGHZ 4, 62, 65). Soweit AG für Zweigniederlassung bes. Firma führt (→ AktG § 4 Rn. 20 f.), kann sie jedoch unter dieser Firma (Parteibezeichnung iSd § 253 II Nr. 1 ZPO) klagen und verklagt werden (BGHZ 4, 62, 65; OGHZ 2, 143, 146), sofern sich Klage auf Geschäftsbetrieb der Zweigniederlassung bezieht. Unter dieser Voraussetzung ist auch bes. Gerichtsstand des § 21 ZPO begründet (BGH NJW 1975, 2142). Vollstreckt AG durch andere als die im Titel genannte Zweigniederlassung, so bedarf es keiner Titelumschreibung (LG Aurich AG 1997, 336). **Grundbuchfähigkeit** kommt der Zweigniederlassung nicht zu. AG kann aber unter der Firma der Zweigniederlassung in das Grundbuch eingetragen werden, sofern das Grundstück zum abgesonderten Geschäftsvermögen gehört (hM, → AktG § 4 Rn. 20). Anstelle des Gesellschaftssitzes ist dann Ort der Zweigniederlassung anzugeben (LG Bonn NJW 1970, 570 f.). Für **Leiter der Zweigniederlassung** haftet AG nach §§ 30, 31 BGB, wenn sich seine Stellung auf Satzung zurückführen lässt (unstr.), aber auch dann, wenn er nur tats. für seinen Bereich Stellung von vorstandsähnlicher Selbständigkeit hat (BGH NJW 1984, 921 f.). 6

3. Errichtung. Zweigniederlassung entsteht, wenn in → Rn. 4 f. umschriebene organisatorische Maßnahmen ergriffen werden (Errichtung). Eröffnung des Betriebs ist dagegen nach hM dafür nicht erforderlich (GK-HGB/J. Koch/Harnos Rn. 55; EBJS/Pentz Rn. 35). Eintragung in das HR hat **nur deklaratorische Bedeutung** (BayObLGZ 1979, 159, 163; KG FGPrax 2004, 45, 46). Errichtung ist Maßnahme der Geschäftsführung, fällt also in Zuständigkeit des Vorstands (unstr., vgl. BayObLGZ 1992, 59, 60; GK-HGB/J. Koch/Harnos Rn. 56). Zustimmung des AR kann nach § 111 IV 2 AktG erforderlich sein (→ AktG § 111 Rn. 33 ff.: interne Leitungsmaßnahmen). Satzungsmäßige Grundlage ist für Errichtung der Zweigniederlassung entbehrlich. Durch in der Satzung enthaltenes Verbot wird Vorstand aber gebunden. Auch muss Satzung entspr. geändert werden, wenn Firma der Zweigniederlassung von Hauptfirma abweicht (BayObLGZ 1992, 59, 62; → AktG § 23 Rn. 20). 7

III. Anmeldung der Errichtung oder späterer Änderungen (noch: § 13 I HGB)

1. Anmeldung der Errichtung. Errichtung der Zweigniederlassung anzumelden, ist nach § 13 I 1 HGB **Pflicht der AG.** Sie handelt dabei durch ihren Vorstand. Erforderlich und genügend ist Handeln von Vorstandsmitgliedern in vertretungsberechtigter Zahl (§ 78 AktG). Unechte Gesamtvertretung (→ AktG § 78 Rn. 16 f.) ist zulässig (RGZ 134, 303, 307), ebenso Anmeldung durch Bevollmächtigte (§ 12 I 3 HGB), weil es sich nicht um eine höchstpersönliche Erklärung handelt (GK-HGB/J. Koch/Harnos Rn. 61; EBJS/Pentz Rn. 42). 8

Unterbleibt Anmeldung, so findet nach § 14 HGB Zwangsgeldverfahren (§§ 388 ff. FamFG) statt. Zur Errichtung → Rn. 7. Anmeldung kann auch vor Betriebseröffnung erfolgen.

9 Anmeldung hat zum **Inhalt,** dass Zweigniederlassung errichtet ist. Dazu gehört Angabe ihres Ortes sowie ihrer inländischen Geschäftsanschrift, was § 37 III Nr. 1 AktG entspr., also vor allem Zustellungsprobleme vermeiden soll (→ AktG § 37 Rn. 7). Weil Eintragung gem. § 13 II HGB allein im HR des Sitzgerichts erfolgt (→ Rn. 13), ist weder Angabe des Gerichts der Zweigniederlassung noch Beifügung der Satzung in öffentl. beglaubigter Abschrift erforderlich; Satzung liegt Sitzgericht ohnehin vor (§ 37 IV Nr. 1 AktG, § 181 AktG). Anzumelden ist Zweigniederlassungszusatz zur Firma, freilich nur, wenn solcher Zusatz geführt werden soll. **Form.** Anmeldung erfolgt elektronisch in öffentl. beglaubigter Form (§ 12 I 1 HGB iVm § 129 BGB, § 39a BeurkG). Beglaubigung mittels Videokommunikation nach § 12 I 2 HGB iVm § 40a BeurkG ist möglich (RegBegr. DiREG BT-Drs. 20/1672, 18; GK-HGB/J. Koch/Harnos Rn. 66; sa → AktG § 36 Rn. 2; zur Auslandsbeglaubigung → § 23 Rn. 12).

10 **2. Spätere Änderungen.** Gem. § 13 I 2 HGB sind spätere Änderungen der Tatsachen, die Zweigniederlassung betreffen und eintragungspflichtig sind, in gleicher Weise beim Registergericht der Hauptniederlassung anzumelden wie Errichtung der Zweigniederlassung. Es geht also um **laufende Anmeldungen** bei eingetragener Zweigniederlassung. **Bsp.:** Änderungen iSd § 81 AktG, aber auch Erteilung und Erlöschen von Prokura (§ 53 I und III HGB), und zwar auch und gerade dann, wenn es sich um Filialprokura handelt. Bei Gesamtrechtsnachfolge durch **Verschmelzung** (§ 20 I Nr. 1 UmwG) oder vergleichbare Vorgänge wechselt Inhaber der fortbestehenden Zweigniederlassung. Frühere Annahme ihres Erlöschens hat keine Basis (ausf. GK-HGB/J. Koch/Harnos Rn. 69). Inhaberwechsel kann mangels Alternative nur als Änderung angemeldet werden, und zwar beim Sitzgericht des neuen Rechtsträgers.

11 Für **Modalitäten der Anmeldung** verweist § 13 I 2 HGB auf Anmeldung der Errichtung. Allein zuständig ist also Gericht des Gesellschaftssitzes. Wegen Alleinzuständigkeit des Sitzgerichts sind der Anmeldung **keine Überstücke** beizufügen. Auch Form der Anmeldung bestimmt sich nach zur Errichtung geltenden Grundsätzen (→ Rn. 9 aE).

IV. Gerichtliches Verfahren (§ 13 II HGB)

12 **1. Prüfung.** Gerichtl. Tätigkeit bestimmt sich nach § 13 II HGB. Zuständiges Gericht ist für Zweigniederlassung der AG allein Gericht des Gesellschaftssitzes (§ 14 AktG). Gericht prüft Anmeldung **in formeller und materieller Hinsicht.** Zur formellen Prüfung gehört Prüfung der eigenen Zuständigkeit; Anmeldungen beim Gericht der Zweigniederlassung hat dieses zurückzuweisen. Zurückzuweisen ist Anmeldung auch bei Formverstößen (→ Rn. 9 aE), soweit sie nicht rechtzeitig (Zwischenverfügung) behoben werden. Aus materiellen Gründen darf Anmeldung nach § 13 II HGB nur ausnahmsweise zurückgewiesen werden, nämlich dann, wenn Zweigniederlassung offensichtlich nicht errichtet worden ist. Das entspr. **§ 18 II 2 HGB** unter Korrektur des dort unzutreffend verwandten „ersichtlich" (→ AktG § 4 Rn. 13). Auslegung hat ähnlich zu erfolgen. Gericht prüft deshalb Errichtung, wenn Mangel „nicht allzu fern liegt und ohne umfangreiche Beweisaufnahme bejaht werden kann" (RegBegr. BT-Drs. 13/8444, 54; zu den Einzelheiten vgl. GK-HGB/J. Koch/Harnos Rn. 70 ff.). Bloßen Rechtsfragen (→ Rn. 4 ff.) ist danach idR nachzugehen. Für Zweifel wegen Zwecks und Zuschnitts der Einrichtung müssen dagegen greifbare tats. Anhaltspunkte bestehen.

2. Eintragung. Führt Prüfung zu keinen Beanstandungen, so verfügt Sitzgericht Eintragung im **elektronischen Verfahren** (§ 8a HGB). Eintragung erfolgt in Sp. 2 des für AG von ihrem Sitzgericht geführten Registerblatts unter Buchstabe b. Sie umfasst nach § 13 II HGB iVm § 43 Nr. 2 HRV die Tatsache der Errichtung unter Angabe von Ort und seit MoMiG 2008 inländischer Geschäftsanschrift (→ Rn. 9; → AktG § 37 Rn. 7) der Zweigniederlassung. Einzutragen ist ferner in der richtigen Formulierung des § 43 Nr. 2 HRV ein Zusatz, welcher der Gesellschaftsfirma für Zweigniederlassung beigefügt ist. Abw. Formulierung des § 13 II HGB, der von eigener Firma der Zweigniederlassung ausgeht, ist nur sprachlich missglückt, meint also Zusatz, den AG ihrer Firma zur Kennzeichnung der Zweigniederlassung beifügt (→ AktG § 4 Rn. 20). Zur registerrechtl. Behandlung von **Doppelsitzen** → AktG § 14 Rn. 4; ausf. GK-HGB/J. Koch/Harnos Rn. 76 ff. 13

3. Firmenrecht. Prüfung der Gesellschaftsfirma unter dem Aspekt des § 30 HGB ist in § 13 HGB nicht mehr vorgesehen. Sitzgericht verfügt Eintragung auch dann, wenn Firmenunterscheidbarkeit nach seinen Feststellungen im Einzelfall nicht gegeben sein sollte. Betroffener Firmeninhaber ist auf **Unterlassungsklage** verwiesen (AusschussB BT-Drs. 16/2781, 80). IÜ soll Differenzierung nach den Angaben genügen, die § 80 AktG und vergleichbare Vorschriften für Geschäftsbriefe vorsehen. 14

V. Aufhebung der Zweigniederlassung (§ 13 III HGB)

Für Aufhebung der Zweigniederlassung gilt § 13 I und II HGB entspr. (§ 13 III HGB). **Begriff.** Zweigniederlassung wird aufgehoben, wenn ihr Geschäftsbetrieb eingestellt oder so verändert wird, dass Merkmale einer Zweigniederlassung (→ Rn. 4 ff.) nicht mehr verwirklicht sind. Spiegelbildlich zur Errichtung ist auch Aufhebung rein tats. Vorgang. Nach dem Rechtsgedanken des § 13 II HGB geht Registergericht diesen Veränderungen ohne Anmeldung nur nach, wenn sie offensichtlich sind (→ Rn. 12). **Registermäßige Behandlung.** Anmeldung beim Sitzgericht durch Vorstand, und zwar elektronisch in öffentlich beglaubigter Form (→ Rn. 8 f.). Prüfung erfolgt nur durch Sitzgericht. Wenn Aufhebung zur Eintragung angemeldet wird, ist sie entspr. § 13 II HGB idR als erfolgt anzusehen. Eintragung ist gem. § 13 II, III HGB iVm § 43 Nr. 2 HRV in Spalte 2 des für AG von ihrem Sitzgericht geführten Registerblatts unter Buchstabe b vorzunehmen (→ Rn. 13). 15

§ 13a HGB Europäische Zweigniederlassungen von Kapitalgesellschaften mit Sitz im Inland

(1) In Bezug auf Zweigniederlassungen, die dem Recht eines anderen Mitgliedstaats der Europäischen Union oder eines anderen Vertragsstaates des Abkommens über den Europäischen Wirtschaftsraum unterliegen und die von einer Kapitalgesellschaft mit Sitz im Inland errichtet wurden, gelten die folgenden Vorschriften.

(2) Die Landesjustizverwaltungen stellen sicher, dass die Daten der Zweigniederlassungen, die im Rahmen des Europäischen Systems der Registervernetzung gemäß § 9b empfangen werden, an dasjenige Registergericht weitergeleitet werden, das für die Gesellschaft zuständig ist.

(3) Das zuständige Registergericht bestätigt den Eingang der Daten über das Europäische System der Registervernetzung gemäß § 9b und trägt unverzüglich von Amts wegen die folgenden gemäß Absatz 2 erhaltenen Daten zu der Zweigniederlassung oder deren Änderung in das Registerblatt der Gesellschaft ein:

1. Errichtung, Aufhebung oder Löschung der Zweigniederlassung,
2. Firma der Zweigniederlassung,
3. Geschäftsanschrift der Zweigniederlassung einschließlich des Staates,
4. Eintragungsnummer und einheitliche europäische Kennung der Zweigniederlassung.

I. Regelungsgegenstand und -zweck; Anwendungsbereich (§ 13a I HGB)

1 § 13a HGB wurde neu eingeführt durch **DiRUG 2021** und ist am 1.8.2022 in Kraft getreten (Art. 31 DiRUG). Ziel der Vorschrift ist es insbes., in Umsetzung der durch Digitalisierungs-RL (→ AktG § 5 Rn. 19) neu gefassten Vorgaben aus Art. 28a VII 2, Art. 28c S. 2 GesR-RL den durch DiRUG 2021 für das gesamte Handelsregistersystem deutlich ausgebauten **Informationsaustausch** innerhalb der EU auch auf Zweigniederlassungen auszudehnen (RegBegr. DiRUG BT-Drs. 19/28177, 97). Bislang bestehender Normenbestand in §§ 13, 13d–13h HGB regelt ausschließlich inländische Zweigniederlassungen, die von Unternehmen mit Sitz oder Hauptniederlassung im Inland (§ 13 HGB) oder im Ausland (§§ 13d–13h HGB) errichtet wurden. **Eintragung ausländischer Zweigniederlassungen** von deutschen Unternehmen war dagegen bislang nicht möglich. Art. 19 II lit. h GesR-RL verlangt aber künftig, dass über Europ. System der Registervernetzung kostenlos Informationen über alle von einer Gesellschaft in anderen EU-Mitgliedstaaten oder EWR-Vertragsstaaten eingerichteten Zweigniederlassungen zugänglich gemacht werden (ausf. GK-HGB/J. Koch/Harnos Rn. 2 f.). Diese Ausdehnung der registergerichtl. Dokumentation wird durch neu eingefügten § 13a HGB geleistet, und zwar für solche Gesellschaften, die dem **Recht eines EU-Mitgliedstaats oder EWR-Vertragsstaats** unterliegen und von einer Kapitalgesellschaft mit Sitz im Inland errichtet wurden. Für sie gelten bes. Anforderungen aus § 13a II und III HGB. Zur rechtspolit. Kritik GK-HGB/J. Koch/Harnos Rn. 4.

II. Registervernetzung (§ 13a II HGB)

2 Normadressaten des § 13a HGB sind nicht Unternehmensträger selbst, sondern allein Landesjustizverwaltungen und Registerbehörden. In § 13a II HGB angesprochenen **Landesjustizverwaltungen** obliegt es zunächst, dafür Sorge zu tragen, dass für Unternehmen, die in Anwendungsbereich des § 13a I HGB fallen, Daten der Zweigniederlassungen, die iR des Europ. **Systems der Registervernetzung** gem. § 9b HGB empfangen werden, an dasjenige Registergericht weitergeleitet werden, das für AG zuständig ist. Vorschrift nimmt damit Bezug auf bereits 2014 durch RegVerknüpfUmsetzG 2014 eingeführtes System zur Vernetzung der europ. Zentral-, Handels- und Gesellschaftsregister in der EU, das im Zweigniederlassungsrecht schon nach bisheriger Rechtslage in § 13e VI HGB in Bezug genommen wird (→ § 13e Rn. 11).

III. Registerrechtliche Behandlung (§ 13a III HGB)

3 Weitere Behandlung der nach § 13a II HGB empfangenen Daten wird sodann in § 13a III HGB vorgeschrieben. Danach hat Registergericht Zugang der Daten über das System nach § 9b HGB zu bestätigen. Eigenständiges Anmelde- und Eintragungsverfahren ist dagegen nicht vorgesehen, sondern **Authentizität und Integrität** der Daten soll durch Übermittlung über das Europ. System der Registervernetzung gewährleistet sein. Auch **inhaltliche Überprüfung** der erhaltenen Daten durch nat. Registergerichte erfolgt daher nicht, vielmehr sind Registergerichte zur Übernahme der erhaltenen Daten verpflichtet (RegBegr. DiRUG BT-Drs. 19/28177, 97). Es verbleibt jedoch Recht und Pflicht zu formeller Prüfung, aufgrund derer etwa offensichtlich unrichtige oder widersprüchliche Daten beanstandet werden können. In einem solchen Fall hat Registergericht die Eintragung zu unterlassen, ausländisches Register über Bedenken

zu informieren und auf Übermittlung ordnungsgem. Daten hinzuwirken (ausf. GK-HGB/J. Koch/Harnos Rn. 10 ff.). Konsequenz aus fehlender inhaltlicher Überprüfung wird in durch DiRUG 2021 neu eingefügtem § 15 V HGB gezogen, der Angaben über ausländische Zweigniederlassungen **von Publizitätswirkung nach § 15 I–III HGB ausnimmt** (RegBegr. DiRUG BT-Drs. 19/28177, 100; GK-HGB/J. Koch/Harnos § 15 Rn. 123; unberechtigte Zweifel an Unionsrechtskonformität bei Linke NZG 2021, 309, 315).

Für erstmalige Erfassung und Eintragung der Daten zu bereits bestehenden Zweigniederlassungen in EU-Mitgliedstaaten oder EWR-Vertragsstaaten wird europ. Aktualisierungsprozess der nat. Register über Europ. System der Registervernetzung von EU-Kommission vorbereitet (RegBegr. DiRUG BT-Drs. 19/28177, 97). Eintragung selbst hat **unverzüglich** in das Registerblatt der AG zu erfolgen und umfasst Errichtung, Aufhebung oder Löschung der Zweigniederlassung, Firma, Geschäftsantritt, Eintragungsnummer und einheitliche europ. Kennung der Zweigniederlassung (zur Deutung des Merkmals „unverzüglich" GK-HGB/J. Koch/Harnos Rn. 9). 4

§ 13b HGB

(aufgehoben)

Norm enthielt ergänzende Vorschriften für Ersteintragung von **Zweigniederlassungen der GmbH** und hatte deshalb für Aktienrecht schon früher kein Interesse. Aufgehoben durch EHUG 2006. 1

§ 13c HGB

(aufgehoben)

Norm betraf **laufende Anmeldungen** bei eingetragener Zweigniederlassung. Aufgehoben durch EHUG 2006. 1

§ 13d HGB Sitz oder Hauptniederlassung im Ausland

(1) Befindet sich die Hauptniederlassung eines Einzelkaufmanns oder einer juristischen Person oder der Sitz einer Handelsgesellschaft im Ausland, so haben alle eine inländische Zweigniederlassung betreffenden Anmeldungen, Einreichungen und Eintragungen bei dem Gericht zu erfolgen, in dessen Bezirk die Zweigniederlassung besteht.

(2) Die Eintragung der Errichtung der Zweigniederlassung hat auch den Ort und die inländische Geschäftsanschrift der Zweigniederlassung zu enthalten; ist der Firma der Zweigniederlassung ein Zusatz beigefügt, so ist auch dieser einzutragen.

(3) Im übrigen gelten für die Anmeldungen, Einreichungen, Eintragungen, Bekanntmachungen und Änderungen einzutragender Tatsachen, die die Zweigniederlassung eines Einzelkaufmanns, einer Handelsgesellschaft oder einer juristischen Person mit Ausnahme von Aktiengesellschaften, Kommanditgesellschaften auf Aktien und Gesellschaften mit beschränkter Haftung betreffen, die Vorschriften für Hauptniederlassungen oder Niederlassungen am Sitz der Gesellschaft sinngemäß, soweit nicht das ausländische Recht Abweichungen nötig macht.

I. Regelungsgegenstand und -zweck

Nach Grundgedanken des § 13 HGB soll registerrechtl. Dokumentation der Zweigniederlassung auf Hauptniederlassung **konzentriert** werden. Verweisung genügt Anforderungen des deutschen Registerrechts aber nur, wenn Hauptniederlassung in deutschem HR eingetragen ist. Für registerrechtl. Behandlung der 1 inländischen Zweigniederlassung eines ausländischen Unternehmens (→ Rn. 2) bedarf es daher Sonderregelung, die in § 13d HGB enthalten ist. Sie soll sicherstellen, dass durch **eigenständige Registrierungspflichten** der inländischen Zweigniederlassung Rechtsverkehr in gewohnter Form informiert wird und so die notwendigen Angaben über Träger der Zweigniederlassung zur Verfügung stehen, obwohl es an Eintragung im Hauptregister eines deutschen Gerichts fehlt. Darauf beruhen auch Verfahrensabweichungen ggü. § 13 HGB. § 13d HGB ist für Kapitalgesellschaften allg. aus § 13e HGB und für AG überdies aus § 13f HGB (GmbH: § 13g HGB) zu ergänzen (→ HGB § 13 Rn. 3). Umständliche Verteilung des Stoffs auf drei zudem voluminöse Vorschriften legt Frage nahe, ob es nicht auch einfacher gegangen wäre.

II. Zuständigkeit des Gerichts der Zweigniederlassung

2 **1. Gesellschaftssitz im Ausland.** Unter Beschränkung auf aktienrechtl. Zusammenhänge ergibt sich aus § 13d I HGB: AG ist als Handelsgesellschaft angesprochen (→ HGB § 13 Rn. 4), obwohl bei ausländischen Gesellschaften nicht sicher ist, dass ihr Heimatrecht § 3 I AktG vergleichbare Regeln kennt; Subsumtion erfolgt hier nach Regeln der **Substitution,** die feststellt, ob fremde Rechtserscheinung der an sich in Bezug genommenen inländischen gleichgestellt werden kann (GK-HGB/J. Koch/Harnos Rn. 10 f.). AG muss ihren Sitz im Ausland haben. Gemeint sind Gesellschaften, die nicht dem deutschen Recht unterliegen. Im Einzelnen ist zwischen Drittstaaten und EU-Staaten zu unterscheiden (→ AktG § 1 Rn. 35: gespaltene Beurteilung). Entscheidend ist bei **Drittstaaten** Recht des effektiven Verwaltungssitzes. Wenn er im Inland liegt, ist Eintragung der Zweigniederlassung abzulehnen. Auch Einordnung der Auslandsgründung als rechtsfähige Personengesellschaft (→ AktG § 1 Rn. 40) hilft dann nicht. Sollte ausnahmsweise Rückverweisung vorliegen (Gesellschaft mit Verwaltungssitz im Geltungsbereich der Gründungstheorie unterstellt sich deutschem Recht), so kann diese jedenfalls für Registerverkehr nicht angenommen werden (allg. zur Ausländereigenschaft bei Rückverweisung Staudinger/Großfeld, 1998, IntGesR Rn. 564 mwN). Liegt Gründungsort dagegen in einem der **EU-Staaten,** so ist Zweigniederlassung auch dann einzutragen, wenn effektiver Verwaltungssitz im Inland gelegen ist (→ HGB § 13 Rn. 4 mwN). Verwaltungssitz ist insoweit unerheblich, weil ggü. EU-Staaten Gründungstheorie gilt; entscheidend ist deshalb Herkunft, nicht Sitz (→ AktG § 1 Rn. 33 f.). Lösung bleibt insofern misslich, als Schutz inländischer Gläubiger hinter Niederlassungsfreiheit zurücktritt (→ AktG § 1 Rn. 42 ff.).

3 **2. Inländische Zweigniederlassung.** Anwendung des § 13d I HGB setzt weiter voraus, dass AG mit Sitz im Ausland inländische Zweigniederlassung hat. Dafür ist Begriff des deutschen Rechts maßgeblich. Anmeldepflicht besteht deshalb, sobald ausländische Gesellschaft im Inland Unternehmensteil einrichtet, der auf Dauer zum **selbständigen Geschäftsbetrieb** bestimmt und geeignet ist (→ HGB § 13 Rn. 4 f.). Nicht erforderlich ist Eröffnung des Betriebs (→ HGB § 13 Rn. 7). Zur Sitzverlegung einer ausländischen Gesellschaft in das Inland → AktG § 45 Rn. 2.

4 **3. Internationale und örtliche Zuständigkeit.** Wenn in → Rn. 2 f. genannte Voraussetzungen vorliegen, ist **Gericht der Zweigniederlassung** int. und örtl. zuständig für alle Anmeldungen, Einreichungen und Eintragungen, die sich auf Zweigniederlassung beziehen (ausf. GK-HGB/J. Koch/Harnos Rn. 46). Unterhält AG **mehrere Zweigniederlassungen,** so sind alle Gerichte der Zweigniederlassungen int. und örtl. zuständig. Anmeldung muss daher bei jedem Ge-

richt erfolgen. Das ist in § 13e V HGB vorausgesetzt, der aber Einreichung der Satzung erleichtert.

III. Gerichtliches Verfahren; Eintragung

Maßgebend ist **deutsches Registerrecht** als lex fori (BGH NZG 2019, 775 Rn. 10; 2021, 1564 Rn. 23). Gericht prüft Anmeldung der Zweigniederlassung einer ausländischen AG in formeller und materieller Hinsicht. Beschränkungen, die für Zweigniederlassungen einer inländischen AG bestehen, gelten nicht. Das kommt zwar im Wortlaut der §§ 13d–13f HGB nicht mehr zum Ausdruck wie noch nach § 44 I AktG aF (anzumelden war Gesellschaft, nicht Zweigniederlassung), versteht sich aber angesichts der detaillierten ges. Anforderungen von selbst. Ergeben sich keine Beanstandungen, so ist im Umfang des § 13d II HGB einzutragen. Norm entspr. § 13 II HGB (→ HGB § 13 Rn. 13). Unterbleibt Anmeldung, so ist sie im Zwangsgeldverfahren nach § 14 HGB, §§ 388 ff. FamFG durchzusetzen (→ HGB § 13e Rn. 11). **Kosten:** Gebühren wie bei Ersteintragung (→ AktG § 38 Rn. 18). 5

Geltung des deutschen Registerrechts hat allg. ges. Bestätigung in § 13d III gefunden, wonach für registerrechtl. Behandlung Vorschriften für Hauptniederlassungen oder Niederlassungen am Sitz der Gesellschaft entspr. gelten. Aufgrund des missverständlichen Passus „am Sitz der Gesellschaft" wird dies zT als „Verweis auf das Heimatrecht" aufgefasst (EBJS/Pentz Rn. 19), doch ist das Gegenteil gemeint, nämlich Geltung des im Inland für Hauptniederlassungen geltenden Bestimmungen (denen speziell bei Gesellschaften nach ges. Sprachgebrauch eben „Sitz der Gesellschaft" entspr.). Bei anderem Verständnis wäre letzter Hs. des § 13d III überflüssig, der dem Heimatrecht nur für den Fall, dass „ausländisches Recht Abweichungen nötig macht", subsidiäre Geltung zuweist. Zweigniederlassung ist danach **registerrechtl. wie inländische Hauptniederlassung** zu behandeln (ausf. GK-HGB/J. Koch/Harnos Rn. 48 f.; ebenso BayObLGZ 1986, 351, 355; Hopt/Merkt Rn. 5; Mödl RNot 2008, 1, 2). 6

§ 13e HGB Zweigniederlassungen von Kapitalgesellschaften mit Sitz im Ausland

(1) Für Zweigniederlassungen von Aktiengesellschaften und Gesellschaften mit beschränkter Haftung mit Sitz im Ausland gelten ergänzend zu § 13d die folgenden Vorschriften.

(2) [1] Die Errichtung einer Zweigniederlassung einer Aktiengesellschaft ist durch den Vorstand, die Errichtung einer Zweigniederlassung einer Gesellschaft mit beschränkter Haftung ist durch die Geschäftsführer zur Eintragung in das Handelsregister anzumelden. [2] Bei der Anmeldung ist das Bestehen der Gesellschaft als solcher nachzuweisen. [3] Die Anmeldung hat auch eine inländische Geschäftsanschrift und den Gegenstand der Zweigniederlassung zu enthalten. [4] Daneben kann eine Person, die für Willenserklärungen und Zustellungen an die Gesellschaft empfangsberechtigt ist, mit einer inländischen Anschrift zur Eintragung in das Handelsregister angemeldet werden; Dritten gegenüber gilt die Empfangsberechtigung als fortbestehend, bis sie im Handelsregister gelöscht und die Löschung bekannt gemacht worden ist, es sei denn, dass die fehlende Empfangsberechtigung dem Dritten bekannt war. [5] In der Anmeldung sind ferner anzugeben

1. das Register, bei dem die Gesellschaft geführt wird, und die Nummer des Registereintrags, sofern das Recht des Staates, in dem die Gesellschaft ihren Sitz hat, eine Registereintragung vorsieht;
2. die Rechtsform der Gesellschaft;
3. die Personen, die befugt sind, als ständige Vertreter für die Tätigkeit der Zweigniederlassung die Gesellschaft gerichtlich und außergerichtlich zu vertreten, unter Angabe ihrer Befugnisse;

4. wenn die Gesellschaft nicht dem Recht eines Mitgliedstaates der Europäischen Union oder eines anderen Vertragsstaates des Abkommens über den Europäischen Wirtschaftsraum unterliegt, das Recht des Staates, dem die Gesellschaft unterliegt.

(3) [1] Die in Absatz 2 Satz 5 Nr. 3 genannten Personen haben jede Änderung dieser Personen oder der Vertretungsbefugnis einer dieser Personen zur Eintragung in das Handelsregister anzumelden. [2] Wenn die Gesellschaft nicht dem Recht eines Mitgliedstaates der Europäischen Union oder eines anderen Vertragsstaates des Abkommens über den Europäischen Wirtschaftsraum unterliegt, gelten für die gesetzlichen Vertreter der Gesellschaft in Bezug auf die Zweigniederlassung § 76 Absatz 3 Satz 2 bis 4 des Aktiengesetzes sowie § 6 Absatz 2 Satz 2 bis 4 des Gesetzes betreffend die Gesellschaften mit beschränkter Haftung entsprechend.

(3a) [1] An die in Absatz 2 Satz 5 Nr. 3 genannten Personen als Vertreter der Gesellschaft können unter der im Handelsregister eingetragenen inländischen Geschäftsanschrift der Zweigniederlassung Willenserklärungen abgegeben und Schriftstücke zugestellt werden. [2] Unabhängig hiervon können die Abgabe und die Zustellung auch unter der eingetragenen Anschrift der empfangsberechtigten Person nach Absatz 2 Satz 4 erfolgen.

(4) Die in Absatz 2 Satz 5 Nr. 3 genannten Personen oder, wenn solche nicht angemeldet sind, die gesetzlichen Vertreter der Gesellschaft haben die Eröffnung oder die Ablehnung der Eröffnung eines Insolvenzverfahrens oder ähnlichen Verfahrens über das Vermögen der Gesellschaft zur Eintragung in das Handelsregister anzumelden.

(5) [1] Errichtet eine Gesellschaft mehrere Zweigniederlassungen im Inland, so brauchen die Satzung oder der Gesellschaftsvertrag sowie deren Änderungen nach Wahl der Gesellschaft nur zum Handelsregister einer dieser Zweigniederlassungen eingereicht zu werden. [2] In diesem Fall haben die nach Absatz 2 Satz 1 Anmeldepflichtigen zur Eintragung in den Handelsregistern der übrigen Zweigniederlassungen anzumelden, welches Register die Gesellschaft gewählt hat und unter welcher Nummer die Zweigniederlassung eingetragen ist.

(6) Die Landesjustizverwaltungen stellen sicher, dass die Daten einer Kapitalgesellschaft mit Sitz im Ausland, die im Rahmen des Europäischen Systems der Registervernetzung (§ 9b) empfangen werden, an das Registergericht weitergeleitet werden, das für eine inländische Zweigniederlassung dieser Gesellschaft zuständig ist.

(7) [1] Das zuständige Registergericht bestätigt den Eingang der Daten über das Europäische System der Registervernetzung. [2] Sofern zum Zeitpunkt des Dateneingangs bei dem Registergericht keine Anmeldung in Bezug auf die mitgeteilten Tatsachen vorliegt, fordert es die Gesellschaft zur unverzüglichen Anmeldung der geänderten Tatsachen auf.

Übersicht

I. Regelungsgegenstand und -zweck

§ 13e HGB betr. wie Basisvorschrift des § 13d HGB inländische Zweigniederlassungen ausländischer Unternehmen und enthält dem **Grundsatz fortschreitender Spezialität** folgend ergänzende Regelungen erster Stufe für den Fall, dass AG oder GmbH Zweigniederlassung errichtet (§ 13e I HGB). Ergänzungen zweiter Stufe finden sich gesondert für AG (§ 13f HGB) und GmbH (§ 13g HGB). Zuordnung der ausländischen Gesellschaften zu der einen oder der anderen deutschen Rechtsform ist also weiterhin erforderlich (→ Rn. 2). KGaA ist analog §§ 13e, 13f HGB (sa § 13f VIII HGB) wie AG zu behandeln. § 13a IV HGB aF, der Gleichbehandlung noch ausdr. aussprach, ist insoweit zu Unrecht durch EHUG 2006 aufgehoben worden. Bezweckt ist vor allem **gesteigerte Publizität** der Rechtsverhältnisse von Kapitalgesellschaften durch umfangreiche Anmeldepflichten (§ 13e II–IV HGB). § 13e V HGB enthält Erleichterungen für den Fall, dass ausländische AG mehrere inländische Zweigniederlassungen unterhält. § 13e VI–VII HGB stellt sicher, dass deutsches HR auch hinsichtl. inländischer Zweigniederlassungen von ausländischen AG mit dem Europ. System der Registervernetzung verknüpft ist. Ergänzende Vorschrift ist in § 325a HGB enthalten. Danach sind Unterlagen der Rechnungslegung der ausländischen AG beim Gericht der inländischen Zweigniederlassung einzureichen. 1

II. AG oder GmbH mit Auslandssitz (§ 13e I HGB)

Normadressaten des § 13e I HGB sind ausländische AG (KGaA) oder GmbH. 2 Dass sie als solche bestehen, haben sie gem. § 13e II 2 HGB bei Anmeldung nachzuweisen (→ Rn. 4). § 13e I HGB meint **Gesellschaften vergleichbarer Rechtsform,** also solche, die nach ihrem Heimatrecht einer deutschen AG (KGaA) oder GmbH entspr. (unstr., vgl. zB RegBegr. BT-Drs. 12/3908, 15; MüKoHGB/Krafka Rn. 5). Für Ermittlung des Heimatrechts gilt wiederum gespaltene Beurteilung (→ AktG § 1 Rn. 35). Bei Drittstaaten entscheidet also effektiver Verwaltungssitz, bei EU-Staaten Herkunfts- oder Inkorporationsort (→ HGB § 13d Rn. 2). Trotz zusammenfassender Regelung in § 13e HGB kann auf Zuordnung zu AG (KGaA) oder GmbH nicht verzichtet werden, weil § 13f HGB und § 13g HGB unterschiedliche Regeln enthalten. Maßgeblich ist nicht jeweilige Bezeichnung, sondern rechtl. Struktur der Gesellschaft. Soweit es um EU-Staaten geht, kann für Beurteilung an Anh. I GesR-RL angeknüpft werden, der Auflistungen der Gesellschaften enthält, die deutscher AG entspr. (sa RegBegr. BT-Drs. 12/3908, 15; GK-HGB/J. Koch/Harnos Rn. 10 ff. mit Übersichten). Gebotene gemeinschaftskonforme Auslegung wird Abweichungen kaum zulassen. IÜ ist zunächst zu prüfen, ob Kapitalgesellschaft mit Rechtspersönlichkeit besteht. Bei dann verbleibender Qualifikation als AG (KGaA) oder GmbH soll nach verbreiteter Auffassung in Zweifelsfällen Regelvermutung für AG bestehen, da nur diese Produkt einer langandauernden Rechtsentwicklung sei (s. Röhricht/v. Westphalen/Haas/Ries Rn. 3). Angesichts rascher int. Ausbreitung des „Exportschlagers“ GmbH sollte von dieser Vermutung nur behutsam Gebrauch gemacht werden (GK-HGB/J. Koch/Harnos Rn. 9; EBJS/Pentz Rn. 11). Nicht als AG, sondern als GmbH sind close corporations US-amerikanischen Rechts, aber auch sonstige private limited companies dieses Rechtskreises zu behandeln (BayObLGZ 1985, 272, 276 ff.; vgl. ferner Merkt, US-amerikanisches Gesellschaftsrecht, 3. Aufl. 2013, Rn. 800 ff.).

III. Anmeldung der Errichtung (§ 13e II HGB)

3 **1. Anmeldepflichtige Personen.** Anmeldung obliegt gem. § 13e II 1 HGB dem **Vorstand,** bei GmbH den Geschäftsführern. Vorstandsmitglied bzw. Geschäftsführer iSd Vorschrift ist, wer nach dem anwendbaren ausländischen Recht vergleichbare Stellung einnimmt (GK-HGB/J. Koch/Harnos Rn. 15). Entspr. Unterlagen beizubringen, ist Sache der Anmelder. Anders als früher ist nunmehr Anmeldung „durch den Vorstand" erforderlich und auch genügend, also durch so viele Vorstandsmitglieder, wie zur Vertretung der AG nach ihrem Heimatrecht vorgeschrieben sind. Nach RegBegr. BT-Drs. 12/3908, 15 besteht kein sachlicher Grund, ausländische AG bei Anmeldung einer Inlandsniederlassung anders zu behandeln als inländische AG (sa Kindler NJW 1993, 3301, 3305; Seibert DB 1993, 1705). Wegen bezweckter Gleichbehandlung ist auch Mitwirkung von Prokuristen und anderen Bevollmächtigten zuzulassen (→ HGB § 13 Rn. 8), soweit sie nach Heimatrecht der AG vergleichbare Handlungen vornehmen können. Nicht genügend ist dagegen Anmeldung durch ständige Vertreter iSd § 13e II 5 Nr. 3 HGB, weil und soweit ihre Vertretungsmacht gegenständlich auf Tätigkeit der Zweigniederlassung beschränkt ist (GK-HGB/J. Koch/Harnos Rn. 17).

4 **2. Nachweis des Bestehens.** Gem. § 13e II 2 HGB ist bei Anmeldung nachzuweisen, dass Gesellschaft „als solche" besteht. Nachzuweisen ist zunächst, dass Gesellschaft nach ihrem Heimatrecht **wirksam entstanden** ist. Wie Nachweis zu führen ist, hängt von Regelung des ausländischen Rechts ab. Soweit ein HR besteht und über dessen Inhalt gerichtl. oder behördliche Bescheinigungen ausgestellt werden, ist deren Vorlage zu verlangen; sonst müssen andere Nachweise, bes. Gründungsurkunde, genügen. Ob ausländische Urkunden echt sind, muss Registergericht von Amts wegen prüfen. Zu Legalisation, Apostille (gem. Haager Übereinkommen 1961) und bilateraler Vertragspraxis GK-HGB/J. Koch/Harnos § 12 Rn. 83. Nachweispflicht erstreckt sich weiter auf Frage, ob entstandene Gesellschaft der deutschen AG oder GmbH entspr., damit Registergericht zwischen Anwendung des § 13f HGB oder des § 13g HGB entscheiden kann (→ Rn. 2). Früher auch erforderlicher Nachweis der Erteilung staatlicher Genehmigungen ist mit MoMiG 2008 entfallen, was der Aufhebung des § 37 IV Nr. 5 aF AktG entspr. (→ AktG § 37 Rn. 14).

5 **3. Inhalt der Erstanmeldung. a) Errichtung, Anschrift und Gegenstand.** Anzumelden ist zunächst Tatsache, dass Zweigniederlassung errichtet ist (§ 13e II 1 HGB), ferner deren inländische Geschäftsanschrift und Gegenstand (§ 13e II 3 HGB). Anschrift hat nach Vorbild des § 24 II HRV die Lage der inländischen Geschäftsräume anzugeben, nicht bloß ein Postfach zu bezeichnen. Erfordernis einer inländischen Geschäftsanschrift (→ AktG § 37 Rn. 7; → HGB § 13 Rn. 8) soll iVm § 13e IIIa HGB (→ Rn. 6a) vor allem Auslandszustellungen vermeiden. Über § 13d III HGB muss auch Änderung der inländischen Geschäftsanschrift angemeldet werden. Wird dies nicht beachtet und scheitert Zustellung, so ist erleichterte öffentl. Zustellung nach § 15a HGB, § 185 ZPO möglich. Um daraus resultierenden Gefahren zu entgehen, wird Geschäftsleitern in § 13e II 4 HGB ergänzend Option eingeräumt, zusätzlichen Empfangsberechtigten zu bestellen (→ Rn. 6). Angabe des Gegenstands muss Schwerpunkt der in der Zweigniederlassung betriebenen Geschäfte deutlich machen, daneben nach § 13f III HGB iVm § 39 I 1 aber auch Unternehmensgegenstand der AG selbst enthalten (str. – wie hier Hopt/Merkt Rn. 2; Oetker/Preuß Rn. 34 f.; J. Schmidt NZG 2006, 899 ff.; aA OLG Düsseldorf NZG 2006, 317, 318; OLG Frankfurt FGPrax 2006, 126, 127; MüKoHGB/Krafka Rn. 10; Mödl RNotZ 2008, 1, 7);

nach der Innoventif-Entscheidung des EuGH (Slg. 2006, I-4929 Rn. 33 ff. = NJW 2006, 3195) steht Art. 30 GesR-RL dem nicht entgegen (s. auch Heymann/Förster Rn 13; J. Schmidt NZG 2006, 899, 901; aufs. zum Problem GK-HGB/J. Koch/Harnos Rn. 24 f.). Muster einer Anmeldung bei Happ/Möhrle AktienR 3.03. Anschrift und Gegenstand werden gem. § 13d II HGB (nur: Ort), § 13f III HGB (nur: Angaben nach S. 4) nicht in das HR eingetragen, aber zu den Registerakten genommen und gem. § 34 HRV bekanntgemacht.

b) Fakultativ: Inländische Geschäftsanschrift von Gesellschaftsvertretern. Nach § 13e II 4 HGB, der auf MoMiG 2008 zurückgeht, kann in Anmeldung zur Eintragung Person bezeichnet werden, die für Willenserklärungen ggü. ausländischer AG empfangsberechtigt und auch tauglicher Adressat für Zustellungen ist, die ggü. ausländischer AG bewirkt werden sollen. Regelung korrespondiert mit § 37 III Nr. 1 (→ AktG § 37 Rn. 7) sowie § 15a HGB, § 185 Nr. 2 ZPO. Anmeldung liegt im Interesse der AG, weil damit sonst uU mögliche öffentl. Zustellung vermieden wird. Wegen dieses Eigeninteresses belässt es § 13e II 4 HGB bei einer fakultativen Anmeldung. 6

c) Empfangsvertretung und Zustellungen. § 13e IIIa HGB, der wie § 13e II 4 HGB durch MoMiG 2008 eingeführt worden ist, betr. Empfangsvertretung, wenn ggü. ausländischer AG Willenserklärungen abzugeben oder Zustellungen zu bewirken sind. Das eine wie das andere kann ohne Einschaltung des (typischerweise im Ausland ansässigen) Vorstands geschehen, wenn AG gem. § 13e II 5 Nr. 3 HGB ständige Vertreter (→ Rn. 7) oder gem. § 13e II 4 HGB Sondervertreter mit inländischer Geschäftsanschrift (→ Rn. 6) bestellt hat. Die Eintragung einer inländischen Anschrift nach § 13e II 3 oder 4 HGB begründet nach den Vorstellungen des Gesetzgebers unwiderlegbare Vermutung, dass der eine oder der andere Gesellschaftsvertreter unter dieser Anschrift erreichbar ist (RegBegr. BT-Drs. 16/6041, 43 zu § 35 II GmbHG). Vermutung erstreckt sich aber nicht auf Wahrung des Zugangserfordernisses (GK-HGB/J. Koch/Harnos Rn. 42), so dass Darlegungs- und Beweislast des Erklärenden insoweit erhalten bleibt. Schließlich muss AG weder den einen noch den anderen Weg der Passivvertretung eröffnen; denn § 13e II 4 HGB enthält nur Kannvorschrift (→ Rn. 6) und auch Angaben nach § 13e II 5 Nr. 3 HGB sind nur zu machen, wenn ständige Vertreter tats. bestellt sind (→ Rn. 7). Ges. vertraut also auf Eigeninteresse der (ausländischen) AG an Vermeidung öffentl. Zustellungen (→ Rn. 6). 6a

d) Zusatzangaben. § 13e II 5 HGB bestimmt weiteren Inhalt der Anmeldung, nämlich nach **Nr. 1:** Heimatregister der AG und Nummer des Registereintrags, soweit solche Angaben nach dem maßgeblichen Sitzrecht gemacht werden können. Nach **Nr. 2:** Angabe der Rechtsform des ausländischen Rechts, und zwar in dessen Sprache. Nach **Nr. 3:** Ständige Vertreter der AG mit Prokura (§§ 48 ff. HGB) oder Handlungsvollmacht (§ 54 I HGB) für Betrieb der Zweigniederlassung und überdies der ständigen Befugnis (Vollmacht) zur gerichtl. Vertretung unter Angabe der Einzelbefugnisse (Umfang der Vertretungsmacht, Einzel- oder Gesamtvertretung, und zwar, wie sonst auch [→ AktG § 37 Rn. 8; → AktG § 81 Rn. 6], in genereller Umschreibung). Angaben sind aber nur erforderlich, soweit solche Vertreter bestellt sind. Dass sie bestellt werden müssen, ergibt sich aus Nr. 3 also nicht (RegBegr. BT-Drs. 12/3908, 16; Heidinger MittBayNot 1998, 72, 73 f.; aA wohl MüKoBGB/Kindler IntGesR Rn 925; Hoger NZG 2015, 1219, 1221; zu weiteren Einzelheiten GK-HGB/J. Koch/Harnos Rn. 30 ff.; Bönner RNotZ 2015, 253, 259 f.). Nach **Nr. 4:** Angabe des Heimatrechts der Gesellschaft, wenn sie nicht dem Recht eines Mitgliedstaats der EU oder eines Vertragsstaats des EWR unterliegt. Dabei kann es sich um Sitzrecht, aber auch um ein anderes Recht handeln, wenn Sitzstaat der Grün- 7 dungstheorie folgt. Zur Einbeziehung der EWR-Vertragsstaaten vgl. schon Seibert DB 1993, 1705, 1706 Fn. 11.

IV. Weitere Anmeldungen (§ 13e III und IV HGB)

8 **1. Ständige Vertreter; Vertretungsbefugnis.** Gem. § 13e III 1 HGB sind Änderungen der ständigen Vertreter oder ihrer Vertretungsbefugnis zur Eintragung anzumelden. Regelungsbedarf folgt aus Notwendigkeit entspr. Erstangabe gem. § 13e II 5 Nr. 3 HGB, weil HR sonst unrichtig bliebe. Anmeldung kann idR von den vorhandenen **ständigen Vertretern** vorgenommen werden. Scheidet aber der letzte ständige Vertreter aus, so ist Anmeldung vom Vorstand der ausländischen AG (→ Rn. 3) zu bewirken (GK-HGB/J. Koch/Harnos Rn. 37).

8a **2. Bestellungshindernisse.** Systematisch wenig passend betr. § 13e III 2 HGB nicht die ständigen Vertreter iSd § 13e II Nr. 3 HGB, sondern die **ges. Vertreter (Vorstandsmitglieder)** der ausländischen AG. Entspr. Geltung des § 76 III 2, 3 AktG (→ AktG § 76 Rn. 61 f.) bedeutet, dass Sachverhalte, die einer Bestellung zum Vorstand einer inländischen AG entgegenstehen würden, auch die Eintragung einer inländischen Zweigniederlassung einer ausländischen AG unzulässig machen. Regelung knüpft an BGHZ 172, 200 Rn. 7 ff. = NJW 2007, 2328 an und schirmt Bestellungshindernisse gegen Umgehung durch Wahl eines ausländischen Verwaltungssitzes (→ AktG § 5 Rn. 3) ab.

8b Änderung hat § 13e III durch **DiRUG 2021** erfahren. Neufassung hat zur Folge, dass bei Anmeldung der Zweigniederlassung einer Kapitalgesellschaft, die dem Recht eines anderen **EU-Mitgliedstaates bzw. EWR-Vertragsstaates** unterliegt, auf Beachtung der Bestellungshindernisse in § 76 III 2 – 4 verzichtet wird (zur Diskussion über Unionsrechtskonformität der Altregelung s. GK-HGB/J. Koch/Harnos Rn. 39). Hintergrund ist, dass Art. 13i GesR-RL europaweiten Austausch von Informationen über Disqualifikation von Geschäftsleitern regelt und es damit ermöglicht, Umgehung der Bestellungshindernisse durch Gründung von Kapitalgesellschaften im Ausland mit Zweigniederlassung im Inland zu verhindern (RegBegr. DiRUG BT-Drs. 19/28177, 98). Auf diesem Wege soll schon Bestellung zum Vorstand verhindert werden, so dass es bes. Anforderungen bei Anmeldung nicht mehr bedarf (RegBegr. DiRUG BT-Drs. 19/28177, 98). Regelung ist **nicht unproblematisch,** da Mitgliedstaaten Disqualifikation aus anderen Mitgliedstaaten zwar anerkennen können, dies aber nicht müssen, so dass nicht gewährleistet ist, dass in Deutschland disqualifizierte Person auch in anderem Mitgliedstaat nicht Geschäftsleiter werden kann (GK-HGB/J. Koch/Harnos Rn. 40; J. Schmidt ZIP 2021, 112, 122; Stelmaszczyk/Kienzle ZIP 2021, 765, 776; rechtstats. Fallmaterial zur Ausnutzung der Umgehungsoptionen bei Bormann/Stelmaszczyk ZIP 2018, 764, 771 f.; Stöhr EuZW 2020, 654; Teichmann ZIP 2018, 2451, 2454).

9 **3. Insolvenz.** Anmeldepflichtig sind nach § 13e IV HGB Eröffnung oder Ablehnung der Eröffnung eines Insolvenzverfahrens oder eines ähnlichen Verfahrens. Anmeldung erfolgt zur Eintragung. Regelung soll sicherstellen, dass das deutsche Registergericht von Auslandsinsolvenz Kenntnis erhält (RegBegr. BT-Drs. 12/3908, 16). Anmeldung obliegt den **ständigen Vertretern** (→ Rn. 7) der Zweigniederlassung, wobei es abw. vom Gesetzeswortlaut vernünftigerweise nicht auf Anmeldung der ständigen Vertreter ankommen kann, sondern allein auf ihre wirksame Bestellung; Eintragung erleichtert nur den Nachweis dieser Bestellung (s. bereits GK-HGB/J. Koch/Harnos Rn. 43; aA EBJS/Pentz Rn. 37). Sind keine ständigen Vertreter bestellt, trifft Anmeldepflicht stets den **Vorstand** (→ Rn. 3) als ges. Vertreter. Weil es sich um von der Gesellschaft geschuldete Anmeldung handelt, ist anzunehmen, dass Anmeldung durch Vorstand stets

genügt, § 13e IV HGB also nur den Regelfall beschreiben soll (GK-HGB/J. Koch/Harnos Rn. 44; EBJS/Pentz Rn. 37).

V. Mehrere Zweigniederlassungen (§ 13e V HGB)

§ 13e V HGB regelt entspr. Vorgabe der GesR-RL Teilaspekt des Falls, dass 10
ausländische AG im Inland mehrere Zweigniederlassungen errichtet. Vorausgesetzt ist, dass Anmeldung einschließlich erforderlicher Nachweise ggü. jedem Gericht der Zweigniederlassung erfolgt (→ HGB § 13d Rn. 4). Nur für Einreichung (§ 13f II 1 HGB) und für Änderungen der Satzung (§ 13f V HGB) besteht **Option zugunsten eines Hauptregisters.** Es genügt nämlich, dass Satzung und ihre Änderungen nur bei einem zuständigen Registergericht eingereicht wird bzw. werden (§ 13e V 1 HGB). Wenn Vorstand von dieser Möglichkeit Gebrauch macht, hat er zur Eintragung in die übrigen HR anzumelden, bei welchem Registergericht Satzung eingereicht und unter welcher Nummer Zweigniederlassung dort eingetragen ist (§ 13e V 2 HGB). Mit Anmeldung bei den übrigen Registern kann also bis zur ersten Eintragung gewartet werden. Ist Zweigniederlassung bereits eingetragen, ohne dass von Erleichterungen des § 13e V HGB Gebrauch gemacht wurde, ist zweifelhaft, ob AG diese Option noch nachträglich ausüben darf. Im Hinblick auf Übergangsvorschrift des Art. 34 II EGHGB, der auch bei schon bestehenden mehreren Zweigniederlassungen Bestimmung eines Hauptregisters zulässt, dürfte Frage zu bejahen sein (EBJS/Pentz Rn. 47; GK-HGB/J. Koch/Harnos Rn. 46). Entspr. Wahlrecht besteht gem. § 325a I 2 HGB für Einreichung von Unterlagen der Rechnungslegung (→ Rn. 1).

VI. Daten aus dem Europäischen System der Registervernetzung (§ 13e VI–VII)

§ 13e VI HGB wurde neu eingefügt durch **RegVerknüpfUmsetzG 2014** 11
und enthält Folgeänderung zur Einführung eines Europ. Systems der Registervernetzung, das in Deutschland namentl. in § 9b HGB einen Niederschlag gefunden hat. Diese Vorschrift soll **Datenübermittlung** zwischen den nationalen Registern und der zentralen Europ. Plattform sowie dem Europ. Justizportal gewährleisten (ausf. GK-HGB/J. Koch/Harnos § 9b Rn. 1 ff.). § 13e VI HGB ergänzt diese Regelung für Zweigniederlassungen dahingehend, dass Landesjustizverwaltungen die bei ihnen eingehenden Informationen unmittelbar den für die Zweigniederlassungen zuständigen Registergerichten weiterleiten (näher GK-HGB/J. Koch/Harnos Rn. 47). Parallelvorschrift für europ. Zweigniederlassungen deutscher Kapitalgesellschaften ist § 13a II HGB (→ HGB § 13a Rn. 2).

Durch **DiRUG 2021** neu angefügter § 13e VII 1 HGB verpflichtet Register- 12
gericht mit Wirkung vom 1.8.2022 (Art. 31 DiRUG), in Umsetzung von Art. 30a Unterabs. 2 GesR-RL Eingang der Daten über Europ. System der Registervernetzung zu **bestätigen.** Gericht muss sodann AG nach § 13e VII 2 HGB zur unverzüglichen Anmeldung der geänderten Tatsachen auffordern, sofern zum Zeitpunkt des Dateneingangs keine Anmeldung in Bezug auf mitgeteilte Tatsachen vorliegt (ausf. GK-HGB/J. Koch/Harnos Rn. 48 ff.). Anders als bei § 13a III HGB (→ HGB § 13a Rn. 3) werden Daten von Registergericht also nicht eigenständig übernommen, sondern es bleibt in dieser Konstellation beim bisherigen **Anmeldeerfordernis.** Gesetzesmaterialien berufen sich auf Vorgaben des Art. 30a Unterabs. 2 GesR-RL (vgl. RegBegr. DiRUG BT-Drs. 19/28177, 98), was zwar nicht überzeugt, aber de lege lata hinzunehmen ist (ausf. GK-HGB/J. Koch/Harnos Rn. 49; s. ferner J. Schmidt ZIP 2021, 112, 122). Anmeldung bedarf **Form** des § 12 HGB. Für registergerichtl. **Prüfung** gelten

die für §§ 13d ff. HGB entwickelten Grundsätze (ausf. GK-HGB/J. Koch/Harnos Rn. 50, § 13d Rn. 65 ff.). Parallelvorschrift für europ. Zweigniederlassungen deutscher Kapitalgesellschaften ist § 13a III HGB (→ HGB § 13a Rn. 3 f.).

VII. Zwangsgeldverfahren

13 Wenn Anmeldung unterbleibt oder sonstige Pflichten ggü. dem Registergericht gem. § 13e HGB nicht erfüllt werden, ist nach § 14 HGB im Zwangsgeldverfahren der §§ 388 ff. FamFG vorzugehen (→ HGB § 13d Rn. 5). Adressaten des Zwangsgelds sind, soweit nicht § 13e III oder IV HGB eingreift, **sämtliche Vorstandsmitglieder,** weil sie sämtlich, wenn auch schon in vertretungsberechtigter Zahl, anmeldepflichtig sind (→ Rn. 3, 8, 9). Nach hM des Registerrechts gilt das jedoch nur, soweit sie sich im Inland aufhalten (BayObLGZ 1908, 340, 343; BayObLGZ 1978, 121, 127). Für diese Einschränkung gibt es keine ges. Grundlage. Sie verwechselt Zulässigkeit und praktische Erfolgsaussichten des Verfahrens und sollte aufgegeben werden (ausf. GK-HGB/J. Koch/Harnos § 13d Rn. 60; MüKoAktG/Pentz Rn. 58). Nicht dem Zwangsgeldverfahren unterworfen, weil nicht anmeldepflichtig, sind Leiter von Zweigniederlassungen oder Bevollmächtigte, soweit nicht aus § 13e III oder IV HGB etwas anderes folgt.

§ 13f HGB Zweigniederlassungen von Aktiengesellschaften mit Sitz im Ausland

(1) Für Zweigniederlassungen von Aktiengesellschaften mit Sitz im Ausland gelten ergänzend die folgenden Vorschriften.

(2) [1] Der Anmeldung ist die Satzung in öffentlich beglaubigter Abschrift und, sofern die Satzung nicht in deutscher Sprache erstellt ist, eine beglaubigte Übersetzung in deutscher Sprache beizufügen. [2] Die Vorschriften des § 37 Abs. 2 und 3 des Aktiengesetzes finden Anwendung. [3] § 37 Absatz 2 des Aktiengesetzes ist nicht anzuwenden auf Aktiengesellschaften, die dem Recht eines Mitgliedstaates der Europäischen Union oder eines anderen Vertragsstaates des Abkommens über den Europäischen Wirtschaftsraum unterliegen. [4] Soweit nicht das ausländische Recht eine Abweichung nötig macht, sind in die Anmeldung die in § 23 Abs. 3 und 4 des Aktiengesetzes vorgesehenen Bestimmungen und Bestimmungen der Satzung über die Zusammensetzung des Vorstandes aufzunehmen; erfolgt die Anmeldung in den ersten zwei Jahren nach der Eintragung der Gesellschaft in das Handelsregister ihres Sitzes, sind auch die Angaben über Festsetzungen nach den §§ 26 und 27 des Aktiengesetzes und der Ausgabebetrag der Aktien sowie Name und Wohnort der Gründer aufzunehmen. [5] Der Anmeldung ist die für den Sitz der Gesellschaft ergangene gerichtliche Bekanntmachung beizufügen.

(3) Die Eintragung der Errichtung der Zweigniederlassung hat auch die Angaben nach § 39 des Aktiengesetzes sowie die Angaben nach § 13e Abs. 2 Satz 3 bis 5 zu enthalten.

(4) [1] Änderungen der Satzung der ausländischen Gesellschaft sind durch den Vorstand zur Eintragung in das Handelsregister anzumelden. [2] Für die Anmeldung gelten die Vorschriften des § 181 Abs. 1 und 2 des Aktiengesetzes sinngemäß, soweit nicht das ausländische Recht Abweichungen nötig macht.

(5) [1] Im übrigen gelten die Vorschriften der §§ 81, 263 Satz 1, § 266 Abs. 1 und 2, § 273 Abs. 1 Satz 1 des Aktiengesetzes sinngemäß, soweit nicht das ausländische Recht Abweichungen nötig macht. [2] § 81 Absatz 3 des Aktiengesetzes ist nicht anzuwenden auf Aktiengesellschaften, die dem Recht eines Mitgliedstaates der Europäischen Union oder eines anderen Vertragsstaates des Abkommens über den Europäischen Wirtschaftsraum unterliegen.

(6) Für die Aufhebung einer Zweigniederlassung gelten die Vorschriften über ihre Errichtung sinngemäß.

(7) Die Vorschriften über Zweigniederlassungen von Aktiengesellschaften mit Sitz im Ausland gelten sinngemäß für Zweigniederlassungen von Kommanditgesellschaften auf Aktien mit Sitz im Ausland, soweit sich aus den Vorschriften der §§ 278 bis 290 des Aktiengesetzes oder aus dem Fehlen eines Vorstands nichts anderes ergibt.

I. Regelungsgegenstand und -zweck

Dem **Grundsatz fortschreitender Spezialität** folgend enthält Norm diejenigen **Sonderregeln,** die über §§ 13d, 13e HGB hinaus speziell für Zweigniederlassungen der ausländischen AG gelten. Genauer handelt es sich auch hier (→ HGB § 13e Rn. 2) um Gesellschaften, die nach ihrem Heimatrecht einer deutschen AG (oder KGaA) entspr. Regelungszweck liegt auch hier in erhöhter Registertransparenz für inländische Zweigniederlassungen ausländischer Kapitalgesellschaften. Im Zuge des MoMiG 2008 wurde § 13f II 2, III und V HGB geändert (→ Rn. 2, 5, 6). Durch DiRUG 2021 wurde § 13f II 3, V 2 HGB eingefügt (→ Rn. 2, 6). 1

II. Erstanmeldung

1. Inhalt. Zunächst ist Anforderungen nach § 13e II HGB Rechnung zu tragen (→ HGB § 13e Rn. 6 f.). Sodann verlangt § 37 II AktG iVm § 13f II 2 HGB, dass Vorstandsmitglieder ausländischer AG **Versicherung über Bestellungshindernisse** nach § 76 III 2 Nr. 2, 3 AktG abgeben; auch § 76 III 3 und 4 AktG gilt (zu Einzelheiten s. GK-HGB/J. Koch/Harnos Rn. 6; Bönner RNotZ 2015, 253, 258 f.). Regelung soll nicht in nach ausländischem Recht zu beurteilende Vorstandsfähigkeit eingreifen, sondern Errichtung einer Zweigniederlassung im Inland verhindern, wenn bei Inlandsgründung Inhabilität nach Maßgabe ausländischer oder inländischer Verbote bestände. Durch **DiRUG 2021** wurde mit Wirkung zum 1.8.2022 (Art. 31 DiRUG) neuer § 13f II 3 HGB eingeführt, wonach § 37 II auf Geschäftsleiter von Gesellschaften aus EU- und EWR-Staaten keine Anwendung findet. Hintergrund ist, dass für ges. Vertreter einer ausländischen AG aus diesen Staaten Erfüllung der Voraussetzungen in § 76 III 2 bis 4 nicht länger erforderlich ist, weil schon Bestellung im Ausland verhindert werden kann (zum Hintergrund → HGB § 13e Rn. 8). Zweifel an **Richtlinienkonformität** des § 13f II HGB sind dadurch ausgeräumt (GK-HGB/J. Koch/Harnos Rn. 7; zur früheren Diskussion → 16. Aufl. 2022 HGB § 13f Rn. 2). Anzugeben ist ferner Vertretungsbefugnis der Vorstandsmitglieder, die sich klarstellend aus § 37 III AktG iVm § 13f II 2 HGB ergibt. Angabe erfolgt in abstrakter Formulierung (→ AktG § 37 Rn. 8; GK-HGB/J. Koch/Harnos Rn. 8 ff.). 2

Angaben zur Satzung. § 13f II 4 HGB verlangt ausdr., dass in § 23 III und IV umschriebener Satzungsinhalt in Anmeldung aufgenommen wird. Regelung steht jedoch unter **Vorbehalt zugunsten ausländischen Rechts.** Abweichung von den Erfordernissen deutschen Rechts ist danach zulässig und geboten, wenn Gesellschaft diesen Erfordernissen nicht oder nur durch nach ihrem Heimatrecht zwar mögliche, aber entbehrliche Änderung ihrer Satzungsgrundlage oder Organisationsstruktur Rechnung tragen könnte; es wird also kein Anpassungszwang ausgeübt (BayObLGZ 1986, 351, 356; GK-HGB/J. Koch/Harnos Rn. 13; MüKoHGB/Krafka Rn. 4). Bei Gesellschaften, die **noch keine zwei Jahre** bestehen, sind auch Angaben über Festsetzungen nach §§ 26, 27, ferner Ausgabebetrag der Aktien sowie Name und Wohnort (nicht auch: Beruf) der Gründer in Anmeldung aufzunehmen, soweit nicht auch insoweit Vorbehalt zugunsten ausländischen Rechts eingreift (GK-HGB/J. Koch/Harnos Rn. 14). 3

2. Anlagen. Der Anmeldung beizufügen sind Satzung und Bek. des Sitzgerichts. **Satzung:** In öffentl. beglaubigter Abschrift (§ 129 BGB, § 39a BeurkG) und zusätzlich (nicht: stattdessen) öffentl. beglaubigte Übersetzung in deutscher Sprache, wenn Satzung in fremder Sprache abgefasst ist (§ 13f II 1 HGB; Einzelheiten bei GK-HGB/J. Koch/Harnos Rn. 5). Dies gilt auch, wenn zuständiges 4

Registergericht englischer Sprache mächtig ist (BGH NZG 2021, 1564 Rn. 28 [zum gleichlautenden § 13g II 1 HGB]). Übersetzungserfordernis soll Registergericht Prüfung erleichtern (RegBegr. BT-Drs. 12/3908, 17). **Gerichtl. Bek.:** § 13f II 5 HGB. Gemeint ist Bek. des ausländischen Sitzgerichts, soweit ergangen. Beigefügte Unterlagen sind elektronisch zu speichern (→ AktG § 37 Rn. 18).

III. Eintragung

5 Eintragungsinhalt ergibt sich zunächst aus § 13d II HGB (→ HGB § 13d Rn. 5). Einzutragen sind gem. § 13f III HGB insbes. auch die aus § 39 AktG ersichtlichen Angaben und die **Zusatzangaben,** die § 13e II 3–5 HGB verlangt (→ HGB § 13e Rn. 6 ff.). Erweiterung des Eintragungsinhalts geht auf MoMiG 2008 zurück und trägt Änderungen in § 13e II HGB Rechnung (bes.: inländische Geschäftsanschrift). Eintragung hat nur **deklaratorische** Bedeutung. Sie begründet namentl. nicht Geltung deutschen Gesellschaftsrechts für ausländische AG. Soweit sich Offenlegungspflicht aus § 13f III HGB i. V. m. § 39 auf Höhe des Grundkapitals bezieht, ist ihre **Unionsrechtskonformität** umstr. (zum Meinungsstand BGH NZG 2019, 775 Rn. 19 ff.). Im Lichte der Innoventif-Entscheidung des EuGH (Slg. 2006, I-4929 Rn. 33 ff. = NJW 2006, 3195) spricht mehr dafür, dass § 13f III HGB i. V. m. § 39 unionsrechtskonform sind (BGH NZG 2019, 775 Rn. 23 ff.; GK-HGB/J. Koch/Harnos Rn. 17; Otte-Gräbener NZG 2019, 934, 935).

IV. Weitere Anmeldungen

6 § 13f IV und V HGB schreibt Anmeldungen vor, die sich auf **spätere Änderungen** in den Gesellschaftsverhältnissen beziehen. Das betrifft zunächst Satzungsänderungen; Anmeldung erfolgt gem. § 13f IV 1 HGB durch Vorstandsmitglieder in vertretungsberechtigter Zahl unter Beachtung des § 181 I und II, soweit nach ausländischem Recht möglich (§ 13f IV 2 HGB); Anmeldung durch ständigen Vertreter i. S. d. § 13e II 5 Nr. 3 HGB (→ § 13e Rn. 7) kommt nicht in Betracht (KG BeckRS 2012, 3824 Rn. 22; GK-HGB/J. Koch/Harnos Rn. 20). Anmeldungen nach § 13f V HGB beziehen sich auf Änderungen des Vorstands und seiner Vertretungsbefugnis. Weil sich Verweisung des § 13f V HGB idF durch MoMiG 2008 auch auf § 81 III AktG bezieht, müssen neue Vorstandsmitglieder ebenso **Versicherung über Bestellungshindernisse** abgeben wie die ursprünglich berufenen (→ Rn. 2). Für Vorstandsmitglieder aus EU-Mitgliedstaaten oder EWR-Vertragsstaaten gilt diese Vorgabe aufgrund Einfügung des neuen § 13f V 2 HGB durch **DiRUG 2021** mit Wirkung vom 1.8.2022 (Art. 31 DiRUG) jedoch nicht mehr (zum Hintergrund → Rn. 2); damit sind früher geäußerte unionsrechtl. Bedenken ausgeräumt. Die weiteren Anmeldungen betr. Auflösung der AG (§ 263 S. 1 AktG); Personen der Abwickler und ihre Vertretungsbefugnis (§ 266 AktG); Abwicklungsschluss (§ 273 I 1 AktG). Auch sie stehen unter dem Vorbehalt, dass sich aus Heimatrecht der AG anderes ergeben kann.

V. Aufhebung der Zweigniederlassung

7 § 13f VI HGB entspr. § 13 IV HGB (→ HGB § 13 Rn. 15). Anzuwenden sind §§ 13d, 13e, 13 f HGB (im Einzelnen GK-HGB/J. Koch/Harnos Rn. 25).

VI. KGaA

§ 13f VII HGB ist früherem § 13a V HGB nachgebildet (→ HGB § 13e Rn. 1). Auch § 13e HGB ist sinngem. anzuwenden (Kindler NJW 1993, 3301, 3303). Formulierung des Hs. 2 ist unglücklich, weil §§ 278–290 AktG für ausländische AG ohnehin nicht gelten können. Es können nur diejenigen Vorschriften des ausländischen Rechts gemeint sein, die nach ihrem Regelungsgehalt den §§ 278–290 AktG entspr. (GK-HGB/J. Koch/Harnos Rn. 26; EBJS/Pentz Rn. 32). 8

§ 13g HGB Zweigniederlassungen von Gesellschaften mit beschränkter Haftung mit Sitz im Ausland

(vom Abdruck wurde abgesehen)

§ 13h HGB Verlegung des Sitzes einer Hauptniederlassung im Inland

(vom Abdruck wurde abgesehen)

Verantwortlichkeit der Gründer

46 (1) [1]**Die Gründer sind der Gesellschaft als Gesamtschuldner verantwortlich für die Richtigkeit und Vollständigkeit der Angaben, die zum Zwecke der Gründung der Gesellschaft über Übernahme der Aktien, Einzahlung auf die Aktien, Verwendung eingezahlter Beträge, Sondervorteile, Gründungsaufwand, Sacheinlagen und Sachübernahmen gemacht worden sind.** [2]**Sie sind ferner dafür verantwortlich, daß eine zur Annahme von Einzahlungen auf das Grundkapital bestimmte Stelle (§ 54 Abs. 3) hierzu geeignet ist und daß die eingezahlten Beträge zur freien Verfügung des Vorstands stehen.** [3]**Sie haben, unbeschadet der Verpflichtung zum Ersatz des sonst entstehenden Schadens, fehlende Einzahlungen zu leisten und eine Vergütung, die nicht unter den Gründungsaufwand aufgenommen ist, zu ersetzen.**

(2) **Wird die Gesellschaft von Gründern durch Einlagen, Sachübernahmen oder Gründungsaufwand vorsätzlich oder aus grober Fahrlässigkeit geschädigt, so sind ihr alle Gründer als Gesamtschuldner zum Ersatz verpflichtet.**

(3) **Von diesen Verpflichtungen ist ein Gründer befreit, wenn er die die Ersatzpflicht begründenden Tatsachen weder kannte noch bei Anwendung der Sorgfalt eines ordentlichen Geschäftsmannes kennen mußte.**

(4) **Entsteht der Gesellschaft ein Ausfall, weil ein Aktionär zahlungsunfähig oder unfähig ist, eine Sacheinlage zu leisten, so sind ihr zum Ersatz als Gesamtschuldner die Gründer verpflichtet, welche die Beteiligung des Aktionärs in Kenntnis seiner Zahlungsunfähigkeit oder Leistungsunfähigkeit angenommen haben.**

(5) [1]**Neben den Gründern sind in gleicher Weise Personen verantwortlich, für deren Rechnung die Gründer Aktien übernommen haben.** [2]**Sie können sich auf ihre eigene Unkenntnis nicht wegen solcher Umstände berufen, die ein für ihre Rechnung handelnder Gründer kannte oder kennen mußte.**

Übersicht

I. Normzweck und Allgemeines

1 **1. Regelungsgegenstand und -zweck.** § 46 regelt zivilrechtl. Verantwortung der Gründer und ihrer Hintermänner (§ 46 V) für Gründungshergang. Norm bezweckt **Kapitalaufbringung,** genauer Aufbringung eines dem satzungsmäßigen Grundkapital entspr. Mindestvermögens, und zwar gleichermaßen durch Präventiv- wie durch Ausgleichsfunktion der Haftung (BGHZ 64, 52, 58 = NJW 1975, 974; RegBegr. zur Parallelnorm in § 9a GmbHG, BT-Drs. 8/1347, 35). Norm dient Schutz der Gläubiger und der später hinzukommenden Aktionäre (GK-AktG/Ehricke Rn. 6). Die Ansprüche stehen der AG zu, und zwar beginnend mit ihrer Eintragung (→ Rn. 5).

2 **2. Rechtsnatur der Haftung.** Haftung wird teils als deliktische oder doch deliktsähnliche, teils als spezifisch gesellschaftsrechtl. aufgefasst (für das Erste GK-AktG/Ehricke Rn. 8 f.; für das Zweite B/K/L/Körber/König Rn. 6; KK-AktG/M. Arnold Rn. 15; S/L/Bayer Rn. 2; MüKoAktG/Pentz Rn. 13; sa schon Schürmann, Die Rechtsnatur der Gründerhaftung, 1968, 99 ff.). Richtig ist zweite Auffassung, weil es um Verletzung korporationsrechtl. Pflichten rechtsgeschäftlichen Ursprungs geht. Gerichtsstand folgt deshalb nicht aus § 32 ZPO, sondern aus § 22 ZPO; zuständig ist auch Wohnsitzgericht (§ 12 ZPO). Haftung aus § 46 I und II setzt Verschulden voraus (vgl. § 46 III unter Umkehr der Beweislast), Haftung aus § 46 IV positive Kenntnis von mangelnder Leistungsfähigkeit des Gründers.

3 **3. Konkurrenzen.** § 46 regelt Haftung der Gründer nicht abschließend. AG kann vielmehr auch aus Vertragsverletzung und insbes. aus unerlaubter Handlung Ersatzansprüche haben, so aus § 826 BGB oder § 823 II BGB iVm § 263 StGB bzw. § 266 StGB oder iVm § 399 Nr. 1 AktG (GK-AktG/Ehricke Rn. 125; MüKoAktG/Pentz Rn. 15). § 46 ist aber nicht selbst Schutzgesetz iSd § 823 II

BGB zugunsten der AG, sondern eigenständige Anspruchsgrundlage. Ansprüche aus §§ 812 ff. BGB und aus Unterbilanzhaftung werden durch § 46 nicht verdrängt (GK-AktG/Ehricke Rn. 124). Dass schädigende Handlung vor Eintragung der AG begangen wird, steht Ersatzansprüchen der entstandenen jur. Person nicht entgegen. Es genügt, dass Handlung adäquate Ursache des Gesellschaftsschadens ist (RGZ 100, 175, 177 zur GmbH).

4. Ansprüche Dritter. Dritte, nämlich Aktionäre und Gläubiger der Gesellschaft, können weder aus § 46 noch aus § 823 II BGB iVm § 46 Ansprüche herleiten. § 46 insoweit als Schutzgesetz einzustufen, stände mit dem Normzweck (→ Rn. 1) nicht in Einklang. Ansprüche Dritter können sich jedoch aus § 826 BGB, aus § 823 II BGB iVm § 263 oder § 266 StGB und insbes. aus § 823 II BGB iVm § 399 I Nr. 1 ergeben. Dass die Strafvorschriften des § 399 I Schutzgesetze sind, ist jedenfalls im Grundsatz anerkannt (vgl. BGHZ 96, 231, 243 = NJW 1986, 837; BGHZ 105, 121, 123 ff. = NJW 1988, 2794). Die Entscheidungen betr. den Kapitalerhöhungsschwindel. Für Gründungsschwindel kann aber nichts anderes gelten (vgl. zu Einzelheiten KK-AktG/M. Arnold Rn. 8 ff.; MüKoAktG/Pentz Rn. 78). 4

II. Haftung für Angaben und gleichgestellte Fälle (§ 46 I)

1. Gläubiger und Schuldner. Gläubiger des Anspruchs ist durch Eintragung als jur. Person (§ 41 I 1) entstandene AG, kein Dritter (→ Rn. 4) und auch nicht Vor-AG. Vor-AG könnte zwar aufgrund der ihr zukommenden Rechtsfähigkeit (→ § 41 Rn. 4) Gläubigerin sein, doch wäre Entstehung von Ansprüchen vor Eintragung mit Zweck der Kapitalaufbringung nicht vereinbar (hM, vgl. KK-AktG/M. Arnold Rn. 6; MüKoAktG/Pentz Rn. 8; Lowin, Die Gründungshaftung, 1987, 9 ff.). Dies ergibt sich auch aus der Verjährungsregelung des § 51 S. 2 (S/L/Bayer Rn. 4; Hölters/Weber/Solveen Rn. 3). Schuldner sind die Gründer, also diejenigen, die an Feststellung der Satzung mitgewirkt und wenigstens eine Aktie übernommen haben (§ 28; → Rn. 2). Gründer ist ungeachtet der Zusatzhaftung nach § 46 V auch der Strohmann. Geltendmachung des Anspruchs erfolgt durch Vorstand bzw. durch AR, wenn ein Gründer zugleich Vorstandsmitglied ist; anwendbar sind auch §§ 147, 148 (S/L/Bayer Rn. 4; GK-AktG/Ehricke Rn. 121). 5

2. Haftungstatbestände. a) Unrichtige oder unvollständige Angaben. Gem. § 46 I 1 sind Gründer der AG für Richtigkeit und Vollständigkeit der dort genannten Angaben verantwortlich. Aufzählung ist abschließend (allgM). Angaben müssen **zum Zweck der Gründung** gemacht worden sein. Genügend sind alle Angaben ggü. dem Registergericht, mit denen Eintragung erlangt werden soll. Seit Wegfall des § 37 IV Nr. 5 (→ § 37 Rn. 14) erstreckt sich Verantwortung nicht mehr auf Angaben ggü. Behörden, die Genehmigung erteilen sollen (S/L/Bayer Rn. 7; B/K/L/Körber/König Rn. 7). Haftungsbegründend sind insbes. auch Falschangaben ggü. Bewertungssachverständigen. Das Ges. verlangt nicht, dass die Angaben von den Gründern gemacht worden sind. Vorbehaltlich § 46 III (→ Rn. 14) haften sie also auch für die Angaben Dritter. 6

Angaben müssen **obj. unrichtig oder unvollständig** sein. Irrtümer entlasten als solche nicht. Unrichtig sind sie bei unzutr. Tatsachendarstellung, unvollständig, wenn gründungsrelevante Informationen, etwa SÜ eines Einlagegegenstands (BGH BB 1958, 891), fehlen. Maßgeblich ist Zeitpunkt, in dem Angaben gemacht werden, bei Angaben ggü. dem Registergericht der Eingang der Anmeldung (KK-AktG/M. Arnold Rn. 23; GK-AktG/Ehricke Rn. 40). Werden die zum maßgeblichen Zeitpunkt richtigen Angaben erst später unrichtig, besteht keine Berichtigungspflicht (KK-AktG/M. Arnold Rn. 24). Darüber hinaus ist haftungsbefreiende Berichtigung oder Ergänzung bis zur Eintragung möglich. 7

Haftung entfällt auch, wenn Angaben ohne Zutun der Gründer bis zum Zeitpunkt der Eintragung zutreffend werden (GK-AktG/Ehricke Rn. 41). Haftung für Schäden und Folgekosten, die durch Berichtigung nicht entfallen, begründen weiterhin die Haftung nach § 46 (KK-AktG/M. Arnold Rn. 24; MüKoAktG/Pentz Rn. 28).

8 **b) Auswahl ungeeigneter Zahlstelle.** Nach § 46 I 2 Fall 1 sind Gründer auch dafür verantwortlich, dass Zahlstelle (§ 54 III) geeignet ist, Einzahlungen auf das Grundkapital anzunehmen. Ungeeignet sind Institute, deren Zahlungsfähigkeit nicht gewährleistet ist. Gründer haben insoweit Vorstand bei zunächst ihm obliegender Auswahlentscheidung zu überwachen (KK-AktG/M. Arnold Rn. 30; GK-AktG/Ehricke Rn. 49; für eigene Mitwirkungszuständigkeit aber MüKoAktG/Pentz Rn. 34). Exculpation (§ 46 III) wird in dieser Tatbestandsvariante idR gelingen.

9 **c) Keine freie Verfügung des Vorstands.** Die eingezahlten Beträge müssen nach § 36 II endgültig zur freien Verfügung des Vorstands stehen (→ § 36 Rn. 7 ff.). Darauf erstreckt sich Verantwortlichkeit der Gründer nach § 46 I 2 Fall 2, und zwar einschließlich der Endgültigkeit (ebenso MüKoAktG/Pentz Rn. 38). Ausgenommen sind Beträge, die für bei Gründung anfallende Steuern und Gebühren verwandt wurden (→ § 36 Rn. 10).

10 **3. Haftungsumfang.** Maßgeblich ist § 46 I 3. Danach sind Gründer zum **Schadensersatz** (§§ 249 ff. BGB) verpflichtet. Kürzung des Ersatzanspruchs wegen Mitverschuldens von Vorstand oder AR (§§ 254, 31 BGB) kommt jedenfalls im Gründungsstadium mit Rücksicht auf Zweck der Haftung (→ Rn. 1) nicht in Betracht (RGZ 154, 276, 286; BGHZ 64, 52, 61 = NJW 1975, 974; allgM). Ob sich Rechtslage nach Eintragung ändert (dazu RGZ 154, 276, 290), ist zweifelhaft und eher zu verneinen (KK-AktG/M. Arnold Rn. 27, 32; B/K/L/Körber/König Rn. 12). Weil Norm der Kapitalaufbringung dient (→ Rn. 1), sind Gründer unabhängig vom Eintritt eines Schadens verpflichtet, fehlende Einzahlungen zu leisten und eine Vergütung zu ersetzen, die entgegen § 26 II nicht unter den Gründungsaufwand aufgenommen worden ist (§ 46 I 3). Insoweit handelt es sich um Garantie- oder Gewährleistungshaftung.

III. Haftung für Schäden (§ 46 II)

11 **1. Haftungsvoraussetzungen. a) Objektive Erfordernisse.** Nach § 46 II sind Gründer zum Ersatz verpflichtet, wenn AG durch Einlagen, Sachübernahmen oder Gründungsaufwand geschädigt wird. Für GmbH (HCL/Ulmer/Habersack GmbHG § 9a Rn. 47) erörterte Subsidiarität des Tatbestands ggü. § 46 I findet im aktienrechtl. Schrifttum keine Stütze; nach insoweit hM tritt Ersatzpflicht auch dann ein, wenn der Schädigung unrichtige oder unvollständige Angaben zugrunde liegen (KK-AktG/M. Arnold Rn. 41; MüKoAktG/Pentz Rn. 42; aA GK-AktG/Ehricke Rn. 58). Schädigung durch Einlagen erfolgt zB durch Scheinzahlung oder Überbewertung von Sacheinlagen. Schädigung durch Gründungsaufwand kann insbes. in überhöhten Vergütungen liegen (Gründerhonorare).

12 **b) Subjektive Erfordernisse.** Auf der Verschuldensebene hat Haftung zwei Voraussetzungen: Wenigstens ein Gründer muss vorsätzlich oder grob fahrlässig gehandelt haben. Dann haftet jeder Gründer aus vermutetem einfachen Verschulden (§ 46 III; → Rn. 14).

13 **2. Ersatzpflicht.** Die Gründer haften als Gesamtschuldner (§§ 421 ff. BGB) auf Schadensersatz. Bei Überbewertung von Sacheinlagen ist nach hM die Diffe-

renz zwischen wirklichem und festgestelltem Wert zu ersetzen (KK-AktG/M. Arnold Rn. 44; MüKoAktG/Pentz Rn. 47). Beim entspr. Fall der Sachübernahme kann dagegen die AG alternativ auch Rückgabe der Sache und Zahlung des vollen Wertersatzes verlangen (KK-AktG/M. Arnold Rn. 44; MüKoAktG/Pentz Rn. 48). Bei Gründerhonoraren liegt der Schaden in einer unverdienten Überhöhung. Kürzung des Schadensersatzanspruches wegen Mitverschuldens (§ 254 BGB) der Gesellschaft oder ihrer Organe ist zu verneinen (MüKoAktG/Pentz Rn. 50; → Rn. 10).

IV. Entlastungsbeweis (§ 46 III)

Haftung nach § 46 I oder II ist **Verschuldenshaftung unter Umkehr der Beweislast** (s. nur MHdB CL/Pentz § 25 Rn. 16). Maßgeblich ist nach § 46 III Sorgfalt eines ordentlichen Geschäftsmanns. Das ist jedoch nicht jeder Geschäftsmann, sondern derjenige, der sich an Gründungen zu beteiligen pflegt (RGZ 95, 16, 17 f.; BGH NJW 1988, 909). Persönliche Unfähigkeit exculpiert nicht (Übernahmeverschulden). 14

V. Haftung für Leistungsunfähigkeit (§ 46 IV)

1. Haftungsvoraussetzungen. a) Objektive Erfordernisse. AG muss Ausfall erleiden, dessen Ursache **Zahlungsunfähigkeit eines Gründungsaktionärs** ist. AG fällt mit ihrem Anspruch aus, wenn feststeht, dass Zahlung nicht zu erlangen ist. Dafür ist erforderlich, dass Gründer im Zeitpunkt seiner Beteiligung Bar- bzw. Sacheinlage nicht vollständig erbringen kann (S/L/Bayer Rn. 15; MüKoAktG/Pentz Rn. 52 f.). Vorübergehende Zahlungsstockung, die weniger als drei Wochen andauert, ist unschädlich (zu insolvenzrechtl. Parallelwertung → § 92 Rn. 35). Dagegen reicht es aus, wenn Leistung des Gründers nach §§ 129 ff. InsO oder AnfG abgezogen wird (GK-AktG/Ehricke Rn. 89; MüKoAktG/Pentz Rn. 52 f.). Durchführung eines Klageverfahrens und fruchtloser Zwangsvollstreckungsversuch sind nicht erforderlich (S/L/Bayer Rn. 16; GK-AktG/Ehricke Rn. 85 ff.). Insbes. ist auch vorrangig durchzuführendes Kaduzierungsverfahren zum Schutze der in Anspruch genommenen Gründer nicht geboten, da es bei § 46 IV schließlich primär auf Belange der Gesellschaft ankommt (so MüKoAktG/Pentz Rn. 56). Der Zahlungsunfähigkeit steht gleich, dass ein Sacheinleger nicht in der Lage ist, die geschuldete Leistung zu erbringen. Gründe sind unerheblich. 15

b) Subjektive Erfordernisse. § 46 III gilt insoweit nicht. Haftungsbegründend ist vielmehr nur positive Kenntnis, die von AG zu beweisen ist. Kenntnis von Vertretern ist entspr. § 166 I BGB zuzurechnen. Unkenntnis des Vertreters entlastet nicht, wenn der Vertretene Kenntnis hat (Rechtsgedanke des § 166 II BGB); so jedenfalls bei Bevollmächtigung zur Aktienübernahme im konkreten Fall (KK-AktG/M. Arnold Rn. 52; S/L/Bayer Rn. 15). 16

2. Haftungsumfang. Gründer schulden Schadensersatz. Sie sind Gesamtschuldner (§§ 421 ff. BGB). Zu ersetzen ist Ausfall in seiner konkreten Gestalt und Höhe. Kann eine Sacheinlage nicht beigebracht werden, so ist ihr Wert in Geld zu ersetzen. Kürzung des Schadensersatzanspruchs wegen Mitverschuldens (§ 254 BGB) der Gesellschaft oder ihrer Organe ist zu verneinen (Hölters/Weber/Solveen Rn. 19; → Rn. 10). 17

VI. Hintermänner (§ 46 V)

§ 46 V betr. **Strohmanngründung** und vergleichbare Fälle. Vorschrift soll Umgehungsschutz für in § 46 festgelegte Haftung gewähren, indem wirtschaftlich an der Gesellschaftsgründung Beteiligte zusätzlich zu zahlungsunfähigen Stroh- 18 männern einbezogen (ausf. Foerster, Zuordnung der Mitgliedschaft, 2014, 76 ff.). Den Hintermann trifft gesellschaftsrechtl. Haftung ohne Rücksicht darauf, ob seine Verantwortlichkeit nach BGB zu begründen wäre. Er haftet, als ob er sich selbst als Gründer beteiligt hätte. Auch die Verschuldensabstufungen des § 46 gelten für ihn. Kenntnis oder verschuldete Unkenntnis des Gründers ist dem Hintermann zuzurechnen (§ 46 V 2). Erstreckung einer Verantwortlichkeit aus § 46 V auf Kapitalerhöhung wird abgelehnt von OLG Köln ZIP 1992, 1478, 1479; krit. Foerster, Zuordnung der Mitgliedschaft, 2014, 101 ff., 375.

VII. Gesamtschuld und Regress

19 Mehrere für denselben Schaden haftende Gründer und Hintermänner haften als Gesamtschuldner. Es gilt § 426 I BGB, wobei unterschiedliche **Verursachungsbeiträge** zu beachten sind (analog § 254 BGB); ebenso ist jeweilige Beteiligungshöhe der Gründer zur Ermittlung der Quote im Innenausgleich zu berücksichtigen (so auch GK-AktG/Ehricke Rn. 115; HCL/Ulmer/Habersack GmbHG § 9a Rn. 53; aA MüKoAktG/Pentz Rn. 72). Haftung nach § 46 tritt neben die weiterhin bestehende Einlagepflicht des betreffenden Gründers. Zwischen Einlageschuldner und haftendem Gründer besteht ggü. AG (unechte) Gesamtschuld, wobei im Innenverhältnis Einlageschuldner alleine haftet. Leistender Gründer erlangt **Ausgleichsanspruch nach § 426 I BGB** und Anspruch auf Einlageforderung gem. § 426 II BGB; Aktienbeteiligung geht jedoch nicht über (S/L/Bayer Rn. 24; MüKoAktG/Pentz Rn. 74; vgl. auch HCL/Ulmer/Habersack GmbHG § 9a Rn. 55).

20 Bestehen neben dem Anspruch der AG aus § 46 auch rechnerisch und inhaltlich deckungsgleiche Ansprüche von Aktionären oder Dritten gegen die Gründer (→ Rn. 4), so führt Leistung des Gründers an AG zur **Haftungsbefreiung** ggü. AG, Aktionären und Dritten (hM; S/L/Bayer Rn. 25; MüKoAktG/Pentz Rn. 81). Dagegen wird bei Leistung an Aktionär oder Dritten der haftende Schuldner nicht von Schadensersatzpflicht ggü. der AG befreit (S/L/Bayer Rn. 25).

21 Zwischen Gründern und haftenden Personen nach §§ 47 ff. besteht ebenfalls ein Gesamtschuldverhältnis. Es gelten die allg. Regeln des § 426 BGB. Besonders eigenständige Prüfungspflichten von Vorstand, AR und Gründungsprüfer sind zu beachten, da sie im Innenverhältnis zum vollen Regress oder Regressausschluss der jeweilig haftenden Personengruppe führen können (S/L/Bayer Rn. 26; GK-AktG/Ehricke Rn. 120).

Verantwortlichkeit anderer Personen neben den Gründern

47 Neben den Gründern und den Personen, für deren Rechnung die Gründer Aktien übernommen haben, ist als Gesamtschuldner der Gesellschaft zum Schadenersatz verpflichtet,

1. **wer bei Empfang einer Vergütung, die entgegen den Vorschriften nicht in den Gründungsaufwand aufgenommen ist, wußte oder nach den Umständen annehmen mußte, daß die Verheimlichung beabsichtigt oder erfolgt war, oder wer zur Verheimlichung wissentlich mitgewirkt hat;**
2. **wer im Fall einer vorsätzlichen oder grobfahrlässigen Schädigung der Gesellschaft durch Einlagen oder Sachübernahmen an der Schädigung wissentlich mitgewirkt hat;**
3. **wer vor Eintragung der Gesellschaft in das Handelsregister oder in den ersten zwei Jahren nach der Eintragung die Aktien öffentlich ankündigt, um sie in den Verkehr einzuführen, wenn er die Unrichtigkeit**

oder Unvollständigkeit der Angaben, die zum Zwecke der Gründung der Gesellschaft gemacht worden sind (§ 46 Abs. 1), oder die Schädigung der Gesellschaft durch Einlagen oder Sachübernahmen kannte oder bei Anwendung der Sorgfalt eines ordentlichen Geschäftsmannes kennen mußte.

Übersicht

I. Normzweck und Allgemeines

1. Regelungsgegenstand und -zweck. Norm betr. Haftung der sog **Gründergenossen** (§ 47 Nr. 1 und 2) und der **Emittenten** (§ 47 Nr. 3). Sie bezweckt im Interesse der **Kapitalaufbringung** und damit auch im Interesse der Gläubiger und künftigen Aktionäre (→ § 46 Rn. 1) Erweiterung des haftpflichtigen Personenkreises. Vorausgesetzt sind Vorgänge, die eine Gründerhaftung nach § 46 auslösen können, und unterschiedlich abgestufte Verschuldensgrade. 1

2. Rechtsnatur der Haftung. § 47 begründet ges. Haftung, und zwar nach traditioneller Ansicht deliktsrechtl. Charakters (GK-AktG/Ehricke Rn. 4). Das überzeugt jedoch nicht. Wie die Haftung aus § 46 (→ § 46 Rn. 2) hat auch die aus § 47 **gesellschaftsrechtl. Charakter,** da die Verantwortlichkeit von Gründergenossen und Emittenten auf ihrer bes. Rechtsbeziehung zur Gesellschaft beruht (ebenso KK-AktG/M. Arnold Rn. 4; MüKoAktG/Pentz Rn. 10). Der Gerichtsstand folgt deshalb auch hier nicht aus § 32 ZPO, sondern, abgesehen von § 12 ZPO, aus entspr. Anwendung des § 22 ZPO (KK-AktG/M. Arnold Rn. 4). Wer sich, obgleich nicht Mitglied, zum Schaden der AG in deren Angelegenheiten einmischt oder betätigt, muss sich gefallen lassen, dass er von der Gesellschaft in deren Gerichtsstand verklagt wird. 2

3. Konkurrenzen; Ansprüche Dritter. § 47 ist nicht abschließend. Soweit sich im Einzelfall ein Anspruch der AG aus allg. Grundsätzen ableiten lässt, insbes. aus unerlaubter Handlung, tritt er neben den aus § 47. Wie § 46 (→ § 46 Rn. 3) ist die Norm aber nicht Schutzgesetz iSd § 823 II BGB. Wegen der Ansprüche Dritter gelten Erl. in → § 46 Rn. 4 entspr. Als Schutzgesetz zugunsten der Aktionäre kommt insbes. § 399 I Nr. 3 in Betracht (KK-AktG/M. Arnold Rn. 7). 3

4 **4. Gläubiger und Schuldner.** Gläubiger des Anspruchs aus § 47 ist allein durch Eintragung als solche entstandene AG (→ § 46 Rn. 5). Berechtigung Dritter wäre mit dem auf Kapitalaufbringung gerichteten Normzweck (→ Rn. 1) nicht vereinbar (→ § 46 Rn. 4). Schuldner ist, wer einen der näher umschriebenen Haftungstatbestände verwirklicht (dazu im Folgenden).

II. Empfang einer verheimlichten Vergütung (§ 47 Nr. 1)

5 **1. Haftung des Empfängers. a) Haftungstatbestand.** § 47 Nr. 1 enthält zwei Haftungstatbestände. Zum einen haftet derjenige Gründergenosse, der beim Empfang einer nicht in den Gründungsaufwand aufgenommenen Vergütung wusste oder annehmen musste, dass die Verheimlichung beabsichtigt oder erfolgt war (§ 47 Nr. 1 Alt. 1). Zum anderen haftet auch derjenige, der an der Verheimlichung wissentlich mitgewirkt hat (§ 47 Nr. 1 Alt. 2; dazu → Rn. 7). Jede Haftung nach § 47 Nr. 1 setzt obj. **Verstoß gegen § 26 II** voraus. Vergütungen sind also Entschädigung oder Gründerlohn iS dieser Norm. Ein obj. Verstoß gegen § 26 II liegt vor, wenn Vergütung ohne entsprechende Festsetzung in der Satzung gezahlt wurde. Für die Haftung nach § 47 Nr. 1 Alt. 1 ist es erforderlich, dass der Haftende eine Vergütung **empfangen** hat, obwohl die dafür vorgeschriebene Festsetzung in der Satzung unterblieben ist. Ferner darf Empfänger nicht zu den Gründern oder ihren Hintermännern (§ 46 V) gehören; das folgt aus dem Einleitungssatz des § 47. Zum subj. Tatbestand gehört entweder **Vorsatz** („wusste") oder **Fahrlässigkeit** („annehmen musste"); allgM, vgl. zB KK-AktG/M. Arnold Rn. 11; MüKoAktG/Pentz Rn. 16. Fahrlässigkeitsvorwurf kann nur erhoben werden, wenn im Einzelfall Anlass zu Nachforschungen bestand und diese unterblieben sind. Entspr. dem Normzweck (→ Rn. 1) ist eine solche Nachforschungspflicht bei Vergütungen atypischer Art oder Höhe zwingend zu bejahen, sonst (übliche Gebühren- oder Honorarrechnung) zu verneinen.

6 **b) Art und Umfang der Haftung; Verhältnis zu §§ 812 ff. BGB.** Anspruch richtet sich auf **Schadensersatz** (§§ 249 ff. BGB). Mindestbetrag des Schadens liegt in geleisteter Vergütung, weil ihr gem. § 26 III keine Verpflichtung entspr. (iE unstr., s. B/K/L/Körber/König Rn. 6; MüKoAktG/Pentz Rn. 17). Kürzung des Schadensersatzanspruchs wegen Mitverschuldens (§ 254 BGB) der Gesellschaft oder ihrer Organe ist ausgeschlossen (Hölters/Weber/Solveen Rn. 8; → § 46 Rn. 10). Nach hM ist § 47 Nr. 1 in dem Sinne abschließend, dass ein konkurrierender Anspruch aus §§ 812 ff. BGB nicht in Betracht kommt (Hölters/Weber/Solveeen Rn. 5). Dem ist gegen die Mindermeinung (MüKoAktG/Pentz Rn. 15) beizupflichten, weil sonst das bei Haftung Dritter (→ Rn. 5) berechtigte Verschuldenserfordernis entwertet würde.

7 **2. Haftung des Mitwirkenden.** Wer bei Verheimlichung **mitwirkt** (§ 47 Nr. 1 Alt. 2), haftet unter den in → Rn. 5 dargelegten obj. Voraussetzungen und in dem in → Rn. 6 erläuterten Umfang. Subj. ist Vorsatz erforderlich. Bedingter Vorsatz genügt. Bloße Fahrlässigkeit begründet Haftung dagegen nicht. Verheimlichung der Vergütung liegt vor, wenn entspr. Gründungsaufwand nicht in die Satzung aufgenommen wurde. Für die Mitwirkung reicht jede Förderung oder Begünstigung des gesetzeswidrigen Verhaltens aus (KK-AktG/M. Arnold Rn. 10; Hölters/Weber/Solveen Rn. 7).

III. Mitwirkung bei Schädigung der AG (§ 47 Nr. 2)

8 Es müssen **Voraussetzungen des § 46 II oder V** durch einen Gründer oder seinen Hintermann obj. und subj. erfüllt sein (→ § 46 Rn. 11 f.). Dann haften Dritte, sofern sie mit **Vorsatz** („wissentlich") mitwirken, etwa als Berater. Anders

als bei Haftung von Mitgründern (§ 46 III) genügt insoweit also nicht Fahrlässigkeit. Wer haftet, tritt als Gesamtschuldner neben Gründer und Hintermänner. Inhaltlich entspricht die Haftung des § 47 Nr. 2 der Haftung nach § 46 II (→ § 46 Rn. 13).

IV. Haftung des Emittenten (§ 47 Nr. 3)

1. Haftungstatbestand. a) Objektive Erfordernisse. Ersatzpflicht von 9
Emittenten ist an drei obj. Erfordernisse geknüpft. Erstens an öffentl. **Ankündigung** von Aktien der Gesellschaft. Das ist an unbestimmten Personenkreis gerichtete Aufforderung zum Erwerb der Mitgliedschaft, etwa durch Zeitungsanzeigen, Fernsehwerbung oder sonstige Werbemittel. Wer auffordert (Gründer, KI, Vermittler), spielt für Tatbestand keine Rolle. Anders als bei § 47 Nr. 1 und Nr. 2 kann bei § 47 Nr. 3 der haftende Emittent sogar ein Gründer sein (MüKoAktG/Pentz Rn. 22). Ankündigung muss vor Eintragung der AG oder innerhalb von zwei Jahren nach Eintragung erfolgen. Zweitens setzt Haftung voraus, dass Ankündigung **zum Zweck der Markteinführung** erfolgt. Es muss also darum gehen, zunächst von den Gründern übernommene Aktien (Einheitsgründung, → § 23 Rn. 16) Dritten erstmalig anzubieten; vgl. auch → Rn. 12 zur analogen Anwendung. Schließlich muss obj. **Tatbestand des § 46 I** (→ Rn. 5 ff.) **oder II** (→ Rn. 11) verwirklicht sein.

b) Subjektive Erfordernisse. Emittent muss **vorsätzlich oder fahrlässig** 10
handeln. Dabei bezieht sich Schuldvorwurf auf obj. Tatbestand des § 46 I oder II. Emittent muss also wissen oder bei Anwendung der Sorgfalt eines ordentlichen, mit Emissionen befassten Geschäftsmanns erkennen können, dass einer der genannten Tatbestände obj. verwirklicht worden ist; bes. Fähigkeiten und Kenntnisse werden haftungsverschärfend berücksichtigt (BeckOGK/Gerber Rn. 10). IErg wird eine Prüfungspflicht begründet (dazu RGZ 80, 196, 199 f.), die ihrerseits Präventivfunktion hat (MüKoAktG/Pentz Rn. 29). Verschulden muss dem Emittenten bewiesen werden (GK-AktG/Ehricke Rn. 38). Verschulden der Gründer oder ihrer Hintermänner ist für Haftung des Emittenten unerheblich (ganz hM, vgl. KK-AktG/M. Arnold Rn. 26).

2. Ersatzpflicht. Gläubigerin des Anspruchs ist AG. Zu ersetzen ist der Scha- 11
den, den sie durch Handlungen iSd § 46 I oder II erlitten hat (bzgl. Haftungsumfang → § 46 Rn. 10, 13). Emittent haftet also (insoweit garantenähnlich) für Schäden, die er selbst nicht verursacht hat. Das entspr. dem Normzweck (→ Rn. 1). Ansprüche Dritter (Aktienerwerber) können sich aus § 47 Nr. 3 nicht ergeben, auch nicht über § 823 II BGB, wohl aber aus § 399 I Nr. 3 iVm § 823 II BGB (→ § 46 Rn. 49). Daneben kommt beim öffentlichen Angebot von Wertpapieren oder der Zulassung zum Börsenhandel sog Prospekthaftung in Betracht. Da es sich bei Aktien notwendigerweise um verbriefte Wertpapiere handelt (→ § 10 Rn. 3), richten sich Prospektpflicht und -haftung nicht nach VermAnlG (§ 1 II VermAnlG), sondern nach Prospekt-VO; bei Fonds ggf. auch nach KAGB. Prospektpflicht entsteht dann unter Voraussetzungen des Art. 3 Prospekt-VO und kann bei Verstoß korrespondierende Haftung nach § 9 WpPG (bei Prospekten, die Zulassung zum Börsenhandel eröffnen) oder nach § 10 WpPG (keine Zulassung zum Börsenhandel) auslösen (vgl. dazu Habersack/Mülbert/Schlitt/Schlitt Kapitalmarktinformation-HdB § 4 Rn. 1 ff.; → Rn. 6).

3. Analoge Anwendung. Sie kommt in Betracht für junge Aktien aus Kapi- 12
talerhöhung und für Wandelschuldverschreibungen. **Kapitalerhöhung:** Heute allgM bejaht entspr. Anwendung des § 47 Nr. 3, und zwar mit der Maßgabe, dass für Zweijahresfrist auf Eintragung der Kapitalerhöhung, nicht auf die der AG

abzuheben ist (s. nur MüKoAktG/Pentz Rn. 34). Bei **Wandelschuldverschreibungen** wird Haftung entspr. § 47 Nr. 3 von heute ebenfalls allgM zu Recht verneint (s. nur BeckOGK/Gerber Rn. 11). Risikolage (für AG) ist derjenigen bei Gründung oder Kapitalerhöhung nicht vergleichbar.

Verantwortlichkeit des Vorstands und des Aufsichtsrats

48 **[1] Mitglieder des Vorstands und des Aufsichtsrats, die bei der Gründung ihre Pflichten verletzen, sind der Gesellschaft zum Ersatz des daraus entstehenden Schadens als Gesamtschuldner verpflichtet; sie sind namentlich dafür verantwortlich, daß eine zur Annahme von Einzahlungen auf die Aktien bestimmte Stelle (§ 54 Abs. 3) hierzu geeignet ist, und daß die eingezahlten Beträge zur freien Verfügung des Vorstands stehen. [2] Für die Sorgfaltspflicht und Verantwortlichkeit der Mitglieder des Vorstands und des Aufsichtsrats bei der Gründung gelten im übrigen §§ 93 und 116 mit Ausnahme von § 93 Abs. 4 Satz 3 und 4 und Abs. 6.**

I. Normzweck und Allgemeines

1 § 48 betr. Haftung der Verwaltungsmitglieder für Verletzung von gründungsspezifischen Pflichten aus vermutetem Verschulden. Regelungszweck ist wie bei §§ 46, 47 (→ § 46 Rn. 1; → § 47 Rn. 1), die **Kapitalaufbringung** zu gewährleisten und somit Gesellschaftsgläubiger sowie künftige Aktionäre zu schützen. Rechtsnatur: Haftung wird teils als vertragsähnliche (Baumbach/Hueck Rn. 3), teils als deliktische eingestuft (Ehricke ZGR 2000, 351 ff.). Beiden Ansichten ist nicht zu folgen; richtig ist vielmehr Annahme spezifisch gesellschaftsrechtl. **Organhaftung** (→ § 46 Rn. 2; → § 47 Rn. 2; wie hier KK-AktG/M. Arnold Rn. 7; B/K/L/Körber/König Rn. 4; MüKoAktG/Pentz Rn. 9). Haftung hängt deshalb nicht von einem Anstellungsverhältnis ab. Bes. Gerichtsstand ergibt sich (vorbehaltlich einer Zusatzhaftung aus Delikt) nicht aus § 32 ZPO, sondern aus § 29 ZPO, wenn man nicht auch insoweit § 22 ZPO analog anwenden will (→ § 47 Rn. 2); Ergebnis bleibt gleich.

II. Gläubiger und Schuldner; Ansprüche Dritter

2 Entspr. Normzweck (→ Rn. 1) steht Ersatzanspruch der Gesellschaft zu (insoweit unstr.). Sie muss durch Eintragung als jur. Person entstanden sein (→ § 46 Rn. 5); wie hier MüKoAktG/Pentz Rn. 6. Schuldner sind diejenigen Verwaltungsmitglieder, die Haftungstatbestand verwirklichen (→ Rn. 3 f.). § 48 ist nicht abschließend. Vielmehr kann Gesellschaft auch aus anderen Rechtsvorschriften noch Ansprüche gegen die Verwaltungsmitglieder haben (→ § 46 Rn. 3). § 48 ist allerdings kein Schutzgesetz iSd § 823 II BGB zugunsten der Gesellschaft (S/L/Bayer Rn. 3; MüKoAktG/Pentz Rn. 10). Dritte können aus § 48 keine eigenen Ansprüche herleiten, auch nicht über § 823 II BGB (Grigoleit/Vedder Rn. 5; aA GK-AktG/Ehricke Rn. 33, der Schutzgesetzcharakter zugunsten künftiger Aktionäre und Gläubiger annimmt). Ersatzansprüche können sich für sie aber aus anderen Vorschriften ergeben, bes. aus § 823 II BGB iVm § 399 I Nr. 1 (→ § 46 Rn. 4).

III. Haftungstatbestand

3 **1. Objektive Erfordernisse.** § 48 wendet sich an Mitglieder des Vorstands und des AR (vgl. zur Bestellung § 30 I und IV). Gem. § 94 trifft Haftung auch stellvertretende Vorstandsmitglieder. Organmitglieder müssen bei der Gründung

ihre **Pflichten verletzt** haben. Bsp. nennt § 48 S. 1 Hs. 2 (→ § 46 Rn. 8f.). Ferner gehört hierher aus §§ 33 I, 34 folgende Prüfungspflicht. Weitergehende Pflichten können sich insbes. bei Sachgründung ergeben; die Verwaltungsmitglieder sind namentl. verpflichtet, die Sacheinlagen wertmäßig zu erhalten (MüKoAktG/Pentz Rn. 20). Betrieb des als Sacheinlage eingebrachten Unternehmens ist dagegen (werbende) Tätigkeit für Vor-AG und begründet unter den Voraussetzungen der §§ 93, 116 Ansprüche dieser Gesellschaft in sinngem. Anwendung der genannten Vorschriften (KK-AktG/M. Arnold Rn. 10; MüKoAktG/Pentz Rn. 21). Sind eingezogene Ersatzleistungen bei Eintragung schon wieder verloren, so haften dafür verantwortliche Verwaltungsmitglieder der jur. Person nach § 48. IÜ erfasst § 48 nicht nur die Verletzung der gründungsspezifischen Pflichten, sondern auch die Verletzung der allg. Organpflichten während der Gründungsphase, wie zB die Verletzung der Verschwiegenheitspflicht (§ 93 I 3) oder die Verletzung der Pflicht des AR, den Vorstand zu überwachen (§ 111 I); vgl. S/L/Bayer Rn. 4. Deckung des Verwaltungshandelns durch **gesetzmäßigen Beschluss der HV** wirkt nach § 93 IV 1 iVm § 48 S. 2 ggü. der AG enthaftend; das ist mit Rücksicht auf Normzweck (→ Rn. 1) nicht unbedenklich, aber wegen eindeutigen Gesetzeswortlauts hinzunehmen.

2. Subjektive Erfordernisse. Gem. § 48 S. 2 gelten §§ 93, 116. Geschuldet wird also Sorgfalt eines ordentlichen und gewissenhaften Geschäftsleiters (§ 93 I 1). Soweit vor Eintragung der Gesellschaft in das HR unternehmerische Tätigkeit erfolgen darf (→ § 41 Rn. 6), greift auch das Haftungsprivileg des § 93 I 2 (Hölters/Weber/Solveen Rn. 8). Beweislast für fehlendes Verschulden tragen Verwaltungsmitglieder (§ 93 II 2). Vgl. speziell zur Sorgfaltspflicht des AR RGZ 144, 348, 354f. 4

IV. Ersatzpflicht

1. Art und Umfang der Haftung. Wer Haftungstatbestand verwirklicht (→ Rn. 3f.), haftet der AG auf Schadensersatz (§§ 249ff. BGB). Insbes. sind ihr nicht geleistete oder verlorengegangene Einlagen zu ersetzen, ferner Schäden, die sich aus unzureichender Gründungsprüfung (§ 33 I, § 34) ergeben. Auf Mitverschulden (§ 254 BGB) der Gesellschaft können sich die haftenden Verwaltungsmitglieder nicht berufen. Mitverschulden würde nämlich auf Verhalten eines anderen Verwaltungsmitglieds beruhen. Zweck des § 48 würde verfehlt, wenn Haftung einzelner Verwaltungsmitglieder ggü. Gesellschaft wegen Mitverschuldens eines anderen Verwaltungsmitglieds gemindert würde (KK-AktG/M. Arnold Rn. 14; sa BGH NZG 2015, 38 Rn. 22f. zur Unanwendbarkeit des § 254 BGB ggü. jur. Person bei Mitverschulden anderer Organmitglieder; → § 93 Rn. 120). Ähnliches gilt bzgl. Verursachungsbeiträge anderer haftender Personen nach §§ 46ff. (s. dort). Mitverschulden findet lediglich im Rahmen des Gesamtschuldnerausgleichs Berücksichtigung (→ § 46 Rn. 19). Mehrere Ersatzpflichtige haften mit Gründern und Gründergenossen (§§ 46, 47) als Gesamtschuldner (§§ 421ff. BGB); → § 46 Rn. 19. Dagegen gibt es keine Mithaftung derjenigen Verwaltungsmitglieder, die selbst nicht pflichtwidrig oder nachweislich schuldlos gehandelt haben. 5

2. Verzicht, Vergleich, Verjährung. § 93 IV 3 und 4, VI gilt für die Ansprüche aus § 48 nicht (§ 48 S. 2). Stattdessen sind §§ 50, 51 anzuwenden. Die Regelungen sind sachlich weitgehend identisch, doch kommt es für die Fristen nicht auf Entstehung des Anspruchs, sondern auf Eintragung der AG an. 6

V. Geltendmachung durch Gläubiger der AG

7 Ansprüche aus § 48 können unter den Voraussetzungen des § 93 V auch von Gesellschaftsgläubigern geltend gemacht werden (§ 48 S. 2). Dies klarzustellen, war wesentlicher Zweck der Neufassung 1965 (RegBegr. Kropff S. 65; → § 93 Rn. 170 ff.).

Verantwortlichkeit der Gründungsprüfer

49 **§ 323 Abs. 1 bis 4 des Handelsgesetzbuchs über die Verantwortlichkeit des Abschlußprüfers gilt sinngemäß.**

I. Allgemeines

1 § 49 sieht **Verantwortlichkeit der Gründungsprüfer** (§ 33 II–V) vor und regelt sie durch Verweis auf die für Abschlussprüfer geltende Bestimmung. Diese war ursprünglich in § 168 aF enthalten, an dessen Stelle § 323 HGB getreten ist. Textänderungen tragen nur redaktionellen Charakter. § 49 wurde entspr. angepasst. § 49 dient wie §§ 46 ff. der Sicherung der Kapitalaufbringung (→ § 46 Rn. 1). **Gläubiger** der Ansprüche aus § 49 sind die durch Eintragung als jur. Person (§ 41 I 1) entstandene AG (→ § 46 Rn. 5) und das mit ihr verbundene Unternehmen, sofern es ebenfalls geschädigt wurde; vgl. § 323 I 3 HGB (KK-AktG/M. Arnold Rn. 1; MüKoAktG/Pentz Rn. 10). Begriff des verbundenen Unternehmens: § 15 (str.; wie hier GK-AktG/Ehricke Rn. 27; BeckOGK/Gerber Rn. 5; aA KK-AktG/M. Arnold Rn. 6 und MüKoAktG/Pentz Rn. 10, die auf § 271 II HGB abstellen). **Anspruchsgegner** sind Gründungsprüfer, deren Gehilfen und bei Prüfungsgesellschaften auch deren bei der Prüfung mitwirkende gesetzliche Vertreter; vgl. § 323 I 1 HGB (Hölters/Weber/Solveen Rn. 2). Haftung nach § 49 ist Ausfluss eines **vertragsähnlichen ges. Schuldverhältnisses** (MüKoAktG/Pentz Rn. 15; Hölters/Weber/Solveen Rn. 3). Gerichtsstand für Anspruchsverfolgung nach § 49 bestimmt sich daher nach §§ 12 und 29 ZPO; nicht § 32 ZPO (Hölters/Weber/Solveen Rn. 3). Haftung nach § 49 ist nicht abschließend. Sonstige Ansprüche der Gesellschaft können sich bes. aus unerlaubter Handlung, zB § 826, § 823 II BGB iVm §§ 403, 404 ergeben (MüKoAktG/Pentz Rn. 18; → § 46 Rn. 3). Jedoch ist § 49 iVm § 323 HGB weder zugunsten der Gesellschaft noch zugunsten Dritter Schutzgesetz iSd § 823 II BGB (S/L/Bayer Rn. 3). Ansprüche Dritter können sich aus allg. Vorschriften ergeben; zB aus § 823 II BGB iVm §§ 403, 404 (S/L/Bayer Rn. 3; → § 46 Rn. 4).

II. § 323 HGB

2 Die Bestimmung lautet:

§ 323 HGB Verantwortlichkeit des Abschlußprüfers

(1) [1] Der Abschlußprüfer, seine Gehilfen und die bei der Prüfung mitwirkenden gesetzlichen Vertreter einer Prüfungsgesellschaft sind zur gewissenhaften und unparteiischen Prüfung und zur Verschwiegenheit verpflichtet; gesetzliche Mitteilungspflichten bleiben unberührt. [2] Sie dürfen nicht unbefugt Geschäfts- und Betriebsgeheimnisse verwerten, die sie bei ihrer Tätigkeit erfahren haben. [3] Wer vorsätzlich oder fahrlässig seine Pflichten verletzt, ist der Kapitalgesellschaft und, wenn ein verbundenes Unternehmen geschädigt worden ist, auch diesem zum Ersatz des daraus entstehenden Schadens verpflichtet. [4] Mehrere Personen haften als Gesamtschuldner.

(2) [1] Die Ersatzpflicht der in Absatz 1 Satz 1 genannten Personen für eine Prüfung ist vorbehaltlich der Sätze 2 bis 4 wie folgt beschränkt:

1. bei Kapitalgesellschaften, die ein Unternehmen von öffentlichem Interesse nach § 316a Satz 2 Nummer 1 sind: auf sechzehn Millionen Euro;
2. bei Kapitalgesellschaften, die ein Unternehmen von öffentlichem Interesse nach § 316a Satz 2 Nummer 2 oder 3, aber nicht nach § 316a Satz 2 Nummer 1 sind: auf vier Millionen Euro;
3. bei Kapitalgesellschaften, die nicht in den Nummern 1 und 2 genannt sind: auf eine Million fünfhunderttausend Euro.

[2] Dies gilt nicht für Personen, die vorsätzlich gehandelt haben, und für den Abschlussprüfer einer Kapitalgesellschaft nach Satz 1 Nummer 1, der grob fahrlässig gehandelt hat. [3] Die Ersatzpflicht des Abschlussprüfers einer Kapitalgesellschaft nach Satz 1 Nummer 2, der grob fahrlässig gehandelt hat, ist abweichend von Satz 1 Nummer 2 auf zweiunddreißig Millionen Euro für eine Prüfung beschränkt. [4] Die Ersatzpflicht des Abschlussprüfers einer Kapitalgesellschaft nach Satz 1 Nummer 3, der grob fahrlässig gehandelt hat, ist abweichend von Satz 1 Nummer 3 auf zwölf Millionen Euro für eine Prüfung beschränkt. [5] Die Haftungshöchstgrenzen nach den Sätzen 1, 3 und 4 gelten auch, wenn an der Prüfung mehrere Personen beteiligt gewesen oder mehrere zum Ersatz verpflichtende Handlungen begangen worden sind, und ohne Rücksicht darauf, ob andere Beteiligte vorsätzlich oder grob fahrlässig gehandelt haben.

(3) Die Verpflichtung zur Verschwiegenheit besteht, wenn eine Prüfungsgesellschaft Abschlußprüfer ist, auch gegenüber dem Aufsichtsrat und den Mitgliedern des Aufsichtsrats der Prüfungsgesellschaft.

(4) Die Ersatzpflicht nach diesen Vorschriften kann durch Vertrag weder ausgeschlossen noch beschränkt werden.

(5) Die Mitteilung nach Artikel 7 Unterabsatz 2 der Verordnung (EU) Nr. 537/2014 ist an die Bundesanstalt für Finanzdienstleistungsaufsicht zu richten, bei dem Verdacht einer Straftat oder Ordnungswidrigkeit auch an die für die Verfolgung jeweils zuständige Behörde.

III. Grundsätze der Prüferhaftung

Gründungsprüfer und gleichgestellte Personen (→ Rn. 1) haben wie Abschlussprüfer die Pflicht zur gewissenhaften und unparteiischen Prüfung sowie die Verschwiegenheitspflicht (§ 323 I 1 HGB). Diese Pflichten sind zwingend (§ 323 IV HGB). Spezielle Pflichten der Gründungsprüfer folgen aus § 34. Dabei kommt der Bewertung von Sacheinlagen oder -übernahmen bes. Bedeutung zu (vgl. dazu K. Schmidt DB 1975, 1781 ff.). 3

Schuldhafte Pflichtverletzung begründet ges. **Schadensersatzanspruch der AG** oder des mit ihr verbundenen Unternehmens (→ Rn. 1). Gesellschaft trägt Beweislast für Verschulden. Vertragliche Abweichungen zu ihren Lasten sind unzulässig (§ 323 IV HGB; zum Hintergrund Krolop VGR 27 GesR 2021, 19 Rn. 41 f.). Dem Anspruch kann keinesfalls entgegengehalten werden, dass Gesellschaft ohne Pflichtverletzung des Prüfers nicht entstanden wäre (BGHZ 64, 52, 57 = NJW 1975, 974). Haftung des Gründungsprüfers wird aber durch § 323 HGB beschränkt, der im Nachgang des Wirecard-Skandals durch FISG 2021 deutliche Verschärfung erfahren hat (ausf. rechtspolit. Würdigung bei Hennrichs DB 2021, 268, 272 ff.; krit. etwa Dauner-Lieb ZIP 2021, 391 ff.; Homborg/Landahl NZG 2021, 859 ff.; zur Abschlussprüferhaftung speziell im Lichte von Wirecard sa Nietsch WM 2021, 158 ff.; Poelzig ZBB 2021, 73 ff.). Regelungen zielen in erster Linie auf herkömmliche Abschlussprüfung ab, gelten durch Verweis in § 49 aber auch für Gründungsprüfung. Nach § 323 II HGB wird Ersatzpflicht für leichte und mittlere Fahrlässigkeit grds. beschränkt, und zwar nach **3-Stufen-Modell** für kapitalmarktorientierte Unternehmen im öffentl. Interesse iSd § 316a S. 2 iVm § 264d HGB auf 16 Mio. EUR, für sonstige Unternehmen im öffentl. Interesse (insbes. KI und Versicherungen) auf 4 Mio. EUR und für sonstige AG auf 1,5 Mio. EUR. Bei Vorsatz ist Haftungsbeschrän- 4 kung nicht anwendbar. Bei **grober Fahrlässigkeit** wird weiter differenziert: Bei kapitalmarktorientierten Unternehmen iSd § 316a S. 2 iVm § 264d HGB haftet Abschlussprüfer unbeschränkt (§ 323 II 2 HGB), bei nicht kapitalmarktorientierten Unternehmen im öffentl. Interesse bis zu 32 Mio. EUR (§ 323 II 3 HGB), bei sonstigen Gesellschaften bis zu 12 Mio. EUR (§ 323 II 4 HGB; vgl. zu diesen Ausdifferenzierungen Krolop VGR 27 GesR 2021, 19 Rn. 43 ff.; Schüppen DB 2021, 3046, 3047 f.). Für Gehilfen gilt Haftungsverschärfung bei grober Fahrlässigkeit nicht; § 323 II 2 – 4 HGB nehmen nur auf Abschlussprüfer Bezug (Krolop NZG 2021, 853, 856 f.). Handelt der eine fahrlässig, der andere vorsätzlich, so haftet jeder entspr. seinem Verschuldensgrad (§ 323 II 5 HGB).

5 Umstr. ist Frage nach Kürzung des Schadensersatzanspruchs wegen **Mitverschuldens** (§ 254 BGB) der Gesellschafter bzw. ihrer Organe. Auch dieser Frage kommt iR regulärer Abschlussprüfung wesentlich größere Bedeutung zu; doch ist sie auch hier noch nicht abschließend geklärt (gegen eine Kürzung öOGH ÖBA 2001, 560; sa Doralt ZGR 2015, 266, 280 ff.; dafür OLG Jena BeckRS 2011, 18092; Thomale ZGR 2023, 131 ff.). BGH hat mit Rücksicht auf zentrale Funktion des Abschlussprüfers, Unregelmäßigkeiten in der Rechnungslegung aufzudecken, zumindest „mehr Zurückhaltung als sonst üblich" für geboten gehalten (BGHZ 183, 383 Rn. 56 = NZG 2010, 142). Bes. Betonung der kritischen Grundhaltung des durch FISG 2021 neu gefassten § 43 IV WPO wird diese Zurückhaltung abermals verstärken (Krolop NZG 2021, 853, 857; sa Marten DB 2022, 69 ff.). Jedenfalls für deutlich überschaubarere Verhältnisse im Gründungsstadium wird man Kürzung deshalb im absoluten Regelfall abzulehnen haben (str., BeckOGK/Gerber Rn. 7; MüKoAktG/Pentz Rn. 37; → § 46 Rn. 10; aA KK-AktG/M. Arnold Rn. 22). §§ 50 ff. sind wegen eindeutigen Wortlauts dieser Vorschriften nicht anwendbar (s. dort). Verjährung der Ansprüche aus § 49 bestimmt sich nach §§ 195, 199 BGB (S/L/Bayer Rn. 2). Haftung nach § 49 begründet gesamtschuldnerische Haftung mit anderen nach §§ 46 ff. haftenden Personen und eröffnet somit Gesamtschuldnerausgleich nach § 426 BGB (KK-AktG/M. Arnold Rn. 28; → § 46 Rn. 19). Zur Dritthaftung des Wirtschaftsprüfers aus neuerer Zeit etwa Hennrichs DB 2021, 268, 274 ff.; Krolop VGR 27 GesR 2021, 19 Rn. 54 ff.; Poelzig ZBB 2021, 73, 78 ff.; Schüppen DB 2021, 3046, 3048 ff.; speziell zur WP-Haftung nach § 826 BGB bei bes. Nachlässigkeit des Bestätigungsvermerks vgl. BGH NJW 2014, 383 Rn. 7 ff.; NZG 2020, 1030 Rn. 23 ff.; OLG München AG 2022, 368, 371; NZG 2022, 566 Rn. 24 ff.; Buck-Heeb AG 2022, 337 ff.

Verzicht und Vergleich

50 **[1]Die Gesellschaft kann auf Ersatzansprüche gegen die Gründer, die neben diesen haftenden Personen und gegen die Mitglieder des Vorstands und des Aufsichtsrats (§§ 46 bis 48) erst drei Jahre nach der Eintragung der Gesellschaft in das Handelsregister und nur dann verzichten oder sich über sie vergleichen, wenn die Hauptversammlung zustimmt und nicht eine Minderheit, deren Anteile zusammen den zehnten Teil des Grundkapitals erreichen, zur Niederschrift Widerspruch erhebt. [2]Die zeitliche Beschränkung gilt nicht, wenn der Ersatzpflichtige zahlungsunfähig ist und sich zur Abwendung des Insolvenzverfahrens mit seinen Gläubigern vergleicht oder wenn die Ersatzpflicht in einem Insolvenzplan geregelt wird.**

I. Normzweck und Allgemeines

§ 50 betr. Disposition der AG über ihre Ersatzansprüche aus Pflichtverletzungen bei der Gründung (→ Rn. 2) und bezweckt neben Sicherung der Kapitalaufbringung den Minderheitenschutz. **Kapitalaufbringung:** Einfluss der Gründer auf AG und ihre Organe soll durch Zeitablauf abgenommen haben (vgl. RegBegr. Kropff S. 66; MüKoAktG/Pentz Rn. 7) und Schadensumfang soll zuverlässig übersehbar sein (BGHZ 191, 364 Rn. 26 = NZG 2012, 69; RegBegr. Kropff S. 123; Fleischer AG 2015, 133, 138), bevor Verzicht und Vergleich möglich sind. **Minderheitenschutz:** Regelungen des §§ 147, 148 gingen ins Leere, wenn Mehrheit ohne Rücksicht auf Minderheit über Ansprüche aus der Gründungshaftung disponieren könnte (S/L/Bayer Rn. 1; MüKoAktG/Pentz Rn. 7). Anders insoweit § 9b I GmbHG, vgl. HCL/Ulmer/Habersack GmbHG § 9b Rn. 2. Parallelvorschrift: § 93 IV 3 und 4. 1

II. Erfasste Ansprüche

§ 50 betr. Ansprüche aus **§§ 46–48.** Nicht erfasst sind Ansprüche gegen den dort umschriebenen Personenkreis aus anderem Rechtsgrund (Vertragsverletzung, uH); so hM, vgl. KK-AktG/M. Arnold Rn. 4; MüKoAktG/Pentz Rn. 9. Gleichfalls nicht betroffen sind Ansprüche aus § 323 HGB iVm § 49 (KK-AktG/M. Arnold Rn. 4; MüKoAktG/Pentz Rn. 9). Verzicht und Vergleich sind in diesen Fällen insoweit nach allg. Grundsätzen möglich (KK-AktG/M. Arnold Rn. 4). 2

III. Beschränkungen der Regelungsbefugnis

Überhaupt unzulässig sind Verzicht und Vergleich vor Ablauf von drei Jahren nach Eintragung der AG. **Verzicht** iSd des § 50 sind Erlassvertrag (§ 397 I BGB) und negatives Schuldanerkenntnis (§ 397 II BGB); **Vergleich** iSd § 50 sind Vergleich nach § 779 BGB sowie Prozessvergleich (S/L/Bayer Rn. 3). Erfasst werden auch **wirkungsgleiche Rechtshandlungen;** zB Klageverzicht, Abtretung ohne entsprechende Gegenleistung, Novation neuer Forderungen, die nicht unter § 50 fallen sollen (KK-AktG/M. Arnold Rn. 7 ff.; MHdB CL/Pentz § 25 Rn. 213). Fristberechnung erfolgt nach allg. Vorschriften; §§ 187 f. BGB (Hölters/Weber/Solveen Rn. 4). Nach Fristablauf bedarf Vorstand, der AG auch insoweit vertritt (§ 78), der Zustimmung der HV. Ihre Zustimmung bleibt jedoch wirkungslos, wenn Minderheit von 10 % des Grundkapitals Widerspruch zu Protokoll gibt. Die zeitliche Beschränkung (und nur sie) gilt nach § 50 S. 2 nicht, wenn der Ersatzpflichtige zahlungsunfähig (§ 17 InsO; bei jur. Personen gleichgestellt: Überschuldung, § 19 InsO) ist und sich dieser zur Abwendung eines Insolvenzverfahrens mit seinen Gläubigern vergleicht oder wenn die Ersatzpflicht in einem Insolvenzplan (§§ 217 ff. InsO) geregelt wird (für Ausdehnung auch auf Plan nach §§ 305 ff. InsO MüKoAktG/Pentz Rn. 20; dagegen BeckOGK/Gerber Rn. 14). Zu Einzelheiten → § 93 Rn. 158 ff. 3

IV. Rechtsfolgen

Verzicht oder Vergleich vor Fristablauf verstoßen gegen ges. Verbot (Ausnahme: § 50 S. 2) und sind daher nichtig nach § 134 BGB. Wenn Frist gewahrt ist, aber Zustimmung der HV fehlt oder wegen Widerspruchs der Minderheit nicht wirksam ist, sind entspr. Erklärungen zwar nicht nichtig; sie wirken aber nicht gegen AG, weil dem Vorstand die Vertretungsmacht fehlt (§ 164 I BGB). § 50 schränkt insoweit die grds. uneingeschränkte Vertretungsmacht des Vor- 4 stands (§ 78) ein. Daher ist Vertrag bis zur seiner endgültigen Ablehnung schwebend unwirksam (§ 177 I BGB) und beteiligte Vorstandsmitglieder haften nach § 179 BGB (KK-AktG/M. Arnold Rn. 28; S/L/Bayer Rn. 6; abw. MüKoAktG/Pentz Rn. 24: Vorstandshandeln ist nicht als vollmachtlos, sondern als unwirksam anzusehen).

Verjährung der Ersatzansprüche

51 [1]**Ersatzansprüche der Gesellschaft nach den §§ 46 bis 48 verjähren in fünf Jahren.** [2]**Die Verjährung beginnt mit der Eintragung der Gesellschaft in das Handelsregister oder, wenn die zum Ersatz verpflichtende Handlung später begangen worden ist, mit der Vornahme der Handlung.**

I. Anwendungsbereich

1 § 51 normiert Verjährung für alle **Ersatzansprüche aus §§ 46–48.** Ansprüche aus § 49 (Haftung des Gründungsprüfers) werden von aktienrechtl. Sonderverjährung nicht mehr erfasst. Insoweit verbleibt es nunmehr bei Regelverjährung nach §§ 195, 199 BGB (RegBegr. BT-Drs. 15/3653, 20). Für konkurrierende Ansprüche aus unerlaubter Handlung gilt § 51 nach heute allg. Auffassung nicht, weil deliktischer Unwertgehalt über §§ 46 ff. hinausgehen kann und deshalb Voraussetzungen der Spezialität nicht vorliegen (GK-AktG/Ehricke Rn. 5; MüKoAktG/Pentz Rn. 6); RGZ 87, 306, 309 gibt für diese Frage nichts her. Für Ausgleichsansprüche von Gesamtschuldnern gilt Dreijahresfrist gem. §§ 195, 199 BGB. § 51 ist jedoch auf Ansprüche aus § 37 I 4 analog anwendbar (OLG Hamburg AG 2007, 500, 504; KK-AktG/M. Arnold Rn. 3).

II. Frist und Fristlauf

2 Verjährungsfrist beträgt wie nach § 93 VI, §§ 116, 117 VI, § 309 V, § 310 IV, § 317 IV, § 318 IV fünf Jahre (§ 51 S. 1). Verjährungsfrist von fünf Jahren bezweckt **Interessenausgleich.** Zum einen dient sie der Sicherstellung, dass alle der AG entstandenen Nachteile erkannt und geltend gemacht werden können, zum anderen ist Frist kurz genug, um zu gewährleisten, dass die Beteiligten noch über die erforderlichen Kenntnisse und Unterlagen verfügen (KK-AktG/M. Arnold Rn. 2). Frist beginnt abw. von § 200 S. 1 BGB grds. mit Eintragung der AG in das HR. Entsteht Anspruch später, so ist Vornahme der anspruchsbegründenden Handlung entscheidend (§ 51 S. 2). Fristberechnung erfolgt nach § 187 I BGB, § 188 II BGB. Vertragliche Verkürzung der Frist ist nichtig; § 51 ist Verbotsgesetz iSd § 134 BGB (GK-AktG/Ehricke Rn. 13).

Nachgründung

52 (1) [1]**Verträge der Gesellschaft mit Gründern oder mit mehr als 10 vom Hundert des Grundkapitals an der Gesellschaft beteiligten Aktionären, nach denen sie vorhandene oder herzustellende Anlagen oder andere Vermögensgegenstände für eine den zehnten Teil des Grundkapitals übersteigende Vergütung erwerben soll, und die in den ersten zwei Jahren seit der Eintragung der Gesellschaft in das Handelsregister geschlossen werden, werden nur mit Zustimmung der Hauptversammlung und durch Eintragung in das Handelsregister wirksam.**

[2] Ohne die Zustimmung der Hauptversammlung oder die Eintragung im Handelsregister sind auch die Rechtshandlungen zu ihrer Ausführung unwirksam.

(2) [1] Ein Vertrag nach Absatz 1 bedarf der schriftlichen Form, soweit nicht eine andere Form vorgeschrieben ist. [2] Er ist von der Einberufung der Hauptversammlung an, die über die Zustimmung beschließen soll, in dem Geschäftsraum der Gesellschaft zur Einsicht der Aktionäre auszulegen. [3] Auf Verlangen ist jedem Aktionär unverzüglich eine Abschrift zu erteilen. [4] Die Verpflichtungen nach den Sätzen 2 und 3 entfallen, wenn der Vertrag für denselben Zeitraum über die Internetseite der Gesellschaft zugänglich ist. [5] In der Hauptversammlung ist der Vertrag zugänglich zu machen. [6] Der Vorstand hat ihn zu Beginn der Verhandlung zu erläutern. [7] Der Niederschrift ist er als Anlage beizufügen.

(3) [1] Vor der Beschlußfassung der Hauptversammlung hat der Aufsichtsrat den Vertrag zu prüfen und einen schriftlichen Bericht zu erstatten (Nachgründungsbericht). [2] Für den Nachgründungsbericht gilt sinngemäß § 32 Abs. 2 und 3 über den Gründungsbericht.

(4) [1] Außerdem hat vor der Beschlußfassung eine Prüfung durch einen oder mehrere Gründungsprüfer stattzufinden. [2] § 33 Abs. 3 bis 5, §§ 34, 35 über die Gründungsprüfung gelten sinngemäß. [3] Unter den Voraussetzungen des § 33a kann von einer Prüfung durch Gründungsprüfer abgesehen werden.

(5) [1] Der Beschluß der Hauptversammlung bedarf einer Mehrheit, die mindestens drei Viertel des bei der Beschlußfassung vertretenen Grundkapitals umfaßt. [2] Wird der Vertrag im ersten Jahre nach der Eintragung der Gesellschaft in das Handelsregister geschlossen, so müssen außerdem die Anteile der zustimmenden Mehrheit mindestens ein Viertel des gesamten Grundkapitals erreichen. [3] Die Satzung kann an Stelle dieser Mehrheiten größere Kapitalmehrheiten und weitere Erfordernisse bestimmen.

(6) [1] Nach Zustimmung der Hauptversammlung hat der Vorstand den Vertrag zur Eintragung in das Handelsregister anzumelden. [2] Der Anmeldung ist der Vertrag mit dem Nachgründungsbericht und dem Bericht der Gründungsprüfer mit den urkundlichen Unterlagen beizufügen. [3] Wird nach Absatz 4 Satz 3 von einer externen Gründungsprüfung abgesehen, gilt § 37a entsprechend.

(7) [1] Bestehen gegen die Eintragung Bedenken, weil die Gründungsprüfer erklären oder weil es offensichtlich ist, daß der Nachgründungsbericht unrichtig oder unvollständig ist oder den gesetzlichen Vorschriften nicht entspricht oder daß die für die zu erwerbenden Vermögensgegenstände gewährte Vergütung unangemessen hoch ist, so kann das Gericht die Eintragung ablehnen. [2] Enthält die Anmeldung die Erklärung nach § 37a Abs. 1 Satz 1, gilt § 38 Abs. 3 entsprechend.

(8) Einzutragen sind der Tag des Vertragsschlusses und der Zustimmung der Hauptversammlung sowie der oder die Vertragspartner der Gesellschaft.

(9) Vorstehende Vorschriften gelten nicht, wenn der Erwerb der Vermögensgegenstände im Rahmen der laufenden Geschäfte der Gesellschaft, in der Zwangsvollstreckung oder an der Börse erfolgt.

Übersicht

I. Regelungsgegenstand und -zweck

1 § 52 umschreibt sog **Nachgründung,** bindet Vertretungsmacht des Vorstands (§ 78) für Verträge dieser Art (→ Rn. 2 f.) an Zustimmung der HV und unterwirft solche Vorgänge ähnlichen Anforderungen, wie sie nach §§ 27, 32 ff. bei Sachgründung gelten. Regelungszweck ist vor allem **Umgehungsschutz** und damit letztlich Sicherung der **Kapitalaufbringung** (allgM, s. BGHZ 173, 145 Rn. 18 = NJW 2007, 3425; BGHZ 175, 265 Rn. 11 = AG 2008, 383). Dem liegt zugrunde, dass gründungsnahe Erwerbspflichten für AG ein ähnliches Risikopotenzial enthalten wie Sachgründung (mangelnde Substanz; Bewertungsfehler). Daneben soll AG vor **übermäßiger Einflussnahme** der Gründer auf Vorstand geschützt werden, von dem vermutet wird, dass er in ersten zwei Jahren noch in bes. Abhängigkeit von den Gründern stehen wird (BGHZ 110, 47, 55 = NJW 1990, 982; Bröcker ZIP 1999, 1029, 1033 ff.; J. Koch, Nachgründung, 2002, 15 ff.; zum Verhältnis zur verdeckten Sacheinlage → Rn. 7). Europarechtl. Nachgründungsvorgabe findet sich in Art. 52 GesR-RL, der seinerseits auf das deutsche Vorbild zurückgeht, nun aber über Gebot richtlinienkonformer Auslegung auf § 52 zurückstrahlt. Grundlegende Änderung hat § 52 I und IX durch NaStraG 2001 erfahren, der insbes. persönlichen Anwendungsbereich des § 52 stark eingeschränkt hat (→ Rn. 3) und damit ihre praktische Bedeutung deutlich beschnitten hat (s. dazu J. Koch, Nachgründung, 2002, 1 ff.).

II. Tatbestandliche Voraussetzungen und grundsätzliche Anforderungen (§ 52 I und II 1)

2 **1. Begriff und Rechtsnatur der Nachgründung. a) Grundsatz.** Nachgründung liegt gem. § 52 I 1 vor, wenn sich als jur. Person entstandene AG

durch Vertrag zum Erwerb von Vermögensgegenständen verpflichtet, sofern Vergütung 10 % des Grundkapitals übersteigen soll und Vertragsschluss in den ersten zwei Jahren nach Eintragung der AG erfolgt. Entgegen Wortsinn geht es nicht um Gründung, sondern um **schuldrechtl. Geschäfte,** die nur wegen der Gefährdungslage (→ Rn. 1) ähnlich wie Gründung behandelt werden. Geschäftstyp (Kauf, Miete, Werkvertrag) ist dabei ohne Bedeutung (hM, s. KK-AktG/M. Arnold Rn. 13; MüKoAktG/Pentz Rn. 17; GK-AktG/Priester Rn. 26). Voraussetzungen sind nur scheinbar klar. Schwierigkeiten bereiten Geschäftsparteien (→ Rn. 3), Geschäftsgegenstand (→ Rn. 5) und vorausgesetzte Vergütung (→ Rn. 5).

b) Geschäftsparteien. Auf Seiten der **Gesellschaft** wird für AG Vorstand tätig. § 52 ist auch auf Vorratsgesellschaft anwendbar, wobei als Gründer erste Verwender anzusehen sind und statt auf Eintragung auf Zeitpunkt des erstmaligen Auftretens im Außenverhältnis abzustellen ist (str.; → § 23 Rn. 27a). Auf Geschäfte des Vorstands der Vor-AG ist § 52 nach klarem Wortlaut nicht anwendbar (J. Koch, Nachgründung, 2002, 183 ff.). Für **Geschäftsgegenseite** gilt: Während Aktionärseigenschaft des Vertragspartners früher von § 52 I 1 nicht vorausgesetzt wurde, ist Norm seit Neufassung durch NaStraG 2001 auf Verträge mit Aktionären beschränkt, und zwar solchen, die Gründer (§ 28) oder mit mehr als 10 % am Grundkapital der Gesellschaft beteiligt sind. Darin liegt wesentliche und berechtigte Reduktion des § 52 I 1. Sie beseitigt Gründungshindernis, das sich als zunehmend problematisch erwiesen hat (RegBegr. BT-Drs. 14/4051, 10). Gründern gleichzustellen sind vor Eintragung beigetretene Aktionäre (Priester DB 2001, 467 f.; Werner NZG 2001, 1403). Das Gleiche gilt bei aufschiebend bedingtem Erwerb im Gründungsstadium auf Zeitpunkt der Eintragung (MüKoAktG/Pentz Rn. 15). Im Zeitpunkt des Vertragsschlusses ist Aktionärseigenschaft nicht mehr erforderlich (MüKoAktG/Pentz Rn. 15). Aktionär muss mit mehr als 10 % beteiligt sein, wobei auch stimmrechtslose Vorzugsaktien zu berücksichtigen sind (MüKoAktG/Pentz Rn. 15). Bei Beurteilung, ob Aktionär mit mehr als 10 % beteiligt ist, kann Zurechnung von Beteiligung nahe stehender Personen geboten sein (Dormann/Fromholzer AG 2001, 242, 243 ff.; Priester DB 2001, 467, 468). 3

Anders als nach alter Rechtslage werden **Drittgeschäfte** von § 52 nicht mehr erfasst. Beurteilung von Umgehungssachverhalten durch Treuhänder, Strohmänner oder verbundene Unternehmen hat Gesetzgeber bewusst der Rspr. überlassen (RegBegr. BT-Drs. 14/4051, 10). Dabei kann auf die zur verdeckten Sacheinlage (→ § 27 Rn. 23 ff.) oder zur verbotenen Einlagenrückgewähr (→ § 57 Rn. 35 ff.) entwickelten Grundsätze zurückgegriffen werden. Verträge, die nach Ablauf der Zweijahresfrist geschlossen werden, unterliegen auch dann nicht den Anforderungen des § 52, wenn ihnen bereits eine Nachgründung vorangegangen ist (MüKoAktG/Pentz Rn. 20). 3a

c) Geschäftsgegenstand. Für § 52 I 1 genügen Vermögensgegenstände jeder Art. Vorhandene oder herzustellende Anlagen sind nur beispielhaft genannt (→ § 27 Rn. 13 ff.). **Dienstleistungen** und darauf gerichtete Ansprüche sind keine Vermögensgegenstände bzw. nicht einlagefähig, und zwar nach zu Recht hM auch dann nicht, wenn es um Dienste Dritter geht (→ § 27 Rn. 22). ZT wird daraus gefolgert, dass auch § 52 I 1 nicht anwendbar sein soll (Diekmann ZIP 1996, 2149). Das überzeugt nicht, weil §§ 27, 32 ff., deren Umgehung vermieden werden soll (→ Rn. 1), ihrerseits Gläubiger und Aktionäre schützen und dieser Schutz erst recht verfehlt wird, wenn junge AG Leistungen vergütet, die nicht einlage- oder übernahmefähig sind oder (Dienste Dritter) sein sollen (zust. KK-AktG/M. Arnold Rn. 18; MüKoAktG/Pentz Rn. 18; Krieger FS Claussen, 1997, 223, 226 f.; Lieder ZIP 2010, 964, 968; Schwab, Nachgründung, 2003, 4

105 f.). Danach naheliegende entspr. Anwendung des § 52 wird auch nicht durch Entstehungsgeschichte des 2. KoordG 1979 (BGBl. 1978 I 1959) gehindert. Was RegE in § 52 II vorsah und Gesetzgeber nicht wollte, war weitergehende Regelung, nach der Verträge über Dienstleistungen in den Grenzen des § 52 I 1 schlechthin unwirksam gewesen wären, also auch bei Zustimmung der HV und Registerpublizität; s. BT-Drs. 8/1678, 4 (Text), 13 (Begr.); ferner AusschussB BT-Drs. 8/2251, 17 f. Auf dieser Grundlage wäre richtigerweise Fall des LG Köln AG 2003, 167 entschieden worden (diverse Dienstleistungen an gerade eingetragene AG gegen Anzahlung, die mehr als die Hälfte des Grundkapitals ausmachte).

5 **d) Vergütung.** Vergütung muss 10 % des Grundkapitals übersteigen. Maßgeblich ist Gesamtvergütung des einheitlichen Vertragsgegenstands, und zwar auch bei ihrer Aufspaltung in Teilbeträge, etwa wegen Miteigentums (KK-AktG/M. Arnold Rn. 21; sa Schmidt/Seipp ZIP 2000, 2089 ff. zu Dauerschuldverhältnissen). Höhe des Grundkapitals bestimmt sich grds. nach Eintragung in HR. Kapitalerhöhung ist erst mit Eintragung ihrer Durchführung beachtlich (§ 189). Nennbetrag ausgegebener Bezugsaktien bzw. der auf sie entfallende anteilige Betrag (§ 8 III) ist der eingetragenen Satzungsziffer hinzuzusetzen (§ 203; → § 203 Rn. 3).

5a Fraglich bleibt, ob **Zahlung** überdies **aus gebundenem Vermögen** zu erfolgen hat oder ob Kapitalgrenze nur zahlenmäßig bestimmten Schwellenwert darstellt. Erstgenannte Auffassung wurde zunächst in älterer Kommentarliteratur entwickelt und war dort ganz weitgehend anerkannt (grdl. Düringer/Hachenburg HGB § 207 Anm. 10; wN bei J. Koch, Nachgründung, 2002, 42 Fn. 9). Unter Präzisierung der seinerzeit zT noch unscharfen, zT noch nicht an heutige ges. Rahmenbedingungen angepasste Begrifflichkeit wird sie heute in modifizierter Form verbreitet dahingehend fortgeführt, dass § 52 nur dann eingreift, wenn Vergütung aus Vermögen der AG bezahlt werden soll, das zur Deckung des Grundkapitals und der nach § 272 II Nr. 1–3 HGB vorgeschriebenen Kapitalrücklagen (Reservefonds → § 150 Rn. 1, 3) benötigt wird. Dagegen soll Vertrag dann nicht unter § 52 fallen, wenn in Vergütung zulässige Gewinnverwendung liegt. Das ist der Fall, wenn Gegenleistung vollständig aus Jahresüberschuss nach Einstellung in ges. Rücklage (§§ 150 II, 300) oder unter Verwendung einer Kapitalrücklage nach § 272 II Nr. 4 HGB zu erbringen ist (GK-AktG/Priester Rn. 54 f.; Bröcker ZIP 1999, 1029, 1031 mit Fn. 19; Drygala FS Huber, 2006, 691, 693 f. und 696 ff.; J. Koch, Nachgründung, 2002, 41 ff.; Reichert ZGR 2001, 554, 563 ff.; Witte/Wunderlich BB 2000, 2213, 2214 f.; ähnlich, aber noch in Richtung der älteren Kommentarlit. Knott BB 1999, 806, 807 f.; Zimmer DB 2000, 1265 f.). Ebenfalls verbreitete Gegenauffassung sieht in Kapitalgrenze nur zahlenmäßig bestimmten Schwellenwert, der unabhängig davon eingreift, ob Vergütung aus gebundenem Gesellschaftsvermögen gezahlt wird oder nicht (KK-AktG/M. Arnold Rn. 20; S/L/Bayer Rn. 26; BeckOGK/Heidinger Rn. 45; MüKoAktG/Pentz Rn. 24; Hölters/Weber/Solveen Rn. 9; Holzapfel/Roschmann FS Bezzenberger, 2000, 163, 168; Kubis AG 1993, 118, 121 f.; Schmidt/Seipp ZIP 2000, 2089, 2091 f.; Wahlers DStR 2000, 973, 979; Werner NZG 2000, 231, 232 f.). Das ist in der praktischen Handhabung leichter (vgl. dazu Schmidt/Seipp ZIP 2000, 2089, 2091 f.), überdehnt aber die **Grenzen des aktienrechtl. Vermögensschutzes im engeren Sinne,** in den § 52 eingebettet ist (ausf. J. Koch, Nachgründung, 2002, 60 ff.). Dem steht der mit der Vorschrift ebenfalls bezweckte Aktionärsschutz (→ Rn. 1) nicht entgegen, da auch dieser nur innerhalb der genannten Grenzen gewährt wird. § 52 dient nicht wie § 57 dazu, verdeckte Ausschüttungen zu verhindern (zu den Unterschieden s. J. Koch, Nachgründung, 2002, 65 ff.; sa GK-AktG/Priester Rn. 55 iVm Rn. 14).

2. Basiserfordernisse für Wirksamkeit. Verträge, die unter § 52 I 1 fallen, sind nur dann wirksam, wenn drei Voraussetzungen erfüllt werden: HV muss mit qualifizierter Mehrheit zustimmen; sie müssen in das HR eingetragen werden; sie bedürfen wenigstens der Schriftform (§ 52 II 1). Jedes dieser Erfordernisse ist Anknüpfungspunkt für weitere Kautelen, die in § 52 II–V zusammengefasst sind (→ Rn. 13 ff.). 6

3. Rechtsfolgen bei Verstoß. a) Nachgründende Verträge. Verträge werden vor Fristablauf nur mit Zustimmung der HV und Eintragung in das HR wirksam (§ 52 I 2). Das eine ohne das andere genügt nicht. Soweit bei verdeckter Sacheinlage Anrechnungslösung eingreift (§ 27 III 4; → Rn. 38 ff.), tritt sie hinter die aus § 52 I 2 resultierende Unwirksamkeit zurück, weil Nachgründung nicht nur Kapitalaufbringung sichern, sondern AG auch vor übermäßiger Einflussnahme ihrer Gründer schützen soll (→ Rn. 1; zutr. Lieder ZIP 2010, 964, 969 f.; zur Fortgeltung des § 52 auch RegBegr. ARUG BT-Drs. 16/13098, 36). Angesichts europarechtl. Vorgabe (→ Rn. 1) steht diese Folge auch grds. nicht zur Disposition des Gesetzgebers (S/L/Bayer Rn. 53). Nach Ablauf der Zweijahresfrist kommen **Neuvornahme oder Bestätigung** durch beide Vertragsteile gem. § 141 BGB in Betracht. Sie sind aber nicht erforderlich. Vielmehr genügt einseitige Genehmigung des Vorstands gem. § 182 I BGB, § 184 BGB, weil § 52 nicht den Vertragspartner schützt (str.; wie hier GK-AktG/Priester Rn. 102; Bröcker ZIP 1999, 1029, 1031; Krieger FS Claussen, 1997, 223, 236 f.; Weißhaupt ZGR 2005, 726, 737 ff.; Zimmer DB 2000, 1265, 1270; aA MüKoAktG/Pentz Rn. 62; Diekmann ZIP 1996, 2149, 2150). **Formverstöße** unterliegen § 125 BGB, begründen also nicht nur Anfechtung eines gleichwohl gefassten HV-Beschlusses und rechtfertigen nicht nur Zurückweisung der Registeranmeldung; vielmehr ist formlos geschlossener Vertrag nichtig (KK-AktG/M. Arnold Rn. 23; MüKoAktG/Pentz Rn. 64). 7

Bis zu seiner Eintragung in das HR ist Vertrag **schwebend unwirksam** (insoweit allgM). Str. ist, ob Geschäftsgegner bis zur Zustimmung der HV noch **Widerrufsrecht des § 178 BGB** hat oder in dem Sinne gebunden ist, dass das Wirksamwerden des Vertrags, soweit es um die Gesellschaft geht, nur noch von ihrer HV abhängt. Für das Erste RG JW 1929, 2944, 2946; BayObLG JW 1925, 1646; für das Zweite die hL (MüKoAktG/Pentz Rn. 45 ff.; GK-AktG/Priester Rn. 81; Schwab, Nachgründung, 2003, 219 f.; Stoldt WPg 1961, 123 f.) und ein anderer Teil der Rspr. (OLG Celle AG 1996, 370, 371; KG OLGR 43, 307, 308; LG Hamburg JW 1930, 2726). Frage ist aus den bes. von Geiler JW 1929, 2924 f. dargelegten Gründen im zweiten Sinne zu entscheiden. AG ist aber gem. § 242 BGB gehalten, Beschluss ihrer HV in angemessener Zeit herbeizuführen und ebenso Anmeldung zum HR vorzunehmen (näher Schwab, Nachgründung, 2003, 220 ff.). Bloßer Ablauf der Zweijahresfrist des § 52 I 1 begründet noch keine endgültige Unwirksamkeit (Weißhaupt ZGR 2005, 726, 729). Sie tritt aber ein, wenn feststeht, dass Zustimmung der HV nicht zu erlangen ist (ablehnender Beschluss). 8

b) Ausführungsgeschäfte. Nach § 52 I 2 bleiben auch Ausführungsgeschäfte **unwirksam,** bis HV dem Verpflichtungsvertrag zugestimmt hat und Eintragung im HR erfolgt ist. Insoweit gilt das sachenrechtl. Abstraktionsprinzip also nicht (zust. Drygala FS Huber, 2006, 691, 694). Das Geschäft wird wirksam, wenn die genannten Erfordernisse erfüllt sind. Das gilt auch bei Übertragung von Grundstücken. Es bedarf also keiner erneuten Auflassung und Eintragung, wenn Nachgründungscharakter zunächst verkannt und das Geschäft vollzogen wurde; Durchführung des in § 52 vorgeschriebenen Verfahrens genügt (RG JW 1929, 2944; KK-AktG/M. Arnold Rn. 44). § 925 II BGB steht nicht entgegen, weil es nicht um Bedingungen, sondern um zusätzliche Elemente des ges. Erwerbstat- 9 bestands geht. Bei Eintritt endgültiger Unwirksamkeit (→ Rn. 8 aE) sind bereits erbrachte **Leistungen abzuwickeln.** Nach § 52 I 1 verbotene Zahlung der AG an Aktionäre ist ohne Nachgründung aktienrechtswidrig, so dass § 62 eingreift (hLit, s. KK-AktG/M. Arnold Rn. 45; GK-AktG/Priester Rn. 88; Drygala FS Huber, 2006, 691, 698 ff.; Schwab, Nachgründung, 2003, 218 f.; aA jedoch BGHZ 173, 145 Rn. 18 = NJW 2007, 3425; BGHZ 175, 265 Rn. 15 = NZG 2008, 425; S/L/Bayer Rn. 44; BeckOGK/Heidinger Rn. 87). Entgegen BGHZ 173, 145 Rn. 18 besteht kein Anlass, statt auf § 62 auf §§ 812 ff. BGB mit (ohnehin unpassender) Saldotheorie zurückzugreifen und dadurch Kapitalschutz zu verwässern. IÜ geht es in § 52 sowohl um Kapitalaufbringung (Umgehungsgedanke) als auch um Kapitalerhaltung (Zahlung ohne Rechtsgrund nach Eintragung der AG). Bei § 62 bleibt es auch, wenn Mitgliedschaft iSd § 52 I 1 zunächst gegeben war, aber vor Zahlung beendet ist oder wenn Zahlung zwar an Dritte fließt, aber wegen Umgehung Aktionären zuzurechnen ist (→ § 57 Rn. 36 f. zur Einlagenrückgewähr). Frühere Bereicherungshaftung Dritter (§§ 812 ff. BGB) hat sich erledigt, weil sie nicht mehr unter den Nachgründungstatbestand fallen (→ Rn. 3).

10 **4. Atypische Anwendungsfälle des § 52. a) Nachgründung und Umwandlung.** Bei einer den Fällen des § 52 I entspr. Verschmelzung durch Aufnahme ist § 52 III, IV, VI–IX gem. § 67 UmwG sinngem. anzuwenden; dasselbe gilt nach § 125 für die Spaltung. Über § 197 S. 1 UmwG findet § 52 auch auf Erwerbsgeschäfte im Anschluss an formwechselnde Umwandlung in AG oder KGaA statt. Dass dies auch dann gilt, wenn es sich bei formwechselndem Rechtsträger um GmbH handelt, war früher str. (verneinend Martens ZGR 1999, 548 ff.; bejahend die ganz hM – s. noch J. Koch, Nachgründung, 2002, 107 ff. mwN) und ist mittlerweile durch Neufassung des § 245 I 3 UmwG im Zuge des 2. UmwGÄG (BGBl. 2007 I 542) im Sinne der hM klargestellt worden. Zugleich wurde damit aber auch das rechtspolitische Anliegen der MM umgesetzt, indem § 245 I 3 UmwG klarstellt, dass § 52 nicht gilt, wenn GmbH vor Formwechsel bereits länger als zwei Jahre in HR eingetragen war (s. dazu RegBegr. BR-Drs. 548/06, 44). Wechselt AG in Rechtsform einer KGaA oder umgekehrt, ist § 52 nach § 245 II 3, III 3 UmwG nicht anzuwenden.

11 **b) Sinngemäße Anwendung bei Sachkapitalerhöhung.** Nach hM gilt § 52 analog bei Kapitalerhöhung gegen Sacheinlagen, sofern AG noch nicht länger als zwei Jahre im HR eingetragen ist (KG NZG 2016, 620 Rn. 9; OLG Oldenburg AG 2002, 620; S/L/Bayer Rn. 9; BeckOGK/Heidinger Rn. 49; B/K/L/Körber/König Rn. 10; MüKoAktG/Pentz Rn. 69 f.; MüKoAktG/Schürnbrand/Verse § 187 Rn. 38; Marsch-Barner/Schäfer/Busch/Busch Rn. 44.24; Diekmann ZIP 1996, 2149, 2151; Grub/Fabian AG 2002, 614, 615 f.; J. Koch, Nachgründung, 2002, 187 ff.; Lieder ZIP 2010, 964, 968; Schwab, Nachgründung, 2003, 156 f.; iErg auch Krieger FS Claussen, 1997, 223, 227; offenlassend BGHZ 175, 265 Rn. 11 = NZG 2008, 425). Dem ist trotz vereinzelter Kritik (Bork/Stangier AG 1984, 320, 322 f.; Habersack ZGR 2008, 48, 59 f.; Kley RNotZ 2003, 17, 21 ff.; Mülbert AG 2003, 136, 139 ff.; Reichert ZGR 2001, 554, 576 ff.) zu folgen, weil die Pflichtprüfung des § 183 III kein Äquivalent für weitergehende Erfordernisse des § 52 darstellt (→ § 183 Rn. 5) und nicht angenommen werden kann, dass Gesetzgeber die Frage mit Einführung der Pflichtprüfung durch 2. KoordG v. 13.12.1978 (BGBl. 1978 I 1959) abschließend regeln wollte (ausf. schon J. Koch, Nachgründung, 2002, 212 ff., 218 ff.). Anderes soll gelten, wenn bei Durchführung der Kapitalerhöhung nur Alleinaktionär vorhanden ist (OLG Hamm AG 2008, 713, 715; zu Recht krit. BeckOGK/Heidinger Rn. 49). Zur Anwendung iE → § 183 Rn. 5.

c) Konzerndimension der Nachgründung. Nach hM kann auch Gründung einer Tochtergesellschaft und Teilnahme an Erhöhung ihres Kapitals als Nachgründungsfall in Erwägung gezogen werden, da auch auf diese Weise Gesellschaftsvermögen in Gestalt einer Einlage gegen einen anderen Vermögenswert, nämlich die Beteiligung, eingetauscht wird (grdl. Kubis AG 1993, 118, 119 f.; ferner mit Unterschieden iE MüKoAktG/Pentz Rn. 19; MHdB AG/Hoffmann-Becking § 4 Rn. 59; Holzapfel/Roschmann FS Bezzenberger, 2000, 163, 185 f.; Krieger FS Claussen, 1997, 223, 233 ff.; Schwab, Nachgründung, 2003, 175 f.). Zumindest soweit Vorgänge eine 100%ige Tochtergesellschaft betr., kommt Nachgründungspflicht nach jetzt geltender auf Gründer und maßgebliche Aktionäre beschränkter Tatbestandsfassung von vornherein nicht mehr in Betracht (J. Koch, Nachgründung, 2002, 245 f.; Reichert ZGR 2001, 554, 570 ff., 582). Aber auch bei Gründungs- und Kapitalerhöhungsvorgängen, bei denen Gründer oder maßgebliche Aktionäre Anteile übernehmen, scheitert **unmittelbare Anwendung** des § 52. Norm setzt nämlich schuldrechtl. Austauschverträge mit gegenleistungspflichtiger AG voraus; daran fehlt es bei Gründung ebenso wie bei Kapitalerhöhung (ausf. J. Koch, Nachgründung, 2002, 247 ff.; diff. BeckOGK/Heidinger Rn. 53). 12

Auch **analoge Anwendung** ist abzulehnen (so iErg auch Bröcker ZIP 1999, 1029, 1031; Reichert ZGR 2001, 554, 572 ff.; ausf. J. Koch, Nachgründung, 2002, 254 ff.; diff. BeckOGK/Heidinger Rn. 52 ff.). Das folgt für **Bargründung** schon daraus, dass hier Umgehung der Sachgründungsvorschriften von vornherein ausgeschlossen ist, da Erwerb der Tochteranteile im Gründungszeitpunkt nicht möglich gewesen wäre und Vergütung auch nicht an Gründer zurückgeleitet wird (s. schon J. Koch, Nachgründung, 2002, 257 f.). Für **Sachgründung und Sachkapitalerhöhung** kann potenzielle Regelungslücke nicht gänzlich verneint werden, doch fehlt es an ihrer Planwidrigkeit, da Gesetzgeber mit legislativer Selbstbeschränkung auf Kernbereich bes. umgehungsgefährdeter Sachverhalte (RegBegr. BT-Drs. 14/4051, 10) verbleibende Lücken in Randbereichen in Kauf genommen hat (J. Koch, Nachgründung, 2002, 262 ff.; Reichert ZGR 2001, 554, 582 ff.). Auch hM muss solche Regelungslücken hinnehmen, wenn sie Erwerbsgeschäfte der Tochter nicht pauschal, sondern nur bei nachgewiesener Umgehungsabsicht § 52 unterstellt (allgM, s. J. Koch, Nachgründung, 2002, 266 ff.; Reichert ZGR 2001, 554, 572 ff.). Schließlich ließe sich Nachgründungsinstrumentarium auch auf Rechtsfolgenseite kaum auf Organisationsakte übertragen; namentl. Unwirksamkeitsfolge passt zu schuldrechtl. Austauschgeschäft, nicht aber zu Gründungs- oder Kapitalerhöhungsakt (J. Koch, Nachgründung, 2002, 271 ff. mit weiteren europarechtl. Bedenken auf 274 ff.). 12a

III. Einzelheiten der Nachgründung (§ 52 II–V)

1. Vertragspublizität. Der nachgründende Vertrag bedarf wenigstens der Schriftform (§ 52 II 1; → Rn. 6 f.). Strengere Formerfordernisse folgen bes. aus § 311b I BGB, § 15 GmbHG. Für weitere Publizität sorgen in § 52 II 2–7 normierte Vorstandspflichten zur Auslegung, Erteilung von Abschriften, Einstellung ins Internet und Erl. Auslegung im Geschäftsraum und Erteilung von Abschriften erledigen sich, wenn AG den Vertrag auf ihrer **Internetseite** zugänglich macht (§ 52 II 4). Dieser Informationsweg stellt für AG eine Alternative zur Auslegung und Erteilung von Abschriften dar, von der sie nach eigener Entscheidung Gebrauch machen können oder auch nicht (RegBegr. BT-Drs. 16/11642, 24). Fehlende Internetpublizität allein ist deshalb kein Grund zur Anfechtung des Zustimmungsbeschlusses. Sie ist aber vorbehaltlich des Relevanzerfordernisses begründet (§ 243 I), wenn Informationen auch auf konventionellem Weg nicht erteilt worden sind, wobei bloße Zugangsunterbrechungen die Inter- 13 netpublizität idR nicht aufheben (RegBegr. BT-Drs. 16/11642, 24). In HV ist Vertrag nach § 52 II 5 zugänglich zu machen. Norm ist geändert durch ARUG 2009. Bisher notwendige Auslegung in Papierform bleibt zulässig, kann aber durch elektronische Information ersetzt werden. Auswahl und Ausgestaltung der Technik obliegen der AG; RegBegr. BT-Drs. 16/11642, 25 erwähnt bereitgestellte Monitore nur beispielhaft (sa Mutter AG 2009, R 100, 101). Aus Formerfordernis und Publizität folgt nach zutr. hM nicht, dass Vertragsschluss der Beschlussfassung der HV vorausgehen muss. Er kann ihr **auch nachfolgen,** wenn vollständiger und endgültiger Entwurf vorliegt und späterer Vertragstext mit Entwurf übereinstimmt (BeckOGK/Heidinger Rn. 71; MüKoAktG/Pentz Rn. 34; GK-AktG/Priester Rn. 69; Grigoleit/Vedder Rn. 21; MHdB AG/Hoffmann-Becking § 4 Rn. 62; Weißhaupt ZGR 2005, 726, 740; aA KK-AktG/M. Arnold Rn. 23; Schwab, Nachgründung, 2003, 204). Für hM sprechen § 183 BGB, der vorhergehende Zustimmung zulässt, und namentl. in BGHZ 82, 188, 193 ff. = NJW 1982, 933 dargestellte Sachgründe.

14 **2. Prüfung und Berichterstattung.** Gem. § 52 III muss AR Vertrag vor HV-Beschluss prüfen und schriftlich Nachgründungsbericht erstatten, für den § 32 II und III sinngem. gilt (→ Rn. 2 ff.; zu nachgründungsspezifischen Besonderheiten s. Hartmann/Barcaba AG 2001, 437, 443 f.). Norm ergänzt § 124 III 1 (ebenso Lieder ZIP 2010, 964, 965). Weil AR Beschlussvorschlag nicht ins Blaue hinein machen darf, muss zumindest seine Prüfung bei Bek. der Tagesordnung abgeschlossen sein (OLG München AG 2003, 163: Prüfung und Bericht). Notwendig ist nach § 52 IV ferner externe Gründungsprüfung entspr. § 33 III–V, §§ 34, 35, sofern nicht Voraussetzungen der erleichterten Sachgründung (§ 33a) vorliegen. Nach § 52 IV 3 kann dann von externer Gründungsprüfung abgesehen werden (Lieder ZIP 2010, 964 f.). Das ist wegen des Zusammenhangs von Sach- und Nachgründung (→ Rn. 1) folgerichtig (Einzelheiten bei Lieder ZIP 2010, 964, 965 f.). Rechtsfolgen unterbliebener Prüfung sind str. Teils wird für § 52 III und IV Nichtigkeit des gleichwohl gefassten zust. HV-Beschlusses angenommen (zB Teichmann/Köhler § 45 Anm. 3a/b), teils Anfechtbarkeit (zB KK-AktG/M. Arnold Rn. 27), teils für § 52 III Anfechtbarkeit, für § 52 IV Nichtigkeit (zB RGZ 121, 99, 104). Frage ist praktisch bedeutungslos, weil Registergericht ohne nachgewiesene Prüfung nicht einträgt. IÜ ist für § 52 III und IV Anfechtbarkeit gegeben (ebenso MüKoAktG/Pentz Rn. 66 f.; GK-AktG/Priester Rn. 63 f.). Normen dienen zwar dem Gläubigerschutz, Beschluss leidet aber unter einem Verfahrens- und nicht, wie von § 241 Nr. 3 vorausgesetzt, unter einem Inhaltsfehler.

15 **3. Beschlussfassung.** Zustimmungsbeschluss der HV bedarf nach § 52 V 1 und 2 der dort umschriebenen qualifizierten Mehrheit, die jedenfalls drei Viertel des vertretenen Grundkapitals ausmachen muss. Satzung kann das Mehrheitserfordernis verschärfen, aber nicht abmildern (§ 52 V 3). Es muss ein Antrag auf Zustimmung gestellt sein. Entlastungsbeschlüsse genügen keinesfalls, also auch dann nicht, wenn Entlastung in Kenntnis der Nachgründung beschlossen wird (RGZ 121, 99, 104; RG JW 1929, 2944, 2945; heute hM, vgl. zB KK-AktG/M. Arnold Rn. 28 mwN). Bei **Gesellschaftsinsolvenz** entscheidet Insolvenzverwalter, und zwar allein (Verdrängungsbereich, → § 264 Rn. 10 f.); so heute hM, vgl. MüKoAktG/J. Koch § 264 Rn. 44, 63 ff.; KK-AktG/M. Arnold Rn. 28; GK-AktG/Priester Rn. 72; aA noch BayObLGZ 24 (1925), 183, 186 f.; Jaeger JW 1926, 596 f.

IV. Registerverfahren (§ 52 VI–VIII)

16 **1. Anmeldung.** Vorstand (Mitglieder in vertretungsberechtigter Zahl) hat Vertrag (nicht: Zustimmungsbeschluss) zur Eintragung anzumelden (§ 52 VI 1). Anmeldung erfolgt elektronisch in öffentl. beglaubigter Form (§ 12 I 1 HGB), s. dazu § 129 BGB, § 39a BeurkG; zur durch DiRUG 2021 neu geschaffenen Möglichkeit der Beglaubigung mittels Videokommunikation → § 36 Rn. 2; zur Auslandsbeglaubigung → § 23 Rn. 12. Soweit nicht § 52 VI 3 eingreift, sind die in § 52 VI 2 genannten Unterlagen beizufügen, dh durch Übermittlung elektronischer Aufzeichnungen einzureichen (§ 12 II 1 und 2 Hs. 1 HGB; nach DiRUG 2021 überdies in maschinenlesbarem und durchsuchbarem Datenformat). Beurkundung des Vertrags ist nur ausnahmsweise erforderlich (→ Rn. 13); ggf. ist § 12 II 2 Hs. 2 HGB zu beachten. Bei vereinfachter Nachgründung (§ 33a iVm § 52 IV 3) unterliegt Anmeldung den aus entspr. Anwendung des § 37a folgenden Vorgaben (§ 52 VI 3; angefügt durch ARUG 2009): Erklärung, erweiterte Angaben, Versicherung, Beifügung von vorhandenen Bewertungsunterlagen. Örtl. Zuständigkeit bestimmt sich nach § 1 HRV iVm § 14 (Satzungssitz). Es findet nach § 407 II 9 kein Zwangsgeldverfahren statt, auch nicht, wenn Anmeldung ohne Unterlagen erfolgt (GK-HGB/J. Koch/Harnos § 14 Rn. 4; aA KK-AktG/M. Arnold Rn. 34). Vielmehr ist Anmeldung zurückzuweisen, wenn Unterlagen trotz Zwischenverfügung (§ 382 IV FamFG) nicht übermittelt werden. Wird allerdings fälschlich eingetragen, so steht Registerzwang wegen der Unterlagen zur Verfügung (GK-HGB/J. Koch/Harnos § 14 Rn. 4).

17 **2. Prüfung; Eintragung; Bekanntmachung.** Registergericht prüft Anmeldung, die keine Erklärung nach § 37a I 1 enthält, in formeller und materieller Hinsicht. Offensichtlich iSd § 52 VII 1 sind dort genannte Mängel, wenn sie sich für Gericht iR seiner normalen Prüfungstätigkeit ergeben. Gericht soll sich also nicht in Bewertungsexpertisen versuchen, doch enthält § 52 VII 1 auch kein Ermittlungsverbot. Gericht „kann" Eintragung ablehnen und muss es tun, wenn von § 52 VII 1 genannte Voraussetzungen erfüllt sind (allgM; wegen der Einzelheiten → § 38 Rn. 16). Enthält die Anmeldung die Erklärung nach § 37a I 1, so gilt für gerichtl. Prüfung § 38 III analog (§ 52 VII 2). Danach verbleibt es bei formaler Prüfung der Voraussetzungen des § 37a, es sei denn, dass erhebliche Überbewertung offenkundig ist (→ § 38 Rn. 10a, 10b). Eingetragen wird Tatsache des Vertragsschlusses unter Angabe des Abschlusstags und des Tags der zustimmenden HV, ferner der oder die Vertragspartner.

V. Ausnahmen (§ 52 IX)

18 **1. Erwerb im Rahmen der laufenden Geschäfte.** Auch wenn Nachgründungstatbestand erfüllt ist, gilt § 52 I–VIII nicht, wenn Erwerb iRd laufenden Geschäfte stattfindet (§ 52 IX Fall 1). § 52 IX ist durch NaStraG 2001 anders gefasst worden, um Norm den Vorgaben des Art. 50 II GesR-RL (früher Art. 11 II Kapital-RL) anzugleichen (s. RegBegr. BT-Drs. 14/4051, 10; bis dahin geltende Regelung stellt auf Zugehörigkeit zum Unternehmensgegenstand ab). Bezweckt ist mit heutiger Fassung, **Geschäfte ohne nachgründungstypische Gefährdungslage** von entbehrlichen Erschwernissen freizustellen. Wann ein solches Geschäft vorliegt, ist noch nicht abschließend geklärt; Charakter als **Ausnahmevorschrift** legt eher restriktive Auslegung nahe, insbes. nachdem § 52 schon im Ausgangstatbestand auf bes. missbrauchsgefährdete Fälle beschränkt worden ist (→ Rn. 1, 3 f.). Im älteren Schrifttum verbreitete Tendenzen zur extensiven Deutung fanden Rechtfertigung in problematischer Weite der Ur-

sprungsfassung, sollten heutiges Verständnis aber nicht mehr prägen (vgl. dazu J. Koch, Nachgründung, 2002, 101; Priester DB 2001, 467, 470).

18a An nachgründungstypischer Umgehungsgefahr wird es zunächst bei solchen Gegenständen fehlen, die nicht zur Grundausstattung der AG gehören, sondern nach ihrer Zweckbestimmung sinnvollerweise erst während des laufenden Geschäftsbetriebs der AG angeschafft werden können; dazu gehören insbes. **Waren,** mit denen AG bestimmungsgemäß Handel betreibt (J. Koch, Nachgründung, 2002, 94 ff.). Maßgeblich ist auch insofern weiterhin der **Unternehmensgegenstand** (KK-AktG/M. Arnold Rn. 47), was zur Folge hat, dass Begriff der laufenden Geschäfte nicht nach obj. generellem Maßstab, sondern nach individuellen Verhältnissen der AG zu bestimmen ist (Lutter/Ziemons ZGR 1999, 479, 491; Schmidt/Seipp ZIP 2000, 2089, 2091). Danach kann etwa auch Erwerb von Grundstücken laufendes Geschäft sein, wenn er durch Immobiliengesellschaft erfolgt (RG JW 1910, 800 lässt auf Grundlage von § 52 IX aF Erwerb von Immobilien ohne Anwendung der Nachgründungsregeln bei Umschreibung des Gegenstands als „Durchführung aller Arten von geschäftlichen Unternehmungen in Immobilien"). In solchen Fällen ist auch auf Seiten der AG geringere Schutzbedürftigkeit anzunehmen, da derartige Routinegeschäfte im Lichte des Unternehmensgegenstands erkennbar sind, so dass Gläubiger und künftige Anleger Vorstellung haben, in welchem Rahmen Gesellschaftskapital in größerem Umfang zur Finanzierung des normalen Geschäftsbetriebs ohne Nachgründungsprüfung eingesetzt wird (J. Koch, Nachgründung, 2002, 94 ff.; Lutter/Ziemons ZGR 1999, 479, 493).

18b Als wenig umgehungsgefährdet sind darüber hinaus auch **normale Umsatzgeschäfte marktgängiger Güter** anzusehen, bei denen sich Marktpreis problemlos ermitteln lässt; Werthaltigkeitskontrolle des § 52 wird hier durch Marktmechanismen ersetzt (J. Koch, Nachgründung, 2002, 95 f.). Daneben erfasst die Befreiung des § 52 IV auch sog **Hilfsgeschäfte,** die zur Verfolgung des Hauptzwecks des Geschäftsbetriebs zwingend notwendig sind, soweit sie nach den auf der Grundlage des statutarischen Unternehmensgegenstands anzustellenden Prognose zu den ständig wiederkehrenden Routinegeschäften gehören, die für die Aufrechterhaltung des Geschäftsbetriebs unerlässlich und zudem bei der Gründung regelmäßig noch nicht absehbar oder durchführbar sind, so dass Umgehung nicht droht (Eisolt DStR 2001, 748, 752; J. Koch, Nachgründung, 2002, 99; Krieger FS Claussen, 1997, 223, 232; Pentz NZG 2001, 346, 352; weitergehend Diekmann ZIP 1996, 2149, 2150; Schwab, Nachgründung, 2003, 128). Darunter können bei produzierenden Gesellschaften die für die Produktion erforderlichen Roh- und Hilfsstoffe fallen, daneben aber auch etwa Dienstverträge des laufenden Geschäftsverkehrs.

18c Geschäfte zum **Aufbau der unternehmensinternen Infrastruktur** sind dagegen idR auch dann nicht freigestellt, wenn ihre Erforderlichkeit aus Unternehmensgegenstand folgt, da Rechtsverkehr in diesem Fall zwar Anschaffungsnotwendigkeit erkennen mag, zugleich aber davon ausgehen darf, dass Anschaffung schon vor Aufnahme des Geschäftsbetriebs erfolgt ist (KK-AktG/M. Arnold Rn. 47; J. Koch, Nachgründung, 2002, 100 ff.; aA Lutter/Ziemons ZGR 1999, 479, 492 f.). Nicht unter den Befreiungstatbestand fällt Erwerb von Beteiligungen durch Holding-AG, da Holding zwar typischerweise Beteiligungsverwaltung voraussetzt, nicht aber auch Beteiligungserwerb im Rahmen gegenseitiger Austauschgeschäfte (KK-AktG/M. Arnold Rn. 47; J. Koch, Nachgründung, 2002, 103 ff.; Werner NZG 2001, 1403, 1406; aA Jäger NZG 1998, 370, 372; Walter/Hald DB 2001, 1183 ff.).

19 **2. Zwangsvollstreckung.** Nach § 52 IX Fall 2 brauchen Nachgründungsregeln auch dann nicht eingehalten zu werden, wenn es um Erwerb in der

Zwangsvollstreckung geht, da auch hier Umgehung der Sachgründungsvorschriften kaum zu befürchten steht (MüKoAktG/Pentz Rn. 58). Dabei kommt es nicht darauf an, ob Vollstreckung aufgrund eines Titels der AG erfolgt oder sie lediglich als Mitbieterin auftritt (KK-AktG/M. Arnold Rn. 48; Hölters/Weber/Solveen Rn. 27). Art der Vollstreckung bleibt gleich. Auch Erwerb nach §§ 165 f., 173 InsO und nach § 1223 II BGB fällt unter den Ausnahmetatbestand (MüKoAktG/Pentz Rn. 59).

3. Erwerb an der Börse. Nach § 52 IX Fall 3 ist auch Erwerb an der Börse von Nachgründungsregeln freigestellt, weil Gefährdung der Kapitalaufbringung oder für AG nachteilige Einflussnahme bei einem den **Marktbedingungen** folgenden Geschäft nicht zu erwarten stehen. Mangels beschränkender Vorgaben genügt jede Börse, namentl. auch jede Warenbörse (sa Hartmann/Barcaba AG 2001, 437, 442). HM befürwortet daneben zu Recht auch analoge Anwendung auf Gegenleistung nach § 31 WpÜG, die ebenfalls durch Marktmechanismen festgelegt wird (MüKoAktG/Pentz Rn. 60; GK-AktG/Priester Rn. 97; Dormann/Fromholzer AG 2001, 242, 246; aA Schwab, Nachgründung, 2003, 134). 20

Ersatzansprüche bei der Nachgründung

53 **[1] Für die Nachgründung gelten die §§ 46, 47, 49 bis 51 über die Ersatzansprüche der Gesellschaft sinngemäß. [2] An die Stelle der Gründer treten die Mitglieder des Vorstands und des Aufsichtsrats. [3] Sie haben die Sorgfalt eines ordentlichen und gewissenhaften Geschäftsleiters anzuwenden. [4] Soweit Fristen mit der Eintragung der Gesellschaft in das Handelsregister beginnen, tritt an deren Stelle die Eintragung des Vertrags über die Nachgründung.**

I. Regelungsgegenstand und -zweck

§ 53 betr. Verantwortlichkeit bei Nachgründung. Nachgründung ist iSd § 52 I zu verstehen (→ Rn. 2 ff.). Zweck ist, Haftung im Grundsatz so zu regeln wie bei Gründung und zugleich den Besonderheiten des Sachverhalts Rechnung zu tragen. 1

II. Haftungsgrundsätze (§ 53 S. 1)

§§ 46, 47, 49–51 gelten sinngem., so dass obj. Haftungstatbestände und subj. Abstufungen einschließlich der Beweislastverteilung denen bei Gründerhaftung entspr. (§ 46 I–IV). § 46 V ist nur anwendbar, wenn Verwaltungsmitglieder für Hintermänner tätig geworden sind. Verantwortlichkeit von Gründergenossen und Emittenten (§ 47) besteht auch bei Nachgründung, ebenso die der Gründungsprüfer (§ 49); Prüfung ist in § 52 IV vorgeschrieben. Verzicht, Vergleich, Verjährung sind wie bei Gründung zu behandeln (§§ 50, 51). 2

III. Haftungsbesonderheiten (§ 53 S. 2–4)

Abweichungen ggü. Gründerhaftung ergeben sich daraus, dass bei Nachgründung **AG als jur. Person** tätig wird. Verantwortlich sind deshalb nicht mehr die Gründer, sondern die Mitglieder von Vorstand und AR (§ 53 S. 2). Sie müssen den professionellen Anforderungen genügen, die an Geschäftsleiter (§ 46 III: Geschäftsmann, → Rn. 14) zu stellen sind (§ 53 S. 3). Wer auch bei Anwendung der danach erforderlichen Sorgfalt die haftungsbegründenden Tatsachen 3 nicht kennen musste, haftet analog § 46 III nicht. §§ 93, 116 bleiben zusätzlich anwendbar (MüKoAktG/Pentz Rn. 13). Fristen iSd § 53 S. 4 sind die in § 47 Nr. 3, § 50 S. 1 und § 51 vorgesehenen. Insoweit tritt für Fristbeginn die Eintragung des Nachgründungsvertrags an die Stelle der Eintragung der Gesellschaft.

Dritter Teil. Rechtsverhältnisse der Gesellschaft und der Gesellschafter

Gleichbehandlung der Aktionäre

53a **Aktionäre sind unter gleichen Voraussetzungen gleich zu behandeln.**

Übersicht

I. Grundlagen

1 **1. Regelungsgegenstand und -zweck.** § 53a normiert Gleichbehandlungsgrundsatz. Vorschrift beruht auf Art. 85 GesR-RL (früher Art. 42 Kapital-RL) und ist durch 2. KoordG v. 13.12.1978 (BGBl. 1978 I 1959) eingeführt worden; weitere europarechtl. Fundierung findet Gleichbehandlungsgrundsatz in Art. 4 Aktionärsrechte-RL und Art. 17 I Transparenz-RL. Norm hat nur **klarstellenden Charakter,** weil Gleichbehandlungsgebot als allg. Grundsatz schon zuvor anerkannt war (zB BGHZ 33, 175, 186 = NJW 1961, 26) und auch bei anderen Rechtsformen trotz fehlender ges. Verankerung nicht in Frage gestellt wird (s. etwa zur GmbH HCL/Raiser GmbHG § 14 Rn. 113 ff.). Dennoch trägt Normierung zur **Transparenz der Rechtsordnung** bei. Ges. Fixierung der einen Generalklausel darf aber nicht den Blick auf mitgliedschaftliche Treubindungen als Gegenstand der anderen Generalklausel und die zwischen ihnen bestehenden

Zusammenhänge verstellen (→ Rn. 2). Zweck der Regelung liegt insbes. im **Schutz der Minderheitsaktionäre,** die nicht schlechter gestellt werden dürfen als Mehrheitsaktionäre, was selbstverständliche Funktionsgrundlage eines jeden gesellschaftsrechtl. Zusammenschlusses ist (ausf. zu den umstr. Einzelheiten Verse, Gleichbehandlungsgrundsatz, 2006, 67 ff.).

Aufgrund seiner europäischen Herkunft ist Gleichbehandlungsgebot gemeinschaftsrechtskonform auszulegen (GK-AktG/Henze/Notz Rn. 6 Fn. 17). Ein spezifisch **unionsrechtl. Gleichbehandlungsgrundsatz** ist daneben für das Aktienrecht nicht anzuerkennen, sondern Gleichbehandlungsgebot findet sich zum Schutz der Minderheitsaktionäre lediglich in einzelnen europäischen Vorgaben (insbes. zu Kapitalerhöhungen und -herabsetzungen), die aber nicht verallgemeinert werden können (EuGH NZG 2009, 1350 Rn. 32 ff., 52; zu den Folgen s. etwa Habersack/Tröger NZG 2010, 1 ff.). **Spezialges. Ausprägungen** finden sich zB in §§ 12, 60, 71 I Nr. 8 S. 3–5, § 131 IV 1, § 134 I 1, II, §§ 186, 212, 216 I, § 243 II, § 271 II AktG, § 48 I Nr. 1 WpHG; für WpÜG ist Gleichbehandlung ein das gesamte Gesetz zentral prägendes Anliegen. Vom Gleichbehandlungsgebot des § 53a zu unterscheiden ist **Diskriminierungsverbot,** wie im AGG 2006 verwirklicht. Es entfaltet in den Beziehungen der Aktionäre untereinander und zur AG keine Wirkung (Wank FS Hüffer, 2010, 1051, 1065). Für Organmitglieder ist Frage jedoch anders zu beurteilen (→ § 76 Rn. 150 ff.). 1a

2. Treubindungen und Gleichbehandlungsgrundsatz. Gleichbehandlungsgrundsatz reicht nicht aus, um Mitgliedschaft des Aktionärs vor Eingriffen der Gesellschaftsorgane, bes. der HV, genügend zu schützen, und zwar erstens, weil Ges. selbst abw. vom Grundsatz vielfach Ungleichbehandlung erlaubt (→ Rn. 5), zweitens, weil sich keineswegs jeder Eingriff in die Mitgliedschaft als Ungleichbehandlung darstellt (→ Rn. 8 f.), und drittens, weil Gleichbehandlung nur von AG gefordert werden kann (→ Rn. 4), also dann nicht weiterführt, wenn es, wie namentl. bei der Beschlusskontrolle, um das Verhältnis der Aktionäre zueinander geht (vgl. S/L/Fleischer Rn. 12; Zöllner, Die Schranken mitgliedschaftlicher Stimmrechtsmacht, 1963, 303 ff.). Er bedarf daher anerkanntermaßen noch der Ergänzung durch mitgliedschaftliche Treupflichten (ausf.→ Rn. 13 ff.). Verhältnis von Gleichbehandlungs- und Treupflicht ist bislang zwar nicht abschließend geklärt, doch ihre **funktionale Vergleichbarkeit** heute anerkannt (S/L/Fleischer Rn. 12; GK-AktG/Henze/Notz Rn. 202). In der Spruchpraxis kommt der Treupflicht die weitaus größere Bedeutung zu (S/L/Fleischer Rn. 12). 2

II. Gleichbehandlungsgebot

1. Allgemeines. a) Geltungsgrund. Diskussion um Geltungsgrund des Gleichbehandlungsgrundsatzes (Überblick bei GK-AktG/Henze/Notz Rn. 20 ff.) ist nach seiner Normierung zumindest für das Aktienrecht weitgehend obsolet. Mittlerweile hM hat sich von Verständnis als Pflicht rechtsgeschäftlichen Ursprungs (dafür noch → 15. Aufl. 2021, Rn. 3; Hölters/Weber/Mayer/Albrecht vom Kolke Rn. 14) gelöst und nimmt im Anschluss namentl. an Verse, Gleichbehandlungsgrundsatz, 2006, 76 ff. Charakter eines **überdispositiven Rechtsprinzips** an (vgl. etwa GK-AktG/Henze/Notz Rn. 22). Rechtfertigung findet diese Sichtweise darin, dass anders als im allg. Vertragsrecht Mindestmaß an ausgleichender Gerechtigkeit nicht durch Konsensprinzip gewährleistet wird, es aber eines Korrelats der geschäftsimmanenten Fremdbestimmung bedarf (Verse, Gleichbehandlungsgrundsatz, 2006, 76 ff.; zust. GK-AktG/Henze/Notz Rn. 22). Damit ist noch deutlicher als bei rechtsgeschäftlicher Herleitung klargestellt, dass 3

Gleichbehandlungsgebot nicht zur Disposition der Gründer steht. Bedeutung des § 53a erschöpft sich bei diesem Verständnis darin, allg. gesellschaftsrechtl. Grundsatz hervorzuheben (GK-AktG/Henze/Notz Rn. 22). Zugleich wird Gleichbehandlungsgrundsatz über § 23 V unzweifelhaft der **Satzungsdisposition entzogen** (MüKoAktG/Götze Rn. 17). Ein unmittelbarer Bezug des § 53a zu dem primär als Abwehrrecht gegen staatliche Maßnahmen konzipierten verfassungsrechtl. Gleichheitssatz besteht nicht (B/K/L/Westermann Rn. 2; aA Henn AG 1985, 240). Der Konkretisierung dienende Argumentationsstrukturen sind allerdings teilw. vergleichbar. Insbes. wird auch § 53a heute ganz herrschend nicht als Willkürverbot (iSe Verbots evidenter Ungerechtigkeit) verstanden, sondern als **echtes Gleichbehandlungsgebot.** Es genügt deshalb nicht pauschal, dass sich ein Sachgrund zur Rechtfertigung der Ungleichbehandlung finden lässt, sondern es muss eine **Verhältnismäßigkeitsprüfung** (legitimer Zweck, Eignung, Erforderlichkeit, Angemessenheit → Rn. 10) vorgenommen werden (GK-AktG/Henze/Notz Rn. 10 ff., 32; J. Koch FS Hopt, 2020, 525, 529 ff.; Verse, Gleichbehandlungsgrundsatz, 2006, 283 ff. – jew. mwN auch zu verfassungsrechtl. Entwicklungen); auch auf Evidenz kommt es nicht an (GK-AktG/Henze/Notz Rn. 12).

4 **b) Inhalt.** § 53a enthält **ges. Generalklausel.** Gebot, Aktionäre unter gleichen Bedingungen gleich zu behandeln, ist nichts anderes als griffigeres Verbot, Aktionäre ohne genügende sachliche Rechtfertigung und in diesem Sinne willkürlich unterschiedlich zu behandeln (unstr., → Rn. 10 f.). Zweck und wesentlicher Gegenstand der Norm ist **Schutz der Mitgliedschaft** des Aktionärs, und zwar vor Eingriffen der Gesellschaftsorgane (bes. der HV), die den einen Teil der Aktionäre hinter den anderen Teil zurücksetzen, ohne dass solche Maßnahmen durch schutzwürdiges Interesse der AG gedeckt wären (BGHZ 33, 175, 186 = NJW 1961, 26; BGHZ 70, 117, 121 = NJW 1978, 540; BGHZ 219, 215 Rn. 44 = NJW 2018, 2796; OLG Düsseldorf AG 2009, 907, 911). Gleichbehandlungsgrundsatz ist deshalb Instrument der Einwirkungskontrolle. Aus Sicht des Aktionärs geht es um **mitgliedschaftliche Abwehrbefugnis.** Geschützt werden allein derzeitige Aktionäre, nicht aber Dritte, und zwar auch nicht als Inhaber von Wandel- und Optionsanleihen oder Genussrechten (S/L/Fleischer Rn. 17). Auch Aktionäre müssen aber nur in mitgliedschaftlicher Stellung gleichbehandelt werden. Herkömmliche schuldrechtl. Individualverträge (Kauf, Miete) können auch nur mit einzelnen Aktionären geschlossen werden (S/L/Fleischer Rn. 18) und unterliegen dann lediglich Kontrolle des § 57 (→ § 57 Rn. 15 ff.). Aus diesem Grund kann auch aus Gestattung einer **Due Diligence** ggü. erwerbs- oder veräußerungswilligem Aktionär (ausf. → § 93 Rn. 67) kein Anspruch anderer Aktionäre abgeleitet werden (zutr. KK-AktG/Drygala Rn. 8, 72; Grigoleit/Grigoleit/Rachlitz Rn. 14; aA Wachter/Servatius Rn. 61; Becker ZHR 165 [2001], 280, 286). **Normadressat** wird in § 53a nicht genannt, kann aber nach systematischer Stellung **nur AG** sein, die damit Schuldnerin der Gleichbehandlungspflicht ist (OLG Düsseldorf AG 1973, 282, 284; MüKoAktG/Götze Rn. 4; S/L/Fleischer Rn. 2). Aktionär kann sich also gegen Maßnahmen der Gesellschaftsorgane wenden, aber nicht von seinen Mitaktionären Gleichbehandlung fordern (OLG Celle AG 1974, 83, 84; OLG München NZG 2021, 1594 Rn. 91). Vorschrift gilt auch im **Konzern,** wird dort aber zT durch Privilegierungswirkung der §§ 311 ff. verdrängt (→ § 311 Rn. 4; zu speziellen Folgen hinsichtlich Informationsversorgung → § 311 Rn. 36a ff.).

5 **c) Gleichbehandlungsgrundsatz und Satzung.** Satzung kann Gleichbehandlungsgrundsatz als solchen nicht abschaffen (→ Rn. 3). Satzung kann aber, wie schon § 11 zeigt (→ § 11 Rn. 2) und auch aus § 12 S. 2 folgt, **Aktien mit unterschiedlichen Rechten** und (§ 55) auch Pflichten ausstatten (MüKoAktG/

Götze Rn. 18, 21 ff.; KK-AktG/Drygala Rn. 28). Sie kann auch **Maßstab der Gleichbehandlung** ändern (OLG Hamm NZG 2008, 914, 915). Deshalb hat Satzung etwa bei Gewinnverteilung gem. § 60 III Vorrang vor ges. Verteilungsschlüssel nach § 60 I und II. Nicht Gleichbehandlungsgebot als solches, wohl aber Gleichbehandlungsmaßstab unterliegt also dem Vorrang der Privatautonomie (G. Hueck, Der Grundsatz der gleichmäßigen Behandlung, 1958, 252 f., 258; → § 60 Rn. 1). Schließlich kann der einzelne Aktionär im Einzelfall auf seine Gleichbehandlung **verzichten,** etwa indem er einem HV-Beschluss zustimmt, der ihn durch Ausfall seiner Dividende zugunsten anderer Aktionäre benachteiligt (allgM, s. nur MüKoAktG/Götze Rn. 19 f.; ausf. zum Dividendenverzicht → § 60 Rn. 11 f.).

2. Konkretisierung. a) Gleichbehandlungsmaßstäbe. Organe der AG und § 53a konkretisierende Rechtsanwendung sind zunächst an ges. Gleichbehandlungsmaßstäbe gebunden. Maßstab liegt für sog **Hauptrechte** des Aktionärs in dem **Maß der Beteiligung am Grundkapital** (BGHZ 70, 117, 121 = NJW 1978, 540; KK-AktG/Drygala Rn. 24). Hauptrechte sind Stimmrecht (§§ 12, 134), Recht auf Dividende (§ 58 IV, § 60), Bezugsrecht (§ 186) und Recht auf Abwicklungsüberschuss (§ 271). Nicht auf Beteiligung am Grundkapital, sondern auf **effektive Leistungen zum Vermögen** der AG wird bzgl. Dividendenrecht, Stimmrecht und Recht auf Abwicklungsüberschuss dann abgehoben, wenn Aktionäre ihre Einlagen nicht in demselben Umfang geleistet haben (§ 60 II, § 134 II 3 und 4, § 271 III). Wegen der Einzelheiten → § 60 Rn. 3 ff. bzw. → § 134 Rn. 16 ff. bzw. → § 271 Rn. 7. 6

Für sog **Hilfsrechte** gilt **Gleichbehandlung nach Köpfen** (MüKoAktG/Götze Rn. 13; KK-AktG/Drygala Rn. 26). Hilfsrechte sind Recht auf Teilnahme an HV, Rederecht, Auskunftsrecht (§ 131) und Anfechtungsbefugnis (§ 245). Aufgrund großer praktischer Bedeutung missbräuchlicher Anfechtungsklagen (→ § 245 Rn. 22 ff.) hat § 53a gerade in diesem Zusammenhang vermehrt Bedeutung erlangt, zumal sich in Sondersituation der HV (Rede, Frage, Antwort) eindeutig gewichtete Gleichbehandlung praktisch kaum erreichen lässt. Gleichbehandlung nach Köpfen heißt, dass jedem Aktionär die genannten Rechte ohne Rücksicht auf Maß seiner Beteiligung zustehen. Ob daraus speziell bei **Bemessung der Redezeit** ein hinreichender Sachgrund für angemessene Differenzierung abgeleitet werden kann, ist umstr.: Kommentarlit. zu § 53a tendiert dazu, Frage zu bejahen (vgl. MüKoAktG/Götze Rn. 13; S/L/Fleischer Rn. 26; Grigoleit/Grigoleit/Rachlitz Rn. 20; aA BeckOGK/Cahn/v. Spannenberg Rn. 18; KK-AktG/Drygala Rn. 26; GK-AktG/Henze/Notz Rn. 59), Kommentarlit. zu § 131 tendiert dazu, sie zu verneinen (→ § 131 Rn. 78 ff. mwN). Vor dem Hintergrund dieses Streitstands, aber auch aus optischen Gründen, sollte Praxis eher auf solche Differenzierung verzichten. Je stärker es sich einbürgert, dass Vorstand – oder gar AR (→ § 111 Rn. 54 ff.) – auch außerhalb der HV mit einzelnen Investoren kommuniziert, desto mehr spricht dafür, Kleinaktionäre nicht auch noch in HV schlechterzustellen. Nach heute ganz hM verstoßen **Investorenkontakte des Vorstands** nicht gegen Gleichbehandlungsgebot (Fleischer ZGR 2009, 505, 520 ff.; Gröntgen, Operativer Shareholder Activism, 2020, 258 ff.; H. Schaefer NZG 2007, 900, 901; Schockenhoff/Culmann ZIP 2015, 297, 299 f.). Während Schrifttum diese Gestattung zumeist um Aussage ergänzt, dass solche Kontakte nur bei „außergewöhnlichen Anlässen" zulässig seien (vgl. insbes. Verse, Gleichbehandlungsgrundsatz, 2006, 538 f.; Fleischer ZGR 2009, 505, 521 ff.; Hopt ZGR 1991, 1, 26; Weber-Rey/Reps ZGR 2013, 597, 629), hat Praxis diese engen Grenzen längst überschritten (zu den verschiedenen Kommunikationsformen vgl. Langenbucher ZHR 185 [2021] 414, 415 ff.). Das ist nicht unbedenklich (J. Koch ZGR 2020, 183, 208 ff.) und sollte jedenfalls kein 7

Anlass sein, entspr. Kontakte entgegen Geschäftsführungszuweisung an den Vorstand auch **AR-Vorsitzendem** gleichermaßen zu gestatten und Ungleichbehandlung damit noch zu vertiefen (so aber Hirt/Hopt/Mattheus AG 2016, 725, 738; vorsichtiger Bachmann VGR 22 GesR 2016, 135, 164 ff.; dagegen J. Koch AG 2017, 129, 136 f.; ausf. → § 111 Rn. 54 ff.). ZT wird informationsrechtl. Normgehalt des § 53a sogar gänzlich bestritten (so Zetzsche AG 2019, 701 ff. unter Verkehrung der argumentativen Beweislast für die Nichtanwendung einer vom Wortlaut einschlägigen Vorschrift [S. 702: „jeder Anwendungsschritt begründungsbedürftig"]). In Normstruktur, Teleologie und insbes. auch europarechtl. Vorgaben findet diese Sicht keine Stütze; entscheidend ist auch hier Vorliegen eines sachlichen Grundes (ausf. J. Koch FS Hopt, 2020, 525 ff.; abl. auch BeckOGK/Cahn/v. Spannenberg Rn. 21; Grigoleit/Grigoleit/Rachlitz Rn. 13 m. Fn. 34; GK-AktG/Henze/Notz Rn. 93; Kalss ZGR 2020, 217, 229; C. Schäfer ZHR 185 [2021], 226, 231 f.). **§ 131 IV** verdrängt § 53a bei Verstößen gegen informationelle Gleichbehandlung nicht, enthält für diese Situation aber bes. Rechtsfolgenanordnung (→ § 131 Rn. 109).

8 **b) Ungleichbehandlung.** Verstoß gegen § 53a scheidet aus, wenn HV-Beschluss oder Maßnahme der Verwaltung dem jeweils anzuwendenden Gleichbehandlungsmaßstab (→ Rn. 6 f.) entspr. Ist das nicht der Fall und wurde auch nicht ein vorrangig verbindlicher Gleichbehandlungsmaßstab der Satzung gewahrt (→ Rn. 5), so ist zwar Ungleichbehandlung gegeben, aber noch nicht notwendig gegen § 53a verstoßen; vielmehr bleibt zu prüfen, ob Differenzierung **Ergebnis sachgerechter Abwägung** darstellt (→ Rn. 10 f.). In Feststellung der Ungleichbehandlung liegt also nur eine Prüfungsstation, noch kein abschließendes Urteil. Zugleich liegt hier aber auch zentrale Schwäche des § 53a, weil Merkmal des sachlichen Grundes derart **deutungsoffen** ist, dass Praxis kaum noch Skrupel zeigt, jedes halbwegs plausibel klingende Argumentationsmuster als Sachgrund genügen zu lassen (krit. J. Koch ZGR 2020, 183, 208 ff.). So ist etwa in Kommentarliteratur vorgeschlagene Pauschaldifferenzierung nach Beteiligungshöhe (MüKoAktG/Götze Rn. 14) im Lichte des Normzwecks Minderheitenschutz (→ Rn. 1) durchaus bedenklich (J. Koch ZGR 2020, 183 209 ff.; sa Kalss ZGR 2020, 217, 232; → Rn. 11). Rspr. und Lit. müssen sich hier um überzeugendere Abgrenzungen bemühen. **Beweislast** für Ungleichbehandlung liegt bei Aktionär, wohingegen sachliche Rechtfertigung von AG nachzuweisen ist (BGHZ 219, 215 Rn. 45 f. = NJW 2018, 2796; ausf. Hüffer FS Fleck, 1988, 151, 154 ff.). Das sollte entgegen BGHZ 71, 40, 48 f. = NJW 1978, 1316 auch für Kapitalerhöhung unter Bezugsrechtsausschluss gelten (ausf. → § 186 Rn. 38).

9 Innerhalb der Ungleichbehandlung kann zwischen formaler und materieller Ungleichbehandlung unterschieden werden (KK-AktG/Drygala Rn. 12 ff.). **Formale Ungleichbehandlung** liegt vor, wenn Aktionäre schon äußerlich ungleich behandelt werden, also nur ein Teil zum Bezug junger Aktien zugelassen oder nur für ausländische Aktionäre ein Höchststimmrecht eingeführt wird (Bsp. nach KK-AktG/Drygala Rn. 12 ff.). **Materielle Ungleichbehandlung** ist gegeben, wenn sich Maßnahme zwar an alle Aktionäre wendet, sie aber in ihren mitgliedschaftlichen Rechten unterschiedlich trifft. Standardbsp.: Kapitalherabsetzung im Verhältnis 10:1. Äußerlich sind alle Aktionäre betroffen. Ihre Mitgliedschaft verlieren aber nur diejenigen, die weniger als zehn Aktien halten. Auch materielle Ungleichbehandlung fällt unter § 53a (ganz hM – vgl. KK-AktG/Drygala Rn. 15; S/L/Fleischer Rn. 27 ff.; GK-AktG/Henze/Notz Rn. 73 ff.; Hölters/Weber/Mayer/Albrecht vom Kolke Rn. 10). Dagegen zT erhobener Einwand, für Erfassung bestehe wegen mitgliedschaftlicher Treupflicht kein praktisches Bedürfnis (Grigoleit/Grigoleit/Rachlitz Rn. 15 ff.), berücksichtigt nicht hinreichend Vorrang des geschriebenen Rechts vor ungeschriebenen Grundsät-

zen; auch bei materieller Ungleichbehandlung besteht Gefahr der Verfolgung von Partikularinteressen, so dass kein teleologischer Anlass besteht, sie aus Anwendungsbereich des § 53a auszuklammern (Verse, Gleichbehandlungsgrundsatz, 2006, 239). Unter materielle Ungleichbehandlung fällt auch umstr. nachträgliche Einführung von **Höchststimmrechten,** sofern Aktienbestand einzelner Aktionäre die Höchstgrenze überschreitet. BGHZ 70, 117 121 f. (= NJW 1978, 540) scheint hier zwar schon Ungleichbehandlung zu verneinen, doch drängt sich in solcher Konstellation materielle Schlechterstellung geradezu auf. Probleme liegen nicht hier, sondern in Frage sachlicher Rechtfertigung (→ Rn. 10 f.; so auch die heute hM; vgl. nur MüKoAktG/Götze Rn. 24; S/L/Fleischer Rn. 29).

c) Sachwidrige Differenzierung. Liegt Ungleichbehandlung vor **10**
(→ Rn. 8 f.), so ist weiter zu prüfen, ob sie willkürlich erfolgt oder zumindest obj. verfehlt ist, weil sie den relevanten Rechten und Interessen nicht angemessen Rechnung trägt (keine sachgerechte Abwägung, s. OLG München NZG 2010, 1233, 1234). Das ist nicht der Fall, wenn Eingriff in Mitgliedschaft (→ Rn. 4) geeignet und erforderlich ist, bestimmtes Interesse der AG (→ § 76 Rn. 63 ff.) zu wahren, und auch unter Berücksichtigung der Aktionärsinteressen als verhältnismäßig erscheint (zum Verständnis als Verhältnismäßigkeitsprüfung → Rn. 3). Dies sind die insbes. von Zöllner, Die Schranken mitgliedschaftlicher Stimmrechtsmacht, 1963, 287 ff. entwickelten **beweglichen Schranken der Stimmrechtsmacht.** Rspr. hat diese Formulierungen aufgegriffen und in den Entscheidungen zur materiellen Beschlusskontrolle weiterentwickelt (s. bes. BGHZ 71, 40, 43 ff. = NJW 1978, 1316; ferner BGHZ 80, 69, 74 = NJW 1981, 1512; BGHZ 83, 319, 322 = NJW 1982, 2444; BGHZ 103, 184, 189 f. = NJW 1988, 1579). Entscheidende Abwägung ist also identisch mit derjenigen bei Konkretisierung von Treubindungen unter Aktionären (→ Rn. 20), womit sich funktionale Vergleichbarkeit von Gleichbehandlungs- und Treupflichten (→ Rn. 2) bestätigt. Verstoß gegen § 53a liegt demnach vor, wenn Ungleichbehandlung gegeben ist und sachlicher Rechtfertigung im dargelegten Sinne entbehrt (zur Beweislast → Rn. 8). These, dass BGH diese Rspr. in BGHZ 219, 215 Rn. 45, 46, 55 = NJW 2018, 2796 zwischenzeitlich modifiziert habe und Verstöße gegen Gleichbehandlungsgrundsatz allein am Modell des § 93 I 2 messe (Henssler/Strohn/Paefgen Rn. 10; Paefgen/Wallisch FS Krieger, 2020, 675, 688 ff.), findet in der Entscheidung keine hinreichende Grundlage und wäre auch in der Sache nicht angemessen (wie hier GK-AktG/Henze/Notz Rn. 82; s. im Kontext des § 186 auch → § 186 Rn. 36a). **Bsp. aus der Rspr.:** keine Willkür bei Ausschluss der Kleinaktionäre vom Genussrechtsbezug, wenn Genussrechte einer ertragsschwachen Aktienbank als Kapitalanlage uninteressant sind (BGHZ 120, 141, 151 f. = NJW 1993, 400); auch nicht, wenn AG durch ihren Vorstand die nach Satzung erforderliche Zustimmung zur Übertragung vinkulierter Namensaktien versagt, weil Erwerb Sperrminorität begründen würde (LG Aachen AG 1992, 410, 412; → § 68 Rn. 15); ferner keine Willkür bei Umwandlung von Vorzugs- in Stammaktien gegen Zahlung angemessener Prämie, wenn dafür nachvollziehbare Gründe angenommen werden können (OLG Köln NZG 2002, 966, 968); ebenso ist es nicht willkürlich, wenn Großaktionär die Aktien der Minderheitsaktionäre nicht zu demselben Preis aufkauft, den er beim Erwerb seiner Kontrollmehrheit entrichtet hat (EuGH AG 2009, 821, 823 f.).

Ges. kann erforderliche Abwägung selbst vornehmen und damit für Rechts- **11**
anwendung verbindlich machen, obwohl anderer Standpunkt denkbar wäre. So liegt es gem. § 134 I 2 bei (nachträglicher) Einführung von **Höchststimmrechten** (→ Rn. 9; vgl. BGHZ 70, 117, 121 f. = NJW 1978, 540; BGHZ 71, 40, 45 = NJW 1978, 1316; MüKoAktG/C. Schäfer § 243 Rn. 64; Lutter ZGR 1981, 171, 176 f.). Dagegen geäußerte Kritik (Zöllner, Die Schranken mitgliedschaftli-

cher Stimmrechtsmacht, 1963, 122 ff.) kann nicht gegen die Methode gerichtet werden, uU aber bei Frage ansetzen, ob Abwägungsergebnis in § 134 I 2 wirklich normiert ist oder nur hineingelesen wird. Wo ges. Vorgabe fehlt, stellt sich insbes. Frage, ob auch bloße **Höhe des Investments** Grund für Ungleichbehandlung sein kann. Lit. tendiert zunehmend dazu, Frage mit der Begründung zu bejahen, dass AG Interesse an stabiler Anteilseignerstruktur haben könne (vgl. etwa Schockenhoff/Nußbaum AG 2019, 321, 325 zur Rechtfertigung von Serviceleistungen der AG ggü. Großaktionären; zu Investorenkontakten → Rn. 7). Das ist nicht grds. falsch, doch muss Argumentationsfigur zurückhaltend eingesetzt werden, um Gleichbehandlung nicht gänzlich auszuhöhlen (→ Rn. 8; J. Koch ZGR 2020, 183, 208 ff.; sa Kalss ZGR 2020, 217, 232 f.; ausf. zur bevorzugten Behandlung von Großaktionären C. Schäfer ZHR 185 [2021], 226, 228 ff.). Gerechtfertigt ist sie namentl. dort, wo an Beteiligung bes. Pflichtenposition geknüpft ist (vgl. etwa zu Relationship Agreements im faktischen Konzern → § 311 Rn. 48c).

12 **3. Rechtsfolgen.** HV-Beschlüsse, deren Inhalt gegen § 53a verstößt, sind **anfechtbar** nach § 243 I (ganz hM, vgl. RGZ 118, 67 f.; RG JW 1935, 1776; GK-AktG/Henze/Notz Rn. 124 ff.; → § 243 Rn. 29). Bzgl. Verwaltungsmaßnahmen ist zu unterscheiden: Bei ungleicher Einforderung der Einlagen (§ 63) hat betroffener Aktionär ein **Leistungsverweigerungsrecht** (MüKoAktG/Götze Rn. 32; GK-AktG/Henze/Notz Rn. 136). AG kann auch zu sog **aktiver Gleichbehandlung** verpflichtet sein. Ges. Anwendungsfall ist § 131 IV. Ferner ist Vorstand, der Übertragung vinkulierter Namensaktien nach § 68 II genehmigt hat, verpflichtet, anderer gleichartiger Übertragung ebenso zuzustimmen (MüKoAktG/Götze Rn. 33). Es besteht aber kein Anspruch auf Gleichbehandlung im Unrecht (S/L/Fleischer Rn. 40). Pflichtwidrige Unterstützung des einen Großaktionärs beim Versuch, Namensaktien aufzukaufen, begründet deshalb keine Pflicht, auch zugunsten des anderen Großaktionärs dessen Erwerbsofferte zu unterstützen (BGH NZG 2008, 149 Rn. 4; OLG Celle WM 2006, 1726 f.). Problematisch ist ferner Erstreckung des Gedankens auf Zuwendung geldwerter Vorteile, bes. auf (ausnahmsweise erlaubten) Rückerwerb eigener Aktien (dazu MüKoAktG/Götze Rn. 34 ff.; Lutter ZGR 1978, 347, 368 ff.); **verdeckte Gewinnausschüttung** kann jedenfalls nur durch Rückerstattung nach § 62 I beseitigt werden, auf die Aktionär aber keinen eigenständig durchsetzbaren Anspruch hat (MüKoAktG/Götze Rn. 34; GK-AktG/Henze/Notz Rn. 131 f.). Für **Schadensersatz** nach § 823 I oder II BGB fehlt es am jeweiligen Tatbestand (KK-AktG/Drygala Rn. 46). Denkbar ist schließlich auch **Unterlassungsklage,** die jedoch nur dann eröffnet ist, wenn individuelle Rechtsposition des Aktionärs bedroht ist (zutr. im Ansatzpunkt Verse, Gleichbehandlungsgrundsatz, 2006, 412 ff.), aber keinesfalls aktienrechtl. Kompetenzordnung aushöhlen darf. So kann etwa Rechtsgeschäft mit anderem Aktionär nicht unter Berufung auf vermeintlich gleichheitswidrige, verdeckte Einlagenrückgewähr mit Unterlassungsklage angegriffen werden. Rechtsposition des Aktionärs wird dadurch nur reflexhaft berührt. Ansprüche erwachsen nach § 62 nur AG und sind ausschließlich vom Vorstand durchzusetzen (→ § 62 Rn. 15; überzeugend OLG Innsbruck vom 2.6.2022 – 2 R 26/22y, Rn. 2.1.2. ff. [nicht veröffentlicht]).

III. Mitgliedschaftliche Treubindungen

13 **1. Ausgangspunkt.** Da Gleichbehandlungsgrundsatz allein Mitgliedschaft des Aktionärs vor Eingriffen der Gesellschaftsorgane oder der Mitgesellschafter nicht hinreichend zu schützen vermag, bedarf er der Ergänzung um mitgliedschaftliche Treupflicht (→ Rn. 2). Sie ist auch ohne explizite ges. Grundlage als **bes.**

Rechtsinstitut des Gesellschaftsrechts anerkannt, hat ihren Ursprung und Schwerpunkt aber im Personengesellschaftsrecht. Geltungsgrund ist nicht abschließend geklärt: Ältere Lit. stellte auf das „vom gegenseitigen Vertrauen getragene Gemeinschaftsverhältnis" ab (A. Hueck, Treuegedanke im modernen Privatrecht, 1947, 12 f.). Heute werden vornehmlich die mit Mitgliedschaft übernommenen Förderpflichten (s. zB Lettl AcP 202 [2002], 3, 13 ff.) oder der im Dauerschuldverhältnis verdichtete Grundsatz von Treu und Glauben (§ 242 BGB; s. dazu Hennrichs AcP 195 [1995], 221, 228 ff.) diskutiert (Überblick bei GK-AktG/Henze/Notz Rn. 193 ff.). Da ungeachtet dieser Unterschiede anerkannt ist, dass Treupflicht in ihrem Kern **rechtsgeschäftlichen Ursprungs** ist, wirkt sich Meinungsstreit iErg praktisch nur selten aus (GK-AktG/Henze/Notz Rn. 193). Praktische Bedeutung der Treupflicht selbst ist dagegen erheblich. Grund dafür ist, dass Verbandszusammenschluss zwangsläufig **unvollständiger Vertrag** in Gestalt eines „nach vorne offenen" Dauerschuldverhältnisses ist, weil bei Abfassung der Verbandsgrundlage vernünftigerweise nicht alle künftigen Veränderungen überblickt und geregelt werden können (GK-AktG/Henze/Notz Rn. 191; Fleischer ZGR 2001, 1, 4 f.; Lutter AcP 180 [1980], 84, 92). Das hat zur Folge, dass Einwirkungsmacht der Gesellschafter durch vertragliche Regelungen nicht vollständig umrissen werden kann und deshalb ergänzend Treubindungen unterliegen muss (GK-AktG/Henze/Notz Rn. 191; S. Schneider, Stimmpflichten, 2014, 194).

Anerkennung mitgliedschaftlicher Treupflicht ist im Aktienrecht allerdings auf **14** größeren Widerstand gestoßen als bei Personengesellschaften, da **anonymer Zuschnitt der AG** nur schwer mit persönlicher Rücksichtnahme auf Mitgesellschafter in Einklang zu bringen ist und überdies das ohnehin enge Regelungskorsett des AktG weitergehende Pflichtkonstruktionen obsolet erscheinen ließ (vgl. etwa § 117; abl. deshalb noch BGH WM 1976, 449, 450). Nach BGHZ 103, 184, 195 f. (= NJW 1988, 1579) soll das Bestehen von Treupflichten aber nicht so sehr von mehr oder weniger anonymem Zuschnitt der Gesellschaft abhängen, sondern von **konkreten Einwirkungsmöglichkeiten** des einzelnen Gesellschafters. Wo derartige Einwirkungsmöglichkeiten bestehen, korrespondiert damit Treupflicht, von dieser Möglichkeit nur mit Rücksicht auf Mitaktionäre Gebrauch zu machen (bekräftigt in BGHZ 129, 136, 143 ff. = NJW 1995, 1739; s. aber auch schon RGZ 132, 149, 159 ff., 163). Tats. kann gerade auch bei AG Bedürfnis nach solcher Begrenzung bestehen, denn während sich Gesellschafter in kleinen geschlossenen Verbänden gegenseitig kontrollieren, schafft anonymer Zuschnitt einer AG unkontrollierbare Freiräume mit entspr. Erpressungspotential (Janke, Gesellschaftsrechtliche Treuepflicht, 2003, 229 f.; S. Schneider, Stimmpflichten, 2014, 194). Rücksichtnahmepflichten sind im Verhältnis der Aktionäre zur AG deshalb schon in BGHZ 14, 25, 38 = NJW 1954, 1401 anerkannt worden und haben auch im Verhältnis der Aktionäre untereinander in der Gerichtspraxis schließlich mit der **Linotype-Entscheidung** (BGHZ 103, 183, 194 f.) ihren Durchbruch gefunden, so dass ihre umfassende Geltung seither auch für das Aktienrecht anerkannt ist (s. seitdem etwa auch BGHZ 127, 107, 111 = NJW 1994, 3094; BGHZ 129, 136, 142 f.; GK-AktG/Henze/Notz Rn. 180 ff.; anders noch BGHZ 18, 350, 365 = NJW 1955, 1919; BGH AG 1976, 218 f.). Als weiterer Meilenstein der Entwicklung ist **Girmes-Entscheidung** festzuhalten, wonach nicht nur Mehrheits-, sondern uU auch Minderheitsaktionär Treupflicht unterliegen kann, wenn er ausnahmsweise in kontrollbedürftige Einflussposition gelangt ist (BGHZ 129, 136, 143 ff.; → Rn. 21 ff.). Aus Treupflicht als nationalem Rechtsgrundsatz abzuleitende Schranken der Rechtsausübung gelten auch, soweit jew. Befugnis durch **Unionsrecht** begründet ist, namentl. auf Richtlinien zurückgeht. In diesem Fall muss deren Regelungsanliegen jedoch in der Weise in gebotene Gesamtabwägung eingehen, dass aus Treupflicht nichts hergeleitet wird, was Entscheidung des europ. Normgebers zuwiderläuft (EuGH Slg. 2000, I-1723, 1736 f. = AG 2000, 470, 472; MüKoAktG/Götze Vor § 53a Rn. 25; GK-AktG/Henze/Notz Rn. 190).

15 **2. Rechtsnatur.** Geht man von rechtsgeschäftlichem Ursprung der Treupflicht aus (→ Rn. 13), so folgt sie aus der Satzung und leitet sich damit aus dem **Organisationsvertrag der Gründer** ab, und zwar zunächst, soweit es um Treupflicht des Aktionärs zur AG geht, aber auch, soweit es die Treupflichten der Aktionäre untereinander betrifft (Hüffer FS Steindorff, 1990, 59, 65 ff.; zust. GK-AktG/Henze/Notz Rn. 200 f.). Weil Treupflicht ohnehin aus Satzung folgt, ist ihre ausdr. Aufnahme zwar entbehrlich, als Klarstellung aber jedenfalls unschädlich (eingehend Kindler FS Spiegelberger, 2009, 778, 784 ff.; zust. S/L/Fleischer Rn. 45). Annahme einer auf Ges. beruhenden organisationsrechtl. Sonderverbindung ist überflüssig (dafür jedoch BGHZ 103, 184, 195 = NJW 1988, 1579; Dreher ZHR 157 [1993], 150, 153; M. Winter, Mitgliedschaftliche Treubindungen, 1988, 67 ff.; abl. Hennrichs AcP 195 [1995], 221, 242 ff.; Kindler FS Spiegelberger, 2009, 778, 779 f.). Aus vertraglicher Basis der Treupflicht folgt, dass sie den Stimmrechtsvertreter nicht originär binden kann, auch dann nicht, wenn er Stimmrechte mit inhaltlicher Zielsetzung gebündelt hat (→ Rn. 22 f.). Wie Gleichbehandlungspflicht (→ Rn. 3) bedarf auch Treupflicht der Stabilisierung durch entspr. Rechtssatz. Er liegt nicht in § 242 BGB (so aber zB Hennrichs AcP 195 [1995], 221, 228 ff.) oder in sonstigen Einzelnormen, sondern in einer **richterrechtl. Generalklausel** (S/L/Fleischer Rn. 46; GK-AktG/Henze/Notz Rn. 199; Stimpel FS 25 Jahre BGH, 1975, 19; Hüffer FS Steindorff, 1990, 59, 68 ff.), die sich auf praktische Notwendigkeit und ges. Ableitungsbasis stützen lässt. Bes. Kodifizierungsdichte des AktG lässt auch für solche richterrechtl. Ergänzung Raum, mahnt zugleich aber, davon keinen übermäßigen Gebrauch zu machen, um gesetzgeberische Grundwertungen nicht zu freihändig auszuhebeln und damit Rechtssicherheit zu gefährden (GK-AktG/Henze/Notz Rn. 192, 283 ff: „kein generelles Einfallstor für eine als Ersatzgesetzgeber fungierende Judikative“).

16 **3. Inhalt.** Inhaltlich lässt sich mitgliedschaftliche Treupflicht nach gegenwärtigem Diskussionsstand auf folgende **Kurzformel** bringen: „Gesellschafter sind verpflichtet, in Ausübung ihrer im Gesellschaftsinteresse begründeten mitgliedschaftlichen Befugnisse diejenigen Handlungen vorzunehmen, die der Förderung des Gesellschaftszwecks dienen, und zuwiderlaufende Maßnahmen zu unterlassen. Bei der Ausübung eigennütziger Mitgliedsrechte sind die Schranken einzuhalten, die sich aus dem Verbot einer willkürlichen oder unverhältnismäßigen Rechtsausübung ergeben (Schrankenfunktion). Auf die mitgliedschaftlichen Interessen anderer Gesellschafter ist angemessen Rücksicht zu nehmen.“ (BGHZ 103, 184, 195 = NJW 1988, 1579; BGHZ 129, 136, 143 f. = NJW 1995, 1739; BGHZ 142, 167, 170 = NJW 1999, 3197). Treupflicht hat damit **zwei unterschiedliche Schutzrichtungen:** AG selbst und Mitgesellschafter (s. dazu M. Winter, Mitgliedschaftliche Treubindungen, 1988, 88 ff.; zur Treubindung der AG selbst → Rn. 18). Schwerpunkt wird generell bei der Treupflicht ggü. der Gesellschaft verortet, die im Regelfall auch Schutz der Mitgesellschafter umfassen wird (MüKoBGB/Schäfer BGB § 705 Rn. 281; M. Winter, Mitgliedschaftliche Treubindungen, 1988, 88). Speziell für AG wird aber gerade der bes. wichtige Anwendungsfall der materiellen Beschlusskontrolle der Treupflicht ggü. Mitgesellschaftern zugeordnet (s. etwa GK-AktG/Henze/Notz Rn. 203; zur Konkretisierung → Rn. 20 ff.). **Generalklauselartiger Charakter** der Treupflicht macht Konkretisierung erforderlich, die sich bislang vornehmlich anhand in Rspr. und Lit. entwickelter Einzelausprägungen (→ Rn. 19 ff.) entwickelt (ausf. zum Konkretisierungsprozess Reidt, Die mitgliedschaftliche Treupflicht, 2022, 13 ff.). Als ge-

nerelle Vorgabe gilt, dass Inhalt der Treupflicht jew. nach Verhältnissen im konkreten Anwendungsfall zu bestimmen ist, wobei satzungsgem. Zweck der Gesellschaft, ihre Struktur, Rechtsstellung der Gesellschafter und Funktion des auszuübenden Rechts von Bedeutung sind (vgl. BGHZ 65, 15, 19 = NJW 1976, 191; BGH NZG 2023, 784 Rn. 28).

Darüber hinaus folgt aus Kurzformel, dass sich aus Treupflicht **sowohl Handlungs- als auch Unterlassungspflichten** ergeben können, deren Reichweite und Intensität von weiterer Differenzierung abhängig sind, nämlich der zwischen eigen- und uneigennützigen Rechten (krit. zu dieser Unterscheidung S/L/Fleischer Rn. 55). Bei **uneigennützigen Rechten** erlangt Treupflicht größere Bedeutung (stRspr – vgl. etwa BGH NZG 2023, 784 Rn. 28). Weil diese Rechte dem Gesellschafter nicht zur Förderung seiner privaten Interessen eingeräumt werden, ist bei ihrer Ausübung den Gesellschaftsinteressen unbedingter Vorrang einzuräumen (MüKoBGB/Schäfer BGB § 705 Rn. 278). Wesentlich geringer ist die Bindung durch Treupflicht bei Ausübung **eigennütziger Rechte,** zB im Dividendenanspruch. Hier müssen Aktionäre Einschränkungen nur in extremen Fällen hinnehmen, etwa bei sonst eintretender Existenzgefährdung des Unternehmens. Bsp. für eigennütziges Recht ist das Dividendenrecht. Als Bsp. für uneigennütziges Recht wird zumeist pauschal Stimmrecht genannt (Hölters/Weber/Mayer/Albrecht vom Kolke Rn. 17), wenngleich auch hier noch – je nach Beschlussgegenstand – weitere Differenzierungen geboten sein können, die Problematik der Einteilung offenbaren (BeckOGK/Cahn/v. Spannenberg Rn. 54; GK-AktG/Henze/Notz Rn. 238; MHdB AG/Rieckers § 17 Rn. 6). Bei Gewinnverwendungsbeschluss etwa wird sich Eigennützigkeit eher aufdrängen als bei Zustimmung zu Geschäftsführungsmaßnahmen nach § 119 II. Weitere Differenzierung im Einzelfall ergibt sich schließlich aus konkreter Realstruktur der AG: In personalisierter AG wird für Anerkennung von Treupflichten eher Raum sein als in Publikumsgesellschaft (S/L/Fleischer Rn. 54). Noch nicht abschließend geklärt, aber durch Girmes-Entscheidung des BGH nahegelegt (BGHZ 129, 136 = NJW 1995, 1739) und durch spezialges. Vorschriften in § 7 VII WStBG, § 245 InsO und § 37 WpÜG auch legislativ angedeutet ist gesteigerte Treupflicht auch in **Sanierungssituationen** (Seibt ZIP 2014, 1909, 1910 f.; → Rn. 20; → § 222 Rn. 15a). 17

4. Persönliche und sachliche Reichweite. Treupflicht bindet nur **Aktionäre,** nicht aber außenstehende Dritte, und zwar auch nicht in Funktion als Stimmrechtsvertreter (→ Rn. 22 f.), erst recht nicht als Stimmrechtsberater iSd § 134a I Nr. 3 (Hell ZGR 2021, 50, 71 f.; Vaupel AG 2011, 63, 65; P. Schwarz, Institutionelle Stimmrechtsberatung, 2013, 213 ff.; aA Wilhelm, Dritterstreckung im Gesellschaftsrecht, 2017, 415 ff.; → § 134d Rn. 1 ff.). Noch nicht ausdiskutiert ist Frage nach einer Treupflicht des mittelbaren Gesellschafters, die sich dann stellt, wenn Aktionär selbst Gesellschaft ist und deren Gesellschafter Treupflicht unterworfen werden sollen. Grds. ist eine solche Konstruktion nicht ausgeschlossen (sa S/L/Fleischer Rn. 51; GK-AktG/Henze/Notz Rn. 214 ff.), wobei es sich letztlich um eine Frage des Durchgriffs handelt, der nur zurückhaltend mit den dazu entwickelten Einschränkungen anzuerkennen ist (→ § 1 Rn. 15 ff.). Erfasst ist auch Aktionär in Vor-AG oder Liquidationsstadium (S/L/Fleischer Rn. 53); Anerkennung **vormitgliedschaftlicher Treupflichten** im Rahmen eines sich anbahnenden Anteilserwerbs ist noch nicht abschließend geklärt (ausf. M. Weber, Vormitgliedschaftliche Treubindungen, 1999, 178 ff., 239 ff.; sympathisierend GK-AktG/Henze/Notz Rn. 223 f.). HM zeigt sich zu Recht reserviert, um Pflichtbindungen nicht unübersehbar auszuweiten; Sachprobleme sollten mit bereichsspezifischen vorvertragl. Begründungsmustern zu bewältigen sein (ausf. Fleischer NZG 2000, 561, 563 ff.; abl. auch OLG Hamburg AG 2011, 301, 18

302 f.; BeckOGK/Cahn/v. Spannenberg Rn. 49; MüKoAktG/Götze Vor § 53a Rn. 36). Auch zur Bewältigung von Shortseller-Attacken kann diese Figur daher nicht herangezogen werden (Schockenhoff WM 2020, 1349, 1352 mit Darstellung weiterer möglicher Abwehrinstrumentarien; zust. Poelzig ZHR 184 [2020], 697, 748 f.). Im Insolvenzverfahren wird Treupflicht wesentlich durch insolvenzrechtl. Rechtsschutzbehelfe überlagert (OLG Frankfurt NZG 2013, 1388 Rn. 9 ff.; BeckOGK/Cahn/v. Spannenberg Rn. 40; C. Schäfer ZIP 2013, 2237; Thole ZIP 2013, 1937, 1939 ff.). Sachlich ist Schutzbereich auf **mitgliedschaftlichen Bereich** beschränkt, so dass Verletzungen im außergesellschaftlichen Bereich nicht über Treupflicht sanktioniert werden können (BGH NJW 1992, 3167, 3171; GK-AktG/Henze/Notz Rn. 205). Von diesem klassischen Anwendungsbereich der Treupflicht ist schließlich noch ihre (deutlich weniger praxisrelevante) Umkehrung zu unterscheiden, wonach auch **AG selbst** ggü. ihren Aktionären Treupflicht unterliegt. Sie äußert sich etwa in Pflicht der AG, dem Aktionär Protokollabschriften seiner HV-Wortbeiträge (BGHZ 127, 107, 111 f. = NJW 1994, 3094) oder erforderliche Steuerbescheinigungen zukommen zu lassen (BGH ZIP 1991, 1584, 1585; S/L/Fleischer Rn. 59) sowie in der Pflicht, Zustimmung nach § 68 II nicht aus sachwidrigen Gründen zu verweigern (KK-AktG/Drygala Rn. 129). Wesentlich größere Bedeutung könnte ihr als Grundlage umfassender konzernrechtl. Einwirkungsmöglichkeiten zukommen, wie sie neuerdings propagiert wird, um faktischen Konzern an weitgehende europarechtl. Pflichtbindungen der Obergesellschaft für gesamten Konzernverbund anzupassen. Konstruktion bleibt aber zweifelhaft (→ § 311 Rn. 48d). Zur davon abw. Konstruktion einer Treupflicht zwischen AG und ihren Organen → § 84 Rn. 10 f.

19 **5. Einzelausprägungen. a) Treupflicht zur AG.** Treupflichtverletzung des Aktionärs ggü. der AG ist in erster Linie denkbar als **nachteilige Einwirkung auf das Gesellschaftsunternehmen** (vgl. dazu Lutter ZHR 153 [1989], 446, 452 f.). Zu eng, weil auf Stimmrechtsausübung zugeschnitten, ist insoweit Gedanke des institutionellen Rechtsmissbrauchs (s. dazu MüKoAktG/C. Schäfer § 243 Rn. 53 ff.; Lutter ZHR 153 [1989], 446, 453). Solche etwa dem Vorbild des ITT-Falls (BGHZ 65, 15 = NJW 1976, 191) entspr. Sachverhalte sind jedoch in erster Linie Problem der GmbH. Für AG unterliegen sie den speziellen Wertungen und Schutzmechanismen der §§ 291 ff. Sollte es sich gleichwohl als notwendig erweisen, Ersatzansprüche aus schuldhafter Verletzung der Treupflicht zu begründen, etwa weil dem Aktionär die Unternehmenseigenschaft fehlt (→ § 15 Rn. 6 f.; aber → § 311 Rn. 11), so sind solche Ansprüche auch außerhalb der tatbestandlichen Grenzen des § 117 der AG zuzuordnen. Aktionäre können mit der actio pro socio Ersatzleistung an Gesellschaft fordern (dazu M. Winter, Mitgliedschaftliche Treubindungen, 1988, 306 ff.). Umstr. ist, ob auch **Treupflicht des Alleinaktionärs** in Einpersonen-AG anzuerkennen ist. Frage ist mit heute hM zu verneinen, da Gesellschaftszweck zur Disposition des Gesellschafters steht und von Gesellschaftern losgelöstes Eigeninteresse der AG nicht anzuerkennen ist (so ausdr. auch schon BGHZ 119, 257, 262 = NJW 1993, 193; BGHZ 122, 333, 336 = NJW 1993, 1922; BGHZ 142, 92, 95 f. = NJW 1999, 2817 [jew. zur GmbH]; sa Altmeppen GmbHG § 13 Rn. 58 ff.; GK-AktG/Henze/Notz Rn. 225 ff.; Janke, Gesellschaftsrechtliche Treuepflicht, 2003, 78 f.; Schön ZHR 168 [2004], 268, 280; aA Priester ZGR 1993, 512 ff.; Ulmer ZHR 148 [1984], 391, 418 ff.). Auch wenn im Zuge der Diskussion um Existenzvernichtungshaftung **eigenständiges Bestandsinteresse** der Gesellschaft im Interesse der Gläubiger anerkannt wurde (→ § 1 Rn. 23), das Innenhaftung nach § 826 BGB begründen kann (→ § 1 Rn. 25), muss zugrunde liegende dogmatische Konstruktion nicht zwangsläufig in Treupflicht gesucht werden, deren gedankliches

Fundament hier nicht passt (Altmeppen GmbHG § 13 Rn. 60). Auch BGH hat Ausschließlichkeit des deliktischen Ansatzes betont (BGHZ 173, 246 Rn. 15, 17 = NJW 2007, 246; sa → § 1 Rn. 25) und damit paralleler Fundierung auf Treupflicht Absage erteilt. Für Treupflicht zur AG als genereller Schranke bei Ausübung von Individualrechten Werner FS Semler, 1993, 419, 424 ff.

b) Treupflichten zwischen den Aktionären. aa) Allgemeines. Aktionäre haben in AG nur sehr begrenzte Einwirkungsmöglichkeiten, die sich schwerpunktmäßig in Stimmabgabe auf HV erschöpfen. Treupflichten im Horizontalverhältnis spielen deshalb bislang bes. in den Fällen der **materiellen Beschlusskontrolle** nach den Maßstäben der Erforderlichkeit und Verhältnismäßigkeit eine Rolle (→ Rn. 10, 21 mwN; iE → § 243 Rn. 24 ff.). Denkbare praktische Bedeutung der Treubindungen reicht jedoch über Anwendungsfälle dieser Art hinaus. Sie können auch **positive Stimmpflichten** begründen und dadurch zur Überwindung von Blockadepositionen beitragen (Fuchs FS Immenga, 2004, 589, 598 ff.). Das kann einmal dort der Fall sein, wo es um Heilung von Gründungs- und Sachmängeln, aber auch verdeckter Sacheinlagen geht (S/L/Fleischer Rn. 58). Zunehmende Bedeutung erlangen positive Stimmpflichten darüber hinaus in **Sanierungssituationen,** wenn dringendes Interesse der AG HV-Beschluss erforderlich macht. Das wurde bislang vornehmlich im Kontext einer Kapitalherabsetzung vertieft erörtert (ausf. deshalb unter → § 222 Rn. 15a). Aufgrund der grds. nur geringen Pflichtenbindung des Aktionärs innerhalb der AG ist bei Konstruktion derartiger positiver Förderpflichten allerdings Zurückhaltung geboten (KK-AktG/Drygala Rn. 122). 20

Wie beim Gleichbehandlungsgebot (→ Rn. 4) steht auch bei den Treubindungen der **Schutz der Mitgliedschaft** des Aktionärs im Mittelpunkt, geht es also auch hier primär um **Kontrolle der Einwirkungsmöglichkeiten,** die der Mehrheit kraft ihrer Stimmrechtsmacht ggü. der Minderheit zur Verfügung stehen (s. dazu BGHZ 65, 15, 18 f. = NJW 1976, 191; BGHZ 103, 184, 194 f. = NJW 1988, 1579; BGHZ 142, 167, 169 = NJW 1999, 3197; grdl. schon Zöllner, Die Schranken mitgliedschaftlicher Stimmrechtsmacht, 1963, 339 ff.; zu den Fallgruppen treuwidrigen Verhaltens KK-AktG/Drygala Rn. 100 ff.). Dass es sich dabei um eine etablierte Stimmenmehrheit handelt, ist häufig, aber nicht erforderlich. Auch eine **Zufallsmehrheit** kann Treubindungen unterliegen, so bes. dann, wenn die Minderheit durch Stimmverbote gegen andere Aktionäre (§ 136) in die Mehrheitsposition gelangt ist (vgl. Hüffer FS Heinsius, 1991, 337, 350 mwN). 21

Schließlich sind auch Treupflichten einer **Minderheit** begründbar, wenn sie ausnahmsweise in eine kontrollbedürftige Einflussposition gelangt ist (BGHZ 129, 136, 143 ff. = NJW 1995, 1739; Hennrichs AcP 195 [1995], 221, 240 f.; noch offenlassend BGH NJW 1992, 3167, 3171; s. aber → § 245 Rn. 24, 27 zur Anfechtungsbefugnis; zur Zurückhaltung mahnend Merkt FS Bergmann, 2018, 509 ff.). In grdl. Girmes-Entscheidung (BGHZ 129, 136; ausf. noch → Rn. 22) wurden **Anforderungen an treupflichtgebundene Stimmbindung** der Minderheitsaktionäre noch äußerst zurückhaltend formuliert und auf Sanierungskonstellationen (ausf. dazu → § 222 Rn. 15a) in sonst eindeutig existenzgefährdenden Sachverhalten beschränkt (BGHZ 129, 136, 152 f.: unvermeidlicher Zusammenbruch). Im **Media-Saturn-Urteil** des BGH wurde dagegen zurückhaltender dahingehend formuliert, dass Pflicht zur Abstimmung in einem bestimmten Sinn immer dann besteht, wenn zur Verfolgung der Gesellschaftsinteressen keine andere Stimmabgabe denkbar ist, andernfalls schwere Nachteile entstehen und eigene Interessen des Gesellschafters dahinter zurückstehen müssen (BGH NJW 2016, 2739 Rn. 13; vgl. zuvor auch OLG Stuttgart AG 2003, 588, 590: „dem Wohl der gesamten Gesellschaft dient und jede andere Entscheidung ihr schweren 21a

Schaden zufügt"; GK-AktG/Henze/Notz § 53a Rn. 242 f.). Auch wenn Urteil GmbH betr., dürften Grundsätze angesichts zunehmender Anerkennung der mitgliedschaftlichen Treupflichten als **rechtsformübergreifendes Institut** (vgl. K. Schmidt GesR § 20 IV 2) auch für AG Geltung beanspruchen (so auch OLG Köln NZG 2021, 1217 Rn. 39; MüKoAktG/Götze Vor § 53a Rn. 50). Namentl. für Sanierungs- und Auflösungsbeschlüsse haben sich in Rspr. und Lit. zT auch schon nähere tatbestandl. Konkretisierungen ausgebildet (→ § 222 Rn. 15a; → § 262 Rn. 11a f.). Rechtsfolge ist Nichtigkeit treuwidriger Stimmabgabe, die im Anfechtungsprozess (→ § 243 Rn. 24 ff.), bei Evidenz aber auch schon durch HV-Leiter durch Zurückweisung der Stimmen (→ § 130 Rn. 22 ff.) geltend gemacht werden kann.

21b Für Anfechtungsprozess hat Treupflicht mittlerweile schon institutionell verfestigte Ausprägung in sog **materieller Beschlusskontrolle** gefunden (näher → § 243 Rn. 21 ff.; sa GK-AktG/Henze/Notz Rn. 203; Henze ZHR 162 [1998], 186, 192 ff.). Dass BGH selbst insoweit keine deutliche Verknüpfung mit Treupflicht herstellt (→ § 243 Rn. 24), liegt am zeitlichen Vorsprung von Beschlusskontrolle vor Anerkennung der Treupflicht und sollte deshalb nicht überbewertet werden (teilw. krit. ggü. der Rspr. Raiser ZHR 151 [1987], 422, 432 ff.). Ob daneben ein Sachlichkeitsgebot selbständige Bedeutung entfalten kann (Wiedemann WM 2009, 1, 9), hängt von inhaltlicher Reichweite der Treubindungen ab. Einer zweiten richterlichen Generalklausel (→ Rn. 15) sollte es nicht bedürfen.

22 **bb) Insbesondere: Stimmrechtsbündelung.** Problematik der Stimmrechtsbündelung ist durch **Girmes-Fall** bekannt geworden (BGHZ 129, 136 = NJW 1995, 1739; vgl. zuvor auch schon Dreher ZHR 157 [1993], 150, 165 ff. mN instanzgerichtl. Entscheidungen in Fn. 1; Hennrichs AcP 195 [1995], 221, 255 ff.; Marsch-Barner ZHR 157 [1993], 172, 181 ff.; ausf. Darstellung bei Schmolke in Fleischer/Thiessen, Gesellschaftsrechts-Geschichten, 2018, 435 ff.). Hierzu ist einerseits zweifelhaft, ob und wie **Haftung** des Stimmrechtsbündlers bei pflichtwidriger Stimmrechtsausübung begründet werden kann, andererseits, ob und in welchen Grenzen Aktionäre trotz Einschaltung des Stimmrechtsbündlers wegen seiner gem. § 278 BGB zurechenbaren Pflichtverletzung haftbar bleiben (Lutter JZ 1995, 1053, 1056). BGHZ 129, 136, 151 nimmt fortdauernde Treubindung der Aktionäre an und lässt Vertreter, der ihn mandatierende Aktionäre nicht aufdeckt, analog § 179 I BGB haften (BGHZ 129, 136, 149 ff.; zust. Henssler DZWir 1995, 430, 435; ähnlich schon Henssler ZHR 157 [1993], 91, 118 f.).

23 **Stellungnahme.** Unter bes. Umständen des Girmes-Falls wäre nach richtiger Ansicht wohl mit § 826 BGB auszukommen gewesen (str., aA zB OLG Düsseldorf AG 1996, 470 ff. und OLG Düsseldorf AG 1997, 469, 470 ff.: kein Schädigungsvorsatz; aus dem Schrifttum zB Henssler DZWir 1997, 36, 37 ff.). IÜ gilt: Eine originäre Treupflicht des Stimmrechtsbündlers oder anderer Vertreter gibt es nicht, weil sie an dem **pflichtbegründenden Vertragsverhältnis** nicht teilhaben (→ Rn. 15; zutr. BGHZ 129, 136, 148 f. = NJW 1995, 1739; GK-AktG/Henze/Notz Rn. 36; Dreher ZHR 157 [1993], 150, 165 ff.; aA Timm WM 1991, 481, 488 f.; diff. Wilhelm, Dritterstreckung im Gesellschaftsrecht, 2017, 277 ff.). Sie ist auch mit dem Gedanken einer Rollenübernahme (Lutter JZ 1995, 1053, 1056) noch nicht zureichend begründet. Andererseits hängt Anwendung des § 179 I BGB davon ab, dass Vertreter die Aktionäre nicht aufdeckt; wenn doch, ist deren Haftung in den Fällen des § 135 (vorbehaltlich Sonderweisung) nicht überzeugend (zutr. Lutter JZ 1995, 1053, 1056). Zu erwägen ist, aus § 135 ges. Substitution der Aktionäre durch „institutionelle" Stimmrechtsvertreter zu entwickeln, was Treubindung bei den Aktionären belässt, ihre

Haftung aber nach dem Rechtsgedanken des § 664 I 2 BGB auf Auswahlverschulden begrenzt und Eigenhaftung des Substituten (dazu Mot. II 553) nach den Grundsätzen erlaubt, die ohne Substitution für Aktionäre gelten würden (offenlassend GK-AktG/Henze/Notz Rn. 213 Fn. 647).

24 **cc) Treupflichten im Konzern.** Insbes. für **Aktienkonzern** ist Bedeutung mitgliedschaftlicher Treupflichten nur andiskutiert (dazu GK-AktG/Henze/Notz Rn. 349 ff.; Zöllner ZHR 162 [1998], 235, 237 ff.). Im Kern geht es um die Frage, ob sich namentl. im **faktischen Konzern** aus Treupflicht Beschränkungen der Leitungsmacht ergeben, die noch über §§ 311 ff. hinausgehen können (dafür namentl. Zöllner ZHR 162 [198], 235 ff.; diesen Ansatz ausbauend sodann Tröger, Treupflicht im Konzern, 2000, 210 ff.). Der Grundthese, dass Konzern mitgliedschaftliche Rechts- und Pflichtenlage darstellt (Zöllner ZHR 162 [1998], 235, 238), ist beizutreten. Richtig ist auch, dass §§ 311 ff. in Treupflichtkonzeption eingebunden werden können (Zöllner ZHR 162 [1998], 235, 239 ff., 241 ff.), dann allerdings spezielle Ausprägungen der Treupflicht des Unternehmensgesellschafters ggü. der abhängigen AG (→ Rn. 19), nicht im Verhältnis der Aktionäre untereinander, darstellen (zust. GK-AktG/Henze/Notz Rn. 351). Dabei bezeichnet Einbindung übergreifende dogmatische Konzeption, nicht Vorrang der Treupflicht vor ges. Regelung (Hüffer FS Röhricht, 2005, 251, 259; Röhricht HdB Corporate Governance, 2003, 513, 530; offenlassend BGH NZG 2008, 831 Rn. 3, 16 f.). Gerade umgekehrt ist es die ungeschriebene Treupflicht, die im speziell geregelten Anwendungsbereich der §§ 311 ff. hinter diese Regelung zutrücktreten muss (abl. deshalb auch die inzwischen ganz hM – MüKoAktG/Altmeppen § 317 Rn. 119 f.; BeckOGK/Cahn/v. Spannenberg Rn. 64; KK-AktG/Drygala Rn. 93; Emmerich/Habersack/Habersack § 311 Rn. 89; S/L/Fleischer Rn. 61; KK-AktG/Koppensteiner § 311 Rn. 167 f.; BeckOGK/H.-F. Müller § 311 Rn. 129 f.; S/L/J. Vetter § 311 Rn. 126). Insbes. kann aus dieser Konstruktion deshalb auch nicht die Konsequenz gezogen werden, ohne Eingliederung oder Beherrschungsvertrag nur dezentrale Konzernierung zuzulassen (so Zöllner ZHR 162 [1998], 235, 244 ff.; dagegen wie hier GK-AktG/Henze/Notz Rn. 353).

25 Als praxisrelevantes Anwendungsfeld der Treupflicht im Konzern wird schließlich noch **präventives Wettbewerbsverbot gegen herrschenden Gesellschafter** diskutiert, das als Instrument der Konzernbildungskontrolle (→ § 15 Rn. 4) fungieren soll (dafür etwa Burgard FS Lutter, 2000, 1033 ff.; Henze BB 1996, 489, 497; Henze FS Hüffer, 2010, 309, 318 ff.; Henze ZHR 175 [2011], 1, 7 f.). Obwohl BGH ein solches Wettbewerbsverbot für GmbH anerkannt hat (BGHZ 89, 162, 165 ff. = NJW 1984, 1351), hat er es speziell bei AG im Hinblick auf ihre grds. Konzernoffenheit und Weisungsfreiheit des Vorstands der abhängigen Gesellschaft verneint (BGH NZG 2008, 831 Rn. 17; sa GK-AktG/Fleischer Vor § 311 ff. Rn. 59 ff.; Hüffer FS Röhricht, 2005, 251, 257 ff., 263 ff.; Koppensteiner RdW 2017, 609 ff.; Röhricht in HdB Corporate Governance, 2003, 513, 530 ff.; aA Henze FS Hüffer, 2010, 309, 318 ff.; Henze ZHR 175 [2011], 1, 7 f.). Dem ist zuzustimmen, und zwar nicht nur aus den vom BGH genannten Gründen, sondern auch deshalb, weil präventives Wettbewerbsverbot im Kapitalgesellschaftsrecht – obwohl in BGHZ 89, 162, 165 ff. so angelegt – weder aus Treupflicht noch aus §§ 117 f. HGB hergeleitet werden kann (zutr. Hüffer FS Röhricht, 2005, 251, 266 ff. gegen die ganz hM; Nachw. dort). Herrschende Zuordnung des Wettbewerbsverbots zur Treupflicht beruht auf einem ursprünglich engeren und auf die Personengesellschaft zugeschnittenen Verständnis der Treupflicht. Mit dem Wandel und der Ausdehnung der Treupflichtkonzeption und ihrer Lösung vom bes. Vertrauensverhältnis der Gesellschafter untereinander ist diese Verbindung indes unterbrochen (ausf. Hüffer FS Röhricht,

2005, 251, 268 ff.). Wettbewerbsverbot kann daher nicht mehr als Schutz vor rein vertrauensgefährdenden Konfliktlagen aus Treupflicht hergeleitet werden, sondern erst wenn sich wettbewerbliches Verhalten selbst im Einzelfall als treuwidrig darstellt, etwa aufgrund **unverhältnismäßiger Rechtsausübung oder unzureichender Rücksichtnahme** auf Belange der AG (auch insofern zutr. Hüffer FS Röhricht, 2005, 251, 269 ff.). Wann eine solche unzulässige Rechtsausübung vorliegt, ist im Lichte der ges. Rahmenbedingungen des Konzernrechts und der danach bestehenden legitimen Einflussmöglichkeiten zu beurteilen (vgl. dazu etwa Habersack FS Hoffmann-Becking, 2013, 421 ff. gegen eine pauschale Übertragung der Geschäftschancenlehre [→ § 88 Rn. 4a] auf den Unternehmensverbund). Auch bei **konzernbegründendem Beteiligungserwerb** verpflichtet Treupflicht nicht zum Ausgleich übernahmebedingter Nachteile, wie etwa Untergang steuerlicher Verlustvorträge oder Eingreifen von Change of Control-Klauseln (→ § 87 Rn. 23; so aber Mülbert/Kiem ZHR 177 [2013], 819, 843 ff.). Erwerbender Aktionär kann in Treubindung nicht demjenigen gleichgestellt werden, der bereits bestehende innergesellschaftliche Befugnisse ausübt; anderes Verständnis ist mit grds. konzern- und übernahmefreundlicher Ausrichtung des AktG nicht zu vereinbaren (GK-AktG/Fleischer Vor §§ 311 ff. Rn. 63; BeckOGK/Cahn/v. Spannenberg Rn. 55; MHdB AG/Krieger § 70 Rn. 22; Cahn/Decher Konzern 2015, 469 ff.).

26 **6. Treubindungen und Satzung.** Ob und in welchem Umfang Treubindungen zur Disposition der Satzung stehen (→ Rn. 5 zum Gleichbehandlungsgrundsatz), wird für das Aktienrecht nicht näher erörtert. Entspr. Überlegungen zur GmbH (eingehend M. Winter, Mitgliedschaftliche Treubindungen, 1988, 190 ff.) sind kaum verallgemeinerungsfähig, weil ges. Ausgangslage wegen Grundsatzes der **Satzungsstrenge** (§ 23 V) anders ist. Genereller Dispens von Treubindungen durch die Satzung scheidet von vornherein aus. Soweit es um Treubindungen zur AG geht, sind jedenfalls die **Kapitalschutzregeln** und mit ihnen das Verbot jeglicher Einlagenrückgewähr (§§ 57, 62) zwingend, so dass sich das Problem verdeckter Gewinnausschüttung nicht in seiner von der GmbH bekannten Form stellen kann. Was Treubindungen der Aktionäre untereinander anbetrifft, so scheidet ein Satzungsdispens (bes. für **Beschlusskontrolle**) schon für die GmbH aus (M. Winter, Mitgliedschaftliche Treubindungen, 1988, 215 ff.). Eine andere Beurteilung ist auch für das Aktienrecht nicht angezeigt. Möglich, aber wohl nur von theoretischer Bedeutung bleibt danach nur der **Verzicht** der Aktionäre im Einzelfall (→ Rn. 5).

27 **7. Rechtsfolgen.** Mitgliedschaftliche Treupflicht ist nicht nur auf Tatbestands-, sondern auch auf Rechtsfolgenseite **komplexes Rechtsgebilde.** Als allg. Grundsätze gelten: Unmittelbar erzeugt Treupflicht Handlungs- und Unterlassungspflichten, die eingeklagt, im Falle ihrer Verletzung auch noch nachträglich zur Grundlage eines **Schadensersatzanspruchs** nach § 280 I gemacht werden können (Wiedemann GesR II, § 3 II 3e bb). Wird entgegen einer Unterlassungspflicht treuwidrige Rechtshandlung vorgenommen, so ist sie nichtig und damit auch unbeachtlich (RGZ 158, 302, 310 f.; M. Winter, Mitgliedschaftliche Treubindungen, 1988, 36 f.). Sofern Handlungspflicht besteht und pflichtwidrig nicht erfüllt wird, kann sie dagegen nicht einfach unterstellt werden, sondern ist einzuklagen und über § 894 I ZPO durchzusetzen (BGH WM 1979, 1058; NJW-RR 1987, 285). Spezifisch aktienrechtl. Besonderheiten ergeben sich aus Relevanz der Treupflicht für materielle Beschlusskontrolle (→ Rn. 28 ff.).

28 Im Einzelnen gilt: Erfüllungsansprüche kommen in erster Linie bei treupflichtgestützten Ansprüchen des Aktionärs gegen AG in Betracht (→ Rn. 18; S/L/Fleischer Rn. 68). Unterlassungsansprüche können etwa Verstöße gegen treupflichtbedingtes Wettbewerbsverbot sanktionieren (KK-AktG/Drygala Rn. 130).

Schließlich führen Treupflichtverstöße ggü. der AG, wenn sie zu vertreten sind, zur **Schadensersatzpflicht** des Aktionärs ggü. der Gesellschaft (§ 280 I 1 BGB; zur Klagebefugnis → Rn. 19). **Vertretenmüssen** bestimmt sich nach § 276 BGB, wobei allerdings nach derzeit geltender Rechtslage Haftung schon für einfache Fahrlässigkeit mit Eigenart mitgliedschaftlicher Pflichten nur schwer zu vereinbaren ist. Deshalb wurde in der Vergangenheit Rechtsgedanke der § 277 iVm 708 BGB aF herangezogen, Haftung also auf Verletzung eigenüblicher Sorgfalt beschränkt (→ 17. Aufl. 2023, § 53a Rn. 28; Häsemeyer ZHR 160 [1996], 109, 118; M. Winter, Mitgliedschaftliche Treubindungen, 1988, 111; für Vorsatz MüKoAktG/Götze Vor § 53a Rn. 69; KK-AktG/Drygala Rn. 132). Dieser Sichtweise ist allerdings mit Streichung des § 708 BGB im Zuge des MoPeG 2021 dogmatische Grundlage entzogen. Weiterhin zulässig bleibt es aber jedenfalls, Haftung wegen treuwidriger Stimmrechtsausübung auf Vorsatzfälle zu beschränken (BGHZ 129, 136, 162 ff. = NJW 1995, 1739; vgl. auch KG NZG 2022, 409 Rn. 43). Das findet auch nach Aufhebung des § 117 VII Nr. 1 aF durch UMAG 2005 (→ § 117 Rn. 13) weiterhin im beschränkten Vorsatzerfordernis des § 243 II (→ § 243 Rn. 34) eine normative Stütze und ist sachgerecht, weil Haftungsrisiko sonst von Ausübung des Stimmrechts abschrecken könnte (BGHZ 129, 136, 163; BeckOGK/Cahn/v. Spannenberg Rn. 60; KK-AktG/Drygala Rn. 131; S/L/Fleischer Rn. 70). Ist dieser Verschuldensgrad erreicht, kann aus Verstoß aber auch auf Aufhebung eines HV-Beschlusses geklagt werden (so für GmbH KG NZG 2022, 409 Rn. 26 ff. – dort verjährungsbedingt gestützt auf § 852 BGB; offengelassen in BGH NZG 2023, 701 Rn. 32 [stattdessen: § 826 BGB]; ausf. dazu → § 246 Rn. 20). Wenn lediglich die Schranken bei Ausübung eigennütziger Rechte überschritten werden, besteht Folge darin, dass Rechtsausübung unbeachtlich ist.

Im Verhältnis der Aktionäre untereinander gilt: Im Vordergrund steht **Anfechtbarkeit** von HV-Beschlüssen, soweit sie unter Verstoß gegen Treubindungen zustande gekommen und deshalb ihrem Inhalt nach gesetzwidrig sind (§ 243 I; → § 243 Rn. 20 ff., 24 ff.). Auch dann ist jedoch Schadensersatzpflicht möglich, zB, wenn sich Aktionär Anfechtungsklage nicht durch Zahlung der AG, sondern durch Zahlung des Großaktionärs abkaufen lassen will (vgl. Lutter ZHR 153 [1989], 446, 466). Schutzwirkung der Treupflicht beschränkt sich jedoch auf den mitgliedschaftlichen Bereich; deshalb besteht unter diesem Gesichtspunkt keine Schadensersatzpflicht bei Verleitung zur Fehlinvestition durch Zeichnung junger Aktien aus Kapitalerhöhung (BGH NJW 1992, 3167, 3171; GK-AktG/Henze/Notz Rn. 342). 29

Nicht nur HV-Beschluss, sondern auch **einzelne Stimmabgabe** ist Rechtsgeschäft (→ § 133 Rn. 18) und als solches nach mittlerweile auch für die AG nahezu allgM **nichtig,** unwirksam oder jedenfalls unbeachtlich, wenn sie treuwidrig erfolgt (hM, s. BGHZ 102, 172, 176 f. = NJW 1988, 969 [GbR]; BGH NJW 1991, 846 [GmbH]; NJW-RR 1993, 1253, 1254 [GmbH]; BGHZ 152, 46, 61 = NJW 2002, 3704 [WEG]; BGH NJW 2016, 2739 Rn. 20 ff. [GmbH]; OLG Düsseldorf AG 1996, 373, 375 [AG]; OLG Hamburg ZIP 1991, 1430, 1432 [GmbH]; OLG Köln NZG 2021, 1217 Rn. 46 [AG]; OLG Stuttgart AG 2000, 369, 371 [AG]; AG 2021, 522, 525 [AG]; grdl. Zöllner, Die Schranken mitgliedschaftlicher Stimmrechtsmacht, 1963, 366 ff.; seither zB MüKo-GmbHG/Drescher § 47 Rn. 260; GK-AktG/Henze/Notz Rn. 324; einschr. OLG Hamm AG 2010, 789, 790; aA zT das österr. Schrifttum – vgl. Koppensteiner ZIP 1994, 1325, 1326; Oelrichs GmbHR 1995, 863, 866 ff.). Praktische Bedeutung hat Nichtigkeit der einzelnen Stimmabgabe im Aktienrecht vor allem bei Gesellschaften mit wenigen Aktionären, wenn bei Satzungsänderung Pflicht zur positiven Stimmabgabe besteht (→ Rn. 20) und Opponenten ihre Mitwirkung versagen (→ § 179 Rn. 30 f.). Darüber hinaus kann auch in Sanie- 30 rungssituationen bestimmtes Stimmverhalten als treuwidrig unzulässig sein (Nachw. → Rn. 20). Auch sonst ist Pflicht zur positiven Stimmabgabe zwar denkbar, aber allenfalls ausnahmsweise gegeben (OLG Stuttgart AG 2003, 588, 590). Zur Behandlung treuwidriger Stimmen durch HV-Leiter → § 130 Rn. 22 ff., → § 243 Rn. 22 ff.

Hauptverpflichtung der Aktionäre

54 (1) **Die Verpflichtung der Aktionäre zur Leistung der Einlagen wird durch den Ausgabebetrag der Aktien begrenzt.**

(2) **Soweit nicht in der Satzung Sacheinlagen festgesetzt sind, haben die Aktionäre den Ausgabebetrag der Aktien einzuzahlen.**

(3) [1] **Der vor der Anmeldung der Gesellschaft eingeforderte Betrag kann nur in gesetzlichen Zahlungsmitteln oder durch Gutschrift auf ein Konto bei einem Kreditinstitut oder einem nach § 53 Abs. 1 Satz 1 oder § 53b Abs. 1 Satz 1 oder Abs. 7 des Gesetzes über das Kreditwesen tätigen Unternehmen der Gesellschaft oder des Vorstands zu seiner freien Verfügung eingezahlt werden.** [2] **Forderungen des Vorstands aus diesen Einzahlungen gelten als Forderungen der Gesellschaft.**

(4) [1] **Der Anspruch der Gesellschaft auf Leistung der Einlagen verjährt in zehn Jahren von seiner Entstehung an.** [2] **Wird das Insolvenzverfahren über das Vermögen der Gesellschaft eröffnet, so tritt die Verjährung nicht vor Ablauf von sechs Monaten ab dem Zeitpunkt der Eröffnung ein.**

Übersicht

I. Regelungsgegenstand und -zweck

1 § 54 betr. **Einlagepflicht** der Aktionäre. Norm bestimmt Obergrenze der Einlagepflicht (§ 54 I), bestätigt Vorrang der Bareinlage vor Sacheinlagen (§ 54 II) und regelt Einzelheiten schuldbefreiender Leistung vor Anmeldung (§ 54 III). Regelungszweck ist nicht einheitlich zu bestimmen: **§ 54 I** dient der **internen Risikobeschränkung,** korrespondiert also mit § 1 I 2. **§ 54 II** enthält **Klar-**

stellung des schon aus § 27 I (→ § 27 Rn. 2) ableitbaren Ergebnisses, dass Aktionär Ausgabebetrag bar einzuzahlen hat, wenn Satzung Sacheinlagen nicht ausdr. festsetzt. **§ 54 III** bringt notwendige **Ergänzung** der §§ 36 II, 36a I, indem Anforderungen an ordnungsgem. Zahlung der Mindesteinlagen konkretisiert werden. **§ 54 IV** begründet aktienrechtl. **Sonderverjährung** für Einlagenansprüche der AG.

II. Begrenzung der Einlagepflicht (§ 54 I)

1. Einlagepflicht. a) Entstehung und Rechtsnatur. Einlagepflicht ist ges. nicht ausdr. geregelt, aber als Kerninstrument der Kapitalbeschaffung (GK-AktG/M. Arnold/Notz Rn. 6) in § 54 I vorausgesetzt. Sie entsteht mit Übernahme der Aktien bei Gründung (→ § 2 Rn. 12; → § 29 Rn. 2) oder durch Zeichnung junger Aktien aus Kapitalerhöhung (§ 185). Sie ist **mitgliedschaftliche Pflicht,** bis zum Ausgabebetrag der Aktien (→ Rn. 5) zur Kapitalaufbringung beizutragen, und zwar im ges. Regelfall durch Zahlung, bei anderweitiger Festsetzung in der Satzung durch Sacheinlage (§ 54 II). Von der Mitgliedschaft isolierbare Einlagepflicht gibt es nicht. Deshalb ist jeder Gedanke an Gegenseitigkeitsverhältnis (§§ 320 ff. BGB) zwischen Einlagepflicht und Mitgliedsrechten bereits im Ansatz verfehlt (s. MüKoAktG/Götze Rn. 6; KK-AktG/Drygala Rn. 5; vgl. auch RGZ 122, 339, 349). AG kann also Erfüllung von Mitgliedsrechten des Aktionärs nicht mit Hinweis verweigern, dass Einlageleistung nicht erbracht worden sei (GK-AktG/M. Arnold/Notz Rn. 15 ff.). 2

b) Gläubiger und Schuldner. Gläubigerin der Einlagen ist die Gesellschaft, und zwar als Vor-AG, wenn Eintragung im HR noch aussteht (§ 41 I 1; → § 41 Rn. 4 f.), sonst als jur. Person. Einlagepflicht entsteht also unabhängig von Registereintragung (BGHZ 169, 270 Rn. 8 = NJW 2007, 589). Leisten Aktionäre ihre eingeforderte Einlage nicht an Vor-AG, steht satzungstreuen Aktionären Recht zur Kündigung und Auflösung der Vor-AG zu (BGHZ 169, 270 Rn. 10 ff. = NJW 2007, 589; sa → § 41 Rn. 3). Zur Anwendung auf Mantelgründungen → § 23 Rn. 27). 3

Schuldner der Einlagepflicht sind im **Grundsatz** die Aktionäre (§ 54 I, II), also der Übernehmer oder der Zeichner (→ Rn. 2), aber auch der Erwerber von Aktien ohne Rücksicht auf Erwerbstatbestand. Mit der Aktie geht Einlagepflicht als nicht isolierbarer Teil der Mitgliedschaft (→ Rn. 2) auf ihn über. Entspr. endet Einlagepflicht des bisherigen Aktionärs, und war auch, wenn sie zuvor schon fällig war (GK-AktG/M. Arnold/Notz Rn. 25). Abw. interne Absprachen im Innenverhältnis sind ggü. AG unbeachtlich (GK-AktG/M. Arnold/Notz Rn. 25). Früheren Aktionär kann jedoch bes. Zahlungspflicht des § 65 treffen, und zwar auch über unmittelbar geregelten Fall von Namensaktien hinaus (→ § 65 Rn. 2). Schwierige **Einzelfragen** können sich ergeben, wenn entgegen § 10 II 1 Inhaberaktien ausgegeben oder unter Verstoß gegen § 10 II 2 auf Namensaktien überhöhte Teilleistungen angegeben wurden (→ § 10 Rn. 8, 10). Nach hM wird **gutgl. Erwerber** geschützt und bisheriger Aktionär als forthaftend angesehen, soweit Erwerber Einlage nicht schuldet (→ § 10 Rn. 8 mwN). Abweichungen vom Grundsatz ergeben sich auch beim Erwerb von Aktien mit **Sacheinlageverpflichtung.** Schuldner der Sacheinlage bleibt bisheriger Aktionär. Erwerber trifft jedoch Bareinlagepflicht, wenn Sacheinlage nicht geleistet wird (→ Rn. 10; offenlassend OLG Dresden AG 2004, 611, 614). Für Schutz des gutgl. Erwerbers vor dieser Eventualverpflichtung bei Verstößen gegen § 10 II gelten dieselben Regeln wie bei Bareinlagen. 4

2. Betragsmäßige Begrenzung. Gem. § 54 I bildet Ausgabebetrag Obergrenze der Einlagepflicht. Ausgabebetrag folgt nach Maßgabe des § 9 aus Satzung, 5 schließt also etwa festgesetztes **Agio** ein (Einzelheiten → § 9 Rn. 2, 8 f.). Regelung ist zwingend (§ 23 V); Abweichungen nach Art einer Nachschusspflicht können nicht vorgesehen werden und sind als Gegenstand einer Satzungsänderung nichtig nach § 241 Nr. 3 (RGZ 113, 152, 155 ff.; BGHZ 160, 253, 256 ff. = NJW 2004, 3561 zu Übertragungskosten). **Unterbewertete Sacheinlagen** (zur Zulässigkeitsfrage → § 27 Rn. 19; → § 34 Rn. 3) durchbrechen Prinzip des § 54 I nur teilw.: Aktionär muss Sacheinlage vollständig leisten, auch wenn wahrer Sachwert über dem Ausgabebetrag liegt. Scheitert die Sacheinlage, richtet sich dann eingreifende Geldzahlungspflicht aber nur nach Ausgabebetrag, nicht nach wahrem Wert, so dass mit § 54 I bezweckte interne Risikobeschränkung zumindest insofern erhalten bleibt. Während Ausgabebetrag Obergrenze der Einlagepflicht bildet, stellt geringster Ausgabebetrag ihre **Untergrenze** dar (→ § 9 Rn. 2).

5a In österr. Literatur ist zuletzt sog **Mehrleistungsthese** vertreten worden, wonach Grundsatz realer Kapitalaufbringung bei einer Kapitalerhöhung erfordere, dass Personen, an denen die ihr Kapital erhöhende AG ihrerseits eine Beteiligung hält, eine dem Produkt der Beteiligungsquotienten entsprechende Mehrleistung erbringen. Zeichner habe in diesen Fällen also eine entsprechend erhöhte Einlage zu leisten bzw. es seien ihm entsprechend weniger Aktien zuzuteilen (Koppensteiner GES 2020, 227, 232 f., 236 f.; Koppensteiner GES 2020, 300; Mock GES 2020, 5, 11 ff.; Mock wbl 2021, 678 ff.; Rüffler/Cahn GesRZ 2020, 242, 244 ff.; vgl. auch BeckOGK/Cahn/v. Spannenberg § 56 Rn. 37; aA öOGH 6 Ob 178/22b Rn. 134 ff. [online abrufbar über österr. Rechtsinformationssystem des Bundes – RIS]; OLG Innsbruck GesRZ 2020, 279, 284 ff. mit Anm. Eckert; OLG Innsbruck v. 2.6.2022 – 2 R 26/22y, Rn. 3.5.1. [nv]; Eckert/Schopper GesRZ 2020, 381 ff.; Karollus GesRZ 2020, 169, 170 ff.). In der Tat führt wechselseitige Beteiligung zu Verwässerung der Kapitalgrundlagen, die aus Sicht der Gläubiger problematisch sein kann. Solche **Verwässerungseffekte** sind indes als grundlegendes Problem wechselseitiger Beteiligungen seit jeher bekannt (→ § 19 Rn. 1), haben Gesetzgeber aber nicht von ihrer Gestattung abgehalten (vgl. auch öOGH 6 Ob 178/22b Rn. 77 ff.; Eckert/Schoper GesRZ 2020, 381, 392; Karollus GesRZ 2020, 169, 173). Ob darüber hinaus **Mitgesellschafter Wertverluste** erleiden, ist umstr., richtigerweise aber zu verneinen (ausf. Aschauer/Eckert RWZ 2022, 127 ff.; aA Mock RWZ 2022, 187 ff.). Selbst wenn man letztgenannte Frage anders beantwortet, fehlt Mehrleistungsthese doch **dogmatische Grundlage,** weil sie sich aus Rechtsanwendung nicht herleiten lässt (dies konzediert als Befürworter der These auch Mock wbl 2021, 678, 687: Lückenschließung), für Rechtsfortbildung jedoch Grundlagen fehlen. Gefahren wechselseitiger Beteiligungen standen schon Gesetzgeber von 1931 klar vor Augen, der sich aber mit Regelung in §§ 56, 328 begnügt hat, so dass es an planwidriger Regelungslücke fehlt. Auch ließe sich etwaige Lücke durch Mehrleistungsthese nicht sachgerecht schließen, weil sie Gutglaubensschutz des gutgläubigen Erwerbers (→ § 328 Rn. 6) nicht leisten könnte und sich überdies in **praktischer Durchführbarkeit** als kaum handhabbar erweist (sa öOGH 6 Ob 178/22b Rn. 151). Bei konsequenter Durchsetzung müsste jedweder Rückbeteiligung Rechnung getragen werden, so dass unterschiedlichste Ausgabebeträge festzusetzen wären (Eckert/Schopper GesRZ 2020, 381, 390 f.). Vereinzelte Konstruktionsversuche, dem durch Bagatellgrenzen entgegenzuwirken (Mock GES 2021, 5, 17), sprengen vollends Grenzen der Rechtsfortbildung, da Ges. dafür keine Anhaltspunkte enthält. Ohnehin könnte mit Mehrleistungsfolge potenziell belasteter Zeichner diese Folge umgehen, indem er auf Zeichnung verzichtet und Anteile stattdessen am Sekundärmarkt erwirbt, was zu wirtschaftlich identischen Folgen führen würde, durch Mehrleistung aber nicht auszugleichen wäre (Eckert/Schopper GesRZ 2020, 381, 389). Bessere Gründe sprechen deshalb dafür, Mehrleistungsthese **abzulehnen** (so nun auch öOGH 6 Ob 178/22b Rn. 134 ff.).

3. Ausnahmen. Ebenso wie weitere Zahlungspflichten verbieten sich auch sonstige mitgliedschaftliche Zusatzpflichten, sofern sie nicht im Ges. angelegt oder daraus ableitbar (Treupflicht; → § 53a Rn. 13 ff.) sind (unzulässig deshalb etwa: Verlustdeckungs- oder Nachschusspflicht sowie Pflichten zur Beteiligung an Kapitalerhöhung, zur Übernahme von Gesellschafterämtern oder Abstimmungsverhalten – w. Bsp. bei GK-AktG/M. Arnold/Notz Rn. 56). Echte Ausnahme vom Grundsatz des § 54 I liegt nur in Zulassung von **mitgliedschaftlichen Nebenverpflichtungen durch § 55** (→ § 55 Rn. 1 f.). Als Lockerung des Prinzips können Zinsen, Schadensersatz und Vertragsstrafe aufgefasst werden, die § 63 als Folgen verspäteter Einlagenleistung vorsieht bzw. zulässt. Unproblematisch ist auch, dass Satzung **Hilfsverpflichtungen** einführt, mit denen Erfüllung der Einlagepflicht gesichert werden soll: Pflicht zur Anzeige eines Wohnungswechsels (w. Bsp. bei GK-AktG/M. Arnold/Notz Rn. 59; vgl. auch, wenngleich rechtstats. wohl überholt RGZ 92, 315, 317: Wechselakzepte wegen der nicht eingezahlten Einlagen). Mit Volleinzahlung enden mitgliedschaftliche Hilfspflichten (MüKoAktG/Götze Rn. 28; KK-AktG/Drygala Rn. 26). 6

4. Schuldrechtliche Vereinbarungen; freiwillige Leistungen. Obergrenze des § 54 I bezieht sich nur auf mitgliedschaftliche Einlagepflicht (→ Rn. 2). Durch Vertrag mit AG können sich Aktionäre wie Dritte zu Leistungen beliebigen Inhalts (zB: Darlehen in Höhe der Einlage) verpflichten (ganz hM; → § 36a Rn. 2; RGZ 79, 332, 335; RGZ 83, 216, 218 f.; OLG München WM 2007, 123, 126; GK-AktG/M. Arnold/Notz Rn. 63; KK-AktG/Drygala Rn. 47; Becker NZG 2003, 510, 514; Priester FS Röhricht, 2005, 467, 468 ff.). Es handelt sich dann um **Sonderform satzungsergänzender Nebenabreden,** so dass die in → § 23 Rn. 45 ff. dargelegten Grundsätze auch hier zu beachten sind. Grenzen für solche Gestaltungen können sich allenfalls aus Gründen des Verwässerungsschutzes zugunsten der Mitaktionäre ergeben (→ § 9 Rn. 10 ff.). Aktionäre können solche Abreden auch untereinander treffen, auch mit der Folge, dass AG daraus Ansprüche erwachsen (§ 328 BGB). Schuldrechtl. Vereinbarungen dieser Art sind **grds. formfrei** möglich, können aber auch in **Satzung** aufgenommen werden. Daraus folgende Rechte bestehen aufgrund der Identität zwischen Vor-AG und AG in jur. Person fort (→ § 41 Rn. 16). Empfehlenswert ist Aufnahme in Satzung nicht ohne weiteres, weil dadurch Gefahr von Fehldeutungen (materieller Satzungsbestandteil, also doch unzulässige Mitgliedspflichten) entsteht; ggf. sollte im Text klarstellender Zusatz enthalten sein. 7

Rechtl. Behandlung schuldrechtl. Vereinbarungen richtet sich nur nach BGB, **nicht nach Aktienrecht.** Also keine obj. Auslegung (→ § 23 Rn. 39), sondern Auslegung nach §§ 133, 157 BGB. Auch keine unbeschränkte Nachprüfung in der Revision (vgl. BGHZ 14, 25, 36 f. = NJW 1954, 1401; BGHZ 36, 296, 314 = NJW 1962, 864). Ferner keine Anwendung des § 63 oder Kaduzierung nach § 64, weil sich diese Vorschriften nur auf Einlagen beziehen. Vor allem kein Übergang der Verpflichtung mit Übertragung der Aktie, weil sie, anders als Einlagepflicht (→ Rn. 4), nicht Teil der Mitgliedschaft ist. Möglich nur Schuldübernahme nach §§ 414, 415 BGB, was Mitwirkung der AG voraussetzt (MüKoAktG/Götze Rn. 43; KK-AktG/Drygala Rn. 44). **Ausweis in Kapitalrücklage** bestimmt sich auch bei Gewährung von Aktien **nach § 272 II Nr. 4 HGB,** nicht nach § 272 II Nr. 1 HGB, was Vermögensbindung gem. § 150 II, III zur Folge hätte. Das gilt nach herrschender, wenngleich zunehmend umstr. Auffassung auch dann, wenn schuldrechtl. Zuzahlung erforderlich ist, um **wertdeckende Kapitalaufbringung** zu gewährleisten (ausf. → § 9 Rn. 10 ff.). Zulässig ist allerdings, dass die Beteiligten die Einstellung gem. § 272 II Nr. 1 HGB 8 vereinbaren, also durch schuldrechtl. Zuzahlung den Reservefonds vorzeitig auffüllen (sa Weitnauer NZG 2001, 1065, 1067 f.).

9 **Freiwillige Mehrleistungen** von Aktionären sind zulässig, wenn sie wirklich freiwillig erfolgen. Wenn Nichtleistung mit Kaduzierung nach § 64 oder vergleichbaren Sanktionen bedroht wird, ist die ganze Abrede als Umgehung des § 54 I nichtig nach § 134 BGB (Atta AG 2021, 306 Rn. 19) oder, als Gegenstand eines HV-Beschlusses, nach § 241 Nr. 3 Fall 1. Auch **sog wirtschaftlicher Zwang** (in Sanierungsfällen: Wer nicht zuzahlt, muss Zusammenlegung seiner Aktien hinnehmen) ist unzulässig (RGZ 52, 287, 293 f.; RGZ 80, 81, 85 f.; MüKoAktG/Götze Rn. 30; sa KK-AktG/Drygala Rn. 57); entspr. HV-Beschluss ist nichtig nach § 241 Nr. 3 Fall 1. Zulässig ist aber, den Aktionären Vorzüge anzubieten, deren Ausstattung Wert der Mehrleistung nicht übersteigt; welche Spielräume der AG – namentl. bei Kapitalherabsetzung – iE verbleiben, ist aber noch nicht abschließend geklärt (→ § 222 Rn. 5). Gem. § 53a muss solches Recht, bisherige Stämme in Vorzüge umzuwandeln, allen Aktionären angeboten werden (RGZ 76, 155, 157).

III. Vorrang der Bareinlage (§ 54 II)

10 § 54 II stellt klar (→ Rn. 1), dass Aktionäre ihre **Einlage durch Einzahlung** zu erbringen haben, soweit Satzung oder sie ändernder Kapitalerhöhungsbeschluss (§§ 183, 194, 205) nicht Sacheinlagen festsetzen. Grds. bestehende Pflicht zur Geldleistung in Höhe des Ausgabebetrags wird durch Vereinbarung von Sacheinlagen nur überlagert oder verdeckt, aber nicht verdrängt. Deshalb gilt: Wenn Satzungspublizität fehlt, ist nach allg. Grundsätzen Ausgabebetrag einschließlich Agio zu bezahlen (→ § 27 Rn. 12). Treten Leistungsstörungen ein, so können sie nur bzgl. der Sachleistung befreiend wirken; Einlage ist dann in Geld zu leisten (→ § 27 Rn. 11). Zur Sonderregelung für verdeckte Sacheinlagen in § 27 III → § 27 Rn. 23 ff.

IV. Anforderungen an befreiende Zahlungen (§ 54 III)

11 **1. Zeitlicher Rahmen.** § 54 III betr. ordnungsgem. Einzahlung der Beträge, die Vorstand gem. § 36 II, § 36a I vor Anmeldung der AG einfordert (→ § 36 Rn. 6 ff.; → § 36a Rn. 2 f.). Wortlaut unterstellt, dass Vorstand nach § 36 II verfährt und Zahlungen rechtzeitig geleistet werden. Norm ist deshalb erweiternd so auszulegen, dass sie für alle Einzahlungen gilt, die – auch verspätet – im Gründungsstadium eingefordert werden, aber nur für die **bis zur Eintragung** geleisteten (iE wohl unstr., s. OLG Koblenz AG 1990, 497, 498; MüKoAktG/Götze Rn. 47; KK-AktG/Drygala Rn. 60). Für Zahlungen **nach Eintragung** der AG beansprucht § 54 III keine Geltung. Befreiende Wirkung ist vielmehr nur nach §§ 362 ff. BGB zu beurteilen. Auch Überweisung auf Auslandskonto der AG wirkt schuldbefreiend (KK-AktG/Drygala Rn. 97), auch – anders als vor Eintragung (→ Rn. 12) – Zahlung an einen Dritten auf Anweisung der AG (BGH NJW 1986, 989 f. zur GmbH; LG München I ZIP 2012, 2152, 2155 f.). Zu zahlen ist auf Konto der AG. Zahlung auf Vorstandskonto, das vor Eintragung eingerichtet wurde, genügt jedoch, weil Kontobeziehung mit Eintragung auf AG übergeht (→ Rn. 19).

12 **2. Zugelassene Leistungsformen. a) Grundsatz.** § 54 III betr. Leistung der Bareinlagen und beschränkt erfüllungstaugliche Leistungsformen, um **reale Kapitalaufbringung** möglichst sicherzustellen (vgl. zB OLG Frankfurt AG 1991, 402 f.). Zugelassen sind nur Barzahlung und Kontogutschrift (→ Rn. 13 ff.). Auf andere Weise kann eingeforderter Betrag abw. von § 362 II BGB nicht schuldbefreiend geleistet werden, insbes. **nicht durch Direktzahlung an Ge-**

sellschaftsgläubiger, auch nicht mit Einverständnis des Vorstands (→ § 36 Rn. 6; BGHZ 119, 177, 188 f. = NJW 1992, 3300; Hüffer ZGR 1993, 474, 476 ff. mwN; HCL/Ulmer/Casper GmbHG § 7 Rn. 42; aA Ihrig, Die endgültige freie Verfügung über die Einlage von Kapitalgesellschaftern, 1991, 295 ff.). Wegen des Risikos, Einlage nochmals leisten zu müssen, ist strikte Beachtung erforderlich. Zu den generellen Anforderungen an Leistung von Bareinlagen (zB Vermeidung von Scheinzahlungen, Probleme der Verwendungsbindung) vgl. schon § 36 II (→ § 36 Rn. 7 ff.). Zur Leistung von Sacheinlagen enthält § 54 III nichts. Es verbleibt also bei § 36a II (→ § 36 Rn. 4 ff.).

b) Barzahlung. Einlage kann zunächst **in gesesetzlichen Zahlungsmitteln** 13
geleistet werden (Barzahlung). Barzahlung erscheint auf ersten Blick eher ungewöhnlich, kann sich aber anbieten, wenn Kontoeröffnung für AG in Gründung durch aufwendige KYC-Prüfung der KI zu viel Zeit in Anspruch nimmt. Ges. Zahlungsmittel sind auf Euro lautende inländische Banknoten (§ 14 I BBankG) und Münzen. Ausländische Noten oder Münzen genügen auch dann nicht, wenn es sich um EWWU-Währung handelt; denn dadurch werden sie nicht zum ges. Zahlungsmittel des Inlands. Erforderlich ist Übereignung nach §§ 929 ff. BGB. Übergabe an Vorstand ist danach zwar nicht zwingend vorgeschrieben (§§ 868, 930 BGB), sollte aber wegen sonst absehbarer Schwierigkeiten mit Erfordernis endgültig freier Verfügung – hier Aussonderung aus Herrschaftsbereich des Einlegers (→ Rn. 18) – erfolgen. **Scheckzahlung** dürfte mittlerweile der Vergangenheit angehören, steht Barzahlung aber ohnehin nicht gleich, weil bezogene Bank dadurch zur Zahlung nur ermächtigt, aber nicht verpflichtet ist und auch nicht scheckmäßig verpflichtet werden kann (Art. 4 ScheckG). **Nachträgliche Erfüllungswirkung** kann auch bei nicht zugelassenen Zahlungsformen eintreten, aber nur, wenn es zur **Kontogutschrift** gem. § 54 III Fall 2 kommt. Zugelassene kontoführende Stelle (→ Rn. 15) muss also Einlagebetrag zB aufgrund eingereichter Schecks vorbehaltlos gutgeschrieben haben.

c) Kontogutschrift ohne Beteiligung des KI als Aktionär. aa) Allgemeines. 14
Zweite von § 54 III 1 zugelassene Leistungsform bildet Kontogutschrift; das geht über § 195 IV HGB aF auf Ges. v. 7.3.1935 (RGBl. 1935 I 352) zurück (s. dazu Dorpalen BankArch 1934/35, 339; Hüffer ZGR 1993, 474, 486 f.). In Kontogutschrift und zugehöriger Entäußerungshandlung liegt abstraktes Schuldversprechen gem. § 780 BGB (ganz hM, s. BGHZ 103, 143, 146 = NJW 1988, 1320; MüKoBGB/Habersack BGB § 780 Rn. 41 mwN), dessen wirtschaftliche Wirkungen weitgehend der Übereignung von Sachgeld entspr. (Buch- oder Giralgeld). Als kontoführende Stellen lässt § 54 III 1 nur KI und Unternehmen zu, die nach § 53 I 1 KWG oder nach § 53b I 1, VII KWG tätig sind (→ Rn. 15). Auf Konten bei anderen Stellen kann Einlage nicht schuldbefreiend geleistet werden. Norm geht in dieser Fassung auf Begleitges. zum Ges. zur Umsetzung von EG-RL zur Harmonisierung bank- und wertpapierrechtl. Vorschriften v. 22.10.1997 (BGBl. 1997 I 2567) zurück. Neufassung soll sicherstellen, dass Diskriminierung ausländischer Unternehmen vermieden wird (RegBegr. BT-Drs. 13/7143, 32).

bb) Kontoführende Stelle. Sachfragen sind durch Einbeziehung auslän- 15
discher Unternehmen nicht einfacher geworden. Im Einzelnen ergibt sich: **Inländische KI** (§ 1 I KWG, § 2 I KWG) sind auch Genossenschaftsbanken, öffentl.-rechtl. Institute (Landesbanken, Sparkassen) sowie Postbank (zu letzterer RegBegr. BT-Drs. 13/7142, 32). Auf Konto der Bundesbank kann dagegen nicht schuldbefreiend geleistet werden. Sie ist nämlich in § 54 III 1 und § 37 I 3 [→ § 37 Rn. 3]) nicht mehr genannt und gilt gem. § 2 I Nr. 1 KWG auch nicht

als KI. **Inländische Zweigstelle** ausländischen Unternehmens gilt als KI, wenn sie Bankgeschäfte betreibt (§ 53 I 1 KWG). Leistung auf Konto einer solchen Zweigstelle wirkt also schuldbefreiend, was wegen Inlandsbelegenheit des Kontos auch schon bisher anerkannt war. Bei **ausländischen Unternehmen,** die keine inländische Zweigstelle unterhalten, aber Anforderungen des § 53b I 1 oder VII KWG erfüllen, ist zu unterscheiden, ob sie ihren Sitz in einem Mitgliedstaat des EWR haben oder in einem Drittstaat (§ 1 Va 2 KWG) domizilieren. Im ersten Fall kann Einlage schuldbefreiend auf Auslandskonto gezahlt werden (glA BeckOGK/Cahn/v. Spannenberg Rn. 63), weil § 53b I 1, VII KWG Bankgeschäfte im Wege grenzüberschreitenden Dienstleistungsverkehrs zulässt und § 54 III 1 gerade auf solche Tätigkeit verweist; das war nach früherem Recht nicht möglich. Im zweiten Fall scheidet § 54 III dagegen nach wie vor aus.

16 **cc) Währungsfragen.** In welcher Währung Kontogutschrift zu erfolgen hat, ist teilw. zweifelhaft geworden. Befreiungswirkung gem. § 54 III 1 tritt jedenfalls ein, wenn Gutschrift im Inland (einschließlich inländischer Zweigstelle [§ 53 I 1 KWG]) in Euro vorgenommen wird. Soweit Kontogutschrift im Ausland genügt, muss auch Gutschrift in jeweiliger Währung zugelassen werden; bisheriges Argument für Inlandswährung, dass sonst Vergleichbarkeit mit Übereignung ges. Zahlungsmittel verlorenginge, passt hier nicht (ebenso MüKoAktG/Götze Rn. 66). Soweit Kontozahlung mit Auslandswährung danach zulässig ist, wird man sie aber auch im Inland für schuldbefreiend halten müssen, weil sich sonst Diskriminierung, die Neufassung vermeiden will (→ Rn. 14 aE), in umgekehrter Richtung ergäbe (zust. BeckOGK/Cahn/v. Spannenberg Rn. 57; S/L/Fleischer Rn. 31; aA MüKoAktG/Götze Rn. 66).

17 **d) Kontogutschrift mit Beteiligung des KI als Aktionär.** Gutschrift auf Inlandskonto hat jedenfalls im Prinzip auch dann schuldbefreiende Wirkung, wenn KI selbst an Gründung beteiligt ist (entspr. Fragen ergeben sich bei Kapitalerhöhungen). KI kann also in **Doppelrolle** tätig werden und schuldbefreiende Gutschriften für seine Mitgründer leisten (unstr., s. MüKoAktG/Götze Rn. 63; KK-AktG/Drygala Rn. 77). Fraglich ist nur, ob sich KI von **eigener Einlagepflicht** durch Gutschrift auf ein bei ihm geführtes Konto befreien kann. Das wird heute ganz überwiegend bejaht (MüKoAktG/Götze Rn. 64 f. [aA noch MüKoAktG/Bungeroth, 4. Aufl. 2016]; Geßler FS Möhring, 1975, 173, 175 ff.; Heinsius FS Fleck, 1988, 89, 102 ff.). Klärung durch Rspr. ist bisher aber noch nicht erfolgt. Der hM war schon früher (vorbehaltlich endgültig freier Verfügung des Vorstands; → Rn. 18) beizutreten, weil Streitfrage schon vor 1937 bekannt war (s. Dorpalen BankArch. 1934/35, 339, 340), Gesetzgeber gleichwohl 1937, 1965 und erneut 1997 (→ Rn. 14) unbestimmte Gesetzesfassung gewählt hat (bei „einem“ KI) und Probleme aus der Identität von Einlagen- und Gutschriftschuldnerin (das ist der Ansatzpunkt für Kritik) nur bei mangelnder Bonität des KI entstehen können. Wenn das entscheidend sein sollte, dürfte schuldbefreiende Wirkung von Kontogutschriften überhaupt nicht eintreten. Bloßer Forderungstausch (Schuldversprechen gegen Einlage) scheidet als Argument seit Neuregelung des Hin- und Herzahlens in § 27 IV (→ § 27 Rn. 47 ff.) ohnehin aus (KK-AktG/Drygala Rn. 78).

18 **3. Endgültig freie Verfügung des Vorstands.** § 54 III hebt dieses schon in § 36 II genannte Erfordernis nochmals hervor. Ihm ist Rechnung getragen, wenn Einlage aus Herrschaftsbereich des Einlegers ausgesondert und Vorstand so übermittelt wurde, dass er nach eigenem pflichtgem. Ermessen darüber verfügen kann (→ § 36 Rn. 7 f.). Daraus folgenden Problemen bei Leistung eigener Einlage des KI auf von ihm selbst geführtes Konto (→ Rn. 17) ist durch vertragliche Ausgestaltung des Kontos Rechnung zu tragen, nach der jeglicher Zugriff des KI auf

gutgeschriebenen Betrag ausgeschlossen ist (KK-AktG/Drygala Rn. 79; GK-AktG/M. Arnold/Notz Rn. 125; zur Praxis bei Kapitalerhöhungen s. Heinsius FS Fleck, 1988, 89, 92ff.). Bloße Bezeichnung als Sonderkonto reicht wegen rechtl. Unergiebigkeit des Begriffs jedoch nicht.

4. Rechtszuständigkeit der Vor-AG. § 54 III 1 spricht von Konto der Gesellschaft oder des Vorstands; § 54 III 2 fingiert Forderungen des Vorstands als solche der Gesellschaft. Danach ist klar, dass Zahlungen auf Konto eines Aktionärs (Gründers) nicht ausreichen, auch dann nicht, wenn neben ihm Vorstand über das Konto verfügen darf (BGH NJW 2001, 1647, 1648 zur GmbH). Zweifelsfragen, die sich iÜ aus noch fehlender Eintragung ergeben könnten (§ 41 I), sind durch jetzigen Stand des Rechts der Vor-AG überholt. Sie ist **kontofähig** (BGH WM 1962, 644; BGHZ 45, 338, 347 = NJW 1966, 1311; → § 41 Rn. 10) und auch dann Kontoinhaberin, wenn sie durch Vorstand als Organ bezeichnet wird (zutr. KK-AktG/Drygala Rn. 69; B/K/L/Westermann Rn. 12). Mit Eintragung in das HR bestehen aufgrund der Identität zwischen Vor-AG und AG Rechte und Pflichten aus dem Konto in AG als jur. Person fort (→ § 41 Rn. 16). Fiktion ist danach entbehrlich und für Dogmatik unzutr., aber in der Sache unschädlich. § 54 III 2 gilt im Anwendungsbereich der Sitztheorie (→ § 1 Rn. 34ff.) auch bei Gründung im Inland, aber Kontozahlung im Ausland (→ Rn. 15). 19

V. Beweislast; Rechtsfolgen

Beweislast für Leistung der Einlagen trägt Aktionär, der sich auf Erfüllung (§ 362 I BGB) beruft, und zwar auch bei längerem Zeitablauf seit der behaupteten Eintragung; **Indizienbeweis** kann jedoch genügen (BGH NJW 2007, 3067 Rn. 2; NZG 2014, 262 Rn. 2ff.; OLG Jena ZIP 2013, 1378). **Verstöße gegen § 54 I** führen zur Nichtigkeit entspr. Satzungsbestandteils oder HV-Beschlusses (→ Rn. 5). Wird solchen Mängeln nicht abgeholfen, so ist Anmeldung der Gesellschaft bzw. der Satzungsänderung zurückzuweisen. Gleichwohl erfolgende Eintragung heilt Mangel nicht. Aktionäre können Überzahlung also nach §§ 812ff. BGB zurückfordern. Leistung von Einlagen gem. § 54 III hat Erfüllungswirkung (§ 362 BGB), auch bzgl. der über Mindestleistung nach § 36a I hinausgehenden Beträge (str., vgl. BGHZ 105, 300, 303 = NJW 1989, 710; → § 36a Rn. 3). **Verstöße gegen § 54 III** führen dazu, dass Leistung als untauglicher Erfüllungsversuch einzustufen ist. Einlagenforderung der Gesellschaft besteht deshalb weiter. Aktionäre können das Geleistete zwar nach §§ 812ff. BGB zurückfordern. Saldierung, Auf- oder Verrechnung oder Zurückbehaltung sind jedoch ausgeschlossen. 20

VI. Verjährung

Gem. § 54 IV verjährt Einlagenanspruch **in zehn Jahren** von seiner Entstehung an, bei Insolvenz der Gesellschaft jedoch nicht vor Ablauf von sechs Monaten ab Verfahrenseröffnung. Anspruch ist entstanden, sobald er ausgeklagt werden kann, wobei Feststellungsklage genügt. Durch Ges. zur Anpassung von Verjährungsvorschriften an das Ges. zur Modernisierung des Schuldrechts v. 9.12.2004 (BGBl. 2004 I 3214) angefügte Regelung folgt Vorbild des § 199 IV BGB und soll die Lücke schließen zwischen früherer Regelverjährung von 30 Jahren und neuer Regelverjährung von nur drei Jahren ab Entstehung des Anspruchs und Kenntnis oder grob fahrlässiger Unkenntnis des Gläubigers von den für seine Rechtsverfolgung wesentlichen Tatsachen (RegBegr. BT-Drs. 15/3653, 20f.; Thiessen ZHR 168 [2004], 503, 507ff.). Kurze Regelverjährung von drei Jahren entspräche nicht der Bedeutung, die Einlagenansprüchen zwecks Sicherung der Gläubigerinteressen zukommt (Grundsatz der Kapitalaufbringung). Auch wäre 21

Anknüpfung an Kenntnis oder grob fahrlässige Unkenntnis der Gesellschaft nicht sachgerecht, soweit es um die berechtigten Belange ihrer Gläubiger geht, denen mit Kenntnis der Gesellschaft nicht unmittelbar geholfen ist (RegBegr. BT-Drs. 15/3653, 11 f., 20). Verjährung beginnt nach § 200 BGB mit Entstehung der Forderung und berechnet sich nach § 187 I BGB, § 188 II BGB; bei Mantel- oder Vorratsgründung, auf die § 54 ebenfalls anwendbar ist, beginnt Verjährung mit wirtschaftlicher Neugründung (→ Rn. 27). Lässt Vorstand Verjährung eintreten, kann er sich uU nach § 93 II ersatzpflichtig machen (LG Wiesbaden ZIP 2013, 2060, 2061 [GmbH]; S/L/Fleischer Rn. 36). Verjährung beginnt in diesem Fall, wenn Einlageforderung ihrerseits verjährt ist (RegBegr. BT-Drs. 15/3653, 21; → § 93 Rn. 179). Unter den Voraussetzungen der §§ 129, 143 InsO, § 11 AnfG kann Einlageforderung auch wieder aufleben. § 54 IV 2 spricht im Interesse der Insolvenzgläubiger ges. **Ablaufhemmung** aus. Insolvenzverwalter erhält dadurch Gelegenheit zur Prüfung und Klage oder anderen auch den weiteren Ablauf hemmenden Maßnahmen (RegBegr. BT-Drs. 15/3653, 21 f.).

Nebenverpflichtungen der Aktionäre

55 (1) [1] **Ist die Übertragung der Aktien an die Zustimmung der Gesellschaft gebunden, so kann die Satzung Aktionären die Verpflichtung auferlegen, neben den Einlagen auf das Grundkapital wiederkehrende, nicht in Geld bestehende Leistungen zu erbringen.** [2] **Dabei hat sie zu bestimmen, ob die Leistungen entgeltlich oder unentgeltlich zu erbringen sind.** [3] **Die Verpflichtung und der Umfang der Leistungen sind in den Aktien und Zwischenscheinen anzugeben.**

(2) **Die Satzung kann Vertragsstrafen für den Fall festsetzen, daß die Verpflichtung nicht oder nicht gehörig erfüllt wird.**

I. Regelungsgegenstand und -zweck

1 § 55 betr. Nebenleistungs-AG. Bezweckt ist, wirtschaftlichen Bedürfnissen, bes. der **Rübenzuckerindustrie,** durch eine **Ausnahme von § 54 I** Rechnung zu tragen (RegBegr. Kropff S. 72). Es soll mitgliedschaftliche (→ Rn. 4) Lieferpflicht der Zuckerrübenanbauer begründet werden können, ohne dass ihnen das Austrittsrecht zusteht, das mit der sonst nahe liegenden Rechtsform der Genossenschaft zwingend verbunden ist (§ 65 GenG). Eine rechtl. Beschränkung der Nebenleistungs-AG auf Rübenzuckerindustrie gibt es zwar nicht, doch hat sie sonst kaum praktische Bedeutung erlangt.

II. Voraussetzungen für Nebenleistungen (§§ 55 I 1 und 2)

2 Verpflichtung zu Nebenleistungen ist nur zulässig, wenn Übertragung der Aktien an Zustimmung der AG gebunden ist (§ 55 I 1). Weil das nur bei Namensaktien möglich ist, muss es sich um sog **vinkulierte Namensaktien** handeln (§ 68 II). Damit ist bezweckt, dass AG Einfluss auf Person ihres Schuldners hat. Erforderlich ist ferner, dass Nebenleistungen nach Inhalt und Umfang (RGZ 79, 332, 336; RGZ 83, 216, 218) **in der Satzung** festgelegt werden (§ 55 I 1). Das entspr. dem mitgliedschaftlichen Charakter der Verpflichtung (→ Rn. 1). Sie müssen neben den Einlagen (§ 54) geschuldet werden. Vereinbarung anstelle von Einlagen ist ausgeschlossen, weil sonst für Grundkapital keine Deckung vorhanden wäre. Unverzichtbar ist schließlich die Bestimmung, ob Leistungen entgeltlich oder unentgeltlich zu erbringen sind (§ 55 I 2). Ges. will damit künftige Aktionäre schützen (RegBegr. Kropff S. 72). Für Altgesellschaften, die am 1.1.1966 bestanden, vgl. § 10 EGAktG.

III. Aktien und Zwischenscheine (§ 55 I 3)

1. Rechtsnatur, Gegenstand und Ausgestaltung. Nebenverpflichtung des Aktionärs ist **Verpflichtung aus der Mitgliedschaft** (RGZ 136, 313, 315), nicht aus schuldrechtl. Vertrag, zB Kauf. Weil Leistungen geschuldet werden, kommt jedoch analoge Anwendung der §§ 241 ff. BGB und der Vorschriften über den entspr. Vertragstyp in Betracht (RGZ 87, 261, 265 zur GmbH). Selbständige Anfechtung der Verpflichtungserklärung ist nach hM ausgeschlossen (MüKoAktG/Götze Rn. 47; GK-AktG/M. Arnold/Notz Rn. 55), doch ist Frage nicht zweifelsfrei (s. KK-AktG/Drygala Rn. 27 ff.). Gegenstand der Nebenverpflichtung können nur wiederkehrende Leistungen sein, die nicht in Geld bestehen (§ 55 I 1). **Leistungsbegriff** ist iSd § 241 BGB auszulegen (ganz hM, s. MüKoAktG/Götze Rn. 14; KK-AktG/Drygala Rn. 10; aA wohl noch RGZ 49, 77, 78: Vermögenswert erforderlich). Soweit spiegelbildlich **mitgliedschaftliche Rechte** bes. Inhalts bestehen, nämlich auf Anlieferung von Zuckerrüben, ist Pächter als Inhaber entspr. Aktien bei Ablauf der Pachtzeit zu deren Übertragung auf Verpächter verpflichtet (BGH NJW 2001, 2537 f.). 3

Wiederkehrend sind Leistungen, die nach Vorbild der Rübenlieferverpflichtungen (→ Rn. 1) weder einmalig noch andauernd sind. Einmalig ist zB Pflicht, bestimmtes Grundstück zu verschaffen, dauernd die Pflicht, Wettbewerb generell zu unterlassen (MüKoAktG/Götze Rn. 16 f.) oder einem Berufsverband anzugehören (RGZ 49, 77, 79). Leistung darf, damit Einlagevorschriften nicht umgangen werden können, weder unmittelbar noch mittelbar in **Geld** bestehen. Pflicht zur entgeltlichen Warenabnahme kann dem Aktionär deshalb nicht als mitgliedschaftliche auferlegt werden, es sei denn, sie ist untergeordnete Nebenpflicht. Standardbsp. für letztgenannte Gestaltung: Bezug von Dünger und Saatgut durch den Rübenlieferanten. 4

Nebenleistungen können **entgeltlich oder unentgeltlich** sein. Satzung muss Gewolltes festlegen (→ Rn. 2). Auch Mischformen (Geld für die Rüben, nichts für geschuldete Entsorgung von Abfällen) sind zulässig. Obergrenze ist marktüblicher Anschaffungswert, Zahlung ohne Rücksicht auf Bilanzgewinn zulässig (→ § 61 Rn. 1 f.). 5

2. Leistungsstörungen. Die einschlägigen Regeln des BGB gelten entspr. (→ Rn. 3), bes. §§ 275 ff., 323 ff., 459 ff. Soweit Aktionär danach von Leistungspflicht frei wird, bezieht sich das auf unmögliche Einzelleistung, nicht auf Stammverpflichtung aus der Aktie. Sicherung der AG durch Vertragsstrafe (§§ 339 ff. BGB, § 348 HGB) wird in § 55 II klarstellend zugelassen. Anders als Nebenleistung selbst (→ Rn. 4) darf sie auch in Geld bestehen. Ausgeschlossen ist Kaduzierung (§ 64 II), weil sie Verstoß gegen Einlagepflicht voraussetzt (§ 63; allgM). Zur Anfechtung → Rn. 3. 6

3. Übertragung der Aktie. Sie kann als vinkulierte Namensaktie (→ Rn. 2) **nur mit Zustimmung der AG** übertragen werden (§ 68 II). Mit Übertragung geht Nebenverpflichtung ohne weiteres auf Erwerber über, weil sie Bestandteil der Mitgliedschaft ist (→ Rn. 3). Zu Verstößen gegen § 55 I 3 → Rn. 10. Bisheriger Aktionär wird frei, soweit Nebenleistungen nicht schon bei Übertragung fällig waren (MüKoAktG/Götze Rn. 21; KK-AktG/Drygala Rn. 53). Verpflichtungsübergang kann nicht ausgeschlossen werden, auch nicht mit Zustimmung der AG (KK-AktG/Drygala Rn. 54). Umgekehrt ist auch **Abtretung des Anspruchs durch AG** gem. § 399 BGB grds. nicht möglich (RGZ 136, 313, 315). Entspr. allg. Grundsätzen ist sie aber mit Zustimmung des Aktionärs wirksam (RGZ 149, 385, 395). 7

8 **4. Beendigung der Nebenleistungspflicht.** Nebenverpflichtung des Aktionärs endet außer durch Übertragung der Aktie (→ Rn. 7) durch **Aufhebungsbeschluss** der HV, der nur als Satzungsänderung (§§ 179 ff.) wirksam wird. Bei entgeltlichen Lieferverpflichtungen ist idR Recht auf Abnahme gegeben, so dass Beschluss der Zustimmung des betroffenen Aktionärs bedarf (str.; wie hier KK-AktG/Drygala Rn. 65 mwN). Bei **Auflösung der AG** (§ 262) können Abwickler rückständige Leistungen einfordern. IÜ entscheidet Vereinbarkeit der Leistungen mit Abwicklungszweck. Danach ist zwar grds. vom Ende der Nebenverpflichtung auszugehen (RGZ 72, 236, 239; RGZ 125, 114, 119 f.). Abwickler können jedoch gem. § 55 iVm § 264 II weiterhin Leistung fordern, soweit sie für zulässige Fortführung des Geschäfts benötigt wird (§ 268 I 2); vgl. MüKoAktG/Götze Rn. 36. Str. ist Behandlung von Nebenverpflichtungen bei **Insolvenz** der AG. Richtig ist, sie nach den für Auflösung geltenden Grundsätzen zu behandeln (vgl. näher MüKoAktG/Götze Rn. 38 f.; KK-AktG/Drygala Rn. 69).

9 Nebenverpflichtung des Aktionärs endet nicht: durch **Verschmelzung** oder **Formwechsel;** entspr. Ansprüche werden vielmehr zu solchen des neuen Rechtsträgers (§ 20 I Nr. 1 UmwG, §§ 73, 202 I Nr. 1 UmwG). Nach hM endet sie auch nicht durch Anfechtung (→ Rn. 3), ferner nicht durch ordentliche **Kündigung,** nach zutr. hM jedoch durch Kündigung aus wichtigem Grund (RGZ 128, 1, 17; MüKoAktG/Götze Rn. 49; KK-AktG/Drygala Rn. 33).

IV. Rechtsfolgen bei Verstößen

10 Verstoß gegen **§ 55 I 1** führt zur Unwirksamkeit der Nebenverpflichtung, ohne Unterschied, ob Festsetzung in der Satzung fehlt oder ob Voraussetzungen (→ Rn. 2) für getroffene Feststellung nicht gegeben sind (allgM). Entspr. ist bei Verletzung des **§ 55 I 2** zu entscheiden (MüKoAktG/Götze Rn. 11; KK-AktG/Drygala Rn. 49). Der Ansicht von Baumbach/Hueck Rn. 7, die durch Auslegung helfen wollen, ist mit Rücksicht auf Schutzzweck der Norm (→ Rn. 2 aE) nicht zu folgen. Anders ist Rechtslage bei Verstoß gegen **§ 55 I 3.** Verpflichtung entsteht wirksam, kann jedoch auf Aktienerwerber (→ Rn. 7) im Fall seines guten Glaubens nur insoweit übergehen, als sie sich aus der Urkunde ergibt (sog gutgl. „lastenfreier" Erwerb, s. RGZ 82, 72, 73). Einzelheiten sind str.; dazu MüKoAktG/Götze Rn. 42 ff.; KK-AktG/Drygala Rn. 50.

Keine Zeichnung eigener Aktien; Aktienübernahme für Rechnung der Gesellschaft oder durch ein abhängiges oder in Mehrheitsbesitz stehendes Unternehmen

56 (1) **Die Gesellschaft darf keine eigenen Aktien zeichnen.**

(2) [1] **Ein abhängiges Unternehmen darf keine Aktien der herrschenden Gesellschaft, ein in Mehrheitsbesitz stehendes Unternehmen keine Aktien der an ihm mit Mehrheit beteiligten Gesellschaft als Gründer oder Zeichner oder in Ausübung eines bei einer bedingten Kapitalerhöhung eingeräumten Umtausch- oder Bezugsrechts übernehmen.** [2] **Ein Verstoß gegen diese Vorschrift macht die Übernahme nicht unwirksam.**

(3) [1] **Wer als Gründer oder Zeichner oder in Ausübung eines bei einer bedingten Kapitalerhöhung eingeräumten Umtausch- oder Bezugsrechts eine Aktie für Rechnung der Gesellschaft oder eines abhängigen oder in Mehrheitsbesitz stehenden Unternehmens übernommen hat, kann sich**

nicht darauf berufen, daß er die Aktie nicht für eigene Rechnung übernommen hat. [2]Er haftet ohne Rücksicht auf Vereinbarungen mit der Gesellschaft oder dem abhängigen oder in Mehrheitsbesitz stehenden Unternehmen auf die volle Einlage. [3]Bevor er die Aktie für eigene Rechnung übernommen hat, stehen ihm keine Rechte aus der Aktie zu.

(4) **[1]Werden bei einer Kapitalerhöhung Aktien unter Verletzung der Absätze 1 oder 2 gezeichnet, so haftet auch jedes Vorstandsmitglied der Gesellschaft auf die volle Einlage. [2]Dies gilt nicht, wenn das Vorstandsmitglied beweist, daß es kein Verschulden trifft.**

Übersicht

I. Regelungsgegenstand und -zweck

Vorschrift enthält **Verbot der Zeichnung eigener Aktien** (§ 56 I) und sichert es gegen naheliegende Umgehungsformen ab. Verbot dient **realer Kapitalaufbringung.** Seitenstück bzgl. der Kapitalerhaltung ist Erwerbsverbot der §§ 71 ff., die anders als § 56 nicht originären, sondern derivativen Erwerb regelt. Grds. Bedeutung des § 56 liegt darin, dass er Schaffung sog **Vorratsaktien** (gleichbedeutend: Verwaltungs- oder Verwertungsaktien) unterbindet, die AG zum Zweck späterer Verwertung bereithält (ausf. MüKoAktG/Bayer Rn. 3; Lutter AG 1970, 185 ff.). Solcher Praxis kann nachvollziehbares Gestaltungsanliegen zugrunde liegen, doch soll sie jedenfalls im Gründungsstadium aus Gründen der Kapitalaufbringung gänzlich untersagt sein, zumal sich damit auch unerwünschte Verwässerung des Stimmrechtseinflusses kapitalgebender Aktionäre zugunsten Verwaltungsstimmrechts verbindet (GK-AktG/M. Arnold/Notz Rn. 8 f.). Zur Vermeidung von **Umgehungen** spricht § 56 II ein Übernahmeverbot auch gegen abhängige oder in Mehrheitsbesitz stehende Unternehmen aus. Ebenfalls umgehungsgeeigneter Erwerb von Aktien für Rechnung der AG (sowie der von ihr abhängigen oder in ihrem Mehrheitsbesitz stehenden Unter- 1 nehmen) ist nach § 56 III zwar nicht verboten, aber reizlos, weil Erwerber volle Pflichten und keine Rechte hat (§ 56 III 3). Schließlich ergänzt § 56 IV Sanktionen durch **Haftung der Vorstandsmitglieder.**

2 Jetzige Gesetzesfassung gilt seit 1.7.1979. Sie geht auf **2. KoordG** (BGBl. 1978 I 1959) zurück und setzt Art. 59, 67 GesR-RL um, ohne dass seinerzeitige Neuerungen von wesentlichem sachlichen Gewicht wären: Zeichnungsverbot war schon zuvor anerkannt (→ Rn. 3), Bekämpfung von Vorratsaktien ist seit § 51 AktG 1937 Gesetzesziel (Schlegelberger/Quassowski § 51 Rn. 1) und Haftung der Vorstandsmitglieder ließe sich wohl auch nach § 93 III Nr. 3 begründen (Hüffer NJW 1979, 1065, 1068). **Anwendungsvoraussetzung** ist, dass durch § 56 adressierte AG nationalem Aktienrecht unterliegt; auf Herkunft der Tochter kommt es nicht an (KK-AktG/Drygala Rn. 94 ff.).

II. Verbot der Zeichnung eigener Aktien (§ 56 I)

3 **1. Verbotstatbestand.** § 56 I verbietet Zeichnung eigener Aktien. Zeichnung iSd § 56 I ist jede rechtsgeschäftliche Erklärung, die auf originären Erwerb eigener Aktien abzielt (vgl. MüKoAktG/Götze Rn. 7 ff.; KK-AktG/Drygala Rn. 6), also (theoretisch) Teilnahme an eigener Gründung, ferner **Zeichnung junger Aktien** bei Kapitalerhöhung gegen Einlagen (§ 185 I) oder bei Verwendung eines genehmigten Kapitals (§ 185 I iVm § 203 I 1), schließlich **Bezugserklärung** im Rahmen bedingter Kapitalerhöhung (§ 198). Nicht verboten ist dagegen Erwerb eigener Aktien bei Kapitalerhöhung aus Gesellschaftsmitteln (§ 215 I als lex specialis; ebenso B/K/L/Westermann Rn. 1). Sie ist zwar Kapitalerhöhung, dient aber nicht der Kapitalbeschaffung (→ § 207 Rn. 3), so dass reale Kapitalaufbringung (→ Rn. 1) nicht angestrebt werden kann. Soweit es um Teilnahme an eigener Gründung geht, ist diese im System der Einheitsgründung (→ § 29 Rn. 2) ohnehin nicht möglich, weil inexistente AG weder Gründungs- noch Übernahmeerklärung abgeben kann. Immerhin folgt aus Verbot, dass jede Konstruktionsphantasie (Vertretung) fehl am Platz ist (dazu schon Lutter, Kapital, 1964, 105 f.). Auch **Formwechsel in AG** unterfällt nicht § 56 I, da kein originärer Aktienerwerb erfolgt (GK-AktG/M. Arnold/Notz Rn. 7; Heckschen/Weitbrecht ZIP 2017, 1297, 1299; Schaper ZGR 2018, 126, 129 f.). Zur analogen Anwendung des § 71a auf finanzielle Unterstützung zur Zeichnung eigener Aktien → § 27 Rn. 53; → § 71a Rn. 1.

4 **2. Rechtsfolgen verbotswidriger Zeichnung. a) Nichtigkeit.** Verstoß gegen § 56 I macht entspr. rechtsgeschäftliche Erklärung nach § 134 BGB nichtig (MüKoAktG/Götze Rn. 11; KK-AktG/Drygala Rn. 9). Für Gründung nicht vertiefungsbedürftig, weil schon die Erklärung nicht abgegeben werden kann (→ Rn. 3). Durchführung der **Kapitalerhöhung** scheitert an Nichtigkeit der Zeichnungs- oder Bezugserklärung und darf weder angemeldet noch eingetragen werden. Das gilt auch für deklaratorische Eintragung nach § 201, weil Ausgabe der Bezugsaktien an AG gerade nicht wirksam ist (KK-AktG/Drygala Rn. 9, 12). Allerdings bleibt sowohl beim genehmigten als auch beim bedingten Kapital Zeichnung durch übrige Aktionäre wirksam, da in beiden Fällen nur **teilweise Ausnutzung** möglich ist (BeckOGK/Cahn/v. Spannenberg Rn. 16).

5 **b) Heilung.** Wird Kapitalerhöhung fälschlich **eingetragen,** so kommt es nach allgM zur Heilung nichtiger Zeichnungserklärungen (MüKoAktG/Götze Rn. 14 ff.; KK-AktG/Drygala Rn. 11 f.), obwohl §§ 182 ff. die Heilung nicht vorsehen. Dabei ist der Gedanke leitend, dass ohne wirksame Erklärung der Haftungstatbestand des § 56 IV in seiner Bezugnahme auf § 56 I ins Leere ginge. Das ist richtig, doch ist Lösung auch **nicht unbedenklich,** weil Haftung der Vorstandsmitglieder, zumal verschuldensabhängig, kein hinreichendes Äqui-

valent für fehlende Einlagen von Aktionären ist. Dennoch ist hM zu folgen, da auch bei Rechtsfolgenbetrachtung Erwerb eigener Aktien weniger bedenklich erscheint als Rückabwicklung der einmal eingetragenen Kapitalerhöhung (Grigoleit/Grigoleit/Rachlitz Rn. 4). Vgl. zu § 56 IV → Rn. 17. Auch beim **bedingten Kapital** kann Zeichnungsmangel (→ Rn. 4) aber nicht schon über Aktienausgabe nach § 198 III geheilt werden, da es dafür einer wirksam begründeten Aktionärsstellung bedarf (str. → § 198 Rn. 12). Anderenfalls könnte Heilung durch AG selbst ohne externe Kontrolle herbeigeführt werden, da Ausgabe rein interner Vorgang ist (überzeugend MüKoAktG/Götze Rn. 15; sa GK-AktG/M. Arnold/Notz Rn. 19; aA BeckOGK/Cahn/v. Spannenberg Rn. 17; Grigoleit/Grigoleit/Rachlitz Rn. 5). § 200 wird damit keinesfalls obsolet (so aber Grigoleit/Grigoleit/Rachlitz Rn. 5), da Regelungsschwerpunkt nicht in Heilungsfunktion liegt.

c) Analoge Anwendung der §§ 71b, 71c, 160 I 1 Nr. 1. Nimmt man mit 6 hM Heilung durch Eintragung an (→ Rn. 5), so ergibt sich Folgeproblem, wie derart von AG erworbene eigene Aktien zu behandeln sind. Ausdr. ges. Regelung fehlt. Folgerichtig ist, §§ 71b, 71c, 160 I 1 Nr. 1 analog anzuwenden (GK-AktG/M. Arnold/Notz Rn. 22 ff.; für direkte Anwendung MüKoAktG/Götze Rn. 17 f.; KK-AktG/Drygala Rn. 13 f.). Also gibt es auch insoweit keine Mitgliedsrechte aus eigenen Aktien (Ausnahme aber auch hier § 215 I, s. KK-AktG/Drygala Rn. 13 aE), besteht auch insoweit die Pflicht zur Veräußerung binnen Jahresfrist.

III. Übernahmeverbot für abhängige oder in Mehrheitsbesitz stehende Unternehmen (§ 56 II)

1. Verbotstatbestand. a) Normadressaten. Verbot des § 56 II 1 richtet 7 sich an abhängige und an in Mehrheitsbesitz stehende Unternehmen. Unternehmensbegriff ist rechtsformneutral auszulegen (→ § 15 Rn. 6). Die in → § 15 Rn. 8 ff. erörterten Zusatzfragen stellen sich nicht, weil es nicht um Begriff des herrschenden Unternehmens geht. **Mehrheitsbesitz** wird nach § 16 beurteilt (Anteils- oder Stimmenmehrheit einschließlich Zurechnung nach § 16 IV), **Abhängigkeit** nach § 17 (für Korrektur bei Abschluss eines Entherrschungsvertrags in mehrstufigen Beteiligungen BeckOGK/Cahn/v. Spannenberg Rn. 27; überzeugend dagegen KK-AktG/Drygala Rn. 22). Danach entscheidende Möglichkeit beherrschenden Einflusses (→ § 17 Rn. 5 ff.) ist außerhalb der Abhängigkeitsvermutung des § 17 II bes. bei Bestehen eines Beherrschungs- und/oder Gewinnabführungsvertrags (§ 291 I) zu bejahen (→ § 17 Rn. 12). Soweit es an Beteiligung der herrschenden AG an vertragsabhängiger Gesellschaft fehlt, rechtfertigt sich Übernahmeverbot zwar nicht aus Gefahr für reale Kapitalaufbringung, wohl aber aus Gesichtspunkt unerwünschter Verwaltungsstimmen (→ Rn. 1; s. S/L/Fleischer Rn. 13). Wenn Voraussetzungen der §§ 16, 17 nicht vorliegen, typischerweise also dann, wenn keine Kapitalmehrheit besteht, greift Verbot des § 56 II nicht ein (hM, s. MüKoAktG/Götze Rn. 31). Vielmehr verbleibt es bei §§ 19 ff., 328, soweit Schwellenwert von 25 % überschritten wird. Ist auch das nicht der Fall, gibt es keine ges. Beschränkungen. Weil reale Kapitalaufbringung auch in diesen Fällen gefährdet sein kann, ist Regelung kritikfähig, aber de lege lata doch hinzunehmen (in deutscher Lit. ganz hM; vgl. etwa GK-AktG/M. Arnold/Notz Rn. 30 f.; MüKoAktG/Götze Rn. 30 f.; aA zB Hettlage AG 1967, 249; kontroverse Diskussion dazu aber im österr. Schrifttum unter Schlagwort der Mehrleistungsthese → § 54 Rn. 5a).

Umkehrfall des § 56 II 1 ist derjenige, dass herrschendes oder mit Mehrheit 8 beteiligtes Unternehmen Aktien der Tochter übernimmt. Das ist nicht verboten, obwohl auch insoweit reale Kapitalaufbringung in Frage gestellt sein kann (Stichwort: Eigenkapitalpyramide – vgl. KK-AktG/Drygala Rn. 23). Entscheidend ist Dispositionsfreiheit des herrschenden Unternehmens über sein Vermögen, soweit es nicht zur Deckung des eigenen Nennkapitals benötigt wird (KK-AktG/Drygala Rn. 23; Kropff DB 1959, 15, 17; aA Müller-Erzbach, Das private Recht der Mitgliedschaft, 1948, 374). Auch Erwerb durch **Schwestergesellschaft** oder von ihr abhängiger Gesellschaft ist nicht erfasst (GK-AktG/M. Arnold/Notz Rn. 33).

9 **b) Verbotene Erwerbsarten.** § 56 II 1 verbietet zunächst, Aktien der herrschenden oder mehrheitlich beteiligten AG „als Gründer oder Zeichner" zu übernehmen. Gründungsfall ist kaum vorstellbar, weil Unternehmen nicht von einer Gesellschaft abhängig sein oder in ihrem Mehrheitsbesitz stehen kann, die es noch gar nicht gibt (MüKoAktG/Götze Rn. 32 f.; KK-AktG/Drygala Rn. 25 – dort auch zu Ausn. bei Beteiligung als Sacheinlage). Im Wesentlichen geht es also wie in § 56 I (→ Rn. 3) um **Zeichnung junger Aktien** bei Kapitalerhöhung gegen Einlagen (§ 185 I) und bei Verwendung eines genehmigten Kapitals (§ 185 I iVm § 203 I 1). **Ausübung eines Umtausch- oder Bezugsrechts** bei bedingter Kapitalerhöhung (§ 198) ist in § 56 II 1 ausdr. hervorgehoben, ohne dass sich sachlicher Unterschied zu § 56 I ergäbe (→ Rn. 3). Auch hier nicht erfasst werden junge Aktien bei Kapitalerhöhung aus Gesellschaftsmitteln (§ 215 I; → Rn. 3). Entgegen früher hM ist auch Erwerb durch Formwechsel der Muttergesellschaft nicht erfasst, da anderenfalls mittelbares Halten strenger sanktioniert würde als unmittelbares Halten (→ Rn. 3; ausf. Schaper ZGR 2018, 126, 130 ff.; jetzt auch Grigoleit/Grigoleit/Rachlitz § 71 Rn. 46; aA KK-AktG/Drygala Rn. 25). Allen Anwendungsfällen ist gemeinsam, dass es um originären Aktienerwerb geht. Für derivativen Erwerb vgl. § 71d.

10 **2. Rechtsfolgen verbotswidriger Übernahme. a) Keine Nichtigkeit.** Verstöße gegen § 56 II 1 führen anders als solche gegen § 56 I (→ Rn. 4) nicht zur Nichtigkeit gem. § 134 BGB (§ 56 II 2). Übernahme ist also wirksam erfolgt, Einlagepflichten entstehen (ohne Verpflichtung zur Mehrleistung → § 54 Rn. 5a); Ges. will damit zusätzliche Gefährdung der realen Kapitalaufbringung verhindern (MüKoAktG/Götze Rn. 37; KK-AktG/Drygala Rn. 28). Damit gegebene Ausnahme von § 134 BGB gilt jedoch nicht für etwa geschlossenen **schuldrechtl. Übernahmevertrag** (MüKoAktG/Götze Rn. 37; KK-AktG/Drygala Rn. 30). Auch darf und muss **Registergericht** Eintragung in das HR ablehnen, wenn es im Rahmen seiner Prüfung Gesetzesverstoß feststellt; denn an ihm ändert § 56 II 2 nichts (hM, s. GK-AktG/M. Arnold/Notz Rn. 42; MüKoAktG/Götze Rn. 39; KK-AktG/Drygala Rn. 28; aA BeckOGK/Cahn/v. Spannenberg Rn. 35). Anders nur im Fall des § 201, weil Ges. Aktienausgabe anders als nach § 56 I (→ Rn. 4 aE) wirksam sein lässt, weshalb sie auch zu verlautbaren ist (zutr. KK-AktG/Drygala Rn. 29). Zur Haftung der Vorstandsmitglieder → Rn. 17.

11 **b) Analoge Anwendung der §§ 71b bis d; Berichtspflicht.** Soweit abhängiges oder in Mehrheitsbesitz stehendes Unternehmen verbotswidrig, aber wirksam Aktien der herrschenden oder mehrheitlich beteiligten AG erworben hat, unterliegen sie den §§ 71b–71d. Dh: Dem Unternehmen stehen **aus den Aktien keine Rechte** zu (§ 71b iVm § 71d S. 2, 4), insbes. kein Stimmrecht, auch kein Recht zum Bezug junger Aktien (Ausnahme: § 215 I). Gem. § 71c iVm § 71d S. 2, 4 besteht auch **Pflicht zur Veräußerung** binnen Jahresfrist. §§ 71b ff. passen zwar nach ihrer systematischen Stellung nicht auf den originären Erwerb des § 56 II. Gesetzgeber hat jedoch früher einschlägigen § 136 II aF unter Hinweis auf §§ 71b, 71d aufgehoben, so dass deren (richtigerweise: analoge) Anwen-

dung geboten ist (KK-AktG/Drygala Rn. 31 ff.; iErg auch MüKoAktG/Götze Rn. 50 f.). Schließlich muss herrschende oder mehrheitlich beteiligte AG gem. § 160 I Nr. 1 im **Anhang** (§§ 284 ff. HGB) über Bestand, Zugang, Verwertung und Erlösverwendung bzgl. der von ihrem Tochterunternehmen übernommenen Aktien Angaben machen (→ § 160 Rn. 4 ff.).

IV. Übernahme für Rechnung der AG oder ihrer Tochterunternehmen (§ 56 III)

1. Tatbestand. a) Allgemeines. § 56 III versagt Mitgliedsrechte und begründet Pflichten, wenn Aktien für Rechnung der AG, eines abhängigen oder in ihrem Mehrheitsbesitz stehenden Unternehmens übernommen werden. Wer auf diese Weise handelt, ist gleichgültig. Zu Abhängigkeit und Mehrheitsbesitz → Rn. 7, zu den erfassten Erwerbsarten → Rn. 9. Für Rechnung der AG oder ihrer Tochterunternehmen heißt, dass sie im Innenverhältnis zum Übernehmer das aus der Aktienübernahme folgende **wirtschaftliche Risiko** ganz oder teilw. tragen (ebenso KK-AktG/Drygala Rn. 43; B/K/L/Westermann Rn. 8; Vedder, Zum Begriff „für Rechnung", 1999, 50). So stets, wenn AG Aktien vom Übernehmer erwerben soll. Bei geplanter Weiterveräußerung an Dritte ist Risikoübernahme idR zu bejahen, wenn zwischen AG bzw. Tochterunternehmen und Übernehmer Auftragsverhältnis (§§ 662 ff. BGB), Geschäftsbesorgungsvertrag (§ 675 BGB), Kommissionsvertrag (§§ 383 ff. HGB) oder ähnliches Verhältnis (§ 406 HGB) besteht. Risikoübernahme folgt dann aus Pflicht zum Aufwendungsersatz nach § 670 BGB. Entspr. trägt AG bzw. Unternehmen das Risiko ausnahmsweise dann nicht, wenn Anspruch auf Aufwendungsersatz vertraglich ausgeschlossen ist. Übernahme wirtschaftlichen Risikos liegt aber auch in Fällen der **Wert- oder Kursgarantie** oder einer ähnlichen Übernahme des Zeichnungsrisikos durch Gesellschaft bzw. Tochterunternehmen vor (KK-AktG/Drygala Rn. 58; Gottschalk/Ulmer DStR 2021, 1173 ff.; Hahn, Die Übernahme von Aktien, 2005, 64, 79, 81 f.; Vedder, Zum Begriff „für Rechnung", 1999, 56; M. Winter FS Röhricht, 2005, 709, 713 ff.; im Grds. ebenso GK-AktG/M. Arnold/Notz Rn. 68, allerdings unter Anerkennung von Ausnahmen, die jedoch im Lichte des § 56 III, aber auch des § 57, zweifelhaft bleiben). Charakteristisch für Fallgruppen des § 56 III ist, dass Gesellschaft bzw. Unternehmen Gefahr fallender Kurse zumindest teilw. mitträgt. **Weisungsrecht** der AG bzw. ihrer Tochterunternehmen ist im ges. Regelfall gegeben (§ 665 BGB), aber **unerheblich.** Entscheidend bleibt gänzliche oder teilw. Risikoübernahme (MüKoAktG/Götze Rn. 58; KK-AktG/Drygala Rn. 47). 12

b) Insbesondere: Emission junger Aktien. Werden junge Aktien, wie üblich, von Emissionsbank oder -konsortium zur Platzierung im Publikum übernommen (vgl. zur Kapitalerhöhung § 186 V; → § 186 Rn. 44 ff.), so fallen Bank bzw. Konsortialmitglieder unter § 56 III, wenn sie das Risiko nicht entspr. den Grundsätzen in → Rn. 12 vollständig übernehmen (MüKoAktG/Götze Rn. 59 ff.; KK-AktG/Drygala Rn. 61 ff.). **Verwertungsverträge** dürfen insbes. nicht vorsehen, dass AG Aktien zurückzunehmen oder Mindererlöse zu vergüten hat. Volle Risikoübernahme kann nur in Provision abgegolten werden, die aber ihrerseits nur aus dem Mehrerlös bezahlt werden darf, der bei Emission ggü. dem Ausgabebetrag der Aktien erzielt wird (wie hier GK-AktG/M. Arnold/Notz Rn. 66; S/L/Fleischer Rn. 23; MüKoAktG/Götze Rn. 60). Dem wird entgegengehalten, dass Kosten auch bei Selbstplatzierung mit Bankunterstützung anfielen (BeckOGK/Cahn/v. Spannenberg Rn. 50; Grigoleit/Grigoleit/Rachlitz Rn. 12). Dieses Szenario ist indes keine hinreichend realistische Alternative, um daraus teleologische Reduktion des vom Wortlaut klar einschlägigen § 56 III 1 13 zu begründen (krit. insofern auch KK-AktG/Drygala Rn. 64, der aber unter zweifelhafter Berufung auf BGHZ 118, 83, 96 ff. = NJW 1992, 2222 zu demselben Ergebnis gelangt). Durch entspr. Vertragsgestaltung kann Risiko des KI hinreichend begrenzt werden (MüKoAktG/Götze Rn. 60). Werden Aktienbanken bei der Emission junger Aktien oder solcher von Tochterunternehmen als Konsortialmitglieder tätig, ist wegen eigener Risikoquote stets § 56 III anwendbar (GK-AktG/M. Arnold/Notz Rn. 63; MüKoAktG/Götze Rn. 62).

14 **2. Rechtsfolgen. a) Vertragsverhältnisse.** Zu unterscheiden ist zwischen Übernahmevertrag und im Innenverhältnis zusätzlich getroffenen Abreden wie Geschäftsbesorgung oder Kursgarantie (→ Rn. 12). **Übernahme** ist gültig (KK-AktG/Drygala Rn. 66, 69; S/L/Fleischer Rn. 24). Gründer oder Zeichner wird also Aktionär, hat aber auch die vollen daraus resultierenden Pflichten, bes. die Einlagepflicht (§ 54), ohne aus dem Innenverhältnis irgendwelche Einwendungen ableiten zu können (§ 56 III 1 und 2). Von AG finanzierte Leistungen haben keine Erfüllungswirkung. Vorstand muss Einlage einfordern, um nicht nach § 93 schadensersatzpflichtig zu werden. Das dem Innenverhältnis zugrunde liegende **Vertragsverhältnis** ist gleichfalls gültig, doch können Gründer oder Zeichner daraus keine Rechte gegen die AG herleiten, bes. nicht gem. § 670 BGB Aufwendungsersatz fordern (§ 56 III 1); hM, s. GK-AktG/M. Arnold/Notz Rn. 69 ff.; KK-AktG/Drygala Rn. 76; S/L/Fleischer Rn. 27; Hahn, Die Übernahme von Aktien, 2005, 87 ff.; M. Winter FS Röhricht, 2005, 709, 716. Umgekehrt bleiben aber Rechte der AG aus dem Innenverhältnis bestehen, bes. Anspruch auf Abführung des Erlöses aus § 667 BGB oder § 384 II HGB bei Veräußerung der Aktien an Dritte. Daraus resultierende **einseitige Belastung des Übernehmers** wird in Lit. zT als unausgewogen empfunden und deshalb für vollständige Unwirksamkeit der Geschäftsbesorgungsabrede plädiert (ausf. BeckOGK/Cahn/v. Spannenberg Rn. 53 ff.; Grigoleit/Grigoleit/Rachlitz Rn. 14). Das lässt sich aber schon mit § 56 III 2 und 3 nur schwer vereinbaren; hätte Gesetzgeber Nichtigkeit gewollt, hätte ausdr. Regelung in Anlehnung an § 71a II nahegelegen. Unausgewogenheit ist gerade intendiert, um Abschreckungswirkung zu erzielen; missbräuchlicher Ausnutzung durch AG kann mit § 242 BGB hinreichend entgegengewirkt werden (ausf. und überzeugend GK-AktG/M. Arnold/Notz Rn. 69 ff.).

15 **b) Keine Mitgliedsrechte.** § 56 III 3 schneidet Gründer oder Zeichner die Rechte aus der Aktie ab, solange er sie nicht für eigene Rechnung übernommen hat (→ Rn. 16). Alle Rechte werden erfasst, auch Recht auf Abwicklungsüberschuss (MüKoAktG/Götze Rn. 69 ff.; KK-AktG/Drygala Rn. 69). Zweck der rigiden Regelung ist einerseits Prävention, andererseits Beendigung des dem Innenverhältnis zugrunde liegenden Vertragsverhältnisses durch Druck auf den Aktionär.

16 **c) Übernahme für eigene Rechnung.** Aktionär erlangt ihm zunächst abgeschnittene Mitgliedsrechte, wenn er Aktien nachträglich für eigene Rechnung übernimmt (§ 56 III 3). Das bedeutet, weil er schon Inhaber der Aktien ist, nur die Beendigung des dem Innenverhältnis zugrunde liegenden Vertragsverhältnisses (MüKoAktG/Götze Rn. 88; KK-AktG/Drygala Rn. 79; M. Winter FS Röhricht, 2005, 709, 716; aA Klussmann BB 1965, 182). Diese Beendigung ist aber, weil Vertrag gilt (→ Rn. 14), nicht ohne weiteres möglich. § 671 I BGB wird idR nicht weiterhelfen (vgl. § 675 BGB). Grds. bedarf es deshalb eines **Auflösungsvertrags** (ganz hM, vgl. MüKoAktG/Götze Rn. 80; aA v. Godin/Wilhelmi Rn. 4). Ausnahmsweise kann Recht zur Kündigung aus wichtigem Grund bestehen (MüKoAktG/Götze Rn. 81; KK-AktG/Drygala Rn. 82; S/L/Fleischer Rn. 28).

V. Haftung der Vorstandsmitglieder (§ 56 IV)

Nach dem durch 2. EG-KoordG (→ Rn. 2) eingeführten § 56 IV trifft Vorstandsmitglieder in den Fällen des § 56 I oder II gesamtschuldnerisch **ges. Haftung auf die Einlage,** die aber **verschuldensabhängig** ist (§ 56 IV 2). Norm bereitet in der Systematik des deutschen Aktienrechts Verständnisschwierigkeiten. In den Fällen des § 56 I ist Heilung der nach § 134 BGB eintretenden Nichtigkeit (→ Rn. 4) gedankliche Voraussetzung, doch ist ihr Eintritt nicht zweifelsfrei (→ Rn. 5). Weil AG sich ihre Einlagen nicht selbst schulden kann, ist das Wort „auch" (§ 56 IV 1) auf diese Tatbestandsvariante nicht zu beziehen. In den Fällen des § 56 II tritt Einlagenhaftung der Vorstandsmitglieder neben diejenige des abhängigen oder in Mehrheitsbesitz stehenden Unternehmens. Haftung ist akzessorisch. Gesamtschuld besteht nur zwischen mehreren Vorstandsmitgliedern (S/L/Fleischer Rn. 30; B/K/L/Westermann Rn. 16). Gegen das Unternehmen haben leistende Vorstandsmitglieder Anspruch auf Herausgabe der eingezahlten Aktien oder auf Erstattung ihrer Aufwendungen (S/L/Fleischer Rn. 30). Bei Haftung des Vorstands wegen Verstoßes gegen § 56 I tritt jedoch ein Anspruch auf Herausgabe des Veräußerungserlöses an die Stelle des Aufwendungsersatzes, wobei die geleistete Einlage den Anspruch nach oben begrenzt (MüKoAktG/Götze Rn. 20). **Beweislast** für fehlendes Verschulden liegt bei Vorstandsmitgliedern. 17

Keine Rückgewähr, keine Verzinsung der Einlagen

57 (1) [1] **Den Aktionären dürfen die Einlagen nicht zurückgewährt werden.** [2] **Als Rückgewähr gilt nicht die Zahlung des Erwerbspreises beim zulässigen Erwerb eigener Aktien.** [3] **Satz 1 gilt nicht bei Leistungen, die bei Bestehen eines Beherrschungs- oder Gewinnabführungsvertrags (§ 291) erfolgen oder durch einen vollwertigen Gegenleistungs- oder Rückgewähranspruch gegen den Aktionär gedeckt sind.** [4] **Satz 1 ist zudem nicht anzuwenden auf die Rückgewähr eines Aktionärsdarlehens und Leistungen auf Forderungen aus Rechtshandlungen, die einem Aktionärsdarlehen wirtschaftlich entsprechen.**

(2) **Den Aktionären dürfen Zinsen weder zugesagt noch ausgezahlt werden.**

(3) **Vor Auflösung der Gesellschaft darf unter die Aktionäre nur der Bilanzgewinn verteilt werden.**

Übersicht

I. Regelungsgegenstand und -zweck

1 § 57 verbietet Einlagenrückgewähr, Zinsen und sonstige über Bilanzgewinn hinausgehende Vermögensverteilung. Norm bezweckt in üblicher Diktion **Erhaltung des Grundkapitals** als zentralem Baustein des deutschen Kapitalgesellschaftsrechts (→ § 1 Rn. 10 ff.; vgl. RegBegr. Kropff S. 73; aA KK-AktG/Drygala Rn. 9 f.: obligatorische Risikobeteiligung) und steht im Zusammenhang mit §§ 59, 62 sowie §§ 71 ff. Erhaltung des Grundkapitals ist notwendiges Seitenstück zur Kapitalaufbringung und soll wie diese Kompensation dafür bieten, dass nach § 1 I 2 Haftung der Aktionäre ausgeschlossen ist (→ § 1 Rn. 8 ff.). Norm dient aber nicht nur Gläubigerinteressen, sondern schützt auch nicht partizipierende Aktionäre vor verdeckter Gewinnausschüttung (BGHZ 156, 38, 43 f. = NJW 2003, 3412; Bitter ZHR 168 [2004], 302, 308), gewährleistet angemessene Rücklagenbildung (Henze NZG 2005, 1115, 120) und wahrt zugleich organschaftliche Kompetenz der HV bzgl. Gewinnverwendung (MüKoAktG/Bayer Rn. 2; Schön FS Röhricht, 2005, 559, 560 ff.). Das kommt zwar nicht in § 57 I, wohl aber in § 57 III zum Ausdruck, da dort getroffene Anordnung, an Aktionäre vor Auflösung nur Bilanzgewinn auszuschütten, aus Gründen der Kapitalerhaltung nicht zu erklären ist. Besser wäre es deshalb, von **Vermögensbindung** zu sprechen (→ Rn. 4). Dieser über das Grundkapital hinausgehende Wirkungsmechanismus verbietet es auch, andere Schutzziele (insbes. Minderheiten- und Zuständigkeitsschutz) als bloße „Schutzreflexe" einzuordnen (so aber BeckOGK/Cahn/v. Spannenberg Rn. 5 ff.; S/L/Fleischer Rn. 3; zutr. dagegen Scholz/Verse GmbHG § 30 Rn. 7; Schön FS Röhricht, 2005, 559 ff.). Dem hat sich BGH jedenfalls für den Bereich des Minderheitenschutzes angeschlossen (BGHZ 190, 7 Rn. 19, 22 = NJW 2011, 2719).

2 Legislativer Hintergrund des § 57 ist Befürchtung, dass Vorstand ggü. Aktionär, namentl. Mehrheitsaktionär, Interessen der AG hintanstellt. Nach höchstrichterlicher Lesart ist diese **ungesunde Anreizstruktur** aber aus Nachweisgründen nicht als eigenständiges subj. Tatbestandsmerkmal in § 57 hineinzulesen (ausf. → Rn. 26 f.). Dieser Unterschied zwischen Motivationshintergrund und Wirkungsmechanismus droht durch verbreiteten Hinweis auf eine Leistung **causa societatis** verwischt zu werden (J. Koch ZGR 2022, 337, 339 ff.). Begriff wird zur Veranschaulichung genutzt, wirkt aber eher verdunkelnd; über seine inhaltliche Ausfüllung besteht keine Einigkeit (vgl. J. Koch ZGR 2022, 337, 344 ff.). Auch Rspr.-Formel, wonach verdeckte Einlagenrückgewähr nur dann vorliegt,

wenn sie „aufgrund der Gesellschafterstellung" erfolgt, darf nicht in diesem subj. Sinne verstanden werden, sondern lediglich als Hinweis auf vereinzelte Randkorrekturen (ausf. → Rn. 27). Vorschrift sanktioniert keinen bösen Vorstandswillen, Aktionär zu privilegieren, sondern obj. unausgewogene Geschäfte (zutr. GK-AktG/M. Arnold/Notz Rn. 82).

Hauptanwendungsbereich des § 57 sind Konzernsachverhalte, zT auch Familien-AG oder junge Technologie-AG (MüKoAktG/Bayer Rn. 7). Regelung ist zwingend (§ 23 V) und auch europarechtl. durch Art. 56 I–IV GesR-RL vorgegeben. Sie gilt ab Eintragung der AG in das HR bis zum Ablauf des in § 272 vorgesehenen Sperrjahrs (→ § 264 Rn. 16) und wirkt auch in Insolvenz noch fort (MüKoAktG/Bayer Rn. 14). Im Gründungsstadium kann in Fällen verdeckter gemischter Sacheinlage Kollision mit Gründungsvorschriften auftreten, die über Zuordnung zum Kapitalaufbringungssystem aufzulösen ist (→ § 27 Rn. 41). Zur Suspendierung des § 57 I und II bei Erfüllung des Andienungsrechts der SPACs-Aktionäre (§ 47 I BörsG) s. § 47 III 1 BörsG und → § 23 Rn. 65. 3

II. Verbot der Einlagenrückgewähr (§ 57 I 1)

1. Verbotstatbestand. a) Objektive Reichweite. § 57 I 1 verbietet jede einseitige oder unausgewogene Leistung der AG an den Aktionär, wenn sie nicht aus Bilanzgewinn erfolgt oder ausnahmsweise ges. zugelassen ist (BGH AG 2008, 120 Rn. 16; BGHZ 190, 7 Rn. 15 = NJW 2011, 2719; BGHZ 213, 224 Rn. 15 = NZG 2017, 344; MüKoAktG/Bayer Rn. 8). Wortlaut des § 57 I 1 bringt das Gemeinte nur unvollkommen zum Ausdruck. Hervorzuheben ist vor allem: Ob das Zurückgewährte **Einlage** iSd § 54 ist, spielt keine Rolle; es kommt überhaupt nicht auf ursprünglichen Gegenstand der Einlageleistung oder auf Person des Leistenden, sondern auf wertmäßige Beeinträchtigung des Gesellschaftsvermögens an (heute unstr., vgl. RGZ 146, 84, 87 und 94; OLG Frankfurt AG 1992, 194, 196; Bitter ZHR 168 [2004], 302, 308 ff.). Missverständlich, wenngleich üblich (→ Rn. 1), ist auch, von **Erhaltung des Grundkapitals** zu sprechen. Denn anders als nach § 30 I GmbHG kommt es nicht darauf an, ob Leistung der AG zur Deckung der Grundkapitalziffer erforderliches Vermögen angreift. Auch Leistung aus Aktiva, der freie Rücklagen gegenüberstehen, ist Einlagenrückgewähr, sofern sie nicht Verteilung von Bilanzgewinn ist und ihr auch keine vollwertige Gegenleistung des Aktionärs gegenübersteht (§ 57 I 3). 4

Auch an **Leistung** oder Rückgewähr sind keine hohen Anforderungen zu stellen. Unmittelbarkeit eines Vermögenstransfers ist nicht zu fordern (BGHZ 190, 7 Rn. 16). Vielmehr entspr. es Normzweck (→ Rn. 1), dass als Leistung an Aktionär jede Verschiebung positiven, aber auch Verlagerung sog negativen Vermögens genügt. Deshalb fällt insbes. **Überleitung eines Schuldenüberhangs** des Akquisitionsvehikels auf die Zielgesellschaft durch Umwandlungsmaßnahmen oder andere Rechtsnachfolge unter das Verbot des § 57 I 1 (str., s. dazu [wie hier] MüKoAktG/Bayer Rn. 95; Klein/Stephanblome ZGR 2007, 351, 376 ff. und 383 ff.; Priester FS Spiegelberger, 2009, 890, 892 ff.; Seibert FS Schwark, 2009, 261, 267 f.; aA Riegger ZGR 2008, 233, 246 f.). 5

b) Subjektive Reichweite. § 57 I 1 erfasst Leistung der AG an ihre Aktionäre. Das entspr. der dem Wortlaut nach vorausgesetzten Einlagenrückgewähr (vgl. aber → Rn. 4), trifft auch den Regelfall, ist aber nicht als abschließend zu verstehen. Auch **Leistungen Dritter** können, wenn sie letztlich das Gesellschaftsvermögen belasten, unter § 57 I 1 fallen (→ Rn. 35). Verbotstatbestand kann auch durch **Leistungen an Dritte** ausgefüllt werden, wenn sein Zweck das erfordert (→ Rn. 36 f.). Dass der Empfänger die zurückgewährte Leistung der AG 6 nicht zuvor selbst erbracht haben muss, ergibt sich schon aus Verzicht auf Identität von Einlage und Rückgewährgegenstand (→ Rn. 4). Nicht unter § 57 I 1 fällt Gläubiger des Aktionärs, der dessen Einlageleistung gem. §§ 1 ff. AnfG oder §§ 129 ff. InsO angefochten hat. Verbot der Einlagenrückgewähr taugt also nicht zur Verteidigung gegen Anfechtungsklagen (BGHZ 128, 184, 193 ff. = NJW 1995, 659). Zu weiteren Einzelheiten → Rn. 35 ff.

7 **2. Ausnahmen. a) Überblick.** Ausnahmen vom Verbot der Einlagenrückgewähr kennt Ges. in **folgenden Fällen:** Zahlung des Erwerbspreises beim ausnahmsweise zulässigen Erwerb eigener Aktien (§ 57 I 2; → Rn. 38); Leistungen bei Bestehen eines Beherrschungs- oder Gewinnabführungsvertrags (§ 57 I 3, 1. Mod.; → Rn. 39; § 291 III; → § 291 Rn. 36) oder auch ohne solchen, wenn sie Aktionären unter vollwertiger Deckung erbracht werden (§ 57 I 3, 2. Mod.; → Rn. 40 ff.); Rückerstattung von Aktionärsdarlehen und vergleichbare Leistungen (§ 57 I 4; → Rn. 52 f.); Leistungen beim Erwerb wechselseitiger Beteiligungen nach § 71d S. 2 (dazu näher MüKoAktG/Bayer § 19 Rn. 29 ff.); Rückzahlungen im Rahmen einer Kapitalherabsetzung (§ 222 III, vgl. aber auch § 230); Zahlung des Einziehungsentgelts (§ 237 II); Leistungen bei Eingliederung (§ 323 II → § 323 Rn. 8). Bei faktischer Konzernierung lässt sich zwar nicht von eigentlicher Ausnahme sprechen, wohl aber (soweit nicht schon § 57 I 3 eingreift) von verdrängender, strikte Vermögensbindung lockernder Sonderregelung in §§ 311, 317 (→ § 311 Rn. 49; → § 317 Rn. 17). Anlegerschutz: → Rn. 9 ff. Explizit angeordnete Ausnahme findet sich etwa in § 10 IV WStBG. Verbot des § 57 I tritt auch kraft Spezialität zurück bei Ausübung von Widerrufsrechten, die für **Verbraucherverträge** vorgesehen sind (§§ 355 ff. BGB, etwa iVm § 312 BGB; vgl. LG Schwerin NZG 2004, 876: Zeichnungsvorvertrag als Haustürgeschäft). **Keine Ausnahme** besteht nach richtiger Ansicht wegen § 26 **bei Sondervorteilen** einschließlich Gründerlohn (→ § 26 Rn. 3: kein Verstoß gegen zwingendes Aktienrecht zulässig; wie hier MüKoAktG/Bayer Rn. 93 mwN).

8 De lege ferenda erwägenswert ist auch Ausn. für AG mit **genossenschaftlicher Zielsetzung** (dafür Mülbert FS Lutter, 2000, 535, 549 f.; zust. BeckOGK/Cahn/v. Spannenberg Rn. 22), die aber de lege lata nicht im Ges. angelegt ist (GK-AktG/M. Arnold/Notz Rn. 13; MüKoAktG/Bayer Rn. 100). Bei **satzungsmäßig ideeller Zielsetzung** wird Leistung auch an Aktionäre unter Hinweis auf Zulässigkeit im Drittvergleich zugelassen (GK-AktG/M. Arnold/Notz Rn. 14; MüKoAktG/Bayer Rn. 101). Das ist nicht unproblematisch, wenn man mit hier vertretener Auffassung Drittvergleich lediglich als Hilfskriterium für stattdessen maßgebliche Vollwertigkeit auffasst (→ Rn. 15 f.). Subsumtion unter Einlagenrückgewähr kann trotzdem verneint werden, wenn **Leistung im Massengeschäft** keinen Bezug zur Aktionärsstellung aufweist (→ Rn. 27). Darüber hinaus kann Ergebnis aber auch teleologisch reduzierend damit begründet werden, dass Share- und Stakeholder gleichermaßen über fehlende Gewinnorientierung informiert sind und auch unter Gleichbehandlungsgesichtspunkten Begünstigung der Aktionäre unproblematisch erscheint. Auch Gläubigerschutz steht Leistung erst dann entgegen, wenn Grundkapital berührt ist (ausf. zu diesem Gedanken Schön FS Röhricht, 2005, 559 ff., 569).

9 **b) Insbesondere: Verhältnis zum Anlegerschutz.** Grundsatz umfassender Vermögensbindung muss zurücktreten, wenn Anleger durch **Täuschungshandlungen** des Vorstands Aktionäre geworden sind. Frage wurde ursprünglich für Fallgestaltungen erörtert, in denen AG gem. § 31 BGB für deliktische Haftung (§ 826 BGB sowie § 823 II BGB iVm § 400) ihrer Vorstandsmitglieder einzustehen hat (→ § 93 Rn. 137 f.), und wurde in diesem Kontext vom BGH klar bejaht (BGH NJW 2005, 2450, 2452; NZG 2007, 345 Rn. 3; ZIP 2007, 326

Rn. 9; wie BGH auch OLG Stuttgart NZG 2008, 951, 952). Nach deutlichem **Ausbau der kapitalmarktrechtl. Informationshaftung** stellt sich Frage in gleicher Weise auch für Ansprüche aus §§ 97, 98 WpHG, §§ 9 ff. WpPG, §§ 20 ff. VermAnlG und § 306 KAGB, wird aber auch hier von ganz hLit. iS der zur alten Rechtslage ergangenen BGH-Rspr. beantwortet (so – zu zT unterschiedlichen Stadien der Rechtsentwicklung – etwa GK-AktG/M. Arnold/Notz Rn. 48 ff.; MüKoAktG/Bayer Rn. 19 ff.; BeckOGK/Cahn/v. Spannenberg Rn. 50 ff.; S/L/Fleischer Rn. 66 f.; C. A. Weber ZHR 176 [2012], 184 ff.; Härdtner, Kapitalmarkthaftung und aktienrechtlicher Kapitalschutz, 2021, 103 ff.; sowie öOGH GesRZ 2011, 251; öOGH GesRZ 2012, 252; aA [Vermögensbindung vor Anlegerschutz] Kindler FS Hüffer, 2010, 417, 421 ff.; G. H. Roth JBl. 2012, 73 ff.; für Auflösung über Lehre vom fehlerhaften Verband C. Schäfer ZIP 2012, 2421 ff.).

Früher verbreitete Lösungsansätze, die in dieser Konstellation dafür plädierten, **10** Haftung auf solches Vermögen zu beschränken, das über Grundkapital und ges. Rücklage hinausgeht (Henze FS Schwark, 2009, 425, 429 ff.; Schön FS Röhricht, 2005, 559, 568), sind spätestens durch diese **neueren Legislativakte** im Bereich der Kapitalmarktinformationshaftung widerlegt worden (MüKoAktG/Bayer Rn. 29 f.). Selbst wenn man verbreiteter lex specialis- und lex posterior-Argumentation (vgl. etwa Renzenbrink/Holzner BKR 2002, 434, 436) noch entgegenhalten mag, dass spezialges. Haftung auch bei Ausklammerung der Aktionäre noch Anwendungsbereich verbleibt (so etwa B/K/L/Westermann Rn. 19; Henze FS Hopt, 2010, 1933, 1948 f.), erscheint es doch sehr unwahrscheinlich, dass Gesetzgeber gerade wichtigsten Fall der Emittentenhaftung ausschließen wollte (MüKoAktG/Bayer Rn. 30 f.). Auch Gesetzesmaterialien sprechen klar gegen diese Annahme (RegBegr. 3, FinanzmarktFG BT-Drs 13/8933, 78).

Vorrang des Anlegerschutzes überzeugt auch in der Sache: Wie in anderen **11** Zusammenhängen sind Aktionäre auch hier nicht davor geschützt, dass gebundenes Kapital durch schädigende Handlungen der Verwaltung angegriffen wird (Baums ZHR 167 [2003], 139, 169). Diese müssen sich Aktionäre zurechnen lassen, nicht aber diejenigen, die erst durch Schädigung zu Aktionären geworden sind. Ebenfalls nicht durchgesetzt hat sich deshalb früher verbreitete, zwischen originärem und derivativem Erwerb **differenzierende Lösung** (vgl. noch GK-AktG/Henze, 4. Aufl., 2001, Rn. 18 ff.). Sie wird bei Erwerb junger Aktien dem Stellenwert des Anlegerschutzes nicht gerecht und ist auch durch § 57 nicht zwingend geboten, weil Wortlaut und Normzweck (→ Rn. 1) Raum lassen für neue Ausbalancierung von Schutz der AG vor Mittelabflüssen und Schutz der Anleger vor mehr oder minder betrügerischer Anwerbung (MüKoAktG/Bayer Rn. 32 ff.; S/L/Fleischer Rn. 66; offengelassen aber von BGH NJW 2005, 2450, 2452). Richtigerweise muss Vorrang des Anlegerschutzes bei Täuschung auch jenseits der Beitrittskonstellation gelten (→ § 161 Rn. 29). Nach nat. Recht schlüssige und weitgehend anerkannte Lösung ist allerdings **europarechtl.** im Hinblick auf frühere Kapital-RL (jetzt: GesR-RL) und Prospekt-RL in Zweifel gezogen worden (G. H. Roth JBl. 2012, 73 ff.; Veil ZHR 167 [2003], 365, 395), denen EuGH sich indes nicht angeschlossen, sondern hier vertretene Lesart bestätigt hat (EuGH NZG 2014, 215 Rn. 22 ff.; ausf. dazu MüKoAktG/Bayer Rn. 22 ff.; Härdtner, Kapitalmarkthaftung und aktienrechtlicher Kapitalschutz, 2021,117 ff.). Zu weiteren Besonderheiten bei Platzierung von Aktien → Rn. 33 f.

Im Wirecard-Fall hat sich an diese mittlerweile klare gesellschaftsrechtl. Fest- **12** legung unter **insolvenzrechtl. Gesichtspunkten** Frage angeschlossen, ob Anleger in einer solchen Konstellation Insolvenzgläubiger iSd § 38 InsO sind oder Gesellschafteransprüche gem. § 199 S. 2 InsO geltend machen können (für das

Erste Becker NZI 2022, 319 ff.; Bitter/Jochum ZIP 2021, 653 ff.; ZIP 2023, 277 ff.; Brinkmann/Richter AG 2021, 489 Rn. 1 ff.; Mock BKR 2023, 134 ff.; sa öOGH ÖBA 2013, 836, 837; für das Zweite LG München I NZG 2023, 118 Rn. 27 ff.; Baumert NZG 2023, 111 ff.; Gehrlein WM 2021, 763 ff., 805 ff.; Madaus ZRI 2022, 1 ff.; Thole ZIP 2020, 2533 ff.). Einordnung als Gesellschafteransprüche würde dazu führen, dass sie erst nach Befriedigung aller (auch nachrangiger) Insolvenzgläubiger berücksichtigt würden. In älterer reichsgerichtl. Entscheidung zur Prospekthaftung wurde solcher Nachrang allerdings deutlich abgelehnt (RGZ 88, 271, 273). BGH hat Frage noch nicht entschieden. Auch durch vorstehend angeführte Judikate zu § 57 wird sie nicht zwingend präjudiziert (insoweit zutr. Thole ZIP 2020, 2533, 2538 f.), doch lässt sich zumindest weitgehende **Parallelität** in der Argumentationsführung nicht leugnen. Wenn irrtumsbedingter Beitritt grds. als Fall der Drittgläubigerschaft behandelt wird, spricht viel dafür, an dieser Festlegung auch in Insolvenzsituation festzuhalten und getäuschte Anleger deshalb als Insolvenzgläubiger zu behandeln (vgl. auch Brinkmann/Richter AG 2021, 489 Rn. 35: „Funktionsäquivalenz der Instrumente").

13 **3. Verbotene Leistungen. a) Überblick.** Über engen Wortlaut des § 57 I 1 hinaus fallen auch Leistungen unter Verbot der Einlagenrückgewähr, die Tatbestand zwar nicht buchstäblich, aber nach Sinn und Zweck erfüllen. Aus dem in → Rn. 4 erläuterten **Prinzip der Vermögensbindung** folgt insbes., dass nicht nur offene (→ Rn. 14), sondern auch verdeckte Leistungen, etwa in Form von Umsatzgeschäften, von § 57 I 1 erfasst werden (→ Rn. 15 ff.), ferner, dass unter bes. Umständen auch Leistungen Dritter und an Dritte aktienrechtl. verboten sind (→ Rn. 35 ff.). § 57 ist damit im Verhältnis zu Aktionären zentrale Vorschrift zur Bewältigung des Problemkreises der sog **related party transactions,** die so dogmatisch an Kapitalschutz angebunden werden, überdies aber auch noch in anderen Einzelzusammenhängen jew. punktuelle Regelungen gefunden haben, zB als Sach- oder Nachgründung, in bes. Ausprägung des Konzernrechts, kapitalmarktrechtl. als Director's Dealings (Art. 19 MAR), vor allem aber auch durch allg. Vertretungsregel des § 112 (Überblick bei Fleischer BB 2014, 2691 ff.; J. Vetter ZHR 179 [2015], 273, 289 ff.). An zentraler Bedeutung des § 57 hat auch Einführung des speziellen Regelungsregimes der §§ 111a ff. nichts geändert, weil es nur dann eingreift, wenn Transaktion den (hoch gesteckten) Schwellenwert des § 111b I überschreitet. Sonderproblem bilden schließlich Aktionärsdarlehen, die Gesetzgeber seit MoMiG 2008 einer insolvenzrechtl. Lösung unterwirft (→ Rn. 52 f.).

14 **b) Offene Einlagenrückgewähr.** Schrifttum unterteilt Einlagenrückgewähr gängig in offene und verdeckte Formen, was gewissen **deskriptiven Wert** hat. Trennscharfe Abgrenzung ist indes nicht möglich, was berechtigte Zweifel an ihrer Sinnhaftigkeit hervorgerufen hat (MüKoAktG/Bayer Rn. 47). In der Sache sind diese Unsicherheiten allerdings unschädlich, da Rechtsfolgen identisch sind. Offene Einlagenrückgewähr ist, weil verboten, selten. Beispiele sind: Dividendenzahlung ohne wirksamen Jahresabschluss oder Gewinnverwendungsbeschluss (NK-AktR/Drinhausen Rn. 7; zur Heilung → § 62 Rn. 7); Vorauszahlung auf Dividende, soweit nicht von § 59 gedeckt (RGZ 107, 161, 168); Gewährung ungesicherter Darlehen an Aktionär (LG Dortmund AG 2002, 97, 98 f.), soweit nicht aus Spezialität des § 311 (→ § 311 Rn. 49) anderes folgt (relativierend Henze WM 2005, 717, 721); Haftungsübernahme ggü. oder zugunsten von Aktionären (dazu Mülbert/Wilhelm FS Hommelhoff, 2012, 747, 748 ff., 760 ff.); Prämien auf langjährige Mitgliedschaft (KK-AktG/Drygala Rn. 35) oder zur Steigerung der HV-Präsenz (MüKoAktG/Bayer Rn. 81); Abkauf von Anfechtungsklagen, soweit nicht durch Beraterverträge oder ähnliches bemäntelt (dann

verdeckt; ausf. → Rn. 31). Übernahme einer **Gewährleistungshaftung** ggü. Sacheinleger, der für Investition junge Aktien erhält, wird idR mangels genügender betrieblicher Veranlassung mit § 57 I unvereinbar sein (MüKoAktG/Bayer Rn. 63; Brandi NZG 2004, 600, 605; aA Kiefner ZHR 178 [2014], 547, 583 ff.), soweit sie nicht schon gegen § 56 III verstößt (→ § 56 Rn. 12). Dass auch überzogene Aktionärsverköstigung auf HV als Einlagenrückgewähr soll gewertet werden können (Mutter AG 2016, R 135), erscheint indes überzogen (BeckOGK/Cahn/v. Spannenberg Rn. 49; Bayer/Hoffmann AG 2016, R 151, 152; Schockenhoff/Nußbaum AG 2019, 321, 326). Auch sonstige kostenlose **Serviceleistungen,** die nicht mit spürbarem Vermögensabfluss verbunden sind (zB Organisationsdienstleistungen zur Verwaltung von Konsortialversammlungen), liegen noch unterhalb der Eingriffsschwelle des § 57 (Schockenhoff/Nußbaum AG 2019, 321, 325 ff.).

c) Verdeckte Leistungen. aa) Maßgebliche Kriterien. AG kann mit ihren Aktionären wie mit jedem Dritten Geschäfte machen und entspr. Leistungen erbringen (Umsatz- oder Drittgeschäfte, neutrale Geschäfte). Darin liegt, wie durch § 57 I 3 Hs. 2 klargestellt (→ Rn. 40 ff.), keine Einlagenrückgewähr, weil Leistung der AG durch Gegenleistung kompensiert wird, die Aktionär wie ein Dritter erbringt. Ob das der Fall ist, wird in Rspr. und Lit. nach zwei Kriterien ermittelt: Erstes Kriterium ist **Angemessenheit,** die verneint wird, wenn objektives Missverhältnis zwischen Leistung und Gegenleistung besteht (BGH NZG 2012, 1030 Rn. 12; OLG Frankfurt AG 1992, 194, 196; S/L/Fleischer Rn. 12). Zweites Kriterium ist **Drittvergleich,** bei dem gefragt wird, ob AG Geschäft auch mit unabhängigem Dritten (int.: dealing at arm's length – zur Begriffserläuterung vgl. J. Koch ZGR 2022, 337, 358 ff.) abgeschlossen hätte (BGH NJW 1987, 1194; NJW 1996, 589, 590; MüKoAktG/Bayer Rn. 50). Das kann etwa zu verneinen sein, wenn AG sich auf Konditionen einlässt, die sie einem Dritten nicht gewährt hätte (zB Verkauf unter/Einkauf über Marktpreis; Honorierung dubioser Serviceleistungen; überzogene Vergütungen für Know-how; vgl. etwa MüKoAktG/Bayer Rn. 51 ff.). 15

Problematisch ist, dass Maßstäbe zwar idR, aber nicht stets in dieselbe Richtung weisen. **Unterschiedliche Ergebnisse** können sich etwa ergeben, wenn AG sorgfaltswidrig einem Dritten und dem Aktionär den gleichen unangemessenen Preis anbietet (zu Besonderheiten im Massengeschäft → Rn. 27) oder ein Geschäft abschließt, das typischerweise nur mit einem Aktionär vollzogen werden kann (J. Koch ZGR 2022, 337, 359; zum Sonderfall Cash Pool → Rn. 40 ff.). Das wirft Frage nach **Verhältnis der Kriterien** auf: Eigenständige Bedeutung kann Drittvergleich nur zukommen, wenn man mit verbreiteter Auffassung subj. Privilegierungsmotivation des Vorstands als Voraussetzung der verdeckten Einlagenrückgewähr versteht (ausf. J. Koch ZGR 2022, 337, 358 ff.). Verneint man mit BGH eine solche subj. Motivation (→ Rn. 26 f.), ist Drittvergleich kein eigenständiges Erfordernis neben obj. Missverhältnis (→ Rn. 15), sondern **Hilfskriterium,** um festzustellen, ob solches obj. Missverhältnis vorliegt (J. Koch ZGR 2022, 337, 359 f.). Als solches hat es auch mit MoMiG 2008 seine Relevanz nicht verloren (GK-AktG/M. Arnold/Notz Rn. 85; Grigoleit/Grigoleit/Rachlitz Rn. 12; aA KK-AktG/Drygala Rn. 115). Bezeichnung als Hilfskriterium darf aber nicht über bes. Bedeutung des Drittvergleichs hinwegtäuschen, die sich daraus ergibt, dass sich in Marktwirtschaft Preisbildung nicht allein aus betriebswirtschaftlichen Kostenrechnungsmethoden ergibt, sondern aus Zusammenspiel von **Angebot und Nachfrage,** so dass oft erst Drittvergleich ergibt, ob Gegenleistung vollwertig ist oder nicht (J. Koch ZGR 2022, 337, 360; zu den Einzelheiten → Rn. 21 ff.). 16

17 Maßgeblichkeit des obj. Missverhältnisses hat legislative Bestätigung durch Einfügung des § 57 I 3 Hs. 2 (im Zuge des MoMiG 2008) erfahren, mit dem **Vollwertigkeitsgebot** in das Gesetz aufgenommen wurde. Neuregelung ist zwar vornehmlich für Darlehensgeschäfte gedacht, darauf aber nicht beschränkt (so aber die verbreitete Lesart – vgl. etwa Hölters/Weber/Mayer/Albrecht vom Kolke Rn. 18), sondern gilt generell bei Austauschgeschäften mit Dritten (ausf. J. Koch ZGR 2022, 337, 354 ff.; so auch schon Altmeppen GmbHG § 30 Rn. 75; KK-AktG/Drygala Rn. 46; Rothley/Weinberger NZG 2010, 1001, 1004 f.; auch in BGHZ 190, 7 Rn. 24 = NJW 2011, 2719 wird § 57 I 3 herangezogen, um zu begründen, dass es für Übernahme des Prospekthaftungsrisikos auf gleichwertige Gegenleistung des Aktionärs ankommt). In diesem weiten Verständnis ist es deckungsgleich mit bisher verwendetem Angemessenheitsmaßstab (→ Rn. 15; ausf. J. Koch ZGR 2022, 337, 354 ff.). Dem entspricht auch schon bisher anerkannter Grundsatz, dass Drittvergleich keine Rolle bei Geschäften spielt, die **typischerweise nur mit Aktionär** geschlossen werden können. Sie sind zulässig, sofern sie zu angemessenen Konditionen erfolgen (OLG Köln AG 2009, 584, 587; BeckOGK/Cahn/v. Spannenberg Rn. 21). Zumindest das ist durch Einfügung des § 57 I 3 Hs. 2 zweifelsfrei klargestellt (so auch MüKoAktG/Bayer Rn. 63).

18 **bb) Vollwertigkeit und Deckung.** Nach vorstehend Gesagtem ist für verdeckte Einlagenrückgewähr entscheidend, ob Leistung der AG vollwertige Gegenleistung der Gesellschaft gegenübersteht. Danach maßgebliches Missverhältnis wird in Anlehnung an Steuerrecht auch als **verdeckte Gewinnausschüttung** bezeichnet (vgl. etwa BGH NJW 1987, 1194 f.; NJW 1996, 589); zT ist vorsichtiger Wertungstransfer aus Steuerrecht möglich und kann Auslegung erleichtern (vgl. zu Parallelen und Differenzen T. Bezzenberger, Das Kapital, 2005, 211 ff.; U. H. Schneider ZGR 1985, 279, 280 f.; Stimpel FS 100 Jahre GmbHG, 1992, 335 ff.). In der Sache stellt **Vollwertigkeitsgebot** auf wirtschaftliche Äquivalenz des Gegenleistungsanspruchs ab, wobei Ausgangspunkt bilanzielle Betrachtungsweise ist. Insbes. soll dabei auch Durchsetzbarkeit berücksichtigt werden, was herkömmlichen bilanziellen Grundsätzen entspr. und insbes. bei Kreditgewährung (→ Rn. 40 ff.) Relevanz erhalten kann (sa Hölters/Weber/Mayer/Albrecht vom Kolke Rn. 18; M. Winter DStR 2007, 1484, 1486 f.). Nach BGHZ 190, 7 Rn. 24 ff. = NJW 2011, 2719 sollen als Gegenleistung nur **bilanziell messbare Vorteile** anzuerkennen sein, was aber in dieser Pauschalität nicht überzeugt (→ Rn. 33).

19 Ist in Frage stehendes Geschäft Gegenstand einer **komplexeren Leistungsbeziehung,** die sich als einheitliches Geschäft darstellt, kann uU Gesamtbetrachtung geboten sein (Fleischer FS Krieger, 2020, 253, 267 ff.). Vollwertigkeit muss im **Zeitpunkt des Vertragsschlusses,** nicht auch noch im Leistungszeitpunkt gegeben sein (ausf. Fleischer FS Krieger, 2020, 253, 256 ff.; sa GK-AktG/M. Arnold/Notz Rn. 84; MüKoGmbHG/Ekkenga § 30 Rn. 19; Scholz/Verse GmbHG, § 30 Rn. 19b; ebenso auch BGHZ 179, 71 Rn. 18 = NJW 2009, 850 zu § 311 I; zu Besonderheiten im Cash Pool → Rn. 44 ff.). Auch diese Sichtweise wird durch § 57 I 3 bestätigt, der nicht auf erbrachte Gegenleistung, sondern auf Anspruch auf Gegenleistung abstellt. Das gilt auch für Dauerschuldverhältnisse, wie etwa Mietzahlungen (Fleischer FS Krieger, 2020, 253, 256 ff.; GK-AktG/M. Arnold/Notz Rn. 84; vgl. für das österr. Recht auch öOGH GesRZ 2011, 47, 49).

20 Neben Vollwertigkeitsgebot soll nach RegBegr. MoMiG (BT-Drs. 16/6140, 41) auch weitergehendes **Deckungsgebot** bestehen, wonach Gegenleistungsanspruch nicht nur Bilanz-, sondern auch Marktwert des geleisteten Gegenstands abdecken muss (sa Hölters/Weber/Mayer/Albrecht vom Kolke Rn. 19). Ver-

breitete Formel von der „Rückkehr zur bilanziellen Betrachtungsweise" (→ Rn. 43) ist deshalb jedenfalls mit Blick auf diese Vorgabe missverständlich und gilt stattdessen nur für Bereich der Darlehensvergabe und Sicherheitenbestellung (Henssler/Strohn/Paefgen Rn. 24). Deckungsgebot greift dagegen vornehmlich bei Sachleistungen ein. Abgrenzung ggü. begrifflich verwandtem Vollwertigkeitsgebot bereitet jedoch Schwierigkeiten (s. dazu B/K/L/Westermann Rn. 15 f.) und scheint auch in Lit. zT eher zur Verwirrung beizutragen, die durch ergänzend herangezogene Kategorie des Drittvergleichs (→ Rn. 15 ff.) noch gesteigert wird (vgl. dazu J. Koch ZGR 2022, 337, 357 f.). Tats. verbirgt sich dahinter lediglich **Selbstverständlichkeit,** dass es für Begriff der Auszahlung allein auf Vermögensabfluss und nicht auf Bilanzwirksamkeit ankommt (Altmeppen GmbHG § 30 Rn. 75; MüKoAktG/Bayer Rn. 159; Scholz/Verse GmbHG § 30 Rn. 81; Kiefner/Theusinger NZG 2008, 801, 804). Ob es sinnvoll ist, diese technische Klarstellung als eigenständiges „Gebot" zu bezeichnen, ist zweifelhaft; jedenfalls sollte man sich untergeordneter Aussagekraft bewusst sein (J. Koch ZGR 2022, 337, 357 f.).

cc) Vornahme des Drittvergleichs. Bezugsperson des Hilfskriteriums Drittvergleich (→ Rn. 15 ff.) ist nicht einheitlich: Sofern es sich um standardisierte Güter handelt, die auch von anderen Anbietern vertrieben werden, kann berücksichtigt werden, zu welchen Konditionen diese **Anbieter als Dritte** Leistung bepreisen (externer Vergleich). Insbes. wenn **Marktpreise** bestehen, sind diese also als Erwerbspreis maßgeblich (T. Bezzenberger, Das Kapital, 2005, 228 ff.; J. Koch ZGR 2022, 337, 362 f.). Handelt es sich dagegen um eher individuell ausgeformte Produkte, die sich Vergleich mit externen Anbietern entziehen, kann kommt nur Binnenvergleich mit Geschäften in Betracht, die Vorstand der AG mit anderen **Vertragspartnern als Dritten** schließt (ausf. J. Koch ZGR 2022, 337, 363 f.). 21

Fehlt es auch hier an Vergleichsmöglichkeiten, weil es sich um singuläres Geschäft handelt, sind **betriebswirtschaftliche Bewertungsmaßstäbe,** wie namentl. Kostenaufschlags- oder Absatzpreismethode, heranzuziehen (zu Einzelheiten vgl. Emmerich/Habersack/Habersack § 311 Rn. 56; J. Koch ZGR 2022, 337, 364 f.; zur Besonderheit, dass Geschäft nur mit Aktionär abgeschlossen werden kann → Rn. 17). Jedenfalls bei Abgabe von Gegenständen des **Anlagevermögens** können auch Wiederbeschaffungswerte angesetzt werden, die sich aus der betrieblichen Kostenrechnung (nicht: bilanzielle Ansätze; sa Fiedler, Verdeckte Vermögensverlagerungen, 1994, 5 f.) oder mit ihren Methoden ergeben. Werden **Aktien** veräußert oder erworben, die keinen Börsenkurs haben, so sind zeitnahe Anschaffungs- oder Abgabepreise von Interesse. Bezieht sich Geschäft auf ganze **Unternehmen oder Unternehmensteile,** so sind dafür anerkannte Bewertungsmethoden maßgeblich (s. IdW Standard S 1). Zahlung von Übernahmeprämien ist jedoch nach den Grundsätzen der betrieblichen Rechtfertigung (→ Rn. 23) zulässig (Johannsen-Roth/Goslar AG 2007, 573, 580). 22

Selbst wo es anhand dieser Maßstäbe an Gleichwertigkeit fehlt, ist zu untersuchen, ob nicht ausnahmsweise **betriebliche Rechtfertigung** vorliegt, die Abweichung von herkömmlichem Äquivalenzmaßstab gestattet (BGH NJW 1987, 1194, 1195; Stimpel FS 100 Jahre GmbHG, 1992, 335, 345). ZT wird diese Rspr. durch MoMiG 2008 für überholt gehalten (KK-AktG/Drygala Rn. 48; Grigoleit/Grigoleit/Rachlitz Rn. 14), doch lassen sich weder Ges. noch Gesetzesmaterialien insofern hinreichend belastbare Aussagen entnehmen (für Fortbestand daher GK-AktG/M. Arnold/Notz Rn. 76; J. Koch ZGR 2022, 337, 364 f.). Handelt es sich umgekehrt um ausgewogenes Geschäft, das aber aus betrieblichen Gründen dennoch nicht vorgenommen werden sollte (zB Veräuße- 23 rung eines betriebsnotwendigen Gegenstands zum Marktpreis), liegt kein Fall des § 57 vor, wohl aber ein Pflichtenverstoß nach § 93 I (BeckOGK/Cahn/v. Spannenberg Rn. 19; J. Koch ZGR 2022, 337, 365 Fn. 99; Verse FS Hopt, 2020, 1335, 1348 Fn. 50; wohl aA H. F. Müller FS E. Vetter 2019, 479, 483).

24 Fehlt fachgerechte Bewertung überhaupt, so ist Gedanke an obj. Missverhältnis jedenfalls naheliegend. Bei Vergütung kaum greifbarer **Serviceleistungen** kann mit Darlegungslast desjenigen geholfen werden, der Leistungen erbringt (→ Rn. 28). Beim **Vergleich** zwischen AG und Aktionär kommt es bei grds. zulässigem Inhalt auf angemessene Bewertung der erledigten Ansprüche an (OLG Dresden GmbHR 2002, 1245, 1246); unangemessene vergleichsbedingte Leistung (aber nur diese) verstößt gegen § 57 I 1. Auch für sog **break fee-Vereinbarungen** (Begriff → § 76 Rn. 128) kommt es auf Angemessenheit an, wobei zu Übernahme des Prospekthaftungsrisikos entwickelte Grundsätze (→ Rn. 33 f.) entspr. Anwendung finden können (S/L/Fleischer Rn. 28; aA Grigoleit/Grigoleit/Rachlitz § 71a Rn. 31; zur Vereinbarkeit mit § 71a → § 71a Rn. 3).

25 **dd) Beurteilungsspielräume.** Allfälligen Schwierigkeiten angemessener Bepreisung wird durch Anerkennung von Beurteilungsspielräumen Rechnung getragen (BGH NJW 1987, 1194, 1195; NJW 1996, 589, 590; BGHZ 126, 181, 199 = NJW 1994, 2220), über deren exakte Reichweite allerdings keine einheitlichen Vorstellungen bestehen (eher eng GK-AktG/M. Arnold/Notz Rn. 73; Grigoleit/Grigoleit/Rachlitz Rn. 14; Kiefner/Bochum NZG 2017, 1292, 1299; eher weit BeckOGK/Cahn/v. Spannenberg Rn. 23; ganz abl. OLG Koblenz AG 2007, 408, 410; Henssler/Strohn/Paefgen Rn. 8). Nach richtiger Auffassung handelt es sich dabei nicht um Fall des § 93 I 2 (sa KK-AktG/Drygala Rn. 56 ff.; Kiefner/Bochum NZG 2017, 1292, 1299), sondern um **Pflichtaufgaben mit Entscheidungsspielraum** (→ § 93 Rn. 29), da mit Angemessenheitsmaßstab jedenfalls bei Vorliegen von Marktpreisen recht klare ges. Vorgabe besteht und überdies auch Gläubigerinteressen in Abwägung einfließen müssen (ausf. J. Koch ZGR 2022, 337, 365 ff.). Reichweite dieser Beurteilungsspielräume lässt sich nur **im Lichte der jew. Einzeltransaktion** bestimmen. Wo Transaktion einer klaren Objektivierbarkeit anhand von Marktpreisen zugänglich ist, verengt sich Beurteilungsspielraum. Er weitet sich aus, je mehr solche obj. Maßstäbe fehlen (J. Koch ZGR 2022, 337, 370).

26 **ee) Subjektive Elemente?** Str. ist, ob obj. Missverhältnis (→ Rn. 15 ff.) genügt oder überdies subj. Element in dem Sinne gegeben sein muss, dass AG ihre Leistung bewusst nur **wegen Mitgliedschaft** des Empfängers erbringt. Heute hM lässt zu Recht obj. Missverhältnis ausreichen (so für die GmbH BGH NJW 1987, 1194, 1195; NJW 1993, 392, 395 f.; NJW 1996, 589, 590; übertragen auf AG durch OLG Koblenz AG 2007, 408, 410; MüKoAktG/Bayer Rn. 65 f.; Grigoleit/Grigoleit/Rachlitz Rn. 18; GK-AktG/M. Arnold/Notz Rn. 81 f.; Fiedler, Verdeckte Vermögensverlagerungen, 1994, 8 f.; J. Koch ZGR 2022, 337, 339 ff.), doch mehren sich im neueren Schrifttum Ansätze, im Anschluss an frühere Arbeiten (s. insbes. Geßler FS Rob. Fischer, 1979, 131, 136 f.) zusätzliche subj. Leistungsmotivation zu verlangen (KK-AktG/Drygala Rn. 89 ff.; BeckOGK/Cahn/v. Spannenberg Rn. 26 ff.; B/K/L/Westermann Rn. 16; T. Bezzenberger, Das Kapital, 2005, 233 f.; vermittelnd S/L/Fleischer Rn. 19 f.: Gegenbeweis zulässig). Der Gegenansicht ist zwar einzuräumen, dass sie den empirischen Regelfall trifft. Rechtl. erforderlich kann Bewusstsein, „causa societatis" zu handeln, mit Rücksicht auf obj. Zwecke der Vermögensbindung jedoch nicht sein (s. schon → Rn. 1 f.). § 57 soll nicht böswillige Absichten des Vorstands sanktionieren, sondern obj. Wertverschiebungen verhindern (GK-AktG/M. Arnold/Notz Rn. 82; J. Koch ZGR 2022, 337, 342). Diese Lösung hat überdies praktischen Vorteil, dass neues Management, das Rückgewähransprüche (§ 62)

geltend macht, nicht zu beweisen braucht, was sich Vorgänger gedacht oder nicht gedacht haben (insoweit zust. MüKoAktG/Bayer Rn. 67; T. Bezzenberger, Das Kapital, 2005, 234).

Obwohl BGH subj. Erfordernis ausdr. verneint hat (→ Rn. 26) findet sich in mehreren Entscheidungen doch Passus, dass verdeckte Einlagenrückgewähr nur vorliegt, wenn Leistung **auf Gesellschafterstellung beruht** (BGHZ 13, 49, 54 = NJW 1954, 1157; BGH NJW 1992, 2821; NZG 2008, 106 Rn. 16; BGHZ 190, 7 Rn. 15 = NJW 2011, 2719; BGHZ 213, 224 Rn. 15 = NZG 2017, 344). Formulierung darf aber nicht als Korrektur früherer Judikate und Anerkennung eines subj. Erfordernisses verstanden werden, sondern eröffnet nur Raum für Randkorrekturen des grds. obj. Wertvergleichs (ausf. Analyse bei J. Koch ZGR 2022, 337, 346 ff.). Leistung aufgrund der Gesellschafterstellung kann etwa zu verneinen sein bei ges. begründeten Ansprüchen (→ Rn. 9 ff.) oder kontrovers diskutierter Fallkonstellation, dass Aktionär im Massengeschäft von **Torheit der Verwaltung** profitiert, Geschäftsabschluss aber ohne Rücksicht auf Gesellschafterstellung erfolgt (gegen eine Subsumtion unter § 57 I 3 mit abw. Begründungen auch KK-AktG/Drygala Rn. 91; Scholz/Verse GmbHG § 30 Rn. 31; T. Bezzenberger Das Kapital, 2005, 233; J. Koch ZGR 2022, 337, 348 ff.). Unterschied zu in → Rn. 26 diskutierten Fällen ist darin zu sehen, dass hier nicht danach gefragt wird, ob zu günstiger Preis auf Gesellschafterstellung beruht, sondern ob Vermögensfluss als solcher mit Gesellschafterstellung im Zusammenhang steht (ausf. J. Koch ZGR 2022, 337, 348 ff.). Schließlich ist auch teleologische Erstreckung auf Dritte, die Leistung mit **Rücksicht auf frühere oder künftige Aktionärsstellung** erhalten, nur zulässig, wenn Bezug zur Aktionärsstellung besteht, der hier – nach allg. Umgehungsregeln – subj. Bezug sein muss (ausf. J. Koch ZGR 2022, 337, 350 f.; vgl. zu diesen Gestaltungen noch → Rn. 36 ff.). 27

ff) Beweislast. Vor Einführung des § 57 I 3 bestand weitgehende Einigkeit, dass Beweislast für obj. Missverhältnis (→ Rn. 15 ff.) **grds. AG** trägt. Diese Sichtweise wurde durch Normentheorie bestätigt, wonach jede Partei Beweislast für ihr günstige Tatbestandsmerkmale trägt (Rosenberg, Beweislast, 5. Aufl., 1965, 98). Dagegen angeführtes Argument „spezifischer Beweisnähe des Aktionärs" (Grigoleit/Grigoleit/Rachlitz Rn. 17) überzeugt nicht, da im Austauschgeschäft beide Parteien der Vertragsgestaltung gleich nahestehen (sa Fleischer FS Krieger, 2020, 253, 263 f.; genau gegenteilig auch KK-AktG/Drygala Rn. 62: AG hat „besseren Marktüberblick"). Gesetzgeber hat Geschäfte mit Aktionär bewusst zugelassen, so dass sie auch auf Beweisebene **nicht pauschal unter Generalverdacht** stehen dürfen (Fleischer FS Krieger, 2020, 256, 264). Nachdem Vollwertigkeitsbegriff mit **MoMiG 2008** in § 57 I 3 ges. festgeschrieben wurde, ist Ergebnis nicht gleichermaßen selbstverständlich, da Struktur dieser Vorschrift nach Normentheorie tats. auf Beweislast des Aktionärs hinzudeuten scheint (J. Koch ZGR 2022, 337, 370 ff.). HM geht trotzdem zu Recht auch weiterhin von grds. Beweislast der AG aus (ausf. Fleischer FS Krieger, 2020, 253, 261 ff.; J. Koch ZGR 2022, 337, 370 ff.; sa GK-AktG/M. Arnold/Notz Rn. 85 ff.; BeckOGK/Cahn/v. Spannenberg Rn. 25; KK-AktG/Drygala Rn. 62 ff.; Oechsler NZG 2008, 690 ff.; aA Grigoleit/Grigoleit/Rachlitz Rn. 17). Normstruktur ist insofern Folge des vornehmlichen **gesetzgeberischen Fokus auf Fälle der Darlehensgewährung und Sicherheitenbestellung** (s. noch → Rn. 40 ff.), wo Beweislast des Aktionärs hinsichtlich eigener Kreditwürdigkeit auch in der Tat gerechtfertigt ist; Gesetzgeber wollte damit aber nicht schon bislang weitgehend konsentierte Beweislast hinsichtlich Ausgewogenheit der Leistung von AG auf Aktionär abwälzen (überzeugend Fleischer FS Krieger, 2020, 253, 265; zust. J. Koch ZGR 2022, 337, 372). ZT **strengere Handhabung im GmbH-Recht** (vgl. Scholz/ 28

Verse GmbHG § 30 Rn. 115 f.) steht dem nicht entgegen, sondern ist Konsequenz unterschiedlich strenger Vermögensbindung (Fleischer FS Krieger, 2020, 253, 266 f.). Einzelfallbezogene Beweiserleichterungen, zB aufgrund Anscheinsbeweises, sind damit nicht ausgeschlossen (Fleischer FS Krieger, 2020, 253, 264; Oechsler NZG 2008, 690, 691 f.; Bsp. → Rn. 24: kaum greifbare Serviceleistungen).

29 **d) Einzelfälle. aa) Typische Fälle.** Verdeckte Einlagenrückgewähr liegt vor: bei Vertragsklausel (§ 328 II BGB), nach der schuldbefreiend an Aktionäre statt an AG geleistet werden darf (vgl. BGHZ 81, 311, 318 = NJW 1982, 383 zur GmbH); bei Übernahme von Bauleistungen zu ersichtlich nicht kostendeckenden Preisen (BGH NJW 1987, 1194: 125 DM je cbm umbauten Raums bei Einfamilienhaus); bei vorfristiger Tilgung unter Befreiung des Aktionärs von seiner Bürgenstellung (KG NZG 1999, 161 f.); bei Veräußerung von Geschäftsanteilen an Gesellschafter für 6,9 Mio. DM, deren Wert bei anschließender Begutachtung mit 9,74 Mio. DM beziffert wird (OLG Karlsruhe WM 1984, 656); bei Hergabe von Warenzeichen einer Markenartikel-AG an bisherigen Hauptaktionär anlässlich seines Ausscheidens ohne genügenden finanziellen Ausgleich (OLG Frankfurt AG 1996, 324, 326 f.); bei Erwerb eines Aktienpakets vom Hauptgesellschafter zu überhöhtem Preis; bei Beratungshonoraren ohne erkennbare Beratung; bei hohem Konzeptantenhonorar für Einfachprojekt usw. Auch überhöhte Vergütungszahlungen an Vorstands- (§ 87 I) oder AR-Aktionär können von § 57 I erfasst sein (GK-AktG/M. Arnold/Notz Rn. 42 ff.; S/L/Fleischer Rn. 68). Bloße **Unterlassung,** Befreiungs-, Rückgriffs- oder Sicherungsanspruch gegen Aktionär geltend zu machen, ist keine Einlagenrückgewähr iSd § 57 I, wohl aber Verzicht (BGH NZG 2017, 658 Rn. 23; aA Scholz/Verse GmbHG § 30 Rn. 88). Zur bes. praxisrelevanten Fallgruppe der Darlehensgewährung → Rn. 40 ff.

30 **bb) Bestellung von Sicherheiten.** Eine größere Rolle spielt in der Rspr. die Bestellung von Schuldsicherheiten zugunsten von Aktionären, die ebenfalls Einlagenrückgewähr begründen kann (BGHZ 213, 224 Rn. 14 ff. = NZG 2017, 344; BGH NZG 2017, 658 Rn. 14 ff. [GmbH]; OLG Düsseldorf AG 1980, 273, 274; OLG Hamburg AG 1980, 275, 279; OLG Koblenz AG 1977, 231, 232; OLG München AG 1980, 272, 273; Kiefner/Theusinger NZG 2008, 801, 804 ff.; Schön ZHR 159 [1995], 351, 369 f.; → Rn. 46; vgl. zur Lockerung im Konzern aber → § 291 Rn. 36; → § 311 Rn. 49). Dass sich solche **upstream securities** nicht unmittelbar in der Bilanz niederschlagen, steht Einordnung als Einlagenrückgewähr nicht entgegen (BGH NZG 2017, 658 Rn. 16). Auszahlung ist schon dann anzunehmen, wenn **Sicherheit begründet** wird, nicht erst mit Inanspruchnahme (BGHZ 190, 7 Rn. 21 = NJW 2011, 2719; BGHZ 213, 224 Rn. 15 = NZG 2017, 344; BGH NZG 2017, 658 Rn. 17; zust. Verse GmbHR 2018, 113, 114 f.; ausf. zum vorangegangenen Streitstand Kuntz ZGR 2017, 917, 921 ff.). Diese Festlegung kann namentl. für Beginn der Verjährung von Bedeutung sein. Verwertung der Sicherheit begründet auch keine eigenständige Rückgewähr, so dass Verjährungsfrist damit nicht neu zu laufen beginnt (BGH NZG 2017, 658 Rn. 30 ff.). Ausn. gilt nur bei vollwertigem Gegenleistungs- oder Rückgewähranspruch (→ Rn. 43). Ob es sich um dingliche oder schuldrechtl. Sicherheit handelt, ist für Anwendung dieser Grundsätze unbeachtlich (Kiefner/Bochum NZG 2017, 1292, 1296 f.; Verse GmbHR 2018, 113, 116). Geht Sicherheitenbestellung entspr. **Verpflichtungsgeschäft** voraus, ist auf dieses Geschäft abzustellen (Kramer, Kapitalerhaltung und aufsteigende Sicherheiten, 2017, 59 ff.; Verse GmbHR 2018, 113, 116 f.; aA Kuntz ZGR 2017, 917, 922).

cc) Abkauf von Anfechtungsklagen. Rückgewährverbot unterfällt auch sog Abkauf des Lästigkeitswerts von Aktionärsopposition, bes. bei Anfechtungsklagen (→ Rn. 31), gleichgültig, wie entspr. Zahlungen bemäntelt werden: Beratungshonorare, Aktienabkauf (auch Aktien Dritter), Übernahme von (überhöhten) Verfahrenskosten, Interessenausgleich usw (BGH NJW 1992, 2821; Ehmann ZIP 2008, 584, 586 ff.; Ehmann/Walden NZG 2013, 806 ff.; Poelzig WM 2008, 1009 f.; umfassend Diekgräf, Sonderzahlungen an opponierende Kleinaktionäre, 1990, 14 ff., 28 ff.; Rspr.-Analyse S. 60 ff.; Schatz, Der Missbrauch der Anfechtungsbefugnis, 2012, 73 ff.). Sonst flankierender Schadensersatzanspruch gegen Vorstand aus § 93 II, III Nr. 1 kann hier aber ausnahmsweise aufgrund **notstandsähnlicher Rechtfertigungslage** entfallen (ausf. Poelzig WM 2008, 1009, 1010 ff.; zust. GK-AktG/M. Arnold/Notz Rn. 130; BeckOGK/Cahn/v. Spannenberg Rn. 47; S/L/Fleischer Rn. 23; S/L/Seibt § 76 Rn. 25; krit. MüKoAktG/Bayer Rn. 80). Lösung ist dem gegenläufigen Konzept eines bes. Austauschgeschäfts mit klagendem Aktionär (dafür Grigoleit/Grigoleit/Rachlitz Rn. 22) überlegen, da sonst erforderliche Bemessung am Vollwertigkeitsgebot konkrete Bezifferung des Lästigkeitswerts voraussetzt, die meist nicht praktikabel handhabbar sein wird. Auch für hM bleibt aber Abgrenzung problematisch, wann Zahlung an Anfechtungskläger eine noch **zulässige Leistung im Rahmen einer vergleichsweisen Beilegung** der Beschlussmängelstreitigkeit darstellt und wann stattdessen ein unzulässiger Abkauf des Lästigkeitswertes vorliegt (ausf. dazu Schatz, Der Missbrauch der Anfechtungsbefugnis, 2012, 75 ff.). Einigkeit besteht insofern, als Übernahme sämtlicher aus dem vom Prozessgericht (hypothetisch) festgesetzten Streitwert folgenden Kosten des Rechtsstreits einschließlich außergerichtl. Kosten des Klägers zulässig sein kann (GK-AktG/K. Schmidt § 245 Rn. 82 iVm 57; Boujong FS Kellermann, 1991, 1, 11; Diekgräf, Sonderzahlungen an opponierende Kleinaktionäre, 1990, 256 ff.; Hommelhoff/Timm AG 1989, 168, 169; ausf. und mit weiteren Einzelheiten Schatz, Der Missbrauch der Anfechtungsbefugnis, 2012, 75 ff.). Gegenteilige Annahme einer unzulässigen Leistung ist aber nicht an gleichermaßen konkrete Kriterien geknüpft. Anerkannt ist lediglich, dass unangemessene und damit unzulässige Leistung jedenfalls vorliegt bei Leistung „weit außerhalb jeder diskutablen Summe" (BGH NJW 1992, 569, 671) oder „völlig inkongruenter Leistung" (LG Frankfurt AG 1999, 473, 474). Jenseits solcher Evidenzfälle fehlt es aber an subsumtionsfähigen Anhaltspunkten für exakten Grenzverlauf (Schatz, Der Missbrauch der Anfechtungsbefugnis, 2012, 84 f.). 31

dd) Kursgarantie, Wiederkaufspflicht. Emissionsunternehmen oder Venture Capital-Investoren drängen zT auf Verpflichtung der AG, Aktionär bei negativer Kursentwicklung Kursdifferenz zu erstatten (MüKoAktG/Bayer Rn. 78, 96). Auch solche Zusagen verstoßen nach allgM gegen § 57 I 1 (MüKoAktG/Bayer Rn. 78). Das Gleiche gilt für wirtschaftlich ähnlich gelagertes Versprechen, Aktien zu bestimmtem Preis zurückzuerwerben (zu beiden Fällen MüKoAktG/Bayer Rn. 78; GK-AktG/M. Arnold/Notz Rn. 133). Solche Zusagen können daher **nur von Aktionären selbst** abgegeben werden (MüKoAktG/Bayer Rn. 96). Zur vergleichbaren Situation, in der AG entspr. Versprechen ggü. Aktienerwerber abgibt → § 56 Rn. 12, 14; zur möglichen Einordnung als Umgehungsgeschäft iSd § 71a → § 71a Rn. 3. 32

ee) Insbes.: Platzierung von Aktien. Als Einlagenrückgewähr ist auch Übernahme eines dem Großaktionär qua Veranlassung eines Börsengangs wirtschaftlich zuzuweisenden **Prospekthaftungsrisikos** anzusehen (BGHZ 190, 7 Rn. 15 = NJW 2011, 2719; krit. Westermann/Paefgen FS Hoffmann-Becking, 2013, 1363, 1371 ff.; zur Möglichkeit eigener Haftung des Aktionärs als Prospektverantwortlicher iSd § 9 I 1 Nr. 1 WpPG C. Schäfer ZIP 2010, 1877, 33

1878 f.; Wink AG 2011, 569, 572 ff.). BGH lässt Ausnahme nur bei werthaltiger Freistellungsvereinbarung oder anderen **bilanziell wirksamen Vorteilen** zu (BGHZ 190, 7 Rn. 24 ff. unter Verweis auf § 57 I 3; LG Bonn Konzern 2007, 532, 534 f.; anders OLG Köln NZG 2009, 951 als Berufungsgericht; die Vorgabe der Bilanzierbarkeit relativierend aber Senats-Vorsitzender Bergmann VGR 17 GesR 2011, 1, 27 [Diskussionsbericht]); als gleichwertig sollte auch Abschluss einer Prospekt-Haftpflichtversicherung gelten (MüKoAktG/Bayer Rn. 92; S/L/Fleischer Rn. 26; Krämer/Gillessen/Kiefner CFL 2011, 328, 338; Mülbert/Wilhelm FS Hommelhoff, 2012, 747, 772). HLit. stimmt Entscheidung grds. zu, lehnt bilanzielle Betrachtungsweise aber zu Recht ab, da sie im Wortlaut nicht angelegt ist und auch spiegelbildlicher Vorteil des Aktionärs keine **Bilanzierungsfähigkeit** voraussetzt (MüKoAktG/Bayer Rn. 88; Arnold/Aubel ZGR 2012, 113, 132 ff.; Habersack FS Hommelhoff, 2012, 303, 306 ff.; Krämer/Gillessen/Kiefner CFL 2011, 328, 330; Mülbert/Wilhelm FS Hommelhoff, 2012, 747, 773 ff.; Nodoushani ZIP 2012, 97, 103 ff.). Danach angezeigte großzügigere Sichtweise muss allerdings auch Bedenken hinsichtlich Aushöhlung des § 57 über substanzlos-vage Vorteilsszenarien Rechnung tragen, deshalb Vorgabe der Angemessenheit bzw. Marktüblichkeit (→ Rn. 15 ff.) beachten und Aktionär **Beweislast** für konkrete Bezifferung auferlegen (C. Schäfer ZIP 2010, 1877, 1881 ff.; ähnlich S/L/Fleischer Rn. 26; AK Telekom III-Urteil CFL 2011, 377, 378; Bergmann VGR 17 GesR 2011, 1, 27; Westermann/Paefgen FS Hoffmann-Becking, 2013, 1363, 1368 f.). Gleiche Grundsätze wie für Prospekthaftungsrisiko müssen für sonstige Kosten der Aktienplatzierung gelten (Arnold/Aubel ZGR 2012, 113, 140 f.). Ausnahme von Qualifizierung als Einlagenrückgewähr ist allerdings dann anzuerkennen, wenn Haftungsrisiko nur für den Fall übernommen wird, dass AG Unrichtigkeit des Prospekts allein zu vertreten hat, weil dann lediglich ges. Folge des internen Gesamtschuldnerausgleichs vertraglich festgeschrieben wird (MüKoAktG/Bayer Rn. 82; S/L/Fleischer Rn. 24).

34 Werden ausschließlich fremde Aktien platziert (Secondary Public Offering), hat AG vollen Erstattungsanspruch; mehrere veranlassende Aktionäre haften als Gesamtschuldner (Arnold/Aubel ZGR 2012, 113, 147 f.; Fleischer/Thaten NZG 2011, 1081, 1084; aA Mülbert/Wilhelm FS Hommelhoff, 2012, 747, 771: quotal). Platziert AG zugleich auch eigene Aktien, greift **quotale Kostenverteilung** pro rata ein (S/L/Fleischer Rn. 26a; Arnold/Aubel ZGR 2012, 113, 144 f.; Fleischer/Thanten NZG 2011, 1081, 1083 f.; Nodoushani ZIP 2012, 97, 101; Wink AG 2011, 569, 578 f.; aA AK Telekom III-Urteil CFL 2011, 377, 379; K. Mertens AG 2015, 881 ff.; C. Schäfer FS Hoffmann-Becking, 2013, 997, 1005 f.). Lässt sich bei IPO mit reiner Umplatzierung Quote nicht quantifizieren, so muss es trotz erheblicher Vorteile der AG bei voller Kostentragung des Aktionärs bleiben (aA Arnold/Aubel ZGR 2012, 113, 142 f.). Für Emissionsbanken gelten diese Grundsätze nicht, da sie nicht das ursprüngliche Prospekthaftungsrisiko tragen, sondern ihre Einbeziehung nur aus technischen Ablaufgründen erfolgt (MüKoAktG/Bayer Rn. 91; Arnold/Aubel ZGR 2012, 113, 148 f.; C. Schäfer ZIP 2010, 1877, 1883; Wink AG 2011, 569, 580). Zur Pflicht der AG, Ansprüche gegen Berater oder Organwalter an Aktionär abzutreten vgl. Habersack FS Hommelhoff, 2012, 303, 313 ff.; zu § 254 BGB → § 62 Rn. 11.

35 **4. Leistungen durch und an Dritte. a) Leistungen durch Dritte.** § 57 I 1 erfasst nach seinem buchstäblichen Sinn zwar nur Leistungen der AG. Ohne weiteres gleichzustellen ist jedoch **Handeln Dritter für ihre Rechnung,** weil sonst Zugriff auf AG-Vermögen im Wege mittelbarer Stellvertretung möglich würde (unstr., s. OLG Hamburg AG 1980, 275, 278; MüKoAktG/Bayer Rn. 104; KK-AktG/Drygala Rn. 120). Rechtsfolge wie nach § 56 III 1 (→ § 56

Rn. 14): Vereinbarung, die Dritter mit Aktionär trifft, ist nicht wegen § 57 I 1 ungültig, gibt ihm aber keinen Anspruch (etwa aus § 670 BGB) gegen AG (→ Rn. 57). Entspr. folgt aus Rechtsgedanken der §§ 56 II, 71d, wenn Dritter zwar auf eigene Rechnung handelt, aber von AG **abhängiges oder in ihrem Mehrheitsbesitz stehendes Unternehmen** ist (allgM, s. MüKoAktG/Bayer Rn. 105). Hält AG an Drittunternehmen Minderheitsbeteiligung und kann sie gleichwohl dessen Leistung veranlassen, so mag ihr diese dann zuzurechnen sein, wenn Kapitalverflechtung wenigstens 25 % ausmacht (arg. § 328 I; str., s. KK-AktG/Drygala Rn. 121).

b) Leistungen an Dritte. Wortlaut des § 57 I 1 setzt zwar Leistungen an Aktionäre voraus. Nach seinem Sinn und Zweck sind jedoch Leistungen an Dritte in bestimmten Konstellationen gleichzustellen. Das ist insbes. dann der Fall, wenn **Leistungen wegen früherer oder künftiger Aktionärseigenschaft** erfolgen (BGH AG 2008, 120 Rn. 13; KK-AktG/Drygala Rn. 119; Canaris FS Rob. Fischer, 1979, 31, 32 f.; Nodoushani NZG 2008, 291 f.), zB, aber nicht nur, wenn Empfänger bei schuldrechtl. Absprache noch Aktionär war (BGH AG 2008, 120 Rn. 13; OLG Frankfurt AG 1996, 324, 325; OLG Hamburg AG 1980, 275, 278). Feste zeitliche Grenze wird sich nicht ziehen lassen. Entspr. gilt, wenn Dritter künftig, womöglich wegen der Leistung, Aktionär wird. Ebenso, wenn zwar beides nicht vorliegt, aber Dritter, der als **Vertreter** des Aktionärs auftritt, Leistungen der Gesellschaft für sich kassiert, bes. in den Abkauffällen (→ Rn. 31; aA und insoweit zu eng BGH NJW 1992, 2821). 36

Wie Leistungen an Aktionäre sind Leistungen an Dritte auch dann zu behandeln, wenn **Leistungsempfang dem Aktionär zurechenbar** ist. Dafür wird verbreitet Formel verwendet, dass Leistung auf Veranlassung des Aktionärs an eine ihm nahestehende Person erfolgt (s. BGH WM 1957, 61; Döllerer, Verdeckte Gewinnausschüttungen und verdeckte Einlagen, 1990, 46 ff., 108 f.). Vorzugswürdig ist, **Umgehungssachverhalte nach Fallgruppen** zu ordnen (dazu eingehend Canaris FS Rob. Fischer, 1979, 31, 35 ff.). Einzelfälle: Leistung an Treugeber (BGHZ 31, 258, 266 = NJW 1960, 285 zur GmbH; BGHZ 107, 7, 12 = NJW 1989, 1800; BGH AG 2008, 120 Rn. 13); Leistungen, die Dritter für Rechnung des Aktionärs empfängt, also an ihn durchleitet (OLG Hamburg AG 1980, 275, 278; LG Düsseldorf AG 1979, 290, 291); Leistungen an GmbH oder GmbH & Co KG, wenn Aktionär, der nicht herrschendes Unternehmen ist (→ Rn. 13; → § 311 Rn. 49), ihr Alleingesellschafter ist bzw. (GmbH & Co KG) alle Gesellschaftsanteile hält (BGHZ 81, 311, 315 = NJW 1982, 383 zur GmbH), sonst nur, wenn weitere Umstände Zurechnung rechtfertigen (dazu Canaris FS Rob. Fischer, 1979, 31, 39 ff.), wie etwa bei Zahlung eines Kaufpreisteils auf Veranlassung der verkaufenden Einmann-AG an KG, an der Alleinaktionär maßgeblich beteiligt ist (BGH WM 1957, 61). Beteiligung muss im Zeitpunkt der Leistung bestehen; nicht ausreichend ist Gesellschaftereigenschaft bei Abschluss des Vertrags, auf den geleistet wird (BGH NJW 1996, 589, 590). Bislang als Fallgruppe anerkannt waren auch Leistungen an nahe Angehörige, namentl. **Ehegatten oder minderjährige Kinder** analog §§ 89 III, 115 II (s. noch BGHZ 81, 365, 368 ff. = NJW 1982, 386 zur GmbH; insoweit offenlassend KG NZG 1999, 161; Canaris FS Rob. Fischer, 1979, 31, 38 f.). Nachdem BGH solches Näheverhältnis allein bei verdeckter Sacheinlage nicht mehr für ausreichend hält (BGH NZG 2011, 667 Rn. 15), wird man auch iRd § 57 höhere Anforderungen stellen müssen. Insofern kommt Zurechnung nach Grundsätzen für Vertretungsfälle (→ Rn. 36) in Betracht. Auch bei Veranlassung oder konkretem wirtschaftlichen Vorteil ist Zurechnung vorzunehmen, wobei es sinnvoll sein kann, Aktionär zumindest sekundäre Behauptungslast aufzuerlegen (MüKoAktG/Bayer Rn. 125; BeckOGK/Cahn/v. Spannenberg Rn. 79). 37

III. Schranken des Verbotstatbestands (§ 57 I 2–4)

38 **1. Zulässiger Erwerb eigener Aktien (§ 57 I 2).** Erwirbt AG eigene Aktien, so liegt darin grds. Verstoß gegen § 57 I 1 in Form eines Umsatzgeschäfts, weil Geschäft nur mit Aktionären geschlossen werden kann und Zahlung des Kaufpreises nicht Verteilung von Bilanzgewinn ist (→ Rn. 4). Dabei und folglich auch bei § 62 bleibt es, soweit §§ 71 ff. Erwerb nicht ausnahmsweise gestatten. Von diesem Grundsatz macht § 57 I 2 **Ausnahme durch Fiktion,** wenn §§ 71 ff. Erwerb zulassen, weil dieser sonst an Rückerstattungspflicht des § 62 scheitern müsste. Dieser Zweck bestimmt auch Reichweite der Ausnahme. Sie bezieht sich auf Erwerbsanlass, nicht **Preisgestaltung.** Erwerb zu überhöhten Kursen ist verdeckte Leistung und bleibt nach den in → Rn. 15 ff. entwickelten Grundsätzen unzulässig (MüKoAktG/Bayer Rn. 130; KK-AktG/Drygala Rn. 96).

39 **2. Beherrschungs- oder Gewinnabführungsvertrag (§ 57 I 3 Hs. 1).** § 57 I 3 Hs. 1 geht zurück auf MoMiG 2008. Verbot der Einlagenrückgewähr gilt nach § 57 I 3 Hs. 1 zunächst nicht für Leistungen **bei Bestehen** eines Beherrschungs- oder Gewinnabführungsvertrags (§ 291). Das überschneidet sich mit § 291 III, der ursprünglich Leistungen „auf Grund" eines Beherrschungs- oder Gewinnabführungsvertrags privilegierte, durch MoMiG 2008 aber an Terminologie des § 57 I 3 Hs. 1 angepasst wurde. Jetzige Formulierung geht auf Beschlussempfehlung des Rechtsausschusses zurück und soll sicherstellen, dass es für Suspendierung des § 57 I 1 weder auf (rechtmäßige) Weisung iSd § 308 noch auf Leistung an herrschenden Vertragsteil ankommt, sondern dass auch Leistungen an Dritte, zB andere Konzernunternehmen, von ihm veranlasst werden dürfen (AusschussB BT-Drs. 16/9737, 98 im Anschluss an DAV-HRA NZG 2007, 735 Rn. 57, 72). Gleichlauf von § 57 I 3 Hs. 1 und § 291 III ist zu begrüßen; doch der Sache nach ist geänderte Regelung kaum überzeugend (vgl. Habersack FS Schaumburg, 2009, 1291, 1295 ff.). Nachdem es auch bei **Gewinnabführungsverträgen** nur auf deren Bestehen ankommt, ist namentl. frühere Beschränkung zulässiger Leistungen auf Betrag der Gewinnabführung nicht mehr haltbar. Vielmehr wird Verbot der Einlagenrückgewähr generell suspendiert; Gläubigerschutz erfolgt nur nach §§ 302, 303 (KK-AktG/Drygala Rn. 98 ff.). Nach zT vertretener Auffassung soll es auf **Vollwertigkeit** des Verlustausgleichsanspruchs nicht ankommen (MüKoAktG/Bayer Rn. 137; S/L/Fleischer Rn. 37 mwN; ähnlich BeckOGK/Cahn/v. Spannenberg Rn. 39, 144), was unter Praktikabilitätsgesichtspunkten sinnvoll sein könnte, aber zu Konflikt mit Art. 56, 57 GesR-RL führt, weshalb weiter Vollwertigkeit (Verlustausgleichsanspruch durchsetzbar und einbringlich) zu fordern ist (vgl. auch MüKoAktG/Altmeppen § 291 Rn. 236; Altmeppen FS E. Vetter, 2019, 1 ff.; S/L/Langenbucher § 291 Rn. 71; Scholz/Verse GmbHG § 30 Rn. 75; Mülbert/Leuschner NZG 2009, 281, 287). Darüber hinaus wird § 57 I 3 Hs. 1 durch Verbot existenzgefährdender Weisungen begrenzt (insofern zust. S/L/Fleischer Rn. 37). Bei **anderen Abhängigkeits- und Konzernverhältnissen** führt Spezialität des § 311 zwar nicht zum Wegfall, aber doch zu deutlicher Lockerung der Vermögensbindung, sofern Verpflichtung zum Nachteilsausgleich erfüllt wird (→ § 311 Rn. 49). Zur Anwendung auf Beherrschungsvertrag unter Schwestergesellschaften vgl. Schluck-Amend FS Marsch-Barner, 2018, 491 ff.

40 **3. Gedeckte Leistungen an Aktionäre (§ 57 I 3 Hs. 2). a) Vom neutralen Drittgeschäft zur bilanziellen Betrachtungsweise.** Verbot der Einlagenrückgewähr gilt ferner nicht bei Leistungen, die durch **vollwertigen Gegenleistungs- oder Rückgewähranspruch** gegen Aktionär gedeckt sind. Ob Be-

herrschungs- oder Gewinnabführungsvertrag besteht, ist unerheblich. Regelung wurde mit MoMiG eingeführt, um insbes. Klarstellung für Bereich der Darlehensvergabe und Sicherheitenbestellung zu begründen, von Gesetzgeber darauf aber nicht beschränkt und gilt deshalb als Fortschreibung des schon früher anerkannten Angemessenheitsmaßstabs für sämtliche Drittgeschäfte mit Aktionär („vollwertiger Gegenleistungsanspruch"; → Rn. 44 ff.; ausf. J. Koch ZGR 2022, 337, 354 ff.). Gesetzgeberischer **Fokus auf Darlehensvergabe und Sicherheitenbestellung** kommt vor allem in Verweis auf „vollwertigen Rückgewähranspruch" zum Ausdruck und betrifft insbes. **Cash Pooling** und andere Formen der Kreditgewährung durch AG an ihren Aktionär oder auf dessen Veranlassung (sog upstream loans). § 57 ist dafür einschlägig, weil Bereitstellung von Geld- oder Sachmitteln (§§ 488, 607 BGB) notwendig wertmäßige Integrität des Gesellschaftsvermögens betr.

Legislativer Klarstellungsbedarf ergab sich insbes. vor Hintergrund des sog **November-Urteils** des BGH von 2003. Darin korrigierte BGH bis dahin hM, wonach Darlehensvergabe an Aktionär zulässig sein sollte, sofern dieser solvent und kreditwürdig erschien, Rückerstattungsanspruch also vollwertig war (Habersack/Schürnbrand NZG 2004, 689, 690). Das ist unter bilanziellen Gesichtspunkten plausibel, da **reiner Aktiventausch** vorliegt. BGH betonte demgegenüber tats. Gefahren für Kapitalerhaltung, da AG Betriebskapital entzogen und stattdessen nur schuldrechtl. Anspruch überlassen wurde. Zulässigkeit der Darlehensvergabe wurde deshalb grds. verneint und allenfalls für erwägenswert gehalten (auch insofern aber offenlassend), wenn Vergabe im Interesse der Gesellschaft war, Drittvergleich standhielt und Kreditwürdigkeit des Gesellschafters selbst bei Anlegung strengster Maßstäbe außerhalb jedes Zweifels lag (BGHZ 157, 72, 75 ff. = NJW 2004, 1111). **41**

Entscheidung stieß aus dogmatischen Gründen auf Kritik, da nicht Vermögen, sondern lediglich Liquidität gemindert wird. Als noch schwerwiegender wurde praktische Konsequenz empfunden, dass damit verbreitete und wirtschaftlich sinnvolle Form der Konzernfinanzierung durch **Cash Pooling** gefährdet wurde. Cash Pool zeichnet sich dadurch aus, dass liquide Mittel innerhalb eines Konzerns auf Finanzierungsgesellschaft ausgelagert werden, deren einzige Funktion darin besteht, Mittel entspr. jeweiligem Liquiditätsbedürfnis innerhalb des Konzerns zu verteilen (ausf. zur Funktionsweise Wirsch, Kapitalaufbringung und Cash Pooling in der GmbH, 2009, 35 ff.; sa Schmelz NZG 2006, 465). **42**

Angesichts dieser Kritik hat Gesetzgeber November-Urteil (→ Rn. 41) durch Einführung des § 57 I 3 Hs. 2 korrigiert und ist zur bilanziellen Betrachtungsweise zurückgekehrt (RegBegr. BT-Drs. 16/6140, 41; sa Altmeppen ZIP 2009, 49 f.; zur Einschränkung dieser verbreiteten Formel durch sog „Deckungsgebot" → Rn. 20). Insbes. soll Kreditgewährung, aber auch sonstiger Liefer- und Leistungsverkehr mit dem Aktionär, namentl. iR von Konzernverhältnissen, dem Verbot der Einlagenrückgewähr entzogen sein, wenn Geschäft aufgrund **Vollwertigkeit** der Gesellschaftsansprüche als bloßer Aktiventausch verstanden werden kann (RegBegr. BT-Drs. 16/6140, 41). Neuregelung wird aus Praktikabilitätsgründen überwiegend begrüßt, wenngleich nicht zu verkennen ist, dass berechtigte Belange, die BGHZ 157, 72 (= NJW 2004, 1111; → Rn. 41) ungeachtet vieler krit. Stellungnahmen zugrunde lagen, in dogmatisch bedenklicher Weise hinter pragmatische Überlegungen zurückgestellt werden. Im Lichte der Neufassung hat BGH seinen Standpunkt von 2003 aufgegeben und überdies klargestellt hat, dass neue Wertung auch für **Altfälle** gilt (BGHZ 179, 71 Rn. 11 f. = NJW 2009, 850). **43**

b) Vollwertigkeit im Kontext der Kreditgewährung. Verbot der Einlagenrückgewähr ist suspendiert für bestimmte **Leistungen** der AG. Dabei geht **44**

es zwar vor allem, aber nicht notwendig um Cash Pooling oder sonstige Formen der Kreditgewährung. Auch der übrige Liefer- und Leistungsverkehr wird privilegiert, weil § 57 I 3 Hs. 2 insofern ebenfalls vollwertigen Gegenleistungsanspruch genügen lässt (→ Rn. 15 ff.). Für im gesetzgeberischen Fokus der Neuregelung stehende Kreditgewährung ist anerkannt, dass Rückgewähranspruch durchsetzbar sein muss, was von **Bonität des Schuldners** abhängt (→ Rn. 18 ff.). Schuldner in diesem Sinne ist nicht Gesamtkonzern, sondern konkrete darlehensnehmende Konzerngesellschaft („Stand-Alone"-Rating – so iRd § 8 III 2 KStG BFH NZG 2022, 131 Rn. 53 ff. – mit Ausn. bei hinreichend verfestigtem Konzernrückhalt). RegBegr. konkretisiert Vorgabe dahingehend, dass Durchsetzbarkeit nicht „absehbar in Frage gestellt" ist; weiterer Verweis auf „nicht geringe Schutzschwelle" indiziert insofern eher strenge Anforderungen (RegBegr. BT-Drs. 16/6140, 41; sa Hölters/Weber/Mayer/Albrecht vom Kolke Rn. 18; Kiefner/Theusinger NZG 2008, 801, 804).

45 Maßgeblich für Wahrscheinlichkeitsprognose sind allg. Bilanzierungsgrundsätze, namentl. auch Vorsichtsprinzip gem. § 252 I 4 HGB und Niederstwertprinzip gem. § 253 IV HGB (vgl. Mülbert/Sajnovits WM 2015, 2345, 2347 f. mit weiteren prognostischen Indikatoren, zB Laufzeit, Ratings, unzuverlässige Erfüllung in der Vergangenheit, Kontopfändungen, mangelnde Vertragstreue, Liquiditätsengpässe, Bitte um Zahlungsaufschub etc.). An Sicherheit grenzende Rückzahlungswahrscheinlichkeit ist ebenso wenig erforderlich wie Investment-Grade-Rating (bei Vorliegen aber Wahrscheinlichkeitsvermutung – BeckOGK/Cahn/v. Spannenberg Rn. 156), sondern es genügt, wenn **keine konkreten Anhaltspunkte für Ausfall** bestehen (GK-AktG/M. Arnold/Notz Rn. 90: Indiz: Abschreibungsbedarf nach § 253 III HGB; sa S/L/Fleischer Rn. 47; Grigoleit/Grigoleit/Rachlitz Rn. 48 f.).

46 Zweifel an Bonität können durch **Sicherheitsleistung** kompensiert werden, die ihrerseits werthaltig sein muss, ohne dass eine solche Leistung zwingend für die Annahme der Vollwertigkeit erforderlich wäre (Mülbert/Sajnovits WM 2015, 2345, 2348 f.). Bloßer Zinsaufschlag stellt keine hinreichende Kompensation dar (Mülbert/Leuschner NZG 2009, 281, 282 f.). Bes. Berücksichtigung von **Klumpenrisiken** könnte naheliegen, da im Konzern Ausfallrisiko nicht diversifiziert wird, erfolgt aber trotzdem nicht, weil dafür bilanzieller Maßstab fehlen würde (S/L/Fleischer Rn. 49; Scholz/Verse GmbHG § 30 Rn. 86; aA Hentzen ZGR 2005, 480, 504 f.). Vollwertigkeit muss in dem **Zeitpunkt** gegeben sein, in dem AG ihre Leistung erbringt (MüKoAktG/Bayer Rn. 162; Holding HdB/J. Vetter Rn. 11.47 ff.). Das weicht zwar von allg. Grundsätzen iRd § 57 I ab (→ Rn. 15 ff.), findet seine Rechtfertigung aber darin, dass jede einzelne Abführung von Mitteln Darlehen oder darlehensähnliches Geschäft darstellt (Holding HdB/J. Vetter Rn. 11.48). Daraus erklärt sich auch, dass **Beweislast** ausnahmsweise (sonst → Rn. 28) Aktionär trifft (S/L/Fleischer Rn. 45).

47 Ist Vollwertigkeit nicht gegeben, ist nach hM **gesamtes Darlehen** verbotene Einlagenrückgewähr (GK-AktG/M. Arnold/Notz Rn. 92; MüKoAktG/Bayer Rn. 165; S/L/Fleischer Rn. 50). Alternativ vorgeschlagener Soweit-Ansatz, der bei teilweise vollwertigem Rückgewähranspruch nur anteilige verbotene Rückgewähr annimmt (vgl. etwa Scholz/Verse GmbHG, § 30 Rn. 91), steht in Widerspruch zu Wortlaut („vollwertig", nicht „teilvollwertig" – S/L/Fleischer Rn. 50) und zu von Gesetzgeber bewusst gewählter Alles-oder-Nichts-Lösung bei **§ 27 IV 1** (→ § 27 Rn. 51); Ungleichbehandlung von Kapitalaufbringung und -erhaltung erscheint nicht gerechtfertigt (GK-AktG/M. Arnold/Notz Rn. 92).

48 Speziell im Cash-Pool treffen den Vorstand demnach **permanente Kontrollobliegenheiten** (vgl. BGHZ 179, 107 Rn. 14 = NJW 2009, 669; Strohn DB 2014, 1535, 1539 f.; zu daraus resultierenden Haftungsrisiken vgl. S. Klein ZIP

2017, 258 ff.; zu Besonderheiten bei Teilnahme am Cash Pool in der Krise Zimmermann NZG 2021, 1582 ff.). Sie legen Einrichtung eines Frühwarnsystems nahe (GK-AktG/M. Arnold/Notz Rn. 93). Aber auch bei herkömmlicher Kreditvergabe muss Vorstand Vermögensverhältnisse des Gesellschafters beobachten und bei **Bonitätsverschlechterung** mit Kreditkündigung oder Anforderung weiterer Sicherheiten reagieren (BGHZ 179, 71 Rn. 14 = NJW 2009, 850). Soweit seine Kontrolle den zu § 57 I 3 entwickelten Sorgfaltsstandards genügt, sind sie aus Gründen der ges. Wertungskonsistenz auch iRd § 93 I, II als pflichtgem. anzusehen (Mülbert/Sajnovits WM 2015, 2345, 2355). Für konzerninterne Darlehen als gruppeninterne finanzielle Unterstützung innerhalb einer europäischen Institutsgruppe gehen **§§ 22–35 SAG** den skizzierten Grundsätzen als lex specialis vor (Mülbert/Sajnovits WM 2015, 2345, 2356 ff.).

c) Verzinsung. Lebhaft umstritten ist, ob § 57 I 3 bei Darlehen von AG an Aktionär angemessene Verzinsung voraussetzt. Einigkeit sollte darüber bestehen, dass entspr. bilanzieller Behandlung (zu § 253 HGB) jedenfalls bei **längerfristiger Kreditgewährung** (über ein Jahr) angemessene Verzinsung unverzichtbar ist (ausf. Kuntz ZGR 2017, 917, 936 ff.), wobei es iErg wenig Bedeutung hat, ob dafür Vollwertigkeits- oder Deckungsgebot (→ Rn. 18 ff.) herangezogen wird (dazu S/L/Fleischer Rn. 52 f.). Für die Ermittlung fremdüblicher Darlehenszinssätze ist vor Anwendung der sog Kostenaufschlagsmethode (→ Rn. 22) zu prüfen, ob Vergleichswerte mithilfe der Preisvergleichsmethode ermittelt werden können (so iRd § 8 III 2 KStG BFH NZG 2022, 131 Rn. 27 ff. – unabhängig, ob von Mutter- oder Finanzierungsgesellschaft gewährt). Ob für **kurzfristige Darlehen** Ausnahme gestattet werden kann, ist dagegen noch nicht geklärt, für Praxis aber von bes. Bedeutung, da es sich speziell beim Cash Pool um kurzfristige Kreditgewährung im Tagesgeschäft handelt (dafür etwa S/L/Fleischer Rn. 54; Hölters/Weber/Mayer/Albrecht vom Kolke Rn. 22; Rothley/Weinberger NZG 2010, 1001, 1004 ff.; dagegen MüKoAktG/Bayer Rn. 169 ff.). Mit Blick auf Regelungsanliegen des Gesetzgebers, Cash Pool auch künftig weiter ohne übermäßigen Prüfungsaufwand zu ermöglichen (RegBegr. BT-Drs. 16/6140, 41), dürften bessere Gründe dafür sprechen, in diesem Fall Verzicht auf Verzinsung zu gestatten (S/L/Fleischer Rn. 54; aA Mülbert/Sajnovits WM 2015, 2345, 2349 ff.). Ebenso str. ist **Rechtsfolgenseite,** wenn keine angemessene Verzinsung gewährt wird. ZT wird in diesem Fall gesamte Auszahlung dem Privileg des § 57 I 3 Fall 2 entzogen (KK-AktG/Drygala Rn. 73), während Aktionär nach Gegenauffassung nur auf den Zinsvorteil haftet (MüKoAktG/Bayer Rn. 173; BeckOGK/Cahn/v. Spannenberg Rn. 148; Mülbert/Sajnovits WM 2015, 2345, 2350 f.). Der letztgenannten Auffassung ist zuzustimmen, da Zins nur Gegenleistung für Kapitalüberlassung ist, die vom Rückzahlungsanspruch zu unterscheiden ist (BeckOGK/Cahn/v. Spannenberg Rn. 148). 49

d) Besicherung von Drittverbindlichkeiten. Neben Darlehensgewährung an Aktionär kann nach heute allgM auch **Besicherung** eines Kredits, den Aktionär anderweitig aufnimmt, Einlagenrückgewähr darstellen (upstream securities; Nachw. → Rn. 30). Auch dafür gilt § 57 I 3 Hs. 2. Stellt man dabei nicht auf Drittvergleich, sondern Wertdeckung ab (→ Rn. 15 ff.), so ist von angemessener Gegenleistung auszugehen, wenn im Zeitpunkt der Besicherung ein uneingeschränkt **vollwertiger Rückzahlungs- oder Rückgriffsanspruch** gegen begünstigten Aktionär besteht (BGHZ 213, 224 Rn. 19 = NZG 2017, 344; BGH NZG 2017, 658 Rn. 18; sa S/L/Fleischer Rn. 59; Kuntz ZGR 2017, 917, 922 ff. mwN zu den zT streitigen Einzelheiten; jetzt auch MüKoAktG/Bayer Rn. 187). Nachträgliche Verschlechterung der Vermögensverhältnisse schadet nicht, sondern maßgeblich ist Prognose ex ante (BGHZ 213, 224 Rn. 19), die Vorstand 50 aber – wie auch in Darlehensfällen (→ Rn. 48) – mit erheblichen **Haftungsrisiken** belasten kann (ausf. Becker ZIP 2017, 1599, 1600 ff.). IdR wird es an Vollwertigkeit fehlen, da Besicherung gerade bestehendes Ausfallrisiko kompensieren soll (Wand/Tillmann/Heckenthaler AG 2009, 148, 152). Verpfändung eines mit gesichertem Kredit angeschafften Aktienpakets genügt aufgrund Kursrisikos idR nicht (BGHZ 213, 224 Rn. 22 f.). Vollwertigkeit kann aber durch entspr. **Avalprovision** hergestellt werden (Kiefner/Theusinger NZG 2008, 801, 806), ohne dass solche Gestaltung zwingend erforderlich wäre (Verse GmbHR 2018, 113, 118).

51 Selbst wo Vollwertigkeit im Zeitpunkt der Sicherheitenbestellung zu bejahen ist, treffen Vorstand (→ Rn. 48) **Beobachtungspflichten** hinsichtlich weiterer Entwicklung der Vermögensverhältnisse, die ebenfalls Haftungsgefahr, aber keine Einlagenrückgewähr begründen können (BGH NZG 2017, 658 Rn. 21 f.; Kuntz ZGR 2017, 917, 947 ff.; zu nachträglichen Entwicklungen bei anfänglichem Verstoß Kiefner/Bochum NZG 2017, 1292, 1297 f.; krit. Altmeppen ZIP 2017, 1977, 1980). Fehlt es dagegen an Vollwertigkeit, so liegt **schon bei Sicherheitenstellung** Rückgewähr vor (→ Rn. 30). Rechtsfolge ist in diesem Fall – zumindest wenn Sicherungsnehmer außenstehender Dritter ist – aus Gründen des Verkehrsschutzes allerdings nicht Unwirksamkeit der Besicherung, sondern Anspruch ggü. begünstigtem Aktionär auf **marktübliche Avalprovision** (Grigoleit/Grigoleit/Rachlitz Rn. 56). Wurde dagegen schuldrechtl. Sicherheit unmittelbar einem Aktionär gewährt, kann schon Einlagenrückgewähr verneint werden, da AG sich der Inanspruchnahme unter Hinweis auf § 57 I 1 verweigern kann (MüKoAktG/Bayer Rn. 195). Etwas anderes gilt wiederum bei dinglichen Sicherheiten: Hier liegt schon bei Sicherheitenbestellung ein realer Vermögensabfluss vor (MüKoAktG/Bayer Rn. 195). Im GmbH-Recht diskutierte Möglichkeit, durch sog „limitation language" Verwertung der Sicherheit auszuschließen, wenn dadurch Stammkapital bedroht wird (vgl. Becker ZIP 2017, 1599, 1606 ff.; Freitag WM 2017, 1633 ff.), spielt für AG wegen umfassenden Vermögensschutzes durch § 57 (→ Rn. 4) keine Rolle (Grigoleit/Grigoleit/Rachlitz Rn. 56).

52 **4. Aktionärsdarlehen und entsprechende Rechtshandlungen (§ 57 I 4).** § 57 I 1 ist nicht anzuwenden auf Rückerstattung eines Aktionärsdarlehens (§§ 488, 607 BGB) und auf andere Leistungen der AG, sofern darauf gerichtete Forderung durch dem Aktionärsdarlehen wirtschaftlich entsprechende Rechtshandlung begründet ist (§ 57 I 4). Hintergrund der durch MoMiG 2008 geschaffenen Regelung ist in der früheren Praxis entwickelte Kategorie **kapitalersetzender Darlehen** und ihre Behandlung **wie Eigenkapital,** was entspr. Vermögensschutz und deshalb auch Anwendung des § 57 I 1 nach sich zog, sofern Aktionäre aufgrund ihrer unternehmerischen Interessen Finanzierungsfolgenverantwortung zu tragen hatten. Diese wurde bei Sperrminorität von 25 % des Grundkapitals bejaht (BGHZ 90, 381, 390 f. = NJW 1984, 1893; BGH NZG 2005, 712, 713), wobei Sperrminorität nur indizierende Bedeutung für unternehmerische Interessen hat (BGH NZG 2010, 905 Rn. 1). Für **Altfälle** (Insolvenzeröffnung vor Inkrafttreten des MoMiG 2008) verbleibt es bei den zu kapitalersetzenden Aktionärsdarlehen geltenden Rspr.-Regeln (BGHZ 179, 249 Rn. 14 ff. = NJW 2009, 1277; Goette DStR 2010, 2579, 2584).

53 Bisherige Konzeption ist durch **insolvenzrechtl. Lösung** abgelöst worden (Änderung der InsO durch MoMiG 2008, bes. in § 39 I Nr. 5 InsO). Diese zielt auf Abschaffung der bes. Kategorie kapitalersetzender Darlehen unter Ausbau insolvenzrechtl. Schutzinstrumente ab, bes. der Anfechtung nach § 135 InsO (s. dazu Freitag WM 2007, 1681 ff.; Gehrlein BB 2008, 846, 848 ff.; Habersack ZIP 2007, 2145, 2146 ff.; Huber FS Priester, 2007, 259, 271 ff.;

Möller Konzern 2008, 1, 5). Damit erledigt sich Behandlung wie Eigenkapital, so dass es folgerichtig ist, auch zentrale Schutzvorschrift des § 57 I 1 nicht mehr anzuwenden (RegBegr. BT-Drs. 16/6140, 42, 52). Beschränkung auf Darlehen von Aktionären mit Sperrminorität von 25 % (→ Rn. 52) findet nicht mehr statt. Vielmehr gilt auch für Aktionäre nur noch Kleinbeteiligungsprivileg des § 39 V InsO (10 %); s. Habersack ZIP 2007, 2145, 2149; Möller Konzern 2008, 1, 5. **Zurechnungsfragen** (K. Schmidt FS Hüffer, 2010, 885, 901 ff.) sind dabei ebenso offen wie Frage, ob Aktionärsdarlehen wirklich schon ab Schwelle von 10 % stets dem Nachrang unterliegen sollen (K. Schmidt FS Hüffer, 2010, 903). Für kreditierendes Emissionsunternehmen iSd § 186 V (→ § 186 Rn. 44 ff.) ist das wegen fremdnütziger Treuhand zu verneinen (Veil ZGR 2000, 223, 246 f.; sa Junker ZHR 156 [1992], 394, 408 f. und Rümker FS Stimpel, 1985, 673, 682 ff.: nur transitorischer Anteilserwerb). Der Darlehensgewährung wirtschaftlich entspr. **Rechtshandlungen** sind vor allem Stundung und Bestellung von Sicherheiten, die Darlehensgewährung durch Dritte ermöglichen (→ Rn. 35). Überblick zur Neuregelung bei Hölters/Weber/Mayer/Albrecht vom Kolke Rn. 31 ff.

IV. Zinsverbot (§ 57 II)

54 § 57 II verbietet **Zinsen auf Einlagen,** gleich ob geleistet oder nicht (s. zur Kodifikationsgeschichte Baums FS Horn, 2006, 249, 251 f.). Zinsen iSd Vorschrift sind alle wiederkehrenden, in ihrer Höhe bestimmten oder bestimmbaren Zahlungen, die ohne Rücksicht auf Bilanzgewinn geleistet werden sollen. Aus letztgenanntem Umstand folgt, dass § 57 II nur Konkretisierung des § 57 I 1 enthält. Bezeichnung ist belanglos. Für Lockerung des Zinsverbots spricht auch de lege ferenda wenig, weil berechtigten Aktionärsbelangen weitgehend durch hybride Finanzierungsformen entsprochen werden kann (Baums FS Horn, 2006, 249, 263 ff.). Verbot gilt insbes. auch für sog **Dividendengarantien** (unstr.). Wie Wortlaut hervorhebt, ist nicht nur die Zahlung (Erfüllungsgeschäft), sondern schon die Zusage verboten. Gleichwohl geschlossene Verpflichtungsverträge sind also nichtig nach § 134 BGB. Unberührt bleiben Vorzugsdividenden (§§ 139 ff.), Abschläge auf Bilanzgewinn (§ 59) und Vorabdividenden (§ 60 II), auch wenn Leistungen der AG fälschlich als Zinsen bezeichnet sein sollten. § 57 II gilt nicht für Garantiezusagen Dritter, genauer für Zusagen oder Leistungen, die Dritte für eigene Rechnung (unzulässig wäre: für Rechnung der AG) erteilen bzw. erbringen. In Betracht kommt bes. Dividendengarantie durch herrschendes Unternehmen (MüKoAktG/Bayer Rn. 209 ff.; KK-AktG/Drygala Rn. 131). Ges. Anwendungsfälle sind Ausgleichszahlungen an außenstehende Aktionäre nach § 304; s. Erl. dort, bes. → § 304 Rn. 4. Analoge Anwendung auf atypisch stille Beteiligung ist nicht ausgeschlossen, aber auch nicht nahe liegend und jedenfalls dann nicht begründet, wenn Sonderrechte des stillen Gesellschafters nur der Sicherung seiner Ansprüche dienen (OLG Köln DB 2009, 609, 610 f.).

V. Verbot sonstiger Vermögensverteilung (§ 57 III)

55 § 57 III verbietet wortgleich mit § 58 V aF Verteilung von Gesellschaftsvermögen unter Aktionäre, soweit es nicht um **Bilanzgewinn** geht. Bilanzgewinn bezeichnet also Obergrenze der Leistungen, die Aktionären außerhalb von neutralen Drittgeschäften zufließen dürfen, sofern nicht Verbotsschranken des § 57 I 2–4 (→ Rn. 38 ff.) zu anderen Ergebnissen führen. Damit erweist sich § 57 III als anders gefasste Wiederholung des Verbots der Einlagenrückgewähr nach § 57 I 1, das im heutigen Verständnis dasselbe besagt (→ Rn. 4). Zeitlich

beschränkt sich Verbot nach Wortlaut des Ges. auf werbende Gesellschaft. Auch in der Abwicklung (§§ 264 ff.) darf es jedoch bis zum Ablauf des Sperrjahrs (§ 272) keine Verteilung von Gesellschaftsvermögen geben (→ Rn. 1; → § 264 Rn. 16).

VI. Rechtsfolgen

56 Verstöße gegen § 57 I 1 oder gegen § 57 II bewirken entgegen früher hM **keine Nichtigkeit** des Verpflichtungs- und Verfügungsgeschäfts nach § 134 BGB, da Nichtigkeitsfolge nur greift, wenn sich aus Ges. nichts anderes ergibt. Eine solche abw. Anordnung trifft aber **§ 62 AktG,** dessen Rechtsfolge anderenfalls in Konkurrenzprobleme mit bereicherungsrechtl. Folgen geraten würde (BGHZ 196, 312 Rn. 14 ff. = NJW 2013, 1742; OLG München NZG 2012, 706, 708 f.; MüKoAktG/Bayer Rn. 227 ff.; GK-AktG/M. Arnold/Notz Rn. 260 ff.; Witt ZGR 2013, 668 ff.). Auch rechtl. Unsicherheit in dinglicher Zuordnung aufgrund unwirksamer Verfügung kann so vermieden werden (BGHZ 196, 312 Rn. 19). Unterschiede ergeben sich insbes. im Insolvenzrecht, da Aussonderung nach § 47 InsO nur bei nichtigem Erfüllungsgeschäft erfolgen kann (BGHZ 196, 312 Rn. 18; dazu krit. Witt ZGR 2013, 668, 674). Trotz Wirksamkeit des Verpflichtungsgeschäfts kann Aktionär daraus keine Erfüllung verlangen, da er Leistung nach § 62 sofort zurückerstatten müsste (dolo agit qui petit quod statim redditurus est – BGHZ 196, 312 Rn. 18). **Schadensersatzpflicht** der Verwaltungsmitglieder folgt aus § 93 III Nr. 1 und 2, § 116 S. 1 und geht auf vollen Vermögensabfluss, nicht nur auf Betrag, der vom begünstigten Aktionär nicht beigetrieben werden kann (S/L/Fleischer Rn. 76). Ersatzpflicht der Aktionäre besteht unter weitergehenden Voraussetzungen des § 117. Für Gläubiger besteht dagegen kein Anspruch, namentl. nicht aus § 823 II BGB, da § 57 keinen Individualschutz bezweckt, sondern übergreifenden Schutz aller Aktionäre und Gläubiger; Innenhaftungskonzept der §§ 57, 62 kann nicht über § 823 II BGB ausgehebelt werden (so zu § 30 GmbHG BGHZ 110, 342, 359 f. = NJW 1990, 1725; MüKoAktG/Oechsler § 71 Rn. 374).

57 Bes. Grundsätze gelten für **Leistungen durch Dritte** (→ Rn. 35) **und an Dritte** (→ Rn. 36 f.). Im ersten Fall ist Lösung zu gewinnen, indem Aufwendungsersatzanspruch (§ 670 BGB) versagt wird (→ Rn. 35; MüKoAktG/Bayer Rn. 238; GK-AktG/M. Arnold/Notz Rn. 277). In Fällen der zweiten Art ist entscheidend, ob Dritter selbst Verbotsadressat ist, weil er Aktionär gleichsteht, oder nicht. Im ersten Fall sind Verpflichtungs- und Verfügungsgeschäft ebenfalls wirksam, aber es besteht gegen Dritten Anspruch aus § 62 analog; im zweiten Fall kann Leistung nur von Aktionär selbst nach § 62 zurückgefordert werden (MüKoAktG/Bayer Rn. 237).

Verwendung des Jahresüberschusses

58 (1) [1] **Die Satzung kann nur für den Fall, daß die Hauptversammlung den Jahresabschluß feststellt, bestimmen, daß Beträge aus dem Jahresüberschuß in andere Gewinnrücklagen einzustellen sind.** [2] **Auf Grund einer solchen Satzungsbestimmung kann höchstens die Hälfte des Jahresüberschusses in andere Gewinnrücklagen eingestellt werden.** [3] **Dabei sind Beträge, die in die gesetzliche Rücklage einzustellen sind, und ein Verlustvortrag vorab vom Jahresüberschuß abzuziehen.**

(2) [1] **Stellen Vorstand und Aufsichtsrat den Jahresabschluß fest, so können sie einen Teil des Jahresüberschusses, höchstens jedoch die Hälfte, in andere Gewinnrücklagen einstellen.** [2] **Die Satzung kann Vorstand und**

Aufsichtsrat zur Einstellung eines größeren oder kleineren Teils des Jahresüberschusses ermächtigen. [3]Auf Grund einer solchen Satzungsbestimmung dürfen Vorstand und Aufsichtsrat keine Beträge in andere Gewinnrücklagen einstellen, wenn die anderen Gewinnrücklagen die Hälfte des Grundkapitals übersteigen oder soweit sie nach der Einstellung die Hälfte übersteigen würden. [4]Absatz 1 Satz 3 gilt sinngemäß.

(2a) **[1]Unbeschadet der Absätze 1 und 2 können Vorstand und Aufsichtsrat den Eigenkapitalanteil von Wertaufholungen bei Vermögensgegenständen des Anlage- und Umlaufvermögens in andere Gewinnrücklagen einstellen. [2]Der Betrag dieser Rücklagen ist in der Bilanz gesondert auszuweisen; er kann auch im Anhang angegeben werden.**

(3) **[1]Die Hauptversammlung kann im Beschluß über die Verwendung des Bilanzgewinns weitere Beträge in Gewinnrücklagen einstellen oder als Gewinn vortragen. [2]Sie kann ferner, wenn die Satzung sie hierzu ermächtigt, auch eine andere Verwendung als nach Satz 1 oder als die Verteilung unter die Aktionäre beschließen.**

(4) **[1]Die Aktionäre haben Anspruch auf den Bilanzgewinn, soweit er nicht nach Gesetz oder Satzung, durch Hauptversammlungsbeschluß nach Absatz 3 oder als zusätzlicher Aufwand auf Grund des Gewinnverwendungsbeschlusses von der Verteilung unter die Aktionäre ausgeschlossen ist. [2]Der Anspruch ist am dritten auf den Hauptversammlungsbeschluss folgenden Geschäftstag fällig. [3]In dem Hauptversammlungsbeschluss oder in der Satzung kann eine spätere Fälligkeit festgelegt werden.**

(5) **Sofern die Satzung dies vorsieht, kann die Hauptversammlung auch eine Sachausschüttung beschließen.**

Übersicht

I. Grundlagen

1 **1. Regelungsgegenstand und -zweck.** § 58 betr. Verwendung des Jahresüberschusses zur Bildung von Rücklagen (§ 58 I–III) und zur Gewinnverteilung (§ 58 IV). Ferner regelt Norm Inhalt des mitgliedschaftlichen Dividendenrechts durch Zulassung einer Sachausschüttung in Abhängigkeit vom Satzungsinhalt (§ 58 V). Zweck der Regelung ist Interessenausgleich; dabei geht es um divergierende Interessen der Gesellschaftsleitung an **Selbstfinanzierung** des Unternehmens und der (anlageorientierten) Aktionäre an für sie verfügbarer **Kapitalrendite** (RegBegr. Kropff S. 75). Verfügbarkeit (anderweitige Investition; Verbrauch) ist bei Barausschüttung gegeben, die deshalb ges. Regelfall bildet; Satzung darf aber **Sachausschüttung** zulassen, ohne dass Ausnahme an bes. inhaltliche Vorgaben gebunden wäre.

2 Wie weit **angemessener Interessenausgleich** gelungen ist, wird unterschiedlich beurteilt (Meinungsübersicht bes. bei MüKoAktG/Bayer Rn. 19 ff.). Weil keines der beteiligten Interessen als qualitativ höherwertig eingestuft werden kann, geht es im Kern um **Kompetenzproblem.** Von zentraler Bedeutung ist deshalb die Hälfte-Regelung in § 58 II 1, nach der Zuständigkeit von Vorstand und AR maximal bis zur Hälfte des Jahresüberschusses reicht, während über andere Hälfte HV zu entscheiden hat. Die damit vordergründig erzielte ausgewogene Lösung wird aber zum einen innerhalb des § 58 dadurch verzerrt, dass § 58 II 2 Satzungsbefugnis zu weiterer Thesaurierung zulässt (s. dazu Krekeler/Lichtenberg ZHR 135 [1971], 362 ff.), zum anderen durch vorgeschaltete handelsrechtl. Bilanzierungsspielräume, namentl. zur Bildung sog stiller Reserven (→ § 131 Rn. 93), weiter zugunsten der Verwaltung verschoben (ausf. BeckOGK/Cahn/v. Spannenberg Rn. 5). Die daraus resultierende Unausgewogenheit wird auch nur zT dadurch aufgehoben, dass sich thesaurierungsbedingte Ertragswertsteigerung in höheren Börsenkursen niederschlagen (dazu BeckOGK/Cahn/v. Spannenberg Rn. 6 ff.), da große Mehrzahl deutscher Aktiengesellschaften nicht börsennotiert ist. Ges. Lösung bleibt deshalb fragwürdig (sa MüKoAktG/Bayer Rn. 19 ff.). Von grds. Bewährung spricht jedoch Fraktionsbegr. BT-Drs. 12/6721, 8.

3 **2. Grundbegriffe.** § 58 verwendet Fachbegriffe wie Jahresabschluss, Jahresüberschuss, Bilanzgewinn und Rücklagen verschiedener Art. Kurze Vorklärung ergibt: **Jahresabschluss** ist Oberbegriff, der Jahresbilanz, GuV und (bei Kapitalgesellschaften) Anh. umfasst (§§ 242 III, 264 I, 284 ff. HGB). **Jahresüberschuss** ist Betrag, der in GuV als Posten 17 (Gesamtkostenverfahren) bzw. Posten 16 (Umsatzkostenverfahren) auszuweisen ist (§ 275 II, III HGB). **Bilanzgewinn** ergibt sich durch Weiterrechnung des Jahresüberschusses gem. § 158 I: Ausgangsgröße wird erhöht durch Gewinnvortrag (→ Rn. 24) und Entnahmen aus Gewinnrücklagen, vermindert durch Verlustvortrag (→ § 158 Rn. 2) und Einstellungen in Gewinnrücklagen (→ § 158 Rn. 6).

Rücklagen sind zu unterscheiden in Kapital- und Gewinnrücklagen (§ 266 III HGB A II und III). Kapitalrücklagen (→ § 150 Rn. 2; → § 152 Rn. 6) spielen für § 58 keine Rolle. Gewinnrücklagen (→ § 150 Rn. 2; → § 152 Rn. 7) sind aus Ergebnis der Unternehmenstätigkeit gebildet (§ 272 III HGB) und weiter zu untergliedern in ges. Rücklage, Rücklage für eigene Aktien, satzungsmäßige Rücklagen und schließlich (§ 266 III HGB A III Nr. 4) **andere Gewinnrücklagen.** Das ist Sammelbegriff, der diejenigen durch Unternehmenstätigkeit erwirtschafteten Rücklagen umfasst, die nicht als Reservemittel (Nr. 1), als Äquivalent für eigene Aktien (Nr. 2) oder kraft Satzungsbestimmung (Nr. 3) gebildet werden müssen und typischerweise auch nicht einem bestimmten Zweck dienen, ihm aber dienen können. Satzungsgrundlage für Rücklagenbildung iSd § 58 I oder II 2 macht die Rücklagen nicht zu satzungsmäßigen iSd § 266 III HGB A III Nr. 3; sie bleiben „andere" Gewinnrücklagen (ADS Rn. 29). 4

3. § 58 im normativen Zusammenhang. Systematische Stellung der Vorschrift iRd §§ 53a ff., bes. der §§ 56–59, ist bzgl. des **§ 58 IV** gerechtfertigt, weil Beschränkung der Aktionärsansprüche auf Bilanzgewinn der **Kapitalerhaltung** dient; Regelungsvorbild ist insoweit § 52 S. 1 Hs. 2 AktG 1937. In den Vordergrund der Regelung und des Interesses getretene **Rücklagenbildung** (§ 58 I –III) gehört systematisch nicht zu den Kapitalgrundlagen der AG, sondern zu den Normen über **Feststellung des Jahresabschlusses** (§§ 172, 173) und Beschlussfassung über Gewinnverwendung (§ 174), die ihrerseits durch bes. Anfechtungstatbestand des § 254, Nichtigkeitsgrund des § 256 I Nr. 4 und Sonderprüfung wegen unzulässiger Unterbewertung nach § 258 ff. ergänzt werden. 5

II. Einstellung in Gewinnrücklagen bei Feststellung des Jahresabschlusses (§ 58 I, II)

1. Bei Feststellung durch Beschluss der Hauptversammlung. § 58 I setzt Ausnahmefall der §§ 172, 173 I, dh Feststellung durch HV-Beschluss, voraus (→ § 172 Rn. 7; → § 173 Rn. 2) und gestattet HV, Beträge in andere Gewinnrücklagen einzustellen, wenn Satzung dies gestattet. **Enthält Satzung keine Regelung** zur Dotierung der anderen Gewinnrücklagen, so kann HV entspr. Beschluss nicht gültig fassen (§ 256 I Nr. 4). Es bleibt vielmehr bei § 173 II 2, wonach ihre Kompetenz von ges. Vorschrift oder Satzungsbestimmung abhängt (MüKoAktG/Bayer Rn. 25 f., 36; KK-AktG/Drygala Rn. 29). Auch **Ermächtigung** der HV durch Satzung **genügt nicht;** Satzung muss Entscheidung selbst treffen (ADS Rn. 35; MüKoAktG/Bayer Rn. 26; KK-AktG/Drygala Rn. 29). Zweck der Regelung ist, Minderheit vor „Aushungerung" durch Mehrheit zu schützen (MüKoAktG/Bayer Rn. 25). Deshalb muss Satzung auch Betrag der Rücklagenzuführung etwa durch Angabe einer Summe oder eines Prozentsatzes so **eindeutig bestimmen,** dass für Willensbildung der HV kein Raum bleibt (hM, s. ADS Rn. 38; MüKoAktG/Bayer Rn. 26; KK-AktG/Drygala Rn. 31; aA Gail WPg 1966, 425, 428; Werther AG 1966, 305, 307). Bestimmung, die HV eigenen Entscheidungsspielraum zubilligt, ist nichtig (BeckOGK/Cahn/v. Spannenberg Rn. 34). Zusammenfassend: Aufgabe der HV ist **Satzungsvollzug,** wenn sie ausnahmsweise Jahresabschluss feststellt, nicht eigene Entscheidung über Bildung anderer Gewinnrücklagen. 6

Bei Regelung durch Satzung muss **Höchstgrenze** beachtet werden, die sich aus § 58 I 2 und 3 ergibt. Dotierung der anderen Gewinnrücklagen kann höchstens **Hälfte des Jahresüberschusses** (→ Rn. 3) ausmachen. Erträge aus höherer Bewertung aufgrund Sonderprüfung nach §§ 258 ff. gehen gem. § 261 III 1 nicht in Berechnungsgrundlage ein (→ § 261 Rn. 9). Bevor Hälfte berechnet wird, sind **gem. § 58 I 3 Beträge abzuziehen,** die in ges. Rücklage 7

(§ 266 III HGB A III Nr. 1) einzustellen sind, also 5 % des um etwaigen Verlustvortrag aus Vorjahr (→ § 158 Rn. 2) gekürzten Jahresüberschusses, bis Summe der Kapitalrücklagen (§ 272 II HGB) 10 % oder höhere Satzungsquote des Grundkapitals erreicht (→ § 150 Rn. 4 ff.). Vgl. auch § 300 und → § 300 Rn. 5 ff. zur beschleunigten Rücklagenbildung im Vertragskonzern. Ferner ist nach § 58 I 3 Verlustvortrag abzuziehen; vgl. dazu § 158 I Nr. 1: erster Posten der ergänzten GuV. Abzug bewirkt iE, dass Dotierung anderer Gewinnrücklagen hinter der Hälfte des Jahresüberschusses zurückbleibt.

8 **Sonstige Beträge.** Analog § 58 I 3 sind nach dem Zweck der Rücklagen weiter abzuziehen: Sonderrücklage des § 218 S. 2 (ADS Rn. 20; MüKoAktG/Bayer Rn. 32; KK-AktG/Drygala Rn. 35; → § 218 Rn. 4 ff.) und Zuweisung zur Kapitalrücklage gem. § 232 (KK-AktG/Drygala Rn. 35). Weitere Kürzungen der Berechnungsgrundlage finden nicht statt. Insbes. Zuweisungen in die Kapitalrücklage gem. § 272 II HGB und Rücklage für Anteile an einem herrschenden oder mit Mehrheit beteiligten Unternehmen iSd § 272 VI HGB sind schon bei Aufstellung der Bilanz zu berücksichtigen und können Jahresüberschuss daher nicht neuerlich mindern; dasselbe gilt für vor BilMoG gebildete Rücklage für eigene Anteile (MüKoAktG/Bayer Rn. 33; BeckOGK/Cahn/v. Spannenberg Rn. 32). Nicht zu berücksichtigen sind schließlich Werte aus Vermögensgegenständen, die nach § 268 VIII HGB für die Ausschüttung gesperrt sind, und zwar auch dann nicht, wenn sie iRd laufenden Gewinnverwendung durch neu zu bildende Rücklagen gedeckt werden müssen. Grund dafür liegt darin, dass Werte der Gewinnverwendung durch HV nicht dauerhaft, sondern nur temporär entzogen werden (MüKoAktG/Bayer Rn. 34; BeckOGK/Cahn/v. Spannenberg Rn. 33).

9 **2. Bei Feststellung durch Vorstand und Aufsichtsrat. a) Gesetzliche Ausgangslage.** § 58 II betr. Regelfall des § 172 S. 1 (→ § 172 Rn. 1 f.). Gem. § 58 II 1 können Vorstand und AR andere Gewinnrücklagen bis **maximal zur Hälfte des Jahresüberschusses** dotieren (zur Empirie vgl. Zimmermann/Guder KoR 2022, 31, 33 ff.; knapper auch Ganzer NZG 2023, 1251, 1258). Rücklagenbildung erfolgt dabei bereits im Zuge der Aufstellung des Jahresabschlusses, der anschließend gem. § 171 f. von AR gebilligt wird. Ob und in welchem Umfang Vorstand und AR davon Gebrauch machen, entscheiden sie (anders als HV, vgl.→ Rn. 6) iR ihres Leitungsermessens. Höchstgrenze ist ebenso zu bestimmen wie bei Regelung durch Satzung (→ Rn. 7 f.); insbes. gilt § 58 I 3 bzgl. der Abzugsbeträge sinngem. (§ 58 II 4). Norm ist vorbehaltlich § 58 II 2 zwingend.

10 **Weitergehende Beschränkungen** kommen nur in Ausnahmefällen in Betracht: Bei Ausgabe von **Belegschaftsaktien** zu Lasten des Jahresüberschusses (§ 204 III 1) kann Verwaltung über damit verbrauchte Beträge nicht nochmals zu Lasten des Bilanzgewinns verfügen (ADS Rn. 60; MüKoAktG/Bayer Rn. 51). Bei **Abschlagszahlung auf Bilanzgewinn** (§ 59) tritt Selbstbindung der Verwaltung in dem Sinne ein, dass ein wenigstens der Abschlagssumme entspr. Bilanzgewinn erhalten bleiben muss; Einstellung in andere Gewinnrücklagen hat Nachrang (ADS Rn. 59; MüKoAktG/Bayer Rn. 51). Wenn sich Rücklagendotierung im ges. Rahmen hält, ist pflichtwidriges Handeln der Verwaltung im Einzelfall dennoch nicht ausgeschlossen, weil Ges. nur Ermächtigung ausspricht, die Vorstand und AR durch eigene Ermessensentscheidung auszufüllen haben (→ Rn. 9). Unzulässigkeit der Einstellung kann sich deshalb aus Ermessensfehlgebrauch ergeben (aA insofern BeckOGK/Cahn/v. Spannenberg Rn. 40 unter Hinweis auf verbleibende HV-Kompetenz; zutr. dagegen Schnorbus/Plassmann ZGR 2015, 446, 458 f.; Wucherer/Zickgraf ZGR 2021, 259, 288). Auch darin liegt aber nur schwache Beschränkung der Verwaltungskompetenz, da den Orga-

nen auch insofern **weiter unternehmerischer Entscheidungsspielraum** iSd § 93 I 2 (→ § 93 Rn. 26 ff.) zusteht (MüKoAktG/Bayer Rn. 39; S/L/Fleischer Rn. 20; Baums FS K. Schmidt, 2009, 57, 68 ff.; Ganzer NZG 2023, 1251, 1253; Harnos, Gerichtliche Kontrolldichte, 2021, 652 ff.; E. Vetter AG 2020, 401 Rn. 10 ff.). Auch Vorbereitung einer Sonder- bzw. Superdividende kann davon gedeckt sein, darf aber keinesfalls zur Existenzgefährdung führen (→ § 174 Rn. 2; zur Existenzgefährdung als Ermessensgrenze vgl. E. Vetter AG 2020, 401 Rn. 10 ff.; Wucherer/Zickgraf ZGR 2021, 259, 287 f.). ZT wird § 58 II 1 noch weitergehend eine widerlegbare Vermutung zugunsten pflichtgem. Verhaltens entnommen (so noch GK-AktG/Henze, 4. Aufl. 2001, Rn. 45). Das ist abzulehnen, da sich Rücklagenbildung nicht grds. von anderen Maßnahmen der Geschäftsführung unterscheidet und deshalb auch hier in Ausnahmefällen Pflichtverletzung grds. möglich ist (sa GK-AktG/M. Arnold/Notz Rn. 56; S/L/Fleischer Rn. 20; Schnorbus/Plassmann ZGR 2015, 446, 458 f.; E. Vetter AG 2020, 401 Rn. 10 ff.; Wucherer/Zickgraf ZGR 2021, 259, 287). IErg ist Frage aber ohne Bedeutung, da weites Verständnis entspr. Entscheidungsspielräume, die idR nur bei schlechterdings unvertretbaren Entscheidungen überschritten sind, zu nahezu identischen Ergebnissen führt (ähnlich Ganzer NZG 2023, 1251, 1253). Wichtigster verbleibender Fall, in dem Unterschiede denkbar sind, dürfte pflichtwidriges Aushungern von Minderheitsaktionären sein. Selbst wo Pflichtwidrigkeit nachgewiesen werden kann, bereitet Feststellung eines **Schadens der AG** Schwierigkeiten, so dass § 93 II idR nicht greifen wird (BeckOGK/Cahn/v. Spannenberg Rn. 40); auch § 254 ist idR nicht anwendbar (→ § 254 Rn. 3 ff.).

b) Ermächtigung durch Satzung. Gem. § 58 II 2 kann Satzung weitergehende Ermächtigung zugunsten von Vorstand und AR enthalten. Ausgeschlossen ist dagegen, Verwaltung zu einer von § 58 II 1 abw. Rücklagenbildung zu verpflichten (allgM, s. zB ADS Rn. 51; Ganzer NZG 2023, 1251, 1253). Ermächtigung kann sich gem. § 58 II 2 nicht nur auf Einstellung eines größeren, sondern auch eines kleineren Teils des Jahresüberschusses beziehen, und zwar auch dann, wenn es sich um börsennotierte AG (§ 3 II) handelt. Insoweit früher bestehende Beschränkung, nach der Satzung nur höhere Dotierung vorsehen durfte, sollte den Interessen von Publikumsaktionären Rechnung tragen (Fraktionsbegr. BT-Drs. 12/6721, 8), die seither anders bewertet werden (Ausschüttung gegen „Zwangssparen", s. RegBegr. BT-Drs. 14/8769, 12). Liberalisierung auch für börsennotierte Gesellschaften ist für sich genommen zu begrüßen (zur rechtspolitischen Kritik → Rn. 2). **Praxis** macht von Ermächtigungsklauseln regen Gebrauch, und zwar fast durchgängig zugunsten der Verwaltung (Zahlen bei KK-AktG/Drygala Rn. 46; Strothotte, Gewinnverwendung, 2014, 335 f.). Klausel muss bis Feststellung des Jahresabschlusses wirksam geworden sein. Anforderungen an **Formulierung wirksamer Klausel** sind str. Teils wird Wiederholung des Gesetzeswortlauts für ausreichend gehalten (ADS Rn. 53; KK-AktG/Drygala Rn. 48), teils wird klare Angabe der Obergrenze gefordert, wie zB „bis zu 80 % des Jahresüberschusses" oder „den ganzen Jahresüberschuss"; → Rn. 12 (MüKoAktG/Bayer Rn. 47; NK-AktR/Drinhausen Rn. 24; S/L/Fleischer Rn. 24; Strothotte, Gewinnverwendung, 2014, 335 f.). Der zweiten, wohl überwiegenden Ansicht (eingehende Nachw. bei MüKoAktG/Bayer Rn. 47) ist beizutreten, damit Aktionäre wissen, auf was sie sich einlassen. Unter diesem Gesichtspunkt unbedenklich sind auch verbreitete Formulierungen wie „den ganzen Jahresüberschuss abzüglich des für die Ausschüttung einer Dividende von 4 % erforderlichen Betrags" (LG Hamburg NJW 1969, 664, 666; sa LG Aachen EWiR 1991, 323; ADS Rn. 54; MüKoAktG/Bayer Rn. 47). 11

12 Für Ermächtigung durch Satzung besteht **keine aus Jahresüberschuss abgeleitete Höchstgrenze.** Satzung kann deshalb nach heute allgM auch vorsehen, dass Vorstand und AR den gesamten Jahresüberschuss in andere Gewinnrücklagen einstellen dürfen (BGHZ 55, 359, 360 ff. = NJW 1971, 802; MüKoAktG/Bayer Rn. 45; KK-AktG/Drygala Rn. 47; aA noch Eckardt NJW 1967, 369; v. Gleichenstein BB 1966, 1047); tats. wird zumeist dieser Wert in der Praxis gewählt (KK-AktG/Drygala Rn. 46). Spiegelbildlich gibt es bei nicht börsennotierter AG seit Neufassung des § 58 II 2 (→ Rn. 11) auch **keine Mindestgrenze.** Satzung kann Befugnis der Verwaltung zur Bildung anderer Gewinnrücklagen also auch ganz zugunsten der HV-Kompetenz ausschließen (Hoffmann-Becking ZIP 1995, 1, 5; Lutter AG 1994, 429, 436).

13 **Schranke für Einstellung** in andere Gewinnrücklagen bildet gem. § 58 II 3 **Hälfte des Grundkapitals.** Wenn andere Gewinnrücklagen diesen Betrag erreichen oder durch Einstellung übersteigen würden, ist weitere Dotierung durch Satzungsermächtigung unzulässig. In der Praxis wird diese Grenze bei großen Gesellschaften idR erreicht (Strothotte, Gewinnverwendung, 2014, 338). Befugnis, aus der Hälfte des Jahresüberschusses gem. § 58 II 1 Rücklagen zu bilden, bleibt aber unberührt. **Weitergehende Beschränkungen** bestehen nur in dem in → Rn. 10 erläuterten Umfang; insbes. Überschreitung des Ermessens ist auch hier denkbar, wird aber nur in Ausnahmefällen feststellbar sein und selbst dann zumeist keine Sanktionen begründen können (→ Rn. 10). Dazu zT anzutreffende Differenzierung zwischen Ermessensfehlgebrauch bei Rücklagenbildung im ges. Rahmen des § 58 II 1 einerseits und satzungsmäßiger Ermächtigung nach § 58 II 2 andererseits (s. insbes. BeckOGK/Cahn/v. Spannenberg Rn. 40 f.) ist insofern nicht angezeigt, als **Ermessensausübung** in beiden Fällen an denselben ges. Maßstäben gemessen wird. Es verschieben sich allerdings die tats. Rahmenbedingungen der Ermessensausübung, da Interessen der Aktionäre durch einen uU vollständigen Ausschluss stärker beeinträchtigt werden können als bei Rücklagenbildung im moderateren ges. Rahmen.

14 **3. Rücklagenbildung im Konzern. a) Rücklagenbildung in der konzernierten Gesellschaft.** Für Rücklagenbildung in konzernierter AG gelten keine Besonderheiten, wenn **kein Gewinnabführungsvertrag** (§ 291 I 1 Fall 2) besteht: Konzernierte Gesellschaft kann andere Gewinnrücklagen bilden, ist dabei aber an Regeln des § 58 (vgl. bes. → Rn. 9 ff.) gebunden (unstr.).

15 Ist **Gewinnabführungsvertrag geschlossen** (allein oder zusammen mit Beherrschungsvertrag, § 291 I 1 Fall 1), so dürfen, wie § 301 S. 2 zeigt (→ Rn. 6), ebenfalls andere Gewinnrücklagen dotiert werden. Fraglich ist nur, ob dafür unter genannter Prämisse Beschränkungen des § 58 II überhaupt gelten oder ob stattdessen Inhalt des Gewinnabführungsvertrags ohne Rücksicht auf ges. Beschränkungen maßgeblich ist. Alleinige Maßgeblichkeit des Gewinnabführungsvertrags wird überwiegend jedenfalls für 100 %-Tochtergesellschaften angenommen (ADS Rn. 77; MüKoAktG/Bayer Rn. 54 ff., 57; krit. Geßler FS Meilicke, 1985, 18, 21 f.). Sind dagegen außenstehende Aktionäre an konzernierter Gesellschaft beteiligt, ist zu differenzieren: Alleinige Maßgeblichkeit des Vertrags wird hier nur bei festem Ausgleich nach § 304 II 1 angenommen, nicht aber bei variablem Ausgleich nach § 304 II 1; hier sei § 58 II anwendbar (ADS Rn. 78; MüKoAktG/Bayer Rn. 54 ff., 57 f.; S/L/Fleischer Rn. 26; Geßler FS Meilicke, 1985, 18, 22; Priester ZHR 176 [2012], 268, 278). Dieser Ansicht ist beizutreten, wobei es iErg gleichgültig ist, ob Lösung durch (Teil-) Analogie zu § 291 III oder (wohl vorzugswürdig) durch teleologische Reduktion des § 58 II gewonnen wird, sich also auf das Argument stützt, dass Dividendeninteressen der Aktionäre (→ Rn. 1) in konzernierter Gesellschaft nicht betroffen oder anderweitig geschützt sind. Dieser Schutz ist allerdings beschränkt, weil er durch

satzungsmäßige Ermächtigung (→ Rn. 11 ff.) umgangen werden kann (S/L/Fleischer Rn. 26).

b) Zur Anwendung des § 58 auf die herrschende AG. Problem. Ist AG herrschendes Unternehmen im Konzern, so schmälern Einstellungen in andere Rücklagen, die von Verwaltung der Tochterunternehmen zulässig (→ Rn. 14 f.) vorgenommen werden, den Jahresüberschuss der AG. Einfachstes Bsp.: AG ist Holding mit einer Tochter, für die § 58 II 1 gilt. Werden bei der Tochter 50 % des Jahresüberschusses thesauriert, so verbleiben als Gewinn für die AG 50 %, von denen Vorstand und AR gem. § 58 II 1 wiederum die Hälfte in Rücklage stellen können, so dass für Entscheidung der HV und Gewinnverteilung nur 25 % des ursprünglichen Betrags zur Verfügung stehen. Offensichtlich ist, dass sich Problematik mit zunehmender Tiefe der Konzernstaffelung verschärft. Töchter und Enkelinnen werden damit zu „Spardosen" des Konzerns (MüKoAktG/Bayer Rn. 60). 16

Meinungsstand. Problemlösung ist str. Eine ältere, heute nicht mehr vertretene Meinungsgruppe korrigierte das Ergebnis, indem die gebildeten Rücklagen innerhalb der Tochter bei Berechnung der Höchstgrenze nach § 58 II für die Mutter einbezogen wurden. Verstoß gegen diese Höchstgrenze führte zur Nichtigkeit des Jahresabschlusses nach § 256 I Nr. 4 (Geßler AG 1985, 257 ff.; Götz AG 1984, 85, 93 f.; Götz FS Moxter, 1994, 573, 576 ff., 587 ff., 596 f. [sofern quantitativ wesentlich]). Eine weniger strenge Ansicht knüpft mittelbar an Rechtsgedanken des § 58 II an: Es bestehe Rechtspflicht der Verwaltungsorgane der Mutter die bei der Tochter gebildeten Rücklagen zu berücksichtigen. Dieses Gebot beschränke allerdings nicht das „Können" der Verwaltung, sondern lediglich das „Dürfen" mit der Folge, dass Jahresabschluss zwar gültig sei, aber Grund zur Sonderprüfung analog § 258 biete (so bes. Lutter FS Goerdeler, 1987, 327, 338; zust. MüKoAktG/Bayer Rn. 59 ff., 70 ff.; mit Vorbehalten [„allenfalls"] ADS Rn. 88). **Heute hM** knüpft mit Verweis auf möglichen Mediatisierungseffekt und Grundgedanken der Holzmüller/Gelatine-Rechtsprechung (→ § 119 Rn. 16 ff.) an letztgenannte Auffassung an, schreibt sie aber – mit Abweichungen im Detail – in der Weise fort, dass Vorstand Dividendeninteresse der Aktionäre der Mutter unter Einschränkung des Verwaltungsermessens **angemessen zu berücksichtigen** habe. (BeckOGK/Cahn/v. Spannenberg Rn. 82; S/L/Fleischer Rn. 29; Grigoleit/Grigoleit/Zellner Rn. 18; B/K/L/Westermann Rn. 13; Ganzer NZG 2023, 1251, 1254 f.; Priester ZHR 176 [2012], 268, 276 ff.). Dabei werden vereinzelt Mitentscheidungsbefugnisse der Aktionäre der Mutter bei der Rücklagenbildung innerhalb der Tochter angenommen (BeckOGK/Cahn/v. Spannenberg Rn. 80 f.; aA Grigoleit/Grigoleit/Zellner Rn. 18). Nach der Gegenauffassung verbleibt es bei **wörtlicher Anwendung des § 58;** das Ergebnis wird also hingenommen (so NK-AktR/Drinhausen Rn. 31; GK-AktG/M. Arnold/Notz Rn. 71 ff.; Hölters/Weber/Waclawik Rn. 49; MHdB AG/Krieger § 70 Rn. 56; Beusch FS Goerdeler, 1987, 25 ff.; Goerdeler WPg 1986, 229 ff.; Priester ZHR 176 [2012], 268, 276 ff.; Thomas ZGR 1985, 365 ff.; H. P. Westermann FS Pleyer, 1986, 421, 437 ff.). Auch diese Ansicht kommt jedoch zu dem Ergebnis, dass Konzernleitung Interessen der Aktionäre der Mutter iRd Thesaurierungspolitik angemessen zu berücksichtigen hat (GK-AktG/M. Arnold/Notz Rn. 91), weshalb Unterschiede zwischen den Ergebnissen der beiden letztgenannten Ansichten lediglich im Detail bestehen (sa MüKoAktG/Bayer Rn. 70: Unterschied ist im Ergebnis nur gradueller Art). 16a

Stellungnahme. Nach geltendem Recht muss es im Grundsatz dabei verbleiben, dass **§ 58 für jede AG** gilt, Rücklagenzurechnung also nicht stattfindet. Analoge Anwendung des § 58 im Konzern wäre für zentralen Bereich der Selbstfinanzierung Durchbruch zum Verständnis des Konzerns als ein Unternehmen im 17

Rechtssinne, das dem Ges. nicht zugrunde liegt und nicht ohne Rückwirkung auf Konzernrecht insges. bleiben könnte. Von Zulässigkeit der Rücklagenbildung in beherrschten Unternehmen geht auch AusschussB BT-Drs. 10/4268, 124, aus, dessen Einstufung als private Meinungsäußerung (KK-AktG/Lutter, 2. Aufl. 1988, Rn. 39) überzogen erscheint (ADS Rn. 85; vgl. auch BGHZ 88, 296, 299 ff. = NJW 1984, 240). Risikolage für Aktionäre des herrschenden Unternehmens kann deshalb allenfalls zur **Pflichtwidrigkeit des Vorstands** führen, nicht aber zur Nichtigkeit des Jahresabschlusses. Dass Vorstand bei Thesaurierungsentscheidung das ihm zustehende Ermessen pflichtgem. auch im Sinne der Aktionäre des herrschenden Unternehmens auszuüben hat, kann kaum bestritten werden, doch ist es zweifelhaft, ob diese Berücksichtigung über **allg. Sorgfaltsbindung gem. § 93 I 1** hinaus auf Maßstab des § 58 II verengt werden kann, was letztlich ebenfalls auf eine Einheitsbetrachtung des Konzerns hinauslaufen müsste und damit den genannten Bedenken begegnet (ausf. zu den Problemen einer Analogiebildung GK-AktG/M. Arnold/Notz Rn. 83 ff.). Auch aus Gründen der praktischen Handhabung wäre eine solche Betrachtung ausgesprochen problematisch, da eine „korrekte Durchrechnung" im Konzern kaum möglich ist (insofern zutr. MüKoAktG/Bayer Rn. 68). Thesaurierungsentscheidung des Vorstands kann daher nur unter Zubilligung von **Ermessensspielräumen** rechtl. Prüfung unterworfen werden, wobei nach den zu → § 93 Rn. 29 entwickelten Grundsätzen auch die Wertung des § 58 zu berücksichtigen ist; weitergehende Folgen können nicht im Analogiewege aus dieser Vorschrift hergeleitet werden, sondern insofern kann Lösung nur de lege ferenda erfolgen, sofern man sie denn überhaupt für erstrebenswert hält. Ebenfalls abzulehnen ist zT erwogene Anwendung der Holzmüller-Grundsätze (→ § 119 Rn. 16 ff.) mit der Folge einer HV-Mitentscheidungbefugnis (insbes. BeckOGK/Cahn/v. Spannenberg Rn. 79 f.), da Gewinneinhalt nicht als Eingriff in Kernbereich der Mitgliedschaft aufgefasst werden kann (KK-AktG/Drygala Rn. 75; Grigoleit/Grigoleit/Zellner Rn. 18; Priester ZHR 176 [2012], 268, 277 f., 284).

III. Einstellung in Sonderrücklage durch Vorstand und Aufsichtsrat (§ 58 IIa)

18 **1. Anlässe der Rücklagendotierung.** § 58 IIa 1 Fall 1 erlaubt, **Eigenkapitalanteil von Wertaufholungen** in andere Gewinnrücklagen einzustellen; auf diese Weise sollen nachträglich aufgedeckte Reserven im Unternehmen gebunden werden (RegBegr. BT-Drs. 10/4268, 123 f.). Zugleich soll Erhöhung des Jahresergebnisses vermieden werden, die nicht Ergebnis der Unternehmenstätigkeit des Geschäftsjahrs ist und sich weder auf cash flow noch Investitionspotenzial auswirkt (Strothotte, Gewinnverwendung, 2014, 349 ff. m. rechtspolit. Kritik). Wertaufholung ist in den Fällen des § 253 V HGB geboten, soll also nicht mehr gerechtfertigte Abschreibungen (§ 253 III 5, 6, IV HGB, § 254 S. 1 HGB) beseitigen. Der sich daraus ergebende Eigenkapitalanteil folgt aus dem Aufholungsbetrag abzüglich der Steuerbelastung (dazu ADS Rn. 90 ff.; MüKoAktG/Bayer Rn. 75). Erhöhung der Aktiva um so ermittelten Betrag kann durch Passivposten in gleicher Höhe neutralisiert werden, womit offene Rücklage statt stiller Reserve vorhanden ist. Noch nicht abschließend geklärt ist der Fall, dass kein oder kein ausreichender Jahresüberschuss zur Verfügung steht, so dass Rücklagenbildung zu Verlustausweis führt. ZT wird für diesen Fall Dotierung abgelehnt und stattdessen Nachdotierung in späteren Überschussjahren empfohlen (ADS Rn. 95 ff.; Hölters/Weber/Waclawik Rn. 22). Nach heute zu Recht hM ist diese Einschränkung aber abzulehnen. Im Wortlaut des § 58 IIa 1 findet sie keine Grundlage und auch teleologisch ist sie nicht geboten. Insbes. ist Dotierung nicht zum Schutze der ges. Rücklage iSd § 150 erforderlich, da zu diesem Zweck

vorrangig Rücklage nach § 58 IIa aufzulösen wäre (zutr. MüKoAktG/Bayer Rn. 81; BeckOGK/Cahn/v. Spannenberg Rn. 59; KK-AktG/Drygala Rn. 86; S/L/Fleischer Rn. 34; GK-AktG/M. Arnold/Notz Rn. 103).

Nach § 58 IIa S. 1 Fall 2 aF durfte in andere Gewinnrücklagen auch der **Eigenkapitalanteil von Passivposten** eingestellt werden, die bei steuerlicher Gewinnermittlung gebildet wurden und nicht im Sonderposten mit Rücklageanteil ausgewiesen werden durften. Nachdem durch das BilRUG 2015 die Berücksichtigungsfähigkeit steuerlich bedingter Passivposten generell aufgegeben wurde, war als Folgeänderung dieser materiell-rechtl. Neuordnung der darauf Bezug nehmende Passus auch in § 58 IIa zu streichen (ausf. zur bisher geltenden Rechtslage und zur Änderung MüKoAktG/Bayer Rn. 76). 19

2. Zuständigkeit von Vorstand und Aufsichtsrat. Zuständigkeit für Einstellung in andere Gewinnrücklagen nach → Rn. 18 f. liegt bei Verwaltung, und zwar ausschließlich (KK-AktG/Drygala Rn. 87). Das ist folgerichtig, weil dem Jahresüberschuss nur Beträge entzogen werden, die nicht Ergebnis der Unternehmenstätigkeit im Geschäftsjahr sind; vgl. aber auch ADS Rn. 103. Einstellung erfolgt unbeschadet des § 58 I und II, ist also bei den danach bestehenden Beschränkungen nicht mitzurechnen. 20

3. Gesonderter Ausweis oder gesonderte Angabe des Betrags. Gem. § 58 IIa S. 2 ist Rücklagenbetrag in Bilanz gesondert auszuweisen, kann aber auch im Anh. (§§ 284 ff. HGB) angegeben werden. Vorschrift wurde durch BilRUG 2015 redaktionell neu gefasst, aber nicht inhaltlich geändert (sa MüKoAktG/Bayer Rn. 80). Richtige Lösung ist für die Bilanz ein „Davon-Vermerk" (ADS Rn. 107), und zwar auch in nachfolgenden Geschäftsjahren (BeckOGK/Cahn/v. Spannenberg Rn. 62). In GuV muss Betrag ebenfalls ausgewiesen werden (s. § 158 I Nr. 4 lit. d), wenn dafür nicht Anh. gewählt wird (§ 158 I 2; → § 158 Rn. 7). Handelt es sich bei AG um **Kleinstkapitalgesellschaft iSd § 267a HGB,** so ist sie allerdings gem. § 264 I 5 HGB von der Pflicht befreit, Jahresabschluss um Anh. zu erweitern, wenn sie die in § 268 VII HGB, § 285 Nr. 9 lit. c HGB und § 160 III 2 AktG genannten Angaben unter der Bilanz angibt (→ § 152 Rn. 8; → § 158 Rn. 10; → § 160 Rn. 16). Macht sie davon Gebrauch, stellt sich die Frage, ob auch Angaben nach § 58 IIa 2 in Bilanz aufzunehmen sind. Da AG in diesem Fall nach § 266 I 4 HGB aber gerade verkürzte Bilanz aufstellen darf, in der hier gerade nur der Posten „A. Eigenkapital" vorgesehen ist, würde dies zu zusätzlicher Einzelangabe führen und angestrebter Vereinfachung zuwiderlaufen, zumal isolierte Angabe des Rücklagenbetrags ohne weitere Aufgliederung des Eigenkapitals kaum sinnvoll erscheint. Das spricht dafür, auf diese Angaben bei Kleinstkapitalgesellschaften ganz zu verzichten (GK-HGB/Meyer § 266 Rn. 11; Fey/Deubert/Lewe BB 2013, 107, 108 f.; ebenso für vergleichbare Wahlpflichtangaben etwa nach § 42 II, III GmbHG auch Wader/Städtle WPg 2013, 249, 250 f.). 21

IV. Einstellung in Gewinnrücklagen und sonstige Maßnahmen im Gewinnverwendungsbeschluss (§ 58 III)

1. Verwendungsmöglichkeiten. § 58 III betr. Gewinnverwendungsbeschluss der HV (§ 174) und regelt ihre Kompetenzen zur Verwendung des Bilanzgewinns. Zum Begriff des Bilanzgewinns → Rn. 3. HV hat folgende Möglichkeiten: Ausschüttung, also Verteilung unter die Aktionäre (vgl. § 58 IV; → Rn. 26 ff.); Einstellung in Gewinnrücklagen (→ Rn. 23); Gewinnvortrag (→ Rn. 24); andere Verwendung, dies aber nur, wenn dafür Satzungsgrundlage vorhanden ist (§ 58 III 2; vgl. → Rn. 25). 22

23 **2. Einstellung in Gewinnrücklagen.** Durch § 58 III 1 Fall 1 zugelassene Einstellung weiterer Beträge in Gewinnrücklagen setzt **HV-Beschluss mit einfacher Mehrheit** voraus; Satzung kann qualifizierte Mehrheit vorsehen (MüKoAktG/Bayer Rn. 84). HV ist dabei nach § 174 I 2 an festgestellten Jahresabschluss und dort ausgewiesenen Bilanzgewinn gebunden, nicht aber an Verwendungsvorschlag der Verwaltung (BGHZ 124, 27, 31 = NJW 1994, 323). Beschlussvorschlag der Verwaltung (§ 124 III 1) und Beschlussfassung haben sich am Gesellschaftsinteresse (→ § 76 Rn. 63 ff.) zu orientieren. Beschluss unterliegt aber **keiner inhaltlichen Kontrolle** nach den Maßstäben der Erforderlichkeit und Verhältnismäßigkeit (→ § 254 Rn. 2 mwN). Auf Einstellung speziell in andere Gewinnrücklagen (§ 266 III HGB A III Nr. 4) ist HV zwar nicht beschränkt, doch kommt neben ihnen nur ges. Rücklage (§ 266 III HGB A III Nr. 1) in Betracht, weil Rücklage für eigene Aktien abgeschafft ist (→ § 71 Rn. 21a) und satzungsmäßige Rücklage (§ 266 III HGB A III Nr. 3) schon kraft bindender Satzungsregelung dotiert werden muss. Es gibt für Rücklagenbildung nach § 58 III 1 Fall 1 **keine ges. Obergrenze;** vgl. aber bes. Anfechtungstatbestand des § 254. Bei Einstellung in ges. Rücklage ist HV nicht auf Mindestbeträge des § 150 beschränkt; in Betracht kommt namentl. vorzeitige Rücklagenbildung (ADS Rn. 117).

24 **3. Gewinnvortrag.** § 58 III 1 Fall 2 erlaubt HV, Gewinn mit einfacher Beschlussmehrheit auf neue Rechnung vorzutragen. Gewinnvortrag entsteht damit dadurch, dass Vorjahresergebnis positiv war und in dieser Höhe weder ausgeschüttet noch zur Rücklagenbildung verwendet wurde (ausf. Mock FS Ebke, 2021, 683 f.). Wird so verfahren, erhöht sich Bilanzgewinn des Folgejahres (§ 158 I 1 Nr. 1), ohne dass aus Gewinnvortrag erneut Rücklagen dotiert werden müssten (MüKoAktG/Bayer Rn. 91). Anders als bei Rücklagenbildung bleibt Gewinn damit in Entscheidungszuständigkeit der HV (Scholz/Verse GmbHG § 29 Rn. 46). Üblich ist Gewinnvortrag nur für **Spitzenbeträge,** die sich nicht ohne weiteres als Dividende verteilen lassen. Rechtl. steht jedoch nichts im Wege, wenn höhere Beträge, **auch ganzer Bilanzgewinn,** vorgetragen werden (ADS Rn. 119; MüKoAktG/Bayer Rn. 91; zur Empirie vgl. Zimmermann/Guder KoR 2022, 31, 33 ff.). Zu beachten ist jedoch auch hier bes. Anfechtungstatbestand des § 254, der Gewinnvortrag ausdr. erfasst. Dass darüber hinaus für Gewinnvortrag stets sachlicher Grund erforderlich sein soll (Mock FS Ebke, 2021, 683, 689 ff.), ist de lege ferenda erwägenswert, findet im geltenden Recht aber keine tragfähige Grundlage (so auch ADS Rn. 119). Im Gegenteil lässt sich aus speziellem Anfechtungstatbestand in § 254 schließen, dass sachliche Rechtfertigung und Verhältnismäßigkeitsprüfung grds. nicht erforderlich sind (J. Koch FS Heidel, 2021, 849, 854).

25 **4. Andere Verwendung.** Gem. § 58 III 2 kann HV andere Verwendung des Bilanzgewinns mit einfacher Mehrheit beschließen, wenn Satzung entspr. Ermächtigung enthält; sonst nicht. Weil es sich weder um Rücklagenbildung noch um Ausschüttung handelt, ist nur Zuwendung an Dritte denkbar, bes. zur **Förderung gemeinnütziger Zwecke** (RegBegr. Kropff S. 78; vgl. BGHZ 84, 303 = NJW 1983, 282; Sethe ZHR 162 [1998], 474, 478 f.). Nach nunmehr hM kann Satzung insoweit nicht nur Ermächtigung enthalten, sondern auch Verpflichtung begründen, weil § 58 IV Ausschluss der Verteilung durch Satzung vorsieht (ADS Rn. 122; MüKoAktG/Bayer Rn. 92; KK-AktG/Drygala Rn. 109; zweifelnd ZB/Ziemons, 61. EL 2012, Rn. 7.126). Praktische Bedeutung war in der Vergangenheit nicht groß, weil entspr. Zuwendungen zumeist durch Vorstand erfolgen, doch könnte sich dies angesichts zunehmender Bedeutung der **Corporate Social Responsibility** (→ § 76 Rn. 64 ff.) ändern (ZB/Ziemons, 61. EL 2012, Rn. 7.126). Von anderer Verwendung gem. § 58 III 2

zu unterscheiden sind gewinnabhängige Schulden der AG wie im Fall des Gewinnabführungsvertrags (§ 291 I 1 Fall 2). Sie sind schon bei Feststellung des Jahresabschlusses zu berücksichtigen (→ § 291 Rn. 26).

Reichweite des Satzungsvorrangs ist iE umstr. Anerkannt ist, dass Satzung HV zur Ausschüttung des gesamten Bilanzgewinns oder eines Teils davon verpflichten, Ausschüttung aber auch ganz ausschließen kann (so wohl auch BGH AG 2013, 165 Rn. 19), was erforderlich sein kann, um Privileg der Gemeinnützigkeit nach § 55 I Nr. 1 AO, §§ 59, 60 AO zu erhalten (MüKoAktG/Bayer Rn. 88, 93); Verwaltung dagegen kann solches Ausschüttungsverbot auch im Rahmen eines Verschmelzungsvertrags nicht vereinbaren (BGH AG 2013, 165 Rn. 19). Str. ist, ob Satzung auch **Verpflichtung zur Rücklagenbildung** anordnen kann. Das wurde früher zT verneint, da Rücklagenbildung in § 58 abschließend geregelt sei (so noch KK-AktG/Lutter, 2. Aufl. 1988, Rn. 69). Heute ganz hM lässt solche Gestaltung zu, da bei anderem Verständnis §§ 158 I Nr. 4 lit. c AktG, 266 III a HGB leerliefen (MüKoAktG/Bayer Rn. 95; BeckOGK/Cahn/v. Spannenberg Rn. 94; S/L/Fleischer Rn. 42). Dieselben Grundsätze gelten für satzungsmäßige Verpflichtung zum Gewinnvortrag (MüKoAktG/Bayer Rn. 96). 25a

V. Anspruch der Aktionäre auf Bilanzgewinn (§ 58 IV)

1. Mitgliedschaftlicher Gewinnanspruch. Nach § 58 IV haben Aktionäre Anspruch auf Bilanzgewinn (Begriff → Rn. 3), soweit seine Verteilung nicht ausgeschlossen ist (→ Rn. 27). Norm regelt mitgliedschaftlichen Gewinnanspruch im Unterschied zum konkreten Zahlungsanspruch (Gläubigerrecht, → Rn. 28 ff.). Er hat seine Rechtsgrundlage in der Mitgliedschaft des Aktionärs und entsteht mit **Feststellung des Jahresabschlusses,** der Bilanzgewinn ausweist (BGHZ 7, 263, 264 = NJW 1952, 1370; BGHZ 23, 150, 154 = NJW 1957, 588; BGHZ 65, 230, 235 = NJW 1976, 241; BGHZ 124, 27, 31 = NJW 1994, 323; s. statt aller noch ADS Rn. 140). Inhalt des Rechts ist Teilhabe am Bilanzgewinn nach Maßgabe des Gewinnverwendungsbeschlusses und der rechtl. Ausgestaltung der Aktie (zB Stamm- oder Vorzugsdividende). Weil vor Beschlussfassung der HV gem. §§ 58 III, 174 Ausschüttungsvolumen noch nicht feststeht, handelt es sich nicht um Zahlungsanspruch, sondern um Anspruch gegen die Gesellschaft auf **Herbeiführung des Gewinnverwendungsbeschlusses,** der nach Ablauf der Frist des § 175 I 2 klagbar ist und bei obsiegendem Urteil nach § 888 ZPO vollstreckt werden kann (hM, s. MüKoAktG/Bayer Rn. 100; teilw. krit. Schüppen FS Röhricht, 2005, 571, 575 ff.). Selbständig verkehrsfähig ist mitgliedschaftlicher Dividendenanspruch nicht, weil Rechte der genannten Art nur einem Aktionär zustehen können. Insbes. ist er gem. § 399 BGB **nicht abtretbar.** 26

Aktionäre haben gem. § 58 IV nur insofern Anspruch auf Bilanzgewinn, als er nicht durch Ges. oder Satzung, durch HV-Beschluss oder als zusätzlicher Aufwand von Verteilung ausgeschlossen ist. **Ges. Ausschluss** greift insbes. ein gem. § 225 II infolge ordentlicher Kapitalherabsetzung, gem. §§ 230, 233 III infolge vereinfachter Kapitalherabsetzung unter den jew. dort genannten Voraussetzungen. Daneben sieht auch **§ 268 VIII HGB** seit BilMoG 2009 (außerbilanzielle) Ausschüttungssperre vor, solange bestimmte Vermögensgegenstände in der Bilanz ausgewiesen werden und die nach hypothetischer Ausschüttung verbleibenden frei verfügbaren Rücklagen zzgl. Gewinnvortrag (→ Rn. 24) und abzüglich Verlustvortrag (→ § 158 Rn. 24) die betreffenden Vermögensgegenstände nicht übersteigen (vgl. etwa MüKoHGB/Reiner HGB § 268 Rn. 28 ff.; zu Einzelheiten s. Link, Die Ausschüttungssperre des § 268 Abs. 8 HGB, 2014; Strothotte, Gewinnverwendung, 2014, 417 ff.; zu den Vor- und Nachteilen bilanzieller und außerbilanzieller Sperren vgl. Mylich ZHR 181 [2017], 87, 99 ff.). § 272 IV 1 27

HGB verlangt Bildung einer ausschüttungsgesperrten Rücklage für Anteile am beherrschenden Unternehmen. Seit BilRuG 2015 wurde weitere Ausschüttungssperre in § 272 V 1 HGB für den Fall ergänzt, dass der auf eine Beteiligung entfallende Anteil des Jahresüberschusses in der GuV die Beträge übersteigt, die als Dividende oder Gewinnanteil eingegangen sind bzw. auf deren Zahlung die AG einen Anspruch hat (vgl. dazu Mylich ZHR 181 [2017], 87, 92 ff.). Für KI räumt § 45 II Nr. 1 KWG der behördlichen Aufsicht die Möglichkeit ein, Ausschüttung ganz oder teilw. zu untersagen. Bei AIF-Kapitalverwaltungsgesellschaften kann § 292 KAGB zu beachten sein (Strothotte, Gewinnverwendung, 2014, 393). Mit **satzungsmäßigem Ausschluss** sind Fälle des § 58 III 2 angesprochen (→ Rn. 25 f.). Ausschluss durch HV-Beschluss kann nach § 58 III 1 (→ Rn. 22 ff.) erfolgen. **Zusätzlicher Aufwand** schließlich ist solcher, der im Jahresabschluss noch nicht berücksichtigt ist und jetzt auch nicht mehr berücksichtigt werden kann, weil HV an festgestellten Jahresabschluss gebunden ist (§ 174 I, III; → § 174 Rn. 3). Er ergab sich früher in erster Linie bei höherer als von Verwaltung vorgeschlagener (§ 170 II) Einstellung in Gewinnrücklagen aufgrund der dann eingreifenden höheren Körperschaftsteuerbelastung, doch ist dieser Anwendungsfall nach Umstellung des körperschaftsteuerlichen Anrechnungsverfahrens entfallen (BeckOGK/Cahn/v. Spannenberg Rn. 104; → § 170 Rn. 6). Stattdessen kann sich zusätzlicher Aufwand aber etwa ergeben bei höheren als vorgeschlagenen Dividendensätzen aus Erhöhung von Tantiemen, wenn sich diese am Ausschüttungsbetrag orientieren, oder von Arbeitnehmervergütungen. Ausschüttungsbetrag wird idR durch Zahlung von Dividende ausgekehrt, kann aber auch auf Dividende und Bonus aufgeteilt werden (s. dazu BAG AG 2003, 426, 427).

28 **2. Zahlungsanspruch.** Auf Zahlung von Dividende gerichtetes Gläubigerrecht entsteht mit **Wirksamwerden des Gewinnverwendungsbeschlusses** (§ 174; → § 174 Rn. 4). Anspruchsgrundlage ist § 58 IV 1 iVm diesem Beschluss. **Gläubigerrecht** heißt, dass Aktionär nunmehr Leistung, und zwar Zahlung in Geld, von AG fordern kann (zur Sachausschüttung → Rn. 31 f.). Anspruch auf Dividende ist unentziehbar, kann also nicht durch Dotierung von Rücklagen in zweiter Beschlussfassung ganz oder teilw. zu Fall gebracht werden (BGHZ 23, 150, 157 = NJW 1957, 588; MüKoAktG/Bayer Rn. 108), es sei denn, dass jeder einzelne Aktionär diesem Eingriff in sein Gläubigerrecht zustimmt. Anspruch entfällt nach zutr. Auffassung auch dann nicht, wenn zwischenzeitlich so hohe **Verluste** eingetreten sind, dass ges. Rücklage (§ 150) oder Grundkapital nicht mehr gedeckt sind (str. – wie hier BeckOGK/Cahn/v. Spannenberg Rn. 106; KK-AktG/Drygala Rn. 140; S/L/Fleischer Rn. 48; Grigoleit/Grigoleit/Zellner Rn. 34; Wucherer/Zickgraf ZGR 2021, 259, 294; aA MüKoAktG/Bayer Rn. 109; GK-AktG/M. Arnold Rn. 146 f.; Strothotte, Gewinnverwendung, 2014, 378 ff.). Vorstand darf Auszahlung aber dann nicht vornehmen, wenn er insofern gegen Zahlungsverbote des § 15b V 1 InsO (→ § 92 Rn. 46 ff.) verstößt (KK-AktG/Drygala Rn. 141; Grigoleit/Grigoleit/Zellner Rn. 34; Wucherer/Zickgraf ZGR 2021, 259, 295 f.).

28a **Fälligkeit** tritt nach § 58 IV 2 am dritten auf den HV-Beschluss folgenden Geschäftstag ein. Vorschrift wurde neu eingeführt durch Aktienrechtsnovelle 2016. Neufassung soll insbes. int. Bemühungen der Marktteilnehmer um Harmonisierung der Wertpapierabwicklung entgegenkommen (RegBegr. BT-Drs. 18/4349, 19). Fristenregelung ermöglicht es den an der Abwicklung der Gewinnverwendung beteiligten Marktteilnehmern (Emittenten, KI, Clearingstellen, Börsen), europäisch vereinbarte „Market Standards for Corporate Actions Processing“ umzusetzen (ausf. dazu RegBegr. BT-Drs. 18/4349, 19); deutscher Markt kann so an europäischer Abwicklungsplattform TARGET2-Securities (T2S) des

Eurosystems teilnehmen. Für Begriff des Geschäftstags ist entspr. §§ 675n, 657s und 675t BGB Bankarbeitstag maßgeblich (RegBegr. BT-Drs. 18/4349, 20; zu Einzelheiten Höreth AG 2017, R 31 f.; Kahl AG 2022, 481 Rn. 2 ff.; Zweifel an Fortgeltung im Lichte der Durchführungs-VO EU 2018/1212 v. 3.9.2018 bei Mutter AG 2021, R 22: so rasch wie möglich; Zweifel im Lichte der Zahlungsverzugs-RL 2011/7/EU bei Kahl AG 2022, 481 Rn. 8 ff.: Anweisung vorsichtshalber am zweiten Tag). Maßgeblich ist Bank der AG, die Bankarbeitstag selbst bestimmen kann (idR Ausschluss von Wochenenden und Feiertagen – Kahl AG 2022, 481 Rn. 2 ff.). Neuregelung ändert aber nichts daran, dass dividendenberechtigt nur derjenige ist, der am Tag der HV die Anteile noch erwirbt bzw. hält (Höreth AG 2017, R 31, 32). Nimmt tats. Auszahlung längere Zeit in Anspruch, kann Verzug der AG dennoch gem. § 286 IV BGB ausgeschlossen sein. Nach § 58 IV 3 kann in HV-Beschluss oder Satzung aber auch spätere Fälligkeit festgelegt werden (Muster bei Wälzholz/Graf Wolffskeel v. Reichenberg MittBayNot 2016, 197, 204). **Abw. Fälligkeitsbestimmung** ist auch in Gewinnverwendungsbeschluss zulässig (MüKoAktG/Hennrichs/Pöschke § 174 Rn. 45), bedarf bei Verschiebung über Geschäftsjahr hinaus, in dem Verwendung beschlossen wird, aber gewichtigen sachlichen Grundes iSd § 254; ansonsten ist Beschluss nach dieser Bestimmung anfechtbar (Strothotte, Gewinnverwendung, 2014, 398 f.). Auch Auszahlung der Dividende in Raten ist zulässig (GK-AktG/M. Arnold/Notz Rn. 138; MüKoAktG/Hennrichs/Pöschke § 174 Rn. 45; Krieger/Link FS Grunewald, 2021, 597, 598 f.; einschränkend GK-AktG/E. Vetter § 174 Rn. 121). Bei noch ausstehender Einlage ist § 273 BGB anwendbar (OLG Dresden AG 2004, 611, 613). Ob es der AG auch weiterhin offensteht, vor Fälligkeit auszuschütten, ist nicht abschließend geklärt (abl. Höreth AG 2017, R 31). § 271 II BGB gestattet eine solche Leistung vor Fälligkeit, doch iRd § 57 wird auch Leistung vor Fälligkeit als unzulässige Einlagenrückgewähr gewertet (Ihrig/Wandt BB 2016, 6, 14; Kruchen AG 2017, R 32). AG sollte von vorfälliger Zahlung daher absehen.

Str. ist, ob **aufschiebend bedingter Zahlungsanspruch** oder sogar aufschie- 28b
bend bedingter Gewinnverwendungsbeschluss zulässig ist (dafür Krieger/Link FS Grunewald, 2021, 597, 599 ff.; Strothotte, Gewinnverwendung, 2014, 399 f.; dagegen GK-AktG/E. Vetter § 174 Rn. 124 [in Bezug auf Zahlungsanspruch]; KK-AktG/Ekkenga § 174 Rn. 9; Grunewald AG 1990, 133, 137 [beide in Bezug auf Gewinnverwendungsbeschluss]). Zumindest gegen aufschiebend bedingten Zahlungsanspruch, bei dem Schwebezustand allein zu Lasten der beschließenden Aktionäre geht, bestehen keine Bedenken, sofern Eintritt der Bedingung obj. eindeutig feststellbar ist und nicht hauptsächlich von Mitwirkungshandlung der Verwaltung abhängt, so dass HV Entscheidungshoheit behält; zudem wären auch hier Grenzen des § 254 zu beachten (Einzelheiten bei Krieger/Link FS Grunewald, 2021, 597, 605 ff.). Zahlungsanspruch ist anders als mitgliedschaftliches Dividendenrecht (→ Rn. 26 aE) selbständig verkehrsfähig, kann also ohne Aktie abgetreten, ver- oder gepfändet werden (RGZ 98, 318, 320; MüKoAktG/Bayer Rn. 106). Schließlich ist künftiger Zahlungsanspruch ggf. Gegenstand des sog Dividendenverzichts, der vor Gewinnverwendungsbeschluss erklärt wird, was Anspruchsentstehung ausschließt (→ § 60 Rn. 11).

3. Verbriefung. a) Dividendenschein (Coupon). Nicht nur Mitgliedschaft 29
des Aktionärs wird nach ges. Ursprungskonzeption in einem Wertpapier verbrieft (vgl. § 10 und Erl. dort), sondern auch Dividendenzahlungsanspruch (→ Rn. 28 ff.). Mit zunehmender Entmaterialisierung des Wertpapierbegriffs (→ § 10 Rn. 5) ist indes auch seine Bedeutung geschwunden (Happ/Gätsch AktienR 4.02 Rn. 1.1). Wenn Satzung nichts anderes sagt, steht Aktionären aber **Anspruch auf Verbriefung** zu (ganz hM, vgl. statt vieler GK-AktG/M. Ar-

nold/Notz Rn. 149; aA KK-AktG/Drygala Rn. 149). Verbriefung erfolgt im Dividendenschein (auch: Gewinnanteilschein, Coupon). Dividendenscheine werden vorbehaltlich anderen Satzungsinhalts als **Inhaberpapiere** ausgestellt (auch wenn Aktien auf Namen lauten) und als Zusammendruck von mehreren durch Nummern gekennzeichneten Scheinen als sog Bogen zusammen mit dem Erneuerungsschein (Talon, → Rn. 30) und der Aktie (Mantel) ausgegeben. **Rechtl. Behandlung** erfolgt grds. **nach §§ 793 ff. BGB. Ausnahmen:** keine gerichtl. Kraftloserklärung (§ 799 I 2 BGB; → § 72 Rn. 2, 6). Nicht anwendbar ist ferner § 803 BGB, der statt Aktie Schuldverschreibung voraussetzt (vgl. schon Mot. BGB II 702 f.; MüKoBGB/Habersack § 803 Rn. 3). Einwendungen der AG nach Maßgabe des § 796 BGB, aber zusätzlich nach dem Inhalt der Mitgliedschaft als Hauptrecht (im Grundsatz unstr., s. MüKoAktG/Bayer Rn. 123; Hueck/Canaris WPR § 25 V 2b: „typusbedingte" Einwendung; die Letztgenannten allerdings mit Einschränkungen entgegen hM).

30 **b) Erneuerungsschein (Talon).** Anspruch auf Ausgabe neuer Dividendenscheine (Coupons) wird nicht selbständig verbrieft, sondern folgt aus der Aktie. Als letzter Abschnitt des Bogens (→ Rn. 29) ausgedruckter Erneuerungsschein (Talon) ist deshalb, obwohl auf Inhaber lautend, nicht Wertpapier (RGZ 74, 339, 341; unstr.), sondern (einfaches) **Legitimationspapier:** Er legitimiert seinen Inhaber, neue Coupons zu beziehen, solange der AG kein Widerspruch des Inhabers der Haupturkunde vorliegt. Ist **Widerspruch** erhoben, so entfaltet er Sperrwirkung zugunsten des Vorlegers der Haupturkunde (§ 75; → § 75 Rn. 3 f.). Weil Talon nicht Wertpapier ist, kann er auch nicht aufgeboten werden (→ § 72 Rn. 2). Wegen bloßer Beweisfunktion scheidet auch selbständige Verkehrsfähigkeit aus (allgM). In der Praxis stößt Nachdruck mittlerweile aber im Lichte zunehmender Entmaterialisierung (→ Rn. 29) schon mangels entspr. spezialisierter Druckereien auf praktische Probleme, weshalb Möglichkeit einer Kraftloserklärung auch hier zugelassen werden sollte (→ § 73 Rn. 2).

VI. Sachausschüttung (§ 58 V)

31 **1. Zulassung durch Satzung.** Nach § 58 V kann Barausschüttung durch Sachausschüttung ersetzt werden, wenn Satzung das vorsieht und HV entspr. Beschluss gefasst hat (→ Rn. 32). Neuregelung durch TransPuG 2002 knüpft an Empfehlung der Corporate Governance-Kommission an (s. Baums [Hrsg.] Bericht, 2001, Rn. 200). Entspr. Bestimmung kann in Ursprungssatzung enthalten sein oder durch **Satzungsänderung** (§§ 179 ff.) eingeführt werden. Genügt dafür nach Satzung einfache Mehrheit (§ 179 II 2), so gilt das auch hier (DAV-HRA NZG 2002, 115 f.). Inhaltliche Kontrolle des Satzungsänderungsbeschlusses (nicht eindeutig dazu RegBegr. BT-Drs. 14/8769, 13; sa Holzborn/Bunnemann AG 2003, 671, 672) ist schon deshalb nicht angezeigt, weil bloße Zulassung späteren HV-Beschlusses noch nicht in Mitgliedschaft der Aktionäre eingreifen kann (sa BeckOGK/Cahn/v. Spannenberg Rn. 116; KK-AktG/Drygala Rn. 173; DAV-HRA NZG 2001, 115, 116; W. Müller NZG 2000, 752, 757; aA Knigge WM 2002, 1729, 1736). Fehlt Satzungsgrundlage, so kann Sachausschüttung wie bisher gem. § 364 BGB mit Aktionär vereinbart oder zum Gegenstand eines Wahlrechts (Bardividende ohne eigene Aktien) nach § 262 BGB gemacht werden. Ohne seine Zustimmung muss sich Aktionär Sachdividende aber nicht aufdrängen lassen. Daran ändert wegen individualrechtl. Charakters des Dividendenrechts selbst einstimmiger Beschluss der HV nichts; anders nur, wenn Beschluss ausnahmsweise die Zustimmung sämtlicher Aktionäre enthalten sollte (präzisierend Lutter/Leinekugel/Rödder ZGR 2002, 204, 206).

2. Beschluss über Sachausschüttung. Satzungsregelung allein macht Sachausschüttung noch nicht zulässig. Erforderlich ist noch in jedem Einzelfall, dass HV Sachausschüttung auch beschließt. Insoweit genügt mangels anderer Regelung einfache Mehrheit des § 133 I, was man rechtspolitisch kritisieren kann (DAV-HRA NZG 2002, 115, 116). Auf Regelungen des Verfahrens und inhaltliche Vorgaben hat Ges. verzichtet. Erforderlich ist, dass Beschluss die Barausschüttung nach Art und Höhe bestimmt (keine Ausfüllungsbefugnis der Verwaltung); Vorstand und AR haben dafür Vorschläge zu machen (§ 124 III 1; s. W. Müller NZG 2002, 752, 758). Inhaltlich bestehen umso weniger Bedenken, je mehr Sachdividende ihrer Art nach fungibel ist, also problemlos zu Geld gemacht werden kann. Das ist insbes. bei Aktien (eigene oder von Töchtern) und börsennotierten Anleihen der Fall (vgl. RegBegr. BT-Drs. 14/8769, 13; Lutter/Leinekugel/Rödder ZGR 2002, 204, 210 ff.). Sog **scrip dividend** fällt indes nicht unter diese Regelung, da Aktien hier nicht schon bestehen, sondern erst durch Kapitalerhöhung geschaffen werden (→ Rn. 33a). Leistungen, die sich vom ges. Regelfall der Bardividende deutlich abheben (zB Gebrauchsgegenstände, bes. Erzeugnisse der Gesellschaft, aber wohl auch Aktien ohne Börsennotierung) können in das Mitgliedsrecht der Aktionäre eingreifen und wegen Verletzung des § 53a oder der mitgliedschaftlichen Treubindungen zur Anfechtung führen (→ § 243 Rn. 24 ff.). Eindeutigkeit der Satzungsklausel minimiert Anfechtungsrisiken (Holzborn/Bunnemann AG 2003, 671, 673). 32

Bes. Problem stellt **Bewertung der Sachausschüttung** dar. Hierzu wird erörtert, ob Sachausschüttung zum **Buchwert** der Vermögensgegenstände (so MüKoAktG/Bayer Rn. 130 f.; Holzborn/Bunnemann AG 2003, 671, 674 f.; Leinekugel, Die Sachdividende, 2001, 147 ff.; Lutter/Leinekugel/Rödder ZGR 2002, 204, 215 ff.) oder zu ihrem **Verkehrswert** (Börsenkurs) zu erfolgen hat (BeckOGK/Cahn/v. Spannenberg Rn. 123; KK-AktG/Drygala Rn. 184; S/L/Fleischer Rn. 60; W. Müller NZG 2002, 752, 758), was vor allem dann Bedeutung erlangt, wenn dieser höher ist als Buchwert. RegBegr. BT-Drs. 14/8769, 13 verweist auf Fortentwicklung der wissenschaftlichen Abklärung. Diese ergibt, dass Verkehrswert der Sachausschüttung nicht unterschritten werden darf, worunter **voller oder wirklicher Wert** zu verstehen ist; maßgeblich sind insoweit dieselben Grundsätze wie bei § 237 und bei § 255. Maßgeblichkeit des Verkehrswerts folgt aus Maßgeblichkeit des Bilanzgewinns (§ 57 III; s. W. Müller NZG 2002, 752, 758; Orth WPg 2004, 777, 782 ff.; aA MüKoAktG/Bayer Rn. 130). Ausschüttungsvolumen darf diesen zwecks Kapitalerhaltung nicht überschreiten, was jedoch geschehen würde, wenn etwa Aktien der Tochtergesellschaft zu dem bei AG gebildeten Buchwert abgegeben würden, obwohl Verkehrswert höher liegt. Gesellschaftsinterner Charakter der Verteilung von Gewinnen (Lutter/Leinekugel/Rödder ZGR 2002, 204, 217) ändert daran nichts. Verkehrswert muss bei börsennotierten Aktien aber nicht ihrem Kurs entspr. Erforderlich und genügend ist Angemessenheit des angesetzten Betrags, der als anteiliger Ertragswert auch unter dem Börsenkurs liegen kann (→ § 255 Rn. 26 ff., 46; → § 237 Rn. 18). Jüngere Rechtsprechung, nach der Börsenkurs iRd §§ 304, 305 grds. nicht unterschritten werden darf (→ § 305 Rn. 20a ff.), passt hier nicht, weil Unterschreitung Bewertungsmaßstab zugunsten der Aktionäre verbessert (KK-AktG/Drygala Rn. 184). Weil sie danach mehr Aktien als Sachausschüttung erhalten als bei Ansatz des Börsenkurses, ist Anteilseigentum (Art. 14 I GG) nicht negativ betroffen. 33

VII. Scrip dividend

Mit HV-Saison 2013 ist in deutsche Unternehmenspraxis neue Ausschüttungsform der sog „scrip dividend“ (auch Aktien- oder Wahldividende) eingeführt 33a worden, die seitdem bereits mehrfach Nachahmung gefunden hat (Überblick über praktische Verbreitung bei Rieckers DB 2019, 107, 113; Schlitt/Kreymborg AG 2018, 685 f.). Sie erfolgt idR in der Weise, dass HV zunächst normalen Gewinnverwendungbeschluss über **Bardividende** fasst, den Aktionären aber zugleich (optional) die Möglichkeit eingeräumt wird, Dividendenanspruch (ggf. auch nur teilweise) als **Sacheinlage für Bezugsrechtskapitalerhöhung** gegen Gewährung neuer Aktien einzubringen (Wettich AG 2014, 534, 535 f.). Anders als Sachdividende (→ Rn. 31 ff.) ist scrip dividend für Aktionär also optional (Schlitt/Kreymborg AG 2018, 685, 686). Bezugsrechtskapitalerhöhung erfolgt als „Bis zu-Kapitalerhöhung" (→ § 182 Rn. 12), und zwar idR aus genehmigtem Kapital (ausf. zum Ablauf Schlitt/Kreymborg AG 2018, 685, 688 ff.; → § 202 Rn. 2). ZT wird auch Kapitalerhöhung mit Bezugsrechtsausschluss praktiziert, aber nicht um Aktionäre vom Bezug auszuschließen, sondern um Wertschwankungen innerhalb Frist nach § 186 II 2 zu vermeiden. Derartige Zweckentfremdung des Bezugsrechtsausschlusses ist nicht unbedenklich. Alternativ kommt auch Einsatz eigener Aktien in Betracht (Schlitt/Kreymborg AG 2018, 685, 691 f.; Winter-Schieszl/Haberl AG 2015, R 8; → § 207 Rn. 4). Er ist aber nur sinnvoll, wenn AG schon über hohen Anteil eigener Aktien verfügt, diese also nicht noch erwerben muss. Scrip dividend ist prospektfrei (Wettich AG 2014, 534, 535). Erforderlich ist lediglich Informationsdokument gem. Art. 1 IV lit. h Prospekt-VO (Schlitt/Kreymborg AG 2018, 685, 690 ff. 692 f.; Wegmann hv-magazin 2014, 24, 25 [jew. noch zu § 4 WpPG aF]). Aus **Sicht der AG** hat scrip dividend den Reiz, dass sie ihre Liquidität schonen und ihre Eigenkapitalbasis verbreitern kann, ohne dafür Dividendenkürzung mit entspr. ungünstiger Außenwirkung am Kapitalmarkt hinnehmen zu müssen (Schlitt/Kreymborg AG 2018, 685, 687; zur steuerlichen Behandlung vgl. Schwendemann AG 2015, R 40, 41 f.; Wettich AG 2014, 534, 535). Aus **Aktionärssicht** eröffnet Wahloption zwischen zwei Dividendenformen die Möglichkeit, unterschiedlichen Interessen verschiedener Investorengruppen Rechnung tragen, die teils an Reinvestment, teils an Ausschüttung interessiert sind (Schwendemann AG 2015, R 40 f.; Winter-Schieszl/Haberl AG 2015, R 8). Noch nicht diskutiert ist Zulässigkeit der in der Praxis zT vorgenommenen Beschränkung des Angebots auf deutsche Aktionäre im Lichte des § 53a.

VIII. Rechtsfolgen

34 **1. Bei Maßnahmen im Jahresabschluss. Verstöße gegen § 58 I oder II** (im Fall des § 58 I auch bei Unterschreitung des durch Satzung für Rücklagenbildung vorgesehenen Betrags) bewirken Nichtigkeit des festgestellten Jahresabschlusses. Das folgt aus § 256 I Nr. 4 und ist unstr. (s. statt aller MüKoAktG/Bayer Rn. 136). Nichtigkeit wird aber mit Ablauf von sechs Monaten seit Bek. des Jahresabschlusses geheilt (§ 256 VI). Wegen der Einzelheiten zur Nichtigkeitsfolge → § 256 Rn. 32 f. Zur speziellen Problematik der Rücklagenbildung im Konzern → Rn. 16 f. Ist Jahresabschluss nichtig, so ist auch darauf aufbauender Gewinnverwendungsbeschluss nichtig (§ 253 I 1). Heilung bzgl. des Ersten (§ 256 VI) heilt auch beim Zweiten (§ 253 I 2).

35 **Verstöße gegen § 58 IIa** sind denkbar, indem Sonderposten zu hoch angesetzt werden; dann § 256 I Nr. 4. Wird Sonderposten nicht oder zu niedrig gebildet, so können Rechtsfolgen nicht eintreten, weil § 58 IIa bloßes Wahlrecht begründet. In **allen Fällen des § 58** kann Verstoß Verweigerung der Entlastung nach § 120 I und uU Abberufung gem. § 84 IV begründen. Schadensersatzpflicht der Verwaltungsmitglieder ist unter den Voraussetzungen der §§ 93, 116 gegeben. Als neuralgischer Punkt erweist sich – speziell bei überhöhter Rück-

lagenbildung – aber Schadensfeststellung (zu Einzelheiten Baums FS K. Schmidt, 2009, 57, 72 f.; Strothotte, Gewinnverwendung, 2014, 362 ff.).

2. Bei Maßnahmen im Gewinnverwendungsbeschluss. Gewinnverwendungsbeschlüsse sind nichtig, wenn Bindung an festgestellten Jahresabschluss (§ 174 I 2) missachtet wird (§§ 241 Nr. 3, 253 I 1). IÜ führen **Verstöße gegen § 58 III** oder gegen die Satzung zur Anfechtbarkeit nach §§ 243 I, 254 I 1. Übermäßige Rücklagenbildung oder nicht gerechtfertigter Gewinnvortrag kann Anfechtung nach § 254 begründen (→ Rn. 23 f.). Schadensersatzpflicht der Verwaltungsmitglieder ist wiederum unter den Voraussetzungen der §§ 93, 116 gegeben, bes. bei gesetz- oder satzungswidrigem Verwendungsvorschlag. 36

3. Fehler bei der Gewinnverteilung. Bei **Verstößen gegen § 58 IV** verbleibt es bei Anfechtung nach § 254, wenn mitgliedschaftliches Dividendenrecht durch übermäßige Rücklagenbildung beeinträchtigt wird (→ Rn. 33). Erfolgt Beschlussfassung nicht rechtzeitig (§ 175 I 2), so können Aktionäre auf Herbeiführung klagen (→ Rn. 26 aE). Beeinträchtigung bereits entstandenen Dividendenzahlungsanspruchs (→ Rn. 28 ff.) durch neue Beschlussfassung ist rechtl. so wirkungslos, wie wenn HV beschließen würde, Bankschulden nicht zurückzuzahlen. Die Rechtsfolgen bei **Verstößen gegen § 57 III** (früher: § 58 V) sind dieselben wie bei verbotener Einlagenrückgewähr; → § 57 Rn. 56 f.; → § 62 Rn. 2 ff. 37

Abschlagszahlung auf den Bilanzgewinn

59 (1) **Die Satzung kann den Vorstand ermächtigen, nach Ablauf des Geschäftsjahrs auf den voraussichtlichen Bilanzgewinn einen Abschlag an die Aktionäre zu zahlen.**

(2) [1] **Der Vorstand darf einen Abschlag nur zahlen, wenn ein vorläufiger Abschluß für das vergangene Geschäftsjahr einen Jahresüberschuß ergibt.** [2] **Als Abschlag darf höchstens die Hälfte des Betrags gezahlt werden, der von dem Jahresüberschuß nach Abzug der Beträge verbleibt, die nach Gesetz oder Satzung in Gewinnrücklagen einzustellen sind.** [3] **Außerdem darf der Abschlag nicht die Hälfte des vorjährigen Bilanzgewinns übersteigen.**

(3) **Die Zahlung eines Abschlags bedarf der Zustimmung des Aufsichtsrats.**

I. Regelungsgegenstand und -zweck

§ 59 enthält Lockerung des § 58 und erlaubt unter bestimmten Voraussetzungen (→ Rn. 2 f.) Abschlagszahlung auf Bilanzgewinn (anders Aktienrecht vor 1965, s. RGZ 107, 161, 168). Bezweckt ist, **Attraktivität der Aktie** ggü. festverzinslichen Papieren zu erhöhen und iErg eine Art **Halbjahrescoupon** zu ermöglichen (RegBegr. Kropff S. 79; GK-AktG/M. Arnold/Notz Rn. 2). Auch dieser bleibt jedoch Abschlag auf den Bilanzgewinn. Satzung kann namentl. keine Interims- oder gar Quartalsdividende vorsehen (Siebel/Gebauer AG 1999, 385, 390; → Rn. 5). Regelung findet unionsrechtl. Grundlage in **Art. 56 V GesR-RL.** Wegen ihrer Beschränkung auf eine Abschlagszahlung und des damit verbundenen Aufwands hat Regelung im Unterschied zu ausländischen Bsp. (USA) **keine wesentliche praktische Bedeutung** erlangt. Die Gesellschaften sind bei Jahresdividende geblieben; auch bei Rentenwerten ist Halbjahrescoupon unüblich geworden, weshalb es insoweit auch keine Benachteiligung der Aktie (mehr) gibt, die kompensiert werden sollte (KK-AktG/Drygala Rn. 3). Hinzu 1 kommen **Haftungsgefahren,** die sich im Falle einer überhöhten Vorwegausschüttung nach § 93 II, III Nr. 2, § 116 S. 1 für Vorstand und AR ergeben können (Grigoleit/Grigoleit/Rachlitz Rn. 1; Eichten/Weinmann DStR 2020, 2314, 2319).

II. Voraussetzungen

2 **1. Satzungsgrundlage, Vorstands- und AR-Beschluss.** Nur mit Ermächtigung der Satzung ist Abschlagszahlung zulässig (§ 59 I). Ermächtigung kann in ursprünglicher Satzung enthalten sein oder durch Satzungsänderung gem. §§ 179 ff. eingeführt werden; bloße Beschlussfassung der HV genügt nicht. Zahlung ist ferner nur zulässig, wenn Vorstand als Kollegialorgan von Ermächtigung durch **eigenen Beschluss** Gebrauch macht (§ 59 II 1). Entspr. Verpflichtung besteht nicht. Beschluss ist für jede Abschlagszahlung neu erforderlich. Schließlich muss AR zustimmen (§ 59 III), und zwar, abw. vom Sprachgebrauch des § 184 BGB, vor Abschlagszahlung (unstr., s. nur MüKoAktG/Bayer Rn. 10; BeckOGK/Cahn Rn. 10; GK-AktG/M. Arnold/Notz Rn. 21; aA Grigoleit/Grigoleit/Rachlitz Rn. 3; Hölters/Weber/Waclawik Rn. 7). Gegenauffassung würde AR unter derartigen faktischen Zugzwang setzen, dass Zustimmungserfordernis letztlich leerliefe; Aktionäre sind hinreichend durch § 62 I 2 geschützt (→ Rn. 4). Erforderlich ist Beschluss des Gesamt-AR (§ 107 III 2, § 108). Da AR in Fällen des § 59 idR nicht von Abschlussprüfer unterstützt wird, ist im Lichte erheblicher Haftungsgefahren (→ Rn. 4) von seiner Seite bes. Sorgfalt geboten; Hinzuziehung von Sachverständigen ist gestattet (GK-AktG/M. Arnold/Notz Rn. 23).

3 **2. Beschränkungen zu Grund und Höhe. Vorläufiger Jahresabschluss** muss Jahresüberschuss ergeben (§ 59 II 1). Überschlagsrechnungen oder gar Schätzungen genügen nicht. Erforderlich sind Bilanz und GuV (§ 242 III HGB) nach den für AG geltenden Ansatz-, Bewertungs- und Gliederungsvorschriften einschließlich GoB. Vorläufig heißt demnach nur, dass Prüfung und Feststellung entbehrlich sind, ebenso Anh. und Lagebericht (§§ 264, 284, 289 HGB); allgM, s. KK-AktG/Drygala Rn. 13; GK-AktG/M. Arnold/Notz Rn. 16 f. Damit wird Abschlagszahlung nach § 59 zeitlich begrenzt auf Zeitpunkt zwischen Aufstellung des vorläufigen Jahresabschlusses bis zur Feststellung des regulären Jahresabschlusses (Klett/Reinhardt ZIP 2021, 275, 279). **Jahresüberschuss:** § 275 II Nr. 17 bzw. § 275 III Nr. 16 HGB. Gewinnvortrag (→ § 58 Rn. 24) und Entnahmen aus Rücklagen (§ 158 I 1 Nr. 1–3) dürfen nicht berücksichtigt werden. Der **Höhe** nach beschränkt sich zulässige Abschlagszahlung erstens (§ 59 II 2) auf Hälfte des Jahresüberschusses abzüglich Dotierung der Gewinnrücklagen (§ 266 III HGB A III, § 272 III HGB), zweitens kumulativ (§ 59 II 3) auf Hälfte vorjährigen Bilanzgewinns (§ 158 I 1 Nr. 5).

III. Rechtsfolgen

4 Mit Beschluss des AR als zeitlich letztem Erfordernis (→ Rn. 2) entsteht Zahlungsanspruch des Aktionärs als selbständig verkehrsfähiges **Gläubigerrecht** (→ § 58 Rn. 28 ff.; KK-AktG/Drygala Rn. 17; aA Hölters/Weber/Waclawik Rn. 12). **Jahresabschluss** bleibt schon deshalb unberührt, weil Ansprüche auf Abschlag erst nach Bilanzstichtag begründet werden (→ Rn. 3). Zahlung ist keine Ergebnisverwendung iSd § 268 I HGB (GK-AktG/M. Arnold/Notz Rn. 34; Eder BB 1994, 1260, 1261). **Rücklagenbildung** (§§ 58 I, II) ist nur insoweit eingeschränkt, als Abschlagssumme disponibel bleiben muss. Im Beschluss über **Gewinnverwendung** ist Abschlag informationshalber anzugeben (MüKoAktG/Bayer Rn. 19; GK-AktG/M. Arnold/Notz Rn. 35), weil Angaben des § 174 II

sonst kein vollständiges Bild vermitteln. Stellt sich nachträglich heraus, dass Abschlagsvoraussetzungen (→ Rn. 2 f.) nicht oder nicht in voller Höhe vorlagen, so sind Aktionäre gem. § 62 I 1 rückgewährpflichtig. Abschläge sind jedoch Gewinnanteile, so dass guter Glaube nach § 62 I 2 geschützt wird (allgM, s. GK-AktG/M. Arnold/Notz Rn. 39). Ist Rückgewähr danach nicht zulässig oder tats. nicht durchsetzbar, werden für Vorstand und AR Haftungsgefahren nach § 93 II, III Nr. 2, § 116 S. 1 virulent, die angesichts üblicher Höhe von Ausschüttungszahlung erheblichen Umfang annehmen können.

IV. Interimsdividende

§ 59 erlaubt dem Satzungsgeber keine Interimsdividende (→ Rn. 1). De lege ferenda sollte Satzungsautonomie aber Einführung derartiger Zahlungen umfassen, bes. als Quartalszahlungen mit Schlussdividende (BeckOGK/Cahn Rn. 21; KK-AktG/Drygala Rn. 7; Siebel/Gebauer AG 1999, 385, 386 ff. und 397 ff.). Der erforderliche gesetzestechnische Aufwand ist überschaubar (Vorschlag bei Siebel/Gebauer AG 1999, 385, 402). Rechtsform der deutschen AG wird damit wettbewerbsfähiger ggü. ausländischen Gesellschaften mit inländischer Notierung, die Quartalsdividenden kennen. Auch kann Zusammenführung aus- und inländischer Unternehmen in der Rechtsform der deutschen AG dadurch erleichtert werden. Regelungsfreiheit des Satzungsgebers stellt sicher, dass Gesellschaften, bei denen Interimsdividende nicht passt, überflüssigen Aufwand vermeiden können. 5

Gewinnverteilung

60 (1) **Die Anteile der Aktionäre am Gewinn bestimmen sich nach ihren Anteilen am Grundkapital.**

(2) [1] **Sind die Einlagen auf das Grundkapital nicht auf alle Aktien in demselben Verhältnis geleistet, so erhalten die Aktionäre aus dem verteilbaren Gewinn vorweg einen Betrag von vier vom Hundert der geleisteten Einlagen.** [2] **Reicht der Gewinn dazu nicht aus, so bestimmt sich der Betrag nach einem entsprechend niedrigeren Satz.** [3] **Einlagen, die im Laufe des Geschäftsjahrs geleistet wurden, werden nach dem Verhältnis der Zeit berücksichtigt, die seit der Leistung verstrichen ist.**

(3) **Die Satzung kann eine andere Art der Gewinnverteilung bestimmen.**

Übersicht

I. Regelungsgegenstand und -zweck

1 Norm bezeichnet **Schlüssel für Gewinnverteilung.** Mit Gewinn ist derjenige Teil des Bilanzgewinns (§ 57 III) gemeint, der sich aufgrund Gewinnverwendungsbeschlusses als Ausschüttungsbetrag ergibt (§ 174 II Nr. 2). Auf dieser Grundlage wird individueller Dividendenzahlungsanspruch bestimmt. **Zuständig** für Verteilung ist nicht HV (BGHZ 84, 303, 311 = NJW 1983, 282; zu Folgen bei Verstoß → Rn. 6), die allenfalls qua Satzungsregelung Einfluss nehmen kann (→ Rn. 6 ff.), sondern Vorstand, der aber keinen eigenen Spielraum hat, sondern lediglich ges. oder satzungsmäßigen Verteilungsschlüssel ausführt (S/L/Fleischer Rn. 2). Dafür wird ihm in § 60 I, II am **Gleichbehandlungsgrundsatz** orientierte Regel vorgegeben (GK-AktG/M. Arnold/Notz Rn. 8). Das gilt auch für § 60 II, der sachgem. nach tats. Einlageleistung differenziert und damit sicherstellt, dass derjenige, der größeres Anlagerisiko trägt, dafür auch höhere Dividende erhält (S/L/Fleischer Rn. 4). Ges. Regelung tritt jedoch hinter Satzung zurück (§ 60 III; → Rn. 6 ff.), was dem Vorrang privatautonomer Gestaltung vor Folgerungen aus Gleichbehandlungsgebot (→ § 53a Rn. 5) entspr. (G. Hueck, Der Grundsatz der gleichmäßigen Behandlung, 1958, 252 f., 258). Abw. Satzungsregel ist in der **Praxis** verbreitet, so dass Bedeutung des § 60 III die des § 60 I, II übersteigt (S/L/Fleischer Rn. 1). Bei **Verstoß** gegen § 60 besteht **Rückgewähranspruch** gem. § 62 I 1 (Einzelheiten → § 62 Rn. 8).

II. Regelfall: Quotale Beteiligung

2 Inhaber des Gewinnanspruchs ist **Aktionär,** dessen Rechte bei Namensaktien allerdings nur dem im Aktienregister Eingetragenen zustehen (§ 67 II 1). Bei endgültigem Rechtsverlust (zB gem. § 56 III 3, § 71b, § 71d S. 4, § 328) entsteht kein Auszahlungsanspruch und auszuschüttender Gewinn wird auf übrige Aktionäre verteilt (S/L/Fleischer Rn. 22; für bloßes Ruhen der Mitgliedsrechte gem. § 44 WpHG, § 59 WpÜG, § 20 VII 2, § 21 IV 2 → § 20 Rn. 15 f.). Nach § 60 I ist auf jede Aktie der Gewinnanteil zu bezahlen, der ihrem **Anteil am Grundkapital** iSd § 8 IV entspr. Maßgeblich ist also bei Nennbetragsaktien (§ 8 II) Verhältnis des Nennbetrags zum Grundkapital, bei Stückaktien (§ 8 III) dessen Division durch Aktienzahl (→ § 8 Rn. 28). Aktionäre sind demnach in beiden Fällen nach ihrer quotalen Beteiligung am Grundkapital zu bedienen. Rückschluss aus § 60 II ergibt, dass § 60 I zwar nicht volle Erfüllung der Einlagepflicht voraussetzt, aber von Leistungen ausgeht, die nach Höhe und Zeitpunkt verhältnismäßig übereinstimmen. Vorschrift ist also zB anwendbar, wenn alle Aktionäre zu demselben Stichtag 50% des geringsten Ausgabebetrags (§ 9 I) einbezahlt haben. Auf etwa vereinbartes **Agio** kommt es dabei nicht an, weil es nicht der Einlage zuzurechnen ist (unstr. für § 60 I, s. GK-AktG/Henze/Notz Rn. 12).

III. Ausnahmefall: Vorabdividende

3 **1. Unterschiedliche Höhe von Einlageleistungen.** Verteilungsschlüssel des § 60 I wird in § 60 II 1 und 2 für den Fall modifiziert, dass Einlagen nicht auf alle Aktien in demselben Verhältnis geleistet sind. Einlagen sind auch hier (→ Rn. 2) nur **Leistungen auf das Grundkapital** (ganz hM, vgl. MüKoAktG/Bayer Rn. 10; KK-AktG/Drygala Rn. 14), also **nicht auch Agio.** Für Vorabdividende genügt, dass nur ein Aktionär mehr oder weniger geleistet hat als die anderen („alle Aktien"). Zu berücksichtigen sind aber nur fällige Mehrleistungen. Außer Ansatz bleiben also Einlagen, die ein Aktionär vor Aufforderung des Vorstands (§ 63 I) erbracht hat, damit sich nicht einzelner Aktionär durch nicht fällige Vorleistungen eigenmächtig Gewinnvorteil zu Lasten seiner Mitaktionäre ver-

schafft (GK-AktG/M. Arnold/Notz Rn. 15; MüKoAktG/Bayer Rn. 10; aA Grigoleit/Grigoleit/Rachlitz Rn. 6). Unterschiedliche Aktiengattungen werden durch voll- und teileingezahlte Aktien nicht begründet (→ § 11 Rn. 7).

Bei unterschiedlicher Höhe von Einlageleistungen (→ Rn. 3) gebührt den Aktionären zunächst eine **Vorabdividende von 4 %.** Berechnungsbasis sind geleistete fällige Einlagen, nicht Aktiennennbeträge (§ 60 II 1). Wenn Ausschüttungsbetrag danach nicht erschöpft ist, wird Rest nach Schlüssel des § 60 I verteilt. Reicht Ausschüttungsbetrag nicht für Vorabdividende von 4 %, so ist derjenige Vomhundertsatz zu wählen, mit dem die geleisteten fälligen Einlagen bedient werden können (§ 60 II 2). 4

2. Unterschiedliche Leistungszeitpunkte. Einlageleistungen können nicht nur unterschiedliche Höhe haben, sondern auch zu unterschiedlichen Zeitpunkten des Geschäftsjahrs geleistet werden. Sie sind dann **zeitanteilig** zu berücksichtigen (§ 60 II 3). Maßgeblich ist Zeitpunkt der Leistung, nicht der Fälligkeit. Was nach zeitanteiliger Vorabdividende verbleibt, ist wiederum gem. § 60 I auszuschütten. Für **junge Aktien** aus im Laufe des Geschäftsjahrs durchgeführter Kapitalerhöhung gilt vorbehaltlich anderweitiger Bestimmung im Erhöhungsbeschluss (→ Rn. 9 f.): Vorabdividende von 4 % wird auch bei Volleinzahlung nur für den Rest des Geschäftsjahrs gewährt (MüKoAktG/Bayer Rn. 13). Alte Aktien sind bei unterschiedlicher Leistung der Einlagen nach § 60 II 1, sonst nach § 60 I zu bedienen (MüKoAktG/Bayer Rn. 13; KK-AktG/Drygala Rn. 21). 5

IV. Satzungsregeln

1. Grundsatz. Satzung kann anderen Verteilungsschlüssel vorsehen, als in § 60 I und II bestimmt (sa § 11 S. 1); § 60 III durchbricht Satzungsstrenge zugunsten der **Satzungsautonomie** (§ 23 V 1), weil Verteilung des Ausschüttungsbetrags nur Aktionäre betr. (zum Nachrang des Gleichbehandlungsgrundsatzes → Rn. 1). Andere Regelung muss, sofern sie auch für künftige Aktionäre gelten soll, aber in Satzung enthalten sein. Nur sie und subsidiär § 60 I und II sind maßgeblich (BGHZ 84, 303, 311 = NJW 1983, 282; GK-AktG/M. Arnold/Notz Rn. 21). Gewinnverteilung durch Dritte, auch durch Beschluss der HV, kann Satzung nicht vorsehen (BGH AG 2014, 624 Rn. 10). Gleichwohl gefasster HV-Beschluss ist wegen Kompetenzverletzung nichtig gem. § 241 Nr. 3 (MüKoAktG/C. Schäfer § 241 Rn. 62; nach aA: wirkungslos). § 60 III entfaltet aber (entspr. allg. Regeln → § 23 Rn. 45) keine Sperrwirkung gegen **schuldrechtl. Vereinbarung eines abw. Gewinnverteilungsschlüssels** mit ausschließlicher Bindung des derzeitigen Aktionärsbestands (ausf. J. Koch AG 2015, 213 ff.; zust. GK-AktG/M. Arnold/Notz Rn. 24 ff.; Grigoleit/Grigoleit/Rachlitz Rn. 17; MüKoAktG/Stein § 179 Rn. 35; GK-AktG/E. Vetter § 170 Rn. 129; B/K/L/Westermann Rn. 11; KK-AktG/Zetzsche § 179 Rn. 228 ff.; Harbarth/Zeyher/Brechtel AG 2016, 801 ff.; Kuntz, Gestaltung von Kapitalgesellschaften, 2016, 330 f.; Priester ZIP 2015, 2156, 2157; aA LG Frankfurt NZG 2015, 482, 483 ff.; vgl. zur abw. Positionierung des OLG Frankfurt aber Harbarth/Zeyher/Brechtel AG 2016, 801, 803; wie LG aber auch KK-AktG/A. Arnold § 23 Rn. 185 f.). Grundsatz der Satzungsstrenge steht nicht entgegen, weil diese nicht die Satzung vor schuldrechtl. Abreden schützt, sondern das Gesetz vor der Satzung (vgl. dazu J. Koch AG 2015, 213, 218). Sofern solche Nebenabrede so gestaltet ist, dass sie – eben gerade anders als eine Satzungsregelung – weder für künftige Aktionäre Gültigkeit beansprucht noch berechtigte Schutzinteressen außenstehender Stakeholder berührt, besteht kein Grund, ihr Gültigkeit zu versagen (J. Koch AG 2015, 213, 217 ff.; aA KK-AktG/A. Arnold § 23 Rn. 186 unter Verweis auf Veräuße- 6 rungssituation, in der Bindung der AG aber gerade nicht besteht). Bloße **Öffnungsklausel** für Fälle gelegentlicher Abweichung vom ges. Verteilungsschlüssel hält BayObLGZ 2001, 137, 139 f. für zulässig, was schon im Lichte des Wortlauts aber nicht überzeugt (MüKoAktG/Bayer Rn. 16; KK-AktG/Drygala Rn. 26; Garbe GWR 2021, 379). Bei späterem Einverständnis aller Beteiligten kann aber auch hier über Auslegung als schuldrechtl. Vereinbarung nachgedacht werden (vgl. zu einer solchen Umdeutung J. Koch AG 2015, 213, 219 f. – zu einer im Ausgangspunkt allerdings abw. Fragestellung).

7 **2. Einzelne Gestaltungen.** § 60 III eröffnet umfassende Gestaltungsfreiheit. Satzung kann insbes. **Vorzugsaktien** vorsehen (§ 12 S. 2; → § 12 Rn. 15). Sie kann also bestimmen, dass ein Teil der Aktionäre bei Gewinnausschüttung Priorität genießt und uU auch noch anderweitig begünstigt wird, etwa durch Gewährung eines Mehrbetrags auf Stammdividende (→ § 139 Rn. 5 ff.). Satzung kann auch **anderen Verteilungsmaßstab** einführen, etwa bei Nebenleistungs-AG (§ 55) Verteilung des Gewinns nach Verhältnis der von den Aktionären angelieferten Warenmengen (RGZ 104, 349, 350 f.). Möglich ist ferner, Gewinnbeteiligung von Aktien auszuschließen, die nicht voll eingezahlt sind oder bestimmte Quote des Grundkapitals übersteigen (MüKoAktG/Bayer Rn. 21). Als weitere Optionen werden genannt: Gewinnobergrenze für Hauptaktionär (S/L/Fleischer Rn. 18), Ausgestaltung als Tracking Stocks (→ § 11 Rn. 4), Umsatzdividende für Mitglieder, die von AG höhere Leistungen in Anspruch genommen haben (genossenschaftsähnliches Modell – GK-AktG/M. Arnold/Notz Rn. 36), sowie theoretisch auch – obwohl von Praxis nicht angenommen – Gedanke eines Präsenzbonus (Klühs ZIP 2006, 107, 111; sa → § 118 Rn. 5). Zur Beschränkung des Dividendenrechts unter dem Aspekt der **Gemeinnützigkeit** und daraus resultierenden unterschiedlichen Dividendensätzen (Berücksichtigung der Steuergutschrift) vgl. BGHZ 84, 303 = NJW 1983, 282.

8 **3. Satzungsänderung, besonders Kapitalerhöhung.** Satzungsmäßiger oder ges. Verteilungsschlüssel können auch nachträglich geändert werden. Für solche Satzungsänderung genügen jedoch nicht die Erfordernisse der §§ 179 ff., weil und soweit sie in entstandene mitgliedschaftliche Dividendenrechte eingreift. Für jede Zurücksetzung ist außer bei Kapitalerhöhung (→ Rn. 9) vielmehr **Zustimmung der betroffenen Aktionäre** erforderlich (hM, s. KK-AktG/Drygala Rn. 28, 31; GK-AktG/M. Arnold/Notz Rn. 27 f.; aA BeckOGK/Cahn Rn. 22). **Gewinnverzicht** des Hauptaktionärs ist als Satzungsregelung vielfach weder gewollt noch zweckmäßig; besser ist vertraglicher Verzicht auf Dividendenauszahlung (→ Rn. 11 f.). Verzicht allein ändert nichts an Gewinnverteilung (GK-AktG/M. Arnold/Notz Rn. 53). Möglich ist aber Dotierung der Gewinnrücklagen im Gewinnverwendungsbeschluss (→ § 174 Rn. 5).

9 Weil jede Kapitalerhöhung Satzungsänderung ist, kann neue Regelung über Gewinnbeteiligung auch im **Kapitalerhöhungsbeschluss** getroffen werden (ganz hM, s. KK-AktG/Drygala Rn. 32; GK-AktG/M. Arnold/Notz Rn. 30; Henssler/Glindemann ZIP 2012, 949, 950). Damit gegebener satzungsändernder Beschluss kann gem. § 60 III auch Gewinnverteilungsschlüssel für junge Aktien festlegen, und zwar abw. vom Grundsatz in → Rn. 8 auch so, dass Rechte aus alten Aktien zugunsten der jungen **ohne Zustimmung der betroffenen Aktionäre** nachteilig verändert werden (MüKoAktG/Bayer Rn. 23; KK-AktG/Drygala Rn. 32). Erforderlicher Ausgleich für Altaktionäre liegt im Bezugsrecht. Ob sie bei Bezugsrechtsausschluss (§ 186 III) zustimmen müssen oder ob Ungleichbehandlung nur bei Prüfung der Zulässigkeit des Bezugsrechtsausschlusses (→ § 186 Rn. 25 ff.; → § 243 Rn. 25) zu berücksichtigen ist (so MüKoAktG/Bayer Rn. 24; KK-AktG/Drygala Rn. 35; GK-AktG/M. Arnold/Notz Rn. 32), ist in Rspr. noch nicht geklärt. Vorzugswürdig erscheint bei regulärer Kapital-

erhöhung das Zweite, doch sollte ursprüngliche Satzung vorbeugend klarstellende Klausel enthalten. Formulierung nach KK-AktG/Lutter, 2. Aufl. 1988, Rn. 17: „Junge Aktien aus einer künftigen Kapitalerhöhung können mit Vorzügen bei der Gewinnverteilung versehen werden.“ Bei genehmigtem Kapital (§§ 202 ff.) vertragen sich Bezugsrechtsausschluss und nachteilige Veränderung der Mitgliedsrechte nicht, weil hinreichende Zulässigkeitsprüfung nicht gewährleistet ist. Es geht nur das eine oder das andere (→ § 204 Rn. 4; Mertens FS Wiedemann, 2002, 1113, 1123 ff.).

Einzelne Gestaltungen bei Kapitalerhöhung. Junge Aktien können rück- 10
wirkend am Gewinn des Geschäftsjahrs oder einer Teilperiode beteiligt werden. Auch Beteiligung am **Gewinn eines schon abgelaufenen Geschäftsjahrs** ist möglich, wenn HV darüber noch nicht gem. § 174 beschlossen hat und Eintragung der Kapitalerhöhung im HR auch vor Beschluss gem. § 174 wirksam wird (sehr str.; wie hier GK-AktG/M. Arnold/Notz Rn. 39 ff.; KK-AktG/Drygala Rn. 46 ff.; S/L/Fleischer Rn. 19; MüKoAktG/Schürnbrand/Verse § 182 Rn. 75; S/L/Veil § 182 Rn. 25; Groß FS Hoffmann-Becking, 2013, 395 ff.; Henssler/Glindemann ZIP 2012, 949 ff. mwN; Seibt CFL 2011, 74, 78 f.; Simon AG 1960, 148; Singhof FS Hoffmann-Becking, 2013, 1163, 1180 f.; Wündisch AG 1960, 320; aA vor allem Mertens FS Wiedemann, 2002, 1113 ff.; sa MüKoAktG/Bayer Rn. 30 [augenscheinlich großzügiger aber MüKoAktG/Bayer § 204 Rn. 10 mit Fn. 25]; BeckOGK/Cahn Rn. 29). Praktisches Bedürfnis für solche Gestaltung folgt namentl. bei börsengehandelten Aktien daraus, dass junge und alte Aktien auf diese Weise ausstattungsidentisch gestaltet werden können (insbes. keine gesonderte Wertpapierkennnummer bzw. ISIN), was ihre Fungibilität erhöht (Henssler/Glindemann ZIP 2012, 949; zur praktischen Verbreitung s. Fleischer/Maas AG 2020, 761 Rn. 23; zur Anschlussfrage, ob Aktien mit unterschiedlicher Gewinnberechtigung verschiedene Gattungen bilden → § 11 Rn. 8).

Gegenauffassung verkennt, dass Ausschüttungsbetrag vor entspr. Beschlussfas- 10a
sung nur Rechengröße ist und Aktionärseigenschaft vor Begründung von Dividendenzahlungsansprüchen erworben wird (ausf. Henssler/Glindemann ZIP 2012, 949, 952 f.). Für **Schutz der Altaktionäre** genügen bei regulärer Kapitalerhöhung ges. Bezugsrecht (§ 186 I) oder an dessen Ausschluss anknüpfende Schutzinstrumente (→ Rn. 9; aA Mertens FS Wiedemann, 2002, 1113, 1120 f.). Als Gegenargument auch bemühter Umkehrschluss aus § 217 II (MüKoAktG/Bayer Rn. 30; Mertens FS Wiedemann, 2002, 1113, 1114) liegt nicht näher als Annahme eines allg. Rechtsgedankens, zumal ältere Praxis Kapitalerhöhung aus Gesellschaftsmitteln noch als effektive Kapitalerhöhung verstanden hat (→ § 207 Rn. 2 f.). Sonderprobleme ergeben sich beim **genehmigten Kapital.** Hier stellt sich die Frage, ob derartige Gestaltung nur bei bestehendem Bezugsrecht (→ Rn. 9) zulässig ist oder auch bei Bezugsrechtsausschluss (ausf. → § 204 Rn. 4 mwN).

V. Dividendenverzicht

Mit Dividendenverzicht des Großaktionärs wird in der Praxis in erster Linie 11
das Motiv verfolgt, **Dividende der außenstehenden Aktionäre** zu ermöglichen oder aufzubessern, etwa um sie von Anfechtungsklagen gegen ertragsmindernde Strukturmaßnahmen abzuhalten (zu weiteren Motiven vgl. Horbach AG 2001, 78 ff.). Da solche Maßnahme in AG auf wenig Widerstand stoßen wird, liegt wichtigstes praktisches Gestaltungsziel nicht so sehr darin, Verzicht überhaupt zuzulassen, sondern darin, ihn derart rechtssicher zu gestalten, dass AG keine Rückzahlungsansprüche drohen können, wenn sich Aktionär eines Besseren besinnt (König AG 2001, 399, 400). Weiteres Rechtsproblem liegt in der Frage, ob Großaktionär über Verwendung des von ihm nicht beanspruchten

Betrags mitentscheiden darf (zB: Thesaurierung statt Ausschüttung → Rn. 12). Zur ersten Frage: Im Verzicht liegt keine von § 60 I und II abw. Verteilung, so dass es **keiner Satzungsregelung** gem. § 60 III bedarf. Auch Satzungsdurchbrechung liegt nicht vor; sie wäre auch nicht hilfreich (→ § 179 Rn. 8: Eintragung in das HR; Horbach AG 2001, 78, 80 f.; König AG 2001, 399, 405). Das gewollte Ergebnis ist vielmehr vertragsrechtl. zu verwirklichen, nämlich durch **verfügenden Vertrag** über künftigen Dividendenzahlungsanspruch **analog § 397 BGB,** der dessen Entstehung ausschließt; einseitiger Verzicht genügt nicht (MüKoAktG/Bayer Rn. 38; KK-AktG/Drygala Rn. 66; Butzke HV H 91; Horbach AG 2001, 78, 82; König AG 2001, 399, 400 ff.). Bedenken bestehen nicht, weil sich Verfügungsvertrag nicht auf mitgliedschaftliches Dividendenrecht bezieht, für das in der Tat sog Abspaltungsverbot (→ § 8 Rn. 26) gelten würde (MüKoAktG/Bayer Rn. 38), sondern auf Zahlungsanspruch, dessen Schuldnerin AG wäre. Durch Vorstand vertretene AG ist deshalb auch richtige Vertragspartnerin.

12 **Verzichtsbetrag** unterliegt der Verwendung gem. ges. oder satzungsmäßigem Verteilungsschlüssel unter Ausschluss des Verzichtenden. Gelegentlich alternativ oder zusätzlich zum Verfügungsvertrag erörterter Beschluss der HV (MüKoAktG/Bayer Rn. 39; König AG 2001, 399, 404 ff.) unterliegt dem Anfechtungsrisiko, ohne zusätzliche Sicherheit zu schaffen, und ist deshalb idR kein empfehlenswerter Weg (zutr. Horbach AG 2001, 78, 81; sa GK-AktG/M. Arnold/Notz Rn. 54). Information der Aktionäre über Dividendenverzicht erfolgt sinnvoll nicht im Beschlussvorschlag, sondern in seiner Begründung. Umstr. ist, ob Großaktionär daneben Möglichkeit hat, auf eigenen Gewinn zu verzichten, aber vorzugeben, dass er nicht an andere Aktionäre verteilt, sondern in **Gewinnrücklagen** eingestellt wird (dafür Butzke HV H 91 mit Fn. 215; dagegen GK-AktG/M. Arnold/Notz Rn. 53). Legt man dem Verzicht schuldrechtl. Vertragskonstruktion zugrunde, müsste entspr. Bedingung grds. möglich sein (Butzke HV H 91 mit Fn. 215); Frage ist aber noch nicht ausdiskutiert.

Vergütung von Nebenleistungen

61 Für wiederkehrende Leistungen, zu denen Aktionäre nach der Satzung neben den Einlagen auf das Grundkapital verpflichtet sind, darf eine den Wert der Leistungen nicht übersteigende Vergütung ohne Rücksicht darauf gezahlt werden, ob ein Bilanzgewinn ausgewiesen wird.

I. Regelungsgegenstand und -zweck; Voraussetzungen

1 § 61 betr. Vergütung von wiederkehrenden Nebenleistungen iSd § 55, sofern **Satzung** Entgeltlichkeit bestimmt (§ 55 I 2; → § 55 Rn. 2). Grds. darf AG Vermögen an Aktionäre nur iR ordnungsgem. Gewinnausschüttung oder iR sog Drittgeschäfte auskehren (→ § 57 Rn. 13 ff.). Nebenleistungen nach § 55 beruhen auf Mitgliedschaft und sind daher keine Drittgeschäfte. Sie gelten aber auch nicht als Einlagen auf Kapital iSd § 54, so dass auch § 57 nicht greift. Deshalb bedarf es gesonderter Regelung in § 61 (besser verortet als § 55 III – vgl. S/L/Fleischer Rn. 1), der anordnet, dass Entgelthöhe Wert der Nebenleistung nicht übersteigen darf und dass Vergütung **ohne Rücksicht auf Bilanzgewinn** gezahlt werden kann (anschaulich MüKoAktG/Bayer Rn. 1).

II. Vergütungsanspruch

Vergütungsanspruch muss nach § 55 I 2 **in Satzung festgelegt** sein. Bestimmt Satzung nichts anderes, so entscheidet Vorstand über **Vergütungshöhe;** dabei kommt ihm ein Beurteilungsspielraum zu (GK-AktG/M. Arnold/Notz Rn. 16). Möglich ist aber auch, Bestimmungsbefugnis AR, HV oder Drittem zuzuweisen (§§ 317, 319 BGB; GK-AktG/M. Arnold/Notz Rn. 14). Weil jew. **Marktwert zwingende Obergrenze** bildet, sollte Satzung nach früher hM eine Mindestvergütung nicht gültig festlegen können (RGZ 48, 102, 105). Durchgesetzt hat sich dagegen heute ganz hM, dass statutarische Festlegung wirksam ist, aber nicht mehr angewandt werden darf, sofern Marktpreis überschritten wird (MüKoAktG/Bayer Rn. 6; KK-AktG/Drygala Rn. 8). Maßgeblich für Wertvergleich (→ Rn. 1) ist **marktüblicher Anschaffungswert** im vorgesehenen Leistungszeitpunkt (MüKoAktG/Bayer Rn. 5; KK-AktG/Drygala Rn. 6). Es gelten zu § 57 entwickelte Grundsätze (→ § 57 Rn. 15 ff.). 2

Rechtsnatur. Vergütungsanspruch hat wie Dividendenrecht (→ § 58 Rn. 26) zunächst mitgliedschaftlichen Charakter und ist nur zusammen mit der Aktie verkehrsfähig. Disponibles (zB abtretbares) Gläubigerrecht kann nicht entstehen, bevor Nebenleistung erbracht ist (KK-AktG/Drygala Rn. 16). Anspruch ist mit Leistungsklage einzuklagen (satzungsmäßiger Verweis in Schiedsverfahren ist zulässig – GK-AktG/M. Arnold/Notz Rn. 11 f.). 3

Rechtsfolge bei zu hohem Entgelt: Rückgewähranspruch aus § 62 I 1; Gutglaubensschutz nach § 62 I 2 nur, wenn Nebenleistung ausnahmsweise aus Bilanzgewinn gezahlt wird (zulässig aufgrund § 60 III – vgl. S/L/Fleischer Rn. 10). **Schadensersatz** der Organe nach § 93 II, III Nr. 1 und 5, § 116 I. 4

Haftung der Aktionäre beim Empfang verbotener Leistungen

62 (1) [1] **Die Aktionäre haben der Gesellschaft Leistungen, die sie entgegen den Vorschriften dieses Gesetzes von ihr empfangen haben, zurückzugewähren.** [2] **Haben sie Beträge als Gewinnanteile bezogen, so besteht die Verpflichtung nur, wenn sie wußten oder infolge von Fahrlässigkeit nicht wußten, daß sie zum Bezuge nicht berechtigt waren.**

(2) [1] **Der Anspruch der Gesellschaft kann auch von den Gläubigern der Gesellschaft geltend gemacht werden, soweit sie von dieser keine Befriedigung erlangen können.** [2] **Ist über das Vermögen der Gesellschaft das Insolvenzverfahren eröffnet, so übt während dessen Dauer der Insolvenzverwalter oder der Sachwalter das Recht der Gesellschaftsgläubiger gegen die Aktionäre aus.**

(3) [1] **Die Ansprüche nach diesen Vorschriften verjähren in zehn Jahren seit dem Empfang der Leistung.** [2] **§ 54 Abs. 4 Satz 2 findet entsprechende Anwendung.**

Übersicht

I. Regelungsgegenstand und -zweck

1 § 62 betr. Rückgewähransprüche der AG gegen ihre Aktionäre. Norm geht wie §§ 57, 71 ff. zurück auf **Grundsatz der Kapitalerhaltung** (BGH NZG 2023, 1088 Rn. 38) in seiner aktienrechtl. Ausprägung als Bindung allen Vermögens, das nicht Bilanzgewinn ist (→ § 57 Rn. 4). Haben Verbote nicht geholfen, so darf gesetzwidrig Geleistetes den Aktionären grds. nicht verbleiben. Ausnahmen gibt es nur zugunsten gutgl. Dividendenempfänger (§ 62 I 2) und nach Ablauf der Verjährungsfrist (§ 62 III). Anspruch kann auch von Gläubigern als Prozessstandschaftern und vom Insolvenzverwalter oder vom Sachwalter der AG geltend gemacht werden (§ 62 II). Geltende Gesetzesfassung geht bes. auf **2. EG-KoordG** v. 13.12.1978 (BGBl. 1978 I 1959) zurück. Unionsrechtl. Grundlage ist heute in Art. 57 GesR-RL enthalten.

II. Rückgewähr verbotener Leistungen (§ 62 I)

2 **1. Rechtsnatur des Anspruchs.** § 62 I 1 begründet spezifisch aktienrechtl. Rückgewähranspruch, der als spezialges. Regelung Bereicherungsrecht und dessen Privilegierungen (§§ 814, 817 S. 2 BGB, § 818 III BGB) verdrängt (heute ganz hM – s. BGHZ 196, 312 Rn. 15 = NJW 2013, 1742; BGH NZG 2016, 1182 Rn. 11; OLG Frankfurt AG 2022, 783, 785; MüKoAktG/Bayer Rn. 8; KK-AktG/Drygala Rn. 16; Wiesner FS Raiser, 2005, 471 f.; teilw. aA [Synthese von Aktien- und Bereicherungsrecht] noch Bommert, Verdeckte Vermögensverlagerungen, 1989, 100 ff.). Diese schon bislang anerkannte Beurteilung hat sich in der Konstruktion (aber nicht iErg) dahingehend verschoben, dass mittlerweile hM aus § 62 sogar noch weitergehende Konsequenz herleitet, dass § 57 kein Verbotsgesetz iSd § 134 BGB ist, so dass Rechtsgrund besteht und § 812 BGB danach schon tatbestandlich nicht einschlägig ist (→ § 57 Rn. 56). Da § 62 auch von subj. Elementen des § 823 BGB unabhängig ist, handelt es sich um **strenge Haftung,** die ihre Rechtfertigung nach hM darin findet, dass obj. Interesse an Kapitalerhaltung individuelles Interesse auch des gutgläubigen Aktionärs überwiege (GK-AktG/M. Arnold/Notz Rn. 72; ähnlich Grigoleit/Grigoleit/Rachlitz Rn. 1). Tats. lässt sich diese Sichtweise aber mit § 62 I 2 nicht in Einklang bringen, der bei Bezug iRd Gewinnverteilung Rückgewähr grds. ausschließt. Im Lichte dieser Regelung erklärt sich strenge Rückgewährhaftung aus **unwiderlegbarer Vermutung,** nach der außerhalb von Umständen, die ordentlicher Gewinnverwendung gleichen, keine schutzwürdige Gutgläubigkeit angenommen werden kann (ausf. zur ratio legis J. Koch AG 2004, 20, 23; ebenso als Alternativkonzeption auch GK-AktG/M. Arnold/Notz Rn. 79 Fn. 130).

3 **2. Tatbestandliche Voraussetzungen. a) Gläubiger und Schuldner.** Gläubiger des Rückgewähranspruchs aus § 62 I 1 ist **AG und nur sie** (→ Rn. 15). Gesellschaftsgläubigern stehen Ansprüche gegen Aktionäre nicht zu, weshalb Vergleich mit § 172 IV HGB (KK-AktG/Drygala Rn. 17) problematisch ist (sa MüKoAktG/Bayer Rn. 9). Aus § 62 II 1 folgt nichts anderes; Kla-

gebefugnis der Gesellschaftsgläubiger ist Anwendungsfall ges. Prozessstandschaft (→ Rn. 15 f.).

Schuldner des Anspruchs sind **Aktionäre, die verbotswidrig Leistungen empfangen haben.** Aktionärseigenschaft muss grds. im Zeitpunkt des Leistungsempfangs bestehen. Dritte können jedenfalls prinzipiell nicht aus § 62 I 1 haftbar gemacht werden. Das folgt aus Wortlaut des Ges. und spezifisch aktienrechtl. Natur des Anspruchs (→ Rn. 2). Sind **Dritte Rechtsnachfolger** des Aktionärs, so ist zu unterscheiden: Gesamtrechtsnachfolger, bes. Erben (§ 1922 BGB), treten in Rechts- und Pflichtenlage ihres Vorgängers ein und haften deshalb auch nach § 62. Leitet Dritter seine (vermeintliche) Rechtsstellung dagegen von Einzelübertragung, bes. Abtretung (§§ 398 ff. BGB), ab, so kann er nicht nach § 62, sondern nur nach §§ 812 ff. BGB in Anspruch genommen werden, so dann, wenn AG nicht geschuldete Dividende an (vermeintlichen) Zessionar des Aktionärs zahlt, auch wenn dabei Dividendenschein vorgelegt wurde (heute hM, vgl. KK-AktG/Drygala Rn. 38; Canaris FS Rob. Fischer, 1979, 31, 54; aA für Bösgläubigkeitsfälle Wiesner FS Raiser, 2005, 471, 474 ff.). 4

Schwierige Einzelfragen können sich ergeben, wenn Leistungen an Dritte als nach § 57 **verbotene Einlagenrückgewähr** zu qualifizieren sind (→ § 57 Rn. 36 f.). Als **Grundsatz** gilt, dass Dritte nicht nach § 62 haften (BGH AG 1981, 227; OLG Düsseldorf AG 1980, 273, 274; MüKoAktG/Bayer Rn. 12, 18). Von diesem Grundsatz sind aber mehrere Ausnahmen anerkannt, die allesamt **korrespondierende Ausnahmen im Ausgangstatbestand** spiegeln (→ § 57 Rn. 36 f.). Als Regel gilt, dass die Reichweite des Tatbestands der Einlagenrückgewähr auch die Reichweite der Sanktionsnorm bestimmt; können Nichtaktionäre Verbotsadressaten nach § 57 sein, kann auf sie auch § 62 I 1 anwendbar sein (GK-AktG/M. Arnold/Notz Rn. 33). Daraus lassen sich insbes. **drei Fallgruppen** ableiten: (1) Dritter ist künftiger oder ehemaliger Aktionär und erhält Leistung in sachlichem und zeitlichem Zusammenhang: § 62 analog anwendbar; (2) Aktionär muss sich Drittempfang zurechnen lassen, namentl. bei Leistung an Dritten, der auf Rechnung handelt, an ein in seinem Mehrheitsbesitz stehendes Unternehmen, auf das er bestimmenden Einfluss ausübt und dadurch Zugriff auf Leistung hat (BGHZ 190, 7 Rn. 42, 44 = NJW 2011, 2719), an Ehegatte und minderjährige Kinder (Gedanke der § 89 III, § 115 II; → § 57 Rn. 37; KK-AktG/Drygala Rn. 37) sowie (Haftung des Hintermanns) bei Leistungen an Aktionär als Strohmann (Rechtsgedanke des § 46 V, vgl. BGHZ 190, 7 Rn. 45; MüKoAktG/Bayer Rn. 16 f.; Canaris FS Rob. Fischer, 1979, 31, 41): in allen Fällen: Anspruch gegen Aktionär; (3) Dritter ist Aktionär – über Zurechnung hinaus – gleichzustellen, namentl. als faktischer Aktionär oder bei Leistungen an den Vertreter, die dieser für sich begehrt (→ § 57 Rn. 36; darin aA BGH NJW 1992, 2821). Zum Dritten als Rechtsnachfolger des Aktionärs → Rn. 4. 5

b) Leistung. § 62 I 1 erfasst Leistungen ohne Rücksicht auf ihren Gegenstand, also nicht nur Zahlungen, sondern auch Sachleistungen, Inanspruchnahme von Gesellschaftseinrichtungen (zB Datenverarbeitungsanlage), Bereitstellung von Personal, Beratungs- und sonstige Serviceleistungen, soweit sie üblicherweise vergolten werden und nicht oder zu niedrig bezahlt worden sind (MüKoAktG/Bayer Rn. 33; KK-AktG/Drygala Rn. 44). 6

c) Entgegen gesetzlicher Vorschrift. Aktionäre müssen, um nach § 62 rückerstattungspflichtig zu sein, **aktienrechtl. verbotene Leistungen** empfangen haben. Anspruchsbegründend ist danach zunächst jegliche Form der Einlagenrückgewähr einschließlich der Zahlung von Zinsen (§ 57), insbes. auch die verdeckte Rückgewähr (→ § 57 Rn. 15 ff.) einschließlich der Zahlungen bei abgekaufter Anfechtungsklage (BGH NJW 1992, 2821; OLG Köln DStR 1991, 885 f.), auch Zahlung des Erwerbspreises beim unzulässigen Erwerb eigener 7

Aktien (→ § 57 Rn. 38). Anspruch besteht auch bei Verstößen gegen § 57 III, § 59 (Abschlagszahlung hat keine Satzungsgrundlage oder ist überhöht), § 61 (überhöhte Vergütung von Nebenleistungen) sowie Verstoß gegen Zahlungsverbote bei Kapitalherabsetzung und Liquidation (§ 225 II, §§ 230 ff., § 237 I, § 272 I). Anspruchsbegründend sind ferner Dividendenzahlungen, denen **kein gültiger Gewinnverwendungsbeschluss** (§ 174) zugrunde liegt, weil ohne ihn kein Zahlungsanspruch entsteht (BGH NZG 2023, 1088 Rn. 24; OLG Frankfurt AG 2022, 783, 784; MüKoAktG/Bayer Rn. 40). Heilung der Nichtigkeit (§§ 242, 253 I 2) gibt der Zahlung ges. Grundlage, so dass Anspruch entfällt. Entspr. gilt bei erfolgreicher Anfechtung des Beschlusses gem. §§ 243 ff., 254, weil sie Nichtigkeit von Anfang an bewirkt (§ 241 Nr. 5, § 248); zutr. MüKoAktG/Bayer Rn. 40; KK-AktG/Drygala Rn. 47. Bloße Anfechtbarkeit ändert aber nichts daran, dass Beschluss gültig ist, führt also auch nicht zu § 62.

8 Rückerstattungsansprüche bestehen nach heute ganz hM ebenfalls bei **Verstoß gegen Gewinnverteilungsregeln,** bes. des § 60 (MüKoAktG/Bayer Rn. 42; KK-AktG/Drygala Rn. 51; aA noch Schlegelberger/Quassowski AktG 1937 § 56 Rn. 4). Es genügt also nicht, dass Gesamtbetrag verteilt werden durfte. Vielmehr dürfen auch keine Überzahlungen an einzelne Aktionäre geleistet werden. Dafür spricht entscheidend, dass Ansprüche der benachteiligten Aktionäre fortbestehen, so dass Vermögen der AG unmittelbar beeinträchtigt wird (MüKoAktG/Bayer Rn. 42). Wird entgegen einer **Ausübungssperre** gezahlt (§ 20 VII, § 21 IV, § 56 III 3, §§ 71b, 71d S. 4, § 328), so führt auch das zu Rückerstattungsansprüchen der AG (BGH NZG 2016, 1182 Rn. 11; MüKoAktG/Bayer Rn. 43 f.; KK-AktG/Drygala Rn. 50). Daraus resultiert aber nicht automatisch Gewinnerhöhung bei nicht betroffenen Aktionären. AG muss gesperrten Gewinnanteil als Ertrag verbuchen (→ § 20 Rn. 15a). Zur umstr. Anwendung auf Nachgründung → § 52 Rn. 9.

9 **3. Haftungsinhalt; Konkurrenzen.** Anspruch aus § 62 I 1 richtet sich auf **Rückgewähr** verbotswidrig empfangener Leistungen. Hat AG zugunsten des Aktionärs Verpflichtung übernommen, etwa Sicherheitsleistung oder Prospekthaftung (→ § 57 Rn. 29, 33 f.), ist Anspruch auf Freistellung gerichtet; spätere tats. Inanspruchnahme kann neuerliche Rückgewähr begründen (BGHZ 190, 7 Rn. 50 = NJW 2011, 2719 im Anschluss an C. Schäfer ZIP 2010, 1877, 1880; sa C. Schäfer FS Hoffmann-Becking, 2013, 997, 1002). Mehrere rückgewährpflichtige Aktionäre haften als Gesamtschuldner (BGHZ 173, 1 Rn. 12 = NZG 2007, 704). §§ 818 ff. BGB sind mit Rücksicht auf aktienrechtl. Natur des Anspruchs (→ Rn. 2) nicht anwendbar. Gesellschaftsvermögen ist grds. so herzustellen, wie es ohne verbotene Leistung bestanden hätte, also **in corpore** (hM, s. BGHZ 176, 62 Rn. 9 = NZG 2008, 467 [zur GmbH]; BGHZ 196, 312 Rn. 19 = NJW 2013, 1742; NK-AktR/Drinhausen Rn. 14; GK-AktG/M. Arnold/Notz Rn. 46 ff.; Rowedder/Pentz/Pentz GmbHG § 31 Rn. 15; Ulmer FS 100 Jahre GmbHG, 1992, 363, 376 ff.; Witt ZGR 2013, 668, 676; diff. BeckOGK/Cahn/v. Spannenberg § 57 Rn. 90 ff.). Nicht zu folgen ist danach Gegenansicht, nach der nur rechnerische Wertbindung bezweckt ist und deshalb reiner Wertersatz geschuldet wird (KK-AktG/Drygala Rn. 61 f.; S/L/Fleischer Rn. 18; Joost ZHR 149 [1985], 419, 420; vermittelnd MüKoAktG/Bayer Rn. 46 ff.: alternative Rückabwicklung). Sie entspr. schon dem Wortlaut des § 62 nicht, vernachlässigt die an § 346 BGB anknüpfende Entstehungsgeschichte (AusschussB Kropff S. 83) und schützt Vermögen der AG auch nur unvollkommen; AG müsste jew. Wert des weggegebenen Vermögensgegenstands nachweisen, was Kapitalschutzsystem schwächen würde (zutr. BGHZ 176, 62 Rn. 9). Auch Aktionär wird dadurch nicht übermäßig belastet, da ihm bei Austauschgeschäften Ersetzungsbefugnis zuzubilligen ist (→ Rn. 10), was zu flexibleren und zT auch für ihn

günstigeren Ergebnissen führt (vgl. zu verbleibenden Unterschieden MüKoGmbHG/Ekkenga GmbHG § 31 Rn. 5).

Abw. Lösung ist dagegen angezeigt bei **verdeckten Leistungen** im Rahmen eines Austauschgeschäfts (→ § 57 Rn. 15 ff.) mit Wertdifferenz zu Lasten der AG. Da nach heute hM weder Verpflichtungs- noch Verfügungsgeschäft nach § 134 BGB nichtig sind (→ § 57 Rn. 56), kann aus Unwirksamkeit keine umfassende Rückgewährpflicht mehr hergeleitet werden. Stattdessen darf Aktionär Rückgewähr des geschuldeten Gegenstands abwenden, indem er Wertdifferenz ausgleicht. Grundlage ist **Ersetzungsbefugnis,** die im Interesse der AG aber Grenze in mitgliedschaftlicher Treupflicht findet, etwa bei bes. Interesse an zurückzugewährendem Gegenstand (für diese Lösung die ganz hM im GmbH-rechtl. Schrifttum, etwa MüKoGmbHG/Ekkenga GmbHG § 31 Rn. 6; HCL/Habersack GmbHG § 31 Rn. 25; Rowedder/Pentz/Pentz GmbHG § 31 Rn. 16; Scholz/Verse GmbHG § 31 Rn. 18; enger Lutter/Hommelhoff/Hommelhoff GmbHG § 31 Rn. 8: nur bei leicht wiederzubeschaffenden Gegenständen). 10

Folgt man BGH (→ Rn. 9) und besteht keine Ersetzungsbefugnis bzw. wird sie nicht ausgeübt (→ Rn. 10), ist Geld zurückzuzahlen und Sachen sind zurückzuübereignen (entgegen früher hM ist Vollzugsgeschäft nicht nach § 134 BGB unwirksam; → § 57 Rn. 56). Zwischenzeitlich eingetretener **Wertverlust** geht zu Lasten des Gesellschafters und ist durch bare Zuzahlung auszugleichen (BGHZ 122, 333, 339 = NJW 1993, 1922), sofern er nicht auch bei AG eingetreten wäre; Beweislast liegt insofern bei Aktionär (BGHZ 176, 62 Rn. 11 = NZG 2008, 467). Bei **Unmöglichkeit** gelten, weil § 62 ges. Schuldverhältnis begründet, §§ 275–285 BGB. Leistungen, die ihrer Natur nach nicht zurückgewährt werden können, wie Dienste oder Nutzungen, sind analog § 346 II Nr. 1 BGB dem Wert nach zu vergüten. Auf Rückgewähranspruch ist auch im Falle des Mitverschuldens § 254 BGB nicht anwendbar, da mit gläubigerschützendem Charakter des § 62 nicht zu vereinbaren (BGHZ 190, 7 Rn. 22 = NJW 2011, 2719; Maaß/Troidl BB 2011, 2563, 2566 f.; C. Schäfer FS Hoffmann-Becking, 2013, 997, 1002 f.; aA Arnold/Aubel ZGR 2012, 113, 134 f.; Westermann/Paefgen FS Hoffmann-Becking, 2013, 1363, 1377). Nach hM ist Rückgewähranspruch erst ab Verzugseintritt zu **verzinsen** (vgl. RGZ 80, 148, 152 [für die GmbH]; MüKoAktG/Bayer Rn. 60; KK-AktG/Drygala Rn. 70), doch lässt sich diese eigentümliche Privilegierung des ansonsten anerkanntermaßen streng ausgestalteten Rückgewähranspruchs (→ Rn. 2) kaum rechtfertigen, zumal auch Ersatzpflicht für tats. gezogene Nutzungen nach § 818 I BGB durchgängig abgelehnt wird. Aufgrund der funktionalen Nähe zur Kapitalaufbringung ist vielmehr analoge Anwendung des § 63 II (5 % ab Fälligkeit) geboten, damit Aktionär nicht besser gestellt wird als herkömmlicher Bereicherungsschuldner (ausf. J. Koch AG 2004, 20 ff.; zust. BeckOGK/Cahn/v. Spannenberg Rn. 24; Wachter/Servatius Rn. 5; Gärtner AG 2014, 793, 803; iErg ähnlich Bommert, Verdeckte Vermögensverlagerungen im Aktienrecht, 1989, 112). Planwidrige Regelungslücke findet Ursprung in nicht mehr voll durchdachtem Übergang von ursprünglich geplanter Außen- zur Innenhaftung (ausf. dazu J. Koch AG 2004, 20, 24 mw Hinweisen zur abw. Rechtslage im GmbH-Recht auf S. 25 f.). **Abtretung** des Anspruchs oder ges. Forderungsübergang ist bei vollwertiger Gegenleistung unbedenklich, da damit Restitutionszweck sichergestellt wird (BGHZ 190, 7 Rn. 54); Bedeutung insbes. bei Zahlung durch D&O-Versicherung. 11

Dingliche Herausgabeansprüche (§§ 985, 1007 BGB) einschließlich der Nebenfolgen aus §§ 987 ff. BGB bestehen nach heute hM nicht mehr neben § 62, da Verfügungsgeschäft nicht unwirksam ist (→ § 57 Rn. 56). Auch bisher angenommene Verdrängung der Bereicherungshaftung ist mittlerweile überholt, da keine rechtsgrundlose Bereicherung erfolgt ist, sondern Verpflichtungsgeschäft wirksam bleibt (→ Rn. 2). Nicht ggü. § 62 subsidiär sind **Ansprüche aus** 12

§§ 823 ff. BGB, weil nicht auf Rückgewähr, sondern auf Schadensersatz gerichtet (GK-AktG/M. Arnold/Notz Rn. 70; KK-AktG/Drygala Rn. 76); §§ 57, 62 sind aber keine Schutzgesetze iSd § 823 II BGB (→ § 57 Rn. 56). § 117 bleibt anwendbar. Zum Verhältnis der §§ 57, 62 zu §§ 311, 317 → § 57 Rn. 13.

13 **4. Schutz gutgläubiger Dividendenempfänger.** § 62 I 2 schützt guten Glauben von Aktionären, die verbotene Leistungen als **Gewinnanteile** bezogen haben. Das sind Dividenden aufgrund Beschlusses nach § 174 und Abschläge nach § 59. Für andere Leistungen gilt Regelung nicht, auch nicht analog. Anwendungsfall des § 62 I 2 ist bes. der nichtige oder erfolgreich angefochtene Gewinnverwendungsbeschluss (→ Rn. 7). Da nicht erwartet werden kann, dass Aktionär über die zur Nichtigkeit führenden gesellschaftlichen Interna informiert ist, gilt grds. geltende Vermutung fehlender Schutzwürdigkeit (→ Rn. 2) hier als widerlegt (ausf. J. Koch AG 2004, 20, 23). **Guter Glaube** muss sich auf Berechtigung zum Gewinnbezug beziehen und im Zeitpunkt des Leistungsempfangs bestanden haben (ganz hM, s. MüKoAktG/Bayer Rn. 75; KK-AktG/Drygala Rn. 85). Er fehlt bei Kenntnis oder fahrlässiger Unkenntnis des Aktionärs. Für **Kenntnis** lässt hM auch Kenntnis von einer gegen den Gewinnverwendungsbeschluss erhobenen Anfechtungsklage genügen (MüKoAktG/Bayer Rn. 74; S/L/Fleischer Rn. 24; GK-AktG/M. Arnold/Notz Rn. 89; enger BeckOGK/Cahn Rn. 28; Hennrichs FS Bergmann, 2018, 303, 310 f.), was in der Tat mit Rechtsgedanken des § 142 II BGB begründet werden kann. Gegenauffassung, die bei uneingeschränktem Testat Nichterkennbarkeit fingiert (Hennrichs FS Bergmann, 2018, 303, 311; sa A. Krämer, Folgen der Nichtigkeit des Jahresabschlusses, 2023, 54 ff. m. Ausn. für Großaktionär), lässt für Norm kaum Anwendungsfälle und verzerrt übermäßig den in § 62 I 2 enthaltenen Interessenausgleich. Problem wird sich allerdings häufig schon deshalb nicht stellen, weil Anfechtung erst nach Gewinnausschüttung erfolgen wird. Für Ausfüllung des **Fahrlässigkeitsbegriffs** ist § 276 II BGB einschließlich der insoweit anerkannten Differenzierung nach Lebens- und Berufskreisen anzuwenden; an üblichen Depotkunden sind also geringere Anforderungen zu stellen als an geschäftserfahrenen Großaktionär (zutr. BGH NZG 2016, 1182 Rn. 30; MüKoAktG/Bayer Rn. 74; sa OLG Stuttgart AG 2015, 284, 285). Beachtlich ist nicht nur Tatsachen-, sondern auch Rechtsirrtum (unstr., s. RGZ 77, 88, 92), als welcher aber nicht schon bloße Unkenntnis des Verbotstatbestands eingestuft werden kann (analog Übernahmeverschulden: Wer Aktien kauft, muss sich Kenntnis verschaffen; wie hier MüKoAktG/Bayer Rn. 71 f.; KK-AktG/Drygala Rn. 84; zum entschuldbaren Rechtsirrtum bei Verlust des Dividendenbezugsrechts nach § 20 VII vgl. BGH NZG 2016, 1182 Rn. 31 ff.). Besonderheiten gelten bei konzernweitem Rechtsverlust nach § 20 VII (→ § 20 Rn. 10). Hier hat BGH angedeutet, dass sich abhängiges Unternehmen iRd § 62 I 2 Bösgläubigkeit des herrschenden Unternehmens zurechnen lassen muss, um Wertungswidersprüche zwischen § 62 I 2 und § 20 VII zu vermeiden (BGH NZG 2016, 1182 Rn. 46 ff.; zust. Klöhn/Parhofer NZG 2017, 321, 324). Zur Anwendung des § 62 I 2 in der Insolvenz → Rn. 18.

14 **Beweislast** folgt seit 2. EG-KoordG 1979 (→ Rn. 1) allg. Regeln (Normentheorie). Daraus ergibt sich nicht, dass AG vollen Umfangs beweisbelastet wäre (wohl aA Ganske DB 1978, 2461, 2463). Bezug als Gewinnanteil ist vielmehr dem Aktionär günstig und von ihm zu beweisen; Kenntnis oder fahrlässige Unkenntnis des Aktionärs ist der Gesellschaft günstig, so dass sie insoweit die Beweislast trägt (vgl. BGH NZG 2016, 1182 Rn. 30; MüKoAktG/Bayer Rn. 76; KK-AktG/Drygala Rn. 86).

III. Rechtsverfolgung durch Gläubiger und Insolvenzverwalter oder Sachwalter (§ 62 II)

1. Grundsatz. Anspruch aus § 62 I 1 steht der AG und nur ihr zu (→ Rn. 3). 15
Rechtsverfolgung ist also **Sache des Vorstands** (vgl. OLG Karlsruhe NZG 2018, 508 Rn. 62 unter Ausschließung auch eines bes. Vertreters; ausf. → § 147 Rn. 5 mwN). Das korrespondiert mit § 63 I 1 (→ § 63 Rn. 5). Für Rechtsverfolgung durch Aktionäre ist bzgl. der Einlagen kein Raum (vgl. Zöllner ZGR 1988, 392, 401 f.). Dagegen erlaubt § 62 II 1, dass Gesellschaftsgläubiger den Anspruch der AG geltend machen, wenn sie von ihr keine Befriedigung erlangen können. Sie haben jedoch anders als nach § 56 AktG 1937 keinen eigenen Anspruch; vielmehr sind sie durch § 62 II 1 ermächtigt, Gesellschaftsansprüche im eigenen Namen geltend zu machen (KK-AktG/Drygala Rn. 101; GK-AktG/M. Arnold/Notz Rn. 109). Kraft dieser Ermächtigung können sie auch mahnen (§§ 286 ff. BGB; s. MüKoAktG/Bayer Rn. 85). Wenn sie klagen, handelt es sich um ges. Prozessstandschaft (MüKoAktG/Bayer Rn. 85). Gläubigerklagen nach § 93 V (→ § 93 Rn. 170 ff.) oder nach § 309 IV 3 (→ § 309 Rn. 23) sind dagegen auf Befriedigung eigener Ansprüche gerichtet und daher nicht vergleichbar.

2. Einzelfragen zur Gläubigerklage. Kläger muss Gläubiger der AG sein. 16
Dafür genügt jede **fällige Forderung** ohne Rücksicht auf Entstehungszeitpunkt, Inhalt und Höhe. Klagebefugnis ist also auch gegeben, wenn Forderung der Höhe nach hinter Rückgewähranspruch der AG zurückbleibt (MüKoAktG/Bayer Rn. 92; KK-AktG/Drygala Rn. 104; S/L/Fleischer Rn. 29). Es darf für den Gläubiger **keine Befriedigungsmöglichkeit** bestehen. So liegt es vor allem bei fruchtlosem Vollstreckungsversuch, aber auch bei Ablehnung der Insolvenzeröffnung mangels Masse. Nicht genügend ist, dass AG Leistung verweigert. Str. ist, ob Gläubiger **Leistung an AG** verlangen muss (so die ganz hM MüKoAktG/Bayer Rn. 88 ff.; KK-AktG/Drygala Rn. 109; S/L/Fleischer Rn. 28; Hölters/Weber/Mayer/Albrecht vom Kolke Rn. 17) oder auch Leistung an sich verlangen darf (so BeckOGK/Cahn Rn. 31 ff.; zust. Grigoleit/Grigoleit/Rachlitz Rn. 8; nicht eindeutiges obiter dictum in BGHZ 69, 274, 284 = NJW 1978, 160). HM ist zuzustimmen. Leistung an Gläubiger würde Zweck der Kapitalerhaltung verfehlen (→ Rn. 1) und wäre auch mit Gläubigerrolle der AG nicht vereinbar (→ Rn. 3, 15). Dass andere Konstellation bessere Anreizwirkungen ggü. Gläubiger haben mag, ist rechtspolitisch beachtliche Überlegung, de lege lata aber nicht mit derzeitiger Ausgestaltung zu vereinbaren. Klage des Gläubigers auf Leistung an sich selbst ist (wie auch sonst bei Prozessstandschaft) als unbegründet abzuweisen.

Welche **Einwendungen des beklagten Aktionärs** erheblich sind, ergibt sich 17
daraus, dass Gläubiger als Prozessstandschafter der AG klagt. Soweit schon Voraussetzungen der Prozessstandschaft nicht gegeben sind, ist Klage unzulässig. IÜ stehen dem Aktionär zunächst alle Einwendungen aus dem **Verhältnis der AG zum Gläubiger** zu (Erfüllung, Verjährung, § 320 BGB usw). Er kann ferner alle Einwendungen vorbringen, die ihm **gegen die AG** zustehen. Auf Einwendungen aus seinem **Verhältnis zum klagenden Gläubiger** kann er sich dagegen idR nicht berufen, weil dieser Gesellschaftsanspruch geltend macht. Ausnahme ist aber wegen widersprüchlicher und deshalb missbräuchlicher Rechtsausübung (§ 242 BGB) geboten, wenn Aktionär verlangen darf, dass Gläubiger ihn nicht in Anspruch nimmt, etwa kraft Vertrags, und sich dann mit der Klage des Prozessstandschafters konfrontiert sieht. Vgl. iE MüKoAktG/Bayer Rn. 103 f.; KK-AktG/Drygala Rn. 114.

18 **3. Insolvenzverwalter oder Sachwalter.** Bei Insolvenz der AG ist es nach § 62 II 2 Aufgabe des Insolvenzverwalters oder des Sachwalters, Rückgewähransprüche zu verfolgen. Norm ist, indem sie von Rechten der Gläubiger gegen Aktionäre spricht, missverständlich gefasst. Weil es bei den sog Rechten nur um Ermächtigung zur Verfolgung von Gesellschaftsansprüchen geht (→ Rn. 15), stellt § 62 II 2 klar, dass diese Ermächtigung mit Insolvenzeröffnung endet, Rechtsverfolgung also allein Sache des Insolvenzverwalters oder bei Eigenverwaltung des Sachwalters ist (MüKoAktG/Bayer Rn. 107 f.; KK-AktG/Drygala Rn. 118; → § 264 Rn. 10: Verdrängungsbereich). § 62 II 2 ergänzt § 280 InsO, schließt also Rechtsverfolgung durch AG auch dann aus, wenn sie nach §§ 270 ff. InsO möglich wäre (RegBegr. BT-Drs. 12/3803, 84); entspr. Bestimmungen enthalten § 93 V 4, § 117 V 3, § 309 IV 5. Bereits anhängiger Rechtsstreit wird gem. **§ 240 ZPO** unterbrochen. Insolvenzverwalter kann ihn aufnehmen, muss es aber nicht. Klagebefugnis der Gläubiger ruht auch dann bis Insolvenzende, wenn Verwalter den Rechtsstreit nicht fortsetzt (unstr., s. RGZ 74, 428, 429 f.). Entspr. gilt für Sachwalter. Umstr. ist Verhältnis des **§ 134 InsO** zu § 62 I 2, wenn **Dividendenzahlungen an gutgläubigen Aktionär** durch Insolvenzverwalter angefochten werden. ZT wird hier Sperrwirkung des § 62 I 2 angenommen (BeckOGK/Cahn Rn. 26: Rückschluss aus § 31 II GmbHG; sa Altmeppen ZIP 2023, 1217 ff.; Foerster WM 2022, 2359 ff.), während BGH und hLit Anfechtung nach § 134 InsO zulässt (BGH NZG 2023, 1088 Rn. 33 ff.; OLG Frankfurt AG 2022, 783, 785 f.; GK-AktG/M. Arnold/Notz Rn. 62; Habersack ZIP 2022, 1621 ff.; Mylich AG 2011, 765; Thole ZRI 2023, 49 ff.; iErg auch Bitter ZIP 2022, 1621 ff.). HM ist zuzustimmen, da sich Nichtanwendung des § 134 InsO nur auf **teleologische Reduktion** stützen ließe, dafür erforderliche teleologische Zwangsläufigkeit aber nicht mit hinreichender Sicherheit feststellbar ist. Zwar hat Gesetzgeber Rückgewähr gutgläubig empfangener Dividenden im Lichte des Grundsatzes der Kapitalerhaltung für entbehrlich gehalten. Dass er dies aber auch unter Berücksichtigung der Zwecke des Insolvenzanfechtungsrechts gewollt haben könnte, das insbes. den Schutz des guten Glaubens eigenständig regelt, kann nicht angenommen werden (BGH NZG 2023, 1088 Rn. 40). Vielmehr ist es durchaus denkbar, dass Gesetzgeber Konflikt zwischen Aktionären und außenstehenden Insolvenzgläubigern anderen Regeln unterwerfen wollte als Konflikt zwischen Aktionären und AG (ausf. Habersack ZIP 2022, 1621 ff.). Ob Organe der AG Kenntnis von Rechtsgrundlosigkeit hatten, ist irrelevant (Habersack ZIP 2022, 1621, 1626).

IV. Verjährung (§ 62 III)

19 Rückgewähransprüche unterliegen **aktienrechtl. Sonderverjährung** nach § 62 III. Konkurrenzsituation zu abw. Verjährungsregeln bei §§ 812, 985 stellt sich nicht mehr, seit BGH zu Recht Wirksamkeit von Verpflichtungs- und Verfügungsgeschäft klargestellt hat (→ § 57 Rn. 56). Frist beträgt **zehn Jahre,** beginnt mit Leistungsempfang und endet gem. § 188 II BGB. Änderung der Vorschrift durch Ges. zur Anpassung von Verjährungsvorschriften v. 9.12.2004 (BGBl. 2004 I 3214; Übergangsregelung in Art. 229 §§ 6, 12 EGBGB) bewirkt Anpassung der Verjährungsfrist an Einlagenansprüche geltende Regelung (→ § 54 Rn. 21). Einheitliche Fristen sind sachgerecht, weil einerseits der Kapitalerhaltung derselbe Stellenwert zukommt wie der Kapitalaufbringung, andererseits der Leistungsempfänger durch eine Zehnjahresfrist ausreichend geschützt ist. In § 62 III 2 vorgesehene entspr. Anwendung des **§ 54 IV 2** begründet auch hier ges. Ablaufhemmung zugunsten des Insolvenzverwalters, der damit Gelegenheit zur Prüfung und Verfolgung von Rückgewähransprüchen erhält. Klage des Gläubigers fällt nicht unter § 212 BGB, bewirkt Neubeginn der Verjährung also

weder zugunsten des Gläubigers noch zugunsten der AG (zust. KK-AktG/Drygala Rn. 126).

Folgen nicht rechtzeitiger Einzahlung

63 (1) [1]**Die Aktionäre haben die Einlagen nach Aufforderung durch den Vorstand einzuzahlen.** [2]**Die Aufforderung ist, wenn die Satzung nichts anderes bestimmt, in den Gesellschaftsblättern bekanntzumachen.**

(2) [1]**Aktionäre, die den eingeforderten Betrag nicht rechtzeitig einzahlen, haben ihn vom Eintritt der Fälligkeit an mit fünf vom Hundert für das Jahr zu verzinsen.** [2]**Die Geltendmachung eines weiteren Schadens ist nicht ausgeschlossen.**

(3) **Für den Fall nicht rechtzeitiger Einzahlung kann die Satzung Vertragsstrafen festsetzen.**

I. Regelungsgegenstand und -zweck

1 § 63 regelt, wie Einlagen fällig gestellt werden, und betr. **Rechtsfolgen bei Nichtzahlung trotz Fälligkeit,** ohne diese abschließend zu erfassen; § 64 (Kaduzierung), § 65 (Zahlungspflicht der Vormänner) und § 66 (keine Befreiungsmöglichkeit) sind ergänzend heranzuziehen. Regelungszweck der genannten Normengruppe ist Sicherung der realen Kapitalaufbringung.

II. Aufforderung zur Leistung der Einlagen (§ 63 I)

2 **1. Einlagen.** Vorschrift betr. Einlagen, und zwar nur solche, nicht Nebenleistungen (§ 55), nicht Rückgewährpflichten (§ 62), nicht Nebenpflichten aus § 63 II oder III (unstr., vgl. MüKoAktG/Bayer Rn. 4; KK-AktG/Drygala Rn. 5). Maßgeblich ist Einlagenbegriff des § 54. Gemeint ist also iRd Gründung oder Kapitalerhöhung übernommene mitgliedschaftliche Pflicht zu Leistungen auf das Grundkapital (→ § 54 Rn. 2) und ggf. auf das Agio (→ § 54 Rn. 5). Dabei muss es sich (§ 63 spricht von Einzahlung, nicht von Leistung) um **Geldleistungen** handeln. Auf Sacheinlagen ist Vorschrift nicht anwendbar (ganz hM, s. RGZ 68, 271, 273; MüKoAktG/Bayer Rn. 7; KK-AktG/Drygala Rn. 6), doch kann Satzung (in Ergänzung des Ges., § 23 V 2) entspr. Sanktionen vorsehen (hM, s. MüKoAktG/Bayer Rn. 8; GK-AktG/Gehrlein/Steffek Rn. 7). Für verdeckte Geldeinlagepflicht (zB bei Differenzhaftung → § 27 Rn. 21, bei Leistungsstörung → § 27 Rn. 11, bei Unmöglichkeit der Sachleistung, → § 54 Rn. 10) gilt das Sanktionensystem des § 63 (MüKoAktG/Bayer Rn. 9; KK-AktG/Drygala Rn. 8; aA RGZ 68, 271, 273 mit unzutr. Beurteilung des Verhältnisses von Geld- und Sacheinlage). Bei verdeckter Sacheinlage (→ § 27 Rn. 23 ff.) gilt Bareinlagepflicht ohnehin fort (→ § 27 Rn. 35), so dass Norm direkt angewandt werden kann. **Hauptanwendungsfall** sind die Geldeinlagen, die nicht schon vor Anmeldung (vgl. § 36 II, § 37a I) zu zahlen sind. Geldeinlagen, die vor Anmeldung zu leisten sind, sind nicht erfasst (noch keine „Aktionäre" wegen § 41 I 1), sondern es gelten allein §§ 36 II, 36a, 37 I, 54 III, 188 II. Werden sie aber nicht geleistet und AG dennoch eingetragen, wird Vorschrift entspr. angewandt (ganz hM, s. RGZ 94, 61, 65; MüKoAktG/Bayer Rn. 5 f.; BeckOGK/Cahn Rn. 6; GK-AktG/Gehrlein/Steffek Rn. 5). Auch auf wirtschaftl. Neugründung finden §§ 63–66 entspr. Anwendung (→ § 23 Rn. 27).

3 **2. Beteiligte.** Aufforderung richtet sich an **Aktionäre** (§ 63 I), entspr. sind sie von Rechtsfolgen bei Nichtzahlung betroffen (§ 63 II). Gemeint ist **jeweiliger Inhaber der Mitgliedschaft,** also auch der Erwerber (→ § 54 Rn. 4). Da nach § 10 II, III nicht voll eingezahlte Aktien aber nur als Namensaktien oder Zwischenscheine ausgegeben werden dürfen, wird es sich idR um Namensaktien handeln, bei denen Eintragung im Aktienregister entscheidet (§ 67 II; → § 67 Rn. 25 ff. und RGZ 86, 154, 159). Fälligstellung durch Aufforderung (→ Rn. 6 f.) muss Erwerber auch dann gegen sich gelten lassen, wenn sie seinem Erwerb vorausgegangen ist (MüKoAktG/Bayer Rn. 18). Auf Nebenpflichten nach § 63 II oder III, die im Zeitpunkt der Rechtsnachfolge schon entstanden waren, ist diese Beurteilung nicht zu übertragen; Schuldner bleibt Rechtsvorgänger des jetzigen Aktionärs, den Nachfolger trifft nur die Einlagepflicht (hM, s. BGHZ 122, 180, 202 f. = NJW 1993, 1983; MüKoAktG/Bayer Rn. 19; KK-AktG/Drygala Rn. 10). Früher teilw. vertretene Differenzierung (keine Haftung des Nachfolgers für Schadensersatz und Vertragsstrafe, wohl aber für Zinsen, vgl. zB Baumbach/Hueck Rn. 4) hat keine überzeugenden Gründe für sich. Entscheidend ist, dass mit dem Übergang der Aktie die Einlagepflicht übergeht, aber sonst nichts.

4 Besonderheiten bestehen, wenn gegen § 10 II verstoßen wurde und es deshalb zum **gutgl. Erwerb nicht voll eingezahlter Aktien** kommt: Nicht gutgl. Erwerber, sondern Veräußerer schuldet die Einlage (→ § 54 Rn. 4). Also gilt § 63 nicht zu Lasten des gutgl. Erwerbers (allgM, s. MüKoAktG/Bayer Rn. 22; KK-AktG/Drygala Rn. 11). Gegen Veräußerer kann Einlagenforderung nach § 63 I fällig gestellt werden. Umstr. ist aber, ob ihn auch mitgliedschaftliche Nebenpflichten nach § 63 II oder III treffen. ZT wird dies abgelehnt, da Veräußerer nicht mehr Aktionär sei (GK-AktG/Gehrlein/Steffek Rn. 19), doch erscheint diese Voraussetzung nicht zwingend. Wenn Veräußerer aus Gründen des Verkehrsschutzes nach § 63 I in die Pflicht genommen werden kann, ist nicht ersichtlich, warum das nicht auch nach § 63 II, III möglich sein soll, zumal Veräußerer in diesen Fällen fehlerhafte Ausgabe idR kennen muss und deshalb nicht schutzwürdig erscheint (so deshalb nun auch ganz hM – s. MüKoAktG/Bayer Rn. 15; BeckOGK/Cahn Rn. 10; KK-AktG/Drygala Rn. 11; S/L/Fleischer Rn. 9; Grigoleit/Grigoleit/Rachlitz Rn. 7).

5 Für AG handelt **Vorstand,** in ihrer Insolvenz der Insolvenzverwalter. Aufforderung ist Maßnahme der Geschäftsführung. Erforderlich und genügend ist daher Handeln von Vorstandsmitgliedern in vertretungsberechtigter Zahl (§ 78). Zustimmung des AR kann gem. § 111 IV 2 vorgesehen werden. Unverbindlich wären jedoch Satzungsbestimmungen, die Vorstand an bestimmte Zeitpunkte oder Bedingungen binden wollten (MüKoAktG/Bayer Rn. 25; KK-AktG/Drygala Rn. 15). Satzung kann Aufforderung auch nicht der HV überlassen (RegBegr. Kropff S. 84).

6 **3. Aufforderung.** Aufforderung ist Erklärung der AG, dass Zahlungen auf die Einlage nunmehr zu erbringen sind. Sie muss klar und eindeutig sein. AG ist durch Firma und Sitz zu bezeichnen. Erklärung muss deutlich machen, dass sie vom Vorstand abgegeben wird. Anzugeben sind Betrag je Aktie und Zahlungstermin, ferner Zahlungsmodalitäten (Gesellschaftskasse, Bankverbindung). Die Schuldner sind unzweideutig zu benennen, und zwar entweder durch Verweis auf das Aktienregister (KK-AktG/Drygala Rn. 19: alle dort eingetragenen Aktionäre oder deren Erben) oder durch Beschreibung der Aktien nach Gattung und Serie. **§ 53a ist zu beachten.** Differenzierungen bedürfen sachlicher Rechtfertigung, etwa durch unterschiedliche Höhe bisher erbrachter Leistungen (unstr., s. RGZ 85, 366, 368; MüKoAktG/Bayer Rn. 30; KK-AktG/Drygala Rn. 17). Verstöße gegen § 53a haben in dem Sinne beschränkte Außenwirkung, dass

Aktionär ungerechtfertigte Mehrleistung (und insoweit auch Zinsen, Schadensersatz und Vertragsstrafe) verweigern darf (ganz hM, s. MüKoAktG/Bayer Rn. 31; KK-AktG/Drygala Rn. 18; aA RGZ 85, 366, 368). Ggü. Gläubigern der AG besteht jedoch nach **Pfändung und Überweisung** der Einlagenforderung kein Leistungsverweigerungsrecht gem. § 53a (BGH NJW 1980, 2253 zur GmbH; MüKoAktG/Bayer Rn. 45; HCL/Casper GmbHG § 19 Rn. 36). **Bek.** erfolgt gem. § 63 I 2 in den Gesellschaftsblättern, also wenigstens im BAnz. (§ 25). Weil Einrücken in Gesellschaftsblätter genügt, besteht kein ges. Zugangserfordernis. Satzung kann aber andere Formen der Bek. (zB Brief; dann auch Zugang notwendig) vorschreiben.

III. Fälligkeit, Zinspflicht und Schadensersatz (§ 63 II)

1. Allgemeines. Mit Bek. der Aufforderung wird Einlagenforderung jedenfalls 7 erfüllbar, mit Eintritt des Zahlungstermins (→ Rn. 6) auch fällig, soweit Fälligkeit nicht schon durch Einforderung vor Anmeldung begründet war (§ 36 II, § 37a I); vgl. MüKoAktG/Bayer Rn. 37 ff.; KK-AktG/Drygala Rn. 21. Ohne Aufforderung durch Vorstand kann Einlagenforderung grds. nicht fällig werden (BGHZ 110, 47, 76 = NJW 1990, 982; Brandes WM 1994, 2177, 2180 f.). Bloße Pfändung ändert daran nichts, wohl aber **Pfändung und Überweisung** durch bzw. an Gesellschaftsgläubiger. Recht zur Aufforderung wird als der Forderung dienendes Hilfsrecht von Vollstreckungsmaßnahmen mit erfasst und ist mit Zustellung des Überweisungsbeschlusses (§ 829 III ZPO, § 835 III 1 ZPO) ausgeübt (näher MüKoAktG/Bayer Rn. 44 f.; zu § 53a → Rn. 6). Mit Eintritt des Zahlungstermins beginnt Zinspflicht des § 63 II 1. Dagegen sind Schadensersatz nach § 63 II 2 und Vertragsstrafe nach § 63 III verzugsabhängig.

2. Einzelheiten zu Zinsen und Schadensersatz. Aktionäre, die bis zum 8 Zahlungstermin nicht geleistet haben, schulden gem. § 63 II 1 5 % Jahreszinsen auf rückständigen eingeforderten Betrag, es sei denn, AG befindet sich in Gläubigerverzug (§ 301 BGB). Dabei handelt es sich um **Fälligkeitszinsen;** auf Verschulden oder sonstige Verzugsvoraussetzungen kommt es nicht an. Regelung ist zwingend (§ 23 V). Satzung kann Zinspflicht nicht abschaffen, auch nicht ermäßigen oder erhöhen. **Ersatz weiteren Schadens** ist gem. § 63 II 2 nicht ausgeschlossen, dort aber auch nicht vorgesehen. Vielmehr müssen **Voraussetzungen der §§ 286 ff. BGB** gegeben sein. Zur Fälligkeit müssen danach Mahnung und Verschulden hinzutreten. **Mahnung** ist nur unter bes. Voraussetzungen des § 286 II BGB entbehrlich. Vorstand sollte deshalb in Aufforderung ein Datum nennen („Zahlung spätestens am 1.6."); gem. § 286 II Nr. 2 BGB wäre aber auch genügend: „vier Wochen seit Bekanntmachung". Da damit zugangsbedürftige Mahnung ersetzt werden soll, verlangt hM aus Gründen der Rechtssicherheit individuellen Zugang, so dass lediglich in Bek. datierte Aufforderung für Mahnung nicht genügt (BGHZ 110, 47, 77 = NJW 1990, 982; MüKoAktG/Bayer Rn. 42 f.; KK-AktG/Drygala Rn. 30). Verzugsfolgen: § 280 II BGB, § 288 IV BGB.

IV. Vertragsstrafen (§ 63 III)

Satzung darf Vertragsstrafen vorsehen. Sind sie vorgesehen, so gelten **§§ 339 ff.** 9 **BGB, § 348 HGB** (MüKoAktG/Bayer Rn. 52; KK-AktG/Drygala Rn. 6 f.) Nach § 339 S. 1 BGB ist auch hier Verzug erforderlich (→ Rn. 8). Verfall der Mitgliedschaft kann wegen abschließender Regelung in § 64 nicht Gegenstand der Vertragsstrafe sein (MüKoAktG/Bayer Rn. 56; KK-AktG/Drygala Rn. 34; S/L/Fleischer Rn. 25). Auch einzelne Mitgliedsrechte können grds. nicht suspendiert werden. Ausnahme gilt jedoch wegen § 60 III für Dividendenrecht (wie hier MüKoAktG/Bayer Rn. 56). Zinsen (→ Rn. 8) und Vertragsstrafe können nebeneinander verlangt werden (BGH NJW 1963, 1197; MüKoAktG/Bayer Rn. 58; KK-AktG/Drygala Rn. 37). Dagegen wird die Vertragsstrafe gegen geschuldeten Schadensersatz verrechnet (§ 340 II BGB, § 341 BGB).

Ausschluß säumiger Aktionäre

64 (1) **Aktionären, die den eingeforderten Betrag nicht rechtzeitig einzahlen, kann eine Nachfrist mit der Androhung gesetzt werden, daß sie nach Fristablauf ihrer Aktien und der geleisteten Einzahlungen für verlustig erklärt werden.**

(2) [1] **Die Nachfrist muß dreimal in den Gesellschaftsblättern bekanntgemacht werden.** [2] **Die erste Bekanntmachung muß mindestens drei Monate, die letzte mindestens einen Monat vor Fristablauf ergehen.** [3] **Zwischen den einzelnen Bekanntmachungen muß ein Zeitraum von mindestens drei Wochen liegen.** [4] **Ist die Übertragung der Aktien an die Zustimmung der Gesellschaft gebunden, so genügt an Stelle der öffentlichen Bekanntmachungen die einmalige Einzelaufforderung an die säumigen Aktionäre; dabei muß eine Nachfrist gewährt werden, die mindestens einen Monat seit dem Empfang der Aufforderung beträgt.**

(3) [1] **Aktionäre, die den eingeforderten Betrag trotzdem nicht zahlen, werden durch Bekanntmachung in den Gesellschaftsblättern ihrer Aktien und der geleisteten Einzahlungen zugunsten der Gesellschaft für verlustig erklärt.** [2] **In der Bekanntmachung sind die für verlustig erklärten Aktien mit ihren Unterscheidungsmerkmalen anzugeben.**

(4) [1] **An Stelle der alten Urkunden werden neue ausgegeben; diese haben außer den geleisteten Teilzahlungen den rückständigen Betrag anzugeben.** [2] **Für den Ausfall der Gesellschaft an diesem Betrag oder an den später eingeforderten Beträgen haftet ihr der ausgeschlossene Aktionär.**

I. Grundlagen

1 **1. Regelungsgegenstand und -zweck.** § 64 betr. **Kaduzierung,** dh Ausschluss von Aktionären, die ihrer Pflicht zur Einzahlung von Einlagen (§ 54) trotz Aufforderung durch Vorstand (§ 63) nicht rechtzeitig nachkommen; dabei bedeutet Ausschluss Verlust der Mitgliedsrechte unter Aufrechterhaltung der Aktie als solcher (→ Rn. 8). Bezweckt ist wie von §§ 54, 56, 63 und §§ 65, 66 **reale Kapitalaufbringung.** Dem dienen von Kaduzierung ausgehender Druck, fortdauernde Ausfallhaftung des Aktionärs (§ 64 IV 2) und Zahlungspflicht der Vormänner (§ 65). Regelung ist vollen Umfangs zwingend (§ 23 V), auch zugunsten des Aktionärs; nicht nur Erleichterungen, sondern auch Verschärfungen sind demnach unzulässig (ganz hM, s. RGZ 49, 77, 80; KG JW 1930, 2712, 2713 f.; MüKoAktG/Bayer Rn. 6; KK-AktG/Drygala Rn. 56). Parallelvorschrift: § 21 GmbHG.

2 **2. Entscheidung des Vorstands nach pflichtgemäßem Ermessen.** Entscheidung über Kaduzierung obliegt Vorstand; Zustimmungsvorbehalt nach § 111 IV 2 ist insofern zulässig. In der Insolvenz kann auch Insolvenzverwalter Kaduzierung durchführen (LG München I ZIP 2012, 2152, 2154; BeckOGK/Cahn Rn. 59). Umstr. ist aber, ob Satzung Befugnis auch **auf HV übertragen** kann (abl. hM – s. BeckOGK/Cahn Rn. 19; S/L/Fleischer Rn. 14; GK-AktG/Gehrlein/Steffek Rn. 23; Hölters/Weber/Mayer/Albrecht vom Kolke Rn. 6; aA

jetzt MüKoAktG/Bayer Rn. 28 f. im Anschluss an älteres Schrifttum – s. Nachw. dort). Abl. Auffassung ist nicht nur im Hinblick auf § 23 V beizupflichten, sondern auch im Hinblick auf Sachzusammenhang mit Einlageforderung, aufgrund dessen Zuständigkeit für einheitliches Verfahren nur geschlossen beim **Vorstand** liegen kann. Vorstand entscheidet iRd ihm übertragenen Leitungsaufgabe (§ 76 I) nach pflichtgem. Ermessen, ob er Kaduzierungsverfahren einleitet oder nicht (unstr., s. RGZ 79, 174, 178; MüKoAktG/Bayer Rn. 31; KK-AktG/Drygala Rn. 5). Er kann auch schon eingeleitetes Verfahren einstellen (ganz hM, s. RGZ 51, 416, 417 zur GmbH; MüKoAktG/Bayer Rn. 32; KK-AktG/Drygala Rn. 5; GK-AktG/Gehrlein/Steffek Rn. 29; aA OLG Celle OLGR 6, 191, 192 zur GmbH). Zwingender Charakter (→ Rn. 1) bedeutet also nicht Zwang zum Verfahren, sondern Bindung an § 64, wenn Verfahren betrieben wird. Rechtl. vorgegeben ist **Gleichbehandlungsgebot** des § 53a (→ § 53 Rn. 3 ff.). Vorstand darf Verfahren also nicht gegen einzelne Aktionäre einleiten, gegen andere davon absehen, wenn sich diese Ungleichbehandlung nicht sachlich rechtfertigen lässt (RGZ 85, 366, 368). Sachliche Rechtfertigung kann sich bes. daraus ergeben, dass bei einem Teil der Aktionäre Beitreibungschancen bestehen (dann: übliche Vollstreckung), bei einem anderen wegen Vermögenslosigkeit nicht (dann: Kaduzierung).

II. Voraussetzungen der Kaduzierung (§ 64 I)

Es muss sich um **Aktionäre** handeln, die eingeforderten Betrag nicht rechtzeitig einzahlen (§ 64 I). Alle Aktionäre können Verfahrensgegner sein. Wegen § 10 II 1 wird es sich idR um Namensaktien handeln, doch ist das nicht notwendig. Verfahren steht auch zur Verfügung, wenn fälschlich Inhaberaktien ausgegeben wurden (wie hier MüKoAktG/Bayer Rn. 15; KK-AktG/Drygala Rn. 17; GK-AktG/Gehrlein/Steffek Rn. 23; → § 63 Rn. 4). Einlagen sind wie in § 63 (→ § 63 Rn. 2) nur **Geldeinlagen.** Für Sacheinlagen steht Verfahren der Kaduzierung also nicht zur Verfügung; stattdessen nur normale Beitreibung (ganz hM, s. MüKoAktG/Bayer Rn. 12; KK-AktG/Drygala Rn. 14), es sei denn, dass sich verdeckte Geldeinlagepflicht aktualisiert hat (→ § 63 Rn. 2). Weiter vorausgesetzte **Einforderung** ist Zahlungsaufforderung des Vorstands nach § 63 I; → § 63 Rn. 6. **Nicht rechtzeitig** zahlen Aktionäre, wenn sie den in Aufforderung angegebenen Termin (→ § 63 Rn. 6) verstreichen lassen. Auf Verzugsvoraussetzungen der §§ 286 ff. BGB, bes. Verschulden, kommt es nicht an. Schließlich kann Kaduzierung als korporationsrechtl. Verfahren nur stattfinden, wenn AG noch Inhaberin der Forderung ist, also nicht nach **Abtretung,** wohl aber nach **Verpfändung** oder Pfändung, auch wenn sie zur Einziehung (§ 835 I Fall 1 ZPO) überwiesen ist (str. bzgl. der Verpfändung, vgl. dazu MüKoAktG/Bayer Rn. 22 ff.; KK-AktG/Drygala Rn. 19; Kl. Müller AG 1971, 1, 4 f. und 6). 3

III. Nachfrist; Bekanntmachung; Aufforderung (§ 64 I und II)

Kaduzierung beginnt mit **Nachfrist,** die androhen muss, dass Aktionäre ihrer Mitgliedschaft und der geleisteten Einzahlungen für verlustig erklärt werden (§ 64 I). Zahlungsaufforderung des Vorstands und Ablauf der darin enthaltenen Frist (→ Rn. 3) müssen vorangegangen sein. Zahlungsaufforderung und Nachfrist können also nicht wie nach § 323 I BGB miteinander verbunden werden (ganz hM, s. KG OLGR 19, 370, 371; OLG München GmbHR 1985, 56; MüKoAktG/Bayer Rn. 39). 4

Grds. ist **Bek. der Nachfrist** erforderlich (§ 64 II 1). Ausnahme nur bei vinkulierten Namensaktien (§ 68 II), für die § 64 II 3 einmalige Einzelaufforderung mit Monatsfrist genügen lässt. Bek. erfolgt **in den Gesellschaftsblättern,** 5 also wenigstens im BAnz. (§ 25), und ist dreimal einzurücken. Wegen der **Mindestzeiträume** vgl. § 64 II 2 und 3. Bekanntgemacht ist mit Publikation durch das letzte Gesellschaftsblatt. Frist kann auf bestimmten Tag lauten, doch genügt auch: „innerhalb von drei Monaten seit Tag der Bekanntmachung" (MüKoAktG/Bayer Rn. 40; KK-AktG/Drygala Rn. 24). Wird Nachfrist zu knapp bemessen, ist sie unwirksam, setzt also nicht ges. Frist in Gang (MüKoAktG/Bayer Rn. 40). Betroffene Aktionäre sind zu bezeichnen, am besten durch Serie und Nummer der Aktien mit Zahlungsrückstand. Umschreibungen wie „alle Aktionäre, die sich mit der eingeforderten Zahlung in Rückstand befinden" verfehlen Warnfunktion und genügen nicht (KG OLGR 1, 435; MüKoAktG/Bayer Rn. 42; KK-AktG/Drygala Rn. 27).

IV. Ausschlusserklärung (§ 64 III)

6 **1. Formalien.** Vorstand kann (muss aber nicht; → Rn. 2) bei **fruchtlosem Ablauf der Nachfrist** (→ Rn. 4 f.) säumige Aktionäre ihrer Aktien und geleisteter Einzahlungen verlustig erklären (§ 64 III 1). Erklärung erfolgt durch neuerliche Bek. in den Gesellschaftsblättern und wird mit Ausgabe des letzten Gesellschaftsblatts wirksam (ganz hM, s. MüKoAktG/Bayer Rn. 53; KK-AktG/Drygala Rn. 33). Bis dahin kann Ausschluss durch Zahlung noch vermieden werden, später nicht mehr. § 64 III 2 verlangt, dass betroffene Aktien in Bek. mit ihren Unterscheidungsmerkmalen angegeben werden. **Identität der Aktien** muss, weil Bek. auch Öffentlichkeit informieren soll, möglichst eindeutig feststehen. Deshalb sind Serie, Nummer und Stückelung, aber auch weitere Merkmale, zu publizieren. Diese Grundsätze gelten auch für vinkulierte Namensaktien (§ 68 II); denn eine § 64 II 3 entspr. Ausnahme enthält § 64 III nicht. Offenbar unzureichend ist bloße Erklärung ggü. säumigen Aktionären (BGH AG 2002, 618, 619).

7 **2. Materielle Wirkungen.** Kaduzierung bewirkt, dass betroffene Aktionäre ihre **Mitgliedschaft verlieren:** Ihre mitgliedschaftlichen Rechte (iGgs zu Drittgläubigeransprüchen) wie Stimmrecht oder Dividendenrecht enden, ebenso aber auch mitgliedschaftliche Pflichten. Ausfallhaftung nach § 64 IV 2 ist keine Einlagepflicht mehr. Aktienurkunde hört auf, Wertpapier zu sein, weil scheinbar verbrieftes Recht nicht mehr existiert (MüKoAktG/Bayer Rn. 72; KK-AktG/Drygala Rn. 45; aA Baumbach/Hueck Rn. 8). **Gutgl. Erwerb** ist auch dann **ausgeschlossen,** wenn Aktienausgabe entgegen § 10 II erfolgte (ganz hM, s. MüKoAktG/Bayer Rn. 73). Kaduzierung bewirkt nach Wortlaut des § 64 III 1 weiter, dass Aktionäre geleistete Einzahlungen verlieren. Das ist missverständlich, weil Zahlungen schon vorher endgültig in Vermögen der AG gelangt sind. Gemeint ist, dass es für Verlust der Mitgliedschaft keine wie immer geartete Entschädigung gibt, betroffene Aktionäre auch nicht an Verwertungserlös (§ 65) partizipieren.

8 Kaduzierung bewirkt dagegen nicht Untergang der Mitgliedschaft als solcher (unstr., s. MüKoAktG/Bayer Rn. 68; KK-AktG/Drygala Rn. 42). Damit ergibt sich dogmatisch reizvolle, aber praktisch wenig ergiebige Frage nach **Zuordnung der Mitgliedschaft.** Die betroffenen Aktionäre können nicht Inhaber sein (→ Rn. 7). Als Lösungsmöglichkeiten bleiben Zuordnung zur AG und herrenloses oder, wohl gleichbedeutend, subjektloses Recht. Für das Erste mit Unterschieden iE: MüKoAktG/Bayer Rn. 69 f.; KK-AktG/Drygala Rn. 43; S/L/Fleischer Rn. 36. Für das Zweite früher hM, vgl. RGZ 98, 276; BGHZ 42, 89, 92 = NJW 1964, 1954; Hohner, Subjektlose Rechte, 1969, 113 ff. Nach richtiger Ansicht sind herren- oder subjektlose Rechte (im Unterschied zu herrenlosen Sachen) Widerspruch in sich, so dass der ersten Ansicht zu folgen ist. So erworbene „eigene" Aktien unterliegen allerdings **Sonderregeln:** Verwertung nach § 65

ist zwingend (vgl. Erl. dort). Sie sind iRd § 71 II 1, § 71c II nicht mitzurechnen (MüKoAktG/Bayer Rn. 70). Aktivierung scheidet aus, weil sie keinen Wert darstellen, der über schon aktivierte Einlagenforderung hinausginge (KK-AktG/Drygala Rn. 43; S/L/Fleischer Rn. 37). Es besteht jedoch Erläuterungspflicht nach § 160 I Nr. 2 (→ § 160 Rn. 7 ff.).

Im Falle **elektronischer Aktien** ist Behandlung säumiger Aktionäre gem. §§ 63 ff. in § 30b eWpG nachgezeichnet. Demnach ist Emittent berechtigt, Aktien von nach § 64 III ausgeschlossenen Aktionären im elektronischen Wertpapierregister auf denjenigen umzutragen, der nach § 65 I rückständigen Betrag gezahlt hat (§ 30b S. 1 eWpG). Da mangels Verkörperung keine Aktienurkunde eingezogen werden kann, ist § 64 IV 1 dabei nicht anzuwenden (§ 30b S. 3 eWpG). 8a

V. Neue Urkunden; Ausfallhaftung (§ 64 IV)

§ 64 IV 1 schreibt Ausgabe neuer Urkunden anstelle der alten vor; vorausgesetzt ist also, dass Mitgliedschaft schon bisher verbrieft war, sonst kann Urkundenausgabe unterbleiben. Neben den Teilzahlungen (s. § 10 II 2) ist auch rückständiger Betrag zu vermerken, und zwar als eingezahlt (MüKoAktG/Bayer Rn. 77; BeckOGK/Cahn Rn. 48), weil Vormann Urkunde nur gegen Zahlung bekommt (§ 65 I 4) und Dritterwerber (§ 65 III) Zahlung nicht schuldet. Der **kaduzierte Aktionär** bleibt nach § 64 IV 2 **Ausfallschuldner.** Haftung erstreckt sich auf gesamten rückständigen Betrag und überdies auf Beträge, die Vorstand gem. § 63 I erst nach Kaduzierung einfordert, soweit diejenigen nicht zahlen, die kaduzierte Aktien erworben haben und deshalb ihrerseits kaduziert worden sind. Ausgeschlossener Aktionär bleibt also Mitglied des Haftungsverbands, schuldet aber nur subsidiär ggü. Neuaktionären. 9

Zahlungspflicht der Vormänner

65 (1) [1]**Jeder im Aktienregister verzeichnete Vormann des ausgeschlossenen Aktionärs ist der Gesellschaft zur Zahlung des rückständigen Betrags verpflichtet, soweit dieser von seinen Nachmännern nicht zu erlangen ist.** [2]**Von der Zahlungsaufforderung an einen früheren Aktionär hat die Gesellschaft seinen unmittelbaren Vormann zu benachrichtigen.** [3]**Daß die Zahlung nicht zu erlangen ist, wird vermutet, wenn sie nicht innerhalb eines Monats seit der Zahlungsaufforderung und der Benachrichtigung des Vormanns eingegangen ist.** [4]**Gegen Zahlung des rückständigen Betrags wird die neue Urkunde ausgehändigt.**

(2) [1]**Jeder Vormann ist nur zur Zahlung der Beträge verpflichtet, die binnen zwei Jahren eingefordert werden.** [2]**Die Frist beginnt mit dem Tage, an dem die Übertragung der Aktie zum Aktienregister der Gesellschaft angemeldet wird.**

(3) [1]**Ist die Zahlung des rückständigen Betrags von Vormännern nicht zu erlangen, so hat die Gesellschaft die Aktie unverzüglich zum Börsenpreis und beim Fehlen eines Börsenpreises durch öffentliche Versteigerung zu verkaufen.** [2]**Ist von der Versteigerung am Sitz der Gesellschaft kein angemessener Erfolg zu erwarten, so ist die Aktie an einem geeigneten Ort zu verkaufen.** [3]**Zeit, Ort und Gegenstand der Versteigerung sind öffentlich bekanntzumachen.** [4]**Der ausgeschlossene Aktionär und seine Vormänner sind besonders zu benachrichtigen; die Benachrichtigung kann unterbleiben, wenn sie untunlich ist.** [5]**Bekanntmachung und**

Benachrichtigung müssen mindestens zwei Wochen vor der Versteigerung ergehen.

I. Regelungsgegenstand und -zweck

1 Vorschrift betr. wie § 64 die Kaduzierung, hier die Rechtsfolgenseite. Sie setzt Ausschlusserklärung des § 64 voraus und regelt Verwertung der Aktie mit dem Ziel, **Zahlung der rückständigen Geldeinlage** zu erreichen. Bezweckt ist also auch hier (→ § 64 Rn. 1) reale Kapitalaufbringung (LG München I ZIP 2012, 2152, 2153). Verkaufsregeln des § 65 III sollen überdies ausgeschlossenen Aktionär vor Verschleuderung der Aktie durch die AG schützen (RegBegr. Kropff S. 85). Regelung ist erschöpfend und zwingend (§ 23 V, § 66 I; sa MüKoAktG/Bayer Rn. 6; KK-AktG/Drygala Rn. 64). Parallelvorschrift: § 22 GmbHG. Änderungen in § 65 I 1 und II 2 durch NaStraG 2001 haben früheres Aktienbuch klarstellend durch Aktienregister ersetzt (→ Rn. 2).

II. Pflicht der Vormänner zur Zahlung rückständiger Beträge (§ 65 I)

2 **1. Haftungsvoraussetzungen.** § 65 I ordnet Haftung der Vormänner an und regelt Verfahren, das Vorstand bei ihrer Realisierung zu beachten hat. Anders als bei § 64 (→ § 64 Rn. 2) besteht **kein Ermessensspielraum.** Vorstand muss Kaduzierung zwar nicht betreiben. Hat er diesen Weg jedoch beschritten, so müssen zwecks realer Kapitalaufbringung (→ Rn. 1) die Haftungsfolgen geltend gemacht werden (unstr., s. MüKoAktG/Bayer Rn. 7). **Haftungsschuldner** ist nach Wortlaut des § 65 I 1 jeder im Aktienregister (§ 67) verzeichnete Vormann des ausgeschlossenen Aktionärs. Klarstellender Übergang von Aktienbuch auf Aktienregister (→ Rn. 1) soll dem Umstand Rechnung tragen, dass entspr. Verzeichnisse vielfach, namentl. bei Publikumsgesellschaften, als Datenbanken elektronisch geführt werden (sa § 67 I; → § 67 Rn. 4). Im Aktienregister einzutragen sind nur Namensaktien und Zwischenscheine (§ 67 I und IV). Kreis der Haftpflichtigen würde damit aber zu eng gezogen. Ges. geht vom Regelfall der § 10 II und III, § 67 I und IV aus, will aber nicht von Haftung dispensieren, wenn abw. verfahren wird. Haftung nach § 65 greift deshalb auch ein, wenn überhaupt keine Urkunden ausgegeben wurden (KG JW 1927, 2434; GK-AktG/Gehrlein/Steffek Rn. 16; B/K/L/Westermann Rn. 4; offenlassend BGH AG 2002, 618, 619); wenn Eintragung ausgegebener Namenspapiere im Aktienregister unterblieben ist (MüKoAktG/Bayer Rn. 24); wenn entgegen § 10 II Inhaberaktien ausgegeben wurden (→ § 64 Rn. 3; MüKoAktG/Bayer Rn. 24; GK-AktG/Gehrlein/Steffek Rn. 20). Zur Anwendung auf wirtschaftliche Neugründung → § 23 Rn. 27.

3 Haftung der Vormänner (→ Rn. 2) ist gem. § 65 I 1 von zwei Voraussetzungen abhängig, nämlich (1.) wirksamer Kaduzierung, (2.) Zahlungsunfähigkeit der Nachmänner des ausgeschlossenen Aktionärs (→ Rn. 4). **Ohne wirksame Kaduzierung** gibt es **keine Haftung** der Vormänner (RGZ 86, 419, 420 zur GmbH; BGH AG 2002, 618, 619; unstr.). Keine Haftungsvoraussetzung ist in § 65 I 2 vorgeschriebene Benachrichtigung; sie soll potenziellen Schuldner nur in die Lage versetzen, auf Zahlung durch seinen Nachfolger hinzuwirken (LG München I ZIP 2012, 2152, 2154; MüKoAktG/Bayer Rn. 33; BeckOGK/Cahn Rn. 25; KK-AktG/Drygala Rn. 22). Auch wenn wirksam kaduziert und Zahlungsunfähigkeit gegeben ist, scheitert Haftung noch, wenn AG nicht mehr in der Lage sein sollte, über Mitgliedschaft zu verfügen; (→ Rn. 6).

4 Im Einzelnen ist bzgl. der **Zahlungsunfähigkeit** zu unterscheiden: **Unmittelbarer Vormann** des ausgeschlossenen Aktionärs (zB sein Verkäufer) haftet

stets und ohne weiteres aufgrund der Kaduzierung (RGZ 85, 237, 241 zur GmbH; OLG Köln WM 1987, 537; MüKoAktG/Bayer Rn. 27), weil er außer dem Kaduzierten keinen Nachmann hat; Einwand, dass dieser zahlungsfähig sei, ist unerheblich. **Weitere Vormänner** haften nur im **Stufen- oder Staffelregress,** also kein Sprungregress auf den Zahlungsfähigsten wie beim rücklaufenden Wechsel. AG muss sich an Reihenfolge der Vormänner halten und kann auf jew. nächsten nur zugreifen, wenn sein Nachfolger zahlungsunfähig ist (unstr., s. MüKoAktG/Bayer Rn. 25; KK-AktG/Drygala Rn. 16). Soweit es danach – Regelfall – auf Zahlungsunfähigkeit ankommt, hilft widerlegbare Vermutung **des § 65 I 3,** sofern Zahlung nicht innerhalb eines Monats nach Aufforderung und Benachrichtigung des Vormanns eingegangen ist. Es ist also seine Sache, Gegenbeweis zu führen, wenn AG Vermutungsvoraussetzungen nachweist. Noch ungeklärt ist Rechtslage, wenn **AG selbst Vormann** ist, also nicht voll eingezahlte eigene Aktien abgegeben hat. Nach bislang hM soll in diesem Fall auch die Haftung aller weiteren Vormänner durch Konfusion ausgeschlossen sein (RGZ 98, 276, 278). Mittlerweile verbreitetere Gegenauffassung geht dagegen zu Recht davon aus, dass Inanspruchnahme der Vormänner weiter möglich bleibt. Konfusionsgedanke trifft auf AG selbst zu, die nicht zur Begleichung der Einlageschuld verpflichtet sein kann. Es ist aber nicht erforderlich, auch Vormänner zu befreien, da anderenfalls reale Kapitalaufbringung gefährdet und dabei Vormänner ungerechtfertigten Vorteil aus ihrer früheren Zahlungsunfähigkeit erlangen würden (zutr. MüKoAktG/Bayer Rn. 19 f.; BeckOGK/Cahn Rn. 15; KK-AktG/Drygala Rn. 17; S/L/Fleischer Rn. 7; GK-AktG/Gehrlein/Steffek Rn. 81).

2. Haftungsinhalt. Haftung der Vormänner gem. § 65 resultiert nicht aus vertraglich übernommener Einlagepflicht, sondern ist Haftung aus **ges. Schuldverhältnis,** das sich mit früherer Aktionärseigenschaft verknüpft. Sie ist **subsidiär** ggü. Haftung der jeweiligen Nachmänner und unterliegt iÜ dem Befreiungs- und Aufrechnungsverbot des § 66 I. **Gerichtsstand:** nicht nur § 17 ZPO, sondern auch § 22 ZPO, weil es um Nachwirkung früherer Mitgliedschaft geht (KK-AktG/Drygala Rn. 9). 5

3. Haftungsumfang; Zurückbehaltungsrecht. Obergrenze der Haftung ist **rückständiger Einlagebetrag** (§ 65 I 1). Vormann schuldet also Geldbetrag, um den es in Kaduzierung (§ 64) ging, abzüglich der von seinen Nachmännern erbrachten Teilleistungen. Vormann schuldet nicht Verfahrenskosten, Zinsen oder sonstigen Schadensersatz iSd § 63 II, weil § 65 I 1 darauf nicht Bezug nimmt. Kommt es zu einer zweiten Kaduzierung, weil Vorstand zu weiterer Teilleistung auf die Einlage vergeblich auffordert (§ 63 I), so wird auch erneut nach § 65 I 1 gehaftet (MüKoAktG/Bayer Rn. 43; KK-AktG/Drygala Rn. 12), allerdings nur innerhalb der Zweijahresfrist des § 65 II (→ Rn. 7). Vormann muss schließlich nur dann zahlen, wenn ihm Zug um Zug **neue Aktienurkunde** ausgehändigt wird, es sei denn, dass Mitgliedschaft bisher noch nicht verbrieft war (→ § 64 Rn. 9). Dieses Zurückbehaltungsrecht folgt aus § 65 I 4 und setzt voraus, dass zahlender Regressschuldner Mitgliedschaft erwirbt; denn sonst stünde ihm Urkunde nicht zu. Deshalb scheitert Regressnahme, wenn AG über Mitgliedschaft anderweitig verfügt hat, soweit solche Verfügung wirksam ist (dazu KK-AktG/Drygala Rn. 61). **Erwerb der Mitgliedschaft** vollzieht sich nach hM **kraft Ges. mit Zahlung** (MüKoAktG/Bayer Rn. 51; KK-AktG/Drygala Rn. 25); vgl. auch § 22 IV GmbHG und dazu HCL/Leuschner GmbHG § 22 Rn. 53 ff. Über Wortlaut des § 65 I 4 hinaus stehen zahlendem Regressschuldner auch Nebenpapiere (Dividendenscheine, Talons) zu (KK-AktG/Drygala Rn. 27). 6

III. Zeitliche Beschränkung (§ 65 II)

7 Nach § 65 II ist Haftung der Vormänner zeitlich beschränkt, und zwar auf Beträge, die innerhalb einer **Zweijahresfrist** eingefordert werden. Damit ist fälligkeitsbegründende Zahlungsaufforderung des Vorstands gem. § 63 I gemeint. Daraus folgt: Für alle Beträge, die bei Übertragung der Aktien durch den Vormann schon fällig waren, haftet er ohne die zeitliche Grenze des § 65 II (MüKoAktG/Bayer Rn. 43; KK-AktG/Drygala Rn. 35). **Verjährung** ist wie immer möglich. Weil Anspruch aus ges. Schuldverhältnis folgt (→ Rn. 5), sind §§ 195, 199 I BGB maßgeblich: drei Jahre (LG München I ZIP 2012, 2152, 2156). Für nach Übertragung fällig werdende Beträge kommt es auf Übertragung der einzelnen Aktien an, so dass Vormann teils Regressschuldner, teils aus der Haftung ausgeschieden sein kann (KK-AktG/Drygala Rn. 35). **Fristbeginn** mit Anmeldung (gemeint: Mitteilung und Nachw. gem. § 67 III) der Übertragung zum Aktienregister (§ 65 II 2), Berechnung der Frist also nach § 187 I BGB, § 188 II BGB. Steht Aktienregister nicht zur Verfügung, zB bei fälschlicher Ausgabe von Inhaberaktien (Fälle in → Rn. 2), so ist § 65 II 2 mit der Maßgabe anzuwenden, dass Zeitpunkt der endgültig wirksamen Veräußerung an die Stelle der Anmeldung tritt (heute klar hM – s. MüKoAktG/Bayer Rn. 46; BeckOGK/Cahn Rn. 46; KK-AktG/Drygala Rn. 37; aA noch Homburger JW 1927, 2437 einerseits: Kenntnis der AG; KG JW 1927, 2434, 2436; v. Godin/Wilhelmi Rn. 8 andererseits: ausdr. Mitteilung vollzogener Übertragung; hM verdient in der Tat aus Gründen der Rechtssicherheit den Vorzug). Beweislast trägt früherer Aktionär.

IV. Verkauf der Aktie (§ 65 III)

8 **1. Verkaufspflicht.** Nach § 65 III 1 hat AG Aktie unverzüglich zu verkaufen, wenn Zahlung des rückständigen Betrags von Vormännern nicht zu erlangen ist. Für AG handelt ihr Vorstand. Unverzüglich (§ 121 I 1 BGB) handelt er auch noch, wenn in schwachen Zeiten bessere Kurse abgewartet werden (MüKoAktG/Bayer Rn. 78 f.; BeckOGK/Cahn Rn. 51; KK-AktG/Drygala Rn. 44), aber nur, wenn weiteres Zuwarten mit Rücksicht auf die wirtschaftliche Lage der AG vertretbar erscheint. **Voraussetzung** ist, dass sich Aktie nicht bei den Vormännern verwerten ließ oder rückständige Einlage jedenfalls nicht voll beigebracht werden konnte. Es muss also Regressverfahren nach § 65 I stattgefunden haben und, weil Regress die Kaduzierung nach § 64 voraussetzt (→ Rn. 3), auch diese.

9 **2. Modalitäten.** Börsennotierte Aktien sind zum Börsenpreis zu verkaufen (§ 65 III 1 Fall 1). Aktien ohne Börsennotierung sind zu versteigern, und zwar grds. am Sitz der AG (§ 65 III 1 Fall 2), ausnahmsweise (kein angemessener Erlös) an einem besser geeigneten dritten Ort (§ 65 III 2). **Versteigerung** ist öffentliche iSd § 383 III BGB; § 65 III 3 hat nur klarstellende Bedeutung. Kaduzierter Aktionär und seine Vormänner sind (auch formlos) bes. zu benachrichtigen (§ 65 III 4). Als untunlich entbehrlich kann Benachrichtigung nur ausnahmsweise sein (KK-AktG/Drygala Rn. 52). IÜ muss Vorstand mit verkehrserforderlicher Sorgfalt vorgehen, bes. einer Verschleuderung der Aktie vorbeugen (→ Rn. 1), auch durch Vorgabe eines Mindestpreises und Abbruch nicht hinlänglich erfolgreichen Verfahrens (MüKoAktG/Bayer Rn. 88; KK-AktG/Drygala Rn. 54).

10 **3. Rechtsfolgen.** Verwertungserlös ist nach früher umstr., heute aber wohl allgM **Einlage, nicht Kaufpreis;** entspr. Verpflichtungen des Erwerbers unter-

liegen Befreiungs- und Verrechnungsverbot des § 66 (BGHZ 42, 89, 93 = NJW 1964, 1954 zur GmbH; MüKoAktG/Bayer Rn. 95 f.; KK-AktG/Drygala Rn. 56; GK-AktG/Gehrlein/Steffek Rn. 73). **Erwerber wird Aktionär,** ohne rückständige Einlage zu schulden, die Gegenstand der Kaduzierung war; insoweit bleibt es bei dem im Verwertungsverfahren bezahlten Preis. Künftig fällig werdende Beträge muss er dagegen bezahlen, weil er nunmehr Aktionär ist. Der Kaduzierte haftet für den Ausfall (§ 64 IV 2), aber alle Vormänner werden von ihrer Regressschuld frei. Bei Verwertung etwa erzielter Überschuss steht ausschließlich der AG zu (MüKoAktG/Bayer Rn. 92; KK-AktG/Drygala Rn. 58). Ist **Aktie unverkäuflich,** so wird mit Kaduzierung eingetretener zunächst vorläufiger Erwerb der AG (str.; → § 64 Rn. 8) endgültig; der Kaduzierte haftet weiter.

Keine Befreiung der Aktionäre von ihren Leistungspflichten

66 (1) [1] **Die Aktionäre und ihre Vormänner können von ihren Leistungspflichten nach den §§ 54 und 65 nicht befreit werden.** [2] **Gegen eine Forderung der Gesellschaft nach den §§ 54 und 65 ist die Aufrechnung nicht zulässig.**

(2) **Absatz 1 gilt entsprechend für die Verpflichtung zur Rückgewähr von Leistungen, die entgegen den Vorschriften dieses Gesetzes empfangen sind, für die Ausfallhaftung des ausgeschlossenen Aktionärs sowie für die Schadenersatzpflicht des Aktionärs wegen nicht gehöriger Leistung einer Sacheinlage.**

(3) **Durch eine ordentliche Kapitalherabsetzung oder durch eine Kapitalherabsetzung durch Einziehung von Aktien können die Aktionäre von der Verpflichtung zur Leistung von Einlagen befreit werden, durch eine ordentliche Kapitalherabsetzung jedoch höchstens in Höhe des Betrags, um den das Grundkapital herabgesetzt worden ist.**

Übersicht

I. Regelungsgegenstand und -zweck

1 Vorschrift spricht **Befreiungs- und Aufrechnungsverbot** für aus §§ 54, 65 folgende Forderungen der AG aus (§ 66 I), erstreckt diese Verbote auf vergleichbare Sachverhalte (§ 66 II) und trifft eine Ausnahmeregelung für die Kapitalherabsetzung (§ 66 III), für die ordentliche Kapitalherabsetzung allerdings unter gleichzeitiger Beschränkung auf Herabsetzungsbetrag (s. dazu RegBegr. Kropff S. 86). Normzweck ist wie in der ganzen Gruppe der §§ 63–66 **Sicherung der realen Kapitalaufbringung,** in der Variante des § 66 II Fall 1 auch Sicherung der Kapitalerhaltung. Dem Regelungszweck entspr. zwingender Charakter (§ 23 V). Parallelvorschriften: § 19 II und III GmbHG, § 25 GmbHG.

II. Befreiungs- und Aufrechnungsverbot (§ 66 I)

2 **1. Befreiungsverbot. a) Erfasste Leistungspflichten.** § 66 I 1 verweist auf §§ 54, 65. Verbotstatbestand erfasst also zunächst sämtliche Einlagepflichten der Aktionäre, ohne Rücksicht darauf, ob sie bei Gründung oder bei Kapitalerhöhung übernommen wurden, ob sie vor Anmeldung (§ 36 II, §§ 36a, 188 II, § 203 I) oder später nach Aufforderung (§ 63 I) zu erbringen sind, ob es sich um Geld- oder Sacheinlagen handelt. Auch die aus Kapitaldeckungszusage hergeleitete Differenzhaftung (→ § 27 Rn. 21) wird grds. von § 66 I erfasst (BGHZ 191, 364 Rn. 21 = NZG 2012, 69; Priester AG 2012, 525, 526; Verse ZGR 2012, 875, 887). Nicht erfasst werden Nebenleistungen des § 55, auch nicht Zinsen, Schadensersatz oder Vertragsstrafen nach § 63 II und III, weil diese Vorschriften in § 66 I 1 nicht genannt sind. Verbotstatbestand erfasst ferner Regressschulden der Vormänner nach § 65 I (→ § 65 Rn. 5), was ihrer einlagensichernden Bedeutung entspr.

3 **b) Geschäftsformen: Grundsatz.** § 66 I 1 schließt Befreiung von den Leistungspflichten aus. Der untechnische Begriff ist entspr. Regelungszweck (→ Rn. 1) **weit auszulegen** und umfasst jedes Rechtsgeschäft, das im Falle seiner Wirksamkeit Ansprüche der AG (→ Rn. 2) nach Grund, Höhe, Inhalt oder Leistungszeitpunkt aufheben oder beeinträchtigen würde (ähnlich MüKoAktG/Bayer Rn. 12; KK-AktG/Drygala Rn. 7). Keine Befreiung iSd § 66 I 1 ist gegeben, wenn Forderung der AG kraft Ges. untergeht oder beeinträchtigt wird wie insbes. bei Verwirkung und Verjährung (RGZ 134, 262, 270; MüKoAktG/Bayer Rn. 38; KK-AktG/Drygala Rn. 18 f.). Verjährung von Einlageansprüchen beurteilt sich nach § 54 IV → § 54 Rn. 21.

4 **c) Geschäftsformen: Einzelfragen.** Ohne weiteres **unzulässig** sind Erlassvertrag (§ 397 I BGB), gleichgültig, ob Forderung ganz oder teilw. erlassen wird, und alle Geschäfte, die zu **vergleichbaren Ergebnissen** führen (OLG Köln ZIP 1989, 174, 176; MüKoAktG/Bayer Rn. 13; KK-AktG/Drygala Rn. 7 ff.). Solche sind: negatives Schuldanerkenntnis (§ 397 II BGB); Annahme einer Leistung an Erfüllungs Statt (§ 364 I BGB; s. OLG Köln ZIP 1989, 174, 176); Novation; Leistung auf Kredit der AG oder eines Dritten, wenn AG den Kredit besichert (BGHZ 28, 77, 78 = NJW 1958, 1351; OLG Köln WM 1984, 740); Annahme von Sach- statt Geldleistungen oder umgekehrt (für verdeckte Sacheinlagen gelten indes Grundsätze des § 27 III; → § 27 Rn. 23 ff.); Annahme mangelhafter Sachleistungen; Stundungsabreden (KK-AktG/Drygala Rn. 12); Insolvenzplan (§§ 217 ff. InsO) mit Schuldbefreiung, weil §§ 64 f. als vorrangige Regelung anzusehen sind (möglich bleiben Vergleich oder Insolvenzplan bzgl. Ausfallhaftung des kaduzierten Aktionärs; alles str., vgl. MüKoAktG/Bayer Rn. 34 f.; KK-AktG/Drygala Rn. 15 f.). **Zulässig** ist dagegen Annahme einer Leistung erfül-

lungshalber (§ 364 II BGB; → § 54 Rn. 13 aE); damit verbundene kurzfristige Kreditierung ist hinzunehmen (zutr. MüKoAktG/Bayer Rn. 26; KK-AktG/Drygala Rn. 11). Schuldbefreiend wirkt auch Hinterlegung durch den Aktionär unter Verzicht auf Rücknahme (§§ 372 ff., 378 BGB), weil sie nicht von AG ausgeht und ihr die Leistung verschafft, auf die sie Anspruch hat. **Vergleich** iSd § 779 BGB ist iÜ dann zulässig, wenn er wegen tats. oder rechtl. Ungewissheit über den Bestand oder Umfang des Anspruchs geschlossen wird. Gericht muss also prüfen, ob nicht tats. Befreiungsakt vorliegt, der lediglich in äußere Form eines Vergleichs gekleidet wird (BGHZ 191, 364 Rn. 22 = NZG 2012, 69; OLG Frankfurt AG 2010, 793, 795; MüKoAktG/Bayer Rn. 29; BeckOGK/Cahn Rn. 17; S/L/Fleischer Rn. 5a; Verse ZGR 2012, 875, 885 ff.). Obj. Wertvergleich, ob Vergleich dem str. Verfahren vorzuziehen ist, ist dagegen nicht erforderlich (BGHZ 191, 364 Rn. 31), was mit Blick auf Ziel der Kapitalaufbringung nicht unproblematisch ist (krit. deshalb Fleischer AG 2015, 133, 141 f.), vor dem Hintergrund schwieriger Quantifizierung aber doch das Richtige trifft (Verse ZGR 2012, 875, 886). Wird festgestellt, dass es Beteiligten tats. darum geht, Unsicherheit auszuräumen, ist es auch nicht erforderlich, Zustimmungserfordernis der HV analog § 50 I, § 93 IV 3, § 117 IV auf Vergleich zu übertragen, zumal sich Gefahrenlage im Verhältnis Vorstand-Aktionär anders darstellt als im Verhältnis Vorstand-AR (BGHZ 191, 364 Rn. 25 f.; zust. MüKoAktG/Bayer Rn. 32; Fleischer AG 2015, 133, 142; Verse ZGR 2012, 875, 887 ff.; aA BeckOGK/Cahn Rn. 17; Priester AG 2012, 525, 526 ff.). Gläubiger und Insolvenzverwalter müssen Vergleich gegen sich gelten lassen; auch § 93 V 3, § 117 V 2 finden wegen unterschiedlicher Wertungsinhalte also keine analoge Anwendung (BGHZ 191, 364 Rn. 28; zust. Fleischer AG 2015, 133, 142; Verse ZGR 2012, 875, 890). Rechtsnatur der Einlageforderung wird durch den Vergleich aber nicht verändert, so dass sie nach wie vor den in § 66 verankerten Bestimmungen zum Schutz der Kapitalaufbringung unterfällt (BGHZ 191, 364 Rn. 33 f.).

2. Aufrechnungsverbot. a) Aufrechnung durch Aktionär oder Vormänner. § 66 I 2 schließt Aufrechnung gegen Forderungen der AG nach §§ 54, 65 aus. Unmittelbare **Verbotsadressaten** sind also Aktionäre und ihre Vormänner. Zweck ist auch hier reale Kapitalaufbringung (→ Rn. 1): Vermögen der AG soll nicht durch Befreiung von Verbindlichkeiten, sondern durch versprochene Zahlung hergestellt werden. Das dient der Liquidität der AG und vermeidet Probleme, die sich sonst unter dem Stichwort fehlender Vollwertigkeit bei finanziellen Schwierigkeiten der AG ergeben könnten. Sachverhalt ist insofern wirtschaftlich mit Einbringung der Forderung als **verdeckte Sacheinlage** vergleichbar, so dass dazu geltende Grundsätze (→ § 27 Rn. 23 ff.) zT wertungsmäßig herangezogen werden können (ausf. Habersack/Weber ZGR 2014, 509, 517 f.; sa BeckOGK/Cahn Rn. 22). Als zu weitgehend erweist es sich indes, für Aufrechnung der AG im Analogiebereich zugelassene Ausstrahlung des § 27 III und IV (→ Rn. 7) in teleologischer Reduktion des § 66 I 2 auch für Aufrechnung des Aktionärs fortzuschreiben, indem bei Vollwertigkeit der Forderung Anrechnung nach § 27 III 3 zugelassen wird (dafür aber Habersack/Weber ZGR 2014, 509, 527 ff.). Schon fehlende Mitwirkung der AG, die bei Sacheinlage zugleich Haftungsverantwortung ihrer Geschäftsleitung begründet, lässt Vergleichbarkeit der Sachverhalte entfallen (MüKoAktG/Bayer Rn. 47; KK-AktG/Drygala Rn. 25; S/L/Fleischer Rn. 8). Nach Auflösung der AG können sich mit Rücksicht auf Abwicklungszweck Einschränkungen des Aufrechnungsverbots ergeben (→ § 264 Rn. 16). Zur Insolvenz → Rn. 13 5

b) Aufrechnung durch AG. § 66 I 2 erfasst Aufrechnung durch AG nicht. Gleichwohl ist sie nicht unbeschränkt zulässig. Vielmehr gilt: Zahlungen, die vor 6

Anmeldung geleistet sein müssen (§ 36 II, §§ 36a, 188 II, § 203 I), können nur in den durch § 54 III zugelassenen Formen (→ § 54 Rn. 12 ff.) erfolgen, so dass Aufrechnung insoweit ganz ausscheidet (MüKoAktG/Bayer Rn. 49). IÜ folgt aus umfassendem Befreiungsverbot des § 66 I 1 (→ Rn. 3), dass AG grds. nur aufrechnen kann, wenn Forderung des Aktionärs oder Vormanns, gegen die aufgerechnet werden soll, **vollwertig, fällig und liquide** ist (stRspr – vgl. schon RGZ 94, 61, 63; zur GmbH BGHZ 15, 52, 57 = NJW 1954, 1842 und zur AG BGHZ 191, 364 Rn. 36 = NZG 2012, 69 mwN; KK-AktG/Drygala Rn. 22 ff.). Noch stärker als bei § 66 I 2 tritt hier Nähe zur verdeckten Sacheinlage zutage (→ Rn. 5), da in dieser Konstellation AG an Selbstschädigung durch Aufrechnung mitwirken muss. Namentl. von BeckOGK/Cahn Rn. 32 ff. formulierte Grundsatzkritik an dieser hM schreibt das in → § 27 Rn. 17 skizzierte Konzept einer Forderungseinbringung zum Nennwert fort. Aus den dort genannten Gründen ist dem auch hier nicht zu folgen. Ausnahme vom grds. Aufrechnungsverbot kommt aber in Betracht, wenn Einlageforderung der AG wegen der wirtschaftlichen Verhältnisse ihres Schuldners ihrerseits gefährdet ist, so dass Verbot das Gegenteil des beabsichtigten Erfolgs erzielen würde (BGHZ 15, 52, 57 f.; BGH NJW 1979, 216; BGHZ 191, 364 Rn. 39; S/L/Fleischer Rn. 13; krit. aber Habersack/Weber ZGR 2014, 509, 523 f.). Auch dann wird man Kaduzierungsverfahren der §§ 64 f. jedoch Vorrang einräumen müssen (HCL/Casper GmbHG § 19 Rn. 95; → Rn. 4 zum Insolvenzplanverfahren), so dass sich praktische Bedeutung der Ausnahme sehr verringert.

7 **Vollwertig** heißt: Gegenforderung muss aus Vermögen der AG realisierbar sein. Daran fehlt es jedenfalls bei Überschuldung (RGZ 94, 61, 63; RGZ 134, 262, 268; BGHZ 90, 370, 373 = NJW 1984, 1891), aber auch schon dann, wenn nachhaltige Zahlungsschwierigkeiten bestehen, ohne dass sich Zahlungsunfähigkeit manifestiert haben müsste (MüKoAktG/Bayer Rn. 59; KK-AktG/Drygala Rn. 28). Bei **Besicherung** in voller Höhe ist Vollwertigkeit aber gegeben; bloßes Zurückbehaltungsrecht genügt nicht (BGHZ 191, 364 Rn. 37 = NZG 2012, 69). Maßgeblich für Vollwertigkeit sind nicht subj. Vorstellungen der Parteien, sondern obj. Maßstäbe; **Beweislast** liegt insofern beim Aktionär (BGHZ 191, 364 Rn. 36, 44). Im Schrifttum stattdessen erwogene Vermutungswirkung des Nominalwertes (BeckOGK/Cahn Rn. 35; Grigoleit/Grigoleit/Rachlitz Rn. 11) ist abzulehnen, um effektiven Kapitalschutz auch prozessual wirksam zu flankieren (MüKoAktG/Bayer Rn. 65). Noch nicht abschließend geklärt ist **Folge fehlender Vollwertigkeit.** Bisher hM geht von Unwirksamkeit der Aufrechnung aus, während neuere Auffassung im Lichte des § 27 III, IV (→ Rn. 5) auch hier zu Recht Anrechnungswirkung (→ § 27 Rn. 38 ff.) gestattet (KK-AktG/Drygala Rn. 23 f.; S/L/Fleischer Rn. 10; Henze/Born/Drescher HRR AktienR Rn. 159; Habersack/Weber ZGR 2014, 509, 515 ff.; Verse ZGR 2012, 875, 892 f.; aA MüKoAktG/Bayer Rn. 62; BeckOGK/Cahn Rn. 27). Das gilt auch, wenn Mindesteinlageforderung betroffen ist (Habersack/Weber ZGR 2014, 509, 523 mwN). **Fälligkeit** der Gegenforderung ist abw. von § 387 BGB erforderlich, weil AG sonst stundungsähnlich (→ Rn. 4) Liquidität ohne wirtschaftlichen Gegenwert aufgeben würde (ganz hM, vgl. BGHZ 15, 52, 57 = NJW 1954, 1842). Schließlich erforderliche **Liquidität** der Gegenforderung ist zu bejahen, wenn sie nach Grund und Höhe außer Zweifel steht und auch nicht mit Einwendungen oder Einreden (zB Verjährung) behaftet ist (unstr.). Zur Erstreckung dieser Grundsätze auf Aufrechnungsvertrag und Kontokorrentvereinbarung S/L/Fleischer Rn. 14 ff.

III. Entsprechende Anwendung (§ 66 II)

1. Rückgewährpflichten. Nach § 66 II Fall 1 gelten Befreiungs- und Aufrechnungsverbot des § 66 I entspr. für Verpflichtung, entgegen ges. Vorschrift empfangene Leistungen zurückzugewähren. Damit angesprochen ist Haftung der Aktionäre nach § 62 I, die ihrerseits Verstöße gegen §§ 57, 59, 60 oder 61 voraussetzt (→ § 62 Rn. 7 f.). Behandlung der Rückgewähr- wie Einlageverpflichtung unterstreicht bes. aktienrechtl. Natur der Haftung (→ § 62 Rn. 2). 8

2. Ausfallhaftung des kaduzierten Aktionärs. Daraus resultierende Ansprüche unterliegen gem. § 66 II Fall 2 gleichfalls dem Befreiungs- und Aufrechnungsverbot des § 66 I. Zum Umfang der Haftung → § 64 Rn. 9. Vorschrift ist sinnvoll, weil Mitgliedschaft mit Kaduzierung endet, so dass Haftung nach § 64 IV 2 nicht mehr als Einlagepflicht iSd § 54 bezeichnet werden kann (→ § 64 Rn. 7). 9

3. Verpflichtungen aus nicht gehöriger Leistung von Sacheinlagen. 10
§ 66 II Fall 3 unterwirft auch Schadensersatzpflicht des Aktionärs wegen nicht gehöriger Leistung einer Sacheinlage dem Befreiungs- und Aufrechnungsverbot. Regelung ist missglückt, weil im vorausgesetzten Fall der Grundsatz eingreift, dass Aktionäre ihre **Einlage in Geld** zu erbringen haben (→ § 27 Rn. 2, 12), und diese Verpflichtung schon unter § 66 I fällt, so dass es insoweit der Erstreckung nicht bedurft hätte. Ersatzansprüche wegen einer über die Einlageschuld hinausgehenden Schadenshöhe werden vom Wortlaut des § 66 II zwar erfasst, sind aber wegen § 54 I nicht mehr als Einlage zu behandeln und sollten im Wege teleologischer Reduktion wie Ansprüche aus § 63 II oder III (→ Rn. 2) disponibel sein (hM – vgl. nur S/L/Fleischer Rn. 20; aA MüKoAktG/Bayer Rn. 78). Nicht gehörige Leistung iSd § 66 II ist jede Leistungsstörung (Unmöglichkeit, Verzug, Sachmängelhaftung usw).

IV. Befreiung durch Kapitalherabsetzung (§ 66 III)

Zu unterscheiden ist zwischen ordentlicher (§§ 222 ff.) und vereinfachter (§§ 229 ff.) Kapitalherabsetzung sowie Kapitalherabsetzung durch Einziehung (§§ 237 ff.). Bei **vereinfachter Kapitalherabsetzung** dürfen Aktionäre nicht von ihrer Einlagepflicht befreit werden (§ 230 S. 1; → § 230 Rn. 3 f.). Bei **ordentlicher Kapitalherabsetzung** ist Befreiung der Aktionäre von ihrer Einlagepflicht grds. zulässig, doch bedarf es dafür eines Erlassvertrags (§ 397 I BGB), bei dem AG durch Vorstand vertreten wird, und der Beachtung der gläubigerschützenden Regeln des § 225 (→ § 222 Rn. 20; → § 225 Rn. 16). Gesamtbetrag des Einlagenerlasses darf nach § 66 III nicht höher sein als der Betrag der Kapitalherabsetzung. Bei **Kapitalherabsetzung durch Einziehung** gibt es keine entspr. Beschränkung. Weil Mitgliedschaft der betroffenen Aktionäre untergeht (→ § 238 Rn. 5), sollen sie von ihrer Einlagepflicht auf jeden Fall befreit werden (MüKoAktG/Bayer Rn. 42; KK-AktG/Drygala Rn. 67). Gläubigerschutz wird von § 225 II iVm § 237 II 3 übernommen. 11

V. Befreiungs- und Aufrechnungsverbot bei Beteiligung Dritter

Nach ganz hM kann Einlageanspruch der AG **abgetreten, verpfändet** und von Gesellschaftsgläubigern auch **gepfändet** werden (s. schon RGZ 124, 380, 382; BGHZ 53, 71, 72 = NJW 1970, 469 [GmbH]; MüKoAktG/Bayer Rn. 79 ff.; Habersack/Weber ZGR 2014, 509, 534 mwN). Aus dem in § 66 enthaltenen Befreiungs- und Aufrechnungsverbot und damit verfolgtem Zweck der Kapitalaufbringung (→ Rn. 1) folgert ganz hM auch hier Erfordernis der 12

Vollwertigkeit der zufließenden Gegenleistung (BGHZ 53, 71, 72 ff.; BGH NJW 1992, 2229 f.). Daran wird es zumindest bei der Pfändung idR fehlen (S/L/Fleischer Rn. 27). Vollwertigkeit ist im Sinne effektiven Kapitalschutzes insbes. auch für Abtretung zu fordern (OLG Hamburg AG 2007, 500, 501), wenngleich bedenkliche Entscheidung in BGHZ 69, 274, 282 = NJW 1978, 160, wo für Abtretung des Erstattungsanspruchs aus § 31 I GmbHG gleichwertiger Nominalwert als ausreichend angesehen wurde, in andere Richtung weisen könnte (wie hier GK-AktG/Gehrlein/Steffek/Notz Rn. 81; MüKoAktG/Bayer Rn. 85; aA BeckOGK/Cahn Rn. 44). Besonderheiten gelten, wenn Abtretung oder Verpfändung **an Inferenten** selbst erfolgt. Hier müssen die zur Aufrechnung entwickelten Grundsätze entspr. gelten (zu den noch nicht ausdiskutierten Einzelheiten vgl. Habersack/Weber ZGR 2014, 509, 534 ff.). Ähnliche Grundsätze wie für Abtretung gelten für Leistung an Dritte mit Folge der Schuldbefreiung nach § 362 II BGB, § 185 BGB (vgl. S/L/Fleischer Rn. 25).

VI. Insolvenz und Liquidation

13 Ungeschriebene Einschränkung erfährt § 66 in Insolvenz und Liquidation. Auch hier beansprucht Vorschrift grds. Gültigkeit, die aber durch **Zweck des Liquidations-/Insolvenzverfahrens** begrenzt wird. Wenn bei Liquidation alle Gläubiger befriedigt und Geschäftsbetrieb eingestellt ist, findet § 66 keine Anwendung mehr; dasselbe gilt, wenn Insolvenzverfahren in Ermangelung entspr. Mittel absehbar nicht eröffnet wird und sich kein anderer Gläubiger bereit findet, Vorschuss zu leisten (S/L/Fleischer Rn. 28).

VII. Rechtsfolgen

14 Jeder Verstoß gegen § 66 führt gem. § 134 BGB zur **Nichtigkeit** des auf Schuldbefreiung gerichteten Rechtsgeschäfts oder der Aufrechnung, gleichgültig, ob es sich um Verpflichtungs- oder Verfügungsgeschäfte handelt (RGZ 124, 380, 383; RGZ 133, 81, 83; MüKoAktG/Bayer Rn. 104; KK-AktG/Drygala Rn. 62). Aktionäre bleiben Einlagenschuldner, als ob Geschäft nicht vorgenommen worden wäre. Soweit ihnen Ansprüche nach §§ 812 ff. BGB zustehen (zB bei Leistungen an Erfüllungs Statt), können sie diese weder zur Aufrechnung noch zur Zurückbehaltung (§ 273 BGB) verwenden (MüKoAktG/Bayer Rn. 105; KK-AktG/Drygala Rn. 62).

Eintragung im Aktienregister

67 (1) [1] **Namensaktien sind unabhängig von einer Verbriefung unter Angabe des Namens, Vornamens, Geburtsdatums und einer Anschrift sowie einer elektronischen Adresse des Aktionärs sowie der Stückzahl oder der Aktiennummer und bei Nennbetragsaktien des Betrags in das Aktienregister der Gesellschaft einzutragen.** [2] **Ist ein Aktionär selbst eine juristische Person oder rechtsfähige Personengesellschaft, sind in das Aktienregister deren Firma oder Name, Sitz und Anschrift einzutragen.** [3] **Eine Gesellschaft bürgerlichen Rechts kann nur in das Aktienregister eingetragen und Veränderungen an ihrer Eintragung können nur vorgenommen werden, wenn sie in das Gesellschaftsregister eingetragen ist.** [4] **Der Aktionär ist verpflichtet, der Gesellschaft die Angaben nach den Sätzen 1 und 2 mitzuteilen.** [5] **Die Satzung kann Näheres dazu bestimmen, unter welchen Voraussetzungen Eintragungen im eigenen Namen für Aktien, die einem anderen gehören, zulässig sind.** [6] **Aktien, die zu einem inländischen, EU- oder ausländischen Investmentvermögen nach**

dem Kapitalanlagegesetzbuch gehören, dessen Anteile oder Aktien nicht ausschließlich von professionellen und semiprofessionellen Anlegern gehalten werden, gelten als Aktien des inländischen, EU- oder ausländischen Investmentvermögens, auch wenn sie im Miteigentum der Anleger stehen; verfügt das Investmentvermögen über keine eigene Rechtspersönlichkeit, gelten sie als Aktien der Verwaltungsgesellschaft des Investmentvermögens. [7]Um die Angaben nach den Sätzen 1 und 2 zu übermitteln, richtet die Gesellschaft zur Ausgabe von elektronischen Aktien in Zusammenarbeit mit der registerführenden Stelle des zentralen Registers gemäß § 12 Absatz 2 des Gesetzes über elektronische Wertpapiere oder des Kryptowertpapierregisters gemäß § 16 Absatz 2 des Gesetzes über elektronische Wertpapiere ein Meldesystem ein.

(2) **[1]Im Verhältnis zur Gesellschaft bestehen Rechte und Pflichten aus Aktien nur für und gegen den im Aktienregister Eingetragenen. [2]Jedoch bestehen Stimmrechte aus Eintragungen nicht, die eine nach Absatz 1 Satz 5 bestimmte satzungsmäßige Höchstgrenze überschreiten oder hinsichtlich derer eine satzungsmäßige Pflicht zur Offenlegung, dass die Aktien einem anderen gehören, nicht erfüllt wird. [3]Ferner bestehen Stimmrechte aus Aktien nicht, solange ein Auskunftsverlangen gemäß Absatz 4 Satz 2 nach Fristablauf und Androhung des Stimmrechtsverlustes nicht erfüllt ist.**

(3) **[1]Löschung und Neueintragung im Aktienregister erfolgen auf Mitteilung und Nachweis. [2]Die Gesellschaft kann eine Eintragung auch auf Mitteilung nach § 67d Absatz 4 vornehmen.**

(4) **[1]Die bei Übertragung oder Verwahrung von Namensaktien mitwirkenden Intermediäre sind verpflichtet, der Gesellschaft die für die Führung des Aktienregisters erforderlichen Angaben gegen Erstattung der notwendigen Kosten zu übermitteln. [2]Der Eingetragene hat der Gesellschaft auf ihr Verlangen unverzüglich mitzuteilen, inwieweit ihm die Aktien, für die er im Aktienregister eingetragen ist, auch gehören; soweit dies nicht der Fall ist, hat er die in Absatz 1 Satz 1 und 2 genannten Angaben zu demjenigen zu übermitteln, für den er die Aktien hält. [3]Dies gilt entsprechend für denjenigen, dessen Daten nach Satz 2 oder diesem Satz übermittelt werden. [4]Absatz 1 Satz 6 gilt entsprechend; für die Kostentragung gilt Satz 1. [5]Wird der Inhaber von Namensaktien nicht in das Aktienregister eingetragen, so ist der depotführende Intermediär auf Verlangen der Gesellschaft verpflichtet, sich gegen Erstattung der notwendigen Kosten durch die Gesellschaft an dessen Stelle gesondert in das Aktienregister eintragen zu lassen. [6]Wird ein Intermediär im Rahmen eines Übertragungsvorgangs von Namensaktien nur vorübergehend gesondert in das Aktienregister eingetragen, so löst diese Eintragung keine Pflichten infolge des Absatzes 2 aus und führt nicht zur Anwendung von satzungsmäßigen Beschränkungen nach Absatz 1 Satz 5. [7]§ 67d bleibt unberührt.**

(5) **[1]Ist jemand nach Ansicht der Gesellschaft zu Unrecht als Aktionär in das Aktienregister eingetragen worden, so kann die Gesellschaft die Eintragung nur löschen, wenn sie vorher die Beteiligten von der beabsichtigten Löschung benachrichtigt und ihnen eine angemessene Frist zur Geltendmachung eines Widerspruchs gesetzt hat. [2]Widerspricht ein Beteiligter innerhalb der Frist, so hat die Löschung zu unterbleiben.**

(6) **[1]Der Aktionär kann von der Gesellschaft Auskunft über die zu seiner Person in das Aktienregister eingetragenen Daten verlangen. [2]Bei**

nichtbörsennotierten Gesellschaften kann die Satzung Weiteres bestimmen. [3]Die Gesellschaft darf die Registerdaten sowie die nach Absatz 4 Satz 2 und 3 mitgeteilten Daten für ihre Aufgaben im Verhältnis zu den Aktionären verwenden. [4]Zur Werbung für das Unternehmen darf sie die Daten nur verwenden, soweit der Aktionär nicht widerspricht. [5]Die Aktionäre sind in angemessener Weise über ihr Widerspruchsrecht zu informieren.

(7) **Diese Vorschriften gelten sinngemäß für Zwischenscheine.**

Übersicht

I. Regelungsgegenstand und -zweck

§ 67 betr. Aktienregister, in das Inhaber von Namensaktien (§ 67 I) und von Zwischenscheinen (§ 67 VII) einzutragen sind. Regelung bezweckt **Rechtsklarheit** für AG über Personen, die ihr ggü. berechtigt und verpflichtet sind (§ 67 II), und ist überdies praktisch wichtig für **Durchsetzung der realen Kapitalaufbringung.** Wenn Gesellschaft korrekt nach § 10 II und III verfährt, ergibt sich nämlich aus dem Aktienregister, wer Schuldner ausstehender Einlagen ist oder sich als solcher behandeln lassen muss (§ 67 II) oder wer als Vormann kaduzierter Aktionäre haftet (§ 65). Durch RisikobegrenzungsG 2008 ist weiterer Zweck erhöhter (interner) **Beteiligungstransparenz** (insbes. in Übernahmesituationen) hinzugetreten, der namentl. in Auskunftsansprüchen des § 67 IV 2–4 Ausdruck findet (ausf. Grigoleit/Rachlitz ZHR 174 [2010], 12, 16 ff.; sa Schütte, Die Neuregelungen des ARUG II zur Aktionärsidentifikation, 2021, 83 ff.). Dieses Ziel wird derzeit noch durch Anerkennung von Legitimationsaktionären (→ Rn. 15 ff.) eingeschränkt, doch scheinen int. Entwicklungen auf umfassende Transparenz hinauszulaufen (vgl. Mohamed ZIP 2017, 2133 ff.; vgl. zum Transparenzregister auch → Rn. 76). Norm ist insges. neu gefasst durch NaStraG 2001 und hat sodann weitere Änderungen erfahren durch UMAG 2005, durch EHUG 2006, durch RisikobegrenzungsG 2008, Aktienrechtsnovelle 2016 (→ Rn. 2) und durch ARUG II 2019. Änderung durch MoPeG 2021 zielt darauf ab, Beteiligung einer GbR an AG für gesellschaftsinterne Zwecke transparenter zu gestalten (→ Rn. 8 ff.). Mit jüngster Änderung durch ZuFinG 2023 wurde Meldesystem eingeführt, um Übermittlung der relevanten Daten zwischen Aktionären und AG im Bereich elektronischer Aktien sicherzustellen (RegBegr. BT-Drs. 20/8292, 109; → Rn. 20a). 1

II. Namensaktien und Aktienregister (§ 67 I)

1. Allgemeines. a) Namensaktien. § 67 I regelt Namensaktien nicht, sondern setzt sie voraus. Nach Neufassung des § 10 I im Zuge der Aktienrechtsnovelle 2016 (→ § 10 Rn. 1, 5 ff.) hat Namensaktie Inhaberaktie nicht nur rechtstatsächlich (→ Rn. 3), sondern auch nach ges. Grundkonzeption als **Standardverbriefungsart** verdrängt (→ § 10 Rn. 1, 5). Entscheidung zwischen Aktienarten steht Aktionären aber grds. weiterhin frei. Nur bei fehlender Börsennotierung und Einzelverbriefung sowie bei Ausgabe vor Volleinzahlung ist Wahl der Namensaktie zwingend (→ § 10 Rn. 5 ff.). Welche Form gelten soll oder, was auch zulässig ist, ob AG Inhaber- und Namensaktien haben soll, muss Satzung bestimmen (§ 23 III Nr. 5; → § 23 Rn. 30). Namensaktien sind Urkunden, in denen die Mitgliedschaft des mit seinem Namen benannten Aktionärs aufgrund eines Begebungsvertrags wertpapiermäßig verbrieft wird; sie haben die Rechtsnatur von deklaratorischen Orderpapieren (→ § 68 Rn. 2). 2

Während sich Inhaberaktie wegen ihrer unkomplizierteren praktischen Handhabung bis Ende der 1990er Jahre weitgehend durchgesetzt hatte (Ausnahme engen Umfangs: vinkulierte Namensaktien, → § 68 Rn. 3), ist es seither zu deutlicher Verbreitung von Namensaktien gekommen (dazu zB Grigoleit/Rachlitz ZHR 174 [2010], 12, 13 f.; Seibert FS Peltzer, 2001, 469, 470 ff.); ihre Empfehlung ist schon heute best practice in der notariellen Beratung. Ihre Vorzüge wurden aus Sicht der Investoren zunächst namentl. gesehen in der **erleichterten Pflege der Beziehungen** zu den Aktionären („Investor Relations“; s. dazu GK-AktG/Merkt Rn. 17 f.; Noack DB 2001, 27 ff.) sowie im breiteren **Spielraum bei Satzungsgestaltung,** zB durch Vinkulierung (§ 68 II) oder Entsenderecht (§ 101 II 2 – vgl. auch RegBegr. Aktienrechtsnovelle 2016, BT- 3

Drs. 18/4349, 17 f.). Hinzu kommt größere **internationale Verbreitung** von Namensaktien, bes. in den USA, wo sie durchweg die allein börsentaugliche Art darstellen (v. Rosen/Seifert/Wunderlich/Labermeier, Die Namensaktie, 2000, 143 ff.). Letztgenannter Punkt ist allerdings dahingehend zu ergänzen, dass in den USA als „legal owner" nur ein durchaus überschaubarer Kreis von „trustees" registriert wird, nicht auch die den Aktionären entspr. „beneficial owners" (Kurzübersicht zB bei Spindler/Hüther RIW 2000, 329, 333); mit Namensaktien verbundene Probleme der großen Aktionärszahl stellen sich also in zum Vergleich herangezogener Rechtsordnung nicht oder jedenfalls nicht ohne weiteres. Auch stetig fortschreitende Digitalisierung von Geschäftsprozessen wird durch Nutzung von Namensaktien erleichtert (v. Nussbaum AG 2016, R 240 f.). Als weiterer wichtiger Vorzug – wenngleich weniger hervorgehoben – ist verbreitet genutzte Möglichkeit zu erwähnen, dass AG von sich aus einen **Stimmrechtsvertreter** benennt und an Aktionäre mit der Bitte um Vollmachtserteilung herantritt (→ § 134 Rn. 26 ff.). Aus Sicht des Gesetzgebers werden diese Vorzüge für Investoren noch durch staatliches Interesse an wirksamer Bekämpfung von Terrorismus und Geldwäsche verstärkt (→ § 10 Rn. 6). Die deshalb im Zuge der Aktienrechtsnovelle 2016 vorgenommene Änderung des § 10 I (→ § 10 Rn. 1, 5) hat Dominanz der Namensaktie dauerhaft begründet. Durch ARUG II 2019 neu eingefügte §§ 67a–67f setzen ebenfalls weitere Anreize zur Wahl von Namensaktien, weil damit insbes. kosten- und zeitaufwendige Informationsweiterleitung durch Intermediärskette nach §§ 67a–67f vermieden werden kann (→ § 67d Rn. 1). Durch Beschränkung elektronischer Kryptoaktien auf die Ausgestaltung als Namensaktie (vgl. § 10 I 2 Nr. 3) soll und wird dieser Trend weiter verstärkt werden. Als gegenläufiger Nachteil zu diesen Vorzügen sind höherer administrativer Aufwand und damit verbundene Kostenbelastungen zu nennen (zu spiegelbildlichen Vorteilen der Inhaberaktie → § 10 Rn. 1).

4 **b) Aktienregister.** Wie in § 65 (→ § 65 Rn. 1 f.) ist früheres Aktienbuch in Aktienregister umbenannt worden, um auch sprachlich zum Ausdruck zu bringen, dass Verzeichnis nicht in Buchform geführt werden muss. RegBegr. NaStraG BT-Drs. 14/4051, 10 spricht von **elektronisch geführten Datenbanken,** die von Gesellschaften mittels der online von den Wertpapiersammelbanken übermittelten Daten laufend aktualisiert und nicht mehr in Papierform vorgehalten werden. Bei börsennotierter Publikums-AG ist diese Art der Registerführung Standard (zur Einbeziehung von Dienstleistern → Rn. 5). Daneben kommt aber für kleinere Gesellschaften auch weiterhin jede andere in § 239 IV HGB zugelassene Form in Betracht, also auch Kartei oder geordnete Belegablage. Entscheidend ist, dass Führung des Aktienregisters und dabei angewandte Verfahren GoB-konform sind. Namentl. müssen Aufzeichnungen vollständig, richtig, zeitgerecht und geordnet vorgenommen werden (§ 239 II HGB). Darauf kommt es an, weil Aktienregister zwar kein Handelsbuch iSd § 238 HGB ist, aber zu sonst erforderlichen Aufzeichnungen iSd § 239 HGB gehört (unstr., s. Leuering ZIP 1999, 1745 mwN). Zur Führung des Aktienregisters auf Blockchain und daraus ggf. folgenden Effizienzgewinnen bei Begebung elektronischer Aktien vgl. Maume/Fromberger ZHR 185 (2021), 507, 532 sowie Casper AG 2022, 714 Rn. 39.

5 Zur Führung des Aktienregisters **ist AG verpflichtet,** wenn sie Namensaktien oder Zwischenscheine ausgibt, ebenso nach § 10 I 3 bei Ausgabe von Inhaberaktien vor Hinterlegung der Sammelurkunde iSd § 10 I 2 Nr. 2. Jeder Aktionär (auch wenn seine Mitgliedschaft unverkörpert oder aber in Inhaberaktie verbrieft ist) kann auf Einrichtung und Führung des Aktienregisters klagen (MüKoAktG/Bayer Rn. 16; KK-AktG/Lutter/Drygala Rn. 7; GK-AktG/Merkt Rn. 36; aA BeckOGK/Cahn Rn. 13). Auch auf Eintragung in das Register kann geklagt werden (OLG Hamm AG 2008, 671 f.). Für Registerführung zuständig ist **Vor-**

stand als Organ (§ 76 I), der Hilfspersonal einsetzen, nach hM seine Verantwortlichkeit aber nicht vollständig delegieren kann, auch nicht auf einzelne Vorstandsmitglieder (vgl. nur GK-AktG/Merkt Rn. 36; aA Harnos, DSRI-Tagungsband 2015, 265, 267 ff., der delegierbare Geschäftsführungsaufgabe annimmt). Einrichtung des Registers bedarf also eines Vorstandsbeschlusses, an dem es notwendig fehlt, wenn nur zwei von mehreren Vorstandsmitgliedern befasst sind (OLG München AG 2005, 584, 585; iErg zust. Kort NZG 2005, 963, 964 f.; aA Harnos, DSRI-Tagungsband 2015, 265, 267 ff.). Auch **externe Führung des Aktienregisters** ist danach zulässig, solange Vorstand nur Letzentscheidungsbefugnis sowie jederzeitige Zugriffsmöglichkeit behält (MüKoAktG/Bayer Rn. 15). Praxis macht von dieser Möglichkeit in Gestalt spezialisierter Dienstleistungsunternehmen, die erforderliche Informationen direkt von Clearstream Banking AG (→ § 10 Rn. 13) erhalten, umfassend Gebrauch (MüKoAktG/Bayer Rn. 13). Vorstand hat allerdings darauf zu achten, dass datenschutzrechtl. Vorgaben beachtet werden. Namentl. ist bei externer Registerführung Abschluss einer Vereinbarung über Auftragsverarbeitung erforderlich, die Anforderungen des Art. 28 DS-GVO widerspiegelt (vgl. Zetzsche AG 2019, 233, 235 f.; zust. MüKoAktG/Bayer Rn. 15). Verstöße gegen Art. 28 DS-GVO sind nach Art. 83 IV lit. a DS-GVO bußgeldbewehrt. Zu materiellen Folgen, wenn kein Register eingerichtet wurde → Rn. 26.

2. Eintragung der Namensaktien und ihrer Inhaber. a) Eintragungsinhalt. Einzutragen sind nach § 67 I 1 Namensaktien (→ Rn. 2). Nach bislang hM waren darunter nur Aktien zu verstehen, die in Namensaktien, Zwischenscheinen oder zumindest Globalurkunde wertpapiermäßig verkörpert sind (vgl. etwa noch OLG München AG 2005, 584, 585; KK-AktG/Lutter/Drygala Rn. 6, 12). Nicht erfasst wurden danach also Aktien, die im Zuge der Errichtung der AG bereits entstanden, aber noch **nicht verbrieft** waren, was namentl. in unmittelbarer zeitlicher Folge von Gründung oder Kapitalerhöhung der Fall sein kann. Aktienrechtsnovelle 2016 hat dagegen klargestellt, dass Eintragungspflicht unabhängig von Verbriefung eintritt. Auch der Begriff „Aktienregister" setzt physische Aktienurkunden nicht voraus (RegBegr. BT-Drs. 18/4349, 20 f.). Mit dieser Klarstellung soll insbes. verhindert werden, dass in § 10 I 3 angeordnete Geltung für Inhaberaktien unterlaufen wird, wenn AG weder börsennotiert ist noch Sammelurkunde hinterlegt hat (→ § 10 Rn. 7); zusätzlicher Druck auf nichtbörsennotierte Namensaktiengesellschaften wird als erwünschter Nebeneffekt in Kauf genommen (Bayer AG 2012, 141, 143). Bei Ersteintragung wird **Vorstand von sich aus tätig.** Anmeldung des Aktionärs ist dabei ebenso entbehrlich, wie sein Widerspruch unbeachtlich wäre (OLG Jena AG 2004, 268, 270). **Einzelheiten** des Eintragungsinhalts umschreibt § 67 I 1 noch in Anlehnung an frühere Praxis, die bei Anlage des Registers von den Aktien ausging (eine Zeile oder Seite oder Karte pro Aktie) und deren jeweiligen Inhaber durch Zuschreibung oder Streichung kenntlich machte. Das ist unter Vorbehalt der GoB-Konformität (→ Rn. 4) nach wie vor zulässig, aber bei heutigen Registern unüblich. Sie sind nach Personen der Aktionäre aufgebaut und ordnen ihnen jeweiligen Aktienbesitz zu (sa DAV-HRA NZG 2000, 443, 444: Aktionärsregister). Um das zum Ausdruck zu bringen, könnte § 67 I 1 lauten: „Namensaktionäre sind unter Bezeichnung ihrer Person und ihres Aktienbesitzes in ein Register der Gesellschaft einzutragen (Aktien- oder Aktionärsregister). Zur Bezeichnung der Person gehört Angabe von Namen, Geburtsdatum und Adresse. Aktienbesitz wird durch Angabe von Aktiennummern oder bei Nennbetragsaktien des Betrags, bei Stückaktien ihrer Zahl bezeichnet." 6

Für **Angaben zu Aktionären** gilt: Aktionär muss mit Vor- und Nachname (klargestellt durch MoPeG 2021) sowie Anschrift und elektronischer Adresse 7 eingetragen werden. Letztgenannte Vorgabe geht in ihrer Ursprungsfassung auf ARUG II 2019 zurück und stellt klar, dass beide Adressformen erforderlich sind, allerdings nur unter dem Vorbehalt, dass elektronische Adresse existiert (keine Einrichtungspflicht) und AG bekannt ist. Bis zum MoPeG 2021 wurde Begriff der „Postanschrift" verwendet, der nunmehr durch Begriff der „Anschrift" ersetzt wurde. Begründet wird dies mit terminologischer Angleichung an § 30 II 1 Nr. 1 GenG (RegBegr. BT-Drs. 19/27635, 269), was nachvollziehbar ist. Weniger klar ist Ergänzung in RegBegr., dass auch E-Mail genügt, da diese Variante durch sodann genannte „elektronische Adresse" abgedeckt wird. Doppelung geht möglicherweise auf Redaktionsversehen zurück, das sich daraus erklären könnte, dass Mauracher Kommission Arbeit vor Änderung durch ARUG II 2019 aufgenommen hat. Deshalb ist davon auszugehen, dass als Anschrift grds. auch weiterhin postalische Anschrift, Büroadresse oder Zustellungsbevollmächtigter zu verstehen ist (RegBegr. BT-Drs. 14/4051, 11 f.; RegBegr. BT-Drs. 19/9739, 57; MüKoAktG/Bayer Rn. 28). Elektronische Adresse wird idR E-Mail sein, doch soll offene Formulierung auch für neuere Formen Raum lassen (RegBegr. BT-Drs. 19/9739, 57). Hat Aktionär mehrere Adressen, genügt Eintragung der am besten für Aktionärskommunikation geeigneten (RegBegr. BT-Drs. 19/9739, 57).

8 Bis zum MoPeG 2021 war der Fall, dass **Aktionär keine nat. Person** ist, nicht ausdr. im Ges. geregelt; entspr. Regeln mussten aus allg. Grundsätzen abgeleitet werden (→ 17. Aufl. 2023, Rn. 8). Seit MoPeG 2021 gilt folgende Differenzierung: Ist Aktionär selbst **jur. Person oder rechtsfähige Personengesellschaft,** sind in Aktienregister deren Firma oder Name (§ 4), Sitz (§ 5) und Anschrift einzutragen (§ 67 I 2). GbR kann dagegen nach § 67 I 3 nur in Aktienregister eingetragen und Veränderungen der Eintragung können nur vorgenommen werden, wenn sie als sog **eGbR** (§ 707a II 1 BGB) in Gesellschaftsregister (§§ 707 ff. BGB) eingetragen ist (vgl. zum Gesellschaftsregister Koch/Koch/Harnos PersG § 707 BGB Rn. 1 ff.). Übertragung dieses grds. auf HR zugeschnittenen Mechanismus auf Aktienregister ist nicht selbstverständlich, da dieses keine Publizitätsfunktion erfüllt; mit Eintragungsobliegenheit zugleich verfolgte Zielsetzung der **Rechtsklarheit und Verwaltungseffizienz** ist aber auch hier einschlägig, so dass Gesetzgeber Übertragung für sachgerecht hielt (RegBegr. MoPeG BT-Drs. 19/276635, 269).

8a Unter **Veränderungen** in diesem Sinne fallen Verfügungen über die Namensaktie sowie „isolierte Umfirmierungen" ohne korrespondierende Verfügung, nicht aber Änderungen im Gesellschafterbestand einer GbR (RegBegr. MoPeG BT-Drs. 19/276635, 269). Das ist für Erwerbsgeschäfte der GbR unproblematisch. Veräußerer darf zwar ausgetragen, aber erwerbende GbR nicht eingetragen werden; Aktien sind im Aktienregister als freier Meldebestand (→ Rn. 49) zu vermerken (Stock NZG 2023, 361, 365 f.; zust. Schudlo/Bock BB 2023, 2051, 2053). Problematischer sind Veräußerungsgeschäfte der GbR, weil Risiko der Nichteintragung dann von Erwerber zu tragen wäre, während GbR von ihrem Rechtsverstoß profitieren würde (BeckOGK/Cahn, 1.10.2023, § 67 Rn. 27). Um diese Unbilligkeit zu vermeiden, wird § 67 I 3 dahin gedeutet, dass Eintragung des Erwerbers dennoch möglich bleibt. Für Eintragung der GbR wird entweder Löschung (BeckOGK/Cahn, 1.10.2023, § 67 Rn. 27: Löschung keine Veränderung iSd § 67 I 3) oder Doppeleintragung mit entspr. Veräußerungsvermerk bei GbR (überzeugend Stock NZG 2023, 316, 366; zust. Schudlo/Bock BB 2023, 2051, 2053). Erstgenannte Lösung ist pragmatischer, letztgenannte aber im Lichte des klaren Wortlauts wohl dogmatisch sauberer.

8b § 67 I 3 gilt **nur für Neueintragungen.** Rückwirkende Pflicht zur Voreintragung wird in keinem der vorgenannten Fälle begründet (RegBegr. MoPeG BT-Drs. 19/276635, 269). Das gilt auch, wenn sich Gesellschafterbestand einer bereits im Aktienregister unter Angabe ihrer Gesellschafter (zu diesem Erfordernis nach alter Rechtslage → 17. Aufl. 2023, Rn. 8) eingetragenen GbR ändert. Rechtsinhaberschaft der GbR ist auch hier klar und Beseitigung sonstiger Transparenzdefizite hinsichtlich GbR nicht Aufgabe des Aktienregisters (RegBegr. MoPeG BT-Drs. 19/276635, 270). Lässt sich GbR, die nach altem Recht unter Angabe ihrer Gesellschafter im Aktienregister verlautbart ist, ohne korrespondierende Verfügung im Gesellschaftsregister eintragen, ist dies – vergleichbar der bloßen Namensänderung – eine nach § 67 I eintragungspflichtige Änderung (RegBegr. MoPeG BT-Drs. 19/276635, 269). Auch das ist nicht selbstverständlich, weil bei einer solchen „isolierten Umfirmierung" keine Veränderung der Person bzgl. Rechtsinhaberschaft gegeben ist. Ziel der Rechtsklarheit erfordert aber auch hier Aktualisierung des Aktienregisters (RegBegr. MoPeG BT-Drs. 19/276635, 269). Hölters/Weber/Mayer/Albrecht

Steht Namensaktie **mehreren Berechtigten** zu (Bruchteils- oder Erbengemeinschaft), so werden alle eingetragen (MüKoAktG/Bayer Rn. 26); Eintragung gemeinschaftlichen Vertreters nach § 69 I ist dispositiv (→ Rn. 23). 8c

Entfallen ist frühere Angabe des Berufs (→ § 40 Rn. 1), hinzugetreten ist **Angabe des Geburtsdatums,** so dass Register hinsichtlich der natürlichen Personen nicht nach Alphabet, sondern nach Geburtsdaten aufgebaut werden kann, was bei großen Dateien günstiger sein mag. Ordnungsnummer für Aktionäre kann hinzutreten. Neue Angaben sind nur erforderlich, soweit es zu neuen Eintragungsvorgängen kommt. Alte Eintragungen müssen nicht eigens geändert werden (RegBegr. BT-Drs. 14/4051, 11). 9

Wie genau **Angaben zu Aktien** sein müssen, bestimmt sich danach, ob Register als Aktionärsverzeichnis (Personalfoliensystem) oder als Aktienverzeichnis (Realfoliensystem) geführt wird. Im ersten Fall genügen Angaben, die Umfang des Besitzes deutlich machen (Betrag bzw. Zahl). Im zweiten Fall müssen Aktien als einzelne individualisiert werden können (Serie und Nummer), weil sie sonst als Ordnungskriterien untauglich wären. Wahl zwischen Darstellungsformen trifft AG. 10

b) Mitteilungspflicht. Nach § 67 I 4 ist Namensaktionär verpflichtet, nach § 67 I 1 und 2 einzutragende Angaben der AG mitzuteilen und erforderliche Nachweise zu erbringen. Norm geht auf RisikobegrenzungsG 2008 zurück. RegBegr. BT-Drs. 16/7438, 13 bezieht sich dafür auf Leitbild des möglichst **vollständigen Aktienregisters.** Zulässig bleibt jedoch Eintragung von Legitimationsaktionären, wenn Satzung das nicht ausschließt (→ Rn. 15 ff.). Ferner soll der Verpflichtung, sog Verwahrkette nach § 67 IV 2 und 3 offenzulegen (→ Rn. 53 ff.), eine Basis gegeben werden (Bayer GS M. Winter, 2011, 9, 19). 11

Adressat der Mitteilungspflicht ist **materiell-dinglich Berechtigter,** nicht dagegen wirtschaftlicher Inhaber (S/L/T. Bezzenberger Rn. 12, 23). Auch Vollrechtstreuhänder ist deshalb als Aktionär einzutragen (RegBegr. BT-Drs. 19/9739, 59). Ebenso wenig schaden sonstige dingliche oder schuldrechtl. Beschränkungen, wie Pool-Vereinbarungen, Unterbeteiligungen oder Verschaffungsansprüche (S/L/T. Bezzenberger Rn. 23). 12

Nach hM begründet § 67 I 4 **echte Meldepflicht,** die ggf. auch mit **Leistungsklage** durchgesetzt werden kann (MüKoAktG/Bayer Rn. 40; S/L/T. Bezzenberger Rn. 15; GK-AktG/Merkt Rn. 44; widersprüchlich in diesem Punkt RegBegr. BT-Drs. 19/9739, 57: „klagbarer Anspruch", 58: „keine aktive Anmeldepflicht"). Dagegen vorgebrachtes Argument, Nichteintragung werde ausschließlich mit Rechtsverlust nach § 67 II 1 sanktioniert (Grigoleit/Rachlitz ZHR 174 [2010], 12, 37 ff.: deshalb bloße Obliegenheit), unterstellt abschließenden Charakter des § 67 II 1, der sich mit klarem Wortlaut des § 67 I 4 aber gerade nicht verträgt und auch sonst im Ges. keine Stütze findet. Auch aus 13

Platzhalterregelung des § 67 IV 5 ergibt sich nichts anderes, da Regelung lediglich behelfsmäßige Lösung für den Fall enthält, dass AG Berechtigten nicht kennt und Anspruch deshalb nicht geltend machen kann. Mitteilung nach § 67 I 4 enthält konkludenten Eintragungsantrag, aus dem entspr. Eintragungsanspruch des Aktionärs entsteht (GK-AktG/Merkt Rn. 44). Obwohl im Ges. nicht ausdr. genannt, erstreckt sich Mitteilungspflicht auch auf etwaige Änderungen.

14 Mitteilungspflicht trifft überdies **Intermediär nach § 67 IV 1.** Zusätzliche Pflicht des Aktionärs selbst hat deshalb vor allem zur Folge, dass er einer Mitteilung des Intermediärs nicht widersprechen kann (→ Rn. 51; GK-AktG/Merkt Rn. 44; Noack NZG 2008, 721; aA BeckOGK/Cahn Rn. 32, 94). Mitteilungspflicht entfällt, sofern Aktienregister durch zulässige Eintragung eines Platzhalters vollständig ist (→ Rn. 57 ff.; S/L/T. Bezzenberger Rn. 15; Grigoleit/Rachlitz ZHR 174 [2010], 12, 31 ff., 38 f.; aA S/L/v. Nussbaum, 5. Aufl. 2024 [Vorab-Onlinefassung], § 67d Rn. 1a).

15 **c) Ergänzende Bestimmungen der Satzung.** § 67 I 5 lässt ergänzendes Satzungsrecht (§ 23 V 2) zu, und zwar für Eintragung fremden Aktienbesitzes unter (eigenem) **Namen eines Dritten.** Möglichkeit entsprechender Satzungsregelung impliziert, dass solche Dritteintragung überhaupt möglich ist. Das ist mit Blick auf Transparenzanliegen (→ Rn. 1) nicht selbstverständlich, trägt aber Bedürfnissen des Rechtsverkehrs an solcher Gestaltung Rechnung. Unter § 67 I 5 fällt insbes. **Legitimationsübertragung** nach § 129 III (→ § 129 Rn. 12 ff.); Legitimationsaktionäre können also weiterhin eingetragen werden (MüKoAktG/Bayer Rn. 24), und zwar ohne dass Legitimationsübertragung satzungsmäßig ausdr. gestattet sein muss. In RegBegr. 16/7438, 13 wird ausdr. klargestellt, dass Satzung lediglich Einschränkungen vorsehen kann (zB Höchstgrenze, Offenlegungspflicht; → Rn. 15 ff.; sa S/L/T. Bezzenberger Rn. 18; KK-AktG/Lutter/Drygala Rn. 18). Nicht unter § 67 I 5 fällt dagegen Vollrechtstreuhänder, der Aktien als materiell Berechtigter hält (→ Rn. 15; sa BeckOGK/Cahn Rn. 34; rechtspolitische Kritik bei Drygala ZIP 2011, 798, 800).

16 Auch wenn Dritteintragung nach § 67 I 5 danach zulässig ist, hat Dritter dennoch keinen **Anspruch** darauf (Gätsch FS Beuthien, 2009, 133, 143). Dem Aktionär sollte ein solcher Anspruch dagegen zugestanden werden (überzeugend Grigoleit/Rachlitz ZHR 174 [2010], 12, 33 ff.; Piroth, Legitimationsübertragung, 2022, 221 ff.; aA S/L/T. Bezzenberger Rn. 18; Noack NZG 2008, 721, 722), da Möglichkeit der Legitimationsübertragung für Investitionsentscheidung derart bedeutsam sein kann, dass sie – auch hier vorbehaltlich anderweitiger Satzungsregelung – **nicht Vorstandsermessen überlassen** bleiben darf.

17 Durch § 67 I 5 eröffnete Satzungsdispositivität legt es in die Hand der Aktionäre, Dispositionsbefugnis des Aktionärs im Sinne höherer Beteiligungstransparenz einzuschränken. Von grds. Eintragungsmöglichkeit **abw. Satzungsregelung** kann zunächst so ausgestaltet sein, dass zB Dritte nur bis zu einer bestimmten Höchstgrenze einzutragen sind (RegBegr. BT-Drs. 16/7438, 13: 0,5-2 % bei börsennotierter AG; Marsch-Barner FS Hüffer, 2010, 627, 631 ff.; Grigoleit/Rachlitz ZHR 174 [2010], 12, 31 ff.). Bei nicht börsennotierter AG kann Eintragung von Legitimationsaktionären auch ganz ausgeschlossen werden, wohingegen darin bei börsennotierter AG unverhältnismäßige Fungibilitätsbeschränkung liegt (RegBegr. BT-Drs. 16/7438, 13; BeckOGK/Cahn Rn. 36; KK-AktG/Lutter/Drygala Rn. 27; Gätsch FS Beuthien, 2009, 133, 148 ff.; Grigoleit/Rachlitz ZHR 174 [2010], 12, 32; aA S/L/T. Bezzenberger Rn. 19; GK-AktG/Merkt Rn. 51) und eine entspr. Satzungsklausel anfechtbar wäre (KK-AktG/Lutter/Drygala Rn. 26; Gätsch FS Beuthien, 2009, 133, 150). Daran haben auch Neuregelungen des ARUG II nichts geändert (Schütte, Die Neuregelungen des ARUG II zur Aktionärsidentifikation, 2021, 107 f.). Auch kann vorgesehen

werden, dass Eintragung zwar erfolgt, Drittbesitz aber als solcher, etwa durch Zusatz „Fremdbesitz", **offengelegt** wird (vorausgesetzt von § 67 II 2 Hs. 2; Marsch-Barner FS Hüffer, 2010, 627, 638 ff.; auch Kombination solcher Satzungsgestaltungen ist denkbar – S/L/T. Bezzenberger Rn. 20). Sinnvoll, wenngleich nicht zwingend, wird es idR sein, derartige Offenlegungspflicht nur oberhalb best. Schwellenwerte vorzusehen (S/L/T. Bezzenberger Rn. 20).

Ob auch **Dritte,** die nicht als Legitimationsaktionäre zur Stimmrechtsausübung ermächtigt (→ § 129 Rn. 12 ff.) oder Platzhalter iSd § 67 IV 5 und 6 (→ Rn. 57 ff.) sind, in Aktienregister eingetragen werden dürfen (dafür Noack NZG 2008, 721, 722; Marsch-Barner FS Hüffer, 2010, 627, 631), bleibt trotz des auch diese Gestaltung abdeckenden Wortlauts des § 67 I 5 fraglich. Dem auf Beschränkung von Dritteintragungen gerichteten Regelungszweck entspr. es eher, Zulässigkeit wie bisher an Legitimationsübertragung zu binden (sa GK-AktG/Merkt Rn. 54; Gätsch FS Beuthien, 2009, 133, 142; Piroth, Legitimationsübertragung, 2022, 232 f.). **18**

Einführung einer Satzungsklausel iSd § 67 I 5 erfordert HV-Beschluss, der nach allg. Regeln **anfechtbar** ist; materiell kann insbes. Verstoß gegen § 53a vorliegen, überdies aber auch Fungibilität der Aktien unangemessen beeinträchtigt werden (KK-AktG/Lutter/Drygala Rn. 27). Praxis macht von Gestaltungsmöglichkeit des § 67 I 5 **nur zurückhaltend Gebrauch** (Bayer/Hoffmann AG 2013, R 259 mit Bsp.; sa Piroth, Legitimationsübertragung, 2022, 239 ff.); neben ges. vorgesehenen Transparenzvorschriften bleibt Nutzen solcher Satzungsbestimmungen im Verhältnis zum damit verbundenen Verwaltungsaufwand zu gering (Bayer/Hoffmann AG 2013, R 259, 260 f.). Auch droht AG **für ausländische Investoren weniger attraktiv** zu werden, da sie im int. Effektenverkehr verbreitete Einschaltung von „Nominees" (→ Rn. 52) erschwert, die deutschen Legitimationsaktionären weitgehend vergleichbar sind (S/L/T. Bezzenberger Rn. 21; zur Behandlung von Altfällen → Rn. 37). **19**

d) Sonderregelung für Investmentfonds. § 67 I 6 ist Sondervorschrift für Namensaktien, die zu einem Investmentvermögen gehören. Sie bezweckt, der unterschiedlichen rechtl. Konstruktion von Investmentfonds Rechnung zu tragen (s. dazu Bericht des Finanzausschusses BT-Drs. 16/9821, 18). **Rechtsfähige Investmentgesellschaften** (§ 1 XI KAGB, §§ 108 ff. KAGB, §§ 124 ff. KAGB, §§ 140 ff. KAGB, §§ 149 ff. KAGB) werden selbst mit den ihnen gehörenden Namensaktien in das Aktienregister eingetragen. Der gesetzlichen Fiktion („gilt") bedarf es hier nicht, da die Anteile der Gesellschaft selbst gehören (S/L/T. Bezzenberger Rn. 24). Daher greift auch die Ausnahme für professionelle und semiprofessionelle Anleger nicht. Für **Sondervermögen mit Treuhandlösung** (§ 1 X KAGB, § 92 I Alt. 1 KAGB) entfaltet die Fiktion ebenfalls keine Wirkung, da die Vermögensgegenstände ohnehin im Eigentum der Kapitalverwaltungsgesellschaft stehen; es wird regulär die Verwaltungsgesellschaft eingetragen (S/L/T. Bezzenberger Rn. 24). Bei **nicht rechtsfähigen Investmentvermögen mit Miteigentumslösung** (§ 1 VI KAGB, § 92 I 1 Alt. 2 KAGB) hingegen bewirkt die Fiktion des § 67 I 6, dass die Verwaltungsgesellschaft anstelle der Anleger eingetragen wird. Ausgenommen sind professionelle oder semiprofessionelle Anleger iSd § 1 XIX Nr. 32 und Nr. 33 KAGB; hier verbleibt es bei Eintragung aller Anleger in Bruchteilsgemeinschaft (BeckOGK/Cahn Rn. 37). Publikums-Sondervermögen werden damit von dem Verwaltungsaufwand der §§ 67 I 1, 5, IV 2–4 befreit, während es für Spezial-Sondervermögen bei der gesetzlichen Regelung verbleibt. **20**

e) Meldesystem bei e-Aktie. Neu eingefügt durch ZuFinG 2023 wurde § 67 I 7, der bei Begebung elektronischer Aktien (→ § 10 Rn. 15 ff.) Einf. eines **Meldesystems** durch AG in Zusammenarbeit mit registerführender Stelle des **20a**

Zentral- oder Kryptowertpapierregisters vorschreibt. Dies sei notwendig, da bei elektronischen Aktien (insbes. solchen in Einzeleintragung, s. Guntermann AG 2023, 426 Rn. 28) nicht automatisch wie bei börsennotierten Unternehmen Meldung der relevanten Informationen über elektronisches Handelssystem oder Verwahrer erfolge (RegBegr. BT-Drs. 20/8292, 109). In § 30a eWpG wird klargestellt, dass bei entspr. Beauftragung durch AG auch registerführende Stelle selbst Aktienregister führen darf. Hierdurch kann Aktienregister direkt nach Umtragung geändert werden, wodurch Verzögerung durch Mitteilung entfällt, so dass sich diese Lösung aus Effinzienzgründen anbietet (Guntermann AG 2023, 426 Rn. 29; Kuthe BB 2023, 1603, 1608).

21 **3. Eintragung weiterer Tatsachen.** Auch ohne bes. ges. Anordnung hat Vorstand von sich aus **Rechtsänderungen** einzutragen, die sich auf Aktie iSd Mitgliedschaft selbst beziehen, weil Aktienregister sonst falsches Bild vermitteln würde. Hierher gehören: bei Nennbetragsaktien Änderung des Nennbetrags, bei Nennbetrags- oder Stückaktien Änderung der Aktiengattung, Umwandlung in Inhaberaktie (§ 24), Kaduzierung (§ 64), Kraftloserklärung (§§ 72 f.), Zusammenlegung (§§ 222 IV 1 Nr. 2) und Einziehung (§ 237); iErg unstr., s. KK-AktG/Lutter/Drygala Rn. 32. Dagegen wird Vorstand bei Übergang der Mitgliedschaft nur auf Mitteilung tätig (§ 67 III).

22 Umstr. ist Eintragungsfähigkeit weiterer sog. **Kürangaben** (vgl. MüKoAktG/Bayer Rn. 32 ff.). Die bislang hM hat ihre Zulässigkeit noch weitgehend verneint, zB für nähere **Angaben zur Berechtigung** des Aktionärs (als Erbe oder Vorerbe) oder für die Erteilung einer Vollmacht (BeckOGK/Cahn Rn. 31). Nachdem Einsichtsrecht der Aktionäre deutlich beschränkt wurde (→ Rn. 70), hat sich dagegen zu Recht großzügigere Sichtweise durchgesetzt, die Aufnahme auch solcher zusätzlicher Angaben zulässt (zB Geschlecht, Staatsangehörigkeit, Haltefrist; vgl. Noack DB 1999, 1306, 1307), damit Register seiner Aufgabe als Kommunikationsmittel zwischen AG und Aktionär genügen kann (MüKoAktG/Bayer Rn. 35 ff.; KK-AktG/Lutter/Drygala Rn. 31; GK-AktG/Merkt Rn. 46; B/K/L/Wieneke Rn. 11; Blasche AG 2015, 342, 345 ff.; für statutarische Gestattung von Kürangaben DAV-HRA NZG 2000, 443, 444; Noack ZIP 1999, 1993, 1995). Zumindest für solche Angaben, die im Rechtsverhältnis AG und Aktionär sinnvoll sein können, ist Eintragungsfähigkeit daher zu bejahen.

23 Eintragungsfähigkeit ist danach insbes. zu bejahen für die Angabe von Eigen- oder Fremdbesitz, wie sie im Teilnehmerverzeichnis üblich ist (vgl. Happ FS Bezzenberger, 2000, 111, 123). Auch dingl. Belastungen wie **Nießbrauch und Pfandrecht** sind nach heute wohl allgM zwar nicht eintragungspflichtig, aber doch eintragungsfähig, weil AG dadurch, bes. bei Dividendenzahlung, Schutz des § 67 II gewinnt (MüKoAktG/Bayer Rn. 37; KK-AktG/Lutter/Drygala Rn. 33 ff.; Wedemann ZGR 2016, 798, 835 f.). Dasselbe gilt aus Gründen der Rechtssicherheit für Anordnung einer **Testamentsvollstreckung** (MüKoAktG/Bayer Rn. 34) und gemeinschaftlichen Vertreter gem. § 69 I (MüKoAktG/Bayer Rn. 37; Blasche AG 2015, 342, 346 ff.; Wedemann AG 2022, 560 Rn. 18). Von Frage der Eintragungsfähigkeit zu trennen ist Folgefrage, ob Kürangaben auch **Wirkung des § 67 II** zukommt. Frage ist nicht pauschal zu bejahen, sondern nur dann, wenn Eintragung im Interesse der Rechtssicherheit das Rechtsverhältnis zwischen AG, Aktionär und Drittberechtigtem betr., was namentl. für zuletzt genannte Fälle, Nießbrauch, Pfandrecht, Testamentsvollstrecker und gemeinschaftlicher Vertreter, zu bejahen ist (MüKoAktG/Bayer Rn. 37).

24 **4. Aufzeichnungen über andere Aktien.** Aufzeichnungen der AG über Inhaberaktien, die den Anforderungen des § 10 I 2 entsprechen, fallen nicht unter § 67. Es handelt sich um ein bloßes Aktionärsverzeichnis („privates Adressbuch“) und nicht um ein Aktienregister iSd § 67 AktG. Etwas anderes gilt aber

nach § 10 I 3, wenn bei nicht börsennotierten Inhaberaktien die **Sammelurkunde nicht hinterlegt** ist. In diesem Fall wird Aktienverzeichnis zum Aktienregister, das gem. § 67 II als alleinige Legitimationsgrundlage ggü. AG gilt und nur unter Beachtung von § 67 V korrigiert werden kann (GK-AktG/Merkt Rn. 56; Ziemons BB 2012, 523, 524 f.). Zur Registerpflicht bei unverkörperten Mitgliedsrechten → Rn. 6. Aufzeichnungen über Namensaktionäre sind als Aktienregister aufzufassen, unabhängig davon, ob sich Vorstand dabei einer Pflicht unterworfen fühlte oder nicht (sa BeckOGK/Cahn Rn. 15).

III. Eintragungswirkungen (§ 67 II)

1. Eingetragener und Aktionär; keine Bedeutung für Verfügungen über die Aktie. Nach § 67 II in **Neufassung durch ARUG II 2019** bestehen im Verhältnis zur AG Rechte und Pflichten aus Aktien nur für und gegen den im Aktienregister Eingetragenen. In der Sache sind mit Neufassung keine Änderungen verbunden, doch soll Fehlinterpretationen entgegengewirkt werden. Insbes. soll klargestellt werden, dass **Eingetragener nicht Aktionär** wird, er ggü. AG aber in dessen Recht- und Pflichtenposition einrückt (RegBegr. BT-Drs. 19/9739, 57). Damit soll zugleich deutlich gemacht werden, dass „Aktionär" iSd § 67d I nicht Eingetragener, sondern wahrer Eigentümer ist (RegBegr. BT-Drs. 19/9739, 57; → § 67d Rn. 3 f.). Auch weiterhin bedeutet Norm jedoch nicht, dass Eintragung für Erwerb der Aktie erforderlich wäre. Eigentum wird vielmehr außerhalb des Aktienregisters übertragen. Auch werden Mängel des Übertragungstatbestands durch Eintragung nicht geheilt (stRspr, vgl. RGZ 79, 162, 163; RGZ 86, 154, 157; RGZ 86, 160, 161; RGZ 123, 279, 282; OLG Hamm AG 2008, 671, 672 und hL, vgl. zB MüKoAktG/Bayer Rn. 46; KK-AktG/Lutter/Drygala Rn. 42). Aktienregister begründet insbes. auch keinen Gutglaubensschutz (MüKoAktG/Bayer Rn. 46). Im Bereich der elektronischen Aktien stellt § 25 II 2 eWpG klar, dass § 67 II 1 unberührt bleibt, dh Rechte und Pflichten aus Namensaktien im Verhältnis zur AG nur für und gegen den im Aktienregister Eingetragenen bestehen. Zur Entstehung unverbriefter Mitgliedschaft bei bedingter Kapitalerhöhung → § 199 Rn. 2. 25

2. Unwiderlegbare Vermutung der Mitgliedschaft. a) Voraussetzungen. Nach Wortlaut des § 67 II kommt es nur auf Eintragung an. Eintragung muss jedoch **ordnungsmäßig** sein (Bayer GS M. Winter, 2011, 9, 27). Das ist sie, wenn Vorstand Mindestvoraussetzungen eines korrekten, auch die Interessen des (bisherigen) Aktionärs wahrenden Verfahrens beachtet hat, nämlich: Es muss überhaupt ein Aktienregister geführt werden (→ Rn. 6). Ist das nicht der Fall, kann Aktionär nicht Rechtsausübung verweigert werden, sondern es gilt materielle Rechtslage (OLG Frankfurt BeckRS 2008, 17165; OLG Hamm AG 2023, 781, 783; OLG München AG 2005, 584, 585). Weiterhin muss eine **zurechenbare Mitteilung** durch einen dazu formal Befugten vorliegen. Eintragung muss sich auf den als Aktionär Mitgeteilten beziehen, es dürfen also keine Verwechslungen unterlaufen sein. Eintragung muss **vom Vorstand oder von ihm beauftragten Dritten** bewirkt sein. Eintragung durch unzuständiges Gesellschaftsorgan oder infolge von Eigenmächtigkeiten genügt nicht. Vgl. zu diesen Grundsätzen RGZ 86, 154, 159; RGZ 123, 279, 285; MüKoAktG/Bayer Rn. 85 f.; KK-AktG/Lutter/Drygala Rn. 50 f. Ist Eintragung danach ordnungsgem., so entfaltet sie ihre Wirkungen, solange sie besteht. Ist sie es nicht, tritt Rechtswirkung des § 67 II nicht ein. 26

b) Legitimationswirkung, unwiderlegbare Vermutung oder Fiktion. 27
Rechtl. genaue Erfassung der Eintragungswirkung bereitet seit jeher Schwierigkeiten. Verbreitet wird von Legitimationswirkung gesprochen (RGZ 79, 162,

164; RGZ 86, 154, 157; RGZ 86, 160, 161; KK-AktG/Lutter/Drygala Rn. 43). Das ist richtig, greift aber zu kurz (MüKoAktG/Bayer Rn. 51), weil damit nur widerlegbare Vermutung zugunsten der materiellen Berechtigung bezeichnet ist (so in der Tat Altmeppen ZIP 2009, 345, 351), was indes mit Zielsetzung klarer Beteiligungsverhältnisse nicht in Einklang zu bringen ist (Grigoleit/Grigoleit/Rachlitz Rn. 58 ff.). Weitergehende Wirkung des § 67 II wird von der heute ganz hM als **unwiderlegbare Vermutung** aufgefasst, da Eintragung die Rechtslage typischerweise zutr. wiedergibt (OLG Hamburg AG 2003, 694; OLG Jena AG 2004, 268, 269; OLG Zweibrücken AG 1997, 140; MüKoAktG/Bayer Rn. 51; BeckOGK/Cahn Rn. 38; GK-AktG/Merkt Rn. 68; sa RegBegr. BT-Drs. 14/4051, 11; RegBegr. BT-Drs. 19/9739, 57). Nach Klarstellung durch ARUG II ist es aber nicht mehr Aktionärsstellung, die unwiderlegbar vermutet wird, sondern mitgliedschaftliche Berechtigung und Verpflichtung (MüKoAktG/Bayer Rn. 51a). Rein schuldrechtl. begründete Rechte und Pflichten werden jedoch nicht erfasst (MüKoAktG/Bayer Rn. 63).

28 **c) Einzelfragen.** Unwiderlegbare Vermutung der Berechtigung und Verpflichtung (→ Rn. 27) im Verhältnis zur AG bedeutet: Eingetragener und nur er ist befugt, **mitgliedschaftliche Rechte** auszuüben; Vermutungswirkung tritt also auch zu seinen Gunsten ein (heute hM, s. OLG Celle AG 1984, 266, 268; OLG Jena AG 2004, 268, 269; LG Köln AG 1981, 81; MüKoAktG/Bayer Rn. 55; GK-AktG/Merkt Rn. 67; wohl aA RGZ 86, 160 f.; RGZ 123, 279, 286). HM lässt eine Widerlegung der Vermutung zu Lasten des Eingetragenen nicht zu, dh AG darf dem Eingetragenen die Ausübung der Gesellschafterrechte nicht verweigern (Wiersch ZGR 2015, 591, 598 ff.). Vermutungswirkung gilt auch bei fehlgeschlagener Übertragung aller Aktien (Wicke ZIP 2005, 1397, 1398 ff.).

29 Eingetragener kann sich insbes. **zur HV anmelden** (zu Einzelheiten → § 123 Rn. 17, 24 ff.), daran teilnehmen (§ 123 V), Rede-, Auskunfts- und Stimmrecht (§ 123 V) ausüben (S/L/T. Bezzenberger Rn. 29). Er kann Zahlung der Dividende fordern, sofern darauf gerichteter Anspruch nicht gesondert verbrieft ist (→ § 58 Rn. 29; s. dazu Diekmann BB 1999, 1985, 1987). Dasselbe gilt für Bezugsrecht (MüKoAktG/Bayer Rn. 61), auch in bloß schuldrechtl. Gestaltungsform des mittelbaren Bezugsrechts (MüKoAktG/Bayer Rn. 63). Nur dem Eingetragenen steht Antragsbefugnis nach § 327f II zu (OLG Hamburg AG 2003, 694), desgleichen das Recht, ein Abfindungsangebot der AG anzunehmen (OLG Jena AG 2004, 268, 269). Eingetragener kann auch Minderheitenrechte nach § 122 ausüben (OLG Zweibrücken AG 1997, 140 f.). Ferner ist nur er antragsbefugt iSd § 142 II (OLG München DB 2006, 494) und zur Anfechtung von HV-Beschlüssen (str.; zu Nachw. → § 245 Rn. 11) oder zur Einleitung von Spruchverfahren (§ 1 SpruchG) berechtigt (Nachw. → SpruchG § 3 Rn. 1). Das gilt auch beim Squeeze-Out, obwohl insoweit anstelle der AG der Hauptaktionär Antragsgegner ist (→ § 327f Rn. 4).

30 Entfällt die Rechtsfähigkeit des Eingetragenen durch **Erbfall oder umwandlungsrechtl. Vorgänge,** so gesteht die bislang hM dem Gesamtrechtsnachfolger hingegen auch vor Umschreibung im Aktienregister die volle Aktionärsstellung zu (dazu ausf. OLG Brandenburg AG 2003, 328, 329; OLG Jena AG 2004, 268, 270; Grigoleit/Grigoleit/Rachlitz Rn. 75 f.; GK-AktG/Merkt Rn. 94). Das widerspricht allerdings der **hM im GmbH-Recht,** wo Geltung des ähnlich gefassten § 16 I 1 GmbHG schon in Gesetzesmaterialien klargestellt ist (RegBegr. BT-Drs. 16/6140, 38; wN bei Lutter/Hommelhoff/Bayer GmbHG § 16 Rn. 43 f.). Da es für Ungleichbehandlung beider Gesellschaftsformen aber keinen ersichtlichen Grund gibt, wird zunehmend auch im Aktienrecht für Geltung des § 67 II plädiert (MüKoAktG/Bayer Rn. 78 ff.; S/L/T. Bezzenberger Rn. 31a; B/K/L/

Wieneke Rn. 22; Bayer/Sarakinis NZG 2018, 561, 562 f.; Wedemann AG 2022, 560 Rn. 3 ff.; Wiersch NZG 2015, 1336 ff.). Tats. sollte Ziel der Rechtssicherheit sich auch hier ggü. wirklicher Rechtslage durchsetzen (überzeugend Wiersch NZG 2015, 1336, 1337 f. mit Hinweis auf bes. Schwierigkeiten, wenn auch Rechtsvorgänger gar nicht Gesellschafter, sondern als Scheingesellschafter eingetragen ist). Dagegen vorgebrachter Verweis auf Rechtsscheinübergang bei sonstigen Buchpositionen, etwa Grundbuch (Grigoleit/Grigoleit/Rachlitz Rn. 75), ist bedenklich, da es nicht um Schutz gutgläubiger Dritter, sondern des Berechtigten selbst geht (Wiersch NZG 2015, 1336, 1338). Gewinnansprüche kann Rechtsnachfolger durch nachträgliche Umschreibung wahren (ausf. Wiersch NZG 2015, 1336, 1338 f.; zur Haftungssituation → Rn. 31 ff.).

Umgekehrt muss Eingetragener die **mitgliedschaftlichen Pflichten** erfüllen, insbes. vom Vorstand eingeforderte Einlagepflicht samt Nebenforderungen (§ 63 II, III) und Nebenleistungsansprüchen (§ 55; unstr. – vgl. MüKoAktG/Bayer Rn. 53). Daneben kann bei Eintragung eines Nichtberechtigten nicht auf wahren Berechtigten zurückgegriffen werden (str. – wie hier RGZ 86, 154, 159; MüKoAktG/Bayer Rn. 57; KK-AktG/Lutter/Drygala Rn. 44 f.; GK-AktG/Merkt Rn. 102; Wiersch ZGR 2015, 591, 604 f.; aA S/L/T. Bezzenberger Rn. 31; Grigoleit/Grigoleit/Rachlitz Rn. 59; Altmeppen ZIP 2009, 345, 349 f.). Für rechtsfortbildende Korrektur des eindeutigen Wortlauts besteht kein Anlass, da in Person des Eingetragenen Kongruenz von Gesellschafterrechten und -pflichten besteht und wahrer Eigentümer bei fehlgeschlagener Übertragung auch unter Voraussetzungen des § 65 in Anspruch genommen werden kann (MüKoAktG/Bayer Rn. 57). Ausn. gilt in Fällen des § 57 (MüKoAktG/Bayer Rn. 58). 31

In Fällen der **Rechtsnachfolge** haftet Nachfolger trotz grds. Geltung des § 67 II (→ Rn. 30) auch ohne Registereintragung für offene Einlagepflichten nach §§ 1922, 1967 BGB, weil er sich sonst Pflichten durch Nichteintragung entziehen könnte (MüKoAktG/Bayer Rn. 81; S/L/T. Bezzenberger Rn. 31a). **Einrede beschränkter Erbenhaftung** (§§ 1975 ff., 2059 ff. BGB) ist vor Umschreibung im Aktienregister begründet, nicht mehr dagegen nach Umschreibung; Einlagenschuld löst sich mit Umschreibung von ihrer erbrechtl. Grundlage, so dass es sich nunmehr um Eigenverbindlichkeit des Erben handelt (str., wie hier zB BeckOGK/Cahn Rn. 55; KK-AktG/Lutter/Drygala Rn. 55; GK-AktG/Merkt Rn. 94; B/K/L/Wieneke Rn. 22; Wedemann AG 2022, 560 Rn. 7 f.; aA etwa MüKoAktG/Bayer Rn. 82). 32

Ganz hM lässt jedoch Einwand zu, der Eingetragene habe seine Eintragung wegen Minderjährigkeit, Geschäftsunfähigkeit, Fälschung usw **nicht zurechenbar veranlasst** (MüKoAktG/Bayer Rn. 96; KK-AktG/Lutter/Drygala Rn. 59; Wiersch ZGR 2015, 591, 595). Das ist der Rechtsscheinhaftung entnommen, insoweit auch folgerichtig, aber trotzdem nicht zweifelsfrei (vgl. zu § 15 HGB GK-HGB/J. Koch/Harnos § 15 Rn. 114). Ausgleich zwischen dem fälschlich Eingetragenen und dem wirklichen Aktionär erfolgt nach den Regeln des bürgerlichen Rechts, bes. §§ 677 ff., 812 ff. BGB. 33

Früher sehr umstr. Frage, ob **Legitimationsaktionär Mitteilungspflichten gem. § 21 I WpHG aF (jetzt § 33 I WpHG)** treffen, wurde durch **Kleinanlegerschutz G** v. 3.7.2015 (BGBl. 2015 I 1114) durch Einfügung der Worte „aus ihm gehörenden“ vor „Aktien“ in § 21 I WpHG aF (jetzt § 33 I WpHG) iSd hM verneint (dazu Piroth AG 2015, 10 ff.). Der Streit hatte sich 2012 an einem Urteil des OLG Köln entzündet, das den Legitimationsaktionär neben dem tats. Inhaber als zur Mitteilung verpflichtet angesehen hatte (OLG Köln NZG 2012, 936, ebenso Bayer/Scholz NZG 2013, 721, 725 ff.). Dieses Urteil hatte in der Praxis im Zusammenspiel mit der gegenteiligen Rechtsauffassung der BaFin (Emittentenleitfaden aF v. 8.11.2013 unter VIII.2.3.7 mit Fn. 43 [S. 109] – abrufbar über Homepage der BaFin; vgl. dazu Götze BKR 2013, 265 ff.) eine 34 erhebliche Rechtsunsicherheit ausgelöst und einen **Rückgang der Hauptversammlungspräsenzen** verursacht (Harnos/Piroth ZIP 2015, 456, 457; krit. ggü. dem Urteil Cahn AG 2013, 459 ff.; Wettich AG 2014, 534, 536; zusammenfassend zum Streitstand Piroth AG 2015, 10 ff.).

35 Nach jetzt herbeigeführter legislativer Klärung kommt Mitteilungspflicht des Legitimationsaktionärs damit allenfalls noch **unter den Voraussetzungen des § 34 I 1 Nr. 6 WpHG** in Betracht, sofern er im Einzelfall nach eigenem Ermessen handeln kann (vgl. GK-AktG/Merkt Rn. 106; Piroth AG 2015, 10, 15), was idR nicht der Fall ist (KK-WpHG/v. Bülow § 22 Rn. 182 mwN). Darüber hinaus bleibt unklar, ob der Legitimationsaktionär unter die Alternative der Bevollmächtigung (so zB Fuchs/Zimmermann WpHG § 22 Rn. 72) oder des Anvertrautseins (so zB Richter WM 2013, 2296, 2308) zu fassen ist, ohne dass dieser Zuordnung praktische Bedeutung zukäme. Durch das Transparenz-RL-ÄndRL-UG eingefügter § 22 I Nr. 7 WpHG aF (jetzt § 34 I 1 Nr. 7 WpHG) soll ausweislich der RegBegr. (BT-Drs. 18/5010, 45) nach ausländischem Recht zulässige **Stimmrechtsabspaltungen** abdecken; Legitimationsübertragung sollte damit nicht erfasst werden. Diese zu § 21 WpHG aF (jetzt § 33 WpHG) aufgeworfenen Fragen sind **iRd § 20** nicht in gleicher Weise problematisiert worden, was neben geringerer tatbestandlicher Reichweite auch darauf zurückzuführen sein dürfte, dass anders gefasster Wortlaut erkennbar auf Aktieneigentum abstellt („gehört"). Spätestens mit Neufassung der Parallelvorschrift des § 33 I WpHG sollte daher auch hier nicht mehr zweifelhaft sein, dass Mitteilungspflicht allein den wahren Aktionär und nicht den Legitimationsaktionär trifft (BeckOGK/Cahn Rn. 44; aA aber noch MüKoAktG/Bayer Rn. 73).

36 **3. Stimmrechtsverlust als Sanktion.** Durch RisikobegrenzungsG 2008 an § 67 II 1 angefügt ist Sanktionsregelung in § 67 II 2 und 3. **§ 67 II 2** sanktioniert **satzungswidriges Verhalten** nach § 67 I 5 in Gestalt einer Überschreitung der Höchstgrenze oder einer mangelnden Offenlegung von Fremdbesitz. Rechtsfolge ist wie etwa nach § 20 VII 1 **zeitweiliger Rechtsverlust** (RegBegr. BT-Drs. 16/7438, 14; Grigoleit/Rachlitz ZHR 174 [2010], 12, 52 ff.). Danach verbleibt es bei Mitgliedsvermutung des § 67 II 1; nur Stimmrecht entfällt, solange Höchstgrenze überschritten oder Fremdbesitz nicht offengelegt wird. Erfüllung der Satzungspflichten vor Abstimmung beendet Rechtsverlust.

37 **Bereits bestehende Eintragungen** von Legitimationsaktionären werden bei nachträglicher Satzungsklausel jedenfalls dann nicht von § 67 II 2 erfasst, wenn diese Höchstgrenzen normiert, um schutzwürdiges Vertrauen in rechtmäßig erworbene Eintragungsposition nicht zu verletzen (MüKoAktG/Bayer Rn. 88; Grigoleit/Rachlitz ZHR 174 [2010], 12, 47 f.; Noack NZG 2008, 721, 724; Wilsing/Goslar DB 2007, 2467, 2471; aA S/L/T. Bezzenberger Rn. 21; GK-AktG/Merkt Rn. 53). Bei weniger belastenden Offenlegungspflichten ist strengerer Maßstab erwägenswert (Grigoleit/Rachlitz ZHR 174 [2010], 12, 48).

38 Angesichts des einschneidenden Strafcharakters der Norm ist nach verfassungsrechtl. Schuldprinzip – wie bei § 20 VII (→ § 20 Rn. 11) – **Verschulden** erforderlich (zutr. NK-AktR/Heinrich Rn. 34, 36; KK-AktG/Lutter/Drygala Rn. 75, 79; aA GK-AktG/Merkt Rn. 99; Grigoleit/Rachlitz ZHR 174 [2010], 12, 55 mit Fn. 145 – allerdings auf Grundlage einer bedenklichen Differenzierung zu § 20 VII [→ § 20 Rn. 11]).

39 **§ 67 II 3** sanktioniert **Nichterfüllung des Auskunftsverlangens ggü. Eingetragenem** nach § 67 IV 2 (→ Rn. 53 ff.) ebenfalls mit Stimmrechtsverlust. **Nichterfüllung durch Dritten** gem. § 67 IV 3 ist dagegen – abw. von früherer Rechtslage – nach Neufassung durch ARUG II nicht mehr erfasst. Dabei mag es sich um Redaktionsversehen handeln (MüKoAktG/Bayer Rn. 87a), doch sind entspr. Hinweise zu dünn und Rechtsfolge zu gravierend, um dies rechtsfort-

bildend korrigieren zu können (wie hier Grigoleit/Grigoleit/Rachlitz Rn. 83 m. rechtspolit. Kritik; aA MüKoAktG/Bayer Rn. 87a). Weiterhin möglich bleibt für Verstöße gegen § 67 IV 3 Sanktionierung als OWi nach § 405 IIa Nr. 1.

Angemessene Frist muss gesetzt und verstrichen sein. Zugleich muss nach Neufassung durch ARUG II 2019 auch Stimmrechtsverlust **angedroht** werden. Diese Ergänzung bestätigt indirekt schon bislang hM, dass harsche Rechtsfolge des Stimmrechtverlusts weitgehend zur Disposition der AG steht (RegBegr. BT-Drs. 19/9739, 58). Da es AG freisteht, Verlangen nach § 67 IV 2 und 3 zu formulieren (→ Rn. 53 ff.), wurde es ihr schon bisher zugestanden, durch gezielt unverbindliche Auskunftsbitte Folge des Stimmrechtsverlusts nicht auszulösen (GK-AktG/Merkt Rn. 138). Dieses Ergebnis kann jetzt auch erreicht werden, indem auf Androhung nach § 67 II 3 verzichtet wird (RegBegr. BT-Drs. 19/9739, 58). Ebenso kann AG Folge des Stimmrechtsverlustes durch Verlängerung der Auskunftsfrist oder Rücknahme ihres Auskunftsverlangens im Sinne ihres Aktionärs abwenden (RegBegr. BT-Drs. 19/9739, 58; Müller-v. Pilchau AG 2011, 775, 777). 40

Wird Androhung dagegen ausgesprochen und Mitteilungspflicht trotzdem nicht fristgerecht erfüllt, ist Rechtsfolge auch hier vorübergehender **Verlust der Stimmrechte,** die Eingetragenem sonst zustehen. Hauptfälle sind Auskunftsverweigerung oder Erteilung falscher Auskünfte. Ferner handelt **ordnungswidrig,** wer gebotene Mitteilung unterlässt oder unrichtig macht (§ 405 IIa). Diese Ahndung als OWi bleibt nach § 405 IIa Nr. 1 auch ohne Aufforderung möglich (Grigoleit/Grigoleit/Rachlitz Rn. 85). Sobald Auskunftsverlangen nachträglich erfüllt wird, leben Stimmrechte unmittelbar wieder auf (Piroth, Legitimationsübertragung, 2022, 228). Fortdauer der Sanktion nach § 44 S. 3 WpHG kommt nicht in Betracht (S/L/T. Bezzenberger Rn. 32 mit Fn. 158; so jetzt auch Grigoleit/Grigoleit/Rachlitz Rn. 80 unter Aufgabe von gegenteiligem Standpunkt in ZHR 174 [2010], 12, 54). 41

IV. Löschungen und Neueintragungen (§ 67 III)

1. Allgemeines. § 67 III regelte bislang Behandlung eines Rechtsübergangs im Aktienregister. **Neufassung durch ARUG II 2019** erweitert Aussage dagegen auf sämtliche Löschungen und Neueintragungen und stellt (ohne inhaltliche Änderungen) klar, dass sie auf Mitteilung und Nachweis erfolgen. Für **Übergang der Aktie** ist Eintragung auch weiter nicht erforderlich. Auch wenn zunächst keine Eintragung erfolgt ist, kann Aktionär auch zu späterem Zeitpunkt mit Mitteilung und Nachweis noch Löschung und Neueintragung verlangen (RegBegr. BT-Drs. 19/9739, 58). 42

Ges. Leitbild ist das **vollständige Aktienregister** (RegBegr. BT-Drs. 14/4051, 11; AusschussB BT-Drs. 15/5693, 16). Vollständigkeit wird dadurch verwirklicht, dass Altaktionäre auch bei bekannter Übertragung nicht im Aktionärsregister gelöscht werden und auf Verlangen der AG gem. § 67 IV 5 Platzhalter anstelle von Erwerbern einzutragen sind (U. H. Schneider/Müller-v. Pilchau AG 2007, 181, 183 und 185; → § 67 Rn. 57 ff.). **Registerwahrheit** ist damit nicht verwirklicht, weil Eingetragene nicht mehr bzw. nicht wirklich Aktionäre sind (U. H. Schneider/Müller-v. Pilchau AG 2007, 181, 183 und 185). Daraus resultierende freie Meldebestände (→ Rn. 49) könnten wohl nur durch eine Art Anmeldepflicht vermieden werden (U. H. Schneider/Müller-v. Pilchau AG 2007, 181, 189 f.), was aber Attraktivität des Aktienerwerbs für solche Marktteilnehmer mindert, die nicht eingetragen sein wollen. 43

2. Mitteilung und Nachweis. Trotz seiner Zuständigkeit für das Aktienregister (→ Rn. 5) wird Vorstand bei Löschung und Neueintragung nicht von sich aus 44 tätig, sondern nur auf eine nach allg. rechtsgeschäftlichen Grundsätzen zurechenbare **Mitteilung** einer dazu befugten Person (RGZ 86, 154, 159; MüKoAktG/Bayer Rn. 94; zu Einzelheiten der Zurechnung vgl. MüKoAktG/Bayer Rn. 96 ff.; Grigoleit/Grigoleit/Rachlitz Rn. 94 f.). Ohne solche Mitteilung wird Vorstand nur tätig, wenn sich Mitgliedschaft auf **Initiative der AG** selbst verändert, zB bei Ersteintragung (→ Rn. 6), Nennwertänderungen, Umwandlungen in andere Aktiengattung, Zusammenlegung (§ 222 IV 1 Nr. 2, § 229 III), Einziehung (§ 237), Kraftloserklärung (§§ 72, 73, 226), Kaduzierung (§ 64); vgl. MüKoAktG/Bayer Rn. 94. Jenseits dieser Fälle sind alter und neuer Berechtigter je für sich zur Mitteilung befugt, aber nicht verpflichtet (RegBegr. BT-Drs. 19/9739, 58; Grigoleit/Rachlitz ZHR 174 [2010], 12, 37 ff.; aA noch GK-AktG/Merkt Rn. 114). Vielmehr vertraut § 67 III darauf, dass Mitteilung wegen **Vermutungswirkung des § 67 II** (→ Rn. 26 ff.) auch ohne Rechtspflicht gemacht wird.

45 Mitteilung ist einseitige empfangsbedürftige **geschäftsähnliche Handlung,** weil sie Vorstand zum Tätigwerden veranlassen soll, also nicht bloße Wissensbekundung ist. Nach ges. Konzeption ist sowohl Mitteilung des Erwerbers als auch des Veräußerers erforderlich, um Löschung und Neueintragung herbeizuführen (S/L/T. Bezzenberger Rn. 35). Mitteilung nur des Veräußerers führt allein zu seiner Löschung mit Folge einer Leerstelle (→ Rn. 49; S/L/T. Bezzenberger Rn. 26, 35), sofern AG nicht Depotbank als Platzhalterin heranzieht (§ 67 IV 5 → Rn. 57 ff.). Mitteilung nur des Erwerbers kann nur dann Neueintragung begründen, wenn er zugleich als Bote des Veräußerers tätig wird; mit Veräußerungsakt wird solche Botenmacht idR begründet (MüKoAktG/Bayer Rn. 103; S/L/T. Bezzenberger Rn. 35).

46 **Formerfordernisse** bestehen nicht. Mitteilung kann daher auch durch elektronische Datenverarbeitung erfolgen (RegBegr. BT-Drs. 14/4051, 11). Nach § 67 IV 1 wird Mitteilung in der Praxis zumeist aus Settlement der getätigten Handelsgeschäfte durch depotführende Institute über Clearstream Banking AG erfolgen (insbes. durch Cascade-RS-System; vgl. dazu S/L/v. Nussbaum, 5. Aufl. 2024 [Vorab-Onlinefassung], § 67a Rn. 5; Zetzsche AG 2020, 1 Rn. 52). Intermediäre handeln dabei iRd § 67 III als Bote für materiell Beteiligte.

47 Nach dem durch ARUG II 2019 neu eingeführten § 67 III 2 kann Eintragung auch aufgrund von **Identitätsmitteilung nach § 67d IV** erfolgen (nicht aber über Nachw. gem. § 67c III; zur näheren Erläuterung → § 67c Rn. 7). AG erhält damit die Möglichkeit, selbständig ihr Register zu vervollständigen. Eintragung ist in diesem Fall **Option der AG,** keine Verpflichtung (RegBegr. BT-Drs. 19/9739, 58). Voraussetzung dafür ist Abgleich der Daten mit Datenübermittlungen aus Settlementsystemen (RegBegr. BT-Drs. 19/9739, 58). Details sind bewusst Praxis überlassen worden, doch weist RegBegr. BT-Drs. 19/9739, 58 darauf hin, dass AG Datenabgleich unterstützen kann, indem sie Umschreibestopp (→ § 123 Rn. 24 ff.) bis zu etwa zehn Handelstagen vornimmt. Doppelter Informationsfluss nach § 67 IV und § 67d IV kann Praxis dennoch vor Herausforderungen stellen (vgl. DAV-HRA NZG 2019, 12; Piroth, Legitimationsübertragung, 2022, 215 f.). Da Mitteilung keine korrespondierenden Löschungsinformationen enthält, bleibt es AG überlassen, solche Löschung nach Maßgabe des § 67 V (→ Rn. 65 ff.) vorzunehmen (RegBegr. BT-Drs. 19/9739, 58).

48 Wie **Nachweis des Rechtsübergangs** zu führen ist, hängt von Art der Mitteilung und des Erwerbstatbestands ab. Soweit Mitteilung von Intermediär im üblichen Verfahren bewirkt wird, darf Vorstand oder mit Registerführung beauftragtes Unternehmen entspr. Eintragung veranlassen, wenn bes. Umstände nicht ergänzende Nachweise nahelegen; RegBegr. BT-Drs. 14/4051, 11 spricht von **automatisierter Plausibilitätsprüfung.** In anderen Fällen, namentl. bei Rechtsübergang außerhalb der Girosammelverwahrung (→ § 68 Rn. 3), auch bei

Gesamtrechtsnachfolge, gibt es keine tats. Vermutung zugunsten der Richtigkeit der Mitteilung. Erforderlich sind deshalb geeignete Nachweise. Dafür genügt übereinstimmende Mitteilung von Erwerber und Veräußerer (→ Rn. 44), bei einseitiger Mitteilung zB schriftliche Abtretungserklärung (BGHZ 160, 253, 257 = NJW 2004, 3561: jedenfalls; KG AG 2009, 118, 119), Indossamentenkette (§ 68 III; → § 68 Rn. 17), Erbschein. Solche und ähnliche Unterlagen erlauben AG Prüfung des Rechtsübergangs, zu der sie in Zweifelsfällen berechtigt und verpflichtet ist (BGHZ 160, 253, 257 f.). Etwa anfallende Kosten sind von ihr zu tragen (BGHZ 160, 253, 258 f.). Nachweisanforderungen sollten aber nicht überspannt werden, um freie Übertragbarkeit nicht übermäßig einzuschränken (BGHZ 160, 253, 257 f.).

3. Folgen der Mitteilung. Soweit Mitteilung erfolgt und Nachweis geführt ist, veranlasst Vorstand oder mit Registerführung beauftragtes Unternehmen Löschung des bisherigen und Neueintragung des jetzigen Namensaktionärs. § 68 III 3 sprach früher noch von Vermerk des Rechtsübergangs, der verbreitet als Umschreibung bezeichnet wurde; so auch noch § 67 III idF des RegE (BT-Drs. 14/4051, 5). Jetzige Fassung ist vom Rechtsausschuss empfohlen worden, der damit dem Fall Rechnung tragen wollte, dass Erwerber seine Eintragung oder die eines Treuhänders nicht wünscht; dann soll wenigstens die Löschung des Veräußerers möglich sein (AusschussB BT-Drs. 14/4618, 13; sa DAV-HRA NZG 2000, 443, 445; Drygala NZG 2004, 893). In diesem Fall entsteht sog **freier Meldebestand** (vgl. dazu Piroth, Legitimationsübertragung, 2022, 216 f.), dessen Aktien aber nicht Vermutung des § 67 II für sich haben, so dass ihr Inhaber wenigstens Verwaltungsrechte und Dividendenrecht nicht ausüben kann (→ Rn. 26 ff.; Drygala NZG 2004, 893, 894 f.; zur Möglichkeit der Platzhaltereintragung nach § 67 IV 5 → Rn. 57 ff.). Soweit Register nach Aktien aufgebaut ist (→ Rn. 7), wird Veräußerer gelöscht. Im Regelfall des Personenregisters bezieht sich Löschung dagegen auf bisher gehaltenen Aktienbestand. 49

Mitteilung und Nachweis begründen (anders als Mitteilung nach § 67d IV [→ Rn. 47]) **klagbare Verpflichtung** der AG zur Löschung und Neueintragung oder (ausnahmsweise, → Rn. 49) nur zur Löschung (allgM, zur Haftung für verweigerte oder verzögerte Umschreibungen s. MüKoAktG/Bayer Rn. 113 ff.). Eintragung im Aktienregister kann jedoch für angemessen kurze Frist vor HV ausgesetzt werden, damit Teilnahmeberechtigung (§ 67 II) rechtzeitig feststeht (RegBegr. BT-Drs. 14/4051, 11). Namentl. muss Teilnehmerverzeichnis (§ 129 I 2) mit Aktienregister übereinstimmen, was bei fortdauernden Umschreibungen nicht gewährleistet wäre. Rechtspolit. Alternativkonzept, das für Inhaberaktien bestehende Konzept eines Record Date (→ § 123 Rn. 30 ff.) auch auf Namensaktien auszudehnen, ist nicht Ges. geworden (→ § 123 Rn. 35). Praxis behilft sich deshalb mit höchstgerichtl. anerkannter Möglichkeit eines **Umschreibestopps** (ausf. → § 123 Rn. 24 ff.), wonach Umschreibungen im Aktienregister für best. Zeitraum komplett ausgesetzt werden, um sachgerechte HV-Vorbereitung zu ermöglichen. Diese Gestaltung bedarf nach hM keiner statutarischen Grundlage, sondern kann iRd Zulässigen von Vorstand eigenständig angeordnet werden (ausf. → § 123 Rn. 25). Zur zulässigen Frist und weiteren Einzelheiten → Rn. 66 ff. 50

V. Pflichten der Intermediäre und anderer Beteiligter (§ 67 IV)

1. Verpflichtungen der Intermediäre (§ 67 IV 1). § 67 IV begründet Verpflichtungen von Intermediären, die bei Übertragung oder Verwahrung von Namensaktien mitwirken. Damit soll **Leitbild des vollständigen Aktienregisters** (→ Rn. 43) verwirklicht werden (RegBegr. BT-Drs. 14/4051, 11). Während 51 bis 2019 noch Kreditinstitute als Pflichtadressaten vorgesehen waren, wurde dieser Begriff mit ARUG II 2019 durch Intermediäre iSd § 67a IV ersetzt (→ § 67a Rn. 8), um Regelungslücken zu schließen. Damit ist jetzt etwa klargestellt, dass auch Wertpapiersammelbanken angesprochen sind. Welche **Angaben** zur Führung des Registers erforderlich sind (§ 67 IV 1), ergibt sich aus § 67 I: Entstehung von Namensaktien durch Satzungsänderung; Erwerbsvorgänge und Veräußerungen; Namens-, Adressen- und Bestandsänderungen. Verpflichtung folgt unmittelbar aus § 67 IV 1 und bedeutet, dass Intermediär erforderliche Mitteilungen von sich aus (also auch ohne vorherige Anfrage) an AG zu richten hat, dazu aber auch berechtigt ist. Das gilt nach Einführung der Mitteilungspflicht des Inhabers in § 67 I 4 (→ Rn. 11 ff.) auch **entgegen abweichender Kundenweisung,** da Aktionär nunmehr zur Mitteilung der Angaben verpflichtet ist (str. – wie hier Hölters/Weber/Mayer/Albrecht vom Kolke Rn. 22; GK-AktG/Merkt Rn. 134; Gätsch FS Beuthien, 2009, 133, 145; jetzt auch S/L/T. Bezzenberger Rn. 46 unter Aufgabe bisher gegenteiliger Auffassung; aA BeckOGK/Cahn Rn. 94; Piroth, Legitimationsübertragung, 2022, 246 f.).

52 In der Praxis erfolgt Mitteilung idR **durch depotführendes KI über Clearstream Banking AG** als Zentralverwahrer (→ Rn. 46), womit zumindest für inländische Aktionäre grds. vollständiges Bild geliefert wird (S/L/v. Nussbaum, 5. Aufl. 2024 [Vorab-Onlinefassung], § 67a Rn. 5). Ausländische Aktionäre werden dagegen in der Praxis oft in der Depotführung in sog. **Omnibus-Konten** zusammengeschlossen, für die sodann Fremdbesitzer als Platzhalter (→ Rn. 57 ff.) eingetragen wird. Bes. geläufig ist diese Praxis in angelsächsischen Ländern, wo als Treuhänder auftretender Platzhalter als **Nominee** (auch Street Name) bezeichnet wird (vgl. S/L/v. Nussbaum, 5. Aufl. 2024 [Vorab-Onlinefassung], § 67a Rn. 5; Schütte, Die Neuregelungen des ARUG II zur Aktionärsidentifikation, 2021, 117). Wahre Eigentümer sind dann über Auskunftsverlangen nach § 67 IV 2 zu identifizieren (→ Rn. 53 ff.). Handeln diese Eigentümer indes als Verwaltungstreuhänder oder in schuldrechtl. Bindung ggü. Drittem, endet die Mitteilungspflicht weiterhin bei dieser Person, ohne dass wirtschaftl. Eigentümer identifiziert werden kann (→ Rn. 53 ff.).

53 **2. Verpflichtungen des Eingetragenen (§ 67 IV 2–4).** § 67 IV 2–4 gibt AG bes. **Auskunftsrecht ggü. Eingetragenem,** das gem. § 67 IV 7 eigenständig auch neben neuem Identifikationsrecht nach § 67d IV weiter fortbesteht (→ Rn. 63). Anforderungen der Aktionärsrechte-RL II-DVO gelten hier nicht (RegBegr. BT-Drs. 19/9739, 59). Norm beruht auf RisikobegrenzungsG 2008 und soll namentl. in Übernahmesituationen **Beteiligungstransparenz erhöhen** (→ Rn. 1). Registereintragung eines sog Nominee (→ Rn. 52) bleibt danach zwar zulässig, doch kann sich AG Kenntnis verschaffen, wem Aktien **tats. gehören** (RegBegr. BT-Drs. 16/7438, 14), und zwar über gesamte Verwahrkette hinweg (Gätsch FS Beuthien, 2009, 133, 146 f.). Auskunftspflichtig ist deshalb (1.), ob Aktien dem Eingetragenen gehören (§ 67 IV 2 Hs. 1); (2.) wenn nicht, für wen sie gehalten werden, einschließlich der Einzelangaben nach § 67 I 1 und 2 (§ 67 IV 2 Hs. 2); (3.) ob Aktien diesem gehören oder für wen er die Aktien hält – ebenso bei weiteren Mitgliedern der Verwahrkette (§ 67 IV 3).

54 Die **Aktie gehört** demjenigen, der für eigene oder fremde Rechnung (Treuhänder) Mitglied ist; Verwaltungstreuhänder muss über seinen Treugeber nach klarem Willen des Gesetzgebers (RegBegr. BT-Drs. 16/7438, 14; RegBegr. BT-Drs. 19/9739, 59) also keine Auskunft geben, was Funktionsfähigkeit des Modells beeinträchtigt (sa Grigoleit/Rachlitz ZHR 174 [2010], 12, 25; Kuntz AG 2020, 18 Rn. 71). Gesetzgeber hat diese Festlegung aber auch im Zuge der Aktienrechtsnovelle 2016 und des ARUG II 2019 trotz vielstimmig geäußerter Kritik

nicht modifiziert, so dass aus reiner Teleologie dieses Legislativaktes keine materiell-rechtl. Verschiebung hergeleitet werden kann (U. H. Schneider/Müller-v. Pilchau WM 2011, 721, 723 f.). AG kann aber selbst durch **Satzungsgestaltung gem. § 67 I 5** (→ Rn. 15 ff.) beeinflussen, inwiefern Eintragungen im Aktienregister im eigenen Namen für Aktien, die einem anderen gehören, zulässig sein sollen (RegBegr. BT-Drs. 19/9739, 59). Im Schrifttum vereinzelt geäußerte Auffassung, dass Auskunftsanspruch stets bei dem ersten Eingetragenen ende, der nicht Intermediär ist (BeckOGK/Cahn Rn. 34; Noack NZG 2008, 721, 723 f.), findet im Gesetzeswortlaut keine Stütze und erscheint auch teleologisch nicht geboten. Sie stützt sich auf einen Gleichlauf der Legitimation zwischen Namens- und Inhaberaktien, die im Ges. aber gerade nicht angelegt ist (überzeugend Piroth, Legitimationsübertragung, 2022, 250 ff.; sa S/L/T. Bezzenberger Rn. 52; Grigoleit/Rachlitz ZHR 174 [2010], 12, 50 f.; Ihrig FS U. H. Schneider, 2011, 573, 575). **Verstoß** gegen § 67 IV 2–4 wird durch Stimmrechtsverlust gem. § 67 II 3 und Einordnung als OWi nach § 405 IIa sanktioniert (ausf. → Rn. 36 ff.). Zur Erweiterung durch elektronisches Transparenzregister → Rn. 76 ff.

Einzelfragen. Mitteilungspflicht entsteht nur, wenn AG Mitteilung verlangt, 55
was im Ermessen ihrer Organe steht. Bes. Form ist nicht vorgeschrieben, Textform (§ 126b BGB) aus Beweisgründen als Minimum empfehlenswert (Noack NZG 2008, 721, 724). **Kosten** muss AG erstatten (§ 67 IV 1 und 4 Hs. 2). Bereitschaft zur Kostenerstattung sollte vorsorglich im Verlangen erklärt werden. Mitteilung muss nach Neufassung durch ARUG II 2019 **unverzüglich,** dh ohne schuldhaftes Zögern (§ 121 I BGB) erfolgen. Auskunftsverlangen ohne sachliche Gründe oder mit missbräuchlichen Absichten kann gem. § 242 BGB unzulässig und damit unbeachtlich sein (Bsp. bei GK-Merkt Rn. 137: Nachfrage, um unliebsamen Aktionären Stimmrecht streitig zu machen; permanente Nachfragen). Einheitliche Praxis, etwa hinsichtlich der Auskunftsfrist oder eines bestimmten Mindestbesitzes als Schwellenwert, ist nach § 53a geboten (Diekmann/Merkner NZG 2007, 921, 926; Ihrig FS U. H. Schneider, 2011, 573, 579 ff.; Piroth, Legitimationsübertragung, 2022, 252 ff.); Wilsing/Goslar DB 2007, 2467, 2472; aA KK-AktG/Lutter/Drygala Rn. 123). Ungleichbehandlung wird aber oftmals durch sachlichen Grund gerechtfertigt sein, etwa wegen Verdachts schädigender Absichten (Ihrig FS U. H. Schneider, 2011, 573, 580; Piroth, Legitimationsübertragung, 2022, 252 f.).

Erlangte Kenntnis führt zu **keiner Erweiterung des Registerinhalts,** sondern 56
dafür bedarf es auch weiterhin einer Mitteilung des Aktionärs (S/L/T. Bezzenberger Rn. 46). Es bleibt dann AG überlassen, ob sie Aktionär über § 67 I 4 zur Mitteilung verpflichtet (→ Rn. 8 ff.), Depotbank nach § 67 IV 5 zur Platzhaltereintragung heranzieht (→ Rn. 57 ff.) oder Leerstelle im Aktienregister in Kauf nimmt (→ Rn. 49; S/L/T. Bezzenberger Rn. 46). AG darf mitgeteilte Angaben aber für ihre Aufgaben im Verhältnis zu den Aktionären verwenden (§ 67 VI 3; → Rn. 73). Zentraler Punkt liegt jedoch in präventiven Maßnahmen gegen Unternehmensübernahme.

3. Platzhaltereintragung (§ 67 IV 5 und 6). Sofern Aktienregister infolge 57
Nichteintragung von Aktionären unvollständig würde (→ Rn. 49), ist depotführender Intermediär nach § 67 IV 5 verpflichtet, sich als **Platzhalter im Aktienregister** eintragen zu lassen (S/L/T. Bezzenberger Rn. 47 f.; Grigoleit/Rachlitz ZHR 174 [2010], 12, 30 ff.), wenn AG Eintragung verlangt und notwendige Kosten erstattet. Korrespondierenden Anspruch des Intermediärs gibt es jedoch nicht (U. H. Schneider/Müller-v. Pilchau AG 2007, 181, 185). Eintragung erfolgt gesondert, dh unter eigenständiger Position gekennzeichnet als „Fremdbesitz" oder „Platzhalterbestand" (S/L/T. Bezzenberger Rn. 49).

58 Norm geht auf UMAG 2005 zurück. Sie stellt klar, dass Verlangen der AG ges. Pflicht des Intermediärs auslöst, Einwilligung oder Widerspruch des Aktionärs also unerheblich sind. AG kann Verlangen stellen, muss dies aber nicht und hat auch Freiheit für **Zwischenlösungen:** keine Eintragung von Handelsbeständen, Beschränkung auf quantitativ wesentliche Fälle (AusschussB BT-Drs. 15/5693, 16). Gesetzgeber will damit auf das Problem reagieren, dass zT bis zu 20–25 % der Aktionäre nicht im Aktienregister eingetragen und damit für AG nicht erreichbar sind (AusschussB BT-Drs. 15/5693, 16). Diese Erreichbarkeit soll über Platzhaltereintragung hergestellt werden (Bayer/Scholz NZG 2013, 721, 724 f.); zur materiell-rechtl. Verpflichtung des Platzhalters → Rn. 59 ff. Überlegungen, Platzhalterregelung im Zuge des **ARUG II 2019** zu streichen, wurden nicht umgesetzt, da praktisches Bedürfnis dafür auch weiterhin besteht (RegBegr. BT-Drs. 19/9739, 59). RegBegr. BT-Drs. 19/9739, 59 betont aber, dass es sich um vorübergehende Eintragung handeln sollte, was idR Zeitraum von etwa zwei Wochen umfassen dürfte.

59 **Rechtsfolgen der Platzhaltereintragung** sind in § 67 IV nur sehr unvollständig geregelt und deshalb hoch umstr. Ausdr. Regelung findet sich allein in § 67 IV 6 für sog **Interimseintragung,** für die Intermediär von Pflichten, die sich aus Vermutungswirkung des § 67 II ergeben würden (→ Rn. 15 ff.), befreit wird. Regelung soll Inanspruchnahme des Intermediärs ausschließen, die wegen seiner nur fremdnützigen und überdies kurzzeitigen Eintragung nicht gerechtfertigt wäre (AusschussB BT-Drs. 16/2781, 88). Insbes. sollte klargestellt werden, dass Eintragung als bloßer Platzhalter nicht zu Meldepflichten nach §§ 33 f. WpHG führt (AusschussB BT-Drs. 15/5693, 16). **Stimmrechtserwerb** ist damit nach § 135 VI nämlich nicht verbunden (→ § 135 Rn. 43). Darin unterscheidet sich Platzhalter auch von Legitimationsaktionär, der zur Stimmrechtsausübung ermächtigt wird (→ § 129 Rn. 12 ff.).

60 § 67 IV 6 bezieht sich ausdr. nur auf Pflichtenstellung, was durch § 67 II ebenfalls begründete **Rechtsstellung** des Eingetragenen unberührt ließe. Das wird so auch vertreten (GK-AktG/Merkt Rn. 142), würde aber zur Position eines „hinkenden Gesellschafters“ führen, der nur berechtigt und nicht verpflichtet wäre (Bayer/Scholz NZG 2021, 721, 725). Um dies zu vermeiden, nimmt hM zu Recht an, dass Ausschluss des § 67 II auch für Rechtspositionen gilt (S/L/T. Bezzenberger Rn. 50; BeckOGK/Cahn Rn. 95; Bayer/Scholz NZG 2021, 721, 725). Das ist gerechtfertigt, da Gesetzgeber Intermediär von Sorge einer übermäßigen Belastung befreien, ihn aber keinesfalls privilegieren wollte (Bayer/Scholz NZG 2021, 721, 725). Vermutungswirkung des § 67 II wird daher in diesen Fällen umfassend aufgehoben (Bayer/Scholz NZG 2021, 721, 725).

61 Fraglich ist schließlich, was für Platzhalter zu gelten hat, bei denen sonstige **Voraussetzungen des § 67 IV 6** (iRe Übertragungsvorgangs, kurzfristig) **nicht vorliegen.** ZT wird hier Anwendung des § 67 II umfassend bejaht mit der Folge, dass Intermediär auch für Einlageschuld nach § 65 haftet (Grigoleit/Grigoleit/Rachlitz Rn. 124; KK-AktG/Lutter/Drygala Rn. 112 f.; GK-AktG/Merkt Rn. 142; für Geltung des § 67 II, aber gegen Einlageschuld S/L/T. Bezzenberger Rn. 49 f.), während andere Vermutungswirkung des § 67 II auch hier ausschließen wollen (BeckOGK/Cahn Rn. 95; Hölters/Weber/Mayer/Albrecht vom Kolke Rn. 23; B/K/L/Wieneke Rn. 31; Bayer/Scholz NZG 13, 721, 724 f.).

62 **Systematischer Rückschluss** aus § 67 IV 6 spricht scheinbar für erste Auffassung. Zweifelhaft daran bleibt allerdings, dass Intermediär damit ohne eigenes Zutun in umfassende Pflichtenposition einrückt, obwohl derart weite Rechtsfolge vom Regelungszweck der Registervollständigkeit (→ Rn. 43) keinesfalls gedeckt ist. Insbes. erscheint es bedenklich, dass AG auf diese Weise Einlageschuld einseitig auf Intermediär abwälzen könnte, weshalb selbst Vertreter der Gegenauffassung diese Konsequenz nicht ziehen (S/L/T. Bezzenberger Rn. 50). Ge-

setzgeber wollte ausweislich der Materialien durch Einfügung des § 67 IV 6 an bisheriger Platzhaltereintragung nichts ändern (RAusschuss BT-DRs. 16/2781, 88), sondern nur Regelung für den praktischen Regelfall einfügen, dass Eintragung nicht auf Verlangen der AG erfolgt, sondern iRe Übertragungsvorgangs. Daraus muss nicht zwingend der Schluss gezogen werden, dass damit auch gegenteilige Regelung für Sonderfall des § 67 IV 5 begründet werden sollte. Anderenfalls würde Vermutung des § 67 II in Person des Platzhalters zur **Fiktion** mutieren (Piroth, Legitimationsübertragung, 2022, 37 ff.). Speziell für Einlageschuld gilt daher, dass Intermediär lediglich als Adressat für Nachfrist nach § 64 und damit formal als Partei des Kaduzierungsverfahrens fungiert, ohne selbst zum Einlageschuldner zu werden (MüKoAktG/Bayer Rn. 129; BeckOGK/Cahn Rn. 95).

4. Verhältnis zu § 67d (§ 67 IV 7). Nach § 67 IV 7 besteht Auskunftsrecht 63
ggü. Eingetragenem aus § 67 IV 2–4 eigenständig auch neben neuem Identifikationsrecht nach § 67d IV fort (RegBegr. BT-Drs. 19/9739, 59). Anders als dort gelten Anforderungen der Aktionärsrechte-RL II-DVO hier nicht (RegBegr. BT-Drs. 19/9739, 59). Nach § 67 III 2 können Eintragungen in das Aktienregister aber auch aufgrund von **Identitätsmitteilung nach § 67d IV** erfolgen (→ Rn. 47).

5. Kostentragung. Dass § 67 IV 1 Verpflichtung zur Übermittlung von An- 64
gaben betont, liegt an deren Verknüpfung mit der Kostenübernahme durch die **Gesellschaft** (AusschussB BT-Drs. 14/4618, 13). Daraus folgt, dass Intermediär im Verhältnis zur AG zur Datenübermittlung stets berechtigt ist; entspr. Verpflichtung setzt Kostenübernahme voraus. Notwendig iSd § 67 IV 1 sind nur Pauschsätze gem. § 3 KredAufwErsVO 2003 (vorübergehend noch bis längstens 3.9.2025 geltend, → § 67f Rn. 8, 10).

VI. Löschung von Eintragungen (§ 67 V)

1. Verfahren der AG. a) Löschungsvoraussetzungen. § 67 V betr. Lö- 65
schungsverfahren. Solches Verfahren wird von AG eingeleitet, wenn ihr Vorstand der Ansicht ist, dass jemand **zu Unrecht als Aktionär eingetragen** wurde. Voraussetzung ist erfüllt, wenn Eintragung nicht ordnungsgem. erfolgt ist (→ Rn. 26). IdR, aber nicht notwendig wird es an Aktionärseigenschaft fehlen (s. KK-AktG/Lutter/Drygala Rn. 127). Löschung ist auch dann gerechtfertigt, wenn Eingetragener zwar Aktionär ist, aber keine Anmeldung vorgenommen wurde, umgekehrt nicht, wenn Aktie nach ordnungsmäßiger Eintragung veräußert wurde; in diesem Fall kann nur nach § 67 III verfahren werden. **Keine Löschung** iSd § 67 V und daher nicht an entspr. Voraussetzungen gebunden ist **Berichtigung offenbarer Schreibfehler** (vgl. Maßstab des § 319 ZPO) bes. bei Namensangabe. Angaben, die nicht eintragungspflichtig sind, dürfen dennoch nicht gelöscht werden, wenn sie als Kürangaben zumindest eintragungsfähig sind (→ Rn. 21 ff.; MüKoAktG/Bayer Rn. 135).

b) Widerspruchsverfahren. Vorstand darf Löschung nicht einseitig veranlas- 66
sen (OLG Zweibrücken AG 1997, 140 f.), sondern muss gem. § 67 V 1 Widerspruchsverfahren einleiten, also Beteiligte von seiner Löschungsabsicht unterrichten und ihnen angemessene Frist für Widerspruch setzen; missbräuchliche Löschung gilt als nicht erfolgt (OLG Zweibrücken AG 1997, 140 f.). **Beteiligt** sind jedenfalls Eingetragener und sein unmittelbarer Vormann, nach zutr. hM aber auch mittelbare Vormänner wegen ihrer Haftung nach § 65, es sei denn, dass ihre Inanspruchnahme wegen Zweijahresfrist des § 65 II nicht mehr in Frage kommt. Nießbraucher und Pfandgläubiger sind nur dann beteiligt, wenn sie von Ein-

tragungsmöglichkeit (→ Rn. 23) Gebrauch gemacht haben und dieses Recht gelöscht werden soll; soll nur der als Aktionär Eingetragene gelöscht werden, sind sie nicht betroffen (MüKoAktG/Bayer Rn. 139; KK-AktG/Lutter/Drygala Rn. 137; aA GK-AktG/Merkt Rn. 160). Bes. Anforderungen an **Inhalt und Form der Benachrichtigung** stellt Ges. nicht auf. Löschungsabsicht muss zweifelsfrei erkennbar werden. Form ist an sich beliebig, doch sollte zur Vermeidung von Beweisproblemen schriftlich, bei absehbaren Streitigkeiten mit Einschreiben gegen Rückschein, oder bei elektronischer Übermittlung mit vergleichbaren Sicherungen benachrichtigt werden. **Frist** ist von angemessener Länge, wenn sie Beteiligten zur Prüfung, Willensbildung (auch unter Beratung) und Äußerung (Postlaufzeiten, bes. bei Aktionären mit ausländischem Wohnort) genügend Zeit lässt. Dass Fristen von weniger als einem Monat angemessen sind, kann allenfalls in Ausnahmefällen angenommen werden (arg. § 246 I).

67 Wenn **Widerspruch fristgerecht,** auch durch nur einen Beteiligten, erhoben wird, hat Löschung gem. § 67 V 2 zu unterbleiben (zur analogen Anwendung auf GmbH OLG München NZG 2015, 1272). Widerspruch muss jedoch nicht hingenommen, sondern kann durch **Klage und rechtskräftiges Urteil** überwunden werden. Klage ist auf Rücknahme des Widerspruchs zu richten. Auf Zustimmung zur Löschung sollte Antrag nicht lauten, weil darauf kein Anspruch besteht (zust. GK-AktG/Merkt Rn. 166; wohl aA KK-AktG/Lutter/Drygala Rn. 139). Feststellungsklage ist nicht ausreichend, weil sich mit Feststellungsurteil nicht die Wirkungen des § 894 I 1 ZPO verbinden können. **Klagebefugt** ist, wer eigenes rechtl. geschütztes Interesse an Löschung geltend macht. Das ist in erster Linie AG wegen der ihr durch § 67 zugewiesenen Aufgaben, ferner unmittelbarer Vormann, aber auch mittelbare Vormänner wegen ihres Erwerbsrechts aus § 65 I 4 (→ § 65 Rn. 6; wie hier MüKoAktG/Bayer Rn. 145; GK-AktG/Merkt Rn. 167). Wie **Löschung** vorzunehmen ist, regelt Ges. nicht ausdr. Maßgeblich sind § 239 II und III HGB (→ Rn. 4). Praktisch bleibt deshalb nur datierter Löschungsvermerk übrig, bei konventioneller Führung des Aktienregisters mit Unterschrift.

68 **c) Löschungswirkungen.** Löschung beseitigt Vermutungswirkung des § 67 II (→ Rn. 25 ff.), und zwar **für Zukunft, nicht rückwirkend** (MüKoAktG/Bayer Rn. 146; KK-AktG/Lutter/Drygala Rn. 146). Daraus folgt: Unmittelbarer Vormann des Gelöschten darf Mitgliedsrechte im Verhältnis zur AG nunmehr ausüben, schuldet aber auch Erfüllung der entspr. Pflichten (Einlage). Für Vergangenheit bleibt es bei Rechten und Pflichten des Gelöschten, weil seine Eintragung Vermutungswirkung entfaltet, solange sie besteht. Keinesfalls werden HV-Beschlüsse wegen Stimmabgabe durch den Gelöschten anfechtbar. Schuldrechtl. Ausgleich erfolgt unter den Beteiligten.

69 **2. Klagbare Verpflichtung der AG.** Einleitung des Löschungsverfahrens steht nicht im Belieben der AG. Sie ist vielmehr verpflichtet, nach § 67 V vorzugehen, wenn Eintragung zu Unrecht erfolgt ist (OLG Jena AG 2004, 268, 270). Aktionäre und rechtl. interessierte Vormänner (→ Rn. 66) haben deshalb klagbaren **Anspruch auf Verfahrenseinleitung** (MüKoAktG/Bayer Rn. 146; KK-AktG/Lutter/Drygala Rn. 145). Klage ist in diesem Stadium idR darauf zu richten, dass AG die Beteiligten benachrichtigt und unter Fristsetzung auffordert, Widerspruch geltend zu machen. Unmittelbar auf Löschung kann Aktionär nur in dem Ausnahmefall klagen, dass alle Beteiligten zustimmen. Erfolgt kein Widerspruch, so kann nunmehr Löschung verlangt werden. Wenn Widerspruch erhoben wird, kann AG zwar ihrerseits auf dessen Rücknahme klagen (→ Rn. 67). Dazu ist sie jedoch nicht verpflichtet, sondern darf den Interessenten darauf verweisen, von seiner eigenen Klagebefugnis (→ Rn. 67) Gebrauch zu machen, also den Rechtsstreit mit dem Eingetragenen auf eigene Rechnung und eigenes

Risiko zu führen (MüKoAktG/Bayer Rn. 144; KK-AktG/Lutter/Drygala Rn. 145). Anspruch auf Löschung besteht dann erst, wenn Interessent obsiegendes rechtskräftiges Urteil vorlegt.

VII. Umgang mit den Daten des Aktienregisters (§ 67 VI)

1. Allgemeines. Während nach früherer Gesetzeslage jedem Aktionär auf sein Verlangen Einsicht in das Aktienbuch zu gewähren war, trägt § 67 VI idF durch NaStraG 2001 dem Gesichtspunkt des **Datenschutzes** Rechnung (RegBegr. BT-Drs. 11/4051, 11 f.). Danach ist umfassende Befugnis zur Einsichtnahme abgeschafft. An ihre Stelle ist Recht auf Auskunft über eigene Daten getreten (§ 67 VI 1 und 2). Außerdem ist Verwendung der Registerdaten durch AG geregelt worden (§ 67 VI 3–5). Diese Restriktionen sind zu begrüßen. Umfassendes Einsichtsrecht darf es nicht geben, nachdem Namensaktien zur Massenerscheinung geworden sind. Es bedarf seiner auch nicht. Zu Recht wird dazu hervorgehoben, dass Mitteilungspflichten nach WpHG für ausreichende Transparenz der Aktionärsstruktur sorgen (RegBegr. BT-Drs. 11/4051, 11 f.; DAV-HRA NZG 2000, 443, 445). Außerdem verbleibt es bei allg. Einsichtsrecht nach § 810 BGB, das Aktionären wegen der Daten Dritter zustehen kann, ferner anderen Personen wie Nießbrauchern und Pfandgläubigern (vgl. RegBegr. BT-Drs. 11/4051, 11; RegBegr. Kropff S. 87). 70

2. Recht auf Auskunft. Gem. § 67 VI 1 kann Aktionär als Ausdruck des **Gebots informationeller Selbstbestimmung** (Art. 15 DS-GVO) von AG Auskunft über zu seiner Person eingetragene Daten verlangen. Beschränkung des Auskunftsrechts auf eingetragene Daten bedeutet, dass nur Namensaktionäre auskunftsberechtigt sind. Wer nämlich Inhaberaktien oder unverbriefte Mitgliedschaften hält, ist zwar Aktionär, doch werden seine Daten nicht in Aktienregister eingetragen. Auskunftsrecht der Namensaktionäre beginnt mit ihrer Eintragung. Das folgt schon aus § 67 II (GK-AktG/Merkt Rn. 188). Wer nicht eingetragen ist, hat also auch keinen Anspruch auf Fehlanzeige. Der Auskunftsanspruch umfasst zwar **nur eigenen Datenbestand,** diesen aber vollständig. Mitzuteilen sind also nach § 67 I eingetragene, aber auch weitergehende Angaben, sofern sie zulässig oder unzulässig in das Aktienregister aufgenommen worden sind. Zu **Modalitäten der Auskunftserteilung** sagt § 67 VI 1 nichts. RegBegr. BT-Drs. 14/4051, 11 lässt auch Gestattung der Einsichtnahme als Erteilung der Auskunft zu. Dem ist für den Fall beizutreten, dass ein nach Aktionären aufgebautes Register vorliegt (→ Rn. 7). Mit dieser Einschränkung ist auch gegen eine Online-Einsicht nichts einzuwenden, sofern sichere Identifikation des Berechtigten gelingt; unter dieser Prämisse können Auskünfte auch telefonisch erteilt werden (RegBegr. BT-Drs. 14/4051, 11; Huep WM 2000, 1623, 1629). 71

Bei **nichtbörsennotierten Gesellschaften** (§ 3 II) kann **Satzung** nach § 67 VI 2 Weiteres bestimmen. Das ist nicht sonderlich klar (sa Grumann/Soehlke DB 2001, 576, 579), meint jedoch Satzungsfreiheit (RegBegr. BT-Drs. 14/4051, 11) iS einer weitergehenden (vgl. Seibert ZIP 2001, 53, 54), nämlich die Verhältnisse auch der anderen Namensaktionäre umfassenden Auskunftsberechtigung. So war es vorgeschlagen worden (DAV-HRA NZG 2000, 443, 445) und so ist es bei Gesellschaften mit überschaubarem Aktionärskreis auch sachgerecht. **Vereinbarkeit mit DS-GVO** wird überwiegend in der Weise konstruiert, dass Satzungsklausel als Einwilligung iSd Art. 6 I lit. d DS-GVO verstanden oder Weitergabe als Wahrung berechtigter und überwiegender Interessen iSd Art. 6 I lit. f DS-GVO angesehen wird (S/L/T. Bezzenberger Rn. 68). 72

3. Verwendung der Daten durch die Gesellschaft. § 67 VI 3–5 sind ohne Vorbild in früherer Regelung. Vorschriften tragen dem Umstand Rechnung, dass 73

Namen, Alter und Adressen der Namensaktionäre und auch Umfang ihres Aktienbesitzes (§ 67 I) für **Werbemaßnahmen** von hohem Interesse sein können, seitdem es möglich ist, breiten Personenkreis zu erfassen und anzusprechen. Hierzu gilt iE: § 67 VI 3 enthält nur Klarstellung, soweit es um spezifisch gesellschafts- oder kapitalmarktrechtl. Aufgaben geht (zB § 125 II; vgl. ferner Harnos, DSRI-Tagungsband 2015, 265, 271). Weitergehende Verwendung ist nicht nur ggü. Eingetragenem, sondern auch ggü. wahrem Aktionär möglich, dessen Identität AG nach § 67 IV 2 und 3 ermitteln kann; insoweit ist § 67 VI 3 durch RisikobegrenzungsG 2008 erweitert. Zulässig ist nach § 67 VI 3 auch, Registerdaten für **Investor Relations-Maßnahmen** zu verwenden (RegBegr. BT-Drs. 14/4051, 12). Lit. hebt insbes. hervor, dass AG im Rahmen von Kapitalmaßnahmen und Unternehmensübernahmen Aktionäre gezielt ansprechen kann (vgl. GK-AktG/Merkt Rn. 208 f.; Noack DB 2001, 27, 28). Solche Investor Relations-Maßnahmen sind unbedenklich, soweit es um interne Analysemaßnahmen und um Verwendung von Namen und Adressen zu vernünftiger Berichterstattung geht. Bei werbeartigen Kampagnen um den als Kapitalanleger verstandenen Aktionär können die Grenzen einer ggü. den Mitgliedern bestehenden Gesellschaftsaufgabe aber überschritten werden (Diekmann FS Marsch-Barner, 2018, 145, 149; zust. S/L/T. Bezzenberger Rn. 71).

74 Weitergehend lässt es § 67 VI 4 zu, dass AG Daten des Aktienregisters zur Werbung für das Unternehmen einschließlich der **Produktwerbung** verwendet. RegBegr. BT-Drs. 14/4051, 12 stützt sich dafür auf von ihr angenommenes grds. bestehendes Interesse an den Produkten oder Leistungen der Gesellschaft (ebenso Noack DB 2001, 27, 29). Norm ist im Hinblick auf Art. 6, 7 DS-GVO bedenklich (s. Diekmann FS Marsch-Barner, 2018, 145, 151; Löschhorn AG 2018, R 319, 320). Sie dürfte zwar europarechtl. durch Art. 3a IV UAbs. 3 Aktionärsrechte-RL gedeckt sein, aber am Verhältnismäßigkeitsprinzip des Art. 6 III 4 DS-GVO scheitern (vgl. Zetzsche AG 2019, 233, 238). Jedenfalls erstreckt sich § 67 VI 4 nicht auf Verkauf oder Weitergabe der Registerdaten an unternehmensexterne Dritte (MüKoAktG/Bayer Rn. 167; GK-AktG/Merkt Rn. 217; aA Harnos, DSRI-Tagungsband 2015, 265, 274, der zweckgebundene Weitergabe an Marketingunternehmen für zulässig hält). Konzernweite Datenweitergabe zu Werbezwecken ist von § 67 VI 4 gedeckt, was insbes. für Holdinggesellschaften von Bedeutung ist (Noack DB 2001, 27, 29; GK-AktG/Merkt Rn. 215; aA BeckOGK/Cahn Rn. 126). Aktionär kann gem. § 67 VI 4 Datenverwendung zu Werbezwecken **widersprechen** (MüKoAktG/Bayer Rn. 169); AG muss ihn gem. § 67 VI 5 über Widerspruchsrecht angemessen informieren. Da aktienrechtl. Vorgaben zur Ausgestaltung der Widerspruchsbelehrung fehlen, liegt Rückgriff auf Wertungen des Art. 7 DS-GVO nahe (zu den § 4a I 4 BDSG aF, § 28 IV 2 BDSG aF Harnos, DSRI-Tagungsband 2015, 265, 275 f.). Setzt sich AG über Grenzen des § 67 VI 3–5 hinweg, kann sie durch Aktionär auf Unterlassung und Schadensersatz in Anspruch genommen werden (ausf. Harnos, DSRI-Tagungsband 2015, 265, 277 f.; sa S/L/T. Bezzenberger Rn. 72).

VIII. Aktienregister und Zwischenscheine (§ 67 VII)

75 Zwischenscheine (Begriff → § 8 Rn. 28) lauten notwendig auf Namen (vgl. § 10 III; → § 10 Rn. 8). Sie sind deshalb Namensaktien vergleichbar. Folgerichtig ordnet § 67 VII entspr. **Anwendung des § 67 I–VI** an, was zur Folge hat, dass auch Zwischenscheinregister erstellt werden muss (OLG Hamm AG 2023, 781, 783; zu Konsequenzen, wenn Register nicht eingerichtet wird → Rn. 26). Inhabern von Zwischenscheinen steht namentl. auch das Auskunftsrecht des § 67 VI 1 zu, entspr. der Gesellschaft die Verwendungsbefugnis nach § 67 VI 3–5. Das war früher zur entspr. Regelung des Einsichtsrechts anerkannt und kommt jetzt darin zum Ausdruck, dass Norm an das Ende des § 67 gerückt worden ist (RegBegr. BT-Drs. 14/4051, 12).

IX. Transparenzregister (§§ 18–26 GwG)

Erhebliche Ausdehnung der Unternehmenstransparenz ergibt sich mittlerweile aus **elektronischem Transparenzregister** gem. §§ 18–26 GwG (vgl. auch neue FAQ des BVA v. 5.5.2023; zu restriktiver Ausdehnung mahnend allerdings Seibert/Bochmann/Cziupka GmbHR 2017, 1128; zur geplanten EU-Geldwäsche-VO Link NZG 2022, 893 ff.). Transparenzregister wird als hoheitliche Aufgabe des Bundes (vgl. § 18 II GwG) von Bundesanzeiger Verlag GmbH (mit TBelV bis zum 31.12.2024 beliehen) geführt. Es dient nicht kapitalmarktrechtl. Schutzzwecken, sondern allein der Prävention und Verfolgung von Geldwäsche und Terrorismusfinanzierung (Assmann/Hütten AG 2017, 449, 450; krit. im Hinblick auf die Geeignetheit Krais CCZ 2017, 98, 107; Friese/Brehm GWR 2017, 271; Schaub DStR 2017, 1438, 1443; zur Diskussion Schmollinger ZGR 2020, 464, 466). Bereits zum 1.1.2020 in Kraft getretene GwG-Novelle sah wesentliche Erweiterungen der Registerpflicht vor (M. Goette DStR 2020, 453 ff.). Mit am 1.8.2021 in Kraft getretenem Transparenzregister- und Finanzinformationsgesetz ist Registerpflicht nochmals deutlich verschärft worden (krit. Bode/Gätsch NZG 2021, 437 ff., insbes. 441 ff.; John NZG 2021, 957 ff.). Dies erhöht auch Anforderungen an Corporate Compliance im Konzern (vgl. Brock Konzern 2022, 19, 20). Vorsätzliche oder leichtfertige Verstöße gegen Transparenzregisterpflichten sind bußgeldbewehrt (§ 56 I 1 Nr. 54–66 GwG; zur subj. Tatseite iRd § 56 GwG Habbe/de Schmidt NJW 2022, 3186, 3187). 76

Adressiert ist AG mit Sitz im Inland (zu Einzelheiten Bochmann DB 2017, 1310, 1312), unter den Voraussetzungen des § 20 I 2 GwG auch mit Sitz im Ausland. Transparenzpflichten nach § 20 I 1 GwG knüpfen an zentralen Begriff des **wirtschaftlich Berechtigten** iSd § 19 II GwG iVm § 3 I, II GwG an (eingehend Koehler ZIP 2020, 1399 ff.; John NZG 2021, 323 ff. mit krit. Auseinandersetzung mit der BVA-Praxis; zur negativen Kontrolle s. Hütten/Assmann AG 2020, 849 ff.; zu Treuhandbindungen Tebben ZGR 2020, 430 ff.; Pelka/Hettler/Weinhausen DStR 2018, 1303; zum Insolvenzverfahren Hundertmark/Theurich ZIP 2022, 973 ff.). Wirtschaftlich berechtigt kann nach § 3 I GwG nur natürliche Person sein, doch genügt auch mittelbare Kontrolle nach § 3 II GwG (ausf. Bochmann FS Seibert, 2019, 107 ff.; John NZG 2021, 323, 325 ff.; Koehler ZIP 2020, 1399, 1401 ff.; zur mittelbaren Kontrolle mit Blick auf GmbH & Co. KG zuletzt OVG Münster GewArch 2023, 431 Rn. 19 ff.). **§ 20 I 1 GwG** statuiert Pflicht, **Angaben** zur Person der wirtschaftlich Berechtigten (Name, Geburtsdatum, Wohnort sowie sämtliche Staatsangehörigkeiten, § 19 I Nr. 1–3 und 5 GwG) sowie zu Art und Umfang ihres wirtschaftlichen Interesses (§ 19 I Nr. 4, III GwG) **einzuholen, aufzubewahren, auf aktuellem Stand zu halten und** unverzüglich an Transparenzregister iSd § 18 I GwG **zu übermitteln** (zur Anwendung auf Stimmbindungsvereinbarungen vgl. Schaub DStR 2018, 871 ff.; zur Anwendung auf KGaA vgl. Lochner/Illner AG 2018, 830 ff.). Sind nach § 3 II 5 GwG Geschäftsführungspersonen als sog fiktive wirtschaftlich Berechtigte einzutragen, weil tats. wirtschaftlich Berechtigte nicht existent oder nicht zu ermitteln sind, erstreckt sich Transparenzpflicht gem. § 19 III 2 GwG auch auf Inexistenz bzw. Nichtermittelbarkeit (Herzog/Seehafer GwG § 19 Rn. 15; FAQ des BVA v. 5.5.2023, Teil 1 B. I. Nr. 2). 77

§ 20 II GwG normiert für mitteilungspflichtige Vereinigungen iSv § 20 I 1 GwG, die nicht bereits subjektregisterverzeichnet sind, zusätzliche Pflicht, Firmen- und Sitzänderungen, Verschmelzungen, Auflösungen und Änderungen der 78

Rechtsform mitzuteilen (Herzog/Seehafer GwG § 20 Rn. 37; Bode/Gätsch NZG 2021, 437, 439 f.). Entsprechende Transparenz- und Mitteilungspflichten treffen Verwalter von Trusts nach § 21 GwG. Norm findet dagegen wegen eindeutigen Wortlauts **keine Anwendung auf sämtliche Treuhandgestaltungen** (Tebben ZGR 2020, 430, 437; aA Pelka/Hettler/Weinhausen DStR 2018, 1303, 1305). Bei unvollständigen, unklaren oder zweifelhaften Mitteilungen nach §§ 20, 21 GwG steht registerführender Stelle nach **§ 18 III GwG Nachforderungsrecht** zu (BeckOK GwG/Korte § 18 Rn. 22 ff.). Regelung wird ergänzt durch **Meldepflicht** nach **§ 23a I GwG,** für Fall, dass Verpflichtete **Unstimmigkeiten** zwischen Angaben im Transparenzregister und ihnen anderweitig vorliegenden Angaben und Erkenntnissen feststellen (hierzu Korte BB 2022, 2633, 2634; Feiler/Kröger CCZ 2019, 262, 264 ff.). Dadurch soll Qualität des Transparenzregisters erhöht werden (RegBegr. BT-Drs. 19/13827, 91; Korte BB 2022, 2633, 2634; Herzog/Seehafer GwG § 23a Rn. 1).

79 Transparenzpflichten aus § 20 I 1 GwG korrespondieren mit das Binnenverhältnis betreffenden Angabe- und Auskunftsverlangungspflichten nach § 20 III, IIIa GwG. Primär treffen wirtschaftlich Berechtigte nach **§ 20 III GwG Angabepflichten** ggü. transparenzpflichtiger Einheit. Nach § 20 I 1 iVm § 19 I GwG erforderliche Angaben sowie etwaige Änderungen sind unverzüglich mitzuteilen. Hat transparenzpflichtige Einheit entgegen § 20 III GwG seitens der wirtschaftlich Berechtigten keine Angaben erhalten, verpflichtet **§ 20 IIIa GwG** zu **Auskunftsverlangung** in dort beschriebenem Umfang (vgl. dazu RegBegr. BT-Drs. 19/13827, 87 f.; M. Goette DStR 2020, 453, 455). Entgegen vormals hM, die im Einklang mit RegBegr. noch davon ausging, dass keine Nachforschungspflicht bestehe (RegBegr. BT-Drs. 18/11555, 127; Assmann/Hütten AG 2017, 449, 458; Kotzenberg/Lorenz NJW 2017, 2433, 2434; Longrée/Pesch NZG 2017, 1081, 1082; aA Bochmann DB 2017, 1310, 1313), konkretisiert § 20 IIIa GwG Pflicht aus § 20 I GwG zur Einholung notwendiger Angaben (→ Rn. 77) nunmehr als aktive Ermittlungspflicht (Herzog/Seehafer GwG § 20 Rn. 25; BeckOK GwG/Korte § 20 Rn. 18; Reuter NZG 2020, 178, 179 f.; FAQ des BVA v. 5.5.2023, Teil 1 B. I. Nr. 4).

80 Durch **Wegfall der Meldefiktion des § 20 II GwG aF,** wonach Meldepflicht bei anderweitiger Abrufbarkeit der Angaben nicht bestand, ist Transparenzregister vom Auffangregister zum **Vollregister** aufgewertet worden (Bode/Gätsch NZG 2021, 437, 439; John NZG 2021, 957, 958 f.). Damit sind entgegen der vormals bestehenden Ausnahme des § 20 II 2 GwG aF nunmehr **wirtschaftlich Berechtigte auch börsennotierter Gesellschaften** zur Eintragung im Transparenzregister mitzuteilen (BeckOK GwG/Korte § 20 Rn. 34; Brock Konzern 2022, 19; Burmeister/Uwer AnwBl Online 2021, 273, 275; Eisenschmidt/Grimm AG 2022, 315 Rn. 9; Goette DStR 2021, 1551, 1553; Krais CCZ 2021, 284, 285 f.; Ott/Goette NZG 2022, 248, 249 f.; Weitnauer/Moosbauer GWR 2021, 343, 348; aA John NZG 2021, 957, 958 f.). Das ergibt sich aus § 3 I GwG, der – anders als Regelbeispiel des § 3 II 1 GwG – börsennotierte Gesellschaften nicht von seinem Anwendungsbereich ausnimmt (vgl. RegBegr. BT-Drs. 19/28164, 42; so auch Ott/Goette NZG 2022, 248, 250; aA Bode/Gätsch NZG 2021, 437, 439). Andernfalls hätte § 20 II 2 GwG aF nur deklaratorischen Charakter gehabt (John NZG 2021, 957, 959 mit iE aA). Der Meldepflicht börsennotierter Gesellschaften steht Art. 3 Nr. 6 lit. a Ziff. i der 4. Geldwäsche-RL nicht entgegen (aA John NZG 2021, 957, 958 f.), da sie ausweislich ihres Art. 5 lediglich mindestharmonisierend ist (vgl. auch Krais CCZ 2021, 284, 286). Auch Übergangsregelung des § 56 VIII Nr. 1 GwG unterscheidet nicht zwischen börsennotierten und börsenfernen Gesellschaften. Dementsprechend geht auch BVA von Mitteilungspflicht börsennotierter Gesellschaften aus und stellt knapp fest, § 20 I 1 GwG enthalte keine Ausnahmeregelung für Gesellschaften, die an organisiertem

Markt nach § 2 XI WpHG notiert sind (FAQ des BVA v. 5.5.2023, Teil 1 A. I. Nr. 10).

Einbeziehung börsennotierter AG (→ Rn. 79) wirft Frage auf, wie hier **wirtschaftlich Berechtigte zu bestimmen** sind (eingehend Burmeister/Uwer AnwBl Online 2021, 273, 275; Ott/Goette NZG 2022, 248, 250 ff.). Vorzugswürdiger Ausgangspunkt ist § 3 GwG als Vorschrift, aus der sich entspr. Meldepflicht ergibt. Abzulehnen ist daher Rückgriff auf §§ 33 ff. WpHG (in diese Richtung Brock Konzern 2022, 19, 20; M. Goette DStR 2021, 1551, 1556; dagegen zutr. Burmeister/Uwer AnwBl Online 2021, 273, 276). Da § 3 II 1 GwG börsennotierte Gesellschaften ausnimmt, bestimmt sich Meldepflicht nach dem Grundtatbestand des § 3 I GwG (Krais CCZ 2021, 284, 287; Ott/Goette NZG 2022, 248, 251; implizit auch RegBegr. BT-Drs. 19/28164, 42). Entspr. Anwendung des § 3 II 1 GwG ist wegen Gesetzgebungshistorie abzulehnen (aA Burmeister/Uwer AnwBl Online 2021, 273, 276 mit Fn. 39; Eisenschmidt/Grimm AG 2022, 315 Rn. 12–15). Denn von zunächst geplanter Streichung der Ausn. für börsennotierte Gesellschaften in § 3 II 1 GwG (RegBegr. BT-Drs. 19/28164, 11, 42) hat Gesetzgeber bewusst Abstand genommen (RegBegr. BT-Drs. 19/30443, 65 f.). Es gelten aber § 3 II 2–5 GwG, weil nur § 3 II 1 GwG börsennotierte Gesellschaften ausnimmt und keine hinr. Differenzierungsmerkmale für gespaltenen Kontrollbegriff bestehen (BeckOK GWG/Frey § 3 Rn. 51 ff.; Ott/Goette NZG 2022, 248, 251). Rückgriff auf § 3 II 5 GwG ist nach Wortlaut und Regelungsstruktur nur subsidiär (Krais CCZ 2021, 284, 287 f.; Ott/Goette NZG 2022, 248, 250 f.; anders etwa einer der Vorschläge von Burmeister/Uwer AnwBl Online 2021, 273, 276). Kontrolle ist theoretisch auch bei einer Beteiligung von weniger als 25 % denkbar (vgl. RegBegr. BT-Drs. 19/28164, 42). Dies muss aber wegen Realstruktur börsennotierter Gesellschaften und Sicherstellung der Verkehrsfähigkeit der Aktie eng auszulegende Ausnahme bleiben (krit. auch Krais CCZ 2021, 284, 287; Ott/Goette NZG 2022, 248, 251 f.). Vgl. zur kurzfristigen Überschreitung der 25 %-Schwelle Brock Konzern 2022, 19, 20. 81

Kreis der Begünstigten der Transparenzpflicht ergibt sich aus § 23 I 1 GwG. Zu Einsichtnahme in Transparenzregister berechtigt sind demnach sämtliche Behörden, Gerichte und in § 2 IV GwG genannte Stellen, soweit Einsichtnahme zur Erfüllung ihrer ges. Aufgabe erforderlich ist (§ 23 I Nr. 1 GwG), Verpflichtete iSv § 2 I GwG zur Erfüllung ihrer Sorgfaltspflichten aus § 10 III und IIIa GwG (§ 23 I 1 Nr. 2 GwG) sowie nach § 23 I 1 Nr. 3 GwG alle Mitglieder der Öffentlichkeit. Datenschutzrechtl. Bedenken hinsichtlich Einsichtnahmerecht der breiten Öffentlichkeit (Teichmann ZGR 2020, 450, 454 ff.) haben sich bewahrheitet. Erstreckung der Einsichtnahmeberechtigung auf alle Mitglieder der Öffentlichkeit durch Art. 1 Nr. 15 lit. c der 5. Geldwäsche-RL ist durch EuGH wegen schwerwiegenden Verstoßes gegen Art. 7 und 8 GRCh für ungültig erklärt worden (EuGH v. 22.11.2022, C-37/20, C-601/20, ECLI:EU:C:2022:912 = BeckRS 2022, 32382). In **§ 23 I 1 Nr. 3 GwG** ist deshalb im Wege unionsrechtskonformer Auslegung richtigerweise Erfordernis eines **berechtigen Interesses** des Einsichtsersuchenden hineinzulesen (Glaab/Schultess BB 2023, 1609, 1611; Sandhu NJW 2023, 204, 205; Herzog/Seehafer GwG § 23 Rn. 3, 18; Dix ZGI 2023, 32, 35; Haffke/Wende BKR 2023, 66, 68; aA Barbist EuZW 2023, 47, 48). Daran schließen sich Fragen nach erforderlichem Umfang der Darlegung eines berechtigten Interesses und Prüfungskompetenz des Bundesanzeiger Verlags an (hierzu Glaab/Schultess BB 2023, 1609, 1611 f.; Dix ZGI 2023, 32, 34 f.; Sandhu NJW 2023, 204, 205). Vorzugswürdig ist abgestufte Differenzierung nach öffentlicher Relevanz des um Einsicht ersuchenden Akteurs bzw. dessen Bezug zur Geldwäsche- und Terrorismusbekämpfung, wobei berechtigtes Interesse für Presse und unmittelbare Geschäftspartner generell zu unter- 82 stellen sein dürfte (EuGH v. 22.11.2022, C-37/20, C-601/20, ECLI:EU:C:2022:912 = BeckRS 2022, 32382 Rn 74; Glaab/Schultess BB 2023, 1609, 1611 f.; Dix ZGI 2023, 32, 34 f.; Sandhu NJW 2023, 204, 205). Schutzwürdigen **Geheimhaltungsinteressen** des wirtschaftlich Berechtigten wird durch **§ 23 II GwG** Rechnung getragen (hierzu Tebben ZGR 2020, 399, 444; Kotzenberg/Lorenz NJW 2017, 2433, 2437).Überwiegt schutzwürdiges Interesse (§ 23 II 2 GwG) des wirtschaftlich Berechtigten, sperrt registerführende Stelle Einsichtnahme ganz oder zT (ausf. Lorenz DStR 2020, 2258, 2259 ff.). Bzgl. Sperrwirkung ist jedoch zwischen verschiedenen Begünstigten zu differenzieren. Namentl. wirkt Beschränkung der Einsichtnahme nicht ggü. den in 23 II 4 GwG genannten Stellen und greift damit effektiv nur ggü. Öffentlichkeit und nicht privilegierten Verpflichteten (Herzog/Seehafer GwG § 23 Rn. 30, 39 ff.).

Übermittlung von Informationen über Unternehmensereignisse; Begriffsbestimmungen

67a (1) [1]**Börsennotierte Gesellschaften haben Informationen über Unternehmensereignisse gemäß Absatz 6, die den Aktionären nicht direkt oder von anderer Seite mitgeteilt werden, zur Weiterleitung an die Aktionäre wie folgt zu übermitteln:**

1. an die im Aktienregister Eingetragenen, soweit die Gesellschaft Namensaktien ausgegeben hat,
2. im Übrigen an die Intermediäre, die Aktien der Gesellschaft verwahren.

[2]**Für Informationen zur Einberufung der Hauptversammlung gilt § 125.**

(2) [1]**Die Informationen können durch beauftragte Dritte übermittelt werden.** [2]**Die Informationen sind den Intermediären elektronisch zu übermitteln.** [3]**Format, Inhalt und Frist der Informationsübermittlung nach Absatz 1 richten sich nach der Durchführungsverordnung (EU) 2018/1212 der Kommission vom 3. September 2018 zur Festlegung von Mindestanforderungen zur Umsetzung der Bestimmungen der Richtlinie 2007/36/EG des Europäischen Parlaments und des Rates in Bezug auf die Identifizierung der Aktionäre, die Informationsübermittlung und die Erleichterung der Ausübung der Aktionärsrechte (ABl. L 223 vom 4.9.2018, S. 1) in der jeweils geltenden Fassung.** [4]**Die Übermittlung der Informationen kann gemäß den Anforderungen nach Artikel 8 Absatz 4 in Verbindung mit Tabelle 8 der Durchführungsverordnung (EU) 2018/1212 beschränkt werden.**

(3) [1]**Ein Intermediär in der Kette hat Informationen nach Absatz 1 Satz 1, die er von einem anderen Intermediär oder der Gesellschaft erhält, innerhalb der Fristen nach Artikel 9 Absatz 2 Unterabsatz 2 oder 3 und Absatz 7 der Durchführungsverordnung (EU) 2018/1212 dem nächsten Intermediär weiterzuleiten, es sei denn, ihm ist bekannt, dass der nächste Intermediär sie von anderer Seite erhält.** [2]**Dies gilt auch für Informationen einer börsennotierten Gesellschaft mit Sitz in einem anderen Mitgliedstaat der Europäischen Union.** [3]**Absatz 2 Satz 1 gilt entsprechend.**

(4) **Intermediär ist eine Person, die Dienstleistungen der Verwahrung oder der Verwaltung von Wertpapieren oder der Führung von Depotkonten für Aktionäre oder andere Personen erbringt, wenn die Dienstleistungen im Zusammenhang mit Aktien von Gesellschaften stehen, die ihren Sitz in einem Mitgliedstaat der Europäischen Union oder in einem**

anderen Vertragsstaat des Abkommens über den Europäischen Wirtschaftsraum haben.

(5) [1]**Intermediär in der Kette ist ein Intermediär, der Aktien der Gesellschaft für einen anderen Intermediär verwahrt.** [2]**Letztintermediär ist, wer als Intermediär für einen Aktionär Aktien einer Gesellschaft verwahrt.**

(6) **Unternehmensereignisse sind Ereignisse gemäß Artikel 1 Nummer 3 der Durchführungsverordnung (EU) 2018/1212.**

Übersicht

I. Regelungsgegenstand und -zweck

§§ 67a ff. wurden durch ARUG II 2019 eingeführt und dienen Umsetzung des Kapitels Ia der 2017 neu gefassten Aktionärsrechte-RL. Sie sollen innerhalb kontengestützten Wertpapierverwahrungssystems mit zT längeren Intermediärsketten Kommunikation zwischen AG und Aktionären durch erleichterten Informationsaustausch verbessern, um dadurch **Ausübung von Aktionärsrechten zu fördern** und zugleich Corporate Governance zu stärken (RegBegr. BT-Drs. 19/9739, 60; sa Zetzsche ZGR 2019, 1, 3 ff. zum typischen „Verwahrungsbaum"). Praktischer Bedarf dafür wurde insbes. bei grenzüberschreitender Übermittlung gesehen (DAV-HRA NZG 2019, 12). Systematische Stellung erklärt sich aus inhaltlicher Nähe zu § 67, da es um Fragen der Aktionärsidentifikation und -information geht (RegBegr. BT-Drs. 19/9739, 60). 1

Gesamter Regelungsbereich der §§ 67a ff. erweist sich als ausgesprochen technisch und herkömmlichem Rechtsanwender kaum zu erschließen (vgl. Seibert FS E. Vetter, 2019, 749, 752: „Geheimkunde der mit der Abwicklung bei Banken und Emittenten mit diesen Fragen Betrauten"). **Zusammenspiel der §§ 67a ff.** ist so gestaltet, dass §§ 67a, 67b sowie § 125 (dazu → Rn. 11) „Hinweg" der Informationen von AG über Intermediär zu Aktionär regeln, während § 67c „Rückweg" von Aktionär über Intermediär zur AG ordnet (Begrifflichkeit nach S/L/v. Nussbaum, 5. Aufl. 2024 [Vorab-Onlinefassung], § 67a Rn. 19 ff.). § 67d bildet sodann mit Informationsanspruch der AG ggü. Intermediären Kernstück des „know your shareholder" (→ § 67d Rn. 1). §§ 67e und 67f flankieren Regelungsabschnitt mit Vorgaben zu Datenschutz und Kostentragung. Speziell § 67a dient Umsetzung des Art. 3b I–III Aktionärsrechte-RL idF 2017 und soll **Information über wichtige Unternehmensereignisse** gewährleisten. Norm ist folgendermaßen aufgebaut: § 67a I, III normieren Übermittlungspflichten, § 67a II gestattet ihre Delegation, § 67a IV–VI enthalten Legaldefinitionen der in den Pflichtnormen enthaltenen Begriffe. Flankiert werden Vorschriften von **Aktionärsrechte-RL II-DVO,** die Formate, Fristen und weitere Formalia für die Informationsweiterleitung regelt (→ Rn. 6 ff.). Einheitliche Formalia dienen effizienter Informationsverarbeitung und Interoperabilität (S/L/v. Nussbaum, 2

5. Aufl. 2024 [Vorab-Onlinefassung], Rn. 38 ff.; Merkt FS E. Vetter, 2019, 447, 453).

II. Grundlagen der Informationsübermittlung (§ 67a I)

3 §§ 67a ff. sind beschränkt auf **börsennotierte, inländische AG** iSd § 3 II (→ § 3 Rn. 5 f.; zur räumlichen Erweiterung in § 67a III 2 s. aber → Rn. 7a); Sitz des Intermediärs ist unbeachtlich (→ Rn. 8; Zetzsche ZGR 2019, 1, 11). Da es in § 67a ff. nicht um kollektive Rechtsausübung geht, sondern stärkerer Bezug zur individuellen Rechtsausübung der Aktionäre besteht, gelten sie nach § 278 III auch für KGaA (MüKoAktG/Bayer/Illhardt Rn. 17; S/L/v. Nussbaum, 5. Aufl. 2024 [Vorab-Onlinefassung], Rn. 62; Teichmann FS Krieger, 2020, 993, 995 f.). Nach § 67a I 1 Nr. 1 übermittelt börsennotierte AG, die **Namensaktien** ausgegeben hat, die Information an im Aktienregister eingetragene Personen; Intermediären kommt hier also keine maßgebliche Rolle zu (S/L/v. Nussbaum, 5. Aufl. 2024 [Vorab-Onlinefassung], Rn. 32). Vorschrift unterscheidet zwischen Aktionär und Eingetragenem und bestätigt damit, dass **wahrer Aktionär,** der Information letztlich erhalten soll, nicht zwangsläufig im Aktienregister eingetragen sein muss (RegBegr. BT-Drs. 19/9739, 60). Pflicht der AG endet aber auch in diesem Fall bei eingetragenem Nominee (→ § 67 Rn. 52), der nach § 67b I zur Weiterleitung an wahren Aktionär als Beneficial Owner (→ § 67 Rn. 3) verpflichtet ist (vgl. DAV-HRA NZG 2019, 12, 13; MüKoAktG/Bayer/Illhardt Rn. 41); damit korrespondiert bes. Kostentragungspflicht nach § 67f I 2 Nr. 2 (→ § 67f Rn. 4). Börsennotierte AG, die auch **Inhaberaktien** ausgegeben hat, muss nach § 67a I 1 Nr. 2 Informationen iSd § 67a VI (→ Rn. 10) an verwahrende Intermediäre übermitteln. Das wird idR Zentralverwahrer (→ Rn. 9) sein. Übermittlung an ihn genügt; AG muss also nicht an alle weiteren verwahrenden Intermediäre übermitteln, sondern kann sich insofern auf Weiterleitungspflicht nach § 67a III verlassen (MüKoAktG/Bayer/Illhardt Rn. 44; S/L/v. Nussbaum, 5. Aufl. 2024 [Vorab-Onlinefassung], Rn. 66; Seibert FS E. Vetter, 2019, 749, 752; aA Grigoleit/Rachlitz Rn. 19). Auch in RegBegr. 19/9739, 96 zum ähnlich gefassten § 125 I 1 Nr. 1 wird solche Weiterleitung für zulässig gehalten (→ § 125 Rn. 3). Übermittlung an weitere Intermediäre ist AG aber auch nicht verwehrt (S/L/v. Nussbaum, 5. Aufl. 2024 [Vorab-Onlinefassung], Rn. 66). Gesetzlich nicht eindeutig geregelt ist, ob solche Weiterleitung durch Intermediäre **wahlweise auch bei Namensaktien** zulässig bleibt, was in der Praxis zT durchaus gebräuchlich ist. Da Neuregelung bemüht ist, funktionierende praktische Abläufe möglichst nicht in Frage zu stellen, dürfte Frage zu bejahen sein (MüKoAktG/Bayer/Illhardt Rn. 44; S/L/v. Nussbaum, 5. Aufl. 2024 [Vorab-Onlinefassung], Rn. 92). Übergeordnetes Ziel der aufgespaltenen Darstellung ist es, **Mehrfachmitteilungen zu vermeiden,** was in Neufassung durch RAusschuss BT-Drs. 19/15153, 54 in der Tat besser zum Ausdruck kommt als in ursprünglichem RegE.

4 Sowohl bei Namens- als auch bei Inhaberaktien erschöpft sich Übermittlungspflicht darin, Information so auf den Weg zu bringen, dass bei ordnungsgem. Fortgang mit rechtmäßigem Zugang beim Empfänger zu rechnen ist; Verantwortung für finalen Zugang trifft sie dagegen nicht (S/L/v. Nussbaum, 5. Aufl. 2024 [Vorab-Onlinefassung], Rn. 70 f.). Ausn. von Übermittlungspflicht enthält § 67a I 1 für **anderweitig zugeleitete Informationen,** was auch Raum für künftige Entwicklungen, etwa durch Blockchain-gestütztes Verwahrungsnetzwerk, lassen soll (Zetzsche ZGR 2019, 1, 8). RegBegr. BT-Drs. 19/9739, 60 sieht praktischen Anwendungsbereich vornehmlich bei Inhaberaktien, da bei Namensaktien Direktmitteilung der AG an wahren Aktionär an einem eingetragenen Intermediär vorbei idR ausscheide. Nach Art. 3b III Aktionärsrechte-

RL soll Ausn. nur dann gelten, wenn Information allen Aktionären zugeleitet wird, doch sieht RegBegr. BT-Drs. 19/9739, 60 auch bei punktueller anderweitiger Information Befreiung vor, was mit Blick auf Normzweck ebenfalls mit Richtlinienvorgabe vereinbar sein sollte (Zetzsche AG 2020, 1 Rn. 66 ff.; zust. MüKoAktG/Bayer/Illhardt Rn. 46; tendenziell auch Grigoleit/Rachlitz Rn. 23). Nicht vom neuen Regelungsregime umfasst sind nach **§ 67a I 2** Informationen zur **Einberufung der HV** nach § 125. Hier soll bewährtes System, das Anforderungen der Aktionärsrechte-RL ebenfalls genügt, nicht ohne Not verworfen werden (RegBegr. BT-Drs. 19/9739, 60; Einzelheiten → § 125 Rn. 1 ff.; zur nicht unproblematischen Vereinbarkeit mit Art. 9 Aktionärsrechte-RL II-DVO → § 125 Rn. 14).

III. Einschaltung Dritter und elektronische Übermittlung (§ 67a II)

§ 67a II 1 gestattet, sich für Übermittlung beauftragter Dritter zu bedienen. 5
Regelung ist **weit gefasst,** um breites Spektrum zu eröffnen und Dienstleister jeder Art (nicht nur Intermediäre) zuzulassen (RegBegr. BT-Drs. 19/9739, 60 f.). Beispielhaft werden Abwicklungsstellen (vgl. dazu S/L/v. Nussbaum, 5. Aufl. 2024 [Vorab-Onlinefassung], Rn. 76 ff.) und Übermittlung mit Hilfe des Effektengiroverkehrs genannt (RegBegr. BT-Drs. 19/9739, 60 f.). Insbes. soll es möglich sein, bestehende freiwillige Marktstandards (insbes. Market Standards for Corporate Actions Processing) beizubehalten (RegBegr. BT-Drs. 19/9739, 61). Auch Übermittlung durch Medien oder Mediendienstleister wie BAnz. oder WM-Service und vergleichbare Angebote ist zulässig (RegBegr. BT-Drs. 19/ 9739, 61). Noch im RefE ausdr. zugelassene Verbreitung über **Medienbündel** geht ebenfalls in dieser Regelung auf (Bork NZG 2019, 738, 741; Zweifel an Europarechtskonformität bei Kuntz AG 2020, 18 Rn. 32 ff., 82; ebenso Wentz, Neuregelung der Informationsübermittlung, 2023, 335; dagegen S/L/v. Nussbaum, 5. Aufl. 2024 [Vorab-Onlinefassung], Rn. 93). **Zentralverwahrer** wird dagegen nicht als Beauftragter iSd § 67a II 1 für AG tätig, sondern in eigener Verantwortlichkeit, da sich zugrunde liegende Vertragsbeziehung in Verwahrverhältnis erschöpft (S/L/v. Nussbaum, 5. Aufl. 2024 [Vorab-Onlinefassung], Rn. 91; aA Zetzsche ZGR 2019, 1, 35). Auftrag kann nicht nur von AG oder Aktionären, sondern auch von Intermediär ausgehen (RegBegr. BT-Drs. 19/ 9739, 61). Intermediär kann auch selbst beauftragter Dritter sein, doch gilt grds. „Vorrang der Intermediärseigenschaft" (S/L/v. Nussbaum, 5. Aufl. 2024 [Vorab-Onlinefassung], Rn. 90). Von AG beauftragter Dritter wird als ihr Erfüllungsgehilfe tätig, für dessen Fehler sie einzustehen hat (MüKoAktG/Bayer/Illhardt Rn. 47).

Informationen sind Intermediären nach § 67a II 2 **elektronisch zu übermit-** 6
teln. Damit ist nicht elektronische Form iSd § 126a BGB gemeint, sondern gängiges maschinenlesbares Dateiformat, wofür Praxis idR Kommunikationssystem SWIFT (Society for Worldwide Interbank Financial Telecommunication) nutzt (S/L/v. Nussbaum, 5. Aufl. 2024 [Vorab-Onlinefassung], Rn. 96). **Art. 2 II und III Aktionärsrechte-RL II-DVO** unterscheidet dabei zwischen Übermittlung von AG an Intermediäre einerseits und zwischen Intermediären andererseits: Übermittlung zwischen Intermediären erfolgt nach Art. 2 III Aktionärsrechte-RL II-DVO in elektronischen und maschinenlesbaren Formaten, die die Interoperabilität und vollautomatisierte Abwicklung ermöglichen und international geltenden Industriestandards wie ISO oder mit ISO kompatiblen Methoden entsprechen (→ Rn. 7). Für Übermittlung von AG an Intermediär ist dagegen nach Art. 2 II UAbs. 1 Aktionärsrechte-RL II-DVO nur eine Übermittlung geboten, die solche **Weiterverarbeitung gestattet.** AG selbst muss daher nicht an vollautomatisiertem System teilnehmen, sondern nur Einspeisung er-

möglichen (S/L/v. Nussbaum, 5. Aufl. 2024 [Vorab-Onlinefassung], Rn. 99 f.). Deshalb ist es auch nicht erforderlich, dass Mitteilung ohne jede händische Bearbeitung automatisiert weiterleitbar ist (so aber Noack DB 2019, 2785, 2788), sondern nur, dass Informationen vom Intermediär in vollautomatisiertes System überführt werden können (S/L/v. Nussbaum, 5. Aufl. 2024 [Vorab-Onlinefassung], Rn. 100). IdR wird es aber **zweckmäßig** sein, wenn schon AG sich an für Intermediäre geltende Formanforderungen (→ Rn. 7) anpasst (S/L/v. Nussbaum, 5. Aufl. 2024 [Vorab-Onlinefassung], Rn. 100).

6a Pflicht zu elektronischer Übermittlung gilt nicht nur für Übermittlung durch beauftragte Dritte nach § 67a II 1, sondern **auch für Grundtatbestand des § 67a I,** also für Übermittlung von AG an Intermediär und von Intermediären untereinander. Intermediäre sind ihrerseits verpflichtet, entspr. Empfangsbereitschaft zu gewährleisten (S/L/v. Nussbaum, 5. Aufl. 2024 [Vorab-Onlinefassung], Rn. 70) und Weiterleitungssystem verfügbar zu halten (S/L/v. Nussbaum, 5. Aufl. 2024 [Vorab-Onlinefassung], Rn. 119 f.).

6b Ist bei AG mit Namensaktien Intermediär selbst im Aktienregister eingetragen, müsste nach § 67a I 1 Nr. 1 dennoch in elektronischer Form an ihn übermittelt werden. Das ist indes nicht zwingend erforderlich, wenn etwa im Aktienregister keine elektronische Adresse des Intermediärs vorhanden ist (MüKoAktG/Bayer/Illhardt Rn. 49; S/L/v. Nussbaum, 5. Aufl. 2024 [Vorab-Onlinefassung], Rn. 97). IÜ ist für **Direktübermittlung an Aktionäre** auch ggf. strengere kapitalmarktrechtl. Vorgabe nach § 49 III Nr. 1 lit. d WpHG zu beachten (ausf. → § 125 Rn. 29); insbes. können sie jederzeit von AG schriftliche Übermittlung verlangen (RegBegr. BT-Drs. 19/9739, 61). Das gilt jedoch nur für Übermittlung durch die AG, nicht für die durch Intermediäre (S/L/v. Nussbaum, 5. Aufl. 2024 [Vorab-Onlinefassung], Rn. 102; Zetzsche AG 2020, 1 Rn. 89).

6c Für sonstige Übermittlungsakte nach neuem Regime der §§ 67a ff. sind weitere Einzelheiten aufgrund Verweisung in § 67a II 3 **Aktionärsrechte-RL II-DVO** zu entnehmen (Überblick: S/L/v. Nussbaum, 5. Aufl. 2024 [Vorab-Onlinefassung], Rn. 38 ff.). Da VO ohnehin unmittelbar anwendbar ist, handelt es sich um deklaratorische und dynamische Verweisung (RegBegr. BT-Drs. 19/9739, 61). Nach deren Anforderungen kann insbes. auch Veröffentlichung der Information in englischer Sprache bei entspr. Aktionärsstruktur erforderlich sein (Art. 2 II UAbs. 2 Aktionärsrechte-RL II-DVO; ausf.: BeckOGK/Cahn Rn. 26 ff.; S/L/v. Nussbaum, 5. Aufl. 2024 [Vorab-Onlinefassung], Rn. 103).

6d **Mindestinhalt** ergibt sich aus Tab. 8 Anh. Aktionärsrechte-RL II-DVO: eindeutige Bezeichnung des Ereignisses (→ Rn. 10), ISIN der Aktie/des Zwischenscheins sowie URL-Hyperlink zur Website, auf der Ereignis näher umschrieben wird. Aktualisierung oder Annullierung einer Mitteilung sind nach § 8 IV UAbs. 2 Aktionärsrechte-RL II-DVO entspr. zu behandeln (teleologisch gleichzustellen: Berichtigungen – vgl. MüKoAktG/Bayer/Illhardt Rn. 55). Weiterem Verweis auf diese Verordnung in § 67a II 4 ist insbes. zu entnehmen, dass Übermittlung beschränkt werden kann, wenn Informationen auf **Internetseite** der AG zugänglich sind (RegBegr. BT-Drs. 19/9739, 61). Als neues aktienrechtl. Phänomen wird mit Aktionärsrechte-RL II-DVO auch Vielzahl von **Tabellenformaten** eingeführt, die strenge Standardisierung von Informationsverlangen und -erteilung zur Folge haben (Zetzsche AG 2020, 1 Rn. 15 f.).

IV. Weiterleitung zwischen Intermediären (§ 67a III)

7 § 67a III verpflichtet Intermediäre, bestimmungsgemäß erhaltene Informationen durch die Kette an nächsten Intermediär weiterzuleiten, um **lückenlose Informationsversorgung** der Aktionäre sicherzustellen (s. aber Wentz, Neuregelung der Informationsübermittlung, 2023, 357, nach dem Norm richtlinienkonform dergestalt auszulegen ist, dass Information in der Kette nur dann zulässig ist, wenn Direktinformation an den Aktionär nicht möglich ist). Bei nur zufälliger Kenntnisnahme greift Weiterleitungspflicht nicht ein (MüKoAktG/Bayer/Illhardt Rn. 63; S/L/v. Nussbaum, 5. Aufl. 2024 [Vorab-Onlinefassung], Rn. 111). Letztempfänger ist nach § 67b I seinerseits zur Weiterleitung an Aktionär verpflichtet. Sowohl für Intermediäre in der Kette als auch für Letztintermediär normieren §§ 67a, 67b aber reine Übermittlungs-, **keine Prüfungspflicht.** Auch einer Vollständigkeitsprüfung bedarf es nicht (so schon zu § 128 aF GK-AktG/Butzke § 128 Rn. 38; KK-AktG/Noack/Zetzsche, 3. Aufl. 2011, § 128 Rn. 52). Nach Art. 2 III Aktionärsreche-RL II-DVO erfolgen Übermittlungen zwischen Intermediären in elektronischen und maschinenlesbaren Formaten, die die **Interoperabilität und vollautomatisierte Abwicklung** ermöglichen und int. geltenden Industriestandards wie ISO (International Organization for Standardization) oder mit ISO kompatiblen Methoden entsprechen. Bundesverband deutscher Banken empfiehlt Nutzung des ISO Standards 20022, für bes. wichtigen Fall der HV-Einladung (→ § 125 Rn. 27) insbes. Nachrichtentyp MeetingNotification (BdB-Praxisleitfaden ARL II/ARUG II – abrufbar über Verbands-Homepage – s. dazu auch Heun WM 2021, 1412 f.; Rieckers DB 2022, 172, 176). Erforderlich ist hier also, dass Information ohne manuelle Bearbeitungsschritte in sog **Straight-Through-Processing (STP)** in Intermediärskette verarbeitet und weitergeleitet werden kann.

Fristen sind nach Art. 9 II UAbs. 2 oder 3, VII Aktionärsrechte-RL II-DVO **7a** zu berechnen, was bedeutet, dass sie unverzüglich (§ 121 I BGB) und spätestens bis zum Ende des Geschäftstages bzw. bei Erhalt nach 16 Uhr bis 10 Uhr am folgenden Geschäftstag zu übermitteln sind (RegBegr. BT-Drs. 19/9739, 62; zu Einzelheiten MüKoAktG/Bayer/Illhardt Rn. 121 ff.). Frist wird durch rechtzeitiges Absenden gewahrt; auf Zugang kommt es nicht an (Hölters/Weber/Mayer/Albrecht vom Kolke Rn. 28; S/L/v. Nussbaum, 5. Aufl. 2024 [Vorab-Onlinefassung], Rn. 121). Tritt nach erster Übermittlung Änderung in der jew. Aktie ein, sind Intermediäre nach Art. 9 II UAbs. 3 Aktionärsrechte-RL II-DVO bis zum Nachweisstichtag verpflichtet, Information auch an neue Aktionäre weiterzuleiten. Entspr. der Grundanordnung in § 67a I 1 (→ Rn. 3) entfällt Übermittlungspflicht auch für Intermediär, wenn ihm bekannt ist, dass empfangender Intermediär Information von AG oder beauftragtem Dritten **bereits erhalten** hat. Bewusst offene Formulierung soll Raum für künftige technische Lösungen lassen (RegBegr. BT-Drs. 19/9739, 62). Nach § 67a III 2 gilt Pflicht auch für Informationen einer börsennotierten AG mit Sitz in anderem Mitgliedstaat. Praxis soll technische Lösungen entwickeln, die europaweit auch solche **grenzüberschreitende Informationsweiterleitung** sicherstellen (RegBegr. BT-Drs. 19/9739, 62). Verweis in § 67a III 3 auf § 67a II 1 stellt klar, dass auch Intermediäre sich beauftragter Dritter bedienen dürfen (RegBegr. BT-Drs. 19/9739, 62).

V. Intermediär (§ 67a IV)

Legaldefinition des Intermediärs in § 67a IV ist nicht gesellschafts-, sondern **8** tätigkeitsbezogen gefasst (MüKoAktG/Bayer/Illhardt Rn. 28). Sie knüpft an Dienstleistungen der Verwahrung oder Verwaltung von Wertpapieren oder der Führung von Depotkonten an und erfasst insbes. Wertpapierfirmen, Kreditinstitute und Zentralverwahrer, nicht aber Notare, die gem. § 23 BNotO zeitweise Aktien zur Aufbewahrung oder Ablieferung, insbes. als Hinterlegungsstelle, verwahren (RegBegr. BT-Drs. 19/9739, 62; ausf. S/L/v. Nussbaum, 5. Aufl. 2024 [Vorab-Onlinefassung], Rn. 135). Auch Rechtsanwälte und Steuerberater werden idR nicht dienstleistend iSd § 67a IV tätig, sondern rechtspflegend (S/L/v. Nussbaum, 5. Aufl. 2024 [Vorab-Onlinefassung], Rn. 136). Stimmrechtsberater (→ § 134a Rn. 4; → § 134d Rn. 1 ff.) und ähnliche Dienstleister, die keine Wertpapiere verwahren, verwalten oder Depotkonten führen (Stimmrechtsvertreter der AG [→ § 134 Rn. 26 ff.], Aktionärsvereinigungen, Dienstleister zur Führung des Aktienregisters), sind nicht erfasst, können jedoch qua vertraglicher Vereinbarung in Informationskette eingebunden sein (RegBegr. BT-Drs. 19/9739, 62; S/L/v. Nussbaum, 5. Aufl. 2024 [Vorab-Onlinefassung], Rn. 138 f.). Sitz des Intermediärs ist irrelevant, da es insoweit nur auf Leistungen im Zusammenhang mit Aktien von Gesellschaften mit Sitz in EU oder EWR ankommt (RegBegr. BT-Drs. 19/9739, 62 f.; S/L/v. Nussbaum, 5. Aufl. 2024 [Vorab-Onlinefassung], Rn. 144 f.). Ziel ist, Informationsaustausch auch auf ausländische Aktionäre auszuweiten (Merkt FS E. Vetter, 2019, 447, 453). **Bedeutung der Legaldefinition** geht über Regelungskomplex der §§ 67a ff. hinaus, weil im Zuge des ARUG II 2019 auch in vielen anderen Vorschriften mehrdeutige Begriffe wie Kredit- oder Finanzdienstleistungsinstitut durch Intermediärsbegriff ersetzt wurden (Zetzsche ZGR 2019, 1, 9). In diesen weiteren Kontexten ist Intermediärsbegriff unabhängig von Börsennotierung anzuwenden (MüKoAktG/Bayer/Illhardt Rn. 25).

VI. Intermediär in der Kette; Letztintermediär (§ 67a V)

9 § 67a V enthält Legaldefinition für vertikale (hierarchische) Kette (§ 67 V 1), die bei Zentralverwahrer beginnt und bei Letztintermediär (§ 67a V 2) endet (RegBegr. BT-Drs. 19/9739, 63). Letztgenannter ist damit kein Intermediär in der Kette iSd § 67a V 1. In der **Praxis** wird Letztintermediär idR Depotbank, Zentralverwahrer idR Clearstream Banking AG sein.

VII. Unternehmensereignis (§ 67a VI)

10 § 67a VI definiert Unternehmensereignis nicht selbst, sondern verweist auf **Aktionärsrechte-RL II-DVO.** Danach sind Unternehmensereignisse Maßnahmen, die Ausübung der mit den Aktien verbundenen Rechte beinhalten und zugrunde liegende Aktie beeinflussen können. RegBegr. BT-Drs. 19/9739, 63 nennt neben ausdr. genannter Gewinnausschüttung und HV beispielhaft Umtausch-, Bezugs-, Einziehungs-, Zeichnungs- und Wahlrechte bei Dividenden. Auch Änderung der Wertpapierkennnummer der AG ist erfasst (S/L/v. Nussbaum, 5. Aufl. 2024 [Vorab-Onlinefassung], Rn. 157). Einberufung der HV ist zwar ebenfalls Ereignis in diesem Sinne, wird aber in § 67a I 2 allein **Regelungsregime des § 125** überlassen (→ Rn. 4). Von § 67a VI nicht erfasste Mitteilungen müssen nicht weitergeleitet werden, doch kann entspr. Anreicherung zwischen Aktionär und Intermediär (ggf. gegen entspr. Entgelt) vereinbart werden (so noch zu § 128 aF GK-AktG/Butzke § 128 Rn. 39).

VIII. Rechtsfolgen bei Verstoß

11 Unterlässt es AG, Aktionär oder Intermediär Informationen nach § 67a I, II zu übermitteln, steht Aktionären Schadensersatzanspruch aus § 280 I BGB, § 31 BGB wegen **Pflichtverletzung im Mitgliedschaftsverhältnis** zu (MüKoAktG/Bayer/Illhardt Rn. 74; so zu § 125 aF auch GK-AktG/Butzke § 125 Rn. 73; KK-AktG/Noack/Zetzsche § 125 Rn. 163), so dass es in diesem Verhältnis auf Schutzgesetzeigenschaft des § 67a I iSd § 823 II BGB nicht ankommt (für Schutzgesetzeigenschaft MüKoAktG/Bayer/Illhardt Rn. 74; Hirte/Heidel/Mock Rn. 46; Kuntz AG 2020, 18 Rn. 91 ff.; dagegen BeckOGK/Cahn Rn. 57 ff.; S/L/v. Nussbaum, 5. Aufl. 2024 [Vorab-Onlinefassung], Rn. 107; Wentz, Neuregelung der Informationsübermittlung, 2023, 377 ff.). Schadensnachweis dürfte nur selten gelingen. Vorstand haftet ggü. AG aus § 93 II (vgl.

KK-AktG/Noack/Zetzsche § 125 Rn. 165 f.). Letztintermediär haftet idR ggü Aktionär aus Depotvertrag nach § 280 I BGB. Für Pflichtenverstoß eines Intermediärs in der Kette nach § 67a III kommt – je nach vertraglicher Ausgestaltung – Ersatzanspruch aus Vertrag mit Schutzwirkung Dritter oder aus § 823 II BGB iVm § 67a III 1 in Betracht (S/L/v. Nussbaum, 5. Aufl. 2024 [Vorab-Onlinefassung], Rn. 127; Kuntz AG 2020, 18 Rn. 98 ff.). **Anfechtung** wird nach § 243 III 1 Nr. 4 ausdr. ausgeschlossen, was angesichts klaren Wortlauts nicht nur für Verstoß des Intermediärs, sondern auch für Mitteilungspflichtverletzung der Gesellschaft gilt (→ § 243 Rn. 44d; S/L/v. Nussbaum, 5. Aufl. 2024 [Vorab-Onlinefassung], Rn. 107; für teleologische Reduktion des § 243 III 1 Nr. 4 bei Verletzung der Pflicht aus § 67a I aber Wentz, Neuregelung der Informationsübermittlung, 2023, 362 f.). Als OWi wird Verstoß nach § 405 IIa Nr. 2 nur auf Seiten des Intermediärs geahndet.

Übermittlung von Informationen durch Intermediäre an die Aktionäre

67b (1) [1]**Der Letztintermediär hat dem Aktionär die nach § 67a Absatz 1 Satz 1 erhaltenen Informationen nach Artikel 2 Absatz 1 und 4, Artikel 9 Absatz 2 Unterabsatz 1 sowie Absatz 3 und 4 Unterabsatz 3 sowie Artikel 10 der Durchführungsverordnung (EU) 2018/1212 zu übermitteln.** [2]**§ 67a Absatz 2 Satz 1 und 4 gilt entsprechend.**

(2) **Absatz 1 gilt auch für Informationen einer börsennotierten Gesellschaft mit Sitz in einem anderen Mitgliedstaat der Europäischen Union.**

I. Regelungsgegenstand und -zweck

§ 67b regelt innerhalb des Informationsregimes der §§ 67a ff. (dazu und zum Anwendungsbereich → § 67a Rn. 1 ff.) **abschließende Informationsübermittlung** vom Letztintermediär iSd § 67a V 2 an Aktionär. Einer solchen Übermittlung bedarf es nicht bei unmittelbar im Aktienregister eingetragenen Namensaktionären, die nach § 67a I 1 Nr. 1 von AG direkt adressiert werden können. Bedeutung hat § 67b vornehmlich bei Inhaberaktien sowie bei Namensaktien ggü. nicht eingetragenen Aktionären oder wenn Information trotz Aktienregistereintragung über Intermediärskette erfolgen soll (vgl. zu diesem Fall → § 67a Rn. 3; sa S/L/v. Nussbaum, 5. Aufl. 2024 [Vorab-Onlinefassung], Rn. 2). Zur näheren Ausgestaltung enthält § 67b I 1 deklaratorischen und dynamischen (→ § 67a Rn. 6 ff.) **Verweis auf Aktionärsrechte-RL II-DVO.** 1

II. Inhaltliche Vorgaben

§ 67b regelt Übermittlung an Aktionär, lässt Übermittlungsart aber offen, so dass sowohl schriftliche als auch elektronische Übermittlung in **standardisierten Formaten** der Art. 2 Aktionärsrechte-RL II-DVO möglich ist (RegBegr. BT-Drs. 19/9739, 63). Durch Gestattung elektronischer Übermittlung (in der Praxis namentl. über elektronisches Postfach) soll insbes. sog **Medienbruch** vermieden werden (RegBegr. BT-Drs. 19/9739, 63). Zugleich soll weitere Gestattung schriftlicher Übermittlung dem Umstand Rechnung tragen, dass Mehrheit der Privatanleger augenscheinlich weiterhin nur postalisch erreichbar ist; E-Mail-Kommunikation scheidet schon aus Sicherheitsgründen aus (Noack DB 2019, 2785, 2788). Inhaltliche Prüfungspflicht ist mit Übermittlungspflicht nicht verbunden (→ § 67a Rn. 7). Fristenregelung (→ Rn. 3) wird Papierversand aber 2 deutlich erschweren. Zudem gilt für schriftliche Übermittlung bes. Kostenregelung in § 67f I 2 Nr. 1 (→ § 67f Rn. 3), wodurch Anreiz zur Umstellung auf elektronische Kommunikation auch zwischen Letztintermediär und Aktionär gesetzt wird. In der Praxis erweist sich der im Mittelpunkt der gesetzgeberischen Überlegungen stehende Medienbruch aber nicht als die zentrale Herausforderung, sondern vielmehr das legislativ eher vernachlässigte Problem, dass standardisierte ISO-Formate, die zur Weiterleitung in Intermediärskette genutzt werden sollen (→ § 67a Rn. 7), von herkömmlichen Retail-Aktionären nicht ausgewertet werden können und deshalb einer textlichen Aufarbeitung durch Letztintermediär bedürfen (vgl. zu dieser **Schnittstellenproblematik** allg. S/L/v. Nussbaum, 5. Aufl. 2024 [Vorab-Onlinefassung], Rn. 5a sowie speziell im Kontext der HV-Einladung [→ § 125 Rn. 28] BeckOGK/Rieckers § 121 Rn. 41; Heun WM 2021, 1412, 1415). Automatisierte Weiterverarbeitung durch Übertragung in für Aktionär lesbares Standardformat bleibt dennoch möglich; dabei ist Kooperation der Gesellschaft in Form möglichst vollständiger Berichterstattung hilfreich (S/L/v. Nussbaum, 5. Aufl. 2024 [Vorab-Onlinefassung], Rn. 5a). Vorgaben des **§ 49 III WpHG** (→ § 125 Rn. 29) sind im Verhältnis Letztintermediär – Aktionär nicht zu beachten (RegBegr. BT-Drs. 19/9739, 63; MüKoAktG/Bayer/Illhardt Rn. 8; S/L/v. Nussbaum, 5. Aufl. 2024 [Vorab-Onlinefassung], Rn. 5).

3 Weiterer Verweis auf Art. 9 Aktionärsrechte-RL II-DVO stellt **fristgerechte Übersendung** sicher. Es gelten in → § 67a Rn. 6 ff. dargestellte Grundsätze (RegBegr. BT-Drs. 19/9739, 63). Beschleunigungsvorgaben werden eher elektronische Übersendung nahe legen, ohne schriftliche Übersendung aber völlig auszuschließen (RegBegr. BT-Drs. 19/9739, 63). Unverzüglichkeitsvorgabe ist hier dahingehend zu verstehen, dass Übermittlungsprozess unverzüglich in Gang gesetzt und durch Absendung abgeschlossen wird (MüKoAktG/Bayer/Illhardt Rn. 13; S/L/v. Nussbaum, 5. Aufl. 2024 [Vorab-Onlinefassung], Rn. 9; Noack DB 2019, 2785, 2788 f.). Das gilt insbes. auch für postalische Mitteilung (S/L/v. Nussbaum, 5. Aufl. 2024 [Vorab-Onlinefassung], Rn. 9). Sofern Ergänzung oder Aufbereitung der zu übermittelnden Informationen durch die Intermediäre erforderlich ist, soll es nach RegBegr. BT-Drs. 19/9739, 64 zulässig sein, lediglich Basisinformationen innerhalb der Fristvorgaben zu übermitteln und erst später weitere oder aufbereitete Informationen zu ergänzen. Auch über URL-Hyperlink auf AG-Internetseite kann Ergänzung vorgenommen werden (RegBegr. BT-Drs. 19/9739, 64). Ebenfalls in Bezug genommener Art. 10 Aktionärsrechte-RL II-DVO enthält **Mindestsicherheitsanforderungen.** Aus Verweis des § 67b I 2 auf § 67a II 1 folgt, dass Letztintermediär wie sonstige Pflichtenträger beauftragte Dritte einschalten kann (zu Einzelheiten → § 67a Rn. 5). Verweis auf § 67a II 4 gestattet Informationsübermittlung über Internetseite (→ 67a Rn. 6).

III. Ausdehnung auf anderen Mitgliedstaaten (§ 67b II)

4 § 67b II erstreckt Pflicht auch auf Informationen einer börsennotierten AG mit Sitz in anderem Mitgliedstaat. Norm entspr. § 67a III 2 und dient denselben Zwecken (→ § 67a Rn. 7a).

IV. Verzichtsmöglichkeit

5 Übermittlungspflicht aus § 67b entsteht kraft Ges., sobald ihre Voraussetzungen erfüllt sind. Es handelt sich also um **ges. Pflicht,** nicht um Pflicht aus Depotvertrag, die allerdings zusätzlich begründet sein kann. Unter Geltung des § 128 aF war umstr., ob auf Übermittlung auch **verzichtet** werden kann. Das

wurde von ganz hM jedenfalls dann verneint, wenn Verzicht durch Formularvertrag ausgesprochen wurde oder von Depotbank zumindest durch Anreize ggü. Depotkunden initiiert wurde (statt aller KK-AktG/Noack/Zetzsche, 3. Aufl. 2011, § 128 Rn. 92). Umstr. war, ob das auch dann gilt, wenn Aktionär dem Institut auf eigene Veranlassung die Weisung erteilt hatte, Zusendung zu unterlassen (auch in diesem Fall für Zusendungspflicht MüKoAktG/Kubis § 128 Rn. 13; HV-HdB/Schlitt § 4 Rn. 296; dagegen GK-AktG/Butzke § 128 Rn. 56 ff.; KK-AktG/Noack/Zetzsche, 3. Aufl. 2011, § 128 Rn. 93 f.; MHdB AG/Bungert § 36 Rn. 129). Streit stellt sich in gleicher Weise zu § 67b und ist hier iS der abl. Auffassung zu entscheiden, da weder Charakter als ges. Verpflichtung (so aber MüKoAktG/Kubis § 128 Rn. 13) noch öffentl. Interesse an funktionierendem Aktienwesen es rechtfertigen kann, Aktionär **unerwünschte Informationen** aufzuzwingen (MüKoAktG/Bayer/Illhardt Rn. 20; KK-AktG/Noack/Zetzsche, 3. Aufl. 2011, § 128 Rn. 93 f.; aA aber S/L/Ziemons § 128 Rn. 11; zu § 67b auch S/L/v. Nussbaum, 5. Aufl. 2024 [Vorab-Onlinefassung], Rn. 3; B/K/L/Wieneke Rn. 1). Praktische Bedeutung dieses Streits scheint indes sehr überschaubar zu sein, da entspr. Verzichtsmitteilungen tats. nicht ausgesprochen werden (MüKoAktG/Bayer/Illhardt Rn. 20; GK-AktG/Butzke § 128 Rn. 55).

V. Rechtsfolgen bei Verstoß

Unterlässt Letztintermediär Weiterleitung an Aktionär, kann dieser aus einem zwischen ihnen bestehenden Vertragsverhältnis (zB Depotvertrag) **Schadensersatz gem. § 280 I BGB** verlangen (MüKoAktG/Bayer/Illhardt Rn. 23; so auch schon zu § 128 aF GK-AktG/Butzke § 128 Rn. 59; MüKoAktG/Kubis § 128 Rn. 19). Auf Frage der Schutzgesetzeigenschaft nach § 823 II BGB (bejahend MüKoAktG/Bayer/Illhardt Rn. 24; S/L/v. Nussbaum, 5. Aufl. 2024 [Vorab-Onlinefassung], Rn. 13; Kuntz AG 2020, 18 Rn. 98 ff.; aA BeckOGK/Cahn Rn. 17) kommt es deshalb auch hier nicht an (→ § 67a Rn. 11; S/L/v. Nussbaum, 5. Aufl. 2024 [Vorab-Onlinefassung], Rn. 13). § 128 II aF ordnete dafür ausdr. an, dass Schadensersatzpflicht bei Verstoß gegen Pflichten aus § 128 I weder ausgeschlossen noch beschränkt werden kann. Das wurde in § 67b nicht übernommen, doch ist zumindest formularmäßiger Ausschluss auch weiterhin nach § 307 BGB unwirksam (zust. MüKoAktG/Bayer/Illhardt Rn. 25). Praktisch ist Anspruch ohne Rücksicht auf seine Begründung wenig bedeutend, weil **Schaden** des Aktionärs und zu ihm führender Kausalverlauf kaum je gegeben sind. Erlassvertrag (§ 397 BGB) oder Vergleich nach der Anspruchsentstehung bleiben zulässig. Unterlassene oder unzureichende Weiterleitung kann überdies als OWi nach § 405 IIa Nr. 2 geahndet werden. **Anfechtung** wird nach § 243 III 1 Nr. 4 ausdr. ausgeschlossen (→ § 243 Rn. 44a). 6

Übermittlung von Informationen durch Intermediäre an die Gesellschaft; Nachweis des Anteilsbesitzes

67c (1) **[1] Der Letztintermediär hat die vom Aktionär einer börsennotierten Gesellschaft erhaltenen Informationen über die Ausübung seiner Rechte als Aktionär entweder direkt an die Gesellschaft oder an einen Intermediär in der Kette zu übermitteln. [2] Intermediäre haben die nach Satz 1 erhaltenen Informationen entweder direkt an die Gesellschaft oder an den jeweils nächsten Intermediär weiterzuleiten. [3] Die Sätze 1 und 2 gelten entsprechend für die Weiterleitung von Weisungen des Aktionärs zur Ausübung von Rechten aus Namensaktien börsennotierter Gesellschaften an den im Aktienregister eingetragenen Intermediär.**

(2) [1]**Der Aktionär kann Anweisungen zur Informationsübermittlung nach Absatz 1 erteilen.** [2]**§ 67a Absatz 2 Satz 1 gilt entsprechend.** [3]**Format, Inhalt und Frist der Informationsübermittlung nach Absatz 1 richten sich nach den Anforderungen in Artikel 2 Absatz 1 und 3, Artikel 8 und 9 Absatz 4 der Durchführungsverordnung (EU) 2018/1212.** [4]**Eine rechtzeitige gesammelte Informationsübermittlung und -weiterleitung ist möglich.** [5]**Die Absätze 1 und 2 gelten auch für Informationen einer börsennotierten Gesellschaft mit Sitz in einem anderen Mitgliedstaat der Europäischen Union.**

(3) **Der Letztintermediär hat dem Aktionär für die Ausübung seiner Rechte in der Hauptversammlung auf Verlangen über dessen Anteilsbesitz unverzüglich einen Nachweis in Textform gemäß den Anforderungen nach Artikel 5 der Durchführungsverordnung (EU) 2018/1212 auszustellen oder diesen nach Absatz 1 der Gesellschaft zu übermitteln.**

I. Regelungsgegenstand und -zweck

1 Während §§ 67a, 67b Informationsfluss zum Aktionär regeln, enthält § 67c innerhalb des Informationsregimes der §§ 67a ff. (dazu und zum Anwendungsbereich → § 67a Rn. 1 ff.) Regeln darüber, wie **Informationen vom Aktionär an AG** fließen („Rückweg" → § 67a Rn. 2). Norm dient der Umsetzung von Art. 3b IV Aktionärsrechte-RL. § 67c I 1 begründet **Primärverantwortlichkeit des Letztintermediärs** iSd § 67a V 2 (→ § 67a Rn. 9), § 67c I 2 Sekundärverantwortlichkeit jedes weiteren Intermediärs, bis Information bei AG angekommen ist. § 67c II enthält Regeln zur Informationsübermittlung. Anders als §§ 67a, 67b erfasst § 67c auch Informationen im Zusammenhang mit HV oder deren Einberufung (RegBegr. BT-Drs. 19/9739, 64; Cichy/Krawinkel DB 2020, 602, 608).

II. Weiterleitungspflicht (§ 67c I)

2 **Gegenstand der Übermittlungspflicht** sind Informationen über die Rechtsausübung der Aktionäre. Als Bsp. nennt RegBegr. BT-Drs. 19/9739, 64 Bezugsrecht gem. § 186, Rechte aus §§ 122, 126, 127 und Stimmrecht auf HV. Im Kontext der HV sind damit auch Anteilsbesitzbestätigung, Anmeldung und Tatsache der Bevollmächtigung erfasst (S/L/v. Nussbaum, 5. Aufl. 2024 [Vorab-Onlinefassung], Rn. 8). Bislang ungelöstes Problem ist, wie Übermittlung einer **Vollmachtserklärung** zu erfolgen hat, für die nach Tab. 5 B. 1., 4. und 5. Aktionärsrechte-RL II-DVO (→ § 67a Rn. 6 ff.) lediglich Tatsache der Bevollmächtigung anzugeben ist, was Anforderungen des § 134 III 3–5 indes nicht genügt (→ § 134 Rn. 21 ff.). ZT wird vorgeschlagen, Angabe dennoch als Nachw. der Bevollmächtigung genügen zu lassen (BeckOGK/Cahn Rn. 6) oder Mitteilung in Vollmachtserklärung umzudeuten (Kuntz AG 2020, 18 Rn. 49). Beide Wege sind aber konstruktiv und in der Sache zweifelhaft, weil es AG damit erschwert wird, Bestehen und Wirksamkeit der Vollmacht zu prüfen. Praxis ist deshalb jedenfalls aus Gründen kautelarjur. Vorsicht separate Zuleitung in gebotener Form zu empfehlen (sa MüKoAktG/Bayer/Illhardt Rn. 5; S/L/v. Nussbaum, 5. Aufl. 2024 [Vorab-Onlinefassung], Rn. 19 ff.; Bork NZG 2019, 738, 742; Paschos/Goslar AG 2018, 857, 861; zu den von Aktionärsrechte-RL eröffneten Optionen sa Zetzsche ZGR 2019, 1, 29). Für Einberufungsverlangen und **Rechtsausübung in Bezug auf einzelne TOP** (Ergänzung, Gegenantrag, Wahlvorschlag) wird Anwendung des § 67c zT abgelehnt (S/L/v. Nussbaum, 5. Aufl. 2024 [Vorab-Onlinefassung], Rn. 8; krit. auch Noack DB 2019, 2785, 2789), doch muss sich hier klar geäußerter gesetzgeberischer Wille, der auch

durch Wortlaut noch gedeckt ist („Rechte als Aktionär") durchsetzen (sa BeckOGK/Cahn Rn. 5; Zetzsche ZGR 2019, 1, 29). Nicht erfasst sind aber Rechte, die Aktionär nur persönlich oder durch Vertreter ausüben kann (zB Rede- und Fragerecht, Einsichtnahmerecht, Widerspruchsrecht, Antrag auf Sonderprüfung – vgl. MüKoAktG/Bayer/Illhardt Rn. 4; S/L/v. Nussbaum, 5. Aufl. 2024 [Vorab-Onlinefassung], Rn. 9). Durch § 67c I 1 verpflichteter Letztintermediär (§ 67a V 2; → § 67a Rn. 9) kann Informationen direkt an AG oder nächsten Intermediär in der Kette übermitteln. Maßgeblich für Auswahl ist Weisung des Aktionärs (MüKoAktG/Bayer/Illhardt Rn. 6). Für zweite Gestaltung enthält **§ 67c I 2** korrespondierende Verpflichtung des nächsten Intermediärs. Erster Weg dürfte aber der praktikablere sein und wird auch durch Art. 3b V Aktionärsrechte-RL – soweit möglich – als Regelfall vorgeschrieben (sa MüKoAktG/Bayer/Illhardt Rn. 6; BeckOGK/Cahn Rn. 8; Wentz WM 2020, 957, 960; für richtlinienkonforme Auslegung zugunsten Direktübermittlung bei fehlender Anweisung des Aktionärs daher Wentz, Neuregelung der Informationsübermittlung, 2023, 347). Auch innerhalb der Intermediärskette sollte für jeden zwischengeschalteten Intermediär grds. Pflicht bestehen, direkt an AG zu übermitteln (MüKoAktG/Bayer/Illhardt Rn. 8). Entspr. grds. Ausrichtung des ARUG II, bestehende Marktstandards möglichst nicht in Frage zu stellen, sollte schließlich auch weiterhin Übermittlung an durch AG beauftragte Zahl- und Abwicklungsstelle zulässig sein (MüKoAktG/Bayer/Illhardt Rn. 7). Praktischer Schwerpunkt der Regelung liegt bei **Inhaberaktien.** Auf Namensaktien ist Norm nur dann direkt anwendbar, wenn wahrer Aktionär selbst im Aktienregister eingetragen ist (sonst → Rn. 3), Information aber nicht direkt der AG übermittelt, sondern über Letztintermediär (RegBegr. BT-Drs. 19/9739, 64). Vorgehen ist aber weder sinnvoll, noch scheint es in der Praxis überhaupt vorzukommen (für ein Ablehnungsrecht des Intermediärs deshalb S/L/v. Nussbaum, 5. Aufl. 2024 [Vorab-Onlinefassung], Rn. 16).

§ 67c I 3 enthält Sonderregel für Namensaktien, bei denen wahrer Aktionär 3 nicht selbst in Register eingetragen ist. Für diesen Fall erstreckt § 67c I 3 Weiterleitungspflicht auch auf **Weisungen** zur Rechteausübung, zu der nach § 67 II 1 nur der im Aktienregister Eingetragene befugt ist. Damit dieser Recht iSd Berechtigten ausübt, müssen auch Weisungen nach dem Muster des § 67c I 1 und 2 weitergeleitet werden. § 67c I 3 enthält aber nicht selbst ges. Verpflichtung zur weisungsgemäßen Stimmrechtsausübung, sondern eine solche kann nur aus vertraglichen Vereinbarungen oder Nebenpflichten folgen (RegBegr. BT-Drs. 19/9739, 65).

III. Weisungen zur Informationsübermittlung (§ 67c II)

Nach § 67c II kann Aktionär Anweisungen zur Informationsübermittlung 4 geben, und zwar sowohl hinsichtlich des Übermittlungsweges (→ Rn. 2) als auch zum Ob und zum Umfang der Informationsübermittlung (RegBegr. BT-Drs. 19/9739, 65; zu Grenzen der Weisungsmacht vgl. S/L/v. Nussbaum, 5. Aufl. 2024 [Vorab-Onlinefassung], Rn. 24 ff.). Weisungen zur Abstimmung sind unzulässig, wenn sie darauf gerichtet sind, dass sich Intermediär selbst als Stimmrechtsvertreter zur Verfügung zu stellen hat, dagegen zu beachten, wenn Abstimmungsverhalten bereits in Anmeldung mitgeliefert wird (S/L/v. Nussbaum, 5. Aufl. 2024 [Vorab-Onlinefassung], Rn. 27 ff.). Durch Verweis des § 67c II 2 auf § 67a II 1 wird klargestellt, dass sich Beteiligte auch für diesen Übermittlungsakt **beauftragter Dritter** bedienen können (→ § 67a Rn. 5). Das soll auch hier insbes. Einschaltung von Abwicklungsstellen (→ § 67a Rn. 5) ermöglichen (S/L/v. Nussbaum, 5. Aufl. 2024 [Vorab-Onlinefassung], Rn. 35; Kuntz AG 2020, 18 Rn. 51). IÜ gelten nach § 67c II 3 auch hier hinsichtlich Format, Inhalt und Frist Vorgaben der Aktionärsrechte-RL II-DVO (→ § 67a Rn. 6 ff.). Danach bestehende Pflicht zur unverzüglichen Weiterleitung kann zu Schwierigkeiten führen, wenn Informationen des Aktionärs in Briefform oder als Freitext nicht maschinenlesbar oder vollautomatisiert abwickelbar sind. RegBegr. BT-Drs. 19/9739, 65 versteht „unverzüglich" aber auch in diesem Kontext als „ohne schuldhaftes Zögern" iSd § 121 I BGB und will auf diesem Weg Problemen der Praxis Rechnung tragen. Auch Möglichkeit der **gesammelten Informationsübermittlung und -weiterleitung** in § 67c II 4 soll Fortschreibung bisheriger Praxis ermöglichen (RegBegr. BT-Drs. 19/9739, 65 f.). Erleichterung liegt darin, dass Erfordernis der Unverzüglichkeit nicht an Einzelmeldung, sondern an Gesamtheit der fristgerecht eingegangenen Meldungen bemessen wird (S/L/v. Nussbaum, 5. Aufl. 2024 [Vorab-Onlinefassung], Rn. 31; krit. Kuntz AG 2020, 18 Rn. 47).

5 **§ 67c II 5** erstreckt Pflicht zur Informations- und Weisungsübermittelung aus § 67c I und II 1–4 auch auf börsennotierte AG mit **Sitz in anderem Mitgliedstaat.** Im Umkehrschluss folgt daraus, dass Übermittlungspflichten unabhängig von Ort der Börsennotierung nicht greifen, wenn Sitz der Gesellschaft in Drittstaat liegt (S/L/v. Nussbaum, 5. Aufl. 2024 [Vorab-Onlinefassung], Rn. 36). Norm entspr. § 67a III 2 und § 67b II und dient denselben Zwecken (→ § 67a Rn. 7a).

IV. Nachweis (§ 67c III)

6 § 67c III verpflichtet **Letztintermediär** iSd § 67a V 2 (→ § 67a Rn. 9) in Verallgemeinerung des Rechtsgedankens aus § 123 IV aF, dem Aktionär auf dessen Verlangen unverzüglich Nachw. des Anteilsbesitzes auszustellen, um ihm Ausübung seiner Rechte in HV zu ermöglichen (RegBegr. BT-Drs. 19/9739, 66). Umstr. ist, ob § 67c III lediglich für börsennotierte AG gilt. Zwar legt Sachzusammenhang mit § 123 IV 1 Übertragung dortiger Beschränkung nahe, doch ist Rückschluss nicht zwingend, zumal § 123 IV 1 bei börsennotierter AG für Nachweis lediglich abweichende Satzungsgestaltung ausschließt (S/L/v. Nussbaum, 5. Aufl. 2024 [Vorab-Onlinefassung], Rn. 2). Da Wortlaut des § 67c III keine Beschränkung vorsieht und auch außerhalb börsennotierter AG Nachweisbedarf besteht, sprechen bessere Argumente für Anwendung der Norm auch auf **nichtbörsennotierte AG** (S/L/v. Nussbaum, 5. Aufl. 2024 [Vorab-Onlinefassung], Rn. 2; Grigoleit/Rachlitz Rn. 3; iE auch BeckOGK/Cahn Rn. 2; Heun WM 2022, 757, 760; vgl. außerdem AusschussB BT-Drs. 19/15153, 54 f.; aA noch → 17. Aufl. 2023, Rn. 6; MüKoAktG/Bayer/Illhardt Rn. 20; Hirte/Heidel/Mock Rn. 20). **Praktischer Schwerpunkt** liegt bei **Inhaberaktien,** namentl. im Zusammenhang mit HV, wo auf dieser Grundlage Teilnahme-, Stimm- und Anfechtungsrecht nachgewiesen werden können, nicht aber Dividendenrecht und Bezugsrecht bei Kapitalerhöhungen (MüKoAktG/Bayer/Illhardt Rn. 23; S/L/v. Nussbaum, 5. Aufl. 2024 [Vorab-Onlinefassung], Rn. 46). Zur Bedeutung für Anmeldung → § 123 Rn. 27 ff.; zur Nachweisfunktion im Freigabeverfahren → § 246a Rn. 20c.

7 Für Rechteausübung bei **Namensaktien** ist dagegen allein Eintragung im Aktienregister maßgeblich. Auch nicht eingetragener wahrer Aktionär kann Nachw. gem. § 67c III nicht anstelle einer Aktienregistereintragung nutzen, weil allein Aktienregistereintragung Legitimation nachweist (MüKoAktG/Bayer/Illhardt Rn. 22; S/L/v. Nussbaum, 5. Aufl. 2024 [Vorab-Onlinefassung], Rn. 42). Umgekehrt ist Frage aufgeworfen, ob Nachw. gem. **§ 67c III als Grundlage einer Aktienregistereintragung** genutzt werden kann (dafür Zetzsche AG 2020, 1 Rn. 55 f.; zust. Grigoleit/Rachlitz Rn. 28 f.). Bessere Gründe sprechen gegen solche Verknüpfung, da Verknüpfung zwischen Register und Intermediärskette abschließend in § 67 III 2 iVm § 67d IV geregelt ist, der zusätzliche Option für gesellschaftsseitige Initiativmöglichkeit eröffnet, nicht aber Möglich-

keit der aktionärsseitigen Eintragungsinitiative erweitern soll; anderenfalls wäre Parallelität von Löschungs- und Neueintragungsmitteilung nicht mehr gewährleistet (überzeugend S/L/v. Nussbaum, 5. Aufl. 2024 [Vorab-Onlinefassung], Rn. 43 f.; zust. BeckOGK/Cahn Rn. 22).

Ausstellung des Nachw. erfolgt nur auf Verlangen des Aktionärs, das aber 8 auch konkludent geäußert werden kann, etwa durch Anmeldung zur HV oder Anforderung einer Eintrittskarte (MüKoAktG/Bayer/Illhardt Rn. 21; Zetzsche ZGR 2019, 1, 30). **Sprachfassung** ist nicht vorgegeben, doch bietet es sich an, in Anlehnung an Art. 2 II UAbs. 2 Aktionärsrechte-RL II-DVO Sprache ausreichen zu lassen, in der Finanzinformationen erstellt werden sowie eine in internationalen Finanzkreisen gebräuchliche Sprache, es sei denn, dass dies aufgrund Aktionärsstruktur nicht gerechtfertigt ist (idR also deutsche und englische Sprache – BeckOGK/Rieckers § 123 Rn. 48; sa MüKoAktG/Bayer/Illhardt Rn. 24). Nachw. muss **unverzüglich** (§ 121 I BGB) in Textform (§ 126b BGB) erfolgen. Er kann an Aktionär oder (direkt oder über Intermediärskette) an AG gerichtet sein, wobei Wahlrecht Aktionär zusteht (Grigoleit/Rachlitz Rn. 22 f.; Zetzsche AG 2020, 1 Rn. 46). Für Übermittlung an Aktionär ist Einstellung in Postfach iRd Online-Bankings ausreichend (Zetzsche AG 2020, 1 Rn. 47). **Inhaltliche Anforderungen** ergeben sich zunächst aus Art. 5 Aktionärsrechte-RL II-DVO, wonach Nachw. die in Aufzeichnung des Letztintermediärs ausgewiesene berechtigte Position des Aktionärs iSd Art. 1 Nr. 8 Aktionärsrechte-RL II-DVO für jedes Depotkonto erfassen muss (MüKoAktG/Bayer/Illhardt Rn. 24; Grigoleit/Rachlitz Rn. 24). Einzelangaben werden in Tab. 4 Anh. Aktionärsrechte-RL II-DVO konkretisiert (zu Folgen für Möglichkeit anonymer Stimmrechtsausübung → § 123 Rn. 27).

V. Rechtsfolgen bei Verstoß

Anders als §§ 67a, 67b ist Norm von Aufzählung in § 243 III 1 Nr. 4 nicht 9 erfasst, so dass Verstoß **Anfechtungsfolge** begründen kann, was angesichts gleichermaßen fehlender Einflussmöglichkeiten der AG bei erstem Zugriff verwundert und in Lit. Kritik hervorruft (BeckOGK/Cahn Rn. 25; Hölters/Weber/Mayer/Albrecht vom Kolke Rn. 30; für analoge Anwendung des § 243 III 1 mit Folge des Anfechtungsausschlusses Wachter/Stiegler Rn. 36). Unterschiedliche Handhabe der §§ 67a, 67b einerseits und § 67c andererseits ist bei **differenzierter Betrachtung** aber durchaus überzeugend (zum Nachfolgenden ausf. S/L/v. Nussbaum, 5. Aufl. 2024 [Vorab-Onlinefassung], Rn. 52). Verletzt Intermediär Weiterleitungs- oder Befolgungspflicht aus § 67c I, II, bleibt dies, vergleichbar zu fehlerhaftem Verhalten des Stimmboten, allein in Sphäre des Aktionärs, berührt HV-Beschluss nicht und bildet somit keinen Anfechtungsgrund (iE auch Wentz, Neuregelung der Informationsübermittlung, 2023, 363 f.). Stimmabgabe aufgrund eines falschen Anteilsnachweises führt dagegen zu fehlerhaftem HV-Beschluss; Anfechtbarkeit ist in diesem Fall interessengerecht.

Verstöße gegen § 67c können als **OWi** nach § 405 IIa Nr. 2–4 geahndet 10 werden (S/L/v. Nussbaum, 5. Aufl. 2024 [Vorab-Onlinefassung], Rn. 53); Ausstellung und Gebrauch falschen Anteilsbesitznachweises kann außerdem **Straftatbestand** des § 402 erfüllen (S/L/v. Nussbaum, 5. Aufl. 2024 [Vorab-Onlinefassung], Rn. 53). **Haftung** der AG scheidet aus, da Intermediär nicht als ihr Erfüllungsgehilfe auftritt, sondern selbst verpflichtet ist (MüKoAktG/Bayer/Illhardt Rn. 31). In Betracht kommt vertraglicher Schadensersatzanspruch gegen Intermediär; dabei ist nach Vertragsstatut anwendbares Recht zu beachten (MüKoAktG/Bayer/Illhardt Rn. 29; BeckOGK/Cahn Rn. 31). Wie schon im Kontext der §§ 67a, 67b ist auch Schutzgesetzeigenschaft des § 67c umstritten (dafür

S/L/v. Nussbaum, 5. Aufl. 2024 [Vorab-Onlinefassung], Rn. 54; tendenziell auch MüKoAktG/Bayer/Illhardt Rn. 29; dagegen BeckOGK/Cahn Rn. 30).

Informationsanspruch der Gesellschaft gegenüber Intermediären

67d (1) [1] **Die börsennotierte Gesellschaft kann von einem Intermediär, der Aktien der Gesellschaft verwahrt, Informationen über die Identität der Aktionäre und über den nächsten Intermediär verlangen.** [2] **Format und Inhalt dieses Verlangens richten sich nach der Durchführungsverordnung (EU) 2018/1212.**

(2) [1] **Informationen über die Identität der Aktionäre sind die Daten nach Artikel 3 Absatz 2 in Verbindung mit Tabelle 2 Buchstabe C der Durchführungsverordnung (EU) 2018/1212.** [2] **Bei nicht eingetragenen Gesellschaften sind deren Gesellschafter mit den Informationen nach Satz 1 zu nennen.** [3] **Steht eine Aktie mehreren Berechtigten zu, sind diese mit den Informationen nach Satz 1 zu nennen.**

(3) **Das Informationsverlangen der Gesellschaft ist von einem Intermediär innerhalb der Frist nach Artikel 9 Absatz 6 Unterabsatz 1, 2 oder 3 Satz 3 und Absatz 7 der Durchführungsverordnung (EU) 2018/1212 an den jeweils nächsten Intermediär weiterzuleiten, bis der Letztintermediär erreicht ist.**

(4) [1] **Der Letztintermediär hat die Informationen zur Beantwortung des Informationsverlangens der Gesellschaft zu übermitteln.** [2] **Das gilt nicht, wenn die Gesellschaft die Übermittlung von einem anderen Intermediär in der Kette verlangt; in diesem Fall sind Intermediäre verpflichtet, die Informationen unverzüglich diesem Intermediär oder dem jeweils nächsten Intermediär weiterzuleiten.** [3] **Der Intermediär, von dem die Gesellschaft die Übermittlung verlangt, ist verpflichtet, der Gesellschaft die erhaltenen Informationen unverzüglich zu übermitteln.** [4] **Format, Inhalt und Frist der Antwort auf das Informationsverlangen richten sich nach den Artikeln 2, 3, 9 Absatz 6 Unterabsatz 2 und 3 und Absatz 7 der Durchführungsverordnung (EU) 2018/1212.**

(5) [1] **Die Absätze 1 bis 4 gelten auch für das Informationsverlangen einer börsennotierten Gesellschaft mit Sitz in einem anderen Mitgliedstaat der Europäischen Union.** [2] **§ 67a Absatz 2 Satz 1 gilt für die Absätze 1 bis 5 Satz 1 entsprechend.**

I. Regelungsgegenstand und -zweck

1 Innerhalb des Informationsregimes der §§ 67a ff. (dazu und zum Anwendungsbereich → § 67a Rn. 1 ff.) gibt § 67d börsennotierter AG in Umsetzung von Art. 3a Aktionärsrechte-RL Informationsanspruch gegen aktienverwahrenden Intermediär über Identität des Aktionärs. Trotz nachgeordneter systematischer Stellung ist Norm **Kernstück** dieses Regelungsabschnitts, weil hier neues Leitbild des **know your shareholder** umgesetzt und dafür AG ges. Schneise durch Verwahrungskette geschlagen wird (Zetzsche ZGR 2019, 1, 14 ff.). Vorschrift gilt für Inhaber- wie für Namensaktien, doch ergibt sich bei Letztgenannten ähnlicher Anspruch schon aus § 67 IV (→ § 67 Rn. 53 ff.; beide Ansprüche treten konkurrenzlos nebeneinander, vgl. S/L/v. Nussbaum, 5. Aufl. 2024 [Vorab-Onlinefassung], Rn. 1a); für Inhaberaktien ist Informationsanspruch dagegen neu (S/L/v. Nussbaum, 5. Aufl. 2024 [Vorab-Onlinefassung], Rn. 2). Unterscheidung zwischen Namens- und Inhaberaktien bleibt damit zwar grds. erhalten, wird aber doch deutlich relativiert (Böcking/Bundle Konzern 2019, 496, 498).

Während Identifikation bei Namensaktien Bringschuld der Anleger ist, hat AG bei Inhaberaktien iSe Holschuld das Recht, Identifikation abzufragen (Piroth, Legitimationsübertragung, 2022, 286; sa Noack NZG 2017, 561, 567: „Abfrageregister“). Inhaberaktien werden damit unattraktiver (Stiegler WM 2019, 620). Noch im RefE vorgesehenes Opt-In-Recht für nicht börsennotierte AG ist dagegen entfallen (zu den Gründen Schütte, Die Neuregelungen des ARUG II zur Aktionärsidentifikation, 2021, 60 ff.; Stiegler WM 2019, 620). Verpflichtungen nach GWG (→ § 67 Rn. 76 ff.) bleiben unberührt (RegBegr. BT-Drs. 19/9739, 66). Zur Möglichkeit, Aktionärsidentifikation nach § 67d als Berechtigungsnachw. iSd § 123 IV zu nutzen → § 123 Rn. 29.

Umfassendes Recht, Aktionäre zu identifizieren, lässt sich allerdings aus dieser Norm ebenso wie aus zugrunde liegender RL nicht ableiten, was schon darin zum Ausdruck kommt, dass **allein Intermediäre Adressaten des Anspruchs** sind (→ Rn. 3; sa MüKoAktG/Bayer/Illhardt Rn. 1; Grigoleit/Rachlitz Rn. 5; aA Foerster AG 2019, 17, 18; Stiegler WM 2019, 620, 621 f.). Ob AG von Anspruch Gebrauch macht, soll jedenfalls nach aktienrechtl. Grundkonzeption ihr überlassen bleiben; danach besteht **keine Pflicht** zur Ausübung dieses Rechts (RegBegr. BT-Drs. 19/9739, 66). Deshalb sollte es nach bisheriger Beurteilung für AG etwa auch möglich sein, Entscheidung von dadurch entstehenden Kosten abhängig zu machen (Bork NZG 2019, 738, 739). Nur in bes. Einzelfällen kann Geschäftsleiterermessen auf Null reduziert sein, wenn Identifikation im Unternehmensinteresse ausnahmsweise zwingend geboten ist (S/L/v. Nussbaum, 5. Aufl. 2024 [Vorab-Onlinefassung], Rn. 4, der zB auf Übernahmesituation oder auf Überprüfung von Sanktionslisten verweist; MüKoAktG/Bayer/Illhardt Rn. 6). 1a

Auf anderem Wege ist diese Wahlfreiheit aber wieder zunichte gemacht worden, und zwar durch Einführung des **§ 45b IX EStG** im Jahr 2021, wonach inländische börsennotierte AG gem. § 67d Informationen über Identität ihrer Aktionäre zum Zeitpunkt ihres Gewinnverteilungsbeschlusses verlangen muss und die ihr übermittelten Informationen sodann an Bundeszentralamt für Steuern übermitteln muss (ausf. S/L/v. Nussbaum, 5. Aufl. 2024 [Vorab-Onlinefassung], Rn. 54 ff.). Durch diese Regelung, die allerdings erst am 1.1.2025 in Kraft tritt (§ 52 XLIVb EStG), soll Betrug, namentl. bei Erstattung von Kapitalertragsteuern, verhindert werden (RegBegr. BR-Drs. 50/21, 2). Damit ist aktienrechtl. Option durch die Hintertür zu steuerrechtl. Pflicht erstarkt (S/L/v. Nussbaum, 5. Aufl. 2024 [Vorab-Onlinefassung], Rn. 56; krit. Stiegler AG 2021, R 86 f.). Das gilt allerdings nur, sofern AG Informationen nicht schon in Aktienregister vorliegen; hat Gesellschaft also Namensaktien ausgegeben, kann sie ohne zusätzliches Auskunftsbegehren nach § 67d auf bereits in Aktienregister vorliegende Informationen zurückgreifen (S/L/v. Nussbaum, 5. Aufl. 2024 [Vorab-Onlinefassung], Rn. 58 ff.). Daraus resultierende Pflichtengemengelage bleibt aber gleichermaßen unglücklich und unübersichtlich, namentl. etwa deshalb, weil korrespondierender Anspruch der AG ggü. Aktionär – jedenfalls bei Inhaberaktien – im Ges. keine Grundlage findet (Stiegler AG 2021, R 86, 87). Hier wird man davon auszugehen haben, dass Identifikation nur so weit möglich ist, wie aktienrechtl. Befugnisse reichen (→ Rn. 2 ff.); weder besteht weitergehende Nachforschungspflicht, noch darf AG überhaupt auf anderweitige Informationsquellen zurückgreifen (S/L/v. Nussbaum, 5. Aufl. 2024 [Vorab-Onlinefassung], Rn. 66 f., der beispielhaft auf Daten aus Kundenbeständen oder auf der Lohnbuchhaltung vorliegende Steueridentifikationsnummer bei Mitarbeiteraktionären verweist). Darüber hinaus kann sich auch schon vor Inkrafttreten des § 45b IX EStG Pflicht der AG ergeben, von Identifikationsmöglichkeiten Gebrauch zu machen, um Schaden von AG abzuwenden, namentl. etwa um Beschlussanfech- 1b tung wegen **Verstoßes gegen kapitalmarktrechtl. Meldepflichten** zu vermeiden (überzeugend Ganzer AG 2021, 543 Rn. 7 ff.).

II. Anspruchsstruktur (§ 67d I)

2 Informationen über die Identität der Aktionäre werden in § 67d II näher umschrieben (→ Rn. 4 f.). Informationsanspruch der AG wird durch entspr. **Anfrage** begründet und kann sich sowohl gegen Letztintermediär iSd § 67a V 2 (→ § 67a Rn. 9) als auch gegen Intermediär in der Kette iSd § 67a V 1 (→ § 67a Rn. 9) richten. Wahl obliegt AG. Auch über **Person des nächsten Intermediärs** kann AG Information verlangen, um ggf. durch Abfragen einzelner Kettenglieder zum Letztintermediär zu gelangen (RegBegr. BT-Drs. 19/9739, 66). Von einer in der Aktionärsrechte-RL vorgesehenen Möglichkeit, eine Minimalschwelle für Abfragen der AG einzuführen, hat deutscher Gesetzgeber keinen Gebrauch gemacht (zu den Gründen RegBegr. BT-Drs. 19/9739, 66 f.; Stiegler WM 2019, 620, 623; Zetzsche ZGR 2019, 1, 16 f.). AG kann für ihr Informationsverlangen aber von sich aus Bestandsschwelle vorgeben, um etwa daraus erwachsende Kosten gering zu halten (BeckOGK/Cahn Rn. 9; Hirte/Heidel/Mock Rn. 10; S/L/v. Nussbaum, 5. Aufl. 2024 [Vorab-Onlinefassung], Rn. 17, 23 f.). Informationsanspruch wird Gesellschaftsrechtsstatut zugeordnet, so dass es auf Sitz des Intermediärs im In- oder Ausland auch hier (s. generell → § 67a Rn. 8) nicht ankommt (MüKoAktG/Bayer/Illhardt Rn. 11; Kuntz AG 2020, 18 Rn. 55 ff.; Zetzsche AG 2020, 1 Rn. 17). **Geheimhaltungspflichten** können ihm nicht entgegengehalten werden, da sich § 67d ggü. vertraglichen Pflichten (zB Bankgeheimnis) qua Vorrangs des Gesetzes und ggü. ges. Pflichten qua Spezialität durchsetzt (vgl. § 67e III; sa MüKoAktG/Bayer/Illhardt Rn. 12; S/L/v. Nussbaum, 5. Aufl. 2024 [Vorab-Onlinefassung], Rn. 6). Fraglich ist Lösung allein bei ausländischen Intermediären (Zetzsche ZGR 2019, 1, 11), doch sollte dies wegen Geltung des Gesellschaftsstatuts auch hier bejaht werden (S/L/v. Nussbaum, 5. Aufl. 2024 [Vorab-Onlinefassung], Rn. 6). Zur Möglichkeit eines Aktionärswiderspruchs → Rn. 4.

3 Unmittelbarer Anspruch ggü. Aktionär besteht nicht, was bei Inhaberaktien ohne vermittelnden Intermediär zu Informationslücke führen kann (krit. Foerster AG 2019, 17 ff.; Stiegler WM 2019, 620, 622; dagegen Wentz WM 2020, 657, 659 f.). Problem dürfte bei börsennotierter AG indes eher theoretischer Natur sein (BeckOGK/Cahn Rn. 5; Wentz WM 2020, 957, 959; S/L/v. Nussbaum, 5. Aufl. 2024 [Vorab-Onlinefassung], Rn. 18). Intermediär muss auch über von ihm selbst gehaltenen Eigenbestand informieren (S/L/v. Nussbaum, 5. Aufl. 2024 [Vorab-Onlinefassung], Rn. 5). Für **Format und Inhalt** des Verlangens verweist § 67d I 2 auf Aktionärsrechte-RL II-DVO (→ § 67a Rn. 6 ff.), die dafür entspr. Datenfeld vorsieht, in dem Tragweite des Antrags näher bezeichnet werden kann. Einzelheiten folgen aus Tab. 1 Anh. Aktionärsrechte-RL II-DVO (vgl. dazu RegBegr. BT-Drs. 19/9739, 67; S/L/v. Nussbaum, 5. Aufl. 2024 [Vorab-Onlinefassung], Rn. 8 ff.). Zwingende Formvorgabe des Art. 2 II UAbs. 1 Aktionärsrechte-RL II-DVO, nach der Übermittlung erforderlich ist, die Weiterverarbeitung in elektronischen und maschinenlesbaren Formaten ermöglicht, greift nicht ein. Wortlaut erfasst nur Informationen, die „an Aktionäre zu übermitteln sind"; weil Informationsverlangen aber an Intermediär zu stellen ist, gilt Formfreiheit (S/L/v. Nussbaum, 5. Aufl. 2024 [Vorab-Onlinefassung], Rn. 8 f.; MüKoAktG/Bayer/Illhardt Rn. 15). Sachliche Voraussetzungen oder Stichtag für Gesellschaftsverlangen sind im Ges. nicht vorgesehen (Stiegler WM 2019, 620, 624). AG steht es aber frei, beliebigen **Nachweisstichtag** anzugeben, um Aktionärsidentität für Geschäftsschluss eines bestimmten Stichtags abzufragen (RegBegr. BT-Drs. 19/9739, 67; MüKoAktG/Bayer/Illhardt Rn. 14; S/L/

v. Nussbaum, 5. Aufl. 2024 [Vorab-Onlinefassung], Rn. 12). Adressierter Intermediär hat Verlangen der AG auf Echtheit und Wirksamkeit zu prüfen (S/L/v. Nussbaum, 5. Aufl. 2024 [Vorab-Onlinefassung], Rn. 10).

III. Informationen über die Identität der Aktionäre (§ 67d II)

Gegenstand des Informationsverlangens ist die Identität des **materiell (dinglich) an den Aktien Berechtigten,** also des wahren Aktionärs. Dementspr. muss nach Tab. 2 C. 10 Anh. Aktionärsrechte-RL II-DVO auch gemeldet werden, ob Aktionär Aktien auf eigene Rechnung, als sog Nominee (→ § 67 Rn. 52) oder als wirtschaftl. Beteiligung hält. Diese europ. Vorgabe kann weder durch nat. abw. Ausgestaltung des § 67 noch durch Gesetzesmaterialien zum ARUG II widerlegt werden (S/L/v. Nussbaum, 5. Aufl. 2024 [Vorab-Onlinefassung], Rn. 18; aA Zetzsche AG 2020, 1 Rn. 29). Bloß wirtschaftlich Berechtigte (insbes. Treugeber) werden dagegen nicht erfasst (MüKoAktG/Bayer/Illhardt Rn. 18; aA Schütte, Die Neuregelungen des ARUG II zur Aktionärsidentifikation, 2021, 123 ff.). Kapitalverwaltungsgesellschaft (KVG) zählt dagegen selbst als Aktionär, muss also Identität ihrer Investoren nicht offenlegen (RegBegr. BT-Drs. 19/9739, 68; S/L/v. Nussbaum, 5. Aufl. 2024 [Vorab-Onlinefassung], Rn. 18, 19). Hinsichtlich des weiteren Inhalts verweist § 67d II 1 auf Art. 3 II Aktionärsrechte-RL II-DVO, der seinerseits auf Anh. weiterverweist. Dort werden **übliche Identifizierungsmerkmale** wie Name, Anschrift (Wohn- oder Büroadresse), Postleitzahl, Ort, E-Mail-Adresse (soweit vorhanden) etc. aufgeführt. Unklar sind rechtl. Vorgaben für Aktiengattung, die in Aktionärsrechte-RL II-DVO nicht angeführt werden, wohl aber in ErwG 5 und Art. 2 lit. j Ziff. iii Aktionärsrechte-RL (vgl. MüKoAktG/Bayer/Illhardt Rn. 17; Grigoleit/Rachlitz Rn. 27). Intermediär hat allerdings **keine Nachforschungspflicht.** Wenn dem Intermediär Daten nicht vorliegen, ist ihm Übermittlung nicht möglich (RegBegr. BT-Drs. 19/9739, 67). Auch Aktionär ist ihm ggü. nicht zur Angabe verpflichtet, wohl aber als Namensaktionär ggü. AG nach § 67 I 4 (RegBegr. BT-Drs. 19/9739, 67). **Widerspruch des Aktionärs** hindert Weiterleitung grds. nicht (MüKoAktG/Bayer/Illhardt Rn. 20). Fraglich ist, ob das auch für E-Mail-Adresse gilt. RegBegr. BT-Drs. 19/9739, 67 hat Frage verneint; Datenschutzvorgaben seien insofern vorrangig. Das widerspricht aber sowohl § 67e III als auch höherrangigem Recht nach Tab. 2 C Anh. Aktionärsrechte-RL II-DVO, das insofern rechtl. Verpflichtung nach Art. 6 I lit. c DS-GVO begründet, und ist deshalb abzulehnen (MüKoAktG/Bayer/Illhardt Rn. 19; BeckOGK/Cahn Rn. 14 f.; Grigoleit/Rachlitz Rn. 41; S/L/v. Nussbaum, 5. Aufl. 2024 [Vorab-Onlinefassung], Rn. 15). 4

Bei **nicht eingetragenen Gesellschaften** sind gem. § 67d II 2 deren Gesellschafter mit Informationen nach § 67d II 1 zu nennen. Gemeint sind Gesellschaften, die nicht in öffentl. Register (Handels-, Genossenschaftsregister) eingetragen sind (Grigoleit/Rachlitz Rn. 37). Darunter fallen nach Ursprungskonzeption namentl. GbR, Vorgesellschaften (→ § 41 Rn. 2 ff.) und noch nicht eingetragene Personenhandelsgesellschaften; nach Änderungen des MoPeG 2021 ist bei GbR nunmehr zwischen herkömmlicher GbR und eGbR (§ 707a II 1 BGB) zu unterscheiden (→ § 67 Rn. 8 ff.). Sind auch Gesellschafter dieser Gesellschaften nicht eingetragene Gesellschaften, sind wiederum deren Gesellschafter zu nennen (RegBegr. BT-Drs. 19/9739, 67). Verfügt Intermediär nicht über Informationen über Gesellschafter, so genügt Angabe der Firma oder des Namens der Gesellschaft. Für nichtrechtsfähige Stiftungen und ähnliche (inländische oder ausländische) Rechtsformen sind ebenfalls diejenigen Angaben erforderlich, die zweifelsfreie Identifikation und Erreichbarkeit ermöglichen (→ Rn. 4). Steht 5

Aktie iSd **§ 69 I** mehreren zu (Anwendungsfälle → § 69 Rn. 2), sind nach § 67d II 3 Angaben aller Berechtigten mitzuteilen.

IV. Weiterleitung in der Kette (§ 67d III)

6 § 67d III verpflichtet jeden Intermediär, Informationsverlangen der AG an jeweils nächsten Intermediär innerhalb der Kette weiterzuleiten, bis Letztintermediär (→ § 67a Rn. 9) erreicht ist. Dafür sieht § 67d III **Frist** vor, die sich nach Art. 9 VI, VII Aktionärsrechte-RL II-DVO berechnet und für jeden Intermediär gilt, was Identifikationsabfrage zu zeitintensivem Verfahren macht (Einsele JZ 2019, 121, 125; zu Einzelheiten der Fristberechnung → § 67a Rn. 7a; zur daraus resultierenden Forderung nach einem europaweit einheitlichen elektronischen Übermittlungssystem vgl. Bork NZG 2019, 738, 740). Nach Art. 3a III UAbs. 1 S. 1 Aktionärsrechte-RL wäre es wohl auch möglich, einzelne Intermediäre zu überspringen (so BeckOGK/Cahn Rn. 24), doch formuliert deutscher Gesetzgeber recht deutlich Weiterleitung entlang der Verwahrkette, was auch praktischer Regelfall sein dürfte und von Umsetzungsspielräumen noch gedeckt ist (sa Stiegler WM 2019, 620, 625). IÜ gilt hinsichtlich Art der Weiterleitung § 67d V 2, die danach auch über Dritte erfolgen kann (→ Rn. 9).

V. Übermittlung an AG (§ 67d IV)

7 § 67d IV regelt Informationsübermittlung an AG. Sie hat nach § 67d IV 1 spätestens durch **Letztintermediär** iSd § 67a V 2 (→ § 67a Rn. 9) zu erfolgen, doch gilt nach § 67d IV 2 etwas anderes, wenn AG Übermittlung von anderem Intermediär in der Kette verlangt. In diesem Fall sind sämtliche Intermediäre in der Kette (§ 67a V 1) verpflichtet, Informationen an diesen Intermediär oder dem jew. nächsten Intermediär weiterzuleiten (für Vorrang direkter Informationskanäle Wentz, Neuregelung der Informationsübermittlung, 2023, 355). Er ist sodann nach § 67d IV 3 verpflichtet, Informationen unverzüglich an AG zu übermitteln. Im praktischen Regelfall wird sich AG aber an Letztintermediär wenden, schon um Durchreichen der Aktionärsinformation durch Kette zu vermeiden. Maßgeblich sind letztlich aber Verlangen der AG und Wille ihrer Aktionäre (RegBegr. BT-Drs. 19/9739, 68). Für AG kann es auch interessant sein, Informationen auf Ebene größerer Zwischenverwahrer zu verlangen, um innerhalb der Verwahrkette bestimmte Teilpyramiden abfragen zu können, ohne dabei alle Intermediäre mit Informationsverlangen befassen zu müssen (ausf. S/L/v. Nussbaum, 5. Aufl. 2024 [Vorab-Onlinefassung], Rn. 35). § 67d IV 5 verweist hinsichtlich Format, Inhalt und Frist wiederum auf Art. 2, 3, 9 VI, VII Aktionärsrechte-RL II-DVO (→ § 67a Rn. 6 ff.). Von Weiterleitungspflicht erfasst sind nur Informationen der Letztintermediäre; Intermediär in der Kette muss nicht auch zusätzlich bei ihm selbst vorhandene Informationen weitergeben; anderes Verständnis würde Informationslauf erheblich erschweren (MüKoAktG/Bayer/Illhardt Rn. 33; Grigoleit/Rachlitz Rn. 48 f.; aA Stiegler WM 2019, 620, 626).

VI. Ausdehnung auf andere Mitgliedstaaten; Einschaltung Dritter (§ 67d V)

8 § 67d V 1 erstreckt Informationsanspruch auch auf börsennotierte AG mit Sitz in anderem Mitgliedstaat; Börsennotierung kann überdies in Drittstaat erfolgt sein (S/L/v. Nussbaum, 5. Aufl. 2024 [Vorab-Onlinefassung], Rn. 52). Norm entspr. § 67a III 2 und dient denselben Zwecken (→ § 67a Rn. 7a). § 67d V 2 stellt

klar, dass auch hier beauftragte Dritte eingesetzt werden können (→ § 67a Rn. 5).

Verarbeitung und Berichtigung personenbezogener Daten der Aktionäre

67e (1) **Gesellschaften und Intermediäre dürfen personenbezogene Daten der Aktionäre für die Zwecke der Identifikation, der Kommunikation mit den Aktionären, den Gesellschaften und den Intermediären, der Ausübung der Rechte der Aktionäre, der Führung des Aktienregisters und für die Zusammenarbeit mit den Aktionären verarbeiten.**

(2) [1] **Erlangen Gesellschaften oder Intermediäre Kenntnis davon, dass ein Aktionär nicht mehr Aktionär der Gesellschaft ist, dürfen sie dessen personenbezogene Daten vorbehaltlich anderer gesetzlicher Regelungen nur noch für höchstens zwölf Monate speichern.** [2] **Eine längere Speicherung durch die Gesellschaft ist zudem zulässig, solange dies für Rechtsverfahren erforderlich ist.**

(3) **Mit der Offenlegung von Informationen über die Identität von Aktionären gegenüber der Gesellschaft oder weiterleitungspflichtigen Intermediären nach § 67d verstoßen Intermediäre nicht gegen vertragliche oder gesetzliche Verbote.**

(4) **Wer mit unvollständigen oder unrichtigen Informationen als Aktionär identifiziert wurde, kann von der Gesellschaft und von dem Intermediär, der diese Informationen erteilt hat, die unverzügliche Berichtigung verlangen.**

I. Regelungsgegenstand und -zweck

Innerhalb des Informationsregimes der §§ 67a ff. (dazu → § 67a Rn. 1 f.) regelt § 67e **Verwendung und Schutz personenbezogener Daten.** Anders als §§ 67a–67d gelten Regeln auch für nicht börsennotierte AG (RegBegr. BT-Drs. 19/9739, 68). Neben AG sind auch Intermediäre in Rolle als Verantwortliche der Datenverarbeitung adressiert. 1

II. Zulässigkeit der Datenverarbeitung (§ 67e I)

In Umsetzung von Art. 3a IV Aktionärsrechte-RL dürfen personenbezogene Daten von AG und Intermediären nach § 67e I verarbeitet werden für folgende Zwecke: Identifikation, Kommunikation mit Aktionären, AG und Intermediären, Rechteausübung durch Aktionäre, Führung des Aktienregisters und Zusammenarbeit mit Aktionären. Es handelt sich dabei überwiegend um rechtl. Verpflichtungen iSd Art. 6 I lit. c DS-GVO (S/L/v. Nussbaum, 5. Aufl. 2024 [Vorab-Onlinefassung], Rn. 3; Zetzsche AG 2019, 1, 14). Unklar ist, was unter „Zusammenarbeit mit Aktionären“ zu verstehen ist, zumal auch Blick in Gesetzesmaterialien keinen Erkenntnisfortschritt bietet (S/L/v. Nussbaum, 5. Aufl. 2024 [Vorab-Onlinefassung], Rn. 13). Überwiegende Auffassung in Lit. rechnet Merkmal keine eigenständige, sondern lediglich deklaratorische Bedeutung zu; „Zusammenarbeit“ sei nicht iSe zielgerichteten Zusammenwirkens zu verstehen, vielmehr sei Merkmal schon in den übrigen Varianten Identifikation, Kommunikation und Rechtsausübung enthalten (S/L/v. Nussbaum, 5. Aufl. 2024 [Vorab-Onlinefassung], Rn. 13; MüKoAktG/Bayer/Illhardt Rn. 10). Zweck der Führung des Aktienregisters ist ebenfalls bereits von Befugnis nach § 67 erfasst; § 67e 2 hat daher in erster Linie klarstellende Bedeutung (S/L/v. Nussbaum, 5. Aufl. 2024 [Vorab-Onlinefassung], Rn. 16; MüKoAktG/Bayer/Illhardt Rn. 11). Auch sonstige Investor-Relations-Kommunikation ist innerhalb gewisser Grenzen gestattet (S/L/v. Nussbaum, 5. Aufl. 2024 [Vorab-Onlinefassung], Rn. 2 f.). Rein werbliche Zwecke oder Kundengewinnung sind ebenso wie Profiling dagegen nicht erfasst (MüKoAktG/Bayer/Illhardt Rn. 12 f.). Zur Begriffsbestimmung ist gemäß ErwG 52 RL (EU) 2017/828 auf europ. Datenschutzrecht zurückzugreifen, so dass sich Begriff **personenbezogener Daten** aus Art. 4 Nr. 1 DS-GVO ergibt (MüKoAktG/Bayer/Illhardt Rn. 3; Grigoleit/Rachlitz Rn. 3). Begriff der Verarbeitung entspr. Definition in Art. 4 Nr. 2 DS-GVO und umfasst das Erheben und die Speicherung von personenbezogenen Daten (RegBegr. BT-Drs. 19/9739, 69). Wegen europarechtl. Begriffsbestimmung sind lediglich Daten natürlicher, nicht jur. Personen erfasst (ErwG 14 DS-GVO; MüKoAktG/Bayer/Illhardt Rn. 4; S/L/v. Nussbaum, 5. Aufl. 2024 [Vorab-Onlinefassung], Rn. 8; aA Stiegler WM 2019, 620, 627). Bzgl. Verarbeitung von Daten jur. Personen bedarf es nach europ. Recht keiner Ermächtigungsgrundlage (MüKoAktG/Bayer/Illhardt Rn. 4 mit Fn. 9). Überdies berechtigt Vorschrift zur Verarbeitung der Daten natürlicher Personen, die Teilhaberechte für jur. Person wahrnehmen (MüKoAktG/Bayer/Illhardt Rn. 4; S/L/v. Nussbaum, 5. Aufl. 2024 [Vorab-Onlinefassung], Rn. 8; Zetzsche AG 2019, 233, 234). Ermächtigung nach § 67e, Art. 6 I lit. c DS-GVO erfasst nicht nur Vorgänge nach §§ 67a ff., sondern namentl. auch **Maßnahmen der HV-Einberufung und HV-Vorbereitung** (§§ 121 ff.), so etwa Aufstellung, Auslage und Aufbewahrung des Teilnehmerverzeichnisses (§ 129 I 2, IV; → § 129 Rn. 2 ff., 13 f.) oder Aufstellung der Rednerlisten und Stimmauswertung (vgl. MüKoAktG/Bayer/Illhardt Rn. 9; BeckOGK/Cahn Rn. 4; Zetzsche AG 2019, 233, 238; aA Wentz WM 2020, 957, 961). Zulässig ist auch Übermittlung an einen mit Aspekten der HV beauftragten externen Dienstleister, doch ist insofern Art. 28 DS-GVO zu beachten (MüKoAktG/Bayer/Illhardt Rn. 9; Löschhorn AG 2018, R 319, 321).

III. Speicherung nach Ausscheiden (§ 67e II)

3 Sobald AG oder Intermediär Kenntnis erlangt, dass Aktionär ausgeschieden ist, dürfen personenbezogene Daten nach § 67e II 1 höchstens noch für 12 Monate gespeichert werden. Für Kenntnis der AG wird nicht auf Grundsätze vertraglicher Wissenszurechnung (→ § 78 Rn. 24 ff.) abzustellen sein, sondern auf Kenntnis der für Informationsverwaltung zuständigen Stelle (S/L/v. Nussbaum, 5. Aufl. 2024 [Vorab-Onlinefassung], Rn. 22; aA Grigoleit/Rachlitz Rn. 13: auch vollautomatisierter Eingang in Verantwortungsbereich der AG ausreichend; zur normkontextabhängigen Wissenszurechnung → § 78 Rn. 27). Kennenmüssen genügt nicht (MüKoAktG/Bayer/Illhardt Rn. 16; BeckOGK/Cahn Rn. 9; S/L/v. Nussbaum, 5. Aufl. 2024 [Vorab-Onlinefassung], Rn. 22; krit. Stiegler WM 2019, 620, 627). Es besteht **keine Nachforschungspflicht** (RegBegr. BT-Drs. 19/9739, 69); ausdr. Löschungsverlangen ist andererseits aber auch nicht erforderlich (S/L/v. Nussbaum, 5. Aufl. 2024 [Vorab-Onlinefassung], Rn. 23; MüKoAktG/Bayer/Illhardt Rn. 17). Nach RegBegr. BT-Drs. 19/19739, 69 soll von Kenntnisnahme auszugehen sein, wenn eingetragener Namensaktionär Anteilsbesitz überträgt und aufgrund Mitteilung und Nachweis eine **Löschung und Neueintragung im Aktienregister** erfolgt oder er der AG die Veräußerung seines Anteilsbesitzes mitteilt. Einschränkend gilt aber, dass insbes. Löschung des bei vorheriger Abfrage identifizierten Fremdbesitzers keine Kenntnisnahme hinsichtlich des Ausscheidens des wahren Aktionärs begründen kann (S/L/v. Nussbaum, 5. Aufl. 2024 [Vorab-Onlinefassung], Rn. 25). Ausreichend ist, dass sich Ausscheiden des Aktionärs aus **Informationsabfrage** der AG ergibt, etwa auf-

grund entsprechender Mitteilung des Intermediärs (S/L/v. Nussbaum, 5. Aufl. 2024 [Vorab-Onlinefassung], Rn. 23) oder weil bei Auskunftsverlangen zur Identifikation sämtlicher Aktionäre vormals gelisteter Aktionär nicht mehr gemeldet wird (S/L/v. Nussbaum, 5. Aufl. 2024 [Vorab-Onlinefassung], Rn. 24; BeckOGK/Cahn Rn. 8; Auskunft über nahezu 100 % des Aktienbestandes aber oftmals nicht möglich, vgl. Zetzsche AG 2019, 233, 239 f.; Grigoleit/Rachlitz Rn. 18). Zwar ist Umkehrschluss aus partieller Abfrage ungleich schwieriger, dennoch empfiehlt S/L/v. Nussbaum, 5. Aufl. 2024 (Vorab-Onlinefassung), Rn. 24 aus Sicherheitsgründen Löschung alle 12 Monate, sofern abgefragte Daten nicht mehr, etwa zwecks Einladung der HV, benötigt werden. Regelung steht unter **Vorbehalt anderweitiger Regelungen,** die sich etwa aus steuer- oder handelsrechtl. Vorgaben ergeben können (zB § 239 I HGB, § 257 HGB; Zweifel an Richtlinienkonformität allerdings bei Stiegler WM 2019, 620, 628: nur anderweitige unionsrechtl. Regelungen).

§ 67e II 2 sieht längere Speicherung überdies für **Rechtsverfahren** vor, etwa Spruch- oder Beschlussmängelverfahren, in deren Rahmen Angaben von Bedeutung sein können (RegBegr. BT-Drs. 19/9739, 69). Begriff des Rechtsverfahrens ist aber nicht allein iSv Rechtsstreitigkeiten zu verstehen, sondern ausweislich RegBegr. BT-Drs. 19/9739, 69 sollen darunter auch **weitere relevante Aufzeichnungen** fallen, wie etwa für die Zwecke der Rückverfolgbarkeit der Rechtsnachfolge, zur Führung der notwendigen Aufzeichnungen hinsichtlich der HV und ihrer Beschlüsse, zur Erfüllung der Verpflichtungen der AG bzgl. der Zahlung von Dividenden und Zinsen oder anderen Beträgen, die an ehemalige Aktionäre zu zahlen sind (ausf. S/L/v. Nussbaum, 5. Aufl. 2024 [Vorab-Onlinefassung], Rn. 34 ff.). 4

IV. Ausschluss eines Rechtsverstoßes (§ 67e III)

§ 67e III löst etwaige **Pflichtenkollision** zwischen Offenlegungspflicht nach § 67d und gegenläufigen Offenlegungsverboten aus Vertrag oder Ges. (insbes. Bankgeheimnis) zugunsten der Vorgabe in § 67d auf (zu kollisionsrechtl. Folgeproblemen Zetzsche ZGR 2019, 1, 11). Dennoch ist aus Norm kein Anspruch des Intermediärs ggü. AG, Aktionären oder anderen Intermediären abzuleiten (RegBegr. BT-Drs. 19/9739, 69). 5

V. Berichtigungsanspruch (§ 67e IV)

§ 67e IV enthält Berichtigungsanspruch des zu Unrecht als Aktionär Identifizierten. Berichtigungsanspruch greift **bei unvollständigen und unrichtigen Informationen** ein und richtet sich sowohl gegen AG als auch gegen Intermediär, der diese Informationen erteilt hat. Berichtigung muss unverzüglich erfolgen, was auch im europ. Kontext iSd nationalen Standardformel „ohne schuldhaftes Zögern" (§ 121 I BGB) übersetzt werden kann. Für nat. Person folgt solcher Anspruch schon aus Art. 16 DS-GVO, so dass praktische Bedeutung allein bei jur. Person liegt (BeckOGK/Cahn Rn. 25). 6

VI. Pflichten und Sanktionen nach DS-GVO

Während § 67e I, Art. 6 I lit. c DS-GVO Ermächtigungsgrundlagen für Verarbeitung personenbezogener Daten bei Erfüllung ges. Vorgaben sind, folgen datenschutzrechtl. Pflichten der AG insbes. aus Art. 12 ff. DS-GVO. Danach muss AG Aktionäre über Datenerhebung informieren, was namentl. bei HV-Einladung zu beachten ist. AG kann **Informationspflicht** erfüllen, indem sie Belehrung nach Art. 12 DS-GVO in Einberufungsunterlage integriert, der Einberufungsunterlage ein Beiblatt beifügt oder Belehrung auf ihrer Internetseite bereitstellt 7 und darauf hinweist (v. der Linden BB 2019, 75, 76; Zetzsche AG 2019, 233, 239; strenger aber Löschhorn AG 2018, R 319, der bei schriftlicher Einladung schriftliche Belehrung fordert). Zum Inhalt der Belehrung (Art. 13, 14 DS-GVO) s. S/L/v. Nussbaum, 5. Aufl. 2024 [Vorab-Onlinefassung], Rn. 40 ff.; v. der Linden BB 2019, 75, 76 ff. Überdies hat AG **Verarbeitungsverzeichnis** nach Art. 30 DS-GVO zu führen (Löschhorn AG 2018, R 319, 321). Verletzung datenschutzrechtl. Vorgaben kann Sanktionen nach Art. 83 DS-GVO auslösen (v. der Linden BB 2019, 75, 79; Löschhorn AG 2018, R 319, 321). Datenschutzrechtsverstoß im Zusammenhang mit HV-Vorbereitung und HV-Durchführung begründet keine Anfechtbarkeit nach § 243 I AktG (v. der Linden BB 2019, 75, 79; Zetzsche AG 2019, 1, 15).

Kosten; Verordnungsermächtigung

67f (1) [1] **Vorbehaltlich der Regelungen in Satz 2 trägt die Gesellschaft die Kosten für die nach den §§ 67a bis 67d, auch in Verbindung mit § 125 Absatz 1, 2 und 5, und nach § 118 Absatz 1 Satz 3 bis 5 sowie Absatz 2 Satz 2 und § 118a Absatz 1 Satz 4 notwendigen Aufwendungen der Intermediäre, soweit diese auf Methoden beruhen, die dem jeweiligen Stand der Technik entsprechen.** [2] **Die folgenden Kosten sind hiervon ausgenommen:**

1. **die Kosten für die notwendigen Aufwendungen der Letztintermediäre für die nichtelektronische Übermittlung von Informationen an den Aktionär gemäß § 67b Absatz 1 Satz 1 und**
2. **bei der Gesellschaft, die Namensaktien ausgegeben hat, die Kosten für die notwendigen Aufwendungen der Intermediäre für die Übermittlung und Weiterleitung von Informationen vom im Aktienregister eingetragenen Intermediär an den Aktionär nach § 125 Absatz 2 und 5 in Verbindung mit den §§ 67a und 67b.**

[3] **Die Intermediäre legen die Entgelte für die Aufwendungen für jede Dienstleistung, die nach den §§ 67a bis 67e, § 118 Absatz 1 Satz 3 bis 5 sowie Absatz 2 Satz 2, § 118a Absatz 1 Satz 4, § 125 Absatz 1 Satz 1, Absatz 2 und 5 und § 129 Absatz 5 erbracht wird, offen.** [4] **Die Offenlegung erfolgt getrennt gegenüber der Gesellschaft und denjenigen Aktionären, für die sie die Dienstleistung erbringen.** [5] **Unterschiede zwischen den Entgelten für die Ausübung von Rechten im Inland und in grenzüberschreitenden Fällen sind nur zulässig, wenn sie gerechtfertigt sind und den Unterschieden bei den tatsächlichen Kosten, die für die Erbringung der Dienstleistungen entstanden sind, entsprechen.**

(2) **Unbeschadet sonstiger Regelungen nach diesem Gesetz sind für die Pflichten nach den §§ 67a bis 67e, 125 Absatz 1 Satz 1, Absatz 2 und 5 sowie für die Bestätigungen nach § 118 Absatz 1 Satz 3 bis 5 sowie Absatz 2 Satz 2, § 118a Absatz 1 Satz 4 und § 129 Absatz 5 die Anforderungen der Durchführungsverordnung (EU) 2018/1212 zu beachten.**

(3) [1] **Das Bundesministerium der Justiz und für Verbraucherschutz wird ermächtigt, im Einvernehmen mit dem Bundesministerium für Wirtschaft und Energie und dem Bundesministerium der Finanzen durch Rechtsverordnung die Einzelheiten für den Ersatz von Aufwendungen der Intermediäre durch die Gesellschaft für die folgenden Handlungen zu regeln:**

1. **die Übermittlung der Angaben gemäß § 67 Absatz 4,**

2. die Übermittlung und Weiterleitung von Informationen und Mitteilungen gemäß den §§ 67a bis 67d, 118 Absatz 1 Satz 3 bis 5 sowie Absatz 2 Satz 2, § 118a Absatz 1 Satz 4 und § 129 Absatz 5 und
3. die Vervielfältigung, Übermittlung und Weiterleitung der Mitteilungen gemäß § 125 Absatz 1, 2 und 5 in Verbindung mit den §§ 67a und 67b.

[2]Es können Pauschbeträge festgesetzt werden. [3]Die Rechtsverordnung bedarf nicht der Zustimmung des Bundesrates.

I. Regelungsgegenstand und -zweck

Innerhalb des Informationsregimes der §§ 67a ff. (dazu → § 67a Rn. 1 f.) regelt § 67f I in Umsetzung von Art. 3d Aktionärsrechte-RL **Kostenverteilung zwischen AG und Intermediären** in der Weise, dass grds. AG als Kostenschuldnerin festgelegt wird, sofern nicht ausdr. statuierte Ausnahmen eingreifen. § 67f III ermächtigt BMJ zum Erlass von Rechtsverordnungen. 1

II. Kostenverteilung (§ 67f I 1 und 2)

Nach § 67f I 1 **trägt grds. AG Kosten,** die durch Pflichterfüllung nach §§ 67a–67d entstehen. Das gilt auch für Kosten, die Intermediären aufgrund ihrer Mitteilungspflichten nach § 125 I, II und V oder aufgrund der ebenfalls durch ARUG II 2019 neu eingefügten Bestätigungspflichten nach § 118 I 3–5 (→ § 118 Rn. 14a; für vHV iVm § 118a I 4; → § 118a Rn. 43) erwachsen (rechtspolit. zweifelhafte Ausn. für Abstimmungsbestätigung nach § 129 V – vgl. S/L/v. Nussbaum, 5. Aufl. 2024 [Vorab-Onlinefassung], Rn. 5; für analoge Anwendung der Kostenerstattungsregel auf § 129 V Wentz, Neuregelung der Informationsübermittlung, 2023, 357). Vorschrift gilt nur für Übermittlungskosten; **Datenverarbeitung nach § 67e** ist bewusst ausgenommen, weil es nicht sachgerecht erscheint, AG auch Kosten der Intermediäre für dort anfallende rechtskonforme Verarbeitung personenbezogener Daten aufzuerlegen (S/L/v. Nussbaum, 5. Aufl. 2024 [Vorab-Onlinefassung], Rn. 2a; aA Grigoleit/Rachlitz Rn. 7: nur Kosten fehlerhafter Datenverarbeitung sollen AG nicht auferlegt werden); freiwillige Aufteilung bleibt auch hinsichtlich dieser Kosten möglich (RAusschuss BT-Drs. 19/15153, 55). Zu Einzelheiten der Rechnungslegung und Kostensätzen vgl. S/L/v. Nussbaum, 5. Aufl. 2024 [Vorab-Onlinefassung], Rn. 13 ff. 2

Ausgenommen von Kostenpflicht der AG sind nach § 67f I 2 Nr. 1 notwendige Aufwendungen des **Letztintermediärs** (§ 67a V 2) für **nichtelektronische** Informationsübermittlung nach § 67b I 1 (→ § 67b Rn. 2). Darunter fallen insbes. Informationen über Unternehmensereignisse (RegBegr. BT-Drs. 19/9739, 70; zum Begriff → § 67a Rn. 10). Diese Kosten können grds. den Aktionären auferlegt werden, doch steht es AG und Intermediär frei, sie für Aktionäre/Kunden zu übernehmen (RegBegr. BT-Drs. 19/9739, 70). Praktische Bedeutung dieser Ausn. dürfte groß sein, da überwiegende Mehrheit der Privatanleger augenscheinlich weiterhin nur postalisch erreichbar ist (→ § 67b Rn. 2). 3

Weitere Sonderregelung gilt bzgl. Kosten für Übermittlung der **HV-Einberufung,** betr. aber allein notwendige Kosten der **Übermittlung zwischen Letztintermediär und Aktionär.** Auch diese Kosten sind jedenfalls bei Inhaberaktien sowohl bei elektronischer als auch bei schriftlicher Übermittlung von AG zu tragen (RegBegr. BT-Drs. 19/9739, 70). Ggü. **Namensaktionären** hat AG Übermittlungskosten bzgl. HV-Einberufung dagegen nach § 67f I 2 Nr. 2 stets nur bis zum Eingetragenen zu tragen, weil ihre Rechte und Pflichten nach § 67 II 1 nur ihm ggü. bestehen (RegBegr. BT-Drs. 19/9739, 70). Das gilt 4 gleichermaßen für schriftliche und elektronische Übermittlung und soll zugleich Anreiz zur Eintragung des tats. Berechtigten geben (RegBegr. BT-Drs. 19/9739, 78). Namentl. Weiterleitung von Nominee (→ § 67 Rn. 52; ggf. über weitere nachgelagerte Intermediäre) an Beneficial Owner (→ § 67 Rn. 3) fällt kostenmäßig danach nicht AG zur Last. Freiwillige Kostenübernahme durch AG oder Intermediär ist aber auch hier möglich (→ Rn. 3; RegBegr. BT-Drs. 19/9739, 70). Rechtspolitisch fragwürdig bleibt allerdings, ob nicht auch bei umgekehrtem Informationsfluss – zB bei Stimmrechtsweisungen – Kosten der Kommunikation zwischen Aktionär und eingetragenem Intermediär (§ 67c) von Aktionär zu tragen sein müssten (vgl. auch Grigoleit/Rachlitz Rn. 12). Schon geltende Rechtslage entbindet AG aber von Kostentragungspflicht, ohne dass ges. Klarstellung zwingend erforderlich wäre. Ist nach § 67 wahrer Aktionär in Aktienregister eingetragen, kann Stimmrecht direkt gegenüber AG ausgeübt werden; Zwischenschaltung eines Intermediärs ist nicht erforderlich (S/L/v. Nussbaum, 5. Aufl. 2024 [Vorab-Onlinefassung], Rn. 10, der auch auf Anspruch der AG auf Registereintragung verweist). Dennoch anfallende Kosten, die mangels Eintragung des wahren Aktionärs bei Weiterleitung von Weisungen durch eingetragenen Intermediär entstehen, sind angesichts der bei Eintragung bestehenden Möglichkeit direkter Interaktion nicht iSd § 67f I 1 **notwendig** (S/L/v. Nussbaum, 5. Aufl. 2024 [Vorab-Onlinefassung], Rn. 10, 33a; vgl. auch MüKoAktG/Bayer/Illhardt Rn. 9; zur Einschränkung auf notwendige Aufwendungen → Rn. 6). Gleiches gilt für Kosten, die bei Weiterleitung von Bestätigungen nach § 118 I 3–5 oder nach § 129 V entstehen (S/L/v. Nussbaum, 5. Aufl. 2024 [Vorab-Onlinefassung], Rn. 11, 33a).

5 Ebenfalls nicht von AG zu tragen sind Kosten für notwendige Aufwendungen zur **Erfüllung sonstiger Verpflichtungen** der AG aus § 125 I 1, II, namentl. Kosten für Übermittlung der HV-Einberufung aufgrund Verlangens nach § 125 I Nr. 2 (RegBegr. BT-Drs. 19/9739, 70). Freiwillige Kostenübernahme durch AG ist aber auch hier möglich (→ Rn. 3; RegBegr. BT-Drs. 19/9739, 71).

6 Kostenersatz ist beschränkt auf **notwendige Aufwendungen** der Intermediäre. Ausgeschlossen sind danach Aufwendungen aufgrund vermeidbarer Mehrfachmitteilungen, etwa aufgrund von Direktübermittlung durch AG an eingetragene Namensaktionäre oder bei Kenntnis des weiterleitenden Intermediärs von anderweitiger Übermittlung (RegBegr. BT-Drs. 19/9739, 71; zu Einzelheiten MüKoAktG/Bayer/Illhardt Rn. 7 ff.; S/L/v. Nussbaum, 5. Aufl. 2024 [Vorab-Onlinefassung], Rn. 9 ff.). Als vermeidbar gelten auch unverhältnismäßig lange Intermediärsketten, wobei starre Grenze nicht formuliert werden kann, sondern Einzelfallbetrachtung erforderlich bleibt (RegBegr. BT-Drs. 19/9739, 71; strenger Wentz, Neuregelung der Informationsübermittlung, 2023, 358). Beschränkung auf notwendige Aufwendungen bedeutet überdies, dass nur Aufwendungen ersetzt werden, die jew. **Stand der Technik** entspr. Kosten, die aus Benutzung veralteter Systeme resultieren, sind deshalb nicht zu ersetzen (S/L/v. Nussbaum, 5. Aufl. 2024 [Vorab-Onlinefassung], Rn. 12 f.; Bork NZG 2019, 738, 739). Beweispflichtig ist anspruchsstellender Intermediär (S/L/v. Nussbaum, 5. Aufl. 2024 [Vorab-Onlinefassung], Rn. 13a).

III. Offenlegung (§ 67f I 3 und 4)

7 Nach § 67f I 3 haben Intermediäre Entgelte für Aufwendungen für Dienstleistungen nach §§ 67a–67e, § 125 I 1, 2 und 5, § 118 I 3–5 (→ § 118 Rn. 14a; für vHV iVm § 118a I 4; → § 118a Rn. 43), § 129 V offenzulegen. Offenlegung erfolgt getrennt ggü. AG und denjenigen Aktionären, für die Leistung erbracht wurde. Gesamtdarstellung der erhobenen Entgelte ist damit unzulässig (Stiegler WM 2019, 620, 628). Damit geschaffene Transparenz soll **unnötigen und über-**

höhten Aufwendungen entgegenwirken (RegBegr. BT-Drs. 19/9739, 71). AG soll erkennen können, für welche Aufwendungen und in welcher Höhe sie dem Intermediär entstandene Kosten zu erstatten hat (Stiegler WM 2019, 620, 628). Nach Wortlaut erfasst § 67f I 3 auch Leistungen für Verarbeitung personenbezogener Daten nach § 67e, die indes auf Vorschlag des RAusschusses gestrichen wurden. Als offenkundiges Redaktionsversehen geht Regelung ins Leere (MüKoAktG/Bayer/Illhardt Rn. 14; BeckOGK/Cahn Rn. 12; Wentz WM 2020, 957, 959; aA Grigoleit/Rachlitz Rn. 14).

IV. Diskriminierungsfreie Erbringung (§ 67f I 5)

Nach § 67f I 5 müssen Entgelte für Ausübung von Rechten im Inland und in **grenzüberschreitenden Fällen** grds. gleich bemessen sein. Ausn. gilt aber, wenn Unterschiede gerechtfertigt sind, namentl. aufgrund höherer Kosten für Erbringung der Dienstleistung. Maßgeblich sind dabei aber nicht tats. anfallende Kosten, sondern nur solche, die aufgrund der Verwendung von Kommunikations- oder Übermittlungsmethoden nach aktuellem Stand der Technik **erforderlich** sind (RegBegr. BT-Drs. 19/9739, 71). Bestehende KredAufwErsVO 2003 wird diesen Anforderungen nicht gerecht und ist deshalb durch Art. 7 ARUG II 2019 aufgehoben worden, findet aber nach § 26 V EGAktG für Übergangszeit, längstens bis 3.9.2025, noch sinngemäß Anwendung (RegBegr. BT-Drs. 19/9739, 71; Einzelheiten bei S/L/v. Nussbaum, 5. Aufl. 2024 [Vorab-Onlinefassung], Rn. 46 ff.). **8**

V. Geltung der Durchführungsverordnung (§ 67f II)

Verweis auf Aktionärsrechte-RL II-DVO in § 67f II ist aufgrund derer unmittelbaren Geltung **deklaratorischer Natur.** Verordnung ist danach namentl. maßgeblich für Format und Fristen der Informationsübermittlung der Aktionärsidentifikation. Dieser Pauschalverweis tritt neben zahlreiche Direktverweise an einzelnen Stellen der §§ 67a–67e und soll klarstellen, dass auch sonstige Regeln der Aktionärsrechte-RL II-DVO Anwendung finden, namentl. etwa hinsichtlich Annullierungen und Aktualisierungen (RegBegr. BT-Drs. 19/9739, 71). **9**

VI. Verordnungsermächtigung (§ 67f III)

§ 67f III übernimmt in modifizierter Form Ermächtigung aus § 128 III aF, auf deren Grundlage bisherige KredAufwErsVO 2003 (→ Rn. 8) beruhte. Zentrale Kostentragungsregel ist heute zwar schon in § 67f I enthalten, soll aber durch detaillierte Regelung auf Verordnungsebene konkretisiert werden können, um namentl. auch **grenzüberschreitende Vereinheitlichung** von Kostenregelungen zu ermöglichen (RegBegr. BT-Drs. 19/9739, 71 f.). Einzelheiten bei S/L/v. Nussbaum, 5. Aufl. 2024 [Vorab-Onlinefassung], Rn. 40 ff. Bevor Konkretisierung erfolgt, soll aber erst der Praxis Möglichkeit gegeben werden, sich selbst um Vereinheitlichung zu bemühen (RegBegr. BT-Drs. 19/9739, 71). **10**

Übertragung von Namensaktien. Vinkulierung

68 (1) [1]**Namensaktien können auch durch Indossament übertragen werden.** [2]**Für die Form des Indossaments, den Rechtsausweis des Inhabers und seine Verpflichtung zur Herausgabe gelten sinngemäß Artikel 12, 13 und 16 des Wechselgesetzes.**

(2) [1]**Die Satzung kann die Übertragung an die Zustimmung der Gesellschaft binden.** [2]**Die Zustimmung erteilt der Vorstand.** [3]**Die Satzung**

kann jedoch bestimmen, daß der Aufsichtsrat oder die Hauptversammlung über die Erteilung der Zustimmung beschließt. [4]Die Satzung kann die Gründe bestimmen, aus denen die Zustimmung verweigert werden darf.

(3) **Bei Übertragung durch Indossament ist die Gesellschaft verpflichtet, die Ordnungsmäßigkeit der Reihe der Indossamente, nicht aber die Unterschriften zu prüfen.**

(4) **Diese Vorschriften gelten sinngemäß für Zwischenscheine.**

Übersicht

I. Regelungsgegenstand und -zweck

1 § 68 betr. Übertragung von Namensaktien und (§ 68 IV) Zwischenscheinen sowie Behandlung der Übertragungsvorgänge im Aktienregister. Regelung verfolgt mehrere Zwecke. § 68 I bringt zum Ausdruck, dass Namensaktien **geborene Orderpapiere** sind, indem ihre Übertragung durch Indossament zugelassen wird (→ Rn. 2 ff.). § 68 II erlaubt sog **Vinkulierung** und regelt Einzelfragen bzgl. der Zustimmung zur Übertragung (→ Rn. 10 ff.). § 68 III regelt **Prüfung bei Rechtsübertragung,** knüpft also insoweit an § 67 an. Norm ist durch NaStraG 2001 umfassend neu geordnet worden.

II. Übertragung von Namensaktien (§ 68 I)

2 **1. Allgemeines.** Namensaktien können nach § 68 I 1 **durch Indossament** übertragen werden. Weil Berechtigter durch seine namentl. Nennung oder durch Indossamentenkette ausgewiesen wird, handelt es sich bei Namensaktien um geborene Orderpapiere, nicht um Rektapapiere. Eine negative Orderklausel (vgl. Art. 11 II WG) sieht § 68 nicht vor (§ 68 I 2), so dass Namensaktien zwingend Orderpapiere sind (ganz hM, vgl. MüKoAktG/Bayer Rn. 2). Auch Rektaklausel eines Indossanten (vgl. Art. 15 II WG) wäre wirkungslos.

3 § 68 I 1 erlaubt Übertragung durch Indossament, schreibt sie aber nicht zwingend vor (BGHZ 160, 253, 257 = NJW 2004, 3561: fakultativ), wie seit Änderung durch NaStraG 2001 durch Einfügung des „auch" eigens hervorgehoben wird (RegE BT-Drs. 14/4051, 12). Deshalb steht es dem Aktionär frei, bei Übertragung nicht an das Wertpapier anzuknüpfen, sondern verbrieftes Recht selbst **gem. §§ 398, 413 BGB** zu übertragen (unstr., vgl. RGZ 77, 268, 276; RGZ 86, 154, 157; BGHZ 160, 253, 256 f.; OLG Hamm AG 2023, 781, 783 f.;

Iversen AG 2008, 736, 739; Mentz/Fröhling NZG 2002, 201, 202 f.; Mülbert FS Nobbe, 2009, 691, 700). Eigentum an der Aktienurkunde folgt dann der Mitgliedschaft analog § 952 BGB (OLG Hamm AG 2023, 781, 784). Str. ist lediglich, ob **Übergabe der Urkunde** zum Übertragungstatbestand gehört oder ob auch das entbehrlich ist. Ältere Rspr. hat Frage im erstgenannten Sinne beantwortet (RGZ 88, 290, 292; BGH NJW 1958, 302, 303; KG AG 2003, 568 f.; sa Einsele JZ 2019, 121, 123), doch hat BGH diese Rspr. in Übereinstimmung mit hLit zumindest für Inhaberschuldverschreibungen aufgegeben (BGH NZG 2013, 903 Rn. 17 ff. [unter Bezug auf aktienrechtl. Lit.]). Für Namensaktie muss Verzicht auf das Übergabeerfordernis mit Blick auf § 67 II erst recht gelten (sa OLG Hamm AG 2023, 781, 784; MüKoAktG/Bayer Rn. 30; GK-AktG/Merkt Rn. 131; MHdB AG/Sailer-Coceani § 14 Rn. 13; Mentz/Fröhling NZG 2002, 201, 202; Schaper AG 2016, 889, 890; zu praktischen Schwierigkeiten bei Annahme eines Übergabeerfordernisses vgl. Perwein AG 2012, 611 ff.). Aufgrund fortbestehender Rechtsunsicherheit sollte aber in der Praxis Aktienurkunde im Fall von Namensaktien sicherheitshalber übergeben werden; ist das nicht möglich, sollte Kraftloserklärung nach § 73 erwogen werden (Schaper AG 2016, 889, 890). Ebenso möglich ist **Rechtserwerb nach § 18 III DepotG** (MüKoAktG/Bayer Rn. 33; KK-AktG/Lutter/Drygala Rn. 32). Erwerb von **Miteigentum am Sammelbestand gem. § 24 II DepotG** kommt gleichfalls in Betracht. Namensaktien müssen dann jedoch mit Blankoindossament (→ Rn. 5) versehen sein, weil sonst für Girosammelverwahrung nach § 5 I DepotG erforderliche Vertretbarkeit nicht gegeben wäre (KK-AktG/Lutter/Drygala Rn. 32; MHdB AG/Sailer-Coceani § 14 Rn. 8; Kümpel WM-Sonderbeil. 1983, 8 ff.). In keinem Fall gehört Eintragung in Aktienregister zu den Übertragungsvoraussetzungen. Umschreibung ist nur erforderlich, um Vermutungswirkung des § 67 II zu begründen.

Bei **elektronischen Namensaktien** (→ § 10 Rn. 15 ff.) ist im Falle der Einzeleintragung Übertragung durch Indossament ausgeschlossen (§ 25 III 2 eWpG), was damit begründet wird, dass im virtuellen Raum Schriftformerfordernis des Art 13 WG nicht eingehalten werden könne (RegBegr. BT-Drs. 20/8292, 127 f.; ebenso Casper ZHR 187 [2023], 5, 43; Guntermann AG 2023, 426 Rn. 33; Poelzig/v. Zehmen RDi 2023, 333 Rn. 25; aA Maume BKR 2023, 282, 285, der Abbildung des Indossaments für technisch möglich hält; zust. J. Maier WM 2023, 2073, 2079). Bei **Einzeleintragung** besteht neben Übertragung durch Abtretung des „verbrieften" Rechts nach §§ 398, 413 BGB noch gesondertes Übertragungsregime der §§ 24 ff. eWpG, das auch gutgl. Erwerb (§ 26 eWpG) ermöglicht. Diese Vorschriften sind schon aus systematischen Gesichtspunkten („Abschnitt 4: Verfügungen über elektronische Wertpapiere in Einzeleintragung") nicht auf elektronische Namensaktien in **Sammeleintragung** anzuwenden (Guntermann AG 2023, 426 Rn. 35). Mangels Möglichkeit der Übertragung im Wege der §§ 929 ff. BGB würde bei elektronischen Namensaktien in Sammeleintragung nur Abtretung nach §§ 398, 413 BGB verbleiben. Da es nach Willen des Gesetzgebers für Aktionäre nicht von Belang sein soll, ob Aktien durch eine bei Wertpapiersammelbank verwahrte Sammelurkunde verbrieft oder bei Wertpapiersammelbank als Sammeleintragung in zentralem Register eingetragen sind (RegBegr. BT-Drs. 20/8292, 128), wird zur Verbesserung der Verkehrsfähigkeit vorgeschlagen, entweder Indossament bei elektronischen Namensaktien in Sammeleintragung durch weitere Gesetzesänderung zu fingieren oder „können" in § 68 I 1 so korrigierend bzw. ergänzend auszulegen, dass § 929 BGB über Sachfiktion des § 2 III eWpG auch ohne Indossament anwendbar ist (Guntermann AG 2023, 426 Rn. 35; Casper ZRP 2023, 105, 106 f.). 3a

4 **2. Übertragung durch Indossament.** Von § 68 I 1 zugelassene Übertragung durch Indossament besteht aus schriftlicher Übertragungserklärung auf Aktienurkunde oder fest mit ihr verbundenem Anh. und setzt nach heute allgM überdies Übereignung der Urkunde durch formlose (auch konkludente) Einigung und Übergabe oder Übergabesurrogat voraus (§§ 929 ff. BGB); vgl. BGH NJW 1958, 302; WM 1975, 947 f.; MüKoAktG/Bayer Rn. 3; GK-AktG/Merkt Rn. 17; Mentz/Fröhling NZG 2002, 201, 202; aA Zöllner WPR § 14 I 1b; Huber FS Flume, Bd. II, 1978, 83, 89. Wenn so verfahren wird, tritt zugunsten des Indossatars bes. Legitimationswirkung des Art. 16 I WG iVm § 68 I 2 ein, auch ist nach Art. 16 II WG iVm § 68 I 2 gutgl. Erwerb trotz Abhandenkommens möglich; näher → Rn. 8 f.

5 Hinsichtlich der Ausgestaltung ist zwischen **Voll- und Blankoindossament** zu unterscheiden. Während das erste Indossatar namentlich bezeichnet, fehlt diese Angabe beim Blankoindossament (Art. 13 II WG iVm § 68 I 2). Blankoindossierte Namensaktien sind zulässig (allgM, s. MüKoAktG/Bayer Rn. 6; KK-AktG/Lutter/Drygala Rn. 15). Sie können in sinngem. Anwendung des Art. 14 II Nr. 3 WG durch Übereignung gem. §§ 929 ff. BGB weiter übertragen werden (Mülbert FS Nobbe, 2009, 691, 700) und nähern sich damit Inhaberpapieren an. Nur Namensaktien mit Blankoindossament sind depot- und börsenfähig (→ Rn. 3).

6 **3. Sinngemäße Geltung von Wechselrecht. a) Überblick; Gesetzestext.** Nach § 68 I 2 gelten Art. 12, 13 und 16 WG sinngem. für indossierte Namensaktien (→ Rn. 5). Aufzählung ist nicht abschließend zu verstehen. Vielmehr ist Geltung des Art. 14 WG, wie sich aus Art. 16 I WG ergibt, als selbstverständlich vorausgesetzt worden (MüKoAktG/Bayer Rn. 9; GK-AktG/Merkt Rn. 22). Entspr. anzuwenden sind auch Art. 18, 19 WG über Prokura- und Pfandindossament; s. dazu KK-AktG/Lutter/Drygala Rn. 9, 29 ff.

7 Nach § 68 I 2 ausdr. **anwendbare Vorschriften des WG** lauten:

Art. 12 WG [Bedingungsfeindlichkeit; Teilindossament; Indossament an den Inhaber]

(1) 1 Das Indossament muß unbedingt sein. 2 Bedingungen, von denen es abhängig gemacht wird, gelten als nicht geschrieben.

(2) Ein Teilindossament ist nichtig.

(3) Ein Indossament an den Inhaber gilt als Blankoindossament.

Art. 13 WG [Form; Blankoindossament]

(1) 1 Das Indossament muß auf den Wechsel oder auf ein mit dem Wechsel verbundenes Blatt (Anhang) gesetzt werden. 2 Es muß von dem Indossanten unterschrieben werden.

(2) 1 Das Indossament braucht den Indossatar nicht zu bezeichnen und kann selbst in der bloßen Unterschrift des Indossanten bestehen (Blankoindossament). 2 In diesem letzteren Falle muß das Indossament, um gültig zu sein, auf die Rückseite des Wechsels oder auf den Anhang gesetzt werden.

Art. 16 WG [Wechselvermutung]

(1) 1 Wer den Wechsel in Händen hat, gilt als rechtmäßiger Inhaber, sofern er sein Recht durch eine ununterbrochene Reihe von Indossamenten nachweist, und zwar auch dann, wenn das letzte ein Blankoindossament ist. 2 Ausgestrichene Indossamente gelten hierbei als nicht geschrieben. 3 Folgt auf ein Blankoindossament ein weiteres Indossament, so wird angenommen, daß der Aussteller dieses Indossaments den Wechsel durch das Blankoindossament erworben hat.

(2) Ist der Wechsel einem früheren Inhaber irgendwie abhanden gekommen, so ist der neue Inhaber, der sein Recht nach den Vorschriften des vorstehenden Absatzes nachweist, zur Herausgabe des Wechsels nur verpflichtet, wenn er ihn in bösem Glauben erworben hat oder ihm beim Erwerb eine grobe Fahrlässigkeit zur Last fällt.

b) Funktionen des Indossaments. Wenn durch Indossament, auch durch Blankoindossament, übertragen wird (→ Rn. 4 f.), führt sinngem. Anwendung des Wechselrechts zur Legitimations- und Transportfunktion des Indossaments. Dagegen gibt es keine Art. 15 WG entspr. Garantiefunktion. **Legitimationsfunktion** heißt gem. Art. 16 I WG: Wer Aktienurkunde in Händen hält und sein Recht durch ununterbrochene Indossamentenkette nachweist, wird widerlegbar als Eigentümer der Urkunde und Aktionär vermutet (Beweislastumkehr). Das letzte Indossament darf ein Blankoindossament sein. Lücken in der Indossamentenkette können durch vollen Beweis des Rechtserwerbs (zB Erbschein) geschlossen werden (unstr., s. MüKoAktG/Bayer Rn. 14; GK-AktG/Merkt Rn. 71). 8

Transportfunktion bedeutet, dass durch das Indossament (nach hM: einschließlich Übereignung der Urkunde → Rn. 4) die Mitgliedschaft übertragen wird; Indossatar wird Aktionär. Eigentliche Besonderheit liegt im **erweiterten Gutglaubensschutz** nach Art. 16 II WG. Danach überträgt Indossament bei vollständiger Indossamentenkette (MüKoAktG/Bayer Rn. 24; KK-AktG/Lutter/Drygala Rn. 19) die Mitgliedschaft auch dann auf gutgl. Erwerber, wenn Aktie dem Berechtigten „irgendwie" abhanden gekommen ist. Gutglaubensschutz tritt danach nicht nur trotz unfreiwilligen Verlustes des unmittelbaren Besitzes durch den Berechtigten, sondern auch bei Verfügungen Dritter ohne entspr. Befugnis oder Vertretungsmacht (unstr., s. BGHZ 26, 268, 272 = NJW 1958, 462; BGH WM 1968, 4) und nach verbreiteter Ansicht sogar beim Erwerb vom Geschäftsunfähigen (oder beschränkt Geschäftsfähigen) ein (BGH NJW 1951, 402; BeckOGK/Cahn Rn. 15). Letztgenannte Ausdehnung ist indes abzulehnen, da kein Grund besteht, Verkehrsschutz gerade in dieser Hinsicht über diese anderweitig stets vorrangig geschützten Rechtsgüter zu stellen (sa MüKoAktG/Bayer Rn. 17 f.; KK-AktG/Lutter/Drygala Rn. 23; GK-AktG/Merkt Rn. 86; B/K/L/Wieneke Rn. 10); wechselrechtl. Wertungen stehen dem nicht entgegen (zutr. MüKoAktG/Bayer Rn. 18). Diese Grundsätze gelten auch bei vinkulierten Namensaktien (heute allgM, vgl. MüKoAktG/Bayer Rn. 43). Rechtsübergang bleibt allerdings von Zustimmung der AG abhängig. War Indossant mangels Zustimmung nicht Aktionär, hilft dem Indossatar insoweit Art. 16 II WG. Er bedarf aber noch der Zustimmung für seinen eigenen Erwerb. 9

III. Vinkulierte Namensaktien (§ 68 II)

1. Begriff und Zweck; Reichweite der Vinkulierung. Vinkulierte Namensaktien sind solche, die, abw. vom allg. Grundsatz freier Verfügbarkeit (BayObLGZ 1988, 371, 377), nach Satzung nur mit Zustimmung der AG übertragen werden können (§ 68 II 1). Bei Inhaberaktien ist solche Einschränkung der Verkehrsfähigkeit unzulässig. Namensaktien können dagegen vinkuliert werden. Auch Art. 63 AEUV steht nicht entgegen, es sei denn, dass Vinkulierung maßgeblich auf staatliche Einflussnahme zurückzuführen ist (Burgi FS Hüffer, 2010, 63, 77 f.; Lieder ZHR 172 [2008], 306, 308 ff.). Vinkulierte Namensaktien bleiben geborene Orderpapiere, weil sich an Übertragbarkeit mittels Indossaments durch Vinkulierung nichts ändert (→ Rn. 9). Vinkulierung begründet auch keine Gattungsverschiedenheit (→ § 11 Rn. 7). **Zwecke** vor allem: (1.) Prüfung und Sicherung der Zahlungsfähigkeit von Aktionären beim Erwerb nicht voll eingezahlter Aktien, namentl. in der Versicherungswirtschaft (vgl. Fleischer/Maas AG 2020, 761 Rn. 19). (2.) Schutz vor Überfremdung der AG (Aufkauf 10 durch Wettbewerber, durch ausländische Investoren, durch Familienfremde, sofern Familiengesellschaft); s. RGZ 132, 149; BGH NJW 1987, 1019 f.; Heckschen/Weitbrecht NZG 2019, 721 ff. (3.) Aufrechterhaltung der bisherigen Beteiligungsverhältnisse, bes. Verhinderung der Mehrheitsposition eines Mitaktionärs (Lutter/Grunewald AG 1989, 109), auch fortdauernde Identität der Gesellschafter bei AG & Co KG (Beckmann DStR 1995, 296, 299 ff.). (4.) Sicherung der Leistungsfähigkeit der Aktionäre bei Nebenleistungs-AG, deren Aktien nach § 55 I 1 nur als vinkulierte ausgegeben werden dürfen (vgl. → § 55 Rn. 2). (5.) Verhinderung des Eindringens unerwünschter Aktionäre in AR, wenn sich Recht zur Entsendung von AR-Mitgliedern mit bestimmten Aktien verbindet, die deshalb ebenfalls vinkuliert sein müssen (§ 101 II 2). (6.) Kontrolle des Aktionärskreises bei Gesellschaften mit freiberuflicher Tätigkeit oder bes. Zwecksetzung, vgl. § 28 V 2 WPO, § 130 II WPO; § 50 V 2 StBerG; § 2 LuftNaSiG (vgl. dazu Fleischer/Maas AG 2020, 761 Rn. 19).

11 Vinkulierung bezieht sich nach § 68 II 1 auf Übertragung von Namensaktien. Damit ist zunächst **nur Verfügungsgeschäft,** nicht Verpflichtungsgeschäft bezeichnet (RGZ 132, 149, 157; GK-AktG/Merkt Rn. 271; MHdB AG/Sailer-Coceani § 14 Rn. 19; Heckschen/Weitbrecht NZG 2019, 721, 728 f.; für mitgliedschaftliche Betrachtung aber Mülbert FS Nobbe, 2009, 691, 714 ff.). Auch Vorkaufsrecht iSd §§ 463 ff. BGB fällt nicht unter die Vinkulierungsklausel (LG Offenburg AG 1989, 134, 137). Weiter muss es sich um **rechtsgeschäftliche Übertragung** handeln; alle Fälle von Gesamtrechtsnachfolge, zB Erbfall (§§ 1922 ff. BGB) oder Übergang kraft Ges. bei Verschmelzung und ähnlichen Vorgängen wie Spaltung, scheiden aus (heute unstr., vgl. MüKoAktG/Bayer Rn. 52; KK-AktG/Lutter/Drygala Rn. 6, 107). Ob der Vinkulierung zugrunde liegende bes. Satzungsrechte erhalten bleiben, ist Frage der Satzungsauslegung (→ § 23 Rn. 39). Unerheblich ist Rechtsgrund der Übertragung. Unter Vinkulierung fällt deshalb auch Erfüllung von Vermächtnisschulden oder von Verbindlichkeiten aus Auseinandersetzungsvereinbarungen (OLG Düsseldorf ZIP 1987, 227; MüKoAktG/Bayer Rn. 53; KK-AktG/Lutter/Drygala Rn. 107), ferner Treuhand- oder Legitimationsübertragung (Serick FS Hefermehl, 1976, 427, 433 ff., 440 ff.). Der Übertragung gleichgestellt werden Verpfändung und Nießbrauch (MüKoAktG/Bayer Rn. 56; KK-AktG/Lutter/Drygala Rn. 54). **Pfändung** (nach § 808 ZPO, nicht nach §§ 831, 857 ZPO, s. MükoAktG/Bayer Rn. 111) wird durch Vinkulierung nicht gehindert, ist also ohne Zustimmung des Vorstands wirksam (hM, s. Bork FS Henckel, 1995, 23, 29 ff. mwN in Fn. 40).

11a Sehr umstr. ist dagegen, ob auch **Verwertung nach Pfändung** (§ 821 ZPO bei Börsennotierung, sonst §§ 814 ff., 825 ZPO) und **Insolvenz** (§§ 80, 159 InsO) seiner Zustimmung bedarf. Im AktR wird Frage heute ganz überwiegend verneint, weil Vinkulierung keine rechtsgeschäftliche Verfügungsbeschränkung sei, sondern inhaltliche Beschränkung der Mitgliedschaft, die auch Vollstreckungs-/Insolvenzgläubiger gegen sich gelten lassen müsse; nur auf diese Weise sei auch Schutz vor naheliegender Umgehung der Vinkulierung möglich. Um Liquidität des Aktionärs zu fördern und Interessen des Gläubigers Rechnung zu tragen, dürfe Zustimmung aber abw. von sonst geltenden Grundsätzen (→ Rn. 15) nur aus wichtigem Grund versagt werden (MüKoAktG/Bayer Rn. 113; GK-AktG/Merkt Rn. 293 ff.; Bork FS Henckel, 1995, 23, 32 ff., 36 ff.; Heckschen 25 Jahre DNotI 2018, 425, 433 ff.; Heckschen/Weitbrecht NZG 2019, 721, 731 ff.; aA Wertenbruch FS Bergmann, 2018, 885 ff.). Für diese Ansicht spricht viel, doch ist nicht zu übersehen, dass sie nicht nur ganz hM im GmbH- und Insolvenzrecht widerspricht (Überblick bei Wertenbruch FS Bergmann, 2018, 885 ff.), sondern überdies auch im **Widerspruch zu mehreren Entscheidungen des RG und BGH** steht (RGZ 37, 139, 141 f.; RGZ 70, 64,

66 f.; BGHZ 32, 151, 153 ff. = NJW 1960, 1053; BGHZ 65, 22, 24 ff. = NJW 1975, 1835). Auch wenn diese Entscheidungen allesamt zur GmbH ergangen sind, können ihre zentralen Wertungselemente doch auf AG übertragen werden. Insbes. steht Aktionären ebenso wie GmbH-Gesellschaftern offen, sich durch satzungsmäßiges Einziehungsrecht nach § 237 I vor Überfremdung zu schützen (vgl. zu dieser Möglichkeit BGHZ 21, 151, 155; BGHZ 65, 22, 24 f.). Richtig ist zwar, dass dies mit hohen Kosten verbunden sein kann (MüKoAktG/Bayer Rn. 113), doch ist auch insofern kein Unterschied zur GmbH zu erkennen, der abw. Behandlung rechtfertigen könnte (gegen das Umgehungsargument vgl. auch Wertenbruch FS Bergmann, 2018, 885, 894 ff.). Praxis muss sich daher darauf einstellen, dass Vinkulierungsklausel der Zwangsverwertung nicht entgegengehalten werden kann.

Soweit Rechtsgeschäfte zwar keinen verfügenden Charakter haben, aber zwecks **Umgehung der Vinkulierungsklausel** ähnlichen Geschäftserfolg anstreben (zB Vollmachten, Stimmbindungen), werden sie ebenfalls von der Vinkulierung erfasst (Heckschen/Weitbrecht NZG 2019, 721, 730; Liebscher ZIP 2003, 825, 827 ff.; Lutter/Grunewald AG 1989, 109, 111 ff.; zu den Voraussetzungen der Annahme einer Umgehung OLG Naumburg NZG 2004, 775). Auf Gesellschafterwechsel in einer Mitgliedsgesellschaft, der zu vergleichbaren Ergebnissen führen kann, lässt sich diese Lösung nicht übertragen; Schutz der AG ist insoweit nur partiell mit Instrumenten des bürgerlichen Rechts zu erreichen (Lutter/Grunewald AG 1989, 409, 410 ff.; sa Heckschen/Weitbrecht NZG 2019, 721, 730 f.). 12

2. Bestimmung durch Satzung. a) Grundsatz. Nur Satzung kann Vinkulierung begründen. Bestimmung kann in **ursprünglicher Satzung** enthalten sein, aber auch nachträglich durch **Satzungsänderung** eingeführt werden. Erforderlich ist dann gem. § 180 II Zustimmung aller betroffenen Aktionäre (→ § 180 Rn. 5 ff.). Aufnahme eines entspr. Hinweises in Aktienurkunde ist entbehrlich (OLG Hamburg AG 1970, 230; unstr.). Zu den Besonderheiten bei Vinkulierung und Kapitalerhöhung → § 180 Rn. 7. 13

b) Einzelne Regelungen. Satzung kann nicht nur über das Ob, sondern in den Grenzen des § 68 II 1 auch über Umfang der Vinkulierung bestimmen. **Ausgeschlossen ist** danach **Verschärfung** in dem Sinne, dass Aktien überhaupt nicht übertragen werden können; dass Zustimmung in bestimmten Fällen versagt werden muss (str.; wie hier MüKoAktG/Bayer Rn. 62; MHdB AG/Sailer-Coceani § 14 Rn. 21; Kuntz, Gestaltung von Kapitalgesellschaften, 2016, 706 ff.; aA etwa KK-AktG/Lutter/Drygala Rn. 70; rechtspolit. Kritik auch bei Reichert AG 2016, 677, 679); dass Zustimmungserfordernis schon für Verpflichtungsgeschäft gelten soll (→ Rn. 11); dass Aktien einer Übertragungspflicht unterliegen (BayObLGZ 1988, 371, 374 ff. für AN-Aktien; weitere Aufzählung bei Heckschen/Weitbrecht NZG 2019, 721, 727). Dagegen kann **Vinkulierung beschränkt** werden, zB so, dass Übertragung an Aktionäre oder an Mitglieder eines bestimmten Familienstamms oder aus Anlass einer Erbauseinandersetzung keiner Zustimmung bedarf. Auch Vorerwerbsrecht ist zulässig, weil Veräußerung damit nicht erschwert wird (LG München I AG 2017, 591, 593; Giedinghagen AG 2017, R 243 f.; aA MüKoAktG/Bayer Rn. 39). Nach § 68 II 3 kann Satzung auch festlegen, dass für Erteilung der Zustimmung nicht Vorstand, sondern AR oder HV zuständig sind. Ist Vorstand allein zuständig, kann er entspr. HV-Zuständigkeit nicht über § 119 II (→ § 119 Rn. 13) begründen. Das ist umstr., folgt aber im Rückschluss aus § 68 II 3 und kann überdies auf die Überlegung gestützt werden, dass **freie Übertragbarkeit über Gebühr eingeschränkt** wäre, wenn Aktionär durch Einbeziehung der HV verursachte zeitliche Verzögerung ohne entspr. Satzungsgrundlage hinnehmen müsste (wie hier MüKoAktG/Bayer 14

Rn. 64; Grigoleit/Grigoleit/Rachlitz Rn. 32; GK-AktG/Merkt Rn. 345 ff.; B/K/L/Wieneke Rn. 20; aA KK-AktG/Lutter/Drygala Rn. 67; GK-AktG/Mülbert § 119 Rn. 193 mit Fn. 580). Aus demselben Grund kann auch AR seine Zuständigkeit nicht über § 111 IV 2 begründen; insofern ist § 68 II 3 abschließend (MüKoAktG/Bayer Rn. 65). Auch kumulative Zuständigkeit von AR und HV muss deshalb ausgeschlossen sein; Satzung kann nur alternativ eines dieser Organe bestimmen (LG München I AG 2017, 591, 592; MüKoAktG/Bayer Rn. 65; KK-AktG/Lutter/Drygala Rn. 67). Zulässig soll es dagegen sein, wenn Satzung umgekehrt Aktionären die Möglichkeit eröffnet, gegen eine abl. Entscheidung des Vorstands HV oder AR anzurufen (MüKoAktG/Bayer Rn. 66; KK-AktG/Lutter/Drygala Rn. 67). Wenn HV über Zustimmung beschließt, darf Veräußerer mitstimmen, weil sonst sein Desinvestitionsinteresse unverhältnismäßig beeinträchtigt würde (ganz hM – vgl. BGHZ 48, 163, 167 zur GmbH; MüKoAktG/Bayer Rn. 68; KK-AktG/Lutter/Drygala Rn. 75; Hüffer FS Heinsius, 1991, 337, 345; aA KK-AktG/Tröger § 136 Rn. 56). Zustimmung der HV betr. allerdings nur das Innenverhältnis; im Außenverhältnis ist Zustimmung durch Vorstand zu erteilen (OLG Schleswig BeckRS 2014, 12057 Ls. 3). Schließlich stellt § 68 II 4 klar, dass Satzung auch einzelne Verweigerungsgründe (Familienfremdheit; Ausländereigenschaft; Branchennähe) bestimmen kann; s. dazu RegBegr. Kropff S. 88: im Interesse der Rechtssicherheit erwünscht. Sofern vom Ges. eröffnete Gestaltungsmöglichkeiten nicht genügen, um Regelungsanliegen der Gesellschafter umzusetzen, kann auf schuldrechtl. Nebenabreden (→ § 23 Rn. 45 ff.) zurückgegriffen werden (MüKoAktG/Bayer Rn. 41; Heckschen/Weitbrecht NZG 2019, 721, 724; Kuntz, Gestaltung von Kapitalgesellschaften, 2016, 709 ff.).

15 **3. Zustimmung.** Zuständig ist Vorstand (§ 68 II 2). Kompetenzzuweisung bezweckt, **Verkehrsfähigkeit** vinkulierter Namensaktien nicht durch weiträumige Sitzungsfrequenz anderer Organe zu beeinträchtigen (Hüffer GS M. Winter, 2011, 281, 287 f.). Satzung kann jedoch anderes bestimmen (→ Rn. 14). Im Einzelnen ist zwischen **interner Willensbildung** und externer Erklärung ggü. den Beteiligten zu unterscheiden. Ob Vorstand Zustimmung erteilt oder versagt, richtet sich in erster Linie nach Vorgaben der Satzung (→ Rn. 14). Enthält sie nichts, so entscheidet Vorstand (OLG München AG 2004, 151, 155) oder sonst zuständiges Organ nach pflichtgem., Gesellschaftsinteressen und Interessen des übertragungswilligen Aktionärs abwägendem, durch Gleichbehandlungsgebot (§ 53a) gebundenem Ermessen (BGH NJW 1987, 1019, 1020; LG Aachen AG 1992, 410, 411 ff.; MüKoAktG/Bayer Rn. 72; GK-AktG/Merkt Rn. 402 ff.; aA RGZ 132, 149, 156 [freies Ermessen]; sa → § 53a Rn. 10 aE). Weitergehende Ermessensbeschränkung ist nicht gerechtfertigt, auch nicht durch Desinvestitionsinteresse des Veräußerers. Zustimmung zu versagen, bedarf also **keiner sachlichen Rechtfertigung** (LG Aachen AG 1992, 410, 411 ff.; Lutter AG 1992, 369, 372 f.; aA Immenga AG 1992, 79, 82 f.). Wer Pflichtverletzung geltend machen will, muss entspr. Tatsachen behaupten und beweisen (KK-AktG/Lutter/Drygala Rn. 79; Bork FS Henckel, 1995, 23, 27). Richtig ist aber auch Umkehrung: Vorstand darf zustimmen, ohne seine Entscheidung rechtfertigen zu müssen, und zwar auch, wenn AG durch Übertragung vom Erwerber abhängig wird. Das folgt aus ihrer Konzernoffenheit (→ § 18 Rn. 5), an der gewöhnliche Vinkulierungsklauseln nichts ändern. Insbes. geht Zustimmungskompetenz auch in diesem Fall nicht auf HV über, wenn Satzungsgeber das nicht selbst vorgesehen hat (S/L/T. Bezzenberger Rn. 28; BeckOGK/Cahn Rn. 50; Hüffer GS M. Winter, 2011, 281, 288 ff., 294 ff.; Immenga BB 1992, 2446, 2447; aA MüKoAktG/Bayer Rn. 64; Bayer FS Hüffer, 2010, 35, 40 ff.; KK-AktG/Lutter/Drygala Rn. 68, 81; Lutter AG 1992, 369, 374). Vorwegbindung in Investorenvereinbarung ist zu-

lässig, sofern sie im Unternehmensinteresse liegt und Handlungsspielräume des Vorstands nicht über Gebühr und für längere Dauer beschneidet (→ § 76 Rn. 124 ff.; Heß, Investorenvereinbarungen, 2014, 230 ff.; Schockenhoff/Culmann ZIP 2015, 297, 305). **Externe Erklärung** wird stets, also auch bei Willensbildung durch anderes Organ, vom Vorstand abgegeben (§ 68 II 2; vgl. auch OLG Schleswig ZIP 2014, 1937). Erforderlich ist Handeln von Vorstandsmitgliedern in vertretungsberechtigter Zahl. Erklärung kann auch formlos abgegeben werden, ist jedoch empfangsbedürftig, muss also zugehen (§ 130 BGB). Veräußerungswilliger Aktionär hat Anspruch auf Entscheidung innerhalb angemessener Frist; erfolgt keine Erklärung, gilt Zustimmung als verweigert (MüKoAktG/Bayer Rn. 89; S/L/T. Bezzenberger Rn. 34; BeckOGK/Cahn Rn. 61; MHdB CL/Lieder § 27 Rn. 16).

4. Rechtsfolgen. Erklärung der AG unterliegt §§ 182 ff. BGB (LG Düsseldorf AG 1989, 332). Mit Zustimmung ist **Übertragung der Aktien** wirksam, ohne sie zunächst schwebend, mit Versagung endgültig unwirksam (heute allgM, vgl. RGZ 132, 149, 157; BGHZ 13, 179, 187 = NJW 1954, 1155 zur KG; MüKoAktG/Bayer Rn. 96 ff.; GK-AktG/Merkt Rn. 500; Heckschen/Weitbrecht NZG 2019, 721, 723). Missbräuchlich versagte Zustimmung kann allerdings gem. § 894 ZPO noch durch rechtskräftiges Urteil ersetzt werden (LG Düsseldorf AG 1989, 332). Wenn Zustimmung wirksam versagt ist, kann nicht mehr genehmigt werden. Wirksame Übertragung ist dann nur durch Neuvornahme möglich (MüKoAktG/Bayer Rn. 98; KK-AktG/Lutter/Drygala Rn. 93). **Treuhandgeschäft,** das im Widerspruch zur Vinkulierung vorgenommen wird, soll dazu führen, dass weder Treugeber noch Treuhänder stimmberechtigt sind (OLG Köln AG 2008, 781, 782 mwN), was jedenfalls für Treuhänder einleuchtet. Folgen der Zustimmungsverweigerung für **Verpflichtungsgeschäft** hängen von Vertragsgestaltung ab. Bei Zustimmung als aufschiebender bzw. Verweigerung als auflösender Bedingung (§ 158 BGB – kautelarjur. empfehlenswert) wird Vertrag mit Verweigerung endgültig unwirksam. Ebenfalls möglich sind vertragl. Rücktrittsrechte (S/L/T. Bezzenberger Rn. 26). Auch in Geschäftsbedingungen von Wertpapierbörsen werden Gewährleistungsansprüche zT ausgeschlossen (GK-AktG/Merkt Rn. 509). Bei unbedingter Verpflichtung sind Folgen umstr., wobei sich **für AG und GmbH unterschiedliche Meinungsstände** entwickelt haben (Überblick bei Schubert/Hageböke ZIP 2021, 783, 785 f.). Für AG wird überwiegend Unmöglichkeit angenommen (MüKoAktG/Bayer Rn. 102; BeckOGK/Cahn Rn. 73; differenzierend GK-AktG/Merkt Rn. 506 ff.), Rechtsfolgenregime aber zumeist kaufrechtl. Gewährleistungsrecht entnommen (mangelnde Zustimmung als Rechtsmangel iSd § 435 BGB – vgl. MüKoAktG/Bayer Rn. 102). Für GmbH wird vornehmlich schlichte Nichterfüllung angenommen (vgl. Scholz/Seibt GmbHG § 15 Rn. 37; Henssler/Strohn/Verse § 15 GmbHG Rn. 34). Richtig ist, dass Verweigerung nicht zwangsläufig stets zu endgültiger und dauerhafter Unmöglichkeit führt, da etwa Abtretung an Dritten möglich bleibt, dem ggü. Verweigerung unzulässig ist (vgl. BGHZ 32, 35, 41 f. = NJW 1960, 864); auch Klage auf Zustimmung kann noch erhoben werden (→ Rn. 16a). Um in solchen Fällen Transaktion nicht vorschnell scheitern zu lassen, ist deshalb generell lediglich **Nichtleistung nach § 280 I BGB** anzunehmen, die unter weiterer Voraussetzung des Vertretenmüssens zum Schadensersatz nach § 280 I, III, § 281 BGB (ausgeschlossen bei Kenntnis des Erwerbers nach § 254 BGB) oder – verschuldensunabhängig – zum Rücktritt nach § 323 I BGB (jew. ohne Fristsetzung, § 242 BGB) mit anschließender Rückforderungsmöglichkeit nach § 346 I BGB berechtigt (Schubert/Hageböke ZIP 2021, 783, 786 ff.). Gewährleistungsrecht ist wegen fehlenden Übergangs des Kaufgegenstands noch nicht anwendbar (Schubert/Hageböke ZIP 2021, 783, 787). Zu

Umgehungsproblemen vgl. Otto AG 1991, 369, 373 ff. mwN. Bei vinkulierten, elektronischen Namensaktien in Einzeleintragung darf registerführende Stelle Umtragung erst nach Zustimmung der AG vornehmen (§ 25 III 1 eWpG).

16a Verweigert AG die Zustimmung, kann veräußerungswilliger Aktionär auf Erteilung der Zustimmung klagen (GK-AktG/Merkt Rn. 510; MHdB CL/Lieder § 27 Rn. 17). Missbräuchlich versagte Zustimmung kann gem. § 894 ZPO durch rechtskräftiges Urteil ersetzt werden (LG Düsseldorf AG 1989, 332), wenn **Anspruch auf Zustimmung** bestand. Dieser ergibt sich entweder aus Satzungsbestimmung (Zustimmungsgebot, abschließende Verweigerungsgründe; vgl. MHdB CL/Lieder § 27 Rn. 18) oder, wenn die Entscheidung über die Zustimmung nach pflichtgemäßem Ermessen erfolgt, bei Ermessensreduzierung auf Null (S/L/T. Bezzenberger Rn. 36; BeckOGK/Cahn Rn. 74). In diesen Fällen kann Leistungsklage auf Zustimmung erhoben werden. Liegt keine Ermessensreduzierung auf Null vor, sollte auf ermessensfehlerfreie Neuentscheidung geklagt werden; Ermessenserwägungen können mittels Zwischenfeststellungsklage nach § 256 II ZPO festgehalten werden (Grigoleit/Grigoleit/Rachlitz Rn. 38; MHdB CL/Lieder § 27 Rn. 18). In Betracht kommt des Weiteren ein Anspruch auf **Schadensersatz** bei schuldhafter Verletzung seines Rechts auf pflichtgemäße Entscheidung (MüKoAktG/Bayer Rn. 108; MHdB AG/Sailer-Coceani § 14 Rn. 33). **Erwerber** hat keinen eigenen Anspruch gegen die AG, möglich ist aber gewillkürte Prozessstandschaft (BeckOGK/Cahn Rn. 75). Eigener Schadensersatzanspruch des Erwerbers kommt nur ausnahmsweise aus § 826 BGB in Betracht (GK-AktG/Merkt Rn. 513; MHdB AG/Sailer-Coceani § 14 Rn. 33). Ist der Erwerber hingegen der Ansicht, dass eine Zustimmungsbedürftigkeit gar nicht bestand, weil die Vinkulierungsklausel unwirksam ist oder den konkreten Übertragungsvorgang nicht erfasst, kann er Leistungsklage auf seine Eintragung ins Aktienregister erheben; alternativ können er und der Veräußerer auf Feststellung der Wirksamkeit der Übertragung klagen (MHdB CL/Lieder § 27 Rn. 11 ff.).

IV. Prüfungspflicht der AG (§ 68 III)

17 Nach § 68 III ist AG verpflichtet, bei Übertragung durch Indossament (eingefügt unter Weiterführung der Klarstellung in § 68 I [→ Rn. 3] durch NaStraG 2001) Ordnungsmäßigkeit der Indossamentenkette, aber nicht die Unterschriften zu prüfen. Prüfung obliegt Vorstand. Jedenfalls erforderlich, im Allgemeinen auch genügend, ist danach **Formalprüfung,** die sich auf äußerlichen Nachweis der Übertragungsvorgänge beschränkt. Vorstand ist aber stets zu weitergehender Prüfung berechtigt (MüKoAktG/Bayer Rn. 28; KK-AktG/Lutter/Drygala Rn. 121) und bei konkreten Anhaltspunkten für Übertragungsmängel wohl auch verpflichtet (KK-AktG/Lutter/Drygala Rn. 121). Früher auch geregelte Prüfung der Abtretungserklärungen ist entfallen, weil § 68 Indossament und Vinkulierung in den Vordergrund stellt. Es gilt aber nichts anderes als früher. Vielmehr genügt auch bei Abtretungserklärungen eine Formalprüfung, und zwar analog § 68 III.

V. Entsprechende Geltung für Zwischenscheine (§ 68 IV)

18 **§ 68 I–III** gelten für Zwischenscheine entspr. (§ 68 IV). Das trägt ihrer den Namensaktien vergleichbaren Rechtsnatur Rechnung (→ § 67 Rn. 75) und umfasst Übertragbarkeit durch Indossament (§ 68 I), Möglichkeit der Vinkulierung (§ 68 II) sowie Prüfung der Übertragungsvermerke (§ 68 III).

Rechtsgemeinschaft an einer Aktie

69 (1) **Steht eine Aktie mehreren Berechtigten zu, so können sie die Rechte aus der Aktie nur durch einen gemeinschaftlichen Vertreter ausüben.**

(2) **Für die Leistungen auf die Aktie haften sie als Gesamtschuldner.**

(3) [1] **Hat die Gesellschaft eine Willenserklärung dem Aktionär gegenüber abzugeben, so genügt, wenn die Berechtigten der Gesellschaft keinen gemeinschaftlichen Vertreter benannt haben, die Abgabe der Erklärung gegenüber einem Berechtigten.** [2] **Bei mehreren Erben eines Aktionärs gilt dies nur für Willenserklärungen, die nach Ablauf eines Monats seit dem Anfall der Erbschaft abgegeben werden.**

I. Regelungsgegenstand und -zweck

Während Realteilung von Aktien nach § 8 V verboten ist, ist Rechtsgemeinschaft an ungeteilter Mitgliedschaft zulässig (→ § 8 Rn. 26). Das ist in § 69 vorausgesetzt. Regelung bezweckt **Schutz der AG** vor Nachteilen, die sich aus Existenz mehrerer Berechtigter ergeben können. Aus Gründen der Rechtssicherheit und -klarheit sollen sie ihre Rechte nur einheitlich ausüben können (OLG Stuttgart AG 2019, 262; S/L/T. Bezzenberger Rn. 1). Geregelt wird allein Verhältnis der Rechtsgemeinschaft zur AG, nicht der Berechtigten untereinander (BeckOGK/Cahn Rn. 2). Norm gilt gleichermaßen für Inhaber- und Namensaktien sowie unverkörperte Mitgliedschaften (MüKoAktG/Bayer Rn. 4). Hauptanwendungsfall ist – wie systematische Stellung belegt – Namensaktie (Wedemann AG 2022, 560 Rn. 10). Mit Rücksicht auf ihren Schutzzweck ist Regelung zwingend (§ 23 V). Parallelvorschrift: § 18 GmbHG. 1

II. Gemeinschaftlicher Vertreter (§ 69 I)

1. Voraussetzungen der Vertreterbestellung. § 69 I betr. den Fall, dass eine Aktie mehreren Berechtigten zusteht. Entscheidend ist **dingliche Zuordnung** der Mitgliedschaft zu mehreren Personen (MüKoAktG/Bayer Rn. 5). Handelt es sich um Namensaktien, so müssen, wenn § 69 I anwendbar sein soll, die mehreren Beteiligten in das Aktienregister eingetragen sein (§ 67 II; vgl. KK-AktG/Lutter/Drygala Rn. 7). Erfordernis der Vertreterbestellung besteht mit dieser Maßgabe zunächst bei **Bruchteilsgemeinschaften** (§§ 741 ff. BGB). Auszunehmen ist lediglich Girosammelverwahrung gem. §§ 5 ff. DepotG, da es hier bei Mitgliedschaft der einzelnen Aktionäre bleibt (GK-AktG/Merkt Rn. 16). Dasselbe gilt für Pool- und Treuhandvereinbarungen (S/L/T. Bezzenberger Rn. 4). Auch auf Investmentfonds ist § 69 nicht anwendbar, sondern Verwaltungsgesellschaft ist hier zur Ausübung der Rechte berufen (§§ 92 ff. KAGB; vgl. S/L/T. Bezzenberger Rn. 4; aA BeckOGK/Cahn Rn. 7). 2

Obliegenheit zur Vertreterbestellung besteht nicht bei Gesellschaften mit dem Status einer **jur. Person** (AG, GmbH), auch nicht bei **OHG und KG,** deren Rechtsträgerschaft durch §§ 105 II, 161 II HGB ges. anerkannt ist (OLG Stuttgart AG 2019, 262, 263; BeckOGK/Cahn Rn. 8). **Innen-GbR** unterfällt dagegen unstr. § 69. Dasselbe soll nach früher hM auch bei **Außen-GbR** gelten (BeckOGK/Cahn Rn. 9; KK-AktG/Lutter/Drygala Rn. 9 wegen mangelnder Transparenz der Gesellschaftsverhältnisse). Das überzeugt nicht, nachdem Außen-GbR als rechtsfähige Wirkungseinheit anerkannt wurde (BGHZ 146, 341 ff. = NJW 2001, 1056; → § 2 Rn. 10 zur Gründerfähigkeit). Fehlende Registerpublizität steht deshalb nach mittlerweile hM hier – wie auch in anderen Regelungszusammenhängen – Anerkennung nicht entgegen (wie hier MüKoAktG/Bayer 3

Rn. 8; S/L/T. Bezzenberger Rn. 5; Hölters/Weber/Mayer/Albrecht vom Kolke Rn. 2; NK-AktR/Lohr Rn. 4; GK-AktG/Merkt Rn. 12 f.). Das Gleiche gilt für nicht rechtsfähigen Verein (MüKoAktG/Bayer Rn. 9) sowie **Vorformen der Kapitalgesellschaften,** bei denen es sich nach zutr. Auffassung nicht um Gesamthandsgemeinschaften, sondern um körperschaftlich struktrierte Gesellschaften sui generis handelt (→ § 41 Rn. 4; iErg auch GK-AktG/Merkt Rn. 14). Erben- und Gütergemeinschaft können dagegen zwar zur Gründung zugelassen werden (→ § 2 Rn. 11), sind aber nicht als solche Aktionäre, so dass es bei § 69 bleibt (OLG Stuttgart AG 2019, 262 f.; LG München I BeckRS 2018, 18223 Rn. 57; ausf. zur Erbengemeinschaft Bayer/Sarakinis NZG 2018, 561 ff.). **Testamentsvollstrecker und vergleichbare Amtswalter** sind kraft ihres Amtes gemeinsame Vertreter iSd § 69 I; Bestellung eines anderen zum Vertreter ist nicht möglich (KK-AktG/Lutter/Drygala Rn. 10; Bayer/Sarakinis NZG 2018, 561, 570).

4 **2. Bestellung des Vertreters.** Gemeinschaftlicher Vertreter wird von den an der Aktie Berechtigten durch **Bevollmächtigung** bestellt, soweit Wahrnehmung der Rechte nicht durch Amtswalter oder in ähnlicher Weise erfolgt (→ Rn. 3 aE). Für Bevollmächtigung gelten §§ 167 ff. BGB. Bes. **Formerfordernisse** bestehen danach grds. nicht (§ 167 II BGB; Ausnahme: § 174 S. 1 BGB). Wenigstens textförmige (§ 126b BGB) Erteilung der Vollmacht ist aber schon deshalb sinnvoll, weil Vertreter sonst Stimmrecht idR nicht ausüben kann (§ 134 III 3); vgl. MüKoAktG/Bayer Rn. 20; GK-AktG/Merkt Rn. 36. Auch Innenvollmacht ist zulässig (Bayer/Sarakinis NZG 2018, 561, 563 f.; jetzt auch S/L/T. Bezzenberger Rn. 7). Nach heute hM kann gemeinschaftlicher Vertreter in Aktienregister iSd § 67 eingetragen werden (→ § 67 Rn. 23). In der Auswahl ihres Vertreters sind Mitinhaber der Aktie frei; satzungsmäßige Beschränkungen sind unzulässig (Bayer/Sarakinis NZG 2018, 561, 566; Wedemann AG 2022, 560 Rn. 16). Sie können auch **mehrere Personen** bevollmächtigen, wofür bislang hM mit Rücksicht auf Zweck des § 69 I Gesamtvertretung anordnete (KK-AktG/Lutter/Drygala Rn. 23; Hölters/Weber/Mayer/Albrecht vom Kolke Rn. 3). Nach Einführung des § 134 III 2, der selbst bei Einzelaktionär Bevollmächtigung mehrerer implizit gestattet und AG über Zurückweisungsrecht bei HV schützt (Einzelheiten → § 134 Rn. 27), kann auch für § 69 I nichts anderes gelten (zutr. MüKoAktG/Bayer Rn. 12, 17; BeckOGK/Cahn Rn. 13; Wedemann AG 2022, 560 Rn. 13 ff.; jetzt auch S/L/T. Bezzenberger Rn. 7a). Vollmacht kann zeitlich, dagegen nicht inhaltlich (zB: Rückfrage bei den Inhabern) und nach richtiger Ansicht auch nicht gegenständlich (Empfang der Dividende oder Ausübung des Stimmrechts) beschränkt werden (GK-AktG/Merkt Rn. 39; Bayer/Sarakinis NZG 2018, 561, 564; aA KK-AktG/Lutter/Drygala Rn. 22; Wedemann AG 2022, 560 Rn. 21 f.). Wortlaut des § 69 I betr. nämlich „die" Mitgliedsrechte und nicht einzelne von ihnen, und bes. Gründe, die einheitliche Vertretungszuständigkeit aufzuspalten, sind nicht erkennbar. Erlöschen der Vollmacht ist nach §§ 168 ff. BGB zu beurteilen.

5 **3. Tätigkeit des Vertreters.** Vertreter übt für die Mitinhaber die Rechte aus der Aktie aus. Gemeint sind damit **alle Mitgliedsrechte,** die ggü. AG ausgeübt werden. Vertreter nimmt also an HV teil, hat für Mitinhaber Rede- und Antragsrecht, Stimmrecht und Anfechtungsbefugnis des § 245. Auch Dividendenansprüche und Bezugsrechte werden von ihm ausgeübt, Anträge nach §§ 304, 305 von ihm gestellt. Verfügungen über Mitgliedschaft insges. (Übertragung, Verpfändung, Nießbrauch) sind von Vollmacht dagegen nicht gedeckt, weil es insoweit um Aktie selbst und nicht um aus ihr folgende Einzelrechte geht. Bei sorgfaltswidriger Ausübung droht Schadensersatzhaftung aus zugrunde liegendem Auftrags- oder Geschäftsbesorgungsverhältnis (Bayer/Sarakinis NZG 2018, 561, 567).

Ob **Notvertretungsrecht** in der Erbengemeinschaft nach § 2038 I 2 Hs. 2 BGB § 69 I verdrängen kann, ist umstr. (dafür Bayer/Sarakinis NZG 2018, 561, 569; dagegen Wedemann AG 2022, 560, 564) und richtigerweise wohl abzulehnen, doch deutet Parallelentscheidung zu § 18 GmbHG auf abw. Positionierung des BGH hin (BGHZ 108, 21, 30 f. = NJW 1989, 2694), die sich in diesem speziellen Punkt nicht aus Unterschieden zu § 69 erklären lässt (→ § 245 Rn. 6; insofern aA Wedemann AG 2022, 560 Rn. 27).

4. Vertreter und Mitinhaber. § 69 I bezweckt Schutz der AG (→ Rn, 1) und ist deshalb zwar nicht durch Satzung abdingbar, wohl aber **im Einzelfall verzichtbar** (str.; wie hier MüKoAktG/Bayer Rn. 26; KK-AktG/Lutter/Drygala Rn. 29; aA zB GK-AktG/Merkt Rn. 33). Soweit es sich um Bevollmächtigten handelt (also zB nicht bei Testamentsvollstreckung; → Rn. 3), kann AG Vertreter auch im Einverständnis mit allen Mitinhabern übergehen, also Dividende an sie auszahlen oder sie zur Abstimmung zulassen, wenn sie mit einer Stimme sprechen (wiederum str., wie hier MüKoAktG/Bayer Rn. 26; KK-AktG/Lutter/Drygala Rn. 30). Empfehlenswert wird derartiges Vorgehen aber nur ausnahmsweise sein. Zur Anfechtungsbefugnis der Mitberechtigten → § 245 Rn. 6. 6

III. Gesamtschuld (§ 69 II)

Für Leistungen auf die Aktie haften Mitinhaber nach § 69 II als Gesamtschuldner (§§ 421 ff. BGB). Das gilt insbes. für Einlagepflicht, aber auch für Ansprüche der AG aus §§ 55, 62, 63, da Normzweck, Rechtssicherheit zu schaffen (→ Rn. 1), auch hier einschlägig ist (str. – wie hier S/L/T. Bezzenberger Rn. 10; GK-AktG/Merkt Rn. 56; aA BeckOGK/Cahn Rn. 20). Zeitlich gilt Haftung, solange Mitberechtigung andauert (BeckOGK/Cahn Rn. 21). Inwieweit **Beschränkungen der Erbenhaftung** (§§ 1975 ff. BGB, §§ 2059 ff. BGB) geltend gemacht werden können, ist str. (dafür MüKoAktG/Bayer Rn. 32; dagegen KK-AktG/Lutter/Drygala Rn. 37). Weil § 69 II nicht selbst haftungsbegründend wirkt, bestehen Beschränkungsmöglichkeiten zwar im Grundsatz, aber dann nicht, wenn die Miterben in Aktienregister eingetragen sind. Weil sich mit Eintragung zB die Einlagenschuld von ihrer erbrechtl. Grundlage löst (→ § 67 Rn. 32), stehen entspr. Beschränkungsmöglichkeiten jetzt nicht mehr zur Verfügung (zutr. KK-AktG/Lutter/Drygala Rn. 37). 7

IV. Willenserklärungen der AG (§ 69 III)

§ 69 III setzt voraus, dass AG Willenserklärung ggü. Aktionär abzugeben hat. Gemeint ist Erklärung, die sich **an einzelnen Aktionär,** nicht an Gesamtheit der Aktionäre, richtet. Hierher gehören vor allem Aufforderungen und Benachrichtigungen gem. § 64 II 4, §§ 65, 121 IV, § 237 und auch nach § 63, sofern Satzung Einzelaufforderung vorsieht (§ 63 I 2; → § 63 Rn. 6). Im Einzelnen ist zu unterscheiden: Haben Mitinhaber einen gemeinsamen Vertreter benannt, so ist Erklärung ihm ggü. abzugeben; das setzt § 69 III 1 voraus. Existiert kein gemeinsamer Vertreter oder ist zwar Vollmacht erteilt, aber Vertreter nicht ggü. AG benannt worden, so genügt Abgabe der Erklärung ggü. einem Mitinhaber (§ 69 III 1). **Miterben** genießen insoweit Schonfrist von einem Monat (§ 69 III 2). Auch § 69 III bezweckt Schutz der AG (→ Rn. 1, 6) und ist deshalb **im Einzelfall verzichtbar** (MüKoAktG/Bayer Rn. 35; KK-AktG/Lutter/Drygala Rn. 40), es sei denn, dass es sich um allein zuständigen Amtswalter handelt (→ Rn. 3, 6). 8

Berechnung der Aktienbesitzzeit

70 **[1]Ist die Ausübung von Rechten aus der Aktie davon abhängig, dass der Aktionär während eines bestimmten Zeitraums Inhaber der Aktie gewesen ist, so steht dem Eigentum ein Anspruch auf Übereignung gegen ein Kreditinstitut, ein Finanzdienstleistungsinstitut, ein Wertpapierinstitut oder ein nach § 53 Absatz 1 Satz 1 oder § 53b Absatz 1 Satz 1 oder Absatz 7 des Kreditwesengesetzes tätiges Unternehmen gleich. [2]Die Eigentumszeit eines Rechtsvorgängers wird dem Aktionär zugerechnet, wenn er die Aktie unentgeltlich, von seinem Treuhänder, als Gesamtrechtsnachfolger, bei Auseinandersetzung einer Gemeinschaft oder bei einer Bestandsübertragung nach § 13 des Versicherungsaufsichtsgesetzes oder § 14 des Gesetzes über Bausparkassen erworben hat.**

I. Regelungsgegenstand und -zweck

1 § 70 betr. Zurechnung sog **Vorbesitzzeiten.** Norm ergänzt Vorschriften, die Rechtsausübung von Karenzzeit abhängig machen (RegBegr. Kropff S. 89). Fälle → Rn. 5. Ergänzung erfolgt in der Weise, dass unter bestimmten Voraussetzungen **wirtschaftliches Eigentum dem jur. Eigentum gleichgestellt** wird, und zwar namentl. dann, wenn schon Übereignungsanspruch ggü. bestimmten Vertragspartnern besteht oder Eigentumszeit eines Rechtsvorgängers ausnahmsweise dem Eigentum gleichgestellt werden kann.

II. Übereignungsanspruch (S. 1)

2 Zugerechnet wird dem Aktionär nach § 70 S. 1 Zeitraum, in dem er Übereignung verlangen konnte, und zwar von KI (§ 1 I KWG, § 2 I KWG), Finanzdienstleistungsinstitut (§ 1 Ia KWG, § 2 VI KWG), Wertpapierinstituten (§ 2 I WpIG) oder nach § 53 I 1 KWG, § 53b I 1, VII KWG tätigem Unternehmen. KI sind neben Geschäftsbanken namentl. Genossenschaftsbanken und öffentl.-rechtl. Institute. Finanzdienstleistungsinstitute sind namentl. im Wertpapiergeschäft tätig (§ 1 Ia und XI KWG). Tatbestandsmodalität des Wertpapierinstituts wurde durch Ges. zur Umsetzung der RL (EU) 2019/2034 über die Beaufsichtigung von Wertpapierinstituten v. 12.5.2021 neu eingeführt (BGBl. 2021 I 990). Darunter fallen Finanzunternehmen, die eine auf Finanzinstrumente bezogene Finanzdienstleistung anbieten, aber anders als KI keine Einlagen oder andere rückzahlbare Gelder des Publikums annehmen. Sie wurden durch WpIG aus dem KWG herausgelöst, um für kleine und mittlere Wertpapierinstitute, die geringere aufsichtsrechtl. Anforderungen erfüllen müssen, einfache und übersichtliche Gesetzessystematik zu schaffen. Erfasst sind schließlich auch nach § 53 I 1 KWG (ausländisches Unternehmen mit Zweigstelle im Inland) oder nach § 53b I 1, VII KWG (insbes. grenzüberschreitendes Bankgeschäft im EWR-Raum) tätige Unternehmen. Weil danach Übereignungsansprüche möglich sind, sind sie dem KI gleichgestellt (RegBegr. BT-Drs. 13/7143, 32). **Übereignung** ist untechnisch zu verstehen; gemeint ist Verschaffung der Mitgliedschaft (MüKoAktG/Bayer Rn. 7; Hölters/Weber/Mayer/Albrecht vom Kolke Rn. 3). Auch kommt es für § 70 S. 1 nicht darauf an, ob sich Anspruch auf bestimmte Aktie oder auf nur gattungsmäßig bezeichnete Stücke richtet.

3 Hauptfall des § 70 S. 1 ist Übereignungsanspruch gegen Einkaufskommissionär, namentl. in Gestalt der Effektenkommission (§§ 383 ff. HGB, §§ 18–31 DepotG), die aber nur dann unter § 70 S. 1 fällt, wenn **Zwischenerwerb** des Aktionärs erfolgen soll (Regelfall – KK-AktG/Lutter/Drygala Rn. 12). Bei Mit-

eigentum an Girosammelbestand ist materielle Rechtsstellung des Aktionärs schon begründet, so dass es keiner Zurechnung nach § 70 bedarf (MüKoAktG/Bayer Rn. 9; Hölters/Weber/Mayer/Albrecht vom Kolke Rn. 3). Als Anwendungsfälle verbleiben Ansprüche des Hinterlegers bei Tauschverwahrung (§ 10 DepotG), ausgeübter Ermächtigung (§ 13 DepotG) und unregelmäßiger Verwahrung (§ 15 DepotG) stehen gleich; bei Sonderverwahrung (§ 2 DepotG) bleibt Hinterleger Eigentümer, so dass nichts zuzurechnen ist (KK-AktG/Lutter/Drygala Rn. 13). Ansprüche aus **Effektenkommission** (§§ 18 ff. DepotG) fallen dann unter § 70 S. 1, wenn **Zwischenerwerb** des Kommissionärs erfolgen soll (KK-AktG/Lutter/Drygala Rn. 12); zurechenbare Zeitspanne wird allerdings wegen beschleunigter Rechtsübertragung nach §§ 18 ff. DepotG nur kurz sein. Entspr. gilt für Ansprüche aus Kaufvertrag, wenn KI Stücke aus eigenem Bestand liefert. Anspruch muss **fällig** sein, weil Verschaffungsanspruch und Innehabung des Rechts sonst nicht als gleichwertig angesehen werden können. Bei Einkaufskommission ist deshalb ab Ausführung, nicht ab Annahme des Auftrags zu rechnen (str., wie hier MüKoAktG/Bayer Rn. 1; KK-AktG/Lutter/Drygala Rn. 15). **Bezugsrecht auf junge Aktien** ggü. AG fällt nicht unter § 70 S. 1, da von personalem Anwendungsbereich nicht erfasst, wohl aber mittelbares Bezugsrecht (§ 186 V) ggü. KI. Diese eigentümliche Differenzierung wird von hM aber iErg dadurch ausgeglichen, dass Besitzzeit alter Aktien im Umfang der Bezugsberechtigung auf junge Aktien anzurechnen ist (MüKoAktG/Bayer Rn. 12; KK-AktG/Lutter/Drygala Rn. 16 f.; GK-AktG/Merkt Rn. 18 f.; für analoge Anwendung des § 70 S. 1 dagegen BeckOGK/Cahn Rn. 9; zust. Grigoleit/Grigoleit/Rachlitz Rn. 4).

III. Zurechnungsfälle des § 70 S. 2

§ 70 S. 2 nennt abschließend fünf Fallgruppen, in denen ebenfalls Zurechnung stattfindet; gemeinsamer Grundgedanke ist nicht erkennbar. **Unentgeltlicher Erwerb:** Schenkung unter Lebenden (§§ 516 ff. BGB) oder von Todes wegen (§ 2301 BGB), auch Vermächtnis (§§ 2147 ff. BGB) sowie Erwerb unter Verzicht auf Pflichtteilsansprüche nach §§ 2303 ff. BGB (MüKoAktG/Bayer Rn. 15; KK-AktG/Lutter/Drygala Rn. 19); rechtsgrundloser Erwerb steht unentgeltlichem für § 70 S. 2 nicht gleich. **Treuhand:** Jede Form, echte wie unechte, eigennützige wie uneigennützige genügt. Sog Legitimationszession ist kein Treuhandfall, sondern belässt das Vollrecht beim Aktionär (→ § 129 Rn. 12 ff.), Zurechnung nach § 70 S. 2 ist also grds. weder möglich noch erforderlich. Etwas anderes gilt – entgegen hM – allerdings dann, wenn bei Namensaktien Legitimationsaktionär in Aktienregister eingetragen ist und deshalb nach § 67 II ggü. AG als Aktionär gilt. Wird anschließend Zedent wieder eingetragen, kann er als wahrer Eigentümer nicht schlechter stehen als Erwerber unter den Voraussetzungen des § 70 S. 2 (zutr. BeckOGK/Cahn Rn. 12; iErg ähnlich Bayer/Scholz NZG 2013, 721, 722; aA MüKoAktG/Bayer Rn. 17; KK-AktG/Lutter/Drygala Rn. 20). **Gesamtrechtsnachfolge:** Erbfall (§§ 1922 ff. BGB), Verschmelzung (§ 20 I Nr. 1 UmwG, § 73 UmwG), Anwachsung, bes. nach § 712 BGB. Einzelnachfolge kraft Ges. (→ § 320a Rn. 2) gehört nicht hierher (MüKoAktG/Bayer Rn. 19; KK-AktG/Lutter/Drygala Rn. 22) ebenso wenig Formwechsel (§ 202 I Nr. 1 UmwG), bei dem Identitätsprinzips Zurechnung obsolet macht (MüKoAktG/Bayer Rn. 18; B/K/L/Wieneke Rn. 9). **Auseinandersetzung:** Hierher gehören alle Bruchteils- und Gesamthandsgemeinschaften, bes. Erbengemeinschaft (§§ 2032 ff. BGB), auch Abwicklung von Personengesellschaften. **Bestandsübertragung:** Rechtsgeschäftliche Übertragung einer Sondervermögensmasse (§ 13 VAG, § 14 BausparkG). 4

IV. Rechtsfolgen

5 Minderheitsrechte der § 142 II 2, § 258 II 4, § 265 III 2, § 315 S. 2 sowie des § 318 III 4 HGB setzen Innehabung der Aktien für mindestens drei Monate voraus, die glaubhaft zu machen ist. Soweit Voraussetzungen des § 70 S. 1 oder 2 erfüllt sind, ist Vorbesitzzeit bei Fristberechnung zu berücksichtigen. Umstr. ist, ob § 70 entspr. seinem Wortlaut nur auf solche Normen anzuwenden ist, die nicht auf Zeitraum abstellen, sondern lediglich auf **Zeitpunkt,** was namentl. bei § 148 I 2 Nr. 1 und § 245 S. 1 Nr. 1 der Fall ist (für eine Anwendung MüKo-AktG/Bayer Rn. 3; S/L/T. Bezzenberger Rn. 2; GK-AktG/Bezzenberger/Bezzenberger § 148 Rn. 2; Bayer/Scholz NZG 2013, 721, 722; dagegen Grigoleit/Grigoleit/Rachlitz Rn. 2; GK-AktG/Merkt Rn. 6). Der erstgenannten Auffassung ist zuzustimmen, da sich Rechtsgedanke des § 70, bestimmte Expektanzen dem Eigentum gleichzustellen, auch auf diese Vorschriften übertragen lassen; Regelungslücke kann aus nachträglicher Einfügung sowohl des § 148 I 2 Nr. 1 als auch des § 245 S. 1 Nr. 1 hergeleitet werden.

Erwerb eigener Aktien

71 (1) **Die Gesellschaft darf eigene Aktien nur erwerben,**

1. wenn der Erwerb notwendig ist, um einen schweren, unmittelbar bevorstehenden Schaden von der Gesellschaft abzuwenden,
2. wenn die Aktien Personen, die im Arbeitsverhältnis zu der Gesellschaft oder einem mit ihr verbundenen Unternehmen stehen oder standen, zum Erwerb angeboten werden sollen,
3. wenn der Erwerb geschieht, um Aktionäre nach § 305 Abs. 2, § 320b oder nach § 29 Abs. 1, § 125 Satz 1 in Verbindung mit § 29 Abs. 1, § 207 Abs. 1 Satz 1,, § 313 Absatz 1, auch in Verbindung mit § 327, oder § 340 Absatz 1 des Umwandlungsgesetzes abzufinden,
4. wenn der Erwerb unentgeltlich geschieht oder ein Kreditinstitut oder Wertpapierinstitut mit dem Erwerb eine Einkaufskommission ausführt,
5. durch Gesamtrechtsnachfolge,
6. auf Grund eines Beschlusses der Hauptversammlung zur Einziehung nach den Vorschriften über die Herabsetzung des Grundkapitals,
7. wenn sie ein Kreditinstitut, ein Finanzdienstleistungsinstitut, ein Wertpapierinstitut oder ein Finanzunternehmen ist, aufgrund eines Beschlusses der Hauptversammlung zum Zwecke des Wertpapierhandels. Der Beschluß muß bestimmen, daß der Handelsbestand der zu diesem Zweck zu erwerbenden Aktien fünf vom Hundert des Grundkapitals am Ende jeden Tages nicht übersteigen darf; er muß den niedrigsten und höchsten Gegenwert festlegen. Die Ermächtigung darf höchstens fünf Jahre gelten; oder
8. aufgrund einer höchstens fünf Jahre geltenden Ermächtigung der Hauptversammlung, die den niedrigsten und höchsten Gegenwert sowie den Anteil am Grundkapital, der zehn vom Hundert nicht übersteigen darf, festlegt. Als Zweck ist der Handel in eigenen Aktien ausgeschlossen. § 53a ist auf Erwerb und Veräußerung anzuwenden. Erwerb und Veräußerung über die Börse genügen dem. Eine andere Veräußerung kann die Hauptversammlung beschließen; § 186 Abs. 3, 4 und § 193 Abs. 2 Nr. 4 sind in diesem Fall entsprechend anzuwenden. Die Hauptversammlung kann den Vorstand ermächtigen, die

eigenen Aktien ohne weiteren Hauptversammlungsbeschluß einzuziehen.

(2) [1]**Auf die zu den Zwecken nach Absatz 1 Nr. 1 bis 3, 7 und 8 erworbenen Aktien dürfen zusammen mit anderen Aktien der Gesellschaft, welche die Gesellschaft bereits erworben hat und noch besitzt, nicht mehr als zehn vom Hundert des Grundkapitals entfallen.** [2]**Dieser Erwerb ist ferner nur zulässig, wenn die Gesellschaft im Zeitpunkt des Erwerbs eine Rücklage in Höhe der Aufwendungen für den Erwerb bilden könnte, ohne das Grundkapital oder eine nach Gesetz oder Satzung zu bildende Rücklage zu mindern, die nicht zur Zahlung an die Aktionäre verwandt werden darf.** [3]**In den Fällen des Absatzes 1 Nr. 1, 2, 4, 7 und 8 ist der Erwerb nur zulässig, wenn auf die Aktien der Ausgabebetrag voll geleistet ist.**

(3) [1]**In den Fällen des Absatzes 1 Nr. 1 und 8 hat der Vorstand die nächste Hauptversammlung über die Gründe und den Zweck des Erwerbs, über die Zahl der erworbenen Aktien und den auf sie entfallenden Betrag des Grundkapitals, über deren Anteil am Grundkapital sowie über den Gegenwert der Aktien zu unterrichten.** [2]**Im Falle des Absatzes 1 Nr. 2 sind die Aktien innerhalb eines Jahres nach ihrem Erwerb an die Arbeitnehmer auszugeben.**

(4) [1]**Ein Verstoß gegen die Absätze 1 oder 2 macht den Erwerb eigener Aktien nicht unwirksam.** [2]**Ein schuldrechtliches Geschäft über den Erwerb eigener Aktien ist jedoch nichtig, soweit der Erwerb gegen die Absätze 1 oder 2 verstößt.**

Übersicht

I. Regelungsgegenstand und -zweck

1 § 71 betr. mit §§ 71a–71e Erwerb eigener Aktien der AG. Kompliziert geratene Regelung der §§ 71–71e geht in dieser Form zurück auf **2. EG-KoordG** v. 13.12.1978 (BGBl. 1978 I 1959; Abriss der Entstehungsgeschichte seit 1870 bei M. Möller, Rückerwerb eigener Aktien, 2005, Rn. 403 ff.). Sie bezieht sich auf derivativen Erwerb von eigenen Aktien; für originären Erwerb gilt uneingeschränktes Erwerbsverbot des § 56. § 71 zählt Fälle auf, in denen AG ausnahmsweise eigene Aktien derivativ erwerben kann, und setzt damit implizit **grds. bestehendes Erwerbsverbot** voraus (→ Rn. 3). Dieses Erwerbsverbot wird durch Umgehungsverbote, weitere Kapitalschutzregelungen und Rechtsfolgenbestimmungen der §§ 71a–71e flankiert. Daneben sind kapitalmarktrechtl. Sonderbestimmungen zu berücksichtigen, wenn börsennotierte AG eigene Aktien erwirbt. § 71 dient in erster Linie der **Kapitalerhaltung;** denn Zahlung des Erwerbspreises ist grds. verbotene Einlagenrückgewähr iSd § 57 I 1 (RegBegr. Kropff S. 90), weil sie Aktionären zufließt und nicht aus Bilanzgewinn erfolgt (→ § 57 Rn. 4). Daran zT geäußerte Zweifel (vgl. S/L/T. Bezzenberger Rn. 5; T. Bezzenberger ZHR 180 [2016], 8, 13: Zahlungen zu Lasten verteilbaren Gewinns und Rücklagen zulässig) sind unbegründet, da aktienrechtl. Kapitalerhaltung in Gestalt des § 57 I, III umfassende Vermögensbindung begründet, die auch nicht partizipierende Aktionäre vor verdeckter Gewinnausschüttung schützen und organschaftliche Kompetenz der HV bzgl. Gewinnverwendung gewährleisten soll (→ § 57 Rn. 1). Dieser Zusammenhang kommt auch in Fiktion des § 57 I 2 zum Ausdruck, der ausnahmsweise zulässigen Erwerb eigener Aktien von den Rechtsfolgen verbotener Einlagenrückgewähr ausnimmt (→ § 57 Rn. 38). Noch weitergehend kann Erwerb eigener Aktien auch zur **materiellen Teilliquidation** des Gesellschaftsvermögens eingesetzt werden, da Aktienerwerb es gestattet, Aktionär gegen „Abfindung" geräuschlos aus AG ausscheiden zu lassen. §§ 71 ff. kommt daher auch die Aufgabe zu, Rückkauf nur iR der sonst für solche Gestaltung zulässigen Grenzen zu ermöglichen (S/L/T. Bezzenberger Rn. 3 ff.; KK-AktG/Lutter/Drygala Rn. 16). Da auch an sich zulässiger Erwerb grds. nicht zu Lasten des Grundkapitals oder nichtausschüttungsfähiger Rücklagen erfolgen soll, schränkt § 71 II 2 die Erwerbsmöglichkeit bei bestimmten Erwerbsgründen in der Weise ein, dass Erwerb nur zulässig ist, wenn für Erwerbsaufwendung hypothetische Rücklage gebildet werden kann (→ Rn. 21a). § 71 sichert daneben die **Kapitalaufbringung,** soweit § 71 II 3 nur den Erwerb voll eingezahlter Aktien erlaubt (B/K/L/Wieneke Rn. 1). Weiterhin dienen § 71 und §§ 71a–71e der **Kompetenzabgrenzung** zwischen Vorstand und HV. So würden Rechte aus eigenen Aktien, bes. Stimmrechte, mangels entgegenstehender Regelung vom Vorstand ausgeübt, womit Balance zwischen Verwaltung und HV verloren ginge (Problem sog Verwaltungsaktien, s. dazu Huber FS Duden, 1977, 137, 142 ff.); vgl. § 71b. Schließlich soll mit Erwerbsverbot auch **Risikokumulation** vermieden werden, weil jeder größere Schadensfall der AG zugleich auf Aktienkurs durchschlagen und damit Doppelschaden begründen kann (MüKoAktG/Oechsler Rn. 19). Dieser Gefahr wird mittlerweile auch bei zulässigem Erwerb durch bes. Bilanzierungsregeln Rechnung getragen (→ Rn. 25). Zur

Behandlung eigener Anteile beim Formwechsel vgl. Heckschen/Weitbrecht ZIP 2017, 1297 ff.; Schaper ZGR 2018, 126 ff. sowie → Rn. 5; → § 71c Rn. 3 f.

Trotz der vielgestaltigen Gefahren, die mit Erwerb eigener Aktien verbunden sind (→ Rn. 1), lässt § 71 I **zahlreiche Ausnahmen** vom Erwerbsverbot zu, die darauf zurückzuführen sind, dass Erwerb eigener Aktien auch durchaus im **anerkennenswerten Interesse** der AG liegen kann, etwa zum Erwerb für bestimmte Verwendungszwecke (Akquisitionswährung, Mitarbeiterbeteiligung), Abwehr feindlicher Übernahmen, Signalsetzung auf Kapitalmärkten etc. (umfassende Aufzählung möglicher Erwerbsmotive bei MüKoAktG/Oechsler Rn. 1 ff.). Auch als **Alternative zur Dividendenzahlung** kann Rückkauf eingesetzt werden, wenn befürchtet wird, Dividendenniveau nicht dauerhaft halten zu können (ausf. zu dieser Funktionsäquivalenz Strothotte, Die Gewinnverwendung in Aktiengesellschaften, 2014, 215 ff.; sa → Rn. 19c). Genannte Motive sind vielfältig, so dass Ausnahmetatbestände nicht auf einheitlichen teleogischen Grundgedanken zurückgeführt werden können (Grigoleit/Grigoleit/Rachlitz Rn. 1). Neueres Phänomen ist Rückerwerb eigener Aktien unter **Einsatz von Finanzderivaten,** etwa des Erwerbs einer Kaufoption, mit der sich AG gegen Kursänderungsrisiko einer Verpflichtung absichert, die auf Ausgabe von Aktien gerichtet ist oder sich an der Höhe des Aktienkurses orientiert (ausf. BeckOGK/Cahn Rn. 187 ff.; T. Bezzenberger ZHR 180 [2016], 8, 29 ff.; Kruchen AG 2014, 655 ff.; sa → Rn. 4). Gesamte Regelung ist zwingend (§ 23 V). Zu Motivation und Kurseffekten von Aktienrückkäufen Köstlmeier/Röder CF 2019, 10 ff. 2

II. Grundsatz: Erwerbsverbot (§ 71 I)

1. Das Verbot und seine Tragweite. Aus § 57 I 1 und Regelungstechnik des § 71 I ergibt sich, dass derivativer Erwerb eigener Aktien durch AG grds. verboten ist. Erwerbsverbot gilt auch nach Einführung des § 71 I Nr. 8. Vorschrift stellt zwar beachtliche Lockerung des Erwerbsverbots (→ Rn. 19c) dar, doch hebt sie Erwerbsverbot nicht auf, was sich bereits aus der bewussten Ausgestaltung als Ausnahmeregelung ergibt (KK-AktG/Lutter/Drygala Rn. 31, 123; GK-AktG/Merkt Rn. 142; aA Benckendorff, Erwerb eigener Aktien, 1998, 210, 223). Verbot ist mit Rücksicht auf Zweck und systematischen Charakter als Ausnahme von § 57 I 1 streng auszulegen. Von § 71 I angenommene **abstrakte Interessengefährdung** genügt deshalb; ob AG, ihre Gläubiger oder Aktionäre im Einzelfall konkret gefährdet sind, ist unerheblich (RGZ 167, 40, 48; MüKoAktG/Oechsler Rn. 67). **Beweislast** für Zulässigkeit des Erwerbs trägt, wer sich auf Ausnahmetatbestand beruft (MüKoAktG/Oechsler Rn. 110). 3

Verboten ist Erwerb **eigener Aktien.** Gemeint ist Mitgliedschaft ohne Rücksicht auf Verbriefung und nähere Ausgestaltung (Inhaber-, Namens-, Stamm- oder Vorzugsaktien usw). **Erwerb** ist jedes Rechtsgeschäft, das AG auf Dauer oder vorübergehend zum Inhaber oder Mitinhaber der Aktie macht oder das einen schuldrechtl. Titel (KK-AktG/Lutter/Drygala Rn. 32; MüKoAktG/Oechsler Rn. 74) für solchen Erwerb schafft, also (bei entspr. Verkörperung) Übereignung nach §§ 929 ff. BGB, Übertragung nach §§ 398 ff., 413 BGB. Ob dem Kauf, Tausch, Schenkung, Sicherungs- oder sonstige Treuhandabrede, unregelmäßige Verwahrung, Kommission oder Zuschlag in der Zwangsversteigerung zugrunde liegen, spielt keine Rolle. Auch Sicherungsübereignung unterfällt § 71 (Hölters/Weber/Mayer/Albrecht vom Kolke Rn. 2; GK-AktG/Merkt Rn. 153; B/K/L/Wieneke Rn. 4; Oechsler AG 2010, 526). Im Schrifttum stattdessen vorgeschlagener Zuordnung zu § 71e (vgl. S/L/T. Bezzenberger Rn. 15b; KK-AktG/Lutter/Drygala Rn. 34; Cahn/Ostler AG 2008, 221, 228) ist nicht zu folgen. Solche Lösung widerspricht hA, dass § 71e bei Sicherheitseigentum grds. keine Anwendung findet, und führt zudem über § 71e II zur unsachgem. Nich- 4 tigkeit der Eigentumsübertragung (zutr. MüKoAktG/Oechsler Rn. 81). Für § 71 nicht genügend ist bloßer Erwerb einer Call Option, da Erwerbsverpflichtung erst mit Ausübung der Option durch den Vorstand entsteht und deshalb erst Ausübungsakt § 71 unterfällt (KK-AktG/Lutter/Drygala Rn. 36; Johannsen-Roth ZIP 2011, 408; Kruchen AG 2014, 655, 656 f.). Jedoch greift § 71, wenn sich AG als Stillhalterin in eine Put-Option begibt, bei der im Zeitpunkt der Begebung bereits feststeht, dass Eintritt der Verpflichtungswirkung nur noch von Umständen abhängt, die AG selbst nicht kontrollieren kann. In diesem Fall ist AG schon mit Abschluss des Optionsvertrags rechtl. gebunden und § 71 bereits zu diesem Zeitpunkt zu beachten (KK-AktG/Lutter/Drygala Rn. 37; MüKoAktG/Oechsler Rn. 90; krit. Johannsen-Roth ZIP 2011, 408, 409). Zur Absicherung von Share Matching-Plänen mittels Optionen auf eigene Aktien s. Kruchen AG 2014, 655, 656 ff. **Pensionsgeschäfte,** bei denen Aktienbank eigene Aktien von Kunden „in Pension" nimmt (Definition in § 340b I HGB), stellen wirtschaftlich zwar Kreditgeschäfte dar, sind aber dennoch §§ 71 ff. zu unterwerfen, um Abgrenzungsschwierigkeiten und Umgehungen zu vermeiden. Gründe für dinglichen Aktienerwerb sind oftmals nicht mit letzter Sicherheit bestimmbar und können in praxi ineinander übergehen, so dass zur Vermeidung von Abgrenzungsschwierigkeiten Einordnung nicht von Motivlage der Parteien oder fiduziarischem Charakter abhängen sollte (MüKoAktG/Oechsler Rn. 81). Bei **Wertpapierleihe** sind §§ 71 ff. anwendbar, weil diese Sachdarlehen (§ 607 BGB) verkörpern mit dem Hauptzweck, dem Darlehensnehmer – wenn auch nur vorübergehend – die Verfügung über die Papiere zu verschaffen (Cahn/Ostler AG 2008, 221, 231 ff.; BeckOGK/Cahn Rn. 42; MüKoAktG/Oechsler Rn. 84 ff.; zum wirtschaftlichen Hintergrund Hasselbach/Alles AG 2023, 220 ff.). Zur Sonderkonstellation einer gewährleistungsbedingten Rückübertragung von Aktien im Anschluss an Unternehmensakquisition gegen eigene Aktien s. Heer ZIP 2012, 2325 ff.

5 **2. Nicht betroffene Gestaltungen.** Vom Verbotstatbestand nicht betroffen sind Gestaltungen, in denen es **nicht um Aktien** geht oder zwar um solche, aber nicht um ihren Erwerb. Zulässig ist deshalb Erwerb von eigenen Schuldverschreibungen, auch wenn sie Wandel- oder Gewinnobligationen sind (§ 221 I; ganz hM, s. GK-AktG/Merkt Rn. 155; MüKoAktG/Oechsler Rn. 103), von Optionsscheinen, Genussscheinen (§ 221 III), von Dividendenscheinen oder Bezugsrechten auf Aktien. Verwertung kann allerdings nicht durch Ausübung der Rechte (vgl. das Zeichnungsverbot des § 56 I bzw. den Rechtsgedanken des § 71b; dazu MüKoAktG/Oechsler Rn. 103), sondern nur durch Veräußerung erfolgen. Zulässig ist auch Erwerb von Beteiligung an anderer Gesellschaft, die Aktien der erwerbenden AG hält; denn Erwerbsgegenstand ist die Beteiligung, nicht der Aktienbestand. Besteht jedoch Vermögen der anderen Gesellschaft fast ausschließlich aus (eigenen) Aktien der erwerbenden AG, dann ist Beteiligungserwerb an dieser Gesellschaft unter Umgehungsgesichtspunkten wie Erwerb eigener Aktien der AG zu behandeln (KK-AktG/Lutter/Drygala Rn. 44; MüKoAktG/Oechsler Rn. 104); auf mehrstöckige Umgehungssachverhalte innerhalb eines Konzerns ist Ausn. auch im Zusammenspiel mit § 71d allenfalls dann anzuwenden, wenn Enkelanteile ebenfalls fast ausschließlich im Tochtereigentum stehen. Ebenfalls nicht unter § 71 I fällt Formwechsel in AG bei gleichzeitigem Halten eigener Anteile des Rechtsträgers, da Formwechsel identitätswahrend erfolgt, es also am Erwerbsvorgang durch entstandene AG fehlt (zutr. Heckschen/Weitbrecht ZIP 2017, 1297, 1299 f.; Schulz ZIP 2015, 510, 511); zur Veräußerungspflicht nach Wirksamwerden des Formwechsels → § 71c Rn. 3 f.

6 Kein verbotener Erwerb ist gegeben, wenn AG nicht zum Inhaber oder Mitinhaber der Aktie werden, sondern **nur Verfügungsbefugnis** erlangen soll. § 71

erfasst daher nicht Verwaltungstreuhand und Legitimationsübertragung (unstr., s. GK-AktG/Merkt Rn. 147 f.; MüKoAktG/Oechsler Rn. 95 f.). Ebenso erfasst § 71 grds. nicht die Tauschverwahrung, weil sich Erwerb und Verlust nach § 10 DepotG die Waage halten (hM, vgl. KK-AktG/Lutter/Drygala Rn. 41). Etwas anderes gilt, wenn die AG Aktien eines Dritten, über die sie Verfügungsmacht hat, in der Weise tauscht, dass nicht der Dritte, sondern die AG Inhaberin wird und sich dadurch iErg ihr Bestand an eigenen Aktien vergrößert (str., wie hier Hölters/Weber/Mayer/Albrecht vom Kolke Rn. 3). Aktien der herrschenden AG im Sondervermögen von ihr abhängiger Investmentgesellschaften sollten ohne Rücksicht auf Konstruktion des Sondervermögens aus Anwendung der §§ 71 ff. ausscheiden (Cahn WM 2001, 1929 ff.). Bei **Kaduzierung** wird § 71 grds. durch Spezialregelung der §§ 64, 65 verdrängt; Ausnahme ist Verkauf nach § 65 III (→ § 65 Rn. 8 ff.), weil nicht notwendige Folge der Kaduzierung.

III. Ausnahmen vom Erwerbsverbot (§ 71 I Nr. 1–8)

1. Notwendigkeit zur Schadensabwehr. a) Allgemeines. Obwohl Ver- 7
botsvoraussetzungen (→ Rn. 4 ff.) tatbestandlich erfüllt sind, darf AG eigene Aktien gem. § 71 I Nr. 1 erwerben, wenn (1.) schwerer Schaden für AG unmittelbar bevorsteht und (2.) Erwerb zu dessen Abwehr notwendig ist. **Schaden** ist iSd §§ 249 ff. BGB zu verstehen, so dass dafür jede unfreiwillige Vermögenseinbuße, auch Folgeschäden, insbes. entgangener Gewinn, genügen; auch von § 249 BGB nicht unmittelbar erfasster Reputationsschaden fällt unter Nr. 1, wenn er bei rationaler Betrachtung echte Vermögensschäden mit sich bringen kann (MüKoAktG/Oechsler Rn. 113; B/K/L/Wieneke Rn. 8). Schaden muss jedoch der AG drohen; Schaden der Aktionäre genügt nicht (BFHE 122, 52, 54 = NJW 1977, 1216). **Schwerer Schaden** ist nicht notwendig existenzgefährdend, doch muss Einbuße auch unter Berücksichtigung von Größe und Finanzkraft der Gesellschaft jedenfalls beachtlich sein (GK-AktG/Merkt Rn. 165; MüKoAktG/Oechsler Rn. 117 f.). Schaden wird nicht dadurch schwer, dass Risiko des Erwerbs eigener Aktien gering erscheint; sog Relationstheorie ist also abzulehnen (str., wie hier KK-AktG/Lutter/Drygala Rn. 61; MüKoAktG/Oechsler Rn. 117 f.; aA Kuhn NJW 1973, 833, 835 für Arbitragegeschäfte; Werner AG 1972, 96, 97). Schließlich muss Schaden **unmittelbar bevorstehen.** Dafür genügt in überschaubarer Zukunft konkret erwartbarer Schaden. Dass er sofort eintreten würde, ist nicht zu fordern; zeitlicher Höchstrahmen ist nicht fixierbar (RegBegr. BT-Drs. 8/1678, 14 f.; KK-AktG/Lutter/Drygala Rn. 62). Über den Wortlaut hinaus wird auch der bereits eingetretene Schaden erfasst, sofern Schadensbeseitigung durch Erwerb eigener Aktien möglich und notwendig (→ Rn. 8) ist (BeckOGK/Cahn Rn. 56; B/K/L/Wieneke Rn. 10).

Erwerb eigener Aktien muss **zur Schadensabwehr notwendig** sein. Erfor- 8
derlich, aber noch nicht genügend ist danach Tauglichkeit des Erwerbs zur Schadensabwehr. Weitergehend muss Erwerb zwar nicht einziges Mittel, aber Lösung ohne vernünftige Alternative sein (hM, vgl. OLG Hamburg AG 2010, 502, 505; KK-AktG/Lutter/Drygala Rn. 63; MüKoAktG/Oechsler Rn. 120). Maßgeblich ist ausschließlich obj. Betrachtung, nicht subj. Zielsetzung des Vorstands (heute unstr., s. GK-AktG/Merkt Rn. 171; MüKoAktG/Oechsler Rn. 111).

b) Einzelfragen. Nach vorstehenden Grundsätzen kommt Zulässigkeit des 9
Aktienerwerbs in Betracht: Wenn **Schuldner** der AG sonst **nicht leistungsfähig** ist, zB zur Realisierung der Forderung eigene Aktien gepfändet oder verwertet werden müssen (MüKoAktG/Oechsler Rn. 124); wenn gegen AG gezielter **Baisseangriff** geführt wird, der Kreditgefährdung zur Folge hat (KK-AktG/

Lutter/Drygala Rn. 50; MüKoAktG/Oechsler Rn. 137); auch wenn Baisseangriff in Verschmelzungsphase gegen aufnehmende AG gerichtet wird und daraus für sie schlechtes Umtauschverhältnis resultiert (KK-AktG/Lutter/Drygala Rn. 50; MüKoAktG/Oechsler Rn. 137; weitergehend Kuhn NJW 1973, 833, 834). Heute weitgehend anerkannt ist, dass **Überfremdung** Aktienerwerb nicht generell rechtfertigt, sondern allenfalls in dem Ausnahmefall, dass Aufkauf (etwa durch Wettbewerber) zwecks Schädigung (Verdrängung vom Markt, Ausplünderung) erfolgt (GK-AktG/Merkt Rn. 183 ff.; MüKoAktG/Oechsler Rn. 134; wohl auch [nicht eindeutig] BGHZ 33, 175, 186 = NJW 1961, 26; noch enger Aha AG 1992, 218, 220; für Zulässigkeit des Erwerbs Kuhn NJW 1973, 833, 834). Das folgt bei börsennotierter AG schon aus der in § 33 WpÜG vorgeschriebenen Neutralitätspflicht (→ § 76 Rn. 118 ff.). Auch wenn man jenseits dieser Vorschrift mit hier vertretener Auffassung Neutralitätspflicht verneint (→ § 76 Rn. 118 ff.), bleibt es aber auch dann dabei, dass Veränderung der Beteiligungsstruktur für AG selbst idR keine Gefahren begründet. Schaden iSd § 71 I Nr. 1 besteht daher nur dann, wenn konkrete Hinweise vorliegen, dass es Bieter ausschließlich darum geht, die AG durch Übernahme zu schädigen bzw. zu zerstören (vgl. S/L/T. Bezzenberger Rn. 32; BeckOGK/Cahn Rn. 58). Bzgl. der Beweislast sollte es genügen, wenn Vorstand Tatsachen nachweist, aus denen sich ernsthafte Besorgnis der Schädigungsabsicht obj. ergibt; dass Gegner solche Absicht tats. hat, kann idR nicht bewiesen werden.

10 Eindeutig unzulässig ist Erwerb eigener Aktien nach § 71 I Nr. 1 zwecks bloßer **Kurspflege** von Nichtbanken (RegBegr. Kropff S. 91, unstr.; wenig überzeugend OLG Frankfurt AG 1992, 194, 196; zu Aktienbanken → Rn. 11, 19a, 19b); zur Ausnutzung von Kursgewinnen (RegBegr. Kropff S. 91); als Finanzanlage; zwecks Einflussnahme auf **Auseinandersetzungen zwischen Aktionären** (KK-AktG/Lutter/Drygala Rn. 58). Auch der Erwerb eigener Aktien zum **Abkauf von Anfechtungsklagen** ist unzulässig, da Anfechtung des HV-Beschlusses und verbundene Möglichkeit der Nichtigkeitserklärung keinen schweren Schaden iSd § 71 I Nr. 1 begründen (BeckOGK/Cahn Rn. 57; Hölters/Weber/Mayer/Albrecht vom Kolke Rn. 6). Das gilt nach hM auch bei missbräuchlicher Ausnutzung des Anfechtungsrechts. Etwas anderes ist nur dann anzunehmen, wenn durch Anfechtungsklage des räuberischen Aktionärs der AG schwerer Schaden droht und Ges. keinen effektiven Rechtsschutz dagegen bietet (so auch B/K/L/Wieneke Rn. 13). IdR wird schwerer Schaden durch vorrangig anzuwendendes Freigabeverfahren (§ 246a) abgewehrt werden können (vgl. Hölters/Weber/Mayer/Albrecht vom Kolke Rn. 6; MüKoAktG/Oechsler Rn. 141). Enge Ausnahme besteht in den Fällen, wo Anfechtungsklage Registersperre auslöst, die durch Freigabeverfahren nicht zeitgerecht überwunden werden kann und dadurch schwerer Schaden droht (KK-AktG/Lutter/Drygala Rn. 59; MüKoAktG/Oechsler Rn. 141; tendenziell großzügiger GK-AktG/Merkt Rn. 175 f.).

11 Problematisch waren Handelsbestände in eigenen Aktien, die von **Aktienbanken** gehalten wurden, um im **Eigenhandel** Kurse stellen zu können oder im **Arbitragegeschäft** tätig zu werden (ausf. dazu Aha AG 1992, 218, 220 ff.). Frage ist nunmehr in § 71 I Nr. 7 geregelt (→ Rn. 19a, 19b). Rückgriff auf § 71 I Nr. 1 ist überflüssig und (Umkehrschluss aus Nr. 7) auch nicht mehr zulässig.

12 **2. Belegschaftsaktien.** Gem. § 71 I Nr. 2 ist Erwerb eigener Aktien zulässig, wenn sie AN der AG oder eines verbundenen Unternehmens (vgl. § 15) zum Erwerb angeboten werden sollen (wohl nur durch Verkehrsgeschäft; s. Hüffer ZHR 161 [1997], 214, 220 f.; gegen Aktienbeschaffung für Optionspläne auch S/L/T. Bezzenberger Rn. 35; Weiß, Aktienoptionspläne, 1999, 242 ff.; aA KK-AktG/Lutter/Drygala Rn. 82; MHdB AG/Rieckers § 15 Rn. 24; Umnuss/Ehle

BB 2002, 1042, 1043). Wegen des eindeutigen Wortlauts des § 71 I Nr. 2 werden neben gegenwärtigen Arbeitsverhältnissen („stehen“) auch frühere – bereits beendete – Arbeitsverhältnisse („standen“) erfasst; Betriebsrentner, Ruheständler, Mitarbeiter im Vorruhestand können daher Begünstigte sein. Begünstigter Personenkreis ist nicht abschließend genannt (RegBegr. BT-Drs. 12/6679, 83: „vor allem“). Andere Begünstigte müssen aber zur AG oder zu mit ihr verbundenem Unternehmen in vergleichbarem Verhältnis stehen. Personen, die Tätigkeiten für AG auf anderer vertraglicher Grundlage erbringen, werden nicht erfasst (OLG Jena AG 2015, 160, 161). Dasselbe gilt für **Organmitglieder** (unstr., s. zB OLG Jena AG 2015, 160, 161; GK-AktG/Merkt Rn. 198; Weiß, Aktienoptionspläne, 1999, 240 ff.); zu ihren Gunsten noch im RefE des KonTraG (Abdruck: AG 1997, August-Sonderheft S. 7; ZIP 1996, 2129 und 2193) vorgesehene Öffnung ist mangels praktischen Bedürfnisses nicht Ges. geworden; bes. soll durch Nichterfassung von Organen unkontrollierte Selbstentlohnung verhindert werden (vgl. RegBegr. BT-Drs. 13/9712, 15). Vorschrift steht in einer Reihe mit anderen Normen, die Erwerb von Belegschaftsaktien begünstigen (vgl. neben Sparförderung und steuerlicher Begünstigung noch § 71a I 2, § 192 II Nr. 3, § 194 III, § 202 IV, § 203 IV, § 204 III, § 205 V). Dass es zulässig ist, Aktien unter Börsenkurs an AN auszugeben, wird von § 71 I Nr. 2 vorausgesetzt, da andernfalls kein Anreiz zum Erwerb bestünde (MüKoAktG/Oechsler Rn. 159; Hölters/Weber/Mayer/Albrecht vom Kolke Rn. 7). Zulässigkeit verbilligter Belegschaftsaktien ist nach allgM wie für andere Sozialleistungen der AG an die AN zu bejahen, wenn sich Aufwand im Rahmen des Üblichen und Angemessenen hält (KK-AktG/Lutter/Drygala Rn. 78; MüKoAktG/Oechsler Rn. 159; → § 76 Rn. 88 ff.). Auch bei Vereinbarung schuldrechtl. Rückübertragungspflicht des Belegschaftsaktionärs müssen §§ 71 ff. berücksichtigt werden, weil Rückübertragung Erwerb eigener Aktien darstellt und nicht von einem vorangegangenen Erwerb nach § 71 I Nr. 2 abgedeckt ist. Insbes. Rechtsfolge des § 71 IV 2 ist einschlägig; zum Schutz vor Umgehungsgeschäften greifen dann §§ 71a, 71d ein (Knott/Jacobsen NZG 2014, 372, 376 f.).

Für Zulässigkeit genügt, dass Aktien angeboten werden sollen. Entscheidend ist 13
also entspr. **Absicht des Vorstands.** Mitwirkung des Betriebsrats nach § 87 I BetrVG ist nicht erforderlich (KK-AktG/Lutter/Drygala Rn. 70 mwN). Absicht muss **ernstlich** sein. Zu fordern ist Vorstandsbeschluss mit realistischen Angebotskonditionen; vage Pläne genügen nicht. Erwerb wird aber nicht nachträglich unzulässig, wenn ernstliche Absicht später nicht realisiert wird, auch dann nicht, wenn Jahresfrist des § 71 III 2 ohne Ausgabe verstreicht. Analog § 71c I kann aber Veräußerungspflicht bestehen (→ Rn. 23).

3. Abfindung von Aktionären. § 71 I Nr. 3 knüpft zunächst an § 305 II, 14
§ 320b (konzernrechtl. Abfindung) an. Nach **§ 305 II Nr. 1** ist AG, wenn sie begünstigter Teil eines Beherrschungs- oder Gewinnabführungsvertrags ist, verpflichtet, außenstehenden Aktionären im Vertrag eigene Aktien anzubieten (→ § 305 Rn. 9, 11). Gem. **§ 305 II Nr. 2** hat AG unter sonst gleichen Voraussetzungen bei Mehrheitsbesitz einer anderen inländischen AG oder Abhängigkeit von ihr (§§ 16, 17) die Wahl, ob sie Aktien der mehrheitlich beteiligten bzw. der herrschenden Gesellschaft oder eine Barabfindung anbietet (→ § 305 Rn. 13 ff.). Ein Erwerb von Aktien der mehrheitlich beteiligten bzw. der herrschenden Gesellschaft durch AG, die abfindungspflichtig nach § 305 II Nr. 2 ist, stellt für diese gerade keinen Erwerb eigener Aktien dar, ist allerdings nach § 71d S. 2 Fall 1 nur zulässig, wenn Muttergesellschaft die eigenen Aktien selbst erwerben dürfte. Wegen § 71 I Nr. 3 iVm § 305 II Nr. 2 kann Muttergesellschaft, dh mehrheitlich beteiligte bzw. herrschende Gesellschaft, eigene Aktien erwerben, um sie der abhängigen Gesellschaft zu Abfindungszwecken nach § 305 II Nr. 2

zur Verfügung zu stellen. Zugleich wird Erwerb von Aktien der Muttergesellschaft durch abhängige Gesellschaft ermöglicht (§ 71d S. 2; s. BeckOGK/Cahn Rn. 69; KK-AktG/Lutter/Drygala Rn. 89). **§ 320b** betr. Abfindung ausgeschiedener Aktionäre bei Eingliederung und gibt ihnen Anspruch auf Gewährung von Aktien der Hauptgesellschaft (§ 320b I 2; → § 320b Rn. 3) oder alternativ von solchen Aktien oder barer Abfindung, wenn Hauptgesellschaft ihrerseits abhängig (§ 17) ist (§ 320b I 3; → § 320b Rn. 4 f.). Durch UmRUG 2023 wurde Aufzählung um **§ 313 UmwG** (ggf. iVm § 327 UmwG) und **§ 340 I UmwG** ergänzt, um Erwerb eigener Aktien auch für neu eingeführte Abfindungstatbestände bei grenzüberschreitenden Umwandlungen nutzbar zu machen. Für diese Fälle soll § 71 I Nr. 3 Erwerb der benötigten eigenen Aktien ermöglichen. **Verwendungsabsicht** des Vorstands genügt auch hier (→ Rn. 13). Erforderliche **Ernstlichkeit** setzt nach richtiger Ansicht grds. voraus, dass Zustimmungsbeschlüsse der beteiligten HV (auf beiden Vertragsseiten) gefasst sind (vgl. § 293 I, II, § 319 II, § 320 I; s. KK-AktG/Lutter/Drygala Rn. 105; großzügiger GK-AktG/Merkt Rn. 217; aA MüKoAktG/Oechsler Rn. 176). Wenn Beschlussinhalt aufgrund der Mehrheitsverhältnisse von vornherein feststeht, bedarf es HV-Beschlusses iRd § 71 I Nr. 3 nicht.

15 § 71 I Nr. 3 erfasst auch umwandlungsrechtl. Erwerbsfälle, nämlich Erwerbspflicht der AG bei **Verschmelzung** (§ 29 I UmwG), bei **Auf- oder Abspaltung** (§ 29 I, § 126 S. 1 UmwG) sowie beim **Formwechsel** (§ 207 I 1 UmwG). Nicht erfasst wird Ausgliederung, da § 29 I UmwG nicht anzuwenden ist. Entgegen der Begründungsansätze im Gesetzgebungsverfahren (s. Fraktionsbegr. BT-Drs. 12/6699, 177) ist § 71 I Nr. 3 auf den Sonderfall der Verschmelzung nach **§ 62 UmwG** anwendbar (BeckOGK/Cahn Rn. 73; MHdB AG/Rieckers § 15 Rn. 25; Martens FS Boujong, 1996, 335, 339 ff.). Ergibt sich in den Umwandlungsfällen, infolge der Maßnahme, ein Verstoß gegen § 71 II S. 1 oder S. 2, so lässt dies Wirksamkeit des Aktienerwerbs (s. § 71 IV 1) als auch des zugrunde liegenden schuldrechtl. Geschäfts unberührt; § 71 IV 2 wird von § 29 I 1 Hs. 2 UmwG (iVm § 125 S. 1 UmwG, § 207 I 1 Hs. 2 UmwG) verdrängt (Hölters/Weber/Mayer/Albrecht vom Kolke Rn. 10). Dies gilt selbst dann, wenn Verstoß gegen § 71 II bei Beschlussfassung absehbar war (BeckOGK/Cahn Rn. 71; aA MüKoAktG/Oechsler Rn. 167, der Nichtigkeit des HV-Beschlusses nach § 241 Nr. 3 vorsieht). Pflicht nach § 71c II (nicht § 71c I) bleibt uneingeschränkt bestehen (→ § 71c Rn. 4). Zur ernstlichen Verwendungsabsicht → Rn. 13, 14.

15a Ausnahmetatbestand des § 71 I Nr. 3 ist ebenfalls anwendbar, wenn AG **schadensersatzrechtl. Rückerwerbspflicht** ggü. getäuschten Anlegern hat. Das ist insbes. bei Verstößen gegen Prospektpflichten und Ad-Hoc-Mitteilungspflichten der Fall, wobei dann Kapitalerhaltungsschranke des § 71 II 2 keine Berücksichtigung findet (str.; vgl. BGH NJW 2005, 2450, 2452 f.; S/L/T. Bezzenberger Rn. 42; krit. KK-AktG/Lutter/Drygala Rn. 98 ff., die auf ggf. fehlende Konformität mit Kapital-RL [jetzt: GesR-RL] verweisen; tendenziell wohl für Richtlinienkonformität, iErg aber offenlassend EuGH NZG 2014, 215 Rn. 27 ff.; das Urteil als Bestätigung deutend MüKoAktG/Oechsler Rn. 337). Zur ernstlichen Verwendungsabsicht → Rn. 13, 14. Mit Neufassung des § 39 BörsG, der nun – nach zwischenzeitlicher Aufgabe der Macrotron-Rspr. im Frosta-Beschluss (→ § 119 Rn. 31 ff.) – in § 39 II 3 BörsG für das **Delisting** wieder Abfindungsanspruch der außenstehenden Aktionäre vorsieht (→ § 119 Rn. 36 ff.), findet § 71 I Nr. 3 auch auf diese Abfindung wieder entspr. Anwendung, sofern ausnahmsweise Emittent selbst Angebot unterbreitet (sa S/L/T. Bezzenberger Rn. 42; GK-AktG/Merkt Rn. 215; MüKoAktG/Oechsler Rn. 171; J. Koch/Harnos NZG 2015, 729, 734; aA Guntermann NZG 2021, 1621, 1622; vgl. zu entspr. Ansätzen unter der Macrotron-Entscheidung schon KK-AktG/Lutter/Drygala Rn. 96 f.).

4. Unentgeltlicher Erwerb; Einkaufskommission. Ausnahmsweise zulässig ist Erwerb eigener Aktien ferner, wenn er unentgeltlich oder durch KI (§ 1 I KWG, § 2 I KWG) bzw. Wertpapierinstitut (§ 2 I WpIG; → § 70 Rn. 2) in Ausführung einer Einkaufskommission erfolgt (§ 71 I Nr. 4). Die erste Variante (Schenkung, Vermächtnis) ist praktisch bedeutungslos. In der als Hauptfall angesehenen **Schenkung zwecks Sanierung** der AG (KK-AktG/Lutter/Drygala Rn. 220) dürfte auch § 71 I Nr. 6 eingreifen. Belastung mit Schenkung- oder Erbschaftsteuern schließt Unentgeltlichkeit iSd § 71 I Nr. 4 nicht aus (unstr., vgl. MüKoAktG/Oechsler Rn. 179). Dagegen findet § 71 I Nr. 4 keine Anwendung auf gemischte Schenkung oder Vermächtnis unter Auflage (MüKoAktG/Oechsler Rn. 179). 16

Ausführung der **Einkaufskommission durch Aktienbank** führt zwangsläufig zu ihrem Durchgangserwerb, weil sie in eigenem Namen auftritt (§ 383 HGB). Ausnahme ist seit jeher anerkannt (RegBegr. BT-Drs. 8/1678, 15; Schönle ZKW 1966, 148 ff.). KI kann Pflicht ggü. Kommittenten durch Selbsteintritt (§ 400 HGB) erfüllen und sich anschließend wieder mit entspr. Anzahl eigener Aktien eindecken (KK-AktG/Lutter/Drygala Rn. 223; MüKoAktG/Oechsler Rn. 182; aA S/L/T. Bezzenberger Rn. 45). Vorsorglicher Erwerb mit Blick auf mögliche künftige Einkaufskommission ist nicht zulässig. Scheitert Geschäft (Kommittent nimmt nicht ab), so wird Erwerb dadurch nicht nachträglich unzulässig, allerdings ergibt sich Veräußerungspflicht nach Maßstab des § 71c II (BeckOGK/Cahn Rn. 79; KK-AktG/Lutter/Drygala Rn. 222, aA S/L/T. Bezzenberger Rn. 45; GK-AktG/Merkt Rn. 230: § 71c I analog). Bei **Verkaufskommission** (§ 383 HGB) greift Erwerbsverbot des § 71 I schon tatbestandlich nicht ein, weil Bank nur Verfügungsbefugnis erlangt (→ Rn. 6). Folgerichtig enthält Ges. auch keine Ausnahme. Zugleich ist Selbsteintritt des KI (§ 400 HGB) in diesen Fällen nicht möglich, da dort gegebener Erwerb durch AG dauerhaft wäre. Allerdings kommt Legitimation nach § 71 I Nr. 7 in Betracht (KK-AktG/Lutter/Drygala Rn. 224 ff.). 17

5. Gesamtrechtsnachfolge. Ausnahmsweise zulässiger Erwerb eigener Aktien im Wege der Gesamtrechtsnachfolge (§ 71 I Nr. 5) soll sicherstellen, dass solche Nachfolge nicht am Erwerb eigener Aktien scheitert (RegBegr. Kropff S. 91). Erfasst werden Fälle des **§ 1922 BGB** (zum Vermächtnis vgl. → Rn. 16), der **Verschmelzung** (§ 20 I Nr. 1 UmwG, § 73 UmwG; sa § 202 I Nr. 1 UmwG) und des Vermögensübergangs in unmittelbarer oder entspr. Anwendung des **§ 134 S. 3 HGB;** letztgenannte Variante ist zumindest iErg unstr. (vgl. KK-AktG/Lutter/Drygala Rn. 230; B/K/L/Wieneke Rn. 26). Aktien, die zum Vermögen der Personengesellschaft gehören, können also auf diesem Wege auf Mitglieds-AG übergehen. 18

6. Einziehung. Erwerb eigener Aktien ist nach § 71 I Nr. 6 auch dann zulässig, wenn damit Beschluss der HV zur Einziehung nach den Vorschriften über die Kapitalherabsetzung durchgeführt wird. Gemeint ist Einziehung gem. § 237 I 1 Fall 2 (→ § 237 Rn. 19 ff.). Kapitalerhaltungsregeln treten insoweit hinter Einziehungsvorschriften (§§ 237 ff., 222 ff.) zurück. § 71 I Nr. 6 greift nur, wenn **vor** Erwerb eigener Aktien der HV-Beschluss über Kapitalherabsetzung bereits gefasst worden ist; darin liegt Unterschied zur Einziehungsermächtigung nach § 71 I Nr. 8 S. 6 (KK-AktG/Lutter/Drygala Rn. 232). Formal muss HV sich nur zur Einziehung und Kapitalherabsetzung erklären, Erwerb wird dann ipso iure durch § 71 I Nr. 6 ermöglicht (Kallweit/Simons AG 2014, 352, 353 f.). Herabsetzungsbetrag muss in bestimmbarer Weise festgelegt sein, wobei Höchstbetragsgrenze ausreichend ist (→ § 237 Rn. 24; Kallweit/Simons AG 2014, 352, 354). 19

19a **7. Handelsbestand eines Kredit- oder Finanzdienstleistungsinstituts oder Finanzunternehmens.** Gem. § 71 I Nr. 7 S. 1 darf AG eigene Aktien auch dann erwerben, wenn sie KI (§ 1 I KWG, § 2 I KWG), Finanzdienstleistungsinstitut (§ 1 Ia KWG, § 2 VI KWG), Wertpapierinstitut (§ 2 I WpIG; → § 70 Rn. 2) oder Finanzunternehmen (§ 1 III KWG) ist, sich auf Beschluss der HV stützen kann und mit Erwerb den Wertpapierhandel bezweckt. Vorschrift soll **Eigenhandel** in seinen verschiedenen Erscheinungsformen (RegBegr. BT-Drs. 12/6679, 83 f.) gesicherte Rechtsgrundlage geben.

19b **Beschluss der HV** muss bestimmen, dass eigene Aktien (1.) dem Handelsbestand zugeführt werden (genauere Fassung als „zum Zwecke des Wertpapierhandels" ist nicht erforderlich), (2.) dass Bestand 5 % des Grundkapitals (maßgeblich ist Grundkapital, wie es am jew. Stichtag bestand; vgl. S/L/T. Bezzenberger Rn. 50; BeckOGK/Cahn Rn. 90) nicht übersteigen darf, und zwar am Ende eines jeden (Kalender-)Tages, (3.) dass Erwerb nur zulässig ist, wenn AG Mindestpreis bietet und Höchstpreis nicht überschreitet („Gegenwert"), und schließlich (4.) dass Verwaltung für höchstens fünf Jahre zum Erwerb ermächtigt ist. Zu (1.): Handel mit Wertpapieren ist idR An- und Verkauf von Aktien (als Dienstleistung für Dritte), der nicht im unmittelbaren Eigeninteresse der AG liegt; allerdings ist der Begriff des Wertpapierhandels iwS zu verstehen (zu den iE erfassten Geschäften s. MüKoAktG/Oechsler Rn. 194, 197; Hölters/Weber/Mayer/Albrecht vom Kolke Rn. 17). Nicht erfasst werden Spekulationsgeschäfte der AG in eigenen Aktien (Rechtsgedanke des § 71 Nr. 8 S. 2) sowie Aktienkäufe zur Kursstützung oder Ähnliches (so auch Grigoleit/Grigoleit/Rachlitz Rn. 74; aA S/L/T. Bezzenberger Rn. 49). Vor allem ist Erwerb eigener Aktien zur Absicherung (virtueller) Performance-Pläne kein Handel mit Wertpapieren, da Erwerb ausschließlich im unmittelbaren Eigeninteresse der AG erfolgt (aA Kruchen AG 2014, 655, 660); vielmehr ist auf § 71 I Nr. 8 abzustellen (→ Rn. 19g). Zu (2.): Großzügig gewählte Bestandsgrenze von 5 % wurde offenbar im Hinblick auf künftige Marktentwicklungen gewählt. 5 %-Grenze bezieht sich nur auf das Ende des Kalendertages (24 Uhr deutscher Zeit). Während des Kalendertages darf diese Grenze überschritten werden, wobei 10 %-Grenze des § 71 II 1 uneingeschränkt gilt (BeckOGK/Cahn Rn. 88; Butzke WM 1995, 1389, 1391). Zu (4.): Ermächtigungsdauer beträgt **fünf Jahren** (bis zu ARUG 2009: 18 Monate). Es gelten die zu § 71 I Nr. 8 S. 1 entwickelten Grundsätze (→ § 71 Rn. 19e).

19c **8. Ermächtigungsbeschluss ohne positive gesetzliche Zweckvorgabe. a) Allgemeines.** § 71 I Nr. 8 erlaubt es, eigene Aktien zurückzuerwerben, ohne dass einer der speziellen Zwecke nach § 71 I Nr. 1–6 vorliegen müsste; auch gibt es keine branchenbezogene Beschränkung wie nach § 71 I Nr. 7. Lockerung des grds. bestehenden Erwerbsverbots (→ Rn. 3 f.), von der bei börsennotierten Gesellschaften verbreitet Gebrauch gemacht wird, bezweckt vor allem, **Flexibilität der Eigenkapitalfinanzierung** zu verbessern, und zwar bes. bei überkapitalisierten Gesellschaften durch nicht notwendig dauerhafte Verminderung des Eigenkapitals zu Lasten freier Rücklagen, was bei börsennotierten Gesellschaften zur Kurssteigerung beitragen kann (RegBegr. BT-Drs. 13/9712, 13; sa KK-AktG/Lutter/Drygala Rn. 121; Lutter AG 1997, August-Sonderheft S. 52, 56: pulsierendes Eigenkapital) und Alternative zur höheren Dividendenausschüttung darstellt (→ Rn. 2). Daneben kann Rückerwerb, wie aus § 71 I Nr. 8 S. 6 folgt, der Vorbereitung endgültiger Einziehung dienen. Schließlich bestätigt § 71 I Nr. 8 S. 4 Hs. 2 durch Verweisung auf § 193 II Nr. 4, dass auch Bedienung von Aktienoptionen möglich ist, Erwerb eigener Aktien also Alternative zum bedingten Kapital darstellt. Das ist sinnvoll, weil mit Bezugsaktien Verwässerungseffekt für Altaktionäre eintritt, den § 192 III 1 (→ § 192 Rn. 23) begrenzen will.

b) Erwerbsschranken durch Ermächtigungsbeschluss. Erwerb eigener Aktien nach § 71 I Nr. 8 bedarf Ermächtigungsbeschlusses der HV. Er muss dem Erwerb vorangehen („aufgrund"). **Einfache Stimmenmehrheit** des § 133 I ist mangels anderer Vorgaben erforderlich und genügend (BeckOGK/Cahn Rn. 111; van Aerssen WM 2000, 391, 394; Möller, Rückerwerb eigener Aktien, 2005, Rn. 285; Rieckers ZIP 2009, 700, 701; teilw. aA GK-AktG/Merkt Rn. 299). AG stimmt nicht mit, soweit sie schon eigene Aktien besitzt (§ 71b). Beschlusserfordernis enthält **Kompetenzzuweisung zugunsten der HV** (KK-AktG/Lutter/Drygala Rn. 124). Beschlusswirkung geht aber über Kompetenzebene hinaus, weil sie sich nicht in Befugnis des Vorstands erschöpft, Aktien zu erwerben, sondern auch grds. bestehendes Erwerbsverbot (→ Rn. 3 f.) außer Kraft setzt. Das Zweite geschieht derart umfassend, dass es sich um generelle Lockerung des Erwerbsverbots handelt. 19d

Beschluss muss in § 71 I Nr. 8 S. 1 bestimmten **Mindestinhalt** haben; den Anforderungen liegt Art. 60 I 2 lit. a GesR-RL zugrunde. Höchstfrist von fünf Jahren hat ARUG 2009 eingeführt (zu Parallelregelungen sa → § 202 Rn. 11, 18; → § 221 Rn. 13). Berechnung erfolgt nach §§ 187 ff. BGB. Frist bezieht sich auf Geltungsdauer der Erwerbsermächtigung; nicht auf Zeitraum des Behaltendürfens oder des Verwertens der eigenen Aktien durch AG. Frist bedarf konkreter Angabe eines Enddatums oder Zeitraums ab Beschlussfassung (S/L/T. Bezzenberger Rn. 20). Würde HV-Termin für neuen Ermächtigungsbeschluss möglicherweise nach Ablauf der Fünfjahresfrist liegen, so kann Ermächtigung entspr. bisheriger Praxis und zu § 202 geltenden Grundsätzen (→ § 202 Rn. 18) während des Fristlaufs verlängert werden. Frist darf aber insges. fünf Jahre nicht übersteigen. Unverbrauchter Rest ist also abzuziehen (sa MüKoAktG/Oechsler Rn. 199 zu § 71 I Nr. 7). Ermächtigungsbeschluss ist gem. § 241 Nr. 3 nichtig, wenn er Frist nicht oder nicht konkret enthält (BGHZ 205, 319 Rn. 36 = NZG 2015, 867). § 71 IV, § 71c I und III greifen dann so ein, als ob Beschluss nicht gefasst worden wäre. Gem. § 241 Nr. 3 nichtig ist Beschluss auch, wenn weiterer Inhalt des § 71 I Nr. 8 S. 1 fehlt. Dazu gehört zunächst **Festlegung des Gegenwerts** in Gestalt einer Unter- und Obergrenze (s. dazu J. Vetter AG 2003, 478, 480 ff.; zum Gegenwert bei vorgelagerter Call-Option s. MüKoAktG/Oechsler Rn. 216; MHdB AG/Rieckers § 15 Rn. 30; T. Bezzenberger ZHR 180 [2016], 8, 29 ff.; Johannsen-Roth ZIP 2011, 408, 412 f.; Kruchen AG 2014, 655, 657 f.). Dadurch können Aktionäre und Gesellschaftsgläubiger erkennen, welche Gefahr für Kapitalerhaltung durch Ermächtigung zum Erwerb eigener Aktien droht (Hölters/Weber/Mayer/Albrecht vom Kolke Rn. 20). Festlegung einer Untergrenze ergibt insofern zwar wenig Sinn, entspr. aber ges. Vorgabe (S/L/T. Bezzenberger Rn. 22). Ges. Hinweis auf niedrigsten und höchsten Gegenwert legt zunächst Spannenangabe nahe. Sie ist aber nicht zwingend, sondern es kann auch bestimmter Wert angegeben werden (insbes. bei nicht börsennotierter AG). Wichtig ist Bestimmbarkeit im Erwerbszeitpunkt (OLG Jena AG 2015, 160, 161; KK-AktG/Lutter/Drygala Rn. 127). Wird Spannenangabe gewählt, so kann sie betragsmäßig festgesetzt werden, was aber schon mit Blick auf fünfjährige Ermächtigungsdauer (§ 71 I Nr. 8 S. 1) nicht zweckmäßig ist und deshalb nur selten praktiziert wird (T. Bezzenberger ZHR 180 [2016], 8, 17). Zulässig und verbreitet ist stattdessen relative Anbindung an künftigen Börsenkurs (OLG Stuttgart AG 2019, 527, 534; RegBegr. BT-Drs. 13/9712, 13; T. Bezzenberger ZHR 180 [2016], 8, 17 f.). Praxis macht von dieser Möglichkeit idR in der Weise Gebrauch, dass an Durchschnittskurs im Vorfeld des Erwerbs angeknüpft wird, von dem nicht mehr als 10 % abgewichen werden darf. Das ist grds. zulässig (OLG Hamburg AG 2005, 355, 358; LG Berlin AG 2000, 328, 328), doch darf Vorstand auch iR dieser Abweichung nicht über aktuellem Börsenkurs im Erwerbszeitpunkt kaufen (ausf. T. Bezzenberger ZHR 180 [2016], 8, 18 f.). **Erwerbs-** 19e

schranke von 10 % des Grundkapitals bezieht sich nicht wie § 71 II 1 (→ Rn. 20 f.) auf Bestand eigener Aktien, sondern auf Erwerbsvolumen. Erwerbsvolumen meint Höchstzahl der Aktien, die insges. auf Grundlage dieses Erwerbsbeschlusses erworben werden dürfen; für Gesamtbestand gilt § 71 II 1 (KK-AktG/Lutter/Drygala Rn. 135; Hölters/Weber/Mayer/Albrecht vom Kolke Rn. 20). Angabe der Erwerbsschranke durch maximalen Prozentsatz ist zulässig (OLG Jena AG 2015, 160, 161). Parallel gefasste Ermächtigungsbeschlüsse dürfen 10 %-Grenze insges. nicht überschreiten (Hölters/Weber/Mayer/Albrecht vom Kolke Rn. 20). So gegebene Erwerbsschranke schränkt Gefahr missbräuchlicher Kursbeeinflussung ein, eröffnet aber genügend Handlungsspielraum (Martens AG 1996, 337, 338 f.). Weil sich Erwerbsschranke nur auf Grundkapital bezieht, steht § 71 I Nr. 8 S. 1 nicht entgegen, wenn AG, die zB Stamm- und Vorzugsaktien ausgegeben hat, Rückkauf auf eine Gattung beschränkt. Das kann geboten oder jedenfalls sinnvoll sein, wenn genügende Marktbreite nur für Aktien einer Gattung besteht. 10 %-Grenze berechnet sich auch bei Beschränkung auf eine Gattung nicht von deren Kapitalbetrag, sondern vom ganzen Grundkapital. Gefahr missbräuchlicher Kursbeeinflussung mag dadurch zunehmen. Das rechtfertigt aber keine über § 71 I Nr. 8 hinausgehende starre Erwerbsschranke. Ggf. kommt aber Anfechtung nach § 243 I oder II in Betracht, die als Rechtskontrolle auch genügt. Auszug aus HV-Einberufung für Beschlussfassung iSd § 71 I Nr. 8 und entspr. HV-Beschluss bei Happ/Groß AktienR 13.01 lit. a, b.

19f **c) Erwerbszwecke. aa) Zuständigkeitsfragen.** Weil HV nach § 71 I Nr. 8 S. 1 für Ermächtigung des Vorstands zuständig ist, kann sie auch einen oder mehrere Erwerbszwecke bestimmen; denn damit wird Ermächtigung nur eingeschränkt. Dass HV **Ermächtigung näher ausgestalten** darf, ist auch sonst anerkannt (→ § 202 Rn. 16; → § 221 Rn. 13). Wenn so verfahren wird, darf Vorstand nicht für andere Zwecke erwerben. Geschieht dies doch, ist Erwerb von § 71 I Nr. 8 nicht gedeckt und deshalb verboten. Erteilt HV Ermächtigung unbeschränkt oder stellt sie mehrere Zwecke zur Auswahl, so ist **Zweckbestimmung** Aufgabe der Geschäftsführung (LG Berlin AG 2000, 328, 329; RegBegr. BT-Drs. 13/9712, 13). Dass im Zeitpunkt der Beschlussfassung noch kein zulässiger Zweck ersichtlich ist, macht HV-Beschluss also nicht anfechtbar (ebenso B/K/L/Wieneke Rn. 31; aA OLG München AG 2003, 163 f.: Willkür; MüKo-AktG/Oechsler Rn. 207). Blankettbeschluss muss von Vorstand aber ausgefüllt werden. IRd Ermächtigungsbeschlusses kann Vorstand an Zustimmung des AR gebunden werden (sa → § 221 Rn. 13; LG München I NZG 2012, 1152, 1153; S/L/T. Bezzenberger Rn. 23; Bednarz, Der Ermächtigungsbeschluss, 2006, 200 ff.; Möller, Rückerwerb eigener Aktien, 2005, Rn. 89 ff.; Rieckers ZIP 2009, 700 f.; aA BeckOGK/Cahn Rn. 99; Bergau AG 2006, 769, 770 ff.). Fehlende Zustimmung begründet aber nur Pflichtwidrigkeit, nicht Unzulässigkeit des Erwerbs. § 111 IV 2 ist anwendbar, soweit HV es dem Geschäftsführungsermessen des Vorstands überlassen hat, Verwendung der eigenen Aktien festzulegen (sa GK-AktG/Merkt Rn. 272; van Aerssen WM 2000, 391, 394). Entscheidung darüber hat nämlich keine andere Qualität als sonstige Maßnahmen der Geschäftsführung. Davon zu unterscheiden ist Frage, ob Vorstand sich selbst ggü. Aktionären oder Dritten verpflichten darf, eigene Aktien zu erwerben bzw. zu veräußern: Innergesellschaftliche Zulässigkeit solcher **Selbstbindungen** bemisst sich nach § 93 I 1 und stößt erst an Grenze, wenn eigenverantwortliche Unternehmensleitung beeinträchtigt ist, wobei großzügiger Maßstab anzulegen ist (ausf. → § 76 Rn. 124 ff.; ähnlich BeckOGK/Cahn Rn. 99; Bungert/Wansleben ZIP 2013, 1841, 1843; Paschos NZG 2012, 1142, 1143 f.; strenger LG München I NZG 2012, 1152, 1153, bestätigt durch OLG München AG 2013,

173, 176). Zur Ad-Hoc-Publizität nach Art. 17 MAR und anderen kapitalmarktrechtl. Publizitätspflichten und Bezügen s. Häller/Roggemann NZG 2019, 1005 ff.; Merkner/Retsch/Elixmann AG 2022, 764 Rn. 6 ff. unter bes. Berücksichtigung des Safe-Harbour-Regimes in Rn. 9 ff.; Muster bei Happ/Groß AktienR 13.01 lit. d.

bb) Zulässige Zwecke. Abgesehen vom Ausschluss des Handels in eigenen Aktien (§ 71 I Nr. 8 S. 2; → Rn. 19i), enthält § 71 I keine beschränkende Vorgabe. Eigene Aktien können also **grds. zu jedem Zweck** erworben werden. Als zulässige Erwerbszwecke kommen im Wesentlichen in Betracht: (1.) Verminderung des Eigenkapitals zu Lasten freier Rücklagen; sie lässt sich mit Huber FS Kropff, 1997, 101, 109 als „Kapitalherabsetzung auf Zeit" charakterisieren, wobei Veräußerung der erworbenen Aktien der Nutzung genehmigten Kapitals (§§ 202 ff.) wirtschaftlich vergleichbar ist (s. KK-AktG/Lutter/Drygala Rn. 119). (2.) Bedienung von Aktienoptionen, soweit bedingtes Kapital (§§ 192 ff.) dafür nicht eingesetzt werden soll oder kann; nach § 71 I Nr. 8 S. 5 ist dafür entspr. HV-Beschluss Voraussetzung (→ Rn. 19j, 19k). (3.) Vorbereitung der Einziehung gem. § 237 I 1 Fall 2, und zwar abw. von § 71 I Nr. 6 insofern, als dem Erwerb noch kein Einziehungsbeschluss zugrunde liegen muss (→ Rn. 19; → § 237 Rn. 21) und bei entspr. Ermächtigung nach § 71 I Nr. 8 S. 6 auch später nicht erforderlich ist (RegBegr. BT-Drs. 13/9712, 13). (4.) Abschaffung oder Rückführung speziell einer Aktiengattung, was für Vorzugsaktien praktisch relevant ist. Rückkauf konkurriert dann mit Aufhebung des Vorzugs durch satzungsändernden Beschluss (→ § 141 Rn. 2 ff.) und mit Einziehung gem. § 237, die praktisch nur als Einziehung nach Erwerb in Betracht kommt (→ § 237 Rn. 19 ff.). (5.) Ermächtigung nach § 71 I Nr. 8 S. 1 kann zur Abwehr von feindlichen Übernahmen genutzt werden, § 71 I Nr. 1 dagegen grds. nicht (→ Rn. 9). Bei börsennotierter AG greift § 33 WpÜG ein. Folglich muss Ermächtigungsbeschluss, der Vorratsbeschluss ist, Voraussetzungen des § 33 II WpÜG erfüllen. Eine vor Übernahmeangebot erteilte allg. Ermächtigung der HV kann Vorstand nicht zur Abwehr der Übernahme ausschöpfen, auch nicht mit Zustimmung des AR (str. – wie hier S/L/T. Bezzenberger Rn. 25; Grigoleit/Grigoleit/Rachlitz Rn. 81; KK-AktG/Lutter/Drygala Rn. 148; aA NK-AktR/Glade § 33 WpüG Rn. 16). Nach Bekanntwerden des Übernahmeangebots ist Ad-Hoc-Zustimmung durch HV zur Abwehrmaßnahme möglich; einfache Mehrheit für Ermächtigungsbeschluss genügt (S/L/T. Bezzenberger Rn. 25; KK-AktG/Lutter/Drygala Rn. 147). IÜ dürfen Rückkaufprogramme beruhend auf § 71 I Nr. 8 durchgeführt werden, wenn sie auch ohne das Übernahmeangebot erfolgt wären (vgl. § 33 I 2 WpÜG und dazu Grigoleit/Grigoleit/Rachlitz Rn. 81; KK-AktG/Lutter/Drygala Rn. 147). (6.) Schließlich kann von § 71 I Nr. 8 auch Gebrauch gemacht werden, soweit § 71 I Nr. 3 zu eng konzipiert ist (→ Rn. 15 f.). (7.) Zur Kurspflege → Rn. 19i. (8.) § 71 I Nr. 8 kann auch die Grundlage bilden für den Erwerb eigener Aktien zur Bedienung eines Share Matching-Plans oder zur Absicherung (virtueller) Performance Pläne (Kruchen AG 2014, 655, 657, 660 ff.; ebenso für Share Matching-Pläne J. Wagner BB 2010, 1739, 1741 ff.); vgl. auch MüKoAktG/Oechsler Rn. 297, der bei Share Matching-Plänen zutr. § 192 II Nr. 3 – wegen Umgehungsgefahr – für anwendbar hält. (9.) In neuerer Zeit begegnet auch Rückkauf zur Ermöglichung einer scrip dividend (→ § 58 Rn. 33a; Rieckers DB 2016, 2526, 2531). 19g

Aktienoptionen für AR-Mitglieder sind nach BGHZ 158, 122, 125 ff. (= NJW 2004, 1109) kein zulässiger Erwerbszweck (zust. Habersack ZGR 2004, 721, 724 ff.; krit. dagegen Bösl BKR 2004, 474, 475 ff.). Dieses Verständnis ist nach Gesetzessystematik nicht zwingend, da § 71 I Nr. 8 keine positive ges. Zweckvorgabe enthält (→ Rn. 19c; für Zulässigkeit daher etwa noch OLG 19h

Schleswig AG 2003, 102, 103 f.). Im Anschluss an BGH versteht heute hM Verweisung des § 71 I Nr. 8 S. 5 auf § 193 II Nr. 4 aber als mittelbare Weiterverweisung auf § 192 II Nr. 3, der Ausgabe an AR-Mitglieder gerade nicht vorsieht (→ § 192 Rn. 21; vgl. etwa GK-AktG/Merkt Rn. 305). In dieser Lesart besteht also generelle Zulässigkeitsschranke für isolierte Stock Options zugunsten von AR-Mitgliedern, weil sie weder mit bedingtem Kapital noch mit zurückgekauften eigenen Aktien unterlegt werden können (zur Bestätigung durch UMAG-RegBegr. → § 113 Rn. 15). De lege ferenda wird verbreitet Korrektur dieses strengen Verständnisses gefordert (→ § 113 Rn. 15).

19i **cc) Ausschluss des Handels in eigenen Aktien.** § 71 I Nr. 8 S. 2 enthält negative Vorgabe, indem Handel in eigenen Aktien als Erwerbszweck ausgeschlossen wird. Gesetzgeber wollte kontinuierlichen Kauf und Verkauf eigener Aktien sowie **Spekulation auf Trading-Gewinne** ausschließen (RegBegr. BT-Drs. 13/9712, 13). In der Tat führt Spekulation in eigenen Aktien bei fallenden Kursen und dadurch bedingten Nachkäufen typischerweise in **Verlustspirale** (Seehof/Weber AG 2005, 549, 554; ähnlich Bednarz, Der Ermächtigungsbeschluss, 2006, 240 f.). Ebenso besteht Gefahr manipulativer Eingriffe in den Kapitalmarkt; bes. bei Erwerb über Börse ist wegen grds. Anonymität des Erwerbs Gefahr gegeben, dass ggü. anderen Marktteilnehmern echte Marktnachfrage vorgetäuscht wird. Verbot sollte daher dem Schutz der AG, der Aktionäre, der Gläubiger und des Kapitalmarkts dienen. **Schutz des Kapitalmarkts** wird mittlerweile im Wesentlichen durch kapitalmarktrechtl. Bestimmungen gewährleistet (zB Art. 15 MAR iVm Art. 12 MAR), so dass Schutzbestimmung des § 71 I Nr. 8 S. 2 insoweit überholt ist (vgl. MüKoAktG/Oechsler Rn. 234 f.). Handel iSd § 71 I Nr. 8 S. 2 liegt vor, wenn bereits zum Erwerbszeitpunkt der Erwerb allein auf Erzielung von Trading-Gewinnen durch AG gerichtet ist (KK-AktG/Lutter/Drygala Rn. 154); fortlaufendes Geschäft in eigenen Aktien indiziert Unzulässigkeit des Erwerbszwecks (GK-AktG/Merkt Rn. 279; B/K/L/Wieneke Rn. 35). Demnach wird Eigenhandel nach § 71 I Nr. 7 durch Nr. 8 gerade nicht auf breitere Basis gestellt, sondern bleibt unzulässig. Nicht ausgeschlossen ist **Erwerb zur Kurspflege,** dh gestaltende und stützende Einwirkung auf die Kursbildung, sofern Erwerb im Einklang mit kapitalmarkrechtl. Vorschriften erfolgt und zugleich in nicht rein spekulativer Absicht geschieht (so auch BeckOGK/Cahn Rn. 116; Hölters/Weber/Mayer/Albrecht vom Kolke Rn. 22). Ebenso ist Einsatz von Optionen bei Erwerb und Veräußerung eigener Aktien kein verbotener Handel in eigenen Aktien (im Zusammenhang mit Share Matching-Plänen s. Kruchen AG 2014, 655, 658 f.).

19j **d) Erwerb und Veräußerung. aa) Allgemeines.** § 71 I Nr. 8 S. 3–5 bestimmen Regeln für Erwerb und Veräußerung eigener Aktien durch AG. Grundregel ist § 71 I Nr. 8 S. 3, der (deklaratorisch) klarstellt, dass bei Erwerb und Wiederveräußerung eigener Aktien, die AG an den **Gleichbehandlungsgrundsatz** (§ 53a) gebunden ist. Nähere Ausgestaltung dieser Regel erfolgt in § 71 I Nr. 8 S. 4 und S. 5. Erwerb und Veräußerung über die Börse genügen den Anforderungen an die Gleichbehandlung (§ 71 I Nr. 8 S. 4). HV kann andere Art der Veräußerung beschließen, wobei dann §§ 186 III, IV und 193 II Nr. 4 entspr. anzuwenden sind. Ebenso entsteht Andienungsanspruch, der nach §§ 413, 398 BGB übertragbar ist (MüKoAktG/Oechsler Rn. 242). Sollen eigene Aktien verwendet werden, um Aktienoptionsprogramme für Führungskräfte und AN zu bedienen, ist nur § 193 II Nr. 4 zu beachten (Weiß, Aktienoptionspläne, 1999, 251; aA BeckOGK/Cahn Rn. 141; MüKoAktG/Oechsler Rn. 281 f.; Hölters/Weber/Mayer/Albrecht vom Kolke Rn. 30, die gleichzeitige Anwendung des § 186 III, IV verlangen, allerdings wegen ausdr. Verweises auf § 193 II Nr. 4 weitere sachliche Rechtfertigung für Bezugsrechtsausschluss für entbehrlich halten; offenlassend LG Berlin AG 2000, 328, 329). § 186 III, IV gilt nur, wenn es nicht um Stock Options geht. § 53a gilt für alle Erwerbstatbestände des § 71 I; systematischer Standort des § 71 I Nr. 8 S. 3–5 ist daher verfehlt. Regeln sind deshalb – trotz systematischer Verortung – auf alle Erwerbs- und Veräußerungsfälle des § 71 I entsprechend anzuwenden, sofern sich aus Natur der einzelnen Ausnahmetatbestände des § 71 I Nr. 1–7 nicht etwas anderes ergibt (vgl. KK-AktG/Lutter/Drygala Rn. 30; MüKoAktG/Oechsler Rn. 104). Ein gegen § 71 I Nr. 8 S. 3 verstoßener Beschluss ist anfechtbar nach § 243 I (MüKoAktG/Oechsler Rn. 270). Gegen Gleichbehandlungsgrundsatz verstoßendes schuldrechtl. Geschäft ist nach § 134 BGB iVm § 53a und nach § 71 IV 2 nichtig; dinglicher Erwerb wird davon aber nicht berührt. Stattdessen bestehende **Veräußerungspflicht** bestimmt sich nach § 71c I (RegBegr. BT-Drs. 13/9712, 14; MüKoAktG/Oechsler Rn. 270; B/K/L/Wieneke Rn. 36; jetzt auch Grigoleit/Grigoleit/Rachlitz Rn. 129; aA BeckOGK/Cahn § 71c Rn. 3 der Veräußerungspflicht nach § 71c II annimmt, da auch zügige Weiterveräußerung den Gleichheitsverstoß nicht zu beseitigen vermag). Ferner kann Verletzung des Gleichbehandlungsgrundsatzes zu Schadensersatzansprüchen des Übergangenen führen (RegBegr. BT-Drs. 13/9712, 14), zB nach § 280 I BGB wegen willkürlichen Ausschlusses des Andienungsrechts (s. MüKoAktG/Oechsler Rn. 246, 270).

bb) Einzelfragen. Erwerb oder Veräußerung über die **Börse** meint Abwicklung des Geschäfts in allen Marktsegmenten, auch im Ausland (RegBegr. BT-Drs. 13/9712, 13; Reichert/Harbarth ZIP 2001, 1441). Erwerbspreis wird dann idR Börsenpreis sein (Einzelheiten bei T. Bezzenberger ZHR 180 [2016], 8, 15 ff.). AG muss diesen Weg jedoch nicht gehen, sondern kann auch bei Börsennotierung öffentl. Erwerbsangebot (Festpreis; Auktion; transferable put rights) abgeben (BeckOGK/Cahn Rn. 124 ff.; Leuering AG 2007, 435, 436 ff.; Möller, Rückerwerb eigener Aktien, 2005, Rn. 226–240). Findet kein Börsenhandel statt, so sind Ankauf der Aktien in einer der genannten Formen (Stallknecht/Schulze-Uebbing AG 2010, 657, 661 ff.) und späterer Wiedererwerb allen Aktionären anzubieten. Auch hier muss Vorstand sich um möglichst günstigen Preis bemühen (OLG Hamburg AG 2005, 355, 358). Gegenauffassung, wonach Preisobergrenze erst da zu ziehen sei, wo Ausschüttungsschranke der Kapitalerhaltung (§ 71 II 2) greife (dafür insbes. T. Bezzenberger ZHR 180 [2016], 8, 20 ff.), beruht auf zu engem Verständnis der Kapitalerhaltung (→ Rn. 1) und ist deshalb abzulehnen. **WpÜG** gilt jedenfalls im ersten Fall, nach richtiger Ansicht auch im zweiten Fall nicht (→ Rn. 19l). Umstr. ist, ob sog **Paketerwerb** oder „negotiated repurchase", der notwendig individuelles Erwerbsangebot ist, generell an diesem Erfordernis formaler Gleichbehandlung scheitert. Das wird zT unter Berufung auf RegBegr. BT-Drs. 13/9712, 13 f. angenommen (→ 13. Aufl. 2018, Rn. 19k; Huber FS Kropff, 1997, 101, 113 und 116; Martens AG 1996, 337, 339 f.; Nowotny FS Lutter, 2000, 1513, 1519 f.), ist richtigerweise aber mit heute hM in dieser Allgemeinheit zu verneinen (vgl. GK-AktG/Merkt Rn. 77; KK-AktG/Lutter/Drygala Rn. 173 ff.; MüKoAktG/Oechsler Rn. 77 f.: BeckOGK/Cahn Rn. 128; Benckendorff, Erwerb eigener Aktien, 1998, 244 ff.; Bosse NZG 2000, 16, 17 ff.; Leuering AG 2007, 435, 436; Wastl/Wagner/Lau Der Erwerb eigener Aktien, 1997, 138 ff.). § 53a verlangt keine pauschale Gleichbehandlung, sondern fordert für Ungleichbehandlung nur sachlichen Grund, der auch hier vorliegen kann (Bsp. dafür auch in RegBegr. BT-Drs. 13/9712 S. 14). Erforderliche **Repartierung** bestimmt sich nach Beteiligungsquote (RegBegr. BT-Drs. 13/9712, 14). Sofern Preisschwellen vorgegeben werden, bezieht sich quotale Berücksichtigung aber nur auf Aktionäre, deren Gebot Preisschwelle erreicht. Mit Angebot außerhalb eines Börsenhandels entsteht für Aktionäre, die Angebots- 19k bedingungen erfüllen, **mitgliedschaftliches Andienungsrecht** als konkretisierende Weiterführung des Gleichbehandlungsgebots (KK-AktG/Lutter/Drygala Rn. 173 ff.; MüKoAktG/Oechsler Rn. 242; Paefgen AG 1999, 67, 68 f.; weitergehend Habersack ZIP 2004, 1121, 1125). Andienungsrechte können gem. §§ 398, 413 BGB übertragen und damit auch wie Bezugsrechte veräußert werden (MüKoAktG/Oechsler Rn. 242; Habersack ZIP 2004, 1121, 1127; Paefgen AG 1999, 67, 69). Schwierigkeiten entstehen, wenn AG Stamm- und Vorzugsaktien hat und sich Rückkauf nur auf eine Gattung beziehen soll. Hauptfall: Beide Gattungen sind börsennotiert, aber nur Vorzüge werden zurückgekauft; zulässig, sofern gerade das Inhalt des HV-Beschlusses ausmacht, sonst, also bei Ermächtigung zum Rückkauf von Stämmen und Vorzügen, unzulässig wegen Verstoßes gegen § 53a iVm § 71 I Nr. 8 S. 3 (Hillebrandt/Schremper BB 2001, 533, 535).

19l Erwerb über Börse ist nach heute hM **kein Fall des WpÜG,** was seit 2006 auch der Praxis der BaFin entspr. (Schreiben v. 9.6.2006, abrufbar unter https://www.bafin.de unter „Veröffentlichungen"; s. dazu BeckOGK/Cahn Rn. 159; Rieckers ZIP 2009, 700, 702). Direkter Anwendung steht erkennbare Ausrichtung des Gesetzes auf Dreipersonenverhältnisse entgegen (KG AG 2021, 597, 603; BeckOGK/Cahn Rn. 161; GK-AktG/Merkt Rn. 139; Berrar/Schnorbus ZGR 2003, 59, 72 ff.; J. Koch NZG 2003, 61, 64 ff.; aA MüKoAktG/Oechsler Rn. 247 ff.; Fleischer/Körber BB 2001, 2589, 2592 f.). Teilw. wird im Schrifttum eine analoge Anwendung einzelner Vorschriften des WpÜG vorgeschlagen (so Baums/Stöcker FS Wiedemann, 2002, 703, 704 ff.). Analoge Anwendung von Einzelvorschriften scheitert jedoch an unterschiedlicher Gefährdungslage der Aktionäre bei gesellschaftseigenem und gesellschaftsfremdem Rückerwerb (KG AG 2021, 597, 602; BeckOGK/Cahn Rn. 161; Berrar/Schnorbus ZGR 2003, 59, 83 ff.; J. Koch NZG 2003, 61, 66 ff.). Es besteht hierfür auch kein dringendes kapitalmarktrechtl. Bedürfnis, da aktienrechtl. Schutz, insbes. durch Gleichbehandlungsgrundsatz (§ 53a), weitgehend genügt (Baum ZHR 167 [2003], 580, 584 ff.; J. Koch NZG 2003, 61, 68 f.; vgl. auch schon RegBegr. KonTraG BT-Drs. 13/9712, 13).

19m Probleme bereitet bei Wiederveräußerung Verständnis des **Verweises auf § 186 III und IV** in § 71 I Nr. 8 S. 5 Hs. 2. Verweis gilt „in diesem Fall", was sich nach relativ klarer Satzstruktur augenscheinlich auf HV-Beschluss über „andere Veräußerung" in § 71 I Nr. 8 S. 5 Hs. 1 bezieht, wobei sprachlicher Bezugspunkt der abgrenzenden „anderen" Veräußerung eine Veräußerung über Börse nach § 71 I Nr. 8 S. 4 zu sein scheint. HM folgt diesem durch Wortlaut nahegelegten Verständnis und nimmt daher grds. **ges. Bezugsrecht der Aktionäre** an, das bei Veräußerung außerhalb der Börse nach ges. Vorgaben des § 186 III und IV (also insbes. mit HV-Beschluss) ausgeschlossen werden müsse (sa OLG Stuttgart AG 2019, 527, 537 f.; KK-AktG/Lutter/Drygala Rn. 177 f.; GK-AktG/Merkt Rn. 286 f.; MüKoAktG/Oechsler Rn. 267; B/K/L/Wieneke Rn. 41; Habersack ZIP 2004, 1121, 1123 ff.). Gegenauffassung bezieht „andere" auf § 71 I Nr. 8 S. 3 (Bindung an § 53a) und wendet § 186 III und IV nur bei ungleichmäßigem Veräußerungsangebot an, nicht aber bei ausschließlicher Veräußerung an Dritte (Benckendorff, Erwerb eigener Aktien, 1998, 280 ff.; zust. BeckOGK/Cahn Rn. 134). Dafür herangezogene Aussage der RegBegr. („Anwendung von § 186 AktG auf den Fall einer Abweichung von der Gleichbehandlung beschränkt") ist nicht ohne Gewicht, wird aber dadurch konterkariert, dass an selber Stelle Bezugsrecht auch bei Überlassung an institutionelle Anleger oder Dritte angenommen wird (insofern deshalb dann auch für Abweichung von RegBegr. Benckendorff, Erwerb eigener Aktien, 1998, 285). Angesichts dieser Ambivalenz bleibt Wortlaut maßgeblich, der ausweislich Satzstruktur Richtigkeit der hM nahelegt. Von dieser ges. Vorgabe abzuweichen, besteht kein Anlass, da Aktionäre von Wiederveräußerung zwar nicht in gleicher Weise betroffen sind wie von Kapitalerhöhung (so das zentrale Argument von Benckendorff, Erwerb eigener Aktien, 1998, 281), Bezugsrecht hier aber dennoch sinnvolle Funktion erfüllt, **Einfluss des Vorstands auf Beteiligungsstruktur** zu begrenzen (zutr. MüKoAktG/Oechsler Rn. 267). Dass es bei Veräußerung über Börse eines solchen Beschlusses nicht bedarf, dürfte seine Erklärung darin finden, dass hier wegen Erwerbsgrenze von 10 % stets Voraussetzungen des § 186 III 4 gegeben sind (KK-AktG/Lutter/Drygala Rn. 177 f.). Auch bei Veräußerung außerhalb der Börse findet § 186 III 4 (→ § 186 Rn. 39a ff.) entspr. Anwendung (Einzelheiten bei Bednarz, Der Ermächtigungsbeschluss, 2006, 206 f.; Reichert/Harbarth ZIP 2001, 1441, 1442 ff.). Analoge Anwendung der §§ 202 ff. ist weder angeordnet noch veranlasst (Reichert/Harbarth ZIP 2001, 1441, 1444 ff.; sa KK-AktG/Lutter/Drygala Rn. 183). Sinngem. Geltung des **§ 193 II Nr. 4** stellt sicher, dass Bedienung von Aktienoptionen aus eigenen Aktien nicht zum Leerlaufen der Anforderungen führt, die bei Begründung von Bezugsrechten durch bedingtes Kapital gelten (RegBegr. BT-Drs. 13/9712, 14; MüKoAktG/Oechsler Rn. 280; Hüffer ZHR 161 [1997], 214, 243 f.). Geltung stellt zugleich klar, dass Optionsrechte aus eigenen Aktien bedient werden dürfen, wenn Ermächtigungsbeschluss das abdeckt (Reichert/Harbarth ZIP 2001, 1441, 1448; Hölters/Weber/Mayer/Albrecht vom Kolke Rn. 30). Sie dürfen aber nicht gerade dadurch „ins Geld" gebracht werden (RegBegr. BT-Drs. 13/9712, 14; Hüffer ZHR 161 [1997], 214, 243); wenn doch, liegt Missbrauch der durch § 71 I Nr. 8 eröffneten Möglichkeit vor (§ 242 BGB), so dass Erwerb im Einzelfall trotz Ermächtigungsbeschlusses dem grds. Verbot des § 71 I (→ Rn. 3 f.) unterliegen kann.

e) Einziehungsermächtigung. § 71 I Nr. 8 S. 6 lässt zu, dass Vorstand von HV nicht nur zum Erwerb der Aktien, sondern auch zu ihrer Einziehung ermächtigt wird, ohne dass HV-Beschluss nach § 222 iVm § 237 II 1 oder nach § 237 IV 1 erforderlich wäre (BeckOGK/Cahn Rn. 147; Kallweit/Simons AG 2014, 352, 354). Soweit HV im Beschluss keine Auflage macht, entscheidet also Vorstand nach **pflichtgem. Ermessen,** ob von Einziehungsermächtigung Gebrauch gemacht wird (zust. van Aerssen WM 2000, 391, 394; Reichert/Harbarth ZIP 2001, 1441, 1450). Ebenso entscheidet Vorstand bei Ausgabe von Stückaktien über Herabsetzung des Kapitals oder Erhöhung der Kapitalquote je Aktie als Verfahrensalternative (§ 237 II, III Nr. 3), wenn Ermächtigungsbeschluss ihn nicht auf das eine oder das andere festlegt (→ § 237 Rn. 34a; Kallweit/Simons AG 2014, 352, 354 f., 357). Frist des § 71 I Nr. 8 S. 1 betrifft nur den Erwerb der Aktien. Fünfjahresfrist zur Durchführung der Einziehung bestimmt sich nach § 202 analog (KK-AktG/Lutter/Drygala Rn. 198; MüKoAktG/Oechsler Rn. 311; aA S/L/T. Bezzenberger Rn. 28; Kallweit/Simons AG 2014, 352, 356; Kocher NZG 2010, 172, 173 f.). Unterbleibt Einziehung überhaupt, so sind Aktien den Aktionären wieder anzubieten; anderweitige Verwertung ist ausgeschlossen, soweit HV sie nicht alternativ vorgesehen hat. § 71 I Nr. 8 S. 6 sieht keine bes. **Beschlussmehrheit** vor; einfache Mehrheit iSd § 133 I genügt (BeckOGK/Cahn Rn. 148; MüKoAktG/Oechsler Rn. 308; Kallweit/Simons AG 2014, 352, 355; aA Grigoleit/Grigoleit/Rachlitz Rn. 133; GK-AktG/Merkt Rn. 299 [qualifizierte Mehrheit analog § 222 I 1]; teilw. aA KK-AktG/Lutter/Drygala Rn. 197 [bei Vorhandensein verschiedener Aktiengattungen § 222 II analog]). Einziehungsermächtigung muss zwingend gemeinsam mit dem Ermächtigungsbeschluss nach § 71 I Nr. 8 S. 1 erfolgen (KK-AktG/Lutter/Drygala Rn. 197; MüKoAktG/Oechsler Rn. 309; aA BeckOGK/Cahn Rn. 147; Grigoleit/Grigoleit/Rachlitz Rn. 131, die nachträgliche Erteilung des Ermächtigungsbeschlusses ausreichen lassen). 10 %-Schranke des § 71 II 1 ist einzuhalten; anders bei Vorgehen nach § 71 I Nr. 6. Für analoge Anwendung des § 71 I Nr. 8 S. 6 auf anderweitig erworbene eigene Aktien Reichert/Harbarth ZIP 2001, 1441, 19n

1450; aA KK-AktG/Lutter/Drygala Rn. 197. Materielle Rechtmäßigkeit der Kapitalherabsetzung durch Einziehung bestimmt sich in den Fällen des § 71 I Nr. 8 S. 6 nicht nach § 237 III, sondern allein nach § 71 I Nr. 8, II und III; für die formellen Voraussetzungen der Kapitalherabsetzung sind §§ 222 ff. aber einschlägig (→ § 237 Rn. 34 f.; OLG München NZG 2012, 876; Grigoleit/Grigoleit/Rachlitz Rn. 133; Kallweit/Simons AG 2014, 352, 354; Wachter EWiR 2012, 543, 544; aA MüKoAktG/Oechsler Rn. 312).

IV. Schranken zulässigen Erwerbs (§ 71 II)

20 **1. Überblick.** Auch soweit Erwerb eigener Aktien nach § 71 I ausnahmsweise zulässig ist, sind aus § 71 II folgende Schranken zu beachten. Dabei ist nach Erwerbsanlässen zu differenzieren: In den Fällen des **§ 71 I Nr. 1, 2, 7 und 8** sind 10 %-Grenze des § 71 II 1 (krit. dazu Oechsler ZHR 170 [2006], 72, 73 ff.; für Aufhebung neuerdings Oechsler ZIP 2023, 1881 ff.) und hypothetische Kapitalgrenze des § 71 II 2 zu beachten (→ Rn. 21a). Nach § 71 II 3 muss es sich um volleingezahlte Aktien handeln (→ Rn. 21b). Im Fall des **§ 71 I Nr. 3** gelten 10 %-Grenze und Kapitalgrenze, doch kommt es insoweit nicht auf Volleinzahlung an. Im Fall des **§ 71 I Nr. 4** muss es sich dagegen um volleingezahlte Aktien handeln, während 10 %-Grenze und Kapitalgrenze insoweit nicht gelten. In den Fällen des **§ 71 I Nr. 5 und 6** ergeben sich aus § 71 II keine Schranken. Zur Suspendierung des § 71 II bei Erfüllung des Andienungsrechts der SPACs-Aktionäre (§ 47 I BörsG) s. § 47 III 1 BörsG und → § 23 Rn. 65; dort auch zur Anhebung der 10 %-Grenze auf 30 % gem. § 47 II BörsG.

21 **2. Einzelheiten zur 10 %-Grenze.** Für Grenze des § 71 II 1 (→ Rn. 20) kommt es auf Grundkapitalziffer an, wie sie sich aus der Bilanz ergibt (§ 266 III HGB: Passivseite A I). Bedingtes und genehmigtes Kapital sind nicht hinzuzurechnen (MüKoAktG/Oechsler Rn. 338). Mitzurechnen sind eigene Aktien und in Pfand genommene Aktien (§ 71e I) der AG und von ihr abhängiger oder in ihrem Mehrheitsbesitz stehender Unternehmen (§ 71d S. 2) sowie von Dritten, wenn Zurechnungsvoraussetzungen des § 71d S. 1 oder 2 erfüllt sind (→ § 71d Rn. 13; → § 71e Rn. 5). Erreicht Gesamtbestand an eigenen Aktien die 10 %-Schranke, ist Erwerb nach § 71 I Nr. 1–3, 7 und 8 nicht mehr zulässig; Erwerb nach § 71 I Nr. 4–6 bleibt möglich. **Maßgeblicher Zeitpunkt** für die Heranziehung der 10 %-Grenze ist der Zeitpunkt des Abschlusses des Kausalgeschäfts sowie dessen Erfüllungszeitpunkt (str., so KK-AktG/Drygala/Lutter Rn. 246; Grigoleit/Grigoleit/Rachlitz Rn. 135; aA BeckOGK/Cahn Rn. 223; Hölters/Weber/Mayer/Albrecht vom Kolke Rn. 33; MüKoAktG/Oechsler Rn. 342: Beachtung der 10 %-Schranke zZ des Abschlusses des Kausalgeschäfts genügt). Zur Anhebung der 10 %-Grenze auf 30 % bei Erfüllung des Andienungsrechts der SPACs-Aktionäre (§ 47 I BörsG) s. § 47 II BörsG und → § 23 Rn. 65.

21a **3. Hypothetische Kapitalgrenze. Kapitalgrenze** des § 71 II 2 bedeutet: AG muss im Erwerbszeitpunkt in der Lage sein, eine Rücklage in Höhe der Aufwendungen zu bilden, die für den Erwerb der eigenen Aktien notwendig sind, ohne dabei das Grundkapital oder eine nach Ges. oder Satzung zu bildende Rücklage zu mindern, die nicht zur Zahlung der Aktionäre verwendet werden darf. Seit Inkrafttreten des BilMoG 2009 braucht Rücklage nicht mehr tats. gebildet werden (§ 71 II 2: „könnte"). Tats. Rücklagenbildung ist funktionslos geworden, weil **eigene Aktien** nach § 272 Ia HGB ausnahmslos auf **Passivseite** auszuweisen sind (Absetzung bzw. Verrechnung; → Rn. 25 ff.); damit hat sich Neutralisierung früher als Aktivposten gezeigter eigener Aktien erledigt (vgl. RegBegr. BT-Drs. 16/10067, 101; Kessler/Suchan FS Hommelhoff, 2012, 509, 511). Vorstand muss sich vor Erwerb davon überzeugen, dass Zahlung aus hypothetischer Rücklage möglich wäre. Dies verlangt fiktiven Zwischenabschluss auf Stichtag des geplanten Erwerbs (OLG Stuttgart WM 2010, 120, 122). In diesem Sinne hypothetische Kapitalgrenze soll sicherstellen, dass mit Rückkauf wirtschaftlich einhergehende Ausschüttung (RegBegr. BT-Drs. 16/10067, 66) nur zu Lasten des ausschüttungsfähigen Vermögens erfolgt (RegBegr. BT-Drs. 16/10067, 101; → Rn. 25 ff.); dieses Vermögen bestimmt sich nach Bilanzregeln des Handelsrechts, so dass nicht aufgelöste stille Reserven unberücksichtigt bleiben (OLG Rostock NZG 2013, 543, 544 zu § 33 II GmbHG; S/L/T. Bezzenberger Rn. 59; BeckOGK/Cahn Rn. 225). Erwerb und Besitz von Anteilen des herrschenden oder des mehrheitlich beteiligten Unternehmens (§§ 16, 17) durch AG: § 272 IV HGB. Danach bleibt es insoweit bei Aktivierung und neutralisierender Rücklage. Unklar ist, welche Bedeutung den nach **§ 268 VIII HGB** gesperrten Rücklagen iRd § 71 II 2 zukommt. Dem Normzweck entspr. es, diese Rücklagen für Zulässigkeit des Aktienerwerbs nicht heranzuziehen (Kropff FS Hüffer, 2010, 539, 545 ff.).

4. Leistung des Ausgabebetrags. Nach § 71 II 3 ist Erwerb nach § 71 I Nr. 1, 2, 4, 7 und 8 nur zulässig, wenn auf die Aktien der Ausgabebetrag voll geleistet wurde. Auch korporatives Agio muss eingezahlt sein, nicht aber bloß schuldrechtl. Agio (zu diesen Begriffen → § 9 Rn. 8 ff.). Norm dient dem Schutz der Kapitalaufbringung, da Anforderung des § 71 II 3 verhindern soll, dass offene Einlageforderungen durch Konfusion erlöschen (MüKoAktG/Oechsler Rn. 356; B/K/L/Wieneke Rn. 47). 21b

V. Pflichten nach Erwerb (§ 71 III)

1. Unterrichtung der Hauptversammlung. In den Fällen des § 71 I Nr. 1 (Schadensabwehr → Rn. 7 ff.) und des § 71 I Nr. 8 (Rückerwerb ohne positive ges. Zweckvorgabe → Rn. 19c ff.) ist Vorstand gem. § 71 III 1 zur Unterrichtung der nächsten HV verpflichtet. Unterrichtung umfasst in der Vorschrift genannte Einzelpunkte und muss substanziiert sein, damit HV selbständig nachprüfen und beurteilen kann, ob konkreter Erwerb eigener Aktien die Zulässigkeitsvoraussetzungen erfüllt hat (für § 71 I Nr. 8 s. Muster bei Happ/Groß AktienR 13.01 lit. i). Bes. in den Fällen des § 71 I Nr. 1 hat Vorstand den Gesellschaftsschaden, sein Gewicht und die Notwendigkeit des Erwerbs zur Schadensabwehr durch Tatsachen zu belegen. Bloßer Hinweis auf ges. Vorschrift genügt keinesfalls (BGHZ 101, 1, 17 = NJW 1987, 3186). Angaben über eigene Aktien gehören zu **Pflichtangaben des Anhangs** (§ 160 I Nr. 2; → § 160 Rn. 7 ff.). Bes. Unterrichtung darf deshalb unterbleiben, wenn nächste HV diejenige ist, die auch Anhang entgegennimmt (unstr., vgl. RegBegr. BT-Drs. 8/1678, 15; GK-AktG/Merkt Rn. 354). Angaben des Anhangs müssen dann aber so genau sein, dass sie der Berichtspflicht des § 71 III 1 entspr. Sonst muss Vorstand fehlende Angaben schon von sich aus, erst recht auf Verlangen von Aktionären (§ 131), ggü. der HV machen. 22

2. Ausgabegebot. Belegschaftsaktien (§ 71 I Nr. 2) sind gem. § 71 III 2 innerhalb eines Jahres nach Erwerb an AN auszugeben. Bezweckt ist, unerwünschte Kurspflege zu verhindern (RegBegr. BT-Drs. 8/1678, 15). Verstreicht Frist ohne Ausgabe, so wird Erwerb dadurch nicht unzulässig (→ Rn. 13). Vorstand muss vielmehr weiter bemüht sein, Aktien in der Belegschaft unterzubringen. Erst wenn keine vernünftige Realisierungschance mehr besteht oder Vorstand seine Absichten aufgibt, entsteht Veräußerungspflicht analog § 71c I (KK-AktG/Lutter/Drygala Rn. 85; MüKoAktG/Oechsler Rn. 365). Vorstand kann sich bei Verschleppung der Ausgabe nach § 93 schadensersatzpflichtig 23 machen. Schaden kann insbes. der in dieser Zeit eingetretene Kursrückgang sein (MüKoAktG/Oechsler Rn. 366).

23a **3. Keine Unterrichtung der Aufsichtsbehörde.** § 71 III 3 aF verpflichtete AG, unverzüglich die BaFin zu unterrichten, wenn Ermächtigungsbeschluss nach § 71 I Nr. 8 gefasst wurde. Norm ist aufgehoben durch ARUG 2009. RegBegr. BT-Drs. 16/11642, 25 f. macht dazu auch gegen Stellungnahme des Bundesrats (BT-Drs. 16/11642, 49) geltend, dass Vorratsermächtigungen wegen weiter Verbreitung keine wesentliche Kursrelevanz haben und deshalb auch keine Maßnahmen der BaFin veranlasst sind. Macht Vorstand von Ermächtigung Gebrauch, ist allerdings Art. 17 MAR zu beachten. Ferner ist zu berücksichtigen, dass laut BaFin Ausschluss des Bezugsrechts als „Vereinbarung von Bezugsrechten" iSd § 49 I 1 Nr. 2 WpHG zu verstehen ist: Beschlüsse nach § 71 I Nr. 8 sind dementsprechend im BAnz. zu veröffentlichen, wenn Vorstand zur Wiederveräußerung eigener Aktien unter Ausschluss des Bezugsrechts der Aktionäre ermächtigt wird. Dasselbe gilt, wenn ein solcher Beschluss den Vorstand zur Einziehung ermächtigt („Vereinbarung von Einziehungsermächtigungen"); dazu BaFin, Emittentenleitfaden, Modul B, 59 (Stand: 30.10.2018); sa MHdB AG/Rieckers § 15 Rn. 58. Derartige Vereinbarung muss im BAnz. unverzüglich veröffentlicht werden; hiefür ist auf den Vorstandsbeschluss über die Einziehung abzustellen (MüKoAktG/Oechsler Rn. 316; Kallweit/Simons AG 2014, 352, 357).

VI. Rechtsfolgen unzulässigen Erwerbs (§ 71 IV)

24 **Erwerbsgeschäft** ist trotz Verstoßes gegen § 71 I oder II nicht unwirksam (§ 71 IV 1). AG wird also trotz ges. Verbots Inhaberin der Mitgliedsrechte, ist jedoch zur Veräußerung binnen Jahresfrist verpflichtet (§ 71c; vgl. dazu RegBegr. BT-Drs. 8/1678, 16). **Kausalgeschäft** ist gem. § 71 IV 2 grds. (Ausnahmen: § 29 I 1 Hs. 2 UmwG, § 125 S. 1 UmwG, § 207 I 1 Hs. 2 UmwG; dazu Fraktionsbegr. BT-Drs. 12/6699, 94, 146; → Rn. 15) nichtig, soweit Erwerb nicht erfolgen durfte (OLG Stuttgart WM 2010, 120, 125). Gutgläubigkeit oder Bösgläubigkeit des Veräußerers oder der AG ist unerheblich (BeckOGK/Cahn Rn. 234; teilw. aA S/L/T. Bezzenberger Rn. 73: § 62 I 2 analog). Wegen Nichtigkeit des Kausalgeschäfts gibt es keine Erfüllungsansprüche. Hat AG gleichwohl „erfüllt", also Erwerbspreis bezahlt, so liegt darin **verbotene Einlagenrückgewähr,** die nach § 62 (vgl. Erl. dort) auszugleichen ist (OLG Stuttgart WM 2010, 120, 125). Aktionäre, die geleistet haben, können Rückgewähr der Aktien nur nach §§ 812 ff. BGB fordern. Verknüpfung beider Rechtsverhältnisse durch Zurückbehaltungsrecht findet nach zutr. hM nicht statt (vgl. zB KK-AktG/Lutter/Drygala Rn. 252; aA noch Hüffer NJW 1979, 1065, 1069). Verwaltungsmitglieder können nach §§ 93, 116 schadensersatzpflichtig sein (dazu OLG Frankfurt NZG 2008, 836 f.; Kort NZG 2008, 823, 824 f.). Schließlich liegt OWi nach § 405 I Nr. 4a vor.

VII. Bilanz- und steuerrechtliche Behandlung

25 Bilanzielle Behandlung eigener Anteile richtet sich aufgrund BilMoG 2009 nach **§ 272 Ia, Ib HGB** (dazu etwa MüKoAktG/Oechsler Rn. 398 ff.). Während eigene Aktien gem. früherer Rechtslage je nach Erwerbsart und Wiederveräußerungsabsicht teils auf Aktiv-, teils auf Passivseite anzusetzen waren, sind sie nach neuer Rechtslage einheitlich auf der **Passivseite** darzustellen. Damit soll erreicht werden, dass Bilanzierung nicht von subjektiven Erwerbsabsichten der AG abhängt. Stattdessen soll dem bes. Gefährdungspotenzial eigener Anteile Rechnung getragen werden, das daraus resultiert, dass Verluste der AG sie durch den zugleich eintretenden Wertverlust der eigenen Anteile doppelt treffen (→ Rn. 1;

sa S/L/T. Bezzenberger Rn. 56 f.; MüKoBilanzR/Witt HGB § 272 Rn. 49). Dieser Zweck wurde nach altem Recht bei aktivierungsfähigen Aktien durch Bildung einer Sonderrücklage in gleicher Höhe gewährleistet (MüKoAktG/Oechsler Rn. 399). Nach neuem Recht gilt grds. Aktivierungsverbot. Stattdessen ist Nennbetrag bzw. rechnerischer Wert bei Stückaktie (§ 8 III 2; → § 8 Rn. 17) gem. § 272 Ia 1 HGB in einer Vorspalte **offen vom Posten Gezeichnetes Kapital abzusetzen.** Sie bilden damit einen negativen Korrekturposten zum gezeichneten Kapital (S/L/T. Bezzenberger Rn. 57). Ergänzend besteht Berichtspflicht im Anh. gem. § 160 I Nr. 2 (→ § 160 Rn. 7 ff.).

Auch weitere bilanzrechtl. Behandlung verfolgt das Ziel, dem **wirtschaftlichen Gehalt des Rückkaufs** eigener Anteile als Auskehrung frei verfügbarer Rücklagen an die Anteilseigner (→ Rn. 1) handelsbilanziell ebenso Rechnung zu tragen wie dem wirtschaftlichen Gehalt der Wiederveräußerung als Kapitalerhöhung (RegBegr. BT-Drs. 16/10067, 55). Deshalb verlangt § 272 Ia 2 HGB, dass Differenzbetrag zwischen Nennwert bzw. rechnerischem Wert zu tats. Anschaffungskosten **mit frei verfügbaren Rücklagen zu verrechnen** ist, wobei darunter auch solche nach § 272 II Nr. 4 HGB zu fassen sind (RegBegr. BT-Drs. 16/10067, 66; zum Sonderfall einer Anschaffung für geringeren Betrag als Nennwert s. MüKoAktG/Oechsler Rn. 400; BeckOGK/Cahn Rn. 241). Darin tritt Ausschüttungscharakter des Rückkaufs (→ Rn. 1) zutage: Ges. Regelung will gewährleisten, dass kein gebundenes Vermögen an Aktionäre zurückgewährt wird, sondern nur Werte, die auch als Dividende hätten ausgeschüttet werden dürfen (S/L/T. Bezzenberger Rn. 54). Von dieser Regel nicht erfasst sind Anschaffungsnebenkosten iSd § 255 I 2 HGB, die nach § 272 Ia 1 HGB als Aufwand des Geschäftsjahres anzusetzen sind (RegBegr. BT-Drs. 16/10067, 66). Um bilanzrechtl. Vorgaben materiell abzusichern, wird nach Maßgabe des § 71 II 2 hypothetische Rücklagenbildung angeordnet (→ Rn. 21a; vgl. zu diesem „Umweg" S/L/T. Bezzenberger Rn. 59). 26

Da sich Verrechnung nur auf Differenzbetrag bezieht, besteht die Gefahr, dass in Höhe des Nennbetrags bzw. rechnerischen Werts weiterhin ausschüttungsfähige Mittel ausgewiesen werden, obwohl bereits Ausschüttung in Form des Aktienrückkaufs erfolgt ist (vgl. S/L/T. Bezzenberger Rn. 60; MüKoBilanzR/Witt § 272 HGB Rn. 53). Wie der dadurch entstehenden **Lücke in der Kapitalerhaltung** Rechnung zu tragen ist, ist noch nicht abschließend geklärt. Nach wohl hM ist Nennbetrag **analog § 237 V** (→ § 237 Rn. 38 f.) in die Kapitalrücklage einzustellen (S/L/T. Bezzenberger Rn. 60; BeckBil-Komm/Förschle/Hoffmann § 272 HGB Rn. 134; Grigoleit/Grigoleit/Rachlitz Rn. 36; andere Ansätze bei MüKoAktG/Oechsler Rn. 355; MüKoBilanzR/Witt § 272 HGB Rn. 54 ff.). 27

Nach **Veräußerung** der Anteile ist Vorspaltenausweis nach § 272 Ia 1 HGB gem. § 272 Ib 1 HGB rückgängig zu machen. Überschießender Betrag ist gem. § 272 Ib 2 HGB bis zur Höhe des zuvor abgesetzten Betrags wieder in freie Rücklagen einzustellen. Der darüber hinausgehende Betrag ist gem. § 272 Ib 3 HGB in die Kapitalrücklage nach § 272 II Nr. 1 HGB einzustellen. Wird dagegen bei Wiederveräußerung ein hinter den Anschaffungskosten zurückbleibender Betrag erzielt, wird die Rücklage endgültig um den verbleibenden Unterschiedsbetrag gekürzt (MüKoAktG/Oechsler Rn. 401). 28

Für **steuerrechtl. Behandlung** des Erwerbs eigener Aktien hat sich Praxis auf die Grundsätze einzustellen, die im **BMF-Schreiben v. 27.11.2013** (IV C 2 – S 2742/07/10009, DOK 2013/1047768 = DStR 2013, 2700) niedergelegt sind (krit. nun allerdings FG Münster GmbHR 2017, 594, 599 ff.; vgl. dazu Binnewies AG 2018, 64 f.). BMF hat darin steuerrechtl. Behandlung von eigenen Aktien mit verwaltungsinterner und mittelbar externer Bindungswirkung sowie faktischer Bindung für nicht klagebereite Steuerpflichtige geregelt, und zwar für Sachver- 29 halte sowohl vor als auch nach BilMoG (→ Rn. 25 ff.). Mit Blick auf bilanzrechtl. Änderungen durch BilMoG folgt – nach aktuellem BMF-Schreiben – auf gesellschaftsrechtl. Ebene künftig Behandlung von eigenen Aktien wirtschaftlicher Betrachtungsweise des Handelsrechts: Für **unter BilMoG** fallende Geschäftsjahre sind Ausbuchung der aktivierten eigenen Aktien und der offene Absatz vom gezeichneten Kapital wie eine Kapitalherabsetzung zu behandeln; § 28 II KStG ist entspr. anzuwenden, wobei bestehender Sonderausweis aber nicht zu mindern und steuerliches Einlagekonto in der Summe nicht zu erhöhen ist; allerdings kann sich ausschüttbarer Gewinn ggf. vermindern. Veräußerung eigener Aktien wird wie eine Erhöhung des Nennkapitals behandelt mit der Folge, dass § 8b KStG keine Anwendung findet. Für **nicht unter BilMoG** fallende Geschäftsjahre, in denen bereits Halb- bzw. Teileinkünfteverfahren galt, wird dagegen das **BMF-Schreiben v. 2.12.1998** (BStBl. I 1509 = DStR 1998, 2011 = WPg 1999, 170) insoweit wieder in Kraft gesetzt (dazu BeckOGK/Cahn Rn. 244; MHdB AG/Kraft § 15 Rn. 46 ff.; Brill KÖSDI 2015, 19279 Rn. 42 ff.; Müller/Reinke DStR 2014, 711 ff.; Ott StuB 2014, 163 ff.).

Umgehungsgeschäfte

71a (1) [1] **Ein Rechtsgeschäft, das die Gewährung eines Vorschusses oder eines Darlehens oder die Leistung einer Sicherheit durch die Gesellschaft an einen anderen zum Zweck des Erwerbs von Aktien dieser Gesellschaft zum Gegenstand hat, ist nichtig.** [2] **Dies gilt nicht für Rechtsgeschäfte im Rahmen der laufenden Geschäfte von Kreditinstituten, von Finanzdienstleistungsinstituten oder von Wertpapierinstituten sowie für die Gewährung eines Vorschusses oder eines Darlehens oder für die Leistung einer Sicherheit zum Zweck des Erwerbs von Aktien durch Arbeitnehmer der Gesellschaft oder eines mit ihr verbundenen Unternehmens; auch in diesen Fällen ist das Rechtsgeschäft jedoch nichtig, wenn die Gesellschaft im Zeitpunkt des Erwerbs eine Rücklage in Höhe der Aufwendungen für den Erwerb nicht bilden könnte, ohne das Grundkapital oder eine nach Gesetz oder Satzung zu bildende Rücklage zu mindern, die nicht zur Zahlung an die Aktionäre verwandt werden darf.** [3] **Satz 1 gilt zudem nicht für Rechtsgeschäfte bei Bestehen eines Beherrschungs- oder Gewinnabführungsvertrags (§ 291).**

(2) **Nichtig ist ferner ein Rechtsgeschäft zwischen der Gesellschaft und einem anderen, nach dem dieser berechtigt oder verpflichtet sein soll, Aktien der Gesellschaft für Rechnung der Gesellschaft oder eines abhängigen oder eines in ihrem Mehrheitsbesitz stehenden Unternehmens zu erwerben, soweit der Erwerb durch die Gesellschaft gegen § 71 Abs. 1 oder 2 verstoßen würde.**

Übersicht

I. Regelungsgegenstand und -zweck

1 § 71a betr. Finanzierungs- und Hilfsgeschäfte, mit denen AG Dritten ermöglicht, ihre Aktien zu erwerben (§ 71a I), oder mit denen sie eigene Aktien durch Dritte erwirbt (§ 71a II). Normzweck des § 71a beschränkt sich nicht auf **Umgehungsschutz** (bes. § 71a II), sondern beinhaltet **eigenständigen Kapital- oder Vermögensschutz** (bes. § 71a I), was schon darin zum Ausdruck kommt, dass § 71a I unabhängig davon greift, ob AG selbst die Aktien nach § 71 erwerben dürfte. Vorschrift soll Gesellschaftsvermögen davor schützen, jenseits der Grenzen des § 57 III zur Erwerbsfinanzierung herangezogen zu werden und damit Insolvenzrisiko des Darlehensnehmers zu tragen (str., s. zum Meinungsstand OLG München BeckRS 2014, 03988; BeckOGK/Cahn Rn. 8 ff.; MüKoAktG/Oechsler Rn. 3 ff.; Habersack FS Hopt, 2010, 725, 732 ff.). Regelung ist zwingend (§ 23 V), was ihrem kapitalschützenden Charakter entspr. § 71a ergänzt § 57. § 71a I ist tatbestandlich weiter, da er für Erwerb eigener Aktien auch von § 57 nicht erfasste bilanziell neutrale Finanzierungsgeschäfte verbietet und iGgs zu § 57 keine Einschränkung bzgl. des Leistungsempfängers macht; Verbot trifft Aktionäre und Dritte (S/L/T. Bezzenberger Rn. 8; BeckOGK/Cahn Rn. 2; Habersack FS Hopt, 2010, 725, 727 f.). Zum **Anwendungsbereich** ist umstr., ob § 71a I lediglich Finanzierungsgeschäfte beim derivativen Erwerb eigener Aktien untersagt oder auch **originären Erwerb** iRd Gründung oder Kapitalerhöhung erfasst. Auch wenn Wortlaut („Erwerb" statt „Zeichnung") und systematische Stellung gegen solche Auslegung sprechen, muss im Lichte des Art. 64 GesR-RL (früher Art. 25 Kapital-RL), der nach Wortlaut und Entstehungsgeschichte originären Erwerb klar erfasst, auch in § 71a weites Verständnis zugrunde gelegt werden (BeckOGK/Cahn/v. Spannenberg § 56 Rn. 14; KK-AktG/Lutter/Drygala Rn. 21 ff.; Hölters/Weber/Mayer/Albrecht vom Kolke Rn. 2; Habersack FS Hopt, 2010, 725, 738 ff.; aA MüKoAktG/Oechsler Rn. 21). Art. 64 GesR-RL gestattet Ausnahmen vom strikten Finanzierungsverbot, doch hat nationaler Gesetzgeber von dieser Möglichkeit keinen Gebrauch gemacht; bes. § 27 IV genügt den Ausnahmeanforderungen des Art. 64 GesR-RL nicht. Daraus resultierender Konflikt zwischen § 71a und § 27 IV ist zu Lasten von § 27 IV aufzulösen, dessen verbleibender Anwendungsbereich damit zweifelhaft geworden ist (ausf. → § 27 Rn. 53).

II. Vorschuss, Darlehen, Sicherheitsleistung

2 **1. Verbotene Geschäfte.** Als Geschäftstypen erfasst § 71a I 1 dem Wortlaut nach Vorschuss, Darlehen und Sicherheitsleistung. **Vorschuss** ist vorfällige Leistung der AG auf anderweitig bestehende Verbindlichkeit, zB aus Kaufvertrag. **Darlehen** umfasst Fälle der §§ 488, 607 BGB, aber auch vergleichbare Kreditgewährung (zB Stundung). Leistung einer **Sicherheit** liegt stets vor, wenn beliebige Dritte potenziellem Aktienerwerber Kredit gewähren und AG Risiko des Dritten durch Einsatz ihrer Mittel übernimmt oder mildert. Rechtsform der Sicherheit ist gleichgültig (Hypothek, Grundschuld, Bürgschaft usw, aber auch Hingabe eines Wechselakzepts (s. KK-AktG/Lutter/Drygala Rn. 33; Riegger ZGR 2008, 233, 237). Wortlaut ist nicht abschließend, sondern verdeutlicht **offenen Tatbestand** durch Regelbeispiele (GK-AktG/Merkt Rn. 28; MüKoAktG/Oechsler Rn. 25; Singhof NZG 2002, 745, 746; iErg auch, wenngleich zurückhaltender Habersack FS Hopt, 2010, 725, 743 ff.; noch restriktiver Habersack FS Röhricht, 2005, 155, 169 ff. [vor Inkrafttreten des MoMiG]; für wortlautübersteigende Anwendung durch Analogie Ludwig FG Happ, 2006, 131, 133 ff.; iErg zu eng LG Düsseldorf ZIP 2006, 516, 518 ff.). So werden auch unentgeltliche Zuwendungen ohne

Rückzahlungsanspruch (Schenkung, verlorene Zuschüsse, Forderungsverzicht usw) erfasst, wenn dadurch der Aktienerwerb ermöglicht wird (BeckOGK/Cahn Rn. 41). Zahlung von Optionsprämie stellt zwar finanzielle Leistung an Stillhalter einer Option dar, wird aber nicht zum Erwerb der Aktien der AG gezahlt, sondern als reine Risikoprämie für die Option. Da bei Zahlung dieser Prämie überdies unklar ist, ob Stillhalter Aktien der AG über die Option erwirbt, ist § 71a I 1 bei Zahlungen von Optionsprämien nicht einschlägig (Kruchen AG 2014, 655, 659; ähnlich MüKoAktG/Oechsler Rn. 33; Johannsen-Roth ZIP 2011, 408, 410). Aufgrund ähnlicher Überlegungen fallen auch die Gewährung von Bonus-Aktien im Rahmen von Share Matching-Plänen nicht unter Verbotstatbestand (MüKoAktG/Oechsler Rn. 33; J. Wagner BB 2010, 1739, 1744). Verboten sind auch **Leistungen an Dritte,** wenn sie dem Erwerber zurechenbar sind, bes. in Durchleitungsfällen (Fleischer AG 1996, 494, 500). Vertragskonzern, faktischer Konzern → Rn. 6a.

3 Erforderlich, aber auch genügend ist, dass sich Finanzierungsgeschäft auf **Erwerb von Aktien der AG** bezieht. So liegt es jedenfalls dann, wenn AG und ihr Geschäftspartner sich **vor Erwerb** ausdr. oder konkludent darüber geeinigt haben, dass zur Verfügung gestellte Mittel zum Aktienerwerb eingesetzt werden sollen (GK-AktG/Merkt Rn. 46; MüKoAktG/Oechsler Rn. 44). Problematisch sind Finanzierungsgeschäfte **nach Erwerb.** Zweck der Norm und Wortlaut des Art. 64 I GesR-RL („im Hinblick auf einen Erwerb") lassen es zu, auch solche Geschäfte zu erfassen; so jedenfalls dann, wenn vor Erwerb nur Anschubfinanzierung gewährt wird und Hauptfinanzierung zu Lasten des AG-Vermögens nachfolgt (KK-AktG/Lutter/Drygala Rn. 40; GK-AktG/Merkt Rn. 47; MüKoAktG/Oechsler Rn. 45; Fleischer AG 1996, 494, 500 ff.; Schroeder, Finanzielle Unterstützung, 1995, 194 ff.; aA Habersack FS Hopt, 2010, 725, 740 f.; offengelassen in BGHZ 213, 224 Rn. 27 = NZG 2017, 344). Keine Finanzierung des Erwerbs und deshalb auch nicht verboten ist Übernahme von **Kurspflegekosten** (S/L/T. Bezzenberger Rn. 13; H. P. Westermann FS Peltzer, 2001, 613, 625 f.; aA GK-AktG/Merkt Rn. 33). **Kursgarantien** der AG fallen nur unter § 71a I 1, wenn sie im Zusammenhang mit dem Aktienerwerb übernommen werden und nicht als Spekulations-, sondern als Finanzierungsgeschäft zu werten sind (BeckOGK/Cahn Rn. 43; MüKoAktG/Oechsler Rn. 32; aA KK-AktG/Lutter/Drygala Rn. 37: Nichtanwendbarkeit des § 71a I, da allein Spekulationszweck vordergründig ist). Für **break fee-Klauseln** (Begriff → § 76 Rn. 128) gilt § 71a I 1 nicht, weil sie Scheitern des Übernahmeversuchs voraussetzen, so dass sie keine Erwerbshilfe sein können (Fleischer AG 2009, 345, 352 ff.; zust. BeckOGK/Cahn Rn. 46; Grigoleit/Grigoleit/Rachlitz Rn. 26; aA GK-AktG/Merkt Rn. 40; MüKoAktG/Oechsler Rn. 37; zur Vereinbarkeit mit Leitungsverantwortung des Vorstands → § 76 Rn. 128; zur Vereinbarkeit mit § 57 → § 57 Rn. 24). Keine Anwendbarkeit beim **Merger Buyout;** umwandlungsrechtl. Kapitalschutz ist vorrangig (BeckOGK/Cahn Rn. 48; Hölters/Weber/Mayer/Albrecht vom Kolke Rn. 5).

3a Verboten ist demnach, Vermögen der AG zur **Finanzierung des Aktienerwerbs** einzusetzen (BeckOGK/Cahn Rn. 26; Oechsler ZHR 170 [2006], 72, 81 ff. [dort auch zur Änderung der Kapital-RL (jetzt in GesR-RL kodifiziert)]; Habersack FS Hopt, 2010, 725, 727 ff.). Erstreckung des Verbots auf mit AG verbundene Unternehmen und vergleichbare Fälle erfolgt durch § 71d S. 4. Striktes Verbot des § 71a I 1 ist an Art. 23 Kapital-RL aF orientiert. Art. 64 GesR-RL lässt nun aber Finanzierungsgeschäfte (sog financial assistance) unter bestimmten Bedingungen zu. Gestattet sind allerdings nur Gesellschaftsleistungen, die einem Drittvergleich standhalten (Drygala Konzern 2007, 396, 397 ff.), was bei üblichen Finanzierungshilfen der AG gerade nicht gegeben ist (Freitag AG 2007, 157, 160, 164). Deutscher Gesetzgeber hat von der Öffnungsklausel des

Art. 64 GesR-RL bisher noch keinen Gebrauch gemacht (s. BT-Drs. 16/13098, 38; → Rn. 1).

4 **2. Nichtigkeit des Rechtsgeschäfts.** Verbotsverstoß bewirkt nach § 71a I 1 Nichtigkeit des Rechtsgeschäfts, das Vorschussgewährung usw zum Gegenstand hat. Nichtigkeitsfolge erfasst **Kausalgeschäft, nicht auch Erfüllungsgeschäft** (OLG Dresden NZG 2017, 985 Rn. 89; GK-AktG/Merkt Rn. 49; KK-AktG/Lutter/Drygala Rn. 50; MüKoAktG/Oechsler Rn. 49; aA S/L/T. Bezzenberger Rn. 35; BeckOGK/Cahn Rn. 53). Insbes. kann Nichtigkeit des Erfüllungsgeschäfts nicht mehr mit Parallele zu § 57 I begründet werden, da nach mittlerweile hM § 57 I 1 weder zur Nichtigkeit des Kausal- noch des Erfüllungsgeschäfts führt (ausf. → § 57 Rn. 56; zutr. daher MüKoAktG/Oechsler Rn. 49). Wegen Nichtigkeit des Kausalgeschäfts gibt es keine Erfüllungsansprüche, doch kann gleichwohl erfolgte Leistung nach §§ 812 ff. BGB zurückgefordert werden. § 62 ist nur unter seinen Voraussetzungen anwendbar; insbes. muss Empfänger schon Aktionär gewesen sein.

III. Ausnahmetatbestände

5 § 71a I 2 Hs. 1 nimmt von Verbot des § 71a I 1 zwei Fallgruppen aus, nämlich (1.) Finanzierungsgeschäfte und Sicherheitsleistungen, die durch KI (§ 1 I KWG, § 2 I KWG), Finanzdienstleistungsinstitut (§ 1 Ia KWG, § 2 VI KWG) oder Wertpapierinstitut (§ 2 I WpIG; → § 70 Rn. 2) iRd **laufenden Geschäfts** vorgenommen werden, und (2.) Finanzierungsgeschäfte und Sicherheitsleistungen, die Erwerb von **Belegschaftsaktien** bezwecken; dabei stehen AN verbundener Unternehmen denen der Gesellschaft gleich. Laufendes Geschäft ist übliches Wertpapiergeschäft nicht irgendeines, sondern des konkreten KI, Finanzdienstleistungs- oder Wertpapierinstituts (Singhof NZG 2002, 745, 747), das als AG aus grds. Verbot keine Wettbewerbsnachteile erleiden soll. Finanzdienstleistungs- und Wertpapierinstitute werden erfasst, weil sie wie KI Geschäfte der genannten Art betreiben. Privilegierung des Erwerbs von Belegschaftsaktien liegt iR ihrer vom Ges. gewollten Begünstigung (→ § 71 Rn. 12). Voraussetzung des erforderlichen Zusammenhangs der Besicherung mit dem Erwerb der Aktien ist, dass Leistung der AG obj. dem Aktienerwerb dient, Parteien dies wissen und die Zweckverknüpfung rechtsgeschäftlich zum Inhalt ihrer Vereinbarung machen; bei obj. Sachzusammenhang und zeitlicher Nähe kann solche Abrede zu vermuten sein (BGHZ 213, 224 Rn. 28 f. = NZG 2017, 344). Finanzierungsgeschäfte zum Zwecke des Aktienerwerbs von Organmitgliedern sind von Ausnahmeregel nicht erfasst (KK-AktG/Lutter/Drygala Rn. 63).

6 Gem. § 71a I 2 Hs. 2 muss **hypothetische Kapitalgrenze** – wie beim Erwerb eigener Aktien (→ § 71 Rn. 21a) – auch beim ausnahmsweise zulässigem Geschäft nach § 71a I 2 Hs. 1 beachtet werden. Rücklage muss nicht tats. gebildet werden. Umschreibung der hypothetischen Kapitalgrenze trägt wie § 71 II 2 der jetzigen Regelung in § 272 Ia, IV HGB Rechnung (→ § 71 Rn. 21a). IÜ ist Norm missverständlich, da sie vom Wortlaut auf den Aktienerwerb des unterstützten Dritten Bezug nimmt, obwohl beim Verbot des Finanzierungsgeschäfts allein die Finanzierungsleistung der AG relevant ist, aus der die Risiken der AG resultieren (Grigoleit/Grigoleit/Rachlitz Rn. 36; vgl. KK-AktG/Lutter/Drygala Rn. 64). Daher kommt es für Beurteilung nicht auf Zeitpunkt des Erwerbs der Aktien durch den Dritten an, sondern auf den Zeitpunkt des Finanzierungsgeschäfts (S/L/T. Bezzenberger Rn. 46; Grigoleit/Grigoleit/Rachlitz Rn. 36). Auch ist entgegen dem Gesetzeswortlaut die Höhe der fiktiven Rücklage nicht nach dem Preis zu bestimmen, den der Aktienerwerber für die Aktien zahlt, sondern nach dem Finanzierungsbeitrag der AG, da sich das Risiko

der AG von vornherein auf diesen beschränkt (so auch S/L/T. Bezzenberger Rn. 46; BeckOGK/Cahn Rn. 63; Grigoleit/Grigoleit/Rachlitz Rn. 39; aA GK-AktG/Merkt Rn. 64). Bereits vorgenommene und noch laufende Finanzierungsgeschäfte sind hinzuzurechnen (S/L/T. Bezzenberger Rn. 46; BeckOGK/Cahn Rn. 63).

6a Nach durch MoMiG 2008 eingeführtem Ausnahmetatbestand des § 71a I 3 gilt Verbot des § 71a I 1 nicht bei Bestehen eines **Beherrschungs- oder Gewinnabführungsvertrags** (§ 291). AG darf also Erwerb ihrer Aktien durch berechtigten Vertragsteil oder auf dessen Veranlassung auch durch Dritten, zB anderes Konzernunternehmen, finanziell unterstützen. Regelung will Widerspruch zu § 57 I 3 Hs. 1 vermeiden (AusschussB BT-Drs. 16/9737, 102). Soweit es dabei um Suspendierung des Verbotstatbestands geht, wurde diese nach hM schon früher durch analoge Anwendung des § 291 III erreicht (Fleischer AG 1996, 494, 505 ff.). § 71a I 3 geht aber weiter (ausf. BeckOGK/Cahn Rn. 19 ff.), weil Verbot finanzieller Unterstützung schon „bei Bestehen“ eines Vertrags iSd § 291 suspendiert ist (→ § 57 Rn. 39; → § 291 Rn. 36). Auf Rechtmäßigkeit einer Weisung nach § 308 kommt es also nicht an. Bei mangelnder Fähigkeit zur Leistung des Verlustausgleichs nach § 302 hilft es deshalb nicht, Rechtswidrigkeit der Weisung anzunehmen (neue Gesetzeslage relativierend aber KK-AktG/Lutter/Drygala Rn. 47). Sofern herrschender Vertragsteil selbst als Erwerber auftritt, sollte einschränkende Auslegung des § 71a I 3 möglich sein. Geltung des § 71a I 1 im sog **faktischen Konzern** ist ungeklärt. Für analoge Anwendung des § 291 III Fleischer AG 1996, 494, 505 ff. mwN, der auf S. 507 auch Spezialität der §§ 311 ff. erwägt; dafür Riegger ZGR 2008, 233, 240 f. mwN. Nach zutr. Ansicht bleibt es beim Verbot des § 71a I 1, da mangels ausdr. Ausnahmeregelung dem Kapitalschutz Vorrang vor §§ 311 ff. einzuräumen ist (S/L/T. Bezzenberger Rn. 37; BeckOGK/Cahn Rn. 25; KK-AktG/Lutter/Drygala Rn. 48; MüKoAktG/Oechsler Rn. 63; aA Habersack FS Hopt, 2010, 725, 742 f.).

IV. Handeln für Rechnung der AG, von ihr abhängiger oder in ihrem Mehrheitsbesitz stehender Unternehmen

7 **1. Verbotstatbestand.** § 71a II erfasst Auftrag, Geschäftsbesorgung oder Kommission (§§ 662 ff., 675 BGB, §§ 383 ff., 406 HGB, §§ 18 ff. DepotG), wenn sie darauf gerichtet sind, dass Geschäftspartner Aktien der AG für deren Rechnung, also als ihr **mittelbarer Stellvertreter,** erwerben darf oder soll. Nach dem Wortlaut soll auch die Situation erfasst werden, dass AG mit Dritten Rechtsgeschäft abschließt, wonach dieser Aktien für Rechnung eines abhängigen oder in Mehrheitsbesitz der AG stehenden Unternehmens erwerben soll. Allerdings ist fraglich, ob solche Anwendungsfälle tats. anzuerkennen sind, da wegen rechtl. Selbständigkeit des Tochterunternehmens die AG insbes. keine Pflichten für diese begründen kann (KK-AktG/Lutter/Drygala Rn. 76). Daher werden, trotz missverständlichen Wortlauts, Rechtsgeschäfte der in § 71a II genannten Art erfasst, die zwischen Tochterunternehmen der AG und einem Dritten abgeschlossen werden (vgl. GK-AktG/Merkt Rn. 71; MüKoAktG/Oechsler Rn. 77; Hölters/Weber/Mayer/Albrecht vom Kolke Rn. 12). Zur Überschneidung zwischen Tatbestand des § 71a II und § 71d S. 1 und S. 2 Fall 2→ § 71d Rn. 3, 6. Ob Rechtsgeschäft vor oder nach Erwerb der Aktien abgeschlossen wird, ist unerheblich (BeckOGK/Cahn Rn. 67; GK-AktG/Merkt Rn. 70). Voraussetzung des Verbots des § 71a II ist, dass AG, anders als iRd § 71a I (→ Rn. 3), mit unmittelbarem Erwerb gegen § 71 I oder II verstoßen würde.

8 Normzweck ergibt sich aus Zusammenhang des § 71a II mit §§ 57 I, 71 I. Aufwendungsersatz (§ 670 BGB, § 396 II HGB) wäre **ohne Sonderregelung** stets als **verbotene Einlagenrückgewähr** zu behandeln. Norm enthält also nicht nur Verbot, sondern in den tatbestandlichen Grenzen des § 71 I, II zugleich Erlaubnis zur mittelbaren Stellvertretung (KK-AktG/Lutter/Drygala Rn. 66; → § 71 Rn. 1). Dem Normzweck entspr. es, dass § 71a II auf Geschäftsführung ohne Auftrag analoge Anwendung findet (KK-AktG/Lutter/Drygala Rn. 71; GK-AktG/Merkt Rn. 75; aA MüKoAktG/Oechsler Rn. 74).

2. Nichtigkeit des Rechtsgeschäfts. Verbotsverstoß führt gem. § 71a II zur Nichtigkeit des Auftragsverhältnisses oder des sonstigen im **Innenverhältnis** vorgenommenen Rechtsgeschäfts. Entspr. dem Regelungszweck (→ Rn. 8) sind also Ansprüche des mittelbaren Stellvertreters auf Aufwendungsersatz (zB § 670 BGB), aber auch auf Vergütung (zB § 675 BGB) ausgeschlossen; ebenso hat AG keine Leistungsansprüche. Dennoch getätigte Leistungen zwischen AG und Dritten sind nach § 62 bzw. nach §§ 812 ff. BGB zurück zu gewähren (GK-AktG/Merkt Rn. 80; KK-AktG/Lutter/Drygala Rn. 78). **Außenverhältnis** bleibt dagegen unberührt. Mittelbarer Stellvertreter hat Aktien also wirksam erworben und bleibt auch Aktionär, weil AG Auslieferung der Aktien mangels gültigen Innenverhältnisses nicht fordern kann, zur Abnahme auch nicht verpflichtet ist. Werden Aktien trotz Nichtigkeit im Innenverhältnis auf die AG übertragen, gilt § 71 (KK-AktG/Lutter/Drygala Rn. 78).Wenn Beauftragter als unmittelbarer Stellvertreter tätig geworden sein sollte, gelten §§ 71, 71d S. 2 Hs. 1 (KK-AktG/Lutter/Drygala Rn. 68; B/K/L/Wieneke Rn. 13). Nach OLG München v. 19.2.2014 – 13 U 820/13 juris-Rn. 55 = BeckRS 2014, 3988 soll § 71a I darüber hinaus auch drittschützende Wirkung zugunsten nicht unterstützter Aktionäre zukommen, was nicht zweifelsfrei ist, da über solche Konstruktion iVm § 823 II BGB Haftungskonzentration des § 93 (dazu → § 93 Rn. 133) unterlaufen werden kann (MüKoAktG/Oechsler Rn. 53). Zu bejahen ist Vorstandshaftung aber nach § 826 BGB, wenn Aktionäre durch Finanzierungshilfe vorsätzlich und sittenwidrig geschädigt werden. Zur Überschneidung von § 71a II mit § 71d S. 1 und S. 2 Fall 2 und zur Abstimmung der Rechtsfolgen → § 71d Rn. 8 ff., 23 f. 9

Rechte aus eigenen Aktien

71b **Aus eigenen Aktien stehen der Gesellschaft keine Rechte zu.**

I. Regelungsgegenstand und -zweck

Während §§ 71, 71a Erwerb eigener Aktien regeln, geht es in § 71b um Halten solcher Aktien. Vorschrift bezweckt, daraus folgende Mitgliedsrechte zu **neutralisieren** (MüKoAktG/Oechsler Rn. 2); insbes. sollen AG keine Stimmrechte aus eigenen Aktien zustehen (→ § 71 Rn. 1). Anwendungsbereich des § 71b wird durch § 71d S. 4 wesentlich erweitert, nämlich auf Aktien, die mittelbarer Stellvertreter für Rechnung der AG hält; auf Aktien, die von AG abhängiges oder in ihrem Mehrheitsbesitz stehendes Unternehmen (§§ 16, 17) hält; schließlich auf Aktien, die mittelbarer Stellvertreter für Rechnung solcher Unternehmen hält (vgl. wegen der Einzelheiten → § 71d Rn. 10, 18, 24). § 71b findet keine Anwendung auf Aktien, die AG in Pfand genommen hat (arg e § 71e I 3). Verpfänder bleibt weiter Aktionär, dem auch nach Verpfändung die mitgliedschaftlichen Rechte aus der Aktie zustehen (BeckOGK/Cahn Rn. 5; KK-AktG/Lutter/Drygala Rn. 9; → § 71e Rn. 8). § 71b greift aber zu Lasten der AG, wenn der mitgliedschaftliche Anspruch auf den Gewinnanteil mitverpfändet wird (GK-AktG/Merkt Rn. 13; KK-AktG/Lutter/Drygala § 71e Rn. 40). 1

II. Tatbestandliche Voraussetzungen

2 § 71b setzt nur voraus, dass AG eigene Aktien erworben hat. Differenzierungen im Bestand finden nicht statt. Norm gilt also nicht nur bei unzulässigem, sondern auch bei ausnahmsweise zulässigem Erwerb, bei abgeleitetem Erwerb ebenso wie beim Erwerb durch Zeichnung, soweit man Heilung zulässt (→ § 56 Rn. 5 f.); s. KK-AktG/Lutter/Drygala Rn. 5; MüKoAktG/Oechsler Rn. 4 f.

III. Keine Mitgliedsrechte

3 **1. Grundsatz.** § 71b spricht AG die Mitgliedsrechte ab. Ihr wird aber nicht die Mitgliedschaft als solche entzogen. Sonst hätte sie keine eigenen Aktien, könnte sie auch nicht gem. § 71c veräußern. Mitgliedsrechte existieren nicht, bis Aktien veräußert worden sind, also ein (nicht unter § 71d S. 4 fallender) Dritter Aktionär geworden ist. Rechtsfolge ist zeitweiligem Rechtsverlust nach § 20 VII, 21 IV (→ § 20 Rn. 12 ff.) vergleichbar. Mit Übertragung an Dritten leben Mitgliedschaftsrechte, mit ex-nunc Wirkung, wieder auf.

4 **2. Einzelfragen.** § 71b gilt für alle Mitgliedsrechte, also für sämtliche **Verwaltungsrechte** wie zB Stimmrecht (sa die geänderte Verwaltungspraxis der BaFin zur Stimmrechtszurechnung eigener Aktien über Tochterunternehmen im WpHG und WpÜG – BaFin Journal, Dezember 2014, 5 f.; dazu Krause AG 2015, 553 ff., 555) und Anfechtungsbefugnis und für alle **Vermögensrechte** wie namentl. Dividendenrecht, Bezugsrecht (ausf. → § 186 Rn. 9) oder Recht auf Teilhabe am Abwicklungsüberschuss (RGZ 103, 64, 66; BGH NJW 1995, 1027, 1028; beide zur GmbH). Aktien bleiben jedoch Bestandteil des Grundkapitals, werden daher bei Bestimmungen, die auf einen bestimmten Anteil des Grundkapitals abstellen, mitgezählt (BeckOGK/Cahn Rn. 7; KK-AktG/Lutter/Drygala Rn. 7). Sie werden nicht berücksichtigt, wenn es auf die Höhe des vertretenen Grundkapitals ankommt (BeckOGK/Cahn Rn. 7; GK-AktG/Merkt Rn. 15).

5 Weil AG kein Stimmrecht hat, kann sie sich insoweit auch **nicht vertreten lassen** (KK-AktG/Lutter/Drygala Rn. 11; MüKoAktG/Oechsler Rn. 10). Kein Fall der §§ 71 ff. ist sog **Legitimationszession,** weil AG dadurch nicht die Mitgliedschaft erwirbt (→ § 129 Rn. 12 ff.). Stimmberechtigt in eigener HV ist sie trotzdem nicht, und zwar nach Wertung des § 136 II (str., wie hier BeckOGK/Cahn Rn. 6; KK-AktG/Lutter/Drygala Rn. 12; Möhring FS Geßler, 1971, 127, 133 ff.; aA Schilling FS Möhring, 1975, 257; zweifelnd B/K/L/Wieneke Rn. 7). Weil AG kein Dividendenrecht hat, kann sie darüber auch nicht durch **Veräußerung von Dividendenscheinen** verfügen (unstr.). Werden eigene Aktien und Dividendenscheine getrennt, so hat Inhaber der Dividendenscheine gleichwohl keinen Gewinnanspruch (hM, s. KK-AktG/Lutter/Drygala Rn. 13; MüKoAktG/Oechsler Rn. 11). Beim Ausschluss des Bezugsrechts ist die Ausnahme zu beachten, die § 215 I für Kapitalerhöhung aus Gesellschaftsmitteln macht (→ § 215 Rn. 2).

IV. Mitgliedspflichten

6 Zu Mitgliedspflichten sagt § 71b nichts. Auch sie bestehen nicht, solange AG eigene Aktien hält, leben jedoch mit Veräußerung an Dritten auf, soweit sie nicht inzwischen fällig geworden und deshalb durch Konfusion untergegangen sind (KK-AktG/Lutter/Drygala Rn. 26; MüKoAktG/Oechsler Rn. 15). Pflichten aus eigenen Aktien, die mittelbare Stellvertreter oder Tochterunternehmen halten, ruhen nicht und können nicht durch Konfusion erlöschen. Sie müssen erfüllt werden, denn S. 1 und S. 2 des § 71d ändern nichts daran, dass Dritter ggü. AG

eigenständiges Rechtssubjekt ist (KK-AktG/Lutter/Drygala Rn. 28; GK-AktG/Merkt Rn. 25).

Veräußerung und Einziehung eigener Aktien

71c (1) **Hat die Gesellschaft eigene Aktien unter Verstoß gegen § 71 Abs. 1 oder 2 erworben, so müssen sie innerhalb eines Jahres nach ihrem Erwerb veräußert werden.**

(2) **Entfallen auf die Aktien, welche die Gesellschaft nach § 71 Abs. 1 in zulässiger Weise erworben hat und noch besitzt, mehr als zehn vom Hundert des Grundkapitals, so muß der Teil der Aktien, der diesen Satz übersteigt, innerhalb von drei Jahren nach dem Erwerb der Aktien veräußert werden.**

(3) **Sind eigene Aktien innerhalb der in den Absätzen 1 und 2 vorgesehenen Fristen nicht veräußert worden, so sind sie nach § 237 einzuziehen.**

I. Regelungsgegenstand und -zweck

§ 71c begründet abgestufte Veräußerungspflicht (§ 71c I und II) und Pflicht zur Einziehung, wenn AG Veräußerungspflicht nicht erfüllt (§ 71c III). In § 71c I geht es um **Sanktion für verbotswidrigen Erwerb** eigener Aktien. § 71c II soll dagegen sicherstellen, dass auch an sich zulässiger Bestand an eigenen Aktien dauerhaft auf **maximal 10 % des Grundkapitals** begrenzt bleibt. § 71d S. 4 erweitert Anwendungsbereich um in → § 71b Rn. 1 umschriebene Aktien. 1

II. Voraussetzungen der Veräußerungspflicht

1. Verbotswidriger Aktienerwerb. § 71c I ordnet Veräußerung binnen Jahresfrist an, wenn Erwerb gegen § 71 I oder II verstößt. Gemeint ist jeder Verstoß gegen die genannten Vorschriften, also auch der Fall, dass zwar rechtfertigender Erwerbsanlass vorliegt, aber zusätzliche Schranken des § 71 II (→ § 71 Rn. 20 f.) nicht eingehalten werden (KK-AktG/Lutter/Drygala Rn. 8). 2

Sonderfragen. Fälle **originären Erwerbs** werden vom Wortlaut nicht erfasst, doch ist § 71c I entspr. anzuwenden (GK-AktG/Merkt Rn. 6; MüKoAktG/Oechsler Rn. 6), wenn man originären Erwerb eigener Aktien ausnahmsweise für möglich hält (→ § 56 Rn. 5 f.). Erwerb von **Belegschaftsaktien** (§ 71 I Nr. 2) wird nicht nachträglich unzulässig, wenn Frist des § 71 III 2 verstreicht; Veräußerungspflicht analog § 71c I nur, wenn mit Ausgabe endgültig nicht mehr gerechnet werden kann (→ § 71 Rn. 23). Verstößt Erwerb gegen Gleichbehandlungsgrundsatz, so besteht Veräußerungspflicht nach § 71c I (str., → § 71 Rn. 19j). Hält Rechtsträger vor Formwechsel in AG eigene Anteile, ist § 71c I analog anzuwenden, sobald AG existiert und Erwerb eigener Anteile nach den Vorschriften rechtwidrig war, die für den Rechtsträger vor dem Formwechsel galten (Schulz ZIP 2015, 510, 511); zum rechtmäßigen Anteilserwerb → Rn. 4. 3

2. Zulässiger Aktienerwerb. Nach § 71c II besteht auch dann Veräußerungspflicht (Frist: drei Jahre), wenn Erwerb zwar zulässig war, aber Bestand an eigenen Aktien **über 10 % des Grundkapitals** hinausgeht. Veräußerungspflicht gilt nur für übersteigenden Teil. Wortlaut des § 71c II ist unscharf, indem er nicht auch auf § 71 II 1 Bezug nimmt. Diese Vorschrift ist mitzulesen, so dass für § 71c II außerhalb des Umwandlungsrechts nur die Fälle des § 71 I Nr. 4–6 in Frage kommen (GK-AktG/Merkt Rn. 13; MüKoAktG/Oechsler Rn. 9); für sie gilt 10 %-Grenze nämlich nicht schon nach § 71 II 1 (→ § 71 Rn. 20). Soweit 4 eigene Aktien als Folge eines **umwandlungsrechtl. Pflichtangebots** (vgl. § 29 I UmwG, auch iVm §§ 125, 207 I UmwG; → § 71 Rn. 15) und deshalb rechtmäßig erworben worden sind, passt Sanktionscharakter des § 71c I nicht, so dass analog § 71c II Veräußerungsfrist von drei Jahren gilt (hM, s. GK-AktG/Merkt Rn. 14; Kallmeyer/Marsch-Barner UmwG § 29 Rn. 26; Hölters/Weber/Mayer/Albrecht vom Kolke Rn. 3; Lutter FS Wiedemann, 2002, 1097, 1108). Veräußerungspflicht nach § 71c II analog besteht auch dann, wenn Rechtsträger vor **Formwechsel** in AG rechtmäßig erworbene eigene Anteile hält, auf die ein Anteil des Grundkapitals entfällt, der über 10 % liegt. Rechtmäßigkeit des Erwerbs beurteilt sich nach Regeln für ursprüngliche Rechtsform (Schaper ZGR 2018, 126, 135; aA Heckschen/Weitbrecht ZIP 2017, 1297, 1303). Eigene Aktien, die 10 %-Grenze übersteigen, sind dann innerhalb von drei Jahren nach Wirksamwerden des Formwechsels zu veräußern (Schulz ZIP 2015, 510, 511; zust. GK-AktG/Merkt Rn. 14; Schaper ZGR 2018, 126, 134 f.). Zu den Handlungsmöglichkeiten hinsichtlich eigener Aktien, die keiner Veräußerungspflicht unterfallen, s. Schulz ZIP 2015, 510, 511 ff. Zulässig erworbene Aktien im Besitz der in § 71d S. 1 und S. 2 genannten Personen sind dem Gesamtbestand der eigenen Aktien zuzurechnen (KK-AktG/Lutter/Drygala Rn. 15; Hölters/Weber/Mayer/Albrecht vom Kolke Rn. 3). Gleiches gilt für Aktien, die AG oder Dritter (iSd § 71d) als Pfand genommen hat, unabhängig davon, ob Inpfandnahme zulässig war; denn für Pfandaktien besteht keine Veräußerungspflicht, so dass auch der Unterschied zwischen § 71c I und II nicht gelten kann (so KK-AktG/Lutter/Drygala Rn. 14; sa GK-AktG/Merkt Rn. 16). Aktien, die AG zur Kaduzierung (§ 64) erlangt hat, sind nicht zu berücksichtigen (→ § 64 Rn. 8; s. BeckOGK/Cahn Rn. 5).

III. Durchführung der Veräußerung

5 **1. Fristen.** Für Veräußerung nach § 71c I gilt Jahresfrist, nach § 71c II Dreijahresfrist. **Fristbeginn und -ende** sind gem. §§ 187, 188 BGB zu bestimmen. Jahresfrist des § 71c I beginnt mit Erwerb, wobei bereits Kausalgeschäft maßgeblich ist, sofern schon dieses unzulässig war (KK-AktG/Lutter/Drygala Rn. 6; vgl. auch GK-AktG/Merkt Rn. 21; MüKoAktG/Oechsler Rn. 11; aA BeckOGK/Cahn Rn. 7). Dafür sprechen die Rechtsfolgen des § 71 IV 2 und § 71a II (vgl. MüKoAktG/Oechsler Rn. 11). Verschiedene Erwerbstatbestände sind gesondert zu behandeln (Grigoleit/Grigoleit/Rachlitz Rn. 5). Für Fristbeginn maßgebliches Ereignis ist dagegen nach § 71c II das Überschreiten von 10 % des Grundkapitals durch zeitlich letzten Erwerbsvorgang iSd dinglichen Aktienerwerbs (GK-AktG/Merkt Rn. 22; MüKoAktG/Oechsler Rn. 12; teilw. aA Grigoleit/Grigoleit/Rachlitz Rn. 5: immer das zeitlich zuerst abgeschlossene Rechtsgeschäft ist maßgeblich). Wird diese Grenze mehrfach überschritten, so ist Dreijahresfrist für jeweilige Überschreitung neu zu berechnen (KK-AktG/Lutter/Drygala Rn. 16; MüKoAktG/Oechsler Rn. 12).

6 **2. Verfahren.** Wie Veräußerung erfolgen soll, hat Ges. nicht geregelt. Zuständigkeit liegt beim **Vorstand.** In den Fällen des **§ 71c I** sind die unzulässig erworbenen Stücke abzugeben, soweit individualisierbar (KK-AktG/Lutter/Drygala Rn. 25 f.). Dagegen kommt es iRd **§ 71c II** nur darauf an, dass 10 %-Grenze wiederhergestellt wird. Welche Aktien Vorstand veräußert, bleibt insoweit ihm überlassen (RegBegr. BT-Drs. 8/1678, 16; GK-AktG/Merkt Rn. 27). **Berichtspflicht** nach § 160 I Nr. 2 S. 2 gilt auch für Veräußerung gem. § 71c I oder II (→ § 160 Rn. 9).

7 In **Auswahl des Erwerbers** kann Vorstand rechtl. Bindungen unterliegen. Das folgt für rechtswidrigen Erwerb (§ 71c I) schon aus § 71 IV 2. Dort vor-

gesehene Nichtigkeit des Kausalgeschäfts führt zum Bereicherungsanspruch des Veräußerers (§§ 812 ff. BGB), den AG vorrangig bedienen muss, um verschärfte Haftung gem. § 819 I BGB, § 818 IV BGB, §§ 989, 992 BGB zu vermeiden (KK-AktG/Lutter/Drygala Rn. 31). Bei rechtmäßigem Erwerb (§ 71c II) bestehen solche Bindungen zwar nicht, doch kann Vorstand gehalten sein, bes. Erwerbszweck Rechnung zu tragen, zB Aktien an Kommittenten auszuliefern (zust. MüKoAktG/Oechsler Rn. 19). Nach heute hM ist allerdings Bezugsrecht der Aktionäre nach § 186 I auch in diesem Zusammenhang zu beachten (→ § 71 Rn. 19m; vgl. im Kontext des § 71c auch S/L/T. Bezzenberger Rn. 9; MüKoAktG/Oechser Rn. 20). IÜ, also ohne rechtl. Bindung an bestimmte Erwerber, handelt Vorstand unter Wahrung des Gleichbehandlungsgebots (§ 53a; s. OLG Oldenburg AG 1994, 417, 418) grds. nach pflichtgem. Ermessen; zu Ausnahmen vgl. KK-AktG/Lutter/Drygala Rn. 34 ff. Vorrangig anzustreben ist bestmöglicher Preis, bei börsennotierten Aktien über die Börse (KK-AktG/Lutter/Drygala Rn. 38).

IV. Einziehungspflicht

Nach § 71c III sind eigene Aktien einzuziehen, wenn sie nicht rechtzeitig 8
veräußert werden (vgl. zum Folgenden Seidler/Thiere BB 2019, 2058 ff.). **Maßgeblich ist § 237.** Statt ordentlicher Kapitalherabsetzung (§§ 222 ff. iVm § 237 II 1) kann vereinfachtes Verfahren nach § 237 III–V stattfinden (→ § 237 Rn. 30 ff.), wenn, wie regelmäßig, dessen bes. Voraussetzungen erfüllt sind. Vorstand muss unverzüglich (§ 121 I 1 BGB) tätig werden. Vorbereitung des Einziehungsbeschlusses (§ 222 I, § 237 IV) für nächste ordentliche HV genügt (zust. Seidler/Thiere BB 2019, 2058, 2060). Entspr. Beschlussfassung der HV kann Vorstand nicht erzwingen. **Scheitert Einziehung,** so muss Vorstand **veräußern** (MüKoAktG/Oechsler Rn. 24; MHdB AG/Rieckers § 15 Rn. 54), jetzt aber nicht in nochmaligen Fristen nach § 71c I oder II, sondern unverzüglich. Darüber hinaus ist Vorstand generell das Recht einzuräumen, Einziehung durch unverzügliche Veräußerung zu vermeiden, solange HV noch keinen Einziehungsbeschluss gefasst hat. Druckfunktion des § 71c III erfordert nicht, dass nach Fristablauf nur noch eingezogen werden könnte (zutr. KK-AktG/Lutter/Drygala Rn. 51 f.; MüKoAktG/Oechsler Rn. 23).

V. Verstöße

Wenn Vorstand veräußerungspflichtige Aktien nicht rechtzeitig anbietet, han- 9
delt er nach § 405 I Nr. 4 lit. b ordnungswidrig. OWi liegt nach § 405 I Nr. 4 lit. c auch vor, wenn Einziehung nicht eingeleitet wird. Unter den weiteren Voraussetzungen der §§ 93, 116 besteht Schadensersatzpflicht der Mitglieder von Vorstand und AR.

Erwerb eigener Aktien durch Dritte

71d **[1] Ein im eigenen Namen, jedoch für Rechnung der Gesellschaft handelnder Dritter darf Aktien der Gesellschaft nur erwerben oder besitzen, soweit dies der Gesellschaft nach § 71 Abs. 1 Nr. 1 bis 5, 7 und 8 und Abs. 2 gestattet wäre. [2] Gleiches gilt für den Erwerb oder den Besitz von Aktien der Gesellschaft durch ein abhängiges oder ein im Mehrheitsbesitz der Gesellschaft stehendes Unternehmen sowie für den Erwerb oder den Besitz durch einen Dritten, der im eigenen Namen, jedoch für Rechnung eines abhängigen oder eines im Mehrheitsbesitz der Gesellschaft stehenden Unternehmens handelt. [3] Bei der Berechnung**

des Anteils am Grundkapital nach § 71 Abs. 2 Satz 1 und § 71c Abs. 2 gelten diese Aktien als Aktien der Gesellschaft. [4]Im übrigen gelten § 71 Abs. 3 und 4, §§ 71a bis 71c sinngemäß. [5]Der Dritte oder das Unternehmen hat der Gesellschaft auf ihr Verlangen das Eigentum an den Aktien zu verschaffen. [6]Die Gesellschaft hat den Gegenwert der Aktien zu erstatten.

Übersicht

I. Regelungsgegenstand und -zweck

1 § 71d betr. **Umgehungsgeschäfte.** AG erwirbt und besitzt eigene Aktien nicht selbst, sondern überlässt dies mittelbarem Stellvertreter (S. 1), Tochterunternehmen (S. 2 Fall 1) oder für Tochterunternehmen handelndem mittelbaren Stellvertreter (S. 2 Fall 2). Vorschrift bezweckt Durchsetzung der Beschränkungen, die für Erwerb und Halten eigener Aktien gelten, und verweist deshalb unter Differenzierung iE auf §§ 71–71c. Bei Inpfandnahme eigener Aktien sind entspr. Umgehungsgeschäfte denkbar. Deshalb verweist § 71e I 1 auch auf § 71d. § 71d dient dem Schutz der AG, deren Aktionären und Gläubigern, nicht aber dem Schutz des Tochterunternehmens oder des mittelbaren Stellvertreters (Grigoleit/Grigoleit/Rachlitz Rn. 1).

II. Erwerb oder Besitz Dritter für Rechnung der AG (§ 71d S. 1)

1. Tatbestandliche Voraussetzungen. § 71d S. 1 erfasst Erwerb und Besitz von Aktien der AG durch Dritten, der im eigenen Namen, aber für Rechnung der Gesellschaft handelt, also ihren **mittelbaren Stellvertreter.** Wegen der denkbaren Vertragsverhältnisse → § 71a Rn. 7. Regelung bezweckt, an AG gerichtete Erwerbs- oder Besitzverbote auf mittelbaren Stellvertreter zu erstrecken, und erlaubt zugleich ihm wie der AG durch Ausnahme von § 57 I, in denselben tatbestandlichen Grenzen wie die Gesellschaft tätig zu werden (→ § 71a Rn. 8). Wegen des problematischen, zur Reduktion der Rechtsfolgenanordnung in § 71d S. 3–6 führenden Verhältnisses zu § 71a II Fall 1 → Rn. 8 ff. 2

2. Rechtliche Behandlung. Mittelbarer Stellvertreter darf Aktien nur erwerben oder besitzen, wenn **Erwerbsanlass iSd § 71 I Nr. 1–5, 7 oder 8** vorliegt und zusätzliche Schranken des § 71 II eingehalten werden (→ § 71 Rn. 7–18, 19a ff.). Im Einzelnen gilt: Schaden iSd § 71 I Nr. 1 muss AG drohen. Im Fall des § 71 I Nr. 2 muss mittelbarer Vertreter Aktien erwerben, damit sie AN der AG oder eines mit ihr verbundenen Unternehmens als Belegschaftsaktien angeboten werden können. Auch für Abfindungszweck (§ 71 I Nr. 3) kommt es auf AG an. § 71 I Nr. 4 Fall 1 verlangt, dass mittelbarer Vertreter keine Gegenleistung erbringt (KK-AktG/Lutter/Drygala Rn. 107; GK-AktG/Merkt Rn. 8; aA S/L/T. Bezzenberger Rn. 5, der Unentgeltlichkeit auf AG bezieht). § 71 I Nr. 4 Fall 2 verlangt, dass AG oder mittelbarer Vertreter KI ist, damit Einkaufskommission über Aktien der AG ausgeführt werden darf (MüKoAktG/Oechsler Rn. 39; B/K/L/Wieneke Rn. 7; aA S/L/T. Bezzenberger Rn. 5, GK-AktG/Merkt Rn. 8, die verlangen, dass AG KI sein muss). Für § 71 I Nr. 5 muss mittelbarer Vertreter Gesamtrechtsnachfolger sein. Nach § 71d S. 1 ist § 71 I Nr. 6 nicht anzuwenden. Tatbestand des § 71d S. 1 weist dadurch kollidierende Überschneidung mit § 71a II auf. Während nach § 71d S. 1 ein mittelbarer Stellvertreter beim Erwerb eigener Aktien zum Zwecke der Einziehung (§ 71 I Nr. 6) nicht eingeschaltet werden darf, lässt dies nämlich der Wortlaut des § 71a II zu. Auflösung dieses Widerspruchs erfolgt dadurch, dass in den Fällen des Rückerwerbs eigener Aktien zur Einziehung (§ 71 I Nr. 6) der engere Tatbestand des § 71d S. 1 insoweit als vorrangig zu sehen ist, so dass mittelbare Stellvertretung, trotz des Wortlauts des § 71a II, in diesen Fällen ausgeschlossen ist (KK-AktG/Lutter/Drygala Rn. 90; Hölters/Weber/Mayer/Albrecht vom Kolke Rn. 2). Zur Einziehung bestimmte Aktien kann AG also nur selbst erwerben. § 71 I Nr. 7 erlaubt KI, Finanzdienstleistungsinstitut und Finanzunternehmen, eigene Aktien als Handelsbestand zu halten (→ § 71 Rn. 19a f.). Da bei § 71 I Nr. 7 der HV-Beschluss der AG maßgeblich ist, muss AG ein in Nr. 7 genanntes Institut sein; auf mittelbaren Vertreter kommt es – anders als bei § 71 I Nr. 4 Fall 2 – nicht an (MüKoAktG/Oechsler Rn. 42; iErg auch Grigoleit/Grigoleit/Rachlitz Rn. 5). Wenn eines der genannten Unternehmen Aktien erwerben dürfte, darf es auch sein mittelbarer Vertreter. Dasselbe gilt in Fällen des § 71 I Nr. 8, wobei zB an kommissionsweise Abwicklung börsenmäßigen Erwerbs zu denken ist. Auch bei § 71 I Nr. 8 ist HV-Beschluss der AG maßgeblich (MüKoAktG/Oechsler Rn. 43; B/K/L/Wieneke Rn. 7). 3

Für **zusätzliche Schranken des § 71 II** kommt es darauf an, dass Aktien der AG und des mittelbaren Vertreters zusammengerechnet in den Erwerbsfällen des § 71 I Nr. 1–3, 7 und 8 **Grenze von 10 % des Grundkapitals** nicht überschreiten. Werden Aktien der herrschenden AG von Tochterunternehmen gehalten (§ 71d S. 2), so sind auch diese mitzurechnen (§ 71d S. 3; → Rn. 13). Für **Kapitalgrenze** (§ 71 II 2) kommt es auf hypothetische Betrachtung an: Erfor- 4 derlich und genügend ist, dass AG Rücklage aus freien Mitteln bilden könnte; dass Rücklage tats. gebildet wird, ist nicht vorgeschrieben. Schließlich darf auch mittelbarer Vertreter in den Erwerbsfällen des § 71 I Nr. 1, 2, 4, 7 und 8 nur **voll eingezahlte Aktien** erwerben. Zur weiter angeordneten sinngem. Anwendung des § 71 III und IV sowie der §§ 71a–71c (§ 71d S. 4) → Rn. 8 ff.

III. Abhängige oder in Mehrheitsbesitz stehende Unternehmen (§ 71d S. 2)

5 **1. Erwerb oder Besitz des Unternehmens.** Nach § 71d S. 2 Fall 1 unterliegen von AG abhängige (§ 17) oder in ihrem Mehrheitsbesitz stehende (§ 16) Unternehmen (→ § 15 Rn. 19) den gleichen Regeln wie für AG tätiger mittelbarer Stellvertreter. Ob Tochterunternehmen auf Weisung der AG Aktien erwirbt oder nicht, ist für Anwendbarkeit der Norm irrelevant. Da nach § 71d S. 2 Besitz der Aktie ausreichend ist, werden auch vor Begründung der Abhängigkeit oder der Mehrheitsbeteiligung erworbene Aktien von der Vorschrift erfasst (KK-AktG/Lutter/Drygala Rn. 69 f.; MüKoAktG/Oechsler Rn. 27; aA BeckOGK/Cahn Rn. 41). Wortlaut ist insofern eindeutig und für teleologische Reduktion fehlen zwingende Sachgründe. **Praktische Hauptfälle** denkbarer Umgehung liegen entgegen dem Gesetzesaufbau bei § 71d S. 2 Fall 1 und nicht beim mittelbaren Vertreter (§ 71d S. 1 und S. 2 Fall 2). Rechtl. Behandlung erfolgt entspr. den in → Rn. 3 f. genannten Grundsätzen, weil Tochterunternehmen wie mittelbarer Stellvertreter der herrschenden AG angesehen wird. In den Fällen des § 71 I Nr. 7 oder 8 sind dort geforderte Beschlüsse von HV der herrschenden oder mehrheitlich beteiligten AG zu fassen, weil diese mittelbar vertretener Gesellschaft aus dem Grundfall des § 71d S. 1 entspr.; zusätzliche Beschlussfassung in HV oder Gesellschafterversammlung des Tochterunternehmens ist entbehrlich. Auf abhängige Investmentgesellschaften mit Aktien der herrschenden AG im Sondervermögen sollte § 71d nicht anwendbar sein (→ § 71 Rn. 6; S/L/T. Bezzenberger Rn. 17; Cahn WM 2001, 1929 ff.). Zur Relevanz des § 71d iR einer Übernahme unter Verwendung einer NewCo vgl. J. Vetter in Veil/Grigoleit/Habersack Öffentliche Unternehmensübernahmen, 2022, 177, 208 ff.

6 **2. Erwerb oder Besitz Dritter für Rechnung des Unternehmens.** § 71d S. 2 Fall 2 erweitert Geltung des § 71 I Nr. 1–5, 7 und 8, II nochmals, indem auch mittelbare Stellvertretung für das Tochterunternehmen den Regeln unterworfen wird, die für herrschende AG gelten (→ Rn. 3 f.). Insbes. kommt es auch hier darauf an, dass Kapitalrücklage (§ 71 II 2) von herrschender AG (nicht vom Tochterunternehmen) gebildet werden könnte. Zur kollidierenden Überschneidung des Tatbestands mit § 71a II Fall 2 → Rn. 3. Wegen des problematischen, zur Reduktion der Rechtsfolgenanordnungen in § 71d S. 3–6 führenden Verhältnisses zu § 71a II Fall 2 → Rn. 23.

7 **3. Auswirkungen der §§ 71 ff. auf wechselseitige Beteiligungen (§ 19).** Weil Aktien der herrschenden AG nach § 71d S. 2 durch Tochterunternehmen nur erworben werden dürfen, wenn Voraussetzungen des § 71 I und II erfüllt sind, und überdies der Veräußerungspflicht des § 71c iVm § 71d S. 4 unterliegen (→ Rn. 19), können wechselseitige Beteiligungen iSd § 19 II nur noch vorübergehenden Charakter haben (→ § 19 Rn. 6 mwN). Das gilt entgegen früher hM auch bei beidseitig qualifizierter wechselseitiger Beteiligung (§ 19 III); hier sind beide Beteiligte zum Rückbau verpflichtet (→ § 19 Rn. 8 mwN).

IV. Rechtsfolgen: Notwendigkeit differenzierender Betrachtung

Rechtsfolgen eines Aktienerwerbs durch mittelbaren Stellvertreter der AG, 8 durch Tochterunternehmen oder durch mittelbaren Stellvertreter des Tochterunternehmens sind **teils nur scheinbar, teils wirklich in § 71d S. 3–6 geregelt.** Norm ist infolge wenig überlegter Verweisungstechnik misslungen (wohl unstr., vgl. zB KK-AktG/Lutter/Drygala Rn. 89 ff.). Von gesicherten Auslegungsergebnissen kann Praxis kaum ausgehen. Ursache der Probleme ist erstens, dass Ges. nicht zwischen den verschiedenen Formen des Dritterwerbs (→ Rn. 2 ff.) unterscheidet, und (wohl dadurch bedingt) zweitens die Regelungskonzepte des § 71a II (Nichtigkeit) und des § 71d S. 3–6 (Erwerb nach § 71 IV zwar unzulässig, aber wirksam) nicht aufeinander abgestimmt hat. Konsistentes Rechtsfolgensystem muss zunächst zwischen den Fällen des § 71d S. 1 (→ Rn. 9 ff.), des § 71d S. 2 Fall 1 (→ Rn. 13 ff.) und des § 71d S. 2 Fall 2 (→ Rn. 23 f.) unterscheiden.

V. Rechtsfolgen in den Fällen des § 71d S. 1

1. Bei Nichtigkeit des Auftrags- oder Geschäftsbesorgungsverhältnisses. 9 Mittelbare Stellvertretung für AG wird nach Gesetzeswortlaut gleichermaßen von § 71a II Fall 1 wie von § 71d S. 1 erfasst. Rechtsfolgen passen jedoch nicht zusammen. Wenn Auftrags- oder Geschäftsbesorgungsverhältnis nichtig ist, entbehrt etwa Zurechnung nach § 71d S. 3 der Basis. Schon widersinnig wäre es, der AG den Anspruch aus § 667 BGB auf Auslieferung der Aktien abzuschneiden, ihr aber ein Erwerbsrecht nach § 71d S. 5 zu geben. Regelungskonzepte sind nur alternativ, nicht kumulativ möglich. Angesichts der für sich genommen eindeutigen und ggü. § 71d S. 3–6 in der Rechtsfolge weiterreichenden Regelung des § 71a II ist zu dessen Gunsten zu entscheiden. Danach bleibt **§ 71d S. 3 –6 prinzipiell unanwendbar,** soweit § 71a II Fall 1 reicht, mithin dann, wenn Erwerb durch AG selbst gegen § 71 I oder II verstoßen würde (KK-AktG/Lutter/Drygala Rn. 101 ff.; MüKoAktG/Oechsler Rn. 4; Hölters/Weber/Mayer/Albrecht vom Kolke Rn. 2; aA Zilias/Lanfermann WPg 1980, 61, 66 und 68; weiter diff. GK-AktG/Merkt Rn. 14).

Ausnahme von Unanwendbarkeit der in § 71d S. 3–6 enthaltenen Regel gilt 10 nur für **Mitgliedsrechte,** die mittelbarem Stellvertreter ohne bes. Regelung zustehen würden, weil er Aktionär ist. § 71b ist iVm § 71d S. 4 anzuwenden (KK-AktG/Lutter/Drygala Rn. 102; MüKoAktG/Oechsler Rn. 15). Das entspr. der Rechtslage nach AktG 1965 (sa schon Schlegelberger/Quassowski AktG 1937 § 65 Rn. 35) und ist auch als über die Nichtigkeit hinausgehende zusätzliche Sanktion gegen mittelbaren Stellvertreter sachgerecht (KK-AktG/Lutter/Drygala Rn. 102). Betroffener mittelbarer Vertreter kann die Rechtsfolge des § 71b dadurch beseitigen, dass er sich erkennbar vom nichtigen Rechtsgeschäft abkehrt und sein Handeln für eigene Rechnung akzeptiert (S/L/T. Bezzenberger Rn. 13; MüKoAktG/Oechsler Rn. 15).

2. Bei Gültigkeit des Auftrags- oder Geschäftsbesorgungsverhältnisses. 11 Wenn § 71a II Fall 1 nicht eingreift, also AG ihre Aktien nach § 71 I und II selbst hätte erwerben dürfen, gelten für die vom mittelbaren Stellvertreter gehaltenen Aktien die in § 71d S. 3–6 enthaltenen Regeln (MüKoAktG/Oechsler Rn. 13). Aktien sind der AG also gem. **§ 71d S. 3** zuzurechnen; das ist sachgerecht, weil mittelbarer Vertreter im gültigen Innenverhältnis an Weisungen der AG gebunden ist. Aktien, die mittelbarer Vertreter für eigene oder für Rechnung Dritter hält, sind nicht hinzuzurechnen (Grigoleit/Grigoleit/Rachlitz Rn. 9). Aktien, die mittelbarer Stellvertreter vor Begründung des Rechtsverhältnisses mit der AG erworben hat, nun aber aufgrund der Vereinbarung mit der AG für diese halten soll, werden hinzugerechnet (BeckOGK/Cahn Rn. 12; KK-AktG/Lutter/Drygala Rn. 114).

12 Vorstandspflichten des § 71 III sind gem. **§ 71d S. 4** zu beachten. § 71 IV kann nicht zur Anwendung kommen, weil Verstoß gegen § 71 I oder II gerade nicht vorliegt. § 71a I kommt über § 71d S. 4 zur Anwendung, wenn AG nicht selbst kreditiert oder Sicherheit leistet, sondern dies ihrem mittelbaren Vertreter überlässt. Nichtig ist Rechtsverhältnis zwischen ihr und Vertreter. Dessen Vertrag mit Erwerber der Aktien (zB § 488 BGB) bleibt gültig (vgl. KK-AktG/Lutter/Drygala Rn. 123; Hölters/Weber/Mayer/Albrecht vom Kolke Rn. 6). § 71b iVm § 71d S. 4 bewirkt Ausschluss des mittelbaren Vertreters von allen Mitgliedsrechten. § 71c ist mit der Maßgabe anzuwenden, dass Veräußerungs- und Einziehungspflicht nur wegen Überschreitens der Grenze von 10% des Grundkapitals bestehen können (§ 71c II, III), weil Verstoß gegen § 71 I oder II gerade nicht vorliegt. Verschaffungs- und Erstattungspflicht des **§ 71d S. 5 und 6** greifen ein. Sie sind auf der Basis des gültigen Innenverhältnisses wegen §§ 667, 670 BGB wohl nicht nötig, aber jedenfalls nicht schädlich. Wegen der Einzelheiten → Rn. 13–15, 17 ff.

VI. Rechtsfolgen in den Fällen des § 71d S. 2 Fall 1

13 **1. Zurechnung von Aktien (§ 71d S. 3).** Wenn es um Einhaltung der Grenze von 10% des Grundkapitals geht, sei es nach § 71 II 1 (→ § 71 Rn. 21), sei es nach § 71c II (→ § 71c Rn. 4), gelten von Tochterunternehmen gehaltene Aktien als solche der AG (§ 71d S. 3). Bestände, die jetziges Tochterunternehmen hielt, bevor es in Abhängigkeit oder Mehrheitsbesitz geriet, zählen mit (S/L/T. Bezzenberger Rn. 15). Zurechnung bewirkt Einschränkung des Spielraums der AG für eigenen Aktienerwerb.

14 **2. Vorstandspflichten (§ 71 III). a) Berichtspflicht.** § 71d S. 4 ordnet sinngem. Geltung des § 71 III an. Vorstand ist also nach § 71 III 1 ggü. der nächsten HV berichtspflichtig, wenn Tochterunternehmen Aktien entweder zwecks Schadensabwehr (§ 71 I Nr. 1) oder zweckfrei auf Grund Ermächtigungsbeschlusses (§ 71 I Nr. 8) erworben hat. Im ersten Fall muss Schaden der AG, nicht ihrer Tochter drohen. Im zweiten Fall ist Ermächtigungsbeschluss von AG zu fassen (→ Rn. 5). Für beide Fälle gilt, dass Vorstand der Mutter-AG berichtspflichtig ist, und zwar ggü. dieser Gesellschaft (iÜ → § 71 Rn. 22).

15 **b) Ausgabepflicht.** Vorstand muss ferner dem Ausgabegebot des § 71 III 2 nachkommen, wenn Tochterunternehmen Aktien der AG erworben hat, weil sie als Belegschaftsaktien angeboten werden sollen (§ 71 I Nr. 2). Unklar ist, wen Ausgabepflicht trifft: die herrschende AG (so MüKoAktG/Oechsler Rn. 53; Hölters/Weber/Mayer/Albrecht vom Kolke Rn. 11) oder zunächst das Tochterunternehmen und erst nach Erwerb der Aktien (§ 71d S. 5) die herrschende AG (so KK-AktG/Lutter/Drygala Rn. 28). Ges. geht in seiner wenig stimmigen Regelung offenbar davon aus, dass herrschende AG ihre Tochter ähnlich einem mittelbaren Stellvertreter zum Erwerb veranlasst. Liegt es so, dann richtet sich auch das Ausgabegebot von Anfang an gegen sie. Sollte Tochterunternehmen dagegen von sich aus tätig geworden sein (autonom), bleibt es bei bloßem Erwerbsrecht nach § 71d S. 5 mit der Folge, dass Ausgabepflicht binnen Jahresfrist die herrschende AG erst vom Erwerbszeitpunkt an trifft. Bis dahin trifft die Pflicht zur Ausgabe die Tochtergesellschaft (ebenso BeckOGK/Cahn Rn. 51).

16 **3. Rechtsfolgen unzulässigen Erwerbs (§ 71 IV).** Ist Aktienerwerb des Tochterunternehmens nach § 71 I oder II unzulässig, so folgt aus sinngem.

Geltung des § 71 IV iVm § 71d S. 4 zunächst, dass Erwerbsgeschäft gleichwohl wirksam wird, aber Kausalgeschäft nichtig ist (→ § 71 Rn. 24). Weder Tochterunternehmen einerseits noch Veräußerer andererseits haben also Erfüllungsansprüche (LG Göttingen WM 1992, 1373, 1374). Ist gleichwohl erfüllt worden, so kann Veräußerer Aktien nach §§ 812 ff. BGB kondizieren. Rückforderung des gezahlten Preises erfolgt ebenfalls nach Bereicherungsrecht, soweit nicht Spezialregelung des § 62 eingreift. Das ist in entspr. Anwendung der Norm zugunsten des Tochterunternehmens zu bejahen, wenn es seinerseits AG ist (KK-AktG/Lutter/Drygala Rn. 46 mwN; MüKoAktG/Oechsler Rn. 55; aA S/L/T. Bezzenberger Rn. 30). Bleibt es bei der Anwendung der §§ 812 ff. BGB, muss zugunsten des Tochterunternehmens iRd § 814 BGB die Kompliziertheit des Zurechnungszusammenhangs berücksichtigt werden (KK-AktG/Lutter/Drygala Rn. 46; MüKoAktG/Oechsler Rn. 55). Die herrschende AG kann nichts verlangen, weil sie auch nichts geleistet hat.

4. Umgehungsgeschäfte (§ 71a). Aus sinngem. Anwendung des § 71a I iVm § 71d S. 4 folgt, dass Finanzierungsgeschäfte (genauer → § 71a Rn. 2 f.), mit denen Tochterunternehmen anstelle der AG einem Dritten Aktienerwerb ermöglichen will, nichtig sind, wenn nicht eine der Ausnahmen nach § 71a I 2 vorliegt. § 71a II greift insoweit nicht, als Konstellation des § 71d S. 2 Fall 1 kein direkter Fall der mittelbaren Stellvertretung ist. Kollidierende Überschneidung von § 71d S. 2 Fall 1 mit § 71a II liegt daher nicht vor, so dass es auch der Rechtsfolgendifferenzierung, wie sie hM bei § 71d S. 1 und S. 2 Fall 2 vornimmt, nicht bedarf (→ Rn. 8 ff., 23 ff.). Es bleibt auch beim rechtswidrigen Erwerb der Aktien der AG durch das Tochterunternehmen bei den Rechtsfolgen des § 71d S. 3–6. § 71d S. 4 iVm § 71a II hat allenfalls beim Aktienerwerb durch das Tochterunternehmen eigenständige Bedeutung, wenn man Rechtsvorschrift auf Rechtsgeschäfte zwischen AG und Tochterunternehmen, die einen Dritten berechtigen sollen, Aktien der AG für Rechnung des Tochterunternehmens zu erwerben, erstrecken möchte (so etwa BeckOGK/Cahn Rn. 54). 17

5. Keine Mitgliedsrechte (§ 71b). Gem. § 71b iVm § 71d S. 4 hat Tochterunternehmen aus von ihm erworbenen Aktien keine Mitgliedsrechte, bis es diese an Dritte veräußert. Von § 71b bezweckte Neutralisierung eigener Aktien (→ § 71b Rn. 1) wird also auf den der AG zugerechneten Drittbesitz erstreckt. Nicht nur Verwaltungs-, sondern auch Vermögensrechte des Tochterunternehmens (insbes. Anspruch auf Dividende) sind ausgeschlossen (GK-AktG/Merkt Rn. 73; Hölters/Weber/Mayer/Albrecht vom Kolke Rn. 14; aA BeckOGK/Cahn Rn. 55; MüKoAktG/Oechsler Rn. 58). Ob Aktien nach § 71 I und II zulässig oder unzulässig erworben wurden, spielt hier keine Rolle. Bei unzulässigem (§ 56 II 1), aber gültigem (§ 56 II 2; → § 56 Rn. 10) originären Erwerb ist nach der Grundwertung des § 71b iVm § 71d S. 4 ebenfalls Ausschluss von Mitgliedsrechten anzunehmen (→ § 56 Rn. 11; KK-AktG/Lutter/Drygala Rn. 57). 18

6. Veräußerungs- und Einziehungspflicht (§ 71c). Nach § 71c I und II ist AG verpflichtet, verbotswidrig erworbene Aktien binnen Jahresfrist, zulässig erworbene Aktien oberhalb von 10 % des Grundkapitals innerhalb von drei Jahren zu veräußern (→ § 71c Rn. 2 ff.). Das gilt auch bei originärem Erwerb (§ 56 II; → § 56 Rn. 11). Wird nicht rechtzeitig veräußert, so greift Einziehungspflicht des § 71c III (→ § 71c Rn. 8). § 71d S. 4 erstreckt diese Pflichten auf Aktien, die von Tochterunternehmen gehalten werden. Schuldner der Pflichten aus § 71c ist **nicht Tochter, sondern AG** (RegBegr. BT-Drs. 8/1678, 17; GK-AktG/Merkt Rn. 74); denn nur sie kann der Einziehungspflicht des § 71c III genügen. AG ist 19 auch zur Veräußerung bzw. Einziehung in der Lage, weil sie sich die Aktien gem. § 71d S. 5 beschaffen kann (→ Rn. 20 f.).

20 **7. Verschaffungs- und Erstattungspflicht (§ 71d S. 5 und 6). a) Verschaffung auf Verlangen.** Nach § 71d S. 5 muss Tochterunternehmen der AG das Eigentum an den Aktien verschaffen (Ges. meint: Übertragung der Mitgliedschaft in jew. erforderlicher Rechtsform), wenn diese es verlangt. Norm bezweckt vor allem, AG in die Lage zu versetzen, ihrer Veräußerungs- oder Einziehungspflicht aus § 71c (→ Rn. 19) zu entspr. (RegBegr. BT-Drs. 8/1678, 17; unstr.). Tochterunternehmen ist aber nicht nur unter den Voraussetzungen des § 71c, sondern schlechthin verschaffungspflichtig, bes. auch dann, wenn ihr Erwerb zulässig war (ganz hM, s. GK-AktG/Merkt Rn. 80; MüKoAktG/Oechsler Rn. 63). Das rechtfertigt sich aus der Einschränkung, die eigener Handlungsspielraum der Gesellschaft durch § 71 II 1 iVm § 71d S. 3 erfährt (→ Rn. 13).

21 Verschaffungspflicht entsteht nur und erst, wenn AG Übertragung verlangt. Darin liegt einseitige **Gestaltungserklärung,** die mit Zugang wirksam wird (§ 130 BGB). Tochterunternehmen kann AG die Aktien also nicht aufdrängen, ist aber andererseits in seinen Dispositionen frei, bis Erklärung zugeht (keine Haftung nach § 283 BGB, s. KK-AktG/Lutter/Drygala Rn. 83; MüKoAktG/Oechsler Rn. 64). Ist von dem Tochterunternehmen geschlossenes Kausalgeschäft nach § 71 IV iVm § 71d S. 4 nichtig (→ Rn. 16), so kann es den Übertragungsansprüchen seines Veräußerers (§§ 812 ff. BGB) und der AG ausgesetzt sein. Veräußerer ist dann vorrangig zu bedienen (→ § 71c Rn. 7; ebenso GK-AktG/Merkt Rn. 84; B/K/L/Wieneke Rn. 25).

22 **b) Erstattung des Gegenwerts.** Gem. § 71d S. 6 hat Tochterunternehmen Anspruch auf Gegenwert der Aktien. Str. ist maßgeblicher Zeitpunkt. Nach zutr. hM ist **Verkehrswert im Übertragungszeitpunkt** zu erstatten (BeckOGK/Cahn Rn. 62; KK-AktG/Lutter/Drygala Rn. 86; GK-AktG/Merkt Rn. 84). Gegenansicht, die historische Anschaffungskosten ersetzen will (S/L/T. Bezzenberger Rn. 27), bemisst Gegenwert bei gestiegenen Kursen zu niedrig und erlaubt bei fallenden Kursen Spekulation zu Lasten der AG.

VII. Rechtsfolgen in den Fällen des § 71d S. 2 Fall 2

23 **1. Grundsatz.** Wenn für Tochterunternehmen mittelbarer Stellvertreter tätig wird (§ 71d S. 2 Fall 2), ergibt sich wegen in § 71a II Fall 2 getroffener Regelung (Nichtigkeit des im Innenverhältnis bestehenden Rechtsgeschäfts) die gleiche Problematik wie bei mittelbarer Vertretung der AG selbst. Angesichts gleicher Problemlage (→ Rn. 8) ist gleiche Lösung geboten, also zwischen Nichtigkeit des Auftrags- oder Geschäftsbesorgungsverhältnisses einerseits und seiner Gültigkeit andererseits zu unterscheiden; nur in der zweiten Fallgruppe gilt für vom mittelbaren Stellvertreter des Tochterunternehmens gehaltene Aktien § 71d S. 3–6 (→ Rn. 9 ff.).

24 **2. Einzelfragen. Bei Nichtigkeit** des Auftrags- oder Geschäftsbesorgungsverhältnisses nach § 71a II Fall 2 bleibt es bei daraus resultierenden Folgen: § 71d S. 3–6 findet grds. keine Anwendung (→ Rn. 9). Ausnahme gilt wiederum für Mitgliedsrechte; sie sind nach § 71b iVm § 71d S. 4 bis zur Veräußerung der Aktien ausgeschlossen (→ Rn. 10; vgl. KK-AktG/Lutter/Drygala Rn. 126; MüKoAktG/Oechsler Rn. 29). Ist Erwerb zulässig und damit **Innenverhältnis gültig,** so treten in → Rn. 11 f. dargestellte Rechtsfolgen ein. Deshalb gegebener Verschaffungsanspruch aus § 71d S. 5 steht der AG, und nicht dem Tochterunternehmen, zu (S/L/T. Bezzenberger Rn. 32). Verschaffungsanspruch der AG und Ablieferungsanspruch des Tochterunternehmens aus § 667 BGB kollidieren,

wenn AG von ihrem Gestaltungsrecht (→ Rn. 21) Gebrauch macht. Mittelbarer Vertreter muss dann vorrangig Anspruch der AG erfüllen, weil § 71d S. 5 insoweit keine Ausnahme macht (ggü. dem Tochterunternehmen: § 275 BGB); vgl. KK-AktG/Lutter/Drygala Rn. 129; MüKoAktG/Oechsler Rn. 30. Im Gegenzug muss die AG dem mittelbaren Vertreter den Gegenwert der Aktien erstatten (§ 71d S. 6). Zu erstattender Gegenwert ist auch hier Verkehrswert der Aktien im Übertragungszeitpunkt (→ Rn. 22; dagegen auf Kosten des Aktienerwerbs abstellend S/L/T. Bezzenberger Rn. 32).

Inpfandnahme eigener Aktien

71e (1) [1]**Dem Erwerb eigener Aktien nach § 71 Abs. 1 und 2, § 71d steht es gleich, wenn eigene Aktien als Pfand genommen werden.** [2]**Jedoch darf ein Kreditinstitut, ein Finanzdienstleistungsinstitut oder ein Wertpapierinstitut im Rahmen der laufenden Geschäfte eigene Aktien bis zu dem in § 71 Abs. 2 Satz 1 bestimmten Anteil am Grundkapital als Pfand nehmen.** [3]**§ 71a gilt sinngemäß.**

(2) [1]**Ein Verstoß gegen Absatz 1 macht die Inpfandnahme eigener Aktien unwirksam, wenn auf sie der Ausgabebetrag noch nicht voll geleistet ist.** [2]**Ein schuldrechtliches Geschäft über die Inpfandnahme eigener Aktien ist nichtig, soweit der Erwerb gegen Absatz 1 verstößt.**

I. Regelungsgegenstand und -zweck

§ 71e betr. Inpfandnahme eigener Aktien und stellt sie im Wesentlichen dem Erwerb eigener Aktien gleich. Bezweckt ist, **Gefährdungen realer Kapitalerhaltung** vorzubeugen, die sich bei Pfandverwertung aus gesunkenen Kursen (RegBegr. Kropff S. 91 f.) und aus Eintritt der Voraussetzungen des § 71 I Nr. 1 ergeben könnten, nämlich dann, wenn Dritte die Aktien nicht erwerben wollen (GK-AktG/Merkt Rn. 3; MüKoAktG/Oechsler Rn. 1). Daneben soll Umgehung des Erwerbsverbots eigener Aktien verhindert werden (vgl. RegBegr. Kropff S. 92). 1

II. Grundsatz: Verbot der Inpfandnahme

1. Erfasste Gestaltungen. Zulässigkeit der Inpfandnahme durch AG bestimmt sich gem. § 71e I 1 nach § 71 I und II. Inpfandnahme ist rechtsgeschäftliche Begründung von Pfandrechten (§§ 1205, 1206 BGB iVm §§ 1292, 1293 BGB; § 398 BGB iVm § 1274 BGB) einschließlich sog Dienstkaution von Vorstandsmitgliedern (ganz hM, s. GK-AktG/Merkt Rn. 5; MüKoAktG/Oechsler Rn. 11). Auch AGB-Pfandrechte sind Vertragspfandrechte (zu Nr. 14 AGB-Banken → Rn. 5). Dem rechtsgeschäftlichen Ersterwerb steht es gleich, wenn AG eine Forderung, die durch Pfandrecht gesichert ist, durch Rechtsgeschäft (§ 398 BGB) erwirbt und das Pfandrecht kraft Gesetzes (§§ 401, 1250 BGB) mit übergeht (S/L/T. Bezzenberger Rn. 2). Erfassung dieses Zweiterwerbs dient dem Umgehungsschutz (KK-AktG/Lutter/Drygala Rn. 8). Fälle des ges. Übergangs nach §§ 412, 401 BGB sind nicht erfasst (KK-AktG/Lutter/Drygala Rn. 8). IÜ gilt generell der Grundsatz, dass der Erwerb von Pfandrechten kraft Gesetz nicht unter § 71e fällt, ebenso wenig das Pfändungspfandrecht (§ 804 ZPO); BeckOGK/Cahn Rn. 4; KK-AktG/Lutter/Drygala Rn. 8. Auch findet Bestimmung grds. keine Anwendung auf Zurückbehaltungsrechte, es sei denn, dass Zurückbehaltungsrecht iErg wie bei § 369 HGB zu einer Verwertungsbefugnis führt (KK-AktG/Lutter/Drygala Rn. 9; GK-AktG/Merkt Rn. 8). SÜ ist schon direkter Anwendungsfall des § 71 (GK-AktG/Merkt Rn. 9). 2

3 **2. Zur Anwendung des § 71.** AG darf eigene Aktien nur in Pfand nehmen, wenn rechtfertigender Anlass nach § 71 I vorliegt und Zusatzvoraussetzungen des § 71 II erfüllt sind. Praktisch kommen Inpfandnahme zwecks **Schadensabwehr** (§ 71 I Nr. 1), mit Einschränkung auch **unentgeltlicher Erwerb** (§ 71 I Nr. 4) in Betracht. Das Erste, wenn früher begründete Forderung gesichert werden muss und keine anderen Sicherungsmittel zur Verfügung stehen (zust. S/L/T. Bezzenberger Rn. 3), das Zweite, wenn bestehende Forderung ohne jeden wirtschaftlichen Gegenwert (Stundung, Zinsverbilligung, Erweiterung des Kreditrahmens) nachträglich gesichert wird. Daneben ist auch Inpfandnahme eigener Aktien auf Grundlage eines, diesem nicht widersprechenden, Ermächtigungsbeschlusses (§ 71 I Nr. 8) möglich (BeckOGK/Cahn Rn. 11).

4 Aus § 71 II iVm § 71e I 1 folgt zunächst, dass in den Fällen des § 71 I Nr. 1 **10 %-Grenze** eingehalten werden muss (§ 71 II 1). Dabei sind eigene Aktien und Pfandaktien zusammenzuzählen. Weiterhin gilt **Kapitalgrenze** des § 71 II 2. Seit Inkrafttreten des BilMoG 2009 ist nach § 71 II 2 die Möglichkeit der Rücklagenbildung ausreichend; tats. Rücklagenbildung wird nicht mehr verlangt (→ § 71 Rn. 21a, 25 ff.). Ob dasselbe auch für die Inpfandnahme eigener Aktien gilt, ist str. Verweis auf § 71 II 2 in § 71e I 1 legt dieses Ergebnis zunächst nahe (GK-AktG/Merkt Rn. 20; MüKoAktG/Oechsler Rn. 19; Wachter/Servatius Rn. 4; B/K/L/Wieneke Rn. 6). Gegenauffassung fordert dagegen über analoge Anwendung des § 272 IV HGB tats. Bildung, weil hier ebenso wie im Mutter-Tochter-Verhältnis Bedürfnis bestehe, Wertrisiko zu kompensieren (S/L/T. Bezzenberger Rn. 5; BeckOGK/Cahn Rn. 13; Grigoleit/Grigoleit/Rachlitz Rn. 4). Diese Gegenauffassung findet ihren Ursprung in der Verweisung des § 71e I 1 auf § 71 II 2 aF, der noch tats. Rücklagenbildung vorsah. Nachdem diese Anordnung mit bilanzrechtl. Neuregelung gestrichen wurde, ist dieser Konstruktion die ges. Grundlage entzogen worden (MüKoAktG/Oechsler Rn. 19). Der nunmehr eindeutige Verweisungswortlaut in § 71e I 1 auf § 71 II 2 kann auch teleologisch nicht überspielt werden, da tats. Rücklagenbildung ohne korrespondierende Aktivierung wenig plausibel erscheint. Der bloß „sicherungsgestützte Bilanzansatz der betroffenen Forderung" kann einer solchen Aktivierung nicht gleichgestellt werden (so aber Grigoleit/Grigoleit/Rachlitz Rn. 4) und ist zumindest nicht von solcher teleologischer Zwangsläufigkeit, dass Analogieschluss gerechtfertigt sein könnte. Bei Inpfandnahme eigener Aktien werden diese nicht erworben. Demnach kommt es für die Höhe der hypothetischen Rücklage nicht auf den Wert der verpfändeten Aktien und auch nicht auf die Höhe der gesicherten Forderung an (so aber KK-AktG/Lutter/Drygala Rn. 23), sondern auf den Wert des Pfandrechts, dh auf die Differenz zwischen dem Wert der durch das Pfandrecht an eigenen Aktien gesicherten Forderung und dem Wert, den die Forderung ohne Pfandrechte hätte (BeckOGK/Cahn Rn. 13; Grigoleit/Grigoleit/Rachlitz Rn. 4; MüKoAktG/Oechsler Rn. 19). Aus § 71 II 3 iVm § 71e I 1 ergibt sich schließlich, dass Ges. in den praktisch relevanten Fällen (vgl. → Rn. 3) des § 71 I Nr. 1 und 4 **Volleinzahlung** fordert, damit Aktien als Pfand genommen werden dürfen.

III. Ausnahme: Laufende Bank- oder Finanzdienstleistungsgeschäfte

5 Nach § 71e I 2 darf KI (§§ 1 I, 2 I KWG), Finanzdienstleistungsinstitut (§§ 1 Ia, 2 VI KWG) oder Wertpapierinstitut (§ 2 I WpIG; → § 70 Rn. 2) eigene Aktien bis zur Höchstgrenze von 10 % des Grundkapitals als Pfand annehmen, wenn dies iRd laufenden Geschäfte erfolgt. Im Bankgeschäft übliche Pfandklausel sollte eingreifen können, ohne dass KI auf Umtausch eigener Aktien in fremde hinwirken müsste (RegBegr. Kropff S. 92). Durch Nr. 14 III 2 AGB-Banken (Stand: Juli 2018) haben Institute auf Pfandklausel aber verzichtet, soweit Aktien

dem § 71e unterliegen. Ausgeschlossen ist damit, dass Höchstgrenze versehentlich überschritten wird, allerdings um den Preis, dass Pfandrechte an eigenen Aktien nur noch durch bes. Vereinbarung begründet werden können (BuB 1/417 [Gößmann]). Mangels Verweises kommt es auf hypothetische Kapitalgrenze des § 71 II 2 nicht an (S/L/T. Bezzenberger Rn. 6; B/K/L/Wieneke Rn. 7). Auch § 71 II 3 findet keine Anwendung (BeckOGK/Cahn Rn. 21; Hölters/Weber/Mayer/Albrecht vom Kolke Rn. 8).

IV. Umgehungsgeschäfte

§ 71e I 3 verweist auf § 71a. Erwerb von Pfandrechten (statt der Mitgliedschaft selbst) ist aber nicht möglich, wenn nicht auch gesicherter Anspruch übergeht (§ 1250 I 2 BGB; Akzessorietätsprinzip). Sinngem. Anwendung des § 71a I kann deshalb nur bedeuten: Unzulässig und nichtig sind Finanzierungsgeschäfte (genauer → § 71a Rn. 2) der AG, die es einem anderen ermöglichen sollen, **Gesellschaftsansprüche und deren Besicherung** durch Pfandrechte zu erwerben (KK-AktG/Lutter/Drygala Rn. 38). Ausnahme zugunsten laufender Geschäfte von KI, Finanzdienstleistungs- oder Wertpapierinstituten (§ 71a I 2) gilt auch hier. Weil § 71e I 3 auch auf § 71a II verweist, werden auch Auftrags- und Geschäftsbesorgungsverhältnisse der Nichtigkeit unterworfen, kraft deren ein anderer als mittelbarer Stellvertreter der AG oder ihres Tochterunternehmens tätig werden soll, wenn AG selbst die Aktien nach § 71 I oder II nicht als Pfand annehmen darf (→ § 71a Rn. 7 f.). Zur Problematik gleichzeitiger Anwendung des § 71d → Rn. 9. 6

V. Rechtsfolgen

1. Bei unzulässiger Inpfandnahme. Rechtsgeschäftliche **Begründung von Pfandrechten** (→ Rn. 2) ist gem. § 71e II 1 unwirksam, wenn Ausgabebetrag der Aktien noch nicht voll geleistet ist. Ausgabebetrag folgt nach Maßgabe des § 9 aus Satzung, schließt also Agio ein (näher → § 27 Rn. 3; → § 71 Rn. 20). Unwirksamkeit nur, wenn es an Volleinzahlung fehlt; voll eingezahlte Aktien werden also trotz Verstoßes gegen § 71e I wirksam erworben (KK-AktG/Lutter/Drygala Rn. 32; GK-AktG/Merkt Rn. 28). Nichtig ist allerdings nach § 71e II 2 auf unzulässige Inpfandnahme gerichtetes schuldrechtl. Geschäft, also **Sicherungsabrede.** Vertrag, der Forderung begründet, bleibt aber gültig, wenn nicht aus § 139 BGB anderes folgt. Wegen Nichtigkeit der Sicherungsabrede besteht kein Anspruch auf Bestellung des Pfandrechts. Ist es gleichwohl bestellt worden, so kann Aktionär nach § 812 I 1 Fall 1 BGB Aufhebung und (bei verbriefter Mitgliedschaft) Rückgabe der Aktienurkunden fordern. Veräußerungspflicht nach **§ 71c I** besteht nicht, weil AG nicht in Mitgliedschaft der Aktionäre eingreifen soll und darf (RegBegr. BT-Drs. 8/1678, 17). Zur Zurechnung iRd § 71c II → § 71c Rn. 4. 7

2. Bei zulässiger Inpfandnahme. Weil Inpfandnahme dem Erwerb eigener Aktien nach § 71e I 1 gleichsteht, sind entspr. belastete Aktien den eigenen gleichzustellen, soweit es um 10%-Grenze des **§ 71 II 1** geht (→ Rn. 4). Das gilt auch iRd **§ 71c II** (KK-AktG/Lutter/Drygala Rn. 43; GK-AktG/Merkt Rn. 34; ausf. → § 71c Rn. 4), weil § 71e I 1 Gleichstellung anordnet und dauerhafte Begrenzung des Bestands auf maximal 10% des Grundkapitals (→ § 71c Rn. 1 und 4) sonst nicht gewährleistet ist. Zu veräußern sind eigene Aktien, nicht Pfandaktien. **§ 71b** gilt nicht und ginge auch ins Leere, weil Mitgliedsrechte ohnehin dem Aktionär, nicht der AG als Pfandgläubigerin zustehen (RegBegr. BT-Drs. 8/1678, 17; → § 71b Rn. 1). 8

VI. Fälle des § 71d S. 1 und 2

9 Gem. § 71e I 1 steht Inpfandnahme nicht nur dem direkten Erwerb nach § 71 I und II, sondern auch den Erwerbsfällen des § 71d gleich. Das führt iVm gleichfalls vorgesehener sinngem. Anwendung des § 71a (§ 71e I 3) hinsichtlich der Rechtsfolgen zu den schon iRd § 71d erörterten Problemen (→ § 71d Rn. 8 ff., 23 f.). Danach gebotene Differenzierung ergibt: Anwendung des § 71d S. 1 auf Erwerb durch **mittelbare Stellvertreter der AG** mit Rechtsfolgen nach § 71d S. 3–6 scheidet wegen Nichtigkeit des Innenverhältnisses nach § 71a II Fall 1 aus. Inpfandnahme durch **Tochterunternehmen** (§ 71d S. 2 Fall 1) ist zu beurteilen, wie wenn AG selbst Aktien in Pfand genommen hätte; § 71d S. 5 und 6 bleiben aber unanwendbar (KK-AktG/Lutter/Drygala Rn. 47). Inpfandnahme durch **mittelbaren Stellvertreter des Tochterunternehmens** unterliegt der Nichtigkeitsfolge des § 71a II Fall 2 und fällt deshalb wiederum nicht unter § 71d S. 2 Fall 2.

Kraftloserklärung von Aktien im Aufgebotsverfahren

72 (1) [1] **Ist eine Aktie oder ein Zwischenschein abhanden gekommen oder vernichtet, so kann die Urkunde im Aufgebotsverfahren nach dem Gesetz über das Verfahren in Familiensachen und in den Angelegenheiten der freiwilligen Gerichtsbarkeit für kraftlos erklärt werden.** [2] **§ 799 Abs. 2 und § 800 des Bürgerlichen Gesetzbuchs gelten sinngemäß.**

(2) **Sind Gewinnanteilscheine auf den Inhaber ausgegeben, so erlischt mit der Kraftloserklärung der Aktie oder des Zwischenscheins auch der Anspruch aus den noch nicht fälligen Gewinnanteilscheinen.**

(3) **Die Kraftloserklärung einer Aktie nach §§ 73 oder 226 steht der Kraftloserklärung der Urkunde nach Absatz 1 nicht entgegen.**

I. Regelungsgegenstand und -zweck

1 § 72 regelt nach Vorbild des § 799 BGB (anders als dort aber zwingend, § 23 V) Kraftloserklärung von Aktien im Wege des Aufgebotsverfahrens; zu unterscheiden von Kraftloserklärung durch AG gem. § 73. Bezweckt ist **Schutz des Aktionärs** vor Nachteilen, die ihm aus Verlust oder Vernichtung der Urkunde erwachsen, bes. vor Risiko gutgl. Erwerbs durch Dritte (§§ 932, 935 II BGB) und vor Problemen bei der Rechtsausübung (Vorlegungspapier). Praktische Relevanz hat mit zunehmender Bedeutung von Girosammelverwahrung und Globalurkunden (→ § 10 Rn. 11 f.) stark abgenommen (BeckOGK/Cahn Rn. 2).

II. Kraftloserklärung

2 **1. Voraussetzungen.** Es muss sich um **Aktien** (auch Namensaktien) **oder Zwischenscheine** (→ § 8 Rn. 28) handeln. Für Dividendenscheine (Coupons) steht Verfahren weder nach § 72 noch nach § 799 BGB zur Verfügung (§ 799 I 2 BGB); aber Verlustanzeige mit den Wirkungen des § 804 BGB. Auch Erneuerungsscheine (Talons) sind nicht aufgebotsfähig; nach § 75 Hs. 1 genügt jedoch schon Widerspruch des Aktienbesitzers, um Auslieferung neuer Coupons zu verhindern (→ § 75 Rn. 3).

3 Urkunde muss **abhandengekommen oder vernichtet** sein. Begriff des Abhandenkommens umfasst nicht nur, wie nach §§ 858, 935 BGB, unfreiwilligen Verlust unmittelbaren Besitzes. Vielmehr ist Urkunde schon dann abhandengekommen, wenn Aktionär den Besitz derart verloren hat, dass er aus tats. Gründen

– auch im Wege der Zwangsvollstreckung – nicht mehr auf sie zugreifen kann (hM, s. OLG München AG 2012, 376, 377; OLG Stuttgart NJW 1995, 1154, 1155 mwN [Wechsel]; BeckOGK/Cahn Rn. 5; GK-AktG/Merkt Rn. 12). Vernichtung umfasst nicht nur Substanzverzehr, sondern ist auch anzunehmen, wenn wesentlicher Inhalt oder Unterscheidungsmerkmale nicht mehr zuverlässig erkennbar sind, so dass Urkundenaustausch nach § 74 (vgl. → § 74 Rn. 1) nicht mehr in Frage kommt (MüKoAktG/Oechsler Rn. 5). Selbst willentlicher Verlust steht Kraftloserklärung nicht entgegen (Schaper AG 2016, 889, 893).

2. Verfahren. Maßgeblich sind **§§ 433 ff. FamFG.** Heranzuziehen sind vor allem §§ 466 ff. FamFG (Kraftloserklärung von Urkunden). Zuständig ist Amtsgericht (§ 23a I Nr. 2 GVG iVm II Nr. 7h GVG) des urkundlich bestimmten Erfüllungsorts, mangels eines solchen des allg. Gerichtsstandes der AG (§ 466 I FamFG); funktionell zuständig ist Rechtspfleger nach § 3 Nr. 1 lit. c RPflG. Erklärung erfolgt nur auf Antrag (§ 25 I FamFG) nach § 434 I FamFG. Antragsberechtigter ist nach § 467 I FamFG bei Inhaberaktien und blanko indossierten Papieren, wer bei Verlust oder Vernichtung unmittelbarer Besitzer war (OLG Frankfurt NZG 2016, 1428 Rn. 25 ff.; OLG München AG 2012, 376 – idR also Clearstrem Banking AG – s. BeckOGK/Cahn Rn. 9); bei Namensaktien oder Zwischenscheinen ohne Blankoindossament, wer sich durch Indossamente oder Abtretungserklärungen legitimieren kann (hM, s. KK-AktG/Lutter/Drygala Rn. 9; MüKoAktG/Oechsler Rn. 8). Eintragung im Aktienregister (§ 67 II) entscheidet nicht, weil es nicht um Verhältnis zur AG geht. Antrag ist zu begründen (§ 468 FamFG); vollständige Erkennbarkeit (§ 468 Nr. 1 FamFG) erfordert Angabe der Aktiennummern (BGH AG 1990, 78, 80). Verlust und Antragsberechtigung sind glaubhaft zu machen (§ 468 Nr. 2 FamFG); eidesstattliche Versicherung muss angeboten werden (§ 468 Nr. 3 FamFG). Im Zuge der Amtsermittlung nach § 26 FamFG hat Gericht aber auch selbst auf weitere Klärung – ggf. auch durch Strengbeweis nach § 30 I FamFG – hinzuwirken (sa OLG München AG 2012, 376 zur fehlenden Identifizierung der Aktien durch Inhaberaktiennummern durch Antragsteller). Praxis empfiehlt im Zweifel Vorabstimmung mit zuständigem Rechtspfleger (Schaper AG 2016, 889, 893). Ist Antrag statthaft, so erlässt Gericht Aufgebot, in dem Kraftloserklärung der Urkunde anzudrohen ist (§ 434 II FamFG, § 469 FamFG; vgl. zu Einzelheiten Schaper AG 2016, 889, 893 f.). Frist muss mindestens sechs Wochen und soll höchstens ein Jahr betragen (§§ 437, 476 FamFG). Wenn Rechte des Inhabers der Urkunde nicht rechtzeitig angemeldet werden und diese nicht innerhalb der Angebotsfrist vorgelegt wird (§ 477 FamFG), erfolgt Kraftloserklärung durch Ausschließungsbeschluss (§ 478 FamFG). AG als Ausstellerin hat **Unterstützungspflicht** ggü. bisherigem Inhaber gem. **§ 799 II 1 BGB** iVm § 72 I 2 (Erteilung von Auskünften und Zeugnissen, s. §§ 468, 471 II FamFG, § 472 II FamFG, § 473 FamFG). Da Aufgebotsverfahren iSd § 72 AktG Verfahren nach FamFG ist, kann gegen Entscheidung des Amtsgerichts Beschwerde nach § 58 FamFG erhoben werden (OLG München AG 2012, 376). Mit Rechtskraft (§ 45 FamFG) wird Ausschließungsbeschluss wirksam (§ 439 II FamFG). 4

3. Wirkungen. Erfolgreicher Betreiber des Aufgebotsverfahrens darf Rechte aus der Urkunde geltend machen (§ 479 I FamFG). Vorlegung der Urkunde wird also durch die des Ausschließungsbeschlusses ersetzt. Überdies hat er gem. § 800 BGB iVm § 72 I 2 Anspruch auf **Erteilung neuer Urkunden.** Ob dem Beschluss materielle Wirkungen zukommen und welche, ist zweifelhaft und str. (vgl. dazu KK-AktG/Lutter/Drygala Rn. 14 f.; MüKoAktG/Oechsler Rn. 14). Nach von Rspr. in anderem Zusammenhang entwickelten Grundsätzen müsste „sachliches Recht" ggü. AG bejaht (BGH WM 1958, 1332) und ggü. wirklichem Aktionär verneint werden (RGZ 168, 1, 9). Nach richtiger Ansicht ist materielle 5

Wirkung überhaupt zu verneinen, Beschlusswirkung also **nur in Legitimation** zu finden (MüKoBGB/Habersack BGB § 799 Rn. 8 f.; sa Hölters/Weber/Mayer/Albrecht vom Kolke Rn. 4). Solange neue Urkunde nicht ausgestellt ist (worauf erfolgreicher Antragsteller Anspruch hat – § 800 BGB iVm § 72 I 2), fehlt es an wirksamer Verbriefung der Mitgliedschaft. **Übertragung** deshalb nicht nach §§ 929 ff. BGB möglich (unstr.), jedoch nach §§ 398 ff., 413 BGB (wie hier MüKoAktG/Oechsler Rn. 15; Hölters/Weber/Mayer/Albrecht vom Kolke Rn. 4).

III. Gewinnanteilscheine (§ 72 II)

6 Aufgebotsverfahren steht für Coupons (und Talons) nicht zur Verfügung (→ Rn. 2). § 72 II betr. Wirkung des hinsichtlich Aktie oder Zwischenschein ergangenen Ausschlussurteils auf Inhabercoupons und unterscheidet fällige von nicht fälligen Coupons. **Fällige Coupons:** Kraftloserklärung ist bedeutungslos. § 72 II ist zwingend (→ Rn. 1); gegenteiliger Aufdruck nach Vorbild des § 803 I BGB hilft also nicht. Dagegen ordnet § 72 II für **nicht fällige Inhabercoupons** Erlöschen des Anspruchs an. Bedeutung str.; nach richtiger Ansicht erlischt Anspruch als Forderung aus dem Wertpapier, dagegen nicht als mitgliedschaftlicher Zahlungsanspruch (wie hier GK-AktG/Merkt Rn. 32; MüKoAktG/Oechsler Rn. 17; aA KK-AktG/Lutter/Drygala Rn. 22). Deshalb kann, wer Ausschlussurteil erwirkt hat, Zahlung von Dividende auch ohne Scheine verlangen. § 800 BGB iVm § 72 I 2 gibt ihm aber nicht nur Anspruch auf Ausstellung neuer Haupturkunde (→ Rn. 5), sondern auch auf neue Dividendenscheine, selbst wenn er sie nicht verloren hat (KK-AktG/Lutter/Drygala Rn. 22; MüKoAktG/Oechsler Rn. 17; Ruge JW 1931, 3058 f.).

IV. Konkurrenzen (§ 72 III)

7 Nach § 73 kann AG durch eigene, wenn auch gerichtl. genehmigte Erklärung Aktien kraftlos machen. Ähnliches gilt nach § 226 bei Durchführung der Kapitalherabsetzung durch Zusammenlegung von Aktien (→ § 226 Rn. 2, 7 ff.). § 72 III stellt klar, dass gerichtl. Aufgebotsverfahren auch nach Kraftloserklärung durch AG möglich bleibt. Grund: Aktionärsschutz (RegBegr. Kropff S. 93; → Rn. 1). Gilt auch bei entspr. Anwendung des § 73 oder des § 226 (s. MüKoAktG/Oechsler Rn. 21).

Kraftloserklärung von Aktien durch die Gesellschaft

73 (1) [1] **Ist der Inhalt von Aktienurkunden durch eine Veränderung der rechtlichen Verhältnisse unrichtig geworden, so kann die Gesellschaft die Aktien, die trotz Aufforderung nicht zur Berichtigung oder zum Umtausch bei ihr eingereicht sind, mit Genehmigung des Gerichts für kraftlos erklären.** [2] **Beruht die Unrichtigkeit auf einer Änderung des Nennbetrags der Aktien, so können sie nur dann für kraftlos erklärt werden, wenn der Nennbetrag zur Herabsetzung des Grundkapitals herabgesetzt ist.** [3] **Namensaktien können nicht deshalb für kraftlos erklärt werden, weil die Bezeichnung des Aktionärs unrichtig geworden ist.** [4] **Gegen die Entscheidung des Gerichts ist die Beschwerde zulässig; eine Anfechtung der Entscheidung, durch die die Genehmigung erteilt wird, ist ausgeschlossen.**

(2) [1] **Die Aufforderung, die Aktien einzureichen, hat die Kraftloserklärung anzudrohen und auf die Genehmigung des Gerichts hinzuweisen.** [2] **Die Kraftloserklärung kann nur erfolgen, wenn die Aufforderung in der**

in § 64 Abs. 2 für die Nachfrist vorgeschriebenen Weise bekanntgemacht worden ist. [3] Die Kraftloserklärung geschieht durch Bekanntmachung in den Gesellschaftsblättern. [4] In der Bekanntmachung sind die für kraftlos erklärten Aktien so zu bezeichnen, daß sich aus der Bekanntmachung ohne weiteres ergibt, ob eine Aktie für kraftlos erklärt ist.

(3) **[1] An Stelle der für kraftlos erklärten Aktien sind, vorbehaltlich einer Satzungsregelung nach § 10 Abs. 5, neue Aktien auszugeben und dem Berechtigten auszuhändigen oder, wenn ein Recht zur Hinterlegung besteht, zu hinterlegen. [2] Die Aushändigung oder Hinterlegung ist dem Gericht anzuzeigen.**

(4) **Soweit zur Herabsetzung des Grundkapitals Aktien zusammengelegt werden, gilt § 226.**

I. Regelungsgegenstand und -zweck

§ 73 regelt Kraftloserklärung durch AG selbst. Vorschrift bezieht sich wie § 72 auf Urkunde, nicht auf Mitgliedschaft (unstr.). Bezweckt ist, aus insoweit eingetretenen Veränderungen die **wertpapierrechtl. Konsequenzen** zu ziehen. Erste Regelung durch Ges. v. 20.12.1934 (RGBl. 1934 I 1254; dazu Herbig DJ 1935, 112). § 73 ist Folgenorm der für Veränderungen einschlägigen ges. Regelung (zutr. Kölner Komm AktG/Lutter/Drygala Rn. 2). Mit zunehmender Entmaterialisierung (→ § 10 Rn. 12) ist auch Bedeutung dieser Vorschrift zurückgegangen. Ob AG von Verfahren Gebrauch macht, entscheidet Vorstand nach pflichtgem. Ermessen. Macht sie Gebrauch, ist sie an § 73 als zwingende Regelung (§ 23 V) gebunden. Entspr. Anwendung bei Verschmelzung und Formwechsel (§§ 72, 73, 248 UmwG); → § 226 Rn. 2 aE. **1**

II. Kraftloserklärung (§ 73 I)

1. Voraussetzungen. Dem Verfahren zugänglich sind **Aktien** (auch Namensaktien; → Rn. 3), ferner, obwohl nicht ausdr. genannt, **Zwischenscheine** (GK-AktG/Merkt Rn. 14; MüKoAktG/Oechsler Rn. 3), nicht aber Dividendenscheine und Talons (→ § 72 Rn. 2). Für elektronische Aktien ist mangels physischer Urkunde keine Kraftloserklärung erforderlich, hier reicht Berichtigung des entspr. Registers aus (Reger/Langheld/Haagen RDi 2021, 83, 90). Gem. § 73 I 1 muss Urkundeninhalt **nach Ausgabe unrichtig** geworden sein (zu anfänglichen Fehlern vgl. KK-AktG/Lutter/Drygala Rn. 10; MüKoAktG/Oechsler Rn. 6). Darunter fällt nach Inkrafttreten der Aktienrechtsnovelle 2016 auch der Fall eines Delistings einer börsennotierten Gesellschaft mit Inhaberaktien (RegE BT-Drs. 18/4349, 17; → § 10 Rn. 5). Weiterhin muss sich Unrichtigkeit aus Veränderung der rechtl. Verhältnisse ergeben, sei es der AG (Firma; Sitz), sei es der Mitgliedschaft (Herabsetzung des Nennbetrags nach § 222 IV Nr. 1 [→ § 222 Rn. 22]; Umwandlung von Inhaber- in Namensaktien; von Stämmen in Vorzüge; Übergang von Nennbetrags- zu Stückaktien gem. § 8 I und III [→ § 8 Rn. 24]). Ausschluss des Anspruchs auf Verbriefung nach § 10 V sollte auch für Alturkunden Kraftloserklärung ermöglichen (MüKoAktG/Oechsler Rn. 7), um insbes. Pflicht zur Erneuerung des Coupons, die mittlerweile schon praktisch kaum noch umzusetzen ist (→ § 58 Rn. 30), ausschließen zu können. Notwendig ist schließlich **vergebliche Aufforderung,** Aktien zur Berichtigung oder zum Umtausch einzureichen (→ Rn. 5). **2**

Trotz Unrichtigkeit der Urkunde findet grds. **keine Kraftloserklärung** statt, wenn sich nur **Nennbetrag** geändert hat (§ 73 I 2). Für Stückaktien ist Norm bedeutungslos (§ 8 III 1). Ausnahme von § 73 I 2: Ordentliche oder vereinfachte Kapitalherabsetzung durch Denomination gem. §§ 222 IV 1, 229 III; → § 222 **3**

Rn. 22. Nach Wortlaut des § 73 I 2 wäre Kraftloserklärung nicht nur bei bloßer Neustückelung, sondern auch bei Währungsumstellung unzulässig. Bei **Umstellung auf Euro** findet § 73 I 2 jedoch gem. § 4 VI 1 EGAktG keine Anwendung, so dass auf DM lautende Urkunden für kraftlos erklärt werden können, sobald Nennbeträge umgestellt sind; Verpflichtung dazu besteht nicht. Bei **Namensaktien** steht Verfahren gem. § 73 I 3 nicht zur Verfügung, wenn nur Bezeichnung des Aktionärs unrichtig geworden ist. HM (zB MüKoAktG/Oechsler Rn. 9) verweist zu letztgenannten Punkt auf § 67 II, KK-AktG/Lutter/Drygala Rn. 9 auf Vielfalt möglicher Übertragungsformen; richtig ist beides.

4 **2. Verfahren.** Vorstand entscheidet (auch bei Insolvenz) vorbehaltlich § 111 IV 2, ob Verfahren eingeleitet werden soll; in Abwicklung: § 268 II. **Einleitung** liegt im pflichtgem. Ermessen, und zwar auch bei Übergang von Nennbetrags- zu Stückaktien; Unrichtigkeit der Urkunden (→ Rn. 2) nötigt jedenfalls vorübergehend nicht zur Kraftloserklärung, soweit keine Irreführung zu befürchten ist (→ § 8 Rn. 24; Heider AG 1998, 1, 6; Ihrig/Streit NZG 1998, 201, 204; Seibert ZGR 1998, 1, 18). Sollen Aktien für kraftlos erklärt werden, ist **gerichtl. Genehmigung** erforderlich. Antrag ist von Vorstandsmitgliedern in vertretungsberechtigter Zahl zu stellen. Es handelt sich nach §§ 375 Nr. 3 FamFG, 23a Nr. 4 GVG um unternehmensrechtl. Verfahren als Angelegenheit der freiwilligen Gerichtsbarkeit, für dessen Entscheidung nach § 377 FamFG das Gericht am Sitz der AG zuständig ist, soweit sich aus entspr. Gesetzen nichts anderes ergibt (OLG Frankfurt NZG 2016, 1340 Rn. 16 mw Besonderheiten zu grenzüberschreitenden Sachverhalten). Gericht prüft in → Rn. 2 f. dargelegte Voraussetzungen mit Ausnahme der erst aufgrund der gerichtl. Genehmigung erfolgenden Aufforderung (→ Rn. 5) sowie (praktisch kaum relevant) Fehlerfreiheit der Ermessensausübung durch Vorstand. Entscheidung durch Beschluss. Rechtsmittel der Beschwerde nur, wenn Antrag abgewiesen wird (§ 73 I 4).

III. Aufforderung und Bekanntmachung (§ 73 II)

5 Wenn gerichtl. Genehmigung vorliegt, erfolgt Aufforderung, Aktien bei AG einzureichen (§ 73 II 1). Vorstand muss in Aufforderung die Kraftloserklärung androhen und auf gerichtl. Genehmigung (→ Rn. 4) hinweisen. Gem. § 64 II iVm § 73 II 2 erfolgt Aufforderung durch dreimalige Bek. in den Gesellschaftsblättern (§ 25). Fristen des § 64 II 2 und 3 sind einzuhalten. Bei vinkulierten Namensaktien genügt einmalige Einzelaufforderung mit Monatsfrist (§ 64 II 4). Kraftloserklärung nicht rechtzeitig eingereichter Aktien erfolgt durch neuerliche Bek. in den Gesellschaftsblättern (§ 73 II 3). Betroffene Aktien müssen eindeutig bezeichnet sein, etwa durch Stücknummern (§ 73 II 4). Ab Fristablauf kann AG für kraftlos erklären, sie muss nicht, sondern ist lediglich verpflichtet, Aktionäre gleich zu behandeln (§ 53a; vgl. KK-AktG/Lutter/Drygala Rn. 22 f.). Werden Aktien nach Fristablauf, aber noch vor Kraftloserklärung freiwillig eingereicht, sind sie in inhaltlich richtige Urkunden umzutauschen (BeckOGK/Cahn Rn. 21).

IV. Wirkungen (§ 73 III)

6 **1. Alte Aktien.** Liegen Voraussetzungen der Kraftloserklärung vor (alle, vgl. → Rn. 2–5), so verliert Mitgliedsrecht seine wertpapiermäßige Verbriefung. Das Recht selbst wird nicht betroffen (unstr., s. BGH AG 1990, 78, 80). Übertragung bleibt möglich, aber nur nach §§ 398 ff., 413 BGB (→ § 72 Rn. 5). Bislang hM erstreckt diese Wirkung ebenso wie bei § 72 II ohne weiteres auf Dividenden- und Erneuerungsscheine (KK-AktG/Lutter/Drygala Rn. 27; GK-AktG/Merkt Rn. 45; Herbig DJ 1935, 112, 115). Nach neuerer und zutr. Auffassung werden

sie nur dann von der Unwirksamkeit der Aktienurkunde erfasst, wenn sie ebenfalls unrichtig und sowohl in Aufforderung als auch in Kraftloserklärung einbezogen sind (BeckOGK/Cahn Rn. 24; Grigoleit/Grigoleit/Rachlitz Rn. 10; MüKoAktG/Oechsler Rn. 32; B/K/L/Wieneke Rn. 11). Dieser Auffassung ist zuzustimmen, weil Nebenpapiere im Fall des § 73 mit gleicher Stücknummer fortbestehen können, was iRd § 72 nicht möglich ist. Aufwand für die Ausgabe von Ersatzurkunden ist daher hier überflüssig (BeckOGK/Cahn Rn. 24).

2. Neue Aktien. Gem. § 73 III 1 Fall 1 haben Aktionäre Anspruch auf **Ausgabe und Aushändigung** neuer Aktienurkunden, soweit Satzung nicht gem. § 10 V (→ § 10 Rn. 3, 10 ff.) Einzelverbriefung und/oder Mehrfachverbriefung ausgeschlossen hat. **Vorbehalt** soll klarstellen, dass Anspruch auf Ausgabe und Aushändigung neuer Urkunden (der erst durch § 4 VI 1 EGAktG entsteht; → Rn. 3) hinter Satzungsregelung zurücktritt (AusschussB BT-Drs. 13/10038, 25). Das bedeutet iE: Nach vorgängiger Satzungsänderung (→ § 10 Rn. 12) können ausgegebene Aktien für kraftlos erklärt werden, weil Urkunden infolge Umstellung auf Euro unrichtig geworden sind, ohne dass Aktionäre neue Urkunden erhalten; Globalverbriefung genügt. Soweit davon kein Gebrauch gemacht wird, Aktionäre also Ausgabe und Aushändigung von Urkunden verlangen können, müssen sie sich als Berechtigte legitimieren. Das kann durch die alten Papiere, aber auch anderweitig geschehen. 7

Hinterlegung (§ 73 III 1, letzter Satzteil) kommt nach bisher hM nur in Betracht, soweit Urkunden ausgegeben werden (→ Rn. 7), also nicht bei Verbriefung aller Mitgliedsrechte in einer Urkunde (§ 10 V); sa HansOLG Hamburg Rpfleger 2003, 672 f. Das kann allerdings Probleme aufwerfen, wenn es AG gerade darum geht, Alturkunden aus dem Verkehr zu ziehen, um kaum noch zu erfüllender Pflicht zur Erneuerung des Coupons auszuweichen (→ Rn. 2). Aus diesem Grund sehen mittlerweile landesrechtl. Vorschriften, wie etwa § 13 I HintG BW, ausdr. auch Hinterlegung stückeloser Aktien vor. Ob auch ohne solche ges. Grundlage großzügigere Handhabung angezeigt ist, ist bislang noch nicht geklärt, sollte angesichts offenkundiger praktischer Probleme aber bejaht werden. Hinterlegungsrecht der AG begründet nach § 73 III 1 Fall 2 **Hinterlegungspflicht.** Ob Hinterlegungsrecht besteht, richtet sich nach § 372 BGB; Hauptfall: Person des Berechtigten (Selbstverwahrer) ist unbekannt (KK-AktG/Lutter/Drygala Rn. 30). Dass Hinterlegung unter Verzicht auf Rücknahme (§ 376 II Nr. 1 BGB) erfolgen müsse (so KK-AktG/Lutter/Drygala Rn. 30), ist mit hM nicht anzunehmen (MüKoAktG/Oechsler Rn. 39; Schlegelberger/Quassowski AktG 1937 § 67 Rn. 5; Herbig DJ 1935, 112, 115). Schuldbefreiende Wirkung tritt aber nur bei solchem Verzicht ein (§ 378 BGB). Gem. § 73 III 2 sind Aushändigung oder Hinterlegung dem Gericht (Registergericht des Gesellschaftssitzes, → Rn. 4) anzuzeigen. **Registerzwang:** § 407 I, § 14 HGB. Zwangsgeld gewährleistet nicht nur Anzeige, sondern auch dabei vorausgesetzte Aushändigung oder Hinterlegung (KK-AktG/Lutter/Drygala Rn. 31; MüKoAktG/Oechsler Rn. 41). **Kosten** der neuen Aktien und des gesamten Verfahrens trägt grds. AG (unstr.). Satzungsvorbehalt (→ Rn. 7) gilt aber auch hier, so dass AG bei entspr. Bestimmung zwar Kosten der Kraftloserklärung trägt, aber Einzel- oder Mehrfachverbriefung von Kostenübernahme durch Aktionär abhängig machen darf (→ § 10 Rn. 11 aE). 8

V. Zusammenlegung von Aktien (§ 73 IV)

Zusammenlegung zwecks Herabsetzung des Grundkapitals (§ 222 IV 1 Nr. 2; → § 222 Rn. 23) bewirkt inhaltliche Unrichtigkeit iSv Rn. 2. Trotzdem ver- 9 bleibt es beim Verfahren nach § 226; vgl. → § 226 Rn. 7 ff. Das stellt § 73 IV klar.

Neue Urkunden an Stelle beschädigter oder verunstalteter Aktien oder Zwischenscheine

74 **[1]Ist eine Aktie oder ein Zwischenschein so beschädigt oder verunstaltet, daß die Urkunde zum Umlauf nicht mehr geeignet ist, so kann der Berechtigte, wenn der wesentliche Inhalt und die Unterscheidungsmerkmale der Urkunde noch sicher zu erkennen sind, von der Gesellschaft die Erteilung einer neuen Urkunde gegen Aushändigung der alten verlangen. [2]Die Kosten hat er zu tragen und vorzuschießen.**

I. Regelungsgegenstand und -zweck; Tatbestand

1 Norm regelt entspr. § 798 BGB Austausch beschädigter oder verunstalteter Stücke. Zweck ist Wiederherstellung der dadurch beeinträchtigten **Handelsfähigkeit.** Vorschrift gilt für alle Aktien (auch Namensaktien) und Zwischenscheine (→ § 8 Rn. 28), aber nur für Mäntel, nicht für Dividendenscheine (Coupons) und Erneuerungsscheine (Talons). Für Coupons gilt jedoch § 798 BGB, wenn sie wie idR auf Inhaber lauten. Urkunde muss beschädigt (eingerissen, angesengt, durchlöchert) oder verunstaltet (befleckt, verfärbt, verknittert) sein, beides so, dass noch keine Vernichtung iSd § 72 vorliegt, aber Eignung zum Umlauf aufgehoben ist. Inhalt und Identität der Urkunde müssen aber noch zuverlässig feststellbar sein.

II. Rechtsfolgen; Kosten

2 Aktionär, dh Inhaber der Urkunde oder bei Namensaktien der im Aktienregister Eingetragene (§ 67 II), hat gegen AG Anspruch auf Erteilung neuer Urkunde gegen Aushändigung der alten. Leistung also nur **Zug um Zug** (zwingend, § 23 V). Wer Urkunde nicht hat oder nur unzureichenden Urkundenrest, kann keine Erneuerung fordern; es bleibt nur Aufgebotsverfahren nach § 72. Kosten, bes. des Drucks, trägt Aktionär (→ § 74 S. 2). Verzicht der AG auf Kostenersatz verstieße gegen § 57 I 1 (MüKoAktG/Oechsler Rn. 9). Aktionär ist vorschusspflichtig.

Neue Gewinnanteilscheine

75 **Neue Gewinnanteilscheine dürfen an den Inhaber des Erneuerungsscheins nicht ausgegeben werden, wenn der Besitzer der Aktie oder des Zwischenscheins der Ausgabe widerspricht; sie sind dem Besitzer der Aktie oder des Zwischenscheins auszuhändigen, wenn er die Haupturkunde vorlegt.**

I. Regelungsgegenstand und -zweck; Tatbestand

1 Vorschrift entspr. § 805 BGB, regelt Ausgabe neuer Dividendenscheine (Coupons; → § 58 Rn. 29) und begründet **Vorrang des Besitzers** der Aktienurkunde oder des Zwischenscheins (→ § 8 Rn. 28) ggü. Inhaber des Erneuerungsscheins (Talons); vgl. RGZ 77, 333, 336. Talon ist Legitimations-, nicht Wertpapier (→ § 58 Rn. 30). Zu praktischen Schwierigkeiten einer Neuausgabe → § 58 Rn. 30.

§ 75 Hs. 1 setzt voraus, dass Inhaber des Talons und Besitzer von Aktie oder Zwischenschein (Haupturkunde) verschiedene Personen sind. Beurteilung der Besitzlage nach §§ 854 ff. BGB. Mittelbarer Besitz, zB bei Bankverwahrung (§ 868 BGB), genügt (allgM). Ob Coupons an Inhaber des Talons auszuliefern sind, hängt davon ab, ob Besitzer der Haupturkunde widerspricht oder nicht (→ Rn. 3). **§ 75 Hs. 2** setzt Vorlage der Haupturkunde durch ihren Besitzer voraus und gibt Vorleger Anspruch auf Aushändigung der Coupons; gleichgültig, ob er auch Inhaber des Talons ist (→ Rn. 4). 2

II. Rechtsfolgen

Im Fall des § 75 Hs. 1 sind Coupons dem Inhaber des Talons auszuhändigen, wenn der AG kein Widerspruch zugeht (§ 130 BGB). Das entspr. der Legitimationsfunktion des Talons (→ § 58 Rn. 30). Erfolgt dagegen Widerspruch, so hat Auslieferung zu unterbleiben (Sperrfunktion, die fehlendes Aufgebotsverfahren für Talons [§ 72] kompensiert). Bei Namensaktien insoweit unerheblich, ob und wer im Aktienregister (§ 67 II) eingetragen ist (KK-AktG/Lutter/Drygala Rn. 5; MüKoAktG/Oechsler Rn. 5). AG macht sich schadensersatzpflichtig, wenn sie gleichwohl ausliefert. 3

Im Fall des § 75 Hs. 2 sind Coupons dem Vorleger der Haupturkunde auszuhändigen (Vorrang, vgl. → Rn. 1). Nach richtiger Auffassung ist § 67 II auch in diesem Fall bei Namensaktien nicht anzuwenden, weil es nicht um materielle, sondern allein um formelle Legitimation geht, die an den Besitz anknüpft (vgl. MüKoAktG/Oechsler Rn. 10; B/K/L/Wieneke Rn. 4; aA KK-AktG/Lutter/Drygala Rn. 12). In beiden Varianten der Norm geht es allein um Außenverhältnis zur AG. Wer im Innenverhältnis besser berechtigt ist, müssen Inhaber des Talons und Besitzer der Haupturkunde unter sich ausmachen. 4

Vierter Teil. Verfassung der Aktiengesellschaft

Erster Abschnitt. Vorstand

Leitung der Aktiengesellschaft

76 (1) **Der Vorstand hat unter eigener Verantwortung die Gesellschaft zu leiten.**

(2) [1]**Der Vorstand kann aus einer oder mehreren Personen bestehen.** [2]**Bei Gesellschaften mit einem Grundkapital von mehr als drei Millionen Euro hat er aus mindestens zwei Personen zu bestehen, es sei denn, die Satzung bestimmt, daß er aus einer Person besteht.** [3]**Die Vorschriften über die Bestellung eines Arbeitsdirektors bleiben unberührt.**

(3) [1]**Mitglied des Vorstands kann nur eine natürliche, unbeschränkt geschäftsfähige Person sein.** [2]**Mitglied des Vorstands kann nicht sein, wer**

1. **als Betreuter bei der Besorgung seiner Vermögensangelegenheiten ganz oder teilweise einem Einwilligungsvorbehalt (§ 1825 des Bürgerlichen Gesetzbuchs) unterliegt,**

2. aufgrund eines gerichtlichen Urteils oder einer vollziehbaren Entscheidung einer Verwaltungsbehörde einen Beruf, einen Berufszweig, ein Gewerbe oder einen Gewerbezweig nicht ausüben darf, sofern der Unternehmensgegenstand ganz oder teilweise mit dem Gegenstand des Verbots übereinstimmt,
3. wegen einer oder mehrerer vorsätzlich begangener Straftaten
   a) des Unterlassens der Stellung des Antrags auf Eröffnung des Insolvenzverfahrens (Insolvenzverschleppung),
   b) nach den §§ 283 bis 283d des Strafgesetzbuchs (Insolvenzstraftaten),
   c) der falschen Angaben nach § 399 dieses Gesetzes oder § 82 des Gesetzes betreffend die Gesellschaften mit beschränkter Haftung,
   d) der unrichtigen Darstellung nach § 400 dieses Gesetzes, § 331 des Handelsgesetzbuchs, § 346 des Umwandlungsgesetzes oder § 17 des Publizitätsgesetzes,
   e) nach den §§ 263 bis 264a oder den §§ 265b bis 266a des Strafgesetzbuchs zu einer Freiheitsstrafe von mindestens einem Jahr

   verurteilt worden ist; dieser Ausschluss gilt für die Dauer von fünf Jahren seit der Rechtskraft des Urteils, wobei die Zeit nicht eingerechnet wird, in welcher der Täter auf behördliche Anordnung in einer Anstalt verwahrt worden ist.

[3] Satz 2 Nummer 2 gilt entsprechend, wenn die Person in einem anderen Mitgliedstaat der Europäischen Union oder einem anderen Vertragsstaat des Abkommens über den Europäischen Wirtschaftsraum einem vergleichbaren Verbot unterliegt. [4] Satz 2 Nr. 3 gilt entsprechend bei einer Verurteilung im Ausland wegen einer Tat, die mit den in Satz 2 Nr. 3 genannten Taten vergleichbar ist.

(3a) [1] Besteht der Vorstand bei börsennotierten Gesellschaften, für die das Mitbestimmungsgesetz, das Gesetz über die Mitbestimmung der Arbeitnehmer in den Aufsichtsräten und Vorständen der Unternehmen des Bergbaus und der Eisen und Stahl erzeugenden Industrie in der im Bundesgesetzblatt Teil III, Gliederungsnummer 801-2, veröffentlichten bereinigten Fassung – Montan-Mitbestimmungsgesetz – oder das Gesetz zur Ergänzung des Gesetzes über die Mitbestimmung der Arbeitnehmer in den Aufsichtsräten und Vorständen der Unternehmen des Bergbaus und der Eisen und Stahl erzeugenden Industrie in der im Bundesgesetzblatt Teil III, Gliederungsnummer 801-3, veröffentlichten bereinigten Fassung – Mitbestimmungsergänzungsgesetz – gilt, aus mehr als drei Personen, so muss mindestens eine Frau und mindestens ein Mann Mitglied des Vorstands sein. [2] Eine Bestellung eines Vorstandsmitglieds unter Verstoß gegen dieses Beteiligungsgebot ist nichtig.

(4) [1] Der Vorstand von Gesellschaften, die börsennotiert sind oder der Mitbestimmung unterliegen, legt für den Frauenanteil in den beiden Führungsebenen unterhalb des Vorstands Zielgrößen fest. [2] Die Zielgrößen müssen den angestrebten Frauenanteil an der jeweiligen Führungsebene beschreiben und bei Angaben in Prozent vollen Personenzahlen entsprechen. [3] Legt der Vorstand für den Frauenanteil auf einer der Führungsebenen die Zielgröße Null fest, so hat er diesen Beschluss klar und verständlich zu begründen. [4] Die Begründung muss ausführlich die Erwägungen darlegen, die der Entscheidung zugrunde liegen. [5] Liegt der Frauenanteil bei Festlegung der Zielgrößen unter 30 Prozent, so dürfen die Zielgrößen den jeweils erreichten Anteil nicht mehr unterschreiten. [6] Gleichzeitig sind Fristen zur Erreichung der Zielgrößen festzulegen. [7] Die Fristen dürfen jeweils nicht länger als fünf Jahre sein.

Übersicht

I. Grundlagen

1 **1. Regelungsgegenstand und -zweck.** Norm betr. Leitungsaufgabe des Vorstands (§ 76 I), seine zahlenmäßige Zusammensetzung (§ 76 II) und persönliche Eignungsvoraussetzungen für das Vorstandsamt (§ 76 III). Wesentlicher Regelungszweck liegt in **Zuweisung der Leitungsaufgabe an Vorstand als Kollegialorgan.** Diese Zuweisung hat erstens Bedeutung für das externe Verhältnis des Vorstands ggü. AR und HV als anderen Gesellschaftsorganen. Sie ist zweitens wichtig für das interne Verhältnis zwischen dem Gesamtvorstand (Kollegium) und den einzelnen Vorstandsmitgliedern.

2 Für **Beziehungen der Gesellschaftsorgane untereinander** gilt: § 76 enthält Kompetenzzuweisung, indem Vorstand mit eigenverantwortlicher Leitung der AG betraut und entspr. HV sowie AR von dieser Funktion ausgeschlossen werden (vgl. § 111 IV 1, § 119 II). HV wird stattdessen im Wesentlichen auf Grundlagenzuständigkeit verwiesen (→ § 119 Rn. 1, 5). AR wird durch Ges. (bes. § 111) Überwachungsaufgabe zugewiesen (→ § 111 Rn. 5 f.), doch lässt sich Grenze zur Leitungsaufgabe nicht gleichermaßen trennscharf ziehen wie bei HV. Auf den ersten Blick klare Trennung zwischen Leitung und Überwachung wird durch jüngere Gesetzgebungsakte zunehmend dadurch verwischt, dass AR im Rahmen seiner (auch vorausschauenden) Überwachungsaufgabe verstärkt **in Leitungsaufgaben einbezogen** wird (GK-AktG/Kort Rn. 9).

3 Aus dieser Gemengelage ist im Schrifttum die Frage erwachsen, ob AR Co-Leitungsorgan der AG sei oder nicht (dafür zB Lutter/Krieger/Verse AR Rn. 58; dagegen GK-AktG/Kort Rn. 21 f.; umfassende Darstellung bei J. Koch in 50 Jahre AktG, 2016, 65, 77 ff.). Dieser Einordnung wird gerade in den wichtigen Grenzbereichen der Auslegung und Rechtsfortbildung (insbes. in Gestalt von Annexkompetenzen des AR) große Bedeutung beigemessen, doch handelt es sich in Ermangelung normativer Vorgaben um rein induktiv-deskriptive Beschreibung, die als Ausgangspunkt deduktiver Schlussfolgerungen eher irreführend als hilfreich ist (J. Koch in 50 Jahre AktG, 2016, 65, 78 f.). Richtig ist, dass Vorstand **Entscheidungs- und Handlungszentrum** der AG ist, der nicht nur in eigener Verantwortung, sondern auch in eigener Initiative tätig wird, während AR auf Beaufsichtigung fremder Aktivitäten beschränkt bleibt (GK-AktG/Kort Rn. 21 f.). **Kompetenzabgrenzung** muss aber auch der Funktionsfähigkeit seiner Überwachungstätigkeit Rechnung tragen, wobei Grenzziehung in Zweifelsfällen neben Initiativrecht des Vorstands an Grundsatz der Organadäquanz (insbes. im Lichte der Ausgestaltung als Nebenamt, → § 100 Rn. 5), Konflikttoleranz des AR (→ § 108 Rn. 12; → § 116 Rn. 6) und den Haftungsrisiken des AR auszurichten ist (ausf. J. Koch in 50 Jahre AktG, 2016, 65, 81 ff.; sa Reichert FS Hopt, 2020, 973, 982; vgl. zu praktischen Folgen etwa → § 90 Rn. 4b). Wer in Unternehmenswirklichkeit stärkeres Organ ist, lässt sich nicht aus Gesetzestext ablesen, sondern hängt von Realstruktur der einzelnen AG ab, namentl. Eigentümerstruktur, Mitbestimmung und konkreter Organbesetzung (sa BeckOGK/Spindler § 111 Rn. 4).

4 **Beziehungen zwischen Vorstand als Kollegium und einzelnen Vorstandsmitgliedern** sind rechtl. solange weitgehend unproblematisch, als tats. Organisation der Vorstandsarbeit dem in § 77 niedergelegten Prinzip der Gesamtgeschäftsführung entsprechen. Dieses Prinzip ist vornehmlich auf früher vorherrschende **funktional gegliederte Unternehmensorganisation** zugeschnitten (zB in Einkauf, Produktion, Absatz, Finanzen etc. [→ § 77 Rn. 10] – vgl. Schwark ZHR 142 [1978], 203, 205), ohne dass diese Aufgabenteilung zwingend im Ges. angelegt wäre (zutr. GK-AktG/Kort Rn. 193). Heute stärker verbreitet ist sog **Spartenorganisation,** bei der Vorstandsmitgliedern Verantwortung für

einzelne Produkt- oder Dienstleistungsbereiche zugewiesen ist (→ § 77 Rn. 10; sa MüKoAktG/Spindler § 77 Rn. 71; Fleischer BB 2017, 2499 ff.). Sie tendiert eher zur Einzelzuständigkeit der Vorstandsmitglieder. In diesem Rahmen fällt § 76 I die Aufgabe zu, den der Gesamtverantwortung des Kollegialorgans vorbehaltenen Bereich gegen zulässige Einzelzuständigkeit von Vorstandsmitgliedern abzugrenzen (KK-AktG/Cahn Rn. 4; Schwark ZHR 142 [1978], 203, 215 f.). Auch Zulässigkeit einer Spartenleitung unterhalb des Vorstands ist umstr. (ausf. Fleischer BB 2017, 2499 ff.). Begriffliche Zuspitzung liegt in Unterscheidung von Leitung (§ 76 I) und (sonstiger) Geschäftsführung (§ 77); → Rn. 10 ff.

2. Verfassung der AG im Überblick. § 76 ist Spitzenvorschrift des der Verfassung der AG gewidmeten Gesetzesteils. Verfassung ist in diesem Kontext Inbegriff der Normen über **Handeln der Gesellschaft durch Organe** (§§ 76 ff., 95 ff.) und **Willensbildung durch HV-Beschluss** (§§ 118 ff.) einschließlich der Entscheidung über Sonderprüfung und Geltendmachung von Ersatzansprüchen (§§ 142 ff.). Handlungsorgane sind Vorstand und AR (dualistisches System, s. zu dessen Entwicklungsgeschichte und Einzelausgestaltung Lieder Der Aufsichtsrat im Wandel der Zeit, 2006, 39 ff.). Es gibt also kein Board- oder Verwaltungsratssystem, das aber seit Einführung der SE als Lösungsmodell und teilw. auch als Gestaltungsalternative zur Verfügung steht (vergleichend Schiessl ZHR 167 [2003], 235, 240 ff.; sa Bachmann FS Hopt, Bd. I, 2010, 337, 338 ff.) und namentl. erlaubt, vielfach als überhöht angesehene Zahl von AR-Mitgliedern (→ § 95 Rn. 2) deutlich herabzusetzen (zu weiteren mitbestimmungsrechtl. Vorzügen der SE → § 96 Rn. 5a). Im Schrifttum wird verbreitet rechtspolitisch gefordert, **Optionsrecht** einzuführen, nach dem zwischen dualistischem und monistischem System gewählt werden kann (Baums GS Gruson, 2009, 1, 4 ff.; Drinhausen/Keinath/Waldvogel FS Marsch-Barner, 2018, 159 ff.; Reichert ZHR 187 [2023], 739, 743 ff. mit kleinerer Alternativlösung: Gestattung gemischter Ausschüsse). Auch wenn in privatautonomem System liberales Wahlrecht grds. meist positiv zu bewerten ist, bleibt doch fraglich, ob angesichts der Annäherung beider Systeme (vgl. dazu Hopt ZGR 2019, 507, 515 ff.) und der möglichen Rechtsformwahl einer SE der aus dieser Zusatzoption resultierende Restnutzen tats. groß genug ist, um die damit verbundenen erheblichen Eingriffe in das deutsche AktG rechtfertigen zu können. Für mitbestimmte Gesellschaften wird sich Praxis regelmäßig ohnehin nicht für monistisches System entscheiden, weil damit AN-Mitspracherechte vom Kontrollorgan auf das Geschäftsführungsorgan ausgeweitet würden. Auf der Agenda dringlicher rechtspolitischer Anliegen sollte dieses Vorhaben deshalb jedenfalls nicht weit oben stehen (zurückhaltend auch GK-AktG/Kort Vor § 76 Rn. 2 ff.; J. Vetter FS Henssler, 2023, 1305 ff.). 5

Kompetenzabgrenzung nach dualistischem System: Führung der Geschäfte einschließlich Leitung (§§ 76, 77) und im Grundsatz auch Vertretung der AG (§ 78) liegen beim Vorstand. AR hat Überwachungsaufgabe (§ 111, bes. I und IV) und nimmt Vertretung der AG ggü. Vorstandsmitgliedern wahr (§ 112); Weisungen stehen ihm nicht zu (BGH AG 2008, 541, 542; zur Einbeziehung in Leitung → Rn. 2). HV obliegt Beschlussfassung in wesentlichen Gesellschaftsangelegenheiten (§ 119 I). In Fragen der Geschäftsführung hat sie keine eigene Kompetenz (§ 119 II). Dem liegt Gedanke zugrunde, dass HV „in Anbetracht ihrer inhomogenen, dem Zufall ausgelieferten Zusammensetzung und ihrer Ferne zu den jew. zu treffenden Geschäftsführungsmaßnahmen ihrer ganzen Struktur nach für die Mitwirkung an der Leitung einer AG ungeeignet ist" (BGHZ 159, 30, 43 ff. = NJW 2004, 1860; zur Durchbrechung dieser Regel in sog Holzmüller-Fällen → § 119 Rn. 16 ff.). **Verknüpfung der Gesellschaftsorgane:** HV bestellt grds. Mitglieder des AR, soweit nicht Mitbestimmungsrecht eingreift (§§ 101, 119 I Nr. 1). AR hat Personalkompetenz bzgl. der Vorstandsmitglieder, 6 wiederum vorbehaltlich Mitbestimmung (§ 84). Kompetenzregelung ist zwingend (§ 23 V). Organstruktur ist nicht hierarchisch geordnet, sondern zielt auf **Machtbalance** ab (ausf. → § 119 Rn. 1). Zur Problematik des sog Organstreits → § 90 Rn. 16 ff., ferner im jeweiligen Zusammenhang (→ § 78 Rn. 2; → § 83 Rn. 6; → § 111 Rn. 72).

7 Ergänzung aktienrechtl. Organisationsgefüges durch **weitere Gremien** (zB Beirat, Direktorium, Steering Committee) ist in der Praxis (insbes. bei Banken und Versicherungen) verbreitet, im Lichte des § 23 V aber nur zulässig, sofern ges. Kompetenzen davon unberührt bleiben (→ § 23 Rn. 36, 38; sa GK-AktG/Kort Rn. 14 f. mit bedenklichem Rückschluss aus dem – nicht nur für AG geltenden – § 285 Nr. 9 HGB). Auch moderne Erscheinungsformen wie Horizon Boards, die Vorschlägen von im Unternehmen unterrepräsentierten Gruppen Gehör verschaffen sollen, lassen sich bei AG daher nur als beratende Gremien integrieren, die ges. Entscheidungskompetenzen unberührt lassen (eingehend Holle/Schwarz AG 2024, 17 Rn. 1 ff.).

II. Vorstand als Leitungsorgan (§ 76 I)

8 **1. Vorstand als notwendiges Organ.** AG muss einen Vorstand haben (vgl. schon § 33, § 36 I, § 37 IV und bes. § 39). Aus § 39 folgt, dass AG ohne Vorstand nicht entstehen kann (KK-AktG/Cahn Rn. 87). Fällt Vorstand weg (Abberufung aller Mitglieder), so berührt das Bestand der AG nicht. Sie verliert jedoch ihre Handlungsfähigkeit, soweit Maßnahmen dem Vorstand zugewiesen sind. Für einen Vorstand zu sorgen, ist Aufgabe des AR (§ 84). Notfalls kann durch gerichtl. Bestellung von Vorstandsmitgliedern geholfen werden (§ 85). Zu Verstößen gegen § 76 II → Rn. 139. Schließlich muss AG nicht nur Vorstand haben; er muss zumindest in der Satzung und im Rechtsverkehr nach außen auch so heißen. Entspr. Fehler in der Satzung ist Errichtungsmangel und führt zur Ablehnung der Eintragung (§ 38 I); unternehmensintern abw. Bezeichnungen (zB Board of Directors) sind dagegen unbedenklich (S/L/Seibt Rn. 4). Einrichtung von **Vorstandsausschüssen** ist im Lichte des § 23 V nur dann zulässig, wenn ges. Grundkonzeption der Leitungsverantwortung nicht angetastet wird (GK-AktG/Kort § 77 Rn. 43 ff.). Ehrenvorsitzender begegnet in der Praxis bei Vorstand deutlich seltener als bei AR; es gelten für ihn in → § 107 Rn. 15 ff. skizzierten Grundsätze entspr. (sa S/L/Seibt Rn. 6).

9 **2. Rechtsstellung der Vorstandsmitglieder.** Nach hM haben auch die einzelnen Vorstandsmitglieder **Organqualität** (KK-AktG/Cahn Rn. 89; NK-AktR/Oltmanns Rn. 10; MüKoAktG/Spindler Rn. 10; aA Hölters/Weber/Weber Rn. 5). Ob Terminologie glücklich ist, mag dahinstehen. Richtig und in der Sache entscheidend ist, dass Kenntnisse, Handlungen und tatsächliche Zustände (Besitz), die in der Person auch nur eines Vorstandsmitglieds vorliegen, der AG als eigene Kenntnisse usw zuzurechnen sind, wenn Ges. nicht auf Mehrzahl von Organmitgliedern abstellt. Wegen der Zurechnungsfragen iE vgl. § 78 → § 78 Rn. 3 ff., 23.

10 **3. Leitung der Gesellschaft. a) Geschäftsführung und Leitung.** Während § 76 I dem Vorstand die Leitung der Gesellschaft zuweist, geht § 77 I davon aus, dass ihm die Geschäftsführung zusteht. Während Geschäftsführung jedwede tats. oder rechtsgeschäftliche Tätigkeit für AG ist (→ § 77 Rn. 3 f.), geht es bei Leitung um **Führungsfunktion** des Vorstands (→ Rn. 1), mithin um herausgehobenen Teilbereich der Geschäftsführung (GK-AktG/Kort Rn. 28 ff.; Hüffer FG Happ, 2006, 93, 98 f.). Nähere Abgrenzung erlangt nach hM Bedeutung, wenn es um Delegation von Geschäftsführungsaufgaben auf einzelne Verwaltungsmitglieder oder auf nachgeordnete Ebenen und um Unterstellung unter

Einfluss Dritter geht (GK-AktG/Kort Rn. 49 ff.; J. Koch in 50 Jahre AktG, 2016, 65, 92 ff.). In beiden Folgerungen hat Abgrenzung in den letzten Jahren erheblichen Bedeutungszuwachs erhalten, und zwar im ersten Punkt, weil **Delegationsmöglichkeit** darüber entscheidet, inwiefern sich Vorstand in Haftungssituation durch Aufgabendelegation exculpieren kann (→ § 77 Rn. 15 ff.), im zweiten Punkt im Kontext von **Business Combination Agreements** und Investorenvereinbarungen (→ Rn. 124 ff.). Diskussion hat zutage gefördert, dass über genaue Konturen des Leitungsbegriffs weiterhin nur verschwommene Vorstellungen bestehen (→ Rn. 13 f.), was angesichts weitreichender Rechtsfolgen misslich ist (ausf. J. Koch in 50 Jahre AktG, 2016, 65, 92 ff.; Kuntz AG 2020, 801 Rn. 1 ff.; monographisch Linnertz, Delegation durch Vorstand, 2020, 59 ff.).

Namentl. bei Selbstbindung ggü. Dritten zeichnet sich Tendenz ab, früher angenommenen Grundsatz der **Unveräußerlichkeit der Leitungsmacht** weitgehend zu relativieren und durch Maßstab des § 93 I, II zu ersetzen (→ Rn. 124 ff.; ausf. J. Koch in 50 Jahre AktG, 2016, 65, 94 ff.; zur Einbindung der AG in sog Trennungs-Matrixstrukturen vgl. S/L/Seibt Rn. 38). Fortdauernde Bedeutung wird Trennung dagegen weiterhin hinsichtlich **Delegationsfähigkeit** beigemessen (dazu Hegnon CCZ 2009, 57 ff.). Als delegationsfähig gelten nämlich nur Maßnahmen der Geschäftsführung (§ 77), nicht der Leitung (§ 76 I); → Rn. 15. Auch diese Deutung – wenngleich ganz herrschend – ist indes bedenklich, weil sich dem Leitungsbegriff in ges. Verankerung und historischer Entwicklung kein derart trennscharfes Gegenmodell zu Delegationslösung entnehmen lässt. Vorstand ist als gesamtverantwortliches Kollegialorgan **naturgemäß Delegationsorgan,** so dass es nicht gilt, pauschal delegationsunfähigen Aufgabenbereich zu umschreiben, sondern Voraussetzungen der Delegation zu formulieren (Linnertz, Delegation durch Vorstand, 2020, 59 ff.; krit. auch S/L/Seibt Rn. 14; Seibt FS K. Schmidt, 2009, 1463, 1476 ff.; Freund NZG 2015, 1419, 1422 f.; Kuntz AG 2020, 801 Rn. 1 ff.). 11

Folgt man dennoch der eingeschliffenen herrschenden Begrifflichkeit, ist auch danach bei Leitungsaufgaben keine höchstpersönliche Erledigung erforderlich, sondern **Delegation vorbereitender Hilfsaufgaben** zulässig; letztverantwortliche Entscheidung muss aber beim Vorstand verbleiben (s. insbes. Fleischer ZIP 2003, 1, 6, 7 ff.: decision shaping ↔ decision taking; sa GK-AktG/Kort Rn. 49). Aufgaben unterhalb der Leitungsebene müssen so organisiert und überwacht werden, dass Leitungskompetenz nicht gestört wird und Vorstand sie jederzeit wieder an sich ziehen kann (GK-AktG/Kort Rn. 49a; konturenschärferes Modell bei Linnertz, Delegation durch Vorstand, 2020, 238 ff.; sa Kuntz AG 2020, 801 Rn. 50 ff. mit zT aber abw. Konstruktion). Es gelten für diese **Fälle vertikaler Delegation** weitgehend ähnliche Grundsätze und verbleibende Kontrollpflichten wie für Fälle horizontaler Delegation (→ § 77 Rn. 15 ff.) und Delegation an unternehmensexterne Sachverständige (→ § 93 Rn. 80 ff.; zusammenfassend → § 93 Rn. 22 ff.). Weitere Einschränkungen der Delegationsmöglichkeit folgen für Finanzdienstleistungsinstitute aus § 25b II 1 KWG (→ Rn. 179), dessen Vorgaben auf andere AG aber nicht übertragen werden können (GK-AktG/Kort Rn. 50a). Zu den (begrenzten) Delegationsmöglichkeiten iRd Ad-Hoc-Publizität vgl. Kocher/Schneider ZIP 2013, 1607 ff.; zu persönlichen Bindung des Vorstands durch sog Managementgarantien → Rn. 62. Zur Delegation auf algorithmenbasierte künstliche Intelligenz → § 93 Rn. 24, 43. 12

Subsumtionsfähige Kriterien für Unterscheidung zwischen Leitung und Geschäftsführung gibt es auch nach hM nicht (vgl. auch Kuntz AG 2016, 101 ff.; Noack ZHR 183 [2019], 105, 124 ff.). Unterscheidung wird zumeist mehr von Rechtsfolgenseite denn von Tatbestandsseite formuliert, was fortdauernde Schwierigkeiten im Umgang mit Abgrenzung abermals illustriert (zutr. Seibt FS K. Schmidt, 2009, 1463, 1464: fehlende Delegationsfähigkeit als Definitions- 13 merkmal der Unternehmensleitung). Für erforderliche Abgrenzung auf Tatbestandsseite wird **typologische Betrachtung** unter Orientierung an betriebswirtschaftlichen Erkenntnissen empfohlen. Abgestellt wird also auf **Unternehmensplanung, -koordination, -kontrolle und Besetzung der Führungsstellen** (GK-AktG/Kort Rn. 35 ff.; Hölters/Weber/Weber Rn. 10 f.; variierend Fleischer ZIP 2003, 1, 5). Danach können etwa Festlegung der Unternehmenspolitik und bedeutende Verwaltungsaufgaben im Produktions-, Vertriebs- und Finanzierungsprozess nicht übertragen werden; auch für Fragen der EDV und Informationstechnologie einschließlich ihrer datenschutzrechtl. Implikationen wird zunehmend eine Leitungszuständigkeit des Vorstands bejaht (GK-AktG/Kort Rn. 36 f.; Behling ZIP 2017, 697, 698 ff.; Noack ZHR 183 [2019], 105, 124 ff.); zur Compliance als Bestandteil der Leitungsaufgabe → Rn. 16 f.

14 Typologischer Betrachtung ist beizupflichten, allerdings mit der Maßgabe, dass sie **normativ orientiert** sein muss, also der rechtl. Bestimmung der Leitung als unverzichtbaren Kerns der Vorstandsfunktion zu dienen hat (Hüffer in Habersack/Bayer, Aktienrecht im Wandel, 2007, Kap. 7 Rn. 20 f.). Der Leitung im Unterschied zur Geschäftsführung zuzuordnen sind daher auch die Aufgaben, die Ges. dem Vorstand als Kollegialorgan zuweist (Pflichtaufgaben, vgl. §§ 83, 90, 91, 92, 110 I, 118 II, 121 II, 124 III 1, 170, 245 Nr. 4 AktG sowie § 15 I InsO; s. BGHZ 149, 158, 160 = NJW 2002, 1128 zu § 121 II, § 124 III 1; GK-AktG/Kort Rn. 35; Hüffer FG Happ, 2006, 93, 99 f.; Schiessl ZGR 1992, 64, 67 f.). Praxis tendiert dazu, Aufgaben **vorschnell als Leitungsaufgaben zu deklarieren,** was angesichts weitreichender Rechtsfolgen (→ Rn. 10 ff.) nicht ungefährlich erscheint (vgl. etwa Seibt DB 2015, 171 ff.: Corporate Reputation Management als Leitungsaufgabe [sa → Rn. 65; zust. Fleischer AG 2017, 509, 516; Gaul AG 2018, 505, 510]; Seibt DB 2016, 1978: Corporate Resilience Management als maßgebliche Ausprägung der allg. Leitungsaufgabe; Bräutigam/Habbe NJW 2022, 809 Rn. 21 ff.: „Digital Compliance ist Chefsache"; Fleischer AG 2017, 65: CSR als „Chefsache" [krit. Bachmann ZGR 2018, 231, 238 ff.]; Fleischer/Pendl ZIP 2020, 1321, 1327: Geheimnismanagement als „Chefsache"; Kiefner/Happ BB 2020, 2051, 2058: Cyber-Security als „Chefsache"; Kort GmbHR 2022, 557, 561: „Datenschutz-Compliance als Leitungsaufgabe"; Weller/Benz AG 2015, 467, 472: Bemühenspflicht gem. § 76 IV als Leitungsaufgabe [sa → Rn. 174]; krit. ggü. dieser Entwicklung auch Nietsch ZHR 180 [2016], 733, 738).

15 **b) Zum Gegenstand der Leitungsfunktion.** Nach § 76 I leitet Vorstand die Gesellschaft. Weil AG Trägerin des Unternehmens ist, liegt darin in erster Linie Aufgabe der **Unternehmensleitung.** Intensiv geführte Diskussion über theoretische Ansätze eines neuen Unternehmensverständnisses (vgl. dazu Mülbert ZGR 1997, 129, 140 ff.) hat keinen nennenswerten rechtspraktischen Ertrag gebracht (KK-AktG/Cahn Rn. 9 ff.). Für Rechtsanwendung steht nach wie vor als Eigentümergesellschaft verfasste AG im Vordergrund (→ Rn. 113). Soweit Gesamtgruppe als **Holding** organisiert ist, umfasst Unternehmensleitung Leitung des Holdingunternehmens (der Führungsgesellschaft), der Tochterunternehmen und des Holdingverbunds (Hüffer FG Happ, 2006, 93, 101 ff.). Kernaufgabe ist Leitung der Töchter (GK-AktG/Kort Rn. 40a; Götz ZGR 1998, 524, 534 f.; Löbbe, Unternehmenskontrolle im Konzern, 2003, 88 ff.). Darin liegt für Holdingvorstand Leitung iSd § 76 I, weshalb Delegation ausscheidet (→ Rn. 10 ff.; Hüffer FG Happ, 2006, 93, 104 ff.).

16 **c) Insbesondere: Corporate Compliance. aa) Compliance als Bestandteil der Leitungsaufgabe. Begriff.** Gesetzlich nicht näher konturierter Begriff der Compliance umschreibt grob Einhaltung von Gesetzen und Regeln, von denen Unternehmen betroffen sind (Kort NZG 2008, 81). Dabei geht es nicht allein um selbstverständliche Vorgabe, bestehende Gesetzesvorschriften einzuhal-

ten, sondern um weitergehende Anforderung, Maßnahmen zu ergreifen, die rechtmäßiges Verhalten innerhalb der AG gewährleisten und dazu beitragen, etwaige Risiken frühzeitig zu individualisieren und zu minimieren (vgl. etwa Hauschka ZIP 2004, 877). Ähnlich definiert **GS 5 S. 1 DCGK** Compliance als Pflicht des Vorstands, für Einhaltung ges. Bestimmungen und unternehmensinterner Richtlinien zu sorgen und auf deren Beachtung durch Konzernunternehmen hinzuwirken (zur Konzernperspektive → Rn. 50 ff.). Unter anderen Bezeichnungen sind solche Vorstandspflichten seit jeher aktienrechtl. anerkannt (insofern zutr. LG München I NZG 2014, 345, 348). Erst mit der begrifflichen und infolgedessen auch thematischen Verselbständigung hat sich Compliance aber zu dem nie versiegenden Pflichtenquell entwickelt, der in der heutigen Praxis unternehmerisches Handeln stetig mit neuen Anforderungen überströmt (zutr. Unmuth AG 2017, 249 ff.; zu den Konsequenzen begrifflicher Verselbständigung für die materielle Rechtsentwicklung vgl. J. Koch in Fleischer/Thiessen, Gesellschaftsrechts-Geschichten, 2018, 471, 477 ff.).

Als **Compliance-relevante Risikobereiche** gelten insbes. Kapitalmarkt- und 17 Kartellrecht, Korruptionsstrafrecht, Produkthaftungsrecht, Außenwirtschaftsrecht, Umweltrecht, Geheimnisschutz (Thress BB 2023, 1027 ff.) sowie Diskriminierung und sexuelle Belästigung am Arbeitsplatz (Fleischer AG 2003, 291, 300). Zunehmende Bedeutung erlangt Steuerrecht (Aichberger/Schwartz DStR 2015, 1601 ff., 1758 ff.; Bexa CCZ 2022, 265 ff.; Renz/Leibold BB 2022, 1943 ff.). Spätestens seit Wirecard rückt auch Rechnungslegung als eigenständiger Compliance-Gegenstand weiter in den Fokus (ausf. Böhmer, Rechnungslegung und ihre Anforderungen an die Unternehmensorganisation, 2020, 109 ff.). Im Zuge der rasanten ESG-Entwicklung (→ § 76 Rn. 64 ff.) gewinnt Climate Change Compliance an Relevanz (Fleischer DB 2022, 37, 41; Schirmer ZIP 2023, 234, 235 ff.; zur vorgelagerten Frage nach der Zulässigkeit von Klimaklagen vgl. einerseits Kieninger ZHR 187 [2023], 348 ff.; andererseits Wagner, Klimahaftung vor Gericht, 2020; Urteil: OLG Hamm ZUR 2018, 118 ff.; zu Klimaklagen gegen Vorstand → § 93 Rn. 21). Mit Inkrafttreten der DS-GVO hat überdies datenschutzrechtl. Compliance-Verantwortung weiter an Relevanz gewonnen (Behling ZIP 2017, 697 ff.; Glaser GmbHR 2018, 993 ff.; König AG 2017, 262 ff.; Korch/Chatard AG 2019, 551, 554 ff.; Kort GmbHR 2022, 557, 561; Löschhorn/Fuhrmann NZG 2019, 161 ff.; Nietsch/Osmanovic BB 2021, 1858 ff.; Wybitul/Klaas NZWiSt 2021, 216 ff.). Zur Erfassung ausländischen Rechts → § 93 Rn. 13 ff.; GK-AktG/Kort § 91 Rn. 121.

Zuständigkeit. Als Bestandteil der Unternehmenskontrolle gehört Corporate 18 Compliance zur Leitung der Gesellschaft iSd § 76 I und, was auf dasselbe hinausläuft, zur allg. Sorgfaltspflicht des § 93 I (Hemeling ZHR 175 [2011], 368, 370). Sie kann (muss aber nicht) ressortmäßig einzelnem Vorstandsmitglied zugewiesen werden (rechtstatsächlicher Überblick bei Nietsch ZHR 180 [2016], 733, 742 ff.), verbleibt aber doch stets in **Gesamtverantwortung des Vorstands** (LG München I NZG 2014, 345, 347; GK-AktG/Kort Rn. 35); insbes. kann sie auch nicht auf einen unter den Vorstand stehenden „Bereichsvorstand“ delegiert werden (LG München I NZG 2014, 345, 348). Delegation einzelner Kontrollaufgaben bleibt damit möglich (Harbarth ZHR 179 [2015], 136, 162 ff.; Nietsch ZHR 180 [2016], 733, 736 ff.), doch kommt ihr nur eingeschränkt haftungsbefreiende Wirkung zu, weil sich Verantwortung des Vorstands in weit gefasster Überwachungspflicht fortsetzt (GK-AktG/Kort § 91 Rn. 127 ff.; Bürgers ZHR 179 [2015], 173, 181 ff.; zur Kritik daran → § 77 Rn. 15). Weil AR Leitung zu überwachen hat (→ § 111 Rn. 3 f.), fällt Compliance auch in sein Pflichtenprogramm. § 107 IV 1 setzt das voraus, indem dort Einrichtung eines Prüfungsausschusses empfohlen wird, der sich ua mit Fragen der Compliance befassen soll (→ § 107 Rn. 31 ff.; → § 111 Rn. 37). Zur Einsetzung eines Compliance-Beauftragten → Rn. 36; ernüchternd zur empirisch belegbaren Tauglichkeit von Compliance-Organisationen Harbarth ZHR 179 (2015), 136, 155 ff. Zur Compliance-Überwachung durch US-Monitore vgl. Hitzer ZGR 2020, 406; Hopt FS Krieger, 2020, 411, 430 ff.

19 **bb) Compliance-Pflicht.** Ob es eine generelle Compliance-Pflicht gibt, scheint ausweislich der Kommentarlit. Gegenstand eines nachweisstark dokumentierten Meinungsstreits zu sein, der aber bis auf wenige Randfragen mittlerweile doch **weitestgehend geklärt** ist (umfassender Überblick bei BeckOGK/Fleischer § 91 Rn. 47 f.). Einigkeit besteht, dass Geschäftsleitung grds. verpflichtet ist, rechtswidriges Verhalten innerhalb eines Unternehmens auch durch entspr. **organisatorische Vorkehrungen** zu unterbinden (Legalitätskontrollpflicht; sa → § 93 Rn. 17 f.). Eine grds. Compliance-Pflicht ist deshalb anzuerkennen (statt aller BeckOGK/Fleischer § 91 Rn. 47). Weiterhin umstr. ist **dogmatische Ableitungsbasis.** HM stellt auf allg. Leitungssorgfalt der Vorstandsmitglieder gem. § 76 I, § 93 I 1 ab (vgl. etwa KK-AktG/Cahn § 91 Rn. 53; BeckOGK/Fleischer § 91 Rn. 50), andere auf § 91 II (vgl. etwa Dreher FS Hüffer, 2010, 161, 168 ff.). Wieder andere nehmen an, dass sich Vielzahl von Einzelregelungen und ungeschriebenen Organisationspflichten zu Compliance-Pflicht verdichten kann (vgl. etwa U. H. Schneider ZIP 2003, 645, 649). Genannt werden etwa §§ 76, 91, 93 AktG, § 130 OWiG, § 831 BGB, die allg. Organisationspflicht innerhalb eines Unternehmens sowie bereichsspezifische Sondervorschriften, wie zB § 25a KWG, § 23 VAG, § 80 WpHG, § 14 GwG, § 28 KAGB. Neuen Impuls hat Frage durch **Einführung des § 91 III** im Zuge des FISG 2021 erhalten, der für börsennotierte AG Einführung eines internen Kontrollsystems verlangt, dessen Gegenstand auch die „Sicherung der Einhaltung der maßgeblichen rechtlichen Vorschriften" ist (→ § 91 Rn. 20, 28 ff.).

20 Mittlerweile wurde auch **DCGK** an diese ges. Neuerung angepasst. Dort wurde schon bislang Pflicht zur Compliance in GS 5 DCGK als Wiedergabe geltenden Rechts formuliert, Einrichtung eines angemessenen und an der Risikolage des Unternehmens ausgerichteten Compliance Management Systems dagegen in A.2 S. 1 DCGK aF lediglich als Empfehlung ausgestaltet. Mit Kodex-Neufassung 2022 ist diese Empfehlung im Lichte des § 91 III zum gesetzeswiedergebenden GS 5 S. 2 DCGK erstarkt, wonach das interne Kontroll- und das Risikomanagementsystem auch ein an der Risikolage des Unternehmens ausgerichtetes **Compliance Management System** umfasst. In A.4 DCGK wird empfohlen, Beschäftigten auf geeignete Weise Möglichkeit einzuräumen, geschützt Hinweise auf Rechtsverstöße im Unternehmen zu geben, was allerdings mit Blick auf mittlerweile in Kraft getretenes HinSchG 2023 (→ Rn. 37 ff.) nur noch sehr begrenzte Bedeutung haben dürfte und nächste Kodex-Änderung 2024 provoziert (VGR AG 2022, 239 Rn. 22). Von ursprünglich geplanter Streichung der in GS 5 umschriebenen Compliance-Verantwortung des Vorstands hat Kodex-Kommission auf entspr. Anregung aus Wissenschaft und Praxis (vgl. VGR AG 2022, 239 Rn. 16 ff.) richtigerweise abgesehen.

21 Auch wenn sämtliche dogmatische Ansätze dazu führen, dass allg. Compliance-Pflicht bejaht wird, kann Frage doch nicht offengelassen werden, da sie in **Detailfolgen** eine Rolle spielt (abw. insofern MüKoAktG/Spindler Rn. 52: „kaum Relevanz"). Das gilt etwa für Dichte regulatorischer Vorgaben (tendenziell eher intensiv bei aufsichtsrechtl. Ableitung, tendenziell eher offen nach hM → Rn. 22), für Möglichkeit der Delegation, Bindung im Innen- oder Außenverhältnis, Reichweite des Prüfungsauftrags des Abschlussprüfers nach § 317 IV HGB und Übertragbarkeit auf GmbH (BeckOGK/Fleischer Rn. 49). Zuzustimmen ist hM, wonach **Normbasis in § 76 I, § 93 I 1** liegt. § 91 II scheidet spätestens seit Einführung des § 91 III durch FISG 2021 als Ableitungsgrundlage

aus, da im Zuge des Gesetzgebungsverfahrens eindeutig iSd hM klargestellt wurde, dass sich daraus keine Pflicht ergibt, umfassendes Risk Management einzurichten (→ § 91 Rn. 10 ff.). Vorschrift ist auf „bestandsgefährdende" Entwicklungen beschränkt und verpflichtet deshalb nicht dazu, sämtlichen Rechtsverstößen vorzubeugen (MüKoAktG/Spindler § 91 Rn. 21; Nietsch ZHR 180 [2016], 733, 739 f.). **§ 91 III** kann für **börsennotierte Gesellschaften** als Pflichtengrund für Einführung eines Compliance Management Systems herangezogen werden (→ § 91 Rn. 28 ff.), ist aufgrund dieser tatbestandlichen Einschränkung aber nicht geeignet, diese Pflicht auch für nichtbörsennotierte Gesellschaften zu begründen. Gesamtanalogie trägt bereichsspezifischen Ausprägungen einzelner Sonderregeln nicht Rechnung und läuft Gefahr, für Sonderbereiche formulierte Vorgaben vorschnell auf übrige Gesellschaften zu übertragen (→ Rn. 22; so auch BeckOGK/Fleischer Rn. 50). Namentl. aufsichtsrechtl. Sondervorschriften sind bewusst auf spezielle Bereiche beschränkt und nicht ins allg. AktG übernommen worden (zutr. BeckOGK/Fleischer § 91 Rn. 50; sa Hüffer FS Roth, 2011, 299, 303 f.; Kindler FS Roth, 2011, 367, 371 f.); nur rechtspolitisch kommt ihnen zT eine „Schrittmacherrolle" zu (Fleischer ZIP 2007, 1, 10; s. zur Ausstrahlungswirkung des Aufsichtsrechts auch → Rn. 183).

Diese Festlegung bringt auch größere Klarheit in weiteren offenen Diskussionspunkt: Detailabweichungen zeigen sich nämlich zT noch hinsichtlich der praxisrelevanten Frage, inwiefern aus allg. Compliance-Pflicht (→ Rn. 19 f.) auch Pflicht zu einer mehr oder weniger **standardisierten Compliance-Organisation** mit best. Compliance-Tools abgeleitet werden kann (tendenziell eher dafür S/L/Sailer-Coceani § 93 Rn. 8; Fleischer AG 2003, 291, 298 ff.; U. H. Schneider ZIP 2003, 645, 648 f.; tendenziell eher dagegen Hölters § 93 Rn. 92; GK-AktG/Kort § 91 Rn. 122, 139 ff.; MüKoAktG/Spindler § 91 Rn. 80). Zurückhaltenden Stimmen liegt berechtigte Sorge zugrunde, dass Beratungspraxis versucht sein könnte, umfassende Compliance Management Systeme, wie sie für große börsennotierte Unternehmen angemessen sein können, als „one size fits all" auch auf kleinere mittelständische Unternehmen zu übertragen (vgl. zu solchen Ansätzen etwa v. Busekist/Hein CCZ 2012, 41 ff., 86 ff.). Speziell Anlehnung an detaillierter gefasste aufsichtsrechtl. Regelungen (→ Rn. 19) mag solche Konkretisierungen nahelegen. Bei zutr. Ableitung aus §§ 76, 93 sind sie dagegen abzulehnen (ausf. zum Folgenden bereits J. Koch WM 2009, 1013 ff.; sa Holle, Legalitätskontrolle, 2014, 36 ff.). §§ 76, 93 begründen allein Pflichten im Innenverhältnis, bei deren Umsetzung Vorstand weites **Organisationsermessen** iSd § 93 I 2 zusteht (MüKoAktG/Spindler § 91 Rn. 80; M. Arnold/Rudzio KSzW 2016, 231, 235 ff.; Balke/Klein ZIP 2017, 2038, 2042 f.; Harnos, Gerichtliche Kontrolldichte, 2021, 380 ff.; Nietsch ZGR 2015, 631, 634 ff.; Ott ZGR 2017, 149, 163 ff.; aA Altmeppen ZIP 2016, 97, 98; v. Busekist/Hein CCZ 2012, 41, 43 f.). Zu den Möglichkeiten der Digitalisierung im Compliance-Bereich vgl. Bräutigam/Habbe NJW 2022, 809 Rn. 1 ff. 22

Auch aus § 831 BGB oder § 130 OWiG können sich zwar Organisations- und Präventionspflichten des Vorstands ergeben, aber keine standardisierten Vorgaben, wie sie auszufüllen sind (Harbarth ZHR 179 [2015], 136, 140 ff.; zu Recht krit. ggü. detaillierter oder behördlicher Auflistung einzelner Compliance-Elemente Holle ZWeR 2020, 351, 360 ff.). Auch **Legalitätspflicht** (→ § 93 Rn. 9 ff.) steht der Annahme eines solchen Ermessensspielraums nur dann entgegen, wenn es um eigene Handlungen des Vorstandsmitglieds geht, nicht aber, wenn es um bloße **Legalitätskontrollpflicht** (ausf. → § 93 Rn. 17 f.) über Rechtstreue der Mitarbeiter geht (GK-AktG/Kort § 91 Rn. 123, 179 ff.; Harbarth ZHR 179 [2015], 136, 147 ff.; zur Haftung im Außenverhältnis → § 93 Rn. 143 ff.). Diese Unterscheidung darf auch nicht über § 130 OWiG iVm Legalitätspflicht unterlaufen werden (Löbbe FS Seibert, 2019, 561, 571 ff.). Wie 23 dieses Organisationsermessen weiter auszuüben ist, hängt ab von Art, Größe, Organisation des Unternehmens, den zu beachtenden Vorschriften, der geographischen Präsenz und den Verdachtsfällen aus der Vergangenheit (vgl. LG München I NZG 2014, 345, 347, dessen Vorgaben, die sich auf bes. großen Konzern [Siemens] bezogen, nicht vorschnell verallgemeinert werden dürfen; vgl. GK-AktG/Kort § 91 Rn. 139; sa Bürkle CCZ 2015, 52, 53 ff.; vgl. ferner OLG Nürnberg NZG 2022, 1058 Rn. 79 ff. mit spezifischen Ausführungen zum Vier-Augen-Prinzip in Rn. 104, die aber ebenfalls nicht generalisierend angewendet werden sollten; vgl. dazu Lieberknecht ZGR 2023, 384, 394 f.; Reuter NZG 2023, 322 ff.; Unmuth AG 2022, 893 ff.). Auch wenn danach ständige Überwachung unterbleiben darf, können doch zumindest stichprobenartige, überraschende Überprüfungen erforderlich und ausreichend sein, sofern sie Unternehmensangehörigen vor Augen halten, dass Verstöße entdeckt und geahndet werden können (so OLG Nürnberg NZG 2022, 1058 Rn. 80). Haftungsträchtige Grauzone zwischen Legalitätspflicht und Organisationsermessen liegt in sog **Pflicht zur ordnungsgemäßen Unternehmensorganisation,** für die Anwendung des § 93 I 2 zT in bedenklicher Weise ausgeschlossen wird (vgl. dazu GK-AktG/Kort § 91 Rn. 182; sa Nietsch ZGR 2015, 631, 634 ff.). Gerade bei Anwendung von Compliance-Standards liegt im Lichte sich stetig verdichtender Anforderungen (→ Rn. 24) Gefahr eines Rückschaufehlers bes. nah (Harbarth/Brechtel ZIP 2016, 241 ff.).

24 Insbes. bei **kleineren Unternehmen** mit geringer Risikoexposition können deshalb institutionalisierte Compliance-Strukturen nicht gefordert werden (insofern zust. BeckOGK/Fleischer § 91 Rn. 48; GK-AktG/Kort § 91 Rn. 141; v. Busekist/Hein CCZ 2012, 41, 43; s. zur Compliance im mittelständischen Unternehmen Campos Nave/Zeller BB 2012, 131 ff.; Fissenewert NZG 2015, 1009 ff.). Bei größeren und weniger überschaubaren Einheiten sollte Organisationsermessen des Vorstands ebenfalls respektiert und daher Pflicht zur Einrichtung standardisierter Strukturen nur mit Zurückhaltung angenommen werden (insofern tendenziell strenger Fleischer NZG 2014, 321, 326; hohe Anforderungen auch in LG München I NZG 2014, 345, 347 f.). Allerdings muss Unternehmensleitung sich des Risikos bewusst sein, dass gebotene Präventionsmaßnahmen im Fall eines Gesetzesverstoßes von den Gerichten uU an **herkömmlichen Standards der Unternehmenspraxis** gemessen werden. Hier sind standardisierte Compliance-Strukturen nach einheitlichem Schema (→ Rn. 35 ff.) mittlerweile aber derart etabliert (Hölters/Weber/Hölters/Hölters § 93 Rn. 94; v. Busekist/Hein CCZ 2012, 41), dass Vorstand aus Vorsichtsgründen nur geraten werden kann, zur **Reduzierung seines Haftungsrisikos** ähnliche Maßnahmen zu ergreifen. Nicht zu verkennen ist allerdings, dass derartige Ableitung des Pflichtenkanons aus bestehenden Praxisstandards ungesunde Tendenz zur Verselbständigung und stetiger Verdichtung innewohnt, und zwar insbes. dann, wenn unüberschaubares Haftungsrisiko (→ Rn. 142) zwangsläufig zu hohem Befolgungsdruck und Übererfüllung führen muss (vgl. zu solchen Auswüchsen Reichert FS Hoffmann-Becking, 2013, 943 ff.; zust. S/L/Seibt Rn. 27).

25 Auch wenn Einrichtung eines umfassenden Compliance Management Systems daher nicht pauschal gefordert werden kann, schließen Vorstandspflichten als Mindeststandard doch zumindest eigene Regeltreue und deren Durchsetzung auf nachgeordneten Ebenen ein (s. zB Goette ZHR 175 [2011], 388, 390 f.; Fleischer NZG 2014, 321, 324: „Aufklären, Abstellen, Ahnden"). Bewusster **Verzicht auf Aufklärung** wird nur selten in Betracht kommen, ist aber auch nicht gänzlich ausgeschlossen, sofern gerade Aufklärung bes. Schäden auszulösen droht; Maßstab ist allein Unternehmensinteresse (ausf. Bachmann ZHR 180 [2016], 563 ff.; Schockenhoff NZG 2015, 409 ff.). Aus Legalitätspflicht folgt nichts anderes, da sie Vorstand zwar dazu verpflichtet, sich selbst rechtstreu zu verhalten und AG so zu organisieren, dass Rechtsverstöße nach Möglichkeit verhindert werden, nicht aber zwangsläufig zur Aufdeckung vergangener Verstöße (so aber wohl Fuhrmann NZG 2016, 881, 884 f.). Weitergehende Ausdehnung der ohnehin zu problematischer Ausuferung neigenden Legalitätspflicht (→ § 93 Rn. 9 ff.) auch auf nachsorgende Aufklärung ist nicht wünschenswert und rechtl. nicht geboten (nachdrücklich Bachmann ZHR 180 [2016], 563 ff.).

Jedenfalls grds. bestehende Aufklärungspflicht führt zu **Organisationspflichten** (§ 76 I, § 91 II) und **präventiver Kontrolle,** die aber nicht generell den spezialges. Vorgaben der § 25a KWG (konkretisiert durch MaRisk, → Rn. 34, → Rn. 178, → § 93 Rn. 37), §§ 38 – 46 WpIG (ausf. dazu MüKoAktG/Spindler § 91 Rn. 55 ff.), § 80 WpHG (konkretisiert durch MaComp, → Rn. 88), § 23 VAG, § 28 KAGB genügen muss (ausf. Mülbert/Wilhelm ZHR 178 [2014], 502, 519 ff.; Nietsch ZHR 180 [2016], 733, 746 ff.; speziell zu § 28 KAGB auch Kort AG 2013, 582 ff.). Diese gelten nur in ihrem jeweiligen Anwendungsbereich; Überblick über weitere int. Vorgaben bei Hölters/Weber/Hölters/Hölters § 93 Rn. 93). 26

Nach LG München I (NZG 2014, 345, 347) muss innerhalb des Vorstands **Hauptverantwortung** für Compliance klar zugewiesen sein; anderenfalls liegt schon darin Verletzung von Organisationspflichten. Auch fehlende Einsichts- und Einwirkungsrechte können Vorstandsmitglieder nicht entlasten, da gerade ihre Einrichtung zu Vorstandsaufgaben zählt (LG München I NZG 2014, 345, 347 f.). Wichtig für funktionsfähiges Compliance-System ist sorgfältige Risikoanalyse (vgl. Simon/Merkelbach AG 2014, 318, 321). Pflichten verstärken sich, sobald tats. **Verdachtsmomente** auftreten; insbes. werden dann auch gegenseitige Überwachungspflichten infolge horizontaler oder vertikaler Arbeitsteilung deutlich verstärkt (LG München I NZG 2014, 345, 348; Fleischer NZG 2014, 321, 323 f.; sa → § 77 Rn. 15 ff.; → § 93 Rn. 22 ff.). 27

In diesem Fall liegen **interne Ermittlungen** durch Unternehmensangehörige (vgl. dazu Süße/Ahrens BB 2019, 1322 ff.), ggf. aber auch externe Rechtsanwälte oder Wirtschaftsprüfer, als geeignete Aufklärungsmethode nahe (BeckOGK/Fleischer § 91 Rn. 57; Drinhausen ZHR 179 [2015], 226 ff.; Hugger ZHR 179 [2015], 214 ff.; Ott/Lüneborg CCZ 2019, 71 ff.; Wettner/Mann DStR 2014, 655 ff.; zu datenschutzrechtl. Grenzen Fuhlrott/Oltmanns NZA 2019, 1105 ff.; Mengel NZA 2017, 1494 ff.; zu arbeitsrechtl. Grenzen Eufinger BB 2016, 1973, 1975 ff.; zur Versicherbarkeit vgl. Hülsberg/Fassbach WPg 2021, 1098 ff.; Lüneborg AG 2019, 863 ff.). Pflichtenauslösende Aufgriffsschwelle wird in Lit. unterschiedlich gefasst (ausf. Ott/Lüneborg CCZ 2019, 71, 75 ff.: Anfangsverdacht, gestützt auf zureichende tats. Anhaltspunkte). Wie bei Verfolgungspflicht des AR wird sich auch hier trennscharfe prozentuale Wahrscheinlichkeitsangabe kaum formulieren lassen, weil Schwere des möglichen Verstoßes ebenfalls in Abwägung einfließen muss (→ § 111 Rn. 13 f.). Daraus resultierender Rechtsunsicherheit muss aber auf Verschuldensebene Rechnung getragen werden (→ § 111 Rn. 15, 25 f.). Rechtl. Gebot, interne Ermittlungen durch externe Berater durchzuführen, besteht nicht (BeckOGK/Fleischer § 91 Rn. 57; aA Fuhrmann NZG 2016, 881, 886). Werden sie durchgeführt, muss sich Vorstand in regelmäßigen Abständen über Stand der Ermittlungen informieren lassen (LG München I NZG 2014, 345, 348; Fleischer NZG 2014, 321, 323, 324: „Follow-up-Berichterstattung bei vertikaler Arbeitsteilung"). Bildung eines Lenkungsausschusses (Steering Committee) kann sinnvoll sein (Drinhausen ZHR 179 [2015], 226, 231). 28

Einschaltung **staatlicher Ermittlungsbehörden** ist nicht zwingend erforderlich, doch kann Anzeige im Unternehmensinteresse geboten sein, um auf diese Weise ggf. Strafzumessung gegen Unternehmen abmildern zu können (namentl. in Gestalt von Kronzeugenregelung Wettner/Mann DStR 2014, 655, 656; zu spezifischen Anzeigepflichten Hugger ZHR 179 [2015], 214, 221). Auch zur 29

Entlastung eigener Ermittlungstätigkeit kann Zusammenarbeit mit Ermittlungsbehörden sinnvoll sein, um von deren weitergehenden Ermittlungsmöglichkeiten zu profitieren (Reichert/Ott NZG 2014, 241, 243; Seibt/Cziupka AG 2015, 93, 104 ff.; Wettner/Mann DStR 2014, 655, 656 mit Hinweisen auch zu Akteneinsichtsrechten [S. 660 f.]). Allerdings entheben behördliche Aufklärungen Vorstand nicht von eigener Aufklärungsverantwortung (Seibt/Cziupka AG 2015, 93, 101). Zu Konfliktlagen zwischen arbeitsrechtl. Auskunftspflicht und Selbstbelastungsfreiheit vgl. LAG Hamm CCZ 2010, 237, 238; ArbG Saarlouis ZIP 1984, 364; Harbarth FS Hopt, 2020, 381, 386 ff.; sa Grunewald ZGR 2020, 469, 470 f.

30 IRd internen Ermittlungen zusammengetragene Informationen unterliegen der **Beschlagnahme** nach § 94 II StPO. Das gilt auch für anwaltliche Arbeitsergebnisse, sofern nur Mitarbeiter beschuldigt ist, da Beschlagnahmeschutz des § 97 I Nr. 3 StPO auf spezifische Vertrauensbeziehung zwischen Beschuldigtem und Zeugnisverweigerungsberechtigtem begrenzt ist (MüKoStPO/Hauschild StPO § 97 Rn. 64; Meyer-Goßner/Schmitt StPO § 97 Rn. 10b). Obwohl im Wortlaut nicht eindeutig ausgesprochen, setzt auch § 97 I Nr. 3 StPO nämlich Vertrauensverhältnis zu konkret **Beschuldigtem** voraus (BVerfG NZG 2018, 1112 Rn. 82 ff. [hM jedenfalls verfassungsrechtl. unbedenklich]; LG Bochum NStZ 2016, 500; LG Bonn NZWiSt 2013, 21, 24 f.; LG Hamburg NJW 2011, 942, 943; Baur NZG 2018, 1092, 1093; aA Xylander/Kiefner/Bahlinger BB 2018, 2953, 2954 ff.). § 160a StPO steht Beschlagnahme wegen § 160a V StPO ebenfalls nicht entgegen (BVerfG NZG 2018, 1112 Rn. 73 ff. [hM jedenfalls verfassungsrechtl. unbedenklich]; LG Bochum NStZ 2016, 500, 502; LG Hamburg NJW 2011, 942, 944 f.; LG Stuttgart BeckRS 2018, 8717 Rn. 40 ff.). Mandatierende AG kann zwar kein Beschuldiger iSd StPO sein, doch wird ihr in Rspr. zT **beschuldigtenähnliche Stellung** zugesprochen, wenn sie gem. §§ 424, 444 StPO beteiligt ist, etwa weil sie als Einziehungsbeteiligte oder mögliche Adressatin einer Verbandsgeldbuße nach § 30 OWiG von einem Strafverfahren betroffen sein kann. Einzelheiten sind str. und hier nicht zu vertiefen (vgl. zum Streitstand BVerfG NZG 2018, 1112 Rn. 92 ff. mwN; tendenziell großzügig LG Braunschweig BB 2015, 2771: „genügt, wenn Ermittlungsverfahren zu befürchten steht" m. zust. Anm. Szesny; ähnlich auch Pelz CCZ 2018, 211, 215 f.; aA Baur NZG 2018, 1092, 1095; Schneider NStZ 2016, 308, 312). Insbes. Erstreckung auf Tochtergesellschaften oder Organe wirft noch zahlreiche Fragen auf (vgl. etwa BVerfG NZG 2018, 1112 Rn. 102 ff.; Baur NZG 2018, 1092, 1096). BVerfG hat jedenfalls **verfassungsrechtl. Relevanz weitgehend verneint** (BVerfG NZG 2018, 1112 Rn. 61 ff.). Beschlagnahmeverbot nach § 97 StPO setzt **Gewahrsam** des Rechtsanwalts voraus (eigentümliche Praxisfolge: Vermietung von Unternehmensräumlichkeiten an mandatierte Kanzlei – vgl. dazu LG Stuttgart BeckRS 2018, 8717 Rn. 26 ff.). Weitergehendes Verbot kann sich aber für sog **Verteidigungsunterlagen** aus § 148 StPO ergeben (vgl. LG Braunschweig BB 2015, 2771; Krause ZGR 2016, 335, 350), der aber ebenfalls Beschuldigteneigenschaft voraussetzt (LG Bonn NZWiSt 2013, 21, 24 f.; LG Hamburg NJW 2011, 942, 943). Auch Qualifikation als Verteidigungsunterlagen wirft bei internen Ermittlungen hier nicht zu vertiefende Zuordnungsfragen auf (vgl. BGH NJW 2001, 3793, 3794; 1998, 1963, 1964; LG Stuttgart BeckRS 2018, 8717 Rn. 57; Baur NZG 2018, 1092, 1095; Klengel/Buchert NStZ 2016, 383, 386; Pelz CCZ 2018, 211, 213 f.; zu Praxisfolgen vgl. Rieder/Menne CCZ 2018, 203, 209 f.: Datensparsamkeit). Weiteres rechtl. Spannungsfeld wird dadurch eröffnet, dass Mitarbeiter aus arbeitsrechtl. Grundverhältnis verpflichtet sein können, iRv **internal investigations** Sachverhalte offenzulegen, die im Falle strafprozessualer Ermittlung einem Zeugnisverweigerungsrecht unterfallen würden (ausf. zu AN-Auskunftspflichten Schrader/Thoms/Mahler NZG 2018, 965 ff.). Staatsanwaltschaft darf auch auf solche Ergebnisse zugreifen, was straf-

prozessualen Schutz offensichtlich unterminiert und deshalb im Zusammenspiel der unterschiedlichen Pflichtenkataloge legislativ nicht hinreichend abgestimmt erscheint (Krause ZGR 2016, 335, 351 f.; zu den in der strafprozessrechtl. Lit. diskutierten Lösungsvorschlägen vgl. Greco/Caracas NStZ 2015, 7 ff., die für weitreichendes Verwendungsverbot eintreten).

Auch **Sanktionierung** eingetretener Verstöße wird idR geboten sein, doch kann Vorstand orientiert am Unternehmensinteresse im Lichte des Verhältnismäßigkeitsgrundsatzes davon im Einzelfall auch absehen (Reichert FS Hoffmann-Becking, 2013, 943, 953 ff.; zumindest für Ermessen hinsichtlich Art der Sanktionierung Fleischer NZG 2014, 321, 324; Simon/Merkelbach AG 2014, 318, 320; ausf. → Rn. 35). UU kann festgestellter Compliance-Verstoß auch für **AR** Anlass zur Prüfung sein, ob Vorstand seiner Compliance-Pflicht ordnungsgemäß nachgekommen ist (zur Abstimmung der dann einsetzenden doppelten Prüfungspflichten von Vorstand und AR BeckOGK/Fleischer § 91 Rn. 71 ff.; M. Arnold ZGR 2014, 76, 100 ff.; Bürgers ZHR 179 [2015], 173, 193 ff.; Habersack FS Stilz, 2014, 191, 194 ff.; generell zur Compliance-Verantwortung des AR → § 111 Rn. 4, 34 ff.). **31**

Grds. besteht keine allg. Offenlegungspflicht von Compliance-Verstößen. Bei hinreichender Kursrelevanz des Compliance-Verstoßes kann jedoch Pflicht zur **Ad-Hoc-Mitteilung** nach Art. 17 MAR erwachsen (Einzelheiten bei Klöhn ZIP 2015, 1145 ff.; Sajnovits WM 2016, 765, 768 ff.; Wilken/Hagemann BB 2016, 67 ff.). Ausufernde Tendenzen erhält dieser Ansatz allerdings dann, wenn man ihn mit genannten Schrifttumsvertretern zugleich auch noch mit Wissenszurechnung nach vertragsrechtl. Grundsätzen kombiniert oder auf Wissenserfordernis gar gänzlich verzichtet (Nachw. zu beiden Konstruktionen → § 78 Rn. 30 ff.). Beides ist abzulehnen (→ § 78 Rn. 30 ff.). Daneben kann Offenlegungspflicht dann bestehen, wenn **rechtssichere Beendigung des Gesetzesverstoßes** allein durch Publizitätsakt möglich ist (vgl. zu gebotenen Beendigungsmaßnahmen mit Publizität im Kartellrecht ausf. Dreher/Burkhart, AG 2023, 457 Rn. 33 ff.). Bestehen mehrere Beendigungsmöglichkeiten, steht es hingegen im Ermessen des Vorstands, ob er eine mit Publizität verbundene Maßnahme wählt. Entscheidend ist dabei, mit welcher Rechtssicherheit gewählte Maßnahme Verstoß beendet (großzügiger Dreher/Burkhart, AG 2023, 457 Rn. 28 ff., 45: Neben Rechtssicherheit sind wirtschaftliche Folgen abwägungsrelevant). **32**

Jenseits der in → Rn. 14 genannten aufsichtsrechtl. Spezialregelungen liegt Compliance-Struktur im unternehmerischen Ermessen des Vorstands und hängt in Art und Umfang von Umständen, bes. von Komplexität des Unternehmens und seiner Tätigkeit, von Dichte dabei zu beachtender rechtl. Regelungen und Höhe des Verletzungsrisikos ab (MüKoAktG/Spindler § 91 Rn. 80); Hemeling CCZ 2010, 21, 22 ff.; J. Koch WM 2009, 1013, 1015). Auch **IdW PS 980 v. 11.3.2011** (zur geplanten Neufassung 2022 Scheffler AG 2022, R 25 ff.) können als rein betriebswirtschaftliche Prüfungsstandards keine weitergehenden Bindungswirkungen entfalten, ihre Beachtung umgekehrt eine Pflichtverletzung auch nicht generell ausschließen (zutr. GK-AktG/Kort § 91 Rn. 138; Böttcher NZG 2011, 1054, 1055 ff.). Allerdings werden sie Compliance-Praxis beeinflussen und auf diesem Umweg auch Organisationsstandards setzen (→ Rn. 24); bei ihrer Beachtung wird zwar nicht zwangsläufig stets Pflichtverletzung, spätestens aber Verschulden doch idR zu verneinen sein (zur genauen Abschichtung → § 93 Rn. 32, 40 f., 79 ff.). Es gelten insofern die allg. Grundsätze zum Ausschluss der Haftung bei Vertrauen auf fremden Rechtsrat bzw. Sachverstand (→ § 93 Rn. 80 ff.; sa Fleischer NZG 2014, 321, 325; zum Prüfungsablauf vgl. v. Busekist/Hein CCZ 2012, 41 ff., 86 ff.; monographisch Jenne Überprüfung und Zertifizierung von Compliance-Management-Systemen, 2017 sowie aus wirt- **33** schaftsstrafrechtl. Sicht Schemmel/Minkoff CCZ 2012, 49 51 ff.). Dieselben Grundsätze gelten für die Beachtung der MaRisk (→ Rn. 178; tendenziell ähnlich Dengler WM 2014, 2032, 2037 ff.) sowie der ISO 19600 (dazu Fissenewert NZG 2015, 1009 ff.).

34 Vor dem Hintergrund, dass Compliance vor allem Bemühen um künftige Schadensabwendung ist, ist es nur schwer verständlich, dass behördliche Verfolgungspraxis sich zT weigert, **Compliance-Programme als strafmindernd anzuerkennen** (vgl. dazu Komm. Broschüre, Compliance matters, 2012, 21; Jungbluth NZKart 2015, 43 f.; Ost FS W.-H. Roth, 2015, 413 ff.). Knappe Äußerung im Schindler-Urteil des EuGH (BeckEuRS 2013, 732572 Rn. 144) ist schon wegen konkreten Fallbezugs nicht als grds. Billigung dieser Praxis aufzufassen (so aber Ost FS W. H. Roth, 2013, 413, 418 Fn. 26). Im Lichte des **Schuldprinzips** ist solche Berücksichtigung eine nicht nur einfachgesetzlich (§ 17 III OWiG), sondern auch verfassungsrechtl. gebotene Selbstverständlichkeit, die auch nicht dadurch beseitigt wird, dass Bewertung für Behörde „überaus aufwendig" ist (vgl. aber Jungbluth NZKart 2015, 43, 44). Auch dass System im Einzelfall versagt hat, ändert nichts an grds. Berücksichtigungspflicht, da schon das Bemühen um Schadensabwendung nach allg. Grundsätzen Schuld mindert. Restriktive Haltung namentl. des BKartA dürfte zT auch darauf zurückzuführen sein, dass Behörde es häufig mit Hard-Core-Kartellen unter vorsätzlicher Beteiligung des Vorstands zu tun hat, wo Minderung in der Tat nicht in Betracht kommt (vgl. Ost FS W.-H. Roth, 2015, 413, 416 ff.). In anderen Fällen muss Berücksichtigung erfolgen, was nunmehr auch **1. und 5. Strafsenat des BGH** ausdr. anerkannt hat (BGH AG 2018, 39 Rn. 118; NZWiSt 2022, 410 Rn. 30; sa Baur/Holle NZG 2018, 14 ff.; Bürkle BB 2018, 525 ff.; Eufinger ZIP 2018, 615 ff.; Hoffmann/Schieffer NZG 2017, 401, 403 f.; Wilsing/Goslar GmbHR 2017, 1202 ff.; monographisch in diesem Sinne Koll, Competition Compliance-Programme im Kartellsanktionsrecht, 2017; sa Holle ZWeR 2020, 351, 357 ff.).

35 **cc) Einzelne Compliance-Elemente. Typische Elemente** eines Compliance-Systems sind etwa bes. Kontroll- und Überwachungs- einschließlich Dokumentationspflichten, Informationssystem unter Einschluss eines Ombudsmann- und Whistleblowing-Systems (ausf. dazu → Rn. 37 ff.; sa Baur/Holle AG 2017, 379 ff.; Hopt ZGR 2020, 373, 381 ff.; Maume/Hafke ZIP 2016, 199 ff.; Thüsing VGR 23 GesR 2017 23 ff.), Compliance-Richtlinien bzw. Verhaltenskodex („tone from the top" – vgl. IdW PS 980 [→ Rn. 33] Rn. 23 A 14–19; Schulz/Kuhnke BB 2012, 143 ff.; Steuber FS Hommelhoff, 2013, 1165, 1170 ff.), Commitment-Erklärungen (Bicker AG 2012, 542, 546), Schulungen etc. (Überblick über Einzelelemente bei GK-AktG/Kort § 91 Rn. 144 ff.). Rechtsverstöße innerhalb des Unternehmens sind grds. zu verfolgen, doch kann Verfolgungspflicht hinter das Aufklärungsinteresse zurücktreten, insbes. wenn schnelle Aufklärung erforderlich ist, um zB kartellrechtl. Kronzeugenregelung zu nutzen (Reichert FS Hoffmann-Becking, 2013, 943, 953 ff.; sa Bürgers ZHR 179 [2015], 173, 177 f.; Harbarth ZHR 179 [2015], 136, 160 ff.). Pflichtenursprung im Innenverhältnis nach §§ 76, 93 gestattet Vorstand auch insofern Interessenabwägung mit weitem Ermessensspielraum (→ Rn. 22). Um „Mauer des Schweigens" zu durchbrechen, ist insbes. auch Auflegung eines **Amnestieprogramms** zulässig, bei dessen Ausgestaltung aber Vielzahl von Einzelaspekten zu berücksichtigen ist (Überblick bei Annuß/Pelz BB-Beil. 4/2010, 14 ff.; Breßler/Schulz/Stein NZG 2009, 721 ff.; Kahlenberg/Schwinn CCZ 2012, 81 ff.). Für Vorstand selbst ist Haftungsfreistellung wegen § 93 IV 3 nicht möglich (→ § 93 Rn. 158 ff.).

36 Bei nicht ganz kleinen Verhältnissen empfiehlt sich Bestellung eines **Compliance-Beauftragten** (zu dessen Rechtsstellung Casper FS K. Schmidt, 2009, 199, 202 ff.; Schulz/Renz BB 2012, 2511 ff.; zu seiner Auswahl Harbarth ZHR

179 [2015], 136, 164 f.), soweit er nicht durch branchenbezogene Sonderregeln ohnehin vorgeschrieben ist (s. Art. 22 Abs. 2 DelVO [EU] 2017/565). Compliance-Beauftragter hat einem bestimmten Vorstandsmitglied unmittelbar zu berichten (für weitergehende Unabhängigkeit zu Unrecht Meier-Greve CCZ 2010, 216, 217 ff.) und muss auch organisatorisch so ausgestattet sein, dass er seiner zentralen Funktion gerecht werden kann. **Garantenstellung** iSd § 13 I StGB, die BGH NJW 2009, 3173 Rn. 27 annimmt, mag unter bes. Umständen des Einzelfalls begründbar sein, schießt aber als allg. Grundsatz über das Ziel hinaus (Blassl WM 2018, 603 ff.; Hüffer FS Roth, 2011, 299, 305 f.; sa Bürkle CCZ 2010, 4, 6 ff.; Rieble CCZ 2010, 1 ff.; Rieder FS Goette, 2011, 413 ff.; relativierend Dann/Mengel NJW 2010, 3265, 3267 ff.). Inwiefern neben Compliance-Beauftragten auch Organen der AG Garantenstellung zukommen kann, ist noch nicht abschließend geklärt (ausf. Holle, Legalitätskontrolle, 2014, 345 ff.). Für **Vorstand** hat BGHZ 194, 26 Rn. 20 ff. = NJW 2012, 3439 klargestellt, dass aus Legalitätspflicht folgende Überwachungspflichten zumindest im Außenverhältnis idR keine Garantenstellung begründen (bestätigt in BGH NZG 2019, 939 Rn. 10). Im Innenverhältnis kommt Garantenstellung hingegen in Betracht, wobei allerdings unzureichende Überwachung nicht schon Untreue durch Unterlassen begründen kann (MüKoAktG/Spindler § 91 Rn. 94; Grützner/Behr DB 2013, 561, 565). Auch für **AR** ist durch OLG Braunschweig NJW 2012, 3798, 3800 Garantenstellung bejaht worden, allerdings ebenfalls nur im Innenverhältnis; für Vorstand in BGHZ 194, 26 Rn. 20 ff. entwickelte Grundsätze müssen auch für ihn gelten (Grützner/Behr DB 2013, 561, 566 f.). Daraus folgende erhöhte Compliance-Verantwortlichkeit trifft nach Neuordnung durch FISG insbes. Prüfungsausschuss (→ § 107 Rn. 37).

dd) Insbesondere: Whistleblowing. (1) Gesetzliche Neuordnung 2023. 37
Auch **Whistleblowing-System** war bislang kein zwingendes Compliance-Element (Fleischer/Schmolke WM 2012, 1013, 1016 f.), hat in der Vergangenheit aber zunehmende Verbreitung gefunden (zur bisherigen best practice vgl. Wiedmann/Hoppmann CCZ 2023, 11 ff.) und wurde zT auch schon spezialges. vorgegeben (vgl. zB § 25a I 6 Nr. 3 KWG; weitere Bsp. bei Schmolke ZGR 2019, 876, 901). Seit Kodex-Neufassung 2017 wird Einrichtung solcher Systeme für börsennotierte Gesellschaften in **A.4 DCGK** empfohlen (→ § 76 Rn. 20), wobei Einbeziehung auch Unternehmensexterner im Hs. 2 als bloße Anregung ausgestaltet ist (krit. dazu DAV-HRA NZG 2017, 57, 58). Mittlerweile ist Einrichtung eines Whistleblowing-Systems durch WBRL 2019 den Mitgliedstaaten **unionsrechtl. vorgeschrieben.** Deutscher Gesetzgeber hat Vorgaben nach kontroversem Gesetzgebungsverfahren (Überblick bei Lüneborg ZIP 2023, 942) in HinSchG 2023 umgesetzt. Bisherige Grundsätze sind deshalb nur noch für Gesellschaften relevant, die von Einrichtungsvorgabe des HinSchG (→ Rn. 38 ff.) nicht erfasst sind, was angesichts niedrigschwelliger Eingriffsvoraussetzungen (→ Rn. 38 ff.) bei AG eher selten der Fall sein wird.

(2) Interner Meldekanal. Grdl. Pflicht zur Einrichtung eines internen Melde- 38
kanals folgt aus **§ 12 I HinSchG** und gilt nach § 12 II HinSchG für AG mit idR (Hintergrund: Vermeidung stichtagsbezogener Betrachtung – s. Fest ZIP 2022, 2265, 2267) mehr als **50 Beschäftigen.** Art. 8 III WBRL spricht hingegen von AN, was zu Qualifikationsschwierigkeiten führte (vgl. Forst EuZA 2020, 283, 290); klarstellend aber nun Begriffsbestimmung in § 3 VIII HinSchG. Für bes. relevante Unternehmensgruppen (KI, Versicherung etc.) besteht Einrichtungspflicht nach § 12 III HinSchG auch dann, wenn sie unterhalb dieser Beschäftigtenschwelle bleiben. Für davon nicht erfasste AG mit weniger als 50 Beschäftigten eröffnen §§ 19 ff. HinSchG allerdings Möglichkeit externer Meldung (zum externen Meldekanal → Rn. 42), was Unternehmen incentivieren kann, stattdessen

internen Kanal zu eröffnen (sogar entspr. Pflicht erwägend Kort FS Windbichler, 2020, 837, 849).

39 **Dokumentations- und Einrichtungsvorgaben** (zB sichere und vertrauliche Ausgestaltung, Eingangsbestätigung, Rückmeldung etc.) finden sich in §§ 11, 13 – 18 HinSchG (vgl. – noch zur WBRL – Gerdemann/Spindler ZIP 2020, 1896, 1904). Nach **Vertraulichkeitsgebot** haben Meldestellen Vertraulichkeit der Identität des Hinweisgebers, des Betroffenen und der sonstigen genannten Personen zu wahren, §§ 8, 9 HinSchG (vgl. dazu Dzida/Seibt NZA 2023, 657, 661; zu Ausn. nach § 9 HinSchG Bayreuther DB 2023, 1537, 1543 f.). Im Zuständigkeitsgefüge der AG ist Einrichtungspflicht als Leitungsaufgabe beim Vorstand verortet, der in konkreter unternehmensinterner Anbindung aber frei ist (denkbar etwa Personal-, Rechts-, Compliance-Abteilung oder interne Revision; vgl. ErwG 56 WBRL; sa Baur/Holle AG 2017, 379, 383 f.; Fest ZIP 2022, 2265, 2268 f.; Schmolke FS Grunewald, 2021, 1041, 1043 ff.). Für **Verstöße des Vorstands** selbst bietet sich direkte Berichtslinie zum AR an (Schmolke FS Grunewald, 2021, 1041, 1043 ff.), ohne dass diese zwingend vorgegeben wäre. Vorstand sollte sich aber um Einrichtung bemühen, um insbes. auch Gefahr externer Meldung vorzubeugen. Damit würde zugleich Frage obsolet, ob AR aus eigener Initiative auf Meldestelle zugreifen kann (ausf. und bejahend Schmolke FS Grunewald, 2021, 1041, 1054 f.). Hier setzt sich bis heute nicht abschließend geklärte Diskussion um Berechtigung des AR zur eigenmächtigen Mitarbeiterbefragung fort (→ § 111 Rn. 36). Nach hier vertretenem restriktiven Verständnis wäre Zugriff des AR allenfalls in Ausnahmefällen gestattet (Kort FS Windbichler, 2020, 837, 850). Zur Einbindung des Betriebsrats vgl. Bayreuther NZA 2023, 666; Götz NZA 2023, 1433 ff.; Zimmer/Millfahrt BB 2023, 1269; zu datenschutzrechtl. Vorgaben s. Weidmann DB 2019, 2393 ff.; sowie Ausführungen in → Rn. 48.

40 Einrichtungspflicht trifft **Einzelgesellschaft,** nicht Konzernobergesellschaft, die aber aufgrund allg. Sorgfaltspflichten iR ihrer Beteiligungsverwaltung über Einrichtung in Tochtergesellschaften wachen wird (→ Rn. 50 ff.). In vielen Fällen wird sich **konzernweit einheitliche Meldestelle** empfehlen (zu den Gründen Holle ZIP 2021, 1950 f.; Lüneborg ZIP 2023, 941, 946; krit. Dilling CZZ 2023, 91, 94 f.), die nach § 14 I HinSchG auch zulässig ist (vgl. auch RegBegr. BT-Drs. 20/3442, 79 mw Erläuterungen zur organisatorischen Ausgestaltung; krit. Fest ZIP 2022, 2265, 2269 f.; Gerdemann ZRP 2022, 98, 100 f.), und zwar ohne dass zugleich Voraussetzungen für Ressourcenzusammenlegung nach § 14 II 1 HinSchG (weniger als 250 Beschäftigte) erfüllt sein müssen (eingehend zur WBRL Holle ZIP 2021, 1950, 1952 ff.; ferner Behr/Haas/Ellinger DB 2022, 2137, 2138 f.; Forst EuZA 2020, 283, 293 f.; Lüneborg DB 2022, 375, 378; Schmolke FS Windbichler, 2020, 1021, 1023 ff. mw Ausf. zur näheren Umsetzung; aA Gerdemann/Spindler ZIP 2020, 1896, 1905 f.; Dilling CZZ 2023, 91, 94). Abgrenzung zur Ressourcenteilung ist darin zu sehen, dass mit solcher Zusammenlegung auch einheitlicher Meldekanal zulässig ist, wohingegen bei Einschaltung externer Dritter iSd § 14 I HinSchG jew. separate Meldekanäle bereitzustellen sind (Forst EuZA 2020, 283, 293 f.; Holle ZIP 2021, 1950, 1952 f.).

41 **(3) Gegenstand der Meldung.** Während Art. 2 I WBRL internen Meldekanal auf Verstöße (legaldefiniert in Art. 5 Nr. 1 WBRL bzw. § 3 II HinSchG) gegen Unionsrecht beschränkt, macht dt. Gesetzgeber in § 2 HinSchG von seiner Ausdehnungsbefugnis aus Art. 2 II WBRL im Wege überschießender Richtlinienumsetzung Gebrauch und erfasst durch umfangreiche Aufzählung ua auch Verstöße gegen Aktionärsrechte (zur Abstimmung mit Beschwerdeverfahren nach § 8 I, § 9 I LkSG [→ Rn. 106] vgl. Lüneborg DB 2022, 375 ff.). § 3 I 2

HinSchG erstreckt Anwendungsbereich auf missbräuchliches Verhalten (krit. Thüsing/Musiol BB 2022, 2420, 2421 f.). Auch AG selbst kann Ausdehnung auf andere Verstöße vornehmen; Erweiterung auf sonstiges „unethisches Verhalten" ist ebenfalls möglich, aber kaum ratsam (zutr. Schmolke AG 2018, 769, 775 f.; NZG 2020, 5, 10; aA Th. Schröder ZRP 2020, 212, 214 f.). Meldekanal muss zwingend für Beschäftigte und Leih-AN eröffnet sein (§ 16 I 1 HinSchG), kann aber auf andere Personen erweitert werden (§ 16 I 3 HinSchG). Ob **anonyme Meldungen** bearbeitet werden müssen, hat Unionsgesetzgeber Mitgliedsstaaten überlassen (Art. 6 II WBRL; für großzügige Gestattung Schmolke NZG 2020, 5, 11; eher krit. Thüsing/Rombey NZG 2018, 1001, 1004). § 16 I 4 HinSchG gibt Wahlfreiheit an Unternehmen weiter (entgegen Beschluss des RAusschusses, BT Drs. 20/4909, 24, 30), regt aber an, dass interne Meldestelle anonym eingehende Meldungen bearbeiten sollte; § 16 I 5 HinSchG stellt klar, dass Pflicht dazu nicht besteht (zur Wahrung der Anonymität durch Einsatz von Vertrauensanwälten Fassbach/Hülsberg/Spamer CCZ 2022, 151 ff.).

(4) Externer Meldekanal. Neben internem Meldekanal sehen §§ 19 ff. HinSchG auch Einrichtung eines **externen Meldekanals** vor (zu den Unterschieden vgl. Fehr/Refenius CCZ 2023, 220, 223 f.). § 19 II HinSchG verortet Regelzuständigkeit bei BfJ (Sonderzuständigkeiten bei BaFin, § 21 HinSchG, und BKartA, § 22 HinSchG). AG muss Meldekanal zu externen Meldestellen nach § 27 I HinSchG einrichten (optional für anonyme Meldungen [→ Rn. 41]). Bes. Herausforderung liegt darin, dass dieser externe Kanal nach **Wahlrecht in § 7 HinSchG** von Beschäftigten – abw. von bisheriger Rechtslage (vgl. dazu Art. 17 II ArbSchG sowie Schmolke NZG 2020, 5, 9) – auch ohne vorherige interne Meldung genutzt werden kann (Zweifel an Primärrechtskonformität bei Kort FS Windbichler, 2020, 837, 851 ff.; sa schon Thüsing/Rombey NZG 2018, 1001, 1003; dagegen Gerdemann/Spindler ZIP 2020, 1896, 1901). Unionsgesetzgeber hat Mitgliedstaaten zwar aufgegeben, für Präferenz des internen Meldekanals zu sorgen (Art. 7 II WBRL), dies aber durch gleichzeitige Vorgabe unbedingter Gleichwertigkeit und fehlender Subsidiarität des externen Kanals (Art. 10 WBRL) selbst konterkariert (wenig hilfreich insofern auch ErwG 47 WBRL; krit. deshalb Kort FS Windbichler, 2020, 837, 848; Taschke/Pielow/Volk NZWiSt 2021, 85, 90). Dt. Gesetzgeber appelliert an Hinweisgeber, interne Meldestellen nach Möglichkeit zu bevorzugen (§ 7 I 2 HinSchG), und verpflichtet externe Meldestellen, Hinweisgeber auf Möglichkeit interner Meldung hinzuweisen (§ 28 I 3 HinSchG). Sonstige **Anreizsetzung** ist hingegen an Beschäftigungsgeber delegiert (§ 7 III HinSchG), so dass es nunmehr Aufgabe des Vorstands ist, internen Meldekanal attraktiv zu gestalten. Interner Meldekanal muss niedrigschwelliges Angebot sein, das funktionsfähig und leicht zugänglich ist und innerhalb der AG offensiv und werbend kommuniziert wird (Dzida/Granetzny NZA 2020, 1201, 1203; Forst EuZA 2020, 283, 296; Taschke/Pielow/Volk NZWiSt 2021, 85, 91). 42

Von externer Meldung abzugrenzen ist **Offenlegung ggü. Öffentlichkeit** (legaldefiniert in § 3 V HinSchG, sa Art. 5 Nr. 6 WBRL, zB Medien; auch Strafanzeige einschließend Bruns NJW 2023, 1609, 1613), die weiterhin nur subsidiär unter erschwerten Bedingungen des § 32 HinSchG (zB Gefährdung des öffentl. Interesses oder Gefahr von Repressalien) zulässig ist. Subsidiarität ist gerade hier bes. sinnvoll, führt aber zu problematischer Folge, dass Schutz des Unternehmens in Hände der externen Meldestelle gelegt wird (Thüsing/Musiol BB 2022, 2420, 2422 f.). Wissentliche Offenlegung unrichtiger Information ist OWi, § 40 I HinSchG. 43

(5) Organhaftung. In Lit. ist Befürchtung geäußert worden, dass Verpflichtung zur Einrichtung eines Hinweisgebersystems dazu führen könnte, dass Vor- 44 stand bei unzureichender Umsetzung wegen Verletzung seiner Compliance-Pflicht unmittelbar **für Gesetzesverstöße von Mitarbeitern haftet** (Scholz AG 2022, 553 Rn. 7 ff.). Einrichtungsverpflichtung diene aber primär dem Schutz hinweisgebender Personen (Scholz AG 2022, 553 Rn. 13 ff.). Damit wird Hauptstoßrichtung zutr. umschrieben, doch wird man kaum in Abrede stellen können, dass Einrichtungsverpflichtung überdies auch auf Vorstellung beruht, dass Hinweisgebersysteme einen Beitrag zur Verhinderung, Aufdeckung und Ahndung von rechtswidrigem Mitarbeiterverhalten leisten. Unverhältnismäßige Haftungsrisiken bestehen gleichwohl nicht, solange Einrichtungsverpflichtung nicht automatisch dahin **überinterpretiert** wird, dass bei Verstößen Anscheinsbeweis der Ursächlichkeit der Pflichtverletzung für Gesetzesverletzungen durch nachgeordnete Mitarbeiter anzunehmen ist.

45 **(6) Repressalienverbot.** Bei interner oder externer Meldung ist Hinweisgeber vor Repressalien (legaldefiniert in § 3 VI HinSchG, nicht abschließende Aufzählung in RegBegr. BT-Drs. 20/3442, 95) nach § 36 I HinSchG geschützt, wobei nach § 36 II HinSchG **Umkehr der Beweislast** gilt und in Kündigungssituationen Dokumentationsanforderungen der AG erhöhen kann (zu möglichem Missbrauch, um drohende Kündigung abzuwenden, vgl. Degenhart/Dziuba BB 2021, 570, 573 f.; Dzida/Granetzny NZA 2020, 1201, 1204; Garden/Hiéramente BB 2019, 963, 966; Taschke/Pielow/Volk NZWiSt 2021, 85, 91). Täter und Teilnehmer werden durch Repressalienverbot in der Weise geschützt, dass sie nicht wegen der Meldung, wohl aber wegen vorangehender Teilnahme sanktioniert werden dürfen (Schmolke ZGR 2019, 876, 911; sa Hommel CCZ 2021, 95, 97; zur Möglichkeit eines unternehmensinternen Kronzeugenprogramms → Rn. 35). Schutz gilt nicht nur für Beschäftigten, sondern für jeden Meldenden, der unter weit gefassten Anwendungsbereich des § 33 II HinSchG fällt (zB auch Auftragnehmer oder Lieferanten etc.) und unter den Voraussetzungen des § 34 HinSchG auch für mit dem Hinweisgeber im Rahmen der Meldung verbundene Personen.

46 Schutz gilt namentl. auch für **Organe** selbst, deren Verschwiegenheitspflicht (§ 93 I 3, § 116 S. 2) insofern ges. durchbrochen wird (ausf. Grobe ZIP 2022, 2114, 2116 ff.). Ob ihnen damit – wie Beschäftigten – Möglichkeit unmittelbarer externer Meldung nach §§ 19 ff. HinSchG offensteht oder ob sie aufgrund organschaftlicher Treupflicht zunächst zur internen Meldung verpflichtet sind, ist noch nicht abschließend geklärt (für Vorrang interner Meldung insofern Kort FS Windbichler, 2020, 837, 851), doch scheint unbedingte Gleichwertigkeit nach Art. 10 WBRL (sa ErwG 91 WBRL) selbst insofern keine Beschränkung zuzulassen (so auch Degenhart/Dziuba BB 2021, 570, 574; Gerdemann/Spindler ZIP 2020, 1896, 1901; Grobe ZIP 2022, 2114, 2124). Für Vorstandsmitglieder bedeutet Repressalienverbot, dass zulässige Meldung insbes. **kein Abberufungsgrund** nach § 84 IV sein kann. Für AR-Mitglieder ist Abberufung nach § 103 I 1 grds. ohne Vorliegen wichtigen Grundes möglich. Aus § 36 II HinSchG könnte sich jedoch **mittelbarer Begründungszwang** ergeben, um implizite Kausalitätsvermutung zu widerlegen (so für Parallelproblem der ebenfalls ohne Begründung möglichen arbeitsrechtl. Probezeitkündigung Degenhart/Dziuba BB 2021, 570, 573 f.). Auch **Anteilseigner** fallen nach § 34 II Nr. 2 HinSchG in Schutzbereich der RL. Insoweit ist allerdings zu prüfen, ob sie Information „im beruflichen Kontext" (legaldefiniert in Art. 5 Nr. 9 WBRL) erlangt haben.

47 Voraussetzung für Schutz des Meldenden ist stets **Gutgläubigkeit,** die in § 33 I Nr. 2 und 3 HinSchG näher umschrieben wird (vgl. auch Art. 6 I WBRL, konkretisiert in ErwG 32 WBRL, ausf. Siemes CCZ 2022, 293 ff.). Motivlage des Meldenden ist unbeachtlich (ErwG 32 WBRL; ausf. dazu Forst EuZA 2020,

283, 296 f.; Gerdemann/Spindler ZIP 2020, 1896, 1900). Meldung darf auch nicht als Haftungstatbestand oder Verstoß gegen Verschwiegenheitspflicht qualifiziert werden (§ 35 II HinSchG); zu verbleibenden Schutzlücken im Bereich staatsanwaltschaftlicher Beschlagnahme vgl. Dilling CCZ 2019, 214, 217 ff.

(7) Schutz des Betroffenen. Deutlich schwächer ausgestaltet ist Schutz des Betroffenen (legaldefiniert in Art. 5 Nr. 10 WBRL), dem in Art. 22 WBRL namentl. ohnehin bestehende verfahrensrechtl. Grundsätze zugesichert werden (faires Verfahren, Unschuldsvermutung etc.; krit. zum geringen Schutzniveau insofern Dilling CCZ 2021, 60, 66; Forst EuZA 2020, 283, 300; Thüsing/Rombey NZG 2018, 1001, 1005 f.). Insbes. datenschutzrechtl. Ansprüche werden aber auch eingeschränkt (umfassend zu datenschutzrechtl. Implikationen Dzida/Granetzny NZA 2020, 1201, 1205 f.). Dt. Gesetzgeber räumt Betroffenem in § 38 HinSchG **Ersatzansprüche** für vorsätzliche, aber auch grob fahrlässige Falschmeldung ein (zu § 38 HinSchG als Haftungsbeschränkung für Hinweisgeber Bayreuther DB 2023, 1537, 1546) und geht damit über Anforderungen des Art. 23 II WBRL hinaus (zum Verständnis des Art. 23 II WBRL als Mindestschutzstandard vgl. Forst EuZA 2020, 283, 300 f.). Beschränkung auf grobe Fahrlässigkeit entspricht Konzept, gutgläubigen Hinweisweber zu schützen (RegBegr. BT-Drs. 20/3442, 97; krit. Thüsing/Musiol BB 2022, 2420, 2421). 48

(8) Sonstige Anreizinstrumente. Um Whistleblowing durch legislative oder unternehmensinterne Maßnahmen noch wirkungsvoller zu gestalten, sind auch unternehmensinterne Kronzeugenregelung (vgl. dazu Schmolke ZGR 2019, 876, 910 f.) oder **finanzielle Anreize** denkbar. Anreizsetzung ist in anderen Rechtsordnungen zT ges. festgeschrieben (namentl. US-amerikanischer Dodd-Frank-Act von 2010 – vgl. dazu Fleischer/Schmolke NZG 2012, 316 ff.; Schmolke ZGR 2019, 876, 912 ff.). In Deutschland ist sie derzeit zwar nicht vorgesehen, könnte aber zumindest von AG selbst eingeführt werden (vgl. dazu Dzida/Granetzny NZA 2020, 1201, 1206; Forst EuZA 2020, 283, 296; Schmolke NZG 2020, 5, 11; Taschke/Pielow/Volk NZWiSt 2021, 85, 91). Solcher Anreiz kann nicht als Verstoß gegen Repressalienverbot (→ Rn. 45 ff.) gesehen werden (in diese Richtung aber Kort FS Windbichler, 2020, 837, 854 f.), da Belohnung für interne Meldung im Lichte des § 7 I 2 HinSchG nicht zwingend als repressive Unterdrückung externer Meldung zu deuten ist. Ob arbeitsvertragliche Pflicht zum Whistleblowing eingeführt werden kann, ist noch ungeklärt; Berechtigung zur Nutzung externer Kanäle wird aber dadurch nicht eingeschränkt werden können. 49

ee) Compliance im Konzern. Compliance beschränkt sich nicht auf Einzelunternehmen, sondern hat auch Konzernunternehmen zu erfassen, freilich nur in den Grenzen des rechtl. Möglichen. Das ist zunächst der Fall, soweit **branchenspezifische Sonderregeln** (zB § 25a KWG, § 23 VAG; s. dazu Wilm GS Gruson, 2009, 465, 473 f.) Compliance-Maßnahmen im Bereich von Tochter- und Enkelgesellschaften erfordern. Auch wird in Bereichen, die vom europ. Aufsichtsrecht geprägt werden, zunehmend Konzernmutter unmittelbar in Bußgeldverantwortung für Verstöße der Tochter einbezogen, woraus sich ebenfall entspr. Aufsichtspflichten ergeben können (→ Rn. 59). IÜ kann Compliance als Vorstand des herrschenden Unternehmens treffende Organisationspflicht im Innenverhältnis (zu dieser Einschränkung → Rn. 51 f.) nur anerkannt werden, soweit sie sich aus geltendem Konzernrecht entwickeln lässt. Diskussion um Compliance im Konzern ist deckungsgleich mit sog **konzerndimensionaler Legalitätsdurchsetzungspflicht,** aus der namentl. Menschenrechts- und Umweltverantwortung von Unternehmen im Ausland abgeleitet werden soll (vgl. Weller/Kaller/Schulz AcP 216 [2016], 387, 413 ff.), die in neuerer Ausprägung 50 sodann auch zur konzernweiten Verantwortung für Einhaltung des LkSG (→ Rn. 113 f.) fortgedacht wird (Gehling CCZ 2023, 211, 212 ff.). Auch solche Pflicht ist deshalb nur mit den in → Rn. 51 ff. genannten Einschränkungen anzuerkennen (ausf. → § 93 Rn. 18).

51 Wichtige Einschränkung ergibt sich insofern aus Pflichtenursprung: Umfassende Pflicht zur Konzern-Compliance besteht grds. nur im **Innenverhältnis** des Vorstands ggü. AG dergestalt, dass er deren Interessen auch durch ordnungsgemäße Beteiligungsverwaltung (→ Rn. 132) sorgfältig wahrzunehmen hat (zB Abwehr eigener Ersatzpflichten oder Imageschäden). Pflichtenquelle sind insofern §§ 76, 93 (Altmeppen NZG 2022, 1227, 1228 ff.; Hüffer FS Roth, 2011, 299, 306 f.; J. Koch WM 2009, 1013 ff.). Dagegen ist im **Außenverhältnis** generelle Compliance-Pflicht innerhalb des Unternehmensverbunds nicht anzuerkennen; Obergesellschaft ist daher weder zur Wahrnehmung der Interessen nachgeordneter Konzernglieder noch zum Schutz von Allgemeininteressen vor Gefahren aus Tochtergesellschaften verpflichtet (s. bereits J. Koch WM 2009, 1013, 1015 ff.; ähnlich GK-AktG/Kort § 91 Rn. 167 ff.; S/L/Seibt Rn. 49; MHdB AG/Krieger § 70 Rn. 27; Altmeppen NZG 2022, 1227, 1228 ff.; Breitenfeld, Organschaftliche Binnenhaftung, 2016, 153 ff.; Holle, Legalitätskontrolle, 2014, 99 ff.; Habersack FS Möschel, 2011, 1175, 1177 ff., 1181 ff.; Schockenhoff ZHR 180 [2016], 197, 201 f. [speziell für Konzerne mit Matrix-Strukturen]; Verse ZHR 175 [2011], 401, 407 ff. aA BeckOGK/Fleischer § 91 Rn. 74; Bunting ZIP 2012, 1543, 1545 ff.; praktische Relevanz der Unterscheidung wird verkannt bei MüKoAktG/Spindler § 91 Rn. 63; insofern wie hier BeckOGK/Fleischer § 91 Rn. 49).

52 Insbes. ergibt sich eine solche Pflicht nicht aus Stellung als „Unternehmensinhaberin" der Tochter iSd **§ 130 OWiG,** da neben Unternehmensträger als rechtl. Inhaber kein weiterer wirtschaftlicher Inhaber anerkannt werden kann (ausf. J. Koch AG 2009, 564 ff.; zust. Grigoleit/Grigoleit Rn. 68; GK-AktG/Kort § 91 Rn. 170; Achenbach NZWiSt 2012, 321, 325 ff.; Bosch ZHR 177 [2013], 454, 462 ff.; Habersack FS Möschel, 2011, 1175, 1181 f.; Holle, Legalitätskontrolle, 2014, 405 ff.; Karbaum AG 2013, 863, 864 f.; Poelzig VGR 23 GesR 2017, 83, 93 f.; Rönnau ZGR 2016, 277, 289 ff.; v. Schreitter NZKart 2016, 253, 256 ff.; Tschierschke Die Sanktionierung des Unternehmensverbundes, 2013, 51 ff.; Verse ZHR 175 [2011], 401, 409 ff.; aA Karlsruher Komm OWiG/Rogall OWiG § 130 Rn. 27; Grundmeier, Rechtspflicht zu Compliance im Konzern, 2011, 59 ff.; Löbbe ZHR 177 [2013], 518, 543 ff.; diff. nach tats. Einflussmöglichkeit OLG München BeckRS 2015, 14184 Rn. 13 f.).

53 Als Schrittmacher dieser Diskussion hat in der Vergangenheit insbes. das **Kartellrecht** fungiert, wo sich das BKartA für Konzept einer „wirtschaftlichen Einheit" nach europ. Vorbild stark machte, um im Netzwerk europ. Kartellbehörden über ähnlich schlagkräftige Bebußungsmöglichkeiten zu verfügen wie Kommission oder Wettbewerbsbehörden anderer Länder (J. Koch/Harnos in Eisele/Koch/Theile, Sanktionsdurchgriff im Konzern, 2014, 171 f.). Nach Einführung des § 81 IIIa GWB ist diesem Anliegen Rechnung getragen (→ § 1 Rn. 21), was bisherige Kontroverse entschärfen dürfte, zumal auch in anderen Bereichen des Aufsichtsrechts unmittelbarer Zugriff auf Konzernmutter gestattet wird (→ Rn. 59). Jenseits dieser bereichsspezifischen Vorgaben gilt aber weiterhin konzernrechtl. Trennungsprinzip, so dass es nach hier skizzierter Herleitung entspr. konzernweiter Compliance-Pflichten aus dem Innenverhältnis verbleibt.

54 Ebenso abzulehnen ist Konstruktion des Unterordnungskonzerns als **Außen-GbR** mit Haftungsfolge des § 721 BGB (dafür aber Kersting Konzern 2011, 445, 449 f.). Partnern fehlt jeder rechtsgeschäftliche Wille zum gesellschaftlichen Zusammenschluss und erst recht zum Außenauftritt als eigenständiger Organisationseinheit im Rechtsverkehr (inkonsistent insofern Kersting Konzern 2011, 445,

452: wettbewerbsrechtl. Außen-GbR, sonst Innen-GbR; → § 18 Rn. 7). Auch im Bereich des Kartellrechts führt europarechtl. effet utile nicht zu anderem Ergebnis, da er zwar in Gesetzesauslegung einfließen kann, nicht aber in privatautonome Gestaltungserklärungen. Andere Sichtweise würde haftungsabschottende Funktion des Konzern nicht nur im Sanktions-, sondern auch im Vertragsrecht zunichte machen (ganz hM – ausf. dazu J. Koch/Harnos in Eisele/Koch/Theile, Sanktionsdurchgriff im Konzern, 2014, 171 ff. mwN; sa Ackermann ZEuP 2023, 529, 552 ff.; Grigoleit/Grigoleit Rn. 72; GK-AktG/Kort § 91 Rn. 173; KK-AktG/Koppensteiner § 18 Rn. 10; Aberle, Sanktionsdurchgriff, 2013, 43 f.; von Hülsen/Kasten NZKart 2015, 296, 304 ff.; Klusmann ZGR 2016, 252, 261 m. Fn. 40; Schürnbrand ZHR 181 [2017], 357, 361). Da nach dem Inkrafttreten der 9. GWB-Novelle Haftung der Konzernmutter im Kartellrecht schon aus § 81 IIIa GWB folgt (→ Rn. 53; → § 1 Rn. 21), dürfte sich Konstruktion ohnehin überlebt haben.

Schließlich kann Haftung auch nicht über **§ 831 BGB** begründet werden, da **55** jur. Person aufgrund ihrer rechtl. Verselbständigung und personenbezogener Ausrichtung des § 831 BGB, die namentl. in Exculpationsmöglichkeit zum Ausdruck kommt, nicht Verrichtungsgehilfe sein kann (so iErg auch BGH AG 2013, 296 Rn. 16; ausf. Grunewald NZG 2018, 481 ff.; J. Koch WM 2009, 1013, 1018 f.; sa Grigoleit/Grigoleit Rn. 72; GK-AktG/Kort § 91 Rn. 173; diff. Fleischer/Korch DB 2019, 1944, 1946 f.; Holle, Legalitätskontrolle, 2014, 264 ff.; aA Schall ZGR 2018, 479, 492 ff.). Pflichten im Außenverhältnis können sich vorbehaltlich spezialgesetzlicher Vorschrift daher allenfalls aus **allg. Verkehrs- und Organisationspflichten** ergeben, die aber voraussetzen, dass Tochtergesellschaft derart eng in Konzernstrategie eingebunden ist, dass Obergesellschaft letztlich als Urheberin der Gefahr erscheint und zugleich über die Möglichkeit verfügt, auf die Gefahrenquelle einzuwirken (J. Koch WM 2009, 1013, 1016 ff.; ausf. Fleischer/Korch DB 2019, 1944, 1950 ff.; Habersack/Zickgraf ZHR 182 [2018], 252, 266 ff., 279 ff.; Holle, Legalitätskontrolle, 2014, 322 ff.; auch insofern weitergehend Schall ZGR 2018, 479, 503 ff.). Zur Frage, ob Tochter über § 31 BGB analog auch für Muttergesellschaft einzustehen hat → § 302 Rn. 3.

Wichtigste Konsequenz des Pflichtenursprungs im Innenverhältnis liegt darin, **56** dass Vorstand des herrschenden Unternehmens nicht jeder Pflichtwidrigkeit in Tochtergesellschaften entgegenzuwirken hat, sondern nur insofern, als drohende Schäden durch Sanktionierung den **Aufwand** einer konzernweiten Compliance-Organisation übersteigen würden. Diese Abwägung ist indes weitgehend in sein **Organisationsermessen** gestellt (J. Koch WM 2009, 1013, 1015). Dennoch ist auch bei diesem Ansatz nicht zu verkennen, dass beachtliches Schadenspotenzial von Compliance-Verstößen im Innenverhältnis gewisses Maß an konzernweiten Compliance-Maßnahmen auch nach diesem Verständnis erforderlich machen wird und der Kontrollpflicht der Unternehmensleiter insofern eine zentralistische Tendenz geben kann (aufgrund abw. Beurteilung des Pflichtengrunds noch weitergehend Lutter FS Goette, 2011, 289, 292 ff.; sa M. Winter FS Hüffer, 2010, 1103, 1106). Fehlende Verantwortlichkeit im Außenverhältnis hatte bislang namentl. für Kartellverstöße der Tochter Bedeutung, doch war insofern schon bislang auf europ. Ebene weitere Pflichtenbindung anerkannt (vgl. dazu Aberle, Sanktionsdurchgriff, 2013, 53 ff.), die mittlerweile auch im nat. Recht fortgeschrieben wurde (→ Rn. 59; → § 1 Rn. 26). Jenseits solcher Sonderregelung gilt Beschränkung auf Innenverhältnis aber fort. Auch die Annahme einer „konzerndimensionalen Legalitätsdurchsetzungspflicht" im Hinblick auf Menschenrechte bei Auslandsaktivitäten (Weller/Kaller/Schulz AcP 216 [2016], 413 ff.) kann deshalb Pflichten im Außenverhältnis nicht begründen (→ § 93 Rn. 18).

Für **Durchsetzungsebene** ist zwischen vertragsloser Konzernierung und Ver- **57** trags- oder Eingliederungskonzernen zu differenzieren (sa Bicker AG 2012,

542 ff.). Bei **vertragsloser Konzernierung** wird Kontrolle durch konzernoffene Gestaltung des deutschen Aktienrechts erschwert, das dezentrale Leitung ohne Weisungsrecht gestattet (Holle, Legalitätskontrolle, 2014, 124). Einfluss über HV scheitert meist an deren beschränkten Zuständigkeiten, Einfluss über AR-Mitglieder daran, dass auch sie weisungsfrei agieren und Ges. sie überdies nicht nah genug an unternehmerische Abläufe in der Tochter heranlässt; auch § 111 IV 2 eröffnet reine Verhinderungskompetenz (Holle, Legalitätskontrolle, 2014, 209 ff.; zu weitgehend deshalb LG Stuttgart NZG 2018, 665 Rn. 214 ff.). Selbst wo für Muttervorstand Einflussmöglichkeiten bestehen, verbietet breites **Organisationsermessen** nach § 93 I 2 es, detailliert ausbuchstabiertes Pflichtenprogramm zu formulieren. Wo im Schrifttum solche Kataloge begegnen, dürfen sie daher zumeist nur als Best-Practice-Empfehlung unter idealtypischen Rahmenbedingungen (zumeist unterstellt: Weisungsrecht) verstanden werden, nicht aber als fixer Pflichtenkatalog (Ansätze zur näheren Ausformung bei Holle, Legalitätskontrolle, 2014, 123 ff.; Mader WM 2015, 2074 ff.; Verse ZHR 175 [2011], 401 419 ff.; zu datenschutzrechtl. Schranken s. Bauckhage-Hoffer/Katko WM 2012, 486, 488 ff.).

58 Als effektivstes Überwachungsinstrument dürfte sich – obwohl heute verbreitet auch krit. beurteilt (zB aus Zurechnungsgründen) – Einsatz von **Doppelmandaten** erweisen, die gerade deshalb in § 100 II 2 ges. privilegiert werden (→ § 100 Rn. 7; vgl. Begr. KonTraG BT-Drs. 13/9712, 16 und dazu Mader, Informationsfluss im Unternehmensverbund, 2016, 493 ff.). Unstr. ist heute aber auch, dass es keine Pflicht zum Doppelmandat gibt (vgl. statt aller Mader, Informationsfluss im Unternehmensverbund, 2016, 493 ff.; aA noch Hommelhoff ZGR 1996, 144, 162; Lutter FS Rob. Fischer, 1979, 419, 427 Fn. 20; Martens ZHR 159 [1995], 567, 570 f.). Im **Vertrags- oder Eingliederungskonzern** wird Durchsetzung durch Weisungsrechte der §§ 308, 323 erleichtert, ohne dass aus Existenz der Rechte entspr. Pflichten und Verantwortlichkeiten folgen würden. Daran ist nur zu denken, wenn Compliance-Verantwortung für nachgeordnete Konzernglieder tats. vom Vorstand des herrschenden Unternehmens zur Wahrung seiner Eigeninteressen übernommen worden ist oder er entsprechende Gefahrensituationen geschaffen hat, die zur Aufsicht verpflichten (s. dazu Achenbach NZWiSt 2012, 321, 326; Habersack FS Möschel, 2011, 1175, 1178 f.; J. Koch WM 2009, 1013, 1015 ff.).

59 Obwohl konzernweite Compliance-Pflicht im Außenverhältnis daher nach nationalem Gesellschaftsrecht abzulehnen ist, so wird diese beschränkende Perspektive doch zunehmend durch **europäische Vorgaben** überlagert, die namentl. im Kartell- und Kapitalmarktrecht zumindest für den Sanktionsbereich unmittelbare Bußgeldverantwortung der Konzernmutter annehmen und auf diese Weise gesellschaftsrechtl. Trennungsprinzip zugunsten einer **bereichsspezifischen Durchgriffshaftung** aushöhlen (→ § 1 Rn. 21). Wenn an Pflichtverletzung Außenhaftung des Unternehmens geknüpft wird, liegt augenscheinlich in diesem Bereich auch Verständnis der Pflichtnormen als Außenrecht zugrunde. Aufgrund des systemsprengenden (und in der Sache äußerst bedenklichen) Charakters solcher Überlagerungen können bereichsspezifische Überlagerungen aber nicht auf weitere Teile des Aktienrechts ausgedehnt werden.

60 **4. Unter eigener Verantwortung. a) Weisungsfreiheit.** Vorstand übt seine Leitungsaufgaben gem. § 76 I unter eigener Verantwortung aus, dh er ist nicht an Weisungen anderer Gesellschaftsorgane gebunden und auch nicht an Weisungen von (Groß-)Aktionären (allgM, s. nur BGH AG 2008, 541, 542). Es besteht auch **kein auftragsähnliches Verhältnis** zwischen Vorstand und Aktionären als Einzelnen (BGH NJW 1967, 1462; → § 131 Rn. 2) oder zwischen Vorstand und HV (Hüffer ZIP 1996, 401, 404 f.), weshalb diese entgegen früher vertretener

Ansicht (zB LG Detmold AG 1959, 140) auch durch Beschluss keine Informationspflicht des Vorstands begründen kann (Hüffer ZIP 1996, 401, 405 Fn. 55). Auch Rechenschaftspflicht gem. § 666 BGB besteht nicht (BGH NJW 1967, 1462).

Rechtspolitische Alternative zur Einordnung des Vorstands als Leitungsorgan läge darin, ihn ähnlich wie Geschäftsführer einer GmbH (§ 37 I GmbHG) auf Ausführungsbefugnis zu beschränken, was jedoch seit **§ 70 I AktG 1937** überholt ist, der eigenständige und weisungsfreie Leitungsmacht des Vorstands begründet hat. Dem liegt zum einen der Gedanke zugrunde, dass HV „in Anbetracht ihrer inhomogenen, dem Zufall ausgelieferten Zusammensetzung und ihrer Ferne zu den jew. zu treffenden Geschäftsführungsmaßnahmen ihrer ganzen Struktur nach für die Mitwirkung an der Leitung einer Aktiengesellschaft ungeeignet ist“ (BGHZ 159, 30, 43 ff. = NJW 2004, 1860; zur Durchbrechung dieser Regel in sog Holzmüller-Fällen → § 119 Rn. 16 ff.). Zum anderen soll gewährleistet werden, dass Vorstand auch den **Gemeinwohlbelangen** und Belangen sonstiger Stakeholder (so noch ausdr. § 70 I AktG 1937; → Rn. 63 ff.) sowie der Minderheitsaktionäre Rechnung tragen kann (ausf. Grigoleit/Vedder, 1. Aufl. 2013, Rn. 30 ff.). Rechtl. Weisungsfreiheit kann aber faktisch durch Bestellungskompetenz des AR relativiert werden. Zur Frage, inwiefern historische Ausgestaltung auf Übernahme des „Führerprinzips“ ins AktG zurückzuführen ist, vgl. Bahrenfuss, Die Entstehung des Aktiengesetzes von 1965, 2001, 659 ff. 61

IE gilt: **AR** ist auf Überwachungstätigkeit beschränkt (§ 111 I). Maßnahmen der Geschäftsführung können ihm nicht übertragen werden (§ 111 IV 1). Soweit bestimmte Arten von Geschäften der Zustimmung des AR bedürfen (§ 111 IV 2), kann AR Tätigwerden des Vorstands zwar nach Art eines Vetorechts verhindern. Weisungsrecht, mit dem er bestimmte Maßnahmen positiv durchsetzen könnte, steht ihm jedoch auch dann nicht zu. Ebenso besteht grds. keine Folgepflicht des Vorstands ggü. Beschlüssen der **HV,** soweit es um Fragen der Geschäftsführung geht, es sei denn, dass Vorstand Entscheidung der HV selbst eingeholt hat (§ 119 II; → § 119 Rn. 11 ff.). Vorbereitungs- und Ausführungspflicht, die Vorstand nach § 83 trifft, ist keine Ausnahme vom Prinzip der Weisungsfreiheit, weil dabei Beschlusszuständigkeit der HV vorausgesetzt wird. Schließlich haben **Aktionäre** nur dann Weisungsrecht, wenn sie herrschendes Unternehmen sind und ein Beherrschungsvertrag besteht (§ 308) oder wenn sie infolge Eingliederung der AG zur Hauptgesellschaft geworden sind (§ 323 I; → Rn. 134). Seiner in diesem Sinne weisungsfreien Stellung darf sich Vorstand auch nicht selbst begeben, indem er sein künftiges Leitungsverhalten oder auch einzelne wesentliche Leitungsmaßnahmen zum Gegenstand **rechtsgeschäftlicher Vorwegbindung** macht. Daraus gefolgerter Grundsatz der Unveräußerlichkeit der Leitungsmacht (Lutter FS Fleck, 1988, 169, 184) wird im neueren Schrifttum aber zunehmend auf Kernbereich zurückgeführt (ausf. → Rn. 11 ff., → Rn. 124 ff.). Persönliche Bindungen durch sog **Managementgarantien** (Management Letter, Warranty Deed, Directors‘ Certificate) sind nur zulässig, wenn sie etwa für Richtigkeit bestimmter Transaktionsdetails abgegeben werden, dürfen aber nicht dazu geeignet sein, Interessenkonflikt des Vorstands zu Lasten der AG zu begründen. Rechtsanspruch auf Garantie besteht nicht (Einzelheiten bei Hohaus/Kaufhold BB 2015, 709 ff.). 62

b) Leitungsermessen. aa) Fragestellung. Dass Vorstand unter eigener Verantwortung tätig wird, bedeutet positiv, dass er seine Leitungsentscheidungen nach eigenem Ermessen trifft (unstr., s. BGHZ 125, 239, 246 = NJW 1994, 1410). Das führt zu der Frage, welche **inhaltlichen Vorgaben für Ermessensausübung** bestehen, insbes., ob Vorstand neben Aktionärsinteressen auch andere soziale oder ökologische Belange verfolgen darf. Als Bsp. seien genannt: freiwil- 63 lige Mehraufwendungen für Umweltschutz, Sponsoring kultureller Veranstaltungen, Spenden (auch an politische Parteien; näher dazu Fleischer AG 2001, 171, 179 ff.; Hahn AG 2018, 472 ff.; empirische Aufarbeitung bei Bayer/Hoffmann AG 2014, R 371 ff.), Stiftungen, Stipendien, Beiträge zu Fördervereinen usw (Überblick bei Mülbert AG 2009, 766 ff.; Spindler FS Hommelhoff, 2012, 1133 ff.; zu Besonderheiten für wohltätige Aktivitäten öffentlich beherrschter Unternehmen Adenauer/Merk NZG 2013, 1251 ff.; Th. Mann DÖV 2019, 417 ff.).

64 **bb) Begrifflichkeit.** Frage nach inhaltlichen Vorgaben für Leitungsermessen ist nat. und int. sehr umstr., wobei Diskussion in zeitlich versetzten Schüben unter unterschiedlichen Etiketten geführt wurde. Ursprungsdiskussion um das Leitungsermessen erlebte in Deutschland erste Höhepunkte in Weimarer Republik und wurde in 1980er Jahren unter Schlagworten des **Shareholder oder Stakeholder Value-Ansatzes** mit verstärkt ökonomischen Argumentationsfiguren wieder aufgegriffen. Zu Beginn der 2000er Jahre wurde sie mit zT anderen Diskussionsschwerpunkten unter zeitgeistigerem Etikett der **Corporate Social Responsibility** (CSR) fortgesetzt, um dann zu Beginn der 2020er Jahre in **ESG-Diskussion** (ESG = Environmental, Social and Governance) einzumünden (ausf. zu diesen Entwicklungslinien Fleischer in Fleischer/Koch/Schmolke, Gesellschaftsrecht im Spiegel großer Debatten, 2024, im Erscheinen; Koch ebda.). Mit Übergang von CSR zu ESG sollte insbes. stärkere Berücksichtigung des Umweltschutzes zum Ausdruck gebracht werden (J. Koch AG 2023, 553 Rn. 39); als deutsches Synonym wird auch Begriff der **Nachhaltigkeit** verwendet, der aber ebenso wie ESG in beängstigender Geschwindigkeit an Kontur verliert und zunehmend zum Catch-all Term ohne tatbestandliche Trennschärfe mutiert (zu den Folgen → Rn. 72 ff.). ZT wird ESG als Nachfolgebegriff zu CSR mit weiterem Anwendungsbereich verwandt, zT werden beide Begriffe nebeneinander eingesetzt. Ausgehend vom begrifflichen Eigengehalt erscheint es am stimmigsten, Verantwortungsposition der AG weiterhin als CSR zu bezeichnen und davon abgedeckten Zielkatalog mit ESG zu umschreiben. Begriff der ESG-Verantwortung dürfte mit CSR dagegen in der Tat weitgehend synonym verwandt werden.

65 Aus CSR folgende Organisationsanforderungen werden in ihrer neueren Ausrichtung auf ESG-Ziele als **Sustainable Corporate Governance** bezeichnet (vgl. dazu Spießhofer NZG 2022, 435 ff.; Velte DB 2021, 1054 ff., 1113 ff.; vgl. zu weiteren Entwicklungen auch Harbarth FS Ebke, 2021, 307, 316 ff.). Die daraus resultierenden Reputationsfolgen stellen einen wichtigen Bestandteil des sog. **Corporate Reputation Management** dar (zum Letztgenannten Seibt DB 2015, 171 ff.). Formuliert man Zielsetzungen nicht aus AG-, sondern aus Investorensicht spricht man von **Sustainable Finance** (→ Rn. 87).

66 In → Rn. 63 f. umschriebene Fragestellung wurde früher zT auch unter Schlagwort des **Unternehmensinteresses** diskutiert. Dahinter verbargen sich ursprünglich Ansätze, **Unternehmen selbst zum Interessenträger** machen und damit ggü. der Gesellschaft mehr oder minder zu verselbständigen oder Gesellschaft und Unternehmen zu integrieren (vgl. etwa Schilling ZHR 144 [1980], 136 ff.; exemplarisch die Kontroverse zwischen Th. Raiser FS Rob. Fischer, 1979, 561 ff. und Wiedemann FS Rob. Fischer, 1979, 883 ff.; Übersicht bei MüKoAktG/Spindler Rn. 81 ff.; eingehend Birke, Formalziel, 2005, 139 ff.; sa Zöllner AG 2003, 2, 5 ff.; Paefgen, Unternehmerische Entscheidungen, 2002, 55 ff., 58). Mittlerweile hat sich Auffassung durchgesetzt, dass solches Verständnis eher geeignet ist, Vorstandsverantwortung aufzulösen, als ihr einen Orientierungspunkt zu bieten, weil nach Herkunft und Inhalt nicht näher definierte Interessen zur Richtschnur des Vorstandshandelns gemacht werden (sa Wiede-

mann FS Rob. Fischer, 1979, 883 ff.). In neuerer Lit. wird Lehre deshalb nicht mehr vertreten. Stattdessen wird Unternehmensinteresse im rechtstechnischen Sinne nur noch als **sprachliche Abbreviatur** des in → Rn. 63 f. umschriebenen Sachverhalts anerkannt (ebenso Goette FS 50 Jahre BGH, 2000, 123, 127; Schüppen FS Tiedemann, 2008, 749, 757; so wohl auch die Verwendung des Begriffs in BGHZ 64, 325, 329 = NJW 1975, 1412; vgl. dazu Henze BB 2000, 209, 212).

cc) Meinungsstand in klassischer Ausprägung. Wenngleich grundlegende Fragestellung iR sämtlicher Diskussionsphasen stets gleich geblieben ist (→ Rn. 63 ff.), haben sich tats. und rechtl. Rahmenbedingungen im Laufe der Jahrzehnte deutlich verschoben. Insbes. seit Ende der 2010er Jahre hat auch Gesetzgeber ESG-Belange verstärkt auf legislative Agenda gesetzt, weshalb bisheriger Argumentationshaushalt zT unter **neuen ges. Vorzeichen** zu würdigen ist. Nach (über alle Entwicklungsphasen der Diskussion hinweg) hM ist für Vorstandshandeln **interessenplurale Zielkonzeption** maßgebend (auch: Stakeholder-Ansatz). Ermessensausübung bedeutet danach sachgerechte Wahrnehmung der **in AG und ihrem Unternehmen zusammentreffenden Interessen.** Träger solcher Interessen sind Aktionäre (Kapital), AN (Arbeit) und Öffentlichkeit (Gemeinwohl). Vorstand ist also – was in **Gesetzesmaterialien 1965** ausdr. bestätigt wird – weder berechtigt noch verpflichtet, sich bei Erfüllung seiner Leitungsaufgabe allein von Aktionärsinteressen leiten zu lassen. AG muss sich „in die Interessen der Gesamtwirtschaft und in die Interessen der Allgemeinheit einfügen" und hat „auch das Wohl ihrer AN zu beachten" (beides AusschussB Kropff S. 98; sa RegBegr. Kropff S. 97; KK-AktG/Cahn Rn. 23 ff.; GK-AktG/Kort Rn. 52 ff.; Habersack AcP 220 [2020], 594, 603 ff.; J. Koch in 50 Jahre AktG, 2016, 65, 73 ff.; Kubis/Tödtmann Vorstands-HdB/Kubis § 1 Rn. 100 ff.; J. Vetter ZGR 2018, 338, 348 ff.; sympathisierend BGHZ 219, 193 Rn. 54 = NZG 2018, 1189; umfassende rechtsökonomische Analyse bei Harenberg KritV 2019, 393 ff.). Gläubigerbelange sind zwar wichtig, gehören aber nach ges. Konzeption nicht zu den ermessensleitenden Gesichtspunkten von selbständiger Bedeutung (Klöhn ZGR 2008, 110, 134 ff.; zu insolvenzrechtl. bedingter Verschiebung in Krisensituationen → § 92 Rn. 22 ff.). 67

Gegenkonzepte zur hM werden heute überwiegend schlagwortartig zusammenfassend als **Shareholder Value-Ansatz** umschrieben, obwohl sich dahinter zT durchaus unterschiedliche Konstruktionen verbergen (differenzierte Darstellung bei Fleischer in Fleischer/Koch/Schmolke, Gesellschaftsrecht im Spiegel großer Debatten, erscheint 2024). Ihnen gemeinsam ist **monistische Ableitung** der Zielvorgabe aus dem Verbands- oder Gesellschaftsinteresse; Vorstand habe sich am idR erwerbswirtschaftlichen Zweck der AG als einheitlichem Richtpunkt gemeinsamer Mitgliederinteressen zu orientieren (Grigoleit/Grigoleit Rn. 19 ff.; Zöllner, Die Schranken mitgliedschaftlicher Stimmrechtsmacht, 1963, 23 ff.; Paefgen, Unternehmerische Entscheidungen, 2002, 38 ff.). Dabei wird das Unternehmensziel zT recht weitgehend auf Maximierung des Marktwerts im Anlegerinteresse verengt (Mülbert FS Röhricht, 2005, 421, 424 ff.). ZT wird es für ausreichend gehalten, dass am Gewinnziel bemessenes Aktionärsinteresse mehr oder minder deutlich Vorrang vor anderen Belangen eingeräumt werden soll (s. zB BeckOGK/Fleischer Rn. 37; S/L/Seibt Rn. 40 ff.; Hölters/Weber/Weber Rn. 22). **Unterschiede zur hM** sind trotz anderer Perspektive jedoch **überschaubar,** da Befürworter dieser Ansicht sich nur an langfristigem Aktionärsinteresse orientieren, das auf nachhaltiges Wachstum gerichtet ist und deshalb indirekt auch sonstige Stakeholder in den Blick nehmen muss (BeckOGK/Fleischer Rn. 32, 38; zutr. dazu Seibert FS Hoffmann-Becking, 2013, 1101, 1102: „Kunstgriff"; sa Bachmann ZHR 187 [2023], 166, 178: „Scheingefecht"; 68

J. Koch in 50 Jahre AktG, 2016, 65, 73 ff.). Ohne nennenswerte Gefolgschaft ist weitere Meinungsgruppe geblieben, wonach Vorstand, abgesehen von Unternehmensgegenstand und Rechtsbindung, **keinen inhaltlichen Vorgaben** unterliege; sie ließen sich nicht brauchbar definieren und seien deshalb durch Verfahrensdirektive sorgfältiger Ermessensausübung zu ersetzen (Großmann, Unternehmensziele im Aktienrecht, 1980, 61 ff.).

69 **dd) Modernere Fortschreibungen.** Im zweiten Jahrzehnt der 2000er Jahre hat Meinungsstreit Erweiterung insofern erfahren, als sich Schwerpunkt von der Frage, was der Vorstand im CSR-Bereich tun darf, erkennbar zu der Frage verlagert hat, was er tun muss. Erste Konstruktionsversuche, die darauf abzielten, Pflichtenkorsett des Vorstands iSv CSR-Verhaltenspflichten enger zu schnüren, begegneten unter dem Schlagwort **menschenrechtsbezogene Sorgfaltspflichten** (vgl. dazu C. Schäfer FS Hopt, 2010, 1297 ff.; Saage-Maß/Leifker BB 2015, 2499 ff.; Voland BB 2015, 67 ff.; krit. Wagner RabelsZ 80, 717, 750 ff.; ausf. Analyse bei Brunk, Menschenrechtscompliance, 2022), waren von deutlichem polit. Konstruktionswillen getragen, dogmatisch aber häufig mit einem Fragezeichen versehen (symptomatisch Spießhofer NZG 2018, 441, 446: „weit verstandener pluralistischer Rechtsbegriff"; „smart mix" – skeptisch J. Koch AG 2023, 553 Rn. 15 f.). Diskussion erfolgte namentl. im Konzernkontext und wurde dort auch unter dem Schlagwort **konzerndimensionaler Legalitätsdurchsetzungspflichten** geführt (→ § 93 Rn. 18), die etwa Menschenrechts- und Umweltverantwortung von Unternehmen im Ausland begründen sollen (Weller/Kaller/Schulz AcP 216 [2016], 387, 413 ff.). Durch Einführung des Lieferkettensorgfaltspflichtengesetzes ist diese Diskussion in weiten Zügen überholt (→ Rn. 96 ff.), kann sich aber etwa bei davon nicht erfassten Unternehmen und Gefahrenlagen fortsetzen.

70 Neu angefacht wurde Diskussion mit **Einführung der Nachhaltigkeitsberichterstattung** in §§ 289b f. HGB auf Grundlage der CSR-RL (ausf. zu Inhalt und Umsetzung der RL → § 170 Rn. 2c; zur Prüfungspflicht des AR → § 171 Rn. 8a), die abermals Diskussion entfachte, ob Berichtspflichten nicht auch entspr. materielle Verhaltensvorgaben gegenüberstehen müssen (dafür Hommelhoff FS Kübler, 2015, 291 ff.; Hommelhoff FS v. Hoyningen-Huene, 2014, 137 ff.; Hommelhoff NZG 2017, 1361 ff.; Roth-Mingram NZG 2015, 1341, 1343 ff.; dagegen die hM – vgl. Schön ZHR 180 [2016], 279 ff.; zust. Bachmann ZGR 2018, 231, 233 f.; Dörrwächter NZG 2022, 1083, 1085 f.; Fleischer AG 2017, 509, 522; Habersack AcP 220 [2020], 594, 627 ff.; Harbarth FS Ebke, 2021, 307, 314 f.; Hell, Offenlegung nichtfinanzieller Informationen, 2020, 257 ff.; Paefgen FS Seibert, 2019, 629, 649 ff.; Simons ZGR 2018, 316, 322 ff.). Mit sich stetig intensivierenden ESG-Aktivitäten des Gesetzgebers auf Unions- und Mitgliedsstaatsebene (→ Rn. 79 ff.) wird Frage mit zunehmender Dringlichkeit aufgeworfen. Zwischenzeitlichen Höhepunkt hat Diskussion mit **Art. 25 I CSDD-RL-E** erreicht, in dem zT neue Zielvorgabe mit justiziablem Mindestgewicht vermutet wurde (Weller/Fischer ZIP 2022, 2253, 2260 ff.), während andere darin allein prozedurale Berücksichtigungspflicht erkannten (Harbarth AG 2022, 633 Rn. 1 ff.; umfassend zum RL-Entwurf auch DAV-HRA NZG 2022, 909 ff.; Bauer/Blach/Mayer/Morschhäuser ZIP 2022, 1740 ff.; Fest AG 2023, 713 Rn. 1 ff.; Hommelhoff FS Henssler, 2023, 971 ff.; Hübner/Habrich/Weller NZG 2022, 644 ff.; König NZG 2022, 1186 ff.; speziell zur Rolle des AR sa Lieder/Döhrn AG 2023, 722 Rn. 1 ff.). Frage scheint sich vorübergehend erledigt zu haben, nachdem Rat Art. 25 I CSDD-RL-E nicht in Allgemeine Ausrichtung übernommen hat (Allgemeine Ausrichtung des Rates vom 30.11.2022 [15024/1/22]).

ee) Positionierung der Kodex-Kommission. Im **DCGK** war interessenplurale Zielkonzeption ursprünglich ausschließlich in allg. Leitungsvorgabe nach GS 1 DCGK angelegt. Mit Kodexänderung 2017 hat sie aber noch deutlichere Bekräftigung im **Leitbild des Ehrbaren Kaufmanns** erfahren, der zu „ethisch fundiertem, eigenverantwortlichem Verhalten" verpflichtet ist (Präambel DCGK I 4; zu Einzelheiten KBFW/v. Werder DCGK Präambel Rn. 26 f.). Gut gemeinte Vorgabe ist im Schrifttum jedoch überwiegend als inhaltsleere Formel und Ausdruck „zunehmender Ratlosigkeit der Regelgeber" auf Kritik gestoßen (so Fleischer AG 2017, 509, 515; Fleischer DB 2017, 2015 ff.; sa DAV-HRA NZG 2017, 57; VGR AG 2017, 1; Hauschka CCZ 2017, 97; Wilsing/v. der Linden DStR 2017, 1046). Kodex-Änderung 2020 hat in Präambel Abs. 2 DCGK weiteres Bekenntnis zur gesellschaftlichen Verantwortung ergänzt. Mit Folgeänderung 2022 werden nunmehr – immer noch in Präambel Abs. 2 DCGK – Wechselwirkungen zwischen Sozial- und Umweltfaktoren auf Unternehmen einerseits und der Unternehmenstätigkeit auf Mensch und Umwelt andererseits konstatiert. Das ist Selbstverständlichkeit, für die begriffliche Umschreibung als **doppelte Wesentlichkeit** iSe Outside-in- und Inside-out-Perspektive (Begründung Kodexänderung 2022, S. 3) etwas zu hoch gegriffen erscheint. Kommission hat damit bereits 2022 CSRD-RL aufgegriffen, was nicht selbstverständlich ist, da diese zu diesem Zeitpunkt nur im Entwurfsstadium vorlag (Rothenburg ESG 2022, 2). Vorstand und AR werden zur Berücksichtigung dieser Wechselwirkung angehalten (krit. zur fehlenden Einbettung in das Unternehmensinteresse VGR AG 2022, 239 Rn. 5 ff.). Weitere inhaltliche Ausformung erfolgt durch Empfehlung A.1 DCGK. In entspr. Begründung Kodexänderung 2022, S. 3 macht sich Kommission Stakeholder-Ansatz ausdr. zu eigen. 71

ff) Stellungnahme. (1) Ermessensvorgaben. Shareholder Value-Ansatz ist schon zu Beginn der 2000er Jahre deutlich in Defensive geraten, als sich Unternehmenspraxis – ungeachtet aller akademischen Diskussion – CSR zunehmend auf die Fahne schrieb und damit unternehmerische Tatsachen schuf, gegen die sich nur noch schwer andiskutieren ließ. **Finanzmarktkrise 2007/08** hat vorrangiges Ziel der Gewinnmaximierung weiter diskreditiert; in heutigem ESG-Mainstream wirkt Ansatz zunehmend aus der Zeit gefallen (vgl. zu diesen Entwicklungsschüben Koch in Fleischer/Koch/Schmolke, Gesellschaftsrecht im Spiegel großer Debatten, erscheint 2024). Dennoch ist nicht zu verkennen, dass ihm das durchaus nachvollziehbare Anliegen zugrunde liegt, dem Vorstand **eindeutige Handlungsmaximen** an die Hand zu geben und damit auch seine Verantwortlichkeit klarer fassen zu können (BeckOGK/Fleischer Rn. 34; Kuhner ZGR 2004, 244, 254 ff.). Gerade vor dem Hintergrund der ESG-Debatte, in der unüberschaubare Vielfalt unterschiedlichster Zielsetzungen jeden Handlungsmaßstab verwischt, wird Sehnsucht nach **klarer Orientierungsmarke** noch verständlicher. 72

Dennoch ist mit hM dem Gedanken der **interessenpluralen Zielkonzeption** Vorzug zu geben. Sie allein entspr. Entstehungsgeschichte des § 76 I (Nachw. → Rn. 61), der in dieser Norm herausgehobenen Leitungsverantwortung des Vorstands und der damit verknüpften ges. Absage an Mandatsverhältnis zwischen Aktionären und Vorstand (→ Rn. 61), wie es bis 1937 der Gesetzeslage entsprach (Hüffer FS Raiser, 2005, 163, 167 f.). Sie verschafft Vorstand einen (begrenzten; → Rn. 88 ff.) Freiraum auch ggü. der Stimmrechtsmacht der Aktionäre (OLG Frankfurt AG 2011, 918, 919; Hüffer FS Raiser, 2005, 163, 168), soweit nicht § 83 eingreift. Dagegen entspr. Bindung an erwerbswirtschaftliches Verbandsinteresse ebenso wie vorrangige Ausrichtung auf Shareholder Value-Konzept nicht der seit § 70 I AktG 1937 bestehenden aktienrechtl. Sonderlage (→ Rn. 60), obwohl diese in den Gesetzesmaterialien 1965 klare Bestätigung gefunden hat (→ Rn. 67). 73

74 Annahme, dass dieser gesetzgeberische Wille „im Zeitablauf verblasst" sei (BeckOGK/Fleischer Rn. 23), setzt den Nachweis voraus, dass sich das Normumfeld zwischenzeitlich deutlich gewandelt hat, wobei argumentative Beweislast bei denjenigen liegt, die **legislative Ursprungsvorstellung** korrigieren wollen. Den dafür als Beleg herangezogenen Vorschriften, § 71 I Nr. 8, § 192 II Nr. 3 AktG, § 315a HGB (vgl. BeckOGK/Fleischer Rn. 36), kann zwar die selbstverständlich gebotene Zielsetzung einer „wertorientierten Unternehmensführung" entnommen werden, aber keinesfalls deren Ausschließlichkeit oder auch nur generelle Vorrangstellung ggü. divergierenden Zielsetzungen, zumal andere Entwicklungslinien, wie etwa Einführung der paritätischen Mitbestimmung (KK-AktG/Cahn Rn. 69), in entgegengesetzte Richtung gedeutet werden können.

75 Bes. starke gegenläufige Entwicklungslinie manifestiert sich mittlerweile in stetig **fortschreitenden Vormarsch des CSR/ESG-Gedankens,** der sich zunehmend auch in Rechtsordnung niederschlägt (→ Rn. 83 ff.). Damit hat Shareholder Value-Orientierung noch weiter an Plausibilität verloren (Simon, Legitimation der CSR-Richtlinie in ihren Auswirkungen auf die Unternehmensverfassung, 2021, 129 ff.). Gerade vor dem Hintergrund dieser neueren Entwicklung ist Aussagekraft der für Shareholder Value-Ansatz herangezogenen Normbasis (→ Rn. 74) zu schwach, als dass sie die grundlegende Richtungsentscheidung des historischen Gesetzgebers derogieren könnte (zutr. Kort AG 2012, 605, 606). Damit ist der weite Auslegungsspielraum, der nach Gegenauffassung durch breitflächige Deutung iS rechtsökonomischer Modelle ausgefüllt werden soll, von vornherein nicht eröffnet (aA BeckOGK/Fleischer Rn. 37 iVm Rn. 30 ff.: „fehlende legislatorische Vorprägung").

76 Ungeachtet dieser konstruktiven Schwächen überzeugt eine Vorrangstellung aber auch in der Sache nicht, da von den ausweislich RegBegr. 1965 weiterhin zu beachtenden Arbeitnehmer- oder Gemeinwohlbelangen (→ Rn. 67) wenig bleibt, wenn sie nur in dienender Funktion dem Shareholder-Interesse untergeordnet werden und im Zweifel dahinter zurückstehen. Ein solchermaßen andere Belange überstrahlender **Shareholder Value** mag dem Principal-Agent-Modell des anglo-amerikanischen Rechts einschließlich seiner monistischen Leitungsstruktur entspr. (→ Rn. 5). Für deutsches Recht läge darin jedoch Wiederbelebung des Vorstands als Mandatar (→ Rn. 73), mit der Bedeutung des § 76 I verfehlt würde.

77 Mittlerweile hat Shareholder Value-Orientierung auch letzten großen Vorzug verloren, Vorstand klarere Handlungsvorgaben an die Hand zu geben (→ Rn. 72). Solche Klarheit setzt nämlich voraus, dass **Aktionärswille eindeutig identifiziert** werden kann. Gerade das ist aber spätestens seit Siegeszug des ESG-Gedankens nicht mehr der Fall, wenn man Vielzahl potenzieller Investoren und ihre divergierenden Interessenrichtungen näher in den Blick nimmt (KK-AktG/Cahn Rn. 21; MüKoAktG/Spindler Rn. 90 ff.). Namentl. vor dem Hintergrund stetig fortschreitenden **gesellschaftlichen Wertewandels** lässt sich kaum noch These aufstellen, Aktionäre seien durchgängig nur an Gewinnmaximierung interessiert (J. Vetter ZGR 2018, 338, 360 ff.). Das stattdessen zunehmend auch von Shareholderseite geteilte Interesse an sozial und ökologisch nachhaltiger Unternehmensentwicklung (→ Rn. 68) lässt sich kaum mathematisch-formelhaft gewichten, so dass dem Vorstandshandeln auch auf dieser Grundlage **kein eindeutiges Koordinatensystem** zugrunde gelegt werden kann.

78 Der dagegen erhobene Einwand, interessenplurale Ausrichtung weise keine klare Zielfunktion auf und werde damit zur **Rechtfertigungsformel für nahezu beliebiges Vorstandshandeln** (BeckOGK/Fleischer Rn. 34), ist zwar durchaus von Gewicht (sa Kort AG 2012, 605, 608); ihm kann aber nicht durch einseitige Shareholder Value-Ausrichtung begegnet werden, die iErg doch mit ähnlichen Unsicherheiten belastet ist (→ Rn. 77), sondern allein durch Ausschöp-

fung der nicht zu unterschätzenden Möglichkeiten **inhaltlicher Ermessenskontrolle** (Hüffer FS Raiser, 2005, 163, 169 ff.). Auch in den praktischen Konsequenzen führt eine derart flexible Sichtweise zu weniger schematischen und damit sachgerechteren Ergebnissen (→ Rn. 88 ff.). Zur Möglichkeit einer satzungsmäßigen Konkretisierung → § 82 Rn. 10.

(2) ESG als verbindliches Unternehmensziel? Heutige ESG-Debatte setzt Annahme, dass Gemeinwohlbelange berücksichtigt werden dürfen, schon fast als selbstverständlich voraus und hat sich stattdessen der Frage zugewandt, ob Vorstand zur Berücksichtigung von Nachhaltigkeitsbelangen verpflichtet ist (Nachw. → Rn. 70). In Gesetzesmaterialien zum AktG 1965 wurde solche vorrangige Bindung zugunsten der **AN-Interessen** oder durch **Gemeinwohlklausel** wie noch nach § 70 I AktG 1937 ausdr. verworfen (AusschussB Kropff S. 98; MüKoAktG/Spindler Rn. 78 ff., Vor § 76 Rn. 56; sa Rittner AG 1973, 113 ff.). Das gilt vorbehaltlich bes., § 76 I derogierender ges. Regelung auch bei sog gemischt-wirtschaftlichen Unternehmen (s. dazu Cannivé NZG 2009, 445, 446 ff.; Wieneke/Fett NZG 2009, 8, 9 f.). Auch an Gesetzgeber adressierte Art. 14 II GG, Art. 20 I GG führen zu keinem anderen Ergebnis. 79

Nach zu Recht hM hat sich an diesem Befund auch durch **CSR-RL** und ihre Umsetzung in §§ 289b f. HGB nichts geändert. Auch wenn solche Wirkung durchaus im Sinne der RL-Verfasser gelegen haben mag, kann derart weitreichende Umgestaltung eines Kernbereichs des Aktienrechts doch nicht ohne klare kompetenzielle Grundlage durch **Hintertür des Bilanzrechts** in die Rechtsordnung eingeführt werden; entspr. unionsrechtl. Unterwanderungstendenzen muss klare Absage erteilt werden (Nachw. → Rn. 70). In derzeitiger Gestaltung verträgt sich Vorstellung einer Pflichtvorgabe auch kaum mit zugrunde liegendem **comply-or-explain-Mechanismus** des § 289c IV HGB (Verse/Wiersch EuZW 2016, 330, 334). 80

Zur Frage, ob **ESG-bezogene Zielvorgaben aus Sorgfaltspflicht** nach § 93 I 1 abgeleitet werden kann (Nachw. → Rn. 83 ff.), ist nach konkretem Normumfeld zu unterscheiden. Wo sich aus Ges. selbst entspr. Handlungsvorgaben ableiten lassen, wird ihre Beachtung durch Legalitätspflicht, Legalitätskontrollpflicht und Sorgfaltspflicht flankiert. Wo das nicht der Fall ist, erweist sich aktienrechtl. Ableitungsbasis aber auch hier als nicht hinreichend tragfähig, um aus bloßem ESG-freundlichen Gesetzesumfeld umfassenderen Pflichtenkanon ableiten zu können (ausf. → § 93 Rn. 18). Auch Konstruktion einer „Bemühenspflicht" (Weller/Kaller/Schulz AcP 216 [2016], 387, 411) ist hier ebenso verfehlt wie in anderen Zusammenhängen (→ Rn. 174; → § 111 Rn. 6; ebenso Bachmann ZGR 2018, 231, 234 f.). Ableitungsgrundlage bleibt danach allein **an Unternehmenswohl orientierte Leitungs- und Sorgfaltspflicht** des Vorstands, was mit entspr. weiten Ermessensspielräumen einhergeht (Harnos, Gerichtliche Kontrolldichte, 2021, 420 ff.). Ohne ges. Grundlage (vgl. zu vereinzelten Ansätzen Paefgen FS K. Schmidt, Bd. II, 2019, 105, 107 ff.) ist es deshalb nach derzeitiger Rechtslage nicht möglich, AG und ihre Organe umfassend für sozialpolitische Zielsetzungen einzuspannen. Ob es in der Sache sinnvoll wäre, erscheint ebenfalls nicht zweifelsfrei. Rechtspolitische Entwicklungsläufe, die zT weit über das Aktienrecht hinausreichen, scheinen derzeit aber dennoch klar in diese Richtung zu weisen (zu denkbaren Ausprägungen Fleischer AG 2017, 509, 525). 81

Selbst wer (außerhalb der spezialges. geregelten Bereiche) Hürde der Pflichtenbegründung noch zu überwinden mag, stößt auf weitere Schwierigkeit, dass etwaige Verstöße allein im Innenverhältnis der AG begründet sind, so dass andere **Stakeholder keine eigenen Ansprüche** daraus ableiten können (Fleischer AG 2017, 509, 514; Thomale/Hübner JZ 2017, 385, 396). Ansätze, Pflichten auch 82 im Außenverhältnis zu begründen, sind mit noch größeren konstruktiven Zweifeln behaftet als innergesellschaftliche Herleitung. Weitere Problemfelder eröffnen sich etwa im Bereich des Gerichtsstands oder der Fragen nach int. anwendbarem Recht (vgl. Mansel ZGR 2018, 439, 452 ff.; G. Wagner RabelsZ 80 [2016], 717, 732 ff.).

83 **c) Einfluss von ESG auf unternehmensbezogene Sorgfaltspflichten.** Rechtl. Konstruktionsschwierigkeiten ändern aber nichts daran, dass ESG-Vormarsch zu den **wirkungsmächtigsten Entwicklungen des Gesellschaftsrechts** gehört, die auf gewundenen, aber nicht minder effizienten Wirkungspfaden die Unternehmenswirklichkeit in vielfacher Hinsicht nachhaltig prägen (Fleischer AG 2017, 509; Harbarth FS Ebke, 2021, 307 ff.; Schön ZfPW 2022, 207 ff.; zur Gegenbewegung des Anti-ESG-Aktivismus in den USA Böhringer/Döding AG 2022, R 304 ff.). ESG-Gedanke zeigt insofern ähnliche **Tendenzen zu stetiger Verdichtung,** wie sie bereits im Bereich Corporate Governance und Corporate Compliance zu beobachten waren (→ Rn. 19 ff.; → Rn. 114 ff.; vgl. dazu Fleischer AG 2017, 509 ff. mit rechtsvergleichendem Überblick zu entspr. int. Entwicklungstendenzen).

84 Auch wenn deshalb nach bisherigen Ausführungen keine Pflicht besteht, ESG-Ziele eigenständig neben Unternehmensziel zu berücksichtigen, ergibt sich erhebliche Verschiebung daraus, dass durch **gesellschaftlichen Wertewandel und veränderte Erwartungshaltung** von Investoren, Kunden, Mitarbeitern, Stellenbewerbern und der Öffentlichkeit die Beachtung von ESG-Belangen doch zunehmend durch das Unternehmensziel geboten sein werden (vgl. dazu Harbarth FS Ebke, 2021, 307, 317 f.). Bislang oft angenommener Zielkonflikt zwischen Unternehmenswohl und ESG-Belangen löst sich damit zunehmend in **Zielkonformität** auf. Durch Nachhaltigkeitsberichterstattung (→ § 170 Rn. 2c) wird Effekt noch verstärkt, weil ESG-Defizite auf diese Weise veröffentlicht werden und damit in ESG-sensibler Öffentlichkeit schwerwiegende Reputationsverluste drohen.

85 Darüber hinaus schlägt sich ESG-Gedankengut aber auch in **vielfältigen legislativen Akzentsetzungen** nieder, die entweder unmittelbare Pflichten begründen oder Anreizsituation beeinflussen. **Unmittelbaren legislativen Niederschlag** finden ESG-Belange etwa in ges. Mindeststandards des Umwelt-, Klima-, Arbeitnehmerschutzes, der Diversity oder der Lieferkettensorgfalt (→ Rn. 96 ff.). Solche Vorgaben sind vom Vorstand selbst aufgrund seiner Legalitätspflicht zu beachten, und zwar nach hM mit absoluter Rigidität (→ § 93 Rn. 9 ff.); innerhalb des Unternehmens hat er aufgrund seiner Legalitätskontrollpflicht für ihre Beachtung zu sorgen, wobei dafür erforderlicher Aufwand seinem Organisationsermessen untersteht (→ § 93 Rn. 17 f.).

86 Als **mittelbare Wirkungspfade** sind etwa Vorgaben zur Unternehmensberichterstattung (→ Rn. 70; → § 170 Rn. 2c), aber auch zur Vorstandsvergütung (→ § 87 Rn. 25 ff.) und zur darauf bezogenen Berichterstattung (→ § 87a Rn. 7) zu nennen. Als bes. folgenreich hat sich insofern **Einbeziehung der Investorenseite** erwiesen. AktG selbst enthält dazu erste Ansätze in § 134b I Nr. 2 und § 134c II 2 Nr. 1 (→ § 134b Rn. 2; → § 134c Rn. 4). Hier müssen sich institutionelle Anleger und Vermögensverwalter ebenfalls zu ihren ESG-Aktivitäten äußern; vorgelagerte Berichtspflichten der Unternehmen liefern ihnen dazu die Informationsgrundlagen (vgl. zum Zusammenspiel dieser Elemente Harbarth FS Ebke, 2021, 307, 308 ff.; Harnos/Holle AG 2021, 853 Rn. 4, 26; Velte NZG 2021, 3 ff.). Materielles Pflichtenprogramm des Vorstands wird aber auch dadurch nicht verändert (Dörrwächter NZG 2022, 1083, 1087). Insbes. bleibt es bei **Ziel-Hierarchie,** die Unternehmens- und Rentabilitätsinteressen regelmäßigen Gewichtungsvorsprung vor Gemeinwohlanliegen einräumt (→ Rn. 89).

Weitere Verhaltensanforderungen werden sodann von Seiten des Kapitalmarktes unter dem Schlagwort der **Sustainable Finance** (vgl. dazu insbes. Bueren ZGR 2019, 813 ff.; Köndgen FS K. Schmidt, 2019, Bd. I, 671 ff.; Lange BKR 2020, 216 ff., 261 ff.) und des **Green Deals** (vgl. dazu Geier/Hombach BKR 2021, 6 ff.) an die Investoren herangetragen. Zentrale Bausteine dieses Regelungsgefüges sind die **Taxonomie-VO** und die **Offenlegungs-VO,** mit denen EU-Verordnungsgeber ein Klassifizierungssystem für ökologisch nachhaltige Wirtschaftsaktivitäten und bes. Transparenz- und Offenlegungspflichten eingeführt hat (ausf. dazu Bueren WM 2020, 1611 ff., 1659 ff.; Eberius WM 2019, 2143 ff.; Glander/Lühmann/Jesch BKR 2020, 545 ff.; Glander/Kropf/Lühmann BKR 2023, 28 ff.; Harbarth FS Ebke, 2021, 307, 310 ff.; Ipsen/Röh ZIP 2020, 2001 ff.; empirisch Kajüter/Wolff DB 2022, 2041 ff.). Dadurch entstandener Rechtfertigungsdruck findet sodann über Abstimmungsverhalten auf HV Eingang in den Pflichtenkatalog der Gesellschaftsorgane (zum Niederschlag in Voting Guidelines von Stimmrechtsberatern vgl. Rieckers DB 2023, 307, 309 f.; DB 2023, 373, 377; zum Say on Climate Harnos/Holle AG 2021, 853 ff. und → § 119 Rn. 11). Kalkül des Unionsgesetzgebers, dass schon reine Berichtspflichten genügen können, um Unternehmenswirklichkeit auch ohne verbindliches Normengefüge tiefgreifend prägen zu können (→ Rn. 70), ist damit eindrucksvoll aufgegangen (zum insoweit veränderten Investorenverhalten vgl. Brellochs ZHR 185 [2021], 319, 363; Harnos/Holle AG 2021, 853 Rn. 1 ff.; Langenbucher ZHR 185 [2021], 414, 418 f.). Entwicklung ist noch längst nicht abschlossen, sondern im dauerhaften Fluss (vgl. dazu Harbarth FS Ebke, 2021, 307, 316 ff.; zum Gedanken einer ges. Zertifizierung für nachhaltige Unternehmen Fleischer/Chatard NZG 2021, 1525 ff.; zur Frage ESG-bedingter Sorgfaltspflichten → § 93 Rn. 21; zu Folgen für die Anwendung der BJR gem. § 93 I 2 [→ § 93 Rn. 26 ff.] vgl. Harbarth FS Ebke, 2021, 307, 319 ff.; für Einführung eines Chief Sustainability Officers Bachmann ZHR 187 [2023], 166, 173; Mock/Velte AG 2022, 885 Rn. 11; sa Weller/Benz ZGR 2022, 563, 590 mit eng verwandter Variante Chief Climate Officer). 87

d) Konkrete Handlungsvorgaben. aa) Handlungsermessen. Fasst man Vielzahl unterschiedlichster Diskussions- und Argumentationsstränge zusammen, so lassen sich daraus folgende Handlungsvorgaben ableiten: Nach zu Recht hM ist es Aufgabe, aber auch Recht des Vorstands, divergierende Share- und Stakeholderinteressen gegeneinander abzuwägen und danach zu einer Entscheidung zu gelangen (sa Hopt ZGR 2002, 333, 360: Gebot praktischer Konkordanz). Wo für diese Entscheidung keine konkreten ges. Handlungsvorgaben bestehen, ist sie allein am Unternehmensinteresse orientiert und damit **von BJR iSd § 93 I 2 gedeckt** (→ § 93 Rn. 26 ff.). 88

IR dieser Abwägung bleibt auch unter fortschreitenden ESG-Zielsetzungen (→ Rn. 79 ff.) Raum für Annahme einer **Ziel-Hierarchie,** die dem Unternehmens- und Rentabilitätsinteresse einen zwar nicht absoluten Vorrang (→ Rn. 72 ff.), aber doch regelmäßigen „Gewichtungsvorsprung" vor anderen Zielsetzungen einräumt (sa S/L/Seibt Rn. 40; Dörrwächter NZG 2022, 1083, 1089 ff.; zur Auswirkung auf Sorgfaltsmaßstab → § 93 Rn. 21). Auf diese Weise wird Shareholder Value-Gedanke zumindest teilweise iS tendenzieller Aufwertung der Aktionärsinteressen unter Beibehaltung des Gesamtkonzepts Rechnung getragen (Hüffer ZHR 161 [1997], 214, 217 f.; iErg ähnlich KK-AktG/Cahn Rn. 22; MüKoAktG/Spindler Rn. 94 ff.; Kort AG 2012, 605, 608 ff.; v. Werder ZGR 1998, 69, 77 ff.; sa Birke, Formalziel, 2005, 199 ff., 212 ff.). Vorstand ist danach nicht verpflichtet, Ermessen ausschließlich im Aktionärsinteresse auszuüben, wohl aber dazu, Aktionärsinteresse an risikoadäquater Rendite für ihren Kapitaleinsatz im Rahmen seiner Ermessensausübung **angemessen zu berücksichtigen** (GK-AktG/Kort Rn. 59 ff.; KK-AktG/Cahn Rn. 22). 89

90 Gerade mit Blick auf diese Aktionärsinteressen findet Ermessensausübung Schranke in Pflicht des Vorstands, für **Bestand des Unternehmens** und damit für **dauerhafte Rentabilität** zu sorgen (OLG Hamm AG 1995, 512, 514; GK-AktG/Kort Rn. 53; KK-AktG/Cahn Rn. 25 ff.; Hüffer FS Raiser, 2005, 163, 168 ff.; abl. Birke, Formalziel, 2005, 166 f.). Darin liegt nicht nur ökonomisches Gebot, sondern, trotz aller Konkretisierungsprobleme, Rechtspflicht (ebenso KK-AktG/Cahn Rn. 26). Sie entspr. primär dem Interesse der Aktionäre als Kapitalgeber, dient jedoch auch den Interessen der AN und dem Gemeinwohl, weil öffentl. Interesse an dauerhaft unrentabel arbeitenden Wirtschaftseinheiten nicht bestehen kann.

91 Dauerhafte Rentabilität ist indes **zu unterscheiden von kurzfristiger Gewinnmaximierung.** Vorstand handelt also nicht pflichtwidrig, wenn er zu Lasten sonst erzielbarer Gewinne Sozialleistungen an Belegschaft erbringt oder Unternehmen mit anderen sozialen Kosten belastet. Aufwendungen dieser Art dienen der **gesellschaftlichen Akzeptanz** der AG als „good corporate citizen", schaffen damit die Grundlage für langfristiges Wirtschaften im Rahmen der Gesellschaft und sind deshalb auch nach Befürwortern einer stärkeren Shareholder Value-Orientierung grds. zulässig (BeckOGK/Fleischer Rn. 54 ff.; Mülbert AG 2009, 766, 772 ff.). Grenzziehung erfolgt jedoch durch Legalitätspflicht, so dass Vorstand durch soziales Engagement nicht gegen Gesetze verstoßen darf (vgl. zur finanziellen Unterstützung zivilen Ungehorsams [Klimakleber] Goldmann AG 2023, R 192 ff.). Ansonsten liegt Entscheidung aber im **Leitungsermessen des Vorstands** und ist idR dann nicht zu beanstanden, wenn sie der Leistungsfähigkeit des Unternehmens sowie seiner sozialen und gesamtwirtschaftlichen Rolle entspr. (BGH NJW 2002, 1585, 1586; LG Essen v. 9.9.2013 – 44 O 164/10, juris-Rn. 1012 ff. = BeckRS 2014, 22313; MüKoAktG/Spindler Rn. 97 ff.). Kompetenz zur Konkretisierung liegt wiederum beim Vorstand (BGH NJW 2002, 1585, 1586 f.; Fleischer AG 2001, 171, 175 ff.). Er unterliegt auch keiner Vorlagepflicht nach sog Holzmüller-Grundsätzen (→ § 119 Rn. 16 ff.; zutr. Mertens AG 2000, 157, 159 ff.; J. Vetter ZGR 2018, 338, 365). Satzung muss gemeinwohlorientiertes Handeln nicht ausdr. gestatten (J. Vetter ZGR 2018, 338, 365), kann aber weitere Vorgaben enthalten (GK-AktG/Kort Rn. 104 f.; ausf., namentl. auch zum Corporate Purpose → § 82 Rn. 10). Bes. Bedeutung ist insofern auch Unternehmensgegenstand beizumessen. Nachhaltigkeitsbindung ist Selbstverständlichkeit, wenn sie Teil des Geschäftsmodells ist (zB Vertrieb veganer Kosmetikprodukte). Je weiter sich ESG-Engagement davon entfernt, desto mehr steigt der Rechtfertigungsbedarf (ausf. zu diesem Konnex → Koch ZPG 2023, 321, 328).

92 Ermessensspielräume des Vorstands sind nicht auf öffentlichkeitswirksame Wohltätigkeiten beschränkt. Vielmehr darf er auch iR **herkömmlicher Geschäftsbeziehungen** mit Blick auf öffentl. Image der AG andere Ziele als bloße Vermögensmehrung verfolgen, etwa auf berechtigte Anspruchsverfolgung ggü. Dritten verzichten oder Vergleich akzeptieren, wenn es langfristigem Unternehmensinteresse dient (ausf. Zeyher/Mader ZHR 185 [2021], 125, 133 ff., 163 ff. mit weiteren Ausführungen zur vorausschauenden Vertragsgestaltung [uA durch Schiedsabrede] auf S. 142 ff.; zur Anspruchsverfolgung des AR ggü. Vorstand → § 111 Rn. 7 ff.; zur Anspruchsverfolgung des Vorstands ggü. AR → § 116 Rn. 13).

93 Vorstand handelt pflichtwidrig, wenn Belastung der AG durch soziale Kosten **mit Unternehmenswohl schlechthin nicht vereinbar** ist (BGH NJW 2002, 1585, 1586; für Anwendung des § 93 I 2 Harnos, Gerichtliche Kontrolldichte, 2021, 420 ff.). Dagegen genügt es für die Annahme der Pflichtwidrigkeit nicht schon, dass pekuniärer Nutzen für die AG hinter der Höhe dieser Kosten zurückbleibt; gerade CSR-Richtlinie (→ § 170 Rn. 2c f.) legt insofern großzügigeren

Maßstab nahe (ausf. Simons ZGR 2018, 316, 329 ff.; J. Vetter ZGR 2018, 338 ff.; sa Seyfarth VorstandsR § 8 Rn. 13 ff.; zu restriktiv Zetzsche BörsenZ v. 9.3.2022: „wirtschaftlicher Filter jeglicher Unternehmensentscheidung vorangestellt"). IdR wird Pflichtwidrigkeit aber dann vorliegen, wenn AG nicht als Unterstützer **nach außen erkennbar** ist („stilles Mäzenatentum" – vgl. LG Essen v. 9.9.2013 – 44 O 164/10, juris-Rn. 1010 = BeckRS 2014, 22313), doch sind insofern auch Ausnahmen denkbar (J. Vetter ZGR 2018, 338, 368; zust. Seyfarth VorstandsR § 8 Rn. 15; Habersack AcP 220 [2020], 594, 637).

Bei wesentlichen Verstößen kann **Strafbarkeit nach § 266 StGB** gegeben sein (BGH NJW 2002, 1585, 1587: Zusammenschau der Fallumstände; allg. zur Untreue → § 93 Rn. 186 ff.). Bes. Bedeutung haben dabei Unverhältnismäßigkeit der Leistung im Hinblick auf Vermögens- und Ertragslage der AG, ihre Verschleierung im Innenverhältnis und Verheimlichung nach außen (BGH NJW 2002, 1585, 1587; 2008, 3580; GK-AktG/Kort Rn. 102 f.; J. Vetter ZGR 2018, 338, 366 ff.). Entspr. anzuraten sind Kollegialentscheidung, saubere Verbuchung, keine Barzahlung und Herstellung von Öffentlichkeit. Auf keinen Fall sollte aus der Zuwendung persönlicher materieller oder immaterieller Vorteil einzelner Vorstandsmitglieder erwachsen (MüKoAktG/Spindler Rn. 131; Seyfarth VorstandsR § 8 Rn. 16 f.; Fleischer AG 2001, 171, 178 f.). 94

bb) Handlungspflichten. Jenseits konkreter ges. Bindungen ist Vorstand dagegen nicht verpflichtet, allg. **politische oder gesellschaftliche Belange** zu berücksichtigen, sofern nicht das Unternehmenswohl ihre Beachtung am Maßstab des § 93 I 1 imperativ verlangt (Seyfarth VorstandsR § 8 Rn. 11). Auch insofern besteht weites Leitungsermessen des Vorstands, weshalb etwa aus ESG-Gedanken **keine Pflicht zu gemeinverträglicher Steuerplanung** abgeleitet werden kann (überzeugend Schön FS Hoffmann-Becking, 2013, 1085, 1088 ff., 1096 ff.; zust. GK-AktG/Kort Rn. 90; monographisch Schrage, Aktienrechtliche Pflichten und Haftung von Vorstand und AR in Bezug auf Steuergestaltungen, 2018). Auch sonst ist Vorstand frei in der Entscheidung, inwiefern er Gemeinwohlbelange fördern will (J. Vetter ZGR 2018, 338, 341 ff.; zust. Habersack AcP 220 [2020], 594, 633 ff.). Gegenläufig verpflichtet ihn aber auch keine Shareholder Value-Bindung dazu, etwa durch **aggressive Steuerplanung,** Abgabenlast der AG zu senken oder durch Klage gegen Bundesregierung Schäden aus Energiewende zu kompensieren. Auch Abstandnahme von solchen Maßnahmen kann durch CSR gedeckt sein (Seibt DB 2015, 171, 173 ff.; sa Hager FS Windbichler, 2020, 731, 735; J. Koch in 50 Jahre AktG, 2016, 65, 75). 95

e) Lieferkettensorgfaltspflichtengesetz (LkSG). aa) Allgemeines. Vorläufigen Höhepunkt hat CSR-Debatte in neuem **LkSG 2021** gefunden, das zum 1.1.2023 in Kraft getreten ist. Ges. bezweckt Verhinderung von Kinderarbeit, Zwangsarbeit, Diskriminierung und mangelnden Sicherheitsstandards entlang der Lieferkette. Ebenso soll Arbeitsunfällen und arbeitsbedingten Gesundheitsgefahren durch sachgerechte Arbeitsbedingungen entgegengewirkt werden. Auch Umweltrisiken sollen abgewendet werden. **Zweckerreichung** sucht Ges. sicherzustellen, indem es Unternehmen verpflichtet, dem Risiko einer Verletzung menschen- oder umweltrechtl. Rechtspositionen oder Pflichten innerhalb ihres eigenen Geschäftsbereichs und sämtlicher Lieferketten für ihre Produkte oder Dienstleistungen durch bestimmte **organisatorische Maßnahmen** vorzubeugen und derartige Bemühungen damit gegenwärtigem System bloßer Selbstregulierung enthebt (sa Leuering/Rubner NJW-Spezial 2021, 399; zu hierdurch auftretenden Friktionen Schall ZIP 2021, 1241, 1250; krit. in Bezug auf die durch Unternehmen zu bewirkende Horizontalwirkung der Menschenrechte Wiater JZ 2022, 859, 865 ff.). 96

97 Wegen fehlender haftungsrechtl. Scharfstellung (→ Rn. 111) steht allerdings Vorwurf gesetzgeberischen Aktionismus im Raum, der Unternehmen auf dem Papier nur zusätzliche organisationsrechtl. Vorgaben ohne nennenswerten inhaltlichen Mehrwert auferlegt und **ungute Tendenz zunehmender Verrechtlichung** der Unternehmensorganisation weiter befeuert (krit. etwa DAV-HRA NZG 2021, 546 Rn. 24; Schall ZIP 2021, 1241, 1250). LkSG weist zudem handwerkliche Defizite (vgl. Korch NJW 2022, 2065 Rn. 28) und Übermaß von unbest. Rechtsbegriffen auf (Fleischer DB 2022, 920; relativierend Berger ZGR 2022, 607, 613 ff.). In Praxis bietet es sich für Unternehmen an, für Ausdeutung auf vom Bundesamt für Wirtschaft und Ausfuhrkontrolle (BAFA), dem Bundesministerium für Wirtschaft und Klimaschutz sowie dem Bundesministerium für Arbeit und Soziales gemeinsam erarbeiteten FAQ-Katalog als Handreichung zurückzugreifen (vgl. auch Fleischer CCZ 2022, 205, 207). Sollte sich vorliegender CSDD-RL-Entwurf durchsetzen, wäre nicht nur weitergehende Verschärfung mit Blick auf Kreis betroffener Unternehmen und deren Sorgfaltspflichten veranlasst, sondern auch zivilrechtl. Haftung der Unternehmen (eingehend Lutz-Bachmann/Vorbeck/Wengenroth BB 2022, 835 ff.; Spindler ZIP 2022, 765 ff.; Stöbener de Mora/Noll EuZW 2023, 14 ff.; Wagner ZEuP 2023, 517, 520 ff.; aus rechtsökonomischer Perspektive sa Habersack/Zickgraf RabelsZ 2023, 532, 567 ff.).

98 **bb) Anwendungsbereich.** Im **persönlichen Anwendungsbereich** erfasst LkSG unabhängig von Rechtsform sämtliche Unternehmen nach deutschem oder ausländischem Recht, die Hauptverwaltungs- oder Satzungssitz, Haupt- oder auch bloße Zweigniederlassung iSd § 13d HGB im Inland haben und idR mindestens **1.000 AN** im Inland beschäftigen (§ 1 I LkSG). Bislang noch geltender Schwellenwert von 3.000 AN ist nach § 1 I 3 LkSG ab 1.1.2024 auf 1.000 AN abgesenkt worden. Teilzeitkräfte dürften mitzuzählen sein (vgl. Schall/Theusinger/Pour Rafsendjani/Theusinger/Gergen LkSG § 1 Rn. 66; Brouwer CCZ 2022, 137, 139). Handelt es sich um Zweigniederlassung iSd § 13d HGB, müssen diese AN im Inland beschäftigt sein, ansonsten sind auch etwaige ins Ausland entsandte AN erfasst.

99 Innerhalb **verbundener Unternehmen** iSd § 15 sind für Berechnung der AN-Zahl einer inländischen Obergesellschaft (vgl. zum erforderlichen Inlandsbezug den Verweis auf § 1 I 1 Nr. 1 LkSG; eingehender Ott/Lüneborg DB 2022, 238, 241 f.) die im Inland beschäftigten AN sämtlicher konzernangehöriger Gesellschaften einschließlich etwaiger ins Ausland entsandter AN mitzuzählen (§ 1 III LkSG), wobei die Zurechnung allein zu derjenigen Gesellschaft nach oben hin vorzunehmen ist, die das Gesamtunternehmen wirtschaftlich repräsentiert (insoweit instruktiv Schall NZG 2022, 1235, 1236 f.) und nicht auch zu Zwischenholdings (Ott/Lüneborg DB 2022, 238, 240 f.; Rothenburg/Rogg AG 2022, 257 Rn. 14). Mit Verweis auf § 15 signalisiert Ges., dass für Schwellenwertbestimmung nicht auf engeres Konzernerfordernis abzustellen ist (Ott/Lüneborg DB 2022, 238, 239 f.; Schall NZG 2022, 1235, 1236; aA Nietsch/Wiedmann NJW 2022, 1 Rn. 7 f., 30).

100 Ebenfalls einbezogen sind **jur. Personen des öffentl. Rechts.** RegBegr. BT-Drs. 19/28649, 33 geht davon aus, dass für sie zusätzlich unternehmerische Tätigkeit am Markt erforderlich sein soll, doch hat diese Einschränkung im Gesetzeswortlaut keinen klaren Niederschlag gefunden (dagegen deshalb Baldauf CCZ 2023, 81, 83; im Ausgangspunkt auch kritisch Schall/Theusinger/Pour Rafsendjani/Theusinger/Gergen LkSG § 1 Rn. 19).

101 **cc) Begriff der Lieferkette.** Begriff der Lieferkette nimmt Bezug auf sämtliche Produkte und Dienstleistungen eines Unternehmens und umfasst alle Schritte im In- und Ausland, die zur Herstellung der Produkte und zur Erbringung der

Dienstleistungen erforderlich sind – also gesamter Weg von Rohstoffgewinnung bis zur Lieferung an Endkunden (§ 2 V LkSG). **Erfasst** wird daher Handeln des Unternehmens im eigenen Geschäftsbereich (§ 2 V 2 Nr. 1, VI LkSG), Handeln eines unmittelbaren Zulieferers (§ 2 V 2 Nr. 2, VII LkSG) sowie Handeln eines mittelbaren Zulieferers (§ 2 V 2 Nr. 3, VIII LkSG). **Reinen Hilfstätigkeiten** wie Reinigungsleistungen, Kantinenbetrieb etc. fehlt produkt- bzw. dienstleistungsspezifischer Bezug, so dass sie für Produktherstellung oder Dienstleistungserbringung nicht erforderlich und daher nicht als Bestandteil der Lieferkette anzusehen sind (Brouwer CCZ 2022, 137, 141; Nietsch/Wiedmann NJW 2022, 1 Rn. 15; weiter möglicherweise BAFA, II.5 LkSG-FAQ Stand: 24.7.2023). Gleiches gilt häufig für Tätigkeit von Franchisenehmern, die nur ausnahmsweise als Zulieferung an Franchisegeber zu qualifizieren sein wird (eingehend zur nötigen Einzelfallbetrachtung Pour Rafsendjani/Schäfer ZVertriebsR 2023, 164 ff.).

dd) Rechtspflichten. In der Sache begründet LkSG keine Erfolgs-, sondern bloße **Bemühenspflicht** in dem Sinne, dass Unternehmen lediglich iR bestehender Einflussnahmemöglichkeiten auf Wahrung der Menschenrechte und Umweltbelange entlang ihrer Wertschöpfungskette hinwirken müssen (RegBegr. BT-Drs. 19/28649, 41; Fleischer CCZ 2022, 205, 209 f.; krit. zum Begriff Sharei NJW 2023, 3462 ff.). Was unter Wahrung der Menschenrechte und Umweltbelange zu verstehen ist, wird in § 2 I-IV LkSG abschließend umschrieben (zu einzelnen Ausprägungen Schall/Theusinger/Pour Rafsendjani/Schall LkSG § 2 Rn. 49 ff.). Reichweite der Pflichten ist dabei nach **Grad der Einflussmöglichkeit** abgestuft; in Bezug auf eigenen Geschäftsbereich wird also mehr verlangt als in Bezug auf Tätigkeit unmittelbarer und erst recht mittelbarer Zulieferer (Lutz-Bachmann/Vorbeck/Wengenroth BB 2021, 906; Pour Rafsendjani/Schäfer RFamU 2023, 299, 302; Wagner/Ruttloff NJW 2021, 2145, 2146). 102

Bei verbundenen Unternehmen (für Begriff ist auch ohne ausdr. Verweis § 15 maßgeblich, Kühle/Schulte-Hullern ZVglRWiss 122 [2023], 200, 205 f.) zählen auch **konzernangehörige Gesellschaften** – nicht aber deren Produkte und unmittelbare oder mittelbare Zulieferer (überzeugend Schall NZG 2022, 1235, 1239 f.; für Einbeziehung von Zulieferern aber BAFA, IV.8 LkSG-FAQ; Ott/Lüneborg DB 2022, 238, 244) – zum eigenen Geschäftsbereich der Obergesellschaft, wenn diese auf konzernangehörige Gesellschaft einen bestimmenden Einfluss ausübt (§ 2 VI 3 LkSG). **Anhaltspunkte:** hohe Mehrheitsbeteiligung der Ober- an Tochtergesellschaft, konzernweites Compliance Management System, Übernahme von Verantwortung für Steuerung von Kernprozessen im Tochterunternehmen, Rechtskonstellation, in der Möglichkeit der Einflussnahme angelegt ist oder personelle Überschneidungen auf (Geschäfts-) Führungsebene (Beschlussempfehlung des Ausschusses für Arbeit und Soziales, BT-Drs. 19/30505, 38; vertiefend Jungkind/Raspé/Terbrack Konzern 2021, 445, 447 f.; Kühle/Schulte-Hullern ZVglRWiss 122 [2023], 200, 211 ff.; Ott/Lüneborg DB 2022, 238, 242 f., 244 f.; Rothenburg/Rogg AG 2022, 257 Rn. 18 ff.). Der Spur nach wird hier Annäherung an unionsrechtl. Konzept der wirtschaftlichen Einheit (→ § 1 Rn. 21) erkennbar (Seibt/Vesper-Gräske CB 2021, 357, 360 unter Einbeziehung auch ausländischer Tochtergesellschaften; tendenziell dagegen Stöbener de Mora/Noll NZG 2021, 1237, 1241); wobei aber Vermutungsregeln oder Beweislastumkehr wegen erheblicher Sanktionen nicht in Betracht kommen (Schall NZG 2022, 1235, 1238). 103

Wird **kein bestimmender Einfluss** ausgeübt, besteht für Konzerngesellschaften – solange sie nicht gleichzeitig Zulieferer sind – nach LkSG geringere Verantwortung als für außenstehende Zulieferer. Grds. Verantwortung dafür, dass Tochtergesellschaften Menschenrechte und Umweltbelange wahren, kann auch 104 nicht aus konzerndimensionaler Legalitätsdurchsetzungspflicht (→ § 93 Rn. 18) abgeleitet werden (so aber Gehling CCZ 2023, 211, 213). Umfassende Pflicht, Verstößen in Konzerngesellschaften entgegenzuwirken, lässt sich nicht begründen, so dass allenfalls bei drohenden gravierenden Schäden auch für Muttergesellschaft aus Innenverhältnis Pflicht zu konzernweiten Maßnahmen nach LkSG in Betracht käme (→ Rn. 50 ff.; sa Foerste JZ 2023, 587, 588 f.). Selbst das wäre aber nicht mit gesetzgeberischer Entscheidung in § 2 VI 3 LkSG vereinbar, wonach Konzerngesellschaft nur dann zum eigenen Geschäftsbetrieb zählen soll, wenn bestimmender Einfluss ausgeübt wird. Wenn Konzernmutter stets dafür Sorge tragen müsste, dass Töchter Vorgaben des LkSG einhalten, würde § 2 VI 3 LkSG ausgehöhlt (ähnlich Schall/Theusinger/Pour Rafsendjani/Schall LkSG § 2 Rn. 264 f., 270).

105 Um Pflichten umzusetzen, sind bei fehlenden gesellschaftsrechtl. vermittelten Möglichkeiten zur Einflussnahme namentl. sog **Compliance-Klauseln** Mittel der Wahl, die Vertragspartner jedenfalls im Sinne einer Bemühenspflicht auch zur Weitergabe seiner Compliance-Pflichten an eigene Vertragspartner und deren Vertragspartner anhalten können (eingehend Wilhelm AcP 221 [2021], 657, 658 ff., 665 f., 668 ff., 687 f.). Entspr. Vereinbarungen sind auch in AGB möglich, solange das Vereinbarte nicht über Anforderungen aus LkSG hinausgeht (eingehend Passas/Holtz BB 2023, 387 ff.; v. Westphalen ZIP 2023, 1279 ff.; Wais JZ 2023, 429 ff.).

106 Im Kern verpflichtet LkSG betroffene Unternehmen, ein **Risikomanagement** zur Überwachung ihrer Lieferketten einzurichten (§ 4 I LkSG; ausf. zum Risikomanagement und seiner Durchführung Lieder/Meyer ZVglRWiss 122 [2023], 133, 140 ff., 148 ff.), einen Verantwortlichen für das Risikomanagement im Unternehmen zu bestimmen (§ 4 III LkSG; zu dessen Rechtsstellung eingehend Göpfert/Jacobs NZA 2023, 144 ff.), eine Risikoanalyse zur Ermittlung menschenrechts- und umweltbezogener Risiken durchzuführen (§ 5 LkSG; zur konkreten Durchführung Lorenz/Krülls CCZ 2023, 100 ff.) sowie ein angemessenes **internes Beschwerdeverfahren** einzurichten (§ 8 LkSG), mithilfe dessen Personen auf menschenrechts- oder umweltbezogene Risiken sowie Verletzungen im eigenen Geschäftsbereich des Unternehmens oder bei unmittelbarem Zulieferer hinweisen können (§ 8 I 2 LkSG; zur Abstimmung mit Whistleblowing-System nach HinSchG [→ Rn. 37 ff.] vgl. Gläßer/Schmitz NJW 2023, 1465 ff.; Lüneborg DB 2022, 375 ff.).

107 Darüber hinaus hat Unternehmen im eigenen Geschäftsbereich und bei unmittelbaren Zulieferern mindestens einmal im Jahr sowie anlassbezogen bei wesentlich veränderter oder erweiterter Risikolage zu überprüfen, ob eine Verletzung von Menschenrechts- oder Umweltbelangen vorliegt (§ 6 V LkSG). Bei **mittelbaren Zulieferern** besteht Pflicht zur Risikoanalyse nur, wenn Unternehmen substantiierte Kenntnis von möglichen Verletzungen hat (§ 9 III LkSG). Dabei ist str., wie streng Begriff der substantiierten Kenntnis auszulegen ist (BAFA, VI.14 LkSG-FAQ plädiert für weites Verständnis; ähnlich wohl Foerste JZ 2023, 587, 588; dagegen Lüneborg MDR 2023, 1009, 1012 f.).

108 Wenn Unternehmen **Risiko** feststellt, müssen unverzüglich **angemessene Präventionsmaßnahmen** ergriffen und diese jährlich sowie anlassbezogen überprüft werden (§ 6 I und V LkSG). Welche Präventionsmaßnahmen angemessen sind, kann Regelbeispielen in § 6 III und IV LkSG entnommen werden, die Mindestsorgfalt umschreiben. Weitergehende Maßnahmen sind freilich zulässig (Pour Rafsendjani/Schäfer RFamU 2023, 299, 304). Stellt Unternehmen Verletzungen fest, hat es Abhilfemaßnahmen vorzunehmen (§ 7 LkSG). Liegt Verletzung im eigenen Geschäftsbereich, muss Abhilfemaßnahme sie tats. beenden. Damit wird Grundsatz durchbrochen, dass durch LkSG keine Erfolgspflicht statuiert wird (Lieder/Meyer ZVglRWiss 122 [2023], 133, 138; Pour Rafsendja-

ni/Schäfer RFamU 2023 299, 304; zur Bemühenspflicht→ Rn. 81). Liegt Verletzung bei unmittelbarem Zulieferer, genügt es, wenn Maßnahme sie abschwächt (zur Ausgestaltung des Korrekturmaßnahmenplans Kowollik CCZ 2023, 58 ff.). Ist das nicht möglich, muss unter strengen Voraussetzungen von § 7 III LkSG als ultima ratio Geschäftsbeziehung abgebrochen werden (restriktive Auslegung betonend Irmscher/Bücker NVwZ 2023, 1368 ff.).

Einhaltung der Sorgfaltspflichten ist zu dokumentieren (§ 10 I 1 LkSG); Dokumentation ist sieben Jahre aufzubewahren (§ 10 I 2 LkSG). Unternehmen hat jährlich Bericht über Erfüllung der Sorgfaltspflichten im vergangenen Geschäftsjahr zu erstellen und diesen auf Internetseite spätestens vier Monate nach Schluss des Geschäftsjahres zu **veröffentlichen** (§ 10 II – IV LkSG). Leitungsebene muss ferner Grundsatzerklärung für Menschenrechtsstrategie des Unternehmens abgeben (§ 6 II LkSG). Sämtliche Pflichten stehen unter Angemessenheitsvorbehalt des § 3 II LkSG (eingehender hierzu Fleischer CCZ 2022, 205, 211 ff.). 109

ee) Rechtsfolgen bei Verstoß. Mit Blick auf **Sanktionen und Haftung** ist zu unterscheiden: Einhaltung des LkSG zu kontrollieren, obliegt im Kern BAFA (§§ 12 ff. LkSG; vertiefend Lutz-Bachmann/Vorbeck/Wengenroth BB 2021, 906, 911 f.). Bei vorsätzlichen und fahrlässigen Verstößen kann es **Bußgelder** von bis zu 800.000 Euro verhängen, bei Unternehmen mit einem Umsatz von mehr als 400 Mio. Euro aufgestockt auf bis zu zwei Prozent des globalen Umsatzes (§ 24 LkSG). Geht es hingegen um Frage, ob Maßnahmen, die Unternehmen ergriffen hat, dem Angemessenheitsvorbehalt unterfallen, wird eingeschränkte Kontrolldichte diskutiert (Irmscher/Bücker NVwZ 2023, 1368, 1371 ff.; ferner gegen ein umfassendes Recht der Behörde, festzulegen, welche Maßnahmen angemessen sind Kubiciel ZVglRWiss 122 [2023], 160, 170 f.). Außerdem kann Unternehmen bis zu drei Jahre von der Vergabe öffentl. Aufträge ausgeschlossen werden (§ 22 LkSG). 110

Gesetzgeber schreckte auf Zielgeraden des Gesetzgebungsverfahrens davor zurück, Pflichten nach LkSG in der Weise mit **Haftung** zu bewehren, dass Unternehmen bei Verstößen zivilrechtl. zur Verantwortung gezogen werden können (§ 3 III LkSG). Lediglich losgelöst von den Vorgaben des LkSG begründete zivilrechtl. Haftung bleibt unberührt (vgl. zu den sehr hohen Hürden → Rn. 88 ff.; Fleischer DB 2022, 920, 921 ff.; Habersack/Zickgraf RabelsZ 2023, 532, 543 ff.; B. Schneider ZIP 2022, 407, 408 ff.; Stöbener de Mora/Noll NZG 2021, 1285, 1286 f.). Erfordernis, zivilrechtl. Haftung losgelöst von Vorgaben des LkSG begründen zu müssen, schließt zunächst aus, Vorschriften des LkSG als Schutzgesetze iSv § 823 II BGB zu qualifizieren (Beschlussempfehlung des Ausschusses für Arbeit und Soziales BT-Drs. 19/30505, 39; Wagner ZEuP 2023, 517, 518; Giesberts NVwZ 2022, 1497, 1502; aA Tschäpe/Trefzger ZfBR 2023, 423, 431 f.). Darüber hinaus verbietet es, Vorgaben des LkSG iRd § 823 I BGB zur Begründung lieferkettenweiter Verkehrspflichten heranzuziehen, und zwar weder, um Pflichtenverstoß zu begründen, noch um Sorgfaltsmaßstab iSd § 276 II BGB festzulegen (Fleischer DB 2022, 920, 921, 925 f.; Giesberts NVwZ 2022, 1497, 1502; B. Schneider ZIP 2022, 407, 411 ff.; Wagner ZEuP 2023, 517, 518; teilweise aA Tschäpe/Trefzger ZfBR 2023, 423, 430). 111

Keine sichere Stütze im Ges. findet These, wonach Regelung des § 3 III LkSG nicht nur zivilrechtl. Haftung des Unternehmens beschränkt, sondern allg. Ausschluss der zivilrechtl. Haftung für Unternehmensschäden enthält und damit auch **Organhaftung** ggü. Gesellschaft, namentl. für nach LkSG verhängte Bußgelder (zur grds. Regressfähigkeit → § 93 Rn. 88), ausschließt (Fleischer DB 2022, 920, 927; Gehling/Ott/Lüneborg CCZ 2021, 230, 239; aA Leuering NZG 2021, 753, 754; Leuering/Rubner NJW-Spezial 2021, 399, 400). Organmitglieder können sich auch nicht auf § 93 I 2 AktG berufen (treffend Burchardi NZG 2022, 1467, 112

1469). Bei Umsetzung der Organisationsvorgaben des LkSG besteht **Handlungsspielraum** (Beckers ZfPW 2021, 220, 235 f.; Leuering/Rubner NJW-Spezial 2021, 399; Wagner/Ruttloff NJW 2021, 2145, 2146). Zudem gilt Angemessenheitsvorbehalt (→ Rn. 109). Bestehende Handlungsspielräume sind aber nicht allein durch vom Vorstand zu definierendes Gesellschaftswohl auszufüllen, sondern durch teleologische Interessensbindung des LkSG jenseits des Unternehmensinteresses ges. determiniert, so dass genauere Prüfung daraufhin veranlasst ist, ob ges. Vorgaben und außenstehende Interessen in die Ermessensausübung hinreichend eingeflossen sind (→ § 93 Rn. 19; wohl weitgehend gleichsinnig Paefgen ZIP 2021, 2006, 2012, 2013). Endabnehmer haften nicht, wenn sie Produkte kaufen, die unter Verstoß gegen LkSG hergestellt wurden (Foerste JZ 2023, 587, 589 ff.).

113 **f) Unternehmensinteresse?** Unternehmensinteresse im rechtstechnischen Sinne ist als **sprachliche Abkürzung** des in → Rn. 63 ff. umschriebenen Sachverhalts anzuerkennen (ebenso Goette FS 50 Jahre BGH, 2000, 123, 127; Schüppen FS Tiedemann, 2008, 749, 757; wohl auch die Verwendung des Begriffs in BGHZ 64, 325, 329 = NJW 1975, 1412; vgl. dazu Henze BB 2000, 209, 212). Nicht anzuerkennen sind andere Deutungen (Übersicht bei MüKoAktG/Spindler Rn. 81 ff.), die Unternehmen selbst zum Interessenträger machen und damit ggü. der Gesellschaft mehr oder minder verselbständigen oder Gesellschaft und Unternehmen integrieren (sehr str., s. Zöllner AG 2003, 2, 5 ff.; eingehend Birke, Formalziel, 2005, 139 ff.; Paefgen, Unternehmerische Entscheidungen, 2002, 55 ff., 58; aA etwa die Lehre vom Aktienunternehmen [dazu Schilling ZHR 144 (1980), 136 ff.]; exemplarisch die Kontroverse zwischen Th. Raiser FS Rob. Fischer, 1979, 561 ff.; Wiedemann FS Rob. Fischer, 1979, 883 ff.). Solche Deutungen erlauben es, nach Herkunft und Inhalt nicht näher definierte Interessen zur Richtschnur des Vorstandshandelns zu machen und sind deshalb eher geeignet, Vorstandsverantwortung aufzulösen als ihr einen Orientierungspunkt zu bieten. Vom Unternehmensinteresse im dargelegten rechtstechnischen Sinne zu unterscheiden ist schließlich unspezifischer Leitgedanke des Unternehmenswohls, dem Vorstandsmitglieder zu folgen haben, ohne dass sich allein daraus konkrete Anforderungen ableiten ließen.

114 **5. Corporate Governance. Begriff der Corporate Governance** bezeichnet Führungsgrundsätze, die sich an Gesellschaftsorgane wenden. Wegen § 76 I ist Vorstand Hauptadressat, daneben AR wegen seiner Personalkompetenz (§ 84) und seiner Überwachungsaufgabe (§ 111). Vorstand und AR sollen (§ 161) jährlich in Erklärung zur Unternehmensführung (§ 289f HGB) über Corporate Governance informieren (GS 23 DCGK; s. dazu Quick/Wiemann/Wiltfang WPg 2009, 205, 207 ff.; → § 161 Rn. 24a). Damit können auch diese Grundsätze als zentraler Bestandteil der Leitungsaufgabe des Vorstands identifiziert werden. Welchen materiellen Gehalt Führungsgrundsätze haben oder haben sollten, wird nicht einheitlich beurteilt. Das hängt damit zusammen, dass über Funktion, die Corporate Governance-Regeln zukommt oder zukommen könnte, jedenfalls im aktienrechtl. Zusammenhang wenig Klarheit besteht. In **Gehalt und Funktion** zusammenfassender Betrachtung wird man sagen können, dass es um Qualität der Unternehmensleitung geht, hier namentl. um nachhaltige und rechtmäßige Wertschöpfung im Interesse der Aktionäre, die ihrerseits vor allem als Teilnehmer des Kapitalmarkts gesehen werden, aber auch der Gläubiger, der AN und der Öffentlichkeit. Daher stehen neben eigentlichen Führungsgrundsätzen Rechte der Aktionäre und Transparenzerwägungen häufig im Vordergrund. Deshalb ist auch **Außenwahrnehmung** der Gesellschaft und ihres Unternehmens Gegenstand der Corporate Governance; Kapitalmarkt soll von Unternehmensleistung überzeugt werden. Darin zeigt sich Zusammenhang der Corporate Governance-

Regeln mit Anlagekriterien marktmächtiger institutioneller Investoren oder aus Gegenperspektive mit Pflege von Investor Relations (zum Zusammenspiel → Rn. 116). Da genannte Definition auf rechtmäßige Wertschöpfung gerichtet ist, stellt sich Corporate Governance im **Verhältnis zur Compliance** (→ Rn. 19 ff.) als übergeordneter, weiterer Begriff dar. Compliance ist also wichtiger Bestandteil der Corporate Governance, in dem sich diese aber nicht erschöpft.

Eigenständige Ausbildung von Grundsätzen guter Unternehmensführung innerhalb der Gesellschaft selbst wird zumindest für börsennotierte Unternehmen zunehmend überwuchert durch sich stetig **verdichtendes Regelungsnetzwerk** staatlicher, halbstaatlicher und privater Standardsetzer (zu diesem Mehrebenensystem vgl. Fleischer ZGR 2012, 160 ff.; zur bislang eher vernachlässigten Corporate Governance in geschlossenen oder kleinen Gesellschaften s. Weller ZGR 2012, 386 ff.; Wicke ZGR 2012, 450 ff.; Woywode/Keese/Tänzler ZGR 2012, 418 ff.). Als **staatliche Regelungen** ist für nationale Ebene auf kontinuierliche Fortschreibung des ohnehin schon engmaschigen aktienrechtl. Normenbestands seit 1994 zu verweisen, die von KonTraG über TransPuG, UMAG, BilMoG bis zum VorstAG reicht und noch keineswegs zum Stillstand gekommen ist (Überblick bei Habersack Gutachten E zum 69. DJT, E 22 f.). Europäische Entwicklung hat mit Grünbüchern v. 2.6.2010 zur Corporate Governance in Finanzinstituten und Vergütungspolitik (KOM [2011], 284 endg.) und v. 5.4.2011 zum Europäischen Corporate Governance Rahmen (KOM [2011], 164/3) gerade erst ihren Anfang genommen und verspricht auch für kommende Jahre viel legislative Bewegung (Überblick über die derzeit im Fluss befindliche Entwicklung bei Bachmann WM 2011, 1301 ff.; Bayer NZG 2013, 1, 15 f.; zu den Kompetenzgrundlagen s. Fleischer ZGR 2012, 160, 164 ff.). 115

Als **halbstaatliche Regelung** ist DCGK zu nennen, der nicht von staatlicher Stelle im Wege parlamentarischer Gesetzgebung erlassen wird, über Transmissionsriemen der Erklärungspflicht nach § 161 aber doch Befolgungsdruck ausübt (ausf. → § 161 Rn. 1 ff.); dieser Druck wird durch zunehmende Tendenz zur Verrechtlichung (→ § 161 Rn. 5a) noch verstärkt (ausf. zur rechtspolitischen Bewertung → § 161 Rn. 5a). Für öffentl. Unternehmen besteht seit 2009 überdies auch ein Public Corporate Governance Kodex (→ § 394 Rn. 4, 29; zu weiteren bereichsspezifischen Kodizes Fleischer ZGR 2012, 160, 186 ff.). Als **private Standardsetzer** sind namentl. Börsen, institutionelle Investoren und Stimmrechtsberater iSd § 134a I Nr. 3 (→ § 134a Rn. 4; → § 134d Rn. 1 ff.) zu nennen (Fleischer ZGR 2012, 160, 191 ff.). Während Praxis und Wissenschaft sich mittlerweile seit über einem Jahrzehnt mit halbstaatlicher Kodexregelung intensiv beschäftigt haben, tun sie sich mit der rechtl. Erfassung des Phänomens privater **Stimmrechtsberater** deutlich schwerer, deren große Wirkungsmacht aber in der Unternehmenspraxis mittlerweile schon mehrfach unter Beweis gestellt wurde und sich auch in hohen Befolgungsquoten ihrer Empfehlungen spiegelt (ausf. → § 134d Rn. 1 ff.). Unter hier interessierendem Gesichtspunkt der Leitungsmacht des Vorstands sind sie insofern von Interesse, als sie weisungsfreie Leitung zwar rechtl. nicht in Frage stellen, aber doch durch Einfluss auf Stimmrechtsausübung faktisch erhebliche Macht entfalten können und dadurch – gerade im Zusammenspiel mit DCGK – zur viel beklagten Überregulierung beitragen (Langenbucher FS Hoffmann-Becking, 2013, 733, 739 f.). 116

6. Rechte und Pflichten des Vorstands bei Übernahmeangeboten. a) Keine allgemeine aktienrechtliche Neutralitätspflicht. Neutralitätspflicht in Übernahmesituationen hat heute in **§ 33 WpÜG** teilw. Regelung gefunden (→ Rn. 118 ff.), die allerdings auf Anwendungsbereich des WpÜG und dort speziell auf Angebotsphase beschränkt ist, so dass Frage nach Neutralitätspflicht 117 auch nach allg. aktienrechtl. Grundsätzen beantwortet werden muss, namentl. für sog Pre-Bid-Defenses (GK-AktG/Kort Rn. 146, 152). Insofern verbleibt es für Verhalten des Vorstands bei Übernahmeangeboten mangels bes. Regelung bei aus **§ 76 I** folgenden Rechten und Pflichten. Teilw. wird schon daraus (und auch aus § 53a) weitgehende Pflicht des Vorstands zur Neutralität bei Übernahmeangeboten als geltendes Recht abgeleitet (KK-AktG/Cahn Rn. 30; GK-AktG/Hopt/Roth § 93 Rn. 213 ff.; MüKoAktG/Spindler Rn. 53; Hopt FS Lutter, 2000, 1361, 1375 ff.; Merkt ZHR 165 [2001], 224, 236 ff.;). Nach Gegenposition bleibt es jedoch bei einem Leitungsermessen des Vorstands, das keine umfassende Neutralitätspflicht kennt; einzelne Verhaltenspflichten sind allerdings auch in diesem Rahmen anzuerkennen (so schon Martens FS Beusch, 1993, 529, 542 ff.; s. ferner GK-AktG/Kort Rn. 146 ff.; Kort FS Lutter, 2000, 1421, 1432 ff.; Grigoleit/Grigoleit Rn. 42; v. Falkenhausen NZG 2007, 97 ff.; Gaul AG 2016, 484, 489; Kirchner AG 1999, 481, 483 ff.; Krieger RWS-Forum 20, 2001, 289, 303 ff.). Richtig ist, dass es allg. aktienrechtl. Neutralitätspflicht nicht gibt (auch nicht im häufig herangezogenen US-amerikanischen Recht; s. Rspr. bei Harbarth ZVglRWiss 100 [2001], 275, 282 ff.; Schaefer/Eichner NZG 2003, 150 ff.). Sie ist Gegenstand durch Gesichtspunkte des Kapitalmarkts motivierter rechtspolitischer Forderung (→ Rn. 118 ff.), lässt sich aber nicht auf § 76 I (oder auf § 53a) stützen; und zwar auch nicht mit Argument, dass Vorstand keinen Einfluss auf **Zusammensetzung des Aktionärskreises** zu nehmen habe (so zB GK-AktG/Hopt/Roth § 93 Rn. 213). Das trifft zwar zu, greift aber zu kurz, wenn Veränderungen auf Ebene der Aktionäre auf das Gesellschaftsunternehmen selbst durchschlagen; insoweit darf auch maßgebliche **Interessenpluralität** (→ Rn. 63 ff.) nicht vernachlässigt werden (Kort FS Lutter, 2000, 1421, 1435; aA Wackerbarth WM 2001, 1741, 1744 f.). Wie § 33 I 2 Fall 3 WpÜG zeigt, kennt auch aktuelle Gesetzgebung vermeintliche aktienrechtl. Neutralitätspflicht nicht. Ggü. solcher Pflicht könnte nämlich bloße Zustimmung des AR nichts bewirken (zust. GK-AktG/Kort Rn. 147). Aufschlussreiche Fallstudie zu den schwerwiegenden Folgen polit. Intervention bei Gaul AG 2016, 484 ff. (K+S/Potash). Zur Stellungnahme über Social Media vgl. Kuntz ZHR 183 (2019), 190, 232 ff.

118 **b) Kapitalmarktrechtliche Pflichtenlage (§ 33 WpÜG). aa) Überblick.** Bei Übernahmeangeboten unterliegt Vorstand der Zielgesellschaft dem Handlungsverbot des § 33 I 1 WpÜG. Danach darf er Handlungen nicht vornehmen, durch die Erfolg des Angebots verhindert werden könnte. Verbot gilt zunächst **zeitlich beschränkt.** Es setzt ein, nachdem Bieter Entscheidung zur Abgabe eines Angebots veröffentlicht hat (§ 10 WpÜG). Es endet mit Veröffentlichung des Bieters über Erfolg des Angebots nach Ablauf der Annahmefrist (§ 23 I 1 Nr. 2 WpÜG). Sachliche Verbotsschranken folgen aus **§ 33 I 2 WpÜG.** Danach gilt Handlungsverbot in **drei Fallgruppen** nicht, nämlich: (1.) Auch ordentlicher und gewissenhafter Geschäftsleiter (§ 93 I 1) nicht von Übernahmeangebot betroffener Gesellschaft hätte Handlung vorgenommen (§ 33 I 2 Fall 1 WpÜG). (2.) Vorstand sucht nach Konkurrenzangebot (§ 33 I 2 Fall 2 WpÜG). (3.) Vorstand handelt mit Zustimmung des AR (§ 33 I 2 Fall 3 WpÜG). A.8 **DCGK** geht nicht über Vorgaben des WpÜG hinaus, sondern regt lediglich außerordentliche HV an (zu den Gründen Bachmann FS Ebke, 2021, 61, 64 ff.). Das lässt sich in Praxis schon aus zeitlichen Gründen oft nicht bewerkstelligen (Ghassemi-Tabar/Simons DCGK A.8 Rn. 2: Übernahme-HV in Praxis kaum von Bedeutung), was aber mit Blick auf bloßen Anregungscharakter nicht weiter problematisch ist (zust. Hopt/Leyens ZGR 2019, 929, 952).

119 In der ersten Fallgruppe ist **Pflichtenstandard der §§ 93 I 1, 317 II** maßgeblich (→ § 93 Rn. 8 ff.; → § 317 Rn. 11; ebenso KK-WpÜG/Hirte § 33 Rn. 67; ausf. Winter/Harbarth ZIP 2002, 1, 6). Es genügt, dass Vorstand Maß-

nahmen ergreifen darf. Nicht erforderlich ist also, dass er sie ohne Übernahmeangebot auch tats. ergriffen hätte (KK-WpÜG/Hirte § 33 Rn. 67 ff.; GK-AktG/Kort Rn. 138; Assmann/Pötzsch/Schneider/Krause/Pötzsch/Stephan WpÜG § 33 Rn. 146; aA Ekkenga/Hofschroer DStR 2002, 724, 732). Das gilt nicht nur für Maßnahmen gewöhnlichen Geschäftsbetriebs, sondern auch für außerordentliche Maßnahmen einschließlich des Beteiligungserwerbs, sofern sie nur iRd Leitungsermessens liegen, das einem allein am Unternehmenswohl orientierten Vorstand zukommt (KK-WpÜG/Hirte § 33 Rn. 70; Winter/Harbarth ZIP 2002, 1, 6 f.). Maßnahme innerhalb des Leitungsermessens ist indiziert, wenn sie schon vor Übernahmeangebot geplant und Planung dokumentiert war (KK-WpÜG/Hirte § 33 Rn. 70), doch wird man weder das eine noch das andere fordern können. Vielmehr bleibt Übereinstimmung der Maßnahme mit Pflichtenstandard der § 93 I 1, § 317 II entscheidend (GK-AktG/Kort Rn. 138; insoweit enger Winter/Harbarth ZIP 2002, 1, 7). Frühere Planungen zu dokumentieren, empfiehlt sich allerdings wegen davon ausgehender tats. Vermutung.

Zweite Fallgruppe der Suche nach **white knight** ist rechtspolitisch weitgehend unumstritten. Fraglich ist allein, inwiefern sich Bieterinteressent im Vorfeld der Transaktion durch Investorenvereinbarung mit Vorstand (→ Rn. 124 ff.) gegen Angebote Dritter absichern kann, sog **deal protection** (vgl. Heß, Investorenvereinbarungen, 2014, 236 ff.). Erscheinungsformen sind etwa sog „no talk"/„no shop"/„no third party due diligence"-Klauseln (zu break fee-Vereinbarungen → Rn. 128). HM steht solchen Gestaltungen skeptisch ggü. (BeckOGK/Fleischer Rn. 90; GK-AktG/Kort Rn. 139; MüKoAktG/Spindler Rn. 50; Reichert ZGR 2015, 1, 9), doch dürfte insofern eher § 93 als § 76 einschlägig sein (→ Rn. 124 ff.; sa Heß, Investorenvereinbarungen, 2014, 236 ff.; Kiefner ZHR 178 [2014], 547, 595 f.; Schall in Kämmerer/Veil, Übernahme- und Kapitalmarktrecht in der Reformdiskussion, 2013, 75, 93). In Übernahmesituationen unzulässig sind dagegen Standstill- und Lock-up-Agreements des Vorstands mit eigenen Aktionären (Kiefner/Happ ZIP 2015, 1811, 1814 f.; zu damit verbundenen Don't Ask, Don't Waive-Klauseln s. Bulgrin/Krumm NZG 2019, 1091 ff.). 120

Dritte Fallgruppe der **AR-Zustimmung** wird zT als „unheilige Allianz" von Vorstand und AR kritisiert (Hopt FS Koppensteiner, 2001, 61, 86), was im Lichte gemeinsamer Verwaltungsinteressen nachvollziehbar ist, wenngleich ges. Lösung im Lichte der allg. Aufgabenzuweisung an AR, insbes. seiner ursprünglichen Funktion als Aktionärsausschuss, auch nicht ohne Plausibilität erscheint. IÜ darf Vorstand auch tätig werden, wenn zwar die genannten Voraussetzungen nicht vorliegen, aber **Ermächtigung durch HV-Beschluss** gegeben ist, und zwar entweder durch Vorratsbeschluss (§ 33 II WpÜG) oder aus Anlass des konkreten Übernahmeangebots (Erst-recht-Schluss aus § 33 II WpÜG – vgl. dazu GK-AktG/Kort Rn. 142); beide Konstellationen haben ggü. einfacherer Option einer Zustimmung des AR geringe praktische Bedeutung (GK-AktG/Kort Rn. 141). Des Weiteren eröffnet § 33a WpÜG auch noch Möglichkeit, in der Satzung Geltung des § 33 WpÜG auszuschließen und sich stattdessen **Verhinderungsverbot der Übernahme-RL** zu unterwerfen (opt in; zum dann geltenden Regime vgl. MüKoAktG/Schlitt WpÜG § 33a Rn. 22 ff.). Im Zusammenhang mit Übernahmeangeboten dürfen Vorstands- und AR-Mitglieder schließlich weder ungerechtfertigte Geldleistungen noch entspr. geldwerte Vorteile annehmen, die ihnen in diesem Zusammenhang von Bieterseite nahegebracht werden (§ 33d WpÜG). Soweit § 33 WpÜG eingreift, tritt Ermessensgewährung durch § 76 I zurück (KK-WpÜG/Hirte WpÜG § 33 Rn. 28). Allg. Leitungsermessen kann Handlungsspielraum also nicht erweitern. Zur Intensität richterlicher Kontrolle der Abwehrmaßnahmen Harnos, Gerichtliche Kontrolldichte, 2021, 394 ff., 506 ff., 640 ff. 121

122 **bb) Würdigung.** § 33 WpÜG sollte es ursprünglich den Aktionären ermöglichen, über Übernahmeangebot zu entscheiden, indem sie ihre Aktien behalten oder an Bieter veräußern; Vorstand und AR sollten deshalb grds. nur mit Ermächtigung der HV tätig werden dürfen (RegBegr. BT-Drs. 14/7034, 57). Gedacht war dabei an Regelung nach Vorbild der seinerzeit vorerst gescheiterten Übernahme-RL (dazu vor allem Hopt FS Koppensteiner, 2001, 61, 68 f., 84 ff.). Konzeption ist in Schlussphase der Gesetzgebung aufgegeben worden, und zwar zugunsten der **Verwaltungszuständigkeit,** sofern nur Vorstand und AR sich über Abwehrmaßnahme einig sind (s. Finanzausschuss ZIP 2001, 2102, 2104). Viel diskutierte Neutralitätspflicht ist danach auch kapitalmarktrechtl. der Sache nach gescheitert (→ Rn. 117 ff.; ähnlich Ekkenga/Hofschroer DStR 2002, 724, 731), nachdem sie schon zuvor infolge umfassend zulässiger Vorratsermächtigung (§ 33 II WpÜG) ernsthaft in Frage gestellt war. Insges. ist Regelung verunglückt, weil über **rechtspolitische Wünschbarkeit** weitgehender Verwaltungsneutralität selbst in kapitalmarktrechtl. Perspektive keine Einigkeit besteht; nicht gewährleistet ist nämlich „Gegenseitigkeit", s. Rspr. zu „Golden Shares" (EuGH Slg. 2002, I-4809, 4830 ff. = NJW 2002, 2303; Slg. 2002, I-4781, 4803 ff. = NJW 2002, 2305; Slg. 2002, I-4731, 4771 ff. = NJW 2002, 2306 Ls.), wobei solche Sonderrechte ihrerseits europarechtswidrig sein können (EuGH NZG 2002, 632, 633 ff.; Slg. 2003, I-4581, 4628 ff. = NJW 2003, 2663; Slg. 2003, I-4641, 4660 ff. = NJW 2003, 2666; Grundmann/Möslein ZGR 2003, 317, 355 ff.). Überdies ist Umsetzung in brauchbare aktienrechtl. Direktive fehlgeschlagen. Diese müsste Verbotsvoraussetzungen deutlich enger und genauer festlegen als § 33 I 1 WpÜG (s. dazu auch Notz Diskussionsbericht RWS-Forum 20, 2001, 323, 325 ff.), wenn generalklauselartige Ausnahme nach Art des § 33 I 2 Fall 3 WpÜG vermieden werden soll. Unbedenklich ist demgegenüber § 33 I 2 Fall 2 WpÜG, unverzichtbar auch bei genauerer Fassung des Verbotstatbestands § 33 I 2 Fall 1 WpÜG.

123 **cc) Einzelfragen.** Als potenziell („könnte") **erfolgsverhindernde Maßnahmen iSd § 33 I 1 WpÜG** nennt RegBegr. BT-Drs. 14/7034, 57 f.: (1.) Ausgabe von Aktien wegen Verteuerung der Übernahme; (2.) Erwerb eigener Aktien in größerem Umfang wegen steigender Börsenkurse; (3.) Verkauf für Bieter wesentlicher Teile des Gesellschaftsvermögens; (4.) Erzeugung kartellrechtl. oder vergleichbarer Probleme. Weitere Bsp. bei MüKoAktG/Schlitt WpÜG § 33 Rn. 54 ff. Widerlegbare oder unwiderlegbare Vermutung besteht jedoch in keinem Fall (zust. GK-AktG/Kort Rn. 137). Vorbehalt zugunsten pflichtmäßigen Verwaltungshandelns (§ 33 I 2 Fall 1 WpÜG) gilt auch, wenn Maßnahmen Angebotserfolg verhindern können; insoweit vermögen sich auch Belange der AN und des Gemeinwohls gegen Interessen von Aktionären an Übernahme durchzusetzen (RegBegr. BT-Drs. 14/7034, 58). **Vorratsbeschluss nach § 33 II WpÜG** ist zusätzliche Möglichkeit, nicht Einschränkung zulässigen Vorstandsverhaltens; ohnehin vorhandene Ermächtigungen (zB § 71 I Nr. 8, § 202) dürfen deshalb mit bloßer Zustimmung des AR genutzt werden (Finanzausschuss ZIP 2001, 2102; str., wie hier Bürgers/Holzborn ZIP 2003, 2273, 2276; Krause BB 2002, 1053 ff.). Bei Ermächtigung des Vorstands durch Vorratsbeschluss genügt Beschreibung der Maßnahmen ihrer Art nach, zB Kapitalerhöhung, Veräußerung von Beteiligungen (Finanzausschuss ZIP 2001, 2102); strengerer Wortlaut in § 33 II 1 WpÜG-RegE (Bestimmung der Handlungen „im Einzelnen") ist zu Recht nicht Ges. geworden.

124 **7. Schuldrechtliche Bindungen.** Mangels Neutralitätspflicht ist Vorstand der Zielgesellschaft auch nicht gehindert, **Investorenvereinbarung** mit Übernehmer (oder anderem künftigen Aktionär) abzuschließen (zu unterschiedlichen Erscheinungsformen und zur Terminologie s. Heß, Investorenvereinbarungen, 2014, 4 ff.; Reichert ZGR 2015, 1, 3 ff.; Schatz FS E. Vetter, 2019, 681 ff.;

Wiegand, Investorenvereinbarungen, 2017, 9 ff.; zur flankierenden Einsetzung sog. Monitoren oder Garantoren, die Einhaltung überwachen, vgl. Seibt/Kulenkamp AG 2021, 1 Rn. 8 ff.). Phänomen ist nicht auf öffentl. Übernahmeangebote beschränkt, findet hier aber bes. prominenten Anwendungsbereich (zum Sonderfall sog PIPE-Transaktionen Heß, Investorenvereinbarungen, 2014, 8 ff., 204 ff.). Auch als Instrument des **Shareholder Activism** (→ § 118 Rn. 5) wird in neuerer Zeit oft Abschluss entspr. Vereinbarungen verlangt (Graßl/Nikoleyczik AG 2017, 49, 54; Link ZGR 2021, 904, 922 ff.; Schockenhoff/Culmann ZIP 2015, 297, 300 ff.; zur damit verwandten neueren Erscheinungsform sog Konzern-Koordinationsverträge → § 311 Rn. 48c). Vertragspartei ist nicht Vorstand (da nicht rechtsfähig), sondern AG (zu persönlichen Bindungen → Rn. 62).

Probleme liegen weniger bei Zuständigkeitsfragen als bei inhaltlichen Schranken solcher Vereinbarungen einschließlich des **Verbots rechtsgeschäftlicher Vorabbindungen** des Vorstands (→ Rn. 62) und der aus §§ 311 ff. folgenden Handlungsdirektiven. So ist nach Auffassung des LG München I NZG 2012, 1152, 1153 f. (bestätigt durch OLG München AG 2013, 173, 176) vertragliche Vereinbarung in sog **Business Combination Agreement** zwischen AG und herrschender Gesellschaft, wonach der Vorstand ohne Zustimmung der herrschenden Gesellschaft weder genehmigtes Kapital iSd § 202 ausnutzen noch Ausgabe von Aktienoptionen oder ähnlichen Instrumenten unterstützen noch einen Teil oder alle eigenen Aktien oder neue eigene Aktien veräußern oder erwerben darf, mit Aufgabenteilung zwischen Vorstand und Aktionär unvereinbar und führt gem. § 134 BGB zur Nichtigkeit (noch restriktiver OLG Brandenburg AG 2019, 466 f.; dem zust. Priester AG 2021, 15 ff.). Dem ist zumindest bei derart breitflächiger Einflussnahme zuzustimmen (GK-AktG/Kort Rn. 150a; MüKoAktG/Spindler Rn. 41), doch darf extrem gelagerter Sachverhalt nicht darüber hinwegtäuschen, dass in der Praxis an solchen Gestaltungen zT auch **legitimes Interesse** bestehen kann (ausf. Heß, Investorenvereinbarungen, 2014, 174 ff.; Kiefner ZHR 178 [2014], 547, 554 ff.; zweifelnd Otto NZG 2013, 930, 936 f.). Versuche, praktisch sinnvolle Gestaltungen zu gestatten, aber trotzdem am Grundsatz der Unveräußerlichkeit der Leitungsmacht festzuhalten (vgl. insbes. Fleischer FS Schwark, 2009, 137, 149 ff.), haben sich als konstruktiv schwierig erwiesen (J. Koch in 50 Jahre AktG, 2016, 65, 74 ff.). 125

Neueres Schrifttum tendiert daher zu Recht dazu, Grundsatz der Unveräußerlichkeit auf **Kernbereich der Leitung** zu beschränken (insbes. Absprachen, deren Bindungswirkung einem Unternehmensvertrag gleichkommt) und iÜ **Maßstab des § 93 I** heranzuziehen (grdl., wenngleich noch zu eng Fleischer FS Schwark, 2009, 137, 149 ff.; weiter S/L/Seibt Rn. 15, 36; Grigoleit/Grigoleit Rn. 90; KK-AktG/Cahn Rn. 53 ff.; MüKoAktG/Schürnbrand/Verse § 182 Rn. 11; Herwig, Leitungsautonomie und Fremdeinfluss, 2014, 65 ff.; Heß, Investorenvereinbarungen, 2014, 178 ff.; Kiefner ZHR 178 [2014], 547, 576 ff.; J. Koch in 50 Jahre AktG, 2016, 65, 95 ff.; Schall in Kämmerer/Veil, Übernahme- und Kapitalmarktrecht in der Reformdiskussion, 2013, 76, 89 ff.; Seibt in Kämmerer/Veil, Übernahme- und Kapitalmarktrecht in der Reformdiskussion, 2013, 105, 119 f.; J. Vetter in Veil/Grigoleit/Habersack Öffentliche Unternehmensübernahmen, 2022, 177, 199 ff.; Wansleben Konzern 2014, 29 ff.; dagegen Otto NZG 2013, 930, 936 f.; vgl. auch Kuntz AG 2016, 101, 107 mit allerdings problematischer, da nur rechtsvergleichend begründeter Differenzierung zwischen unmittelbaren und mittelbaren Beeinträchtigungen von Mitgliederrechten). Insbes. Maßnahmen von geringerem Bindungsumfang und eingeschränkter Bindungsdauer können danach durchaus im Unternehmensinteresse liegen (BeckOGK/Fleischer Rn. 87; GK-AktG/Kort Rn. 151; Bungert/Wansleben ZIP 2013, 1841, 1844 f.; Kiefner ZHR 178 [2014], 547, 565 ff., 576 ff.; Paschos NZG 2012, 1142 ff.; Reichert ZGR 2015, 1, 21 ff.; tendenziell großzügig auch OLG 126

Stuttgart AG 2015, 163, 166; tendenziell eher skeptisch MüKoAktG/Spindler Rn. 44; Otto NZG 2013, 930, 936).

127 Für Abwägung des Vorstands gilt § 93 I 2. Sorgfaltsverstoß führt anders als nach bisherigem Verständnis nicht zu Unwirksamkeit im Außenverhältnis, sondern **Haftung im Innenverhältnis,** was mit allg. Grundsätzen aber auch eher vereinbar ist (s. J. Koch in 50 Jahre AktG, 2016, 65, 95 ff.; sa S/L/Seibt Rn. 16; Hippeli/Diesing AG 2015, 185, 193 f.). Zu ähnlichen Ergebnissen führt Ansatz, nicht Grundsatz der Unveräußerlichkeit, sondern Begriff der Leitungsmaßnahme auf bes. intensive Eingriffe zu beschränken (vgl. Bungert/Wansleben ZIP 2013, 1841, 1844; König NZG 2013, 452, 453 f.; Reichert ZGR 2015, 1, 23), was aber für Delegationsfälle nicht überzeugt und es insbes. auch nicht erlaubt, Interesse der AG an Gegenleistung einfließen zu lassen (ausf. J. Koch in 50 Jahre AktG, 2016, 65, 97; sa Herwig, Leitungsautonomie und Fremdeinfluss, 2014, 157 ff.). Leitungsautonomie wird dadurch nicht übermäßig beschnitten, da AktG zahlreiche **weitere Grenzen** zieht, namentl. Verbot des Eingriffs in aktienrechtl. Kompetenzgefüge (insbes. Personalhoheit des AR), übernahmerechtl. Verhinderungsverbot nach § 33 WpÜG (→ Rn. 117 ff.), Gleichbehandlungsgebot (§ 53a), Grundsätze der Kapitalerhaltung, Treupflichten, Stimmverbot nach § 136 (→ § 136 Rn. 27) und Verbot der Financial Assistance aus § 71a (ausf. Heß, Investorenvereinbarungen, 2014, 59 ff., 183 ff.; sa Reichert ZGR 2015, 1, 7 f., 19, 27 ff.; Kiefner ZHR 178 [2014], 547, 572 ff.). Zur Einordnung des Business Combination Agreements als atypischer Beherrschungsvertrag → § 291 Rn. 14 f.

128 Als zulässig anzusehen sind deshalb insbes. auch Bindungen bzgl. **Kapitalmaßnahmen,** namentl. Ausübungsverzicht bei genehmigtem Kapital, wenn sie sachlich und zeitlich eingeschränkt sind (BeckOGK/Fleischer Rn. 87; MüKoAktG/Schürnbrand/Verse § 182 Rn. 11; Bungert/Wansleben ZIP 2013, 1841 ff.; Reichert ZGR 2015, 1, 23; Wansleben Konzern 2014, 29 ff.; aA Kuntz AG 2016, 101, 111 ff.). Aus Gründen der Kompetenzabgrenzung problematisch sind dagegen **Gremienklauseln** zur Organbesetzung, einschließlich Bindung hinsichtlich Wahlvorschlag nach § 124 III 1 (vgl. dazu Heß, Investorenvereinbarungen, 2014, 122 ff.; Kiefner ZHR 178 [2014], 547, 572 ff. [mit Beschränkung auf das Innenverhältnis]; Reichert ZGR 2015, 1, 19 f., 27 ff.; Schockenhoff/Culmann ZIP 2015, 297, 301). Praxis behilft sich insofern mit Einwirkungs- oder Bemühenspflichten (Heß, Investorenvereinbarungen, 2014, 147 ff.; Reichert ZGR 2015, 1, 29 ff.; Seibt/Kulenkamp AG 2018, 549, 552). Als zulässig angesehen werden mittlerweile sog **break fee-Klauseln** für Scheitern der Transaktion, soweit sich versprochene Zahlung in den Grenzen einer pauschalisierten Kostenerstattung hält (vgl. GK-AktG/Kort Rn. 160; MüKoAktG/Spindler Rn. 53, § 82 Rn. 41; Kiefner ZHR 178 [2014], 547, 596; Haßler/Wittgens BB 2018, 2178 ff.; Wiegand, Investorenvereinbarungen, 2017, 218 ff.; weitergehend Heß, Investorenvereinbarungen, 2014, 241 f.; zur Vereinbarkeit mit § 71a → § 71a Rn. 3). Für Zusagen hinsichtlich Informationsgewährung gelten die in → § 93 Rn. 62 ff. dargelegten Grundsätze (sa Seibt/Kulenkamp AG 2018, 549, 553 f.). Zu weiteren Maßnahmen der „deal protection" ggü. Angeboten Dritter, etwa durch „no talk"-Klauseln uÄ → Rn. 120; zur Zustimmungsbindung bei Vinkulierung → § 68 Rn. 15; zu Grenzen bei Betriebsführungsverträgen → § 292 Rn. 20; zur Verpflichtung zur Amtsniederlegung bei AR-Mitgliedern → § 103 Rn. 18.

III. Konzernrechtliche Fragen (noch: § 76 I)

129 **1. Überblick.** Vorschrift des § 76 I kann und will der Realität nicht vollständig Rechnung tragen, weil sie konzernrechtl. Zusammenhänge ausklammert. Insoweit lassen sich **vier Fragenkreise** unterscheiden: Einschränkung der eigen-

verantwortlichen Leitungsbefugnis des Vorstands bei konzernbildender Ausgründung von Tochterunternehmen; Ausübung der Leitungsbefugnis des Vorstands iRd herrschenden AG; Leitungstätigkeit des Vorstands der eingegliederten, vertraglich beherrschten oder abhängigen AG; als Sonderproblem Zulässigkeit und Konsequenzen von Vorstands-Doppelmandaten bei faktischer Konzernierung. Erster Fragenkreis ist durch **Holzmüller-Fall** (BGHZ 83, 122 = NJW 1982, 1703) allg. bekannt geworden. Einschränkung der Leitungsbefugnis des Vorstands durch ungeschriebene Mitwirkungskompetenz der HV ist mit BGHZ 83, 122 für eng begrenzte Ausnahmefälle zu bejahen (wegen der Einzelheiten → § 119 Rn. 16 ff.).

2. Vorstand der herrschenden AG. Im Rahmen einer **konzernverfassungsrechtl. Perspektive** (hierzu Lutter ZGR 1987, 324, 334 ff.) ist Frage relevant, ob Leitungsmacht den Vorstand der herrschenden Gesellschaft einer Unternehmensgruppe dazu verpflichtet, auch Tochterunternehmen umfassend nach dem Standard des § 76 I zu leiten. Frage ist in den 1980er Jahren unter dem Schlagwort der **Konzernleitungsmacht** umfassend diskutiert worden und wird heute von ganz hM verneint. Vorstand der Obergesellschaft entscheidet nach seinem **Ermessen,** ob und wie er abhängige Unternehmen in seine Leitung nimmt; Vorstand der Tochter entscheidet nach seinem Ermessen, wie weit er sich Einflussnahme nach § 311 I öffnet (Nachw. und Überblick → § 311 Rn. 5). 130

Gedankliche Fortsetzung findet Diskussion um Konzernleitungspflicht in Frage nach einem **Konzerninteresse,** das über das Interesse der einzelnen Konzerngesellschaften hinausgeht (zu den daraus abgeleiteten Folgerungen vgl. Hoffmann-Becking FS Hommelhoff, 2012, 433 ff. und → § 308 Rn. 16), sowie in der Frage nach einer **Compliance-Verantwortlichkeit** im Außenverhältnis. Ein Konzerninteresse ist wie eine Konzernleitungspflicht zu verneinen, da es schon am Träger eines solchen Interesses fehlt und konzernrechtl. Konzeption Schutz der einzelnen Konzernglieder eigenständig bei diesen selbst angesiedelt hat (zB §§ 311 ff.) und nicht mittelbar aus dem Konzerninteresse ableitet (instruktiv auch für das deutsche Recht öOGH NZG 2021, 647 Rn. 32 ff.; s. ferner MüKoAktG/Habersack § 111 Rn. 65; Hoffmann-Becking FS Hommelhoff, 2012, 433 ff.; aA Bälz FS L. Raiser, 1974, 287, 320, 324). Zur Compliance-Verantwortlichkeit im Konzern → Rn. 50 ff. 131

Von eigentlicher Konzernleitung zu unterscheiden ist **Geschäftsführung für Obergesellschaft.** Sie umfasst Betreuung des Beteiligungsbesitzes schon deshalb, weil es sich dabei um Gesellschaftsvermögen handelt (→ § 111 Rn. 33). Das gilt namentl., soweit Obergesellschaft als Holdingspitze fungiert (→ Rn. 15). Hier greift allg. Sorgfaltspflicht bei **Verwaltung des Beteiligungsvermögens** (§ 93 I 1). Bei Managementholding liegt es danach nahe, dass sorgfältige Verwaltung des in Beteiligungen investierten Gesellschaftsvermögens sog Konzerngeschäftsführung einschließlich des Konzerncontrollings, der Konzernrevision und der Besetzung der Führungspositionen erfordert (Hüffer FG Happ, 2006, 93, 101 ff.; zust. GK-AktG/Kort Rn. 186). Eingriffsmöglichkeiten können aber an rechtl. Grenzen stoßen, etwa bei Minderheitsbeteiligung oder bloßer Abhängigkeit (§§ 311 ff.). Im letztgenannten Fall wird Vorstand zur Intensivierung des Unternehmensverbundes, etwa durch Abschluss eines Beherrschungsvertrags, im Hinblick auf sein **Organisationsermessen** (BeckOGK/Fleischer Rn. 97; Hölters/Weber/Weber Rn. 53) nur in Ausnahmefällen verpflichtet sein (MüKoAktG/Spindler Rn. 58). Inwiefern sich für Finanzinstitute noch weitergehende Überlagerungen der Leitungsmacht der Tochtergesellschaft aus den in **§ 25a III KWG** vorgesehenen Anforderungen an ein **aufsichtsrechtl. gefordertes Risikomanagement** auf Gruppenebene ergeben, ist noch ungeklärt. Bessere Gründe sprechen dafür, Verdrängung des gesellschaftsrechtl. Kompetenzgefüges nicht 132 pauschal zuzulassen, sondern allenfalls die Schaffung von Konzernstrukturen mit entspr. Einwirkungsmöglichkeiten zu verlangen (Th. Schneider, Möglichkeiten und Grenzen der Umsetzung der gesellschaftsrechtlichen Anforderungen an Risikomanagement und Compliance auf Gruppenebene, 2009, 132 ff., 273 f.; Tröger ZHR 177 [2013], 475, 502; tendenziell weitergehend Mülbert/Wilhelm ZHR 178 [2014], 502, 532 f.).

133 Organisationsermessen schließt es auch aus, Vorstand bei Bestehen eines Vertrags- oder Eingliederungskonzerns als zur Weisungserteilung generell verpflichtet anzusehen (BeckOGK/Fleischer Rn. 95 ff.; MüKoAktG/Spindler Rn. 58); situationsbedingte Ausnahmen sind allerdings denkbar. Auch **Satzung** kann Vorstand im Hinblick auf satzungsfestes Leitungsermessen (§ 76 I) nicht zu intensiverer Konzernleitung verpflichten (Hölters/Weber/Weber Rn. 53; GK-AktG/Kort Rn. 182; MüKoAktG/Spindler Rn. 59; aA BeckOGK/Fleischer Rn. 98; Götz ZGR 1998, 524, 526). Ggü. den einzelnen Beteiligungsgesellschaften selbst bestehen jenseits ges. Vorgaben für Vorstand der Obergesellschaft idR keine Pflichten zur sorgfältigen Konzernführung, soweit sich nicht aus Verantwortungsübernahme im Einzelfall etwas anderes ergibt (MüKoAktG/Spindler Rn. 61).

134 **3. Vorstand der eingegliederten oder abhängigen AG. a) Eingliederung; Vertragskonzern.** Für Eingliederung und Vertragskonzern gilt § 76 I nicht. Vielmehr ist Vorstand der Hauptgesellschaft ggü. demjenigen der eingegliederten Gesellschaft nach § 323 I weisungsbefugt. Dasselbe gilt nach § 308, wenn Beherrschungsvertrag (§ 291 I 1 Fall 1) geschlossen ist. Ges. vertraut insoweit auf andere Sicherungsmittel, bes. auf Pflicht zur Verlustübernahme (§ 302) und zur Leistung angemessener Ausgleichszahlung (§ 304).

135 **b) Faktischer Konzern.** In allen anderen Konzernierungsfällen verbleibt es bei eigenverantwortlicher Leitung der Tochter-AG durch ihren Vorstand nach § 76 I. Er ist von Ges. wegen nicht gehalten, Weisungen des herrschenden Unternehmens entgegenzunehmen, seien sie von ihm geführter Gesellschaft und ihrem Unternehmen vor- oder nachteilig. Nachteilige Weisungen sind ausgleichspflichtig nach § 311. Vorstand darf ihnen auch nur folgen, wenn Einzelausgleich nach § 311 erwartbar ist; anderenfalls (OLG Hamm AG 1995, 512, 514: „willfährig und unkritisch") macht er sich unter den weiteren Voraussetzungen des § 93 ersatzpflichtig (→ § 93 Rn. 5; → § 311 Rn. 48; OLG Hamm AG 1995, 512, 516; zur Haftung der Mutter im Fall der Organverflechtung → § 309 Rn. 28 f.). Kann oder will herrschendes Unternehmen Konzern auf dieser Basis nicht führen, ist es seine Sache, durch Eingliederung, Beherrschungsvertrag (→ Rn. 134) oder Umwandlung der Tochter-AG auf GmbH (§§ 37, 45 GmbHG) soweit möglich für Abhilfe zu sorgen.

136 **4. Insbesondere: Vorstandsdoppelmandate.** Vorstandsdoppelmandate entstehen namentl. durch **Weiterführung der Spartenorganisation** (→ Rn. 4), also dann, wenn Geschäftsbereiche in Tochtergesellschaften rechtl. verselbständigt werden. Konsequenteste Ausprägung liegt bei reiner **Holdinggesellschaft** vor, die sich auf Konzernführung beschränkt und das gesamte operative Geschäft den Tochterunternehmen überlässt. Personelle Verflechtung erfolgt nicht nur über AR, sondern auch über Geschäftsleitung, indem Vorstandsmitglieder der herrschenden AG zugleich solche der Tochter-AG sind, etwa derart, dass Vorstandsmitglieder der Holding die Funktion von Vorstandsvorsitzenden in den Töchtern übernehmen.

137 Es gibt **kein ges. Verbot von Vorstandsdoppelmandaten** (unstr., vgl. zB BGHZ 180, 105 Rn. 14 ff. = AG 2009, 500; GK-AktG/Kort Rn. 219 ff.; Dreher FS E. Lorenz, 1994, 175, 183 ff.), sofern gem. § 88 I 2 erforderliche Zustimmung beider AR vorliegt (→ § 88 Rn. 4). Ihre Zulässigkeit bedeutet allerdings

nicht, dass sie rechtl. problemfrei sind. Nahezu zwangsläufig entstehende Interessenkonflikte können Gedanken an **Stimmverbot** nahelegen, das aber aufgrund der restriktiven Ausgestaltung in § 136 ganz überwiegend verneint wird (→ § 77 Rn. 8). Konfliktbefangener Vorstand bleibt aber dazu verpflichtet, nur die Interessen desjenigen Unternehmens zu verfolgen, in dessen Pflichtenkreis er tätig ist (S/L/Seibt Rn. 52). Hinsichtlich weitergehender Haftungsfragen ist für den praktischen Regelfall des Konzernkontextes zwischen den verschiedenen Formen des Unternehmensverbundes zu differenzieren. Im **Vertragskonzern** stellt sich zunächst die Frage, ob das Doppelmandat als solches eine Weisung nach § 308 I substituieren und eine Haftung nach § 309 I begründen kann. Bejaht man dies, stellt sich Folgefrage, ob über § 31 BGB analog dann auch ein Schadensersatzanspruch gegen die Mutter begründet werden kann (→ § 309 Rn. 28 f.). Bei faktischer Konzernierung stellt sich namentl. die Frage, ob schon das Doppelmandat unwiderlegbare Veranlassungsvermutung begründet (→ § 311 Rn. 22). Weiterer Überblick bei Aschenbeck NZG 2000, 1015, 1021 ff.; Passarge NZG 2007, 441 ff.

IV. Zahl der Vorstandsmitglieder (§ 76 II)

1. Erforderliche Zahl. § 76 II 1 lässt Alleinvorstand, aber auch mehrköpfigen Vorstand zu. Nach § 23 III Nr. 6 muss **Satzung** das Nähere bestimmen. Bestimmung kann auch derart erfolgen, dass nur Mindest- und/oder Höchstzahlen festgelegt werden (→ § 23 Rn. 31). In diesem Rahmen entscheidet AR über Zahl der Vorstandsmitglieder (KGJ 24, A 194, 197; MüKoAktG/Spindler Rn. 139). Satzung darf auch vorsehen, dass AR Zahl der Vorstandsmitglieder bestimmt (→ § 23 Rn. 31; BGH NZG 2002, 817, 818 f.). Hat AG ein Grundkapital von **mehr als drei Mio. Euro,** so schreibt § 76 II 2 eine Mindestzahl von zwei Vorstandsmitgliedern vor, stellt diese Zahl aber zur Disposition des Satzungsgebers. Übliche Klausel, nach der Vorstand aus einer oder mehreren Personen besteht, ist auch dafür genügend (LG Köln AG 1999, 137 f.; LG München I NZG 2009, 143, 144). Praxis belässt es auch bei großen Unternehmen meist bei Angabe der Mindestgröße von zwei Mitgliedern, um Gestaltungsspielraum des AR nicht übermäßig einzuschränken (Fleischer/Maas AG 2020, 761 Rn. 25 f.). Höchstzahl ist ges. nicht festgelegt, folgt aber aus allg. Grenzen praktikabler Zusammenarbeit (GK-AktG/Kort Rn. 239). Frühere Kodex-Empfehlung, dass Vorstand börsennotierter AG aus mehreren Personen bestehen soll (Ziff. 4.2.1 S. 1 DCGK aF), wurde mit Reform 2019 aufgegeben. Für bestimmte KI, Finanzdienstleistungsinstitute und Kapitalverwaltungsgesellschaften schreiben allerdings § 33 I 1 Nr. 5 KWG und § 23 Nr. 2 KAGB weiterhin mindestens zwei Geschäftsleiter vor; anderenfalls wird aufsichtsrechtl. Erlaubnis versagt. 138

2. Rechtsfolgen verbotswidriger Zusammensetzung. Ges. Regelung fehlt. **Überbesetzung** dürfte theoretisches Problem sein und kann jedenfalls Rechtshandlungen der AG ggü. Dritten nicht in Frage stellen (GK-AktG/Kort Rn. 240). **Unterbesetzung** beeinträchtigt Handlungsfähigkeit der AG nicht, soweit Handeln von Vorstandsmitgliedern in vertretungsberechtigter Zahl genügt und diese Zahl vorhanden ist (LG Berlin AG 1991, 244, 245; MüKoAktG/Spindler Rn. 141). Nicht voll geklärt ist Rechtslage dagegen, soweit Vorstand als solcher, dh als Kollegialorgan, tätig werden muss (zB §§ 90–92, § 121 II, § 124 III 1, § 170 I und II, § 172, § 245 S. 1 Nr. 4). Nach wohl hM ist er insoweit handlungsunfähig (BGHZ 149, 158, 161 = NJW 2002, 1128; LG Dresden AG 1999, 46, 47; MüKoAktG/Spindler Rn. 141 f.; MHdB AG/Wentrup § 19 Rn. 52). Nach aA bleibt dagegen seine Handlungsfähigkeit trotz Unterbesetzung grds. erhalten (GK-AktG/Kort Rn. 241 f.; KK-AktG/Cahn 139

Rn. 136 ff.; Götz ZIP 2002, 1745, 1748 ff.; Priester FS Kropff, 1997, 591, 597 f.). Dem ist teilw. zuzustimmen, nämlich soweit Vorstandsmaßnahmen bloße Realakte (§§ 90, 91), innergesellschaftliche Verfahrenshandlungen ohne rechtsgeschäftlichen Charakter (§ 121 II, § 170 I) oder im öffentl. Interesse liegende Anträge sind (§ 92); in diesen Fällen ist **Richtigkeitsgewähr des Kollegialprinzips** von geringerer Bedeutung oder tritt hinter übergeordnete Interessen zurück (iE ebenso BeckOGK/Fleischer Rn. 126 ff.; S/L/Seibt Rn. 57; C. Schäfer ZGR 2003, 147, 153 f.). Angesprochene Verfahrenshandlungen wie Einberufung oder Vorlage des Jahresabschlusses sind von zugrunde liegender Beschlussfassung zu unterscheiden. ZB kann unterbesetzter Vorstand ordnungsmäßig einberufen, wenn er bei Beschlussfassung noch vollständig war (anders LG Heilbronn AG 2000, 373, 374). Für Beschlussfassung selbst ist unterbesetzter Vorstand aber handlungsunfähig. Zu Folgen für Bek. der Tagesordnung (→ § 124 Rn. 19, 37). Auch für Feststellung des Jahresabschlusses (§ 172) ist unterbesetzter Vorstand wegen rechtsgeschäftlichen Charakters (→ § 172 Rn. 3) nicht handlungsfähig (aA Priester FS Kropff, 1997, 591, 603 f.); vielmehr greift § 256 II ein (hM; → § 256 Rn. 18). Abhilfe ist bei Untätigkeit des AR gem. § 85 I möglich.

140 **3. Arbeitsdirektor.** Gem. § 76 II 3 bleiben Vorschriften über Bestellung eines Arbeitsdirektors unberührt, nämlich von § 76 II 1 und 2. Soweit Arbeitsdirektor zu bestellen ist, muss Vorstand also wenigstens zwei Mitglieder haben. Auch Satzung kann daran nichts ändern. Das gilt für Bereich der **Montanmitbestimmung** (§ 13 I MontanMitbestG, § 13 MitbestErgG), aber auch für Arbeitsdirektor nach **§ 33 I 1 MitbestG** (hM, s. KK-AktG/Cahn Rn. 133 mwN; aA Overlack ZHR 141 [1977], 125, 128 f.). Arbeitsdirektor ist gleichberechtigtes Mitglied des Vorstands mit Kernbereich an Aufgaben im **Bereich Arbeit und Soziales,** die auch durch Geschäftsordnung nicht beschnitten werden dürfen (→ § 77 Rn. 23; sa GK-AktG/Kort § 77 Rn. 59 f.; Schiessl ZGR 1992, 64, 72 ff.). Auch bei Abstimmungen darf er nicht schlechter gestellt sein als übrige Organmitglieder, was Konsequenzen für Anerkennung von Stichentscheid und Vetorecht hat (→ § 77 Rn. 11 ff.). Zur begrenzten Funktion des Arbeitsdirektors in Konzernspitzengesellschaften s. Hoffmann-Becking FS Werner, 1984, 301, 310 ff.

V. Persönliche Mindestanforderungen und Bestellungshindernisse (§ 76 III)

141 **1. Natürliche, unbeschränkt geschäftsfähige Person.** Gem. § 76 III 1 sind nur natürliche, unbeschränkt geschäftsfähige Personen vorstandsfähig. Sie dürfen nach § 76 III 2 Nr. 1 auch nicht iSd §§ 1814 ff., 1825 BGB (Einwilligungsvorbehalt) unter Betreuung stehen. Zur Geschäftsfähigkeit vgl. §§ 2, 104 ff. BGB. Weitere persönliche Anforderungen sind zT im Aufsichtsrecht enthalten, vgl. etwa die Vorgaben zur Zuverlässigkeit und fachlichen Eignung in § 24 I VAG für Versicherungsunternehmen (ausf. dazu und zur Erstreckung auf andere Personen, die das Unternehmen „tatsächlich leiten", Hersch VersR 2016, 145 ff.). Beschränkung auf natürliche Person beantwortet de lege lata klar viel diskutierte Frage nach Möglichkeit eines **Vorstands-Algorithmus,** die bei derzeitigem technischen Stand aber ohnehin reines Zukunftsszenario ist (vgl. Hoerdemann/Napp/Pauli FS A. Reuter, 2021, 127 ff.; Noack ZHR 183 [2019], 105, 121; Zetzsche AG 2019, 1, 10); relevante Probleme kreisen stattdessen um Frage, ob Algorithmus zur Einhaltung von Sorgfaltsstandards eingesetzt werden darf oder muss (→ § 93 Rn. 24, 43).

142 **Jur. Personen** oder andere Gesellschaften können nicht Vorstandsmitglied sein (vgl. Gehrlein NZG 2016, 566 f.), wohl aber ihr jeweiliger ges. Vertreter

aufgrund eines Überlassungsverhältnisses, nach dem Vorstandsvergütung durch Überlassungsentgelt ersetzt wird (→ § 84 Rn. 17 f.; KG AG 2011, 758, 759). Ausschluss der jur. Person vom Vorstandsamt hat namentl. zur Folge, dass Vorstand sich – anders als andere Berufsgruppen (zB Rechtsanwälte) – nicht auf diese Weise vor **übermäßigen Haftungsgefahren** schützen kann. Da ihm anders als sonstigen Mandatsträgern überdies auch Haftungsfreizeichnung im Vorfeld verwehrt ist (→ § 84 Rn. 23), steht er den gerade für den Vorstand einer AG zT exorbitanten Haftungsrisiken weitgehend schutzlos ggü. D&O-Versicherungen können Risiken abschirmen, doch werden bei Großschäden ihre Deckungsgrenzen oftmals überschritten. Bei nur fahrlässigem Handeln des Vorstands ist deshalb in diesen Fällen Möglichkeit einer Regressreduzierung zu prüfen (ausf. → § 93 Rn. 96 ff.).

Unerheblich für Bestellung ist **Staatsangehörigkeit** (unstr., s. Erdmann NZG 2002, 503 f.). Auch auf inländischen Wohnsitz kommt es nicht an. Wer Vorstand werden soll, musste allerdings nach früher hM berechtigt sein, jederzeit in die Bundesrepublik einzureisen (s. zur etwa GmbH etwa OLG Frankfurt FGPrax 2001, 124 f.). Diese Ansicht hat jedoch seit Neufassung der §§ 5, 37 III 2 Hs. 2 (→ § 37 Rn. 3 bzw. 6a) ihre Berechtigung verloren, weil Vorstandstätigkeit auch vom ausländischen Geschäftssitz aus entfaltet werden kann (OLG Düsseldorf NZG 2009, 678, 679; OLG München ZIP 2010, 126, 127). Jederzeitige Einreisemöglichkeit ist also nicht mehr zu fordern. Vorstandsmitglied kann, muss aber nicht Aktionär sein. Es gilt also Prinzip der **Fremdorganschaft** (ebenso § 6 III 1 GmbHG, anders bei Personengesellschaften, vgl. zB § 715 I BGB, § 116 I HGB). **Mindest- oder Höchstalter** sind nicht ges. vorgesehen, können aber durch Satzung bestimmt werden (→ Rn. 144), was für Höchstalter häufig ist und von B.5 DCGK empfohlen wird. Vgl. zur Abstimmung mit **Anforderungen des AGG** → Rn. 150 ff. 143

2. Auswahlrichtlinien der Satzung. Satzung kann nach hM persönliche Eignungsvoraussetzungen festlegen, solange **Auswahlermessen des AR erhalten** bleibt (→ § 23 Rn. 38; BeckOGK/Fleischer Rn. 136 ff.; GK-AktG/Kort Rn. 276; NK-AktR/Oltmanns Rn. 24; S/L/Seibt Rn. 61; MüKoAktG/Spindler § 84 Rn. 30). Gegenansicht, nach der sich AR über solche Bestimmungen nach pflichtgem. Ermessen hinwegsetzen darf (KK-AktG/Cahn Rn. 141; Lutter/Krieger/Verse AR Rn. 341; Behme/Zickgraf AG 2015, 841, 846 f.), relativiert Bedeutung der Satzung unnötig und überzeugt deshalb nicht. Voraussetzung ist allerdings, dass Eignungsvoraussetzungen sachlich gerechtfertigt und durch Gesellschaftsinteresse legitimiert sind (BeckOGK/Fleischer Rn. 139, zB Berufsqualifikation, Wohnsitz am Ort der Geschäftsleitung; zur Begrenzung durch Vorgaben des AGG; → Rn. 150 ff.). Eher kann fraglich sein, ob Auswahlrichtlinien auch in **mitbestimmten Gesellschaften** (MitbestG) gelten. Auch das ist jedoch zu bejahen, soweit für AR noch ein derart weiter Ermessensspielraum bleibt, dass das Einbringen von Arbeitnehmerinteressen bei der Auswahl der geeigneten Vorstandsmitglieder durch die inhaltliche Gestaltung der Auswahlvorgaben nicht gefährdet wird; an Eignungsvoraussetzungen sind insofern also noch strengere Anforderungen zu stellen (str.; wie hier hM, vgl. zB S/L/Seibt Rn. 63; MüKoAktG/Spindler Rn. 154; Habersack/Henssler/Habersack MitbestG § 31 Rn. 9 ff.; aA etwa Säcker DB 1977, 1792 f.). **Praxis** macht aufgrund Unsicherheiten über Zulässigkeit von solchen satzungsmäßigen Einschränkungen nur geringen Gebrauch (Fleischer/Maas AG 2020, 761 Rn. 27). 144

3. Bestellungshindernisse. Bes. Bestellungshindernisse des § 76 III 2 sind durch GmbH-Novelle 1980 eingeführt und durch MoMiG 2008 teilw. erweitert worden. Sie sind nach dem durch Digitalisierungs-RL (→ § 5 Rn. 17) eingeführten Art. 13i I 1 GesR-RL unionsrechtl. vorgeschrieben. Da Richtliniengeze- 145 ber konkrete Ausgestaltung der Bestellungshindernisse nicht geregelt hat, steht Mitgliedstaaten Umsetzungsermessen zu (RegBegr. DiRUG BT-Drs. 19/28177, 89); § 76 III 2 steht insoweit im Einklang mit europ. Vorgaben. Fehlen von Bestellungshindernissen ist gem. §§ 37 II 1, 81 III 1 ggü. Registergericht zu versichern (→ § 37 Rn. 6; → § 81 Rn. 8; zu Einzelheiten Ch. Schulte NZG 2019, 646 ff.). Nach § 76 III 2 Nr. 2 kann nicht Vorstandsmitglied sein, wer durch Urteil (§ 70 StGB) oder VA (zB § 35 GewO) mit **Berufsverbot** belegt worden ist. Dabei ist vorausgesetzt, dass Berufsverbot und Unternehmensgegenstand ganz oder teilw. übereinstimmen. Bestellungshindernis fällt mit Ablauf des Berufsverbots weg. Durch § 105 I sind AR-Mitglieder vom Vorstandsamt ausgeschlossen. Neben aktienrechtl. können auch berufsrechtl. Bestellungshindernisse bestehen (s. BGH AG 1996, 366 f.: Steuerberater – § 57 II StBerG). Öffentl-rechtl. Bestellungshindernisse folgen aus Art. 55 II, GG, Art. 66 GG für Bundespräsident und Regierungsmitglieder, nicht aber aus bloßem Fehlen einer Nebentätigkeitsgenehmigung (KK-AktG/Cahn Rn. 151). Bestellungshindernisse nach § 76 III Nr. 2, 3 betr. unmittelbar Vorstand der deutschen AG, gelten aber auch bei Auslandsgesellschaft mit inländischem Tätigkeitsschwerpunkt (→ HGB § 13f Rn. 2). Hat Vorstand Kenntnis von Inhabilitätsgründen, muss er AR darauf hinweisen (LG München I AG 2018, 206 Rn. 23).

146 § 76 III 2 Nr. 3 fasst **rechtskräftige Verurteilungen** zusammen, die Bestellungshindernisse begründen. Materiell-rechtl. genügt bloße Teilnahme (§§ 26, 27 StGB), prozessrechtl. auch Verurteilung durch Strafbefehl nach § 410 III StPO (BGH NZG 2020, 145 Rn. 11 ff.). Während Verurteilung wegen einer Insolvenzstraftat (§ 76 III 2 Nr. 3 lit. b) dem bisherigen Recht entnommen ist, sind Verurteilungen wegen Insolvenzverschleppung (lit. a), Falschangaben (lit. c), unrichtiger Darstellung (lit. d) und namentl. wegen Betrugs oder Untreue (lit. e: §§ 263–264a StGB, §§ 265b–266a StGB) durch das MoMiG hinzugekommen, wobei die letztgenannte Variante Verurteilung zu einer Freiheitsstrafe von mindestens einem Jahr voraussetzt; Bewährung ist insofern unbeachtlich (OLG Düsseldorf NZG 2021, 1375 Rn. 12; zur Anwendung der Übergangsvorschrift des § 19 II EGAktG vgl. OLG München AG 2016, 794 f.). Seit Einfügung der §§ 265c–265e StGB ist nach Systematik auch **Sportwettbetrug** erfasst (BGH NZG 2022, 1296 Rn. 8 ff. [GmbHG]; OLG Düsseldorf NZG 2022, 162 Rn. 16 ff.; OLG Oldenburg NZG 2018, 264 Rn. 5 ff.; aA im Lichte der Gesetzesmaterialien noch OLG Hamm NZG 2019, 29 Rn. 6 ff.; → 16. Aufl. 2022, Rn. 62; Wachter GmbHR 2018, 311). Entgegen missverständlichem Wortlaut des § 76 III 2 Nr. 3 lit. a liegt **Insolvenzverschleppung** nicht nur bei gänzlichem Unterlassen, sondern auch bei verspäteter Antragstellung vor. Ist Tatbestand des § 76 III 2 Nr. 3 erst nach Ausgang des Rechtsmittelverfahrens erfüllt, kann Inhabilitätsanordnung Einwand der reformatio in peius entgegengehalten werden (Brand/Reschke JZ 2011, 1102 ff., 1107 f.). Verbot gilt für fünf Jahre ab Rechtskraft (§ 76 III 2 Hs. 2) und wirkt von Rechts wegen (allgM, s. zB OLG Frankfurt FGPrax 1995, 42 mwN; MüKoAktG/Spindler Rn. 165). Verfassungsmäßigkeit der Regelung wird mit guten Gründen bezweifelt (MüKoAktG/Spindler Rn. 164; Kögel GmbHR 2019, 384, 387 ff.; Stein AG 1987, 165, 171 ff.; dagegen aber BGH NZG 2020, 145 Rn. 19; OLG München AG 2016, 794, 795; für verfassungskonforme Auslegung Ch. Schulte NZG 2019, 646, 648). Wohl geboten und auch praktikabel ist Verkürzung der Frist bei Ersttätern auf ein oder zwei Jahre; bei Wiederholungstätern sind fünf Jahre dagegen bei typisierender Betrachtung verhältnismäßig (sa Fleischer WM 2004, 157, 165 f.). Dagegen ist Erweiterung der Bestellungshindernisse moderat und sinnvoll.

147 Bestellungshindernis wegen **Auslandstat** war bislang nur in § 76 III 3 aF (jetzt § 76 III 4) vorgesehen für Verurteilung wegen einer Straftat, die mit den in § 76 III 2 Nr. 3 genannten Insolvenzstraftaten vergleichbar ist. Durch Art. 18

Nr. 2 **DiRUG 2021** ist neuer § 76 III 3 eingefügt worden, der nach § 26m I EGAktG seit 1.8.2023 anwendbar ist. Danach gilt § 76 III 2 Nr. 2 entspr., wenn Person in anderem EU-Mitgliedstaat oder EWR-Vertragsstaat vergleichbarem Verbot unterliegt. Vorschrift wurde in Umsetzung des durch Digitalisierungs-RL (→ § 5 Rn. 17) eingeführten Art. 13i Unterabs. 2 GesR-RL ergänzt und kann nun auch für **ausländisches Berufs- oder Gewerbeverbot** Bestellungshindernis begründen. Voraussetzung ist aber Vergleichbarkeit des Verbots (zu daraus resultierenden Schwierigkeiten vgl. Knaier GmbHR 2021, 169, 178). Sie ist dann gegeben, wenn es sich um behördliches oder gerichtl. Verbot handelt, das betr. Person Ausübung eines bestimmten Berufs- oder Gewerbes gegenwärtig verbietet, und wenn Unternehmensgegenstand der AG, als deren Vorstandsmitglied Person bestellt werden soll, jedenfalls teilweise identisch mit Gegenstand dieses Verbots ist (RegBegr. DiRUG BT-Drs. 19/28177, 159 f.).

Prüfung, ob solches Bestellungshindernis bei einschlägigem ausländischem Berufs- oder Gewerbeverbot wegen (Teil-)Identität des Unternehmensgegenstands (→ Rn. 147) besteht, bleibt **Registergericht** überlassen, wenn es Zweifel an Richtigkeit der entspr. Versicherungserklärung der anmeldenden Person nach § 27 II 1 oder § 81 III 1 hat (RegBegr. DiRUG BT-Drs. 19/28177, 160). Zur Überprüfung der Richtigkeit kann Gericht insbes. entspr. Ersuchen über zuständige Stelle an andere Mitgliedstaaten gem. **§ 9c I 2 HGB** idF des Art. 1 Nr. 5 DiRUG 2021 richten (RegBegr. DiRUG BT-Drs. 19/28177, 160; vgl. dazu Knaier GmbHR 2021, 169, 179 f.). 148

Wegen eines Hindernisses nach § 76 III unzulässige Bestellung ist **gem. § 134 BGB nichtig;** dennoch erfolgte HR-Eintragung wirkt nur deklaratorisch und führt deshalb nicht zur Heilung, sondern ist nach § 395 FamFG von Amts wegen zu löschen (BGH NZG 2021, 840 Rn. 9, 12; OLG Hamm ZIP 2011, 527; OLG Frankfurt NJOZ 2013, 497; OLG Naumburg FGPrax 2000, 121). Dasselbe gilt, wenn Ausschlussgrund erst **nachträglich** eintritt; auch dann endet Bestellung qua Gesetz (BGH NZG 2020, 145 Rn. 10; OLG Celle NZI 2013, 852, 853 mAnm Floeth; OLG Düsseldorf NZG 2021, 1375 Rn. 12; OLG München AG 2016, 794, 795; sa – im Kontext des § 265 II 2 – OLG Düsseldorf BeckRS 2021, 34733 Rn. 9 [→ § 265 Rn. 6]). Ermessen des Gerichts (§ 395 FamFG: „kann löschen“) verdichtet sich in diesen Fällen wegen zugrunde liegenden öffentl. Interesses regelmäßig zur Löschungspflicht (OLG Düsseldorf NZG 2021, 1375 Rn. 14 ff.). **§ 15 HGB** und allg. Rechtsscheinhaftung finden aber Anwendung (so zu § 15 HGB implizit auch BGH NZG 2021, 840 Rn. 14, 18). § 15 HGB kann auch Geschäftsunfähigkeit eines Vorstandsmitglieds überwinden (BGHZ 115, 78, 80 = NJW 1991, 2566; GK-HGB/J. Koch/Harnos § 15 Rn. 55). In beiden Fallkonstellationen muss AR unwirksame Bestellung bzw. Beendigung des Vorstandsamtes **nach § 81 anmelden** (BGH NZG 2021, 840 Rn. 18 zur Parallelvorschrift des § 39 GmbHG). In diesem Fall kann Registergericht auf Löschung von Amts wegen verzichten und sich damit begnügen, Ausscheiden aufgrund der Anmeldung einzutragen (BGH NZG 2021, 840 Rn. 16 ff.). Wird Antrag zurückgenommen, wird Löschung von Amts wegen wieder erforderlich (BGH NZG 2021, 840 Rn. 19). 149

4. Antidiskriminierung. Nach **§ 6 III AGG** gelten arbeitsrechtl. Vorschriften des AGG (§§ 6–18 AGG) für Organmitglieder entspr., soweit sie Bedingungen für Zugang zur Erwerbstätigkeit sowie beruflichen Aufstieg betreffen (§ 2 I Nr. 1 AGG). Das erfasst nicht nur Anstellungsvertrag, sondern **auch Bestellungsakt,** da gerade dieser „Zugang“ zum Amt eröffnet und deshalb Schutz des § 6 III AGG anderenfalls leerliefe (BGHZ 193, 110 Rn. 19 = NJW 2012, 2346; MüKoAktG/Spindler § 84 Rn. 33; Eßer/Baluch NZG 2007, 321, 328; Kort WM 2013, 1049, 1050; Lutter BB 2007, 725, 726; aA Noack/Servatius/Haas/ 150

Beurskens GmbHG § 6 Rn. 25; Bauer/Arnold ZIP 2008, 993, 997 f.; Mohr ZHR 178 [2014], 326, 343 f.). Gerade vor Hintergrund unionsrechtl. RL-Umsetzung erschiene Überbetonung der spezifisch deutschen Differenzierung zwischen Be- und Anstellung nicht sachgerecht. Als Bestellung in diesem Sinne gilt auch **Wiederbestellung** nach Auslauf befristeter Stelle, da darin „erneuter" Zugang zur Tätigkeit liegt. Reine Beendigung durch Widerruf der Bestellung und Kündigung des Dienstvertrages ist hingegen kein Fall des AGG (BGHZ 193, 110 Rn. 20 ff.; sa Jaeger FS Bauer, 2010, 495, 499; aA MüKoBGB/Thüsing AGG § 2 Rn. 7). Dagegen vorgebrachte unionsrechtl. Bedenken (vgl. Bauer/Arnold NZG 2012, 921, 922 f.; Preis/Sagan ZGR 2013, 26, 60 ff.) sind schon in der Sache nicht überzeugend, da auch Richtlinien Beschränkung auf Zugang zugrunde liegt (Hoentzsch, Die Anwendung der Benachteiligungsverbote des AGG auf Organmitglieder, 2011, 40 ff.; Mohr ZHR 178 [2014], 326, 346). Jedenfalls innerhalb der klaren Wortlautgrenzen des § 6 AGG könnte etwaigen Bedenken ohnehin nur schwer Rechnung getragen werden (s. aber C. Schubert ZIP 2013, 289 ff., 293 f., die stattdessen Anwendung der §§ 138, 242 BGB vorschlägt). Für GmbH-Fremdgeschäftsführer im Gefolge von EuGH Slg. 2010, I-11405, 11464 – Danosa unter bestimmten Voraussetzungen mögliche **Einordnung als AN** (vgl. BGHZ 221, 326 Rn. 23 ff. mwN = NZG 2019, 705) kommt für weisungsfreien Vorstand nicht in Betracht (zutr. MüKoAktG/Spindler § 84 Rn. 33; Hübner ZGR 2016, 897, 910; Kort NZG 2013, 601, 605 ff.; Mohr ZHR 178 [2014], 326, 337 ff.; aA Ziemons KSzW 2013, 19, 20; zu Folgen für gerichtl. Zuständigkeit → § 84 Rn. 70).

151 Wird danach nicht auf Anstellung, sondern auf Bestellung abgestellt, steht auch Anwendung auf AR-Mitglieder nichts im Weg (Wilsing/Meyer NJW 2012, 3211, 3212). Schließlich ist auch Umkehr der **Darlegungs- und Beweislast nach § 22 AGG** auf Organmitglieder anwendbar (BGHZ 193, 110 Rn. 34 ff. = NJW 2012, 2346; zust. Bauer/Arnold NZG 2012, 921, 924; Kort WM 2013, 1049, 1051; Lingemann/Weingarth DB 2012, 2325, 2327 f.; aA Preis/Sagan ZGR 2013, 26, 66 f.), wobei als Indizien iS dieser Vorschrift hinsichtlich diskriminierendem Motiv auf **einzelne Mitglieder** eines Gremiums abgestellt werden kann, wenn diese nach jew. Beurteilung im Einzelfall ein zahlenmäßig nicht unerhebliches Gewicht aufweisen; diesen Nachweis bei einer Mehrheit zu verlangen, würde dagegen Anforderungen an Indizienbeweis überspannen (iE ähnlich Preis/Sagan ZGR 2013, 26, 67 f.; aA Bauer/Arnold NZG 2012, 921, 924 f.; Thüsing/Stiebert NZG 2011, 641, 642; wieder anders Kort WM 2013, 1049, 1052: anwendbar, wenn Mitglied mit diskriminierender Motivation „Zünglein an der Waage" ist).

152 Nach hM weiterhin zulässig sind die von B.5 DCGK ausdr. empfohlenen und deshalb auch praktisch verbreiteten **Altersgrenzen** (idR bei 60 oder 62 Jahren), allerdings analog § 10 S. 3 Nr. 5 AGG nur dann, wenn von da ab für Vorstandsmitglied maßgebende Versorgungszusage der AG greift oder überbrückungsweise Übergangsgeld gewährt wird (OLG Hamm NZG 2017, 1065 Rn. 27 ff.; MüKoAktG/Spindler § 84 Rn. 35 f.; Bauer/Arnold ZIP 2012, 597, 600 f.; Hohenstatt/Naber ZIP 2012, 1989, 1995 f.; Jaeger FS Bauer, 2010, 495, 497 f.; iErg auch Lingemann/Weingarth DB 2012, 2325, 2331; Thüsing/Stiebert NZG 2011, 641, 643 f.). HM ist plausibel, da für Vorstandsmitglieder vorgesehene Altersversorgung an die Stelle der ges. Rentenversicherung tritt. Sie ist aber auch nicht zweifelsfrei, da unternehmenspolitische Zielsetzungen an die Stelle allg. beschäftigungspolitischer Zielsetzungen gesetzt werden. Ob dies unionsrechtl. Vorgaben genügt, ist durch Rspr. des EuGH noch nicht abgesichert (zweifelnd GK-AktG/Kort Rn. 270; abl. Ziemons KSzW 2013, 19, 27).

VI. Mindestbeteiligungsquote (§ 76 IIIa)

1. Voraussetzungen. Während FüPoG I 2015 für Bestellung des Vorstands lediglich Pflicht zur Festlegung von Zielgrößen nach § 111 V einführte (→ § 111 Rn. 80 ff.), geht FüPoG II 2021 noch einen Schritt weiter und legt für **börsennotierte AG** iSd § 3 II (→ § 3 Rn. 5 f.), die inländischen Satzungssitz haben und überdies **paritätischer Mitbestimmung** nach MitbestG, MontanMitbestG oder MitbestErgG unterliegen (privatautonom freiwillige Regelungen nicht erfasst – Gärtner AG 2023, 513 Rn. 6; Spindler WM 2021, 817, 819), zwingende Quote fest. 153

Durch diese beiden Bedingungen knüpft Regelung unmittelbar an Größe des Vorstands, mittelbar aber auch (über Mitbestimmungserfordernis) an Größe der Belegschaft an. Damit soll gewährleistet werden, dass insbes. solche Unternehmen erfasst werden, die bes. Ausstrahlungswirkung auf deutsche Wirtschaft haben und zugleich bes. Sozialbindung unterliegen (RegBegr. BT-Drs. 19/26689, 82 f.). Modifiziert wird Regelung durch § 393a II Nr. 1 für **AG mit Mehrheitsbeteiligung des Bundes** iSd § 393a I (→ § 393a Rn. 1 ff.). Hier greift Regelung unabhängig von Börsennotierung und Mitbestimmung bereits, wenn Vorstand aus mehr als zwei Personen besteht (→ § 393a Rn. 4). **Übergangsregelung** sieht § 26l I EGAktG vor. Danach gilt Beteiligungsgebot nach § 76 IIIa 1 ab 1.8.2022 bei Bestellung einzelner oder mehrerer Vorstandsmitglieder; fortdauernde Altmandate werden aber nicht berührt (Groß AG 2021, 693 Rn. 4; Spindler WM 2021, 817, 820). Das gilt auch für modifizierte Anwendung der Vorschrift über § 393a II Nr. 1 (→ § 393a Rn. 4, 6). 154

In der Sache handelt es sich wie bei § 96 II, III um Geschlechterquote; in polit. Diskussion um Einführung des § 76 IIIa dominierte Begriff der Mindestbeteiligungsquote. Während Einführung der Geschlechterquote für AR in § 96 II, III starken **verfassungsrechtlichen Einwänden** ausgesetzt war, hat sich Diskussion im Zuge der Einführung des § 76 IIIa nicht in gleicher Schärfe gestellt. Nachdem Debatte um wesentlich tiefergehenden Eingriff durch § 96 II, III insofern kein nennenswertes polit. Gehör gefunden hat, wurde Debatte, die zum weniger belastenden Eingriff des § 76 IIIa nur mit schwächeren Argumenten hätte geführt werden können, nicht wieder aufgegriffen (vgl. Spindler WM 2021, 817, 818 f.). Auf KGaA ist Regelung nicht anwendbar (Backhaus AG 2021, 653 Rn. 5 ff.; Bürk/Wentz Konzern 2022, 177, 178). Auch bei AG greift Quote allerdings erst bei Vorständen, die aus **mehr als drei Personen** bestehen, wobei maßgeblich die Ist-Zahl, nicht die Satzungsvorgabe ist (RegBegr. BT-Drs. 19/26689, 83; Gärtner AG 2023, 513 Rn. 12; Spindler WM 2021, 817, 829; krit. im Vorfeld der Gesetzgebung Steiner NZG 2021, 276, 278 f.). 155

Ob Beteiligungsgebot eingreift, ist bei Bestellentscheidung zu beurteilen. Aus Wortlaut des § 76 IIIa geht jedoch nicht hervor, zu welchem **Zeitpunkt** Voraussetzungen vorliegen müssen. Im Gesetzgebungsverfahren nicht hinreichend beachtete Herausforderungen ergeben sich daher insbes. bei **aufschiebend bedingter und aufschiebend befristeter Bestellung** (§§ 158 I, 163 BGB). Im Fall aufschiebend bedingter Bestellung ist Vorliegen der drei Voraussetzungen einheitlich auf Zeitpunkt des Bedingungseintritts zu beurteilen (Gärtner AG 2023, 513 Rn. 40). Anders verhält es sich bei aufschiebend befristeter Bestellung. Für Voraussetzungen paritätischer Mitbestimmung und Börsennotierung ist auf Zeitpunkt der Bestellungsentscheidung abzustellen (Gärtner AG 2023, 513 Rn. 18). Probleme ergeben sich jedoch bei Merkmal „Größe des Vorstands". Hier ist grds. darauf abzustellen, wie sich aus ex ante-Perspektive der Bestellungssituation Vorstandszusammensetzung im Zeitpunkt des Amtsantritts darstellen wird (Gärtner AG 2023, 513 Rn. 19). Daraus folgt, dass aufschiebend befristete 156

Nachfolgerbestellung ohne Vergrößerung des Vorstands nicht dazu führt, dass Vorgänger und Nachfolger gesondert zur Berechnung der Ist-Zahl (→ Rn. 155) herangezogen werden; das gilt auch bei Überschneidung der Amtszeiten für überschaubaren Zeitraum (Gärtner AG 2023, 513 Rn. 23 ff.). Änderungen bzgl. Vorliegen der Anwendungsvoraussetzungen in Zeitraum zwischen Bestellungsentscheidung und Amtsbeginn beeinflussen Wirksamkeit bzw. Nichtigkeit der aufschiebend befristeten Bestellung nicht (Gärtner AG 2023, 513 Rn. 37 ff.). Bes. Beachtung bedürfen Auswirkungen von Mandatspausen (dazu Gärtner AG 2023, 513 Rn. 51 ff.) sowie Einfluss auf spätere Bestellungen vor Amtsbeginn (vgl. Gärtner AG 2023, 513 Rn. 44 ff.).

157 **2. Besetzungsvorgaben.** Sind Voraussetzungen erfüllt, muss **mindestens eine Frau und mindestens ein Mann** Mitglied des Vorstands sein. Drittes Geschlecht wird – in Übereinstimmung mit verfassungsrechtl. Vorgabe in Art. 3 II GG – nicht in Regelung einbezogen (Gärtner AG 2023, 513 Rn. 2; Kocher DB 2022, 104, 105; Seibt DB 2021, 438, 440). Sonstige Qualifizierungsmerkmale neben Geschlecht müssen selbstverständlich ebenfalls beachtet werden (Spindler WM 2021, 817, 820: keine Abstriche an nötiger Qualifizierung).

158 Im Fall **aufschiebend bedingter und aufschiebend befristeter Bestellung** ist ebenfalls fraglich, welcher **Zeitpunkt** maßgebend ist, um Erfüllung der Besetzungsvorgaben zu beurteilen. Bei aufschiebend bedingter Bestellung ist auf Zeitpunkt abzustellen, in dem Bedingung eintritt und Bestellung wirksam wird (Gärtner AG 2023, 513 Rn. 40). Bei aufschiebend befristeter Bestellung ist Einhaltung aus ex ante-Perspektive der Bestellungssituation auf Zeitpunkt des Amtsbeginns zu beurteilen (Gärtner AG 2023, 513 Rn. 34). Änderungen der Besetzung des Vorstands in Zeitraum zwischen Bestellungsentscheidung und Amtsbeginn beeinflussen Wirksamkeit bzw. Nichtigkeit der aufschiebend befristeten Bestellung nicht (Gärtner AG 2023, 513 Rn. 37 ff.).

159 Über § 289f II Nr. 5a HGB wird neue Quotenvorgabe in § 76 IIIa **Berichtspflicht** in Erklärung über die Unternehmensführung im Lagebericht unterworfen. Dort ist anzugeben, ob AG im Bezugszeitraum Vorgabe eingehalten hat, und wenn nicht, aus welchen Gründen. Berichtspflicht gilt nach Art. 87 EGHGB erstmals für nach dem 31.12.2020 beginnendes Geschäftsjahr, wirkt sich aber erst in dem Zeitpunkt aus, in dem auch § 76 IIIa durch erstmalige Neubesetzung tats. Wirkung entfaltet (Groß AG 2021, 693 Rn. 5 ff.).

160 **3. Rechtsfolge bei Verstoß.** Erfolgt Bestellung, die gegen Vorgabe des § 76 IIIa 1 verstößt, so ist nach § 76 IIIa 2 **Wahlbeschluss nichtig,** und zwar, wie RegBegr. BT-Drs. 19/26689, 83 klarstellt, ex tunc (krit. Steiner NZG 2021, 276, 279 f.). Das gilt auch bei Blockwahl mehrerer Vorstandsmitglieder (RegBegr. BT-Drs. 19/26689, 83; Überblick über denkbare Fallkonstellationen bei Seibt DB 2021, 438, 443). Registerrichter hat Änderungseintragung nach § 81 abzulehnen (→ § 81 Rn. 7). Dennoch bestelltes Vorstandsmitglied hat Stellung eines fehlerhaft bestellten Organs (→ § 84 Rn. 13; Bürk/Wentz Konzern 2022, 177, 179; Spindler WM 2021, 817, 820). AR und Vorstand können **Schadensersatzfolgen** nach § 93 II (iVm § 116 S. 1) treffen, wenn sie nicht auf Beseitigung des rechtswidrigen Zustands hinwirken, doch wird Schadensnachw. idR Probleme aufwerfen (Bürk/Wentz Konzern 2022, 177, 179; Spindler WM 2021, 817, 820; Steiner NZG 2021, 276, 280 f.). Weiteres Sanktionsmittel bietet Anfechtung des Entlastungsbeschlusses (→ § 120 Rn. 11 ff.; Spindler WM 2021, 817, 820; Steiner NZG 2021, 276, 281 f.). Dafür erforderliche Schwere des Verstoßes wird sich idR zwar nicht aus unmittelbarer wirtschaftlicher Schädigung, wohl aber aus Offenkundigkeit des Verstoßes und deshalb drohenden Reputationsschäden ableiten lassen (aA Bürk/Wentz Konzern 2022, 177, 179 f.). Diskriminierung nach §§ 1, 7 AGG (dafür Spindler WM 2021, 817, 820; Steiner

NZG 2021, 276, 283) ist dagegen zu verneinen, weil betroffener Kandidat nicht wegen seines Geschlechts diskriminiert wird, sondern lediglich geschlechtsbedingte ges. Bevorzugung missachtet wird (zust. Bürk/Wentz Konzern 2022, 177, 180).

Vorzeitiges Ausscheiden eines Vorstandsmitglieds aus einem bis dahin nach 161 § 76 IIIa 1 vorschriftsgem. besetzten Vorstand bleibt dagegen zunächst folgenlos, auch wenn Vorstand danach Anforderungen des § 76 IIIa 1 nicht erfüllt. Andere Lösung wäre nicht damit zu vereinbaren, dass Sanktion des § 76 IIIa 2 **an Bestellungsbeschluss anknüpft** und daher erst mit neuer Beschlussfassung greifen kann (Spindler WM 2021, 817, 820). Erst bei nächster Bestellung sind demnach Voraussetzungen des § 76 IIIa zu beachten (RegBegr. BT-Drs. 19/26689, 84).

VII. Zielgrößen für Frauenanteil (§ 76 IV)

1. Allgemeines. Nach § 76 IV hat Vorstand einer AG, die börsennotiert (§ 3 162 II) oder mitbestimmt ist, für Frauenanteil in den beiden Führungsebenen unterhalb des Vorstands **Zielgrößen** festzulegen. Norm wurde eingeführt durch FüPoG I 2015 und soll speziell Frauen zu größerer Erfahrung im operativen Geschäft verhelfen, um so Voraussetzung für Beförderung in Spitzenpositionen zu schaffen. Anders als § 96 II ist § 76 IV deshalb **nicht geschlechtsneutral** gefasst, sondern verlangt Zielgröße nur für Frauenanteil (zu Recht krit. BeckOGK/Fleischer Rn. 152; Fromholzer/Simons AG 2015, 457, 461). Analoge Deutung auch als Männerquote (Überlegungen in diese Richtung bei Wicke GmbHG § 36 Rn. 2) ist mit Blick auf legislativen Gestaltungswillen nicht angezeigt (GK-AktG/Kort Rn. 332). Weil auch diese Vorgabe Gleichstellung nach polit. Wahrnehmung nicht hinreichend befördert hat, ist Regelung durch FüPoG II 2021 mit Einführung der S. 2–4 weiter verschärft worden (Geltung nach § 26l II EGAktG ab 12.8.2021). Langfristiges Ziel ist paritätische Besetzung (RegBegr. BT-Drs. 18/3784, 119). Als Handreichung für die Praxis haben Bundesfamilien- und Bundesjustizministerium auf ihren Homepages werbebroschürenhaft gestalteten Praxisleitfaden erlassen, dem indes keine Verbindlichkeit zukommt (vgl. dazu Stüber BB 2015, 2243 ff. mwN). Flankiert wird § 76 IV durch weitere Diversitätempfehlung in A.2 DCGK, wobei Diversität über Kriterien wie Alter, Geschlecht, Bildungs- und Berufshintergrund sowie Internationalität definiert wird (Begr. DCGK 2020, 7; zu Einzelheiten KBFW/Bachmann DCGK A.2 Rn. 6 ff.).

2. Anwendungsbereich. § 76 IV gilt für inländische AG und KGaA (GK- 163 AktG/Kort Rn. 443 ff.). Anwendungsbereich ist weiter als der des § 96 II 1, da Börsennotierung und Mitbestimmung nicht kumulativ verlangt werden. Überdies gelten als mitbestimmt alle Gesellschaften, die DrittelbG, MitbestG, MontanMitbestG, MitbestErgG, MgVG oder MgFSG unterliegen; betriebliche Mitbestimmung nach BetrVG genügt nicht (DAV-Ausschüsse NZG 2014, 1214 Rn. 100; Hohenstatt/Willemsen/Naber ZIP 2014, 2220, 2221), ebenso nicht freiwillige Mitbestimmung (Röder/Ch. Arnold NZG 2015, 1281, 1283). Vom Wortlaut erfasst sind auch Unternehmen, die vor dem 10.8.1994 eingetragen waren und deshalb als sog **Alt-Gesellschaften** weiterhin drittelparitätischer Mitbestimmung unterliegen (→ § 96 Rn. 10). Das ist rechtspolitisch bedenklich, da zugrunde liegender Gedanke eines Bestandsschutzes nicht auch für Neuregelungen fortgeschrieben werden muss (krit. auch GK-AktG/Kort Rn. 321 f.; S/L/Seibt Rn. 71; DAV-Ausschüsse NZG 2014, 1214 Rn. 100). Um Rechtsunsicherheit und Konflikt mit Statusverfahren nach §§ 97 ff. zu vermeiden, ist nicht entscheidend, ob Mitbestimmungspflicht besteht, sondern ob AR tats. mitbestimmt ist

(GK-AktG/Kort Rn. 323 f.; Fromholzer/Simons AG 2015, 457, 458; Röder/Ch. Arnold NZA 2015, 1281, 1282 f.). Auch bei **KGaA** gilt § 76 IV über § 278 III für geschäftsführenden, persönlich haftenden Gesellschafter entspr. (FamAusschuss BT-Drs. 18/4227, 22; ausf. Backhaus AG 2021, 653 Rn. 24 ff.; sa BeckOGK/Fleischer Rn. 154; GK-AktG/Kort Rn. 328; zweifelnd für AG & Co. KGaA Johannsen-Roth/Kießling FS Marsch-Barner, 2018, 273, 276 ff.). Regelung betraf im Zeitpunkt ihres Inkrafttretens nach RegBegr. (BT-Drs. 18/3784, 46) 3.500 Gesellschaften, nach empirischer Untersuchung von Bayer/Hoffmann (AG 2015, R 4 ff.) allerdings nur 2.500.

164 **3. Festlegung der Zielgrößen. a) Grundsatz. Führungsebenen** sollen nicht nach betriebswirtschaftlichen Lehren, sondern tats. Unternehmenshierarchie bestimmt werden (RegBegr. BT-Drs. 18/3784, 119), wobei als „Unternehmen" Einzelgesellschaft gilt (FamAusschuss BT-Drs. 18/4227, 21). Für Tochtergesellschaften muss deshalb keine Zielgröße festgelegt werden. Andere Vorgabe würde auch tats. Einwirkungsmöglichkeiten kaum gerecht werden (zust. GK-AktG/Kort Rn. 313 ff.). Festlegung der Ebenen kann dennoch schwierig bleiben, da nicht jedes Unternehmen klaren Schichtenaufbau hat (sa Franzmann VGR 21 GesR 2015, 97, 106 ff.; Fromholzer/Simons AG 2015, 457, 462 ff.; Seibt ZIP 2015, 1193, 1206: „praxisfern"). Vorstand ist deshalb weiter **Beurteilungsspielraum** einzuräumen (FamAusschuss BT-Drs. 18/4227, 21). Als Kriterien werden vorgeschlagen: Berichtslinie direkt an Vorstand, Mitarbeiterverantwortung, Budgetverantwortung, Evaluierung nach Hay Job Evaluation, Vollmacht- und Prokuraerteilung, Teilnahme an Führungskreissitzungen, Gehalt (Seibt ZIP 2015, 1193, 1206; Thüsing/Fütterer NZG 2015, 778, 779 ff.).

165 Hat Ebene unterhalb des Vorstands **keine Führungsfunktionen,** namentl. bei Holding mit wenig Belegschaft (Sekretariat), entfällt Festlegungspflicht (FamAusschuss BT-Drs. 18/4227, 21; Wasmann/Rothenburg DB 2015, 291, 294). Andererseits ist Personalverantwortung aber auch nicht zwingend erforderlich (GK-AktG/Kort Rn. 340; Fromholzer/Simons AG 2015, 457, 463: Beispiel Compliance-Officer; zur Einordnung sonstiger „Chief Roles" Rotsch/Weninger Konzern 2015, 298, 304). Teilzeitarbeit schließt Führungsfunktion nicht aus (Röder/Ch. Arnold NZA 2015, 1281, 1284; Seibt in Hohenstatt/Seibt, Geschlechterquoten, 2015, Rn. 297). Noch ungeklärt ist, ob auch **Führungskräfte außerhalb Deutschlands** erfasst sein sollen. ZT erwogene Ausklammerung findet im Wortlaut allerdings keinen Niederschlag und ist auch teleologisch nicht derart zwingend, dass Reduktion angezeigt wäre (GK-AktG/Kort Rn. 342; S/L/Seibt Rn. 72; Fromholzer/Simons AG 2015, 457, 458; Göpfert/Rottmeier ZIP 2015, 670, 672; Spindler WM 2021, 817, 823; Teichmann/Rüb BB 2015, 898, 902; Weller/Benz AG 2015, 467, 470 f.; aA Hohenstatt/Willemsen/Naber ZIP 2014, 2220, 2225; Thüsing/Fütterer NZG 2015, 778, 780 ff.; für Wahlrecht Herb DB 2015, 964, 969; Röder/Ch. Arnold NZA 2015, 1281, 1284).

166 **Zielgröße** wird üblicherweise in Prozentsatz ausgedrückt; zwingend ist diese Darstellungsform aber nicht (Rückschluss aus § 76 IV 2). Alternativ sind Kopfzahl oder Vollzeitkraftangaben denkbar, doch muss Anzahl numerisch klar ermittelbar sein (S/L/Seibt Rn. 73; Junker/Schmidt-Pfitzner NZG 2015, 929, 936 – unzulässig etwa: „angemessen"). Von ursprünglich in RegE FüPoG II 2021 geplanter Angabe einer Gesamtzahl (RegBegr. BT-Drs. 19/26689, 84) wurde abgesehen (vgl. dazu noch Spindler WM 2021, 817, 821). Bislang war anerkannt, dass Zielgröße für Führungsebenen gemeinsam, aber auch getrennt formuliert werden kann (s. etwa GK-AktG/Kort Rn. 355), doch hat FüPoG II 2021 insofern neue Vorgabe gebracht, dass Zielgrößen angestrebten Frauenanteil auf **jeweiliger Führungsebene** beschreiben müssen (§ 76 IV 2). Bei Angaben in

Prozent muss diese Zielangabe vollen Personenzahlen entspr. Mindesthöhe ist nicht verbindlich vorgegeben, sondern Vorstand kann Zahl auf spezifische Unternehmensstrukturen ausrichten.

Über Festsetzungspflicht hinausreichende **Förderpflicht** (dafür Drygala NZG 2015, 1129, 1133 ff.; Steiner, Sanktionierung der flexiblen Frauenquote, 2018, 75 ff.; Weller/Benz AG 2015, 467, 472) ist abzulehnen, da sie dazu führt, bewusst sanktionslose Ausgestaltung (→ Rn. 174 ff.) zu unterlaufen (wie hier GK-AktG/Kort Rn. 371 f.; S/L/Seibt Rn. 75; Spindler WM 2021, 817, 823). **Änderung der Zielgröße** vor Fristablauf sollte zulässig sein, um keine Fehlanreize zu möglichst kurzer Fristsetzung zu schaffen (Fromholzer/Simons AG 2015, 457, 464). **167**

Noch ungeklärt ist Verhältnis der Zielgrößenangabe zu Vorgaben des **AGG** (Ohmann-Sauer/Langemann NZA 2014, 1120, 1125; Olbrich/Krois NZA 2015, 1288 ff.; sa Röder/Ch. Arnold NZA 2015, 1281, 1285 ff. zum schwierigen Verhältnis von vorgeschalteten Fördermaßnahmen und AGG). Wie bei § 96 II wird man auch hier **§ 76 IV, § 111 V als leges speciales** anerkennen müssen, so dass darauf gegründete Maßnahmen von AGG-Vorgaben freigestellt sind. Mit Blick auf unionsrechtl. Ursprung stößt aber auch diese Lösung an ihre Grenzen (ausf. GK-AktG/Kort Rn. 382 ff.). Zumindest bei Formulierung der Zielgrößen wird deshalb aus Vorsichtsgründen AGG-konforme Fassung empfohlen (Herb DB 2015, 964, 970; sa Olbrich/Krois NZA 2015, 1288, 1290; Spindler WM 2021, 817, 823 f.), was sinnvoll, aber auch nicht ohne Ironie ist, da Unternehmen angesonnen wird, die Geschlechtsneutralität herzustellen, die das Ges. verfehlt hat (→ Rn. 162). **168**

b) Zielgröße Null. Auch Zielgröße von Null („keine Frau" bzw. „null Prozent Frauenanteil" – vgl. RegBegr. BT-Drs. 19/26689, 84) ist – wie Rückschluss aus § 76 IV 2 ergibt – nicht grds. unzulässig (ausdr. klargestellt in RegBegr. BT-Drs. 19/26689, 85), doch wird solche Festlegung zugleich mit **Begründungspflicht** verbunden. Damit soll Ausnahmecharakter einer solchen Festlegung zum Ausdruck kommen (RegBegr. BT-Drs. 19/26689, 85). Begründung muss in gleichem Beschluss wie Festlegung der Zielgröße erfolgen (RegBegr. BT-Drs. 19/26689, 85), klar und verständlich gefasst sein (§ 76 IV 3) und ausf. Erwägungen darlegen, die Entscheidung zugrunde liegen. Detailgrad kann variieren, sollte aber der Öffentlichkeit klares Bild verschaffen (Orientierungsgröße in RegBegr. BT-Drs. 19/26689, 85: 100 bis 150 Wörter idR ausreichend). Schutz von Betriebs- und Geschäftsgeheimnissen oder Einhaltung von Vertraulichkeitsvereinbarungen soll durch Begründunspflicht nicht berührt werden (RegBegr. BT-Drs. 19/26689, 85). Um Plausibilität zu erhöhen, empfiehlt RegBegr. BT-Drs. 19/26689, 85 Ausführungen zu Personalstruktur und -strategie, Maßnahmen zur Personalgewinnung und Beteiligung von Personalvertretern (insbes. aus Bereich Gleichstellung) sowie Einordung der Zielgröße Null in Gesamtkonzept der Frauenförderung im Unternehmen. Angaben sollen aber fakultativ sein und nicht Überprüfung durch Ordnungsbehörde unterliegen. Zur Sanktionierung unzureichender Begründungen → Rn. 175. Weil Begründung Gegenstand der Berichtspflicht nach § 289f II Nr. 4, IV HGB ist (→ Rn. 172 f.), muss sie wiedergabefähig protokolliert werden (RegBegr. BT-Drs. 19/26689, 85). Umgekehrt ist wohl auch **Zielgröße von 100 %** denkbar (S/L/Seibt Rn. 73; aA Wasmann/Rothenburg DB 2015, 291, 295), doch dürften zumindest bei § 76 IV (anders als bei § 111 V) beide Szenarien eher theoretischer Natur sein. **169**

c) Verschlechterungsverbot. Während § 76 IV 1 nur Festlegung erzwingt, aber keine unmittelbaren Besetzungsvorgaben, wird in § 76 IV 5 auch solche Vorgabe formuliert, und zwar in Gestalt eines sog Verschlechterungsverbots (zur erstaunlichen Entstehungsgeschichte vgl. Seibert NZG 2016, 16, 18). Danach **170**

darf Zielgröße bei tats. Geschlechterquote unter 30 % den jew. erreichten Anteil nicht mehr unterschreiten darf. Für Festlegung des erreichten Anteils ist **Zeitpunkt der Beschlussfassung** maßgeblich, so dass Unternehmen nicht dauerhaft an einmal erreichten Anteil gebunden ist (etwa im Fall von Kündigungen – s. Wasmann/Rothenburg DB 2015, 291, 295). Verbesserungsgebot kann daraus nicht abgeleitet werden (GK-AktG/Kort Rn. 371; Lutter/Krieger/Verse AR Rn. 345; Drygala NZG 2015, 1129, 1131 ff.; aA Teichmann/Rüb BB 2015, 898, 903). Bei Geschlechterquote über 30 % ist Herabsenkung unter bisherigen Anteil dagegen wiederum zulässig (und zwar auch unter 30 % – Fromholzer/Simons AG 2015, 457, 460). Sobald tats. Anteil 30 % wieder unterschreitet, lebt Gültigkeit des Verschlechterungsverbots aber wieder auf. Auch bei Überschreitung der 30 %-Quote bleibt Festlegung auch weiterhin erforderlich (aA S/L/Drygala § 111 Rn. 72), was rechtspolit. nicht unbedingt sinnvoll erscheint. Für Berechnung des Prozentsatzes ist Rundungsregel des § 96 II 4 (→ § 96 Rn. 18) anzuwenden (Fromholzer/Simons AG 2015, 457, 460).

171 **d) Beschlussfassung.** Festlegung erfolgt durch **Beschluss;** vor endgültiger Festlegung ist Betriebsrat nach § 92 III BetrVG zu informieren (GK-AktG/Kort Rn. 391; Ohmann-Sauer/Langemann NZA 2014, 1120, 1124; Seibt ZIP 2015, 1193, 1206 f.; Spindler WM 2021, 817, 823; aA Röder/Ch. Arnold NZA 2015, 1281, 1287 f.). Dem AR ist nach § 90 zu berichten; ggf. kann Festlegung auch Gegenstand eines Zustimmungsvorbehalts nach § 111 IV 2 sein (→ § 111 Rn. 58 ff.; S/L/Drygala § 111 Rn. 69).

172 **4. Fristsetzung und Veröffentlichung.** Gemeinsam mit Zielgröße ist nach § 76 IV 6 **Frist** für ihre Erreichung festzulegen. Nach § 25 I EGAktG musste erstmalige Festlegung bis spätestens 30.9.2015 erfolgen, wobei Frist nicht länger dauern durfte als bis zum 30.6.2017. Folgende Fristen dürfen nach § 76 IV 7 nicht länger als fünf Jahre sein. Zielgröße und Frist sind für börsennotierte AG iSd § 289f I HGB (für KGaA nach § 289f III HGB) nach Maßgabe des durch FüPoG II 2021 ebenfalls neu gefassten **§ 289f II Nr. 4 HGB** in Erklärung über die Unternehmensführung im Lagebericht zu **veröffentlichen** (Mustertext: Seibt in Hohenstatt/Seibt, Geschlechterquoten, 2015, Rn. 458 ff.). Von Veröffentlichungspflicht ist insbes. auch etwaige Begründung zur Zielgröße Null erfasst (→ Rn. 169). Da diese Pflicht aber in **bisherige Fristberechnung** eingefügt wurde, muss auch nach Geltung der neuen Regelung ab 12.8.2021 (§ 26l II EGAktG) nicht unmittelbar neue Zielgröße festgelegt werden, sondern erst, wenn solche Festlegung nach Fristablauf abermals geboten ist (Groß AG 2021, 693 Rn. 8 ff.). Vor diesem Zeitpunkt greift auch auf Neuregelung bezogene Veröffentlichungspflicht nicht (Groß AG 2021, 693 Rn. 12 ff.). Bestandserklärung kann nicht taggenau auf Veröffentlichung bezogen sein, sondern zeitliche Vorverlagerung ist zulässig (Fromholzer/Simons AG 2015, 457, 461). Das gilt nach § 315 V HGB auch für Konzernobergesellschaft (Stüber BB 2015, 2243, 2247). Für andere Unternehmen erfolgt Veröffentlichung nach § 289f IV 1 HGB in gesondertem Abschnitt des **Lageberichts** zur Unternehmensführung, für Unternehmen, die auch nicht zu Lagebericht verpflichtet sind, in **gesonderter Veröffentlichung** nach § 289f IV 3 HGB (idR Internetseite der AG, ggf. auch Internetseite oder Lagebericht der Konzernmutter – vgl. Fromholzer/Simons AG 2015, 457, 465; Herb DB 2015, 964, 970).

173 Diese Berichterstattung muss **jährlich erfolgen** (FamAusschuss BT-Drs. 18/4227, 26) und orientiert sich auch im Fall des § 289f IV 3 HGB zeitlich an Veröffentlichung der sonstigen Jahresabschlussunterlagen (Fromholzer/Simons AG 2015, 457, 465). Nach Ablauf der Frist ist überdies zu berichten, ob festgelegte Zielgröße erreicht wurde. Ist das nicht der Fall, müssen **Gründe** angegeben werden (comply-or-explain). Auch wenn keine Führungsebene unter Vor-

stand vorhanden ist, muss dies im Bericht angegeben werden (FamAusschuss BT-Drs. 18/4227, 22). Ergänzende Angaben sind zulässig (Seibt in Hohenstatt/Seibt, Geschlechterquoten, 2015, Rn. 313).

5. Rechtsfolgen. Verfehlung der Zielgröße bleibt sanktionslos, um zu verhindern, dass Festlegung von vornherein zu defensiv erfolgt (RegBegr. BT-Drs. 18/3784, 119 f.). Befolgungsanreiz wird damit in erster Linie in **negativer Öffentlichkeitswirkung** bei Verfehlung oder unambitionierter Festlegung der Zielgröße gesehen (FamAusschuss BT-Drs. 18/4227, 21). Dieser bewusste Sanktionsverzicht darf auch nicht über Kombination der allg. Sorgfaltspflicht mit „Bemühenspflicht als Leitungsaufgabe" umgangen werden (so aber Weller/Benz AG 2015, 467, 472 [→ Rn. 14]; ähnlich Stüber DStR 2015, 947, 954; für § 111 V auch S/L/Drygala § 111 Rn. 75, 78; wie hier GK-AktG/Kort Rn. 430 ff.; S/L/Seibt Rn. 79; Hölters/Weber/Weber Rn. 91; Fromholzer/Simons AG 2015, 457, 466; Spindler WM 2021, 817, 823). Verfehlung der Zielgröße kann daher weder Anlass zur Haftung nach § 93 II noch zur Anfechtung der Entlastung sein (Spindler WM 2021, 817, 823; iE auch S/L/Drygala § 111 Rn. 78 f., der aber erst die Schwere der Pflichtverletzung verneint). Auch mittelbare Geschlechterdiskriminierung wird bei Zielverfehlung nicht nach § 22 AGG indiziert (Göpfert/Rottmeier ZIP 2015, 670, 672 f.; Seibt ZIP 2015, 1193, 1207). 174

Ebenfalls rechtl. sanktionslos bleibt unbefriedigende Begründung für Festlegung einer **Zielgröße Null.** Inhaltliche Plausibilität und Überzeugungskraft soll von interessierter Öffentlichkeit bewertet werden, die über Erklärung nach § 289f II Nr. 4, IV HGB von Begründung Kenntnis nehmen kann (RegBegr. BT-Drs. 19/26689, 84), was auch hier auf Sanktionsansatz des public shaming hinausläuft. 175

Verstöße gegen § 289f HGB durch **fehlende oder fehlerhafte Erklärung** oder generell fehlende Begründung für Zielgröße Null sind dagegen OWi nach § 334 I 1 Nr. 3, 3a, 4, S. 2 und 3 HGB, in schweren Fällen Straftat nach § 331 Nr. 1 HGB. Mit Einfügung des § 334 I I Nr. 3a HGB durch FüPoG II 2021 wurde auch bisher nicht erfasste Veröffentlichungspflicht nach § 289f IV 3 HGB einer Sanktion unterworfen. IÜ liegt Pflichtverletzung des Vorstands vor, für die allg. Regeln gelten, insbes. § 84 IV und § 93 II; als Schaden ist in erster Linie Bußgeld vorstellbar (Fromholzer/Simons AG 2015, 457, 466). Auch Entlastung kann in diesem Fall verweigert werden. Noch ungeklärt ist, ob nach Vorbild der Rspr. zu § 161 auch Anfechtung des Entlastungsbeschlusses möglich ist (dafür S/L/Drygala § 111 Rn. 76; dagegen Bürk/Wentz Konzern 2022, 177, 182). Zumindest bei fahrlässigen Verstößen wird es insofern aber an „schwerwiegender Gesetzesverletzung" fehlen (Weller/Benz AG 2015, 467, 474 f.). 176

Unterlassene oder fehlerhafte Festlegung von Zielgrößen ist ebenfalls Pflichtverletzung, wobei fehlerhafte Festlegung aufgrund weiten Beurteilungsspielraums (→ Rn. 164) nur in Ausnahmefällen angenommen werden kann (Fromholzer/Simons AG 2015, 457, 466). Eher denkbar sind Verstöße gegen Verschlechterungsverbot oder bei Feststellung des Ist-Bestandes (Weller/Benz AG 2015, 467, 473). Ob daneben auch Feststellungsklage in Betracht kommt (dafür Weller/Benz AG 2015, 467, 473 f.), hängt davon ab, ob man grds. Organstreitigkeiten gestattet (→ § 90 Rn. 16 ff.). Mit der hier vertretenen Auffassung ist das abzulehnen. 177

VIII. Überlagerungen durch aufsichtsrechtliche Vorgaben

1. Bankaufsichts- und Wertpapieraufsichtsrecht. Namentl. im Bank- und Versicherungsrecht werden aktienrechtl. Vorgaben für Geschäftsleiter mittlerweile 178 recht breitflächig durch aufsichtsrechtl. Vorgaben überlagert (zu Vorgaben bzgl. Zahl der Vorstandsmitglieder → Rn. 138). Im Bankaufsichtsrecht ist insofern insbes. **§ 25a KWG** zu nennen, der **organisationsrechtl. Anforderungen** an KI formuliert, die vom Vorstand umzusetzen sind. Nach § 25a I 1 KWG muss Institut über ordnungsgem. Geschäftsorganisation verfügen, die die Einhaltung der vom Institut zu beachtenden ges. Bestimmungen und betriebswirtschaftlichen Notwendigkeiten gewährleistet. Dazu gehört nach § 25a I 3 KWG auch angemessenes und wirksames Risikomanagement, dessen Gestaltung in § 25a I 3 und 4 KWG näher umschrieben ist; diese Anforderungen werden in Rundschreiben der BaFin zu Mindestanforderungen an das Risikomanagement (MaRisk – erstmals Nr. 18/2005 aus dem Jahr 2005; aktuelle Fassung abrufbar über BaFin-Homepage) näher ausgestaltet (zur Bedeutung im Haftungskontext → § 93 Rn. 37). § 25a I 6 KWG enthält weitere Vorgaben zur ordnungsgem. Geschäftsorganisation, namentl. Regelungen zur Bestimmungen der finanziellen Lage des Instituts (Nr. 1), vollständige Dokumentation der Geschäftstätigkeit, die Überwachung durch BaFin gewährleistet (Nr. 2) und Einrichtung eines Whistleblowersystems (Nr. 3; sa → Rn. 37 ff.). § 25a III schreibt entspr. Anforderungen für **Institutsgruppen** fort (ausf. Tröger ZHR 177 [2013], 475 ff.; sa → Rn. 132; → § 311 Rn. 48a). § 25a V KWG sieht bes. Vorgaben zur Vergütung von Mitarbeitern und Geschäftsleitern vor (speziell zu Vorständen → § 87 Rn. 30). Für **Wertpapierdienstleistungsunternehmen** enthält § 80 WpHG dem § 25a I KWG weitgehend entspr. Organisationsvorgaben, die dort durch wertpapierspezifisches Pendant zur MaRisk, nämlich MaComp, ausgefüllt werden (Rundschreiben 4/2010 [WA] der BaFin v. 7.6.2010; vgl. dazu Hell WPg 2013, 482 ff.; H. Schäfer BKR 2011, 45 ff.; H. Schäfer BKR 2011, 187 ff.).

179 Weitere Vorgaben zum **Outsourcing** von Aktivitäten und Prozessen enthält § 25b KWG, der Vorstand insbes. zur fortlaufenden Überwachung und Risikovermeidung verpflichtet; nach § 25b III KWG muss er auch sicherstellen, dass Überwachung durch BaFin gewährleistet bleibt. Anders als § 25a KWG adressiert § 25c KWG unmittelbar Geschäftsleiter des Instituts, normiert bes. Eignungsvoraussetzungen in § 25c I KWG, beschränkt in § 25c II KWG die Zahl weiterer Leitungs- oder Aufsichtsmandate (einschließlich Inkompatibilitätsvorgabe nach § 25c II 2 KWG) und formuliert in § 25c III KWG umfassende Vorgaben für ordnungsgem. Geschäftsorganisation iRd Gesamtverantwortung des Vorstands. Vorgaben entspr. inhaltlich weitgehend den an die Institute selbst gerichteten Organisationsanforderungen. Weitgehend parallel gestaltete Regelung enthält jetzt auch § 81 WpHG für Geschäftsleiter eines Wertpapierdienstleistungsunternehmens. § 25c IV KWG normiert Fortbildungspflicht für Vorstandsmitglieder. Flankierend zu Geschäftsorganisationsanforderungen werden sowohl auf Institutsebene (§ 25c IVa KWG) als auch auf Gruppenebene Sicherstellungspflichten formuliert, die ebenfalls die in § 25a I KWG enthaltenen Vorgaben konkretisieren sollen. Weitere speziell geschäftsbezogene Vorgaben finden sich für die **Kreditvergabe** in §§ 13 ff. KWG.

180 **Durchsetzung** erfolgt durch BaFin, der dazu in generalklauselartiger Eingriffsnorm des § 6 III KWG auch aufsichtsrechtl. Maßnahmen mit organisationsrechtl. Bezug ermöglicht werden (ähnlich § 6 I WpHG, § 5 VI KAGB). Ggü. Vorstandsmitgliedern kann sie Abberufungsverlangen und Tätigkeitsverbot aussprechen (→ § 84 Rn. 31). Jede gegen Institut oder ihre Geschäftsleiter ergriffenen Maßnahmen sind nach §§ 123 ff. WpHG zu veröffentlichen (→ § 93 Rn. 189). Um diese Befugnisse auszuüben, räumt § 44 I KWG BaFin umfassendes Auskunfts- und Prüfungsrecht ein (entspr. Verweis auf § 44 I KWG auch in § 14 KAGB), die bis zur Bestellung eines Sonderbeauftragten reichen können, der mit Organbefugnissen betraut wird (ausf. Hanten BKR 2019, 157 ff., 218 ff.).

Zu entspr. Teilnahmerechten in Sitzungen → § 109 Rn. 8; → § 118 Rn. 28; zum Recht, Einberufung der HV zu verlangen, → § 121 Rn. 3.

2. Versicherungsaufsichtsrecht. Gleichlaufend zu § 25a KWG weist auch das VAG aufsichtsrechtl. Überlagerung auf (vgl. dazu Leyens/Schmidt AG 2013, 533 ff.), die auch hier bis zur vollständigen Ersetzung des Vorstands durch Sonderbeauftragten (§ 307 VAG) reichen können (vgl. dazu BaFin Journal 1/2019 S. 10; Hanten BKR 2019, 157, 160 ff.). Bis zum 1.1.2016 war § 64a VAG aF einschlägige Parallelvorschrift. Nach Umsetzung der RL 2009/138/EG – **Solvency II** werden **Anforderungen an Geschäftsorganisation** detailliert durch §§ 23–34 VAG abgebildet (umfassende Übersicht bei Armbrüster r+s 2015, 425 ff.; ausf. zur ordnungsgem. Organisation der Versicherungsgruppe Dreher WM 2015, 649 ff.). § 23 VAG als zentrale Vorschrift normiert allg. organisationsrechtl. Anforderungen an Versicherungsunternehmen (vgl. Bürkle VersR 2016, 2). Nach § 23 I 1 VAG muss Unternehmen über **wirksame, ordnungsgem. und angemessene Geschäftsorganisation** verfügen. Erforderlich ist nicht nur Einhaltung der Gesetze, Verordnungen und aufsichtsbehördlichen Anforderungen, sondern auch Gewährleistung einer soliden, umsichtigen Leitung (S. 2). Dazu bedarf es der Errichtung einer angemessenen und transparenten Organisationsstruktur und eines wirksamen Kommunikationssystems (S. 3). Außerdem bedingt ordnungsgem. Geschäftsorganisation interne Leitlinien (Abs. 3), Notfallpläne (Abs. 4), Dokumentationspflichten (Abs. 5) sowie ein Whistleblowing-System (Abs. 6; → Rn. 37 ff.). Vorstand hat gem. § 23 II VAG Sorge dafür zu tragen, dass Geschäftsorganisation regelmäßig intern überprüft wird. 181

§§ 24–32 VAG konkretisieren allg. Geschäftsorganisation näher. § 24 I 1 VAG verlangt Zuverlässigkeit und **fachliche Eignung** nicht nur der Personen, die das Unternehmen tats. leiten (vgl. § 7a VAG aF), sondern auch der Personen, die andere Schlüsselfunktionen übernehmen; Kriterien werden iE in Abs. 1–4 umschrieben. § 25 VAG enthält Leitplanken für entsprechende **Vergütungssysteme** (ausf. dazu de Raet/Dörfler CCZ 2017, 253 ff.). Erfordernis eines wirksamen **Risikomanagementsystems** wird umfänglich in § 26 VAG geregelt. Dazu gehört gem. § 27 VAG auch unternehmenseigene Risiko- und Solvabilitätsbeurteilung. Bei Nutzung externer Ratings überprüfen Unternehmen zudem deren Angemessenheit (§ 28 VAG). Ferner müssen Unternehmen über internes Kontrollsystem einschließlich Compliance-Funktion (§ 29 VAG), interne Revision (§ 30 VAG) sowie versicherungsmathematische Funktion (§ 31 VAG) verfügen. § 32 VAG erlaubt **Outsourcing** von Funktionen oder Versicherungstätigkeiten. Nach § 32 I VAG bleibt AG aber weiterhin verantwortlich. Gem. § 32 II VAG dürfen ordnungsgem. Ausführung der ausgegliederten Bereiche, Steuerungs- und Kontrollmöglichkeiten des Vorstands sowie aufsichtsbehördliche Befugnisse nicht beeinträchtigt werden. Darüber hinaus verlangt Vorschrift den Schutz der VN (Abs. 3). AG hat sich außerdem vertragliche Auskunfts- und Weisungsrechte zu sichern und muss ausgegliederte Bereiche weiterhin in ihr Risikomanagement einbeziehen (Abs. 4). Auch für das VAG existiert Interpretationsleitfaden (BaFin-Rundschreiben 2/2017 – MaGo; ausf. Krimphove VersR 2017, 326 ff.). Damit wird die zum 31.12.2015 aufgehobene MaRisk (VA) abgelöst. Vgl. zu den Auswirkungen aufsichtsbehördlicher Anforderungen Bürkle VersR 2016, 2 ff.; Krimphove VersR 2017, 326, 328, 329 f. 182

3. Ausstrahlungswirkung aufsichtsrechtlicher Vorgaben. Als wiederkehrende Argumentationsfigur wird oftmals Frage aufgeworfen, ob aufsichtsrechtl. Vorgaben auch Ausstrahlungswirkung auf allg. Aktienrecht zugesprochen werden kann (dafür VG Frankfurt AG 2005, 264, 265 f.; dagegen M. Arnold/Rudzio FS Wegen, 2015, 93, 100; monographisch Duplois, Die Beeinflussung aktienrechtlicher Corporate Governance durch das Bankaufsichtsrecht, 2017; F. Schmidt, 183

Die Ausstrahlung aufsichtsrechtlicher Corporate Governance auf das Aktienrecht, 2017). Da aufsichtsrechtl. Vorgaben sich aber zumeist aus **spezieller branchenspezifischer Risikostruktur** ergeben (spezielles „Finanzdienstleistungs-Unternehmensrecht" – vgl. dazu Binder ZGR 2015, 667, 701 ff.), ist solchen Ansätzen mit Zurückhaltung zu begegnen, sofern nicht klarer teleologischer Befund dafür spricht, dass zugrunde liegender Rechtsgedanke auch über regulierte Branche hinausgehend Gültigkeit beansprucht (so etwa für Fortbildungskosten → § 113 Rn. 10).

Geschäftsführung

77 (1) [1] **Besteht der Vorstand aus mehreren Personen, so sind sämtliche Vorstandsmitglieder nur gemeinschaftlich zur Geschäftsführung befugt.** [2] **Die Satzung oder die Geschäftsordnung des Vorstands kann Abweichendes bestimmen; es kann jedoch nicht bestimmt werden, daß ein oder mehrere Vorstandsmitglieder Meinungsverschiedenheiten im Vorstand gegen die Mehrheit seiner Mitglieder entscheiden.**

(2) [1] **Der Vorstand kann sich eine Geschäftsordnung geben, wenn nicht die Satzung den Erlaß der Geschäftsordnung dem Aufsichtsrat übertragen hat oder der Aufsichtsrat eine Geschäftsordnung für den Vorstand erläßt.** [2] **Die Satzung kann Einzelfragen der Geschäftsordnung bindend regeln.** [3] **Beschlüsse des Vorstands über die Geschäftsordnung müssen einstimmig gefaßt werden.**

Übersicht

I. Regelungsgegenstand und -zweck

1 § 77 betr. Geschäftsführung, setzt entspr. Befugnis des Vorstands – ohne explizite Anordnung – voraus und begründet für ihre Ausübung durch den mehrgliedrigen Vorstand das **Prinzip der Gesamtgeschäftsführung** (§ 77 I). Zur Geschäftsführung gehört auch, dass sich Vorstand eine Geschäftsordnung gibt (§ 77 II). Die Einzelheiten der Geschäftsführung zu regeln, bleibt ihr überlassen. Prinzip der Gesamtgeschäftsführung gilt auch in **mitbestimmten Gesellschaf-**

ten (MHdB AG/Hoffmann-Becking § 22 Rn. 4). Arbeitsdirektor (§ 33 MitbestG) nimmt insoweit keine Sonderstellung ein. Besonderheiten gelten aber für Ausübung von Beteiligungsrechten (§ 32 MitbestG; → § 78 Rn. 8a, 8b). Zum Vetorecht in mitbestimmten Gesellschaften → Rn. 13, zum Erlass einer Geschäftsordnung → Rn. 23.

Entscheidung des Ges. für Gesamtgeschäftsführung bedeutet, dass **Willensübereinstimmung sämtlicher Vorstandsmitglieder** erzielt werden muss. Mehrheitsbeschlüsse wie nach § 28 BGB iVm § 32 I 3 BGB bieten also vorbehaltlich abw. Bestimmung (§ 77 I 2) keine hinreichende Grundlage für eine Maßnahme der Geschäftsführung. Sie muss vielmehr unterbleiben, wenn auch nur ein Mitglied des Vorstands widerspricht. Gesetzgeber des AktG 1965 wollte das gegen früher vertretene Mindermeinung ausdr. feststellen (RegBegr. Kropff S. 99). Zugleich wurde früheres Alleinentscheidungsrecht des Vorstandsvorsitzenden (§ 70 II 2 AktG 1937) als dem Kollegialprinzip widersprechend abgeschafft (RegBegr. Kropff S. 99). In der Praxis wird aber idR von Abweichungsmöglichkeit in § 77 I 2 Gebrauch gemacht, um schwerfälliges Einstimmigkeitserfordernis durch schlankere Entscheidungsstrukturen zu ersetzen (→ Rn. 9 ff.). **§ 77 II hat klarstellenden Charakter** und beruht auf dem Prinzip, dass jedes Gremium über seine Geschäftsordnung selbst entscheidet (RegBegr. Kropff S. 99). 2

II. Prinzip der Gesamtgeschäftsführung (§ 77 I)

1. Begriff der Geschäftsführung. Geschäftsführung ist **jedwede tats. oder rechtsgeschäftliche Tätigkeit** für AG (MüKoAktG/Spindler Rn. 6). Sie umfasst Leitung der AG als herausgehobenen Teilbereich (→ § 76 Rn. 10 ff.), aber auch jede Einzelmaßnahme, die Vorstand intern (zB Führung der Handelsbücher, s. § 91) oder ggü. Dritten (rechtsgeschäftliche Vertretung, s. § 78) trifft. Unterscheidung von Geschäftsführung (Innenverhältnis) und Vertretung (Außenverhältnis) bewirkt also keine unterschiedliche Zuordnung der jew. Maßnahme. Vielmehr geht es um **rechtl. Perspektive:** Geschäftsführung umschreibt rechtl. Dürfen im Innenverhältnis, Vertretungsmacht rechtl. Können im Außenverhältnis. UU kann auch polit. Meinungsäußerung als Geschäftsführung für AG einzustufen sein und damit Sorgfaltsanforderungen des § 93 I 1 unterliegen (Wilsing FS Krieger, 2020, 1141 ff.). Gleiches gilt für zunehmend bedeutsame **Social-Media-Kommunikation,** in deren Rahmen ebenfalls Sorgfaltspflichten zu beachten sind (Kuntz ZHR 183 [2019], 190 ff.; Wolter/Graewe/Adam BB 2023, 2890 ff.). 3

Begriffliche **Abgrenzung der Geschäftsführung von Grundlagengeschäften** ist im Aktienrecht **entbehrlich,** weil Sinn solcher Abgrenzung – Bestimmung der Maßnahmen, die den Gesellschaftern vorbehalten bleiben – anders, nämlich durch Auslegung und Anwendung des § 119, verwirklicht wird (MüKoAktG/Spindler Rn. 7; aA GK-AktG/Kort § 76 Rn. 124). Dies jedenfalls, wenn man von konzernspezifischen Sachverhalten (Ausgliederung) absieht. Damit verbundene Frage nach ungeschriebenen HV-Zuständigkeiten ist nach dem Regelungskonzept des geltenden Rechts auf der Basis des § 119, nicht durch begriffliche Eingrenzung der Geschäftsführung, zu entscheiden (→ § 119 Rn. 16 ff.). 4

2. Befugnis zur Geschäftsführung. Geschäftsführungsbefugnis liegt beim Vorstand. Das ist in § 77 vorausgesetzt (→ Rn. 1) und folgt aus gedanklichem Zusammenhang der §§ 76 I, 78, 82 II. Ges. Zuweisung einzelner Rechte und Pflichten (s. §§ 83, 90, 91, 92, 110 I, § 118 II, § 170) bestätigen die Regel. Geschäftsführungsbefugnis liegt auch nur beim Vorstand. Sog **Bereichsvorständen,** die ungeachtet des Titels leitende Angestellte sind, können organschaftl. Aufgaben nicht übertragen werden (Hoffmann-Becking ZGR 1998, 497, 510; zur uneinheitlichen Begrifflichkeit s. GK-AktG/Kort Rn. 6, 24a). 5

6 3. **Gesamtgeschäftsführung.** Hat AG mehrgliedrigen Vorstand, so sind Vorstandsmitglieder gem. § 77 I 1 nur gemeinschaftlich zur Geschäftsführung befugt. Daraus folgt: Vorstand darf nur handeln, wenn alle Mitglieder der Maßnahme ausdr. oder konkludent zugestimmt haben (→ Rn. 2). Willensbildung erfolgt also durch **einstimmigen Beschluss.** Einstimmigkeit ist auch dann nicht gegeben, wenn sich mindestens ein Vorstandsmitglied nicht an Beschlussfassung beteiligt (Abwesenheit [ggf. konkludente Zustimmung, zB bei Urlaub oder Routineangelegenheiten], Unterlassung oder Enthaltung) oder Stimmabgabe mangelhaft ist; Stimmverbot ist dagegen unschädlich (Seyfarth VorstandsR § 2 Rn. 6, 28; Leo NZG 2023, 959, 961). Formvorschriften bestehen nicht (MüKoAktG/Spindler Rn. 26). Beschlüsse, die in Vorstandssitzungen gefasst werden, bedürfen auch keiner Protokollierung. Beschlussfassung ist daher auch mündlich, telefonisch, in virtueller Konferenz, per E-Mail möglich, aber auch in nur konkludenter Weise (OLG Frankfurt AG 1986, 233; teilw. anders beim AR → § 108 Rn. 4). Aus Erfordernis einstimmiger Beschlussfassung ergibt sich, dass förmlicher Widerspruch zur Verhinderung einer Maßnahme nicht erforderlich ist (Erle AG 1987, 7; Priester AG 1984, 253). **Fehlerhafter Beschluss** kann von einzelnen Vorstandsmitgliedern in Intraorganstreit angefochten werden. Es gelten insofern die für den AR nach ausführlicherer rechtspolitischer Diskussion herausgearbeiteten Grundsätze (→ § 108 Rn. 26 ff.). §§ 241–249 finden dagegen keine Anwendung (BGHZ 164, 249, 252 = NJW 2006, 374; OLG Frankfurt AG 2003, 276, 277; zur näheren Begr. → § 108 Rn. 28). Für Maßnahmen, die wegen **Gefahr im Verzug** keinen Aufschub dulden, hat § 77 keine bes. Regelung getroffen. § 116 IV HGB, § 715 III BGB sind analog anzuwenden. Abwesende und auch nicht erreichbare Vorstandsmitglieder dürfen deshalb ausnahmsweise übergangen werden. Sie sind jedoch umgehend nachträglich zu unterrichten und können noch widersprechen, solange Durchführung der Maßnahme aussteht. Eilbedürftigkeit in diesem Sinne kann auch entstehen, wenn AG von **kartellrechtl. Bonusregelung** profitieren und zu diesem Zweck rechtzeitigen Leniency-Antrag stellen oder rangwahrenden Marker setzen will (s. dazu Dreher ZWeR 2009, 397, 400 f.). Zu den Folgen einer Mandatspause nach § 84 III → § 84 Rn. 48.

7 **Zustimmung zu einer Geschäftsführungsmaßnahme** (Stimmabgabe) ist empfangsbedürftige Willenserklärung. Sie wird wirksam, wenn sie den anderen Vorstandsmitgliedern zugeht (KK-AktG/Cahn Rn. 8). Freier Widerruf nach Zugang ist ausgeschlossen. Möglich ist aber Widerruf aus wichtigem Grund, bes. bei nachträglicher Änderung der Sachlage. Zustimmungserklärung kann in schlüssigem Verhalten gefunden werden. Auch ansonsten sind allg. Regeln für Willenserklärungen anwendbar, so dass insbes. **Anfechtung** nach §§ 119 ff. BGB möglich ist, auf Wirksamkeit des Beschlusses aber nur durchschlägt, wenn Ergebnis bei mangelfreier Stimmabgabe so nicht zustande gekommen wäre (GK-AktG/Kort Rn. 17). Urlaubsabwesenheit und vergleichbare Verhinderungen bringen idR Zustimmung zu solchen Maßnahmen schlüssig zum Ausdruck, die sich nach Gegenstand und Beschlussinhalt iR üblicher Geschäftsroutine halten (GK-AktG/Kort Rn. 12; KK-AktG/Cahn Rn. 9). Nicht zulässig mit Folge des § 134 BGB wäre es, Zustimmung für unbeschränkten Kreis von Geschäften im Voraus zu erteilen; Prinzip der Gesamtgeschäftsführung steht dem entgegen. Stimmabgabe durch **Boten** ist zulässig, durch **Stellvertreter** mit Blick auf Höchstpersönlichkeit der Geschäftsführung dagegen unzulässig (GK-AktG/Kort Rn. 16). Ist nicht nur einzelne Stimmabgabe mängelbehaftet, sondern Beschluss selbst als korporationsrechtl. Akt (etwa wegen unterbliebener Mitwirkung eines Mitglieds), so kann Nichtigkeit geltend gemacht werden, sofern rechtl. Feststellungsinteresse besteht, namentl. in Person übergangenen Mitglieds (GK-AktG/Kort Rn. 18). Vorstand hat **Ausführung nichtiger Beschlüsse** zu unterlassen, doch kann in Ausführung

uU konkludent-berichtigende Neufassung zu sehen sein (GK-AktG/Kort Rn. 19; S/L/Seibt Rn. 9a).

Stimmverbot des § 34 BGB gilt gem. § 28 I BGB auch für mehrköpfigen Vereinsvorstand. Vorschriften sind auf Vorstand der AG analog anzuwenden (allgM, s. nur MüKoAktG/Spindler Rn. 24 f.). Gleichwohl erfolgende Stimmabgabe ist unwirksam. Verbot erfasst aber nur Rechtsgeschäfte und Rechtsstreitigkeiten zwischen Vorstandsmitglied und AG, für die nach § 112 ohnehin AR zuständig ist, so dass praktische Bedeutung gering ist. Ausdehnung des § 34 BGB auf schlechthin jede Interessen- oder Pflichtenkollision ist dagegen mangels ges. Basis unzulässig. Vorstandsmitglied kann aber aus Treupflicht zum Rückzug von Beratung und Abstimmung verpflichtet sein, wenn sonst Anwendung des § 93 I 2 auf andere Vorstandsmitglieder gefährdet wäre (ausf. → § 93 Rn. 57 ff.). Stimmverbot analog § 34 BGB wird allerdings bei **Vorstandsdoppelmandaten** (→ § 76 Rn. 136 f.) erwogen (S/L/Seibt § 76 Rn. 52; Hoffmann-Becking ZHR 150 [1986], 570, 580; Semler FS Stiefel, 1987, 719, 757 ff.). Lösung ist indessen schon wegen begrenzter Reichweite des § 34 BGB und bewusster tatbestandl. Eingrenzung in § 136 abzulehnen, zumal Interessenwiderstreit zwar denkbar ist, aber nicht zwingend, sondern vielmehr auch Interessengleichlauf vorliegen kann (eingehend GK-AktG/Kort § 76 Rn. 224 ff.; KK-AktG/Cahn Rn. 39 ff.; → § 136 Rn. 14). Zur Leistungsverweigerung nach § 275 III BGB s. S. H. Schneider NZG 2009, 1413, 1414 ff. 8

III. Abweichende Bestimmungen (noch: § 77 I)

1. Regelung durch Satzung oder Geschäftsordnung. Gem. § 77 I 2 kann Satzung oder Geschäftsordnung Abweichendes bestimmen, also ges. Modell der Gesamtgeschäftsführung durch **flexiblere Lösung** ersetzen (→ Rn. 2). Regelung muss aber in Satzung oder Geschäftsordnung enthalten sein. Weil Geschäftsordnung der Schriftform bedarf (→ Rn. 21), kann in bloßer von Gesamtgeschäftsführung abw. Praxis keine entspr. schlüssig erklärte Geschäftsordnungsregel gefunden werden (KK-AktG/Cahn Rn. 10; großzügiger zur anders gelagerten Rechtslage bei GmbH BGHZ 220, 162 Rn. 17, 22 ff. = NZG 2019, 225). Wenn Minderheit Mehrheitsbeschlüsse des Vorstands respektiert, obwohl weder Satzung noch Geschäftsordnung dafür eine Grundlage bieten, kann darin allerdings **konkludente Zustimmung** zur Mehrheitsmeinung (→ Rn. 7) zu finden sein. Regelungen der Satzung oder entspr. Bestimmungen des AR zur Vertretung der AG (§ 78 II und III) erlauben für sich genommen nicht Rückschluss auf parallele Ordnung der Geschäftsführung; denn Vertretung und Geschäftsführung können unterschiedlich ausgestaltet sein (KK-AktG/Cahn Rn. 10). 9

2. Regelungsmöglichkeiten im Überblick. Im Vergleich zum ges. Modell einer Gesamtgeschäftsführung mit Einstimmigkeitserfordernis (→ Rn. 6) sind folgende **Abweichungen** denkbar: Gesamtgeschäftsführung mit mehrheitlicher Willensbildung; Einzelgeschäftsführung ohne Beschränkung der Geschäftsführungsbefugnis; Einzelgeschäftsführung mit **funktionsbezogener Beschränkung** der Geschäftsführungsbefugnis (Produktion; Vertrieb; Recht und Personal); Einzelgeschäftsführung mit **spartenbezogener Beschränkung** der Geschäftsführungsbefugnis (Pharmabereich; Stahlhandel; Kfz-Versicherungen usw); Einzelgeschäftsführung mit **lokaler oder regionaler Beschränkung** der Geschäftsführungsbefugnis (Geschäfte einer Hauptfiliale; einer Ländergruppe usw); → § 76 Rn. 4. Regelungen der genannten Art können auch miteinander verknüpft werden, etwa derart, dass ein Vorstandsmitglied zugleich für ein Zentralressort und für einen gegenständlich oder räumlich abgegrenzten Geschäftsbereich zuständig ist („Matrixorganisation" – vgl. GK-AktG/Kort Rn. 24). Zulässig ist grds. auch **virtuelle** 10

Holding, in der Zuständigkeit für strategische Führung beim Vorstand verbleibt, operatives Geschäft aber bes. Gremium übertragen wird, dem neben Vorstandsmitgliedern auch leitende Angestellte angehören. Zulässigkeitsvoraussetzung ist aber, dass alle Vorstandsmitglieder für Leitung zuständig bleiben (S/L/Seibt Rn. 20; Fleischer BB 2017, 2499, 2502 ff. [mw Ausführungen zur Unterform des Group Executive Committee]). Ebenso zulässig ist Bildung von **Vorstandsausschüssen** (Hoffmann-Becking ZGR 1998, 497, 509 ff., 515 ff.; Schiessl ZGR 1992, 64, 77 ff.), dies allerdings nur vorbehaltlich der Mindestzuständigkeiten des Gesamtorgans und der Gleichberechtigung seiner Mitglieder (→ Rn. 17 f.).

11 **3. Einzelfragen. a) Zur mehrheitlichen Beschlussfassung.** Satzung oder Geschäftsordnung kann nicht nur mehrheitliche Beschlussfassung (generell oder für bestimmte Gegenstände) vorsehen, sondern auch Mehrheitserfordernis regeln (einfache oder qualifizierte Mehrheit, Abstufungen nach Art oder Bedeutung des Beschlussgegenstandes; zu Grenzen der Gestaltungsmacht → Rn. 16). Stimmengleichstand ist keine Mehrheit, bedeutet also Ablehnung des Beschlussantrags. Für diesen Fall kann grds. **Stichentscheid** vorgesehen werden, also Recht eines Vorstandsmitglieds (insbes. des Vorsitzenden, alternativ aber zB auch des Ressortverantwortlichen), durch seine Stimme den Ausschlag zu geben (allgM, s. BGHZ 89, 48, 59 = NJW 1984, 733; MüKoAktG/Spindler Rn. 14; Hoffmann-Becking ZGR 1998, 497, 518; Wedemann AG 2023, 673 Rn. 26, 28). Im **zweigliedrigen Vorstand** besteht diese Möglichkeit nach hM jedoch nicht, weil sie dort auf Alleinentscheidungsrecht des Begünstigten hinausliefe, das Gesetzgeber von 1965 (RegBegr. Kropff S. 99) in Abweichung von § 70 II 2 AktG 1937 mit Kollegialprinzip im mehrköpfigen Vorstand als unvereinbar ansah (OLG Hamburg AG 1985, 251 f.; OLG Karlsruhe AG 2001, 93, 94; GK-AktG/Kort Rn. 26; KK-AktG/Cahn Rn. 12). Einschränkung ist nicht unproblematisch, weil damit uU Lähmung des Unternehmens eintreten kann, die auf anderen Wegen nicht ohne weiteres ausgeräumt werden kann (aA deshalb Bürkle AG 2012, 232 ff.; Priester AG 1984, 253), doch muss Lösung in anderweitiger Satzungsgestaltung im Vorfeld, nicht in Durchbrechung des gesetzgeberischen Willens gesucht werden. Auch in **mitbestimmter Gesellschaft** ist Stichentscheid – außer im zweiköpfigen Vorstand – unproblematisch (BGHZ 89, 48, 59 = NJW 1984, 733; GK-AktG/Kort Rn. 26a; Langer/Peters BB 2012, 2575, 2580; Simons/Hanloser AG 2010, 641, 645). Zwingende Zuständigkeiten des Arbeitsdirektors stehen dem nicht entgegen, da er nur gegen Diskriminierungen geschützt ist, aber nicht pauschal davor, im Kollegialorgan überstimmt zu werden (Simons/Hanloser AG 2010, 641, 645; sa KK-AktG/Cahn Rn. 67).

12 Gegenläufig kann nach **hM** Satzung oder Geschäftsordnung grds. (Ausnahme → Rn. 13) **Vetorecht** vorsehen, also Recht eines Vorstandsmitglieds (wiederum meist, aber nicht notwendig des Vorsitzenden), Mehrheitsentscheidung – auch endgültig – zu blockieren (OLG Karlsruhe AG 2001, 93, 94; GK-AktG/Kort Rn. 27; KK-AktG/Cahn Rn. 13; S/L/Seibt Rn. 14; MüKoAktG/Spindler Rn. 17; Seidel Vetorecht eines Vorstandsmitglieds, 2018, 17 ff.; offenlassend BGHZ 89, 48, 58 = NJW 1984, 733). Im Hinblick auf gesetzgeberischen Willen, Alleinentscheidungsbefugnis im Kollegialorgan zu beseitigen (→ Rn. 11, 16), ist diese Sichtweise indes bedenklich, da sich positive und negative Entscheidungen oft nicht hinreichend trennen lassen und Entscheidung für eine Maßnahme auch durch Veto gegen Handlungsalternative erzwungen werden kann (aA deshalb T. Bezzenberger ZGR 1996, 661, 665 ff., 668 f.; Dose, Rechtsstellung der Vorstandsmitglieder, 77 ff.; Erle AG 1987, 7, 8 ff.; Hoffmann-Becking ZGR 1998, 497, 519; Simons/Hanloser AG 2010, 641, 646 f.; Wedemann AG 2023, 673 Rn. 26; widersprüchlich Ihrig/Schäfer Vorstand Rn. 19 einerseits – Rn. 517 andererseits). Auch Gegenschluss aus grds. geltendem Prinzip der Gesamt-

geschäftsführung (KK-AktG/Cahn Rn. 13; MüKoAktG/Spindler Rn. 17) überzeugt nicht, da einseitiges Widerspruchsrecht eines einzelnen Mitglieds andere Rechtsqualität hat als wechselseitige Bindung aller Vorstandsmitglieder (BGHZ 89, 48, 58; Hoffmann-Becking ZGR 1998, 497, 519; Simons/Hanloser AG 2010, 641, 646). Unproblematisch zulässig ist deshalb nur **vertagendes Vetorecht** mit aufschiebender Wirkung bis zu zweiter Vorstandsentscheidung, dessen Zulässigkeit aus Zuständigkeit zur Verfahrens- und Sitzungsleitung einschließlich Vertagungsbefugnis abgeleitet werden kann (T. Bezzenberger ZGR 1996, 661, 668 f.; Hoffmann-Becking ZGR 1998, 497, 519; Simons/Hanloser AG 2010, 641, 647).

Auch nach hM scheitert **in mitbestimmten Gesellschaften** jedenfalls **Vetorecht** mit endgültiger Wirkung an der durch § 33 MitbestG geschützten gleichberechtigten Stellung des Arbeitsdirektors, sofern auch seine Zuständigkeit in Personal- und Zuständigkeitsfragen davon berührt ist (BGHZ 89, 48, 59 = NJW 1984, 733; BeckOGK/Fleischer Rn. 18; KK-AktG/Cahn Rn. 14; S/L/Seibt Rn. 15; aA Seidel Vetorecht eines Vorstandsmitglieds, 2018, 99 ff.). Das gilt selbst dann, wenn Arbeitsdirektor für seinen Bereich eigenes Widerspruchsrecht hat (BGHZ 89, 48, 60). Ein **aufschiebendes Vetorecht** wird man dagegen auch hier zulassen können, da es dem Vorstandsvorsitzenden keine Entscheidungskompetenz in der Sache gewährt (GK-AktG/Kort Rn. 29; S/L/Seibt Rn. 15; Simons/Hanloser AG 2010, 641, 647; aA Thüsing in Fleischer VorstandsR-HdB § 4 Rn. 51). 13

b) Zur Geschäftsverteilung. Bzgl. der Geschäftsverteilung haben Satzung oder Geschäftsordnung weitgehenden Spielraum. Sie können in → Rn. 10 genannte Gestaltungen einführen. Zulässig sind auch Bestimmungen, nach denen nicht alle, sondern einzelne Vorstandsmitglieder allein oder gemeinsam mit einem anderen Mitglied oder einem Prokuristen zur Geschäftsführung befugt sind. Voraussetzung ist aber stets **eindeutige Abgrenzung** der Geschäftsführungsaufgaben aufgrund einer von allen Organmitgliedern mitgetragenen Aufgabenzuweisung, die die vollständige Wahrnehmung der Geschäftsführungsaufgaben durch hierfür fachlich und persönlich geeignete Person sicherstellt und Zuständigkeit des Gesamtorgans für nicht delegierbare Aufgaben wahrt (BGHZ 220, 162 Rn. 17 = NZG 2019, 225; krit. Hoffmann-Becking NZG 2021, 93, 94 f. mit Vorschlag vereinzelter Auflockerungen). Mit der vorstandsinternen Geschäftsverteilung erwächst beauftragtem Vorstandsmitglied volle **Ressortverantwortung** für den ihm zugewiesenen Geschäftsbereich, insbes. auch für nachgeordnete Hierarchieebenen (Fleischer NZG 2003, 449, 452). Zugleich grenzt Ressortzuständigkeit Geschäftsführungsbefugnisse der nicht zuständigen Vorstandskollegen ein. 14

Auch soweit danach durch Geschäftsverteilung Einzelgeschäftsführung begründet werden kann, sind Vorstandsmitglieder nicht von ihrer **Gesamtverantwortung** nach § 76 I befreit (→ Rn. 17 f.), deren Verletzung namentl. haftungsrechtl. Konsequenzen haben kann (→ § 77 Rn. 15 ff.; → § 93 Rn. 76). Sie ergänzt umfassende Ressortverantwortung des zuständigen Vorstandsmitglieds (→ Rn. 14) um **abgeschwächte Überwachungspflicht** der übrigen Vorstandsmitglieder (vgl. dazu BGH NJW 1986, 54, 55; NJW 1995, 2850, 2851; BGHZ 133, 370, 377 f. = NJW 1997, 130; BGHZ 220, 162 Rn. 15 ff. = NZG 2019, 225); LG München I NZG 2014, 345, 347; MüKoAktG/Spindler § 93 Rn. 190; Fleischer NZG 2003, 449, 452 ff.; Löbbe/Fischbach AG 2014, 717 ff.; Nietsch ZIP 2013, 1449, 1451 ff.). Neben übermäßig weit gefasster Compliance-Verantwortung (→ § 76 Rn. 16 ff.) ist es gerade diese Gesamtverantwortung, die zur Verschärfung der Vorstandshaftung (→ § 93 Rn. 1 ff.) in bedenklicher Weise beiträgt. Sie sollte zurückhaltend gehandhabt werden, um Effizienzgewinne sinnvoller Arbeitsteilung nicht zu gefährden (Bachmann Gutachten E zum 70. DJT, Bd. I, 2014, 42; zu 15 ähnlich gelagerten Problemen bei Arbeitsteilung durch Einholung externen Rechtsrats → § 93 Rn. 80 ff. [ISION]; zur vertikalen Delegation auf untere Hierarchieebenen → § 76 Rn. 11 ff.). 70. DJT hat deshalb ges. Festschreibung des sog **Vertrauensgrundsatzes** empfohlen (Beschluss der wirtschaftsrechtl Abteilung Nr. I 5), der aber auch ohne solche Fixierung als geltendes Recht anzuerkennen ist (ArbG Essen NZKart 2014, 193, 194; Harbarth ZGR 2017, 211 ff.; in diese Richtung auch BGHZ 220, 162 Rn. 21, 31 ff. mit entspr. Informationspflicht des Ressortverantwortlichen). Er gilt indes nicht uneingeschränkt, sondern wird durch Pflicht zur gegenseitigen Kontrolle begrenzt (GK-AktG/Kort Rn. 37).

15a **Intensität der Überwachungspflicht** kann nicht allg. umschrieben werden, sondern richtet sich nach Unternehmensgröße, Organisationsstruktur, Geschäftsgegenstand, Person des handelnden Vorstandsmitglieds und konkreten Umständen des Einzelfalls (ausf. Fleischer NZG 2003, 449, 453 ff.; Löbbe/Fischbach AG 2014, 717, 718 ff.; strenge Maßstäbe insofern in LG München I NZG 2014, 345, 347 [Siemens/Neubürger]; eindrucksvolle Fallstudie von Bachmann in Fleischer/Thiessen, Gesellschaftsrechts-Geschichten, 2018, 691 ff.). So wird sich Überwachungspflicht etwa bei krisenhafter Zuspitzung oder konkreten Verdachtsmomenten verdichten (LG München I NZG 2014, 345, 348; Nietsch/Habbe DB 2019, 409, 415; zurückhaltend Harbarth ZGR 2017, 211, 233 f.). Pflicht zum Einschreiten besteht jedenfalls, wenn greifbare Anhaltspunkte dafür gegeben sind, dass zuständiges Vorstandsmitglied seinen Pflichten nicht nachkommt (BGHZ 133, 370, 378 f. für krisenhafte Zuspitzung, in deren Folge AN-Beiträge zur Sozialversicherung nicht mehr abgeführt werden; BGH NZG 2015, 792 Rn. 27; OLG Hamburg AG 2001, 141, 144; OLG Koblenz NZG 1998, 953, 954; OLG Köln AG 2000, 281, 284; AG 2001, 363, 364). Fehlen solche Anhaltspunkte und besteht auch kein vergleichbarer Sachverhalt, so ist Beweis fehlender Pflichtwidrigkeit unterbliebenen Einschreitens erbracht. Im normalen Geschäftsgang dürfen Vorstandskollegen hingegen ganz weitgehend auf pflichtgem. Aufgabenerfüllung vertrauen dürfen (Harbarth ZGR 2017, 211, 226 ff.; Nietsch ZIP 2013, 1449, 1452 ff.). In diesem Fall bedarf es **keiner laufenden Überwachung,** sondern es genügt, wenn Vorstandsmitglieder in Sitzungen des Gesamtvorstands kontinuierlich Aktivitäten und Vorkommnisse in Nachbarressorts verfolgen (MHdB AG/Hoffmann-Becking § 22 Rn. 26 f.; Fleischer NZG 2003, 449, 454 f.). Überdies sollte zur Selbstkontrolle vorstandsinternes Informationssystem eingerichtet werden (Fleischer NZG 2003, 449, 454 f.; Nietsch ZIP 2013, 1449, 1451 f.). Jeweilige Ressortleiter sind ggü. Gesamtvorstand berichtspflichtig. Recht zum Widerspruch steht Vorstandsmitgliedern einzeln zu.

15b Auch aus **konkreter Art der Geschäftsverteilung** können unterschiedliche Überwachungspflichten folgen, da etwa Spartenorganisation eher zur Verselbständigung tendiert als funktionale Organisation (→ § 76 Rn. 4, 10 ff.). Anforderungen an Aufsichtspflicht der Vorstandsmitglieder dürfen allerdings nicht überspannt werden, um kollegiale Zusammenarbeit nicht zu gefährden. Insbes. „Hineinregieren" in fremdes Ressort ist ohne Hinweis auf sorgfaltswidrige Geschäftsführung nicht gestattet (GK-AktG/Hopt/Roth § 93 Rn. 376; GK-AktG/Kort Rn. 38). Auf der anderen Seite verletzen Vorstandsmitglieder ihre Pflicht nicht nur dann, wenn sie eigenhändig tätig werden oder Kollegialentscheidungen treffen, sondern auch, wenn sie pflichtwidrige Handlungen anderer Vorstandsmitglieder anregen oder pflichtwidrig nicht dagegen einschreiten (BGH NJW 2013, 1958 Rn. 22; NZG 2015, 792 Rn. 27). Erkannten Missständen ist also entgegenzuwirken, und zwar idR durch **Information des Gesamtvorstands** und notfalls auch des AR (LG München I NZG 2014, 345, 348). Bloße Stimmenthaltung genügt nicht (ausf. und mwN zum erforderlichem Verhalten bei rechtswidriger Beschlussfassung [„Gremienunrecht"] → § 93 Rn. 8). Weitergehende Konsequenzen, wie etwa Amtsniederlegung oder Einschaltung der Behörden, wird man dagegen nur in Ausnahmefällen, namentl. zur Abwehr krimineller Handlungen oder Schädigungen der Öffentlichkeit annehmen können (Fleischer NZG 2003, 449, 456 f.); uU können solche Maßnahmen zur Haftungsabwendung aber ratsam sein (GK-AktG/Hopt/Roth § 93 Rn. 372).

Entgegen VG Frankfurt WM 2004, 2157, 2161 nicht begründbar ist auf Haftungsverschärfung abzielende angebliche Sonderrolle der Inhaber sog **sachnaher Vorstandsressorts** (B/K/L/Bürgers § 93 Rn. 21; GK-AktG/Hopt/Roth § 93 Rn. 378; Habersack WM 2005, 2360, 2363 f.; Nietsch ZIP 2013, 1449, 1452; Mutter/Frick AG 2005, R 470 f.). Auch gesteigerte Verantwortlichkeit des **Vorstandsvorsitzenden** ist abzulehnen, da sich seine Sonderrolle auf Koordination der Vorstandsarbeit beschränkt, aber keine gesteigerte Überwachungspflicht auslöst (Fleischer NZG 2003, 449, 455; v. Hein ZHR 166 [2002], 464, 487 ff.; aA GK-AktG/Hopt/Roth Rn. 377; T. Bezzenberger ZGR 1996, 661, 670 ff.). 15c

4. Gestaltungsgrenzen. a) Keine Willensbildung gegen die Mehrheit. Gem. § 77 I 2 Hs. 2 kann weder Satzung noch Geschäftsordnung bestimmen, dass ein oder mehrere Vorstandsmitglieder Meinungsverschiedenheiten gegen die Mehrheit der Vorstandsmitglieder entscheiden. Abgeschafft ist damit das sog Alleinentscheidungsrecht des Vorstandsvorsitzenden nach früherem Recht (→ Rn. 2). Willensbildung im Vorstand kann sich also nur **einstimmig oder mehrheitlich** vollziehen. Möglich bleiben jedoch Stichentscheid (→ Rn. 11) und nach wohl hM (vorbehaltlich § 33 MitbestG) Vetorecht (→ Rn. 12 f.). CEO-Modell US-amerikanischer Prägung ist damit nicht vereinbar (→ § 84 Rn. 29). 16

b) Mindestzuständigkeiten des Gesamtvorstands. Soweit Ges. dem Vorstand bestimmte Einzelaufgaben zuweist, handelt es sich zwingend um Rechte und Pflichten des Gesamtvorstands (unstr., vgl. KK-AktG/Cahn Rn. 24; Frels ZHR 122 [1959], 8, 24 ff.). Insoweit muss er **als Kollegialorgan tätig** werden. Einzelne Mitglieder können zwar mit Vorbereitung, aber nicht mit Durchführung betraut werden. Hierher gehören (sa Hoffmann-Becking ZGR 1998, 497, 508) die in → § 76 Rn. 14 f. beispielhaft genannten Maßnahmen, ferner Befugnisse, die dem Vorstand in Bezug auf andere Gesellschaftsorgane zustehen (vgl. zur HV § 119 II, § 121 II, zum AR §§ 97, 98, 104 I und II, § 106). 17

c) Prinzip der Gesamtleitung und Gleichberechtigung. Vorstand kann ihm durch § 76 I zugewiesene Unternehmensleitung nicht auf seine Mitglieder delegieren. Daraus folgt: (1.) Unternehmensplanung, -koordination, -kontrolle, Besetzung der Führungsstellen sowie Compliance (→ § 76 Rn. 16 ff.) sind zwingend Aufgabe des Gesamtorgans (→ § 76 Rn. 13). (2.) **Nicht delegierbar** ist Pflicht des Gesamtorgans zur Selbstkontrolle (→ Rn. 15 ff.). (3.) Vorstandsmitglieder müssen im Grundsatz gleichberechtigt sein (Hoffmann-Becking ZGR 1998, 497, 514 f.; Wedemann AG 2023, 673 Rn. 1 ff., 11 ff.). Gleichbehandlungsgebot steht aber auch hier unter Vorbehalt sachlicher Rechtfertigung (Wedemann AG 2023, 673 Rn. 18 ff.). Unterschiedliche Ausgestaltung ihrer Befugnisse ist danach zwar möglich (→ Rn. 11 f., 14). Gemeinsame Verantwortung für Leitung der AG und ihres Unternehmens muss jedoch erhalten bleiben (keine Vorstandsmitglieder „zweiter Klasse"). Zuweisung minderwertiger Aufgaben begründet allerdings nur bei „krassem Ungleichgewicht" Verstoß (Wedemann AG 2023, 673 Rn. 4, 28). 18

IV. Geschäftsordnung (§ 77 II)

1. Zuständigkeiten. § 77 II regelt Zuständigkeit für Erlass einer Geschäftsordnung; entspr. Erlassempfehlung nach Ziff. 4.2.1 S. 2 DCGK aF wurde mit 19

Kodex-Reform 2020 aufgegeben. Zuständigkeit kann beim Vorstand, beim AR oder für Einzelfragen (→ Rn. 20) beim Satzungsgeber liegen. § 77 II 1 stellt zunächst **Erlasskompetenz des Vorstands** klar (→ Rn. 2). Vorstand handelt als Kollegialorgan und muss einstimmig beschließen (§ 77 II 3). Einstimmigkeitserfordernis gilt auch für spätere Änderungen (MüKoAktG/Spindler Rn. 43). Zuständigkeit des Vorstands ist **subsidiär ggü. Erlasskompetenz des AR** (GK-AktG/Kort Rn. 65). Nach § 77 II 1 kann Vorstand nämlich nicht tätig werden, wenn Satzung Kompetenz des AR vorsieht, und auch dann nicht, wenn Satzung schweigt, aber AR von sich aus Geschäftsordnung erlassen hat. Ihm steht also die primäre Kompetenz zu, und zwar zwingend. Satzung kann also nicht vorsehen, dass Vorstand anstelle des AR tätig wird (ganz hM, s. KK-AktG/Cahn Rn. 59; MüKoAktG/Spindler Rn. 54). Das gilt auch dann, wenn AR zustimmen soll. Zulässig ist jedoch, Erlass einer Geschäftsordnung durch Vorstand mit Zustimmung des AR oder alternativ durch diesen vorzusehen.

20 Gem. § 77 II 2 kann **Satzung Einzelfragen der Geschäftsordnung** bindend regeln. An entspr. Satzungsklauseln sind Vorstand und AR gebunden, wenn sie von ihrer Kompetenz Gebrauch machen. Tragweite der Vorschrift ist zweifelhaft. Nach einer älteren Ansicht soll es möglich sein, dass Satzung die Geschäftsordnung für den Vorstand vollständig enthält (v. Godin/Wilhelmi Rn. 10). Nach einer zweiten Meinung soll es immerhin zulässig sein, dass Satzung den Inhalt der Geschäftsordnung praktisch weitgehend vorwegnimmt (Immenga ZGR 1977, 249, 268). Dritte Auffassung hält Kernbereich organisatorischer Flexibilität für unverzichtbar und nimmt insoweit **satzungsfeste Kompetenz** von Vorstand und AR an (GK-AktG/Kort Rn. 72; KK-AktG/Cahn Rn. 61; MüKoAktG/Spindler Rn. 53; Hoffmann-Becking ZGR 1998, 497, 505). Dieser Ansicht ist beizupflichten. Sie entspr. dem Wortlaut des § 77 II 2 („Einzelfragen“) und trägt dem Recht der Verwaltung zur Selbstorganisation angemessen Rechnung.

21 **2. Form und Inhalt.** Geschäftsordnung ist **schriftlich niederzulegen** (AusschussB Kropff S. 100; ganz hM, s. nur Hoffmann-Becking NZG 2021, 93, 94). Doch bedarf es nicht der eigenhändigen Unterschrift des § 126 BGB (unstr.). Wenn AR Geschäftsordnung erlässt, muss sein Beschluss in die Sitzungsniederschrift aufgenommen werden (§ 107 II). Inhaltlich ist Geschäftsordnung iRd §§ 76 ff. **frei gestaltbar.** Üblich sind Regeln über vorstandsinterne Zusammenarbeit (Sitzungsmodalitäten, Vertretungsordnung, Rechte des Vorstandsvorsitzenden [→ § 84 Rn. 28 f.], Informationswesen, Bildung von Ausschüssen [→ § 76 Rn. 8]) sowie über Zusammenwirken von Vorstand und AR (zu Zustimmungsvorbehalten des AR → § 111 Rn. 61). Auch Regeln zur Verhandlungssprache sind hier zulässig, sofern vom Regelfall der Deutschsprachigkeit abgewichen werden soll (Backhaus FS 10 Jahre Österberg, 2018, 93, 102 f.). Frühere Kodex-Empfehlung in Ziff. 4.2.1 DCGK aF zu weiteren Inhalten (Ressortzuständigkeit, Zuständigkeit des Gesamtvorstands, Beschlussmehrheiten) wurde mit Kodex-Reform 2020 aufgegeben. Musterabdruck: Happ/Happ/Ludwig AktienR 8.01. Ergänzung durch **Geschäftsverteilungsplan** unterliegt als Annex der Geschäftsordnung denselben ges. Bestimmungen (GK-AktG/Kort Rn. 81 f.).

22 **3. Geltungsdauer.** Geschäftsordnung gilt, bis sie geändert oder aufgehoben wird (hM, s. GK-AktG/Kort Rn. 74). AR kann vom Vorstand erlassene Geschäftsordnung nicht ändern, sondern nur durch neue Geschäftsordnung (allerdings auch unter Weiterverwendung alter Elemente) ersetzen. Kompetenzabgrenzung (→ Rn. 19) und Verantwortlichkeit für sachgerechte Organisation gingen sonst durcheinander (RegBegr. Kropff S. 99; MüKoAktG/Spindler Rn. 51). Erlässt AR neue Geschäftsordnung, braucht er die vom Vorstand geschaffene nicht ausdr. aufzuheben. **Bestellung eines neuen Vorstandsmitglieds** lässt Geltung der vom Vorstand in Kraft gesetzten Geschäftsordnung unberührt, ohne

dass neues Mitglied ihr zustimmen müsste (GK-AktG/Kort Rn. 75; KK-AktG/Cahn Rn. 65), weil Einstimmigkeitserfordernis des § 77 II 3 nur Willensbildung bei Erlass der Geschäftsordnung betr. Fortdauernder Konsens aller Beteiligten kann nicht verlangt werden. Anderes gilt nur für konkrete Zuweisung eines Ressorts an neues Mitglied, wenn sie nicht schon vom AR vorgenommen worden ist. Erforderlich ist dann einstimmiger Beschluss (§ 77 II 3) unter Mitwirkung des neuen Mitglieds (Hoffmann-Becking ZGR 1998, 497, 500 f.).

4. Mitbestimmte Gesellschaften. Auch insoweit gibt es keine Pflicht zum Erlass einer Geschäftsordnung (B/K/L/Bürgers Rn. 29; GK-AktG/Kort Rn. 94). § 33 II 2 MitbestG und vergleichbare Normen stehen nicht entgegen, sondern setzen Erlass einer Geschäftsordnung als praktischen Regelfall voraus. Besteht keine Geschäftsordnung, so verbleibt es bei Gesamtgeschäftsführung mit Einstimmigkeitsprinzip (§ 77 I) unter Einschluss des Arbeitsdirektors. Wenn Geschäftsordnung erlassen wird, muss sie **zwingende Zuständigkeit des Arbeitsdirektors** für einen Kernbereich Arbeit und Soziales beachten (→ § 76 Rn. 140; GK-AktG/Kort Rn. 62). IÜ gilt Grundsatz der Gleichberechtigung des Arbeitsdirektors (→ Rn. 11 ff.; → § 76 Rn. 140). 23

Vertretung

78 (1) [1]**Der Vorstand vertritt die Gesellschaft gerichtlich und außergerichtlich.** [2]**Hat eine Gesellschaft keinen Vorstand (Führungslosigkeit), wird die Gesellschaft für den Fall, dass ihr gegenüber Willenserklärungen abgegeben oder Schriftstücke zugestellt werden, durch den Aufsichtsrat vertreten.**

(2) [1]**Besteht der Vorstand aus mehreren Personen, so sind, wenn die Satzung nichts anderes bestimmt, sämtliche Vorstandsmitglieder nur gemeinschaftlich zur Vertretung der Gesellschaft befugt.** [2]**Ist eine Willenserklärung gegenüber der Gesellschaft abzugeben, so genügt die Abgabe gegenüber einem Vorstandsmitglied oder im Fall des Absatzes 1 Satz 2 gegenüber einem Aufsichtsratsmitglied.** [3]**An die Vertreter der Gesellschaft nach Absatz 1 können unter der im Handelsregister eingetragenen Geschäftsanschrift Willenserklärungen gegenüber der Gesellschaft abgegeben und Schriftstücke für die Gesellschaft zugestellt werden.** [4]**Unabhängig hiervon können die Abgabe und die Zustellung auch unter der eingetragenen Anschrift der empfangsberechtigten Person nach § 39 Abs. 1 Satz 2 erfolgen.**

(3) [1]**Die Satzung kann auch bestimmen, daß einzelne Vorstandsmitglieder allein oder in Gemeinschaft mit einem Prokuristen zur Vertretung der Gesellschaft befugt sind.** [2]**Dasselbe kann der Aufsichtsrat bestimmen, wenn die Satzung ihn hierzu ermächtigt hat.** [3]**Absatz 2 Satz 2 gilt in diesen Fällen sinngemäß.**

(4) [1]**Zur Gesamtvertretung befugte Vorstandsmitglieder können einzelne von ihnen zur Vornahme bestimmter Geschäfte oder bestimmter Arten von Geschäften ermächtigen.** [2]**Dies gilt sinngemäß, wenn ein einzelnes Vorstandsmitglied in Gemeinschaft mit einem Prokuristen zur Vertretung der Gesellschaft befugt ist.**

Übersicht

I. Regelungsgegenstand und -zweck

1 § 78 betr. Vertretung der AG iS organschaftlicher Zurechnung in ihrem Namen entfalteten Vorstandshandelns, bes. bei Vornahme von Rechtsgeschäften (→ Rn. 3). Entspr. dem Prinzip der Gesamtgeschäftsführung in § 77 I (→ § 77 Rn. 6 ff.) sieht § 78 II 1 **Prinzip der Gesamtvertretung** vor. § 78 III gestattet jedoch abw. Regelungen durch Satzung oder AR, § 78 IV erlaubt Einzelermächtigung iRd Gesamtvertretung. Neben organschaftl. Vertretung ist Handeln der AG durch Bevollmächtigte möglich (→ Rn. 10). Wichtige Ergänzung zum Umfang der Vertretungsmacht (unbeschränkt) und zum Verhältnis zur Geschäftsführung enthält § 82. Organhaftung iS haftungsbegründender **Zurechnung** von Pflichtverletzungen des Vorstands, eines Vorstandsmitglieds oder eines anderen verfassungsmäßig berufenen Vertreters hat keine aktienrechtl. Regelung gefunden. Anzuwenden ist deshalb **§ 31 BGB** (→ § 1 Rn. 3; näher → Rn. 23). § 78 und damit Prinzip der Gesamtvertretung gilt auch in mitbestimmten Gesellschaften. Arbeitsdirektor (§ 33 MitbestG) nimmt weder bzgl. der Geschäftsführung (→ § 77 Rn. 1) noch bzgl. der Vertretung Sonderstellung ein. Zur Ausübung von Beteiligungsrechten nach § 32 MitbestG → Rn. 8a, 8b.

2 Nicht geregelt in § 78 (und auch nicht in § 112) ist sog **Organstreit;** denn § 78 bezieht sich auf Außenverhältnis der AG, während es bei sog Organstreit um ihre interne Ordnung geht. Vertretungsmacht des Vorstands ergibt also nichts für

Frage, ob er eigene (klagbare) Rechte und Pflichten ggü. anderen Organen, bes. AR, hat. Frage ist iÜ zu verneinen (→ § 90 Rn. 16 ff.).

II. Vorstand als Vertretungsorgan (§ 78 I)

3 **1. Organschaftliche Vertretung. a) Allgemeines.** § 78 I 1 weist Vorstand gerichtl. und außergerichtl. Vertretung der AG zu. Vertretung ist Vornahme von Prozesshandlungen für Gesellschaft sowie jedes nach außen gerichtete rechtsgeschäftliche Handeln in ihrem Namen (zum Umfang der Vertretungsmacht → Rn. 5 ff.). Vertretungsmacht wächst dem Vorstand mit Bestellung zu (BGHZ 64, 72, 75 = NJW 1975, 1117). Dem korporativen Charakter der AG (→ § 1 Rn. 1) entspr., dass Vorstand als **organschaftl. Vertreter** tätig wird (sog Organtheorie, s. MüKoAktG/Spindler Rn. 5), dessen Handeln der AG als eigenes zugerechnet wird. Er ist nicht ges. Vertreter (so allerdings KK-AktG/Cahn Rn. 7), sondern hat die Stellung eines solchen (vgl. § 26 II 1 Hs. 1 BGB). Eben deshalb kann Unterschied zwischen organschaftl. und ges. Vertretung aber weithin vernachlässigt werden. Zu Folgen für Wissenszurechnung → Rn. 24 ff.

4 **b) Insbesondere: Gerichtliche Vertretung.** AG ist, weil jur. Person, parteifähig und nach richtiger Ansicht als jur. Person auch prozessfähig, weil sie organschaftl. vertreten wird (→ § 1 Rn. 7). IdR liegt gerichtl. Vertretung gem. § 78 I 1 beim Vorstand. Ausnahmen bilden vor allem § 112 (AR), § 147 II (bes. Vertreter) und § 246 II 2 (Doppelvertretung durch Vorstand und AR); → Rn. 8. Vorstand vertritt auch, wenn AR-Mitglieder gegen AG auf Feststellung der Nichtigkeit von AR-Beschlüssen (→ § 108 Rn. 25 ff.) klagen (BGHZ 122, 342, 345 f. = NJW 1993, 2307). Wenn Vorstand vertritt, gehört Bezeichnung seiner Mitglieder gem. § 130 Nr. 1 ZPO, § 253 IV ZPO, § 313 I Nr. 1 ZPO zur **Parteibezeichnung** in Schriftsätzen und Urteilen. Eine gegen AG gerichtete Klage ist dem Vorstand zuzustellen (§ 170 I ZPO). **Zustellung** an ein Vorstandsmitglied genügt (§ 170 III ZPO). Wegen der Zustellung bei Doppelvertretung → § 246 Rn. 32 ff. Vorstandsmitglieder sind, soweit sie AG vertreten, **als Partei, nicht als Zeugen zu vernehmen** (§ 455 I 1 ZPO; s. schon RGZ 2, 400 f.; RGZ 46, 318, 319). Gericht bestimmt, ob nur einzelne oder alle Vorstandsmitglieder als Partei vernommen werden (§ 449 ZPO iVm § 455 I 2 ZPO). Sind in der Zwangsvollstreckung **eidesstattliche Versicherungen** abzugeben (§§ 807, 883 II ZPO, §§ 899 ff. ZPO), so ist grds. Versicherung durch alle im Abgabezeitpunkt amtierenden Vorstandsmitglieder erforderlich (OLG Hamm WM 1984, 1343 f.; OLGZ 1985, 227, 228; KK-AktG/Cahn Rn. 22; MüKoAktG/Spindler Rn. 16; aA OLG Frankfurt Rpfleger 1976, 27). Durch gezielte Amtsniederlegung können sich Vorstandsmitglieder ihrer Verpflichtung jedoch nicht entziehen (OLG Hamm OLGZ 1985, 227, 229; OLG Stuttgart ZIP 1984, 113, 114).

4a **c) Insbesondere: Empfangsvertretung durch Aufsichtsrat.** § 78 I 2 betr. Fall, dass AG keine Vorstandsmitglieder hat, etwa infolge gemeinsamer Amtsniederlegung, und definiert ihn als **Führungslosigkeit.** Weitergehende Erstreckung auf Fälle, in denen Organperson abgetaucht, handlungsunwillig oder unerreichbar ist (dafür Passarge GmbHR 2010, 295, 297 ff.), ist abzulehnen, da Erreichbarkeit der AG hier über § 78 II 3, 4 gewährleistet ist (GK-AktG/Habersack/Foerster Rn. 32). Auf KGaA ist § 78 I 2 dagegen anwendbar, namentl. wenn einziger Komplementär wegfällt (→ § 289 Rn. 9). Organschaftlicher Empfangsvertreter ist im Falle der Führungslosigkeit AR, und zwar sowohl beim Empfang von Willenserklärungen als auch bei Zustellung von Schriftstücken. Das gilt auch dort, wo Ges. Doppelvertretung der AG durch Vorstand und AR anordnet (BGH AG 2020, 540 Rn. 59 ff.). Fehlt dagegen in Fällen der Doppelvertretung nicht Vorstand, sondern AR, ist Vertretung allein durch Vorstand analog § 78 I 2 nicht zulässig (BGHZ 225, 198 Rn. 49 ff. = AG 2020, 545). Auf MoMiG 2008 zurückgehende Regelung entspr. § 35 I GmbHG, wo Fehlen der regulären organschaftlichen Vertreter eher praktische Bedeutung hat. Sie soll insbes. typischen **Missbrauchsfällen** begegnen, bei denen Gesellschaften versuchen, sich der Erfüllung ihrer Verbindlichkeiten zu entziehen, indem sie durch Abberufung ihrer Geschäftsleitungsorgane Zustellung erschweren (sog Bestattungsfälle, vgl. zu diesen Sachverhalten Kleindiek ZGR 2007, 276, 277 ff.; Seibert FS Röhricht, 2005, 585, 589 ff.). § 78 I 2 leistet demnach in erster Linie **Gläubigerschutz,** indem er AR ges. zum Empfangsvertreter bestellt und damit die sonst aus § 170 ZPO folgende Zustellungsprobleme vermeidet (RegBegr. BT-Drs. 16/6140, 42). Ähnliche Zielsetzung verfolgt § 15a III InsO, der AR-Mitglieder ggf. einzeln zur Stellung des Insolvenzantrags verpflichtet. Weitergehende prozessuale Bedeutung kommt § 78 I 2 nicht zu. Mit Zustellung an AR wird Klage also rechtshängig, AG aber nicht prozessfähig (BGH NZG 2011, 26; AG 2020, 540 Rn. 63; zust. MüKoAktG/Spindler Rn. 89; Fest NZG 2011, 130, 131; K. Schmidt GmbHR 2011, 113, 114 f.; aA GK-AktG/Habersack/Foerster Rn. 27). Abhilfe bietet vor allem Bestellung eines bes. Vertreters gem. § 57 ZPO. Auch wenn Missbrauchsszenarien gesetzgeberisches Motiv für Einführung des § 78 I 2 waren, ist Feststellung des Missbrauchs doch keine Anwendungsvoraussetzung, sondern es genügt Feststellung der Führungslosigkeit (BGH AG 2020, 540 Rn. 61).

5 **2. Umfang der Vertretungsmacht. a) Unbeschränkte Vertretungsmacht.** Vertretungsmacht des Vorstands ist grds. unbeschränkt (§ 78 I) und auch unbeschränkbar (§ 82 I). Beschränkungen lassen sich insbes. weder aus dem Gesellschaftszweck noch aus dem Unternehmensgegenstand und auch nicht aus einer enger gefassten Geschäftsführungsbefugnis herleiten. Zu Ausnahmeregelungen → Rn. 8 ff.

6 **b) Verbot von Insichgeschäften.** § 181 BGB gilt auch für Vorstand (vgl. BGHZ 56, 97, 101 = NJW 1971, 1355), und zwar auch für Alleinvorstand, der zugleich Alleinaktionär ist. Teleologische Reduktion des Verbots nach Vorbild früherer Rspr. zur GmbH (BGHZ 56, 97 = NJW 1971, 1355; BGHZ 75, 358 = NJW 1980, 932) widerspräche der ges. Wertung des § 35 III 1 GmbHG (nicht überzeugend Ekkenga AG 1985, 40, 42 [→ Rn. 7]). § 181 BGB kann aber tatbestandlich grds. **nur in der Variante der Mehrvertretung** verwirklicht sein; Selbstkontrahieren ist schon durch § 112 ausgeschlossen. Ausn. gilt allerdings dann, wenn nur § 181 Fall 1 BGB, nicht aber § 112 anwendbar ist, was Rspr. namentl. für Bestellung eines Vorstandsmitglieds zum Geschäftsführer einer Tochtergesellschaft annimmt (ausf. → § 112 Rn. 14; BGH NZG 2023, 567 Rn. 27 ff.; Bulgrin/Wolf NJW 2023, 1325 Rn. 14; Wicke GmbHR 2023, 477 Rn. 6). Rspr. lässt zu, dass das eine zur Gesamtvertretung befugte Vorstandsmitglied das andere gem. § 78 IV 1 zur Einzelvertretung ermächtigt. In diesem Fall soll § 181 BGB ebenfalls nicht eingreifen (RGZ 103, 417, 418; RGZ 108, 405, 407; BGHZ 64, 72, 75 = NJW 1975, 1117; implizit wohl auch BGH NZG 2023, 567 Rn. 27 ff.). Diese Sichtweise mag unter rein formalen Gesichtspunkten zwar zutr., überzeugt in der Sache aber dennoch nicht, da Ermächtigter seine Rechtsmacht vom Ermächtigenden ableitet und deshalb denselben Einschränkungen unterliegen muss wie dieser (abl. deshalb GK-AktG/Habersack/Foerster Rn. 77; KK-AktG/Cahn Rn. 73; ausf. Ph. Scholz ZfPW 2023, 157, 164 ff.; wie BGH dagegen S/L/Seibt Rn. 8; Grigoleit/Grigoleit Rn. 8; Hölters/Weber/Weber Rn. 9).

7 In § 181 BGB vorgesehene vom Verbot befreiende **Gestattung der Mehrvertretung** kann jedenfalls in Satzung enthalten sein (analog § 78 III 1) oder vom AR ausgesprochen werden, der dafür aber analog § 78 III 2 einer Satzungs-

ermächtigung bedarf, sofern es sich um generalisierende Gestattung handelt. § 112 steht nicht entgegen (so aber GK-AktG/Habersack/Foerster Rn. 25; Ekkenga AG 1985, 40, 42), da dieser AR nur Vertretungsmacht verleiht, aber – wie § 78 III 2 belegt – keine unbeschränkte materielle Regelungsbefugnis (wie hier Bayer/Möller FS Grunewald, 2021, 79, 87). **Einzelermächtigung** ist dagegen nicht mit abstrakter Gefährlichkeit einer formalen Vertretungskonstellation nach § 78 III 2 vergleichbar, sondern AR nimmt insofern typische Überwachungsaufgabe wahr, für die er keiner Satzungsgrundlage bedarf (str. – wie hier MüKoAktG/Spindler Rn. 131; enger Schindeldecker RNotZ 2015, 533, 545; sa BeckOGK/Fleischer Rn. 12). Dass HV durch Beschluss gem. § 119 II die Gestattung aussprechen könne (Ekkenga AG 1985, 40, 42), ist nicht anzunehmen. Dass Alleinaktionär als solcher die Gestattung nicht aussprechen kann (KK-AktG/Cahn Rn. 76 aE), ist selbstverständlich und wird (entgegen KK-AktG/Cahn Rn. 76) auch von Ekkenga AG 1985, 40, 42 nicht behauptet. Dessen These, Gestattung sei entbehrlich, scheitert daran, dass HV auch über § 119 II nach richtiger Ansicht nicht zuständig wird, so dass Vollversammlung des Alleinaktionärs nicht hilft. Bei Formulierung der Befreiung sollte aus kautelarjuristischer Vorsicht darauf geachtet werden, dass sie sich nur auf Mehrvertretung bezieht, da pauschal gefasste Befreiung von § 181 BGB wegen Verstoßes gegen § 112 unwirksam sein könnte, wenngleich auch andere Lesart gut vertretbar wäre (→ Rn. 6; Schindeldecker RNotZ 2015, 533, 544).

c) Besondere Vertretungsregeln. aa) Aktienrechtliche Begrenzungen. 8
Von obj. Begrenzung der Vertretungsmacht ist subj. Begrenzung zu unterscheiden. Davon lässt sich sprechen, wenn Vorstand AG ausnahmsweise nicht oder jedenfalls nicht allein vertreten kann. Hauptfälle der ersten Art sind die der **§§ 84 I, III, 112** und die Bestellung bes. Vertreter gem. **§ 147 II.** Zur Insolvenz → § 264 Rn. 10 f., zur Abwicklung → § 269 Rn. 2. Fälle der zweiten Art liegen vor bei **Doppelvertretung** durch Vorstand und AR (§ 246 II 2, § 249 I 1, § 250 III, § 251 III, § 253 II, § 254 II 1, § 255 III, § 256 VII, § 257 II 1, § 275 IV 1) bzw. Vorstand und AR-Vorsitzendem (§ 184 I 1, § 188 I, § 195 I, § 207 II 1, §§ 223, 229 III, § 237 IV 5). In wieder anderen Gestaltungen ist zwar keine Doppelvertretung, aber doch auch im Außenverhältnis Zustimmung des AR erforderlich, nämlich in den Fällen der § 89 (→ § 89 Rn. 4), § 114 I und des § 32 MitbestG (→ § 78 Rn. 8a, 8b). Schließlich kann Vorstandshandeln auch an **Zustimmung der HV** in dem Sinne gebunden werden, dass AG ohne solche Zustimmung nicht wirksam vertreten werden kann. Darunter fallen § 50 S. 1, § 52 I, § 53 S. 1, § 93 IV 3, § 116, § 117 IV, § 179a I, § 293 I, § 295, § 309 III 1, § 310 IV, § 317 IV, § 318 IV. Nicht hierher gehört von BGHZ 83, 122 = NJW 1982, 1703 für eng begrenzte Ausnahmefälle anerkannte ungeschriebene Mitwirkungskompetenz der HV in Fragen der Geschäftsführung (Holzmüller, → § 119 Rn. 16 ff.). Zustimmungserfordernis gilt nicht für Außenverhältnis (BGHZ 83, 122, 132).

bb) Mitbestimmungsrechtliche Begrenzungen bei Beteiligungsverwaltung. 8a
Nach der Sonderregelung in **§ 32 MitbestG** (teilw. ähnlich: § 15 MontanMitbestG) „können" Rechte des mitbestimmten Unternehmens aus wenigstens 25 % umfassender Beteiligung an gleichfalls der Mitbestimmung unterliegendem Unternehmen nur aufgrund von Beschlüssen des AR und nur nach deren Maßgabe (also weisungsabhängig) ausgeübt werden, sofern über Bestellung, Widerruf oder Entlastung von Verwaltungsträgern (namentl.: AR-Mitgliedern) oder über bestimmte Strukturmaßnahmen (namentl.: Unternehmensverträge nach §§ 291, 292) zu beschließen ist. Zweck dieser Regelung ist es, Kumulation der Mitbestimmungsrechte entgegenzuwirken (KK-AktG/Mertens/Cahn Anh. § 117 B MitbestG § 32 Rn. 1). Dabei beschließt AR unter Mitberatung durch alle Mit-

glieder nur mit den Stimmen der Anteilseignervertreter (näher Habersack/Henssler/Habersack MitbestG § 32 Rn. 24 f.). Regelung schränkt nicht nur Geschäftsführungsbefugnis des Vorstands ein (→ § 77 Rn. 1), sondern auch seine Vertretungsmacht (heute ganz hM, s. nur MHdB AG/Hoffmann-Becking § 29 Rn. 85; Habersack/Henssler/Habersack MitbestG § 32 Rn. 15; aA zB noch Crezelius ZGR 1980, 359, 372 f.).

8b **Rechtsfolgen fehlender Vertretungsmacht** sind teilw. zweifelhaft. Wie sonst auch ist Stimmabgabe unwirksam. HV-Leiter der Untergesellschaft darf sie deshalb zurückweisen (KK-AktG/Mertens/Cahn Anh. § 117 B MitbestG § 32 Rn. 14). Lässt er sie zu und beruht Beschluss auf den zu Unrecht mitgezählten Stimmen, so ist er gem. § 243 I anfechtbar (→ § 243 Rn. 19), sofern AR Stimmabgabe nicht durch nachträglichen Beschluss genehmigt (KK-AktG/Mertens/Cahn Anh. § 117 B MitbestG § 32 Rn. 14; str.). Teilw. anders, weil von Vollmacht ausgehend, Semler FS Kropff, 1997, 301, 306. Zu Stimmrechtsproblemen bei Doppelfunktionen s. Semler FS Kropff, 1997, 301, 307 ff., 313 f.

9 **3. Wirkungen der Vertretung.** Weil Vorstand, wenngleich organschaftlich handelnd, Stellung eines ges. Vertreters hat (→ Rn. 3), bestimmen sich Wirkungen seines Handelns nach §§ 164 ff. BGB. AG wird also aus Rechtsgeschäften berechtigt und verpflichtet, wenn Vorstand Erklärungen in ihrem Namen abgibt und sich dabei innerhalb seiner Vertretungsmacht hält. Handeln im Namen der AG kann sich aus den Umständen ergeben (§ 164 I 2 BGB). Zum Umfang der Vertretungsmacht → Rn. 5 ff., 8. Auch wenn sie gegeben ist, können Geschäftswirkungen gegen AG gem. § 138 BGB oder gem. § 242 BGB noch scheitern, nämlich bei **Missbrauch der Vertretungsmacht,** so bei Kollusion, bei positiver Kenntnis des Geschäftspartners vom missbräuchlichen Handeln und bei grober Missachtung einfacher Sorgfaltsregeln, die zur Verkennung evidenten Missbrauchs führt (s. dazu RGZ 145, 311, 315; BGHZ 50, 112, 114 = NJW 1968, 1379; MüKoBGB/Schubert BGB § 164 Rn. 225 ff.; näher → § 82 Rn. 6 f.). Handeln ohne Vertretungsmacht kann noch gem. § 177 BGB für und gegen AG wirksam werden. § 179 BGB ist anwendbar.

10 **4. Vollmachten.** AG kann nach allg. Vorschriften des BGB (§§ 164 ff. BGB) Stellvertreter einsetzen und sich durch **Prokuristen** (§§ 48 ff. HGB) oder **Handlungsbevollmächtigte** (§ 54 HGB) vertreten lassen. Entspr. Vollmachten zu erteilen, ist Sache des Vorstands (OLG Schleswig AG 2022, 747, 750). Vertreten wird aber nicht er, sondern AG selbst. Hinsichtlich Offenkundigkeit sind sog Grundsätze **unternehmensbezogenen Rechtsgeschäfts** zu beachten (GK-AktG/Habersack/Foerster Rn. 16). Auch Duldungs- und Anscheinsvollmacht finden Anwendung (GK-AktG/Habersack/Foerster Rn. 15 ff., 80). Satzung kann Bestellung von Prokuristen nicht ausschließen, auch nicht vorschreiben, dass nur Gesamtprokura erteilt werden darf (MüKoAktG/Spindler Rn. 117). Nach § 111 IV 2 können Satzung oder AR Erteilung der Prokura oder anderer Vollmacht an Zustimmung des AR binden. Wirkung hat dieses Erfordernis aber nur im Innenverhältnis. Deshalb darf Registergericht, das Prokura eintragen soll, nicht prüfen, ob Zustimmung erteilt ist (RGZ 134, 303, 307; BGHZ 62, 166, 168 = NJW 1974, 1194 zur GmbH). Vorstand kann auch **Generalvollmacht** in dem Sinne erteilen, dass Vollmacht über Generalhandlungsvollmacht des § 54 HGB hinausgeht. Erforderlich ist jedoch, dass Vertretungsbefugnis des Vorstands erhalten bleibt und Vollmacht widerruflich ist (iE str., s. KK-AktG/Cahn Rn. 79; MüKoAktG/Spindler Rn. 121 f.; MHdB AG/Hoffmann-Becking § 23 Rn. 30; aA zur GmbH BGH NJW 1977, 199, 200; BGH NZG 2002, 813, 814 f.; ausf. Erörterung bei Wandt/Herold NZG 2020, 201 ff. mit zutr. Unterscheidung von rechtsgeschäftlicher und organschaftlicher Vertretungsmacht).

III. Gesetzliche Vertretungsordnung (§ 78 II)

1. Aktivvertretung. Gem. § 78 II 1 gilt Prinzip der Gesamtvertretung; danach sind sämtliche Vorstandsmitglieder nur gemeinschaftlich zur Vertretung befugt. Ausnahme macht § 15 I InsO. **Insolvenzantrag** kann danach jedes Vorstandsmitglied allein stellen. Zulässigkeit des nicht von allen Vorstandsmitgliedern gestellten Antrags setzt allerdings voraus, dass Eröffnungsgrund glaubhaft gemacht wird (§ 15 II 1 InsO). Vorausgesetzt ist in § 78 II mehrköpfiger Vorstand. Alleinvorstand (§ 76 II) hat notwendig Einzelvertretungsmacht. Ist eines von mehreren Vorstandsmitgliedern vorübergehend verhindert, so kann AG nicht wirksam vertreten werden (BGHZ 34, 27, 29 = NJW 1961, 506; MüKoAktG/Spindler Rn. 32); auch gerichtl. Ersatzbestellung findet in diesem Fall nicht statt (→ § 85 Rn. 2). Bei endgültigem Wegfall (Widerruf der Bestellung, Tod) ist grds. zu unterscheiden, ob nach Ges. oder Satzung **zur Vertretung erforderliche Zahl von Vorstandsmitgliedern** noch vorhanden ist oder nicht (KK-AktG/Cahn Rn. 66). Der zweite Fall ist aber schon dann gegeben, wenn Satzung Mindestzahl der Vorstandsmitglieder festlegt und es iU bei Gesamtvertretung belässt und jetzt ein Mitglied endgültig wegfällt. Bei Wegfall eines Vorstandsmitglieds reicht Vertretungsmacht der übrigen also nur aus, solange von Satzung festgelegte Zahl nicht unterschritten wird. Das gilt auch umgekehrt; Wegfall von Vorstandsmitgliedern schadet also nur unter der genannten Prämisse. Zu den Folgen einer Mandatspause nach § 84 III → § 84 Rn. 48. 11

Art und Weise der Gesamtvertretung hat Ges., abgesehen von § 78 IV 1 (→ Rn. 19 ff.), nicht geregelt. Möglich sind: gemeinsame Abgabe der Erklärung; getrennte Abgabe inhaltlich übereinstimmender Erklärungen; Erklärung durch ein Vorstandsmitglied unter nachträglicher Zustimmung der anderen (RGZ 81, 325, 329), die auch intern erteilt werden kann (RGZ 101, 342, 343; RGZ 112, 215, 220 f.; eingehend KK-AktG/Cahn Rn. 48 ff.; MüKoAktG/Spindler Rn. 58 ff.; Bayer FS Krieger, 2020, 78 ff.). Ggf. erforderliche **Schriftform** (zB § 550 BGB) ist nicht gewahrt, wenn nur eines von zwei Vorstandsmitgliedern unterzeichnet und seine Unterschrift hinsichtlich des anderen Mitglieds keinen Vertretungszusatz enthält, obwohl sich aus der Urkunde ergibt, dass mehrere Vorstandsmitglieder die AG vertreten sollen (BGHZ 183, 67 Rn. 17 ff. = NJW 2010, 1453). Ist dagegen aus Urkunde erkennbar, dass Unterzeichner AG allein vertreten soll, ist der Schriftform durch seine Unterschrift genügt (so die abgrenzende Klarstellung in BGH NJW 2013, 1082 Rn. 12 ff. in Reaktion auf Kritik – vgl. etwa Fritz NJW 2010, 1050; Kuckein NZG 2010, 148, 151 f.; in dieser Form zust. GK-AktG/Habersack/Foerster Rn. 50). Aus dem HR ersichtliche Vertretungsregelung ist nicht maßgeblich, sondern es kommt allein auf Urkundeninhalt an, so dass – zumindest unter Schriftformgesichtspunkten – selbst Unterzeichnung als Vertreter ohne Vertretungsmacht Einhaltung der Schriftform nicht entgegensteht (BGH NJW 2015, 2034 Rn. 20 ff. mAnm Burbulla). Zu Wissenszurechnung und Willensmängeln iRd Gesamtvertretung → Rn. 24 ff. 12

2. Passivvertretung. Prinzip der Gesamtvertretung erstreckt sich nicht auf Willenserklärungen, die ggü. AG abzugeben sind. Es genügt Abgabe ggü. einem Vorstandsmitglied (§ 78 II 2). Insoweit besteht also auch beim mehrköpfigen Vorstand **Einzelvertretung.** Entspr. gilt für geschäftsähnliche Handlungen. Mahnung oder Mängelrüge sind also wirksam, wenn sie nur an ein Vorstandsmitglied gerichtet sind (MüKoAktG/Spindler Rn. 84). Bei Klage gegen AG genügt gem. § 170 III ZPO grds. Zustellung an ein Vorstandsmitglied (→ Rn. 4). Einzelvertretung findet auch statt, soweit ausnahmsweise **Vertretung durch AR** erfolgt (→ Rn. 4a). Änderung des § 78 II 2 durch MoMiG 2008 stellt das eigens 13 klar. Ergebnis entspr. allg. Grundsätzen (RGZ 53, 227, 230 f.; BGHZ 62, 166, 173 = NJW 1974, 1194). Für Zustellung gilt auch hier § 170 III ZPO.

13a **3. Erreichbarkeit von Gesellschaftsvertretern.** Während § 78 I sicherstellt, dass AG Vertreter hat, und zwar namentl. auch Passivvertreter (→ Rn. 4a), gewährleistet § 78 II 3, 4 deren Erreichbarkeit. Regelung ist durch MoMiG 2008 eingeführt worden und soll ebenso wie § 78 I 2 Missbrauch in Gestalt sog Bestattungsfälle entgegenwirken (→ Rn. 4a). Soweit es um **Abgabe von Willenserklärungen** geht, begründet § 78 II 3 unwiderlegbare Vermutung, dass Gesellschaftsvertreter unter der eingetragenen **Geschäftsanschrift** (§ 37 III Nr. 1, § 39 I 1 → § 37 Rn. 9 bzw. → § 39 Rn. 2) erreichbar ist und deshalb zugangsbegründende Möglichkeit der Kenntnisnahme hat (RegBegr. BT-Drs. 16/6140, 43). Das setzt allerdings voraus, dass an eingetragener Anschrift überhaupt Geschäftslokal der AG besteht oder jedenfalls entspr. Rechtsschein vorhanden ist (RegBegr. BT-Drs. 16/6140, 43; GK-HGB/J. Koch/Harnos § 15a Rn. 7). Ist das nicht der Fall, so ist zwischen zivilprozessualer Zustellung von Schriftstücken und dem materiell-rechtl. Zugang von Willenserklärungen zu unterscheiden. Sofern **Zustellung** bewirkt werden soll, begründet deren Scheitern unter eingetragener Geschäftsanschrift Zulässigkeit der öffentl. Zustellung nach § 185 Nr. 2 ZPO (RegBegr. BT-Drs. 16/6140, 43). Für Zugang von Willenserklärungen gilt Parallelvorschrift in § 15a HGB (vgl. GK-HGB/J. Koch/Harnos § 15a Rn. 1 f.). AG kann diese Folgen abwenden, indem sie **bes. Empfangsvertreter** bestellt (§ 39 I 2; → § 39 Rn. 3). Diese sind stets taugliche Adressaten für Zugang oder Zustellung (§ 78 II 4). Zur öffentl. Zustellung darf dann erst übergegangen werden, wenn Abgabe der Willenserklärung oder Zustellung des Schriftstücks unter Anschrift des Empfangsvertreters scheitern (RegBegr. BT-Drs. 16/6140, 37).

IV. Abweichende Bestimmungen (§ 78 III)

14 **1. Allgemeines.** Nach § 78 III sind anstelle der Gesamtvertretung durch alle Vorstandsmitglieder auch Einzelvertretung (→ Rn. 15) und unechte Gesamtvertretung (Mitwirkung eines Prokuristen, → Rn. 16 f.), ferner, obwohl nicht ausdr. genannt, gemeinschaftliche Vertretung durch zwei oder mehr Vorstandsmitglieder zulässig; letztgenannte Variante begegnet in verschiedenen Unterformen (→ Rn. 18). Von § 78 II abw. Regelung muss aber **in Satzung enthalten** sein oder **vom AR getroffen** werden, wenn Satzung ihn dazu ermächtigt. Regelung ist gemeinschaftsrechtskonform (Schwarz ZHR 166 [2002], 625, 630 ff.). AR kann Regelung gem. § 107 III einem Ausschuss überlassen. Durch bloßen HV-Beschluss kann keine entspr. Regelung getroffen werden. Nicht zulässig ist völliger Ausschluss einzelner Vorstandsmitglieder von Vertretung (unstr., s. nur MüKoAktG/Spindler Rn. 35).

15 **2. Einzelvertretung.** Sie liegt vor, wenn ein Vorstandsmitglied oder mehrere ohne Mitwirkung anderer Vorstandsmitglieder und ohne Mitwirkung von Prokuristen AG vertreten können. In der **Praxis** begegnet sie **eher selten.** Vorstandsvorsitzender hat als solcher keine Einzelvertretungsmacht, doch kann sie ihm in Satzung oder mit ihrer Ermächtigung durch AR eingeräumt werden. Wird nur einem oder einigen Vorstandsmitgliedern Einzelvertretungsmacht eingeräumt, so verbleibt es für die übrigen beim Grundsatz der Gesamtvertretung. Umfang von Einzelvertretungsmacht inhaltlich zu beschränken, ist durch § 82 I ausgeschlossen (MüKoAktG/Spindler Rn. 38).

16 **3. Unechte Gesamtvertretung.** § 78 III 1 lässt ausdr. zu, dass einzelne Vorstandsmitglieder **in Gemeinschaft mit einem Prokuristen** AG vertreten (un-

echte Gesamtvertretung). Dabei ist vorausgesetzt, dass für Vorstandsmitglied Gesamtvertretung gilt. Mitwirkung des Prokuristen darf Vertretung also nur erleichtern, nicht sonst gegebene Einzelvertretungsmacht eines Vorstandsmitglieds beschränken (BGHZ 13, 61, 65 = NJW 1954, 1158; BGHZ 26, 330, 333 = NJW 1958, 668; KK-AktG/Cahn Rn. 38). Deshalb kann Alleinvorstand nicht an Mitwirkung eines Prokuristen gebunden werden, ebenso nicht sämtliche Mitglieder eines mehrköpfigen Vorstands (unstr., s. KK-AktG/Cahn Rn. 41; Roquette FS Oppenhoff, 1985, 335, 337 ff.; iErg auch Reinert, Unechte Gesamtvertretung, 1990, 73 f., 74 ff. [Ergebnis S. 110], aber mit teilw. abw. Begründungsansatz).

Umfang der Vertretungsmacht des Prokuristen **richtet sich** bei unechter Gesamtvertretung nicht nach Prokura, sondern **nach Vertretungsmacht des Vorstandsmitglieds,** weil ihm Mitwirkung des Prokuristen organschaftliche Einzelvertretungsmacht im Umfang der ohnehin bestehenden Gesamtvertretungsmacht verschaffen soll (RGZ 134, 303, 306; BGHZ 13, 61, 64 = NJW 1954, 1158; BGHZ 62, 166, 170 = NJW 1974, 1194; MüKoAktG/Spindler Rn. 47; aA Reinert, Unechte Gesamtvertretung, 1990, 41 ff., 54 ff.). Auch **Anmeldungen zum HR** können deshalb grds. (Ausnahme: Anmeldung der eigenen Prokura, s. BayObLGZ 1973, 158, 159) in unechter Gesamtvertretung vorgenommen werden (RGZ 134, 303, 307; KG JW 1937, 890; KG JW 1938, 3121). Sinngem. Geltung des § 78 II 2, wie in § 78 III 3 vorgesehen, bedeutet, dass bei **Passivvertretung** Abgabe der Willenserklärung oder Vornahme der geschäftsähnlichen Handlung ggü. dem Prokuristen genügt. Das entspr. dem Umfang seiner am Vorstandsmitglied orientierten Vertretungsmacht. 17

4. Gemeinschaftliche Vertretung durch zwei oder mehrere Vorstandsmitglieder. Es kann auch vorgesehen werden, dass AG durch zwei (oder mehrere) Vorstandsmitglieder gemeinschaftlich vertreten wird; so wohl häufigste Regelung (ältere Terminologie: unechte Gesamtvertretung). Bes. Ausformung gemeinschaftlicher Vertretung durch zwei Vorstandsmitglieder ist **halbseitige Gesamtvertretung.** Sie ist gegeben, wenn ein Vorstandsmitglied Einzelvertretungsmacht hat, während das andere nur unter seiner Mitwirkung vertreten kann. Zulässigkeit ist heute anerkannt (RGZ 90, 21, 22 f. zur OHG; KG OLGR 27, 378 zur GmbH; MüKoAktG/Spindler Rn. 42). **Passivvertretung** steht auch bei diesen Gestaltungen jedem Vorstandsmitglied allein zu (§ 78 II 2 iVm § 78 III 3). 18

V. Einzelermächtigung (§ 78 IV)

1. Erteilung; Rechtsnatur. § 78 IV lässt Einzelermächtigung zu. Sie liegt vor, wenn **Gesamtvertretung** gilt (durch zwei, mehrere oder alle Vorstandsmitglieder) und einzelne der Gesamtvertreter ermächtigt werden, bestimmte Geschäfte oder bestimmte Arten von Geschäften allein vorzunehmen. Ermächtigung müssen Vorstandsmitglieder in jew. vertretungsberechtigter Zahl aussprechen; Adressat der Ermächtigung darf mitwirken (OLG Bamberg v. 3.7.2020 – 4 W 21/20 [nv; zitiert nach Kuthe/Lingen AG 2020, R 232 f.]; BeckOGK/Fleischer Rn. 43; KK-AktG/Cahn Rn. 56; Bayer FS Krieger, 2020, 77, 84; aA GK-AktG/Habersack/Foerster Rn. 74). Erklärung kann intern oder extern (ggü. Geschäftspartner) erfolgen. Bes. Form ist nicht erforderlich, Ermächtigung kann also auch konkludent erteilt werden (RGZ 123, 279, 288; BAG NJW 1981, 2374; OLG Köln OLGZ 1977, 343, 345). Bei unechter Gesamtvertretung (→ Rn. 16 f.) können Prokuristen gem. § 78 IV 2 einbezogen werden. Sie können an Ermächtigung mitwirken, aber auch selbst Ermächtigte sein (ausf. Schwarz NZG 2001, 529, 537 ff.). 19

20 Rechtsnatur der Einzelermächtigung ist str. Nach hM liegt **Erweiterung der Gesamtvertretungsmacht** zur Einzelvertretungsmacht vor (BGHZ 64, 72, 75 = NJW 1975, 1117; BGHZ 91, 334, 336 = NJW 1985, 2085; BGH AG 1986, 259 = WM 1986, 315, 316; KK-AktG/Cahn Rn. 59; MüKoAktG/Spindler Rn. 64), was allerdings nur Rechtswirkung, nicht aber rechtl. Qualität des zugrunde liegenden Aktes umschreibt (Schwarz NZG 2001, 529, 534). Ältere Konstruktion des RG, das noch Handlungsvollmacht iSd § 54 HGB angenommen hatte (RGZ 48, 56, 58; RGZ 80, 180, 182), gilt heute als überholt, da Vorstandsmitglied als organschaftl. Vertreter tätig sein soll (GK-AktG/Habersack/Foerster Rn. 71; Schwarz NZG 2001, 529, 531 ff.). Vorzugswürdig ist neueres Verständnis der Gesamtvertreterermächtigung als **Ausübungsermächtigung** (grdl. Schwarz NZG 2001, 529, 535 ff.; zust. BeckOGK/Fleischer Rn. 42; GK-AktG/Habersack/Foerster Rn. 72; S/L/Seibt Rn. 18). Umstr. ist Umfang der Vertretungsmacht, wenn nach § 78 IV 2 unechte Gesamtvertreter Ermächtigung auf Prokuristen übertragen (zur Zulässigkeit → Rn. 19). Bislang hM geht in diesem Fall von Bevollmächtigung aus (KK-AktG/Cahn Rn. 62; MüKoAktG/Spindler Rn. 82; Frels ZHR 122 [1959], 173, 186), während sich nach neuerem Verständnis als Ausübungsermächtigung mehrere Autoren auch hier für organschaftl. Vertretungsmacht aussprechen (BeckOGK/Fleischer Rn. 42; GK-AktG/Habersack/Foerster Rn. 72; Schwarz NZG 2001, 529, 537). Das hat konstruktiv vieles für sich, widerspricht aber doch grundlegender Wertung, dass Prokurist nur im Ausnahmefall eines Zusammenwirkens mit Vorstandsmitglied organschaftl. Vertretungsbefugnis erhalten soll (KK-AktG/Cahn Rn. 62). Zur gemeinschaftsrechtl. Problematik erweiterter organschaftl. Vertretungsmacht Schwarz ZHR 166 (2002), 625, 633 ff.

21 **2. Umfang.** Einzelermächtigung muss auf **bestimmte Geschäfte oder bestimmte Arten von Geschäften** beschränkt sein (§ 78 IV 1), weil sonst Grundentscheidung zugunsten der Gesamtvertretung in unzulässiger Weise aufgegeben würde (BGHZ 13, 61, 65 = NJW 1954, 1158; BGHZ 34, 27, 30 = NJW 1961, 506; BGH AG 1986, 259 = WM 1986, 315, 316; MüKoAktG/Spindler Rn. 68). Zweifelhaft kann sein, wie danach erforderliche Beschränkung vorzunehmen ist. Erforderlich ist **gegenständliche Beschränkung.** Sie muss überdies hinlänglich präzise sein. Zu weitgehend wäre es danach, wenn sich Einzelermächtigung auf gesamte Geschäftsbeziehung der AG zu ihrer Hausbank erstrecken sollte (BGH AG 1986, 259 = WM 1986, 315, 316; OLG Celle WM 1967, 1230). Aus praktischer Handhabung der Geschäftsbeziehung (nur Zahlungsverkehr oder Dispositionskredit unbedeutenden Umfangs) kann sich aber Abweichendes ergeben. Nicht genügend wäre **bloß betragsmäßige Begrenzung.** Sie kann gegenständliche Umschreibung nur ergänzen, aber nicht ersetzen. Unzulässig wäre also: „Geschäfte bis zum Betrag von 10.000 Euro“, zulässig dagegen: „Nur Einkaufsgeschäfte bis zum Betrag von 10.000 Euro“.

22 **3. Widerruf.** Widerruf der Einzelermächtigung ist jederzeit, formlos und ohne Begründung möglich. Für Außenverhältnis gelten §§ 170, 171 BGB sinngem. **Zum Widerruf befugt** sind: jedes Vorstandsmitglied, bei unechter Gesamtvertretung (→ Rn. 16 f.) auch jeder Prokurist, das bzw. der an Ermächtigung mitgewirkt hat, und zwar einzeln. Das folgt aus Rechtsgedanken des § 116 II 3 HGB (Vertrauensverlust auch nur eines Ermächtigenden genügt) und ist heute wohl hM (BeckOGK/Fleischer Rn. 47; GK-AktG/Habersack/Foerster Rn. 78; KK-AktG/Cahn Rn. 63 mwN; aA S/L/Seibt Rn. 31; MüKoAktG/Spindler Rn. 72). Umstr. ist, ob auch Vorstandsmitglieder, die an Ermächtigung nicht beteiligt waren, in vertretungsberechtigter Zahl Widerruf erklären können. Aus Verständnis als Ausübungsermächtigung wird auf Grundlage eines actus-contrarius-Gedankens zT hergeleitet, dass nicht beteiligten Vorstandsmitgliedern auch

Widerrufsrecht nicht zustehen könne (BeckOGK/Fleischer Rn. 47; GK-AktG/Habersack/Foerster Rn. 78). Auch konstruktives Verständnis als Ausübungsermächtigung ändert aber nichts an übergeordneter Wertung, dass es vertretungsberechtigter Zahl von Vorstandsmitgliedern möglich sein muss, darüber zu entscheiden, wer AG mit Wirkung für das Außenverhältnis vertritt (zutr. MüKoAktG/Spindler Rn. 73; sa KK-AktG/Cahn Rn. 63; S/L/Seibt Rn. 31; Ihrig/Schäfer Vorstand Rn. 56).

VI. Organhaftung (§ 31 BGB)

AG ist gem. § 31 BGB schadensersatzpflichtig, wenn ihr **Vorstand,** ein **Mitglied ihres Vorstands** oder ein sog **verfassungsmäßig berufener Vertreter** (dazu Coing FS Rob. Fischer, 1979, 65, 67 ff.) sich schadensersatzpflichtig gemacht hat und Handlung in Ausführung der ihm zustehenden Verrichtungen begangen wurde. Haftungsfolge entspr. der Organstellung des Vorstands, nach der seine Handlungen als solche der AG anzusehen sind (→ Rn. 3; zur deliktsrechtl. Eigenhaftung von Vorstandsmitgliedern → § 93 Rn. 133 ff.). Folglich gibt es auch **keine Exculpation.** Zustehende Verrichtungen ergeben sich aus Geschäftsbereich des Vorstandsmitglieds; Überschreitung von Befugnissen im Einzelfall entlastet AG nicht. Geschäftsverteilung lässt Verantwortung für Kernbereich der Unternehmensleitung unberührt. Wird Geschäftsleiter für mehrere Konzerngesellschaften tätig, kommt es darauf an, in wessen Pflichtenkreis er tätig war (BGH BeckRS 2014, 23725 Rn. 17). Haftungsbegründende Handlungen sind nicht nur deliktische iSd §§ 823 ff. BGB, sondern alle schadensersatzpflichtig machenden Handlungen. Bei Haftung iR anderweitig begründeter Schuldverhältnisse kann Handeln von Organmitgliedern nach § 31 BGB zugerechnet werden; einer weitergehenden Zurechnung nach § 278 BGB bedarf es daneben nicht (vgl. MüKoAktG/Spindler Rn. 136). Zurechnung nach § 31 BGB findet auch schon iRd **Vor-AG** statt, setzt also keine Eintragung in das HR voraus (→ § 41 Rn. 13). 23

VII. Wissenszurechnung und Willensmängel

1. Zurechnung des Vorstandswissens. Frage der Wissenszurechnung kann sich in unterschiedlichsten Zusammenhängen stellen (etwa § 122 II BGB, §§ 892, 932 ff. BGB, § 15 HGB, zu Art. 17 MAR → Rn. 30 ff.; monographisch aus neuerer Zeit Rachlitz, Wissen, Vorsatz, Zurechnung, 2022). Besonderheit der organschaftlichen Vertretung (→ Rn. 3) rechtfertigt es, als **Zurechnungsbasis** für Vorstand nicht § 166 I, II BGB (dafür zB Noack/Servatius/Haas/Beurskens GmbHG § 35 Rn. 63), sondern **§ 31 BGB analog** heranzuziehen (BeckOGK/Fleischer Rn. 53; GK-AktG/Habersack/Foerster Rn. 38; ausf. Rachlitz, Wissen, Vorsatz, Zurechnung, 2022, 228 ff.). Maßgeblicher Zurechnungsgrund ist nicht, wie früher angenommen, Organstellung als solche (so noch BGHZ 41, 282, 287 = NJW 1964, 1367), sondern Gedanke des Verkehrsschutzes und daran anknüpfende Pflicht zu **ordnungsgem. Organisation der gesellschaftsinternen Kommunikation** (BGHZ 132, 30, 37 f. = NJW 1996, 1339; zu entspr. Organisationsvorgaben Naumann/Siegel ZHR 181 [2017], 273 ff.; speziell zum Einsatz von KI vgl. Kuntz ZfPW 2022, 177, 195 ff.). 24

Das hat zur Folge, dass AG sich zumindest **Wissen des handelnden Vorstandsmitglieds** stets zurechnen lassen muss, idR aber auch Kennen und Kennenmüssen der übrigen Vorstandsmitglieder, da auf dieser Ebene Kommunikation reibungslos funktionieren muss und Vertragspartner sonst ggü. Vertragsschluss mit Einzelperson übermäßig benachteiligt würde (OLG Stuttgart BeckRS 2023, 5754 Rn. 355; so iErg schon – wenngleich auf überholtem dogmatischen Zu- 25 rechnungsfundament – BGHZ 20, 149, 153 = NJW 1956, 869; BGHZ 41, 282, 287; aus neuerer Zeit aber auch BGHZ 140, 54, 61 = NJW 1999, 284, 286; sa Grunewald FS Beusch, 1993, 301, 302 ff.; Spindler ZHR 181 [2017], 311, 323 ff.). Das gilt iR eines Rechtsgeschäfts auch dann, wenn Vorstandsmitglied, um dessen Kenntnis oder Kennenmüssen es geht, nicht selbst daran teilnimmt (BGHZ 109, 327, 331 = NJW 1990, 975; BGH NJW 1995, 2159, 2160). Durch Zurechnung entstandene Bösgläubigkeit trifft nur AG, nicht ihren Vorstand. Gutgl. Erwerb durch andere AG ist also noch nicht ausgeschlossen, wenn Vorstände teilw. personengleich besetzt sind (BGH NJW 2001, 359, 360). Auch Wissen schon **ausgeschiedener Vorstandsmitglieder** kann zugerechnet werden, wenn es üblicherweise aktenmäßig festzuhalten gewesen wäre (BGHZ 109, 327, 331 f. = NJW 1990, 975; BGH NJW 1995, 2159, 2160; aA Gasteyer/Goldschmidt AG 2016, 116, 120 f.). BGH verneint aber Wissenszurechnung mit „logisch-begrifflicher Stringenz"; maßgeblich soll vielmehr „wertende Beurteilung" sein (BGHZ 109, 327, 331). Zur Folge einer Verschwiegenheitspflicht des Vorstands → Rn. 28.

26 Ausnahme vom Regelfall der Wissenszurechnung gilt für **privat erlangtes Wissen** einzelner Vorstandsmitglieder (Dubovitskaya, Offenlegungspflichten, 2020, 106 f.). Einzelheiten sind aber str. (zu Konstellationen und Meinungsstand Ihrig ZHR 181 [2017], 381, 396 ff.). BGH ging früher auf überholter dogmatischer Grundlage der Organtheorie (→ Rn. 24) von grds. Zurechnung aus (BGH WM 1955, 830, 832), hat dann iR des modernen Modells (→ Rn. 24) für GmbH Zurechnung privaten Wissens pauschal verneint (BGH NJW 1990, 2544, 2545; so auch GK-AktG/Habersack/Foerster Rn. 42), sie dann 2013 aber doch wieder zugelassen, wo sie für Unternehmenserfolg „von ganz wesentlicher Bedeutung" war (BGH BeckRS 2013, 14004 Rn. 31). Im Gefolge dieser Rspr. setzt sich in Lit. zunehmend **differenzierende Sichtweise** durch, deren Wertungselemente aber noch nicht klar gefasst sind (vgl. etwa BeckOGK/Fleischer Rn. 56; Buck-Heeb WM 2008, 281 ff.; Ihrig ZHR 181 [2017], 381, 397 f.; Schürnbrand ZHR 181 [2017], 357, 376 f.; Spindler ZHR 181 [2017], 311, 325 f.; Weller ZGR 2016, 384, 407). Ist Wissen zwar privat erlangt, hat aber eindeutig dienstlichen Inhalt, hinreichende Unternehmensrelevanz und keinen Bezug zur Privatsphäre des Vorstandsmitglieds, besteht jedenfalls bei ressortzuständigem Vorstandsmitglied für Zurechnungsausschluss kein Anlass (OLG Stuttgart BeckRS 2023, 5754 Rn. 358 ff.; Ihrig ZHR 181 [2017], 381, 397 f.; Schürnbrand ZHR 181 [2017], 357, 376 f.; Spindler ZHR 181 [2017], 311, 325 f.; zur Bedeutung von Verschwiegenheitspflichten → Rn. 28). Bei Informationen, die das Persönlichkeitsrecht des Organmitglieds berühren (Art. 2 I iVm Art. 1 I GG, Art. 7 GRCh), bedarf es grundrechtl. Abwägung zwischen Informations- und Geheimhaltungsinteresse (Dubovitskaya, Offenlegungspflichten, 2020, 151 ff., 177 ff.). Dabei mag die DS-GVO sinnvolle Orientierung geben, weil gegenüberstehende Belange sekundärrechtl. mediatisiert werden (Dubovitskaya, Offenlegungspflichten, 2020, 163 ff.). Ebenfalls noch nicht abschließend geklärt ist, ob unter privates Wissen in diesem Sinne auch **Wissen aus anderen Gesellschaften** (etwa aufgrund mehrfacher Organtätigkeit) fallen kann (dagegen Schürnbrand ZHR 181 [2017], 357, 375 f.; Thomale AG 2015, 641, 649). IdR wird Zurechnung hier aber an Verschwiegenheitspflicht scheitern (→ Rn. 28).

27 **2. Zurechnung von Wissen außerhalb des Vorstands.** Darüber hinaus kann Wissen der AG auch dann als positive Kenntnis zugerechnet werden, wenn es **unterhalb der Vorstandsebene** in AG vorhanden ist und bei Beachtung allg. Informationsweiterleitungs- und Informationsabfragepflichten hätte verfügbar sein können (BGHZ 132, 30, 36 f. = NJW 1996, 1339; Armbrüster/Kosich ZIP 2020, 1494, 1495 ff.; Spindler ZHR 181 [2017], 311, 320 ff.). Informationswei-

terleitung und -abfrage muss nicht nur „möglich“, sondern auch „naheliegend“ sein (BGHZ 132, 30, 36; BGH NJW 1989, 2879, Ls. 1, 2881), was sich nach erkennbarer „Relevanz“ für spätere Geschäftsvorgänge beurteilt (BGH NJW 2012, 1789 Rn. 14; Nietsch ZGR 2020, 923, 944). Entscheidend ist Zeitpunkt der Informationswürdigung und Stellung der Person im Unternehmen, aus deren Sicht Relevanz zu beurteilen ist (Armbrüster/Kosich ZIP 2020, 1494, 1501 f.; Engelhardt, Wissensverschulden, 2019, S. 133 ff.). Welche Anforderungen sich aus diesen in den 1990er Jahren etablierten Grundsätzen im Lichte zunehmender Digitalisierung der Wirtschaftswelt heute ableiten lassen, ist allerdings noch kaum absehbar (Spindler/Seidel FS Marsch-Barner, 2018, 549 ff.; Spindler/Seidel ZIP 2022, 1521 ff.; sa Noack ZHR 183 [2019], 105, 133 f.; für eigenständiges Systemwissen bei Organisationen Guski ZHR 184 [2020], 363, 376). Auch hier gilt aber in bes. Maße Erfordernis „wertender Beurteilung“ (→ Rn. 25), die sich an erkennbarer Relevanz einer Information zu orientieren hat (vgl. Kuntz ZfPW 2022, 177, 201 bei Verwendung von KI). Zudem wird im Schrifttum zu Recht darauf hingewiesen, dass die vom BGH fast ausschließlich im Vertragskontext entwickelten Zurechnungsgrundsätze keinen ubiquitären Charakter haben (Nietsch ZGR 2020, 923, 931), sondern Reichweite der Wissenszurechnung am jeweiligen **Normkontext** zu vermessen ist (vgl. etwa Bekritsky, Wissen und Ad-Hoc-Publizität, 2022, 270 ff.; Buck, Wissen und juristische Person, 2001, 116 ff.; Gasteyer/Goldschmidt AG 2016, 116 f.; Grigoleit, ZHR 181 [2017], 160, 166 ff.; J. Koch AG 2019, 273, 277 f.; Kuntz ZfPW 2022, 177, 193, 206; Liebscher ZIP 2019, 1837, 1845 ff.; Rachlitz, Wissen, Vorsatz, Zurechnung, 2022, 259 ff.; Reuter ZIP 2017, 310, 313 ff.; Seidel AG 2019, 492 ff.; zusätzl. verbandsrechtl. Zuständigkeitsordnung heranziehend Nietsch ZGR 2020, 923, 939; für eine Lösung nach § 166 II BGB Altmeppen NJW 2020, 2833 Rn. 12 ff.). Insbes. gilt es, bei sog „absoluten Wissensnormen“ zu vermeiden, dass über Organisationsvorgaben in einem „Akt methodischer Alchemie aus Wissenmüssen Wissen und aus Fahrlässigkeit Vorsatz“ gezaubert werden kann (Grigoleit ZHR 181 [2017], 160, 196; sa Armbrüster/Kosich ZIP 2020, 1494, 1501; Engelhardt, Wissensverschulden, 2019, 54 f.; Risse NZG 2020, 856, 859). Aufschlussreiche Kategorisierung kognitiver Maßstäbe und deren Verhältnis zur Wissensorganisation bei Bekritsky Wissen und Ad-Hoc-Publizität, 2022, 126 ff.). Vorschlag, bei Wissensnormen geringere Anforderungen an eine Organisationspflicht zu stellen (Kuntz ZfPW 2022, 177, 194), liefert mangels konkreter Abgrenzungskriterien wenig Orientierung für praktische Handhabe. Demgegenüber hat BGH in zwei neueren Entscheidungen im Kontext des § 826 BGB Wissenszurechnung nach genannten Grundsätzen verneint (BGH NZG 2016, 1346 Rn. 23; BeckRS 2016, 17389 Rn. 24). Auch Arbeitsgerichtsbarkeit begegnet Wissenszurechnung kraft Organisation zurückhaltend (Klueß NZA 2018, 491 mwN).

Hat Vorstand aufgrund **Verschwiegenheitspflicht** des Wissensträgers schon rechtl. keine Zugriffsmöglichkeit, kommt auch Zurechnung nicht in Betracht (BGH NJW 2016, 2569 Rn. 32; OLG München WM 2015, 2139, 2144; AG 2021, 769, 771 f.; OLG Stuttgart BeckRS 2023, 5754 Rn. 384; Bekritsky, Wissen und Ad-Hoc-Publizität, 2022, 351 f.; Buck-Heeb AG 2015, 801, 810 f.; Habersack DB 2016, 1551, 1553; Ihrig ZHR 181 [2017], 381, 399; J. Koch ZIP 2015, 1757, 1762 f.; Reichert FS Thümmel, 2020, 657, 666 f.; Thomale AG 2015, 641, 649 f.; Verse AG 2015, 413, 415 ff.; Weller ZGR 2016, 384, 404; aA Schwintowski ZIP 2015, 617 ff.; nach Normzweck differenzierend, aber die Unterscheidung von Organwissen und dem Organ nur zugänglichen Wissen [→ Rn. 24] missachtend Schirmer AG 2015, 666 ff.; ausf. dazu J. Koch ZIP 2015, 1757, 1759 ff.). Noch nicht abschließend geklärt ist, inwiefern auch Verschwiegenheitspflicht des Vorstands selbst eine Organwissenszurechnung nach den in → Rn. 24 ff. skizzierten Grundsätzen sperrt. Berücksichtigt man indes, dass Zu- 28 rechnung innerhalb des Vorstands auf Vorwurf unzureichender Gremienorganisation beruht (→ Rn. 24 f.), dürfte Zurechnung auch in diesem Fall zu verneinen sein. Wenn Vorstand qua Ges. nicht reden darf, kann ihm sein Schweigen nicht zum Vorwurf gemacht werden (sa Habersack DB 2016, 1551, 1554; Sajnovits WM 2016, 765, 771 f.). Zur Zurechnung von Wissen aus dem AR → § 112 Rn. 17 f.

29 **3. Konzernweite Wissenszurechnung.** Noch nicht abschließend geklärt ist Frage **konzernweiter Wissenszurechnung.** Auf zu Recht einhellige Ablehnung ist insofern von Schwintowski ZIP 2015, 617, 622 f. propagierte voraussetzungslose konzernweite Pauschalzurechnung gestoßen, die rechtl. Separierung vollständig aufgelöst hätte (vgl. OLG Frankfurt NZG 2020, 348 Rn. 22; OLG Stuttgart BeckRS 2023, 5754 Rn. 310 ff.; MüKoAktG/Altmeppen § 311 Rn. 439 m. Fn. 610; GK-AktG/Fleischer § 311 Rn. 309; Grigoleit/Grigoleit Rn. 43; S/L/Seibt Rn. 11; Gasteyer/Goldschmidt AG 2016, 116 ff.; Habersack DB 2016, 1551, 1553; J. Koch ZIP 2015, 1757, 1765; Mader Konzern 2015, 476, 477 ff.; Sajnovits WM 2016, 765, 771; Schürnbrand ZHR 181 [2017], 357, 377; Spindler ZHR 181 [2017], 311, 317, 321, 333; Verse AG 2015, 413, 418 ff.; Werner WM 2016, 1474, 1478 f.). Stattdessen wird Zurechnung zT aber jedenfalls dann bejaht, wenn bei **gebührender Konzernorganisation** entspr. Informationen an Obergesellschaft gelangt wären (Sajnovits WM 2016, 765, 771; im Kontext der Ad-Hoc-Publizität auch Zöllter-Petzold Konzern 2021, 289, 292 ff.; eher zurückhaltend Gasteyer/Goldschmidt AG 2016, 116, 123 ff.; Verse AG 2015, 413, 418 ff.; sa GK-AktG/Habersack/Foerster Rn. 44: „denkbar" etwa bei gemeinsamem information management). Auch das bleibt indes zweifelhaft, weil Konzern damit **der Einzelgesellschaft gleichgestellt** und **Trennungsprinzip aufgehoben** wird (zu Recht abl. deshalb Cahn Konzern 2021, 177, 178; Schürnbrand ZHR 181 [2017], 357, 360 ff.). Hiergegen spricht insbes. nicht, dass Wissenszurechnung durch Konzernierung umgangen werden könnte, weil Konzernierung eine von Rechtsordnung akzeptierte und mit Vorteilen wie auch Nachteilen behaftete Entscheidung des Unternehmens ist (Cahn Konzern 2021, 177, 178). Geht man mit hier vertretener Auffassung davon aus, dass Konzernobergesellschaft allenfalls im Innenverhältnis, nicht aber im Außenverhältnis Compliance-Pflichten für Tochter trägt (→ § 76 Rn. 50 ff.), kann auch bei der Wissenszurechnung eine solch weite Verantwortlichkeit nicht konstruiert werden (Armbrüster/Kosich ZIP 2020, 1494, 1503; Schürnbrand ZHR 181 [2017], 357, 360 ff.). Vielmehr bedarf es **bes. Umstände,** die bei wertender Beurteilung (→ Rn. 25) Wissenszurechnung rechtfertigen. Zu bedenken ist, dass Wissensorganisationsgedanke nur so weit greift, wie überhaupt Zugriffsmöglichkeiten auf die infrage stehenden Informationen bestehen, was etwa bei faktischem Aktienkonzern nicht der Fall ist (Cahn Konzern 2021, 177, 178). Zudem sind **Zugriffsmöglichkeiten** auf in anderen Gesellschaften vorhandenes Wissen **notwendige, aber keine hinreichende Bedingung** (Reichert FS Thümmel, 2020, 657, 662; ausf. zum Informationsfluss im Unternehmensverbund → § 311 Rn. 36a ff.). Bes. Umstände, die Wissenszurechnung rechtfertigen, können in Anlehnung an den Rechtsgedanken des § 166 II 1 BGB etwa in Auftreten als funktionale Einheit (Reichert FS Thümmel, 2020, 657, 663 f.: Weisung, Handeln als Vertreter, Outsourcing, Missbrauch; Cahn Konzern 2021, 177, 178) oder dem Vorhandensein von Doppelmandatsträgern gesehen werden (Schürnbrand ZHR 181 [2017], 357, 360 ff., 370 ff., 377 ff.; krit. Cahn Konzern 2021, 177, 179, der differenziert zwischen Frage nach Zurechnung außerdienstlich erlangten Wissens einerseits und Reichweite von Wissensorganisationspflichten andererseits). Auch hier können etwaige **Verschwiegenheitspflichten** aber Zurechnungsgrenzen ziehen (Cahn Konzern 2021, 177, 179; → Rn. 26, 28). Im Einklang mit der vom BGH

aufgestellten Grenze der Relevanz (→ Rn. 27) ist zusätzlich zu fordern, dass auch Anlass zum Informationsabruf besteht (Armbrüster/Kosich ZIP 2020, 1494, 1503). Nicht anzuerkennen ist jedenfalls umgekehrte Zurechnung des Wissens der Obergesellschaft ggü. der Tochtergesellschaft, da bei dieser Organisationsverantwortung und Zugriffsmöglichkeiten gleichermaßen nicht vorhanden sind (OLG Frankfurt NZG 2020, 348 Rn. 18 ff.; dazu Reichert FS Thümmel, 2020, 657, 658 f.). Auch im Rahmen einer Haftung nach § 826 BGB ist es nicht zulässig, die bei verschiedenen Konzerngesellschaften vorhandenen kognitiven Elemente über eine Wissenszusammenrechnung „mosaikartig" zusammenzuziehen, sondern verfassungsmäßig berufener Vertreter der AG iSd § 31 BGB analog muss obj. und subj. Tatbestand verwirklicht haben (BGH NJW 2021, 1669 Rn. 23 ff.; OLG München AG 2021, 769, 770; vgl. dazu Oechsler ZIP 2021, 929 ff.). Zur Frage, ob Tochter sich Verhalten der Mutter bei Beherrschungsvertrag unmittelbar über § 31 BGB analog zurechnen lassen muss → § 302 Rn. 3.

4. Insbesondere: Wissenszurechnung und Ad-Hoc-Publizität. **Ungeahnte Sprengkraft** droht Wissenszurechnung im Kontext der **Ad-Hoc-Publizität** zu entfalten (J. Koch AG 2019, 273, 281 ff.; vgl. zu daraus abgeleiteten Organisationsanforderungen etwa Klöhn ZIP 2015, 1145 f.; Sajnovits WM 2016, 765 ff.; Wilken/Hagemann BB 2016, 67 ff.). Rechtl. Grundlagen sind bislang nur unzureichend durchdacht, geschweige denn geklärt (J. Koch AG 2019, 273 ff.). Unsicherheiten beginnen schon bei der Frage, ob Art. 17 MAR überhaupt Wissenserfordernis enthält; anderenfalls würde es einer Wissenszurechnung nicht bedürfen (insofern zutr. Klöhn NZG 2017, 1285 ff.; nicht klar trennend Sajnovits WM 2016, 765, 766; erläuternd Gaßner, Ad-Hoc-Publizität, 2020, 119 ff.). Im Schrifttum wird Frage zT verneint, da Wortlaut keine Kenntnis voraussetze; notwendige tatbestandliche Eingrenzung soll allein über Unverzüglichkeitserfordernis erfolgen (vgl. insbes. Klöhn MAR Art. 17 Rn. 110 ff.; Klöhn NZG 2017, 1285, 1286 ff.; zust. Blassl, Ad-Hoc-Compliance, 2022, 105 f., 110 ff.; Neumann, Wissenszurechnung, 2020, 152 ff.; Nietsch ZIP 2018, 1421 ff.; Thomale, Der gespaltene Emittent, 2018, 42 ff.; ebenso zur nat. Haftungsvorschrift des § 37b I WpHG aF auch OLG Braunschweig BeckRS 2021, 35001 Rn. 90; vgl. dazu Kumpan/Misterek AG 2022, 484 Rn. 15 ff.). HLit geht dagegen zu Recht von **ungeschriebenem Wissenserfordernis** aus (vgl. dazu Buck, Wissen und juristische Person, 2001, 21), da Veröffentlichungspflicht denklogisch Kenntnis voraussetzt (ausf. J. Koch AG 2019, 273 ff.; sa BeckOK/Buck-Heeb Art. 17 MMVO Rn. 117 ff.; B/K/L/Bürgers Rn. 5; Grigoleit/Grigoleit Rn. 48; Fuchs/Pfüller WpHG § 15 Rn. 328 ff.; Buck-Heeb CCZ 2009, 8, 20 ff.; Gehling/Lüneborg in Busch/Hoven/Rieth/Rübenstahl, Antikorruptions-Compliance, 2020, Kap. 31 Rn. 11; Groß/Royé BKR 2019, 272, 277 Fn. 31; Ihrig ZHR 181 [2017], 381, 386 ff.; Ihrig FS Krieger, 2020, 437, 439 f.; Liebscher ZIP 2019, 1837, 1848; Merkner/Sustmann/Retsch AG 2019, 621, 632; diff. OLG Stuttgart BeckRS 2023, 5754 Rn. 211 ff.: unionsrechtl. Wissenserfordernis, flankiert mit nat. deliktsrechtl. Wissensorganisationspflicht; vgl. dazu Kumpan/Misterek AG 2023, 637 Rn. 14 ff.). Auch in den Materialien zum – maßgeblichen – europ. Recht findet sich dieses Erfordernis (Europ. Komm., Commission Staff Working Paper Impact Assessment, SEC [2011], 1217, 11; Europ. Komm., Vorschlag für VO über Insider-Geschäfte und Marktmanipulation, KOM [2011] 651, 10). Anderenfalls wäre Emittent zu mehr als nur „Bekanntgabe" verpflichtet, was Ultra-Posse-Grundsatz, sanktionsrechtl. Analogieverbot und Entstehungsgeschichte widerspräche (ausf. Bekritsky, Wissen und Ad-Hoc-Publizität, 2022, 227 ff., 232 ff., 242 ff.). Aus Wissenserfordernis ergibt sich auch kein systematischer Widerspruch zum Unmittelbarkeitserfordernis (so aber Klöhn NZG 2017, 1285, 1286 f.), das ganz andere Funktion erfüllt, nämlich den für die Veröffent- 30 lichung verantwortlichen Emittenten identifizieren soll (Fuchs/Pfüller WpHG § 15 Rn. 161; J. Koch AG 2019, 273, 277; eingehend Bekritsky, Wissen und Ad-Hoc-Publizität, 2022, 219 ff., insbes. 223 f.; zu weiteren Einwänden auf Rechtsfolgenseite → Rn. 32 f.). Pflicht zur unverzüglichen Veröffentlichung umschreibt danach allein Prüfungszeitraum, den Emittent für Veröffentlichung einer ihm bekannten Information in Anspruch nehmen darf (Fleischer NJW 2002, 2977, 2980; J. Koch AG 2019, 273, 275 ff.). Über Figur der Wissenszurechnung (→ Rn. 31) gelangte früher hM indes zu ähnlichen, aber nicht identischen Ergebnissen: Während nach erstgenannter Auffassung auch Ereignisse außerhalb des Unternehmens Ad-Hoc-Pflicht und damit korrespondierende Haftung auslösen können, bleibt AG nach letztgenannter Auffassung nur zur Veröffentlichung gesellschaftsintern bekannter Umstände verpflichtet (vgl. zu diesen Unterschieden die Beispiele bei Ihrig ZHR 181 [2017], 381, 384 mit Fn. 13; sa Bekritsky, Wissen und Ad-Hoc-Publizität, 2022, 47 ff.; J. Koch AG 2019, 273, 275 f.).

31 Danach anzunehmendes Wissenserfordernis bedarf bei jur. Person einer Wissenszurechnung, wobei früher hM aber **vorschnellen Wertungstransfer aus dem Vertragsrecht** nach den in → Rn. 27 f. dargestellten Grundsätzen vorgenommen hat (vgl. Nachw. → Rn. 30). Anwendungsvorrang des Unionsrechts gibt Ausschlag dafür, Grund und Grenzen einer Zurechnung durch Auslegung des Art. 17 MAR zu ermitteln (Bekritsky, Wissen und Ad-Hoc-Publizität, 2022, 277 ff.). Gerade hier gilt aber schon aufgrund europ. Normursprungs in bes. Maße Erfordernis normbezogener Zurechnungsgrundsätze (→ Rn. 27). Spätestens seitdem Ad-Hoc-Publizität nicht mehr nur Richtlinien-, sondern Verordnungsursprung hat, kann es speziell bei dieser Pflicht kaum überzeugen, das in einer Vorschrift des europ. Aufsichtsrechts enthaltene Wissensmerkmal ausschließlich im Lichte des deutschen Vertragsrechts auszufüllen (J. Koch AG 2019, 273, 277 f.). Für **Anwendungsvorrang** erforderliche Kollision ergibt sich daraus, dass Wissenszurechnung nicht zu (nationalem) Gesellschaftsrecht gehört, sondern zur Auslegung des Tatbestandsmerkmals, in dem Wissen eine Rolle spielt (Bekritsky, Wissen und Ad-Hoc-Publizität, 2022, 270 ff.; Bork ZGR 1994, 237, 239 f.; Grigoleit ZHR 181 [2017], 160, 166). Vorgeschlagen wird zwar Wertungstransfer als Verlegenheitslösung in Ermangelung europ. Grundsätze (Gaßner Ad-Hoc-Publizität, 2020, 126 f., 152; Ihrig ZHR 181 [2017], 381, 389 ff. – vgl. dazu auch den Diskussionsbericht von C. Weber ZHR 181 [2017], 416 ff.; in diese Richtung bei Richtlinien auch BGH WM 2018, 2028 Rn. 197). Bei unmittelbar geltendem Unionsrecht würde es aber gegen Gesetzlichkeitsprinzip (Art. 49 II GrCH, Art. 7 II EMRK) verstoßen, wenn Inhalt vereinheitlichter Materie erst unter Hinzuziehung unterschiedlicher nat. Regelungen bestimmt werden könnte (Bekritsky, Wissen und Ad-Hoc-Publizität, 2022, 277 ff.). Auch im Fall der Art. 8 und 10 MAR wird Wissenszurechnung aus Art. 9 MAR und nicht aus nat. Recht gewonnen (Klöhn ZBB 2017, 261, 264; Schwark/Zimmer/Kumpan/Schmidt KMRK Art. 9 MAR Rn. 22).

32 Speziell bei Ad-Hoc-Publizität würde Zurechnung nach Vorbild vertragsrechtl. Grundsätze (→ Rn. 27 f., 31) dazu führen, dass ohnehin schon deutlich überzogene **Compliance-Anforderungen** (→ § 76 Rn. 24) **vom Innen- in das Außenverhältnis gekehrt** und mit übermäßig scharfen aufsichts- und zivilrechtl. Konsequenzen (insbes. Haftung aus §§ 97, 98 WpHG) versehen würden (J. Koch AG 2019, 273, 81 ff.; Bekritsky, Wissen und Ad-Hoc-Publizität, 2022, 95 ff.). Das ist insbes. deshalb problematisch, weil diese Rechtsfolge – wie jüngeres Fallmaterial belegt – nicht nur exorbitante Ausmaße annehmen kann, sondern darüber hinaus wirtschaftlich auch Altaktionäre trifft, die durch Kursverlust ohnehin schon erheblich geschädigt sind (vgl. zu dieser rechtspolitisch bedenklichen Folge statt vieler G. Wagner ZHR 181 [2017], 203, 267 ff.). Nach Neufassung des Art. 17 I MAR müssten daraus abzuleitende Organisationsanforderungen nicht nur im regulierten Markt, sondern ebenso im Freiverkehr gelten. Auch **Möglichkeit der Selbstbefreiung** (Art. 17 IV MAR) läuft bei zugerechnetem Wissen unterer Hierarchieebenen zwangsläufig ins Leere, da Vorstand sich nicht befreien kann, wenn er Information selbst nicht kennt (J. Koch AG 2019, 273, 279 f.; Bekritsky, Wissen und Ad-Hoc-Publizität, 2022, 313 ff.). Diese Folge wiegt namentl. im Lichte der Daimler/Geltl-Rspr. bes. schwer, da sich Schwerpunkt der Vorschrift damit maßgeblich auf den Selbstbefreiungstatbestand verlagert hat (→ § 93 Rn. 95). Schärferer Verschuldensmaßstab der § 97 II WpHG, § 98 II WpHG schafft insofern nur geringe Erleichterung, da er durch Beweislastumkehr aufgewogen wird. Auch müsste Wissenszurechnung grds. zu Vorsatz führen, was allenfalls dadurch korrigiert werden könnte, dass – abw. von allg. Grundsätzen – Wissenszurechnung hier nicht schon bei leicht fahrlässigem Organisationsversagen greift, sondern schärferer Maßstab der § 97 II WpHG, § 98 II WpHG angelegt wird (Habersack DB 2016, 1551, 1554 f.; Sajnovits WM 2016, 765, 773; Verse AG 2015, 413, 418 Fn. 39).

Vor diesem Hintergrund spricht viel dafür, Zurechnung im Kontext der Ad-Hoc-Publizität auf **Wissen des Vorstands** zu beschränken. Kraft seiner Möglichkeiten und Fähigkeiten ist grds. nur er Letztentscheidungsträger, um Bekanntgabepflicht für Emittenten wahrzunehmen (BeckOK/Buck-Heeb MMVO Art. 17 Rn. 120 (oder sonstige nach interner Zuständigkeitsordnung verantwortliche Person); B/K/L/Bürgers Rn. 5; Grigoleit/Grigoleit Rn. 49; Bekritsky, Wissen und Ad-Hoc-Publizität, 2022, 257 ff., 299 ff.; Groß/Royé BKR 2019, 272, 277 Fn. 31; Liebscher ZIP 2019, 1837, 1848; Merkner/Sustmann/Retsch AG 2019, 621, 632; weitergehend Gaßner, Ad-Hoc-Publizität, 2020, 237 ff.: auch untere Managementebene und abteilungs- oder geschäftsleitende Mitarbeiter). Ad-Hoc-Publizität verpflichtet Emittenten in diesem Verständnis dazu, Informationen zu veröffentlichen, über die Vorstand verfügt, nicht aber zur Einrichtung eines umfassenden Informationsmanagementsystems (J. Koch AG 2019, 273 ff.; sa J. Koch ZGR 2020, 183, 193 f.; zust. Grigoleit/Grigoleit Rn. 48 f.; Merkner/Sustmann/Retsch AG 2019, 621, 632; aA insbes. Klöhn MAR Art. 17 Rn. 110 ff.; zust. Sajnovits WM 2016, 756, 769; jedenfalls für Wissenserfordernis iRd § 97 WpHG Thomale AG 2019, 189 ff.; krit. auch Reuter NZG 2019, 321 ff.). Wird Ad-Hoc-Gremium eingerichtet, ist auch das Wissen seiner Mitglieder zuzurechnen, da sie mit Wahrnehmung der Ad-Hoc-Pflicht betraut werden (Bekritsky, Wissen und Ad-Hoc-Publizität, 2022, 319 f.). Zur Wissenszurechnung aus dem AR → § 112 Rn. 17 f. Das führt nicht dazu, dass Compliance vernachlässigt werden darf, sondern lediglich dazu, dass Versäumnisse in diesem Bereich nicht auch mit problematischer Rechtsfolge der §§ 97, 98 WpHG sanktioniert werden müssen. Auch ohne diesen zusätzlichen Sanktionsmechanismus kann nicht die Rede davon sein, dass Compliance in deutscher Unternehmenspraxis keine hinreichende Beachtung finde (zutr. differenzierend daher Bekritsky, Wissen und Ad-Hoc-Publizität, 2022, 83 ff.). Ad-Hoc-Publizität wird damit auch keinesfalls – wie zT behauptet – zu „stumpfem Schwert" (so Ihrig ZHR 181 [2017], 381, 387 f.). Der Großteil kursrelevanter Informationen wird dem Vorstand bekannt sein, weshalb auch nach Emittentenleitfaden der BaFin 2020 (S. 35) Anwendungsfälle der Ad-Hoc-Publizität bislang ausschließlich in solchen Informationen gesehen wurden, über die Vorstand verfügt (Bekritsky WM 2020, 1959, 1966). Kombination mit Grundsätzen der Wissenszurechnung nach vertragsrechtl. Grundsätzen ist dagegen ein erst seit kurzem intensiver diskutierter Irrweg, der auch in bisheriger Aufsichts- und Gerichtspraxis bis dahin noch keinen Niederschlag gefunden hatte (J. Koch AG 2019, 273 f.; sa schon Engels, Unternehmensvorsatz und Unternehmensfahrlässigkeit, 2002, 135 f.). **Effet utile** zwingt zu keiner anderen Auslegung, da auch nach europäischem Recht keine Kapitalmarkttransparenz um jeden Preis geschaffen 33 werden soll, sondern gegenläufige Zielsetzungen zu berücksichtigen sind. Dazu gehört, dass auch bei Inanspruchnahme des Kapitalmarktes reine Organisationsdefizite nicht zu unkalkulierbaren Haftungsrisiken führen dürfen, die ganze Unternehmen in Bestandsgefahr bringen können und zu erheblicher Umverteilung zwischen Alt- und Neuaktionären führen, für die sachliche Rechtfertigung fehlt (J. Koch AG 2019, 273, 285). Verschwiegenheitspflichten, Nemo-Tenetur-Grundsatz und Persönlichkeitsrecht können Wissenszurechnung sperren, soweit sie unionsrechtl. verankert sind (Bekritsky, Wissen und Ad-Hoc-Publizität, 2022, 350 ff.; Dubovitskaya, Offenlegungspflichten, 2020, 151 ff.; Kumpan/Misterek AG 2022, 484 Rn. 14; sa Gaßner, Ad-Hoc-Publizität, 2020, 260 ff., 275 ff. mit Herleitung aus nat. Recht). Zu beachten ist dabei allerdings, dass in diese Abwägung einzustellenden Erwägungen zT auch schon Kursrelevanz beeinflussen können und deshalb ggf. in diesem Rahmen vorrangig zu prüfen sind (Bekritsky, Wissen und Ad-Hoc-Publizität, 2022, 362, 369; Dubovitskaya, Offenlegungspflichten, 2020, 112).

34 **5. Willensmängel.** Willensmängel iSd §§ 116 ff. BGB sind AG schon dann als eigene zuzurechnen, wenn sie in Person auch nur eines Vorstandsmitglieds gegeben sind (wohl allgM, s. zB GK-AktG/Habersack/Foerster Rn. 42; MüKoAktG/Spindler Rn. 95). AG kann also anfechten, wenn sich nur **eines von mehreren Vorstandsmitgliedern** iSd § 119 BGB geirrt hat. UU kann Berufung der AG auf Willensmangel aber treuwidrig sein, wenn ein Gesamtvertreter Willensmangel des anderen bewusst nicht aufgeklärt hat (BeckOGK/Fleischer Rn. 63).

79 *(aufgehoben)*

1 § 79 enthielt **Zeichnungsregeln.** Norm ist aufgehoben durch MoMiG 2008. Auch die korrespondierenden Teile des § 35 GmbHG sind weggefallen. Darin liegt sinnvolle Deregulierung, weil organschaftl. Vertreter auch ohne Zeichnung deutlich machen können, ob sie für Gesellschaft oder für sich handeln.

Angaben auf Geschäftsbriefen

80

(1) [1] **Auf allen Geschäftsbriefen gleichviel welcher Form, die an einen bestimmten Empfänger gerichtet werden, müssen die Rechtsform und der Sitz der Gesellschaft, das Registergericht des Sitzes der Gesellschaft und die Nummer, unter der die Gesellschaft in das Handelsregister eingetragen ist, sowie alle Vorstandsmitglieder und der Vorsitzende des Aufsichtsrats mit dem Familiennamen und mindestens einem ausgeschriebenen Vornamen angegeben werden.** [2] **Der Vorsitzende des Vorstands ist als solcher zu bezeichnen.** [3] **Werden Angaben über das Kapital der Gesellschaft gemacht, so müssen in jedem Falle das Grundkapital sowie, wenn auf die Aktien der Ausgabebetrag nicht vollständig eingezahlt ist, der Gesamtbetrag der ausstehenden Einlagen angegeben werden.**

(2) **Der Angaben nach Absatz 1 Satz 1 und 2 bedarf es nicht bei Mitteilungen oder Berichten, die im Rahmen einer bestehenden Geschäftsverbindung ergehen und für die üblicherweise Vordrucke verwendet werden, in denen lediglich die im Einzelfall erforderlichen besonderen Angaben eingefügt zu werden brauchen.**

(3) [1] **Bestellscheine gelten als Geschäftsbriefe im Sinne des Absatzes 1.** [2] **Absatz 2 ist auf sie nicht anzuwenden.**

(4) [1] **Auf allen Geschäftsbriefen und Bestellscheinen, die von einer Zweigniederlassung einer Aktiengesellschaft mit Sitz im Ausland verwendet werden, müssen das Register, bei dem die Zweigniederlassung geführt wird, und die Nummer des Registereintrags angegeben werden; im übrigen gelten die Vorschriften der Absätze 1 bis 3 für die Angaben bezüglich der Haupt- und der Zweigniederlassung, soweit nicht das ausländische Recht Abweichungen nötig macht.** [2] **Befindet sich die ausländische Gesellschaft in Abwicklung, so sind auch diese Tatsache sowie alle Abwickler anzugeben.**

I. Regelungsgegenstand und -zweck

1 § 80 bezweckt **Publizität wesentlicher Gesellschaftsverhältnisse** und soll Einholung registerrechtl. Informationen erleichtern. Es soll insbes. sichergestellt werden, dass auch ausländische Geschäftspartner über wesentliche Merkmale und Personalia der AG ohne Notwendigkeit eigener aufwendiger Nachforschungen unterrichtet sind (RegBegr. Kropff S. 101; Einmahl AG 1969, 131, 133 f.). Parallelvorschrift: § 35a GmbHG; Ergänzung für Auflösungsstadium: § 268 IV). Norm wurde eingeführt durch § 100 AktG 1937; geltende Fassung geht auf 1. EG-KoordG 1969 zurück, mit dem sog Publizitäts-RL (jetzt GesR-RL) durchgeführt wurde.

II. Geschäftsbriefe

2 Begriff ist mit Rücksicht auf Sinn und Zweck der Norm (→ Rn. 1) **weit auszulegen;** Geschäftspartner der AG (auch Vor-AG) sollen schon im Stadium der Vertragsanbahnung Aufschluss über wesentliche Gesellschaftsverhältnisse erhalten (BeckOGK/Fleischer Rn. 4). Geschäftsbriefe sind danach nicht nur auf Geschäftsbriefbogen im eigentlichen Sinne verfasste Schreiben, sondern ohne Rücksicht auf ihre Form sämtliche schriftlichen oder elektronischen (RegBegr. BT-Drs. 16/960, 47) Mitteilungen der Gesellschaft, die sich an bestimmten außenstehenden Empfänger richten (MüKoAktG/Spindler Rn. 16). Äußere Gestalt oder inhaltlicher Umfang sind unerheblich. Ob es sich um Schreiben „der AG“ handelt, kann bei Einschaltung Dritter zweifelhaft sein, ist idR aber nur dann zu bejahen, wenn Handelnder innerhalb des Unternehmens tätig wird, nicht dagegen als außenstehender Dienstleister, Tochtergesellschaft oÄ (zu Einzelheiten Bredol NZG 2017, 611 ff.). **Bsp.** für Geschäftsbriefe: Preislisten, Rechnungen, Quittungen, Lieferscheine, Empfangsbestätigungen; zu den Bestellscheinen (§ 80 III) → Rn. 6. Keine Geschäftsbriefe sind öffentl. Bek., Werberundschreiben oder Anzeigen, weil sie sich nicht an bestimmten Adressatenkreis richten (unstr., s. KK-AktG/Cahn Rn. 16) sowie interner Geschäftsverkehr, weil er vom Schutzzweck nicht erfasst wird (BeckOGK/Fleischer Rn. 6). Nicht zum internen Geschäftsverkehr zählt aber Schriftverkehr mit Arbeitnehmern sowie im Unternehmensverbund (GK-AktG/Habersack/Foerster Rn. 7). Art der Übermittlung spielt keine Rolle, so dass namentl. **E-Mails** von § 80 erfasst sind (BGH BeckRS 2011, 07102 Rn. 2 f.); reiner Hyperlink genügt hier nicht (BeckOGK/Fleischer Rn. 5; GK-AktG/Habersack/Foerster Rn. 5; MüKoAktG/Spindler Rn. 19; Hoeren/Pfaff MMR 2007, 207, 208 f.; aA Glaus/Gabel BB 2007, 1744, 1745 ff.). Mail-Anhang muss den Anforderungen des § 80 nicht genügen, da Empfänger durch Angaben in E-Mail selbst hinreichend informiert ist; andere Beurteilung kann gerechtfertigt sein, wenn E-Mail als bloße „Versandhülle“ fungiert (Schweinoch/Böhlke/Richter CR 2007, 167 f.; aA GK-AktG/Haber-

sack/Foerster Rn. 4). Schließlich würde auch Übertragung auf **SMS** Nutzung dieses Kommunikationsweges prohibitiv versperren und ist deshalb abzulehnen (zutr. Wachter/Link Rn. 3; S/L/Seibt Rn. 8; Lutter/Hommelhoff/Kleindiek GmbHG § 35a Rn. 2; Hoeren/Pfaff MMR 2007, 207, 208; aA BeckOGK/Fleischer Rn. 5; GK-AktG/Habersack/Foerster Rn. 4; diff. zwischen SMS und EMS MüKoAktG/Spindler Rn. 19). Adressierung an **best. Adressatenkreis** fehlt idR bei Internetseiten, Facebook- oder Twitternachrichten und Blogs, doch kann hier uU Informationspflicht nach § 5 TMG eingreifen (GK-AktG/Habersack/Foerster Rn. 8; Haßler BB 2016, 461; aA für Blog S/L/Seibt Rn. 8).

III. Erforderliche Angaben

3 Im Einzelnen sind vorgeschrieben: Angabe der **Rechtsform;** Abkürzung „AG" genügt, weil auch im int. Geschäftsverkehr gebräuchlich (heute unstr., s. nur MüKoAktG/Spindler Rn. 8). **Gesellschaftssitz,** und zwar auch dann, wenn Geschäftsbrief schon denselben Ort als Absendeort nennt. Gemeint ist Satzungssitz (§ 5), nicht davon etwa abw. Verwaltungssitz (Otte BB 2009, 344, 345). Stammt Brief von Zweigniederlassung, ist Angabe des Hauptsitzes obligatorisch (MüKoAktG/Spindler Rn. 9). **Registergericht und Nummer** der Gesellschaft können in abgekürzter Form genannt werden, zB: AG Frankfurt HRB 5981 (unstr., s. GK-AktG/Habersack/Foerster Rn. 17). **Vorstandsmitglieder und AR-Vorsitzender** müssen unter vollständiger, also nicht abgekürzter Nennung des Nachnamens und mindestens eines Vornamens aufgeführt werden. Nennung weiterer Vornamen ist auch in abgekürzter Form nicht erforderlich (GK-AktG/Habersack/Foerster Rn. 17). Vakanz im AR-Vorsitz sollte als solche gekennzeichnet werden („n/a", „N. N.", „derzeit vakant" – vgl. Haßler BB 2016, 461, 462 f.). Stellvertretende Vorstandsmitglieder sind anzugeben (s. § 94), aber entspr. der zur Registereintragung durchgedrungenen Ansicht (→ § 94 Rn. 3) ohne Vertretungszusatz (zutr. GK-AktG/Habersack/Foerster Rn. 17; Hölters/Weber/Weber Rn. 9; Haßler BB 2016, 461, 462). Soweit vorhanden, ist **Vorstandsvorsitzender** (nicht auch: Vorstandssprecher) als solcher zu bezeichnen; Bezeichnung kann dem Namenszug vor- oder nachgestellt werden. Weitergehende Bezeichnungen zB des Arbeitsdirektors oder des stellvertretenden Vorstandsvorsitzenden wurden früher für zulässig gehalten. Nach der zu § 94 durchgedrungenen Ansicht ist schon Zulässigkeit zu verneinen (GK-AktG/Habersack/Foerster Rn. 17; KK-AktG/Cahn Rn. 6; aA S/L/Seibt Rn. 4). Nicht anzugeben ist Ehrenvorsitzender des AR (Haßler BB 2016, 461, 462).

4 **Angaben zum Gesellschaftskapital** sind **nicht vorgeschrieben, aber zulässig** (§ 80 I 3). Wenn sie gemacht werden, müssen neben Grundkapital ausstehende Bareinlagen angegeben werden; maßgeblich ist Ausgabebetrag der Aktien. Ausgabebetrag folgt nach Maßgabe des § 9 aus Satzung (Einzelheiten dazu in → § 27 Rn. 3). Erforderlich und genügend ist Angabe des ausstehenden Gesamtbetrags. Vorschrift bezieht sich, weil von Einzahlung die Rede ist, **nur auf Bareinlagen, nicht auf Sacheinlagen** (s. dazu Einmahl AG 1969, 131, 134). Entspr. Angabenpflicht kann aber uU aus §§ 3, 5, 5a UWG folgen (KK-AktG/Cahn Rn. 7; MüKoAktG/Spindler Rn. 13), ohne dass damit gesellschaftsrechtl. Verpflichtung begründet würde.

IV. Ausnahmen für Mitteilungen und Berichte

5 Von Angabenpflicht ausgenommen sind gem. § 80 II **Schriftstücke in Vordruckform,** die iR bestehender Geschäftsbeziehung verwendet werden und in die lediglich im Einzelfall erforderliche Angaben eingefügt werden müssen (zB Lieferscheine, Mahnungen, Kontoauszüge usw, vgl. RegBegr. Kropff S. 102).

Gegenausnahme in § 80 III für Bestellscheine erklärt sich aus zwingendem Wortlaut des Art. 26 GesR-RL (früher Art. 5 Publizitäts-RL). Begriff der **bestehenden Geschäftsbeziehung** wird nicht ganz einheitlich definiert. Erforderlich ist, dass mit betr. Adressaten zumindest einmal vor Versand eines Geschäftsbriefs in Vordruckform Schriftverkehr stattgefunden hat und dabei die Angaben gem. § 80 I gemacht worden sind. Dass dabei best. Zeitgrenze zu beachten ist (so GK-AktG/Habersack/Foerster Rn. 14), erscheint im Lichte des Normzwecks zwar durchaus plausibel, kann mit Blick auf fehlende Bestimmbarkeit dieser Grenze aber dennoch nicht gefordert werden (zutr. KK-AktG/Cahn Rn. 17). **Üblichkeit** der Verwendung von Vordrucken ist iSd Branchenüblichkeit aufzufassen, die im Einzelfall zu ermitteln ist (MüKoAktG/Spindler Rn. 22). Vordrucke iSd § 80 II sind bes. im Bankverkehr verbreitet. Üblich iSd Vorschrift sind aber zB auch Berichte an Behörden in Vordruckform (s. KK-AktG/Cahn Rn. 19; MüKoAktG/Spindler Rn. 24).

V. Bestellscheine

Bestellscheine gelten gem. § 80 III 1 als **Geschäftsbriefe iSd § 80 I.** Ausnahmeregelung des § 80 II kann insoweit nach § 80 III 2 nicht angewandt werden. Frühere Publizitäts-RL (nun GesR-RL) ließ keine Ausnahme zu. Angabenpflicht besteht also auch, wenn von einem Bestellschein iR laufender Geschäftsbeziehung Gebrauch gemacht wird. 6

VI. Auslandsbriefe

Entspr. dem Regelungszweck (→ Rn. 1) besteht Angabenpflicht auch für Auslandsbriefe. Das folgt schon aus § 80 I für Briefe, die von **inländischen Gesellschaften** einschließlich ihrer Zweigniederlassungen stammen. Angabenpflicht erstreckt sich gem. § 80 IV 1 aber auch auf Geschäftsbriefe und Bestellscheine, die von einer inländischen Zweigniederlassung einer **ausländischen Gesellschaft** stammen, soweit nicht ausländisches Heimatrecht Abweichungen erforderlich macht (anders noch Kreplin BB 1969, 1112, 1113). § 80 IV 1 stellt nunmehr, nämlich in seiner Neufassung durch MoMiG 2008 klar, dass erforderliche Angaben sowohl für ausländische Haupt- als auch für inländische Zweigniederlassungen zu machen sind (KK-AktG/Cahn Rn. 8). Doppelte Angabenverpflichtung soll Transparenz und Gläubigerschutz verbessern (RegBegr. BT-Drs. 16/6140, 43). Ob in- oder ausländische AG/Zweigniederlassung vorliegt, bestimmt sich für Gesellschaften im Geltungsbereich der Niederlassungsfreiheit (→ § 1 Rn. 35, 39) nach Satzungssitz, ansonsten nach effektivem Verwaltungssitz (GK-AktG/Habersack/Foerster Rn. 10). **§ 80 IV 2** ergänzt § 268 IV (→ § 268 Rn. 8). Regelung ist wegen Sachzusammenhangs hier (und nicht in § 268) eingefügt worden (RegBegr. BT-Drs. 12/3908, 20). Wenn ausländische Gesellschaft Aufteilung in Vorstand und AR nicht kennt, muss sich Angabe auf funktionsäquivalente Organe beziehen (KK-AktG/Cahn Rn. 11). Einzelheiten zu erforderlichen Angaben bei Bärwaldt/Schabacker AG 1996, 461, 462 ff. und 465 f. 7

VII. Rechtsfolgen

§ 80 ist nicht Form-, sondern bloße Ordnungsvorschrift. Vorgeschriebene Angaben sind also **kein Gültigkeitserfordernis** für Erklärungen der AG (GK-AktG/Habersack/Foerster Rn. 20; MüKoAktG/Spindler Rn. 27). Ihr Fehlen mag im Einzelfall unter den Gesichtspunkten einer Haftung nach § 280 I BGB iVm § 311 II BGB, einer Irrtumsanfechtung oder einer Rechtsscheinhaftung Bedeutung erlangen. Im letztgenannten Fall können die zum fehlenden Rechtsformzusatz in → § 4 Rn. 22 entwickelten Grundsätze entspr. angewandt werden 8 (sa GK-AktG/Habersack/Foerster Rn. 21). Da § 80 Marktverhaltensregelung iSd § 3a UWG ist (Ohly/Sosnitza/Ohly, 7. Aufl. 2016, UWG § 3 Rn. 76), kann spürbarer Verstoß unlauter sein, etwa wenn Angaben aus wettbewerblichen Motiven bewusst verschleiert werden (BeckOGK/Fleischer Rn. 18; ebenso zu § 4 Nr. 11 UWG aF Hoeren/Pfaff MMR 2007, 207, 209 f.; Orlikowski-Wolf/Maaßen BB 2007, 561 ff.; weitergehend GK-AktG/Habersack/Foerster Rn. 21). Das gilt für auch Verstöße gegen Irreführungsverbot in § 5 I 2 Nr. 3 UWG, § 5a III Nr. 2 UWG. Einhaltung der Vorschrift kann vom Registergericht durch Festsetzung von **Zwangsgeld** durchgesetzt werden (§ 407 I). Schließlich ist § 80 Schutzgesetz, so dass Empfänger uU einen durch fehlende Angaben entstandenen Vermögensschaden nach **§ 823 II BGB** ersetzt verlangen kann (GK-AktG/Habersack/Foerster Rn. 20).

Änderung des Vorstands und der Vertretungsbefugnis seiner Mitglieder

81 (1) **Jede Änderung des Vorstands oder der Vertretungsbefugnis eines Vorstandsmitglieds hat der Vorstand zur Eintragung in das Handelsregister anzumelden.**

(2) **Der Anmeldung sind die Urkunden über die Änderung in Urschrift oder öffentlich beglaubigter Abschrift beizufügen.**

(3) [1] **Die neuen Vorstandsmitglieder haben in der Anmeldung zu versichern, daß keine Umstände vorliegen, die ihrer Bestellung nach § 76 Abs. 3 Satz 2 Nr. 2 und 3 sowie Satz 3 und 4 entgegenstehen, und daß sie über ihre unbeschränkte Auskunftspflicht gegenüber dem Gericht belehrt worden sind.** [2] **§ 37 Abs. 2 Satz 2 ist anzuwenden.**

I. Regelungsgegenstand und -zweck

1 § 81 betr. Pflichten ggü. Registergericht, die für Vorstand und seine Mitglieder bei Änderungen der Zusammensetzung des Organs oder der Vertretungsbefugnis von Vorstandsmitgliedern entstehen. Regelungszweck liegt im Wesentlichen in **Publizität der jeweiligen Vertretungsverhältnisse** (s. für den ersten Vorstand § 37 III [→ § 37 Rn. 8] und § 39 I [→ § 39 Rn. 2]) und, soweit es um § 81 III geht, in Durchsetzung der ges. Bestellungshindernisse.

II. Anmeldepflichtige Vorgänge

2 **1. Änderungen des Vorstands.** Nach § 81 I Fall 1 ist jede Änderung des Vorstands anmeldepflichtig. Sie liegt vor, wenn sich Zusammensetzung des Organs ändert, also beim Ausscheiden bisheriger und beim Eintritt neuer Vorstandsmitglieder, und zwar einschließlich der stellvertretenden (§ 94). Worauf Änderung beruht, spielt für § 81 keine Rolle. Hat sich Änderung zwischenzeitlich erledigt (ausgeschiedenes Vorstandsmitglied wird vor Anmeldung des Ausscheidens wiederbestellt), so folgt nach hM aus § 81 keine Anmeldepflicht (GK-AktG/Habersack/Foerster Rn. 5; KK-AktG/Cahn Rn. 5). Da Dritte nach zutr. hM im Rahmen des **§ 15 I HGB** Vertrauensschutz auch **ohne Voreintragung** genießen (vgl. GK-HGB/J. Koch/Harnos § 15 Rn. 44 ff.), sollte aber im Umkehrfall (bestelltes Vorstandsmitglied scheidet vor Anmeldung der Bestellung aus) das eine wie das andere angemeldet werden (KK-AktG/Cahn Rn. 5). Keine Änderung des Vorstands liegt in Bestellung oder Abberufung des Vorsitzenden, sofern er schon Vorstandsmitglied war bzw. bleibt; denn damit ist keine Änderung

der Vertretungsverhältnisse (→ Rn. 1) verbunden (heute unstr., vgl. zB MüKoAktG/Spindler Rn. 10).

2. Änderungen der persönlichen Verhältnisse oder der Vertretungsbefugnis. Über Änderungen der persönlichen Verhältnisse einzelner Vorstandsmitglieder sagt § 81 nichts; als Änderungen des Vorstands können sie nicht aufgefasst werden, weil Zusammensetzung des Organs unverändert bleibt (→ Rn. 2). Im Einzelnen ist zu unterscheiden: Namensänderungen (zB durch Heirat) sind **anmeldepflichtig,** weil sonst angestrebte Klarheit der Vertretungsverhältnisse (→ Rn. 1) nicht erreicht werden könnte. **Anmelde- und eintragungsfähig,** aber nicht eintragungspflichtig sind Angaben, deren Eintragung § 43 Nr. 4 HRV (nicht, wie teilw. angenommen: § 40 Nr. 3 HRV; diese Norm meint Einzelkaufleuten gleichstehende jur. Personen iSd § 33 HGB) über den Namen hinaus vorschreibt. Ernennung zum Vorstandsvorsitzenden (→ § 84 Rn. 28 f.) muss also nicht angemeldet werden (→ Rn. 2), ist aber einzutragen, wenn sie angemeldet wird (LG Stuttgart BB 1953, 870), ebenso Abberufung (vgl. § 43 Nr. 4 Fall 1 HRV). Entspr. gilt für Berufsbezeichnungen und Angabe des Wohnorts. Doktortitel ist kein Namensbestandteil (BGH NJW 2014, 387 Rn. 7), kann aber aufgrund zum Gewohnheitsrecht erstarkter tats. Übung auf Verlangen eingetragen werden (BGH NZG 2017, 734 Rn. 26 f.). **Nicht eintragungsfähig** ist Beilegung von sonstigen Bezeichnungen (Generaldirektor; Arbeitsdirektor). 3

Änderung der Vertretungsbefugnis (zB Einzel- statt Gesamtvertretung oder umgekehrt) ist nach § 81 I Fall 2 anmeldepflichtig. Keine Änderung der Vertretungsbefugnis und daher nicht anmeldepflichtig sind Erteilung oder Widerruf einer Einzelermächtigung iSd § 78 IV (→ § 78 Rn. 19 ff.). Wird in **Satzung** geregelte Vertretungsbefugnis geändert, so genügt in § 181 vorgeschriebene Anmeldung der Satzungsänderung; bes. Anmeldung nach § 81 ist also nicht erforderlich. Anders nur, wenn nach Aufhebung einer Satzungsbestimmung wieder ges. Vertretungsordnung gilt (vgl. dazu EuGH Slg. 1974, 1201, 1205 ff. = BB 1974, 1500; → § 37 Rn. 8). 4

III. Einzelheiten der Anmeldung

1. Zuständigkeit. Für Anmeldung nach § 81 I ist Handeln von Vorstandsmitgliedern in vertretungsberechtigter Zahl erforderlich und genügend. Alleinvorstand meldet sein Ausscheiden auch allein an. Anmeldung kann auch in unechter Gesamtvertretung, also unter Mitwirkung von Prokuristen, erfolgen (→ § 78 Rn. 17). Anmeldung muss dem Ausscheiden vorausgehen, das aber befristet werden kann (LG Frankenthal AG 2003, 460 f.). Schon ausgeschiedene Vorstandsmitglieder können nicht anmelden, auch nicht ihr eigenes Ausscheiden (BayObLGZ 1981, 227, 230; OLG Bamberg NZG 2012, 1106 [für Amtsniederlegung bei GmbH]; KK-AktG/Cahn Rn. 10; MüKoAktG/Spindler Rn. 13; aA GK-AktG/Habersack/Foerster Rn. 9). Zuständig sind die übrigen, bei Alleinvorstand sein Nachfolger (§§ 84, 85). Ausgeschiedenes Mitglied hat auf Vornahme der Anmeldung klagbaren Anspruch. Klage ist gegen AG, vertreten durch Vorstand, zu richten (KK-AktG/Cahn Rn. 10). Rechtskräftiges Urteil ersetzt Anmeldung gem. § 894 ZPO. Umgekehrt kann auch künftiges Vorstandsmitglied Anmeldung nicht vornehmen, und zwar auch dann nicht, wenn es bei Eingang der Erklärung ernannt war (OLG Brandenburg NZG 2023, 951 Rn. 3). Vorstand kann sich durch **Bevollmächtigten** vertreten lassen, weil Anmeldung iSd § 81 I (anders die Versicherung nach § 81 III → Rn. 8) keine höchstpersönliche Erklärung darstellt (BayObLGZ 1982, 198, 200; OLG Köln NJW 1987, 135 zur GmbH). Form der Vollmacht: öffentl. Beglaubigung (§ 12 I 1 HGB; zur durch DiRUG 2021 neu geschaffenen Möglichkeit der Beglaubigung mittels Video- 5 kommunikation → § 36 Rn. 2; zur Auslandsbeglaubigung → § 23 Rn. 12). Weil § 81 I den Vorstand verpflichtet, für AG zu handeln, muss Vollmacht vom Vorstand erteilt werden. Von AG erteilte Vollmachten einschließlich Prokura genügen also nicht. Wenn Änderung des Vorstands oder Vertretungsbefugnis durch **Satzungsänderung** erfolgen sollen, ist Zuständigkeit für Anmeldung nach der alten Satzung zu beurteilen, weil Änderung gem. § 181 III erst mit HR-Eintragung wirksam wird (MüKoAktG/Spindler Rn. 14).

6 **2. Inhalt und Form; Anlagen.** Inhalt der Anmeldung bestimmt sich nach Art des angemeldeten Vorgangs. Für Änderung der Vertretungsbefugnis gelten dieselben Grundsätze wie für deren Erstanmeldung (→ § 37 Rn. 8). Grds. ist **Vertretungsbefugnis** also **generell zu umschreiben** (Gesellschaft wird durch zwei gemeinsam handelnde Vorstandsmitglieder oder durch ein Vorstandsmitglied in Gemeinschaft mit einem Prokuristen vertreten). Konkrete Angabe unter Namensnennung ist nur erforderlich, wenn einzelne Vorstandsmitglieder eine bes. ausgestaltete Vertretungsbefugnis haben (das Vorstandsmitglied Heinrich Müller kann die Gesellschaft allein vertreten; es ist von den Beschränkungen des § 181 BGB befreit). Form: **Öffentl. Beglaubigung** (§ 12 I HGB; zur durch DiRUG 2021 neu geschaffenen Möglichkeit der Beglaubigung mittels Videokommunikation → § 36 Rn. 2) oder zugelassene Ersatzform (dazu BayObLGZ 1975, 137, 140 f.; zur Auslandsbeglaubigung → § 23 Rn. 12). Zuständig ist **Gericht des Gesellschaftssitzes** (§ 14). **Kosten** der Eintragung fallen AG zur Last, nicht Vorstand. Zum Kostenansatz gem. § 44 I KostO aF bei gleichzeitiger Anmeldung von Ausscheiden und Neueintritt s. OLG Düsseldorf ZIP 1988, 916. Ob dieses Ergebnis nun nach § 60 II GNotKG erreicht werden kann, der letztlich auf § 44 I KostO aF beruht (vgl. BT-Drs. 17/11471, 173, BT-Drs. 16/6308, 304), erscheint fraglich, da § 60 II GNotKG nur Erklärungen in vermögensrechtl. Angelegenheiten betrifft.

7 In § 81 II geforderte **Beifügung von Urkunden** (öffentl. beglaubigte Abschrift genügt) soll dem Registergericht materielle Prüfung der Anmeldung ermöglichen (sa OLG Hamm NZG 2001, 1038, 1039; KG NZG 2023, 610 Rn. 13 ff. zu § 39 GmbHG). Urkunden über Änderungen iSd § 81 I sind etwa Beschlussprotokolle des AR, Anstellungsverträge, schriftliche Amtsverzichte, Sterbeurkunden. Urkundlicher Nachweis beschränkt sich aber auf gesellschaftsrechtl. Veränderung, erstreckt sich also nicht auf Zugang oder sonstige Bekanntgabe (OLG Hamm FGPrax 2003, 38 f. zur GmbH). **Elektronische Einreichung:** § 12 II HGB. Danach genügt für Urschrift elektronische Aufzeichnung, für beglaubigte Abschrift elektronisches Zeugnis gem. § 39a BeurkG. Nach Inkrafttreten des DiRUG 2021 ist überdies erforderlich, dass es sich um maschinenlesbares und durchsuchbares Datenformat handelt. Gericht darf ohne bes. Anhaltspunkte grds. von Wahrheit der angemeldeten Tatsachen ausgehen (KG NZG 2023, 610 Rn. 20). Sofern **begründete Zweifel** an inhaltlicher Richtigkeit des Angemeldeten bestehen (Vorlage bloßer Ausschussprotokolle; nicht nachvollziehbare Zusammensetzung des AR), ist Registergericht berechtigt und verpflichtet, weitere Urkunden zwecks materieller Prüfung der Anmeldung nachzufordern (BGH NZG 2011, 907 Rn. 10; OLG Düsseldorf NZG 2001, 229, 230 – jew. zur GmbH); es ist aber nicht verpflichtet, verwickelte Rechtsverhältnisse oder zweifelhafte Rechtsfragen zu klären (BGH NZG 2011, 907 Rn. 10; Einzelheiten zum Prüfungsumfang bei KG ZIP 2012, 2208 f.; NZG 2023, 610 Rn. 20 m. krit. Anm. Beckmann/Winter). Ob im Falle einer Abberufung wichtiger Grund iSd § 84 IV 1 vorliegt, hat es wegen § 84 IV 4 nicht zu prüfen (→ § 84 Rn. 67 ff.); bei sonstigen Bedenken, namentl. anderweitiger gerichtl. Auseinandersetzung, kommt Aussetzung nach § 21 FamFG in Betracht, von der aber wegen der für die AG gefährlichen Folgen des § 15 I HGB (→ Rn. 2) nur

mit großer Zurückhaltung Gebrauch gemacht werden sollte (Hübner NZG 2016, 933 ff. in zutr. Abweichung von zT großzügigerer Registerpraxis; vgl. etwa OLG Karlsruhe NZG 2016, 946 Rn. 13 ff.). Zuständig ist Sitzgericht.

IV. Versicherung über Fehlen von Bestellungshindernissen

In § 81 III 1 vorgeschriebene Versicherung bezieht sich auf Fehlen von Bestellungshindernissen entspr. § 37 II 1. Durch **DiRUG 2021** wurde Vorschrift mit Wirkung vom 1.8.2022 (Art. 31 DiRUG), aber anwendbar erst ab dem 1.8.2023 (§ 26m I EGAktG), durch Verweis auch auf § 76 III 3 und 4 (→ § 76 Rn. 147 f.) auf ausländisches Berufs- und Gewerbeverbot erstreckt (Umsetzung des Art. 13i VI GesR-RL). § 37 II 2 (Belehrung zB auch durch Notar des In- oder Auslands) gilt gem. § 81 III 2 auch für neue Vorstandsmitglieder. Wegen der Einzelheiten → § 37 Rn. 6 f. Erklärung ist wegen Strafandrohung des § 399 I Nr. 6 höchstpersönlich, Abgabe durch Vertreter (→ Rn. 5) also nicht möglich. 8

V. Rechtsfolgen

Anmeldung und darauf beruhende Eintragung wirkt nicht konstitutiv, sondern hat nur **deklaratorische Bedeutung,** soweit sich aus § 181 III nichts anderes ergibt. Rechtsänderungen werden also grds. außerhalb des HR wirksam, können aber Dritten gem. **§ 15 I HGB** nur bei positiver, durch AG zu beweisender Kenntnis von der Änderung entgegengehalten werden. Das gilt nach hM auch bei fehlender Voreintragung (→ Rn. 2). Registergericht kann nach § 14 HGB, §§ 388 ff. FamFG (nicht: nach § 407) einschreiten, wenn gegen § 81 verstoßen wird. Gegen Zurückweisung der Anmeldung sind AG oder betroffenes Mitglied beschwerdeberechtigt nach § 59 I FamFG (BeckOGK/Fleischer Rn. 16), nicht aber Gesellschafter (KG NZG 2022, 215 Rn. 8 ff.). Strafbarkeit bei falscher Versicherung (→ Rn. 8): § 399 I Nr. 6. 9

Beschränkungen der Vertretungs- und Geschäftsführungsbefugnis

82

(1) **Die Vertretungsbefugnis des Vorstands kann nicht beschränkt werden.**

(2) **Im Verhältnis der Vorstandsmitglieder zur Gesellschaft sind diese verpflichtet, die Beschränkungen einzuhalten, die im Rahmen der Vorschriften über die Aktiengesellschaft die Satzung, der Aufsichtsrat, die Hauptversammlung und die Geschäftsordnungen des Vorstands und des Aufsichtsrats für die Geschäftsführungsbefugnis getroffen haben.**

Übersicht

I. Regelungsgegenstand und -zweck

1 § 82 betr. Beschränkungen von Vertretungsmacht und Geschäftsführungsbefugnis. Indem § 82 I Beschränkung der Vertretungsmacht ausschließt, dient Norm **Verkehrsschutz.** Sie übernimmt für Aktienrecht allg. handelsrechtl. Grundsatz, dass Schutz des Rechtsverkehrs demjenigen des Vertretenen vorgeht, und lehnt damit zugleich Übernahme der Ultra-Vires-Lehre ab (RegBegr. Kropff S. 103). Im Innenverhältnis zur AG sind dagegen Beschränkungen der Geschäftsführungsbefugnis möglich, wenn auch nur in Grenzen (§ 82 II). Können und Dürfen des Vorstands müssen also nicht deckungsgleich sein. Sanktionen eines Pflichtverstoßes im Innenverhältnis (→ Rn. 14) schützen zugleich mittelbar vor Eigenmächtigkeiten im Außenverhältnis. Für Vor-AG gilt § 82 I nicht (→ § 41 Rn. 11). Zur Vertretungsmacht der Abwickler: § 269 V und → § 269 Rn. 2, 7. Parallelvorschrift ist zB § 37 II GmbHG.

II. Unbeschränkbarkeit der Vertretungsmacht (§ 82 I)

2 **1. Vertretungsbefugnis des Vorstands.** Grundsatz der Unbeschränkbarkeit wird in § 82 I für Vertretungsbefugnis ausgesprochen. Gemeint ist organschaftl. Vertretungsmacht (→ § 78 Rn. 3 f.). Für durch Bevollmächtigung begründete Vertretungsmacht anderer Personen gilt § 82 I nicht; s. aber zur Prokura im Grundsatz übereinstimmend § 50 HGB.

3 **2. Grundsatz der Unbeschränkbarkeit.** Dass Vertretungsmacht gem. § 82 I nicht beschränkt werden kann, zieht autonomer Gestaltung, bes. durch Satzung, Grenzen, soweit dafür nach § 23 V überhaupt Raum bliebe. Rechtsverkehr kann sich darauf verlassen, dass Vorstand grds. unbeschränkte Vertretungsmacht hat (→ § 78 Rn. 5). Norm gilt aber nicht nur für **Rechtshandlungen ggü. Dritten,** sondern auch für **korporationsrechtl. Geschäfte,** die durch externe Erklärung in Geltung gesetzt werden, zB für Zustimmung zur Übertragung vinkulierter Namensaktien (→ § 68 Rn. 15; vgl. KK-AktG/Cahn Rn. 7; MüKoAktG/Spindler Rn. 17, 38). Als **Rechtsfolge** ergibt sich aus § 82 I, dass Prozesshandlungen und Rechtsgeschäfte auch dann für und bes. gegen AG wirken, wenn Vorstand damit ihm eingeräumte Befugnisse überschritten hat. Zulässig bleibt, Verträge unter aufschiebender Bedingung (§ 158 I BGB) in dem Sinne abzuschließen, dass Geschäft erst mit Zustimmung von AR oder HV wirksam wird (RGZ 115, 296, 302; RG JW 1926, 627 mAnm Flechtheim; KG OLGR 42, 221; MüKoAktG/Spindler Rn. 14).

4 **3. Ausnahmen und Grenzen. a) Überblick.** § 82 I schützt Rechtsverkehr nicht, soweit Vorstand AG nach ges. Regel nicht oder jedenfalls nicht allein vertreten kann, ferner nicht, soweit Grundsätze über Missbrauch der Vertretungsmacht eingreifen (→ Rn. 6 f.). Vollständig von der Vertretung **ausgeschlossen** ist er in den Fällen der §§ 84, 112, 147 III. Nicht allein vertreten kann er, wenn Ges. ihn an Zustimmung von AR oder HV bindet oder Doppelvertretung vorschreibt (zu den Einzelfällen → § 78 Rn. 8).

5 Soweit Vorstand AG nach diesen Grundsätzen nicht wirksam vertreten kann, bestimmen sich **Rechtsfolgen** idR nach §§ 177 ff. BGB. Solange Rechtsgeschäft durch Zustimmung des zuständigen Organs noch genehmigt werden kann, liegt schwebende Unwirksamkeit vor. Bei Verweigerung der Genehmigung tritt end-

gültige Unwirksamkeit ein. Haftung der Vorstandsmitglieder nach § 179 BGB ist denkbar, wird aber meist an § 179 III BGB scheitern, da Mitwirkungserfordernisse allg. bekannt sind (MüKoAktG/Spindler Rn. 25). Soweit dem Vorstand die Kompetenz überhaupt fehlt (§§ 84 I und III, 112), verstößt er durch sein Tätigwerden gegen ges. Verbot iSd § 134 BGB, so dass Rechtsgeschäft nichtig ist und nachträgliche Zustimmung des AR nichts bewirkt (hM, s. zB KK-AktG/Cahn Rn. 8). Bes. Grundsätze gelten für verdeckte Einlagenrückgewähr durch scheinbare Verkehrsgeschäfte (→ § 57 Rn. 15 ff.).

b) Insbesondere: Missbrauch der Vertretungsmacht. Unbeschränkbarkeit der Vertretungsmacht gem. § 82 I hilft Dritten nicht, soweit Grundsätze über Missbrauch der Vertretungsmacht eingreifen (ausf. Bayer FS E. Vetter, 2019, 51 ff.). Diese Grundsätze werden nicht durch unionsrechtl. Vorgaben in Art. 9 I und II RL 2017/1132 verdrängt (so aber Stöhr/Aufderheide ZIP 2022, 1900), da dieser keine abschließende Regelung enthält (BeckOGK/Fleischer Rn. 17). Nach deshalb maßgeblichen nat. Regeln ist Missbrauch bei **Kollusion** der Fall, also bei bewusstem und gewolltem Zusammenwirken von Vorstand und Geschäftspartner zum Nachteil der AG. Derart zustande gekommene Rechtsgeschäfte sind nach zutr. hM gem. § 138 BGB **nichtig** (RGZ 145, 311, 315; BGHZ 50, 112, 114 = NJW 1968, 1379; BGH NJW 1966, 1911; 1989, 26, 27; NZG 2004, 139, 140; KK-AktG/Cahn Rn. 45; MüKoAktG/Spindler Rn. 60). Soweit Rechtsfolgen stattdessen § 177 BGB entnommen werden (zB Lutter/Hommelhoff/Kleindiek GmbHG § 35 Rn. 22, 24), erwirbt AG zwar Genehmigungsmöglichkeit, doch bleibt es jedenfalls dabei, dass Geschäft gegen ihren Willen nicht wirksam wird. 6

Weitergehend kann sich Dritter auf Unbeschränkbarkeit der Vertretungsmacht auch bei **evidentem Missbrauch** nicht berufen. Dieser Fall sollte nach **Rspr.** ursprünglich dann gegeben sein, wenn Vorstand Grenzen seiner Geschäftsführungsbefugnis überschreitet, dabei bewusst zum Nachteil der AG handelt und dies Geschäftspartner bekannt oder zwar nicht bekannt, aber obj. evident war (RGZ 134, 67, 72; RGZ 145, 311, 315; BGHZ 50, 112, 114 = NJW 1968, 1379; BGH NJW 1988, 2241, 2243). In neuerer Entscheidung ist BGH von dem Erfordernis einer bewussten Nachteilszufügung durch den Vorstand zu Recht abgerückt, da es für Schutzwürdigkeit des Geschäftspartners nicht auf Bewusstseinsinhalte des Vertreters ankommen kann (BGH NJW 2006, 2776 Rn. 2 f.; 2019, 1512 Rn. 40; zust. BeckOGK/Fleischer Rn. 14; GK-AktG/Habersack/Foerster Rn. 12; MüKoAktG/Spindler Rn. 64; S/L/Seibt Rn. 6). Gegenauffassung sieht darin Schlechterstellung gerade des Geschäftspartners einer AG, weil er die Möglichkeit verliere, zu Lasten der anderen Partei „ein gutes Geschäft zu machen" (KK-AktG/Cahn Rn. 47; Grigoleit/Grigoleit Rn. 10 ff.; Vedder JZ 2008, 1077, 1078 ff.). Diese Auffassung beruht auf zu weitem Verständnis des Missbrauchsbegriffs, der schon bei jedem obj. unvorteilhaften Geschäft angenommen wird (Grigoleit/Grigoleit Rn. 11), tats. aber auf Überschreitung der Geschäftsführungsbefugnis beschränkt werden muss (sa GK-AktG/Habersack/Foerster Rn. 12). Obj. Evidenz iSd Rspr.-Formel liegt vor, wenn Missbrauch wegen massiver Verdachtsmomente für jedermann klar und sofort, also ohne Nachforschungen, erkennbar war (BGHZ 127, 239, 241 f. = NJW 1995, 250; BGH NJW 1994, 2082, 2083; NZG 2004, 139, 140). Bloße Fahrlässigkeit genügt nicht (anders noch BGHZ 50, 112, 114). 7

Auch **Rechtsfolgenseite** des evidenten Missbrauchs ist str. Nach hM kann AG dem Dritten exceptio doli (§ 242 BGB) entgegensetzen (so bes. die in → Rn. 7 nachgewiesene Rspr.). Gegenansicht tritt für analoge Anwendung der §§ 177 ff. BGB ein (zB GK-AktG/Habersack/Foerster Rn. 14; K. Schmidt HandelsR § 16 III 4b aa). Dritte Ansicht favorisiert Anfechtung nach Vorbild der §§ 123, 124 BGB (Vedder JZ 2008, 1077, 1082). HM ist grds. vorzugswürdig, 7a weil Vertretungsmacht gerade nicht fehlt, sondern existente Vertretungsmacht missbräuchlich genutzt wird. Weitere Rechtsfolgen sind allerdings mit zweiter Ansicht §§ 177 ff. BGB analog zu entnehmen, was den **Vorteil der Genehmigungsfähigkeit** in sich trägt (BeckOGK/Fleischer Rn. 16).

III. Beschränkungen der Geschäftsführungsbefugnis (§ 82 II)

8 **1. Grundsatz.** Nach § 82 II sind Vorstandsmitglieder verpflichtet, im Verhältnis zur AG Beschränkungen ihrer Geschäftsführungsbefugnis einzuhalten. Solche Beschränkungen können aus Satzung folgen, von AR oder HV ausgehen oder in Geschäftsordnungen von Vorstand und AR ihre Grundlage finden. Auf den ersten Blick scheint Vorschrift weitgehend § 37 I GmbHG zu entspr., doch liegt Unterschied darin, dass sich Beschränkungen, um wirksam zu sein, in den **Rahmen der aktienrechtl. Regelung** einfügen müssen, die solche Eingriffe in die Geschäftsführung aber nur selten gestattet. Daraus folgt, dass für AG charakteristische weisungsfreie Leitungsmacht des Vorstands (§ 76 I) nicht nur im Außen-, sondern auch im Innenverhältnis gewährleistet ist. Kommt es dennoch zu Überschreitung der Geschäftsführungsbefugnis schlägt dieser Pflichtverstoß grds. nicht in das Außenverhältnis durch (→ Rn. 3). Ausnahmen bestehen nur, soweit Grundsätze über Missbrauch der Vertretungsmacht eingreifen (→ Rn. 6 f.).

9 **2. Beschränkungen durch Satzung. a) Beschränkende Regelungen.** § 23 III Nr. 2 verlangt Angabe des Unternehmensgegenstands in Satzung, nicht dagegen des Gesellschaftszwecks (→ § 23 Rn. 21 f.). Vorstand ist aber selbstverständlich an **Gesellschaftszweck** gebunden. Ergibt Satzung nichts anderes, liegt er in Gewinnerzielung. Übergang zu gemeinnütziger Tätigkeit liegt dann außerhalb der Vorstandsbefugnisse. Weiterhin muss sich Vorstand an Satzungsbestimmung über **Unternehmensgegenstand** halten (BGH NZG 2018, 1350 Rn. 17); je präziser dieser gefasst ist, desto genauer ist Geschäftsführungsbefugnis begrenzt (OLG Köln NZG 2019, 582 Rn. 36). IÜ muss Auslegung im Lichte branchen- und marktbezogener Verkehrsauffassung erfolgen (OLG Düsseldorf AG 2016, 410, 412). Unzulässig ist danach etwa eigenmächtige Umwandlung von Textil- in Maschinenfabrik (MüKoAktG/Spindler Rn. 35) oder vollständige Aufgabe bisherigen eigenen Geschäftsbetriebs zugunsten der Verwaltung von Beteiligungen. IÜ entscheidet obj. Auslegung der Satzung (→ § 23 Rn. 39). Dass Unternehmensgegenstand unzulässig verändert wird, lässt sich danach im allg. nicht sagen, solange Identität des Unternehmens als Marktteilnehmer erhalten bleibt, beim bloßen Wechsel von Produktionsmethoden, bei Aufnahme abrundender geschäftlicher Aktivitäten wie zB Erwerb von Lizenzen, um Namen und Kennzeichen bekannter Abnehmer für Absatz eigener Produkte zu verwenden (BGHZ 144, 290, 292 f. = NJW 2000, 2356), ferner bei Erschließung neuer (räumlicher) Märkte, bei Erwerb von Beteiligungen, auch solchen, bei denen unternehmerische Führung angestrebt wird (s. ausf. KK-AktG/Cahn Rn. 22 ff., 33 ff.; ferner Tieves, Der Unternehmensgegenstand, 1998, 210 ff.; Säcker FS Lukes, 1989, 547, 550 f.). **Hilfsgeschäfte** sind zulässig, und zwar auch dann, wenn sie nicht unmittelbar vom Unternehmensgegenstand umfasst werden (BGH NZG 2014, 423 Rn. 48). Das hat BGH auch für Derivategeschäfte bejaht, sofern sie dem Beteiligungsaufbau und nicht selbständiger Gewinnerzielung dienen sollen (BGH NZG 2014, 423 Rn. 48; krit. ggü. dieser Abgrenzung Lieder NZG 2014, 601, 605). Ähnlich ist nach OLG Düsseldorf AG 2016, 410, 412 auch Zinshedging durch Zinsswapverträge als zulässiges Hilfsgeschäft von Immobilienhandel/-verwaltung anzusehen, sofern es nicht rein spekulativen Charakter hat.

10 **b) Grenzen der Satzungsautonomie.** Durchaus problematisch sind **sog konkretisierende Satzungsbestimmungen,** nach denen Vorstand Unterneh-

mensgegenstand in bestimmter Weise zu verfolgen hat, seine Unternehmensführung an bestimmten weltanschaulich-politischen Vorgaben auszurichten hat oder bestimmte Aktivitäten nicht entfalten darf. Solche Konkretisierungen sind unzulässig, wenn sie mit zwingender **Leitungskompetenz des Vorstands** (→ § 76 Rn. 10 ff.) in Konflikt geraten (KK-AktG/Cahn Rn. 22; Mertens NJW 1970, 1718; aA MüKoAktG/Spindler Rn. 35, der solche Eingrenzungen wohl generell zulässt). Unter diesem Aspekt bestehende Gestaltungsgrenzen lassen sich nicht generell fixieren, verlaufen aber zwischen Zuständigkeit der HV für Bestimmung des Unternehmensgegenstands einerseits, Leitungsautonomie des Vorstands andererseits (Priester FS Hüffer, 2010, 777, 782 ff.). Jedenfalls bei sog Tendenzbetrieben iSd § 1 IV MitbestG (Presse) kann solche Verpflichtung auf bestimmte Zielsetzung wegen ihrer prägenden Bedeutung für das Unternehmen hingenommen werden (MüKoAktG/Spindler Rn. 35; Winkler NJW 1970, 449, 452; auch insoweit skeptisch KK-AktG/Cahn Rn. 29). Mittlerweile hM tendiert aber auch bei sonstigen **sachlich-gegenständlichen Vorgaben** zu Produktions- und Vertriebsmethoden oder räumlichen Märkten zu Recht zu großzügiger Gestattung, sofern sie nicht derartigen Detaillierungsgrad annehmen, dass sie sich als Eingriff in die Geschäftsführung darstellen (vgl. dazu OLG Stuttgart AG 2006, 727, 728; GK-AktG/Röhricht/Schall § 23 Rn. 116 ff.); Grenze wird bei weltanschaulichen, politischen oder finanziellen Zielvorgaben gezogen (GK-AktG/Habersack/Foerster Rn. 26; MüKoAktG/Spindler Rn. 35; S/L/Seibt Rn. 15; enger KK-AktG/Cahn Rn. 29; vgl. auch Martens FS Kellermann, 1991, 271, 277 ff.: Verpflichtung zum Ausstieg aus der Kernenergie; auch weltanschauliche Vorgaben gestattend OLG Stuttgart AG 2006, 727, 728). Verpflichtung auf Shareholder-Value-Gedanken kann in Satzung nicht aufgenommen werden, da interessenplurale Ausrichtung (→ § 76 Rn. 63 ff.) Vorstandskompetenz satzungsfest (§ 23 V) umreißt (zutr. KK-AktG/Cahn Rn. 29: „Managementphilosophien" kein Unternehmensgegenstand; zust. Habersack FS Windbichler, 2020, 707, 717; Ihrig/Schäfer Vorstand Rn. 557; Harenberg KritV 2019, 393, 437; aA Fleischer ZIP 2023, 2385, 2391 [unter Verkennung der Begründungslast]; Fendt AG 2017, 99 ff.; Kuntz ZHR 186 [2022], 652, 687 f.). Im Zuge des stetigen Vormarsches des ESG-Gedankens zeichnet sich unter dem Schlagwort des **Corporate Purpose** (krit. Kuntz ZHR 186 [2022], 652 ff.) zunehmende Bereitschaft ab, Aufnahme von gemeinwohlfördernden Aktivitäten in den Unternehmensgegenstand zuzulassen, was in der Tat damit begründet werden kann, dass sie die interessenplurale Ausrichtung lediglich bekräftigt und nicht verengt (S/L/Seibt § 76 Rn. 44; Habersack FS Windbichler, 2020, 707, 715 ff.; Fleischer ZIP 2021, 5, 11; Kuntz ZHR 186 [2022], 652, 687 f.; Rentsch/Weller FS Henssler, 2023, 1189, 1196 ff.; Weller/Benz ZGR 2022, 563, 595 f.). Grenze wird aber dort zu ziehen sein, wo auch verbindliche Ziele (etwa CO2-Reduktionsziele) formuliert werden (Bachmann ZHR 187 [2023], 166, 184 f.; Fleischer DB 2022, 37, 43; Weller/Benz ZGR 2022, 563, 595 f.). Auch Verpflichtung, gemeinnützige Ziele iRd Vorstandsermessens zu berücksichtigen, ist unzulässig (sog CSR-Satzungsklauseln – OLG Braunschweig NZG 2023, 1504 Rn. 23 ff.). Ebenso problematisch erscheint Verankerung der Achtung der Menschenrechte in der Satzung (vgl. dazu Mock/Mohamed NZG 2022, 350 ff., 356; Sharaf ZIP 2022, 1427 ff. – jew. in Auseinandersetzung mit LG München I NZG 2022, 371 [Verein]) –, wenn Nachhaltigkeits- und Menschenrechtsbelange dem Unternehmensgegenstand nicht ohnehin immanent sind. Am anderen Ende des Spektrums ist auch ggü. zu blumigen und werbemäßig formulierten Absichtserklärung (vgl. Fendt AG 2017, 99 ff.: „Mission") weiterhin Skepsis angebracht. Zur Festschreibung einer Börsennotierung als Teil des Unternehmensgegenstandes → § 119 Rn. 45.

11 **3. Beschränkungen durch Hauptversammlung.** Soweit HV nicht in zulässigem Umfang satzungsändernde Beschlüsse zum Unternehmensgegenstand fasst (→ Rn. 9), sind ihre Möglichkeiten, Geschäftsführungsbefugnis des Vorstands zu beschränken, gering (→ § 76 Rn. 60 ff.). Im Wesentlichen kommt in Betracht, dass Vorstand selbst **Entscheidung der HV gem. § 119 II** herbeigeführt hat. Er ist dann an Entscheidung gebunden, muss sie also gem. § 83 II ausführen (unstr.; → § 83 Rn. 5). Versteht man Begriff der Geschäftsführung umfassend, können auch die sonstigen Fälle des § 83 II hierher gerechnet werden. Zur daneben bestehenden Vorlagepflicht des Vorstands in Sonderfällen (Holzmüller, → § 119 Rn. 16 ff.). Zur notwendigen Mitwirkung der HV bei bestimmten Einzelmaßnahmen → Rn. 4.

12 **4. Beschränkungen durch Aufsichtsrat.** Soweit Vorstand nicht kraft bes. Vorschrift an Mitwirkung des AR gebunden ist (→ Rn. 4), verbleibt für AR nur Weg des **§ 111 IV.** Danach können bestimmte Arten von Geschäftsführungsmaßnahmen iS eines **Vetorechts** an Zustimmung des AR gebunden werden (→ § 76 Rn. 62; → § 111 Rn. 51 ff.).

13 **5. Beschränkungen durch Geschäftsordnung.** Nach § 82 II sind Vorstandsmitglieder schließlich verpflichtet, sich an Beschränkungen ihrer Geschäftsführungsbefugnis zu halten, die Geschäftsordnungen von Vorstand und AR getroffen haben. Gemeint ist Geschäftsordnung für Vorstand, die dieser selbst oder AR erlassen hat (→ § 77 Rn. 19), nicht aber – entgegen missverständlichem Wortlaut – Geschäftsordnung des AR (BeckOGK/Fleischer Rn. 36). Beschränkungen der Geschäftsführungsbefugnis können sich vor allem aus **Ressortbildung** ergeben (→ § 76 Rn. 4; → § 77 Rn. 10 ff.). Soweit danach Beschränkungen vorgesehen sind, können sie auch, etwa durch Verweisung, in den Anstellungsvertrag aufgenommen werden (KK-AktG/Cahn Rn. 42; MüKoAktG/Spindler Rn. 45), doch hat solche Maßnahme nur deklaratorische Bedeutung.

14 **6. Rechtsfolgen bei Verstoß.** Bedeutung für Außenverhältnis (Vertretung) hat Überschreitung der Geschäftsführungsbefugnis grds. nicht (→ Rn. 3). Ausnahme gilt, soweit Grundsätze über Missbrauch der Vertretungsmacht eingreifen (→ Rn. 6 f.). Im Innenverhältnis führt Pflichtverstoß unter den weiteren Voraussetzungen des § 93 II zu Schadensersatzansprüchen der AG. Auch kann wichtiger Grund für Widerruf und Kündigung gegeben sein (§ 84 IV).

Vorbereitung und Ausführung von Hauptversammlungsbeschlüssen

83

(1) **[1]Der Vorstand ist auf Verlangen der Hauptversammlung verpflichtet, Maßnahmen, die in die Zuständigkeit der Hauptversammlung fallen, vorzubereiten. [2]Das gleiche gilt für die Vorbereitung und den Abschluß von Verträgen, die nur mit Zustimmung der Hauptversammlung wirksam werden. [3]Der Beschluß der Hauptversammlung bedarf der Mehrheiten, die für die Maßnahmen oder für die Zustimmung zu dem Vertrag erforderlich sind.**

(2) **Der Vorstand ist verpflichtet, die von der Hauptversammlung im Rahmen ihrer Zuständigkeit beschlossenen Maßnahmen auszuführen.**

I. Regelungsgegenstand und -zweck

1 Norm betr. Verhältnis zwischen Vorstand und HV und bezweckt **Effizienz der in § 119 umschriebenen HV-Kompetenzen.** Zuständigkeit der HV nach § 119 soll nicht deshalb leerlaufen, weil sie aufgrund ihrer Organisationsschwäche nicht zu den erforderlichen praktischen Maßnahmen in der Lage ist (RegBegr.

Kropff S. 104). Diesem Zweck dient Pflicht des Vorstands zur Vorbereitung (§ 83 I) und zur Ausführung von Maßnahmen der HV (§ 175 II und III, §§ 176, 207 III; § 293f; §§ 61, 63f., 73, 78, 125 S. 1, § 239 UmwG). Zuständigkeit der HV hat ihre Basis jedoch in jeweiliger Vorschrift, nicht in § 83 I.

II. Pflicht zur Vorbereitung (§ 83 I)

1. Maßnahmen der HV. Vorbereitungspflicht des Vorstands gem. § 83 I 1 setzt zweierlei voraus: **Zuständigkeit der HV** für Maßnahme und von ihr gefassten **Weisungsbeschluss** (Verlangen). Zuständigkeit folgt aus Katalog des § 119 I, weiteren ges. Vorgaben außerhalb dieses Katalogs (→ § 119 Rn. 5) sowie aus ergänzenden ausdr. Bestimmungen der Satzung. In Fragen der Geschäftsführung besteht idR keine Kompetenz der HV und daher auch keine Vorbereitungspflicht des Vorstands (§ 119 II). Hat Vorstand die HV aber durch sein Verlangen zuständig gemacht, so trifft ihn auch die Pflicht, entspr. Maßnahmen vorzubereiten (MüKoAktG/Spindler Rn. 6). Str. ist Zuständigkeit der HV iSd § 83 I 1 in den Fällen, in denen ihr zustimmender Beschluss **nur gesellschaftsinterne Bedeutung** hat, zB um Zustimmung des AR zu einer Maßnahme der Geschäftsführung zu ersetzen (§ 111 IV 3) oder um Vorstand zur Ausgabe von Wandel- oder Gewinnobligationen oder von Genussscheinen zu ermächtigen (§ 221). Heute ganz hM verneint Frage zu Recht unter Verweis auf den Normzweck (s. nur GK-AktG/Habersack/Foerster Rn. 6; MüKoAktG/Spindler Rn. 8; Werner AG 1972, 93, 99; aA S/L/Seibt Rn. 5). Kompetenz der HV steht nämlich nicht in Frage, weil Vorstand Maßnahme auch mit ihrem Beschluss nur ergreifen darf, aber nicht muss. 2

2. Zustimmungsbedürftige Verträge. Gem. § 83 I 2 ist Vorstand auch vorbereitungspflichtig, wenn es um Verträge geht, die nur mit Zustimmung der HV wirksam werden, bes. Unternehmens- und Verschmelzungsverträge (§ 293 I [dazu BGHZ 122, 211, 217 = NJW 1993, 1976], §§ 13, 65, 73 UmwG), aber auch Verzicht auf oder Vergleich über Ersatzansprüche (§§ 50, 53 S. 1, § 93 IV 3, §§ 116, 117 IV, § 309 III, § 310 IV, § 317 IV, § 318 IV, § 323 I 2). Gesetzeswortlaut ist insofern misslungen, als er auch zur Vorbereitung der Vorbereitung verpflichtet. Gemeint ist: Vorstand ist nicht nur zur Vorbereitung verpflichtet, wenn er Vertrag abschließen will, sondern muss einer Initiative der HV auch dann folgen, wenn nur sie Vertrag schließen will, während Verwaltung ihn nicht für angezeigt hält (wohl unstr., s. RegBegr. Kropff S. 104; KK-AktG/Cahn Rn. 5; MüKoAktG/Spindler Rn. 10). 3

3. Weisungsbeschluss. In § 83 I 1 und 2 vorausgesetzter Weisungsbeschluss bedarf gem. § 83 I 3 jew. für Maßnahme (S. 1) oder Vertrag (S. 2) erforderlicher Mehrheit. Ges. will damit verhindern, dass Vorstand erst vorbereitet und Beschlussantrag dann abgelehnt wird (RegBegr. Kropff S. 104). Für analoge Anwendung auf Initiativen einer Minderheit wie bei Bestellung von Sonderprüfern (§ 142 II und IV; § 258 II 3) und besonderen Vertretern (§ 147 II 2) oder Geltendmachung von Ersatzansprüchen (§ 148) lässt kompetenzschützender Charakter der Norm (→ Rn. 1) keinen Raum (GK-AktG/Habersack/Foerster Rn. 10; KK-AktG/Cahn Rn. 7; jetzt auch MüKoAktG/Spindler Rn. 13; aA Grigoleit/Grigoleit Rn. 3). 4

III. Ausführungspflicht (§ 83 II)

§ 83 II spricht aus, dass Vorstand zur Ausführung von Maßnahmen verpflichtet ist, die HV im Rahmen ihrer Zuständigkeit beschlossen hat. Das hat nur klarstellende Bedeutung und setzt voraus, dass Maßnahme ausführungsbedürftig ist. 5

§ 83 II begründet weder Kompetenz noch Initiativrecht der HV (Goette FS Henssler, 2023, 869, 874 ff.). Hauptfälle sind Anmeldungen zum HR, etwa bei Satzungsänderung (§ 181), bes. Kapitalerhöhung (§ 184), oder bei Unternehmensverträgen (§ 294 I [dazu BGHZ 122, 211, 217 = NJW 1993, 1976]). Zuständig ist HV auch, wenn Vorstand sie gem. § 119 II zuständig gemacht hat (BGHZ 146, 288, 293 = AG 2001, 261; GK-AktG/Habersack/Foerster Rn. 11; MüKoAktG/Spindler Rn. 23; KK-AktG/Cahn Rn. 9; aA Rohde/Geschwandtner NZG 2005, 996 ff.; Dietz-Vellmer NZG 2014, 721, 725; Müßig, Enthaftung durch Zustimmung, 2021, 75 f.). Ausführung unterbleibt, soweit sie durch gerichtliche Entscheidung verboten wird, namentl. durch einstweilige Verfügung (OLG Frankfurt NZG 2004, 526 f.). Voraussetzung der Ausführungspflicht ist grds., dass **Beschluss rechtmäßig,** dh gesetzes- und satzungskonform ist (GK-AktG/Habersack/Foerster Rn. 12; MüKoAktG/Spindler Rn. 18 ff.; BeckOGK/Fleischer Rn. 9; KK-AktG/Cahn Rn. 9; Streyl/Schaper ZIP 2017, 410, 413). Bei bloßer Anfechtbarkeit wird Beschluss mit **Ablauf der Anfechtungsfrist** jedoch gesetzmäßig (str., → § 93 Rn. 155; → § 243 Rn. 50; zur alternativ in Erwägung zu ziehenden Anfechtung sowie zur uU sogar bestehenden Anfechtungspflicht → § 245 Rn. 36). Das Gleiche gilt für Heilung nach § 242 (→ § 93 Rn. 155; → § 242 Rn. 7). Darüber hinaus wird zT auch bei Beschlüssen, die zwar gesetzmäßig sind, nach Auffassung des Vorstands aber offenkundig Gesellschaftsinteresse zuwiderlaufen, Ausführungspflicht verneint (MüKoAktG/Spindler Rn. 24), was mit Blick auf rein ausführende Funktion des Vorstands nicht unbedenklich ist (zu Recht abl. deshalb Streyl/Schaper ZIP 2017, 410, 413). Umstr. ist, ob AR Vorbereitungs- oder Durchführungsmaßnahmen des Vorstands **Zustimmungsvorbehalt** nach § 111 IV 2 unterwerfen kann. Zu Recht hM differenziert insofern danach, ob Initiative von HV oder Vorstand ausgeht: Bei Initiative der HV darf AR nicht durch Zustimmungsverweigerung Ausübung ihrer Zuständigkeiten vereiteln. Geht Initiative dagegen von Vorstand aus, kann sie Gegenstand eines Zustimmungsvorbehalts sein (MüKoAktG/Habersack § 111 Rn. 130; GK-AktG/Hopt/Roth § 111 Rn. 679; KK-AktG/Mertens/Cahn § 111 Rn. 89; Streyl/Schaper ZIP 2017, 410, 411 f.; aA Timm DB 1980, 1201, 1203 ff.). Das gilt auch für Abschluss eines Unternehmensvertrags, wenngleich Streitstand dort weniger eindeutig ist (→ § 293 Rn. 25). Ob **AR** generell auch selbst Ausführungspflicht analog § 83 II unterliegen kann, ist noch wenig erörtert, was sich daraus erklärt, dass AR nicht Exekutions-, sondern Überwachungsorgan ist. Ist AR an Ausführung beteiligt, etwa bei HR-Anmeldung (zB § 184), ist Vorschrift aber auch auf AR entspr. anzuwenden, weil sonst auch Vorstand Ausführungspflicht nicht nachkommen könnte (GK-AktG/Habersack/Foerster Rn. 2; NK-AktR/Oltmanns Rn. 7; Goette FS Henssler, 2023, 869, 870 f.; zur Frage, inwiefern solcher Vollzug auch iRd § 93 IV 3 möglich ist → § 93 Rn. 161).

5a Wird ausführungspflichtiger Beschluss der HV angefochten, gerät Vorstand in **Pflichtendilemma,** wenn Vorstand ohne Zustimmung der HV nicht handlungsbefugt ist: Hat Anfechtungsklage keinen Erfolg, muss Vorstand Beschluss gem. § 83 II ausführen (→ Rn. 5). Dagegen verstößt Vorstand mit Ausführung wegen Missachtung der HV-Kompetenz (→ § 93 Rn. 9) gegen Legalitätspflicht, wenn Beschluss durch Anfechtungsklage rückwirkend beseitigt wird (zur Haftung wegen Verletzung der Ausführungspflicht → Rn. 8; zu diesem „Haftungsdilemma" im Kontext von Gewinnverwendungsbeschlüssen Haertlein ZHR 168 [2004], 437, 450 ff.; vgl. auch BeckHdB AG/Liebscher § 6 Rn. 102). Regelmäßig muss Vorstand, schon bevor Anfechtungsklage abgewiesen oder ihr stattgegeben wird, darüber entscheiden, ob er Beschluss ausführt oder davon absieht. Weitgehend anerkannt ist dabei Differenzierung nach **Erfolgsaussichten der Anfechtungsklage:** Hat Klage keine oder nur geringe Erfolgsaussichten, ist Vorstand angehalten, beschlossene Maßnahme umzusetzen (BeckHdb AG/Liebscher

§ 6 Rn. 102; Volhard ZGR 1996, 55, 61; J. Vetter Liber Amicorum M. Winter, 2011, 731, 740 f.). Hat Anfechtungsklage dagegen hohe Erfolgsaussichten, muss Vorstand von Ausführung des Beschlusses absehen (→ § 243 Rn. 50; GK-AktG/K. Schmidt § 243 Rn. 71; offenlassend OLG Köln NZG 2016, 147, 148; aA J. Vetter Liber Amicorum Winter, 2011, 731, 743 ff., der in Anlehnung an § 246a II Nr. 3 nach Schweregrad des Mangels differenziert). Sind Klageaussichten offen, wird dafür plädiert, Vorstand solle Entscheidung des Gerichts abwarten (in diese Richtung BeckOGK/Fleischer Rn. 12; BeckHdB AG/Liebscher § 6 Rn. 102; Leuering/Stein NJW-Spezial 2013, 271, 272) oder erneuten HV-Beschluss herbeiführen (MüKoAktG/Spindler Rn. 20). Ist beides aus Gründen der Dringlichkeit nicht möglich, etwa weil Umsetzung des Beschlusses innerhalb begrenzten Zeitraums zu erfolgen hat, kann Vorstand Haftungsgefahr durch **sorgfältige Prüfung der Rechtslage** und vertretbare Abwägungsentscheidung bzgl. Erfolgsaussichten der Klage entgehen (zur Prüfpflicht des Vorstands MüKoAktG/Spindler Rn. 20; BeckOGK/Fleischer Rn. 12: „Rechtsvergewisserungspflicht"; Fleischer BB 2005, 2025, 2026; Leuering/Stein NJW-Spezial 2013, 271). Sollte sorgfältige Prognose des Vorstands fehlgehen, ist darauf beruhende Ausführungshandlung zwar pflichtwidrig, aber Vorstand handelt ohne Verschulden (so auch BeckOGK/Fleischer Rn. 11; GK-AktG/Habersack/Foerster Rn. 12; Haertlein ZHR 168 [2004], 437, 447; aA J. Vetter Liber Amicorum Winter, 2011, 731, 742 f.: Lösung auf Ebene der Pflichtverletzung; ausf. zum Umgang mit **Rechtsirrtümern** → § 93 Rn. 79 ff.).

IV. Rechtsfolgen bei Pflichtverletzung

Vorstandsmitglieder, die ihrer Verpflichtung nicht nachkommen, machen sich gem. § 93 schadensersatzpflichtig (BeckOGK/Fleischer Rn. 18; GK-AktG/Habersack/Foerster Rn. 15). Pflichtverletzung ergibt idR auch wichtigen Grund zur Abberufung iSd § 84 IV. Teil des Schrifttums lässt auch **Erfüllungsklage** durch AR (§ 112) vertretener AG gegen Vorstand zu (MüKoAktG/Spindler Rn. 27; S/L/Seibt Rn. 13; Stodolkowitz ZHR 154 [1990], 1, 9 f.). Soweit Klage der AG abgelehnt wird, soll ihre Funktion von Klage des Gesellschafters aus verletzter Mitgliedschaft erfüllt werden (B/K/L/Bürgers Rn. 6; GK-AktG/Habersack/Foerster Rn. 15 f.; KK-AktG/Cahn Rn. 12, § 93 Rn. 266; Zöllner ZGR 1988, 392, 415). Frage muss als offen bezeichnet werden. Klage der AG gegen Vorstand ist letztlich verkappter Organstreit zwischen HV und Vorstand und daher abzulehnen (→ § 90 Rn. 16 ff.). Dagegen ist Aktionärsklage begründbar und in engen Grenzen wohl auch erforderlich. 6

Bestellung und Abberufung des Vorstands

84 (1) [1]**Vorstandsmitglieder bestellt der Aufsichtsrat auf höchstens fünf Jahre.** [2]**Eine wiederholte Bestellung oder Verlängerung der Amtszeit, jeweils für höchstens fünf Jahre, ist zulässig.** [3]**Sie bedarf eines erneuten Aufsichtsratsbeschlusses, der frühestens ein Jahr vor Ablauf der bisherigen Amtszeit gefaßt werden kann.** [4]**Nur bei einer Bestellung auf weniger als fünf Jahre kann eine Verlängerung der Amtszeit ohne neuen Aufsichtsratsbeschluß vorgesehen werden, sofern dadurch die gesamte Amtszeit nicht mehr als fünf Jahre beträgt.** [5]**Dies gilt sinngemäß für den Anstellungsvertrag; er kann jedoch vorsehen, daß er für den Fall einer Verlängerung der Amtszeit bis zu deren Ablauf weitergilt.**

(2) **Werden mehrere Personen zu Vorstandsmitgliedern bestellt, so kann der Aufsichtsrat ein Mitglied zum Vorsitzenden des Vorstands ernennen.**

(3) **[1] Ein Mitglied eines Vorstands, der aus mehreren Personen besteht, hat das Recht, den Aufsichtsrat um den Widerruf seiner Bestellung zu ersuchen, wenn es wegen Mutterschutz, Elternzeit, der Pflege eines Familienangehörigen oder Krankheit seinen mit der Bestellung verbundenen Pflichten vorübergehend nicht nachkommen kann. [2] Macht ein Vorstandsmitglied von diesem Recht Gebrauch, muss der Aufsichtsrat die Bestellung dieses Vorstandsmitglieds**

1. **im Fall des Mutterschutzes widerrufen und dabei die Wiederbestellung nach Ablauf des Zeitraums der in § 3 Absatz 1 und 2 des Mutterschutzgesetzes genannten Schutzfristen zusichern,**
2. **in den Fällen der Elternzeit, der Pflege eines Familienangehörigen oder der Krankheit widerrufen und dabei die Wiederbestellung nach einem Zeitraum von bis zu drei Monaten entsprechend dem Verlangen des Vorstandsmitglieds zusichern; der Aufsichtsrat kann von dem Widerruf der Bestellung absehen, wenn ein wichtiger Grund vorliegt.**

[3] In den in Satz 2 Nummer 2 genannten Fällen kann der Aufsichtsrat die Bestellung des Vorstandsmitglieds auf dessen Verlangen mit Zusicherung der Wiederbestellung nach einem Zeitraum von bis zu zwölf Monaten widerrufen. [4] Das vorgesehene Ende der vorherigen Amtszeit bleibt auch als Ende der Amtszeit nach der Wiederbestellung bestehen. [5] Im Übrigen bleiben die Regelungen des Absatzes 1 unberührt. [6] Die Vorgabe des § 76 Absatz 2 Satz 2, dass der Vorstand aus mindestens zwei Personen zu bestehen hat, gilt während des Zeitraums nach den Sätzen 2 oder 3 auch dann als erfüllt, wenn diese Vorgabe ohne den Widerruf eingehalten wäre. [7] Ein Unterschreiten der in der Satzung festgelegten Mindestzahl an Vorstandsmitgliedern ist während des Zeitraums nach den Sätzen 2 oder 3 unbeachtlich. [8] § 76 Absatz 3a und § 393a Absatz 2 Nummer 1 finden auf Bestellungen während des Zeitraums nach den Sätzen 2 oder 3 keine Anwendung, wenn das Beteiligungsgebot ohne den Widerruf eingehalten wäre. [9] § 88 ist während des Zeitraums nach den Sätzen 2 oder 3 entsprechend anzuwenden.

(4) **[1] Der Aufsichtsrat kann die Bestellung zum Vorstandsmitglied und die Ernennung zum Vorsitzenden des Vorstands widerrufen, wenn ein wichtiger Grund vorliegt. [2] Ein solcher Grund ist namentlich grobe Pflichtverletzung, Unfähigkeit zur ordnungsmäßigen Geschäftsführung oder Vertrauensentzug durch die Hauptversammlung, es sei denn, daß das Vertrauen aus offenbar unsachlichen Gründen entzogen worden ist. [3] Dies gilt auch für den vom ersten Aufsichtsrat bestellten Vorstand. [4] Der Widerruf ist wirksam, bis seine Unwirksamkeit rechtskräftig festgestellt ist. [5] Für die Ansprüche aus dem Anstellungsvertrag gelten die allgemeinen Vorschriften.**

(5) **Die Vorschriften des Montan-Mitbestimmungsgesetzes über die besonderen Mehrheitserfordernisse für einen Aufsichtsratsbeschluß über die Bestellung eines Arbeitsdirektors oder den Widerruf seiner Bestellung bleiben unberührt.**

Übersicht

I. Grundlagen

1 **1. Regelungsgegenstand und -zweck.** § 84 regelt Bestellung und Abberufung von Vorstandsmitgliedern sowie Ernennung zum Vorstandsvorsitzenden und ihren Widerruf, ferner Abschluss und Kündigung des Anstellungsvertrags, soweit diese Vorgänge mit im Vordergrund stehender Bestellung oder Abberufung unmittelbar verbunden sind. Norm begründet die **ausschließliche Personalkompetenz des AR** und führt damit 1937 geschaffene Gesetzeslage fort (RegBegr. Kropff S. 105). Regelung ist zwingend (§ 23 V), so dass auch Satzung Zuständigkeit der HV nicht einführen kann. Ferner wird **Amtszeit** der Vorstandsmitglieder auf **höchstens fünf Jahre** begrenzt (§ 84 I 1). Begrenzung sichert ua Personalkompetenz des AR, weil er sich bei langfristiger, etwa lebenslänglicher Bestellung von Vorstandsmitgliedern seiner Einflussmöglichkeiten weitgehend selbst begeben würde. Gegenläufig begrenzt wird Einflussmöglichkeit durch **Beschränkung des Widerrufsrechts** in § 84 IV. Widerruf ist nur bei wichtigem Grund möglich. Auf diese Weise wird Unabhängigkeit des Vorstandsmitglieds (→ § 76 Rn. 6) flankiert, die auch nicht faktisch durch drohenden Amtsverlust ausgehöhlt werden soll (MüKoAktG/Spindler Rn. 5).

2 **2. Korporationsrechtliche und vertragliche Beziehungen.** Für Rechtsbeziehungen zwischen Vorstandsmitglied und AG sind **zwei rechtl. Ebenen** zu unterscheiden, nämlich die korporationsrechtl. und die (schuld-)vertragliche. Entspr. zu unterscheiden und zuzuordnen sind Bestellung zum Vorstandsmitglied und Abschluss des Anstellungsvertrags mit ihm; sog **Trennungstheorie.** § 84 I 1 und 5, III 1 und 5 bringt diese Unterscheidung zum Ausdruck. Sie entspr. auch der ganz hM (BGHZ 78, 82, 84 = NJW 1980, 2415; BGHZ 79, 38, 41 = NJW 1981, 757; BGHZ 89, 48, 52 = NJW 1984, 733; BGH NJW 2003, 351; BSG NZG 2022, 522 Rn. 23; RegBegr. Kropff S. 106; GK-AktG/Kort Rn. 16 ff.; MüKoAktG/Spindler Rn. 10 f. Von Baums, Geschäftsleitervertrag, 1987, 3 ff., vertretene **Einheitstheorie** widerspricht Wortlaut (insbes. § 84 IV 5) und Entstehungsgeschichte des § 84 und hat überdies keine überzeugenden sachlichen Vorteile.

II. Bestellung von Vorstandsmitgliedern (§ 84 I)

3 **1. Begriff und Rechtsnatur; Wirksamwerden.** Nach § 84 I 1 werden Vorstandsmitglieder vom AR bestellt. Bestellung iSd Kompetenznorm (→ Rn. 1) umfasst alle Handlungen des AR, die erforderlich sind, um die Mitgliedschaft im Vorstand zu begründen. Hierher gehören der gem. § 108 erforderliche **Beschluss,** dessen **Kundgabe** an das künftige Vorstandsmitglied und die Erklärung seines **Einverständnisses** bzw. ihre Entgegennahme durch den AR (OLG Nürnberg NZG 2014, 222, 225). Bestellungsbeschluss kann bestimmten künftigen Termin für Amtsantritt vorsehen, sofern entspr. Rechtsgedanken des § 84 I 3 Zeitraum von einem Jahr nicht überschritten wird (BeckOGK/Fleischer Rn. 5; zur Rechtsstellung solchermaßen designierter Vorstandsmitglieder → Rn. 9). Abgesehen vom Beschluss des AR stellt Ges. bes. Formerfordernisse nicht auf. Nicht zur Bestellung gehört die Zuweisung eines bestimmten Geschäftsbereichs. Darin liegende Geschäftsverteilung ist Aufgabe der Geschäftsordnung (→ § 77 Rn. 19 ff.; wie hier heute allgM, s. bes. Mertens ZGR 1983, 189, 196 ff.; ferner BeckOGK/Fleischer Rn. 5 f.; GK-AktG/Kort Rn. 30; S/L/Seibt Rn. 7; aA noch Krieger, Personalentscheidungen, 1981, 199 f.). Besonderheiten gelten in mitbestimmten Gesellschaften für Arbeitsdirektor, der als solcher mit einer Kernzuständigkeit für Arbeit und Soziales bestellt werden muss (→ § 76 Rn. 140).

4 **Rechtsnatur des Bestellungsvorgangs** wird meist als körperschaftlicher Akt oder Organisationsakt umschrieben, wobei darüber Einigkeit besteht, dass es

noch der Mitteilung an den Bestellten bedarf (MüKoAktG/Spindler Rn. 9, 20). Weil dieser einverstanden sein muss (→ Rn. 3), ergibt sich Kennzeichnung als mitwirkungsbedürftige Maßnahme der körperschaftlichen Selbstverwaltung (KK-AktG/Cahn Rn. 2). Mindermeinung spricht stattdessen von Vertrag (Baums, Geschäftsleitervertrag, 1987, 40). Voll überzeugend ist keine der referierten Ansichten. Insbes. Einordnung als körperschaftlicher Akt negiert ohne zwingenden Grund rechtsgeschäftl. Basis, obwohl sich Bestellung durchaus in Rechtsgeschäftslehre einfügen lässt und privatrechtl. Folgen ohne ges. Anordnung nur durch Rechtsgeschäft begründen werden können (s. HCL/Hüffer/Schäfer GmbHG § 46 Rn. 55). Auf der anderen Seite liegt aber auch kein „Vertrag" in dem Sinne vor, dass Rechtsfolgen privatautonom ausgehandelt werden (GK-AktG/Kort Rn. 39). Im Anschluss an BGHZ 52, 316, 321 = NJW 1970, 33 sollte jedenfalls Bestellungserklärung als Rechtsgeschäft aufgefasst werden. Auch unverzichtbare Einverständniserklärung des künftigen Vorstandsmitglieds hat notwendig rechtsgeschäftl. Natur. Bestellung kommt danach durch **zwei einseitige, aber inhaltlich aufeinander bezogene Rechtsgeschäfte** zustande (zust. GK-AktG/Kort Rn. 39; s. dazu und auch zur Vertragsdeutung HCL/Hüffer/Schäfer GmbHG § 46 Rn. 56). Wirksamkeit der Bestellung tritt deshalb, von aufschiebender Befristung abgesehen, mit dem Zugang der zweiten Erklärung ein. Das kann Erklärung des Einverständnisses sein (auch konkludent, zB durch Aufnahme der Tätigkeit), aber auch Bestellungserklärung, wenn Einverständnis zuvor eingeholt wurde.

2. Zuständigkeit. Zuständig für Bestellung von Vorstandsmitgliedern ist nach § 84 I 1 AR, und zwar **Gesamt-AR,** und dies ausschließlich und zwingend (allgM, s. MüKoAktG/Spindler Rn. 12 f.). Seine Zuständigkeit bleibt bei Insolvenz erhalten (OLG Nürnberg AG 1991, 446, 447; GK-AktG/Kort Rn. 29). Übertragung auf Präsidial-, Personal- oder sonstigen Ausschuss ist gem. § 107 III 7 ausgeschlossen (→ § 107 Rn. 58; BGHZ 65, 190, 192 f. = NJW 1976, 145; BGHZ 79, 38, 42 f. = NJW 1981, 757). AR entscheidet gem. § 108 durch Beschluss, der unternehmerische Entscheidung iSd § 93 I 2 ist (Harnos, Gerichtliche Kontrolldichte, 2021, 474 ff.). In **mitbestimmten Gesellschaften** ist bes. Wahlverfahren des § 31 II–IV MitbestG zu beachten, das im ersten Wahlgang Zweidrittelmehrheit verlangt und erst im späteren Verlauf einfache Mehrheit genügen lässt, uU auch mit doppeltem Stimmrecht des AR-Vorsitzenden (§ 31 IV MitbestG). Zur Frage von Stimmverboten, bes. bei eigener Vorstandskandidatur → § 108 Rn. 9. **Konkludente Beschlussfassung des AR** (Duldung der Vorstandstätigkeit) **gibt es nicht** (BGHZ 41, 282, 286 = NJW 1964, 1367; OLG Dresden AG 2000, 43, 44; näher → § 108 Rn. 4). Auf Anstellungsvertrag sind diese Grundsätze nur teilw. zu übertragen (→ Rn. 14 f.). Bei börsennotierter AG wird mit Bestellung häufig Pflicht zur Ad-Hoc-Publizität nach Art. 17 MAR einhergehen (Seibt/Danwerth NZG 2019, 121 ff.), für die sich jedenfalls uU aus Personalzuständigkeit ebenfalls Annexkompetenz des AR ergeben kann (vgl. dazu Kocher/Schneider ZIP 2013, 1607, 1610 f.; sa → § 111 Rn. 54 ff.). AR übt mit seiner Personalentscheidung eigenes unternehmerisches Ermessen aus (OLG Düsseldorf NZG 2015, 1115 Rn. 61; OLG München AG 2017, 750, 752; Goette FS 50 Jahre BGH, 2000, 123, 129) und trifft sie auch sonst **souverän.** Wie auch immer begründete rechtsgeschäftliche Bindungen, welche die Entschließungsfreiheit des AR einschränken, sind gem. § 134 BGB nichtig (GK-AktG/Kort Rn. 36; MüKoAktG/Spindler Rn. 14; großzügiger S/L/Seibt Rn. 13). Auch Satzung kann daran nichts ändern, etwa durch Einführung eines Vorschlagsrechts des Vorstands, sondern allenfalls in beschränktem Maße Eignungsvoraussetzungen vorgeben (→ § 76 Rn. 144). Vorstand oder Mehrheitsaktionär kann aber aus eigener Initiative oder auf Aufforderung durch AR Vorschläge machen, solange 5 dessen Entscheidungsfreiheit erhalten bleibt (OLG Stuttgart AG 2007, 873, 876). Besetzungsempfehlung enthält B.1 DCGK, der vielfältige Besetzung (diversity) empfiehlt. Bislang wichtigste Ausprägung der Frauenförderung ist mittlerweile aber in Quotenvorgabe des 111 V aufgegangen. Zu Eignungsvoraussetzungen und Einschränkung durch Antidiskriminierungsvorgaben → § 76 Rn. 150 ff.

6 **3. Amtszeit. a) Grundsätze.** AR bestellt Vorstandsmitglieder auf höchstens **fünf Jahre** (§ 84 I 1). Für börsennotierte AG und solche mit Kapitalmarktzugang iSd § 161 I 2 (→ § 161 Rn. 6b) empfiehlt B 3 DCGK für Erstbestellung von Vorstandsmitgliedern Begrenzung auf drei Jahre. **Wiederholte Bestellung** oder Verlängerung der Amtszeit ist zulässig, kann aber ebenfalls nur für Amtszeit von fünf Jahren erfolgen (§ 84 I 2). Automatische Verlängerung der Amtszeit über Fünfjahresgrenze hinaus, etwa derart, dass sie als verlängert gilt, wenn keine Abberufung erfolgt, gibt es nicht; entspr. Vereinbarungen bei Bestellung sind gem. § 134 BGB nichtig (BGHZ 10, 187, 194 f. = NJW 1953, 1465). Sie liefen dem Regelungszweck zuwider; Ges. will nämlich, dass sich AR spätestens alle fünf Jahre in verantwortlicher Beratung über Weiterbeschäftigung schlüssig wird (BGHZ 10, 187, 194 f.). Entspr. verlangt § 84 I 3 neuen AR-Beschluss (ebenso zum österreichischen Recht trotz abw. Gesetzesfassung Sprung/Wenzel FS Krejci, 2001, 869, 890 ff.), der, damit Umgehungen vermieden werden, frühestens ein Jahr vor Ablauf der Amtszeit gefasst werden kann. Nur innerhalb der Fünfjahresgrenze ist Verlängerung ohne neuen Beschluss möglich, etwa so, dass sich Bestellung für zunächst zwei Jahre auf fünf Jahre verlängert, wenn sie nicht drei Monate vor Ablauf der ersten Frist widerrufen wird. Hochproblematisch und gem. §§ 134, 138 BGB zu prüfen sind Verträge zwischen Vorstandsmitglied und Aktionär, die Wiederbestellung zusagen (dazu Niewiarra BB 1998, 1961, 1963 f.). Soll keine Verlängerung erfolgen, soll AR nach B.2 DCGK gemeinsam mit Vorstand für **langfristige Nachfolgeplanung** sorgen. Empfehlung ist bereits genügt, wenn es eine solche Planung gibt. Zugleich soll entspr. Vorgehensweise aber auch in Erklärung zur Unternehmensführung (§ 289f I Nr. 2 HGB) beschrieben werden, was gesonderte Entsprechenserklärung voraussetzt (Simons AG 2022, 217 Rn. 2). Einbeziehung des Vorstands darf nicht dahin verstanden werden, dass sich dieser selbst seine Nachfolger aussuchen darf. Gerade bei Sichtung interner Kandidaten ist AR aber auf Unterstützung des Vorstands angewiesen.

7 **b) Einzelfragen.** Maßgeblich für **Fristberechnung** ist Beginn der Amtszeit, also weder zeitlich früher liegende Bestellungserklärung (→ Rn. 3), noch nachfolgende Registereintragung. Wenn Befristung bei Bestellung versäumt worden ist, führt Auslegung gem. § 157 BGB idR zur fünfjährigen Amtszeit (öOGH AG 2001, 100, 102; OLG Stuttgart AG 2013, 599, 600; KK-AktG/Cahn Rn. 16; MüKoAktG/Spindler Rn. 43). **Mindestdauer** sieht Ges. nicht vor. AR kann jedoch mit übermäßig kurzfristiger Bestellung pflichtwidrig handeln. Schrifttum gibt Richtwert mit einem Jahr an, wenn es nicht um bloße Überbrückung geht (GK-AktG/Kort Rn. 66 f.; MüKoAktG/Spindler Rn. 49; weitergehend, nämlich für Mindestfrist von einem Jahr, Heidbüchel WM 2004, 1317, 1318). Auch wenn Befristung pflichtwidrig kurz ist, bleibt sie jedenfalls wirksam (OLG München AG 2017, 750, 752). Überbrückung ist etwa denkbar bei kurzfristigem Restrukturierungsmandat oder als Interim-Management (→ Rn. 18), nicht aber zur Erprobung; kurzfristige Bestellung aus Altersgründen kann im Lichte des AGG problematisch sein (→ § 76 Rn. 150 f.).

8 In § 84 I 3 nicht geregelt ist **Neufestsetzung der Amtszeit,** die nicht an bisherige Amtsdauer anschließen, sondern sie ersetzen soll (nach Ablauf von drei Jahren der vollen Amtszeit bestellt AR auf neue fünf Jahre). In instanzgerichtl. Rspr. und Schrifttum wurde sie zT unter Umgehungsgesichtspunkten für unzuläs-

sig gehalten (OLG Zweibrücken DB 2011, 754, 755 f., AG Duisburg NZI 2008, 621, 622; KK-AktG/Cahn Rn. 23) oder zumindest nur bei Vorliegen bes. Gründe gestattet (Priester ZIP 2012, 1781, 1783, 1785). BGH AG 2012, 677 Rn. 20 ff. hat die vorzeitige Neufestsetzung dagegen zu Recht auch ohne bes. Begründung als zulässig anerkannt (s. bereits Bosse/Hinderer NZG 2011, 605, 607 f.; Hölters/Weber AG 2005, 629, 631 ff.; zust. auch Besse/Heuser DB 2012, 2385, 2386 f.; Bürgers/Theusinger NZG 2012, 1218, 1220 f.; Paschos/v. der Linden AG 2012, 736, 738 ff.; Wedemann ZGR 2013, 316, 319 ff.; weiterhin krit. GK-AktG/Kort Rn. 114). Daraus erwächst zwar Gefahr, dass alter AR künftigen AR für längere Zeit an Vorstand bindet, doch ist es ausweislich der Materialien nicht Zweck des § 84 I 3 solche Gestaltungen zu verhindern. Vielmehr geht es nur darum, dauerhafte vertragliche Bindung der AG an einen Vorstand zu verhindern und zugleich AR zu regelmäßig erneuter Befassung mit ursprünglicher Bestellungsentscheidung zu veranlassen. Beide Zwecke werden durch vorzeitige Neubestellung nicht beeinträchtigt (BGH AG 2012, 677 Rn. 24 ff.). **Einwand des Rechtsmissbrauchs** bleibt allenfalls in bes. gelagerten Ausnahmefällen möglich (BGH AG 2012, 677 Rn. 31; s. dazu Paschos/v. der Linden AG 2012, 736, 739 f.; Wedemann ZGR 2013, 316, 322 ff.), der nicht schon dann vorliegt, wenn rechtfertigender Grund nicht ersichtlich ist (aA Priester ZIP 2012, 1781, 1785); vielmehr müssen treuwidrige Motive erkennbar sein (BGH AG 2012, 677 Rn. 31). Treuwidrig ist es im Lichte des § 33 WpÜG zB, vorzeitige Wiederbestellung einzusetzen, um feindliches Übernahmeangebot zu vereiteln (BeckOGK/Fleischer Rn. 19). Auch wenn Wiederbestellung danach aktienrechtl. unbedenklich ist, so ist doch in börsennotierter AG **B.4 DCGK** zu beachten, der vorzeitige Wiederbestellung nur bei Vorliegen wichtiger Gründe empfiehlt.

4. Rechte und Pflichten aus der Bestellung. a) Allgemeines. Mit Wirksamwerden der Bestellung erlangt Bestellter Mitgliedschaft im Vorstand. Dessen 9
Organqualität teilt sich Vorstandsmitgliedern mit (→ § 76 Rn. 9). Sie sind daher berechtigt und verpflichtet, AG und ihr Unternehmen zu leiten (§ 76), die Geschäfte zu führen (§ 77), AG organschaftl. zu vertreten (§ 78) und ges. Mindestzuständigkeiten des Vorstands wahrzunehmen (→ § 76 Rn. 10 ff.; → § 77 Rn. 17). Um **Haftungsgefahren neu einzutretender Vorstandsmitglieder** einzudämmen, wird zT vorgeschlagen, ihnen Einarbeitungszeit zuzubilligen (GK-AktG/Hopt/Roth § 93 Rn. 59; Ganzer AG 2022, 875 Rn. 21 ff.) oder sie schon vor Amtsaufnahme in Vorstandsarbeit einzubeziehen (zB Sitzungsteilnahme, Einsicht in Unterlagen – vgl. Seibt/Scholz AG 2016, 557 ff.). Ebenso wie bei AR-Mitgliedern (→ § 116 Rn. 3) wird Schonfrist innerhalb Einarbeitungszeit aber überwiegend abgelehnt und fehlender Erfahrung stattdessen dadurch Rechnung getragen, dass Verschuldensmaßstab mit Augenmaß gehandhabt wird (Seibt/Scholz AG 2016, 557, 560). Fehlende Erfahrung kann aber auch nicht dadurch kompensiert werden, dass Rechtsposition designierter Mitglieder schon an die der amtierenden angenähert wird (sehr weitgehend Seibt/Scholz AG 2016, 557, 558 ff.; wie hier Ihrig/Schäfer Vorstand Rn. 119). Vorstandsposition wird erst mit Amtsantritt begründet. Im Vorfeld mag § 311 II BGB bei bereits erfolgter Bestellung (→ Rn. 3) vorwirkende Pflichten begründen, die aber nicht am strengen Aufgabenkanon des AktG vermessen werden können. Erst recht besteht kein Anspruch neuer Mitglieder, schon **vor Amtsantritt in Arbeit einbezogen** zu werden (vgl. aber Seibt/Scholz AG 2016, 557, 561 ff.; wie hier Ganzer AG 2022, 875 Rn. 16 ff. mw Überlegungen zur gesamtschuldnerischen Haftung eintretender und ausscheidender Mitglieder). Aus allg. Sorgfaltspflicht ggü. AG folgt nichts anderes. Amtierender Vorstand muss dafür sorgen, dass neues Mitglied möglichst schnell in seinen Aufgabenkreis eingeführt wird; wie er das bewerkstelligt, liegt aber in seinem Ermessen. Bei anderem Verständnis müsste schon AR,

der Vorstandsmitglied ohne Einarbeitungszeit bestellt, Sorgfaltsverstoß vorgeworfen werden. Amtierender Vorstand darf neu eintretendes Mitglied ggf. auch schon vor Amtsantritt in Gesellschaftsinterna einführen, wofür am obj. Gesellschaftsinteresse ausgerichtete Verschwiegenheitspflicht (→ § 93 Rn. 63 ff.) hinreichend Raum lässt, ohne dass Geltung des § 93 I 3 in diesem Verhältnis aufgehoben werden müsste (sehr weitgehend auch insofern Seibt/Scholz AG 2016, 557, 558 ff.; wie hier Ihrig/Schäfer Vorstand Rn. 119). Auch Zulässigkeit der Sitzungsteilnahme bemisst sich nach diesen Grundsätzen. Zur Paralleldiskussion für künftige AR-Mitglieder → § 109 Rn. 2.

10 **b) Organschaftliche Treubindungen.** Über seine ges. Pflichten hinaus unterliegt Vorstandsmitglied in dieser Eigenschaft Treubindungen zur AG, die sich zwecks Unterscheidung ggü. aus Mitgliedschaft folgenden Treubindungen der Aktionäre (→ § 53a Rn. 13 ff.) als organschaftl. Treubindungen kennzeichnen lassen. Das ist im Schrifttum anerkannt (KK-AktG/Cahn § 93 Rn. 112 ff.; MüKoAktG/Spindler § 76 Rn. 15; Fleischer WM 2003, 1045, 1046) und findet auch in Rspr. eine Basis, die allerdings zumindest für AG als schmal und wenig deutlich bezeichnet werden muss (BGHZ 13, 188, 192 = NJW 1954, 998; BGHZ 20, 239, 246 = NJW 1956, 906; BGHZ 49, 30, 31 = NJW 1968, 396; s. aber GK-AktG/Hopt/Roth § 93 Rn. 224 mit Hinweis auf größeren GmbH-Fundus in Fn. 880). Treupflicht ist mit Bestellung **rechtsgeschäftlich begründet,** bezieht ihre sachliche Rechtfertigung im Wesentlichen aus dem Umgang mit fremden Vermögenswerten und Geschäftschancen (→ § 88 Rn. 4a), aber auch aus der Pflicht zur vertrauensvollen Zusammenarbeit mit anderen Gesellschaftsorganen und geht in Umfang und Intensität der Einzelpflichten über Standard des § 242 BGB hinaus. Daraus gemeinhin gefolgerter treuhänderischer Charakter der Vorstandstätigkeit (vgl. nur GK-AktG/Hopt/Roth § 93 Rn. 224; KK-AktG/Cahn § 93 Rn. 112) wird auch durch Einbeziehung sonstiger Stakeholderinteressen in Leitungsermessen des Vorstands (→ § 76 Rn. 63 ff.) nicht widerlegt (so aber Dubovitskaya NZG 2015, 983 ff.), da Treuhandmodell nicht zwingend einseitige Interessenbindung voraussetzt. Dennoch erklärt mehrseitige Bindung, dass Treupflicht nicht abbedungen werden kann (Kuntz, Gestaltung von Kapitalgesellschaften, 2016, 497 ff.). **Ges. Einzelausprägungen** liegen im Wettbewerbsverbot, wie es in § 88 enthalten ist (→ § 88 Rn. 1, 3 aE), und in Verschwiegenheitspflicht des § 93 I 3. **Konkretisierung** kann in Anlehnung an die Grundsätze erfolgen, die für geschäftsführende Gesellschafter in Personengesellschaften gelten (vgl. GK-HGB/C. Schäfer § 105 Rn. 228 ff.; sa KK-AktG/Cahn § 93 Rn. 112 ff.; GK-AktG/Hopt/Roth § 93 Rn. 224 ff.; Fleischer WM 2003, 1045, 1050 ff.). Zurückhaltung ist ggü. Versuch geboten, Pflichten, deren vertragliche Begründung üblich ist, beim Fehlen solcher Regelung aus Treupflicht abzuleiten. Zu denken ist aber an Mitteilungspflichten, etwa bei krankheitsbedingt drohendem Verlust der Dienstfähigkeit (Bayer FS Hommelhoff, 2012, 87, 90 ff.; Fleischer NZG 2010, 561, 564 – Schnorbus/Klormann WM 2018, 1072 ff. – jew. mwN auch zu kapitalmarktrechtl. Folgepflichten; vgl. dazu auch Fleischer FS U. H. Schneider, 2011, 333 ff.; ausf. Dubovitskaya, Offenlegungspflichten der Organmitglieder in Kapitalgesellschaften, 2020, 73 ff.). Auch nach Beendigung des Vorstandsamtes können Treupflichten in verschiedener Gestalt fortwirken (ausf. U. H. Schneider FS Hommelhoff, 2012, 1023 ff.). Grds. abzulehnen ist dagegen die These, dass Vorstand schon bei Gehaltsverhandlung mit AG gesteigerten Treubindungen unterliegt (→ § 84 Rn. 46).

11 Treupflichten der Organmitglieder ggü. der AG stehen zumeist im Vordergrund des Interesses, doch sind sie **keine Einbahnstraße.** Vielmehr unterliegt auch AG rechtl. Bindungen in Gestalt sog Fürsorgepflichten. Das zeigt sich etwa am Erfordernis eines wichtigen Grundes in § 84 IV 1 und 5 sowie an teilw. Geltung von

Arbeitnehmerschutzrecht (→ Rn. 24 ff.). Derzeit noch im Fluss ist Diskussion um die Frage, ob treugestützte Fürsorge- und Rücksichtspflichten AG ggü. Vorstand in Sonderlagen auch dazu verpflichten können, bei fahrlässigen Pflichtverstößen, die aufgrund des schadensmultiplizierenden Unternehmenskontextes zu exorbitanten Regressfolgen führen, **Rechtsverfolgung angemessen zu beschränken.** Richtigerweise ist auch diese Frage zu bejahen (→ § 93 Rn. 96 ff.).

5. Sonderformen der Bestellung. a) Teilzeit. Auch auf Vorstandsebene ist Teilzeitbeschäftigung grds. möglich, folgt aber anderen Regeln als bei AN. Insbes. sind spezielle Vorschriften wie § 13 TzBfG nicht auf Vorstandsmitglieder anwendbar (v. Bünau/Mahnhold ZIP 2022, 1792, 1793; Denninger AG 2022, 593 Rn. 3; Wedemann NZG 2023, 965, 966). Anders als bei AN ist gedanklicher Ausgangspunkt auch nicht fixe „Vollarbeitszeitvorgabe", die anteilig gekürzt werden kann, sondern Vorstandsmitglieder müssen grds. gesamte Arbeitskraft in Dienst der AG stellen (v. Bünau/Mahnhold ZIP 2022, 1792, 1793). Teilzeitbeschäftigung kann deshalb nur als **unverbindlich erwartete Arbeitszeit** vereinbart werden (zu möglichen Gestaltungen v. Bünau/Mahnhold ZIP 2022, 1792, 1800 f.), die von AR nur dann eingeräumt werden darf, wenn organisatorisch sichergestellt ist, dass Vorstandsarbeit trotzdem funktioniert (v. Bünau/Mahnhold ZIP 2022, 1792, 1797; Wedemann NZG 2023, 965, 966). Das wird idR bei Einsatz von Teilzeitkräften dadurch gewährleistet, dass von vornherein nur **beschränkter Ressortzuschnitt** übertragen wird oder Ressort unter mehreren Personen in Gestalt des sog Job Sharings (Tandem) aufgeteilt wird (→ Rn. 11b; v. Bünau/Mahnhold ZIP 2022, 1792, 1800 f.). Auch nach Abschluss der Vereinbarung ist fortlaufende Funktionsprüfung durch AR erforderlich (v. Bünau/Mahnhold ZIP 2022, 1792, 1798 f.). Grds. unterliegt auch Teilzeitvorstand sämtlichen Vorstandspflichten, einschließlich korrespondierender Haftungsgefahren (v. Bünau/Mahnhold ZIP 2022, 1792, 1794 ff.). Selbst wo eigenes Ressort überschaubar ist, bleibt grds. **Überwachungspflicht** hinsichtlich übriger Ressorts bestehen (→ § 77 Rn. 14 f.). An Beschlussfassung des Gesamtvorstands muss auch Teilzeitvorstand nach Möglichkeit mitwirken (zu Gestaltungsoptionen vgl. v. Bünau/Mahnhold ZIP 2022, 1792, 1794 f.). Lässt sich Vorstandsaufgabe mit vereinbartem Pensum zeitweilig nicht erfüllen, namentl. in Krisensituationen, ist auch Teilzeitvorstand zur Mehrarbeit verpflichtet (v. Bünau/Mahnhold ZIP 2022, 1792, 1795 ff.). Ohne gesonderte Vereinbarung im Anstellungsvertrag hat Teilzeitvorstand keinen Anspruch auf zusätzliche Vergütung, wenn Mehrarbeit erforderlich wird (Wedemann NZG 2023, 965, 970). Gesonderte Offenlegung der Teilzeit im HR nach § 81 ist nicht erforderlich (v. Bünau/Mahnhold ZIP 2022, 1792, 1800). Ad-hoc-Pflicht nach Art. 17 MAR wird zumeist ebenfalls nicht bestehen, da Teilzeitvereinbarung Kurs idR nicht beeinflusst (v. Bünau/Mahnhold ZIP 2022, 1792, 1800; in Ausnahmefällen für Pflicht Wedemann NZG 2023, 965, 970). 11a

b) Job Sharing. Als Sonderform der Teilzeitarbeit begegnet als neueres rechtstats. Phänomen mittlerweile auch Aufteilung eines Vorstandsressorts auf zwei Mitglieder in Gestalt des Job Sharings. Auch diese Gestaltung ist von geltendem Aktienrecht als **zulässige Gestaltungsform** abgedeckt (Denninger AG 2022, 593 Rn. 1 ff.; Kuthe/Karl WM 2022, 1315 f.; Wedemann NZG 2023, 965, 966). Auf Bestellungsebene ergeben sich grds. keine Besonderheiten, sondern beide Beteiligte sind vollwertige Vorstandsmitglieder mit allen Rechten und Pflichten. Das gilt namentl. auch für **Haftungsrisiko,** doch sind hier Grundsätze der horizontalen Delegation anzuwenden (→ § 77 Rn. 14 f.), so dass sich Pflichtenmaßstab wandelt und in reduzierter Form in Gestalt einer **gegenseitigen Überwachungspflicht** wiederauflebt (Denninger AG 2022, 593 Rn. 12 ff.; Kuthe/Karl WM 2022, 1315, 1318; Wedemann NZG 2023, 965, 967). Besonderheiten des aufgeteilten Ressorts sind zunächst auf anstellungsvertragl. Ebene (namentl. 11b

Vergütung) zu berücksichtigen, wo Angemessenheitsvorgabe des § 87 I es auch zulässt, Gesamtvergütung oberhalb der Schwelle einer Einzelbesetzung festzulegen, wenn mit Job Sharing entspr. Mehrwert für das Unternehmen einhergeht (Denninger AG 2022, 593 Rn. 36 ff.; zu Problemen bei Angabe einer Maximalvergütung nach § 87a I 2 Nr. 1 → § 87a Rn. 5f). Entscheidung über **Gestattung des Job Sharings** liegt bei AR, der darüber nach pflichtgem. Ermessen entscheidet (§ 116 S. 2 iVm § 93 I 1 und 2 – Denninger AG 2022, 593 Rn. 8). In Ermessensentscheidung können dabei auch gewandelte Work-Life-Balance-Vorstellungen einfließen, die für Rekrutierung von geeignetem Personal ausschlagebend sein können (ausf. zu weiteren Abwägungskriterien Denninger AG 2022, 593 Rn. 7 ff.; Wedemann NZG 2023, 965, 966). Weitere kautelarjur. Gestaltungsherausforderungen stellen sich sodann bei **Stimmgewichtung im Gesamtvorstand.** Ohne bes. Regelung haben beide Mitglieder volles Stimmrecht, was zu überproportionalem Einfluss des Ressorts führen kann; ob Satzung oder Geschäftsordnung von dieser Regelung abweichen kann (grds. möglich nach § 77 I 2), erscheint mit Blick auf Gleichberechtigung der Vorstandsmitglieder (→ § 77 Rn. 18) jedoch zweifelhaft (abl. deshalb Denninger AG 2022, 593 Rn. 23 ff.; Kuthe/Karl WM 2022, 1315, 1317 f.; für Zulässigkeit bei Job Sharing Wedemann NZG 2023, 965, 968; Wedemann AG 2023, 673 Rn. 28). Auch an Job Sharing beteiligte Vorstandsmitglieder untereinander sollten klare Regeln für Aufgabenabgrenzung und Entscheidungsfindung entwickeln (im Konfliktfall im Zweifel: Vorlage an Gesamtvorstand, vgl. Denninger AG 2022, 593 Rn. 15 ff., 27 ff.; Wedemann NZG 2023, 965, 967). Für **Mindestbeteiligungsgebot** nach § 76 III a (→ § 76 Rn. 153 ff.) zählen geteilte Positionen – sowohl auf Tatbestands- als auch auf Rechtsfolgenseite – dennoch als vollwertige Vorstandsmitglieder (Denninger AG 2022, 593 Rn. 31 ff.; aA Wedemann NZG 2023, 965, 969, deren vielfältige Differenzierungen im Ges. indes keinen Niederschlag finden und Rechtsanwendung mit Unsicherheiten belasten); dasselbe gilt für Zielgrößenbestimmung nach § 111 V, sofern konkrete Formulierung nicht entgegensteht (Denninger AG 2022, 593 Rn. 34; praxisunübliches Gegenbeispiel: Zählung nach Vollzeitkräften). Nichts anderes gilt für ges. oder satzungsmäßige Vorgaben zur Vorstandszahl (§ 76 II, § 23 III Nr. 6; zT aA auch insofern Wedemann NZG 2023, 965, 968 ff.). Zu den Folgen des Ausscheidens eines Job Sharers v. Bünau/Mahnhold ZIP 2022, 1792, 1799.

12 **6. Fehlerhafte Bestellung.** Bestellung zum Vorstandsmitglied kann, weil sie rechtsgeschäftlicher Tatbestand ist (→ Rn. 4), unter **Wirksamkeitsmängeln** leiden. Spezifisch aktienrechtl. Wirksamkeitsmängel liegen vor, wenn Bestellung zwar erklärt wird, aber zwingend erforderlicher Beschluss des Gesamt-AR (→ Rn. 5) nicht vorhanden ist (so im Fall BGHZ 41, 282 = NJW 1964, 1367), ebenso dann, wenn Wirksamkeitsvoraussetzungen in der Person des Vorstandsmitglieds fehlen oder es seine Tätigkeit mit Billigung des AR über Frist des § 84 I 1 hinaus fortsetzt, ohne dass AR förmlich beschlossen hätte (→ Rn. 6 f. – zur Zuordnung dieser Konstellation zur Lehre vom fehlerhaften Bestellungsverhältnis BGHZ 47, 341, 343 = NJW 1967, 1711; BGH NZG 2006, 62, 64; Strohn DB 2011, 158, 159; aA GK-AktG/Kort Rn. 84). In derartigen Fällen ist ähnlich wie bei vergleichbaren Konstellationen fehlerhafter Gesellschafts- und Dienstverhältnisse von einer zwar fehlerhaft begründeten, aber **vorläufig wirksamen Organstellung** auszugehen (so im Grundsatz allgM; zu Einzelheiten s. GK-AktG/Kort Rn. 79 ff.; KK-AktG/Cahn Rn. 30 ff.; MüKoAktG/Spindler Rn. 285 ff.; Baums, Geschäftsleitervertrag, 1987, 153 ff., 163 ff., 204 ff.; Bayer/Lieder NZG 2012, 1 ff.). Zur Parallele einer fehlerhaften Abberufung → Rn. 67.

13 Daraus gefolgerte **Lehre vom fehlerhaften Bestellungsverhältnis** soll insbes. Schutz des Rechtsverkehrs sicherstellen. These, dass dieser Schutz gleicher-

maßen auch über § 15 HGB und allg. Rechtsscheinsgrundsätze gewährleistet werden könne (dazu ausf. und mwN Sajnovits ZHR 186 [2022], 291 ff.), erscheint angesichts der Grenzen dieses Schutzes auf Tatbestands- und Rechtsfolgenseite zweifelhaft. Speziell Gutglaubenserfordernis, das bei bloßem Kennenmüssen Rechtsschein zerstört, würde erhebliche Unsicherheiten in AG tragen, die schon bei AR verbreitet als schwer erträglich angesehen werden, obwohl dieser als „Innenorgan" nur ausnahmsweise im Außenverhältnis tätig wird (→ § 101 Rn. 20 ff.). Bei Vertretungsorgan Vorstand wären Folgen noch gravierender (wie hier GK-AktG/Kort Rn. 93; KK-AktG/Cahn Rn. 29; Höpfner ZGR 2016, 505, 513 ff.). Durch Lehre vom fehlerhaften Bestellungsverhältnis gewährleistete Bestandskraft ist aber auch im Innenverhältnis unabdingbar, um Handlungsfähigkeit der AG aufrechtzuerhalten (vgl. C. Schäfer, Die Lehre vom fehlerhaften Verband, 2002, 474 f.; Schürnbrand, Organschaft im Recht der privaten Verbände, 2007, 270 ff.). Entspr. den Voraussetzungen der fehlerhaften Gesellschaft ist zu verlangen, dass fehlerhafter Bestellungsakt eines für die AG tätigen Organs (s. dazu Bayer/Lieder NZG 2012, 1, 3 mwN) vorliegt und vom designierten Vorstandsmitglied angenommen wird. Vorstandsmitglied muss sodann auf dieser Grundlage tats. für AG tätig werden und damit das Organverhältnis **in Vollzug setzen.** Eine Grenze findet Lehre nach zutr. hM in höherrangigen Schutzbelangen der Allgemeinheit oder Einzelner (für allg. Lehre stRspr seit BGHZ 3, 285, 288 = NJW 1952, 97; aus jüngerer Zeit etwa BGH NZG 2008, 460 Rn. 3; speziell für das Organverhältnis auch GK-AktG/Kort Rn. 87 ff.; Schürnbrand, Organschaft im Recht der privaten Verbände, 2007, 280 ff.; aA C. Schäfer, Die Lehre vom fehlerhaften Verband, 2002, 260 ff.; K. Schmidt AcP 186 [1986], 421, 448 ff.; Bayer/Lieder NZG 2012, 1, 3 ff.). Weitere Ausnahme ist für kraft Ges. nicht vorstandsfähige Person anerkannt (BeckOGK/Fleischer Rn. 20; GK-AktG/Kort Rn. 89 f.). Als **Rechtsfolge** entstehende vorläufig wirksame Organstellung begründet, sobald in Vollzug gesetzt, gleichermaßen Rechte und Pflichten des Vorstands (BGH NZG 2006, 62, 64; Strohn DB 2011, 158, 159) und kann nur durch Widerruf (→ Rn. 49 ff.) oder Amtsniederlegung (→ Rn. 80 ff.) enden, wobei für den Widerruf kein weiterer wichtiger Grund iSd § 84 IV vorliegen muss (MüKoAktG/Spindler Rn. 293). Für Anstellungsverhältnis gelten diese Grundsätze entspr. (→ Rn. 27). Haftung richtet sich nach § 93 II (→ § 93 Rn. 71 ff.). Von fehlerhaft bestelltem Organ ist faktisches Organ ohne jeden Bestellungsakt zu unterscheiden, das allein iRd § 93 II Bedeutung erlangt (→ § 93 Rn. 73 ff.).

III. Anstellungsvertrag (noch: § 84 I)

1. Begriff und Rechtsnatur; Wirksamwerden. Vorstandsmitglied steht 14 nicht nur in einem Organverhältnis zur AG, sondern ist mit ihr durch **Dienstvertrag gem. §§ 611, 675 BGB** verbunden (→ Rn. 2). Mitglieder des Vorstands sind also zur Leistung von Diensten berechtigt und verpflichtet und haben entspr. Vergütungsansprüche. Einordnung des Anstellungsvertrags als Dienstvertrag ist anerkannt (BGHZ 10, 187, 191 = NJW 1953, 1465; BGHZ 36, 142, 143 = NJW 1962, 340; BSG NZG 2022, 522 Rn. 23; MüKoAktG/Spindler Rn. 64). Vorstandsmitglieder sind jedoch keine AN, bes. nicht Handlungsgehilfen. Vielmehr üben sie aufgrund ihrer Organstellung **Arbeitgeberfunktion** aus (BGHZ 10, 187, 191; BGHZ 12, 1, 8 = NJW 1954, 505; BGHZ 49, 30, 31 = NJW 1968, 396; BGHZ 79, 38, 41 = NJW 1981, 757; BSG NZG 2022, 522 Rn. 23; MüKoAktG/Spindler Rn. 65). Diese Einordnung gilt auch im Anwendungsbereich des AGG (→ § 76 Rn. 150 ff.). Anstellungsvertrag ist also nicht Arbeitsvertrag iSd § 611a BGB, sondern Vertrag über Leistung unabhängiger, durch aktienrechtl. Vorgaben geprägter Dienste (BSG NZG 2022, 522 Rn. 23; Fleck

FS Hilger und Stumpf, 1983, 197, 203 ff.). Anwendung einzelner arbeitsrechtl. Schutzvorschriften ist dadurch jedoch nicht ausgeschlossen (→ Rn. 24 ff.). Wird AN iR seines bestehenden Arbeitsverhältnisses zum Vorstand bestellt, liegt darin idR konkludente Aufhebung des zuvor bestehenden Arbeitsvertrags (vgl. BAGE 118, 278, 282 f. = NJW 2007, 396 [GmbH]; BAG NJW 2007, 3228 Rn. 14 ff. [GmbH]; NJW 2009, 2078, 2079 [GmbH]; NJW 2011, 2684 Rn. 11 [GmbH]; BSG NZG 2022, 522 Rn. 24). Ausn. sind aber denkbar (ausf. BSG NZG 2022, 522 Rn. 24 ff.; ausf. dazu Kort NZG 2022, 494 ff.). **Wirksamwerden** ist nach allg. Grundsätzen zu beurteilen. Entscheidend ist also Zugang (§ 130 I 1 BGB) der Annahmeerklärung, wenn Parteien keine aufschiebende Befristung vereinbart haben. Zur Frage der grds. zu verneinenden Sozialversicherungspflicht s. BSGE 85, 214, 218 ff.; Vorinstanz: LSG Hessen AG 1999, 190 ff.; seither BSG NZG 2002, 431, 432.

15 **2. Zuständigkeit. a) Kompetenzordnung der AG.** Gem. § 84 I 5 gilt § 84 I 1 sinngem. Zuständig für Abschluss des Anstellungsvertrags oder ihn ersetzende schuldrechtl. Vereinbarungen (→ Rn. 17 f.) ist also **AR,** der dabei als Vertreter der AG handelt (§ 112). Das gilt auch bei Insolvenz (OLG Nürnberg AG 1991, 446, 447). Vorgelagerte Entscheidung erfolgt durch Beschlussfassung gem. § 108 (Köhler NZG 2008, 161). Beschluss hat grds. unternehmerische Entscheidungen iSd § 93 I 2 AktG zum Gegenstand (Harnos, Gerichtliche Kontrolldichte, 2021, 477; zu eingeschränkten Spielräumen bei Festsetzung der Vergütung → § 87 Rn. 47). Ausschließliche Zuständigkeit des AR besteht auch bei Änderung des Anstellungsvertrags einschließlich der Vergütungsvereinbarung und ist auch bei Gewährung von Stock Options zu beachten (näher Hüffer ZHR 161 [1997], 214, 232 ff.). Folgen einer Zuständigkeitsverfehlung sind str. Bessere Gründe sprechen für Anwendung des § 177 BGB (→ § 112 Rn. 24). Weil § 84 I 5 in § 107 III 7 nicht aufgeführt ist, kann AR nicht nur Vorbereitung, sondern vorbehaltlich der Vergütungsentscheidungen nach § 87 I, II 1 und 2 (→ § 107 Rn. 59) auch Entscheidung über Anstellungsvertrag einem **Ausschuss** überlassen (allgM; vgl. dazu BGHZ 41, 282, 285 = NJW 1964, 1367; BGHZ 65, 190, 191 = NJW 1976, 145). Ausschuss darf aber nicht vorpreschen und durch Anstellungsvertrag die Bestellung durch Gesamt-AR präjudizieren (→ § 107 Rn. 58 mwN). Ausschuss kann nicht Ressortzuweisung im Anstellungsvertrag vornehmen, weil Zuständigkeit für damit berührte Geschäftsordnung beim Gesamt-AR liegt (KK-AktG/Cahn Rn. 53). Wenn Ausschuss AG auch bei Abgabe der Erklärung vertreten soll, ist dafür Beschluss des AR erforderlich, wenn sich Befugnis des Ausschusses nicht aus Geschäftsordnung des AR ergibt (Köhler NZG 2008, 161, 162). Ordnet Anstellungsvertrag für Änderung Schriftform an, sind bei Verwendung von AGB neue Vorgaben des § 309 Nr. 13 BGB zu beachten (vgl. dazu Mutter AG 2016, R 316 f.).

16 **Ausschuss** muss bei Anstellungsverträgen wie auch sonst **mit wenigstens drei Mitgliedern** besetzt sein, damit Umgehung des § 108 II 3 ausgeschlossen ist. Ausschuss, der aus AR-Vorsitzendem und seinem Stellvertreter gebildet worden ist, kann Anstellungsverträge nicht wirksam abschließen (BGHZ 65, 190, 192 f. = NJW 1976, 145; MüKoAktG/Spindler Rn. 78; Fleck WM 1994, 1957 f.); zu den Rechtsfolgen → Rn. 27. Vollends unzulässig wäre, Begründung des Anstellungsverhältnisses einem einzelnen AR-Mitglied, etwa dem Vorsitzenden, zu überlassen (OLG Frankfurt AG 2011, 790, 791).

17 **b) Zur Frage der Drittanstellung.** Zweifelhaft ist, ob Anstellungsvertrag statt mit AG mit einem Dritten geschlossen werden kann. Frage stellt sich bes. bei abhängiger Gesellschaft mit herrschendem Unternehmen, sog **Konzernanstellungsvertrag.** In neuerer Zeit ist Phänomen der **Interim Manager** hinzugetreten (auch: Personalleasing), sofern sie nicht von AG selbst angestellt werden,

sondern nur von Interim Management-Agentur, was zwar nicht Regelfall, aber dennoch verbreitet ist (Krieger FS Hoffmann-Becking, 2013, 711; ausf. zu Funktion und Verbreitung Uffmann, Interim Management, 2015, 24 ff.; Uffmann ZGR 2013, 273 ff.). Während Frage der Zulässigkeit für Geschäftsführer der GmbH bejaht wird (BGHZ 75, 209, 210 = NJW 1980, 595; BGHZ 222, 32 Rn. 18 ff. = NZG 2019, 861; ausf. Uffmann DB 2019, 2281 ff.), ist sie für Vorstandsmitglieder der AG str. Überwiegend wird sie im Prinzip aber zu Recht bejaht (so zumindest für Interim Manager KG AG 2011, 758, 759; OLG Celle AG 2012, 41, 42; implizit auch BGH NZG 2015, 792 Rn. 23 ff.; s. ferner S/L/Seibt Rn. 29; MHdB AG/Wiesner § 21 Rn. 3 ff. unter Darlegung der praktischen Schwierigkeiten; Fütterer, Drittanstellungsvertrag, 2017, 14 ff.; Lutter/Krieger/Verse AR Rn. 449 ff.; Deilmann/Dornbusch NZG 2016, 201 ff.; Krieger FS Hoffmann-Becking, 2013, 711 ff.; Reuter AG 2011, 274, 276 ff.; Uffmann, Interim Management, 2015, 313 ff.; E. Vetter FS Hoffmann-Becking, 2013, 1297, 1300 ff.; aA GK-AktG/Kort Rn. 320 ff.; KK-AktG/Cahn Rn. 60; MüKoAktG/Spindler Rn. 85). Auch § 162 I 2 scheint implizit jedenfalls von Möglichkeit einer Drittvergütung durch anderes Konzernunternehmen auszugehen (§ 162 Rn. 3).

Folgt man der bejahenden Ansicht, so ergeben sich vor allem **Abstimmungsprobleme** zwischen Eigenverantwortung des Vorstands nach § 76 I und anstellungsvertraglicher Gebundenheit ggü. Vertragspartner (näher MHdB AG/Wiesner § 21 Rn. 3 ff.). Praxis wird nicht davon ausgehen können, dass Zulässigkeit für AG eindeutig gelöst ist, und sollte bei Vorständen von Drittanstellung absehen (optimistischer Deilmann/Dornbusch NZG 2016, 201 ff.). Speziell für **Konzernanstellungsvertrag** liegt positive Beurteilung der Zulässigkeitsfrage zumindest bei Beherrschungsvertrag und Eingliederung nahe, weil § 76 I durch § 308 II, § 323 I überlagert wird (GK-AktG/Kort Rn. 329). Praktische Probleme verbleiben aber auch dann, bes., wenn Tochter-AG aus Konzernverbund ausscheidet. Bei **Interim Manager** wird hinreichender Schutz idR durch Agenturvertrag gewährt, wenn danach Agentur Nebenpflicht obliegt, sich jeglicher Einflussnahme zu enthalten (GK-AktG/Kort Rn. 330a; Krieger FS Hoffmann-Becking, 2013, 711, 715; so wohl auch OLG Celle AG 2012, 41, 42). Probleme ergeben sich hier in erster Linie aus Vereinbarkeit mit stetig detaillierter gefassten **Vergütungsvorschriften,** namentl. § 87 I (allg. zum Problem der Drittvergütung → § 87 Rn. 7). Zuständiger AR (→ § 112 Rn. 8) bleibt auch insofern in Verantwortung und muss auf Dienstvertrag und Honorarvereinbarung zwischen Vorstand und Agentur Einfluss nehmen (ausf. GK-AktG/Kort § 87 Rn. 357 ff.; Fütterer, Drittanstellungsvertrag, 2017, 236 ff.; E. Vetter FS Hoffmann-Becking, 2013, 1297, 1309 ff.; Uffmann DB 2019, 2281, 2286 f.; aA Hoffmann-Becking FS Marsch-Barner, 2018, 253, 256 ff.); unangemessene Vergütung lässt Wirksamkeit des Anstellungsvertrags aber unberührt (KG AG 2011, 758, 759). Agenturvergütung muss diesem Maßstab nicht genügen (GK-AktG/Kort Rn. 357b). Drittvergütung muss nach § 162 II Nr. 1 im Vergütungsbericht offengelegt werden (→ § 162 Rn. 8a). 18

Nicht um Drittanstellung handelt es sich bei **Beteiligung an Erwerbsgesellschaft,** die Vorstandsmitgliedern und weiteren Führungskräften bei gänzlicher oder teilw. Unternehmensübernahme mit oder ohne Kreditierung des Erwerbspreises nicht selten nahegelegt wird (Überblick bei Traugott/Grün AG 2007, 761). Damit bezweckte Orientierung der Leitungsebene an Interesse des Erwerbers ist aktienrechtl. (sa § 33d WpÜG) jedenfalls dann bedenklich, wenn sie nicht konzernrechtl. legitimiert werden kann (GK-AktG/Kort Rn. 331; aA Traugott/Grün AG 2007, 761, 762). Ähnliche Bedenken bestehen gegen **Leistungen Dritter,** die **außerhalb des Anstellungsvertrags** an Vorstandsmitglieder erbracht werden sollen (§§ 299 ff. StGB; sonstige Korruptionsformen; Begründung 19 von Korruptionsanschein als Treupflichtverletzung; zust. GK-AktG/Kort Rn. 331a; großzügiger Mayer-Uellner AG 2011, 193 ff.). Mindestens und jedenfalls bedürfen sie eines zust. AR-Beschlusses. Auch unterliegen sie der Offenlegungspflicht im Vergütungsbericht nach § 162 II Nr. 1.

20 **3. Vertragsdauer.** Aus § 84 I 5 Hs. 1 folgt, dass Höchstdauer von **fünf Jahren** nicht nur für Bestellung, sondern auch für Anstellung gilt. Zulässig ist es gem. § 84 I 5 Hs. 2 allerdings, **Weitergeltung** für den Fall zu vereinbaren, dass Amtszeit verlängert wird (→ Rn. 6). IU folgt aus rechtl. Trennung von Bestellung und Anstellung (→ Rn. 2), dass sie verschiedene rechtl. Wege gehen können; zu Einzelfragen MüKoAktG/Spindler Rn. 87 ff. Ist **überschießende Vertragsdauer** vereinbart, so führt das zur Reduktion auf ges. Höchstfrist, nicht zur Nichtigkeit des Gesamtvertrags (BAG NZA 2009, 1205 Rn. 14). Abrede, dass Dienstvertrag nach Fristablauf inhaltsgleich als Arbeitsvertrag gelten soll, ist wegen Umgehung des § 84 I 5 gem. § 134 BGB nichtig (BAG NZA 2009, 1205 Rn. 27 ff.). Abschluss eines späteren Arbeitsvertrags kann aber im Dienstvertrag des Vorstandsmitglieds vorweggenommen werden. Arbeitsvertrag ist dann gültig, wenn nicht auch insoweit im Einzelfall Umgehung des § 84 I 5 vorliegt (BAG NZA 2009, 1205 Rn. 26).

21 **4. Rechte und Pflichten aus dem Anstellungsvertrag.** Rechte und Pflichten aus Anstellungsvertrag sind in § 84 nicht geregelt und ergeben sich aus vertraglicher Übereinkunft beider Seiten, soweit nicht vorrangig oder ergänzend Arbeitnehmerschutzrecht eingreift. Muster eines Anstellungsvertrags zB bei Happ/Happ/Ludwig AktienR 8.08; BeckFormB/Hoffmann-Becking X 13. Gestaltung des Anstellungsvertrags unterliegt – sofern einseitig gestellt (dazu Habersack FS Coester-Waltjen, 2015, 1097, 1099 ff.) – **Inhaltskontrolle nach §§ 307 ff. BGB,** und zwar, da Rspr. Vorstand wohl zu Recht als Verbraucher iSd § 13 BGB auffasst (OLG Frankfurt AG 2018, 852, 853; OLG Hamm AG 2007, 910, 911 f.; zust. MüKoBGB/Micklitz § 13 Rn. 61; Bauer FS Wank, 2014, 1, 3 ff.; Bauer/Ch. Arnold/Kramer AG 2014, 677, 678; Habersack FS Coester-Waltjen, 2015, 1097, 1098 f.; Jänsch, Angemessene Vorstandsverträge, 2021, 78 ff.; v. Westphalen BB 2015, 834, 835 ff.; für GmbH-Geschäftsführer auch BGHZ 133, 71 = NJW 1996, 2195; krit. GK-AktG/Kort Rn. 276a; Thüsing in FleischerVorstandsR-HdB § 4 Rn. 101) – gem. § 310 III Nr. 2 BGB auch bei nur einmaliger Verwendung des Dienstvertrags (BeckOGK/Fleischer Rn. 24). **Verbrauchereigenschaft** begründet überdies Vermutung des § 310 III Nr. 1 BGB und Berücksichtigung individueller Umstände iRd Inhaltsprüfung nach § 310 III Nr. 3 BGB, was sich allerdings auch negativ für Vorstandsmitglied auswirken kann (zB bei Berücksichtigung höherer juristischer Qualifikation; vgl. dazu Jänsch, Angemessene Vorstandsverträge, 2021, 109 ff.). **§ 310 IV 1 BGB,** wonach AGB-Recht nicht für gesellschaftsrechtl. und nur bedingt für arbeitsrechtl. Verträge gilt, findet unter beiden Aspekten keine Anwendung (hM – vgl. etwa Bauer/Arnold ZIP 2006, 2337, 2338; Habersack FS Coester-Waltjen, 2015, 1097, 1098; Jänsch, Angemessene Vorstandsverträge, 2021, 53 ff.; Kort FS K. Schmidt, 2019, Bd. 1, 715, 721 f.; Löw AG 2018, 837, 838; aA Mülbert FS Goette, 2011, 333, 342 ff.). Inwiefern **arbeitsrechtl. Grundsätze** auch auf Vorstandsanstellungsvertrag übertragen werden können, bedarf sorgfältiger Prüfung im Einzelfall (vgl. die abgewogene Prüfung in BGH NZG 2020, 64 Rn. 25 ff. [Zulässigkeit eines Freiwilligkeitsvorbehalts bzgl. Gratifikation]; sa Jänsch, Angemessene Vorstandsverträge, 2021, 148 ff. [speziell zum Freiwilligkeitsvorbehalt S. 257 ff.]; Kort NZG 2020, 121 ff.; Löw AG 2018, 837 ff.).

22 **Inhalt.** Anstellungsvertrag regelt namentl. Bezüge, die angemessen sein müssen (§ 87 I). Ist Vergütung Anteil vom Gewinn vor Steuern, so ist mangels bes. Absprachen auf Ergebnis der gewöhnlichen Geschäftstätigkeit iSd § 275 II Nr. 14

HGB aF abzustellen (LG Düsseldorf BB 2010, 789 f.). Anstellungsvertrag kann auch gesellschaftsfinanzierte **D&O-Versicherung** vorsehen, namentl. in Gestalt verbreiteter „Verschaffungsklauseln“ (vgl. dazu Ph. Scholz/Doralt ZHR 185 [2021], 637 ff.; Splinter, Aktienrechtliche Organhaftung und D&O-Versicherung, 2021, 65 f.; Wansleben in Behme/Fries/Stark, Versicherungsmechanismen im Recht, 2016, 183, 214 ff.); § 93 II 3 belegt, dass darin kein Verstoß gegen § 93 IV 3 zu sehen ist (ausf. → § 93 Rn. 122 ff.). Selbstbehalt ist nach § 93 II 3 obligatorisch. Abschluss der Versicherung obliegt sodann jedoch nicht AR, sondern Vorstand (→ § 93 Rn. 123); zu Einzelheiten der dienstvertraglichen Gestaltung s. Hemeling FS Hoffmann-Becking, 2013, 491, 506 ff.; Franz DB 2011, 1961 ff., 2019 ff.). Zum **Standardinhalt** des Anstellungsvertrags gehören weiterhin namentl. (vgl. zum Folgenden Thüsing in Fleischer VorstandsR-HdB § 4 Rn. 75 ff.): Vertragsdauer, Ressortzuweisung, Ausstattung, Urlaubsanspruch, Auslagenersatz, Entgeltfortzahlung im Krankheitsfall, Ruhegeld (ausf. dazu und zur Anwendung des BetrAVG BeckOGK/Fleischer Rn. 53 ff.; GK-AktG/Kort Rn. 361 ff.; sa → Rn. 26) und Hinterbliebenenversorgung; zu Lasten des Vorstandsmitglieds zB: Ausdehnung des Wettbewerbsverbot, insbes. auf Zeit nach Vertragsbeendigung, häufig abgesichert durch Vertragsstrafe (ausf. Thüsing in Fleischer VorstandsR-HdB § 4 Rn. 104 ff.; sa Jänsch, Angemessene Vorstandsverträge, 2021, 189 ff.), Auskunfts- und Herausgabepflichten nach Vertragsbeendigung, Pflicht zur Überlassung von Erfindungen. Zur Festlegung des Dienstortes und damit zusammenhängenden Fragen nach Versetzungsmöglichkeit s. Röhrborn BB 2013, 693 ff.

Vertragliche **Freistellungs- oder Erstattungszusagen** der AG (Ersatzansprüche, Bußgelder, Geldstrafen oder Verfahrenskosten) sind idR nichtig, jedoch nicht nach §§ 134, 138 BGB, wohl aber arg. § 93 IV 3 (hM, s. BeckOGK/Fleischer Rn. 75; MüKoAktG/Spindler Rn. 106 f.; Zimmermann DB 2008, 687, 690; aA G. M. Hoffmann NJW 2012, 1393, 1395). Das gilt unabhängig davon, ob Zusage abstrakt oder im Hinblick auf konkrete Einzelmaßnahme ausgesprochen wird (krit. insofern Hoffmann-Becking ZGR 2015, 618, 622 ff.). Verbotsausnahme gilt dann, wenn Pflichtverletzung des Außenverhältnisses nicht unter § 93 II 1 fällt (BGHZ 202, 26 Rn. 21 = NZG 2014, 1058; GK-AktG/Kort Rn. 399 ff.; KK-AktG/Cahn Rn. 99), was aber mit Blick auf Legalitätsprinzip, das Rechtsverstöße im Außenverhältnis auch als Pflichtverletzungen im Innenverhältnis wertet (→ § 93 Rn. 9 ff.), nur selten der Fall sein wird (Tröger ZHR 179 [2015], 453, 457). 23

Pflichtverletzung ist von AR selbständig zu prüfen; Verurteilung in Straf-/Bußgeldprozess hat nur Indizwirkung (HdB Managerhaftung/Kießling/Wilk Rn. 25.28). Wie in ARAG-Fällen (→ § 111 Rn. 15, 22 ff.) kann AR auch für diese Prüfung kein Ermessen beanspruchen (BGHZ 202, 26 Rn. 21). Daneben wird im Schrifttum Ausnahme zT auch dann zugelassen, wenn **gewichtige Gründe des Gesellschaftswohls** es rechtfertigen, von Wertungen des § 93 IV 3 abzuweichen (Hasselbach/Seibel AG 2008, 770, 776 f.; Krieger FS Bezzenberger, 2000, 211, 218 f.). BGH ist dem unter Verweis auf § 93 IV 3 nicht gefolgt (BGHZ 202, 26 Rn. 18 ff.; sa BeckOGK/Fleischer Rn. 72; GK-AktG/Kort Rn. 401; MüKoAktG/Spindler Rn. 106 f.; zur strafrechtl. Würdigung Talaska AG 2015, 118 ff.), womit auch Zahlung einer materiellen oder immateriellen Entschädigung für **Verzicht auf Rechtsmittel** ausgeschlossen sein dürfte (aA noch Krieger FS Bezzenberger 2000, 211, 225 ff.; weiterhin für Zulässigkeit auch Altmeppen FS D. Weber, 2016, 7, 18 ff.). Umgekehrt bedeutet das, dass unter Voraussetzungen des § 93 IV 3 (analog) Übernahme gestattet ist (BeckOGK/Fleischer Rn. 72; ausf. Ried AG 2019, 441 ff.). BGH-Entscheidung ist im Lichte des § 93 IV 3 zwar ohne weiteres plausibel, wirft mit Blick auf gleichlaufende Ausnahme im **ARAG-Urteil** (vgl. BGHZ 135, 244, 256 = NJW 1997, 1926) 23a aber doch systematische Fragen auf (→ § 93 Rn. 164 f.). BGH beruft sich insofern auf Unterscheidung zwischen aktivem Tun (Vergleich oÄ) und passiver Nichtverfolgung (vgl. BGHZ 202, 26 Rn. 19), obgleich wirtschaftliches Ergebnis weitgehend identisch ist, weshalb Praxis Nichtverfolgung auch als „kalten Verzicht" bezeichnet und schon ARAG-Urteil zumindest Spannungsverhältnis zu § 93 IV 3 konstatiert (BGHZ 135, 244, 256; krit. deshalb auch Hoffmann-Becking ZGR 2015, 618, 626 f.; Selter ZIP 2015, 714, 719; Tröger ZHR 179 [2015], 453, 459, 477 ff.). Ist Erstattung danach ausnahmsweise zulässig, obliegt Vertretung AR (§ 112; Einzelheiten bei Krieger FS Bezzenberger, 2000, 211, 221 ff.).

23b Auch ohne solche ausdr. Regelung können Aufwendungen der Vorstandsmitglieder und namentl. auch anstellungsbedingte **Rechtsverteidigungskosten** durch AG zu erstatten sein, und zwar nach §§ 675, 670 BGB, wobei Vorschusspflicht nach § 669 BGB bestehen kann (zu Einzelheiten vgl. Zimmer/Simonot NZG 2016, 976 ff.). Davon werden auch individuell ausgehandelte, angemessene Honorare erfasst (vgl. HdB Managerhaftung/Kießling/Wilk Rn. 25.54). Voraussetzung ist allerdings, dass keine Pflichtverletzung ggü. AG vorliegt, da Aufwendungen sonst nicht als „erforderlich" angesehen werden können (sa GK-AktG/Kort Rn. 407; KK-AktG/Cahn Rn. 97; Hölters/Weber/Weber Rn. 50 f.; C. Arnold BB 2014, 2337; Heutz DB 2012, 902, 903; Werner GmbHR 2012, 1107 f.; großzügiger Thüsing in Fleischer VorstandsR-HdB § 4 Rn. 81). Vorschusspflicht besteht auch bei noch **unklarer Rechtslage** aufgrund Fürsorgepflicht, muss von AG dann aber unter Rückgewährvorbehalt (einschließlich Verzinsungsabrede) gestellt werden (KK-AktG/Cahn Rn. 97; Werner GmbHR 2012, 1107, 1109 f.; weiter differenzierend HdB Managerhaftung/Kießling/Wilk Rn. 25.37 f.; aA Krieger FS Bezzenberger, 2000, 211, 223 f.: Ermessen des AR). Besicherung ist ratsam, aber nicht zwingend (Krieger FS Bezzenberger, 2000, 211, 225). Wird Pflichtwidrigkeit festgestellt, kann und muss AR Vorschuss zurückfordern, wofür nach zutr. Ansicht **Beweislastumkehr** des § 93 II 2 analog gilt (MHdB CL/J. Koch § 30 Rn. 63; HdB Managerhaftung/Kießling/Wilk Rn. 25.40; Lackhoff/Habbe NZG 2012, 616, 617 ff.; aA Loritz/Wagner DStR 2012, 2189, 2195). Aufgrund ungeklärter Rechtslage ist AG auch zu diesem Punkt entspr. Vereinbarung zu empfehlen. Verweigert Vorstand insofern Zustimmung, kann AG ihm unter Berufung auf § 242 BGB Kostenvorschuss verweigern (Lackhoff/Habbe NZG 2012, 616, 618; zu weiteren Einzelheiten MHdB CL/J. Koch § 30 Rn. 63).

24 Vorstand ist kein AN der AG, sondern seine Stellung entspr. eher der eines Unternehmers. **Arbeitnehmerschutzrecht** ist deshalb nur anzuwenden, soweit im Lichte konkreter ges. Regelung tats. Stellung von Vorstandsmitgliedern arbeitnehmerähnlich ist (vgl. Beschlussempfehlung FamAusschussFüPoG II BT-Drs. 19/30514, 21; Martens FS Hilger und Stumpf, 1983, 437, 439 ff.). Einzelfragen: **Betriebliche Übung** wirkt für Vorstand nicht anspruchsbegründend, kann jedoch für Anstellungsverträge auslegungsrelevant sein (BGH AG 1995, 188 f.; NZG 2020, 64 Rn. 36). Auch allg. arbeitsrechtl. Gleichheitsgrundsatz gilt für nach individuellen Gesichtspunkten ausgehandelte Vorstandsverträge grds. nicht, sondern allenfalls abgeschwächte Gleichbehandlungspflicht unter Vorständen, die jedoch – wie jede Gleichbehandlungsvorgabe – unter dem Vorbehalt sachlicher Rechtfertigung steht (BGH NZG 2020, 64 Rn. 37 f.). Für ordentliche **Kündigung** des Anstellungsvertrags durch Vorstandsmitglied oder AG gilt mangels abw. Vereinbarung § 622 I BGB analog; vgl. (noch zur bis 1993 geltenden Gesetzesfassung) BGHZ 79, 291, 292 ff. = NJW 1981, 1270; BGHZ 91, 217, 220 f. = NJW 1984, 2528. Rspr. betr. zwar GmbH, ist aber verallgemeinerungsfähig. Das gilt auch dann, wenn Vorstandsmitglied an AG maßgeblich beteiligt ist (BGHZ 91, 217, 221). Dass AR dem als Vorstand tätigen Mehrheitsaktionär kündigt, mag nicht häufig sein. Geschieht es, verbleibt es bei § 622 BGB (so wohl auch KK-AktG/Cahn Rn. 42). Ordentliche Kündigung bedarf wegen herausgehobener Vertrauensstellung keiner inhaltlichen Rechtfertigung. Wirksamkeit hängt also nur von Ordnungsmäßigkeit des Verfahrens ab (BGH NZG 2004, 90 f.). Für GmbH-Geschäftsführer lässt BGH zu, dass materielle Regeln des KSchG zum Inhalt des Anstellungsvertrags gemacht werden (BGH NJW 2010, 2343 f.; dazu Jaeger DStR 2010, 1390). Ob das vorbehaltlich der Höchstdauer von fünf Jahren (→ Rn. 20) auch für Vorstand gelten könnte, lässt BGH offen; mit Recht abl. aber Goette FS U. H. Schneider, 2011, 353, 358 f.

Schiedsvereinbarung bei Abschluss des Anstellungsvertrags (ausf. → § 93 Rn. 183 f.) soll unter § 1031 V ZPO iVm § 13 BGB fallen (→ § 93 Rn. 184 mwN), was dann wenig überzeugt, wenn Vorstandsmitglied damit um seinen Erfolg im Schiedsverfahren gebracht wird (sa § 1031 VI ZPO; krit. auch GK-AktG/Kort Rn. 590a). Fraglich ist **stillschweigende Verlängerung** des Anstellungsverhältnisses entspr. § 625 BGB (abl. MüKoAktG/Spindler Rn. 89; Krieger, Personalentscheidungen, 1981, 123). Nach richtiger Ansicht passt auf Entfristung abzielende Regelung überhaupt nicht (dem zuneigend OLG Karlsruhe AG 1996, 224, 227; offenlassend BAG NZA 2009, 1205 Rn. 32). Auch Anspruch auf **Zeugniserteilung** (§ 630 BGB), den BGHZ 49, 30, 31 f. = NJW 1968, 396 für GmbH-Geschäftsführer bejaht, ist nicht zweifelsfrei, sollte aber wohl bejaht werden. Für **Versagung von Ruhegeld** reicht es nicht, dass Vorstandsmitglied Grund zur fristlosen Kündigung geboten hat; erforderlich sind außerordentliche Pflichtverletzungen, nach denen Entgelt auch für langjährige Tätigkeit nicht mehr verdient ist (BGH AG 1997, 265, 266 mwN). 25

Pfändungsschutz nach §§ 850 ff. ZPO (dazu BGH NJW 1978, 756) kommt auch den Bezügen eines Vorstandsmitglieds zu (KK-AktG/Cahn Rn. 42; Fleck FS Hilger und Stumpf, 1983, 197, 209). Für Berechnung des **Kostenwerts** (dazu BGH NJW 1978, 2202 Nr. 8 Ls. = WM 1978, 1106 f.) ist § 42 II GKG auch dann maßgeblich, wenn es um Vorstandsbezüge geht (Fleck FS Hilger und Stumpf, 1983, 197, 209 zu § 17 III GKG aF). Streitwert ist dagegen nach § 9 ZPO festzusetzen (BGH NJW 1978, 756). **Insolvenzsicherung** von Versorgungsansprüchen nach BetrAVG: § 17 I 2 BetrAVG ist zwar einschr. auszulegen, aber doch so, dass Versorgungsansprüche von Vorstandsmitgliedern, die weder allein noch zusammen mit anderen Geschäftsleitern eine Mehrheitsposition innehaben, in den Schutzbereich des Ges. fallen (BGHZ 77, 94, 96 ff. = NJW 1980, 2254; BGHZ 77, 233, 236 ff. = NJW 1980, 2257; BGH NZG 2003, 327, 328; BeckOGK/Fleischer Rn. 55; KK-AktG/Cahn Rn. 42). Bei solchen Vorstandsmitgliedern sind Ansprüche auf rückständiges Gehalt im Insolvenzverfahren gem. § 7 I 1 BetrAVG ebenso bevorrechtigt wie die von AN (BGH NZG 2003, 327, 328 f.). Zur Abbedingung des BetrAVG vgl. Thüsing/Granetzny NZG 2010, 449 ff. 26

5. Fehlerhafte Anstellung. Anstellungsvertrag kann wie jedes Rechtsgeschäft von Wirksamkeitsmängeln betroffen sein (→ Rn. 12 zur fehlerhaften Bestellung). Spezifisch aktienrechtl. Mangel ist ungenügende Besetzung des Ausschusses (→ Rn. 15 f.). Ist Vertrag fehlerhaft, aber durch Aufnahme der Tätigkeit tats. in Vollzug gesetzt, so gilt entspr. zur Lehre vom fehlerhaften Bestellungsverhältnis (→ Rn. 12 f.) **Sonderrecht** des fehlerhaften Anstellungsvertrags. Danach ist Vertrag wirksam, bis er durch Kündigung oder Aufhebung endet (BGHZ 41, 282, 288 ff. = NJW 1964, 1367; BGHZ 65, 190, 195 = NJW 1976, 145; BGH NJW 1998, 3567; 2000, 2983 f.; OLG Frankfurt AG 2011, 790, 791; MüKoAktG/Spindler Rn. 294 ff.; Baums, Geschäftsleitervertrag, 1987, 153 ff., 195 ff.; Köhler NZG 2008, 161, 164 ff.). AG schuldet insbes. Vergütung einschließlich erdienter Versorgungsbezüge. 27

IV. Ernennung eines Vorsitzenden (§ 84 II)

28 **1. Vorstandsvorsitzender.** Gem. § 84 II kann AR Vorsitzenden des Vorstands ernennen, wenn Vorstand aus mehreren Personen besteht. Zulässig ist auch **Bestellung mehrerer Vorsitzender** (hM, s. zB BeckOGK/Fleischer Rn. 95; GK-AktG/Kort Rn. 116; S/L/Seibt § 77 Rn. 20a; Heinrich-Pendl AG 2023, 793 Rn. 1 ff.; krit. MüKoAktG/Spindler Rn. 123; abzugrenzen vom Job Sharing → Rn. 11b). Wortlaut legt dieses Verständnis nicht unbedingt nahe, steht ihm aber auch nicht zwingend entgegen, weil „ein" nicht nur als zahlenmäßige Beschränkung, sondern auch als unbestimmter Artikel gelesen werden kann, mit dem auf Notwendigkeit der Vorstandseigenschaft Bezug genommen wird (sa Heinrich-Pendl AG 2023, 793 Rn. 4 ff.). Ambivalenter sprachlicher Befund lässt Raum für Zweckmäßigkeitserwägungen, die namentl. im Anschluss an Verschmelzungen für Doppelspitze sprechen können. Historischem Gesetzgeber fehlte augenscheinlich Problembewusstsein, doch wollte er AR weitgehende Gestaltungsfreiheit bei Vorstandsorganisation einräumen (sa Bachmann FS Baums, 2017, 107, 112 ff.; Heinrich-Pendl AG 2023, 793 Rn. 7 ff.), was für Zulässigkeit einer Doppelspitze spricht. Doppelung zieht allerdings gesteigertes Koordinationsbedürfnis nach sich, das für Vorsitzende zugleich bes. Koordinationsverantwortung begründet (Heinrich-Pendl AG 2023, 793 Rn. 16 ff.). Erforderlich für Vorstandsbestellung ist stets **Beschluss des Gesamt-AR.** Delegation auf einen Ausschuss ist gem. § 107 III 7 ausgeschlossen. Für Bestellung zum Vorstandsmitglied entwickelte Grundsätze (→ Rn. 3 ff.) sind entspr. heranzuziehen; namentl. bedarf auch Ernennung zum Vorsitzenden seines Einverständnisses (→ Rn. 3; s. MüKoAktG/Spindler Rn. 124; MHdB AG/Hoffmann-Becking § 24 Rn. 2). Beschränkungen der Amtszeit ergeben sich aus den Regeln, die für Bestellung zum Vorstandsmitglied gelten (→ Rn. 6 f.). Auch wenn AG der **Mitbestimmung** unterliegt, beschließt AR mit einfacher Mehrheit. Das folgt aus § 29 MitbestG. Verfahren des § 31 MitbestG (→ Rn. 5) gilt nach zutr. hM nicht für Ernennung zum Vorstandsvorsitzenden (GK-AktG/Kort Rn. 117; Habersack/Henssler/Habersack MitbestG § 30 Rn. 8; Simons/Hanloser AG 2010, 641, 642; aA Krieger, Personalentscheidungen, 1981, 254). Unberührt bleibt Geltung des § 31 MitbestG für Bestellung zum Vorstandsmitglied, wenn diese mit Ernennung zum Vorsitzenden zusammenfällt (hM – s. MüKoAktG/Spindler Rn. 124 mwN; aA S/L/Seibt Rn. 44). Zur Abberufung → Rn. 49 ff.

29 **Rechtsstellung des Vorstandsvorsitzenden** hat Ges. nicht umfassend beschrieben (Überblick bei Simons/Hanloser AG 2010, 641, 642 ff.). Er ist auf Geschäftsbriefen zu bezeichnen (§ 80 I 2), ebenso im Anh. (§ 285 Nr. 10 S. 2 HGB); zur HR-Eintragung → § 81 Rn. 3. IÜ repräsentiert er Vorstand als Kollegialorgan, ist Sitzungsleiter und Koordinator der Vorstandsarbeit (vgl. Krieger, Personalentscheidungen, 1981, 244 ff.; T. Bezzenberger ZGR 1996, 661, 662 ff.). Satzung oder Geschäftsordnung können dem Vorsitzenden Recht zum Stichentscheid und nach herrschender, aber bedenklicher Auffassung auch Vetorecht geben, sofern AG nicht der Mitbestimmung unterliegt (→ § 77 Rn. 12 f.). In der Praxis ist Vorsitzender häufig für klassische Querschnittsressorts wie Controlling, Öffentlichkeitsarbeit, Unternehmensentwicklung und Personalpolitik für Führungskräfte zuständig (GK-AktG/Kort § 77 Rn. 51). Das heißt aber nicht, dass mit Vorstandsvorsitz zwangläufig höhere Überwachungspflichten ggü. anderen Ressorts verbunden sind (→ § 77 Rn. 15c). **CEO amerikanischen Vorbilds** mit umfassender Führungsrolle (v. Hein ZHR 166 [2002], 464 ff.) ist nur in dadurch bezeichneten Grenzen möglich. Insbes. gibt es keine Weisungsbefugnis des Vorsitzenden ggü. anderen Vorstandsmitgliedern (s. zB Ihrig/Schäfer Vorstand Rn. 487; Fleischer ZIP 2003, 1, 8). Für derartige Abschwächungen des

Kollegialprinzips gibt es auch keine überzeugenden rechtspolitischen Gründe (v. Hein ZHR 166 [2002], 464, 501; Hoffmann-Becking NZG 2003, 745, 750; Hüffer in Habersack/Bayer, Aktienrecht im Wandel, 2007, Kap. 7 Rn. 33). Gerade gegenläufig hat AktG 1965 in § 70 II AktG 1937 noch enthaltenes Alleinentscheidungsrecht des Vorsitzenden bewusst nicht übernommen, um Kollegialprinzip zu stärken (Simons/Hanloser AG 2010, 641). Bloße Bezeichnung als CEO im int. Verkehr ist unbedenklich (GK-AktG/Kort § 77 Rn. 52; sa → § 76 Rn. 8).

2. Zur Abgrenzung: Vorstandssprecher. Es liegt iRd **Geschäftsordnungskompetenz** des AR und subsidiär des Vorstands nach § 77 II 1, dass AG einen oder mehrere Sprecher hat, wenn AR keinen Vorstandsvorsitzenden bestellt (MHdB AG/Wiesner AG § 24 Rn. 4; Krieger, Personalentscheidungen, 1981, 255 ff.; Simons/Hanloser AG 2010, 641, 642). Rechtsstellung des Sprechers ist ges. nicht umschrieben. Es ist Sache der Geschäftsordnung, nicht nur Funktion zu schaffen, sondern auch Einzelbefugnisse festzulegen. Gestaltungsgrenzen ergeben sich daraus, dass Sprecher nicht zum tats. Vorsitzenden werden darf (vgl. GK-AktG/Kort § 77 Rn. 57: Sprecher als „Minus" zum Vorsitzenden). Unbedenklich sind Sitzungsleitung, Federführung ggü. AR, Repräsentation und Verkehr mit Aufsichtsämtern; nicht zulässig ist dagegen sachliche Führung der Vorstandsarbeit (Hoffmann-Becking ZGR 1998, 497, 517; Simons/Hanloser AG 2010, 641, 644 ff.). 30

V. Recht des Vorstandsmitglieds auf zeitweisen Widerruf der Bestellung (§ 84 III)

1. Allgemeines. § 84 III wurde eingeführt durch FüPoG II 2021 und regelt Recht eines Vorstandsmitglieds auf Widerruf seiner Bestellung und Neubestellung. Regelung war im ursprünglichen RegE 19/26689 noch nicht enthalten, sondern wurde nach medienwirksamer Kampagne #stayonboard (vgl. dazu Möslein/de Raet NZG 2021, 897 f.; Ph. Scholz AG 2021, 9 Rn. 1 ff.) aufgrund der Beschlussempfehlung FamAusschuss BT-Drs. 19/30514, 20 ff. ergänzt. Ausschussempfehlung wurde ohne Änderung in finalen Gesetzestext übernommen (Seibt AG 2021, 733 Rn. 5). Ziel des Ges. ist es, in abschließend aufgezählten Fällen vorübergehender persönlicher Verhinderung (maßgeblicher Ursprungsfall: Schwangerschaft) eine **Mandatspause** zu ermöglichen, zugleich aber fortdauernde Zugehörigkeit langfristig zu sichern, ohne Organmitglieder in diesem Zwischenstadium aber mit **Pflichten und Haftungsrisiken** zu belasten. Ges. Lösung besteht in vorübergehendem Aufhebungsanspruch, kombiniert mit späterem Wiedereinstellungsanspruch. 31

Ob es zur Umsetzung dieses Anliegens ges. Regelung bedurft hätte, war umstr. (zweifelnd etwa Apfelbacher et al. NZG 2020, 1281 ff.; Seibt/Klausmann AG 2021, 169 Rn. 1 ff.), doch ist Diskussion spätestens mit ges. Regelung obsolet. Interessant kann allenfalls bleiben, welche **alternativen Wege** jenseits des Widerrufs möglich bleiben, um zeitweise Verhinderung auch innerhalb des fortbestehenden Amtes zu überbrücken (vgl. dazu Apfelbacher et al. NZG 2020, 1281 ff.). Solche Alternativgestaltungen (zB einvernehmliche Dienstaufhebung oÄ; → Rn. 77 ff.) werden durch § 84 III nicht gesperrt und erlauben in anderen als den in § 84 III 2 geregelten Sachverhalten (zB Sabbatical) ebenfalls Mandatspause (vgl. Seibt AG 2021, 733 Rn. 33). Für die in § 84 III 2 geregelten Lebenssachverhalte ist größere Klarheit für Betroffene aber durchaus zu begrüßen (de Raet/Möslein NJW 2021, 2920 Rn. 56; aA Apfelbacher et al NZG 2020, 1281 ff.). 32

2. Anwendungsbereich und Fallgruppen. § 84 III gilt für **jede AG,** ohne Rücksicht auf Börsennotierung oder Mitbestimmung. Erfasst ist aber nur Vor- 33 stand; Erstreckung auf AR wurde als nicht erforderlich angesehen, da AR-Amt nicht als Vollzeitjob konzipiert ist (→ § 100 Rn. 5; Hirte BT-Plenarprotokoll 19/234, 30307), und überdies mit Blick auf Mitbestimmung problematisch sein kann (de Raet/Möslein NJW 2021, 2920 Rn. 14; sa Ph. Scholz AG 2021, 9 Rn. 28; krit. ggü. Ausschluss aber Seibt AG 2021, 733 Rn. 34 ff.). Auch **KGaA** ist nicht erfasst, da Vorstandsposition hier von persönlich haftenden Gesellschaftern übernommen wird (Backhaus AG 2021, 653 Rn. 45 ff.; Ausn.: Komplementärgesellschaft in atypischer AG & Co. KGaA). Weitere Voraussetzung ist, dass Vorstand aus **mehreren Personen** besteht; anderenfalls muss AG Möglichkeit zur dauerhaften und nicht nur temporären Neubesetzung haben.

34 Nach § 84 III 1 hat Vorstandsmitglied in Fällen des Mutterschutzes iSd MuSchG, der Elternzeit iSd § 15 BEEG, der Pflege eines Familienangehörigen iSd § 3 I 1 V 1, VI 1 PflegeZG oder Krankheit ein **Recht auf zeitweisen Widerruf,** dh Aussetzung der Bestellung (zu den in Bezug genommenen Referenzgesetzen vgl. FamAusschuss BT-Drs. 19/30514, 20). Darlegungs- und Beweislast, dass einer dieser Fälle gegeben ist, liegt beim Vorstandsmitglied (FamAusschuss BT-Drs. 19/30514, 21). Ges. bestimmt Kreis der Angehörigen bei Pflege nicht genauer. Um Besserstellung ggü. AN zu verhindern, bietet sich Rückgriff auf PflegeZG an (Oetker FS Henssler, 2023, 1122, 1128). Auch Begriff der **Krankheit** wird in Beschlussempfehlung nicht definiert, in Anlehnung an sozialversicherungsrechtl. Begrifflichkeit aber als regelwidriger Körper- oder Geisteszustand umschrieben, der ärztliche Behandlung erforderlich macht und/oder Arbeitsunfähigkeit hervorruft (Seibt AG 2021, 733 Rn. 16). Nachw. wird idR durch ärztliches Attest erfolgen, wobei mit Blick auf Entscheidungsspielräume des AR (→ Rn. 44 ff.) anders als bei AN auch Mitteilung über Art der Erkrankung erfolgen sollte (Bürk/Wentz Konzern 2022, 177, 183; de Raet/Möslein NJW 2021, 2090 Rn. 22). Entgegen missverständlichem Wortlaut ist Unfähigkeit, Pflichten zu erfüllen, nur bei Krankheit erforderlich. In anderen Situationen besteht Anspruch unabhängig von diesem Erfordernis (Oetker FS Henssler, 2023, 1122, 1126 ff.).

35 Beschlussempfehlung FamAusschuss BT-Drs. 19/30514, 20 f. betont ausdr., dass Lebenssachverhalte, wie sie in den in Bezug genommenen Gesetzen umschrieben werden, grds. auch **Leitbild der gesellschaftsrechtl. Regelung** sind, diese Anlehnung aber eigenständigen gesellschaftsrechtl. Charakter unberührt lässt. Insbes. soll damit Stellung des Vorstandsmitglieds nicht generell derjenigen eines AN angenähert oder gar gleichgestellt werden. Stattdessen wird bekräftigt, dass Stellung nicht der eines AN, sondern der eines Unternehmers entspr., so dass **Gleichsetzung mit AN** nur dort vollzogen werden kann, wo tats. **Ähnlichkeiten erkennbar** werden. In dieser Klarstellung dürfte auch der Grund liegen, warum Gesetzgeber von unmittelbarer Bezugnahme auf diese Vorschriften abgesehen und sich mit Aufzählung in Gesetzesmaterialien begnügt hat (de Raet/Möslein NJW 2021, 2090 Rn. 21). Recht des Vorstandsmitglieds zur endgültigen Amtsniederlegung (→ Rn. 79 ff.) wird durch Neuregelung nicht berührt (FamAusschuss BT-Drs. 19/30514, 21).

36 **3. Konkrete juristische Ausgestaltung.** § 84 III 1 begründet zunächst **Widerrufsanspruch** des Vorstandsmitglieds. AR muss Widerruf in angemessen kurzer Zeit vornehmen (FamAusschuss BT-Drs. 19/30514, 21), aber erst mit Widerruf selbst endet Organstellung. Entscheidung erfolgt durch Beschlussfassung als Gesamtorgan nach § 108 (keine Delegation auf Ausschuss, vgl. § 107 III 7; sa Selter ZIP 2021, 2418, 2424), und zwar idR mit einfacher Mehrheit, bei mitbestimmter AG mit qualifiziertem Mehrheitsbeschluss nach § 31 II, V MitbestG (→ Rn. 52); konkludente Duldung genügt nicht (Einzelheiten bei Seibt AG 2021, 733 Rn. 10). Charakter der Abberufung iSd § 84 III in Abgrenzung zu

Abberufung nach § 84 IV muss in Widerruf deutlich zum Ausdruck kommen (de Raet/Möslein NJW 2021, 2920 Rn. 33). **Verweigert AR Widerruf,** kann Vorstand Amt niederlegen, erhält dann aber Anspruch auf Wiederbestellung (de Raet/Möslein NJW 2021, 2920 Rn. 34).

Materieller Kern des § 84 III ist nicht in § 84 III 1 geregelter Widerrufsanspruch, sondern in § 84 III 2 statuierter **Anspruch auf Wiederbestellung** nach jew. einschlägigem Zeitraum (→ Rn. 43 ff.). Zusicherung der Wiederbestellung muss schon in Abberufungsbeschluss enthalten sein (FamAusschuss BT-Drs. 19/30514, 21). Um Normzweck zu sichern, ist Widerruf ohne Zusicherung unwirksam (Oetker FS Henssler, 2023, 1122, 1133). Wiederbestellung kann sodann in der Weise erfolgen, dass Vorstandsmitglied nach Ablauf des in § 84 III 2 oder 3 genannten Zeitraums (→ Rn. 43 ff.) neu bestellt wird oder dass Neubestellung bereits zeitgleich mit dem Widerruf aufschiebend auf den Ablauf des Zeitraums befristet erfolgt (FamAusschuss BT-Drs. 19/30514, 21). **Zeitliche Grenzen des § 84 I 3** müssen dabei nicht beachtet werden, da Wiederbestellung iSd § 84 III nicht als wiederholte Bestellung iSd § 84 I 2 zu verstehen ist; Amtszeit wird nicht neu begründet, sondern lediglich vor Auszeit begonnene Amtszeit fortgeführt (Selter ZIP 2021, 2418, 2422). Sinn und Zweck des § 84 I 3, dauerhafte vertragliche Bindung zu verhindern sowie regelmäßige Befassung des AR sicherzustellen (→ Rn. 8), wird auch bei Beschlussfassung, die über ein Jahr vor Wirksamwerden der Wiederbestellung erfolgt, nicht berührt. **Entfallen** kann einmal entstandener Anspruch allenfalls, wenn mittlerweile in Person des zu Bestellenden Gründe vorliegen, die Neubestellung zwingend entgegengestanden hätten (zB Ausschlussgründe des § 76 III 2, schwere persönliche Verfehlungen oder Wegfall der Eignung; vgl. de Raet/Möslein NJW 2021, 2920 Rn. 43; Seibt AG 2021, 733 Rn. 31 f.). Dass Recht auf Mandatspause nicht als einseitiges Recht zur Amtsniederlegung, sondern als **doppelter Anspruch** auf Widerruf und Neubestellung im mehrstufigen Verfahren ausgestaltet wurde, erscheint auf den ersten Blick unnötig umweghaft, erweist sich bei genauerer Analyse aber als tats. vorzugswürdige Gestaltung, um für alle Beteiligten rechtssichere Verhältnisse zu gewährleisten (Seibt AG 2021, 733 Rn. 7). 37

Aus Transparenzgründen findet auf Widerruf und Neubestellung **§ 81** Anwendung (FamAusschuss BT-Drs. 19/30514, 21); bes. Charakter der Abberufung nach § 84 III muss im HR aber nicht zum Ausdruck kommen (de Raet/Möslein NJW 2021, 2920 Rn. 44). Auch **Grund für Abberufung** wird nicht genannt (Seibt AG 2021, 733 Rn. 14). Ggf. kann sich aber aus Art. 17 I MAR weitere Veröffentlichungspflicht ergeben (idR aber keine Kursrelevanz iSd Art. 7 I MAR – vgl. de Raet/Möslein NJW 2021, 2920 Rn. 45). 38

Abberufung lässt **Anstellungsvertrag** grds. unberührt; Bestellungswiderruf kann nicht in konkludente Kündigung umgedeutet werden (Denninger AG 2022, 230 Rn. 5; Dörrwächter NZG 2022, 195, 201; Seibt AG 2021, 733 Rn. 8, 28). **Koppelungsklausel** kann – sofern in konkreter Ausgestaltung zulässig (→ § 84 Rn. 88) – auch zur Umsetzung einer Mandatspause genutzt werden, und zwar ohne dass sonst geltende entspr. Anwendung des § 622 BGB (BGH NJW 1989, 2683 f.) beachtet werden müsste (Denninger AG 2022, 230 Rn. 9 ff.; aA Bürk/Wentz Konzern 2022, 177, 186; Oetker FS Henssler, 2023, 1122, 1136: zeitweiser Widerruf idR im Auslegungswege ausgeschlossen). Für Neuabschluss ist dann **Kontrahierungszwang** der AG anzunehmen (Denninger AG 2022, 230 Rn. 14; Oetker FS Henssler, 2023, 1122, 1136 f.), doch kann Neuabschluss in Konflikt mit Vorgaben des § 87a und Kodexempfehlungen geraten, was ggf. einvernehmliches Ruhen des Vertrages nahelegen kann (Denninger AG 2022, 230 Rn. 15 ff.). Ohne vertragl. Regelung gilt EFZG für Vorstandsmitglied mangels AN-Eigenschaft nicht. Vielmehr ist § 326 I 1 BGB einschlägig, weil Vorstandsmitglied mangels Organstellung dienstvertragl. Pflichten nicht nachkommen kann (Bürk/Wentz 39

Konzern 2022, 177, 186; Oetker FS Henssler, 2023, 1122, 1137; Seibt AG 2021, 733 Rn. 29). Vorstandsmitglied und AR können davon aber auch insofern abw. Regelung treffen, etwa indem Dienstvertrag vorübergehend suspendiert oder Freistellung vereinbart wird (Dörrwächter NZG 2022, 195, 201; Kocher DB 2022, 104, 107). Grds. soll es auch für die Zeit des Widerrufs der Bestellung möglich sein, dass Anstellungsvertrag zusätzlich beibehalten wird, so dass Vorstandsmitglied für diese Phase Teil seiner Vergütung behält (FamAusschuss BT-Drs. 19/30514, 21; sa Selter ZIP 2021, 2418, 2424), doch ist solche **freiwillige Zahlung** nach Grundsätzen der Mannesmann-Entscheidung (→ § 87 Rn. 19 ff.) nur zulässig, sofern damit zukunftsbezogener Nutzen für AG verbunden ist (Denninger AG 2022, 230 Rn. 29 ff.; großzügiger Bürk/Wentz Konzern 2022, 177, 187; ausf. zu unterschiedlichen Gestaltungen C. Arnold/Romero/Hofer ZIP 2021, 2605, 2607 ff.). Zweckmäßig dürfte es sein, solche Eventualitäten vorausschauend schon in ursprünglichen Anstellungsvertrag aufzunehmen (Dörrwächter NZG 2022, 195, 201; Seibt AG 2021, 733 Rn. 28; zur Einbindung in Vergütungssystem nach § 87a vgl. Denninger AG 2022, 230 Rn. 32 ff.).

40 Primäres Ziel der Mandatspause ist, dass **Pflichten des betroffenen Vorstandsmitglieds temporär aufgehoben** werden (auch Insolvenzantragspflicht ist erfasst, vgl. Bürk/Wentz Konzern 2022, 177, 185 f.; aA Grolig/Hausner DB 2021, 2285, 2289). Spiegelbildlich erlöschen auch mit Vorstandsposition verbundene Rechtspositionen, doch wird es AR gestattet, Vorstandsmitglied für Zeitraum der Auszeit **bestimmte Rechte einzuräumen,** die Wiedereinstieg erleichtern, etwa Zugang zu Informationen, Einsichtnahme in E-Mails oder Zugang zu Geschäftsräumen (FamAusschuss BT-Drs. 19/30514, 21). Soweit das zwingend erforderlich ist, um nach Wiederbestellung Organtätigkeit ordnungsgem. auszuüben, folgt aus nachwirkender Treupflicht entspr. Anspruch, darüber hinausgehend lediglich optionale Gestaltungsmöglichkeit (Oetker FS Henssler, 2023, 1122, 1133 f.). Werden Informationen weitergegeben, wirkt korrespondierend auch Verschwiegenheitspflicht des Vorstandsmitglieds fort (Bürk/Wentz Konzern 2022, 177, 185). Auch iRd Mandatspause wird AG von AR vertreten (Bürk/Wentz Konzern 2022, 177, 185). Etwas sibyllinisch verweist Beschlussempfehlung FamAusschuss BT-Drs. 19/30514, 21 darauf, dass die Beteiligten in jedem Einzelfall daraus resultierende **Haftungsrisiken** prüfen sollten. Ob damit impliziert wird, dass Rechtsbegründung durch AR trotz dieser Gestattung pflichtwidrig, etwa nach § 93 I 3, sein kann, erschließt sich nicht klar. Praxis sollte von dieser Möglichkeit deshalb nur zurückhaltend Gebrauch machen. IÜ besteht zwischen AG und zeitweise abberufenem Vorstandsmitglied **organschaftliches Sonderverhältnis,** das durch vor- und nachwirkende Treu- und Fürsorgepflichten geprägt ist und Vorstandsmitglied namentl. auch zur rechtzeitigen Information verpflichtet, wenn es sich entscheidet, von Wiedereinstellungsanspruch keinen Gebrauch zu machen (Bürk/Wentz Konzern 2022, 177, 185). Wiedereinarbeitungszeit ist nicht anzuerkennen, wenn man sie mit hM selbst neu eingestelltem Vorstandsmitglied verwehrt (→ § 84 Rn. 9; Dörrwächter NZG 2022, 195, 201).

41 § 84 III begründet Anspruch, aber **keine Pflicht,** davon Gebrauch zu machen (Seibt AG 2021, 733 Rn. 7). Erweist sich Hinderungsgrund (zB Krankheit) allerdings als so gravierend, dass ohne Mandatspause keine ordentliche Pflichterfüllung mehr möglich ist, bleibt AR Abberufung nach allg. Grundsätzen möglich (→ Rn. 49 ff.). In diesem Fall muss betroffenem Vorstandsmitglied aber iR einer **Anhörung** Möglichkeit gegeben werden, Abberufung noch durch Ersuchen nach § 84 III zuvorzukommen (de Raet/Möslein NJW 2021, 2920 Rn. 30).

42 **4. Verfahrenseinleitung.** Eingeleitet wird Verfahren durch **formloses Ersuchen** des Vorstandsmitglieds, das unter Angabe von Widerrufszeitraum und

-grund an AR zu richten ist, wobei nach allg. Grundsätzen der Passivvertretung nach § 112 I 2 iVm § 78 II 2 Antrag ggü. einzelnem AR-Mitglied genügt (de Raet/Möslein NJW 2021, 2920 Rn. 26; Seibt AG 2021, 733 Rn. 10). Aus Dokumentationsgründen ist mindestens Textform ratsam, aber nicht zwingend (de Raet/Möslein NJW 2021, 2920 Rn. 27). Ges. sieht **keine Vorankündigungsfrist** vor, Vorstandsmitglied ist aber gehalten, Antrag möglichst rechtzeitig zu stellen, um AR flexible Reaktion zu erlauben (Bürk/Wentz Konzern 2022, 177, 184; de Raet/Möslein NJW 2021, 2920 Rn. 29). Voraussetzung ist, dass maßgeblicher Lebenssachverhalt (→ Rn. 43 ff.) bereits eingetreten ist bzw. – im Fall des Mutterschutzes oder der Elternzeit – mit Sicherheit absehbar ist (de Raet/Möslein NJW 2021, 2920 Rn. 29; Seibt AG 2021, 733 Rn. 9).

5. Lebenssachverhalte und Freistellungsanspruch. Nach § 84 III 2 Nr. 1 besteht Widerrufsrecht nach § 84 III 1 im **Falle des Mutterschutzes** für Zeitraum der in § 3 I, 2 MuSchG enthaltenen Schutzfristen, was zu Regelzeitraum zwischen Widerruf und zugesicherter Wiederbestellung von 14 Wochen führt (FamAusschuss BT-Drs. 19/30514, 20). Bei Verlängerung/Verkürzung der Schutzfrist gem. § 3 I 4, II 2 MuSchG ist Widerrufsbeschluss entspr. anzupassen (Selter ZIP 2021, 2418, 2419 f.). AR muss Bestellung ohne weitere Abwägung zwingend widerrufen, ohne wichtigen Grund entgegenhalten zu können (FamAusschuss BT-Drs. 19/30514, S. 20). Unzulässig ist es, Höchstfristen des § 84 III 2 durch **mehrmalige Antragstellungen** zu vervielfachen; nur bei Vorliegen unterschiedlicher Gründe (zB erneute Schwangerschaft oder Krankheit nach vorheriger Schwangerschaft) ist auch mehrfache Inanspruchnahme denkbar (C. Arnold/Romero/Hofer ZIP 2021, 2605, 2607; de Raet/Möslein NJW 2021, 2920 Rn. 31 f.; Seibt AG 2021, 733 Rn. 16). **43**

In Fällen der Elternzeit, der Pflege oder der Krankheit (zur Begrifflichkeit → Rn. 34) ist Widerrufsanspruch des Vorstandsmitglieds auf Zeitraum von **bis zu drei Monaten** beschränkt; Dauer der „Auszeit" innerhalb dieser Grenze bestimmt sich nach Verlangen des Vorstandsmitglieds und muss nicht notwendig nach Monaten oder Wochen bemessen sein. Mindestzeitraum ist nicht vorgesehen, doch wird überzeugend aus organschaftlicher Treupflicht (→ Rn. 10 f.) abgeleitet, dass Zeitraum von einem Monat grds. nicht unterschritten werden darf, um AG nicht mit unverhältnismäßigem Aufwand zu belasten (de Raet/Möslein NJW 2021, 2920 Rn. 20; großzügiger Bürk/Wentz Konzern 2022, 177, 184; für eine Pflicht bei absehbar kürzerer Krankheit, Zeitraum unter drei Monaten zu verlangen Selter ZIP 2021, 2418, 2420). Auch hier muss AR grds. Widerruf vornehmen, kann aber **wichtigen Grund entgegenhalten,** namentl. wenn Widerruf zur Unzeit (Vielzahl wichtiger Entscheidungen, Unternehmenskrise, Fachkunde des Antragstellers, geringe Personalstärke, Belastungsspitzen) Schaden für AG befürchten lässt (FamAusschuss BT-Drs. 19/30514, 20; Seibt AG 2021, 733 Rn. 17; für eine Interessenabwägung Selter ZIP 2021, 2418, 2421). Maßgeblich ist **Zeitpunkt** der ursprünglichen Entscheidung; spätere Veränderungen (zB Unternehmenskrise) können keine Korrektur, etwa in Gestalt einer Aufforderung zur vorzeitigen Rückkehr, rechtfertigen (de Raet/Möslein NJW 2021, 2920 Rn. 41 f. mit Hinweis auf abw. Beurteilung, wenn Grund für Freistellung endet, etwa durch vorzeitige Gesundung des Erkrankten oder Tod des zu pflegenden Familienangehörigen). **44**

Entscheidung daüber, ob bei Vorliegen eines wichtigen Grundes vom Widerruf der Bestellung abgesehen wird, liegt nach Beschlussempfehlung FamAusschuss BT-Drs. 19/30514, 20 im **Ermessen des AR,** der also keinen Beurteilungsspielraum hinsichtlich des wichtigen Grundes hat, sondern nur Ermessen, wie er darauf reagieren will (zust. Bürk/Wentz Konzern 2022, 177, 184). Bei Ermessensausübung sollte nicht nur Belastung der AG durch Wegfall der Arbeitskraft, **45** sondern auch **positive Wirkung** auf Unternehmenskultur und -reputation berücksichtigt werden, die zu erwarten ist, wenn auf berechtigte Belange der Beschäftigten auch auf Führungsebene entgegenkommend reagiert wird; Festlegung entsprechender Richtlinien in allg. Personal- und Diversitätspolitik, aber auch in Anstellungsverträgen ist möglich (Seibt AG 2021, 733 Rn. 12 f.). Im Falle der **Ablehnung** soll AR schriftlich begründen, aus welchem wichtigen Grund dem Wunsch nicht entsprochen wurde (FamAusschuss BT-Drs. 19/30514, 20). AR kann konkretem Ersuchen stattgeben oder es ablehnen, kann aber nicht vom Vorstandsmitglied erbetenen Zeitraum einseitig verkürzen (de Raet/Möslein NJW 2021, 2920 Rn. 37).

46 Verlangt Vorstandsmitglied in Fällen der Elternzeit, der Pflege oder der Krankheit Widerruf der Bestellung über einen **Zeitraum über drei Monate** hinaus, liegt es nach **§ 84 III 3** allein im Ermessen des AR, Widerruf der Bestellung vorzunehmen. In diesem Fall ist kein wichtiger Grund anzuführen, sondern AR behält vollständige Entscheidungskompetenz. Er hat Entscheidung nach pflichtgem. Ermessen zu treffen und dabei insbes. auch Fürsorgepflicht ggü. Vorstandsmitglied im Lichte dessen konkreter Lebenssituation zu berücksichtigen (de Raet/Möslein NJW 2021, 2920 Rn. 23). Ermessensleitende Aspekte entspr. den in → Rn. 44 f. genannten, wobei dort Ermessensausübung nur gestattet ist, wenn wichtiger Grund für Versagung der Mandatspause spricht, dann aber naturgem. auch schon Ablehnung des Ersuchens nahelegt. IRd § 84 III 3 ist wichtiger Grund weder als Voraussetzung der Ermessensausübung noch als gewichtender Faktor in der Abwägung zu berücksichtigen.

47 **Obergrenze** für Auszeit sind in diesem Fall zwölf Monate (FamAusschuss BT-Drs. 19/30514, 20). Auch jenseits dieser Grenze ist einvernehmliche Suspendierung möglich (de Raet/Möslein NJW 2021, 2920 Rn. 24 f.). **§ 84 III 4** legt fest, dass **ursprünglich vorgesehenes Ende** der vorherigen Amtszeit auch als Ende der Amtszeit nach Wiederbestellung bestehen bleibt. Gesamtbestellungsdauer kann sich daher verkürzen (FamAusschuss BT-Drs. 19/30514, 21). Dem Rechtsgedanken dieser Vorschrift entspr. es – obwohl ges. nicht geregelt – Verlängerung auch dann abzulehnen, wenn vom Vorstandsmitglied verlangter temporäre Bestellungswiderruf über vorgesehenes Ende der Amtszeit hinausreichen würde (Seibt AG 2021, 733 Rn. 20). Soll Amtszeit zu späterem Zeitpunkt enden, ist Neubestellung erforderlich. Darauf besteht allerdings kein Anspruch aus Zusicherung der Wiederbestellung (Oetker FS Henssler, 2023, 1122, 1135). **§ 84 III 5** stellt klar, dass auch die übrigen Regelungen zur Amtszeit in § 84 I unberührt bleiben.

48 **6. Zahl der Vorstandsmitglieder und Wettbewerbsverbot. § 84 III 6 und 7** regeln Situation, dass sich aus Ges. oder Satzung für **Zahl der Vorstandsmitglieder** bes. Mindestanforderungen ergeben. Solche Vorgaben werden durch § 84 III 6 und 7 gewissermaßen zeitweilig suspendiert (Seibt AG 2021, 733 Rn. 21: „Fiktionsregelung"). AG kann in diesem Fall neues Vorstandsmitglied bestellen, aber Aufgaben können auch kommissarisch von anderen Mitgliedern übernommen werden (FamAusschuss BT-Drs. 19/30514, 21; Selter ZIP 2021, 2418, 2425 f. mw Gestaltungsvorschlägen). Macht Arbeitsdirektor von Recht aus § 84 III 1 Gebrauch, muss allerdings neuer Arbeitsdirektor bestellt werden (FamAusschuss BT-Drs. 19/30514, 21). Regelung des § 84 III 6 und 7 wirkt sich auch auf **Geschäftsführung und Vertretung** aus, die ansonsten weder in Ges. noch RegBegr. weiter problematisiert werden. Einzelheiten hängen von bisheriger Gestaltung ab: Galt bislang Gesamtgeschäftsführung, setzt sich diese idR bei verbliebenen Mitgliedern fort und wird bei zweiköpfigem Vorstand zur Einzelgeschäftsführungsbefugnis; etwaige Einzelgeschäftsführungsbefugnis des Ausscheidenden für best. Ressort verlagert sich auf Gesamt-Vorstand (Dörrwächter NZG

2022, 195, 196 f.). Ebenso setzt sich Gesamtvertretungsbefugnis bei verbliebenen Mitgliedern fort und wandelt sich im zweiköpfigen Vorstand zur Einzelvertretungsbefugnis, und zwar im letztgenannten Fall auch dann, wenn Satzung oder von AR erlassene Vertretungsordnung Gesamtvertretungsbefugnis ausdr. bekräftigt (ausf. Dörrwächter NZG 2022, 195, 197 ff., der aus Gründen kautelarjur. Vorsicht dennoch vorübergehende Bestellung eines neuen Vorstandsmitglieds, ggf. nach § 105 II, empfiehlt). In diesem Fall intensiviert sich Überwachungsaufgabe des AR (Dörrwächter NZG 2022, 195, 199). Zeitweilig suspendiert werden nach **§ 84 III 8** darüber hinaus die durch FüPoG II ebenfalls neu eingeführten Vorgaben zu bestimmter **geschlechtlicher Besetzung** nach § 76 IIIa (→ § 76 Rn. 153 ff.) und § 393a II Nr. 1 (→ § 393a Rn. 1 ff.). **§ 84 III 9** ordnet für Zeitraum der Auszeit Geltung des Wettbewerbsverbots nach § 88 an. Entspr. Ansinnen des Vorstandsmitglieds, Wettbewerbstätigkeit zu gestatten, würde allerdings Zweck der Auszeit konterkarieren und deshalb grds. zu deren Verweigerung führen müssen (Selter ZIP 2021, 2418, 2422).

VI. Widerruf der Bestellung (§ 84 IV)

1. Allgemeines. a) Überblick. § 84 IV 1–4 regelt Widerruf der **Bestellung** zum Vorstandsmitglied (→ Rn. 3 ff.) und der Ernennung zum **Vorstandsvorsitzenden** (→ Rn. 28 f.). Für letztgenannten Fall gelten Erl. in → Rn. 50 ff. mit der Maßgabe entspr., dass (1.) auf Unzumutbarkeit der Amtsführung als Vorsitzender abzustellen ist (→ Rn. 53 ff.) und (2.) in mitbestimmten Gesellschaften Mehrheitsbeschluss nach § 108 genügt. Verfahren des § 31 MitbestG (→ Rn. 5, 52) braucht wie bei Ernennung gem. § 29 MitbestG nicht eingehalten zu werden. § 84 IV 5 verweist für **Anstellungsvertrag** auf §§ 611 ff. BGB. Dessen außerordentliche Kündigung richtet sich nach § 626 BGB (→ Rn. 85 ff.). Nicht geregelt sind Suspendierung (→ Rn. 75 f.), einvernehmliche Dienstbefreiung (→ Rn. 77 ff.), Amtsniederlegung (→ Rn. 87 ff.) und einvernehmliches Ausscheiden (→ Rn. 83). Widerruf der Vorstandsbestellung wird zT durch **aufsichtsrechtl. Vorgaben** (→ § 76 Rn. 178 ff.) überlagert – vgl. etwa § 36 I KWG, wonach BaFin Abberufung der verantwortlichen Geschäftsleiter verlangen und sogar Tätigkeitsverbot aussprechen kann (ähnlich § 40 KAGB, § 303 VAG). Zu diesem Zweck werden der Aufsichtsbehörde strafrechtl. Verfehlungen nach § 60a III 1 KWG angezeigt (ähnlich § 122 V WpHG, § 340 III KAGB, § 334 III VAG). Zur Anwendung des AGG → § 76 Rn. 150 ff. 49

b) Begriff und Verfahren. Widerruf ist Gegenstück der Bestellung und zielt auf **Beseitigung der korporationsrechtl. Organstellung** ab. Der Trennungstheorie (→ Rn. 2) entspr. es, dass Widerruf als solcher nach § 84 IV 5 nicht auch das Anstellungsverhältnis beendet (ganz hM, s. öOGH AG 1996, 39, 41; OLG Düsseldorf AG 2012, 511, 512; KK-AktG/Cahn Rn. 134; MüKoAktG/Spindler Rn. 160; aA folgerichtig Baums, Geschäftsleitervertrag, 1987, 290 ff., 295 ff.). Im Widerruf kann jedoch **schlüssige Erklärung einer außerordentlichen Kündigung** liegen (BGHZ 12, 337, 340 = NJW 1954, 799; BGHZ 18, 334 = NJW 1955, 1917; beide zur konkludenten Beschlussfassung über die Kündigung). Diese Auslegung wird – auch im Hinblick auf § 626 II BGB – idR angezeigt sein, wenn AG zur Behandlung des Anstellungsverhältnisses keine andere Erklärung abgibt (KK-AktG/Cahn Rn. 134). 50

Zuständigkeit für Widerruf liegt beim AR (§ 84 IV 1). Er muss wie bei Bestellung (→ Rn. 3) gem. § 108 beschließen und seinen Willen erklären. Erforderlich ist **Beschluss des Gesamt-AR** (§ 107 III 7). Vorherige Anhörung des Vorstands ist nicht erforderlich (BGH NZG 2017, 261 Rn. 18; zur Aus- 51 nahme bei Abberufung auf Verdacht → Rn. 61; für weitere Ausn. bei nicht näher begründetem Vertrauensentzug [→ Rn. 64] Graewe/von Harder NZG 2020, 926 ff.). **Erklärung** wird erst mit Zugang wirksam (§ 130 I 1 BGB; ausf. OLG Frankfurt NZG 2015, 1112 Rn. 70 ff.). AR kann eines seiner Mitglieder, bes. seinen Vorsitzenden, zur Abgabe der Erklärung bevollmächtigen (OLG Düsseldorf AG 2012, 511; MüKoAktG/Spindler Rn. 164). Wird Bevollmächtigung in Satzung klargestellt, kann § 174 BGB nicht entgegengehalten werden (OLG Düsseldorf AG 2012, 511; OLG Frankfurt NZG 2015, 514 Rn. 13). Vorstand kann als Erklärungsbote tätig werden (BGHZ 12, 327, 334 = NJW 1954, 797; OLG Stuttgart AG 2003, 211, 212; KK-AktG/Cahn Rn. 139; MüKoAktG/Spindler Rn. 164), doch sollte AR diesen Weg nicht wählen, weil er sich damit vom Erklärungsverhalten des Vorstands abhängig macht. Fehlt Beschluss, so hilft auch Erklärung nichts; Widerruf ist unwirksam. Dasselbe gilt, wenn entgegen § 107 III 7 ein Ausschuss beschlossen haben sollte.

52 In **mitbestimmten Gesellschaften** ist Verfahren des § 31 MitbestG einzuhalten (§ 31 V MitbestG; paradigmatisch OLG Frankfurt NZG 2015, 514 Rn. 9 ff.). Konflikt zwischen Zweiwochenfrist des § 626 II BGB und Monatsfrist des § 31 III 1 MitbestG ist dahin aufzulösen, dass erstgenannte Frist bis zum Abschluss des mehrstufigen Widerrufsverfahrens nicht zu laufen beginnt (str.; wie hier BeckOGK/Fleischer Rn. 104; MüKoAktG/Spindler Rn. 162; Thüsing in Fleischer VorstandsR-HdB § 5 Rn. 4; Krieger, Personalentscheidungen, 1981, 180; Martens FS Werner, 1984, 495, 510; aA LG Ravensburg EWiR 1985, 415; GK-AktG/Kort Rn. 524; KK-AktG/Cahn Rn. 203; Habersack/Henssler/Habersack MitbestG § 31 Rn. 33). § 626 II BGB gilt aber nur für Kündigung der Anstellung, nicht für Widerruf der Bestellung; hier kommt allenfalls Verwirkung in Betracht (OLG Frankfurt NZG 2015, 514 Rn. 15 f.).

53 **2. Widerrufsgründe. a) Wichtiger Grund.** Widerruf bedarf ohne Ausnahme (KK-AktG/Cahn Rn. 148) eines wichtigen Grundes (§ 84 IV 1). Ges. will damit Abhängigkeit der Vorstandsmitglieder vermeiden, die ihrer eigenverantwortlichen Leitungsfunktion (§ 76 I) nicht entspräche (RegBegr. Kropff S. 106; OLG Frankfurt NZG 2015, 514 Rn. 20). Wichtiger Grund liegt vor, wenn Fortsetzung des Organverhältnisses bis Ende der Amtszeit **für AG unzumutbar** ist (unstr., s. BGH AG 2007, 125 Rn. 2; OLG Stuttgart AG 2003, 211, 212; OLG Frankfurt NZG 2015, 514 Rn. 18).

54 Feststellung der Unzumutbarkeit setzt nach zutr. hM voraus, dass **Interessen der AG und des Vorstandsmitglieds** gegeneinander abgewogen werden (BGH WM 1962, 811, 812; wohl auch BGH AG 2007, 125; s. ferner KG AG 2007, 745, 746 f.; OLG Frankfurt NZG 2015, 514 Rn. 19; OLG Stuttgart AG 2013, 599, 603; GK-AktG/Kort Rn. 140 ff.; KK-AktG/Cahn Rn. 149; Ihrig/Schäfer Vorstand Rn. 132; Janzen NZG 2003, 468, 470). Gegenansicht, die nur auf Interessen der AG abhebt und die des Vorstandsmitglieds auf die Ebene des Anstellungsvertrags verweist (BeckOGK/Fleischer Rn. 110; MüKoAktG/Spindler Rn. 169; Thüsing in Fleischer VorstandsR-HdB § 5 Rn. 8 f.; MHdB AG/Wentrup § 20 Rn. 50; v. Rosengarten NZG 2022, 1515, 1518 f.; Schmolke AG 2014, 377, 383 f.), ist zu einseitig, weil sie nicht hinreichend berücksichtigt, welche gravierenden Auswirkungen Widerruf der Bestellung auch bei fortbestehendem Anstellungsvertrag auf berufliche Zukunft des Vorstandsmitglieds haben kann (KK-AktG/Cahn Rn. 149). **Kündigungsschutz** macht Interessenabwägung deshalb nicht entbehrlich, sondern ist nur einer der dabei relevanten Faktoren. Schutz, den Vorstandsmitglied insoweit erfährt, erlaubt es allerdings, Interessen der AG überwiegend zu berücksichtigen (KK-AktG/Cahn Rn. 149; sa Säcker FS Gerhard Müller, 1981, 745, 746 ff.). Steht Ende der Amtsperiode ohnehin bevor, kann AG weiteres Abwarten zumutbar sein (OLG Stuttgart AG

2013, 599, 603; umgekehrt bei noch länger laufender Amtsperiode – vgl. LG München I AG 2015, 717, 719).

Hinsichtlich des Vorliegens eines wichtigen Grundes kommt dem AR **kein Beurteilungsspielraum** zu (OLG Frankfurt NZG 2015, 514 Rn. 18; GK-AktG/Kort Rn. 145; KK-AktG/Cahn Rn. 150; Harnos, Gerichtliche Kontrolldichte, 2021, 484 f.; Lieder ZGR 2018, 523, 542; aA Krieger, Personalentscheidungen, 1981, 138 ff.; v. Rosengarten NZG 2022, 1515, 1517; einschr. auch Goette/Arnold/Gärtner AR § 4 Rn. 733; Habersack DB 2015, 787, 790 f.; Schockenhoff ZIP 2017, 1785, 1786 f.; Seibt FS Bergmann, 2018, 693, 709 f.). Wichtiger Grund ist also vollen Umfangs gerichtl. überprüfbar. Andere Auffassung würde Rechtsschutz des betroffenen Mitglieds in bedenklicher Weise relativieren; etwaigen Haftungsrisiken ist hier – wie auch sonst (→ § 93 Rn. 40 f.) – auf Verschuldensebene Rechnung zu tragen. Liegen die (gerichtl. voll überprüfbaren) Voraussetzungen vor, verbleibt AR allerdings Handlungsermessen, ob er von seinem Abberufungsrecht auch tats. Gebrauch macht („kann"). Da es hier an ges. Vorprägungen fehlt, die über das Gesellschaftswohl hinausreichen (dann Pflichtaufgabe → § 93 Rn. 29), handelt es sich um Fall der BJR (so auch Lieder ZGR 2018, 523, 543 ff.). 55

§ 84 IV 2 nennt als wichtige Gründe grobe Pflichtverletzung, Unfähigkeit oder Vertrauensentzug durch HV. Dabei handelt es sich nur um **Beispiele** („namentlich"). Entspr. Tatsachen darzulegen und zu beweisen, ist Sache der AG (BGH AG 2007, 446 Rn. 11, 12); 93 II 2 findet keine Anwendung (OLG München NZG 2023, 1363 Rn. 39). Dass wichtiger Grund in Person des Vorstandsmitglieds liegt, dass Vorstandsmitglied gar schuldhaft iS persönlicher Verantwortlichkeit gehandelt hat, ist nicht erforderlich (BGH WM 1955, 1222; OLG Stuttgart AG 2013, 599, 603; KK-AktG/Cahn Rn. 149). Nicht Person muss unzumutbar sein, sondern (→ Rn. 53) Fortsetzung des Organverhältnisses wie zB dann, wenn Abberufung von kreditierender Bank zur Voraussetzung dringend benötigter Kreditverlängerung gemacht wird (BGH AG 2007, 125 Rn. 5; OLG München NZG 2006, 313 f.). Dass aktivischer Aktionär Abberufung fordert, genügt dagegen ohne Hinzutreten weiterer Umstände idR noch nicht (Langenbucher FS Bergmann, 2018, 443, 452 ff.; Schockenhoff ZIP 2017, 1785, 1787 ff.). 56

Auch **Vertrauensverlust des AR** kann – wie Gegenschluss zur Tatbestandsvariante „Vertrauensverlust der HV" zeigt – kein Abberufungsgrund sein (zust. Harnos ZIP 2023, 2678, 2679; aA Seibt FS Bergmann, 2018, 693, 703 ff.). Nach Gegenauffassung genügt Vertrauensverlust als solcher nicht, sondern nur dann, wenn „nachprüfbare Gründe" Vertrauensentzug rechtfertigen (Seibt FS Bergmann, 2018, 693, 703). Das ist aber gedanklich umweghaft und im Ges. nicht angelegt. Entscheidend ist, ob diese in der Person des Vorstands liegenden Umstände den Befund obj. Unzumutbarkeit begründen, ohne dass es auf subj. Sicht des AR ankommt oder diesem gar Beurteilungsspielräume zuzugestehen wären (→ Rn. 55). An Unzumutbarkeit fehlt es, wenn Vorstandsmitglied auf seinem Vertragsanspruch beharrt, Alleinvorstand zu sein, aber zur weiteren sachlichen Zusammenarbeit bereit ist (OLG Hamm AG 1991, 399, 400 f.). 57

Ob **Neustrukturierung der Geschäftsleitung** als wichtiger Grund anzuerkennen ist, kann nicht pauschal beantwortet werden, sondern nur im Einzelfall (sa OLG Frankfurt NZG 2015, 514 Rn. 20 ff.; LG Frankfurt NZG 2014, 706 f.). Allein der Umstand, dass AR selbst mit Umstrukturierungsentscheidung den Grund für die Abberufung schafft, steht der Abberufung nicht per se entgegen, sofern nur hinreichend gewichtige Gründe für Umstrukturierung sprechen (zu weitgehend daher Heidel AG 2013, R 341; wie hier GK-AktG/Kort Rn. 175a; BeckOGK/Fleischer Rn. 123; MHdB AG/Wentrup § 20 Rn. 57; Habersack DB 2015, 787, 789 f.). Prüfung verlagert sich vielmehr auf Abwägung zwischen 58

Zumutbarkeit für Vorstandsmitglied und Gewicht der Umstrukturierungsmotive, an die aber tendenziell strenge Anforderungen zu stellen sind (sa BGH AG 2007, 125 Rn. 5: lebenswichtige Kreditlinie bei ansonsten drohender Insolvenz; LG Frankfurt NZG 2014, 706, 707; weitere Beispiele bei KK-AktG/Cahn Rn. 158 ff.; Habersack DB 2015, 787, 790).

59 **b) Einzelfälle.** Ob wichtiger Grund vorliegt, ist in jedem Einzelfall zu prüfen. Nur mit diesem Vorbehalt können Bsp. angeführt werden (sa MüKoAktG/Spindler Rn. 171 ff.). **Grobe Pflichtverletzung:** Schädigung des Ansehens der AG durch anrüchige Spekulationsgeschäfte (BGH WM 1956, 865); strafbare Handlungen, auch im privaten Bereich (BGH NJW 1956, 1513 [Teilabdruck] = LM BGB § 626 Nr. 8); mangelnde Offenheit ggü. dem AR (BGHZ 20, 239, 246 = NJW 1956, 906; öOGH AG 2001, 100, 104; OLG München AG 2012, 753, 754 f.); Aneignung von Gesellschaftsvermögen (BGH WM 1984, 29 f.; OLG Stuttgart AG 2003, 211, 213); Entgegennahme von Schmiergeldern in Form sog Kick-Backs (OLG München AG 2007, 361, 363); unangemessen hohe Verschuldung (OLG Hamburg BB 1954, 978), erst recht persönliche Insolvenz oder Offenbarungsversicherung; Fälschung von Belegen (OLG Hamm GmbHR 1985, 119); Fehlen der gewerberechtl. Zuverlässigkeit oder ihres Nachweises (OLG Stuttgart AG 2003, 211, 212 f.); bewusstes Nichtbedienen der fälligen Rate eines der AG ausgereichten Darlehens (OLG Stuttgart AG 2013, 599, 602); Missachtung eines Zustimmungsvorbehalts iSd § 111 IV 2 (OLG Stuttgart AG 2013, 599, 602 f.); Überschreitung der Geschäftsführungsbefugnis (OLG Stuttgart AG 2013, 599, 600, 603); Einsatz von Mitarbeitern der AG für private Belange (OLG Düsseldorf AG 2012, 511, 512); private Anschaffungen auf Kosten der AG (auch bei geringer Schadenshöhe – LG München I AG 2015, 717, 718 f.); Inanspruchnahme von Gesellschaftsressourcen für private Belange (OLG München NZG 2023, 1363 Rn. 45 ff.); einseitige Parteinahme in länger andauerndem Gesellschafterstreit (KG NZG 2023, 841, 843). Keine grobe Pflichtverletzung liegt dagegen vor, wenn Vorstandsmitglied etwaige Pflichtverletzung seiner Kollegen thematisiert, möglicherweise aber in daraus resultierendem zerrüttetem Vertrauensverhältnis (OLG München AG 2016, 592, 593 f.); auch nicht in fehlender Bereitschaft, Erklärung zu eigenem „Commitment" abzugeben (OLG München AG 2016, 592, 594). Wird Pflichtverletzung aus Rechtsverstoß abgeleitet, wird es idR an Verschulden fehlen, wenn es sich nach den in → § 93 Rn. 79 ff., 84 dargelegten Maßstäben um **entschuldbaren Rechtsirrtum** handelt (sa OLG München NZG 2023, 1363 Rn. 67). Im Arbeitsrecht diskutierte Frage, ob auch Pflichtverletzung bei anderen Konzerngesellschaften Kündigungsgrund begründen kann (vgl. Vielmeier NZG 2020, 1510 ff.), ist für Vorstände noch nicht vertieft erörtert worden. Sie dürfte nur dann zu bejahen sein, wenn sich Pflichtverletzung zugleich als solche ggü. AG darstellt.

60 **Unfähigkeit:** Fehlen notwendiger Kenntnisse (OLG Stuttgart GmbHR 1957, 59, 60); unzureichendes Risikomanagement bei KI (§ 25a KWG [→ § 76 Rn. 178]; s. LG Berlin AG 2002, 682, 683 f.); Unverträglichkeit, die kollegiale Zusammenarbeit gefährdet oder gar ausschließt (BGH WM 1984, 29 f.; öOGH AG 2001, 100, 103; sa OLG Köln ZIP 1987, 1120; OLG München AG 2016, 592, 594); Fehlen von Fähigkeiten zur Bewältigung von Sonderlagen, etwa in Sanierungsfällen (MHdB AG/Wentrup § 20 Rn. 56; schwere, dauerhafte Erkrankung sowie suchtartige Alkohol- und Medikamentenabhängigkeit (s. dazu Bayer FS Hommelhoff, 2012, 87, 93 f.; Fleischer NZG 2010, 565 f.; sa Picker GmbHR 2011, 629 für Dienstvertrag eines GmbH-Geschäftsführers). Kein wichtiger Grund ist Dissens mit AR über strategische Ausrichtung des Unternehmens, sofern Schranken des Vorstandsermessens gewahrt bleiben (→ § 76 Rn. 63 ff.; Goette FS 50 Jahre BGH, 2000, 123, 129; aA Seibt FS Bergmann, 2018, 693, 705 ff.).

Abberufung auf Verdacht ist ebenso wie Verdachtskündigung (vgl. dazu BeckOGK/Fleischer Rn. 169) möglich. Zu arbeitsrechtl. Parallelinstitut entwickelte Grundsätze können übertragen, müssen aber modifiziert werden (ausf. zum Folgenden Becker, Suspendierung und Verdachtsabberufung, 2022, 120 ff.; Schmolke AG 2014, 377 ff.; vgl. für GmbH auch U. H. Schneider FS E. Vetter, 2019, 727 ff.). Insbes. muss Verdachtsgegenstand solche Schwere haben, dass er Abberufung gem. § 84 IV 2 rechtfertigen würde, wobei auch Vorbild- und Repräsentantenfunktion in Abwägung einfließen darf. Verdacht muss auf obj. Tatsachen beruhen; vor Abberufung ist Anhörung geboten (BeckOGK/Fleischer Rn. 121; offengelassen in BGH NZG 2017, 261 Rn. 18). Abberufungsfrist besteht nicht, doch ist Verwirkung möglich (MüKoAktG/Spindler Rn. 162); zur Alternative der Suspendierung → Rn. 75 f. Zu wertpapieraufsichtsrechtl. Maßnahmen als wichtiger Grund s. Forst AG 2013, 279 ff. 61

c) Insbesondere: Vertrauensentzug. Gem. § 84 IV 2 Fall 3 ist wichtiger Grund für Widerruf der Bestellung auch gegeben, wenn HV dem Vorstandsmitglied das Vertrauen entzieht, es sei denn, dies geschieht aus offenbar unsachlichen Gründen. Norm knüpft an BGHZ 13, 188 = NJW 1954, 998 an (RegBegr. Kropff S. 106) und will dem Umstand Rechnung tragen, dass Machtbefugnisse des Vorstands der inneren Berechtigung entbehren, wenn er Vertrauen der HV verloren hat (BGHZ 13, 188, 192 f. = NJW 1954, 998; sa Säcker FS Gerhard Müller, 1981, 745, 746 ff.). Abberufungsmodalität hat geringe praktische Bedeutung und wird vornehmlich nur bei AG mit überschaubarem Aktionärskreis eine Rolle spielen (Krieger FS Marsch-Barner, 2018, 285, 289 f.). 62

Zusätzlicher Begründung neben Vertrauensentzug **bedarf es nicht** (BGH NZG 2017, 261 Rn. 12, 16; öOGH AG 1999, 140, 141). Auch individueller Anspruch auf Begründung besteht nicht (aA BeckOGK/Fleischer Rn. 135 [§ 626 II 3 BGB analog]; zutr. dagegen Krieger FS Marsch-Barner, 2018, 285, 296 f.). Vertrauensentzug genügt auch dann, wenn Vorstandsmitglied kein persönlicher Vorwurf gemacht werden kann, sogar wenn es bei Meinungsverschiedenheiten über wesentliche Unternehmensentscheidungen obj. im Recht sein mag (BGH AG 1975, 242, 244; NZG 2017, 261 Rn. 14; GK-AktG/Kort Rn. 211). 63

Offenbar unsachliche Gründe machen Vertrauensentzug wirkungslos, so dass AR nicht widerrufen darf. So liegt es bei bloßen Vorwänden, Willkür, Sitten- oder Treuwidrigkeit sowie sonst rechtswidrigem Entzug des Vertrauens (BGH NZG 2017, 261 Rn. 15; KG ZIP 2003, 1042, 1046 f.). Es genügt nicht, dass Vertrauensentzug sich möglicherweise als unsachlich herausstellen könnte, sondern Unsachlichkeit muss auf der Hand liegen (BGH NZG 2017, 261 Rn. 14). Deutlich weitere Auslegung des Ausschlusstatbestands bei Grigoleit/Vedder, 1. Aufl. 2013, Rn. 33 ff. beruht auf grds. krit. rechtspolitischer Würdigung des § 84 IV 2 Fall 3. Kritik ist aber schon an sich bedenklich, da ausschließliche Herleitung der Leitungsautonomie des Vorstands aus Schutz der Kleinanleger nicht überzeugt. Auch bei anderer Sicht ist Norm dennoch de lege lata hinzunehmen und darf nicht im Wege extensiver Auslegung des Ausschlusstatbestands ihres Anwendungsbereichs beraubt werden (zust. GK-AktG/Kort Rn. 166a; Bungert/Rogier EWiR 2017, 197, 198). Vertrauensentzug durch HV ist nicht schon deshalb missbräuchlich, wenn sie ihn nur ausspricht, weil sie befürchtet, dass Gründe, auf die AR Abberufung gestützt hat, sich als nicht stichhaltig erweisen (BGH NZG 2017, 261 Rn. 15; OLG Hamm AG 2010, 789, 792 f.; ähnlich auch schon BGH AG 1975, 242, 244; aA KK-AktG/Cahn Rn. 155). 64

Beweislast für offenbar unsachliche Gründe trägt Vorstand, und zwar auch, wenn AG Mehrheitsaktionär hat (GK-AktG/Kort Rn. 209; aA Krieger FS 65

Marsch-Barner, 2018, 285, 298 f.; Mielke BB 2014, 1035, 1037 f.). Gegenauffassung rechnet Beweisnähe des Mehrheitsaktionärs zu Unrecht der AG zu. Vorstand genügt seiner Beweislast nicht, wenn er darlegt, dass kein sachlicher Grund vorlag oder dass tats. angegebener Grund sachlich unzutreffend ist oder nicht nachgewiesen werden kann, sondern es muss positiv unsachlicher Grund festgestellt werden (BGH NZG 2017, 261 Rn. 12). BGH NZG 2017, 261 Rn. 17 lässt allerdings offen, ob Einpersonen-AG möglicherweise iR sekundärer Darlegungslast verpflichtet sein kann, etwa vorhandene Gründe zu offenbaren.

66 Für Vertrauensentzug ist nach hM wenigstens grds. **Beschluss der HV erforderlich** (BGH WM 1962, 811; BeckOGK/Fleischer Rn. 119; KK-AktG/Cahn Rn. 156; MüKoAktG/Spindler Rn. 179). Er muss dem Widerruf vorausgehen, kann also nicht als Genehmigung erfolgen (öOGH AG 1996, 39, 41; KG AG 2007, 745, 746). Beschlusserfordernis folgt aus § 118 I. Ausnahmen werden von manchen in Sonderlagen zugelassen (Säcker FS Gerhard Müller, 1981, 745, 751 Fn. 13), was nicht überzeugt. Möglich, genügend und zur Vermeidung von Unsicherheiten auch erforderlich ist Vollversammlung gem. § 121 VI (→ § 121 Rn. 19 ff.; Fleischer AG 2006, 429, 441). Nach heute allgM ist nicht genügend, dass Entlastung gem. § 120 verweigert wird (KG AG 2007, 745, 746; GK-AktG/Mülbert § 120 Rn. 57; MüKoAktG/Spindler Rn. 179; jetzt auch GK-AktG/Kort Rn. 165). **Entlastungsverweigerung** kann Vertrauensentzug darstellen, muss diese Bedeutung aber nicht haben. Dass Tätigkeit des Vorstandsmitglieds für Vergangenheit keine Billigung findet, trägt nämlich nicht unbedingt den Schluss, dass HV mit ihm auch für die Zukunft brechen will. Weil Vertrauensentzug etwas anderes ist als Entlastungsverweigerung, greift § 136 I nicht ein. Vorstandsmitglied, das auch Aktionär ist, darf bei Beschlussfassung also mitstimmen (eingehend Zimmermann FS Rowedder, 1994, 593, 596 ff.). Vertrauensentzug durch AR genügt nicht (→ Rn. 57).

67 **3. Widerrufswirkungen.** Nach § 84 IV 4 ist Widerruf wirksam, bis seine **Unwirksamkeit rechtskräftig festgestellt** ist. Zu weit geratener Wortlaut bezieht sich seinem Sinn nach nur auf Erfordernis des wichtigen Grundes. Bestellung endet dagegen nicht, wenn AR-Beschluss fehlt oder wegen Verfahrensmangels ungültig ist (ganz hM, s. BGHZ 222, 32 Rn. 40 = NZG 2019, 861; OLG Stuttgart AG 1985, 193; OLG Köln NZG 2008, 635; LG München I AG 1986, 142 f.; MüKoAktG/Spindler Rn. 184; Jaenicke AG 2020, 200 Rn. 14 ff.; aA Schürnbrand NZG 2008, 609, 611; Ph. Scholz ZIP 2019, 2338, 2341 f.). Damit ist auch Lehre von fehlerhafter Abberufung (vgl. Ph. Scholz ZIP 2019, 2338 ff. in Parallele zu fehlerhafter Bestellung → Rn. 12 f.) konkludente Absage erteilt. Danach ergibt sich: Bestellung zum Vorstandsmitglied endet, wenn entspr. Beschluss des AR vorliegt und Widerrufserklärung zugegangen ist (→ Rn. 51). Einer Begründung bedarf der Widerruf nicht (LG Frankfurt AG 2014, 509, 510), doch sind entspr. § 626 II 3 BGB Gründe auf Verlangen mitzuteilen (BeckOGK/Fleischer Rn. 135). Dienstverhältnis, das der Anstellung (→ Rn. 14) als Vorstandsmitglied vorausgegangen ist, lebt nicht infolge der Abberufung wieder auf; Ruhen statt Auflösung bedarf bes. Vereinbarung (BAG GmbHR 2008, 1259 Rn. 22 f. zur GmbH). Bestellung endet auch dann, wenn wichtiger Grund gefehlt haben sollte (öOGH AG 1996, 39, 41; öOGH AG 1999, 140, 141). Nur rechtskräftige Feststellung der Unwirksamkeit führt zum Wiederaufleben des Organverhältnisses. Zum Sonderfall einer außerordentlich befristeten Bestellung s. LG Berlin AG 1991, 244, 245.

68 Ob rechtskräftige Entscheidung iSd § 84 IV 4 nur **Endurteil im Verfahren der Hauptsache** ist oder ob sie auch im Verfügungsverfahren ergehen kann, ist nicht zweifelsfrei und namentl. für GmbH umstr. (vgl. BGHZ 86, 177, 181 ff. = NJW 1983, 938; OLG Hamm NZG 2002, 50, 51). Unbestreitbar gefährdet

Beschränkung auf Urteil zur Hauptsache umfassenden Rechtsschutz des Vorstandsmitglieds; Erfordernis des wichtigen Grundes kann auf diesem Wege faktisch ausgehöhlt werden (Krieger FS Marsch-Barner, 2018, 285, 287 f.). Das mag man rechtspolitisch kritisieren, doch liegt diese Verkürzung des Rechtsschutzes de lege lata gerade im Wesen des § 84 IV 4, der die Funktion erfüllt, Einmischung der Gerichte in Abberufungsentscheidung auszuschließen (KK-AktG/Cahn Rn. 143). Nur durch diese prozessuale Einschränkung wird die im int. Rechtsvergleich gerade in Abberufungssituation außerordentlich starke Stellung des Vorstands für die Praxis handhabbar (Fleischer AG 2006, 429, 438). Frage sollte deshalb iSd Urteils zur Hauptsache beantwortet werden, so dass Verfügungsantrag als unzulässig abzuweisen ist, wenn nur Fehlen eines wichtigen Grundes geltend gemacht wird (OLG Stuttgart AG 1985, 193; LG Frankfurt AG 2014, 509, 510; sa BeckOGK/Fleischer Rn. 139; Grigoleit/Grigoleit Rn. 56; GK-AktG/Kort Rn. 189, 192; Jaenicke AG 2020, 200 Rn. 12 f. [jew. mit Ausnahme bei offensichtlichen Willkürhandlungen]; KK-AktG/Cahn Rn. 143; NK-AktR/Oltmanns Rn. 28; MüKoAktG/Spindler Rn. 183; krit. Grigoleit/Vedder, 1. Aufl. 2013, Rn. 38; Heidel AG 2013, R 341 f.).

4. Rechtsschutz des Vorstandsmitglieds. Vorstandsmitglied kann gegen Widerruf klagen. Klage ist **gegen AG, vertreten durch AR,** zu richten. Das folgt aus § 112 und ist in Rspr. anerkannt (BGH NJW 1981, 2748, 2749; WM 1984, 532; sa MHdB AG/Wentrup § 20 Rn. 64). **Vertretungsmangel** (Vertretung durch Vorstand) **macht Klage unzulässig** (Nachw. → § 112 Rn. 25). Gerichtl. Zuständigkeit liegt nach § 5 I 3 ArbGG für Streit über Bestellung ebenso wie für Streit über Anstellung grds. bei ordentlichen Gerichten, und zwar auch dann, wenn Vorstandsmitglied zuvor als Arbeitnehmer für AG tätig war und Arbeitsvertrag stillschweigend um Funktion als Geschäftsleiter ergänzt wird (BAG AG 2013, 390 Rn. 9, 11). Auch Insolvenz ändert an Zuständigkeit nichts (BAG AG 2013, 390 Rn. 14). 69

Zu beachten ist allerdings **neuere Rspr. des BAG,** wonach Fiktion des § 5 I 3 ArbGG endet, sobald Geschäftsleiter ausgeschieden ist (BAGE 139, 63 = AP § 5 ArbGG 1979 Nr. 69; BAG AP § 5 ArbGG 1979 Nr. 70; AP § 5 ArbGG 1979 Nr. 71; OLG München NZG 2014, 1420). Namentl. bei GmbH wird auf dieser Grundlage von Klägerseite versucht, arbeitsgerichtl. Zuständigkeit zu begründen, um von höheren Schutzstandards, erleichterten Vergleichsmöglichkeiten und fehlendem Gerichtskostenvorschuss zu profitieren (Stagat NZA 2015, 193; sa Geck/Fiedler BB 2015, 1077 ff.; Lunk NJW 2015, 528 ff.; Reinecke ZIP 2014, 1057 ff.). Das setzt allerdings nach dann geltendem § 5 I 1, 2 ArbGG voraus, dass kein Dienst-, sondern Arbeitsverhältnis vorliegt, was für GmbH-Geschäftsführer angesichts Weisungsbindung im Lichte unionsrechtl. Rspr. (EuGH Slg. 2010, I-11405, 11464 [Danosa]) erörtert (Lunk NZA 2015, 917 ff.; Vielmeier NZG 2016, 1241 ff.), vom BAG aber verworfen wurde, da § 5 ArbGG keine unionsrechtl. Bestimmung zugrunde liegt (BAG NZG 2019, 754 Rn. 14). Ausn. wurde allenfalls für Fälle weitergehender Weisungsbefugnis erwogen, die über gesellschaftsrechtl. Weisungsrecht nach GmbHG hinausgehen muss (generell krit. Altmeppen NJW 2022, 2785 ff.) und deshalb bei weisungsungebundenen Vorstand einer AG idR nicht vorliegen wird (zur Anwendung des AGG → § 76 Rn. 150 ff.). 70

Schiedsfähigkeit von Streitigkeiten hinsichtlich des Bestands des Organverhältnisses wird von wohl hM verneint (vgl. etwa GK-AktG/Kort Rn. 589; MüKoAktG/Spindler Rn. 186). Dafür vorgebrachtes Argument, es werde unstatthaftes viertes Organ institutionalisiert, erweist sich indes als wenig überzeugend, da lediglich Streitentscheidungskompetenz so verschoben wird, wie ZPO es gerade gestattet (zutr. KK-AktG/Cahn Rn. 103; Bauer/Ch. Arnold/Kramer 71

AG 2014, 677, 681 ff.; Habersack/Wasserbäch AG 2016, 2, 10 ff.; Schlüter, Schiedsbindung von Organmitgliedern, 2017, 203; H. P. Westermann ZGR 2017, 38, 54 ff.). Schwieriger zu beurteilen ist die Frage, ob Schiedsvereinbarung nur individualvertraglich oder auch in der Satzung getroffen werden kann (dafür Bauer/Ch. Arnold/Kramer AG 2014, 677, 681 ff.; Habersack/Wasserbäch AG 2016, 2, 10 ff.; sa H. P. Westermann ZGR 2017, 38, 52 ff.; zu weiteren Nachw. im Organhaftungskontext → § 93 Rn. 185). Zu § 246 insofern geäußerte Bedenken (→ § 246 Rn. 18) gelten hier jedenfalls nicht gleichermaßen, da es sowohl an erga-omnes-Wirkung als auch an ausdr. Zuweisung an staatl. Gerichte (§ 246 III) fehlt. Auch die Stellung des Aktionärs, der von § 23 V vornehmlich geschützt wird, ist durch solche Klausel nicht betroffen, sondern schafft sogar größere Transparenz als individualvertragliche Einigung. Ungewissheiten verbleiben angesichts immer noch nicht abschließend ausgemessener Reichweite des § 23 V 2 (abl. insofern Schlüter, Schiedsbindung von Organmitgliedern, 2017, 206). Wieder andere Regeln gelten für Schiedsfähigkeit von Streitigkeiten aus dem Anstellungsverhältnis. Jedenfalls hier kann Satzung keine Vorgaben machen, die außerhalb des korporationsrechtl. Bereichs für Vorstandsmitglied verbindlich sein könnten (Bauer/Ch. Arnold/Kramer AG 2014, 677, 681: keine Regelungszuständigkeit; sa Spindler FS Baums, 2017, 1205, 1209).

72 Begehrt Vorstandsmitglied, dass Abberufung für unwirksam erklärt wird, weil wichtiger Grund fehlte, handelt es sich um **Gestaltungsklage,** weil Bestellung rückwirkend (vgl. § 84 IV 4) wiederhergestellt werden soll (OLG Hamm AG 2010, 789, 791; KG AG 1984, 24, 25; OLG Stuttgart AG 2013, 599, 600; MüKoAktG/Spindler Rn. 188). Wenn Klage dagegen auf Fehlen oder Ungültigkeit erforderlichen AR-Beschlusses (→ Rn. 51) gestützt wird, liegt **Feststellungsklage** vor, der jedoch analog § 244 durch neuen AR-Beschluss der Boden entzogen werden kann (OLG Stuttgart AG 2003, 211, 212). IZw empfiehlt es sich, mit Hauptantrag auf Feststellung der Nichtigkeit, hilfsweise auf Unwirksamerklärung zu klagen. Nach Ablauf der Amtsperiode ist allerdings nur noch Feststellungsklage zulässig (KK-AktG/Cahn Rn. 163; NK-AktR/Oltmanns Rn. 27; MüKoAktG/Spindler Rn. 193; aA OLG Hamm AG 2010, 789).

73 **Nachschieben von Widerrufsgründen** ist mit entspr. Beschluss des AR möglich (OLG Hamm AG 2010, 789, 792; OLG Stuttgart AG 2013, 599, 601), wenn sie bei Erklärung des Widerrufs schon vorhanden, aber AR nicht bekannt waren. Kannte er sie, so ist Widerrufsrecht idR verwirkt (BGHZ 13, 188, 194 f. = NJW 1954, 998; BGH WM 1962, 109, 111; OLG Stuttgart AG 2013, 599, 601; MüKoAktG/Spindler Rn. 190; zur Streitführung im Urkundenprozess vgl. MHdB CL/J. Koch § 30 Rn. 109; zum AGB-rechtlichen Ausschluss des Urkundenprozesses vgl. Hamdan ZIP 2023, 1461 ff.). Gründe, die erst nach Erklärung des Widerrufs entstanden sind, können nur geltend gemacht werden, wenn Widerruf neu ausgesprochen und darauf gestützt wird (OLG Hamm AG 2010, 789, 792). Für Streitwert und Beschwer (§§ 3, 511 II Nr. 1 ZPO) ist allein Interesse maßgeblich, Gesellschaft zu leiten (bei umgekehrten Parteirollen: Abberufenen davon fernzuhalten); also nicht: Vergütungshöhe oder Abberufungsfolgen (BGH WM 1995, 1316 f.).

74 **Einstweiliger Rechtsschutz** ist möglich, nach den in → Rn. 68 dargelegten Grundsätzen aber nicht geeignet, um Wirksamkeit des Widerrufs gem. § 84 IV 4 zu überwinden. Verfügungsantrag ist zulässig, wenn kein gültiger AR-Beschluss vorliegt, sonst nicht. Verfügungsgrund folgt aus Dauer des Hauptsacheverfahrens (OLG Stuttgart AG 1985, 193; zu Einzelheiten Jaenicke AG 2020, 200 ff.). Verfügungsantrag schon im Vorfeld des AR-Beschlusses ist nicht gänzlich ausgeschlossen, kann aber nicht nur gegen Einzelmitglied gerichtet werden (OLG München NZG 2014, 66 f.).

5. Außergesetzliche Maßnahmen. a) Suspendierung. Bedeutung und Zulässigkeit einseitiger Suspendierung durch AR sind zweifelhaft; auf gesicherten Meinungsstand kann Praxis nicht zurückgreifen. Im Wesentlichen begegnen **drei Ansätze.** Nach der ersten Meinung liegt in Suspendierung echter, wenngleich zeitlich begrenzter Widerruf, so dass § 84 nach Voraussetzung und Verfahren eingehalten werden muss (LG München I AG 1986, 142; MüKoAktG/Spindler Rn. 199 f.). Nach der zweiten Ansicht bedarf es zwar aller Erfordernisse des Widerrufs (Beschluss des AR, Erklärung, wichtiger Grund), doch erfolgt nur kurzzeitige, vorläufige Enthebung von der Amtsführung; Vorstandsmitglied bleibt aber im Amt, Enthebung wirke daher nur im Innenverhältnis (KG AG 1984, 24, 25; OLG München AG 1986, 234, 235; Krieger, Personalentscheidungen, 1981, 154 ff.). Modifizierend nimmt herrschende dritte Meinung an, es genüge schwerwiegender **Verdacht** eines Verhaltens, das Widerruf rechtfertigen würde (GK-AktG/Kort Rn. 233 ff.; KK-AktG/Cahn Rn. 218; BeckOGK/Fleischer Rn. 146; S/L/Seibt Rn. 65; Ihrig/Schäfer Vorstand Rn. 150; iErg auch Dörrwächter NZG 2018, 54 ff.). 75

Nach der ersten Ansicht gibt es iErg keine Suspendierung als Maßnahme von eigenständiger Bedeutung. Nach der zweiten gibt es sie zwar, doch hat sie keinen überzeugenden Sinn, weil AR auch gleich widerrufen könnte (falls er dazu nicht sogar verpflichtet ist). Das Dritte wird Bedürfnissen der Praxis am ehesten gerecht, doch ist Vereinbarkeit mit § 84 IV zweifelhaft, da starke Stellung des Vorstands, die durch diese Vorschrift gewährleistet werden soll, **ohne rechtl. Basis** abgeschwächt wird. A maiore ad minus-Schluss (so S/L/Seibt Rn. 65) trägt methodisch nicht, wenn nicht nur Rechtsfolge, sondern auch Voraussetzungen abgemindert werden sollen (zust. Dörrwächter NZG 2018, 54, 57; ausf. Becker, Suspendierung und Verdachtsabberufung, 2022, 240, 394 ff., 725 ff., der deshalb Suspendierungsbefugnis umfassend ablehnt; aA BeckOGK/Fleischer Rn. 146: „behutsame Rechtsfortbildung"). Auch Hinweis, dass Suspendierung sonst keine eigenständige Bedeutung habe (GK-AktG/Kort Rn. 236; Ihrig/Schäfer Vorstand Rn. 150), überzeugt nicht, da gerade diese eigenständige Bedeutung in Frage steht und deshalb nicht als selbstverständliche Prämisse zugrunde gelegt werden darf (zust. Dörrwächter NZG 2018, 54, 55). A maiore ad minus-Schluss kann entgegen hM daher nur in dem Sinne gezogen werden, dass Abberufungsvoraussetzungen nach § 84 IV tatbestandlich gegeben sein müssen, AR das ihm daraus erwachsende Ausübungsrecht dann aber zu bloß vorübergehender Suspendierung abschwächen kann. Auch auf diesem Wege kann das von hM verfolgte Ziel ohne Abschwächung auf Tatbestandsseite erreicht werden, wenn man mit zutr. Auffassung auch „Verdachtsabberufung" zulässt (→ Rn. 61; sa Dörrwächter NZG 2018, 54, 57 f.). 76

b) Einvernehmliche Dienstbefreiung. Ohne weiteres möglich ist daneben einvernehmliche Dienstbefreiung, die namentl. in solchen Fällen unbedenklich ist, wenn nur **zeitlich begrenzte Verhinderung** vorliegt und Interesse der AG besteht, Vorstandsmitglied weiterhin zu halten (Seibt/Klausmann AG 2021, 169 Rn. 3 ff.; strenger BeckOGK/Fleischer Rn. 150: Voraussetzungen wie für einseitige Suspendierung; zutr. dagegen Dörrwächter NZG 2018, 54, 58). Erforderlich ist dafür aber Beschluss des Gesamt-AR (→ Rn. 50; sa Seibt/Klausmann AG 2021, 169 Rn. 9 f.). Diese Lösung kann auch herangezogen werden, um Vorstandsmitgliedern für Fälle der Mutterschaft, Elternzeit, Pflege und längerer Krankheit Möglichkeit einzuräumen, Mandat für begrenzten Zeitraum ruhen zu lassen, doch hat hier mittlerweile neu eingeführter § 84 III zu besser geeigneten Instrumentarien geführt (→ Rn. 33 ff.). 77

Wo Voraussetzungen der Vorschrift nicht erfüllt sind (zB Sabbatical), bleibt 78
Weg über einverständliche Dienstbefreiung möglich, wobei dann aber Fragen

nach fortdauernden Pflichten und damit auch **Haftungsrisiken** zu beantworten ist. Rechtl. Unklarheit über diese Fragen hat Einfügung des § 84 III überhaupt erst erforderlich gemacht (vgl. Ph. Scholz AG 2021, 9 Rn. 6 ff.), damit dort eine Antwort gefunden, bleibt für verbleibende Fälle aber von Relevanz. Nach hM ist einvernehmliche Suspendierung, die wirksam bestelltes Vorstandsmitglied von jedweder Haftung freistellt, mit Grundsätzen der Organverantwortung unvereinbar (Ph. Scholz AG 2021, 9 Rn. 7). Haftungsrisiken können aber doch weitestgehend reduziert werden, wenn mit Dienstbefreiung zugleich temporäre Neuordnung der Ressort- und Vertretungszuständigkeiten einhergeht und abwesendes Vorstandsmitglied sich weiterhin zumindest in bestimmten Abständen in gewissem Umfang mit wesentlichen Angelegenheiten der AG auseinandersetzt (Seibt/Klausmann AG 2021, 169 Rn. 21 ff.). Wem auch diese Gestaltung zu unsicher erscheint, kann – ähnlich wie in § 84 III vorgesehen (→ Rn. 33 ff.) – Bestellung einvernehmlich mit AR beendigen (zur Zulässigkeit → Rn. 82) und dies mit **aufschiebend befristeter Wiederbestellung** verbinden; in diesem Fall ist aber HR-Eintragung erforderlich (Apfelbacher et al. NZG 2020, 1280, 1281).

79 **c) Amtsniederlegung.** Amtsniederlegung ist **einseitige Erklärung** des Vorstandsmitglieds, aus Organverhältnis ausscheiden zu wollen. Zulässigkeit ist anerkannt (BGHZ 78, 82, 84 = NJW 1980, 2415; BGHZ 121, 257, 260 = NJW 1993, 1198; BGH NZG 2011, 907 Rn. 8 ff. [jew. zur GmbH]; AG 1984, 266 [Genossenschaft]). Erklärung ist an AG, vertreten durch AR (§ 112), zu richten; Zugang bei einem AR-Mitglied genügt (→ § 112 Rn. 22; BGH NZG 2002, 43, 44 zur GmbH); iÜ gelten allg. Zugangsregeln (§ 130 BGB; vgl. BGH NZG 2011, 907 Rn. 14 ff.). Aufschiebende Bedingung durch HR-Eintragung ist zulässig (BGH NZG 2011, 907 Rn. 8; zum Prüfungsumfang des Registergerichts → § 81 Rn. 7). Nach wirksamer Amtsniederlegung ist Vorstandsmitglied (auch Allein-Vorstand) nicht mehr berechtigt, **Eintragung beim HR** zu beantragen (so für GmbH OLG Bamberg NZG 2012, 1106; sa → § 81 Rn. 5).

80 Ob Amtsniederlegung **wichtigen Grund** erfordert, ist str., richtigerweise aber zu verneinen, da Zwang zur Amtsführung wenig sinnvoll ist (LG München I AG 2018, 499, 501; MüKoAktG/Spindler Rn. 202; Grigoleit/Grigoleit Rn. 66; ebenso die ganz hM im GmbH-Recht s. etwa MüKoGmbHG/Stephan/Tieves GmbHG § 38 Rn. 53 ff. mwN; aA GK-AktG/Kort Rn. 224; Hölters/Weber/Weber Rn. 86). Grenze bildet nur Rechtsmissbrauch, etwa bei Amtsniederlegung zur Unzeit (OLG Düsseldorf FGPrax 2001, 82 mwN; aA Grobys/Littger BB 2002, 2292 f.). Er liegt aber nicht schon dann vor, wenn Alleinvorstand sein Amt niederlegt und nur noch ein AR-Mitglied verblieben ist, weil hier gerichtl. Ergänzung des AR gem. § 104 beantragt werden kann und auf diese Weise ergänzter AR auch neuen Vorstand bestellen kann (OLG Hamburg NZG 2016, 1070 Rn. 10 ff.). Weitgehend unstr. ist analog § 84 IV 4 jedenfalls, dass zumindest **vorläufige Wirksamkeit** auch dann mit Zugang der Erklärung eintritt, wenn Vorliegen wichtiger Gründe str. ist (BGHZ 78, 82, 84) oder solche Gründe gar nicht vorgetragen werden (so zur GmbH BGHZ 121, 257, 260 unter Aufgabe von BGHZ 78, 82, 84; seither BGH NJW 1995, 2850; OLG Düsseldorf FGPrax 2001, 82; zust. für Aktienrecht GK-AktG/Kort Rn. 225 f.; KK-AktG/Cahn Rn. 228; MüKoAktG/Spindler Rn. 202; Groby/Littger BB 2002, 2292 ff.).

81 Nimmt man mit hier vertretener Auffassung grds. endgültige Wirksamkeit an, bleibt wichtiger Grund allein ausschlaggebend für Schadensersatzansprüche gegen Vorstandsmitglied und **Fortbestand des Anstellungsvertrags.** Dessen Kündigung ist grds. nicht erforderlich, da Vorstandsmitglied in der Lage sein muss, sein Amt aus wichtigem Grund (zB unberechtigte Entlastungsverweigerung; → § 120 Rn. 16) aufzugeben, ohne sich selbst die Vertragsrechte abzuschneiden (MüKoAktG/Spindler Rn. 202; s. aber → Rn. 88). Fehlt es an wichtigem Grund, kann

AG Amtsniederlegung aber ihrerseits zum Anlass für Kündigung nach § 626 BGB nehmen (LG München I AG 2018, 499, 501 ff.; AG 2021, 285, 286, wo wichtiger Grund in Form lebensgefährlicher Erkrankung allerdings vorlag und Anwendung des § 626 I BGB deshalb verneint wurde). Fehlen einer D&O-Versicherung (→ Rn. 22) ist allenfalls bei entspr. vertraglicher Zusage und erfolgloser Fristsetzung analog § 314 II BGB wichtiger Grund zur Niederlegung (Deilmann NZG 2005, 54, 55 f.). Auch Spannungen innerhalb des Vorstands allein rechtfertigen keine Niederlegung (LG München I AG 2018, 499, 501, 502 f.).

Von Amtsniederlegung zu unterscheiden ist **bloße Mitteilung** entspr. Über- 82
legungen oder auch des Wunsches, Niederlegung in einverständliche Lösung einzubinden. Solche Bekundungen bleiben zivilrechtl. noch im Unverbindlichen, können aber – obschon nur Zwischenschritte – bereits publizitätspflichtige **Insiderinformationen** iSd Art. 7 MAR darstellen, sofern es sich um konkrete kursrelevante Informationen handelt (EuGH NJW 2012, 2787 Rn. 27 ff.; BGH NJW 2013, 2114 Rn. 15 ff.; OLG Frankfurt NJW 2009, 1520 f. für Vorstandsvorsitzenden [sa → § 93 Rn. 95]; vgl. dazu auch Ekkenga NZG 2013, 1081 ff.; Ihrig/Kranz AG 2013, 515 ff.; Klöhn ZIP 2012, 1885 ff.; J. Koch FS Köndgen, 2016, 329 ff.; Schall ZIP 2012, 1286 ff.; J. Vetter/Engel/Lauterbach AG 2019, 160 ff.; aA noch OLG Stuttgart AG 2009, 454, 456).

d) Einverständliches Ausscheiden. Einverständliche Beendigung des Or- 83
ganverhältnisses ist stets möglich und bedarf keines wichtigen Grundes (OLG Karlsruhe AG 1996, 224, 227; MHdB AG/Wentrup § 20 Rn. 69). Erforderlich ist auf Seiten der AG **Beschluss des Gesamt-AR** gem. § 108; Beschlussfassung durch Ausschuss genügt nach dem Rechtsgedanken des § 107 III 7 nicht (BGHZ 79, 38, 43 f. = NJW 1981, 757; GK-AktG/Kort Rn. 230; Hoffmann-Becking FS Stimpel, 1985, 589, 593). Bei mitbestimmter AG ist Verfahren des § 31 MitbestG einzuhalten. Fraglich ist allerdings, ob Einigung über einvernehmliches Ausscheiden auch schon vor Amtsantritt in **schuldrechtl. Nebenabrede** (→ § 23 Rn. 45 ff.) getroffen werden darf. Zu entspr. Gestaltung kommt es häufig im Gestaltungskontext mit sog Shoot Out-Klauseln (→ § 23 Rn. 45). OLG Nürnberg NZG 2014, 222, 225 ff. hat Zulässigkeit auch in dieser Kombination bejaht, was aber als schuldvertragliche Absenkung der Abberufungsschwelle nach § 84 IV bedenklich ist (GK-AktG/Kort Rn. 56; Schmolke ZIP 2014, 897, 903 f.; aA Schockenhoff ZIP 2017, 1785, 1792).

VII. Kündigung des Anstellungsvertrags (noch: § 84 IV)

1. Allgemeines. Gem. § 84 IV 5 gelten für Ansprüche des Vorstandsmitglieds 84
aus Anstellungsvertrag allg. Vorschriften. Daraus folgt (1.), dass Widerruf der Bestellung als solcher auf Zahlungsansprüche keinen Einfluss hat (→ Rn. 32), (2.) dass aus Sicht der AG auch Anstellungsvertrag gekündigt werden muss, (3.) dass es sich dabei um **außerordentliche Kündigung gem. § 626 BGB** handelt, die eines wichtigen Grundes bedarf und nur innerhalb einer Ausschlussfrist von zwei Wochen möglich ist. Kündigung wird unter diesen Voraussetzungen mit Zugang (§ 130 I 1 BGB) der Erklärung wirksam. Sie ist vom AR abzugeben (§ 112), der sich dabei eines Bevollmächtigten oder eines Boten bedienen kann (→ Rn. 51). Erforderlich ist **Beschluss des AR** (§ 108); Kündigung ohne Beschluss bleibt unwirksam (BGH AG 2008, 894, 895; OLG Karlsruhe ZIP 2004, 2377, 2378). Beschlussfassung kann jedoch anders als für Widerruf der Bestellung (→ Rn. 51) **einem Ausschuss übertragen werden,** weil § 84 IV 5 in § 107 III 7 nicht genannt ist (unstr., s. BGHZ 65, 190, 193 = NJW 1976, 145; Tschöpe/Wortmann NZG 2009, 85, 88). Ausschuss darf jedoch dem Gesamt-AR vorbehaltene Entscheidung über Widerruf der Bestellung nicht präjudizieren, insbes. nicht

kündigen, solange Widerruf noch nicht beschlossen ist (allgM, vgl. BGHZ 79, 38, 44 = NJW 1981, 757; BGHZ 83, 144, 150 = NJW 1982, 1528; BGHZ 89, 48, 56 = NJW 1984, 733). Als zulässig wird man es anzusehen haben, wenn vor Gesamt-AR tagender Präsidialausschuss Kündigung mit der Maßgabe beschließt, dass sie nur bei Widerruf der Bestellung erklärt werden soll (MHdB AG/Wiesner § 21 Rn. 105; Hoffmann-Becking FS Stimpel, 1985, 589, 595 f.).

85 Vorstehende Grundsätze gelten auch dann, wenn es nicht um Kündigung, sondern um **einverständliches Ausscheiden** (→ Rn. 84) des Vorstandsmitglieds geht (BGHZ 79, 38, 43 = NJW 1981, 757; Fleck WM-Sonderbeil. 3/1981, 10, 14; Säcker DB 1979, 1321, 1322; teilw. krit. Hoffmann-Becking FS Stimpel, 1985, 589, 593 ff.). Dabei kommt es idR zu **Aufhebungsvertrag,** dessen Kern vorzeitige Mandatsbeendigung gegen Zahlung einer ablösenden Abfindung ist (→ § 87 Rn. 22). Zuständigkeit liegt entspr. §§ 84, 87 bei AR. § 113 ist weder unmittelbar noch analog anwendbar, weil sich Abfindung auf Vorstandsmandat bezieht. Dabei bleibt es auch, wenn Vorstandsmitglied vorzeitig ausscheidet, um in AR zu wechseln (Dreher FS K. Schmidt, 2009, 233, 238 ff. und 244 ff.).

86 **2. Wichtiger Grund.** Von § 626 I BGB vorausgesetzter wichtiger Grund liegt vor, wenn nach Abwägung der relevanten Interessen beider Seiten Fortsetzung des Anstellungsvertrags, bes. auch Bezahlung, bis zum planmäßigen Ablauf der Anstellungsfrist für AG nicht zumutbar ist (§ 314 I 2 BGB). **§ 626 I BGB ist aus sich heraus selbständig auszulegen,** so dass wichtiger Grund für Widerruf (→ Rn. 53 ff.) als solcher nicht zur Rechtfertigung der außerordentlichen Kündigung geeignet ist (unstr., s. BGH WM 1995, 2064, 2065; OLG Karlsruhe ZIP 2004, 2377, 2379; OLG Celle AG 2011, 916, 917; OLG Düsseldorf AG 2012, 511, 512). Vielmehr ist bei § 626 BGB insbes. auch zu prüfen, ob ein für Widerruf der Bestellung ausreichender wichtiger Grund es rechtfertigt, dem Abberufenen auch die **sozialen Folgen** der Beendigung der Vorstandsstellung aufzuerlegen, ihm insbes. seine Vergütungsansprüche zu nehmen (OLG München AG 2012, 753, 755). Hauptfall des wichtigen Grundes ist grobe Pflichtverletzung.

87 Rspr. hält **Abmahnung** für entbehrlich (BGH NJW 2000, 1638 f.; NZG 2002, 46, 47; 2007, 674; OLG Düsseldorf AG 2008, 166; ausf. Goette FS Wiedemann, 2002, 873, 880 ff.). Obwohl BGH NZG 2007, 674 diese vor der Schuldrechtsmodernisierung begründete Sichtweise noch einmal bestätigt hat, ist ihr durch Einführung des § 314 II BGB im Jahr 2002 doch die Grundlage entzogen worden (ausf. J. Koch ZIP 2005, 1621 ff.). Annahme, dort geregeltes Abmahnungserfordernis werde im Wege der Spezialität von § 626 BGB verdrängt (MüKoAktG/Spindler Rn. 222; Thüsing in Fleischer VorstandsR-HdB § 5 Rn. 60), ist nicht haltbar, da Abmahnungserfordernis in dieser Vorschrift generell nicht vorgesehen ist (J. Koch ZIP 2005, 1621, 1622 f.; so iErg auch BGH NZG 2007, 674). Um dennoch auf Abmahnung verzichten zu können, bedarf es daher einer teleologischen Reduktion, deren Voraussetzungen aber nicht vorliegen, da Schutzbedürftigkeit auch bei Leitungsorganen nicht generell verneint werden kann und aufgrund Verweises des § 314 II 2 auf § 323 II BGB auch keine Regelungslücke erkennbar ist (J. Koch ZIP 2005, 1621, 1624 f.). Abmahnung kann unter Voraussetzungen des § 314 II 2 iVm § 323 II Nr. 3 BGB dennoch entbehrlich sein, allerdings nach klarem Wortlaut des § 323 II Nr. 3 BGB nur nach **Interessenabwägung im Einzelfall** (J. Koch ZIP 2005, 1621, 1625 f.; ähnlich GK-AktG/Kort Rn. 527; KK-AktG/Cahn Rn. 192; MüKoAktG/Spindler Rn. 222; Horstmeier GmbHR 2006, 400 ff.). Reine Funktionszuweisung kann diese Interessenabwägung nicht ersetzen (so aber BGH NZG 2007, 674; wie hier MüKoAktG/Spindler Rn. 222; sa GK-AktG/Kort Rn. 527). Trotz dieser dogmatischen Bedenken muss sich Praxis auf abw. Rspr. des BGH einstellen. Vertragsklauseln, die unzumutbare **Erschwerung** des Rechts zur Kündigung aus wichtigem Grund enthalten, sind nichtig gem. § 626 I BGB, § 134 BGB; das gilt namentl. für Abfindungen oder Übergangsgelder, die für den Fall vereinbart werden, dass AG aus wichtigem Grund kündigt (BGH NJW 2000, 2983, 2984; AG 2008, 894, 896).

In nach § 314 I 2 BGB gebotene Abwägung sind vor allem auch die sozialen Folgen für Betroffenen einzubeziehen. In der Tendenz wird sich sagen lassen, dass **grobe Pflichtverletzung** (Bsp. in → Rn. 59) am ehesten geeignet ist, auch die Kündigung zu begründen; dass bei **Unfähigkeit** (Bsp. in → Rn. 60) entgegenstehende Belange des Vorstandsmitglieds, bes. für ihn entstehende sozialen Folgen, im Vergleich zur Widerrufsentscheidung verstärkt zu berücksichtigen sind; dass **Vertrauensentzug durch HV** (→ Rn. 62 ff.) als solcher Kündigung nicht trägt, weil Fortdauer der Rechte aus dem Anstellungsvertrag notwendiges Korrelat für Entfernung aus dem Organverhältnis ohne Rücksicht auf Gründe des Vertrauensverlustes darstellt (Säcker FS Gerhard Müller, 1981, 745, 746 ff.). Für außerordentliche Kündigung ist also entscheidend, warum HV das Vertrauen entzogen hat. **Unberechtigte Amtsniederlegung** (→ Rn. 81) ist stets wichtiger Grund iS gröblicher Pflichtverletzung (BGH NJW 1978, 1435, 1437; BGHZ 78, 82, 85 = NJW 1980, 2415). Darlegungs- und Beweislast für Vorliegen von Tatsachen, die wichtigen Grund ergeben, liegt bei AG. **Auflösende Bedingung.** Zulässig ist, Beendigung des Anstellungsvertrags als automatische Folge des Bestellungswiderrufs zu vereinbaren; Widerruf ist dann auflösende Bedingung des Vertrags (BGH NJW 1989, 2683 f.; Bauer DB 1992, 1413, 1414 f.; einschr. Bauer/Diller GmbHR 1998, 809, 812 f.). Widerruf bewirkt Auflösung jedoch erst mit Ablauf der aus § 622 II BGB folgenden Frist (BGH NJW 1989, 2683 f.; zur Rechtslage bei der GmbH s. OLG Saarbrücken NZG 2013, 784, 785; ferner Grobys/Glanz NJW-Spezial 2007, 129 f.). Nach OLG Karlsruhe NZG 2017, 226 Rn. 85 ff. muss sich auch diese Frist schon aus der Klausel selbst ergeben, die anderenfalls wegen Verstoßes nach § 622 V Nr. 2 BGB unwirksam ist. Klauselinhalt muss eindeutig sein (Bauer/Diller GmbHR 1998, 809, 811 ff.). Wie auflösende Bedingung sind **Koppelungs- oder Gleichlaufklauseln** zu behandeln (dazu Tschöpe/Wortmann NZG 2009, 85, 86 ff.). Sie sind vom BGH grds. als zulässig erachtet worden (BGH NJW 1989, 2683 f. unter entspr. Anwendung des § 622 BGB), doch wird ihre Zulässigkeit im neueren Schrifttum zunehmend unter Verweis auf AGB-rechtl. Grenzen – auch bei einmaliger Verwendung (→ Rn. 21) – in Frage gestellt wird (ausf. Habersack FS Coester-Waltjen, 2015, 1097, 1103 ff.; Tödtmann/v. Erdmann NZG 2022, 3 ff.; v. Westphalen BB 2015, 834 ff.; sa Bauer/von Medem NZA 2014, 238, 240). 88

3. Fristprobleme. Für außerordentliche Kündigung gilt gem. § 626 II BGB **Ausschlussfrist von zwei Wochen.** Nach ihrem Ablauf erklärte Kündigung ist unwirksam. Regelung ist, soweit es um Kündigung von Vorstandsmitgliedern geht, wegen ihrer tats. Verknüpfung mit Widerruf der Bestellung, der insoweit bestehenden komplexen Entscheidungslage und wegen im Vergleich zu AN typischerweise geringerer Schutzbedürftigkeit von Organmitgliedern nicht unproblematisch (mit guten Gründen für Reduktion deshalb Martens FS Werner, 1984, 495 ff.). Praxis muss sich jedoch auf Frist einstellen. Zur Monatsfrist des § 31 III 1 MitbestG → Rn. 52. 89

Frist beginnt mit **Kenntnis des Kündigungsberechtigten** vom Vorliegen der Tatsachen, die für Kündigung maßgeblich sind (§ 626 II 1 BGB); entscheidend ist Kenntnis des Gesamtsachverhalts, nicht einzelner Gesichtspunkte (BGH ZIP 1996, 636; LG München I AG 2018, 499, 501, 503). Weil AG durch AR als Kollegialorgan vertreten wird (→ Rn. 85), ist fraglich, ob **Kenntnis aller Mitglieder** des AR erforderlich ist **oder Kenntnis eines Mitglieds** genügt oder 90 jedenfalls Kenntnis des AR-Vorsitzenden ausreicht (ausf. zur Wissenzurechnung aus AR → § 112 Rn. 17 f.). Während ältere Rspr. Kenntnis auch nur eines Mitglieds hat genügen lassen (BGHZ 41, 282, 287 = NJW 1964, 1357), wurde später grds. Kenntnis aller Mitglieder verlangt (BGH AG 1981, 47, 48; BAGE 29, 158, 164 ff. = NJW 1978, 723; OLG München AG 2012, 753, 756; LG München I AG 2011, 258, 261; LG München I AG 2018, 499, 501, 503; KK-AktG/Cahn Rn. 205; Wiesner BB 1981, 1533, 1536 ff.). Für **GmbH** hat BGHZ 139, 89, 92 f. = NJW 1998, 3274 unter Aufgabe früherer Rspr. angenommen, dass Ausschlussfrist erst beginnt, wenn Sachverhalt einer Gesellschafterversammlung unterbreitet wird, deren Einberufung nicht unangemessen verzögert worden ist; Gesellschafterversammlung soll Überlegungsfrist ausschöpfen können (ebenso für AR einer GmbH BGH NZG 2002, 46, 47 f.; ferner OLG Karlsruhe ZIP 2004, 2377, 2379; für AG auch OLG Stuttgart AG 2015, 281 f.; sa OLG Stuttgart AG 2015, 285, 287 f.; MüKoBGB/Henssler BGB § 626 Rn. 335). Das ist wegen vergleichbarer Sachverhaltsstruktur auf AR der AG zu übertragen (KG NZG 2004, 1165, 1167; GK-AktG/Kort Rn. 516; MüKoAktG/Spindler Rn. 217; Lutter/Krieger/Verse AR Rn. 442; J. Koch ZIP 2015, 1757, 1766; Tschöpe/Wortmann NZG 2009, 85, 90; ebenso OLG Jena NZG 1999, 1069 für Verwaltungsrat eines KI), so dass **Frist ab Sitzungstag** läuft, wenn Sitzung mit zumutbarer Beschleunigung einberufen worden ist; außerordentliche AR-Sitzung unter Wahrung der Ladungsfrist und kurzen Zeitraums für Einberufungsentscheidung des AR-Vorsitzenden sollte genügen, dürfte aber auch erforderlich sein (sa KG NZG 2004, 1165, 1167: unverzügliche Einberufung). Unzulässige Verzögerung der Einberufung kann Verwirkung des Kündigungsrechts zur Folge haben (OLG München AG 2012, 753, 757; GK-AktG/Kort Rn. 517). Vereinbaren AG und Vorstand Sachverhaltsaufklärung, so können sich Vorstandsmitglieder gem. § 242 BGB nicht auf Fristablauf berufen, wenn Kündigung unmittelbar an Sachverhaltsermittlung anschließt (LG München I AG 2011, 258, 261).

VIII. Montan-Mitbestimmung (§ 84 V)

91 § 84 V bezieht sich auf **§ 13 I 2 und 3 MontanMitbestG.** Danach kann Arbeitsdirektor gegen die Stimmen der Mehrheit der AR-Mitglieder der AN-Vertreter weder bestellt noch abberufen werden. § 84 V stellt also klar, was sich aus Spezialität ohnehin ergeben würde.

Bestellung durch das Gericht

85

(1) [1] **Fehlt ein erforderliches Vorstandsmitglied, so hat in dringenden Fällen das Gericht auf Antrag eines Beteiligten das Mitglied zu bestellen.** [2] **Gegen die Entscheidung ist die Beschwerde zulässig.**

(1a) **§ 76 Absatz 3a gilt auch für die gerichtliche Bestellung.**

(2) **Das Amt des gerichtlich bestellten Vorstandsmitglieds erlischt in jedem Fall, sobald der Mangel behoben ist.**

(3) [1] **Das gerichtlich bestellte Vorstandsmitglied hat Anspruch auf Ersatz angemessener barer Auslagen und auf Vergütung für seine Tätigkeit.** [2] **Einigen sich das gerichtlich bestellte Vorstandsmitglied und die Gesellschaft nicht, so setzt das Gericht die Auslagen und die Vergütung fest.** [3] **Gegen die Entscheidung ist die Beschwerde zulässig; die Rechtsbeschwerde ist ausgeschlossen.** [4] **Aus der rechtskräftigen Entscheidung findet die Zwangsvollstreckung nach der Zivilprozeßordnung statt.**

I. Regelungsgegenstand und -zweck

§ 85 betr. gerichtl. Ersatzbestellung von Vorstandsmitgliedern und dient der 1
Handlungs- und Prozessfähigkeit der als jur. Person entstandenen AG, deren durch Vorstand als Organ vermittelte Handlungsfähigkeit sonst nicht gesichert wäre (RegBegr. Kropff S. 107 f.). Vorschrift geht als spezielle Regelung dem in der Sache vergleichbaren § 29 BGB vor.

II. Voraussetzungen

1. Fehlen erforderlichen Vorstandsmitglieds. § 85 I 1 setzt zunächst Feh- 2
len erforderlichen Vorstandsmitglieds voraus. Aus Unterscheidung des § 105 II folgt, dass **bloße Verhinderung** nicht genügt; dasselbe gilt für faktische Blockade (GK-AktG/Kort Rn. 12 f.; MüKoAktG/Spindler Rn. 5). Vorstandsmitglied fehlt bei Tod, Widerruf der Bestellung, Amtsniederlegung, ferner, wenn mitbestimmte AG entgegen § 76 II 2 nur ein Vorstandsmitglied hat (KK-AktG/Cahn Rn. 2). Vorstandsmitglied fehlt auch bei Nichtigkeit der Bestellung. Soweit diese aus angeblicher Gesetz- oder Satzungswidrigkeit des Wahlbeschlusses folgen soll, durch den AR-Mitglieder berufen worden sind, ist nach § 241 Nr. 5 Rechtskraft des darauf gestützten Anfechtungsurteils erforderlich (OLG Frankfurt AG 2008, 419, 421). Fehlendes Mitglied muss **erforderlich** sein. So liegt es zunächst, wenn AG nicht vertreten werden kann, ferner auch, wenn Zahl der Vorstandsmitglieder zwar zur Vertretung reicht, aber nicht für (dringliche; → Rn. 3) Maßnahmen der Geschäftsführung wie zB Aufstellung des Jahresabschlusses (RegBegr. Kropff S. 107). Nach heute hM ist auch Fehlen eines mitbestimmungsrechtl. erforderlichen **Arbeitsdirektors** erheblicher Nachteil in diesem Sinne (GK-AktG/Kort Rn. 28; MüKoAktG/Spindler Rn. 6).

2. Dringlichkeit. Organmangel zu beheben, muss dringlich sein. Dringlich- 3
keit liegt vor, wenn der AG, ihren Aktionären oder Gläubigern, der Belegschaft oder der Öffentlichkeit erhebliche Nachteile drohen (MüKoAktG/Spindler Rn. 8) und AR nicht oder nicht schnell genug tätig werden kann. So war es früher namentl. bei **Spaltgesellschaft** (vgl. BGH AG 1985, 53 f.; 1986, 290; 1990, 78; BayObLGZ 1987, 29, 33 f.; zum Begriff → § 14 Rn. 4). Sie brauchte Notvorstand für Einberufung der HV (§ 121 II 1). Fehlerhaft war in solchen Fällen Bestellung eines Not-AR, damit dieser den Vorstand bestelle (BayObLGZ 1987, 29, 34 f.; OLG Celle NJW 1965, 504; KK-AktG/Cahn Rn. 4 f.; MüKo-AktG/Spindler Rn. 8). Verhältnis zur **Prozesspflegschaft nach § 57 ZPO:** Ist Pfleger bestellt, so fehlt Dringlichkeit, soweit seine Befugnisse reichen (OLG Celle NJW 1965, 504, 505). Sonst ist Ersatzbestellung vorzunehmen; bloße Möglichkeit der Pflegerbestellung schließt Dringlichkeit iSd § 85 nicht aus (OLG Celle NJW 1965, 504, 505; KK-AktG/Cahn Rn. 6; MüKoAktG/Spindler Rn. 8). Auch Abwesenheitspflegschaft kann Bestellung eines Notvorstands entbehrlich machen (KG AG 2007, 400, 401).

III. Verfahren

Maßgebend sind §§ 1–57, 375 Nr. 3, 376, 377 FamFG. Sachlich zuständig ist 4
Amtsgericht (§ 23a I Nr. 2, II Nr. 4 GVG iVm § 375 Nr. 3 FamFG). Örtl. Zuständigkeit bestimmt sich nach Gesellschaftssitz (§ 14) unter Beachtung der §§ 376, 377 FamFG. Bei **Spaltgesellschaften** (→ § 14 Rn. 4) war früher § 15 ZustErgG aF anzuwenden. Danach entschied tats. oder geplanter Verwaltungssitz. Nach Streichung der Vorschrift ist entspr. § 5 I Nr. 1 FamFG zu verfahren, sollten noch Fälle aktuell werden und Streit oder Ungewissheit bestehen (sa

BGHZ 19, 102, 107 = NJW 1956, 183; BGH AG 1985, 53 f.; 1986, 290, 291; BayObLGZ 1987, 29, 33; OLG Karlsruhe NZG 2014, 667, 668). Gericht entscheidet durch Richter (§ 17 Nr. 2 RPflG). Gem. § 85 I 1 erforderlicher **Antrag** (schriftlich oder zu Protokoll, s. § 25 I FamFG) kann von jedem Beteiligten gestellt werden. Beteiligt ist, wer schutzwürdiges Interesse hat (zB vorhandene Organmitglieder, Gläubiger; sa OLG Düsseldorf NZG 2022, 78 Rn. 21 [Verein]). Ob geplante Rechtsverfolgung Erfolgsaussicht hat, ist nicht zu prüfen (OLG Hamm OLGZ 1965, 329, 331 zur Genossenschaft). Vor Bestellung muss Gericht prüfen, ob Vorstandsmitglied für Amt geeignet ist, also insbes. ges. Bestimmungen erfüllt, wozu nach dem durch FüPoG II 2021 neu eingeführten § 85 Ia auch Erfüllung der Geschlechterquote nach § 76 IIIa (→ § 76 Rn. 153 ff.) zählt; für Erlöschen des Mandats gilt auch dann allg. Regel des § 85 II (→ Rn. 5). Entscheidung ergeht durch **Beschluss,** der zu begründen ist (§ 38 III 1 FamFG) und mit Bek. wirksam wird (§ 40 I FamFG, § 41 FamFG). Erforderlich ist aber auch hier (→ § 84 Rn. 3) Annahme durch Bestellten (OLG Hamm NZG 2016, 688 f. [zum Notvorstand eines Vereins]). **Rechtsmittel** ist nach § 85 I 2 iVm § 58 I FamFG Beschwerde, wohingegen Rechtsbeschwerde (§§ 70 ff. FamFG) explizit ausgeschlossen ist. Beschwerdebefugt ist Antragsteller bei Zurückweisung seines Antrags (§ 59 II FamFG), sonst, also bei stattgebender Entscheidung, jeder dadurch in seinen Rechten Beeinträchtigte (§ 59 I FamFG). Das sind AG und die übrigen Vorstandsmitglieder, wenn sie den Antrag nicht selbst gestellt haben, aber auch AR wegen seiner Bestellungskompetenz nach § 84 (GK-AktG/Kort Rn. 66; BeckOGK/Fleischer Rn. 13), dagegen mangels unmittelbarer Rechtsbetroffenheit nicht Aktionäre (hM; s. nur OLG Frankfurt NJW 1955, 1929; BeckOGK/Fleischer Rn. 13; GK-AktG/Kort Rn. 66; MüKoAktG/Spindler Rn. 22; aA BayObLG 1987, 210; KK-AktGMertens/Cahn Rn. 13). Auch einer Beschwerde durch den Bestellten selbst gegen seine Bestellung ist wegen fehlenden Rechtsschutzbedürfnisses unzulässig, da er die Möglichkeit hat, die Annahme des Amtes zu verweigern (OLG Hamm NZG 2016, 688 f. [zum Notvorstand eines Vereins]).

IV. Rechtsstellung gerichtlich bestellter Vorstandsmitglieder

5 Gerichtl. Bestellter hat grds. volle Rechte und Pflichten eines Vorstandsmitglieds. Ob ihm Allein- oder Gesamtvertretungsmacht zukommt (§ 78), richtet sich nach Vertretungsmacht des fehlenden Mitglieds (KK-AktG/Cahn Rn. 15). Für sachlichen Umfang der Vertretungsmacht gilt § 82 I. Geschäftsführungsbefugnis (§ 77) kann im Bestellungsbeschluss eingeschränkt werden. **Amtsdauer** gem. § 85 II längstens, bis AR fehlendes Vorstandsmitglied bestellt und dieses Bestellung angenommen hat (→ § 104 Rn. 15). In diesem Zeitpunkt erlischt Amt von Rechts wegen. Vorher ist Abberufung durch Gericht möglich, aber nicht gem. § 84 durch AR.

6 Nach § 85 III hat gerichtl. bestelltes Mitglied Anspruch auf **Ersatz angemessener Auslagen** und auf **Vergütung,** die notfalls vom Gericht festzusetzen sind. Einzelheiten wie bei Vergütung der Gründungsprüfer nach § 35 III (→ § 35 Rn. 8). Rechtsmittel ist auch hier Beschwerde. Rechtsbeschwerde ist ausdr. ausgeschlossen (§ 85 III 3 Hs. 2), weil es einer höchstrichterlichen Klärung bei Streitigkeiten um Vergütung und Auslagenersatz nicht bedarf (RegBegr. BT-Drs. 16/6308, 353). Der rechtskräftige Beschluss ist nach § 85 III 4 Vollstreckungstitel iSd § 794 I Nr. 3 ZPO. Schuldner von Auslagenersatz und Vergütung ist stets und nur AG. Bestellter kann Amtsübernahme von Vorschuss abhängig machen.

§ 86 *(aufgehoben)*

§ 86 regelte **Gewinnbeteiligung der Vorstandsmitglieder.** Norm ist aufgehoben durch TransPuG 2002. RegBegr. BT-Drs. 14/8769, 14 bezeichnet sie als überflüssig und überholt. Verwendung von Tantiemen als variable Vergütungsbestandteile bleibt mangels beschränkender Vorschrift in weitergehendem Maße als nach § 86 aF zulässig (→ § 87 Rn. 5; sa GK-AktG/Kort § 87 Rn. 164 ff.). 1

Grundsätze für die Bezüge der Vorstandsmitglieder

§ 87 (1) [1] **Der Aufsichtsrat hat bei der Festsetzung der Gesamtbezüge des einzelnen Vorstandsmitglieds (Gehalt, Gewinnbeteiligungen, Aufwandsentschädigungen, Versicherungsentgelte, Provisionen, anreizorientierte Vergütungszusagen wie zum Beispiel Aktienbezugsrechte und Nebenleistungen jeder Art) dafür zu sorgen, dass diese in einem angemessenen Verhältnis zu den Aufgaben und Leistungen des Vorstandsmitglieds sowie zur Lage der Gesellschaft stehen und die übliche Vergütung nicht ohne besondere Gründe übersteigen.** [2] **Die Vergütungsstruktur ist bei börsennotierten Gesellschaften auf eine nachhaltige und langfristige Entwicklung der Gesellschaft auszurichten.** [3] **Variable Vergütungsbestandteile sollen daher eine mehrjährige Bemessungsgrundlage haben; für außerordentliche Entwicklungen soll der Aufsichtsrat eine Begrenzungsmöglichkeit vereinbaren.** [4] **Satz 1 gilt sinngemäß für Ruhegehalt, Hinterbliebenenbezüge und Leistungen verwandter Art.**

(2) [1] **Verschlechtert sich die Lage der Gesellschaft nach der Festsetzung so, dass die Weitergewährung der Bezüge nach Absatz 1 unbillig für die Gesellschaft wäre, so soll der Aufsichtsrat oder im Falle des § 85 Absatz 3 das Gericht auf Antrag des Aufsichtsrats die Bezüge auf die angemessene Höhe herabsetzen.** [2] **Ruhegehalt, Hinterbliebenenbezüge und Leistungen verwandter Art können nur in den ersten drei Jahren nach Ausscheiden aus der Gesellschaft nach Satz 1 herabgesetzt werden.** [3] **Durch eine Herabsetzung wird der Anstellungsvertrag im übrigen nicht berührt.** [4] **Das Vorstandsmitglied kann jedoch seinen Anstellungsvertrag für den Schluß des nächsten Kalendervierteljahrs mit einer Kündigungsfrist von sechs Wochen kündigen.**

(3) **Wird über das Vermögen der Gesellschaft das Insolvenzverfahren eröffnet und kündigt der Insolvenzverwalter den Anstellungsvertrag eines Vorstandsmitglieds, so kann es Ersatz für den Schaden, der ihm durch die Aufhebung des Dienstverhältnisses entsteht, nur für zwei Jahre seit dem Ablauf des Dienstverhältnisses verlangen.**

(4) **Die Hauptversammlung kann auf Antrag nach § 122 Absatz 2 Satz 1 die nach § 87a Absatz 1 Satz 2 Nummer 1 festgelegte Maximalvergütung herabsetzen.**

Übersicht

I. Regelungsgegenstand und -zweck

1 Vorschrift betr. Bezüge der Vorstandsmitglieder und dient dem **Schutz der AG** sowie ihrer Gläubiger, Aktionäre und AN **vor übermäßigen Bezügen** (MüKoAktG/Spindler Rn. 1; zu rechtsökonomischen Grundlagen s. E. Meyer, Vorstandsvergütung, 2013, 19 ff.). Idealiter sollte hinreichende Interessenvertretung der Aktionäre systemkonform durch AR erfolgen, wird diesem aufgrund seiner oft bestehenden kollegialen Verbundenheit aber nicht zugetraut und deshalb durch weiteren Schutz flankiert, der hier durch Einschränkung der Vertragsfreiheit erfolgt. Angemessenheitserfordernis beschränkt Beurteilungsspielraum des AR durch flexible, den allgemeinen Standards der §§ 134, 138 BGB vorgelagerte Schranke. Weitere Vorgaben sollen iS guter Corporate Governance, **verhaltenssteuernde Wirkung** von Vergütungsanreizen sinnvoll nutzen (S/L/Seibt Rn. 3 ff.). § 87 I ist keine Schutznorm zugunsten Vorstandsmitglieder, gibt ihnen also keinen Anspruch auf angemessenes Gehalt (KK-AktG/Cahn Rn. 5).

2 Norm geht über § 78 AktG 1937 auf 3. NotVO zur Sicherung von Wirtschaft und Finanzen v. 6.10.1931 (RGBl. 1931 I 537) zurück (dort Kap. III § 1 I) und hatte ihren **ursprünglichen Schwerpunkt** im heutigen § 87 II, der Rückgriff auf NotVO oder auf Unzumutbarkeit iSd § 242 BGB bei Herabsetzung von Bezügen überflüssig machen sollte (ausf. Hüffer in Habersack/Bayer, Aktienrecht im Wandel, 2007, Kap. 7 Rn. 56). § 87 I hatte demgegenüber ursprünglich nur ergänzende Bedeutung (S/L/Seibt Rn. 1). Da das Thema der „Managergehälter" sich als bes. wahlkampftauglich erwiesen hat, ist Regelungsbereich der Vorstandsvergütung in ärgerlicher Regelmäßigkeit der Bundestagswahlen Gegenstand rechtspolit. Änderungsvorschläge (VorstOG 2005 [→ Rn. 68 f.], VorstAG 2009 [dazu im Folgenden], gescheitertes VorstKoG 2013 [→ § 120a Rn. 1]), was **Komplexität der Entgeltgestaltung unnötig erhöht** hat (→ Rn. 3). Das gilt erst recht, nachdem auch europ. Gesetzgeber sich mit Art. 9a–9c Aktionärsrech-

te-RL des Vergütungsthemas angenommen hat. Umsetzung in deutsches Recht ist durch ARUG II 2019 erfolgt (→ Rn. 3).

Beschriebene Komplexität (→ Rn. 2) folgt nicht allein aus § 87, sondern aus **flankierenden rechtl. Vorgaben.** Namentl. seit ARUG II 2019 wird § 87 ergänzt durch umfassende Transparenzvorschriften zu Vergütungssystem (§ 87a), Vergütungsvotum (§ 120a) und Vergütungsbericht (§ 162), dessen Vorgaben sich zT auch noch mit handelsrechtl. Regelungen zur Offenlegung der Vorstandsvergütung überschneiden (→ Rn. 68 f.). Weitere Regelungen betr. AR-Zuständigkeit (§ 107 III; → § 107 Rn. 59) und Wartezeit für Ausübung von Aktienoptionen (§ 193 II Nr. 4). Für börsennotierte Gesellschaften gelten ebenfalls dicht gewebte **DCGK-Empfehlungen.** Vielzahl rechtl. Vorgaben hat zu ungesunder Folge geführt, dass Vergütungsentscheidung jedenfalls für börsennotierte AG ohne Hinzuziehung jur. Berater heute kaum noch möglich ist (→ § 116 Rn. 19). Das gilt erst recht für nochmals weitergehende Regelungen im Bereich der **Finanzwirtschaft** (zB § 5 II Nr. 4 FMStFV; vgl. dazu GK-AktG/Kort Rn. 32 ff.; Boos/Fischer/Schulte-Mattler/Fridgen RStruktFG § 4 Rn. 8 ff.; Lackhoff/Kulenkamp AG 2014, 770 ff.; zu entspr. aufsichtsrechtl. Rundschreiben vgl. Leßmann/Hopfe DB 2010, 54). Zur schwierigen Übertragung auf Dienstvertrag mit Interim Manager → § 84 Rn. 17 f. Aktueller Überblick über Höhe der Vorstandsvergütung im DAX und MDAX bei Götz/Stahl CF 2018, 283 ff. sowie Böcking ua Konzern 2019, 15 ff.; speziell zu Pensionszahlungen vgl. auch Böcking/Bach/Hanke Konzern 2017, 138 ff. 3

II. Systematischer Kontext

Für nicht börsennotierte AG erschöpfen sich ges. Vorgaben in § 87, der auch nur zT auf sie angewandt werden kann (ausgenommen etwa: § 87 I 2, 3). Für **börsennotierte AG** gelten überdies §§ 87a, 120a, 162 und Kodex-Empfehlungen (→ Rn. 3). Damit muss künftig (zu Übergangsregelungen → § 87a Rn. 2) im Vorfeld der konkreten Vergütungsentscheidung Entwicklung eines Vergütungssystems nach § 87a stehen, das HV nach § 120a zur Billigung vorzulegen ist. Konkrete Vergütungsvereinbarung muss sodann nach § 87a II 1 in Übereinstimmung mit einem der HV vorgelegten Vergütungssystem festgesetzt werden. Erst für diese Festlegung gilt § 87, dessen grundlegende Wertungen aber auch schon in **Entwicklung des Vergütungssystems** einfließen müssen, um Systemkonformität zu gewährleisten. Flankierende Kodex-Vorgaben haben unverbindlichen Empfehlungscharakter und verlangen allein, Abweichung offenzulegen und zu erklären (→ § 161 Rn. 18). 4

III. Angemessenheit der Vorstandsbezüge (§ 87 I)

1. Gesamtbezüge aktiver Vorstandsmitglieder. a) Gesamtbezüge als Bezugspunkt. § 87 I trifft Regelung für Festsetzung der „Gesamtbezüge" des Vorstands durch AR. Gesamtbezüge werden nicht legaldefiniert. Begriff umfasst sämtliche Leistungen, die Vorstandsmitglied mit Rücksicht auf Tätigkeit für AG gewährt werden (statt aller Goette/Arnold AR-HdB/C. Arnold § 4 Rn. 1294). Nähere Aufschlüsselung erfolgt durch erläuternden, aber nicht abschließenden Klammerzusatz, der durch VorstAG 2009 um **anreizorientierte Vergütungszusagen** wie zB Aktienbezugsrechte ergänzt worden ist. Das soll insbes. verdeutlichen, dass Angemessenheitserfordernis auch für Aktienoptionspläne und vergleichbare schuldrechtl. Nachbildungen wie Stock Appreciation Rights und Phantom Stocks (→ Rn. 42) gilt (Baums, Bericht der Regierungskommission, 2001, Rn. 44). Früher in § 86 gesondert behandelte **Gewinntantiemen** (→ § 86 Rn. 1) werden jetzt ebenfalls beispielhaft in § 87 I aufgeführt, sind also weiterhin 5 zulässig. Das Gleiche gilt für sonstige Tantiemenformen, wie zB früher verbreitete **Dividendentantieme** (BGHZ 145, 1, 3 = NJW 2000, 2998; OLG Düsseldorf AG 1999, 468, 469), Ermessenstantieme und Mindest- oder Garantietantieme. **Ermessenstantieme** ist mittlerweile allerdings nur noch selten anzutreffen, da sie von Empfehlung in G.7 DCGK abweicht und auch Stimmrechtsberater (→ § 134a Rn. 4; → § 134d Rn. 1 ff.) von solcher Gestaltung abraten (J. Vetter/Lauterbach AG 2021, 89 Rn. 34 f.). **Garantietantieme** ist erfolgsunabhängig und stellt der Sache nach den Teil der Festvergütung dar, der nicht ruhegehaltsfähig ist (OLG Celle NZG 2008, 79 f.). Praxis bevorzugt mittlerweile Zieltantiemen, an deren Zulässigkeit ebenfalls keine Zweifel bestehen (BeckOGK/Fleischer Rn. 52). Früher umstr. war Zulässigkeit einer Umsatztantieme (offengelassen in BGH WM 1976, 1226, 1227), doch bestehen nach Wegfall des § 86 auch insofern keine Bedenken mehr (zutr. GK-AktG/Kort Rn. 184 ff.). § 87 I umschreibt die als ges. Leitbild zulässigen Vergütungsformen, ohne eine bestimmte Art der Vergütung vorzugeben, steht damit also auch Vereinbarung einer reinen Fixvergütung nicht entgegen (BGH NZG 2020, 64 Rn. 33; sa RegBegr. BT.-Drs. 16/12278, 5: „unbeschadet der Möglichkeit, eine Festvergütung zu vereinbaren"; zur Vereinbarkeit mit § 87 I 2 → Rn. 26).

6 **Nebenleistungen** iSd Klammerzusatzes in § 87 I 1 sind etwa Wohnrechte, Recht zur privaten Nutzung von Flugzeugen oder Pkw (ausf. dazu LG Essen v. 9.9.2013 – 44 O 164/10, juris-Rn. 907 = BeckRS 2014, 22313; sa Fleischer/Bauer ZIP 2015, 1901, 1906 f.), Abordnung von Personal, Sicherheiten, Personal Coaches, vergünstigte Einkaufskonditionen, Übernahme von Steuern oder Versicherungsbeiträgen. Auch Leistungen Dritter, insbes. Konzernbezüge, sind zu berücksichtigen (Ihrig/Wandt/Wittgens ZIP-Beil. 40/2012, 7). Bei Fortbildungskursen ist nach Kostenhöhe und Eigeninteresse der AG im Einzelfall zu differenzieren (Seyfarth VorstandsR § 5 Rn. 67). **D&O-Versicherung** ist hingegen aufgrund des Eigeninteresses der AG nicht den Bezügen, sondern den dienstlichen Fürsorgeaufwendungen zuzurechnen (KK-AktG/Cahn Rn. 23; aA Seyfarth VorstandsR § 25 Rn. 47 ff.; ausf. zu diesem Argument in Zuständigkeitsfragen → § 93 Rn. 123). Bei Einbindung in **Managementbeteiligungsprogramme** an Tochtergesellschaften (vgl. dazu Seyfarth VorstandsR § 5 Rn. 239 ff.) kommt es darauf an, ob vergünstigter Bezug eröffnet wird oder Vorstand ausschließlich Recht oder (aus Gründen des interest alignment) Pflicht zum Bezug zum **Verkehrswert** hat. Im letztgenannten Fall kann Angemessenheit erst bei nachgeordnetem Bezug beurteilt werden, nicht aber schon bei Rechts- bzw. Pflichtbegründung, so dass § 87 I 1 auf dieser Ebene keine Anwendung findet.

7 **Vergütungen Dritter** (zu praktischen Erscheinungsformen vgl. Bauer/C. Arnold FS Henssler, 2023, 785, 787 ff.) werden durch § 87 I nicht gänzlich ausgeschlossen (zweifelnd GK-AktG/Kort Rn. 357). Zulässigkeitsfrage wird allerdings nicht durch § 162 II Nr. 1 (→ § 162 Rn. 8a) entschieden. Drittvergütung kann aber Interessenkonflikte des Vorstands begründen und auf diese Weise seine Handlungsfähigkeit beschränken (GK-AktG/Kort Rn. 357; Kalb/Fröhlich NZG 2014, 167, 168; zu den Folgen eines Interessenkonflikts → § 93 Rn. 55 ff.). Interessenkonflikt kann durch Koppelung an Unternehmensinteresse vermieden werden; aufgrund zumindest potenzieller Konfliktlage ist aber auf jeden Fall Zustimmung des AR erforderlich (GK-AktG/Kort Rn. 357; Lutter/Krieger/Verse AR Rn. 427; aA Kalb/Fröhlich NZG 2014, 167, 169 f.). Ob Drittvergütung auch in **Angemessenheitsprüfung** nach § 87 I 1 einbezogen werden muss, ist sehr umstr. (dagegen die hM – vgl. GK-AktG/Kort Rn. 357; Lutter/Krieger/Verse AR Rn. 402; Diekmann FS Maier-Reimer, 2010, 75, 82; Kalb/Fröhlich NZG 2014, 167, 169; Reuter AG 2011, 274, 280; Traugott/Grün AG 2007, 761, 768 f.; aA S/L/Seibt Rn. 10; Seyfarth Vorstandsrecht, § 7 Rn. 42;

Goette/Arnold AR-Hdb/C. Arnold § 4 Rn. 1262; Bauer/C. Arnold FS Henssler, 2023, 785, 792 f.; Selzner AG 2013, 818, 822). MM beruft sich darauf, dass § 87 I 1 auch dazu diene, überhöhten Managergehältern entgegenzuwirken. Das ist aber bloß **reflexhafter legislativer Kollateralnutzen,** der Auslegung des § 87 I 1 nur bestimmen kann, wenn sich Zielsetzung auch in aktienrechtl. Funktionsgefüge einpassen lässt. Aufgabe des in § 87 I 1 adressierten AR ist es aber nicht, iSd Allgemeinheit sozialpolitische Egalitätsanliegen durchzusetzen, sondern dafür Sorge zu tragen, dass nicht zu Lasten der AG und ihrer Aktionäre überhöhte Vorstandsbezüge vereinbart werden. Dieses Anliegen wird bei Drittzahlung nicht berührt. Nach allg. Auffassung sind jedenfalls solche Zahlungen nicht einzubeziehen, die Vorstandsmitglied nicht im Hinblick auf Vorstandstätigkeit selbst gezahlt werden, sondern als Vergütung für Tätigkeiten in konzernfremden Drittunternehmen (zB AR-Tätigkeit) erhält (S/L/Seibt Rn. 10; Bauer/C. Arnold FS Henssler, 2023, 785, 786). Zum Sonderfall des Personalleasings von Interim-Managern → § 84 Rn. 17 f.

b) Angemessenes Verhältnis. AR muss gem. § 87 I 1 dafür sorgen, dass Gesamtbezüge in angemessenem Verhältnis zu den Aufgaben und Leistungen des Vorstandsmitglieds und zur Lage der AG stehen. Maßgeblicher **Zeitpunkt** für Beurteilung ist derjenige, in dem die Bezüge festgesetzt werden (Spindler DStR 2004, 36, 42). **Nachträgliche Änderung** der Verhältnisse kann, wenn Anstellungsvertrag insoweit nichts vorsieht, nur unter den bes. Voraussetzungen des § 87 II berücksichtigt werden (RegBegr. Kropff S. 111). Angemessenheitsprüfung ist Gesamtprüfung, nicht Einzelbetrachtung einzelner Bestandteile, was flexibleres Zusammenspiel ermöglicht (zB hohe variable Vergütung bei niedriger Basisvergütung in Unternehmenskrise – S/L/Seibt Rn. 11; aA GK-AktG/Kort Rn. 273 f.). 8

Aufgabe ist nach Satzung, Anstellungsvertrag und Geschäftsverteilung zu bestimmen (GK-AktG/Kort Rn. 53). Ob dabei auch Risiko existenzvernichtender Haftung bei fahrlässiger Schadenszufügung (→ 76 Rn. 58; → § 93 Rn. 96 ff.) in Aufgabenbestimmung einfließt, hängt davon ab, ob gegenläufige Haftungsreduzierung anerkannt wird (→ § 93 Rn. 96 ff.), die dieses Risiko dem Unternehmen zuweist (ausf. J. Koch AG 2014, 513, 517; sa Bayer/Scholz NZG 2014, 926, 927; G. Wagner ZHR 178 [2014], 254, 260). 9

Leistungskriterium (dazu Suchan/Winter DB 2009, 2531, 2531 f.) geht auf VorstAG 2009 zurück und ist namentl. bei Vertragserneuerung zu beachten (Fraktionsbegr. BT-Drs. 16/12278, 5), hat daneben aber auch für variable Vergütungsbestandteile Bedeutung (GK-AktG/Kort Rn. 60). Mit Leistungskriterium ist insbes. klargestellt, dass im Mannesmann-Urteil angelegte künstliche Trennung von prospektiven Aufgaben und vergangenen Leistungen zugunsten sachgerechter Gesamtschau aufgegeben ist (→ Rn. 19 ff.). Angesichts interessenpluraler Zielsetzung des Vorstandshandelns (→ § 76 Rn. 63 ff.) ist Leistung nicht allein an Wertentwicklung der AG zu messen, wenngleich darin wichtiger Indikator zu sehen ist (GK-AktG/Kort Rn. 59, 123). 10

Lage der AG stellt auf wirtschaftliche Gesamtsituation ab, wobei auch Konzerntöchter zu berücksichtigen sind (BeckOGK/Fleischer Rn. 20; GK-AktG/Kort Rn. 65 ff.; zur Koppelung der Vergütung des Tochtervorstands an Muttergesellschaft → Rn. 33 f.). Wirtschaftlich schlechte Lage der AG nötigt nicht unbedingt zu niedrigen Bezügen (GK-AktG/Kort Rn. 35). Entscheidend ist, zu welchem Preis eine zur Sanierung geeignete Persönlichkeit gefunden werden kann (Hoffmann-Becking NZG 1999, 797, 798). Vergleichsmaßstäbe sind kumulativ zu berücksichtigen. 11

Außerdem hat AR dafür zu sorgen, dass Gesamtbezüge **übliche Vergütung** nicht ohne bes. Gründe übersteigen. Üblichkeit wird idR auch Angemessenheit 12 indizieren, doch ist dieser Schluss nicht zwingend (BeckOGK/Fleischer Rn. 21; S/L/Seibt Rn. 17; strenger noch → 14. Aufl. 2020, Rn. 11; Ihrig/Wandt/Wittgens ZIP-Beil. 40/2012, 8). Bei der Festlegung haben AR-Mitglieder Ermessensspielraum (→ Rn. 47; ausf. → § 116 Rn. 19 iVm → § 93 Rn. 29). Üblichkeit ist im **Horizontalverhältnis** vor allem nach Marktstellung des Unternehmens (Branche, Größe) zu beurteilen, und zwar idR nur nach inländischem Maßstab (AusschussB BT-Drs. 16/13433, 10). Ausnahme aber bei tats. Verhandlungssituation innerhalb int. Konkurrenzlage oder wenn taugliche inländische Vergleichsgruppe überhaupt nicht besteht (Ihrig/Wandt/Wittgens ZIP-Beil. 40/2012, 8; Redenius-Hövermann/Siemens ZIP 2020, 1585, 1594; tendenziell weitergehend GK-AktG/Kort Rn. 84 ff.). Vergleichsmaßstab sind nicht allein börsennotierte, sondern auch nichtbörsennotierte Gesellschaften von vergleichbarer Größe, Komplexität und Branche (RAusschuss BT-Drs. 19/15153, 52).

13 Daneben soll auch im **Vertikalverhältnis** unternehmensinternes Lohn- und Gehaltsgefüge berücksichtigt werden (Fraktionsbegr BT-Drs. 16/12278, 5), was jedoch mit Üblichkeit im Horizontalverhältnis nicht voll zusammenpasst und auch sachlich dann nicht überzeugt, wenn sich Höhe der Vorstandsvergütung nach einem Mehrfachen von Tariflöhnen oder Ähnlichem bestimmen soll (krit. auch GK-AktG/Kort Rn. 91; Cahn FS Hopt, 2010, 431, 433 ff.). Richtig ist allerdings, bei Festsetzung der Vergütung auch auf Angemessenheit des Abstands zur ersten Führungsebene zu achten. Aus bloßer „Berücksichtigung" des Vertikalverhältnisses folgt, dass im Konfliktfall horizontale Angemessenheit vorgeht (Bauer/Arnold AG 2009, 717, 720; Fleischer NZG 2009, 801, 802; für stärkere Gewichtung C. Schubert FS Windbichler, 2020, 1065, 1071 ff.). Im neuen ges. Umfeld des ARUG II wird Vertikalvergleich überdies auch noch durch inhaltliche Vorgaben zur retrospektiven Berichterstattung nach § 162 I 2 Nr. 2 verstärkt (→ § 162 Rn. 6).

14 Ges. Anforderungen werden weitgehend dupliziert in **Empfehlungen des DCGK.** G.3 DCGK empfiehlt für Horizontalvergleich Festlegung einer Peer-Group und appelliert an Unternehmen, dass externes Benchmarking nicht – wie in der Vergangenheit – „Wettlauf nach oben" begünstigen soll (vgl. Hohenstatt/Seibt ZIP 2019, 11, 17). Für Vertikalvergleich bestätigt G.4 DCGK weitere Referenzgruppe des oberen Führungskreises (→ Rn. 13) und ergänzt, dass auch zeitliche Entwicklung zu berücksichtigen ist.

15 Weitere **anerkannte Beurteilungsgesichtspunkte** sind neben den vom Ges. hervorgehobenen: Qualifikation, Marktwert, konkrete Verhandlungslage, Dauer der Zugehörigkeit zur Gesellschaft, familiäre Verhältnisse (BGH WM 1976, 1226, 1228; BGHZ 111, 224, 228 = NJW 1990, 2625; BGH NJW 1992, 2894, 2896 [alle zur GmbH]; KK-AktG/Cahn Rn. 17 ff.; MüKoAktG/Spindler Rn. 45 ff.; Tegtmeier, Die Vergütung von Vorstandsmitgliedern, 1998, 277 ff.; Thüsing ZGR 2003, 457, 469 ff.; krit. ggü. Berücksichtigung der Familienverhältnisse BeckOGK/Fleischer Rn. 25; GK-AktG/Kort Rn. 98).

16 Komplexität des Angemessenheitserfordernisses kann Einschaltung eines **Vergütungsberaters** sinnvoll machen; Verpflichtung dazu besteht jedoch nicht (GK-AktG/Kort Rn. 111; Spindler AG 2011, 725, 727). Wird von dieser Möglichkeit Gebrauch gemacht, soll es bei börsennotierter AG und solcher mit Kapitalmarktzugang iSd § 161 I 2 (→ § 161 Rn. 6b) nach G.5 DCGK unabhängiger Berater sein (Baums AG 2010, 53 ff.; Weber-Rey/Buckel NZG 2010, 761 ff.), wobei Unabhängigkeit konzernweit zu verstehen ist (KBFW/Bachmann DCGK G.5 Rn. 6; Ghassemi-Tabar/Kießling/Buddemeier DCGK G.5 Rn. 6; Hopt/Leyens ZGR 2019, 929, 979) und namentl. durch anderweitige Beratung in Frage gestellt sein kann (Einzelheiten bei Ihrig/Wandt/Wittgens ZIP-Beil. 40/2012, 25 f.). Für die Frage, ob Hinzuziehung **Haftung** eingrenzt, gelten die in → § 93 Rn. 80 ff. dargestellten Grundsätze (sa Seyfarth VorstandsR § 5 Rn. 92 ff.).

Ob **Satzung** Richtlinien für Vorstandsbezüge enthalten darf, ist str. (bejahend Habersack/Henssler/Habersack MitbestG § 31 Rn. 40a; Beiner, Der Vorstandsvertrag, 2005, Rn. 239 ff.; Körner NJW 2004, 2697, 2701; Overlack ZHR 141 [1977], 125, 134; aA GK-AktG/Kort Rn. 39; KK-AktG/Cahn Rn. 5; S/L/Seibt Rn. 5). Der bejahenden Ansicht ist beizutreten, soweit Richtlinien nicht auf Beschränkung der Personalkompetenz des AR hinauslaufen, wie dies etwa bei satzungsmäßiger Einführung von Obergrenzen der Fall wäre (Dreher in RWS-Forum 25 [2004], 203, 214). Auch AR selbst ist in seiner Gestaltung nicht frei, sondern muss **Grenze des § 111 IV 1** beachten (→ § 111 Rn. 51 ff.), der es etwa verbietet, durch bestimmte Anreize in der Vergütung Vorstand zur Verfolgung bestimmter strategischer Ziele anzuhalten (BGH NZG 2020, 64 Rn. 26); betriebswirtschaftlich definierte Zielvorgaben sind dagegen zulässig (Grunewald ZIP 2016, 2009; Habersack ZHR 180 [2016], 145, 147; Spindler AG 2020, 61 Rn. 8; weitergehend S/L/Seibt Rn. 6; zur Zulässigkeit einer Steuerung durch nichtfinanzielle Vergütungsparameter vgl. Harbarth ZGR 2018, 379, 389 ff.). 17

Weitergehende Konkretisierung des Angemessenheitserfordernisses ist kaum möglich (vgl. Schwark FS Raiser, 2005, 377, 387 ff.; Thüsing ZGR 2003, 457, 469 ff.). Notwendig bleibt marktorientierte Einzelfallentscheidung (S/L/Seibt Rn. 16). In Grundlinien kann hierzu festgehalten werden: Angemessenheit iS eines den AR bindenden unbestimmten Rechtsbegriffs bezieht sich nach Wortlaut und Entstehungsgeschichte (→ Rn. 2) unmittelbar nicht auf Höhe der Gesamtbezüge, sondern auf deren Verhältnis zu den Aufgaben des Vorstandsmitglieds und zur Lage der AG (→ Rn. 8 ff.). Bestimmte Bezifferungen (Lücke NZG 2005, 692, 696 f.) mögen deshalb als unverbindliches Prüfraster eine Berechtigung haben. Als Konkretisierung eines verpflichtenden Maßstabs sind sie aber schon methodisch verfehlt (sa Seibert FS Hüffer, 2010, 955, 957: zu schematisch), desgleichen Versuch einer fremdbestimmten absoluten Obergrenze (Hüffer in Habersack/Bayer, Aktienrecht im Wandel, 2007, Kap. 7 Rn. 59 ff.; ähnlich Fleischer DStR 2005, 1279, 1281 ff.; abl. auch Dreher in RWS-Forum 25 [2004], 203, 217 ff.). Auch sonst wird Idee eines iustum pretium fehlschlagen, wie sie immer fehlgeschlagen ist (glA Martens FS Hüffer, 2010, 647). Weil Rechtsfolge in Schadensersatz besteht (→ Rn. 45 ff.), kommt es auch nicht darauf an, das Angemessene zu bestimmen, sondern das Unangemessene aus den Umständen des Einzelfalls zu begründen (ähnlich KK-AktG/Cahn Rn. 8). Das ist, soweit nicht schon § 138 BGB eingreift, derjenige Bereich, der mit einer übermäßigen Rechtsausübung (§ 242 BGB) verglichen werden kann. 18

c) Einzelfragen zur Angemessenheit. aa) Anerkennungsprämien. Nach der zur früheren Fassung des § 87 I (zur Neufassung → Rn. 10) entwickelten Auffassung des **3. Strafsenats des BGH** sind Aufgaben des Vorstandsmitglieds allein prospektiv iS künftiger Aufgaben zu verstehen, was nachträgliche Vergütung schon erbrachter Leistungen unzulässig machen soll (BGHSt 50, 331, 336 ff. = NJW 2006, 522 – Mannesmann, vgl. dazu Kuntz in Fleischer/Theissen, Gesellschaftsrechts-Geschichten, 2018, 559 ff.). Das soll insbes. Zahlung sog Anerkennungsprämien bzw. appreciation awards entgegenstehen, wenn diese im Anstellungsvertrag nicht, auch nicht in Gestalt sog Ermessenstantiemen (= Dotierung im pflichtgem. Ermessen des AR; → Rn. 5), vorgesehen sind. Eine Ausnahme kann nach Auffassung des BGH allerdings dann zugelassen werden, wenn AG zugleich Vorteil zufließt, namentl. in Gestalt einer bes. **Anreizwirkung** für künftige Vorstandskandidaten. Maßgeblich ist dann aber ausschließlich Unternehmensinteresse; reine Anerkennung außergewöhnlicher Leistungen wäre von § 87 I hingegen nicht gedeckt. Insbes. wenn AG infolge Übernahme nicht mehr als eigenständiges Unternehmen fortgeführt werden soll, fehlt es nach Auffassung des BGH an Vorteil der AG (sa LG Düsseldorf NJW 2004, 3275, 19

3277 f.; Martens ZHR 169 [2005], 124, 131 ff.; Säcker/Boesche BB 2006, 897, 901 ff.).

20 **HLit** lehnt eine solche Beschränkung des § 87 I AktG auf rein prospektiv-künftige Aufgaben hingegen zu Recht ab (vgl. BeckOGK/Fleischer Rn. 57; KK-AktG/Cahn Rn. 61 f.; Baums FS Huber, 2006, 657, 661 f., 669 ff.; Fonk NZG 2005, 248, 249 f.; Wollburg ZIP 2004, 646, 652 ff.). Dem ist zu folgen, da anderenfalls auch freiwillige Gratifikationen auf unteren Führungsebenen, die weit verbreitet und in ihrer Zulässigkeit nahezu unbestr. sind, den Tatbestand der Untreue erfüllen müssten. Auch im Gesetzeswortlaut findet BGH keine Grundlage, da Begriff der „Bezüge" keineswegs Beschränkung auf prospektive Leistungen impliziert (KK-AktG/Cahn Rn. 61). Das gilt insbes., seit VorstAG 2009 (also zeitl. nach zit. BGH-Entscheidung) ausdr. neben den Begriff der „Aufgaben" auch den der „Leistungen" in den Gesetzestext aufgenommen hat. Vom BGH aufgestellte Differenzierung, nach der freiwillige Zahlung grds. strafrechtl. als Untreue relevant, dagegen aber zulässig sein soll, wenn Satzung Ermessenstantieme gestattet, erscheint **übermäßig formalistisch** und in den zugrunde liegenden Wertungen kaum nachvollziehbar (KK-AktG/Cahn Rn. 61; krit. auch Perron ZGR 2016, 187, 193; wie BGH aber LG Essen v. 9.9.2013 – 44 O 164/10, juris-Rn. 636 ff.= BeckRS 2014, 22313).

21 Nach dieser Auffassung sind Anerkennungsprämien also mit § 87 I vereinbar, soweit sie nach Art und Höhe als Ergänzung der vertraglich festgelegten, aber nachträglich nicht mehr als leistungsgerecht erscheinenden Vergütung verstanden werden können. Probleme mögen deshalb in der Höhe liegen. Unzulässigkeit schon dem Grunde nach (angebliche Schenkung) besteht jedoch nicht (Fonk NZG 2005, 248, 250 f.). Auch Rückgriff auf **Unternehmensinteresse** (LG Düsseldorf NJW 2004, 3275, 3277; Säcker/Boesche BB 2006, 897, 898 ff.) trägt kein anderes Ergebnis, weil Angemessenheitserfordernis unspezifisch verstandenes Unternehmenswohl präzisiert (Dreher AG 2002, 214, 216; Reichert/Balke FS Hellwig, 2011, 285, 286) und rechtstechnisch verstandenes Unternehmensinteresse (→ § 76 Rn. 63 ff.) durchweg nicht involviert ist (Baums FS Huber, 2006, 657, 664 ff.; Kort NJW 2005, 333, 334; aA aber BGHSt 50, 331, 338 f. = NJW 2006, 522). Ist Urteil des BGHSt 50, 331 danach auch abzulehnen, so empfiehlt sich doch, ihm durch **Vertragsgestaltung** Rechnung zu tragen, nämlich appreciation awards nach Ermessen des AR ausdr. als mögliche Leistung vorzusehen (Formulierungsvorschlag bei Happ/Happ/Ludwig AktienR Ziff. 8.08 in § 3 II des Musters; sa Bauer/Arnold DB 2006, 546, 547 ff.; auch bei einer solchen Vorgabe aber zurückhaltend LG Essen v. 9.9.2013 – 44 O 164/10, juris-Rn. 639 ff. = BeckRS 2014, 22313; krit. dazu Fleischer/Bauer ZIP 2015, 1901, 1905 f. mit weitergehenden Überlegungen zur stattdessen vorzunehmenden Angemessenheitsprüfung).

22 **bb) Abfindungen.** Abfindungen sind von appreciation awards auch dann zu unterscheiden, wenn diese bei Mandatsbeendigung gewährt werden. Abfindungen werden **anstelle fortlaufender Bezüge** gewährt, wenn Vorstandseigenschaft und Anstellungsverhältnis ad hoc oder aufgrund einer Koppelungsklausel (→ § 84 Rn. 88) einverständlich beendet werden. Bei Kündigung des Anstellungsverhältnisses durch Vorstand oder Kündigung der AG aus von Vorstandsmitglied zu vertretenem wichtigen Grund (§ 626 BGB; → § 84 Rn. 84 ff.) ist Abfindung nicht erforderlich und sollte auch vertraglich nicht vorgesehen werden. Für börsennotierte AG und solche mit Kapitalmarktzugang iSd § 161 I 2 (→ § 161 Rn. 6b) empfiehlt G.13 DCGK, dass **Abfindungs-Cap** Wert von zwei Jahresvergütungen nicht überschreiten und nicht mehr als die Restlaufzeit des Anstellungsvertrags vergüten soll. Anders als nach früherer Fassung geht Empfehlung nicht dahin, Abfindungs-Cap überhaupt vorzusehen, sondern bezieht

sich allein auf Abfindungshöhe. Fehlen eines Abfindungs-Cap im Dienstvertrag stellt daher keine Kodex-Abweichung dar (S/L/Seibt Rn. 33; Müller-Bonanni/Jenner/Denninger AG 2021, 339 Rn. 46). Ohnehin geht Klausel ins Leere, wenn Anstellungsvertrag nicht gekündigt werden kann und Vorstandsmitglied an ihm festhält (KK-AktG/Cahn Rn. 111; Lutter BB 2009, 1874 f. [„unvollkommene Empfehlung"]); s. zu weiteren Einzelheiten KBFW/Bachmann DCGK G.13 Rn. 2 ff.; Ihrig/Wandt/Wittgens ZIP-Beil. 40/2012, 15 f.; Mutter AG 2009, 401 ff.; rechtstatsächliche Grundlagen und Vorschläge zur Begrenzung de lege lata und de lege ferenda bei Bayer/Meier-Wehrsdorfer AG 2013, 477 ff.

cc) Change of Control-Klauseln. Change of Control-Klauseln, die einen finanziellen Ausgleich für ein Ausscheiden infolge Kontrollwechsels vorsehen, sollen Vorstand absichern und zugleich gewährleisten, dass er nicht aus eigenem Interesse gegen Inhaberwechsel opponiert (KK-AktG/Cahn Rn. 112). Sie sind zumindest dann keine Abfindungen im eigentlichen Sinne (→ Rn. 22), wenn sie – wie es die Regel ist – von AG ungekündigtes Anstellungsverhältnis voraussetzen. Sie können deshalb neben Abfindung gewährt werden (Bork, Change of Control-Klauseln, 2009, 188 ff.; Hüffer in Bayer/Habersack, Aktienrecht im Wandel, 2007, Kap. 7 Rn. 68; einschr. zB MüKoAktG/Spindler § 84 Rn. 247), unterliegen jedoch dem **Angemessenheitserfordernis** (BeckOGK/Fleischer Rn. 60; Bork, Change of Control-Klauseln, 2009, 56 ff.; Cramer, Change of Control-Klauseln, 2009, 238). Für Fall des Kontrollwechsels zugesagte Leistungen sind also in Gesamtbezüge, ggf. einschließlich einer Abfindung, einzubeziehen und sowohl auf Aufgaben des Vorstandsmitglieds als auch auf Lage der AG abzustimmen. **Mannesmann-Urteil** (→ Rn. 19 ff.) bezieht sich nicht auf Change of Control-Klauseln (BeckOGK/Fleischer Rn. 60; KK-AktG/Cahn Rn. 113), könnte es aber doch nahelegen, solche Klauseln aus Vorsichtsgründen vor Auftreten einer konkreten Übernahmesituation zu vereinbaren (Bork, Change of Control-Klauseln, 2009, 97 ff.; Kort AG 2006, 106, 108). 23

Ergänzende Vorgaben enthält **G.14 DCGK,** der anregt (→ § 161 Rn. 8) für den Fall, dass Vorstandsmitglied selbst Anstellungsvertrag vorzeitig beendet, überhaupt keine Zusagen in den Vertrag aufzunehmen, was angesichts int. Verbreitung nicht unbedenklich ist (Ghassemi-Tabar/Kießling DCGK G.14 Rn. 2; Hohenstatt/Seibt ZIP 2019, 11, 19; Rieckers DB 2020, 207, 218; Wilsing/Winkler BB 2019, 1603, 1605; zust. aber Schüppen FS Seibert, 2019, 793 ff.). Da Kündigung meist nicht durch Vorstandsmitglied erfolgt, dürfte Praxis durch diese Empfehlung indes nicht übermäßig beschwert werden (Bachmann ZHR 184 [2020], 127, 136 f.). Wird Klausel dennoch verwendet, gilt auch hier Deckelung nach G.13 (→ Rn. 22). Dagegen eingewandte Spezialität des G.14 (dafür S/L/Seibt Rn. 33) lässt sich aus bloß negativer Anregung in G.13 konstruktiv nur schwer ableiten; auch in der Sache erschiene es mit Grundgedanken der Kodexgestaltung kaum vereinbar, sollten unbegrenzt hohe Abfindungen in diesem Fall ohne Abweichungserklärung möglich sein (wie hier KBFW/Bachmann DCGK G.14 Rn. 10; JIG /Kießling DCGK G.14 Rn. 6; Müller-Bonanni/Jenner/Denninger AG 2021, 339 Rn. 47 ff.). 24

d) Zusätzliche Anforderungen bei börsennotierten Gesellschaften. aa) Nachhaltige und langfristige Entwicklung (§ 87 I 2). Ist AG börsennotiert (§ 3 II), so verlangt § 87 I 2 zusätzlich zu Vorgaben des § 87 I 1 (→ Rn. 5 ff.) im Wege orientierender Sollvorschrift (dazu Mertens AG 2011, 57, 59 ff.), dass Vergütungsstruktur auf **nachhaltige und langfristige Entwicklung** der AG ausgerichtet ist; auf Existenz variabler Elemente kommt es insoweit nicht an (GK-AktG/Kort Rn. 120; Seibert WM 2009, 1489, 1490; Wagner AG 2010, 774; aA Hohenstatt ZIP 2009, 1349, 1351). Wenn AG **nicht börsennotiert** ist, besteht keine förmliche Nachhaltigkeitsverpflichtung des AR, doch sollte er 25

§ 87 I 2 als Anregung begreifen, dieser Zielvorstellung iRd ihm obliegenden Gestaltungssorgfalt (§ 93 I 1, § 116 S. 1) Rechnung zu tragen (AusschussB BT-Drs. 16/13433, 10; GK-AktG/Kort Rn. 118). Nachhaltigkeitsbegriff war jedenfalls in seiner Ursprungsfassung (zu späteren Änderungen → Rn. 26) iSd allg. **Rentabilitätsverpflichtung** (→ § 76 Rn. 89) auszulegen (Wagner AG 2010, 774, 776 ff.; s. zur Konkretisierung auch Thüsing/Forst GWR 2010, 515, 516 ff.) und erforderte Orientierung der Vergütungsstruktur am dauerhaften, also jedenfalls **periodenübergreifenden Erfolg** (zB, aber nicht notwendig Steigerung des Unternehmenswerts; s. Thüsing AG 2009, 517, 520) iGgs zur stichtagsbezogenen Betrachtung einzelner Erfolgsparameter wie Umsatz, Provisionsaufkommen oder Volumen ausgereichter Kredite (sog Strohfeuer, s. Mertens AG 2011, 57, 58 f.).

26 Entwurfsverfasser des **ARUG II 2019** hatten ursprünglich geplant, Begriff der Nachhaltigkeit in Angleichung der Terminologie an richtlinienbedingte § 87a und § 162 durch Begriff der Langfristigkeit zu ersetzen, ohne dass damit inhaltliche Änderung ggü. Vorfassung verbunden sein sollte (RegBegr. BT-Drs. 19/9739, 72). Letztlich konnte Gesetzgeber sich augenscheinlich aber nicht von positiv besetzter Modevokabel trennen, so dass sich nunmehr beide Begriffe in § 87 I 2 finden. Nach RAusschuss BT-Drs. 19/15153, 55 soll darin zum Ausdruck kommen, dass auch soziale und ökologische Gesichtspunkte in den Blick zu nehmen sind (krit. Florstedt ZIP 2020, 1, 3). In der Praxis scheint sich vor diesem Hintergrund zunehmend Einbeziehung von ESG-Zielen (ausf. dazu → § 76 Rn. 63 ff.) zu etablieren (C. Arnold/Herzberg/Zeh AG 2021, 141 Rn. 5 ff.; Häller/Hoegen ZVglRWiss 120 [2021], 209, 215 ff.; Needham/Schildhauer/Müller Konzern 2021, 155 ff.; Zülch/Winkler/Thun DB 2023, 1873 ff.). Entspr. Rechtspflicht lässt sich aber auch aus Begründung des RAusschusses („in den Blick nehmen") kaum herleiten (Hirte/Heidel/Lochner/Beneke Rn. 3; J. Koch AG 2023, 553 Rn. 26 ff.; Spindler AG 2020, 61 Rn. 7; Dörrwächter NZG 2022, 1083, 1087; skeptisch auch Harbarth ZGR 2022, 533, 549 f.; aA BeckOGK/Fleischer Rn. 33). Namentl. Ableitung eines Drei-Säulen-Modells iSe einer ökologisch-sozial-ökonomischen Ausrichtung (so schon zur Vorfassung Röttgen/Kluge NJW 2013, 900, 902 ff.; sympathisierend Velte NZG 2016, 294 ff.; Velte NZG 2020, 12 ff.) wertet untergeordnete Nebenaspekte des Gesetzgebungsprozesses („Fachgespräch mit DGB-Vertretern" [NJW 2013, 900, 903]) in unzulässiger Weise zum Willen des Gesetzgebers auf (zu Recht abl. deshalb auch GK-AktG/Kort Rn. 123; Harbarth ZGR 2018, 379, 385 ff.; Louven/Ingwersen BB 2013, 1219 ff.). Auch Ausstrahlungswirkung der CSR-Berichtspflichten nach §§ 289b ff. HGB auf Nachhaltigkeitsbegriff (dafür Hommelhoff NZG 2017, 1361, 1364 f.) ist im Ges. nicht hinreichend deutlich angelegt (→ § 76 Rn. 69 f.; wie hier Bachmann ZGR 2018, 231, 243; Harbarth ZGR 2018, 379, 383 ff.). Wo weitergehende Folgerungen formuliert werden (vgl. etwa C. Arnold/Herzberg/Zeh AG 2021, 141 Rn. 1 ff.; Hommelhoff FS Hopt, 2020, 467, 472 ff.; Walden NZG 2020, 50, 58 ff.), werden sie zumeist durch weitestgehende Ermessensspielräume flankiert, was iErg kaum zu Unterschieden führen wird (vgl. etwa C. Arnold/Herzberg/Zeh AG 2021, 141 Rn. 20, 22 f., die zB auch reine Festvergütung – zu Recht – weiterhin für zulässig halten; zum Jahresbonus → Rn. 28). Gerade durch seine stetig fortschreitende Ubiquität hat **Catch-all term Nachhaltigkeit** so stark an Trennschärfe verloren, dass er nur sehr bedingt als Tatbestandsmerkmal taugt (vgl. Schön ZfPW 2022, 207, 208 f.; s Kley FS Strenger, 2023, 258 f.: „Wiesel-Wort"), was restriktive Auslegung nahelegt (Marsch-Barner ZHR 175 [2011], 737 ff., 745; weiter Hommelhoff FS Hopt, 2020, 467, 475 f.).

27 **Mischsysteme** genügen, sofern sie iErg langfristigen Verhaltensanreiz setzen (AusschussB BT-Drs. 16/13433, 10; Mertens AG 2011, 57, 62). Auch bisher

üblicher Jahresbonus, dessen Höhe sich nach Zielgrößen gem. Jahresabschluss richtet, ist jedenfalls dann weiterhin zulässig, wenn in Kombination mit anderen Vergütungselementen insges. nachhaltige Unternehmensentwicklung gefördert wird (Seyfarth VorstandsR § 5 Rn. 83; Fleischer NZG 2009, 801, 803; Rieckhoff AG 2010, 617 f.; Seibert WM 2009, 1489, 1490; krit. aber Cahn FS Hopt, 2010, 431, 444). Gleiches gilt für die Gewährung von **Sondervergütungen** wie Antrittsprämien oder projektbezogenen Boni (Annuß/Theusinger BB 2009, 2434, 2436 f.; Thüsing AG 2009, 517, 520), schließlich auch Ermessenstantieme (→ Rn. 5), bei der jedoch Mannesmann-Entscheidung (→ Rn. 19 ff.) zu beachten ist (Eichner/Delahaye ZIP 2010, 2082, 2084). Für Verhältnis kurz- und langfristiger Elemente enthält Ges. keine Vorgabe (BeckOGK/Fleischer Rn. 42: „keine magischen Zahlen"), was gerade iRd Sollvorschrift nach § 87 I 3 durch Anerkennung weiter Ermessenspielräume auszugleichen ist (Seyfarth VorstandsR § 5 Rn. 86 mit Empfehlung, dass langfristige Elemente überwiegen sollen).

Adressat der von § 87 I 2 ausgesprochenen Verpflichtung ist AR, dagegen 28
nicht, auch nicht mittelbar, Vorstand selbst (dazu und zum Folgenden C. Schäfer GS M. Winter, 2011, 559, 567 ff.; zust. S/L/Seibt Rn. 23; krit. wegen angeblicher Kompetenzverschiebung zu Lasten des Vorstands aber Hölters/Weber/Weber Rn. 31 f.; Dauner-Lieb/v. Preen/Simon DB 2010, 377, 379 ff.). Aus Planungsverantwortung des Vorstands (§ 76 I) folgt nichts anderes. Allerdings würde AR seine Zuständigkeit (§ 111 I) verfehlen, wenn er von ihm geschuldete Langfristorientierung dazu nutzen sollte, aktiv eigene Vorstellungen zu entwickeln und durchzusetzen (→ Rn. 17). Er handelt aber innerhalb seiner Kompetenzen, wenn er vom Vorstand entwickelte einzelne Unternehmensziele mangels Nachhaltigkeit nicht honoriert. Unter **Vergütungsstruktur** sind Zusammensetzung verschiedener Vergütungselemente und ihr Verhältnis zueinander zu verstehen, und zwar bezogen auf einzelnen Vergütungsempfänger, nicht auf Gesamtheit der Vorstandsmitglieder (GK-AktG/Kort Rn. 116; Link/Goj KSzW 2013, 334). Dass AR börsennotierter AG aber auch eine solch umfassende Struktur entwickelt, ist mittlerweile durch § 87a für börsennotierte AG zwingend vorgegeben.

bb) Variable Vergütungsbestandteile (§ 87 I 3). Sofern – wie üblich – 29
variable Vergütungsbestandteile vorgesehen sind (zB Bonus, Tantieme [→ Rn. 5] – Überblick bei Melot de Beauregard DB 2012, 2792 f.), sollen sie nach § 87 I 3 Hs. 1 eine mehrjährige Bemessungsgrundlage haben (Hohenstatt ZIP 2016, 2256; zu Aktienoptionen → Rn. 41 ff.). Angesprochen sind auch insoweit nur börsennotierte Gesellschaften („daher"), für die G.1 – G.16 DCGK umfassende weitere Ergänzungen enthält (→ Rn. 36 ff.). Als Erfolgsziele kommen klassische betriebswirtschaftliche **Erfolgsparameter,** aber auch Investitionen, Kundenzufriedenheit, Energieeffizienz etc. in Betracht (s. GK-AktG/Kort Rn. 131). Zur ersten Gruppe zählen namentl. renditebezogene Kennzahlen wie Earnings Per Share (EPS), Total Shareholder Return (TRS), Return On Investment (ROI), Return On Capital Employed (ROCE) und unternehmesbezogene Ergebniskennzahlen wie Earnings Before Interest and Taxes (EBIT), Earnings Before Interest, Taxes, Depreciation and Amortization (EBITDA) oder Cash Flow. Aufgrund Nachhaltigkeits- und Langfristigkeitsgebots (→ Rn. 25 ff.) ist stetiges Wachstum entscheidend, so dass Zielerreichung durch Einmaleffekte ausgeschlossen sein muss, was auch über entspr. Cap sichergestellt werden kann (Ihrig/Wandt/Wittgens ZIP-Beil. 40/2012, 11, 13).

Zeitliches Minimum ist ein Zweijahreszeitraum (ebenso Bauer/Arnold AG 30
2009, 717, 722; Hohenstatt/Kuhnke ZIP 2009, 1981, 1985; Sailer-Coceani VGR 15 GesR 2009, 141, 148; aA Seibert WM 2009, 1489, 1490), eher empfehlenswert ist in Anlehnung an § 193 II Nr. 4 ein Zeitraum von drei bis vier

Jahren (vgl. RegBegr. BT-Drs. 16/12278, 5: § 193 II als „Auslegungshilfe"; GK-AktG/Kort Rn. 132; Cahn FS Hopt, 2010, 431, 441 ff.; Ihrig/Wandt/Wittgens ZIP-Beil. 40/2012, 10 f. – s. dort [13 f.] auch zur Anpassung bei kürzerer Amtszeit oder vorzeitigem Ausscheiden). Bei **Kredit- und Finanzdienstleistungsinstituten** ist für variable Vergütung Obergrenze nach § 25a V 2 KWG zu beachten (Rieckers DB 2015, 2131 f.). Zu weiteren Vorgaben in § 25a V KWG und der InstitutsVergV vgl. Herz NZG 2018, 1050 ff.; Henning/Lehnen WM 2022, 1771 ff.; Rubner/Raible NZG 2017, 1052 ff.

31 Weil es auf Langfristigkeit der Bemessungsgrundlage ankommt, muss Vergütungsstruktur so gewählt sein, dass nicht nur Fälligkeit hinausgeschoben wird, sondern ihre variablen Bestandteile auch an **negativen Entwicklungen** teilnehmen (AusschussB BT-Drs. 16/13433, 10; Hohenstatt/Kuhnke ZIP 2009, 1981, 1984 f.). Umsetzung bleibt privatautonomer Gestaltung überlassen (vgl. dazu Jaeger GS M. Winter, 2011, 315, 316 f.). In Betracht kommen etwa Performance-Messungen über die Gesamtlaufzeit oder Bonus-Malus-Systeme (AusschussB, BT-Drs. 16/13433, 10; C. Arnold/Zeh/Hanke AG 2022, 843 Rn. 8 ff.). Variable Vergütungsbestandteile müssen nicht erst am Ende des Bemessungszeitraums ausgezahlt werden, sondern können auch vorzeitig gewährt werden, sofern zwischenzeitliche Auszahlungen durch Rückzahlungsverpflichtungen bei negativer Entwicklung im Anstellungsvertrag abgesichert werden (sog **Clawback-Klauseln,** s. dazu C. Arnold/Zeh/Hanke AG 2022, 843 Rn. 1 ff.; Jänsch, Angemessene Vorstandsverträge, 2021, 222 ff.; Poelzig NZG 2020, 41 ff.; Raitzsch ZIP 2019, 104 ff.; Redenius-Hövermann/Siemens ZIP 2020, 145 ff.; Schockenhoff/Nußbaum AG 2018, 813 ff.; Seyfarth WM 2019, 521 ff., 569 ff.; zwingende Gestaltungsvorgabe in § 20 VI InstitutsVergütungsVO; zur Kontrolle durch AR Dörrwächter/Wolff AG 2020, 233 ff.). Grds. Zulässigkeit derartiger Regelung ist jedenfalls seit ARUG II 2019 und damit einhergehender ges. Erwähnung in § 87a I 2 Nr. 6 AktG zu bejahen (→ § 87a Rn. 8; s. auch Spindler AG 2020, 61 Rn. 20; zur Verbreitung C. Arnold/Zeh/Hanke AG 2022, 843 Rn. 8), konkrete Ausgestaltung bleibt mit Blick auf §§ 305 ff. BGB dennoch herausfordernd. Angesichts ges. Erwähnung in § 87a I 2 Nr. 6 AktG drohen Clawback-Klauseln nunmehr zwar weniger am Überraschungsschutz (§ 305c BGB) oder am Maßstab des ges. Leitbilds (§ 307 II Nr. 1 BGB) zu scheitern (s. auch S/L/Seibt Rn. 27; C. Arnold/Zeh/Hanke AG 2022, 843 Rn. 5 ff.; Florstedt NZG 2022, 588; Spindler AG 2020, 61 Rn. 21; ausf. Jänsch, Angemessene Vorstandsverträge, 2021, 222 ff.; Poelzig NZG 2020, 41, 47 f.). Problematisch bleibt aber Erfordernis, Klausel hinreichend klar und verständlich (§ 307 I 2 BGB) zu formulieren (eingehend Poelzig NZG 2020, 41, 48 f.; Rosiak, Clawback-Klauseln, 2022, 250 ff.; Seyfarth WM 2019, 569, 573 f.), was dafür sprechen kann, andere Gestaltung zu wählen (vgl. auch Poelzig NZG 2020, 41, 49; Raitzsch ZIP 2019, 104, 109; Seyfarth WM 2019, 569, 576 f.). Verpflichtung, von solcher Gestaltungsmöglichkeit Gebrauch zu machen, besteht jedenfalls – jenseits spezialges. Vorgaben – nicht (S/L/Seibt § 87a Rn. 15; Hölters/Weber/Weber § 87a Rn. 23; Dörrwächter DB 2020, 2182; Löbbe/Fischbach AG 2019, 373, 377; aA MüKoAktG/Spindler Rn. 112). Wurden Clawbacks wirksam vereinbart, spricht aber viel dafür, dass AR – in zumindest grober Anlehnung an ARAG-Grundsätze (→ § 111 Rn. 7 ff.) – davon auch Gebrauch machen muss (Florstedt NZG 2022, 588, 593). Will AR sich mit Vorstand über Rückforderung vergleichen, müssen Vorgaben des § 93 IV 3 allerdings nicht beachtet werden. Wortlaut verbietet direkte Anwendung und für Analogie sind zwar teleologische Parallelen erkennbar, aber auch gewichtige Unterschiede, die für Rechtsfortbildung erforderliche gedankliche Zwangsläufigkeit entfallen lassen (überzeugend Aicher AG 2021, 535 Rn. 11 ff.).

Offenbar verbreitete Praxis, zusätzlich zur Erreichung bestimmter Unternehmensziele Fortbestand des Vorstandsverhältnisses oder bei dessen Beendigung unterschiedlich eng definierten Status eines **good leaver** zu verlangen, ist zwar mit § 87 I 3 vereinbar, kann aber auf dienstvertraglicher Ebene auf Probleme stoßen (Jaeger GS M. Winter, 2011, 315, 317 ff.; sa S/L/Seibt Rn. 27). **Long Term Incentives** üblichen Zuschnitts genügen auch § 87 I 3 (Bauer/Arnold AG 2009, 717, 722 ff.). Das schließt auch retrospektive Gestaltungen ein, also Incentivierungen, die sich nach in der Vergangenheit erreichten Zielen richten (Kocher/Bednarz Konzern 2011, 77, 83; Rieckhoff AG 2010, 617, 619 ff.). Ausf. zur variablen Vergütung im Trennungsprozess mit Vorstand Melot de Beauregard DB 2012, 2792, 2853. 32

Sehr umstr. ist, ob variable Vergütungsbestandteile im Unternehmensverbund nicht nach tochterspezifischen Erfolgszielen, sondern nach Wertentwicklung der **Aktien der Obergesellschaft** bestimmt werden können. Zu Recht weitgehend anerkannt wird solche Gestaltung im Vertragskonzern, wo außenstehende Aktionäre und Gläubiger durch anderweitige Mechanismen hinreichend geschützt sind (vgl. RegBegr. KonTraG BT-Drs. 13/9712, 23 f.; MüKoAktG/Spindler Rn. 79). Jenseits dieser Grenzen, namentl. also im **faktischen Konzern** (§§ 311 ff.), sind solche Vergütungskonzepte der Sache nach problematisch und rechtl. jedenfalls zweifelhaft. Nach ursprünglich hM ist diese Vorgehensweise unzulässig (OLG München AG 2008, 593; Tröger ZGR 2009, 447, 452 ff.; eher zurückhaltend auch RegBegr. BT-Drs. 13/9712, 23). Gegenansicht hat in jüngerer Zeit jedoch vermehrt Anhänger gewonnen (BeckOGK/Rieckers § 192 Rn. 76 f.; MüKoAktG/Spindler Rn. 84; MHdB AG/Scholz § 64 Rn. 106; Arnold FS Bauer, 2010, 35, 39 ff.; Austmann ZGR 2009, 277, 289 f.; Goette FS Hopt, 2010, 689, 698 ff.; Habersack FS Raiser, 2005, 111, 120 ff.; Hohenstatt/Seibt/Wagner ZIP 2008, 2289, 2292 ff. [mit Einschränkungen]; Ihrig/Wandt/Wittgens ZIP-Beil. 40/2012, 18 f.; Martens FS Ulmer, 2003, 399, 416 f.). **BGH** hat Zulässigkeitsfrage zwar nicht abschließend entschieden, aber doch festgehalten, dass Unzulässigkeit entgegen OLG München AG 2008, 593 jedenfalls nicht aus § 87 I aF hergeleitet werden könne (BGH ZIP 2009, 2436, 2437; sa Goette FS Hopt, 2010, 689, 693 ff.). 33

Richtig ist, dass sich **Zulässigkeitsfrage allein nach §§ 311 ff.** beurteilt, also zu bejahen ist, soweit Grenzen des Einzelausgleichskonzepts gewahrt werden. Auch für Aktienoptionen ergibt § 192 II Nr. 3 nichts Abweichendes. § 87 I regelt Frage nicht, weil Norm Konzernperspektive ausblendet (s. zu § 87 I aF BGH ZIP 2009, 2436, 2437; ferner BeckOGK/Rieckers § 192 Rn. 76). Mangels ges. Verbots kommt es nicht darauf an, wie weit sog Privilegierungsfunktion der §§ 311 ff. reicht, sondern darauf, ob Orientierung der Vorstandsvergütung am Börsenkurs der Obergesellschaft stets nachteilig ist und sich dem Einzelausgleich entzieht. Das lässt sich indes nicht feststellen, weshalb Zulässigkeit letztlich als **Frage des Einzelfalls** bezeichnet werden muss. Dabei sollte es sich zugunsten einer Orientierung am Börsenkurs der Obergesellschaft auswirken, wenn Kurs der Tochter infolge der Konzernbeziehung keinen geeigneten Maßstab abgibt und tochterspezifische Parameter ebenfalls gewichtig herangezogen werden. Wegen notwendiger Einzelfallbetrachtung kann der bloße Umstand, dass Aktienoptionsprogramm Vergütung von Vorstandsmitgliedern nach Maßgabe der Erträge des herrschenden Unternehmens vorsieht, keine **Sonderprüfung** nach § 315 S. 2 rechtfertigen (OLG München ZIP 2011, 1364; → § 315 Rn. 3c). 34

Schließlich verlangt § 87 I 3 Hs. 2 als Vertragselement **Möglichkeit zur Begrenzung** der Auswirkungen, die sonst von außerordentlichen Entwicklungen (Realisierung stiller Reserven, Zufluss liquider Mittel aus Veräußerung von Unternehmensteilen, windfall profits) ausgehen können. Damit ist Empfehlung in Ziff. 4.2.3 II 3 DCGK aF (aufgehoben durch Neufassung v. 13.5.2013) für 35 börsennotierte Gesellschaften (§ 3 II) verpflichtend geworden. Nicht vorgeschrieben, aber im Interesse der Praktikabilität sinnvoll ist eindeutig definierte Höchstgrenze (Cap); ähnlich Bauer/Arnold AG 2009, 717, 723 f.; Hoffmann-Becking/Krieger NZG-Beil. 26/2009, Rn. 26. Zumindest für Gesamtvergütung wird solche Maximalbeschränkung mittlerweile auch in § 87a I 2 Nr. 1 vorgesehen (→ § 87a Rn. 5 ff.). Sog benchmarking kann ebenfalls Ausschluss von windfall profits dienen (GK-AktG/Kort Rn. 224 ff.).

36 **cc) Weitere Vorgaben in DCGK.** Weitere Vorgaben für Vorstandsvergütung in börsennotierter AG enthält DCGK, der in diesem Punkt durch **Kodex-Reform 2020** vollständig neu geordnet wurde. Ob es solcher flankierender Regelungen angesichts immer dichter werdender ges. Vorgaben nach ARUG II 2019 noch bedurfte, ist sehr zweifelhaft (sa Wilsing/Winkler BB 2019, 1603, 1605). Jedenfalls Wegfall von Vergütungsbericht und Mustertabellen, die in DCGK-Vorfassungen noch vorgesehen waren, ist aber zu begrüßen (für Weiterverwendung aber zT Voting Guidelines von Stimmrechtsberatern – vgl. Rieckers DB 2023, 307, 309). Änderungen des Kodex müssen in **laufenden Vorstandsverträgen** nicht berücksichtigt werden (Bestandsschutz). Erst bei Verlängerung (nicht schon bei einzelnen Änderungen) ist Neufassung zu beachten; auch Pflicht zur Neuverhandlung besteht nicht (C. Arnold/Gralla NZG 2020, 529 f.; sa bereits Stoll NZG 2014, 48 ff.; zust. GK-AktG/Kort Rn. 530). **G.1 DCGK** empfiehlt Mindestinhalte des Vergütungssystems, die sich allerdings zT mit ges. Vorgabe des § 87a I 2 überschneiden (Einzelheiten: → § 87a Rn. 12). **G.2 DCGK** empfiehlt für jedes Vorstandsmitglied Festlegung der konkreten Ziel- und Maximal-Gesamtvergütung (zum Begriff der Zielvergütung → § 87a Rn. 12). Zum Peer-Group- und Vertikalvergleich nach G.3 und G.4 DCGK → Rn. 12 ff.; zur Unabhängigkeit des Vergütungsberaters nach G.5 DCGK → Rn. 16.

37 Großteil der Vorgaben ist Festsetzung der Höhe der **variablen Vergütungsbestandteile** gewidmet (G.6–G.11 DCGK), ohne dass solche Vergütung – wie bisher – ausdr. empfohlen wird. In der Tat war diese Empfehlung als Umschreibung „guter Corporate Governance" auch nicht unbedenklich, da gerade variable Bestandteile in der Vergangenheit zu Gehaltsexzessen geführt haben (Ihrig/Wandt/Wittgens ZIP-Beil. 40/2012, 9 f.; zust. GK-AktG/Kort Rn. 512). Was variable Vergütung genau ist, wird nirgends ausdr. festgelegt, grds. aber iSe leistungs- oder erfolgsbezogen Entgelts verstanden (Bachmann ZHR 184 [2020], 127, 133 f.). Wird variable Vergütung gewährt, sollen nach **G.6 DCGK** langfristig variable Anteile kurzfristig variable übersteigen. Langfristig ist hier mindestens als mehrjährig zu verstehen; Anlehnung an § 193 II Nr. 4 kann Zeitraum von vier Jahren nahelegen (Bachmann ZHR 184 [2020], 127, 134). Maßstab des Übersteigens wird an Szenario hundertprozentiger Zielerreichung bemessen (Bachmann ZHR 184 [2020], 127, 134; in Praxis: Verhältnis 60:40; Hohenstatt/Seibt ZIP 2019, 11, 13). Nach **G.7 DCGK** soll AR dafür **operative und strategische Zielsetzungen** formulieren und dabei festlegen, in welchem Umfang individuelle Ziele der einzelnen Vorstandsmitglieder oder des Vorstands insgesamt maßgebend sind (in Praxis durch sog Key Performance Indicator [KPI]; Bachmann ZHR 184 [2020], 127, 134 f.; zu weiteren Einzelheiten vgl. C. Arnold/Gralla NZG 2020, 529, 532 f.). Nach **G.8 DCGK** soll eine nachträgliche Änderung der Ziele oder Vergleichsparameter ausgeschlossen sein (Repricing). Das steht in gewissem Widerspruch zu G.11 DCGK, der Anpassung an nachträgliche Veränderungen gerade empfiehlt (→ Rn. 38). Widerspruch ist dahin aufzulösen, dass Ausschluss des Repricing dann nicht gilt, wenn es erforderlich ist, um solchen nachträglichen Veränderungen Rechnung zu tragen (J. Vetter/Lauterbach AG 2021, 89 Rn. 22 ff. m. Formulierungsvorschlag für entspr. Klausel in

Rn. 32). Nach **G.9 DCGK** soll AR nach Ablauf des Geschäftsjahres in Abhängigkeit von Zielerreichung Höhe der individuell für dieses Jahr zu gewährenden Vergütung so festlegen, dass sie für übrige Stakeholder und Öffentlichkeit „nachvollziehbar" ist (zu Einzelheiten vgl. Müller-Bonanni/Jenner/Denninger AG 2021, 339 Rn. 28 ff.).

Langfristig variable Vergütungsbestandteile sollen **nach G.10 DCGK in Aktien oder aktienbasiert** gewährt werden. Vorstandsmitglied soll erst nach vier Jahren darüber verfügen können (vgl. v. Werder DB 2019, 1721, 1727: „Erfordernis eines Investitionscontrolling"; ausf. Ghassemi-Tabar/Kießling DCGK G10 Rn. 14 ff.; C. Arnold/Gralla NZG 2020, 529, 533 ff.; Stenzel BB 2020, 970, 974 ff.; zu entspr. Share Ownership Guidelines vgl. Dörrwächter NZG 2020, 370, 373 f.; monographisch Langen, Share Ownership Guidelines, 2023). In der Praxis ist gerade bei dieser Empfehlung Nichtbefolgungsquote verhältnismäßig hoch (Redenius-Hövermann/Strenger NZG 2023, 2121, 2124). Fließen gewährte Zuwendungen Vorstandsmitglied in späterem Jahr zu, soll dies im Vergütungsbericht erläutert werden. **G.11 DCGK** empfiehlt AR, sich Möglichkeit vorzubehalten, **außergewöhnlichen Entwicklungen** in angemessenem Rahmen Rechnung zu tragen (zum Verhältnis zu G.8 → Rn. 37). Das kann sowohl zu Erhöhung als auch Verminderung der Vergütung führen. Namentl. zu letztgenanntem Zweck soll er sich Möglichkeit vorbehalten, in begründeten Fällen variable Vergütung einbehalten oder zurückfordern zu können (zum Clawback → Rn. 31; zu daran anknüpfenden Transparenzvorgaben → § 87a Rn. 8; → § 162 Rn. 7a). Nutzung dieser Möglichkeit bedarf **bes. Begründung** im Vergütungsbericht (Begr. Kodex-Neufassung 2020). 38

G.12–G.14 regeln **Leistungen bei Vertragsbeendigung.** Nach G.12 soll in diesem Fall Auszahlung noch offener variabler Vergütungsbestandteile, die auf Zeit bis Vertragsbeendigung entfallen, nach ursprünglich vereinbarten Zielen und Vergleichsparametern und nach den im Vertrag festgelegten Fälligkeitszeitpunkten oder Haltedauern erfolgen. Damit soll verhindert werden, dass vorzeitige Auszahlung **Langfristigkeit** konterkariert. Zu G.13 (Abfindungs-Cap) → Rn. 22; zu G.14 (Change of Control) → Rn. 23. 39

G.15 DCGK empfiehlt Vergütung für Ausübung eines konzerninternen **AR-Mandats** auf Festvergütung anzurechnen (zu Einzelheiten: C. Arnold/Gralla NZG 2020, 529, 536). Bei Übernahme konzernfremder AR-Mandate soll AR, der solcher Übernahme ohnehin nach E.3 DCGK zustimmen soll, nach **G.16 DCGK** zugleich entscheiden, ob und inwieweit Vergütung anzurechnen ist. 40

e) Insbesondere: Aktienoptionspläne. Zulässigkeit von Stock Options für Vorstandsmitglieder der AG ist anerkannt (→ § 192 Rn. 16, 19). HV entscheidet nicht nur über das „Ob" solcher Programme, sondern gem. § 193 II Nr. 4 (→ § 193 Rn. 9) auch über Aufteilung auf Vorstandsmitglieder der AG, Geschäftsführungsmitglieder im Tochterbereich und AN. Wenn danach Stock Options für Vorstandsmitglieder zur Verfügung stehen, ist AR für nähere Ausgestaltung und Zuteilung zuständig, soweit es nicht um inhaltliche Eckdaten geht, über die HV ebenfalls nach § 193 II Nr. 4 zu entscheiden hat. **Nur AR** hat darüber zu beschließen, ob und in welchem Umfang Stock Options zum Bestandteil der Vorstandsvergütung gemacht werden (OLG Braunschweig AG 1999, 84 f.; OLG München AG 2003, 164, 165; OLG Stuttgart AG 1998, 529, 530; KK-AktG/Cahn Rn. 66 f.). Auswahl der beteiligten Vorstandsmitglieder obliegt allein ihm. Vorstand darf daran auch nicht mittelbar mitwirken (GK-AktG/Kort Rn. 209; Baums FS Claussen, 1997, 3, 39; Hüffer ZHR 161 [1997], 214, 232; tendenziell großzügiger OLG Braunschweig AG 1999, 84 f.; OLG Stuttgart AG 1998, 529, 530; Weiß, Aktienoptionspläne, 1999, 203 ff.). Pläne sind so zu gestalten, dass **Schranken des § 87 I 1** eingehalten werden (→ Rn. 5 ff.), was bei Höhe der 41

Gesamtvergütung mit Sensibilität gehandhabt werden sollte. Ferner müssen sonstige Vergütungsbestandteile, bes. Festgehalt, individuelle Leistungs- und Funktionsbewertung zum Ausdruck bringen. Börsenkurs sollte durch weitere Parameter ergänzt werden, um genügende Annäherung an Lage der AG zu erreichen (Einzelheiten zu ihrer Ausgestaltung bei GK-AktG/Kort Rn. 215 ff.; Baums FS Claussen, 1997, 3, 29 ff.; Hüffer ZHR 161 [1997], 214, 219 f., 234 ff.; Weiß Aktienoptionspläne, 1999, 131 ff.).

42 Neben klassischen Ausgestaltungen begegnen in der Praxis neuerdings auch schuldrechtl. Gestaltungen, die Bindung an Aktienkurs in Gestalt sog **Stock Appreciation Rights (SAR)** oder **Phantom Stocks** (mit zusätzlicher Dividendenkomponente) virtuell abbilden (MüKoAktG/Spindler Rn. 138). Ihre Ausgabe ist ohne HV-Beschluss und Bezugsrecht möglich, da weder § 192 II Nr. 3 analog (Grund: keine Veränderung der Kapitalstruktur; vgl. LG München I NZG 2008, 114, 116) noch § 221 III (Grund: keine umfassenden Vermögensrechte; vgl. dazu LG München I NZG 2008, 114, 116; aA MüKoAktG/Fuchs § 192 Rn. 86; Hoppe NZG 2018, 811, 813 ff.; sympathisierend KK-AktG/Drygala/Staake § 192 Rn. 150) einschlägig sind (so iErg auch OLG München NZG 2008, 631, 634; GK-AktG/Kort Rn. 247; BeckOGK/Rieckers § 192 Rn. 70; Marsch-Barner/Schäfer/Holzborn Rn. 56.27a). Auch Teilgewinnabführungsvertrag ist nicht anzunehmen (zur Begründung → § 292 Rn. 27). Ausübungsbedingungen unterliegen der Inhaltskontrolle nach §§ 305 ff. BGB (BAG WM 2008, 1923 Rn. 26 ff. für AOP-Programm Führungskräfte). Vier-Jahres-Frist des § 193 II Nr. 4 ist für schuldrechtl. Gestaltungen Anhaltspunkt, aber nicht zwingend (→ § 193 Rn. 9b). Bei **verbundenen Unternehmen** können sich spezifische Probleme ergeben (→ Rn. 33 f.).

43 Von Stock Options zu unterscheiden sind **Restricted Shares.** Vorstandsmitglieder erhalten dann keine Bezugsrechte, sondern unmittelbar Aktien mit mehrjähriger Veräußerungssperre (Grundform); auf Zugeständnisse beim Erwerbspreis wird ebenso verzichtet wie auf Vereinbarung bestimmter Erfolgsziele. Wesentliche Variante ist mehrjährige Wartefrist mit unmittelbar beginnender Veräußerungsberechtigung (Überblick bei Krieger/S. H. Schneider FS Hellwig, 2011, 181 ff.). **Nachhaltigkeitspostulat** (§ 87 I 2; → Rn. 25 ff.) wird durch mehrjährige Sperre oder Wartezeit ebenso gewahrt wie bei mehrjähriger Bemessungsgrundlage (Hoffmann-Becking/Krieger NZG-Beil. 26/2009, Rn. 24; Krieger/S. H. Schneider FS Hellwig, 2011, 181, 182 Fn. 8). Der Nutzung eigener Aktien steht § 193 II Nr. 4 nicht entgegen, weil es bei Restricted Shares nicht die vorausgesetzten Bezugsrechte gibt (Krieger/S. H. Schneider FS Hellwig, 2011, 181, 187 ff.). Am ehesten empfehlenswert ist allerdings **Beschaffung** eigener Aktien durch Kapitalerhöhung unter Nutzung eines genehmigten Kapitals (Krieger/S. H. Schneider FS Hellwig, 2011, 181, 193 ff.). Zu davon wiederum zu unterscheidenden Restricted Stock Units vgl. Häferer/Burger NZA 2020, 143 ff.

44 **2. Ruhegehalt und verwandte Leistungen.** Gebot der Angemessenheit gilt nach § 87 I 4 sinngem. Leistungsorientierung und horizontale sowie vertikale Üblichkeit (→ Rn. 8 ff., 12 ff.) sind vor allem auch beim Ruhegehalt zu beachten (dazu Doetsch AG 2010, 465 ff.; Doetsch, Der Aufsichtsrat, 2010, 159 ff.). Verwandte Leistungen sind Übergangsgelder, auch Abfindungen, sofern sie anstelle laufender Ruhestands- oder Übergangsbezüge bezahlt werden (sonst → Rn. 22). **Maßgeblicher Zeitpunkt** ist nicht Eintritt der Leistungsvoraussetzungen (Ausscheiden; Tod), sondern Abschluss der anspruchsbegründenden Vereinbarung. Danach kann, vorbehaltlich bes. Regelung im Anstellungsvertrag, keine Anpassung erfolgen. Ob anderweitige Einkünfte auf Ruhegehalt anzurechnen sind, richtet sich nach Vertrag, dessen Inhalt durch Auslegung zu ermitteln ist (Bsp.: OLG Hamburg AG 1992, 231). Betriebliche Übung, nach der Sonderzuwendun-

gen wie 13. Monatsgehalt bei Festsetzung von Versorgungsbezügen außer Ansatz bleiben, ist auslegungsrelevanter Umstand (BGH AG 1995, 188 f.; → § 84 Rn. 24).

3. Rechtsfolgen bei Verstößen gegen § 87 I. Verstöße gegen § 87 I führen nicht zur Nichtigkeit des Anstellungsvertrags. Vielmehr entsteht Vergütungsanspruch des Vorstandsmitglieds, und zwar auch im Umfang unangemessener Vertragsleistungen. Anstellungsvertrag ist nicht nach **§ 134 BGB** nichtig, weil § 87 I nach Wortlaut und Zweck kein ges. Verbot iSd Tatbestands enthält. Er beschränkt lediglich das Ermessen des AR bei Abschluss der Vergütungsabrede, ohne deren Wirksamkeit unmittelbar zu berühren (hM, s. BGH NZG 2020, 64 Rn. 33: „Aufsichtsrecht"; GK-AktG/Kort Rn. 331 f.; S/L/Seibt Rn. 36; MüKoAktG/Spindler Rn. 165; aA Säcker/Stenzel JZ 2006, 1151, 1152 ff.). Nichtigkeit kann deshalb nur unter bes. Voraussetzungen des **§ 138 BGB** gegeben sein (GK-AktG/Kort Rn. 333 f.; KK-AktG/Cahn Rn. 6). Für Arglisteinwand (GK-AktG/Kort Rn. 71; Peltzer FS Lutter, 2001, 571, 578 f.) wird es idR an tats. Voraussetzungen (→ § 82 Rn. 6 f.) fehlen, zumal Vorstandsmitglied der AG bei Vertragsschluss grds. als Dritter gegenübertritt (KK-AktG/Cahn Rn. 6; S/L/Seibt Rn. 36). Allenfalls kann AR Vertretungsmacht fehlen, wenn er Befugnisse im Innenverhältnis missbräuchlich überschreitet und Vorstandsmitglied dieser **Missbrauch** bekannt war oder sich ihm ohne weitere Nachforschungen hätte aufdrängen müssen (LG Essen v. 9.9.2013 – 44 O 164/10, juris-Rn. 611 = BeckRS 2014, 22313; GK-AktG/Kort Rn. 337; Brandes ZIP 2013, 1107, 1109 ff.; Spindler AG 2011, 725, 729 f., mw Erl. zu bereicherungsrechtl. Folgen und Gesamtschuldausgleich in AG 2011, 725, 732 ff.). 45

Aufrechenbarer Ersatzanspruch der AG gegen Vorstandsmitglied aus **§ 93 II oder cic** (Peltzer FS Lutter, 2001, 571, 578 f.) wird idR kaum vorliegen, weil erforderliche eigene Pflichtverletzung wegen primärer Zuständigkeit des AR (OLG Stuttgart AG 2011, 93, 96; LG Essen v. 9.9.2013 – 44 O 164/10, juris-Rn. 770 ff. = BeckRS 2014, 22313) und Bandbreite des Angemessenheitsurteils nur in krassen Fällen gegeben sein kann (vgl. etwa GK-AktG/Kort Rn. 350; Seyfarth VorstandsR § 5 Rn. 61, 100; Brandes ZIP 2013, 1107, 1108 f.; Spindler AG 2011, 725, 728: aktive und pflichtwidrige Beeinflussung der Willensbildung im AR; weitergehend Ihrig/Schäfer Vorstand Rn. 292). Aus **Treupflicht** folgt nichts anderes (so aber Fleischer/Bauer ZIP 2015, 1901, 1903 f.), da sie Vorstand nicht auch dann binden kann, wenn er rechtl. Rahmen zieht oder (bei schon bestehender Bindung) neu definiert, aus dem Treupflicht erst resultiert. In derartiger **Situation eigener Interessenwahrung** kann Treupflicht keine Anwendung finden (zust. S/L/Seibt Rn. 37). Entspr. Beschneidung der Verhandlungsfreiheit wird – soweit ersichtlich – auch in anderen Treuhandverhältnissen nicht diskutiert und würde vertraglichen Einigungsmechanismus mit Haftungsrisiken belasten, die in einem System der Privatautonomie nichts zu suchen haben. 46

Möglich bleibt jedoch in § 116 S. 3 (→ § 116 Rn. 13 ff.) eigens hervorgehobene **Schadensersatzpflicht der AR-Mitglieder,** wenn im Einzelfall gegen § 87 I verstoßen worden ist und Darlegung sowie Nachw. eines Schadens (dazu Cahn FS Hopt, 2010, 431, 449 f.) gelingen sollten. Insbes. kann schon in Festsetzung von überdurchschnittlich hohen Bezügen Pflichtverletzung gefunden werden, wenn damit Üblichkeitsvorgabe (→ Rn. 12) ohne rechtfertigende Gründe verfehlt worden ist (anders noch LG München I AG 2007, 458 f. zum alten Recht). Entgegen hM ist § 93 I 2 nicht anwendbar, sondern es handelt sich um **Pflichtaufgabe mit Ermessensspielraum,** was zu ähnlichen, aber nicht identischen Ergebnissen führt (→ § 116 Rn. 19 iVm → § 93 Rn. 29 – jew. mwN; sa Harnos, Gerichtliche Kontrolldichte, 2021, 477 ff.; Holle AG 2016, 270, 277; für Ermessen jedenfalls auch BGHZ 207, 190 Rn. 46 = NJW 2016, 1236). 47

IV. Wesentliche Verschlechterung der Gesellschaftsverhältnisse (§ 87 II)

48 **1. Angemessene Herabsetzung. a) Allgemein.** Gem. § 87 II 1 ist AR berechtigt und seit Neufassung der Norm durch VorstAG 2009 idR (Sollvorschrift) auch verpflichtet, die Gesamtbezüge des einzelnen Vorstandsmitglieds (→ Rn. 5 ff.) angemessen herabzusetzen, wenn nach den Umständen im Zeitpunkt der Herabsetzungsentscheidung in den Verhältnissen der AG **Verschlechterung** eingetreten ist und Weitergewährung der Bezüge für Gesellschaft **Unbilligkeit** bedeuten würde.

49 Herabsetzungsbefugnis wird von manchen mit § 313 BGB in Verbindung gebracht (Weller NZG 2010, 7, 8). Das mochte für § 87 I aF auf Tatbestandsebene nahe liegen, kann aber für das geltende Recht nicht aufrechterhalten werden, weil es sich vom Wesentlichkeitsgrundsatz des § 313 BGB löst. Rechtsfolgen stimmen ohnehin nicht überein (Gestaltungsrecht der AG [→ Rn. 61]; dagegen bloßer Anpassungsanspruch nach § 313 BGB). Norm enthält deshalb singuläre Sonderregelung, die zugunsten einer Übermaßkontrolle auf Wahrung vertragsrechtl. Ordnungsprinzipien verzichtet (zutr. Martens FS Hüffer, 2010, 647, 652; krit. auch Diller NZG 2009, 1006 ff.; J. Koch WM 2010, 49, 51 ff.). Als **systematischer Fremdkörper** innerhalb der Rechtsordnung bedarf sie auch nach Verschärfung durch VorstAG restriktiver Auslegung (BGHZ 207, 190 Rn. 24 = NJW 2016, 1236; S/L/Seibt Rn. 38), zumal unbillige Entwicklung bei angemessen austarierter Vergütungsstruktur heute idR schon durch variable Vergütungselemente vermieden wird (OLG Stuttgart NZG 2015, 194 Rn. 36; J. Koch WM 2010, 49, 52). Gesetzgeber verfolgte in erster Linie die Absicht, durch Signalwirkung der Änderung früheres Vollzugsdefizit auszuräumen; **Ausnahmecharakter** soll damit aber nicht beseitigt werden (vgl. dazu DIHK NZG 2009, 538, 539; J. Koch WM 2010, 49, 51; zust. E. Meyer, Vorstandsvergütung, 2013, 315 f.; insofern krit. Klöhn ZGR 2012, 1, 20). Weitergehende Sichtweise würde gerade bei Beschneidung von Ruhegehältern (→ Rn. 57) zu unzumutbaren Eingriffen in bereits entstandene Vertrauensposition führen. Sonderregel des § 10 II 1 Nr. 3 StFG iVm § 5 II Nr. 4 S. 2 lit. a S. 5 FMStFV knüpft Zusage von Stabilisierungsmaßnahmen an Einhaltung des § 87 II; Parallelvorschrift für Unternehmen der Realwirtschaft iSd § 16 II StFG in § 25 III Nr. 3. § 10 IIa, IIb StFG sieht weitere nominelle Kappungsgrenzen (500.000 €) ab best. Beteiligungshöhe vor. Zur Herabsenkung der Vergütung sonstiger Führungskräfte s. Paschke FS D. Reuter, 2010, 1107, 1114.

50 **b) Tatbestand.** Tatbestandsmerkmal der **Verschlechterung** hat durch Verzicht auf früheres Wesentlichkeitserfordernis eigenständige Selektionskraft eingebüßt; nach Wortsinn genügt jede negative Entwicklung in Gesellschaftsverhältnissen. Verbleibende Bedeutung liegt in Klarstellung, dass keine Vertragsanpassung zugunsten des Vorstands erfolgen darf (J. Koch WM 2010, 49, 50 f.). Tatbestandlicher Schwerpunkt verlagert sich damit auf Begriff der **Unbilligkeit,** wobei abw. von früherer Fassung keine schwere Unbilligkeit mehr verlangt wird (zur damit bezweckten Signalwirkung → Rn. 49). Unbilligkeit ist an Verhältnis der Bezüge im Lichte der Lage der AG zu messen. Weitergehende Konzeption, wonach Abweichung von optimaler Vergütungsstruktur maßgeblich sein soll (Klöhn ZGR 2012, 1, 19 ff., 22 ff.), mag rechtsökonomisch reizvoll sein, erscheint de lege lata im Lichte von Wortlaut und legislativer Zielsetzung aber überkonstruiert und im Gesetz kaum angelegt (zust. GK-AktG/Kort Rn. 407; S/L/Seibt Rn. 39). Stattdessen ist Unbilligkeit insbes. anzunehmen bei Insolvenz (BGHZ 207, 190 Rn. 38 = NJW 2016, 1236; OLG Stuttgart NZG 2015, 194

Rn. 26) und existenzbedrohender Krise, die in erster Linie bilanziell indiziert werden kann (s. schon Bauder BB 1993, 369, 370; J. Koch WM 2010, 49, 53; ferner Udritz/Röger InsVZ 2010, 123, 124).

Ob § 87 II nach Eröffnung des Insolvenzverfahrens von § 113 InsO verdrängt wird, ist umstr. (dafür OLG Stuttgart NZG 2015, 194 Rn. 37; Spindler DB 2015, 908, 911), richtigerweise aber abzulehnen, da beide Vorschriften teleologisch zwar in eine ähnliche Richtung zielen (Krisenbewältigung in Bezug auf Dienstverhältnisse), aber weder ein Fall formeller noch materieller Spezialität vorliegt (sa BGHZ 207, 190 Rn. 24 unter Verweis auf RegBegr. BT-Drs. 16/12278, 6; Kort AG 2016, 209, 213; zum Spezialitätsverhältnis vgl. J. Koch RdA 2006, 28, 30). Entspr. § 5 FMStFV genügt für Verschlechterung auch Inanspruchnahme staatlicher Hilfe (vgl. Seibert FS Hüffer, 2010, 953, 962). Als weitere Indizien nennt RegBegr. BT-Drs. 16/12278, 6 **Dividendenausfall, Massenentlassungen und Lohnkürzungen,** wobei jeder dieser Begriffe weiterer Einschränkungen bedarf, da etwa Lohnkürzungen und Entlassungen in konjunkturellen Wellenbewegungen unternehmerischen Handelns nicht zwingend krisenhafte Zuspitzung signalisieren muss, derer es auch hier bedarf (GK-AktG/Kort Rn. 405; J. Koch WM 2010, 51, 53 f.). Strengerer Maßstab ist allerdings anzulegen, wenn Vorstand **zurechenbar** zur Verschlechterung beigetragen hat (zu den Einzelheiten BeckOGK/Fleischer Rn. 73; Diller NZG 2009, 1006; J. Koch WM 2010, 51, 53 f.). § 87 II darf aber nicht dazu eingesetzt werden, bloßes Leitungsversagen zu sanktionieren, das nicht zu krisenhafter Zuspitzung geführt hat (Geißler DZWiR 2017, 277, 280 f.). IdR genügt nicht, dass einer der drei Fälle vorliegt, sondern Dividendenausfall einerseits und Massenentlassung/Lohnkürzung andererseits müssen kumulativ zusammenkommen, um Krisenindiz zu begründen (Bauer/Arnold AG 2009, 717, 725; Gaul/Janz NZA 2009, 809, 811 f.; J. Koch WM 2010, 49, 53). 51

Nicht genügend ist, dass AR **nachträglich feststellt,** Bezüge überhöht festgesetzt zu haben. Auch enttäuschende Leistungen des Vorstandsmitglieds sind kein Grund für Herabsetzung nach § 87 II, weil es nicht um Veränderung der Gesellschaftsverhältnisse geht (OLG Frankfurt AG 2011, 790, 792). Erst recht kann bloße Forderung eines aktivischen Aktionärs ohne Hinzutreten weiterer Umstände Herabsetzung nicht rechtfertigen (Schockenhoff ZIP 2017, 1785, 1789 ff. mit allerdings bedenklicher Konstruktion einer Selbstbindung des AR). Teilliquidation des Gesellschaftsvermögens genügt nicht, solange noch ansehnliche Veräußerungserlöse zu erwarten sind (LG Duisburg BB 1971, 145). 52

§ 87 II setzt keine Pflichtwidrigkeit des Vorstands voraus (OLG Stuttgart NZG 2015, 194 Rn. 28), sondern nur zeitlichen Zusammenhang mit Vorstandstätigkeit (wichtig bei Ruhegehältern etc.) sowie ausweislich RegBegr. BT-Drs. 16/12278, 6 **Zurechenbarkeit,** womit problematisches Verantwortungs- und Sanktionselement in § 87 II einfließt. Es soll augenscheinlich über bloße zeitliche Koinzidenz hinausreichen, was aber zur Folge hat, dass Herabsetzung entgegen Regelungstendenz des VorstAG ggü. früherer Rechtslage erschwert wäre (ausf. dazu J. Koch WM 2010, 49, 54 f.; vgl. auch BeckOGK/Fleischer Rn. 73; GK-AktG/Kort Rn. 408 ff.; Paschke FS D. Reuter, 2010, 1107, 1112 f.; Raitzsch NZG 2019, 495, 498 f.; Thüsing/Jänsch FS E. Vetter, 2019, 803, 813 ff.). Widersinn ist hier in Gesetzesmaterialien selbst angelegt und durch Rechtsanwender kaum aufzulösen (für Anwendung eines Zurechenbarkeitskriteriums S/L/Seibt Rn. 40; für Verzicht Redenius-Hövermann/Siemens ZIP 2020, 1585, 1586). Gerade COVID-19-Pandemie hat praktische Bedeutung dieser Frage indes eindrücklich illustriert (für Anwendung Redenius-Hövermann/Siemens ZIP 2020, 1585, 1592 f. jedenfalls sofern staatliche Hilfe in Anspruch genommen wird). 53

54 **c) Rechtsfolge.** Herabsetzung kann zunächst laufende Bezüge betreffen, solange diese noch nicht ausgezahlt sind. Für schon ausgezahlte Bezüge gibt § 87 II keine Handhabe; diese wird allein über Clawback-Klauseln eröffnet (→ Rn. 31). Sofern Vorstand schon durch vorausschauende Vertragsgestaltung unter **Einbeziehung variabler Vergütungselemente** an Negativentwicklung hinreichend partizipiert, bleibt für § 87 II wenig Raum (BGHZ 207, 190 Rn. 54 = NJW 2016, 2136; OLG Stuttgart NZG 2015, 194 Rn. 36; J. Koch WM 2010, 49, 52). Persönliche Verhältnisse des Vorstandsmitglieds sind zu berücksichtigen (allgM, s. BGHZ 207, 190 Rn. 47; S/L/Seibt Rn. 40). Herabsetzung muss nicht nur dem Anlass entspr., sondern auch nach Höhe und Dauer angemessen sein, wobei sämtliche Umstände des Einzelfalls zu berücksichtigen und gegeneinander abzuwägen sind (BGHZ 207, 190 Rn. 47). Bestimmtheitsanforderungen an Beschluss folgen allg. Grundsätzen (→ § 108 Rn. 4) und dürfen auch im Kontext des § 87 II nicht überzogen werden (BGHZ 207, 190 Rn. 28 ff. gegen OLG Stuttgart NZG 2015, 194 Rn. 42 ff.). Unzulässig ist es, Neufestsetzung allein anhand künftigen Nutzens für die AG zu bemessen (OLG Stuttgart NZG 2015, 194 Rn. 34; zust. Spindler DB 2015, 908, 910 f.). ZT erwogene Untergrenze in Gestalt des Gehalts leitender Angestellter, die keine Absenkung zu befürchten haben (OLG Stuttgart NZG 2015, 194 Rn. 35), hat BGH verworfen und insofern lediglich Regelvermutung anerkannt (BGHZ 207, 190 Rn. 52; zust. Kort AG 2016, 209, 211).

55 Ist Verschlechterung der Gesellschaftslage entfallen, so können Vorstandsmitglieder verlangen, dass Herabsetzung ihrer Bezüge rückgängig gemacht wird, wenn Maßnahme nicht von vornherein befristet ausgesprochen wurde (BeckOGK/Fleischer Rn. 83; Dauner-Lieb/Friedrich NZG 2010, 688, 689 ff.; J. Koch WM 2010, 49, 57 f.; Oetker ZHR 175 [2011], 527, 550 f.). **Mehrere Vorstandsmitglieder** sind gleichmäßig zu belasten (keine sachwidrige Differenzierung). Differenzierung zwischen amtierenden und ausgeschiedenen Mitgliedern ist aber zulässig (OLG Stuttgart NZG 2015, 194 Rn. 33). Umstr. ist Erfassung von Bonuszahlungen. Bessere Gründe sprechen dafür, sie als schon erarbeitete Expektanz dem Anwendungsbereich des § 87 II zu entziehen (ausf. J. Koch WM 2010, 49, 57; wie hier GK-AktG/Kort Rn. 417; DAV-HRA NZG 2009, 612, 614 Rn. 21; aA Diller NZG 2009, 1006, 1008; Thüsing/Jänsch FS E. Vetter, 2019, 803, 810 ff.); zur Herabsetzung von Zahlungen aufgrund Aufhebungsvereinbarung → Rn. 58.

56 AR hat hinsichtlich tatbestandlicher Voraussetzungen und Minderungshöhe entgegen bislang hLit **keinen Beurteilungs- oder Ermessensspielraum,** da sonst auch betroffenes Vorstandsmitglied gerichtl. Überprüfung nur in eingeschränktem Maße herbeiführen könnte, was bei derartiger Eingriffstiefe problematisch wäre (ausf. J. Koch WM 2010, 49, 55 f.; zust. GK-AktG/Kort Rn. 440 ff.; Harnos, Gerichtliche Kontrolldichte, 2021, 481 ff.; Kruse/Busold DStR 2017, 1608, 1609; aA Grigoleit/Schwennicke Rn. 41; S/L/Seibt Rn. 42; Lieder ZGR 2018, 523, 550 ff.; Oetker ZHR 175 [2011], 527, 540; Seibert FS Hüffer, 2010, 953, 962 f.). Dieser Ansicht hat sich auch BGHZ 207, 190 Rn. 45 f. = NJW 2016, 2136 angeschlossen, der in diesem Zusammenhang zwar von „Bemessungsspielraum" spricht, damit aber ausdr. nur den des § 87 I 1 meint (→ Rn. 47). IRd § 87 II soll Herabsetzung nur auf den innerhalb dieses durch § 87 I 1 eröffneten Bemessungsspielraums „höchstmöglichen" Betrag herabgesetzt werden können, was iRd § 87 II Beurteilungsspielraum ausschließt (in expliziter Abweichung von Spindler/Stilz/Fleischer, 3. Aufl. 2015, Rn. 66; S/L/Seibt, 3. Aufl. 2015, Rn. 19a, die Ermessensspielräume annehmen; so auch die Lesart von Kort AG 2016, 209 f. und M. Weber DB 2016, 815, 817 [krit.]). Dass dies aus Sicht des AR „praktisch nicht zu bewerkstelligen" ist (S/L/Seibt Rn. 42), ist unbeachtlich, da es vorrangig nicht um AR-Haftung geht, sondern

um sachgerechten Interessenausgleich zwischen AG und Vorstand. Nur auf Haftungsebene muss in etwaigem Schadensersatzprozess gegen AR tatbestandlicher Unschärfe des § 87 II und daraus folgenden Unsicherheiten in der Auslegung selbstverständlich auf Verschuldensebene Rechnung getragen werden (J. Koch WM 2010, 49, 55 f.; ausf. zu dieser Differenzierung zwischen Bestand und Haftung → § 93 Rn. 32, 40 f.). Sind Voraussetzungen erfüllt, eröffnet Sollvorgabe lediglich beschränktes Einschreitensermessen (insofern zutr. Oetker ZHR 175 [2011], 527, 547 f.; aA GK-AktG/Kort Rn. 440). Als Gegengründe kann AR etwa Gefahr der außerordentlichen Kündigung durch Vorstand (→ Rn. 63 f.) oder Gefahr der Offenlegung von Unternehmensinterna berücksichtigen (Rahlmeyer/v. Eiff NZG 2021, 397, 398). Aus Ablehnung eines Beurteilungsspielraums folgt zugleich, dass Gericht fehlerhafte Festsetzung durch eigene Bezifferung ersetzen darf (BGHZ 207, 190 Rn. 46; anders für vollständig fehlende Abwägungsentscheidung aber OLG Stuttgart NZG 2015, 194 Rn. 42). Weitergehende Herabsetzung ist dagegen iR einer auf volle Vergütung gerichtete Leistungsklage nicht möglich (BGHZ 207, 190 Rn. 46).

Auf **Ruhestandsbezüge** und sonstige Leistungen iSd § 87 I 4 kann Herabsetzung in den ersten drei Jahren nach Ausscheiden erstreckt werden, wenn unveränderte Fortzahlung trotz Ausscheidens unbillig wäre. Nach Fristablauf ist Unbilligkeitsurteil ex lege ausgeschlossen. Einbeziehung bleibt auch in den ersten drei Jahren mehr als problematisch (Martens FS Hüffer, 2010, 647, 653: jur. Beliebigkeit), weil – mit Dauerwirkung (zB Lingemann BB 2009, 1918, 1921) und ohne eindeutige inhaltliche Vorgaben – in erdiente Rechtsposition eingegriffen wird (DAV-HRA NZG 2009, 612 Rn. 16; Bauer/Arnold AG 2009, 717, 728; Hoffmann-Becking/Krieger NZG-Beil. 26/2009, Rn. 42; aA Fleischer ZIP 2009, 801, 804; Thüsing AG 2009, 517, 523). Auch wenn man Art. 14 GG nicht bemühen muss (Annuß/Theusinger BB 2009, 2434, 2437; Weller NZG 2010, 7, 8 f.), ist Eingriff in Versorgungsbezüge schon ein Gerechtigkeitsproblem (ebenso GK-AktG/Kort Rn. 460; Martens FS Hüffer, 2010, 647, 653; aA Weller NZG 2010, 7, 9 ff. und 11; Wittuhn/Hamann ZGR 2009, 847, 859 ff.) und mutet AR mit hohem Streitpotenzial behaftete Entscheidung zu. Auch wenn § 87 II Herabsetzung für aktive und ausgeschiedene Vorstandsmitglieder an dieselben Kriterien knüpft, was Parallelauslegung nahelegt, ist diesen Bedenken durch noch **restriktivere Auslegung des § 87 II 2** Rechnung zu tragen (J. Koch WM 2010, 49, 52; zust. GK-AktG/Kort Rn. 457, 461 ff.; Geißler DZWiR 2017, 277, 283 f.; wohl aA Annuss/Theusinger BB 2009, 2434, 2437 f. unter fehlgehender Anknüpfung auch an Öffentlichkeitsurteile), so dass der Zugriff auf Versorgungsleistungen nur in existenziellen Notlagen der Gesellschaft als hinnehmbar erscheint (ähnlich S/L/Seibt Rn. 45; geringere Anforderungen bei BeckOGK/Fleischer Rn. 78). Vom Gesetzgeber nicht bedacht ist schließlich Behandlung von Versorgungsanwartschaften (s. dazu Diller NZG 2009, 1006, 1008; Jaeger/Balke ZIP 2010, 1471, 1476 f.; J. Koch WM 2010, 49, 56 f.). 57

Auch Problematik von **Abfindungen** oder von Leistungen aufgrund von Change of Control-Klauseln (→ Rn. 23) dürfte nur unvollständig erfasst worden sein (dazu und zum Folgenden GK-AktG/Kort Rn. 419 ff.; Jaeger NZA 2010, 128, 133 ff.; Krieger GS M. Winter, 2011, 371, 374 ff.; Oetker ZHR 175 [2011], 527, 542 f.). Hauptfall ist Abfindung, die vorzeitigen Wegfall der Bezüge infolge einverständlicher Amtsbeendigung kompensieren soll (→ Rn. 22). In diesem Fall liegt Herabsetzung auch ohne gesteigerte Anforderungen des § 87 II 2 nahe, wenn **Abfindungsfall noch nicht eingetreten** ist. Gegenauffassung, wonach Abfindung kein Entgelt für Vorstandstätigkeit, sondern für deren Beendigung sei (Diller NZG 2009, 1006, 1009), ist im Lichte entgegenstehender Äußerung in Gesetzesmaterialien (RegBegr. BT-Drs. 16/12278, 6) abzulehnen (so schon J. Koch WM 2010, 49, 56; sa MüKoAktG/Spindler Rn. 227; Krieger GS M. 58

Winter, 2011, 371, 376 ff.). Etwas anderes gilt nur, wenn Abfindung für den Fall versprochen wird, dass Vorstandsmitglied nach Ablauf seiner Amtsperiode nicht wiedergewählt wird, weil Abfindung dann nicht Vergütungswegfall kompensieren soll, sondern Charakter eines **Übergangsgeldes** hat (MüKoAktG/Spindler Rn. 229; Krieger GS M. Winter, 2011, 371, 383 f.).

59 Nach zutr. hM ist Herabsetzung auch **nach Eintritt des Abfindungsfalls** möglich, da Abfindung insofern nicht besser stehen darf als Versorgungsbezüge (MüKoAktG/Spindler Rn. 227; Krieger GS M. Winter, 2011, 371, 378 ff.; aA GK-AktG/Kort Rn. 421). Allerdings wird man Herabsetzung auch hier (→ Rn. 54 ff.) aus Gründen des Vertrauensschutzes nur zulassen können, wenn Abfindung **noch nicht vollständig ausgezahlt** ist (vgl. § 87 II: „Weitergewährung" – wie hier MüKoAktG/Spindler Rn. 227; J. Koch WM 2010, 49, 56; ähnlich GK-AktG/Kort Rn. 420; aA Krieger GS M. Winter, 2011, 371, 379 f. mit bedenklichem Vergleich zu „Vorauszahlung auf künftige Vergütungsansprüche"). Wenn Auszahlung noch aussteht, ist Reduktion möglich, aber nur unter erschwerten Voraussetzungen des § 87 II 2, um eingeschränkten Reaktionsmöglichkeiten des ausgeschiedenen Vorstandsmitglieds Rechnung zu tragen (MüKoAktG/Spindler Rn. 228).

60 Weitere Einschränkung wird zT zugelassen, wenn Abfindung nicht schon im Anstellungsvertrag vereinbart war, sondern **erst mit Aufhebungsvertrag zugesagt** wurde (Grigoleit/Schwennicke Rn. 32; S/L/Seibt Rn. 43; Hölters/Weber/Weber Rn. 58; Diller NZG 2009, 1006, 1009; Jaeger NZA 2010, 128, 134; Oetker ZHR 175 [2011], 527, 543). In der Tat ist diese Einschränkung mit Blick auf vergleichsartigen Charakter der Abfindung erwägenswert. Da damit gerade Regelfall der Abfindung ausgeschlossen wäre, bleibt Lösung im Lichte der Gesetzesmaterialien aber zweifelhaft (für Kürzung daher GK-AktG/Kort Rn. 421; Krieger GS M. Winter, 2011, 371, 380 f.). Beschränkt man Herabsetzung mit hier vertretener Auffassung auf noch nicht ausgezahlte Beträge, dürfte praktischer Anwendungsbereich gering sein, da zwischen Vereinbarung und Auszahlung kaum dramatische Verschlechterung eintreten wird (ähnlich GK-AktG/Kort Rn. 421). Zusatzzahlungen aufgrund einer **Change of Control-Klausel** (→ Rn. 23) unterliegen vor Kontrollwechsel § 87 II, sind aber nach Ausscheiden des Vorstandsmitglieds nicht mehr kürzungsfähig, weil sie Erfüllung der Loyalitätspflichten im Übernahmefall honorieren (S/L/Seibt Rn. 43; MüKoAktG/Spindler Rn. 230; Krieger GS M. Winter, 2011, 371, 386 ff.).

61 **Herabsetzung** erfolgt durch **einseitige Erklärung,** die AR für AG abgibt (BGHZ 207, 190 Rn. 20 = NJW 2016, 1236). Darin liegt Ausübung eines Gestaltungsrechts, das mit Kundgabe des Beschlusses gegenüber Vorstandsmitglied Wirkung entfaltet (BGHZ 207, 190 Rn. 31). AR muss bei Beschlussfassung (§ 108 I) nach § 107 III 7 als Plenum tätig werden (BGHZ 207, 190 Rn. 20). Zuständigkeit des AR gilt nach verbreiteter Auffassung auch in Insolvenz, während richtigerweise auch insofern Zuständigkeit des Insolvenzverwalters anzunehmen ist, da es sich um vermögensbezogene Maßnahme handelt (str. – wie hier GK-AktG/Kort Rn. 434; MüKoAktG/Spindler Rn. 256; Göcke/Greubel ZIP 2009, 2086, 2087 f.; aA Uhlenbruck/Hirte InsO § 11 Rn. 185; offengelassen von BGHZ 207, 190 Rn. 26; OLG Stuttgart NZG 2015, 194 Rn. 24: jedenfalls Zustimmung des Insolvenzverwalters erforderlich). **Rechtsschutz des Vorstandsmitglieds:** Leistungsklage auf Weitergewährung bisheriger Bezüge. Für Feststellungsklage (dafür KK-AktG/Cahn Rn. 126) erscheint erforderliches Feststellungsinteresse fraglich. Gegen Klage auf Bestimmung durch Urteil (§ 315 III 2 BGB) bestehen dagegen keine durchgreifenden Bedenken (GK-AktG/Kort Rn. 436; MüKoAktG/Spindler Rn. 241; Rahlmeyer/v. Eiff NZG 2021, 397, 399 f.).

d) Vorfeldmaßnahmen. Herabsetzungspflicht bedingt, dass sich AR mit ihren Voraussetzungen zu befassen hat. **Informationsbasis** sind Vorstandsberichte (§ 90), die vom AR allerdings zu hinterfragen und ggf. durch eigene Maßnahmen, bes. externe Prüfungsaufträge, zu ergänzen sind (§ 111 II; → § 111 Rn. 34 ff.). Kontinuierliche Beobachtung (Fleischer NZG 2009, 801, 804) ist Bestandteil der allg. **Überwachungspflicht** (§ 111 I). Jährliche Regelprüfung (Waldenberger/Kaufmann BB 2010, 2257, 2264) genügt nur, wenn kontinuierliche Beobachtung keinen Anlass zum Einschreiten zeigt. Zwecks Haftungsvermeidung (§ 116 S. 3) ist Dokumentation aller Überwachungsmaßnahmen, namentl. jeder Befassung des AR oder eines AR-Ausschusses, dringend anzuraten (GK-AktG/Kort Rn. 449 f.). 62

2. Anstellungsvertrag und Kündigung. Bestand des Anstellungsvertrags wird durch Herabsetzungserklärung nicht berührt (§ 87 II 3). Betroffenes Vorstandsmitglied hat jedoch gem. § 87 II 4 Recht zur **außerordentlichen Kündigung,** und zwar mit Frist von sechs Wochen auf Schluss des nächsten Kalendervierteljahrs. Das ist nicht als Kündigungserklärungsfrist iSd § 626 II BGB zu verstehen, sondern als Kündigungsfrist iSd § 621 BGB, so dass zwischen Quartalsende und Zugang der Kündigung mindestens sechs Wochen liegen müssen (GK-AktG/Kort Rn. 468 ff.); ggf. wird man Vorstand auch noch Überlegungsfrist einräumen müssen, wenn etwa Herabsetzung wenige Tage vor Quartalsmitte beschlossen wird (Rahlmeyer/v. Eiff NZG 2021, 397, 399). Vorstandsmitglied wird durch Kündigungsmöglichkeit nicht nur begünstigt, sondern auch belastet. Nach Ablauf des Kalendervierteljahrs verbleibt es nämlich bei Vertragsbindung, wenn nicht rechtzeitig gekündigt wurde. Ausschlussähnliche Wirkung darf aber nicht zur Verkürzung des Rechtsschutzes (→ Rn. 61) führen. Daher ist anzunehmen, dass Frist des § 87 II 4 erst ab rechtskräftiger Entscheidung läuft, wenn Klage innerhalb der Kündigungsfrist erhoben wurde (hM, s. KK-AktG/Cahn Rn. 138; MüKoAktG/Spindler Rn. 245; zu Einzelheiten Rahlmeyer/v. Eiff NZG 2021, 397, 400). 63

Zur **fristlosen Kündigung nach § 626 BGB** berechtigt Herabsetzung als solche nicht. § 87 II 4 kann aber nicht als abschließende, das Recht zur fristlosen Kündigung verdrängende Regelung verstanden werden. Kündigung bleibt deshalb zulässig, wenn unberechtigte Herabsetzung im Einzelfall Voraussetzungen des § 626 BGB erfüllt; so dann, wenn lästig gewordenes Vorstandsmitglied unzumutbar drangsaliert wird, was durch Herabsenkung der Voraussetzungen (→ Rn. 50 ff.) eher praktisch werden könnte als früher (mittlerweile wohl allgM – vgl. BeckOGK/Fleischer Rn. 86; GK-AktG/Kort Rn. 480; und jetzt auch S/L/Seibt Rn. 21 und MüKoAktG/Spindler Rn. 246). 64

V. Insolvenz (§ 87 III)

§ 87 III begrenzt **Schadensersatzanspruch,** der Vorstandsmitglied aus insolvenzbedingter Kündigung erwächst. Kündigungsbefugnis des Insolvenzverwalters: § 113 I InsO. Ist Eigenverwaltung angeordnet (§ 270 InsO), so kündigt AG im Einvernehmen mit dem Sachwalter (§ 279 I InsO); s. RegBegr. BT-Drs. 12/3803, 85. Für AG handelt AR (§ 112). Seine Kündigungserklärung ist auch dann wirksam, wenn Einvernehmen mit dem Sachwalter nicht hergestellt ist (bloße Frage des Innenverhältnisses). Ersatzfähig ist nach § 87 III nur der Schaden, der bis zum Ablauf von zwei Jahren seit Ende des Anstellungsverhältnisses entsteht. Ersatzanspruch ist Insolvenzforderung iSd §§ 38, 87 InsO. Regelung gilt nur für Leistungen iSd § 87 I 1, nicht für solche iSd § 87 I 2. 65

VI. Antrag auf Herabsetzung einer Maximalvergütung (§ 87 IV)

66 Durch ARUG II 2019 wurde § 87 IV ergänzt, wonach HV auf Antrag nach § 122 II 1 die gem. § 87a I 2 Nr. 1 festgelegte Maximalvergütung (→ § 87a Rn. 5 ff.) herabsetzen kann (zur Geltung auch für KGaA → § 87a Rn. 3). Darin liegt vom RAusschuss BT-Drs. 19/15153, 55 f. im Zuge des Gesetzgebungsverfahrens zum ARUG II 2019 erzielter **Kompromiss** zwischen Befürwortern und Gegnern eines „Decide on Pay" (→ § 120a Rn. 1). Regelung belässt Vergütungskompetenz grds. bei AR, gibt HV aber in punktuellem Aspekt weitere Kontrollbefugnis, indem HV in Vergütungssystem nach § 87a I 2 Nr. 1 angelegte Maximalvergütung in einer für AR verbindlichen Weise herabsetzen kann (rechtspolit. Kritik bei S/L/Seibt Rn. 48). Sonstige Inhaltskorrekturen sind ausgeschlossen (Florstedt ZIP 2020, 1, 5). Rechtspolit. Befürchtung, HV-Zuständigkeit könne sich nicht mäßigend, sondern vergütungssteigernd auswirken, wurde dadurch Rechnung getragen, dass HV lediglich „nach unten", aber nicht „nach oben" korrigieren kann. Auch bei solcher Korrektur behält AR aber das Recht zur **vorübergehenden Abweichung** vom Vergütungssystem gem. § 87a II 2 unter den dort genannten Voraussetzungen (→ § 87a Rn. 14; RAusschuss BT-Drs. 19/15153, 55; Hirte/Heidel/Lochner/Beneke Rn. 6; zweifelnd MüKoAktG/Spindler Rn. 266). Herabsetzungsbeschluss der HV gilt nur für die Zukunft, lässt **laufende Verträge aber unberührt,** sofern AR mit Vorstand nicht dynamische Maximalvergütung vereinbart hat (Hirte/Heidel/Lochner/Beneke Rn. 6; J. Vetter/Lauterbach AG 2021, 89 Rn. 39 mit Anregung, Vorstandsmitglied dann Kündigungsmöglichkeit entspr. § 87 II 4 einzuräumen). Wirkung der Herabsetzung tritt aber dann ein, wenn sich Anstellungsvertrag aufgrund Wiederbestellung gem. § 84 I 5, HS 2 automatisch verlängert (Hirte/Heidel/Lochner/Beneke Rn. 6). Wird Maximalvergütung – was möglich ist (→ § 87a Rn. 5c) – als Gesamtvergütung angegeben, ist bei künftig abzuschließenden Vorstandsverträgen darauf zu achten, dass die sich mit Neuabschluss ergebende Summe die festgelegte Maximalvergütung nicht übersteigt (RAusschuss BT-Drs. 19/15153, 55). Von HV-Beschluss nicht erfasst werden Abfindungszahlungen, da sie nicht zur Maximalvergütung zählen (→ § 87a Rn. 5a).

67 Gesetzgeber nimmt an, dass Beschluss durch **Tagesordnungsergänzungsverlangen** von Aktionärsseite nach § 122 II 1 initiiert wird. Freiwillige Vorlage durch Verwaltung ist zwar theoretisch ebenfalls denkbar, dürfte praktisch aber in der Tat ausgeschlossen sein (zust. MüKoAktG/Spindler Rn. 268; Herrler ZHR 184 [2020], 408, 443 Fn. 113). Anliegen des Gesetzgebers war es, mit Zuordnung zu § 122 insbes. **Geltung des Quorums** nach § 122 II 1 klarzustellen (RAusschuss BT-Drs. 19/15153, 55). Daraus folgt zugleich, dass Herabsetzungsbeschluss nicht unter TOP „Votum zum Vergütungssystem und zum Vergütungsbericht" (§ 120a) gefasst werden kann (Gärtner/Himmelmann AG 2021, 259 Rn. 33; aA Hirte/Heidel/Lochner/Beneke Rn. 9). Bloßer Gegenantrag zu diesem TOP oder Verfahrensantrag in HV genügen deshalb nicht (S/L/Seibt Rn. 54; Zipperle/Lingen BB 2020, 131, 133). Für Beschluss gelten allg. Regeln, insbes. einfache Stimmenmehrheit nach § 133. Vorstandsmitglieder, die eigene Aktien halten, unterliegen keinem Stimmrechtsausschluss (Gärtner/Himmelmann AG 2021, 259 Rn. 36). Inhaltlich darf Beschluss – auch bei individuellen Festlegungen – nur **kollektive Herabsetzung** verlangen, um AR-Kompetenz nicht übermäßig zu beschneiden (MüKoAktG/Spindler Rn. 264; Herrler ZHR 184 [2020], 408, 447 f.; Nikoleyczik/Crombach AG 2021, 744 Rn. 21; aA Gärtner/Himmelmann AG 2021, 259 Rn. 42). **Anfechtung** ist zulässig, wird im absoluten Regelfall aber nur auf formale Gründe gestützt werden können (ausf. Gärtner/Himmelmann AG 2021, 259 Rn. 47). In diesem Fall soll es im pflichtgem.

Ermessen des AR stehen, über Anwendung oder Nichtanwendung der Maximalvergütungshöhe zu entscheiden (RAusschuss BT-Drs. 19/15153, 56). Das ist pragmatische Lösung, die in Beschlussmängeldogmatik allerdings kein tragfähiges Fundament findet. Solange Beschluss nicht gerichtl. aufgehoben ist, muss AR ihn beachten; nach Aufhebung hat Beschluss keine Bindungswirkung, kann von AR aber als unverbindliches Stimmungsbild beachtet werden (sa MüKoAktG/Spindler Rn. 269). Wirksamer Beschluss ist für AR bindend, wobei umstr. ist, ob **Verbindlichkeit** sich nur auf konkretes Vergütungssystem beschränkt oder pauschal gilt (für das Erste Böcking/Bundle Konzern 2020, 15, 23; Gärtner/Himmelmann AG 2021, 259 Rn. 37 f.; Nikoleyczik/Crombach AG 2021, 744 Rn. 19; für das Zweite S/L/Seibt Rn. 52; Florstedt ZIP 2020, 1, 5; Herrler ZHR 184 [2020], 408, 449). Erstgenannter Auffassung ist zuzugeben, dass Maximalvergütung nicht losgelöst vom jew. System betrachtet werden kann, doch eröffnet solche Lesart derart naheliegende Umgehungsmöglichkeiten, dass strengere zweite Lesart vorzugswürdig erscheint. Schon aus optischen Gründen würde AR anderen Weg auch kaum beschreiten können. Für künftige Vergütungssysteme löst Beschluss dagegen keine Bindungswirkung aus (RAusschuss BT-Drs. 19/15153, 55; MüKoAktG/Spindler Rn. 265).

VII. Offenlegung der Vorstandsvergütungen

1. Allgemeines. „Vergütungsreform in Permanenz" (→ Rn. 2 f.) hat Ausgangspunkt in Regelung über Offenlegung von Vorstandsvergütungen im VorstOG 2005 gefunden. Darin wurde börsennotierte AG (§ 3 II) im Anschluss an Ziff. 5 Empfehlung der Europäischen Kommission v. 14.12.2004 (2004/913/EG, ABl. EG L 385, 55) zur **individualisierten Offenlegung** der Vorstandsvergütungen verpflichtet. Gesetzestechnisch erfolgte Offenlegung durch Erweiterungen der Angabepflichten, die im Anh. und ggf. im Konzernanh. gem. **§ 285 Nr. 9 lit. a HGB** bzw. gem. **§ 314 I Nr. 6 lit. a HGB** (zur Rechnungslegung nach IAS/IFRS s. GK-AktG/Kort Rn. 363 ff.). Vergütungstransparenz sollte **Feststellung der Angemessenheit** iSd § 87 I (→ Rn. 8 ff.) erleichtern und Anlegerschutz verbessern (RegBegr. BT-Drs. 15/5577, 6). Hoffnung, auf diese Weise Vergütungsniveau abzusenken, hat sich nicht erfüllt, weil sich entgegen polit. Erwartungshaltung herausgestellt hat, dass Unternehmen in ihrer Außendarstellung nicht mit bes. billigem Management werben wollen. Trotzdem hat europ. Gesetzgeber in Aktionärsrechte-RL II Offenlegungsgedanken in Gestalt des Vergütungsberichts nach § 162 fortgeführt, in dem Angaben nach § 285 Nr. 9 lit. a, § 314 I Nr. 6 lit. a HGB aF weitgehend aufgegangen sind (→ § 162 Rn. 1). 68

2. Überblick über die gesetzliche Regelung. Mit Neufassung durch ARUG II 2019 sind bisher nach § 285 Nr. 9 lit. a HGB aF, § 314 I Nr. 6 lit. a HGB aF für börsennotierte AG erforderliche Angaben gestrichen und stattdessen in neu eingeführten **Vergütungsbericht nach § 162** aufgenommen worden. Als weiterhin für Anh. bzw. Konzernanh. erforderliche Vorschriften der börsen- oder nicht börsennotierten AG sehen § 285 Nr. 9 lit. a S. 1–4, § 314 I Nr. 6 lit. a S. 1–4 HGB jetzt vor: Angabe der im Geschäftsjahr gewährten Gesamtbezüge, einschließlich nicht ausgezahlter, sondern in andere Ansprüche umgewandelter Bezüge, Bezugsrechte und sonstige aktienbasierte Vergütungen (zu Einzelheiten vgl. etwa MüKoHGB/Poelzig HGB § 285 Rn. 138 ff.). 69

3. Deutsche Rechnungslegungs Standards (DRS). Weitergehende Konkretisierungen finden sich in DCGK (→ Rn. 36 ff.) sowie in DRS 17 (BAnz. 2008 Nr. 82a S. 10 ff. – in Neufassung 2010; vgl. dazu Mujkanovic WPg 2011, 995). DRS 17 betr. zwar unmittelbar nur Konzernberichterstattung, lassen sich 70 aber weithin auch auf Einzelabschlüsse übertragen. Empfehlungen sind nicht verbindlich, doch greift bei ihrer Beachtung die Vermutung GoB-konformer Konzernrechnungslegung ein (§ 342 II HGB).

Vergütungssystem börsennotierter Gesellschaften

87a (1) [1]**Der Aufsichtsrat der börsennotierten Gesellschaft beschließt ein klares und verständliches System zur Vergütung der Vorstandsmitglieder. [2]Dieses Vergütungssystem enthält mindestens die folgenden Angaben, in Bezug auf Vergütungsbestandteile jedoch nur, soweit diese tatsächlich vorgesehen sind:**

1. **die Festlegung einer Maximalvergütung der Vorstandsmitglieder;**
2. **den Beitrag der Vergütung zur Förderung der Geschäftsstrategie und zur langfristigen Entwicklung der Gesellschaft;**
3. **alle festen und variablen Vergütungsbestandteile und ihren jeweiligen relativen Anteil an der Vergütung;**
4. **alle finanziellen und nichtfinanziellen Leistungskriterien für die Gewährung variabler Vergütungsbestandteile einschließlich**
   a) **einer Erläuterung, wie diese Kriterien zur Förderung der Ziele gemäß Nummer 2 beitragen, und**
   b) **einer Darstellung der Methoden, mit denen die Erreichung der Leistungskriterien festgestellt wird;**
5. **Aufschubzeiten für die Auszahlung von Vergütungsbestandteilen;**
6. **Möglichkeiten der Gesellschaft, variable Vergütungsbestandteile zurückzufordern;**
7. **im Falle aktienbasierter Vergütung:**
   a) **Fristen,**
   b) **die Bedingungen für das Halten von Aktien nach dem Erwerb und**
   c) **eine Erläuterung, wie diese Vergütung zur Förderung der Ziele gemäß Nummer 2 beiträgt;**
8. **hinsichtlich vergütungsbezogener Rechtsgeschäfte:**
   a) **die Laufzeiten und die Voraussetzungen ihrer Beendigung, einschließlich der jeweiligen Kündigungsfristen,**
   b) **etwaige Zusagen von Entlassungsentschädigungen und**
   c) **die Hauptmerkmale der Ruhegehalts- und Vorruhestandsregelungen;**
9. **eine Erläuterung, wie die Vergütungs- und Beschäftigungsbedingungen der Arbeitnehmer bei der Festsetzung des Vergütungssystems berücksichtigt wurden, einschließlich einer Erläuterung, welcher Kreis von Arbeitnehmern einbezogen wurde;**
10. **eine Darstellung des Verfahrens zur Fest- und zur Umsetzung sowie zur Überprüfung des Vergütungssystems, einschließlich der Rolle eventuell betroffener Ausschüsse und der Maßnahmen zur Vermeidung und zur Behandlung von Interessenkonflikten;**
11. **im Fall der Vorlage eines gemäß § 120a Absatz 3 überprüften Vergütungssystems:**
    a) **eine Erläuterung aller wesentlichen Änderungen und**
    b) **eine Übersicht, inwieweit Abstimmung und Äußerungen der Aktionäre in Bezug auf das Vergütungssystem und die Vergütungsberichte berücksichtigt wurden.**

(2) [1]**Der Aufsichtsrat der börsennotierten Gesellschaft hat die Vergütung der Vorstandsmitglieder in Übereinstimmung mit einem der Hauptversammlung nach § 120a Absatz 1 zur Billigung vorgelegten Ver-**

gütungssystem festzusetzen. [2]Der Aufsichtsrat kann vorübergehend von dem Vergütungssystem abweichen, wenn dies im Interesse des langfristigen Wohlergehens der Gesellschaft notwendig ist und das Vergütungssystem das Verfahren des Abweichens sowie die Bestandteile des Vergütungssystems, von denen abgewichen werden kann, benennt.

Übersicht

I. Regelungsgegenstand und -zweck

1 § 87a wurde in Umsetzung der neu gefassten Aktionärsrechte-RL, konkret Art. 9a Aktionärsrechte-RL, mit ARUG II 2019 ins AktG eingefügt. Er schreibt für börsennotierte AG Einführung eines Vergütungssystems vor, das sodann Gegenstand einer **Billigung durch HV** nach § 120a I und handelsrechtlicher Publizitätsvorschriften sein kann. Solches System wurde schon bislang in § 120 IV aF, § 289 II Nr. 4 HGB aF, § 315 II Nr. 4 HGB aF vorausgesetzt, aber nirgends vorgeschrieben, was begriffliche Ausfüllung erschwerte. Während §§ 87a, 120a im Vorfeld der konkreten Vergütungsleistung angesiedelt sind, gilt im Nachgang Vergütungsbericht nach § 162, so dass nicht nur über Planung, sondern auch über Vollzug Transparenz hergestellt ist (Löbbe/Fischbach AG 2019, 373, 374: prospektives und retrospektives Element; zum Zusammenspiel der Vorschriften → § 87 Rn. 3). Begrifflichkeit ist in § 87a und § 162 weitgehend parallel gestaltet, was es nahelegt, Tatbestandsmerkmale auch im Lichte der jew. anderen Vorschrift zu lesen, doch ergeben sich zT aus abw. Perspektive auch überraschend divergierende Inhalte übereinstimmender Begriffe (Bsp. → § 162 Rn. 7c). Regelung ist im Kontext einer seit vielen Jahren zu beobachtenden **legislativen Hyperaktivität** auf dem Feld der Vorstandsvergütung zu sehen, die – wie schon iRd § 87 (→ § 87 Rn. 2 f.) – sehr krit. zu beurteilen ist (sa Spindler AG 2020, 61 Rn. 2: „Mehrwert nicht immer völlig nachvollziehbar").

2 § 26j I EGAktG enthält **Übergangsvorschrift,** wonach Beschlussfassung nach § 87a erstmalig bis zum Ablauf der ersten ordentl. HV, die auf 31.12.2020 folgt, zu erfolgen hat; frühere Beschlussfassung ist aber zulässig (RegBegr. BT-Drs. 19/9739, 117; zum Umgang mit Altverträgen vgl. Charnitzky NZG 2021, 1438 ff.). Nach § 26 I 2 EGAktG hat erstmalige Beschlussfassung nach § 87a II 1 bis zum Ablauf von zwei Monaten nach **erstmaliger Billigung** des Vergütungssystems durch HV zu erfolgen. Bis dahin kann Vergütung nach bestehender Praxis gewährt werden; vor diesem Zeitpunkt geschlossene Verträge bleiben unberührt (§ 26j I 3 EGAktG). Wird System **nicht gebilligt,** hat AR nicht etwa abgelehntes System zugrunde zu legen (so aber Grigoleit/Grigoleit/Kochendörfer Rn. 124; Hirte/Heidel/Lochner/Beneke Rn. 26; Ihrig/Schäfer Vorstand Rn. 194d; Stöber DStR 2020, 391, 394 f.), sondern nach klarem Wortlaut des § 26j I 2 EGAktG, der auch in RegBegr. BT-Drs. 19/9739, 117 Rückhalt findet, tritt Bindung erst mit Billigung ein, so dass AR bis dahin bisheriges System zugrunde legen kann (überzeugend Wandt/Vossen AG 2020, 705 Rn. 11 ff. mw Ausführungen zum Verständnis der bisherigen Vergütungspraxis in Rn. 26 ff.; zust. BeckOGK/Fleischer Rn. 35 Fn. 119; GK-AktG/Hirte/Mohamed EGAktG § 26j Rn. 10; Gärtner/Himmelmann AG 2021, 259 Rn. 24; v. Zeh-

men BB 2021, 1098, 1099; jetzt auch MüKoAktG/Spindler Rn. 36 unter Aufgabe von Spindler AG 2020, 61 Rn. 30). Theoretisch könnte Eingreifen des neuen Pflichtenregimes auf diese Weise dauerhaft hinausgezögert werden, bis erstmalig ein System gebilligt wird.

II. Kernaussage (§ 87a I 1)

3 § 87a I 1 enthält allg. Verpflichtung zum Beschluss eines **abstrakten Vergütungssystems** für Vorstandsmitglieder, und zwar nur für börsennotierte AG iSd § 3 II (→ § 3 Rn. 5 f.). Erfasst sind nur Zahlungen der AG, nicht auch Zahlungen Dritter (Rückschluss aus § 162 II Nr. 1 – MüKoAktG/Spindler Rn. 12; Bauer/C. Arnold FS Henssler, 2023, 785, 793 f.: freiwillige Einbeziehung aber zulässig). Auf KGaA ist § 87a gem. § 278 III nicht nur für AR, sondern auch für persönlich haftenden Gesellschafter ebenfalls anzuwenden, was nicht selbstverständlich ist, da § 87 I nach allgM in KGaA keine Gültigkeit beansprucht (→ § 288 Rn. 6). Anwendung erklärt sich aber aus generellem Geltungsanspruch der Aktionärsrechte-RL auch für KGaA, der mit bloßem Verweis auf Besonderheiten dieser Rechtsform nicht ausgehebelt werden kann (Teichmann FS Krieger, 2020, 993, 1002 ff.; sa – zu § 162 – Philipps AG 2021, 773 Rn. 12 ff.; aA GK-AktG/Sethe § 278 Rn. 77; Backhaus AG 2020, 462 Rn. 13 ff.; Schorn AG 2022, 111 Rn. 1 ff.). **Zuständigkeit** wird AR zugewiesen. Wegen fehlender Nennung in § 107 III 7 soll Delegation an Ausschuss augenscheinlich zulässig sein (BeckOGK/Fleischer Rn. 11; S/L/Seibt Rn. 21; MüKoAktG/Spindler Rn. 46; Hölters/Weber/Weber Rn. 6; Bachmann ZHR 184 [2020], 127, 131), doch kann dort angeordnete Plenumszuständigkeit für konkrete Vergütungsentscheidung Erst-recht-Schluss nahelegen, dass dies auch für zugrunde liegendes System gelten müsse (so Grigoleit/Grigoleit/Kochendörfer Rn. 23; Grau FS Henssler, 2023, 879, 882 f.; E. Vetter NZG 2020, 1161 ff.; rechtspolit. Kritik auch bei Bachmann/Pauschinger ZIP 2019, 1, 2). Dieser Schluss ist allerdings nicht alternativlos, da konkrete Festlegung nicht zwangsläufig weniger bedeutsam ist als Rahmenwerk und Plenum iR dieser Festlegung auch hinreichend Gelegenheit erhält, Gesamtsystem zu überdenken und ggf. Ausschussentscheidung zu korrigieren (zust. Gärtner/Himmelmann AG 2021, 259 Rn. 13). Trotzdem sollte Praxis aus Vorsichtsgründen nur Vorbereitung Ausschuss überlassen und abschließende Entscheidung von Plenum treffen lassen. Mit Zuständigkeitszuweisung formuliert § 87a I 1 zugleich Inhaltsvorgabe, System müsse **klar und verständlich** sein, damit Aktionären informierte Entscheidung ermöglicht wird (RegBegr. BT-Drs. 19/9739, 72). Relevanter Empfängerhorizont ist der des durchschnittlich informierten, situationsadäquat aufmerksamen und verständigen Aktionärs (RegBegr. BT-Drs. 19/9739, 72; sa Florstedt ZGR 2019, 630, 640 f.: „keine verbraucherfreundliche Simplifizierung"). Anforderungen sollten nicht überspannt werden, um hoher Komplexität der Vergütungsfrage Rechnung zu tragen (RegBegr. BT-Drs. 19/9739, 72 f.; S/L/Seibt Rn. 4; im RefE vorgesehener Begriff der „Allgemeinverständlichkeit" wurde bewusst aufgegeben). Das ist richtig, wenngleich Komplexität nicht allein aus Sachzwängen, sondern auch aus ges. Regulierungseifer erwächst (→ § 87 Rn. 2 f.). Transparenzgebot des § 307 I 2 BGB gilt nicht; Schaubilder werden in RegBegr. BT-Drs. 19/9739, 73 als sinnvolle Handreichung erwogen.

4 Deutungsoffene Vorgabe des § 87a I 1 wird in § 87a I 2 durch **Mindestinhalt** sehr detailreich präzisiert, so dass für eigenständige Ausfüllung durch AR nur wenig Raum bleibt. Soweit sich Mindestangaben auf Vergütungsbestandteile beziehen, müssen sie nur gemacht werden, soweit diese auch tats. vorgesehen sind (anders etwa für Maximalvergütung → Rn. 5 ff.). „Fehlanzeige" ist nicht erforderlich (so augenscheinlich gleichermaßen zu § 87a und § 162 RegBegr. BT-

Drs. 19/9739, 109; sa BeckOGK/Fleischer Rn. 12; S/L/Seibt Rn. 5; Goslar DB 2020, 937; Löbbe/Fischbach AG 2019, 373, 383; Spindler AG 2020, 61 Rn. 11; aA Florstedt ZGR 2019, 630, 646; Leuering NZG 2017, 646, 647). Auch ges. Reihenfolge muss darstellerisch nicht eingehalten werden. § 87a I enthält **keine materiell-rechtlichen Vorschriften** zur Vergütung; insofern gelten ausschließlich Vorgaben des § 87 (RegBegr. BT-Drs. 19/9739, 72; sa Bayer DB 2018, 3034, 3037; Florstedt ZGR 2019, 630, 641 f.; zweifelnd Bachmann/Pauschinger ZIP 2019, 1, 3). Gesetzgeber verlässt sich insofern auf faktischen Berücksichtigungsdruck (S/L/Seibt Rn. 5: Nudge-Gesetzgebung). Allein über § 87a II, der Abweichungsmöglichkeiten vom Vergütungssystem beschränkt, entfaltet § 87a I begrenzt materielle Wirkung (RegBegr. BT-Drs. 19/9739, 72). Um trotzdem im Einzelfall **wünschenswerte Flexibilität** zu bewahren, sollte System auch denkbaren Sondersituationen Rechnung tragen (Löbbe/Fischbach AG 2019, 373, 376; s. noch → Rn. 14).

III. Mindestinhalt (§ 87a I 2)

1. Gesetzliche Vorgaben. Als Mindestinhalt nennt (durch RAusschuss BT-Drs. 19/15153, 56 erst nachträglich eingeführte und europarechtl. nicht vorgegebene) **Nr. 1** zunächst Festlegung einer **Maximalvergütung** für Vorstandsmitglieder (nicht für AR), die aufgrund entspr. DCGK-Empfehlungen schon bislang üblich war und nunmehr auf Gesetzesebene gehoben wurde (RAusschuss BT-Drs. 19/15153, 56). Anders als andere Angaben (→ Rn. 4) ist diese **Vorgabe zwingend,** also nicht davon abhängig, dass Vergütungssystem entspr. Vorgabe tats. enthält (RAusschuss BT-Drs. 19/15153, 56). Da sie oftmals einzigen expliziten Eurobetrag im Vergütungssystem darstellt, ist sie für Öffentlichkeit bes. greifbar, weshalb ihr in der Gestaltung meist hohe Aufmerksamkeit gewidmet wird (Dörrwächter/Harrack DB 2021, 2064 mw Ausführungen zu entspr. Voting Guidelines von Stimmrechtsberatern und institutionellen Investoren auf S. 2070 f.). 5

Begriff der Maximalvergütung umschreibt **Aufwandshöchstbetrag,** der sich für AG aus der Summe aller Vergütungselemente für das betreffende Jahr (idR Geschäfts- oder Kalenderjahr – Nikoleyczik/Crombach AG 2021, 744 Rn. 10) ergibt. Darunter fallen Grundvergütung, kurz- und langfristige variable Vergütung sowie Nebenleistungen und betriebliche Altersversorgung (Dörrwächter/Harrack DB 2021, 2064), aber **nicht Abfindungszahlungen,** da es insofern an inhaltlicher Verknüpfung mit betreffendem Geschäfts- oder Kalenderjahr fehlt (Müller-Bonanni/Jenner/Denninger AG 2021, 339 Rn. 17; Nikoleyczik/Crombach AG 2021, 744 Rn. 29 ff.; J. Vetter/Lauterbach AG 2021, 89 Rn. 53). Auch Karenzentschädigung, die Gegenleistung für Unterlassen von Wettbewerb nach Beendigung der Vorstandstätigkeit darstellt, ist nicht erfasst (Dörrwächter/Harrack DB 2021, 2064, 2065). Das Gleiche gilt für Auslagenersatz (so zu § 162 C. Arnold/Hofer/Dolde AG 2021, 813 Rn. 6). **Zahlungen Dritter** sind aus den in → § 87 Rn. 7 genannten Gründen nicht in Maximalvergütung einzubeziehen (Bauer/C. Arnold FS Henssler, 2023, 785, 794 f.; Dörrwächter/Harrack DB 2021, 2064, 2066). Systematisch spricht viel dafür, dass dies auch für **Konzernbezüge** gilt (Dörrwächter/Harrack DB 2021, 2064, 2065 f.), doch sind Umgehungsgefahren hier so groß, dass Einbeziehung aus diesem Grund geboten ist (S/L/Seibt Rn. 8; Bauer/C. Arnold FS Henssler, 2023, 785, 794 ff.; v. Zehmen BB 2021, 628, 629; auch Dörrwächter/Harrack DB 2021, 2064, 2065 f. empfehlen vor diesem Hintergrund abw. Handhabung). Maßgeblich ist nicht Auszahlungszeitpunkt, sondern für welches Jahr geleistet wird (Müller-Bonanni/Jenner/Denninger AG 2021, 339 Rn. 15; Nikoleyczik/Crombach AG 2021, 744 Rn. 34). Damit kann auch sog **Sign-on-Bonus** (Aktionärsschützer: „Goldenes Hallo“) 5a erfasst sein (MüKoAktG/Spindler Rn. 21; Hölters/Weber/Weber Rn. 13; Dörrwächter/Harrack DB 2021, 2064, 2065; Nikoleyczik/Crombach AG 2021, 744 Rn. 26 f.; J. Vetter/Lauterbach AG 2021, 89 Rn. 51 f.; v. Zehmen BB 2021, 628, 630; aA Müller-Bonanni/Jenner/Denninger AG 2021, 339 Rn. 17 unter zweifelhafter Ausklammerung aus „Vorstandstätigkeit ieS").

5b Anknüpfung an Jahr, in dem Vergütung erdient wurde (→ Rn. 5a), wirft Frage auf, wie **später zufließende variable Vergütungsbestandteile** erfasst und überprüft werden können. Im maßgeblichen Geschäfts- oder Kalenderjahr selbst ist Höhe des späteren Zuflusses noch nicht absehbar. Als stattdessen maßgeblicher Zeitpunkt kommt entweder tats. Zufluss in Betracht oder Zeitpunkt, zu dem Vorstandsmitglied Zufluss **frühestmöglich realisieren** könnte. Um klaren und nicht beeinflussbaren Bezugspunkt zu haben, ist zweiter Bezugspunkt überzeugender (so auch Grigoleit/Grigoleit/Kochendörfer Rn. 39; Nikoleyczik/Crombach AG 2021, 744 Rn. 36 ff.). Spätere Wertsteigerungen, aber auch spätere Veräußerungsgewinne, bleiben danach unberücksichtigt (Nikoleyczik/Crombach AG 2021, 744 Rn. 44 f.). Um künftige Entwicklungen beobachten und ggf. korrigieren zu können, sollte sich AR im Anstellungsvertrag **Überprüfungsmöglichkeit und Kürzungsrecht** vorbehalten, wobei Kürzung auch durch Einbehaltung künftiger Vergütungsbestandteile möglich sein sollte (Nikoleyczik/Crombach AG 2021, 744 Rn. 49 ff.; v. Zehmen BB 2021, 628, 631).

5c AR kann frei darüber entscheiden, ob Maximalvergütung **für Gesamtvorstand oder einzelne Mitglieder** festgelegt wird, ob zwischen Vorstandsvorsitzendem und sonstigen Mitgliedern differenziert wird (in der Praxis üblich – vgl. Dörrwächter/Harrack DB 2021, 2064, 2069 f.; v. Zehmen BB 2021, 628, 630) oder ob variable und fixe Vergütungsbestandteile einheitlich oder gesondert festgelegt werden sollen (RAusschuss BT-Drs. 19/15153, 56). Zum erstgenannten Punkt empfiehlt RAusschuss BT-Drs. 19/15153, 56 Einzeldarstellung. Das ist auch in der Sache zweckmäßig, um zB Möglichkeit, neue Vorstandsposten zu schaffen, nicht übermäßig zu beschränken (v. Zehmen BB 2021, 628, 630). Aus ähnlichen Gründen ist von Festlegung für einzelne Ressorts abzuraten, um nicht Schaffung neuer Ressorts zu erschweren (Nikoleyczik/Crombach AG 2021, 744 Rn. 12).

5d Nach Begründung des RAusschusses BT-Drs. 19/15153, 56 hat Festlegung nach Nr. 1 **konkrete Zahlen** zu benennen, kann sich aber zu deren Berechnung zB an Vielfachem der durchschnittlichen Belegschaftsvergütung orientieren. Verhältnis der beiden Satzteile ist unklar (J. Vetter/Lauterbach AG 2021, 89 Rn. 49). Aus Gründen kautelarjur. Vorsicht sollte genaue Bezifferung erfolgen (so auch BeckOGK/Fleischer Rn. 14; S/L/Seibt Rn. 9; Stenzel BB 2020, 970, 971; J. Vetter/Lauterbach AG 2021, 89 Rn. 49; v. Zehmen BB 2021, 628, 629; zweifelnd C. Arnold/Herzberg/Zeh AG 2020, 313 Rn. 14: Berechnung genügt). Aufschlüsselung der Maximalbeträge einzelner Vergütungsbestandteile, aus deren Summe sich Maximalvergütung ergibt, ist nicht geboten, was Berücksichtigung gewisser „Puffer" erleichtert und deshalb Praxis zu empfehlen ist (C. Arnold/Herzberg/Zeh AG 2020, 313 Rn. 16; Dörrwächter/Harrack DB 2021, 2064, 2070; Nikoleyczik/Crombach AG 2021, 744 Rn. 15).

5e Um gerade bei absoluter Maximalvergütung nicht übermäßig streng gebunden zu sein, kann es sich anbieten, hier bes. präzise **Anpassungsmöglichkeiten** vorzusehen, ohne auf voraussetzungsreichen Mechanismus des § 87a II 2 angewiesen zu sein (wohl ähnlich RAusschuss BT-Drs. 19/15153, 56, der § 87a II 2 hier aber augenscheinlich als systemimmanente Öffnung, nicht erst als Korrektur des Systems versteht). Festlegung ist noch nicht an **Angemessenheitsvorgabe** des § 87 I 1 zu bemessen, weil diese allein auf individuelle Ausrichtung an Leistung des einzelnen Vorstandsmitglieds abzielt (überzeugend Müller-Bonanni/

Jenner/Denninger AG 2021, 339 Rn. 11 ff.; zust. Dörrwächter/Harrack DB 2021, 2064, 2070).

Kodexempfehlung **G.1 DCGK** scheint ges. Regelung in § 87a I 2 Nr. 1 lediglich zu wiederholen, geht aber doch darüber hinaus, weil Angabe danach individuell für jedes einzelne Mitglied des Vorstands festgelegt werden soll (Ghassemi-Tabar/Kießling/Buddemeier DCGK G.1 Rn. 8; Hirte/Heidel/Lochner/Beneke Rn. 9; S/L/Seibt Rn. 7; Bachmann ZHR 184 [2020], 127, 133; Spindler AG 2020, 61 Rn. 12; Stenzel BB 2020, 970, 971; aA C. Arnold/Herzberg/Zeh AG 2020, 313 Rn. 12; Dörrwächter/Harrack DB 2021, 2064, 2069; Müller-Bonanni/Jenner/Denninger AG 2021, 339 Rn. 8; Nikoleyczik/Crombach AG 2021, 744 Rn. 13 f.). Nicht erforderlich ist personenbezogene Festlegung, sondern es genügt **funktionsbezogene Festlegung,** die idR auch eher abstrakt-generellem Charakter des Systems entspr. wird (Müller-Bonanni/Jenner/Denninger AG 2021, 339 Rn. 9). Weiterer Vorzug solcher Gestaltung ist darin zu sehen, dass sie auch für Job Sharing (→ § 84 Rn. 11b) hinreichend Raum lässt (Kuthe/Karl WM 2022, 1315, 1319). Zur Möglichkeit der Herabsetzung durch HV nach § 87 IV → § 87 Rn. 66 f. 5f

Weiterer Mindestinhalt ist nach **Nr. 2** Beitrag der Vergütung zur Förderung der Geschäftsstrategie und zur langfristigen Entwicklung der AG. Durch Vorgabe soll „Reflexionsdruck“ über Anreizwirkung der Vergütung mit Blick auf Strategie und künftige Herausforderungen erzeugt werden (S/L/Seibt Rn. 10). Begriff der Langfristigkeit schlägt Bogen zum ebenfalls neu gefassten § 87 I 2 und ist ebenso auszufüllen (→ § 87 Rn. 25 ff.). Schon bei Systementwicklung hat AR zu beachten, dass Einfluss auf Unternehmensplanung Grenzen durch Leitungsautonomie des Vorstands gezogen sind (→ § 87 Rn. 17, 25 ff.; ebenso MüKoAktG/Spindler Rn. 26; großzügiger wohl BeckOGK/Fleischer Rn. 16). **Nr. 3** ergänzt feste und variable Vergütungsbestandteile und ihren jew. **relativen Anteil** an der Vergütung. Zu festen Vergütungsbestandteilen gehören auch Nebenbezüge wie das Recht Pkw, Flugzeug oder Wohnung privat nutzen zu dürfen, Versicherungsbeiträge, Pauschalen für Steuerberatungskosten etc. (BeckOGK/Fleischer Rn. 17; S/L/Seibt Rn. 11; Spindler AG 2020, 61 Rn. 14). Durch Angabe relativen Anteils soll iSd § 25a V KWG vermieden werden, dass variable Bestandteile zu großen Raum einnehmen (Bachmann/Pauschinger ZIP 2019, 1, 2). Jedenfalls im konkreten Ergebnis lässt sich solches Verhältnis innerhalb eines abstrakten Systems zwar kaum feststellen (BeckOGK/Fleischer Rn. 18), doch lässt RegBegr. BT-Drs. 19/9739, 73 Angabe einer **festen Kenngröße** für variablen Vergütungsbestandteil genügen. Wahl des Bezugspunktes bleibt AG überlassen. Als möglicher Anknüpfungspunkt wird die iRd variablen Vergütungsbestandteils zu erreichende Ziel- oder Maximalvergütung genannt (RegBegr. BT-Drs. 19/9739, 73; so auch die Empfehlung in G.1 DCGK; zu weiteren Einzelheiten s. C. Arnold/Herzberg/Zeh AG 2020, 313 Rn. 24 ff.). 6

Nr. 4 schreibt Angabe der finanziellen und nichtfinanziellen Leistungskriterien für die Gewährung variabler Vergütungsbestandteile vor. Dazu soll nach Nr. 4 lit. a auch Erläuterung gehören, wie Kriterien zur Förderung der Ziele gem. Nr. 2 beitragen. Nr. 4 lit. b schreibt Darstellung der Methoden vor, mit denen Erreichung der Leistungskriterien festgestellt wird. Mit Darstellung der Leistungskriterien möglicherweise verbundene Gefährdung **sensibler unternehmerischer Informationen** über strategische Planung und Ausrichtung wird dadurch vermieden, dass RegBegr. BT-Drs. 19/9739, 73 variable Detailtiefe des Berichts gestattet (Florstedt ZGR 2019, 630, 646; Stenzel BB 2020, 970, 972). Gedanke einer darüber hinausgehenden analogen Anwendung der in § 162 VI enthaltenen Schutzklausel (dafür Grigoleit/Grigoleit/Kochendörfer Rn. 31 f., 55) ist deshalb obsolet, weil auch diese Vorschrift in zutr. richtlinienkonformem Verständnis keinen vollständigen Verzicht gestattet, sondern nur geringere Detailtiefe 7

(→ § 162 Rn. 12; wie hier MüKoAktG/Spindler Rn. 28). Für **nichtfinanzielle Leistungskriterien** nimmt Art. 9a VI UAbs. 3 S. 2 Aktionärsrechte-RL Bezug auf „soziale Verantwortung" der AG. Inhaltlich wird man hierbei an nichtfinanzielle Zielvorgaben des § 289c II HGB anknüpfen können (→ § 170 Rn. 2c, 2d; sa S/L/Seibt Rn. 12; Bachmann/Pauschinger ZIP 2019, 1, 2; ausf. Hirte/Heidel/Lochner/Beneke Rn. 12 ff.). Erfasst sind damit insbes. derzeit bes. wirkungsmächtige ESG-Themen (ausf. dazu → § 76 Rn. 63ff.). Zwingende Berücksichtigung solcher nichtfinanziellen Kriterien wird allerdings auch durch Nr. 4 nicht vorgeschrieben. Auswahl der Ziele steht vielmehr im unternehmerischen Ermessen des AR (Stenzel BB 2020, 970, 972; sa → § 87 Rn. 25 ff.).

8 Nach **Nr. 5** zählen zu Mindestinhalt weiter **Aufschubzeiten** für Auszahlung von Vergütungsbestandteilen. Darunter fallen namentl. sog Cash Deferrals, durch die Fälligkeit eines bereits entstandenen Anspruchs hinausgeschoben wird (MüKoAktG/Spindler Rn. 34; Stenzel BB 2020, 970, 972), nicht aber bloße Verfügungsvorgaben nach G.10 DCGK (s. dazu → § 87 Rn. 38; vgl. MüKoAktG/Spindler Rn. 35; C. Arnold/Herzberg/Zeh AG 2020, 313 Rn. 30). **Nr. 6** ergänzt Möglichkeiten der AG, variable Vergütungsbestandteile zurückzufordern, also sog **Clawback-Klauseln** (→ § 87 Rn. 31), deren Zulässigkeit damit ges. bestätigt wird. **Nr. 7** sieht für Fälle aktienbasierter Vergütung weiterhin folgende Inhalte vor: Fristen (lit. a), Bedingung für das Halten nach dem Erwerb (lit. b; darunter können auch sog Share Ownership Guidelines [→ § 87 Rn. 38] fallen – MüKoAktG/Spindler Rn. 38; C. Arnold/Herzberg/Zeh AG 2020, 313 Rn. 35; Langen, Share Ownership Guidelines, 2023, 105 [s. dazu aber auch noch → Rn. 9]), Erläuterung, wie diese Vergütung zur Förderung der Ziele gem. Nr. 2 beiträgt (lit. c). Weiter Fristenbegriff soll typische Fristen wie Warte-, Ausübungs-, Halte- und Sperrfristen erfassen (RegBegr. BT-Drs. 19/9739, 73). Begriff ist weiter gefasst als der der Aufschubzeit in Nr. 5 (RegBegr. BT-Drs. 19/9739, 73).

9 **Nr. 8** zählt zu Mindestangaben **vergütungsbezogene Rechtsgeschäfte** und dort Laufzeiten und Beendigungsvoraussetzungen, einschließlich Kündigungsfristen (lit. a), Zusagen von Entlassungsentschädigungen (lit. b), Hauptmerkmale der Ruhegehalts- und Vorruhestandsregelungen (lit. c). Weiter Begriff des Rechtsgeschäfts soll Begründung, Änderung, oder Aufhebung von Vergütung oder Vergütungsbestandteilen erfassen (RegBegr. BT-Drs. 19/9739, 74); stets erforderlich ist aber Rechtsbindungswille, so dass rein faktische Zuwendungen (zB Gefälligkeiten, Gentlemen's Agreements) nicht erfasst sind (S/L/Seibt Rn. 17; Bachmann/Pauschinger ZIP 2019, 1, 3). Auch Share Ownership Guidelines (→ § 87 Rn. 38) können unter Nr. 8 fallen (C. Arnold/Herzberg/Zeh AG 2020, 313 Rn. 36; Abgrenzung zu Nr. 7 [→ Rn. 8] insoweit nach konkreter Ausgestaltung – vgl. Langen, Share Ownership Guidelines, 2023, 105). Begriff der Entlassungsentschädigung ist § 158 SGB III entlehnt („Abfindung, Entschädigung oder ähnliche Leistung"). Auch Change of Control-Klauseln (→ § 87 Rn. 23) sind davon erfasst (RegBegr. BT-Drs. 19/9739, 74). Bloß ges. Beendigungsvoraussetzungen müssen aber nicht wiedergegeben werden (RegBegr. BT-Drs. 19/9739, 74).

10 **Nr. 9** soll wiederholt vorgebrachte polit. Forderung umsetzen, Vorstandsgehälter gespiegelt in sonstigen **AN-Vergütungs- und Beschäftigungsbedingungen** darzustellen. Gefordert wird deshalb Erläuterung, wie diese Bedingungen bei Festsetzung des Vergütungssystems berücksichtigt wurden, einschließlich einer Erläuterung, welcher **Kreis von AN** einbezogen wurde. **AN-Begriff** entspr. § 3 I MitbestG iVm § 5 I, II BetrVG und umfasst auch die nach § 5 III BetrVG von Anwendung des BetrVG ausgeschlossenen leitenden Angestellten (RegBegr. BT-Drs. 19/9739, 74). AR-Mitglieder, die zugleich AN sind, werden aber nur in ihrer Stellung als AN erfasst (so zu § 162 I 2 Nr. 2 RegBegr. BT-Drs. 19/9739, 112). Innerhalb dieses Kreises steht nähere Eingrenzung AR aber frei

(zB AN der börsennotierten AG, konzernweite Betrachtung etc. – RegBegr. BT-Drs. 19/9739, 74). Auch Beschränkung auf nat. AN ist danach zulässig, muss aber entspr. offengelegt werden((MüKoAktG/Spindler Rn. 42). Umgekehrt wird aber auch Einbeziehung von Auszubildenden, Teilzeitkräften oder Leiharbeitnehmern entspr. grds. großzügiger legislativer Ausgestaltung möglich sein (so zu § 162 I 2 Nr. 2 Florstedt ZGR 2019, 630, 661). Wahlfreiheit setzt sich auch bzgl. Vergütungsbestandteilen fort, so dass AR frei entscheiden kann, welche Einzelelemente er berücksichtigt (zB Jahresdurchschnittsverdienst, aber auch Abfindungsregelungen oder Altersversorgung – Grigoleit/Grigoleit/Kochendörfer Rn. 72). Auswahl ist kein Fall des § 93 I 2, wohl aber Pflichtaufgabe mit (weitem) Entscheidungsspielraum (→ § 93 Rn. 29; ähnlich zu § 162 I 2 Nr. 2 MüKo/Spindler § 162 Rn. 47). Darstellung des „Wie" der Berücksichtigung bedingt nicht ein entspr. „Ob" der Berücksichtigung (BeckOGK/Fleischer Rn. 25). Es ist also zulässig, das Verhältnis nicht zu berücksichtigen. Zumindest diese Entscheidung soll nach RegBegr. BT-Drs. 19/9739, 74 dann aber in Hinweisform offengelegt werden (sa S/L/Seibt Rn. 19; Spindler AG 2020, 61 Rn. 24).

Nr. 10 verlangt **Darstellung des Verfahrens** zur Fest- und Umsetzung sowie zur Überprüfung des Vergütungssystems, insbes. Einbeziehung von Ausschüssen und Umgang mit Interessenkonflikten. Angaben sind zwingend (S/L/Seibt Rn. 21). **Nr. 11** schlägt Bogen zu ebenfalls neu eingefügtem § 120a und verlangt für nach Vorlage überprüftes Vergütungssystem Erläuterung aller **wesentlichen Änderungen** und eine Übersicht, inwieweit Abstimmung und Äußerungen der Aktionäre berücksichtigt wurden. Soweit es zu Änderungen gekommen ist, ist auch diese Vorgabe zwingend (S/L/Seibt Rn. 22). 11

2. Flankierende Empfehlungen des DCGK. Obwohl ges. Vorgaben schon recht detailreich anmuten, sieht nach Kodex-Neufassung 2020 auch **G.1 DCGK** weitere Empfehlungen zur Festlegung des Vergütungssystems vor, die sich indes weitgehend mit ges. Vorgaben des § 87a I 2 überschneiden. Das gilt insbes. auch für Festlegung einer Maximalvergütung, die erst mit ARUG II 2019 in Ges. aufgenommen wurde (→ Rn. 5 ff.). Eigenständige Bedeutung hat Angabe der **Ziel-Gesamtvergütung,** die auch Beiträge zur Altersversorgung und Nebenleistungen erfasst (Begründung Kodex-Neufassung 2020; sa C. Arnold/Gralla NZG 2020, 529, 531). Bei variabler Vergütung (§ 87a I 2 Nr. 3 und 4; → Rn. 6 f.) soll auch angegeben werden, wie sich kurz- und langfristig variable Vergütungsbestandteile zueinander verhalten und wann Vorstandsmitglied darüber verfügen kann. 12

IV. Abstimmung mit § 120a (§ 87a II)

§ 87a II nimmt Bezug auf § 120a und verpflichtet AR der börsennotierten AG, Vergütung in Übereinstimmung mit einem **HV zur Billigung vorgelegten Vergütungssystem** gem. § 120a I festzusetzen. Zwischen wesentlichen und unwesentlichen Änderungen wird insofern nicht differenziert (J. Vetter/Lauterbach AG 2021, 90 Rn. 8 f.: auch nicht im Rückschluss aus § 120a I 1). Ob HV System tats. gebilligt hat, ist aufgrund bloß konsultativer Einbeziehung (→ § 120a Rn. 1) unbeachtlich (RegBegr. BT-Drs. 19/9739, 74). Ebenfalls ist nicht erforderlich, dass zuletzt vorgelegtes System zugrunde gelegt wird, sondern System muss überhaupt einmal vorgelegt worden sein, so dass etwa bei Ablehnung eines vorgeschlagenen Systems auf zuletzt gebilligtes Modell zurückgegriffen werden kann (RegBegr. BT-Drs. 19/9739, 74 f.). Zulässig ist es auch, selbst gebilligtes System nicht anzuwenden, sondern früher vorgelegtes System, etwa weil dieses höhere Zustimmungsquote erreicht hat (S/L/Seibt Rn. 24; Florstedt ZGR 2019, 630, 651; Herrler ZHR 184 [2020], 408, 438 f.). Insofern zT vertretene Einschränkungen 13

(Grigoleit/Grigoleit/Kochendörfer Rn. 87: Bindung an zuletzt vorgelegtes System) finden weder im Gesetzes- noch im RL-Wortlaut eine Stütze und sind auch mit in diesem Punkt großzügig gefassten Gesetzesmaterialien nicht zu vereinbaren (MüKoAktG/Spindler Rn. 47; Gärtner/Himmelmann AG 2021, 259 Rn. 26; v. Zehmen BB 2021, 1098, 1110). Auswahl trifft AR vielmehr nach pflichtgemäßem Ermessen (RegBegr. BT-Drs. 19/9739, 74 f.; zu praktischen Schwierigkeiten vgl. Löbbe/Fischbach AG 2019, 373, 379 f.). Ältere vor Inkrafttreten des ARUG II vorgelegte Systeme genügen zumeist nicht, da sie idR nicht Anforderungen des § 87a I entspr. werden (RegBegr. BT-Drs. 19/9739, 75). Augenscheinlich unzulässig ist es, System iSd von HV angemahnten Änderungen zu modifizieren und in dieser Form der Vergütung zugrunde zu legen, weil solchermaßen verändertes System HV nicht zur Billigung vorgelegen hat (S/L/Seibt Rn. 24; Goslar DB 2020, 937, 940; Herrler ZHR 184 [2020], 408, 439 f.; Spindler AG 2020, 61 Rn. 29; zu Recht krit. DVA-HRA NZG 2019, 12 Rn. 35). Auch Änderung ges. oder regulatorischer Vorgaben kann Probleme aufwerfen (vgl. DVA-HRA NZG 2019, 12 Rn. 36), die im Auslegungswege aber dahingehend aufzulösen sein dürften, dass Gesetzesvollzug Vorrang vor Systemkontinuität hat. **Verstoß** des AR gegen § 87a II begründet (haftungsbewehrte) Pflichtwidrigkeit im Innenverhältnis, die allerdings nicht automatisch auf Vertragsregelung im Außenverhältnis durchschlägt. Solche Auswirkung kann allenfalls über Grundsätze des Missbrauchs der Vertretungsmacht bei Kollusion oder Evidenz des Verstoßes angenommen werden; allein aus Veröffentlichung des Vergütungssystems darf mit Blick auf § 87a II 2 und bes. Komplexität der vergütungsrechtl. Regelungen Evidenz aber noch nicht abgeleitet werden (zurückhaltend auch MüKoAktG/Spindler Rn. 6; strenger Gärtner/Himmelmann AG 2021, 259 Rn. 27).

14 § 87a II 2 eröffnet AR Option, ausnahmsweise vorübergehend von Vergütungssystem abzuweichen, wenn dies **im Interesse des langfristigen Wohlergehens der AG** notwendig ist und Vergütungssystem Verfahren des Abweichens sowie Bestandteile des Vergütungssystems, von denen abgewichen werden kann, benennt. Nach Art. 9a IV Aktionärsrechte-RL II ist Abweichung nur „unter außergewöhnlichen Umständen“ möglich, was in § 87a II 2 nicht übernommen wurde, aber in richtlinienkonformer Auslegung zu ergänzen ist (Teichmann FS Heidinger, 2023, 537, 548 ff.). Auch RegBegr. BT-Drs. 19/9739, 75 greift Passus auf und verweist zur **inhaltlichen Ausfüllung** auf ErwG 30 Aktionärsrechte-RL II, wonach Situation vorliegen muss, die geeignet ist, langfristige Tragfähigkeit und Rentabilität der AG zu beeinträchtigen (zB Finanzmarktkrise oder gravierende Unternehmenskrise; für großzügigeren Maßstab C. Arnold/Herzberg/Zeh AG 2020, 313 Rn. 47; für strengen Maßstab Hirte/Heidel/Lochner/Beneke Rn. 28). Auch Anwerben eines geeigneten Krisenmanagers (zB Chief Restructuring Officer; → § 92 Rn. 50) kann bes. Vergütungsanreize erforderlich machen (RegBegr. BT-Drs. 19/9739, 75). Veränderung der Vorstandszahl oder Bestellung neuer Vorstandsmitglieder genügt dagegen nicht (RegBegr. BT-Drs. 19/9739, 75), demnach augenscheinlich auch nicht Anwerbung eines Wunschkandidaten in kompetitivem Umfeld (großzügiger Grigoleit/Grigoleit/Kochendörfer Rn. 105; S/L/Seibt Rn. 27; mit jedenfalls rechtspolit. berechtigter Kritik auch Heldt AG 2018, 905, 909). Schwierigkeiten bereitet Erfordernis ausdr. **Benennung** (Abschwächung: „in Umrissen“), weil es Vorhersehbarkeit voraussetzt, die bei außergewöhnlichen Entwicklungen idR nicht gegeben ist. Konkret zu benennen sind deshalb nur Verfahren der Abweichung und davon betroffene Vergütungselemente, wohingegen bzgl. materieller Ausschlussgründe Bezugnahme auf außergewöhnliche Umstände und beispielhafte Aufzählung genügen (Teichmann FS Heidinger, 2023, 537, 550 f.). § 87 II bleibt von § 87a II 2 unberührt; insbes. kann Herabsetzungsmöglichkeit nicht ausgeschlossen werden (RegBegr. BT-Drs. 19/9739, 75). Explizite Aufnahme in

Vergütungssystem ist aber nicht erforderlich (RegBegr. BT-Drs. 19/9739, 75). Insgesamt sind Anforderungen an Änderung sehr voraussetzungsreich gefasst, was es nahelegt, schon Grundsystem so flexibel zu fassen, dass Neuausrichtung in davon gezogenem Rahmen möglich ist und keine Änderung erforderlich wird (Heldt AG 2018, 905; Löbbe/Fischbach AG 2019, 373, 380). Auch einer solchen **flexiblen Ausgestaltung** müssen aber Grenzen gesetzt sein, damit in § 87a II 1 vorgesehene Abstimmung mit § 120a nicht durch kautelarjur. Gestaltung unterlaufen werden kann (ausf. Teichmann, FS Heidinger 2023, 537, 544 ff.: „normatives Spannungsfeld"; J. Vetter/Lauterbach AG 2021, 89 Rn. 7 ff.). Für HV muss erkennbar sein, in welchem Rahmen sich Vorstandsvergütung bewegen kann. Umgekehrt müssen auch für Vertragspartner Art und Ausmaß möglicher Leistungsänderungen kalkulierbar sein. Zulässig ist danach, AR zu ermächtigen, Ziele und Zielwerte zu Beginn eines Geschäftsjahrs festzulegen (J. Vetter/Lauterbach AG 2021, 89 Rn. 15 f.). Auch Anpassungsvorbehalte und (begrenzte) Beurteilungsspielräume sind denkbar (J. Vetter/Lauterbach AG 2021, 89 Rn. 17 f. mit Formulierungsvorschlag und w. Ausführungen zur Kodexkonformität [insbes. Repricing – G.8 DCGK → § 87 Rn. 37]).

Wettbewerbsverbot

88 (1) [1]**Die Vorstandsmitglieder dürfen ohne Einwilligung des Aufsichtsrats weder ein Handelsgewerbe betreiben noch im Geschäftszweig der Gesellschaft für eigene oder fremde Rechnung Geschäfte machen.** [2]**Sie dürfen ohne Einwilligung auch nicht Mitglied des Vorstands oder Geschäftsführer oder persönlich haftender Gesellschafter einer anderen Handelsgesellschaft sein.** [3]**Die Einwilligung des Aufsichtsrats kann nur für bestimmte Handelsgewerbe oder Handelsgesellschaften oder für bestimmte Arten von Geschäften erteilt werden.**

(2) [1]**Verstößt ein Vorstandsmitglied gegen dieses Verbot, so kann die Gesellschaft Schadenersatz fordern.** [2]**Sie kann statt dessen von dem Mitglied verlangen, daß es die für eigene Rechnung gemachten Geschäfte als für Rechnung der Gesellschaft eingegangen gelten läßt und die aus Geschäften für fremde Rechnung bezogene Vergütung herausgibt oder seinen Anspruch auf die Vergütung abtritt.**

(3) [1]**Die Ansprüche der Gesellschaft verjähren in drei Monaten seit dem Zeitpunkt, in dem die übrigen Vorstandsmitglieder und die Aufsichtsratsmitglieder von der zum Schadensersatz verpflichtenden Handlung Kenntnis erlangen oder ohne grobe Fahrlässigkeit erlangen müssten.** [2]**Sie verjähren ohne Rücksicht auf diese Kenntnis oder grob fahrlässige Unkenntnis in fünf Jahren von ihrer Entstehung an.**

Übersicht

I. Regelungsgegenstand und -zweck

1 § 88 verbietet Vorstandsmitgliedern grds. Betrieb eines Handelsgewerbes, Geschäftemachen im Geschäftszweig der AG sowie Tätigkeit als Vorstandsmitglied, Geschäftsführer oder persönlich haftender Gesellschafter einer OHG oder KG. Bezweckt ist in erster Linie Schutz der AG vor anderweitigem Einsatz der **Arbeitskraft ihrer Vorstandsmitglieder** (BGH NZG 2017, 627 Rn. 18); GK-AktG/Kort Rn. 1; MüKoAktG/Spindler Rn. 1; iErg auch Salfeld, Wettbewerbsverbote, 1987, 135 ff.), in zweiter Linie ihr **Schutz vor Wettbewerbshandlungen** (allein darauf abhebende Überschrift des Ges. ist zu eng; vgl. zu beiden Zielen OLG Köln NZG 2019, 582 Rn. 32, 54). Soweit es um Wettbewerbshandlungen geht, konkretisiert § 88 Treubindungen des Vorstandsmitglieds zur AG (→ § 84 Rn. 10; OLG Frankfurt AG 2000, 518, 519; bedenkenswerter abw. Ansatz bei Leuering FS Grunewald, 2021, 627, 630 f.: Ableitung aus § 241 II BGB). Beim Betrieb eines Handelsgewerbes und anderweitiger Organtätigkeit steht Schutz der Arbeitskraft im Vordergrund. Dagegen geht es beim Geschäftemachen wegen Beschränkung des Verbots auf Geschäftszweig der AG primär um Wettbewerbsaspekt (Meyer AG 1988, 259). Zur KGaA vgl. § 284 und → § 284 Rn. 1.

II. Tätigkeitsverbot

2 **1. Verbotsadressaten.** Tätigkeitsverbote des § 88 richten sich an **Vorstandsmitglieder,** auch die stellvertretenden (§ 94), der werbenden AG (zu den Abwicklern vgl. § 268 III; → § 268 Rn. 7). Mitglieder des AR sind nicht betroffen, erst recht nicht (herrschende) Aktionäre als solche, auch nicht qua Treupflicht (str.; → § 53a Rn. 25). Vorausgesetzt ist, dass Vorstandsmitglieder im Amt sind. Es gibt kein ges. Tätigkeitsverbot zu Lasten ehemaliger Vorstandsmitglieder (zur Vereinbarung von nachwirkenden Verboten → Rn. 10). Im Einzelnen ist zeitliche Reichweite des § 88 allerdings trotz Klarheit des Ausgangspunkts fraglich. Bei **Widerruf der Bestellung** ohne Kündigung des Anstellungsvertrags soll § 88 jedenfalls dann noch gelten, wenn AG Bezüge zahlt (OLG Frankfurt AG 2000, 518, 519; KK-AktG/Cahn Rn. 7; MüKoAktG/Spindler Rn. 11; MHdB AG/Wiesner § 21 Rn. 94). Das ist mit Rücksicht auf überwiegenden Normzweck (→ Rn. 1) abzulehnen, weil AG Arbeitskraft nicht mehr in Anspruch nimmt (BeckOGK/Fleischer Rn. 10; GK-AktG/Kort Rn. 109; S/L/Seibt Rn. 5). Für Umkehrfall der **Amtsniederlegung** kommt es nach hM darauf an, ob diese berechtigt war (BeckOGK/Fleischer Rn. 12; GK-AktG/Kort Rn. 112; MüKo-AktG/Spindler Rn. 11; aA KK-AktG/Cahn Rn. 7 vorbehaltlich Rechtsmissbrauchs; Armbrüster ZIP 1997, 1269, 1271). Der hM ist beizutreten; Vorstandsmitglied handelt also bei Streit über Berechtigung der Amtsniederlegung auf eigenes Risiko. Wettbewerbsverbot gilt schließlich auch noch in der Insolvenz der AG, solange Organstellung fortbesteht (OLG Rostock NZG 2020, 1152 Rn. 6 ff.; krit. Leuering FS Grunewald, 2021, 627, 631 ff.; Schall NZG 2020, 1417 f.).

3 **2. Umfang des Verbots. § 88 I 1 Fall 1** verbietet Betrieb eines Handelsgewerbes. Maßgeblich sind §§ 1 ff. HGB. Auf Geschäftszweig der AG kommt es insoweit nicht an. Ausdehnung auf sonstige gewerbliche oder freiberufliche Tätigkeiten ist umstr. (wohl dafür OLG Frankfurt AG 2000, 518, 519; sa KK-AktG/Cahn Rn. 2; S/L/Seibt Rn. 6; aA GK-AktG/Kort Rn. 22 ff.). Sie ist teleologisch naheliegend (→ Rn. 1: Schutz der Arbeitskraft), doch erweist sich Analogieschluss als schwierig. Für Kleingewerbe kann Nichterfassung aufgrund geringeren Umfangs gerechtfertigt sein, für freie Berufe finden sich zahlreiche

rechtpolitisch nicht befriedigende Erleichterungen, die dem Handelsrecht aber systemimmanent sind (Hopt/Hopt HGB § 1 Rn. 19 f.). Auch klarer Wortlaut, Ausstrahlung des Art. 12 GG (vgl. dazu OLG Stuttgart ZIP 2017, 868, 871) und offenkundige Abgrenzungsschwierigkeiten ermahnen zur Zurückhaltung. Allenfalls zulässig ist zT erwogene Differenzierung nach tats. Arbeitsaufwand (BeckOGK/Fleischer Rn. 18; MüKoAktG/Spindler Rn. 12), die aber ebenfalls wenig Rechtssicherheit bietet (welchen Aufwand erfordert „ein Gewerbe"?). Gem. **§ 88 I 1 Fall 2** ist ferner verboten, dass Vorstandsmitglied für eigene oder fremde Rechnung Geschäfte macht, insoweit aber nur, wenn sie zum Geschäftszweig der AG gehören; ob AG auch selbst Geschäfte der fraglichen Art macht (zB Immobilien selbst an Dritte vermittelt oder nur für den eigenen Bestand anschafft), bleibt unerheblich (OLG Köln NZG 1999, 573, 574). Geschäftemachen ist jede auf Gewinnerzielung gerichtete Teilnahme am geschäftlichen Verkehr einschließlich Vertretung und Vermittlung, die nicht nur persönlichen Charakter hat wie Anlage eigenen Vermögens (BGH NJW 1997, 2055, 2056). Noch nicht abschließend geklärt ist **Verhältnis des Geschäftszweigs zum satzungsmäßigen Unternehmensgegenstand** (§ 23 III Nr. 2). Nach bislang hM ist Unternehmensgegenstand für Konturierung des Geschäftszweigs nicht maßgeblich, sondern allein tats. Tätigkeitsbereich (→ 13. Aufl. 2018, Rn. 3; GK-AktG/Kort Rn. 28; MüKoAktG/Spindler Rn. 16; Armbrüster ZIP 1997, 1269, 1270). Dafür herangezogene Referenzentscheidungen aus Personengesellschaftsrecht (BGHZ 70, 331, 332 f. = NJW 1978, 1001; BGHZ 89, 162, 170 = NJW 1984, 1351) tragen diese Einordnung aber nicht, da sie auf konkludenter Erweiterung des Unternehmensgegenstands beruhen (zutr. OLG Köln NZG 2019, 582 Rn. 38). Da überdies AG auch nicht im Bereich unzulässigen Tätigwerdens vor Konkurrenz abgeschirmt werden muss und Erwartungshaltung des Vorstands ebenfalls schützenswert sein kann, muss Unternehmensgegenstand insofern Grenze gegen **Überschreitung** ziehen (OLG Köln NZG 2019, 582 Rn. 37 ff.; Leuering/Rubner NJW-Spezial 2021, 655). Geschützt ist auch Geschäftszweig von Tochtergesellschaften, sofern er vom Unternehmensgegenstand der Mutter gedeckt ist (ohne diese Einschränkung GK-AktG/Kort Rn. 30). Auch im Falle einer **Unterschreitung** soll nach hLit. tats. Tätigkeit maßgeblich sein (vgl. → 13. Aufl. 2018, Rn. 3; GK-AktG/Kort Rn. 28; Grigoleit/Schwennicke Rn. 4). Zutr. ist dagegen auch hier, Orientierung an satzungsmäßiger Umschreibung, um AG künftige Ausweitung ihrer Geschäftstätigkeit offenzuhalten (BeckOGK/Fleischer Rn. 21; MüKoAktG/Spindler Rn. 17). UU kann Vorstand aber Anspruch auf Befreiung vom Wettbewerbsverbot haben (BeckOGK/Fleischer Rn. 21).

Nach **§ 88 I 2** dürfen Vorstandsmitglieder auch nicht Mitglied des Vorstands, 4
Geschäftsführer oder geschäftsführender Gesellschafter einer anderen Gesellschaft (AG, GmbH, OHG oder KG) sein. Verbot gilt ohne Rücksicht auf Branchennähe und soll vollen Einsatz der Arbeitskraft sichern (→ Rn. 1). Tätigkeit als Mitglied eines AR wird vom Verbot nicht erfasst, auch nicht Beteiligung an anderer Gesellschaft, soweit nicht mit Geschäftsführung verbunden (sa OLG Stuttgart ZIP 2017, 868, 871). Auf geschäftsführende Kommanditisten wendet hM Verbot wegen seines Zwecks entspr. an (BeckOGK/Fleischer Rn. 25; KK-AktG/Cahn Rn. 15; aA S/L/Seibt Rn. 8; MüKoAktG/Spindler Rn. 21). Tats. lässt Wortlaut auch Raum für direkte Anwendung („Geschäftsführer"), so dass es keines Lückennachweises bedarf (GK-AktG/Kort Rn. 47; aA Thüsing in Fleischer VorstandsR-HdB § 4 Rn. 91). **Vorstandsdoppelmandate** (→ § 76 Rn. 136 f.) fallen zwar unter Tatbestand des § 88 I 2, sind aber mit Einwilligung des AR zulässig; erforderlich ist Zustimmung des AR beider Gesellschaften. Bei **AG & Co KG** kann § 88 I 2 drittschützende Wirkung zugunsten der KG entfalten, die sich aber analog § 334 BGB Einwilligung des AR entgegenhalten lassen muss (zust. GK-AktG/Kort Rn. 47; abl. KK-AktG/Cahn Rn. 4; S/L/Seibt Rn. 2;

Cahn Konzern 2007, 716, 725; Grohmann/Gruschinske GmbHR 2009, 846, 848 f.; Hellgardt ZIP 2007, 2248, 2249 f.; gegen Anwendung des § 334 BGB Weller ZHR 175 [2011], 110, 141; offenlassend BGHZ 180, 105 Rn. 21 = AG 2009, 500). Dagegen kann Wettbewerbsverbot des § 117 HGB nicht über Komplementär-AG hinaus auf Mitglieder ihres Vorstands erstreckt werden (BGHZ 180, 105 Rn. 11 ff.; OLG Hamburg Konzern 2007, 619, 621 f.; Grohmann/Gruschinske GmbHR 2009, 846, 848; Weller ZHR 175 [2011], 110, 136 f.; ebenso iErg Grigoleit ZGR 2010, 662, 672 ff.; auch insoweit aA KK-AktG/Cahn Rn. 4; Cahn Konzern 2007, 716, 718 ff.; eher für analoge Anwendung des § 117 HGB auch Hoffmann-Becking ZHR 175 [2011], 597, 602 ff.).

4a Nicht unmittelbar in § 88 geregelt ist dagegen sog **Geschäftschancenbindung.** Darunter versteht man Pflicht der Vorstandsmitglieder, „corporate opportunities" zugunsten der AG und nicht zum eigenen Nutzen zu ergreifen (vgl. BGH NZG 2017, 627 Rn. 22; Fleischer NZG 2003, 985, 986 f.; Hopt ECFR 2013, 167, 178 ff.). GS 20 S. 2 DCGK hat insofern nur klarstellende Bedeutung. Verhältnis zu § 88 ist nicht abschließend geklärt, doch kann als gesichert gelten, dass Geschäftschancenlehre nicht mit Wettbewerbsverbot deckungsgleich ist, sondern darüber hinausreicht. BGH bezeichnet sie – bezogen auf GbR – als eigenständiges Rechtsinstitut, das aus der Treupflicht abgeleitet wird, und neben dem Wettbewerbsverbot steht (BGH NZG 2016, 216 Rn. 20). Geschäftschancenlehre erfasst deshalb etwa auch privaten Erwerb eines für AG geeigneten Grundstücks oder Ausführung von Geschäften jenseits des Unternehmensgegenstands, wenn es im wohlverstandenen Interesse liegen kann, ihre Tätigkeit insofern zu erweitern (zB Erschließung eines neuen Produktmarktes – vgl. Scholz/Verse GmbHG § 43 Rn. 209). Als schwierig erweist sich idR **Zuordnung** der Geschäftschancen zu AG oder Organmitglied. Zuordnung zu AG ist immer dann geboten, wenn AG konkretes Interesse geäußert hat bzw. ihr konkrete Geschäftsaussicht zusteht (interest or expectancy test) oder ihr Geschäftschance auf Grund des Sachzusammenhangs mit Geschäftstätigkeit der AG zuzuordnen ist (line of business test – vgl. zu beiden Fallgruppen etwa BGH NJW 1989, 2687 f.; NZG 2013, 216 Rn. 20 f.; Scholz/Verse GmbHG § 43 Rn. 211 ff.). Ausn. sind nur anzuerkennen, wenn Vorstandsmitglied Einwilligung erhält, die für AG entspr. § 88 I 3 (→ Rn. 5) von AR zu erteilen ist (BeckOGK/Fleischer § 93 Rn. 182). Vorstand kann sich nicht entlasten durch Verweis auf Kenntniserlangung außerhalb des Dienstes (BGH NJW 1986, 585, 586; krit. BeckOGK/Fleischer § 93 Rn. 181) oder fehlende Finanzmittel der AG (BGH NJW 1986, 2687, 2688; NZG 2013, 216 Rn. 30 f.; zust. BeckOGK/Fleischer § 93 Rn. 179). Wird Geschäftschancenbindung verletzt, sind **Rechtsfolgen** weitgehend mit denen bei Verstoß gegen § 88 identisch. Neben Schadensersatzanspruch aus § 93 II ist deshalb insbes. analoge Anwendung des § 88 II 2 geboten (Eintrittsrecht → Rn. 7 f.; s. GK-AktG/Kort Rn. 190 ff.; MüKoAktG/Spindler Rn. 61 ff.; Kübler FS Werner, 1984, 437, 439 ff.). Auch Sonderverjährung nach § 88 III 1 (→ Rn. 9) gilt entspr. (Scholz/Verse GmbHG § 43 Rn. 405).

5 **3. Einwilligung des AR.** Verbote des § 88 I 1 und 2 gelten nicht, wenn AR in jeweilige Tätigkeit eingewilligt hat. Einwilligung kann gem. § 88 I 3 **nicht blanko** erfolgen, sondern nur für bestimmte Handelsgewerbe, bestimmte Geschäftsarten und, soweit es um anderweitige organschaftliche Tätigkeit geht, für bestimmte Handelsgesellschaften erteilt werden. Einwilligung bedeutet vorherige Zustimmung (§ 183 BGB). AR oder zuständiger Ausschuss (§ 107 III) muss darüber beschließen (§ 108 I), so dass konkludente Einwilligung durch bloße Duldung ausgeschlossen ist (MüKoAktG/Spindler Rn. 25). Genehmigung in dem Sinne, dass zunächst unzulässiges Vorstandsverhalten rückwirkend rechtmäßig wird, ist ausgeschlossen (allgM, s. GK-AktG/Kort Rn. 55; KK-AktG/

Cahn Rn. 17). Insbes. bliebe eine solche Genehmigung ohne Einfluss auf bereits entstandene Ersatzansprüche der AG (§ 93 IV 2).

III. Rechtsfolgen bei Verstößen

1. Schadensersatz. § 88 II 1 gibt AG Anspruch auf Schadensersatz. **Verschuldenserfordernis** ist nicht erwähnt, folgt aber aus Schuldprinzip des BGB (MüKoAktG/Spindler Rn. 30). § 93 II 2 ist dabei analog anzuwenden, so dass sich Vorstandsmitglieder zu exculpieren haben (GK-AktG/Kort Rn. 63; MüKoAktG/Spindler Rn. 30; aA Golling, Sorgfaltspflicht und Verantwortlichkeit, 1969, 43 f.). Umfang des Schadensersatzes bestimmt sich nach §§ 249 ff. BGB. AG muss Eintritt und Höhe des Schadens beweisen. AG kann Schadensersatz auch dann fordern, wenn sie **zuvor Eintrittsrecht** (§ 88 II; → Rn. 7) ausgeübt hat (BeckOGK/Fleischer Rn. 39); insbes. ist § 263 II BGB weder unmittelbar noch analog anwendbar (MüKoAktG/Spindler Rn. 31). Unter dem Aspekt des Vertrauensschutzes kann Bindungswirkung eintreten, aber auch das nur ausnahmsweise, nämlich dann, wenn sich Erklärungsgegner auf Eintritt in schutzwürdiger Weise eingerichtet hat (BeckOGK/Fleischer Rn. 39). 6

2. Eintrittsrecht. § 88 II 2 gewährt AG alternativ zum Schadensersatzanspruch sog Eintrittsrecht, dh Befugnis, aus verbotener Tätigkeit ihrer Vorstandsmitglieder erzielten **Geschäftsgewinn** an sich zu ziehen. Vorteil für AG besteht darin, dass es nicht auf Einbuße im Gesellschaftsvermögen ankommt. Auch insoweit soll **Verschulden** erforderlich sein (vgl. zB GK-AktG/Kort Rn. 74; S/L/Seibt Rn. 13; MüKoAktG/Spindler Rn. 33), was jedoch bei bereicherungsähnlicher Gewinnabschöpfung nicht überzeugen kann (gegen Verschuldenserfordernis auch BeckOGK/Fleischer Rn. 37; KK-AktG/Cahn Rn. 23). Vorausgesetzt ist, dass AG Tätigkeit, aus der ihr Vorstandsmitglied Gewinn bezog, selbst hätte ausüben dürfen. Hätte sie auch ihrerseits gegen **ges. Verbot** verstoßen, zB des Außenwirtschaftsrechts, so kann sie Gewinn nicht an sich ziehen (GK-AktG/Kort Rn. 78; Meyer AG 1988, 259, 261 ff.; offenlassend BGH WM 1988, 650, 652). Eintrittsrecht wird nicht generell dadurch ausgeschlossen, dass AG **zuvor Schadensersatz** gefordert hat, doch kann sich Einschränkung uU aus Gesichtspunkt des Vertrauensschutzes ergeben (→ Rn. 6). 7

Im Rahmen der §§ 117, 118 HGB erstreckt sich Eintrittsrecht auch auf **Gewinn aus verbotener Beteiligung an anderer Handelsgesellschaft** (BGHZ 38, 306, 309 = NJW 1963, 646; BGHZ 89, 162, 171 = NJW 1984, 1351). Str. geblieben ist, ob und inwieweit dieser Grundsatz auch für § 88 Geltung beansprucht. Überwiegend wird Erstreckung der Rspr. bejaht (s. KK-AktG/Cahn Rn. 24; NK-AktR/Oltmanns Rn. 8; S/L/Seibt Rn. 13; eingehend Meyer AG 1988, 259, 260 f.; aA jedoch BeckOGK/Fleischer Rn. 36; MüKoAktG/Spindler Rn. 37). Richtig ist differenzierender Mittelweg, wonach § 88 anwendbar ist, soweit es sich um Sachverhalte handelt, die mit den in §§ 117, 118 HGB geregelten vergleichbar sind. Es muss sich also um **Gewinne aus verbotenem Wettbewerb** handeln; verbotswidrige Verwendung der Arbeitskraft genügt nicht (wie hier GK-AktG/Kort Rn. 69; Thüsing in Fleischer VorstandsR-HdB § 4 Rn. 97; Meyer AG 1988, 259, 260 f.). Bloße Tätigkeitsvergütungen scheiden danach für Eintrittsrecht aus. Gewinnanteile können dagegen abgeschöpft werden, auch soweit sie zu Gesamtbezügen als Vorstand oder Geschäftsführer einer anderen Gesellschaft gehören (aA BeckOGK/Fleischer Rn. 36). 8

IV. Verjährung

9 § 88 III enthält Sonderregelung, nach der zu unterscheiden ist: **Kurze Verjährung von drei Monaten** gilt, nachdem übrige Vorstandsmitglieder (alle, einschließlich der Stellvertreter; → § 94) und Mitglieder des AR (alle) Kenntnis der anspruchsbegründenden Tatsachen erlangt haben oder ohne grobe Fahrlässigkeit erlangt haben müssten (§ 88 III 1; zum bewussten Gleichklang mit § 199 I Nr. 2 BGB vgl. RegBegr. BT-Drs. 15/3653, 18, 22). Jedenfalls, also ohne Rücksicht auf subj. Elemente, tritt Verjährung ein, wenn **fünf Jahre seit Anspruchsentstehung** verstrichen sind (§ 88 III 2). Teilw. wird angenommen, § 88 III 1 gelte nicht, wenn AR Einwilligung pflichtwidrig erteilt habe, weil Vorstandsmitglied dann in Geschäftschancen der AG eingriffe. (GK-AktG/Kort Rn. 100; KK-AktG/Cahn Rn. 29; aA S/L/Seibt Rn. 15; MüKoAktG/Spindler Rn. 47). Auf diese Weise soll Effizienz des Eintrittsrechts (→ Rn. 7) gewahrt werden. Das erfordert aber Reduktion des Gesetzeswortlauts, die eindeutigen teleologischen Befund voraussetzt. Dieser kann hier nicht gestellt werden, da Pflichtverletzung des AR Vorstand (jenseits kollusiven Verhaltens) nicht zuzurechnen ist (zutr. MüKoAktG/Spindler Rn. 47).

V. Vertragliche Ergänzungen

10 Vertragliche Ergänzungen sind ggü. ges. Verboten des § 88 möglich und können für Zeit nach Ausscheiden des Vorstandsmitglieds auch sinnvoll sein, weil Norm insoweit nicht eingreift (→ Rn. 2). Vertragliches Wettbewerbsverbot kann mit **Vertragsstrafe** (§§ 339 ff. BGB) bewehrt sein (allgM). Beschränkungen der §§ 74 ff. HGB gelten weder unmittelbar noch entspr., weil Unternehmerfunktion der Vorstandsmitglieder ihre etwa gegebene Schutzbedürftigkeit überlagert (BGHZ 91, 1, 3 ff. = NJW 1984, 2366 zur GmbH; GK-AktG/Kort Rn. 123; MüKoAktG/Spindler Rn. 48). Möglich ist allerdings, Geltung der §§ 74 ff. HGB vertraglich zu vereinbaren (Bauer/von Medem GWR 2011, 435, 436 f.). **Beschränkungen** für nachvertragliche Wettbewerbsverbote ergeben sich jedoch **aus § 1 GWB und §§ 138, 307 BGB.** Auf § 1 GWB kann wegen dort vorausgesetzter Unternehmenseigenschaft allerdings nur abgehoben werden, wenn Verbot selbständige geschäftliche Tätigkeit des ehemaligen Vorstandsmitglieds erfasst. Alle drei Generalklauseln erfordern, dass Verbot berechtigtem Interesse der AG und ihres Unternehmens dient und sich in zeitlichen, sachlichen und räumlichen Grenzen hält, die seinem Schutzzweck entspr. (BGHZ 91, 1, 5; s. ferner OLG Celle NZG 2001, 131, 132; OLG Düsseldorf DB 1990, 1960; OLG Hamm ZIP 1988, 1254, 1256; Jänsch, Angemessene Vorstandsverträge, 2021, 166 ff.; H.-F. Müller FS Grunewald, 2021, 811, 816 ff.). Bzgl. sachlicher Grenzen ist enge Orientierung am Aufgabenbereich des Vorstandsmitglieds geboten (Hoffmann-Becking FS Quack, 1991, 273, 275 f.; H.-F. Müller FS Grunewald, 2021, 811, 818 ff.). Soweit es um **zeitliche Grenzen** geht, wird Verbot für die Dauer von zwei Jahren im allg. nicht zu beanstanden sein (BGH WM 1974, 74, 76; NJW 1994, 384, 385; H.-F. Müller FS Grunewald, 2021, 811, 817 f.). **Räumliche Grenzen** bestimmen sich vor allem nach regionalem Schwerpunkt der Geschäftstätigkeit der Gesellschaft. Sehr weit definierte Schutzräume („in Europa"; „weltweit") sind meistens unzulässige Übertreibung. Höhe einer (nicht vorgeschriebenen) Karenzentschädigung (Menke NJW 2009, 636 ff.) geht in Abwägung ein (Bauer/von Medem GWR 2011, 435, 437); unzulässige Beschränkung wird aber nicht allein durch Entschädigung gerechtfertigt (s. Hoffmann-Becking FS Quack, 1991, 273, 278; Jäger DStR 1995, 724, 728). Überzogene Wettbewerbsverbote führen zur Nichtigkeit der Klausel; **keine geltungserhaltende Reduktion,**

soweit es nicht allein darum geht, zeitliche Bindung abzukürzen (BGH NJW 1997, 3089, 3090; H.-F. Müller FS Grunewald, 2021, 811, 822 ff. mwN). Bei Vertragsformulierung ist deshalb sorgfältig und eher mit Zurückhaltung vorzugehen.

Kreditgewährung an Vorstandsmitglieder

89 (1) **[1] Die Gesellschaft darf ihren Vorstandsmitgliedern Kredit nur auf Grund eines Beschlusses des Aufsichtsrats gewähren. [2] Der Beschluß kann nur für bestimmte Kreditgeschäfte oder Arten von Kreditgeschäften und nicht für länger als drei Monate im voraus gefaßt werden. [3] Er hat die Verzinsung und Rückzahlung des Kredits zu regeln. [4] Der Gewährung eines Kredits steht die Gestattung einer Entnahme gleich, die über die dem Vorstandsmitglied zustehenden Bezüge hinausgeht, namentlich auch die Gestattung der Entnahme von Vorschüssen auf Bezüge. [5] Dies gilt nicht für Kredite, die ein Monatsgehalt nicht übersteigen.**

(2) **[1] Die Gesellschaft darf ihren Prokuristen und zum gesamten Geschäftsbetrieb ermächtigten Handlungsbevollmächtigten Kredit nur mit Einwilligung des Aufsichtsrats gewähren. [2] Eine herrschende Gesellschaft darf Kredite an gesetzliche Vertreter, Prokuristen oder zum gesamten Geschäftsbetrieb ermächtigte Handlungsbevollmächtigte eines abhängigen Unternehmens nur mit Einwilligung ihres Aufsichtsrats, eine abhängige Gesellschaft darf Kredite an gesetzliche Vertreter, Prokuristen oder zum gesamten Geschäftsbetrieb ermächtigte Handlungsbevollmächtigte des herrschenden Unternehmens nur mit Einwilligung des Aufsichtsrats des herrschenden Unternehmens gewähren. [3] Absatz 1 Satz 2 bis 5 gilt sinngemäß.**

(3) **[1] Absatz 2 gilt auch für Kredite an den Ehegatten, Lebenspartner oder an ein minderjähriges Kind eines Vorstandsmitglieds, eines anderen gesetzlichen Vertreters, eines Prokuristen oder eines zum gesamten Geschäftsbetrieb ermächtigten Handlungsbevollmächtigten. [2] Er gilt ferner für Kredite an einen Dritten, der für Rechnung dieser Personen oder für Rechnung eines Vorstandsmitglieds, eines anderen gesetzlichen Vertreters, eines Prokuristen oder eines zum gesamten Geschäftsbetrieb ermächtigten Handlungsbevollmächtigten handelt.**

(4) **[1] Ist ein Vorstandsmitglied, ein Prokurist oder ein zum gesamten Geschäftsbetrieb ermächtigter Handlungsbevollmächtigter zugleich gesetzlicher Vertreter oder Mitglied des Aufsichtsrats einer anderen juristischen Person oder Gesellschafter einer Personenhandelsgesellschaft, so darf die Gesellschaft der juristischen Person oder der Personenhandelsgesellschaft Kredit nur mit Einwilligung des Aufsichtsrats gewähren; Absatz 1 Satz 2 und 3 gilt sinngemäß. [2] Dies gilt nicht, wenn die juristische Person oder die Personenhandelsgesellschaft mit der Gesellschaft verbunden ist oder wenn der Kredit für die Bezahlung von Waren gewährt wird, welche die Gesellschaft der juristischen Person oder der Personenhandelsgesellschaft liefert.**

(5) **Wird entgegen den Absätzen 1 bis 4 Kredit gewährt, so ist der Kredit ohne Rücksicht auf entgegenstehende Vereinbarungen sofort zurückzugewähren, wenn nicht der Aufsichtsrat nachträglich zustimmt.**

(6) **Ist die Gesellschaft ein Kreditinstitut oder Finanzdienstleistungsinstitut, auf das § 15 des Gesetzes über das Kreditwesen anzuwenden ist,**

gelten anstelle der Absätze 1 bis 5 die Vorschriften des Gesetzes über das Kreditwesen.

I. Regelungsgegenstand und -zweck

1 Norm betr. Kredite der AG an Vorstandsmitglieder sowie bestimmte leitende Angestellte (→ Rn. 5) und macht solche Kredite von Beschlussfassung oder – bei Zuständigkeit des Vorstands – von Einwilligung des AR abhängig. § 89 will Kredite nicht verhindern (RegBegr. Kropff S. 113). Wegen § 112 geht es auch nicht vorrangig um Insichgeschäfte des Vorstands (KK-AktG/Cahn Rn. 2). Ges. will vielmehr **Missbräuchen** entgegentreten, die sich sonst ergeben könnten (überhöhte Kreditaufnahme, unangemessen niedrige Verzinsung oder Tilgung); vgl. BGH AG 1991, 398, 399; RegBegr. Kropff S. 113; MüKoAktG/Spindler Rn. 1. Diesem Zweck dient bes. **Transparenz,** die mit Beschlusserfordernis verbunden ist (s. §§ 107 II, 108; Fleischer WM 2004, 1057, 1063). Auf Kapitalerhaltung zugeschnitten und damit anders strukturiert ist durch GmbH-Novelle 1980 eingefügte Vorschrift des § 43a GmbHG.

II. Grundtatbestand: Kredit an Vorstandsmitglieder

2 **1. Kreditgewährung.** § 89 I 1 verlangt Beschluss des AR für Kreditgewährung an Vorstandsmitglieder einschließlich der Stellvertreter (§ 94). Begriff des Kredits ist entspr. dem Regelungszweck (→ Rn. 1) weit auszulegen. Er umfasst nicht nur **Darlehen** (§§ 488, 607 BGB), sondern auch unübliche **Stundungen** (Zahlung der Miete für von AG überlassenes Haus am Jahresende), Bereitstellung von **Sicherheiten** gleich welcher Art bei Kreditierung durch Dritte und, wie § 89 I 4 ausdr. hervorhebt, Gestattung sog **Entnahmen,** bes. auf Vorstandsbezüge. Entnahme ist vorfällige Inanspruchnahme von Leistungen, die Vorstandsmitglied geschuldet werden, zB Gewinntantiemen (→ § 87 Rn. 5; BGH AG 1991, 398; Fleck WM 1994, 1957, 1960). Keine Kreditierung ist Vorverlegung der Fälligkeit durch Beschluss des zuständigen Organs (OLG Stuttgart AG 2004, 678, 679). **Anzahlungen** auf Lieferungen oder Leistungen des Vorstandsmitglieds iR von Drittgeschäften sind wie Stundungen zu behandeln; es kommt also darauf an, ob Anzahlung überhaupt und der Höhe nach üblich ist. Vgl. zum Ganzen MüKoAktG/Spindler Rn. 10 ff.

3 Sog **Kleinkredite** bedürfen nach § 89 I 5 nicht der Beschlussfassung durch AR. Kleinkredit liegt vor, wenn Kreditgewährung ein Monatsgehalt nicht übersteigt. **Monatsgehalt** ist ein Zwölftel der dem Vorstand brutto (vor Steuern und Versicherungen) zustehenden Jahresbezüge einschließlich fest vereinbarter Tantieme und Sachleistungen. Abzuheben ist also auf Gesamtbezüge des § 87 I 1 (→ § 87 Rn. 5 ff.). An geringer Höhe der Freigrenze geübte Kritik (KK-AktG/Cahn Rn. 14: unrealistisch niedrig) erscheint nicht begründet. AR muss sich iR seiner Personalkompetenz für finanzielle Verflechtungen zwischen Vorstand und AG interessieren, wenn es nicht gerade um Bagatellen geht. Für Freigrenze ist gesamte Kreditaufnahme zusammenzurechnen. Wird Monatsgehalt überschritten, bedarf es der Zustimmung des AR für gesamten Kredit, nicht nur für oberhalb der Grenze liegenden Teilbetrag (MüKoAktG/Spindler Rn. 21).

4 **2. Beschlussfassung des AR.** Zuständigkeit des AR, AG bei Kreditgewährung (→ Rn. 2 f.) zu vertreten, folgt schon aus § 112. Aus Beschlusserfordernis des § 89 I 1 ergibt sich überdies, dass **keine konkludente Kreditgewährung,** bes. keine konkludente Zustimmung zur Entnahme, möglich ist; denn konkludent gefasste AR-Beschlüsse gibt es nicht (BGHZ 41, 282, 286 = NJW 1964, 1367; MüKoAktG/Spindler Rn. 38). Vielmehr muss nach §§ 107, 108 verfahren werden. Möglich ist gem. § 107 III, Entscheidungsbefugnis einem Ausschuss zu

übertragen (BGH AG 1991, 398 f.). Weil AG nur „auf Grund" eines AR-Beschlusses Kredit geben darf, muss Beschluss bereits vorliegen, also Einwilligung iSd § 183 BGB enthalten (s. aber noch § 89 V). AR darf **nicht blanko** einwilligen und darf Vorratsbeschlüsse nur für drei Monate fassen (§ 89 I 2). Bloße Einwilligung genügt nicht. Vielmehr muss Beschluss **Verzinsung und Rückzahlung** regeln (§ 89 I 3). Über Zinshöhe (auch Zinslosigkeit) und Tilgungsmodalitäten entscheidet AR nach pflichtgem. Ermessen. § 89 I 3 will ihn insoweit nicht einengen, sondern Willensbildung des AR sicherstellen (KK-AktG/Cahn Rn. 20). Es genügt Bezugnahme auf Vertragsentwurf, der diese Fragen regelt. Bei Stundungskrediten (→ Rn. 2) tritt Fälligkeit an die Stelle der Rückzahlung.

III. Erweiterungen der betroffenen Kredite

1. Leitende Angestellte; Abhängigkeitsverhältnisse. Regelungen in 5
§ 89 II bis IV erweitern Kreis der Kredite, die nur unter Mitwirkung des AR gewährt werden dürfen. Erforderlich ist seine Einwilligung, also vorherige Zustimmung; Geschäftsführungsbefugnis des Vorstands ist entspr. eingeschränkt. § 89 II 1 stellt **Prokuristen** (§§ 48 ff. HGB) und **Generalhandlungsbevollmächtigte** (§ 54 I Fall 1 HGB) für Kreditgewährung Vorstandsmitgliedern gleich. Auf andere leitende Angestellte ist Regelung nicht zu erstrecken (RegBegr. Kropff S. 115). Vorratsbeschluss (→ Rn. 4) ist auch hier möglich. Dagegen ist Übertragung der Entscheidung (nicht auch: der Vorbereitung) auf (nur) ein Mitglied des AR wegen Beschlusserfordernisses und Freigabe von Vorschüssen wegen § 89 I 4 iVm § 89 II 3 abzulehnen (aA Kuhlmann AG 2009, 109, 111 f. und 114). § 89 II 2 betr. Abhängigkeitsverhältnisse (§ 17). Danach ist zu unterscheiden, ob Kredit von herrschender oder von abhängiger Gesellschaft gewährt wird. Gem. § 89 II 2 Fall 1 bedarf **Kreditgewährung durch herrschende Gesellschaft** (nur: AG, KGaA) der Beschlussfassung ihres AR nach den Regeln des § 89 I 2–5, wenn Kreditnehmer in dem abhängigen Unternehmen (gleich welcher Rechtsform; → § 15 Rn. 19) ges. Vertreter (Vorstandsmitglied, Geschäftsführer), Prokurist oder Generalhandlungsbevollmächtigter ist. § 89 II 2 Fall 2 erfasst **Kreditgewährung durch abhängige Gesellschaft** (nur: AG, KGaA) an ges. Vertreter, Prokuristen oder Generalhandlungsbevollmächtigte des herrschenden Unternehmens (gleich welcher Rechtsform) und verlangt Einwilligung des dort bestehenden AR. Besteht gem. der Rechtsform kein AR, so muss entspr. Funktionsträger zustimmen, zB Gesellschafterversammlung der herrschenden GmbH (§ 46 Nr. 6 GmbHG; s. KK-AktG/Cahn Rn. 7). Nicht erforderlich ist Beschluss des AR der abhängigen Gesellschaft, es sei denn, dass Vorstandsdoppelmandat (dann: § 89 I) oder sonstige Doppelfunktion vorliegt (dann: § 89 II 1).

2. Umgehungsschutz. § 89 III 1 erstreckt Geltung des § 89 II auf Kredite, 6
die an **Ehegatten** oder an Lebenspartner (§ 1 LPartG) oder an **minderjähriges Kind** vergeben werden, wenn anderer Ehegatte oder Lebenspartner oder bei Kreditgewährung an minderjähriges Kind dessen Vater oder Mutter ges. Vertreter (bes. Vorstandsmitglied), Prokurist (§§ 48 ff. HGB) oder Generalhandlungsbevollmächtigter (§ 54 I Fall 1 HGB) ist, und zwar entweder der kreditgewährenden AG oder eines von ihr abhängigen oder eines sie beherrschenden Unternehmens. Bezweckt ist, Umgehungen vorzubeugen. Geschiedene Ehegatten oder vormalige Lebenspartner nach Aufhebung des zwischen ihnen bestehenden ges. Verhältnisses (§ 15 LPartG) werden nicht erfasst, wohl aber nichteheliche Kinder und Adoptivkinder (KK-AktG/Cahn Rn. 9; MüKoAktG/Spindler Rn. 27). Nach § 89 III 2 gilt das Ganze auch, wenn als Kreditnehmer **mittelbarer Stell-**

vertreter (Strohmann) auftritt, sofern wirtschaftlich interessierter Hintermann unter § 89 II oder § 89 III 1 fällt. Zur analogen Anwendung bei verdeckter Einlagenrückgewähr → § 57 Rn. 37; → § 62 Rn. 5.

7 **3. Kredite an Gesellschaften.** § 89 IV betr. Kredite der AG an jur. Person (bes. AG oder GmbH) oder Personenhandelsgesellschaft (OHG, KG; unternehmerisch tätige GbR muss gleichstehen), die mit AG dadurch personell verflochten ist, dass ihr ges. Vertreter, AR-Mitglied oder (bei OHG bzw. KG) Gesellschafter zugleich Vorstandsmitglied, Prokurist (§§ 48 ff. HGB) oder Generalhandlungsbevollmächtigter (§ 54 I Fall 1 HGB) der AG ist. Das Gleiche sollte auch gelten für Beiratsmitglieder der GmbH, soweit Beirat aufsichtsratstypische Aufgaben wahrnimmt (LG Bochum ZIP 1989, 1557, 1563; BeckOGK/Fleischer Rn. 20; MüKoAktG/Spindler Rn. 31). Regelung verfolgt doppelten Zweck. (1.) Genannte Personen sollen für sie geltende **Kreditbeschränkungen nicht durch Einschaltung der jur. Person oder Personengesellschaft umgehen** können. (2.) AG soll vor Kreditvergabe zu **unangemessenen Konditionen** oder auf der Grundlage ungenügender Sicherheiten geschützt werden. Erforderlich ist auch in solchen Fällen Einwilligung des AR der kreditierenden AG (§ 89 IV 1). AR entscheidet durch Beschluss (§§ 107, 108), für den § 89 I 2 und 3 sinngem. gilt (→ Rn. 4). Ausgenommen sind Kredite an verbundene (§ 15) Gesellschaften sowie Kreditierung von Warenlieferungen (§ 89 IV 2). Ges. will üblichen Geschäftsverkehr nicht behindern (RegBegr. Kropff S. 115). Entspr. ist Ausnahme eng auszulegen, nämlich iS üblichen Lieferantenkredits (LG Bochum ZIP 1989, 1557, 1563; KK-AktG/Cahn Rn. 11; MüKoAktG/Spindler Rn. 33). Rahmen ist zB überschritten, wenn keine Sicherheiten bestellt werden, obwohl dingliche Sicherung in Höhe von einem Drittel des kreditierten Kaufpreisvolumens branchenüblich ist.

IV. Rechtsfolgen

8 § 89 I bis IV ist nach zutr. hM (zB Fleischer WM 2004, 1057, 1066 mwN in Fn. 205, 206) kein Verbotsges. iSd § 134 BGB; Verstöße führen also nicht zur Nichtigkeit der entspr. Verträge. Stattdessen ist unzulässig gewährter Kredit **sofort zurückzugewähren** (§ 89 V), meist durch Zahlung an AG, bei Kreditgewährung durch Sicherheitsleistung (→ Rn. 2), indem Kreditnehmer an Dritten zahlt oder sonst für Freigabe der Sicherheiten sorgt (MüKoAktG/Spindler Rn. 53). Anspruch aus § 89 V ist der vertragliche Rückgewähranspruch mit ges. vorverlagerter Fälligkeit (KK-AktG/Cahn Rn. 23; MüKoAktG/Spindler Rn. 52). Deshalb haften der AG etwa bestellte Sicherheiten. Rechtsfolge des § 89 V tritt nicht nur ein, wenn AR überhaupt nicht beschlossen hat, sondern auch dann, wenn sein Beschluss nicht Vorgaben des § 89 I 2 und 3 entspr. (allgM). Aufrechnungsverbot kann aus § 89 V nicht abgeleitet werden (BGH AG 1991, 398, 399). Mit **Genehmigung des AR** entfällt Pflicht zur sofortigen Rückgewähr, aber auch nur sie; Ersatzansprüche nach § 93 III Nr. 8 bleiben wegen § 93 IV 2 und 3 bestehen (MüKoAktG/Spindler Rn. 56; MHdB AG/Wiesner § 21 Rn. 135). **Anhang.** Kreditbeziehungen mit Vorstandsmitgliedern gehören zu sonstigen Pflichtangaben, die gem. § 285 Nr. 9 lit. c HGB in Anhang (§ 264 I 1 HGB) aufzunehmen sind; s. dazu ADS HGB § 285 Rn. 195 ff., 199 ff.; Fleischer WM 2004, 1057, 1063.

V. Organkredite

9 Gem. § 89 VI tritt § 89 I–V zurück, wenn Gesellschaft KI (§ 1 I KWG, § 2 I KWG) oder Finanzdienstleistungsinstitut (§§ 1 Ia, 2 VI KWG) ist, auf das § 15 KWG Anwendung findet (Regelfall). Anstelle der aktienrechtl. Regelung gelten

§§ 15, 17 KWG. Ist § 15 KWG nicht anzuwenden (Ausnahmebereich des § 2 IV, V, VII oder VIII KWG), so verbleibt es bei § 89 I–V (RegBegr. BT-Drs. 13/7143, 33).

Berichte an den Aufsichtsrat

90 (1) [1]**Der Vorstand hat dem Aufsichtsrat zu berichten über**

1. die beabsichtigte Geschäftspolitik und andere grundsätzliche Fragen der Unternehmensplanung (insbesondere die Finanz-, Investitions- und Personalplanung), wobei auf Abweichungen der tatsächlichen Entwicklung von früher berichteten Zielen unter Angabe von Gründen einzugehen ist;
2. die Rentabilität der Gesellschaft, insbesondere die Rentabilität des Eigenkapitals;
3. den Gang der Geschäfte, insbesondere den Umsatz, und die Lage der Gesellschaft;
4. Geschäfte, die für die Rentabilität oder Liquidität der Gesellschaft von erheblicher Bedeutung sein können.

[2]**Ist die Gesellschaft Mutterunternehmen (§ 290 Abs. 1, 2 des Handelsgesetzbuchs), so hat der Bericht auch auf Tochterunternehmen und auf Gemeinschaftsunternehmen (§ 310 Abs. 1 des Handelsgesetzbuchs) einzugehen.** [3]**Außerdem ist dem Vorsitzenden des Aufsichtsrats aus sonstigen wichtigen Anlässen zu berichten; als wichtiger Anlaß ist auch ein dem Vorstand bekanntgewordener geschäftlicher Vorgang bei einem verbundenen Unternehmen anzusehen, der auf die Lage der Gesellschaft von erheblichem Einfluß sein kann.**

(2) **Die Berichte nach Absatz 1 Satz 1 Nr. 1 bis 4 sind wie folgt zu erstatten:**

1. die Berichte nach Nummer 1 mindestens einmal jährlich, wenn nicht Änderungen der Lage oder neue Fragen eine unverzügliche Berichterstattung gebieten;
2. die Berichte nach Nummer 2 in der Sitzung des Aufsichtsrats, in der über den Jahresabschluß verhandelt wird;
3. die Berichte nach Nummer 3 regelmäßig, mindestens vierteljährlich;
4. die Berichte nach Nummer 4 möglichst so rechtzeitig, daß der Aufsichtsrat vor Vornahme der Geschäfte Gelegenheit hat, zu ihnen Stellung zu nehmen.

(3) [1]**Der Aufsichtsrat kann vom Vorstand jederzeit einen Bericht verlangen über Angelegenheiten der Gesellschaft, über ihre rechtlichen und geschäftlichen Beziehungen zu verbundenen Unternehmen sowie über geschäftliche Vorgänge bei diesen Unternehmen, die auf die Lage der Gesellschaft von erheblichem Einfluß sein können.** [2]**Auch ein einzelnes Mitglied kann einen Bericht, jedoch nur an den Aufsichtsrat, verlangen.**

(4) [1]**Die Berichte haben den Grundsätzen einer gewissenhaften und getreuen Rechenschaft zu entsprechen.** [2]**Sie sind möglichst rechtzeitig und, mit Ausnahme des Berichts nach Absatz 1 Satz 3, in der Regel in Textform zu erstatten.**

(5) [1]**Jedes Aufsichtsratsmitglied hat das Recht, von den Berichten Kenntnis zu nehmen.** [2]**Soweit die Berichte in Textform erstattet worden sind, sind sie auch jedem Aufsichtsratsmitglied auf Verlangen zu über-**

mitteln, soweit der Aufsichtsrat nichts anderes beschlossen hat. [3]Der Vorsitzende des Aufsichtsrats hat die Aufsichtsratsmitglieder über die Berichte nach Absatz 1 Satz 3 spätestens in der nächsten Aufsichtsratssitzung zu unterrichten.

Übersicht

I. Grundlagen

1 **1. Regelungsgegenstand und -zweck.** § 90 betr. wesentlichen Ausschnitt des Verhältnisses zwischen Vorstand und AR, nämlich Berichtspflicht des Vorstands und korrespondierend Informationsrecht des AR. Regelung bezweckt effiziente, vor allem vorbeugende **Überwachung der Geschäftsführung,** korrespondiert also mit § 111 I, II und IV. Ohne Berichterstattung fehlt der Überwachung die Informationsgrundlage. Ges. Informationspflichten sollen ferner verhindern, dass sich Mitglieder des AR auf Unkenntnis berufen können, wenn sie gem. §§ 93, 116 auf Schadensersatz in Anspruch genommen werden (vgl. zu beiden Aspekten RegBegr. Kropff S. 116). Dem Regelungszweck dient vor allem, dass Vorstand aus eigener Initiative und periodisch zu berichten hat (§ 90 I und II: „Push"-Prinzip). Daneben besteht Recht des AR, jederzeit zusätzliche Berichte zu verlangen (§ 90 III: „Pull"-Prinzip; vgl. zu diesen Mechanismen

J. Koch ZGR 2020, 183, 185 ff.). Schuldner der Berichtspflicht ist in jedem Fall Vorstand als Kollegialorgan, nicht (durch Vorstand vertretene) AG (MüKoAktG/Spindler Rn. 6). Weitgehende Änderungen hat § 90 insbes. durch TransPuG 2002 erfahren. Vorschrift ist insges. unübersichtlich, in einzelnen Berichtsformen nur schwer trennscharf abzugrenzen und deshalb rechtspolitisch krit. zu bewerten (vgl. nur Kropff NZG 1998, 613, 614 zu § 90 I 1 Nr. 1: „weder logisch noch klar“).

Berichtspflicht trifft zwar Vorstand. Korrespondierende Befugnisse sind aber **Pflichtrechte** des AR. AR muss also bei defizitärer Berichterstattung durch geeignete Maßnahmen darauf hinwirken, dass er die Informationen erhält, die er für sinnvolle Überwachung der Geschäftsführung benötigt (GK-AktG/Kort Rn. 9; Hüffer NZG 2007, 47, 49 f.; Kropff FS Raiser, 2005, 225, 231 f.). DCKG hatte insofern ursprünglich von „gemeinsamer Aufgabe“ der beiden Leitungsorgane gesprochen. Diese Aussage ist mittlerweile aber in GS 15 DCKG dahingehend präzisiert worden, dass Information dem Vorstand obliegt, AR aber sicherzustellen habe, dass er angemessen informiert wird. Zumindest nach Auffassung der Kodex-Kommission soll verbreitete Umschreibung von Lutter als „Holschuld“ (Lutter Information und Vertraulichkeit im Aufsichtsrat, 2006, § 6 Rn. 246) also dahingehend präzisiert werden, dass primäre Bringschuld des Vorstands und nur zweitrangige Holschuld des AR anzunehmen ist (Mense/Klie GWR 2015, 92, 95). Um dieser Holdschuld nachzukommen, soll er insbes. auch Informations- und Berichtspflichten des Vorstands näher festlegen, was über die Geschäftsordnungskompetenz möglich ist und insbes. in Gestalt einer sog **Informationsordnung** geschehen kann, die der Sache nach Geschäftsordnung ist (vgl. dazu Goette/Arnold/M. Arnold AR § 4 Rn. 195 ff.; Lutter/Krieger/Verse AR Rn. 317 ff.). Als Kontrollinstrumentarien kommen vor allem Konkretisierung der Berichtsgegenstände, bes. von Planungsinhalten, sowie Abkürzung der Informationsintervalle in Betracht (Hüffer NZG 2007, 47, 51). 1a

2. Weitere Vorlagen und Berichte. Rechtspflicht zur Berichterstattung ist in **§ 90 nicht abschließend** geregelt (KK-AktG/Cahn Rn. 4). Vielmehr ist Vorstand stets berichtspflichtig, wenn er Beschluss des AR herbeiführen muss oder will (GK-AktG/Kort Rn. 170); denn ohne erforderliche Informationen kann AR nicht entscheiden. Hierher gehört zunächst Vorlage des aufgestellten **Jahresabschlusses** (§§ 170, 171). Entw. ist zu erläutern. Im Regelfall der Feststellung durch Zustimmungsbeschluss des AR (§ 172) muss Vorstand AR alle Informationen geben, die er braucht, um dieser Verantwortung gerecht zu werden. Im Kontext des Jahresabschlusses (idR: Bilanzsitzung des AR) ist auch über Maßnahmen zu berichten, die Gegenstand der gem. § 317 IV HGB erweiterten Abschlussprüfung sind, also Maßnahmen der **Risikoüberwachung** (§ 91 II; → § 91 Rn. 4 ff.). Dasselbe gilt für **Compliance** (GS 16 S. 3 DCGK). Zu nennen ist ferner **Abhängigkeitsbericht** (§ 312). § 314 I schreibt dafür Vorlage an AR vor, der ihn seinerseits selbst prüfen und der HV berichten muss (§ 314 II; → § 314 Rn. 2 ff.). Berichtspflicht besteht auch in allen Fällen, in denen Vorstand für geplante Maßnahme Zustimmung des AR bedarf, vgl. bes. §§ 88, 89, 111 IV 2, § 32 MitbestG (→ § 78 Rn. 8a, 8b). 2

3. Informationsanspruch und Verschwiegenheitspflicht. Vorstand ist, wie sich aus § 90 und ergänzenden Bestimmungen ergibt, zu umfassenden Informationen ggü. AR verpflichtet. Er kann sich ggü. AR auch nicht auf seine Pflicht zur strikten Verschwiegenheit nach § 93 I 3 berufen (unstr.; s. BGHZ 20, 239, 246 = NJW 1956, 906; → § 93 Rn. 62 ff.). Vielmehr gilt insoweit **Pflicht zur Offenheit,** weil Vorstand sonst Aufgabenerfüllung durch AR ver- oder behindern könnte. Dem korrespondiert jedoch Pflicht der AR-Mitglieder zur **Verschwiegenheit** nach § 93 I 3 iVm § 116 S. 2 (→ § 116 Rn. 9 ff.). Umge- 3 kehrt folgt daraus, dass Pflicht des Vorstands zur Offenheit ggü. AR auch bzgl. konfliktgefährdeter Organmitglieder grds. keine Einschränkung erfährt. Auch in mitbestimmten Gesellschaften sind AR-Mitglieder der AN-Seite ohne Abstriche nach diesen Grundsätzen informationsberechtigt, aber ebenso ohne Abstriche zur Verschwiegenheit verpflichtet (→ § 116 Rn. 11). Diese Grundsätze gelten auch für Anforderungsberichte (§ 90 III), doch kann Berichtsverlangen einzelner AR-Mitglieder **missbräuchlich** und deshalb unbeachtlich sein (→ Rn. 12a). **Grenze des Auskunftsrechts** ist dort erreicht, wo es zu unnötiger Störung der Geschäfte führt. Überwachung, die sich in alle Einzelheiten der Geschäftsführung einmischt oder zu intensiv zeitliche Kapazitäten bindet, ist nicht von AR-Befugnissen gedeckt (Lutter/Krieger/Verse AR Rn. 207). AR ist insofern aber weites Ermessen zuzugestehen, und zwar insbes., wenn eigene Pflichtentreue des Vorstands in Frage steht; hier kommt Auskunftsverweigerung nur in krass gelagerten Einzelfällen in Betracht (J. Koch ZHR 180 [2016], 578, 588 ff.; Stelzer, Überwachung des Aufsichtsrats durch den Vorstand, 2022, 212 ff.). Trotz Verschwiegenheitspflicht der AR-Mitglieder kann nicht verkannt werden, dass Geheimhaltung in **heterogen und vielköpfig besetztem AR** problematisch bleibt (Kropff NZG 1998, 613, 615). RegBegr. TransPuG (BT-Drs. 14/8769, 15) trägt schwierigem Spannungsverhältnis zumindest dadurch Rechnung, dass Geheimhaltungsinteresse in gewissem Maße in die Ermessensausübung des Vorstands einfließen darf (zB hinsichtlich Berichtszeitpunkt), wobei mit Blick auf Funktionsfähigkeit des Überwachungssystems große Behutsamkeit geboten ist (Einzelheiten bei J. Koch in 50 Jahre AktG, 2016, 65, 84 ff.; weitergehend S/L/Sailer-Coceani Rn. 46; Bäcker FS Schwark, 2009, 101, 111).

II. Gegenstände der ohne Anforderung zu erstattenden Berichte (§ 90 I)

4 **1. Periodische Berichte. a) Künftige Geschäftspolitik und Unternehmensplanung.** § 90 I 1 Nr. 1 verpflichtet Vorstand, über beabsichtigte Geschäftspolitik und andere grds. Fragen der Unternehmensplanung Bericht zu erstatten. Neufassung durch KonTraG 1998 ist auf Klarstellung der präventiven oder **zukunftsorientierten Überwachung** gerichtet (RegBegr. BT-Drs. 13/9712, 15), die nach hM ohnehin zu Pflichten des AR gehört (→ § 111 Rn. 28 ff.). Während darüber Einigkeit bestehen dürfte, sind die wesentlichen Sachfragen ordnungsgem. Unternehmensleitung im Zusammenwirken von Vorstand und AR wenig geklärt; ihre Lösung wird auch durch § 90 I Nr. 1 nicht gefördert. Im Einzelnen stellen sich dazu vier Fragen: (1.) Was bedeutet Unternehmensplanung im Rechtssinne? (2.) Gibt es eine Rechtspflicht des Vorstands zur Unternehmensplanung? (3.) In welcher Breite und Tiefe hat Vorstand über Unternehmensplanung zu berichten? (4.) Wie hat AR mit Bericht des Vorstands umzugehen?

4a **Bedeutung und Rechtspflicht.** Kernaussage des § 90 I Nr. 1 ist, dass Vorstand über beabsichtigte Geschäftspolitik und andere grds. Fragen der Unternehmensplanung zu berichten hat. Danach ist er **berichtspflichtig, soweit Unternehmensplanung vorliegt;** deren Verhältnis zur Geschäftspolitik ist nach Gesetzesfassung unklar geblieben (Kropff NZG 1998, 613, 614). Vorgelagert ist Frage, ob Vorstand zur Planung rechtl. verpflichtet ist. Dazu gilt: § 90 I 1 Nr. 1 begründet selbst keine Planungspflicht (aA NK-AktR/Oltmanns Rn. 2). Sie ergibt sich aber aus Leitungspflicht nach Maßgabe der § 76 I, § 93 I 1 (ganz hM, s. GK-AktG/Kort Rn. 25, § 76 Rn. 36 f.; S/L/Sailer-Coceani Rn. 12; Semler ZGR 1983, 1, 12 ff.). § 90 I Nr. 1 bringt insoweit nur **Klarstellung.** Auch Bedeutung einer solchen Rechtspflicht ist weitgehend geklärt: Betriebswirtschaftliche Grundsätze ordnungsmäßiger Unternehmensführung (dazu Groß/Amen

WPg 2003, 1161, 1176 ff.) sind für Vorstand nicht rechtsverbindlich (MüKo-AktG/Spindler Rn. 18; GK-AktG/Hopt/Roth § 93 Rn. 36 ff.; Kropff NZG 1998, 613 f.). Unverzichtbar ist **Budgetplanung,** also Planung von Einnahmen und Ausgaben (Investitionen) für laufendes und folgendes Geschäftsjahr. Entspr. Planungspflicht wird auch im Klammerzusatz in § 90 I 1 Nr. 1 vorausgesetzt („Finanz- und Investitionsplanung") und ist daher unbestritten (Fleischer in Fleischer VorstandsR-HdB § 7 Rn. 38; Altmeppen ZGR 1999, 291, 305 f.; Groß/Amen WPg 1161, 1174 ff.). Ob es weitergehend auch einer **Mehrjahresplanung** bedarf und wie sie auszusehen hat, entscheidet Vorstand – sofern Satzung oder Geschäftsordnung (Informationsordnung; → Rn. 1a) nichts anderes bestimmen – nach pflichtmäßigem Ermessen, wobei auf Verhältnisse des jew. Unternehmens Rücksicht zu nehmen ist (Altmeppen ZGR 1999, 291, 305 f.; Kropff NZG 1998, 613 f.; Leyens, Information des Aufsichtsrats, 2006, 37 f.).

Umfang der Berichtspflicht. Zu berichten ist nach § 90 I 1 Nr. 1 über grds. 4b
Fragen der Unternehmensplanung und beabsichtigter Geschäftspolitik. Danach ist jedenfalls über **Budget** zu berichten, weil insoweit Planungspflicht besteht, iÜ, soweit Planung existiert (→ Rn. 4a). Neben Umschreibung der Budgetplanung als „Finanz- und Investitionsplanung" (→ Rn. 4a) wird in Klammerzusatz noch „Personalplanung" genannt, doch ist Aufzählung nicht abschließend. Weiterer Berichtsbedarf kann nicht pauschal umschrieben werden, sondern hängt von Branche und Unternehmenszuschnitt ab (MüKoAktG/Spindler Rn. 18). Begrifflich können auch bedeutsame Einzelvorhaben, wie etwa Akquisitions- oder Zusammenschlusspläne, schon wegen ihrer finanziellen Auswirkungen unter § 90 I 1 Nr. 1 gefasst werden (BeckOGK/Fleischer Rn. 17; Cahn AG 2014, 525, 527; Rieger/Rothenfußer NZG 2014, 1012, 1013). IdR greift dann aber auch § 90 I 1 Nr. 4 ein, was nach § 90 II Nr. 4 idR zügigere Berichterstattung zur Folge hat (→ Rn. 10), sofern nicht § 90 II Nr. 1 Hs. 2 ausnahmsweise „unverzügliche" Berichterstattung anordnet. Ob vorhandene Planrechnungen voll mitzuteilen sind oder ob Mitteilung wesentlicher Ergebnisse ausreicht, war zu § 90 I Nr. 1 aF str. Geltende Gesetzesfassung stellt auf grds. Fragen ab, verweist iÜ auf Erlass einer Informationsordnung durch AR (RegBegr. BT-Drs. 13/9712, 15; → Rn. 1a) und entscheidet Frage damit im zweiten Sinne (BeckOGK/Fleischer Rn. 21; GK-AktG/Kort Rn. 26; S/L/Sailer-Coceani Rn. 13; MüKo-AktG/Spindler Rn. 19; Kropff NZG 1998, 613, 614; aA Grigoleit/Grigoleit/Tomasic Rn. 16). Damit ist zugleich klargestellt, dass sich Notwendigkeit umfassender Management-Informationssysteme, wie von Theisen (Information und Berichterstattung des Aufsichtsrats, 4. Aufl. 2007, passim) gefordert, weder aus § 90 noch sonstwie ges. ableiten lässt (sa BeckOGK/Fleischer Rn. 23; MüKo-AktG/Spindler Rn. 19). Problematisch ist, ob auch **Planung im Entwicklungsstadium** mitzuteilen ist (dafür GK-AktG/Kort Rn. 32a; Burgard/Heimann AG 2014, 360 ff.; dagegen S/L/Sailer-Coceani Rn. 15; MüKoAktG/Spindler Rn. 18; Rieger/Rothenfußer NZG 2014, 1012 ff.; ausf. Cahn AG 2014, 525, 527 ff.). Mit Blick auf Initiativrecht des Vorstands, aber auch mit Blick auf etwaige Geheimhaltungsinteressen (→ Rn. 3) kann es zulässig sein, erst dann Bericht zu erstatten, wenn Planung gewisse Realisierungswahrscheinlichkeit erreicht hat (ausf. J. Koch in 50 Jahre AktG, 2016, 65, 84 ff.; s. zu § 90 I 1 Nr. 4 auch → Rn. 10). Nähere Präzisierung bleibt problematisch.

Nach § 90 I 1 Nr. 1 umfasst Berichtspflicht in Form einer **Follow-up-Be-** 4c
richterstattung auch Abweichungen der tats. Entwicklung von früher berichteten Zielen unter Angabe von Gründen. Entspr. Erweiterung wurde klarstellend durch TransPuG 2002 eingeführt (RegBegr. BT-Drs. 14/8769, 13 f.). Abweichung ist nur solche von früherem Vorstandsbericht, nicht von anderweitigen Bekundungen (Betriebsversammlung, Pressebericht). Berichterstattung muss ohne zeitliche Lücken erfolgen, bezieht sich also auch auf abgelaufene Planungs-

zeiträume, soweit Sitzungsturnus des AR dies erfordert (NK-AktR/Oltmanns Rn. 6; Götz NZG 2002, 599, 600; insoweit unscharf RegBegr. BT-Drs. 14/8769, 13 f.).

4d **Berichtsbezogene Pflichten des Aufsichtsrats.** Frage, wie AR mit Bericht des Vorstands umzugehen hat (→ Rn. 4 aE), überschneidet sich mit Reichweite der Beratungspflicht, die AR ggü. Vorstand hat (→ § 111 Rn. 28). Danach ist Bericht mit Vorstand zu erörtern, was Stellungnahme des AR zwangsläufig einschließt. Dass Stellungnahme Rechtsform eines AR-Beschlusses haben müsse (Kropff NZG 1998, 613, 615), ist damit aber noch nicht gesagt und folgt auch nicht aus Beratungskompetenz. Ob AR beschlussförmig formalisiert Stellung nehmen will, bleibt daher ihm überlassen (sa RegBegr. Kropff S. 120). **Zustimmungsvorbehalte** nach § 111 IV 2 kann AR nur aussprechen, soweit hinreichend konkrete Formulierung der unter seine Mitwirkung gestellten Maßnahmen gelingt, was wohl noch für jährliche Budgetplanung angenommen werden kann (→ § 111 Rn. 64).

5 **b) Rentabilität.** § 90 I 1 Nr. 2 verlangt weiter Rentabilitätsbericht. Ges. hebt Rentabilität des Eigenkapitals ausdr. hervor. Eigenkapital ist Summe der gem. § 266 III HGB auf Passivseite unter A auszuweisenden Beträge, bes. des Grundkapitals und der Rücklagen. Rentabilität ist Verzinsung. Zu berichten ist aber nicht nur darüber, sondern über **Rentabilität der Gesellschaft überhaupt.** Unverzichtbar sind Angabe des Cash-flow (etwa: Jahresergebnis nach Steuern, zuzüglich Abschreibungen, Wertberichtigungen und Rückstellungen, abzüglich nicht einnahmewirksamer Erträge wie Auflösung von Rückstellungen, Buchgewinn aus Anlagenveräußerung), der Rentabilität des Gesamtkapitals, des Umsatzes und wesentlicher Investitionen (BeckOGK/Fleischer Rn. 26; GK-AktG/Kort Rn. 48 ff.).

6 **c) Gang der Geschäfte.** Vorstand muss gem. § 90 I 1 Nr. 3 ferner berichten über Gang der Geschäfte. Das ist gesamte operative Tätigkeit der Gesellschaft und der von ihr abhängigen Unternehmen, soweit für herrschende Gesellschaft relevant (KK-AktG/Cahn Rn. 37). In diesem Rahmen (nicht nach § 90 I 1 Nr. 1; → Rn. 4) ist auch Mitteilung von **Planrechnungen** erforderlich, weil Geschäftsgang erst durch Vergleich mit Planrechnungen beurteilt werden kann (MHdB AG/Hoffmann-Becking § 25 Rn. 67). Zur Aussagefähigkeit des Berichts gehören sachgerechte Gliederung (etwa nach Sparten, In- und Auslandsmärkte), detailliertes Zahlenmaterial bes. zum Umsatz sowie Darstellung der Auswirkungen auf Ertragslage und Liquidität (KK-AktG/Cahn Rn. 37). „Follow-up"-Berichterstattung (→ Rn. 4c) hat vor allem hier praktische Bedeutung. Darstellung und Begründung von Abweichungen der tats. Entwicklung ggü. Planzahlen ist Erl. des Geschäftsgangs (Götz NZG 2002, 599, 600).

7 **d) Wesentliche Einzelmaßnahmen.** Gegenstand kontinuierlicher Berichterstattung sind schließlich Geschäfte, die für Rentabilität oder Liquidität der AG **von erheblicher Bedeutung** sein können (§ 90 I 1 Nr. 4). RegBegr. Kropff S. 117 nennt als Bsp. Erwerb oder Veräußerung eines Betriebs oder Betriebsteils oder einer Beteiligung, Gründung und Schließung einer Zweigniederlassung, Übernahme eines größeren Auftrags. Ob erhebliche Bedeutung zu bejahen ist, hängt von Größe, Gegenstand und wirtschaftlicher Lage der Gesellschaft und ihres Unternehmens ab (RegBegr. Kropff S. 117). Es genügt, dass erhebliche Bedeutung gegeben sein kann. Maßgeblich ist vernünftige **kaufmännische Prognose.**

7a **2. Tochter- und Gemeinschaftsunternehmen.** § 90 I 2 idF des TransPuG 2002 schreibt vor, dass AG, die Mutterunternehmen ist, in ihrer periodischen Berichterstattung (→ Rn. 4–7) auch auf Tochterunternehmen (§ 290 I, II HGB) und auf Gemeinschaftsunternehmen (§ 310 I HGB) einzugehen hat, also unter den Voraussetzungen voller oder anteilmäßiger Konsolidierung, was etwas vergröbernd als konzerndimensionaler Bezug der Berichtspflicht bezeichnet werden kann (RegBegr. BT-Drs. 14/8769, 14; Götz NZG 2002, 599, 600). **Berichtstiefe** ist nicht abschließend geklärt, doch geht hM zutr. davon aus, dass Bericht über Tochterunternehmen nicht gleiche Tiefe aufweisen muss wie Bericht über Obergesellschaft, sondern – in Parallele zu § 90 I 1 Nr. 4, I 3, III 1 – nur Vorgänge zu erfassen hat, die auf berichtspflichtige Angelegenheiten der AG selbst **erheblichem Einfluss** haben können (GK-AktG/Kort Rn. 65; KK-AktG/Cahn Rn. 41; Barzen/Kampf BB 2011, 3011 ff.; aA S/L/Sailer-Coceani Rn. 32). Dafür spricht nicht nur Wortlaut („eingehen"), sondern auch Praktikabilität, da Regelbericht sonst unüberschaubar würde (ausf. Barzen/Kampf BB 2011, 3011 ff.). Weil Vorstand berichtspflichtig auch insofern ist, muss er sich erforderliche Informationen iRd rechtl. und tats. Möglichen und Zumutbaren bei Tochtergesellschaften beschaffen (RegBegr. BT-Drs. 14/8769, 14). Diese Begrenzung zeigt, dass sich Vorstand zwar nicht auf seinen jeweiligen Kenntnisstand zurückziehen darf, durch § 90 I 2 aber auch kein eigenes konzernweites Informationsrecht erhalten hat (dazu BeckOGK/Fleischer Rn. 31; GK-AktG/Kort Rn. 66).

3. Berichte aus sonstigen wichtigen Anlässen. Nach § 90 I 3 muss Vorstand außerhalb der periodischen Berichterstattung (§ 90 I 1) unverzüglich (§ 121 BGB) dann informieren, wenn sonstiger wichtiger Anlass vorliegt. Das sind im Unterschied zu Maßnahmen des § 90 I 1 Nr. 4 vornehmlich **Ereignisse,** die **von außen** an AG herangetragen werden und nachteilig auf sie einwirken können, zB erhebliche Betriebsstörung, Arbeitskampf, empfindliche behördliche Auflagen, wesentliche Steuernachforderungen, Gefährdung größerer Außenstände, Liquiditätsprobleme infolge Kreditkündigung (RegBegr. Kropff S. 117; MüKoAktG/Spindler Rn. 31; Breidenich, Organisation der AR-Arbeit, 2020, 233 ff.). Eintritt solcher und ähnlicher Ereignisse ist gem. § 90 I 3 Hs. 2 auch dann berichtspflichtig, wenn unmittelbar nicht AG, sondern verbundenes Unternehmen (§ 15) betroffen ist, sofern erheblicher Einfluss auf Lage der AG möglich scheint. Berichtsempfänger ist anders als in Fällen des § 90 I 1 nicht AR als Organ, sondern im Beschleunigungsinteresse **AR-Vorsitzender.** Dieser entscheidet über erforderliche Maßnahmen. Mitglieder des AR sind aber jedenfalls in der nächsten Sitzung des Gremiums vom Vorsitzenden zu unterrichten (§ 90 V 3; → Rn. 14). 8

III. Zeitpunkt der Berichterstattung (§ 90 II)

1. Berichte nach § 90 I 1 Nr. 1–3. Vorstand muss Berichte nicht nur aus eigener Initiative, sondern turnusmäßig erstatten. Im Einzelnen gilt: Über grds. Fragen künftiger Geschäftsführung (→ Rn. 4) ist nach § 90 II Nr. 1 mindestens **einmal jährlich** zu berichten, außerdem unverzüglich, wenn Lageänderung oder Auftreten neuer Fragen das gebietet. Unverzüglichkeitsvorgabe wird durch Verb „gebieten" in gewissem Umfang relativiert; Vorstand ist insofern Beurteilungsspielraum zuzuerkennen. Spannungsverhältnis zu § 90 I 1 Nr. 4 iVm § 90 II Nr. 4 („rechtzeitig") ist dennoch nur schwer aufzulösen (Einzelheiten bei J. Koch in 50 Jahre AktG, 2016, 65, 84 ff.). Für Rentabilitätsbericht (→ Rn. 5) gilt ebenfalls Jahresturnus. Vorstand bestimmt den Zeitpunkt jedoch nicht nach pflichtgem. Ermessen, sondern hat gem. § 90 II Nr. 2 in **Bilanzsitzung** des AR zu berichten, weil Rentabilität wesentlicher Gesichtspunkt bei Prüfung und Billigung des Jahresabschlusses und des Gewinnverwendungsvorschlags ist (§§ 171, 172). Gang der Geschäfte (→ Rn. 6) ist Gegenstand des sog **Quartalsberichts.** 9

Pflicht zur vierteljährlichen Berichterstattung (§ 90 II Nr. 3) bezeichnet aber nur das Minimum eines regelmäßigen, der Überwachungsaufgabe des AR entspr. Informationsflusses. Einzelheiten hängen vom jeweiligen Unternehmen ab.

10 **2. Berichte nach § 90 I 1 Nr. 4.** Über wesentliche Einzelmaßnahmen (→ Rn. 7) ist zwar kontinuierlich, aber nicht turnusmäßig zu berichten. Stattdessen verlangt § 90 II Nr. 4 **fallweise** Berichterstattung, und zwar möglichst so rechtzeitig vor Vornahme des Geschäfts, dass AR noch Gelegenheit zur Stellungnahme hat (→ Rn. 13b). Das gilt auch dann, wenn Geschäft nicht gem. § 111 IV 2 seiner Art nach zustimmungsbedürftig ist. Umfassende Einbindung des AR in unternehmerische Planung kann nach § 90 I Nr. 4, II Nr. 4 ebenso wenig verlangt werden wie nach § 90 I 1 Nr. 1 (→ Rn. 4b); vielmehr soll Informationspflicht nicht zur „Bürokratisierung der Verfahrensabläufe" führen (RegBegr. TransPuG BT-Drs. 14/8769, 14). Vorstand kann also auch hier abwarten, bis sich **Planung verdichtet** hat (so zutr., in den Details aber zu weitgehend Cahn AG 2014, 525, 528 ff.). Abgrenzung bleibt schwierig, doch ist Vorstand Ermessen zuzubilligen, in das auch Geheimhaltungsinteresse (→ Rn. 3) einfließen darf (ausf. J. Koch in 50 Jahre AktG, 2016, 65, 84 ff.; Cahn AG 2014, 525, 529; NK-AktR/Oltmanns Rn. 18; aA MüKoAktG/Spindler Rn. 24; Burgard/Heimann AG 2014, 360, 363 f.; Burgard/Heimann NZG 2014, 1294, 1295). AR muss auf jeden Fall informiert werden, bevor vollendete Tatsachen geschaffen werden, und noch ausreichend Zeit haben, um sich fundierte Meinung zu bilden (OLG Frankfurt NZG 2014, 1017, 1019; Cahn AG 2014, 525, 530 f.). Kann Bericht ausnahmsweise vorher nicht gegeben werden, so ist er nachzuholen (RegBegr. Kropff S. 117), und zwar unverzüglich. Soweit wenigstens AR-Vorsitzender noch vor der Maßnahme unterrichtet werden kann, hat das zu geschehen (KK-AktG/Cahn Rn. 38).

IV. Weitere Berichte auf Verlangen (§ 90 III)

11 **1. Berichtsverlangen des Aufsichtsrats.** § 90 III regelt sog **Anforderungsberichte.** Anforderungsrecht hat gem. § 90 III 1 zunächst AR als Organ. Insoweit ist Beschlussfassung nach § 108 erforderlich (MüKoAktG/Spindler Rn. 38). Analog § 78 II 2 genügt Zugang der Anforderung bei einem Vorstandsmitglied (KK-AktG/Cahn Rn. 48). AR muss Berichtsgegenstand hinlänglich präzisieren (LG Bonn und OLG Köln, beide AG 1987, 24, 25). Berichterstattung kann gefordert werden über Angelegenheiten der AG; über ihre rechtl. und geschäftlichen Beziehungen zu verbundenen Unternehmen (§ 15); über geschäftliche Vorgänge bei verbundenen Unternehmen, soweit sie Lage der AG erheblich beeinflussen können. Inhaltlich überschneiden sich damit Anforderungsberichte nach § 90 III mit Gegenständen periodischer Berichterstattung nach § 90 I. Grund liegt in Überwachungsfunktion des AR, die er nur erfüllen kann, wenn er nicht auf Informationspolitik des Vorstands und von ihm vorgenommene Auswahl angewiesen ist (Lutter/Krieger/Verse AR Rn. 212). Zugang zu EDV-Managementinformationssystem (MIT) kann nicht verlangt werden (MüKoAktG/Spindler Rn. 39). Auch Recht, sich über Vorstand hinweg bei Angestellten der AG zu informieren, besteht grds. nicht; Ausnahmen sind denkbar, insbes. dann, wenn dringender Verdacht erheblicher Pflichtverletzung des Vorstands besteht (str.; → § 111 Rn. 36 mwN). Dagegen ist nicht veranlasst, das aktive Informationsmonopol des Vorstands mehr oder minder umfassend aufzugeben, auch nicht zugunsten des Prüfungsausschusses (Marsch-Barner FS Schwark, 2009, 219, 222 ff.). Einvernehmliche Lösungen bleiben freilich möglich und sind vielfach wünschenswert.

2. Berichtsverlangen einzelner Aufsichtsratsmitglieder. a) Grundsatz. Nach § 90 III 2 Hs. 1 kann auch einzelnes AR-Mitglied Vorstandsbericht über in → Rn. 11 umschriebene, hinlänglich präzisierte Gegenstände anfordern. Das entspr. seiner Aufgabe als Organmitglied. Anforderungsrecht ist deshalb **Pflichtrecht** (MüKoAktG/Spindler Rn. 40), Berichtsempfänger der AR als Organ (zu Händen des Vorsitzenden). Abgesehen von Missbrauchsfällen (→ Rn. 12a), kann Vorstand Berichterstattung nicht verweigern. Frühere Regelung in § 90 III 2 Hs. 2, nach der AR-Mitglied bei Ablehnung seines Berichtsverlangens der Unterstützung durch weiteres AR-Mitglied bedurfte, ist auf Vorschlag der Corporate Governance-Kommission (s. Baums Bericht, 2001, Rn. 30 f.) durch TransPuG 2002 gestrichen worden. Kommission (s. Baums Bericht, 2001, Rn. 30 f.) und RegBegr. (BT-Drs. 14/8769, 14) wollen damit von ihnen wahrgenommener entscheidender Schwächung des einzelnen AR-Mitglieds abhelfen. Dadurch gestiegenem Missbrauchsrisiko soll durch Anwendung allg. Grundsätze (→ Rn. 12a) begegnet werden (NK-AktR/Oltmanns Rn. 14). Von Berichtspflicht des Vorstands zu unterscheiden ist seine Pflicht, AR schriftliche Unterlagen der Gesellschaft zur **Einsichtnahme** vorzulegen. Einsichtsrecht des AR hat seine Basis nicht in § 90 III, sondern in § 111 II. Danach steht Recht nur AR als Organ, nicht auch einzelnen Mitgliedern zu (→ § 111 Rn. 34 mN). **12**

b) Missbrauchsprobleme. Berichtsverlangen darf nicht missbräuchlich ausgeübt werden. Weil es sich um pflichtgebundenes Recht handelt (→ Rn. 12), liegt Missbrauch iSd Verletzung organschaftlicher Treupflichten (→ § 116 Rn. 7f) schon dann vor, wenn AR-Mitglied Eigeninteressen zu Lasten von Gesellschaftsinteressen verfolgt. So vor allem, wenn AR-Mitglied **Wettbewerber der Gesellschaft** repräsentiert (keine spezielle Inkompatibilität; → § 103 Rn. 10 ff.) und konkret zu befürchten ist, dass es eingeforderte Informationen an Wettbewerber weitergeben würde (hM, s. [beide zur GmbH] OLG Karlsruhe OLGZ 1985, 41, 44; OLG Stuttgart OLGZ 1983, 184, 187 f.; Manger NZG 2010, 1255, 1257; ähnlich KK-AktG/Cahn Rn. 16, der darauf abstellt, ob Information für Wettbewerber von Bedeutung sein kann). Entscheidungszuständigkeit liegt nach zutr. hM beim Vorstand, der also Bericht verweigern darf, von diesem Recht aber nur zurückhaltend Gebrauch machen sollte und insbes. auch Ermessensspielräume des AR (→ Rn. 3) zu respektieren hat (RegBegr. BT-Drs. 14/8769, 14; BeckOGK/Fleischer Rn. 50; GK-AktG/Kort Rn. 115 f.; NK-AktR/Oltmanns Rn. 15; MüKoAktG/Spindler Rn. 41; aA KK-AktG/Cahn Rn. 17). **12a**

V. Grundsätze ordnungsmäßiger Berichterstattung (§ 90 IV)

Zu **Form und Inhalt** der Berichterstattung sagt **Generalklausel** des § 90 IV 1, dass Berichte Grundsätzen gewissenhafter und getreuer Rechenschaft zu entspr. haben. Maßgeblich ist danach Praxis von Geschäftsleitern, die jedoch rechtl. (richterlicher) Prüfung unterliegt. Es muss sich um gute Praxis handeln (gewissenhafte und getreue Rechenschaft), die bes. auf effiziente Überwachung gerichtetem Regelungszweck (→ Rn. 1) Rechnung trägt. Berichte nach § 90 I 1 und III sind gem. § 90 IV 2 **idR in Textform** abzufassen. Dieser Normteil beruht auf TransPuG 2002, mit dem entspr. Empfehlung der Corporate Governance-Kommission (s. Baums Bericht, 2001, Rn. 25) umgesetzt worden ist. Regelerfordernis lässt Raum für Ausnahmen etwa aus Gründen der Aktualität oder gesteigerten Geheimhaltungsbedürfnisses; mündliche Erl. oder Ergänzung in der Sitzung darf nicht unter Hinweis auf Formerfordernis verweigert werden. Textform (§ 126b BGB) ist jedenfalls bei Schriftform (§ 126 BGB) und bei bloßer Schriftlichkeit gewahrt, doch genügt es, dass erst Empfänger Schriftlichkeit **13** herstellt (Ausdruck von E-Mail-Texten; s. RegBegr. zu § 126b BGB BT-Drs. 14/4987, 19). Elektronische Übermittlung soll dadurch ermöglicht, wenngleich nicht nahegelegt werden (RegBegr. BT-Drs. 14/8769, 15). Gerade bei Verwendung moderner IT-Medien müssen Sicherheitsstandards beachtet werden (MüKoAktG/Spindler Rn. 13). Diesen Erfordernissen kann Nutzung eines virtuellen Datenraums dienen, der auch Textformerfordernis genügt (Punte/Stefanink ZIP 2019, 2096 ff.). Für Berichte nach § 90 I 3 gibt es gem. § 90 IV 2 keine Regelform. Bei bes. Eilbedürftigkeit oder vertraulichem Informationsaustausch wäre Textform eher hinderlich. Bericht muss klar gegliedert und auch sonst **übersichtlich, vollständig und sachlich zutreffend** sein. Zur sachlichen Richtigkeit gehört Trennung von Tatsachen und Bewertungen. Wesentliche Meinungsunterschiede im Vorstand sind offenzulegen (weitergehend S/L/Sailer-Coceani Rn. 53).

13a Nach § 90 IV 2 sind Berichte **möglichst rechtzeitig** zu erstatten. Auch das geht auf TransPuG 2002 und Empfehlung der Corporate Governance-Kommission (→ Rn. 13) zurück. Für Rechtzeitigkeit ist zu unterscheiden: Soweit es um bloße **Sitzungsvorbereitung** geht, genügt es, dass Bericht angemessene Vorbereitung erlaubt. „Möglichst" rechtzeitig bedeutet dabei, dass Vorstand Sitzungsunterlagen so zeitig zur Verfügung stellt, wie ihm dies unter Anwendung gebotener Leitungssorgfalt möglich ist (sa RegBegr. BT-Drs. 14/8769, 15; sa Henning ZGR 2020, 485, 488). Dabei sind Regelungen in Geschäftsordnungen zu beachten. Norm lässt in den Grenzen der Leitungssorgfalt flexible Handhabungen zu, etwa getrennte Übermittlung von Bericht und Anlagen, notfalls Vorabberichte, bei gesteigertem Geheimhaltungsbedürfnis (→ Rn. 1a, 13) auch Ankündigung mündlicher Berichterstattung in der Sitzung.

13b Bei **Berichten nach § 90 I 1 Nr. 4** bezieht sich Rechtzeitigkeit des § 90 II Nr. 4 nicht auf Sitzung des AR, sondern auf Vornahme wesentlicher Einzelgeschäfte; AR soll „möglichst" vorher Stellung nehmen können (→ Rn. 10). Insoweit ist Ergänzung des § 90 IV 2 nicht gelungen (krit. DAV-HRA NZG 2002, 115, 116; Ihrig/Wagner BB 2002, 789, 793). Vorschrift ist so auszulegen, dass Vorstand mit jeweiliger Maßnahme bis zur Stellungnahme des AR zu warten hat, es sei denn, dass gerade das Zuwarten Verstoß gegen Leitungssorgfalt bedeuten würde.

VI. Information innerhalb des Aufsichtsrats (§ 90 V)

14 Berichte sind AR zu erstatten, im Regelfall textförmiger Berichterstattung (→ Rn. 13) also zu Händen des AR-Vorsitzenden (unstr.). Damit hat Vorstand seine Pflicht erfüllt. Es hat jedoch jedes einzelne AR-Mitglied **Recht auf Kenntnisnahme** (§ 90 V 1). AR-Mitglied darf also textförmige Berichte lesen, mündliche Berichte hören. Das gilt jedenfalls für Berichte iSd § 90. Für andere Vorlagen (→ Rn. 2) können sich durch Organisation der Tätigkeit des AR in Ausschüssen (§ 107 III, § 109) Ausnahmen ergeben (näher KK-AktG/Cahn Rn. 26). **AR-Mitglied** kann gem. § 90 V 2 auch verlangen, dass ihm textförmige Berichte übermittelt werden, soweit AR nichts anderes beschließt; Recht auf Kenntnisnahme bleibt von solchem Beschluss unberührt. Berichte aus sonstigen wichtigen Anlässen (§ 90 I 3; → Rn. 8), die AR-Vorsitzendem wegen Eilbedürftigkeit meist mündlich zu erstatten sind (→ Rn. 13), sind den AR-Mitgliedern spätestens in nächster Sitzung des Gremiums zur Kenntnis zu bringen (§ 90 V 3). Unterrichtung erfolgt durch wiederum mündlichen Bericht. Ist ausnahmsweise textförmiger Bericht erstattet, besteht auch insoweit Recht zur Kenntnisnahme nach § 90 V 1 und 2.

VII. Rechtsfolgen bei Verstoß

Gegen Vorstandsmitglieder, die ihre Berichtspflicht verletzen, ist gem. § 407 I im **Zwangsgeldverfahren** (§§ 388 ff. FamFG) durch Registergericht vorzugehen; zuständig ist nach § 3 Nr. 2 RPflG der Rechtspfleger. Berichtspflicht ist verletzt, wenn nicht, zu spät, unvollständig oder unrichtig berichtet wird. Berichtspflicht ist wesentliche Vorstandspflicht. Jedenfalls nach Abmahnung, bei gravierenden Verstößen auch ohne solche, ist daher **Abberufung** aus wichtigem Grund nach § 84 IV gerechtfertigt (BeckOGK/Fleischer Rn. 69). **Schadensersatzpflicht** ist unter weiteren Voraussetzungen des § 93 begründet. Nach ganz hM ist Erfüllung der Berichtspflicht auch direkt mit Klage durchsetzbar, und zwar durch **Klage der AG,** gem. § 112 vertreten durch AR, **gegen Mitglieder des Vorstands** als notwendige Streitgenossen (BeckOGK/Fleischer Rn. 70; MüKoAktG/Spindler Rn. 61; Stodolkowitz ZHR 154 [1990], 1, 7; H. Westermann FS Bötticher, 1969, 369, 372 f.; aA GK-AktG/Kort Rn. 183; KK-AktG/Cahn Rn. 66 sowie Mertens ZHR 154 [1990], 24, 33; teilw. aA Pflugradt Leistungsklagen zur Erzwingung rechtmäßigen Vorstandsverhaltens, 1990, 123: Klage des AR kraft selbständiger Prozessführungsbefugnis). 15

VIII. Zur Problematik von sog Organstreitigkeiten

1. Fragestellung. Versteht man Begriff sog Organstreitigkeiten zunächst umfassend, so geht es dabei um Frage, welche Rechte Organe (Vorstand, AR, HV) der AG und/oder Mitglieder der Organe in ihrem Verhältnis zueinander oder ggü. AG selbst haben, soweit es um rechtmäßiges Organverhalten geht, und wie solche Rechte, wenn sie bestehen, prozessual geltend zu machen sind. Umschreibung deckt Vielzahl denkbarer Klagemöglichkeiten ab, die durch Begriff der Organstreitigkeit mehr sprachlich als sachlich zusammengehalten werden. Von vornherein **auszugrenzen** sind diejenigen Ansprüche bzw. Klagen, mit denen Mitglieder von Vorstand oder AR **Vergütung oder Auslagenersatz** fordern. Ansprüche dieser Art sind mit Klage gegen AG, je nach Kläger vertreten durch Vorstand oder AR (§§ 78, 112), verfolgbar (unstr., s. zB MHdB AG/Hoffmann-Becking § 33 Rn. 91). Bes. Zuschnitt haben und auszugrenzen sind **Anfechtungs- und Nichtigkeitsklagen** gem. § 245 S. 1 Nr. 4 und 5, § 250 III, § 251 II. Sie dienen dazu, Rechtmäßigkeit von HV-Beschlüssen zu kontrollieren, und enthalten nicht verallgemeinerungsfähige Sonderregelung (zust. BeckOGK/Fleischer Rn. 71; Stodolkowitz ZHR 154 [1990], 1, 4; grds. abw. Pflugradt, Leistungsklagen zur Erzwingung rechtmäßigen Vorstandsverhaltens, 1990, 103 ff.). Wegen ihrer bes. Struktur ebenfalls auszugliedern sind Klagen von AR-Mitgliedern auf Feststellung der Nichtigkeit von AR-Beschlüssen (sog Intraorganstreit); → § 108 Rn. 26 ff. 16

Verbleibender Bereich umfasst **Streitigkeiten zwischen Vorstand und AR um organschaftliche Verpflichtungen** (sog Interorganstreitigkeiten). Die insofern zT attestierte „paradigmatische Bedeutung“ des § 90 (vgl. BeckOGK/Fleischer Rn. 2) muss allerdings dahingehend relativiert werden, dass praktische Bedeutung des Streits hier dadurch gemindert ist, dass Klagerecht der AG selbst ganz überwiegend anerkannt wird (→ Rn. 15, 19; relativierend deshalb auch GK-AktG/Kort Rn. 208 f.; eher zutr. BeckOGK/Fleischer Rn. 71: „Demonstrationsobjekt“). Es geht also – von Klägerrolle ausgehend – bei § 90 lediglich darum, ob neben oder statt AG auch AR selbst solche Rechte einklagen kann (→ Rn. 18; zu verbleibenden Unterschieden ggü. Klage im Namen der AG BeckOGK/Fleischer Rn. 73 und unten → Rn. 19). Weiterhin ist zu klären, ob Erfüllung der Berichtspflichten von einzelnen AR-Mitgliedern klageweise gefor- 17 dert werden kann, sei es aus abgeleitetem (actio pro socio) oder aus eigenem Recht (→ Rn. 20 ff.). Schließlich bleibt zu klären, wie weit sich zu § 90 gefundene Ergebnisse verallgemeinern lassen (→ Rn. 24 f.).

18 **2. Durchsetzung von Berichtspflichten durch Klage des Aufsichtsrats (sog. Interorganstreit)? a) Meinungsstand.** Ob AR als solcher gegen AG, vertreten durch Vorstand, oder gegen Vorstand als Partei auf Berichterstattung klagen kann, ist str. Höchstrichterliche Rspr. zur speziellen Frage gibt es nicht. BGHZ 106, 54, 60 ff. = NJW 1989, 979 greift Problem zwar auf, lässt aber Entscheidung ausdr. offen. Lange Zeit herrschende und auch heute noch weit verbreitete Auffassung verneint diese Frage, da es weder rechtl. Grundlage noch praktisches Bedürfnis für Interorganklage gebe (B/K/L/Bürgers Rn. 19; KK-AktG/Cahn Rn. 66 und Vor § 76 Rn. 3 ff.; MüKoAktG/Spindler Rn. 61, Vor § 76 Rn. 65 ff.; Flume Jur. Person § 11 V; Mertens ZHR 154 [1990], 24, 33; Werner AG 1990, 1, 16). Im jüngeren und mittlerweile wohl überwiegendem Schrifttum wird Klage des AR gegen Vorstand als Partei für möglich gehalten, wenngleich in unterschiedlichem Umfang (BeckOGK/Fleischer Rn. 73; GK-AktG/Kort Rn. 191 ff.; 204 ff.; Bork ZGR 1989, 1 ff.; Grobe, Inter- und Intraorganklagen, 2020, 421 ff., 429 ff.; Harnos FS Seibert, 2019, 309, 311 ff.; Hommelhoff ZHR 143 [1979], 288, 290 ff.; K. Schmidt ZZP 92 [1979], 212, 214 ff.; Schürnbrand, Organschaft, 2007, 382 ff.; Schwab, Prozessrecht gesellschaftsinterner Streitigkeiten, 2005, 581 ff.).

19 **b) Stellungnahme.** Auseinandersetzung um Organklagen ist für § 90 wesentlich dadurch entschärft, dass auch abl. Auffassung, zumindest AG überwiegend selbst ein Recht einräumt, Berichtspflicht des Vorstands einzuklagen (→ Rn. 15; aA KK-AktG/Cahn Rn. 66 und Vor § 76 Rn. 4, 6: Rechtsschutzbedürfnis bestehe nur für Klage einzelner AR-Mitglieder gegen AG; vgl. dazu → Rn. 21 ff.). Mit diesem Zugeständnis an die Belange der Befürworter eines Organstreits erübrigen sich zumindest für § 90 die weiterhin vorgebrachten Argumente, ob Abberufung oder Zwangsgeld nach § 407 Vorstand hinreichend disziplinieren können (s. dazu BeckOGK/Fleischer Rn. 73). Geht man stattdessen von Wortlaut und Systematik des § 90 aus, so spricht systematische Gesamtschau gegen Zulässigkeit der Organklage. Funktionen und Befugnisse werden den Organen nicht als selbständigen Rechtssubjekten zugewiesen, sondern als **unselbständigen Organen der jur. Person** (zutr. KK-AktG/Cahn Vor § 76 Rn. 3; deshalb kann auch Wortlaut nicht für Gegenauffassung herangezogen werden; aA BeckOGK/Fleischer Rn. 73). Das hat zur Folge, dass sich Rechte und Pflichten iSd Innenrechts der Korporation nicht mit allg. zivilrechtl. Anspruchsstruktur (§ 194 I BGB) erfassen lassen (zutr. Zöllner ZGR 1988, 392, 423 f.; aA Bork ZGR 1989, 1, 6 ff.). Ausgestaltung als prozessual durchsetzbare Rechtsposition stellt sich deshalb als Fremdkörper dar und kann nur im Wege der Rechtsfortbildung konstruiert werden, die bes. teleologischer Rechtfertigung bedarf (zust. Grigoleit/Grigoleit/Tomasic Rn. 30; sa MHdB CL/J. Koch § 30 Rn. 95 f.). Daran fehlt es aber, wenn man Klage der AG zulässt. Verbleibende Praktikabilitätserwägung, dass Organklage bei Wechsel im Vorstand prozessökonomischer sei (BeckOGK/Fleischer Rn. 73; K. Schmidt GesR § 14 IV 2a), trifft zwar zu, wiegt aber schon deshalb nicht schwer, weil **fehlendes Fallmaterial** dokumentiert, dass praktische Relevanz ohnehin gering ist (sa KK-AktG/Cahn Rn. 66, Vor § 76 Rn. 5). Aus diesem Grund erscheint es nicht sinnvoll, aus praktischen Erwägungen systemwidrige Klagemöglichkeit einzuräumen, die spätestens in ihrer verallgemeinernden Übertragung auf andere Konstellationen zu problematischen Konsequenzen führt (→ Rn. 24 f.).

3. Durchsetzung von Berichtspflichten durch Klage von Aufsichtsratsmitgliedern? a) Aus Recht des Aufsichtsrats (actio pro socio). Soweit Organklage des AR für möglich gehalten wird, wird meist auch Klage einzelner AR-Mitglieder im Wege der actio pro socio, also in **Prozessstandschaft** für Gesamt-AR, zugelassen (ausf. Bork ZGR 1989, 1, 39 ff. mwN; ferner BeckOGK/Fleischer Rn. 75; Th. Raiser ZGR 1989, 44, 69 f.). BGHZ 106, 54 = NJW 1989, 979 lässt Frage im Ls. ausdr. offen, verneint sie aber jedenfalls für den Fall, dass nach Beschlussfassung des AR unterlegene Mitglieder klagen wollen, ohne zuvor Beschluss erfolgreich angegriffen zu haben (BGHZ 106, 54, 66 f.; ähnlich OLG Celle NJW 1990, 582, 583). Frage erledigt sich nach hier vertretener Ansicht, weil schon gerichtl. verfolgbarer Anspruch des AR nicht besteht (→ Rn. 19). 20

b) Aus eigenem Recht. aa) Grundsatz. Zu unterscheiden ist, ob AR-Mitglied Recht des AR als eigenes Recht geltend machen will (also nicht in Prozessstandschaft) oder ob er sein Individualrecht auf Berichterstattung verfolgt (→ Rn. 22 f.). Der erste Weg ist von vornherein nicht gangbar, weil Kläger das – angebliche (→ Rn. 19) – Recht des AR als eigenes verfolgen will; ihm fehlt nach Rspr. die Prozessführungsbefugnis, **Klage ist** danach **unzulässig** (BGHZ 106, 54, 62 ff. = NJW 1989, 979; ebenso als Vorinstanz OLG Frankfurt AG 1988, 109; ferner OLG Celle NJW 1990, 582; LG Köln AG 1976, 329; sa BeckOGK/Fleischer Rn. 76; Stodolkowitz ZHR 154 [1990], 1, 18 ff.). Richtig ist jedenfalls, dass nicht erfolgreich geklagt werden kann. Zu erwägen ist allerdings Abweisung mangels Aktivlegitimation, also als unbegründet, weil Kläger zu Unrecht geltend macht, ihm stehe Recht des AR als sein eigenes Recht zu (Bork ZGR 1989, 1, 37 f.; sa LG Darmstadt AG 1987, 218); insoweit hängt alles von Auslegung der konkreten Klageanträge ab. 21

bb) Ausnahmen. Andere Beurteilung als in → Rn. 21 ist angezeigt, soweit Ges. einzelnen AR-Mitgliedern auf Information gerichtete **Individualansprüche** gewährt. Das ist der Fall in § 90 III 2 (→ Rn. 12) und § 90 V (→ Rn. 14). Einzelnes AR-Mitglied, dem **Anforderungsbericht** verweigert wird, kann auf Erstattung des Berichts an Gesamt-AR klagen (allgM, vgl. zB BGHZ 106, 54, 62 = NJW 1989, 979; Säcker NJW 1979, 1521). **Klagegegner** sind entgegen älterer Auffassung nicht Vorstandsmitglieder als notwendige Streitgenossen (so etwa noch LG Bonn AG 1987, 24), sondern ist nach heute ganz hM in Verallgemeinerung von BGHZ 85, 293, 295 (= NJW 1983, 991) AG, vertreten durch Vorstand (GK-AktG/Kort Rn. 198; KK-AktG/Cahn Rn. 66; MüKoAktG/Spindler Rn. 64; aA Harnos FS Seibert, 2019, 309, 317 ff.: Klage des AR-Mitglieds gegen Vorstand). 22

Bei **Streitigkeiten um Kenntnisnahme oder Aushändigung** (§ 90 V) ist ebenfalls **Klagbarkeit** allg. anerkannt (vgl. zB BGHZ 106, 54, 62 = NJW 1989, 979; MüKoAktG/Spindler Rn. 64). Auch insoweit ist jedoch Passivlegitimation fraglich. Früher wurde sie beim Vorsitzenden des AR gesehen (H. Westermann FS Bötticher, 1969, 369, 380 f.). Nach heute hM ist jedoch **AG richtige Beklagte** (BGHZ 85, 293, 295 = NJW 1983, 991; KK-AktG/Cahn Rn. 66; Stodolkowitz ZHR 154 [1990], 1, 15 f.; aA Harnos FS Seibert, 2019, 309, 317 ff.: Klage gegen AR/Vorsitzenden). Dem ist beizutreten. Auf dieser Basis bleibt jedoch fraglich, ob **Vertretung** nach § 78 beim Vorstand oder nach § 112 beim AR liegt (für das Erste BGHZ 83, 293, 295, für das Zweite Hommelhoff ZHR 143 [1979], 288, 314 f.; Stodolkowitz ZHR 154 [1990], 1, 15 f.). In der Sache richtig ist Vertretung durch Vorstand. Gegenargument, Vorstand sei nicht der berufene Repräsentant der AR-Mehrheit, geht fehl, weil es eben nicht um Organstreit, sondern um Klage gegen AG geht (zust. GK-AktG/Kort Rn. 200). 23

24 **4. Sonstige Organstreitigkeiten?** Organstreitigkeit wird nicht nur für Berichtspflichten des § 90, sondern auch in anderen Konstellationen diskutiert (Überblick über Meinungsstand bei Grobe, Inter- und Intraorganklagen, 2020, 308 ff., 340 ff.; sa Harnos, Gerichtliche Kontrolldichte, 2021, 46 ff.; insges. zurückhaltend Stodolkowitz ZHR 154 [1990], 1; strikt abl. Mertens ZHR 154 [1990], 24). **Beispiele:** behauptete Ansprüche auf Unterlassung rechtswidrigen Organverhaltens (dazu bes. Raiser ZGR 1989, 44, 56 ff.); Ausführung von HV-Beschlüssen (§ 83; → § 86 Rn. 6), für Zustimmungsvorbehalte des AR (§ 111 IV); Anfechtungs- und Nichtigkeitsklagen gem. § 245 S. 1 Nr. 4 und 5, § 249 I, § 250 III, § 251 II. Zuletzt genannte Klagengruppe beruht auf Sonderregelung, ist daher schon nach ihrer Zwecksetzung nicht verallgemeinerungsfähig und auszugrenzen (→ Rn. 16).

25 IÜ ist Verallgemeinerung der zu § 90 entwickelten Grundsätze schon deshalb problematisch, weil dort über Klagerecht der AG den Belangen der Gegenauffassung weithin Rechnung getragen wird (→ Rn. 15, 19), so dass sich Argumentationsmuster nicht ohne weiteres übertragen lassen. Richtig bleibt aber in → Rn. 19 dargelegte Grundposition, dass Interorganstreit eine **Übertragung öffentl.-rechtl. Vorstellungen** in das Aktienrecht darstellt, die hier systematischer Fremdkörper ist. Ausbau der Figur des Organstreits, die dazu führt, dass Organe sich gegenseitig über gerichtl. Intervention zu rechtmäßigem Verhalten anhalten können, ist mit aktienrechtl. Kompetenzordnung nicht zu vereinbaren und in der Sache kaum wünschenswert (sa Grigoleit/Grigoleit/Tomasic Rn. 33; KK-AktG/ Cahn Vor § 76 Rn. 3 ff.). Damit ist Rechtsfortbildung in Einzelkonstellationen im Licht des jeweiligen Normenbestandes nicht gänzlich ausgeschlossen (vgl. etwa → § 107 Rn. 11 zu Kompetenzüberschreitung des AR-Vorsitzenden), sollte aber eng begrenzter Ausnahmefall bleiben und wird sich idR als entbehrlich erweisen (gänzlich abl. KK-AktG/ Cahn Vor § 76 Rn. 3 ff.; MüKoAktG/Spindler Vor § 76 Rn. 65 ff.; Flume Jur. Person § 11 V; offenlassend BeckOGK/Fleischer Rn. 77; deutlicher sympathisierend aber Fleischer BB 2013, 835, 843). Namentl. für **Kompetenzschutzklage** hat sich zwar zugunsten der HV, die nicht über alternative Rechtsschutzmöglichkeiten verfügt, entspr. Fortbildungsbedürfnis gezeigt (→ § 119 Rn. 16 ff.). AR stehen dagegen andere Instrumentarien zur Verfügung, so dass es einer Übertragung hier idR nicht bedarf (so auch Grigoleit/Grigoleit/Tomasic Rn. 35; aA für § 111 IV MüKo-AktG/Habersack § 111 Rn. 112; sa noch → § 111 Rn. 72).

Organisation; Buchführung

91 (1) **Der Vorstand hat dafür zu sorgen, daß die erforderlichen Handelsbücher geführt werden.**

(2) **Der Vorstand hat geeignete Maßnahmen zu treffen, insbesondere ein Überwachungssystem einzurichten, damit den Fortbestand der Gesellschaft gefährdende Entwicklungen früh erkannt werden.**

(3) **Der Vorstand einer börsennotierten Gesellschaft hat darüber hinaus ein im Hinblick auf den Umfang der Geschäftstätigkeit und die Risikolage des Unternehmens angemessenes und wirksames internes Kontrollsystem und Risikomanagementsystem einzurichten.**

Übersicht

I. Regelungsgegenstand und -zweck

Norm konkretisiert Einzelaspekte der allg. Leitungsverantwortung nach § 76 I; es geht also um Gesamtverantwortung des Vorstands, nicht um individuelle Verantwortlichkeit seiner Mitglieder. Während § 91 I herkömmliche **Buchführungspflicht** betr., verpflichtet durch KonTraG 1998 neu eingeführter § 91 II zur Gewährleistung eines Organisationsstandards, der Früherkennung bestandsgefährdender Entwicklungen erlaubt; insoweit lässt sich abkürzend von **Bestandssicherungspflicht** sprechen. Dabei ist § 91 II im Zusammenhang mit § 317 IV HGB zu lesen, der erforderliche Maßnahmen bei Gesellschaften mit amtlicher Börsennotierung in Abschlussprüfung einbezieht. § 91 III wurde neu eingeführt durch das FISG 2021 und unterstreicht Pflicht zur Einführung eines internen Kontroll- und Risikomanagementsystems. 1

II. Buchführungsverantwortung (§ 91 I)

Von § 91 I vorausgesetzte Buchführungspflicht ist nicht Pflicht des Vorstands, sondern der AG; das folgt aus § 238 I HGB iVm § 3 I, § 6 HGB. Sie bezweckt **Gläubigerschutz durch Selbstkontrolle** sowie Dokumentation der Geschäftsvorfälle und hat öffentl.-rechtl. Charakter (MüKoAktG/Spindler Rn. 4). Bedeutung des § 91 I liegt darin, **Gesamtverantwortung** (→ § 77 Rn. 15 ff.) des Vorstands für Erfüllung der Verpflichtung klarzustellen. Vorstand trägt also im Außenverhältnis die Buchführungsverantwortung für die AG und ist ihr zugleich im Innenverhältnis organschaftlich verpflichtet, die erforderlichen Maßnahmen zu ergreifen. Neben handelsrechtl. bestehen auch steuerrechtl. Buchführungspflichten gem. §§ 140 ff. AO, die von § 91 I aber nicht erfasst sind. 2

Gesamtverantwortung heißt, dass alle Mitglieder des Vorstands verantwortlich sind, auch stellvertretende (§ 94). Bei **ressortmäßiger Aufgabenverteilung** bleibt Verantwortung der danach nicht zuständigen Vorstandsmitglieder als Überwachungsaufgabe erhalten (RG HRR 1941 Nr. 132; BeckOGK/Fleischer Rn. 38; Hopt/Merkt HGB § 238 Rn. 9). Sie müssen also darauf achten, dass zuständige Vorstandsmitglieder der Buchführungspflicht nachkommen, Bedenken im Gesamtvorstand vortragen, notfalls AR Bericht erstatten. Verantwortung kann nicht delegiert werden, nur technische Durchführung, sei es auf eigenes, sei es auf fremdes Personal und fremde Einrichtungen (Rechenzentrum). Aus Verantwortung folgt dann Organisations- und Überwachungspflicht. **Umfang der Buchführung:** Sie umfasst auch Unterzeichnung des Jahresabschlusses (§ 245 3

S. 1 HGB) durch sämtliche, auch stellvertretende (§ 94), Vorstandsmitglieder (allgM, s. BeckOGK/Fleischer Rn. 11), ferner Erfüllung der Aufbewahrungspflichten nach §§ 257 ff. HGB. Für schadensträchtige Buchungsverstöße haften Verantwortliche ggü. AG nach § 93 II. Für Gläubiger ist § 91 hingegen **kein Schutzgesetz** iSd § 823 II BGB, da anderenfalls selbst leichte Fahrlässigkeit Ersatzpflicht auslösen könnte, was zu systematischen Widersprüchen, etwa im Verhältnis zu §§ 97, 98 WpHG, führen würde (so iErg auch BGH WM 1964, 1163; OLG Düsseldorf AG 2011, 31, 32; 2011, 706 Rn. 79; GK-AktG/Kort Rn. 186 f.; sa BeckOGK/Fleischer Rn. 26 ff., wenngleich mit deutlichen Sympathien de lege ferenda für Gegenauffassung). Gläubiger können also aus Verstößen keine Schadensersatzansprüche ableiten, sofern nicht Voraussetzungen des § 311 III oder des § 826 BGB erfüllt sind. Strafrechtl. Verantwortlichkeit kann sich aus §§ 283a, 283b StGB ergeben (S/L/Sailer-Coceani Rn. 19), doch kommt auch ihnen kein Schutzgesetzcharakter zu. Das ist zwar str., vom BGH aber jedenfalls für § 283b I Nr. 3 lit. a StGB bestätigt (BGH NZG 2019, 437 Rn. 25 ff. mwN; wie hier etwa auch GK-AktG/Kort Rn. 188; für eine Verallgemeinerung auf sonstige Buchführungspflichten Schlosser/Stephan-Wimmer GmbHR 2019, 449 ff.).

III. Bestandssicherungsverantwortung (§ 91 II)

4 **1. Zweck und Rechtsnatur.** Durch KonTraG 1998 geschaffene Vorschrift des § 91 II soll Leitungsverantwortung des Vorstands verdeutlichen (→ Rn. 1), soweit es um **bestandsgefährdende Entwicklungen** geht; zugleich soll erweiterter Prüfung nach § 317 IV HGB (dazu IdW PS 340) bei börsennotierten Gesellschaften (§ 3 II) der Prüfungsgegenstand unterlegt werden (RegBegr. BT-Drs. 13/9712, 15). Dem ersten Zweck dient Vorgabe eines Organisationsziels, das § 91 II als Früherkennung bestandsgefährdender Entwicklungen umschreibt. Den zweiten Zweck verfolgt § 91 II, indem Vorstand zu geeigneten Maßnahmen verpflichtet wird, insbes. zur Einrichtung eines Überwachungssystems. Sonderregelung für KI und Versicherungsunternehmen: § 25a KWG, Art. 435 CRR, §§ 23, 26 VAG (→ § 76 Rn. 178 ff.). Pflicht zur Gewährleistung eines Organisationsstandards, der der Verantwortung des Vorstands für Fortbestand der Gesellschaft entspr., stimmt mit Buchführungsverantwortung nach § 91 I nur insofern überein, als es hier wie dort um organschaftliche Pflicht des Innenverhältnisses geht, die von allen Mitgliedern des Vorstands gesamtverantwortlich wahrzunehmen ist (LG Berlin AG 2002, 682; Preußner/Zimmermann AG 2002, 657, 661). Dabei unterliegt Vorstand der Überwachung durch AR (dazu Kropff NZG 2003, 346 ff.). Dagegen gibt es keine Pflicht der AG zur Sicherung ihres eigenen Bestandes, der ihrer Buchführungspflicht im Außenverhältnis entspräche.

5 **2. Würdigung.** Regelung des § 91 II, die schon im Vorfeld auf Kritik gestoßen ist (DAV-HRA ZIP 1997, 163, 165 f.), erscheint noch weniger gelungen als § 90 I Nr. 1 (§ 90 Rn. 4 ff.). Das bezieht sich namentl. auf Vorgabe eines Überwachungssystems. Norm ist insoweit schon in sich **unschlüssig,** weil Überwachungssystem als Gegenstand erweiterter Prüfung allenfalls bei börsennotierten Gesellschaften (§ 317 IV HGB) einsichtig, aber für alle Gesellschaften vorgeschrieben worden ist (zust. Merkt AG 2003, 126, 131). Weitergehend ist im Wortlaut des § 91 II unklar geblieben, ob sich Überwachung auf Maßnahmen und ihre Eignung oder auf bestandsgefährdende Entwicklungen beziehen soll (→ Rn. 10 ff.). Schließlich begründet § 91 II Gefahr organisatorischen Leerlaufs, indem Maßnahmen ergriffen werden, deren es nach der unternehmensspezifischen Risikolage nicht bedarf (→ Rn. 10 ff.). Diesen Problemen ist durch konkretisierende Auslegung Rechnung zu tragen.

3. Konkretisierung der Organisationsanforderungen. a) Erste Stufe: Geeignete Maßnahmen zur Früherkennung. § 91 II verpflichtet Vorstand auf einer ersten Stufe, Früherkennung bestandsgefährdender Entwicklungen durch geeignete Maßnahmen zu gewährleisten. Über inhaltliche Ausfüllung des Begriffs wird seit langem gestritten, doch müssen daraus bisher gezogene Erkenntnisgewinne im Lichte des neu eingeführten § 91 III neu überdacht werden. Insbes. gilt es nunmehr, verschiedene Unternehmenskontrollsysteme klarer voneinander abzuschichten. Zuordnung bestimmter Unternehmensfunktionen zu den verschiedenen Systemausprägungen (zB internes Kontrollsystem, Compliance-System etc.) konnte bislang in Unternehmenspraxis recht freihändig erfolgen, doch ergibt sich mit zunehmender rechtl. Verfestigung Bedürfnis trennschärferer Abgrenzung. 6

Als weiterhin gesichert kann aus bisheriger Diskussion zu § 91 II übernommen werden, dass als **Entwicklungen** iS dieser Vorschrift nicht Risikozustände zu verstehen sind, sondern ihre unternehmensspezifische nachteilige Veränderung (Blasche CCZ 2009, 62, 63; J. Hüffer FS Imhoff, 1998, 91, 98 f.; Seibert FS Bezzenberger, 2000, 427, 437); Bsp. nach RegBegr. BT-Drs. 13/9712, 15: Aufnahme risikobehafteter Geschäfte, wobei gesteigertes Geschäftsrisiko gemeint ist (Derivatehandel; Termingeschäfte), Verstöße gegen Vorschriften der Rechnungslegung oder gegen sonstige ges. Vorschriften. Mit **Bestandsgefährdung** ist nach RegBegr. BT-Drs. 13/9712, 15 gemeint, dass sich nachteilige Veränderungen auf Vermögens-, Ertrags- oder Finanzlage der AG wesentlich auswirken können. HM orientiert sich dabei an insolvenzrechtl. Vorgaben und nimmt Bestandsgefährdung an, wenn Insolvenzrisiko erheblich gesteigert oder hervorgerufen wird (BeckOGK/Fleischer Rn. 33; GK-AktG/Kort Rn. 36; KK-AktG/Cahn Rn. 26). Das ist wegen abw. teleologischer Ausrichtung nicht unbedenklich, erweist sich aber doch im Großen und Ganzen zumindest als brauchbare Orientierung. 7

Gleichstellung von AG und Konzern (RegBegr. BT-Drs. 13/9712, 15) dürfte so zu verstehen sein, dass es bei Mutterunternehmen (§ 290 HGB) auf Veränderungen ankommt, die unter der Fiktion eines einheitlichen Unternehmens (§ 297 III 1 HGB) Bedeutung erlangen können (sa MüKoAktG/Spindler Rn. 96: allenfalls). Bloße Bestandsgefährdung auf Seiten der Tochter genügt dagegen nicht (heute ganz hM – vgl. statt vieler MüKoAktG/Spindler Rn. 96). Auch mit dieser Einschränkung bleibt allerdings unklar, wie Organisationspflichten im faktischen Konzern oder bei bloßer Abhängigkeit erfüllt werden sollen. Von manchen befürwortetes konzernbezogenes Früherkennungssystem (etwa Hommelhoff/Mattheus BfuP 2000, 217, 222 ff.) hat keine ges. Basis (GK-AktG/Kort Rn. 41; Spindler FS Hüffer, 2010, 985, 994 f.; bedenklich deshalb LG Stuttgart NZG 2018, 665 Rn. 211 ff.; s. zu dem Gedanken einer Konzern-Compliance → § 76 Rn. 50 ff.). Zu beachten ist deshalb in RegBegr. BT-Drs. 13/9712, 15 formulierte Einschränkung, wonach Einwirkung nur „im Rahmen der bestehenden gesellschaftsrechtlichen Möglichkeiten" verlangt werden kann. Diese Einschränkung sollte auch nicht durch diffuse „Bemühenspflicht" ausgehöhlt werden (so aber LG Stuttgart NZG 2018, 665 Rn. 215 im Anschluss an S/L/Sailer-Coceani Rn. 10). 8

Vorstand muss Maßnahmen treffen, die zur **Früherkennung** der umschriebenen Entwicklungen (→ Rn. 6 ff.) geeignet sind (Baums ZGR 2011, 218, 262 ff.). Entwicklungen werden erkannt, wenn sie Vorstand bekannt werden. Frühzeitig geschieht das, wenn nachteiliger Entwicklung noch so rechtzeitig entgegengewirkt werden kann, dass sie keine bestandsgefährdenden Ausmaße annimmt (RegBegr. BT-Drs. 13/9712, 15). Ist dagegen bestandsgefährdende Entwicklung schon eingetreten und geht es allein darum, bereits eingetretene Schäden einzudämmen, Verantwortlichkeiten aufzudecken und zu ahnden und etwaige 9

Compliance-Defizite zu korrigieren, sind dazu getroffene Maßnahmen nicht an § 91 II, sondern an § 93 I zu messen (fragwürdig daher LG Stuttgart NZG 2018, 665 Rn. 211 ff.; krit. deshalb auch Kort NZG 2018, 641, 645 f.). **Eignung der Maßnahmen** ist zu bejahen, wenn nach der Erfahrung erwartet werden darf, dass Vorstand erforderliche Informationen rechtzeitig erhält. Darüber entscheidet er iR seines Leitungsermessens (ebenso Huth BB 2007, 2167; Spindler FS Hüffer, 2010, 985, 993 f.) unter Berücksichtigung der in Frage stehenden nachteiligen Entwicklungen und der Eigenheiten des konkreten Unternehmens (RegBegr. BT-Drs. 13/9712, 15: Größe, Branche, Struktur, Kapitalmarktzugang).

10 **b) Zweite Stufe: Überwachungssystem.** Was unter dem in § 91 II „insbesondere" vorgeschriebenen Überwachungssystem zu verstehen ist, wurde jedenfalls nach bis 2021 geltender Rechtslage nicht einheitlich beurteilt. Teile der **Betriebswirtschaftslehre** und der Prüfungspraxis verstanden darunter mehr oder minder allg. **Risk Management** (vgl. etwa Berg AG 2007, 271; Lück DB 1998, 8 f.; Preußner/Becker NZG 2002, 846, 848 ff.). Auch dieser Begriff war allerdings noch nicht hinreichend trennscharf konturiert. Soweit sich solche Überlegungen verdichtet haben, gingen sie von umfassendem Risikobegriff aus (Gefahr von Verlusten iRd Geschäftstätigkeit, s. zB Kromschröder/Lück DB 1998, 1573), der über Risikoinventur zu einer Kontrolle führt, die Geschäftstätigkeit und ihr externes Umfeld im Großen und Ganzen vollständig umfasst (Darstellungen zB bei AK Externe und Interne Überwachung der Unternehmen [AKEIÜ] DB 2010, 1245, 1246 ff.; Brebeck/Herrmann WPg 1997, 381, 387 ff.). Nach der schon bislang **im jur. Schrifttum ganz hM** ist § 91 II nicht in dieser Weite zu verstehen, sondern Vorstand ist danach lediglich verpflichtet, **Früherkennungssystem** zu etablieren, das bestandsgefährdende Entwicklungen frühzeitig erkennt; zu Einzelheiten → Rn. 12 ff. (BeckOGK/Fleischer Rn. 34 f.; GK-AktG/Kort Rn. 55 ff.; S/L/Sailer-Coceani Rn. 14; Baums ZGR 2011, 218, 272 f.; Dreher FS Hüffer, 2010, 161, 162 ff.; Seibert FS Bezzenberger, 2000, 427, 437 f.; relativierend wegen europarechtl. Vorgaben MüKoAktG/Spindler Rn. 22 ff.; Spindler FS Hüffer, 2010, 985, 988 ff.; aA NK-AktR/Oltmanns Rn. 8; Berenbrok, Risikomanagement im Aktienrecht, 2016, 173 ff.). Zu ebenfalls begegnenden Ansätzen, Pflicht zu umfassender **Corporate Compliance** aus § 91 II herzuleiten → § 76 Rn. 19 ff.

11 Engeres Verständnis der jur. hLit war schon nach bisheriger Rechtslage vorzugswürdig und hat spätestens **mit Einführung des FISG 2021 eindeutige Bestätigung** erhalten. Gegenauffassung war nach bisheriger Rechtslage zwar zuzugeben, dass sich dieses enge Verständnis nicht schon aus Wortlaut des § 91 II selbst ergab. Es war aber bereits in ursprünglich als § 93 I 3 vorgesehener Textfassung des RefE (Abdruck zB: AG 1997, August-Sonderheft S. 7) angelegt, die mit geltender Fassung nur sprachlich abgekürzt werden sollte (eingehende Darstellung des Gesetzgebungsprozesses bei Seibert FS Bezzenberger, 2000, 427 ff.). Eine andere Deutung wurde zT aus Neufassung der § 289 IV HGB, § 107 III 2 AktG abgeleitet (MüKoAktG/Spindler Rn. 22 ff.; Spindler FS Hüffer, 2010, 985, 988 ff.), die zwar den Begriff des Risikomanagements verwenden, diese Terminologie aber in RegBegr. dahingehend erläutern, dass kapitalmarktorientierten Gesellschaften damit keineswegs vorgeschrieben wird, umfassendes Risikomanagementsystem einzurichten (so RegBegr. BT-Drs. 16/10067, 76 [zu § 289 HGB] und 102 [zu § 107 AktG]; sa BeckOGK/Fleischer Rn. 35). Endgültig geklärt dürfte Streit mit FISG 2021 sein. Wenn in § 91 III ausdr. und in offenkundigem sprachlichen Gleichlauf mit § 289 IV HGB Einführung eines Risikomanagementsystems ausschließlich für börsennotierte Unternehmen verlangt wird, liegt es auf der Hand, dass sich diese Pflicht nicht schon aus § 91 II ergibt. Noch deutlicher lässt sich Festlegung iSd hM aus Gesetzesmaterialien ablesen, wo

Bedürfnis für Einführung des neuen § 91 III gerade damit begründet wird, dass sich aus § 289 IV HGB oder aus sonstigen Vorschriften eine solche Pflicht noch nicht ergebe (RegBegr. BT-Drs. 19/26966, 114). An anderer Stelle wird ausdr. auf hier vertretene hM Bezug genommen (RegBegr. BT-Drs. 19/26966, 115).

Dieses nach nat. Auslegungsregeln heute eindeutige Ergebnis muss auch nicht im Lichte **europ. Vorgaben** korrigiert werden. Zur bisherigen Rechtslage wurde vereinzelt aus europ. Vorgaben (namentl. Abschlussprüfer-RL 2006 [in der Neufassung der Abschlussprüfer-RL 2014] und Bilanz-RL) Erfordernis eines Risikomanagementsystems abgeleitet (vgl. insbes. Spindler FS Hüffer, 2010, 985, 988 ff.). Tats. erweisen sich diese Rechtsakte allerdings nicht als hinreichend aussagekräftig, sondern erlauben allenfalls mittelbare Rückschlüsse, die klaren Gestaltungswillen des nat. Gesetzgebers, der durch FISG-Gesetzgeber in Kenntnis der Diskussion abermals bekräftigt wurde (→ Rn. 11), nicht verdrängen können (zu ähnlich gelagertem Problem iRd § 161 → § 161 Rn. 1 aE). Aufsichtsrechtl. Sonderregelung für KI in **Art. 435 CRR** kann für Aktienbanken auch als Konkretisierung des § 91 II herangezogen werden (LG Berlin AG 2002, 682, 683 f.). Entspr. gilt für **§ 23 VAG,** soweit es um Versicherungsunternehmen geht. Der Annahme einer Ausstrahlungswirkung auf jede AG ohne Rücksicht auf Gegenstand und sonstige Verhältnisse des Unternehmens ist spätestens seit FISG 2021 aber Grundlage entzogen (so schon bislang auch OLG Celle WM 2008, 1745, 1746; BeckOGK/Fleischer Rn. 43; S/L/Sailer-Coceani Rn. 15; Blasche CCZ 2009, 62, 64; Bürkle WM 2005, 1496, 1497 f.; Hüffer NZG 2007, 47, 49; aA VG Frankfurt WM 2004, 2157, 2160; Preußner NZG 2004, 57, 59 für § 93 I 1; Preußner NZG 2004, 303, 305; Preußner/Zimmermann AG 2002, 657, 659 f.). Ähnliches gilt für Organisationspflichten zur Wahrung der **Corporate Compliance:** Aufsichtsrechtl. Sonderregeln sind nicht zu verallgemeinern; entscheidend sind konkrete Unternehmensverhältnisse (→ § 76 Rn. 19 ff.). 12

Gegenstand des Überwachungssystems sind nach diesem Verständnis nicht risikoträchtige Entwicklungen (erst recht nicht: Risikozustände), sondern Einhaltung der eingeleiteten Maßnahmen (→ Rn. 6 ff.). Gemeint ist also unternehmensinterne Kontrolle, ob Veranlasstes auch geschieht, namentl., ob **Innenrevision und Controlling** (dazu Dreher FS Hüffer, 2010, 161, 173 ff.) von ihnen gewonnene Kenntnisse zeitnah dem Vorstand weiter vermitteln (enger J. Hüffer FS Imhoff, 1998, 91, 103). Ob es dieser Hervorhebung überhaupt bedurft hätte, kann man bezweifeln (s. DAV-HRA ZIP 1997, 163, 166 Rn. 31). Jedenfalls hat sie einfache Organisationsanforderung zum Inhalt, der durch Begründung unmissverständlicher Zuständigkeiten, engmaschiges Berichtswesen und Dokumentation Rechnung getragen werden kann. Fehlt Dokumentation ganz, so ist Entlastung des Vorstands anfechtbar (→ § 120 Rn. 12; LG München I AG 2007, 417, 418; Huth BB 2007, 2167, 2170; aA Theusinger/Liese NZG 2008, 289, 290). Weitergehende Entscheidung, umfassendes Risk Management im betriebswirtschaftlichen Sinne einzuführen oder davon abzusehen, steht außerhalb des Anwendungsbereichs von § 91 III (→ Rn. 15 ff.) allein im Leitungsermessen des Vorstands. Wird es eingeführt, kommt er damit idR auch seiner Verpflichtung aus § 91 II nach, so dass sich gesonderte Einrichtung eines hier geregelten Überwachungssystems erübrigt (RegBegr. BT-Drs. 19/26966, 115). 13

Bes. Ausprägung bestandsgefährdender Entwicklung liegt in **Insolvenzgefahr,** die sich abschließend mit Pflicht zum Insolvenzantrag nach § 15a InsO realisiert, wenn Zahlungsunfähigkeit iSd § 17 InsO oder Überschuldung iSd § 19 InsO eingetreten ist (→ § 92 Rn. 34 ff.). Hier zu treffende Maßnahmen der Früherkennung der Gefahrenabwehr haben mittlerweile aber eigenständige ges. Konkretisierung in **StaRUG 2020** erfahren, das sowohl Pflichtenkanon der unternehmerischen Entscheidungsträger ausbuchstabiert als auch Instrumente zur Krisenbewältigung zur Verfügung stellt. Diese ges. Vorgaben können zugleich als inhaltliche 14

Ausfüllung des § 91 II herangezogen werden (ausf. → § 92 Rn. 12 ff.; krit. zur fehlenden Abstimmung Hopt/Kumpan AG 2021, 129 Rn. 11).

IV. Internes Kontroll- und Risikomanagementsystem (§ 91 III)

15 **1. Allgemeines.** § 91 III wurde in der Aufarbeitung des Wirecard-Skandals neu eingeführt durch FISG 2021. Im RefE war noch Verortung in neu einzuführendem § 93 Ia vorgesehen, doch hat Gesetzgeber davon zu Recht Abstand genommen, um zum Ausdruck zu bringen, dass sich Pflicht nicht an einzelne Vorstandsmitglieder richtet, sondern an **Vorstand als Organ** (RegBegr. BT-Drs. 19/26966, 114). In Gesetzesmaterialien wird klargestellt, dass solche Pflicht bislang noch nicht explizit im AktG enthalten war (→ Rn. 10 ff.), dass aber allg. Organisationspflichten der Vorstandsmitglieder aus § 93 I 1 Einrichtung solcher Systeme insbes. bei kapitalmarktorientierter AG idR schon bislang verlangten (RegBegr. BT-Drs. 19/26966, 115 unter Verweis auch auf GS 4 DCGK aF). Entscheidung über Einrichtung lag aber im Leitungsermessen des Vorstands (RegBegr. BT-Drs. 19/26966, 115). Dabei bleibt es auch für nichtbörsennotierte AG, während dieses Ermessen für **börsennotierte AG** iSd § 3 II (→ § 3 Rn. 5 f.) insoweit eingeschränkt wird, dass hier im Hinblick auf Umfang der Geschäftstätigkeit und Risikolage der AG angemessene und wirksame interne Kontroll- und Risikomanagementsysteme verpflichtend werden sollen; einzig Frage der konkreten Ausgestaltung steht weiterhin im Leitungsermessen des Vorstands (RegBegr. BT-Drs. 19/26966, 115). Vorstand hat also weiterhin Handlungsspielraum, der jedoch durch Mindestvoraussetzung systematischer Einrichtung beschränkt wird (Fischer/Schuck NZG 2021, 534, 539; Fleischer AG 2022, 379 Rn. 25).

16 An solche gesetzgeberischen Klarstellungen schließt sich stets – sowohl für Einrichtungs- als auch für Gestaltungsermessen – Frage an, ob es sich bei diesem Ermessen um ein solches iSd **§ 93 I 2** handelt oder damit eng verwandte Pflichtaufgabe mit Ermessensspielraum (→ § 93 Rn. 29) vorliegt. Abgrenzung fällt hier schwer, da in § 91 III zwar ges. Vorgabe enthalten ist, aber weder nennenswerte tatbestandl. Konkretisierung noch anderweitige teleologische Interessenbindung jenseits des Unternehmensinteresses Ermessensausübung ges. determiniert (vgl. zu diesen Maßstäben → § 93 Rn. 29). Deshalb sprechen bessere Gründe für Geltung des § 93 I 2 (so auch Fischer/Schuck NZG 2021, 534, 539). Gerade bes. Vagheit ges. Vorgaben (→ Rn. 17 ff.) legt es nahe, gerichtl. Kontrolldichte großzügig zu handhaben.

17 **2. Internes Kontrollsystem. a) Allgemeine Grundsätze und Begrifflichkeit. Begriffe** des internen Kontroll- und des Risikomanagementsystems sind der Betriebswirtschaftslehre entlehnt, weshalb zur begriffl. Ausfüllung verbreitet auf dort entwickelte Definitionen oder Standards von Prüfungsverbänden zurückgegriffen wird. Weitgehende Anlehnung der Gesetzesfassung an betriebswirtschaftliche Begrifflichkeit darf aber nicht darüber hinwegtäuschen, dass auch an dieser Stelle **gesetzliche Rechtsbegriffe** formuliert werden, die allein von Gerichten, nicht etwa von IDW-Prüfungsstandards auszufüllen sind (KBFW/Bachmann DCGK GS 4 Rn. 8; Dreher/Hoffmann ZGR 2016, 445, 454 ff.; Fleischer AG 2022, 379 Rn. 30). Umsetzung der Prüfungsstandards bedeutet daher noch nicht, dass Vorstand seine Sorgfaltspflichten erfüllt hat (vgl. Fischer/Schuck NZG 2021 534, 540; Fleischer AG 2022, 379 Rn. 31), doch können sie unter dem Aspekt sachkundiger Expertenanleitung doch zumindest hinreichende Informationsgrundlage iSd § 93 I 2 begründen (→ Rn. 43, 46) und werden oftmals Verschuldensvorwurf ausräumen (→ § 93 Rn. 80 ff.; Fleischer AG 2022, 379 Rn. 31, 33). Für das Zusammenspiel des Rechts mit sachverständiger Unterstützung

durch Prüfungspraxis und Betriebswirtschaftslehre kann auf die zur Unternehmensbewertung entwickelten und besser ausgeleuchteten Grundsätze verwiesen werden (→ § 305 Rn. 21; speziell im Kontext der hier verwendeten Begriffe [allerdings noch zu § 107 III 2] vgl. Dreher/Hoffmann ZGR 2016, 445, 454 ff.).

Auch rechtl. Durchdringung ist mittlerweile aber fortgeschritten, weil beide Begriffe schon bislang im Ges. an verschiedenen Stellen verankert sind: § 289 IV HGB etwa sieht Beschreibung im Lagebericht vor; § 107 III 2 nennt beide Systeme als Gegenstand einer möglichen Prüfungsausschusszuständigkeit (→ § 107 Rn. 37), § 171 I 2 als Gegenstand der Abschlussprüfung (→ § 171 Rn. 15). Unterschied zwischen diesen Vorschriften liegt allerdings darin, dass § 107 III **keinen Bezug zum Rechnungslegungsprozess** enthält, der in § 289 IV HGB und § 171 I 2 ausdr. hervorgehoben wird (Dreher/Hoffmann ZGR 2016, 445, 471 f.). Auch in § 91 III fehlt dieser Bezug, ebenso in der durch Kodex-Reform 2022 neu eingefügten Empfehlung A.5 DCGK, die gezielt Umschreibung des gesamten internen Kontroll- und Risikomanagementsystems verlangt (mit überflüssiger Stellungnahme zur Angemessenheit durch Einrichtungsorgan Vorstand – vgl. dazu VGR AG 2022, 239 Rn. 25; Mock/Velte AG 2022, 885 Rn. 10; sa Backhaus NZG 2023, 253 ff., der deshalb vorschlägt, dass sich Stellungnahme auf Kontroll-, Überwachungs- und Förderungsmaßnahmen zur Angemessenheit und Wirksamkeit beziehen soll – mit allerdings im DCGK-Kontext stets unglücklicher „Pflicht"-Formulierung; noch weitergehend Kopp CCZ 2023, 125, 128 ff.). Darüber hinaus werden Systembegriffe auch in **sektorspezifischen Vorschriften,** namentl. in §§ 25a ff. KWG und §§ 26 ff. VAG, verwendet. Dazu entwickelte Ausdeutungen sind aber oft speziellen Anforderungen regulierter Branchen unterworfen und dürfen deshalb nicht unbesehen auf § 91 III übertragen werden (so auch Fischer/Schuck NZG 2021, 534, 539 f.). 18

Bisherige Deutungsversuche haben erste Konkretisierungen zutage gefördert, zugleich aber auch erkennen lassen, dass unterschiedliche Systembegriffe, die in Betriebswirtschaftslehre noch durch internes Revisions- und Compliance Management System ergänzt werden (→ Rn. 24 ff.), **nicht klar voneinander abzugrenzen** sind (ausf. Dreher/Hoffmann ZGR 2016, 445, 464 ff.; sa KBFW/Bachmann DCGK GS 4 Rn. 12; MüKoAktG/Habersack § 107 Rn. 168; Scheffler/Andreas/Lenz WPg 2019, 367, 375). Auch praktische Umsetzung neuer ges. Vorgaben muss deshalb nicht zwangsläufig in mehreren getrennten Systemen münden, sondern Systeme können ineinander verschränkt sein (Fischer/Schuck NZG 2021, 534, 538; zur Besonderheit des internen Revisionssystems als prozessunabhängige Prüfungs- und Beratungseinheit → Rn. 25). Oft wird solche Verbindung aufgrund funktionalen Zusammenhangs sogar zweckmäßig sein. 19

Da Begrifflichkeit oft eher deduktiv aus vorhandener betrieblicher Praxis abgeleitet wird und deshalb aufgrund der dort anzutreffenden Formenvielfalt zwangsläufig hinreichende Trennschärfe vermissen lässt (Dreher/Hoffmann ZGR 2016, 445, 465: „Assoziation Babylon"), haben Gesetzesverfasser **Definition** des internen Kontrollsystems zwar nicht in Ges., wohl aber in RegBegr. aufgenommen. Nach RegBegr. BT-Drs. 19/26966, 115 umfasst internes Kontrollsystem allg. Grundsätze, Verfahren und Maßnahmen zur Sicherung der Wirksamkeit und Wirtschaftlichkeit der Geschäftstätigkeit, zur Sicherung der Ordnungsmäßigkeit der Rechnungslegung und zur Sicherung der Einhaltung der maßgeblichen rechtl. Vorschriften (so auch bereits RegBegr. BilMoG BT-Drs. 16/10067, 77, die sich ohne ausdr. Bezugnahme in der Sache an IDW PS 261 Rn. 19 anlehnt; vgl. Dreher/Hoffmann ZGR 2016, 445, 471). Empfehlung **A.3 S. 1 DCGK** ergänzt, dass internes Kontrollsystem und Risikomanagementsystem, soweit nicht bereits ges. geboten (zB LkSG, CSR-Berichtspflichten), auch **nachhaltigkeitsbezogene Ziele** abdecken soll (speziell zum Klima-Risikomanagement vgl. auch Fleischer AG 2023, 833 Rn. 36 ff.). Das wird häufig mit herkömmlichem Bezug 20 zur Wirtschaftlichkeit Hand in Hand gehen, da aus Nachhaltigkeitsfaktoren oftmals gravierende wirtschaftl. und rechtl. Risiken erwachsen können, Finanzierung nicht nachhaltiger Geschäftsmodelle zunehmend schwierig ist und gesteigerte Regulierungsdichte auch Haftungsgefahren erhöht (Rothenburg ESG 2022, 2, 3 ff.). Zugleich wird in A.3 S. 2 DCGK (in eigentümlicher Doppelung zu A.1 S. 3 DCGK – vgl. Rothenburg ESG 2022, 2, 3) empfohlen, dass „dies" (wohl: Kontroll- und Risikomanagementsystem) auch Prozesse und Systeme zur Erfassung und Verarbeitung nachhaltigkeitsbezogener Daten mit einschließen soll (vgl. dazu auch Wellerdt ZIP 2022, 356, 358 f.). Das wird nicht immer sinnvoll sein, weil in vielen Unternehmen dafür gesonderte Systeme vorhanden sind, die nunmehr unnötig im internen Kontroll- und Risikomanagementsystem gespiegelt werden müssen (Rothenburg ESG 2022, 2, 5). Weitgehend konsentiertes Abgrenzungsmerkmal ggü. Risikomanagementsystem (→ Rn. 32 ff.) wird überwiegend darin gesehen, dass internes Kontroll- und Revisionssystem **keinen bes. Risikobezug** erfordert, sondern die gesamte Wirtschaftlichkeit, Ordnungsmäßigkeit und Rechtmäßigkeit der Unternehmenstätigkeit umfasst (zu Einzelheiten vgl. Dreher/Hoffmann ZGR 2016, 445, 465 ff.; Nonnenmacher/Wemmer/v. Werder DB 2016, 2826, 2830 ff.).

21 Von so umschriebenen Zielen zu unterscheiden sind **konkrete Mittel der Umsetzung.** Diese gehen weder aus Ges. noch aus RegBegr. hervor (vgl. Fischer/Schuck NZG 2021, 534, 539). Es gibt kein einheitliches, auf alle Gesellschaften übertragbares System. Gestaltung hängt von Komplexität, Größe und Betätigungsfeld des jew. Unternehmens ab (KBFW/Bachmann DCGK GS 4 Rn. 14). IdR beinhaltet internes Kontrollsystem Regeln zur Steuerung des Unternehmens (internes Steuerungssystem) sowie zur Überwachung ihrer Einhaltung (internes Überwachungssystem). **Internes Steuerungssystem** soll entspr. der Ziele Wirksamkeit und Effizienz der unternehmerischen Betätigung sicherstellen. Überwachung des internen Steuerungssystems erfolgt durch prozessintegrierte Maßnahmen sowie durch vom Prozess unabhängige Stellen, regelm. **interne Revision** (KBFW/Bachmann DCGK GS 4 Rn. 15, 20; unter Verweis auf IDW PS 261 Rn. 20; Fischer/Schuck NZG 2021, 534, 537; vgl. Nonnenmacher/Wemmer/v Werder DB 2016, 2826, 2830; zu internem Revisionssystem → Rn. 24 ff.).

22 Abgesehen von dieser groben Differenzierung lassen sich bestimmte **unternehmens- und branchenunabhängige Mindestanforderungen** ausmachen, die jedenfalls ihrer Funktion nach von internem Kontrollsystem erfasst sein sollten (vertiefend Dreher/Hoffmann ZGR 2016, 445, 473 ff.). Neben internem Revisionssystem→ Rn. 24 ff. und Compliance Management System → Rn. 28 ff. sollte internes Kontrollsystem jedenfalls ein Informationssystem sowie einen Kontrollrahmen enthalten. **Internes Informationssystem** enthält Berichts- und Dokumentationselemente. Wesentliche Informationen sollen gesammelt, gespeichert und an jew. zuständige Stellen weitergereicht werden. In vertikaler Berichtslinie ist dies in letzter Konsequenz der Vorstand. Daneben geht es um **Informationsaustausch** zwischen den einzelnen Bereichen. Ein taugliches Informationssystem ist schon deshalb erforderlich, weil BJR (§ 93 I 2 → § 93 Rn. 26 ff.) Handeln auf angemessener Informationsgrundlage verlangt (→ § 93 Rn. 42 ff.). Gleiches gilt aber selbstverständlich auch für gebundene Entscheidungen. **Interner Kontrollrahmen** enthält Regeln in Gestalt von Unternehmensleitlinien, die für alle Mitarbeiter oder nur für Teilbereiche des Unternehmens gelten. Zu weiteren Elementen wirksamer interner Kontrollsysteme s. KBFW/Bachmann DCGK GS 4 Rn. 16 ff., insbes. unter Bezugnahme auf IDW PS 982 Rn. 30.

23 Als mehrdeutig erweist sich vorangestelltes Adjektiv **intern,** weil nicht klar ist, ob sich das Adjektiv allein auf das Kontrollsystem oder auch auf das Risikomanagementsystem bezieht. Nach gängiger Lesart vergleichbarer Vorschriften

(→ Rn. 18 f.) soll die erste Lesart richtig sein (vgl. KBFW/Bachmann DCGK GS 4 Rn. 8 ff.). Risiken sollen selbstverständlich auch erfasst werden, wenn sie außerhalb des Unternehmens ihren Ursprung haben. Vorgaben der **Angemessenheit und Wirksamkeit** beziehen sich dagegen nach allg. Auffassung auf beide Systeme (→ Rn. 36 f.).

b) Erstreckung auf sonstige Corporate Governance-Elemente. aa) Interne Revision. Noch nicht abschließend geklärt ist die Frage, ob auch **sonstige herkömmliche Corporate Governance-Elemente** vom Begriff des internen Kontrollsystems erfasst sind. Dazu gehören insbes. das interne Revisionssystem und das Compliance Management System, die gemeinsam mit den beiden in § 91 III genannten Elementen die **vier Säulen der betriebswirtschaftlichen zentralen Kontrollsysteme** ausmachen (KBFW/Bachmann DCGK GS 4 Rn. 11). Bisheriges Schrifttum hat sich mit diesen Fragen vornehmlich im Kontext der § 107 III 2, § 171 I 2 und des GS 4 DCGK aF auseinandergesetzt. In all diesen Zusammenhängen wird jedenfalls das interne Revisionssystem überwiegend dem internen Kontrollsystem zugerechnet (vgl. etwa RegBegr. BilMoG BT-Drs. 16/10067, 102, 104; Begr. DCGK 2020, 6; KBFW/Bachmann DCGK GS 4 Rn. 11; Nonnenmacher/Wemmer/v. Werder DB 2016, 2826, 2830; ausf. Dreher/Hoffmann ZGR 2016, 445, 464 ff.). Das spricht dafür, diese Zuordnung auch iRd § 91 III aufrechtzuerhalten und die Einrichtung eines solchen Systems damit für börsennotierte AG ebenfalls zwingend vorzuschreiben, seine konkrete Ausgestaltung aber auch weiterhin dem Leitungs- und Organisationsermessen des Vorstands zu überlassen (so auch Fischer/Schuck NZG 2021, 534, 537; Fleischer AG 2022, 379 Rn. 24). 24

Internes Revisionssystem dient dazu, Geschäftsprozesse zu optimieren durch **obj. Prüfungs- und Beratungsleistungen** von Personen, die weder in den Arbeitsablauf integriert noch für das Ergebnis des überwachten Prozesses verantwortlich sind (KBFW/Bachmann DCGK GS 4 Rn. 11, 33; Dreher/Hoffmann ZGR 2016, 445, 473 ff.; Fischer/Schuck NZG 2021, 534, 537). Prozessunabhängigkeit ist entscheidendes Abgrenzungsmerkmal der internen Revision zu sonstigen unternehmensinternen Kontrollen (vgl. Hauschka/Moosmayer/Lösler/Obermayr Corporate-Compliance-Hdb. § 44 Rn. 65; Schneider, Risikomanagement auf Gruppenebene, 2009, 54). Prüfung und Beratung ist umfassend und betrifft neben Ordnungsmäßigkeit auch **Zweckmäßigkeit und Wirtschaftlichkeit** der gesamten unternehmerischen Betätigung (Dreher/Hoffmann ZGR 2016, 445, 474 f.; vgl. auch Dreher FS Hüffer, 2010, 161, 175 f.). Zu entspr. normierter Aufgabenstellung der internen Revision bei Versicherungsunternehmen vgl. § 30 I VAG. 25

Interne Revision erfasst auch **übrige Governance-Systeme** (Fischer/Schuck NZG 2021, 534, 537; Hauschka/Moosmayer/Lösler Corporate-Compliance-HdB/Obermayr § 44 Rn. 71, 73; KBFW/Bachmann DCGK GS 4 Rn. 33; Dreher FS Hüffer, 2010, 161, 175 f.). Regelm. überwacht interne Revision Risikomanagementsystem und gleicht dieses mit Risikostrategie des Vorstands ab (Dreher/Hoffmann ZGR 2016, 445, 475). Auf Grundlage der Überwachungsergebnisse macht interne Revision ggf. Verbesserungsvorschläge (Dreher FS Hüffer, 2010, 161, 175). Zu Compliance Management System (→ Rn. 28 ff.) besteht Verhältnis gegenseitiger Prüfung und Überwachung (Dreher/Hoffmann ZGR 2016, 445, 475, 479). Gleichzeitig überschneiden sich Aufgabenbereiche, da sowohl Compliance als auch interne Revision mit Überprüfung der Einhaltung interner Richtlinien befasst sind (Dreher FS Hüffer, 2010, 161, 176). Wichtige Aufgabe der internen Revision ist überdies Unterstützung der Unternehmensleitung durch **Beschaffung von Informationen** über betriebliche Zustände (vgl. Hauschka/Moosmayer/Lösler Corporate-Compliance-HdB/Ober- 26 mayr § 44 Rn. 60 f.). Berichte der internen Revision sind idR Grundlage für Arbeit des Prüfungsausschusses (Nonnenmacher/Wemmer/v Werder DB 2016, 2826, 2830). Insgesamt wird internes Revisionssystem als eines der zentralen Elemente des internen Kontrollsystems angesehen (Dreher/Hoffmann ZGR 2016, 445, 474; Dreher FS Hüffer, 2010, 161, 167).

27 **Konkreter Aufbau** des internen Revisionssystems ist, ebenso wie bei anderen Governance-Systemen, abhängig von jew. Gegebenheiten und damit auch weiterhin dem Leitungsermessen des Vorstands überlassen (so bereits vor Einführung des § 91 III Hauschka/Moosmayer/Lösler Corporate-Compliance-HdB/Obermayr § 44 Rn. 62 f., der in branchenspezifisch anerkannten Grundsätzen allerdings ermessenseinschränkende Umstände sieht). Anhaltspunkte können Prüfungsstandards des DIIR (DIIR-Revisionsstandard Nr. 3) und des IDW (PS 983) bieten. Interne Revision sollte **unmittelbar dem Vorstand unterstellt** sein (vgl. KBFW/Bachmann DCGK GS 4 Rn. 33 unter Verweis auf Rundschreiben der BaFin zu Mindestanforderungen an das Risikomanagementsystem → § 76 Rn. 178). Objektivität und Unabhängigkeit der internen Revision sind durch umfangreiche Befugnisse in Bezug auf Informationsbeschaffung und Prüfung sowie durch Bereitstellung der hierzu erforderlichen Ressourcen sicherzustellen (KBFW/Bachmann DCGK GS 4 Rn. 35). Davon abgesehen kann sich **Organisation des internen Revisionssystems** an derjenigen des internen Kontrollsystems orientieren (KBFW/Bachmann DCGK GS 4 Rn. 34).

28 **bb) Compliance Management Systeme.** Weiterhin ist fraglich, ob künftig auch Pflicht zur Einrichtung eines Compliance Management Systems als Bestandteil des internen Kontrollsystems legislativ an § 91 III angedockt ist. Dafür spricht, dass RegBegr. BT-Drs. 19/26966, 115 ausdr. auch Sicherung der Einhaltung der maßgeblichen rechtl. Vorschriften als Gegenstand eines solchen Systems nennt (→ Rn. 20; Scheffler AG 2021, R42; vgl. bereits früher unter Rückgriff auf RegBegr. BT-Drs. 16/10067, 77 Dreher/Hoffmann ZGR 2016, 445, 476). Im **vorangegangenen RefE** war Compliance-Aspekt dagegen noch explizit ausgeklammert. Danach sollte sich „Einrichtung von Compliance Management Systemen" aus Legalitätskontrollpflicht des Vorstands ergeben, sofern ein entspr. Gefahr- bzw. Risikopotenzial besteht. Das sei insbes. bei größeren Unternehmen der Fall, wohingegen die Börsennotierung hierfür nicht allein maßgebend sei (RefE, abrufbar über BMJ-Homepage, 116). Passus wurde allerdings **in RegE nicht übernommen,** was unterschiedliche Deutungen zulässt (Meinungsumschwung, stillschweigende Fortgeltung, bewusste Offenlassung), weshalb Frage nicht abschließend beantwortet werden kann. Dass Börsennotierung für Compliance-Bedürfnis nicht maßgeblich ist, trifft zu, gilt aber gleichermaßen für internes Kontrollsystem und Risikomanagement (Hopt/Kumpan AG 2021, 129 Rn. 8). Berücksichtigt man überdies, dass auch § 25c IVa Nr. 3 lit. c KWG Compliance ausdr. dem internen Kontrollsystem unterstellt, sprechen bessere Gründe dafür, ges. Grundlage für Einrichtungspflicht künftig in § 91 III zu verorten (so auch Fischer/Schuck NZG 2021, 534, 537 f.; Fleischer AG 2022, 379 Rn. 24; sympathisierend Hopt/Kumpan AG 2021, 129 Rn. 8; offengelassen von Schilha/Gaßner DB 2021, 1661). Zu den Folgen → Rn. 29 ff. Das entspr. auch Zuordnung in GS 4 S. 2 DCGK, wo allerdings klare legislative Zuordnung zum Kontrollsystem unnötigerweise nicht übernommen wird, sondern pauschale Zuordnung zum Kontroll- und Risikomanagementsystem erfolgt, was begriffliche Verwirrung weiter vertieft (krit. schon VGR AG 2022, 239 Rn. 13).

29 Ges. Verortung gilt allerdings nur für Erfordernis institutionalisierter Verdichtung in börsennotierter AG, wohingegen Compliance-Pflicht als solche – gleichermaßen für börsen- und nichtbörsennotierte AG – weiterhin ausschließlich aus **allg. Leitungssorgfalt nach § 76 I, 93 I 1** abzuleiten ist (ausf. deshalb

→ § 76 Rn. 19 ff.). Fraglich ist, ob sich aus Einführung des § 91 III für börsennotierte AG inhaltliche Verschiebung ggü. bisherigen Erkenntnisgewinnen ergibt (→ § 76 Rn. 19 ff.). Generell ist heute weitgehend anerkannt, dass es Compliance-Pflicht gibt (insofern unstr. → § 76 Rn. 19 ff.), sich daraus aber nicht für sämtliche Aktiengesellschaften standardisierte Verhaltensanforderungen und konkrete Strukturvorgaben ableiten lassen (ausf. → § 76 Rn. 22 ff.). Vielmehr hängt **Dichte der Compliance-Anforderungen** von Art, Größe, Organisation des Unternehmens, den zu beachtenden Vorschriften, der geographischen Präsenz und den Verdachtsfällen aus der Vergangenheit ab (→ § 76 Rn. 22 ff.). Diese bisher maßgeblichen Faktoren sind mit Kriterium der Börsennotierung in § 91 III keinesfalls deckungsgleich (darin lag die zutr., aber nicht in den RegE übernommene Erkenntnis des RefE → Rn. 28; sa Schilha/Gaßner DB 2021, 1661).

Dadurch, dass § 91 III auch für internes Kontrollsystem lediglich das „Ob" der Einrichtung zwingend vorschreibt, zugleich in RegBegr. BT-Drs. 19/26966, 115 aber nachdrücklich das Leitungsermessen hinsichtlich des „Wie" der konkreten Ausgestaltung betont (→ Rn. 15 f.), lässt sich auch aus dieser Vorschrift **keine Verschärfung der schon bisher anerkannten Standards** ableiten. Gerade weil § 91 III das Compliance Management System nicht ausdr. aufführt, obwohl Erwähnung im RefE belegt, dass es Gegenstand der Diskussion war (→ Rn. 28), wird man gesetzgeberischen Gestaltungswillen in dieser Hinsicht verneinen müssen. Stattdessen werden in RegBegr. BT-Drs. 19/26966, 115 als Maßgabe für Ausübung des inhaltlichen Gestaltungswillens gerade auch solche Faktoren genannt, die schon nach bisheriger Diskussion als ermessensleitend anerkannt waren (Umfang der Geschäftstätigkeit; Risikolage des Unternehmens). Zu einzelnen Elementen eines tauglichen Compliance Management Systems siehe vertiefend KBFW/Kremer DCGK GS 5 Rn. 57 ff. **30**

Fraglich kann allenfalls sein, ab welchem Organisations- bzw. Maßnahmengrad sich einzelne Compliance-Instrumente zu einem **System** verdichten (vgl. zu dieser Fragestellung auch Fischer/Schuck NZG 2021, 534, 538). Vage ges. Grundlage provoziert an dieser Stelle geradezu Rechtsunsicherheit, die nicht auf unternehmerische Entscheidungsträger abgewälzt werden sollte. Gerichtspraxis sollte deshalb großzügige Maßstäbe anlegen. Um ges. Anforderungen möglichst nahezukommen, empfiehlt sich, einzelne Elemente in einer sichtbaren Institutionalisierung zusammenzufassen. Als Ausdruck einer solchen Verfestigung wurden zu ähnlich gefasstem Grundsatz **GS 4 DCGK aF** bislang genannt: klare Organisationsstrukturen und Verantwortungsbereiche, interne Regelungswerke und festgelegte Kommunikationskanäle (ausf. mw Einzelheiten KBFW/Bachmann DCGK GS 4 Rn. 14 ff.). Das kann auch auf § 91 III übertragen werden (Fischer/Schuck NZG 2021, 534, 538). Letztlich wird iErg **Sicherheitsbedürfnis der Entscheidungsträger** in der Praxis den Ausschlag geben, standardisierte Compliance-Strukturen nach einheitlichem Schema einzuführen (vgl. zu diesem Phänomen → § 76 Rn. 24; so auch schon heute die Beobachtung von Hopt/Kumpan AG 2021, 129 Rn. 8). Eine Rechtspflicht dazu ergibt sich aber auch aus § 91 III nicht, sondern es genügt, wenn Rechtsverstößen mit einer auf das konkrete Unternehmen zugeschnittenen Compliance-Struktur entgegengewirkt wird. **31**

3. Risikomanagementsystem. Weder in Ges. noch in RegBegr. wird dagegen Begriff des Risikomanagementsystems näher erläutert. RegBegr. BT-Drs. 19/26966, 115 betont stattdessen ausschließlich negative Abgrenzung zu Überwachungssystem nach § 91 II (→ Rn. 10 ff.; krit. deshalb Gros/Velte Konzern 2021, 68, 73). Detaillierte Vorgaben für Risikomanagement sind in aufsichtsrechtl. Sondervorschriften enthalten (§ 25a KWG und § 26 VAG). Diese können **32**

Anhaltspunkte für Risikomanagementsystem außerhalb des eigenen Anwendungsbereichs bieten, allerdings sind stets Besonderheiten des Aufsichtsrechts zu beachten. Auch private Prüfungsstandards des IDW bieten Anknüpfungspunkte, dürfen aber nicht unbesehen übernommen werden (Fischer/Schuck NZG 2021, 534, 539 f.; zu weiteren int. Standards Fleischer AG 2022, 379 Rn. 12). Auch für das Risikomanagementsystem kann auf **bisherige Erkenntnisgewinne** zu § 107 III 2, § 171 I 2 sowie zu § 289 IV HGB und zu G.4 DCGK zurückgegriffen werden (→ Rn. 16 f.). In diesem Rahmen wird – auch hier in Anknüpfung an betriebswirtschaftliche Erkenntnisse (→ Rn. 16) – der Inhalt eines Risikomanagementsystems umschrieben als Gesamtheit aller organisatorischen Regelungen und Maßnahmen zur Identifikation von Risiken, deren Bewertung und Steuerung sowie die Kommunikation von Risiken und die Überwachung des Systems (S/L/Drygala § 107 Rn. 66; GK-AktG/Hopt/Roth § 107 Rn. 531; für Übernahme in § 91 III Fischer/Schuck NZG 2021, 534, 537; weiter ausdifferenziert bei Fleischer AG 2022, 379 Rn. 7 ff.). Als Risiko in diesem Sinne wird jede Möglichkeit ungünstiger künftiger Entwicklung gefasst, etwa in Gestalt von Geldbußen, Widerruf betriebsnotwendiger Genehmigungen oder hohen Schadensersatzforderungen (KBFW/Bachmann DCGK GS 4 Rn. 10). Obwohl sprachlich nicht eindeutig, soll sich das vorangestellte Adjektiv „internes" nur auf das Kontroll-, nicht auf das Risikomanagementsystem beziehen: Das System ist zwar naturgemäß ein internes, soll aber auch externe Risiken erfassen (krit. → Rn. 23).

33 Ausgehend von Definition des Risikos wird Unterschied zu Compliance Management System deutlich: Während Compliance Management System Einhaltung rechtlicher Vorgaben sichern soll, betrifft Risikomanagementsystem vornehmlich **wirtschaftliche Risiken** (Fischer/Schuck NZG 2021, 534). Da auch aus Gesetzesverstößen wirtschaftlich ungünstige Entwicklungen folgen können, werden auch diese von Risikomanagementsystem erfasst, so dass teilweise Überschneidung zu Compliance Management System besteht (Wundenberg, Compliance und die prinzipiengeleitete Aufsicht über Bankengruppen, 2012, 8). Ziel des Risikomanagementsystems ist Risikovermeidung und -bewältigung (Dreher/Hoffmann ZGR 2016, 445, 483).

34 Wie bei internem Kontrollsystem sind von Zielsetzung **Mittel zur Zielerreichung** zu unterscheiden (Dreher/Hoffmann ZGR 2016, 445, 482 f.). Auch nach FISG gibt es kein einheitliches Modell eines Risikomanagementsystems mit allg. gültiger Organisationsstruktur (Fischer/Schuck NZG 2021, 534, 539; Gros/Velte DK 2021, 68, 73: „bleibt unklar, aus welchen Elementen ein ‚umfassendes' RMS bestehen soll"). Maßgeblich ist jew. Geschäftsmodell sowie Art und Umfang der damit verbundenen Risiken (Dreher/Hoffmann ZGR 2016, 445, 483; vgl. in Zusammenhang mit Umsetzung versch. betriebswirtschaftlicher Standards JIG/Ghassemi-Tabar DCGK G.4 Rn. 41).

35 Dennoch gibt es bestimmte Elemente, die bei Implementierung eines wirksamen Risikomanagementsystems berücksichtigt werden sollten (zur nachfolgenden Auflistung im Einzelnen Dreher/Hoffmann ZGR 2016, 445, 485 f.). Spitze der Organisation sollte jedenfalls in größeren Unternehmen prozessunabhängig sein, um Interessenkonflikte aus Überwachungsfunktion zu vermeiden (für generell prozessunabhängige Organisation Dreher FS Hüffer, 2010, 161, 167). Erforderlich ist effektive Risikoerfassung und -bewertung, vor allem in Bezug auf **Eintrittswahrscheinlichkeit** und Folgen einer möglichen Realisierung. Ergebnisse der Risikoermittlung und -bewertung sind an Vorstand zu berichten. Es bedarf weiter Vorgaben zum Umgang mit Risiken. Hierbei sind auch mit Risiko verbundene unternehmerische Chancen zu berücksichtigen (KBFW/Bachmann DCGK GS 4 Rn. 28). Dabei fällt Risikosteuerung jedoch primär in Aufgabenbereich des Vorstands, Risikomanagementsystem wirkt eher als **unterstützender**

Faktor (Dreher/Hoffmann ZGR 2016, 445, 486). Einzelne risikosteuernde Maßnahmen müssen regelmäßig auf ihre Wirksamkeit überprüft werden. Zu weiteren Elementen eines tauglichen Risikomanagementsystems KBFW/Bachmann DCGK GS 4 Rn. 25 ff. Überblick zu den einzelnen Standards (ISO 31000, COSO II, IDW PS 340) bei Ghassemi-Tabar/Ghassemi-Tabar DCGK GS 4 Rn. 53 ff.

4. Angemessenheit und Wirksamkeit. Sowohl für internes Kontrollsystem als auch für Risikomanagementsystem betont § 91 III Erfordernis der Angemessenheit und Wirksamkeit. Begriff der Angemessenheit fand sich bis 2020 auch im DCGK (vgl. Ziff. 4.1.3 und 4.1.4 DCGK aF), wurde mit Kodex-Reform 2020 aber durch Begriff der Eignung ausgetauscht (G.4 DCGK aF). FISG-Gesetzgeber belässt es bei Angemessenheitsvorgabe und will damit augenscheinlich insbes. **Zuschnitt auf konkrete Unternehmensstruktur** und spezifische Risikolage unterstreichen (sa Fischer/Schuck NZG 2021, 534, 538). Angemessenheitskriterium ist außerdem Ausdruck der Verhältnismäßigkeit: Es müssen keine unzumutbaren Maßnahmen ergriffen werden. Wann Unzumutbarkeit vorliegt, wird anhand einer Abwägung im Einzelfall unter Berücksichtigung der Risikolage und des Umfangs der Geschäftstätigkeit des Unternehmens ermittelt (Fischer/Schuck NZG 2021, 534, 538 f.; zum Kriterium der Zumutbarkeit in Bezug auf Compliance bereits Dreher FS Hüffer, 2010, 161, 174; im Zusammenhang mit DCGK s. KBFW/Kremer DCGK GS 5 Rn. 27, der von Proportionalitätsprinzip, Erforderlichkeit und Zumutbarkeit spricht). Mit Kodex-Änderung 2022 wurde auf entspr. Anregung aus Wissenschaft und Praxis (VGR AG 2022, 239 Rn. 14) GS 4 DCGK auch wieder auf Angemessenheitsvorgabe ausgerichtet. 36

Unter Wirksamkeit wird im Kontext von G.4 DCGK verstanden, ob die im Rahmen des internen Kontroll- und Risikomanagements getroffenen Regelungen innerhalb des gesamten Geschäftsjahrs wie vorgesehen eingehalten wurden (KBFW/Bachmann DCGK GS 4 Rn. 13). Auch im Kontext des § 91 III gilt, dass Wirksamkeit tats. Umsetzung der in den Corporate-Governance-Systemen vorgesehenen Maßnahmen voraussetzt (Fischer/Schuck NZG 2021, 534, 539). In RegBegr. BT-Drs. 19/26966, 115 wird dieses Attribut noch einer selbstverständlichen, aber dennoch wichtigen **Klarstellung** unterworfen: Wirksamkeit ist danach dann gegeben, wenn Systeme zur Aufdeckung, Steuerung und Bewältigung aller wesentlichen Risiken **geeignet** sind. Falls sich dennoch bestimmte Risiken verwirklichen, kann daraus keinesfalls auf Unwirksamkeit des Systems geschlossen werden. Namentl. kartellrechtl. Behördenpraxis neigt insofern oft zu gegenteiliger Vermutung (→ § 76 Rn. 34). Solchen naheliegenden Rückschlüssen wird durch Klarstellung in RegBegr. sinnvoll entgegengewirkt. Begriffe der Eignung und Wirksamkeit, die im Kodex kumulativ verwendet werden, sind demnach in § 91 III weitestgehend synonym aufzufassen. 37

Vorstandspflichten bei Verlust, Überschuldung oder Zahlungsunfähigkeit

92 **Ergibt sich bei Aufstellung der Jahresbilanz oder einer Zwischenbilanz oder ist bei pflichtmäßigem Ermessen anzunehmen, daß ein Verlust in Höhe der Hälfte des Grundkapitals besteht, so hat der Vorstand unverzüglich die Hauptversammlung einzuberufen und ihr dies anzuzeigen.**

Übersicht

I. Regelungsgegenstand und Normentwicklung

1 § 92 regelte in seiner ursprünglich geltenden Fassung umfassend die **Vorstandspflichten in finanzieller Krise** der AG. Dazu gehörte zunächst die – auch heute noch hier geregelte – Pflicht, bei Verlust in Höhe der Hälfte des Grundkapitals (zu korrigierender Lesart → Rn. 4) HV einzuberufen und Verlustanzeige zu erstatten. Weiterhin war in § 92 II aF auch Insolvenzantragspflicht geregelt, die mit MoMiG 2008 in § 15a InsO verlagert wurde. RegBegr. MoMiG BT-Drs. 16/6140, 55 hat für insolvenzrechtl. Neuverortung vor allem **rechtssystematische Gründe** und insolvenzrechtl. Verständnis europäischer Nachbarordnungen geltend gemacht. Gewollt ist ferner Antragspflicht ausländischer AG mit inländischem Verwaltungssitz (RegBegr. BT-Drs. 16/6140, 55), die allerdings durch bloße Umetikettierung der Vorschrift allein selbstverständlich nicht herbeigeführt werden kann und deshalb materiell-rechtl. zu beurteilen ist (zum Meinungsstand vgl. MüKoInsO/Klöhn § 15a Rn. 47 ff.).

2 Mit dieser Änderung wurde der ursprüngliche § 92 III aF zu § 92 II aF und regelte die ab Insolvenzreife geltenden Zahlungsverbote. Neuerliche Änderung hat § 92 sodann durch das am 1.1.2021 in Kraft getretene SanInsFoG 2020 erfahren. Mit Art. 15 Nr. 1 SanInsFoG wurde § 92 II aF aufgehoben, so dass § 92 künftig nur noch einen Absatz haben wird. § 92 II 1 und 2 aF sind nahezu wortgleich in den neu eingeführten, rechtsformneutralen **§ 15b I InsO nF** übernommen worden. Von früher umfassenderen und praktisch relevanten Inhalten zeugt deshalb heute nur noch Paragraphenüberschrift, die vom Gesetzgeber nicht angepasst wurde. Auch im Gesetzestext zu § 401 ist Anpassung unterblieben. Aufgrund bes. Komplexität sowohl der Insolvenzantragspflicht als auch der Zah-

lungsverbote werden diese Rechtsinstitute, die nicht nur in der ges. Verortung, sondern auch in der Sache originär insolvenzrechtl. Charakter haben, in diesem Werk nicht mehr ausf. kommentiert. In → Rn. 12 ff. wird stattdessen ein Gesamtüberblick über die insolvenzrechtl. Überlagerungen des Aktienrechts in Krisensituationen gegeben.

II. Regelungszweck

Heute noch in § 92 ausschließlich geregelte Pflicht, HV einzuberufen und Verlustanzeige zu erstatten, dient der **Information der HV** über krisenhafte Zuspitzung und der Herstellung der **Handlungsfähigkeit der Aktionäre,** die nicht tätig werden können, ohne zur HV zusammenzutreten (§ 118 I). Als geeignete Maßnahmen kommen insbes. Kapitalveränderungen (§§ 229 ff., 182 ff.), notfalls Auflösungsbeschluss (§ 262 I Nr. 2) in Betracht. Dagegen ist Publizität, die mit diesen Vorgängen zwangsläufig einhergeht, nicht bezweckt, sondern allenfalls gewollte Nebenfolge (BGH NJW 1979, 1829, 1831; GK-AktG/Habersack/Foerster Rn. 2; W. Müller ZGR 1985, 191, 194 f.; aA Martens ZGR 1972, 254, 271: Schutz des Aktienmarkts); bei börsennotierter AG wird diese Publizität über Art. 17 MAR geleistet. 3

III. Pflicht zur Verlustanzeige (§ 92)

1. Voraussetzungen. a) Verlust in Höhe der Hälfte des Grundkapitals. Nach § 92 muss Vorstand tätig werden, wenn Verlust in Höhe der Hälfte des Grundkapitals besteht. Bei Auslegung ist Art. 58 GesR-RL (früher Art. 19 Kapital-RL) zu beachten. **Missverständliche Wendung** ist nicht dahingehend zu verstehen, dass Verlust in Höhe eines dem halben Grundkapital entspr. Betrages genügt (allgM – vgl. nur KK-AktG/Cahn Rn. 11). Gemeint ist nach hM vielmehr, dass Gesellschaftsvermögen nur noch die Hälfte des Nennkapitals deckt. Sachlich gleichbedeutend: Verlust ist dem gesamten offen ausgewiesenen Eigenkapital gegenüberzustellen (BGH AG 1958, 293; OLG Köln AG 1978, 17, 22; BeckOGK/Fleischer Rn. 7; S/L/Sailer-Coceani Rn. 3; KK-AktG/Cahn Rn. 11; W. Müller ZGR 1985, 191, 206 f.). Vereinzelt gebliebene Gegenansicht interpretiert Verlust als Jahresfehlbetrag iSd § 266 III A V HGB und will damit Pflicht zur Verlustanzeige vorverlegen, indem vor allem offene Rücklagen nicht zur Verrechnung zugelassen werden (GK-AktG/Habersack/Foerster Rn. 14 ff.). Das überzeugt jedoch nicht, weil § 92 rechtstechnischen Begriff des Jahresfehlbetrags gerade nicht verwendet. Auch sollte Pflicht zur Information der HV samt Publizität (→ Rn. 1) nicht von Struktur des Eigenkapitals abhängen, was aber unvermeidlich wäre, wenn Rücklagen bei Verlustermittlung ausgeklammert blieben. Aus Art. 58 GesR-RL folgt nichts anderes (Lutter/Bayer/Schmidt EuropUntKapMR § 19.115). Folgt man deshalb der hM, so ist es für Tatbestand des § 92 namentl. gleichgültig, ob es sich um Einzelverlust oder um Ergebnis fortschreitender Verluste handelt (zust. MüKoAktG/Spindler Rn. 14). 4

b) Maßgeblich: Ansatz- und Bewertungsregeln der Jahresbilanz. Verlust muss sich bei Aufstellung der Jahresbilanz oder einer Zwischenbilanz ergeben oder nach pflichtmäßigem Ermessen anzunehmen sein. Wie Verlust festgestellt wird, ist also iErg gleichgültig. Aus Hinweis auf Jahresbilanz folgt aber, dass für Ansatz und Bewertung iRd § 92 grds. **für Jahresbilanz geltende Regeln** maßgeblich sind, also namentl. Stichtags-, Realisations- und Imparitätsprinzip (hM, s. BeckOGK/Fleischer Rn. 8; GK-AktG/Habersack/Foerster Rn. 23; S/L/Sailer-Coceani Rn. 4; KK-AktG/Cahn Rn. 11; W. Müller ZGR 1985, 191, 204 ff.; im Prinzip auch MüKoAktG/Spindler Rn. 15; aA BGH WM 1958, 1416, 1417 5 [insoweit nicht in AG 1958, 293]; wohl auch OLG Köln AG 1978, 17, 22 [aber unklar]).

6 Die wesentlichen Sachfragen sind, ob iRd § 92 das **Prinzip des going concern** (§ 252 I Nr. 2 HGB) durchzuhalten ist und ob stille Reserven zur Verlustdeckung aufgelöst werden dürfen. Die erste Frage hängt nach heute ganz hM von Fortbestehensprognose ab. Ist sie positiv, verbleibt es bei Buchwerten. Ist sie dagegen negativ, müssen Liquidationswerte an die Stelle der Buchwerte treten (BeckOGK/Fleischer Rn. 8; MK-AktG/Spindler Rn. 14; KK-AktG/Cahn Rn. 12 f.; W. Müller ZGR 1985, 191, 197 ff. und 206). Dafür spricht entscheidend Informationszweck des § 92 (→ Rn. 1).

7 **Behandlung stiller Reserven** (→ § 131 Rn. 93) folgt den Regeln, die für Jahresabschluss gelten (anders bei Überschuldungsprüfung; → Rn. 36 ff.). Sie dürfen und müssen nur aufgelöst werden, soweit dies auch im Jahresabschluss möglich wäre (vgl. insbes. § 253 V HGB – heute allgM, s. GK-AktG/Habersack/Foerster Rn. 23; S/L/Sailer-Coceani Rn. 5; MüKoAktG/Spindler Rn. 15; großzügiger allerdings noch BGH WM 1958, 1416, 1417: Berücksichtigung uneingeschränkt möglich; wohl zust. OLG Köln AG 1978, 17, 22). Damit kann allerdings nur Verschleierung durch Neubewertung verhindert werden. Gegen im Konzern uU mögliche Vermeidung des § 92 durch realisierte stille Reserven (Veräußerung von Anlagevermögen an verbundene Unternehmen) hilft Maßgeblichkeit der Jahresbilanz nicht (zust. S/L/Sailer-Coceani Rn. 5; MüKoAktG/Spindler Rn. 15; Knebel/Schmidt BB 2009, 430, 433). Das eröffnet bedenkliche Möglichkeit, durch formale Gestaltung (zB bloßes Umhängen einer Beteiligung) Anzeigepflicht zu umgehen, doch kann allein aus § 92 nicht die Unzulässigkeit einer solchen Gestaltung gefolgert werden, da wirtschaftliche Lage mit Blick auf aufgedeckte Reserven tats. nicht so desolat ist, wie es diese Norm voraussetzt. Problematischer kann es sein, wenn Verwaltung mit Realisierung ohne Not bewusst Schädigung in Kauf nimmt (zB erhebliche Steuerlast durch realisierungsbedingte Gewinne, vgl. dazu Knebel/Schmidt BB 2009, 430, 433), nur um Verlustanzeige zu vermeiden (noch strenger GK-AktG/Habersack/Foerster Rn. 23: idR pflichtwidrig iSd § 93 II).

8 **Aktionärsdarlehen,** stille Rücklagen und mezzanine Kapitalia sind grds. zu passivieren (GK-AktG/Habersack/Foerster Rn. 24). Umstr. ist, ob bei Rangrücktritt etwas anderes gilt. Richtigerweise ist Frage zu verneinen (so auch GK-AktG/Habersack/Foerster Rn. 24 [unter Aufgabe der gegenteiligen Sichtweise in Voraufl./Habersack]; S/L/Sailer-Coceani Rn. 3; W. Müller ZGR 1985, 191, 208; Priester ZGR 1999, 533, 541 ff.; aA MüKoAktG/Spindler Rn. 15; Knebel/Schmidt BB 2009, 430, 432). Übertragung der für Überschuldungsbilanz geltenden Regeln (→ Rn. 36 ff.) ist hier nicht angezeigt, da es nicht allein um Insolvenzreife geht, sondern um Anzeige von Verlusten, die nicht durch Rangrücktritt verschleiert werden dürfen (GK-AktG/Habersack/Foerster Rn. 24; W. Müller ZGR 1985, 191, 208).

9 **2. Vorstandspflichten.** Liegen Voraussetzungen des § 92 vor, so muss Vorstand HV unverzüglich (§ 121 I 1 BGB) einberufen und Verlustanzeige erstatten. Auch HV-Termin muss so gelegt werden, dass keine unnötige Verzögerung eintritt (GK-AktG/Habersack/Foerster Rn. 27). §§ 121 ff. sind zu beachten. Vor allem muss Vorstand Verlustanzeige zur **Tagesordnung** unmissverständlich ankündigen (§ 124 I), weil HV sonst dazu keine Beschlüsse fassen könnte (§ 124 IV 1). Ohne diese Ankündigung erfüllt Vorstand seine Pflicht aus § 92 nicht, erneute Einberufung wäre nicht mehr unverzüglich (GK-AktG/Habersack/Foerster Rn. 27; KK-AktG/Cahn Rn. 20). Tagesordnung muss sich aber nicht auf Verlustanzeige beschränken. Es dürfen auch weitere Gegenstände behandelt werden. Mit Rücksicht auf Zweck des § 92 bedarf es der Einberufung nach hM nicht

mehr, wenn schon **Insolvenzantrag** gestellt ist (KG NZG 2020, 710 Rn. 19; BeckOGK/Fleischer Rn. 11; S/L/Sailer-Coceani Rn. 10; KK-AktG/Cahn Rn. 18).

Weiter wird vertreten, dass § 92 in der **Abwicklung** nicht gilt (MüKoAktG/ Spindler Rn. 6). Das ist jedoch wegen § 268 II 1 und der auch in der Abwicklung möglichen Weiterführung des Unternehmens in dieser Allgemeinheit nicht überzeugend (ebenso BeckOGK/Fleischer Rn. 11; GK-AktG/Habersack/Foerster Rn. 7). Angenommen wird weiter, Vorstand dürfe in engen Grenzen in notstandsähnlicher Lage Einberufung der HV hinausschieben, wenn Publizität dem Wohl der AG nur schaden könnte (KK-AktG/Cahn Rn. 17; Mertens AG 1983, 173, 176; zust. W. Müller ZGR 1985, 191 Fn. 2). Das ist mit Vorsicht aufzunehmen, weil § 92 schon entschieden hat, dass Einberufung dem Wohl der AG (§ 121 I) dient (sa BeckOGK/Fleischer Rn. 12). IR hinlänglich konkreter und aussichtsreicher **Sanierungsverhandlungen** kann kurzfristiges Hinauszögern aber uU nach § 121 BGB iVm § 92 für relevante Pflichtverletzung erforderliches Verschuldensmerkmal (§ 276 BGB) nicht ausfüllen (GK-AktG/ Habersack/Foerster Rn. 28; MüKoAktG/Spindler Rn. 18; Göcke AG 2014, 119, 120 f.). Ob schon einberufene HV auch ganz abgesagt werden kann, wenn zwischenzeitlich Sanierung gelungen ist, ist nicht geklärt. Fortdauerndes Informationsinteresse der Aktionäre spricht dagegen (Göcke AG 2014, 119, 122 f.; Plagemann NZG 2014, 207, 209), Kostenbelastung der AG dafür (MüKoAktG/ Spindler Rn. 22). Da Informationsinteresse aber nicht notwendigerweise in außerordentlicher HV befriedigt werden muss, sprechen bessere Gründe dafür, **Absage** zuzulassen. Ist selbst Einberufung noch nicht erfolgt, muss sie nicht nachgeholt werden (str. – wie hier KK-AktG/Cahn Rn. 15; aA Plagemann NZG 2014, 207, 209). 10

3. Rechtsfolgen bei Verstoß. Verletzt Vorstand seine Einberufungs- und Anzeigepflicht aus § 92, so macht er sich **ggü. AG schadensersatzpflichtig** nach § 93 II (unstr.). Verstoß gegen § 92 begründet dagegen keinen Schadensersatzanspruch der **Gesellschaftsgläubiger.** Norm ist zwar Schutzgesetz iSd § 823 II BGB zugunsten der AG, will aber mit Rücksicht auf ihren Regelungszweck (→ Rn. 1) nicht auch dem Schutz der Gläubiger dienen (ganz hM, s. BGH NJW 1979, 1829, 1831; KK-AktG/Cahn Rn. 24; teilw. aA [§ 31 BGB] Martens ZGR 1972, 254, 285 f.). Ob **Aktionäre** Ansprüche aus § 823 II BGB iVm § 92 haben können, ist str. (bejahend BeckOGK/Fleischer Rn. 18; GK-AktG/Habersack/Foerster Rn. 31; MüKoAktG/Spindler Rn. 23; verneinend Grigoleit/Grigoleit/Tomasic Rn. 9; GK-AktG/Hopt/Roth § 93 Rn. 631; S/L/ Sailer-Coceani Rn. 12; KK-AktG/Cahn Rn. 24). Der verneinenden Ansicht ist beizutreten. § 92 will Information und Handlungsfähigkeit der HV (→ Rn. 1) herstellen, gewährt Aktionären aber keinen Individualschutz. Auch Art. 58 GesR-RL erzwingt solches Verständnis nicht (EuGH ZIP 2018, 47 Rn. 30 ff. [zu Art. 19 Kapital-RL aF]; aA mit Blick auf effet utile Bayer/Schmidt BB 2018, 2562, 2563). **Strafbarkeit** der Vorstandsmitglieder folgt aus § 401 I. 11

IV. Insolvenzrechtlicher Regelungsrahmen – Überblick

1. Krisenfrüherkennung und -management im Vorfeld der Insolvenz. a) Neuordnung der ges. Grundlagen. Auch wenn die früheren insolvenzrechtl. Regelungen nicht mehr im AktG enthalten sind (→ Rn. 1 f.), spielen sie im umfassenden Pflichtenheft der Gesellschaftsorgane selbstverständlich weiterhin eine wichtige Rolle. Sie setzen üblicherweise ein, wenn **AG insolvenzreif** wird (→ Rn. 34 ff.), doch versteht es sich von selbst, dass Vorstand schon zuvor iR seiner allg. Sorgfaltspflicht (§ 93 I 1) darauf hinzuwirken hat, **bestandsgefähr-** 12

dende Entwicklungen abzuwenden. Umfassende und folgenreiche Neuordnung hat dieses Vorfeld der Insolvenz durch **StaRUG 2020** erfahren. Schwerpunktmäßig wird durch dieses Ges. neues Restrukturierungsverfahren eingeführt (→ Rn. 27 ff.), doch enthält § 1 I StaRUG überdies allg. Pflicht zur Krisenfrüherkennung und zum Krisenmanagement (→ Rn. 15 ff.; zum Krisenbegriff Brandes/Rabenau ZIP 2021, 2374, 2375 ff.). Umfassende Überlagerung haben insolvenzrechtl. Regelungen überdies zwischenzeitlich als Folge der COVID-19-Pandemie 2020/21 durch Regelungen des **COVInsAG** erfahren, die mittlerweile aber weitestgehend wieder ausgelaufen und zT auch in StaRUG aufgegangen sind. Zum Inhalt dieser Regelungen → 15. Aufl. 2021, § 92 Rn. 21a ff., 46; jüngste Änderung durch Ges. zur Abschaffung des Güterrechtsregisters und zur Änderung des COVID-19-Insolvenzaussetzungsgesetzes v. 31.10.2022 (BGBl. 2022 I 1966).

13 Inhaltlich sind die neuen **StaRUG-Vorgaben zur Sorgfaltspflicht** im vorinsolvenzlichen Stadium eher pauschal gefasst. § 1 I 1 StaRUG verpflichtet Vorstandsmitglieder, fortlaufend über Entwicklungen zu wachen, die Fortbestand der AG gefährden können (ausf. → Rn. 15 ff.). Erkennen sie solche Entwicklungen, sind sie nach § 1 I 2 StaRUG verpflichtet, geeignete Gegenmaßnahmen zu ergreifen (→ Rn. 18 f.) und dem AR unverzüglich Bericht zu erstatten (→ Rn. 21). Nach § 1 I 3 StaRUG hat der Geschäftsleiter im Fall, dass zu ergreifende Maßnahmen die **Zuständigkeit anderer Organe** berühren, auch auf deren Befassung unverzüglich hinzuwirken (→ Rn. 21, 28).

14 Gerade aufgrund der eher **geringen Vorgabendichte in § 1 I StaRUG** kann zur inhaltlichen Ausgestaltung dieses neu eingeführten Pflichtenkanons auch weiterhin auf bisherige Erkenntnisfortschritte in Rspr. und Lit. zurückgegriffen werden. Zwischen den bereits ausgearbeiteten Grundsätzen und § 1 StaRUG besteht daher **sich gegenseitig befruchtendes Wechselspiel:** Zum einen beseitigt § 1 StaRUG in diesem Bereich bislang zT bestehende Normdefizite (Brinkmann KTS 2021, 303, 311 f.) und kann deshalb als Grundlage der früheren Rspr. dienen, die durch diese Neuerung nicht verdrängt, sondern lediglich positiver Regelung zugeführt werden soll (RegBegr. BT-Drs. 19/24181, 103). Zum anderen müssen aber bisherige Erkenntnisgewinne auch sorgfältig im Lichte der neuen nat. Regeln (einschließlich der unionsrechtl. Grundlagen) neu überdacht und geordnet werden.

15 **b) Solvenzüberwachungspflicht (§ 1 I 1 StaRUG).** Nunmehr in § 1 I 1 StaRUG enthaltene **Bestandssicherungsverantwortung** konnte für AG schon bislang aus **§ 91 II** abgeleitet werden, der Vorstand verpflichtet, Überwachungssystem einzurichten, damit den Fortbestand der AG gefährdende Entwicklungen früh erkannt werden (→ § 91 Rn. 4 ff.; vgl. zu dieser Querverbindung auch Schülke DStR 2021, 621, 622; Seibt/Bulgrin DB 2020, 2226, 2229; zu rechtl. Anforderungen an Überwachungssystem Gleißner/Nickert/Nickert DB 2023, 1489, 1493). Speziell auf Insolvenzsituation übertragen folgt daraus Pflicht, fortlaufend zu prüfen, ob Entwicklungen bestehen, die zum Eintritt von Zahlungsunfähigkeit führen können, wenn keine Gegenmaßnahmen ergriffen werden; Bestandssicherungsverantwortung setzt sich damit in diesem Spezialbereich als Solvenzüberwachungspflicht fort (Brinkmann KTS 2021, 303, 309 f.). Das entspr. bisheriger Rspr., wonach Vorstand wirtschaftliche Lage der AG **laufend zu überwachen** hat (BGHZ 126, 181, 199 = NJW 1994, 2220; BGH NZG 2012, 940 Rn. 13; NZG 2012, 672 Rn. 14). Im **Konzern** liegt Überwachungsverantwortung zunächst bei Tochter (Gleißner/Nickert/Nickert DB 2023, 1489, 1495). Geschäftsleiter der Mutter ist nach allg. Grundsätzen zu konzerndimensionaler Compliance und Legalitätsdurchsetzungspflicht (→ § 76 Rn. 50 ff.) nicht unmittelbar verantwortlich, muss Entwicklung aber unter Gesichtspunkt der

Beteiligungsverwaltung im Blick halten und sich speziell bei dieser Frage hoher Schadensneigung bewusst sein. Angesichts regelmäßig hoher finanzieller Relevanz wird er Solvenzlage der Tochter auch in eigene Solvenzüberwachung einzubeziehen haben (eingehend Gleißner/Nickert/Nickert DB 2023, 1489, 1496 f.).

Kern dieser Pflicht ist grobe Liquiditätsplanung, die entspr. zeitl. Begrenzung für Bemessung drohender Zahlungsunfähigkeit in § 18 II InsO (→ Rn. 26) mindestens Zeitraum nächster 24 Monate umfassen sollte (Brinkmann KTS 2021, 303, 310; Skauradszun/Amort DB 2021, 1317, 1319). Stellt Vorstand fest, dass AG zu bestimmtem Stichtag nicht in der Lage ist, fällige und eingeforderte Verbindlichkeiten vollständig zu bedienen, hat er Zahlungsfähigkeit (ausf. → Rn. 34 f.) anhand einer **Liquiditätsbilanz** zu prüfen (BGHZ 126, 181, 199 = NJW 1994, 2220; BGHZ 163, 134, 140 f. = NJW 2005, 3062; BGH NZG 2012, 672 Rn. 14; NZG 2016, 658 Rn. 33). Entspr. der Zweiteilung der Insolvenzgründe in §§ 17, 19 InsO (→ Rn. 34 ff.) muss Vorstand bei Anzeichen einer Krise überdies auf Grundlage einer weiteren Überschuldungsbilanz auch Überschuldungsstatus (ausf. → Rn. 36 ff.) kontrollieren (BeckOGK/Fleischer Rn. 90; zu bes. Pflichten in der Krise eines Finanzinstituts Seibt ZIP 2013, 1597, 1598 ff.). Neben diesen spezifisch insolvenzrechtl. Liquiditäts- und Überschuldungsrisiken erfasst Wortlaut des § 1 I StaRUG auch **sonstige bestandsgefährdende Entwicklungen,** die etwa aus Verstößen gegen ges. Vorschriften, aus der ungünstigen Entwicklung risikobehafteter Geschäfte oder aus Unrichtigkeiten der Rechnungslegung resultieren können (Brandes/Rabenau ZIP 2021, 2374, 2375 ff.; ausf. zu Risiken aus ökonomischer Perspektive Gleißner/Nickert/Nickert DB 2023, 1489, 1492). 16

Vorstandspflichten in diesem Stadium sind unabhängig von konkreter Ressortverantwortlichkeit, da verschärfte gegenseitige Überwachungspflichten eingreifen, sobald **krisenhafte Zuspitzung** erkennbar wird (→ § 77 Rn. 15 ff.; BeckOGK/Fleischer Rn. 90). Lässt sich Krise nicht abwenden und führt zur Zahlungsunfähigkeit nach § 17 InsO oder zur Überschuldung nach § 19 InsO (zu beiden Begriffen → Rn. 34 ff.), ist jedes Mitglied nach § 15a InsO verpflichtet, Insolvenzantrag zu stellen (→ Rn. 40 ff.). IRd § 19 InsO darf Vorstand auf der Basis des geltenden Überschuldungsbegriffs (→ Rn. 36 ff.) allerdings auf Prüfung der rechnerischen Überschuldung uU verzichten, solange **positive Fortführungsprognose** (zur Bedeutung für StaRUG-Verfahren vgl. Schönfelder NZI 2022, 49 ff.) gerechtfertigt ist, weil nur beide Elemente zusammen Überschuldung im Rechtssinne ergeben. In vielen Fällen wird belastbare Fortführungsprognose ohne Überschuldungsprüfung allerdings kaum zu leisten sein (→ Rn. 38). Durch Verkürzung der Fortführungsprognose auf zwölf Monate (→ Rn. 40) ist Frage aufgeworfen worden, ob nicht ausnahmsweise trotzdem Insolvenzantragspflicht entstehen kann, wenn für Zeitraum, der erst nach zwölf Monaten liegt, negative Fortführungsprognose schon klar gestellt werden kann. Richtigerweise ist Frage zu verneinen; es greifen stattdessen lediglich bes. Solvenzsicherungspflichten (ausf. → Rn. 38). 17

c) Solvenzsicherungspflicht (§ 1 I 2 StaRUG). § 1 I 2 StaRUG verpflichtet Vorstand, der Bestandsgefahren erkannt hat (→ Rn. 15 ff.), **geeignete Gegenmaßnahmen** einzuleiten. Allg. Bestands- und Rentabilitätssicherungspflicht erstarkt in diesem Zeitpunkt zu Restrukturierungs- und Sanierungspflicht (G. Hoffmann WM 2021, 429, 430). Sie war in Lit. schon früher postuliert worden (vgl. zB S/L/Seibt § 76 Rn. 17) und hat nun in § 1 I 2 StaRUG ges. Grundlage und Bestätigung gefunden (Brinkmann KTS 2021, 303, 311 ff.). Vorstand kann dazu auf im Gesellschaftsrecht angelegte **Sanierungsmaßnahmen** zurückgreifen (zB Kapitalerhöhung), sich aber auch des durch das StaRUG noch einmal deut- 18 lich erweiterten insolvenzrechtl. Instrumentenkastens bedienen (→ Rn. 27 ff.). Macht er davon keinen Gebrauch, kann aus solchem Unterlassen grds. auch **Haftung wegen Sanierungsverschleppung** resultieren (vgl. dazu auch Skauradszun/Amort DB 2021, 1317, 1323 ff.), doch werden entspr. Ansprüche idR daran scheitern, dass Schadensnachweis unter Darlegung eines hypothetischen Sanierungsverlaufs nur schwer zu erbringen sein wird (G. Hoffmann WM 2021, 429, 430; Hinweise zu Haftungsvermeidungsstrategien [für GmbH] bei Nowak GmbHR 2012, 1294 ff.). Anspruchsgrundlage ist § 93 II; Anspruchsinhaber ist also AG. § 43 I 2 StaRUG ist erst dann anwendbar, wenn Restrukturierungsverfahren eingeleitet wurde (→ Rn. 25). Für Sanierung nach gesellschaftsrechtl. Maßnahmen kann Sanierungsberater hinzugezogen werden. Ist Sanierung allerdings aussichtslos und nimmt Vorstand das zumindest billigend in Kauf, droht Insolvenzanfechtung der Beraterhonorare (ausf. BGHZ 233, 70 ff. = NZG 2022, 1642).

19 Gläubiger erhalten keinen unmittelbaren Anspruch gegen Vorstandsmitglieder, auch nicht über § 823 II BGB iVm § 1 I StaRUG, da Vorschrift **kein Schutzgesetz** zugunsten der Gläubiger statuiert. Gesetzgeber hat sich mit Problem des Drittschutzes und der Außenhaftung eingehend auseinandergesetzt, entspr. Ansätze aber letztlich verworfen (vgl. insbes. RAusschuss BT-Drs. 19/25353, 6: Bedürfnis nach Gläubigerschutz wird „durch die gesellschaftsrechtlichen Haftungsnormen aufgefangen"). Diese Grundsatzentscheidung darf nicht über § 823 II BGB korrigiert werden (überzeugend Skauradszun/Amort DB 2021, 1317, 1324 ff.).

20 **d) Geltung der Business Judgment Rule.** Ob für Sorgfaltspflichten in der Phase der Solvenzüberwachung und -sicherung **BJR (§ 93 I 2)** gilt, wird überwiegend im Zusammenhang mit Haftung im vorinsolvenzlichen Restrukturierungsverfahren erörtert (→ Rn. 33), doch gelten dazu ausgearbeitete Grundsätze richtigerweise auch außerhalb dieses Verfahrens (zutr. Brinkmann KTS 2021, 303, 312 f.). Danach handelt es sich bei Maßnahmen im vorinsolvenzlichen Stadium generell nicht um Anwendungsfälle der BJR, sondern um damit eng verwandte Kategorie der **Pflichtaufgaben mit Entscheidungsspielraum** (ausf. → § 93 Rn. 29), weil Ermessensausübung durch Zweck der Insolvenzvermeidung determiniert wird (Brinkmann KTS 2021, 303, 312 f.; für analoge Anwendung des § 93 I 2 dagegen Seibt/Bulgrin DB 2020, 2226, 2229; sa Gleißner/Nickert/Nickert DB 2023, 1489, 1495; wN → Rn. 33). Entspr. Grundsätze waren zuvor schon zur Haftung iRd § 92 II aF entwickelt worden und behalten auch unter neuen ges. Rahmenbedingungen ihre Gültigkeit (vgl. etwa MüKoAktG/Spindler Rn. 84 ff.).

21 **e) Rolle des Aufsichtsrats.** Neben Vorstand **trifft auch AR Überwachungspflicht,** die sich mit Krise verdichtet. § 1 I 2 StaRUG verpflichtet Vorstand deshalb, auch AR **unverzüglich Bericht** zu erstatten, konkretisiert insofern also die allgemeiner gefassten Vorgaben des § 90 (Brandes/Rabenau ZIP 2021, 2566, 2568). Obwohl Wortlaut insofern nicht ganz eindeutig ist, muss Bericht mit Blick auf Normzweck nicht erst erfolgen, wenn Gegenmaßnahmen ergriffen wurden, sondern bereits, wenn krit. Entwicklung diagnostiziert wurde (Skauradszun/Amort DB 2021, 1317, 1318 f.). AR muss sodann prüfen, ob Anlass besteht, von Rechten aus §§ 90, 111 II, IV 2 Gebrauch zu machen, und bei erkannter Insolvenz mit allen Mitteln (uU auch Amtsenthebung) auf Antragstellung hinwirken, ggf. Antrag nach § 15a III InsO selbst stellen (BGH NJW 2009, 2454 Rn. 15; sa OLG Hamburg NZG 2015, 756 Rn. 52 ff.; KG NZG 2021, 1358 Rn. 52 ff.; Strohn NZG 2011, 1161, 1163). Weiterhin in § 1 I 3 StaRUG angesprochene **Zuständigkeit anderer Organe** betr. dagegen nicht generelles Verhalten in der Krise, sondern nur Eingangsvoraussetzungen für bes. StaRUG-Restrukturierungsmaßnahmen (→ Rn. 28).

f) Shift of fiduciary duties? Für große Aufregung hat im Vorfeld des StaRUG darin ursprünglich enthaltene Regelung (§ 2 I RegE StaRUG BT-Drs. 19/24181, 14, 105 ff.) ausgelöst, wonach schon im Vorfeld der Insolvenz sog **shift of fiduciary duties** (vgl. dazu Scholz/Bitter GmbHG § 64 Rn. 29 ff., 461 ff.; Jungmann ZRI 2021, 209 ff.) eintreten sollte, der Geschäftsleiter ab Zeitpunkt der drohenden Zahlungsunfähigkeit iSd § 18 InsO verpflichtet hätte, Interessen der Gesamtheit der Gläubiger zu wahren (vgl. dazu noch Brinkmann ZIP 2020, 2361 ff.; Guntermann WM 2021, 214 ff.; Korch NZG 2020, 1299 f.; Kuntz ZIP 2020, 2423; Seibt/Bulgrin DB 2020, 2226, 2230 ff.; Skauradszun ZRI 2020, 625, 629). Das hätte zur Folge gehabt, dass Orientierung am Gesellschafterinteresse durch ausschließliche Orientierung am Gläubigerinteresse abgelöst worden wäre. Regelung ist letztlich nicht Ges. geworden, sondern **vom RAusschuss gestrichen** worden „mit Blick auf ihr unklares Verhältnis zu den im Gesellschaftsrecht verankerten Sanierungspflichten" (RAusschuss BT-Drs. 19/25303, 15 f.). Auch rechtspolit. erscheint es zweifelhaft, ob im Stadium bloß drohender Zahlungsunfähigkeit eine solche Verschiebung in der Sache schon gerechtfertigt ist (Kuntz ZIP 2021, 597, 601 ff.). In vielen Fällen wird Frage zu bejahen sein, weil mit drohender Zahlungsunfähigkeit oft auch Überschuldung einhergehen wird, doch ist inhaltliche Überschneidung nur realtypisch, aber keinesfalls begriffsnotwendig gegeben. 22

Trotz bewusster Streichung im Gesetzgebungsverfahren wird in Lit. weiterhin diskutiert, ob entspr. Verschiebung nicht doch **qua richtlinienkonformer Anwendung** im Lichte des Art. 19 I lit. a) Restrukturierungs-RL in § 93 I 1 hineininterpretiert werden muss (tendenziell bejahend die insolvenzrechtl. Lit., vgl. Bitter ZIP 2021, 321 f.; Thole BB 2021, 1347 ff.; tendenziell zurückhaltend die gesellschaftsrechtl. Lit., vgl. Guntermann WM 2021, 214, 215, 217 f.; Kuntz ZIP 2021, 597 ff.; Ph. Scholz ZIP 2021, 219, 220; Übergänge zwischen Meinungsgruppen sind zT aber fließend). Vorschrift verpflichtet Mitgliedstaaten sicherzustellen, dass Unternehmensleitung bei wahrscheinlicher Insolvenz (entspricht in nat. Umsetzung drohender Insolvenz → Rn. 26) Interessen der Gläubiger, Anteilsinhaber und sonstiger Interessenträger gebührend berücksichtigt. Fragestellung schlägt den Bogen zur allg. Diskussion, ob Vorstand vornehmlich erwerbswirtschaftlichem Zweck zu folgen hat oder seiner Tätigkeit interessenplurale Zielsetzung zugrunde legen darf (→ § 76 Rn. 63 ff.). In beiden Konzepten wirft Art. 19 I lit. a) Restrukturierungs-RL die Frage auf, ob im Vorfeld der Insolvenz **Gläubigerinteressen Aufwertung erfahren,** um zu vermeiden, dass Vorstand und Aktionäre durch risikoreiche Entscheidungen auf Kosten der Gläubiger spekulieren („gambling for resurrection"; differenzierende Darstellung bei Kuntz ZIP 2021, 597, 598 ff.). 23

Klarer Vorrang der Gläubigerinteressen lag namentl. im Lichte ursprünglicher Richtlinienfassung noch nahe, die Anteilseignerinteressen nicht ausdr. nannte (vgl. zur Entwicklungsgeschichte Korch ZGR 2019, 1050, 1057 ff.). In endg. Fassung wurden sie aber in Art. 19 I lit. a) Restrukturierungs-RL ergänzt, was jedenfalls hier vertretene interessenplurale Zielkonzeption (→ § 76 Rn. 63 ff.) unberührt lässt (Korch ZGR 2019, 1050, 1057 ff.). Europ. Gesetzgeber wollte einen Vorrang einzelner Interessen bewusst nicht festschreiben (vgl. ErwGr 71 Restrukturierungs-RL) und diese **bewusste Regelungsabstinenz** darf nicht durch rein wirtschaftliche Wertungen unterminiert werden. Art. 19 I lit. a) Restrukturierungs-RL kann daher lediglich entnommen werden, dass Gläubigerinteressen nicht unberücksichtigt bleiben dürfen, nicht aber, dass sie Aktionärsinteresse verdrängen. Umfassender shift of duty ist daher jedenfalls in diesem 24

Stadium abzulehnen (zur abw. Wertung im eröffneten Restrukturierungsverfahren → Rn. 30; zur Berücksichtigung von ESG-Gesichtspunkten s. Kuntz ZIP 2023, 1346 ff.). Im **GmbH-Recht** stellt sich Problem in größerer Schärfe als im Aktienrecht, weil § 37 I GmbHG Weisungsbindung des Geschäftsführers statuiert, die zugleich primäre Bindung an Gesellschafterinteressen impliziert. Geschäftsleiter kann damit vor Frage gestellt sein, inwiefern er solche Weisungen im Gläubigerinteresse missachten darf (vgl. Korch GmbHR 2021, 793 Rn. 15 ff.). Solch zugespitzter Konflikt kann sich bei AG allein innerhalb eines Beherrschungsvertrags (§ 308) stellen.

25 Strengere Grenze als in Art. 19 I lit. a) Restrukturierungs-RL wird in Art. 19 I lit. c) Restrukturierungs-RL gezogen, wonach Mitgliedstaaten sicherzustellen haben, dass Unternehmensleitung bei drohender Insolvenz die Notwendigkeit gebührend zu berücksichtigen hat, vorsätzliches oder grob fahrlässiges Verhalten zu vermeiden, das **Bestandsfähigkeit der AG gefährdet.** Sprachlich wenig gelungene Vorgabe lässt auch hier durch die Wendung „gebührend berücksichtigen" ausreichend Raum für nat. Spielräume (ausf. Korch GmbHR 2021, 793 Rn. 19 ff.; Ph. Scholz ZIP 2021, 219, 220 ff.). Deutscher Gesetzgeber hat diese Vorgabe nicht eigenständig umgesetzt, sondern verlässt sich auf allg. Schutz des § 93 I, II, der Bestandsgefährdung zwar idR, aber auch keinesfalls absolut verbietet (→ § 93 Rn. 53). Maßgeblich ist Unternehmensinteresse. Lässt man in dieses auch Gläubigerinteressen einfließen (→ Rn. 23), behält Vorstand weiterhin **erforderliche Entscheidungsspielräume;** zugleich ist der Gefahr des „gambling for resurrection" hinreichend entgegengewirkt. Es kann auch durch HV-Zustimmung nach § 93 IV 1 nicht legitimiert werden (zur konkreten Begründung Ph. Scholz ZIP 2021, 219, 220 f.). Weitergehende Konkretisierung in § 32 I StaRUG gilt dagegen nur iR konkret ergriffener Restrukturierungsmaßnahmen, aber keinesfalls durchgängig im Stadium drohender Zahlungsunfähigkeit. Auch korrespondierende Regelung in § 43 I 2 StaRUG (→ Rn. 33) schreibt nur für diese Situation (Geltung ab Rechtshängigkeit der Restrukturierungssache – vgl. Brinkmann KTS 2021, 303, 308; Korch GmbHR 2021, 793 Rn. 3; Kuntz ZIP 2021, 597, 610; Seibt/Bulgrin DB 2020, 2226, 2227) bes. Sorgfaltspflicht des § 32 I StaRUG als Ausfluss allg. Legalitätsbindung (→ § 93 Rn. 9 ff.) in Haftungsanordnung bei Verstoß fort (Ph. Scholz ZIP 2021, 219, 222 f.; zur Frage, ob damit shift of fiduciary duties eintritt → Rn. 30).

26 **2. Restrukturierungsmöglichkeiten im Vorfeld der Insolvenz. a) Freiwilliger Insolvenzantrag bei drohender Zahlungsunfähigkeit.** § 1 StaRUG enthält insolvenzrechtl. Konkretisierungen der allg. Sorgfaltspflicht, ohne sie allerdings inhaltlich umfassend zu überlagern (→ Rn. 15 ff.). Erst Insolvenzreife iSd § 19 I InsO löst umfassendes insolvenzrechtl. Pflichtenregime aus (namentl. Antragspflicht des Vorstands nach § 15a InsO; → Rn. 40 ff.), das allerdings schon bislang durch weitere Option im Vorfeld der Insolvenz ergänzt wurde: Nach § 18 I InsO kann AG – ohne dazu verpflichtet zu sein – bei **drohender Zahlungsunfähigkeit** (Legaldefinition in § 18 II InsO; konkretisiert in BGH NZG 2014, 273 Rn. 10; zum Begriff der Zahlungsunfähigkeit → Rn. 34 f.) aus eigener Initiative Insolvenzantrag stellen. Durch SanInsFoG 2021 neu eingeführter § 18 II 2 InsO gibt vor, dass idR Prognosezeitraum von 24 Monaten zugrunde zu legen ist (vgl. dazu Bitter ZIP 2021, 321, 323), wobei Sanierungsbeiträge – anders als bei Überschuldung – nicht einzupreisen sind (Thole BB 2021, 1347, 1348). Freiwilliger Insolvenzantrag nach § 18 I InsO wird vom Vorstand zumeist nicht gestellt, um unrentable AG im Marktinteresse auf eigene Initiative aus dem Rechtsverkehr zu entfernen, sondern er wird vielmehr **Sanierung des Unternehmens** bezwecken (Kuntz ZIP 2021, 597, 601). Dafür eröffnet ihm Insolvenzrecht mittlerweile zwei unterschiedliche Sanierungswege: Vorstand kann noch im

vorinsolvenzlichen Stadium Restrukturierungsverfahren wählen (→ Rn. 27 ff.) oder selbst Insolvenzantrag stellen und zugleich Eigenverwaltung (§§ 270 ff. InsO) beantragen (→ Rn. 50; → § 264 Rn. 11b), uU auch in bes. Form des Schutzschirmverfahrens nach § 270d InsO (→ Rn. 51; vgl. auch Thole BB 2021, 1347, 1349: funktionale Äquivalenz). Ob freiwilliger Insolvenzantrag HV zur Genehmigung vorgelegt werden muss, ist umstr., richtigerweise aber zu verneinen (→ § 119 Rn. 24a).

b) Restrukturierungsverfahren nach StaRUG. aa) Verfahrenseinleitung. Neben freiwilligem Insolvenzantrag (→ Rn. 26) steht dem Vorstand nunmehr auch der breite Maßnahmenkatalog des StaRUG zur Verfügung. Damit wird früher binäre Unterscheidung zwischen außerinsolvenzrechtl. Sanierung einerseits und Insolvenz andererseits um weitere Zwischenschritte ergänzt (Korch GmbHR 2021, 793 Rn. 1). Eingeleitet wird Restrukturierungsverfahren nicht durch formales Eröffnungsverfahren, sondern durch bloße **Anzeige der Restrukturierungsbedürftigkeit** bei zuständigem Gericht (§§ 31, 35 f. StaRUG; zu den Einzelheiten s. Fuhrmann/Heinen/Schilz NZG 2021, 684 ff.; Seibt/Bulgrin DB 2020, 2226, 2235 f.). Vorstand ist aber grds. nicht verpflichtet, StaRUG-Restrukturierungsmaßnahmen zu ergreifen, sondern nur in Einzelfällen können sich Handlungspflichten (→ Rn. 18 f.) auf diese Option verdichten, wenn es sonst keine Möglichkeit der Krisenbewältigung gibt (Thole BB 2021, 1347, 1348). Eröffnet ist ihm dieser Weg, sobald **Stadium der drohenden Zahlungsunfähigkeit** (→ Rn. 26) erreicht ist, da erst damit Instrumente des Stabilisierungs- und Restrukturierungrahmens nach §§ 29 ff. StaRUG zur Verfügung stehen (vgl. zu dieser zeitl. Zäsur → Rn. 25). Noch nicht abschließend geklärt ist, ob „Primat des präventiven Restrukturierungsrahmens" anzuerkennen ist. Dafür kann sprechen, dass Belastungen für AG in diesem Stadium geringer sind (jedenfalls für bes. Begründungslast des Vorstands bei Wahl des Insolvenzverfahrens deshalb Seibt/Bulgrin DB 2020, 2226, 2228 f.). Da Rechtsordnung beide Wege zur Verfügung stellt und Instrumentarien und Belastungen sich einem klaren Vergleich entziehen, sollte derartige Verrechtlichung der Vorstandsentscheidung indes nur mit großer Zurückhaltung angenommen werden (sa Korch ZGR 2019, 1050, 1074: kein abstraktes Rangverhältnis). 27

Nach § 1 I 3 StaRUG hat Geschäftsleiter im Fall, dass zu ergreifende Maßnahmen die **Zuständigkeit anderer Organe** berühren, auch auf deren Befassung unverzüglich hinzuwirken. Diese Vorgabe ist – wie alle Vorschriften des StaRUG – nicht auf AG zugeschnitten, sondern auf sämtliche Unternehmensformen. Bei der AG könnte als weiteres Organ insbes. HV angesprochen sein, deren Einbeziehung in § 1 I 3 StaRUG aber keinesfalls angeordnet wird, sondern es wird darin anderweitig gesellschaftsrechtl. begründete Zuständigkeit vorausgesetzt. Ob dem AktG eine solche Zuständigkeit entnommen werden kann, ist – wie bei freiwilligem Antrag im Fall drohender Insolvenz (→ Rn. 26) – umstr., richtigerweise aber zu verneinen (→ § 119 Rn. 24a; zur abw. Beurteilung bei personalistisch strukturierter GmbH vgl. AG Hamburg GmbHR 2023, 916, 917 m. zust. Anm. Bayer). **AR** ist aber nach § 90 I 3 und § 1 I 3 StaRUG über beabsichtigte Verfahrenseinleitung zu unterrichten und kann diese ggf. durch Zustimmungsvorbehalt (uU auch ad hoc → § 111 Rn. 62) nach § 111 IV 2 unterbinden (Brinkmann KTS 2021, 303, 318 f.; Ph. Scholz ZIP 2021, 219, 226). UU kann sich Zustimmungsverweigerung jedoch als Pflichtverletzung darstellen. Bei Beurteilung, ob AR Sorgfaltspflicht verletzt hat, wird man seine Entscheidung – wie die des Vorstands (→ Rn. 22 ff.) – ebenfalls nicht allein an Gesellschafter-, sondern auch an Gläubigerinteressen messen müssen. Auch missbräuchliche Zustimmungsverweigerung darf Vorstand aber nicht schlicht unbeachtet lassen, sondern muss Weg des § 111 IV 3 beschreiten (Brinkmann KTS 2021, 28

303, 323 f.). Auch mit Einleitung des Verfahrens wird Vorstand noch nicht zum Einsatz best. Restrukturierungsinstrumente verpflichtet, sondern behält weites Ermessen; von ihm tats. ausgewählte Instrumente muss er aber in Erfüllung seiner allg. Restrukturierungs- und Sanierungspflicht (→ Rn. 18 f.) zielstrebig und sorgfältig einsetzen (Korch GmbHR 2021, 793 Rn. 10 ff.).

29 **bb) Verfahrensfolgen.** Kernstück des StaRUG 2020 ist Möglichkeit, schon im Vorfeld der Insolvenz auf Grundlage eines **Restrukturierungsplans** Forderungen, die gegen restrukturierungsfähige Person begründet sind (Restrukturierungsforderungen), nach § 2 I Nr. 1 StaRUG umzugestalten (zu Eingriffen in Kreditforderungen und -sicherheiten Rechtmann WM 2021, 520 ff.). Zugleich können nach § 2 III StaRUG aber auch **Anteils- oder Mitgliedschaftsrechte** der Aktionäre neu gestaltet, sonstige gesellschaftsrechtl. zulässige Regelungen getroffen sowie Mitgliedschaftsrechte übertragen werden. Es ist auch möglich, ausschließlich gesellschaftsrechtl. Regelungen im Plan zu treffen, ohne gleichzeitig Gläubigerrechte zu gestalten, sog. **reiner Gesellschafterplan** (Zulässigkeit voraussetzend AG München ZIP 2023, 603 ff.; eingehend Thole ZIP 2023, 563, 564; zur Frage, ob in diesem Fall cross-class cram-down zulässig ist → Rn. 31). Plan kann genutzt werden, um Gesellschafterstreitigkeiten beizulegen, die AG in ihrem Bestand gefährden würden, wenn sie nicht gelöst werden, da nicht alle gesellschaftsrechtl. Maßgaben einzuhalten sind (Thole ZIP 2023, 563, 564 f.). Nach § 2 IV StaRUG kann Restrukturierungsplan auch Forderungsrechte gestalten, die diesen aus einer von verbundenem Unternehmen (§ 15) als Bürge, Mitschuldner oder aufgrund anderweitig übernommener Haftung an Gegenständen des Vermögens dieses Unternehmens zustehen (gruppeninterne Drittsicherheit). Restrukturierungsplan wird vom Vorstand erstellt, der dabei inhaltliche Gestaltungsvorgaben der §§ 5 ff. StaRUG) zu beachten hat (zu Einzelheiten vgl. Mulert/Steiner NZG 2021, 673 ff.; Wilhelm/Hoffmann/Richter DB 2021, 381 ff.; Wilkens WM 2021, 573, 576 ff.). Entwurf des Plans ist Anzeige des Restrukturierungsvorhabens (§ 31 StaRUG; → Rn. 27) beizufügen. Während Rechtshängigkeit der Restrukturierungssache ruht Antragspflicht nach § 15a I – III InsO (§ 42 I 1 StaRUG). Antragspflichtige müssen jedoch Restrukturierungsgericht Eintritt von Zahlungsunfähigkeit oder Überschuldung unverzüglich anzeigen (§ 42 I 2 StaRUG).

30 Besonderheit des Restrukturierungsverfahrens ist, dass es sich vollständig unter **Leitung des Vorstands** vollzieht, dem damit Möglichkeit eröffnet wird, ohne Risiko des Kontrollverlustes finanzielle Restrukturierung zu erreichen. Zwar kann ihm **Restrukturierungsbeauftragter** (§ 73 StaRUG) an die Seite gestellt werden, doch wird er dadurch nicht – wie vom Insolvenzverwalter (→ § 264 Rn. 8 ff.) – aus seinen Befugnissen verdrängt (de Bruyn/Ehmke NZG 2021, 661, 662). Stattdessen ist Stellung des Restrukturierungsbeauftragten eng an Position eines Sachwalters in der Eigenverwaltung angelehnt (→ Rn. 50; → § 264 Rn. 11b; de Bruyn/Ehmke NZG 2021, 661, 663). Er überwacht Schuldner (§ 76 II Nr. 2a StaRUG) und kann vom Gericht insbes. auch mit Kassenführung beauftragt werden (§ 76 II Nr. 2b StaRUG). Noch nicht abschließend geklärt ist, ob der für Vorfeld der Insolvenz vom Gesetzgeber bewusst vermiedene **shift of fiduciary duties** (→ Rn. 22 ff.) zumindest für das Restrukturierungsverfahren gilt (dafür Thole BB 2021, 1347, 1350 f.; dagegen Kuntz ZIP 2021, 597, 603 f.). Dafür spricht insbes. die stärkere Ausrichtung auf Gläubigerbelange in § 32 I, § 43 I StaRUG, doch lässt sich auch hier nicht eindeutig erkennen, ob sie Aktionärsinteressen verdrängen oder nur gleichermaßen zu berücksichtigen sind. Umstand, dass im Stadium drohender Zahlungsunfähigkeit nicht in allen Fällen schon vollständige materielle Entwertung des Anteilseigentums vorliegen muss (→ Rn. 22), spricht gegen zu weitgehende Verdrängung. Weitere Diskussion ist abzuwarten.

Aus gesellschaftsrechtl. Sicht ist von bes. Bedeutung, dass auf Grundlage eines solchen Restrukturierungsplans auch tiefgreifende **Eingriffe in Gesellschafterrechte** möglich sind. Dazu im StaRUG vorgesehene Instrumentarien sind allerdings nicht neu, sondern orientieren sich an **Insolvenzplanverfahren** (→ Rn. 52; → § 264 Rn. 5). Wie dort ist verfahrensrechtl. Leitgedanke, dass namentl. Gläubiger – auf Initiative des Schuldners – Möglichkeit erhalten, Krisensituation auf privatautonomen Wegen jenseits der insolvenzrechtl. Regelungen eigenständig zu ordnen. Dazu muss es in Sanierungssituationen auch möglich sein, in Gesellschafterrechte einzugreifen, da Gläubigern anderenfalls zugemutet würde, mit ihren Anstrengungen Unternehmen zugunsten der Anteilseigner zu sanieren. § 26 I StaRUG gestattet deshalb **gruppenübergreifende Mehrheitsentscheidungen** (cross-class cram-down), die dazu führen können, dass Restrukturierungsmaßnahmen gegen den Widerstand der Gesellschafter oder einzelner Gläubiger (Hold-out) beschlossen werden (vgl. zu Einzelheiten etwa de Bruyn/Ehmke NZG 2021, 661, 667 ff.; Schelo WM 2021, 513, 515 f.; Wilkens WM 2021, 573, 578 ff.; zu darüber hinausgehenden Möglichkeiten, im Konzern Widerstand zu überwinden, Kreuz ZIP 2023, 1673 ff.). Str. ist, ob cross-class cram-down auch bei reinem Gesellschafterplan zulässig ist, da an sich Wortlaut des § 26 I Nr. 3 HS. 3 StaRUG entgegensteht (dagegen AG München ZIP 2023, 603 ff.; für teleologische Reduktion Thole ZIP 2023, 563, 564 ff.; zur Folgefrage, welche Kriterien zur Gruppenbildung innerhalb der Gesellschafter zulässig sind, Thole ZIP 2023, 563, 567 f.). Von § 26 StaRUG erfasst sind nur Rechte, die tats. aus Gesellschafterstellung folgen; nicht durch Plan berührt werden dagegen schuldrechtl. Rechte aus Aktionärsvereinbarungen (Thole ZIP 2023, 563, 568). 31

Maßgeblich für Eingriff in Gesellschafterrechte ist **§ 7 IV StaRUG,** wonach Restrukturierungsforderungen iSd § 2 I Nr. 1 StaRUG in Anteils- oder Mitgliedschaftsrechte an AG umgewandelt werden können. Umwandlung gegen Willen der betroffenen Gläubiger ist aber ausgeschlossen (§ 7 IV 2 StaRUG). Als mögliche Instrumente nennt § 7 IV 3 StaRUG Kapitalherabsetzung oder -erhöhung, Leistung von Sacheinlagen, Ausschluss von Bezugsrechten oder Zahlung von Abfindungen an ausscheidende an dem Schuldner beteiligte Personen. Plan kann aber auch vorsehen, dass Anteils- oder Mitgliedschaftsrechte übertragen werden (§ 7 IV 4 StaRUG). IÜ kann jede Regelung getroffen werden, die gesellschaftsrechtl. zulässig ist (§ 7 IV 5 StaRUG). § 7 VI 6 StaRUG schließlich verweist auf entspr. Anwendung des § 225a IV, V InsO. Bes. Bedeutung kommt insofern Möglichkeit des **Debt-Equity-Swaps** zu. Aufgrund des offenkundig im Ges. angelegten „Auslegungsgleichlaufs" kann weitgehend auf bisherige Erkenntnisgewinne zu den im Insolvenzplanverfahren angelegten Instrumenten verwiesen werden (vgl. iE → § 182 Rn. 32c sowie die insolvenzrechtl. Lit., zB de Bruyn/Ehmke NZG 2021, 661, 668 ff.; Mulert/Steiner NZG 2021, 673, 676 ff.). 32

cc) Sorgfaltspflichten und Haftung. Innerhalb des präventiven Restrukturierungsrahmens gilt bes. **Sorgfaltsmaßstab des § 32 I StaRUG,** wonach Schuldner Restrukturierung mit der Sorgfalt eines ordentlichen und gewissenhaften Sanierungsgeschäftsführers zu betreiben und dabei Interessen der Gläubigergesamtheit zu wahren hat. § 43 I 1 StaRUG enthält (überflüssige – vgl. Bericht RAusschuss BT-Drs. 19/25303, 8) Klarstellung, dass so gefasste Pflichten von Geschäftsleiter zu erfüllen sind und sieht in § 43 I 2 StaRUG für Verstoß Haftungsfolge vor, die entgegen ursprünglicher Planung nicht als Außenhaftung ggü. Gläubigern, sondern als **Innenhaftung** ausgestaltet ist (vgl. dazu Huber/Kranzfelder/Wiedeck DB 2021, 2880 ff.). Vorstandsmitglieder haften danach dem Schuldner „in Höhe des den Gläubigern entstandenen Schadens". Noch nicht abschließend geklärt ist, ob auch für diese Haftungsanordnung **BJR** gilt. Das wird zT bejaht, allerdings mit der Besonderheit, das als Fixpunkt des Vor- 33 standsermessens neben Gesellschafter- auch Gläubigerinteressen zu berücksichtigen sind (Guntermann WM 2021, 214, 219 f.; Ph. Scholz ZIP 2021, 219, 224 ff.). Um diese Verschiebung und dem bes. ges. Rahmen besser Rechnung zu tragen, bietet es sich an, stattdessen Zuordnung zu **Pflichtaufgaben mit Entscheidungsspielraum** (→ § 93 Rn. 29) anzunehmen (so oder ähnlich auch Brinkmann KTS 2021, 303, 312 f.; Korch GmbHR 2021, 793 Rn. 6 ff.; Kuntz ZIP 2021, 597, 607 f.; Thole BB 2021, 1347, 1351). Allg. Haftung nach § 93 II wird dadurch nicht verdrängt (zum Nebeneinander insolvenz- und verbandsrechtl. Haftungsansprüche vgl. Kuntz ZIP 2021, 597, 607 f.; Ph. Scholz ZIP 2021, 219, 224 ff.).

34 **3. Pflichten nach Eintritt der Insolvenz. a) Insolvenzantragspflicht (§ 15a InsO). aa) Eröffnungsgründe. (1) Zahlungsunfähigkeit.** Für Einleitung des herkömmlichen Insolvenzverfahrens gibt es bei jur. Personen nach § 17 I, § 19 I InsO zwei zwingende Eröffnungsgründe iSd § 16 InsO (zum optionalen Grund drohender Zahlungsunfähigkeit → Rn. 26): Zahlungsunfähigkeit iSd § 17 II InsO und Überschuldung iSd § 19 II InsO. Sie verpflichten Vorstand nach § 15a I InsO zur Stellung des Insolvenzantrags. Zahlungsunfähigkeit wird nach § 17 II 2 InsO ges. vermutet bei Zahlungseinstellung, nicht allerdings wenn Schuldner die Zahlung nur verweigert, weil er die Forderung für unbegründet hält (BGH NZG 2012, 672 Rn. 25). **Zahlungseinstellung** liegt dann vor, wenn tats. Unfähigkeit zur Erfüllung fälliger Zahlungspflichten derart nach außen kundgetan wird, dass sie zumindest für beteiligte Verkehrskreise erkennbar ist (BGHZ 149, 100, 108 ff. = NJW 2002, 512; KG NZG 2021, 1358 Rn. 48; GK-AktG/Habersack/Foerster Rn. 53), etwa durch Abgabe eidesstattlicher Versicherung, Schließung der Geschäftsräume, Einstellung des Geschäftsbetriebs, gescheiterte Vollstreckungsmaßnahmen etc. (weitere Bsp. und Nachw. bei MüKoAktG/Spindler Rn. 64), nicht aber allein wegen Bitte um Ratenzahlung (BGH NJW 2015, 1959 Rn. 3 f.).

35 Auch ohne Zahlungseinstellung ist Zahlungsunfähigkeit anzunehmen, wenn AG nach Ergebnis einer **Liquiditätsbilanz** (zur ausnahmsweisen Entbehrlichkeit vgl. BGH NZG 2022, 1550 Rn. 14) außerstande ist, ihre fälligen Geldschulden zu erfüllen, und zwar wegen obj., kurzfristig nicht behebbaren **Mangels an Zahlungsmitteln.** Als kurzfristig wird Zeitraum von zwei bis drei Wochen angesehen. Geringfügiger Schuldenrest wird als unerheblich beurteilt, wobei Rspr. Zahlungsunfähigkeit ab 10 % nicht bedienbarer Geldschulden widerlegbar vermutet, sofern nicht ausnahmsweise mit an Sicherheit grenzender Wahrscheinlichkeit zu erwarten ist, dass die Liquiditätslücke demnächst vollständig oder fast vollständig geschlossen wird und den Gläubigern ein Zuwarten nach den bes. Umständen des Einzelfalls zuzumuten ist (stRspr seit BGHZ 163, 134, 139 ff. und 142 ff. = NJW 2005, 3062; vgl. aus jüngerer Zeit BGH ZIP 2007, 1666 Rn. 13 ff.; NZG 2012, 672 Rn. 10; BGHZ 195, 42 Rn. 8 = NZG 2012, 1379; BGH NZG 2018, 343 Rn. 10; NZG 2022, 1550 Rn. 12; BeckOGK/Fleischer Rn. 66.; zu Einzelheiten Parzinger/Lappe/Meyer-Löwy ZIP 2019, 2143 ff.). Auch die innerhalb von drei Wochen nach dem Stichtag fällig werdenden Verbindlichkeiten (Passiva II) sind bei der Feststellung der Zahlungsunfähigkeit zu berücksichtigen (ausf. BGH NZG 2018, 343 Rn. 34 ff.; vgl. dazu Mylich ZIP 2018, 514 ff.). Bloße **Zahlungsstockung** begründet dagegen keine Zahlungsunfähigkeit (RegBegr. BT-Drs. 12/2443, 114; s. zur Abgrenzung BGHZ 163, 134, 139 ff. = NJW 2005, 3062; Neumaier NJW 2005, 3041 ff.). Zu weiteren Einzelheiten vgl. insolvenzrechtl. Kommentarlit., etwa K. Schmidt/K. Schmidt/Herchen InsO § 17 Rn. 14 ff., 31 ff.

36 **(2) Überschuldung.** Eröffnungsgrund der Überschuldung gilt nach **§ 19 I InsO** nur für jur. Personen und soll verhindern, dass die Insolvenz einer nicht

überlebensfähigen Gesellschaft noch bis zur Zahlungsunfähigkeit hinausgezögert wird. Im Krankheitsverlauf einer AG tritt Überschuldung idR vor Zahlungsunfähigkeit ein, wird aber – da „geräusch- und geruchlos" (Brinkmann NZI 2019, 921, 922) – oft nicht ohne Weiteres feststellbar sein (sa OLG Schleswig NZG 2022, 173 Rn. 21: nicht an Instrumententafel abzulesen); weite Überschneidungen ergeben sich mit Tatbestand der drohenden Zahlungsunfähigkeit (→ Rn. 26). Überschuldungselement setzt sich aus zwei Elementen zusammen, bilanzielle Überschuldung und negative Fortführungsprognose, deren konkretes Zusammenspiel in den vergangenen Jahrzehnten wechselvolle Gestaltung erfahren hat (vgl. dazu etwa K. Schmidt/K. Schmidt/Herchen InsO § 19 Rn. 5; Gehrlein GmbHR 2021, 183 Rn. 2 ff.). Schwierigkeiten in der Abstimmung sind auf Grundproblem zurückzuführen, dass **bilanzielle Überschuldung** fehlende Überlebensfähigkeit zwar indiziert, dieser Indikator aber problematisch ist, da Überschuldung oft nur vorübergehender Natur sein kann und nicht zwangsläufig auf mangelnde Existenzfähigkeit hindeutet (vgl. etwa Braun/Salm-Hoogstraeten InsO, 9. Aufl. 2022, § 19 Rn. 1 ff.). Gesetzgeber hat bilanzielles Kriterium deshalb durch sog **Fortführungsprognose** ergänzt, in der festgestellt werden soll, ob Gesellschaft trotz ihrer finanziellen Probleme noch Zukunftsaussichten hat. Langjährige legislative Schwierigkeiten in der Feinabstimmung beruhten auf unterschiedlichen Vorstellungen, welchem dieser Kriterien größeres Gewicht beigemessen werden sollte. Vorzug einer vornehmlich bilanziellen Betrachtung wurde darin gesehen, dass sie eine Verobjektivierung der Zukunftsprognose bewirkte, indem sie die Feststellung der Überschuldung nicht allein an unsicheres Fortführungsszenario auf Grundlage diffuser Zukunftschancen anknüpfte, sondern auch an **obj. Bilanzierungsregeln.** Ihr Nachteil lag darin, dass sie dazu führen konnte, dass im Grunde überlebensfähige Unternehmen mit positiver Fortführungsprognose in die Insolvenz gezwungen wurden. Heute in § 19 InsO festgeschriebener (sog. modifiziert zweigliedriger) Überschuldungsbegriff setzt voraus, dass neben bilanzielle Überschuldung auch negative Fortführungsprognose tritt, was zur Folge hat, dass positive Fortführungsprognose auch tiefgreifende bilanzielle Überschuldung kompensieren kann.

Zur Feststellung der rechnerischen Überschuldung zu erstellende **Überschuldungsbilanz** ist keine Bilanz im technischen Sinne, sondern sog **Sonderbilanz,** die nicht aus Jahresbilanz unter bloßer Bereinigung um Eigenkapitalposition ermittelt werden kann (vgl. BGH WM 2001, 959, 960; GK-AktG/Habersack/Foerster Rn. 70; Strohn NZG 2011, 1161, 1162). Abweichung erklärt sich aus ihrem bes. Zweck der **Schuldendeckungsprüfung** (Crezelius FS Röhricht, 2005, 787, 790 f.), die dazu führt, dass Vermögenswerte abw. von herkömmlichen Bilanzgrundsätzen durchgängig mit wahrem Wert anzusetzen sind (Strohn NZG 2011, 1161 f.). Buchmäßige Überschuldung im Jahresabschluss kann aber indizielle Bedeutung haben. Für Bewertungsfragen sind bei Feststellung des rechnerischen Überschuldungselements stets **Liquidationswerte** anzusetzen (BGHZ 119, 201, 214 = NJW 1992, 2891; BGHZ 129, 136, 154 = NJW 1995, 1739). Frühere Abhängigkeit des Ansatzes zu Liquidations- oder Fortführungswerten vom Ergebnis der Fortführungsprognose hat mit endgültiger Festschreibung des heute geltenden Überschuldungsbegriffs ihre Berechtigung verloren (sa K. Schmidt/K. Schmidt/Herchen InsO § 19 Rn. 24). Aus Zielsetzung des Gläubiger- und Verkehrsschutzes folgt grds. auch hier Gebot vorsichtiger Bewertung, was etwa zur Folge hat, dass bestrittene Forderung, die gerichtl. durchgesetzt werden muss, nicht aktiviert werden darf (OLG Hamburg ZIP 2017, 2199). Zu weiteren Einzelheiten der Bilanzerstellung und zur Gestaltung der Aktiv- und Passivseite vgl. insolvenzrechtl. Kommentarlit., etwa K. Schmidt/K. Schmidt/Herchen InsO § 19 Rn. 20 ff. 37

38 Unproblematischer festzustellen wird zumeist **Fortführungsprognose** sein (zur Prüfungsreihenfolge → Rn. 39). Um sie aufzustellen, bedarf es eines tragfähigen Unternehmenskonzepts und eines darauf aufbauenden Finanzplans (Noack/Servatius/Haas/Haas GmbHG Vor § 64 Rn. 32 ff.; zu etwaigen Haftungsgefahren des Vorstands und seiner Berater vgl. Goette DStR 2016, 1684 ff., 1752 ff.; zur Anwendung der BJR → Rn. 20; → § 93 Rn. 29). Positive Prognose sollte nach bislang hM gerechtfertigt sein, wenn ordnungsgem. durchgeführte **Finanzplanung** ergab, dass AG für einen Zeitraum von ein bis zwei Jahren mit überwiegender Wahrscheinlichkeit in der Lage sein wird, bestehende und künftige Verbindlichkeiten zu bedienen (BGHZ 119, 201, 214 = NJW 1992, 2891; GK-AktG/Habersack/Foerster Rn. 68; Groß/Amen WPg 2002, 225, 230 ff.). Gesetzgeber des SanInsFoG 2020 hat Prognosezeitraum allerdings deutlich verkürzt, nämlich auf **Frist von zwölf Monaten.** Damit soll Rechtsunsicherheiten entgegengewirkt werden, die sich aus übermäßig langem Prognosezeitraum notgedrungen ergeben (RegBegr. BT-Drs. 19/24181, 197; krit. dazu Bitter ZIP 2021, 321, 323 f.; Gehrlein GmbHR 2021, 183 Rn. 27 ff.). Für Fälle, wo ausnahmsweise doch auch schon für längeren Zeitraum klare negative Fortführungsprognose abgegeben werden kann, wird zT teleologische Reduktion der neuen Regeln vorgeschlagen (Bitter ZIP 2021, 321, 324), doch setzt sich diese Rechtsfortbildung dem Vorwurf aus, Willen des Gesetzgebers nicht zu respektieren (Brinkmann KTS 2021, 303, 305 f.; Kuntz ZIP 2021, 597, 601 f.). Überzeugendere Lösung liegt deshalb darin, verschärfte Anforderungen an Vorstand stattdessen aus Solvenzsicherungspflicht (→ Rn. 18 f.) abzuleiten, die schon in dem Moment zu bes. Initiative anhält, wenn das für StaRUG-Regime maßgebliche Stadium der **drohenden Zahlungsunfähigkeit** (→ Rn. 26) erreicht ist, dem auch weiterhin Zeitraum von 24 Monaten zugrunde liegt (Brinkmann KTS 2021, 303, 305 f.; zu Besonderheiten bei Start-up-Unternehmen vgl. OLG Düsseldorf NZG 2022, 974 Rn. 21 ff.; OLG Düsseldorf ZRI 2023, 909, 913 f.; Ch. Mock BB 2022, 1929 ff.; gegen gesonderte Behandlung Bork ZRI 2023, 897 ff.).

39 Ausreichend für positive Fortführungsprognose ist hinreichende **Liquiditätsprognose;** Nachweis der Ertragsfähigkeit ist nicht erforderlich (str.; K. Schmidt/K. Schmidt/Herchen InsO § 19 Rn. 46; K. Schmidt ZIP 2013, 485, 491; Bitter/Kresser ZIP 2012, 1733 ff.; Goette DStR 2016, 1684, 1689 f.; aA AG Hamburg ZIP 2012, 1776). Vorstand, der sich auf positive Fortführungsprognose berufen will, ist dafür darlegungs- und beweispflichtig (BGH NZG 2010, 1393 Rn. 12 ff.; Arens GmbHR 2018, 555 ff.), kann Fortführung aber auch mit aussichtsreichen Sanierungsbemühungen begründen. Vor dem Hintergrund dieser Beweislastverteilung dürften Gefahren, die sich aus Gestattung einer Überschuldungswiderlegung qua Fortführungsprognose ergeben (→ Rn. 36), insges. überschaubar bleiben (K. Schmidt ZGR 1998, 633, 652 ff.). Prognose wird aufgrund des dafür geltenden Finanzplanerfordernisses (→ Rn. 38) nämlich idR nur dann zu gerichtl. nachvollziehbaren Ergebnissen führen, wenn sie auf bilanzielle Prüfung des Überschuldungsstatus gestützt werden kann. Aus „es sei denn“-Formulierung des § 19 II InsO wird **Regel-Ausnahme-Verhältnis** in dem Sinne gefolgert, dass bilanzielle Überschuldung rechtl. Überschuldung indiziert (K. Schmidt/K. Schmidt/Herchen InsO § 19 Rn. 16). Sofern ohne vorangehende bilanzielle Prüfung zuverlässig positive Fortführungsprognose doch gestellt werden kann, macht sie Überschuldungsmessung entbehrlich. Feste Prüfungsreihenfolge besteht nicht; Vorstand sollte Prüfung vorziehen, die schnellstmöglich zu **gerichtsfestem Ergebnis** gelangt (K. Schmidt/K. Schmidt/Herchen InsO § 19 Rn. 14).

40 **bb) Pflicht zur Antragstellung.** Liegen Zahlungsunfähigkeit oder Überschuldung vor (→ Rn. 34 ff.), so muss Vorstand Insolvenzantrag ohne schuldhaftes Zögern (§ 121 I BGB) stellen. Dieser Vorgabe wird durch § 15a I 2 InsO

aber zeitl. Obergrenze gezogen, die hinsichtlich der Fristen zwischen Zahlungsunfähigkeit (drei Wochen) und Überschuldung (sechs Wochen) differenziert. Damit soll es dem Schuldner ermöglicht werden, **laufende Sanierungsbemühungen** außergerichtlich noch zu einem erfolgreichen Abschluss zu bringen oder ggf. Sanierung im präventiven Restrukturierungsrahmen (→ Rn. 27 ff.) oder auf Grundlage eines Eigenverwaltungsverfahrens (→ Rn. 50) ordentlich und gewissenhaft vorzubereiten (RegBegr. BT-Drs. 19/24181, 193). Allerdings steht auch diese Verlängerung unter dem Vorbehalt, dass Antrag **ohne schuldhaftes Zögern** (§ 121 I BGB) zu stellen ist, so dass Höchstfristen nicht ausgeschöpft werden dürfen, wenn bereits zu früherem Zeitpunkt feststeht, dass nachhaltige Beseitigung der Überschuldung nicht erwartet werden kann (RegBegr. BT-Drs. 19/24181, 193).

Antragsberechtigt und -verpflichtet ist jedes Vorstandsmitglied; auch fehlerhaft bestelltes (→ § 84 Rn. 12 f.) oder faktisches Mitglied (→ § 93 Rn. 73 ff.). § 15a III InsO erweitert Kreis der Antragspflichtigen bei sog **Führungslosigkeit.** AG ist führungslos, wenn sie keine Vorstandsmitglieder hat (§ 78 I 2; → § 78 Rn. 4a). Antragspflichtig ist dann jedes Mitglied des AR (einzeln), es sei denn, AR-Mitglied hat vom Bestehen des Antragsgrundes (Zahlungsunfähigkeit; Überschuldung) oder von Führungslosigkeit keine Kenntnis. Regelung, die eher auf GmbH zugeschnitten ist, soll vermeiden, dass Antragspflicht ins Leere läuft. Mittelbar wird AR zur Bestellung von Vorstandsmitgliedern veranlasst, weil seine Antragspflicht damit endet (RegBegr. BT-Drs. 16/6140, 55). Ihre fehlende Kenntnis müssen AR-Mitglieder darlegen und beweisen (BeckOGK/Fleischer Rn. 81). 41

Frist beginnt nach älterer aktienrechtl. Rspr. jedenfalls bei Überschuldung erst mit pos. Kenntnis oder böswilliger Unkenntnis des Insolvenzgrundes (BGHZ 75, 96, 110 f. = NJW 1979, 1823; BGHSt 15, 306, 310 = NJW 1961, 740; KK-AktG/Cahn Anh. § 92 A Rn. 33). Zur GmbH hat sich dagegen mittlerweile auch in Rspr. abw. Ansicht durchgesetzt, wonach obj. Vorliegen eines Insolvenzgrundes und dessen **Erkennbarkeit** erforderlich und genügend ist (BGHZ 143, 184, 185 f. = NJW 2000, 668; BGH NJW 2012, 3510 Rn. 11). HLit hat diese Sichtweise auch für das Aktienrecht übernommen (vgl. insbes. BeckOGK/Fleischer Rn. 83; GK-AktG/Habersack/Foerster Rn. 86; MüKoAktG/Spindler Rn. 87 f.; abl. KK-AktG/Cahn Anh. § 92 A Rn. 33). Danach ist es Sache des Geschäftsleiters, fehlende Erkennbarkeit darzulegen und zu beweisen (BGH NZG 2012, 672 Rn. 13; sa vorstehende Nachw.). Bei Eintritt der Zahlungsunfähigkeit dürfte Gegenbeweis jedenfalls praktisch ausgeschlossen sein (S/L/Sailer-Coceani InsO § 15a Rn. 10; weitergehend GK-AktG/Habersack/Foerster Rn. 87: insoweit obj. Anknüpfung). Für diese Lösung spricht, dass Erkennbarkeit genügt, um Vorstand Sanierungsmöglichkeit zu eröffnen; Argumentation in BGHZ 75, 96, 110 f. dürfte sich damit erledigt haben (S/L/Sailer-Coceani InsO § 15a Rn. 10; aA OLG Koblenz AG 2005, 446, 448; krit. dazu Bayer/Schmidt AG 2005, 644, 648 ff.). Insges. hält neue Lösung richtige Mitte zwischen Sanierungschance und Schutz der (späteren) Insolvenzmasse, so dass ihr auch für § 15a I InsO beizutreten ist. 42

Für **Fristende** gilt, dass Insolvenzantrag spätestens bei Fristablauf gestellt sein muss, wenn es bis dahin nicht gelungen ist, Zahlungsfähigkeit wiederherzustellen oder Überschuldung zu beseitigen. Dabei handelt es sich um Höchstfrist (OLG Koblenz AG 2005, 446, 448). Antragstellung nach ihrem Ablauf ist immer schuldhaft (BGHZ 75, 96, 108 = NJW 1979, 1823; MüKoAktG/Spindler Rn. 89), auch dann, wenn Verzögerung durch ernsthafte Sanierungsbemühungen bedingt ist (RegBegr. BT-Drs. 12/3803, 81, 85). Selbst Ausschöpfung der Höchstgrenze erfordert aber, dass rechtzeitige Sanierung „ernstlich zu erwarten ist"; ist Scheitern der Sanierungsbemühungen schon vorher erkennbar, muss Vor- 43 stand Antrag umgehend stellen. Beweislast für diese Ausnahme trägt Vorstand (BGH NZG 2012, 464 Rn. 11; Strohn NZG 2011, 1161, 1162).

44 **b) Rechtsfolgen bei verspäteter Antragstellung (§ 15a InsO). aa) Allgemeine Regelungen.** An unterlassene oder verspätete Antragstellung, sog **Insolvenzverschleppung,** sind strenge Schadensersatzfolgen geknüpft (→ Rn. 46 f.), die in § 15a IV InsO durch strafrechtl. Verantwortlichkeit, und zwar nach § 15a V InsO auch für fahrlässiges Verhalten, ergänzt werden (vgl. dazu Klose NZWiSt 2021, 92 ff.). Weitere Sanktion ergibt sich daraus, dass nach § 26 IV InsO Vorstand bei verspäteter Antragstellung zur **Erstattung des Verfahrensvorschusses** verpflichtet wird, der nach § 26 I 2 InsO gezahlt wird, um Abweisung mangels Masse gem. § 26 I 1 InsO abzuwenden (vgl. dazu Leinekugel/Skauradszun GmbHR 2011, 1121 ff.). Durch diese scharfen Sanktionen soll Durchsetzung der Antragspflicht gefördert werden. Angesichts der prekären Situation, in der sich Vorstand befindet, der zwischen Pflichterfüllung und Sanierungsbemühungen schwanken mag, können diese Rechtsfolgen in Einzelfällen unverhältnismäßig sein (vgl. etwa K. Schmidt ZHR 175 [2011], 433 ff.; ferner Leinekugel/Skauradszun GmbHR 2011, 1121 f.). Gesetzgeber hat dem durch Verlängerung der Antragsfrist im Falle der Überschuldung (→ Rn. 40) Rechnung getragen.

45 **bb) Schutzgesetz.** Vorstandsmitglieder sind bei Verstoß gegen § 15a I 1 InsO ggü. AG schadensersatzpflichtig gem. § 93 II; Darlegungs- und Beweislast liegt bei Insolvenzverwalter (Strohn NZG 2011, 1161). **Schutzgesetzeigenschaft** des § 15a I InsO ist allg. anerkannt (RegBegr. BT-Drs. 16/6140, 55; sa BGH NJW 2012, 3510 Rn. 9; BGHZ 233, 70 Rn. 30 = NZG 2022, 1642; MüKoAktG/Spindler Rn. 101; zur Vorgängernorm bereits BGHZ 29, 100, 103 = NJW 1959, 623; BGHZ 75, 96, 106 = NJW 1979, 1823; BGHZ 100, 19, 21 = NJW 1987, 2433 f.; BGHZ 126, 181, 190 = NJW 1994, 2220). Hinsichtlich Schadenshöhe wird zwischen **Alt- und Neugläubigern** differenziert. **Altgläubiger** (Forderungsbegründung vor Antragspflicht gem. § 15a I 1 InsO) haben aus § 823 II BGB iVm § 15a I 1 InsO nur Anspruch auf Ersatz des **Quotenschadens,** also der Differenz zwischen tats. und bei rechtzeitiger Antragstellung erzielbarem Masseerlös (ganz hM; grdl. BGHZ 29, 100, 103 f. = NJW 1959, 623; insoweit bestätigt von BGHZ 126, 181, 190 = NJW 1994, 2220; seither GK-AktG/Habersack/Foerster Rn. 107 f. mwN; grdl. Kritik aber bei Altmeppen ZIP 2022, 1413 ff.). Anspruch ist im Insolvenzfall analog § 93 V 4 vom Verwalter geltend zu machen. **Neugläubiger** (Forderungsbegründung nach Insolvenzreife) genießen nach BGHZ 126, 181, 192 ff. = NJW 1994, 2220 **vollen Vermögensschutz,** haben danach also Anspruch auf Ersatz ihres die Insolvenzquote übersteigenden Vertrauensschadens (Folgerspr.: BGH WM 1995, 108, 109 [zu § 823 II BGB]; ZIP 1995, 124, 125; ZIP 1995, 211, 212; BGHZ 171, 46 Rn. 13 ff. = NZG 2007, 347; BGH NJW 2012, 3510 Rn. 9 ff.). Unterschiedliche Behandlung von Alt- und Neugläubigern rechtfertigt sich daraus, dass Neugläubiger bei Wissen um Insolvenzreife gar nicht in Rechtsbeziehungen mit AG eingetreten wären, während sich für Altgläubiger nur die Realisierbarkeit ihrer Forderung gegen AG verschlechtert hat. Auf dieser Basis geht es um Ersatz eines Individualschadens, der mit Gesellschaftsschaden in keinem Zusammenhang steht und deshalb trotz Insolvenzeröffnung nur **vom Neugläubiger selbst verfolgt** werden kann (BGHZ 126, 181, 197 ff.; BGHZ 138, 211, 214 ff. = NJW 1998, 2667; OLG Karlsruhe NZG 2002, 917, 918; GK-AktG/Habersack/Foerster Rn. 112). **Praktische Bedeutung** dieser Anspruchsgrundlage tritt mittlerweile deutlich hinter Ersatzhaftung nach § 15b InsO zurück (→ Rn. 46), wo Schaden grds. durch reine Zahlungsaddition berechnet werden kann, ohne dass fiktive Insolvenzquote zu ermitteln wäre (vgl. zu dieser Verschiebung Sander FS Berg-

mann, 2018, 583, 587 ff.; grdl. Kritik bei Altmeppen ZIP 2023, 721 ff.). Keinen Anspruch aus § 823 II BGB iVm § 15a I 1 InsO haben **Aktionäre,** auch nicht als Aktienerwerber nach Insolvenzreife (BGHZ 96, 231, 236 f. = NJW 1986, 837 zur sachlich gleichliegenden Frage iRd § 826 BGB; GK-AktG/Habersack/Foerster Rn. 100; MüKoAktG/Spindler Rn. 102).

c) Zahlungsverbote. aa) Ab Insolvenzreife. Bisher in § 92 II aF enthaltene Zahlungsverbote sind nunmehr in modifizierter Form in § 15b I InsO enthalten (zu den dabei vorgenommenen Änderungen vgl. Altmeppen ZIP 2021, 1 ff.; Bitter GmbHR 2022, 57 ff; Brinkmann ZIP 2020, 2361, 2366 ff.; Cahn Konzern 2022, 221 ff.; Gehrlein DB 2020, 2393 ff.; NZG 2021, 59 ff.; Klöhn/Zell NZI 2022, 673 ff.). Sie greifen ein, nachdem Zahlungsunfähigkeit (→ Rn. 15 f.) oder Überschuldung (→ Rn. 17 ff.) eingetreten ist. Zahlung meint umfassend zu verstehenden Vermögensabfluss, der dem Vorstand **kraft eigener Veranlassung** zuzurechnen ist (BGHZ 126, 181, 194 = NJW 1994, 2220; BGHZ 143, 184, 186 ff. = NJW 2000, 668; BGH NJW 2009, 1598 Rn. 12; bestätigt in RegBegr. BT-Drs. 19/24181, 194; ausf. Überblick über die Entwicklung der Rspr. bei Sander FS Bergmann, 2018, 583 ff.). **§ 15b I 2 InsO** macht Ausnahme für Zahlungen, die mit der Sorgfalt eines ordentlichen und gewissenhaften Geschäftsleiters vereinbar sind (nähere Konkretisierung in § 15b II, III InsO). In Anlehnung an pandemiebedingte Regelung in § 2 I Nr. 1 COVInsAG werden als Zahlungen im ordnungsgem. Geschäftsgang auch solche gefasst, die der Aufrechterhaltung des Geschäftsbetriebs dienen (dazu Bitter ZIP 2021, 321, 325; Gehrlein DB 2020, 2393 f.; zweifelnd Thole BB 2021, 1347, 1352 f.). § 15b II InsO enthält sodann eine Vermutung, dass Zahlungen, die im ordnungsgem. Geschäftsgang erfolgen, mit der Sorgfalt eines ordentlichen und gewissenhaften Geschäftsleiters in diesem Sinne vereinbar sind. § 15b III InsO ergänzt, dass Zahlungen idR nicht mit der Sorgfalt eines ordentlichen und gewissenhaften Geschäftsleiters vereinbar sind, wenn der nach § 15a I 1 und 2 InsO für eine rechtzeitige Antragstellung maßgebliche Zeitpunkt verstrichen ist und der Antragspflichtige keinen Antrag gestellt hat. 46

Verbot setzt mit **Eintritt der Insolvenzreife** (Zahlungsunfähigkeit oder Überschuldung) ein, nicht erst mit Ablauf der Antragsfrist nach § 15a InsO (BGHZ 143, 184, 188 = NJW 2000, 668; BGHZ 163, 134, 140 f. = NJW 2005, 3062; BGH NJW 2009, 2454 Rn. 12; KK-AktG/Cahn Anh. § 92 B Rn. 13; MüKoAktG/Spindler Rn. 34). Ersatzpflicht der Vorstandsmitglieder, die gegen § 15b I, V InsO verstoßen, folgte bislang aus § 93 III Nr. 6 aF, der mit SanInsFoG 2020 gestrichen wurde und nunmehr in allg. Vorschrift des § 15b IV InsO aufgeht. Danach ist zwar AG Inhaberin des Anspruchs. Bezweckt ist jedoch **Schutz der Gläubigergesamtheit** vor Masseschmälerungen durch Bevorzugung einzelner Gläubiger nach Eintritt der Insolvenzreife, so dass es auf Gesellschaftsschaden nicht ankommt (BGHZ 146, 264, 278 = NJW 2001, 1280: Ersatzanspruch eigener Art; nachdrücklich dagegen Altmeppen ZIP 2023, 721 ff.). § 15b IV 2 – 5 InsO gestalten diese Haftung durch weitere Detailregelungen, etwa zur Schadensberechnung und zum Verzicht, weiter aus. In Anspruch genommenem Organ steht Nachw. geringeren Schadens offen. Zu Einzelheiten vgl. nunmehr insolvenzrechtl. Lit., etwa Bitter ZIP 2021, 321, 324 ff.; GmbHR 2022, 57 ff.; zur Haftung sonstiger „Gatekeeper" (AR-Mitglieder, Steuerberater, Wirtschafts- und Abschlussprüfer) in Insolvenznähe vgl. Mock KTS 2020, 245 ff. 47

bb) Bei absehbarer oder später eingetretener Zahlungsunfähigkeit (§ 15b V InsO). Ebenfalls aus § 92 II aF gestrichen wurde bislang in § 92 II 3 aF enthaltenes Zahlungsverbot, das schon im Vorfeld der späteren Zahlungsunfähigkeit eingreift. Danach war auch für Zahlungen an Aktionäre zu haften, soweit damit Zahlungsunfähigkeit herbeigeführt werden musste, sog **partielle Insol-** 48

venzverursachungshaftung. Dieser Fall ist nunmehr in § 15b V InsO entspr. bisheriger Ausgestaltung geregelt. Praktischer Schwerpunkt liegt aufgrund höherer Insolvenzanfälligkeit der GmbH bei dieser Rechtsform und soll dort namentl. organisierten Firmenbestattungen entgegenwirken. § 15b V InsO ergänzt Insolvenzanfechtungs- und Kapitalerhaltungsvorschriften der §§ 57, 62, wobei bezweifelt wird, ob Norm neben diesen Regeln in ihrer Flankierung durch § 93 und Existenzvernichtungshaftung (→ § 1 Rn. 22 ff.) überhaupt sinnvoller Anwendungsbereich verbleibt (s. Altmeppen ZIP 2013, 801 ff.; Schluck-Amend FS Hommelhoff, 2012, 961, 963 ff.). Zur näheren Erläuterung sei auch insofern auf insolvenzrechtl. Kommentare verwiesen. Bei Verstoß ordnet § 15b V InsO entspr. Anwendung der Schadensersatzhaftung nach § 15b IV InsO an; weitere Schäden werden allein nach Maßgabe des § 93 II ersetzt. Bezweckt ist Schutz der Gläubigergesamtheit vor (unzulässiger) Vermögensverschiebung (RegBegr. BT-Drs. 16/6140, 52). Anspruch steht der AG zu (Innenhaftung) und muss eingetretene Vermögensverschiebung so ausgleichen, dass Insolvenzgrund der Zahlungsunfähigkeit entfällt. Anspruchsverfolgung obliegt nach Verfahrenseröffnung dem Insolvenzverwalter.

49 **4. Überlagerung des aktienrechtlichen Normenbestands nach Insolvenzeröffnung.** Ziel des Insolvenzverfahrens ist gem. § 1 S. 1 InsO, die Gläubiger eines Schuldners **gemeinschaftlich und gleichberechtigt** zu befriedigen, indem das Vermögen des Schuldners verwertet und der Erlös verteilt oder in Insolvenzplan abw. Regelung insbes. zum Erhalt des Unternehmens getroffen wird. Das wird im Regelfall dadurch erreicht, dass nunmehr gebotene Abwicklung nicht mehr Vorstand überantwortet bleibt, sondern dessen Befugnisse durch **Verwaltungs- und Verwertungstätigkeit des Insolvenzverwalters** verdrängt werden (§§ 80, 148, 159 InsO; Ausn.: keine kostendeckende Masse, § 26 InsO). Organstruktur als solche bleibt aber auch nach Einsetzung des Insolvenzverwalters erhalten, was zT zu Abgrenzungsschwierigkeiten führt. Die Einzelheiten dieser mehrfachen Zuständigkeiten werden in → § 264 Rn. 3 ff. dargestellt.

50 Neben Einsetzung eines Insolvenzverwalters kann Insolvenzgericht auch **Eigenverwaltung** nach §§ 270 ff. InsO anordnen (→ § 264 Rn. 11b), bei der Insolvenzaufgaben in der Hand der bisherigen Geschäftsführung verbleiben. Dadurch versucht man, Kosten und Einarbeitungsaufwand zu vermeiden, Abstimmungsprobleme und Reibungsverluste zwischen Insolvenzverwalter und Vorstand gering zu halten und zugleich Expertise der bisherigen Geschäftsleitung weiterhin nutzbar zu machen (kein „brain drain"). Angesichts dieser Vorteile wird sie zT als Alternative zum Regelverfahren empfohlen (BeckOGK/Bachmann § 264 Rn. 16). Kehrseite der Medaille liegt im Risiko, „Bock zum Gärtner zu machen", weil Unternehmen demjenigen anvertraut wird, der sich bislang zur erfolgreichen Geschäftsführung außerstande gezeigt hat. Vor diesem Hintergrund wird Eigenverwaltung insbes. da naheliegen, wo nicht Geschäftsmodell oder Qualität der Geschäftsführung, sondern außergewöhnliche externe Umstände zur Insolvenzreife geführt haben. Um verbleibenden Risiken entgegenzuwirken, wird Vorstand in diesem Fall unter **Aufsicht eines Sachwalters** gestellt (vgl. Brinkmann/Zipperer ZIP 2011, 1337 ff.). Häufig trägt AR bes. Herausforderungen auch noch durch Bestellung eines **Chief Restructuring Officer** (CRO) weiter Rechnung. Zu weiteren Einzelheiten → § 264 Rn. 3 ff.

51 Modifiziert sind Voraussetzungen der Eigenverwaltung in § 270d InsO für sog **Schutzschirmverfahren,** das Schuldner als vorläufiges Eigenverwaltungsverfahren beantragen kann, sobald er drohend zahlungsunfähig (→ Rn. 26) und/oder überschuldet, aber noch nicht zahlungsunfähig ist (Ganter NZI 2012, 985 ff.). Es steht dann optional als Alternative zum Restrukturierungsverfahren zur Ver-

fügung (zum Nebeneinander der beiden Verfahren vgl. de Bruyn/Ehmke NZG 2021, 661 ff.).

Praxisrelevante Abweichung zum herkömmlichen Insolvenzverfahren eröffnet 52
schließlich **Insolvenzplanverfahren** nach §§ 217 ff. InsO, das verbreitet zur Sanierung eingesetzt wird, ebenso aber der Übertragung oder der Liquidation dienen kann. Grundgedanke ist, Schicksal der AG unmittelbar in die Hände der davon betroffenen Gläubiger zu legen, die dann für Sanierung bzw. Abwicklung abw. Regeln eigenständig vereinbaren können. Bes. gesellschaftsrechtl. Relevanz erhält Verfahren dadurch, dass § 225a InsO auch Möglichkeit eröffnet, Rechte der Anteilsinhaber einzubeziehen und auf diese – ggf. sogar ohne ihre Zustimmung – einzuwirken (ausf. → § 182 Rn. 32c).

Sorgfaltspflicht und Verantwortlichkeit der Vorstandsmitglieder

93 (1) [1] **Die Vorstandsmitglieder haben bei ihrer Geschäftsführung die Sorgfalt eines ordentlichen und gewissenhaften Geschäftsleiters anzuwenden.** [2] **Eine Pflichtverletzung liegt nicht vor, wenn das Vorstandsmitglied bei einer unternehmerischen Entscheidung vernünftigerweise annehmen durfte, auf der Grundlage angemessener Information zum Wohle der Gesellschaft zu handeln.** [3] **Über vertrauliche Angaben und Geheimnisse der Gesellschaft, namentlich Betriebs- oder Geschäftsgeheimnisse, die den Vorstandsmitgliedern durch ihre Tätigkeit im Vorstand bekanntgeworden sind, haben sie Stillschweigen zu bewahren.**

(2) [1] **Vorstandsmitglieder, die ihre Pflichten verletzen, sind der Gesellschaft zum Ersatz des daraus entstehenden Schadens als Gesamtschuldner verpflichtet.** [2] **Ist streitig, ob sie die Sorgfalt eines ordentlichen und gewissenhaften Geschäftsleiters angewandt haben, so trifft sie die Beweislast.** [3] **Schließt die Gesellschaft eine Versicherung zur Absicherung eines Vorstandsmitglieds gegen Risiken aus dessen beruflicher Tätigkeit für die Gesellschaft ab, ist ein Selbstbehalt von mindestens 10 Prozent des Schadens bis mindestens zur Höhe des Eineinhalbfachen der festen jährlichen Vergütung des Vorstandsmitglieds vorzusehen.**

(3) **Die Vorstandsmitglieder sind namentlich zum Ersatz verpflichtet, wenn entgegen diesem Gesetz**

1. **Einlagen an die Aktionäre zurückgewährt werden,**
2. **den Aktionären Zinsen oder Gewinnanteile gezahlt werden,**
3. **eigene Aktien der Gesellschaft oder einer anderen Gesellschaft gezeichnet, erworben, als Pfand genommen oder eingezogen werden,**
4. **Aktien vor der vollen Leistung des Ausgabebetrags ausgegeben werden,**
5. **Gesellschaftsvermögen verteilt wird,**
6. **(aufgehoben)**
7. **Vergütungen an Aufsichtsratsmitglieder gewährt werden,**
8. **Kredit gewährt wird,**
9. **bei der bedingten Kapitalerhöhung außerhalb des festgesetzten Zwecks oder vor der vollen Leistung des Gegenwerts Bezugsaktien ausgegeben werden.**

(4) [1] **Der Gesellschaft gegenüber tritt die Ersatzpflicht nicht ein, wenn die Handlung auf einem gesetzmäßigen Beschluß der Hauptversammlung beruht.** [2] **Dadurch, daß der Aufsichtsrat die Handlung gebilligt hat, wird die Ersatzpflicht nicht ausgeschlossen.** [3] **Die Gesellschaft kann erst drei Jahre nach der Entstehung des Anspruchs und nur dann auf Ersatz-**

ansprüche verzichten oder sich über sie vergleichen, wenn die Hauptversammlung zustimmt und nicht eine Minderheit, deren Anteile zusammen den zehnten Teil des Grundkapitals erreichen, zur Niederschrift Widerspruch erhebt. [4]Die zeitliche Beschränkung gilt nicht, wenn der Ersatzpflichtige zahlungsunfähig ist und sich zur Abwendung des Insolvenzverfahrens mit seinen Gläubigern vergleicht oder wenn die Ersatzpflicht in einem Insolvenzplan geregelt wird.

(5) **[1]Der Ersatzanspruch der Gesellschaft kann auch von den Gläubigern der Gesellschaft geltend gemacht werden, soweit sie von dieser keine Befriedigung erlangen können. [2]Dies gilt jedoch in anderen Fällen als denen des Absatzes 3 nur dann, wenn die Vorstandsmitglieder die Sorgfalt eines ordentlichen und gewissenhaften Geschäftsleiters gröblich verletzt haben; Absatz 2 Satz 2 gilt sinngemäß. [3]Den Gläubigern gegenüber wird die Ersatzpflicht weder durch einen Verzicht oder Vergleich der Gesellschaft noch dadurch aufgehoben, daß die Handlung auf einem Beschluß der Hauptversammlung beruht. [4]Ist über das Vermögen der Gesellschaft das Insolvenzverfahren eröffnet, so übt während dessen Dauer der Insolvenzverwalter oder der Sachwalter das Recht der Gläubiger gegen die Vorstandsmitglieder aus.**

(6) **Die Ansprüche aus diesen Vorschriften verjähren bei Gesellschaften, die zum Zeitpunkt der Pflichtverletzung börsennotiert sind, in zehn Jahren, bei anderen Gesellschaften in fünf Jahren.**

Übersicht

I. Regelungsgegenstand und -zweck, Rechtstatsachen

§ 93 regelt **Sorgfaltspflicht und Verantwortlichkeit** der Vorstandsmitglieder (zur Normstruktur → Rn. 6). Normzweck liegt, wie bei allen Haftungstatbeständen, in **Schadensausgleich und Schadensprävention** (BGHZ 219, 193 Rn. 44 = NZG 2018, 1189). Welche dieser Funktionen überwiegt, ist noch ungeklärt, zumal Phänomen der D&O-Versicherung beide Zielsetzungen zT verzerrt (GK-AktG/Hopt/Roth Rn. 28 ff.; G. Wagner ZHR 178 [2014], 227, 253 ff.). These einer weitgehenden Verdrängung der zentralen Kompensationsfunktion durch die Präventionsfunktion (dafür Wagner ZHR 178 [2014], 227, 251 ff.) ist aber zu Recht auf Skepsis gestoßen (Scholz/Verse GmbHG § 43 Rn. 7; Bachmann Gutachten E zum 70. DJT, Bd. I, 2014, 21; Fleischer ZIP 2014, 1305, 1310). **Schutzadressaten** sind vornehmlich Aktionäre, was darin zum Ausdruck kommt, dass es ihnen in § 93 IV 3 gestattet wird, über Schutz zu disponieren; Schutz der Gläubiger und anderer Stakeholder ist (bedeutsamer) Schutzreflex (Scholz/Verse GmbHG § 43 Rn. 8 f.). 1

Rechtstatsächlich war Vorstandshaftung lange Zeit „dead letter law", da AR aufgrund kollegialer Verbundenheit ggü. Vorstand oder durch eigene Kontroll- 2 versäumnisse von engagierter Anspruchsverfolgung abgehalten wurde (RegBegr. UMAG BT-Drs. 15/5092, 19 f.; zur „Haftungsapathie" auch institutioneller Investoren Redeke AG 2015, 253 ff.). Im Gefolge der ARAG/Garmenbeck-Entscheidung, die Verfolgungspflicht des AR postulierte (→ § 111 Rn. 7 ff.), hat sich dies geändert (aktuelles Zahlenmaterial bei Bachmann Gutachten E zum 70. DJT, Bd. I, 2014, 11 ff.; vgl. auch Fallaufzählung bei Lange D&O-Versicherung und Managerhaftung, 2. Aufl. 2014, § 2 Rn. 255 ff.). Wesentlich dazu beigetragen hat zunehmende Verbreitung von D&O-Versicherungen, die dazu führt, dass – anders als früher – zur Kompensation nicht nur Vorstandsvermögen, sondern auch „deep pocket" der Versicherung zur Verfügung steht, was V erfolgung wesentlich attraktiver macht (J. Koch AR 2015, 124, 125; Kumpan FS Hopt, 2020, 631, 636 f.; v. Schenck NZG 2015, 494, 495; Peltzer FS Hoffmann-Becking, 2013, 861, 862: „insurance breeds claim"). Neueres Phänomen der Prozessfinanzierung im Organhaftungsprozess („litigation funding") kann Klagebereitschaft weiterhin erhöhen (vgl. dazu Rahlmeyer/Fassbach GWR 2015, 331; Frechen/Kochheim NJW 2004, 1213 ff.; sa → Rn. 163). Int. Tendenzen zur stärkeren Fokussierung auf persönliche Inanspruchnahme (etwa durch US Yates Memorandum zu „Corporate Misconduct"; vgl. dazu Luttermann DB 2016, 1059 ff.) wirken in dieselbe Richtung. Da Anspruch gegen Versicherung aber nur über Inanspruchnahme der Vorstandsmitglieder erfolgen kann (zur konkreten Ausgestaltung → Rn. 122 ff.), sind diese vorrangige Zielscheibe des neuen Verfolgungseifers.

3 Durch diese Entwicklung ist zugleich **übermäßige Schärfe der Vorstandshaftung** sichtbar geworden, die sich namentl. in Beweislastumkehr nach § 93 II 2 (→ Rn. 103 ff.), in Verzichts- und Vergleichsverbot gem. § 93 IV 3 (→ Rn. 153 ff.) und verlängerter Verjährung gem. § 93 VI (→ Rn. 175 ff.) manifestiert. Da überdies bei AG zumeist exorbitant hohe Haftungsansprüche als geradezu „rechtsformtypisches Phänomen" (Bayer/Scholz NZG 2014, 926, 927) in Frage stehen, die auch von D&O-Versicherung im Regelfall nicht vollständig aufgefangen werden (vgl. J. Koch AG 2014, 513, 518 ff.), hat sich rechtspolitische Zielrichtung von stetiger Verschärfung der Vorstandshaftung zur Abschwächung ihrer überschießenden Tendenzen gewandelt (Bachmann Gutachten E zum 70. DJT, Bd. I, 2014, 9 ff.). Auf rein psychologischer Ebene kann D&O-Versicherung schließlich noch in der Weise zur Verschärfung bestehender Haftungsstandards beitragen, dass Gerichte möglicherweise eher geneigt sein werden, haftungsbegründenden Pflichtenverstoß anzunehmen, wenn nicht Einzelperson, sondern Versicherung die Folgen trägt. Zur rechtsökonomischen Bewertung vgl. Scholl, Vorstandshaftung und Vorstandsermessen, 2015, 95 ff.; Wagner ZHR 178 (2014), 227 ff.

4 Regelung ist grds. **zwingend.** Sie kann durch Satzung oder Anstellungsvertrag weder ausgeschlossen noch reduziert werden (ganz hM – vgl. LG Mannheim WM 1955, 116; Hölters/Weber/Hölters/Hölters Rn. 11 ff.; KK-AktG/Cahn Rn. 8; S/L/Sailer-Coceani Rn. 3; Fleischer ZIP 2014, 1305 f.; Habersack ZHR 177 [2013], 782, 794; U. H. Schneider FS Werner, 1984, 795, 803 f.; E. Vetter NZG 2014, 921, 922 f.; aA N. Fischer, Die existenzvernichtende Vorstandshaftung und ihre Begrenzung durch Satzungsbestimmung, 2018, 126 ff.; Grunewald AG 2013, 813, 815 ff.; G. M. Hoffmann NJW 2012, 1393, 1395; → Rn. 102). Wenn § 93 II 1 zum „Ersatz des daraus entstehenden Schadens" verpflichtet, kann daraus allein die Pflicht zum Ersatz des gesamten Schadens gefolgert werden (so auch Ph. Scholz, Existenzvernichtende Haftung, 2014, 108 f.), so dass umfängliche Beschränkung nicht Ergänzung des Ges. (§ 23 V 2), sondern Abweichung vom Ges. ist, die nach **§ 23 V 1** unzulässig ist. Haftung kann umgekehrt aber auch nicht verschärft werden, etwa in Richtung auf eine Erfolgshaftung (BGHZ 64, 325, 326 f. = NJW 1975, 1412 [für AR]; GK-AktG/

Hopt/Roth Rn. 49; MüKoAktG/Spindler Rn. 35). Ausgeschlossen ist es auch Verschuldensmaßstab des § 93 II zu modifizieren (BeckOGK/Fleischer Rn. 5 f.). Ausnahme gilt allerdings für **Verjährung,** die nach zutr. Auffassung im Einvernehmen mit Vorstandsmitglied nach Anspruchsentstehung verlängert werden kann (→ Rn. 182).

Grds. gilt § 93 auch im **Konzern.** Insoweit bestehen jedoch weitgehend 5 Sonderregeln (vgl. für Vertragskonzern §§ 309, 310, für Eingliederung § 323 I, für faktische Konzerne §§ 317 III, 318). Verantwortlichkeit bleibt im faktischen Konzern erhalten, wenn Einzelausgleich nicht möglich oder aus anderen Gründen nicht erwartbar ist (→ § 76 Rn. 135; → § 311 Rn. 48; zu Besonderheiten der Anspruchsverfolgung im Konzern s. MHdB CL/J. Koch § 30 Rn. 72 f.). Sorgfaltspflicht und Verantwortlichkeit der **AR-Mitglieder** sind gem. § 116 in sinngem. Anwendung des § 93 zu beurteilen. Parallelvorschrift: § 43 GmbHG.

II. Allgemeiner Verhaltensstandard (§ 93 I)

1. Grundlagen. a) Normstruktur. § 93 I betr. **Verhaltensanforderungen,** 6 denen Vorstandsmitglieder gerecht werden müssen. § 93 II–VI regelt demgegenüber Haftung von Vorstandsmitgliedern bei Verletzung ihrer Pflichten, genauer **Innenhaftung** im Verhältnis zur AG. Hinsichtlich der Verhaltensanforderungen ist weiter zu unterscheiden: § 93 I 1 regelt Pflicht der Vorstandsmitglieder, bei ihrer Geschäftsführung Sorgfalt eines ordentlichen und gewissenhaften Geschäftsleiters anzuwenden und formuliert darüber hinaus nach hM auch selbst obj. Verhaltenspflichten (→ Rn. 7). § 93 I 2 stellt klar, dass bei Beachtung bestimmter Verhaltensvorgaben keine Sorgfaltspflichtverletzung angenommen werden kann. Vorstandsmitglieder müssen ferner ihre organschaftlichen Treupflichten (→ Rn. 28; → § 84 Rn. 10) und als deren Konkretisierung die in § 93 I 3 und 4 näher ausgestaltete Pflicht zur Verschwiegenheit (→ Rn. 62 ff.) einhalten. § 93 I betr. zwar Voraussetzungen einer Vorstandshaftung nach § 93 II–VI, ist aber mangels eigener auch nur mittelbarer Rechtsfolgenbestimmung keine **Anspruchsgrundlage.** Diese liegt erst in **§ 93 II und III.** § 93 II knüpft an Sorgfalts- und sonstige Pflichtverletzung Schadensersatzhaftung, regelt Beweislastverteilung und für Versicherungsfall Erfordernis eines Selbstbehalts. § 93 III hebt bestimmte Vermögensverfügungen als bes. wichtige Fallgruppen einer Pflichtverletzung hervor. **§ 93 IV–VI** regeln **Modalitäten der Haftung,** um ihre Effizienz zu sichern: § 93 IV beschränkt Möglichkeiten des Verzichts oder Vergleichs. § 93 V erlaubt unter bestimmten Voraussetzungen Verfolgung durch Gläubiger. § 93 VI regelt Verjährung.

b) Doppelfunktion. Nach ganz hM hat § 93 I 1 Doppelfunktion in dem 7 Sinne, dass einerseits **Verschuldensmaßstab** umschrieben wird (insoweit unstr.; → Rn. 8), andererseits **obj. Verhaltenspflichten** in Form einer Generalklausel bezeichnet werden, aus der sich durch Konkretisierung Einzelpflichten ergeben können, soweit sie nicht schon anderweitig tatbestandlich umschrieben sind (KK-AktG/Cahn Rn. 10 f.; MüKoAktG/Spindler Rn. 21). Das ist in der Vergangenheit zwar bezweifelt worden (Hüffer FS Raiser, 2005, 163, 165 ff.), doch spätestens durch Einfügung des § 93 I 2 (→ Rn. 26) bestätigt worden, dessen einleitende Worte „Pflichtverletzung liegt nicht vor" nur Sinn ergeben, wenn in § 93 I 1 positive Umschreibung des Pflichtenstandards enthalten ist (J. Koch ZGR 2006, 769, 784; zust. Scholz/Verse GmbHG § 43 Rn. 1 Fn. 1; krit. Freund NZG 2022, 297 ff.). Gegenauffassung gelangt über § 76 I zu ähnlichen Ergebnissen.

2. Sorgfaltspflicht. a) Verhaltensstandard (§ 93 I 1). aa) Grundsätzlicher Maßstab. Die in § 93 I 1 enthaltene Umschreibung ist konkretere, an 8 § 76 I anknüpfende Fassung der **allg. Verhaltensstandards** der § 276 II BGB,

§ 347 I HGB. Maßgeblich ist danach, wie pflichtbewusster selbständig tätiger Leiter eines Unternehmens der konkreten Art, der nicht mit eigenen Mitteln wirtschaftet, sondern ähnlich wie ein **Treuhänder** fremden Vermögensinteressen verpflichtet ist, zu handeln hat (so oder sinngleich BGHZ 129, 30, 34 = NJW 1995, 1290; OLG Düsseldorf AG 1997, 231, 235; OLG Hamm AG 1995, 512, 514; OLG Köln AG 2013, 570, 571; 2019, 695; MüKoAktG/Spindler Rn. 25). Generelles Problem des GesR liegt darin, dass § 93 I, II individuelle Vorstandsmitglieder adressiert, Vorstandshandeln jedoch meist **organschaftliches Gremienhandeln** ist, bei dem Individualität des Einzelnen hinter beschließendem Organ zu verschwinden droht (ausf. dazu Ernst AcP 223 [2023], 170 ff.). Hier stellt sich die Frage, wie einzelnes Mitglied Verantwortung für rechtswidriges Organhandeln („Gremienunrecht") von sich abwenden kann. Dafür genügt reine Enthaltung nicht (OLG Saarbrücken NZG 2014, 343, 344; sa Ernst AcP 223 [2023], 170, 180 f.: Signal der Indifferenz), wohl auch nicht (jedenfalls nicht stets) bloß Nein-Stimme, sondern es müssen überdies Zweifel an Rechtmäßigkeit (→ Rn. 9 ff.) oder gebotener Sorgfalt (→ Rn. 19 ff.) zum Ausdr. gebracht und sollten aus Dokumentationsgründen auch protokolliert werden (Ernst AcP 223 [2023], 170, 180 ff., 206 ff. mw Ausführungen zum Nachw. individuellen Stimmverhaltens auf S. 189 ff.). Für weitergehende Maßnahmen (Amtsniederlegung, Einschaltung der Behörden) gelten die zur gegenseitigen Überwachung in → § 77 Rn. 15b dargelegten Grundsätze. Zu den Sorgfaltsanforderungen bei neu eintretenden Mitgliedern → § 84 Rn. 9.

9 **bb) Legalitätspflicht. (1) Grundsatz.** Kern der Sorgfaltspflicht ist die mittlerweile von ganz hM anerkannte Legalitätspflicht, wonach pflichtbewusstes Handeln eigene Regeltreue und Sorge für regelkonformes Verhalten der AG einschließt (BGHSt 55, 266 Rn. 29 = NJW 2010, 3458; BGH NJW 2011, 88 Rn. 37; BGHZ 194, 26 Rn. 22 = NJW 2012, 3439; OLG Düsseldorf NZG 2023, 1279 Rn. 70; MüKoAktG/Spindler Rn. 89 f.; Habersack FS U. H. Schneider, 2011, 429 ff.; s. zur GmbH auch BGHZ 176, 204 Rn. 38 = NJW 2008, 2437). Sorge für regelkonformes Verhalten anderer wurde mittlerweile zu eigenständiger Legalitätskontrollpflicht begrifflich verselbständigt, was sinnvoll ist, da insofern geltendes Pflichtenprogramm deutlich geringer ist als bei Vorgabe eigener Regeltreue (→ Rn. 17). Von Legalitätspflicht erfasst sind **organspezifische Vorschriften des AktG,** die namentl. über § 82 II auch Beachtung der Kompetenzen anderer Organe und des Unternehmensgegenstands der Pflichtbindung des Vorstands unterwerfen (BeckOGK/Fleischer Rn. 25 f.; vgl. zur Bindung an Unternehmensgegenstand auch BGHZ 119, 305, 332 = NJW 1993, 57; BGH NJW 2013, 1958 Rn. 16).

10 Daneben hat Vorstand als Handlungsorgan der AG aber auch sämtliche **sonstigen Vorschriften der Rechtsordnung** zu beachten, die AG als Rechtssubjekt treffen (BeckOGK/Fleischer Rn. 28 ff.). Darunter fallen nach ganz hM auch Vorschriften des **Ordnungwidrigkeitenrechts** (BeckOGK/Fleischer Rn. 28; Scholz/Verse GmbHG § 43 Rn. 111; Bicker AG 2014, 8, 11 f.; aA Grigoleit FS K. Schmidt, Bd. I, 2019, 267, 375; ebenso, aber nur bei Bagatellverstößen Habersack FS U. H. Schneider, 2011, 429, 438 f.; U. H. Schneider FS Hüffer, 2010, 905, 909 f.). Dem kann nicht entgegenhalten werden, dass mit OWi generell kein rechtsethischer Makel verbunden sei (so aber Grigoleit/Grigoleit/Tomasic Rn. 18). Bsp. des Kartellrechts belegt zur Genüge, dass auch nur ordnungsrechtl. relevantes Verhalten erheblichen Unrechtsgehalt aufweisen kann. Gesetzeszweck lässt keine Unterscheidung zwischen Normen „erster und zweiter Klasse" erkennen (Bicker AG 2014, 8, 11 f.); Abgrenzungsschwierigkeiten wären unübersehbar.

11 Für Prozessführung relevant ist, dass über § 138 I, II ZPO auch **prozessuale Wahrheits- und Erklärungspflicht** von Legalitätspflicht erfasst sein kann (Zey-

her/Mader ZHR 185 [2021], 125, 159 ff.). Grundsätze der Geschäftsmoral sind dagegen nicht erfasst (aA NK-AktG/U. Schmidt Rn. 11), doch kann Verstoß als unsorgfältige Reputationsschädigung haftungsbegründend wirken (BeckOGK/Fleischer Rn. 30 ff.). Nicht von Legalitätsbindung erfasst sind nach hM **Vertragspflichten,** wobei allerdings nicht immer hinreichend zwischen Legalitätspflicht und Zuordnung zur BJR unterschieden wird (→ Rn. 38). Auch **Kodex-Empfehlungen** entfalten keinerlei Bindungswirkung, und zwar weder als Legalitätsbindung noch als Sorgfaltsmaßstab (→ § 161 Rn. 25 ff.).

(2) Ausnahmen von der Legalitätsbindung? Legalitätspflicht gilt nach hM ausnahmslos (vgl. Nachw. in → Rn. 9). Durchbrechungen werden allenfalls im engen Bereich der Pflichtenkollision oder notstandsähnlicher Situationen zugelassen (vgl. dazu Brock, Legalitätspflicht, 2017, 230 ff.; Poelzig/Thole ZGR 2010, 836 ff.). Durch Legalitätspflicht **kompromisslos vorgegebene Regeltreue** ist nicht selbstverständlich, da § 93 I 1 im Innenverhältnis gilt und deshalb „nützliche Gesetzesverstöße" denkbar wären (ausf. dazu Brock, Legalitätspflicht, 2017, passim; Fleischer ZIP 2005, 141 ff.; sa Bicker AG 2014, 8 ff.; Hasselbach/Ebbinghaus AG 2014, 873 ff.; Grigoleit FS K. Schmidt, Bd. I, 2019, 367, 368 ff.; Langenbucher FS Lwowski, 2014, 333, 342 ff.; Seibt NZG 2015, 1097, 1100; Fallstudien bei Bunz CCZ 2021, 81 ff.; zur abw. Positionierung des Schweizer Bundesgerichts vgl. Urt. v. 18.11.2019 – 4A_268/2018, 6.5.4.4.). Mit Einfügung des § 93 I 2, der Ausschluss einer Pflichtverletzung gerade an unternehmerische Entscheidung (in Abgrenzung zur rechtl. gebundenen Entscheidung) knüpft (→ Rn. 35), hat hM aber zumindest ansatzweise ges. Bestätigung gefunden (keine klare Trennung zwischen grds. Legalitätspflicht und Rechtsbindung iRd § 93 I 2 bei Bicker AG 2014, 8 ff.). Ihre höherrangige Ableitung dürfte am ehesten aus **allg. Geltungsanspruch der Rechtsordnung** gelingen (ausf. Holle, Legalitätskontrolle, 2014, 36 ff.; sa Breitenfeld, Organschaftliche Binnenhaftung, 2016, 49 ff.). Aktienrechtl. Verankerung bleibt dennoch unbefriedigend (ausf. Brock, Legalitätspflicht, 2017, 48 ff. mit konsequent-radikalem Gegenkonzept; sa Grigoleit FS K. Schmidt, Bd. I, 2019, 367, 368 ff.; Habersack FS U. H. Schneider, 2011, 429, 432 ff.; Hellgardt FS Hopt, 2020, 403 ff.), was insbes. vor dem Hintergrund misslich ist, dass diffuses Institut der Legalitätspflicht als immer weiter greifende Pflichtenquelle, namentl. im **Compliance-Bereich** (→ § 76 Rn. 16 ff.; → Rn. 17), aufgefasst wird (zust. Louven KSzW 2016, 241, 245; krit. Überblick bei Reichert FS Hoffmann-Becking, 2013, 943 ff.; sa GK-AktG/Hopt/Roth Rn. 54). BGHZ 194, 26 Rn. 25 = NJW 2012, 3439 hat allerdings klargestellt, dass diese Bindung keine gesteigerte Pflichtenstellung hinsichtlich des Verhaltens Dritter im Außenverhältnis begründet, was dazu beitragen könnte, solchen Ausuferungstendenzen Einhalt zu gebieten (bestätigt in BGHZ 201, 344 Rn. 23 = NZG 2014, 991; zur möglichen deliktsrechtl. Außenhaftung → Rn. 143 ff.). 12

(3) Ausländisches Recht. Problematischer ist Legalitätsbindung an ausländisches Recht. Sie wird zT umfassend bejaht, um Organhaftung als **Instrument globaler Rechtsdurchsetzung** nutzbar zu machen (Lieberknecht, Die internationale Legalitätspflicht, 2021, 87 ff.; schon aus faktischen Gründen für strikte Bindung auch Goette/Arnold AR-HdB/Goette § 4 Rn. 2373). Das ist aber schon mit Geltungsgrund der Legalitätspflicht (→ Rn. 12) nur schwer zu vereinbaren; deutscher Gesetzgeber muss Durchsetzung ausländischer Vorschriften nicht ebenso sicher gewährleisten wie innerstaatliches Recht und würde Vorstände damit in vielgestaltige Pflichtenkollisionen treiben (BeckOGK/Fleischer Rn. 35). Andere nehmen Bindung nur dann an, wenn es sich um **gelebtes Recht** handelt (GK-AktG/Hopt/Roth Rn. 142; KK-AktG/Cahn Rn. 89; MüKoAktG/Spindler Rn. 117; Bicker AG 2014, 8, 12). Nimmt man allerdings grds. 13

Geltungsanspruch an, so ist eine solche pragmatische Differenzierung bei ausländischem Recht (ebenso wie bei inländischem Recht) dogmatisch schwer haltbar und wäre überdies mit erheblichen **Unsicherheiten** behaftet (abl. auch BeckOGK/Fleischer Rn. 36; GK-AktG/Kort § 91 Rn. 121; Scholz/Verse GmbHG § 43 Rn. 113; Goette/Arnold AR-HdB/Goette § 4 Rn. 2373; Cichy/Cziupka BB 2014, 1482, 1484 f.; Louven KSzW 2016, 241, 247).

14 Maßgebliche Weichenstellung ist stattdessen im **Kollisionsrecht** zu suchen. Insofern versteht es sich von selbst, dass ausländisches Recht kollisionsrechtl. überhaupt anwendbar sein muss. Leitet man Legalitätspflicht aus allg. Geltungsanspruch der nationalen Rechtsordnung her (→ Rn. 12), so wird man strenge Legalitätsbindung jedenfalls dann nicht annehmen können, wenn nicht inländisches, sondern ausländisches Kollisionsrecht Norm für anwendbar erklärt, da Durchsetzung ausländischen Rechts nicht Aufgabe der deutschen Rechtsordnung ist (sa Breitenfeld, Organschaftliche Binnenhaftung, 2016, 101 ff.; Brock BB 2019, 1292, 1294; Louven KSzW 2016, 241, 246; weitergehend wohl KK-AktG/Cahn Rn. 89). In dieser kollisionsrechtl. Lösung liegt wesentliche Entlastung der Gesellschaften, da weite Teile des **ausländischen Verwaltungs- und Strafrechts,** wo Rechtsbindung nur aus Territorialitätsprinzip, nicht aber nationalem Normanwendungsbefehl folgt, der strengen Legalitätsbindung entzogen werden. Dieses Ergebnis kann auch nicht durch § 138 BGB korrigiert werden (so aber noch Grigoleit/Grigoleit/Tomasic, 1. Aufl. 2013, Rn. 13), da sonst beschränkter Anwendungsbereich kollisionsrechtl. Ausgestaltung umgangen würde. Befolgung kann dann zwar dennoch unter dem Gesichtspunkt der Schadensabwehr im Hinblick auf ausländische Sanktionierung geboten sein, doch ist insofern „nützliche Pflichtverletzung" nicht ausgeschlossen.

15 Vom inländischen Rechtsanwendungsbefehl zumindest mittelbar erfasst ist ausländisches Recht dagegen, wenn es nach **deutschem Kollisionsrecht** für AG Geltung beansprucht, weshalb ganz hM Legalitätsbindung in diesem Fall bejaht (s. nur BeckOGK/Fleischer Rn. 34; GK-AktG/Hopt/Roth Rn. 142; MüKoAktG/Spindler Rn. 115; Scholz/Verse GmbHG § 43 Rn. 112; Breitenfeld, Organschaftliche Binnenhaftung, 2016, 101 ff.). Dennoch bleibt zweifelhaft, ob kollisionsrechtl. Geltungsaussage tats. derartige inhaltliche Reichweite beigemessen werden kann, dass sie jenseits der allg. Schadensabwendungspflicht auch unbedingte Normbefolgung nach Regeln der Legalitätspflicht erzwingt (stark einschr. deshalb Grigoleit FS K. Schmidt, Bd. I, 2019, 367, 376).

16 Für bes. wichtigen Bereich der **Schmiergelddelikte** ist Frage nicht mehr von Belang, da Schmiergeldzahlungen im Ausland mittlerweile auch nach inländischem Recht untersagt sind (vgl. Art. 2 § 1 EUBestG, Art. 2 IntBestG, § 299 I, II StGB). Behauptung, dass Bestechung auf korruptiven Auslandsmärkten Voraussetzung erfolgreichen unternehmerischen Handelns ist, entlastet Vorstand nicht (LG München I NZG 2014, 345, 346). Strafbare **Schmiergeldzahlungen,** die Vorstandsmitglieder aus Vermögen der AG erbringen, sind ungeachtet etwaiger wirtschaftlicher Vorteile schon im Hinblick auf Legalitätspflicht (→ Rn. 9 ff.) pflichtwidrig iSd § 93 II (GK-AktG/Hopt/Roth Rn. 144; Lohse FS Hüffer, 2010, 581, 584). Einschränkung ist aber insofern vorzunehmen, als genannte Tatbestände nur Zahlungen erfassen, die auf rechtswidrige Diensthandlung abzielen, nicht sog **Facilitation Payments,** die – jenseits des Anwendungsbereichs des § 333 StGB – Vornahme einer rechtmäßigen Diensthandlung bewirken oder beschleunigen sollen (HdB Managerhaftung/Götze/Bicker/Skoupi Rn. 34.18). **Zahlungen durch Angestellte** sind nicht von Legalitätspflicht, wohl aber von Legalitätskontrollpflicht erfasst. Sie führen zum Pflichtenverstoß der Vorstandsmitglieder, wenn diese ihnen Vorschub geleistet oder sie durch mangelhafte Organisation oder Überwachung ermöglicht haben.

cc) Legalitätskontrollpflicht. Von der Legalitätspflicht iS eigener Regeltreue (→ Rn. 9 ff.) streng zu trennen, obwohl begrifflich verwirrend ähnlich gefasst, ist sog **Legalitätskontrollpflicht.** Damit wird die Pflicht des Vorstands umschrieben, auch auf unteren Unternehmensebenen der Missachtung gesetzlicher Bindungen entgegenzuwirken (grdl. Verse ZHR 175 [2011], 401, 403 ff.; monographisch Holle, Legalitätskontrolle, 2014, insbes. 59 ff.; sa MHdB AG/Hoffmann-Becking § 25 Rn. 32). Es handelt sich also letztlich um terminologisch anders gefasste Umschreibung der Compliance-Pflicht und hat unter diesem Schlagwort mittlerweile umfassende Ausdifferenzierung erfahren (→ § 76 Rn. 16 ff.; Louven KSzW 2016, 241, 242 f.). Unterscheidung von Legalitätspflicht ist insbes. deshalb von großer Bedeutung, weil Legalitätskontrolle nicht mit gleicher Absolutheit wie Legalitätspflicht einer **Kosten-Nutzen-Analyse** entzogen ist (sa → § 76 Rn. 22 ff.; Grigoleit FS K. Schmidt, Bd. I, 2019, 367, 383 ff.). Sie hält den Vorstand lediglich dazu an, im Rahmen des Erforderlichen und Zumutbaren Maßnahmen zu ergreifen, die im gesamten Unternehmen Rechtsverstößen vorbeugen (Holle, Legalitätskontrolle, 2014, 61). Sie hat keinesfalls zur Folge, dass Vorstand rechtswidriges Mitarbeiterverhalten automatisch zu verantworten hat (Baums ZGR 2011, 218, 224; Holle, Legalitätskontrolle, 2014, 61). Vielmehr hat Vorstand bei Ausgestaltung der Kontrolle **breiten Beurteilungsspielraum,** in den etwa Größe, Branchenzugehörigkeit und Organisation des Unternehmens, Vielfalt und Bedeutung der von ihm einzuhaltenden Vorschriften sowie frühere Unregelmäßigkeiten einfließen dürfen (Holle, Legalitätskontrolle, 2014, 61; Thole ZHR 173 [2009], 504, 510; Verse ZHR 175 [2011], 401, 406 f.). Zu Überwachungspflichten als Folge eines Delegationsaktes → Rn. 22 ff. 17

Ebenfalls von Legalitätspflicht klar zu unterscheiden ist neuerdings propagierte **konzerndimensionale Legalitätsdurchsetzungspflicht,** die – noch vor Einführung des LkSG (→ § 76 Rn. 96 ff.) etwa Menschenrechtsverantwortung von Unternehmen im Ausland begründen soll (Weller/Kaller/Schulz AcP 216 [2016], 387, 413 ff.; ausf. → § 76 Rn. 69). Legalitätsdurchsetzungspflicht dürfte mit Legalitätskontrollpflicht weitgehend übereinstimmen. Da diese wiederum lediglich Compliance-Pflicht paraphrasiert (→ Rn. 17), handelt es sich bei konzerndimensionaler Legalitätsdurchsetzungspflicht letztlich um terminologisch abw. gefasste Frage nach Compliance im Konzern (→ § 76 Rn. 50 ff.). Auch eine solche Pflicht hat aber nicht ähnlich absoluten Charakter wie Legalitätspflicht, sondern es handelt sich um Ausfluss der allg. Sorgfaltspflicht, die Vorstand dazu anhält, im **Innenverhältnis** zur Gesellschaft deren Interessen auch durch ordnungsgem. Beteiligungsverwaltung sorgfältig wahrzunehmen (ausf. → § 76 Rn. 51 ff. mwN; J. Koch WM 2009, 1013 ff.). Der dafür zu betreibende Compliance-Aufwand ist weitgehend in sein Organisationsermessen gestellt (→ § 76 Rn. 56). Als Ableitungsbasis namentl. einer Haftung für Menschenrechtsverletzungen dürfte sich auch diese Pflicht angesichts der genannten Einschränkungen de lege lata nur bedingt eignen (aA Weller/Kaller/Schulz AcP 216 [2016], 387, 413 ff.). Wichtigster Anwendungsfall, in dem diese Pflichtenkonstruktion ihren Ursprung genommen hat, hat mittlerweile durch **Lieferkettensorgfaltspflichtengesetz** eigenständige Rechtsgrundlage gefunden (→ § 76 Rn. 96 ff.). 18

dd) Verhaltensstandards jenseits gesetzlicher Vorgaben. Als deutlich schwieriger erweist sich Umgang mit Sorgfaltspflichten naturgemäß dort, wo es an klarer ges. Vorgabe fehlt. Gedanklicher Ausgangspunkt ist insofern Pflicht des Vorstands, **Gesellschaftszweck,** also idR Gewinnziel (→ § 23 Rn. 22), zu fördern (Scholz/Verse GmbHG § 43 Rn. 50; zu möglichen Einschränkungen unter CSR-Gesichtspunkten → § 76 Rn. 63 ff.). Weitere Konkretisierungen lassen sich aber nur schwer in verallgemeinerungsfähiger Weise formulieren, weil Aufgaben- 19 kreis des Vorstands zu weit und – je nach konkretem Unternehmenszuschnitt – auch zu vielfältig gesteckt ist. Es haben sich aber zT **spezialisierte Unterkategorien** gebildet, in denen Sorgfaltskataloge für bestimmte standardisierte Sondersituationen unternehmerischen Handelns herausgebildet wurden. Sie setzen bei **Unternehmensplanung** an, die sodann weiter in Planungs- und Steuerungsverantwortung, Organisations-, Finanz- und Informationsverantwortung unterteilt wird (BeckOGK/Fleischer Rn. 68 ff.; Scholz/Verse GmbHG § 43 Rn. 63 ff.).

20 An Planungsphase schließt sich Umsetzungsphase an. Vorstand hat kontinuierlich für sorgfältige Unternehmensorganisation zu sorgen, die namentl. unter den Schlagwörtern der **Corporate Governance** (→ § 76 Rn. 114 ff.) oder der **Compliance** (→ § 76 Rn. 16 ff.) begriffliche Verselbständigung erfahren hat. Unter den beiden vorgenannten Schlagwörtern wurden in den vergangenen Jahren insbes. **Organisationsanforderungen** erheblich ausgeweitet. Vorstand ist gehalten, Unternehmen so zu organisieren, dass Unternehmensgegenstand auf gesetzmäßige Weise verfolgt wird. Dazu gehört insbes. auch Einrichtung eines funktionsfähigen **Informationswesens** mit klaren Berichtslinien (zur bes. Bedeutung iRd Wissenszurechnung → § 78 Rn. 24 ff.; sa Scholz/Verse GmbHG § 43 Rn. 67; zum Einsatz von künstlicher Intelligenz → Rn. 24 und Rn. 43) sowie dauerhafte Überwachung der Finanzlage des Unternehmens, namentl. bei **krisenhafter Zuspitzung** im Vorfeld der Insolvenz (ausf. dazu → § 92 Rn. 15 ff.). Für börsennotierte Unternehmen sind spezielle Organisationsanforderungen des § 91 III zu beachten (→ § 91 Rn. 15 ff.). Dazu entwickelte Standards können auch als Orientierungsmarken für nichtbörsennotierte Unternehmen sein, ohne aber entspr. Verbindlichkeit zu entfalten.

21 Auch für **sonstige Teilfunktionen und Risikolagen** wurden umfassend ausbuchstabierte Sorgfaltsstandards entwickelt, die stetig weiter ausdifferenziert werden. Bsp. ist etwa zunehmend bedeutsame **Risikolage** bei Cyberangriffen, für die sowohl auf Präventions- als auch auf Reaktionsebene umfassende Handlungskataloge entwickelt worden sind (vgl. etwa Grieger WM 2021, 8 ff.; Kiefner/Happ BB 2020, 2051 ff.; zur Zulässigkeit der Lösegeldzahlung bei Ransomwareangriffen vgl. Bost NZG 2023, 1487 ff.; Meyer/Biermann MMR 2022, 940 ff.). Pflichtenstandards werden namentl. davon beeinflusst, ob Handlungspflichten für best. Gefahrenlagen legislativ vorgeprägt ist, wie etwa bei datenschutzrechtl. Sorgfaltspflichten (→ § 76 Rn. 17) oder im Bereich der Lieferkettensorgfalt (→ § 76 Rn. 96 ff.) oder nicht, wie etwa bei geopolitischen Risiken (vgl. dazu Seibt AG 2022, 833 ff.). Weitere Standardisierungen sind im Hinblick auf best. **Branchen** zu beobachten, etwa hinsichtlich Pflichten bei Kreditvergabe durch Banken (vgl. dazu BGH NZG 2021, 748 Rn. 14 ff.). Mit stetig zunehmender Relevanz von **Nachhaltigkeit und ESG** als unternehmerischen Zielen stellt sich die Frage, inwiefern auch diese thematische Ausweitung Sorgfaltspflichten und Haftungsgefahren des Vorstands erhöhen kann. Das gilt selbstverständlich dort, wo ESG-Zielsetzungen in ges. Form gegossen wurden, was namentl. im Bereich des Lieferkettensorgfaltspflichtengesetzes der Fall ist (vgl. dazu → § 76 Rn. 96 ff.). Auch können kursrelevante ESG-Informationen ad-hoc-pflichtig nach § 17 MAR sein mit Haftungsfolge nach §§ 97, 98 WpHG (Sustmann/Retsch/Gerding AG 2022, 602 Rn. 1 ff.). Jenseits solcher speziellen Ausprägungen wird Einfluss ESG-geprägter Sorgfaltspflichten dadurch relativiert, dass auch unter erhöhten Nachhaltigkeitsvoraussetzungen **Unternehmensinteresse stets prägend** – und im Regelfall iSe Ziel-Hierarchie auch vorrangig – zu berücksichtigen ist („Gewichtungsvorsprung" → § 76 Rn. 89). ESG-Belange dürfen in Vorstandsentscheidung einfließen, doch besteht nach derzeit geltender Rechtslage dazu keine generelle Verpflichtung. Durch fehlende Konturenschärfe des Nachhaltigkeitsbegriffs und in vielen Fällen unvermeidliche **Zielkonflikte zwischen E, S und G** (vgl. J. Koch AG 2023, 553 Rn. 46; C. Koch/Kneflowski BB 2022,

1963 ff.) fällt Herleitung konkreter Handlungsvorgaben noch schwerer, so dass neuerdings angenommene multiple Interessenbindung Haftungsgefahren keinesfalls so signifikant erhöht, wie es zT behauptet wird (zum zusätzlichen Problem fehlender Anspruchsinhaberschaft außenstehender Stakeholder → § 76 Rn. 82). Auch neuerdings verstärkt erhobenen **Klimaklagen** fehlt deshalb materiellrechtl. Grundlage (ausf. Fleischer AG 2023, 833 Rn. 28 ff.; aA Schirmer ZIP 2023, 234, 238 ff.; zur zugrunde liegenden Climate Change Compliance → § 76 Rn. 17). Neben Unterschreitung von ESG-Sorgfaltsvorgaben begegnet als neueres Phänomen der Versuch, ESG-Aktivitäten in Form des sog **Greenwashing** stärker darzustellen, als sie tats. betrieben werden. Daraus können Reputations- und Haftungsschäden resultieren, die sich als weiteres Haftungsrisiko auf Vorstandsseite fortsetzen können (vgl. dazu Ruttloff et al. BB 2023, 1155 ff., 1219 ff., 1283 ff.; Zeidler/Dürr CCZ 2022, 377 ff.). Zur Frage konzernweiter Organisationsanforderungen → § 76 Rn. 50 ff.

Vorstand ist als Leitungsorgan nicht allein Handlungsorgan, sondern in erster Linie auch **Delegationsorgan** (→ § 76 Rn. 11), weshalb Frage von bes. großer Bedeutung ist, ob und in welche Richtungen Delegation erfolgen darf und welche Folgepflichten sich daraus ergeben. Insofern ist zwischen horizontaler, vertikaler und externer Delegation zu unterscheiden. Für Zulässigkeit und Sorgfaltspflicht bei **horizontaler Delegation** innerhalb des Vorstands gelten die in → § 77 Rn. 15 ff. genannten Grundsätze: Delegation ist danach in bestimmten Grenzen zulässig, doch wandelt sich Ursprungspflicht damit in Überwachungspflicht um, die allerdings durch Vertrauensgrundsatz abgeschwächt wird. **22**

Für **vertikale Delegation** stellt sich zunächst die Frage, ob sie überhaupt zulässig ist, was nach hM bei Leitungsentscheidungen grds. ausgeschlossen ist (dazu, zur Kritik und alternativen Ansätzen → § 76 Rn. 10 ff.). Scheinbar strenger Grundsatz der „Unveräußerlichkeit der Leitungsmacht" wird allerdings auch in dieser herrschenden Konzeption dadurch deutlich relativiert, dass von Vorstand nur „decision taking" verlangt wird, er „decision shaping" aber durchaus delegieren darf (→ § 76 Rn. 12). Darüber hinaus trifft Vorstand bei der Delegation Auswahl-, Einweisungs- und Überwachungssorgfalt, die sich – ebenso wie bei horizontaler Delegation – beim Auftreten von Verdachtsmomenten verdichtet (ausf. zu allen Formen BeckOGK/Fleischer Rn. 134 ff.; Scholz/Verse GmbHG § 43 Rn. 141 ff.; Linnertz, Delegation durch Vorstand, 2019, 193 ff., 238 ff.). Im Übrigen gilt hier – wie bei horizontaler Delegation – **delegationsformübergreifender Vertrauensgrundsatz** (Linnertz, Delegation durch Vorstand, 2019, 288 ff.; sa Scholz/Verse GmbHG § 43 Rn. 147. **23**

Ähnliche Grundsätze gelten für **externe Delegation.** Auch sie kann unzulässig sein, wenn Vorstand selbst zur Erfüllung verpflichtet ist (→ § 76 Rn. 10 ff.), doch kann er sich externer wie interner Hilfe bedienen, um Entscheidung vorzubereiten. Pflichten zur Auswahl-, Einweisung- und Überwachung gelten auch hier. Besonderheit liegt allein darin, dass als Überwachungsinstrument nicht auf arbeitsrechtl. Weisungsrecht zurückgegriffen werden kann, so dass sich Vorstand ggfs. **vertragliche Einwirkungsrechte** vorbehalten muss (Scholz/Verse GmbHG § 43 Rn. 150; ausf. Linnertz, Delegation durch Vorstand, 2019, 243 ff.). Als bes. Form der Entscheidungsdelegation kann in gewisser Weise auch **Einsatz algorithmenbasierter künstlicher Intelligenz (KI)** gewertet werden. Häufig diskutierte Frage der vollständigen Übertragung der Vorstandsfunktion auf KI ist bei derzeitigem Stand „schwacher" KI-Systeme noch kein realistisches Szenario, wäre aber auch bei Weiterentwicklung zu stärkeren Formen nach geltendem Recht unzulässig (→ § 76 Rn. 141). Auch Pflicht zur Heranziehung von KI zur Entscheidungsvorbereitung wird man angesichts dieser Schwächen nicht pauschal, sondern allenfalls in Ausnahmefällen annehmen können (ausf. iRd Informationsobliegenheit des § 93 I 2 → Rn. 43). Wo dies geschieht, stellt sich Folgefrage, mit **24** welchen Sorgfaltsstandards **KI-generierte Ergebnisse überprüft und hinterfragt** werden müssen (vgl. dazu Dubovitskaya/Buchholz ZIP 2023, 63, 67 ff. mit restriktiver Tendenz; großzügiger Langenbucher ZHR 187 [2023], 723 ff.). Dabei handelt es sich um Frage auf Ebene der Pflichtverletzung, so dass auf Verschuldensebene angesiedelte Aussagen der **ISION-Entscheidung** (da Rechtsirrtum) nicht so selbstverständlich übertragen werden können, wie es überwiegend geschieht (vgl. Dubovitskaya/Buchholz ZIP 2023, 63, 67 ff.; Zetzsche AG 2019, 1, 7 f.). Hält man Grundsätze dennoch auch auf Ebene der Pflichtverletzung für sachgerecht, erweist sich **gedanklicher Transfer von menschlicher Auskunftsperson auf KI** doch als fragwürdig (skeptisch auch Langheld/Haagen NZG 2023, 1535, 1538 f.). Identische Maßstäbe führen für Einsatz von KI nach derzeitigem technischem Stand zu prohibitiven Anforderungen (vgl. Dubovitskaya/Buchholz ZIP 2023, 63, 67 ff.: Black-Box-Problem). Das kann sich mit Weiterentwicklung von sog. eXplainable Artificial Intelligence (XAI) ändern (vgl. Dubovitskaya/Buchholz ZIP 2023, 63, 71 ff.). Umgekehrt können fortgeschrittenere Formen von KI sich menschlicher Nachvollziehbarkeit auch noch weiter entziehen. Ob Lösung dann in gänzlicher Abstinenz liegt, bleibt zweifelhaft. Hier sind auch von ISION-Anforderungen abw. Kontrollstandards denkbar, wie etwa Plausibilitätskontrolle und Abgleich mit anderen Informationen (ähnlich Langenbucher ZHR 187 [2023], 723, 728 ff.; Noack ZHR 183 [2019], 105, 118 f.; Zetzsche AG 2019, 1, 7 f.; skeptisch Dubovitskaya/Buchholz ZIP 2023, 63, 67 f.). Auch Verhältnismäßigkeitserwägungen sollten einfließen (Langenbucher ZHR 187 [2023], 723, 728 ff.; Noack ZHR 183 [2019], 105, 119); bei Entscheidungen für oder gegen KI gibt es keine pauschale Antwort; Entscheidungen von geringerer Tragweite könnten auch ohne größere Kautelen KI überlassen werden.

25 **Geschäftliche Risiken** sind unvermeidbar, ihre Übernahme also nicht per se sorgfaltswidrig. Geht Vorstand allerdings bestandsgefährdende Risiken ein, so liegt es nahe, dass er seiner Pflicht, für Bestand (und dauerhafte Rentabilität) des Unternehmens zu sorgen (→ § 76 Rn. 89), nicht nachgekommen ist; auch insoweit bedarf es jedoch einer Einzelfallbetrachtung (→ Rn. 53). Verhaltensstandard ist **normativer Maßstab;** abw. tats. Übung exculpiert nicht. „Bei ihrer Geschäftsführung" werden Vorstandsmitglieder immer tätig, wenn sie in dieser Eigenschaft handeln oder handeln müssten. Die letztgenannte Verpflichtung schließt Verantwortlichkeit für Fehlverhalten von Mitarbeitern ein (Fleischer AG 2003, 291 ff.). Ob Vorstand auch zur **Aufdeckung eigener Pflichtverstöße** verpflichtet sein kann (grds. abl. Grunewald NZG 2013, 841 ff.), ist weder pauschal zu bejahen oder zu verneinen, sondern hängt von der jew. Pflicht und den Umständen des Einzelfalls ab, namentl. gegenläufigen Informationsbelangen und übernommenem Pflichtenkreis (BGHZ 219, 356 Rn. 39 ff. = NZG 2018, 1301; vertiefend Fleischer ZIP 2018, 2341, 2346 ff.; generell für Verfolgungspflicht Altmeppen ZIP 2019, 1253 ff.).

26 **b) Ausschluss einer Pflichtverletzung (§ 93 I 2). aa) Allgemeines.** Hauptproblem der Vorstandshaftung liegt, soweit es um Verletzung der allg. Sorgfaltspflicht geht, in ihrer Abgrenzung von bloßen Fehlschlägen und Irrtümern. Diese rechtfertigen nach seit jeher allg. Auffassung bei insges. unglücklicher Unternehmensführung zwar personalpolitische Konsequenzen, begründen aber wegen des unverzichtbaren weiten unternehmerischen Ermessensspielraums noch keine Haftung. Eine solche kann nach der grundlegenden **ARAG/Garmenbeck-Entscheidung** (BGHZ 135, 244, 253 = NJW 1997, 1926) erst bei schlechthin unvertretbarem Vorstandshandeln eingreifen (deutliche Überschreitung der aus Unternehmenswohl ableitbaren Grenzen, unverantwortliche Risikoübernahme). Das war seinerzeit in der Klarheit der Aussage neu (Horn ZIP 1997, 1129, 1134) und erlaubte den Einstieg in vernünftige Präzisierung der Haftungs-

voraussetzungen, die der Gesetzgeber mit dem UMAG 2005 in § 93 I 2 in Gesetzesform gegossen hat (zur tatbestandl. Konkretisierung vor Kodifizierung des § 93 I 2 → Rn. 52).

Gem. § 93 I 2 liegt Pflichtverletzung nicht vor, wenn Vorstandsmitglied unternehmerische Entscheidung trifft, dabei angenommen hat, auf der Basis angemessener Informationen zum Wohl der AG zu handeln und dies auch vernünftigerweise annehmen durfte. In der Sache wird damit für best. Entscheidungstyp (unternehmerische Entscheidung) gerichtl. Kontrolle sowohl hinsichtlich Pflichtwidrigkeit als auch Bestandskraft zurückgefahren, wenn Anspruchsgegner Nachw. gelingt, dass Entscheidung unter **optimalen Entscheidungsvoraussetzungen** zustande gekommen ist (MHdB CL/J. Koch § 30 Rn. 11; ausf. Harnos, Gerichtliche Kontrolldichte, 2021, 236 ff., insbes. 252 ff.). Mit dieser Vorschrift soll **Risikobereitschaft** des Vorstands gestärkt (s. dazu bereits Amtl. Begr. Klausing S. 71 zu § 84 AktG 1937) und seinen oftmals komplexen Entscheidungssituationen Rechnung getragen werden, die von nicht unternehmerisch tätigem Richter in der Rückschau kaum rekonstruiert werden können (Rückschaufehler oder hindsight bias – s. dazu Fleischer FS Wiedemann, 2002, 827, 829 ff.; J. Koch ZGR 2006, 769, 782 f.; Ott/Klein AG 2017, 209 [mit Methoden zum „Debiasing"]). Das war schon bislang in Rspr. des BGH anerkannt (→ Rn. 26) und wird in § 93 I 2 lediglich klarstellend bekräftigt (RegBegr. BT-Drs. 15/5092, 11). Das ist sinnvoll, da Gesetzestext selbst zum Ausdruck bringen sollte, dass es für unternehmerische Entscheidungen einen Freiraum gibt, der sich auch ggü. dem Haftungsrecht behauptet („safe harbour"). **27**

Gesetzgeber des UMAG hat Kodifikationsgedanken aber nur halbherzig in Form einer sog **Merkpostengesetzgebung** derart deutungsoffen umgesetzt, dass weitere tatbestandliche Konturierung erforderlich bleibt (s. dazu Ihrig WM 2004, 2098, 2012; J. Koch ZGR 2006, 769, 783; zur Regelungstechnik MHdB CL/J. Koch § 30 Rn. 10 f.). Das hat für Auslegung insofern Bedeutung, als Wortlautargument abgeschwächt wird, während Vorbild der ARAG/Garmenbeck-Rspr. (→ Rn. 26), in deren Kontinuität § 93 I 2 gesehen wird, größere Bedeutung erlangt (vgl. dazu J. Koch in Fleischer/Thiessen, Gesellschaftsrechts-Geschichten, 2018, 471, 476 ff.). Dasselbe gilt für US-amerikanische Business Judgment Rule (BJR – vgl. dazu etwa GK-AktG/Hopt/Roth Rn. 64 f.; Bosch/Lange JZ 2009, 225, 229 ff.), auf die Gesetzgeber ebenfalls Bezug nimmt (RegBegr. BT-Drs. 15/5092, 11; s. dazu J. Koch ZGR 2006, 769, 783). Bezugnahme darf aber nicht darüber hinwegtäuschen, dass § 93 I 2 keine Übernahme der BJR enthält, sondern lediglich ihre abwandelnde Einpassung in die Haftungskonzeption des § 93 (Paefgen, Unternehmerische Entscheidungen, 2002, 177 ff.). Gesetzgeber bezweckte mit ges. Regelung ferner Ausgleich für Verschärfung des Verfolgungsrechts der Aktionäre in § 148 (RegBegr. BT-Drs. 15/5092, 11). Dieses Regelungsziel läuft allerdings gleich doppelt ins Leere, weil reine Klarstellung des § 93 I 2 Vorstand keine Erleichterung verschafft, umgekehrt § 148 sich aber rechtstatsächlich auch nicht als Verschärfung der Haftungssituation erwiesen hat (→ § 148 Rn. 3). **28**

bb) Abgrenzung zu Pflichtaufgaben. § 93 I 2 regelt Vorstandsermessen nicht abschließend, sondern enthält eine bloße **Teilkodifikation unternehmerischer Entscheidungsspielräume** (GK-AktG/Hopt/Roth Rn. 75, 116 ff.; Breitenfeld, Organschaftliche Binnenhaftung, 2016, 124 ff.). Das zeigt sich namentl. bei solchen Pflichtaufgaben, die Vorstand zwar grds. rechtl. binden, ihm aber einen Beurteilungsspielraum auf der Tatbestandsseite oder einen Ermessensspielraum auf der Rechtsfolgenseite (zB § 87 I 1, § 15b InsO) einräumen (s. dazu Harnos, Gerichtliche Kontrolldichte, 2021, 347 ff.; Holle AG 2011, 778 ff.; J. Koch FS Grunewald, 2021, 547 ff.). Diese Spielräume sind den von § 93 I 2 eröffneten vergleichbar, aber doch rechtl. eigenständig zu beurteilen, und zwar **29**

namentl. deshalb, weil sie nicht allein am Maßstab des vom Vorstand zu definierenden Gesellschaftswohl auszufüllen sind. Vielmehr ist Ausübung des Ermessens durch konkrete tatbestandliche Vorgaben oder durch anderweitige teleologische Interessenbindungen jenseits des Unternehmensinteresses **gesetzlich determiniert** (Holle AG 2011, 778, 784; ihm folgend BeckOGK/Fleischer Rn. 91; Scholz/Verse GmbHG § 43 Rn. 80; Bayer/Scholz NZG 2019, 201, 204; Breitenfeld, Organschaftliche Binnenhaftung, 2016, 111 ff.; Harnos, Geschäftsleiterhaftung bei unklarer Rechtslage, 2013, 142 ff.; J. Koch FS Grunewald, 2021, 547 ff.; wohl auch Bachmann ZHR 177 [2013], 1, 8; Fuhrmann/Heinen/Schilz NZG 2020, 1369, 1377 f.; vgl. auch bereits Habersack in Karlsruher Forum 2009, 5, 17 f. und am Beispiel des § 87 I GK-AktG/Kort § 87 Rn. 348; Bayer/Meier-Wehrsdorfer AG 2013, 477, 479 f.; krit. Goette DStR 2016, 1752, 1754 [zu § 92 II aF = § 15b InsO nF]; Nietsch ZGR 2015, 631, 638 ff.; vermittelnd GK-AktG/Hopt/Roth Rn. 75 f.). Liegt Pflichtaufgabe in diesem Sinne vor, hat das Gericht bei unbefangener Entscheidung auf der Grundlage angemessener Informationen (→ Rn. 42 ff.) dem Vorstand zwar ebenfalls eine Entscheidungsprärogative zuzugestehen, seine Entscheidung inhaltlich aber genauer als bei einer rein unternehmerischen Entscheidung (vgl. zum dort geltenden Maßstab → Rn. 51 f.) daraufhin zu untersuchen, ob die **ges. Vorgaben und außenstehenden Interessen** in die Ermessensausübung hinreichend eingeflossen sind (zu den Unterschieden Harnos, Gerichtliche Kontrolldichte, 2021, 347 ff.; Holle AG 2011, 778, 785; J. Koch FS Grunewald, 2021, 566 ff.; krit. Habersack ZHR 177 [2013], 782, 797 ff.).

30 **cc) Folge: Unwiderlegbare Vermutung objektiv pflichtkonformen Verhaltens.** § 93 I 2 knüpft an BGHZ 135, 244 = NJW 1997, 1926 an und schließt im Sinne dieses Judikats schon Pflichtverletzung unter tatbestandlichen Voraussetzungen aus, so dass für Ersatzpflicht der Vorstandsmitglieder nach § 93 II 1 von vornherein kein Raum bleibt. Gemeint ist **obj. Sorgfaltspflicht,** nicht erst Verschuldensmaßstab (→ Rn. 7). Ges. Anerkennung eines unternehmerischen Freiraums (→ Rn. 26 ff.) wäre mit bloßer Exculpation nicht gelungen, da in dieser Lesart zwar Haftungsfreiheit des Vorstands gesichert werden könnte, nicht aber Fortbestand der von ihm getroffenen Entscheidung (→ Rn. 32). Dieser Rechtsfolge kommt größere Bedeutung zu als der im Schrifttum überbetonten Gefahr eines Widerrufs aus wichtigem Grund gem. § 84 IV 2 (ausf. → Rn. 32). Schließlich handelt es sich bei § 93 I 2 auch um **keine bloße Beweislastregel** wie in § 93 II 2. Dass Pflicht zur sorgfältigen Unternehmensleitung obj. nicht verletzt ist, schließt Eingreifen eines Haftungstatbestands vielmehr schon materiell-rechtl. aus. Alternative zur negativen Gesetzesfassung hätte darin bestanden, Beachtung der Sorgfaltspflicht für den Fall positiv festzuschreiben, dass Anforderungen der BJR gewahrt sind (Vorschlag DAV-HRA NZG 2004, 555, 556). Gesetzgeber hat jedoch vorsichtigere negative Textfassung vorgezogen.

31 Verfehlt wäre **Umkehrschluss** in dem Sinne, dass objektive Pflichtwidrigkeit schon dann vorliegt, wenn Anforderungen der BJR nicht eingehalten sind (ganz hM – s. nur BGH NZG 2017, 116 Rn. 31; OLG München AG 2017, 750, 573; MüKoAktG/Spindler Rn. 47; aA Ph. Scholz AG 2015, 222 ff.; Ph. Scholz AG 2018, 173 ff.). Gegenauffassung führt angesichts enger Voraussetzungen der BJR zu kaum tragfähigen Ergebnissen, zB bei konfliktbefangener, aber dennoch am Gesellschaftswohl orientierter Entscheidung (vgl. dazu Harnos, Gerichtliche Kontrolldichte, 2021, 359 ff.; J. Koch ZGR 2014, 697, 701 ff.). Vielmehr muss Pflichtwidrigkeit nach allg. Grundsätzen festgestellt werden, zu denen allerdings auch Beweislastumkehr nach § 93 II 2 gehört (→ Rn. 103 ff.).

32 Obwohl § 93 I 2 aufgrund systematischer Nähe zu § 93 II zumeist in Haftungskontext eingeordnet wird, muss Auslegung auch dem Umstand Rechnung

tragen, dass mit Anerkennung eines unternehmerischen Ermessensspielraums nicht nur über Vorstandsverantwortlichkeit entschieden wird, sondern auch über **dauerhafte Bestandskraft** der Entscheidung: Mit Ermessensspielraum geht – entsprechend seiner ursprünglichen verwaltungsrechtl. Bedeutung – nämlich nicht allein ein Haftungsausschluss einher, sondern auch der Ausschluss jeglicher gerichtl. Kontrolle (ausf. Harnos FS E. Vetter, 2019, 215, 223 ff.). Um dieser **Doppelwirkung** gerecht zu werden, darf keinesfalls jeder Fall, in dem es an persönlicher Vorwerfbarkeit fehlt, unter § 93 I 2 subsumiert werden (zu entspr. Verkürzungen vgl. etwa Dreher ZHR 158 [1994], 614, 616; Thümmel DB 1997, 1117, 1119 – jew. zur Verfolgungspflicht des AR), sondern es kann oftmals geboten sein, Entscheidung auch dann zu revidieren, wenn Vorstandshaftung nicht angemessen ist (ausf. zu dieser Trennung J. Koch AG 2009, 93, 97 ff.; sa Holle AG 2016, 270, 276 f.). Als Beispiele seien etwa die Fälle genannt, in denen AR Verfolgungspflicht ggü. Vorstand verkennt (→ § 111 Rn. 7 ff.), sowie die Behandlung von Rechtsirrtümern (→ Rn. 80 ff.), einschließlich der fehlerhaften Selbstbefreiung nach Art. 17 IV MAR (J. Koch FS Köndgen, 2016, 329, 344 ff.; aA OLG Frankfurt NJW 2009, 1520, 1521; Klöhn ZHR 178 [2014], 55, 85 ff.). In diesem Fall kann Haftungsbefreiung erst auf **Verschuldensebene** ausgesprochen werden (J. Koch AG 2009, 93, 100 f.; zust. S/L/Drygala § 116 Rn. 10; Holle AG 2016, 270, 276 f.). Häufig geäußerter Gegeneinwand, dass diese Vorgehensweise zur Feststellung einer Pflichtwidrigkeit führe, die – ungeachtet eines Verschuldens – Kündigungsfolge des § 84 IV 2 nach sich ziehen könne (s. etwa Habersack FS U. H. Schneider, 2011, 429, 437; Ihrig WM 2004, 2098, 2102; Seibt NZG 2015, 1097, 1100 f.), geht fehl, da im absoluten Regelfall bei fehlendem Verschulden zumindest „grobe" Pflichtverletzung im Sinne dieser Norm nicht festgestellt werden kann (sa Harnos, Geschäftsleiterhaftung bei unklarer Rechtslage, 2013, 150 ff.; Holle AG 2016, 270, 277; Verse ZGR 2017, 174, 192).

Im dogmatischen Verständnis enthält § 93 I 2 **unwiderlegbare Rechtsvermutung:** Wenn Erfordernisse der BJR eingehalten werden (→ Rn. 34 ff.), ist Abwesenheit der obj. Pflichtverletzung notwendige, jede weitere Prüfung ausschließende rechtl. Folge (J. Koch ZGR 2006, 769, 784; Lutter FS Canaris, 2007, 245, 247, 249 f.; U. H. Schneider FS Hüffer, 2010, 905, 908). Weil Prüfung, wenn sie stattfinden würde, typischerweise zu dem genannten Ergebnis käme, liegt Vermutung und nicht Fiktion vor. Gegenbeweis lässt § 93 I 2 wegen der Sicherheit nicht zu, die Vorstandsmitglieder haben sollen („safe harbour"; s. zB BeckOGK/Fleischer Rn. 85). Begr. RefE NZG-Sonderbeil. 4/2004, 9 spricht insoweit von „Tatbestandseinschränkung", die aber nicht vorliegt, weil § 93 I nur Pflichten der Vorstandsmitglieder umschreibt, ohne selbst (wie § 93 II) Haftungstatbestand zu sein. Unwiderlegbare Vermutung obj. pflichtkonformen Verhaltens erzielt jedoch das angestrebte Ergebnis. 33

dd) Vermutungsvoraussetzungen. (1) Überblick. § 93 I 2 formuliert drei Voraussetzungen, die in Rspr. und Lit. zT in weitere Untervoraussetzungen aufgeteilt werden und überdies in auf den ersten Blick schwer überschaubarer objektiv/subjektiver Weise (→ Rn. 44 f.) miteinander kombiniert werden: (1.) Es muss eine unternehmerische Entscheidung vorliegen (→ Rn. 35 ff.), die (2.) auf angemessener Information basiert (→ Rn. 42 ff.) und (3.) dem Wohle der Gesellschaft dient (→ Rn. 51 ff.). Die letztgenannte Voraussetzung wird – obwohl im Wortlaut nur unzureichend angelegt – dahingehend konkretisiert, dass Handeln des Vorstandsmitglieds gutgläubig sowie frei von Sonderinteressen und sachfremden Einflüssen gewesen sein muss (→ Rn. 55). 34

(2) Unternehmerische Entscheidung. (a) Grundsatz. § 93 I 2 spricht von unternehmerischer Entscheidung. Gemeint ist Handeln oder Unterlassen des 35

Vorstandsmitglieds, dem – in Abgrenzung von bloßer Untätigkeit – bewusste unternehmerische Entscheidung zugrunde liegt (RegBegr. BT-Drs. 15/5092, 11; ausf. zu Konkretisierungsbemühungen Harnos, Gerichtliche Kontrolldichte, 2021, 273 ff.). Von § 93 I 2 vorausgesetzter Entscheidungsbegriff bezeichnet informierte Auswahl der Handlungsmöglichkeit, die nach verantwortlicher, Risikoabwägung einschließender Prognose dem Gesellschaftswohl oder Unternehmensinteresse (→ § 76 Rn. 63 ff.) am besten dient (sa MüKoAktG/Spindler Rn. 48 ff.; zum weiter ausgreifenden betriebswirtschaftlichen Verständnis Graumann ZGR 2011, 293, 295 ff.). Eines Vorstandsbeschlusses oder formalisierten Entschlusses bedarf es nicht, doch ist Dokumentation der „Entscheidung" anzuraten (AK Überwachung DB 2006, 2189, 2193). Potenziell haftungsausschließend sind **nur rechtmäßige** unternehmerische Entscheidungen. Sie dürfen also nicht gesetz- oder satzungswidrig sein (RegBegr. BT-Drs. 15/5092, 11), denn wo Verhalten des Vorstands ges. vorgezeichnet ist, bedarf er keines Entscheidungsfreiraums (zur Legalitätspflicht → Rn. 9 ff.). **Entscheidendes Charakteristikum** einer unternehmerischen Entscheidung ergibt sich daher nicht so sehr aus positiver Umschreibung, sondern aus ihrem negativen Gegenstück: Unternehmerische Entscheidung ist immer dann zu verneinen, wenn **rechtliche Bindung** gegeben ist (RegBegr. BT-Drs. 15/5092, 11).

36 Als ges. in diesem Sinne vorgezeichnet gelten alle **Pflichtaufgaben des Vorstands,** und zwar auch dann, wenn sie einen Beurteilungs- oder Ermessensspielraum eröffnen, sofern dieser Spielraum nicht nach Regeln des § 93 I 2, sondern nach ges. Zielvorgaben auszufüllen ist (→ Rn. 29). In der Sache wird Anwendungsbereich der BJR damit namentl. dort wesentlich eingeschränkt, wo durch breitflächige ges. Vorgaben, etwa im Bank- oder Versicherungsaufsichtsrecht (→ § 76 Rn. 178 ff.), Entscheidungen umfassend vorgezeichnet werden (s. dazu Harnos, Gerichtliche Kontrolldichte, 2021, 374 ff.). Auch **ausländisches Recht** genügt als rechtl. Bindung, sofern es von inländischem Rechtsanwendungsbefehl getragen und somit ebenfalls von Legalitätspflicht umfasst wird (→ Rn. 13 ff.; Cichy/Cziupka BB 2014, 1482, 1485). Abzulehnen ist dagegen der Ansatz, ausländische Normen nicht als Recht, sondern als „Tatsachen" iSd § 293 ZPO zu behandeln und sie so dem Anwendungsbereich des § 93 I 2 zu unterstellen (dafür MüKoAktG/Spindler Rn. 116). § 293 ZPO schränkt Grundsatz des iura novit curia ein, macht aus Recht aber keine Tatsache (Thole ZHR 176 [2012], 15, 29).

37 Als ges. Vorgaben gelten weiterhin organschaftliche Treubindungen (GK-AktG/Hopt/Roth Rn. 73; J. Koch ZGR 2006, 769, 781). Aus Bindung an Satzung folgt ua, dass sich Maßnahmen innerhalb des Unternehmensgegenstands bewegen müssen (OLG Düsseldorf AG 2016, 410, 411; Baums ZGR 2011, 218, 231 f.). Befolgung oder Abweichung von Kodex-Regeln hat für § 93 I 2 dagegen keine Relevanz (→ § 161 Rn. 27). Das Gleiche gilt grds. für **interne Verwaltungsvorschriften,** doch wird es sich dabei zumeist um normauslegende Verwaltungsvorschriften handeln, die also im Rahmen einer Pflichtaufgabe Handlungsspielräume eröffnen. Für sie gelten die in → Rn. 29 dargelegten Grundsätze und nicht § 93 I 2 (zweifelhaft deshalb Langenbucher ZBB 2013, 16, 20 f. zur MaRisk als Konkretisierung des § 25a KWG; sa → § 76 Rn. 178). Möglichkeit, iR von Kronzeugen-Programmen Leniency-Anträge zu stellen, sind Optionen, die aber keine ges. Bindung begründen und deshalb § 93 I 2 unterfallen (Seibt FS G. Wiedemann, 2020, 857 ff.). Beispiele für unternehmerische Entscheidung: Erwerb von UMTS-Lizenzen (BGHZ 175, 365 Rn. 11 ff. = NJW 2008, 1583); Erweiterung einer Niederlassung (BGH NZG 2011, 549); Verhandlungen über Verschmelzungsverträge (OLG Stuttgart AG 2011, 49, 53 f.); Kreditvergabe (OLG Celle WM 2008, 1745, 1746); Gehaltserhöhung eines leitenden Angestellten (OLG Oldenburg NZG 2007, 434, 435). Auch Gewährung von Kulanz-

leistungen kann durch BJR gedeckt sein (GK-AktG/Hopt/Roth Rn. 191; Wiersch NZG 2013, 1206 ff.). Zum Abschluss eines Vergleichs als unternehmerische Entscheidung s. BeckOGK/Fleischer Rn. 120; zum Organisationsermessen → § 76 Rn. 22.

Als rechtl. Bindung ist nach zutr. Auffassung auch **externe Vertragsbindung** 38 der AG anzusehen (Noack/Servatius/Haas/Beurskens GmbHG § 43 Rn. 35; Ihrig WM 2004, 2098, 2104; J. Koch ZGR 2006, 769, 785 f.; C. Schäfer ZIP 2005, 1253, 1256; S. H. Schneider DB 2005, 707, 711; Wiedemann ZGR 2011, 183, 199; Winnen, Innenhaftung des Vorstandes, 2010, 153 f.; aA BeckOGK/Fleischer Rn. 42; GK-AktG/Hopt/Roth Rn. 148; MüKoAktG/Spindler Rn. 107; Bulgrin/Wolf AG 2020, 367 Rn. 6 ff.; Thole ZHR 173 [2009], 504, 518 f.). Das ist iErg zwar fragwürdig, da Vorstand damit faktisch zu Vertragstreue gezwungen wird, die andere Verkehrsteilnehmer nicht in gleicher Weise trifft; § 93 I 2 eröffnet safe harbour aber nur für rechtstreuen Vorstand und auch hinter vertraglichen Bindungen steht Autorität des Gesetzes (ausf. J. Koch ZGR 2006, 769, 786 f.). Dass Gericht im Klagefall Vertragserfüllung mit staatl. Zwang durchzusetzen hat, zugleich aber bei Verstoß den Handelnden optimales Entscheidungsprocedere mit Richtigkeitsgewähr (→ Rn. 27) attestieren und Prüfdichte reduzieren soll, passt nicht zusammen und wird dem Rang der Privatautonomie innerhalb der Rechtsordnung nicht gerecht. § 93 I 2 greift damit nicht, so dass Pflichtwidrigkeit nicht ausgeschlossen ist. Ob sie zugleich nach § 93 I 1 auch positiv festgestellt werden kann, hängt davon ab, ob man Legalitätspflicht auch auf vertragl. Bindungen erstreckt, was in der Konsequenz ihrer strikten Rechtsbindung läge, angesichts der Schwächen ihrer Herleitung (→ Rn. 11) aber zweifelhaft bleibt (Bulgrin/Wolf AG 2020, 367 Rn. 2 ff.; Habersack FS U. H. Schneider, 2011, 429, 436). Wenn man mit hier vertretener Auffassung kompromisslos vorgegebene Regeltreue in Ausnahmefällen selbst bei ges. Bindung für bedenklich hält, sollte zumindest bei Vertragsbindung großzügigerer Maßstab angelegt werden.

Weiterhin muss es sich um **Entscheidung unter Unsicherheit** handeln, weil 39 sonst Leitungsermessen nicht benötigt wird, dessen Freiheit § 93 I 2 schützen soll (C. Schäfer ZIP 2005, 1253, 1256). Auf Leitungsermessen kommt es vor allem bei Prognoseentscheidungen an, also solchen, deren ökonomischer Sinn von künftigen Entwicklungen und ihrer Beurteilung abhängt. Dazu gehört auch die Entscheidung, kartellrechtl. Kronzeugenregelung in Anspruch zu nehmen oder Zusammenarbeit mit der Staatsanwaltschaft zu suchen oder von solchen Maßnahmen Abstand zu nehmen (Harbarth GS M. Winter, 2011, 217, 222; Kremer FS U. H. Schneider, 2011, 701, 705). **Zukunftsgerichteter Charakter** der Entscheidung ist danach begriffstypisches, entgegen verbreiteter Auffassung aber nicht begriffsnotwendiges Merkmal der unternehmerischen Entscheidung. Komplexe Entscheidungssituation und Gefahr von Rückschaufehlern (→ Rn. 27) können auch bei nicht zukunftsgerichteten Entscheidungen auftreten (ausf. J. Koch ZGR 2006, 769, 787 f.; sa GK-AktG/Hopt/Roth Rn. 84; Scholz/Verse GmbHG § 43 Rn. 82 f.; Cahn WM 2013, 1293, 1294; Lieder ZGR 2018, 523, 530 f.; Ott ZGR 2017, 149, 152 ff.; aA Fleischer NJW 2005, 3225, 3228; C. Schäfer ZIP 2005, 1253, 1256). Geradezu charakteristisch ist Entscheidung unter Unsicherheit für **Vergleichsschlüsse** der AG, die jenseits der bes. Regelungen des § 93 IV 3 (→ Rn. 157 ff.) und des § 66 I (→ § 66 Rn. 4) daher ebenfalls § 93 I 2 unterfallen (ausf. Fleischer AG 2015, 133, 143 ff.; sa Schnorbus/Ganzer WM 2015, 1877, 1882 ff.; Zeyher/Mader ZHR 185 [2021], 125, 163 ff.).

(b) Umgang mit rechtlicher Unsicherheit. Bloße rechtl. Unsicherheit in 40 Gestalt von Subsumtionsschwierigkeiten wird verbreitet ebenfalls in Gestalt sog **Legal Judgment Rule** unter § 93 I 2 (analog) gefasst (so teils mit, teils ohne

Verwendung dieses Begriffs BeckOGK/Fleischer Rn. 38 ff.; Grigoleit/Grigoleit/Tomasic Rn. 21 ff.; Wachter/Link Rn. 30; MüKoAktG/Spindler Rn. 91 ff.; Bicker AG 2014, 8, 10 ff.; Cahn Konzern 2015, 105, 107 f.; Hasselbach/Ebbinghaus AG 2014, 873 ff.; Nietsch ZGR 2015, 631, 650 ff.; Ott ZGR 2017, 149, 158 f.; für Zuordnung zur Pflichtenebene, aber nicht zu § 93 I 2 V. A. Berger, Vorstandshaftung und Beratung, 2015, 307 ff.). Nach zutr. Auffassung handelt es sich aber um **Schuldfrage** (→ Rn. 79 ff.), da ges. Vorgabe grds. besteht (klare Trennung insofern auch in RegBegr. UMAG BT-Drs. 15/5092, 11: „im Einzelfall kann Verschulden fehlen"; wie hier BGH AG 2011, 876 Rn. 16; NZG 2015, 792 Rn. 28; OLG Düsseldorf NZG 2023, 1279 Rn. 98; OLG München NZG 2023, 1363 Rn. 67; HdB Managerhaftung/Born Rn. 16.24; Goette/Arnold AR-HdB/Goette § 4 Rn. 2397; Buck-Heeb BB 2013, 2247 ff.; Damler/Zeyher AcP 218 [2018], 905, 927 ff.; Drescher Liber Discipulorum Möschel, 2021, 91, 104 f.; Hauger/Palzer ZGR 2015, 33, 46 ff.; Harnos, Geschäftsleiterhaftung bei unklarer Rechtslage, 2013, 129 ff., 149 ff., 253 ff.; Holle, Legalitätskontrolle, 2014, 62 ff.; J. Koch FS Bergmann, 2018, 413 ff.; Langenbucher FS Lwowski, 2014, 333, 340 ff.; Strohn CCZ 2013, 177 f.; Verse ZGR 2017, 174, 192). Gerichtl. eingeschränkt überprüfbarer Beurteilungsspielraum kann insbes. da nicht überzeugen, wo es um Bestand der Entscheidung geht (→ Rn. 32; das gilt – entgegen Sander/Schneider ZGR 2013, 725 ff. – erst recht für Zuordnung auf Pflichtenebene). Es handelt sich um reines Haftungsproblem, das auf Verschuldensebene besser aufgehoben ist (ausf. zu dieser Differenzierung J. Koch AG 2009, 93, 97 ff.; J. Koch FS Bergmann, 2018, 413, 416 ff.). Annahme eines Pflichtverstoßes führt auch keineswegs zu in der Sache ungerechtfertigtem Widerrufsgrund nach § 84 IV, da hier rechtl. Unsicherheit über das Prädikat des „groben" Verstoßes hinreichend Rechnung getragen werden kann, wenn es sich nach den in → Rn. 80 ff., 84 dargelegten Maßstäben um vertretbare Auffassung handelt (→ § 84 Rn. 59). Um legitimen Anliegen der beiden Meinungsgruppen Rechnung zu tragen, wird zT vorgeschlagen, auch auf Verschuldensebene wertungsmäßige Kriterien des § 93 I 2 heranzuziehen (Spindler AG 2013, 889, 893), was zumindest für Informationsgrundlage durchaus erwägenswert erscheint. Rspr. hat mittlerweile mit ISION-Entscheidung aber präzisere Kriterien entwickelt. Damit geschaffene Rechtssicherheit würde durch Rückgriff auf BJR wieder verwässert werden (→ Rn. 80 ff.). Anwendung der Regeln zu Rechtsirrtümern führt auch nicht zu übermäßig scharfer Haftung (so aber Grigoleit/Grigoleit/Tomasic Rn. 22), da BGH in diesem Zusammenhang nicht die strengen Vorgaben für Rechtsirrtümer im Außenverhältnis anlegt, sondern großzügigeren Maßstab für Innenverhältnis (Einzelheiten → Rn. 80 ff.).

41 Hier dargelegte Grundsätze gelten auch für Bilanzrecht, wo neuerdings ebenfalls für Anerkennung einer **Accounting Judgment Rule** plädiert wird (vgl. Merkt Konzern 2017, 353 ff.; in der Sache auch Pöschke ZGR 2018, 647, 654 ff., wenngleich unter Verzicht auf terminologische Verselbständigung [ZGR 2018, 647, 686]; zurückhaltend Kuhner Konzern 2017, 360 ff.; zu Recht abl. BFH DStR 2013, 633 Rn. 31 ff., 55 ff.; OLG Frankfurt BeckRS 2019, 6427 Rn. 89 ff. jew. m. ausf. Begr.; sa Koch/Brandt BKR 2023, 489, 494 f.). Rechtsirrtümer sind weder ein spezifisches Problem des Aktien- noch des Bilanzrechts, sondern es gelten dafür dieselben Regeln wie auch in anderen Bereichen der Rechtsordnung. Beweis, dass gerade für einzelne Rechtsgebiete abw. Beurteilung geboten ist, ist weder im Aktien- noch im Bilanzrecht gelungen. Soweit Gesetzgeber für Bilanzerstellung allerdings bewusst Entscheidungsermessen eröffnet hat (vgl. Pöschke ZGR 2018, 647, 656 f.), fällt Beurteilung großzügiger aus, führt wegen vielfältiger ges. Vorprägungen (vgl. dazu Pöschke ZGR 2018, 647, 657 ff.) aber auch dann nicht zu § 93 I 2, sondern zu den für Pflichtaufgaben mit Entscheidungsspielraum entwickelten Grundsätzen (→ Rn. 29; zust. Grigoleit/Grigoleit/

Tomasic Rn. 42 Fn. 70; ausf. Harnos, Gerichtliche Kontrolldichte, 2021, 646 ff.). Zur vollen Überprüfung iRd § 87 II → § 87 Rn. 56.

(3) Handeln auf Grundlage angemessener Informationen. (a) Grundsatz. § 93 I 2 setzt angemessene Information voraus, weil es ohne sorgfältige Ermittlung der Entscheidungsgrundlagen kein schutzwürdiges unternehmerisches Ermessen gibt (BGH NJW 2008, 3361 Rn. 11; AG 2009, 117; zu entspr. Dokumentation vgl. Weißhaupt ZHR 185 [2021], 91, 99 ff.). Nach BGH NJW 2008, 3361 Rn. 11 muss Vorstand in konkreter Entscheidungssituation alle verfügbaren Informationsquellen tats. und rechtl. Art ausschöpfen, auf dieser Grundlage die Vor- und Nachteile der bestehenden Handlungsoptionen sorgfältig abschätzen und den erkennbaren Risiken Rechnung tragen. Kritik des Schrifttums ist darin zuzustimmen, dass Ausschöpfung aller Quellen zu weit geht und in ges. Formulierung einer „angemessenen" Information keine Stütze findet (Fleischer NJW 2009, 2337, 2339; Kocher CCZ 2009, 215, 220 f.), doch ist es durchaus möglich, diesen geradezu selbstverständlichen Vorbehalt – wenn auch sprachlich stark verkürzt – der Bezugnahme des BGH auf **konkrete Entscheidungssituation** zu entnehmen (so auch BGH NZG 2017, 116 Rn. 34; BGH NZG 2022, 1293 Rn. 14 [StR]; Scholz/Verse GmbHG § 43 Rn. 85; Goette/Arnold AR-HdB/Goette § 4 Rn. 2377; Henze/Born/Drescher HRR AktienR Rn. 658 f.; Baur/Holle AG 2017, 597, 604; Spindler AG 2013, 889, 893). Entgegen anderslautender Deutungen im Schrifttum (Bachmann ZHR 177 [2013], 1, 3) ist allerdings weder in BGH AG 2009, 117 noch in BGH AG 2011, 378 Rn. 19 ausdr. Korrektur ausgesprochen, was nach hier vertretener Lesart aber auch nicht zwingend erforderlich erscheint (an umfassenden Informationsanforderungen festhaltend BGH NJW 2013, 3636 Rn. 30; OLG Düsseldorf AG 2010, 126, 128; OLG Hamm AG 2016, 508, 509; OLG Hamm NZG 2022, 662 Rn. 196; s. dazu Bachmann NZG 2013, 1121, 1124 f.). 42

Als angemessen ist Information richtigerweise dann anzusehen, wenn sie **angesichts konkreter Entscheidungssituation,** namentl. der Tragweite und der Eilbedürftigkeit der Entscheidung, als angemessen erscheinen kann (ausf. OLG Köln NZG 2020, 110 Rn. 78 f.; Lang/Balzer WM 2012, 1167, 1168 f.; Plagemann NZG 2023, 1397 ff.; konkretisierend für M&A-Transaktionen OLG Karlsruhe v. 23.3.2022 – 11 U 58/17, 35 ff. [nv]; Fleischer FS E. Vetter, 2019, 137, 148 ff. [jew. Veräußererseite]; Hasselbach/Alles DB 2021, 3015, 3017 ff.; Foller/Gleißner DB 2022, 1145 ff.; Versuch einer generalisierenden Umschreibung bei Graumann ZIP 2020, 61 ff.). Erkenntnisse aus Solvenzüberwachungspflicht nach § 1 I 1 StaRUG sind zu berücksichtigen (Gleißner/Nickert/Nickert DB 2023, 1489, 1493 f.; zur Pflicht → § 92 Rn. 15 ff.). ZT wird erforderliche Informationsdichte aber auch ausdr. ges. vorgeschrieben, etwa in § 18 KWG bei Vergabe von Großkrediten (Berger/Scholl ZBB 2016, 237, 242). ISION-Rspr. (→ Rn. 80 ff.) ist hier nicht unmittelbar einschlägig, da es dabei um Verschulden im Bereich einer rechtl. vorgegebenen (und deshalb nicht unternehmerischen → Rn. 35 ff.) Entscheidung geht, doch können dazu erarbeitete Grundsätze, wann eine Informationsgrundlage als angemessen gelten darf, mit gewissen Modifizierungen, die sich daraus ergeben, dass es bei § 93 I 2 nicht wie beim Verschulden um persönliche Vorwerfbarkeit geht, auch auf diese Stufe der BJR übertragen werden (→ Rn. 46; OLG Hamm NZG 2022, 662 Rn. 196). Intensiv diskutiert wird neuerdings, inwiefern auch **Einsatz algorithmenbasierter künstlicher Intelligenz (KI)** zur erforderlichen Informationsgrundlage zählt (vgl. dazu Hoerdemann/Napp/Pauli FS A. Reuter, 2021, 127 ff.; Möslein ZIP 2018, 204, 209 ff.; Noack ZHR 183 [2019], 105, 121 ff.; Zetzsche AG 2019, 1, 6 ff.). Frage wird oft unter Etikett der „Informationspflicht" diskutiert (vgl. etwa Dubovitskaya/Buchholz ZIP 2023, 63, 69; Zetzsche AG 2019, 1, 9), was aber iRd § 93 I 2 angesichts 43 dessen rein privilegierender Wirkung nicht das Richtige trifft. Hier kann allenfalls von „Informationsobliegenheit" die Rede sein. Da derzeit noch nicht abschließend geklärt ist, inwiefern Vorstand sich überhaupt auf KI verlassen darf (sehr restriktiv Dubovitskaya/Buchholz ZIP 2023, 63 ff.: nur erklärbare KI; ausf. → Rn. 24), wird man iRd § 93 I 2 generelle Obliegenheit zur Konsultation des Algo-Beraters ebenso abzulehnen haben wie Konsultationspflicht iRd § 93 I 1 (Noack ZHR 183 [2019], 105, 122; Zetzsche AG 2019, 1, 7 ff.). Richtigerweise wird man Antwort von Unternehmensgegenstand und konkreter Entscheidung abhängig machen müssen. Wo zugrunde liegende Datensätze so komplex sind, dass ihre Erfassung menschliche Akteure überfordert, kann auch KI-Einsatz iRd § 93 I 2 geboten sein, doch sollte diese Annahme Ausn. bleiben, um fortbestehenden Schwächen derzeitiger KI-Systeme (vgl. dazu Dubovitskaya/Buchholz ZIP 2023, 63, 64 ff.; Eidenmüller/Armour ZHR 183 [2019], 169, 172 ff.) Rechnung zu tragen. Vorstand hat einzelfallbezogen zwischen Kosten und Nutzen einer IT-gestützten Tatsachenermittlung und Entscheidung abzuwägen und auf dieser Grundlage plausible Entscheidung zu treffen (ähnlich Langheld/Haagen NZG 2023, 1535, 1537 f.; Zetzsche AG 2019, 1, 9). Zur Behandlung „intuitiver" Entscheidungen vgl. Hamann ZGR 2012, 817 ff.; großzügiger J. Vetter FS Bergmann, 2018, 827 ff.

44 **(b) Ermessen hinsichtlich Informationsgewinnung?** Anwendungsprobleme ergeben sich aus **kombiniert objektiv/subjektivem Maßstab:** Merkmal der „Annahme" stellt auf subj. Handelndenperspektive ab, die durch Merkmal „annehmen dürfen" am Maßstab des Merkmals „vernünftigerweise" verobjektiviert wird (J. Koch ZGR 2006, 769, 788; zust. GK-AktG/Hopt/Roth Rn. 102). Ausgangspunkt der rechtl. Beurteilung ist also Perspektive des Entscheiders (ex ante), sofern seine Beurteilung bei nachträglicher Überprüfung noch als nachvollziehbar (oder „vernünftig") erscheint (Florstedt AG 2010, 315, 317 ff.; Goette ZGR 2008, 436, 448). Dem Vorstand wird damit auch hinsichtlich Informationsgewinnung **Entscheidungsspielraum** zugebilligt, was grds. sinnvoll ist, da auch sie zumindest Züge einer unternehmerischen Entscheidung trägt (Bachmann ZHR 177 [2013], 1, 10). Als problematisch erweist sich, dass Ermessensgrenzen in Gestalt einer obj. Kontrolle erst durch den großzügigen Maßstab des „vernünftigerweise" gezogen werden, der bislang nur für die inhaltliche Entscheidungskontrolle anerkannt war und dort sehr weit verstanden wird (→ Rn. 51 f.). Gesetzgeber verfolgte mit Übertragung auf Informationsgewinnung das nachvollziehbare Anliegen, auch insofern übermäßiger **Verrechtlichung entgegenzuwirken** (RegBegr. BT-Drs. 15/5092, 789; s. dazu J. Koch ZGR 2006, 769, 789; entspr. Tendenzen aber bei Binder AG 2012, 885 ff.: körperschaftsrechtl. Entscheidungslehre).

45 Auch wenn obj. Maßstab damit sowohl für Informationsbeschaffung als auch für Inhaltskontrolle tatbestandlich gleichermaßen im Merkmal „vernünftigerweise" zu verorten ist, sollten **Anforderungen nicht deckungsgleich formuliert** werden mit der Konsequenz einer informationsrechtl. BJR (dafür GK-AktG/Hopt/Roth Rn. 102; Bachmann FS Stilz, 2014, 25, 41 ff.; Kocher CCZ 2009, 215, 220 f.; Lutter ZIP 2007, 841, 844 f.; Seibt FS Seibert, 2019, 825, 837 f.), die Vorstand über Gebühr von Informationsverantwortung befreien würde. Vielmehr erlaubt Charakter der „Merkpostengesetzgebung" (→ Rn. 28), nach dem Beurteilungsgegenstand zu differenzieren: Während bei Inhaltskontrolle nur gänzlich „unvertretbare" Entscheidungen einen Pflichtenverstoß begründen können (→ Rn. 51 f.), erlaubt und erfordert es die Verobjektivierung bei der Informationsgrundlage, Entscheidung des Vorstands einer engmaschigeren **gerichtl. Plausibilitätskontrolle** zu unterziehen, zu der das Gericht auch eher in der Lage sein wird, als bei einer originär unternehmerischen Entscheidung (Redeke ZIP 2011,

59, 60 ff.; zust. BeckOGK/Fleischer Rn. 94; Scholz/Verse GmbHG § 43 Rn. 88 f.; Baur/Holle AG 2017, 597, 598 ff.; Lieder ZGR 2018, 523, 555 ff.; vgl. auch noch Bachmann ZHR 177 [2013], 1, 10 f.; zu weitgehend R. Freitag/Korch ZIP 2012, 2281 ff. unter Überinterpretation von BGH AG 2011, 378 Rn. 19).

(c) Beratung Dritter und Delegationsfälle. Nach dargestelltem obj./subj. Maßstab (→ Rn. 44 f.) ist auch die Frage zu beantworten, inwiefern Mitglieder sich auf Beratung Dritter verlassen dürfen. Frage kann sich in vielfachen Konstellationen stellen, etwa bei Beratung durch außenstehende Sachverständige, bei Information durch andere Vorstandsmitglieder infolge horizontaler Arbeitsteilung (→ § 77 Rn. 15 ff.), aber auch bei Information durch untere Hierarchieebenen infolge vertikaler Arbeitsteilung. Speziell **externe Beratung** wird nicht generell vorausgesetzt (RegBegr. BT-Drs. 15/5092, 11 f.), kann aber sinnvoll sein, um bes. Expertise zu nutzen und Unabhängigkeit der Beratung zu gewährleisten. Wird davon Gebrauch gemacht, muss Sachverhalt ordentlich aufgearbeitet sein, auf dieser Grundlage sachverständige Beratung eingeholt und diese im Rahmen der Möglichkeiten auf Plausibilität geprüft werden (so der speziell zum Rechtsirrtum auf Verschuldensebene entwickelte, aber auf andere Beratungssituationen übertragbare Maßstab in BGH AG 2011, 876 Rn. 16 ff. [dazu → Rn. 80 ff.]; vgl. ferner Peters AG 2010, 811, 812 ff.; für Übertragung auf andere Beratungssituationen in der Sache OLG Hamm NZG 2022, 662 Rn. 196 ff.; OLG Karlsruhe v. 23.3.2022 – 11 U 58/17, 59 [nv]; sa Goette/Arnold AR-HdB/Goette § 4 Rn. 2398; de Raet NZG 2022, 670). Vorstand darf sich auf Informationen Dritter aber nicht ungeprüft verlassen, sondern ist gehalten, **eigene Informationsquellen** im Unternehmen zu schaffen, ihr Funktionieren zu überwachen und sie zu nutzen (OLG Düsseldorf AG 2010, 126, 128). Befassung bes. Risikoausschüsse oder der internen Revision kann von Nutzen sein (AK Überwachung DB 2006, 2189, 2195). Gerade mit Blick auf Anwendbarkeit des BJR ist es zweckmäßig, bes. Informationsanstrengungen des Vorstands auch zu dokumentieren, etwa in Beschlussvorlage oder Sitzungsprotokoll (ebenso Preußner NZG 2008, 574, 575 Fn. 23). Dabei sollte auch die Auseinandersetzung mit abw. Standpunkten dargestellt werden (Ganzer AG 2021, 22 Rn. 48). 46

Dargestellte Grundsätze gelten namentl. auch für Einholung sog **Fairness Opinions** (verbreitet insbes. in M&A-Praxis; → § 221 Rn. 43a), die zwar nicht zwingend erforderlich, aber grds. geeignet sind, angemessene Informationsgrundlage zu bilden (OLG Köln NZG 2013, 548; OLG Karlsruhe v. 23.3.2022 – 11 U 58/17, 51 [nv]; Harnos, Gerichtliche Kontrolldichte, 2021, 403 f.; zur Haftung für fehlerhafte Fairness Opinions Fest FS Hopt, 2020, 237 ff.). Auch sie müssen sorgfältiger eigener Bewertung unterworfen werden (Cannivé/Suerbaum AG 2011, 317, 320 f.; Fleischer ZIP 2011, 201, 206). Speziell **fehlerhafter Rechtsrat,** der zu Rechtsanwendungsfehler führt, lässt allerdings schon unternehmerische Entscheidung entfallen, so dass Anwendung des § 93 I 2 bereits hier scheitert (→ Rn. 29). Berücksichtigung ist erst auf Verschuldensebene möglich (→ Rn. 79 ff.). Hat **AR** auf der Grundlage angemessener Information einer Maßnahme zugestimmt oder keine Einwände gegen diese erhoben, kann Gericht dies als Indiz für Vertretbarkeit in seine Beurteilung einfließen lassen (Lange BOARD 2023, 29; ähnlich OLG Celle AG 2008, 711, 713). Im Schrifttum darüber hinaus vorgeschlagene Institutionalisierung eines entsprechenden Konsenses als „simultan gelebtes Sachverständigengutachten" (Reuter NZG 2023, 51, 53 ff.) geht mit Blick auf enge Verflechtungen von Vorstand und Aufsichtsrat sowie kollegiale Zusammenarbeit beider Organe zu weit und rüttelt an der in § 93 IV 2 zum Ausdruck kommenden Wertung, wonach Einvernehmen zwischen Vorstand und Aufsichtsrat nicht zur Haftungsfreiheit der Organmitglieder führt. 47

48 Schon in RegBegr. UMAG 15/5092, 12 wird betont, dass individuell angemessenes Informationsniveau ressortabhängig zu bestimmen ist. Im **horizontalen Verhältnis** zu Vorstandskollegen kann einzelnes Mitglied aus Gründen sinnvoller Arbeitsteilung auf vorrangige Zuständigkeit des ressortzuständigen Kollegen (Berichterstatter) in gewissem Maße vertrauen und darf sich, sofern keine bes. Umstände vorliegen, auch hinsichtlich Informationsgrundlage auf **Plausibilitätskontrolle** beschränken (Scholz/Verse GmbHG § 43 Rn. 90; Löbbe/Fischbach AG 2014, 717, 722 ff.). Es gelten insofern ähnliche Grundsätze wie hinsichtlich der Frage, ob Aufgabe generell anderem Vorstandsmitglied überlassen werden darf (→ § 77 Rn. 15 ff.). Solche Delegation ist auch hinsichtlich Informationsbeschaffung grds. möglich, doch muss gegenseitige Kontrolle gewährleistet sein, die bei Verdachtsfällen und Anzeichen für krisenhafte Zuspitzung intensiviert werden muss.

49 Auch bei **vertikaler Delegation** der Informationsbeschaffung bestehen Verbindungspunkte zur Frage, ob Delegation der Aufgabe selbst generell möglich ist (→ § 76 Rn. 10 ff.). Selbst wo das nur eingeschränkt der Fall ist, kann Vorstand doch zumindest für Informationsbeschaffung auf untere Hierarchieebenen zurückgreifen. Frage nach hinreichender Informationsgrundlage führt dann zur Frage, ob Vorstand seiner **Informationsverantwortung** ordnungsgem. nachgekommen ist, indem er unternehmensinterne Informationsflüsse effizient und zuverlässig organisiert hat (→ Rn. 20). Folgefrage kann lauten, ob auch **BJR auf Ebene des Delegationsempfängers** Anwendung findet. Das wird vereinzelt bejaht (Zenner AG 2021, 502 Rn. 6 ff.), ist aber abzulehnen. BJR findet Rechtfertigung gerade auch in Recht des Vorstands, Unternehmenswohl zu definieren (→ Rn. 29; Harnos, Gerichtliche Kontrolldichte, 2021, 228 ff., 252 ff.; J. Koch FS Grunewald, 2021, 547, 557 f.), das sich in Person des Delegationsempfängers nicht fortsetzt. Hier werden arbeitsrechtl. Grundsätze betrieblich veranlasster Tätigkeit für sachgerechte Ergebnisse sorgen.

50 Zur näheren Konkretisierung des erforderlichen Informationsaufwands haben sich mittlerweile – wie für Pflichtenstandards generell (→ Rn. 22 ff.) – für wiederkehrende Entscheidungssituationen gewisse **Informationsstandards** ergeben, die zT risiko-, zT branchenspezifisch ausgeprägt werden. So ist etwa nicht nachvollziehbar wesentliche Kreditvergabe an Bankkunden ohne zeitnahe Informationen über seine Fähigkeit zur Kreditbedienung (BGH ZIP 2009, 223 Rn. 3), auch nicht quantitativ erhebliche Teilnahme an Verbriefungsgeschäft, die sich mangels hinreichender Expertise ganz oder weitgehend auf externe Ratings verlässt (OLG Düsseldorf AG 2010, 126, 128 f.; Spindler NZG 2010, 281, 284; zur Nutzung externer Ratings, namentl. durch Versicherungsunternehmen vgl. Dreher/Ballmaier WM 2015, 1357, 1359). Bei **strategischen Entscheidungen** und bedeutenden Risiken sind Anforderungen höher als bei Maßnahmen des Tagesbetriebs (Baums ZGR 2011, 218, 235 f.; Plagemann NZG 2023, 1397, 1399).

51 **(4) Handeln zum Wohl der Gesellschaft. (a) Orientierung am Unternehmensinteresse.** Des Weiteren setzt § 93 I 2 voraus, dass Vorstand vernünftigerweise annehmen durfte, zum Wohle der Gesellschaft zu handeln. Das ist dann der Fall, wenn Entscheidung der langfristigen Ertragsstärkung und Wettbewerbsfähigkeit des Unternehmens dient (RegBegr. BT-Drs. 15/5092, 11). Maßgeblich ist im Ausgangspunkt subj. Perspektive, die sodann am – hier großzügiger als in → Rn. 44 aufzufassenden – Maßstab des „vernünftigerweise" noch zulässigen Handelns gemessen wird. Nach RegBegr. BT-Drs. 15/5092, 11 iVm BGHZ 135, 244, 253 = NJW 1997, 1926 ist diese Grenze erst dann überschritten, wenn das mit der unternehmerischen Entscheidung verbundene **Risiko in völlig unverantwortlicher Weise falsch beurteilt** worden ist; dadurch wird Entschei-

dungsprärogative des Vorstands in hinreichendem Maße respektiert (s. dazu J. Koch ZGR 2006, 769, 790; zust. OLG Hamm NZG 2022, 662 Rn. 196; B/K/L/Bürgers Rn. 15; Bachmann ZHR 177 [2013], 1, 9). Das liegt in deutlicher Nähe zum Begriff grober Fahrlässigkeit, den Gesetzgeber augenscheinlich mehr aus dogmatischen und optischen als aus sachlichen Gründen vermeiden wollte (RegBegr. UMAG BT-Drs. 15/5092, 11 im Anschluss an Fleischer ZIP 2004, 685, 689; ausf. Bachmann FS Stilz, 2014, 25 ff.). In diesem weiten Ermessensspielraum liegt **privilegierende Wirkung** der BJR (wie hier Bachmann FS Stilz, 2014, 25, 28 ff.; Baur/Holle AG 2017, 597, 598; Harnos, Gerichtliche Kontrolldichte, 2021, 266 ff.; aA Grigoleit/Grigoleit/Tomasic Rn. 40; v. Falkenhausen NZG 2012, 644, 649 f. m. Fn. 65; Cahn FS Stilz, 2014, 99 f., Cahn Konzern 2015, 105, 109 f., die beide überdies BJR zu Unrecht auf Haftungsfolgen reduzieren [s. dagegen → Rn. 32]).

Für **tatbestandliche Konkretisierung** eines solchen wegen obj. Evidenz schlechthin unvertretbaren Vorstandshandelns kann weiterhin auf Rspr. vor Einführung des § 93 I 2 zurückgegriffen werden, da sich BJR nicht als ihre Ablösung, sondern als ihre Kodifikation versteht (→ Rn. 26 ff.): Als unvertretbar gelten nach OLG Düsseldorf AG 1997, 231, 234 f.: Finanzvorstand zahlt gut 55 Mio. DM ohne zuvor vereinbarte Sicherheiten an Anlageunternehmen aus, das alsbald zusammenbricht; nach OLG Jena NZG 2001, 86, 87 f. (zur GmbH): Lieferung von Fahrzeugen ins Ausland ohne entspr. Bürgschaft mit Ausfall der Forderung (sa Kiethe WM 2003, 861, 864 f.); nach OLG Düsseldorf AG 2016, 410, 412 f.: rein spekulative Swap-Geschäfte mit einer Bank ohne kongruentes Grundgeschäft; nach BGHSt 61, 48 Rn. 57 ff. = NZG 2016, 703: Provisionszahlung für Investorenvermittlung vor Prüfung der Solvenz des Investors (Nürburgring; vgl. dazu auch Brand NZG 2016, 690 ff.). Nicht vergleichbar eindeutig ist Rechtslage bei Unternehmenskauf ohne vorgängige **Due Diligence.** Sie ist für Regelfall zu verlangen, sollte aber nicht überbewertet und nicht verabsolutiert werden; Eilentscheidungen müssen jedenfalls möglich bleiben, auch unternehmerische Abwägung zwischen Transaktionsgenauigkeit, Preis und anderen Konditionen (vgl. OLG Oldenburg NZG 2007, 434, 436 ff. [wenngleich im speziellen Fall Pflicht bejaht]; wie hier GK-AktG/Hopt/Roth Rn. 212; J. Bauer VGR 20 GesR 2014, 195, 201 ff.; Baums ZGR 2011, 218, 235 f.; Cahn FS Stilz, 2014, 99, 104 ff.; Ganzer AG 2022, 22 Rn. 34 ff.; C. Goette DStR 2014, 1776 ff.; weitergehend wohl Böttcher NZG 2005, 49, 50 ff.; Hauschka AG 2004, 461, 479 Ziff. 89). Überschreitung der Ermessensgrenze führt zur Pflichtwidrigkeit des Vorstandshandelns (Harnos, Gerichtliche Kontrolldichte, 2021, 346 f.). 52

Dass **existenzgefährdende Maßnahmen** per se nicht im Unternehmensinteresse liegen und daher auch nicht unter BJR fallen können (KK-AktG/Cahn Rn. 42; Lutter ZIP 2007, 841, 845), schießt über das Ziel hinaus. Einzelnen Geschäftsmodellen ist derartige Risikoneigung geradezu immanent. Entscheidend ist Einzelfallbetrachtung unter Berücksichtigung des Unternehmensgegenstands und der zur Risikobeherrschung ergriffenen Maßnahmen (GK-AktG/Hopt/Roth Rn. 88 f., 195; S/L/Sailer-Coceani Rn. 18; Adolff FS Baums, 2017, 31, 36 ff.; U. H. Schneider FS Strenger, 2023, 468, 471 ff.). Einzelheiten zur Ermessensausübung in der Krise bei Adolff FS Baums, 2017, 31, 39 ff.; Eckhold ZBB 2012, 364. 53

(b) Gutgläubigkeit. Darüber hinaus soll aus Bindung an Gesellschaftswohl nach RegBegr. BT-Drs. 15/5092, 11 implizit auch Gutgläubigkeit sowie Freiheit von Sonderinteressen und sachfremden Einflüssen zu folgern sein, also sachliche Unbefangenheit des Vorstandsmitglieds. Das hat zwar **im Gesetzeswortlaut keinen klaren Niederschlag** gefunden (krit. deshalb S/L/Sailer-Coceani Rn. 19), doch ist angesichts Ausgestaltung des § 93 I 2 als ges. Merkposten 54

(→ Rn. 28) Konkretisierung der RegBegr. als verbindlich zu akzeptieren (J. Koch FS Säcker, 2011, 403, 405 ff.). Durch das Merkmal der Gutgläubigkeit werden Fälle ausgeschieden, in denen der Handelnde eine obj. noch vertretbare Entscheidung trifft, obwohl er selbst nicht an ihre Richtigkeit glaubt (RegBegr. BT-Drs. 15/5092, 11); praktische Relevanz dürfte gering sein (J. Koch ZGR 2006, 769, 790; Löbbe/Fischbach AG 2014, 717, 728).

55 **(c) Freiheit von Interessenkonflikten.** Größere Bedeutung hat **sachliche Unbefangenheit.** Sie fehlt, wenn Vorstandsmitglied oder ihm nahestehende Person von Interessenkonflikt betroffen ist (BeckOGK/Fleischer Rn. 96; MüKoAktG/Spindler Rn. 69; Harbarth FS Hommelhoff, 2012, 323, 327 ff.; Lutter FS Canaris, 2007, 245, 248 ff.). Obwohl nach Gesetzeswortlaut auch hier kombiniert objektiv/subjektiver Maßstab (→ Rn. 44 f., 51 f.) gilt, soll nach hM obj. Betrachtung entscheiden (GK-AktG/Hopt/Roth Rn. 93; MüKoAktG/Spindler Rn. 74; Bunz, Der Schutz unternehmerischer Entscheidungen durch das Geschäftsleiterermessen, 2011, 128 f.; Lutter FS Priester, 2007, 417, 422 f.). Aussage ist nur in dem Sinne zutr., dass es bei der Bewertung, ob das Mitglied aufgrund des Interessenkonflikts befangen ist, nicht auf seine subj. Einschätzung ankommt. Verfehlt ist es dagegen, obj. Beurteilung auch dahingehend zu verstehen, dass es auf **Kenntnis der Konfliktlage** nicht ankomme (ausf. J. Koch ZGR 2014, 697, 703 f.; zust. Harnos, Gerichtliche Kontrolldichte, 2021, 301 ff.; Löbbe/Fischbach AG 2014, 717, 727). Vorstand muss seine Unkenntnis aber beweisen (KK-AktG/Cahn Rn. 45; J. Koch ZGR 2014, 697, 704).

56 Zur weiteren inhaltlichen Ausfüllung des **Konfliktbegriffs** kann Rspr. zum Konfliktbegriff iSd DCGK wegen abw. teleologischer Stoßrichtung nicht ohne weiteres übertragen werden; einheitlicher Konfliktbegriff existiert nicht (J. Koch ZGR 2014, 697, 706, 726 ff.; Bsp. bei Holtkamp, Interessenkonflikte, 2016, 45 ff.). Auch allg. Sprachgebrauch kann angesichts **uferloser Weite potenzieller Interessenkonflikte** nicht zugrunde gelegt werden, sondern es muss stattdessen Relevanzschwelle beachtet werden (GK-AktG/Hopt/Roth Rn. 93; KBFW/Bachmann DCGK E.2 Rn. 4; Harbarth FS Hommelhoff, 2012, 323, 330 ff.; Harnos, Gerichtliche Kontrolldichte, 2021, 297 ff.; J. Koch ZGR 2014, 697, 706; Holtkamp, Interessenkonflikte, 2016, 40 ff.). Gewinntantiemen, Stock Options oder Managementbeteiligungen genügen nicht, um Interessenkonflikt zu begründen, da hier gerade Gleichlauf zwischen persönlichen Interessen der Geschäftsleiter und der AG hergestellt wird (OLG Karlsruhe v. 23.3.2022 – 11 U 58/17, 83 [nv]; KK-AktG/Cahn Rn. 26; MüKoAktG/Spindler Rn. 69). Ausdehnung auf **nahestehende Personen** kann grob an § 89 III 1 AktG, § 15 I 1 Nr. 5 KWG, Art. 19 MAR, § 1824 I Nr. 1 BGB, § 138 I InsO orientiert werden. Bloße Vorbefassung im Vorstand begründet keinen Interessenkonflikt, sofern nicht ausnahmsweise Regresshaftung des vorbefassten Mitglieds droht (Selzner/Daghles AG 2022, 466 Rn. 1 ff.). Weitere Präzisierung ist mit Blick auf bewusst deutungsoffene Fassung nicht möglich, sondern bleibt Einzelfallbeurteilung des Richters überlassen, was ungewöhnlich ist, aber den common law-Wurzeln des „legal transplant" BJR entspr. (J. Koch ZGR 2014, 697, 704 ff.; sa Harbarth FS Hommelhoff, 2012, 323, 330 ff.). Treupflichtverletzung ist für Interessenkonflikt nicht erforderlich (wohl aA C. Schäfer ZGR 2014, 731, 743 ff.; dagegen J. Koch ZGR 2014, 697, 701 ff.). Greift § 93 I 2 wegen Interessenkonflikts nicht ein, muss Pflichtwidrigkeit auch hier (→ Rn. 30 f.) gesondert festgestellt werden, kann also nicht schon in konfliktbefangenem Handeln gesehen werden (Harbarth FS Hommelhoff, 2012, 323, 335 ff.; Harnos, Gerichtliche Kontrolldichte, 2021, 296 f.).

57 **(d) Insbesondere: Interessenkonflikte bei Kollegialentscheidungen.** Hinsichtlich der Auswirkungen eines Interessenkonflikts auf Kollegialentschei-

dungen ist zwischen verborgenem und offenem Konflikt zu differenzieren: Bei **verborgenem Konflikt** hat früher hM angenommen, die Entscheidung werde in einer solchen Weise „infiziert", dass BJR auch zugunsten der anderen Mitglieder nicht mehr eingreife (Blasche AG 2010, 692, 694 ff.; Habersack in Karlsruher Forum 2009, 5, 23; Lutter FS Canaris, 2007, Bd. II, 245, 248 ff.). Nach heute klar hM findet diese Auffassung im Wortlaut, der eindeutig auf einzelnes Mitglied abstellt, keine Stütze und würde überdies **Normzweck konterkarieren:** Vorstandsmitglieder sollen bei Beachtung prozeduraler Vorkehrungen auf Haftungsfreiheit vertrauen dürfen, die deshalb nicht durch verborgenen Interessenkonflikt Einzelner beseitigt werden darf (ausf. J. Koch FS Säcker, 2011, 403, 405 ff.; J. Koch ZGR 2014, 697, 708 f.; sa BeckOGK/Fleischer Rn. 95; GK-AktG/Hopt/Roth Rn. 96; KK-AktG/Cahn Rn. 47; MüKoAktG/Spindler Rn. 71; Bunz NZG 2011, 1294 ff.; Harnos, Gerichtliche Kontrolldichte, 2021, 321 ff.).

Konfliktbefangenes Vorstandsmitglied muss als Mindestvoraussetzung für Fortgeltung des § 93 I 2 in seiner Person Konflikt **offenlegen** (sa E.2 DCGK) und sich – soweit möglich – aus Entscheidungsprozess zurückziehen (zu den Einzelheiten J. Koch FS Säcker, 2011, 403, 415 ff.; GK-AktG/Hopt/Roth Rn. 94; Schlimm, Geschäftsleiterermessen des Vorstands, 2008, 314 ff.). Für nur potenzielle Konflikte gilt diese Vorgabe nicht (ausf. J. Koch ZGR 2014, 697, 723 f.; zust. KBFW/Bachmann DCGK E.2 Rn. 4; aA KK-AktG/Cahn Rn. 127). Zieht sich betroffenes Mitglied nach Offenlegung nicht freiwillig zurück, ist seine Stimmabgabe zwar nicht ungültig (s. J. Koch ZGR 2014, 697, 710 ff., 720 f.), es kann aber von den übrigen Organmitgliedern von Beratung und Abstimmung ausgeschlossen werden, um unbeeinflusste Abstimmung zu ermöglichen; ein solcher **Ausschluss** ist auch jenseits der Fallgruppen des § 34 BGB analog (→ § 77 Rn. 8) zulässig (ausf. dazu J. Koch ZGR 2014, 697, 710 ff., 719 ff., 725 f. mwN; für eine solche Ausschlussmöglichkeit auch Bayer/Scholz NZG 2019, 201, 204; Lutter/Krieger/Verse AR Rn. 900; Diekmann/Fleischmann AG 2013, 141, 147, 149; Habersack in Karlsruher Forum 2009, 5, 23; aA Holtkamp, Interessenkonflikte, 2016, 154 f.; C. Schäfer ZGR 2014, 731, 746 f.; vermittelnd Geiger AG 2023, 880 Rn. 28 ff.: Treupflicht als bewegliche Schranke des Teilnahmerechts). Machen sie davon keinen Gebrauch und lassen Teilnahme zu, wird Beeinflussung sehenden Auges in Kauf genommen, so dass Entscheidung der BJR entzogen ist (ausf. J. Koch FS Säcker, 2011, 403, 414 ff.; J. Koch ZGR 2014, 697, 708 ff., 713 ff.; sa B/K/L/Bürgers Rn. 14; Bunz NZG 2011, 1294, 1296; Habersack in Karlsruher Forum 2009, 5, 22; Harnos, Gerichtliche Kontrolldichte, 2021, 324 f.; M. Meyer, Interessenkonflikte im AR, 2021, 276 ff.; aA BeckOGK/Fleischer Rn. 94; KK-AktG/Cahn Rn. 47; Ihrig/Schäfer Vorstand Rn. 1526; J. Bauer VGR 20 GesR 2014, 195, 213 f.; Grunewald NZG 2023, 767, 769 f.; Holtkamp, Interessenkonflikte, 2016, 110 ff.; Reichert FS E. Vetter, 2019, 597, 613 ff.). **58**

Zu weitgehend ist jedenfalls These, dass sich **konfliktbefangenes Mitglied selbst** nach ordnungsgem. erfolgter Offenlegung auf BJR berufen dürfe, sofern Mehrheit der Mitglieder auf angemessener Informationsgrundlage zu derselben Auffassung gelangt ist (so aber Verse FS Hopt, 2020, 1335, 1360 f.; wie hier Grunewald NZG 2023, 767, 769). Sie beruht auf Annahme einer grdl. Neuordnung der Konfliktdogmatik durch Einführung des § 107 III 6, die Reichweite dieser Regelung überschätzt (→ § 107 Rn. 54, 56). Vielmehr ist Voraussetzung optimaler Entscheidungsfindung (→ Rn. 27) in diesem Fall nicht mehr gewahrt, weil schadensbegründende Mehrheitsentscheidung auch nach Offenlegung durch kollegiale Rücksichtnahme auf befangenes und anwesendes Mitglied zustande gekommen sein kann. Durch andere Handhabung würden **Verhaltensanreize** unglücklich gesetzt, da befangenes Vorstandsmitglied keine Veranlassung mehr **59** hätte, durch seinen Rückzug unbefangene Entscheidungsfindung zu ermöglichen.

60 Betrifft Interessenkonflikt **alle Vorstandsmitglieder** (Bsp.: Übernahmesituation), muss AR hinzugezogen werden, um Interessenkonflikt zu neutralisieren (J. Koch FS Säcker, 2011, 403, 417 ff.; zust. Harnos, Gerichtliche Kontrolldichte, 2021, 312 ff.; Klöhn/Schmolke ZGR 2016, 866, 891; aA MüKoAktG/Spindler Rn. 75). Lösung vermag AG zwar nicht gänzlich vor sachfremder Beeinflussung zu bewahren, eröffnet aber allein einen sachgerechten Ausweg, um es Vorstandsmitgliedern zu ermöglichen, auch in solcher Situation Entscheidung ohne übermäßige Sorge vor gesteigerten Haftungsrisiken zu treffen. Ges. Bestätigung findet sie in **§ 33 I 2 Var. 3 WpÜG,** der ebenfalls AR einsetzt, um Interessenkonflikt auszugleichen (J. Koch FS Säcker, 2011, 403, 418 f.). Speziell für **Übernahmesituation** wird alternativ vorgeschlagen, Anwendung der BJR davon abhängig zu machen, ob Verteidigung im Gesellschaftsinteresse liege (Schirrmacher/Hildebrandt AG 2021, 220 Rn. 16 ff.). Lösung ist problematisch, weil sich ein solches Interesse selten klar feststellen lassen wird und auch durch vorgeschlagene Hilfsmittel (zB Abschätzung, ob abwehrbereite Sperrminorität vorliegt), kaum zuverlässig bestimmt werden kann.

61 **3. Organschaftliche Treubindungen (Weiterverweis).** Vorstandsmitglieder unterliegen kraft ihrer Bestellung organschaftlichen Treubindungen zur AG, die in Umfang und Intensität der Einzelpflichten **Standard des § 242 BGB übersteigen** (GK-AktG/Hopt/Roth Rn. 52, 224 ff.). Mit der Bestellung zum Vorstandsmitglied haben die Treubindungen eine rechtsgeschäftliche Basis, so dass es ihrer Ableitung aus § 93 I 1 nicht bedarf; näher zu den organschaftlichen Treubindungen → § 84 Rn. 10 f.

62 **4. Pflicht zur Verschwiegenheit (§ 93 I 3). a) Umfang und Dauer; subjektiver Geltungsbereich.** § 93 I 3 verpflichtet Vorstandsmitglieder, über vertrauliche Angaben und Geheimnisse der AG Stillschweigen zu bewahren. Dogmatisch handelt es sich um **Präzisierung der organschaftlichen Treupflicht** (BeckOGK/Fleischer Rn. 196; MüKoAktG/Spindler Rn. 142). Zuordnung zur Sorgfaltspflicht des § 93 I 1 (Spieker NJW 1965, 1937) mag zusätzlich möglich sein (KK-AktG/Cahn Rn. 130), ist aber angesichts ausdr. ges. Fixierung kaum weiterführend. Erweiterungen können sich aus Art. 5 ff. DS-GVO, Art. 14 lit. c MAR sowie § 4 GeschGehG ergeben.

63 **Vertrauliche Angaben** können alle Informationen sein, die Vorstandsmitglied in dieser Eigenschaft, nicht notwendig durch eigene Tätigkeit, erlangt hat (EU-Geschäftsgeheimnis-RL [2016/943] ist nicht maßgeblich – Fleischer/Pendl ZIP 2020, 1321, 1326; Höfer GmbHR 2018, 1195, 1197; Oetker FS Hopt, 2020, 901, 915 ff.; Ries/Haimerl NZG 2018, 621 ff.). Angaben können von Dritten stammen, aber auch durch Beratungen im Vorstand, durch Vortrag von Mitarbeitern oder in ähnlicher Weise erlangt sein. Dass Informant seine Angaben als vertraulich bezeichnet, ist nicht erforderlich (RegBegr. Kropff S. 122 f.). Entscheidend ist vielmehr obj. am **Interesse der AG** und ihres Unternehmens ausgerichtete Beurteilung, nach der Weitergabe der Information nachteilig sein kann, auch wenn sie kein Geheimnis (mehr) ist (OLG Stuttgart AG 2007, 218, 219; GK-AktG/Hopt/Roth Rn. 286 f.; MHdB AG/Hoffmann-Becking § 25 Rn. 52); unter diesem Aspekt sind insbes. Meinungsäußerungen und Stimmabgabe in Organsitzungen (BGHZ 64, 325, 332 = NJW 1975, 1412) oder in Personalangelegenheiten als vertraulich zu behandeln. Im Zweifel empfiehlt sich, Entscheidung des Gesamtvorstands herbeizuführen (KK-AktG/Cahn Rn. 132; MüKoAktG/Spindler Rn. 151).

64 **Geheimnisse der Gesellschaft** sind Tatsachen, die nicht offenkundig sind und nach geäußertem oder aus Gesellschaftsinteresse ableitbarem mutmaßlichen

Willen der AG auch nicht offenkundig werden sollen, sofern ein obj. Geheimhaltungsbedürfnis besteht (BGHZ 64, 325, 329 = NJW 1975, 1412; BGH NJW 2016, 2569 Rn. 31; MüKoAktG/Spindler Rn. 146; mit anderer Konzeption hinsichtlich des Geheimhaltungsinteresses GK-AktG/Hopt/Roth Rn. 283), zB Herstellungsverfahren, Produktionsvorhaben, Kundenstamm, Finanzpläne, wesentliche Personalentscheidungen (sa v. Stebut, Geheimnisschutz und Verschwiegenheitspflicht, 1972, 39 ff., 53 ff.). Auf subj. Geheimhaltungswillen kommt es nicht an, weil Vorstand Geheimhaltungsbedürfnis sonst eigenständig „wegdefinieren" dürfte (Ziemons AG 1999, 492, 493; ausf. Fleischer/Pendl ZIP 2020, 1321, 1323 ff.). Bes. Hervorhebung von Betriebs- oder Geschäftsgeheimnissen hat nur beispielhaften Charakter. Auch bloße Intensivierung der Bekanntheit kann Verletzung der Verschwiegenheitspflicht begründen (GK-AktG/Hopt/Roth Rn. 285).

Pflicht zur Verschwiegenheit trifft **alle Vorstandsmitglieder,** auch gerichtl. **65**
bestellte (§ 104) oder stellvertretende (§ 94 – und zwar auch dann, wenn sie AR nach § 105 II entsandt hat) sowie Arbeitsdirektoren. Sie endet nicht mit Beendigung des Amtes, sofern nur Kenntniserlangung während Amtszeit erfolgte (RegBegr. Kropff S. 123). Auch fehlerhaft bestellte Vorstandsmitglieder (→ § 84 Rn. 12) unterliegen Verschwiegenheitspflicht. Ausnahmen sind idR nur bei entgegenstehender ges. Pflicht anzuerkennen, dh namentl. innerhalb des Vorstands und ggü. AR (BGHZ 20, 239, 246 = NJW 1956, 906; BGHZ 135, 48, 56 = NJW 1997, 1985; näher → § 90 Rn. 3). Pflicht zur Verschwiegenheit besteht auch **nicht ggü. Abschlussprüfer** im Umfang seines aus § 320 II HGB folgenden Informationsrechts (GK-AktG/Hopt/Roth Rn. 297). Weitere begrenzte Auskunftspflichten können sich ggü. Aktionären (insbes. § 131), Betriebsrat, Wirtschaftsausschuss und Belegschaft ergeben (näher GK-AktG/Hopt/Roth Rn. 297 ff.). Dasselbe gilt für **Vertragskonzern** (→ § 308 Rn. 12a). Verschwiegenheitspflicht tritt ferner zurück, wenn Weitergabe der Information gerade im Interesse der AG liegt, etwa bei Einschaltung von Beratern, bes. solchen, die ihrerseits zur Berufsverschwiegenheit verpflichtet sind (BeckOGK/Fleischer Rn. 207).

Verschwiegenheitspflicht ist kein Selbstzweck, sondern dient dem Gesell- **66**
schaftsinteresse. Deshalb hört sie dort auf, wo es das Unternehmensinteresse gebietet zu reden (BeckOGK/Fleischer Rn. 207; KK-AktG/Cahn Rn. 138). Unter diesem Gesichtspunkt ist Vorstand etwa auch **im faktischen Konzern** ggü. herrschendem Unternehmen von Pflicht zur Verschwiegenheit befreit (ausf. dazu und zur Frage einer etwaigen Informationspflicht → § 311 Rn. 36a ff.). Auch Einarbeitung von neu hinzutretenden Vorstandsmitgliedern kann danach gestattet sein (→ § 84 Rn. 9). Ob Vorstand Informationen weitergibt, ist unternehmerische Entscheidung, die durch § 93 I 2 geschützt ist (ausf. Harnos, Gerichtliche Kontrolldichte, 2021, 390 ff.; sa KK-AktG/Cahn Rn. 132). Im Einzelfall, bes. bei Rechtsverfolgung des Vorstandsmitglieds, kann Erfüllung der Verschwiegenheitspflicht auch **unzumutbar** sein (dazu GK-AktG/Hopt/Roth Rn. 307; MüKoAktG/Spindler Rn. 164; Golling, Sorgfaltspflicht und Verantwortlichkeit, 1969, 36 ff.).

Gesellschaftsinteresse bildet auch Maßstab für Erteilung von Informationen, **67**
wenn wesentliche Beteiligung an AG veräußert werden soll und **Due-Diligence-Prüfung** ansteht (zur Due-Diligence-Prüfung durch Konzernmutter aufgrund § 308 I → § 308 Rn. 12). Informationserteilung an Erwerber ist insoweit nicht grds. unzulässig, setzt aber Abschluss der Vertraulichkeitsvereinbarung (Non Disclosure Agreement) und Unumgänglichkeit für Zustandekommen des Geschäfts voraus (vgl. mit Unterschieden iE GK-AktG/Hopt/Roth Rn. 304 ff.; Banerjea ZIP 2003, 1730 f.; Hemeling ZHR 169 [2005], 274, 278 ff.; Liekefett, Due Diligence bei M&A-Transaktionen, 2005, 107 ff.; 113 ff.; K. Mertens AG

1997, 541 ff.; Roschmann/Frey AG 1996, 449 ff.). Übersicht über berücksichtigungsfähige Interessen bei Körber NZG 2002, 263, 269; Ziemons AG 1999, 492, 495. Deutlich engere Auffassung Lutters (ZIP 1997, 613, 617; Lutter FS Schippel, 1996, 455 ff.: einmalige und unwiederbringliche Chance) nimmt a priori Vorrangstellung des Geheimhaltungsinteresses an, die nicht begründbar ist (sa § 404 I, der nur „unbefugte" Weitergabe untersagt; vgl. Ziemons AG 1999, 492, 493). Vorstandsbeschluss (Linker/Zinger NZG 2002, 497, 498 ff.) ist jedenfalls empfehlenswert, wenn nicht schon notwendig (Hennrichs ZGR 2006, 563, 574). Es besteht nur Recht des Vorstands zur Informationsweitergabe, idR aber **keine Pflicht** (Ausnahme: existenzbedrohliche Situation), und zwar auch nicht ggü. veräußerungswilligem Paketaktionär (Mann NZG 2022, 1568, 1570 ff.; aA Krömker NZG 2003, 418 ff. wegen grundrechtl. garantierten Anteilseigentums); schon Lückenhaftigkeit des AktG lässt sich im Hinblick auf bewusst von anderen Gesellschaftsformen abw. Ausgestaltung der Informationsrechte kaum feststellen (iE auch LG Köln BeckRS 2008, 21808; GK-AktG/Henze/Notz § 53a Rn. 65 m. Fn. 235; GK-AktG/Hopt/Roth Rn. 306; Fleischer ZGR 2009, 505, 523; Hemeling ZHR 169 [2005], 274, 286 f.). Im Anwendungsbereich der MAR ist Due Diligence überdies am Maßstab des **Art. 14 MAR** zu messen, doch wird auch insofern Zulässigkeit zumindest für außerbörslichen Erwerb ganz überwiegend bejaht, und zwar sowohl auf Verkäuferseite (Assmann ZHR 172 [2008], 635, 651; Bachmann ZHR 172 [2008], 597, 625 f.; sa RegBegr. 2. FMFG, BT-Drs. 12/6679, 47) als auch auf Käuferseite (Brandi/Süßmann AG 2004, 642, 645 f.; Cascante/Bingel NZG 2010, 161, 163); anderenfalls wären Unternehmenskäufe praktisch nicht durchführbar. Anders fällt die Beurteilung idR beim börslichen Erwerb aus (s. dazu Banerjea ZIP 2003, 1730, 1731 f.).

68 Mit **FISG 2021** wurde bisherige Regelung in **§ 93 I 4 gestrichen.** Vorschrift sah bislang vor, dass keine Pflicht zur Verschwiegenheit ggü. bisheriger **Prüfstelle für Rechnungslegung** (§ 342b HGB aF) besteht, soweit sie Prüfung der AG durchführt. Nachdem Wirecard-Skandal 2020 Schwachstellen des sog zweistufigen Systems der Bilanzkontrolle (ausf. dazu Schwark/Zimmer/Hennrichs KMRK Vor §§ 106 ff. WpHG Rn. 1 ff.; sa U. H. Schneider NZG 2020, 1401 ff.) offengelegt hatte, wurde es durch Art. 11 Nr. 26 FISG 2021 mit Wirkung zum 1.1.2022 (Art. 27 II Nr. 7 FISG 2021) abgeschafft (vgl. zum wechselhaften Gesetzgebungsverfahren Krolop NZG 2021, 853; zu Übergangsfragen vgl. Gros/Velte Konzern 2021, 371, 377). Künftig ist allein BaFin für Bilanzkontrolle zuständig. Auskunftsrechte der BaFin ggü. Vorstandsmitgliedern und weiteren Stellen und Personen ergeben sich aus § 107 WpHG, dort insbes. aus § 107 IV und V WpHG, was zugleich bedeutet, dass Verschwiegenheitspflicht der Organmitglieder in diesem Verhältnis keine Gültigkeit beansprucht (so zu § 107 WpHG aF schon RegBegr. BT-Drs. 15/3421, 21; bekräftigt durch FinanzA BT-Drs. 19/29879, 157; auch für § 93 I 4 aF war anerkannt, dass Vorschrift neben § 342b HGB nur klarstellende Wirkung hatte → 15. Aufl. 2021, Rn. 33). An die Stelle der Verschwiegenheitspflicht der Vorstandsmitglieder tritt diejenige der bei der BaFin Beschäftigten nach **§ 21 WpHG** (nachgelagerte Verschwiegenheitspflicht wie nach § 394 I 1, § 395 I; gelockerter Informationsfluss allerdings unter den Akteuren nach § 109a WpHG). Zur ebenfalls nicht unproblematischen Rolle der BaFin im Wirecard-Skandal vgl. Klöhn ZIP 2021, 381 ff. m. bes. Augenmerk auf umstr. Frage nach Sperrwirkung der §§ 106 ff. WpHG ggü. § 6 WpHG bei Untersuchungen wegen Marktmanipulation. Zur organisatorischen Neuaufstellung der BaFin s. Krolop NZG 2021, 853 f.

69 **b) Prozessrechtliche Fragen.** Im **Strafprozess** ergibt sich aus § 93 I 3 kein Zeugnisverweigerungsrecht (arg. §§ 52 ff. StPO; wohl allgM, vgl. zB GK-AktG/Hopt/Roth Rn. 312; MüKoAktG/Spindler Rn. 162). Für **Zivilprozess** ist zu unterscheiden: Amtierende Vorstandsmitglieder können im Prozess der AG nicht als Zeugen vernommen werden, sondern nur als Partei (OLG Koblenz AG 1987, 184 f.; BeckOGK/Fleischer Rn. 212). In dieser Eigenschaft können sie ihre Vernehmung gem. § 446 ZPO ablehnen und die Ablehnung mit ihrer Pflicht zur Verschwiegenheit begründen. Dagegen sind **ausgeschiedene Vorstandsmitglieder** als Zeugen zu vernehmen. Nach wohl hM haben sie jedoch wegen ihrer fortdauernden Schweigepflicht (→ Rn. 65) gem. § 383 I Nr. 6 ZPO ein Zeugnisverweigerungsrecht (OLG Koblenz AG 1987, 184 f.; BeckOGK/Fleischer Rn. 212; MüKoAktG/Spindler Rn. 162; GK-AktG/Hopt/Roth Rn. 315; v. Stebut, Geheimnisschutz und Verschwiegenheitspflicht, 1972, 115 ff.; aA KK-AktG/Cahn Rn. 141).

c) Rechtsfolgen bei Verstoß. Verletzung der Pflicht zur Verschwiegenheit 70
begründet Schadensersatzpflicht nach § 93 II und ist gem. § 404 I Nr. 1 oder II strafbar, wenn Geheimnis der Gesellschaft unbefugt offenbart wird. TransPuG 2002 hat Strafrahmen erhöht, sofern sich Verletzung der Geheimhaltungspflicht auf börsennotierte Gesellschaft (§ 3 II) bezieht (→ § 116 Rn. 10). Pflichtverletzung kann wichtiger Grund iSd § 84 IV sein und Widerruf der Bestellung und Kündigung rechtfertigen.

III. Schadensersatzpflicht der Vorstandsmitglieder: Generalklausel (§ 93 II)

1. Grundlagen. Nach § 93 II sind Vorstandsmitglieder der AG zum Scha- 71
densersatz verpflichtet, wenn sie ihre Pflichten verletzen, daraus Schaden der Gesellschaft entsteht und sie, wie aus § 93 II 2 folgt, schuldhaft gehandelt haben oder entspr. Entlastungsbeweis nicht führen können. Norm ist selbst Anspruchsgrundlage, führt also nicht erst über § 823 II BGB zu Ansprüchen der AG (allgM). Ob es sich bei § 93 II um ges. Tatbestand der **Organhaftung,** um **Anwendungsfall der Vertragsverletzung** (bezogen auf den Anstellungsvertrag, vergleichbar mit § 280 I BGB) oder um beides handelt, ist nicht abschließend geklärt (für das Erste zB GK-AktG/Hopt/Roth Rn. 45 f.; MüKoAktG/Spindler Rn. 11; für das Zweite Baums, Geschäftsleitervertrag, 1987, 211 ff., und wohl auch BGHZ 41, 282, 287 = NJW 1964, 1367; für das Dritte iErg KK-AktG/Cahn Rn. 4). Weil nach zutr. hM zwischen korporationsrechtl. und schuldvertraglicher Ebene zu unterscheiden ist (Trennungstheorie; § 84 Rn. 2), ist Organhaftung aus § 93 II als **gesetzliche Haftung** aufzufassen. Dann verbleibende Frage, ob es neben § 93 II Anspruch aus § 280 I BGB gibt, der aber Sonderregeln des § 93 unterliegt (Anspruchskonkurrenz), oder ob Vorschrift zugleich Vertragshaftung normiert, ist praktisch folgenlos (GK-AktG/Hopt/Roth Rn. 46). Schädigung des Gesellschaftsvermögens kann auch **Untreue** (§ 266 StGB) zum Nachteil der AG sein (ausf. → Rn. 186 ff.). Rechtsvergleichender Überblick zur Organhaftung bei Bachmann ZIP 2013, 1946 ff. In den letzten Jahren wird rechtstatsächliche Haftungswirklichkeit stark von **D&O-Versicherungen geprägt,** die ges. Konzeption in vielfacher Weise modifizieren und damit auch die ges. Anreizwirkungen weitgehend verzerren (→ Rn. 1 f.).

2. Haftungsvoraussetzungen. a) Vorstandsmitglied. aa) Allgemeine 72
Grundsätze. Haftung aus § 93 II betr. Vorstandsmitglieder, und zwar alle, auch stellvertretende (§ 94) oder gerichtl. bestellte (§ 85). Haftung beginnt, wenn Vorstandsmitglied organschaftliche Tätigkeit mit Billigung des AR tats. aufgenommen hat (und zwar auch schon in Vor-AG – vgl. RGZ 144, 348, 356; BeckOGK/Fleischer Rn. 216; GK-AktG/Hopt/Roth Rn. 349 ff.) und endet mit Ablauf der Amtszeit (→ § 84 Rn. 6 f.) oder wirksamem Widerruf der Bestellung (→ § 84 Rn. 31 ff.). Ist Anspruch wirksam entstanden, kann er aber auch nach

Ausscheiden weiter verfolgt werden; auch Beweislastumkehr nach § 93 II 2 gilt weiter (str. → Rn. 108). Ob Anstellungsvertrag geschlossen wurde, bleibt für § 93 II als ges. Haftungstatbestand (→ Rn. 71) gleich. Nach § 93 II haftbar sind auch **fehlerhaft bestellte Vorstandsmitglieder** (→ § 84 Rn. 12 f.), sofern sie tats. für AG tätig geworden sind (BGHZ 41, 282, 287 = NJW 1964, 1367; sa schon RGZ 144, 384, 387; RGZ 152, 273, 277; GK-AktG/Hopt/Roth Rn. 358 ff.; MüKoAktG/Spindler Rn. 13, 15; Baums, Geschäftsleitervertrag, 1987, 168 ff., 174 ff.). Auch in **Eigenverwaltung** nach §§ 270 ff. InsO bleibt § 93 II anwendbar (statt aller K. Schmidt/Undritz InsO § 270 Rn. 19). Neben diese reine Innenhaftung tritt ergänzend aber auch Außenhaftung des für AG handelnden Organs nach §§ 60, 61 InsO analog (BGHZ 218, 290 Rn. 10 = NZG 2018, 1025; vgl. dazu Bachmann/Becker NZG 2018, 2235 ff.; Hölzle ZIP 2018, 1669 ff.; Schwartz NZG 2018, 1013 ff.; Ziemons FS Bergmann, 2018, 923 ff.). Über § 274 I InsO trifft Haftung nach § 60 InsO auch den Sachwalter, der die Eigenverwaltung überwacht (§§ 270c, 274 InsO; zur Rolle des AR in Eigenverwaltung vgl. Pentz FS E. Vetter, 2019, 541 ff.).

73 **bb) Insbesondere: Faktisches Organ.** Darüber hinaus kann nach heute zu Recht hM auch rein faktische Tätigkeit als Vorstandsmitglied ohne Bestellungsakt zur Haftung nach § 93 II führen. BGH hat diese Figur zivilrechtl. zumindest für **Insolvenzverschleppungshaftung** anerkannt (BGHZ 104, 44, 47 ff. = NJW 1988, 1789; BGHZ 150, 61 = NJW 2002, 1803; zum Fortbestand der seit jeher anerkannten strafrechtl. Verantwortung gem. § 15a IV InsO auch nach MoMiG-Neufassung BGH NZG 2015, 246; BeckOGK/Fleischer Rn. 222). In instanzgerichtl. Rspr. und Lit. wird sie zu Recht auch auf allg. Haftung übertragen (OLG Celle BeckRS 2016, 20000 Rn. 20; OLG München BeckRS 2017, 113989 Rn. 25 ff.; BeckRS 2019, 552 Rn. 33 ff.; GK-AktG/Hopt/Roth Rn. 362 ff.; MüKoAktG/Spindler Rn. 18; Fleischer AG 2004, 517, 523 ff.; zur Anerkennung der Steuerabführungspflicht des faktischen Organs BayVGH BeckRS 2015, 42870 Rn. 6 ff.). Haftungsgrundlage ist vertragsähnliche Sonderverbindung kraft tats. Leitung (Fleischer AG 2004, 517, 523 f.).

74 Details sind aber noch nicht abschließend geklärt (Übersicht bei BeckOGK/Fleischer Rn. 227 ff.). Erforderlich ist jedenfalls, dass Handelnder **in maßgeblichem Umfang Geschäftsführungsfunktionen** übernimmt und auf maßgebliche Entscheidungen nachhaltigen Einfluss nimmt; eine vollständige Verdrängung des rechtl. Organwalters ist nicht erforderlich (BGHZ 104, 44, 48; BeckOGK/Fleischer Rn. 228; Strohn DB 2011, 158, 160; oft herangezogener Kriterienkatalog bei Dierlamm NStZ 1996, 153, 156; zur Beendigung der faktischen Geschäftsführung Böge GmbHR 2014, 1121 ff.). Fehlen dem Handelnden zentrale Kompetenzen, die typischerweise mit Organstellung verbunden sind (zB Bankvollmacht), spricht dies indiziell gegen faktische Geschäftsführung (BGH NJW 2013, 624 Rn. 8). Dauerhafte Einflussnahme ist Regelfall, kann in Ausnahmefällen aber auch entbehrlich sein (BeckOGK/Fleischer Rn. 230; Strohn DB 2011, 158, 162). Einverständnis des AR ist keine zwingende Voraussetzung (so aber wohl Grigoleit/Grigoleit/Tomasic Rn. 88), wird realtypisch aber zumindest konkludent idR vorliegen (Strohn DB 2011, 158, 162; zust. GK-AktG/Hopt/Roth Rn. 363). Entgegen BGHZ 150, 61, 68 sollte faktische Organschaft auch durch jur. Person ausgeübt werden können (BeckOGK/Fleischer Rn. 231; GK-AktG/Hopt/Roth Rn. 365; iErg auch MüKoAktG/Spindler Rn. 20).

75 BGH fordert für Anerkennung als faktisches Organ überdies **Auftreten im Außenverhältnis** (BGH NZG 2005, 755 f.; sa OLG Celle 6.5.2015 – 9 U 173/14, BeckRS 2016, 20000 Rn. 20; Cahn ZGR 2003, 298, 314 f.; Peetz GmbHR 2017, 57, 64 ff.), was im Schrifttum auf verbreitete Kritik stößt (BeckOGK/Fleischer Rn. 229; GK-AktG/Hopt/Roth Rn. 364). Abw. Beurteilung dürfte

sich daraus erklären, dass Fallmaterial im Wesentlichen bei GmbH angesiedelt ist (Strohn DB 2011, 158), bei der Gefahr besteht, dass auch rechtl. zugelassene Einflussnahme über Weisungsrecht (§ 37 I GmbHG) zu faktischer Organstellung führt, womit Haftung übermäßig ausgedehnt würde. Deshalb bedarf es eines Korrektivs über Auftreten im Außenverhältnis. Auch Strohn DB 2011, 158, 160 ff. lässt für Annahme eines faktischen Organs alternativ dazu aber auch **Überschreitung der Kompetenzgrenzen,** namentl. des Weisungsrechts bei GmbH, zu. Da solches Weisungsrecht bei AG nicht besteht, Kompetenzen danach stets überschritten sind, wird diese Voraussetzung hier zumeist erfüllt sein, so dass praktische Bedeutung der unterschiedlich gefassten Voraussetzungen bei der AG gering sein dürfte.

b) Pflichtverletzung. Vorstandsmitglied ist haftbar für Pflichtverletzung. Vorstandspflichten ergeben sich aus Leitungsaufgabe (§ 76 I), aus organschaftlichen Treubindungen (→ Rn. 61; → § 84 Rn. 10) einschließlich der ges. Präzisierung in § 93 I 3 (→ Rn. 62 ff.), aus ges. Einzelvorschriften (Überblick bei BeckOGK/Fleischer Rn. 21 ff.), und zwar nach hM nicht nur solchen des Innen-, sondern auch des Außenverhältnisses (Legalitätspflicht; → Rn. 9 ff.). Bes. Regelung gilt für Verstoß gegen die **in § 93 III enumerativ aufgeführten Regeln** zur Verhinderung unzulässiger Kapitalabflüsse. Weitere Vorstandspflichten ergeben sich wegen Doppelfunktion des § 93 I 1 aus **allgemeiner Sorgfaltspflicht** (→ Rn. 7 ff.), wobei bes. Bedeutung Organisationsanforderungen zukommt (→ Rn. 20 ff.; Überblick dazu bei BeckOGK/Fleischer Rn. 131 ff.; Hauschka AG 2004, 461, 462 ff.; sehr weitgehend Habersack ZHR 180 [2016], 145, 149 f.: Zielvorgaben mit ungesunder Anreizwirkung als potenziell pflichtwidriger „Gefährdungstatbestand"). Bes. Regeln gelten für **Delegationsakte,** wobei zwischen horizontaler (→ § 77 Rn. 15 ff.), vertikaler (→ Rn. 23) und externer (→ Rn. 24) Delegation zu unterscheiden ist. Bei sämtlichen Delegationsformen gilt, dass sich Ursprungspflicht mit Delegationsakt in Überwachungspflicht fortsetzt (→ Rn. 22 ff.). Noch nicht geklärt ist, ob § 93 II Verletzung einer **spezifisch organschaftlichen Pflicht** voraussetzt und deshalb nicht zur Anwendung gelangt, wo kein Sachzusammenhang mit dienstlichen Pflichten besteht (so OLG Zweibrücken NZG 2023, 330 Rn. 22 ff.; Noack/Servatius/Haas/Beurskens GmbHG § 43 Rn. 16; Scholz/Verse GmbHG § 43 Rn. 16; Bachmann NZG 2023, 316 ff.; zweifelnd Leuering/Rubner NJW-Spezial 2023, 112). Dafür spricht in der Tat viel, da Sonderregelung in § 93 II auf bes. treuhänderischem Umgang mit unternehmerisch organisiertem Fremdvermögen zugeschnitten ist (Bachmann NZG 2023, 316, 317 f.). Dann kommt zwar § 280 BGB zur Anwendung, der aber in vielerlei Hinsicht anderen Regeln folgt (Beweislast, BJR, Verjährung, ggf. auch innerbetrieblicher Schadensausgleich → § 93 Rn. 96; vgl. Bachmann NZG 2023, 316, 317). Trennscharfe Abgrenzung erweist sich jedoch als schwierig (zweifelhaft insofern OLG Zweibrücken NZG 2023, 330 Rn. 22 ff.: fahrlässiger Umgang mit Phishing-E-Mails; krit. auch Versteyl/El-Taki NJW 2023, 1548 Rn. 12; Konkretisierung bei Bachmann NZG 2023, 316, 317 f.; zu problematischen versicherungsrechtl. Konsequenzen [ggf. keine D&O-Deckung] Fortmann r+s 2023, 127; sa R. Koch EWiR 2023, 203, 204). 76

Pflichtenursprung kann schließlich auch in **Anstellungsvertrag** liegen (B/K/L/Bürgers Rn. 19; KK-AktG/Cahn Rn. 4). Darin liegt kein Widerspruch zur Annahme ges. Organhaftung (→ Rn. 71). Vielmehr ist Vorstandsmitglied auch als Organ gehalten, seine vertraglich übernommenen Pflichten zu erfüllen. Überblick über die aus dem Pflichtenstandard folgenden Organisationsanforderungen bei BeckOGK/Fleischer Rn. 131 ff.; Hauschka AG 2004, 461, 462 ff.; sehr weitgehend Habersack ZHR 180 (2016), 145, 149 f.: Zielvorgaben als potenziell pflichtwidriger „Gefährdungstatbestand". Pflichtwidrig kann selbstverständlich 77 auch **Unterlassen** sein, und zwar sowohl in der Weise, dass schadensabwendende Maßnahmen nicht ergriffen werden oder unternehmerische Chancen nicht genutzt werden (Bsp.: Inanspruchnahme staatl. Förderprogramme in COVID-19-Pandemiesituation – vgl. dazu Daghles/Haßler BB 2020, 1032, 1033).

78 Pflichtwidrigkeit, namentl. in Gestalt eines Gesetzesverstoßes, indiziert auch Rechtswidrigkeit, die deshalb im Tatbestand des § 93 II 1 nicht eigenständig hervorgehoben werden muss. Vorstandsmitglied können jedoch – wie auch sonst – bes. **Rechtfertigungsgründe** zur Seite stehen, die sich aus anerkannten Rechtfertigungsgründen des Straf- und Zivilrechts, aber auch aus aktienrechtl. Sonderwertungen ergeben können (BeckOGK/Fleischer Rn. 43). Praktische Bedeutung ist gering, kann sich aber etwa ergeben in Gestalt einer Pflichtenkollision oder eines rechtfertigenden Notstands, etwa bei Sonderzahlung an missbräuchlich klagende Aktionäre (→ § 245 Rn. 22 ff.; ausf. dazu Poelzig/Thole ZGR 2010, 836 ff.; sa GK-AktG/Hopt/Roth Rn. 135 ff.). Für Bereich der Schmiergeldzahlungen ist solcher Einwand aber nicht anzuerkennen (→ Rn. 16).

79 **c) Verschulden.** Haftung aus § 93 II ist Verschuldenshaftung. Schadensersatzpflicht tritt also nicht ein, wenn Vorstandsmitglied in § 93 I 1 umschriebenem Sorgfaltsstandard (→ Rn. 8) gerecht geworden ist. Fehlt es daran, so wirkt individuelle Unfähigkeit nicht exculpierend; es bleibt beim typisierten Verschuldensmaßstab (RGZ 163, 200, 208; OLG Düsseldorf AG 2016, 410, 413; MüKoAktG/Spindler Rn. 220). HLit behandelt Schulderfordernis stiefmütterlich, da vermutet wird, dass obj. Pflichtverletzung stets auch schuldhaft sei (BeckOGK/Fleischer Rn. 243; Hölters/Weber/Hölters/Hölters Rn. 230; GK-AktG/Hopt/Roth Rn. 392; MüKoAktG/Spindler Rn. 220; krit. Freund NZG 2022, 297 ff.), was indes nur bei reinen Sorgfaltsverstößen iSd § 93 I 1 überzeugt, nicht aber bei **Verstoß gegen Legalitätspflicht, namentl. aufgrund Rechtsirrtums** bei unklarer Rechtslage. Hier ist Anerkennung eines schuldausschließenden unvermeidbaren Rechtsirrtums der Annahme breiter Beurteilungsspielräume vorzuziehen (→ Rn. 40 f. mwN – ausf. zur Behandlung des Rechtsirrtums Harnos, Geschäftsleiterhaftung bei unklarer Rechtslage, 2013, 253 ff.; sa Strohn CCZ 2013, 177, 178 ff.; zur gesteigerten Bedeutung in neu geordnetem kapitalmarktrechtl. Sanktionssystem Seibt/Cziupka AG 2015, 93, 99 ff.).

80 Speziell **Rechtsirrtum** findet danach auf Verschuldensebene, und nicht in § 93 I 2, sachgerechte Lösung (ausf. → Rn. 40 f. mwN). Bedeutsam ist insofern, dass für Annahme eines solchen Irrtums nicht die strengen Vorgaben für Behandlung von Rechtsirrtümern im Außenverhältnis gelten, die von der Rspr. nur in Ausnahmefällen als entschuldbar angesehen werden, da niemand seine Interessen trotz zweifelhafter Rechtslage auf Kosten fremder Rechte wahrnehmen soll (vgl. etwa BGH NJW 1972, 1045, 1046). Vielmehr gilt hier der großzügigere Maßstab, den BGHZ 131, 346, 354 f. (= NJW 1996, 1216) für **Rechtsirrtümer im Innenverhältnis** entwickelt hat, wonach das Risiko eines zwar sorgfältig gebildeten, iErg aber fehlerhaften Rechtsstandpunkts nicht dem Verwalter fremder Interessen angelastet werden kann (überzeugend Holle AG 2016, 270, 276 f.; sa Goette/Arnold AR-HdB/Goette § 4 Rn. 2397; J. Koch FS Bergmann, 2018, 413, 423 f.; Lochner/Beneke ZIP 2020, 351, 356 ff.; Verse ZGR 2017, 174, 181 ff.; ähnlich jetzt auch Nietsch ZHR 184 [2020], 60, 83 ff.).

81 Ein solch großzügigerer Maßstab liegt augenscheinlich auch Rspr. des BGH zu Rechtsirrtümern im Aktienrecht zugrunde. Abw. von sonst schärferen Maßstäben im Außenverhältnis nimmt BGH entschuldbaren Rechtsirrtum hier nach grundlegender **ISION-Entscheidung** schon dann an, wenn Vorstand sich um Ermittlung zutr. Rechtslage bemüht und auf dieser Grundlage vertretbaren Rechtsstandpunkt sorgfältig gebildet hat (BGH AG 2011, 876 Rn. 18; NZG 2015, 792 Rn. 28 ff.). Mit Feststellung reiner Vertretbarkeit darf er sich nicht vorschnell zufrieden geben (Langenbucher ZBB 2013, 16, 22 f.; s. aber → Rn. 84). Bei komplexeren Entscheidungen, die rechtl. Beratung offensichtlich erforderlich machen (s. dazu Krieger ZGR 2012, 496, 498 f.), muss Vorstand dazu Sachverhalt ordentlich aufarbeiten, auf dieser Grundlage **sachverständigen Rechtsrat** einholen und diesen im Rahmen seiner Möglichkeiten auf Plausibilität prüfen (BGH NJW 2007, 2118 Rn. 16 ff.; AG 2011, 876 Rn. 16 ff.; OLG Düsseldorf AG 2016, 410, 414; *OLG Koblenz BeckRS 2022, 32284 Rn. 33;* OLG Köln NZG 2020, 110 Rn. 78: ggf. auch durch interne Abteilung; zur Übertragung auf andere Beratungssituationen → Rn. 46). Anforderungen an Plausibilitätsprüfung dürfen aber nicht überspannt werden und müssen Verständnishorizont und Vorbildung des Empfängers Rechnung tragen (klarstellend und mit zu Recht eher großzügiger Handhabung BGH NZG 2015, 792 Rn. 28 ff.; ausf. zur Plausibilitätskontrolle Strohn ZHR 176 [2012], 137, 141 f.; sa Buck-Heeb BB 2016, 1347 ff.; speziell zu sog Cum/ex- und Cum/cum-Geschäften sa Florstedt NZG 2017, 601 ff.; Florstedt NZG 2018, 485, 488 ff.). Auch vollständige Lektüre eines Gutachtens ist nicht erforderlich, sondern es genügt Kenntnisnahme einer Kurzfassung mit stichprobenartiger Überprüfung des Gesamtgutachtens (Strohn CCZ 2013, 177, 183; zust. Fleischer DB 2015, 1764, 1769). Entlastung durch Rechtsirrtum scheidet nicht schon deshalb aus, weil Prüfauftrag nicht gezielt auf konkret haftungsrechtl. relevante Fragestellung gerichtet ist (BGH NZG 2015, 792 Rn. 30). Zur Anwendung auf AR → § 116 Rn. 15. Zur Anwendung auf künstliche Intelligenz → Rn. 24, 43.

Rechtsrat soll **idR schriftlich** erfolgen (BGH AG 2011, 876 Rn. 24), in **82** Eilfällen ist aber auch mündliche Beratung zulässig (Strohn ZHR 176 [2012], 137, 142; E. Vetter NZG 2015, 889, 894); uU kann sich nach zutr. Ansicht auch aus Auskunftsgegenstand Zulässigkeit mündlicher Mitteilung ergeben (Krieger ZGR 2012, 496, 501 f.). Für Sachverstand genügt formale Qualifikation als Rechtsanwalt nicht (so aber BeckOGK/Fleischer Rn. 46), sondern es bedarf **spezieller Kenntnis** für einschlägiges Rechtsgebiet (BGH AG 2011, 876 Rn. 18; OLG Koblenz BeckRS 2022, 32284 Rn. 33; Hölters/Weber/Hölters/Hölters Rn. 233; Strohn CCZ 2013, 177, 180 f.). Bei fehlerhafter Beratung ist uU Rückgriff gegen Berater möglich, namentl. wenn Vorstandsmitglieder in Schutzbereich des Beratervertrags einbezogen sind (so für Rechtsberater hinsichtlich möglichem Insolvenzgrund BGH NZG 2023, 1229 Rn. 7 ff.; ebenso bereits für Steuerberatungsvertrag zur Prüfung der Insolvenzreife BGHZ 193, 297 Rn. 9 ff. = NJW 2012, 3165; keine Hinweispflicht auf Insolvenzreife allerdings bei allg. Steuerprüfung BGH NZG 2013, 675 Rn. 15; sa H.-F. Müller ZInsO 2013, 2181 ff.; Smid ZInsO 2014, 1127 ff., 1181 ff.; Zugehör WM 2013, 1965 ff.). Prozessual kann sich hier Streitverkündung empfehlen.

ZT wird angenommen, dass Auskunft der **eigenen Rechtsabteilung** wegen **83** naheliegender Gefahr der Voreingenommenheit Fahrlässigkeitsvorwurf nicht ausräumen könne (BAGE 24, 318, 330 [insoweit nicht in NJW 1973, 166]; OLG Stuttgart NJW 1977, 1408, 1409), was aber zumindest in dieser Allgemeinheit Position des Hausjuristen ggü. ebenfalls parteiverbundenem externen Rechtsrat über Gebühr diskriminiert (GK-AktG/Hopt/Roth Rn. 139; Fleischer FS Hüffer, 2010, 187, 192 f.; Klöhn DB 2013, 1535, 1537 ff.; Redeke AG 2017, 289 ff.; Sander/Schneider ZGR 2013, 725, 749 ff.). Das gilt ebenso für Konzernrechtsabteilung (Redeke AG 2018, 381, 387 f.). Auch Forderung in BGH AG 2011, 876 Rn. 18 nach „unabhängiger" Beratung führt nicht zu derart weitreichender Konsequenz (s. Bergmann FS Tolksdorf, 2014, 11, 17; Strohn ZHR 176 [2012], 137, 140 f.; Redeke AG 2017, 289, 291 f.; nachvollziehbare, aber bedenkliche Praxisfolge: mehrere Gutachten). Bei komplexen Geschäften größeren Volumens ist aus Vorsichtsgründen dennoch Einholung externen Rechtsrats zu empfehlen (Hölters/Weber/Hölters/Hölters Rn. 233; Selter AG 2012, 11, 15). IÜ kann auch **Vorbefassung** Unabhängigkeit der Beratung in Frage stellen (Strohn ZHR 176 [2012], 137, 139 f.), doch sollte dieser Befund nicht pauschal gestellt werden, um oftmals sinnvoller Beratungskontinuität keine Hürden aufzubauen (BeckOGK/Fleischer Rn. 46; GK-AktG/Hopt/Roth Rn. 139; Kiefner/Krämer AG 2012, 498, 499 f.; Redeke AG 2017, 289, 293 ff.; sa die einschränkende Präzisierung von Strohn CCZ 2013, 177, 181 f.). Ebenfalls entlastend wirkt Rechtsauskunft **spezialisierter Behörde** (zB BaFin, BKartA; vgl. dazu Harnos, Geschäftsleiterhaftung bei unklarer Rechtslage, 2013, 310 ff.; sa BGH AG 2017, 662 Rn. 17 zu § 52 KWG), nicht aber fehlerhafte Beratung durch AR in Ausübung seiner Überwachungstätigkeit (BGH AG 2011, 876 Rn. 24; zur Entlastung durch AR-Zustimmung → Rn. 47).

84 Bleibt auch nach dermaßen eingeholter Beratung **Rechtslage unklar,** was aufgrund kautelarjuristisch vorsichtiger Formulierung idR der Fall sein wird, ist noch nicht abschließend geklärt, welchen Weg Vorstand nunmehr einzuschlagen hat. Frage wird im Schrifttum zT als kontroverse Diskussion verschiedenster Denkschulen dargestellt, doch zeigt sich bei genauerer Analyse, dass Auffassungen sich in der Sache auf weitgehend übereinstimmende **Kompromissformel** geeinigt haben (ausf. zu diesem Befund J. Koch FS Bergmann, 2018, 413, 425, 429 f. mwN), die auch in paralleler straf- und bußgeldrechtl. Problemstellung zunehmend Befürworter und zT auch instanzgerichtl. Bestätigung gefunden hat (vgl. zu dieser Parallele Verse ZGR 2017, 174, 181 ff. mwN). **Inhaltlich breite Übereinstimmung** wird in erster Linie durch Berufung auf unglückliche Fehlkonstruktion einer vermeintlichen Legal Judgment Rule (→ 19) und vagen Begriff der „Vertretbarkeit" verdeckt (vgl. MüKoAktG/Spindler Rn. 102; Holle AG 2016, 270, 279: „gleichermaßen vertretbar"; Langenbucher ZBB 2013, 16, 22 f.: „am besten vertretbar"; Detailanalyse bei J. Koch FS Bergmann, 2018, 413, 429 ff.). Kompromissformel lautet, dass Vorstand bei verbleibender Unsicherheit **Abwägungsentscheidung** zu treffen hat im Lichte (1) der Wahrscheinlichkeit der Rechtmäßigkeit aus ex-ante-Sicht, (2) dem Gewicht der Nachteile, die AG bei Verzicht auf fragliche Handlung drohen, und (3) der Schwere der drohenden Rechtsgutsverletzung, wenn sich eingenommener Rechtsstandpunkt als fehlerhaft erweist (Verse ZGR 2017, 174, 181 ff.; zust. J. Koch FS Bergmann, 2018, 413, 424 ff.). Schlüsselbegriff der **Wahrscheinlichkeit** ist an obergerichtl. Rspr. und Meinungsbild im Schrifttum zu messen; je unausgereifter Streitstand ist, desto eher kann Vorstand für AG günstigen Standpunkt zugrunde legen (KK-AktG/Cahn Rn. 91; V. Berger, Vorstandshaftung und Beratung, 2015, 357; J. Koch FS Bergmann, 2018, 413, 431 f.; sa Damler/Zeyher AcP 218 [2018], 905, 937 ff. mit zT allerdings bedenklicher Ausdehnung – S. 937: maßgeblich ist „Überzeugung des Betroffenen, im Recht zu sein"). Noch nicht abschließend geklärt ist, inwieweit Sorgfaltsmaßstab bei geringwertigen Rechtsgütern gemindert werden kann und unter welchen Voraussetzungen bewusste Abwendung von höchstrichterlicher Rspr. zulässig ist. Im Lichte des Legalitätsprinzips (→ Rn. 9 ff.) ist in beiden Fällen Zurückhaltung geboten (J. Koch FS Bergmann, 2018, 413, 432 f.; tendenziell großzügiger Damler/Zeyher AcP 218 [2018], 905, 937 ff.; Verse, ZGR 2017, 174, 190 f.).

85 Zurechnung von Fremdverschulden über **§ 278 BGB** oder Haftung für eigenes Auswahl- und Überwachungsverschulden gem. § 831 BGB ist in sämtlichen Auskunftsfällen, aber auch in anderen Konstellationen nicht zu Lasten des Vorstandsmitglieds möglich, da Angestellte und sonstige Beauftragte nicht für Vorstandsmitglied, sondern für AG als Geschäftsherr handeln (BGH AG 2011, 876 Rn. 17; GK-AktG/Hopt/Roth Rn. 384; MüKoAktG/Spindler Rn. 224; Harnos, Geschäftsleiterhaftung bei unklarer Rechtslage, 2013, 305 ff.; Strohn ZHR 176 [2012], 137, 142 f.; aA Cahn Konzern 2015, 105, 106 f.). Auch in unechter Gesamtvertretung handelnde Prokuristen sind Gehilfen der AG, nicht des Vor-

standsmitglieds (BGHZ 13, 61, 65 = NJW 1954, 1158; BGHZ 62, 166, 171 f. = NJW 1974, 1194; KK-AktG/Cahn Rn. 17). Unzulässige **Aufgabendelegation** führt nicht zur Anwendung des § 278 BGB. Sie ist aber als eigene Pflichtverletzung zu würdigen. Dasselbe gilt bei Auswahl ungeeigneter Mitarbeiter (OLG Stuttgart AG 2010, 133, 135) oder bei unzureichender Instruktion oder Überwachung (Fleischer AG 2003, 291, 292 ff.). Anwendung des § 278 BGB bleibt dort möglich, wo Vorstandsmitglied der AG nicht in organschaftlichem, sondern schuldrechtl. Kontext entgegentritt, insbes. also als Drittschuldner und bei der Erfüllung solcher Pflichten, die sich nicht unmittelbar aus der Organstellung begründen lassen (überzeugend Groh, Einstandspflichten und gestörte Gesamtschuld, 2020, 76 f.).

d) Schaden der AG. aa) Grundsatz. Schuldhafte Pflichtverletzung des Vorstandsmitglieds muss AG adäquat kausal geschädigt haben. Maßgeblich sind **§§ 249 ff. BGB** (OLG Düsseldorf AG 1997, 231, 237 mwN). Durchweg wird es um Vermögensschäden gehen. Insoweit wird angenommen, nicht jede Vermögensminderung sei Schaden, sondern nur diejenige, die auf Pflichtverletzung des Organmitglieds hindeutet (KK-AktG/Cahn Rn. 74). Solche Aufweichung des Schadensbegriffs überzeugt jedoch nicht (ausf. Hahn, Das Schadensrecht der Geschäftsleiterhaftung, 2022, 114 ff.; sa BeckOGK/Fleischer Rn. 250 f.; GK-AktG/Hopt/Roth Rn. 407 f.; S/L/Sailer-Coceani Rn. 36). Ihrem Anliegen (Sozialaufwendungen sollen nicht Schaden sein) ist schon auf der Ebene der Pflichtverletzung Rechnung zu tragen (→ § 76 Rn. 63 ff.). Als problematisch erweist sich Schadensberechnung, wenn schadensverursachende Maßnahme Bestandteil eines umfassenden Maßnahmebündels ist (etwa Vielzahl von Wertpapiergeschäften mitsamt Sicherungsgeschäften). OLG Frankfurt AG 2011, 595 Rn. 61 ff. hat hier schon auf Schadensebene Gesamtbetrachtung verlangt mit der Folge, dass klagende AG Darlegungs- und Beweislast trägt, sich also nicht auf Darlegung nachteilig beendeten Einzelgeschäfts beschränken darf (OLG Frankfurt AG 2011, 595 Rn. 61 ff., 76). Dem ist BGH NJW 2013, 1958 Rn. 25 ff. entgegengetreten. Es gelten insofern Voraussetzungen des Vorteilsausgleichs (→ Rn. 90 f.) mit der Folge, dass Darlegungs- und Beweislast beim Vorstandsmitglied liegt. 86

bb) Regressschäden. Ersatzfähig sind auch Schäden, die AG aus **Inanspruchnahme** durch unmittelbar geschädigte Dritte erwachsen, sofern Handlung von Vorstandsmitgliedern für diesen Regressschaden adäquat ursächlich war und keine Entlastung gelingt, wobei auch BJR anwendbar sein kann (U. H. Schneider FS Hüffer, 2010, 905, 910 ff.). Haftungsbegrenzung kann vor allem aus § 254 BGB resultieren, insbes. wenn AG auch nach Ausscheiden des Vorstandsmitglieds Schadensentwicklung nicht eindämmt und in Anspruch genommenes Vorstandsmitglied insoweit kein Vorwurf trifft, was idR auf ausgeschiedene oder suspendierte, ggfs. aber auch auf amtierende Vorstandsmitglieder zutreffen kann (ausf. Groh, Einstandspflichten und gestörte Gesamtschuld, 2020, 99 ff.; C. Schäfer/Groh FS Ebke, 2021, 855, 856 ff.; zust. Ph. Scholz AG 2020, 480). 87

cc) Insbesondere: Bußgelder. Sehr umstr. ist, ob sich Vermögensschaden der AG auch aus Bußgeldern und anderen Strafzahlungen ergeben kann. Mit wohl hM ist **Regressnahme nach § 93 II zuzulassen,** soweit Vorstandsmitglieder die übrigen Haftungsvoraussetzungen erfüllen (LG Dortmund AG 2023, 869 f.; AG 2023, 870 ff.; BeckOGK/Fleischer Rn. 254 ff.; Grigoleit/Grigoleit/Tomasic Rn. 96; GK-AktG/Hopt/Roth Rn. 419; MüKoAktG/Spindler Rn. 211; M. Arnold VGR 24 GesR 2018, 29 Rn. 18 ff.; Bayer/Scholz GmbHR 2015, 449 ff.; Bünnemann ZIP 2023, 2669 ff.; Casper ZHR 176 [2012], 617, 625 f.; Drescher Liber Discipulorum Möschel, 2021, 91 ff.; Habersack ZHR 177 88

[2013], 782, 801; Hahn, Das Schadensrecht der Geschäftsleiterhaftung, 2022, 124 ff.; Hauger/Palzer ZGR 2015, 33, 53 ff.; Kersting ZIP 2016, 1266 ff.; J. Koch GS M. Winter, 2011, 327, 333 ff.; Nietsch ZHR 184 [2020], 60 ff.; Ph. Scholz, Existenzvernichtende Haftung, 2014, 39 ff.; Spindler FS Grunewald, 2021, 1105, 1106 f.). In vergangenen Jahren hat aber auch Gegenauffassung verstärkt Zuspruch erhalten, die namentl. für kartellrechtl. Bußen **abschließende Wertung des Kartellsanktionsrechts** annimmt und deshalb Rückgriff ausschließt (OLG Düsseldorf NZG 2023, 1279 Rn. 131 ff.; LAG Düsseldorf ZIP 2015, 829, 830 ff.; LG Saarbrücken NZKart 2021, 64 Rn. 121 ff.; Baur/Holle ZIP 2018, 459, 462 ff.; Bunte NJW 2018, 123 ff.; Dreher FS Konzen, 2006, 85, 103 ff.; Goette FS Hoffmann-Becking, 2013, 377, 380 ff.; Kröger, Korruptionsschäden, Unternehmensgeldbußen und Imageschäden, 2013, 215 ff.; Lotze/Smolinski NZKart 2015, 254 ff.; Thomas NZG 2015, 1409 ff.; Verse FS Krieger, 2020, 1025 ff.; monographisch: Leclerc, Kartellbußgeldregress, 2022). Systematisches Hauptargument, es werde **Bußgeldzweck vereitelt,** ist keinesfalls ohne Gewicht, aber auch nicht derart zwingend, dass teleologische Reduktion des § 93 II 1 gerechtfertigt wäre (BeckOGK/Fleischer Rn. 256). Auch in anderen Sanktionsverhältnissen wird Rückgriff von Rspr. gestattet (vgl. zu Beraterfällen BGHZ 23, 222, 224 ff. = NJW 1957, 586; BGH NJW 1997, 518 f.; WM 2010, 993 f.; ausf. J. Koch GS M. Winter, 2011, 327, 333 ff.). Solange diese Rspr. Bestand hat, bleibt Grundlage für spezifisch kartellrechtl. „distinguishing“ (vgl. LAG Düsseldorf ZIP 2015, 829, 830 ff.; Baur/Holle ZIP 2018, 459, 464; Thomas NZG 2015, 1409, 1411 f.) zweifelhaft (BeckOGK/Fleischer Rn. 256). Auch iErg überzeugt diese Auffassung nicht, da sie zum einen selbst vorsätzlich handelnden Vorstand von der Haftung freistellen würde und zum anderen auch für fahrlässig handelnden Vorstand allenfalls Haftungsreduzierung angemessen ist (→ Rn. 96 ff.), aber keine vollständige Freistellung (J. Koch AG 2012, 429, 435; ähnlich ArbG Essen NZKart 2014, 193, 195).

89 Auch nach hM ist Gegenstand der Ersatzpflicht aber nur **Ahndungsteil der Geldbuße,** nicht Abschöpfungsanteil, der lediglich durch Pflichtverletzung erlangten Vorteil wieder beseitigt (Fleischer DB 2014, 345, 348; Harnos, Geschäftsleiterhaftung bei unklarer Rechtslage, 2013, 100 f.; vgl. zu Bemessungsschwierigkeiten aber M. Arnold VGR 24 GesR 2018, 29 Rn. 63 f.). Auch sonstige Vorteile sind anzurechnen (M. Arnold VGR 24 GesR 2018, 29 Rn. 63 f.). Ersatzpflichtige Schäden können der AG schließlich auch aus sog **Aufklärungs- und Verfolgungskosten** erwachsen (LG München I NZG 2014, 345, 348; Lüneborg/Resch NZG 2018, 209, 212 ff.). Anwaltsgebühren können auch über ges. Gebühren hinaus ersetzt werden (Fleischer NZG 2014, 321, 327; Lüneborg/Resch NZG 2018, 209, 216 f.). Zum Versicherungsschutz bei Bußgeldschäden Dreher VersR 2015, 781 ff.

90 **dd) Vorteilsausgleichung.** Haftungsausschließende oder -mindernde Einwände können sich vor allem unter den Gesichtspunkten der Vorteilsausgleichung und des rechtmäßigen Alternativverhaltens ergeben. Maßgeblichkeit der §§ 249 ff. BGB (→ Rn. 86) schließt auch Anwendung der zur **Vorteilsausgleichung** geltenden Regeln ein (BGH AG 2011, 876 Rn. 31; NJW 2013, 1958 Rn. 26; OLG Düsseldorf AG 2016, 410, 414 f.; OLG Hamburg AG 2010, 502, 507; aus dem Schrifttum zB GK-AktG/Hopt/Roth Rn. 410 ff.; Habersack FS U. H. Schneider, 2011, 429, 439 f.; Hahn, Das Schadensrecht der Geschäftsleiterhaftung, 2022, 215 ff.). Problematisch ist aber, dass diese Regeln nicht zwingend zum Vorteilsausgleich führen, sondern auch dessen Versagung zulassen, wenn Wegfall oder Kürzung der Ersatzpflicht bei wertender, bes. am Zweck des Haftungstatbestands orientierter Gesamtbetrachtung als **nicht hinnehmbar** erscheint (vgl. etwa BGH NJW 2010, 675 Rn. 9; Überblick bei MüKoBGB/

Oetker BGB § 249 Rn. 233 ff.). Unscharfe zivilrechtl. Konturierung dieser Ausnahmefälle setzt sich bei § 93 II fort. ZT wird auf dieser Grundlage weitgehender Ausschluss des Vorteilsausgleichs befürwortet, und zwar insbes. mit Blick auf **Präventionsfunktion** des § 93 II 1 (MüKoAktG/Spindler Rn. 112; Illhardt/Scholz DZWiR 2013, 512, 513 ff.; Lohse FS Hüffer, 2010, 581, 597 ff.; Thole ZHR 173 [2009], 504, 529 f.). Vorzugswürdig erscheint es dagegen, mit hM im Regelfall Vorteilsanrechnung zuzulassen (BGH NJW 2013, 1958 Rn. 26 f.; LAG Düsseldorf ZIP 2015, 829, 832; Hölters/Weber/Hölters/Hölters Rn. 244; S/L/Sailer-Coceani Rn. 38; KK-AktG/Cahn Rn. 79; Bayer FS K. Schmidt, 2009, 85, 93 ff.; Fleischer DStR 2009, 1204 ff.; Kaulich, Die Haftung von Vorstandsmitgliedern einer AG für Rechtsanwendungsfehler, 2012, 272 ff.). Zwar belegt speziell § 93 II 3 in der Tat Präventionsfunktion, relativiert ihre Bedeutung aber zugleich durch zumindest grds. Gestattung einer Versicherung.

Vor diesem Hintergrund genügt es, dass verbleibende Präventionsfunktion 91 durch Abberufungsmöglichkeit, eigene Sanktionsrisiken im Außenverhältnis sowie Darlegungs- und Beweislast des Vorstandsmitglieds gewahrt bleibt (Kaulich, Die Haftung von Vorstandsmitgliedern einer AG für Rechtsanwendungsfehler, 2012, 283 ff.), zumal Vorteilsanrechnung im Lichte der **Differenzhypothese** (§ 249 BGB) und des Bereicherungsverbots (s. dazu BGH NJW 2013, 1958 Rn. 27) entgegen verbreiteter Ansicht ohnehin **Regelfall** sein muss, ihre Versagung die Ausnahme (so auch Hölters/Weber/Hölters/Hölters Rn. 244; aA MüKoBGB/Oetker BGB § 249 Rn. 238; Kaulich, Die Haftung von Vorstandsmitgliedern einer AG für Rechtsanwendungsfehler, 2012, 274: kein Vorrangverhältnis). Ausgeschlossen ist Vorteilsanrechnung allerdings dann, wenn obj. gleichwertige Gegenleistung vorliegt, AG aufgedrängten Gegenstand aber nicht sinnvoll einsetzen kann (BGHZ 98, 212, 218 = NJW 1987, 50; BGH NJW 1994, 2357, 2359; Fleischer DStR 2009, 1204, 1206). Auch ist Vorteilsanrechnung zu versagen, wenn es an innerem Zusammenhang zwischen Schaden und Vorteil fehlt (ausf. OLG Hamm NZG 2022, 662 Rn. 222 zum Vergleich im schadensbedingten Insolvenzverfahren). **Beweislast** trägt Vorstandsmitglied (s. dazu BGH NJW 2013, 1958 Rn. 29 mwN). Andere Beurteilung ist auch nicht bei Kartellschäden geboten (so aber Kersting ZIP 2016, 1266, 1272 ff.; dagegen die ganz hM – s. nur LAG Düsseldorf ZIP 2015, 829, 832; Gaul AG 2015, 109, 117; Hauger/Palzer ZGR 2015, 33, 58; J. Koch GS M. Winter, 2011, 327, 330 f.). Sie widerspräche nicht nur allg. Grundsätzen der Vorteilsausgleichung, sondern auch Wertung des § 93 II 2. Die These, es verfüge nur AG über notwendige Informationen zur Bezifferung kartellbedingter Schäden (Kersting ZIP 2016, 1266, 1274), steht den Wertungen dieser Norm diametral entgegen (→ Rn. 103 ff.).

ee) Rechtmäßiges Alternativverhalten. Schadenseintritt auch bei recht- 92 mäßigem Alternativverhalten ist grds. haftungsausschließender Einwand, wobei Vorstand Beweislast trifft (BGHZ 152, 280, 283 ff. = NJW 2003, 358; BGH NJW 2009, 2454 Rn. 42; AG 2011, 378 Rn. 17; NJW 2013, 2114 Rn. 33 f.; NJW 2013, 1958 Rn. 14; 2013, 3636 Rn. 27; BGHZ 219, 193 Rn. 38 ff. = NZG 2018, 1189). Nach früher hL soll Einwand rechtmäßigen Alternativverhaltens aber nicht gelten bei fehlender AR-Zustimmung (§ 111 IV 2) und ähnlichen **Verfahrensfehlern,** damit Nichterfüllung der Vorstandspflichten sanktioniert bleibt (vgl. statt vieler GK-AktG/Hopt/Roth Rn. 416; ebenso für die GmbH OLG München NZG 2000, 741, 743; KG GmbHR 2005, 477, 479). **BGH** ist dem aber schon für GmbH nicht gefolgt (BGH NJW 2007, 917, Rn. 12; NZG 2008, 783 Rn. 17) und hat diese Grundsätze mittlerweile auch auf AG übertragen (BGHZ 219, 193 Rn. 14, 41 ff.; zust. Fleischer DB 2018, 2619 ff.; Grunewald FS Hopt, 2020, 325, 328 ff.; Holle/Mörsdorf NJW 2018, 3555 ff.; Mahmud, Kausalität und Schaden, 2023, 36 ff., 80 ff.; Weißhaupt ZIP 2019,

202 ff.; krit. Kleindiek FS Krieger, 2020, 489, 499 ff.; Krieger FS Seibert, 2019, 511, 513 ff.). § 93 II ist **kein Sanktionsinstrument** gegen Verletzung innergesellschaftlicher Kompetenzvorschriften, sondern Ersatzanspruch, der sich auf Rechtsfolgenseite in allg. schadensrechtl. Grundsätze einfügen muss (BGHZ 219, 193 Rn. 44; krit. dazu Paefgen WM 2022, 253, 257). Verletzung von Verfahrensvorschriften kann AR hinreichend entgegenwirken, indem er von seiner **Personalkompetenz** Gebrauch macht (zust. BGHZ 219, 193 Rn. 44).

93 Vorstand kann der Haftung daher entgehen, wenn er darlegt, dass Schaden auch bei Beachtung der Verfahrens- und Kompetenzordnung eingetreten wäre; auch insofern obliegt ihm **volle Beweislast** (BGHZ 219, 193 Rn. 39; Fleischer DStR 2009, 1204, 1208 ff.). Bloße Möglichkeit anderweitigen Schadenseintritts genügt nicht (BGHZ 219, 193 Rn. 39, 45). Bei Vorstandshandeln ohne erforderliche Zustimmung iSd § 111 IV 2 kann Beweis etwa durch Nachw. geführt werden, dass AR-Mitglieder tats. zur Zustimmung bereit waren (vgl. dazu M. Goette ZGR 2019, 324, 334 ff.). Um offensichtlichen Beweisschwierigkeiten zu entgehen, ist erwägenswert, ob alternativ auch auf **verantwortungsvoll handelnden AR** abgestellt werden kann (OLG Oldenburg NZG 2007, 434, 438; Fleischer DStR 2009, 1204, 1209; J. Koch FS Köndgen, 2016, 329, 343 ff.; Wiesner FS Krieger, 2020, 1127, 1138 f.; krit. Kleindiek FS Krieger, 2020, 489, 505 ff.; Krieger FS Seibert, 2019, 511, 520; Paefgen WM 2022, 260 ff.; M. Goette ZGR 2019, 324, 335 f., dessen Hinweis auf Entscheidungsspielräume Nachw. lediglich erschwert, aber keinesfalls ausschließt; das gilt auch für Mahmud, Kausalität und Schaden, 2023, 72 ff. [stattdessen: Befragung] sowie Ph. Scholz AG 2020, 453 Rn. 13 ff., der stattdessen Anscheinsbeweis für möglich hält). Jedenfalls wenn Versagung der Zustimmung pflichtwidrig gewesen wäre, ist Nachw. geführt, was aber aufgrund unternehmerischer Entscheidungsspielräume des AR nur selten vorkommen wird (BGHZ 219, 193 Rn. 51; krit. Ph. Scholz AG 2020, 453 Rn. 10 ff.). Umgekehrt kann sich Vorstand nicht auf hypothetische Zustimmung berufen, wenn diese pflichtwidrig gewesen wäre (BGHZ 219, 193 Rn. 52).

94 Mit Blick auf §§ 119 II, 93 IV 1 könnte grds. auch hypothetische Zustimmung des Alleinaktionärs genügen, was allerdings schwierigen Nachw. verlangt, dass sie in Form des § 119 II tats. gefasst worden wäre (Holle/Mörsdorf NJW 2018, 3555, 3557; Krieger FS Seibert, 2019, 511, 522; Ph. Scholz AG 2020, 453 Rn. 34 ff.; Wicke FS E. Vetter, 2019, 907, 914; tendenziell großzügiger Grunewald FS Hopt, 2020, 325, 328 ff.; Habersack FS E. Vetter, 2019, 183, 186 ff.; vom BGH nur unter Gesichtspunkt des Rechtsmissbrauchs erörtert → Rn. 154). Ob sie auch genügt, um fehlende Zustimmung des AR nach § 111 IV 2 zu überbrücken, ist noch ungeklärt, dürfte aber zu bejahen sein, wenn (hypothetische) Mehrheit des § 111 IV 4 erreicht wäre (vgl. Habersack FS E. Vetter, 2019, 183, 189 f.). Nicht entlastend ist bei **Kollegialentscheidung** der Einwand, Beschluss wäre angesichts solider Mehrheit auch ohne Zustimmung des Einzelmitglieds zustande gekommen (ausf. BeckOGK/Fleischer Rn. 267).

95 Einwand rechtmäßigen Alternativverhaltens wird künftig womöglich deutlich größere Relevanz iR der **Ad-Hoc-Publizität** entfalten, nachdem EuGH diese auch auf Zwischenschritte erstreckt und damit erheblich ausgedehnt hat. Art. 7 II, III MAR hat diese Rspr. bestätigt (→ § 84 Rn. 82). Damit hat sich Schwerpunkt der Vorschrift auf Selbstbefreiung nach Art. 17 IV MAR verlagert, die nach nunmehr eindeutiger Neufassung Beschluss verlangt (Retsch NZG 2016, 1201, 1205; ebenso zur nationalen Vorgängerfassung des § 15 III WpHG aF J. Koch FS Köndgen, 2016, 329, 332 ff. mwN). Wurde solcher Beschluss nicht gefasst, ist nach Hinweis des BGH aber möglicherweise rechtmäßiges Alternativverhalten in Betracht zu ziehen (BGH NJW 2013, 2114 Rn. 33 ff.; sa schon OLG Stuttgart NZG 2009, 624, 635 ff.; ausf. J. Koch FS Köndgen, 2016, 329, 337 ff.).

e) Haftungsreduzierung aufgrund Fürsorgepflicht der AG. Nach früher allg. Auffassung sind **Grundsätze betrieblich veranlasster Tätigkeit** auf Vorstand nicht anwendbar. Der nach diesem Konzept auf erster Stufe vorgesehene vollständige Haftungsausschluss bei leichter Fahrlässigkeit ist mit ausdr. Haftungsanordnung in § 93 II, die Haftung nicht auf Fälle mittleren oder schwereren Verschuldens beschränkt, nicht in Einklang zu bringen (BGH WM 1975, 467, 469; OLG Düsseldorf AG 1995, 416, 420; Kaulich, Die Haftung von Vorstandsmitgliedern einer AG für Rechtsanwendungsfehler, 2012, 304 f.; J. Koch GS M. Winter, 2011, 327, 336 f.). Das war bislang unbestr., ist neuerdings aber in Zweifel gezogen worden (Bachmann ZIP 2017, 841 ff.; Fritz NZA 2017, 673 ff.; Wilhelmi NZG 2017, 681 ff.). Daran ist richtig, dass mehrere Grundwertungen, die der Figur betrieblich veranlasster Tätigkeit zugrunde liegen, auch auf Vorstandsmitglieder passen (→ Rn. 97 f.). Für vollständige Gleichsetzung fehlen indes methodische Voraussetzungen (J. Koch GS M. Winter, 2011, 327, 337 mwN), weil **§ 93 I 2** insofern – anders als § 280 BGB – **rechtstechnische Sperre** bildet. Wenn dort Haftung nur in Grenzen der BJR auf Sachverhalte grober Fahrlässigkeit (vgl. zu dieser weitgehenden Gleichstellung → Rn. 51) beschränkt wird, kann nicht über Grundsätze betrieblich veranlasster Tätigkeit für Fallgruppe leichter Fahrlässigkeit pauschal vollständige Freistellung angenommen werden (J. Koch GS M. Winter, 2011, 327, 337 f.; J. Koch AG 2012, 429, 435 f.; abl. aus dem neueren Schrifttum auch Noack/Servatius/Haas/Beurskens GmbHG § 43 Rn. 43; Henssler/Strohn/Dauner-Lieb Rn. 32; BeckOGK/Fleischer Rn. 244; Henssler/Strohn/Oetker GmbHG § 43 Rn. 11; MüKoAktG/Spindler Rn. 31; Spindler FS Grunewald, 2021, 1105, 1108 ff.; Goette/Arnold AR-HdB/Goette § 4 Rn. 2394; Schall FS E. Vetter, 2019, 659, 666). Erwägenswert ist Heranziehung dieser Grundsätze deshalb allenfalls dort, wo Verletzung einer nicht organbezogenen Pflicht in Rede steht, für die statt § 93 II Norm des § 280 I BGB gilt (OLG Zweibrücken NZG 2023, 330 Rn. 42 ff.; ausf. → Rn. 76). 96

Nach zutr., wenngleich ebenfalls umstrittener, Auffassung ist es dagegen zulässig, schadensmultiplizierendem Unternehmenskontext ähnlich zweiter Stufe der Grundsätze betrieblich veranlasster Tätigkeit bei fahrlässiger Schädigung durch **Regressreduzierung** Rechnung zu tragen, um Konsequenz existenzvernichtender Vorstandshaftung (s. dazu G.M. Hoffmann NJW 2012, 1393 ff.; Peltzer FS Hoffmann-Becking, 2013, 861 ff.) zu vermeiden. Reduzierung rechtfertigt sich daraus, dass auch Vorstand einer AG dauerhaft für AG tätig ist, so dass es kaum zu vermeiden ist, dass es im Laufe einer mehrjährigen Tätigkeit zu fahrlässiger Schadenszufügung kommt (dazu und zum Folgenden J. Koch GS M. Winter, 2011, 327 ff.; J. Koch AG 2012, 429 ff.; J. Koch AG 2014, 513 ff.; vgl. auch ArbG Essen NZKart 2014, 193, 195: „rechtsmissbräuchlich"). Aufgrund bes. **Schadensneigung** großer Aktiengesellschaften (→ Rn. 3) können diese Fehlleistungen zu Schäden führen, deren Ausgleich die Leistungsfähigkeit auch eines gut verdienenden Vorstands erheblich überschreitet. Derartige Belastungen sollen diejenigen tragen, die auch von unternehmerischen Chancen profitieren, also Aktionäre in organisatorischer Zusammenfassung zum Unternehmen. Dogmatische Grundlage ist **organschaftliche Fürsorgepflicht** (→ § 84 Rn. 11; vgl. Bayer FS K. Schmidt, 2009, 85, 96 f.; ausf. J. Koch GS M. Winter, 2011, 327, 338 ff. mwN). 97

Möglichkeit der Regressreduzierung ist für **Bußgeld- und Sanktionsbereich** mittlerweile hM. Sofern dort nicht (namentl. für Spezialbereich des Kartellsanktionsrechts) vollständige Regresssperre angenommen wird (→ Rn. 88), wird zumindest für entspr. Reduzierung plädiert (KK-AktG/Cahn Rn. 14; S/L/Seibt § 76 Rn. 29; MüKoAktG/Spindler Rn. 211; Bachmann ZIP 2017, 841 ff.; Bayer/Scholz NZG 2014, 926 ff.; Brommer AG 2013, 121, 127 ff.; Casper ZHR 176 [2012], 617, 625 ff., 636 ff.; J. Koch GS M. Winter, 2011, 327 ff.; J. Koch AG 98

2012, 429 ff.; Reichert ZHR 177 [2013], 756, 772 ff.; Seibt/Cziupka AG 2015, 93, 107 f.; zu Stimmen, die für vollständigen Ausschluss plädieren → Rn. 88; auch bei Geldbußen gegen jede Reduzierung S. Binder, Grenzen der Vorstandshaftung, 2016, 269 ff.; Drescher Liber Discipulorum Möschel, 2021, 91, 108 ff.; Habersack ZHR 177 [2013], 782, 801 ff.; Schöne/Petersen AG 2012, 700 ff.). Nachdem Regressreduzierung mittlerweile von hM nicht mehr auf abschließende Wirkung des Sanktionsrechts, sondern auf organschaftliche Treupflicht gestützt wird, ist auch **Übertragung auf andere Schadensformen zulässig** (ausf. J. Koch AG 2012, 429 ff., 432 f. mwN; vgl. von den vorstehend Genannten auch Bachmann, Bayer/Scholz, Brommer, Casper, Reichert, Seibt, Spindler, jew. aaO sowie Schnorbus/Ganzer WM 2015, 1877, 1878 ff.; GK-AktG/Hopt/Roth Rn. 398 ff.; monographisch Brommer, Die Beschränkung der Rechtsfolgen der Vorstandsinnenhaftung, 2016; Ph. Scholz, Existenzvernichtende Haftung, 2014, 265 ff.; iErg auch Schall JZ 2015, 455 ff.; sympathisierend LAG Düsseldorf ZIP 2015, 829, 830; aA S/L/Sailer-Coceani Rn. 39; Fleischer ZIP 2014, 1305, 1306 ff.; Goette/Arnold AR-HdB/Goette § 4 Rn. 2395; S. Binder, Grenzen der Vorstandshaftung, 2016, 269 ff. Fehrenbach AG 2015, 761 ff.; Habersack ZHR 177 [2013], 782, 801 ff.; Schöne/Petersen AG 2012, 700 ff.).

99 Zur **Höhe der Regressreduzierung** sind speziell für Vorstand zu berücksichtigen: Grad der Fahrlässigkeit und der Schadensneigung des Unternehmens, Bezüge des Handelnden (Risikoprämie), Umfang der Schadensmultiplikation durch Unternehmenskontext (Einzelheiten bei Casper ZHR 176 [2012], 617, 640 ff.; J. Koch GS M. Winter, 2011, 327, 346 ff.; J. Koch AG 2012, 429, 437 ff.). Soweit D&O-Versicherung (→ Rn. 122 ff.) greift, ist für Reduzierung kein Raum (ausf. zum Zusammenspiel von Reduktion und Versicherung Casper ZHR 176 [2012], 617, 646 ff.; J. Koch AG 2012, 429, 439; Schnorbus/Ganzer WM 2015, 1877, 1880 f.; Vorschlag einer anstellungsvertraglichen Vorwegnahme der Reduzierung bei Seibt NZG 2015, 1097, 1102; Seibt NZG 2016, 361: „Halbvermögensschutzklausel"; dagegen aber Habersack NZG 2015, 1297 ff.; Schockenhoff ZHR 180 [2016], 197, 221 f.; Spindler FS Grunewald, 2021, 1105, 1116 f.; Wettich AG 2017, 60, 66 f.).

100 Im Konzept der Regressreduzierung liegt **keine Privilegierung** von Vorständen ggü. anderen Berufsgruppen (ausf. dazu J. Koch AG 2014, 513, 515 ff.; zust. GK-AktG/Hopt/Roth Rn. 399; Bachmann ZIP 2017, 841, 850; aA Schöne/Petersen AG 2012, 700 ff.). Innerhalb des Unternehmens bleibt Vorstand vielmehr schlechtergestellt, da er als Einziger nicht in Genuss vollständigen Haftungsausschlusses gelangen kann, obwohl auch er dauerhaft und fremdnützig für Unternehmen tätig wird (sa Bachmann ZIP 2017, 841 ff.; Casper ZHR 176 [2012], 617, 637 f.). Ggü. anderen Berufsgruppen (zB Rechtsanwälte) trägt Regressreduzierung dauerhafter Einbindung in Unternehmen Rechnung und gleicht überdies aus, dass Vorstand sowohl vertraglicher Haftungsausschluss (→ § 76 Rn. 142; → § 84 Rn. 23) als auch Rechtswahl einer Kapitalgesellschaft (→ § 76 Rn. 142) verwehrt ist (Brommer AG 2013, 121, 129; Reichert ZHR 173 [2013], 756, 777; übersehen von Doralt ZGR 2019, 996, 1003). Auch jenseits beruflicher Vergleichsgruppen, etwa bei Deliktsschuldnern, liegt maßgeblicher Wertungsunterschied darin, dass Vorstand dauerhaft und auf fremde Rechnung für Unternehmen tätig wird. **ARAG-Rspr.** (→ § 111 Rn. 7 ff.) kann selbst in großherzigster Auslegung (dafür Habersack ZHR 177 [2013], 782, 801 ff.) erforderliche Einschränkung nicht leisten, da gebotener Schutz dann von AR-Entscheidung abhinge (s. bereits J. Koch AG 2012, 429, 431) und Orientierung am Unternehmenswohl in diesen Fällen nicht nur gedanklich umweghaft ist (vgl. die Konzeption bei Goette GS M. Winter, 2011, 153, 164 f.), sondern überdies auch in der Insolvenz versagt (das übersieht Habersack ZHR 177 [2013], 782, 801, wenn er annimmt, ARAG-Rspr. könne zu ähnlichen Ergebnissen führen; zutr. insofern Fleischer ZIP 2014, 1305, 1309; Grunewald AG 2013, 813, 814).

Auch Verweis auf **Versicherungsmöglichkeit** (→ Rn. 122 ff.) kann im Hinblick auf zahllose Lücken des Versicherungsschutzes sowie begrenzte Deckungssummen (s. dazu Hemeling FS Hoffmann-Becking, 2013, 491, 497 ff., 507; sa Bachmann ZIP 2017, 841, 850) Erforderlichkeit der Reduzierung nicht widerlegen. Vermeintliches Spannungsverhältnis zu § 93 IV 3 (so Habersack ZHR 177 [2013], 782, 802 f.) ist nicht zu erkennen, da Ersatzanspruch von vornherein nur in reduziertem Umfang besteht und deshalb Entgegenkommen der AG tats. nicht vorliegt (anders als etwa bei ARAG-Rspr. – insofern wie hier GK-AktG/Kort § 84 Rn. 461b). **Bemessungsschwierigkeiten** stellen sich nicht anders dar als bei AN (zust. GK-AktG/Hopt/Roth Rn. 400; Spindler AG 2013, 889, 895); Gericht hat Schätzungsspielraum des § 287 ZPO. Besorgnis, AR könne durch Bemessungsschwierigkeit zu sehr belastet werden (Grunewald AG 2013, 813, 814 f.; Habersack ZHR 177 [2013], 782, 803; Schöne/Petersen AG 2012, 700, 705), wäre nur dann berechtigt, wenn ihm bei Fehleinschätzung eigene Haftung drohte, die aber bei gewissenhafter Abwägung schon an Pflichtwidrigkeit, spätestens an Verschulden scheitert. Verbleibende Gefahr gerichtl. Korrektur ist hier ebenso hinzunehmen wie bei AN (zutr. Spindler AG 2013, 889, 895). **101**

Alternativ erwogene **satzungsmäßige Vereinbarung** einer Haftungshöchstsumme (dafür de lege lata Grunewald AG 2013, 813, 815 ff.; G. M. Hoffmann NJW 2012, 1393, 1395) oder eines Haftungsausschlusses bei leichter Fahrlässigkeit (dafür de lege ferenda Habersack ZHR 177 [2013], 782, 803 f.; E. Vetter NZG 2014, 921, 922 ff.) scheitert de lege lata nach zu Recht ganz hM an § 23 V (→ Rn. 4 mwN). Ob sie de lege ferenda zu sachgerechter Anreizwirkung führt, erscheint etwa im Lichte der bes. Risikoneigung (diversifizierender) Eigenkapitalgeber, namentl. im Bankenbereich, nicht zweifelsfrei (sa Bayer/Scholz NZG 2014, 926, 929; Faßbender NZG 2015, 501, 506; Fleischer ZIP 2014, 1305, 1306 ff.; J. Koch AG 2014, 513, 524). Selbst wenn man diese Bedenken ausräumen kann, sollten rechtspolitische Desiderata, deren Umsetzung keinesfalls sicher erscheint, noch nicht Blick auf sachgerechte Lösung de lege lata versperren. Zur prozessualen Umsetzung der Regressreduzierung vgl. MHdB CL/J. Koch § 30 Rn. 34; vertiefend Brock WM 2016, 2209 ff. **102**

3. Darlegungs- und Beweislast. a) Grundsatz. Gem. § 93 II 2 liegt Beweislast für Anwendung der Sorgfalt eines ordentlichen und gewissenhaften Geschäftsleiters bei den Vorstandsmitgliedern. Darin liegt der AG günstige Abweichung von allg. Grundsätzen der sog Normentheorie, nach der jede Partei die Voraussetzungen der ihr günstigen Norm zu beweisen hat (→ § 243 Rn. 59). Ausnahme erklärt sich aus größerer Sachnähe des Vorstands ggü. anspruchsverfolgendem AR (MüKoAktG/Spindler Rn. 225). Tragweite der Abweichung ist nicht gänzlich zweifelsfrei. Nach heute hM gilt als **Grundsatz:** AG muss Eintritt und Höhe des Schadens beweisen, ferner Handlung des beklagten Vorstandsmitglieds, schließlich adäquate Kausalität zwischen Handlung und Schaden. Dabei bezeichnet Handlung dasjenige positive Tun oder Unterlassen, das AG dem Vorstandsmitglied als möglicherweise pflichtwidrig vorwerfen will (klärend [zur GmbH] BGHZ 152, 280, 284 = NJW 2003, 538 im Anschluss an Goette ZGR 1995, 648 ff., 671 ff.; ebenso [zur AG] BGH NJW 2009, 2454 Rn. 42; AG 2011, 378 Rn. 17; öOGH NZG 1998, 852; MüKoAktG/Spindler Rn. 226, 231; ausf. Darstellung bei Ph. Scholz ZZP 133 [2020], 491, 494 ff.; krit. Bachmann FS Thümmel, 2020, 27, 28 f.; Wach FS Schütze, 2015, 663 ff.). **103**

Potenziell pflichtwidrige Handlung ist substanziiert darzulegen (OLG München AG 2016, 332, 333 f.; OLG Nürnberg NZG 2015, 555 Rn. 13; OLG Nürnberg NZG 2022, 1058 Rn. 85; sa OLG Karlsruhe v. 23.3.2022 – 11 U 58/ **104**

17, 37 [nv]; Bachmann BB 2015, 771, 774 f.; Hoger Konzern 2016, 373, 374 f.; Ph. Scholz ZZP 133 [2020], 491, 496 f.; krit. L. Bauer NZG 2015, 548 ff.; Fleischer/Bauer ZIP 2015, 1901, 1907 f.. Dabei genügt bloße Behauptung etwaiger Organisations- und Kontrolldefizite nicht, sondern konkreter Zurechnungszusammenhang muss dargestellt werden (KK-AktG/Cahn Rn. 160). Erleichterung kommt AG allerdings insofern zugute, als Vorstandsmitglied ihr nach § 666 BGB iVm §§ 675, 611 BGB **zur Auskunftserteilung verpflichtet** ist, und zwar auch dann, wenn es zwischenzeitlich ausgeschieden ist (BGH NZG 2021, 1356 Rn. 11 [zur GmbH]). Umfang des Auskunftsrechts hängt vom Informationsbedürfnis der AG ab und kann sich etwa auch aus begründetem Verdacht einer Pflichtverletzung ergeben (BGH NZG 2021, 1356 Rn. 13). Dass Vorstandsmitglied mit Auskunftserteilung eigene Pflichtverletzung offenbaren muss, steht Anspruch nicht entgegen (BGH NZG 2021, 1356 Rn. 13). Für Schaden greift **Erleichterung des § 287 ZPO,** so dass nur solche Tatsachen vorzutragen sind, die für Schadensschätzung hinreichende Anhaltspunkte liefern (BGHZ 152, 280, 287; BeckOGK/Fleischer Rn. 271). Können diese Umstände von AG dargelegt und bewiesen werden, so ist es Sache des Beklagten, seinerseits darzulegen und ggf. zu beweisen, dass sie nicht pflichtwidrig (→ Rn. 76 ff.) oder nicht schuldhaft (→ Rn. 79 ff.) gewesen ist oder dass Schaden auch bei pflichtgem. Verhalten eingetreten wäre (BGH AG 2011, 378 Rn. 17).

105 Mit diesen Maßgaben legt § 93 II 2 Vorstandsmitglied **Beweislast** nicht nur für fehlendes Verschulden, sondern auch **für fehlende Pflichtwidrigkeit** auf (ganz hM, s. BGHZ 152, 280, 284 f. = NJW 2003, 358; BGH AG 2011, 378 Rn. 17; KK-AktG/Cahn Rn. 158; MüKoAktG/Spindler Rn. 226; Goette ZGR 1995, 648, 671 ff.; aA noch Fleck GmbHR 1997, 237, 239). Der Gefahr, dass durch derart starre Beweislastverteilung letztlich doch Erfolgshaftung begründet wird (vgl. dazu Paefgen AG 2004, 245, 256 ff.; v. Falkenhausen NZG 2012, 644, 651), ist durch **dynamische Handhabung der Beweislastregel** zu begegnen, die bei plausibler Darlegung pflichtgem. Verhaltens durch das Organmitglied uU auch AG sekundäre Darlegungslast auferlegt, um diesen Vortrag zu erschüttern (Bachmann Gutachten E zum 70. DJT, Bd. I, 2014, 34 f.; Heermanns ZIP 1998, 761, 767 ff.; Lange FS A. Reuter, 2021, 209, 215 ff.). Auch BGH hat solche sekundäre Beweislast – speziell bezogen auf ausgeschiedene Mitglieder – anerkannt (→ Rn. 112). Zur fehlenden Feststellungswirkung kartellbehördlicher Verfügungen/Urteile vgl. Thomas FS Schütze, 2014, 613 ff.

106 § 93 II 2 bezieht sich auch auf **BJR des § 93 I 2** (→ Rn. 26 ff.). Vorstandsmitglieder, die sich als Beklagte darauf berufen, dass ihre Entscheidung nach § 93 I 2 pflichtgem. sei, müssen also tats. Voraussetzungen für unwiderlegbare Vermutung ihres pflichtkonformen Verhaltens (→ Rn. 76 ff.) darlegen und ggf. auch beweisen (BGH AG 2011, 378 Rn. 19 ff.; NJW 2013, 1958 Rn. 11; OLG Düsseldorf AG 2016, 410, 411; RegBegr. BT-Drs. 15/5092, 12; Fest NZG 2011, 540, 541 f.; aA GK-AktG/Hopt/Roth Rn. 439; Paefgen NZG 2009, 891).

107 **Lockerungen oder Ausnahmen** werden in zwei Richtungen erörtert: (1.) Dass AG bestimmte möglicherweise pflichtwidrige Handlung des Vorstandsmitglieds als schadensstiftend behauptet und beweist, kann nicht immer strikt gefordert werden. Anforderungen hängen von Sachnähe und Kenntnisstand der Gesellschaftsvertreter ab (Goette ZGR 1995, 648, 674). Aus **Art des Schadens** kann sich wenigstens tats. Vermutung ergeben, nach welcher Einbuße auf Handlung des Vorstandsmitglieds zurückgeht, so bei erheblichen Fehlbeständen in Kasse oder Warenlager zu Lasten des zuständigen Vorstandsmitglieds (BGH WM 1980, 1190 zur GmbH; GK-AktG/Hopt/Roth Rn. 432; MüKoAktG/Spindler Rn. 232). Ähnliche Handhabung wird bei „toxischen Wertpapierbeständen" einer Bank erwogen (KK-AktG/Cahn Rn. 160). Gegenläufig ergibt sich (2.): Bei **sozialen Aufwendungen** (Spenden etc. → § 76 Rn. 91) wird erörtert, die

Beweislastumkehr nicht eingreifen zu lassen (so MüKoAktG/Spindler Rn. 232). Diese Ausnahme wird mittlerweile von hM zu Recht abgelehnt, da auch hier nur Vorstand über Motive der Zuwendung aufklären könne (BeckOGK/Fleischer Rn. 273; S/L/Sailer-Coceani Rn. 43).

b) Insbesondere: ausgeschiedene Vorstandsmitglieder. Auch ausgeschiedene Vorstandsmitglieder fallen unter § 93 II 2, und zwar nicht nur in analoger, sondern direkter Anwendung, weil es – wie bei Haftungsentstehung (→ Rn. 72) – auf **Zeitpunkt der Verletzungshandlung** ankommt. Bei ihnen erweist sich Beweislastumkehr aber als bes. problematisch, weil sie zu Gesellschaftsunterlagen (zB Sitzungsprotokollen) oder anderen Informationsquellen keinen oder keinen ungehinderten Zugang mehr haben. Gerade mit Blick auf 10-jährige Verjährung gem. § 93 VI kann dies zu übermäßigen Belastungen führen. **108**

Dennoch hält hM auch hier zu Recht an Beweislastumkehr fest (BGHZ 152, 280, 285 = NJW 2003, 358; BGHZ 202, 26 Rn. 33 = NZG 2014, 1058; BeckOGK/Fleischer Rn. 275; S/L/Sailer-Coceani Rn. 44; KK-AktG/Cahn Rn. 165; MüKoAktG/Spindler Rn. 235; Bachmann FS Thümmel, 2020, 27, 30 ff.; Born FS Bergmann, 2018, 79 ff.; Groh ZIP 2021, 724, 726 f.; U. H. Schneider FS Hommelhoff, 2012, 1023, 1032 ff.). Gegenauffassung plädiert für teleologische Reduktion des § 93 II 2 (ausf. Foerster ZHR 176 [2012], 221 ff.; sa B/K/L/Bürgers Rn. 29; GK-AktG/Hopt/Roth Rn. 448; Ihrig/Schäfer Vorstand Rn. 1533), doch fehlt es schon an planwidriger Regelungslücke, weil nicht anzunehmen ist, dass Gesetzgeber gerade **praktischen Regelfall** einer Anspruchsverfolgung gegen ehemalige Vorstandsmitglieder übersehen hat (zust. HdB Managerhaftung/Born Rn. 16.35; Groh ZIP 2021, 724, 76 f.). Andere Sichtweise würde auch zu eigentümlichem Ergebnis führen, dass verklagter aktiver Vorstand durch Niederlegung seines Amtes Beweislast zu seinen Gunsten umdrehen könnte (zust. Bachmann FS Thümmel, 2020, 27, 32; Groh ZIP 2021, 724, 726 f.). **109**

Bejaht man grds. Anwendbarkeit des § 93 II 2, müssen aber andere Wege beschritten werden, um berechtigtem Anliegen der Gegenauffassung Rechnung zu tragen, dass ausgeschiedene Mitglieder bes. **Beweisnot** ausgesetzt sein können. Solche Benachteiligung ausgeschiedener Mitglieder kann insbes. durch Informationsanspruch auf Grundlage des **§ 810 BGB analog iVm nachwirkender Fürsorgepflicht** kompensiert werden (zu diesem Anspruch auch BGH AG 2008, 743 Rn. 5; LG München I NZG 2014, 345, 347). Inhaltliche Konturen sind aber noch unscharf (Einzelheiten dazu bei Bachmann FS Thümmel, 2020, 27, 33 ff.; Groh ZIP 2021, 724, 727 ff.; Krieger FS U. H. Schneider, 2011, 717, 722 ff.; sa Foerster ZHR 176 [2012], 221 ff.; Grooterhorst AG 2011, 389, 390 ff.; Lange FS A. Reuter, 2021, 209 ff.; Ruchatz AG 2015, 1, 2 ff.; Wilsing FS Henssler, 2023, 1333, 1335 ff.). ZT wird hier restriktive Linie mit dem Argument propagiert, dass keine Partei gehalten sei, Gegner Material für dessen Prozesssieg zu verschaffen (so insbes. Krieger FS U. H. Schneider, 2011, 717, 726 ff., 732 unter Berufung auf BGH NJW 1990, 3151). Argument wird jedoch entkräftet, wenn man Anspruch aus § 810 BGB analog grds. anerkennt, was eher **großzügige Handhabung** nahelegt (Bachmann FS Thümmel, 2020, 27, 36). **110**

Anspruch muss deshalb jedenfalls sämtliche Unterlagen erfassen, die Umstände betreffen, für die ausgeschiedenes Mitglied **darlegungs- und beweispflichtig** ist, also Pflichtwidrigkeit und Verschulden (MüKoAktG/Spindler Rn. 235; Krieger FS U. H. Schneider, 2011, 717, 726; Ph. Scholz ZZP 133 [2020], 491). Da sich Sachverhalt indes oft nicht trennscharf einzelnen Tatbestandselementen zuordnen lassen wird, sprechen gute Gründe dafür, auf letztgenannte Einschränkung zu verzichten (Bachmann FS Thümmel, 2020, 27, 34 f.; Groh ZIP 2021, 724, 727 f.; zu einzelnen Erfüllungsmodalitäten vgl. Lange FS A. Reuter, 2021, **111**

209, 226 ff.; zur prozessualen Durchsetzung Wilsing FS Henssler, 2023, 1333, 1338 ff.). Umstr. ist ferner, ob auch erst **nach Ausscheiden erstellte Unterlagen** erfasst sein sollen (dafür Bachmann FS Thümmel, 2020, 27, 37; Groh ZIP 2021, 724, 727 f.; dagegen Foerster ZHR 176 [2012], 221, 236 f.; Ph. Scholz ZZP 133 [2020], 491, 523). Dagegen kann sprechen, dass nachträgliche Entwicklung zumeist Schadenshöhe betreffen wird, für die ohnehin AG darlegungspflichtig ist (→ Rn. 103). Lehnt man Beschränkung auf vom Vorstand beweispflichtige Umstände ab, wird aber auch dieses Argument zweifelhaft (vgl. auch Groh ZIP 2021, 724, 728 unter Hinweis auf Mitverschuldenseinwand). Auch dann dürfen sog **Sekundärunterlagen,** wie ARAG-Untersuchungen, Anwaltsgutachten etc., von Einsicht aber ausgeklammert bleiben (Groh ZIP 2021, 724, 728 f.; Lange FS A. Reuter, 2021, 209, 230 f.; weitergehend Bachmann FS Thümmel, 2020, 27, 37). Weitere Unsicherheiten drehen sich um Plausibilisierungsanforderungen bzgl. rechtl. Interesses nach § 810 BGB analog (eher hohe Anforderungen bei S/L/Sailer-Coceani Rn. 44; eher großzügig Bachmann FS Thümmel, 2020, 27, 35).

112 Auch wenn man in offenen Diskussionspunkten restriktiver Linie folgt, sollte Rspr. doch zumindest Beweisnöten, die aus verbleibenden Lücken erwachsen, gerade bei ausgeschiedenen Mitgliedern mit **dynamischer Handhabung der Beweislastregel** begegnen (→ Rn. 105 – vgl. auch AusschussB RestrukturierungsG BT-Drs. 17/3547, 12; Bachmann FS Thümmel, 2020, 27, 33 ff.; Born FS Bergmann, 2018, 79, 82 ff.; krit. Groh ZIP 2021, 724, 731 ff., der Lösung stattdessen – ebenfalls erwägenswert – in Zurückbehaltungsrecht sucht). Tats. hat BGH gerade in solchem Verhältnis sekundäre Beweislast der AG betont (BGHZ 152, 280, 285 = NJW 2003, 358; BGH BeckRS 2018, 32053 Rn. 18; ausf. v. Selle NZG 2023, 1199, 1202; sa Lange FS A. Reuter, 2021, 209, 215 ff., der daneben für materiell-rechtl. Ansprüche keinen Bedarf sieht). Namentl. wenn aufgrund langer Verjährungsfrist handels- und steuerrechtl. Aufbewahrungsfristen (§ 257 IV HGB, § 147 III AO) abgelaufen und Unterlagen vernichtet sind, soll dies nicht zu Lasten des Vorstandsmitglieds gehen (RegBegr. RestrukturierungsG BT-Drs. 17/3024, 81).

113 Vorstandsmitglied kann seine Rechtsposition aber nicht dadurch verstärken, indem es sich weigert, AG-Unterlagen herauszugeben, um Beweislage in potenzieller Anspruchssituation zu verbessern (BGH AG 2008, 743 Rn. 5). **Herausgabeanspruch aus § 667 BGB** erstreckt sich auch auf Kopien, und zwar unabhängig von konkretem Geheimhaltungsbedürfnis (BGH WM 1963, 160, 161 [zur GmbH]; AG 2008, 743 Rn. 8f [zum AR]). Jedenfalls de lege ferenda ist eine solche Gestattung zur Anfertigung von Kopien aber erwägenswert (Bachmann Gutachten zum 70. DJT, 2014, E 37; zu vertraglichen Erleichterungen Meckbach NZG 2015, 580, 584 f.; zu präventiven Dokumentationsobliegenheiten Born FS Bergmann, 2018, 79, 91; Finkel/Ruchatz BB 2017, 519 ff.). Aus Beratungspraxis wird berichtet, dass vereinzelt sogar pflichtwidrige Anfertigung von Kopien empfohlen wird, da Risiken späterer Inanspruchnahme als gravierender angesehen werden als Folgen eines solchen Verstoßes. Sicherlich vorzugswürdig ist, schon zu Beginn des Anstellungsverhältnisses entspr. kautelarjur. Vorsorge zu treffen (Wilsing FS Henssler, 2023, 1333, 1340 ff.).

114 Einzig zu Lasten der **Rechtsnachfolger eines Vorstandsmitglieds** gilt Beweislastumkehr nicht (eingehend Fleischer/Danninger AG 2020, 193 Rn. 10 ff.; sa KK-AktG/Cahn Rn. 164; MüKoAktG/Spindler Rn. 239; Krieger FS U. H. Schneider, 2011, 717, 719; Wentz/Döding WM 2020, 1458 ff.; aA HdB Managerhaftung/Born Rn. 16.39; Bachmann FS Thümmel, 2020, 27, 38 ff.; U. Schmidt FS Heidel, 2021, 733 ff.; Ph. Scholz ZZP 133 [2020], 491, 526; für jedenfalls sekundäre Beweislast OLG Köln NZG 2020, 110 Rn. 72 ff.; auch dagegen Wentz/Döding WM 2020, 1458, 1461 f.; zweifelnd auch Fleischer/

Danninger AG 2020, 193 Rn. 16 ff.). Während sich für Organmitglied – selbst ausgeschiedenes – Sachnähe zumindest noch damit begründen lässt, dass es Vorgänge selbst miterlebt hat, lässt sie sich für Rechtsnachfolger in keiner Weise begründen, so dass teleologische Reduktion angezeigt ist (Fleischer/Danninger AG 2020, 193 Rn. 15).

Neue jur. Fragestellungen sind mit Inkrafttreten der **DS-GVO** aufgetreten, die in Art. 15 I, III 1 DS-GVO umfassendes anlass- und voraussetzungsloses Auskunftsrecht sowie Recht auf Zurverfügungstellung von Kopien personenbezogener Daten vorsieht, das zT auch ausgeschiedenen Vorstandsmitgliedern neue Beweismöglichkeiten verschaffen soll (dafür insbes. Korch/Chatard NZG 2020, 893 ff.). Diskussion ist noch im Fluss. Gegenstimmen sehen – in der Sache zu Recht – Gefahr einer Einebnung zivilprozessualer Beweisbelastung und zweifeln an praktischer Umsetzbarkeit (Reichert/Groh NZG 2021, 1381, 1383; vgl. auch LG Frankenthal BeckRS 2021, 42552 Rn. 140, 146). Auf Art. 15 I, III 1 DS-GVO gestütztes Auskunftsbegehren im Kontext eines Haftungsprozesses, mit dem offenkundig keine datenschutzrechtl. Zwecke verfolgt werden, sei unzulässig, da solche Ausforschungsmöglichkeit weder von Art. 15 DS-GVO bezweckt noch mit dem Beibringungsgrundsatz des deutschen Zivilprozessrechts vereinbar sei (LG Frankenthal BeckRS 2021, 42552 Rn. 140: keine pretrial discovery nach Art. 15 DS-GVO). Weiter wird vorgebracht, Anspruch sei schon tatbestandlich nicht erfüllt, weil nicht Geschäftsleiter, sondern AG selbst als **betroffene Person** anzusehen sei (Reichert/Groh NZG 2021, 1381, 1384). Dagegen spricht jedoch, dass natürliche Person nicht als Privatperson betroffen sein muss; es kommt vielmehr jeder beruflich Handelnde in Betracht (Paal/Pauly/Ernst DS-GVO Art. 4 Rn. 4 unter Verweis auf Ein-Personen-GmbH). Trotz Organfunktion kann für Vorstandsmitglied grds. Raum für Individualität und damit persönliche Betroffenheit verbleiben (ähnlich in Bezug auf öffentl. Funktionsträger vgl. BeckOK DatenschutzR/Schild DS-GVO Art. 4 Rn. 13). Auch instanzgerichtl. Rspr. stellt grds. Anwendbarkeit des Art. 15 DS-GVO nicht infrage (eindeutig LG Frankenthal BeckRS 2021, 42552 Rn. 134: Auskunftsanspruch „steht vom Grundsatz her außer Streit"; augenscheinlich auch LG Heidelberg BeckRS 2020, 3071). Korrektur könnte sich namentl. über **teleologische Reduktion** anbieten, da es im Kontext der Geschäftsleiterhaftung nicht um Ausübung von Datenschutzrechten geht, sondern allein Erhalt der Daten selbst bezweckt wird (Reichert/Groh NZG 2021, 1381, 1383 f.). Auch das ist indes nicht unbedenklich, da damit ehemaligem Vorstandsmitglied pauschal zweckwidrige Absicht unterstellt werden müsste. Lehnt man teleologische Reduktion deshalb ab, können Bedenken aber trotzdem dadurch Berücksichtigung finden, dass mögliche **Einwände der AG** gegen Auskunftsanspruch großzügig zugelassen werden. In Betracht kommen insbes. Einwände wegen exzessiver Anfragen des ehemaligen Geschäftsleiters nach Art. 12 V 2b) DS-GVO (vgl. Korch/Chatard NZG 2020, 893, 896 f.; zur Annahme unverhältnismäßigen Aufwands angesichts eines niedrigen Informationsinteresses LG Heidelberg BeckRS 2020, 3071 Rn. 24 f.; LG Frankenthal BeckRS 2021, 42552 Rn. 145 ff.) und missbräuchlichen Verhaltens (LG Frankenthal BeckRS 2021, 42552 Rn. 136 ff.: Rechtsmissbräuchlichkeit bei offenkundig datenschutzrechtswidrigen Motiven). Allerdings ist fraglich, ob Missbrauchseinwand im Kontext der DS-GVO überhaupt anerkannt wird (ausf. Korch/Chatard NZG 2020, 893, 897 f.). Teils wird ergänzend angebracht, ehemaliges Vorstandsmitglied müsse pauschales Auskunftsbegehren zunächst konkretisieren (so unter Verweis auf ErwG 63 der DS-GVO LG Frankenthal BeckRS 2021, 42552 Rn. 143). Richtigerweise begründet fehlende Konkretisierung aber kein Recht, Auskunftsbegehren zurückzuweisen (BeckOK DatenschutzR/Schmidt-Wudy DS-GVO Art. 15 Rn. 47; iE auch Paal/Pauly/Paal DS-GVO Art. 15 Rn. 8). Zum Einwand entgegenstehender Rechte und Freiheiten anderer 115

Personen gem. Art. 15 IV DS-GVO vgl. Korch/Chatard NZG 2020, 893, 895 und Reichert/Groh NZG 2021, 1381, 1384 f.

116 **4. Gesamtschuldnerische Haftung auf Schadensersatz.** Vorstandsmitglied schuldet Schadensersatz nach §§ 249 ff. BGB, nicht sonstige Ersatzleistung. Sind mehrere verantwortlich, so haften sie nach § 93 II 1 als Gesamtschuldner (§§ 421 ff. BGB), und zwar auch bei sukzessiver Amtsführung (Freund GmbHR 2013, 784, 785 f.). Greift **Regressreduzierung** zugunsten eines Vorstandsmitglieds (→ Rn. 96 ff.) und liegt daher gestörte Gesamtschuld vor, ist diese zu Lasten mithaftender Vorstandsmitglieder aufzulösen, dh diese können von AG umfänglich in Anspruch genommen werden und müssen sich im Rahmen des Gesamtschuldnerausgleichs die Haftungsprivilegierung entgegenhalten lassen (Bayer/Scholz NZG 2014, 926, 934; Guntermann/Noack FS Grunewald, 2021, 253, 265 f.). Ebenfalls vertretene Lösung zu Lasten der AG durch Anspruchskürzung auch ggü. dem nicht privilegierten Vorstandsmitglied (Brommer AG 2013, 121, 130; Casper ZHR 176 [2012], 617, 643 f.; Schnorbus/Ganzer WM 2015, 1877, 1881) ist weniger sachgerecht (eingehend Guntermann/Noack FS Grunewald, 2021, 253, 265 f.). Dadurch bewirkte Besserstellung des nicht privilegierten Mitglieds erscheint jedenfalls dann nicht angemessen, wenn Privilegierung grds. sämtlichen Vorstandsmitgliedern zur Verfügung steht, das nicht privilegierte Mitglied aber deren Voraussetzungen nicht erfüllt (Guntermann/Noack FS Grunewald, 2021, 253, 265). Zur Gesamtschuld zwischen Vorstand und AR → § 116 Rn. 13.

117 Gesamtschuld kann auch mit für Schadensentstehung **verantwortlichem AN** bestehen, doch sind konkrete Folgen in diesem Fall str. ZT wird angenommen, dass Vorstandsmitglied voll in Anspruch genommen werden könne, ohne dass es Möglichkeit des Rückgriffs bei einem nach Grundsätzen beschränkter AN-Haftung freigestellten AN hat (Bayer/Scholz ZGR 2016, 619, 621 ff.). Im Lichte allg. Grundsätze der gestörten Gesamtschuld erscheint es dagegen aufgrund des vertraglichen Ursprungs überzeugender, in diesem Fall Kürzung des Anspruchs gegen das Vorstandsmitglied um Verantwortungsteil des freigestellten AN anzunehmen. Anderenfalls würde Vertrag Charakter eines Vertrags zulasten Dritter haben (überzeugend Groh, Einstandspflichten und gestörte Gesamtschuld, 2020, 168 ff.; C. Schäfer/Groh FS Ebke, 2021, 855, 863).

118 Zum Zwecke des Gesamtschuldnerausgleichs kann sich aus Sicht des in Anspruch genommenen Vorstandsmitglieds **Streitverkündung** empfehlen (ausf. MHdB CL/J. Koch § 30 Rn. 47 f.; Reichert/Suchy NZG 2017, 88, 90 f.), mit der namentl. auch drohende Verjährung unterbrochen werden kann (Einzelheiten bei S. Fischer ZIP 2014, 406 ff.). Zu beachten sind insofern aber abw. Verjährungsfristen für Rückgriffsanspruch aus § 426 BGB, aus der „Verjährungsfalle" resultiert, die allerdings durch Streitverkündung weitgehend neutralisiert werden kann (Guntermann AG 2017, 606, 609 f.; zweifelnd Fassbach/Wettich KSzW 2016, 269, 276 f.). Umgekehrt trägt später in Anspruch genommenes Organmitglied das Risiko einer nicht ausreichenden D&O-Versicherungssumme, dem durch entspr. Vertragsgestaltung im Vorfeld Rechnung getragen werden sollte (Fassbach/Wettich KSzW 2016, 269, 277 ff.; Reichert/Suchy NZG 2017, 88, 89 f.; eingehend zur Verquickung von Gesamtschuld und D&O-Versicherung Guntermann/Noack FS Grunewald, 2021, 253, 266 ff.).

119 Hinsichtlich der Haftungshöhe sind Unterschiede in der Verantwortlichkeit, etwa wegen bes. **Ressortverantwortung,** im Verhältnis zur AG ohne Belang, finden aber im Regressprozess Berücksichtigung, weil iRd § 426 BGB auch § 254 BGB für das **Innenverhältnis** entspr. gilt (KK-AktG/Cahn Rn. 20; Freund GmbHR 2013, 785, 787 ff.; Guntermann AG 2017, 606, 607). Für Innenausgleich maßgeblich ist in erster Linie Anteil des jew. Schädigers an Ver-

ursachung des Schadens; Grad des jew. Verschuldens ist allenfalls in zweiter Linie zu berücksichtigen (eingehend Guntermann/Noack FS Grunewald, 2021, 253, 256). Gesteigerte Verantwortung des Vorstandsvorsitzenden ist aus den zu → § 77 Rn. 15c, → § 84 Rn. 29 genannten Gründen zu verneinen (aA GK-AktG/Hopt/Roth Rn. 465; in der Tendenz auch Guntermann/Noack FS Grunewald, 2021, 253, 259 f.).

Innenausgleich zwischen **Handlungs- und Überwachungsverantwortlichen** orientiert sich an Wertung des § 840 II BGB (ausf. Guntermann/Noack FS Grunewald, 2021, 253, 256 ff.). Überwachungsversagen des AR kann handelnden Vorstand dementspr. idR nicht entlasten (BGH NZG 2015, 38 Rn. 22; GK-AktG/Hopt/Roth Rn. 404, 465; Burgard/Heimann NZG 2016, 166, 170 f.; Guntermann/Noack FS Grunewald, 2021, 253, 260 f.; zumindest für die AG auch Bayer/Scholz GmbHR 2016, 841, 850; aA MüKoAktG/Habersack § 116 Rn. 78; Segna ZIP 2015, 1561, 1566 f.; zurückhaltend bzgl. Anwendung des § 840 II BGB C. Schäfer/Groh FS Ebke, 2021, 855, 860 f.). § 93 II 2 gilt für Regress nach § 426 I BGB nicht (GK-AktG/Hopt/Roth Rn. 467 ff.), wohl aber für Regress nach § 426 II BGB (Guntermann AG 2017, 606, 608 f.). Im Vergleichs-, Verzichts- und Erlassfall gelten allg. Grundsätze der Einzel- und Gesamtwirkung je nach Auslegung der Vereinbarung, die deshalb mit gehöriger kautelarjuristischer Sorgfalt abgefasst werden muss (Einzelheiten: Guntermann AG 2017, 606, 610 ff.). 120

5. Gerichtliche Zuständigkeit. Sachliche Zuständigkeit liegt wegen § 5 I 3 ArbGG nicht bei Arbeitsgerichten, sondern bei ordentlichen Gerichten, doch soll nach neuerer arbeitsgerichtl. Rspr. für ausgeschiedene Vorstände § 5 I 3 ArbGG nicht gelten (→ § 84 Rn. 70). Wegen idR bestehenden Dienstverhältnisses bleibt es dennoch bei Zuständigkeit der ordentlichen Gerichte (→ § 84 Rn. 70). **Örtlich zuständig** für Schadensersatzklage der AG ist nicht nur nach §§ 13 ff. ZPO zu bestimmendes Gericht; vielmehr ist auch bes. Gerichtsstand des § 29 ZPO (aber nicht derjenige des § 32 ZPO) gegeben (KK-AktG/Cahn Rn. 9). Entscheidend ist iRd § 29 ZPO nicht dogmatische Einordnung des Haftungstatbestands, sondern rechtsgeschäftlicher Charakter des Organverhältnisses. Erfüllungsort liegt insofern am Sitz der AG (BGH NJW-RR 1992, 800; OLG München NZG 2017, 235). Da weisungsfreier Vorstand nicht dem unionsrechtl. AN-Begriff unterfällt (→ § 76 Rn. 150), ergibt sich auch aus Art. 22 Brüssel Ia-VO kein anderes Ergebnis (ausf. Hübner ZGR 2016, 897 ff., 910). Um Prozessrisiko bei rechtsformtypisch hohen Schadenssummen (→ Rn. 3) gering zu halten, kann sich Teil- oder Feststellungsklage empfehlen (MHdB CL/J. Koch § 30 Rn. 71). 121

6. D&O-Versicherung; obligatorischer Selbstbehalt. a) Allgemeines. 122
Haftungsrisiko ist im Rahmen sog D&O-Versicherung versicherbar, die zum einen unternehmerische Initiative des Vorstands beflügeln, zugleich aber auch solventen Schuldner für Regressansprüche gewährleisten soll (zu dadurch bedingten Verzerrungen des Haftungsregimes → Rn. 1 f.). Durch VorstAG 2009 angefügter § 93 II 3 bestätigt Versicherbarkeit, führt aber zugleich obligatorischen Selbstbehalt ein und will damit **Präventionswirkung** erzielen, nämlich Abschreckung der Vorstandsmitglieder von pflichtwidrigem Handeln (AusschussB BT-Drs. 16/13433, 11; krit. Mesch VersR 2015, 1337 ff.). Allg. Pflicht zur Versicherung aus ges. Fürsorgepflicht ist jenseits bes. Risikolagen abzulehnen (Happ/Möhrle FS Seibert, 2019, 273, 277 ff.), doch kann fehlender Versicherungsschutz Regressreduzierung nach den in → Rn. 96 ff. dargelegten Grundsätzen rechtfertigen (J. Koch AG 2012, 429, 439; zust. Happ/Möhrle FS Seibert, 2019, 273, 278; ähnlich KK-AktG/Cahn Rn. 269). Zur dienstvertraglichen Ausgestaltung s. Hemeling FS Hoffmann-Becking, 2013, 491, 506 ff. Zur Frage einer gemein-

samen oder getrennten Versicherung von Vorstand und AR Armbrüster NJW 2016, 897, 898 ff.; Wettich AG 2015, 681, 684 f.; generell zum Charakter als Gruppenversicherung Dreher/Fritz VersR 2021, 220 ff.; zum neueren Phänomen sog konzerneigener Captive-Versicherung Bücker/Franzmann AG 2021, 421 ff.; Schaloske/Ruks VersR 2022, 857 ff.; Tremurici VersR 2022, 541 ff.

123 **b) Zuständigkeit.** Zuständigkeit für Abschluss der Versicherung liegt nicht bei AR, sondern **Vorstand** (BeckOGK/Fleischer Rn. 286 ff.; GK-AktG/Hopt/Roth Rn. 434; GK-AktG/Kort § 84 Rn. 447, § 87 Rn. 155; Franz DB 2011, 2019 ff.; Happ/Möhrle FS Seibert, 2019, 273, 281 ff.; Lüneborg/Resch AG 2017, 691, 694; v. Schenck NZG 2015, 494, 497; Splinter, Aktienrechtliche Organhaftung und D&O-Versicherung, 2021, 45 ff.; aA Armbrüster FS K. Schmidt, Bd. I, 2019, 23 ff.; Kumpan FS Hopt, 2020, 631, 638 ff.; Ulmer FS Canaris, Bd. II, 2007, 451, 471). Zwar kann sie aus Vorstandssicht als Teil der Vergütung erscheinen, doch besteht auch erhebliches Eigeninteresse der AG, namentl. an Sicherung der Vollstreckungsaussichten bei Innenhaftungsansprüchen (vgl. auch Beschlussempfehlung RAusschuss VorstAG BT-Drs. 16/13433, 11). Gegenansicht nimmt für Versicherung des Vorstands Zuständigkeit des AR an, für Versicherung des AR aber Grundzuständigkeit der HV, die dann noch um Detailgestaltung durch Vorstand ergänzt werden soll (Armbrüster NJW 2016, 897, 900 f.; Kumpan FS Hopt, 2020, 631, 649 f. – weitere Nachw. in → § 113 Rn. 5). Das führt dazu, dass alle drei Gesellschaftsorgane in Abschluss einer Gruppenversicherung einzubeziehen wären, was wenig praktikabel erscheint. Finanzbehördliche Behandlung als betrieblich veranlasster Aufwand bestätigt diese Einordnung (Hemeling FS Hoffmann-Becking, 2013, 491, 492 f. unter Verweis auf Erl. FM Niedersachsen v. 25.1.2002 DStR 2002, 678). Folgt man ihr, ist allerdings Zustimmungsvorbehalt nach § 111 IV 2 zu empfehlen (S/L/Sailer-Coceani Rn. 56).

124 **c) Inhaltliche Reichweite.** D&O-Versicherung ist Versicherung für fremde Rechnung iSd §§ 43 ff. VVG, auf die Vorschriften über Haftpflichtversicherung nach §§ 100–112, 210 VVG anwendbar sind (Hemeling FS Hoffmann-Becking, 2013, 491, 493; zur möglichen Ergänzung durch Eigenschadenklauseln vgl. Cyrus NZG 2018, 7, 9 ff.; zur Alternative einer D&O-Individualversicherung Dreher FS Bergmann, 2018, 145 ff.). Nach OLG Düsseldorf NZG 2019, 1310 Rn. 72 ff. soll sie bei bislang üblicher vertraglicher Erstreckung auf Vermögensschäden Ansprüche aus **Insolvenzverschleppung** nach § 64 S. 1 GmbHG aF (heute: § 15b IV [→ § 92 Rn. 42 f.]) nicht erfassen (ähnlich schon OLG Celle BeckRS 2016, 125428 Rn. 38; sympathisierend OLG München v. 4.3.2019 – 25 U 3606/17 [uv]; Cyrus NZG 2018, 7, 8 f.). Dem ist BGH im Anschluss an ganz hLit zu Recht unter Hinweis auf **übliche Erwartungshaltung** des durchschnittlichen Versicherungsnehmers entgegengetreten (BGH NZG 2021, 291 Rn. 10 ff.; krit. zuvor auch bereits etwa Drescher, Die Haftung des GmbH-Geschäftsführers, 8. Aufl. 2019, Rn. 474; Altmeppen ZIP 2020, 937, 942 ff.; Bauer/Malitz ZIP 2018, 2149 ff.; Brinkmann FS Bergmann, 2018, 95, 101 ff.; Markgraf/Henrich NZG 2018, 1290 ff.; Möhrle AG 2019, 243, 244 ff.). Daran ändert auch Qualifizierung des Ersatzanspruchs als **Ersatzanspruch eigener Art** (in Abgrenzung zu deliktischem Anspruch – vgl. BGH NZG 2010, 346 Rn. 10; NZG 2011, 624 Rn. 20; NZG 2020, 260 Rn. 15; NZG 2021, 291 Rn. 20) nichts, weil auch nichtdeliktischer Anspruch trotzdem Schadensersatzanspruch bleibt (zutr. Altmeppen ZIP 2020, 942 f.). Neue Ausgestaltung des Anspruchs in § 15b IV InsO, der in § 15b IV 2 InsO ausdr. Ersatzpflicht auf den der Gläubigerschaft entstandenen „Schaden" begrenzt (→ § 92 Rn. 42 f.), bekräftigt diese Einordnung (Brinkmann/Schmitz-Justen ZIP 2021, 24, 25; bei der Kellen EWiR 2021, 7, 8; Splinter, Aktienrechtliche Organhaftung und D&O-Versicherung,

2021, 48 ff.). Genaue Zuordnung kann allerdings im Einzelfall auch weiterhin von konkreter vertraglicher Ausgestaltung abhängen, die mittlerweile als Reaktion auf instanzgerichtl. Rspr. zumeist auch diese Fälle umfasst.

IÜ gilt sog **claims-made-Prinzip,** wonach als Versicherungsfall nicht schadenstiftendes Ereignis gilt, sondern erstmalige Geltendmachung eines Haftpflichtanspruchs gegen eine versicherte Person durch Dritte oder durch Versicherungsnehmer. Das hat zur Folge, dass gültiger Versicherungsvertrag im Zeitpunkt der Geltendmachung bestehen muss (zu daraus resultierenden Schwierigkeiten Hemeling FS Hoffmann-Becking, 2013, 491, 493 ff., 497 ff.; Lüneborg/Resch AG 2017, 691, 692 ff.; Splinter, Aktienrechtliche Organhaftung und D&O-Versicherung, 2021, 53 f.; Terno SpV 2014, 2, 7 ff.). Weitere Ausgestaltung nach **Allgemeinen Versicherungsbedingungen** für die Vermögensschaden-Haftpflichtversicherung von Aufsichtsräten, Vorständen und Geschäftsführern (AVB-AVG), die in der Praxis allerdings nur in deutlich modifizierter Form Anwendung finden. 125

d) Anspruchsstruktur. Anspruch steht Organmitglied zu und ist auf **Freistellung und Rechtsschutz** gerichtet (Brinkmann ZIP 2017, 301, 303). Sofern es – wie in der Praxis häufig – nicht zu außergerichtl. Klärung kommt, muss Klage der AG zunächst gegen Organmitglied gerichtet werden. Prozessablauf wird in der Praxis allerdings wesentlich durch **Einbeziehung des Versicherers** geprägt, der nach herkömmlichen Versicherungsbedingungen etwa in Auswahl des Rechtsanwalts einzubeziehen ist (MHdB CL/J. Koch Rn. 65). Häufig wird Versicherer dem Rechtsstreit im Wege der Nebenintervention (§ 66 ZPO) als Streithelfer auf Beklagtenseite beitreten und in diesem Fall selbst Klageabweisungsantrag stellen (Fassbach BOARD 2014, 156, 157 f.). Auch ohne solche Nebenintervention korrespondiert mit Einflussmöglichkeiten **Bindung des Versicherers** an die vom Gericht getroffenen Feststellungen. Sie soll verhindern, dass AG Prozess gegen Organmitglied gewinnt, Versicherer aber trotzdem im Deckungsprozess fehlende Haftpflicht einwendet (Brinkmann ZIP 2017, 301, 302). Bindung ist in diesem Fall aber nicht prozessualer Natur, sondern wird materiellrechtl. als Verzicht des Versicherers, fehlende Haftpflicht einzuwenden, aus dem Versicherungsvertrag abgeleitet, ggf. im Wege ergänzender Vertragsauslegung (Brinkmann ZIP 2017, 301, 302). 126

e) Möglichkeit der Abtretung. Um umweghafte Inanspruchnahme des Organmitglieds zu vermeiden, wird AG zumeist Interesse an **direkter Inanspruchnahme** des Versicherers haben (zur Motivlage s. Brinkmann ZIP 2017, 301, 302 f.). Zu diesem Zweck kann Freistellungsanspruch an AG abgetreten oder von ihr gepfändet werden. Abtretungsverbot ist nach § 108 II VVG unzulässig, und zwar auch ggü. AG (BGHZ 209, 373 Rn. 32 ff. = NZG 2016, 745; BGH AG 2016, 395 Rn. 24 ff. mwN). Ausn. besteht nach § 210 I VVG für Großrisiken iSd § 10 I 2 Nr. 3 EGVVG; hier scheitert **formularmäßiges Abtretungsverbot** auch nicht an § 307 I, II Nr. 1 BGB iVm § 108 II VVG als ges. Leitbild, da derartige Einschränkungen durch § 210 I VVG gerade aufgehoben werden sollen (so die hM – vgl. Doralt ZGR 2019, 996, 1029; Dreher/Thomas ZGR 2009, 31, 48 – aA etwa Armbrüster NJW 2016, 2155, 2156; Grunwald VersR 2020, 1423, 1425 f.). § 93 IV 3 steht **Abtretung** auch iVm pactum de non petendo nicht entgegen, sofern sie – was in der Praxis Regelfall ist (Böttcher NZG 2008, 645, 649) – nur erfüllungshalber (und nicht an Erfüllungs statt) erfolgt (Brinkmann ZIP 2017, 301, 303; Harzenetter NZG 2016, 729, 730 f.; Löbbe FS Marsch-Barner, 2018, 317, 327 ff.; ausf. und zT krit. Unmuth AG 2020, 890 Rn. 1 ff.). ZT angenommene Anwendung auf vorübergehende Stillhaltevereinbarung (Unmuth AG 2020, 890 Rn. 20 ff.) berücksichtigt nicht hinreichend, dass Zweck nicht befristete Verschonung des Organmitglieds ist, sondern verbesserte Durch- 127 setzung des Deckungsanspruchs ggü. wirtschaftlich stärkerer Versicherung (Löbbe FS Marsch-Barner, 2018, 317, 328). Versicherer stehen Abtretung meist eher skeptisch ggü., da „friendly understanding" zwischen Vorstand und AG befürchtet wird, das nicht gegeben ist, wenn Vorstand zunächst selbst in Abwehrposition bleibt (Schimmer VersR 2008, 875, 878 f.).

128 Freistellungsanspruch wandelt sich mit Abtretung in Zahlungsanspruch um (BGH AG 2016, 395 Rn. 30; BGHZ 209, 373 Rn. 22), der im Direktprozess geltend zu machen ist, und zwar – soweit vorhanden – bei Spezialkammer für Versicherungsrecht (Lange, D&O-Versicherung und Managerhaftung, 2014, § 21 Rn. 36; Brinkmann ZIP 2017, 301, 305). Für Geltendmachung ist nach hM **Vorstand selbst zuständig** (BeckOGK/Fleischer Rn. 288; Lange, D&O-Versicherung und Managerhaftung, 2014, § 21 Rn. 36; Brinkmann ZIP 2017, 301, 304; aA Groterhorst/Looman NZG 2015, 215, 218; für Doppelvertretung: Harzenetter NZG 2016, 728, 731 f.). Das ist im Lichte des § 112 jedoch nicht unbedenklich. Zwar tritt Vorstand mit Abtretung wieder in das Lager der AG, womit Interessenkonflikt rein formal neutralisiert wird, doch wird man zumindest amtierenden Vorstand kaum als neutralen Akteur ansehen können, wenn es um Beurteilung seiner eigenen Pflichtwidrigkeit geht. Anderes Ergebnis mag bei ausgeschiedenem Vorstand gelten, wo § 112 AktG ohnehin nur im Analogieweg Anwendung findet (→ § 112 Rn. 4). Da Rechtslage nicht geklärt ist, wird der Praxis bis auf weiteres Doppelvertretung zu empfehlen sein (Brinkmann ZIP 2017, 301, 304; Löbbe FS Marsch-Barner, 2018, 317, 333 f.). Entgegen vereinzelter Tendenzen in instanzgerichtl. Rspr. (OLG Düsseldorf NJOZ 2014, 1807, 1809; OLG Düsseldorf r+s 2014, 122, 123) muss für Direktprozess nicht Nachweis erbracht werden, dass geschädigte AG ernstlich beabsichtigt, Organmitglied in Anspruch zu nehmen, sofern Direktklage erfolglos bleibt (begrüßenswerte Klarstellung in BGH AG 2016, 395 Rn. 31 ff.; BGHZ 209, 373 Rn. 23 ff.; sa schon R. Koch VersR 2013, 1525 ff.; zust. und mwN zur praktischen Umsetzung Harzenetter NZG 2016, 728, 729 ff.; R. Koch VersR 2016, 765 ff.).

129 Auch wenn Abtretung (→ Rn. 127) aus Gesellschaftssicht grds. sinnvoll erscheint, um direkte Auseinandersetzung mit Vorstandsmitglied zu vermeiden, macht Praxis davon doch nur zurückhaltend Gebrauch, da in dieser Konstellation nach hM **Beweislastumkehr** gem. § 93 II 2 zu Lasten des Versicherers nicht gelten soll (GK-AktG/Hopt/Roth Rn. 452; Armbrüster NJW 2016, 897, 898; Böttcher NZG 2008, 645, 648 f.; Brinkmann ZIP 2017, 301, 306 ff.; Dreher/Thomas ZGR 2009, 31, 43 ff.). Ebenfalls verbreitete Gegenauffassung bejaht teils direkte, teils analoge Anwendung des § 93 II 2 (für direkte Anwendung Baur/Holle AG 2017, 141, 143 ff.; Löbbe FS Marsch-Barner, 2018, 317, 331 ff.; U. Schmidt FS Heidel, 2021, 733, 745 ff.; für analoge Anwendung Harzenetter NZG 2016, 728, 732; Ph. Scholz ZZP 133 [2020], 491, 527 f.; Splinter, Aktienrechtliche Organhaftung und D&O-Versicherung, 2021, 137 ff.). Unmittelbare Anwendung bleibt im Lichte des Wortlauts des § 93 II 2 indes zweifelhaft (aA Baur/Holle AG 2017, 141, 143). Für zumindest analoge Anwendung sprechen in der Sache aber durchaus starke Argumente. So ist es schwer einsichtig, warum sich durch die – vom Gesetzgeber im Jahr 2008 bewusst gestattete – Abtretung Beweissituation und damit Umfang des versicherten Risikos derart zu Gunsten des Versicherers verschieben soll (Baur/Holle AG 2017, 141, 146 f.). Die § 93 II 2 zugrunde liegende bes. Sachnähe des Vorstandsmitglieds setzt sich wegen **Informationsrechts aus § 31 II VVG** auch auf Seiten des Versicherers fort, zumal dieser von AG nach § 31 I VVG weitere Auskünfte anfordern kann (zum Auskunftsanspruch nach § 31 VVG vgl. Ruchatz AG 2015, 1, 6 ff.). Rechtsfortbildender Analogieschluss erfordert jedoch nicht nur rechtspolitische Plausibilität, sondern höheren Grad an gedanklicher Zwangsläufigkeit, der aus **Vergleichbarkeit** des geregelten und ungeregelten Falles abzuleiten ist. In diesem Licht ist hM aber zuzugestehen, dass Position des Versicherers auch durch Informationsrechte derjenigen des Vorstandsmitglieds nicht vollständig gleichgestellt wird. Erforderliche Informationen muss er sich erst auf der Grundlage entspr. Auskunftsobliegenheiten verschaffen und deren Verletzung im Zweifel beweisen, was ihm dadurch erschwert wird, dass Vorstand in dieser Konstellation im Lager des Streitgegners AG stehen wird (überzeugend Brinkmann ZIP 2017, 301, 307 f.). Methodisch steht Analogieschluss daher auf schwankendem Fundament, weshalb der Praxis derzeit von Abtretungslösung abgeraten werden muss.

f) Besonderheiten der gerichtlichen Durchsetzung. Unterliegt AG im Direktprozess mit Versicherer, ist sie ggü. Versichertem nicht an Ergebnis gebunden, da Entscheidung – selbst bei Nebenintervention des Organmitglieds – **keine Rechtskraft** in diesem Verhältnis entfaltet; Organ ist im Verhältnis zum Versicherer dagegen an Wirkung des abweisenden Urteils gebunden (Einzelheiten str. – vgl. Brinkmann ZIP 2017, 301, 305 mwN). Um diese für das Organ misslichen Folgen zu vermeiden, wird Abtretungsvertrag die materiell-rechtl. Abrede entnommen, Feststellung des Nichtbestehens der Haftpflichtforderung auch im Verhältnis zur AG gelten zu lassen (MüKoVVG/Wandt § 108 Rn. 139; Armbrüster r+s 2010, 441, 451; Brinkmann ZIP 2017, 301, 305 f.). Zu den Folgen eines obsiegenden Urteils → Rn. 126. 130

g) Ausgestaltung des Selbstbehalts. Konkrete Höhe des in § 93 II 3 vorgesehenen Selbstbehalts ist grds. Vertragsschließenden zu überlassen. § 93 II 3 schreibt nur Mindesthöhe vor: 10 % des jeweiligen Einzelschadens, jährlich jedoch nicht mehr als das 1,5-fache der Jahresfestvergütung, nicht der Jahresvergütung iSd Gesamtbezüge (AusschussB BT-Drs. 16/13433, 11; zu gängigen Versicherungsmodellen vgl. Franz DB 2011, 2019, 2023 ff.). **Versicherung des Selbstbehalts** ist de lege lata zulässig (zu Einzelheiten Splinter, Aktienrechtliche Organhaftung und D&O-Versicherung, 2021, 122 ff.), rechtspolitisch aber wenig wünschenswert, da er gewünschte Präventionswirkung konterkariert (statt vieler Thüsing AG 2009, 517, 526). 131

Offen bleibt, welche **Rechtsfolgen** eintreten, wenn Versicherung ohne Selbstbehalt abgeschlossen wird. Um Verbotsgesetz iSd § 134 BGB handelt es sich nach zutr. hM nicht (BeckOGK/Fleischer Rn. 306; GK-AktG/Hopt/Roth Rn. 459; KK-AktG/Cahn Rn. 278; Dauner-Lieb/Tettinger ZIP 2009, 1555, 1556; Hohenstatt ZIP 2009, 1349, 1354; aA Gaedtke VersR 2009, 1565, 1567 ff.; R. Koch AG 2009, 637, 639 [ggü. AG]). So vorzugehen, ist für handelnde Organpersonen allerdings pflichtwidrig und potenziell haftungsbegründend (insbes. hinsichtlich eventueller Prämiendifferenz). IÜ folgt aus dem Rechtsgedanken des § 93 IV 3, dass AG Ansprüche gegen Vorstandsmitglieder jedenfalls iHd Mindestvorbehalts geltend machen kann. Einzelfragen zum und Kritik am Selbstbehalt bei Dauner-Lieb/Tettinger ZIP 2009, 1555 ff.; Franz DB 2009, 2764 ff.; Harzenetter DStR 2010, 653 ff.; van Kann NZG 2009, 1010, 1011 ff.; Kerst WM 2010, 594 ff.; R. Koch AG 2009, 637, 643 ff.; Olbrich/Kassing BB 2009, 1659 ff. **Übergangsregelung** ist in § 23 I EGAktG getroffen. Wenig glücklich formulierte Regelung ist so zu verstehen, dass Altverträge nach Ablauf der Übergangsfrist bis 30.6.2010 von den Vertragsparteien durch Vereinbarung eines Selbstbehalts ergänzt werden müssen, sofern Vorstandsmitglieder nicht nach ihrem Anstellungsvertrag Anspruch auf D&O-Versicherung ohne Selbstbehalt haben (Jaeger/Balke ZIP 2010, 1471, 1479; Seibert WM 2009, 1489, 1492; sa Hohenstatt ZIP 2009, 1349, 1354). Nicht anzunehmen ist also, dass sich Inhalt von Altverträgen kraft Ges. ändert. 132

7. Weitere Haftungsbeziehungen. a) Allgemein. In § 93 II enthaltene Anordnung einer Binnenhaftung führt zu grds. **Haftungskonzentration** des Vor- 133 stands ggü. AG und schließt damit zumindest für Regelfall Organaußenhaftung aus (BeckOGK/Fleischer Rn. 380; ausf. Schirmer, Das Körperschaftsdelikt, 2015, 216 ff.). Das hat insbes. den Vorteil der Gläubigergleichbehandlung, da Ersatzleistung allen Aktionären in gleicher Weise zugute kommt (BeckOGK/ Fleischer Rn. 380). Diese Haftungskonzentration kann aber durch Ersatzvorschriften außerhalb des Aktienrechts durchbrochen werden; insofern entfaltet aktienrechtl. Konzept **keine Sperrwirkung.** Allerdings darf dieses Konzept auch nicht ausgehöhlt werden, was namentl. dort zu befürchten steht, wo über deliktische Generalklausel des § 823 I BGB (namentl. iVm Organisationspflichten), Schutzgesetze nach § 823 II BGB oder § 826 BGB auch weit gefasste Organverantwortlichkeit begründet werden kann (→ Rn. 143 ff.).

134 **b) Schädigung der Aktionäre. (1) Haftung aus § 823 II BGB.** Aktionäre können aus § 93 II keine Ansprüche herleiten. § 93 ist auch nicht zu ihren Gunsten Schutzgesetz iSd § 823 II BGB (ganz hM, s. zB BGHZ 194, 26 Rn. 23 = NJW 2012, 3439 MüKoAktG/Spindler Rn. 363, 373). Auch Anspruch der AG können sie (anders als nach § 309 IV, § 310 IV, § 317 IV, § 318 IV) nicht geltend machen. In Betracht kommt jedoch Ersatzanspruch aus § 823 II BGB, soweit andere Norm **Schutz der Aktionäre bezweckt** und verletzt ist.

135 Als solche **Schutzgesetze** sind insbes. anerkannt: § 399 (BGHZ 105, 121, 124 f. = NJW 1988, 2794; OLG München ZIP 2004, 462; aA OLG München AG 2004, 149, 150) und § 400 (RGZ 157, 213, 216; BGH NJW 2005, 2450, 2451 und 2453; BGHZ 192, 90 Rn. 18 = NJW 2012, 1800; OLG Düsseldorf AG 2011, 706, 707; OLG Frankfurt AG 2019, 217). Für § 266 StGB ist Schutzgesetzeigenschaft umstr., richtigerweise aber zu verneinen, da Treuverhältnis nur zur AG besteht (BGHSt 51, 29 Rn. 9 f. = NJW 2006, 1984 [zur GmbH]; LG Wiesbaden NZG 2016, 832; Hölters/Weber/Hölters/Hölters Rn. 349; GK-AktG/Hopt/Roth Rn. 632 f.; MüKoAktG/Spindler Rn. 375 ff.). Ausdr. abgelehnt wurde Einordnung als Schutzgesetz zugunsten der Aktionäre für § 15a InsO (anders aber für Gläubiger; → § 92 Rn. 45). Für § 92 ist Einordnung str., richtigerweise aber zu verneinen (→ § 92 Rn. 11).

136 Bes. intensiv diskutiert wird – sowohl für Aktionäre als auch für Dritte – Schutzgesetzeigenschaft von einzelnen **kapitalmarktrechtlichen Vorschriften,** doch ist Rspr. bislang auch insofern zurückhaltend (vgl. etwa zu § 20a WpHG aF [jetzt Art. 12, 15 MAR] BGHZ 192, 90 Rn. 20 ff.; zu § 15 WpHG aF [jetzt Art. 17 MAR] BGHZ 160, 134, 138 f. = NZG 2004, 816; OLG Frankfurt AG 2019, 217, 220; zu §§ 31 ff. WpHG aF [jetzt §§ 63 ff. WpHG] BGH AG 2013, 803 Rn. 21 ff.; OLG Schleswig AG 2013, 689 ff.; krit. Schwark/Zimmer/ J. Koch/Harnos KMRK § 70 Rn. 114 ff.; zu § 37y WpHG aF [jetzt: § 117 WpHG] LG Wiesbaden NZG 2016, 832, 833). Ob sich im Zuge der neuen unionsrechtl. Fundierung etwas anderes ergibt, ist derzeit noch nicht geklärt. So wird namentl. für Regelung des Marktmissbrauchs in Art. 12 MAR verbreitet Schutzgesetzcharakter mit Blick auf **unionsrechtlichen Effektivitäts- und Äquivalenzgebot** bejaht (KK-WpHG/Mock § 20a Rn. 479; Hellgardt AG 2012, 154, 165; Poelzig ZGR 2015, 801 ff.; Schockenhoff/Culmann AG 2016, 517, 519 f.; Zetzsche ZHR 179 [2015], 490, 494). Bessere Gründe sprechen indes dafür, Schutzgesetzeigenschaft zu verneinen, um nicht bewusste und auch kompetenziell gebotene Ausrichtung auf aufsichts- und strafrechtl. Sanktionen der unionsrechtl. Vorgaben zu konterkarieren (Schmolke ZBB 2012, 165, 169 f.).

137 **(2) Haftung aus § 826 BGB.** Als weiterer Haftungsgrund kommt § 826 BGB in Betracht, wenn Voraussetzungen einer vorsätzlichen, **gegen die guten Sitten verstoßenden Schädigung** vorliegen (BGHZ 160, 149, 151 ff. = NJW 2004, 2971; BGH NJW 2005, 2450, 2451; BGHZ 192, 90 Rn. 27 f. = NJW 2012, 1800; BGH AG 2015, 390, 392 [Ausgabe wertloser Aktien]; AG 2015, 820

Rn. 24 ff. [Schwindelunternehmen]; OLG Frankfurt AG 2019, 217, 218 f.; OLG Stuttgart AG 2015, 404, 405 ff.; Oechsler AG 2018, 388 ff.; zur Fortschreibung im Konzern Oechsler ZIP 2021, 929 ff. [→ § 78 Rn. 29]; zur Sonderkonstellation schädigender Leerverkäufe Schockenhoff/Culmann AG 2016, 517, 525 ff.). § 57 I ist in solchen Fällen einzuschränken (→ § 57 Rn. 6). Bes. Bedeutung hat Vorschrift im **Kapitalmarktrecht,** namentl. zur Aufarbeitung der Missstände am früheren Neuen Markt erhalten, da speziell kapitalmarktrechtl. Normenbestand in heutiger Form seinerzeit noch nicht existierte und Schutzgesetzeigenschaft einzelner kapitalmarktrechtl. Vorschriften überwiegend verneint wird (→ Rn. 136).

Für stattdessen herangezogenen § 826 BGB hat BGH festgestellt, dass Schaden der Aktionäre auch **im Aktienerwerb selbst** liegen kann, nämlich dann, wenn sie zum Erwerb unter den Bedingungen des § 826 BGB durch unrichtige Ad-Hoc-Mitteilungen veranlasst worden sind, was Nachweis konkreter Kausalität unrichtiger Mitteilung für Erwerbsentschließung voraussetzt (BGHZ 160, 134, 144 ff. = NJW 2004, 2664; BGH AG 2008, 252 Rn. 16; 2008, 254 Rn. 16; OLG Frankfurt AG 2019, 217, 218 f.; sa BGH AG 2012, 914 Rn. 21 ff.). Nach heutiger Rechtslage könnte Mehrzahl dieser Fälle über **§§ 97, 98 WpHG** abgewickelt werden, deren Tatbestandsvoraussetzungen nicht durch zusätzliche Anwendung des § 826 BGB unterlaufen werden dürfen; insbes. Feststellung vorsätzlich sittenwidriger Schädigung bedarf daher genauer Prüfung (zu Recht zurückhaltend OLG Braunschweig NZG 2016, 465 Rn. 46 ff.). Bei Haftung nach § 826 BGB ist Kaufpreis zu ersetzen Zug um Zug gegen Übertragung der Aktien auf ersatzpflichtige Vorstandsmitglieder (BGH AG 2004, 546; BGHZ 160, 134, 144; BGH NJW 2004, 2668; BGHZ 160, 149, 151 ff.; Röhricht VGR 9 GesR 2004, 1, 17 ff.), nicht nur Differenz zwischen Preis und Wert der Aktien (so noch Fleischer BB 2002, 1869, 1871). Dasselbe Ergebnis kann aus **cic** abzuleiten sein, sofern Vorstandsmitglieder Voraussetzungen des § 311 III BGB erfüllen (BGH AG 2008, 662, 663 ff.; 2012, 914 Rn. 32; für Drittverhältnisse → Rn. 146 f.). Zusätzliche Sprengkraft kann Haftungsgrund des § 826 BGB durch neuere Tendenzen in der Rspr. erhalten, auch nicht unmittelbar handelnde sonstige Organwalter in Vorstand und AR über **§ 830 II BGB** als Teilnehmer in die Haftung miteinzubeziehen (vgl. etwa BGH NZG 2012, 1303 Rn. 23 f.; OLG Düsseldorf BeckRS 2009, 14700; ausf. Nachw. bei Oechsler AcP 214 [2014], 542 ff.). 138

(3) Doppelschaden. Soweit Aktionäre danach Ansprüche haben, kann sich Problem sog Doppelschadens ergeben (Schaden der AG betr. Aktionär infolge Wertminderung seiner Aktien). Nach Rspr. kann Aktionär nur Schadensersatz an AG, nicht in eigenes Vermögen fordern; **Entwertungsschaden** ist also über Gesellschaftsvermögen auszugleichen (BGH NJW 1985, 1900; 1987, 1077, 1079 f.; 1988, 413, 415; BGHZ 129, 136, 165 = NJW 1995, 1739; BGH NZG 2003, 85; öOGH AG 1996, 42). Anderes gilt jedoch, wenn geschädigtes **Tochterunternehmen zu 100 % im Besitz der AG** steht, diese den Schaden in vernünftig erwartbarer Weise ausgleicht und Haftungsvoraussetzungen des § 93 II ihr ggü. erfüllt sind; AG kann dann Ersatzleistung in eigenes Vermögen fordern (OLG Düsseldorf AG 1997, 231, 236 f.). Soweit Schaden unter **§ 1 I KapMuG** fällt, kann auch Organhaftung Gegenstand eines Musterverfahrens sein (KK-KapMuG/Kruis KapMuG § 1 Rn. 19; Maier-Reimer/Wilsing ZGR 2006, 79, 86). 139

(4) Eingriff in Mitgliedschaft. Haftungsbegründende Schädigung der Aktionäre kann schließlich auch durch Eingriff in Mitgliedschaft vollzogen werden. Haftung folgt in diesem Fall aus **§ 823 I BGB;** Mitgliedschaft ist als sonstiges Recht anerkannt (BGHZ 110, 323 = NJW 1990, 2877). Problem liegt nicht so sehr in Einstufung der Mitgliedschaft als Gegenstand eines absoluten subj. Rechts, 140 sondern in **sachgerechter Begrenzung des Schutzbereichs** eines solchen Rechts. Schutz der Mitgliedschaft kann nicht so weit gehen, dass jede Beeinträchtigung faktischer Mitgliedsinteressen vermögensmäßiger oder ideeller Natur als Verletzung absoluter Mitgliedschaftsrechte qualifiziert werden, da anderenfalls aktienrechtl. Haftungskonzeption (→ Rn. 133) unterlaufen würde (MüKoBGB/Wagner BGB § 823 Rn. 351 ff.; Habersack, Die Mitgliedschaft, 1996, 273; K. Schmidt JZ 1991, 157, 159). Erforderlich ist vielmehr, dass nicht nur Wert der Mitgliedschaft beeinträchtigt oder eine in ihr gebündelte Einzelberechtigung betroffen wird, sondern es muss in die **Substanz des Rechtes** eingegriffen werden (MüKoBGB/Wagner BGB § 823 Rn. 352). Ein solcher Eingriff kann gleichermaßen bei Außeneingriffen Dritter wie bei schädigenden Maßnahmen in der Binnensphäre der AG angenommen werden.

141 **c) Schädigung Dritter. (1) Mögliche Haftungsgrundlagen.** Dritte, zB Gläubiger der AG, haben **aus § 93 II keine Schadensersatzansprüche,** auch nicht aus § 823 II BGB iVm § 93 (unstr., s. zB BGHZ 194, 26 Rn. 23 = NJW 2012, 3439; KG AG 2003, 324, 325). Aus § 93 V (→ Rn. 170 ff.) folgt nichts anderes. Werden Rechtsgüter oder Rechte nach § 823 I BGB verletzt, haftet handelndes Vorstandsmitglied selbstverständlich persönlich, doch stehen solche gerade beim Delegationsorgan Vorstand nur selten solche eigenen Verletzungshandlungen im Mittelpunkt. Größere Bedeutung hat Haftung nach § 823 II BGB. Zugunsten der Gläubiger wirkende **Schutzgesetze** sind etwa § 15a InsO (ausf. → § 92 Rn. 45) und § 400 (RGZ 159, 211, 224), dagegen nicht § 92 (→ § 92 Rn. 11). Auch für § 266a StGB (Verletzung der Pflicht, Arbeitnehmeranteil der Sozialversicherungsbeiträge abzuführen) ist Schutzgesetzeigenschaft zugunsten der Sozialversicherungsträger anerkannt (BGHZ 133, 370, 374 ff. = NJW 1997, 130; BGH NJW 2005, 2546; 2006, 3573; OLG Düsseldorf NZG 2015, 629, – str.; zur Exculpationsmöglichkeit OLG Düsseldorf BeckRS 2015, 08156 Rn. 17 f.; OLG Köln BeckRS 2013, 06279; diff. Ast/Klocke DZWiR 2015, 491, 494 ff.); zur Schutzgesetzeigenschaft kapitalmarktrechtl. Vorschriften → Rn. 136. In diesen Fällen kann sich aus deliktischem Handeln von Vorstandsmitgliedern auch Ersatzpflicht der AG entspr. **§ 31 BGB** ergeben (→ § 78 Rn. 23), ohne dass damit persönliche Haftung des Vorstands entfällt (darin zutr. BGHZ 109, 297, 302 = NJW 1990, 976; BGH NJW 1996, 1535, 1536). Abgelehnt wird dagegen Schutzgesetzeigenschaft der Buchführungspflichten aus § 91 (str.; → § 91 Rn. 3). Daneben finden – wie im Verhältnis ggü. Aktionären (→ Rn. 137 f.) – auch hier **§§ 826, 830 BGB** Anwendung.

142 Persönliche Haftung der Vorstandsmitglieder ist uU auch im **Sonderdeliktsrecht** möglich, etwa nach § 9 UWG (KK-AktG/Cahn Rn. 253), § 97 UrhG (BeckOK UrhG/Reber UrhG § 97 Rn. 49), § 139 PatG (Benkard/Grabinski/Zülch PatG, 11. Aufl. 2015, PatG § 139 Rn. 22) oder § 14 MarkenG (Ingerl/Rohnke MarkenG, 3. Aufl. 2010, MarkenG § 14 Rn. 33 ff.). Haftung nach § 33a GWB kommt entgegen der wohl hM nicht in Betracht, da diese Norm sich nur an Unternehmen richtet und Unternehmenseigenschaft Vorstandsmitglied nicht zugerechnet werden kann (s. Harnos, Geschäftsleiterhaftung bei unklarer Rechtslage, 2013, 46 ff.; aA etwa OLG Düsseldorf NZKart 2014, 68 Rn. 145 ff. [über Teilnahmekonstruktion]; Immenga/Mestmäcker/Emmerich GWB § 33 Rn. 42; GK-AktG/Hopt/Roth Rn. 666; KK-AktG/Cahn Rn. 247; Dreher WuW 2009, 133; Eden WuW 2014, 792, 794 ff.). Abzulehnen ist Organaußenhaftung nach **Art. 82 I DS-GVO,** da Norm lediglich Haftung des gem. Art. 4 Nr. 7 DS-GVO für Datenverarbeitung Verantwortlichen begründet. Organ handelt idR für AG und verarbeitet Daten Dritter nicht zu persönlichen Zwecken (Kort GmbHR 2022, 557, 559; Rothkegel DB 2022, 1764; Reichert/Groh NZG 2022, 307,

308; vgl. auch Taeger/Gabel/Arning/Rothkegel DSGVO Art. 4 Rn. 177), so dass allein AG selbst und nicht Organmitglied verantwortlich iSd DS-GVO und damit potenziell ersatzpflichtig ist (Europäischer Datenschutzausschuss, Guidelines 07/2020 on the concepts of controller and processor in the GDPR, Version 2.0, adopted on 07 July 2021, S. 10; Kort GmbHR 2022, 557, 559 ff.; Reichert/Groh NZG 2022, 307, 308; Rothkegel DB 2022, 1765 f.; Taeger/Gabel/Moos/Schefzig DSGVO Art. 82 Rn. 20; König AG 2017, 262, 266 f.; sa Löschhorn/Fuhrmann NZG 2019, 161, 168 f.; aA in Bezug auf GmbH-Geschäftsführer OLG Dresden NZG 2022, 335; BeckOK DatenschutzR/Schild DS-GVO Art. 4 Rn. 89: verantwortlich ist stets auch nat. Person, Geschäftsführer bei GmbH und Vorstand bei AG).

(2) Reichweite deliktischer Haftung. Fraglich und str. ist jedoch, wie weit deliktische Haftung von Geschäftsleitern reicht. BGHZ 109, 297, 302 ff. = NJW 1990, 976 [VI. ZS] – „Baustoff" (reserviert dazu BGHZ 125, 366, 375 f. = NJW 1994, 1801 [II. ZS]) will Geschäftsführer einer GmbH für **fahrlässig unterlassene organisatorische Vorkehrungen** haften lassen, soweit Unterlassen für Verletzung absoluter Rechte (Eigentum) ursächlich ist (näher zur Rspr. des VI. ZS Groß ZGR 1998, 551, 562 ff.). Schrifttum ist überwiegend krit., ohne dass sich einheitliche Linie gebildet hätte (dazu GK-AktG/Hopt/Roth Rn. 661 ff.; ferner zB Altmeppen ZIP 1995, 881, 886 f.; Kleindiek, Deliktshaftung und jur. Person, 1997, 3 ff.; Medicus GmbHR 1998, 9, 14 ff.; Medicus ZGR 1998, 570, 584 f.; positivere Würdigung bei Dieckmann ZGR 2020, 1039 ff.). 143

IdR zu bejahen ist unter weiteren Voraussetzungen des § 823 BGB Haftung für eigenes positives Tun (BGHZ 194, 26 Rn. 24 = NJW 2012, 3439; BGHZ 201, 344 Rn. 14, 31 = NZG 2014, 991), problematisch diejenige für fahrlässig unterlassene Verkehrssicherung. Im Grundsatz ist eine solche Haftung möglich, findet ihre Rechtfertigung entgegen BGHZ 109, 297, 302 ff. aber nicht darin, dass Geschädigter absolut geschützte Rechtsgüter der Gesellschaft anvertraut, sondern darin, dass durch **Verkehrseröffnung** Pflichten ggü. der Allgemeinheit übernommen werden (s. dazu J. Koch WM 2009, 1013, 1026 f.). Allerdings sind diese Pflichten im Außenverhältnis vornehmlich Pflichten der AG (Kleindiek, Deliktshaftung und jur. Person, 1997, 445 f., 483 ff.; sa Lutter ZHR 157 [1993], 464, 474 f., 476 ff.; Lutter GmbHR 1997, 329, 333 ff.). Vorstandsmitglieder trifft dagegen in erster Linie **interne Organisationspflicht,** die grds. nicht haftungsbegründend ins Außenverhältnis durchschlagen (so nun ausdr. BGHZ 194, 26 Rn. 23 ff. [VI. ZS]; BGHZ 201, 344 Rn. 23 [I. ZS]; ähnlich OLG Schleswig NZG 2012, 104, 105 f.; BeckOGK/Fleischer Rn. 387 ff.; GK-AktG/Hopt/Roth Rn. 664; KK-AktG/Cahn Rn. 248; Grunewald ZHR 157 [1993], 451, 456 f.; krit. Altmeppen ZIP 2016, 97, 101; Dannecker NZWiSt 2012, 441 ff.); insbes. ergibt sich diese Folge auch nicht aus sog Legalitätspflicht (→ Rn. 9 ff.; BGHZ 194, 26 Rn. 25). 144

Weitergehende Inanspruchnahme ist damit nicht vollständig ausgeschlossen, aber nur möglich „in begrenztem Umfang aufgrund bes. Anspruchsgrundlagen", wozu auch **persönliche Gewährsübernahme** zählen kann (BGHZ 194, 26 Rn. 24, 26; BGHZ 201, 344 Rn. 32; sa OLG Schleswig NZG 2012, 104, 106). Es bedarf einer nach allg. Grundsätzen des Deliktsrechts begründeten Garantenstellung (BGHZ 201, 344 Rn. 17 ff.); bei der Beurteilung, ob sie vorliegt, kann auch Wertigkeit der geschützten Rechtsgüter uU eine Rolle spielen (Noack/Servatius/Haas/Beurskens GmbHG § 43 Rn. 140, 142; Lutter/Hommelhoff/Kleindiek GmbHG § 43 Rn. 87). Einzelheiten sind noch nicht abschließend geklärt. Nach allg. aktienrechtl. Regelungskonzept muss aber jedenfalls Binnenhaftung der Vorstandsmitglieder die Regel und Organaußenhaftung die begründungsbedürftige Ausnahme sein (zutr. BeckOGK/Fleischer Rn. 392 f.). 145

146 **(3) Vertrauenshaftung.** Ersatzanspruch des geschädigten Dritten kann auch aus **§ 280 I iVm § 311 III BGB** gegeben sein, nämlich dann, wenn Vorstandsmitglied bes. Vertrauen des Verhandlungspartners in seine Person benutzt, um Vertragsschluss zugunsten der AG zu erreichen (Eigenhaftung des Vertreters). Voraussetzung dafür ist, dass Vorstandsmitglied gezielt an das **persönliche Vertrauen** des Erklärungsempfängers in seine eigene Zuverlässigkeit und Sachkunde appelliert und ihm dadurch signalisiert, er könne seine ansonsten bestehende Obliegenheit zum Selbstschutz vernachlässigen (Canaris ZHR 163 [1999], 206, 232 f.; J. Koch AcP 204 [2004], 59, 75 ff.). Zur Anwendung auf Informationen ggü. Anlageinteressenten → Rn. 138.

147 Rspr. hat unter dogmatischem Vorzeichen des § 280 I iVm § 311 III BGB zunächst auch Eigenhaftung des Vertreters wegen **wirtschaftlichen Eigeninteresses** anerkannt (BGHZ 56, 81, 83 = NJW 1971, 1309; BGH NJW 1981, 2810; 1986, 586, 587 mwN), ist davon aber seither zutr. abgerückt (BGHZ 126, 181, 183 ff. = NJW 1994, 2220; BGH WM 1995, 108 f.; ZIP 1995, 124 f.; 1995, 211, 212; OLG Zweibrücken NZG 2002, 423). Gesetzgeber des SchuldRModG hat diese restriktive Tendenz bestätigt, indem er wirtschaftliches Eigeninteresse nicht in Tatbestand des § 311 III BGB aufgenommen hat. Damit wird Eigenhaftung in diesen Fällen nicht ausgeschlossen. Sie sollte aber auf Ausnahmefälle beschränkt sein, in denen sich das gesamte wirtschaftliche Geschäftsinteresse in der Person des Vertretenen konzentriert (GK-AktG/Hopt/Roth Rn. 654; Canaris JZ 2001, 499, 520; J. Koch AcP 204 [2004], 59, 63 f.; abl. für Interesse an Erhalt eigenen Arbeitsplatzes BAG NJW 2014, 2669 Rn. 20 ff.). Einschlägige Fälle sind GmbH-spezifisch, Haftung ist auch insoweit ohne Vertrauenskomponente (Bsp. nach OLG Zweibrücken NZG 2002, 423: Erklärung, persönlich gerade stehen zu wollen, bei schon schleppender Zahlungsweise) nach richtiger Ansicht schwerlich begründbar (vgl. KK-AktG/Cahn Rn. 244 ff.; Brandner FS Werner, 1984, 53, 59 ff.; G. Müller ZIP 1993, 1531, 1533 f.; Ulmer NJW 1983, 1577, 1579). Für **Steuerschulden** gilt überdies persönliche Haftung nach § 69 AO (zu weiteren steuerlichen Pflichten GK-AktG/Hopt/Roth Rn. 668 ff.). Zur bes. Haftungskonstellation bei fehlerhafter Stellungnahme nach § 27 WpÜG vgl. auch Ebke FS Hommelhoff, 2012, 161 ff.; zur Gestaltung der Stellungnahme s. Hippeli/Hofmann NZG 2014, 850 ff.

IV. Sondertatbestände (§ 93 III)

148 **1. Überblick.** § 93 III hebt eine Reihe von Fällen zur Ersatzpflicht führenden Verhaltens „namentlich“ hervor. Es handelt sich dabei um als bes. gravierend angesehene Verletzung **kapitalschützender Pflichten** („Todsünden“). Da diese Pflichten als rechtmäßige Handlungsalternative vorgegeben sind, handelt es sich nicht um unternehmerische Entscheidung (→ Rn. 35 ff.), so dass Anwendung des § 93 I 2 ausscheidet, was auch der Systematik der Vorschrift entspr. (J. Koch ZGR 2006, 769, 784 f.; sa Goette ZGR 2008, 436, 441; relativierend Poelzig WM 2008, 1009, 1013 ff.).

149 In Auflistung von Sondertatbeständen liegt zum einen Präzisierung des § 93 II, zum anderen Modifikation insofern, als Ges. allg. **Schadensbegriff** der §§ 249 ff. BGB umformt. Wenn einer der näher umschriebenen Pflichtverstöße vorliegt, besteht Schaden nämlich schon im Abfluss von Mitteln (§ 93 III Nr. 1–3, 5–9) oder in ihrer Vorenthaltung (§ 93 III Nr. 4). Es findet also **keine Gesamtvermögensbetrachtung** auf bilanzieller Grundlage unter Einschluss bloßer Ansprüche auf Rückzahlung oder Einlagenleistung statt (RGZ 159, 211, 230; BGH NJW 2009, 68 Rn. 17; OLG Düsseldorf AG 2013, 171 Rn. 48; OLG Stuttgart AG 2010, 133 f.; KK-AktG/Cahn Rn. 131; Oechsler FS Hüffer, 2010, 735, 741). Gleichwohl handelt es sich um Haftung auf Schadensersatz (ganz hM, s. RGZ

159, 211, 228 ff.; OLG Hamburg NZG 2010, 309, 310 [Vorteilsausgleichung]; LG Bochum ZIP 1989, 1557, 1559; GK-AktG/Hopt/Roth Rn. 327; KK-AktG/Cahn Rn. 143; MüKoAktG/Spindler Rn. 277; Fleischer ZIP 2005, 141, 151; aA Cunio AG 1958, 63; Habersack/Schürnbrand WM 2005, 957, 960 f., Schürnbrand NZG 2010, 1207, 1209: verschuldensunabhängiger Folgenbeseitigungsanspruch). Abfluss oder Vorenthaltung sind danach **Mindestschaden,** was im Schadensersatzrecht auch sonst begegnet. Einwand fehlenden Schadens ist also erheblich, kann aber nur darauf gestützt werden, dass Mindestschaden entfallen ist, entzogene Beträge also tats. zurückgeführt (BGH NJW 2009, 68 Rn. 17; OLG Stuttgart AG 2010, 133 f.) oder vorenthaltene Einlagen tats. geleistet sind. Hinweis, dass AG bisher keinen Schaden erlitten habe, genügt dagegen nicht (GK-AktG/Hopt/Roth Rn. 339; MüKoAktG/Spindler Rn. 278).

Für **Verschuldenserfordernis** verbleibt es bei § 93 II einschließlich Ver- 150 schuldensvermutung nach § 93 II 2 (→ Rn. 79 ff., → Rn. 103 ff.). Wenn Schaden der AG über Fehlbetrag hinausgeht, bleibt § 93 III Anspruchsgrundlage (KK-AktG/Cahn Rn. 152; MüKoAktG/Spindler Rn. 290; aA noch RGZ 159, 211, 231f: insoweit nur § 93 II). Für übersteigenden Schadensteil gilt aber nicht Vermutung des § 93 III, so dass AG gem. § 93 II dafür die Beweislast trägt (insoweit unstr.). Auf Rechtsfolgenseite besteht weitere Besonderheit, dass in Fällen des § 93 III Gesellschaftsgläubigern **Rechtsverfolgung** gem. § 93 V 2 (→ Rn. 172) schon bei leichter Fahrlässigkeit offen steht, während sonst „gröbliche Pflichtverletzung" vorliegen muss (OLG Stuttgart AG 2010, 133, 134; BeckOGK/Fleischer Rn. 313).

2. Einzelfälle. Nr. 1: Verbotene Einlagenrückgewähr, also Verstöße gegen 151 § 57 und § 230 (vereinfachte Kapitalherabsetzung). Konfusion gem. § 20 I Nr. 1 UmwG lässt Ersatzanspruch nicht entfallen; auch Schadenswegfall ist zumindest fragwürdig (Oechsler FS Hüffer, 2010, 735, 739 f., 742 ff.). **Nr. 2:** Zahlung von Zinsen oder Gewinnanteilen; das sind Verstöße gegen §§ 57 II, III, 58 IV, 233. **Nr. 3:** Verbotene Geschäfte (Zeichnung, Erwerb, Inpfandnahme, Einziehung) bzgl. eigener Aktien oder ihnen gleichstehender Aktien, mithin Verstöße gegen §§ 56, 71–71e, 237–239. **Nr. 4:** Vorzeitige Ausgabe von Inhaberaktien (§ 10 II), nämlich vor voller Leistung des Ausgabebetrags, der sich nach Maßgabe des § 9 aus Satzung ergibt (→ § 10 Rn. 6; → § 27 Rn. 3). Ersatzpflicht besteht auch dann, wenn Bareinlage wegen Unwirksamkeit einer Sacheinlagevereinbarung geschuldet wird (BGH AG 2011, 876 Rn. 12). **Nr. 5:** Verteilung von Gesellschaftsvermögen, bes. Verletzung der Pflichten aus § 57 III, § 225 II, §§ 230, 233, 237 II, §§ 271, 272.

Nr. 6: § 93 III Nr. 6 regelte bislang Haftung für Zahlungen eines Vorstands- 152 mitglieds nach Eintritt der Insolvenzreife. **Art. 15 Nr. 1 SanInsFoG** ist Regelung gestrichen und in modifizierter Form in **§ 15b IV InsO nF** übernommen worden (→ § 92 Rn. 46 f.). Zählung bleibt davon unberührt, so dass Nr. 7 auch weiterhin unzulässige Vergütung an AR-Mitglieder regelt (§§ 113, 114). **Nr. 8:** Unzulässige Kreditgewährung an Mitglieder des Vorstands (§ 89) oder des AR (§ 115). **Nr. 9:** Verbotene Ausgabe von Bezugsaktien bei bedingter Kapitalerhöhung (§ 199). Wegen der Einzelheiten vgl. Erl. zu den genannten Vorschriften.

V. Haftungsausschluss, Verzicht und Vergleich (§ 93 IV)

1. Haftungsausschluss durch Hauptversammlungsbeschluss. a) Grund- 153 sätze. Beruht schadensstiftende Handlung auf gesetzmäßigem HV-Beschluss, so ist Ersatzpflicht der Vorstandsmitglieder ggü. der AG (zur Stellung der Gesellschaftsgläubiger nach § 93 V 3 → Rn. 172) gem. § 93 IV 1 ausgeschlossen. Da Vorstand nach § 83 II **zur Ausführung des HV-Beschlusses verpflichtet** ist, soll Pflichterfüllung nicht zugleich Ersatzpflicht auslösen können (BGHZ 219, 193 Rn. 29 = NZG 2018, 1189; Einzelheiten str. – vgl. BeckOGK/Fleischer Rn. 321; GK-AktG/Hopt/Roth Rn. 470 f. m. Fn. 1788; Canaris ZGR 1978, 207, 209; Dietz-Vellmer NZG 2014, 721, 725). Daraus folgt allerdings nicht, dass bereits originäre HV-Kompetenz bestehen müsste, sondern es genügt, wenn diese über **§ 119 II** hergestellt wird (v. Falkenhausen NZG 2016, 601, 602).

154 Zunächst muss **Ausführungsbeschluss der HV** vorliegen; Meinungsäußerungen der HV oder gar einzelner Aktionäre genügen nicht, wegen Herleitung aus § 83 II (→ Rn. 153) auch nicht, wenn es sich um Alleinaktionär handelt (hM – vgl. BGHZ 219, 193 Rn. 26, 30 = NZG 2018, 1189; OLG Köln AG 2013, 396; OLG München NZG 2022, 309 Rn. 25 [KGaA]; BeckOGK/Fleischer Rn. 323; GK-AktG/Hopt/Roth Rn. 479; S/L/Sailer-Coceani Rn. 60; MüKoAktG/Spindler Rn. 396; v. Falkenhausen NZG 2016, 601, 602; Wolff/Jansen NZG 2013, 1165 ff.; sa OLG Düsseldorf AG 2015, 434 Rn. 47 f.). Das wird im letztgenannten Fall zwar bestritten, da in erster Linie Interessen der Aktionäre zu schützen seien (vgl. OLG Celle GemWW 1984, 469; S/L/Drygala § 116 Rn. 51), doch ist mit Blick auf **interessenplurale Zielkonzeption** (→ § 76 Rn. 63 ff.) der hM zu folgen. Auch Einwand unzulässiger Rechtsausübung ist zwar nicht ausgeschlossen, sollte aber auf Ausnahmefälle beschränkt bleiben (BGHZ 219, 193 Rn. 27 ff.; BeckOGK/Fleischer Rn. 323; ganz ablehnend GK-AktG/Hopt/Roth Rn. 479; S/L/Sailer-Coceani Rn. 60; zum möglichen Nachw. rechtmäßigen Alternativverhaltens → Rn. 92 ff.). Da Haftungsfreistellung gerade auf Zusammenspiel mit Ausführungspflicht gem. § 83 II beruht, führt auch bloßer Ermächtigungsbeschluss der HV nicht zur Enthaftung (BeckOGK/Fleischer Rn. 328; GK-AktG/Hopt/Roth Rn. 473; KK-AktG/Cahn Rn. 170; MüKoAktG/Spindler Rn. 298; aA Müßig, Enthaftung durch Zustimmung, 2021, 69 f., 79 f.; Dietz-Vellmer NZG 2014, 721, 725 f.).

155 Als weitere Vorausetzung für Anwendbarkeit des § 93 IV 1 muss **Beschluss gesetzmäßig** sein. So liegt es, wenn er **weder nichtig** (§ 241) **noch anfechtbar** ist (§§ 243 ff.). Zur Nichtigkeit gehört auch der zuweilen (zB MüKoAktG/Spindler Rn. 297) gesondert erörterte Fall, dass HV beschließt, ohne zuständig zu sein (KK-AktG/Cahn Rn. 174; → § 241 Rn. 17). In Angelegenheiten der Geschäftsführung ist also, sieht man von den durch BGHZ 83, 122 = NJW 1982, 1703 bedingten Lockerungen ab („Holzmüller" → § 119 Rn. 16 ff.), jeder Beschluss nichtig, den HV ohne Verlangen des Vorstands (§ 119 II) fasst (S/L/Krieger/Sailer-Coceani Rn. 63). Eintritt der **Heilungswirkung** gem. § 242 beseitigt Nichtigkeit mit der Folge, dass Beschluss gesetzmäßig iSd § 93 IV 1 wird (str.; → § 242 Rn. 7 mwN). Vorstand muss ihn also ausführen (zur ausnahmsweise dennoch fortbestehenden Haftung → Rn. 156). Auch fehlerhafte Beschlüsse werden gesetzmäßig iSd § 93 IV 1, wenn sie wegen Fristablaufs (§ 246) **nicht mehr anfechtbar** sind (hM, vgl. GK-AktG/Hopt/Roth Rn. 486; KK-AktG/Cahn Rn. 175; MüKoAktG/Spindler Rn. 294; Haertlein ZHR 168 [2004], 437, 441; aA Golling, Sorgfaltspflicht und Verantwortlichkeit, 1969, 81 ff.). Schließlich muss Handlung des Vorstands **auf Beschluss beruhen.** Daraus folgt, dass Beschluss der Handlung vorangehen muss. Nachträgliche Billigung genügt für § 93 IV 1 grds. nicht (allgM, s. zB OLG München AG 2008, 864, 865; Dietz-Vellmer NZG 2014, 721, 722). Stellt Vorstand seine Maßnahme jedoch unter Vorbehalt zust. HV-Beschlusses, so muss es für § 93 IV 1 genügen, dass Billigung dem Handlungserfolg vorausgeht (vgl. dazu Kleinhenz/Leyendecker BB 2012, 861 ff. mit allerdings problematischer Gestattung auch eines bloßen Rücktrittsvorbehalts). Zu Auswirkungen auf Haftung ggü. Gläubigern nach § 93 V → Rn. 173.

156 **b) Einschränkungen.** Auch wenn gesetzmäßiger Beschluss der HV nach den in → Rn. 155 dargelegten Grundsätzen vorliegt, ist Ersatzpflicht des Vorstandsmitglieds ausnahmsweise gegeben, wenn er **Beschluss pflichtwidrig,** etwa durch unrichtige Information, **selbst herbeigeführt** hat (hM, s. GK-AktG/Hopt/Roth Rn. 488 f.; KK-AktG/Cahn Rn. 173; Canaris ZGR 1978, 207, 213; aA Dietz-Vellmer NZG 2014, 721, 726 ff.). Vorstand muss also gerade in haftungssensiblen Bereichen Aufgabe der Beschlussvorbereitung mit bes. Sorgfalt wahrnehmen, um sein eigenes Haftungsrisiko zu reduzieren (BeckOGK/Fleischer Rn. 329). Dasselbe gilt, wenn Vorstandsmitglieder **Anfechtungs- oder Nichtigkeitsklage** (s. dazu § 245 S. 1 Nr. 4 und 5, § 249 I 1) pflichtwidrig nicht oder nicht rechtzeitig erhoben haben. Es gelten insofern die in → § 242 Rn. 7 bzw. → § 245 Rn. 36 skizzierten Pflichtenstandards (jew. mwN), wonach solche Intervention insbes. dann angezeigt ist, wenn anderenfalls Schaden der AG abzusehen ist. Speziell im Kontext des § 93 IV 1 ist allerdings zu berücksichtigen, dass nach dieser Regel ggf. auch Schädigung gestattet sein kann (v. Falkenhausen NZG 2016, 601, 603 f.).

2. Kein Haftungsausschluss durch Billigung des Aufsichtsrats. Gem. § 93 IV 2 wird Ersatzpflicht der Vorstandsmitglieder durch Billigung des AR nicht ausgeschlossen. Regelung korrespondiert mit § 111 I und IV. Danach ist AR bzgl. der Geschäftsführung nämlich auf Überwachung und Verhinderung zuvor festgelegter Geschäftsarten beschränkt, kann also nicht bindend bestimmen, dass Vorstand Handlungen positiv zu ergreifen hat. In der Praxis wird AR trotzdem häufig eingebunden, um ihn damit auch in die Haftungsverantwortung einzubinden und auf diese Weise Beißhemmung ggü. Vorstandsmitgliedern (→ § 111 Rn. 17) zu erhöhen. 157

3. Verzicht und Vergleich. a) Regelungsgegenstand und -zweck. Verzicht, bes. durch Erlassvertrag (§ 397 BGB), und Vergleich, sei es im Prozess (einschränkend: Zimmermann FS Duden, 1977, 773, 784 f.) oder außergerichtl. (§ 779 BGB), sind über Ersatzansprüche der AG gegen Vorstandsmitglieder grds. (Ausnahme → Rn. 169) erst nach Ablauf einer Dreijahresfrist möglich (§ 93 IV 3). Auf diese Weise soll Gesellschaftsvermögen im **Interesse der Gläubiger und Minderheitsgesellschafter** geschützt werden (ausf. zu Entstehungsgeschichte und Teleologie Fleischer AG 2015, 133 ff.). Rechtsgeschäfte oder Rechtshandlungen, die vor Ablauf der Sperrfrist vorgenommen werden, bleiben auch nach ihrem Ablauf ungültig (OLG München AG 2017, 631, 632; 2018, 758, 760 f.; 2019, 221, 222). Aufhebungs- und Abfindungsverträge werden davon gem. § 139 BGB erfasst, sofern nicht salvatorische Klausel existiert und diese auch gültig ist (Bauer/Krets DB 2003, 811). Norm soll verhindern, dass AR als Vertreter der AG (§ 112) aus kollegialer Rücksichtnahme oder zur Verschleierung eigenen Überwachungsversagens (→ § 93 Rn. 2) über Ersatzansprüche disponiert, bevor Ausmaß des Schadens erkennbar wird (allgM, zB MüKoAktG/Spindler Rn. 309). Parallelregelungen: §§ 50, 117 IV, § 309 III, § 310 IV, § 317 IV, § 318 IV. 158

b) Drei-Jahres-Frist. Frist beginnt mit **Entstehung des Anspruchs.** Maßgeblich ist Möglichkeit klageweiser Durchsetzung, ohne dass Schaden schon voll überblickbar sein muss (Fleischer AG 2015, 133, 138; Harbarth/Höfer NZG 2016, 686 ff.: Möglichkeit der Feststellungsklage genügt). § 199 I BGB ist nicht anwendbar, da es sich nicht um Verjährungsfrist handelt; vgl. iÜ § 187 I BGB, § 188 II BGB. Mit **Formwechsel** in GmbH oder **Verschmelzung** auf GmbH endet Beschränkung des § 93 IV 3 (Lutter/Grunewald UmwG § 20 Rn. 30; Allmendinger/Lüneborg ZIP 2017, 1842, 1849 f.; Habersack/Schürnbrand NZG 2007, 81, 87; Haßler AG 2016, 388, 391; Hoffmann-Becking FS Ulmer, 2003, 242, 252, 263 f.). Vorschrift ist dann nach Wortlaut nicht anwendbar und für Analogieschluss fehlt in personalisierter GmbH teleologische Vergleichbarkeit 159

(MHdB CL/J. Koch § 30 Rn. 59). Wird dagegen auf neue AG verschmolzen, gilt § 93 IV 3 fort (Haßler AG 2016, 388, 391 ff.; Martens AG 1986, 57, 59 ff.; Unmuth, Verzicht und Vergleich, 2018, 136 ff.; aA Lutter/Grunewald UmwG § 20 Rn. 30; Mennemann, Die Auswirkung von Umwandlungen auf die Verantwortlichkeit von Vorstand und Geschäftsführung, 2021, 183 ff.).

160 **c) Vergleichsschluss durch AR.** Vergleichsschluss muss nach § 112 von AR ausgehen. Er ist dabei **nicht an ARAG/Garmenbeck-Grundsätze gebunden** (→ § 111 Rn. 7 ff.), weil sich dort formulierte strenge Maßstäbe gerade darauf stützen, dass Weg des § 93 IV 3 nicht beschritten wurde (sa Bayer/Scholz ZIP 2015, 149, 151 f.; Dietz-Vellmer NZG 2011, 248, 250 ff.; Habersack FS Baums, 2017, 531, 539 f.; Oltmanns, Verzichts- und Vergleichsvereinbarungen, 2020, 207 ff.; Unmuth, Verzicht und Vergleich, 2018, 204 ff.; Wilsing FS Haarmann, 2015, 259, 276 ff.; aA Hasselbach DB 2010, 2037, 2040 ff.). Stattdessen gilt **BJR** (Dietz-Vellmer NZG 2011, 248, 250 ff.; Fleischer AG 2015, 133, 135 f.; Habersack FS Baums, 2017, 531, 540 f.). Ihre Anwendung wird man nicht schon unter Hinweis auf Interessenkonflikt ausschließen können (→ Rn. 55 ff.), wenn nur bloße Möglichkeit eines Überwachungsverschuldens im Raum steht (Habersack FS Baums, 2017, 531, 541 f.; aA Harnos, Gerichtliche Kontrolldichte, 2021, 608 ff.). Zentrale Voraussetzung für Anwendung des § 93 I 2 ist Beachtung der **Informationsanforderungen** (→ Rn. 42 ff.; Fleischer AG 2015, 133, 135 f.). AR muss Einzelheiten zu Pflichtverstoß und Schadenshöhe kennen. Auch über Vermögensverhältnisse des Anspruchsgegners sollte er grds. informiert sein. Im Schrifttum zT geforderte Schätzung des maximal pfändbaren Privatvermögens und möglicher künftiger Vermögenszuwächse der betroffenen Vorstandsmitglieder (Hasselbach NZG 2016, 890, 894 ff.) ist allerdings nur dann erforderlich, wenn Vergleich vornehmlich mit begrenzter Leistungsfähigkeit des Vorstandsmitglieds begründet werden soll (Fleischer AG 2015, 133, 136; tendenziell großzügig auch Grigoleit/Grigoleit/Tomasic Rn. 22). Das ist indes nicht zwingend. Vielmehr darf AR HV auch Vergleich vorschlagen, der auf soziale Konsequenzen für Vorstandsmitglied Rücksicht nimmt (Wilsing FS Haarmann, 2015, 259, 284), was iR der ARAG/Garmenbeck-Regeln nur ausnahmsweise zulässig ist (→ § 111 Rn. 20). Auf Vergleich mit AN ist § 93 IV 3 grds. nicht anwendbar, doch kann Abweichendes gelten, wenn sich daraus mittelbar auch Auswirkungen auf gesamtschuldnerisch mithaftenden Vorstand ergeben (ausf. Scheel/Unmuth AG 2023, 474 Rn. 1 ff.).

161 Auch mit Rücksicht auf **geringes Verschulden und Gefahrengeneigtheit** des Entscheidungsumfelds kann von voller Inanspruchnahme abgesehen werden, wenn man in diesen Fällen nicht mit hier vertretener Ansicht schon von genereller Haftungsreduzierung ausgeht (→ Rn. 96 ff.). Weiter Zuspruch, den diese Auffassung erhalten hat (→ Rn. 98), spricht dafür, ihre Wertungselemente jedenfalls in § 93 IV 3 einfließen zu lassen. Im Übrigen gilt, dass sich AR bei seinen Vorschlägen inhaltlich an weiten Entscheidungsspielräumen der HV orientieren darf (Bayer/Scholz ZIP 2015, 149, 152; zust. Seibt/Cziupka AG 2015, 93, 107 m. Fn. 178; iErg auch Fleischer AG 2015, 133, 136; aA Fritz, Organhaftungsvergleich zwischen Aktien- und D&O-Versicherungsrecht, 2021, 141 f.; Unmuth, Verzicht und Vergleich, 2018, 208 ff.). Ist am Maßstab dieser Vorgaben dennoch Pflichtwidrigkeit des AR nach §§ 116 S. 1, 93 I 1 anzunehmen, so wird sie durch nachträgliche HV-Zustimmung nicht beseitigt; entspr. Entlastungswirkung ist im Ges. nicht vorgesehen. Anderes Ergebnis kann auch nicht über § 83 II iVm 93 IV 1 herbeigeführt werden, da HV kein Initiativrecht zusteht (zutr. Goette/Arnold/Goette § 4 Rn. 2348 f.; sa → § 83 Rn. 5). Noch nicht abschließend diskutiert ist, ob etwas anderes gilt, wenn HV Zustimmung verweigert und abw. Vorschlag unterbreitet. In diesem Fall könnte **Ausführung**

gem. § 83 II von AR (zur analogen Anwendung auf AR → § 83 Rn. 5) mit gleichzeitiger Haftungsprivilegierung nach § 93 IV 1 umzusetzen sein (dafür Goette FS Henssler, 2023, 869, 875 ff.). Solche Vorgehensweise würde in der Tat verfahrenstechnische Vereinfachung mit sich bringen (vgl. Goette FS Henssler, 2023, 869, 876), erweist sich aber in der Rechtskonstruktion doch als sperrig: § 93 IV 3 sieht nur Zustimmungs-, aber keine eigene Gestaltungskompetenz der HV vor; auch § 83 II begründet weder Kompetenz- noch Initiativrecht (→ § 83 Rn. 5). Dass auf diese Weise auch Haftungsrisiko des AR beseitigt werden soll, das bei direkter Anwendung des § 93 IV 3 durch HV-Zustimmung nicht ausgeschlossen wird, lässt Lösung in Gesamtschau eher bedenklich erscheinen.

d) Tatbestandlich erfasste Rechtsgeschäfte. Tatbestandlich erfasst sind nicht nur Verzicht oder Vergleich, sondern auch sonstige **Rechtsgeschäfte mit vergleichbaren wirtschaftlichen Folgen,** etwa Stundungsvereinbarung (OLG München AG 2018, 758, 761), Ausgleichsklauseln in Aufhebungsvereinbarungen (Weller/Rahlmeyer GWR 2014, 167 ff.), bindende Schiedsgutachtenvereinbarung (OLG München AG 2019, 221, 222), Novation, Anerkenntnis nach § 307 ZPO oder pactum de non petendo (vgl. OLG München AG 2017, 631, 632; OLG München AG 2018, 758, 761; KK-AktG/Cahn Rn. 191; Ihrig/Schäfer Vorstand Rn. 1572; zu Schiedsvereinbarungen s. Leuering NJW 2014, 657, 660 und unten → Rn. 183 ff.; anders aber, wenn zugleich Forderung aus D&O-Versicherung an AG abgetreten wird, → Rn. 127 ff.). 162

Praxis versucht zT, Beschränkungen des § 93 IV 3 durch **Abtretung an Dritte** zu umgehen, für die § 93 IV 3 nicht gilt (Weller/Rahlmeyer GWR 2014, 167, 169). Das ist bei nachweisbarer Umgehungsabsicht unzulässig. Jenseits dieser Fälle ist Abtretung – sofern entgeltlich – aber nicht grds. untersagt (noch großzügiger Wansleben in Behme/Fries/Stark, Versicherungsmechanismen im Recht, 2016, 183, 226 ff.). Zuständigkeit für Abtretung liegt bei AR (Einzelheiten bei MüKoAktG/Spindler Rn. 328 ff.; zu vergleichbarer Umgehung über Stimmbindungsverträge vgl. MHdB CL/J. Koch § 30 Rn. 60; Weller/Rahlmeyer GWR 2014, 167, 169 f.). Auch **Prozessfinanzierungsvertrag** (→ § 93 Rn. 2) unterfällt nicht grds. § 93 IV 3 (zutr. Rahlmeyer/Fassbach GWR 2015, 331, 335), doch wird damit zT verbundene Abtretung an Prozessfinanzierer von OLG Düsseldorf (NZKart 2015, 201 ff.) als unwirksam angesehen (zu Recht krit. Hempel NJW 2015, 2077 ff.; Thole ZWeR 2015, 93 ff.). Zulässig ist dagegen Abschluss einer D&O-Versicherung (→ Rn. 122 ff.), und zwar auch in Gestalt sog **konzerneigener Captive-Versicherung** (Bücker/Franzmann AG 2021, 421 Rn. 38 ff.). 163

Auch **Übernahme einer Geldstrafe** (-buße, -auflage) durch AG ist nur unter Voraussetzungen des § 93 IV 3 möglich, sofern Vorstand auch Pflichten ggü. AG verletzt hat (BGHZ 202, 26 Rn. 13 ff. = NZG 2014, 1058; ausf. → § 84 Rn. 23). Grds. soll § 93 IV 3 nach ARAG-Entscheidung auch bloßer **Nichtverfolgung** entgegenstehen, doch erlaubt BGH sie hier – anders als bei Verzicht oder Vergleich (BGHZ 202, 26 Rn. 18 f.) – in engen Grenzen, wenn es dem Unternehmenswohl dient (BGHZ 135, 244, 256 = NJW 1997, 1926). Maßgeblicher Wertungsunterschied soll in passivem Charakter der Nichtverfolgung liegen (BGHZ 202, 26 Rn. 19; krit. → § 84 Rn. 23). Bedeutung des § 93 IV 3 im Bereich der Nichtverfolgung bleibt aber in Reichweite und dogmatischer Herleitung unklar (gratwandernd Schnorbus/Klormann NZG 2015, 938, 943 ff.; ausf. zur Abgrenzung Dendl, Disposition über Organhaftungsansprüche, 2018, 109 ff.). BGH scheint aus Norm zumindest Regel-Ausnahme-Verhältnis zwischen Verfolgung und Nichtverfolgung herzuleiten (→ § 111 Rn. 17), während Lit. noch weitergehend praktische Konkordanz zwischen § 93 IV 3 und gegenläufigem Schadensabwendungsgebot nach §§ 116, 93 I herstellen will (vgl. Hasselbach AG 164

2008, 770, 772 f.; Paefgen AG 2008, 761, 765; Reichert FS Hommelhoff, 2012, 907, 917 ff.; zweifelnd schon J. Koch AG 2014, 513, 520 f.).

165 Derart weitgehende Verdrängungsversuche erklären sich daraus, dass § 93 IV 3 insgesamt **rechtspolitisch bedenklich** ist (vgl. Casper ZHR 176, 617, 645 f.), weil er sinnvollen Absprachen mit Vorstandsmitglied vielfach entgegensteht (für Abschaffung zumindest der Dreijahresfrist deshalb Beschluss I Nr. 7 des 70. DJT; GK-AktG/Hopt/Roth Rn. 505; KK-AktG/Cahn Rn. 183; DAV-HRA NZG 2010, 897, 898 f.; Fleischer AG 2015, 133, 140). Teleologische Reduktion lässt sich nach strenger Linie in BGHZ 202, 26 Rn. 13 ff. dennoch kaum begründen (sa KK-AktG/Cahn Rn. 183; eingehend Harbarth GS M. Winter, 2011, 217, 231 ff.). Das erweist sich namentl. im Bereich des Kartellrechts als misslich, weil AR den Vorstand nicht über Freistellungsversprechen zur Kooperation mit Kartellbehörden bewegen kann und dadurch Ziele **kartellrechtl. Kronzeugenregelungen** konterkariert werden können (dazu Harbarth GS M. Winter, 2011, 217 ff.; J. Koch FS W.-H. Roth, 2015, 279, 291 ff.; sa Konrads ZWeR 2016, 429, 433 ff., dessen Lösung aber mit BGHZ 202, 26 Rn. 13 ff. kaum in Einklang zu bringen ist). Durch bloße Kooperationsvereinbarung kann Zustimmungserfordernis nicht entfallen, weil Vorstand kraft Organstellung ohnehin zur Kooperation verpflichtet ist (überzeugend Ph. Scholz NZG 2020, 734 ff. gegen Weber/Schäfer NZG 2020, 407 ff.). Ggf. kann **Freistellung durch Dritten** (zB etwa Konzernmutter) helfen, da § 93 IV 3 hier nicht entgegensteht (vgl. dazu Dreher ZWeR 2009, 397, 423 f.; J. Koch FS W.-H. Roth, 2015, 279. 293; Schockenhoff ZHR 180 [2016], 197, 222 ff.; monographisch Thomas, Die Haftungsfreistellung von Organmitgliedern, 2010, 40 ff.). Ungeachtet dieses Problemschwerpunkts ist allg. Lösung sektoraler kartellrechtl. Lösung vorzuziehen; denn solche Bereichsausnahmen würden wegen weiterer Fallgruppen § 93 IV 3 zur Dauerbaustelle werden lassen (zust. Fleischer AG 2015, 133, 139). Nicht anwendbar ist § 93 IV 3 auf **Vergleich über Rückforderung der Vorstandsvergütung** auf der Grundlage sog Clawback-Klauseln (→ § 87 Rn. 31).

166 **e) Zustimmung der Hauptversammlung.** § 93 IV 3 fordert weiter Zustimmung der HV; Mitglieder von Vorstand und AR sollen sich nicht wechselseitig verschonen (GK-AktG/Hopt/Roth Rn. 506), weshalb nur Kompetenz der HV übrig bleibt. Erforderlich und genügend ist Beschlussfassung mit **einfacher Stimmenmehrheit** (§ 133). Eines flankierenden Beschlusses der HV einer etwaigen Obergesellschaft bedarf es weder im Vertrags- noch im faktischen Konzern (Fritz, Organhaftungsvergleich zwischen Aktien- und D&O-Versicherungsrecht, 2021, 88 ff.; Habersack FS Baums, 2017, 531, 535 ff.). Beschluss bedarf schon deshalb **keiner sachlichen Rechtfertigung** (→ § 53a Rn. 21; → § 243 Rn. 24), weil er nicht in Mitgliedschaft der Minderheitsaktionäre eingreift (LG Frankfurt v. 15.12.2016, 3 – 5 O 154/16 juris-Rn. 116; Dietz-Vellmer NZG 2011, 248, 252; Habersack FS Baums, 2017, 531, 542 f.; Hasselbach NZG 2016, 890, 892). Er ist deshalb in dieser Hinsicht auch keiner gerichtl. Kontrolle unterworfen, so dass Beschlussanfechtung – jenseits sonstiger formaler Mängel – nur greift, wenn HV von falschen Voraussetzungen ausgegangen ist (LG Frankfurt v. 15.12.2016, 3 – 5 O 154/16, juris-Rn. 116 f.).

167 Da es keiner sachlichen Rechtfertigung bedarf (→ Rn. 166) ist auch **Bericht** nicht erforderlich, freiwilliger Bericht aber uU ratsam (Fleischer AG 2015, 133, 136). Wird er erstattet, sollten darin insbes. auch Angaben zu **Vermögensverhältnissen** enthalten sein, wenngleich diese nur dann von AR zwingend ermittelt werden müssen, wenn er Vergleich mit begrenzter Leistungsfähigkeit begründen möchte (→ Rn. 160). Auch jenseits dieser Fälle kann AR aber möglicherweise Gefahr laufen, dass HV Zustimmung ablehnt, wenn sie über genaue Zahlen nicht informiert wird. § 93 IV 3 überlagert § 93 II 3, so dass auch Selbstbehalt von

Verzicht nicht auszunehmen ist (Fritz, Organhaftungsvergleich zwischen Aktien- und D&O-Versicherungsrecht, 2021, 44 f.; Habersack FS Baums, 2017, 531, 538 f.). Betroffene Vorstandsmitglieder können Stimmrechte aus ihren Aktien nicht ausüben (§ 136 I; vgl. Mertens FS Fleck, 1988, 209, 215). Zur Auswirkung des Beschlusses auf AR-Haftung → Rn. 161.

Zustimmender Beschluss bleibt wirkungslos, wenn **Minderheit von wenigstens 10 %** des vorhandenen, nicht des vertretenen Grundkapitals Widerspruch zur Niederschrift erhebt (für Streichung DAV-HRA NZG 2010, 897, 899; dagegen Fleischer AG 2015, 133, 138). Auf Geltendmachung von Ersatzansprüchen gerichtetes Minderheitsverlangen kann also nicht durch Verzicht oder Vergleich gegenstandslos gemacht werden. Zustimmung der HV und Fehlen des Minderheitenwiderspruchs sind für Verzicht oder Vergleich Wirksamkeitserfordernisse (AG „kann" sonst nicht disponieren), haben also nicht nur für Verhältnis zwischen AR und HV Bedeutung. Verzicht oder Vergleich, die nach § 93 IV 3 wirksam sind, stehen einem Klagezulassungsverfahren nach § 148 entgegen (Dietz-Vellmer NZG 2011, 248, 252 f.). Zulassungsantrag ist oder wird analog § 148 III (→ § 148 Rn. 13) unzulässig. Erteilt HV Zustimmung, kann sich im Falle gesamtschuldnerischer Haftung schwierige Frage nach **Auswirkungen des Verzichts auf mithaftende Organmitglieder** stellen. Allg. Grundsätze zur Einzel- oder Gesamtwirkung können hier nur insofern zur Anwendung gelangen, als auch für andere Organmitglieder Anforderungen des § 93 IV 3 beachtet werden (ausf. Bayer/Scholz ZGR 2016, 619, 632 ff.). Zur Ausstrahlungswirkung der Vorschrift auf vertragliche Freistellungs- oder Erstattungszusagen im Anstellungsvertrag → § 84 Rn. 23. **168**

f) Zahlungsunfähige Vorstandsmitglieder. Dreijahresfrist (→ Rn. 159) gilt gem. § 93 IV 4 nicht, wenn Vorstandsmitglied zahlungsunfähig ist (§ 17 II InsO → § 92 Rn. 34 f.) und sich mit seinen Gläubigern vergleicht, um Insolvenzverfahren abzuwenden. Frist gilt auch nicht, wenn Ersatzpflicht in Insolvenzplan geregelt werden soll. Zustimmung der HV bleibt in beiden Fällen erforderlich, Widerspruch der Minderheit beachtlich (→ Rn. 168). Im Einzelnen gilt: **Vergleich** zur Abwendung kann auch außergerichtl. Vergleich sein (§ 779 BGB), und zwar jeder Vergleich, auch mit nur einem Gläubiger (str., wie hier GK-AktG/Hopt/Roth Rn. 540). Einstellung des Insolvenzverfahrens (§§ 213 ff. InsO) ist wie seine Abwendung zu behandeln (GK-AktG/Hopt/Roth Rn. 539). Zwangsvergleich (früher §§ 173 ff. KO) und gerichtl. Vergleich (früher §§ 66 ff. VglO) sind im Insolvenzplanverfahren (§§ 217 ff. InsO) aufgegangen. Dessen Bestätigung (§ 248 InsO) führt nach Eintritt ihrer Rechtskraft zur Aufhebung des Verfahrens (§ 258 InsO). **169**

VI. Rechte der Gesellschaftsgläubiger (§ 93 V)

1. Grundlagen. Nach § 93 V können Gläubiger der AG unter bestimmten Voraussetzungen und Modifikationen ggü. der Rechtslage der Gesellschaft deren Ersatzanspruch geltend machen. Bezweckt ist, Rechtsstellung der Gläubiger im Vergleich zu allg. Regeln der Rechtsverfolgung zu verbessern. Danach müssten sie nämlich gegen AG einen Titel erwirken, um Schadensersatzansprüche der Gesellschaft gegen ihre Vorstandsmitglieder pfänden (§ 829 ZPO) und Überweisungsbeschluss (§ 835 ZPO) erwirken zu können. Dieser Weg soll abgekürzt werden (wohl allgM, s. KK-AktG/Cahn Rn. 200; MüKoAktG/Spindler Rn. 331). Praktische Bedeutung ist allerdings gering, da Vorschrift nur dann eingreift, wenn Gläubiger von AG keine Befriedigung erlangt, ihre Anwendung zugleich aber gem. § 93 V 3 ausgeschlossen ist, wenn AG insolvent ist (GK-AktG/Hopt/Roth Rn. 547). **Dogmatische Einordnung** des den Gläubigern **170**

in § 93 V eingeräumten Verfolgungsrechts ist str. Teilw. wird ges. Prozessstandschaft angenommen (vgl. zB LG Köln AG 1976, 105 f.; Habscheid FS F. Weber, 1975, 197 ff.). Nach überwiegender Gegenansicht sollen Gläubiger nicht Anspruch der AG verfolgen, sondern eigenen Anspruch gegen Vorstandsmitglieder haben, dessen Bestand allerdings mit dem Gesellschaftsanspruch grds. verknüpft sei (s. BeckOGK/Fleischer Rn. 352; GK-AktG/Hopt/Roth Rn. 549 ff.; MüKoAktG/Spindler Rn. 331).

171 **Stellungnahme.** Frage hat wenig praktisches Interesse, solange Einigkeit darüber besteht, dass Gläubiger Anspruch auf Leistung an sich und nicht in Gesellschaftsvermögen hat, Vorstandsmitglied aber selbst nach Klageerhebung gegen ihn mit befreiender Wirkung auch ggü. dem Gläubiger an AG zahlen kann (→ Rn. 173). Schon weil Gläubiger Leistung an sich selbst fordern kann, liegt anders als nach § 62 II 1 **keine Prozessstandschaft** vor. Diesem Ergebnis und dem Normzweck entspräche es am besten, § 93 V mit den Wirkungen einer Überweisung zur Einziehung (§ 835 I Fall 1 ZPO) zu vergleichen. Doch ist auch dieser Weg nicht gangbar, weil Vorstandsmitglied noch schuldbefreiend an AG leisten kann (s. dagegen zur Überweisung zB BGHZ 82, 28, 31 f. = NJW 1982, 173). Danach bleibt nur Verständnis des § 93 V als materiell-rechtl. **Anspruchsvervielfältigung** eigener Art. Dasselbe gilt für § 309 IV 3 (→ § 309 Rn. 23).

172 **2. Voraussetzungen des Verfolgungsrechts.** Gläubiger der AG kann deren Ansprüche gegen Vorstandsmitglieder gem. § 93 V 2 nur verfolgen, soweit er von Gesellschaft keine Befriedigung erlangen kann. Erforderlich und genügend ist, dass **AG nicht zahlen kann.** Fruchtloser Vollstreckungsversuch ist nicht notwendig, bloße Zahlungsunwilligkeit nicht ausreichend (vgl. MüKoAktG/Spindler Rn. 335). Beweislast obliegt Gläubigern. Wenn diese Voraussetzung erfüllt ist, muss weiter unterschieden werden: Verfolgungsrecht besteht ohne Rücksicht auf Schwere des Verschuldens gegen Vorstandsmitglieder, die **Sondertatbestände des § 93 III** (→ Rn. 148 ff.) verwirklicht haben (BGHZ 218, 80 Rn. 61 = NZG 2018, 625). Dagegen muss **in anderen Haftungsfällen** (§ 93 II) gröbliche Pflichtverletzung, also wenigstens grobe Fahrlässigkeit, vorliegen (§ 93 V 2 Hs. 1). Es ist jedoch nach § 93 II 2 iVm § 93 V 2 Hs. 2 Sache der Vorstandsmitglieder, sich insoweit zu exculpieren; also Umkehr der Beweislast. **Verzicht, Vergleich oder gesetzmäßiger Beschluss der HV** (→ Rn. 153 ff.) können Gläubigern nach § 93 V 3 nicht entgegengehalten werden. Insoweit ist ihr Verfolgungsrecht also unabhängig vom Gesellschaftsanspruch, woraus sich Zusatzargument für materiell-rechtl. Anspruchsvervielfältigung (→ Rn. 171) ergibt. Gesetzmäßiger HV-Beschluss kann aber über § 83 II Ausführungspflicht begründen und auf diesem Wege schon auf Tatbestandsebene Pflichtverstoß des Vorstands ausräumen (MüKoAktG/Spindler Rn. 344; Streyl/Schaper ZIP 2017, 410, 414).

173 **3. Ausübung des Verfolgungsrechts; Rechtswirkungen.** Gläubiger kann und muss Leistung an sich selbst, nicht an AG verlangen (ganz hM, s. nur MüKoAktG/Spindler Rn. 336). Vorstandsmitglied, das schon von AG verklagt ist, kann der Klage des Gläubigers nicht die Einrede der Rechtshängigkeit nach § 261 III Nr. 1 ZPO entgegensetzen; im Prozess der AG ergangenes Urteil entfaltet auch keine Rechtskraftwirkung gegen Gläubiger (KK-AktG/Cahn Rn. 205; MüKoAktG/Spindler Rn. 341; aA Grigoleit/Grigoleit/Tomasic Rn. 156). Wenn Vorstandsmitglied an AG zahlt, geht deren Anspruch und mit ihm auch derjenige des Gläubigers unter; insoweit lässt sich von Akzessorietät sprechen. Leistung an Gläubiger der AG befreit dagegen erst, wenn dieser die Leistung von dem Vorstandsmitglied verlangt hatte. Damit erlischt auch die Verbindlichkeit der AG (MüKoAktG/Spindler Rn. 342). Gläubiger der AG kann Vorstandsmitglied unmittelbar in Anspruch nehmen, muss diesen Weg aber nicht

gehen. **Zulässig bleibt** also **Klage gegen AG und Vollstreckung des Titels** durch Pfändung und Überweisung des gegen Vorstandsmitglied gerichteten Ersatzanspruchs. Dieser Weg ist anzuraten, damit direkte Inanspruchnahme des Vorstandsmitglieds nicht wegen dessen schuldbefreiender Leistung an AG scheitert (vgl. auch KK-AktG/Cahn Rn. 205).

4. Insolvenz der AG. Verfolgungsrecht der Gläubiger wird bei Insolvenz der AG durch Insolvenzverwalter oder (bei Eigenverwaltung) durch Sachwalter ausgeübt (§ 93 V 4). Daraus folgt negativ: **Gläubiger** können Vorstandsmitglied nach Insolvenzeröffnung nicht mehr in Anspruch nehmen; gleichwohl erhobene Klage ist als unbegründet abzuweisen (RGZ 74, 428, 429 f.; RG JW 1935, 3301 f.; KK-AktG/Cahn Rn. 213). War Klage bei Insolvenzeröffnung schon rechtshängig, so tritt analog § 240 ZPO Unterbrechung ein; Insolvenzverwalter kann in Prozess eintreten (BeckOGK/Fleischer Rn. 359; Einzelheiten bei Habscheid FS F. Weber, 1975, 197 ff.). Positiv ergibt sich aus § 93 V 4: **Insolvenzverwalter** kann Vorstandsmitglied auch dann in Anspruch nehmen, wenn AG als Insolvenzschuldnerin dies wegen HV-Beschlusses, Verzichts oder Vergleichs nicht könnte. § 93 V 3 wirkt also über § 93 V 4 auch zugunsten der Insolvenzmasse, sofern Voraussetzungen des Verfolgungsrechts iÜ gegeben sind (RG LZ 1930 Sp. 720; KK-AktG/Cahn Rn. 212). Insolvenzverwalter ist an Beschränkungen des § 93 IV 3 nicht gebunden (RGZ 74, 428, 430), kann sich also insbes. vergleichen (GK-AktG/Hopt/Roth Rn. 536). **Sachwalter** wird anstelle der AG, hier ihres AR (§ 112), tätig, wenn Eigenverwaltung (§§ 270 ff. InsO) angeordnet ist. § 93 V 4 ist Sondervorschrift ggü. § 274 InsO. Sachwalter verdrängt also Gesellschaftsorgane und hat die Befugnisse, die sonst Insolvenzverwalter zuständen. Vorschrift gilt nicht, wenn Gläubigern eigene Forderung unmittelbar gegen Anspruchsgegner aus selbständiger Anspruchsgrundlage (zB Prospekthaftung) zusteht (BGH AG 2012, 874 Rn. 17 zu § 309 IV 5). Parallelbestimmungen zu § 93 V 4 enthalten § 62 II 2, § 117 V 3, § 309 IV 5. 174

VII. Verjährung (§ 93 VI)

1. Geltungsbereich. § 93 VI sieht fünfjährige und für börsennotierte AG (§ 3 II) zehnjährige Verjährung vor, und zwar auch für vor dem 15.12.2010 entstandene und bisher unverjährte Ansprüche (§ 24 EGAktG). Verlängerung der Frist auf zehn Jahre für börsennotierte AG beruht auf Art. 6 Nr. 1 RestrukturierungsG v. 9.12.2010 (BGBl. 2010 I 1900). Maßgebend für Börsennotierung ist **Zeitpunkt der Pflichtverletzung,** nicht des Schadenseintritts (RegBegr. BT-Drs. 17/3024, 82; Harbarth/Jaspers NZG 2011, 368, 372). Für GmbH bleibt es auch bei obligatorischem AR mangels Börsennotierung bei fünfjähriger Verjährung. Seitenstück zu § 93 VI enthält § 52a KWG für Ansprüche gegen Organmitglieder von KI (Art. 2 Nr. 16a RestrukturierungsG); Regelung hat Bedeutung für KI, die nicht AG sind. Verlängerung der Verjährungsfrist überzeugt weder im Grundsatz noch in subj. Abgrenzung (Baums ZHR 174 [2010], 593 ff.; vgl. aber auch RegBegr. BT-Drs. 17/3024, 81; für Abschaffung deshalb auch Empfehlung 7b des 70. DJT) und entfaltet namentl. im Zusammenspiel mit Beweislastumkehr nach § 93 II 2 übermäßige Schärfe (Fleischer AG 2014, 457, 467). Wenn überhaupt aktienrechtl. Reformbedarf bestanden haben sollte, hätte Übergang zur Regelverjährung des § 199 BGB näher gelegen (auch bei fünfjähriger Verjährung möglich; vgl. DAV-HRA NZG 2010, 897; Redeke BB 2010, 910, 911 ff.), ggf. ergänzt um bes. (auch aufsichtsrechtl.) Hemmungstatbestände. 175

Frist gilt für alle aus § 93 I–V (auch iVm § 116 S. 1) folgenden Ansprüche, also auch für Verfolgungsrecht der Gesellschaftsgläubiger. Schadensersatzansprüche, 176 die nach anderen Vorschriften begründet sind, **verjähren selbständig** nach insoweit bestehenden Vorschriften, etwa nach § 117 VI oder nach § 309 V (Harbarth/Jaspers NZG 2011, 368, 373). Soweit keine Sonderverjährung vorgesehen ist, etwa bei Ansprüchen aus § 823 II BGB, verbleibt es bei allg. Regeln der §§ 195, 199 I und III BGB (OLG München AG 2017, 631, 634; s. zur früheren Gesetzeslage noch BGHZ 100, 190, 200 ff. = NJW 1987, 2008). Das hat trotz dreijähriger Frist Bedeutung, weil sie, anders als nach § 93 VI, § 117 VI, § 309 V, erst ab Kenntnis oder grob fahrlässiger Unkenntnis (§ 199 I Nr. 2 BGB) läuft (vgl. Leuering/Rubner NJW-Spezial 2022, 271 f.). Insbes. können solche subj. Umstände in der Person eines Organmitglieds der AG nicht mit der Folge des Fristbeginns zugerechnet werden, wenn Mitglied selbst Schuldner ist (BGHZ 179, 344 Rn. 34 = NJW 2009, 2127 zu § 852 BGB aF; BGH NZG 2011, 628 Rn. 10 zur GmbH). Umgekehrt kann Verjährung von Deliktsansprüchen oder von sonstigen Ansprüchen aus anderem Rechtsgrund als § 93 nicht gegen aktienrechtl. Haftung vorgebracht werden.

177 **2. Fristablauf und -berechnung.** Maßgeblich für Beginn aktienrechtl. Sonderverjährung ist **§ 200 BGB,** also **Entstehung des Anspruchs als obj. Umstand** (BGH NJW 2009, 68 Rn. 16; BGHZ 219, 356 Rn. 17 = NZG 2018, 1301; OLG Düsseldorf NZG 2023, 1279 Rn. 115; OLG Stuttgart AG 2010, 133, 136; OLG München AG 2018, 758, 759; MüKoAktG/Spindler Rn. 355; Überblick über vereinzelte Auflockerungstendenzen bei Fleischer AG 2014, 457, 460 f.). Obj. Beginn wird in RegBegr. zum Ges. zur Anpassung von Verjährungsvorschriften an das Ges. zur Modernisierung des Schuldrechts v. 9.12.2004 (BGBl. 2004 I 3214) ausdr. hervorgehoben (RegBegr. BT-Drs. 15/3653, 12). Anknüpfung an Anspruchsentstehung soll auch Abschluss von D&O-Versicherungen erleichtern (RegBegr. BT-Drs. 15/3653, 12). Insoweit hat sich durch RestrukturierungsG (→ Rn. 175) nichts geändert (Harbarth/Jaspers NZG 2011, 368, 371). Anspruch ist entstanden, sobald er durch Klage (auch Feststellungsklage) gegen Vorstandsmitglied geltend gemacht werden kann (BGHZ 219, 356 Rn. 17). Schaden muss entstanden, braucht aber in seiner Entwicklung noch nicht abgeschlossen zu sein (BGHZ 100, 228, 231 = NJW 1987, 1887; BGHZ 124, 27, 29 f. = NJW 1994, 323; BGHZ 219, 356 Rn. 17; OLG Düsseldorf NZG 2023, 1279 Rn. 115; OLG Stuttgart AG 2010, 133, 136).

178 Bei **schädigendem Dauerverhalten** setzt Verjährung erst ein, wenn rechtswidriger Zustand beendet ist (KK-AktG/Cahn Rn. 227; MüKoAktG/Spindler Rn. 356; Fleischer AG 2014, 457, 462). Bei bes. praxisrelevanter Fallgruppe **pflichtwidrigen Unterlassens** (namentl. auch von AR-Mitgliedern) differenziert BGH zunächst danach, ob **einmaliges und anlassbedingtes** oder fortdauerndes Unterlassen vorliegt. Im ersten Fall beginnt Verjährung sofort, im zweiten Fall ist weiter zu differenzieren, ob sich fortdauerndes Unterlassen als einheitliche Dauerhandlung oder als Vielzahl sich wiederholender Eingriffe darstellt (BGHZ 219, 356 Rn. 18 = NZG 2018, 1301; OLG Düsseldorf NZG 2023, 1279 Rn. 116 ff.; vgl. zu dieser schwierigen Abgrenzung Jenne/Miller AG 2019, 112, 115 ff.; grds. abl. Goj ZIP 2019, 447, 451 ff.). Während bei Dauerhandlung Verjährung nicht beginnt, solange Eingriff noch fortdauert, beginnt sie bei sich wiederholenden Eingriffen für den in Folge der Unterlassung eintretenden Schaden gesondert (BGHZ 219, 356 Rn. 18 mwN; weiter diff. Jenne/Miller AG 2019, 112, 114 f.).

179 Große Schwierigkeiten bereitet, **Ende des pflichtwidrigen Dauerverhaltens durch Unterlassen** zu bestimmen. Vielzahl möglicher Fallgruppen erschwert einheitliche Regelbildung. Als Leitlinie können herkömmliche Formeln dienen, wonach Unterlassung endet, wenn pflichtwidrig unterbliebene Handlung **nicht mehr nachgeholt** werden kann oder Unterlassen als soziale Handlungs-

einheit endet (BeckOGK/Fleischer Rn. 365 f.; vgl. zur ersten Kategorie auch LG Wuppertal BeckRS 2020, 39141 Rn. 23). Weiterhin ist nicht abschließend geklärt, ob Verjährung für **abgrenzbare Teilschäden** bereits mit Schadenseintritt einsetzen kann (dafür mit starken Argumenten Guntermann NZG 2018, 851, 852 f.; sa LG Köln BeckRS 2019, 54878 Rn. 52; LG Saarbrücken NZKart 2021, 64 Rn. 72; LG Wuppertal BeckRS 2020, 39141 Rn. 23; Bayer/Scholz NZG 2019, 201, 208; Fleischer ZIP 2018, 2341, 2345).

Besteht Unterlassen darin, dass **Ansprüche nicht geltend gemacht** werden, 180 tritt Schaden erst mit Verstreichenlassen der letzten Möglichkeit zur verjährungshemmenden Geltendmachung iSd § 200 S. 1 BGB ein (BGHZ 219, 356 Rn. 21 ff. = NZG 2018, 1301; zur daraus erwachsenden Gefahr eines „endlosen Verjährungskarussels" Löbbe/Lüneborg Konzern 2019, 53, 58 f.; krit. auch Schockenhoff AG 2019, 745, 748 f.; zu den Folgen eines Ausscheidens des AR-Mitglieds Cahn ZHR 184 [2020], 297, 308 ff.). Das bedeutet allerdings nicht, dass auch Pflichtverletzung erst dann beginnt, sondern insofern sind ARAG-Grundsätze maßgebend (→ § 111 Rn. 7 ff.; aA wohl Schockenhoff AG 2019, 745, 752). Unterlassene Geltendmachung ist idR nicht identisch mit vorangegangener Pflichtverletzung, etwa Überwachungsversagen des AR (BGHZ 219, 356 Rn. 28 ff. = NZG 2018, 1301; krit. Cahn ZHR 184 [2020], 297, 318 ff.). Hat Vorstandsmitglied seine Pflichtverletzung in unlauterer Weise aktiv verschleiert, kann AG uU Arglisteinwand gegen Verjährungseinrede erheben (BGH NJW 1995, 1353, 1358; GK-AktG/Hopt/Roth Rn. 589; Fleischer AG 2014, 457, 461, 470). Bloßes Verschweigen begründet dagegen keine zusätzliche Ersatzpflicht (BGHZ 219, 356 Rn. 35 = NZG 2018, 1301 in missverständlicher Ausdehnung auf „unterlassene Geltendmachung gegen sich selbst", die aber AR obliegen würde; krit. auch Cahn ZHR 184 [2020], 297, 315).

Fristberechnung erfolgt nach § 187 I BGB, § 188 II BGB. **Hemmung** 181 (§§ 203 ff. BGB) durch AG wirkt auch zugunsten des Verfolgungsrechts der Gläubiger. Nach hM gilt aber nicht Umkehrung. Vielmehr soll Hemmung durch Gläubiger nur für ihn und Insolvenzverwalter wirken (GK-AktG/Hopt/Roth Rn. 598; KK-AktG/Cahn Rn. 229; MüKoAktG/Spindler Rn. 358; nicht zweifelsfrei). AR begeht keine Pflichtverletzung, wenn er Anspruch verjähren lässt, sofern er nach ARAG-Grundsätzen zulässigerweise von Verfolgung absehen darf (Habersack NZG 2016, 321, 326; Thomas AG 2016, 473, 474). Auch Beschluss der HV nach § 93 IV 3 ist dafür nicht erforderlich, wenn man auch insofern die in BGHZ 202, 26 Rn. 19 = NZG 2014, 1058 entwickelte Differenzierung zwischen aktivem Tun und bloßem Unterlassen zugrunde legt (Thomas AG 2016, 473, 474; krit. dazu aber → Rn. 164; → § 84 Rn. 23).

3. Fristverkürzung oder -verlängerung. Nach früher hM sollte rechts- 182 geschäftliche Verkürzung oder Verlängerung unzulässig sein (Hölters/Weber/Hölters/Hölters Rn. 324; Harbarth/Jaspers NZG 2011, 368, 370). Das ist hinsichtlich Verkürzung zutr., hinsichtlich Verlängerung aber zweifelhaft. § 23 V steht insofern entgegen, als Verlängerung nicht schon in Satzung oder Anstellungsvertrag vor Anspruchsentstehung vorgesehen werden kann (BeckOGK/Fleischer Rn. 370; aA Schnorbus/Klormann NZG 2015, 938, 941). Sofern es aber darum geht, im Streit über schon entstandenen Anspruch, **im Einvernehmen mit betroffenem Vorstandsmitglied** Frist zu verlängern, ist nicht ersichtlich, welche zwingenden aktienrechtl. Belange dem entgegenstehen sollten; auch Einführung des § 202 II BGB im Zuge des SchuldRModG weist in diese Richtung (für eine solche Option deshalb die mittlerweile hM: GK-AktG/Hopt/Roth Rn. 585; MüKoAktG/Spindler Rn. 354; BeckOGK/Fleischer Rn. 370; Fleischer AG 2014, 457, 462 f.; Reichert ZIP 2016, 1189, 1196; Schnorbus/Klormann NZG 2015, 938, 939 ff.; Schwab NZG 2013, 521, 526 f.; Thomas AG

2016, 473, 474; Wahlers/Wolff AG 2011, 605 ff.; Werner VersR 2016, 1352 f., aber auch [obwohl durchgängig für Gegenauffassung angeführt] Sturm, Die Verjährung von Schadensersatzansprüchen der Gesellschaft gegen Leitungsmitglieder, 2005, 577, 585 ff.). Da Lösung umstr. und durch Rspr. nicht bestätigt ist, sind als Alternativen zur einvernehmlichen Verlängerung Verzicht auf die Einrede der Verjährung oder außergerichtl. Hemmung (§§ 203 ff. BGB) zu prüfen (zu beidem Wahlers/Wolff AG 2011, 605, 609 f.). Vorstand und AG müssen überdies bei Abschluss der Vereinbarung bedenken, dass sie dadurch möglicherweise **Deckungsanspruch ggü. D&O-Versicherer** gefährden, der deshalb frühzeitig in die Absprache einbezogen werden sollte (Einzelheiten bei Thomas AG 2016, 473, 475 ff.; Werner VersR 2016, 1352, 1354 ff.).

VIII. Schiedsvereinbarung

183 **1. Vor- und Nachteile.** Um negative Publizität eines Gerichtsverfahrens und Aufdeckung von Geschäftsgeheimnissen zu vermeiden, kann sich Aufnahme einer Schiedsklausel in Anstellungsvertrag empfehlen (Leuering NJW 2014, 657 ff.; sa Thümmel FS Geimer, 2002, 1331 ff.; Umbeck SchiedsVZ 2009, 143 ff.). **Vorteile** aus Vorstandssicht: Ungünstige Beweisregel des § 93 II 2 kann verfahrensrechtl. abgeschwächt werden (Leuering NJW 2014, 657, 660), ohne dass ges. Beweislastverteilung dadurch berührt würde (Krieger VGR 23 GesR 2017, 181, 193 f.); Verfahren wird auf eine Instanz beschränkt; streitspezifische Besetzung mit bes. Verständnis für unternehmerische Vorgänge (Habersack/Wasserbäch AG 2016, 2; Umbeck SchiedsVZ 2009, 143 f.). **Nachteile:** Verfahrensmodifizierende Instrumente der ZPO stehen nicht zur Verfügung. Das gilt insbes. für Streitverkündung mit Interventionswirkung, die durch schiedsgerichtl. Streitverkündung (vgl. dazu Habersack FS Ebke, 2021, 299 ff.; Werner NZG 2023, 458, 462 f.) nicht vollständig ersetzt werden kann (eingehend Schäfer/Schäfer FS Triebel, 2021, 265 ff.). Auch sonstige Einbeziehung Dritter in das Verfahren ist nicht nach herkömmlichen Regeln möglich (Spindler FS Baums, 2017, 1205, 1211 f.). Weiterhin wird Verfolgungsdruck auf AR erhöht, da er sich nicht mehr darauf berufen kann, dass Öffentlichkeit AG zum Schaden gereicht (→ § 111 Rn. 16 ff.; sa Leuering NJW 2014, 657, 659; allg. Darstellung der Vor- und Nachteile auch bei Heinrich NZG 2016, 1406 ff.; Krieger VGR 23 GesR 2017, 181, 189 ff.; Schlüter, Schiedsbindung von Organmitgliedern, 2017, 25 ff.). Bei Abschluss ist Zusammenspiel mit etwa bestehender **D&O-Versicherung** zu beachten (ausf. Schäfer/Schäfer FS Triebel, 2023, 265, 283 ff.). Versicherer stehen Schiedsvereinbarungen oft skeptisch ggü., da sie „freundliche Inanspruchnahme" im kollusiven Zusammenwirken von Vorstand und AR befürchten. UU kann Versicherungsvertrag deshalb entspr. Ausschluss vorsehen (Umbeck SchiedsVZ 2009, 143, 148). Tut er das nicht, muss Versicherung grds. auch für eine durch Schiedsspruch festgestellte Haftung einstehen (Schumacher NZG 2016, 969, 970 f.), wobei letztlich maßgeblich aber vertragl. Ausgestaltung bleibt (Schäfer/Schäfer FS Triebel, 2021, 265, 283 ff.). Zur weitergehenden Frage, ob auch Streit mit D&O-Versicherer schiedsfähig ist, vgl. Schumacher NZG 2016, 969, 972; Werner VersR 2015, 1084 ff.

184 **2. Schiedsfähigkeit.** Als vermögensrechtl. Ansprüche sind **Organhaftungsansprüche grds. schiedsfähig** (MüKoAktG/Habersack § 116 Rn. 4; Leuering NJW 2014, 657 ff.). Schiedsvereinbarung kann noch im Verlauf des Anstellungsverhältnisses getroffen werden (Herresthal ZIP 2014, 345, 346), auch dann, wenn Pflichtverletzung schon eingetreten ist (Thümmel FS Geimer, 2002, 1331, 1338 f.). Darin liegt kein Verstoß gegen § 93 IV 3, da Anspruch nicht aufgegeben, sondern lediglich verlagert wird (BeckOGK/Spindler § 116 Rn. 175; aA

Mertens FS Fleck, 1998, 209, 211; zweifelnd Krieger VGR 23 GesR 2017, 181, 183 ff.); beide Verfahrensarten gelten als gleichwertig (RegBegr. SchiedsVfG BT-Drs. 13/5273, 34; BGHZ 162, 9, 17 f. = NJW 2005, 1125; zum verbleibenden „Friktionspotenzial" aber Scholz/Weiß AG 2015, 523 ff.). In der Konsequenz dieser Gleichwertigkeitsannahme liegt es, dass Vorgaben des § 93 IV 3 nur beim Schiedsvergleich (nicht aber beim Schiedsspruch) zu beachten sind (Leuering NJW 2014, 657, 660; wieder anders für Schiedsspruch mit vereinbartem Wortlaut – s. Pauschinger AG 2019, 671 ff.).

3. Abschluss der Schiedsvereinbarung. Zuständig für Abschluss der 185 Schiedsvereinbarung ist **AR** (Thümmel FS Geimer, 2002, 1331, 1339; Umbeck SchiedsVZ 2009, 143, 144), bei Schiedsverträgen mit AR-Mitgliedern Vorstand (Krieger VGR 23 GesR 2017, 181, 186; aA Werner VersR 2015, 1084, 1087). Klausel-RL (RL 93/13/EWG) steht nicht entgegen (zutr. Herresthal ZIP 2014, 345, 347 ff.; zust. Bauer/Ch. Arnold/Kramer AG 2014, 677, 679 ff.; Berger/Scholl ZBB 2016, 237, 247 f.; Habersack FS Coester-Waltjen, 2015, 1097, 1107 f.; aA v. Westphalen ZIP 2013, 2184 ff.). Schiedsklausel muss **Form des § 1031 ZPO** wahren (OLG Hamm AG 2007, 910, 911 f.; Mülbert FS Hadding, 2004, 575, 582 ff.; Thümmel FS Geimer, 2002, 1331, 1337; zur Kritik → § 84 Rn. 25); zur Inhaltskontrolle vgl. Krieger VGR 23 GesR 2017, 181, 202 f.; Schäfer/Schäfer FS Triebel, 2021, 265, 276 ff. Noch nicht abschließend geklärt ist, ob sie auch als **Satzungsinhalt** vorgesehen werden kann (dafür die hM – vgl. Bauer/Ch. Arnold/Kramer AG 2014, 677, 681 ff.; Habersack/Wasserbäch AG 2016, 2, 6 f.; Herresthal ZIP 2014, 345, 347; Lüke/Blenske ZGR 1998, 253, 257 ff.; Schlüter, Schiedsbindung von Organmitgliedern, 2017, 207 ff.; Spindler FS Baums, 2017, 1205, 1207 ff.; Umbeck SchiedsVZ 2009, 143, 146 f.; aA Berger/Scholl ZBB 2016, 237, 248; Krieger VGR 23 GesR 2017, 181, 187 ff.; Thümmel FS Geimer, 2002, 1331, 1337). Es gelten insofern die in → § 84 Rn. 71 angestellten Überlegungen. Bindungswirkung der Klausel erstreckt sich auch auf Insolvenzverwalter (Umbeck SchiedsVZ 2009, 143, 147).

IX. Sonstige Sanktionen

1. Insbesondere: Untreue. Neben Innen- oder Außenhaftung (→ Rn. 71 ff., 186 → Rn. 133 ff.) können Vorstand auch sonstige Sanktionen nach Straf-, Ordnungswidrigkeiten- oder Aufsichtsrecht drohen. Bes. praktische Relevanz hat insofern namentl. § 266 StGB erlangt, da Schädigung des Gesellschaftsvermögens auch **Untreue** zum Nachteil der AG sein kann; Vorstand und AR (→ § 111 Rn. 7, → § 116 Rn. 15) treffen Vermögensbetreuungspflichten ggü. AG (s. dazu etwa BGHSt 55, 266 Rn. 25 ff. = NJW 2010, 3458; BGHSt 55, 288 Rn. 37 = NJW 2011, 88; BGH AG 2013, 640 Rn. 17 ff.; BGHSt 61, 48 Rn. 51 ff. = NZG 2016, 703; BGH NZA 2023, 301 Rn. 19; Bachmann FS Beulke, 2015, 1259 ff.). Inwiefern bei Einwilligung des Alleinaktionärs etwas anderes gilt, ist noch nicht abschließend geklärt (vgl. zum Meinungsstand MüKoStGB/Dierlamm § 266 Rn. 147 ff., 159; auch hier für Untreue öOGH GES 2014, 240 im Anschluss an Rönnau FS Amelung, 2009, 247 ff.; krit. Bollenberger/Wess RdW 2014, 247 ff.; Kalss ecolex 2014, 496 ff.; Koppensteiner GES 2015, 5 ff.; Schima RdW 2015, 344 ff.; diff. für das deutsche Recht Brand AG 2007, 681 ff.; sa Brand/Sperling AG 2011, 233 ff.; Trüg/Zeyher NZWiSt 2021, 169 ff.).

Der uferlosen Weite des § 266 StGB ist nach verfassungsrechtl. Gebot durch 187 **restringierende Auslegung** Rechnung zu tragen (BVerfGE 126, 170, 200 ff. = NJW 2010, 3209; BGHSt 55, 288 Rn. 35; BGHSt 61, 48 Rn. 60 = NZG 2016, 703; LG Hamburg AG 2015, 368 f.). Ausreichend sind deshalb grds. nur schwere Pflichtverletzungen (BGHSt 47, 148, 152 f.; BGH NZG 2022, 1293 Rn. 9). Um

Pflichtenmaßstab festzustellen, geht BGH von vollständiger Zivilrechtsakzessorietät aus, so dass gesellschaftsrechtl. Grundsätze (einschließlich BJR und Legalitätspflicht; → Rn. 9 ff.) maßgeblich sind (BGHSt 47, 187, 192 ff. = NJW 2002, 1585; BGH NJW 2006, 453, 454 f.; NZG 2022, 1293 Rn. 9 mAnm Hasselbach/Stepper; Perron ZGR 2016, 187, 194; krit. Florstedt FS E. Vetter, 2019, 155 ff.). Das soll auch zur Folge haben, dass schwere Pflichtverletzung stets schon dann anzunehmen ist, wenn Grenzen der BJR überschritten sind (BGH NZG 2017, 116 Rn. 24 ff.; NZA 2023, 301 Rn. 21; sa schon LK-StGB/Schünemann StGB § 266 Rn. 256). Dem ist zu widersprechen, da Vorschrift nur sicheren Hafen der Haftungsfreiheit eröffnet, aber nicht umgekehrt ihre Verletzung auch einen Pflichtenverstoß begründet, erst recht keinen schweren (→ Rn. 31; wie hier Baur/Holle ZIP 2017, 555. 556 ff.; grds. Zweifel an Heranziehung der BJR auch bei Krause ZGR 2016, 335, 347 f.). Deutlich wird das namentl. in den Fällen, in denen BJR nicht an unverantwortliche Falschbeurteilung scheitert (→ Rn. 51 f.), sondern etwa an fehlender sachlicher Unbefangenheit, die kein treuwidriges Verhalten voraussetzt (→ Rn. 55 ff.; relativierend beim Verstoß gegen Informationspflichten aber auch BGH NZG 2017, 116 Rn. 31).

188 Auch Verstöße gegen Legalitätspflicht können nur dann Untreue begründen, wenn verletzte Norm **vermögensschützenden Charakter** hat (BGHSt 55, 288 Rn. 38 f.; vgl. dazu Brand/Sperling AG 2011, 233 ff.), was etwa auch für handelsrechtl. Buchführungspflichten (BGHSt 55, 266 Rn. 27) oder für betriebsverfassungsrechtl. Begünstigungsverbot angenommen wurde (§ 78 S. 2 BetrVG – vgl. BGH NZG 2023, 854 Rn. 19 f.; krit. Kudlich/Scheuch/Thüsing ZIP 2023, 609 ff.). Rspr. beachtet diese Grenze aber nicht durchgängig, was namentl. im Zusammenspiel mit Ausdehnung auf bloße „Gefährdungsschäden" (BGHSt 47, 8, 11 = NJW 2011, 3638; vgl. dazu Ransiek ZStW 116 [2004], 658 ff.) dem grds. Gebot restringierender Auslegung zuwiderläuft (zu Recht krit. Perron ZGR 2016, 187, 193 ff.). Bei Risikogeschäften sind an Vorsatz bes. hohe Anforderungen zu stellen (BGH NStZ 2013, 715 f.; Altenburg BB 2015, 323 ff.; zu CSR-Aktivitäten → § 76 Rn. 63 ff.).

189 **2. Weitere Sanktionsmechanismen.** Neben Untreue kann nach Aufgabe der Interessentheorie im Rahmen des § 14 StGB auch Bankrottstrafbarkeit nach **§ 283 StGB** im Vorfeld der Insolvenz größere Bedeutung erlangen (vgl. dazu BGHSt 57, 229 Rn. 11 ff. = NJW 2012, 2366; Habetha NZG 2012, 1134); für Insolvenverschleppung sieht § 15a IV InsO Strafbarkeit vor. Ebenfalls zumeist im Insolvenzvorfeld ist Vorenthalten und Veruntreuung von Arbeitsentgelt gem. § 266a StGB angesiedelt (dazu HdB Managerhaftung/Krause Rn. 46.60 ff.; sa → Rn. 141). Kapitalmarktrechtl. Verstöße haben gleichermaßen ordnungswidrigkeiten- und strafrechtl. Sanktionen zur Folge (Überblick bei HdB Managerhaftung/Krause Rn. 46.104 ff.). **Ordnungswidrigkeitenrechtl. Verantwortung** nach § 130 OWiG richtet sich dagegen nicht an Vorstand, sondern an AG selbst, deren Eigenschaft sich Vorstand aber nach § 9 OWiG zurechnen lassen muss (zur Parallelvorschrift des § 14 StGB vgl. Radtke ZIP 2016, 1993 ff.). Solcher Organverstoß kann dann über § 30 OWiG wiederum auf Unternehmen selbst „hochgerechnet" werden (zum Zusammenspiel der Vorschriften s. Többens NStZ 1999, 1 ff.). Zur aktuellen Diskussion um ein Unternehmensstrafrecht vgl. Grützner CCZ 2015, 56 ff.; zur Anwendung des „nemo tenetur"-Grundsatzes Fink wistra 2014, 457 ff. Als Maßnahme des Corporate Shaming mittelbar ebenfalls gegen Vorstand gerichtet ist Veröffentlichung aufsichtsrechtl. Maßnahmen auf Website des BaFin gem. §§ 60b, c KWG (ähnlich §§ 123 ff. WpHG, §§ 7a, 341a KAGB, § 319 VAG; vgl. dazu Armbrüster/Böffel ZIP 2019, 1885 ff.; Nartowska/Knierbein NZG 2016, 256 ff.; sa → § 76 Rn. 179).

Stellvertreter von Vorstandsmitgliedern

94 Die Vorschriften für die Vorstandsmitglieder gelten auch für ihre Stellvertreter.

I. Regelungsgegenstand und -zweck

1 § 94 betr. sog stellvertretende Vorstandsmitglieder und bezweckt Klarstellung, dass sie ungeachtet der Bezeichnung **echte Vorstandsmitglieder** sind, also solche mit allen Rechten und Pflichten (BayObLGZ 1997, 107, 111 f.; GK-AktG/Habersack/Foerster Rn. 4). Regelung ist zwingend (§ 23 V). Parallelvorschriften mit gleicher Bedeutung: § 44 GmbHG, § 35 GenG.

II. Rechtsstellung: Grundsatz

2 Begriff des stellvertretenden Vorstandsmitglieds ist irreführend. Es wird nämlich kein anderes Vorstandsmitglied vertreten. Das stellvertretende Mitglied rückt auch nicht nach Vorbild des § 107 I 3 erst im Verhinderungsfall in die organschaftliche Stellung ein. Vielmehr handelt es sich um Vorstandsmitglied mit den **vollen ges. Rechten und Pflichten,** das nur in interner Vorstandshierarchie nach Maßgabe der Geschäftsordnung hinter anderen Vorstandsmitgliedern zurücksteht (KGJ 24, A 194, 196; KG OLGR 22, 34; KK-AktG/Cahn Rn. 2 f.). Solche Gestaltungen wurden zunächst in der Praxis entwickelt und haben dann in § 94 gesetzl. Grundlage erhalten (BeckOGK/Fleischer Rn. 1). Weisungsbindung ggü. anderem Vorstandsmitglied (etwa Ressortvorstand bei Doppelspitze) gibt es nicht; sie kann auch nicht durch Satzung begründet werden. Verbreitet ist aber kürzere Bestellungsdauer zwecks Bewährung bei Erstbestellung.

III. Einzelheiten zur Anwendung der §§ 76 ff.

3 **Bestellung** und **Abberufung** stellvertretender Vorstandsmitglieder erfolgt nach allg. Regeln, also nach § 84. **Handelsregister:** Nach § 81 anmelde- und eintragungspflichtig ist (nur) Bestellung zum Vorstandsmitglied; dass es sich um stellvertretendes Vorstandsmitglied handelt, ist nicht eintragungspflichtig und nach nunmehr allgM auch nicht eintragungsfähig (BGH NJW 1998, 1071, 1072; BayObLGZ 1997, 107, 112; GK-AktG/Habersack/Foerster Rn. 15; S/L/Sailer-Coceani Rn. 2; aA noch OLG Düsseldorf NJW 1969, 1259). Aus § 43 Nr. 4 HRV folgt nach BGH NJW 1998, 1071, 1072 nur, dass stellvertretende Vorstandsmitglieder überhaupt einzutragen sind. Lösung ist folgerichtig für § 80 I 1 (Geschäftsbriefe) zu übernehmen (→ § 80 Rn. 3). **Leitungsverantwortung** nach § 76 I hat stellvertretendes wie jedes andere Vorstandsmitglied. **Geschäftsführungsbefugnis** nach § 77 kann eingeschränkt werden, wovon Praxis idR Gebrauch macht. Haftung gem. § 93 bleibt jedoch vollen Umfangs erhalten, bes. bei ressortübergreifenden Pflichten (MüKoAktG/Spindler Rn. 9 und 12). **Vertretungsmacht** kann gem. § 82 I nicht beschränkt werden. Heraufstufung vom stellvertretenden zum ordentlichen Vorstandsmitglied erfordert Beschluss des Gesamt-AR; dasselbe gilt für spiegelbildliche Herabstufung (GK-AktG/Habersack/Foerster Rn. 13).

IV. Mitbestimmte Gesellschaften

4 **Ernennung** eines bisher stellvertretenden **zum ordentlichen Vorstandsmitglied** soll den Verfahrensregeln des § 31 II–IV MitbestG (→ § 84 Rn. 5) unterliegen (Habersack/Henssler/Habersack MitbestG § 31 Rn. 6; Krieger, Personalentscheidungen, 1981, 221). Das ist jedoch angesichts der nur hierarchischen

Aufwertung (→ Rn. 2) abzulehnen (zust. BeckOGK/Fleischer Rn. 5; GK-AktG/Habersack/Foerster Rn. 13; KK-AktG/Cahn Rn. 7). **Arbeitsdirektor** (→ § 76 Rn. 140) kann nach zutr. hM als stellvertretendes Vorstandsmitglied bestellt werden, wenn unverzichtbare Kernzuständigkeit für Personal und Soziales gegeben ist und sachliche Gründe für die hierarchische Abstufung sprechen, darin also keine Diskriminierung liegt (BeckOGK/Fleischer Rn. 5; GK-AktG/Habersack/Foerster Rn. 14; Habersack/Henssler/Henssler MitbestG § 33 Rn. 39).

Zweiter Abschnitt. Aufsichtsrat

Zahl der Aufsichtsratsmitglieder

95 **[1] Der Aufsichtsrat besteht aus drei Mitgliedern. [2] Die Satzung kann eine bestimmte höhere Zahl festsetzen. [3] Die Zahl muß durch drei teilbar sein, wenn dies zur Erfüllung mitbestimmungsrechtlicher Vorgaben erforderlich ist. [4] Die Höchstzahl der Aufsichtsratsmitglieder beträgt bei Gesellschaften mit einem Grundkapital**

bis zu	**1 500 000 Euro**	**neun,**
von mehr als	**1 500 000 Euro**	**fünfzehn,**
von mehr als	**10 000 000 Euro**	**einundzwanzig.**

[5] Durch die vorstehenden Vorschriften werden hiervon abweichende Vorschriften des Mitbestimmungsgesetzes, des Montan-Mitbestimmungsgesetzes und des Mitbestimmungsergänzungsgesetzes nicht berührt.

I. Regelungsgegenstand und -zweck

1 AR ist notwendiges Organ der AG (KG NZG 2021, 1358 Rn. 76; sa → § 76 Rn. 2, 5) und muss auch so bezeichnet sein (unstr., vgl. KG JW 1932, 2620; MüKoAktG/Habersack Rn. 5). Das ist in §§ 95 ff. vorausgesetzt. § 95 betr. Zahl der AR-Mitglieder. Regelungsschwerpunkt liegt in Begrenzung der Satzungsautonomie (§ 95 S. 2–4), womit insbes. Abstimmung mit Regeln unternehmerischer Mitbestimmung gewährleistet werden soll. Insoweit ist erstens bezweckt, **Einflussmöglichkeiten der HV zu begrenzen:** Unerwünschte AR-Mitglieder der AN sollen nicht, wie bei variabler Zahl der AR-Mitglieder denkbar, durch Herabsetzung der Mitgliederzahl daran gehindert werden, in das Organ einzutreten (zu mitbestimmungsrechtl. Vorschriften iÜ → Rn. 6). Zweitens will Ges. **Effektivität des AR** sichern und schreibt deshalb Höchstzahlen der AR-Mitglieder vor (§ 95 S. 4; → Rn. 2). Möglichkeit weiterer **Effektivitätssteigerungen** ist seit vielen Jahren Gegenstand rechtspolitischer Diskussion, deren Schwerpunkte auf Herabsetzung der Mitgliederzahl (→ Rn. 2), Professionalisierung (Börsig/Löbbe FS Hoffmann-Becking, 2013, 125, 143 ff.), Unabhängigkeit (→ § 100 Rn. 36 ff.), Vergütung (→ § 113 Rn. 3 ff.) und Haftung der AR-Mitglieder liegt (→ § 116 Rn. 13 ff.). Lebhafte Diversity-Diskussion hat dagegen zumindest in ihren bes. prominenten Einzelaspekten eher sozialpolitischen Charakter, berührt aber ebenfalls Zusammensetzung. Mit Einführung der Geschlechterquote in § 96 II, III (→ § 96 Rn. 13 ff.) dürfte diese Debatte künftig abklingen. Diskussion um fakultative Wahl zwischen dualistischem und monistischem AR-System hat durch Einführung der SE im Jahr 2004 neue Impulse erhalten (→ § 76 Rn. 5 mwN).

II. Mitgliederzahl

1. Gesetzliche Grundregel. AR besteht gem. § 95 S. 1 aus **drei Mitgliedern.** Satzung kann nach § 95 S. 2 zwar eine höhere, aber keine niedrigere Zahl festsetzen. Bei drei liegt also die Mindestzahl. Auch auf diese Weise soll Zusammenspiel mit mitbestimmungsrechtl. Vorgaben erleichtert werden. Sachlich übereinstimmende Regelung trifft § 108 II 3 für Beschlussfähigkeit des AR (→ § 108 Rn. 16), was zur Folge hat, dass dreiköpfiger AR als Gestaltung problematisch ist, da Wegfall eines einzigen Mitglieds die Beschlussfähigkeit aufhebt (Hölters/Weber/Simons Rn. 4). Danach naheliegende Aufstockung auf vier Mitglieder kann dort scheitern, wo weiterhin Dreiteilbarkeitsgrundsatz (→ Rn. 3) gilt. Auf der anderen Seite ist aber auch zu großer AR seiner Funktionsfähigkeit nicht zuträglich, weshalb **tats. Mitgliederzahl** bes. bei mitbestimmtem AR (bei großen Gesellschaften durchweg 20 oder 21 Mitglieder; → § 96 Rn. 5, 7, 9) verbreitet als **zu hoch** angesehen wird (vgl. Lieder, Der Aufsichtsrat im Wandel der Zeit, 2006, 674 ff. mit rechtstats. Angaben). Begrenzung auf zwölf Mitglieder unter weiterer Professionalisierung ihrer Arbeit ist de lege ferenda empfehlenswert. Zumindest sollte erwogen werden, Größe des AR verhandelbar zu gestalten (ausf. dazu AK Unternehmerische Mitbestimmung ZIP 2009, 885, 886 f.), womit zugleich Attraktivität der AG ggü. insofern großzügigerer SE gestärkt werden könnte (→ § 96 Rn. 5a). Gewerkschaften, die auf Repräsentanz verschiedenster AN-Gruppen bedacht sein müssen, stehen entspr. rechtspolitischen Vorschlägen aber ablehnend ggü. (Hölters/Weber/Simons Rn. 2). 2

2. Bestimmungen der Satzung. Satzung kann Mitgliederzahl nach Maßgabe des § 95 S. 2–4 höher als bei drei ansetzen. Dabei muss es sich um **bestimmte höhere Zahl** handeln (LG München I AG 2017, 591, 593). Variable Angaben (wenigstens drei, höchstens neun) sind unzulässig. Früher vertretener Gegenansicht (LG Darmstadt BB 1953, 320; LG Frankfurt DB 1953, 333) hat Gesetzesfassung 1965 aus den in → Rn. 1 genannten Gründen den Boden entzogen (vgl. auch BAG AG 1990, 361). Höhere Zahl muss gem. § 95 S. 3 **durch drei teilbar** sein, wenn dies aus mitbestimmungsrechtl. Gründen erforderlich ist. Dreiteilbarkeitsvorgabe galt bis 2016 noch für alle Aktiengesellschaften. Darin lag allerdings überkommene Spätfolge der früher für alle Aktiengesellschaften geltenden Drittelmitbestimmung (vgl. zu den Ursprüngen der Regelung noch Herold NJW 1953, 1809 ff.). Nachdem diese im Jahr 1994 weggefallen ist, gab es keine Gründe mehr, die Dreiteilbarkeitsgrundsatz für Aktiengesellschaften, die nicht der Mitbestimmung unterliegen, noch rechtfertigen konnten (vgl. RAusschuss BT-Drs. 18/6681, 11) Aus diesem Grund hat Aktienrechtsnovelle 2016 Hs. 2 angefügt. Danach gilt Dreiteilbarkeitsgrundsatz nur noch dann, wenn es für Erfüllung mitbestimmungsrechtl. Vorgaben erforderlich ist. Jenseits solcher Vorgaben kann Zahl der AR-Mitglieder daher oberhalb der Mindestzahl von drei Mitgliedern und unterhalb der Höchstgrenzen des § 95 I 4 frei durch die Satzung festgelegt werden. Neuerung ist uneingeschränkt zu begrüßen (Bayer/Scholz ZIP 2016, 193 ff. [mit ausf. Erl. auch zum Hinein- oder Hinauswachsen in den Anwendungsbereich des DrittelbG; entspr. Formulierungsvorschlag bei Wälzholz/Graf Wolffskeel v. Reichenberg MittBayNot 2016, 197, 200]; Harbarth/v. Plettenberg AG 2016, 145, 149 f.). Sie greift aber ebenso wie Geschlechterquote (→ § 96 Rn. 14) nur, wo – namentl. aufgrund Statusverfahrens (§§ 97 ff.) – AR tats. nach DrittelbG zusammengesetzt wird; abstrakt-normativer Sollzustand ist dagegen aus Gründen der Rechtssicherheit nicht entscheidend (sa ErfK/Oetker Rn. 2). 3

Schließlich gelten **Höchstzahlen** des § 95 S. 4. Zahl der AR-Mitglieder kann gem. § 95 S. 4 keinesfalls mehr als 21 betragen. Es sind **alle Mitglieder** ein- 4 zurechnen, ohne Rücksicht auf die Art ihrer Bestellung (§ 101 I). Ersatzmitglieder können jedoch nicht mitgezählt werden, weil ihre Mitgliedschaft erst mit dem Wegfall des vorgeordneten AR-Mitglieds beginnt (§ 101 III 2; → § 101 Rn. 13; MüKoAktG/Habersack Rn. 15). **Grundkapital** ist dasjenige der jew. geltenden Satzung ohne Rücksicht auf Höhe der Einzahlung.

5 **3. Änderungen der Höchstzahl.** Unproblematisch ist Satzungsänderung, durch die (in den Grenzen des § 95 S. 4) **Zahl der AR-Mitglieder erhöht** wird. HV kann zuwählen, und zwar gleichzeitig mit Änderungsbeschluss. Amtszeit beginnt jedoch erst mit dessen Eintragung in das HR (§ 181 III); → § 181 Rn. 25; MüKoAktG/Habersack Rn. 17. Bloße Zulässigkeit höherer Mitgliederzahl durch Kapitalerhöhung bewirkt nichts, solange Satzung nicht geändert wird. Bei **Verminderung der Zahl** durch Satzungsänderung und bei Unterschreitung der Schwellenzahlen des § 95 S. 4 durch Kapitalherabsetzung ergeben sich dagegen nicht voll ausdiskutierte Schwierigkeiten. **Satzungsänderung:** Zu unterscheiden ist, ob AG der Mitbestimmung unterliegt oder nicht. Wenn nicht, wird Satzungsänderung zwar mit Eintragung wirksam (§ 181 III), ohne dass sich daraus aber automatisches Amtsende von AR-Mitgliedern ergäbe. HV kann und soll überzählige AR-Mitglieder aber gem. § 103 I abberufen, wofür es keines weiteren Grundes bedarf (→ § 103 Rn. 3; wie hier KK-AktG/Mertens/Cahn Rn. 28; aA Oetker ZHR 149 [1985], 575, 586: Statusverfahren). Unterliegt AG der Mitbestimmung, so gilt Satzungsänderung erst mit Ablauf der Amtsperiode (str.; wie hier OLG Dresden ZIP 1997, 589, 591; OLG Hamburg AG 1989, 64, 66; MüKoAktG/Habersack Rn. 19; KK-AktG/Mertens/Cahn Rn. 26; Habersack/Henssler/Henssler MitbestG § 7 Rn. 28; dieser Ansicht zuneigend BAG WM 1990, 633, 635 mit Meinungsübersicht). Dass bei Satzungsänderung Statusverfahren der §§ 97 ff. stattfinden könne (BAG WM 1990, 633, 636), überzeugt nicht, weil ges. Grundlagen (§ 96 IV) keine Änderung erfahren (wie hier KK-AktG/Mertens/Cahn Rn. 26; MüKoAktG/Habersack Rn. 19; → § 97 Rn. 3). **Unterschreitung der Schwellenzahlen durch Kapitalherabsetzung:** Auch hier kommt es darauf an, ob AG der Mitbestimmung unterliegt oder nicht. Im zweiten Fall bleiben AR-Mitglieder vorbehaltlich Abberufung bis zur nächsten ordentlichen Wahl im Amt (MüKoAktG/Habersack Rn. 18; KK-AktG/Mertens/Cahn Rn. 25; aA Oetker ZHR 149 [1985], 575, 580 ff.). Im ersten Fall ist es dagegen richtig, Statusverfahren der §§ 97 ff. einzuleiten und Fortdauer des Amtes bis zu dessen Abschluss anzunehmen (KK-AktG/Mertens/Cahn Rn. 25; eingehend Oetker ZHR 149 [1985], 575, 577 ff. mwN). Entsprechendes hat zu gelten, wenn Zahl der AR-Mitglieder infolge § 7 MitbestG erhöht werden muss.

III. Mitbestimmungsrechtliche Vorschriften

6 Gem. § 95 S. 5 werden mitbestimmungsrechtl. Vorschriften, die von § 95 S. 1–4 abweichen, durch diese Vorschriften nicht berührt. Norm hat wegen Spezialität der mitbestimmungsrechtl. Regelung nur klarstellenden Charakter. Hierher gehören: § 7 MitbestG, § 4 MontanMitbestG, § 5 MitbestErgG. Insoweit ist Zahl der AR-Mitglieder anders als nach § 95 S. 1–4 bestimmt. Diese Regeln sind zwingend und können auch durch Satzung nicht modifiziert werden, selbst wenn weitere Mitglieder nicht stimmberechtigt sein sollen (BGH AG 2012, 248 Rn. 12; → § 109 Rn. 2). Zum jeweiligen Anwendungsbereich und zur Zusammensetzung der Mitgliederzahl des AR → § 96 Rn. 4 ff.; zu Änderungen → Rn. 5. Zu Recht nicht genannt wird DrittelbG, das nur Regelung zum Mitgliederverhältnis, nicht aber zur Mitgliederzahl trifft (Hölters/Weber/Simons Rn. 17).

IV. Rechtsfolgen bei Verstoß

Zu unterscheiden ist zwischen Verletzung des Ges. und der Satzung. Werden **ges. Vorgaben** durch entspr. Satzungsbestimmung verletzt (AR zu klein, zu groß, zu unbestimmt oder nicht durch drei teilbar, obwohl mitbestimmungsrechtl. vorgegeben), so ist diese nichtig (Ursprungssatzung nach § 134 BGB, Satzungsänderung nach § 241 Nr. 3). Es gilt ges. Regelung anstelle der Satzung (MüKoAktG/Habersack Rn. 23; Hölters/Weber/Simons Rn. 21). Erfolgt aufgrund nichtiger Satzungsbestimmung allerdings AR-Wahl, so sind **Wahlbeschlüsse** gem. § 250 I Nr. 3 nur nichtig, wenn die nach § 95 S. 4 oder mitbestimmungsrechtl. Regeln (§ 95 S. 5) **höchstzulässige Zahl** von AR-Mitgliedern überschritten wird (str.; → § 250 Rn. 6 ff. mwN). Nichtigkeitsfolge erfasst in diesem Fall, aber auch bei schlichtem Verstoß gegen § 95 S. 4 (also ohne Satzungsgrundlage), jedoch nur dann alle Wahlvorgänge, wenn Gesamtwahl erfolgt, nicht aber bei zeitlich aufeinander folgenden Wahlgängen (zu Einzelheiten und mitbestimmungsrechtl. Modifikationen → § 250 Rn. 7 mwN). Unterschreitung der ges. Mindestzahl macht AR beschlussunfähig (§ 108 II 3). Sonstige Verletzungen des Ges. (Wahl von sechs Mitgliedern, obwohl § 95 S. 1 gilt) führen zur Anfechtbarkeit des Beschlusses (§ 243 I, § 251). Entspr. Rechtsfolge gilt, wenn **Satzungsgrundlage** unbedenklich ist, aber in Abweichung davon rechtswidriger Beschluss gefasst wird (Wahl von 15 Mitgliedern bei Grundkapital von mehr als 1 Mio. Euro, obwohl Satzung nur neun vorsieht). Wenn zugleich Verstoß gegen § 250 I Nr. 1 und 3 vorliegt, kann aber auch hier Nichtigkeit eintreten (MüKoAktG/Habersack Rn. 27). 7

Zusammensetzung des Aufsichtsrats

96 (1) **Der Aufsichtsrat setzt sich zusammen**
bei Gesellschaften, für die das Mitbestimmungsgesetz gilt, aus Aufsichtsratsmitgliedern der Aktionäre und der Arbeitnehmer,
bei Gesellschaften, für die das Montan-Mitbestimmungsgesetz gilt, aus Aufsichtsratsmitgliedern der Aktionäre und der Arbeitnehmer und aus weiteren Mitgliedern,
bei Gesellschaften, für die die §§ 5 bis 13 des Mitbestimmungsergänzungsgesetzes gelten, aus Aufsichtsratsmitgliedern der Aktionäre und der Arbeitnehmer und aus einem weiteren Mitglied,
bei Gesellschaften, für die das Drittelbeteiligungsgesetz gilt, aus Aufsichtsratsmitgliedern der Aktionäre und der Arbeitnehmer,
bei Gesellschaften für die das Gesetz über die Mitbestimmung der Arbeitnehmer bei einer grenzüberschreitenden Verschmelzung vom 21. Dezember 2006 (BGBl. I S. 3332) in der jeweils geltenden Fassung gilt, aus Aufsichtsratsmitgliedern der Aktionäre und der Arbeitnehmer,
bei Gesellschaften, für die das Gesetz über die Mitbestimmung der Arbeitnehmer bei grenzüberschreitendem Formwechsel und grenzüberschreitender Spaltung vom 4. Januar 2023 (BGBl. I Nr. 10) in der jeweils geltenden Fassung gilt, aus Aufsichtsratsmitgliedern der Aktionäre und der Arbeitnehmer,
bei den übrigen Gesellschaften nur aus Aufsichtsratsmitgliedern der Aktionäre.

(2) [1]**Bei börsennotierten Gesellschaften, für die das Mitbestimmungsgesetz, das Montan-Mitbestimmungsgesetz oder das Mitbestimmungs-**

ergänzungsgesetz gilt, setzt sich der Aufsichtsrat zu mindestens 30 Prozent aus Frauen und zu mindestens 30 Prozent aus Männern zusammen. [2]Der Mindestanteil ist vom Aufsichtsrat insgesamt zu erfüllen. [3]Widerspricht die Seite der Anteilseigner- oder Arbeitnehmervertreter auf Grund eines mit Mehrheit gefassten Beschlusses vor der Wahl der Gesamterfüllung gegenüber dem Aufsichtsratsvorsitzenden, so ist der Mindestanteil für diese Wahl von der Seite der Anteilseigner und der Seite der Arbeitnehmer getrennt zu erfüllen. [4]Es ist in allen Fällen auf volle Personenzahlen mathematisch auf- beziehungsweise abzurunden. [5]Verringert sich bei Gesamterfüllung der höhere Frauenanteil einer Seite nachträglich und widerspricht sie nun der Gesamterfüllung, so wird dadurch die Besetzung auf der anderen Seite nicht unwirksam. [6]Eine Wahl der Mitglieder des Aufsichtsrats durch die Hauptversammlung und eine Entsendung in den Aufsichtsrat unter Verstoß gegen das Mindestanteilsgebot ist nichtig. [7]Ist eine Wahl aus anderen Gründen für nichtig erklärt, so verstoßen zwischenzeitlich erfolgte Wahlen insoweit nicht gegen das Mindestanteilsgebot. [8]Auf die Wahl der Aufsichtsratsmitglieder der Arbeitnehmer sind die in Satz 1 genannten Gesetze zur Mitbestimmung anzuwenden.

(3) **[1]Bei börsennotierten Gesellschaften, die aus einer grenzüberschreitenden Verschmelzung, einem grenzüberschreitenden Formwechsel oder einer grenzüberschreitenden Spaltung hervorgegangen sind und bei denen nach dem Gesetz über die Mitbestimmung der Arbeitnehmer bei einer grenzüberschreitenden Verschmelzung oder nach dem Gesetz über die Mitbestimmung der Arbeitnehmer bei grenzüberschreitendem Formwechsel und grenzüberschreitender Spaltung das Aufsichts- oder Verwaltungsorgan aus derselben Zahl von Anteilseigner- und Arbeitnehmervertretern besteht, müssen in dem Aufsichts- oder Verwaltungsorgan Frauen und Männer jeweils mit einem Anteil von mindestens 30 Prozent vertreten sein. [2]Absatz 2 Satz 2, 4, 6 und 7 gilt entsprechend.**

(4) **Nach anderen als den zuletzt angewandten gesetzlichen Vorschriften kann der Aufsichtsrat nur zusammengesetzt werden, wenn nach § 97 oder nach § 98 die in der Bekanntmachung des Vorstands oder in der gerichtlichen Entscheidung angegebenen gesetzlichen Vorschriften anzuwenden sind.**

Übersicht

I. Regelungsgegenstand und -zweck

Norm regelt Zusammensetzung des AR und meint damit AR-Systeme (Formen, Typen), wie sie sich aus dem Status der AG iR mitbestimmungsrechtl. Regelung ergeben. **§ 96 I** enthält der Sache nach **Verweisungen auf mitbestimmungsrechtl. Vorschriften.** Sie sollen deren textliche Übernahme in das AktG entbehrlich machen und sind unbestimmt gefasst, um Entwicklungen im Mitbestimmungsbereich ohne Änderung des AktG Rechnung tragen zu können (MüKoAktG/Habersack Rn. 1). Zugleich wurde mit dieser Trennung bezweckt, Aktienrechtsreform 1965 durch damals noch starke Widerstände gegen jungen Gedanken der Unternehmensmitbestimmung nicht zu gefährden (Thoelke AG 2014, 137, 141). **§ 96 IV** dient der **Rechtssicherheit** (OLG Frankfurt AG 2018, 722, 723). Zweifelsfragen und Fehlbeurteilungen bzgl. der ges. Grundlagen der AR-Zusammensetzung, bes. bzgl. des mitbestimmungsrechtl. Status der AG, sollen ordnungsgem. Zusammensetzung des AR und Gültigkeit seiner Beschlüsse nicht berühren (RegBegr. Kropff S. 126). Sie können deshalb nur im Statusverfahren der §§ 97–99 geklärt werden (OLG Stuttgart NZG 2021, 31 Rn. 33). § 96 I und II ist gem. § 23 V zwingend (→ Rn. 3). **Rechtstatsächlich** ist neuere Entwicklung durch zunehmende Flucht aus bzw. vor der Mitbestimmung geprägt, für die sich namentl. mit SE und Auslandsgesellschaft (insbes. & Co. KG) neue Wege eröffnet haben (zu daraus resultierenden „Nachwuchssorgen" der deutschen Mitbestimmung T. Hoffmann AG 2016, R 167 ff.; dort auch zur KGaA als „Mitbestimmungsreduzierungsstrategie"; sa → § 278 Rn. 22; vgl. auch Bayer NJW 2016, 1930 ff.; Uffmann AG 2022, 472 Rn. 2 ff.: „Erosion der deutschen Mitbestimmung"). Dadurch ist auch für AG Reformdruck entstanden. Von Gewerkschaftsseite wird auf Schließung von Schlupflöchern gedrängt, von Unternehmensseite insbes. darauf, zumindest die für SE eröffnete Verhandlungslösung auch auf AG zu übertragen (→ Rn. 5a); Hoffnung auf polit. Durchsetzbarkeit des letztgenannten Vorschlags ist aber gering. Neben Mitbestimmungsvermeidung begegnet auch Phänomen der schlichten **Mitbestimmungsignorierung,** das bei GmbH größere Rolle spielt als bei AG und seine Ursache namentl. in unzureichenden Sanktionsmechanismen findet (ausf. und mit legislativen Abhilfevorschlägen Bayer AG 2023, 137 Rn. 1 ff.). Weitere Reformdebatte war zwischenzeitlich durch europarechtl. Bedenken gegen derzeitige Ausgestaltung der Mitbestimmung erwachsen. Diese Bedenken sind mittlerweile zwar durch EuGH ausgeräumt worden sind (→ Rn. 4d), doch hat Diskussion zumindest rechtspolit. Defizite aufgezeigt (zB Ungleichbehandlung der AN in Mitgliedstaaten), die auch ohne Unionsrechtsverstoß Anlass für weitere Reformüberlegungen sein sollten. 1

II. Formen der Aufsichtsratszusammensetzung: Grundlagen

2 **Aktienrechtl. Grundform** ist der ausschließlich aus Vertretern der Aktionäre zusammengesetzte, gem. § 101 I 1 Fall 1 durch Beschluss der HV gewählte AR (§ 96 I Fall 5). **Vorrangige mitbestimmungsrechtl. Regelungen** (§ 96 I Fall 1–4) haben Grundform weitgehend in den Hintergrund gedrängt. Unter ihnen ist wiederum zu differenzieren zwischen MitbestG 1976 (§ 96 I Fall 1), Montanmitbestimmung (§ 96 I Fall 2 und Fall 3) und drittelparitätischer Mitbestimmung nach DrittelbG, das BetrVG 1952 abgelöst hat (§ 96 I Fall 4). Welches AR-System für AG gilt, kann nur den genannten mitbestimmungsrechtl. Regelungen entnommen werden (→ Rn. 4 ff.).

3 Ob und in welchen Grenzen **privatautonome Mitbestimmungsvereinbarungen** zulässig sind, wird nicht einheitlich beurteilt. Jedenfalls für die AG muss aber im Grundsatz davon ausgegangen werden, dass solche Vereinbarungen unzulässig und wegen Verstoßes gegen zwingendes Gesetzesrecht nichtig sind. Insbes. vertraglicher **Austausch des einen Mitbestimmungsmodells gegen das andere oder** vertragliche **Modifikation** der Mitbestimmungsregelung scheitert am zwingenden Charakter des § 96 (→ Rn. 1; hM, vgl. etwa Habersack/Henssler/HabersackMitbestG Einl. Rn. 46 ff.; GK-AktG/Oetker Vorb. MitbestR Rn. 153; Wahlers ZIP 2008, 1897, 1899; Meinungsübersicht auch bei Hanau ZGR 2001, 75, 88 ff.). Dagegen vorgebrachtes Argument, § 23 V beziehe sich nur auf Vorschriften des AktG (Fabricius FS Hilger und Stumpf, 1983, 155, 158 f.), kann wegen bes. Regelungstechnik des § 96 I (→ Rn. 1) nicht überzeugen; mitbestimmungsrechtl. Vorgaben sind danach so zu lesen, als ob sie in den Text der §§ 95 ff. aufgenommen worden wären (ebenso Wahlers ZIP 2008, 1897, 1899). Das gilt auch für Erweiterung der AN-Rechte (OLG Düsseldorf AG 2011, 753; GK-AktG/Hopt/Roth Rn. 20 ff.). Unproblematisch ist es dagegen, wenn HV durch **freiwillige Wahl von AN-Vertretern** faktische Mitbestimmungserweiterung herbeiführt (→ § 251 Rn. 2). Umstr. ist allerdings, ob dies auch Gegenstand vorangegangener **Stimmbindung** sein kann (offengelassen von BGH NJW 1975, 1657, 1658). Dafür wird angeführt, dass dies iErg auf faktische Satzungsänderung hinausliefe und damit § 23 V zuwiderlaufe (MüKoAktG/Habersack Rn. 29). Dem ist zu widersprechen, da nicht HV, sondern nur einzelner Aktionär gebunden wird (für Zulässigkeit deshalb S/L/Drygala Rn. 26; GK-AktG/Hopt/Roth Rn. 57 ff.; Wahlers ZIP 2008, 1897, 1902 f.). Richtigerweise sind Stimmbindungsverträge deshalb zulässig, solange sie auf einzelne bevorstehende Wahl beschränkt sind; sollen dagegen den Mitbestimmungsstatus dauerhaft beeinflussende Veränderungen getroffen werden, ist in der Tat strengere Beurteilung angezeigt (BeckOGK/Spindler Rn. 40; KK-AktG/Mertens/Cahn Rn. 17; Hommelhoff ZHR 148 [1984], 118, 139 f.). Für sog **Rationalisierungs- oder Anpassungsvereinbarungen** hat sich dagegen mittlerweile diff. Auffassung durchgesetzt, wonach sie unzulässig sind, sofern materieller Gehalt der Mitbestimmung davon berührt wird, dagegen zulässig, wenn lediglich Verfahrensfragen betroffen sind (Hauptbeispiel: Bündelung der Aufgaben eines Wahlvorstands für mehrere Betriebe; vgl. BeckOGK/Spindler Rn. 41; MHdB AG/Hoffmann-Becking § 28 Rn. 53; generell gegen Zulässigkeit Habersack/Henssler/Habersack MitbestG Einl. Rn. 48; großzügiger Raiser BB 1977, 1461, 1466 f.). Mangels korporativen Charakters ist auf AG-Seite Vorstand zuständig (BeckOGK/Spindler Rn. 41). Schwieriger ist allerdings Festlegung auf AN-Seite. Hier wird überwiegend auf Betriebsrat im Zusammenwirken mit im Betrieb tätigen Gewerkschaften abgestellt (str. – vgl. BeckOGK/Spindler Rn. 38, 41; Seibt AG 2005, 413, 417 f. mwN auch zur Gegenauffassung), was praktikabel, aber aus Ges. nur mit Mühe ableitbar ist. Ebenfalls zulässig sind nach heute hM

vergleichsartige Vereinbarungen zur **Streitbereinigung** (s. MHdB AG/Hoffmann-Becking § 28 Rn. 50; Habersack/Henssler/Habersack MitbestG Einl. Rn. 47; Raiser BB 1977, 1461, 1466 f.). Zuständigkeit dürfte wie bei Rationalisierungsvereinbarungen zu handhaben sein.

III. Aufsichtsratssysteme (§ 96 I)

1. MitbestG 1976. a) Erfasste Unternehmen. § 96 I Fall 1 hebt auf MitbestG 1976 ab. Nach § 1 MitbestG werden ua inländische Unternehmen in der Rechtsform einer AG oder KGaA erfasst, die idR (Ausschluss kurzfristiger Schwankungen – ausf. dazu BayObLG AG 2021, 557, 558) **mehr als 2.000 AN** beschäftigen, nicht der Montanmitbestimmung (→ Rn. 6 f., 8 f.) unterliegen und auch nicht sog Tendenzunternehmen (zB Medien, Kunst, Wissenschaft, Parteien; sa LG Hamburg AG 2001, 98 f. zur Holding eines Musical-Konzerns; OLG München AG 2019, 697 f. zu Fernsehsendern; ebenfalls zum Tendenzschutz im Konzern OLG Brandenburg AG 2013, 686 ff.; Thüsing/Biesenbach Konzern 2023, 49 ff.) oder Unternehmen von Religionsgemeinschaften sind. **Leiharbeitnehmer** sind bei dieser Zählung nach dem im Jahr 2017 neu eingefügten § 14 II 5 und 6 AÜG (BGBl. 2017 I 258) zu berücksichtigen, sofern ihre (arbeitsplatzbezogene – vgl. BGH NZG 2019, 1102 Rn. 14 ff. und dazu Schilha AG 2019, 783 ff.) Einsatzdauer im Entleiherunternehmen sechs Monate übersteigt (krit. zur Neuregelung Oetker NZA 2017, 29 ff.). Ausn. gilt nach § 1 III Nr. 2, 2a AÜG bei konzerninterner oder gelegentlicher AN-Überlassung (Hölters/Weber/Simons Rn. 12; zweifelnd aber Oetker NZA 2017, 29, 31). Bei prognostiziertem Personalzuwachs gilt in einem Zeitraum von 17–20 Monaten zu erwartende AN-Zahl (vgl. OLG Düsseldorf AG 1995, 328 f.; Brungs, Statusverfahren, 2015, 12 f.; teilw. abw. Ulmer FS Heinsius, 1991, 855, 857 ff. mwN). 4

Erweitert wird Anwendungsbereich durch **Konzernklauseln** des § 5 MitbestG. Gem. § 5 I MitbestG sind AN der Konzernunternehmen grds. (Ausnahme: § 5 III MitbestG) der herrschenden AG zuzurechnen. Voraussetzung ist aber stets einheitliche Leitung iSd § 18 I (ausf. Spindler AG 2020, 681 Rn. 2). Über Verweisung des § 5 I 1 MitbestG auf § 18 I gilt über § 18 I 3 auch Abhängigkeitsvermutung des § 17 II (OLG Düsseldorf NZG 2018, 1229 Rn. 33). Nicht abschließend geklärt ist mitbestimmungsrechtl. Behandlung von **Gemeinschaftsunternehmen** (vgl. zur konzernrechtl. Beurteilung → § 17 Rn. 13 ff.). Insoweit ist fraglich, ob mehrfache Konzernzugehörigkeit auch mehrfache Wahlrechte der AN begründet. HM bejaht diese Frage (BAGE 53, 287, 299 ff.; LG Hamburg ZIP 2008, 2364, 2366; BeckOGK/Spindler Rn. 14; Habersack/Henssler/Habersack MitbestG § 5 Rn. 47 ff.; aA LG Hannover BeckRS 2013, 12440; MüKoAktG/Annuß MitbestG § 5 Rn. 11). Unter dem Schlagwort **Konzern im Konzern** ist weiterhin umstr., ob AN abhängiger Konzernunternehmen nicht nur Konzernspitze, sondern auch Konzernzwischengesellschaft (auch: Teilkonzernspitze) unabhängig von Voraussetzungen des § 5 III MitbestG zugerechnet werden können. Zurechnung ist im Grundsatz unter Beschränkung auf Mitbestimmungsrecht (anders insbes. im Aktienkonzernrecht → § 18 Rn. 14) zu bejahen, wenn Konzernspitze Zwischengesellschaft in voller Selbständigkeit arbeiten lässt (s. BAGE 34, 230, 233 ff. = NJW 1982, 1303; BAG NZG 2019, 355 Rn. 21 [jew. zu § 54 BetrVG]; OLG Düsseldorf AG 1979, 318 f.; OLG Frankfurt OLGZ 1987, 44, 47; OLG Zweibrücken AG 1984, 80, 81 f.; LG Frankfurt NZG 2019, 1384 Rn. 16; LG Hamburg AG 1996, 89 f.; LG München I AG 1996, 186, 187; tendenziell auch OLG München NZG 2009, 112, 114; s. aus dem Schrifttum insbes. Spindler AG 2020, 681 ff.; Spindler FS Windbichler, 2020, 1111 ff.; sa MHdB AG/Hoffmann-Becking § 28 Rn. 20; Raiser FS Kropff, 1997, 243, 4a

250 ff.; Redeke DB 2008, 2408 ff.; aA zB MüKoAktG/Annuß MitbestG § 5 Rn. 9 f.; v. Hoyningen-Huene ZGR 1978, 515, 528, 536 ff.).

4b Von dieser Konstellation zu unterscheiden ist **fiktive Teilkonzernspitze** iSd § 5 III MitbestG. Damit werden Fälle umschrieben, in denen rechtsformspezifische Regelungstechnik des MitbestG oder sein territorial begrenzter Geltungsbereich Erfassung des herrschenden Unternehmens nicht gestattet und deshalb hilfsweise mitbestimmungsfähiges Konzernunternehmen erfasst wird, das Konzernspitze am nächsten steht (Habersack/Henssler/Habersack § 5 MitbestG Rn. 65). Anforderungen sind auch insoweit str. Im Schrifttum wird verbreitet Minimum an Leitungsmöglichkeit der zwischengeschalteten Zwischengesellschaft gefordert (GK-AktG/Oetker § 5 MitbestG Rn. 60 ff.; Habersack/Henssler/Habersack MitbestG § 5 Rn. 70; Burg/Böning Konzern 2008, 605, 608 ff.; Kort NZG 2009, 81, 84 f.; Seibt ZIP 2008, 1301, 1304 ff.). In der Rspr. hat sich dagegen mittlerweile deutlich die Auffassung durchgesetzt, wonach schon bloße Kapitalverflechtungen genügen, so dass alleiniger Leitungsfunktion ausländischer Konzernspitze keine Relevanz zukommt (KG NZG 2016, 349 Rn. 10 ff.; OLG Düsseldorf AG 2007, 170, 172; OLG Frankfurt ZIP 2008, 878, 879 f.; OLG Hamburg AG 2018, 87 Rn. 26 ff.; OLG Stuttgart FGPrax 1995, 162, 163; aus dem Schrifttum KK-AktG/Mertens/Cahn Anh. § 117 B; § 5 MitbestG Rn. 48).

4c Für Bestimmung der Schwelle von 2.000 AN sind **im Ausland beschäftigte AN** nach umstr., aber zutr. Auffassung **nicht mitzuzählen.** Diese Lesart wird durch Ausgestaltung und Entstehungsgeschichte des Gesetzes nahegelegt (AusschussB BT-Drs. 7/4845 S. 4; Winter/Marx/de Decker NZA 2015, 1111, 1112 f.) und muss auch europarechtl. nicht korrigiert werden. Namentl. europarechtswidrige Diskriminierung ist darin nicht zu erkennen, da in solchen Betrieben in- und ausländische Beschäftigte zumindest auf Rechtsfolgenseite gleichermaßen von mitbestimmungsrechtl. Einordnung betroffen sind (BayObLG AG 2021, 557, 559; OLG Frankfurt ZIP 2018, 1175 ff.; LG Dortmund NZG 2018, 468 Rn. 18 ff.; LG Frankfurt NZG 2018, 587 Rn. 19 ff.; LG Hamburg NZG 2018, 466 Rn. 14 ff.; LG München I AG 2018, 495 f.; MüKoAktG/Annuß MitbestG § 3 Rn. 10; Habersack/Henssler/Henssler MitbestG § 3 Rn. 43 ff.; GK-AktG/Hopt/Roth Rn. 26; Hölters/Weber/Simons Rn. 12; Bungert/Leyendecker-Langner DB 2014, 2031 ff.; Hellwig/Behme AG 2015, 333, 338 ff.; Seifert ZGR 2019, 702, 714 f.; Winter/Marx/de Decker NZA 2015, 1111, 1114; aA LG Frankfurt NZG 2015, 683 Rn. 10 ff.). Aus diesem Grund ist auch Verstoß gegen Art. 3 I GG zu verneinen (OLG Frankfurt ZIP 2018, 1175, 1177 f.; LG Dortmund NZG 2018, 468 Rn. 26 ff.; LG Hamburg NZG 2018, 466 Rn. 25 ff.; LG München I 2018, 495, 498 f.; Ott/M. Goette NZG 2018, 281, 285 ff.; Weber/Kiefner/Jobst AG 2018, 140, 141 ff.; aA Behme AG 2018, 1 ff.).

4d Davon zu trennen ist die Frage, ob ausländische AN **wahlberechtigt** sind; entgegen verbreiteter schlagwortartiger Umschreibung muss Begriffspaar „Zählen und Wählen" nicht auch jur. zwangsläufig gleichlaufend behandelt werden (sa Seibt DB 2016, 1744; Verse/Wiersch EuZW 2016, 330, 332). Rein nationale Auslegung der zugrunde liegenden Rechtsakte ergibt zwar deutlich, dass ausländische AN nicht wahlberechtigt sein sollen, doch wurde darin in der jüngeren Vergangenheit verbreitet und mit guten Gründen ein Verstoß gegen Europarecht gesehen, namentl. gegen Art. 18 AEUV und Art. 45 AEUV (vgl. LG Frankfurt NZG 2015, 683 Rn. 8 ff.; Hellgardt in Habersack/Behme/Eidenmüller/Klöhn, Deutsche Mitbestimmung unter Reformzwang, 2016, 24, 29 ff.; Hellwig/Behme AG 2015, 333 ff.; Wansleben NZG 2014, 213 ff.; sympathisierend OLG München AG 2017, 869 f.; OLG Zweibrücken NZG 2014, 740 f.; LG Frankfurt NZG 2014, 683 Rn. 8; sa OLG Frankfurt NZG 2016, 1186, 1187: „nicht offenkundig ausgeschlossen"). **EuGH** hat auf Vorlage des KG (NZG 2015, 1311) diesen Einwänden im Anschluss an Generalanwalt Saugmannsgaard Øe (AG

2017, 387 Rn. 42 ff.) jedoch eine **klare Absage** erteilt. Primärrecht der Union könne einem AN nicht garantieren, dass Umzug in anderen Mitgliedstaat in sozialer Hinsicht neutral sei, da ein solcher Umzug aufgrund der Unterschiede, die zwischen Systemen und Rechtsvorschriften der Mitgliedstaaten bestehen, für betr. Person je nach Einzelfall Vor- oder Nachteile haben könne (EuGH NJW 2017, 2603 Rn. 31 ff., 34 und im Anschluss daran KG 2018, 458 Rn. 17 ff.; OLG München AG 2018, 375, 376; zust. Schanze AG 2017, 573 ff.; so auch schon zuvor LG Berlin ZIP 2015, 1291 ff.; LG Landau NZG 2014, 229 f.; LG München I AG 2016, 49, 50 f.; Hammen Konzern 2016, 105, 110 ff.; Heuschmidt/Ulber NZG 2016, 102 ff.; Krause AG 2012, 485 ff.; krit. Habersack NZG 2017, 1021 ff.).

b) Zusammensetzung des Aufsichtsrats. Maßgeblich sind **§§ 6 ff. MitbestG.** AR hat je nach AN-Zahl des Unternehmens 12, 16 oder 20 Mitglieder (§ 7 I 1 MitbestG), soweit Satzung nicht gem. § 7 I 2 MitbestG zugunsten der höheren Mitgliederzahl optiert (16 oder 20 statt 12; 20 statt 16). Auch durch Bestimmung in Satzung kann Zahl von 20 Mitgliedern nicht überschritten werden (zu GmbH s. BGH AG 2012, 248 f.). Im Entw. des KonTraG (dort Art. 5 Nr. 1) vorgesehene Absenkung auf einheitlich zwölf Mitglieder vorbehaltlich anderer Bestimmung der Satzung (dazu Seibert WM 1997, 1, 4) wäre vernünftig gewesen, ist aber nicht Ges. geworden. Jeweilige Mitgliederzahl verteilt sich hälftig auf AR-Mitglieder der Aktionäre und der AN. Unter den AR-Mitgliedern der AN müssen sich nach § 7 II MitbestG zwei oder (bei 20 Mitgliedern) drei Vertreter von Gewerkschaften befinden und nach § 15 I 2 MitbestG mindestens ein leitender Angestellter. Aktionäre bestellen AR-Mitglieder gem. § 101 (→ § 101 Rn. 3 ff., 8 ff.). Zur Wahl der AN-Vertreter s. §§ 9 ff. MitbestG sowie zugehörige Wahlordnungen v. 23.6.1977 (BGBl. 1977 I 861, 893, 934). AR-Vorsitzender und Doppelstimmrecht: §§ 27, 29 II MitbestG. 5

c) Reformbestrebungen. Hohe Mitgliederzahl des mitbestimmten AR, bes. Besetzung mit 20 Mitgliedern, ist abträglich für Effizienz und Vertraulichkeit. Praxis weicht deshalb teilw. auf SE aus, bei der Mitbestimmung vorrangig Gegenstand einer **Verhandlungslösung** ist, während §§ 34 ff. SEBG nur subsidiär gelten (dazu Grambow BB 2012, 902 ff.). Einer Vereinbarung zugänglich sind insbes. Zusammensetzung des AR und Zahl seiner Mitglieder. Daran anknüpfend wird vorgeschlagen, auch das MitbestG in diesem Sinne zu flexibilisieren, was zu aktienrechtl. Ergänzungen führen würde, nach denen Spezialitätswirkung des § 95 S. 5 (→ § 95 Rn. 6) auf Vereinbarungslösung erstreckt und diese hinsichtlich des Statusverfahrens einem ges. AR-System gleichgestellt würde; s. dazu AK Unternehmerische Mitbestimmung ZIP 2009, 885 ff. (Gesetzesvorschlag mit Begr.). Diesen Bestrebungen ist beizutreten, weil sie sachlich überlegene SE-Lösung in das Mitbestimmungsrecht übertragen und damit Akzeptanzgefälle zwischen SE und AG vermeiden. 5a

2. MontanMitbestG. a) Erfasste Unternehmen. § 96 I Fall 2 betr. MontanMitbestG 1951. Anwendungsbereich ist durch § 1 MontanMitbestG näher umschrieben. Montanmitbestimmung findet danach im Wesentlichen bei solchen Unternehmen in der Rechtsform der AG statt, deren **überwiegender Betriebszweck** in der Förderung von Steinkohle, Braunkohle, Eisenerz oder in bergbaulichen Nebentätigkeiten oder in der Erzeugung von Eisen und Stahl, unter zusätzlichen Voraussetzungen einschließlich der Herstellung von Walzwerkserzeugnissen, besteht. Entscheidend ist für den Eisen und Stahl-Bereich Vorliegen der sachlichen Merkmale, nicht namentliche Nennung im AHK-Gesetz Nr. 27 (BGHZ 87, 52, 54 ff. = NJW 1983, 1617). Der Montanmitbestimmung und damit auch § 96 I Fall 2 unterliegen ferner sog atypische Obergesellschaften nach 6

§ 2 MitbestErgG. Das sind herrschende Unternehmen mit überwiegendem montangeprägten eigenen Betriebszweck, der durch Betrieb der Tochter vermittelt werden kann, wenn sie namens und für Rechnung des herrschenden Unternehmens tätig ist und ihm die Betriebsanlagen gehören (GK-AktG/Oetker MitbestErgG § 2 Rn. 4). Zahl der von dieser Mitbestimmungsform erfassten Unternehmen ist aufgrund **Strukturwandels** nur noch gering (Bayer NJW 2016, 1930, 1931; vgl. auch GK-AktG/Oetker Rn. 13). Beibehaltung dieses Mitbestimmungsstatuts ist deshalb zweifelhaft, zumal auch verfassungsrechtl. Bedenken bestehen (vgl. GK-AktG/Oetker Rn. 12, 14).

7 **b) Zusammensetzung des Aufsichtsrats.** Einschlägig ist § 4 MontanMitbestG. Regelbesetzung besteht danach aus elf Mitgliedern bei paritätischer Berücksichtigung der Aktionärs- und der AN-Seite (je vier Vertreter zuzüglich eines weiteren, der jeweiligen Seite nahestehenden, doch formal unabhängigen Mitglieds) und einem weiteren elften Mitglied, das Vertrauen beider Seiten genießt. Satzung kann in Abhängigkeit von Höhe des Grundkapitals stattdessen 15 oder 21 AR-Mitglieder vorsehen (§ 9 MontanMitbestG). Aktionärsvertreter und ihrer Seite zugerechnetes weiteres Mitglied werden gem. § 101 iVm § 5 MontanMitbestG von HV gewählt. AN-Vertreter und ihnen zuzurechnendes weiteres Mitglied werden ebenfalls von HV gewählt, aber auf Grund bindender Wahlvorschläge (§ 101 I 2 iVm § 6 MontanMitbestG). Das „neutrale" elfte (15., 21.) Mitglied wird gem. § 8 I MontanMitbestG auf Vorschlag der übrigen AR-Mitglieder durch HV gewählt. Kommt Wahl mangels Vorschlags oder HV-Mehrheit nicht zustande, findet in § 8 II-IV MontanMitbestG näher geregeltes Vermittlungsverfahren statt.

8 **3. MitbestErgG. a) Erfasste Unternehmen.** § 96 I Fall 3 spricht §§ 5–13 MitbestErgG 1956 an. Gem. §§ 1, 3 MitbestErgG unterliegen herrschende Unternehmen in der Rechtsform der AG dann den §§ 5–13 MitbestErgG, wenn sie den Voraussetzungen der Montanmitbestimmung (→ Rn. 6) nicht selbst genügen, der **Unternehmenszweck des Konzerns** aber durch Unternehmen gekennzeichnet ist, die ihrerseits unter die Montanmitbestimmung fallen. Kennzeichnung wird in § 3 II MitbestErgG näher präzisiert. Danach müssen Unternehmen insges. 1/5 des Konzernumsatzes oder mehr als 1/5 der Konzern-AN beschäftigen. Praktische Bedeutung basiert heute im Wesentlichen auf Fortgeltungsgesetzen (vgl. dazu MHdB AG/Hoffmann-Becking § 37 Rn. 40).

9 **b) Zusammensetzung des Aufsichtsrats.** Gem. § 5 I 1 MontanMitbestErgG besteht AR idR aus 15 Mitgliedern. Satzung kann nach § 5 I 3 MitbestErgG 21 Mitglieder vorsehen, wenn Grundkapital mehr als 25 Mio. Euro beträgt. Besetzung erfolgt paritätisch mit je sieben (zehn) Vertretern der Aktionäre und der AN sowie einem weiteren (15., 21.) Mitglied; s. § 5 I 2 und 4 MitbestErgG. Aktionärsvertreter werden gem. § 101 iVm § 5 MontanMitbestG, § 5 II MitbestErgG von HV bestellt. AN-Vertreter werden in Konzern mit idR mehr als 8.000 AN durch Delegierte gewählt (§§ 7 I, 8–10f, 10h MitbestErgG) und in Konzern mit weniger Beschäftigen in unmittelbarer Wahl bestimmt (§§ 7 II, 10g, 10h MitbestErgG). Schwellenzahl für die eine oder die andere Regelform liegt bei 8.000 AN. Das weitere (15., 21.) AR-Mitglied ist im Verfahren des § 8 MontanMitbestG (→ Rn. 7) zu bestellen (§ 5 II MitbestErgG mit einzelnen Modifikationen).

10 **4. DrittelbG. a) Erfasste Unternehmen.** Gesellschaften (AG und KGaA), für die DrittelbG gilt, sind nach § 1 DrittelbG zu bestimmen. Gem. §§ 1, 4 I DrittelbG wird AR drittelparitätisch zusammengesetzt bei Unternehmen, die nicht unter § 1 I MitbestG fallen, also idR nicht mehr als 2.000 AN beschäftigen (→ Rn. 4), und auch nicht der Montanmitbestimmung (→ Rn. 6–9) unterliegen

(§ 1 II 1 Nr. 1 DrittelbG; zu Rechtstatsachen: Bayer/Hoffmann AG 2023, R 188 ff.). Sie dürfen ferner keine Tendenzunternehmen oder Unternehmen von Religionsgemeinschaften sein (§ 1 II 1 Nr. 2 und S. 2 DrittelbG). Schließlich findet auch drittelparitätische Mitbestimmung nicht statt, wenn Gesellschaft über Referenzzeitraum hinweg (vgl. BAGE 153, 171 Rn. 41 = NZG 2016, 559; BGH ZIP 2018, 1173, 1174) weniger als 500 AN beschäftigt und am 10.8.1994 oder später in das HR eingetragen worden oder bei früherer Eintragung sog Familiengesellschaft ist (→ Rn. 12; zur Berücksichtigung von Leiharbeitnehmern und ausländischen AN bei der Schwellenwertberechnung → Rn. 4, 4c). Zur Problematik eines Konzerns im Konzern und von Gemeinschaftsunternehmen → Rn. 4a. Nach Rspr. dürfen sich AN von Gemeinschaftsunternehmen in jeder zumindest hälftig beteiligten Obergesellschaft an AR-Wahl beteiligen (s. vor allem BAGE 22, 390, 393 ff. = NJW 1970, 1766 Ls.; im Schrifttum str., s. Habersack/Henssler/Habersack DrittelbG § 2 Rn. 9 f.; eingehend Löwisch FS Schlechtriem, 2003, 833, 838 ff.). Von Wahlberechtigung der AN ist ihre Zurechnung iRd des § 1 I DrittelbG zu unterscheiden (Habersack/Henssler/Habersack DrittelbG § 2 Rn. 1). Sie kommt nach eindeutigem Wortlaut des § 2 II DrittelbG abw. von § 5 MitbestG nur in Betracht, wenn Beherrschungsvertrag (§ 291 I 1 Fall 1) oder Eingliederung (§§ 319 ff.) vorliegen (hM, s. OLG Zweibrücken NZG 2006, 31, 32; LG Berlin ZIP 2007, 424, 426; Habersack/Henssler/Habersack DrittelbG § 2 Rn. 1, 13 ff.).

b) Zusammensetzung des Aufsichtsrats. Zahl der AR-Mitglieder richtet sich mangels abw. Regelung nach § 95. Gem. § 4 I DrittelbG muss AR zu einem Drittel aus Vertretern der AN bestehen. Aktionärsvertreter sind gem. § 101 zu bestellen. Wahl der AN-Vertreter richtet sich nach §§ 5 ff. DrittelbG iVm zugehöriger Wahlordnung v. 23.6.2004 (BGBl. 2004 I 1393). Dabei findet grds. unmittelbare Wahl durch alle wahlberechtigten AN der Betriebe des Unternehmens statt. **Freiwillige Zuwahl** weiterer AN-Vertreter ist zulässig (→ § 251 Rn. 2), umstr. ist allerdings, ob dies auch Gegenstand vorangegangener Stimmbindung sein kann (ausf. → Rn. 3). **11**

5. MgVG. a) Erfasste Unternehmen. § 96 I Fall 5 bezieht sich auf Gesellschaften, deren Mitbestimmung dem Gesetz über die Mitbestimmung der Arbeitnehmer bei einer grenzüberschreitenden Verschmelzung (MgVG) unterliegt. Norm ist eingefügt durch Ges. zur Umsetzung der Regelungen über die Mitbestimmung der Arbeitnehmer bei einer Verschmelzung von Kapitalgesellschaften aus verschiedenen Mitgliedstaaten v. 21.12.2006 (BGBl. 2006 I 3332), um §§ 22 ff. MgVG Rechnung zu tragen. Erfasst sind Gesellschaften mit Sitz im Inland, die aus **grenzüberschreitender Verschmelzung** hervorgegangen sind (§ 3 MgVG). Diese selbst wurde mit UmRUG 2023 in §§ 305 ff. UmwG geregelt. **11a**

b) Zusammensetzung des Aufsichtsrats. Für Zusammensetzung ist zwischen vereinbarter Mitbestimmung (§ 22 MgVG) und Mitbestimmung kraft Ges. (Auffangregelung der §§ 23 ff. MgVG) zu unterscheiden. Bei **vereinbarter Mitbestimmung** wird Zahl der AN-Vertreter in Vereinbarung festgelegt (§ 22 I Nr. 3 MgVG). Satzungsgeber (§ 95) ist daran gebunden (RegBegr. BT-Drs. 16/2922, 26; zu Einzelheiten vgl. Habersack/Henssler/Habersack MgVG § 22 Rn. 1 ff.). Bei **Mitbestimmung kraft Gesetzes** eingreifende Auffangregelung knüpft dagegen an bisherige Mitbestimmungsquote an; der höchste Anteil an AN-Vertretern, der in den Organen der beteiligten Gesellschaften vor Verschmelzung bestanden hat, wird für aus Verschmelzung hervorgegangene Gesellschaft perpetuiert (§ 24 I 2 MgVG). Regelung garantiert der AN-Seite nur Fort- **11b**

dauer des bisherigen höchsten Anteils. Über Mandatszahl bestimmt dagegen die Satzung (RegBegr. BT-Drs. 16/2922, 27).

11c **6. MgFSG.** Im Zuge der Umsetzung der Umwandlungs-RL ist durch Art. 1 UmRUGMitbestG 2023 neue Unterform unternehmerischer Mitbestimmung mit Ges. über Mitbestimmung der Arbeitnehmer bei grenzüberschreitendem Formwechsel und grenzüberschreitender Spaltung (MgFSG) eingeführt und in § 96 I Fall 5 berücksichtigt worden. Sie ist **angelehnt an MgVG** (→ Rn. 11a f.) sowie Recht der SE (RegE UmRUGMitbestG BT-Drs. 20/3817, 1 f.) und statuiert Mitbestimmungsvorgaben, wenn aus entspr. Vorgang Gesellschaft mit Sitz im Inland hervorgeht. In diesem Fall bestimmt sich Mitbestimmung gem. **§ 4 MgFSG** grds. nach Recht des **Sitzstaates** der aus grenzüberschreitendem Vorhaben hervorgegangenen Gesellschaft, sofern Beteiligte keine andere Mitbestimmungsvereinbarung getroffen haben und auch Auffangregelungen der §§ 25 ff. MgFSG nicht zur Anwendung kommen (§ 5 MgFSG). Rechtslage entspr. weitgehend der des MgVG (→ Rn. 11a f.; zu weiteren Einzelheiten vgl. BeckOGK/Spindler, 1.10.2023, Rn. 36 ff.; Baschnagel/Hilser/Wagner RdA 2023, 103 ff.; Habersack ZHR 187 [2023], 48 ff.).

12 **7. Mitbestimmungsfreie Gesellschaften; Altgesellschaften.** Übrige Gesellschaften (§ 96 I Fall 5) sind mitbestimmungsfreie Gesellschaften. Dabei ist seit Änderung des früheren § 76 VI BetrVG 1952 durch Ges. für kleine Aktiengesellschaften und zur Deregulierung des Aktienrechts v. 2.8.1994 (BGBl. 1994 I 1961) nach **Eintragungsdatum** zu unterscheiden. Eintragung am Stichtag des 10.8.1994 oder später: AG und KGaA bleiben (vorbehaltlich Montanmitbestimmung) mitbestimmungsfrei, wenn sie weniger als 500 AN beschäftigen. Eintragung vor dem Stichtag (Altgesellschaft): AG oder KGaA unterliegt auch dann, wenn sie idR weniger als 500 AN beschäftigt, dem DrittelbG, sofern es sich nicht um **Familiengesellschaft** handelt. § 1 I Nr. 1 S. 2 DrittelbG definiert die Familiengesellschaft als AG, deren Aktionär eine einzelne natürliche Person ist (Einmann-AG) oder deren Aktionäre untereinander iSd § 15 I Nr. 2–8, II AO verwandt oder verschwägert sind. Änderung von 1994 bezweckt Förderung der „kleinen" AG durch **mitbestimmungsrechtl. Gleichbehandlung mit GmbH.** Deshalb genügt, dass AG als solche am Stichtag oder später eingetragen wird; unschädlich ist, dass sie durch Formwechsel oder sonstige Umwandlung aus zuvor bestehendem Rechtsträger hervorgeht (Lutter AG 1994, 429, 445). Dagegen verbleibt es bei drittelparitätischer Mitbestimmung, wenn vor dem Stichtag bestehende AG erst nachher den Schwellenwert von 500 AN dauerhaft unterschreitet (str., s. OLG Düsseldorf AG 2011, 753, 754). Erwägenswert ist Freistellung dagegen, wenn bei bis zum Stichtag von Mitbestimmung freigestellter AG später Freistellungsgrund entfällt (insbes. Familiengesellschaft), weil auch solcher AG Umgang mit mitbestimmungsrechtl. Regeln nicht vertraut war (Habersack/Henssler/Henssler DrittelbG § 1 Rn. 14; Tielmann/Aschermann FS 10 Jahre Österberg, 2018, 235 ff.). Ungleichbehandlung von vor und nach 1994 gegründeten Gesellschaften ist verfassungsrechtl. unbedenklich (BVerfG AG 2014, 279 ff.; krit. Behme ZIP 2018, 2055 ff.; Latzel AG 2014, 395 ff.; empirische Erfassung bei Bayer/Hoffmann AG 2014, R 319 ff.). Zur Mitbestimmungsfreiheit von Tendenzunternehmen und Unternehmen der Religionsgemeinschaften → Rn. 4, 10. Mitbestimmungsfreiheit ergibt sich ferner in Sonderlagen, nämlich bei AG ohne oder mit nicht mehr als vier AN (BGH AG 2012, 288 Rn. 14 ff., 24; OLG Jena AG 2011, 638 f.; MüKoAktG/Habersack Rn. 19; Bayer/Hoffmann AG 2014, R 319, 320 f.). Diese Einschränkung erklärt sich aus Überlegung, dass Mitbestimmung Fall der kollektiven Interessenvertretung ist und nach Parallelwertung des BetrVG für eine solche erst ab einer Größe von fünf AN ein Bedürfnis bestehe (BGH AG 2012, 288 Rn. 24). Auch für Bemessung dieser

Ausn. können AN aus Tochtergesellschaften nur unter Voraussetzungen des § 2 II DrittelbG berücksichtigt werden; über Regeln des Gemeinschaftsunternehmens (→ Rn. 4a) kann iRd DrittelbG kein anderes Ergebnis abgeleitet werden, wenn es an solcher Verbindung fehlt (so für arbeitnehmerlose AG OLG Düsseldorf AG 2017, 666, 668 ff.). AR mitbestimmungsfreier Gesellschaften besteht gem. § 96 I Fall 5 nur aus AR-Mitgliedern der Aktionäre. Zahl bestimmt sich nach § 95 S. 1–4 (→ § 95 Rn. 2 ff.), Bestellung nach § 101.

IV. Geschlechterquote (§ 96 II, III)

1. Regelungsgegenstand. Nach § 96 II 1 muss AR bei **börsennotierter AG oder KGaA** (§ 3 II; → § 3 Rn. 5 f.), die überdies **Mitbestimmung** nach MitbestG, MontanMitbestG oder MitbestErgG unterfällt (zu Ausdehnung auf MgVG/MgFSG-Mitbestimmung → Rn. 27), zu mindestens 30 % aus Frauen und Männern bestehen. Norm wurde eingeführt durch FüPoG I 2015 und soll **repräsentative Teilhabe von Frauen** an Unternehmensführung herbeiführen (RegBegr. BT-Drs. 18/3784, 120; zur rechtspolitischen „Dialektik der Frauenquote" Seibert FS Baums, 2017, 1133 ff.). Aus verfassungsrechtl. Gründen ist Vorschrift geschlechtsneutral formuliert. Unions- und verfassungsrechtl. Tragfähigkeit bleibt dennoch bedenklich (S/L/Drygala Rn. 34 ff.; Drygala NZG 2015, 1129 ff. [jew. allerdings mit zu weitgehenden Folgen de lege lata; → Rn. 23]; DAV-Ausschüsse NZG 2014, 1214 ff.; Habersack/Kersten BB 2014, 2819 ff.; Hohenstatt/Willemsen/Naber ZIP 2014, 2220, 2222 ff.; Kowalski RW 2021, 148 ff.; vgl. auch Hellgardt/Unger ZHR 183 [2019], 406 ff., 442 ff. unter dem Gesichtspunkt der „Belastungskumulation"; aA Grobe AG 2015, 289, 300 f.). Ob sich aus Führungspositionen-RL (RL EU 2022/2381; synonym: Gender Balance Directive) gesetzgeberischer Handlungsbedarf ergibt, ist noch nicht geklärt (vgl. Rothenburg/Moench AG 2023, 217 Rn. 1 ff.; J. Schmidt BB 2023, 1859 f.); dass AEUV für solche Regelung Kompetenzgrundlage enthält, ist generell zweifelhaft (J. Koch ZHR 175 [2011], 827 ff.; zust. Hohenstatt/Krawinkel in Hohenstatt/Seibt, Geschlechterquoten, 2015, Rn. 447 ff.; aA Langenbucher ZGR 2012, 314, 328 f.; zur fehlenden Rechtfertigung aus vergaberechtl. Gründen J. Koch ZIP 2012, 1695 ff.). Von der Neuregelung sollen im Zeitpunkt ihrer Einführung etwa 110 Unternehmen betroffen gewesen sein (RegBegr. BT-Drs. 18/3784, 43; Bayer/Hoffmann AG 2015, R 4 ff.; Bayer/Hoffmann AG 2016, R 235 ff. mit zutr. Kritik an von Ministeriumsseite verlautbarter Aufstockung auf 151 Gesellschaften unter Zugrundelegung in- und ausländischer Mitarbeiterzahl; → Rn. 14). Vgl. zur praktischen Wirkung auch 1. Monitoringbericht der BReg, BT-Drs. 18/11500. 13

2. Anwendungsbereich. Vorschrift gilt nur für Gesellschaften mit **inländischem Satzungssitz,** ist auf Auslandsgesellschaften also nicht übertragbar (S/L/Drygala Rn. 33; MüKoAktG/Habersack Rn. 36; Hölters/Weber/Simons Rn. 44; Grobe AG 2015, 289, 290 f.; Oetker ZHR 179 [2015], 707, 712 f.; Seibt ZIP 2015, 1193, 1194 f.; diff. Weller/Harms/Rentsch/Thomale ZGR 2015, 361, 369 ff.: nur Quotenvorgabe, nicht Sanktionsregime). Andere Sichtweise ist im Gesetzgebungsverfahren angeregt, aber nicht übernommen worden, was auch Gedanken einer Substitution, die letztlich nur Auslegungskriterium ist (vgl. Mader ZGR 2014, 430, 444 ff.), als eher fernliegend erscheinen lässt, zumal Regelungstransfer auf ausländische Organisationsstruktur keinesfalls unproblematisch wäre. Überdies wäre selbst ausdr. Sonderanknüpfung für EU-Gesellschaften mit primärer Niederlassungsfreiheit unvereinbar. Was mit bewusster Lückentoleranz nur punktuell für enge Sachverhalte vorgeschrieben wird, kann nicht als zwingender Grund des Gemeinwohls iSd Gebhard-Formel anerkannt werden (sa 14

→ § 1 Rn. 44; Einzelheiten: Seibt/Cziupka in Hohenstatt/Seibt, Geschlechterquoten, 2015, Rn. 376 ff.). Für **Börsennotierung** genügt dagegen auch Notierung an ausländischem Markt; es gelten insofern die in → § 3 Rn. 5 f. dargestellten Grundsätze (insbes: kein Freiverkehr). Bloße Kapitalmarktorientierung iSd § 264d HGB genügt nicht (zutr. Bayer/Hoffmann AG 2016, R 235, 237 f. entgegen abw. ministerieller Verlautbarung). Für Feststellung des **Mitbestimmungsstatuts** ist nach Kontinuitätsprinzip (→ Rn. 28) tats. Zusammensetzung, nicht normativer Sollzustand maßgeblich (S/L/Drygala Rn. 31; Hölters/Weber/Simons Rn. 44; Oetker ZHR 179 [2015], 707, 711 f.; Seibt ZIP 2015, 1193, 1194; aA Franzmann VGR 21 GesR 2015, 97, 103). Erhebliche Ausdehnung könnte Regelung erfahren, wenn zur Bestimmung des Statuts auch ausländische AN mitgezählt werden müssten (dagegen → Rn. 4c; sa Seibt/Kraack in Hohenstatt/Seibt, Geschlechterquoten, 2015, Rn. 75; gegen die von Ministeriumsseite voreilig verlautbarte Zuzählung Bayer/Hoffmann AG 2016, R 235 ff.). Tendenzunternehmen iSd § 1 IV MitbestG sind nicht erfasst (Junker/Schmidt-Pfitzner NZG 2015, 929, 930; Stüber DStR 2015, 947). Dasselbe gilt bei privatautonom vereinbarter paritätischer Besetzung (Hölters/Weber/Simons Rn. 44; Seibt ZIP 2015, 1193, 1194). Ggü. **AGG-Vorgaben** ist § 96 II als lex specialis vorrangig (krit. zu fehlender Klarstellung Ohmann-Sauer/Langemann NZA 2014, 1120, 1122). Quotenvorgabe gilt allein für AR-Besetzung, nicht auch für Ausschussbesetzung (MüKoAktG/Habersack Rn. 38; Oetker ZHR 179 [2015], 707, 714). Modifiziert wird Regelung durch § 393a II Nr. 2 für **AG mit Mehrheitsbeteiligung des Bundes** iSd § 393a I (→ § 393a Rn. 1 ff.). Hier greift Regelung unabhängig von Börsennotierung und Mitbestimmung (→ § 393a Rn. 4).

15 **3. Verfahrensablauf.** Nach § 96 II 2 ist im Anwendungsbereich der Regelung (→ Rn. 14) Mindestanteil als ges. Regelfall **von AR insgesamt** zu erfüllen (Gesamterfüllung). Ausnahme gilt nach § 96 II 3 aber, wenn Anteilseigner- oder AN-Seite als „Teilorgan“ (s. dazu Grobe AG 2015, 289, 291 f.; Seibt ZIP 2015, 1193, 1197; sa Herb DB 2015, 964, 965: „Quasi-Gremium“) noch vor dem Wahlakt widerspricht. **Widerspruch** erfolgt nicht durch Einzelmitglieder, sondern durch Mehrheitsbeschluss, für den allg. Beschlussregeln gelten; es kann auf Grundsätze zur Willensbildung in Ausschüssen zurückgegriffen werden (FamAusschuss BT-Drs. 18/4227, 24; zu arbeitsrechtl. Besonderheiten der Beschlussfassung vgl. Pütz in Fuchs/Köstler/Pütz HdB AR-Wahl, 6. Aufl. 2016, Rn. 733 ff.). Als gestaltender Akt ist Widerspruch unwiderruflich (FamAusschuss BT-Drs. 18/4227, 25; MüKoAktG/Habersack Rn. 43; aA Hölters/Weber/Simons Rn. 56). Im Widerspruchsfall ist Mindestanteil für diese Wahl von jeder Seite getrennt zu erfüllen (Getrennterfüllung). Durch Widerspruchsmöglichkeit soll insbes. Koordinationsproblem zwischen den beiden Wahlvorgängen entgegengewirkt werden (Seibt ZIP 2015, 1193, 1197). Entgegen ges. Systematik scheint Ausnahmefall des Widerspruchs eher praktischer Regelfall zu sein (MüKoAktG/Habersack Rn. 39; Kraack/Steiner ZIP 2018, 49). Widerspruch wird ggü. AR-Vorsitzendem erklärt und muss **für jede Wahl neu** ausgesprochen werden (RegBegr. BT-Drs. 18/3784, 120); abw. Regelung in Satzung oder Geschäftsordnung ist unzulässig (MüKoAktG/Habersack Rn. 42). Auch Nachwahl ist widerspruchsfähig (Wasmann/Rothenburg BB 2015, 291, 292).

16 **Zeitl. Grenze** für Erklärung des Widerspruchs ist im Ges. nicht klar definiert und daher umstr., wobei zwischen unterschiedlichen Wahlverfahren (→ Rn. 18 f.) zu differenzieren ist. ZT wird angenommen, dass Widerspruch für Anteilseignerseite noch bis zur Verkündung des Wahlbeschlusses durch HV-Leiter erfolgen könne, für AN-Vertreter bis zur Feststellung des Wahlergebnisses durch Wahlvorstand (Seibt/Kraack in Hohenstatt/Seibt, Geschlechterquoten, 2015, Rn. 130 ff.; Kraack/Steiner ZIP 2018, 49, 52 ff.). Da diese Sichtweise aber

Missbrauch provoziert und Durchführung der Wahlvorgänge mit **erheblichen Ablaufrisiken** belastet (so auch Seibt/Kraack in Hohenstatt/Seibt, Geschlechterquoten, 2015, Rn. 132 ff.), geht heute hM davon aus, dass „vor der Wahl" als **vor Beginn des Wahlverfahrens** zu lesen ist (vgl. etwa MüKoAktG/Habersack Rn. 45; Hölters/Weber/Simons Rn. 56; Franzmann VGR 21 GesR 2015, 97, 112 f.; Grobe AG 2015, 289, 292 f.; Oetker ZHR 179 [2015], 707, 722 f.). Zur Konkretisierung dieses Beginns wird für Anteilseignerseite im Rückschluss aus § 124 II 2 Nr. 1 Zeitpunkt des Wahlvorschlags als maßgeblich erachtet, für AN-Seite im Rückschluss aus einschlägigen Wahlordnungen auf Unternehmensmitteilung über Mandatszahl abgestellt (MüKoAktG/Habersack Rn. 45; Hölters/Weber/Simons Rn. 56; Grobe AG 2015, 289, 292 f.; zum ersten Punkt auch S/L/Drygala Rn. 43; Pütz in Fuchs/Köstler/Pütz HdB AR-Wahl, 6. Aufl. 2016, Rn. 737). Um unzureichende Abstimmung der ggf. zeitversetzten Wahlverfahren zu vermeiden, kann es auch nicht genügen, dass dabei ausschließlich auf den Wahlbeginn der jeweils widerspruchsberechtigten Seite abgestellt wird (so aber GK-AktG/Hopt/Roth Rn. 114), sondern beide Wahlgänge müssen **zu einer Einheit** zusammengefasst werden. Das Widerspruchsrecht besteht deshalb nur, solange keine Seite mit Wahl begonnen hat (S/L/Drygala Rn. 48; MüKoAktG/Habersack Rn. 45; Hölters/Weber/Simons Rn. 56; Oetker ZHR 179 [2015], 707, 722 f.). Zahlreich vertretenen Gegenauffassungen ist zwar zuzugeben, dass speziell Rückschluss aus § 124 II 2 Nr. 1 keinesfalls unbedenklich ist und auch Gesetzesmaterialien zT in andere Richtung gedeutet werden können (vgl. zur Kritik Herb DB 2015, 964, 965; Röder/Ch. Arnold NZA 2015, 279, 284; Stüber CCZ 2015, 38 Fn. 11). Im Lichte einer insges. unglücklichen Gesetzesfassung, deren Mehrdeutigkeit durch Ausdeutung in den Materialien noch verschärft wird, ist es aber zulässig, Auslegung pragmatisch **an Sachgesichtspunkten auszurichten.** Praxis sollte versuchen, verbleibenden Auslegungsunwägbarkeiten durch **konkretisierende Absprache** zwischen den Bänken entgegenzuwirken (Hölters/Weber/Simons Rn. 57; Herb DB 2015, 964, 965; Kraack/Steiner ZIP 2018, 49, 59 f.). Da Beschlussempfehlung vollständigen Verzicht auf Widerspruchsmöglichkeit als zulässig und bindend erachtet (FamAusschuss BT-Drs. 18/4227, 25), muss a maiore ad minus auch derartige zeitliche Einschränkung auf schuldrechtl. Basis möglich sein (sa Herb DB 2015, 964, 965). Widerspruchslösung gilt auch bei **Ersatzbestellung** durch Gericht (§ 104; → § 104 Rn. 14a); AR-Vorsitzender muss ggü. Gericht erklären, dass Gesamterfüllung nicht widersprochen wird (RegBegr. BT-Drs. 18/3784, 120).

Berechnungsgrundlage der 30%-Quote ist statutarische Gesamtsitzzahl; statutenwidrige Vakanzen werden nicht berücksichtigt (Hölters/Weber/Simons Rn. 58; Seibt ZIP 2015, 1193, 1195; aA GK-AktG/Hopt/Roth Rn. 102). Auf **Anteilseignerseite** sind entsandte Mitglieder gem. § 101 II in Berechnungsgrundlage für Quote einzubeziehen, was zur Folge hat, dass Spielraum für Geschlechtsauswahl sich mit zeitlich zuerst folgendem Akt (Entsendung oder Wahl) verengen kann. So ist es möglich, dass bei zuerst erfolgender HV-Wahl zwingend Entsendung einer Frau erfolgen muss (RegBegr. BT-Drs. 18/3784, 121). Entspr. Geschlechteraufteilung in Satzung zwischen Geschlecht entsandter und gewählter Mitglieder soll möglich sein (RegBegr. BT-Drs. 18/3784, 121), wird aber der Zustimmung der Inhaber bereits bestehender Entsendungsrechte bedürfen (DAV-Ausschüsse NZG 2014, 1214 Rn. 107). Alternativ kommt auch Shareholder Agreement in Betracht (Mense/Klie GWR 2015, 1, 2). **AN-Seite** ist zunächst einheitlich zu betrachten, unabhängig von gruppenbezogenen Differenzierungen nach § 7 II MitbestG, § 15 I MitbestG. Erst bei Getrennterfüllung gelten weitere Differenzierungen (→ Rn. 19; Junker/Schmidt-Pfitzner NZG 2015, 929, 931). **Neutrales Mitglied** gem. § 8 MontanMitbestG, § 5 III MitbestErgG soll nach RegBegr. jedenfalls dann nicht berücksichtigt werden, wenn Gesamterfüllung **17**

widersprochen wird (BT-Drs. 18/3784, 121). Ob etwas anderes gelten soll, wenn Widerspruch ausbleibt, lässt sich RegBegr. nicht gleichermaßen klar entnehmen, doch ist teleologischer Anlass seiner Nichtberücksichtigung nicht erkennbar, was für Einbeziehung spricht (S/L/Drygala Rn. 49; Hölters/Weber/Simons Rn. 58; Grobe AG 2015, 289, 294; Seibt ZIP 2015, 1193, 1196; Stüber CCZ 2015, 38, 39; schwankend Oetker ZHR 179 [2015], 707, 733 f.). Ebenfalls nicht ganz klar ist Behandlung von **leitenden Angestellten.** RegBegr. ordnet auch insofern Sonderbehandlung an, die sich aber augenscheinlich nur auf Spezialvorgabe im Fall der Nichterfüllung bezieht (→ Rn. 19). Für Feststellung der Berechnungsgrundlage und Quotenerfüllung sowohl im Rahmen der Gesamterfüllung als auch der Getrennterfüllung nach § 7 III MitbestG, § 5a MitbestErgG oder § 5a MontanMitbestG (→ Rn. 19) sind sie dagegen zu berücksichtigen (DAV-Ausschüsse NZG 2014, 1214 Rn. 133; Herb DB 2015, 964, 965; Röder/Ch. Arnold NZA 2015, 279, 281; aA Hohenstatt/Willemsen/Naber ZIP 2014, 2220, 2225).

18 Erfolgt **kein Widerspruch,** greift Gesamterfüllung, die im Ges. aber nur unzureichende Regelung gefunden hat, was darauf zurückzuführen sein dürfte, dass Gesetzgebungsverfahren lange von Prinzip der Getrennterfüllung geprägt war (aufschlussreiche Dokumentation bei Seibert NZG 2016, 16 ff.). Tats. bereitet Abstimmung der Wahlvorgänge aber gerade hier erhebliche praktische Probleme. Insbes. ist es möglich, dass zumeist vorangehender Wahlakt der AN-Seite Last der Quotenerfüllung ausschließlich HV aufbürdet, wenn ein Geschlecht bei der Wahl gar nicht berücksichtigt wird (ausf. Röder/Ch. Arnold NZA 2015, 279, 282 f.; zu weiteren Problemen bei Verstoß → Rn. 25). Auf Basis der in → Rn. 17 festgelegten Berechnungsgrundlage kann Quote gem. Multiplikationsansatz durch Multiplikation der Gesamtsitze mit Faktor 0,3 ermittelt werden (Seibt ZIP 2015, 1193, 1195 f.). Geschlechterzuordnung als Mann oder Frau folgt personenstandsrechtl. Einordnung (Seibt ZIP 2015, 1193, 1195; zu Fragen der Geschlechtsumwandlung s. S/L/Drygala Rn. 50; DAV-Ausschüsse NZG 2014, 1214 Rn. 106). Sowohl in Fällen der Gesamt- als auch der Getrennterfüllung ist gem. § 96 II 4 jew. auf volle Personenzahlen **mathematisch aufzurunden** (bei ≥ 0,5) bzw. **abzurunden** (bei < 0,5), was im Einzelfall dazu führen kann, dass Prozedere der Gesamt- oder Getrennterfüllung zu unterschiedlichen Ergebnissen führt (vgl. Beispiel in RegBegr. BT-Drs. 18/3784, 120: 16 AR-Mitglieder bei Gesamtwahl: 30 %: 4,8 – aufgerundet: 5 Mitglieder; bei Getrenntwahl: Berechnungsgrundlage jew. 8 Mitglieder: 30 %: 2,4 Mitglieder – abgerundet: insges. 4 Mitglieder; vgl. ferner auch Grobe AG 2015, 289, 293 f.). Während Ges. von „mathematischer" Aufrundung spricht, ist in RegBegr. (BT-Drs. 18/3784, 127) von „kaufmännischer" Aufrundung die Rede, was in einer Konstellation (montanmitbestimmte AG mit 15-köpfigem AR und Gesamterfüllung) zu abw. Ergebnissen führt. HM plädiert entspr. Gesetzeswortlaut für mathematische Aufrundung (zu den Unterschieden iE Seibt/Kraack in Hohenstatt/Seibt, Geschlechterquoten, 2015, Rn. 96; Oetker ZHR 179 [2015], 707, 715 f.).

19 Wird **Widerspruch** ausgesprochen, richtet sich Wahlverfahren für **Besetzung der AN-Bank** nach speziellen mitbestimmungsrechtl. Vorgaben. Im Ziel stimmen sämtliche Regeln dahingehend überein, dass im Falle des Widerspruchs AN-Bank mit 30 % Frauen und Männern besetzt sein muss (§ 7 III MitbestG, § 5a MontanMitbestG, § 5a MitbestErgG). Rundungsregeln (→ Rn. 18) gelten auch hier. **Verfahrensunterschiede** resultieren namentl. daraus, dass nach MitbestG und MitbestErgG Delegiertenwahl oder unmittelbare Wahl durch AN erfolgt, während nach MontanMitbestG Wahl durch HV aufgrund bindender Wahlvorschläge erfolgt (zu Einzelheiten vgl. Pütz in Fuchs/Köstler/Pütz HdB AR-Wahl, 6. Aufl. 2016, Rn. 748 ff.). Unterschiede ergeben sich hier in erster Linie bei **Nichterreichen** des Geschlechteranteils durch die Wahl. Für diesen Fall wird zunächst in § 18a I MitbestG und § 10f I MitbestErgG Geschlechterverhältnis

weitergehend konkretisierend festgeschrieben (etwa auch hinsichtlich Gewerkschaftsvertreter), was insofern eigentümlich erscheint, als entspr. Vorgaben eher als allg. Regeln und nicht nur für Fall der Nichtbefolgung sachgerecht erschienen wären (Herb DB 2015, 964, 965; Röder/Ch. Arnold NZA 2015, 279, 280 f.). Um die so vorgegebene Geschlechterverteilung zu erreichen, ist die Wahl derjenigen Bewerber unwirksam, deren Geschlecht mehrheitlich vertreten ist und die bei Mehrheitswahl niedrigste Stimmenzahlen bzw. bei einer Verhältniswahl die niedrigsten Höchstzahlen erhalten haben (§ 18a II MitbestG: „vorübergehend leerer Stuhl"). Nur leitender Angestellter wird von Nichtigkeitsfolge auch bei Quotenunterschreitung nicht erfasst (RegBegr. BT-Drs. 18/3784, 130; zu daraus folgenden Problemen vgl. Röder/Ch. Arnold NZA 2015, 279, 281 f.). Danach nicht besetzte Sitze sind durch gerichtl. Ersatzbestellung nach § 104 oder Nachwahl zu besetzen. Praxis wird sich aus Zeit- und Kostengründen für **gerichtl. Bestellung** entscheiden (Ohmann-Sauer/Langemann NZA 2014, 1120, 1122; Röder/Ch. Arnold NZA 2015, 279, 281: ausnahmslos). In diesem Fall ist bes. Beschleunigungsvorgabe des § 104 II 2 iVm III Nr. 2 zu befolgen (→ Rn. 23). Für Wahlen von AR-Mitgliedern der AN nach MitbestG oder MitbestErgG sind schließlich noch bes. **zeitliche Vorgaben** in § 40 MitbestG und § 22 MitbestErgG zu beachten, die für Wahlen, die bis zum 31.12.2015 abgeschlossen sind, Geltung der bisherigen Regelungen anordnen, um damit typischerweise langer Dauer dieser Wahlvorgänge (19–50 Wochen – s. RegBegr. BT-Drs. 18/3784, 45) Rechnung zu tragen (zu Einzelheiten vgl. Hölters/Weber/Simons Rn. 50).

Im Bereich des **MontanMitbestG** erfolgt Wahl in HV, die dabei aber an 20 Wahlvorschlag der Betriebsräte gebunden ist, der Namen der zu wählenden AR-Mitglieder enthält. Hier verlagert sich Quotenvorgabe daher von Wahlvorgang zu **Wahlvorschlägen,** die nach § 6 VI MontanMitbestG Anforderungen des § 5a MontanMitbestG genügen müssen. Auch hier gilt Rundungsregel (→ Rn. 18). Erfüllt Wahl der Betriebsräte diese Vorgaben nicht, ist sie zu wiederholen. Wird dennoch fehlerhafter Wahlvorschlag weitergeleitet und auf dieser Grundlage gewählt, gilt allg. Nichtigkeitsanordnung des § 96 II 6 (→ Rn. 23).

4. Nachträgliche Veränderungen. Scheidet Mitglied aus und wird Quote 21 dadurch nicht mehr erfüllt, so ergeben sich daraus keine unmittelbaren Rechtsfolgen. Nachbestellung (durch Wahl oder Gericht, → Rn. 26) hat dann aber gem. § 96 II zu erfolgen. Verringert sich bei **Gesamterfüllung** höherer Frauenanteil auf einer Seite nachträglich (etwa durch Ablauf der Wahlperiode oder Ausscheiden), so muss übererfüllende Seite nicht erneut übererfüllen, sondern kann nunmehr Gesamterfüllung widersprechen und Besetzung unter Einhaltung der 30 %-Quote innerhalb des eigenen Lagers vornehmen. Dadurch wird gem. **§ 96 II 5** Besetzung auf Gegenseite aber nicht unwirksam, sondern gilt bis zum Ablauf der Wahlperiode fort. Anrechnungswirkung erfolgt erst mit vorzeitigem Ausscheiden oder Ablauf, so dass für Ersatzbestellung oder Neuwahl 30 %-Quote wieder gilt. Ges. verlässt in § 96 II 5 in bedenklicher Weise geschlechtsneutrale Fassung, was auf **Redaktionsversehen** zurückzuführen sein dürfte. Für Männer muss Vorgabe entspr. gelten (sa MüKoAktG/Habersack Rn. 49; Röder/Ch. Arnold NZA 2015, 279, 284).

Bei **Ersatzmitgliedern** kann im Zeitpunkt ihrer Wahl noch nicht abgesehen 22 werden, ob Quotenerfüllung durch ihr Nachrücken gefährdet wird. Nach RegBegr. soll deshalb auf Zeitpunkt des Nachrückens abgestellt werden. Verändert das Nachrücken den Geschlechterproporz so, dass § 96 II nicht eingehalten wird, ist Wahlbeschluss zum Ersatzmitglied ex tunc nichtig (RegBegr. BT-Drs. 18/3784, 122). Für Geltendmachung gelten allg. Grundsätze (→ Rn. 23). RegBegr. empfiehlt, für quotenerfüllendes weibliches Mitglied ebenfalls eine Frau vorzusehen (RegBegr. BT-Drs. 18/3784, 122). Ungeklärt ist allerdings, ob auch für Wahl des Ersatzmitglieds **Übergangsregelung** des § 25 II 1 EGAktG gilt (→ Rn. 13). Dafür spricht, dass Unternehmen sich nach Sinn und Zweck der Regelung bis zum 1.1.2016 auf neue Praxis sollen einstellen können, so dass es nicht angeht, bis dahin wirksam gefassten Beschluss nachträglich zu sanktionieren (Hölters/Weber/Simons Rn. 49; Stüber DStR 2015, 947, 950; so auch RefE zur Änderung der mitbestimmungsrechtl. Wahlordnungen, zitiert nach Rotsch/Weninger Konzern 2015, 298 f.).

23 **5. Rechtsfolgen bei Verstoß.** Rechtsfolge eines Verstoßes gegen § 96 II 1–4 ist gem. § 96 II 6 **Nichtigkeit der AR-Wahl** bzw. der Entsendung von Anfang an. § 96 II 6 gilt aber nur für Wahl oder Entsendung der Anteilseigner. Für vorgeschaltetes mitbestimmungsrechtl. Verfahren gelten im Falle der Getrennterfüllung entspr. Sondervorschriften (→ Rn. 19). Für mitbestimmungsrechtl. Wahlverfahren im Falle der Gesamterfüllung fehlt jegliche Rechtsfolgenanordnung (→ Rn. 25). Danach für Anteilseignerseite geltende Nichtigkeitsfolge des § 96 II 6 hat zur Folge, dass für das unterrepräsentierte Geschlecht vorgesehene Mindestplätze rechtl. unbesetzt bleiben – sog **leerer Stuhl** (RegBegr. BT-Drs. 18/3784, 121). Rechtsfolge ist zu Recht als „drastisch" bezeichnet worden (Jung DStR 2014, 960, 961), doch hat Gesetzgeber aus verhaltenssteuernden Gründen daran festgehalten (RegBegr. BT-Drs. 17/3784, 122). Harsche Konsequenzen werden allerdings dadurch abgefedert, dass fahrlässiger Verstoß aufgrund verhältnismäßig klarer Voraussetzungen eher unwahrscheinlich erscheint. Tritt Nichtigkeitsfolge dennoch ein, bleibt Beschlussfähigkeit gem. § 108 II unberührt. Bei umstr. Beschlüssen ist nach den in → § 101 Rn. 20 ff. dargestellten Grundsätzen Relevanz der Stimmabgabe für Beschluss maßgeblich. Im Schrifttum wird zT Befürchtung geäußert, dass sich folgenreiche Störung der Bänkebalance zu Lasten der Anteilseignerseite daraus ergeben könne, dass **gerichtl. Nachbesetzung** (→ Rn. 26) auf Anteilseignerseite mindestens dreimonatige Vakanz gem. § 104 II auslöse, während AN-Sitz umgehend nach § 104 III Nr. 2 nachbesetzt werden könne (vgl. Hohenstatt/Willemsen/Naber ZIP 2014, 2220, 2221; Mense/Klie GWR 2015, 1, 5). Sorge ist indes unbegründet, da § 104 III Nr. 2 nicht auf AN-Vertreter beschränkt ist, sondern für beide Bänke gilt (zutr. MüKoAktG/Habersack Rn. 55; Herb BB 2015, 964, 967; sa → § 104 Rn. 11, 14). Um harsche Rechtsfolgen abzufedern, ist zT vorgeschlagen worden, im Lichte verfassungsrechtl. Bedenken (→ Rn. 13) **Härtefallklausel** einzuführen, wenn geeigneter Bewerber des erforderlichen Geschlechts nicht gefunden werden kann, was namentl. bei Einzelbesetzung, etwa der sachkundigen Finanzexperten (§ 100 V; → § 100 Rn. 24 f.), auftreten kann (Drygala NZG 2015, 1129, 1131; zust. Seibt/Kraack in Hohenstatt/Seibt, Geschlechterquoten, 2015, Rn. 167 f., 232). Angesichts verfassungsrechtl. Verwerfungsmonopols des BVerfG ist Lösung dogmatisch bedenklich und dürfte auch auf Beweisebene erhebliche Probleme aufwerfen (skeptisch auch Oetker ZHR 179 [2015], 707, 727 f.). Flankiert wird Quotenvorgabe durch **Berichtspflicht.** In Erklärung zur Unternehmensführung gem. § 289f II Nr. 5, III HGB muss künftig Angabe aufgenommen werden, ob Quote eingehalten wurde und wenn nicht, aus welchen Gründen. § 289f II Nr. 6 HGB verlangt Beschreibung des Diversitätskonzepts; sofern ein solches nicht verfolgt wird, ist nach § 289f V HGB zu erläutern, warum darauf verzichtet wurde.

24 Für konkrete Reichweite der Nichtigkeitsfolge ist hinsichtlich AR-Wahl weiter nach Art des Wahlvorgangs (→ § 101 Rn. 6) zu unterscheiden: Im Fall der **Blockwahl** ist gesamte Wahl hinsichtlich des überrepräsentierten Geschlechts nichtig, während der zum unterrepräsentierten Geschlecht angehörige Kandidat wirksam gewählt ist (RegBegr. BT-Drs. 18/3784, 122; aA GK-AktG/Hopt/

Roth Rn. 119). Vorzugswürdig ist im Anwendungsbereich des § 96 II deshalb **Einzelwahl** mit nacheinander geschalteten Abstimmungsvorgängen. Hier führt Verstoß lediglich dazu, dass der Wahlbeschluss nichtig ist, der in der chronologischen Abfolge als erster Mindestanteilsgebot verletzt (RegBegr. BT-Drs. 18/3784, 122; zur Vorzugswürdigkeit der Einzelwahl → § 101 Rn. 6). Maßgeblich für Chronologie ist Verkündung des Beschlussergebnisses, das sich allerdings an Reihenfolge des Wahlvorgangs orientieren sollte (Hölters/Weber/Simons Rn. 66; DAV-Ausschüsse NZG 2014, 1214 Rn. 112; Röder/Ch. Arnold NZA 2015, 279, 280; Seibt ZIP 2015, 1193, 1200; Wasmann/Rothenburg DB 2015, 291, 293). Dass Verkündungsreihenfolge materielle Legitimation fehlt (Herb DB 2015, 964, 966), ist zwar richtig, doch steht Wahlreihenfolge ebenso im Ermessen des HV-Leiters; Einfluss auf Ergebnis wird hingenommen (→ § 101 Rn. 5). Keine Aussage enthält RegBegr. zu weiterhin zulässigem Verfahren der **Simultanwahl,** bei dem Einzelabstimmungen zeitgleich durchgeführt werden. Auch hier wird auf Reihenfolge der Beschlussverkündung abzustellen sein (Wasmann/Rothenburg DB 2015, 291, 293), was allerdings wegen fehlender Orientierung an Wahlreihenfolge noch weniger befriedigt. Sinnvoll dürfte es deshalb sein, Wahlvorschlag selbst zu reihen (Herb DB 2015, 964, 966; zur Zulässigkeit → § 101 Rn. 5). Alternativ kann – wie bei AN-Seite (→ Rn. 19) – auf Höhe der jeweiligen Zustimmung im Abstimmungsergebnis abgestellt werden, sofern Satzung relative Mehrheit zulässt (S/L/Drygala Rn. 53; MüKoAktG/Habersack Rn. 53; Grobe AG 2015, 289, 297; Herb DB 2015, 964, 966; Oetker ZHR 179 [2015], 707, 727; zur Zulässigkeit → § 101 Rn. 4).

Rechtsfolge des § 96 II 6 bereitet in der Anwendung keine Probleme im Fall der Getrennterfüllung. Ges. blendet aber auch hier (→ Rn. 18) ges. Regelfall der **Gesamterfüllung** weitgehend aus, weil es an entspr. Rechtsfolgenanordnung für den Fall fehlerhafter AN-Wahl fehlt. Mitbestimmungsrechtl. Regelungen (→ Rn. 19) gelten nur, wenn Widerspruch erfolgt ist. § 96 II 6 gilt nur für Mitglieder der Anteilseignerseite (Röder/Ch. Arnold NZA 2015, 279, 283). Unbefriedigende Gesetzeslage muss bis zu ihrer legislativen Korrektur von Rechtsanwender über Analogien zu § 96 II 6 und § 18a MitbestG bewältigt werden (Röder/Ch. Arnold NZA 2015, 279, 283; aA Seibt ZIP 2015, 1193, 1201). These, dass Verstoß hier sanktionslos bleibe (Junker/Schmidt-Pfitzner NZG 2015, 929, 931) wird von Teleologie des Ges. nicht getragen (insofern zust. MüKoAktG/Habersack Rn. 57; Hölters/Weber/Simons Rn. 73); gerade später Konzeptionswechsel (→ Rn. 18) und überhastete Umsetzung im Endstadium (vgl. Seibert NZG 2016, 16 ff.) legt Annahme planwidriger Regelungslücke nahe, die rechtsfortbildend geschlossen werden kann. 25

Für Geltendmachung der Nichtigkeit gelten allg. Grundsätze, dh nichtige **AR-Wahl** kann durch Nichtigkeitsklage iSd §§ 249, 250 (mit Erweiterung der Parteifähigkeit, → § 250 Rn. 1), aber auch auf andere Weise (§ 250 III 2) geltend gemacht werden. Bei **fehlerhafter Entsendung** ist allg. Feststellungsklage nach § 256 I ZPO einschlägig (RegBegr. BT-Drs. 18/3784, 121). Für weitere Folgen der Nichtigkeit gelten dann allg. Grundsätze, dh insbes., dass **AR-Beschluss** wirksam bleibt, wenn mindestens die Hälfte der Mitglieder, aus denen er nach Ges. oder Satzung zu bestehen hat, an der Beschlussfassung teilnimmt (→ § 101 Rn. 20 ff.). Ist Wahl aus anderen Gründen nichtig, verstoßen zwischenzeitlich erfolgte Wahlen gem. § 96 II 7 nicht gegen das Mindestanteilsgebot (vgl. FamAusschuss BT-Drs. 18/4227, 25: keine Kettenreaktion). Sowohl Vorstand als auch AR-Vorsitzender sind verpflichtet, Nichtigkeit geltend zu machen. IÜ gelten hinsichtlich Überwachung und Einhaltung der Vorgabe **allg. Sorgfalts- und Haftungsfolgen.** Vorstand muss auf baldige ordnungsgemäße Zusammensetzung hinwirken und ggf. Antrag auf gerichtl. Bestellung gem. § 104 I 1 stellen (RegBegr. BT-Drs. 26

18/3784, 122). Ist Verstoß schon im Vorfeld erkennbar, kann Versammlungsleiter Wahl nicht zur Abstimmung zulassen (RegBegr. BT-Drs. 18/3784, 121).

27 **6. Sonderregeln für Mitbestimmung nach MgVG/MgFSG (§ 96 III).** § 96 III enthält Sonderregelung für börsennotierte Gesellschaft (AG, KGaA), die aus **grenzüberschreitendem Umwandlungsvorgang,** namentl. Verschmelzung (zur Aufnahme oder zur Neugründung; vgl. S/L/Drygala Rn. 55) bzw. – seit UmRUG 2023 – Formwechsel oder Spaltung hervorgegangen ist und Mitbestimmung nach MgVG (→ Rn. 11a f.) bzw. MgFSG (→ Rn. 11c) unterliegt. Anwendung des § 96 III setzt voraus, dass Satzungssitz in Deutschland liegt (MüKoAktG/Habersack Rn. 58; GK-AktG/Hopt/Roth Rn. 130; aA S/L/Drygala Rn. 58; Grobe AG 2015, 289, 298). Auch im Fall des § 96 III müssen Männer und Frauen in AR- bzw. Verwaltungsorgan mit jew. mindestens 30% vertreten sein, wenn es sich um paritätisch besetztes Organ handelt, und zwar unabhängig davon, ob Parität aus Beteiligungsvereinbarung oder Auffanglösung folgt (→ Rn. 11b f.; MüKoAktG/Habersack Rn. 59; Hohenstatt/Wendler in Seibt/Hohenstatt, Geschlechterquoten, 2015, Rn. 370; Seibt ZIP 2015, 1193, 1201; aA S/L/Drygala Rn. 57). Ergibt sich aus Verhandlungslösung dagegen **unterparitätische Besetzung,** findet Geschlechterquote keine Anwendung, was Weg zur Flucht aus der Quote eröffnen kann (Hohenstatt/Wendler in Seibt/Hohenstatt, Geschlechterquoten, 2015, Rn. 371; Grobe AG 2015, 289, 298; Teichmann/Rüb BB 2015, 259, 266). Von Verweisung ausgenommen sind Regeln zum **Widerspruch** (→ Rn. 15, 19). Das wird damit begründet, dass Mitbestimmung im AR von AG, die aus grenzüberschreitendem Umwandlungsvorgang hervorgegangen ist, zwischen AN-Seite und AG im Vereinbarungswege ausgehandelt werde und daher Widerspruch nicht in Betracht komme (FamAusschuss BT-Drs. 18/4227, 25). Schon mit Blick auf Auffanglösung nach §§ 23 ff. MgVG bzw. §§ 25 ff. MgFSG ist diese Begründung nicht tragfähig. Selbst bei Vereinbarung, besteht kein Grund, Verhandlungspartner in die aus vielerlei Gründen ungünstige Gesamterfüllung zu zwingen (zutr. Teichmann/Rüb BB 2015, 898, 904 f. [zur SE]; zust. Hohenstatt/Wendler in Seibt/Hohenstatt, Geschlechterquoten, 2015, Rn. 341 ff.). De lege lata wird man klare Positionierung des Gesetzgebers dennoch hinzunehmen haben (Hölters/Weber/Simons Rn. 78). In **§ 250 I Nr. 5** wird § 96 III nicht genannt, was aber unschädlich ist, da sich Nichtigkeitsfolge schon aus Bezugnahme auf § 96 II 6 ergibt (zu dieser doppelten Nichtigkeitsanordnung → § 250 Rn. 12; aA Wasmann/Rothenburg BB 2015, 291, 293).

V. Änderungen der gesetzlichen Grundlagen für Zusammensetzung des Aufsichtsrats (§ 96 IV)

28 § 96 IV **perpetuiert ges. Grundlagen** der AR-Zusammensetzung bis zum Abschluss des in § 97 oder des in §§ 98, 99 geregelten Verfahrens (ebenso OLG Frankfurt AG 2018, 722, 723; NZG 2018, 1254 Rn. 22; LAG Hessen Konzern 2011, 72, 75). Nach § 97 sind die vom Vorstand angegebenen anderen Vorschriften anzuwenden, wenn nicht innerhalb eines Monats nach Bek. im BAnz. gerichtl. Entscheidung gem. § 98 beantragt wird. Wird sie beantragt, so sind die in der gerichtl. Entscheidung bezeichneten Vorschriften maßgeblich. Wegen der Einzelheiten vgl. Erl. zu §§ 97, 98, zu dem auf Rechtssicherheit gerichteten Regelungszweck → Rn. 1. Hauptanwendungsfall der §§ 96 IV, 97 f. ist **Wechsel des Mitbestimmungsstatus;** Norm erfasst aber auch andere Änderungen der ges. Grundlagen (→ § 97 Rn. 2 f.). Solange das in §§ 97–99 geregelte Verfahren nicht abgeschlossen ist, bleibt AR rechtmäßig im Amt (OLG Düsseldorf AG 1996, 87: Kontinuität auch der personellen Zusammensetzung), und zwar selbst

dann, wenn alle Beteiligten über Änderung der ges. Grundlagen einig sein sollten; sog Status-quo- oder Kontinuitätsprinzip (BVerfG NJW 2014, 1431 Rn. 28; BGH NJW 2015, 1449 Rn. 13; MüKoAktG/Habersack Rn. 62 f.). Für den **ersten Vorstand** einer neu gegründeten Gesellschaft bestehen Sonderregeln in § 30 III 2 (Bargründung) und § 31 III und IV (Sachgründung); → § 30 Rn. 9; → § 31 Rn. 7 ff.

Bekanntmachung über die Zusammensetzung des Aufsichtsrats

97 (1) [1] **Ist der Vorstand der Ansicht, daß der Aufsichtsrat nicht nach den für ihn maßgebenden gesetzlichen Vorschriften zusammengesetzt ist, so hat er dies unverzüglich in den Gesellschaftsblättern und gleichzeitig durch Aushang in sämtlichen Betrieben der Gesellschaft und ihrer Konzernunternehmen bekanntzumachen.** [2] **In der Bekanntmachung sind die nach Ansicht des Vorstands maßgebenden gesetzlichen Vorschriften anzugeben.** [3] **Es ist darauf hinzuweisen, daß der Aufsichtsrat nach diesen Vorschriften zusammengesetzt wird, wenn nicht Antragsberechtigte nach § 98 Abs. 2 innerhalb eines Monats nach der Bekanntmachung im Bundesanzeiger das nach § 98 Abs. 1 zuständige Gericht anrufen.**

(2) [1] **Wird das nach § 98 Abs. 1 zuständige Gericht nicht innerhalb eines Monats nach der Bekanntmachung im Bundesanzeiger angerufen, so ist der neue Aufsichtsrat nach den in der Bekanntmachung des Vorstands angegebenen gesetzlichen Vorschriften zusammenzusetzen.** [2] **Die Bestimmungen der Satzung über die Zusammensetzung des Aufsichtsrats, über die Zahl der Aufsichtsratsmitglieder sowie über die Wahl, Abberufung und Entsendung von Aufsichtsratsmitgliedern treten mit der Beendigung der ersten Hauptversammlung, die nach Ablauf der Anrufungsfrist einberufen wird, spätestens sechs Monate nach Ablauf dieser Frist insoweit außer Kraft, als sie den nunmehr anzuwendenden gesetzlichen Vorschriften widersprechen.** [3] **Mit demselben Zeitpunkt erlischt das Amt der bisherigen Aufsichtsratsmitglieder.** [4] **Eine Hauptversammlung, die innerhalb der Frist von sechs Monaten stattfindet, kann an Stelle der außer Kraft tretenden Satzungsbestimmungen mit einfacher Stimmenmehrheit neue Satzungsbestimmungen beschließen.**

(3) **Solange ein gerichtliches Verfahren nach §§ 98, 99 anhängig ist, kann eine Bekanntmachung über die Zusammensetzung des Aufsichtsrats nicht erfolgen.**

I. Regelungsgegenstand und -zweck

Norm betr. zusammen mit §§ 98, 99 sog Status- oder Überleitungsverfahren. 1
Zu dem auf **Rechtssicherheit** gerichteten Regelungszweck → § 96 Rn. 1, 28. Überleitung erfolgt zweistufig (Habersack/Henssler/Habersack MitbestG § 6 Rn. 13; MHdB AG/Hoffmann-Becking § 28 Rn. 56). **Erste Stufe** liegt in Bek. des Vorstands (§ 97) oder gerichtl. Entscheidung (§ 98) und bezweckt Klarheit über anwendbare Vorschriften. Erst wenn sie erzielt ist, werden auf **zweiter Stufe** Zusammensetzung des AR und Bestimmungen der Satzung den nunmehr geltenden Vorschriften angepasst. Bis dahin verbleibt es bei bisheriger Gesetzeslage und rechtmäßiger Amtstätigkeit des danach zusammengesetzten AR (→ § 96 Rn. 28). Auf erstmalige AR-Wahl in bislang aufsichtsratsloser GmbH sind §§ 97 ff. entspr. anzuwenden (BAG NZG 2023, 1000 Rn. 33 ff.: bei Verstoß Nichtigkeit).

II. Bekanntmachungspflicht des Vorstands

2 **1. Voraussetzungen.** Vorstand ist gem. § 97 I 1 zur Bek. verpflichtet, wenn nach seiner Ansicht der AR nicht nach den für ihn maßgebenden ges. Vorschriften zusammengesetzt ist. **Ansicht des Vorstands** ist nicht beliebiges Meinungsbild, sondern Beschluss, der einstimmig (§ 77) oder mit der in Satzung bzw. Geschäftsordnung vorgesehenen Mehrheit zu fassen ist (MüKoAktG/Habersack Rn. 18). Dafür kommt zunächst in Betracht, dass Zusammensetzung des amtierenden AR auf rechtl. Fehlbeurteilung beruht. Regelmäßig wird es jedoch darum gehen, Zusammensetzung des AR inzwischen eingetretenen Veränderungen anzupassen.

3 Relevant sind nur **ges. Vorschriften** über Zusammensetzung des AR. Es gibt deshalb **kein Statusverfahren bei Satzungsänderungen** (OLG Hamburg AG 1989, 64, 65; OLG Stuttgart AG 2020, 122, 123; NZG 2021, 31 Rn. 34; S/L/Drygala Rn. 5 f.; MüKoAktG/Habersack Rn. 14; KK-AktG/Mertens/Cahn Rn. 44; BeckOGK/Spindler Rn. 11 f.; MHdB AG/Hoffmann-Becking § 28 Rn. 61; Habersack/Henssler/Habersack MitbestG § 6 Rn. 15; Brungs, Statusverfahren, 2015, 10 f.; aA vor allem BAG WM 1990, 633, 636), und zwar auch nicht in analoger Anwendung der §§ 97 ff. (dafür Oetker ZHR 149 [1985], 575, 584 f.; sa Oetker ZGR 2000, 19, 21 f.). Analoger Anwendung steht entgegen, dass auf Rechtssicherheit gerichteter Verfahrenszweck (→ Rn. 1) schon durch § 181 III erreicht wird (zutr. Habersack/Henssler/Habersack MitbestG § 6 Rn. 15). Bei Vergrößerung des AR mögliche Ergänzungswahl wird mit Eintragung der Satzungsänderung in das HR wirksam (→ § 181 Rn. 25), bei Verminderung der Mitgliedszahl ist mit Anpassung bis Ablauf der Amtszeit zu warten (→ § 95 Rn. 5). Hauptfall nicht dem Ges. entspr. Zusammensetzung des AR ist Änderung des mitbestimmungsrechtl. Status der AG und dadurch bedingter **Wechsel des AR-Systems** (→ § 96 Rn. 4 ff.; OLG Stuttgart AG 2020, 122, 123; NZG 2021, 31 Rn. 33), ferner gehören hierher **Veränderungen relevanter Schwellenzahlen** innerhalb desselben AR-Systems (hM, s. OLG Düsseldorf DB 1978, 1358; OLG Frankfurt AG 2018, 722, 723; MüKoAktG/Habersack Rn. 14; MHdB AG/Hoffmann-Becking § 28 Rn. 60; Martens DB 1978, 1065, 1068 f.; Oetker ZHR 149 [1985], 575, 577 ff.; aA Göz ZIP 1998, 1523, 1525 f.; Rosendahl AG 1985, 325, 326 f.), auch Eintritt von Mitbestimmungsfreiheit infolge dauerhaften Absinkens der AN-Zahl unter 500 (OLG Frankfurt NZG 2011, 353, 354; LG Berlin ZIP 2007, 424, 425; Weiler NZG 2004, 988 mwN in Fn. 2).

4 **2. Modalitäten und Inhalt.** Vorstand muss gem. § 97 I 1 unverzüglich tätig werden, also ohne schuldhaftes Zögern (§ 121 I 1 BGB). Vorherige Abstimmung, bes. mit AR, ist kein schuldhaftes Zögern. Gleiches gilt für Einholung von Rechtsrat (Hellwig/Behme FS Hommelhoff, 2012, 343, 358). Unterlassene Bek. ist pflichtwidrig, wird jedoch nur dann Schadensersatzanspruch begründen können, wenn AR hätte verkleinert werden können (ersparte AR-Vergütung – vgl. Hölters/Weber/Simons Rn. 45). Bek. erfolgt in den **Gesellschaftsblättern,** also jedenfalls im BAnz. (§ 25), und gleichzeitig durch Aushang in sämtlichen Betrieben der AG und ihrer Konzernunternehmen (dazu MüKoAktG/Habersack Rn. 21). **Aushang** sollte wegen der zeitlichen Anforderungen datiert sein und muss erkennen lassen, dass es sich um Bek. des Vorstands handelt. Bekanntzumachen ist, (1.) dass AR nach Ansicht des Vorstands nicht gesetzmäßig zusammengesetzt ist (§ 97 I 1), (2.) welche ges. Vorschriften nach Ansicht des Vorstands maßgebend sind (§ 97 I 2), und zwar so korrekt, dass auf dieser Basis AR bestellt werden kann, (3.) dass AR auf dieser Grundlage zusammengesetzt

wird, wenn das zuständige Gericht (§ 98 I) nicht innerhalb eines Monats nach Bek. im BAnz. von Antragsberechtigten (§ 98 II) angerufen wird (§ 97 I 3). Zuletzt genannter Hinweis ist keine Rechtsbehelfsbelehrung. Es muss also nicht angegeben werden, welches Gericht zuständig und wer antragsbefugt ist (MüKoAktG/Habersack Rn. 24).

III. Wirkungen der Bekanntmachung

1. Kein Antrag auf gerichtliche Entscheidung. Bzgl. der Wirkungen der Bek. ist zu unterscheiden, ob innerhalb der Monatsfrist das Gericht angerufen (→ Rn. 6) oder ob Bek. durch Fristablauf unangreifbar wird. Im letztgenannten Fall muss **neuer AR** bestellt werden, und zwar nach den in der Bek. als maßgebend genannten ges. Vorschriften (§ 97 II 1). Vorstand ist nach Fristablauf an die eigene Bek. gebunden; nachfolgende andere Beurteilung ist in diesem Stadium unerheblich. Widersprechende Bestimmungen der Satzung treten außer Kraft (§ 97 II 2). **Satzung** muss also angepasst werden. **Frist** für das eine wie das andere: Beendigung der ersten HV, die nach Ablauf der mit Bek. im BAnz. einsetzenden Monatsfrist einberufen wird (nicht: stattfindet), längstens aber sechs Monate nach Ablauf der genannten Frist (§ 97 II 2 und III). Mit Fristablauf erlischt Amt der bisherigen AR-Mitglieder auch dann, wenn kein neuer AR bestellt worden ist. Wer Mitglied des AR „bleiben" soll, muss neu bestellt werden. Bestellung kann der Satzungsanpassung vorangehen, wird aber entspr. Status-quo-Prinzip (→ § 96 Rn. 28) erst mit ihr wirksam (MHdB AG/Hoffmann-Becking § 28 Rn. 55, 71; Schnitker/Grau NZG 2007, 486, 487). Satzungsanpassung kann zeitlich vorgezogen werden. Vorstand ist dann im Beschluss anzuweisen, die Änderung erst nach Ablauf der Widerspruchsfrist zur Eintragung anzumelden. Bestellung von AR-Mitgliedern kann ebenfalls vorgezogen werden. Dabei muss Eintragung der Satzungsänderung aufschiebende Bedingung sein (MHdB AG/Hoffmann-Becking § 28 Rn. 71; Simon/Leuering NJW-Spezial 2008, 687, 688). Wahlbeschluss, der Bek. widerspricht, ist nach § 250 I Nr. 1 unwirksam. Unwirksamkeit erstreckt sich nach Wortlaut der Vorschrift nur auf Wahl durch HV. Kommentarlit. zu § 250 belässt es bei diesem Ergebnis (B/K/L/Göz § 250 Rn. 2; GK-AktG/Schmidt § 250 Rn. 6; J. Schröder, Mängel und Heilung der Wählbarkeit bei Aufsichtsrats- und Betriebsratswahlen, 1979, 22 ff.), während Kommentarlit. zu § 98 Nichtigkeitsfolge auch auf Wahl der AN-Vertreter durch AN erstreckt (MüKoAktG/Habersack Rn. 31; GK-AktG/Hopt/Roth Rn. 74; BeckOGK/Spindler § 98 Rn. 16). Letztgenannte Lösung ist mit Wortlaut nur schwer zu vereinbaren, trägt aber paritätischem Charakter der Mitbestimmung Rechnung und hat sich deshalb und auch aus pragmatischen Gründen durchgesetzt (zurückhaltend zust. deshalb auch Hölters/Weber/Simons Rn. 50). § 97 II 4 enthält Ausnahme von § 179 II (→ § 179 Rn. 15). Einfache Stimmenmehrheit genügt ausnahmsweise für Satzungsänderung, damit Anpassung an Gesetzeslage erleichtert wird (RegBegr. Kropff S. 128). Entspr. muss sich Satzungsänderung auf Zusammensetzung des AR beziehen. Allerdings muss sich Satzungsänderung keinesfalls in bloßer Auffüllung des zwingend erforderlichen Normenbestands erschöpfen, sondern es ist zugleich möglich, darüber hinausgehende Regelungen zu treffen, die mit Neugestaltung in **Sachzusammenhang** stehen (deutlich KK-AktG/Mertens/Cahn Rn. 26; sa S/L/Drygala Rn. 15 mit Fn. 30; MüKoAktG/Habersack Rn. 35; GK-AktG/Hopt/Roth Rn. 79; Hölters/Weber/Simons Rn. 34; strenger BeckOGK/Spindler Rn. 35). Für den Sachzusammenhang übersteigende Reglungen gelten dagegen allg. Vorschriften. Freiheit zur Ausgestaltung sachlich zusammenhängender Fragen ist entspr. § 97 II 4 auch auf **erstmals neu zu gründenden AR einer GmbH** zu übertragen, da ges. Regelungsanliegen vereinfachter Umsetzung hier gleichermaßen 5

Geltung beansprucht und gerade GmbH auf privatautonome Ausformung bes. angewiesen ist. Ist die Wahl erfolgt, bleibt sie aufgrund des Status-quo-Prinzips (→ § 96 Rn. 28) auch dann wirksam, wenn sich zugrunde liegende Bekanntmachung nachträglich als fehlerhaft erweist; § 250 I Nr. 1 nennt § 97 I nicht als Nichtigkeitsgrund (Hölters/Weber/Simons Rn. 47 ff.).

6 **2. Bei Antrag auf gerichtliche Entscheidung.** Wenn fristgerecht Antrag auf gerichtl. Entscheidung gestellt wird (nach dem Rechtsgedanken des § 2 III FamFG iVm § 99 I auch dann, wenn angerufenes Gericht örtl. unzuständig ist, s. MüKoAktG/Habersack Rn. 36; aA v. Falkenhausen AG 1967, 309, 314), tritt gerichtl. Entscheidung an die Stelle der Bek. des Vorstandes; diese wird unwirksam, es bleibt bis zur rechtskräftigen Entscheidung bei bisheriger Zusammensetzung des AR (LG Nürnberg-Fürth AG 1972, 21; Habersack/Henssler/Habersack MitbestG § 6 Rn. 24). Für den Fall, dass es nicht zur Entscheidung kommt (Rücknahme des Antrags; → § 99 Rn. 4), kann der AR nicht entspr. der Bek. des Vorstands zusammengesetzt werden. Vielmehr verbleibt es bei der bisherigen Zusammensetzung und ggf. bei der Einleitung eines neuen Bekanntmachungsverfahrens (ebenso OLG Frankfurt BeckRS 2023, 22952 Rn. 19; S/L/Drygala Rn. 17; BeckOGK/Spindler Rn. 38).

IV. Verhältnis des außergerichtl. zum gerichtl. Statusverfahren (§ 97 III)

7 Während **Anhängigkeit** gerichtl. Verfahrens nach §§ 98, 99 kann keine Bek. des Vorstands über Zusammensetzung des AR gem. § 97 III erfolgen, sog **Bekanntmachungssperre.** Bek. würde durch absehbaren Entscheidungsantrag des einen oder des anderen Beteiligten nur zur Verdopplung des Verfahrens führen. Gleichwohl erfolgende Bek. bleibt rechtl. bedeutungslos. Ob Vorstand **nach rechtskräftiger Entscheidung** jederzeit abw. Bek. erlassen darf, kann § 97 III nicht entnommen werden. Frage ist mit hM grds. zu bejahen (vgl. S/L/Drygala Rn. 18; MüKoAktG/Habersack Rn. 39; KK-AktG/Mertens/Cahn §§ 97–99 Rn. 20). Gegenmeinung, die abw. Bek. nur bei Änderung des Sachverhalts zulässt (vgl. BeckOGK/Spindler Rn. 39), ist mit Blick auf erstrebte Rechtssicherheit abzulehnen. Allerdings sind die Tatsachen, die schon im alten Verfahren vorgebracht wurden oder hätten vorgebracht werden können, im neuen Verfahren präkludiert (MüKoAktG/Habersack Rn. 39), so dass sich Meinungsunterschied idR nicht iErg auswirken wird. Unberührt bleibt stets Durchführungspflicht nach § 98 IV (→ § 98 Rn. 6), solange Vorstand keine neue Bek. veranlasst. In umgekehrter Konstellation hindert Ablauf der Bekanntmachungsfrist aber nicht, Antrag nach § 98 zu stellen. Es gibt also **keine Antragssperre** (GK-AktG/Hopt/Roth Rn. 81 f.; Hölters/Weber/Simons Rn. 39; BeckOGK/Spindler Rn. 29; aA Brungs, Statusverfahren, 2015, 72 ff.). Fristerfordernis wird damit nicht funktionslos, weil zumindest bis zur rechtskräftigen Entscheidung AR entspr. Bekanntmachung zusammenzusetzen ist (→ Rn. 6). Anderenfalls würde dauerhafte Falschzusammensetzung perpetuiert (BeckOGK/Spindler Rn. 29).

Gerichtliche Entscheidung über die Zusammensetzung des Aufsichtsrats

98 (1) **Ist streitig oder ungewiss, nach welchen gesetzlichen Vorschriften der Aufsichtsrat zusammenzusetzen ist, so entscheidet darüber auf Antrag ausschließlich das Landgericht, in dessen Bezirk die Gesellschaft ihren Sitz hat.**

(2) [1] **Antragsberechtigt sind**

1. **der Vorstand,**
2. **jedes Aufsichtsratsmitglied,**
3. **jeder Aktionär,**
4. **der Gesamtbetriebsrat der Gesellschaft oder, wenn in der Gesellschaft nur ein Betriebsrat besteht, der Betriebsrat,**
5. **der Gesamt- oder Unternehmenssprecherausschuss der Gesellschaft oder, wenn in der Gesellschaft nur ein Sprecherausschuss besteht, der Sprecherausschuss,**
6. **der Gesamtbetriebsrat eines anderen Unternehmens, dessen Arbeitnehmer nach den gesetzlichen Vorschriften, deren Anwendung streitig oder ungewiß ist, selbst oder durch Delegierte an der Wahl von Aufsichtsratsmitgliedern der Gesellschaft teilnehmen, oder, wenn in dem anderen Unternehmen nur ein Betriebsrat besteht, der Betriebsrat,**
7. **der Gesamt- oder Unternehmenssprecherausschuss eines anderen Unternehmens, dessen Arbeitnehmer nach den gesetzlichen Vorschriften, deren Anwendung streitig oder ungewiss ist, selbst oder durch Delegierte an der Wahl von Aufsichtsratsmitgliedern der Gesellschaft teilnehmen, oder, wenn in dem anderen Unternehmen nur ein Sprecherausschuss besteht, der Sprecherausschuss,**
8. **mindestens ein Zehntel oder einhundert der Arbeitnehmer, die nach den gesetzlichen Vorschriften, deren Anwendung streitig oder ungewiß ist, selbst oder durch Delegierte an der Wahl von Aufsichtsratsmitgliedern der Gesellschaft teilnehmen,**
9. **Spitzenorganisationen der Gewerkschaften, die nach den gesetzlichen Vorschriften, deren Anwendung streitig oder ungewiß ist, ein Vorschlagsrecht hätten,**
10. **Gewerkschaften, die nach den gesetzlichen Vorschriften, deren Anwendung streitig oder ungewiß ist, ein Vorschlagsrecht hätten.**

[2] **Ist die Anwendung des Mitbestimmungsgesetzes oder die Anwendung von Vorschriften des Mitbestimmungsgesetzes streitig oder ungewiß, so sind außer den nach Satz 1 Antragsberechtigten auch je ein Zehntel der wahlberechtigten in § 3 Abs. 1 Nr. 1 des Mitbestimmungsgesetzes bezeichneten Arbeitnehmer oder der wahlberechtigten leitenden Angestellten im Sinne des Mitbestimmungsgesetzes antragsberechtigt.**

(3) **Die Absätze 1 und 2 gelten sinngemäß, wenn streitig ist, ob der Abschlußprüfer das nach § 3 oder § 16 des Mitbestimmungsergänzungsgesetzes maßgebliche Umsatzverhältnis richtig ermittelt hat.**

(4) [1] **Entspricht die Zusammensetzung des Aufsichtsrats nicht der gerichtlichen Entscheidung, so ist der neue Aufsichtsrat nach den in der Entscheidung angegebenen gesetzlichen Vorschriften zusammenzusetzen.** [2] **§ 97 Abs. 2 gilt sinngemäß mit der Maßgabe, daß die Frist von sechs Monaten mit dem Eintritt der Rechtskraft beginnt.**

I. Regelungsgegenstand und -zweck

§ 98 regelt Zuständigkeit und Antragsberechtigung für gerichtl. Entscheidung über Zusammensetzung des AR sowie Wirkungen solcher Entscheidung. Norm ist auch dann anzuwenden, wenn, bes. bei GmbH, str. ist, ob überhaupt AR gebildet werden muss (LAG Hessen Konzern 2011, 72, 75). Bes. gerichtl. Verfahren der §§ 98, 99 soll **Zuständigkeitszersplitterung** zwischen ordentlicher Gerichtsbarkeit und Arbeitsgerichtsbarkeit **vermeiden,** der Gefahr widerspre- 1 chender Entscheidungen vorbeugen und **schnelle Entscheidung** gewährleisten (RegBegr. Kropff S. 129). Mit Rücksicht auf Regelungszweck stehen andere Verfahrensmöglichkeiten nicht zur Verfügung.

II. Zuständigkeit

2 Sachlich und örtl. zuständig ist nach § 98 I LG, in dessen Bezirk AG ihren Sitz (§ 5) hat. Zuständigkeit ist ausschließlich (RegBegr. Kropff S. 129). Besteht ausnahmsweise Doppelsitz (→ § 5 Rn. 10), sind beide Sitzgerichte zuständig (→ § 14 Rn. 4; sa MüKoAktG/Habersack Rn. 7; GK-AktG/Hopt/Roth Rn. 25). Funktional zuständig ist KfH, sofern bei LG gebildet (§ 71 II Nr. 4 lit. b GVG iVm § 95 II Nr. 2 GVG). Unklar ist, ob es sich auch insofern um ausschließliche Zuständigkeit handelt (so wohl MüKoAktG/Habersack Rn. 2, 9; aA GK-AktG/Hopt/Roth Rn. 24; Hölters/Weber/Simons Rn. 7; Simons NZG 2012, 609, 610). Frage wurde bislang am ausführlichsten zu Parallelproblem in § 2 SpruchG erörtert (→ 16. Aufl. 2022, § 2 Rn. 5 mwN), wurde aber dort im Zuge des UmRUG 2023 durch neu gefassten § 2 III SpruchG iSe ausschließlichen Zuständigkeit der KfH legislativ klargestellt. Zu aktienrechtl. Parallelgestaltungen in § 98, § 132 (→ § 132 Rn. 3), § 142 (→ § 142 Rn. 31), § 145 (→ § 145 Rn. 6), § 258 (→ § 258 Rn. 18), § 260 (→ § 260 Rn. 4), § 315 (→ § 315 Rn. 4) fehlt aber entspr. Klarstellung, so dass Streit hier fortdauert, da punktuelle Regelung wahlweise verallgemeinert oder für entspr. Gegenschluss herangezogen werden kann. Für Ausschließlichkeit spricht, dass sie früher anerkannt war und nicht ersichtlich ist, dass Gesetzgeber dies ändern wollte. Fehlende Äußerung eines Änderungswillens hat aber nicht genug Gewicht, um klare ges. Konsequenzen zu widerlegen, die sich aus Einordnung in allg. **Regelungskontext der §§ 94 ff. GVG** ergeben (so zutr. zu § 2 SpruchG aF LG München BeckRS 2010, 01768). Danach entscheidet KfH nur, wenn sie von Antragsteller (§ 96 I GVG) oder Antragsgegner (§ 98 I GVG) angerufen wird. § 71 IV GVG iVm § 71 II Nr. 4 lit. b GVG gestattet **Verfahrenskonzentration** bei einem LG für die Bezirke mehrerer Landgerichte. Von Konzentrationsmöglichkeit ist in Baden-Württemberg (LG Mannheim und LG Stuttgart), Bayern (LG München I und LG Nürnberg-Fürth), Hessen (LG Frankfurt), Niedersachsen (LG Hannover), Nordrhein-Westfalen (LG Dortmund, LG Düsseldorf und LG Köln) und Sachsen (LG Leipzig) Gebrauch gemacht worden; s. Angaben bei MüKoAktG/Habersack Rn. 8. Str. ist Fortwirken der Konzentrationsermächtigungen, die noch auf Grundlage des § 98 I 2 und 3 aF erlassen und seitdem nicht angepasst worden sind. Weil § 71 IV GVG in der Nachfolge dieser Vorschriften steht, ist von Fortgeltung darauf gestützten VO-Rechts auszugehen (so auch S/L/Drygala Rn. 3; Preuß/Leuering NJW-Spezial 2009, 671; aA Hölters/Weber/Simons Rn. 7; Simons NZG 2012, 609, 612). **Beschwerde** kann aber nicht darauf gestützt werden, dass falscher Spruchkörper entschieden hat, sofern Verstoß nicht willkürlich erfolgt (MüKoZPO/Pabst GVG § 22d Rn. 1, 5). Das gilt unabhängig davon, ob man § 94 GVG als ges. Geschäftsverteilungsregel (MüKoZPO/Pabst GVG § 94 Rn. 1) oder Regelung funktionaler Zuständigkeit (Sternal/Sternal FamFG § 65 Rn. 20) versteht. Im ersten Verständnis folgt Unbeachtlichkeit aus § 22d GVG, der auch auf andere Gerichte als Amtsgericht analoge Anwendung findet (MüKoZPO/Pabst GVG § 22d Rn. 1), im zweiten Verständnis aus § 2 III FamFG, § 65 IV FamFG iVm § 99 I, die auch auf funktionale Zuständigkeit analog anwendbar sind (Sternal/Sternal FamFG § 65 Rn. 20).

III. Antragsberechtigung

1. Allgemeines. Antragsberechtigte sind in § 98 II aufgeführt. Antragsberechtigung hängt nicht davon ab, dass Bekanntmachungsverfahren nach § 97 eingeleitet worden ist. Die in § 98 II Genannten können vielmehr gerichtl. Entscheidung ohne Rücksicht auf Tätigwerden des Vorstands herbeiführen. **Auch Vorstand selbst** kann nach §§ 98, 99 vorgehen, statt nach § 97 tätig zu werden (MüKoAktG/Habersack Rn. 13; Hellwig/Behme FS Hommelhoff, 2012, 343, 353, 360). Bekanntmachungssperre des § 97 III (→ § 97 Rn. 7) schließt dann den Vorwurf schuldhaften Zögerns (§ 97 I 1; → § 97 Rn. 4) aus. Keine Voraussetzung für Antrag ist vorherige Wahlanfechtung, da sie anderes Antragsziel hat, nämlich auf konkrete Person und Wahlvorgang abzielt, während es bei Statusverfahren um abstrakte AR-Zusammensetzung geht (OLG Frankfurt BeckRS 2023, 22952 Rn. 26). Voraussetzung ist jedoch stets, dass **Streit oder Ungewissheit** über maßgebliche ges. Vorschriften bestehen (§ 98 I 1; OLG Frankfurt BeckRS 2023, 22952 Rn. 21; MüKoAktG/Habersack Rn. 5). Für Ungewissheit genügt konkrete Möglichkeit künftiger Streitigkeiten (OLG München AG 2022, 660, 662). Streit muss sich auf **Größe oder Zusammensetzung** des AR nach § 96 beziehen. Deshalb kann etwa Frage, ob für AN-Wahl Betriebsrat oder Konzernbetriebsrat zuständiges Wahlgremium ist, nicht in Statusverfahren geklärt werden (OLG Frankfurt BeckRS 2023, 22952 Rn. 24). In jüngerer Vergangenheit hat Statusverfahren bes. Bedeutung in Verfahren erhalten, in denen über **Wahlberechtigung ausländischer AN** bei AR-Wahl gestritten wurde (→ § 96 Rn. 4d). Nachdem EuGH diese Frage aber dahingehend geklärt hat, dass ausländische AN nicht wahlberechtigt sind (→ § 96 Rn. 4d), haben sich damit verbundene Zweifelsfragen erledigt (vgl. noch → 12. Aufl. 2016, § 98 Rn. 3). Auch weiterhin kann Einbeziehung ausländischer AN jedoch unter dem Gesichtspunkt im Statusverfahren geprüft werden, dass ihre **Einbeziehung in Schwellenberechnung** anwendbares Mitbestimmungsregime verändern könnte (unter diesem Gesichtspunkt bejahend LG Frankfurt NZG 2015, 683 Rn. 9 ff.; vgl. auch zu diesem vom EuGH noch nicht abschließend entschiedenen Streit → § 96 Rn. 4c). Als weiteres neues Phänomen ist zu beobachten, dass Einzelpersonen bundesweit mitbestimmungsrechtl. Vorgaben durch gerichtl. Statusverfahren durchzusetzen suchen (zum rechtstatsächlichen Hintergrund vgl. Bayer/Hoffmann AG 2018, R 336 ff.: Erzberger-Portfolio). **Missbräuchliche Motivation** wird zT behauptet, von instanzgerichtl. Rspr. aber derzeit nur in Ausnahmefällen anerkannt (vgl. OLG Düsseldorf NZG 2018, 1229 Rn. 25 ff.; OLG Düsseldorf AG 2018, 801, 802 f.; OLG München NZG 2020, 783 Rn. 14; vgl. zur Parallelproblematik im Anfechtungsrecht → § 245 Rn. 23 ff. [noch strengere Maßstäbe andeutend OLG Düsseldorf NZG 2018, 1229 Rn. 27 f.]). Bloße Beteiligung an mehreren Verfahren kann Rechtsmissbräuchlichkeit nicht begründen (OLG Frankfurt NZG 2018, 1254 Rn. 17). Auch Tatsache, dass Aktionär Anteile erst kurz vor Antragstellung erwirbt, um richtige Zusammensetzung überprüfen zu lassen, steht Berechtigung nicht entgegen (LG Frankfurt NZG 2015, 683 Rn. 5; LG München I AG 2016, 49; ausf. zur Frage möglichen Rechtsmissbrauchs Brungs, Statusverfahren, 2015, 111 ff.). Instanzgerichtl. Rspr. trägt solchen Gesichtspunkten aber zT bei Kostenverteilung nach § 99 VI Rechnung (→ § 99 Rn. 12). 3

2. Einzelfragen. Zu unterscheiden ist zwischen den nach **§ 98 II Nr. 1–5** und den nach **§ 98 II Nr. 6–10** Antragsberechtigten. In der **ersten Gruppe** ist Antragsrecht an keine weiteren Voraussetzungen gebunden. Antragsberechtigt sind der Vorstand (Nr. 1), und zwar als Organ, so dass mit gehöriger Mehrheit 4

(→ § 97 Rn. 2) gefasster Beschluss vorliegen muss; die Mitglieder des AR (Nr. 2), diese einzeln (Hellwig/Behme FS Hommelhoff, 2012, 343, 367 f.); jeder Aktionär (Nr. 3), ohne Rücksicht auf weitere Erfordernisse, wie etwa berechtigtes Interesse (OLG Düsseldorf NZG 2018, 1229 Rn. 24; OLG Düsseldorf AG 2018, 801, 802) oder Einschränkungen entspr. § 245 S. 1 Nr. 1–3 (BGH AG 2012, 288 Rn. 8; OLG Düsseldorf NZG 2018, 1229 Rn. 24; OLG Jena DB 2011, 1686 [insoweit nicht in AG 2011, 638]), um Wegfall der Anfechtungsmöglichkeit (§ 251) durch Prinzip der Amtskontinuität (§ 96 IV; → § 96 Rn. 28) auszugleichen (zu Fragen des Rechtsmissbrauchs → Rn. 3); der Gesamtbetriebsrat der AG bzw. der Betriebsrat (Nr. 4). In der **zweiten Gruppe** hängt Antragsrecht der genannten Einrichtungen oder Organisationen oder einer Mindestzahl von AN (Nr. 7) davon ab, dass sie Belange von Wahlberechtigten oder Vorschlagsberechtigten wahrnehmen (sa LG Stuttgart NZG 2020, 1270 Rn. 49) oder nach den in Frage stehenden Vorschriften selbst Vorschlagsrecht hätten (Nr. 10), sofern sich Streit oder Ungewissheit gerade auf diese Vorschriften beziehen (s. dazu § 7 II und IV MitbestG, § 16 II MitbestG). In § 98 II Nr. 5 und 7 begründete Antragsrechte von Sprecherausschüssen gehen zurück auf Ges. zur Vereinfachung der Wahl der Arbeitnehmervertreter in den Aufsichtsrat v. 23.3.2002 (BGBl. 2002 I 1130). Bezweckt ist Parität der leitenden Angestellten mit anderen AN (RegBegr. BT-Drs. 14/8214, 12). Sprecherausschüsse: §§ 1, 16, 20 SprAuG v. 20.12.1988 (BGBl. 1988 I 2312).

IV. Sinngemäße Geltung bei Streit über Umsatzverhältnis

5 Nach § 98 III gilt § 98 I und II sinngem., wenn über Umsatzverhältnis entschieden werden muss. Umsatzverhältnis ist nach § 3 II Nr. 1 MitbestErgG maßgeblich für **Bestimmung des Unternehmenszwecks** des Konzerns, der seinerseits über Anwendung der §§ 5 ff. MitbestErgG auf das herrschende Unternehmen entscheidet. **Pflicht des Abschlussprüfers,** Umsatzverhältnis zu ermitteln, folgt aus § 4 MitbestErgG. **Rechtsschutzinteresse** für Antrag auf gerichtl. Entscheidung hängt in diesem Fall davon ab, dass behauptete Unrichtigkeit des Umsatzverhältnisses für Zusammensetzung des AR Bedeutung hat (RegBegr. Kropff S. 13).

V. Gerichtliche Entscheidung und Durchführungspflicht

6 Gerichtl. Entscheidung kann Antrag abweisen oder aussprechen, dass AR nach anderen im Beschluss näher bezeichneten Vorschriften zusammenzusetzen ist. Im ersten Fall bleibt AR im Amt. Vorstand ist nur verpflichtet, rechtskräftige Entscheidung unverzüglich zum HR einzureichen (§ 99 V 3). Auch im zweiten Fall bleibt AR zunächst im Amt und die von ihm gefassten Beschlüsse bleiben wirksam (Hellwig/Behme AG 2015, 333, 335). Er muss aber nach den in der Entscheidung angegebenen Vorschriften neu zusammengesetzt werden (§ 98 IV 1). Dafür gilt § 97 sinngem. mit der Maßgabe, dass die dort genannte **Höchstfrist** von sechs Monaten **mit Rechtskraft der Entscheidung beginnt** (§ 98 IV 2; → § 97 Rn. 5). Vorstand ist verpflichtet, HV rechtzeitig einzuberufen und erforderliche Satzungsanpassung vorzuschlagen. Entspr. Wahl der neuen AR-Mitglieder nicht der gerichtl. Entscheidung, ist Beschluss der HV gem. § 250 I Nr. 1 (→ § 250 Rn. 4) nichtig, wobei auch hier nach hM Erstreckung auf Wahl der AN-Vertreter anzunehmen ist (→ § 97 Rn. 5; Einzelheiten bei Jannott/Gressinger BB 2013, 2120 ff.). Mit Verschmelzung der betroffenen AG auf andere Gesellschaft ist Statusverfahren erledigt (BGH NJW 2015, 1449 Rn. 7 ff.).

Verfahren

99 (1) **Auf das Verfahren ist das Gesetz über das Verfahren in Familiensachen und in den Angelegenheiten der freiwilligen Gerichtsbarkeit anzuwenden, soweit in den Absätzen 2 bis 5 nichts anderes bestimmt ist.**

(2) [1]**Das Landgericht hat den Antrag in den Gesellschaftsblättern bekanntzumachen.** [2]**Der Vorstand und jedes Aufsichtsratsmitglied sowie die nach § 98 Abs. 2 antragsberechtigten Betriebsräte, Sprecherausschüsse, Spitzenorganisationen und Gewerkschaften sind zu hören.**

(3) [1]**Das Landgericht entscheidet durch einen mit Gründen versehenen Beschluss.** [2]**Gegen die Entscheidung des Landgerichts findet die Beschwerde statt.** [3]**Sie kann nur auf eine Verletzung des Rechts gestützt werden; § 72 Abs. 1 Satz 2 und § 74 Abs. 2 und 3 des Gesetzes über das Verfahren in Familiensachen und in den Angelegenheiten der freiwilligen Gerichtsbarkeit sowie § 547 der Zivilprozessordnung gelten sinngemäß.** [4]**Die Beschwerde kann nur durch die Einreichung einer von einem Rechtsanwalt unterzeichneten Beschwerdeschrift eingelegt werden.** [5]**Die Landesregierung kann durch Rechtsverordnung die Entscheidung über die Beschwerde für die Bezirke mehrerer Oberlandesgerichte einem der Oberlandesgerichte oder dem Obersten Landesgericht übertragen, wenn dies der Sicherung einer einheitlichen Rechtsprechung dient.** [6]**Die Landesregierung kann die Ermächtigung auf die Landesjustizverwaltung übertragen.**

(4) [1]**Das Gericht hat seine Entscheidung dem Antragsteller und der Gesellschaft zuzustellen.** [2]**Es hat sie ferner ohne Gründe in den Gesellschaftsblättern bekanntzumachen.** [3]**Die Beschwerde steht jedem nach § 98 Abs. 2 Antragsberechtigten zu.** [4]**Die Beschwerdefrist beginnt mit der Bekanntmachung der Entscheidung im Bundesanzeiger, für den Antragsteller und die Gesellschaft jedoch nicht vor der Zustellung der Entscheidung.**

(5) [1]**Die Entscheidung wird erst mit der Rechtskraft wirksam.** [2]**Sie wirkt für und gegen alle.** [3]**Der Vorstand hat die rechtskräftige Entscheidung unverzüglich zum Handelsregister einzureichen.**

(6) [1]**Die Kosten können ganz oder zum Teil dem Antragsteller auferlegt werden, wenn dies der Billigkeit entspricht.** [2]**Kosten der Beteiligten werden nicht erstattet.**

Übersicht

I. Grundlagen

1 **1. Regelungsgegenstand und -zweck.** Vorschrift betr. gerichtl. Verfahren, in dem über Zusammensetzung des AR zu entscheiden ist (§ 99 I–V 2), begründet Einreichungspflicht des Vorstands (§ 99 V 3) und normiert bes. Kostenfolgen (§ 99 VI). Bezweckt ist, **Amtsermittlungsgrundsatz** des fG-Verfahrens (§ 26 FamFG) und damit verbundene Beschränkungen der Parteidisposition als sachlich angemessene Verfahrensstruktur grds. für das Aktienrecht zu übernehmen (RegBegr. Kropff S. 133). Der sachliche Anwendungsbereich des Verfahrens wird durch § 97 I 1 bestimmt. Es steht also nur zur Verfügung, wenn sich Streit auf die maßgeblichen ges. Vorschriften bezieht, dagegen nicht, wenn es um die Auswirkungen von Satzungsänderungen geht (OLG Hamburg AG 1989, 64, 65; → § 97 Rn. 3).

2 **2. Weitere aktienrechtliche Streitverfahren.** In dem durch § 99 für das Aktienrecht geschaffenen sog Streitverfahren der fG sind gem. § 30 III 2 auch Streitigkeiten über die Zusammensetzung des zweiten AR (→ § 30 Rn. 9), ferner gem. § 31 III 2 auch Streitigkeiten über die Zusammensetzung des ersten AR bei Einbringung eines Unternehmens (genauer → § 31 Rn. 2) zu entscheiden (→ § 31 Rn. 8 f.). Mit einzelnen Abweichungen unterliegen dem Streitverfahren auch andere aktienrechtl. Streitigkeiten, nämlich: über die Auskunftspflicht des Vorstands (§ 132 III 1; → § 132 Rn. 6 ff.); über die abschließenden Feststellungen der Sonderprüfer bei (angeblicher) unzulässiger Unterbewertung (§ 260 III 1; → § 260 Rn. 8 f.); vor allem über **Ausgleichs- und Abfindungsfragen** (Spruchverfahren; nach § 304 III 3, § 305 V 2, § 320b II 2; näher → SpruchG § 1 Rn. 1 ff.). Streitverfahren der fG sind schließlich das Spruchverfahren nach § 15 I 2 UmwG, § 34 UmwG und ähnlichen Vorschriften sowie das Informationserzwingungsverfahren des § 51b GmbHG.

II. Anwendung des FamFG (§ 99 I)

3 Anzuwenden sind **in erster Linie** die in § 99 II–VI gegebenen Vorschriften (→ Rn. 5 ff.), **subsidiär** die Bestimmungen des FamFG (§ 99 I). Insbes. gilt der Amtsermittlungsgrundsatz des § 26 FamFG (→ Rn. 1). Grundsätze der subj. Beweislast gelten deshalb nicht, doch trifft Parteien gewisse Mitwirkungspflicht bei Sachverhaltsaufklärung (BayObLG AG 2021, 557, 558 f.). Umfang seiner Ermittlungen bestimmt Gericht unter Berücksichtigung der ges. Tatbestandsmerkmale und bes. Umstände des einzelnen Falls nach pflichtgem. Ermessen (BayObLG AG 2021, 557, 559). Amtsermittlungspflicht findet dort ihre Grenze, wo angenommen werden kann, dass ein Beteiligter eine für ihn günstige Tatsache ohne Zweifel vorgetragen hätte (BayObLG AG 2021, 557, 559). Auch an Beweisanträge der Beteiligten ist Gericht also gebunden (OLG Düsseldorf AG 2013, 720, 721). Anwaltszwang besteht nicht (OLG Düsseldorf AG 1995, 85, 86; Ausn.: Beschwerdeschrift nach § 99 III 4). Auf Anerkenntnis oder Versäumnis kann Entscheidung nicht gestützt werden. Ggf. können zur weiteren Lückenschließung auch ZPO-Normen oder darin verkörperte allg. Rechtsgedanken Anwendung finden (MüKoAktG/Habersack Rn. 6; Hölters/Weber/Simons Rn. 3; wohl auch LG Stuttgart NZG 2020, 1270 Rn. 29).

4 Anders als für andere fG-Verfahren weist Streitverfahren des § 99 einschließlich der diesem Verfahren zugewiesenen weiteren Streitigkeiten (→ Rn. 2) auch Merkmale des **Dispositionsgrundsatzes** auf (BeckOGK/Spindler Rn. 7). Verfahren findet nur auf Antrag statt (§ 98 I 1); zur Antragsberechtigung → § 98 Rn. 3 f. **Antragsrücknahme** ist zulässig (Lindacher Rpfleger 1965, 41), und zwar bis zur Rechtskraft der Entscheidung. Schon ergangene Entscheidung wird

mit Antragsrücknahme wirkungslos (v. Falkenhausen AG 1967, 309, 314 f.). Einwilligung der AG als Antragsgegnerin nach Einlassung zur Sache ist gem. § 22 I FamFG nicht erforderlich (S/L/Drygala Rn. 3; schon früher hM, s. BayObLGZ 1973, 106, 108 ff.; OLG Hamm RdL 1961, 205 f.; aA OLG Düsseldorf NJW 1980, 349). Die Beteiligten können übereinstimmende **Erledigungserklärungen** abgeben. Sie beenden die Rechtshängigkeit der Hauptsache. Also kann und darf nur noch über die Kosten des Streitverfahrens entschieden werden (BayObLG NZG 2001, 608, 609).

III. Besondere Verfahrensregeln (§ 99 II–V)

1. Bekanntmachung und Anhörung. KfH oder Zivilkammer des Sitzgerichts (→ § 98 Rn. 2) hat Antrag gem. § 99 II 1 in den Gesellschaftsblättern, also jedenfalls im BAnz. (§ 25), bekanntzumachen. Antrag muss sich, damit Pflicht zur Bek. besteht, darauf richten, dass über die ges. Zusammensetzung des AR oder (§ 98 III) über das maßgebliche Umsatzverhältnis entschieden wird (KK-AktG/Mertens/Cahn §§ 97–99 Rn. 47). Von weiteren Erfordernissen ist Bek. dagegen nicht abhängig zu machen, insbes. nicht von schlüssiger Darlegung der Antragsberechtigung (MüKoAktG/Habersack Rn. 13; GK-AktG/Hopt/Roth Rn. 18; aA KK-AktG/Mertens/Cahn §§ 97–99 Rn. 47). Informationszweck würde sonst verfehlt. 5

Recht auf Anhörung gewährt § 99 II 2 dem Vorstand, jedem AR-Mitglied und den nach § 98 II antragsberechtigten Betriebsräten, Sprecherausschüssen, Spitzenorganisationen und Gewerkschaften. Dass auch Sprecherausschüsse (→ § 98 Rn. 4 aE) zu hören sind, ist Folgeänderung nach § 98 II Nr. 5; eingefügt durch Ges. zur Vereinfachung der Wahl der Arbeitnehmervertreter in den Aufsichtsrat. 23.3.2002 (BGBl. 2002 I 1130). Gewerkschaften: Ihr Recht auf Anhörung ist durch Ges. v. 20.12.1988 (BGBl. 1988 I 2312, 2328) klargestellt worden, um ihrer Antragsbefugnis nach § 98 II 1 Nr. 8 (→ § 98 Rn. 4 aE) Rechnung zu tragen (FraktionsBegr. BT-Drs. 11/2503, 49). § 99 II 2 ist nicht abschließend. Anspruch auf Gewährung rechtl. Gehörs (Art. 103 I GG) erfordert alle potenziell unmittelbar Betroffenen (Beteiligte im materiellen Sinne, s. BGH NJW 1968, 157) anzuhören (ganz hM, vgl. OLG Düsseldorf AG 2011, 753; BeckOGK/Spindler Rn. 11; Habersack/Henssler/Habersack MitbestG § 6 Rn. 34; aA Kollhosser AG 1977, 117, 128 f.). Anhörung erfolgt, indem Gelegenheit zur Äußerung gegeben wird. Dafür genügt Bek. nach § 99 I 1 jedenfalls dann, wenn sie auch zur Stellungnahme auffordert und dafür angemessene Frist setzt (LG Mannheim AG 2003, 51, 52; MüKoAktG/Habersack Rn. 15). Beiladung ist nicht erforderlich (KK-AktG/Mertens/Cahn §§ 97–99 Rn. 48). 6

2. Gerichtliche Entscheidung; Rechtsmittel. LG entscheidet gem. § 99 III 1 durch Beschluss, der, weil rechtsmittelfähig, mit Gründen zu versehen ist. Rechtsmittel ist **Beschwerde** (§ 58 FamFG). Beschwerde kann allerdings nach § 99 III 3 Hs. 1 nur auf Verletzung des Rechts gestützt werden, dh erneute Tatsachenfeststellung findet nicht statt. Beschwerdegericht ist nach § 119 I Nr. 2 GVG OLG, doch hat LG vorgeschaltete Abhilfemöglichkeit (§ 68 I 1 FamFG), weshalb Beschwerde beim LG (iudex a quo) einzulegen ist (§ 64 I FamFG). Ob beachtliche Rechtsverletzung vorliegt, richtet sich gem. § 99 III 3 durch Verweis auf § 72 I 2 FamFG, § 74 II und III FamFG nach den Vorschriften über die Rechtsbeschwerde sowie nach § 547 ZPO. Tats. Feststellungen des LG, die ohne Verfahrensfehler getroffen sind, bleiben für Beschwerdegericht bindend. Für Einlegung der Beschwerde gilt Anwaltszwang (§ 99 III 4), was wegen ihres Charakters als Rechtsbeschwerde sinnvoll ist. Für Führung der Beschwerde sieht Ges. solchen Zwang aber nicht vor (OLG München NZG 2020, 783 Rn. 13; 7

Hölters/Weber/Simons Rn. 12). Die frühere weitere Beschwerde ist abgeschafft, wurde von § 99 III 7 aF aber ohnehin ausgeschlossen. Gesetzgeber hat diesen Ausschluss aber nicht für **Rechtsbeschwerde** der §§ 70 ff. FamFG fortgeschrieben, die deshalb unter den dort genannten Voraussetzungen (grds. Bedeutung, Fortbildung des Rechts, Sicherung einheitlicher Rspr.) zulässig ist, was iErg auf ein zweistufiges Rechtsbeschwerdeverfahren hinausläuft. RegBegr. BT-Drs. 16/6308, 353 hält Zulassungsabhängigkeit für genügend, um hypertrophen Rechtsschutz zu vermeiden. Entgegenstehende Rspr. (BGH AG 2006, 583; 2007, 699) entspr. der neuen Gesetzeslage nicht mehr. § 99 III 5 und 6 ermöglichen und bezwecken Verfahrenskonzentration im Interesse einheitlicher Rspr. (→ § 98 Rn. 2 zu § 71 IV GVG).

8 **3. Zustellung und Bekanntmachung; Beschwerdebefugnis; Beschwerdefrist.** Nach § 99 IV 1 hat das Gericht seine Entscheidung dem Antragsteller (ggf. allen) und der AG zuzustellen. Rubrum und Tenor sind ferner in den Gesellschaftsblättern, also jedenfalls im BAnz. (§ 25), bekanntzumachen (§ 99 IV 2). Die Beschwerdebefugnis richtet sich gem. § 99 IV 3 nach der in § 98 II geregelten Antragsbefugnis → § 98 Rn. 3 f.). Beschwerdeführer muss nicht Antragsteller gewesen sein; es genügt, dass er zur Antragstellung befugt gewesen wäre (MüKoAktG/Habersack Rn. 19). AG selbst ist zwar nicht nach § 98 II antragsberechtigt, kann aber doch als unterlegene Antragsgegnerin in ihren Rechten beeinträchtigt und deshalb nach allg. Regeln (§ 59 FamFG) **beschwerdebefugt** sein (arg. § 99 IV 4; sa BGH NZG 2019, 1102 Rn. 8 f.; MüKoAktG/Habersack Rn. 19; Hölters/Weber/Simons Rn. 13; aA BeckOGK/Spindler Rn. 12). Vorstand kann in diesem Fall deshalb nicht nur als Organ im eigenen Namen (§ 98 II Nr. 1; → § 98 Rn. 4), sondern auch als organschaftlicher Vertreter im Namen der AG Beschwerde einlegen. Beschwerdefrist beträgt einen Monat (§ 63 I FamFG). Fristbeginn mit Bekanntmachung im BAnz., für Antragsteller und AG jedoch nicht vor Zustellung (§ 99 IV 4). Umstr. ist, ob dieses Privileg auch für Vorstand gilt, doch spricht klarer Wortlaut dagegen, sofern er nicht selbst Antragsteller ist (wie hier MüKoAktG/Habersack Rn. 20; Hölters/Weber/Simons Rn. 16; aA GK-AktG/Hopt/Roth Rn. 32; BeckOGK/Spindler Rn. 13). Unselbständige Anschlussbeschwerde ist zulässig (BayObLG AG 1996, 127 für Spruchverfahren; OLG Hamburg AG 2002, 406, 407).

9 **4. Entscheidungswirkungen; Handelsregister.** Gem. § 99 V 1 wird Entscheidung erst mit Rechtskraft wirksam. Weil Beschluss **in den Fällen der §§ 97 ff.** für Zusammensetzung des AR maßgebliche ges. Vorschriften lediglich feststellt (§ 98 I 1), bewirkt Entscheidung insoweit nur Bindung an gerichtl. Feststellung (materielle Rechtskraftwirkung). Sie tritt bei Beschlüssen des LG mit Ablauf der Beschwerdefrist (§ 63 FamFG) ein. Bei Beschwerdeentscheidungen des OLG ohne Zulassung eines weiteren Rechtsmittels (Rechtsbeschwerde, § 70 FamFG) oder des BGH tritt Rechtskraft mit Erlass der Entscheidung ein. Bei Zulassung der Rechtsbeschwerde (→ Rn. 7) kommt es auf den Ablauf der Monatsfrist des § 71 FamFG an. Die inter-omnes-Wirkung (§ 99 V 2) bedeutet, dass jedermann an die unangreifbar gewordene gerichtl. Feststellung gebunden ist (LG Stuttgart NZG 2020, 1270 Rn. 44).

10 **In anderen Streitverfahren** (→ Rn. 2) können die Wirkungen der Entscheidung und der Kreis der von ihr Betroffenen anders zu beurteilen sein. So ersetzt die Entscheidung im Auskunftserzwingungsverfahren des § 132 ein Leistungsurteil (→ § 132 Rn. 1), weshalb es dort keine inter-omnes-Wirkung gibt (§ 132 III 1 verweist nicht auf § 99 V 2). Dagegen geht es im Spruchverfahren in Ausgleichs- und Abfindungssachen (§§ 304, 305) um (rückwirkende) Vertragsgestaltung (→ § 304 Rn. 22; → § 305 Rn. 31 f.), so dass § 13 S. 2 SpruchG, der § 99 V 2 inhaltlich entspr., nur klarstellende Bedeutung hat.

Nach Eintritt der Rechtskraft (→ Rn. 9) hat Vorstand Entscheidung unverzüglich (§ 121 I 1 BGB) zum HR einzureichen (§ 99 V 3). Für Einreichung gilt § 12 II HGB. Als eingereichtes Dokument nimmt Entscheidung an Publizität des Unternehmensregisters teil (§ 8b II Nr. 1 HGB). Publizität ist wegen inter-omnes-Wirkung des § 99 V 2 (→ Rn. 9) geboten (AusschussB Kropff S. 134). 11

IV. Kosten (§ 99 VI)

§ 99 VI ist neu gefasst durch 2. KostRMoG v. 23.7.2013 (BGBl. 2013 I 2586). Gebühren für gerichtl. Verfahren über Zusammensetzung des AR werden seit dem 1.8.2013 unmittelbar nach dem GNotKG erhoben (§ 1 II Nr. 1 GNotKG). Geschäftswertfestsetzung für Rechtsmittel von Amts wegen erlaubt nun § 79 I 1 GNotKG. Daher konnten Verweis auf KostO aF sowie Gebühren- und Wertvorschriften des § 99 VI aF aufgehoben werden (vgl. RegBegr. BT-Drs. 17/11471, 287; Einzelheiten bei Simons AG 2014, 182, 183 f.). Mangels bes. Anhaltspunkte ist Geschäftswert gem. § 75 GNotKG auf 50.000 € festzusetzen (OLG Frankfurt BeckRS 2023, 22952 Rn. 43). Außergerichtl. Kosten der Beteiligten werden nicht erstattet (§ 99 VI 2). **Kostenschuldnerin** für Gerichtskosten ist grds. AG (§ 23 Nr. 10 GNotKG), weil sie an der gerichtl. Feststellung in erster Linie Interesse hat (RegBegr. Kropff S. 134; OLG Stuttgart AG 2019, 315, 316). § 23 Nr. 10 GNotKG ist nicht analog anzuwenden, wenn Gewerkschaft Ergänzung des AR gem. § 104 beantragt (vgl. noch zu § 99 VI 7 aF: OLG Düsseldorf AG 1994, 424; → § 104 Rn. 4). Kostenausspruch zu Lasten des Antragstellers (§ 99 VI 1) ist vor allem bei offensichtlich unbegründeten (RegBegr. Kropff S. 134) oder unzulässigen Anträgen veranlasst. In jüngerer Vergangenheit hat instanzgerichtl. Rspr. § 99 VI auch genutzt, um rechtstatsächlichem Phänomen der „Erzberger-Klagen" (→ § 98 Rn. 3) zu begegnen (LG Dortmund NZG 2018, 468 Rn. 33; LG Rostock BeckRS 2018, 41479 Rn. 46 ff.; LG Stuttgart BeckRS 2018, 5503 Rn. 55 ff.: wissenschaftliches Interesse genügt nicht; ausf. Bayer/Hoffmann AG 2018, R 336, 339). Für **Kostenvorschuss** des Antragstellers gilt nicht § 13 GNotKG, da gem. § 99 VI nicht – wie in § 22 I GNotKG vorausgesetzt – automatisch der Antragsteller die Verfahrenskosten trägt; bloße Regelbelastung der AG nach § 23 Nr. 10 GNotKG genügt insofern nicht. Kostenvorschüsse werden deshalb nicht erhoben (Simons AG 2014, 182, 184). Kostenverteilung nach § 99 VI gilt auch im **Beschwerdeverfahren** fort (OLG München AG 2022, 660, 663; OLG Stuttgart AG 2019, 315, 316). 12

Persönliche Voraussetzungen für Aufsichtsratsmitglieder

100 (1) [1]**Mitglied des Aufsichtsrats kann nur eine natürliche, unbeschränkt geschäftsfähige Person sein.** [2]**Ein Betreuter, der bei der Besorgung seiner Vermögensangelegenheiten ganz oder teilweise einem Einwilligungsvorbehalt (§ 1825 des Bürgerlichen Gesetzbuchs) unterliegt, kann nicht Mitglied des Aufsichtsrats sein.**

(2) [1]**Mitglied des Aufsichtsrats kann nicht sein, wer**

1. **bereits in zehn Handelsgesellschaften, die gesetzlich einen Aufsichtsrat zu bilden haben, Aufsichtsratsmitglied ist,**
2. **gesetzlicher Vertreter eines von der Gesellschaft abhängigen Unternehmens ist,**
3. **gesetzlicher Vertreter einer anderen Kapitalgesellschaft ist, deren Aufsichtsrat ein Vorstandsmitglied der Gesellschaft angehört, oder**

4. in den letzten zwei Jahren Vorstandsmitglied derselben börsennotierten Gesellschaft war, es sei denn, seine Wahl erfolgt auf Vorschlag von Aktionären, die mehr als 25 Prozent der Stimmrechte an der Gesellschaft halten.

2 Auf die Höchstzahl nach Satz 1 Nr. 1 sind bis zu fünf Aufsichtsratssitze nicht anzurechnen, die ein gesetzlicher Vertreter (beim Einzelkaufmann der Inhaber) des herrschenden Unternehmens eines Konzerns in zum Konzern gehörenden Handelsgesellschaften, die gesetzlich einen Aufsichtsrat zu bilden haben, inne hat. 3 Auf die Höchstzahl nach Satz 1 Nr. 1 sind Aufsichtsratsämter im Sinne der Nummer 1 doppelt anzurechnen, für die das Mitglied zum Vorsitzenden gewählt worden ist.

(3) **Die anderen persönlichen Voraussetzungen der Aufsichtsratsmitglieder der Arbeitnehmer sowie der weiteren Mitglieder bestimmen sich nach dem Mitbestimmungsgesetz, dem Montan-Mitbestimmungsgesetz, dem Mitbestimmungsergänzungsgesetz, dem Drittelbeteiligungsgesetz, dem Gesetz über die Mitbestimmung der Arbeitnehmer bei einer grenzüberschreitenden Verschmelzung und dem Gesetz über die Mitbestimmung der Arbeitnehmer bei grenzüberschreitendem Formwechsel und grenzüberschreitender Spaltung.**

(4) **Die Satzung kann persönliche Voraussetzungen nur für Aufsichtsratsmitglieder fordern, die von der Hauptversammlung ohne Bindung an Wahlvorschläge gewählt oder auf Grund der Satzung in den Aufsichtsrat entsandt werden.**

(5) **Bei Gesellschaften, die Unternehmen von öffentlichem Interesse nach § 316a Satz 2 des Handelsgesetzbuchs sind, muss mindestens ein Mitglied des Aufsichtsrats über Sachverstand auf dem Gebiet Rechnungslegung und mindestens ein weiteres Mitglied des Aufsichtsrats über Sachverstand auf dem Gebiet Abschlussprüfung verfügen; die Mitglieder müssen in ihrer Gesamtheit mit dem Sektor, in dem die Gesellschaft tätig ist, vertraut sein.**

Übersicht

I. Regelungsgegenstand und -zweck

Norm betr. persönliche Voraussetzungen für Mitgliedschaft im AR. § 100 I formuliert insofern zunächst allg. Anforderungsprofil. Regelungsschwerpunkt liegt in § 100 II. Bezweckt ist **effektive Überwachungstätigkeit** des AR. Auch soll der Konzentration von AR-Mandaten auf kleinen Personenkreis entgegengewirkt werden (RegBegr. Kropff S. 136; AusschussB ebda.). Vorschrift steht damit im Kontext allg. Bestrebungen, Arbeit des AR professioneller und effektiver zu gestalten (→ § 95 Rn. 1); flankierend treten Empfehlungen des DCGK hinzu (→ Rn. 36 ff.) sowie Anforderungen von Stimmrechtsberatern (→ § 134a Rn. 4; → § 134d Rn. 1 ff.) und institutionellen Investoren (§§ 134a–134c – Erl. dort). § 100 III und IV betr. mitbestimmte Gesellschaften oder hat jedenfalls für sie wesentliche Bedeutung. § 100 III hat nur klarstellenden Charakter. § 100 IV beschränkt Satzungsautonomie; Satzung kann danach persönliche Voraussetzungen für AR-Mitglieder der AN nicht aufstellen. § 100 V schließlich stellt weitere Anforderungen für Unternehmen von bes. öffentl. Interesse auf, namentl. Erfordernis der Finanzexperten und bes. Sektorenkenntnis. 1

Regelung des § 100 ist **zwingend** (§ 23 V). Abschließenden Charakter hat sie nicht. Persönliche Anforderungen und Hinderungsgründe ergeben sich zuweilen aus **anderen Vorschriften,** etwa § 99 I Nr. 3 BBG (Nebentätigkeitsgenehmigung für Bundesbeamte) oder § 59f I BRAO, wonach AR einer Rechtsanwaltsgesellschaft in Rechtsform einer AG zur Hälfte aus Rechtsanwälten zu bestehen hat (vgl. BGHZ 161, 376, 387 = NJW 2005, 1568; Hölters/Weber/Simons Rn. 22). Deutlich umfassendere Vorgaben finden sich schließlich für bestimmte Gesellschaften mit **bes. Unternehmensgegenstand,** namentl. im Bank- und Versicherungsaufsichtsrecht (ausf. → Rn. 34 f.). Verboten ist schließlich auch Doppelmitgliedschaft in Vorstand und AR derselben Gesellschaft, ebenso Tätigkeit als Prokurist oder Generalhandlungsbevollmächtigter und Mitglied des AR (→ § 105 Rn. 2 ff.). 2

II. Anforderungsprofil (§ 100 I)

§ 100 I lässt nur natürliche, unbeschränkt geschäftsfähige Personen als AR-Mitglieder zu. Ausgeschlossen ist jede jur. Person, auch jede sonstige Gesellschaft. Bezweckt ist **persönliche Verantwortlichkeit** des Mandatsinhabers (RegBegr. Kropff S. 135). Andere AG oder GmbH, etwa WP-Gesellschaft, kann deshalb nicht als solche AR-Mitglied sein. Ihre Vorstandsmitglieder bzw. Geschäftsführer können das Amt jedoch ausüben. Unbeschränkte Geschäftsfähigkeit: Volljährige (§ 2 BGB). Sie dürfen auch nicht als Betreute (§§ 1896 ff. BGB) ganz oder teilw. einem Einwilligungsvorbehalt nach § 1825 BGB unterliegen (§ 100 I 2). Bestel- 3 lung der Aktionärsvertreter erfolgt grds. durch HV (§ 101 I). **Nominierungsvorschläge** obliegen aber allein dem amtierenden AR (§ 124 III 1; → § 124 Rn. 21 ff.).

4 **Sachkunde** muss AR-Mitglied von Ges. wegen nicht nachweisen (Ausn.: § 18 IV KAGB, § 119 IV KAGB, § 147 III KAGB, § 25d KWG; → Rn. 34 f.); sie wird – rechtspolitisch keinesfalls unproblematisch – ges. nur für Unternehmen von öffentl. Interesse iSd § 316a S. 2 HGB und auch dort nur bei AR in seiner Gesamtheit vorgeschrieben (→ Rn. 27). Anders als bei Vorstand (→ § 76 Rn. 145 ff.) wird auch **berufsrechtl. Unbescholtenheit** nicht verlangt (Hölters/Weber/Simons Rn. 51). Aufsichtsrechtl. Anforderungen wie etwa nach §§ 25d, 36 III KWG (→ Rn. 34 f.; Übersicht bei U. H. Schneider/S. H. Schneider NZG 2016, 42, 43 ff.) können nicht verallgemeinert werden. Kein ges. Bestellungshindernis liegt nach zutr. hM in engen **Beziehungen zu einem Wettbewerber** (→ § 103 Rn. 13a, 13b); zu entspr. Kodexvorgabe → Rn. 47. Zusätzliche Qualifikationsempfehlungen mit starker Prägewirkung auf die Praxis enthält für börsennotierte AG und solche mit Kapitalmarktzugang iSd § 161 I 2 (→ § 161 Rn. 6b) dagegen DCGK mit Unabhängigkeitsvorgaben (→ Rn. 36 ff.) und Empfehlungen zu Besetzungsziel und Kompetenzprofil (→ Rn. 50 ff.), einschließlich Regeln zur Einschränkung des sog Overboarding (→ Rn. 56).

III. Hinderungsgründe (§ 100 II)

5 **1. Höchstzahl. a) Grundsatz.** Gem. § 100 II 1 Nr. 1 kann Mitglied des AR nicht sein, wer bei geplantem Amtsantritt (arg. § 250 I Nr. 4) schon zehn AR-Mandate hat, wenn es dabei um Handelsgesellschaften geht, die ges. einen AR zu bilden haben. Speziell in der Möglichkeit multipler Aufsichtsratstätigkeit kommt ges. Konzeption des AR-Amtes als **Nebenamt** zum Ausdruck (vgl. etwa Säcker/Rehm DB 2008, 2814, 2816), die auch in geringer Sitzungsfrequenz des § 110 III (→ § 110 Rn. 10 f.) weitere Bestätigung findet, gesteigerter Aufgabenfülle speziell in größerer AG indes kaum gerecht wird (Hennrichs/Pöschke FS Grunewald, 2021, 327, 331 ff.). Danach naheliegende Bestrebungen, höchstzulässige Mandatszahl auf fünf herabzusetzen (zB Lutter ZHR 159 [1995], 287, 302), sind wegen Vielgestaltigkeit der Verhältnisse nicht Ges. geworden (RegBegr. BT-Drs. 13/9712, 15 f.; sa Kropff ZGR-Sonderheft 12 [1994], 3, 21 f.; Krieger in Hommelhoff/Kley/Verse AR-Reform, 95 ff.). Zumindest DCGK und Stimmrechtsberater (→ § 134a Rn. 4; → § 134d Rn. 1 ff.) sehen hier aber deutlich strengere Vorgaben vor (→ Rn. 56). Für KI enthält § 25d KWG weitergehende Beschränkungen (→ Rn. 34 f.). Zum Konzernprivileg des § 100 II 2 → Rn. 7; zur Doppelzählung von Vorsitzmandaten nach § 100 II 3 → Rn. 8. Im Einzelnen gilt: Nur AR-Sitze in **Handelsgesellschaften** sind einzurechnen. Genossenschaften, Stiftungen und VVaG scheiden demnach aus (unstr.). AR muss **obligatorisch** sein (AG, KGaA; GmbH nur, soweit nach Maßgabe der Mitbestimmungsgesetze ein AR zu bilden ist). Funktionsverwandte Einrichtungen (Beiräte, Verwaltungsräte) zählen nicht mit.

6 Ebenfalls nicht zu berücksichtigen sind **AR-Mandate in ausländischen Gesellschaften** (B/K/L/Bürgers/Fischer Rn. 3; MüKoAktG/J. Koch § 250 Rn. 15; KK-AktG/Mertens/Cahn Rn. 29; Hölters/Weber/Simons Rn. 30; MHdB AG/Hoffmann-Becking § 30 Rn. 14; v. Caemmerer FS Geßler, 1971, 81, 83 ff.; Jaspers AG 2011, 154, 155 f.; Mader ZGR 2014, 430 ff.). Verbreitete Gegenansicht beruft sich auf Normzweck, Arbeitslast zu begrenzen, und will deshalb Auslandsmandate mitzählen (MüKoAktG/Habersack Rn. 24; GK-AktG/Hopt/Roth Rn. 56 ff.; S/L/Drygala Rn. 6; BeckOGK/Spindler Rn. 20; Mickel/Fleischmann NZG 2010, 54, 55; Schütze AG 1967, 342; Weller ZGR 2010, 679, 707). Dieser Normzweck wird aber ohnehin nur unzureichend verwirklicht,

weil aufsichtsratsähnliche Einrichtungen vom Anwendungsbereich ausgenommen sind (MüKoAktG/J. Koch § 250 Rn. 15; KK-AktG/Mertens/Cahn Rn. 29). Überdies gefährdet Einbeziehung ausländischer Mandate aufgrund schwieriger Vergleichbarkeitsprüfung **Rechtssicherheit,** da vorausgesetztes dualistisches System im Ausland meist nicht vorhanden ist (ausf. Mader ZGR 2014, 430, 441 ff.). Befürworter der Gegenauffassung halten Abgrenzungsschwierigkeiten zwar für überwindbar (MüKoAktG/Habersack Rn. 24; GK-AktG/Hopt/Roth Rn. 59; Mickel/Fleischmann NZG 2010, 54, 55), gelangen aber selbst für Einordnung einer SE mit monistischer Struktur zu entgegengesetzten Ergebnissen, was fortbestehende Schwierigkeiten zur Genüge illustriert (für eine umfassende Einbeziehung GK-AktG/Hopt/Roth Rn. 57, 53 iVm Fn. 225; einschränkend MüKoAktG/Habersack Rn. 24; BeckOGK/Spindler Rn. 21: nur nicht geschäftsführende Direktoren). **Substitutionsgedanke** führt nicht zu anderem Ergebnis (so aber Weller ZGR 2010, 679, 693 ff.), da Substitution nicht zwingend ist, sondern nur eines von mehreren Auslegungskriterien, das hier mit Blick auf strenge Verstoßfolgen vom Gedanken der Rechtssicherheit überlagert wird (Mader ZGR 2014, 430, 444 ff.). Da gerade Nichtigkeitsfolge des § 250 I Nr. 4 eindeutige Zuordnung erfordert und auch Umkehrschluss zu § 125 I 5 und § 285 Nr. 10 HGB, in denen vergleichbare ausländische Mandate ausdr. genannt werden, gegen weites Verständnis spricht, verbleibt es bei nationaler Berechnung (Mader ZGR 2014, 430, 436 f.). Nur AR-Mandat in SE kann in dualistischer Ausgestaltung wegen struktureller Vergleichbarkeit berücksichtigt werden (BeckOGK/Spindler Rn. 21), nicht aber bei Verwaltungsratsmitglied in monistischer SE (insofern aA GK-AktG/Hopt/Roth Rn. 53 mit Fn. 225).

b) Konzernprivileg. Auf Höchstzahl von zehn Mandaten nicht anzurechnen 7 sind nach § 100 II 2 **bis zu fünf AR-Sitze,** die ges. Vertreter des herrschenden Unternehmens in zum Konzern gehörenden Handelsgesellschaften innehat, sofern diese aufsichtsratspflichtig sind (→ Rn. 5); bei einzelkaufmännischen Unternehmen tritt Inhaber an die Stelle der ges. Vertreter. Regelungsgrund liegt in der Erwägung, dass AR-Mandate in den Konzerntöchtern zum üblichen Pflichtenbereich des Vorstands des herrschenden Unternehmens gehören und nicht notwendig auf die nächste Führungsebene delegiert werden sollen (RegBegr. BT-Drs. 13/9712, 16; MüKoAktG/Habersack Rn. 26). Oft kritisierte **Doppelmandate** werden deshalb tats. vom Gesetzgeber als bes. effektives Mittel der Konzernführung angesehen (J. Koch FS Windbichler, 2020, 817, 831 f.; Mader, Informationsfluss im Unternehmensverbund, 2016, 493 ff.). Ges. Vertreter sind **nur Vorstandsmitglieder und Geschäftsführer,** nicht auch AR-Mitglieder des herrschenden Unternehmens. Str. und zu verneinen ist analoge Anwendung des § 100 II 2 auf sog **Teilkonzernspitze** (GK-AktG/Hopt/Roth Rn. 64; MüKoAktG/Habersack Rn. 28; aA zB KK-AktG/Mertens/Cahn Rn. 30 aE; MHdB AG/Hoffmann-Becking § 30 Rn. 16).

c) Doppelzählung von Vorsitzmandaten. § 100 II 3 schreibt vor, dass auf 8 Höchstzahl nach § 100 II 1 Nr. 1 die Mandate doppelt angerechnet werden, in denen AR-Mitglied zum Vorsitzenden gewählt worden ist. Damit soll nicht nur Effizienz der AR-Arbeit gefördert, sondern auch Amt des Vorsitzenden aufgewertet und seine professionelle Wahrnehmung unter vergleichsweise herausgehobener Vergütung nahegelegt werden (RegBegr. KonTraG BT-Drs. 13/9712, 16). Insges. abgewogene Regelung (unveränderte Höchstzahl [→ Rn. 5], aber Doppelzählung) erscheint sachgerecht (sa Hopt AG 1997, August-Sonderheft S. 40, 41; Kübler ebda S. 48 f.); auch ist zu Recht auf zunächst geplante Doppelzählung der Mandate mit stellvertretender Vorsitzfunktion verzichtet worden. **Einzelfragen:** § 100 II 3 stellt auf bloße Wahl ab, meint damit aber Regelfall, dass Wahl auch zum Vorsitzamt führt. Bei Ablehnung der Wahl gibt es also keine Doppelzählung. Für Vorsitzmandate im Konzern verbleibt es bei § 100 II 2. Doppelzählung hätte keine Basis, soweit schon einfache Mandate nicht mitgerechnet werden. Sie betr. also nur Mandate außerhalb des Konzerns (RegBegr. BT-Drs. 13/9712, 16).

9 **2. Gesetzlicher Vertreter eines abhängigen Unternehmens.** Mitglied des AR kann nach § 100 II 1 Nr. 2 nicht sein, wer im Zeitpunkt der geplanten Amtsübernahme (arg. § 250 I Nr. 4) ges. Vertreter eines von der AG abhängigen Unternehmens ist, weil darin Verstoß gegen das „natürliche Organisationsgefälle" im Konzern läge (AusschussB Kropff S. 136). Ges. Vertreter sind Vorstandsmitglieder und Geschäftsführer des abhängigen Unternehmens. Hinderungsgrund erstreckt sich nach heute allgM anders als bei Höchstzahl (→ Rn. 5) auch auf **ausländische abhängige Unternehmen,** weil Normzweck hier eindeutig für Einbeziehung streitet (ausf. Mader ZGR 2014, 430, 446 ff.; sa MüKoAktG/Habersack Rn. 33; MüKoAktG/J. Koch § 250 Rn. 17). Bei monistischer Leitungsstruktur (Boardverfassung) beschränkt sich Amtsunfähigkeit jedoch auf „executive directors", sofern sie auch im Einzelfall über vorstandsähnliche umfassende Befugnisse verfügen (Engert/Herschlein NZG 2004, 459, 460 f.). Auf andere Funktionsverknüpfungen ist § 100 II 1 Nr. 2 nicht anzuwenden. **Leitende Angestellte** des abhängigen Unternehmens können nach Gesetzeslage AR-Mitglied der herrschenden AG sein (MüKoAktG/Habersack Rn. 33). Dass Vorstandsmitglied der Mutter dem AR der Tochter angehören kann, entspr. Wortlaut und Sinn der Vorschrift (→ Rn. 7).

10 **3. Überkreuzverflechtung.** Hinderungsgrund für Mitgliedschaft im AR ist nach § 100 II 1 Nr. 3 sog Überkreuzverflechtung. Sie liegt vor, wenn derjenige, der AR-Mitglied werden soll, ges. Vertreter einer anderen Kapitalgesellschaft ist und deren AR ein Vorstandsmitglied der AG angehört. Wer überwachen soll, soll nicht selbst in einer anderen Gesellschaft der Überwachung durch den Überwachten unterliegen (AusschussB Kropff S. 136). Mit bislang hM ist Verbot der Überkreuzverflechtung auf ges. Vertreter inländischer Kapitalgesellschaften zu beschränken (s. bereits v. Caemmerer FS Geßler, 1971, 81, 88 ff.; MüKoAktG/J. Koch § 250 Rn. 18; KK-AktG/Mertens/Cahn Rn. 37; Hölters/Weber/Simons Rn. 35; Mader ZGR 2014, 430, 450 f.). Gegenansicht bezieht ges. Vertreter **ausländischer Kapitalgesellschaften** unter Verweis auf Normzweck ein (s. S/L/Drygala Rn. 11; MüKoAktG/Habersack Rn. 36; BeckOGK/Spindler Rn. 33), führt damit aber in doppelte Qualifikationsprobleme (ges. Vertreter des ausländischen Unternehmens, AR vergleichbares Organ), die wegen schwerwiegender Folgen einer Fehlqualifikation (s. § 250 I Nr. 4) nicht hingenommen werden können (→ Rn. 6; ausf. Mader ZGR 2014, 430, 450 f.).

11 **Obligatorischer und fakultativer AR.** Ob die andere Kapitalgesellschaft einen AR bilden muss, bleibt nach hM gleich, weil § 100 II 1 Nr. 3 anders als § 100 II 1 Nr. 1 keine entspr. Einschränkung enthält (MüKoAktG/Habersack Rn. 39; KK-AktG/Kiefner § 250 Rn. 49; Hölters/Weber/Simons Rn. 35; KK-AktG/Mertens/Cahn Rn. 36; BeckOGK/Spindler Rn. 32; MHdB AG/Hoffmann-Becking § 30 Rn. 22). Gegenansicht will nur auf obligatorischen AR abheben (GK-AktG/Hopt/Roth Rn. 90). Sie beruft sich dabei auf ganz hM zum fakultativen AR der GmbH, für den § 52 I GmbHG gerade nicht auf § 100 II 1 Nr. 3 verweist (Noack/Servatius/Haas/Noack GmbHG § 52 Rn. 38). Auf das Aktienrecht wurde diese Einschränkung indes nicht übertragen, sondern § 100 II 1 Nr. 3 hat die Eingrenzung des § 100 II 1 Nr. 1 auf obligatorischen AR gerade nicht übernommen. Da Gleichlauf zwischen GmbH- und Aktienrecht insofern nicht zwingend erforderlich ist und Gefahr gegenseitiger Einflussnahme auch hier besteht, sprechen bessere Gründe dafür, fakultativen AR in Verbot der Überkreuzverflechtung einzubeziehen.

4. Karenzzeit bei börsennotierten Gesellschaften (Cooling-off-Periode). Ist AG börsennotiert iSd § 3 II (anderweitige Kapitalmarktorientierung iSd § 264 HGB genügt arg. § 100 V nicht), so kann zum Mitglied ihres AR grds. nicht bestellt werden, wer ihrem Vorstand in den letzten **zwei Jahren** als Mitglied angehört hat. Karenzzeit ist eingeführt durch VorstAG 2009 und soll sicherstellen, dass ehemalige Vorstandsmitglieder nicht über AR sachwidrigen Einfluss auf das eine oder das andere Leitungsorgan ausüben (AusschussB BT-Drs. 16/13433, 11; zu Vor- und Nachteilen vgl. Velte WM 2012, 537 ff.). Spezialgesetzliche Regelung auch in § 25d III 1 Nr. 2 KWG (nicht mehr als zwei ehemalige Vorstandsmitglieder im AR; sa → Rn. 34 f.). **Beschränkung auf börsennotierte AG** rechtfertigt sich daraus, dass Gesetzgeber nur hier systematisches Kontrolldefizit durch Eigentümergesamtheit ausgemacht hat (RAusschuss BT-Drs. 16/13433, 11). Gesetzesvorgabe des § 100 II 1 Nr. 4 wird inhaltlich in **Unabhängigkeitsvorgaben nach C.7 und C.11 DCGK** aufgegriffen und variiert (ausf. → Rn. 42, 47). Einflussreiche Stimmrechtsberater (→ § 134a Rn. 4; → § 134d Rn. 1 ff.) legen häufig noch strengere Maßstäbe an (M. Roth AG 2020, 278 Rn. 67, 76). 12

Ges. Karenzzeit rechnet sich vom Tag des Ausscheidens bis zum Tag des geplanten Eintritts. Wahl kann vorher erfolgen, wenn sie aufschiebend befristet wird (Ihrig FS Hoffmann-Becking, 2013, 617, 625 ff.; E. Vetter FS Maier-Reimer, 2010, 795, 805). Zweijahresfrist stellt ggü. der überzogenen Fünfjahresfrist nach dem Kriterienkatalog aus Anh. II der Kommissionsempfehlung (→ Rn. 37) zwar deutlichen Fortschritt dar (aA Möllers/Christ ZIP 2009, 2278, 2279 ff.), nötigt aber immer noch zu einer Diskontinuität, die bedenklich bleibt, wenn es auf im Vorstand gewonnene Qualifikation des potenziellen AR-Mitglieds ankommt (Gaul AG 2015, 742, 743 ff.; Sünner AG 2010, 111, 113 ff.). Soll Vorstandsmitglied zumindest nach Ablauf der Karenzzeit schnellstmöglich in AR einrücken, kann AG dies durch entspr. vorgezogene Wahl und korrespondierende Begrenzung der Amtsperiode amtierender AR-Mitglieder verwirklichen (Ihrig FS Hoffmann-Becking, 2013, 617, 620 ff.; sa KK-AktG/Kiefner § 250 Rn. 54), doch zeigt sich in der Praxis, dass namentl. institutionelle Stimmrechtsberater iSd § 134a I Nr. 3 (→ § 134a Rn. 4; → § 134d Rn. 1 ff.) zT auch einer Rückkehr nach Karenzzeit skeptisch gegenüberstehen, soweit AR-Vorsitz anvisiert wird (Schockenhoff/Nußbaum ZGR 2019, 163, 172). 13

Für Rückkehr eines nach § 105 II **entsandten AR-Mitglieds** in AR gilt § 100 II 1 Nr. 4 nicht, und zwar auch nicht für spätere Wiederwahl (Hölters/Weber/Simons Rn. 37; im zweiten Punkt aA Schulenburg/Brosius WM 2011, 58, 59 f.); andere Sichtweise würde provisorisch-vorübergehendem Charakter der Entsendung nicht entspr. und Wechselbereitschaft deutlich mindern. Zu Änderungsvorschlägen de lege ferenda vgl. zuletzt Gaul AG 2015, 742, 748 ff. 14

Karenzzeit entfällt auch bei börsennotierter AG, wenn die Wahl auf Vorschlag von Aktionären erfolgt (auch solchen, die ihrerseits [herrschende] Unternehmen sind, s. Fleischer NZG 2009, 801, 806), die einzeln oder zusammen mehr als **25 % der Stimmrechte halten** (genauer: auf deren Aktienbesitz mehr als 25 % der Stimmen entfallen); es kommt also nicht auf in HV vertretene Stimmen an (Hölters/Weber/Simons Rn. 39). Unerheblich ist nach klarem Wortlaut auch, ob Ausübungshindernis, zB gem. § 71b, § 44 WpHG oder § 59 WpÜG besteht (MüKoAktG/Habersack Rn. 47; S/L/Drygala Rn. 18; Hölters/Weber/Simons Rn. 39; Bungert/Wansleben DB 2012, 2617, 2618; aA KK-AktG/Mertens/Cahn Rn. 42). Aktionäre können sich aus Streubesitz zusammensetzen (etwa unter Ausnutzung des Aktionärsforums, § 127a); der Beteiligung eines „Ankeraktionärs" bedarf es nicht (Bungert/Wansleben DB 2012, 2617, 2618; Löbbe/Fischbach AG 2013, 580, 581). Abgestimmter Vorschlag ist kein acting in concert nach § 30 II WpÜG, § 34 II WpHG (Schulenburg/Brosius 15

WM 2011, 58, 62 f.; zust. Bungert/Wansleben DB 2012, 2617, 2618; Gaul AG 2015, 742, 745). Nicht erforderlich ist, dass betr. Vorstandsmitglied selbst Aktionär ist (Seibert WM 2009, 1489, 1492).

16 **Vorschlag** kann nicht konkludent in Wahlabstimmung gesehen werden, sondern muss Wahl in zweistufigem Verfahren vorgeschaltet sein. Er kann Tagesordnungserweiterungsvorschlag iSd § 122 II oder Wahlvorschlag iSd § 127 sein, doch bedarf es dessen nicht (Hölters/Weber/Simons Rn. 40 ff.; Krieger FS Hüffer, 2010, 521, 535). Er kann stattdessen auch an AR gerichtet werden, der sich Vorschlag ggü. HV zu Eigen machen kann (§ 124 III 1; KK-AktG/Mertens/Cahn Rn. 43; Hölters/Weber/Simons Rn. 42); Veranlassung der Aktionäre sollte dann in HV-Einberufung aufgenommen werden (Bungert/Wansleben DB 2012, 2617, 2620).

17 Dass AR oder wechselwilliges Vorstandsmitglied selbst auf entspr. Vorschlag hinwirkt, ist unschädlich (Hölters/Weber/Simons Rn. 44; Löbbe/Fischbach AG 2013, 580, 581 ff.; aA Schulenburg/Brosius WM 2011, 58, 61 f.), doch sollte Vorstand als Organ aufgrund Neutralitätsgebots nicht an solcher Initiative beteiligt sein (insofern großzügiger Löbbe/Fischbach AG 2013, 580, 582 f., die der Praxis aber ebenfalls von dieser Gestaltung abraten). Bedenklich ist aber, wenn AR-Vorschlag erst in HV unterbreitet und dieser von Aktionären aufgegriffen wird (für die Zulässigkeit dieser Gestaltung aber Hölters/Weber/Simons Rn. 43; Bungert/Wansleben DB 2012, 2617, 2621; Löbbe/Fischbach AG 2013, 580, 584 ff.), da **Vorschlagsquorum** dann keine **eigenständige Bedeutung** mehr neben dem Mehrheitserfordernis zukäme (MüKoAktG/Habersack Rn. 48 f.; KK-AktG/Mertens/Cahn Rn. 43; Gaul AG 2015, 742, 746; Schulenburg/Brosius WM 2011, 58, 61). Aus demselben Grund ist es auch nicht genügend, dass Wahlvorschlag des AR (§ 124 III 1) Vorstandsmitglied benennt und seine Wahl davon abhängig macht, dass in HV Vorschlag nach § 100 II 1 Nr. 4 zustande kommt (so auch E. Vetter FS Maier-Reimer, 2010, 795, 813; aA Krieger FS Hüffer, 2010, 521, 530 ff., 535 ff.).

18 Für Wahlbeschluss der HV verbleibt es bei Erfordernis der einfachen Stimmenmehrheit nach § 133 I. An dem Vorschlag beteiligte Aktionäre sind stimmberechtigt, ebenso das ehemalige Vorstandsmitglied, das selbst Aktionär ist (E. Vetter FS Maier-Reimer, 2010, 795, 805). Relativierung der Karenzzeit trägt dem Gedanken der Eigentümerkontrolle Rechnung (AusschussB BT-Drs. 16/13433, 11) und lässt ges. Regelung ggü. weitergehenden Vorstellungen als vergleichsweise moderat erscheinen.

IV. Aufsichtsratsmitglieder der Arbeitnehmer sowie weitere Mitglieder (§ 100 III)

19 Norm stellt klar, dass **andere persönliche Voraussetzungen** für AR-Mitglieder der AN sowie „weitere Mitglieder“, die sich aus den Mitbestimmungsgesetzen ergeben, auch aktienrechtl. verbindlich sind. Es handelt sich um Erfordernisse der **Wählbarkeit.** Vgl. dazu § 7 II–V MitbestG; § 4 II MontanMitbestG, § 6 I MontanMitbestG; §§ 5, 6 MitbestErgG; § 4 II–IV DrittelbG. Norm gilt nach Ergänzungen durch Richtlinienumsetzungsges. v. 21.12.2006 (BGBl. 2006 I 3332) und UmRUGMitbestG 2023 (→ § 96 Rn. 11c) auch für AN-Vertreter, die nach MgVG (→ § 96 Rn. 11a f.) oder MgFSG Mandatsinhaber werden sollen (RegBegr. BT-Drs. 16/2922, 30). Bes. Wählbarkeitsschranken können sich aus AN-Begriff des § 2 I MgVG bzw. des § 2 I MgFSG ergeben. Hervorzuheben ist, dass gem. § 7 II MitbestG AR-Mitglieder der AN sich teils aus Personen zusammensetzen, die in einem **Arbeitsverhältnis zum Unternehmen** stehen, teils aus Vertretern der Gewerkschaften, die im Unternehmen selbst oder in einem berücksichtigungsfähigen Unternehmen vertreten sein müssen

(§ 7 V MitbestG). Hinderungsgründe des § 100 II gelten auch für AR-Mitglieder der AN sowie weitere Mitglieder. Gleichzeitige Mitgliedschaft im Betriebsrat ist kein Hinderungsgrund, sondern verbreitete und sinnvolle Praxis (Hölters/Weber/Simons Rn. 55).

V. Anforderungen der Satzung (§ 100 IV)

1. Aktionärsvertreter. Nach § 100 IV kann Satzung persönliche Anforderungen für AR-Mitglieder der AN nicht aufstellen (→ Rn. 21). Zulässig ist dagegen, solche Voraussetzungen zu fordern, wenn HV ohne Bindung an Wahlvorschläge wählt (vgl. zu solcher Bindung § 6 VI MontanMitbestG, § 8 MontanMitbestG) oder AR-Mitglieder auf Grund der Satzung entsandt werden (dazu § 100 I und II). Praxis macht von dieser Möglichkeit augenscheinlich nur selten Gebrauch (Hölters/Weber/Simons Rn. 56; Dörrwächter FS Strenger, 2023, 172, 176). Für **inhaltliche Konkretisierung** gilt als Grundsatz, dass **freie Auswahl durch HV** gewährleistet bleiben muss (unstr., s. RGZ 133, 90, 94) oder, was in der Sache auf dasselbe hinausläuft, dass es sich nicht um Entsendungsrecht ohne satzungsmäßige Fixierung handeln darf. Im allg. unproblematisch ist es, wenn Satzung Aktionärseigenschaft, deutsche Staatsangehörigkeit oder geordnete Vermögensverhältnisse fordert (vgl. statt vieler MüKoAktG/Habersack Rn. 59). Dasselbe ist anzunehmen, wenn Wählbarkeit von einem bestimmten Geschlecht abhängig gemacht wird (MüKoAktG/Habersack Rn. 59; enger GK-AktG/Hopt/Roth Rn. 217; sa Redenius/Hövermann ZIP 2010, 660, 663). Str. ist, ob eine bestimmte Familienzugehörigkeit verlangt werden darf. Das wird von ganz hM zu § 23 V bejaht (vgl. MüKoAktG/Pentz § 23 Rn. 169; GK-AktG/Röhricht/Schall § 23 Rn. 246), von ebenfalls ganz hM zu § 100 verneint (S/L/Drygala Rn. 36; MüKoAktG/Habersack Rn. 59; GK-AktG/Hopt/Roth Rn. 218; diff. Hölters/Weber/Simons Rn. 59). Zuzustimmen ist der verneinenden Auffassung. Derartige Familienbindung wird meist auf ein verkapptes Entsendungsrecht hinauslaufen, also unzulässig sein. 20

2. Arbeitnehmervertreter. Insoweit sind persönliche Voraussetzungen der Satzung als Beeinträchtigung der Wahlfreiheit der AN unzulässig. Das war schon vor 1965 geltendes Recht (BGHZ 39, 116, 122 f. = NJW 1963, 905) und ist in § 100 IV klargestellt. 21

VI. Sonderregelung für AG von öffentlichem Interesse (§ 100 V)

1. Grundaussage. § 100 V, der in seiner Ursprungsfassung durch BilMoG 2009 angefügt worden ist, enthält bes. Anforderungen für **Unternehmen von öffentl. Interesse** iSd § 316a S. 2 HGB (zur näheren Umschreibung → Rn. 23). Solche Unternehmen müssen nach Art. 39 I Abschlussprüfer-RL 2006 (in der Neufassung der Abschlussprüfer-RL 2014) grds. Prüfungsausschuss haben, doch gestattet es Art. 39 II Abschlussprüfer-RL, dass Mitgliedstaaten die dem Prüfungsausschuss übertragenen Aufgaben vom **AR als Ganzem** wahrgenommen werden. Von dieser Wahlmöglichkeit hatte auch BRD ursprünglich Gebrauch gemacht und Einrichtung des Ausschusses nach § 107 III 2 der **Selbstorganisation des AR** überlassen (→ § 107 Rn. 31). Daraus wurde in § 100 V die Konsequenz gezogen, dass persönliche Anforderungen, die sonst nach Art. 39 I Abschlussprüfer-RL für Mitglieder des Prüfungsausschusses gelten würden, auf Mitglieder des Plenums übertragen werden. Nachdem im Zuge des FISG 2021 für Unternehmen von öffentl. Interesse Prüfungsausschuss in § 107 IV 1 zwingend vorgeschrieben wird, hätte man durchaus zu Richtlinien-Regellösung zurückkehren und bes. Anforderungen auf Prüfungsausschuss beschränken können. Gesetzgeber ist diesen Weg aber nicht gegangen, hat es bei Anforderungsprofil 22 auch für Gesamt-AR eines Unternehmens von öffentl. Interesse belassen und Geltung dieser Vorgabe für Prüfungsausschuss neuerlich in § 107 IV 3 bekräftigt (→ § 107 Rn. 43), was in der Gesamtschau unnötig kompliziert erscheint, vom Gesetzesanwender aber hinzunehmen ist. Auch Qualifikationsvorgaben wurden im Zuge des FISG 2021 neu gefasst: Verlangt wird nunmehr, dass wenigstens ein Mitglied des AR über **Sachverstand** in Rechnungslegung und ein weiteres Mitglied des AR über Sachverstand in Abschlussprüfung verfügen muss (→ Rn. 24 f.). Bislang wurden beide Qualifikationsbereiche in § 100 V aF alternativ in der Weise genannt, dass bei nur einem Mitglied entweder Sachverstand in dem einen oder anderen Gebiet verlangt wurde. Im Nachgang des Wirecard-Skandals 2021 wurde Norm geändert, so dass nunmehr mindestens jew. ein Mitglied die eine Qualifikation und ein Mitglied die andere aufzuweisen hat. Darüber hinaus müssen die Mitglieder in ihrer Gesamtheit mit dem Sektor, in dem die Gesellschaft tätig ist, vertraut sein (→ Rn. 26 ff.). Zur flankierenden Reform des Aufsichtsrechts vgl. Boecker/Zwirner DStR 2016, 90 ff.; Lanfermann BB 2015, 2027 ff.; Lenz DB 2016, 875 ff.

23 **2. Betroffene Unternehmen.** Mit **AReG 2016** ist **persönlicher Anwendungsbereich** über kapitalmarktorientierte Unternehmen iSd § 264d HGB weiter ausgedehnt worden auf sog Unternehmen von öffentlichem Interesse, für die sich die Bezeichnung als **Public Interest Entities (PIE)** eingebürgert hat. Der mit dieser Bezeichnung umschriebene Adressatenkreis folgt aus Art. 2 Nr. 13 Abschlussprüfer-RL 2006 in ihrer Neufassung durch Abschlussprüfer-RL 2014 und war in der von 2016 bis 2021 geltenden Gesetzesfassung noch ausdr. in § 100 V aF aufgeschlüsselt worden. Mit Neufassung der Vorschrift durch FISG 2021 (→ Rn. 22) hat sich diese Aufschlüsselung erübrigt, da Begriff nunmehr Gegenstand einer auch nat. **Legaldefinition in § 316a S. 2 HGB** geworden ist. Diese erfasst in § 316a S. 2 Nr. 1 HGB weiterhin die schon vor 2016 adressierten kapitalmarktorientierten Unternehmen iSd § 264d HGB. Definition der **Kapitalmarktorientierung** ist in § 264d HGB enthalten (zum Unterschied zur börsennotierten AG → § 3 Rn. 5 f.). Erforderlich ist danach ein organisierter Markt (§ 2 XI WpHG), den AG durch Ausgabe von Wertpapieren in Anspruch nimmt, die unter § 2 I WpHG fallen. Zulassungsantrag steht Ausgabe gleich. Unter § 2 I WpHG fallen neben Aktien auch Genussscheine oder Schuldverschreibungen, mit denen AG Kapitalmarkt in Anspruch nimmt. Mit der Ausdehnung auf CRR-Kreditinstitute und Versicherungsunternehmen hat nat. Gesetzgeber bereits 2016 Konsequenz daraus gezogen, dass bisher in Abschlussprüfer-RL 2006 den Mitgliedstaaten eingeräumtes Wahlrecht für diese beiden Unternehmensgruppen mit Neufassung durch Abschlussprüfer-RL 2014 entfallen ist. **CRR-Kreditinstitute** sind nach § 316a S. 2 Nr. 2 HGB solche iSd § 1 IIId S. 1 KWG (mit Ausnahme der in § 2 I Nr. 1 und 2 KWG und der in § 2 V Nr. 5 Eigenkapital-RL genannten Institute). Mit dieser Definition werden alle klassischen KI erfasst, die Einlagen- und Kreditgeschäft betreiben (Nodoushani AG 2016, 381, 382). Ausnahme der in § 2 I Nr. 1 und 2 KWG genannten Institute erfasst Bundesbank und KfW; Ausnahme der in § 2 V Nr. 5 Eigenkapital-RL genannten Institute soll namentl. Förderbanken aus dem Anwendungsbereich ausschließen (RegBegr. BT-Drs. 19/26966, 100 f.). **Versicherungsunternehmen** nach § 316a S. 2 Nr. 3 HGB sind solche iSd RL 91/674/EWG v. 19.12.1991 (ABl. EG 1991 L 374, 7).

24 **3. Sachverstand.** Nach Neufassung durch FISG 2021 (→ Rn. 22) verlangt § 100 V nunmehr, dass mindestens ein AR-Mitglied über Sachverstand auf dem Gebiet **Rechnungslegung** und mindestens ein AR-Mitglied über Sachverstand auf dem Gebiet Abschlussprüfung verfügt. Anders als bislang müssen also beide Qualifikationen im AR vorhanden und auf zwei unterschiedliche

Mitglieder aufgeteilt sein (ausdr. betont in RegBegr. BT-Drs. 19/26966, 115 f.). Um entspr. sachkundige Neubesetzung zu ermöglichen, muss Vorschrift gem. § 12 VI EGAktG allerdings so lange nicht angewandt werden, wie alle Mitglieder des AR und des Prüfungsausschusses vor dem 1.7.2021 bestellt worden sind (ausf. dazu Simons NZG 2021, 1429, 1436). Auch gegen § 100 V nF kann schon bislang zur Altfassung vorgetragener Einwand erhoben werden, dass Qualifikationen idR kumulativ oder gar nicht gegeben sind (GK-AktG/Hopt/Roth Rn. 231; Merkt ZHR 179 [2015], 601, 618 f.). Einwand ist zutr., in der Sache aber unschädlich, da er allenfalls zu überschießender Qualifikation führen kann, die über das vom Ges. geforderte Maß hinausreicht. Wie Sachverstand erworben wurde, bleibt gleich (LG München I AG 2010, 339). RegBegr. BilMoG BT-Drs. 16/10067, 102 verweist namentl. auch auf Sachkunde kraft beruflicher Erfahrung oder sonstiger bisheriger Tätigkeit, die in Rechnungslegung oder Abschlussprüfung auch nicht ihren Schwerpunkt gehabt haben muss; es genügt, wenn diese Kenntnisse im Zuge dieser Tätigkeit durch **Weiterbildung** hinzuerworben wurden (RegBegr. BT-Drs. 19/26966, 116; OLG München AG 2010, 673; LG München I AG 2010, 339; Hölters/Weber/Simons Rn. 13; krit. dazu Drygala AR 2010, 104 f.). Auch ausländisches AR-Mitglied kann diese Voraussetzung selbstverständlich erfüllen (Wassen AG 2011, 685, 687). Anforderungsprofil ist danach flexibel, aber rechtl. bindend (Kropff FS K. Schmidt, 2009, 1023, 1025; sa Jaspers AG 2009, 607, 608 ff.).

Nach der bis zum AReG 2016 geltenden Fassung des § 100 V musste das **25** Mitglied, das (nach damaliger Fassung noch alternativ) über Sachverstand in Rechnungslegung oder Abschlussprüfung verfügte (→ Rn. 24), zugleich unabhängig sein (sog „unabhängiger Finanzexperte"; zu Einzelheiten → 12. Aufl. 2016, Rn. 24 f.). Mit AReG 2016 wurde **Unabhängigkeitsvorgabe gestrichen,** was auf Art. 39 I UAbs. 4, V Abschlussprüfer-RL in überarbeiteter Neufassung 2014 zurückgeht. Dort wird den Mitgliedstaaten hinsichtlich der Unabhängigkeit ein Wahlrecht eingeräumt, das vom deutschen Gesetzgeber mit Blick auf die durch § 105 I (Inkompatibilität) ohnehin gewährleistete Unabhängigkeit dahingehend ausgeübt wurde, dass Vorgabe vollständig entfällt. Auf dieser Grundlage sollen künftig insbes. auch AN-Vertreter im AR sachverständige Mitglieder stellen können, ohne dass es auf die umstr. Frage ihrer Unabhängigkeit ankommt (vgl. RegBegr. BT-Drs. 18/7219, 56; krit. Schipporeit BOARD 2016, 15; Nodoushani AR 2016, 69 ff.; Verse in Hommelhoff/Kley/Verse AR-Reform, 69, 76 f.). Auch Unabhängigkeitsvorgabe nach § 324 II HGB gilt für AG nicht, da sie dann keine Anwendung findet, wenn Unternehmen einen AR hat, der die Voraussetzungen des § 100 V erfüllen muss (§ 324 I HGB). Bestehen bleibt aber Vorgabe in **C.10 S. 1 DCGK,** wonach zumindest AR-Vorsitzender und Vorsitzender des Prüfungsausschusses von AG und Vorstand weiterhin unabhängig sein sollen. Vorsitzender des Prüfungsausschusses soll nach C.10 S. 2 DCGK überdies auch vom kontrollierenden Aktionär unabhängig sein, was augenscheinlich nach Maßstäben der C.6 ff. (→ Rn. 36 ff.) bemessen werden soll (Hopt/Leyens ZGR 2019, 929, 970). Da er zugleich nach D.3 S. 3 DCGK über bes. Kenntnisse und Erfahrungen im Bereich der Rechnungslegung oder der Abschlussprüfung verfügen soll, wird er in der Praxis zumeist auch Rolle eines der beiden Finanzexperten übernehmen, so dass sich aufgrund des Zusammenwirkens dieser beiden Vorgaben die Streichung der Unabhängigkeitsvorgabe in § 100 V in der Praxis vermutlich nicht gravierend auswirken wird (Meyer/Mattheus DB 2016, 695; Schilha ZIP 2016, 1316, 1319 f.; zu Einzelheiten Hölters/Weber/Simons Rn. 14). Ebenfalls bestehen bleibt Vorgabe in **C.6 DCGK,** wonach AR eine nach seiner Einschätzung angemessene Anzahl unabhängiger Mitglieder angehören soll (→ Rn. 36 ff.). Änderung des § 100 V wirkt sich auf diese

Vorgaben nicht aus, mag es künftig aber erleichtern, in diesen Punkten Non-Compliance zu erklären (Schüppen NZG 2016, 247, 254).

26 **4. Sektorenkenntnis.** Statt Unabhängigkeitsvorgabe (→ Rn. 25) wurde mit AReG 2016 eine neue Vorgabe eingeführt, wonach die Mitglieder in ihrer Gesamtheit auch **mit dem Sektor vertraut** sein müssen, in der die AG tätig ist (krit. Schüppen NZG 2016, 247, 254: „banal und praktisch bedeutungslos"). ErwG 24 der zugrunde liegenden RL begründet dieses Erfordernis mit dem Ziel, fachliche Kompetenz des Prüfungsausschusses zu stärken. **Begriff des Sektors** wird mit „Geschäftsfeld der Gesellschaft" gleichgesetzt (RegBegr. AReG BT-Drs. 18/7219, 56). Alternativ wird auch gleichsinnig von „Branche" gesprochen (MüKoAktG/Habersack Rn. 74; Behme/Zickgraf AG 2016, R 132, 133; Nodoushani AG 2016, 381, 386; krit. Schilha ZIP 2016, 1316, 1320 f.); Begriff geht über den des „Unternehmensgegenstands" iSd § 23 III Nr. 2 hinaus (Nodoushani AG 2016, 381, 386), seine nähere Konturierung ist allerdings noch unscharf (zu Einzelheiten vgl. Schilha ZIP 2016, 1316, 1320 f.). Sektor wird im Ausgangspunkt durch geschäftliche Angelegenheiten der AG geprägt (in Abgrenzung etwa zum Kapitalmarktumfeld), muss aber auch auf Markt-, Konkurrenz- und Branchenumfeld erstreckt und um konzerndimensionale Betrachtung ergänzt werden (dazu und zu weiteren Konkretisierungen Simons/Kalbfleisch AG 2020, 526 Rn. 6 ff.). Speziell im diversifizierten Industriekonzern sollten Anforderungen nicht zu hoch gesteckt werden, um Anforderungsprofil für AR-Mitglieder nicht übermäßig zu verschärfen (Schilha ZIP 2016, 1316, 1321; sa Simons/Kalbfleisch AG 2020, 526 Rn. 15 ff.). Verändert sich geschäftlicher Schwerpunkt, muss ggf. auch AR-Besetzung nachjustiert werden (Simons/Kalbfleisch AG 2020, 526 Rn. 18). Diversitätsanforderungen u. Ä. spielen dagegen an dieser Stelle keine Rolle (Simons/Kalbfleisch AG 2020, 526 Rn. 19). Nach textlicher Fassung nicht ganz klar ist, ob Merkmal für AR aller Aktiengesellschaften gilt oder **nur für Unternehmen von öffentl. Interesse** iSd § 316a S. 2 HGB (→ Rn. 23). Schon sprachlich deutet Verwendung des Semikolons aber eher in Richtung des letztgenannten Verständnisses. Weiter bestätigt wird diese Lesart durch Herkunft des Merkmals aus Art. 39 Abschlussprüfer-RL (in der Neufassung 2014), die ebenfalls nur für Unternehmen von öffentl. Interesse gilt (so auch Nodoushani AG 2016, 381, 385). Zu Besonderheiten für Versicherungsunternehmen Bürkle VersR 2016, 1145 ff.

27 Auch in solchen Unternehmen muss Sektorenkenntnis aber nur bei Mitgliedern des Aufsichtsrats **in ihrer Gesamtheit** vorliegen. RL und RegBegr. sind hier gleichermaßen unergiebig, ob danach Kenntnis bei jedem einzelnen Mitglied erforderlich ist oder ob es genügt, wenn sie im Zusammenspiel über Sektorenkenntnis verfügen. Auch die Klarstellung in der RegBegr, dass nicht jedes Mitglied vom Fach sein müsse, führt hier nicht zur Klärung, weil auch für sie zugleich auf die Möglichkeit anderer Weiterbildung hingewiesen wird (BT-Drs. 18/7219, 56; → Rn. 28). Genauere sprachliche Analyse führt indes zu dem Befund, dass der Zusatz „in ihrer Gesamtheit" überflüssig und irreführend wäre, wenn auf sämtliche Einzelmitglieder abzustellen wäre (so aber jedenfalls für Versicherungsbranche Bürkle VersR 2016, 1145, 1147). Dieser zunächst an sich schwache sprachliche Befund wird durch systematisches Argument bekräftigt, dass Gesetzgeber einen derartigen Passus auch in anderen Vorschriften (vgl. zB § 25d II 1 KWG [→ Rn. 34 f.], § 189 III VAG oder GS 11 DCGK) dahingehend versteht, dass nicht jedes Mitglied über diese Kenntnisse verfügen muss, sondern es genügt, wenn sich die **Gesamtqualifikation** des AR aus der Zusammenschau der Einzelqualifikation seiner Mitglieder ergibt. Deshalb sollte es auch in § 100 V auf Gesamtqualifikation ankommen (MüKoAktG/Habersack Rn. 75; Merkt ZHR 179 [2015], 601, 619; Simons/Kalbfleisch AG 2020, 526 Rn. 26 ff.; Nodoushani

AG 2016, 381, 385; Schilha ZIP 2016, 1316, 1322 f.; aA Behme/Zickgraf AG 2016, R 132, 134; Velte WPg 2015, 482, 488). In diesem Verständnis dürften sich auch Zielkonflikte mit verbreiteten Diversity-Forderungen (→ § 84 Rn. 5) im Rahmen halten (MüKoAktG/Habersack Rn. 75; skeptischer Drygala NZG 2015, 1129, 1130).

Begriff der Vertrautheit ist im Lichte anderer Sprachfassungen der RL mit „Kompetenz" gleichzusetzen, eröffnet aber auch in dieser Lesart weite Deutungsspielräume, die nicht zu Lasten der AG gehen dürfen (zur Konkretisierung Simons/Kalbfleisch AG 2020, 526 Rn. 21 ff., 31 f.). **Sektorenkompetenz** setzt nicht voraus, dass Mitglieder „vom Fach" sind, sondern es genügt, wenn sie Sektorkenntnisse etwa durch intensive Weiterbildung, im Beteiligungsmanagement oder langjährig als Angehöriger der beratenden Berufe erworben haben (RegBegr. BT-Drs. 18/7219 S. 56; zu Einzelheiten vgl. Nodoushani AG 2016, 381, 386 f.). Tätigkeit darf allerdings nicht übermäßig lange zurückliegen, sondern Kenntnisse müssen noch aktuell und dürfen nicht inhaltlich überholt sein (Behme/Zickgraf AG 2016, R 132, 134; Simons/Kalbfleisch AG 2020, 526 Rn. 25). Auch mehrjährige Tätigkeit im AR selbst genügt (Nodoushani AG 2016, 381, 386: „natürlicher Bestandsschutz"; sa Schilha ZIP 2016, 1316, 1322). Schließlich können in mitbestimmten Unternehmen auch AN-Vertreter Sektorenkenntnis beitragen, was Problematik abermals entschärft. Im Zuge der fortschreitenden ESG-Entwicklung (→ § 76 Rn. 63 ff.) ist Frage aufgeworfen worden, ob AR-Expertise, die sich über § 107 IV 3 auch in Prüfungsausschuss fortsetzt (→ § 107 Rn. 43), auf **Nachhaltigkeitsthemen** erweitert werden muss, etwa in Gestalt eines Sustainability Experts (vgl. Fleischer DB 2022, 37, 42; Velte NZG 2022, 779, 785 f.; Velte DB 2022, 1220, 1227 ff.). Das ist angesichts zunehmender Bedeutung der nichtfinanziellen Berichterstattung durchaus naheliegender Gedanke, doch lässt sich schon aufgrund der ungenauen und uferlosen begrifflichen Weite des Nachhaltigkeitsbegriffs (erst recht: ESG) nur schwer formulieren, welche Qualifikation ein solcher Experte konkret aufweisen soll. Ausdehnung auf immer weitere Kompetenzfelder schränkt Besetzungsermessen übermäßig ein und konterkariert verbreitete Forderungen nach diversen Qualifikationsprofilen. AR-Mitglieder sind generell gehalten, sich die Qualifikationen anzueignen, derer sie zur Überwachung des Vorstands bedürfen (→ § 113 Rn. 10). Wo das Unternehmen bes. Nachhaltigkeitsschwerpunkte aufweist, wird Expertise schon auf diesem Wege gewährleistet; weiterer ges. Vorgaben bedarf es nicht. Zu Rechtsfolgen beim Verstoß → Rn. 30 ff. 28

Sachkundige AR-Mitglieder (→ Rn. 24 f.) nach § 100 V sind aufgrund ihrer gesteigerten Expertise auf den Gebieten Abschlussprüfung und Rechnungslegung **bes. Funktionsträger** der AG, die aber ebenso wie andere AR-Mitglieder vorrangig im Unternehmensinteresse tätig und Belangen anderer Marktteilnehmer nicht verpflichtet sind; insbes. kommt eine Haftung ihnen ggü. nicht in Betracht (Nodoushani NZG 2015, 1186 ff.). Durch Streichung der Unabhängigkeitsvorgabe im Zuge des AReG 2016 wurde dieses Verständnis bekräftigt (Nodoushani AG 2016, 381, 384). Pflicht des AR zur **Selbstorganisation** gebietet, dass er die Funktionsträger aus seiner Mitte durch Beschluss festlegt. Bestellungsbeschluss der HV trifft Vorauswahl, kann AR aber nicht in der Auswahl geeigneter Personen binden (wohl auch Kropff FS K. Schmidt, 2009, 1023, 1032; ähnlich v. Falkenhausen/Kocher ZIP 2009, 1601; wohl aA Wardenbach GWR 2010, 207, der HV als Normadressaten ansieht), was für Anfechtbarkeit des Bestellungsbeschlusses von Bedeutung ist (→ Rn. 30 ff.). Dieser hat § 100 V bei seinem Vorschlag gem. § 124 III 1 zu beachten. Im Bericht an HV nach § 171 II 2 sollte über Bestimmung der Finanzexperten informiert werden. Soweit AG verpflichtet ist, sich nach § 289f HGB zur Unternehmensführung zu erklären, gehört zur Beschreibung der Arbeitsweise des AR auch Angabe, ob und wie 29

Verpflichtung aus § 100 V erfüllt worden ist (KK-AktG/Mertens/Cahn Rn. 78; Gruber NZG 2008, 12, 13; aA Hölters/Weber/Simons Rn. 9; v. Falkenhausen/Kocher ZIP 2009, 1601).

VII. Rechtsfolgen bei Verstoß

30 Verstoß gegen ges. Anforderungen des § 100 I oder II, der bis zum Beginn der Amtszeit nicht ausgeräumt ist, führt gem. § 250 I Nr. 4 zur **Nichtigkeit** des Wahlbeschlusses. Nichtigkeit tritt auch dann ein, wenn Hinderungsgrund nach Beschlussfassung, aber vor Amtsbeginn aufgetreten ist, etwa durch anderweitige Übernahme eines AR-Mandats. Tritt nach Beginn der Amtszeit Hinderungsgrund iSd § 100 I oder II 1 Nr. 2, 3 ein, so **erlischt Mitgliedschaft** im AR nach hM kraft Ges. (näher MüKoAktG/Habersack Rn. 65). Bei § 100 I 1 Nr. 1 kann Fall nicht eintreten, weil die letzte Wahl zum AR-Mitglied gem. § 250 I Nr. 4 nichtig ist. Entspr. gilt, wenn Höchstzahl durch nachträgliche Wahl zum AR-Vorsitzenden überschritten würde; Wahlbeschluss des AR ist nichtig gem. § 134 BGB. Verstoß gegen Anforderungen der Satzung (→ Rn. 20) begründet **Anfechtbarkeit** (§ 251 I; → § 251 Rn. 2 aE), aber nur bis zum Ablauf der Monatsfrist der § 246 I, § 251 III. Nachträglicher Wegfall von Satzung geforderter persönlicher Voraussetzungen führt nicht automatisch zum Amtsverlust (ganz hM, s. MüKoAktG/Habersack Rn. 68), kann also nur iRd § 103 berücksichtigt werden.

31 Bes. Regeln gelten für Verstoß gegen § 100 V. Da § 100 V erforderliche Sektorenkompetenz für AR in seiner Gesamtheit verlangt, begründet er **keine persönliche Voraussetzung für einzelnes AR-Mitglied,** so dass fehlende Kompetenz weder Bestellungshindernis auslöst noch zum Erlöschen des AR-Mandats führt oder wichtigen Grund für seine Abberufung nach § 103 III begründet (Hölters/Weber/Simons Rn. 78; Schilha ZIP 2016, 1316, 1323). Weder Beschlussfähigkeit noch Wirksamkeit der vom AR gefassten Beschlüsse werden durch fehlende Sektorenkompetenz berührt (Schilha ZIP 2016, 1316, 1323; sa schon Kropff FS K. Schmidt, 2009, 1023, 1035).

32 Auch eine **Anfechtung nach § 251 I 1** kann durch Verstoß gegen § 100 V nicht begründet werden. Schon nach bislang engerer Fassung des § 100 V, der finanzielle Expertise und Unabhängigkeit bei einem bestimmten Mitglied verlangte, ging hM davon aus, dass Missachtung dieser Vorgabe für AR-Wahl, auch in alleiniger Zuständigkeit der HV, ohne beschlussrechtl. Folgen bleibe, weil Verfehlung der **für Gesamtorgan geltenden Organisationsanforderung** nicht auf Wahl der einzelnen AR-Mitglieder durchschlage (S/L/Drygala Rn. 62; Gesell ZGR 2011, 361, 393 f.; aA Habersack AG 2008, 98, 106; Jaspers AG 2009, 607, 612 f.). Nach nunmehr weiterer Fassung, die Sektorenkenntnis nur bei Gesamtheit des AR verlangt, muss dies erst recht gelten (wie hier Grigoleit/Grigoleit/Tomasic Rn. 32; Hölters/Weber/Simons Rn. 73 f.; Wachter/Schick Rn. 19; Simons/Kalbfleisch AG 2020, 526 Rn. 43 ff.; vgl. auch schon MüKo-AktG/J. Koch § 251 Rn. 6; aA auch weiterhin MüKoAktG/Habersack Rn. 77 f.; GK-AktG/Hopt/Roth Rn. 241; B/K/L/Bürgers/Fischer Rn. 12a). Auch mangelnde Sachkunde eines etwa von HV „vorgesehenen" Funktionsträgers (namentl. für Finanzexperten bei deren Einzelwahl) macht ihren Beschluss nicht anfechtbar (aA Ehlers/Nohlen GS Gruson, 2009, 107, 118; Kropff FS K. Schmidt, 2009, 1023, 1032), weil **Funktionszuweisung** im Rechtssinne **erst durch AR** erfolgt (→ Rn. 29).

33 Auch **Statusverfahren** nach §§ 97 ff. ist bei Verstoß gegen § 100 V nicht einschlägig (Hölters/Weber/Simons Rn. 76, Schilha ZIP 2016, 1316, 1324; aA S/L/Drygala Rn. 64). AR handelt aber im allg. **pflichtwidrig,** wenn er nicht für eine den Vorgaben des § 100 V entspr. Besetzung sorgt (Hölters/Weber/Simons

Rn. 73; Schilha ZIP 2016, 1316, 1324). Bei gravierenden Verstößen (→ § 120 Rn. 12) ist deshalb Entlastungsbeschluss anfechtbar. Theoretisch ebenfalls denkbare Ersatzpflicht aus § 116 S. 1, § 93 II wird idR an Beweisschwierigkeiten scheitern (Schilha ZIP 2016, 1316, 1324).

VIII. Überlagerung durch aufsichtsrechtliche Vorgaben

1. Bankaufsichtsrecht. Neben Vorgaben des § 100 V wird Anforderungsprofil für Banken und Finanzdienstleistungsinstitute sowie für Versicherungsunternehmen breitflächig durch aufsichtsrechtl. Vorgaben überlagert. Speziell für erstgenannte Unternehmen sind insofern namentl. **Vorgaben des § 25d KWG** zu nennen, der für AR-Mitglieder als Einzelpersonen (§ 25d I KWG) und Gesamtheit des AR (§ 25d II KWG; → Rn. 27) eigenständige **Zuverlässigkeits- und Sachkundeanforderungen** sowie Inkompatibilitäts- und Mindestmandatsregeln (§ 25d III, IIIa KWG; ausf. dazu Langenbucher in Hopt/Binder/Böcking, HdB Corporate Governance, 2. Aufl. 2020, § 13 Rn. 20 ff.: Binder ZGR 2018, 88 ff.; Henning/Gissing AG 2018, 93 ff. und 925 ff.; Mimberg WM 2015, 1791 ff.) formuliert und in § 25d IV KWG Institute dazu verpflichtet, AR-Mitgliedern Einführung in ihr Amt zu erleichtern und **Fortbildung** zu ermöglichen (→ § 113 Rn. 10). Flankiert werden diese Vorgaben durch korrespondierende Anzeigepflichten in § 24 I Nr. 15, IIIa 1 Nr. 4 KWG und weitreichende Eingriffsrechte der BaFin im Falle des Verstoßes in § 36 III, IV 2 KWG (s. Plagemann WM 2014, 2345 ff.; U. H. Schneider/S. H. Schneider NZG 2016, 41, 43 ff.; weitere Angaben bei MüKoAktG/Habersack Rn. 22, 42; KK-AktG/Mertens/Cahn Rn. 7 ff.). Zur Ausgestaltung des AR-Vergütungssystems nach § 25d V KWG → § 113 Rn. 22; zu bes. Vorgaben für Ausschussbildung nach § 25d VII–XII → § 107 Rn. 30. Für **Investmentaktiengesellschaften** gelten ferner Vorgaben aus § 18 IV KAGB, § 119 III KAGB, § 147 III KAGB (Sachkunde, allerdings nicht für AN-Vertreter). 34

2. Versicherungsaufsichtsrecht. Für AR-Mitglieder in **Versicherungsunternehmen** vorgesehenes Sachkundeerfordernis in § 7a IV VAG wurde mit Neufassung 2016 (→ § 76 Rn. 181) gestrichen. Rückschluss aus § 47 I VAG deutet aber darauf hin, dass Gesetzgeber sie als Personen auffasst, die das Unternehmen iSd § 24 I VAG „tatsächlich leiten“, was zur Folge hätte, dass auch sie die in dieser Norm geforderten Anforderungen, Zuverlässigkeit und fachliche Eignung, erfüllen müssen (krit. zu dieser Zuordnung Hersch VersR 2016, 145, 147 f., 151). AR treffen iÜ versicherungsaufsichtsrechtl. Normen vollumfänglich in Gestalt seiner Überwachungstätigkeit ggü. Geschäftsleitern (vgl. Louven/Raapke VersR 2012, 257, 265). 35

IX. Flankierende Kodexvorgaben

1. Unabhängigkeit von Aufsichtsratsmitgliedern. a) Allgemein. Unabhängigkeit von AR-Mitgliedern wird **vom Ges. nicht vorausgesetzt.** Angesichts der historischen Funktion des AR als Eigentümerausschuss ist solche Forderung auch keineswegs selbstverständlich, erklärt sich aber aus dem **Anliegen des Minderheitenschutzes:** AR soll nicht allein Mehrheitsinteressen dienen, sondern auch Repräsentanz der Minderheit bieten (Hommelhoff ZIP 2013, 953, 956 f.; umfassende jur. und rechtsökonomische Analyse bei Kelm, Vom kontrollierenden Aktionär unabhängige Aufsichtsratsmitglieder, 2021, 107 ff.). Im Ges. selbst fand dieses Anliegen aber nur zeitweilig in § 100 V aF Niederschlag, wo bis 2016 gefordert wurde, dass in AR von Unternehmen im öffentl. Interesse unabhängiger Finanzexperte vorhanden sein musste. Vorgabe wurde durch AReG 2016 mit der zweifelhaften Begründung gestrichen, dass im deutschen System 36 wegen des Grundsatzes der Inkompatibilität aus § 105 I Unabhängigkeit ohnehin gesichert sei (→ Rn. 25). Weiteres Motiv für gesetzgeberische Zurückhaltung ist, dass zwingende Vorgaben gerade in kleineren Gesellschaften mit Dreier-AR zu schwierigem „Personalpuzzle" führen kann (Krolop VGR 27 GesR 2021, 19 Rn. 27). Trotzdem ist Unabhängigkeit wichtiges Leitmotiv der Organbesetzung, da jedenfalls für börsennotierte AG und solche mit Kapitalmarktzugang iSd § 161 I 2 (→ § 161 Rn. 6b) **DCGK** weiterhin umfassende Unabhängigkeitsempfehlungen enthält (→ Rn. 37 ff.). Noch größere Bedeutung als Kodex-Empfehlung haben für Praxis mittlerweile **Abstimmungsempfehlungen von Stimmrechtsberatern** iSd § 134a I Nr. 3 (→ § 134a Rn. 4; → § 134d Rn. 1 ff.; zur höheren Bedeutung → § 161 Rn. 3), die an Unabhängigkeit verbreitet ebenfalls strenge Anforderungen stellen (Hopt/Leyens ZGR 2019, 929, 946 f.; Rieckers DB 2020, 207, 209 f.) und zT für mindestens die Hälfte der Anteilseignerbank unabhängige Besetzung fordern (Paschos/Goslar NZG 2012, 1361, 1365; M. Roth WM 2012, 1985, 1988 f.; zu den aktuellen ISS Proxy Voting Guidelines Kuthe/Zipperle AG 2021, R 22 f.).

37 Kodexregelungen zur Unabhängigkeit finden sich für börsennotierte AG und solche mit Kapitalmarktzugang iSd § 161 I 2 (→ § 161 Rn. 6b) in **GS 10–12 DCGK** und daraus abgeleiteten Empfehlungen **C.6–C.12 DCGK.** Sie basieren ihrerseits auf **Empfehlung der EU-Kommission** v. 15.2.2005 (2005/162/EG), ABl. EG 2005 L 52 (dazu Hüffer ZIP 2006, 637, 638 f.; Langenbucher ZGR 2007, 571, 589 ff.) und gehen damit auf den Aktionsplan v. 21.5.2003 (KOM [2003] 284 endg.) zurück; ausf. zur Entwicklung des Unabhängigkeitsgedankens M. Roth ZHR 175 (2011), 605, 609 ff. Diesen Vorgaben kam bislang große Bedeutung für **Auslegung** der Kodex-Empfehlungen zu, die selbst lange Zeit nur schwach konturiert waren (vgl. noch M. Roth WM 2012, 1985, 1987). Seit Kodex-Reform 2020 enthält Kodex eigenen detaillierten Kriterienkatalog, so dass Ausstrahlungswirkung der europ. Vorgabe künftig verblassen dürfte, zumal nationale Diskussion eigene Dynamik entwickelt hat, die zT von Kodex-Kommission oder Gesetzgeber auch aufgegriffen wurde (zB zur Karenzzeit, § 100 II Nr. 4; → Rn. 12 ff.; zu Unterschieden ggü. Konfliktbegriff in § 93 I 2 [→ § 93 Rn. 55 ff.] und sonstigen Kodexvorgaben [→ § 108 Rn. 11] s. J. Koch ZGR 2014, 697, 727 f.; empirische Auswertung bei Needham/Mack/Müller Konzern 2020, 104 ff.).

38 Grundvorgabe in C.6 I DCGK sieht vor, dass AR auf Anteilseignerseite eine nach deren Einschätzung **angemessene Anzahl unabhängiger Mitglieder** angehören soll, wobei auch Eigentümerstruktur zu berücksichtigen ist. Mit Kodex-Änderung 2020 neu eingeführt wurde Beschränkung der Unabhängigkeitsvorgabe auf **Anteilseignerseite,** womit umstr. Frage, ob auch AN-Vertreter oder Gewerkschafter als „unabhängig" einzustufen sind (vgl. → 13. Aufl. 2018, Rn. 5; Hopt/Leyens ZGR 2019, 929, 958 f.), zwar nicht beantwortet ist, aber doch Relevanz verloren hat (krit. v. der Linden DStR 2019, 1528, 1530 f.). Anteilseignerseite ist damit alleiniger Bezugspunkt der Unabhängigkeitsvorgabe; zugleich wird entspr. § 124 III 4 (→ § 124 Rn. 33) ihr allein aber auch damit verbundene **Einschätzungsprärogative** (→ Rn. 48 f.) übertragen (DAV-HRA NZG 2019, 252 Rn. 49; Hopt/Leyens ZGR 2019, 929, 959, 962; Rubner/Fischer NZG 2019, 961, 963; so auch schon zur Vorfassung Hüffer ZIP 2006, 637, 640; Ihrig/Meder ZIP 2012, 1210, 1211; E. Vetter BB 2005, 1689, 1691 f.; aA Paschos/Goslar NZG 2012, 1361, 1364). In Beratung kann aber auch AN-Seite einbezogen werden (Rubner/Fischer NZG 2019, 961, 963).

39 Zentraler Begriff der Unabhängigkeit wird in der im Zuge der Kodex-Reform 2020 neu gefassten Empfehlung C.6 II DCGK in Form einer **Positivdefinition** (vgl. dazu v. Werder DB 2019, 1721, 1725) dahingehend umschrieben, dass AR-Mitglied iSd DCGK dann als unabhängig anzusehen ist, wenn es unabhängig sowohl von der AG und ihrem Vorstand als auch von einem kontrollierenden Aktionär ist. Diese zwei auch teleologisch **unterschiedlichen Abhängigkeitsperspektiven** (vgl. dazu Florstedt ZIP 2013, 337) werden im Folgenden klar getrennt und abw. von bisheriger Fassung durch jew. eigenen Kriterienkatalog ausgefüllt (→ Rn. 40 ff.). Damit trägt Kodex-Kommission augenscheinlich auch dem Umstand Rechnung, dass sich aus bislang eher vage gehaltenen Kodexvorgaben rechtl. Unsicherheiten ergeben haben. Instanzgerichtl. Rspr. hat daraus den Schluss gezogen, dass jedenfalls schwerer Verstoß, der **Anfechtung einer Entlastungserklärung** rechtfertigen könnte (→ § 161 Rn. 31), in Zweifelsfällen zu verneinen sei (OLG Celle NZG 2018, 904 Rn. 20 ff.). Konkretere Fassung könnte zu strengeren Maßstäben führen, doch wird größere Detailtiefe durch bloße Indikatorenlösung (→ Rn. 40 ff.) und weite Anerkennung von Ermessensspielräumen (→ Rn. 48 f.) kompensiert, so dass Verschärfung nicht eintreten dürfte (so auch Mutter AG 2019, R 5, R 6; Wilsing/Winkler BB 2019, 1603, 1606).

b) Unabhängigkeit von AG und Vorstand. Gegenpart des Abhängigkeitsverhältnisses kann zunächst AG selbst oder deren Vorstand sein (nicht mehr wie bisher auch AR), worin traditionell-nationales Verständnis der Unabhängigkeit zum Ausdruck kommt. Für diese Konstellation findet sich in C.7 I 1 DCGK Konkretisierung, dass mehr als Hälfte der Anteilseignervertreter unabhängig sein soll. C.7 I S. 2 DCGK präzisiert Vorgabe dahingehend, dass AR-Mitglied unabhängig ist, wenn es in keiner persönlichen oder geschäftlichen Beziehung zu AG oder Vorstand steht, die einen **wesentlichen und dauerhaften Konflikt** begründen kann. Dauerhaft ist Konflikt, wenn er nicht singuläre Interessenkollision betrifft, sondern sich über längere Abschnitte der Bestellperiode erstreckt (Kumpan ZGR 2020, 749, 767). Für vorübergehende Konflikte gilt das in → § 108 Rn. 10 ff. beschriebene Instrumentarium. Maßgeblich für Wesentlichkeit ist nicht bestimmte Umsatz- oder Einkommensrelation, sondern risikoorientierte Betrachtung, bei der zu fragen ist, wie groß Anreiz für AR-Mitglied ist, Interessen der AG hinter anderweitige Interessenbindung zurückzustellen (zutr. Kremer/v. Werder AG 2013, 340, 345; Kumpan ZGR 2020, 749, 768; ähnlich Hasselbach/Jakobs BB 2013, 643, 646; Klein AG 2012, 805, 806 f.). **Potenzieller Konflikt** genügt („begründen kann"; vgl. dazu DAV-HRA NZG 2012, 335, 337 Rn. 15; Kumpan ZGR 2020, 749, 768; Rubner/Fischer NZG 2019, 961, 964; v. der Linden DStR 2019, 1528, 1530). Zu Ermessenspielräumen bei Abhängigkeitsfeststellung → Rn. 48 f. **40**

Zur näheren Ausfüllung dieser Vorgabe enthält C.7 II DCGK Kriterienkatalog, den Anteilseignerseite bei Selbsteinschätzung (→ Rn. 48 f.) zu berücksichtigen hat. Als **Bezugsperson der Abhängigkeit** wird dabei nicht nur AR-Mitglied selbst angesehen, sondern auch naher Familienangehöriger, der nach Maßgabe des IAS 24.9 festgelegt werden soll, um Gleichlauf zu § 111a I herzustellen (→ § 111a Rn. 5 ff.; iE: Kinder, Ehegatte, Lebenspartner, Kinder des Ehegatten oder Lebenspartners, abhängige Angehörige des AR-Mitglieds, seines Ehegatten oder Lebenspartners). **41**

Für diese Bezugspersonen (→ Rn. 41) empfiehlt C.7 II DCGK Berücksichtigung bestimmter relativer Kriterien bei Selbsteinschätzung, was zwar nicht als tats. Vermutung, wohl aber iS einer **Indikation der Abhängigkeit** verstanden werden soll (Begründung zur Kodex-Neufassung 2020, 3). Solche Indikation kann daraus geschlossen werden, dass (1) Bezugsperson in zwei Jahren vor Ernennung **Mitglied des Vorstands** war, was mit § 100 II Nr. 4 (→ Rn. 12 ff.) korrespondiert, diese Vorgabe aber auch auf Familienangehörige erstreckt (zur flankierenden Vorgabe in C.11 DCGK [nicht mehr als zwei ehemalige Vorstandsmitglieder] → Rn. 47). Weiterhin ist zu berücksichtigen, ob (2) Bezugsperson aktuell **42** oder im Jahr bis zur Ernennung direkt oder als Gesellschafter oder in verantwortlicher Funktion eines konzernfremden Unternehmens **wesentliche geschäftliche Beziehung** mit AG oder einem von ihr abhängigen Unternehmen unterhält oder unterhalten hat (zB als Kunde, Lieferant, Kreditgeber oder Berater). Geschäftliche Beziehung idS kann jedes ökonomische Austauschverhältnis sein, zB Liefer-, Finanz- und Kundenbeziehung (Einzelheiten: Reese/Ronge AG 2014, 417 ff.; krit. zu dieser Fallgruppe Kumpan ZGR 2020, 749, 770 f.). Unabhängigkeit kann weiterhin (3) fraglich sein, wenn Bezugsperson **naher Familienangehöriger** (→ Rn. 41) eines Vorstandsmitglieds ist. Schließlich ist (4) zu berücksichtigen, ob Bezugsperson **AR seit mehr als zwölf Jahren angehört,** was augenscheinlich aus gleichlaufenden Abstimmungsrichtlinien der Stimmrechtsberater (→ § 134a Rn. 4; → § 134d Rn. 1 ff.) übernommen wurde (vgl. Rieckers DB 2020, 207, 219), tats. indes mehr Problem der Corporate Governance (Vermeidung von Betriebsblindheit) und weniger ein Abhängigkeitsproblem sein dürfte (krit. deshalb Rubner/Fischer NZG 2019, 961, 965; iErg zust. dagegen Kumpan ZGR 2020, 749, 773). Auch Abstimmung mit herkömmlichen Amtsperioden wäre wünschenswert gewesen (DAV-HRA NZG 2019, 252 Rn. 55).

43 Zugehörigkeit zu einer der genannten Kategorien indiziert (→ Rn. 42) Abhängigkeit, begründet diese aber nicht zwingend, sondern ist von Anteilseignerseite nach **pflichtgemäßem Ermessen** zu entscheiden (→ Rn. 48 f.). Gerade bei Familienangehörigen wird man möglicherweise großzügigeren Maßstab anlegen können als bei AR-Mitglied selbst (Rubner/Fischer NZG 2019, 961, 964 ff. mit weiteren Beispielen zur Widerlegung der Indikation). Soweit AR-Mitglied trotz solchen Konflikts als unabhängig angesehen wird, muss dies aber nach C.8 DCGK in **Erklärung zur Unternehmensführung** (§ 289f HGB) begründet werden. Inhaltliche Anforderungen sind an Begründung nicht zu stellen (DAV-HRA NZG 2019, 252 Rn. 58; krit. H. Schmidt FS Strenger, 2023, 451, 560 f.).

44 **c) Unabhängigkeit von kontrollierendem Aktionär.** Empfehlung C.9 DCGK präzisiert Abhängigkeit von kontrollierendem Aktionär. Ihm soll auf der einen Seite angemessene Repräsentanz im AR ermöglicht werden, zugleich sollen aber auch **Minderheiteninteressen** hinreichend durch unabhängige Mitglieder vertreten werden. Berücksichtigung solcher Abhängigkeitsverhältnisse ist bereits in Anh. II der Kommissionsempfehlung v. 15.2.2005 (→ Rn. 37) angelegt, mit deutschen Grundvorstellungen aber unvereinbar. Insbes. vernachlässigt sie gerade bei **mitbestimmten Unternehmen** das Anteilseigentum (Art. 14 GG) des kontrollberechtigten Aktionärs, ist im dualistischen System nicht sachgerecht (Konflikttoleranz; → § 108 Rn. 12; → § 116 Rn. 6) und verträgt sich nicht mit der konzernrechtl. Sonderordnung, die Einflussnahme in Grenzen der §§ 311 ff. zulässt (zutr. etwa KK-AktG/Mertens/Cahn Rn. 67; Bürgers/Schilha AG 2010, 221, 224 ff.; Hoffmann-Becking NZG 2014, 801, 804 ff.; sympathisierend aber Bayer NZG 2013, 1, 11 f.; zur Problemlage speziell in börsennotierten Familienunternehmen Hommelhoff ZIP 2013, 953, 954 ff.). Selbst Streichung der Vorgabe aus dem Kodex würde aber nur wenig Erleichterung verschaffen, da entspr. **Erwartungshaltung auch im int. Kapitalmarkt** besteht (J. Koch ZGR 2014, 697, 727; zu entspr. Vorgaben von Seiten der Stimmrechtsberater → Rn. 36).

45 Kontrolle in diesem Sinne soll nach Begründung zu Kodex-Reform 2020, 15 gegeben sein, wenn Beherrschungsvertrag besteht, Aktionär über absolute Mehrheit der Stimmen oder zumindest über nachhaltige HV-Mehrheit verfügt (krit. dazu Hopt/Leyens ZGR 2019, 929, 959 f.). Zur Konkretisierung kann auf **zu § 17 entwickelte Kriterien** (→ § 17 Rn. 4 ff.) zurückgegriffen werden. Mit ausdr. Hinweis auf „nachhaltige" HV-Mehrheit ist Ansatz unvereinbar, wonach auf zeitliche Verfestigung verzichtet werden könne (so zur Vorgängerfassung noch Florstedt ZIP 2013, 337, 341 f.). Anders als bei § 17 kommt es auf Unter-

nehmenseigenschaft des Aktionärs (→ § 15 Rn. 10 ff.) in diesem Kontext jedoch nicht an (Baums ZHR 180 [2016], 697, 701). Um Umgehungen zu verhindern, sind auch dem kontrollierenden Aktionär **verbundene Unternehmen** einzubeziehen.

Hat AG solchermaßen (→ Rn. 45) definierten kontrollierenden Aktionär, sollen nach **C.9 I DCGK** im Falle eines **AR mit mehr als sechs Mitgliedern** mindestens zwei Anteilseignervertreter unabhängig von kontrollierendem Aktionär sein, im Falle eines **AR mit sechs oder weniger Mitgliedern** soll mindestens ein Anteilseignervertreter unabhängig von kontrollierendem Aktionär sein. Unabhängigkeit wird in dieser Beziehung in C.9 II DCGK dahingehend definiert, dass AR-Mitglied oder naher Familienangehöriger (→ Rn. 41) weder kontrollierender Aktionär sein darf noch geschäftsführendem Organ des kontrollierenden Aktionärs angehören darf. Weiterhin darf es nicht in persönlicher oder geschäftlicher Beziehung zu kontrollierendem Aktionär stehen, die wesentlichen und nicht nur vorübergehenden Interessenkonflikt begründen kann (zur daraus abzuleitenden Konfliktintensität → Rn. 40). Auch bei Mandatsträgern qua Entsendungsrecht ist Unabhängigkeit zu verneinen (H. Schmidt FS Strenger, 2023, 451, 458 f.). Zu Ermessenspielräumen des AR → Rn. 48 f. 46

d) Weitere Vorgaben. C.10 DCGK ergänzt, dass **bestimmte AR-Mitglieder,** namentl. Vorsitzender, Vorsitzender des Prüfungs- und des Vergütungsausschusses von AG und Vorstand, Vorsitzender des Prüfungsausschusses überdies auch von kontrollierendem Aktionär unabhängig sein soll. **Vorangegangene Tätigkeit im Vorstand** wurde bei nahem zeitlichem Zusammenhang in C.7 II DCGK bereits als Indikator für Abhängigkeit herangezogen, wird in **C.11 DCGK** aber auch unabhängig von zeitlichem Zusammenhang als Gegenstand einer Empfehlung gewählt: AR sollen nicht mehr als zwei ehemalige Vorstandsmitglieder angehören. Nach **C.12 DCGK** sollen AR-Mitglieder schließlich keine Organfunktion oder Beratungsaufgaben bei **wesentlichen Wettbewerbern** ausüben und nicht in persönlicher Beziehung zu ihnen stehen, was bei Regelfall des Wettbewerbers als jur. Person als Beziehung zu Organmitgliedern oder kontrollierendem Gesellschafter zu verstehen sein dürfte (DAV-HRA NZG 2019, 252 Rn. 61). Zulässigkeit dieser Konstellation ist ohnehin umstr. (→ § 103 Rn. 13a f.). 47

e) Auswahlentscheidung. Rechtspolitisch durchaus problematische Unabhängigkeitsempfehlung (→ Rn. 36 ff.) wird zT dadurch entschärft, dass sich jedenfalls Unabhängigkeitsempfehlung in C.6 I DCGK nicht auf jedes AR-Mitglied bezieht, sondern nur auf **angemessene Anzahl** (umfassende Analyse des DCGK-Angemessenheitsbegriffs bei R. Krause ZHR 184 [2020], 549 ff.). Maßgeblich dafür ist eigene Einschätzung des AR, der einen breiten Ermessensspielraum hat, der sich in Neufassung 2020 augenscheinlich nicht nur auf Zahl, sondern zumindest in Fällen des C.7 DCGK auch auf Unabhängigkeit selbst erstrecken soll (so auch Ghassemi-Tabar/Busch/Link DCGK C.6 Rn. 9 ff.; Hopt/Leyens ZGR 2019, 929, 962; Kumpan ZGR 2020, 749, 773 f.; v. der Linden DStR 2019, 1528, 1530; wohl auch Rubner/Fischer NZG 2019, 961, 966: „Beurteilungsspielräume"). Ob das auch für Unabhängigkeit nach C.9 DCGK gilt, ist aus Materialien nicht eindeutig erkennbar, aus Gründen systematischer Geschlossenheit aber anzunehmen (so auch Kumpan ZGR 2020, 749, 775; v. der Linden DStR 2019, 1528, 1530). Befassung mit Kodex-Empfehlung sollte im Beschlussprotokoll dokumentiert werden. Um Abhängigkeitsbeurteilung zu erleichtern, empfiehlt C.13 DCGK, dass AR bei Wahlvorschlägen an HV persönliche und geschäftliche Beziehungen eines jeden Kandidaten **offenlegt** (→ § 124 Rn. 25 f.). AN-Vertreter sind in Anzahl nicht einzubeziehen (→ Rn. 38). 48

49 Nach C.6 I Hs. 2 DCGK soll AR bei seiner Einschätzung auch **Eigentümerstruktur** des Unternehmens berücksichtigen, wobei allerdings offenbleibt, welche Eigentümerstruktur genau welche Zusammensetzung nahelegen soll (DAV-HRA NZG 2017, 57, 60). Empfehlung dürfte sich vornehmlich auf Abhängigkeit von kontrollierendem Aktionär beziehen und dahingehend zu verstehen sein, dass mit höherem Streubesitz auch Anzahl unabhängiger Anteilseignervertreter steigen soll (Ghassemi-Tabar/Busch/Link DCGK C.6 Rn. 16; v. Werder/Bartz DB 2017, 769, 773). Weitere Präzisierungen enthalten C.7 und C.9 DCGK, die **für mögliche Konfliktsituationen jew. Mindestvorgaben** empfehlen. So soll nach C.7 I 1 DCGK mindestens Hälfte der Anteilseignervertreter von AG und Vorstand unabhängig sein. Für Abhängigkeit von kontrollierendem Aktionär differenziert C.9 DCGK nach Größe des AR (→ Rn. 46). Zu weiteren Soll-Vorgaben für bes. Funktionsträger → Rn. 47.

50 **2. Zusammensetzungsziele und Kompetenzprofil. a) Allgemein.** Weitere Zusammensetzungsempfehlungen enthalten GS 11 und 12 DCGK, die durch C.1 – C.5 konkretisiert werden. Kernempfehlung des **C.1 DCGK** verpflichtet AR der börsennotierten AG und solcher mit Kapitalmarktzugang iSd § 161 I 2 (→ § 161 Rn. 6b) zur Benennung von **Besetzungszielen** und Erarbeitung eines **Kompetenzprofils** (ausf. zur Einzel- und Gesamtqualifikation des AR auch Dreher FS Hoffmann-Becking, 2013, 313 ff.; zur schwierigen Abgrenzung dieser sich überschneidenden Vorgaben vgl. Dörrwächter FS Strenger, 2023, 172, 175 f.; v. Werder/Bartz DB 2017, 769, 771). Durch Kodexergänzung 2022 wurde in C.1 S. 3 DCGK hinzugefügt, dass Kompetenzprofil des AR auch Expertise zu den für das Unternehmen bedeutenden **Nachhaltigkeitsfragen** umfassen soll. Begründung Kodexänderung 2022 S. 6 stellt klar, dass Expertise nicht in einer Person gebündelt sein muss, sondern relevante Teilaspekte auch von verschiedenen AR-Mitgliedern abgedeckt werden können. Trotzdem bleibt es problematisch, AR-Mitgliedschaft mit ständig neuen Kompetenzanforderungen zu überfrachten, die letztlich nur dadurch erfüllt werden können, dass Anforderungen an Kompetenz sehr niedrig angesetzt werden (VGR AG 2022, 239 Rn. 42 f.; Kley FS Strenger, 2023, 258, 267; positive Würdigung bei Mock/Velte AG 2022, 885 Rn. 15). Stand der Umsetzung von Besetzungszielen und Kompetenzprofil sollen in Form einer **Qualifikationsmatrix** in Erklärung zur Unternehmensführung (§ 289f HGB) offengelegt werden (vgl. zur Gestaltung Dörrwächter FS Strenger, 2023, 172, 178 f.; Favoccia BOARD 2023, 118 ff.; Kopelke DB 2023, 1972 ff.; v. der Linden DStR 2022, 1765, 1768 f.; Merkner/Schulenburg/Paulssen AG 2023, 526 Rn. 1 ff.; v. Werder DB 2022, 1755, 1762). Ob diese Aufgabe dem AR als Organ oder in mitbestimmter AG nur den Aktionärsvertretern obliegt, ist umstr. HM nimmt insofern wortlautgetreu **Zuständigkeit des Gesamt-AR** an (Ghassemi-Tabar/Fleischmann DCGK C.1 Rn. 5; Wilsing DCGK 5.4.1 Rn. 5; Deilmann/Albrecht AG 2010, 727, 730; Merkner/Schulenburg/Paulssen AG 2023, 526 Rn. 7; Ringleb/Kremer/Lutter/v. Werder NZG 2010, 1161, 1165 Rn. 1025 f.; Stephanblome ZIP 2013, 1411, 1413; ausf. Huttner, Auslegung des Deutschen Corporate Governance Kodex, 2012, 136 ff.). Gegenauffassung leitet aus Zuständigkeit für Wahlvorschläge ab, dass Zielbenennung allein Sache der Aktionärsvertreter sei (Ihrig/Meder ZIP 2010, 1577 f.). HM ist beizutreten. Allg. Zielbenennung und Wahlvorschlag sind nicht derart eng miteinander verwoben, dass zwingender Zuständigkeitengleichlauf geboten wäre. Vielmehr entspr. wortlautgetreues Kodexverständnis auch der grds. **Gesamtverantwortung des AR** für Überwachung, Kontrolle und Beratung des Vorstands.

51 AR kommt der Empfehlung in C.1 DCGK durch inhaltlich entspr. Beschlussfassung nach. Inhaltsvorgabe wird in **GS 11 DCGK** dahingehend konkretisiert,

dass AR so zusammenzusetzen ist, dass seine Mitglieder insgesamt über die zur ordnungsgemäßen Wahrnehmung der Aufgaben erforderlichen Kenntnisse, Fähigkeiten und fachlichen Erfahrungen verfügen und die ges. Geschlechterquote eingehalten wird. Empfehlung C.1 S. 2 DCGK hebt von diesen Zielen namentl. **Diversität** hervor, die in Begründung der Kodex-Neufassung 2020, 13 definiert wird durch Alter, Geschlecht, Bildungs- oder Berufshintergrund und Internationalität (umfassende Darstellung bei Rentsch ZGR 2022, 107 ff.). Namentl. **Geschlechtsvorgabe,** die bislang im Mittelpunkt rechtspolitischer Diskussion stand, dürfte indes kaum noch weitreichende Bedeutung haben, nachdem Empfehlung zur Beteiligung von Frauen mittlerweile in Quotenvorgaben der § 96 II, III, § 111 V aufgegangen ist. Vorgabe **int. Besetzung** kann nach zutr. Auffassung auch von Deutschen mit int. Erfahrungshorizont erfüllt werden (Ihrig/Meder ZIP 2012, 1210, 1212 f.). Üblich sind daneben auch folgende Kompetenzangaben: Branchenerfahrung, Digitalisierung und Technologie, Recht, Compliance und Governance, Leitungs- und Führungserfahrung, Controlling/Risikomanagement, ESG/Nachhaltigkeit, Geschäftsmodell, Produkte, Märkte und Kunden, Personalkompetenz, Strategie und M&A (Dörrwächter FS Strenger, 2023, 172, 178).

C.1 S. 6 DCGK sieht vor, dass AR bei Zusammensetzungszielen auch über **52**
nach seiner Einschätzung angemessene Zahl unabhängiger Anteilseignervertreter und die **Namen** dieser Mitglieder informiert (zur Kritik DAV-HRA NZG 2017, 57, 60; Wilsing/v. der Linden DStR 2017, 1046, 1048 f.). Zielbestimmung muss dahingehend konkret sein, dass pauschaler Verweis auf „angemessene" Repräsentanz nicht genügt, sondern zahlenmäßige Präzisierung erforderlich ist. Das muss nicht durch absolute Zahl geschehen, sondern es genügt auch relative bzw. prozentuale Angabe (Ihrig/Meder ZIP 2012, 1210, 1216; Klein AG 2012, 805, 808).

C.2 DCGK empfiehlt Festlegung einer **Altersgrenze** (zur Vereinbarkeit mit **53**
AGG → § 76 Rn. 150 ff.; vgl. speziell für AR auch Blasche AG 2017, 112, 115 f.) und ihre Angabe in Erklärung zur Unternehmensführung (§ 289f HGB), C.3 DCGK empfiehlt, die **Dauer der Zugehörigkeit** zum AR offenzulegen, aus der C.7 DCGK (durchaus problematisch) uU fehlende Abhängigkeit ableitet (→ Rn. 42). Auf früher vorgesehene Empfehlung einer Regelgrenze verzichtet Kodex zu Recht.

Mit Kodex-Neufassung 2015 eingeführte Empfehlung, AR solle sich bei Kan- **54**
didaten vergewissern, dass sie den zu erwartenden **Zeitaufwand** mitbringen (Ziff. 5.4.1 V 1 DCGK aF), wurde mit Überarbeitung 2020 wieder gestrichen und durch Empfehlung zum Overboarding (→ Rn. 56) ersetzt sowie Vorgabe, dass AR-Mitglied selbst darauf zu achten habe, dass ihm für die Wahrnehmung seiner Aufgaben genügend Zeit zur Verfügung stehe (GS 12 DCGK). Zu erwartender Zeitaufwand wird sich an „Basisaufwand" orientieren müssen (DAV-HRA NZG 2015, 508 Rn. 10), damit aber tats. Anforderungen, namentl. in Krisensituationen, nicht gerecht werden (DAV-HRA NZG 2015, 508 Rn. 10). Spätestens mit Neufassung 2020 ist klargestellt, dass AR Angaben der Kandidaten nicht verifizieren muss (so schon zur Vorgängerfassung Rieckers DB 2015, 2131, 2132; zust. Mense/Klie GWR 2016, 111).

Seit Neufassung 2017 sieht **C.14 DCGK** weiterhin vor, dass dem Kandidaten- **55**
vorschlag ein kurzer **Lebenslauf** beigefügt wird, der über Kenntnisse, Fähigkeiten und Erfahrungen Auskunft gibt. Dieser soll durch eine Übersicht über wesentliche Tätigkeiten neben dem AR-Mandat ergänzt und für alle AR-Mitglieder jährlich aktualisiert auf Unternehmenswebsite veröffentlicht werden; Abdruck in Einladung ist nicht erforderlich (Rieckers DB 2017, 2720, 2723). Mit dieser Neuerung soll Transparenzanforderungen von Investoren entsprochen werden. Trotz dieser Adressatenrichtung und der Anknüpfung an den Kandidatenvorschlag spricht Bezugnahme auf „alle AR-Mitglieder" dafür, dass auch AN-

Vertreter von Transparenzempfehlung erfasst werden (Ghassemi-Tabar/Busch/Link DCGK C.14 Rn. 14; v. Werder/Bartz DB 2017, 769, 772).

56 **b) Overboarding.** Als weitere Empfehlungen sieht **C.4 DCGK** vor, dass AR-Mitglied, das keinem Vorstand einer börsennotierten AG angehört, insgesamt **nicht mehr als fünf AR-Mandate** bei konzernexternen börsennotierten Gesellschaften oder vergleichbare Funktionen wahrnehmen soll, wobei **AR-Vorsitz doppelt** zählt. Damit wird GS 12 DCGK konkretisiert, der hinreichenden Zeitaufwand verlangt (→ Rn. 54), und Gefahr des sog „Overboarding" entgegengewirkt. Namentl. institutionelle Stimmrechtsberater iSd § 134a I Nr. 3 (→ § 134a Rn. 4; → § 134d Rn. 1 ff.) haben in jüngerer Zeit deutlich auf solche Zurückhaltung gedrängt (Hopt/Leyens ZGR 2019, 929, 955; Krämer AR 2018, 106 f.; Rieckers DB 2023, 373, 376; Theisen AR 2014, 90; für ges. Neuordnung Redenius-Hövermann FS Strenger, 2023, 392 ff.). Deutlich großzügigere Vorgaben des § 100 II Nr. 1 (→ Rn. 5) werden jedenfalls für börsennotierte AG nicht als sachgerecht und zeitgemäß angesehen, was tats. aber auch auf nicht börsennotierte AG zutrifft. **C.5 DCGK** ergänzt, dass derjenige, der dem Vorstand einer börsennotierten AG angehört, insges. nicht mehr als zwei AR-Mandate in konzernexternen börsennotierten Gesellschaften oder vergleichbare Funktionen und keinen AR-Vorsitz in konzernexterner börsennotierter Gesellschaft wahrnehmen soll (zu praktischen Auswirkungen vgl. Wilsing/Winkler BB 2019, 1603, 1607; im Jahr 2023 Empfehlung mit höchster Nichtbefolgungsquote – vgl. Redenius-Hövermann/Strenger NZG 2023, 2121, 2123). **Arbeitsbelastung dieser Ämter** wird also von Kodex-Kommission zu Recht als miteinander unvereinbar angesehen.

Bestellung der Aufsichtsratsmitglieder

101 (1) [1]**Die Mitglieder des Aufsichtsrats werden von der Hauptversammlung gewählt, soweit sie nicht in den Aufsichtsrat zu entsenden oder als Aufsichtsratsmitglieder der Arbeitnehmer nach dem Mitbestimmungsgesetz, dem Mitbestimmungsergänzungsgesetz, dem Drittelbeteiligungsgesetz, dem Gesetz über die Mitbestimmung der Arbeitnehmer bei einer grenzüberschreitenden Verschmelzung oder dem Gesetz über die Mitbestimmung der Arbeitnehmer bei grenzüberschreitendem Formwechsel und grenzüberschreitender Spaltung zu wählen sind.** [2]**An Wahlvorschläge ist die Hauptversammlung nur gemäß §§ 6 und 8 des Montan-Mitbestimmungsgesetzes gebunden.**

(2) [1]**Ein Recht, Mitglieder in den Aufsichtsrat zu entsenden, kann nur durch die Satzung und nur für bestimmte Aktionäre oder für die jeweiligen Inhaber bestimmter Aktien begründet werden.** [2]**Inhabern bestimmter Aktien kann das Entsendungsrecht nur eingeräumt werden, wenn die Aktien auf Namen lauten und ihre Übertragung an die Zustimmung der Gesellschaft gebunden ist.** [3]**Die Aktien der Entsendungsberechtigten gelten nicht als eine besondere Gattung.** [4]**Die Entsendungsrechte können insgesamt höchstens für ein Drittel der sich aus dem Gesetz oder der Satzung ergebenden Zahl der Aufsichtsratsmitglieder der Aktionäre eingeräumt werden.**

(3) [1]**Stellvertreter von Aufsichtsratsmitgliedern können nicht bestellt werden.** [2]**Jedoch kann für jedes Aufsichtsratsmitglied mit Ausnahme des weiteren Mitglieds, das nach dem Montan-Mitbestimmungsgesetz oder dem Mitbestimmungsergänzungsgesetz auf Vorschlag der übrigen Aufsichtsratsmitglieder gewählt wird, ein Ersatzmitglied bestellt werden, das**

Mitglied des Aufsichtsrats wird, wenn das Aufsichtsratsmitglied vor Ablauf seiner Amtszeit wegfällt. [3] Das Ersatzmitglied kann nur gleichzeitig mit dem Aufsichtsratsmitglied bestellt werden. [4] Auf seine Bestellung sowie die Nichtigkeit und Anfechtung seiner Bestellung sind die für das Aufsichtsratsmitglied geltenden Vorschriften anzuwenden.

Übersicht

I. Grundlagen

1. Regelungsgegenstand und -zweck. Norm betr. Bestellung der AR-Mitglieder durch Wahlbeschluss der HV (§ 101 I) oder Entsendung (§ 101 II) und regelt damit zwei der **insges. fünf Bestellungsformen** für AR-Mitglieder (Hölters/Weber/Simons Rn. 1). Die anderen drei im Ges. geregelten sind Bestellung des ersten AR nach § 30 I 1 durch Gründer, Wahl durch AN nach Mitbestimmungsgesetzen und gerichtl. Bestellung nach § 104. Für die beiden in § 101 geregelten Bestellungsformen ist **Verzahnung von Aktien- und Mitbestimmungsrecht** bezweckt, für die Entsendung auch die Festlegung ihrer Voraussetzungen. § 101 III 1 verbietet Stellvertretung; Verbot wird durch Zulässigkeit schriftlicher Stimmabgaben (§ 108 III) kompensiert. Zulässig ist jedoch nach Ermessen des Wahlorgans Bestellung von **Ersatzmitgliedern** (§ 101 III 2–4), damit bei vorzeitigem Ausscheiden eines AR-Mitglieds nochmalige Wahl erspart wird (RegBegr. Kropff S. 139 f.). 1

2. Bestellung und Anstellungsverhältnis. Mit Bestellung zum AR-Mitglied und ihrer Annahme entsteht **korporationsrechtl. Verhältnis** zwischen AR-Mitglied und AG; sein genauer Inhalt ergibt sich aus Rechten und Pflichten, die AR-Mitglied in seiner Organeigenschaft zustehen bzw. obliegen (unstr.). Fraglich und str. ist, ob daneben wie bei Vorstand (→ § 84 Rn. 2, 14 f.) noch Anstellungsverhältnis besteht und, wenn ja, ob dieses durch konkludenten Vertragsschluss oder ohne solchen durch Bestellung und Annahme zustande kommt. Während früher hM Anstellungsverhältnis auf vertraglicher Grundlage annahm (RGZ 123, 351, 354; RGZ 146, 145, 152), lehnt heute ganz hM ein solches Verhältnis ab und ordnet auch persönliche Rechte und Pflichten (zB Vergütungsanspruch) der korporationsrechtl. Beziehung zu (LG München I AG 2013, 474; MüKoAktG/ 2

Habersack Rn. 68; GK-AktG/Hopt/Roth Rn. 110; Hölters/Weber/Simons Rn. 7; BeckOGK/Spindler Rn. 9). HM ist zuzustimmen, da Anstellung – anders als bei Vorstand – im Gesetz keine Stütze findet (Hölters/Weber/Simons Rn. 7) und überdies schon nicht festgestellt werden kann, wer AG bei diesem Vertragsschluss vertreten soll (Schwarz, Bestellung und Anstellung der Verwaltungsmitglieder von Kapitalgesellschaften, 1983, 38). Richtig ist deshalb, fiktive und teilw. auch in Rechtsfolgen unpassende **Vertragskonstruktion zu vermeiden.** Besteht kein Vertrag, dann spricht aber auch alles dafür, statt von zwei Rechtsverhältnissen von einem Verhältnis mit korporations- und schuldrechtl. Inhalt auszugehen (Doppelnatur).

II. Bestellung von Aufsichtsratsmitgliedern (§ 101 I)

3 **1. Bestellungsformen.** Bestellung ist Oberbegriff, der **Wahl durch HV** mit oder ohne Bindung an Wahlvorschläge, **Entsendung** und Wahl durch AN oder durch Delegierte umfasst. Bestellung von AR-Mitgliedern wird in § 101 nicht abschließend geregelt (MüKoAktG/Habersack Rn. 4). Für Wahl des ersten AR gelten §§ 30, 31, für gerichtliche Bestellung § 104 und für AN-Vertreter Mitbestimmungsregeln. Im Einzelnen: AR-Mitglieder der Aktionäre werden nach ges. Regel durch HV gewählt, und zwar gem. § 101 I 2 ohne Bindung an Wahlvorschläge (näher → Rn. 4). Entsendung kommt ebenfalls nur für AR-Mitglieder der Aktionäre in Betracht und bedarf gem. § 101 II der Satzungsgrundlage (→ Rn. 9). Zur **Wahl von AR-Mitgliedern der AN** → § 96 Rn. 5, 7, 9, 11. In Stichworten: §§ 9 ff. MitbestG: Delegiertenwahl oder unmittelbare Wahl durch AN. § 6 MontanMitbestG: Wahl durch HV, aber aufgrund bindender Wahlvorschläge. §§ 7 ff. MitbestErgG: Delegiertenwahl oder unmittelbare Wahl durch AN. § 5 I DrittelbG: grds. unmittelbare Wahl durch AN. § 25 III MgVG bzw. § 27 III MgFSG: Wahl durch bes. Gremium.

4 **2. Insbesondere: Wahl durch Hauptversammlungsbeschluss. a) Tagesordnung und Beschlusserfordernis.** Zur Wahlkompetenz der HV → Rn. 3. Bindung an Wahlvorschläge besteht nach § 101 I 2 nur im Anwendungsbereich der Montanmitbestimmung, wobei neben den in § 101 I 2 genannten Vorschriften auch ungeschriebene Bindung nach § 5 III 2 MitbestErgG zu beachten ist (MüKoAktG/Habersack Rn. 4, 9). Wahl ist als Gegenstand der Tagesordnung bekanntzumachen (§ 124 I 1), und zwar mit dem in § 124 II vorgeschriebenen bes. Inhalt; anderenfalls darf nicht gewählt werden (§ 124 IV 1). AR muss Wahlvorschlag unterbreiten (§ 124 III 1; zu den Einzelheiten → § 124 Rn. 18 ff.). Kandidaten muss keine Gelegenheit gegeben werden, sich vorzustellen (LG München I AG 2016, 834, 835), doch kann sich anderes Ergebnis aus Gleichbehandlungsgrundsatz (§ 53a) ergeben, wenn anderen Kandidaten Vorstellung gestattet wurde (Hoppe NZG 2017, 361, 363). HV entscheidet über Vorschlag durch Beschluss mit der einfachen Stimmenmehrheit des § 133 I, wenn Satzung keine andere Bestimmung trifft (§ 133 II). Stimmenmehrheit genügt auch dann für Bestellung der AR-Mitglieder der Aktionäre, wenn sie von nur einem Aktionär gehalten wird; denn einen institutionalisierten Minderheitenschutz gibt es nicht (OLG Stuttgart AG 2017, 489, 492; RegBegr. Kropff S. 138; GK-AktG/Hopt/Roth Rn. 69 ff.; MHdB AG/Hoffmann-Becking § 30 Rn. 53; Timm NJW 1987, 977, 986; aA bei drohender qualifiziert-faktischer Konzernierung [s. aber → § 1 Rn. 22 ff.] OLG Hamm NJW 1987, 1030, 1031 f.). Satzung kann Mehrheitserfordernis verschärfen (hM, s. BGHZ 76, 191, 193 f. = NJW 1980, 1465), aber auch relative Mehrheit genügen lassen (allgM, s. MüKoAktG/Habersack Rn. 27). **Verhältniswahl** kann Satzung nach richtiger Ansicht ebenfalls vorsehen (ausf. → § 133 Rn. 33 mwN).

b) Wahlmodalitäten. Mangels ges. Regelung kann Satzung für Wahlmodalitäten Bestimmungen treffen (§ 23 V 2 – vgl. BGHZ 180, 9 Rn. 29 = NJW 2009, 2207). Praxis macht von dieser Möglichkeit verbreitet Gebrauch, oft aber nur durch Entscheidungszuweisung hinsichtlich **Wahlmodus und -verfahren** sowie Ermittlung des Abstimmungsergebnisses an HV-Leiter, dem Kompetenz dann auch von HV nicht mehr entzogen werden kann (BGHZ 180, 9 Rn. 30; Hölters/Weber/Simons Rn. 12); entspr. Antrag würde auf unzulässige Satzungsdurchbrechung abzielen und ist deshalb nicht zur Abstimmung zuzulassen (BGHZ 220, 36 Rn. 47 = NZG 2019, 262). Auch ohne Satzungsvorgabe bestimmt grds. Leiter der HV über das Wahlverfahren, bes. über die Reihenfolge, in der abgestimmt werden soll, wenn mehrere Wahlvorschläge vorliegen (BGHZ 220, 36 Rn. 46 f.; LG München I AG 2016, 834 f.; MüKoAktG/Habersack Rn. 25; Hölters/Weber/Simons Rn. 18). Ebenso entscheidet er über Zusammenfassung mehrerer Wahlvorschläge zu einem einzigen Abstimmungspunkt (BGHZ 220, 36 Rn. 57). Er kann in diesem Fall aber von HV überstimmt werden (str. – wie hier LG München I ZIP 2004, 853, 854; LG München I AG 2016, 834 f.; aA MüKoAktG/Kubis § 119 Rn. 153 f.; offengelassen in BGHZ 220, 36 Rn. 47). Bes. ges. Vorgabe enthält § 137, wonach über den Vorschlag eines Aktionärs zuerst abgestimmt werden muss, wenn eine Minderheit von 10 % des vertretenen Grundkapitals es verlangt. Daraus ergibt sich weitergehender Rückschluss, dass Geschäftsordnungsbeschluss der HV, der eine bestimmte Abstimmungsreihenfolge festlegt (zB Aktionärsvorschlag vor Verwaltungsvorschlag), den Leiter der HV generell bindet (str., wie hier MüKoAktG/Habersack Rn. 25 mwN). Ansonsten ist HV-Leiter in Gestaltung weitgehend frei, weil sich dem Ges. keine Abstimmungsreihenfolge entnehmen lässt (BGHZ 220, 36 Rn. 51). Insbes. kann Leiter also auch den Vorschlag als Erstes zur Abstimmung stellen, dem er die größten Erfolgsaussichten einräumt (LG München I AG 2016, 834, 835; AG 2020, 598, 599; krit. Füchsel NZG 2018, 416 ff.). Zulässig ist nach zutr. Auffassung auch **Sukzessivwahl,** bei der HV nacheinander über vorgeschlagene Kandidaten abstimmt, nachdem HV-Leiter Abstimmungsreihenfolge festgelegt hat (wie hier OLG Hamburg AG 1968, 332; LG Hamburg AG 1996, 233; MüKoAktG/Habersack Rn. 25; Hölters/Weber/Simons Rn. 18; Oppermann ZIP 2017, 1406 ff.). Gegenauffassung sieht darin allerdings Verstoß gegen § 53a, da Abstimmungsreihenfolge Auswirkungen auf Erfolgsaussichten haben kann (ausf. Austmann/Rühle AG 2011, 805 ff.; zust. Hoppe NZG 2017, 361, 365). Dieser Befund ist zwar richtig, doch wohnt solche Form der Vorteilszuweisung jeder Verhandlungsleitung naturgemäß inne und kann deshalb keine Ungleichbehandlung der Aktionäre begründen, zumal diese Schlechterstellung allenfalls über den Transmissionsriemen des Erfolgswerts der abgegebenen Stimmen konstruiert werden kann. § 137 lässt für Sonderfall eine solche Reihung explizit zu, so dass sie nicht in anderer Konstellation gegen § 53a verstoßen kann. 5

Sind mehrere AR-Mitglieder zu bestellen, so kommen als Wahlmodus **Einzel-, Simultan- oder Globalwahl** in Betracht. Bei der in C.15 S. 1 DCGK empfohlenen Einzelwahl wird über jeden Kandidaten in gesondertem Wahlgang abgestimmt, was ebenso unproblematisch zulässig ist wie Simultanwahl, bei der Einzelwahlen nur in einheitlichem Abstimmungsgang zusammengefasst werden (zB durch einen Stimmzettel mit mehreren Namen; zum übereinstimmenden Charakter als Einzelwahl LG München I AG 2016, 834, 836). Die Zulässigkeit der sog **Global-, Block- oder Listenwahl,** bei der Liste nur insges. angenommen oder abgelehnt werden kann, war früher umstr., ist heute aber zumindest im Grundsatz allg. anerkannt (vgl. BGHZ 180, 9 Rn. 29 = NJW 2009, 2207; MüKoAktG/Habersack Rn. 21; GK-AktG/Hopt/Roth Rn. 56 ff.; KK-AktG/Mertens/Cahn Rn. 16; ausf. Übersicht bei Bollweg, Die Wahl des Aufsichtsrats, 1997, 186 ff.). Wegen gegenläufiger Kodex-Empfehlung zur Einzelwahl wird 6 davon aber zumindest in börsennotierter AG nur noch zurückhaltend Gebrauch gemacht, zumal dadurch im Lichte von BGHZ 196, 195 Anfechtungsgefahren nochmals erhöht werden (→ Rn. 20 ff., 23; vgl. GK-AktG/Butzke § 127 Rn. 27 Fn. 41: „kommt bei börsennotierter AG praktisch nicht mehr vor"). Sofern AG in Anwendungsbereich der Geschlechterquote iSd § 96 II fällt, spricht auch drastische Folge der Gesamtnichtigkeit bei Quotenverstoß (→ § 96 Rn. 24) gegen Globalwahl. Mit zunehmend verbreiteter elektronischer Auszählung ist schließlich auch früheres Sachargument der Zeitersparnis bei händischer Auszählung entfallen (Zetzsche FS Krieger, 2020, 1165, 1169 f.). Unter rechtl. Gesichtspunkten bestehen gegen ein solches Verfahren aber auch weiterhin jedenfalls dann keine Bedenken, wenn Satzung dieses Verfahren ausdr. vorsieht (→ Rn. 5), und zwar auch derart, dass HV-Leiter ermächtigt wird, Listenwahl anzuordnen (BGHZ 180, 9 Rn. 29). Ebenso ist es zulässig, wenn (1.) Versammlungsleiter vor Abstimmung darauf hinweist, dass Aktionäre, die auch nur mit einem Vorgeschlagenen nicht einverstanden sind, Liste insges. ablehnen müssen und bei Scheitern des Vorschlags Einzelabstimmung stattfindet und (2.) kein erschienener Aktionär dieser Vorgehensweise widerspricht (BGHZ 156, 38, 41 = NJW 2003, 3412 zur Blockabstimmung über mehrere Verträge; KG AG 2003, 99; LG München I AG 2004, 330, 331 zur Listenwahl). Entgegenstehende Judikatur ist insoweit nicht bekannt, namentl. in BGHZ 118, 121, 124 f. = NJW 1992, 1962 und in BayObLG FGPrax 2001, 82, 83 nicht zu finden, da beide von entgegenstehender Satzungs- bzw. Geschäftsordnungsvorgabe ausgehen (MüKoAktG/Habersack Rn. 21).

7 **Bei Widerspruch** eines erschienenen Aktionärs kann zur Einzelwahl übergegangen werden, doch ist das nicht notwendig (BGHZ 220, 36 Rn. 46 = NZG 2019, 262). Einzelwahl statt Global- oder Listenwahl kann gegen verfahrensleitende Anordnung des Vorsitzenden nur durch **HV-Beschluss** erzwungen werden; § 137 erfasst Fall nicht (str. – wie hier MüKoAktG/Habersack Rn. 23; Hölters/Weber/Simons Rn. 16; aA BeckOGK/Spindler Rn. 35 f.; Henze BB 2005, 165, 171; allg. zur Überstimmung des Leiters durch HV → Rn. 5). Zulässig ist vorbehaltlich entspr. Hinweises, Abstimmungsvorgänge derart zu verbinden, dass mehrheitliche Annahme der Liste Ablehnung der Einzelwahl einschließt (Dietz BB 2004, 452, 455; Zöllner ZGR 1974, 1, 18 f.; wohl aA Henze BB 2005, 165, 171). BGHZ 156, 39, 41 = NJW 2003, 3412 steht dieser Praxis trotz Hinweises auf Einzelwiderspruch nicht entgegen, weil Widerspruch in seinem Fall nicht vorlag, weshalb sich das Urteil mit der Feststellung begnügen konnte, dass Blockabstimmung „jedenfalls" bei Hinweis des HV-Leiters und fehlendem Einzelwiderspruch zulässig sei; weitergehende Interpretation ist nicht veranlasst (s. aber Dietz BB 2004, 452, 457). Vielmehr wird in BGHZ 180, 9 Rn. 31 = NJW 2009, 2207 ausdr. festgestellt, dass Aktionäre grds. keinen Anspruch auf Einzelwahl haben. Auch LG München I AG 2004, 330, 331 geht nicht von einem solchen Anspruch aus, verlangt aber bei gegebenem Einzelwiderspruch gesonderte Abstimmung über darauf gerichteten Verfahrensantrag (insofern zust. Fuhrmann ZIP 2004, 2081, 2084). Gestützt wird diese Forderung auf vermeintlichen Grundsatz der Einzelwahl (LG München I AG 2004, 330, 331; sa Lutter FS Odersky, 1996, 845, 847; Segna DB 2004, 1135 f.), der aber gerade im Lichte von BGHZ 180, 9 Rn. 31 zweifelhaft erscheint (ebenso MüKoAktG/Habersack Rn. 23; Mutter AG 2004, 305 f.). HV-Leiter kann daher auch nicht zur gesonderten Abstimmung über Verfahrensantrag gezwungen werden, doch wird entspr. Vorgehen aus Vorsichtsgründen zu empfehlen sein. Zur Ermittlung des Wahlergebnisses → § 133 Rn. 22 ff.

8 **c) Bestellung und Annahme.** Bestellung durch Wahlbeschluss, aber auch durch Entsendung, ist korporationsrechtl. Rechtsgeschäft, das nur wirksam wird,

wenn der Gewählte annimmt; um einen Vertrag handelt es sich dabei nicht. Annahme kann in der HV durch Erklärung ggü. dem Wahlorgan erfolgen. Sonst wird AG als Erklärungsempfängerin durch den Vorstand vertreten (str., wie hier MüKoAktG/Habersack Rn. 63 f.; MHdB AG/Hoffmann-Becking § 30 Rn. 58; aA – Erklärung ggü. dem AR-Vorsitzendem soll genügen – zB Baumbach/Hueck Rn. 7). Annahme kann auch konkludent durch Aufnahme der Tätigkeit erfolgen (RGZ 152, 273, 277 zur Genossenschaft) oder (so häufig) vor der Wahl erklärt werden (zu den praktischen Usancen vgl. Hölters/Weber/Simons Rn. 21). Bestellung wird dann mit Wahl des anwesenden Kandidaten, sonst mit Mitteilung des Wahlergebnisses wirksam.

III. Entsendungsrechte (§ 101 II)

1. Begründung und Grenzen. § 101 II gestattet satzungsmäßig begründetes Entsendungsrecht, dessen Zweck darin besteht, den **Einfluss bestimmter Aktionäre** über die ihnen zustehende Stimmrechtsmacht hinaus zu erweitern und für die Zukunft abzusichern (vgl. zur historischen Entwicklung Klausmann, Entsendungsrechte, 2016, 57 ff.). Zugleich erschweren sie feindliche Übernahmen, wobei dieser Effekt in mitbestimmten Gesellschaften noch verstärkt wird (Klausmann, Entsendungsrechte, 2016, 98 f.). Ihre bes. praktische Bedeutung liegt in Einflusssicherung durch öffentlich-rechtl. Anteilseigner. Allerdings scheint gerade hier neuerer Trend dahin zu gehen, Entsendungsrechte durch **schuldrechtliche Alternativgestaltungen,** wie zB Shareholder Agreements oder Rahmenvereinbarungen, zu ersetzen, die größeren Einfluss eröffnen als Entsendung eines (weisungsfreien) AR-Mitglieds und zugleich möglicherweise in geringerem Maße unionsrechtl. Bedenken ausgesetzt sind; ges. Stolperfallen können sich aber auch hier ergeben, etwa aus Pflichtangebot oder Meldepflicht wg. Acting in Concert (§ 30 II WpÜG bzw. § 34 II WpHG) oder unzulässigen Beschränkungen der Leitungsmacht des Vorstands (→ § 76 Rn. 124 ff.; → § 394 Rn. 27; ausf. J. Koch FS Henssler, 2023, 1005 ff.). Neben öffentl.-rechtl. Anteilseignern greifen auch Unternehmensgründer bzw. Gründerfamilien, Stiftungen (insbes. Krupp-Stiftung) oder Venture-Capital-Geber auf dieses Instrument zurück (Klausmann, Entsendungsrechte, 2016, 93 ff.). Nur AR-Mitglieder der Aktionäre können nach § 101 II entsandt werden. Stets erforderlich ist, dass Satzung das Entsendungsrecht vorsieht und dass es zugunsten eines Aktionärs (nicht eines außenstehenden Dritten) begründet wird. Anders als § 134 I 2 (→ § 134 Rn. 4) unterscheidet § 101 II nicht zwischen AG mit und ohne **Börsennotierung.** Entsendungsrecht kann deshalb auch im ersten Fall von Satzung vorgesehen werden (LG Essen AG 2007, 797 f.). In Deutschland haben nach neuerer rechtstatsächlicher Untersuchung aber nur neun der 160 größten deutschen Börsengesellschaften davon Gebrauch gemacht; im Bereich nichtbörsennotierter Unternehmen wird eine größere Zahl vermutet (Klausmann, Entsendungsrechte, 2016, 101 ff.). Der Begründung eines Entsendungsrechts für den Inhaber einer Sperrminorität steht auch nicht entgegen, dass AG der Mitbestimmung unterliegt und sich die gewählten Kapitalvertreter gegen eine einheitliche Stimmrechtsausübung der entsandten Kapital- und der AN-Vertreter nicht durchsetzen können (OLG Hamm NZG 2008, 914 f.). Unionsrechtl. Bedenken (Art. 63 I AEUV) werden zwar vereinzelt erhoben (Möslein AG 2007, 770, 773 ff.), finden aber jedenfalls in EuGH Slg. 2007, I-8995 Rn. 59 ff. = NJW 2007, 3481 keine Stütze und greifen auch sonst nicht durch, soweit es nicht um Sonderrechte der öffentl. Hand geht (BGH AG 2009, 694; OLG Hamm NZG 2008, 914, 916 f.; BeckOGK/Spindler Rn. 55; Bürk/Wentz ZIP 2020, 2219 ff.; Klausmann, Entsendungsrechte, 2016, 245 ff.; zu Sonderrechten der öffentl. Hand als Verstoß gegen Art. 63 AEUV EuGH AG 2008, 80, 82 f.; Holle AG 2010, 14, 9

15 ff.; J. Koch FS Henssler, 2023, 1005, 1006 ff.; großzügiger Gaul AG 2019, 405, 407). Schuldrechtl. Abrede zwischen Aktionären, die auf Vorschlags- oder Entsendungsrechte abzielt, wird durch § 101 II 1 nicht untersagt (→ § 23 Rn. 45 ff.; Kuntz Gestaltung von Kapitalgesellschaften, 2016, 610 ff.; Schatz FS E. Vetter, 2019, 681, 699 ff.).

10 Entsendungsrecht ist **Sonderrecht** iSd § 35 BGB, kann dem Berechtigten also nur durch Satzungsänderung und seine Zustimmung entzogen werden (Ewigkeitscharakter; eingehend dazu Klausmann, Entsendungsrechte, 2016, 277 ff.). Ausnahme kann bei Kapitalherabsetzung mit dadurch ausgelöster Verringerung der AR-Mandate gelten, wobei Zustimmungserfordernis auch insoweit nicht entfällt (so aber MüKoAktG/Habersack Rn. 57; KK-AktG/Mertens/Cahn Rn. 61), stattdessen aber Zustimmungspflicht aus mitgliedschaftlicher Treupflicht entstehen kann (zutr. S/L/Drygala Rn. 21; BeckOGK/Spindler Rn. 70; Klausmann, Entsendungsrechte, 2016, 300 ff.). Der Entsendungsberechtigte muss in der Satzung in bestimmter Weise bezeichnet werden, nämlich entweder durch **namentliche Nennung** (§ 101 II 1 Fall 1) oder durch **nähere Bestimmung der Aktien,** mit denen das Entsendungsrecht verknüpft ist (§ 101 II 1 Fall 2). Im ersten Fall ist das Entsendungsrecht mit der Person verbunden und kann nicht übertragen werden. Im zweiten Fall bilden Aktien und Entsendungsrecht eine Einheit. Entsendungsberechtigt ist also der jeweilige Inhaber der Aktien. Dieser Weg kann jedoch nur beschritten werden, wenn die Aktien als vinkulierte Namensaktien ausgestaltet sind (§ 101 II 2); vgl. dazu § 68 II und → § 68 Rn. 10 ff. Auch weitere persönliche oder sachliche Einschränkungen können qua Satzung vorgegeben werden, zB hinsichtlich Nationalität, Familienzugehörigkeit, HV-Zustimmung (ausf. zum Anforderungsprofil Gaul AG 2019, 405, 408 ff.). **Inhaltliche Kontrolle** der Satzungsgestaltung erfolgt grds. nicht; auch Ungleichbehandlung nach § 53a ist ges. vorgesehener Entsendung immanent und damit sachl. gerechtfertigt (MüKoAktG/Habersack Rn. 31). LG München I AG 2020, 448, 451 hat von diesem Grundsatz aber Ausn. zugelassen, wenn das Entsenderecht unabhängig vom Umfang des Aktienanteils besteht und auch bei einem verschwindend kleinen Anteil am Grundkapital ausgeübt werden kann (so LG München I AG 2020, 448, 451). Das ist in der Sache erwägenswert, wäre aber wohl eher unter Gesichtspunkt der Treupflicht zu problematisieren gewesen (Bürk/Wentz ZIP 2020, 2219, 2221 ff.). Aktien der Entsendungsberechtigten gelten gem. § 101 II 3 **nicht als bes. Gattung.** Damit getroffene Ausnahme von § 11 vermeidet sonst bestehende Notwendigkeit bes. Abstimmung (vgl. zB § 179 III, § 182 II). Nachteile erwachsen Entsendungsberechtigtem daraus nicht, da er hinreichend durch Anwendung des § 35 BGB geschützt ist.

11 Nach § 101 II 4 sind Entsendungsrechte durch **Höchstzahl** begrenzt; Zahl der durch Entsendung besetzten Mandate darf **ein Drittel** der AR-Mitglieder der Aktionäre nicht übersteigen, wobei maßgeblich die ges. oder satzungsmäßige Soll-Zahl ist, nicht die Ist-Zahl (vgl. Hölters/Weber/Simons Rn. 29). Entgegenstehende Satzungsbestimmung ist nichtig. Begrenzung soll verhindern, dass Aktionäre ohne entspr. Aktienbesitz den AR dominieren. Frühere Sonderregelung für Volkswagenwerk (§ 101 II 5 aF) ist aufgehoben durch Ges. zur Änderung des Ges. über die Überführung der Anteilsrechte an der Volkswagenwerk Gesellschaft mit beschränkter Haftung in private Hand v. 8.12.2008 (BGBl. 2008 I 2369). Norm war gegenstandslos geworden, weil § 4 I VW-Gesetz aF als vorausgesetzte Basisvorschrift gegen Art. 63 I AEUV verstieß (EuGH Slg. 2007, I-8995 Rn. 59 ff., 68 = NJW 2007, 3481; → Rn. 9; → § 134 Rn. 4). Damit gibt es im deutschen Recht keine ges. Entsendungsrechte mehr (Klausmann, Entsendungsrechte, 2016, 84 ff.). In der Volkswagen AG ist stattdessen satzungsmäßiges Entsendungsrecht eingeführt worden, dessen Vereinbarkeit mit Art. 63 AEUV aber auch nicht abschließend geklärt ist (Lutter/Bayer/Schmidt EuropUnt-

KapMR Rn. 15.9 ff.; Holle AG 2010, 14, 20 ff.; Verse FS E. Klein, 2013, 701, 713 ff.).

2. Ausübung; Rechtsstellung des entsandten Mitglieds. Entsendungsrecht wird ausgeübt durch Benennung der Person des AR-Mitglieds. In der Auswahl des Entsandten ist Entsendungsberechtigter frei, muss aber ges. und satzungsmäßige Grenzen wahren, wozu namentl. auch Geschlechterquote des § 96 II (→ § 96 Rn. 17) oder Cooling-off-Periode nach § 100 II Nr. 4 zählen (→ § 100 Rn. 12 ff.). § 100 V begründet als organbezogene Besetzungsregel für Entsendungsberechtigten keine zwingende Vorgabe (Simons/Kalbfleisch AG 2020, 526 Rn. 57 f.; sa → § 100 Rn. 13). Ausübungserklärung ist an die AG, vertreten durch ihren Vorstand, zu richten. Bestellung wird auch in diesem Fall erst durch Annahme wirksam (→ Rn. 8). Pflicht zur Ausübung des Entsendungsrechts besteht nicht (MüKoAktG/Habersack Rn. 44), es sei denn, dass die Satzung eine solche Pflicht begründet. Notfalls muss nach § 104 verfahren werden. Vertragliche Vorabbindung ist zulässig, sofern sie auch iR von Stimmbindungsvereinbarungen zulässig wäre (Hölters/Weber/Simons Rn. 31). Inhaber von Entsendungsmandaten haben die **gleichen Rechte und Pflichten wie gewählte AR-Mitglieder;** machterweiternde Satzungsgestaltungen sind unzulässig (Klausmann, Entsendungsrechte, 2016, 49 ff.). Auch entsandte AR-Mitglieder unterliegen nicht den Weisungen des Entsendungsberechtigten (RGZ 165, 68, 79; BGHZ 36, 296, 306 = NJW 1962, 864; LG München I NZG 2022, 371 Rn. 5; MüKoAktG/Habersack Rn. 51; vgl. auch BGHZ 90, 381, 398 = NJW 1984, 1893). Auch Weisungsbindung von Beamten, die Gebietskörperschaft in AR entsandt hat, ist nicht anzuerkennen (str.; → § 394 Rn. 59 ff.), wenngleich in diesem Fall zumindest Verschwiegenheitspflicht gelockert ist (→ § 394 Rn. 76 ff.; 83). Einzige Steuerungsmöglichkeit des Entsendungsberechtigten besteht aus aktienrechtl. Perspektive deshalb darin, dass nach § 103 II jederzeitige Abberufung durch Entsendungsberechtigten möglich ist (→ § 103 Rn. 2 ff.). Umgekehrt haftet er aber auch nicht nach § 278 BGB oder § 831 BGB für Pflichtverletzungen des Entsandten; nur in Ausnahmefällen dürfte Haftung wegen Treupflichtverstoßes oder nach § 826 BGB in Betracht zu ziehen sein (Hölters/Weber/Simons Rn. 32; Klausmann, Entsendungsrechte, 2016, 55 f.; aA GK-AktG/Hopt/Roth Rn. 186; KK-AktG/Mertens/Cahn Rn. 78, § 76 Rn. 76). 12

IV. Ersatzmitglieder (§ 101 III)

1. Grundsatz. § 101 III 1 verbietet Stellvertreter von AR-Mitgliedern, um **ungeteilte Verantwortlichkeit** zu gewährleisten. Grds. zulässig sind jedoch gem. § 101 III 2 Ersatzmitglieder, also Personen, die bei Wegfall eines AR-Mitglieds für Rest der Amtszeit nachrücken. Ausnahme: Für das weitere („neutrale") AR-Mitglied, das nach § 8 I MontanMitbestG, § 5 II MitbestErgG gewählt wird (→ § 96 Rn. 7, 9), erkennt Gesetzgeber Ersatzmitgliedschaft nicht an. **Vorübergehende Verhinderung** genügt für Wegfall iSd § 101 III 2 nicht, sondern muss durch anderweitige Lösungen, wie schriftliche Stimmabgaben oder variable Präsenzbestimmungen (zB Telefonkonferenz), aufgefangen werden (Hölters/Weber/Simons Rn. 35). Über Bestellung von Ersatzmitgliedern entscheidet nur das Wahlorgan. Satzung kann sie nicht vorschreiben, aber auch nicht verbieten. Auch für AR-Mitglieder der AN können Ersatzmitglieder bestellt werden → Rn. 19. Praxis macht von dieser Möglichkeit verbreitet Gebrauch, um überraschenden Ausfall eines Mitglieds ohne Aufwand ausgleichen zu können und dabei vollständige Kontrolle über die Personalie zu behalten (Hölters/Weber/Simons Rn. 36). 13

14 **2. Bestellung und Rechtsstellung des Ersatzmitglieds.** Ersatzmitglied muss gleichzeitig mit dem AR-Mitglied bestellt werden, für das es nachrücken soll (§ 101 III 3), dh in derselben HV (KK-AktG/Mertens/Cahn Rn. 88; näher Lutter/Krieger/Verse AR Rn. 1052). Bestellung kann also nicht nachgeholt werden, sondern es bedarf in diesem Fall Amtsniederlegung des AR-Mitglieds und gleichzeitige Neubestellung in nächster HV (Hölters/Weber/Simons Rn. 40). Für seine Bestellung gelten die Regeln, die für AR-Mitglied maßgeblich sind (§ 101 III 4). Sie können also gewählt (→ Rn. 4 ff.), aber auch entsandt werden (→ Rn. 9 ff.). Auch Bestellung zum Ersatzmitglied bedarf der Annahme und wird erst mit dieser wirksam (→ Rn. 8). Während seiner Amtszeit hat Ersatzmitglied dieselbe Rechtsstellung wie die unbedingt bestellten Mitglieder. Bestellung nach § 104 ist nicht möglich (Hölters/Weber/Simons Rn. 39). **Persönliche Anforderungen** an Ersatzmitglieder bestimmen sich wie für AR-Mitglieder nach §§ 96 II, 100, 105, müssen nach hM allerdings nicht schon beim Bestellungsakt, sondern erst im Zeitpunkt des Nachrückens vorliegen, so dass zwischenzeitliche Behebung des Mangels noch möglich ist (BGHZ 99, 211, 219 f = NJW 1987, 902, 904; BeckOGK/Spindler Rn. 90; Hölters/Weber/Simons Rn. 39). Wahlbeschluss ist bis zum Amtsantritt schwebend unwirksam und wird nach § 250 I Nr. 4 endgültig nichtig, wenn Mangel bis dahin nicht beseitigt ist (sa → Rn. 15). Sind Voraussetzungen zunächst gegeben und entfallen erst nachträglich, ist Wahl wirksam, doch kommt es aufgrund des Hinderungsgrundes nicht zum Einrücken in AR (Hölters/Weber/Simons Rn. 39). Zum Verhältnis zur Geschlechterquote → § 96 Rn. 22.

15 **3. Nachrücken.** Fällt AR-Mitglied weg (zB Tod, Amtsniederlegung), rückt Ersatzmitglied automatisch ein. Str. ist, ob auch **dauerhafte Verhinderung** (zB durch schwere Krankheit) erfasst ist. Frage ist richtigerweise zu verneinen, weil sonst Ungewissheit über AR-Mitgliedschaft droht, die insbes. deshalb misslich wäre, weil dem Ausscheiden anders als bei § 103 III oder § 104 I (→ § 102 Rn. 2) keine gerichtl. Entscheidung vorgeschaltet ist (MüKoAktG/Habersack Rn. 85; Hölters/Weber/Simons Rn. 42; Goette/Arnold AR-HdB/Roßkopf § 3 Rn. 209; aA KK-AktG/Mertens/Cahn Rn. 99; BeckOGK/Spindler Rn. 86; Krauel/Fackler AG 2009, 686, 687). Nochmaliger Annahme der Bestellung bedarf es nicht (hM, s. MüKoAktG/Habersack Rn. 81; GK-AktG/Hopt/Roth Rn. 222; KK-AktG/Mertens/Cahn Rn. 100; aA noch Lehmann DB 1983, 485, 487; Rellermeyer ZGR 1987, 563, 576). Fraglich kann nur Sonderfall sein, dass **persönliche Mandatsvoraussetzungen** (§§ 100, 105) bei Annahme der Wahl noch nicht vorliegen und erst (zB durch Niederlegung anderen Mandats) bei Eintritt des Ersatzfalls herbeigeführt werden sollen. Dann soll Annahme der Wahl noch nicht Annahme des Amtes bedeuten, so dass spätere Erklärung möglich und nachträgliche Herbeiführung persönlicher Mandatsvoraussetzungen genügend ist (Lutter/Krieger/Verse AR Rn. 1054). Dem ist jedoch nur teilw. zu folgen; denn Annahme der Wahl bedeutet in der maßgeblichen Sicht des Erklärungsempfängers typischerweise auch (antizipierte) Annahme des Amtes. Dem Gewählten ist es aber unbenommen, Annahmeerklärung mit entspr. Vorbehalt zu versehen, wenn seine (dem Bestellungsorgan nicht notwendig bekannten) persönlichen Verhältnisse das nahelegen. Dann (aber auch nur dann) ist Raum für die von Lutter/Krieger/Verse AR Rn. 1054 vorgeschlagene Lösung (zust. NK-AktR/Breuer/Fraune Rn. 19; skeptisch BeckOGK/Spindler Rn. 96).

16 **Ablauf der Amtszeit** des weggefallenen AR-Mitglieds lässt auch Amt des Ersatzmitglieds erlöschen (§ 102 II; → § 102 Rn. 7), und zwar spätestens; AR-Mandat des Ersatzmitglieds kann also vorher enden. Das ist namentl. anzunehmen, wenn Satzung bestimmt, dass Mandat erlischt, **sobald Nachfolger wirksam bestellt** ist (BGHZ 99, 211, 214 f. = NJW 1987, 902). Klausel ist zulässig;

entgegen den Bedenken von Roussos AG 1987, 239, 242ff. deckt Ges. bloße Überbrückungsfunktion (BeckOGK/Spindler Rn. 98). Entspr. Bestimmung kann auch im HV-Beschluss enthalten sein, durch den Ersatzmitglied bestellt wird (BGH NJW 1988, 1214). Erforderlich ist aber stets, dass für Wahl und Abberufung aller AR-Mitglieder **dasselbe Mehrheitserfordernis** gilt (BGH NJW 1988, 1214; KK-AktG/Mertens/Cahn Rn. 105). Weil Wahl des neuen AR-Mitglieds wie Abberufung des ersatzweise eingerückten Mitglieds wirkt, würde sonst gegen Grundsatz gleicher Rechtsstellung aller AR-Mitglieder verstoßen. Wird Wahl so terminiert, dass Wegfall des bisherigen und Amtsbeginn des neuen AR-Mitglieds zusammenfallen (Lutter/Krieger/Verse AR Rn. 1058: überholende Nachwahl), ergibt sich keine Vakanz, so dass Ersatzmitglied nicht nachrückt (BGH NJW 1988, 260, 261).

4. Mehrheit von Aufsichtsratsmitgliedern und/oder Ersatzmitgliedern. 17
Ges. formuliert Zulässigkeit der Ersatzmitgliedschaft im Singular. Jedoch kann **ein Ersatzmitglied auch für mehrere bestimmte AR-Mitglieder** bestellt werden (BGHZ 99, 211, 214 = NJW 1987, 902), sofern sie derselben Gruppe (zB gewählte oder entsandte AR-Mitglieder der Aktionäre) angehören (allgM). Wenn so verfahren wird, kann Ersatzmitglied mehrfach nachrücken: für das weggefallene AR-Mitglied X und, wenn für X ein Nachfolger bestellt wurde, nochmals für Y, wenn auch dieses Mitglied vor Ablauf der Amtszeit ausscheidet. So jedenfalls dann, wenn Satzung oder Bestellungsbeschluss ergeben, dass diese Regelung gewollt ist (BGHZ 99, 211, 220), nach zutr. hM des Schrifttums (BGHZ 99, 211, 220 lässt Frage offen) auch ohne ausdr. Festlegung in diesem Sinne (Hölters/Weber/Simons Rn. 37; BeckOGK/Spindler Rn. 104; Rellermeyer ZGR 1987, 563, 571 ff.). Satzung oder Beschluss sollten sicherheitshalber entspr. Klausel enthalten.

Es können auch **mehrere Ersatzmitglieder** bestellt werden, auch für ein 18
AR-Mitglied, sofern Reihenfolge des Nachrückens bestimmt ist (BGHZ 99, 211, 214 = NJW 1987, 902; MüKoAktG/Habersack Rn. 85). Ggf. ist neben Einzelwahl auch **Global- oder Listenwahl** (→ Rn. 6 f.) zulässig (BGHZ 99, 211, 214; MHdB AG/Hoffmann-Becking § 30 Rn. 67). Auch Ersatzliste muss aber Reihenfolge des Nachrückens festlegen.

5. Mitbestimmungsrechtliche Besonderheiten. Für das sog neutrale Mit- 19
glied im Geltungsbereich der Montanmitbestimmung kann nach § 101 III 2 kein Ersatzmitglied bestellt werden (→ Rn. 13). IÜ kann für jedes AR-Mitglied, also auch für diejenigen der AN, ein Ersatzmitglied bestellt werden. Bestellung muss aber **gruppenspezifisch** erfolgen. Ersatzmitglied oder Ersatzliste müssen sich also getrennt auf AR-Mitglieder der Aktionäre oder der AN beziehen. Für das **Bestellungsverfahren** enthält § 17 MitbestG eine bes. Regelung.

V. Fehlerhafte Bestellung

Bestellung von AR-Mitgliedern kann unter Gültigkeitsmängeln leiden. Für 20
Wahlbeschlüsse enthalten §§ 250–252 Sonderregelung (vgl. Erl. dazu). Für AN-Vertreter gelten Sonderregeln der § 22 MitbestG, § 11 DrittelbG, § 10k I MitbestErgG (vgl. dazu BAG NZG 2019, 1388 Rn. 12ff.; BeckOGK/Spindler Rn. 113). IÜ prüft **BGH** anders als beim Vorstand (→ § 84 Rn. 12f.) für **Einzelfall,** ob Normen des AktG Anwendung finden können oder nicht (BGHZ 41, 282, 284 = NJW 1964, 1367; BGHZ 47, 341, 343 = NJW 1967, 1711). Danach soll etwa Verantwortlichkeit gem. § 116 trotz nichtiger Bestellung bestehen, wenn Tätigkeit tats. ausgeübt wird (RGZ 152, 273, 278 f.; BGHZ 168, 188 Rn. 14 = AG 2006, 667; BGHZ 196, 195 Rn. 19 = NJW 2013, 1535); als Korrelat werden gutgläubig Handelndem überdies Ansprüche auf Vergütung und

Auslagenersatz zugesprochen (BGHZ 196, 195 Rn. 19; GK-AktG/Hopt/Roth Rn. 277). Zur Anwendung des § 114 → § 114 Rn. 2. Auch strafrechtl. Verantwortlichkeit von AR-Mitgliedern gem. §§ 399 ff. wird danach anerkannt (GK-AktG/K. Schmidt § 250 Rn. 29; Marsch-Barner/Schäfer/E. Vetter Rn. 26.74). Dagegen soll **Stimmabgabe** des fehlerhaft bestellten Mitglieds unwirksam sein (BGHZ 11, 231, 246 = NJW 1954, 385; BGHZ 196, 195 Rn. 20; E. Vetter ZIP 2012, 701, 704 ff.). Nichtigkeit der Stimmabgabe soll aber auch nach diesem Konzept nur dann zur Nichtigkeit des Beschlusses führen, wenn er auf nichtigen Stimmen beruht. Er bleibt dagegen gültig, wenn AR auch nach Abzug der nichtig bestellten Mitglieder beschlussfähig war und erforderliche Mehrheit erhalten bleibt (BGHZ 47, 341, 346; BGHZ 196, 195 Rn. 21; GK-AktG/K. Schmidt § 250 Rn. 31; BeckOGK/Stilz/Schumann § 250 Rn. 26). Dagegen sind Beschlüsse nach dieser Lösung zwangsläufig nichtig, wenn AR insges. nichtig bestellt ist (BGHZ 11, 231, 246 = NJW 1954, 385 zur GmbH). Praktisch wünschenswerte, aber dogmatisch nur wenig stringente **Rückausnahme** von diesen Grundsätzen wird für Wahlvorschläge nach § 124 III 1 (→ § 124 Rn. 23) und fehlerhafte HV-Leitung (→ § 129 Rn. 19) zugelassen; hier soll erfolgreiche Wahlanfechtung nicht zu Verfahrensfehler führen (BGHZ 196, 195 Rn. 25; krit. Cziupka DNotZ 2013, 579, 584; Rieckers AG 2013, 383, 385). Dogmatisch lässt sich dies noch am ehesten über Relevanzkriterium des Beschlussmängelrechts (→ § 243 Rn. 12 ff.) rechtfertigen (sa Bergmann Diskussionsbeitrag VGR 19 GesR 2013, 151). IÜ soll notwendiger Schutz Dritter vornehmlich über **Rechtsscheinhaftung** geleistet werden (BGHZ 196, 195 Rn. 22; E. Vetter ZIP 2012, 701, 709 f. – zu den Grenzen dieses Schutzes, der sich namentl. aus fehlender HR-Eintragung der AR-Mitglieder ergibt, vgl. Happ FS Hüffer, 2010, 293, 297 f.; Lieder ZHR 178 [2014], 282, 298 ff.). Da AR in erster Linie „Innenorgan" ist, wird Problem dadurch nicht wesentlich entschärft. Bestellung des Abschlussprüfers wird von dieser Ausnahme aber idR erfasst sein; dasselbe gilt für hinzugezogene Berater (C. Arnold/Gayk DB 2013, 1830, 1832; E. Vetter ZIP 2012, 701, 710; Werner WM 2014, 2207, 2210). Ob Dritter sich hier auf wahre Rechtslage berufen kann (Cziupka/Pitz NJW 2013, 1539), bleibt zweifelhaft (MüKoAktG/J. Koch § 250 Rn. 25; Rieckers VGR 19 GesR 2013, 125, 134). Als bes. **praxisrelevante Anwendungsbeispiele** für nichtige Beschlüsse sind etwa zu nennen (Überblick über Fehlerquellen bei Rieckers ZGR 2022, 61, 64 ff.): Mitwirkung am Jahresabschluss (ausf. → § 256 Rn. 19; → Rn. 23); Zustimmung zu Kapitalmaßnahmen (aber gemindert durch Grundsätze über fehlerhafte Strukturmaßnahmen – s. Lieder ZHR 178 [2014], 282, 310 f.), Zustimmungserfordernis nach § 111 IV 2 (Schutz des Vorstandsmitglieds über Merkmal der „schuldhaften" Pflichtverletzung in § 93 II – s. C. Arnold/Gayk DB 2013, 1830, 1834; Rieckers ZGR 2022, 61, 78 f.); Bestellung und Anstellung des Vorstands (Schutz der Vorstandsmitglieder über Lehre vom fehlerhaften Bestellungsakt; → § 84 Rn. 12 f.; s. ferner KG NZG 2017, 583; C. Arnold/Gayk DB 2013, 1830, 1834); Abberufungsbeschluss des AR ggü. Vorstand (s. C. Arnold/Gayk DB 2013, 1830, 1835; vgl. zu Einzelheiten auch MüKoAktG/J. Koch § 250 Rn. 22 ff.). Bis zu gerichtl. Feststellung, müssen Streitigkeiten über Wirksamkeit der Bestellung (fraglich nur bei Nichtigkeits- nicht bei Anfechtungsgründen) uU im Wege einstweiligen Rechtsschutzes geklärt werden (Illner FS Heidel, 2021, 505 ff.).

21 Rspr. des BGH ist im Schrifttum, aber auch in instanzgerichtl. Rspr. auf zunehmenden Widerspruch gestoßen, wobei BGHZ 196, 195 = NJW 2013, 1535 dem sich scheinbar abzeichnenden Meinungsumschwung allerdings entgegengetreten ist (so insbes. schon E. Vetter ZIP 2012, 701, 707 ff.). Gegenauffassung dehnt **Grundsätze des fehlerhaften Organverhältnisses** (→ § 84 Rn. 12 f.) auch auf AR aus und geht damit von vorläufig wirksamer Organmitgliedschaft aus, wenn Organverhältnis in Vollzug gesetzt wurde (so namentl. Schürnbrand, Organschaft, 2007, 286 ff.; ihm folgend OLG Frankfurt AG 2011, 36, 40; 2011, 631, 635; S/L/Drygala Rn. 33 ff.; MüKoAktG/Habersack Rn. 70 ff.; KK-AktG/Kiefner § 252 Rn. 11 ff., 25 ff.; BeckOGK/Spindler Rn. 117 ff.; KK-AktG/Mertens/Cahn Rn. 107 ff.; Doetsch, Fehlerhafter Gesellschafter und fehlerhaftes Organ, 2015, 67 ff.; Happ FS Hüffer, 2010, 293, 305 ff.; zu Reaktionen auf das BGH-Urteil → Rn. 22). Folgt man dem, so ist **Stimmabgabe** des zwar infolge Nichtigkeit oder erfolgreicher Anfechtung (§§ 250–252) fehlerhaft bestellten, aber das Mandat iÜ berechtigt ausübenden AR-Mitglieds ebenso **wirksam** wie die Stimmabgabe seines fehlerfrei berufenen Nebenmanns. Ausgenommen sollen auch nach dieser Auffassung allerdings Sonderlagen sein, wie Verstöße gegen §§ 100, 105, da insofern höherrangige Interessen Lehre vom fehlerhaften Bestellungsakt verdrängen (MüKoAktG/Habersack Rn. 73; Schürnbrand Organschaft, 2007, 267 ff.; aA Bayer/Lieder NZG 2012, 1, 7; diff. Kort AR 2011, 84, 85).

Für die Praxis dürfte Diskussion um fehlerhaft bestelltes AR-Mitglied mit BGHZ 196, 195 = NJW 2013, 1535 vorläufiges Ende gefunden haben (zust. Tielmann/Struck BB 2013, 1548, 1549). Auch wenn BGH Lehre vom fehlerhaften Organ für AR nicht gänzlich verworfen hat, sondern sie in einzelnen Aspekten ebenfalls anwendet (→ Rn. 20), hat er doch ihre pauschale Geltung deutlich abgelehnt. BGH hat dabei starkes **systematisches Argument** für sich, dass ex-tunc-Wirkung der Anfechtung durch Lehre vom fehlerhaften Bestellungsakt quasi beseitigt würde (BGHZ 196, 195 Rn. 20). Dem kann nicht entgegengehalten werden, dass etwa auch die ex-tunc-Wirkung der Anfechtung nach § 142 BGB durch Lehre von fehlerhafter Gesellschaft ausgehöhlt werde (so aber Lieder ZHR 178 [2014], 282, 293 f.; Schürnbrand NZG 2013, 481, 482), da § 142 BGB gerade nicht in erster Linie auf Gesellschaften zugeschnitten ist, so dass Kernbereich nicht berührt wäre, während §§ 250 ff. in ihrem originären Anwendungsbereich nicht zur Anwendung gelangten. Schwerer wiegt indes, dass diese Folgen auch in vielerlei anderer Hinsicht (Haftung, Vergütung, Sanktion, § 124 III etc.; → Rn. 20) in Kauf genommen werden. Sie gerade bei der Beschlussfassung nicht anzuwenden, trägt der Bedeutung dieser Beschlüsse, aber auch der sonstigen weitreichenden Einbindung des AR-Mitglieds in das Verbandsleben nicht hinreichend Rechnung (Priester GWR 2013, 175, 177; Rieckers AG 2013, 383, 384 ff.; Schürnbrand NZG 2013, 481, 482 f.). Tats. ist insofern für Ungleichbehandlung von Vorstand und AR kein tragfähiger Grund ersichtlich (Schürnbrand NZG 2008, 609, 610; Happ FS Hüffer, 2010, 293, 306 f.), zumal BGH selbst für bes. Vertreter nach § 147 Lehre vom fehlerhaften Bestellungsakt anerkannt hat (BGH AG 2011, 875, 876; sa Bayer/Lieder NZG 2012, 6 ff.). Nach Lehre vom fehlerhaften Organ ließen sich diese zahlreichen Korrekturen in ein **schlüssiges Gesamtkonzept** einordnen, während sie nach Lösung des BGH dogmatisch beliebig anmuten (MüKoAktG/J. Koch § 250 Rn. 22 ff.; Cziupka DNotZ 2013, 579, 580 ff.; Eßers ZIP 2023, 511, 513; Höpfner ZGR 2016, 505, 508 ff.; Lieder ZHR 178 [2014], 282, 297 ff.; Rieckers ZGR 2022, 61, 76 ff.). Zu alternativen Gestaltungen, um daraus resultierende Probleme der Wahlanfechtung zu lösen, → § 104 Rn. 8; zu rechtspolitischen Gestaltungsmöglichkeiten vgl. Drygala/Gehling ZIP 2014, 1253 ff.; Florstedt NZG 2014, 681 ff. 22

Für Praxis ergeben sich aus Rspr. des BGH erhebliche Anfechtungsrisiken (vgl. KK-AktG/Kiefner § 252 Rn. 11 ff.), denen sie durch eine Vielzahl von Maßnahmen entgegenzuwirken sucht, ohne damit umfassend **Rechtssicherheit** herbeiführen zu können (ausf. zum Folgenden MüKoAktG/J. Koch § 250 Rn. 30 ff.). Neben bes. Sorgfalt bei Vorbereitung der AR-Wahl wird insbes. Einzelwahl der AR-Mitglieder empfohlen (sa C.15 S. 1 DCGK), um Wahlan- 23 fechtung gegen alle Mitglieder zu verhindern. Auch soll Laufzeit der einzelnen AR-Bestellungen zeitlich gestaffelt werden (sog staggered board; ausf. → § 102 Rn. 4; Tielmann/Struck BB 2013, 1548, 1550), womit Anfechtungsrisiko allerdings auf mehrere Hauptversammlungen verteilt wird (MüKoAktG/J. Koch § 250 Rn. 30; Buckel/Vogel ZIP 2014, 58, 59 f.). AR-Ausschüsse mit nur drei Mitgliedern sollten vermieden werden (C. Arnold/Gayk DB 2013, 1830, 1831). AR-Beschlüsse sollten sorgfältig protokolliert werden (Rieckers ZGR 2022, 61, 81; Tielmann/Struck BB 2013, 1548, 1550), um uU fehlende Kausalität auf Beschlussergebnis nachweisen zu können (→ Rn. 20), da bloße Teilnahme an Beratungen als solche unschädlich ist (BGHZ 47, 341, 346 = NJW 1967, 1711; [anders noch BGHZ 12, 327, 331]; GK-AktG/Hopt/Roth § 108 Rn. 164; KK-AktG/Mertens/Cahn § 108 Rn. 93; krit. Priester GWR 2013, 175, 177). Beweislast für fehlende Kausalität trägt AG (C. Arnold/Gayk DB 2013, 1830, 1831). **Jahresabschluss** kann über Heilung qua Zeitablaufs gem. § 256 VI 1 vor Nichtigkeitsfolge geschützt werden, was umgehende Einreichung empfiehlt (Tielmann/Struck BB 2013, 1548, 1550; zur Anfechtung des Jahresabschlusses wegen fehlerhafter Mitwirkung → § 256 Rn. 19). Ist Nichtigkeitseinwand im Vorfeld absehbar, kann Feststellung durch HV erwogen werden (Rieckers VGR 19 GesR 2013, 125, 146). Die Gefahr, dass HV-Beschlüsse von Bestellungsfehler infiziert werden, ist weitgehend ausgeräumt durch vom BGH anerkannte Ausnahmen für Wahlvorschläge gem. § 124 III und Versammlungsleitung (→ Rn. 20). Für Zukunft kann HV Bestätigungsbeschluss gem. § 244 fassen, der allerdings nicht rückwirkend gilt (→ § 251 Rn. 7 mwN; krit. zu dieser Lösung Buckel/Vogel ZIP 2014, 58, 60). Gerichtl. Ersatzbestellung für AR-Mitglied, dessen Wahl angefochten ist, wird von hM abgelehnt (→ § 104 Rn. 8). Auch eine gerichtl. Bestellung, die durch Rechtskraft des Anfechtungsurteils **aufschiebend bedingt** ist, wird – wenngleich eher erwägenswert – derzeit noch verbreitet krit. bewertet (→ § 104 Rn. 8). Am sichersten dürfte Weg über gerichtl. Ersatzbestellung nach Rücktritt der betroffenen AR-Mitglieder sein (C. Arnold/Gayk DB 2013, 1830, 1837).

Amtszeit der Aufsichtsratsmitglieder

102 (1) [1] **Aufsichtsratsmitglieder können nicht für längere Zeit als bis zur Beendigung der Hauptversammlung bestellt werden, die über die Entlastung für das vierte Geschäftsjahr nach dem Beginn der Amtszeit beschließt.** [2] **Das Geschäftsjahr, in dem die Amtszeit beginnt, wird nicht mitgerechnet.**

(2) **Das Amt des Ersatzmitglieds erlischt spätestens mit Ablauf der Amtszeit des weggefallenen Aufsichtsratsmitglieds.**

I. Regelungsgegenstand und -zweck

1 Norm betr. Amtszeit der AR-Mitglieder und legt **Höchstdauer** fest (§ 102 I); sie ist insoweit zwingend (§ 23 V). IRd Höchstdauer bestehen jedoch Spielräume (→ Rn. 4), von denen bislang in der Praxis allerdings nur selten Gebrauch gemacht wurde; idR wurden AR-Mitglieder für volle ges. Amtszeit bestellt (Hölters/Weber/Simons Rn. 3). Wirkungsmächtige Abstimmungsrichtlinien der Stimmrechtsberater (→ § 134a Rn. 4; → § 134d Rn. 1 ff.) empfehlen neuerdings aber kürzere Amtszeiten, was sich in Beschlusspraxis niederschlagen wird (vgl. Rieckers DB 2023, 307, 309; DB 2023, 373, 376). § 102 II verknüpft Höchstdauer der Amtszeit des nachgerückten Ersatzmitglieds zwingend mit Amtszeit des weggefallenen AR-Mitglieds. Für den **ersten AR** (§ 30) gilt § 102 nicht, soweit es sich um

die von den Gründern bestellten Aktionärsvertreter handelt. Ihre Bestellung endet gem. § 30 III 1 spätestens mit Beendigung der HV, die gem. § 120 über Entlastung für das erste Rumpf- oder Vollgeschäftsjahr beschließt (→ § 30 Rn. 7); werden die ersten AR-Mitglieder allerdings nach § 31 III bestellt, wird § 30 III von § 31 V verdrängt (→ § 31 Rn. 14). Möglich ist **vorzeitiges Ende** der Amtszeit durch Eintritt von ges. Hinderungsgründen (§ 100 I und II; → § 100 Rn. 5 ff., Abberufung (§ 103), Amtsniederlegung, Verschmelzung oder Formwechsel, soweit nicht § 203 UmwG eingreift (dazu Begr. BT-Drs. 12/6699, 145), nicht dagegen durch Auflösung (BGHZ 32, 114, 117 = NJW 1960, 1006 zur Genossenschaft) oder Insolvenz (→ § 264 Rn. 8); → § 103 Rn. 16 f.

II. Amtszeit

1. Gesetzliche Höchstdauer. § 102 I bestimmt Höchstdauer nicht für AR als Organ, sondern für Mitglieder des AR. Es gibt daher nur Amtsperioden für Mitglieder, nicht eine Amtsperiode für das Organ, dessen Kontinuität (zB Geschäftsordnung, Ausschussbildung etc.) von § 102 I also nicht berührt wird. Höchstdauer gilt auch für gerichtl. bestellte AR-Mitglieder (→ § 104 Rn. 16). Maßgeblich ist Beendigung der HV, die über Entlastung für das vierte Geschäftsjahr nach Beginn der Amtszeit beschließt (§ 102 I 1). Geschäftsjahr, in dem Amtszeit beginnt, ist nicht mitzurechnen (§ 102 I 2). **Bsp.:** Geschäftsjahr = Kalenderjahr; Bestellung 1.7.2015; 2015 bleibt unberücksichtigt; viertes Geschäftsjahr = 2019; Tag der HV 1.7.2020; grob gerechnet beträgt die Höchstdauer also fünf Jahre. 2

Beginn der Amtszeit kann frühestens mit Annahme der Wahl angesetzt werden, kann aber auch später liegen (→ § 101 Rn. 8). Wird Annahme – wie in der Praxis häufig – schon vor der Wahl erklärt (→ § 101 Rn. 8), ist HV-Beschluss maßgeblich. **Ende** der Amtszeit wird nach Berechnungsformel des § 102 I an Entlastung gekoppelt. Unerheblich ist, ob Entlastung erteilt oder verweigert wird. Entlastungsbeschluss, der nur Vorstand betr., lässt AR im Amt. Wenn **Beschlussfassung über Entlastung nicht rechtzeitig** (§ 120 I: acht Monate seit Beginn des Geschäftsjahrs) erfolgt (keine rechtzeitige Einberufung; Vertagung), verlängert sich Amtszeit auch über Fünfjahresfrist hinaus (AG Essen MDR 1970, 336; MüKoAktG/Habersack Rn. 18; MHdB AG/Hoffmann-Becking § 30 Rn. 80). In Schwierigkeiten gerät diese Ansicht, wenn Beschlussfassung über Entlastung **fortgesetzt unterbleibt;** beliebige Verlängerung der Amtszeit kommt aufgrund zwingenden Charakters des § 102 nicht in Betracht (darin zutr. KK-AktG/Mertens/Cahn Rn. 5), zumal auch Minderheitenschutz anderenfalls nicht lückenlos gewährleistet wäre (aA Hölters/Weber/Simons Rn. 7). Von den stattdessen erwogenen Lösungsvarianten (Amtsende mit Ablauf der acht Monate des § 120 I 2 [BGH AG 2002, 676, 677; KG NZG 2021, 1358 Rn. 46; OLG München AG 2010, 87; MüKoAktG/Habersack Rn. 18; GK-AktG/Hopt/Roth Rn. 14 f.] oder mit Ablauf der HV, die zu beschließen hat [KK-AktG/Mertens/Cahn Rn. 5 ff; BeckOGK/Spindler Rn. 9]) verdient erstgenannte den Vorzug, da sie der AG den von § 102 I grds. gewährten Gestaltungsspielraum belässt, die ges. zwingende Folge aber dann eingreifen lässt, sobald dieser Spielraum endet. Funktionsfähigkeit des AR kann zur Not über gerichtl. Bestellung gem. § 104 erhalten bleiben (GK-AktG/Hopt/Roth Rn. 14). Ausnahme bei noch nicht fertiggestellter Rechnungslegung (dafür Gärtner NZG 2013, 652, 653 f.) mag unter Praktikabilitätsgesichtspunkten sinnvoll sein, findet im Ges. aber keine Stütze. 3

2. Anderweitige Bestimmung. IRd ges. Höchstdauer kann Amtszeit der AR-Mitglieder (auch der AN-Vertreter, → Rn. 5) anders, also kürzer, festgelegt 4 werden; dabei darf auch andere Fristberechnung vorgesehen werden (Überblick über Gestaltungsformen: Blasche AG 2017, 112, 113 ff.). Amtszeit muss auch **nicht für alle AR-Mitglieder gleich** sein (BGHZ 99, 211, 215 = NJW 1987, 902; OLG Frankfurt AG 1987, 159, 160; MüKoAktG/Habersack Rn. 9), was etwa nutzbar gemacht werden kann, um sog **staggered boards** zu schaffen, deren Zulässigkeit allg. anerkannt ist. Sie erfreuen sich auch in Praxis zunehmender Beliebtheit begegnen zT als ausdr. Policy, zT als de facto Phänomen (empirische Angaben bei Seibt FS Strenger, 2023, 494, 496 ff.; dort auch zur Möglichkeit satzungsmäßiger Anordnung [502 f.]). Entspr. ihrer US-amerikanischen Provenienz wurden sie ursprünglich eingesetzt, um feindliche Übernahmen zu erschweren, doch stehen heute andere Motive im Vordergrund: Erhöhte Akzeptanz auf Investorenseite aufgrund häufigerer Besetzungskommunikation, Erleichterung personeller Erneuerung, Reduktion der Anfechtungsrisiken (→ § 101 Rn. 23), Vermeidung von Gruppendenken (ausf. dazu Langenbucher JZ 2023, 693 ff.) und von überstarken Loyalitätsbindungen, Bewahrung der Kontinuität der AR-Tätigkeit trotz Neumitgliedern (instruktiv: Seibt FS Strenger, 2023, 494, 498 ff.). Daneben kann beschränkte Amtszeit einzelner Mitglieder auch genutzt werden, um wechselwilligem Vorstandsmitglied zumindest nach Ablauf der Karenzzeit des § 100 II 1 Nr. 4 schnellstmöglich Wechsel in AR zu ermöglichen (→ § 100 Rn. 13). Diesen Vorteilen steht Nachteil ggü., dass Verfolgung nachhaltiger Strategien beeinträchtigt werden kann. Überdies kann häufiger Wechsel Belastungen der AG mit sich bringen und ggf. auch effektive Arbeitsweise beeinträchtigen (Seibt FS Strenger, 2023, 494, 501 f.; dort auch zu Folgen für Wahl des AR-Vorsitzenden [506 ff.]). Entspr. Empfehlung in Ziff. 5.4.6 DCGK aF v. 14.6.2007 wurde deshalb aufgegeben (Hölters/Weber/Simons Rn. 2). Für AN-Vertreter ist Zulässigkeit solcher Gestaltung ohnehin umstr. (dafür GK-AktG/Hopt/Roth Rn. 70; BeckOGK/Spindler Rn. 16; Seibt FS Strenger, 2023, 494, 504 ff.; dagegen MüKoAktG/Habersack Rn. 13; Blasche AG 2017, 112, 114), jedenfalls angesichts bes. aufwendigen mitbestimmungsrechtl. Wahlverfahrens kaum zu empfehlen (sa Seibt FS Strenger, 2023, 494, 504). Bei allen Differenzierungen ist jedoch stets dem Grundsatz Rechnung zu tragen, dass die Rechtsstellung aller AR-Mitglieder gleichwertig ist (BGHZ 99, 211, 215; vgl. speziell zu staggered boards auch Seibt FS Strenger, 2023, 494, 503 f.). Insbes. wäre es unzulässig, für AR-Mitglieder der AN kürzere Amtszeit vorzusehen als für diejenigen der Aktionäre (→ Rn. 5). Regelungen zur Amtszeit können vor allem in der Satzung, aber auch im Wahlbeschluss der HV enthalten sein. Soweit AR-Mitglieder entsandt werden (§ 101 I und II), kann der Entsendungsberechtigte iRd ges. Höchstdauer Bestimmungen zur Amtszeit treffen (MüKoAktG/Habersack Rn. 14). Folgen einer **Satzungsänderung** sind umstr. Nach hM wirkt sie zumindest für amtierende Anteilseignervertreter unmittelbar (GK-AktG/Hopt/Roth Rn. 71; KK-AktG/Mertens/Cahn Rn. 10; BeckOGK/Spindler Rn. 16), während nach anderer Auffassung erst künftige Mitglieder betr. sind (MüKoAktG/Habersack Rn. 11; Hölters/Weber/Simons Rn. 9; Blasche AG 2017, 112, 116 f.). Letztgenannter Auffassung ist zuzustimmen, da Amt nicht durch Satzung, sondern Bestellungsbeschluss begründet wird, der von Satzungsänderung unberührt bleibt (Blasche AG 2017, 112, 117).

5 **3. Insbesondere: Amtszeit der Arbeitnehmer-Vertreter.** Für Amtszeit der AN-Vertreter im AR gelten die Bestimmungen des Ges. (§ 102) und der Satzung (→ Rn. 4). Das ergibt sich im Geltungsbereich der Montanmitbestimmung (→ § 96 Rn. 6) aus auch insoweit bestehender Wahlzuständigkeit der HV (§§ 5, 6 MontanMitbestG) und folgt iÜ aus § 15 I MitbestG, § 10c I MontanMitbestErgG, § 5 I DrittelbG. Soweit AR-Mitglieder nach den zuletzt genannten Vorschriften nicht von HV bestellt werden, ist für Regelungen der Amtszeit

durch bloßen Beschluss der HV von vornherein kein Raum (ganz hM, s. nur MHdB AG/Hoffmann-Becking § 30 Rn. 85; Habersack/Henssler/Habersack MitbestG § 6 Rn. 65). Dasselbe muss für die Montanmitbestimmung gelten, weil § 5 MontanMitbestG nur eine Wahl „nach Maßgabe der Satzung" zulässt. Sofern AR-Mitglieder gem. § 7 II MitbestG AN des Unternehmens sein müssen, erlischt ihr Amt kraft Ges. (§ 24 I MitbestG), sobald diese Eigenschaft endet (Kündigung, Aufhebungsvertrag, Ruhestand, Freistellungsphase bei Altersteilzeit im Blockmodell [BAGE 96, 163, 164 f. = AG 2001, 313]).

III. Wiederbestellung

Wiederbestellung von AR-Mitgliedern ist zulässig (allgM) und verbreitet, wenngleich einflussreiche institutionelle Stimmrechtsberater iSd § 134a I Nr. 3 (→ § 134a Rn. 4; → § 134d Rn. 1 ff.) daraus resultierender langer Amtszeit zT krit. gegenüberstehen (Hölters/Weber/Simons Rn. 13). Unzulässig ist jedoch **vorzeitige Wiederwahl** in dem Sinne, dass HV vor Ablauf der Amtszeit für eine volle Wahlperiode wiederwählt (RGZ 129, 180, 183 f.; RGZ 166, 175, 187; Hölters/Weber/Simons Rn. 13). Dagegen ist es mit hM als zulässig anzusehen, wenn HV vorzeitig wählt, aber dabei den Rest der laufenden Amtszeit in die Berechnung der ges. Höchstdauer einbezieht (MüKoAktG/Habersack Rn. 20; MHdB AG/Hoffmann-Becking § 30 Rn. 83). Nachdem BGH eine solche Gestaltung auch für den Vorstand als zulässig anerkannt hat (→ § 84 Rn. 8), spricht viel dafür, sie auch für AR zuzulassen. RGZ 129, 180, 183 f. steht nicht entgegen, weil AG in dem dort entschiedenen Fall die ges. Höchstdauer zum Bestandteil der Satzung gemacht hatte; das kann HV in der Tat durch bloßen Wahlbeschluss nicht beseitigen. 6

IV. Amtszeit des Ersatzmitglieds

Ersatzmitglieder können keine längere Amtszeit haben als die weggefallenen Mitglieder (§ 102 II). Das gilt auch dann, wenn deren Amtszeit hinter der ges. Höchstdauer zurückblieb (→ Rn. 4; iÜ → Rn. 11 ff., bes. 13a). § 102 II gilt aber nur für Ersatzmitglied, das tats. an Stelle des AR-Mitglieds getreten ist. Ist das nicht der Fall, richtet sich Amtszeit akzessorisch nach Amtszeit des AR-Mitglieds, für das Ersatzmitglied bestellt wurde (Hölters/Weber/Simons Rn. 12). 7

Abberufung der Aufsichtsratsmitglieder

103 (1) [1]**Aufsichtsratsmitglieder, die von der Hauptversammlung ohne Bindung an einen Wahlvorschlag gewählt worden sind, können von ihr vor Ablauf der Amtszeit abberufen werden.** [2]**Der Beschluß bedarf einer Mehrheit, die mindestens drei Viertel der abgegebenen Stimmen umfaßt.** [3]**Die Satzung kann eine andere Mehrheit und weitere Erfordernisse bestimmen.**

(2) [1]**Ein Aufsichtsratsmitglied, das auf Grund der Satzung in den Aufsichtsrat entsandt ist, kann von dem Entsendungsberechtigten jederzeit abberufen und durch ein anderes ersetzt werden.** [2]**Sind die in der Satzung bestimmten Voraussetzungen des Entsendungsrechts weggefallen, so kann die Hauptversammlung das entsandte Mitglied mit einfacher Stimmenmehrheit abberufen.**

(3) [1]**Das Gericht hat auf Antrag des Aufsichtsrats ein Aufsichtsratsmitglied abzuberufen, wenn in dessen Person ein wichtiger Grund vorliegt.** [2]**Der Aufsichtsrat beschließt über die Antragstellung mit einfacher Mehr-**

heit. [3] Ist das Aufsichtsratsmitglied auf Grund der Satzung in den Aufsichtsrat entsandt worden, so können auch Aktionäre, deren Anteile zusammen den zehnten Teil des Grundkapitals oder den anteiligen Betrag von einer Million Euro erreichen, den Antrag stellen. [4] Gegen die Entscheidung ist die Beschwerde zulässig.

(4) **Für die Abberufung der Aufsichtsratsmitglieder, die weder von der Hauptversammlung ohne Bindung an einen Wahlvorschlag gewählt worden sind noch auf Grund der Satzung in den Aufsichtsrat entsandt sind, gelten außer Absatz 3 das Mitbestimmungsgesetz, das Montan-Mitbestimmungsgesetz, das Mitbestimmungsergänzungsgesetz, das Drittelbeteiligungsgesetz, das SE-Beteiligungsgesetz, das Gesetz über die Mitbestimmung der Arbeitnehmer bei einer grenzüberschreitenden Verschmelzung und das Gesetz über die Mitbestimmung der Arbeitnehmer bei grenzüberschreitendem Formwechsel und grenzüberschreitender Spaltung.**

(5) **Für die Abberufung eines Ersatzmitglieds gelten die Vorschriften über die Abberufung des Aufsichtsratsmitglieds, für das es bestellt ist.**

Übersicht

I. Regelungsgegenstand und -zweck

1 § 103 wurde mit AktG 1965 eingeführt, regelt Abberufung von AR-Mitgliedern und folgt dabei dem Prinzip, dass **Bestellungsberechtigter** grds. auch über Abberufung soll entscheiden können (Hölters/Weber/Simons Rn. 1). Folglich muss Regelung für die fünf unterschiedlichen Bestellungsformen für AR-Mitglieder (HV-Wahl, Entsendung, AN-Wahl, erster AR, gerichtl. Bestellung; → § 101 Rn. 1) jew. korrespondierende Abberufungsregeln enthalten. Kennzeichnend für Abberufung nach § 103 I und II ist, dass sie – anders als für Vorstand (§ 84 IV) – grds. **keinen wichtigen Grund** voraussetzt. Da AR anders als Vorstand Geschäfte nicht führt, bedarf er keiner gleichermaßen starken und von Aktionären losgelösten Leitungsposition. Stattdessen überwiegt wertungs-

mäßig ursprünglicher Charakter des AR als „Aktionärsausschuss", der nur aus Mitgliedern zusammengesetzt sein soll, die dauerhaft vom Vertrauen des Bestellungsberechtigten getragen werden. Darüber hinaus sieht § 103 III für alle Bestellformen Möglichkeit **gerichtl. Abberufung vor,** wenn AR-Mitglied für AG untragbar geworden ist, weshalb hier wichtiger Grund erforderlich bleibt (AusschussB Kropff S. 142 f.). § 103 V regelt überdies Abberufung von Ersatzmitgliedern. § 103 enthält **keine abschließende Regelung** der Amtsbeendigung. Amt des AR-Mitglieds kann noch aus anderen Gründen als durch Abberufung enden, bes. durch Amtsniederlegung (→ Rn. 16 f.). **Praktische Bedeutung** der Vorschrift ist gering, da Betroffene idR gesichtswahrenden Weg der Amtsniederlegung gehen (Hölters/Weber/Simons Rn. 4). Entsteht durch Abberufung, sonstige Amtsbeendigung oder Vakanz Störung der Bänkebalance, entspr. es guter Übung (aber keiner Rechtspflicht), Disparität nicht zum Nutzen der anderen Seite auszunutzen, sondern – durch Stimmenthaltung eines Mitglieds oÄ – für Ausgleich zu sorgen (Hölters/Weber/Simons Rn. 4).

II. Von Hauptversammlung gewählte Aufsichtsratsmitglieder (§ 103 I)

1. Geltungsbereich. HV kann gem. § 103 I 1 die von ihr **gewählten Mitglieder** abberufen, wenn sie nicht an Wahlvorschlag gebunden war. Eine solche Bindung ist nach § 101 I 2 nur in Gesellschaften der Fall, die der Montanmitbestimmung unterliegen (→ § 101 Rn. 3 f.). Abberufungskompetenz erstreckt sich also insbes. auf alle gewählten AR-Mitglieder der Aktionäre. Das gilt auch für den **ersten AR** (§ 30; → § 30 Rn. 4; MüKoAktG/Habersack Rn. 3). 2

2. Vertrauensentzug durch Hauptversammlungsbeschluss. § 103 I 1 stellt für Abberufung **keine sachlichen Erfordernisse** (wie Pflichtverletzung, Amtsunfähigkeit) auf, so dass auch eine gerichtl. inhaltliche Überprüfung ausscheidet. Erforderlich und genügend ist mit ges. oder satzungsmäßiger Mehrheit gefasster HV-Beschluss. AR-Mitglieder der Aktionäre sollen das Vertrauen der HV haben (→ Rn. 1). Folglich genügt für Amtsbeendigung der Vertrauensentzug. Beschluss muss aber Abberufung zum Gegenstand haben. **Entlastungsverweigerung genügt nicht,** auch dann nicht, wenn Entlastung in Einzelabstimmung verweigert wurde (§ 120 I 2). Ohne HV-Beschluss kann Abberufung der gewählten AR-Mitglieder nicht erfolgen. Abberufung durch andere Stelle mit nachträglicher Zustimmung der HV (dazu Leo AG 1957, 265) gibt es nicht. Zustimmung kann aber als Abberufungsbeschluss gewertet werden (MüKoAktG/Habersack Rn. 10; vgl. auch OLG Frankfurt WM 1989, 438, 440 ff.), der seinerseits der Ausführung bedarf (→ Rn. 5). UU kann sich aus mitgliedschaftlichen Treupflichten auch Pflicht ergeben, Antrag gem. § 103 I auf Abberufung eines schwerwiegend pflichtvergessenen AR-Mitglieds zuzustimmen (Hölters/Weber/Simons Rn. 15; BeckOGK/Spindler Rn. 7; E. Vetter AG 2021, 550 Rn. 26 ff.; zum gegenläufigen Szenario der Wiederwahl eines offenkundig ungeeigneten AR-Mitglieds → § 251 Rn. 2). Stets ist zu beachten, dass Abberufung nur wirksam sein kann, wenn sie ordnungsgem. als Gegenstand der **Tagesordnung** angekündigt worden ist (§ 124 IV 1). 3

Der auf Abberufung gerichtete Antrag muss nach § 103 I 2 eine **Mehrheit von mindestens ¾** der abgegebenen Stimmen gefunden haben. Auf eine Mehrheit des Grundkapitals kommt es nicht an. Die Satzung kann aber gem. § 103 I 3 andere Mehrheit und weitere Erfordernisse bestimmen. Mehrheitserfordernis kann **abgesenkt** (einfache Stimmenmehrheit des § 133), aber nicht aufgegeben werden; Abberufung durch eine Minderheit lässt § 103 I nicht zu, auch dann nicht, wenn sie aus wichtigem Grund erfolgen soll (allgM). Derartige Absenkung 4 kann auch in generell gefasster – für alle HV-Beschlüsse geltenden – Satzungsklausel erfolgen (Hölters/Weber/Simons Rn. 8). Praxis macht von dieser Möglichkeit häufig Gebrauch (Redenius-Hövermann ZIP 2022, 817, 820; Seibt FS Strenger, 2023, 494, 496). Mehrheitserfordernis kann – etwa aus Gründen des erhöhten Übernahmeschutzes – auch **verschärft** werden (zB Stimmen- und Kapitalmehrheit). Satzung muss für Abberufung aller von HV gewählter AR-Mitglieder (→ Rn. 2) die gleiche Mehrheit und die gleichen weiteren Erfordernisse vorsehen. Unterschiedliche Behandlung der AR-Mitglieder verstößt gegen Prinzip gleichwertiger Amtsstellung und ist unzulässig (BGHZ 99, 211, 215 f. = NJW 1987, 902). Unzulässig ist auch, unterschiedliche Mehrheiten entspr. dem Anlass der Abberufung vorzusehen; insbes. darf aus Gründen der Rechtssicherheit nicht für Abberufung aus wichtigem Grund eine andere Mehrheit als für sonstige Abberufungen gefordert werden (hM, vgl. B/K/L/Bürgers/Fischer Rn. 5; MüKoAktG/Habersack Rn. 17). Erst recht darf Abberufungsrecht nicht inhaltlich beschränkt werden, indem es etwa generell von wichtigem Grund abhängig gemacht wird (MHdB AG/Hoffmann-Becking § 30 Rn. 95); allein zusätzliche Verfahrensvoraussetzungen sind von § 103 I 3 gedeckt. § 136 I sieht für Abberufung **keinen Stimmrechtsausschluss** vor; betroffenes AR-Mitglied, das auch Aktionär ist, darf also mitstimmen (MüKoAktG/Habersack Rn. 13; KK-AktG/Mertens/Cahn Rn. 10; Hölters/Weber/Simons Rn. 13; einschr. [Stimmverbot bei Untreue oder Betrug oder bei anderen krassen Pflichtverletzungen] Heller NZG 2009, 1170, 1171; → § 136 Rn. 19).

5 **3. Rechtswirkungen der Abberufung.** Beschluss der HV allein bewirkt noch nicht das Amtsende. Abberufung ist wie die Bestellung korporationsrechtl. Rechtsgeschäft (→ § 101 Rn. 7), muss also **ggü. AR-Mitglied erklärt** werden. Wenn es in HV anwesend ist, liegt Erklärung in Feststellung des Beschlussergebnisses (BGHZ 225, 198 Rn. 59 = AG 2020, 545). Abwesenden AR-Mitgliedern muss Beschluss mitgeteilt werden; Amtsende tritt erst mit Zugang ein (BGHZ 225, 198 Rn. 56; MüKoAktG/Habersack Rn. 19; MHdB AG/Hoffmann-Becking § 30 Rn. 96; aA Natzel DB 1964, 1180, 1181). Noch nicht abschließend geklärt ist, durch wen Mitteilung zu erfolgen hat. Einigkeit besteht darüber, dass auf der einen Seite gelegentliche Kenntniserlangung nicht genügt (BGHZ 225, 198 Rn. 58), dass auf der anderen Seite Erklärung durch Vorstand (§ 78 I) stets ausreichend ist (BGHZ 225, 198 Rn. 61). Sie ist aber auch nicht zwingend erforderlich, da es nicht um Vertretung geht, sondern um **Kundgabe eines körperschaftlichen Organisationsaktes,** weshalb auch Mitteilung des Abberufungsbeschlusses durch eine von HV hiermit ausdr. beauftragte Person genügt, wenn zuverlässige Bekanntgabe gewährleistet ist (BGHZ 225, 198 Rn. 61). Deshalb ist es nicht zu beanstanden, wenn Mitteilung vom protokollierenden Notar veranlasst wird, der von HV ausdr. hierzu beauftragt worden ist (BGHZ 225, 198 Rn. 57; zu Einzelheiten vgl. Wachter BB 2020, 1474, 1476 f.). Weiterhin umstr. ist, ob darüber hinaus jede beliebige Person mit Mitteilung betraut werden kann. BGH-Hinweis auf berechtigte Interessen des abberufenen Mitglieds an rechtssicherer Mitteilung und Gewährleistung zuverlässiger Bekanntgabe (BGHZ 225, 198 Rn. 61 f.) deuten auf eher zurückhaltende Handhabung hin (Wachter BB 2020, 1474, 1477; Wilsing/Hoveyes EWiR 2020, 387, 388; großzügiger MHdB AG/Hoffmann-Becking § 30 Rn. 84). Auch Mitteilung durch AR-Vorsitzenden wird dem genügen, allerdings nur, sofern auch Beauftragung durch HV gegeben ist (ohne diese Einschränkung B/K/L/Bürgers/Fischer Rn. 3). Teilw. geforderte Mitzeichnung durch Vorstand und AR-Vorsitzenden ist unschädlich und zu empfehlen, sofern nicht auch er abberufen wird. HV kann neues AR-Mitglied vor Wirksamwerden der Abberufung wählen. Bestellung erfolgt dann unter der aufschiebenden Bedingung, dass Abberufung wirksam wird.

6 Abberufung bedeutet **Amtsende,** und zwar aus Gründen der Rechtssicherheit nicht allein die unanfechtbar rechtswirksame, sondern jede Abberufung (str. – wie hier MüKoAktG/Habersack Rn. 22; Hölters/Weber/Simons Rn. 19; BeckOGK/Spindler Rn. 17; aA GK-AktG/Hopt/Roth Rn. 24; KK-AktG/Mertens/Cahn Rn. 7). AR-Mitglied verliert also seine organschaftlichen Rechte und Pflichten, soweit sie nicht ausnahmsweise nachwirken, zB Verschwiegenheitspflicht (→ § 93 Rn. 62 ff.; → § 116 Rn. 9 f.). Mit Amtsende erlöschen auch persönliche Ansprüche, bes. auf Vergütung (heute allgM, vgl. RGZ 68, 223, 225 ff.; MüKoAktG/Habersack Rn. 21). Rechtslage entspr. also nicht derjenigen bei Abberufung eines Vorstandsmitglieds (→ § 84 Rn. 50, 84). **Erlöschen der Vergütungsansprüche** folgt entweder aus Beendigung einheitlichen Amtsverhältnisses oder, wenn man dieses für gegeben hält, aus Erlöschen des mit dem Amtsverhältnis verknüpften Anstellungsverhältnisses (→ § 101 Rn. 2). Sonstige, etwa auf Beratung gerichtete Verträge (§ 114) erlöschen mit der Abberufung nicht, können aber aus wichtigem Grund gekündigt werden, wenn sie auf dem AR-Mandat basieren (MüKoAktG/Habersack Rn. 21). Für **Herausgabe von Unterlagen** der AG gelten §§ 666, 667 BGB analog (BGH AG 2008, 743 f.; teilw. krit. Heider/Hirte CCZ 2009, 106, 107 ff.). Häufig bestimmt Satzung oder Geschäftsordnung des AR, dass Mitglieder des AR verpflichtet sind, in ihrem Besitz befindliche Unterlagen der AG unverzüglich zurückzugeben. Das entspr. der Rechtslage und führt bei Nichterfüllung zum Recht der Gesellschaft, noch geschuldete Vergütung gem. § 273 BGB zurückzubehalten (BGH AG 2008, 743 f.; OLG Düsseldorf AG 2007, 747, 748 f.). Für durch Herausgabepflicht uU entstehende Beweisnot im Organhaftungsprozess gelten die in → § 93 Rn. 103 ff. skizzierten Grundsätze.

III. Entsandte Aufsichtsratsmitglieder (§ 103 II)

7 **1. Abberufung durch Entsendungsberechtigten.** Zur Abberufung ist grds. berechtigt, wer dem AR-Mitglied das Amt gegeben hat (→ Rn. 1). Deshalb können entsandte AR-Mitglieder nach § 103 II 1 prinzipiell (Ausnahme → Rn. 8) auch nur von dem Entsendungsberechtigten und nicht durch HV-Beschluss abberufen werden. Zur Person des Entsendungs- und damit auch Abberufungsberechtigten → § 101 Rn. 8. Bei dem mit **vinkulierten Namensaktien** (§ 68 II) verknüpften Entsendungsrecht (§ 101 II 2) kann Abberufung nach Übertragung der Mitgliedschaft durch anderen Aktionär erfolgen als Bestellung. Eines wichtigen Grundes zur Abberufung bedarf es auch hier nicht (→ Rn. 3). Hat der Entsendungsberechtigte mit dem AR-Mitglied entspr. Vereinbarung getroffen, dass solcher Grund ausnahmsweise erforderlich sein soll, so bleibt Abberufung trotzdem auch ohne wichtigen Grund wirksam; Vertragsverletzung kann nur zum Schadensersatz in Geld führen (ganz hM, s. MüKoAktG/Habersack Rn. 27; BeckOGK/Spindler Rn. 20; aA v. Godin/Wilhelmi Rn. 3). Abberufung erfolgt auch hier durch zugangsbedürftige Willenserklärung.

8 **2. Abberufung durch Hauptversammlung.** Ausnahmsweise kann HV entsandtes AR-Mitglied abberufen, nämlich dann, wenn die Satzung ihr ein eigenes Abberufungsrecht neben dem Entsendungsberechtigten einräumt (zur Zulässigkeit vgl. etwa BeckOGK/Spindler Rn. 25) oder wenn die satzungsmäßigen **Voraussetzungen des Entsendungsrechts weggefallen** sind (§ 103 II 2), zB, wenn Entsendungsberechtigter seine Aktien veräußert hat. Unmittelbare Wirkung hat Wegfall des Entsendungsrechts auf Amtsstellung des AR-Mitglieds nicht, sondern es bedarf auch hier eines mit einfacher Stimmenmehrheit gefassten HV-Beschlusses und (→ Rn. 5) seiner Ausführung.

IV. Abberufung aus wichtigem Grund (§ 103 III)

9 **1. Allgemeines.** Gem. § 103 III kann AR-Mitglied auf Antrag durch **gerichtl. Entscheidung** abberufen werden. 1965 neu geschaffene Vorschrift soll es ermöglichen, AR-Mitglied, das aufgrund gesellschaftswidrigen Verhaltens für AG untragbar geworden ist, schnell aus AR zu entfernen, auch wenn die sonst für Abberufung dieses AR-Mitglieds zuständige Stelle noch nicht entschieden hat (AusschussB Kropff S. 142 f.). Bes. praktische Relevanz hat dies bei AN-Vertretern, wo sich Einschaltung der wahlberechtigten AN bzw. ihrer Delegierten (→ Rn. 14) als bes. schwerfällig erweist (Simons NZG 2022, 562, 563). Gesetzgeber hat Vorschrift aber nicht auf diese Konstellation beschränkt, sondern sie in dem Sinne neutral ausgestaltet, dass sie für alle AR-Mitglieder gilt, also für diejenigen der AN und der Aktionäre, für gewählte und entsandte (MüKoAktG/Habersack Rn. 33).

10 **2. Wichtiger Grund.** Abberufung kann nur aus wichtigem Grund erfolgen, der in Person des AR-Mitglieds begründet sein muss (§ 103 III 1). Früher hM verlangte dafür, dass AR-Mitglied sich krass gesellschaftswidrig verhält oder schlechthin untragbar geworden ist (BGHZ 39, 116, 123 = NJW 1963, 905 zum AktG 1937; sa AusschussB Kropff S. 142 f.; ebenso noch AG München WM 1986, 974). Heute hM setzt bes. gravierende Sachverhalte im Sinne dieser Umschreibungen nicht mehr voraus, sondern beurteilt wichtigen Grund entspr. § 84 IV 2, da kein Grund besteht, Vorstandsmitglieder insofern schlechter zu stellen als AR-Mitglieder (s. zu diesem Vergleichsmaßstab auch OLG Karlsruhe NZG 2022, 557 Rn. 26). Im Gegenteil rechtfertigt es Nebenamtscharakter des AR-Mandats (→ § 100 Rn. 5), gegenläufiges Interesse des AR-Mitglied geringer zu gewichten (OLG Karlsruhe NZG 2022, 557 Rn. 24). Danach ist unter Würdigung des Einzelfalls zu entscheiden, ob **Fortsetzung des Amtsverhältnisses** bis zum Ablauf der Amtszeit für AG **unzumutbar** ist (OLG Frankfurt AG 2008, 456 f.; OLG Karlsruhe NZG 2022, 557 Rn. 24; OLG München NZG 2018, 1389 Rn. 2; OLG Stuttgart AG 2007, 218; LG Frankfurt NJW 1987, 505 f.; MüKoAktG/Habersack Rn. 39; BeckOGK/Spindler Rn. 34 – vgl. zu den Einzelheiten die zu → § 84 Rn. 53 ff. entwickelten Grundsätze). Das ist insbes. der Fall, wenn weiterer Verbleib im Amt Funktionsfähigkeit des AR nicht unerheblich beeinträchtigt oder sonstige Schädigung der AG erwarten lässt (OLG Karlsruhe NZG 2022, 557 Rn. 24; OLG München NZG 2018, 1389 Rn. 3). AR steht wie bei § 84 IV (→ § 84 Rn. 55) kein Beurteilungsspielraum zu (Harnos, Gerichtliche Kontrolldichte, 2021, 486). Ggü. anderen Instrumentarien sollte Abberufung nach § 103 III **ultima ratio** sein (OLG München NZG 2018, 1389 Rn. 3). Unzumutbarkeit liegt insbes. auch bei andauernder Amtsverhinderung vor (Krauel/Fackler AG 2009, 686, 687). Fernbleiben von einzelnen AR-Sitzungen genügt dagegen nur dann, wenn es auf Boykotthaltung des AR-Mitglieds schließen lässt (OLG München NZG 2018, 1389 Rn. 7 ff. mw Ausführungen zur Zulässigkeit des Sitzungsortes; vgl. → § 110 Rn. 4). Verschulden ist nicht erforderlich (Lingen AG 2022, 324, 326); auch einer Abmahnung bedarf es nicht (LG Frankfurt AG 1987, 160; Lingen AG 2022, 324, 326).

11 **Einzelfälle.** Zu Streitigkeiten führen häufig **Verletzungen der Vertraulichkeit,** die in der Praxis häufig vorkommen, wegen übergroßen Harmoniebedürfnisses innerhalb des AR aber nur selten nach § 103 III oder § 116 S. 1, 2 iVm § 93 II geahndet werden; auch Gerichtspraxis ist nicht einheitlich und konsequent (Hölters/Weber/Simons Rn. 35a). Information des Betriebsrats, auch durch vage Äußerungen, über Projekt, das in Sitzung des AR als streng vertraulich bezeichnet worden ist, genügt jedenfalls dann zur Abberufung, wenn

AR-Mitglied über Vertraulichkeit auch weiterhin allein entscheiden will (OLG Stuttgart AG 2007, 218). Einmalige Bek. geplanter Dividendenerhöhung und des Abstimmungsverhaltens anderer AR-Mitglieder der AN in Betriebsversammlung unter Verkennung der Schweigepflicht soll dagegen nicht genügen (AG München WM 1986, 974; bedenklich). Kein Abberufungsgrund liegt vor, wenn Durchbrechung der Verschwiegenheitspflicht ges. gestattet ist, wie namentl. in den Fällen des § 394 (OLG München NZG 2018, 1389 Rn. 6). Während nach bisheriger Praxis zumeist eher Vertraulichkeitsverstöße der AN-Vertreter im Vordergrund der Gerichtspraxis standen, zeigt sich mittlerweile auch auf Seite der Anteilseignervertreter stärkere Tendenz, namentl. ggü. institutionellen Investoren Vertraulichkeit zu durchbrechen, was aber ebenfalls § 116 S. 1, 2 iVm § 93 I 3 verletzen kann (ausf. → § 111 Rn. 54 ff.; J. Koch AG 2017, 129 ff., 139). Unglückliche Kodex-Anregung in A.6 DCGK kann sich daher gerade für AR-Vorsitzenden als gefährliche Haftungsfalle erweisen (→ § 111 Rn. 54 ff.). Auch intrigantes Verhalten (OLG München NZG 2018, 1389 Rn. 3) oder **Vorwurf der Illoyalität** kann Abberufung begründen. So ist heimliches Schreiben einer „Reihe von Personen" unter Mitwirkung von AR-Mitgliedern der AN an BKartA mit negativer Stellungnahme zu angemeldetem Fusionsvorhaben wichtiger Grund (LG Frankfurt NJW 1987, 505). Als wichtiger Grund ist es auch angesehen worden, wenn sich Mitglieder des AR hinter dem Rücken des Vorstands Informationen bei Repräsentanten der Muttergesellschaft besorgen (OLG Zweibrücken AG 1991, 70; AG Pirmasens WM 1990, 1387). Ebenso wurde die Abberufung bei wiederholter Anmaßung der Überwachungsrechte des Gesamtorgans durch einzelnes AR-Mitglied für gerechtfertigt gehalten (OLG Frankfurt AG 2008, 456, 457 f.). Schließlich kann Überschreitung eigener Kompetenzgrenzen ggü. Vorstand, auch hier namentl. wieder im Kontext der Kapitalmarktkommunikation, Pflichtenverstoß begründen (→ § 107 Rn. 11; → § 111 Rn. 54 ff.). Wichtiger Grund liegt ferner bei gravierender und dauerhafter **Pflichtenkollision** vor (AR-Mitglied versucht, als Repräsentant der Aufsichtsbehörde Änderung des Unternehmensgegenstands auf politischem Weg zu erreichen [LG Hamburg WM 1989, 1934; OLG Hamburg AG 1990, 218]; BeckOGK/Spindler Rn. 37; abw. Beurteilung für entsandte Befürworterin der Verkehrswende im VW-AR bei Bachmann ZHR 187 [2023], 166, 189 ff.). Abstimmungsverhalten eines Gemeindevertreters im Rat begründet dagegen idR keinen Abberufungsgrund (OLG München NZG 2018, 1389 Rn. 6). Fall des § 103 II ist weiterhin auch dann gegeben, wenn AR-Mitglied grundlose ehrenrührige Vorwürfe gegen Geschäftsleitung erhebt, diese in den AR hineinträgt und nicht zur Kollegialität zurückfindet (Hoffmann/Kirchhoff FS Beusch, 1993, 377, 384 f.). Rein **private Verfehlungen** genügen zur Abberufung dagegen nur dann, wenn sie konkrete nachteilige Folgen für Geschäftsgang oder Ansehen haben oder vertrauensvolle Zusammenarbeit gefährden (ausf. OLG Karlsruhe NZG 2022, 557 Rn. 25 ff.; S/L/Drygala Rn. 18). Enger Zusammenhang mit AR-Tätigkeit ist nicht erforderlich (Schneider/Hanifi-Atashgah BB 2022, 2126, 2127 f.; Simons NZG 2022, 562, 563; in der Sache auch OLG Karlsruhe NZG 2022, 557 Rn. 26 f.; aA E. Vetter EWiR 2022, 203, 204). Zum Sonderfall eines Wettbewerbers im AR → Rn. 13a f. Als weiterer Abberufungsgrund sind Fälle offensichtlicher **gesellschaftsschädigender Ungeeignetheit** für AR-Amt anzuerkennen, für die aufgrund niedrigschwelliger Eignungsvoraussetzungen aber nur wenig Raum bestehen dürfte. Als Beispiele werden Krankheit, Alkoholismus oder intellektuelle Unfähigkeit genannt; unliebsames Abstimmungsverhalten oder krit. Grundhaltung genügen nicht (Hölters/Weber/Simons Rn. 37a).

3. Antragsberechtigung. Gericht entscheidet nur auf Antrag. Antragsberechtigt sind: der **AR** (§ 103 III 1) aufgrund eines mit einfacher Mehrheit gefassten 12

Beschlusses (§ 103 III 2); bei aufgrund der Satzung entsandten AR-Mitgliedern auch eine **Minderheit der Aktionäre,** deren Aktien mindestens 10 % des Grundkapitals oder den anteiligen Betrag von einer Mio. Euro erreichen (§ 103 III 3). Anteiliger Betrag (§ 8 III 3) folgt aus Division des Grundkapitals durch Aktienanzahl. Bei Nennbetragsaktien (§ 8 I und II) ist der Nennbetrag der anteilige Betrag. Vorstand hat kein Antragsrecht. Bei Beschlussfassung des AR darf betroffenes Mitglied nicht mitstimmen (str., wie hier zB BayObLGZ 2003, 89, 92; MüKoAktG/Habersack Rn. 35; Hölters/Weber/Simons Rn. 31; aA Hoffmann/Kirchhoff FS Beusch, 1993, 377, 380 f.). Sind sämtliche AR-Mitglieder betroffen, so kann AR seine Antragsberechtigung nicht ausüben (dazu Thum/Klofat NZG 2010, 1087, 1089). In diesem Fall ist Bestellung eines Verfahrenspflegers analog §§ 57, 58 ZPO, § 9 V FamFG zu erwägen, der Antrag auf Abberufung stellen kann und dazu bei Vorliegen wichtiger Gründe (→ Rn. 10) auch verpflichtet ist. Probleme bestehen in **dreiköpfigen AR** wegen Vorgabe zur **Beschlussfähigkeit** in § 108 II 3, wenn abzuberufendes Mitglied nicht an Sitzung teilnimmt (Möglichkeit, bloße Anwesenheit ausnahmsweise als Teilnahme zu werten [→ § 108 Rn. 16], hilft hier nicht weiter). ZT wird ihm Berufung auf Beschlussunfähigkeit in dieser Situation wegen treuwidrigen Verhaltens untersagt (GK-AktG/Hopt/Roth Rn. 59), doch ist für solche Rechtsfortbildung nicht das erforderliche zwingende Bedürfnis erkennbar, weil AR-Mitglied auch von HV abberufen werden kann (MüKoAktG/Habersack Rn. 35; KK-AktG/Mertens/Cahn Rn. 30; offenlassend KG BeckRS 2023, 33070 Rn. 23 ff.). Neben § 103 sehen im Bereich der **Bank- und Versicherungsaufsicht** auch § 36 III, IV 2 KWG, § 20 IV 5 ZAG und § 303 II Nr. 1, 3 VAG bes. Befugnisse der Aufsichtsbehörden vor, Abberufung von AR-Mitgliedern aus wichtigem Grund zu verlangen (ausf. S/L/Drygala Rn. 20 f.).

13 **4. Verfahren und Entscheidung des Gerichts.** Zuständig ist **Amtsgericht** (§ 23a I Nr. 2, II Nr. 4 GVG iVm § 375 Nr. 3 FamFG). Örtl. Zuständigkeit bestimmt sich nach §§ 376, 377 FamFG; hiernach richtet sich Zuständigkeit grds. nach dem Gesellschaftssitz (§ 14), allerdings ist nach **Konzentrationsregelung** des § 376 I das Amtsgericht für gesamten LG-Bezirk zuständig, in dessen Bezirk ein LG seinen Sitz hat (Abweichungsmöglichkeit der Länder nach § 376 II FamFG; Übersicht hierzu bei Sternal/Eickelberg FamFG § 376 Rn. 11 ff.). Antragsteller und Betroffener sind zwingend am Verfahren zu beteiligen. Die Entscheidung ergeht durch begründeten Beschluss (§ 38 FamFG). Rechtsmittel: Beschwerde mit Monatsfrist (§§ 58, 63 FamFG). Beschwerde hat keine aufschiebende Wirkung. Also verliert abberufenes AR-Mitglied seine Rechte mit Bekanntmachung der erstinstanzlichen Entscheidung, kann sie aber durch stattgebende Rechtsmittelentscheidung wiedererlangen (BayObLGZ 2003, 89, 90). Ungeachtet dieser Möglichkeit ist aktualisierte Mitgliederliste gem. § 106 unmittelbar nach Entscheidung des AG bei HR einzureichen (Simons NZG 2022, 562, 562). Weitere Einzelheiten sind noch nicht abschließend geklärt (s. Hoffmann/Kirchhoff FS Beusch, 1993, 377, 386 ff.).

13a **5. Wettbewerber im Aufsichtsrat: Abberufung oder Unwirksamkeit des Mandats?** Nicht selten finden sich im AR Personen, die auch einem Wettbewerber nahe stehen; gelegentlich repräsentieren sie ihn geradezu (Bsp. bei Lutter ZHR 145 [1981], 224, 231 ff.; sa Ulmer NJW 1980, 1603, 1604). Das ist zunächst Stil-, sodann aber auch Rechtsfrage, nämlich des Inhalts, ob (1.) spezielle Inkompatibilität analog §§ 100, 105 oder in deren rechtsfortbildender Anwendung vorliegt, (2.) wenn nicht, wie dem Problem dann zu begegnen ist.

13b Nach hM gibt es **keine Mandatsunfähigkeit** entspr. §§ 100, 105 (RGZ 165, 68, 82 zur GmbH; BGHZ 39, 116, 123 = NJW 1963, 905; OLG Bamberg NZG 2014, 497, 498; OLG München WM 2009, 658, 660 f.; OLG Schleswig FGPrax

2004, 244, 245 f.; OLG Stuttgart AG 2017, 489, 490 f.; MüKoAktG/Habersack Rn. 42; Grunewald NZG 2023, 767; Heinzelmann, Mehrfachmandate, 2009, 92 ff.; Kübler FS Claussen, 1997, 239, 241 ff., 246 ff.; Langenbucher ZGR 2007, 571, 585 f.; M. Meyer, Interessenkonflikte im AR, 2021, 106 ff.). Gegenansicht wird namentl. von Lutter verfochten (Lutter ZHR 145 [1981], 224, 236 ff.; FS Beusch, 1993, 509, 511 ff.; Lutter/Krieger/Verse AR Rn. 21 ff.; ebenso Reichert/Schlitt AG 1995, 241, 244 ff.; Wardenbach, Interessenkonflikte und mangelnde Sachkunde, 1996, 70 ff.). Der hM ist zuzustimmen. Davon geht auch C.12 DCGK aus, der für börsennotierte AG nur entspr. Empfehlung ausspricht. Dass derartige **strukturelle Interessenkonflikte** nicht generell unzulässig sind, wird schon darin deutlich, dass sie zT unmittelbar **im Gesetz angelegt** sind, etwa in der Zulässigkeit einer Vielzahl von Mandaten (§ 100 II Nr. 1), in der Möglichkeit der Konzernierung und in der Arbeitnehmerbeteiligung (ausf. J. Koch ZGR 2014, 697, 700 f., 707 f.). Gegenauffassung würde den Wettbewerber zum Aktionär minderen Rechts machen, der zwar Aktien erwerben, aber nicht durch den AR an Unternehmensleitung teilhaben darf; iÜ kann auch der betroffene Personenkreis (ganze Leitungsebene?) kaum trennscharf umschrieben werden. Deshalb bleibt nach Gesetzeslage nur, solche AR-Mitglieder gem. § 103 III abzuberufen, die für ihre Person mit der Pflichtenkollision nicht in einer für das Gesamtorgan erträglichen Weise fertig werden. Das ist dann anzunehmen, wenn sich die aus dem Interessenkonflikt erwachsende abstrakte Beeinträchtigung des Unternehmenswohls zum **berechtigten Verdacht einer konkreten Beeinträchtigung** verdichtet (vgl. auch Hölters/Weber/Simons Rn. 37; Martinek WRP 2008, 51, 62 f.; sa BGHZ 180, 9 Rn. 25 = NJW 2009, 2207: nur bei breitflächigen Auswirkungen auf weite Teile der Organtätigkeit). E.1 S. 3 DCGK empfiehlt in dieser Situation auch AR-Mitglied selbst Amtsniederlegung. IÜ kann nur versucht werden, dem treuwidrigen Missbrauch von AR-Rechten im Einzelfall zu begegnen (→ § 90 Rn. 12a).

V. Ergänzende Anwendung mitbestimmungsrechtlicher Vorschriften (§ 103 IV)

14 AR-Mitglieder, die weder von HV frei gewählt noch aufgrund der Satzung in den AR entsandt sind, können zunächst **auf Antrag des AR** aus wichtigem Grund abberufen werden (§ 103 III 1, 2 iVm § 103 IV [„außer"]). Überdies gelten mitbestimmungsrechtl. **Sonderregeln.** Diese sind: § 23 MitbestG; § 11 MontanMitbestG; § 10m MitbestErgG; § 12 DrittelbG 2004; § 26 I MgVG, § 28 I MgFSG (zu Einzelheiten Hölters/Weber/Simons Rn. 42 ff.).

VI. Ersatzmitglieder (§ 103 V)

15 § 103 V verweist für Abberufung eines Ersatzmitglieds (→ § 101 Rn. 13) auf die Vorschriften, die für Abberufung des in erster Linie bestellten AR-Mitglieds gelten. Gemeint ist der Fall, dass Ersatzmitglied schon **vor dem Nachrücken** in den AR abberufen werden soll. Also ist § 103 I auf Ersatzmitglied anzuwenden, wenn AR-Mitglied von HV frei gewählt ist, dagegen § 103 II, wenn AR-Mitglied entsandt ist. Auch können Ersatzmitglieder aus wichtigem Grund abberufen werden (§ 103 III). Für **nachgerückte AR-Mitglieder** gilt § 103 I–IV ohnehin. Wenn Mandat des Nachrückers mit Wahl des Nachfolgers für ausgeschiedenes AR-Mitglied erlischt, wirkt Wahl wie Abberufung. Für Wahl und Abberufung muss daher dasselbe Mehrheitserfordernis bestehen (BGHZ 99, 211, 214 f. = NJW 1987, 902; → § 101 Rn. 16).

VII. Anderweitige Amtsbeendigung

16 **1. Überblick.** AR-Amt kann nicht nur durch Abberufung, sondern auch aus sonstigen Gründen vor Ablauf der Bestellungsperiode enden. § 103 erfasst Amtsbeendigung also nicht vollständig (Kraft ZGR 2022, 416, 423). Beendigungsgründe können zunächst **in der Person des AR-Mitglieds** liegen oder auf sie bezogen sein. Hierher gehören: Tod (höchstpersönlicher Charakter des Amtes), Eintritt von ges. Hinderungsgründen iSd § 100 I oder II (→ § 100 Rn. 5 ff.), erfolgreiche Anfechtungsklage (§ 251), die auch bei anfänglichem Fehlen der in der Satzung vorgeschriebenen Amtsvoraussetzungen, nicht dagegen bei ihrem nachträglichen Wegfall möglich ist und bes. Amtsniederlegung (→ Rn. 17). Beendigungsgründe können sich zweitens **aus den Gesellschaftsverhältnissen** ergeben. Hierher gehören Vollbeendigung und Verschmelzung (allgM, s. zB Wulff/Buchner ZIP 2007, 314; sa BGH NJW 2015, 1449 Rn. 9). Für Formwechsel ist § 203 UmwG zu beachten, so dass Amtsbeendigung nicht eintritt, wenn auch neuer Rechtsträger AR hat, der in gleicher Weise zusammengesetzt wird. Das setzt allerdings voraus, dass auch das gleiche Mitbestimmungsmodell greift (BeckOGK/Spindler Rn. 68; Wulff/Buchner ZIP 2007, 314). In allen anderen Fällen führt auch Formwechsel zum Amtsende (BeckOGK/Spindler Rn. 68; Hoffmann-Becking AG 1980, 269 f.; aA Heinsius FS Stimpel, 1985, 571, 575 ff.; Köstler BB 1993, 81 f. für GmbH mit obligatorischem AR). Amtsbeendigung bewirkt dagegen nicht: Auflösung (BGHZ 32, 114, 117 = NJW 1960, 1006 zur Genossenschaft; → § 264 Rn. 16) oder Eröffnung des Insolvenzverfahrens (→ § 264 Rn. 8). Kein Raum ist indes für vertragl. Aushandeln der Amtsbeendigung zwischen AR-Mitglied und AG, weil einvernehmliche Beendigung des AR-Amts im Wege eines **Aufhebungsvertrags** auf unzulässige Umgehung der in § 103 I 1 angeordneten HV-Alleinzuständigkeit hinauslaufen würde (ausf. Kraft ZGR 2022, 416 ff.).

17 **2. Insbesondere: Amtsniederlegung.** Amtsniederlegung ist in der Praxis nach regulärem Auslaufen des AR-Mandats häufigster Fall der Amtsbeendigung (Zahlenmaterial bei Bayer/Hoffmann AG 2014, R 144 ff.; Bunting ZIP 2020, 2169, 2174). Sie ist ges. nicht geregelt, ihre Zulässigkeit im Prinzip aber anerkannt. Str. ist allein, welche Voraussetzungen iE zu beachten sind. Nach heute ganz hM ist Amtsniederlegung **auch ohne wichtigen Grund** zulässig (MüKoAktG/Habersack Rn. 59 f.; GK-AktG/Hopt/Roth Rn. 101; BeckOGK/Spindler Rn. 65; MHdB AG/Hoffmann-Becking § 30 Rn. 92; Bunting ZIP 2020, 2169; aA – wichtiger Grund erforderlich – zB Noack/Servatius/Haas/Noack GmbHG § 52 Rn. 52). Der hM ist beizupflichten, weil Amtsniederlegung idR auf Interessenkonflikte zurückgeht. Fühlt sich AR-Mitglied innerlich nicht frei, so ist dem Amt nicht gedient, wenn Mandatsträger mit der Begründung festgehalten wird, es reiche nicht zum wichtigen Grund (BeckOGK/Spindler Rn. 65). Für Wirksamkeit kommt es auch nicht darauf an, ob Kündigung zur Unzeit erfolgt. In diesem Fall können allein Schadensersatzansprüche bestehen, sofern für Amtsniederlegung in der konkreten Situation kein wichtiger Grund bestand (Hölters/Weber/Simons Rn. 55; BeckOGK/Spindler Rn. 66). UU kann AR-Mitglied auch durch organschaftliche Treupflicht zur Niederlegung verpflichtet sein (→ § 116 Rn. 8). Niederlegung erfolgt durch **zugangsbedürftige Willenserklärung.** Satzung kann Form, Frist (bei Amtsniederlegung aus wichtigem Grund nicht erforderlich) und Adressat regeln (§ 23 V 2), etwa Erklärung ggü. dem Vorsitzenden des AR vorschreiben (LG Flensburg AG 2004, 623, 624; empirische Auswertung bei Bunting ZIP 2020, 2169, 2170; Formulierungsmuster bei Bayer/Hoffmann AG 2014, R 144, 148; Bunting ZIP 2020, 2169, 2173).

Verstoß gegen satzungsmäßig vorgegebene Frist führt zur Unwirksamkeit der Niederlegung und ggf. zu Schadensersatzansprüchen, sofern für Niederlegung kein wichtiger Grund vorliegt (ausf. Bunting ZIP 2020, 2169, 2170 ff.; aA B/K/L/Bürgers/Fischer Rn. 18). Dagegen bleibt trotz Satzungsvorgabe abw. gestaltete einvernehmliche Kündigung mit entspr. HV-Beschluss und Zustimmung des AR-Mitglieds möglich. Bestimmt Satzung nichts, so ist Erklärung nach hM an AG, vertreten durch Vorstand, zu richten. Fälschlich an Vorsitzenden des AR adressierte Erklärung geht dem Vorstand jedenfalls dann zu, wenn sie an ihn weitergeleitet wird (BGH BB 2010, 2397). Zu solcher Weiterleitung ist AR-Vorsitzender auch verpflichtet (MüKoAktG/Habersack Rn. 61; Hölters/Weber/Simons Rn. 57; Kocher BB 2010, 2397, 2398) und wird mit Zugang beim Vorstand wirksam (OLG Stuttgart DB 2009, 1521, 1523 f.). HV ist konkurrierend zuständig, soweit sie AR-Mitglied als Wahlorgan (→ § 101 Rn. 7) bestellt hat (iE zutr. Singhof AG 1998, 318, 326). Ohne Zugang beim zuständigen Organ bleibt Niederlegung unwirksam, AR-Mitglied also im Amt. Auch satzungsmäßige Bindung an wichtigen Grund wird als zulässig angesehen, wird aber aus denselben Gründen wie Annahme eines ungeschriebenen ges. Erfordernisses selten ratsam sein (Hölters/Weber/Simons Rn. 55). Zur Abberufung bei Interessenkonflikten → Rn. 13b.

Noch nicht geklärt ist, ob namentl. in **Übernahmesituationen** auch **vertragliche Verpflichtung** zur Amtsniederlegung begründet werden kann (dafür Rieckers/Leyendecker-Langner NZG 2013, 167, 169 ff.; zur übergeordneten Fragestellung nach der zulässigen Reichweite von Investorenvereinbarungen → § 76 Rn. 124 ff.). Frage wurde bislang erst in zT ähnlich gelagerten Fallgruppen einer Niederlegungspflicht für AN-Vertreter oder kommunale AR-Mitglieder diskutiert und wird in beiden Konstellationen im Hinblick auf eigenverantwortliche Amtsführung und ausschließliche Personalkompetenz der HV eher krit. beurteilt (zum Ersten Habersack/Henssler/Habersack MitbestG § 25 Rn. 79; zum Zweiten MüKoAktG/Schockenhoff Vor § 394 Rn. 49). Jedenfalls unzulässig ist **bedingte Amtsniederlegung.** Auch Übernahmesituation weist keine Zwänge auf, die Abweichung von allg. Grundsatz erforderlich machen, dass einseitige Gestaltungserklärungen bedingungsfeindlich sind (sa MüKoAktG/Habersack Rn. 61; GK-AktG/Hopt/Roth Rn. 105; BeckOGK/Spindler Rn. 69; aA Rieckers/Leyendecker-Langner NZG 2013, 167, 170 f.). 18

Bestellung durch das Gericht

104 (1) [1] **Gehört dem Aufsichtsrat die zur Beschlußfähigkeit nötige Zahl von Mitgliedern nicht an, so hat ihn das Gericht auf Antrag des Vorstands, eines Aufsichtsratsmitglieds oder eines Aktionärs auf diese Zahl zu ergänzen.** [2] **Der Vorstand ist verpflichtet, den Antrag unverzüglich zu stellen, es sei denn, daß die rechtzeitige Ergänzung vor der nächsten Aufsichtsratssitzung zu erwarten ist.** [3] **Hat der Aufsichtsrat auch aus Aufsichtsratsmitgliedern der Arbeitnehmer zu bestehen, so können auch den Antrag stellen**

1. **der Gesamtbetriebsrat der Gesellschaft oder, wenn in der Gesellschaft nur ein Betriebsrat besteht, der Betriebsrat, sowie, wenn die Gesellschaft herrschendes Unternehmen eines Konzerns ist, der Konzernbetriebsrat,**
2. **der Gesamt- oder Unternehmenssprecherausschuss der Gesellschaft oder, wenn in der Gesellschaft nur ein Sprecherausschuss besteht, der Sprecherausschuss sowie, wenn die Gesellschaft herrschendes Unternehmen eines Konzerns ist, der Konzernsprecherausschuss,**

3. der Gesamtbetriebsrat eines anderen Unternehmens, dessen Arbeitnehmer selbst oder durch Delegierte an der Wahl teilnehmen, oder, wenn in dem anderen Unternehmen nur ein Betriebsrat besteht, der Betriebsrat,
4. der Gesamt- oder Unternehmenssprecherausschuss eines anderen Unternehmens, dessen Arbeitnehmer selbst oder durch Delegierte an der Wahl teilnehmen, oder, wenn in dem anderen Unternehmen nur ein Sprecherausschuss besteht, der Sprecherausschuss,
5. mindestens ein Zehntel oder einhundert der Arbeitnehmer, die selbst oder durch Delegierte an der Wahl teilnehmen,
6. Spitzenorganisationen der Gewerkschaften, die das Recht haben, Aufsichtsratsmitglieder der Arbeitnehmer vorzuschlagen,
7. Gewerkschaften, die das Recht haben, Aufsichtsratsmitglieder der Arbeitnehmer vorzuschlagen.

[4] Hat der Aufsichtsrat nach dem Mitbestimmungsgesetz auch aus Aufsichtsratsmitgliedern der Arbeitnehmer zu bestehen, so sind außer den nach Satz 3 Antragsberechtigten auch je ein Zehntel der wahlberechtigten in § 3 Abs. 1 Nr. 1 des Mitbestimmungsgesetzes bezeichneten Arbeitnehmer oder der wahlberechtigten leitenden Angestellten im Sinne des Mitbestimmungsgesetzes antragsberechtigt. [5] Gegen die Entscheidung ist die Beschwerde zulässig.

(2) [1] Gehören dem Aufsichtsrat länger als drei Monate weniger Mitglieder als die durch Gesetz oder Satzung festgesetzte Zahl an, so hat ihn das Gericht auf Antrag auf diese Zahl zu ergänzen. [2] In dringenden Fällen hat das Gericht auf Antrag den Aufsichtsrat auch vor Ablauf der Frist zu ergänzen. [3] Das Antragsrecht bestimmt sich nach Absatz 1. [4] Gegen die Entscheidung ist die Beschwerde zulässig.

(3) Absatz 2 ist auf einen Aufsichtsrat, in dem die Arbeitnehmer ein Mitbestimmungsrecht nach dem Mitbestimmungsgesetz, dem Montan-Mitbestimmungsgesetz oder dem Mitbestimmungsergänzungsgesetz haben, mit der Maßgabe anzuwenden,
1. daß das Gericht den Aufsichtsrat hinsichtlich des weiteren Mitglieds, das nach dem Montan-Mitbestimmungsgesetz oder dem Mitbestimmungsergänzungsgesetz auf Vorschlag der übrigen Aufsichtsratsmitglieder gewählt wird, nicht ergänzen kann,
2. daß es stets ein dringender Fall ist, wenn dem Aufsichtsrat, abgesehen von dem in Nummer 1 genannten weiteren Mitglied, nicht alle Mitglieder angehören, aus denen er nach Gesetz oder Satzung zu bestehen hat.

(4) [1] Hat der Aufsichtsrat auch aus Aufsichtsratsmitgliedern der Arbeitnehmer zu bestehen, so hat das Gericht ihn so zu ergänzen, daß das für seine Zusammensetzung maßgebende zahlenmäßige Verhältnis hergestellt wird. [2] Wenn der Aufsichtsrat zur Herstellung seiner Beschlußfähigkeit ergänzt wird, gilt dies nur, soweit die zur Beschlußfähigkeit nötige Zahl der Aufsichtsratsmitglieder die Wahrung dieses Verhältnisses möglich macht. [3] Ist ein Aufsichtsratsmitglied zu ersetzen, das nach Gesetz oder Satzung in persönlicher Hinsicht besonderen Voraussetzungen entsprechen muß, so muß auch das vom Gericht bestellte Aufsichtsratsmitglied diesen Voraussetzungen entsprechen. [4] Ist ein Aufsichtsratsmitglied zu ersetzen, bei dessen Wahl eine Spitzenorganisation der Gewerkschaften, eine Gewerkschaft oder die Betriebsräte ein Vorschlagsrecht hätten, so soll das Gericht Vorschläge dieser Stellen berücksichtigen,

soweit nicht überwiegende Belange der Gesellschaft oder der Allgemeinheit der Bestellung des Vorgeschlagenen entgegenstehen; das gleiche gilt, wenn das Aufsichtsratsmitglied durch Delegierte zu wählen wäre, für gemeinsame Vorschläge der Betriebsräte der Unternehmen, in denen Delegierte zu wählen sind.

(5) **Die Ergänzung durch das Gericht ist bei börsennotierten Gesellschaften, für die das Mitbestimmungsgesetz, das Montan-Mitbestimmungsgesetz oder das Mitbestimmungsergänzungsgesetz gilt, nach Maßgabe des § 96 Absatz 2 Satz 1 bis 5 vorzunehmen.**

(6) **Das Amt des gerichtlich bestellten Aufsichtsratsmitglieds erlischt in jedem Fall, sobald der Mangel behoben ist.**

(7) [1] **Das gerichtlich bestellte Aufsichtsratsmitglied hat Anspruch auf Ersatz angemessener barer Auslagen und, wenn den Aufsichtsratsmitgliedern der Gesellschaft eine Vergütung gewährt wird, auf Vergütung für seine Tätigkeit.** [2] **Auf Antrag des Aufsichtsratsmitglieds setzt das Gericht die Auslagen und die Vergütung fest.** [3] **Gegen die Entscheidung ist die Beschwerde zulässig; die Rechtsbeschwerde ist ausgeschlossen.** [4] **Aus der rechtskräftigen Entscheidung findet die Zwangsvollstreckung nach der Zivilprozeßordnung statt.**

Übersicht

I. Regelungsgegenstand und -zweck

1 Norm betr. **Ergänzung des nicht beschlussfähigen und des unterbesetzten AR** (§ 104 I und II) einschließlich der dabei zu beachtenden mitbestimmungsrechtl. Besonderheiten (§ 104 III und IV) sowie Amtsdauer und Rechte gerichtl. bestellter AR-Mitglieder (§ 104 VI und VII). Bezweckt ist, **Handlungs- und Funktionsfähigkeit** des obligatorischen AR sicherzustellen (VGH Bayern AG 2006, 209, 210); auf den nur fakultativen AR (bei GmbH oder KG) oder ähnliche Gremien findet die Vorschrift deshalb keine entspr. Anwendung (OLG Frankfurt NZG 2014, 462, 463 f. mwN). Vorschrift ist gleichermaßen auf Anteilseigner- und AN-Vertreter anwendbar. In der Tatbestandsvariante der

Ergänzung eines zwar beschlussfähigen, aber unterbesetzten AR dient Vorschrift darüber hinaus auch der Wahrung der mitbestimmungsrechtl. **Gruppenparität,** die durch unvollständige Besetzung gefährdet wäre (GK-AktG/Hopt/Roth Rn. 9). Mit neu eingefügtem § 104 V (→ Rn. 15) ist überdies Ziel der **quotengerechten Besetzung** gem. § 96 II hinzugetreten (→ § 96 Rn. 13 ff.). Indem Gericht in derartigen Situationen provisorische Zuständigkeit zur Ersatzbestellung zugewiesen wird, kann kostspielige HV vermieden werden (GK-AktG/Hopt/Roth Rn. 10); praktische Bedeutung ist entspr. hoch (Hölters/Weber/Simons Rn. 5) und wird durch Quotenvorgaben nach § 96 II (→ § 96 Rn. 13 ff., 19) noch weiter gesteigert werden (DAV-Ausschüsse NZG 2014, 1214 Rn. 136; Hohenstatt/Willemsen/Naber ZIP 2014, 2220, 2226). Wichtigster Anwendungsfall ist Vakanz infolge freiwilliger Amtsniederlegung. Haben Bestellungsorgane ihre Aufgabe bereits vorausschauend durch Bestellung von Ersatzmitgliedern erfüllt (→ § 101 Rn. 13 ff.), ist für § 104 kein Raum. Vorschrift geht auf § 89 AktG 1937 (dazu Schmatz WM 1955, 642) und ist 1957 an gewandelte mitbestimmungsrechtl. Rahmenbedingungen angepasst worden (näher Auffarth NJW 1957, 1702; ausf. zur Entstehungsgeschichte BeckOGK/Spindler Rn. 6 ff.). Vorschrift ist abschließend; § 29 BGB findet daneben keine analoge Anwendung.

II. Ergänzung wegen Beschlussunfähigkeit (§ 104 I)

2 **1. Beschlussunfähigkeit.** § 104 I und II unterscheiden zwischen Beschlussunfähigkeit und der – praktisch häufigeren – bloßen Unterbesetzung (→ Rn. 8 ff.). Gem. § 104 I 1 kann beschlussunfähiger AR auf Antrag durch Gericht auf die zur Beschlussfähigkeit erforderliche Zahl (nicht auf volle Sollzahl) ergänzt werden. AR ist iSd § 104 I beschlussunfähig, wenn ihm **weniger Mitglieder** angehören, **als Ges. oder Satzung für Beschlussfähigkeit fordern.** Dem Fehlen eines Mitglieds ist nach hM dauernde Amtsverhinderung gleichgestellt (zB wegen Abberufung in Vorstand gem. § 105 II 1, aber auch wegen dauerhaften Interessenkonflikts), nicht aber sonstiges Beschlusshindernis wie bloßes Stimmverbot oder Beschlussunfähigkeit durch obstruktives Verhalten (MüKoAktG/Habersack Rn. 12 f.; GK-AktG/Hopt/Roth Rn. 29 f.; KK-AktG/Mertens/Cahn Rn. 5; Hölters/Weber/Simons Rn. 7). Letztgenannte Einschränkung kann für Praxis misslich sein (vgl. Reichard AG 2012, 359 ff., der deshalb für Ausdehnung plädiert), wird aber schon von Wortlaut nahegelegt und durch Unmöglichkeit bestätigt, Boykottverhalten trennscharf einzugrenzen. Annahme einer Vakanz bei vermeintlich verfassungswidriger Besetzung (dafür Adenauer NZG 2019, 85 ff.; Adenauer NZG 2019, 1174 ff.; zust. Hirte/Mohamed FS E. Vetter, 2019, 243 ff.; dagegen OLG Köln NZG 2019, 866 Rn. 6) scheitert schon an fehlerhafter Prämisse angeblicher Weisungsbindung der Repräsentanten einer Gebietskörperschaft (→ § 394 Rn. 60 ff.). § 104 I 1 ist ggü. § 104 II in dem Sinne die speziellere Vorschrift, dass Ergänzung bei Beschlussunfähigkeit wegen höherer Dringlichkeit nicht vom Ablauf einer Dreimonatsfrist abhängig gemacht werden darf (OLG Düsseldorf AG 2010, 368). Unterliegt AG nicht der Mitbestimmung oder nur der Mitbestimmung nach DrittelbG, ist Beschlussfähigkeit nach § 108 II zu beurteilen und entfällt danach nur dann, wenn weniger als die Hälfte der AR-Mitglieder an Abstimmung teilnimmt oder Untergrenze von drei Mitgliedern unterschritten wird (ausf. → § 108 Rn. 15 f.). Praktische Bedeutung kann § 104 I daher nur bei kleineren Gesellschaften erlangen oder solchen mit **zusätzlichen satzungsmäßigen Anforderungen** an Beschlussfähigkeit. Unterliegt AG der Mitbestimmung in einer der drei anderen Formen, so gelten Sonderregelungen in § 8 MitbestG (→ § 108 Rn. 18), § 10 MontanMitbestG, § 11 MitbestErgG. Danach kann Beschlussfähigkeit ebenfalls nur eintreten, wenn AR nicht mehr die Hälfte der ges. erforderlichen Mitglieder hat.

2. Antrag. a) Des Vorstands. Gericht wird nur auf Antrag tätig, der seinem Inhalt nach insbes. Vakanz im AR näher darzulegen hat (zu Einzelheiten: Wandt AG 2016, 877, 881). Antragsberechtigt ist zunächst der Vorstand (§ 104 I 1), nicht Gesellschaft selbst (so OLG Frankfurt AG 2015, 247 Rn. 17 zur KGaA). Er ist auch **verpflichtet,** den Antrag zu stellen (§ 104 I 2), und zwar unverzüglich (§ 121 I 1 BGB). Drohende Vakanz genügt grds. nicht (OLG Köln AG 2011, 465; MüKoAktG/Habersack Rn. 14), doch kann andere Beurteilung dann geboten sein, wenn Vakanz, namentl. aufgrund Besonderheit mitbestimmungsrechtl. Wahlverfahrens, eindeutig abzusehen ist (E. Vetter DB 2018, 3104, 3106 f.). Von Antragstellung darf nur abgesehen werden, wenn rechtzeitige Ergänzung vor der nächsten AR-Sitzung zu erwarten ist (OLG Düsseldorf AG 2010, 368). Für den Antrag ist erforderlich und genügend, dass Vorstandsmitglieder in vertretungsberechtigter Zahl handeln (§ 78). Wenn unechte Gesamtvertretung vorgesehen ist (→ § 78 Rn. 16), kann Antrag auch von einem Vorstandsmitglied in Gemeinschaft mit einem Prokuristen gestellt werden (MüKoAktG/Habersack Rn. 16; BeckOGK/Spindler Rn. 17; krit. Wandt AG 2016, 877, 878 f.). Vorstand stellt Antrag **im eigenen Namen,** nicht im Namen der AG (KG OLGZ 1966, 596, 597 f.; MüKoAktG/Habersack Rn. 16), doch kann im letztgenannten Fall durch Umdeutung geholfen werden. Antragstellung setzt entspr. Beschluss voraus; alternativ genügt auch Antragstellung durch vertretungsberechtigte Zahl von Vorstandsmitgliedern (Wandt AG 2016, 877, 878). C.15 S. 2 DCGK empfiehlt (§ 161) **Befristung** des Antrags, genauer der beantragten Bestellungsdauer, bis zur nächsten HV, um zu verhindern, dass durch zeitlich unbefristete gerichtl. Bestellung Primärzuständigkeit der HV umgangen wird (KK-AktG/Mertens/Cahn Rn. 4; Einzelheiten: Wandt AG 2016, 877, 887). Dasselbe empfiehlt sich für Befristung bei AN-Vertreter bis zur turnusmäßigen Belegschaftswahl (OLG Frankfurt NZG 2017, 1187 Rn. 5). Noch engere Befristung ist dagegen ohne sachliche Rechtfertigung unzulässig (OLG Frankfurt NZG 2017, 1187 Rn. 5). Gericht kann Befristung auch ohne entspr. Antrag anordnen (OLG München AG 2010, 87, 88; Wandt AG 2016, 877, 887 f.). Zu Besonderheiten bei Antrag auf Bestellung eines ausländischen Mitglieds Wassen AG 2011, 685, 687 f. 3

b) Weitere Antragsberechtigte. Antrag auf Ergänzung des AR kann nach § 104 I auch von jedem seiner Mitglieder (einzeln) und jedem Aktionär gestellt werden, wobei hM davon ausgeht, dass auch für **AR-Mitglieder** entspr. Pflicht besteht (KG NZG 2021, 1358 Rn. 76; KK-AktG/Mertens/Cahn Rn. 10), der neben Vorstandspflicht aber keine praktische Bedeutung beizumessen sein dürfte (Hölters/Weber/Simons Rn. 23). Auch persönlich haftende Gesellschafter einer KGaA sind antragsbefugt (OLG Frankfurt AG 2015, 247 Rn. 25 ff.). Bei mitbestimmten Gesellschaften wird Kreis der Antragsberechtigten noch einmal erweitert um die in § 104 I 3 genannten Betriebsräte, Sprecherausschüsse, AN-Mindestzahlen, Spitzenorganisationen und Gewerkschaften (Einzelheiten bei BeckOGK/Spindler Rn. 22; zu Sprecherausschüssen → § 98 Rn. 4). § 104 I 4 dehnt Antragsberechtigung zwecks Wahrung der Gruppenparität noch einmal für den Fall aus, dass AG dem MitbestG unterliegt. In diesem Fall sind auch 1/10 der wahlberechtigten Arbeitnehmer oder leitenden Angestellten iSd § 3 I MitbestG antragsberechtigt. Kosten des auf Antrag einer Gewerkschaft durchgeführten Verfahrens fallen dieser zur Last (§ 22 I GNotKG), nicht analog § 23 Nr. 10 GNotKG der Gesellschaft (vgl. noch zu § 99 VI 7 aF OLG Düsseldorf AG 1994, 424; sa BeckOGK/Spindler Rn. 31; → § 99 Rn. 12). 4

3. Gerichtliche Entscheidung. Gericht entscheidet im fG-Verfahren (Fett/Theusinger AG 2010, 425, 431 ff. mit Einzelheiten). Zuständig ist Amtsgericht (§ 23a I Nr. 2, II Nr. 4 GVG) des Gesellschaftssitzes (§ 14 AktG, § 377 FamFG), in dessen Bezirk ein Landgericht seinen Sitz hat (§ 376 I FamFG), sofern nicht 5 durch Rechtsverordnung der Landesregierung (vgl. § 376 II FamFG) anderweitige Zuweisung erfolgt ist (Überblick bei Sternal/Eickelberg FamFG § 376 Rn. 11 ff.). Antrag bedarf nicht der elektronischen Form des § 12 II HGB (Wandt AG 2016, 877, 879). Entscheidung ergeht durch Beschluss, der zu begründen ist (§ 38 FamFG). Vorheriger Anhörung der Beteiligten in einem dafür anzuberaumenden Termin bedarf es nicht (OLG Stuttgart AG 2017, 489, 492; aA MüKoAktG/Habersack Rn. 40). Über **Person des AR-Mitglieds** entscheidet Gericht nach § 37 FamFG grds. frei, ist also nicht an Vorschlag des Antragstellers gebunden (BayObLGZ 1997, 262, 264; OLG Braunschweig BeckRS 2016, 15591 Rn. 33; OLG Hamm NZG 2013, 1099; OLG München NZG 2009, 1149, 1150; OLG Köln AG 2011, 465, 466; OLG Stuttgart AG 2017, 489; Ausnahme in § 104 IV 4; → Rn. 14). Solcher Vorschlag ist auch nicht zwingend erforderlich, jedoch üblich und zweckmäßig. Praxis orientiert sich dabei an den Vorgaben zur Kandidatenbenennung nach § 124 III 4 (→ § 124 Rn. 33; Wandt AG 2016, 877, 882). Persönliche Wählbarkeitsvoraussetzungen (zB § 100 I–V) sind zu beachten (→ Rn. 13). Ist Vorgeschlagener Organmitglied eines Wettbewerbers, so hat Gericht zu prüfen, ob Bestellung gleichwohl im Interesse der Gesellschaft liegt. Bestellungshindernis besteht aber weder generell (→ § 103 Rn. 13b) noch insbes. im Verfahren nach § 104 (OLG Bamberg NZG 2014, 497, 498; OLG Schleswig FGPrax 2004, 244, 245 f.; OLG Stuttgart AG 2017, 489, 490 f.; sa OLG Frankfurt AG 2015, 247 Rn. 43; aA Lutter/Kirschbaum ZIP 2005, 103, 105). Umstr. ist, ob auch **Kodex-Vorgaben** in Auswahlentscheidung eingehen können, was namentl. hinsichtlich Unabhängigkeitsvorgabe in C.6 ff. DCGK praktische Bedeutung erlangt (zu daraus resultierenden Fallstricken bei Übernahmen Beyer NZG 2014, 61 ff.). Nach zT vertretener Auffassung soll Umgang mit Kodex-Vorgabe Sache der AG, nicht des Gerichts sein (→ 10. Aufl. 2012, Rn. 5 [Hüffer]). Daran ist richtig, dass es nicht dem Gericht obliegt, Entsprechensentscheidung zu treffen. Auf der anderen Seite wird man es dem Gericht kaum verwehren können, die Wertungen, auf denen die Kodex-Vorgabe beruht (bei C.6 ff. DCGK zB Vermeidung von Interessenkonflikten), auch in die eigene Auswahlentscheidung einfließen zu lassen (vgl. OLG Hamm NZG 2013, 1099, 1100; sa Marsch-Barner/Schäfer/E. Vetter Rn. 25.42; Seidel, Die gerichtliche Ergänzung des Aufsichtsrats, 2010, 137 ff.; aA Wandt AG 2016, 877, 884 ff., der Konsequenzen einer solchen Berücksichtigung aber zu überschätzen scheint). Bloßer Vorschlag durch Vorstand oder Aktionär stellt Unabhängigkeit indes noch nicht in Frage (OLG Bamberg NZG 2014, 497, 498). Ansonsten sind **Beschränkungen nach § 104 IV** zu beachten (namentl. aus mitbestimmungsrechtl. Paritäts- und Proporzgründen sowie in Ansehung eines Bestellungshindernisses; → Rn. 12 ff.). Gibt Gericht dem Antrag statt, wird AR – anders als bei § 104 II – nicht bis zur Vollständigkeit ergänzt, sondern nur, bis Beschlussfähigkeit hergestellt ist (KK-AktG/Mertens/Cahn Rn. 11). Auch in zeitlicher Hinsicht ist Gericht nicht an Antrag gebunden, sondern allein am Gesellschaftswohl orientiert; Beachtung einer beantragten Befristung sollte aber die Regel sein.

6 Beschluss ist jedenfalls dem Antragsteller **durch Zustellung bekanntzumachen** und bei erfolgreichem Antrag auch dem Bestellten (vgl. BGHZ 6, 232, 235 f. = NJW 1952, 1009), der Übernahme des Amtes ablehnen kann. Darüber hinaus ist Bestellungsbeschluss auch AG zuzustellen (Grigoleit/Grigoleit/Tomasic Rn. 14; MüKoAktG/Habersack Rn. 41; Henssler/Strohn/Henssler Rn. 6). Ausdehnung auf jeden Antragsberechtigten (dafür Fett/Theusinger AG 2010, 425, 433 ff.; zust. S/L/Drygala Rn. 8a; MüKoAktG/Habersack Rn. 40; KK-AktG/Mertens/Cahn Rn. 25) würde angesichts weiter Fassung des § 104 I (jeder Aktionär) zu **uferlosem Adressatenkreis** führen (vgl. OLG München FGPrax 2006, 228, 229: unmöglich). Öffentl. Zustellung nach § 185 ZPO könnte allen-

falls im Analogiewege begründet werden (dafür MüKoAktG/Habersack Rn. 40), doch ließen sich gerade im Lichte des Amtsermittlungsgrundsatzes des § 26 FamFG dem ges. Tatbestand vergleichbare Fälle kaum trennscharf eingrenzen; bei kleinerer AG mit Namensaktien etwa kann von Unmöglichkeit der Zustellung nicht die Rede sein (sa S/L/Drygala Rn. 8a). Tats. lässt weit gefasster Wortlaut des § 7 II Nr. 1 FamFG („unmittelbar betroffen") auch Raum für restriktive Auslegung, so dass Aktionäre mit Blick auf Eilbedürftigkeit des Verfahrens ausgeklammert werden können (BeckOGK/Spindler Rn. 28; zur Abwägung zwischen Anspruch auf rechtl. Gehör und Eilbedürftigkeit sa VerfGH Bayern AG 2006, 209, 210). Ges. Regelung bleibt aber namentl. mit Blick auf Beschwerdemöglichkeit (→ Rn. 7) unbefriedigend und sollte korrigiert werden (sa Hölters/Weber/Simons Rn. 40; Nedden-Boeger FGPrax 2010, 1, 3 f.; zutr. Kritik an konstruktiven Schwächen sämtlicher Ansätze bei Drehsen AG 2015, 775 ff. mit eigenem Lösungsvorschlag über Analogie zu § 6 I, II SpruchG, § 11 III SpruchG, § 14 SpruchG, die allerdings mit Blick auf fehlende Ähnlichkeit des geregelten und des nicht geregelten Falles ebenfalls bedenklich erscheint und in der praktischen Umsetzung zahlreiche Probleme aufwerfen würde; krit. auch MüKoAktG/Habersack Rn. 40 Fn. 112; Wandt AG 2016, 877, 888).

Rechtsmittel gem. § 104 I 5: Beschwerde mit Monatsfrist des § 63 FamFG 7 beim Amtsgericht (§ 64 FamFG), das sie, wenn es nicht abhilft, dem OLG vorlegt (§ 119 I Nr. 1 lit. b GVG). Beschwerdebefugnis ist nach § 59 FamFG zu beurteilen (→ § 85 Rn. 4). Rechtsbeeinträchtigung iSd § 59 I FamFG trifft jeden Antragsberechtigten iSd § 104 I, also neben Vorstand und den übrigen AR-Mitglieder insbes. auch jeden Aktionär (vgl. OLG Braunschweig BeckRS 2016, 15591 Rn. 24; OLG Hamm FGPrax 2011, 150, 151; OLG Schleswig FGPrax 2004, 444; LG Hannover ZIP 2009, 761, 762; KK-AktG/Mertens/Cahn Rn. 28; BeckOGK/Spindler Rn. 32). Um die aus fehlender Zustellung erwachsenden Nachteile zu kompensieren, läuft Rechtsmittelfrist für Aktionäre, denen der Beschluss nicht zugestellt wurde, erst ab Bek. nach § 106 (LG Berlin AG 1980, 139). Da OLG weitere Tatsacheninstanz ist (§ 65 III FamFG), kann es sein Ermessen in vollem Umfang an die Stelle des Amtsgerichts setzen (OLG Frankfurt AG 2015, 247 Rn. 41 ff.; OLG Stuttgart AG 2017, 489, 490). **Kosten:** Doppelte Gebühr gem. KV 13500 GNotKG (vgl. KV Vorb. 1.3.5 Nr. 1 GNotKG iVm § 375 Nr. 3 FamFG). Geschäftswert beträgt gem. § 67 I 1 Nr. 1 GNotKG 60.000 Euro. EU-Kapital-ErtragsteuernRL ist schon deshalb nicht einschlägig, weil AG nicht gezwungen ist, gerichtl. Hilfe in Anspruch zu nehmen (BayObLGZ 2000, 87, 90 f.).

III. Ergänzung wegen Unterschreitens der Mitgliederzahl (§ 104 II, III)

1. Mitbestimmungsfreie Gesellschaften. a) Allgemeines. Gem. § 104 II 1 8 kann unterbesetzter AR durch das Gericht ergänzt werden, wenn Unterschreitung der durch Ges. oder Satzung festgelegten Mitgliederzahl **länger als drei Monate** andauert. AG soll damit Gelegenheit gegeben werden, Vakanz selbst zu beseitigen, wofür Dreimonatsfrist idR aber kaum ausreichen wird (Hölters/Weber/Simons Rn. 13). Nur in dringenden Fällen darf Gericht Bestellung vor Ablauf der Frist vornehmen (§ 104 II 2; → Rn. 9). Warum Ergänzung des AR durch die dazu Berechtigten unterblieben ist, bleibt gleich. **Wahlanfechtung** führt bis zur Rechtskraft eines Anfechtungsurteils nicht zur Unterschreitung der Mitgliederzahl, so dass § 104 – zumindest unbedingt – nicht direkt angewandt werden kann, um betroffene Person gerichtlich erneut zu bestellen und damit ohne neuen HV-Beschluss Rechtssicherheit zu schaffen (OLG München NZG 2021, 235 Rn. 5). Analoge Anwendung wird von hM verworfen, da § 104 nicht

Rückwirkungen einer Wahlanfechtung abmildern, sondern Handlungsfähigkeit des AR sichern solle (OLG Köln FGPrax 2007, 143, 144; OLG Köln AG 2011, 465 f.; OLG München NZG 2021, 235 Rn. 6 ff. [offener noch OLG München BeckRS 2007, 4374 für Fall gesteigerter Nichtigkeitswahrscheinlichkeit]; AG Bonn AG 2011, 99 f.; S/L/Drygala Rn. 16; NK-AktR/Heidel § 250 Rn. 1; KK-AktG/Mertens/Cahn Rn. 13; Happ FS Hüffer, 2010, 293, 301 f.; Nast AG 2021, 314 Rn. 10; E. Vetter ZIP 2012, 701 705 f.; E. Vetter/van Laak ZIP 2008, 1806, 1809 f.). Argument erscheint allerdings nicht zwingend, da Handlungsfähigkeit de facto auch durch Wahlanfechtung beeinträchtigt werden kann (für Analogieschluss deshalb LG München I AG 2006, 762, 765 f.; Brock NZG 2014, 641, 643 ff.; Hoffmann-Becking FS Krieger, 2020, 379 ff.; Kocher NZG 2007, 372, 373; Marsch-Barner FS K. Schmidt, 2009, 1109, 1121; Rieckers ZGR 2022, 61, 83 ff.; Schroeder/Pussar BB 2011, 1930, 1932 ff.). Auch dass Gericht nicht neu bestellen, sondern nur bestehende Rechtsposition bestätigen soll, steht Analogieschluss nicht entgegen, da entspr. Befugnis **a maiore ad minus** konstruiert werden kann. Nur bei personenbezogenen Anfechtungsgründen kann Mangel über gerichtl. Bestellung nicht ausgeglichen werden. Bislang abl. Haltung ggü. diesem Ansatz beruhte auf der Zuversicht, Rechtsunsicherheit über Figur des fehlerhaft bestellten Organs ausräumen zu können. Nachdem sich diese Hoffnung mit BGHZ 196, 195 Rn. 18 ff. (= NJW 2013, 1535) zerschlagen hat (→ § 101 Rn. 20 ff.), ist teleologischen Gründen größeres Gewicht beizumessen. Es verbleiben aber dogmatische Zweifel. Das gilt auch für die von der hLit befürwortete **Bestellung unter aufschiebender Bedingung** (so insbes. E. Vetter/van Laak ZIP 2008, 1806, 1810 ff.; E. Vetter ZIP 2012, 701, 706 f.; zust. S/L/Drygala Rn. 16; KK-AktG/Mertens/Cahn Rn. 13; Hölters/Weber/Simons Rn. 17a; Seidel, Die gerichtliche Ergänzung des Aufsichtsrats, 2010, 50 ff.; wieder anders Schwab AG 2015, 195 ff.: Klageabweisung als auflösende Bedingung; dagegen OLG Köln AG 2011, 465, 466; OLG München NZG 2021, 235 Rn. 12 ff.; AG Bonn AG 2011, 99, 100; MüKoAktG/Habersack Rn. 12; GK-AktG/Hopt/Roth Rn. 34; NK-AktR/Heidel § 250 Rn. 1; KK-AktG/Kiefner § 252 Rn. 22; Brock NZG 2014, 641, 645 ff.; Höpfner ZGR 2016, 505, 552 f.; Hoffmann-Becking FS Krieger, 2020, 379, 386 f.; Marsch-Barner FS K. Schmidt, 2009, 1109, 1121; Rieckers ZGR 2022, 61, 83 ff.). Sie scheint auf Tatbestandsseite besser zu passen, da Bestellung erst im Zeitpunkt der Vakanz greift, bleibt aber trotz ex-nunc-Wirkung des § 241 Nr. 5 ebenfalls auf Analogieschluss angewiesen, da § 104 I 1 deutlich von zeitlicher Abfolge „Vakanz – Beschluss" ausgeht (so auch OLG München NZG 2021, 235 Rn. 12; AG Bonn AG 2011, 99, 100; Brock NZG 2014, 641, 645; für direkte Anwendung E. Vetter/v. Laak ZIP 2008, 1806, 1810; Seidel, Die gerichtliche Ergänzung des Aufsichtsrats, 2010, 55). Auf Rechtsfolgenseite ist Lösung aber auf Rückbeziehung entspr. § 159 BGB angewiesen, die nur über obligatorische Verpflichtung der Parteien herbeigeführt werden kann, was bei gerichtlichem Bestellungsakt mit Wirkung ggü. jedermann noch problematischer erscheint als erstgenannte Lösung (ausf. Brock NZG 2014, 641, 645 f.; zust. Höpfner ZGR 2016, 505, 532 f.; Hoffmann-Becking FS Krieger, 2020, 379, 386 f.). Will man diese auch weiterhin dogmatisch unsicheren Wege nicht beschreiten, bleibt nur, dass Gewählter gerichtl. Bestellung durch **Amtsniederlegung** ermöglicht, wobei aufgrund richterlichen Ermessens nicht sicher ist, dass gewähltes Mitglied auch durch Gericht bestellt wird (C. Arnold/Gayk DB 2013, 1830, 1836; Marsch-Barner FS K. Schmidt, 2009, 1109, 1122). Tätigwerden des Gesetzgebers wäre wünschenswert.

9 Gericht wird wie bei Beschlussunfähigkeit nur auf **Antrag** tätig. Antragsberechtigung gem. § 104 II 3 wie nach § 104 I (→ Rn. 3 f.). Rechtsmittel ist auch hier Beschwerde mit Monatsfrist des § 63 FamFG. Vgl. iÜ zum Verfahren → Rn. 5 ff. mit der Maßgabe, dass Beschwerdebefugnis von Aktionären im Fall

des § 59 I FamFG bei Unterschreitung der Dreimonatsfrist gegeben ist (OLG Frankfurt NJW 1955, 1929), sofern kein dringender Fall vorliegt (§ 104 II 2). Umgekehrt fehlt es jedoch an Beschwerdebefugnis, wenn mit dem Rechtsmittel erreicht werden soll, dass Unterschreitung der Pflichtzahl für drei Monate erhalten bleiben soll (OLG Hamm ZIP 2011, 372, 374).

b) Dringende Fälle (§ 104 II 2). Auch vor Ablauf der Frist ist Ergänzung nach § 104 II 2 in dringendem Fall zulässig. Dringender Fall ist kraft Ges. (§ 104 III Nr. 2) Unterbesetzung des mitbestimmten AR mit Ausnahme der Mitbestimmung nach DrittelbG und des neutralen Mitglieds im Geltungsbereich der Montanmitbestimmung (§ 104 III Nr. 1; → Rn. 11). Anzuwenden ist Norm auch auf ersten AR bei Sachgründung (s. LG Hof AG 1993, 434 mit angesichts der Gesetzeslage entbehrlichem Rückgriff auf „modernes Sozialverständnis"; offenlassend BayObLGZ 2000, 173, 176; dort auch zur fehlenden Übertragbarkeit auf Vor-GmbH; weitere Einzelheiten bei Oetker ZGR 2000, 19, 40 ff.). Aus § 104 I folgt weiter, dass drohende (iGgs zur eingetretenen) Beschlussunfähigkeit nicht genügt (MüKoAktG/Habersack Rn. 26; → Rn. 3). IÜ sind dem Ges. keine Festlegungen zu entnehmen. Als dringlich angesehen wird Ergänzung zu Recht, wenn Entscheidungen anstehen, die für **Bestand oder Struktur der AG** von wesentlicher Bedeutung sind (Übernahmeversuche, krisenhafte Zuspitzung, Umwandlung der Gesellschaft; vgl. OLG Frankfurt AG 2022, 330, 331; OLG Hamm AG 2011, 745, 746; AG Wuppertal DB 1971, 764; MüKoAktG/Habersack Rn. 27; E. Vetter DB 2018, 3104, 3105 f.; Wandt AG 2016, 877, 880). Weitergehend sollte man es auch genügen lassen, dass andere wesentliche Entscheidungen zu treffen sind (zB Bestellung oder Abberufung von Vorstandsmitgliedern) und nach der konkreten Zusammensetzung des AR einseitige Durchsetzungschancen einer Interessengruppe bestehen oder bloße Zufallsergebnisse zu erwarten sind (Hölters/Weber/Simons Rn. 16; aA BeckOGK/Spindler Rn. 39; Niewiarra/Servatius FS Semler, 1993, 217, 220 ff.). Auch Fehlen der Financial Experts (§ 100 V) begründet dringenden Fall (E. Vetter DB 2018, 3104, 3105). Gleiches gilt nach hM bei Ausscheiden des AR-Vorsitzenden, wenn anderweitige Besetzung nicht möglich ist (Hölters/Weber/Simons Rn. 17; aA E. Vetter DB 2018, 3104 f.). Analog anwendbar ist § 104 II auch bei gescheiterter Wahl des AR-Vorsitzenden (hM; → § 107 Rn. 6). 10

2. Mitbestimmungsrechtliche Besonderheiten. Für AR, die der Mitbestimmung unterliegen – ausgenommen Mitbestimmung nach DrittelbG – trifft § 104 III eine Sonderregelung. Gem. § 104 III 1 kann Gericht nicht das **weitere** („neutrale") **AR-Mitglied** bestellen, das auf Vorschlag der übrigen AR-Mitglieder von HV zu wählen ist (vgl. § 8 MontanMitbestG, § 5 III MitbestErgG). Das gilt auch, wenn nach allg. Grundsätzen (→ Rn. 10) Dringlichkeit zu bejahen wäre. Grund: Gericht kann dem „neutralen" AR-Mitglied nicht die erforderliche Vertrauensbasis verschaffen. IÜ ist Unterbesetzung wegen **Störung der ges. Parität** stets dringlicher Fall (§ 104 III Nr. 2; → Rn. 10), und zwar nicht nur für AN-Vertreter, sondern auch für Anteilseignerseite (LG Frankfurt AG 2006, 593, 594; sa → § 96 Rn. 23). Antrag, der auch hier erforderlich ist, kann also stets und ohne weitere Begründung gestellt werden. 11

IV. Beschränkungen der gerichtlichen Auswahl (§ 104 IV)

1. Aufsichtsrat mit Mitgliedern der Arbeitnehmer. Gericht wählt das AR-Mitglied grds. frei aus (→ Rn. 5). Entscheidungsfreiheit wird jedoch durch § 104 IV 1 und 2 eingeschränkt, wenn AR auch aus Mitgliedern der AN zu bestehen hat (→ § 96 Rn. 4 ff.). Wird AR wegen Unterschreitens der Mitgliederzahl ergänzt (→ Rn. 8 ff.), so hat Ergänzung so zu erfolgen, dass das für den 12 jeweiligen AR maßgebliche zahlenmäßige Verhältnis hergestellt wird (BayObLGZ 1997, 262, 264). Zu beachten sind die Vorschriften über die **Parität** zwischen Anteilseignern und AN, aber auch die über den **Gruppenproporz** zwischen AN, leitenden Angestellten und Gewerkschaftern (vgl. etwa § 7 I MitbestG, § 7 II MitbestG, § 15 II MitbestG; s. OLG Stuttgart AG 2017, 489; Habersack/Henssler/Habersack MitbestG § 6 Rn. 61). Bei Bestellung eines Gewerkschaftsvertreters iSd § 7 II Nr. 3 MitbestG kommt einem der Arbeitnehmerschaft der betroffenen AG zugehöriger Vertreter kein genereller Vorrang vor einem externen Vertreter zu (OLG Stuttgart AG 2017, 489, 491). Grds. dasselbe gilt, wenn AR zur Herstellung seiner **Beschlussfähigkeit** ergänzt wird (→ Rn. 2 ff.). Hier sind jedoch, wenn mehrere AR-Mitglieder fehlen und nur eines zur Herstellung der Beschlussfähigkeit bestellt wird, Fälle denkbar, in denen zahlenmäßiges Verhältnis nicht hergestellt werden kann. Insoweit dispensiert § 104 IV 2 vom Gebot des § 104 IV 1. Es ist dann ein AR-Mitglied der benachteiligten Seite zu bestellen (heute ganz hM – s. MüKoAktG/Habersack Rn. 32; BeckOGK/Spindler Rn. 48).

13 **2. Besondere persönliche Voraussetzungen.** Nach § 104 IV 3 muss Gericht für beide Ergänzungsfälle (§ 104 I und II) bes. Voraussetzungen beachten, denen AR-Mitglied nach Ges. oder Satzung entsprechen muss, also insbes. Anforderungen des § 100 I–IV (→ § 100 Rn. 1 ff., 19, 20 f.). Umstr. ist, ob dies auch für § 100 V (Finanzexperten, Sektorenkenntnis → § 100 Rn. 24 ff.) gilt (dafür → 14. Aufl. 2020, Rn. 19; MüKoAktG/Habersack Rn. 33; Wandt AG 2016, 877, 883 und wohl auch OLG Hamm NZG 2013, 1099, 1100). Dagegen spricht, dass es sich dabei nicht um „persönliche" Voraussetzung handelt, sondern um organbezogene Besetzungsregel, die Gesamtqualifikation des AR umschreibt (→ § 100 Rn. 27). Gericht sollte sich deshalb um qualifiziertes Mitglied bemühen, doch ist § 100 V nicht als zwingendes Bestellungsgebot vergleichbar § 100 I – IV aufzufassen (Grigoleit/Grigoleit/Tomasic Rn. 19; Hölters/Weber/Simons Rn. 28; Simons/Kalbfleisch AG 2020, 526 Rn. 57). § 104 IV 3 hat hauptsächlich Bedeutung für **AR-Mitglieder der AN.** Gericht darf nur eine Persönlichkeit bestellen, die auch wählbar wäre (OLG Stuttgart AG 2017, 489); zu beachten ist namentl., dass AR-Mitglieder der AN gem. § 7 II MitbestG in einem Arbeitsverhältnis zum Unternehmen stehen müssen. Darüber hinaus gilt in Ermangelung einer entspr. ges. Ausklammerung auch Bestellungshindernis nach § 100 II 1 Nr. 4, wenn nicht zugleich Befreiung durch qualifizierten Aktionärsvorschlag erfolgt (→ § 100 Rn. 15 ff.; vgl. OLG Braunschweig BeckRS 2016, 15591 Rn. 47; Hölters/Weber/Simons Rn. 28; Fett/Theusinger AG 2010, 425, 432; Ihrig FS Hoffmann-Becking, 2013, 617, 620 Fn. 15; Schulenburg/Brosius WM 2011, 58, 62 f.; E. Vetter FS Maier-Reimer, 2009, 795, 817; Wandt AG 2016, 877, 882). Gegenauffassung, nach der § 100 II 1 Nr. 4 auch ohne solche Befreiung nicht entgegenstehen soll (Grigoleit/Grigoleit/Tomasic Rn. 18), stellt gerichtl. Entscheidung der HV-Befreiung gleich, was insofern nicht überzeugt, als Gericht zwar unabhängige Ermessenentscheidung gewährleisten kann, nicht aber die Legitimation, die von Votum der wirtschaftlichen Eigentümer ausgeht. Angesichts dieses Unterschieds kann Vergleichbarkeit nicht mit der Zwangsläufigkeit festgestellt werden, die für teleologische Reduktion des § 104 IV 3 erforderlich wäre.

14 **3. Berücksichtigung von Vorschlagsrechten.** Nach § 104 IV 4 soll Gericht Vorschläge berücksichtigen, soweit nach **mitbestimmungsrechtl. Sonderregelung** eine Spitzenorganisation der Gewerkschaften, eine Gewerkschaft oder die Betriebsräte ein Vorschlagsrecht hätten oder bei einer Wahl durch Wahlmänner gemeinsame Vorschläge der Betriebsräte der Unternehmen zugrunde zu legen wären (vgl. hierzu § 6 MontanMitbestG und § 6 DrittelbG; Einzelheiten

bei MüKoAktG/Habersack Rn. 34). Dem Vorschlag darf dann nicht gefolgt werden, wenn überwiegende Belange der AG oder der Allgemeinheit der Bestellung entgegenstehen, zB mangelnde fachliche Kompetenz oder absehbare schwere Pflichtenkollision. Zwischen konkurrierenden Vorschlägen von Gewerkschaften kann Gericht frei wählen (BayObLG AG 2005, 350, 351; BayObLGZ 1997, 262, 265; OLG Stuttgart AG 2017, 489, 490; LG Wuppertal BB 1978, 1380). HM empfiehlt bei Konkurrenzanträgen, **mutmaßlichen Willen des grds. bestellungsberechtigten Gremiums** zu berücksichtigen (OLG Stuttgart AG 2017, 489, 490; OLG Frankfurt AG 2022, 330, 331 f.; MüKoAktG/Habersack Rn. 35; GK-AktG/Hopt/Roth Rn. 100). OLG Frankfurt AG 2015, 247 Rn. 44 ff., ist dem zumindest für bes. konfliktgeladenen AR indes nicht gefolgt und hat stattdessen „neutrales Mitglied" bestellt (wohl zust. OLG Stuttgart AG 2017, 489 f.). Auswahlkriterium der Repräsentanz aller im Unternehmen vertretenen Gewerkschaften innerhalb der AN-Bank des AR wird zu Recht abgelehnt (OLG Stuttgart AG 2017, 489, 492).

V. Berücksichtigung der Geschlechterquote (§ 104 V)

§ 104 V stellt klar, dass Geschlechterquote gem. § 96 II auch bei gerichtl. Bestellung nach § 104 gilt. Entspr. Anordnung fehlt für mitbestimmungsrechtl. Vorgaben, doch handelt es sich dabei um eine der vielen handwerklichen Ungenauigkeiten des Quotengesetzes, die im Auslegungswege zu korrigieren ist (Oetker ZHR 179 [2015], 707, 733). Bei quotenwidriger Besetzung, etwa infolge vorzeitigen Ausscheidens, muss Vorstand auf ordnungsgemäße Zusammensetzung hinwirken und ggf. Antrag auf gerichtl. Bestellung gem. § 104 I 1 stellen (RegBegr. BT-Drs. 18/3784, 122). § 96 III ist in § 104 V nicht genannt, doch ist insofern Redaktionsversehen anzunehmen, da für Ungleichbehandlung kein Grund besteht (S/L/Drygala Rn. 24b; MüKoAktG/Habersack Rn. 37). Obwohl im Ges. nicht ausdr. ausgesprochen, müssen Optionen der **Gesamt- oder Getrennterfüllung** (→ § 96 Rn. 15, 18 f.) auch bei gerichtl. Bestellung beachtet werden. Zu diesem Zweck muss Vorstand dem Gericht im Antrag nach § 104 oder durch gesondertes Schreiben mitteilen, ob Widerspruch iSd § 96 II 3 erfolgt ist (MüKoAktG/Habersack Rn. 37; Seibt ZIP 2015, 1193, 1198 f.). Nach umstr., aber zutr. Auffassung ist Beschleunigungsvorgabe in § 104 III Nr. 2 nicht nur für AN-Vertreter, sondern auch für Anteilseignervertreter zu beachten (→ Rn. 11; → § 96 Rn. 23 mwN). Bei Auswahlentscheidung sieht RegBegr. für die Fälle der § 18a MitbestG und § 10f MitbestErgG vor, dass entspr. § 104 IV 4 Vorschläge von Gewerkschaften etc. zu berücksichtigen sind (→ Rn. 14). Diesem Rechtsgedanken folgend solle Gericht erst recht den ihm vorgeschlagenen Bewerber des „passenden" Geschlechts berücksichtigen, der bei vorausgegangener AR-Wahl einem Kandidaten mit nicht passendem Geschlecht unterlegen sei (RegBegr. BT-Drs. 18/3784, 128, 131). 14a

VI. Amtsdauer (§ 104 VI)

Gerichtl. bestellte AR-Mitglieder **verlieren Amt automatisch,** sobald Mangel behoben ist (§ 104 VI – zur Befristung entspr. Empfehlung des C.15 S. 2 DCGK → Rn. 3). Formulierung knüpft wie die des § 85 II bewusst an § 29 BGB an (RegBegr. Kropff S. 108, 145) und soll sicherstellen, dass Amtsende nur eintritt, wenn der Bestellte Wahl oder Entsendung auch annimmt (RegBegr. Kropff S. 108, 145). Liegt es so, bedarf es keiner gerichtl. Abberufung (BayObLG NZG 2004, 405, 406). Vielmehr endet gerichtl. Bestellung kraft Ges., sobald AR beschlussfähig (§ 104 I) oder Unterbesetzung entfallen ist (§ 104 II). Entspr. der Wertung des § 104 III Nr. 1 ist Unterbesetzung auch beseitigt, wenn das weitere 15

(„neutrale") AR-Mitglied (→ Rn. 11) noch fehlt (MüKoAktG/Habersack Rn. 52). Amt kann auch enden, bevor Mangel behoben ist, nämlich durch **gerichtl. Abberufung.** Gericht kann jedoch das von ihm bestellte AR-Mitglied nicht allein deshalb durch ein anderes ersetzen, weil ihm das sachgerecht erscheint. Abberufung ist vielmehr nur unter den Voraussetzungen des § 103 III (→ § 103 Rn. 9 ff.) möglich (wie hier Grigoleit/Grigoleit/Tomasic Rn. 25; Hölters/Weber/Simons Rn. 35; BeckOGK/Spindler Rn. 58; ferner GK-AktG/Hopt/Roth Rn. 143 allerdings unter noch weitergehendem Verzicht auf Antragserfordernis; aA AG Charlottenburg AG 2005, 133; MüKoAktG/Habersack Rn. 48; KK-AktG/Mertens/Cahn Rn. 36).

16 **Mangel kann behoben werden:** durch Herabsetzung der Mitgliederzahl; in den Fällen des § 104 I auch durch Satzungsänderung, durch die Anforderungen an Beschlussfähigkeit herabgesetzt werden; durch Anpassung der Satzung an neues Mitbestimmungsstatut (§ 97 II) und Amtsantritt einer hinreichenden Zahl von AR-Mitgliedern (Schnitker/Grau NZG 2007, 486, 490 f.); vor allem aber, indem Bestellungsberechtigte von ihrem Recht Gebrauch machen (OLG Frankfurt AG 1987, 159) und der Bestellte das Amt annimmt (→ Rn. 15). Bloße Anfechtbarkeit des Wahlbeschlusses der HV hindert Beseitigung des Mangels nicht (BayObLG NZG 2004, 405, 406; OLG Frankfurt AG 1987, 159, 160), auch nicht Anfechtungsklage (§ 251), weil Nichtigkeitsfolge erst mit Rechtskraft des der Klage stattgebenden Urteils eintritt (§ 252 II 1). Nach RegBegr. Kropff S. 144 soll bei offensichtlich begründeter Anfechtungsklage Ausnahme gelten. Das passt jedoch mit dem automatischem Erlöschen des Amtes nicht zusammen und ist abzulehnen (S/L/Drygala Rn. 26; BeckOGK/Spindler Rn. 55). **Mangel ist nicht behoben,** wenn HV zwar zusammentritt, aber keinen Wahlbeschluss fasst. Gerichtl. bestellte AR-Mitglieder bleiben im Amt, wenn ges. Höchstdauer (§ 102 I) noch nicht abgelaufen ist; so auch dann, wenn über Entlastungsantrag nicht beschlossen wird (→ § 102 Rn. 3). IÜ, also bei Ablauf der in § 102 I bestimmten Amtszeit, verlieren auch gerichtl. bestellte AR-Mitglieder ihr Amt kraft Ges. (hM, s. MüKoAktG/Habersack Rn. 53; BeckOGK/Spindler Rn. 57; offenlassend OLG Hamburg AG 2003, 643, 644). Das gilt, obwohl Erlöschen des Amtes den Zustand wieder herbeiführt, der mit gerichtl. Bestellung behoben werden sollte (zust. Wulff/Buchner ZIP 2007, 314, 316). Sonst eintretende Amtsdauer ohne zeitliche Begrenzung verträgt sich nämlich nicht mit bloßem Überbrückungscharakter gerichtl. Notmaßnahmen. Stellt sich allerdings heraus, dass HV oder Entsendungsberechtigte ihrer Aufgabe wiederum nicht rechtzeitig (→ Rn. 2, 8 ff.) nachkommen, so hat Gericht AR auf Antrag erneut zu ergänzen.

VII. Rechtsposition des gerichtlich bestellten AR-Mitglieds (§ 104 VII)

17 Gerichtl. bestelltes AR-Mitglied hat die gleichen Rechte und Pflichten wie andere Mitglieder, tritt aber nicht automatisch in Funktionen (AR-Vorsitzender, Stellvertreter, Ausschussmitglied) des von ihm zu ersetzenden Mitglieds ein (KK-AktG/Mertens/Cahn Rn. 40; Hölters/Weber/Simons Rn. 31; wohl aA Grigoleit/Grigoleit/Tomasic Rn. 24). Es hat gem. § 104 VII 1 jedenfalls Anspruch auf **Ersatz angemessener barer Auslagen** (zB Reisekosten). IdR steht ihm auch eine Vergütung zu, nämlich dann, wenn sie den anderen AR-Mitgliedern gewährt wird. Schuldnerin ist AG (nicht der Antragsteller, nicht die Staatskasse). Vergütung ist entspr. § 113 I 3 festzusetzen. Gerichtl. bestelltes AR-Mitglied kann die **gleiche Vergütung** verlangen **wie die anderen AR-Mitglieder,** ggf. auch Zusatzvergütung für Wahrnehmung bes. Funktionen wie Ausschussmitgliedschaft (B/K/L/Bürgers/Fischer Rn. 14). Wird sie ihm verweigert, kann Gericht auf Antrag des AR-Mitglieds über Höhe des Auslagenersatzes und der

Vergütung entscheiden (§ 104 VII 2). Gericht entscheidet durch Beschluss, gegen den Beschwerde (§§ 58 ff. FamFG) mit Monatsfrist des § 63 FamFG statthaft ist (§ 104 VII 3 Hs. 1). Rechtsbeschwerde (§§ 70 ff. FamFG), die grds. anstelle der früheren weiteren Beschwerde gegeben ist, ist nach § 104 VII 3 Hs. 2 ausgeschlossen, weil Streitigkeiten über Auslagenersatz und Vergütung keiner höchstrichterlichen Klärung bedürfen (RegBegr. BT-Drs. 16/6308, 353 f.; → § 35 Rn. 8). Rechtskräftiger Beschluss ist **Vollstreckungstitel** (§ 104 VII 4 in Ergänzung des § 794 ZPO), muss also die AG als Schuldnerin bezeichnen und die Forderung vollstreckungsfähig präzisieren.

Unvereinbarkeit der Zugehörigkeit zum Vorstand und zum Aufsichtsrat

105 (1) **Ein Aufsichtsratsmitglied kann nicht zugleich Vorstandsmitglied, dauernd Stellvertreter von Vorstandsmitgliedern, Prokurist oder zum gesamten Geschäftsbetrieb ermächtigter Handlungsbevollmächtigter der Gesellschaft sein.**

(2) [1]**Nur für einen im voraus begrenzten Zeitraum, höchstens für ein Jahr, kann der Aufsichtsrat einzelne seiner Mitglieder zu Stellvertretern von fehlenden oder verhinderten Vorstandsmitgliedern bestellen.** [2]**Eine wiederholte Bestellung oder Verlängerung der Amtszeit ist zulässig, wenn dadurch die Amtszeit insgesamt ein Jahr nicht übersteigt.** [3]**Während ihrer Amtszeit als Stellvertreter von Vorstandsmitgliedern können die Aufsichtsratsmitglieder keine Tätigkeit als Aufsichtsratsmitglied ausüben.** [4]**Das Wettbewerbsverbot des § 88 gilt für sie nicht.**

I. Regelungsgegenstand und -zweck

Norm betr. **Inkompatibilität** einer Mitgliedschaft im AR mit Mitgliedschaft im Vorstand (Grundsatz des § 105 I) und lässt nur nach Anlass und Zeitdauer beschränkte Ausnahmen zu (§ 105 II). Zweck der Regelung ergibt sich aus der für das dualistische System kennzeichnenden **Funktionstrennung zwischen Vorstand und AR.** Danach können Geschäftsführung und deren Überwachung grds. nicht in dens. Händen liegen (kein Board-System; vgl. RegBegr. Kropff S. 146; ausf. → § 76 Rn. 5 mwN). § 105 I ist gänzlich, § 105 II jedenfalls insoweit zwingend, als Ausnahme durch die Satzung nicht erweitert werden kann; auch Einschränkung oder Abbedingung sind fragwürdig (MüKoAktG/Habersack Rn. 3). Für fakultativen AR der GmbH ist str., ob § 105 I zwingenden Charakter hat; nach hM ist das zu bejahen (s. HCL/Heermann GmbHG § 52 Rn. 35 ff., der selbst der Gegenmeinung zuneigt). 1

II. Unvereinbarkeit des Aufsichtsratsamtes mit anderen leitenden Funktionen

1. Vorstandsmitglied. Nach § 105 I Fall 1 kann AR-Mitglied nicht zugleich Vorstandsmitglied derselben AG sein, auch nicht stellvertretendes Vorstandsmitglied (§ 94), auch nicht Abwickler (§ 268 II). Dabei ist belanglos, welche Organmitgliedschaft zuerst besteht. Norm greift also ein, wenn AR-Mitglied zum Vorstand bestellt, aber auch, wenn Vorstandsmitglied in den AR gewählt werden soll (BGH NJW 1975, 1657, 1658). Maßgeblich ist **Zeitpunkt des Amtsantritts** (GK-AktG/Hopt/Roth Rn. 26). Nicht grds. verboten ist dagegen, dass Mitglied oder auch Vorsitzender des Vorstands nach Beendigung dieses Mandats in AR wechselt (LG München I AG 2005, 623, 624 f.); nur für börsennotierte AG 2 enthält § 100 II 1 Nr. 4 insofern Einschränkung (Cooling-off-Periode; → § 100 Rn. 12 ff.), die durch weitere **restriktive Empfehlung in C.11 DCGK** ergänzt werden (nicht mehr als zwei ehemalige Vorstandsmitglieder). Dem Vorstand einer anderen AG kann AR-Mitglied angehören, auch wenn diese herrschendes Unternehmen der AG ist. Unzulässig ist jedoch nach § 100 II 1 Nr. 2, dass ges. Vertreter eines abhängigen Unternehmens dem AR der herrschenden AG angehören (→ § 100 Rn. 7: Verstoß gegen das „natürliche Organisationsgefälle").

3 **2. Prokurist.** AR-Mitglied kann nach § 105 I Fall 2 auch nicht sein, wer Prokurist der AG ist. Um welche Form der Prokura es sich handelt und welche tats. Stellung dem Prokuristen in der Unternehmenshierarchie zukommt, bleibt gleich. Entscheidend ist allein, dass AG iSd §§ 48 ff. HGB Prokura erteilt hat (allgM). Auch sog Titularprokurist kann deshalb nicht AR-Mitglied sein (Brox FS Ficker, 1967, 95, 108). Eine **Sonderregelung** enthält **§ 6 II 1 MitbestG.** Danach liegt in mitbestimmter AG nur dann Inkompatibilität vor, wenn Prokurist dem Vorstand unmittelbar unterstellt ist („direct report") und Prokura für den gesamten Geschäftsbereich des Vorstands ausüben darf (vgl. dazu MüKoAktG/Annuß MitbestG § 6 Rn. 5; Backhaus FS E. Vetter, 2019, 35, 41 ff.; Schäuble/Lindemann GWR 2015, 155 ff.). Auf diese Weise soll der Kreis der wahlberechtigten leitenden Angestellten erweitert werden (GK-AktG/Oetker MitbestG § 6 Rn. 15). Für Mitbestimmung nach DrittelbG sieht Ges. keine entspr. Korrektur vor.

4 **3. Handlungsbevollmächtigter.** Gem. § 105 I Fall 3 sind Stellung als zum gesamten Geschäftsbetrieb ermächtigter Handlungsbevollmächtigter und Mitgliedschaft im AR inkompatibel. Gemeint ist **Generalhandlungsvollmacht iSd § 54 I Fall 1 HGB** im Unterschied zur Art- oder Einzelvollmacht des § 54 I Fall 2 und 3 HGB (unstr., s. MüKoAktG/Habersack Rn. 14). Weitergehende Generalvollmacht (vgl. zu den Begriffen GK-HGB/Joost § 54 Rn. 5 ff., 7) ist nicht zu fordern, interne Vollmachtsbeschränkung ist nicht erheblich (Brox FS Ficker, 1967, 95, 109; aA Werner Bank-Betrieb 1965, 278, 285). Ges. will im Interesse der Rechtsklarheit formale Anknüpfung an Außenvollmacht (→ Rn. 5). Generalhandlungsbevollmächtigte sind in **§ 6 II 2 MitbestG** nicht erwähnt. Wenn aber Prokuristen nur bei bes. herausgehobener Funktion nicht wählbar sind (→ Rn. 3), ist anzunehmen, dass für Handlungsbevollmächtigte entspr. Korrektur gilt (MüKoAktG/Habersack Rn. 16; KK-AktG/Mertens/Cahn Rn. 15; BeckOGK/Spindler Rn. 14; aA Hölters/Weber/Simons Rn. 9). Generalbevollmächtigte werden auch durch § 6 II 1 MitbestG nicht wählbar; → Rn. 5. Dass sie nach § 6 II 2 MitbestG schlechthin wählbar sind, kann dagegen nicht angenommen werden.

5 **4. Keine Erstreckung auf weitere Rechtsverhältnisse.** Seinem Sinn nach will § 105 I, dass leitende Funktion in AG und Mitgliedschaft im AR unvereinbar sind. Verwirklicht wird Normzweck jedoch nur für Prokuristen und Generalhandlungsbevollmächtigte (→ Rn. 3 f.). Vorschrift kann also nicht erweiternd dahin aufgefasst werden, dass die Genannten beispielhaft für leitende Angestellte stehen und deshalb auch modernere Funktionsbezeichnungen wie etwa Senior Vice President oÄ erfasst werden (OLG Stuttgart AG 2017, 489, 491; Hölters/Weber/Simons Rn. 4). Das entspräche in etwa § 90 I 2 AktG 1937 (Angestellte, welche die Geschäfte der Gesellschaft führen) und der Entwurfsfassung, die noch von leitenden Angestellten sprach (RegBegr. Kropff S. 146), aber zur **Vermeidung von Abgrenzungsschwierigkeiten** auf Initiative der zuständigen Ausschüsse gerade nicht Ges. geworden ist (AusschussB Kropff S. 146). Sog **Generalvollmacht** schließt aber Generalhandlungsvollmacht ein und begründet deshalb Unvereinbarkeit der Funktionen (KK-AktG/Mertens/Cahn Rn. 13).

Angestellte, die nicht Prokuristen oder Generalhandlungsbevollmächtigte sind, können iÜ AR-Mitglieder sein. Das hat namentl. in mitbestimmten Gesellschaften für AR-Mitglieder der AN Bedeutung (→ Rn. 3 f.), gilt aber auch für AR-Mitglieder der Aktionäre. Auch sonstige Vertragsverhältnisse oder Geschäftsbeziehungen zur AG stehen Mitgliedschaft im AR nicht entgegen; vgl. aber § 114 I.

III. Rechtsfolgen bei Verstoß

Hinsichtlich Rechtsfolgen gilt iErg sog **Prioritätsgrundsatz,** dh das erstbegründete Amtsverhältnis bleibt wirksam, das zweitbegründete ist nichtig (statt aller S/L/Drygala Rn. 9). In der dogmatischen Konstruktion ist aber zu unterscheiden, ob AR-Mitglied zum Vorstandsmitglied, Prokuristen oder Handlungsbevollmächtigten (iSd → Rn. 4) bestellt oder ob jemand umgekehrt trotz dieser Eigenschaft zum AR-Mitglied bestellt wird. Im ersten Fall ist Beschluss gem. § 134 BGB nichtig, weil Rechtsgeschäft gegen das ges. Verbot des § 105 I verstößt. Zu berücksichtigen ist aber, dass bis zum **Amtsantritt** noch Niederlegung des AR-Mandats möglich ist (→ § 250 Rn. 9) und idR nicht Verknüpfung, sondern Aufgabe des AR-Mandats gewollt sein wird. Deshalb ist Bestellung bis zur Niederlegung des Mandats nur schwebend und erst bei Antritt der neuen Funktion ohne Niederlegung endgültig unwirksam (sa MüKoAktG/Habersack Rn. 20). Erfolgt Niederlegung jedoch rechtzeitig, so ist Bestellung wirksam. Im Zweifel ist eine solche **konkludente Amtsniederlegung** zu vermuten (MüKoAktG/Habersack Rn. 20; KK-AktG/Mertens/Cahn Rn. 21), so dass Unwirksamkeitsfolge nur in seltenen Fällen eintreten kann. Bei Bestellung eines Vorstandsmitglieds in AR gilt: Auch Bestellung zum AR-Mitglied ist nichtig, wenn nicht vor Amtsantritt Vorstandsamt niedergelegt wird. Für HV-Wahlbeschluss folgt dies aus § 250 I Nr. 4 analog (→ § 250 Rn. 11 mwN). Obwohl Aufgabe des Vorstandsamts wirtschaftlich idR schwerer wiegt als Aufgabe des AR-Mandats, ist auch hier angesichts der Selbstverständlichkeit der Inkompatibilitätsregel konkludente Amtsniederlegung zu vermuten (KK-AktG/Mertens/Cahn Rn. 21; aA MüKoAktG/Habersack Rn. 19; GK-AktG/Hopt/Roth Rn. 29). Zu Einzelheiten für Prokuristen vgl. Brox NJW 1967, 801, 802 f., 804 f. 6

IV. Aufsichtsratsmitglieder als Stellvertreter von Vorstandsmitgliedern

1. Zulässigkeitsvoraussetzungen. Gem. § 105 II 1 darf Grundsatz der Funktionstrennung ausnahmsweise durchbrochen werden, indem AR einzelne seiner Mitglieder zu Stellvertretern von Vorstandsmitgliedern bestellt. Dazu kommt es in der Praxis bei überraschender Vakanz, die nicht überstürzt neu besetzt werden soll (Hölters/Weber/Simons Rn. 11; sa Bulgrin/Wolf AG 2020, 109 Rn. 1). Ausnahme ist jedoch an zwei Voraussetzungen gebunden: Das vertretene Vorstandsmitglied muss fehlen oder verhindert sein; Bestellung muss zeitlich begrenzt werden. **Vorstandsmitglied fehlt** jedenfalls, wenn die ges. (§ 76 II 2), durch Satzung oder Geschäftsordnung vorgeschriebene Fest- oder Mindestzahl unterschritten ist, aber auch schon dann, wenn Höchstzahl bestimmt und infolge Ausscheidens eines Mitglieds unterschritten wird (MüKoAktG/Habersack Rn. 24; BeckOGK/Spindler Rn. 25; zu Unrecht einschränkend Bulgrin/Wolf AG 2020, 109 Rn. 12; Heidbüchel WM 2004, 1317, 1318); dabei sind stellvertretende Vorstandsmitglieder mitzuzählen (§ 94). Verhindert ist Vorstandsmitglied, wenn es sein Amt nicht ausüben kann (zB wegen Krankheit). Dass für diesen Fall nach der Geschäftsordnung ein Stellvertreter vorhanden ist, hindert Bestellung eines AR-Mitglieds nach richtiger Ansicht nicht (S/L/Drygala 7

Rn. 15; Krieger, Personalentscheidungen, 1981, 226 f.). Bestellung muss in jedem Fall für einen **im Voraus begrenzten Zeitraum** erfolgen. Höchstfrist beträgt ein Jahr, und zwar auch bei wiederholter Bestellung oder Verlängerung (§ 105 II 2). Besteht Vertretungsfall über Jahresfrist hinaus, so kann mit § 105 II nicht mehr geholfen werden (keine Vertretung durch anderes AR-Mitglied; str., wie hier RegBegr. Kropff S. 146; MüKoAktG/Habersack Rn. 32 f.; Heidbüchel WM 2004, 1317, 1319 mwN in Fn. 24; aA KK-AktG/Mertens/Cahn Rn. 25); anderes gilt nur, wenn neuer Vertretungsfall eintritt. Ergänzung um weitere ungeschriebene Tatbestandsmerkmale (dafür Bulgrin/Wolf AG 2020, 109 Rn. 2 ff., 9 ff.: Notsituation, ultima ratio Gedanke) findet im Ges. keine hinreichenden Anhaltspunkte und kann auch nicht rechtsfortbildend durch Vergleich mit §§ 95 I, 105 II begründet werden, da teleologische Ausgangssituation in beiden Fällen nicht vergleichbar ist.

8 § 105 II betr. unmittelbar nur Vertretung von Vorstandsmitgliedern der AG selbst, also nicht **Vertretung von Vorstandsmitgliedern einer Tochtergesellschaft.** Wenngleich § 100 II 1 Nr. 2 Doppeleigenschaft als Vorstandsmitglied der Tochter und AR-Mitglied des herrschenden Unternehmens grds. ausschließt, ist sie doch für zulässig zu halten, wenn sie analog § 105 II begrenzt wird. Auf Einzelgesellschaft zugeschnittene Norm ist auf verbundene Unternehmen zu erstrecken (zust. MüKoAktG/Habersack Rn. 27; B/K/L/Bürgers/Fischer Rn. 6; aA Bulgrin/Wolf AG 2020, 109 Rn. 15). Es gibt nämlich keinen überzeugenden Grund, in der Tochter die Gestaltung zu untersagen, die im herrschenden Unternehmen zulässig ist. Bestellung zum interimistischen Vorstandsmitglied erfolgt durch AR der Tochter. Ggf. ruht Mitgliedschaft im AR des herrschenden Unternehmens kraft Ges. Wegen dieser Mitbetroffenheit hat Mandatsträger dessen Zustimmung einzuholen, die aber keine Voraussetzung für Wirksamkeit der Vorstandsbestellung ist.

9 **2. Bestellung.** Bestellung erfolgt durch AR, und zwar durch Beschluss (§ 108 I), dessen Bekanntgabe und Amtsannahme des Bestellten. In mitbestimmten Gesellschaften richtet sich Beschlussverfahren nach § 29 MitbestG, nicht nach § 31 MitbestG (MüKoAktG/Habersack Rn. 28; KK-AktG/Mertens/Cahn Rn. 18; Heidbüchel WM 2004, 1317, 1319). Bestellung kann einem **Ausschuss** überantwortet werden, weil § 105 II in § 107 III 7 nicht genannt ist (NK-AktR/Breuer/Fraune Rn. 15; KK-AktG/Mertens/Cahn Rn. 18; Hölters/Weber/Simons Rn. 16; MHdB AG/Hoffmann-Becking § 24 Rn. 27; aA GK-AktG/Hopt/Roth Rn. 64; S/L/Drygala Rn. 16; BeckOGK/Spindler Rn. 33). Klare Gesetzeslage kann durch Analogie zu Rechtslage bei Vorstandsbestellung nicht überwunden werden, da es aufgrund zeitlicher Begrenzung an Vergleichbarkeit der Rechtslage fehlt. Provisorische Hilfsmaßnahme für Überbrückungszeit muss nicht zwingend denselben Regeln unterliegen wie dauerhafte Regelbestellung.

10 **3. Rechtsstellung.** AR-Mitglied wird Vorstandsmitglied, ohne das erste Mandat zu verlieren. Es kehrt daher nach Ende der Entsendung automatisch in AR-Amt zurück; § 100 II 1 Nr. 4 findet keine Anwendung, auch nicht auf spätere Wiederwahl (→ § 100 Rn. 14). AR-Tätigkeit kann jedoch nach § 105 II 3 für die Dauer der Bestellung nicht ausgeübt werden. Umfang der Geschäftsführungsbefugnis und Vertretungsmacht richten sich nach dem fehlenden oder verhinderten Vorstandsmitglied. Wettbewerbsverbot des § 88 gilt nicht (§ 105 II 4). Bestellung ist nach § 81 zur **Eintragung in das HR** anzumelden. Ob auch Bestellungsdauer einzutragen ist, ist str. (bejahend BGH AG 1998, 137, 138; MHdB AG/Hoffmann-Becking § 24 Rn. 30; Fleischer NZG 2010, 561, 566; Heidbüchel WM 2004, 1317, 1320; aA MüKoAktG/Habersack Rn. 33; BeckOGK/Spindler Rn. 40). Frage ist jedenfalls dann zu bejahen, wenn Bestellung für weniger als ein Jahr erfolgt, dürfte aber auch bei Nutzung der Höchstfrist zu

bejahen sein, weil Vertretungsverhältnisse durch HR publik werden sollen, ohne dass Rückschlüsse aus ges. Regelung gezogen werden müssen.

Bekanntmachung der Änderungen im Aufsichtsrat

106 Der Vorstand hat bei jeder Änderung in den Personen der Aufsichtsratsmitglieder unverzüglich eine Liste der Mitglieder des Aufsichtsrats, aus welcher Name, Vorname, ausgeübter Beruf und Wohnort der Mitglieder ersichtlich ist, zum Handelsregister einzureichen; das Gericht hat nach § 10 des Handelsgesetzbuchs einen Hinweis darauf bekannt zu machen, dass die Liste zum Handelsregister eingereicht worden ist.

I. Regelungsgegenstand und -zweck

§ 106 betr. personelle Veränderungen des AR und bezweckt **Publizität der AR-Zusammensetzung** durch Einreichung einer Liste zum HR. Eintragung wird nicht verlangt, da AR-Mitglieder idR nicht im Außenverhältnis auftreten; dementspr. findet auch **§ 15 HGB keine Anwendung** (Pentz NZG 2017, 1211 ff.; krit. Wachter AG 2016, 776, 778 ff. mit zahlreichen Praxisbeispielen). Erst recht gibt es keine Heilung durch Eintragung (ausf. → § 250 Rn. 16 mwN). Mit Unanwendbarkeit des § 15 HGB scheint auch Frage nach Gutglaubensschutz verneint zu sein, doch hat BGH insofern Rückgriff auf **allg. Rechtsscheingrundsätze** in Anlehnung an § 171 II BGB angenommen und es danach genügen lassen, wenn Zustellung nach § 246 II gutgläubig an in eingereichte Liste eingetragene AR-Mitglieder erfolgt, auch wenn diese zwischenzeitlich ausgeschieden sind (BGHZ 225, 198 Rn. 63 ff. = AG 2020, 545; zust. und vertiefend Wachter BB 2020, 1474, 1477 ff.; sa Lübke ZGR 2021, 156, 166 ff.). Auch Insolvenzverwalter gilt – anders als (amtierender) Vorstand – als durch diese Grundsätze geschützter Dritter (BGHZ 225, 198 Rn. 67). Kläger muss auch nicht darlegen, dass er in Liste Einsicht genommen hat, sondern seine Kenntnis wird nach entspr. Kundgabe vermutet (BGHZ 225, 198 Rn. 68 ff.). Inhaltlich knüpft Norm an § 37 IV Nr. 3a an (→ § 37 Rn. 11a). Danach ist, soweit es um ersten AR geht, eine Liste der Mitglieder des Aufsichtsrats unter Angabe von Name, Vorname, ausgeübtem Beruf und Wohnort der Anmeldung beizufügen. Diese Liste gibt kontinuierlichen Aufschluss über Zusammensetzung des AR. Flankiert wird diese Information durch Pflicht zur Anmeldung des AR-Vorsitzenden und seines Stellvertreters (insoweit keine Pflicht zur Bek.; vgl. § 107 I und → § 107 Rn. 14), Bekanntmachungspflichten nach § 19 MitbestG, § 10 f. MitbestErgG, § 8 DrittelbG für mitbestimmte Gesellschaften, Angaben im Anh. zum Jahresabschluss nach § 285 Nr. 10 HGB und Pflicht zur Veröffentlichung der Abstimmungsergebnisse nach § 130 VI (→ § 130 Rn. 29a). 1

II. Einreichungspflicht

Pflicht des Vorstands zur Einreichung einer **Liste** entsteht bei jeder Änderung in den Personen der AR-Mitglieder. Änderung ist nicht nur Ausscheiden und Eintritt, zB durch Einrücken eines Ersatzmitglieds (→ § 101 Rn. 13), sondern auch bloßes Ausscheiden (ebenso NK-AktR/Breuer/Fraune Rn. 2). Liste umfasst nicht nur AR-Mitglieder, bei denen sich Änderung ergeben hat, sondern **sämtliche aktuellen Mitglieder** unter Angabe von Name, Vorname, ausgeübtem Beruf und Wohnort. Das entspr. § 37 IV Nr. 3a (→ § 37 Rn. 11a). Bei Veränderungen in den sonstigen Angaben nach § 37 IV Nr. 3a (zB Wohnort- oder Berufsänderung und wohl auch Namensänderung aufgrund Heirat) ist Neu- 2 einreichung nach Gesetzeswortlaut nicht erforderlich, was rechtspolitisch aufgrund unzureichender Transparenz nicht uneingeschränkt überzeugt (krit. Wachter AG 2016, 776, 779 f.). Liste ist Dokument iSd § 12 II 1 HGB, also elektronisch und nach Inkrafttreten des DiRUG 2021 überdies in einem maschinenlesbaren und durchsuchbaren Datenformat einzureichen, doch da Einreichung nicht zur Eintragung erfolgt (→ Rn. 1), wird auf sichere Form der Identitätsfeststellung durch elektronische Signatur verzichtet (vgl. GK-HGB/J. Koch/Harnos § 12 Rn. 76). Nach § 12 II 2 Hs. 1 HGB genügt es, eine elektronische Aufzeichnung zu übermitteln, dh eine bildlich inhaltsgleiche Abbildung, die durch Scan hergestellt werden kann (GK-HGB/J. Koch/Harnos § 12 Rn. 75). Unterschrift des Vorstands ist nicht erforderlich (Wachter AG 2016, 776, 780 f.; zust. Hölters/Weber/Simons Rn. 5, 7). § 106 Hs. 1 spricht zwar Vorstand an, meint damit aber Gesellschaft, die ggü. Registergericht durch Vorstand vertreten wird. Erforderlich und genügend ist also Handeln von Vorstandsmitgliedern in vertretungsberechtigter Zahl. Einreichung hat unverzüglich zu erfolgen (§ 121 I 1 BGB) und kann im Zwangsgeldverfahren gegen die einzelnen Vorstandsmitglieder durchgesetzt werden (§ 14 HGB – vgl. GK-HGB/J. Koch/Harnos § 14 Rn. 14). Weitere Nachw. oder Belege sind idR nicht erforderlich, da Registergericht keine materielle, sondern nur formelle Prüfung der Liste vorzunehmen hat (Wachter AG 2016, 776, 781). Registergerichte verlangen bei Änderungen des Wohnorts jedoch zuweilen Meldebestätigung oder Kopie des aktualisierten Personalausweises (Hölters/Weber/Simons Rn. 5).

III. Gerichtliche Bekanntmachung

3 Bek. erfolgt nicht mehr wie früher durch Vorstand unter Einreichung eines Nachweises beim Registergericht, sondern durch Gericht selbst (§ 106 Hs. 2). Systemwechsel, der Unternehmen von Kosten und organisatorischem Aufwand entlasten soll, beruht auf Initiative des Bundesrats (Stellungnahme BT-Drs. 16/960, 84; Gegenäußerung der Bundesregierung BT-Drs. 16/960, 95; AusschussB BT-Drs. 16/2781, 173). Bek. dient der bezweckten Publizität (→ Rn. 1). Sie erfolgte bis zum Inkrafttreten des DiRUG 2021 noch **nach § 10 HGB aF,** also in dem von der Landesjustizverwaltung für Bek. von Eintragungen bestimmten elektronischen System, das von den Ländern mittlerweile über die Ermächtigung des § 10 S. 1, 2 Hs iVm § 9 I 4 und 5 HGB zum **bundesweiten Registerportal der Länder** zusammengeführt worden war.

4 Mit **Inkrafttreten des DiRUG 2021** ist gerichtl. Bek. jedoch neu geordnet worden, um Vorgaben des durch Digitalisierungs-RL (→ § 5 Rn. 17) neu gefassten Art. 16 GesR-RL zur Offenlegung von Informationen im Register umzusetzen (→ § 39 Rn. 7 ff.). Grds. wird nunmehr nach § 10 I HGB als Bek. nur noch erstmalige Abrufbarkeit der Eintragung im HR verstanden (→ § 39 Rn. 8 f.). Weil § 106 aber Sonderfall statuiert, wonach es zwar Bek., aber keiner Eintragung bedarf, steht hierfür neues Format der Registerbekanntmachung nach § 10 III HGB nF zur Verfügung (→ § 39 Rn. 10).

Innere Ordnung des Aufsichtsrats

107 (1) [1]**Der Aufsichtsrat hat nach näherer Bestimmung der Satzung aus seiner Mitte einen Vorsitzenden und mindestens einen Stellvertreter zu wählen.** [2]**Der Vorstand hat zum Handelsregister anzumelden, wer gewählt ist.** [3]**Der Stellvertreter hat nur dann die Rechte und Pflichten des Vorsitzenden, wenn dieser verhindert ist.**

(2) [1]Über die Sitzungen des Aufsichtsrats ist eine Niederschrift anzufertigen, die der Vorsitzende zu unterzeichnen hat. [2]In der Niederschrift sind der Ort und der Tag der Sitzung, die Teilnehmer, die Gegenstände der Tagesordnung, der wesentliche Inhalt der Verhandlungen und die Beschlüsse des Aufsichtsrats anzugeben. [3]Ein Verstoß gegen Satz 1 oder Satz 2 macht einen Beschluß nicht unwirksam. [4]Jedem Mitglied des Aufsichtsrats ist auf Verlangen eine Abschrift der Sitzungsniederschrift auszuhändigen.

(3) [1]Der Aufsichtsrat kann aus seiner Mitte einen oder mehrere Ausschüsse bestellen, namentlich, um seine Verhandlungen und Beschlüsse vorzubereiten oder die Ausführung seiner Beschlüsse zu überwachen. [2]Er kann insbesondere einen Prüfungsausschuss bestellen, der sich mit der Überwachung des Rechnungslegungsprozesses, der Wirksamkeit des internen Kontrollsystems, des Risikomanagementsystems und des internen Revisionssystems sowie der Abschlussprüfung, hier insbesondere der Auswahl und der Unabhängigkeit des Abschlussprüfers, der Qualität der Abschlussprüfung und der vom Abschlussprüfer zusätzlich erbrachten Leistungen, befasst. [3]Der Prüfungsausschuss kann Empfehlungen oder Vorschläge zur Gewährleistung der Integrität des Rechnungslegungsprozesses unterbreiten. [4]Der Aufsichtsrat der börsennotierten Gesellschaft kann außerdem einen Ausschuss bestellen, der über die Zustimmung nach § 111b Absatz 1 beschließt. [5]An dem Geschäft beteiligte nahestehende Personen im Sinne des § 111a Absatz 1 Satz 2 können nicht Mitglieder des Ausschusses sein. [6]Er muss mehrheitlich aus Mitgliedern zusammengesetzt sein, bei denen keine Besorgnis eines Interessenkonfliktes auf Grund ihrer Beziehungen zu einer nahestehenden Person besteht. [7]Die Aufgaben nach Absatz 1 Satz 1, § 59 Abs. 3, § 77 Abs. 2 Satz 1, § 84 Abs. 1 Satz 1 und 3, Absatz 2, 3 Satz 2 und 3 sowie Absatz 4 Satz 1, § 87 Abs. 1 und Abs. 2 Satz 1 und 2, § 111 Abs. 3, §§ 171, 314 Abs. 2 und 3, sowie Beschlüsse, daß bestimmte Arten von Geschäften nur mit Zustimmung des Aufsichtsrats vorgenommen werden dürfen, können einem Ausschuß nicht an Stelle des Aufsichtsrats zur Beschlußfassung überwiesen werden. [8]Dem Aufsichtsrat ist regelmäßig über die Arbeit der Ausschüsse zu berichten.

(4) [1]Der Aufsichtsrat einer Gesellschaft, die Unternehmen von öffentlichem Interesse nach § 316a Satz 2 des Handelsgesetzbuchs ist, hat einen Prüfungsausschuss im Sinne des Absatzes 3 Satz 2 einzurichten. [2]Besteht der Aufsichtsrat nur aus drei Mitgliedern, ist dieser auch der Prüfungsausschuss. [3]Der Prüfungsausschuss muss die Voraussetzungen des § 100 Absatz 5 erfüllen. [4]Jedes Mitglied des Prüfungsausschusses kann über den Ausschussvorsitzenden unmittelbar bei den Leitern derjenigen Zentralbereiche der Gesellschaft, die in der Gesellschaft für die Aufgaben zuständig sind, die den Prüfungsausschuss nach Absatz 3 Satz 2 betreffen, Auskünfte einholen. [5]Der Ausschussvorsitzende hat die eingeholte Auskunft allen Mitgliedern des Prüfungsausschusses mitzuteilen. [6]Werden Auskünfte nach Satz 4 eingeholt, ist der Vorstand hierüber unverzüglich zu unterrichten.

Übersicht

I. Grundlagen

1 **1. Regelungsgegenstand und -zweck.** § 107 betr. innere Ordnung des AR, regelt diese aber bewusst unvollständig, um **Spielraum für Satzungsautonomie** (vgl. § 23 V 2) **und Geschäftsordnung** zu lassen (RegBegr. Kropff S. 147). § 107 enthält deshalb nur etwas disparate Vorschriften über AR-Vorsitzenden und seine Stellvertreter (§ 107 I), über Sitzungsniederschriften (§ 107 II) und über AR-Ausschüsse (§ 107 III). Damit ist innere Ordnung des AR ersichtlich nicht abschließend erfasst. Hinsichtlich der geregelten Gegenstände ist § 107 jedoch zwingend (§ 23 V 1). Im Übrigen gilt für die nähere Ausgestaltung das normative **Leitbild der Homogenität des AR** und der gleichen Rechte und Pflichten seiner Mitglieder (MüKoAktG/Habersack Rn. 10; KK-AktG/

Mertens/Cahn Rn. 7 f.). Ungleichbehandlung wird dadurch nicht ausgeschlossen, verlangt aber wichtigen Grund (vgl. dazu Cahn AG 2014, 525, 533).

2. Gesetzliche Regeln, Satzung und Geschäftsordnung. § 107 wird vor allem durch § 108 (Beschlussfassung), § 109 (Teilnahme an Sitzungen) und § 110 (Einberufung des AR) ergänzt. Diese Vorschriften gelten für **mitbestimmte Gesellschaften** nur, soweit sich aus §§ 27–29, 31, 32 MitbestG nichts anderes ergibt (§ 25 I 1 MitbestG). Sonderregeln bestehen danach hinsichtlich der Wahl des AR-Vorsitzenden und seines Stellvertreters (§ 27 MitbestG), hinsichtlich der Beschlussfähigkeit (§ 28 MitbestG) und der für Beschlüsse erforderlichen Stimmenmehrheit (§§ 29, 31, 32 MitbestG). Auf Einzelfragen ist im jeweiligen Zusammenhang einzugehen. Innerhalb des damit gezogenen ges. Rahmens ist es entspr. dem Regelungszweck (→ Rn. 1) in erster Linie Aufgabe der Satzung, in dem danach verbleibenden Rahmen Aufgabe der Geschäftsordnung, Vorgaben für Organisation und Arbeitsweise des AR zu geben. Das gilt auch in mitbestimmten Gesellschaften (BVerfGE 50, 290, 324 = NJW 1979, 699; BGHZ 83, 106, 111 f. = NJW 1982, 1525; BGHZ 83, 144, 148 = NJW 1982, 1528). 2

Ergänzende Empfehlungen zur Arbeitsweise des AR sind in A.6 (Investorendialog; → § 111 Rn. 54 ff.), C.1–C.5 (Zusammensetzung; → § 100 Rn. 50), C.6–C.12 (Unabhängigkeit; → § 100 Rn. 36 ff.), C.13–C. 15 (Wahlen; → § 101 Rn. 6, → § 104 Rn. 15, → § 100 Rn. 55, → § 124 Rn. 25 f.), D.1 (Erlass einer Geschäftsordnung; → Rn. 65 ff.), D.2–D.4 DCGK (Bildung von Ausschüssen; → Rn. 24 ff.), D.5 (Kontakt zwischen AR- und Vorstandsvorsitzendem), D.6–D.7 DCGK (Sitzungen und Beschlussfassung; → § 109 Rn. 3, → § 110 Rn. 10), D.8–D.10 DCGK (Zusammenarbeit mit Abschlussprüfer), D.11 (Aus- und Fortbildung; → § 113 Rn. 10), D.12 DCGK (Selbstbeurteilung; dazu im Folgenden), E.1–E.3 DCGK (Umgang mit Interessenkonflikten; → § 93 Rn. 55 ff., → § 108 Rn. 11), G.17–G.18 DCGK (Vergütung; → § 113 Rn. 11) enthalten. Insbes. die in D.12 DCGK vorgesehene **Selbstbeurteilung** kann mangels inhaltlicher und förmlicher Konkretisierung und mangels praktischer Vorbilder nur als Empfehlung verstanden werden, eine solche Prüfung überhaupt vorzunehmen und dabei die erforderlichen Erfahrungen zu sammeln (in diesem Sinne auch die klarstellende Neufassung durch Kodex-Reform 2020; sa KK-AktG/Mertens/Cahn Rn. 6; Anwendungshinweise bei Seibt DB 2003, 2107, 2109 ff.). Regelmäßig ist Prüfung im Jahresturnus. AR prüft sich selbst, kann dabei aber Dritte unterstützend heranziehen. Wirksamkeit bezieht sich auf Verfahrensweisen des AR. Angesprochen sind nicht seine einzelnen Mitglieder, sondern ist das Gesamtorgan. Auf Aufgabenwahrnehmung durch einzelne Mitglieder kommt es aber an, soweit sie für Qualität der Arbeit des Gesamtorgans erheblich ist. Nach D.12 S. 2 DCGK ist in Erklärung zur Unternehmensführung (§ 289f HGB) darüber zu berichten, ob und wie Selbstbeurteilung durchgeführt wurde. Für die Zukunft ist auf Unionsebene geplant, externe Berater in Selbstevaluierung einzubeziehen (Grünbuch Europäischer Corporate Governance Rahmen KOM [2011], 164 Nr. 1.3, 9 f.). 3

II. Der Aufsichtsratsvorsitzende und seine Stellvertreter (§ 107 I)

1. Bestellung. a) Wahl. Gem. § 107 I 1 hat AR einen Vorsitzenden und mindestens einen Stellvertreter zu wählen. Der AR-Vorsitzende und sein Stellvertreter sind also ges. vorgeschriebene Funktionsträger (anders als der Vorstandsvorsitzende nach § 84 II; → § 84 Rn. 28 f.). Zulässigkeit einer Doppelspitze wird für AR nicht problematisiert, sondern allgM geht von einem einzigen AR-Vorsitzenden aus. Das ist im Lichte des gegenläufigen Meinungsstands zum Vorstandsvorsitzenden (→ § 84 Rn. 28) nicht selbstverständlich (Bachmann FS Baums, 2017, 107, 124), kann aber mit stärkerer ges. Vorprägung dieses Funk- 4 tionsträgers begründet werden. Auch in der Praxis wird für solche Gestaltung – anders als beim Vorstand – augenscheinlich kein Bedarf gesehen. Wahl erfolgt **durch den AR aus seiner Mitte,** was in GS 7 S. 1 DCGK klargestellt wird. Regelung ist insoweit abschließend und zwingend (§ 23 V). Erforderlich und genügend für Wahlbeschluss (§ 108 I) ist vorbehaltlich der Sonderregelung in § 27 MitbestG (→ Rn. 5) **einfache Stimmenmehrheit,** wenn Satzung nichts anderes bestimmt. Der Kandidat darf mitstimmen (→ § 108 Rn. 9). Satzung kann relative Mehrheit genügen lassen (allgM), aber auch höheres Stimmenquorum als einfache Mehrheit fordern (hM, vgl. zB S/L/Drygala Rn. 9; MüKoAktG/Habersack Rn. 24; BeckOGK/Spindler Rn. 24; Lutter/Krieger/Verse AR Rn. 663; aA KK-AktG/Mertens/Cahn Rn. 14). Beschränkungen der passiven Wählbarkeit kann Satzung nicht wirksam vorsehen. Klauseln, nach denen Vorsitzender oder sein Stellvertreter Vertreter der Aktionäre oder der AN (dazu auch AusschussB Kropff S. 148), Angehöriger eines Familienstamms, gewähltes oder entsandtes AR-Mitglied sein müsse, sind nichtig. Wie sonst auch, wird Bestellung erst wirksam, wenn der Gewählte die Wahl annimmt. Klage auf Feststellung, dass Wahlbeschluss des AR nichtig oder unwirksam ist, steht der Amtsführung erst mit Rechtskraft eines stattgebenden Urteils entgegen (OLG Frankfurt AG 2009, 549, 550).

5 Im Geltungsbereich der Montanmitbestimmung und des DrittelbG bestehen bzgl. des AR-Vorsitzenden keine Sonderregeln. Für mitbestimmte Gesellschaften gilt dagegen **Sonderregelung in § 27 I und II MitbestG** (Überblick: Döring/Grau NZG 2010, 1328 f.). Danach wählt AR den Vorsitzenden und einen Stellvertreter (Paketlösung, die aber getrennte Abstimmung zulässt) entweder im ersten Wahlgang mit einer Mehrheit von zwei Dritteln der Sollstärke (zB 8 von 12) oder bei Scheitern der einen oder der anderen Wahl im zweiten Wahlgang getrennt nach Gruppen (Aktionäre, AN) mit der einfachen Mehrheit der jew. abgegebenen Stimmen, wobei AR-Mitglieder der Anteilseignerseite AR-Vorsitzenden, AN-Vertreter Stellvertreter wählen. Da AR-Vorsitzender in Pattsituationen **Zweitstimme nach § 29 II 1 MitbestG** hat, wird auf diese Weise verfassungsrechtl. gebotene Möglichkeit der Anteilseigner gewahrt, sich grds. im AR durchzusetzen (zur verfassungsrechtl. Diskussion vgl. KK-AktG/Mertens/Cahn Anh. § 117 B § 29 MitbestG Rn. 2). Trotzdem bleibt auch Bestellung eines AN-Vertreters zum Vorsitzenden zulässig (OLG Köln NZG 2019, 866 Rn. 6; sa → § 104 Rn. 1). Obwohl § 27 MitbestG dazu nichts enthält, wird Wiederholung des ersten Wahlgangs zugelassen, sofern alle Wahlteilnehmer (nicht: alle AR-Mitglieder; str.) damit einverstanden sind (KK-AktG/Mertens/Cahn Anh. § 117 B MitbestG § 27 Rn. 6; Habersack/Henssler/Habersack MitbestG § 27 Rn. 6). Bei str. Wahlen ist darauf zu achten, dass die unterschiedlichen Mehrheitserfordernisse im ersten und zweiten Wahlgang auch zu unterschiedlichen Ergebnissen führen können.

6 **b) Gerichtliche Ersatzbestellung.** § 107 I enthält keine Regelung für den Fall, dass AR seiner Wahlpflicht nicht nachkommt oder dass Wahl scheitert (kein Kandidat oder keine Mehrheit). HV kann nicht anstelle des AR tätig werden; auch Satzung kann sie nicht zuständig machen (hM, s. MüKoAktG/Habersack Rn. 26; KK-AktG/Mertens/Cahn Rn. 23; MHdB AG/Hoffmann-Becking § 31 Rn. 8; aA noch, aber wegen § 23 V zu Unrecht, KG DR 1941, 502). Gerichtl. Ersatzbestellung **analog § 104 II** ist nach mittlerweile ganz hM zuzulassen, und zwar nicht nur bei mitbestimmten Gesellschaften, sondern generell (S/L/Drygala Rn. 13; MüKoAktG/Habersack Rn. 27; BeckOGK/Spindler Rn. 33 f.; Fett/Theusinger AG 2010, 425, 427 f.). Bes. Aufgaben des Vorsitzenden (→ Rn. 9 ff.) und Angabepflicht des § 80 I 1 erfordern diese Lösung. Wenn die Beteiligten es auf gerichtl. Bestellung des Vorsitzenden ankommen lassen,

kann auch nicht erwartet werden, dass sie ohne richterliche Hilfe zu einem Ergebnis finden.

2. Rechtsstellung. a) Amtszeit. Wenn nichts anderes bestimmt ist, ergibt Auslegung des Wahlbeschlusses (→ Rn. 4), dass Bestellung **für die Dauer der Mitgliedschaft im AR** erfolgt (allgM). Wiederwahl zum AR-Mitglied ist aber nicht ohne weiteres auch Wiederwahl zum Vorsitzenden (str.; zutr. Lutter/Krieger/Verse AR Rn. 665). Dem AR würde sonst sein unentziehbares Bestellungsrecht (→ Rn. 4) zugunsten der HV genommen. Wenn derartige Regelung gewollt ist, muss das in Satzung, Geschäftsordnung oder Wahlbeschluss zum Ausdruck kommen. Jedes Ausscheiden aus AR lässt Bestellung zum Vorsitzenden automatisch erlöschen, weil Prämisse des § 107 I 1 nicht mehr gegeben ist. **Abberufung** des Vorsitzenden ist möglich. Sie erfolgt durch Beschluss des AR und dessen Bekanntgabe. Beschluss bedarf grds. derselben Mehrheit wie Wahl (vgl. zB MüKoAktG/Habersack Rn. 32). Abberufung aus wichtigem Grund muss aber mit einfacher Mehrheit möglich sein (MüKoAktG/Habersack Rn. 33; sa BGHZ 86, 177, 179 = NJW 1983, 938; BGHZ 102, 172, 179 = NJW 1988, 969; zur Übertragung dieser Entscheidungen auf AG s. Friedl/van Beuningen NZG 2021, 51). Der Betroffene darf dabei (ausnahmsweise) nicht mitstimmen (Lutter/Krieger/Verse AR Rn. 666; Säcker BB 2008, 2252, 2253; sa BGHZ 34, 367, 371 = NJW 1961, 1299; BGHZ 86, 177, 181 f.). 7

Dargestellte Grundsätze (→ Rn. 7) gelten grds. auch für **mitbestimmte AG,** werden hier aber nach hM durch sog **Spiegelbildtheorie** modifiziert (Friedl/van Beuningen NZG 2021, 51, 53 f. mwN). Danach soll Abberufung, wenn Wahl nach § 27 I MitbestG im ersten Wahlgang mit 2/3-Mehrheit erfolgt, ebenfalls einer solchen Mehrheit bedürfen; nur bei Wahl mit einfacher Mehrheit nach § 27 II MitbestG soll diese Mehrheit auch für Abberufung genügen (MüKoAktG/Habersack Rn. 43; GK-AktG/Oetker MitbestG § 27 Rn. 12; MHdB AG/Hoffmann-Becking § 31 Rn. 34). Gegenansicht will stattdessen § 27 II MitbestG analog anwenden (Döring/Grau NZG 2010, 1328, 1329 f.; Säcker BB 2008, 2252, 2253 f.), was Stellung des AR-Vorsitzenden aber erheblich destabilisieren könnte und deshalb nicht überzeugt. Noch nicht abschließend geklärt ist, ob Spiegelbildtheorie auch für **Abberufung aus wichtigem Grund** in mitbestimmter AG gilt (dafür MüKoAktG/Habersack Rn. 43; GK-AktG/Oetker § 27 MitbestG Rn. 14; für einfache Mehrheit dagegen Friedl/van Beuningen NZG 2021, 51 ff.). Frage sollte bejaht werden, da Stimmverbot des betroffenen Vorsitzenden sonst Anteilseignerbank stärker schwächt, als es mitbestimmungsrechtl. Grundkonzeption entspr. (GK-AktG/Oetker § 27 MitbestG Rn. 14). Nichts anderes ergibt sich aus Gegenschluss zu § 103 III (so aber Friedl/van Beuningen NZG 2021, 51, 53), da es hier an Korrektiv gerichtl. Kontrolle fehlt und Widerruf sofort mit Beschlussfassung Wirkung entfaltet (GK-AktG/Oetker § 27 MitbestG Rn. 14). **Niederlegung** der Funktion ist auch isoliert, also unter Beibehaltung des AR-Mandats möglich. Sie sollte nicht an wichtigen Grund geknüpft werden, darf aber nicht zur Unzeit erfolgen (→ § 103 Rn. 17). Auch bei gemeinsamer Wahl nach § 27 I MitbestG bewirkt vorzeitiges Amtsende des einen nicht vorzeitiges Amtsende des anderen (ganz hM, s. Habersack/Henssler/Habersack MitbestG § 27 Rn. 12; MHdB AG/Hoffmann-Becking § 31 Rn. 33). 8

b) Aufgaben und Befugnisse: Allgemeines. Zusammenfassende ges. Regelung fehlt (zu Einzelvorschriften → Rn. 12). AR-Vorsitzender hat zunächst diejenigen Aufgaben und Befugnisse, die dem **Vorsitzenden eines Kollegiums** üblicherweise obliegen bzw. zukommen (MüKoAktG/Habersack Rn. 45; Drinhausen/Marsch-Barner AG 2014, 337, 338 ff.). Insbes. liegt es in seiner Hand, die Sitzungen des AR einzuberufen, vorzubereiten und zu leiten, Ausschüsse zu 9 befassen und deren Arbeitsergebnisse in das Plenum einzubringen. Der Vorsitzende ist ferner Repräsentant des AR (Lutter/Krieger/Verse AR Rn. 679; Breidenich, Organisation der AR-Arbeit, 2020, 210 ff.), und zwar bes. ggü. dem Vorstand und seinen Mitgliedern. In dieser Eigenschaft ist er der ständige Ansprechpartner und Berater des Vorstands (vgl. zB BeckOGK/Spindler Rn. 45). In dieser Rolle kommt ihm auch im Berichtswesen eine Sonderstellung zu (→ § 90 Rn. 8, 14), ohne dass Grundsatz der Gleichheit der AR-Mitglieder (→ Rn. 1) dadurch verletzt würde (Cahn AG 2014, 525, 532; zurückhaltender GK-AktG/Kort § 90 Rn. 161a f.). Satzung kann zT weitere Ausformungen vorsehen, zB Recht zur (einmaligen) Vertagung (vgl. Drinhausen/Marsch-Barner AG 2014, 337, 338 f. mwN).

10 Trotz seiner bes. Aufgaben hat AR-Vorsitzender aber keine eigene Organqualität (MüKoAktG/Habersack Rn. 46; Lutter/Krieger/Verse AR Rn. 677; v. Schenck AG 2010, 649, 655; aA Schürnbrand, Organschaft, 2007, 60 f.). AR-Plenum kann nach ganz hM Anordnungen des AR-Vorsitzenden grds. durch Mehrheitsbeschluss wieder abändern, sofern ihm nicht ausnahmsweise ausschließliche Befugnis zugewiesen ist (GK-AktG/Hopt/Roth Rn. 120; MHdB AG/Hoffmann-Becking § 31 Rn. 49; Breidenich, Organisation der AR-Arbeit, 2019, 15 ff.; aA Austmann FS Krieger, 2020, 51 ff.). Richtig ist allerdings, dass sich Repräsentationsaufgabe des AR-Vorsitzenden im Ges. nicht ausreichend niederschlägt und heute bestehende Aufgabenfülle mit ges. Leitbild des AR-Mandats als bloßem „Nebenamt" (→ § 100 Rn. 5) nicht mehr in Einklang steht (s. dazu Börsig/Löbbe FS Hoffmann-Becking, 2013, 125, 143 ff.; Decher in Hommelhoff/Kley/Verse AR-Reform, 145, 146 ff.; Reichert ZHR 187 [2023], 739, 758 ff.; v. Schenck AG 2010, 649, 651 ff., 655 ff. [mit Regelungsvorschlag]). Weitergehende Anerkennung eigenständiger (aber ungeschriebener) Aufgabenbereiche droht indes Charakter des AR als Kollegialorgan zu untergraben, was namentl. unter Rahmenbedingungen unternehmerischer Mitbestimmung problematisch ist (J. Koch in 50 Jahre AktG, 2016, 65, 87 ff.; sa → § 111 Rn. 54 ff. [zur Kapitalmarktkommunikation]). Zuweisung von Pflichten an AR-Vorsitzenden ist oft auch subtil eingesetztes Instrument, um Mitbestimmung zu umgehen. Zumindest beschlussmäßige **Delegation** von Aufgaben an Vorsitzenden sollte aber in weiterem Maße, als es bislang für zulässig gehalten wird, gestattet werden (→ § 108 Rn. 8a).

11 Typische **satzungsmäßige Aufgabe** des AR-Vorsitzenden ist **Leitung der HV** (ausf. → § 129 Rn. 18 ff.). AR-Vorsitzender ist jedoch durch übliche Satzungsklausel nicht gehindert, Versammlungsleitung zu einzelnen Punkten der Tagesordnung abzugeben, um Anschein der Befangenheit zu vermeiden (LG Frankfurt a. M. NZG 2009, 149, 150). Weil er dabei als Sitzungsleiter tätig wird, bedarf es keines AR-Beschlusses. Auch wenn HV nicht vom AR-Vorsitzenden geleitet wird, erläutert er den AR-Bericht (§ 176 I 2) über den Jahresabschluss, den Lagebericht und den Gewinnverwendungsvorschlag (§ 171). Zur Rolle des AR-Vorsitzenden als Ausschussvorsitzender → Rn. 60. Umstr. ist, ob **Kompetenzüberschreitung** des AR-Vorsitzenden klagbares Abwehrrecht des Vorstands auslöst (dafür Leyendecker-Langner NZG 2012, 721 ff.; zust. GK-AktG/Kort Vor § 76 Rn. 59a; MüKoAktG/Habersack § 111 Rn. 70; Fleischer/Bauer/Wansleben DB 2015, 360, 365; J. Koch ZHR 180 [2016], 578, 607 f.; Stelzer, Überwachung des Aufsichtsrats durch den Vorstand, 2022, 171 ff.). Auch wenn man mit hier vertretener Auffassung prozessualen Klagerechten der Organe untereinander zurückhaltend gegenübersteht (ausf. → § 90 Rn. 16 ff.), erscheinen sie hier doch erwägenswert, da Vorstand gegen solche Kompetenzüberschreitung keine andere Verteidigungsmöglichkeit offen steht (→ § 90 Rn. 25; zur Möglichkeit einstweiligen Rechtsschutzes Friedeborn NZG 2018, 770, 774 ff.). Zu Kompetenzüberschreitungen im Bereich der Kapitalmarktkommunikation → § 111 Rn. 54 ff. mwN.

c) Aufgaben und Befugnisse: Einzelvorschriften. Einzelvorschriften betr., soweit nicht schon genannt (→ Rn. 9 ff.), im Wesentlichen die Mitwirkung bei Anmeldungen zum HR. Hierhin gehören insbes. § 184 I, § 188 I, § 195 I, § 203 I, § 207 II, §§ 223, 229 III, § 237 II. Als mitbestimmungsrechtl. Besonderheiten sind Zweitstimmrecht des Vorsitzenden (nicht auch seines Stellvertreters) nach § 29 II MitbestG, § 31 IV MitbestG (→ Rn. 5) und automatische Zugehörigkeit des Vorsitzenden und seines Stellvertreters zum Vermittlungsausschuss nach § 27 III MitbestG zu beachten. 12

3. Stellvertreter des Aufsichtsratsvorsitzenden. AR muss nach § 107 I 1 einen oder („mindestens") mehrere (zulässig auch in mitbestimmten Gesellschaften) Stellvertreter haben. Für ihre Wahl gilt Erl. in → Rn. 4 entspr. Satzung kann Zahl der Stellvertreter begrenzen, auch die Reihenfolge festlegen, in der sie den Vorsitzenden vertreten. Bestimmt sie nichts, sollte Geschäftsordnung die Frage regeln. Schweigt auch sie, entspr. es der üblichen Ordnung eines Kollegialorgans, wenn der lebensälteste Stellvertreter tätig wird, sofern AR nicht ad hoc anders entscheidet (str., wie hier MHdB AG/Hoffmann-Becking § 31 Rn. 17; Lutter/Krieger/Verse AR Rn. 684; aA S/L/Drygala Rn. 27). **Vertretungsfall** ist gem. § 107 I 3 gegeben, wenn Vorsitzender verhindert ist (→ § 105 Rn. 7). Für Verhinderung genügt jeder, auch jeder vorübergehende Grund (zB auch Terminkollision), wenn die Angelegenheit nach obj. Maßstab nicht warten kann (Wachter ZNotP 2022, 213, 221 f.). Dass der Vorsitzende sein Amt nicht ausüben will, obwohl er dazu in der Lage ist, begründet dagegen keinen Vertretungsfall (RegBegr. Kropff S. 147 f.; MüKoAktG/Habersack Rn. 72). Tritt Vertretungsfall ein, hat Stellvertreter für dessen Dauer alle Rechte und Pflichten des Vorsitzenden. Im dreiköpfigen AR kann allerdings auch Stellvertretung nicht verhindern, dass Wegfall des AR-Vorsitzenden zugleich zur Beschlussunfähigkeit nach § 108 II 3 führt, die auf anderem Wege beseitigt werden muss (Rahlmeyer GWR 2021, 136 ff.). Auch in **mitbestimmter AG** sind weitere Stellvertreter des AR-Vorsitzenden gem. § 107 I iVm § 25 I 1 MitbestG grds. zulässig; aus § 27 I MitbestG folgt nichts anderes (BGHZ 83, 106, 111 f. = NJW 1982, 1525; OLG München NJW 1981, 2201 [Vorinstanz]; OLG Hamburg WM 1982, 1090 f.). Schon nach § 107 I 1 unzulässig und gem. § 241 Nr. 3 nichtig ist jedoch Satzungsklausel, nach der weiterer Stellvertreter AR-Mitglied der Aktionäre sein muss; auch Geschäftsordnung kann derartige Regelung nicht gültig treffen (BGHZ 83, 106, 112 f.; aA noch OLG München NJW 1981, 2201). Ein Zweitstimmrecht weiterer Stellvertreter kann es schon deshalb nicht geben, weil es gem. § 29 II 3 MitbestG, § 31 IV 3 MitbestG nicht einmal dem ersten Stellvertreter zusteht (wie hier zB Habersack/Henssler/Habersack MitbestG § 27 Rn. 20; aA Canaris DB-Beil. 14/1981, 12 f.; H. P. Westermann FS Rob. Fischer, 1979, 835, 844). 13

4. Anmeldung zum Handelsregister. Gem. § 107 I 2 hat Vorstand zum HR anzumelden, wer gewählt ist. Erforderlich und genügend ist Handeln von Vorstandsmitgliedern in vertretungsberechtigter Zahl. Auch unechte Gesamtvertretung (→ § 78 Rn. 16) ist möglich. Anmeldung kann, weil keine Anmeldung „zur Eintragung" (§ 12 HGB) vorliegt, in Schriftform erfolgen; öffentl. Beglaubigung darf also nicht gefordert werden (hM, s. KG JW 1938, 2281; LG Berlin JW 1938, 1034; MüKoAktG/Habersack Rn. 39; KK-AktG/Mertens/Cahn Rn. 26; Lutter/Krieger/Verse AR Rn. 664; aA LG Frankfurt JW 1938, 1397). Anzumelden sind **Namen und Anschriften** des Vorsitzenden und seiner Stellvertreter. Zwangsgeldverfahren des § 14 HGB ist zulässig, aber nur, um Anmeldung des Gewählten, nicht, um Wahl selbst durchzusetzen. Zur unzureichenden Abstimmung mit AR-Liste nach § 37 IV Nr. 3a vgl. Wachter AG 2016, 776, 779. 14

15 **5. Ehrenvorsitzender.** Ehrenvorsitzender (oder auch Ehrenmitglied) ist **bloßer Titel** (OLG Stuttgart BeckRS 2022, 42801 Rn. 34: „rechtliches Nullum"), den HV und auch AR selbst vergeben können (S/L/Drygala Rn. 29; MüKoAktG/Habersack Rn. 73, 75; GK-AktG/Mülbert § 119 Rn. 188; GK-AktG/Hopt/Roth Rn. 229; BeckOGK/Spindler Rn. 69; Johannsen-Roth/Kießling NZG 2013, 972, 973; Siebel FS Peltzer, 2001, 519, 528; aA KK-AktG/Mertens/Cahn Rn. 76: AR nur im Einvernehmen mit Vorstand; Lutter ZIP 1984, 645, 647 ff.: nur HV, sofern Satzung nichts anderes bestimmt). Vergabe erfolgt vorzugsweise an ehemalige AR-Vorsitzende. Satzungsermächtigung ist gem. § 23 V 2 zulässig und sinnvoll, nach hM aber in keiner Konstellation erforderlich (MüKoAktG/Habersack Rn. 75; BeckOGK/Spindler Rn. 69; Johannsen-Roth/Kießling NZG 2013, 972, 973; aA Hölters/Weber/Groß-Bölting/Rabe Rn. 26), doch sollte vorsorglich, wenn Satzung schweigt, Ernennung durch jedenfalls genügenden Beschluss der HV mit einfacher Mehrheit erfolgen.

16 Korporationsrechtl. Verhältnis zur AG wird durch Ernennung nicht begründet; insbes. hat Ehrenvorsitzender **keine Rechte eines AR-Mitglieds** (MüKoAktG/Habersack Rn. 73). Er ist also Dritter, der gem. § 109 I (→ § 109 Rn. 4 f.) nur ausnahmsweise an Sitzungen des AR teilnehmen darf (ganz hM, vgl. OLG Stuttgart BeckRS 2022, 42801 Rn. 30 ff.; MüKoAktG/Habersack Rn. 73; Kindl, Die Teilnahme an der Aufsichtsratssitzung, 1993, 46; Hennerkes/Schiffer DB 1992, 875, 876; teilw. aA Johannsen-Roth/Kießling NZG 2013, 972, 975 ff.; Jüngst BB 1984, 1583, 1584 f.; Siebel FS Peltzer, 2001, 519, 533 f.). Bes. Informationsrechte stehen ihm nicht zu, doch ist er auch ohne ausdr. Vereinbarung zur **Verschwiegenheit** verpflichtet (MüKoAktG/Habersack Rn. 73; insofern zutr. Johannsen-Roth/Kießling NZG 2013, 972, 976 f.). Daraus folgt, dass ihm ggü. eine umfassende Pflicht zur Verschwiegenheit nicht besteht (MüKoAktG/Habersack Rn. 73; Jüngst BB 1984, 1583, 1585; Siebel FS Peltzer, 2001, 519, 535; aA aber die hM – vgl. GK-AktG/Hopt/Roth Rn. 232; BeckOGK/Spindler Rn. 70; MHdB AG/Hoffmann-Becking § 31 Rn. 26); anderenfalls würde Recht zur Sitzungsteilnahme auf diesem Wege konterkariert.

17 Ehrenvorsitzender hat **keinen Anspruch auf AR-Vergütung;** Regelung über „Ehrensold" in der Satzung ist möglich (MükoAktG/Habersack Rn. 74; GK-AktG/Hopt/Roth Rn. 231). Ob Gewährung durch Gesamt-AR zulässig ist, ist str. (dafür Johannsen-Roth/Kießling NZG 2013, 972, 974 mwN); angesichts derzeit großer Sensibilität in Vergütungsfragen sollte Praxis davon absehen. Zulässig sind Beratungsverträge, für deren Abschluss gem. § 78 Vorstand zuständig ist. Bei ehemaligen AR-Mitgliedern sollte wegen § 114 vorsorglich auch Zustimmung des AR vorliegen. Satzung kann Ehrenvorsitzenden zum Leiter der HV bestimmen (s. etwa GK-AktG/Hopt/Roth Rn. 230). In mitbestimmten Gesellschaften ist Bestellung eines Ersatzvorsitzenden oder eines Ersatzstellvertreters bei ursprünglicher Wahl nicht zulässig (ganz hM, s. MHdB AG/Hoffmann-Becking § 31 Rn. 33).

17a **6. Lead Independent Director (LID).** In Praxis zeichnet sich Tendenz ab, sog. Lead Independent Director (LID) im AR zu ernennen. Bis vor kurzem war dies nur in Gesellschaften mit **monistischer Verwaltungsstruktur,** insbes. in USA, üblich, um Risiken zu begegnen, die sich aus Personalunion von CEO und Verwaltungsratsvorsitzenden für unabhängige Kontrolle ergeben (Grenzebach/Adams Board 2017, 107, 110; Roth ZHR 178 [2014], 638, 667 f.). In deutscher AG wird diese durch § 105 I gewährleistet. Hierzulande soll LID ua unabhängige Aufsichtsratsmitglieder koordinieren, Vermittlungsposition bei Meinungsverschiedenheiten zwischen AR-Vorsitz und AR-Mitgliedern sowie zwischen AR-Vorsitz und Vorstand übernehmen und in Investorendialog (→ § 111 Rn. 54 ff.) treten (ausf. Holle/Goldmann AG 2023, 257 Rn. 12 ff.). Bei Aufgabenzuweisung ist ges. Kompetenzordnung zu beachten. IÜ ist **Sonderstellung** eines LID mit Blick auf Gleichheit der AR-Mitglieder nicht unproblematisch (Holle/Goldmann AG 2023, 257 Rn. 22 f.; zur Homogenität des AR → Rn. 1); herausgehobene Stellung gewährt AktG nur AR-Vorsitzendem. Explizite Aufgabenzuweisung an LID ist nur gerechtfertigt, wenn sachlicher Grund dafür vorliegt, dass Aufgabe durch ein unabhängiges Mitglied ausgeführt wird (Einzelheiten bei Holle/Goldmann AG 2023, 257 Rn. 23, 25 ff.). Hinsichtl. Kompetenz zum Investorendialog bestehen ferner dann Bedenken, wenn LID zusätzlich neben AR-Vorsitzendem zum Dialog ermächtigt wird (Holle/Goldmann AG 2023, 257 Rn. 39 ff.; allg. zur restriktiven Handhabung des Investorendialogs durch AR → § 111 Rn. 54 ff.).

III. Sitzungsniederschriften (§ 107 II)

1. Protokollpflicht. Sitzungen des AR sind gem. § 107 II 1 zu protokollieren. Gerade im Hinblick auf Haftungsgefahren kommt Protokollierung, aus der sich ergibt, dass AR auf tragfähiger Informationsgrundlage entschieden hat (§ 116 iVm § 93 I 2), gesteigerte Bedeutung zu. AR-Vorsitzender hat Niederschrift zu unterzeichnen, muss sie aber grds. nicht selbst fertigen. Nach hM darf er **Protokollführer,** der weder Mitglied des AR noch des Vorstands sein muss, zB Justitiar der Gesellschaft, zuziehen, wenn kein AR-Mitglied widerspricht (MüKoAktG/Habersack Rn. 78; MHdB AG/Hoffmann-Becking § 31 Rn. 54). Dem ist aus Gründen der Praktikabilität unter Reduktion des § 109 I zuzustimmen. Weil es ohnehin um Reduktion geht, kann nicht weitergehend angenommen werden, dass der Vorsitzende nur bei entspr. Mehrheitsbeschluss auf Protokollführer verzichten muss (so aber zB MHdB AG/Hoffmann-Becking § 31 Rn. 54; Habersack/Henssler/Habersack MitbestG § 25 Rn. 23; wie hier S/L/Drygala Rn. 32; KK-AktG/Mertens/Cahn Rn. 80; BeckOGK/Spindler Rn. 74). Ist Protokollführung nicht delegiert oder Protokollführer ausgeschlossen, so muss Vorsitzender Niederschrift selbst fertigen. Sie ist in jedem Fall von ihm (§ 107 II 1, 2. Satzteil), nicht vom Protokollführer zu unterzeichnen. Weil er damit inhaltliche Richtigkeit verantwortet, entscheidet er auch bei Meinungsverschiedenheiten mit dem Protokollführer. Für **Form** der Niederschrift genügt einfache Schriftform oder gleichwertige elektronische Form nach § 126a BGB (KK-AktG/Mertens/Cahn Rn. 84). Niederschrift in Fremdsprache ist möglich, wenn alle AR-Mitglieder zustimmen oder zugleich für Übersetzung gesorgt ist (KK-AktG/Mertens/Cahn Rn. 84). Satzung oder Geschäftsordnung können weitere Präzisierungen und Ergänzungen der Protokollpflicht vorsehen, aber nicht hinter ges. Vorgaben zurückbleiben (MüKoAktG/Habersack Rn. 76). Analog § 107 II sind auch andere Formen der Beschlussfassung nach § 108 IV zu protokollieren, wenn sie nicht ohnehin in Schriftform erfolgt (OLG Düsseldorf AG 2004, 321, 323). **18**

Mindestinhalt (§ 107 II 2) entspr. den üblichen Anforderungen an Niederschriften. Wichtig ist, dass die Beschlüsse vollständig und genau und, wenn kein Einverständnis herrscht, unter Angabe von Ja- und Nein-Stimmen sowie Enthaltungen protokolliert werden. Der Beratungsablauf ist nicht iE, sondern seinem wesentlichen Inhalt nach anzugeben (sehr weitgehend BAG NZG 2017, 69 Rn. 89 f.: sachliche Auseinandersetzung; dagegen zutr. Mutter AG 2017, R 68). Wesentlich ist vor allem, was zum Verständnis der Beschlussinhalte beiträgt. Protokoll muss überdies den Gang der Verhandlung deutlich machen. Namentliche Zuordnung einzelner Beiträge muss nicht erfolgen, doch kann AR-Mitglied Erklärung zu Protokoll abgeben oder verlangen, dass sein Abstimmungsverhalten protokolliert wird, um persönliches Haftungsrisiko zu reduzieren (KK-AktG/Mertens/Cahn Rn. 79). Förmliche Genehmigung des Protokolls ist nach **19**

§ 107 II nicht erforderlich. Über **Berichtigungswünsche** entscheidet Vorsitzender, nicht AR durch Beschluss (MüKoAktG/Habersack Rn. 84; Breidenich, Organisation der AR-Arbeit, 2020, 175). Vorsitzender kann seine Entscheidung aber vom Meinungsbild abhängig machen.

20 **2. Bloße Beweisfunktion.** Niederschrift ist bloße Beweisurkunde. Ordnungsgem. Niederschrift trägt **tats. Vermutung,** dass beschlossen wurde wie protokolliert. Darüber hinaus hat BAG NZG 2017, 70 Rn. 89 f. fehlende Protokollierung auch als Beleg für tats. fehlende inhaltliche Auseinandersetzung gewertet. Dagegen bildet ordnungsgem. Niederschrift keine Wirksamkeitsvoraussetzung für AR-Beschlüsse (§ 107 II 3). Auch hat sie, anders als die notarielle Niederschrift von HV-Beschlüssen gem. § 130 (→ § 130 Rn. 22, 23), keine konstitutive Bedeutung für den Inhalt von Beschlüssen. Etwas anderes folgt bei richtiger Lesart auch nicht aus zT etwas missverständlich gefasster Entscheidung des BAG NZG 2017, 70 Rn. 90 (vgl. die Analyse bei Hersch NZG 2017, 854, 856 f.).

21 **3. Aufbewahrung.** Sitzungsniederschriften sind aufzubewahren (Holle AG 2019, 777, 778 ff.; zust. Goette/Arnold AR-HdB/Bingel § 3 Rn. 569). **Zuständig** ist AR-Vorsitzender (MüKoAktG/Habersack Rn. 91; BeckOGK/Spindler Rn. 79; aA GK-AktG/Hopt/Roth Rn. 259: Ausschussunterlagen von Ausschussvorsitzendem aufzubewahren). Gegen verbreitete Praxis, Sitzungsniederschriften Vorstand zur Verwahrung zu geben, ist nichts einzuwenden, solange dabei die im Einzelfall gebotene Vertraulichkeit auch ggü. Vorstand gewährleistet bleibt (MüKoAktG/Habersack Rn. 91; Goette/Arnold AR-HdB/Bingel § 3 Rn. 571; Holle AG 2019, 777, 779). **Dauer** der Aufbewahrung lässt sich nicht pauschal beantworten; organhaftungsrechtl. Verjährungsfristen bieten jedenfalls nur bedingt taugliche Orientierungshilfe (ausf. Holle AG 2019, 777, 779 f.; zust. Goette/Arnold AR-HdB/Bingel § 3 Rn. 570).

22 **4. Abschriften.** Gem. § 107 II 4 kann **jedes Mitglied des AR** verlangen, dass ihm eine Protokollabschrift ausgehändigt wird. Vorschrift bestätigt frühere Praxis und dient der Rechtsklarheit (AusschussB Kropff S. 149). Sie ist zwingend. Mit bloßer Einsichtnahme muss sich AR-Mitglied nicht zufriedengeben (zur Verwahrung ausgehändigter Sitzungsniederschriften durch AR-Mitglied Holle AG 2019, 777, 780 ff.; Goette/Arnold AR-HdB/Bingel § 3 Rn. 573). Textform nach § 126b BGB ist aber ausreichend, so dass AR-Mitglied Abschrift auch via Mail oder auf einem Speichermedium zur Verfügung gestellt werden kann (S/L/Drygala Rn. 34c). Pflicht zur Erteilung einer Abschrift soll ferner genügt sein, wenn Protokolle in einer Cloud gespeichert werden, auf die jedes AR-Mitglied Zugriff hat (S/L/Drygala Rn. 34d f.). Rechtsdurchsetzung ist wenig geklärt. Frage gehört in den weiteren Zusammenhang sog Organstreitigkeiten (→ § 90 Rn. 16 ff.) und sollte wie im ähnlichen Fall des § 90 V 2 dahin beantwortet werden, dass **klagbares Eigenrecht** vorliegt und Klage gegen die durch den Vorstand vertretene AG erhoben werden muss (→ § 90 Rn. 23 mwN). AG kann Anspruch erfüllen, weil sie die Niederschriften durch AR-Vorsitzenden als ihr Besitzorgan tats. innehat (dazu Peus ZGR 1987, 545, 546 ff., der aber wohl AR-Vorsitzenden als passiv legitimiert ansieht; sa BeckOGK/Spindler Rn. 85; wie hier die hM – vgl. statt vieler KK-AktG/Mertens/Cahn Rn. 86). Anspruch endet mit Ausscheiden aus dem AR, so dass AR-Mitglied auch Protokoll der letzten Sitzung, in der sein Ausscheiden beschlossen wird, nicht mehr verlangen kann (Hauptmann AG 2017, 329 ff.; aA MüKoAktG/Habersack Rn. 89; zu Erleichterungen in Haftungssituationen → § 93 Rn. 103 ff.). AR-Vorsitzender kann auch **Vorstand** Abschrift erteilen, ohne allerdings dazu verpflichtet zu sein. Das entspr. üblicher Praxis, da Vorstand Abschriften üblicherweise verwahrt. Geheimhaltungsgründe stehen nicht per se entgegen, sondern nur dann, wenn bes. Interesse

gerade an Geheimhaltung ggü. Vorstand besteht (zB Fälle des § 84 – vgl. MüKoAktG/Habersack Rn. 91; J. Koch ZHR 180 [2016], 578, 593; noch weitergehend wohl KK-AktG/Mertens/Cahn Rn. 92: Pflicht zur Vorlage; vermittelnd Stelzer, Überwachung des Aufsichtsrats durch den Vorstand, 2022, 58 ff.: Einsichtsrecht bei Verdacht einer Pflichtverletzung). Daneben kann auch **Abschlussprüfer nach § 320 II HGB** Vorlage der Protokolle verlangen, sofern sie für seine Prüfung unerlässlich sind. Aktionäre haben kein Einsichtsrecht, auch nicht nach § 422 ZPO; auch von Auskunftsrecht nach § 131 wird AR-Sitzung nicht erfasst (MüKoAktG/Habersack Rn. 93).

5. Vorlagepflichten; Beschlagnahme. Von Streitigkeiten in der Innensphäre der AG zu unterscheiden sind die Fälle, in denen Staatsorgane Vorlage von AR-Protokollen beanspruchen und deshalb zur Beschlagnahme schreiten oder Einsichtnahme verlangen. Das Erste ist im Fall „Neue Heimat" praktisch geworden (Beschlagnahme zugunsten eines Untersuchungsausschusses des Deutschen Bundestags), das Zweite betr. **steuerliche Betriebsprüfungen** (vgl. zum Ersten: BVerfGE 74, 7 = NJW 1987, 770; LG Frankfurt NJW 1987, 787; zum Zweiten: BFHE [GS] 91, 351, 355 ff.; BFHE 92, 354, 359). Beschlagnahmeverfügungen, Klagen und Rechtsbehelfe sind nach richtiger und herrschender Ansicht **gegen die AG, vertreten durch den Vorstand,** zu richten bzw. von ihr zu erheben (MüKoAktG/Habersack Rn. 92; KK-AktG/Mertens/Cahn Rn. 94; aA BeckOGK/Spindler Rn. 86 [AR-Vorsitzender als Teilorgan]; Peus ZGR 1987, 545, 549 ff. [AR-Vorsitzender als Vertreter der AG]). **Zulässiger Umfang** entspr. Maßnahmen bleibt problematisch (dazu Bellstedt FR 1968, 401; Mattern DB 1968, 921; Tipke StBp 1968, 1). Jedenfalls unzulässig ist Aufforderung des Finanzamts, Protokolle en bloc für bestimmten Zeitraum vorzulegen (BFHE 92, 354, 359; BeckOGK/Spindler Rn. 87). Glaubhafte Versicherung des Vorstands ggü. Finanzbehörde, Protokolle enthielten keine steuerlich relevanten Vorgänge, enthebt grds. von Vorlagepflicht; bei begründeten Zweifeln an Aussage ist Prüfer zunächst Tagesordnung vorzulegen, im zweiten Schritt kann Einsichtnahme geboten sein (MüKoAktG/Habersack Rn. 92). Auf derselben Linie liegt BVerfGE 74, 7, indem dort gefordert wird, Protokolle vor Weitergabe an Untersuchungsausschuss darauf zu prüfen, ob sie für Beweisthemen überhaupt von Bedeutung sein können. 23

IV. Ausschüsse des Aufsichtsrats (§ 107 III, IV)

1. Zulässigkeit und Bestellung. § 107 III 1 lässt zu, dass AR Ausschüsse bildet. Als Aufgaben von Ausschüssen werden Vorbereitung und Ausführung von AR-Beschlüssen hervorgehoben. Wie aus § 107 III 7 folgt, können aber grds. auch beschließende Ausschüsse gebildet werden (entspr. Klarstellung in Ziff. 5.3.5 DCGK aF wurde wegen Selbstverständlichkeit im Zuge der Kodexänderung 2013 gestrichen). Ausschussbildung trägt gerade bei großem AR zur **effizienteren Entscheidungsfindung** bei (sa GS 14 DCGK), kann aber auch Instrument sein, um Vertraulichkeit zu wahren (Hasselbach/Seibel AG 2012, 114, 121 ff.) oder Unabhängigkeit bei Beschlussfassung zu gewährleisten (→ § 100 Rn. 36 ff.; vgl. M. Roth ZGR 2012, 343, 353: int. Hauptgrund für Ausschussbildung; ausf. zu Vor- und Nachteilen Löbbe in Hommelhoff/Kley/Verse AR-Reform, 199, 205 ff.). Diesen Vorteilen steht Gefahr einer Verdrängung des Aufsichtsrats durch seine eigenen Ausschüsse ggü., da Ausschussbildung zu unterschiedlichen Klassen von AR-Mitgliedern mit verschiedenen Informationsgraden führen kann (Merkt ZHR 179 [2015], 601, 635). AR kann Ausschuss nur „aus seiner Mitte" bestellen. Mitglied von Ausschüssen kann also nur sein, wer AR-Mitglied ist. Hinzuziehung von Dritten ist nach Maßgabe des § 109 zulässig. 24

Regelung ist abschließend. Weder Satzung noch HV können also bestimmen, dass AR Ausschüsse zu bilden oder nicht zu bilden hat; AR entscheidet autonom (vgl. zB BGHZ 83, 106, 115 = NJW 1982, 1525; BGHZ 122, 342, 355 = NJW 1993, 2307; MüKoAktG/Habersack Rn. 97 ff.; rechtspolitische Kritik bei Bachmann FS Hopt, Bd. I, 2010, 337, 347 f.). Empfehlung zugunsten von Ausschüssen in **D.2 DCGK** richtet sich deshalb an AR, nicht an Satzungsgeber. Einzelheiten zur Arbeitsweise von Ausschüssen können dagegen in der Satzung enthalten sein.

25 **Einsetzung** von Ausschüssen und Wahl der Mitglieder erfolgt durch einen mit einfacher Mehrheit gefassten Beschluss (§ 108 I), der in den Grenzen des § 107 III 7 (→ Rn. 58 ff.) zugleich inhaltliche Zuständigkeit und Befugnisse, aber auch Arbeitsweise festlegen kann. Für Sonderaufgaben jenseits des Routineprogramms (zB Übernahmeverfahren nach WpÜG) ist auch Ad-hoc-Einsetzung zulässig (OLG Stuttgart AG 2019, 527, 531) und verbreitet, um auf akute Entwicklungen zu reagieren (zu den dabei zu beachtenden Besonderheiten s. Hasselbach/Seibel AG 2012, 114 ff.). AR kann aber auch in **Geschäftsordnung** dauerhaftes, dh über Amtsperiode des AR hinausreichendes Gremium institutionalisieren (KK-AktG/Mertens/Cahn Rn. 95; Marsch-Barner/Schäfer/E. Vetter Rn. 29.5). Vorratsbildung von Ausschüssen wird namentl. im Übernahmerecht diskutiert (Verteidigungsausschuss – vgl. dazu Hasselbach/Seibel AG 2012, 114, 119); Bedenken gegen ihre Zulässigkeit bestehen nicht. Da Ausschussbildung Ausfluss der Aufsichtsratsautonomie ist (dazu Bachmann FS Hopt, Bd. I, 2010, 337 ff.), kann AR durch Plenarbeschluss delegierte Angelegenheiten wieder an sich ziehen, aber wohl nur aufgrund bes. Verfahrensbeschlusses (OLG Hamburg WM 1982, 1090, 1093; Semler AG 1988, 60, 63; aA Rellermeyer, Aufsichtsratsausschüsse, 1986, 82 ff.).

26 **Mitgliederzahl.** Ges. enthält dazu keine ausdr. Angaben. Indessen ist zu Recht unstr., dass es jedenfalls **keinen Einmann-Ausschuss** gibt; Begriff bezeichnet Gremium, so dass es Ausschüsse mit weniger als zwei Mitgliedern nicht geben kann (vgl. statt vieler MHdB AG/Hoffmann-Becking § 32 Rn. 43). Für **beschließende Ausschüsse** ist weitergehend **Mindestquorum von drei Mitgliedern** zu fordern, weil sonst Regelung des § 108 II 3 unterlaufen werden könnte (BGHZ 65, 190, 192 f. = NJW 1976, 145; BGH NJW 1989, 1928, 1929; AG 1991, 398, 399; Rellermeyer, Aufsichtsratsausschüsse, 1986, 90 ff.). Zweimann-Ausschuss kommt also im Wesentlichen als bloßes Vorbereitungsgremium in Frage. Insoweit kann statt jeglichen Ausschusses auch ein einzelnes AR-Mitglied beauftragt werden. Aus neu eingeführtem § 107 IV 2 (→ Rn. 42) wird zT abgeleitet, dass Ausschuss auch aus allen AR-Mitgliedern bestehen kann, also nicht zwangsläufig kleiner sein muss als Gesamt-AR (Simons NZG 2021, 1429, 1432). Ob Vorschrift, die eher dazu dient, neue Einrichtungspflicht nach § 107 IV 1 ohne übermäßige Eingriffe in Gesetzesbestand mit ges. Mindestzahl zu vereinbaren, derart kontraintuitives Gesetzesverständnis trägt, das deutlich stärker auf **personelle Untergliederung** hindeutet, bleibt zweifelhaft (wie hier MüKoAktG/Habersack Rn. 124).

27 **2. Einzelne Ausschüsse.** AR-Ausschüsse begegnen in unterschiedlicher Gestalt. ZT verbergen sich auch unter gleichen Bezeichnungen sehr unterschiedliche Kompetenzzuschnitte. Das gilt jedenfalls dort, wo Praxis frei über Ausgestaltung entscheiden kann. Größere Standardisierung begegnet dagegen dort, wo **gesetzliche Gestaltungsvorgaben** bestehen. Zwingend vorgeschrieben ist zunächst Vermittlungsausschuss gem. § 27 III MitbestG (→ Rn. 61 ff.). Für Unternehmen von öffentl. Interesse iSd § 316a S. 2 HGB (PIE; → § 100 Rn. 23) wird **Prüfungsausschuss** in § 107 IV 1 ges. vorgeschrieben (→ Rn. 41 ff.), dessen Einrichtung in § 107 III 2 auch für sonstige Unternehmen zumindest optional eröffnet wird (→ Rn. 31 ff.). Ebenfalls optional gestattet § 107 III 4 für börsenno-

tierte AG (§ 3 II; → § 3 Rn. 5 f.) weiteren Ausschuss für related party transactions (→ Rn. 48 ff.). Auch **DCGK** empfahl schon bislang Prüfungsausschuss (D.3 DCGK aF), doch wurde Empfehlung durch 2021 neu eingefügten § 107 IV 1 ges. überholt und deshalb im Zuge der Kodex-Neufassung 2022 gestrichen. Weitere Empfehlung bezieht sich auf Nominierungsausschuss (D.4 DCGK), der Vorschläge für Wahl von AR-Vertretern gem. § 124 III 3 ausarbeiten soll (Einzelheiten → § 124 Rn. 27).

Jenseits solcher ges. Gestaltungsvorgaben kann als Ausfluss der AR-Autonomie 28 (→ Rn. 24 ff.) Begrifflichkeit und Aufgabenzuschnitt beliebig gewählt werden, so dass verbreitete tats. Erscheinungsformen nur deskriptiv wiedergegeben werden können. So wird in Praxis oft **AR-Präsidium** oder Präsidialausschuss (unter Mindestbeteiligung von AR-Vorsitzendem und Stellvertreter) gebildet, wobei tats. Erscheinungsformen vielgestaltig sind (vgl. insbes. Krieger ZGR 1985, 338 ff.). ZT wird ihm Personalaufgabe, zT Behandlung von Finanzierungsfragen und Investitionspolitik zugewiesen. Kern seiner Aufgabe ist üblicherweise aber laufende Beratung mit dem Vorstand, insbes. auch zwischen den Sitzungen des AR, oft verbunden mit Eilzuständigkeit bei akutem Entscheidungsbedarf (MHdB AG/Hoffmann-Becking § 32 Rn. 15 f.; s. deshalb auch Krieger ZGR 1985, 338, 346 f.: weniger AR-Ausschuss als Unterstützung des AR-Vorsitzenden).

In vielen größeren Gesellschaften gibt es überdies **Personalausschuss** zur 29 Vorbereitung der Entscheidungen des AR über Be- und Anstellung von Vorstandsmitgliedern, soweit diese Aufgaben nicht schon von Präsidium übernommen werden (MHdB AG/Hoffmann-Becking § 32 Rn. 2, 10); früher war er auch für Vergütungsentscheidung zuständig, die nach Neufassung des Delegationsverbots in § 107 III 7 nunmehr aber Plenum vorbehalten sind (→ Rn. 59; zur umstr. Ausdehnung auf Vergütungssystem → § 87a Rn. 4). Verbreitet ist weiterhin **Investitions- und Finanzierungsausschuss,** der insbes. solche Investitionen prüft, die nach § 111 IV 2 zustimmungspflichtig sind. ZT begegnen weiterhin Sozialausschüsse, die sich mit Fragen der Sozialeinrichtungen, Pensionskassen oder Arbeitsbedingungen befassen (Backhaus/Tielmann AR/Mutter/Werner Rn. 283). Neuere Erscheinung sind Compliance- oder Antikorruptionsausschüsse (dazu Dreher FS Goette, 2011, 43 ff.); derzeit noch Einzelfälle sog Integritätsausschüsse (s. Plagemann NZG 2013, 1292 ff.), die zT schon in Richtung unabhängig besetzter Haftungs- und Verfolgungsausschüsse fortgedacht werden (Freidank/Dürr/Sassen BB 2013, 2283). In der Sogwirkung des ESG-Themas (→ § 76 Rn. 63 ff.) finden auch ESG- bzw. Innovations- und Nachhaltigkeitsausschüsse zunehmend Verbreitung (Jaspers AG 2022, 309 Rn. 1 ff.; Weller/Benz ZGR 2022, 563, 591 f.). Alternativ zur Ordnung nach Gegenstand des Ausschusses kann Einteilung der Ausschussformen auch in vorbereitende und entscheidende Ausschüsse erfolgen; seltener sind überwachende Ausschüsse (Marsch-Barner/Schäfer/E. Vetter Rn. 29.3).

Bes. detaillierte Anforderungen an Ausschussbildung gelten im **Bankensektor,** 30 namentlich gem. § 25d VII–XII KWG idF des CRD IV-Umsetzungsgesetzes v. 28.8.2013 (BGBl. 2013 I 3395). Danach wird ab bestimmter Mindestgröße des AR (§ 25d VII 1 KWG) Organisationsautonomie des AR erheblich eingeschränkt und für bes. risikoträchtige Bereiche die Einrichtung einzelner Ausschüsse angeordnet, und zwar Risikoausschuss (§ 25d VIII KWG), Prüfungsausschuss (§ 25d IX KWG), Nominierungsausschuss (§ 25d XI KWG) und Vergütungskontrollausschuss (§ 25d XII KWG). § 25d VII KWG enthält für sämtliche Ausschüsse nähere Vorgaben; BaFin kann Einrichtung nach § 25d VII 5 KWG ggf. zwangsweise durchsetzen (vgl. zu weiteren Einzelheiten BeckOGK/Spindler Rn. 197 ff.; Apfelbacher/Metzner AG 2013, 773, 776; Brandi/Gieseler NZG 2012, 1321, 1328 ff.; Hönsch AG 2014, 297 ff.; Langenbucher ZHR 176 (2012), 652, 657 ff.; Velte/Buchholz ZBB 2013, 400, 403 ff.).

31 **3. Insbesondere: Einrichtung eines Prüfungsausschusses. a) Fakultativer Ausschuss.** Nach § 107 III 2 kann AR insbes. Prüfungsausschuss bestellen, der als **institutionalisierter Gesprächspartner des Abschlussprüfers** und der internen Revision fungieren soll (KK-AktG/Mertens/Cahn Rn. 105). Früher dafür im DCGK auch vorgesehene Bezeichnung als „Audit Committee" wurde mit Kodex-Neufassung 2015 aufgegeben, weil damit im angelsächsischen Bereich zT andere Kompetenzen verbunden werden als mit einem deutschen Prüfungsausschuss (Merkt ZHR 179 [2015], 601, 632 ff.). Durch BilMoG 2009 eingefügte Regelung hat nur klarstellende Bedeutung (RegBegr. BT-Drs. 16/10067, 102), weil **Selbstorganisationsrecht** des AR ohnehin Errichtung eines Prüfungsausschusses zulässt. Sie ist bei börsennotierten Gesellschaften schon seit langem Standard und mittlerweile auch durch § 107 IV 1 für Unternehmen von öffentl. Interesse iSd § 316a S. 2 HGB (PIE; → § 100 Rn. 23) zwingend vorgeschrieben (zu faktischem Druck und praktischer Verbreitung vgl. Dolzer, Emanzipation des Prüfungsausschusses, 2019, 209 ff.; zu Aufgaben und Arbeitsweise Krasberg, Prüfungsausschuss, 2010, 113 ff., 208 ff.; zu den amerikanischen Vorbildern Goerdeler ZGR 1987, 219, 223 ff.; Leitfaden: Nonnenmacher/Wemmer/v. Werder DB 2016, 2826 ff.). Ausnahmen mögen bei nichtbörsennotierter AG mit kleinem AR in Betracht kommen. Regelung ist durch **Art. 39 I, II Abschlussprüfer-RL** (bis zur Neufassung 2014: Art. 41) veranlasst. Dieser verlangt nämlich für Unternehmen von öffentl. Interesse iSd § 316a S. 2 HGB (PIE → § 100 Rn. 23) grds. die Einrichtung eines Prüfungsausschusses, lässt jedoch Ausnahmen zugunsten anderer Gremien zu. Von dieser Ausn. hatte auch deutscher Gesetzgeber ursprünglich Gebrauch gemacht und zugunsten der Überwachungsaufgabe des Gesamt-AR optiert, indem er Prüfungsausschuss nur fakultativ vorsah (vgl. dazu noch E. Vetter ZGR 2010, 751, 757 ff.). Im Lichte des Wirecard-Skandals 2020 wurde mit FISG 2021 bei Unternehmen von öffentl. Interesse iSd § 316a S. 2 HGB Prüfungsausschuss in § 107 IV 1 zwingend vorgeschrieben (→ Rn. 41 ff.; zu praktischen Auswirkungen vgl. v. Keitz/Grote DB 2021, 3041 ff.; empirisch zu Auswirkungen auf Qualität der Rechnungslegung und Abschlussprüfung Velte DStR 2022, 1220 ff.). Für ihn werden damit in § 107 III 2 unverbindlich formulierte Zuständigkeiten zu zwingenden Vorgaben (→ Rn. 35). **Mitbestimmungsrechtl. Parität** muss im Prüfungsausschuss nicht zwingend abgebildet werden, ist in der Praxis aber üblich (Dolzer, Emanzipation des Prüfungsausschusses, 2019, 289 ff.; Nonnenmacher/Wemmer/v. Werder DB 2016, 2826, 2827). Analyse zur Zusammensetzung von Prüfungsausschüssen in DAX-40-Unternehmen 2021 bei Quick/Gauch/Messingschlager WPg 2023, 537 ff.; Leitfaden für Prüfungsausschüsse bei Kremer/Niessen-Ruenzi/Wemmer/v. Werder DB 2023, 2513 ff., 2577 ff.

32 Umstr. ist, ob es auch bei Einrichtung eines Prüfungsausschusses bei **Letztverantwortung des Gesamt-AR** verbleibt (so etwa Dreher/Hoffmann ZGR 2016, 445, 451) oder ob in § 107 III 2 umschriebene Überwachungsaufgaben auch vollständig an Prüfungsausschuss delegiert werden können (dafür S/L/Drygala Rn. 42). Letztgenannte Auffassung stützt sich namentl. auf neu gefassten Art. 39 IV der Abschlussprüfer-RL 2014 (S/L/Drygala Rn. 42), der indes nicht Aufgaben des Prüfungsausschusses definiert, sondern lediglich Möglichkeit der Aufgabenerledigung durch anderes Gremium betont. Auch bei Einrichtung eines Prüfungsausschusses wird Grenze der Delegation deshalb allein durch § 107 III 7 gezogen. Allerdings verschiebt sich mit Delegation an Prüfungsausschuss die Art der Überwachung durch Gesamt-AR. Er muss nicht mehr selbst prüfen, sondern es genügt, wenn er sich mit den vom Prüfungsausschuss zu erstattenden Berichten und den daraus folgenden Konsequenzen auseinandersetzt (Dreher/Hoffmann ZGR 2016, 445, 460 f.).

Zur Selbstorganisation des AR gehört nicht nur Bestellung eines Prüfungsausschusses, sondern auch Regelung seiner Arbeitsweise, insbes. seiner Befugnis zur erledigenden Beschlussfassung (RegBegr. BT-Drs. 16/10067, 102);Plenarvorbehalt (→ Rn. 58 f.) steht nicht entgegen (wohl aA Velte NZG 2011, 771, 772). Weitergehende Organisationsempfehlungen enthält für börsennotierte AG und solche mit Kapitalmarktzugang iSd § 161 I 2 (→ § 161 Rn. 6b) **D.3 DCGK,** der im Zuge der Kodex-Neufassung 2022 tiefgreifende Änderungen erfahren hat. D.3 S. 1 DCGK stellt zunächst klar, dass **Sachverstand** auf dem Gebiet der Rechnungslegung in bes. Kenntnissen und Erfahrungen in der Anwendung von Rechnungslegungsgrundsätzen und interner Kontroll- und Risikomanagementsysteme bestehen soll und der Sachverstand auf dem Gebiet Abschlussprüfung (wenig überraschend) in bes. Kenntnissen und Erfahrungen in der Abschlussprüfung. Namentl. Kenntnisse in der Abschlussprüfung müssen aber nicht durch Ausbildung und Tätigkeit als Wirtschaftsprüfer erworben sein (Begründung Kodexänderung 2022, 7). Entspr. dem bes. Nachhaltigkeitsanliegen, das mit Kodex-Neufassung 2022 verfolgt wurde, wird sodann in D.3 S. 2 DCGK klargestellt, dass zur Rechnungslegung und Abschlussprüfung auch die **Nachhaltigkeitsberichterstattung** und deren Prüfung gehören, was in der Zusammenfassung zu einer äußerst weiten fachlichen Qualifikationsbreite führt (v. Werder DB 2022, 1755, 1759). **Vorsitzender des Prüfungsausschusses** soll zumindest auf einem der beiden Gebiete nach D.3 S. 3 DCGK entspr. sachverständig sein. Erklärung zur Unternehmensführung soll betreffende Mitglieder benennen und nähere Angaben zu ihrem Sachverstand auf den genannten Gebieten enthalten. Nach D.3 S. 5 DCGK soll **AR-Vorsitzender nicht Vorsitz im Prüfungsausschuss** innehaben. Bereits mit Kodex-Reform 2020 gestrichen wurde dagegen Vorgabe, dass Ausschussvorsitzender nicht nur unabhängig (vgl. C.10 DCGK), sondern überdies auch kein ehemaliges Vorstandsmitglied der AG sein soll, dessen Bestellung vor weniger als zwei Jahren endete (Ziff. 5.3.2 III 2 DCGK aF). Das ist sachgerecht, weil sich bes. Unternehmenskenntnisse gerade für diese Position als nützlich erweisen können (sa KK-AktG/Mertens/Cahn Rn. 111). 33

b) Zuständigkeiten. Zuständigkeiten eines Prüfungsausschusses umschreibt § 107 III 2 in Anlehnung an Art. 39 VI Abschlussprüfer-RL (in Neufassung 2014). Aufgabenschwerpunkte liegen danach bei **Rechnungslegung, Risikokontrolle und Abschlussprüfung** (Überblick: Binz/Sorg BB 2019, 387 ff.; Dolzer, Emanzipation des Prüfungsausschusses, 2019, 219 ff.). Im Einzelnen verpflichtet § 107 III 2 zur Überwachung des Rechnungslegungsprozesses, der Wirksamkeit des internen Kontrollsystems, des Risikomanagementsystems und des internen Revisionssystems. Weitgehende Anlehnung der Gesetzesfassung an betriebswirtschaftliche Begrifflichkeit darf hier – ebenso wie in Bezugsvorschrift des § 91 III (→ Rn. 17) – nicht darüber hinwegtäuschen, dass auch an dieser Stelle **ges. Rechtsbegriffe** formuliert werden, die allein von Gerichten auszufüllen sind (ausf. → § 91 Rn. 17). In Bezug auf Abschlussprüfung betr. Überwachungspflicht nach § 107 III 2 insbes. Auswahl und Unabhängigkeit des Abschlussprüfers und der von ihm zusätzlich erbrachten Leistungen. Durch **FISG 2021** wurde auch Qualität der Abschlussprüfung als Prüfungsgegenstand eingefügt, womit entspr. Empfehlung in D.11 DCGK aF in weiten Zügen zur Gesetzeswiedergabe mutiert ist und folgerichtig mit Kodex-Reform 2022 durch den aussagekräftigeren **D.10 DCGK** ersetzt wurde. Nach D.10 S. 1 DCGK soll Prüfungsausschuss mit Abschlussprüfer Einschätzung hinsichtlich Prüfungsrisiko, -strategie, -planung und -ergebnissen diskutieren. Ausschussvorsitzender soll sich nach D.10 S. 2 regelmäßig mit Abschlussprüfer über Fortgang der Prüfung austauschen und Ausschuss hierüber berichten. Prüfungsausschuss soll nach D.10 S. 3 34

DCGK regelmäßig mit Abschlussprüfer auch ohne Vorstand tagen (krit. insofern VGR AG 2022, 239 Rn. 58 ff.). Weitergehende Empfehlung für Bestellung des Abschlussprüfers aus Art. 16 II VO (EU) 537/2014 ist in § 124 III 2 umgesetzt (→ § 124 Rn. 29).

35 Soweit Prüfungsausschuss eingerichtet wurde, war bislang str., ob für diesen Zuständigkeitsvorgaben in § 107 III 2 als **verbindlicher Mindestumfang der Aufgabenübertragung** aufzufassen ist. Frage wurde jedenfalls für Unternehmen von öffentl. Interesse iSd § 316a S. 2 HGB (PIE → § 100 Rn. 23) zT bejaht (Dreher/Hoffmann ZGR 2016, 445, 458 ff.), was aber zweifelhaft blieb, solange Abschlussprüfer-RL auch in ihrer Neufassung 2014 den fakultativen Charakter des Prüfungsausschusses unberührt gelassen und der Gesetzgeber von dieser Gestaltungsfreiheit Gebrauch gemacht hatte (vgl. auch die Klarstellung in RegBegr. BilMoG (BT-Drs. 16/10067, 102). Nachdem FISG-Gesetzgeber Prüfungsausschuss für Unternehmen von öffentl. Interesse zwingend vorgeschrieben hat (→ Rn. 41 ff.), muss diese Einordnung indes neu überdacht werden. Zwingende Einrichtungsvorgabe würde ins Leere gehen, wären damit nicht auch feste Inhalte und Zuständigkeiten verbunden. Auch Verknüpfung des Informationsrechts nach § 107 IV 3 mit Aufgaben des Prüfungsausschusses nach § 107 III 2 (→ Rn. 44 ff.) deutet darauf hin, dass Aufgabenkatalog hier verbindlich festgeschrieben wird. Für Unternehmen iSd § 316a S. 2 HGB ist Zuständigkeitskatalog nach § 107 III 2 daher als zwingende Gestaltungsvorgabe aufzufassen (Simons NZG 2021, 1429, 1432 f.). Für sonstige Unternehmen bleibt es dagegen bei Selbstorganisationsrecht, das auch inhaltliche Gestaltungsmacht umfasst. Weitere Vorgaben sind für Unternehmen von öffentl. Interesse in unmittelbar geltender **Abschlussprüfer-VO** vorgesehen, etwa zur Vorabgenehmigung von Nicht-Prüfungsleistungen durch den Prüfungsausschuss in Art. 5 IV Abschlussprüfer-VO (Pre-Approval).

36 Zuständigkeit für **Rechnungslegung und Abschlussprüfung** hängen eng zusammen, da Abschlussprüfer gerade im Bereich der Rechnungslegung „Gehilfe" oder „Sparringspartner" des AR bzw. des Prüfungsausschusses ist. Durch AReG 2016 wurde Aufgabenkatalog des § 107 II 2 deshalb dahingehend erweitert, dass sich Prüfungsausschuss auch mit **Auswahl** des Abschlussprüfers und der von ihm erbrachten Leistungen zu befassen hat (zu Einzelheiten des Auswahlprozesses s. Meyer/Mattheus DB 2016, 695, 697). Damit wird die **aktive Beratungsfunktion** des AR auch für den Rechnungslegungsprozess betont (Schilha ZIP 2016, 1316, 1324). Erweiterung geht auf Art. 39 VI lit. b und f der überarbeiteten Abschlussprüfer-RL in der Neufassung 2014 zurück (zu weiteren Vorgaben nach § 107 III 3 → Rn. 40). Eine maßgebliche Neuerung ist damit nicht verbunden, weil diese Aufgabe schon bislang aus der Überwachung der Unabhängigkeit des Abschlussprüfers geschlossen wurde (RegBegr. BT-Drs. 18/7219, 56; Beschlussempfehlung BT-Drs. 18/7902). Weiterhin wird hinsichtlich Abschlussprüfung hervorgehoben, dass Prüfungsausschuss sich mit **Unabhängigkeit des Abschlussprüfers** befasst, was für Unternehmen von öffentl. Interesse iSd § 316a S. 2 HGB (PIE → § 100 Rn. 23) auch neue europarechtl. Vorgabe der externen Rotation (Art. 17 Abschlussprüfer-VO; → § 111 Rn. 45), Verbot von bestimmten Nichtprüfungsleistungen (Art. 5 Abschlussprüfer-VO) und Fee-Cap (Art. 4 Abschlussprüfer-VO) umfasst (MüKoAktG/Habersack Rn. 170; Schilha ZIP 2016, 1316, 1325 ff.). Zu beachten ist, dass sämtliche dieser Regelungen im Nachgang des Wirecard-Skandals 2020 **durch FISG 2021 verschärft** worden sind (zur Verschärfung der Haftung s. schon → § 49 Rn. 4 f.). Für Rotation ist Verlängerungsmöglichkeit nach § 318 Ia HGB aF gestrichen worden (→ § 111 Rn. 45), für Fee Cap Gestattung der ausnahmsweisen Überschreitung nach § 319 Ia HGB aF. Verbot der Nichtprüfungsleistungen ist durch Streichung des § 319a HGB aF im Zuge des FISG 2021 verschärft worden, aber noch nicht

zum „pure audit" verabsolutiert worden (vgl. zu allen Neuregelungen Bormann/Böttger NZG 2021, 330, 332 ff.; Hennrichs DB 2021, 268, 270 f.; speziell zur Überwachung von Nichtprüfungsleistungen Dolzer, Emanzipation des Prüfungsausschusses, 2019, 262 ff.).

Weiterhin in § 107 III 2 genannte Überwachung des internen Kontrollsystems, des Risikomanagementsystems und des internen Revisionssystems hat mit **Einführung des § 91 III** durch FISG 2021 neuen ges. Bezugspunkt erhalten. Auch wenn § 91 III allein für börsennotierte AG gilt (→ § 91 Rn. 15), wird sich weitere Begriffsentwicklung unter den Vorzeichen dieser Vorschrift und der konkretisierenden Gesetzgebungsmaterialien vollziehen (zur genauen Begrifflichkeit vgl. deshalb → § 91 Rn. 17 ff.). Insbes. wird man im Lichte der Gesetzesmaterialien zum FISG anzunehmen haben, dass auch **Compliance von internem Kontrollsystem** umfasst ist und damit auch von Prüfungsausschuss zu überwachen ist (ausf. → § 91 Rn. 28 ff.; dafür auch Hopt/Kumpan AG 2021, 129 Rn. 16; Simons NZG 2021, 1429, 1433). Zugleich bestätigt Beschränkung auf börsennotierte AG in § 91 III schon bislang herrschenden Befund, dass bloßer Nennung in § 107 III 2 nicht entnommen werden kann, dass solche Systeme tats. vorhanden sein müssen (ausdr. Klarstellung in diesem Sinne in RegBegr. BT-Drs. 19/26966, 115 [ausf. dazu → § 91 Rn. 11]; zuvor auch bereits RegBegr. BT-Drs. 16/10067, 102). 37

Generelle Erforderlichkeit und konkreter Organisationsgrad hängen stattdessen von **spezifischem Unternehmenszuschnitt** ab (ausf. → § 91 Rn. 15 ff.). § 107 III 2 stellt lediglich klar, dass dort, wo ein solches System existiert, seine Wirksamkeit auch Gegenstand der Überwachung durch einen etwa vorhandenen Prüfungsausschuss ist. Zwingend erforderlich sind sowohl Systeme als auch Prüfungsausschuss nur bei börsennotierter AG, die als kapitalmarktorientierte AG iSd § 316a S. 2 Nr. 1 iVm § 264d HGB automatisch auch von § 107 IV 1 erfasst ist. Ansonsten gilt hier – wie auch hinsichtlich der übrigen in § 107 III 2 genannten Elemente – das **Selbstorganisationsrecht** der AG (Dreher/Hoffmann ZGR 2016, 445, 469 f.). Soweit Vorstand ein Risikomanagementsystem oder andere Elemente interner Risikokontrolle nicht etabliert hat, folgt aus § 111 I iVm § 107 III 2, dass AR oder sein Ausschuss auch iS einer Daueraufgabe zu prüfen hat, ob der Verzicht darauf nach den Verhältnissen der Gesellschaft und ihres Unternehmens der erforderlichen Leitungssorgfalt (§ 76 I, § 93 I) entspr. (ebenso E. Vetter ZGR 2010, 751, 769). Unabdingbare Voraussetzung der Risikokontrolle ist beständige **Informationsversorgung** (zur entspr. Gestaltung vgl. AK Überwachung DB 2011, 2101, 2103 f.; Dittmar NZG 2014, 210 ff.; Dolzer, Emanzipation des Prüfungsausschusses, 2019, 342 ff.). **Wirksamkeitsprüfung** der Governance-Systeme bedeutet nicht, dass Prüfungsausschuss jede einzelne Geschäftsführungsmaßnahme betrachten muss. Generelle Tauglichkeitsprüfung reicht aber auch nicht aus, da Wirksamkeit der Systeme stets auch wirksame Umsetzung in konkreter Situation meint. Treten Defizite auf, sind auch einzelne Geschäftsvorfälle in den Blick zu nehmen. Gegenstand der Prüfung ist Wirksamkeit der Systeme ex post sowie erwartbare Wirksamkeit für die Zukunft (vgl. zum Ganzen Dreher/Hoffmann ZGR 2016, 445, 488 f.). Zu den einzelnen Kriterien der Wirksamkeitsprüfung s. vertiefend Dreher/Hoffmann ZGR 2016, 445, 490 ff. 38

Aufgabenbeschreibung für Prüfungsausschuss enthält mittelbar auch **Klarstellung des dem Plenum obliegenden Aufgabenkreises** (RegBegr. BT-Drs. 16/10067, 102). Dem (jenseits des § 107 IV 1) grds. fakultativen Charakter des Ausschusses entspr. es, dass seine Aufgaben zugunsten des Plenums oder anderer Ausschüsse begrenzt (Lanfermann/Röhricht BB 2009, 887, 888), jedoch auch erweitert werden können, etwa durch Zuweisung von Einzelprüfungen nach § 111 II. Nähere Gestaltungsvorgabe in D.3 DCGK aF wurde mit Kodex-Neu- 39 fassung gestrichen, weil darin enthaltene Empfehlung mit zwingenden Vorgaben des durch FISG 2021 neu gefassten § 107 III, IV nicht mehr zu vereinbaren war (→ 16. Aufl. 2022, Rn. 39).

40 In dem ebenfalls durch **AReG 2016** neu eingefügten § 107 III 3 wird dem Prüfungsausschuss die Möglichkeit eingeräumt, Empfehlungen oder Vorschläge zur Gewährleistung der **Integrität des Rechnungslegungsprozesses** zu unterbreiten. Zurückhaltende „Kann"-Vorgabe soll dem Umstand Rechnung tragen, dass Vorstand und nicht AR für Gestaltung des Rechnungslegungsprozesses verantwortlich ist; sie lässt ihm auch die Möglichkeit, von einer Empfehlung abzusehen (ausf. Dolzer, Emanzipation des Prüfungsausschusses, 2019, 231 ff.). Es wird aber beratende Funktion des AR auch in dieser Hinsicht stärker betont (Meyer/Mattheus DB 2016, 695, 696). Adressat dieser Vorschläge ist der AR, dessen Gremium der Prüfungsausschuss ist (RegBegr. BT-Drs. 18/7219, 57; Beschlussempfehlung BT-Drs. 18/7902). Weitergehende Umsetzung des in Art. 39 VI der Abschlussprüfer-RL (in der Neufassung 2014) enthaltenen Aufgabenkatalogs hat Gesetzgeber nicht für erforderlich gehalten, da es sich dabei allein um „beispielhaft" aufgeführte Tätigkeitsfelder handelt (RegBegr. BT-Drs. 18/7219, 59; krit. Schüppen NZG 2016, 247, 254). Flankiert werden die solchermaßen umschriebenen Pflichten des Prüfungsausschusses durch mit AReG 2016 neu eingefügten **Ordnungswidrigkeitentatbestand** des § 405 IIIb – d (zu Einzelheiten vgl. Lanfermann/Maul BB 2016, 363 ff.; Meyer/Mattheus DB 2016, 695, 698 f.; Schilha ZIP 2016, 1316, 1327 f.).

41 **c) Sonderregelung für Unternehmen von öffentlichem Interesse. aa) Obligatorischer Ausschuss.** § 107 IV steht in gedanklichem Zusammenhang mit § 107 III 2 und § 100 V. Voraussetzung ist, dass Unternehmen von öffentl. Interesse iSd § 316a S. 2 HGB vorliegt, dh kapitalmarktorientiertes Unternehmen iSd § 264d HGB, CRR-Kreditinstitut iSd § 1 IIId S. 1 KWG mit Ausnahme der in § 2 I Nr. 1, 2 KWG genannten Institute oder Versicherungsunternehmen iSd Art. 2 I RL 91/674/EWG (zu allen Fällen → § 100 Rn. 23). Auch für solche Gesellschaften galt bislang § 107 III 2, so dass **Prüfungsausschuss nur fakultativ** vorgesehen war. Das war auch mit unionsrechtl. Vorgaben vereinbar. Art. 39 I Abschlussprüfer-RL (in der Neufassung 2014) sieht zwar vor, dass jedes Unternehmen Prüfungsausschuss hat, gestattet es aber in Art. 39 II Abschlussprüfer-RL den Mitgliedstaaten, die dem Prüfungsausschuss übertragenen Aufgaben vom AR als Ganzem wahrnehmen zu lassen. Der Vorsitzende eines solchen Gremiums handelt dabei, sofern er ein geschäftsführendes Mitglied ist, nicht als Vorsitzender, solange dieses Gremium die Aufgaben des Prüfungsausschusses wahrnimmt. Von dieser Wahlmöglichkeit hatte die BRD bis 2021 Gebrauch gemacht.

42 Im Nachgang des Wirecard-Skandals 2020 hat Gesetzgeber § 107 IV aber mit FISG 2021 neu gefasst und Einrichtung eines Prüfungsausschusses für Unternehmen von öffentl. Interesse in § 107 IV 1 **zwingend vorgeschrieben** (zu seinen Zuständigkeiten → Rn. 35). Durch Aufnahme in § 407 I können AR-Mitglieder sogar durch Zwangsgeld zur Einsetzung angehalten werden (→ § 407 Rn. 2). Ausn. gilt nach **§ 107 IV 2** ausschließlich für **AR mit nur drei Mitgliedern;** auch hier wird Prüfungsausschuss verlangt, doch gilt Gesamt-AR zugleich als dieser Ausschuss (FinanzA BT-Drs. 19/29879, 158). Aussage ist nicht ganz eindeutig (zu möglichen Lesarten Simons NZG 2021, 1429, 1431; Troidl NZG 2023, 3, 4 ff.). In → 17. Aufl. 2023, Rn. 42 wurde dazu im Anschluss an Simons NZG 2021, 1429, 1431 **Fiktionslösung** vertreten, wonach Prüfungsausschuss zwar besteht, dieser aber keines formalen Einrichtungs- und Bestellungsbeschlusses bedarf und Amtszeiten der AR- und Ausschussmitglieder identisch sind. Praktikablere und dem Ges. und den Gesetzesmaterialien besser entsprechende

Konstruktion dürfte indes in sog **Dispenslösung** liegen, die auf fingierte Einrichtung gänzlich verzichtet und annimmt, dass AR Aufgaben des Prüfungsausschusses wahrnimmt, ohne sich in zwei Organe aufzuspalten (ausf. Troidl NZG 2023, 3 ff.). Damit wird Vereinfachungsanliegen des Gesetzgebers bestmöglich umgesetzt, weil künstliche Separierung vermieden wird, wonach dieselben AR-Mitglieder abwechselnd mit „AR-Hut" und „Prüfungsausschuss-Hut" handeln müssten. **Folgen** (ausf. Troidl NZG 2023, 3, 7 f.): (1) keine gesonderte Besetzung und Vorsitzendenwahl (im zweiten Punkt aA Simons NZG 2021, 1429, 1431); (2) keine gesonderten Amtszeiten; (3) es gilt Geschäftsordnung des AR (aA Simons NZG 2021, 1429, 1431); (4) keine getrennten Sitzungen und Beschlüsse (aA Simons NZG 2021, 1429, 1431); (5) D.4 S. 1 DCGK ist im Auslegungsweg auf AR-Vorsitzenden zu übertragen; (6) D.4 S. 2 DCGK kann nicht erfüllt werden (Abweichungserklärung erforderlich); (7) AR steht Auskunftsrecht nach § 107 IV 4 (→ Rn. 144 ff.) zu; (8) gesonderte Empfehlung an AR nach § 124 III 2 (→ § 124 Rn. 21 ff.) ist entbehrlich (zu den Folgen für Vorschlag des AR an HV → § 124 Rn. 30).

bb) Anforderungen an Mitglieder. Nach § 107 IV 3 müssen Mitglieder des 43 Prüfungsausschusses **Voraussetzungen des § 100 V** eigenständig erfüllen, dh es muss mindestens jew. ein Mitglied des Prüfungsausschusses über **Sachverstand** im Bereich Rechnungslegung und ein anderes im Bereich der Abschlussprüfung verfügen und Mitglieder müssen in ihrer Gesamtheit mit Sektor vertraut sein (zur Ausdehnung auf Nachhaltigkeitsexpertise → § 100 Rn. 28; zu entspr. Abstimmungsempfehlungen von Stimmrechtsberatern vgl. Rieckers DB 2023, 307, 309). Das entspr. der Vorgabe aus Art. 39 II Abschlussprüfer-RL (in der Neufassung 2014) und ist auch sachgerecht, weil Prüfungsausschuss iR seiner Zuständigkeit im allg. an die Stelle des Plenums tritt. § 100 V, § 107 IV begründen deshalb auch keine kumulativen Anforderungen. Vielmehr genügt es, wenn sachverständige AR-Mitglieder auch dem Prüfungsausschuss angehören. Wenn nicht, muss allerdings ein anderes Ausschussmitglied sachverständig sein. Aufgrund engeren Aufgabenzuschnitts des Prüfungsausschusses ist es allerdings möglich, Sektorenkompetenz hier großzügiger zu verstehen als iRd § 100 V für Gesamtgremium (Simons/Kalbfleisch AG 2020, 526 Rn. 37 ff.). Verstöße gegen § 107 IV führen zur Nichtigkeit des Bestellungsbeschlusses des AR wegen Inhaltsfehlers (MüKoAktG/Habersack Rn. 179; Behme/Zickgraf AG 2016, R 132, 135; E. Vetter ZGR 2010, 751, 779). Abw. Behandlung ggü. Verstoß für Gesamtgremium (→ § 100 Rn. 30 ff.) erklärt sich daraus, dass AR volle Kontrolle über gesetzeskonforme Zusammensetzung hat (Simons/Kalbfleisch AG 2020, 526 Rn. 56).

cc) Auskunftsanspruch. Nach **§ 107 IV 4** kann in Unternehmen von öf- 44 fentl. Interesse iSd § 316a S. 2 HGB jedes Mitglied des Prüfungsausschusses über Ausschussvorsitzenden unmittelbar bei Leitern derjenigen Zentralbereiche der AG, die für Aufgaben zuständig sind, die Prüfungsausschuss nach § 107 III 2 betreffen, **Auskünfte einholen.** Beschränkung auf Unternehmen iSd § 316a S. 2 HGB lässt sich Wortlaut nicht eindeutig entnehmen, wohl aber Systematik und Gesetzesmaterialien (RegBegr. BT-Drs. 19/26966, 116). Für AG mit nur freiwillig eingerichtetem Prüfungsausschuss gilt Sonderregelung nicht (Simons NZG 2021, 1429, 1434). Ob solches Recht auch Aufsichtsrat selbst bzw. seinem Vorsitzenden zusteht, ist generell umstr., richtigerweise aber zu verneinen (→ § 111 Rn. 36). FISG-Gesetzgeber hat ausdr. betont, dass allg. Frage durch Einfügung des § 107 IV 4 nicht beantwortet werden soll, sondern lediglich **nicht verallgemeinerungsfähige Sondervorschrift** eingefügt wird. Dabei wird klargestellt, dass grds. Vorstand nach § 90 richtiger Adressat für Auskunftsverlangen des AR bleibt (RegBegr. BT-Drs. 19/26966, 116). Daran bleibt unbefriedigend, dass Ausschuss Kompetenzen eingeräumt werden, die Gesamt-AR nicht zustehen (krit. deshalb Löbbe in Hommelhoff/Kley/Verse AR-Reform, 199, 219 ff.), doch wird systemfremdes „By-passing" des Vorstands bei der Informationsbeschaffung damit zumindest auf punktuelle Konstellationen beschränkt (DAV-HRA NZG 2020, 1380, 1383).

45 Auskunftsrecht steht nach § 107 IV 4 jedem Mitglied des Prüfungsausschusses zu, kann aber nicht von diesem selbst geltend gemacht werden, sondern Auskunftsverlangen darf **nur über Ausschussvorsitzenden** ausgeübt werden. Damit soll Ansprache der Bereichsleiter auf Ausschussvorsitzenden kanalisiert werden, um zu vermeiden, dass mehrere AR-Mitglieder unabhängig voneinander Auskünfte einholen (FinanzA BT-Drs. 19/29879, 158). Vorsitzender darf selbstverständlich auch auf eigene Initiative ohne vorangegangene Aufforderung durch AR-Mitglieder Auskünfte einholen (klargestellt in FinanzA BT-Drs. 19/29879, 158). Ges. sieht kein Stufenverhältnis in dem Sinne vor, dass Anfrage zuvor an Vorstand gerichtet werden muss, doch wird Grundsatz vertrauensvoller Zusammenarbeit solche Vorgehensweise häufig nahelegen, wenn nicht gerade Vorstand selbst im Verdacht pflichtwidrigen Verhaltens steht (Bost NZG 2021, 865, 867 f.; Simons NZG 2021, 1429, 1435).

46 Weitere Einschränkungen betr. aber Adressaten und Inhalt des Auskunftsverlangens: Es darf ausschließlich an **Leiter der Zentralbereiche** gerichtet werden, die für Aufgaben zuständig sind, die nach § 107 III 2 in Aufgabenbereich des Prüfungsausschusses fallen. Gesetzgeber hat hier bewusst auf enumerative Aufzählung derjenigen Personen verzichtet, denen ggü. Auskunftsrecht ausgeübt werden kann. Solche Aufzählung könnte je nach Unternehmensorganisation und konkreter Bereichs- und Ämterbezeichnung zu Lücken in der Berichterstattung führen (RegBegr. BT-Drs. 19/26966, 116). Deshalb wird lediglich pauschal auf die Leitung von Zentralbereichen abgestellt und damit deutlich gemacht, dass die **Zentraleinheiten der ersten Führungsebene unter dem Vorstand** adressiert werden können (RegBegr. BT-Drs. 19/26966, 116). Als bes. wichtige Beispielsfälle nennt RegBegr. BT-Drs. 19/26966, 116 Leiter des Risikomanagements und Leiter der Internen Revision. Zu ergänzen sind ferner Leiter des Rechnungswesens/Accounting (Bost NZG 2021, 865, 866), Leiter der Rechtsabteilung oder Chief Compliance Officer (DAV-HRA NZG 2020, 1380, 1383; Hopt/Kumpan AG 2021, 129 Rn. 22).

47 Auskunftsrecht ist nicht an bestimmte einengende Voraussetzungen (Verdacht, konkrete Missstände) geknüpft und unterliegt deshalb **keinem bes. Rechtfertigungsbedarf** (Hopt/Kumpan AG 2021, 129 Rn. 23) und keiner Marginalitätsschwelle (Simons NZG 2021, 1429, 1434). In Parallelvorschrift des § 90 III wird Auskunftsverlangen allerdings in engen Grenzen durch **Missbrauchseinwand** begrenzt (→ § 90 Rn. 12a). Dieser Grundsatz ist auch auf § 107 IV 4 zu übertragen; hier ist insbes. Ausschussvorsitzender berufen, Missbrauchseinwand zu erheben (Bost NZG 2021, 865, 867). Ausschussvorsitzender hat eingeholte Auskunft sodann nach § 107 IV 5 allen Mitgliedern des Prüfungsausschusses mitzuteilen. Vorstand ist über Einholung der Auskunft nach § 107 IV 6 unverzüglich (§ 121 I BGB: ohne schuldhaftes Zögern) zu **unterrichten,** was auch Raum für gewisse Verzögerung lässt, wenn etwa Fehlverhalten des Vorstands selbst Gegenstand der Anfrage ist (Simons NZG 2021, 1429, 1435). Gesetz lässt offen, wer Vorstand zu informieren hat, doch kann Aufgabe sinnvollerweise nur Ausschussvorsitzendem zugewiesen sein (Bost NZG 2021, 865, 867; Hopt/Kumpan AG 2021, 129 Rn. 25).

48 **4. Ausschuss für Entscheidung über related party transactions (§ 107 III 4–6). a) Funktion und Einsetzung des Ausschusses.** § 107 III 4–6 wurden neu eingeführt durch ARUG II 2019 und sind im systematischen Kontext der Regelung zu related party transactions in **§§ 111a ff.** zu sehen. Dort vorgesehener zentraler Schutzmechanismus einer AR-Zustimmung kann (fakultativ) nach § 111b I auch auf AR-Ausschuss übertragen werden. Dies wird in organisationsrechtl. Einkleidung für **börsennotierte AG** nochmals ausdr. in § 107 III 4 dahingehend bekräftigt, dass AR – nach allg. Grundsätzen (→ Rn. 24 ff.) – aus seiner Mitte solchen Ausschuss (ad hoc oder ständig) bestellen kann. Aufgabe kann auch schon **bestehendem Ausschuss** überantwortet werden, nicht aber bloßem Unterausschuss (RegBegr. BT-Drs. 19/9739, 76). Teilnahmeausschluss nach § 107 III 5 (→ Rn. 50) und Besorgnis der Befangenheit nach § 107 III 6 (→ Rn. 51 ff.) wirken sich auf Einsetzung des Ausschusses noch nicht aus (Grigoleit/Grigoleit/Tomasic Rn. 53; Löbbe FS Grunewald, 2021, 689, 697).

Auch wenn Ausschuss eingerichtet wurde, ist AR nicht verpflichtet, ihm das Geschäft zur Zustimmung vorzulegen, sondern kann weiterhin **selbst entscheiden.** Legt er das Geschäft dem Ausschuss vor, ist dieser aber verpflichtet, über Zustimmung zu beschließen (RegBegr. BT-Drs. 19/9739, 76). Für **AN-Beteiligung** bei Ausschussbesetzung gelten allg. Grundsätze (→ Rn. 62). Umstand, dass §§ 111a ff. auch AN-Interessen schützen sollen (→ § 111c Rn. 1), und Regelungen zu Interessenkonflikten (→ Rn. 50 ff.) werden den (ohnehin nur ausnahmsweise zulässigen → Rn. 59) Ausschluss von AN-Vertretern idR nicht zulassen (ausf. Markworth AG 2020, 166 Rn. 19 f.). Zur Möglichkeit von Nachjustierungen bei der Ausschussbildung → Rn. 57. 49

b) Teilnahmeausschluss für nahestehende Person. So wie § 111b II für AR-Entscheidung ein Mitglied, das selbst als nahestehende Person beteiligt ist, von Abstimmung ausschließt (→ § 111b Rn. 7), darf es auch nicht als **konfliktbefangenes Ausschussmitglied** an Entscheidung beteiligt sein. § 107 III 5 sieht hier allerdings nicht erst Verbot der Stimmrechtsausübung vor, sondern schließt Betroffenen schon von Mitgliedschaft im Ausschuss aus. Dieser Ausschluss gilt aber ausschließlich für Fälle der **Beteiligung am Geschäft,** die nur gegeben ist, wenn betroffene Person selbst Vertragspartei des Geschäfts ist (RegBegr. BT-Drs. 19/9739, 77; Verse FS Hopt, 2020, 1335, 1340 f.). Da Mitglieder des AR nur nat. Person sein kann (→ § 100 Rn. 3), wird Geschäft mit diesem persönlich im Lichte der bei related party transactions in Frage stehenden Größenordnungen (→ § 111b Rn. 2) nur selten vorkommen (zu Einzelheiten Schmelzeisen/Lüneborg/Balke AG 2022, 297 Rn. 6 ff.). Ob es in diesen Fällen auch genügt, dass AR-Mitglied jur. Person als Organwalter **repräsentiert,** ist umstr. (weitgehende Erstreckung bei Grigoleit/Grigoleit/Tomasic Rn. 65), richtigerweise aber zu verneinen (so auch die hM – vgl. Florstedt RPT Rn. 467 ff.; Löbbe FS Grunewald, 2021, 697 ff.; Schmelzeisen/Lüneborg/Balke AG 2022, 297 Rn. 25 ff.; van der Beck NZG 2021, 1386, 1387; Verse FS Hopt, 2020, 1335, 1340 f.). Erstreckung auf Repräsentanten war im europ. Beratungsprozess mehrfach erwogen worden, ist dann aber gerade nicht Ges. geworden (vgl. Florstedt RPT Rn. 417; ausf. Verse FS Hopt, 2020, 1335, 1340 f. mit Verweis uA auf Art. 9c IIa RL-E idF der Vorschläge des Europ. Parlaments v. 12.5.2015 [A8–0158/2015] und v. 8.7.2015 [P8 TA/2015-0257]). Vor diesem Hintergrund besteht **kein Raum für rechtsfortbildende Korrektur** des klaren Gesetzeswortlauts, die überdies auch zu erheblichen Abgrenzungsschwierigkeiten ggü. § 107 III 6 führen würde. 50

c) Besorgnis eines Interessenkonflikts. Besteht dagegen nur Besorgnis eines Interessenkonflikts, ist § 107 III 6 weniger streng als § 111b II: Während in § 111b II AR-Mitglied auch hier von Stimmrechtsausübung ausgeschlossen wird, sieht § 107 III 6 lediglich vor, dass Ausschuss **mehrheitlich aus Mitgliedern zusammengesetzt** sein muss, bei denen keine Besorgnis eines Interessenkonflikts aufgrund ihrer Beziehungen zu einer nahestehenden Person besteht. Mit dieser großzügigeren Handhabung soll bewusst Anreiz geschaffen werden, sol- 51 chen Ausschuss einzurichten, in dem Argumente aller Seiten ausgetauscht werden können (RegBegr. BT-Drs. 19/9739, 76; krit. Markworth AG 2020, 166 Rn. 16; Tarde NZG 2019, 488, 493; Tröger FS Hopt, 2020, 1289, 1297 f.; zu sachlichen Vorzügen im Lichte mitbestimmungsrechtl. Vorschriften s. aber Verse FS Hopt, 2020, 1335, 1343 f.). Mehrheit ist iS einer Mehrheit nach Köpfen zu verstehen, so dass doppeltes Stimmrecht des Ausschussvorsitzenden allein nicht genügt (überzeugend van der Beck NZG 2021, 1386, 1388 f.; sa Florstedt RPT Rn. 492).

52 Wann Besorgnis eines Interessenkonflikts besteht, ist allerdings deutlich schwieriger zu bestimmen als Zuordnung zu ges. klar umrissener Gruppe nahestehender Personen (→ Rn. 50). Gesetzeswortlaut ist zunächst dahingehend zu korrigieren, dass es nicht auf Beziehung zu „einer" nahestehenden Person ankommen kann, sondern Beziehung muss zu der **am konkreten Geschäft beteiligten nahestehenden Person** bestehen (zust. Lieder/Wernert DB 2020, 882, 888). IÜ formuliert RegBegr. BT-Drs. 19/9739, 76 f. folgenden Maßstab: Entscheidend ist, ob für obj. urteilenden Dritten, der mit sämtlichen Beziehungen vertraut ist, **begründete Besorgnis** besteht, dass AR-Mitglied nicht in der Lage sein wird, Abstimmung unbefangen, unparteiisch und unbeeinflusst von Rücksichtnahme auf Interessen nahestehender Person wahrzunehmen. Das ist anzunehmen, wenn Gründe vorliegen, aufgrund derer AR-Mitglied seine Entscheidung nicht allein am Unternehmensinteresse, sondern am Interesse der nahestehenden Person orientieren könnte. Dies können geschäftliche, finanzielle oder persönliche Interessen sein (RegBegr. BT-Drs. 19/9739, 77 f.). Schon bloßer **Anschein der Befangenheit** soll vermieden werden (RegBegr. BT-Drs. 19/9739, 77). Für Beurteilung des Interessenkonflikts gilt nach RegBegr. BT-Drs. 19/9739, 76 **obj. Betrachtung.** Das ist wie bei § 93 I 2 in der Weise zu verstehen, dass AR-Mitglied sich nicht selbst als befangen einstufen, aber doch zumindest Konfliktlage kennen muss (→ § 93 Rn. 55).

53 Als Beispiele für Interessenkonflikte nennt RegBegr. BT-Drs. 19/9739, 77 f. etwa (1) **geschäftliche Beziehungen,** namentl. auf Basis eines Dauerschuldverhältnisses, in dessen Rahmen Leistungen von nicht unerheblichem Wert ausgetauscht werden; unbedeutende Geschäftsbeziehungen genügen nicht, wobei Bedeutsamkeit an Person des AR-Mitglieds zu messen ist, ohne dass es auf Abhängigkeit oder Weisungsgebundenheit ankäme; (2) **mitgliedschaftliche Beteiligungen** eines AR-Mitglieds an nahestehender Person, Kreditverhältnis oder sonstige finanzielle Verflechtungen von hinreichender Bedeutung; (3) **familiäre oder emotionale Bindungen,** wobei langjährige freundschaftliche Beziehung genügt (krit. insofern Löbbe FS Grunewald, 2021, 689, 708), nicht aber alltägliche Bekanntschaft. Bes. **Indiz** für Konflikt ist gegeben, wenn AR-Mitglied im Verhältnis zu einer Person, die AG nahesteht, seinerseits eine nahestehende Person iSd § 111a I 3 (→ § 111a Rn. 5–7) ist (RegBegr. BT-Drs. 19/9739, 78). Auch wenn AR-Mitglied erhebliche finanzielle oder geldwerte Leistungen erhält, wird Konflikt indiziert (RegBegr. BT-Drs. 19/9739, 78).

54 AR kann für Interessenkonflikt sprechende **Kriterien selbst präzisieren** und soll sich dabei etwa orientieren an EU-Kommissionsempfehlung v. 15.2.2005 (2005/162/EG; ausf. → § 100 Rn. 37) sowie an Kommissionsempfehlung v. 16.5.2002 (2002/590/EG) zur Unabhängigkeit des Abschlussprüfers (RegBegr. BT-Drs. 19/9739, 77). Ob diese Referenzpunkte auch iRd § 107 III 4–6 das Richtige treffen, ist angesichts abw. teleologischer Zielsetzungen aber zweifelhaft (DAV-HRA NZG 2019, 12 Rn. 49; Florstedt RPT Rn. 474 m. Fn. 87; S/L/J. Vetter § 111b Rn. 127; Löbbe FS Grunewald, 2021, 702 f.). Gerade an dieser Stelle zeigt sich bes. deutlich, dass Konfliktbegriff iRd § 107 III 6 und § 111b II **mit herkömmlichem aktienrechtl. Konfliktbegriff nicht identisch** ist (ausf. zum Folgenden J. Koch in Hommelhoff/Kley/Verse AR-Reform, 111, 116 f.).

In § 107 III 6 und § 111b II hat Gesetzgeber Begriff des Interessenkonflikts augenscheinlich mit Begriff der Unabhängigkeit gleichgesetzt, denen innerhalb des AktG bislang völlig unterschiedliche Bedeutung beigemessen wurde: Während AktG grds. keine Unabhängigkeit fordert (→ § 100 Rn. 36) und Abhängigkeit daher idR als unproblematisch ansieht, wird an Interessenkonflikt umfassendes – wenngleich in den Einzelheiten umstr. – Rechtsfolgenprogramm angeknüpft (vgl. etwa → § 93 Rn. 55 ff.; § 100 Rn. 10 ff.). Unterschied zwischen beiden Begriffen liegt namentl. in sog. **Konflikttoleranz** verborgen (→ § 108 Rn. 12; → § 116 Rn. 6 mwN). Bei Konflikten, die mit organtypischer Rollenerwartung grds. verbunden sind, ist Unabhängigkeit zwar nicht gegeben, aber es wird trotzdem kein Interessenkonflikt ausgelöst, der weitergehendes Rechtsfolgenprogramm nach sich zieht. Das gibt zum einen Anlass, Konfliktbegriff der § 107 III 6 und § 111b II keinesfalls vorschnell auf andere Konfliktlagen zu verallgemeinern (J. Koch in Hommelhoff/Kley/Verse AR-Reform, 111, 117 ff.; sa noch → Rn. 56). Zum anderen muss aber auch Konfliktbegriff innerhalb dieser Vorschriften eigenständig neu ausgeformt werden, was namentl. anhand Gesetzesmaterialien vollzogen werden kann. Danach genügt insbes. Wahl mit Stimmen eines Mehrheitsgesellschafters noch nicht, um diesen ggü. AR-Mitglied zu nahestehender Person zu machen (RegBegr. BT-Drs. 19/9739, 77 mw Ausführungen zum abw. Regelungsansatz ggü. §§ 311 ff.; MüKoAktG/Habersack Rn. 20; aA Grigoleit/Grigoleit/Tomasic Rn. 83). Bei der Wahl von Organmitgliedern (Doppelmandate → § 76 Rn. 136 f.; → § 100 Rn. 7) oder Angestellten der Muttergesellschaft wird Besorgnis eines Konflikts aber idR anzunehmen sein (vgl. zum Ersten Florstedt RPT Rn. 479; Hommelhoff FS Windbichler, 2020, 759, 762 f.; zum Zweiten Schmelzeisen/Lüneborg/Balke AG 2022, 297 Rn. 42; Tarde NZG 2019, 488, 492; weiter differenzierend Löbbe FS Grunewald, 2021, 689, 703 ff.; Fallgruppenbildung auch bei Schmelzeisen/Lüneborg/Balke AG 2022, 297 Rn. 39 ff.).

AR muss versuchen, mögliche Interessenkonflikte zu identifizieren. Zu diesem 55
Zweck muss er Beziehungen zwar nicht ausforschen, darf sich aber offensichtlichen Anhaltspunkten nicht verschließen (RegBegr. BT-Drs. 19/9739, 77). Einzelne AR-Mitglieder sind aus Treupflicht **zur Offenlegung verpflichtet** (RegBegr. BT-Drs. 19/9739, 77). Wird Konflikt durch finanzielle oder persönliche Interessen indiziert, darf AR darüber nicht hinweggehen, solange nicht gute Gegengründe für Neutralität sprechen (RegBegr. BT-Drs. 19/9739, 77). Letztentscheidend ist stets Einzelfallbetrachtung (RegBegr. BT-Drs. 19/9739, 77). Dadurch naheliegender **Gefahr einer Fehleinschätzung** ist nach den in → § 93 Rn. 84 skizzierten Grundsätzen zum Rechtsirrtum bei schwach konturierten rechtl. Vorgaben entgegenzuwirken. Nur wenn fehlerhafte Einschätzung der AR-Mitglieder auch an diesem großzügigen Maßstab als schuldhaft anzusehen ist, kommt in RegBegr. BT-Drs. 19/9739, 78 angesprochene Haftung nach § 116 S. 1, § 93 II in Betracht.

Da § 107 III 4 konfliktbelastete Entscheidung ausdr. gestattet, ist für **Beschlussfassung des Ausschusses** – abw. von allg. Grundsätzen (→ § 108 56
Rn. 14) – Ausschluss der befangenen Mitglieder durch unbefangene Mitglieder nicht zulässig (insofern zutr. Verse FS Hopt, 2020, 1335, 1354 f.). Noch ungeklärt ist, inwiefern diese Duldung Auswirkung auf **Anwendung der BJR** für andere AR-Mitglieder hat (vgl. zu diesen Infizierungsfragen → § 93 Rn. 56 ff.). Wenn man davon ausgeht, dass Organmitglieder stets Anspruch haben, Entscheidung im safe harbour der BJR fassen zu dürfen (Verse FS Hopt, 2020, 1335, 1355), kann Anwendung des § 93 I 2 angezeigt sein, wenn Ausschluss nicht möglich ist (folgerichtig Verse FS Hopt, 2020, 1335, 1354 ff.). Dass solcher Anspruch besteht, ist allerdings keine Selbstverständlichkeit. § 107 III 6 ist jedenfalls kein Anlass, -**generelle Konfliktdogmatik** im Lichte dieser Regelung neu zu definieren

(wie hier Harnos, Gerichtliche Kontrolldichte, 2021, 323 Fn. 243 und 495 ff.; M. Meyer, Interessenkonflikte im AR, 2021, 246 ff.; bedenklich weitgehend Verse FS Hopt, 2020, 1335, 1360 f., der selbst für konfliktbefangene Mitglieder auch außerhalb des § 107 III 6 Anwendung der BJR teilweise gestatten will). Gerade im Bereich europarechtl. aufgezwungenen Rechts (zu diesem Begriff im Kontext der §§ 111a ff. J. Vetter FS Hopt, 2020, 1383 ff.) ist solcher Ausstrahlungswirkung mit bes. Vorsicht zu begegnen. Berücksichtigt man überdies, dass § 107 III 6, § 111b II anderer Konfliktbegriff zugrunde liegt als § 93 I 2 (→ Rn. 54), kommt Wertungstransfer nicht in Betracht (gegen Verallgemeinerung auch MüKoAktG/Habersack § 116 Rn. 42; Grigoleit/Tomasic § 108 Rn. 28; Geiger AG 2023, 880 Rn. 8; Meyer, Interessenkonflikte im AR, 2021, 251 f.).

57 **d) Reaktionsmöglichkeiten des AR in Konfliktlagen.** Speziell bei ständigem Ausschuss sind mögliche Konfliktlagen bei Ausschussbildung nicht abzusehen, so dass uU ad hoc nachzujustieren ist oder Gesamt-AR Aufgabe an sich zu ziehen hat (RegBegr. BT-Drs. 19/9739, 76). Auch Bestellung von **Ersatzmitgliedern** ist denkbar; über ihr Nachrücken entscheidet Gesamt-AR (RegBegr. BT-Drs. 19/9739, 76; Schmelzeisen/Lüneborg/Balke AG 2022, 297 Rn. 55). Ohne solche Vorkehrungen kann ordnungsgem. Beschluss nicht gefasst werden. Wenn Ausschuss zwar ordnungsgem. besetzt ist, in **konkreter Beschlusssituation** (zB aufgrund krankheitsbedingter Abwesenheit) Mehrheit unbeeinflusster Mitglieder aber nicht gewährleistet ist, sollte gremienintern Lösung gefunden werden, die gesetzeskonforme Mehrheit wiederherstellt (zB durch freiwillige Stimmenthaltung – vgl. Markworth AG 2020, 166 Rn. 22). Ges. bietet dagegen keine Handhabe gegen Konstellationen, in denen unbefangene Mitglieder uneinheitlich abstimmen und dadurch konfliktbehafteten Mitgliedern zur Mehrheit verhilft (zutr. Lieder/Wernert DB 2020, 882, 888; Löbbe FS Grunewald, 2021, 689, 695; Verse FS Hopt, 2020, 1335, 1342 f.; aA S/L/Drygala Rn. 91; Hirte/Heidel/Heidel/Illner Rn. 6; Tarde NZG 2019, 488, 493: Beschluss muss auch von Mehrheit unbeeinflusster Mitglieder getragen werden). Das mag in der Sache nicht unproblematisch sein, doch werden gewisse Konfliktsituationen vom Ges. augenscheinlich in Kauf genommen.

58 **5. Grenzen delegierter Beschlussfassung (§ 107 III 7). a) Allgemeines.** § 107 III 7 behält bestimmte Kernkompetenzen zwingend dem AR-Plenum vor. In diesen Fällen kann Ausschuss zwar **vorbereitend tätig** werden, Entscheidung aber nicht selbst treffen. Als wichtigste Fälle sind Wahl des AR-Vorsitzenden und seines Stellvertreters (§ 107 I 1), Bestellung und Abberufung von Vorstandsmitgliedern (§ 84 I, III; Nachw. → § 84 Rn. 5; nach Ergänzung durch FüPoG II einschließlich Entscheidung über Mandatspause nach § 84 III → § 84 Rn. 33 ff.), Erlass einer Geschäftsordnung für Vorstand (§ 77 II 1), Prüfung des Jahresabschlusses und Lageberichts (§ 171 I); zur Festlegung des Vergütungssystems → Rn. 59. Unter Wahl des AR-Vorsitzenden fällt, obwohl vom Ges. nicht hervorgehoben, auch dessen Abberufung (allgM, s. zB MüKoAktG/Habersack Rn. 136 f.). Auch Festlegung von zustimmungspflichtigen Geschäften (§ 111 IV 2) ist nicht delegierbar, Entscheidung über Erteilung der Zustimmung aber schon (BGH AG 1991, 398; OLG Hamburg AG 1996, 84 f.; OLG München AG 1995, 466, 467). Daneben sind auch **ungeschriebene Delegationsverbote** anerkannt: Allg. Überwachungspflicht, Entscheidungen über innere Ordnung und Arbeitsweise des AR, Abgabe der Entsprechenserklärung nach § 161 können nicht an Ausschuss delegiert werden (Marsch-Barner/Schäfer/E. Vetter Rn. 29.9 ff.). Im Übrigen ist Ausschuss insofern beschränkt, als er nicht vorpreschen und das Plenum bzgl. Bestellung oder Abberufung präjudizieren darf, indem er im Vorfeld über Abschluss bzw. Kündigung von Anstellungsverträgen entscheidet (BGHZ 79, 38, 40 ff. = NJW 1981, 757; sa BGHZ 32, 114, 122 = NJW 1960,

1006; BGH WM 1968, 1328; BGHZ 60, 333 = NJW 1973, 1122). Allg. Grundsatz, dass alle wesentlichen Entscheidungen Gesamt-AR vorbehalten sind, ist aber nicht anzuerkennen (OLG Stuttgart AG 2019, 527, 531). Nicht vom Delegationsverbot erfasst sind Beauftragung des Prüfers nach § 111 II 3 und Unterbreitung eines Wahlvorschlags nach § 124 III 1 (beides aber str.; → § 111 Rn. 44; → § 124 Rn. 30).

b) Insbes.: Vergütungsentscheidungen. Entscheidung über Personalangelegenheiten der Vorstandsmitglieder wird in der Praxis verbreitet auf **Personalausschuss** übertragen, was namentl. unter Vertraulichkeitsgesichtspunkten (→ Rn. 24) oft geboten erscheint (Fonk FS Hoffmann-Becking, 2013, 347, 348). Nach Ergänzung des § 107 III 7 um § 87 I und II 1, 2 durch VorstAG 2009 ist dem Plenum nunmehr aber auch Aufgabenbereich des § 87 I zugewiesen, schwerpunktmäßig also die **Festsetzung der Gesamtbezüge** des einzelnen Vorstandsmitglieds iSd Klammerdefinition (nicht auch: die Ausgestaltung einzelner Klammerelemente) sowie die Festlegung einer Vergütungsstruktur, ebenso die **Herabsetzung** der den Vorstandsmitgliedern zustehenden Bezüge und Versorgungsleistungen nach § 87 II 1, 2. Auch insofern gilt Plenarvorbehalt aber nicht für Vorbereitung, weshalb dem Ausschuss überlassen bleiben kann, beschlussreife Vorlagen zu verabschieden (Seibert WM 2009, 1489, 1491). Das relativiert Gesichtspunkte der Praktikabilität, die gegen neue Plenarzuständigkeit angeführt wurden (DAV-HRA NZG 2009, 612 Rn. 23; Hohenstatt ZIP 2009, 1349, 1355). Auch für Ausschuss erweist sich diese vorbereitende Aufgabe aufgrund ständig anwachsenden Regelungsgeflechts zur Vorstandsvergütung zunehmend als Herausforderung. Durch diese Neufassung wurde **Kompetenz des Personalausschusses** wesentlich beschnitten, doch bleiben ihm auch weiterhin wichtige Befugnisse. Deren Abgrenzung ggü. Vergütungsentscheidung kann aber oft Probleme aufwerfen, und zwar namentl. auch deshalb, weil Ausschuss Plenarentscheidung nicht präjudizieren darf (zu den Einzelheiten s. Fonk FS Hoffmann-Becking, 2013, 347 ff.). Einzelentscheidungen über bloße Nebenaspekte (Dienstwohnung oder -wagen, Anrechnung konzerninterner oder -externer AR-Vergütungen usw) sollten durch entspr. Ordnungen oder Grundsatzbeschlüsse vermieden werden. IÜ, also außerhalb des allerdings zentralen Vergütungsthemas, kann Beschluss über **Anstellungsvertrag,** dessen Änderung oder Kündigung auch weiterhin Personalausschuss überantwortet werden (Habersack ZHR 174 [2010], 2, 10; Seibert WM 2009, 1489, 1491; aA Beuthien NZG 2010, 333, 334), ebenso Entscheidung über **Kreditgewährung** nach § 89 I (BGH AG 1991, 398). Wenn Anstellung vom Ausschuss beschlossen wird, muss er Entscheidung über Vergütung unter Gremienvorbehalt stellen. Als zulässig ist es aber auch anzusehen, dass Plenum für Anstellung durch Ausschuss Vorratsbeschluss über Vergütung fasst (ähnlich Seibert WM 2009, 1489, 1491). 59

6. Arbeitsweise. Ges. Regelung ist rudimentär (→ Rn. 1 f.) und deshalb im Wesentlichen durch **Anlehnung an Regeln für Gesamt-AR** aufzufüllen. Als Ausfluss der Organisationsautonomie ist präzisierende Regelung in AR-Geschäftsordnung oder Einsetzungsbeschluss aber zulässig und sinnvoll (zur Koordinierung der AR-Arbeit bei überschneidenden Aufgabenzuweisungen Plagemann NZG 2014, 1404 ff.). Ausschuss kann sich auch eigene Geschäftsordnung geben. Auch Satzung kann Arbeitsweise von Ausschüssen regeln, soweit nicht in Autonomie des AR eingegriffen wird (dazu BGHZ 83, 106, 118 = NJW 1982, 1525). Danach kann jedenfalls nicht bestimmt werden, dass AR-Vorsitzender geborener Ausschussvorsitzender ist, auch nicht, dass Ausschüsse überhaupt einen Vorsitzenden haben müssen (str., s. BeckOGK/Spindler Rn. 119; MHdB AG/Hoffmann-Becking § 32 Rn. 53; Rellermeyer, Aufsichtsratsausschüsse, 1986, 163 f.; Säcker, Aufsichtsratsausschüsse, 1979, 60 f.; aA Lehmann DB 1979, 2117, 60

2121). IÜ ist jedenfalls § 108 II 3 sinngem. anzuwenden, so dass beschließende Ausschüsse nur bei Anwesenheit von wenigstens drei Mitgliedern tätig werden können. **Beschlussfassung** erfolgt wie im Plenum (→ § 108 Rn. 4), also keinesfalls stillschweigend (BGH NJW 1989, 1928, 1929; Rellermeyer ZGR 1993, 77, 100) und mit einfacher Mehrheit. Schriftliche Stimmabgabe ist zulässig (§ 108 III), ebenso Beschlussfassung ohne Sitzung, wenn kein AR-Mitglied widerspricht (§ 108 IV). Zur Teilnahmeberechtigung bei Sitzungen → § 109 Rn. 2, 6. **Ausschussvorsitzender** ist ges. nicht vorgeschrieben, aber zweckmäßig und üblich (MüKoAktG/Habersack Rn. 122). Wahl erfolgt durch AR-Plenum, das sie aber auch dem Ausschuss selbst überlassen kann, der Vorsitzenden dann aus seiner Mitte wählt (KK-AktG/Mertens/Cahn Rn. 120). Hat Ausschuss einen **Vorsitzenden,** so hat dieser die üblichen sitzungsleitenden Befugnisse, bes. das Recht zur Einberufung. Hat er keinen Vorsitzenden (wenig ratsam, aber nicht unzulässig, wie manche meinen, vgl. MHdB AG/Hoffmann-Becking § 32 Rn. 53), so ist jedes Mitglied zur Einberufung berechtigt und das Protokoll von allen zu unterschreiben (GK-AktG/Hopt/Roth Rn. 452). Zum Zweitstimmrecht des Vorsitzenden → Rn. 63. Um **Informationsgrundlage für Ausschussarbeit** zu schaffen, kann Ausschuss entspr. § 90 III 1 auch Berichtsanspruch ggü. Vorstand geltend machen; einzelnem Mitglied steht dieses Recht nur unter Voraussetzungen des § 90 III 2 zu (MüKoAktG/Habersack Rn. 160). Einsichts- und Prüfungsrecht nach § 111 II 1 steht Ausschuss nicht zu, doch ist Übertragung durch Gesamt-AR zulässig (MüKoAktG/Habersack Rn. 160).

61 **7. Mitbestimmungsrechtliche Besonderheiten. a) Vermittlungsausschuss.** § 27 III MitbestG schreibt zwingend sog Vermittlungsausschuss vor, dem der AR-Vorsitzende, sein (erster) Stellvertreter sowie je ein AR-Mitglied der Aktionäre und der AN angehören; AN-Vertreter werden in ihren Gruppen mit einfacher Stimmenmehrheit gewählt. **Alleinige Aufgabe** des Vermittlungsausschusses folgt aus § 31 III 1 und V MitbestG. Er muss dem AR-Plenum also **Personalvorschläge** unterbreiten, wenn für Bestellung oder Abberufung von Vorstandsmitgliedern nach § 31 II und V MitbestG grds. erforderliche Zweidrittelmehrheit nicht erreicht worden ist. Das ist in der Praxis allerdings nur äußerst selten der Fall, weshalb dieser Ausschuss kaum je zum Einsatz kommt (Backhaus/Tielmann AR/Mutter/Werner Rn. 269; Ghassemi-Tabar/Simons DCGK D.2 Rn. 1). Nach zu Recht ganz hM kann Vermittlungsvorschlag nur beschlossen werden, wenn alle vier Ausschussmitglieder anwesend sind, da Zweck der paritätischen Vermittlung sonst verfehlt würde (MüKoAktG/Habersack Rn. 114; MHdB AG/Hoffmann-Becking § 32 Rn. 39; aA noch Rittner FS Rob. Fischer, 1979, 627, 631). Die im Ausschuss unterlegene Seite mag anderen Vorschlag als Vermittlungsvorschlag zur Abstimmung stellen (§ 31 III 1 Hs. 2 MitbestG). Dem AR-Vorsitzenden steht im Vermittlungsausschuss kein Zweitstimmrecht zu (allgM, s. BGHZ 83, 144, 147 f. = NJW 1982, 1528; Habersack/Henssler/Habersack MitbestG § 27 Rn. 24). **Unvollständige Besetzung** des Vermittlungsausschusses (Wahl in der einen oder der anderen Gruppe scheitert oder der Gewählte scheidet aus, ohne dass Nachwahl zustande kommt) rechtfertigt nach zutr. hM keine gerichtl. Notbestellung analog § 104 II, weil AR Verfahren des § 31 MitbestG auch ohne Vorschlag fortführen kann (KK-AktG/Mertens/Cahn MitbestG § 27 Rn. 16 aE; BeckOGK/Spindler Rn. 146; Habersack/Henssler/Habersack MitbestG § 27 Rn. 22, 24; aA Rittner FS Rob. Fischer, 1979, 627, 632 f.).

62 **b) Andere Ausschüsse.** Über Einrichtung und Besetzung von anderen Ausschüssen entscheidet AR autonom; er kann insoweit also nicht an Satzung oder HV-Beschluss gebunden werden (→ Rn. 24). Die Geschäftsordnung des AR kann jedoch Besetzungsregeln enthalten. Dabei müssen sachwidrige Differenzie-

rungen nach Gruppenzugehörigkeit der AR-Mitglieder (Aktionäre oder AN) unterbleiben (OLG Hamburg WM 1982, 1090, 1092; sa LG Passau AG 1994, 428). Es gibt jedoch kein **Paritätsgebot,** nach dem Parität des Plenums in den Ausschüssen abgebildet werden müsste; vielmehr darf nach Aufgabe des Ausschusses und Befähigung der in Betracht kommenden Personen differenziert werden (BGHZ 122, 342, 355 ff. mwN = NJW 1993, 2307; OLG München AG 1995, 466, 467; Habersack/Henssler/Habersack MitbestG § 25 Rn. 126 f.; Brandes WM 1994, 2177, 2182; enger Canaris DB-Beil. 14/1981, 15; Mertens AG 1981, 113, 131 [nur Missbrauchsverbot]; Zöllner AG 1981, 13, 15; Säcker, Aufsichtsratsausschüsse, 1979, 56 ff. [Zweidrittelmehrheit analog § 27 MitbestG]). Paritätische Besetzung sollte daher als Zielvorstellung verstanden werden, von der bei **Vorliegen von Sachgründen** abgewichen werden kann (Habersack/Henssler/Habersack § 25 MitbestG Rn. 127 f. mwN zu zT unterschiedlichen Akzentsetzungen in Lit.). Sofern an AR-Ausschuss **kein AN-Vertreter** beteiligt ist, wird diskriminierende Auswahlentscheidung vermutet, die aber durch erhebliche sachliche Gründe widerlegt werden kann (so Habersack/Henssler/Habersack § 25 MitbestG Rn. 127 f. in zutr. gedanklicher Fortsetzung von BGHZ 122, 342, 357 ff.). Namentl. für Ausschüsse mit mitbestimmungsfernen Aufgaben ist es nach diesem Maßstab denkbar, ohne Repräsentanz der AN-Seite auszukommen (Habersack/Henssler/Habersack MitbestG § 25 Rn. 127b). Jedenfalls im Personalausschuss des AR muss AN-Seite aber in aller Regel vertreten sein (BGHZ 122, 342, 358 f.); tats. verbreitete paritätische Besetzung ist aber auch insoweit nicht zwingend. Einzelheiten zum Diskriminierungsverbot bei Oetker ZGR 2000, 19, 52 ff.

Zweitstimmrecht des Ausschussvorsitzenden. Dem jeweiligen Ausschuss- 63
vorsitzenden kann nach ganz hM ein Zweitstimmrecht für Beschlüsse des Ausschusses zustehen. Das gilt auch dann, wenn er nicht zugleich AR-Vorsitzender ist (vgl. BGHZ 83, 106, 117 = NJW 1982, 1525; BGHZ 83, 144, 147 ff. = NJW 1982, 1528; OLG München NJW 1981, 2201, 2202 f.; aus dem Schrifttum statt vieler Habersack/Henssler/Habersack MitbestG § 25 Rn. 136). Das Zweitstimmrecht kann nicht nur durch den AR im Wege der Geschäftsordnung, sondern auch durch HV im Wege der §§ 179 ff. in die Satzung eingeführt werden; Autonomie des AR (→ Rn. 24) steht nicht entgegen (hM, s. BGHZ 83, 106, 118 f.; OLG München NJW 1981, 2201, 2202 f.; aA etwa Geitner AG 1982, 212, 215 f. mwN in Fn. 18 f.).

8. Bericht an das Plenum. Nach § 107 III 8 ist dem AR regelmäßig über 64
Arbeit seiner Ausschüsse zu berichten. Berichtspflicht soll dem Umstand Rechnung tragen, dass effiziente Arbeit größerer AR ohne Ausschüsse kaum möglich ist, daraus aber auch Informationsdefizite des Plenums resultieren können, das weiterhin zur sorgfältigen Überwachung verpflichtet bleibt (RegBegr. BT-Drs. 14/8769, 16; nähere Darstellung bei Schwark in Corporate Governance [ZHR-Beiheft 71 (2002)], 75, 110 ff.; E. Vetter FS Grunewald, 2021, 1175, 1179 ff.). Insbes. bei rein vorbereitenden Ausschüssen (→ Rn. 58) ist umfassende Information von großer Bedeutung, da nur auf diese Weise sachgerechte Beurteilungsgrundlage des Plenums gesichert ist. Das ist nicht nur für Qualität der Entscheidung von Bedeutung, sondern auch für persönliche Haftung der AR-Mitglieder, da BJR gem. § 93 I 2 nicht greift, wenn Entscheidung nicht auf obj. angemessener Informationsgrundlage beruht (→ § 93 Rn. 42 ff.; E. Vetter FS Grunewald, 2021, 1175, 1193 f.). Ges. Regelung entspr. schon bisher geübter guter Praxis (Bosse DB 2002, 1592, 1593). Dem Gebot regelmäßiger Berichterstattung wird am besten dadurch Rechnung getragen, dass Arbeit der Ausschüsse zum **Routinepunkt** der Tagesordnung ordentlicher AR-Sitzungen wird (RegBegr. BT-Drs. 14/8769, 16). Unnötiger Aufwand ist zu vermeiden. Deshalb genügt knap-

per Ergebnisbericht (RegBegr. BT-Drs. 14/8769, 16) ohne Preisgabe vertraulicher Details, namentl. aus Arbeit des für Vorstandsangelegenheiten zuständigen Ausschusses (DAV-HRA NZG 2002, 115, 116). AR kann aber weitere Informationen verlangen, ohne dass sich Ausschussmitglieder nach §§ 116, 93 I 3 auf Geheimhaltung berufen dürfen (MüKoAktG/Habersack Rn. 159); einzelnen AR-Mitgliedern steht Informationsrecht aber nicht zu. Bericht kann **mündlich** erstattet werden, doch wird bei komplexeren Fragen idR schriftliche Berichterstattung jedenfalls zweckmäßig (nicht unbedingt aber auch rechtl. erforderlich) sein (E. Vetter FS Grunewald, 2021, 1175, 1181 f.). Berichtspflichtig sind die einzelnen Ausschussmitglieder, für die aber idR Ausschussvorsitzender spricht. Wenn Vorsitzender des AR und des Ausschusses identisch sind, kann auch anderes Ausschussmitglied berichten, wenn AR-Vorsitzender das für sinnvoll hält. Ausschuss muss zum Berichtsinhalt keine Beschlüsse fassen. Stellt sich im Plenum heraus, dass über Ergebnisse der Ausschusssitzung divergierende Vorstellungen bestehen und können diese nicht unmittelbar ausgeräumt werden, muss Ausschuss nochmals tätig werden (einschr. BeckOGK/Spindler Rn. 129: nur auf Verlangen des Plenums).

V. Geschäftsordnungen

65 **1. Zulässigkeit; Kompetenz; Erlass.** Ges. regelt Geschäftsordnung des AR nicht, setzt sie aber als zulässig voraus (§ 82 II); entspr. Empfehlung enthält D.1 DCGK. Geschäftsordnung ist wesentliches Instrument der **Selbstorganisation des AR** und liegt folglich in seiner Zuständigkeit. Geschäftsordnung wird erlassen, indem AR sie beschließt (§ 108 I), und zwar mit einfacher Stimmenmehrheit. § 77 II 3 ist nicht analog anzuwenden (MüKoAktG/Habersack Rn. 212), weil Norm dem Gesamtprinzip des § 77 I 1 entspr. (→ § 77 Rn. 6, 19), das für AR nicht gilt. AR bedarf für den Erlass einer Geschäftsordnung keiner Ermächtigung durch die Satzung (Heim AG 1972, 229). Umgekehrt kann Satzung zwar Fragen der Geschäftsordnung regeln, aber nicht als solche eine vollständige Geschäftsordnung erlassen. Autonomie des AR bes. bzgl. seiner Ausschüsse (→ Rn. 24) muss gewahrt bleiben (MHdB AG/Hoffmann-Becking § 31 Rn. 2). Soweit danach Satzungsregelung zulässig ist, geht sie als höherrangige Verhaltensnorm der Geschäftsordnung vor (BGHZ 64, 325, 327 f. = NJW 1975, 1412). Grds. Kompetenzverschiebung zugunsten des AR hat sich auch durch Mitbestimmungsrecht nicht ergeben (→ Rn. 2). **Veröffentlichung** ist ges. nicht gefordert, war in der Praxis auch unüblich, wird jetzt aber in D.1 DCGK auf Internetseite empfohlen (Ghassemi-Tabar/Simons DCGK D.1 Rn. 2, 11 ff.).

66 **2. Geltungsdauer.** Geschäftsordnung des AR bleibt in Kraft, bis AR sie durch neuerlichen Mehrheitsbeschluss aufhebt oder ändert (BeckOGK/Spindler Rn. 17). Soweit Regelung durch Satzung erfolgen kann (→ Rn. 65), wird Geschäftsordnung auch durch nachfolgende Satzungsbestimmung verdrängt. Dagegen **endet** Geltung **nicht mit Ablauf der Amtsperiode** (OLG Hamburg WM 1982, 1090, 1092; MüKoAktG/Habersack Rn. 213; Ghassemi-Tabar/Simons DCGK D.1 Rn. 8; Hoffmann-Becking ZGR 1998, 497, 500; aA zB Säcker DB 1977, 2031, 2035 f.). Bestätigungsbeschluss des neuen AR ist daher unschädlich, aber entbehrlich. AR kann eigene Geschäftsordnung im Einzelfall durch Mehrheitsbeschluss durchbrechen. Mit dieser Maßgabe tritt also keine Selbstbindung ein, weil Geschäftsordnungs-Beschluss keinen höheren Rang hat als andere Beschlüsse des AR (MHdB AG/Hoffmann-Becking § 31 Rn. 4).

67 **3. Inhalt.** Geschäftsordnung kann diejenigen Fragen regeln, die nicht ges. vornormiert (→ Rn. 2) und nicht in zulässiger Weise vom Satzungsgeber geordnet worden sind (→ Rn. 65). In Betracht kommen vor allem Regeln über die

Sitzungseinladung, die Bek. der Tagesordnung und zugehörige Fristen; Teilnahmeberechtigung; Abstimmungsmodalitäten; Einsetzung, Besetzung und Arbeitsweise von Ausschüssen (→ Rn. 24 ff.); Zweitstimmrecht des Ausschussvorsitzenden (→ Rn. 65); erläuternde Hinweise zur Verschwiegenheitspflicht (BGHZ 64, 325, 328 = NJW 1975, 1412; → § 116 Rn. 9 f.); Verhandlungssprache, sofern abw. vom Regelfall der Deutschsprachigkeit (Backhaus FS 10 Jahre Österberg, 2018, 93, 104). Abdruck von Mustern bei Happ/E. Vetter AktienR 9.01 und 9.02; BeckFormB/Hoffmann-Becking X.17 und 18.

Beschlußfassung des Aufsichtsrats

108 (1) **Der Aufsichtsrat entscheidet durch Beschluß.**

(2) [1]**Die Beschlußfähigkeit des Aufsichtsrats kann, soweit sie nicht gesetzlich geregelt ist, durch die Satzung bestimmt werden.** [2]**Ist sie weder gesetzlich noch durch die Satzung geregelt, so ist der Aufsichtsrat nur beschlußfähig, wenn mindestens die Hälfte der Mitglieder, aus denen er nach Gesetz oder Satzung insgesamt zu bestehen hat, an der Beschlußfassung teilnimmt.** [3]**In jedem Fall müssen mindestens drei Mitglieder an der Beschlußfassung teilnehmen.** [4]**Der Beschlußfähigkeit steht nicht entgegen, daß dem Aufsichtsrat weniger Mitglieder als die durch Gesetz oder Satzung festgesetzte Zahl angehören, auch wenn das für seine Zusammensetzung maßgebende zahlenmäßige Verhältnis nicht gewahrt ist.**

(3) [1]**Abwesende Aufsichtsratsmitglieder können dadurch an der Beschlußfassung des Aufsichtsrats und seiner Ausschüsse teilnehmen, daß sie schriftliche Stimmabgaben überreichen lassen.** [2]**Die schriftlichen Stimmabgaben können durch andere Aufsichtsratsmitglieder überreicht werden.** [3]**Sie können auch durch Personen, die nicht dem Aufsichtsrat angehören, übergeben werden, wenn diese nach § 109 Abs. 3 zur Teilnahme an der Sitzung berechtigt sind.**

(4) **Schriftliche, fernmündliche oder andere vergleichbare Formen der Beschlussfassung des Aufsichtsrats und seiner Ausschüsse sind vorbehaltlich einer näheren Regelung durch die Satzung oder eine Geschäftsordnung des Aufsichtsrats nur zulässig, wenn kein Mitglied diesem Verfahren widerspricht.**

Übersicht

I. Regelungsgegenstand und -zweck

1 Norm fasst verschiedene Regeln über Beschlussfassung im AR zusammen. § 108 I enthält Grundsatz, dass AR durch Beschluss entscheidet. Gemeint ist **ausdr. Beschlussfassung,** bezweckt daraus folgende Rechtsklarheit, mit der insbes. eine stillschweigende Zustimmung zu Vorstandsmaßnahmen nicht vereinbar wäre (RegBegr. Kropff S. 151 f.). Vorschriften zur **Beschlussfähigkeit** (§ 108 II) gehen auf Ges. v. 15.7.1957 (BGBl. 1957 I 714) zurück, mit dem Zweifelsfragen zum mitbestimmten AR iSd BetrVG 1952 ausgeräumt wurden (s. Auffarth NJW 1957, 1702). Der in § 108 III zugelassene **Stimmbote** schafft gewissen Ausgleich für Unzulässigkeit von stellvertretenden AR-Mitgliedern (→ § 101 Rn. 1, 13; RegBegr. Kropff S. 152). Schließlich bezweckt § 108 IV, Beschlussfassung unter **Einsatz moderner Nachrichtenübermittlung** zu erleichtern, indem Beschlüsse ohne Sitzung grds. zugelassen werden (RegBegr. Kropff S. 152). Norm ist durch NaStraG 2001 neu gefasst, um Beschlüsse ohne Sitzung weitergehend zu ermöglichen, als das nach dem Stand von 1965 geraten schien (→ Rn. 21 ff.).

II. Entscheidung durch Beschluss (§ 108 I)

2 **1. Entscheidung.** Beschlusserfordernis des § 108 I bezieht sich auf Entscheidungen des AR. Um eine Entscheidung handelt es sich stets, wenn ein **Organwille** gebildet werden muss, so bei Abgabe von Willenserklärungen für die AG (vgl. zB § 112), bei Abgabe von sonstigen dem AR als Organ aufgegebenen Erklärungen (vgl. zB § 59 III, § 88 I, § 89 II und V) und auch dann, wenn ein AR-Mitglied das Kollegium durch seinen Antrag zur Entscheidung zwingt. Über Anträge kann nur durch Beschluss entschieden werden, auch wenn sie nur eine Vor- oder Teilfrage der endgültig zu ergreifenden Maßnahme betreffen. Wie innere Ordnung des AR insges. (→ § 107 Rn. 1), so ist auch **Beschlussverfahren** durch § 108 nur rudimentär geregelt. Das gilt namentl. für seine Vorbereitung (vgl. zur Einberufung aber § 110 und → § 110 Rn. 2 ff.). GS 13 DCGK referiert offene Diskussion zwischen Vorstand und AR sowie innerhalb der Leitungsorgane als geltendes Recht (skeptisch Ghassemi-Tabar/Simons DCGK GS 13 Rn. 17: allenfalls ein von einer gehörigen Portion Idealismus unterfütterter appellativer Programmsatz). Bisherige Anregung, für mitbestimmten AR **Gruppenvorgespräche** unter Mitwirkung von Vorstandsmitgliedern zu führen, wurde mit Kodex-Neuregelung 2020 gestrichen, dürfte allerdings bei Zusammensetzung von Gremien nach Status- oder Interessengruppen auch künftig praktisch unvermeidlich sein (ausf. dazu Wittgens/Vollertsen AG 2015, 261 ff.; krit. unter Gesichtspunkten der Corporate Governance E. Vetter FS Hüffer, 2010, 1017, 1021 ff.). Aufsichtsratsfremde Dritte sind von Gruppenvorgesprächen nicht per se ausgeschlossen, doch wird ihre Teilnahme idR an Verschwiegenheitspflicht nach § 116 S. 2 scheitern. Ausnahmen gelten für Personen, die auch an Plenumssitzungen teilnehmen dürften: Vorstand (→ § 109 Rn. 3), Sachverständige und Auskunftspersonen (→ § 109 Rn. 5), technische Hilfskräfte (→ § 109 Rn. 5).

Teilnahmepflicht des Vorstands kann aber auch über § 93 I nicht konstruiert werden (aA Wittgens/Vollertsen AG 2015, 261, 265).

2. Beschluss. a) Begriff und Rechtsnatur. Beschluss ist Bildung des Organwillens durch Abstimmung über Antrag (ebenso Jürgenmeyer ZGR 2007, 112, 114). Ergebnis der Willensbildung ist **mehrseitiges, aber nicht vertragliches Rechtsgeschäft eigener Art.** Um Rechtsgeschäft handelt es sich, weil Beteiligte den AR als Organ angehende Frage verbindlich regeln wollen. Mehrseitigkeit ergibt sich aus Zahl der Stimmabgaben. Vertrag liegt nicht vor, weil Stimmabgaben nicht auf Konsens durch korrespondierende Willenserklärungen abzielen; vielmehr entscheidet die Mehrheit. In diesen Grundsätzen liegt Abkehr von früher vertretener sog Sozialaktstheorie. Sie sind für Gesellschafterbeschlüsse einschließlich des HV-Beschlusses heute ganz weitgehend anerkannt (→ § 133 Rn. 3 f.). Für AR-Beschlüsse gilt grds. dasselbe, wenngleich Begriff und Rechtsnatur insoweit noch keine den Gesellschafterbeschlüssen vergleichbare Durchdringung erfahren haben. Ausdr. für rechtsgeschäftlichen Charakter von AR-Beschlüssen Axhausen, Anfechtbarkeit aktienrechtlicher AR-Beschlüsse, 1986, 11 f. 3

b) Ausdrückliche Beschlussfassung. AR muss seine Beschlüsse ausdr. fassen. Stillschweigende oder konkludente Zustimmung oder Meinungsäußerung des AR ist tats. möglich, hat aber nicht die Rechtswirkung eines Beschlusses; Rechtslage ist so, wie wenn kein Beschluss gefasst worden wäre, weil die wesentlichen Modalitäten der Beschlussfassung (Beschlussfähigkeit, Stimmenverhältnisse) bei nur konkludentem Handeln nicht festgestellt werden können (allgM, s. nur BGHZ 10, 187, 194 = NJW 1953, 1465; BGHZ 41, 282, 286 = NJW 1964, 1367; BGH NJW 1989, 1928, 1929; AG 2010, 632 Rn. 14; RegBegr. Kropff S. 151; Baums ZGR 1983, 300, 334 ff.). Dass es in dieser Frage ausgerechnet bei **Bestellung und Anstellung von Vorstandsmitgliedern** immer wieder zu Fehlern kommt, ist schlicht unverständlich. Möglich bleibt wegen Auslegungsfähigkeit von AR-Beschlüssen, dass ein ausdr. gefasster Beschluss eine den Wortlaut übersteigende Erklärungsbedeutung hat (BGH NJW 1989, 1928, 1929; BGHZ 207, 190 Rn. 28 = NJW 2016, 1236; LG München I NZG 2009, 143, 144 f.). Doch ist auch bei solcher Auslegung eher Zurückhaltung geboten. 4

c) Geheime Abstimmung. Zulässigkeit geheimer Abstimmung im AR ist nach heute ganz hM zu bejahen, um eine von „Fraktionszwängen" unbeeinflusste persönliche Entscheidung zu ermöglichen (S/L/Drygala Rn. 21; MüKoAktG/Habersack Rn. 18; MHdB AG/Hoffmann-Becking § 31 Rn. 59; Lutter/Krieger/Verse AR Rn. 723; Breidenich, Organisation der AR-Arbeit, 2020, 164 ff.; Peus, Der Aufsichtsratsvorsitzende, 1983, 120 ff. U. H. Schneider FS Rob. Fischer, 1979, 727, 734 ff.; Ulmer AG 1982, 300, 301 ff.; aA bes. KK-AktG/Mertens/Cahn Rn. 52; BeckOGK/Spindler Rn. 22). Gegenmeinung überzeugt nicht, auch nicht mit ihrem Hauptargument, für Haftung nach §§ 93, 116 müsse Verantwortlichkeit feststehen. Vorrang hat Qualität der Entscheidungsfindung, die gerade bei Personalentscheidungen und drohender Disziplinierung einer Gruppe bei offener Abstimmung gefährdet wäre (Habersack/Henssler/Habersack MitbestG § 25 Rn. 26). Geheime Abstimmung steht der Verfolgung von Ersatzansprüchen und der Verteidigung gegen sie auch nicht zwingend entgegen, da sich AR-Mitglied durch bloße abl. Stimme der Haftung ohnehin nicht entziehen kann, sondern aktiv gegen pflichtwidrigen Beschluss vorgehen muss (Habersack/Henssler/Habersack MitbestG § 25 Rn. 26). 5

Modalitäten. Kraft seiner Leitungsbefugnis (→ § 107 Rn. 9) entscheidet der **AR-Vorsitzende** nach pflichtgem Ermessen, ob er anstelle offener geheime Abstimmung anordnet. Maßgeblich ist Gesellschaftsinteresse, das namentl. bei 5a

Personalentscheidungen geheime Abstimmung gebieten kann (Ulmer AG 1982, 300, 304 f.). **Mehrheit** kann geheime Abstimmung auch durch Verfahrensantrag erzwingen. Umstr. ist, ob daneben auch **einzelnes Mitglied** (Peus DStR 1996, 1656 f.) oder qualifizierte Mehrheit von 2–3 Mitgliedern (so für mitbestimmten AR MüKoAktG/Habersack Rn. 19; Ulmer AG 1982, 302, 305 f.) geheime Abstimmung erzwingen kann. Dafür spricht aus Gründen des Individualschutzes viel, doch kann gerade im Licht der keinesfalls unerheblichen grds. Bedenken gegen geheime Abstimmung (BeckOGK/Spindler Rn. 22) Entscheidung nicht in die Hand einzelner Mitglieder gegeben werden; auch ges. Basis für Abweichung von allg. Regeln fehlt, so dass es bei allg. Mehrheitserfordernis bleiben muss (so die heute hM – S/L/Drygala Rn. 22; GK-AktG/Hopt/Roth Rn. 51; MHdB AG/Hoffmann-Becking § 31 Rn. 59; Breidenich, Organisation der AR-Arbeit, 2020, 166 ff.). Bei Abstimmungen nach § 29 II 1 MitbestG, § 31 IV 1 MitbestG sind für AR-Vorsitzenden zwei Stimmkarten vorzusehen (Peus DStR 1996, 1656, 1657). Bei Stichentscheid des AR-Vorsitzenden (→ Rn. 8) kann dessen Stimmkarte gekennzeichnet werden; sonst muss er sein Stimmverhalten offenlegen (Meier DStR 1996, 385, 386).

6 **d) Antrags- und Mehrheitserfordernis.** § 108 I verlangt einen Beschluss, sagt aber nicht, wie er zustande kommt. Hierzu gilt: AR muss beschlussfähig sein (→ Rn. 15 ff.). Es muss ein Beschlussantrag vorliegen. Über den Antrag muss abgestimmt werden. Ein positiver Beschluss liegt nur, aber auch schon dann vor, wenn Antrag eine Mehrheit gefunden hat. Einstimmigkeit iSd Antrags ist also nicht zu fordern (Jürgenmeyer ZGR 2007, 112, 116 f.). Das folgt aus § 108 I und aus Verknüpfung des Beschlussverfahrens mit Mehrheitsgrundsatz, den Gesetzgeber als selbstverständlich vorausgesetzt hat (ähnlich GK-AktG/Hopt/Roth Rn. 38); ohne ihn wäre AR anders als nach § 77 I 1 auf Konsens angelegter Vorstand (→ § 77 Rn. 6) nicht hinreichend handlungsfähig. Ergänzend kann Art. 50 I b SE-VO herangezogen werden (Jürgenmeyer ZGR 2007, 112, 117 f.). Grds. genügt **Mehrheit der abgegebenen Stimmen** (einfache Mehrheit). Sie ist erreicht, wenn Zahl der gültigen Ja-Stimmen die der gültigen Nein-Stimmen um wenigstens eine Stimme übertrifft. Sonst, also auch bei Stimmengleichheit, ist Antrag abgelehnt. Stimmenthaltungen werden (anders als bei Feststellung der Beschlussfähigkeit) nicht mitgezählt, gelten insbes. nicht als Nein-Stimmen.

7 **Abw. Mehrheitserfordernisse** können sich aus Ges. oder Satzung ergeben. **Ges. Abweichungen** stehen sämtlich im Zusammenhang mit mitbestimmungsrechtl. Regeln: Nach § 124 III 5 bedarf Wahlvorschlag des AR nur der Mehrheit der AR-Mitglieder der Aktionäre. Gruppenbezogene Mehrheitserfordernisse bestehen auch nach §§ 27 II und III MitbestG, § 32 MitbestG. In unterschiedlicher Weise verschärft wird das Mehrheitserfordernis durch § 8 I MontanMitbestG, § 13 I MontanMitbestG, § 5 III MitbestErgG, § 27 I MitbestG (→ § 107 Rn. 5), § 31 II–IV MitbestG (→ § 107 Rn. 61 ff.). Zweitstimmrecht des AR-Vorsitzenden folgt aus § 29 II MitbestG, § 31 IV MitbestG (→ § 96 Rn. 5; → § 107 Rn. 5).

8 **Satzung** (nicht auch Geschäftsordnung des AR) kann vorsehen, dass AR-Vorsitzender oder sein Stellvertreter das Recht zum **Stichentscheid** bei Stimmengleichstand hat (allgM, s. MHdB AG/Hoffmann-Becking § 31 Rn. 68). Dagegen können sie **kein Vetorecht** haben (unstr., s. MüKoAktG/Habersack Rn. 25). Für Entscheidungen, die AR kraft Ges. zu treffen hat, ist § 108 I in dem Sinne abschließend, dass **einfache Mehrheit** genügen muss; Satzung kann insoweit keine qualifizierte Mehrheit vorschreiben (hM, s. Marsch-Barner/Schäfer/E. Vetter Rn. 28.58; aA Jürgenmeyer ZGR 2007, 112, 122 ff.). Anderenfalls würde Fähigkeit des AR zur Erfüllung seiner ges. Aufgaben in Frage gestellt. § 103 III 2, § 111 III 2 enthalten allg. Rechtsgedanken, erlauben also keinen Umkehr-

schluss (so aber Jürgenmeyer ZGR 2007, 112, 134 f.). Satzungsfreiheit hinsichtlich der Mehrheit besteht jedoch, wenn Aufgabe dem AR kraft Satzung obliegt (MHdB AG/Hoffmann-Becking § 31 Rn. 69). Umstr. ist allerdings, ob das auch für Ausübung der Zustimmung aufgrund satzungsmäßigen Vorbehalts nach **§ 111 IV 2** gilt (dafür GK-AktG/Hopt/Roth Rn. 45; BeckOGK/Spindler Rn. 26; MHdB AG/Hoffmann-Becking § 31 Rn. 69; aA MüKoAktG/Habersack Rn. 24; KK-AktG/Mertens/Cahn Rn. 62; Brouwer, Zustimmungsvorbehalte, 2008, 164). Hier ist zwar nicht Zustimmungsvorbehalt als solcher, wohl aber Pflicht zur Begründung von Zustimmungsvorbehalten in § 111 IV 2 ges. vorgeschrieben. Da es sich dabei um zentrales Mittel der Vorstandsüberwachung handelt, die Geschäftsführung in außerordentlich weitem Maße beeinträchtigen kann, ist es zweifelhaft, ob es in das Belieben des Satzungsgebers gestellt werden darf, ob Vorstand die leichte Hürde der einfachen Mehrheit oder die deutlich höhere Hürde der qualifizierten Mehrheit zu überspringen hat. Praxis sollte aufgrund dieser Bedenken von entspr. Klauseln absehen. Auch jenseits dieser Fallgestaltung kann sich bei satzungsmäßiger Aufgabenzuweisung kraft **mitbestimmungsrechtl. Sonderregelung** ergeben, dass einfache Mehrheit zwingend ist (§ 29 I MitbestG). Als zulässig wird Satzungsklausel beurteilt, nach der Stimmenthaltungen wie Nein-Stimmen wirken (KK-AktG/Mertens/Cahn Rn. 60; Lutter/Krieger/Verse AR Rn. 735). Das ist jedoch iErg eine Abweichung vom Prinzip einfacher Mehrheit (→ Rn. 6) und daher zumindest zweifelhaft (abl. deshalb S/L/Drygala Rn. 32).

e) Aufgabendelegation. Noch nicht abschließend geklärt ist die Frage, inwiefern AR in sämtlichen ihm zugewiesenen Aufgabenbereichen, namentl. in seiner Funktion als Geschäftsführungs- und Vertretungsorgan (→ § 112 Rn. 1), stets selbst durch Beschluss tätig werden muss oder ob ihm – auch jenseits der Ausschussbildung nach § 107 III, IV (→ § 107 Rn. 24 ff.) – Möglichkeit der Aufgabendelegation offensteht (ausf. v. Falkenhausen ZIP 2015, 956, 958 ff.). HM ist hier zurückhaltend und gestattet Delegation im Wesentlichen nur bei Sitzungsvorbereitung und Geschäften des täglichen Lebens (s. etwa MüKoAktG/Habersack § 112 Rn. 27; BeckOGK/Spindler § 112 Rn. 42; Lutter/Krieger/Verse AR Rn. 456). Von Praktikerseite wird indes darauf hingewiesen, dass derart restriktive Sichtweise weder der Aufgabenfülle des AR noch der Schwerfälligkeit seiner Beschlussfassung gerecht werde (v. Falkenhausen ZIP 2015, 956, 958 ff.; Reichert FS Hopt, 2020, 973, 978 ff.). In der Tat lässt sich gerade mit zunehmender Anerkennung von Annexkompetenzen des AR (→ § 76 Rn. 2; → § 111 Rn. 50, 53 ff.) pauschal geltendes Beschlusserfordernis nur schwer in Einklang bringen. Namentl. bei Ausführungsgeschäften muss Handelndem gewisser Spielraum verbleiben. § 111 VI steht nicht entgegen, sondern soll lediglich persönliche, weisungsfreie Aufgabenwahrnehmung gewährleisten (→ § 111 Rn. 83 f.; v. Falkenhausen ZIP 2015, 956, 959; aA MüKoAktG/Habersack § 111 Rn. 158). Vorgeschlagene Übertragung der für Vorstand geltenden Unterscheidung zwischen nicht delegationsfähigen Leitungsaufgaben des Vorstands und delegationsfähigen Geschäftsführungsaufgaben (v. Falkenhausen ZIP 2015, 956, 959; Reichert FS Hopt, 2020, 973, 978 f.; → § 76 Rn. 10 ff.) kann erste Orientierungsmarke setzen, ist aber noch nicht ausdiskutiert und vermag Rechtsunsicherheiten wegen auch dort schwieriger Abgrenzungsfragen nicht gänzlich zu beseitigen (→ § 76 Rn. 13). Zur damit verbundenen Frage eines Budgetrechts des AR → § 111 Rn. 40. 8a

3. Stimmrecht und Stimmrechtsausschluss. Jedes AR-Mitglied hat das gleiche Stimmrecht. Einen spezifisch aktienrechtl. Stimmrechtsausschluss gibt es nicht. Nach hM ist **§ 34 BGB analog** heranzuziehen (BGH AG 2007, 484 Rn. 13; BayObLGZ 2003, 89, 92; OLG Stuttgart AG 2007, 873, 876; MüKo- 9

AktG/Habersack Rn. 29; MHdB AG/Hoffmann-Becking § 31 Rn. 70; Lutter/Krieger/Verse AR Rn. 731; aA [nämlich für § 181 BGB] Wilhelm NJW 1983, 912, 913). Auf dieser Basis ergibt sich Stimmverbot, wenn über Rechtsgeschäft abgestimmt wird, an dem AR-Mitglied beteiligt ist, desgleichen, wenn über Einleitung oder Erledigung eines Rechtsstreits zwischen AR-Mitglied und AG zu beschließen ist (zur Ausnahme bei drohender Beschlussunfähigkeit → § 109 Rn. 2). Aktienrechtl. Anwendungsbereich ist damit sehr beschränkt, da in solchen Fällen ohnehin zumeist Vorstand (§ 78) und nicht AR zuständig ist. HM erweitert diese Anordnung aber zu allg. **Verbot des Richtens in eigener Sache** (MüKoAktG/Habersack Rn. 29, 32; KK-AktG/Mertens/Cahn Rn. 65). Gegenausnahme besteht, wenn es um **Wahl des AR-Mitglieds zum AR-Vorsitzenden** oder sonstige Funktionen des AR geht; AR-Mitglied darf sich selbst wählen (→ § 107 Rn. 4; MüKoAktG/Habersack Rn. 32; BeckOGK/Spindler Rn. 34). Wieder etwas anderes gilt, wenn es um **Wahl in den Vorstand** geht (so die heute hM – s. MüKoAktG/Habersack Rn. 32; GK-AktG/Hopt/Roth Rn. 68; GK-AktG/Kort § 84 Rn. 35; BeckOGK/Spindler Rn. 34; Fischbach BB 2017, 1283, 1284 f.; aA KK-AktG/Mertens/Cahn Rn. 67; Matthießen, Stimmrecht und Interessenkollision, 1989, 230 ff., 238 ff.). Bestellung zum Vorstandsmitglied ist Rechtsgeschäft (→ § 84 Rn. 4). Ausnahme für Organwahlen beruht darauf, dass mitgliedschaftliches (bei Gesellschaftern) oder aus Amtsträgerschaft folgendes Interesse an Organbestellung Schutz verdient. Das gilt aber wiederum nicht, wenn sich Mitglied des AR aus diesem Organ gerade hinauswählen will und mit seiner Kandidatur eine Konfliktlage schafft, in der typischerweise nicht erwartet werden kann, er werde seine Interessen denen der AG hintanstellen (vgl. zur Begrenzung von Stimmverboten Hüffer FS Heinsius, 1991, 337, 341 ff.).

10 **4. Interessenkonflikte.** Auf sonstige Interessenkonflikte ist § 34 BGB (→ Rn. 9) nicht analog anwendbar (hM – s. MüKoAktG/Habersack Rn. 32; KK-AktG/Mertens/Cahn Rn. 65; BeckOGK/Spindler Rn. 33; Diekmann/Fleischmann AG 2013, 141, 146; aA U. H. Schneider FS Goette, 2011, 475, 482 f.; Semler FS Stiefel, 1987, 719, 757). Ihre Behandlung ist im AktG nur punktuell in der Weise geregelt, dass von vornherein Bestellungshindernis besteht (§§ 100, 105) oder AR für bestimmte Standardkonfliktlagen Zuständigkeit entzogen wird (§ 113). Dieser unvollständige Regelungsansatz des Gesetzes ist misslich, da AR-Tätigkeit vom Ges. bewusst als Nebenamt angelegt ist (→ § 100 Rn. 5) und deshalb **für Interessenkonflikte bes. anfällig** ist (Butzke FS Hoffmann-Becking, 2013, 229, 230; Priester ZIP 2011, 2081, 2082). Durch unternehmerische Mitbestimmung wird Konfliktträchtigkeit zusätzlich verschärft.

11 Breitflächigere Vorgaben enthält für börsennotierte AG **DCGK,** der zumindest für einzelne Mitglieder generelle Unabhängigkeit empfiehlt (C.6 DCGK), um auf diese Weise schon potenziellen Konfliktlagen entgegenzuwirken (→ § 100 Rn. 36 ff.). Tritt ein Interessenkonflikt dennoch auf, bekräftigt GS 20 DCGK zunächst Verpflichtung auf Unternehmensinteresse (→ § 116 Rn. 7 f.) und empfiehlt in E.1 S. 1 DCGK **Offenlegung ggü. AR,** und zwar zunächst ggü. AR-Vorsitzenden, der dann Gesamt-AR informiert (Begründung Kodex-Reform 2020). Nach durch Kodex-Reform 2020 neu gefasstem Wortlaut sollen nunmehr augenscheinlich auch hier – wie bei Vorstand (→ § 93 Rn. 56) – nur noch aktuelle und nicht auch bloß latente Konfliktlagen erfasst sein (Ghassemi-Tabar/Busch/Link DCGK E.1 Rn. 6; vgl. zur abw. früheren Fassung noch J. Koch ZGR 2014, 697, 723 ff.). AR soll sodann nach E.1 S. 2 DCGK in Bericht an HV über aufgetretene Interessenkonflikte und deren Behandlung informieren (→ § 171 Rn. 17, 19; rechtspolitische Kritik bei Hoffmann-Becking NZG 2014, 801, 808). Offenlegungsobliegenheit kann nicht Durchbrechung berufsrechtl. Verschwiegenheitspflichten – etwa aus § 43a II BRAO – rechtfertigen, sondern

es bedarf in diesem Fall einer Abweichungserklärung (vgl. Ziemons ZGR 2016, 839, 852 ff.). Wesentliche und nicht nur vorübergehende Interessenkonflikte in der Person eines AR-Mitglieds sollen zur Beendigung des Mandats führen (→ § 116 Rn. 8). Wenn diese Empfehlungen nicht beachtet werden, aber dennoch Entsprechenserklärung nach § 161 I 1 abgegeben wird, kann Entlastungserklärung angefochten werden (→ § 161 Rn. 31).

Begriff des Interessenkonflikts ist mit Blick auf Nebenamtscharakter (→ § 100 Rn. 5) tendenziell eng zu verstehen. Es genügt nicht jeder untergeordnete Interessengegensatz, sondern erforderlich ist ein dem Unternehmensinteresse gegenläufiges Eigen- oder (für Mitglied relevantes) Drittinteresse, das aufgrund seiner Dauer und Intensität befürchten lässt, dass Unternehmensinteresse nicht nur unwesentlich beeinträchtigt oder gefährdet wird (Diekmann/Fleischmann AG 2013, 141, 142 f.; Fallgruppenbildung bei Lutter/Krieger/Verse AR Rn. 904 ff.; M. Meyer, Interessenkonflikte im AR, 2021, 59 ff., 74 ff.). Es genügt allerdings auch, wenn Konflikt über nahestehende Personen (Angehöriger, Tochterunternehmen) begründet wird. Institutionelle Konflikte, wie sie namentl. in der unternehmerischen Mitbestimmung angelegt sind, sind für sich genommen noch nicht geeignet, um Interessenkollision in diesem Sinne zu begründen („Konflikttoleranz"; → § 116 Rn. 6; ausf. J. Koch FS Ebke, 2021, 533, 538 ff.). Auch bei Vertretern von Aufsichtsbehörden in öffentl. Unternehmen dürfte Kollision abzulehnen sein (str. – Grunewald NZG 2015, 609, 611; aA Weber-Rey/Buckel ZHR 177 [2013], 13, 28 f.). Wird außerhalb dieses Sonderfalls öffentl. Unternehmen hauptamtlicher Aufseher in AR einer AG berufen, die von der Behörde geprüft werden soll, ist dagegen Interessenkonflikt anzunehmen (Hopt/v. Werder FS Windbichler, 2020, 775 – mit Schwerpunkt auf mittlerweile abgeschaffter Deutscher Prüfstelle für Rechnungslegung [→ § 93 Rn. 68]). 12

Weitergehender Umgang mit Interessenkonflikt jenseits der Offenlegung ist weder in AktG noch in DCGK vorgeschrieben. **Beteiligung an Beschlussfassung** ist deshalb zwar nicht von vornherein ausgeschlossen, doch kann konfliktbefangenes AR-Mitglied sich dann nicht mehr auf **§ 93 I 2** (iVm § 116 S. 1) berufen. Auch anderen AR-Mitgliedern ist in diesem Fall Berufung auf BJR verwehrt, wenn der Konflikt ihnen ggü. offengelegt wurde und sie Beschluss dennoch unter Beteiligung des befangenen AR-Mitglieds gefasst haben (→ § 93 Rn. 57 ff.; → § 116 Rn. 6 zur Sondersituation, dass alle Mitglieder betroffen sind). Anders als bei Vorstand (→ § 93 Rn. 57 ff.; J. Koch FS Säcker, 2010, 403, 416 f.) gilt das idR auch schon dann, wenn AR-Mitglied nur an **Beratungen** teilnimmt, da AR-Mitglied zumeist nicht ähnlich unverzichtbar sein wird wie einzelnes Vorstandsmitglied, etwa mit einschlägiger Ressortzuständigkeit (vgl. J. Koch ACI-Quarterly 2013, 7, 9). Betroffenem ist daher nahezulegen, Beratung und Beschluss fern zu bleiben. Das entspr. auch Regelung des § 15 I 2 KWG, der nicht auf bankaufsichtsrechtl. Besonderheiten beruht, sondern allg. Prinzip der Beschlusshygiene zum Ausdruck bringt. Grundsatz der Gesamtverantwortung des AR steht dem nicht entgegen, da sich AR-Mitglied damit nicht der Verantwortung zu entziehen sucht, sondern durch seinen Rückzug eine unbefangene Entscheidung überhaupt erst ermöglicht (so iErg auch Lutter/Krieger/Verse AR Rn. 902; M. Meyer, Interessenkonflikte im AR, 2021, 212 f.; Reichert FS Krieger, 2020, 723, 745 ff.; aA MüKoAktG/Habersack § 100 Rn. 83, 106). 13

Bleibt Betroffener Beratung und Abstimmung nicht freiwillig fern, ist umstritten, inwiefern AR ihn auch gegen seinen Willen ausschließen kann, doch spricht gerade die anderenfalls eintretende Haftungsverschärfung für alle übrigen Mitglieder dafür, großzügigen Maßstab anzulegen (so auch BeckOGK/Spindler § 109 Rn. 8; Diekmann/Fleischmann AG 2013, 141, 146 f.; J. Koch ZGR 2014, 697, 710 ff.; J. Koch ACI-Quarterly 2013, 7, 9; M. Meyer, Interessenkonflikte im AR, 2021, 200 ff.; U. H. Schneider FS Goette, 2011, 475, 483; → § 109 Rn. 2; 14

strenger MüKoAktG/Habersack § 100 Rn. 83). Die rechtsfortbildend entwickelte enge Begrenzung des Stimmrechtsausschlusses auf die Fälle des § 34 BGB analog (→ Rn. 10) ist deshalb im Lichte der durch § 93 I 2 bewirkten Verschiebung des Haftungsrechts auszudehnen, um eine **Kongruenz von haftungs- und beschlussrechtlichen Konfliktregeln** zu erreichen (ausf. J. Koch ZGR 2014, 697, 710 ff.). Allerdings wirkt dieser Ausschluss – anders als das Stimmverbot nach § 34 BGB – nicht automatisch, sondern nur, wenn tats. konfliktbefangenes Mitglied von anderen Organmitgliedern zum Rückzug aufgefordert wird. In diesem Fall verpflichtet organschaftliche **Treupflicht** (→ § 84 Rn. 10 f.), diesem Ansinnen Folge zu leisten, um Infizierung zu vermeiden (→ § 93 Rn. 58). Kein Treuverstoß liegt vor, wenn Rückzug mitbestimmungsrechtl. Machtbalance bedroht und nicht AN-Vertreter ebenfalls zum Rückzug bereit ist (weitere Einzelheiten bei J. Koch ZGR 2014, 697, 710 ff., 720 f.). Zuständig für einen **Ausschluss** ist nicht der Vorsitzende, sondern das Plenum, das dem Betroffenen vorher Gelegenheit zur Stellungnahme geben muss (BeckOGK/Spindler § 109 Rn. 11). Der Ausschluss gilt nicht für die gesamte Sitzung, sondern nur für den konkret betroffenen Beschlusspunkt. Bestehen Zweifel an der Ausschlussmöglichkeit, kommt bei delegierbaren Entscheidungen als Alternative in Betracht, einen **Ausschuss** zu bilden, an dem das befangene Mitglied nicht beteiligt ist (zu dieser Funktion der Ausschussbildung → § 107 Rn. 24; sa MüKoAktG/Habersack § 100 Rn. 109).

III. Beschlussfähigkeit (§ 108 II)

15 **1. Bestimmungen der Satzung.** Nach § 108 II 1 kann Beschlussfähigkeit des AR grds. durch die Satzung geregelt werden. Satzungsautonomie besteht nur ausnahmsweise nicht, nämlich, soweit andere ges. Regelungen zur Beschlussfähigkeit bestehen. Sie sind iRd Mitbestimmungsrechts anzutreffen (→ Rn. 17 f.) und gehen der Satzung vor. Zwingende Schranken für die Satzung ergeben sich ferner aus § 108 II 3 und 4 (→ Rn. 16). Satzung kann etwa vorsehen, dass mehr als die Hälfte aller AR-Mitglieder an Beschlussfassung teilnehmen müssen (so die in der Praxis gängigste Ausgestaltung – vgl. Fleischer/Maas AG 2020, 761 Rn. 35). Unzulässig ist es dagegen, die Teilnahme aller Mitglieder zu verlangen, da § 108 II 4 ausdr. das Fehlen von AR-Mitgliedern gestattet (MüKoAktG/Habersack Rn. 38). Teilnahme in diesem Sinne ist auch Stimmenthaltung (→ Rn. 6), aber nicht bloße Anwesenheit (MüKoAktG/Habersack Rn. 37).

16 **2. Gesetzliche Regel.** Wenn Satzung nichts bestimmt und keine vorrangige ges. Vorschrift eingreift, ist § 108 II 2 anzuwenden. Danach ist AR beschlussfähig, wenn **mindestens die Hälfte seiner Mitglieder** an der Abstimmung teilnimmt. Von diesem Mindesterfordernis kann auch Satzung nur nach oben, nicht aber nach unten abweichen (KG NZG 2021, 1358 Rn. 74). An der Abstimmung nimmt auch teil, wer von der Möglichkeit schriftlicher Stimmabgabe Gebrauch macht (§ 108 III). Maßgeblich ist Sollstärke („zu bestehen hat"). Bloße Anwesenheit reicht nicht (→ Rn. 15). **Untergrenze von drei Mitgliedern** ist in jedem Fall zu beachten (§ 108 II 3), also auch dann, wenn Hälfte der Sollstärke erreicht oder überschritten ist (LG Düsseldorf AG 1999, 134, 135); zwei Mitglieder eines dreiköpfigen AR genügen nicht (LG Karlsruhe AG 1994, 87; DNotI Report 2008, 137, 138). **Stimmverbot** gegen AR-Mitglied führt nach BGH AG 2007, 484 Rn. 13 nicht dazu, dass es bei Feststellung der Beschlussfähigkeit nicht mitgezählt werden darf; vielmehr darf betroffenes AR-Mitglied durch Stimmenthaltung an Beschlussfassung teilnehmen (ebenso OLG München AG 2016, 592, 593; GK-AktG/Hopt/Roth Rn. 78, 102; KK-AktG/Mertens/Cahn Rn. 66; BeckOGK/Spindler Rn. 45; Stadler/Berner NZG 2003,

49, 51 f.; E. Vetter AG 2006, 173, 179; aA noch, nämlich für Beschlussunfähigkeit, BayObLGZ 2003, 89, 92 ff.; OLG Frankfurt AG 2005, 925, 927; sa MüKoAktG/Habersack Rn. 33). Dogmatisch vermag Lösung nicht zu befriedigen, da vom Stimmrecht Ausgeschlossener schwerlich durch Enthaltung wirksamen Beschluss herbeiführen kann. In der Sache erscheint diese pragmatische Lösung aber sinnvoll, um gerade in der Praxis der kleinen AG Beschlussunfähigkeit zu vermeiden, die auf anderem Wege – insbes. durch Ersatzbestellung nach § 104 I oder Abberufung – nicht abgewendet werden könnte (KK-AktG/Mertens/Cahn Rn. 66). Bloße Unterbesetzung des AR kann nicht zur Beschlussunfähigkeit führen, auch dann nicht, wenn Gruppenparität nicht gewahrt ist (§ 108 II 4). Soll AR nach Satzung neun Mitglieder haben, hat er aber nur fünf, so ist er beschlussfähig, wenn diese an der Abstimmung teilnehmen. Solange das Hälfte-Erfordernis gewahrt bleibt, schadet auch der vollständige Ausfall der Aktionärs- oder der AN-Seite nicht. **AR-Pflichten** bleiben durch Beschlussunfähigkeit **unberührt** und können auch ges. Haftung begründen (KG NZG 2021, 1358 Rn. 75); verbleibende Mitglieder trifft sogar noch erhöhte Aufmerksamkeitspflicht (RGZ 146, 145, 152; KG NZG 2021, 1358 Rn. 75). Zur gerichtl. Ergänzung des nicht beschlussfähigen oder des unterbesetzten AR → § 104 Rn. 2 ff., 5 ff.

3. Mitbestimmungsrechtliche Besonderheiten. Für den Bereich der **Montanmitbestimmung** ist zwingend vorgeschrieben, dass AR beschlussfähig ist, wenn mindestens die Hälfte der Mitglieder, aus denen er zu bestehen hat („Sollstärke"), an Beschlussfassung teilnimmt; auf Gruppenparität kommt es nicht an (§ 10 MontanMitbestG, § 11 MitbestErgG). 17

Entspr. Regelung enthält **§ 28 MitbestG** mit der Maßgabe, dass AR „nur" unter der genannten Prämisse beschlussfähig ist. Satzung kann also **nicht nach unten abweichen.** Ob sie Anforderungen an Beschlussfähigkeit verschärfen kann und, wenn ja, in welcher Weise, ist str. Nach einer Ansicht besteht für Abweichungen durch Satzung überhaupt kein Raum (vgl. OLG Karlsruhe NJW 1980, 2137, 2139; Habersack/Henssler/Habersack MitbestG § 28 Rn. 4a; Säcker/Theisen AG 1980, 29, 35 f.; Wank AG 1980, 151 ff.). Nach Gegenansicht darf Satzung **strengere Regeln** vorsehen (vgl. OLG Hamburg OLGZ 1984, 307, 312 ff.; LG Frankfurt NJW 1978, 2398; LG Hamburg NJW 1980, 235; LG Mannheim NJW 1980, 236; MHdB AG/Hoffmann-Becking § 31 Rn. 63; Lutter/Krieger/Verse AR Rn. 719). Nach BGHZ 83, 151, 154 f. = NJW 1982, 1530 sind jedenfalls Klauseln unzulässig, nach denen Überparität der Aktionärsseite durch Ungleichbehandlung der AR-Mitglieder gesichert werden soll (AR nur beschlussfähig, wenn mindestens die Hälfte der Teilnehmer AR-Mitglieder der Aktionäre sind und sich unter ihnen der AR-Vorsitzende befindet; zur Gleichbehandlung von AR-Mitgliedern → § 107 Rn. 1). Da aber hohe Anforderungen an Beschlussfähigkeit (eindeutig, wenn Präsenz von 100 % gefordert wird) bei formaler Gleichbehandlung ebenfalls die von BGHZ 83, 151, 154 f. beanstandete Wirkung haben können, sollte generell Unwirksamkeit angenommen werden. Überblick über mitbestimmungsrechtl. Sonderregeln bei Deilmann BB 2012, 2191 ff. 18

IV. Schriftliche Stimmabgabe (§ 108 III)

§ 108 III erlaubt Teilnahme an Beschlussfassung des AR-Plenums oder seiner Ausschüsse durch sog **Stimmboten.** Diese müssen schriftliche Stimmabgabe überreichen (§ 108 III 1). Andere, nämlich anwesende, AR-Mitglieder können stets Stimmboten sein (§ 108 III 2), weitere Personen nur, wenn ihre Teilnahme an der Sitzung durch die Satzung zugelassen wird (§ 108 III 3 iVm § 109 III). Stimmbote darf **keinen eigenen Entscheidungsspielraum** haben (im Prinzip 19 unstr., s. zB MüKoAktG/Habersack Rn. 56). Daraus folgt nach richtiger Ansicht, dass **nur vollständig ausgefüllte und unterschriebene Stimmabgabe** gültig ist (NK-AktR/Breuer/Fraune Rn. 17; MüKoAktG/Habersack Rn. 56; BeckOGK/Spindler Rn. 61; vgl. auch LG München I AG 2018, 499, 501). Gegenmeinung will Ausfüllung nach exakten Weisungen während der Sitzung zulassen (MHdB AG/Hoffmann-Becking § 31 Rn. 90; Lutter/Krieger/Verse AR Rn. 727; Lutter FS Duden, 1977, 269, 276 ff.). Damit würde AR aber zum bloßen Abstimmungsorgan, was dem Zweck des § 108 III nicht entspr. (Habersack/Henssler/Habersack MitbestG § 25 Rn. 30, 32).

20 Str. ist, ob aus Schriftformgebot **Erfordernis eigener Namensunterschrift** folgt oder ob auch E-Mail oder Telefax genügen (für das Erste die früher hM, s. MüKoAktG/Habersack Rn. 53; mit Einschränkungen auch Miettinen/Villeda AG 2007, 346, 349; für das Zweite KG JW 1938, 1824; S/L/Drygala Rn. 24; GK-AktG/Hopt/Roth Rn. 127; BeckOGK/Spindler Rn. 63). Seit Neufassung des § 108 IV durch NaStraG 2001 und des § 109 III durch FormanpassungsG (→ § 109 Rn. 1) ist vom Wortlaut des § 108 III nach wie vor geforderte Schriftform (§ 126 I BGB) nicht mehr sinnvoll (MHdB AG/Hoffmann-Becking § 31 Rn. 91; Hoffmann-Becking FG Happ, 2006, 81, 88 ff.; sa B/K/L/Bürgers/Fischer Rn. 13). Zwar sollten Probleme durch eigene Namensunterschrift vermieden werden, doch sprechen gute Gründe **für analoge Anwendung des § 108 IV** auf § 108 III, so dass vorbehaltlich einer Satzungsregelung auch Telefax genügt (→ Rn. 21). Das Gleiche gilt für E-Mail zumindest dann, wenn sie mit Signatur nach § 126a BGB versehen ist. E-Mail ohne Signatur oder SMS lässt Aussteller dagegen nicht erkennen und genügt deshalb nicht (KK-AktG/Mertens/Cahn Rn. 25).

V. Beschlussfassung ohne unmittelbare Präsenz (§ 108 IV)

21 Von schriftlicher Stimmabgabe in Präsenzsitzung des AR (→ Rn. 19 f.) ist Beschlussfassung zu unterscheiden, die ohne solche Präsenz erfolgt. Sie kann schriftlich (insbes. Umlaufverfahren), fernmündlich oder in anderer vergleichbarer Form erfolgen, muss allerdings vorbehaltlich einer Regelung durch Satzung oder Geschäftsordnung unterbleiben, wenn auch nur ein Mitglied widerspricht. Niederschrift iSd § 107 II kann in solchen Konstellationen nicht verlangt werden, sondern es genügt Protokollierung der einzelnen Beschlüsse (Mutter AG 2017, R 68). **Vergleichbare Formen** sind Stimmabgabe durch Telefax oder E-Mail, wobei in diesem Fall anders als nach § 108 III keine Signatur erforderlich ist (OLG Frankfurt NZG 2019, 1055 Rn. 35). Unterschiedliche Behandlung erklärt sich daraus, dass § 108 IV auch fernmündliche Beschlussfassung zulässt, so dass Anforderung an Individualisierung der Mitglieder ohnehin geringer sind als in § 108 IV; aus demselben Grund genügen auch Beschlussfassung per SMS oder Online-Chat-Konferenz (KK-AktG/Mertens/Cahn Rn. 39).

22 Umstr. ist Behandlung der verbreiteten **Videokonferenzen** (zur praktischen Relevanz vgl. Simons AG 2013, 547 ff.). Generelle Zulässigkeit ist heute auch für Pflichtsitzungen weitestgehend anerkannt (ausf. → § 110 Rn. 11), doch ist damit Frage nach Anwendung des § 108 IV nicht beantwortet. RegBegr. BT-Drs. 14/4051, 12 hat Videokonferenz ebenfalls noch als „vergleichbare Form der Stimmabgabe" iSd § 108 IV eingeordnet (sa S/L/Drygala Rn. 27; MüKoAktG/Habersack Rn. 16; BeckOGK/Spindler Rn. 66; Grigoleit/Tomasic Rn. 8; Marsch-Barner/Schäfer/E. Vetter Rn. 28.54; Kremer/Mucic/Thomas/v. Werder DB 2021, 1145, 1146). Diese Einordnung ist auch für Telefonkonferenz überwiegend anerkannt (s. GK-AktG/Hopt/Roth Rn. 136; weitergehend MHdB AG/Hoffmann-Becking § 31 Rn. 95; Hoffmann-Becking FG Happ, 2006, 81, 86). Belässt man es bei dieser Einordnung, könnte jedes AR-Mitglied dieser Gestaltung nach

§ 108 IV widersprechen. Gesetzeslage hat sich seit Inkrafttreten des § 108 IV allerdings dahingehend verschoben, dass Videokonferenz iRd **§ 110 III** der Präsenzsitzung gleichgestellt wird (→ § 110 Rn. 11). Angesichts technischen Fortschritts, der Videokonferenz gerade bei vermehrt int. Besetzung als effizient-sinnvolle Gestaltung erscheinen lässt, spricht viel dafür, diese Bewertung auf § 108 IV zu übertragen und auch hier **Gleichwertigkeit zur Präsenzsitzung** zu bejahen. Ansatz hat noch größere Plausibilität gewonnen, seit BGH jedenfalls für virtuelle Generalversammlung einer Genossenschaft Gleichwertigkeit von Präsenzversammlung und virtueller Versammlung angenommen und im Lichte moderner technischer Entwicklungen entspr. dynamische Auslegung des Versammlungsbegriffs vorgenommen hat (BGH NZG 2021, 1562 Rn. 14 ff.; vgl. ferner OLG Karlsruhe NZG 2022, 1066 Rn. 3 ff.). Auch **MoPeG-Gesetzgeber** differenziert nicht zwischen Versammlungsarten und fasst deshalb auch Telefon- oder Videokonferenzen ausdr. unter Versammlungsbegriff (RegBegr. BT-Drs. 19/27635, 226). In derselben Weise hat DiREG 2022 auch für GmbHG weitgehende Gleichstellung in **§ 48 I 2 GmbHG** eingeführt (vgl. dazu Bochmann NZG 2022, 531 ff; die neueren Entwicklungen zusammenfassend Heckschen/Hilser ZIP 2022, 461 ff.; Wicke DStR 2022, 498 ff.). Dieses Verständnis hat insbes. zur Folge, dass Widerspruchsrecht nach § 108 IV nicht besteht (ausf. GK-AktG/Hopt/Roth Rn. 136; sa KK-AktG/Mertens/Cahn Rn. 19 ff., 39; Kindl ZHR 166 [2002], 335, 345; zust. auch Kupfer/Nahrgang ZIP 2021, 678, 682 f., sofern nur einzelne Mitglieder zugeschaltet werden; aA Schindler/Schaffner Virtuelle Beschlussfassung, 2021, Rn. 382). Dagegen vorgebrachtes Argument, geheime Sitzungen (→ Rn. 5 f.) seien unter diesen Bedingungen nicht möglich (MüKoAktG/Habersack Rn. 16), trägt entspr. technischen Möglichkeiten nicht hinreichend Rechnung (GK-AktG/Hopt/Roth Rn. 48; KK-AktG/Mertens/Cahn Rn. 20 mit Fn. 42). Praxis ist zu empfehlen, für Videokonferenz vorsorglich Widerspruchsrecht in Satzung oder Geschäftsordnung auszuschließen (so auch GK-AktG/Hopt/Roth Rn. 136). Zur Niederschrift → § 107 Rn. 18.

Vorbehalt zugunsten der Satzung oder Regelung in einer Geschäftsordnung **23** bedeutet vor allem, dass das Widerspruchsrecht der (einzelnen) AR-Mitglieder hinter einer autonomen Regelung zurücktritt, welche die konkret anstehende Beschlussfassung vorsieht (Kindl ZHR 166 [2002], 335, 338 ff.). Vorbehalt erlaubt es aber auch, dass Satzung oder Geschäftsordnung Beschlussfassung ohne Präsenzsitzung ausschließen oder erschweren (allgM, s. zB MüKoAktG/Habersack Rn. 68). HM lässt auch **kombinierte Beschlussfassung** zu, bei der ein Teil der Stimmen in der Sitzung, ein Teil schriftlich oder in vergleichbarer Weise abgegeben wird, sofern kein AR-Mitglied widerspricht (S/L/Drygala Rn. 29; Lutter/Krieger/Verse AR Rn. 730; Kindl ZHR 166 [2002], 335, 342 ff.). Zulässigkeit dieser vom Ges. nicht genannten Mischform ist auch unter der genannten Prämisse nicht zweifelsfrei. Wenn sie gewollt ist, sollten Satzung oder Geschäftsordnung eine entspr. Klausel enthalten (Miettinen/Villeda AG 2007, 346, 347). Hinsichtlich des Plenums bestehende Gesetzeslage gilt auch für Ausschüsse (§ 108 IV). Bestimmungen der Satzung oder einer Geschäftsordnung über Beschlussfassungen im Gesamt-AR erlauben dagegen noch kein entspr. Verfahren der Ausschüsse. Namentl. bei ihnen sind Präsenzsitzungen wünschenswert. Wenn anderes gelten soll, bedarf es der Regelung.

Umstr. ist, ob **Sitzungsgelder** (→ § 113 Rn. 21) auch für Beschlussfassung **24** ohne unmittelbare Präsenz zu zahlen sind, sofern Satzung oder HV-Beschluss dazu keine ausdr. Regelung treffen (dafür S/L/Drygala § 113 Rn. 13; BeckOGK/Spindler Rn. 67; Simons AG 2013, 547 ff.; Zilles/Deutsch AR 2013, 73 ff.; dagegen Reichard/Kaubisch AG 2013, 150 ff.). Frage ist mit hier befürworteter Gleichstellung von Video- und Präsenzsitzung (→ Rn. 22) nicht beantwortet, da auch unter dieser Prämisse weiterhin zu klären ist, ob für Reiseaufwand oder Zeitaufwand gezahlt wird. Angesichts üblicher satzungsmäßiger Ausgestaltung als **Pauschalbetrag** ohne Berücksichtigung konkret entstandenen Aufwands dürfte zweite Sichtweise zutr., was auch unter diesem Aspekt für Gleichstellung der beiden Sitzungsformen spricht. Angesichts erheblicher Sanktionen bei unberechtigter Zahlung (vgl. OLG Braunschweig NJW 2012, 3798, 3799 f.: § 266 StGB; sa Simons AG 2013, 547, 548: § 93 III Nr. 7; Satzungsanfechtung) ist Klarstellung in Satzung oder HV-Beschluss aber dringend zu empfehlen (zur praktischen Handhabung sa Kremer/Mucic/Thomas/v. Werder DB 2021, 1145, 1147 f.). Ist Sitzungsgeld in Satzung oder HV-Beschluss ausnahmsweise nicht geregelt, so bestimmt sich seine Erstattung nach allg. Regeln des Aufwendungsersatzes (→ § 113 Rn. 7 ff., 21), so dass es nur auf tats. entstandenen Aufwand ankommt (→ § 113 Rn. 7 ff.; zust. Gaul AG 2017, 877, 884).

VI. Fehlerhafte Aufsichtsratsbeschlüsse

25 **1. Begriff.** AR-Beschluss ist fehlerhaft, wenn Beschlussverfahren unter einem Mangel leidet oder Beschluss seinem Inhalt nach gegen Ges. oder Satzung verstößt. Mängel der einzelnen Stimmabgabe führen dagegen nicht ohne weiteres zur Fehlerhaftigkeit des Beschlusses. Sie sind vielmehr nur relevant, wenn sich infolge der Nichtigkeit der Stimme das Abstimmungsergebnis verändert. Liegt die für die Mehrheit erforderliche Zahl von Ja-Stimmen in Wirklichkeit nicht vor, ist kein positiver Beschluss zustande gekommen (→ Rn. 27). Ist AR-Mitglied fehlerhaft bestellt, gelten die in → § 101 Rn. 20 ff. skizzierten Grundsätze.

26 **2. Nichtigkeitsfolge als Grundkonzept.** AR-Beschluss ist korporationsrechtl. Rechtsgeschäft (→ Rn. 3) und kann als solches nichtig sein. Dabei heißt Nichtigkeit, dass von den Abstimmenden intendierte Rechtswirkung wegen des Beschlussmangels nicht eintritt. In diesem Sinne liegt Nichtigkeit nach hM bei wesentlichen Verfahrensfehlern und bei inhaltlichen Verstößen gegen Ges. oder Satzung vor (vgl. BGHZ 122, 342, 351 = NJW 1993, 2307; BGHZ 135, 244, 247 = NJW 1997, 1926; BGH NZG 2000, 945, 946; AG 2013, 257 Rn. 13; BayObLGZ 2003, 89, 95; OLG Frankfurt AG 2007, 282, 284; MüKoAktG/Habersack Rn. 73 ff.; Überblick über Rechtsentwicklung in Deutschland und anderen Rechtsordnungen: Fleischer DB 2013, 160 ff., 217 ff.; zu Überlegungen de lege ferenda vgl. J. Koch Gutachten F zum 72. DJT, 2018, 95 ff.; Harbarth FS Seibert, 2019, 291, 297 ff.). Ansätze, Nichtigkeitsfolge teilw. durch Anfechtung nach Vorbild der §§ 243 ff. ersetzen zu wollen, gehen fehl (→ Rn. 28). Nichtigkeit kann stattdessen durch **gewöhnliche Feststellungsklage** (§ 256 ZPO) geltend gemacht werden, und zwar durch Mitglieder des AR schon aufgrund ihrer Organstellung (BGHZ 135, 244, 247 f.; BGH AG 2012, 677 Rn. 10; 2013, 257 Rn. 13; → Rn. 30). UU ist wie bei Anfechtungsklage (→ § 246 Rn. 42 f.) auch positive Beschlussfeststellungsklage denkbar (Simons AG 2017, 743, 744; wohl auch BGHZ 196, 195 Rn. 21 = NJW 2013, 1535). In beiden Fällen handelt es sich um sog **Intraorganstreit,** der namentl. wegen Mitbestimmung in erster Linie für AR praktische Relevanz erhält. Auf Vorstand sind die in → Rn. 27 ff. skizzierten Grundsätze aber grds. entspr. anzuwenden (MüKoAktG/Spindler Vor § 76 Rn. 72; sa → § 77 Rn. 6).

27 Als **wesentliche Verfahrensfehler** zählen etwa Beschlussunfähigkeit des AR oder mangelnde Einladung einzelner seiner Mitglieder (Einzelheiten: MüKoAktG/Habersack Rn. 76 ff.). Einzelne fehlerhafte Stimmabgabe (zB infolge Nichtigkeit oder erfolgreicher Anfechtung) begründet Fehlerhaftigkeit dagegen nur, wenn sie für Beschluss kausal war, nicht wenn Beschluss auch ohne Stimme zustande gekommen wäre (BGHZ 47, 341, 346 = NJW 1967, 1711; BeckOGK/Spindler Rn. 76). Führt fehlerhafte Stimmabgabe dagegen zu fehlender Stim-

menmehrheit, liegt – auch bei unzutreffender Feststellung des Abstimmungsergebnisses durch den Vorsitzenden – überhaupt kein (positiver) Beschluss vor (Umkehrung des Beschlussergebnisses aber denkbar – s. MüKoAktG/Habersack Rn. 75). Solche Feststellung ist nicht erforderlich und hat, wenn sie erfolgt, auch keine konstituierende Wirkung hinsichtlich des Beschlussergebnisses (anders als bei HV-Beschlüssen; → § 243 Rn. 11; vgl. MüKoAktG/Habersack Rn. 26; GK-AktG/Hopt/Roth Rn. 54; aA OLG Hamburg AG 1992, 197, 198). Keine Nichtigkeit tritt nach hM ein, wenn zwar Verfahrensverstoß vorliegt, dieser aber weniger gravierend ist (Einzelheiten → Rn. 29). Als **Inhaltsmängel** gelten alle Verstöße gegen Ges. oder Satzung (nicht: Geschäftsordnung), ohne dass es auf Schwere des Verstoßes ankommt. Es genügt, wenn Ermessensspielraum überschritten wird. Inhaltsmangel ist auch anzunehmen, wenn AR es zu Unrecht (→ § 111 Rn. 7 ff.) ablehnt, angebliche Ersatzansprüche der AG gegen Vorstandsmitglieder zu verfolgen; ob § 111 I Verbotsgesetz iSd § 134 BGB ist, spielt insofern keine Rolle (wie hier BGHZ 135, 244, 251 ff. = NJW 1997, 1926; MüKoAktG/Habersack Rn. 80; BeckOGK/Spindler Rn. 81; aA Kindler ZHR 162 [1998], 101, 116). Weiteres Beispiel: Bestellung eines Vorstandsmitglieds, das Voraussetzungen des § 76 III nicht erfüllt.

3. Keine Anfechtung statt Nichtigkeit. Nicht durchgesetzt hat sich die 28
namentl. vom OLG Hamburg und Teilen der Lehre vertretene Ansicht, wonach Nichtigkeitsfolge (→ Rn. 26 f.) durch bloße Anfechtbarkeit analog § 243 verdrängt werden könne, wenn es sich um weniger schwerwiegende Verstöße gegen Ges. oder Satzung handele (OLG Hamburg AG 1992, 197 f.; Axhausen, Anfechtbarkeit aktienrechtlicher AR-Beschlüsse, 1986, 157 ff.; Baums ZGR 1983, 300, 305 ff.; M. Becker, Verwaltungskontrolle durch Gesellschafterrechte, 1997, 487; Lemke, Der fehlerhafte Aufsichtsratsbeschluss, 1994, 94 ff.; Schwab, Prozessrecht gesellschaftsrechtlicher Streitigkeiten, 2005, 565; Radtke BB 1960, 1045, 1046). Diese Folge sollte im Wesentlichen eintreten bei sog heilbaren Verfahrensmängeln, bes. Einberufungsmängeln (→ § 110 Rn. 2 ff., 5), sofern sie nicht zur Beschlussunfähigkeit geführt haben (s. OLG Hamburg WM 1982, 1090, 1095; 1984, 965, 967). BGH hat diesen Ansätzen deutliche Absage erteilt und entschieden, dass es **keine analoge Anwendung der §§ 243 ff.** auf AR-Beschlüsse gebe (BGHZ 122, 342, 347 f. = NJW 1993, 2307; bestätigt von BGHZ 124, 111, 115 = NJW 1994, 520; BGHZ 164, 249, 252 = NJW 2006, 374; BGH AG 2012, 677 Rn. 10; BGHZ 219, 215 Rn. 29 = NJW 2018, 2796). Dem ist mit mittlerweile auch ganz hLit zuzustimmen, weil Abgrenzungen der §§ 241, 243 auf AR-Beschlüsse nicht passen und auch weitere Vorgaben (zB Widerspruchserfordernis, Klagefrist etc.) ins Leere gehen (BGHZ 122, 342, 349; iErg ebenso OLG Frankfurt AG 2003, 276, 277; BeckOGK/Spindler Rn. 83; Fleischer DB 2013, 217, 218 f.).

4. Anderweitige Einschränkung der Nichtigkeitsfolge. Wenn Nichtig- 29
keitsfolge nicht nach Vorbild des § 241 begrenzt wird, sondern als Folge wesentlicher Verfahrensfehler und inhaltlicher Verstöße eintritt (→ Rn. 26 f.), ist es notwendig, Rechtssicherheit anderweitig zu erreichen. Die Zielsetzung der abgelehnten Meinung (→ Rn. 28) bleibt also richtig; verfehlt ist Analogie zu §§ 243 ff. als Mittel. Lösung kann nicht in einheitlichem und dogmatisch geschlossenem Normtransfer gefunden werden, sondern muss in einer Vielzahl von Einzel- und Teilanalogien gefunden werden, wobei entspr. oben (→ Rn. 28) dargestellten Ansätzen auch Parallelen zum Anfechtungsrecht einzubeziehen sind (überzeugend Fleischer DB 2013, 217 f.: „Regelungssplitter"). Ausgangspunkt ist von BGH entwickelter **verwirkungsähnlicher Verlust** des Rechts, bei Verstoß gegen bloße Ordnungsvorschriften (→ Rn. 27) Nichtigkeit geltend zu machen (BGHZ 122, 342, 351 f. mwN = NJW 1993, 2307; sa OLG Hamm NJW-RR

1997, 989 zum Verein; vgl. zu sonstigen Missbrauchsfällen auch OLG Frankfurt NZG 2019, 1055 Rn. 18 f.). Er kann bei minderschweren Fällen dahingehend fortgeschrieben werden, dass sie nur nach entspr. Rüge ggü. AR-Vorsitzendem (spätestens in nächster AR-Sitzung) und innerhalb angemessener Frist geltend gemacht werden können (MüKoAktG/Habersack Rn. 82; Fleischer DB 2013, 217, 218 f.). Anders als nach Anfechtungslösung (→ Rn. 28) ist Beschluss bis dahin unwirksam (Götz FS Lüke, 1997, 167, 180, 182). Als Verstoß gegen **bloße Ordnungsvorschriften** zählt insbes. unzulässige Sitzungsteilnahme Dritter (BGHZ 47, 341, 349 f. = NJW 1967, 1711 unter teilw. Abweichung von BGHZ 12, 327, 331 = NJW 1954, 797; → § 109 Rn. 4) oder fehlende Protokollierung des Beschlusses (s. bereits § 107 II 3). Kategorie **minderschwerer Fälle** werden Verstöße gegen Verfahrensvorschriften zugeordnet, die zur Disposition der AR-Mitglieder stehen (zB verspätete Einberufung oder Verstoß gegen Gleichbehandlungsgrundsatz bei Ausschussbesetzung – vgl. BeckOGK/Spindler Rn. 79); zu verbleibenden schweren Organisationsmängeln → Rn. 27.

30 Weiteren Filter bietet **Feststellungsinteresse.** Es steht originär jedem AR-Mitglied zu (→ Rn. 26), und zwar – entsprechend Anfechtungsrecht (§ 245 S. 1 Nr. 1) – unabhängig davon, ob es von Beschlussfehler betroffen ist (MüKoAktG/Habersack Rn. 85; aA Fleischer DB 2013, 217, 219) oder Widerspruch erhoben hat (Fleischer DB 2013, 217, 220 f.; aA OLG Hamburg WM 1982, 1090, 1095). Auch AR-Beschlüsse, die vor Amtszeit des AR-Mitglieds gefasst worden sind, können von ihm angefochten werden (BGH AG 2012, 677 Rn. 12; OLG München AG 2017, 750. 751). Spiegelbildlich kann auch ausgeschiedenes AR-Mitglied noch Feststellung hinsichtlich zu seiner Amtszeit gefasster Beschlüsse verlangen (OLG Frankfurt NZG 2019, 1055 Rn. 18; MüKoAktG/Habersack Rn. 85). Dem Verwirkungsgedanken entspr. aber, Feststellungsinteresse wegen widersprüchlichen Verhaltens zu versagen, wenn AR-Mitglied zugestimmt hat (Fleischer DB 2013, 217, 219). **Feststellungsinteresse des Vorstands** wird zT nur zurückhaltend angenommen, um übermäßiger judizieller Überlagerung des Binnenbereichs der AG entgegenzuwirken; jedenfalls einzelnen Mitgliedern soll Klagemöglichkeit nur bei eigener Betroffenheit eröffnet sein (vgl. etwa Hölters/Weber/Groß-Bölting/Rabe Rn. 81; Fleischer DB 2013, 217, 220). Für Vorstand selbst wird solches Klagerecht indes schon von systematischem Vergleich zu § 245 S. 1 Nr. 4 getragen (Einzelheiten bei J. Koch ZHR 180 [2016], 578, 609 f.). Wegen umfassender Verantwortlichkeit, für Rechtmäßigkeit des Korporationshandelns zu sorgen (BGHZ 206, 143 Rn. 45 = NZG 2015, 1227), sollte einzelnen Vorstandsmitgliedern Klagerecht auch ohne eigene Betroffenheit ebenfalls zustehen (BeckOGK/Spindler Rn. 86; Lutter/Krieger/Verse AR Rn. 743; J. Koch ZHR 180 [2016], 578, 609 f.). **Aktionäre** haben anerkennenswertes Feststellungsinteresse nur ausnahmsweise bei unmittelbarer Beeinträchtigung, insbes. bei Beschluss zur Ausübung des genehmigten Kapitals unter Ausschluss des Bezugsrechts (BGHZ 164, 249, 253 ff. = NJW 2006, 374; Fleischer DB 2013, 217, 220). Bei Klage durch andere Partei kann AR-Mitglied dem Rechtsstreit als Nebenintervenient iSd § 66 I ZPO beitreten (BGH AG 2013, 257 Rn. 8 f., 13). **Klagefrist** besteht nur bei minderschweren Mängeln und kann nicht schematisch festgelegt (etwa nach Leitbild des § 246 I), sondern nur dahingehend konkretisiert werden, dass Klage mit aller zumutbaren Beschleunigung erhoben werden muss (so Fleischer DB 2013, 217, 221 f. mit Übersicht über weitere Ansätze; vgl. für Feststellungsklage eines Aktionärs auch BGHZ 219, 215 Rn. 26 ff. = NJW 2018, 2796; BGH NZG 2019, 937 Rn. 15 ff.; dazu → § 203 Rn. 57). Richtige Beklagte ist dabei AG, nicht AR (BGHZ 122, 342, 344 = NJW 1993, 2307; BGHZ 135, 244, 247 f. = NJW 1997, 1926). **Rechtskraftwirkung** des Beschlusses ist auf alle Aktionäre und Organmitglieder erweitert (BGHZ 122, 342, 350 f.; MüKoAktG/Habersack Rn. 85; Fleischer DB 2013, 217, 223).

Teilnahme an Sitzungen des Aufsichtsrats und seiner Ausschüsse

109 (1) [1] **An den Sitzungen des Aufsichtsrats und seiner Ausschüsse sollen Personen, die weder dem Aufsichtsrat noch dem Vorstand angehören, nicht teilnehmen.** [2] **Sachverständige und Auskunftspersonen können zur Beratung über einzelne Gegenstände zugezogen werden.** [3] **Wird der Abschlussprüfer als Sachverständiger zugezogen, nimmt der Vorstand an dieser Sitzung nicht teil, es sei denn, der Aufsichtsrat oder der Ausschuss erachtet seine Teilnahme für erforderlich.**

(2) **Aufsichtsratsmitglieder, die dem Ausschuß nicht angehören, können an den Ausschußsitzungen teilnehmen, wenn der Vorsitzende des Aufsichtsrats nichts anderes bestimmt.**

(3) **Die Satzung kann zulassen, daß an den Sitzungen des Aufsichtsrats und seiner Ausschüsse Personen, die dem Aufsichtsrat nicht angehören, an Stelle von verhinderten Aufsichtsratsmitgliedern teilnehmen können, wenn diese sie hierzu in Textform ermächtigt haben.**

(4) **Abweichende gesetzliche Vorschriften bleiben unberührt.**

I. Regelungsgegenstand und -zweck

Norm betr. Teilnahme von Personen, die nicht AR-Mitglieder sind, an Sitzungen des AR und seiner Ausschüsse (§ 109 I und III), ferner Teilnahme von AR-Mitgliedern an Sitzungen von Ausschüssen, denen sie nicht angehören (§ 109 II). Bezweckt ist vor allem klare **Abgrenzung des AR ggü. Beiräten** und ähnlichen Gremien. Mitglieder solcher Gremien oder auch andere Personen sollen nicht durch regelmäßige Teilnahme an Sitzungen des AR tats. vergleichbaren Einfluss ohne entspr. Verantwortlichkeit erlangen (BGH AG 2012, 248 Rn. 16; OLG Stuttgart BeckRS 2022, 42801 Rn. 41; näher Kindl, Die Teilnahme an der Aufsichtsratssitzung, 1993, 12 f., 15). Zugleich soll Vertraulichkeit der Beratungen im AR gewährleistet (BGH AG 2012, 248 Rn. 16; OLG Stuttgart BeckRS 2022, 42801 Rn. 35) und sichergestellt werden, dass Höchstgrenzen des § 95 S. 4 nicht umgangen werden (OLG Stuttgart BeckRS 2022, 42801 Rn. 35; Schnorbus/Ganzer AG 2013, 445, 446). Norm ist vorbehaltlich bes. Vorschriften (§ 109 IV) abschließend und – entgegen ihrem Wortlaut („sollen") – auch zwingend, soweit sie nicht selbst der Satzung einen begrenzten Regelungsspielraum eröffnet (§ 109 III; sa BGH AG 2012, 248 Rn. 15; OLG Stuttgart BeckRS 2022, 42801 Rn. 31, 37). 1

II. Keine Sitzungsteilnahme Dritter

1. Organmitglieder. § 109 I regelt Teilnahme an Sitzungen, wobei Videokonferenz der Präsenzsitzung gleichzusetzen ist (→ § 108 Rn. 22; → § 110 Rn. 11). Teilnahmeverbot des § 109 I 1 gilt nicht für Organmitglieder. Dabei ist iE zu unterscheiden: **AR-Mitglieder** sind kraft ihres Amtes zur Teilnahme an den Sitzungen berechtigt und verpflichtet. Das ist in § 109 vorausgesetzt. **Teilnahmerecht** ist unentziehbar (unstr.). Nur im Einzelfall und unter engen Voraussetzungen darf dem AR-Mitglied die Ausübung seines Rechts untersagt werden, nämlich bei konkret belegbarer Befürchtung, dass durch die Teilnahme wichtige Gesellschaftsbelange gefährdet, zB Geheimnisse verraten werden (hM, s. S/L/Drygala Rn. 4; MüKoAktG/Habersack Rn. 10; BeckOGK/Spindler Rn. 8 ff.; Breidenich, Organisation der AR-Arbeit, 2020, 125 ff.; einschr. Kindl, Die Teilnahme an der Aufsichtsratssitzung, 1993, 161 ff., 164; → § 108 Rn. 14), und bei nicht anders herstellbarer Ordnung des Sitzungsablaufs. Maßnahmen der ersten Art fallen in die Kompetenz des Organs, erfordern also einen Beschluss 2

(§ 108 I). Solche der zweiten Art gehören dagegen zur Sitzungsleitung, obliegen also dem AR-Vorsitzenden (vgl. BGHZ 44, 245, 248 = NJW 1966, 43 betr. Leiter der HV). Auch **Interessenkollisionen,** die uU für alle Mitglieder zu Verlust des Haftungsprivilegs nach § 93 I 2 führen, können Ausschluss begründen (→ § 108 Rn. 10 ff., 14). AR-Mitglied hat aber nur dann Anspruch auf Teilnahme, wenn seine Wahl wirksam ist. Daran fehlt es, wenn zahlenmäßige Obergrenze des § 7 MitbestG überschritten wird (→ § 95 Rn. 6), und zwar auch dann, wenn weitere Mitglieder kein Stimmrecht haben (BGH AG 2012, 248 Rn. 12 ff.). Für Einbeziehung künftiger AR-Mitglieder ist nur ausnahmsweise nach den in → Rn. 4 dargelegten Maßstäben Raum, namentl. wenn AR sich über ihre Eignung informieren will (MüKoAktG/Habersack Rn. 22; BeckOGK/Spindler Rn. 16; großzügiger Seibt/Scholz AG 2016, 739, 743 ff.; vgl. dazu schon – zugeschnitten auf Vorstandsmitglieder – die Ausführungen in → § 84 Rn. 9).

3 **Vorstandsmitglieder** unterliegen nach § 109 I 1 zwar keinem ges. Teilnahmeverbot, sind aber auch nicht kraft Ges. berechtigt, an Sitzungen des AR und seiner Ausschüsse teilzunehmen. Satzung kann eine Teilnahmebefugnis mit der Maßgabe begründen, dass der AR-Vorsitzende oder der AR als Organ im Einzelfall anders entscheiden können (MüKoAktG/Habersack Rn. 14). Wenn AR Teilnahme verlangt, sind Vorstandsmitglieder dazu verpflichtet (Lutter/Krieger/Verse AR Rn. 702; Dangelmayer/Aicher AG 2023, 71 Rn. 7). Während Ziff. 3.6 II DCGK aF noch vorsah, dass AR bei Bedarf ohne Vorstand tagen solle, empfiehlt D.6 DCGK, AR solle regelmäßig auch ohne den Vorstand tagen. Mit dieser Neufassung soll Überwachungsfunktion gestärkt werden. Zur Einbeziehung künftiger Vorstandsmitglieder → § 84 Rn. 9.

4 **2. Dritte.** Dritte haben **kein Teilnahmerecht** und können es auch durch die Satzung nicht erlangen. Dritter ist, wer nicht Organmitglied ist (→ Rn. 2 f.), also auch der Hauptaktionär, auch der Ehrenvorsitzende oder das Ehrenmitglied des AR (→ § 107 Rn. 15 ff.); das Gleiche gilt für nur künftige AR-Mitglieder (Böttcher NZG 2012, 809, 810). Als Dritte gelten insbes. auch Aufsichtsorgane anderer Gesellschaften innerhalb eines Unternehmensverbunds, so dass gemeinsame Sitzungen von Aufsichtsorganen innerhalb eines Konzerns grds. unzulässig sind; nur in Ausnahmefällen können einzelne Vertreter unter engen Voraussetzungen des § 109 I 2 als Sachverständige oder Auskunftsperson hinzugezogen werden (OLG Stuttgart BeckRS 2022, 42801 Rn. 50; Schnorbus/Ganzer AG 2013, 445 ff.). § 109 I 1 ist jedoch sog Ordnungsvorschrift („soll"). Beschlüsse des AR, die in unzulässiger Anwesenheit Dritter gefasst wurden, sind deshalb grds. gültig (BGHZ 47, 341, 349 f. = NJW 1967, 1711 unter teilw. Abweichung von BGHZ 12, 327, 331 = NJW 1954, 797; MüKoAktG/Habersack Rn. 3, 8; → § 108 Rn. 26 ff.; krit. ggü. dieser Folgenlosigkeit Böttcher NZG 2012, 809, 812).

5 **3. Sachverständige und Auskunftspersonen.** Gem. § 109 I 2 kann AR Sachverständige und Auskunftspersonen zuziehen, aber nicht generell (BGH AG 2012, 248 Rn. 16), sondern nur zur Beratung einzelner Gegenstände, also solcher, zu denen sie Sachverstand beitragen oder Auskunft geben können. Entscheidung liegt beim **Sitzungsleiter,** der aber an abweichenden Beschluss des Gremiums gebunden ist (MüKoAktG/Habersack Rn. 21; Dangelmayer/Aicher AG 2023, 71 Rn. 37 f.). Voraussetzung ist stets, dass (1) Teilnahme gemessen am Maßstab des § 109 I 2 erforderlich ist, (2) Arbeitsfähigkeit des AR dadurch nicht beeinträchtigt wird, (3) Dritter sich nicht ohne Aufforderung aktiv an Sitzung beteiligen darf und (4) Vertraulichkeit – qua ges. Verschwiegenheitspflicht oder entspr. Vertraulichkeitsvereinbarung – gewahrt ist (Dangelmayer/Aicher AG 2023, 71 Rn. 28 ff.). Begriff des Sachverständigen ist untechnisch zu verstehen; bes. Sachkunde bzgl. des Beratungsgegenstands genügt. In der Bilanzsitzung sind

vor allem Abschlussprüfer sachverständig. Sie sind zur Teilnahme verpflichtet, wenn AR es verlangt (§ 171 I 2). Noch nicht geklärt ist, ob AR auch **Mitarbeiter** als Sachverständige oder Auskunftsperson einbeziehen kann. Richtig ist, allg. Grundsätze zur Mitarbeiterbefragung (→ § 111 Rn. 36) auch hier anzulegen und Mitarbeiter zuzulassen, allerdings nur unter Vermittlung des Vorstands, sofern nicht gerade gegen diesen bes. Verdachtsmomente bestehen und durch Mitarbeiterbefragung bestätigt werden sollen (zutr. BeckOGK/Spindler Rn. 27; M. Arnold/Rudzio FS Wegen, 2015, 93, 98 f.). Das gilt insbes. auch für Mitarbeiter der Rechtsabteilung (OLG Köln NZG 2013, 548 550 f.; Redeke AG 2017, 289, 294). Durch solche Handhabung wird Zuständigkeitsgefüge der AG gewahrt und zugleich Funktionsfähigkeit des AR hinreichend sichergestellt. Dass bilanzrechtl. Überwachungsaufgabe zwingend weitergehende Direktkontakte erfordere (so S/L/Drygala Rn. 13), ist nicht erkennbar. Der **Ehrenvorsitzende** oder das Ehrenmitglied, auch ehemalige Mitglieder des AR oder des Vorstands, können ebenfalls als Sachverständige und bes. als Auskunftspersonen zugezogen werden, vor allem, soweit es um Vorgänge aus ihrer Amtszeit geht. Vom AR-Vorsitzenden zugezogener **Protokollführer** darf ohne Rücksicht auf Organmitgliedschaft (→ Rn. 2 f.) unter Reduktion des § 109 I anwesend sein, wenn kein AR-Mitglied widerspricht (→ § 107 Rn. 18). Dasselbe gilt für Dolmetscher, soweit erforderlich (Lutter/Krieger/Verse AR Rn. 703; Wassen AG 2011, 685, 688; diff. Breidenich, Organisation der AR-Arbeit, 2020, 139 ff.). Als Sachverständige oder Auskunftspersonen können auch **Organmitglieder anderer Konzernunternehmen** zur Sitzung zugelassen werden (U. H. Schneider FS Konzen, 2006, 881, 885 ff.; Schnorbus/Ganzer AG 2013, 445, 448). Auch wenn daraus in Einzelfällen faktisch gemeinsame AR-Sitzung entstehen mag, muss es bei getrennter Beschlussfassung bleiben (U. H. Schneider FS Konzen, 2006, 881, 889). Zu weitgehend ist These, dass bei Gesellschaften mit hoheitlicher Beteiligung iSd §§ 394 f. Vertretern des Hoheitsträgers Unterstützung durch teilnehmende Mitarbeiter zuzubilligen ist (so aber Dangelmayer/Aicher AG 2023, 71 Rn. 24 ff.). Für derartige Bevorzugung ggü. anderen Aktionären besteht ohne ges. Sondervorschriften keine Grundlage (→ § 394 Rn. 5).

4. Teilnahme des Abschlussprüfers. Mit FISG 2021 wurde neuer § 109 I 3 eingeführt, wonach **Vorstand an Sitzung nicht teilnimmt,** wenn Abschlussprüfer als Sachverständiger hinzugezogen wird. Ausn. gilt nur dann, wenn AR oder Ausschuss Teilnahme für erforderlich erachtet. Vorschrift war in RegBegr. BT-Drs. 19/26966 noch nicht enthalten. Regelungsvorschlag geht stattdessen auf **FinanzA** BT-Drs. 19/29879, 158 zurück, der auf diese Weise vertrauliche Kommunikation des AR oder eines Ausschusses mit dem Abschlussprüfer verstärken will (FinanzA BT-Drs. 19/29879, 158). Vorschrift hat in erster Linie **Signalcharakter,** da § 109 I 1 für Vorstand auch sonst weder Teilnahmerecht noch -pflicht begründet. Daran soll sich mit Einfügung des § 109 I 3 nichts ändern (FinanzA BT-Drs. 19/29879, 158). Entgegen zu weit geratenem Wortlaut ist auch bei Teilnahmeverbot nicht erforderlich, dass Vorstand gesamter Sitzung fernbleibt, sondern es genügt, wenn er von den einschlägigen Tagesordnungspunkten ausgeschlossen ist (Simons NZG 2021, 1429, 1436). 5a

III. Teilnahme von Aufsichtsratsmitgliedern an Ausschusssitzungen

AR-Mitglieder, die dem jeweiligen Ausschuss angehören, sind berechtigt und verpflichtet, an dessen Sitzungen teilzunehmen (→ Rn. 2). AR-Mitglieder, die dem Ausschuss nicht angehören, sind gem. § 109 II grds. zur Teilnahme an der Sitzung berechtigt. Wenn sie von ihrem Recht Gebrauch machen, können sie auch die Unterlagen für die jeweilige Sitzung und das über sie gefertigte Protokoll 6 einsehen (MüKoAktG/Habersack Rn. 24). AR-Vorsitzender, nicht auch der Vorsitzende des jeweiligen Ausschusses, kann bestimmen, dass Nichtmitglieder von der Teilnahme ausgeschlossen sind. Generelle Bestimmung, nach der sich Teilnahmebefugnis der AR-Mitglieder stets auf die Ausschüsse beschränkt, denen sie angehören, widerspricht dem Kollegialprinzip und der Wertung des § 109 II. **Teilnahmeverbot** sollte deshalb **Einzelfallmaßnahme** bleiben und in genereller Form allenfalls für einzelne Ausschüsse ausgesprochen werden (MüKoAktG/Habersack Rn. 29; undeutlich AusschussB Kropff S. 153). Satzung kann nichts anderes bestimmen (MüKoAktG/Habersack Rn. 26; GK-AktG/Hopt/Roth Rn. 93). Macht AR-Vorsitzender von seinem Recht Gebrauch, so ist es im Gesellschaftsinteresse auszuüben. Dafür genügt Wahrung der **Vertraulichkeit,** soweit bes. Personalausschuss entspr. Tagesordnung hat (LG München I NZG 2008, 348, 349 f.). Rechtsschutz betroffener AR-Mitglieder: Feststellungsklage gegen AG, diese vertreten durch Vorstand (LG München I NZG 2008, 348, 349).

IV. Teilnahme für verhinderte Aufsichtsratsmitglieder

7 Nach § 109 III kann Satzung zulassen, dass anstelle obj. verhinderter AR-Mitglieder dazu ermächtigte Personen an Sitzungen des AR und seiner Ausschüsse teilnehmen. Ermächtigung muss **Textform** haben. Maßgeblich ist § 126b BGB, der auch unterschriftslose Erklärungen genügen lässt, namentl. Telefax oder E-Mail (eingehend RegBegr. BT-Drs. 14/4987, 18 ff.). Satzung muss Bestimmung über Teilnahme Dritter selbst treffen, kann sie also nicht dem AR-Vorsitzenden überlassen (BeckOGK/Spindler Rn. 48; Kindl, Die Teilnahme an der Aufsichtsratssitzung, 1993, 25). Norm korrespondiert mit § 101 III 1 und § 108 III. Insbes. können Personen, die nicht AR-Mitglieder sind, nur dann als Stimmboten auftreten, wenn Satzung ihre Teilnahme gestattet (→ § 108 Rn. 19 f.). Teilnahmerecht umfasst darüber hinaus Recht auf Anwesenheit. Dagegen hat der Teilnahmeberechtigte **kein eigenes Rede- und Antragsrecht.** Kraft seiner botenartigen Stellung darf er nur Erklärungen des verhinderten AR-Mitglieds vortragen und dessen Anträge stellen. Für Stimmabgabe selbst bedarf es der Form des § 108 III, wobei jedoch analog § 108 IV auch abgeschwächte Förmlichkeit des üblichen Geschäftsverkehrs genügt, mindestens aber Telefax (→ § 108 Rn. 20).

V. Abweichende Vorschriften

8 Die nach § 109 IV unberührt bleibenden abw. Vorschriften sind die herkömmlichen **aufsichtsrechtl. Sonderbestimmungen.** Sie begründen ges. Teilnahmerecht sog Board Observer für Vertreter der Aufsichtsbehörden in regulierten Branchen (Dangelmayer/Aicher AG 2023, 71 Rn. 18 ff.). Vgl. bes. § 44 IV, V KWG und die dessen Geltung erstreckenden Normen wie zB § 3 PfandBG; für Versicherungsaufsicht auch § 306 I 1 Nr. 4 VAG. Behördenvertreter sind in diesem Fall nicht auf passive Informationsbeschaffung beschränkt, sondern dürfen sich aktiv in Sitzung einbringen (Dangelmayer/Aicher AG 2023, 71 Rn. 19).

Einberufung des Aufsichtsrats

110 (1) [1]**Jedes Aufsichtsratsmitglied oder der Vorstand kann unter Angabe des Zwecks und der Gründe verlangen, daß der Vorsitzende des Aufsichtsrats unverzüglich den Aufsichtsrat einberuft.** [2]**Die Sitzung muß binnen zwei Wochen nach der Einberufung stattfinden.**

(2) **Wird dem Verlangen nicht entsprochen, so kann das Aufsichtsratsmitglied oder der Vorstand unter Mitteilung des Sachverhalts und der Angabe einer Tagesordnung selbst den Aufsichtsrat einberufen.**

(3) [1]**Der Aufsichtsrat muss zwei Sitzungen im Kalenderhalbjahr abhalten.** [2]**In nichtbörsennotierten Gesellschaften kann der Aufsichtsrat beschließen, dass eine Sitzung im Kalenderhalbjahr abzuhalten ist.**

Übersicht

I. Regelungsgegenstand und -zweck

1 Entgegen seiner Überschrift normiert § 110 Einberufung des AR nicht umfassend. Vielmehr ist Zuständigkeit des AR-Vorsitzenden vorausgesetzt, sind Art und Weise der Einberufung ungeregelt. Schwerpunkt der Norm liegt deshalb im **Recht auf Einberufung** (§ 110 I) und im daran anknüpfenden **Recht zur Selbsthilfe** (§ 110 II). Bestimmung über **Mindestturnus** (§ 110 III) geht auf § 84 Nr. 4 BetrVG 1952 zurück und sollte ursprünglich sicherstellen, dass Mitbestimmung der AN im AR auch zur Geltung kommt. Regelung ist nicht abschließend. Satzung kann vor allem Modalitäten der Einberufung ordnen und dichtere Sitzungsfolge als nach § 110 III bestimmen. § 110 I und II und Anforderungen des § 110 III sind jedoch in dem Sinne zwingend, dass Satzung Anforderungen an Einberufung nicht erhöhen und vom Mindestturnus nicht befreien kann. Zulässig bleibt, Einberufung zu erleichtern (Einzelheiten sind str., s. MüKoAktG/Habersack Rn. 4; BeckOGK/Spindler Rn. 6, 15).

II. Einberufung durch Aufsichtsratsvorsitzenden

2 **1. Zuständigkeit.** § 110 I geht davon aus, dass Einberufung des AR durch seinen **Vorsitzenden** erfolgt (→ § 107 Rn. 9). Ist Vorsitzender verhindert (auch vorübergehend), beruft gem. § 107 I 3 sein Stellvertreter die Sitzung ein (→ § 107 Rn. 13). Sind kein Vorsitzender und kein Stellvertreter im Amt, so steht Recht zur Einberufung analog § 110 II jedem AR-Mitglied und alternativ dem Vorstand zu (allgM, s. Lutter/Krieger/Verse AR Rn. 692). Einberufung unterliegt nicht den für Rechtsgeschäfte geltenden Regeln; AR-Vorsitzender wird dabei auch nicht als Vertreter der AG tätig. Einberufung ist vielmehr innergesellschaftliche Verfahrenshandlung (BGHZ 100, 264, 267 = NJW 1987, 2580), die Vorsitzender im eigenen Namen vornimmt.

3 **2. Form und Frist.** Mangels ges. Bestimmung können Satzung oder Geschäftsordnung des AR die **Modalitäten der Einberufung** regeln (→ Rn. 1). Enthalten sie nichts, kann Einberufung in jeder Weise, auch mündlich oder telefonisch, erfolgen, muss Frist bis zum Sitzungstag nur angemessen sein (hM, s. MüKoAktG/Habersack Rn. 16; Lutter/Krieger/Verse AR Rn. 692). Satzung

oder Geschäftsordnung können schriftliche Einberufung vorschreiben, auch Einberufung durch eingeschriebene Briefe (vgl. § 51 I GmbHG). Auch **Einberufungsfrist** kann geregelt werden. Hierzu wird angenommen, Frist dürfe wegen § 110 I 2 nicht länger als zwei Wochen sein (Lutter/Krieger/Verse AR Rn. 692). Dem ist nicht zu folgen (glA S/L/Drygala Rn. 9). Zweiwochenfrist gilt nur, wenn AR-Vorsitzender Sitzung auf Verlangen einberuft (§ 110 I 1). Satzung kann also längere Frist mit der Maßgabe bestimmen, dass Sitzung in den Sonderfällen des § 110 I 1 binnen zwei Wochen stattfinden muss. Kurze Fristen führen leicht zu Problemen bei Rechtzeitigkeit der Einberufung. Entspr. den zur Gesellschafterversammlung der GmbH anerkannten Grundsätzen ist Zugang iSd § 130 I 1 BGB nicht erforderlich, bloße Aufgabe zur Post aber noch nicht genügend. Frist beginnt vielmehr in dem Zeitpunkt, in dem Zugang normalerweise erwartbar ist (BGHZ 100, 264, 267 f. = NJW 1987, 2480; BeckOGK/Spindler Rn. 25; Lutter/Krieger/Verse AR Rn. 692; anders noch RGZ 60, 144, 145 f.; KG NJW 1965, 2157, 2158).

4 **3. Inhalt und Tagesordnung.** Einberufung muss die AG bezeichnen, zweckmäßig, wenngleich nicht wie bei HV notwendig (§ 121 III 1), durch Angabe von Firma und Sitz. Sie muss erkennen lassen, wer einberuft. Ort, Tag und Tageszeit (dazu KG NJW 1965, 2157, 2159) sind mitzuteilen. Ort sollte idR entspr. § 121 V Sitz der AG sein (→ § 121 Rn. 12 ff.) und einzelnen AR-Mitgliedern auch nicht aus anderen Gründen unzumutbar sein (vgl. OLG München NZG 2018, 1389 Rn. 10 f.: Ladung in Kanzlei des verfeindeten AR-Vorsitzenden). Nach hM sind auch die Gegenstände der Tagesordnung anzugeben (S/L/Drygala Rn. 10; KK-AktG/Mertens/Cahn Rn. 4; Lutter/Krieger/Verse AR Rn. 693). Das entspr. guter Praxis, ist aber als rechtl. Anforderung dann nicht begründbar, wenn Mitteilung förmlicher Tagesordnung gemeint sein sollte. Dafür angeführte analoge Anwendung des § 32 I 2 BGB (gem. § 40 BGB dispositiv; s. aber BGHZ 99, 119, 123 f. = NJW 1987, 1811) trägt Forderung nicht, weil danach **Angabe von Beschlussgegenständen** genügt (ähnlich § 51 IV GmbHG). Mitteilung förmlicher Tagesordnung kann danach nicht zur Voraussetzung ordnungsgem. Einberufung gemacht werden (glA GK-AktG/Hopt/Roth Rn. 26; BeckOGK/Spindler Rn. 20). **Inhaltliche Präzisierung** des Beschlussgegenstands muss es Mitgliedern ermöglichen, tats. Reichweite der Diskussion abzusehen und sich entspr. vorzubereiten (BGHZ 99, 119, 123 f. [zu § 32 BGB]; BeckOGK/Spindler Rn. 20). Abstrakte Angabe kann aus Geheimhaltungsgründen sinnvoll sein, bleibt aber problematisch, da Ges. grds. von vertrauensvoller Zusammenarbeit zwischen Vorstand und AR ausgeht (abl. deshalb MüKoAktG/Habersack Rn. 18; Burgard/Heimann AG 2014, 360, 366 f.; Burgard/Heimann NZG 2014, 1294, 1295). Im Lichte der RegBegr. TransPuG 2002, die im Kontext des § 90 Geheimhaltungsanliegen auch ggü. AR als legitim ansieht (BT-Drs. 14/8769, 15; sa → § 90 Rn. 4b, 10), sollte Zulässigkeit noch bejaht werden können, sofern keine gezielte Irreführung vorliegt (sa MHdB AG/Hoffmann-Becking § 31 Rn. 42; Breidenich, Organisation der AR-Arbeit, 2020, 135 ff.; Cahn AG 2014, 525, 533; Rieger/Rothenfußer NZG 2014, 1012, 1014; offengelassen in OLG Frankfurt NZG 2014, 1017, 1020 zu in der Tat grenzwertigem Sachverhalt). Möglich ist jedenfalls, Tagesordnung der Einberufung zeitlich nachfolgen zu lassen, sofern sachgerechte Vorbereitung möglich bleibt (Lutter/Krieger/Verse AR Rn. 693). Mitteilung von Beschlussanträgen ist für ordnungsgem. Einberufung nicht erforderlich, ihre unverzügliche Mitteilung aber Amtspflicht des Vorsitzenden (KK-AktG/Mertens/Cahn Rn. 4; Lutter/Krieger/Verse AR Rn. 694).

5 **4. Einberufungsmängel.** Mängel der Einberufung sind Verfahrensverstöße und führen, soweit gravierend, zur Nichtigkeit des Beschlusses, es sei denn, dass trotz der Mängel alle AR-Mitglieder erschienen und zu einer Vollversammlung

zusammengetreten sind (OLG München AG 2017, 750, 751; sa → § 108 Rn. 27). Betr. Mangel nur einzelne AR-Mitglieder, kommt auch **verwirkungsähnlicher Verlust** des Rügerechts, nach aA bloße Anfechtbarkeit, in Betracht (→ § 108 Rn. 28). Abgrenzung gravierender von weniger schwerwiegenden Mängeln ist nicht vollständig gesichert. Nichtigkeitsgründe sind jedenfalls unangemessen kurze Ladungsfrist, fehlende Angabe von Ort und/oder Zeit der Sitzung, unterbliebene Angabe der Beschlussgegenstände; dagegen nicht unterbliebene Mitteilung förmlicher Tagesordnung oder von Beschlussanträgen (→ Rn. 4).

III. Recht auf Einberufung

Mitglieder des AR oder der Vorstand können Einberufung des AR verlangen 6 (§ 110 I 1). Recht steht den **AR-Mitgliedern einzeln,** dem **Vorstand als Organ** zu; Handeln von Vorstandsmitgliedern in vertretungsberechtigter Zahl (§ 78) genügt nicht (heute allgM, s. MüKoAktG/Habersack Rn. 23). Erlangt AR-Mitglied im Rahmen seiner Überwachungstätigkeit Kenntnis von rechtswidrigen Handlungen, kann sich Einberufungsrecht auch zu **Einberufungspflicht** verdichten, wobei AR-Mitglied bei Weigerung des Vorsitzenden auch Weg des § 110 II (→ Rn. 8 f.) beschreiten muss (vgl. OLG Braunschweig NJW 2012, 3798, 3780: Untreuevorwurf begründende Garantenstellung). Verlangen kann formlos gestellt werden, muss aber stets Zweck und Gründe angeben. **Zweck** der Sitzung wird durch Bezeichnung der Gegenstände angegeben, über die beschlossen, uU auch nur beraten werden soll; Vorschlag einer Tagesordnung ist stets genügend, aber nicht erforderlich. **Gründe** beziehen sich auf Notwendigkeit und Zeitpunkt der Sitzung; aus dem Verlangen muss sich also ergeben, warum Sitzung überhaupt und gerade jetzt stattfinden soll.

Verlangen ist **an Vorsitzenden des AR** zu richten. Dieser muss ihm unverzüglich (§ 121 I 1 BGB) nachkommen. Einberufungsverlangen ist nicht erfüllt, wenn AR-Vorsitzender Beschlussfassung ohne Sitzung (§ 108 IV) einleitet, es sei denn, er handle im Einverständnis mit dem Träger des Initiativrechts. Ohne schuldhaftes Zögern muss Einberufung ausgesprochen werden. Für Sitzung selbst steht nochmals Zweiwochenfrist zur Verfügung (§ 110 I 2). Einberufung darf in Missbrauchsfällen abgelehnt werden (MHdB AG/Hoffmann-Becking § 31 Rn. 44; Lutter/Krieger/Verse AR Rn. 695; sa OLG Köln WM 1959, 1402, 1404), doch ist mit Annahme von Missbrauch Vorsicht geboten. Dass AR-Vorsitzender Verlangen für unbegründet hält, macht es nicht missbräuchlich. Auch geringe Erfolgschancen beabsichtigten Antrags rechtfertigen es nicht, das Einberufungsverlangen zurückzuweisen (aA noch KG DNotZ 1935, 592 f. zur GmbH). Klageweise Durchsetzung des Einberufungsrechts scheitert allerdings mit Blick auf § 110 II (→ Rn. 8) an fehlendem Rechtsschutzbedürfnis (MüKoAktG/Habersack Rn. 28; aA S/L/Drygala Rn. 22). 7

IV. Recht zur Selbsthilfe

§ 110 II begründet Selbsthilferecht. Dabei ist zwischen AR-Mitgliedern und 8 Vorstand zu unterscheiden. Einberufung durch **AR-Mitglieder** setzt voraus, dass sie den vergeblichen Einberufungsantrag gestellt haben. Anders als früher steht Selbsthilferecht seit Neufassung des § 110 II durch TransPuG 2002 den AR-Mitgliedern einzeln zu; erforderlich ist aber unverändert Identität von Antragsteller und Einberufendem. Einberufungsrecht der einzelnen AR-Mitglieder soll wie bei § 90 III 2 (→ § 90 Rn. 12) einer Schwächung ihrer Rechtsstellung entgegenwirken (RegBegr. BT-Drs. 14/8769, 16). Die querulatorische oder sonstwie missbräuchliche Einberufung bleibt unbeachtlich (RegBegr. BT-Drs. 14/

8769, 16; NK-AktR/Breuer/Fraune Rn. 7). **Vorstand** muss auch bei Einberufung als Organ handeln. Einzelne Vorstandsmitglieder oder eine vertretungsberechtigte Zahl können den AR nicht einberufen (→ Rn. 6).

9 Selbsthilfe setzt **vergebliches Einberufungsverlangen** voraus. Verlangen ist auch dann vergeblich, wenn Sitzung zu einem anderen als dem im Verlangen angegebenen Zweck einberufen wurde (BGH WM 1985, 567, 568 betr. GmbH). Verlangen ist noch nicht vergeblich, wenn Einberufung durch Vorsitzenden noch erwartet werden kann; insbes. müssen Antragsteller von ihnen selbst gesetzte Frist abwarten (BGHZ 87, 1, 3 = NJW 1983, 1677). Einberufung muss den üblichen Anforderungen entspr. (→ Rn. 3 f.) und überdies unter **Mitteilung des Sachverhalts** erfolgen. Aus dieser Mitteilung müssen sich die subj. Voraussetzungen des Selbsthilferechts ergeben, bes. das vergebliche Einberufungsverlangen des AR-Mitglieds (→ Rn. 8), ferner Inhalt und Zugang des Einberufungsverlangens sowie das Untätigbleiben des AR-Vorsitzenden. Zweiwochenfrist des § 110 I 2 gilt bei Einberufung im Wege der Selbsthilfe nicht (hM, s. MüKoAktG/Habersack Rn. 36; Grigoleit/Tomasic Rn. 6; Lutter/Krieger/Verse AR Rn. 697; aA BeckOGK/Spindler Rn. 44). **Kosten** der Sitzung fallen der AG zur Last, die aber im Einzelfall einen Schadensersatzanspruch nach §§ 93, 116 haben kann (s. MüKoAktG/Habersack Rn. 40).

V. Mindestturnus

10 **1. Zahl und Verteilung der Sitzungen.** Nach Neufassung des § 110 III durch TransPuG 2002 ist ges. Mindestturnus (zum Zweck → Rn. 1; dort auch zu höheren Anforderungen der Satzung) für Gesellschaften mit und ohne Börsennotierung im Grundsatz gleich: AR muss im Kalenderhalbjahr zwei Sitzungen, also vier Sitzungen im Jahr, abhalten, was im Interesse einer effektiven Vorstandsüberwachung liegen soll (RegBegr. BT-Drs. 14/8769, 16); konstituierende Sitzung ist mitzuzählen (MüKoAktG/Habersack Rn. 44). Unterschreitung des Turnus bleibt jedoch ohne Sanktion (krit. Knigge WM 2002, 1729, 1732). Bei börsennotierten Gesellschaften (§ 3 II) ist Regelung zwingend (§ 23 V). Bei nichtbörsennotierten Gesellschaften steht sie gem. § 110 III 2 zur Disposition des AR, der darüber mangels anderer Regelung mit einfacher Mehrheit entscheidet (DAV-HRA NZG 2002, 115, 117). Um Anreiz für Sitzungsteilnahme zu setzen, sah Kodexempfehlung Ziff. 5.4.7 aF bei börsennotierter AG Berichtspflicht vor, wenn AR-Mitglied in einem Geschäftsjahr an der Hälfte der Sitzungen des AR und der Ausschüsse, denen er angehört, oder weniger teilgenommen hat. Durch Kodexreform 2020 wurde Regelung in **Empfehlung D.7 DCGK** in dem Sinne neu gefasst, dass generell im Bericht des AR an HV angegeben werden soll, an wie vielen Sitzungen des AR und der Ausschüsse die einzelnen Mitglieder teilgenommen haben. Kodex-Neufassung 2022 ergänzt, dass überdies angegeben werden soll, wie viele dieser Sitzungen in Präsenz oder als Video- oder Telefonkonferenz (→ Rn. 11) durchgeführt wurden. Zu Recht aufgegeben wurde bisherige Anregung, dass Teilnahme über Telefon- oder Videokonferenzen nicht die Regel sein sollte (D.8 S. 2 DCGK aF; sa VGR AG 2022, 239 Rn. 56). Gerade Möglichkeit der Videokonferenz, die in Zeiten der COVID-19-Pandemie für alle Beteiligten geläufig und technisch barrierefrei zugänglich ist, ermöglicht deutlich höhere Sitzungsfrequenz und schnelle Reaktion bei Entscheidungsbedarf (Kremer/Mucic/Thomas/v. Werder DB 2021, 1145, 1148). Ggü. Telefonkonferenzen ist Zurückhaltung dagegen durchaus auch weiterhin angebracht (VGR AG 2022, 239 Rn. 56; v. Werder DB 2022, 1755, 1762).

11 **2. Sitzungen mit und ohne Präsenz.** Neufassung des § 110 III spricht nicht mehr davon, dass AR zusammenzutreten habe, sondern davon, dass Sitzungen

abzuhalten sind. Dadurch soll klargestellt werden, dass persönliche Präsenz zwar die Regel sein sollte, aber in Ausnahmefällen auch **Telefon- oder Videokonferenz** zulässig ist (RegBegr. BT-Drs. 14/8769, 17; Einzelheiten dazu mit Kritik an Telefonkonferenz bei Wagner NZG 2002, 57, 61 ff.; sa Breidenich, Organisation der AR-Arbeit, 2020, 104 ff.). Vor diesem Hintergrund ist heute weitestgehend anerkannt, dass auch Pflichtsitzungen nicht Präsenzsitzungen sein müssen (vgl. statt aller MüKoAktG/Habersack Rn. 45). Daran ist entgegen neuerdings wieder geäußerter Kritik (vgl. Kupfer/Nahrgang ZIP 2021, 678, 679 ff.) festzuhalten. Schon bewusst ausgedehnter Wortlaut deutet in diese Richtung. Darüber hinaus ließ schon RegBegr. NaStraG BT-Drs. 14/4051, 12 großzügige Tendenz erkennen und enthielt für daraus vereinzelt abgeleitete Einschränkungen (nur Zuschaltung einzelner Mitglieder zulässig – vgl. Kupfer/Nahrgang ZIP 2021, 678, 680) keine Hinweise. RegBegr. TransPuG BT-Drs. 14/8769, 17 hat diese Tendenz neuerlich bestätigt. Nach wohl hM bleibt § 108 IV allerdings unberührt, so dass **Satzung oder Geschäftsordnung** das Verfahren vorsehen müssen, wenn Widerspruch schon eines AR-Mitglieds unbeachtlich sein soll. Nach hier vertretener Auffassung ist Videokonferenz der Präsenzsitzung allerdings auch bei § 108 IV gleichzustellen (→ § 108 Rn. 21 ff. mwN). AR und insbes. sein Vorsitzender werden jedoch zu prüfen haben, ob mit Sitzung ohne Präsenz die Überwachungsaufgabe des AR angemessen erfüllt werden kann. Bislang hM hält das für zweifelhaft und verlangt deshalb, dass mindestens eine Präsenzsitzung im Jahr, besser im Halbjahr stattfinden sollte (DAV-HRA NZG 2002, 115, 116 f.; MüKoAktG/Habersack Rn. 45). Entspr. Einschränkungen haben auch in Satzungsgestaltung verbreitet Eingang gefunden (Kremer/Mucic/Thomas/v. Werder DB 2021, 1145, 1147). Ob an dieser restriktiven Sichtweise auch noch festgehalten wird, nachdem in Zeiten der COVID-19-Pandemie 2020/22 verbreitet positive Erfahrungen mit diesem Medium gemacht wurden, bleibt abzuwarten (umfassende Darstellung der Vor- und Nachteile bei Kremer/Mucic/Thomas/v. Werder DB 2021, 1145 ff. mit wichtigem Hinw. auf Schwierigkeiten beim „Onboarding" neuer Mitglieder). Streichung des bisherigen D.8 S. 2 DCGK aF (→ Rn. 10) lässt Umdenken in der Praxis deutlich erkennen. Selbst wenn an bislang zurückhaltender Linie festgehalten werden sollte, sind Ausn. von dieser Regel doch jedenfalls bei zunehmend verbreiteter int. AR-Besetzung zuzulassen. Videokonferenz ist mittlerweile technisch so ausgereift ist, dass es nicht zwingend erforderlich erscheint, ausländischen AR-Mitgliedern halbjährlich uU mehrtägigen Reiseaufwand zuzumuten (Wasse AG 2011, 685, 689).

Aufgaben und Rechte des Aufsichtsrats

111 (1) **Der Aufsichtsrat hat die Geschäftsführung zu überwachen.**

(2) [1] **Der Aufsichtsrat kann die Bücher und Schriften der Gesellschaft sowie die Vermögensgegenstände, namentlich die Gesellschaftskasse und die Bestände an Wertpapieren und Waren, einsehen und prüfen.** [2] **Er kann damit auch einzelne Mitglieder oder für bestimmte Aufgaben besondere Sachverständige beauftragen.** [3] **Er erteilt dem Abschlußprüfer den Prüfungsauftrag für den Jahres- und den Konzernabschluß gemäß § 290 des Handelsgesetzbuchs.** [4] **Er kann darüber hinaus eine externe inhaltliche Überprüfung der nichtfinanziellen Erklärung oder des gesonderten nichtfinanziellen Berichts (§ 289b des Handelsgesetzbuchs), der nichtfinanziellen Konzernerklärung oder des gesonderten nichtfinanziellen Konzernberichts (§ 315b des Handelsgesetzbuchs) beauftragen.**

(3) [1] **Der Aufsichtsrat hat eine Hauptversammlung einzuberufen, wenn das Wohl der Gesellschaft es fordert.** [2] **Für den Beschluß genügt die einfache Mehrheit.**

(4) [1] **Maßnahmen der Geschäftsführung können dem Aufsichtsrat nicht übertragen werden.** [2] **Die Satzung oder der Aufsichtsrat hat jedoch zu bestimmen, daß bestimmte Arten von Geschäften nur mit seiner Zustimmung vorgenommen werden dürfen.** [3] **Verweigert der Aufsichtsrat seine Zustimmung, so kann der Vorstand verlangen, daß die Hauptversammlung über die Zustimmung beschließt.** [4] **Der Beschluß, durch den die Hauptversammlung zustimmt, bedarf einer Mehrheit, die mindestens drei Viertel der abgegebenen Stimmen umfaßt.** [5] **Die Satzung kann weder eine andere Mehrheit noch weitere Erfordernisse bestimmen.**

(5) [1] **Der Aufsichtsrat von Gesellschaften, die börsennotiert sind oder der Mitbestimmung unterliegen, legt für den Frauenanteil im Aufsichtsrat und im Vorstand Zielgrößen fest.** [2] **Die Zielgrößen müssen den angestrebten Frauenanteil am jeweiligen Gesamtgremium beschreiben und bei Angaben in Prozent vollen Personenzahlen entsprechen.** [3] **Legt der Aufsichtsrat für den Aufsichtsrat oder den Vorstand die Zielgröße Null fest, so hat er diesen Beschluss klar und verständlich zu begründen.** [4] **Die Begründung muss ausführlich die Erwägungen darlegen, die der Entscheidung zugrunde liegen.** [5] **Liegt der Frauenanteil bei Festlegung der Zielgrößen unter 30 Prozent, so dürfen die Zielgrößen den jeweils erreichten Anteil nicht mehr unterschreiten.** [6] **Gleichzeitig sind Fristen zur Erreichung der Zielgrößen festzulegen.** [7] **Die Fristen dürfen jeweils nicht länger als fünf Jahre sein.** [8] **Wenn für den Aufsichtsrat bereits das Mindestanteilsgebot nach § 96 Absatz 2 oder 3 gilt, sind die Festlegungen nur für den Vorstand vorzunehmen.** [9] **Gilt für den Vorstand das Beteiligungsgebot nach § 76 Absatz 3a, entfällt auch die Pflicht zur Zielgrößensetzung für den Vorstand.**

(6) **Die Aufsichtsratsmitglieder können ihre Aufgaben nicht durch andere wahrnehmen lassen.**

Übersicht

I. Regelungsgegenstand und -zweck

1 § 111 statuiert Überwachung des Vorstands als zentrale Funktion des AR und gibt ihm zugleich die wesentlichen Befugnisse an die Hand, um diese Aufgabe zu bewältigen. Norm will Rechte und Pflichten jedoch nicht umfassend umschreiben. Bezweckt ist vielmehr, **Überwachungsfunktion** des AR hervorzuheben und durch die damit gegebene funktionale Charakterisierung des Gesellschaftsorgans eine Kompetenzabgrenzung ggü. dem Vorstand (→ § 76 Rn. 2 f.; → Rn. 4, → Rn. 27) und ggü. der HV vorzunehmen. Daneben sieht Ges. aber auch eine Fülle weiterer Aufgaben vor, die in letzten Jahren stark zugenommen haben und damit Dauerdiskussion um Überforderung des AR, um seine gebotene Professionalisierung und und seinen Charakter als Co-Leitungsorgan (ausf. → § 76 Rn. 3) stetig neue Nahrung gegeben haben. Regelung ist **nach § 23 V zwingend,** eröffnet aber hinsichtlich Zustimmungsvorbehalten in § 111 IV 2 ausdr. Raum zur Satzungsgestaltung.

II. Aufsichtsrat als Überwachungsorgan (§ 111 I)

2 **1. Geschäftsführung als Überwachungsgegenstand.** Gem. § 111 I hat AR Geschäftsführung zu überwachen. Norm setzt damit **Begriff der Geschäftsführung** voraus. Er ist mit demjenigen in § 77 (→ § 77 Rn. 3) nicht identisch, weil AR nicht jedwede Maßnahme des Vorstands kontrollieren kann oder soll. Ges. fordert nämlich nicht mehr, wie bis 1937 nach § 246 HGB aF, Überwachung der Geschäftsführung „in allen Zweigen der Verwaltung", die AR auch nicht leisten könnte (Lutter/Krieger/Verse AR Rn. 65). Überwachungsgegenstand muss deshalb enger gefasst werden und im Wesentlichen auf **Leitungsmaßnahmen des Vorstands** abgehoben (Lutter/Krieger/Verse AR Rn. 65). Schwierigkeiten bei genauer Eingrenzung dieses Begriffs (→ § 76 Rn. 10 ff.) setzen sich damit auch auf Ebene des AR fort. Zu Besonderheiten der Überwachungsaufgabe bei Versicherungsunternehmen s. Dreher/Häußler ZGR 2011, 471 ff.

3 Überwachung bezieht sich nicht nur auf eigentliche Führungsentscheidungen, sondern auch auf wesentliche Einzelmaßnahmen. Für erforderliche Konkretisierung kommt den **Informationspflichten des § 90** bes. Bedeutung zu, da sie Grundlage der Überwachung bilden und damit Rückschlüsse auf deren Inhalt zulassen (zu ihrer Durchsetzung → § 90 Rn. 16 ff.). Daraus folgt namentl., dass nicht nur aktuelle Lage der AG Gegenstand der Überwachung ist, sondern insbes. auch künftige Unternehmensplanung (MüKoAktG/Habersack Rn. 22; zur Er-

streckung auf Konzernunternehmen → Rn. 74 ff.). Zur Geschäftsführung iSd § 111 I gehört auch **Erstattung von Zwischenberichten** wie zB nach § 115 WpHG (Halbjahresfinanzbericht). AR oder zuständiger Ausschuss muss deshalb trotz Fehlens einer Feststellungskompetenz prüfen, ob erforderliche Berichte erstattet werden und ges. Vorgaben entspr. Dabei kann er sich gem. § 111 II 2 zur Unterstützung, nicht zur selbständigen Ausübung des Prüfungsrechts, bes. Sachverständiger bedienen (→ Rn. 37 ff.; sa Böcking/Kiehne Konzern 2010, 296, 300 ff.). An Prüfungspflicht geäußerte Kritik (vgl. Schwark/Zimmer/Heidelbach/Doleczik KMRK § 115 WpHG Rn. 49; Assmann/Schneider/Mülbert/Hönsch WpHR § 115 WpHG Rn. 3; Fuchs/Zimmermann WpHG § 37w Rn. 29), überzeugt nicht. § 111 I ist dem Wortlaut nach einschlägig, so dass es eines zusätzlichen Verweises in § 115 WpHG nicht bedarf (aA Schwark/Zimmer/Heidelbach/Doleczik KMRK § 115 WpHG Rn. 49). Weiterhin angeführter abschließender Charakter der §§ 170, 171 findet für andere als dort genannte Berichte im Ges. keinen Niederschlag, so dass Anwendung des § 111 I auf Halbjahresfinanzberichte auch nicht nach Spezialitätsgrundsätzen ausgeschlossen ist. Wenn anerkannt ist, dass Halbjahresfinanzbericht der Berichtspflicht nach § 90 I 3 Nr. 3, II Nr. 3 unterliegt (Schwark/Zimmer/Heidelbach/Doleczik KMRK § 115 WpHG Rn. 49), ist nicht ersichtlich, warum er von korrespondierender Überwachungspflicht ausgeschlossen sein soll.

4 Umstr. ist, ob Überwachung auch auf **Tätigkeit nachgeordneter Ebenen** zu erstrecken ist, soweit dort Führungsentscheidungen getroffen (bes. bei Spartenorganisation, → § 77 Rn. 15b) oder wesentliche Einzelmaßnahmen ergriffen werden (tendenziell eher großzügig BGHZ 75, 120, 133 = NJW 1979, 1879; MüKoAktG/Habersack Rn. 21; tendenziell eher restriktiv Lutter/Krieger/Verse AR Rn. 70 f.). Weit gefasster Wortlaut des § 111 I spricht eher für extensives Verständnis, Verengung ggü. früherer Fassung (→ Rn. 2) eher dagegen. Praktische Bedeutung des Streits ist indes gering, da nach allg. Auffassung auch Einrichtung und Kontrolle einer den Verhältnissen des Unternehmens entspr. **Compliance-Organisation** (Habersack AG 2014, 1 ff.; Schockenhoff/Hoffmann ZGR 2021, 201 ff.; M. Winter FS Hüffer, 2010, 1103, 1107 ff.) sowie Vorstandsmaßnahmen nach § 91 II (Lutter/Krieger/Verse AR Rn. 87; Claussen/Korth FS Lutter, 2000, 327, 330 ff.; Blasche CCZ 2009, 62, 64 f.) Leitungsmaßnahmen und damit Gegenstand der Überwachung sind. Ob Vorstand diesen Aufgaben nachgekommen ist, wird AR kaum beurteilen können, ohne auch Entscheidungsabläufe auf nachgeordneten Unternehmensebenen in den Blick zu nehmen. Problem verlagert sich dann von Umschreibung des Überwachungsgegenstands zur Frage nach den Instrumenten der Überwachungstätigkeit, und zwar namentl. ggü. Personen unterhalb der Führungsebene (→ Rn. 36; sa KK-AktG/Mertens/Cahn Rn. 26). Einigkeit besteht deshalb, dass es **keine überwachungsfreien Räume** gibt (BeckOGK/Spindler Rn. 9). Zum Verhältnis der Aufklärungszuständigkeit von AR und Vorstand → § 76 Rn. 31.

5 **2. Inhalt der Überwachungspflicht. a) Vergangenheitsbezogene Kontrolle.** Überwachung der Geschäftsführung heißt zunächst Kontrolle der vom Vorstand bereits entfalteten Tätigkeit. Sie richtet sich in diesem Sinne auf Vorgänge aus der Vergangenheit. Wesentliche Bedeutung kommt dabei der **Prüfung des Jahresabschlusses** und des Lageberichts zu (§ 171 I 1), doch darf sich AR darauf nicht beschränken. Insbes. die nach § 90 I 1 Nr. 2 und 3 vom Vorstand zu erstattenden Berichte können Anlass bieten, den Ursachen für unbefriedigende Rentabilität oder für hinter den Erwartungen zurückbleibende Umsätze nachzugehen. Vergangenheitsorientiert sind auch die in § 111 II genannten Prüfungsmaßnahmen. Insbes. gegen rechtswidrige Maßnahmen des Vorstands muss AR einschreiten (M. Winter FS Hüffer, 2010, 1103, 1109; → § 116 Rn. 9). Es

genügt deshalb nicht, dass AR Einrichtung einer Compliance-Organisation prüft (→ Rn. 4). Vielmehr schließt seine Überwachungsaufgabe ein, regelkonformes Verhalten des Vorstands und hinreichende Effizienz der von diesem ausgeübten **Compliance-Kontrolle** zu prüfen (GK-AktG/Hopt/Roth Rn. 197 ff.; Kort FS Hopt, 2010, 983, 997 f.), wobei Intensität wie sonst auch (→ Rn. 30) situationsabhängig zu bestimmen ist (dazu Schockenhoff/Hoffmann ZGR 2021, 201, 204 ff.; M. Winter FS Hüffer, 2010, 1103, 1118 f.). Überwachung der laufenden Compliance-Arbeit kann nicht verlangt werden, sondern Pflichtendichte muss so bestimmt werden, dass sie mit **amtsadäquatem Zeitaufwand** zu bewältigen ist (Reichert/Ott NZG 2014, 241, 245; zu Abstufungen der Überwachungspflicht → Rn. 30). Compliance-Verantwortung des AR ist aber nicht nur vorstandsbezogen, sondern schließt auch eigene Regeltreue und deren Überwachung ein (E. Vetter GS M. Winter, 2011, 705, 707 ff.).

Mit vergangenheitsbezogener Kontrolle wird **keine Unternehmerfunktion** ausgeübt, weshalb BJR (§§ 93 I 2, 116 S. 1) den Mitgliedern des AR insoweit nicht hilft (s. zu dieser Differenzierung auch BGHZ 135, 244, 254 f. = NJW 1997, 1926; Hüffer NZG 2007, 47, 48). Daran geübter Kritik (s. etwa KK-AktG/Mertens/Cahn Rn. 15) liegt im Ausgangspunkt zutr. Überlegung zugrunde, dass auch Reaktion auf pflichtwidriges Verhalten nach ARAG-Maßstäben schwierige Abwägungsentscheidung voraussetzen kann und Sanktionierung des AR nach § 116 nicht sachgerecht ist, wenn er von gerichtl. Beurteilung abweicht (→ Rn. 7 ff.). Aus dieser richtigen Prämisse wird aber fehlerhafter Schluss gezogen, dass § 93 I 2 zur Anwendung gelangt und damit nicht nur Sanktionierung ausgeschlossen wird, sondern auch gerichtl. Überprüfung des Fortbestands der Maßnahme. Das ist aber nicht angemessen; Unsicherheit der Abwägungsentscheidung ist auf Verschuldensebene Rechnung zu tragen (→ Rn. 22 ff.; → § 93 Rn. 29, 40 f., 79 jew. mwN). 6

b) Insbesondere: Verfolgung von Ersatzansprüchen gegen Vorstandsmitglieder. aa) Überblick. Als Bestandteil der vergangenheitsbezogenen Kontrolle hat AR auch die Aufgabe, Ersatzansprüche gegen Vorstandsmitglieder zu prüfen und über Anspruchsverfolgung zu entscheiden. Damit wird auch auf dieser Ebene fehlender Handlungsfähigkeit der HV Rechnung getragen; zugleich hat aus Gesellschaftssicht **repräsentative Durchsetzung der Vorstandshaftung** den Vorteil, dass ggf. schutzwürdige Belange der AG, die gegen Geltendmachung sprechen, Berücksichtigung finden können (ausf. zu diesem Aspekt Holle ZHR 182 [2018], 569, 570 ff.). BGHZ 135, 244 = NJW 1997, 1926 (ARAG/Garmenbeck) verlangt Prüfung in **zwei Schritten:** Zunächst muss AR sich Urteil über Bestand und Durchsetzbarkeit von Ersatzansprüchen bilden. Positives Ergebnis der Risikoanalyse führt dann auf zweiter Stufe zur Prüfung, ob voraussichtlich bestehende Ansprüche verfolgt werden sollen. Dabei gebietet Bindung des AR an das Unternehmenswohl grds. Anspruchsverfolgung, sofern ihr nicht gewichtige Gründe des Gesellschaftswohls entgegenstehen (→ Rn. 16 ff.; ausf. zur Historie der Entscheidung J. Koch in Fleischer/Thiessen, Gesellschaftsrechts-Geschichten, 2018, 471 ff.). Noch nicht ausdiskutiert ist, ob ergänzend dritte Stufe anzuerkennen ist, auf der über Regresshöhe zu entscheiden ist (→ Rn. 27). Auch Einordnung der unterlassenen Verfolgung in den Untreuetatbestand des § 266 StGB (→ § 93 Rn. 186 ff.) ist derzeit noch ungeklärt (vgl. Brand/Petermann WM 2012, 62 ff.; Wagner/Spemann NZG 2015, 945, 947 f.). Wenig diskutiert wurde bislang schließlich die Frage, ob auch **Organe der Obergesellschaft** zur Durchsetzung von Organhaftungsansprüchen in Tochtergesellschaften verpflichtet sind. Entspr. Pflichten können sich iR ihrer Einwirkungsmöglichkeiten aus allg. Grundsätzen ordnungsmäßiger Beteiligungsverwaltung (→ § 76 Rn. 51) ergeben, folgen aber nicht den ARAG-Regeln (ausf. 7

Fischbach/Lüneborg NZG 2015, 1142 ff.; aA für Vertragskonzern Dendl, Disposition über Organhaftungsansprüche, 2018, 120 ff.). Nach **Formwechsel** in AG wirkt Verfolgungspflicht aufgrund anders geordneten Kompetenzgefüges nicht in gleicher Weise fort (Allmendinger/Lüneborg ZIP 2017, 1842 ff.). Verfolgungsentscheidung kann uU ad hoc zu veröffentlichende (Art. 17 I MAR) Insiderinformation iSd Art. 7 I MAR sein (BGH NZG 2019, 105 Rn. 26, 39 ff.).

8 **bb) Erste Stufe. (1) Allgemeine Grundsätze.** Auf der ersten Stufe muss AR zum Schadensersatz verpflichtenden Tatbestand in tats. wie rechtl. Hinsicht klären, auf dieser Grundlage **Prozessrisiko analysieren** und Beitreibbarkeit der Forderung prüfen (BGHZ 135, 244, 254 = NJW 1997, 1926). Dabei hat AR den weiten, Fehlschläge und Irrtümer einschließenden Handlungsspielraum des Vorstands (→ § 93 Rn. 26 ff.) zu berücksichtigen (BGHZ 135, 244, 253 und 255), der nach heutigem Verständnis jedenfalls im Bereich unternehmerischer Entscheidungen am Maßstab der BJR nach § 93 I 2 geprüft wird (→ § 93 Rn. 26 ff.; zu Entscheidungsspielräumen jenseits der BJR → § 93 Rn. 29). **Bagatellgrenze** ist nicht als eigenständige Kategorie anzuerkennen (dafür Schnorbus/Ganzer WM 2015, 1832, 1835 f.), doch kann iRd zweiten Stufe (→ Rn. 16 ff.) bei Bagatellfällen oft überwiegendes Gesellschaftsinteresse dafür sprechen, von Verfolgung abzusehen (J. Koch FS Krieger, 2020, 521, 524 f.).

9 **(2) Tatbestandliche Feststellungen.** Wann AR hinsichtlich etwaiger Pflichtverletzungen **Untersuchung aufzunehmen** hat, lässt sich nicht pauschal beantworten, sondern hängt davon ab, wie konkret der Verdacht eines Fehlverhaltens und wie schwerwiegend der Vorwurf ist. Bei gravierenden Verstößen genügt auch geringer „Anfangsverdacht"; bloße Vermutungen ohne tats. Grundlage sind nicht ausreichend (Einzelheiten bei MHdB CL/J. Koch § 30 Rn. 36). Derselbe flexible Maßstab gilt auch für Ermittlungsintensität. Externe Ermittlungen entlasten AR nicht von eigener Verfolgungspflicht (Eichner/Höller AG 2011, 885, 887 f.).

10 Ergibt sich Schadensfolge einer etwaigen Pflichtverletzung aus fremder gerichtl. Inanspruchnahme der AG für Fehlverhalten des Vorstands, muss AR Möglichkeit der **Streitverkündung** prüfen, um auch Vorstandsmitglieder ggf. an gerichtl. Feststellung pflichtwidrigen Verhaltens zu binden und zugleich Verjährung zu unterbrechen (§ 204 I Nr. 6 BGB – Einzelheiten bei Schwab NZG 2013, 521 ff.; sa MHdB CL/J. Koch § 30 Rn. 38). Als schonendere und weniger öffentlichkeitswirksame Alternative ist **Urteilsbindung kraft Parteivereinbarung** zu prüfen (Schwab NZG 2013, 521, 525 f.; sa Freund GmbHR 2013, 785, 790 f.), wobei aber str. ist, ob auch Verjährung durch Parteivereinbarung gehemmt werden kann (→ § 93 Rn. 182).

11 **(3) Prozessrisikoanalyse und Beitreibbarkeit.** Hat AR Sachverhalt ermittelt und rechtl. gewürdigt, muss er auf dieser Grundlage Risiko einer gerichtl. Inanspruchnahme prognostizieren, wobei er insbes. Einschätzung hinsichtlich Qualität des zur Verfügung stehenden **Beweismaterials** vorzunehmen hat. Bei der Frage, wie eine etwaige Beweisaufnahme ausgehen könnte, hat er die für AG günstige **Beweislastverteilung** des § 93 II 2 AktG (→ § 93 Rn. 103 ff.) zugrunde zu legen (MüKoAktG/Habersack Rn. 39; MHdB AG/Hoffmann-Becking § 29 Rn. 39; J. Koch FS Krieger, 2020, 521, 525). Organschaftliche Fürsorgepflicht ggü. Vorstand (→ § 84 Rn. 10 f.) verbietet es allerdings, diesen in Anspruch zu nehmen, wenn AR selbst Verhalten des Vorstands für pflichtgemäß hält und lediglich glaubt, Vorstand werde Beweis dieses pflichtgemäßen Verhaltens nicht gelingen (J. Koch FS Krieger, 2020, 521, 525). Bei **ungeklärten Rechtsfragen** ist AR nicht von Verfolgungspflicht befreit, sondern muss sich auch hier

hinsichtlich Prozessausgangs um Wahrscheinlichkeitsbeurteilung (s. noch → Rn. 13 f.) auf Grundlage von Rspr. und Lit. bemühen (ausf. J. Koch FS Krieger, 2020, 521, 528 ff.; ähnlich Grigoleit/Grigoleit/Tomasic Rn. 10).

Geht AR danach von gerichtl. durchsetzbarem Anspruch aus, ist zu ermitteln, 12
ob zusprechender Titel auch **beitreibbar** ist. Dabei gilt es ggf. auch, die Erfolgsaussichten einer Inanspruchnahme der D&O-Versicherung zu prognostizieren (Casper ZHR 176 [2012], 617, 620 f.; Eichner/Höller AG 2011, 885, 892 f.; Schnorbus/Ganzer WM 2015, 1832, 1837 f.). Auf dieser Stufe nicht zu berücksichtigen sind dagegen **Reputationsschäden, Geheimhaltungsinteressen sowie Gesamtabwägung** der Wahrscheinlichkeit des möglichen Ertrags und der gegenläufigen Kostenrisiken im Falle eines Unterliegens (anders für Prozesskosten Schnorbus/Ganzer WM 2015, 1832, 1837; anders für Reputationsschäden MüKoAktG/Habersack Rn. 39). Sie gehören im Raster der ARAG/Garmenbeck-Entscheidung erst zur zweiten Stufe (→ Rn. 16 ff.). Zwar kann man an Sinnhaftigkeit einer solchen Stufung zweifeln, weil sie im Gesetz nicht angelegt ist und deshalb eher Orientierungsregel darstellt als zwingendes Ablaufmuster (Reichert ZIP 2016, 1189, 1190: „nicht mehr als eine Prüfungshilfe"; sa noch → Rn. 19). In der Vergangenheit hat sich Regel aber als durchaus hilfreiche Reling erwiesen, um Entscheidungsprozess zu strukturieren, so dass Grundzüge nicht unnötig verwischt werden sollten.

(4) Voraussichtlich erfolgreiche Verfolgung. Auf Grundlage der materiell- 13
rechtl., prozessualen und vollstreckungsrechtl. Analyse hat AR (vorbehaltlich Prüfung auf zweiter Stufe → Rn. 16 ff.) Vorstandsmitglied in Anspruch zu nehmen, wenn dieses Vorgehen **voraussichtlich erfolgreich** sein wird (BGHZ 135, 244, 254 = NJW 1997, 1926). Das wurde bislang durchgängig am Maßstab „überwiegender Wahrscheinlichkeit" gedeutet (50 % + X; ausf. J. Koch FS Krieger, 2020, 521, 525 ff.; sa Götz NJW 1997, 3275, 3276 f.; Lutter FS Hoffmann-Becking, 2013, 747, 750). Neuerdings wird propagiert, „deutlich überwiegende Erfolgsaussicht" zu verlangen (Reichert ZIP 2016, 1189, 1193; zust. Grigoleit/Grigoleit/Tomasic Rn. 8; Löbbe/Lüneborg Konzern 2019, 53, 54 f.; jetzt auch MüKoAktG/Habersack § 111 Rn. 39 – in Abw. von MüKoAktG/Habersack, 4. Aufl. 2014, Rn. 35 [„hinreichende Gewissheit"]). Dafür angeführtes Wortlautargument (vgl. Reichert ZIP 2016, 1189, 1193; zust. Löbbe/Lüneborg Konzern 2019, 53, 54 f.) ist aber schon nach allg. Sprachgebrauch zweifelhaft (J. Koch FS Krieger, 2020, 521, 526). Nicht weniger bedenklich ist Argument, dass Abgrenzung zwischen „nicht überwiegender" und „überwiegender" Wahrscheinlichkeit schwierig sei (so aber Löbbe/Lüneborg Konzern 2019, 53, 55; zust. Grigoleit/Grigoleit/Tomasic Rn. 8), da auch „überwiegende" und „deutlich überwiegende" Wahrscheinlichkeit nicht zuverlässiger voneinander geschieden werden können. Dass Schwere des ARAG/Garmenbeck-Sachverhalts nicht in allen Fällen gegeben ist, führt ebenfalls nicht zu abw. Ergebnis (so aber Reichert ZIP 2016, 1189, 1193; zust. Grigoleit/Grigoleit/Tomasic Rn. 8). BGH hat Maßstab auch in neueren Entscheidungen mit abw. gelagertem Sachverhalt bekräftigt (BGHZ 219, 356 Rn. 37 = NZG 2018, 1301). IÜ wäre Aussagekraft höchstrichterlicher Rspr. erheblich relativiert, wenn allg. gefasste Feststellungen stets nur für konkreten Sachverhalt Geltung beanspruchen dürften. Schließlich wird durch bislang angelegten Wahrscheinlichkeitsmaßstab auch kein „Anreiz zu unwirtschaftlicher Überverfolgung" gesetzt (so aber Reichert ZIP 2016, 1189, 1193; vgl. zu diesem Argument auch noch → Rn. 21). **Sicherheitsbedürfnis der Entscheidungsträger** wird hinreichend dadurch Rechnung getragen, dass ISION-Grundsätze (→ § 93 Rn. 80 ff.) durchaus sicheren Hafen eröffnen, in dem Haftung bei sorgfältiger Prüfung nicht zu befürchten ist (ausf. J. Koch FS Krieger, 2020, 521; → Rn. 26).

14 Weitergehend bleibt fraglich, ob in Ausnahmefällen bei bes. hohen Schadenssummen iSe Probability-Magnitude-Formel (vgl. in anderem Kontext Klöhn MAR Art. 7 Rn. 204 ff.; Fleischer NZG 2007, 401, 405 f.) ggf. auch **unterhalb der Schwelle überwiegender Wahrscheinlichkeit** Inanspruchnahme geboten sein kann (Bsp.: Wahrscheinlichkeit des Prozesserfolgs: 49 %, Ersatz im Erfolgsfall: 500 Mio. €, Prozesskosten: 1 Mio. € – ausf. zum Folgenden J. Koch FS Krieger, 2020, 521, 527). Verfolgungspflicht ist hier durch ARAG/Garmenbeck-Urteil nicht ausdr. vorgegeben, kann sich aber doch nach **allg. Sorgfaltsmaßstäben** aus § 116 S. 1 iVm § 93 I 1 ergeben, weil auch nicht gleichermaßen gesicherte Expektanz auf Ausgleich eines erheblichen Schadens für AG vorteilhaft sein kann und durch Prozentangaben vermittelte mathematische Scheinrationalität gerade bei Prozessaussichten ohnehin bedenklich erscheint. Dennoch ist Verfolgungspflicht jedenfalls dann zu verneinen, wenn AR selbst nicht davon überzeugt ist, dass Vorstand gegen Pflichten verstoßen hat. Aussicht auf höhere Erstattung steht dann **organschaftliche Fürsorgepflicht** ggü. (→ § 84 Rn. 10 f.), die es verbietet, Organmitglied mit einem Prozess zu belasten. Anders kann sich Beurteilung darstellen, wenn AR zwar von pflichtwidrigem Handeln des Vorstands überzeugt ist und nur auf anderen Ebenen der gerichtl. Durchsetzbarkeit Unsicherheiten bestehen (zB Beweisführung im Prozess, Zahlungsverpflichtung einer für die Realisierbarkeit des Anspruchs entscheidenden D&O-Versicherung). Auch in solchen Fällen wäre unter Haftungsgesichtspunkten **verstärkten Auslegungszweifeln** dann aber auf Verschuldensebene in weitestgehendem Umfang Rechnung zu tragen (J. Koch FS Krieger, 2020, 521, 527, 535 f.; → Rn. 25 f.).

15 **(5) Gerichtliche Nachprüfung.** Entscheidung des AR ist sowohl bei der Prüfung des Bestehens als auch der Durchsetzbarkeit vor Gericht **grds. voll nachprüfbar** (so ausdr. BGHZ 135, 244, 254 = NJW 1997, 1926; sa BGHZ 202, 26 Rn. 21 = NZG 2014, 1058). AR kann für diese Prüfung deshalb keinen unternehmerischen Ermessensspielraum in Anspruch nehmen (aA noch OLG Düsseldorf AG 1995, 416, 418 ff.: Entscheidungsprärogative des AR). BGH zieht zwar in Betracht, dass AR „allenfalls" begrenzter Beurteilungsspielraum zugebilligt werden könne (BGHZ 135, 244, 254; BGHZ 202, 26 Rn. 21), beantwortet Frage aber nicht abschließend und lässt jedenfalls dessen Reichweite gänzlich offen (J. Koch FS Krieger, 2020, 521, 523; bedenkliche Ausdehnung bei Grigoleit/Grigoleit/Tomasic Rn. 7: „begrenzter Beurteilungsspielraum weit gezogen"). Das führt dazu, dass gerade die mit bes. **hohen Unsicherheitsfaktoren** belastete rechtl. Analyse weitestgehend gerichtl. Überprüfung unterliegt. Daraus für AR-Mitglieder nahezu unweigerlich folgendes Risiko, von gerichtl. Bewertung abzuweichen, wird auf Verschuldensebene durch Anwendung insofern durchaus großzügiger **ISION-Maßstäbe** (→ § 93 Rn. 80 ff.) kompensiert, deren abmildernde Wirkung gerade in diesem Kontext bislang in Lit. zT nur unzureichend gewürdigt worden ist (J. Koch FS Krieger, 2020, 521, 527 ff.). Hinsichtlich des **Zeitpunkts der Durchsetzung** unterliegt AR grds. keiner Bindung (Bayer/Scholz NZG 2019, 201, 206).

16 **cc) Zweite Stufe. (1) Überwiegende Gegengründe.** Auf der zweiten Stufe muss AR Abwägungsentscheidung treffen. Während ARAG-Urteil des BGH noch vorsah, dass Verfolgungspflicht des AR schon bei „gewichtigen" Belangen der AG zurücktreten kann (BGHZ 135, 244, 255 = NJW 1997, 1926), hat Gesetzgeber Maßstab für Aktionärsklage in § 148 I 2 Nr. 4 bewusst dahingehend verschärft, dass nur bei **überwiegenden Gegengründen** von der Verfolgung abzusehen ist. Da Verfolgungsmaßstab nicht davon abhängen kann, wer als Kläger auftritt, muss dieser schärfere Maßstab auch auf Verfolgungspflicht des AR nach ARAG-Urteil **ausstrahlen** (J. Koch ZGR 2006, 769, 776; Grobe, Inter- und Intraorganklagen in der AG, 2020, 367 f.; Redeke ZIP 2008, 1549, 1551 ff.;

Ph. Scholz, Existenzvernichtende Haftung, 2014, 152 ff.; aA KK-AktG/Rieckers/J. Vetter § 148 Rn. 124 ff.; Goette ZHR 176 [2012], 588, 599 f.; Reichert FS Hommelhoff, 2012, 923 ff.). Wer Ausstrahlungswirkung verneint, gelangt zu widersinnigem Ergebnis, dass AR zu Recht von Anspruchsverfolgung absehen darf, diese Entscheidung dann aber durch Aktionärsminderheit überspielt werden kann. Ließe Gericht Klage zu, könnte AR Verfahren wieder an sich ziehen und nach dem für ihn geltenden milderen Maßstab wieder einstellen. Das kann nicht überzeugen, und zwar unabhängig davon, ob es sich um leichte oder – wie bei der Aktionärsklage (§ 148 I Nr. 3) – schwerwiegende Delikte handelt. Wer davon ausgeht, dass abweichende Verfolgungsmaßstab aus der Schwere des Vergehens gerechtfertigt wird (Cahn WM 2013, 1293, 1297; Casper ZHR 176 [2012], 617, 629 f.; Goette ZHR 176 [2012], 588, 599 f.), müsste konsequent auch für AR gespaltenen Verfolgungsmaßstab befürworten (so für das Ermessen in der Tat Happ FS Westermann, 2008, 971, 990 f.), was dogmatisch kaum überzeugt (dagegen bereits J. Koch AG 2009, 93, 99 f.; sa MHdB CL/J. Koch § 30 Rn. 40).

(2) Orientierung am Unternehmenswohl. Gewicht der gegenläufigen Belange ist allein am **Unternehmenswohl** zu bemessen (zutr. Goette GS M. Winter, 2011, 155, 161 ff.; Holle ZHR 182 [2018], 569, 575 ff.; Reichert FS Hommelhoff, 2012, 907 ff.). Grds. Verfolgungspflicht besteht nicht, doch kann aus Systematik (namentl. Verzichtsverbot nach § 93 IV 3 – s. dazu J. Koch AG 2009, 93, 101; sa → § 93 Rn. 162 ff.) und ARAG/Garmenbeck-Entscheidung (s. insbes. BGHZ 135, 244, 255 f. = NJW 1997, 1926) geschlossen werden, dass **Verfolgung Regelfall** und Nichtverfolgung Ausnahme sein soll (sa BGHZ 202, 26 Rn. 19 = NZG 2014, 1058; BGHZ 219, 356 Rn. 31, 37 = NZG 2018, 1301; ebenso schon RegBegr. UMAG BT-Drs. 15/5092, 22; Casper ZHR 176 [2012], 617, 635; Habersack ZHR 177 [2013], 782, 787; Strohn CCZ 2013, 177). Daran geübte Kritik (vgl. etwa Holle ZHR 182 [2018], 569, 575 ff.; Paefgen JZ 2020, 101, 103 f.; Reichert FS Hommelhoff, 2012, 907, 912 ff.) hat insofern Berechtigung, als „Regelfall" in diesem Kontext nicht iS statistischer Häufigkeit verstanden werden darf, weil Maßstab das Unternehmenswohl ist und dessen einzelfallabhängige Abwägung mit Verfolgungsanliegen nicht durch Vorgewichtung antizipiert werden darf (zutr. Holle ZHR 182 [2018], 569, 575; ähnlich MüKoAktG/Habersack Rn. 42). Von „Regelfall" kann aber in dem Sinne gesprochen werden, dass Kompensation eines Schadens idR vorteilhafter ist als verbleibender Schaden, so dass Verzicht auf Kompensation bes. Begründung bedarf, wobei **Begründungslast** AR trifft. Angesichts typischer „Beißhemmung" des AR, der möglicherweise auch eigene Folgeinanspruchnahme befürchtet (vgl. dazu schon RegBegr. UMAG, BT-Drs. 15/5092, 19 f.), muss diese Begründung bes. gründlicher gerichtl. Kontrolle unterliegen (→ Rn. 22 ff.). 17

Dagegen ist es nicht geboten, Verfolgungspflicht als generelle **Verlängerung der Legalitätspflicht** (→ § 93 Rn. 9 ff.) zu sehen und daraus strenge Handhabung abzuleiten (dafür Grigoleit/Grigoleit/Tomasic Rn. 29). Dieses Erklärungsmodell ist folgenreich (s. etwa → Rn. 19), aber in der **Herleitung zweifelhaft.** Schon Legalitätspflicht des Vorstands kann dem Ges. nur mit Mühe entnommen werden (→ § 93 Rn. 9, 11), doch steigen konstruktive Schwierigkeiten noch deutlich an, wenn sie in weiterem Organ AR und hier speziell in der Ausprägung der Verfolgungspflicht fortgeschrieben werden sollen. Bloßer Befund, Legalitätspflicht sei ansonsten nicht hinreichend effektiv (Grigoleit/Grigoleit/Tomasic Rn. 29), vermag eine solche Herleitung nicht zu ersetzen, da Rechtsordnung keine allg. effet utile-Vorgabe kennt. Auch im Ergebnis wäre solche Ausdehnung kaum wünschenswert, da sie aufgrund des – zwar keinesfalls zweifelsfreien, aber ganz herrschend angenommenen – **absoluten Charakters** 18 dieser Pflicht (→ § 93 Rn. 11) zu einem Verfolgungsautomatismus führen müsste, der weit über ARAG/Garmenbeck-Maßstab hinausreicht. Als Begründung angeführte praktische Erwägung, AR würde sonst aus kollegialer Verschonung von Verfolgung absehen (Grigoleit/Grigoleit/Tomasic Rn. 29), schießt über das Ziel hinaus. Aktienrechtsordnung reagiert auf solchen Interessenkonflikt durch Intensivierung gerichtl. Kontrolle (→ Rn. 22 ff.; vgl. auch iRd § 93 I 2 → § 93 Rn. 55 ff.), nicht aber mit genereller Verabsolutierung der in Frage stehenden Pflicht. Ges. lässt an vielerlei Stellen erkennen, dass es **keine Aufdeckung um jeden Preis** gibt, sondern stets Unternehmensinteresse vorrangig ist (vgl. dazu bereits oben → Rn. 7; ausf. zu diesem Befund Holle ZHR 182 [2018], 569, 587 ff. unter Verweis etwa auf § 131 III Nr. 1 und § 148 I 2 Nr. 4).

19 **(3) Mögliche Gegengründe. Überwiegende Gründe des Gesellschaftswohls** können etwa dann vorliegen, wenn AR aus personalpolitischen Erwägungen von Anspruchsverfolgung Abstand nimmt oder um potenziell betroffene Vorstandsmitglieder in Kartellsachen im Hinblick auf Kronzeugenregelung kooperationsbereit zu machen (zu den Grenzen bei „aktiver" Freistellung → § 93 Rn. 162 ff.; weitere Bsp. bei Reichert ZIP 2016, 1189, 1194; Schnorbus/Ganzer WM 2015, 1832, 1841; Wilsing FS Haarmann, 2015, 259, 269 ff.). Auch Unternehmensreputation kann in Abwägung einfließen (zu ihrer Gewichtung Hahn, Das Schadensrecht der Geschäftsleiterhaftung, 2022, 162 ff.; Klöhn/Schmolke NZG 2015, 689 ff.), wobei aber zu berücksichtigen ist, dass sie durch Nichtverfolgung oder gar Vertuschung von Pflichtverletzungen mehr beeinträchtigt werden kann als durch Verfolgung. Umstr. ist, ob auch Risiko einer Selbstschädigung im Verhältnis zu potenziellen Drittklägern überwiegende Gegengründe statuieren kann. Das wird von denjenigen, die Verfolgungspflicht aus Orientierung am Unternehmenswohl ableiten, bejaht (vgl. MüKoAktG/Habersack Rn. 43), von denjenigen, die sie aus Legalitätspflicht ableiten (→ Rn. 18), verneint (Grigoleit/Grigoleit/Tomasic Rn. 14). Nach hier in → Rn. 18 vertretenem Standpunkt ist erster Auffassung zuzustimmen. Darüber hinaus kann AR auch dann von Verfolgung absehen, wenn Aufklärungsarbeit mehr kosten würde, als Anspruchsverfolgung gegen den Vorstand letztlich einbringen könnte. AR ist also nicht an **Prüfungsreihenfolge** der ARAG-Entscheidung (→ Rn. 7) gebunden (überzeugend Goette GS M. Winter, 2011, 155, 164 ff.; sa Holle ZHR 182 [2018], 569, 574). Hinsichtlich Beitreibbarkeit hat sich Perspektive der Praxis allerdings in den letzten Jahren dahingehend verschoben, dass sie in erster Linie nicht am Vorstand selbst, sondern an D&O-Versicherung bemessen wird (→ § 93 Rn. 2).

20 Überwiegende Belange können nicht nur hinsichtlich grds. Verfolgungsentscheidung, sondern auch hinsichtlich der **Höhe der Regressnahme** Berücksichtigung finden. Die Verfolgung von Ersatzansprüchen ohne genügende Rücksicht auf ihre Realisierbarkeit dient nicht dem Gesellschafts- oder Unternehmenswohl, weshalb Klagen oder Vergleiche, die auf den Verhältnissen entspr. Teilbeträge beschränkt werden, oder anderweitige Kompensationsmaßnahmen wie Kürzung von Altersbezügen auch nach der Rspr. des BGH ausreichen können. Bloße Rücksichtnahme auf **soziale Konsequenzen** für Vorstandsmitglied und seine Familie können es allenfalls in Ausnahmefällen rechtfertigen, von der Verfolgung abzusehen (BGHZ 135, 244, 255 f. = NJW 1997, 1926; BGHZ 219, 356 Rn. 37 = NZG 2018, 1301). Denkbar ist allenfalls, dass rücksichtslose Durchsetzung Rückwirkungen auf Reputation und Betriebsklima haben und aus diesem Grund auch eine am Unternehmenswohl ausgerichtete Betrachtung Rücksichtnahme erlaubt (Reichert ZIP 2016, 1189, 1194; zust. Grigoleit/Grigoleit/Tomasic Rn. 16). Darüber hinaus kann aufgrund sachgerechter Risikoverteilung zwischen Geschäftsleiter und AG Regressreduzierung geboten sein

(→ Rn. 27; → § 93 Rn. 96 ff.). Auch in diesem Fall können derartige soziale Folgen in die Bemessung einfließen (zu Einzelheiten J. Koch GS M. Winter, 2011, 327, 338 ff.).

21 AR kann solche Gegengründe nicht nur berücksichtigen, sondern ist uU dazu sogar verpflichtet, wenn er am Maßstab der Sorgfaltspflicht zu Ergebnis gelangt, dass nur Absehen von Verfolgung Unternehmenswohl entspr. In Praxis und Lit. oft geäußerte Empfehlung, AR solle sich grds. nicht auf Ausn. von Verfolgungspflicht berufen, sondern Ansprüche verfolgen (vgl. Grigoleit/Grigoleit/Tomasic Rn. 31), ist deshalb bedenklich. Vielmehr sollte dafür angeführtes **Haftungsrisiko in beide Richtungen disziplinierend** wirken, weil sich AR auch dann haftbar machen kann, wenn er unsinnigen Prozess initiiert, der keine hinreichenden Erfolgsaussichten hat, oder gerade durch Verfolgung AG schweren Schaden zufügt (J. Koch FS Krieger, 2020, 521, 526; Schnorbus/Ganzer WM 2015, 1832 f.; vgl. auch Goette FS Hoffmann-Becking, 2013, 377, 394). AR sichert sich gegen Haftung nicht dadurch ab, dass er alternativlos verfolgt, sondern dass er Verfolgung im sicheren Hafen der ISION-Grundsätze vornimmt (→ Rn. 26; ausf. J. Koch FS Krieger, 2020, 521 ff.).

22 **(4) Gerichtliche Abwägung und Ermessensspielraum.** Unbestrittene Erforderlichkeit einer Abwägungsentscheidung darf nicht verwechselt werden mit **Ermessensspielraum** iS eines Ausschlusses der gerichtl. Kontrolle (so aber etwa Habersack NZG 2016, 321, 322, der annimmt, dass AR ohne Ermessensspielraum keine Abwägung mehr treffen dürfe; ähnlich auch schon Goette GS M. Winter, 2011, 153, 160 bei Fn. 36; insoweit zutr. dagegen Reichert FS Hommelhoff, 2012, 907, 922 f.; sa J. Koch NZG 2014, 934, 937). Bestehen eines solchen Ermessensspielraums ist str., wobei sich Streitstand dadurch auszeichnet, dass in vielen Beiträgen nur noch Begrifflichkeit auseinanderdriftet, während inhaltliche Beurteilung näher zusammenrückt (s. zu dieser Entwicklung J. Koch NZG 2014, 934, 935 f.).

23 Heute **hM** nimmt **umfassenden Ermessensspielraum** nach (oder vergleichbar) § 93 I 2 an, was Praxis nutzt, um mithilfe verbreiteter „ARAG-Gutachten" Verfolgungspflicht zu umgehen (Bachmann BB 2015, 771, 772). Begründet wird dies zT mit schon ursprünglicher Ausrichtung im ARAG-Urteil (dafür Goette GS M. Winter, 2011, 153 ff.; aA noch Goette FS 50 Jahre BGH, 2000, 123, 139), zT mit Korrektur des ARAG-Urteils durch Einführung des 93 I 2 (Paefgen AG 2008, 761, 762 ff.; Paefgen AG 2014, 554, 571 ff.), zT mit Besonderheiten der Haftungssituation (Casper ZHR 176 [2012], 617, 624, 628 ff.), zT mit ungeschriebenen Ermessens-/Beurteilungsspielräumen (so oder ohne nähere Begründung MüKoAktG/Habersack Rn. 44; Goette/Arnold AR-HdB/Goette § 4 Rn. 2431; S/L/Sailer-Coceani § 93 Rn. 46; KK-AktG/Mertens/Cahn Rn. 46; MHdB AG/Hoffmann-Becking § 29 Rn. 42; Bachmann Gutachten zum 70. DJT, 2014, 80 f.; Cahn WM 2013, 1293, 1295 ff.; Reichert FS Hommelhoff, 2012, 907 ff.; Überblick über den unübersichtlichen Meinungsstand bei J. Koch NZG 2014, 934, 935 ff.). Andere befürworten dagegen nur „eingeschränkten Ermessensspielraum" (LG Essen NZG 2012, 1307; GK-AktG/Hopt/Roth Rn. 338 ff.; Dendl, Disposition über Organhaftungsansprüche, 2018, 46 ff.). Zutr. ist, Ermessensspielraum mit dritter Meinungsgruppe gänzlich zu verneinen und volle gerichtl. Kontrolle zu gestatten (ausf. J. Koch AG 2009, 93 ff.; J. Koch NZG 2014, 934 ff.; J. Koch in Fleischer/Thiessen, Gesellschaftsrechts-Geschichten, 2018, 471, 481 ff.; sa GK-AktG/Kort Vor § 76 Rn. 59; Wachter/Schick Rn. 9; NK-AktR/U. Schmidt § 93 Rn. 148; Altmeppen ZIP 2019, 1253; Bayer/Scholz NZG 2014, 926, 929; Cobe/Kling NZG 2015, 48, 50 m. Fn. 40; Gaul AG 2015, 109, 112 f.; Harnos, Gerichtliche Kontrolldichte, 2021, 503 f.; Henze NJW 1998, 3309, 3311; Holle ZHR 182 [2018], 569, 579 ff.; Lutter FS Hoff-

mann-Becking, 2013, 747, 752 f.; für Zuordnung auf Verschuldensebene jetzt auch S/L/Drygala § 116 Rn. 10 f.). Auch BGH hat in neuerer Entscheidung nochmals bekräftigt, dass AR bei dieser Entscheidung kein unternehmerisches Ermessen zustehe (BGHZ 219, 356 Rn. 37 = NZG 2018, 1301; damit unvereinbar insbes. die von Goette GS M. Winter, 2011, 153, 160 angenommene Relativierung: nur „in dem vom Berufungsgericht angenommenen Sinne"; dagegen bereits J. Koch NZG 2014, 934, 937 f.; entgegen Löbbe/Lüneborg Konzern 2019, 53, 55 zeigt schon Folgesatz des Urteils, dass sich Aussage des BGH auf zweite und nicht auf erste ARAG/Garmenbeck-Stufe bezieht; wie hier Bayer/Scholz NZG 2019, 201, 205 f.; ebenso die [krit.] Lesart von S/L/Sailer-Coceani § 93 Rn. 46).

24 Zu Recht geht hM davon aus, dass Qualifizierung als unternehmerische Entscheidung im ARAG-Urteil nicht angelegt ist, sondern gerade verworfen wird (nochmals bestätigt in BGHZ 219, 356 Rn. 37 = NZG 2018, 1301; ausf. J. Koch NZG 2014, 934, 937 f.; sa MüKoAktG/Habersack Rn. 44; NK-AktR/U. Schmidt § 93 Rn. 148; Bachmann Gutachten zum 70. DJT, 2014, 80 f.; Casper ZHR 176 [2012], 617, 624, 628 ff.). Daran hat – auch das konzediert hM – Einführung des § 93 I 2 nichts geändert (LG Essen NZG 2012, 1307, 1309; B/K/L/Bürgers § 93 Rn. 12, § 116 Rn. 8; MüKoAktG/Habersack Rn. 44; Hüffer NZG 2007, 47, 48; Redeke ZIP 2008, 1549, 1557; C. Schäfer ZIP 2005, 1253, 1258; aA Paefgen AG 2008, 761, 762 ff.). Dem steht bereits grds. **Regelungstendenz des UMAG** 2005 entgegen, das gesellschaftsinterne Anspruchsverfolgung effektiver gestalten und keinesfalls entschärfen wollte (RegBegr. BT-Drs. 15/5092, 19 f.). Deutlicher noch ist **Wertung des § 148 I 2 Nr. 4:** Wenn dort dem Gericht uneingeschränkte Überprüfung der AR-Entscheidung unstr. zugetraut wird (ausf. → § 148 Rn. 9), ist nicht ersichtlich, warum es dazu nicht mehr in der Lage sein soll, sobald nicht Aktionär, sondern AR-Mitglied klagt (ausf. J. Koch AG 2009, 93 ff.; J. Koch NZG 2014, 934, 940 f.; zust. GK-AktG/Kort Vor § 76 Rn. 59; NK-AktR/U. Schmidt § 93 Rn. 148; Holle ZHR 182 [2018], 569, 580; sa Altmeppen ZIP 2019, 1253 m. Fn. 2). Mit Beschränkung des § 148 I 2 Nr. 4 auf schwere Verfehlungen kann Unterschied nicht begründet werden (so aber S/L/Sailer-Coceani § 93 Rn. 46; Cahn WM 2013, 1293, 1297; Goette ZHR 176 [2012], 588, 599; Reichert FS Hommelhoff, 2012, 907, 923 f.), da auch hier Abwägung unstr. erforderlich bleibt, so dass nicht zu erklären ist, warum AR die Fähigkeit, Unternehmenswohl bis zu bestimmtem Grade eigenmächtig zu definieren, ab dieser Schwelle verlieren soll (ausf. J. Koch AG 2009, 93, 99 f.). Gegenauffassung müsste konsequenterweise bei schweren Verfehlungen Ermessen auch bei Klagen innerhalb des AR verneinen, was zu wenig überzeugendem „gespaltenen Ermessen" führen würde (zum Parallelproblem hinsichtlich der gegenläufigen Abwägungsbelange → Rn. 16). Auch Möglichkeit der HV, AR-Entscheidung nach § 147 I zu überspielen (→ § 147 Rn. 1), spricht gegen Entscheidungsprärogative. Richtigerweise ist Ermessensspielraum im Lichte dieser Wertung vollständig zu versagen.

25 **(5) Keine höheren Haftungsgefahren bei Versagung von Entscheidungsspielräumen.** Weitgehende Ablehung eines Ermessensspielraums sowohl auf erster Stufe (→ Rn. 15) als auch auf zweiter Stufe (→ Rn. 22 ff.) führt keinesfalls zu verschärfter Haftung des AR, da Unsicherheiten der Abwägung hinreichend auf **Verschuldensebene** Rechnung getragen werden kann. Bestandskraft der Entscheidung und Haftung für Fehlentscheidung müssen streng getrennt werden, um auf der einen Seite gebotene Rechtmäßigkeit des Gesellschaftshandelns zu gewährleisten, ohne Entscheidungsträger mit übermäßigen Haftungsgefahren zu belasten (ausf. → § 93 Rn. 32, 40 f., 79; J. Koch AG 2009, 93, 97 ff., 100 ff.; J. Koch NZG 2014, 934, 938 f.; Lutter FS Hoffmann-Becking, 2013, 747,

752 f.; an dieser Differenzierung fehlt es auch in LG Essen NZG 2012, 1307, 1309 f.).

Gerade auf **erster Stufe,** wo BGH in ARAG/Garmenbeck-Urteil ausdr. grds. volle gerichtl. Nachprüfbarkeit annimmt (→ Rn. 15), obwohl Prozessrisikoanalyse mit offenkundigen Unwägbarkeiten verbunden ist, kommt dieser Haftungsvoraussetzung überragende Bedeutung zu, die indes in Lit. und Praxis oft gleichermaßen verkannt wird (ausf. zum Folgenden J. Koch FS Krieger, 2002, 521 ff.). So genügt es namentl. für Prozessrisikoanalye, wenn AR-Mitglieder sich um Ermittlung der zutr. Rechtslage bemüht und auf dieser Grundlage vertretbaren Rechtsstandpunkt sorgfältig gebildet haben (J. Koch FS Krieger, 2020, 521, 531 ff. mwN). Noch weiter wird Haftungsrisiko gesenkt, wenn sich AR auf sachkundigen Rat verlässt, weil ihn dies unter Zugrundelegung der **ISION-Grundsätze** ebenfalls weitestgehend exculpiert (→ § 93 Rn. 80 ff.; zum Brückenschlag von ARAG zu ISION vgl. J. Koch FS Krieger, 2020, 521 ff. – mw Einzelheiten zu einzelnen Elementen der Verschuldensprüfung). Diese Grundsätze bieten insofern „sicheren Hafen", den Lit. oft zu Unrecht in Anwendung des § 93 I 2 sucht, der sich BGH aber kategorisch und zu Recht verwehrt (→ Rn. 15 und → Rn. 22 ff.). Ebenso großzügig ist unter Haftungsgesichtspunkten auf **zweiter Stufe** mit schwieriger Abwägung von Verfolgungspflicht und gegenläufigen Gründen des Unternehmenswohls umzugehen. Hier können dann auch ARAG-Gutachten (→ Rn. 23) entlasten, selbst wenn sie von gerichtl. Beurteilung abweichen, sofern ihre Verwendung nur ISION-Grundsätzen (→ § 93 Rn. 80 ff.) genügt. 26

dd) Dritte Stufe. Während nach bislang herrschendem Verständnis Verfolgungsfrage mit zweistufiger Prüfung (→ Rn. 8 ff.) abgeschlossen ist, bedarf es nach hier vertretener, aber durch Rspr. noch nicht abgesicherter Auffassung weitergehender Untersuchung, ob ausnahmsweise angemessene Verteilung des unternehmerischen Risikos unabhängig von Unternehmenswohl **Regressreduzierung** rechtfertigen kann (ausf. → § 93 Rn. 96 ff. mwN; vgl. auch Casper ZHR 176 [2012], 636 ff.: dritte Stufe von ARAG-Garmenbeck; zust. Schnorbus/Ganzer WM 2015, 1877, 1878 ff.; Seibt/Cziupka AG 2015, 93, 107). Da Vorstandsmitglied nach dieser Konzeption Anspruch auf Regressreduzierung hat, muss Ermessen auch hier ausgeschlossen sein (anders Schnorbus/Ganzer WM 2015, 1877, 1880 m. Fn. 204, die zu Unrecht Ermessen zur Vermeidung einer überzogenen AR-Haftung für erforderlich halten [dagegen → Rn. 22 ff. mwN] und deshalb zu dogmatisch inkonsistenter Kombination von einklagbarem Anspruch und AR-Ermessen gelangen). 27

c) Teilhabe an Leitungsaufgabe des Vorstands. AR darf sich nicht auf vergangenheitsbezogene Kontrolle beschränken. **Überwachung** muss vielmehr **auch präventiv** angelegt sein, also in die Zukunft hineinwirken, indem AR **durch Beratung mit dem Vorstand** auf künftige Geschäftspolitik Einfluss nimmt (GS 6 I DCGK – seit Kodex-Änderung 2022 ausdr. erstreckt auch auf Nachhaltigkeitsfragen); in diesem Sinne hat AR teil an Leitungsaufgabe des Vorstands (zur Frage, ob er damit auch zu Co-Leitungsorgan wird → § 76 Rn. 3). Grds. Teilhabe an Leitungsaufgabe kann sich bes. auf Berichtspflicht nach § 90 I 1 Nr. 1 und Zustimmungsvorbehalte nach § 111 IV 2 stützen und dürfte im Prinzip weitgehend unstr. sein (vgl. BGHZ 114, 127, 130 = NJW 1991, 1830; MüKoAktG/Habersack Rn. 50; Lutter/Kremer ZGR 1992, 87, 88 ff.). Ob es sich dabei um eine eigenständige Beratungskompetenz handelt (dagegen Mertens AG 1980, 67, 68) oder ob Beratung Teil der Überwachung bildet, ist kaum weiterführende Frage, weil sich beides ohnehin nicht trennen lässt (zutr. MHdB AG/Hoffmann-Becking § 29 Rn. 51). Nach der ges. Konzeption ist Beratung als 28 präventives Element der Überwachung einzustufen (ähnlich BeckOGK/Spindler Rn. 12).

29 **d) Überwachungsmaßstäbe.** Geschäftsführung des Vorstands muss **rechtmäßig, ordnungsmäßig und zweckmäßig** im Sinne von wirtschaftlich sein. Das Erste (s. dazu OLG Karlsruhe AG 2008, 900, 902) ist selbstverständlich (Legalitätspflicht) und umfasst auch die Erfüllung bes. ges. Organisationspflichten wie etwa nach § 80 I 2 Nr. 1 WpHG, Art. 21 ff. DelVO (EU) 2017/565. Dass AR auch auf Ordnungs- und Zweckmäßigkeit zu achten hat, ist zu Recht anerkannt (RG JW 1924, 1145, 1147; BGHZ 75, 120, 133 = NJW 1979, 1879; BGHZ 114, 127, 129 f. = NJW 1991, 1830; ausf. Lutter/Krieger/Verse AR Rn. 73 ff.). Zur Ordnungsmäßigkeit gehört insbes. sinnvolle Organisation unter Betonung des Planungs- und Rechnungswesens (Semler ZGR 1983, 1, 16 ff.). Zweckmäßigkeit ist, soweit ihr selbständige Bedeutung zukommt, ergebnisorientiert zu verstehen. AR hat insbes. darüber zu wachen, dass Vorstand seiner Pflicht nachkommt, für Bestand des Unternehmens und für dauerhafte Rentabilität zu sorgen (→ § 76 Rn. 63 ff., 89). Angemessene Wahrnehmung sozialer Verpflichtungen wurde dagegen bislang als eigenständiger Überwachungsmaßstab abgelehnt, doch kann sich diese Einschätzung verschieben, je weiter auch den CSR-Pflichten des Vorstands zunehmend verpflichtender Charakter beigemessen wird (→ § 76 Rn. 63 ff.; s. zur Prüfung des nichtfinanziellen [CSR-] Berichts iSd §§ 289b, 315b HGB auch → Rn. 41, → § 170 Rn. 2c f., → § 171 Rn. 8a).

30 **e) Abstufungen der Überwachungspflicht.** Intensität der vom AR geschuldeten Überwachungstätigkeit richtet sich nach Lage der AG. AR kann sich im Normalfall darauf beschränken, Vorstandsberichte (§ 90) seinerseits zu prüfen, ggf. ergänzende Berichte anzufordern, aussagefähige Schwerpunkte für eigene Überwachungsinitiativen zu bilden und Vorstand mit Gegenvorstellungen zu konfrontieren, solange sich seine Maßnahmen iRd Vertretbaren halten (Lutter/Krieger/Verse AR Rn. 93). Stets zu unterbinden sind Pflichtverstöße des Vorstands iSd § 93 III (BGH NJW 2009, 2454 Rn. 14 ff.; OLG Brandenburg AG 2009, 662, 664 f.; KG NZG 2021, 1358 Rn. 56; jew. zu § 93 III Nr. 6 aF – jetzt § 15b IV InsO). Ist Lage der AG angespannt oder bestehen sonstige risikoträchtige Besonderheiten, so muss auch **Überwachungstätigkeit des AR entspr. der jeweiligen Risikolage** intensiviert werden (OLG Düsseldorf AG 2013, 171 Rn. 44; KG NZG 2021, 1358 Rn. 55; Graewe NZI 2021, 619, 620 ff.), wobei Pflicht zur eigenen Urteilsbildung nicht nur AR als Gesamtorgan, sondern jedes einzelne Mitglied trifft (KG NZG 2021, 1358 Rn. 56; OLG Stuttgart AG 2012, 298, 300 f.; für derart abgestufte Überwachungspflicht auch LG München I AG 2007, 827, 828; MüKoAktG/Habersack Rn. 55 ff.; Reichert/Ott NZG 2014, 241, 245 f.; krit. Wardenbach KSzW 2010, 114, 115 ff.; zu Aufsichtsratspflichten speziell in Pandemiesituation 2020/21 Heusel/M. Goette AG 2020, 411 Rn. 4 ff.). Nach Einführung des StaRUG 2020 ist Pflichtemaßstab im Vorfeld der Insolvenz insbes. am Maßstab des § 1 StaRUG zu beurteilen (→ § 92 Rn. 12 ff., 21). Teilhabe an Leitungsaufgabe des Vorstands (→ Rn. 28) darf zwar nicht in eigene Geschäftsführung umschlagen, kann sich aber in kritischer Lage bis zur vorübergehenden Unternehmensführung steigern; so namentl., wenn AR nach Lage der Dinge gehalten ist, Vorstandsmitglieder auszuwechseln (§ 84). Kommen diese jedoch ihren Pflichten nach, so bleibt es bei Überwachung im herkömmlichen Sinne (LG Düsseldorf AG 1991, 70, 71). Neben Krisensituation kann etwa auch Interessenkonflikt von Vorstandsmitgliedern erhöhte Überwachungsintensität erforderlich machen (zur Möglichkeit eines Zustimmungsvorbehalts in dieser Situation → Rn. 67).

3. Instrumente der Überwachung (Überblick). Als einzelne Mittel der Überwachung und Einflussnahme nennt § 111: Recht zur Einsichtnahme und Prüfung (§ 111 II; → Rn. 37 ff.); Pflicht und folglich auch Recht, HV aus Gründen des Gesellschaftswohls einzuberufen (§ 111 III; → Rn. 48 ff.); Begründung von Zustimmungsvorbehalten (§ 111 IV 2; → Rn. 58 ff.). Von zentraler Bedeutung sind weiterhin Erlass einer **Geschäftsordnung** für den Vorstand (§ 77 II 1) und Ausübung der **Personalkompetenz** des § 84; dies nicht nur als Ergebnis vergangenheitsbezogener Kontrolle (Abberufung), sondern auch als in die Zukunft hineinwirkende Leitungsfunktion (Auswahl und Bestellung von Vorstandsmitgliedern). Schließlich sind die auf den Jahresabschluss bezogenen Maßnahmen zu nennen, nämlich Beanstandungen im Prüfungsbericht an die HV (§ 171 II 1) und Weigerung, den Jahresabschluss zu billigen (§ 172). Dagegen gibt es nach richtiger, wenngleich umstrittener Ansicht zumindest im Regelfall **keinen Interorganstreit** (str., offenlassend BGHZ 106, 54, 60 ff. = NJW 1989, 979; → § 90 Rn. 16 ff.; → Rn. 72). **Auch einzelne Mitglieder des AR** haben nach richtiger Ansicht idR **keine Klagemöglichkeit** (BGHZ 106, 54, 62 ff.; OLG Celle NJW 1990, 582, 583; OLG Stuttgart AG 2007, 873, 875; → § 90 Rn. 20 ff. mwN). 31

4. Verpflichtung des Gesamt-Aufsichtsrats. § 111 I verpflichtet AR als Organ, Geschäftsführung zu überwachen. **Aufgabendelegation** an Ausschüsse oder einzelne Mitglieder ist **nicht möglich.** § 107 III 7 führt § 111 I zwar nicht auf. Das findet seinen Grund aber allein im tats. Charakter der Überwachungstätigkeit. Weil sie sich nicht oder nicht primär in Beschlüssen vollzieht, ist ges. Klarstellung entbehrlich (RegBegr. Kropff S. 149 f.; MüKoAktG/Habersack Rn. 60). Damit ist nicht ausgeschlossen, dass sich AR der Hilfe eines Ausschusses oder einzelner seiner Mitglieder bedient (RegBegr. Kropff S. 150). Im Gegenteil wird Bildung von Ausschüssen (→ Rn. 37) in D.2 S. 1 DCGK empfohlen. Gesamtverantwortung des Organs und haftungsrechtl. Verantwortung seiner sämtlichen Mitglieder (§ 116) bleiben jedoch erhalten. Arbeit von Ausschüssen und einzelnen Mitgliedern ist also nur Hilfstätigkeit, die ihrerseits vom Plenum geprüft werden muss (RGZ 93, 338, 340; MüKoAktG/Habersack Rn. 60). D.12 DCGK empfiehlt regelmäßige **Wirksamkeitsprüfung** (dazu Semler FS Raiser, 2005, 399, 401 ff. [noch zur abw. Altfassung]). Sie erstreckt sich auf das gesamte Aufgabenspektrum, doch kann Selbstprüfung auch als Bestandteil einer Überwachungspflicht iwS verstanden werden. 32

5. Konzernrechtliche Fragen. § 111 I klammert konzernrechtl. Fragen ebenso aus wie § 76 I (→ § 76 Rn. 129 ff.). Das ist folgerichtig, weil Ges. eine konzernverfassungsrechtl. Perspektive für Überwachung der Geschäftsführung nicht entwickeln kann, wenn es schon Geschäftsführung selbst nicht unter diesem Blickwinkel erfasst. Anzuführen sind aus Sicht des herrschenden Unternehmens (Mutterunternehmens) nur **Prüfung des Konzernabschlusses** und des Konzernlageberichts durch den AR nach § 171 I 1, aus Sicht der abhängigen Gesellschaft **Prüfung des Abhängigkeitsberichts** durch ihren AR (§ 314 II). IÜ verbleibt es dabei, dass AR der Obergesellschaft (nicht: Konzern-AR, zutr. Hoffmann-Becking ZHR 159 [1995], 325, 329 f.) Konzernleitung des Vorstands als dessen **Geschäftsführung für die Obergesellschaft** zu überwachen hat (auch für das deutsche Recht instruktiv: öOGH NZG 2021, 647 Rn. 32 ff.; s. ferner Hoffmann-Becking ZHR 159 [1995], 325, 331 ff.; Lutter AG 2006, 517, 518; aA U. H. Schneider FS Kropff, 1997, 271, 279 mwN). Insbes. können auch Zustimmungsvorbehalte des § 111 IV 2 konzernbezogen sein (→ Rn. 74 ff.). IÜ setzen sich hier Fragen um Pflicht zur Konzernleitung (→ § 311 Rn. 5 ff.) und zur Konzern-Compliance (→ § 76 Rn. 50 ff.) fort. Wer solche Pflichten weit auffasst und sie zur Leitungsaufgabe des Vorstands zählt, muss auch Überwachungsauf- 33 gabe entspr. ausdehnen. Wer mit hier vertretener Auffassung lediglich Pflicht des Vorstands zur **sorgfältigen Beteiligungsverwaltung** bejaht, jedenfalls Pflichten im Außenverhältnis aber verneint, wird auch Aufgabenkreis des AR enger stecken. In dieser Lesart obliegt es ihm allein, Entwicklung in Konzerntöchtern und -enkeln so weit zu verfolgen, als es sich um für Obergesellschaft wesentliche wirtschaftliche Aktivitäten oder Vermögensbindungen handelt und er zu beurteilen hat, ob und wie Vorstand auf nachgeordnete Unternehmen Einfluss nehmen soll (OGH BeckRS 2013, 203830 Rn. 44; öOGH NZG 2021, 647 Rn. 34). Dementsprechend enden auch seine ges. Eingriffsbefugnisse an dieser Grenze, so dass ihm direkter Zugriff auf Organe der Tochter (etwa durch Anforderungsbericht, Anordnung von zustimmungspflichtigen Maßnahmen, Bestellung und Abberufung) verwehrt ist (OGH NZG 2021, 647 Rn. 35). Zur Möglichkeit, Zustimmungsvorbehalte in Obergesellschaft auf Tochter zu erstrecken, → Rn. 74 ff.

III. Einzelbefugnisse (§ 111 II)

34 **1. Grundlagen.** Gem. § 111 II 1 kann AR Bücher und Schriften der AG sowie Vermögensgegenstände wie Kasse, Wertpapiere und Waren einsehen und prüfen. Einsichts- und Prüfungsrecht bildet unverzichtbare Ergänzung des in § 90 geregelten Berichtssystems, bes. bei Verdacht auf Unregelmäßigkeiten. **Aufzählung** einzelner Gegenstände ist **nur exemplarisch.** Recht auf Einsichtnahme und Prüfung umfasst grds. gesamten Datenbestand des Unternehmens (Hüffer NZG 2007, 47, 53), auch schriftliche oder digitalisierte Berichte, zB der internen Revision, sowie Vermögensobjekte, etwa Fabrikanlagen (KK-AktG/Mertens/Cahn Rn. 53; Leyens, Information des Aufsichtsrats, 2006, 175 ff.; zur Überwachung selbstlernender künstlicher Intelligenz Strohn ZHR 182 [2018], 317 ff.; Weber/Kiefner/Jobst NZG 2018, 1131 ff.). Datenschutzrechtl. Hindernisse stehen auch bei gespeicherten personenbezogenen Daten nicht entgegen; AR ist nicht Dritter iSd Art. 4 Nr. 10 DS-GVO (vgl. zu § 3 VIII BDSG aF KK-AktG/Mertens/Cahn Rn. 52). Einschränkungen für Einsichtsrecht bestehen nur bei Vorstandsprotokoll, da AR-Mitglieder auch von dessen Sitzungen ausgeschlossen sind; insofern muss konkreter Prüfungsanlass vorliegen (zutr. MüKoAktG/Habersack Rn. 74; KK-AktG/Mertens/Cahn Rn. 53). I1
008Ü ist konkreter Anlass nicht erforderlich. AR darf Vorstand zwar nicht breitflächiger „Innenrevision" unterziehen, steht bei Ausübung seiner Kontrollaufgaben aber auch nicht unter Rechtfertigungszwang, sondern kann zB Stichproben ohne konkreten Anlass nehmen (MüKoAktG/Habersack Rn. 78; Cahn WM 2013, 1293, 1299; aA Hoffmann-Becking ZGR 2011, 136, 147). Stets muss es sich aber um Unterlagen oder Aktiva der AG handeln; Einsichts- und Prüfungsrecht bei **abhängigen Gesellschaften** gewährt § 111 II nicht (dazu KK-AktG/Mertens/Cahn Rn. 54; Lutter/Krieger/Verse AR Rn. 245; aA B/K/L/Bürgers/Fischer Rn. 12).

35 Recht steht dem AR nur als Organ zu, also nicht den einzelnen AR-Mitgliedern (BayObLGZ 1968, 118, 121; OLG Stuttgart AG 2007, 873, 877; Lutter/Krieger/Verse AR Rn. 241). Informationsrecht ist **Pflichtrecht.** AR muss also aktiv darauf hinwirken, dass er die Informationen erhält, die er für sinnvolle Überwachung der Geschäftsführung benötigt (GS 16 S. 2 DCGK; Hüffer NZG 2007, 47, 48 f.; Kropff FS Raiser, 2005, 225, 231 ff.). Notwendigkeit effizienter Überwachung hat Vorrang vor anderen Belangen wie Wahrung des Vertrauensverhältnisses oder Schonung des Gesellschaftsrufs. Wie Berichtspflichten des Vorstands begründen auch seine Informationspflichten gem. § 111 II (sekundäre) „Holschulden" des AR (vgl. zu dieser DCGK-Konstruktion → § 90 Rn. 1), so

dass ihn nachlässige Informationspolitik des Vorstands nicht exculpiert (Habersack AG 2014, 1, 4).

Regelmäßiger Informationsschuldner ist auch insoweit der Vorstand. AR kann also auf Datenbestände grds. nicht selbst zugreifen (Spindler FS Hüffer, 2010, 985, 997 f.). Auch **Befragung von Mitarbeitern** ohne Einschaltung des Vorstands ist nur ausnahmsweise, namentl. bei Verdacht erheblicher Pflichtverletzungen, zulässig (str.; → § 90 Rn. 11; KK-AktG/Mertens/Cahn Rn. 55; § 90 Rn. 52; BeckOGK/Spindler Rn. 42; Semler/v. Schenck/Wilsing AR-HdB/ Wilsing/Winkler § 8 Rn. 54; Marsch-Barner/Schäfer/E. Vetter Rn. 27.8; M. Arnold ZGR 2014, 76, 90 ff.; M. Arnold/Rudzio FS Wegen, 2015, 93 ff.; Bürgers ZHR 179 [2015], 173, 193 ff.; Drinhausen ZHR 179 [2015], 226, 232 ff.; Hoffmann-Becking ZGR 2011, 136, 152 f.; Kort FS E. Vetter, 2019, 341 ff.; Reichert/Ott NZG 2014, 241, 249; weitergehend S/L/Drygala Rn. 43; MüKoAktG/Habersack Rn. 80; GK-AktG/Hopt/Roth Rn. 480 ff., 549 ff.; Leyens, Information des Aufsichtsrats, 2006, 182 ff.; sa Eichner/Leukel AG 2020, 513 Rn. 37 ff. unter bedenklicher Berufung auf BGHZ 218, 122 Rn. 13 ff. = NZG 2018, 629; allg. zum Problem der Informationsversorgung des AR durch den Vorstand Theisen ZGR 2013, 1 ff.; speziell für Zugriff auf interne Revision auch Velte NZG 2011, 1401). FISG-Gesetzgeber 2021 hat abw. Regelung für Vorsitzenden des Prüfungsausschusses in **§ 107 IV 4** eingeführt, aber zugleich klargestellt, dass es sich dabei um bereichsspezifische Sonderregelung handelt, während es iÜ dabei bleibt, dass Vorstand richtiger Adressat für Auskunftsverlangen des AR ist (→ § 107 Rn. 44). Richtigerweise ist Verallgemeinerung dieser Sonderregelung deshalb abzulehnen. Weitergehendes Verständnis würde Position des Vorstands unterminieren und schon deshalb gegen Unternehmensinteresse verstoßen. Auch damit einhergehende Erhöhung der AR-Pflichten und seiner Haftungsrisiken erscheint gerade im Licht der Informationsanforderungen des § 93 I 2 nicht sachgerecht (M. Arnold/Rudzio FS Wegen, 2015, 93, 100 f.; Bürgers ZHR 179 [2015], 173, 197 f.). Aus denselben Gründen ist auch eigenständige Beauftragung der internen Revision im Regelfall abzulehnen (Drinhausen ZHR 179 [2015], 226, 234 f.). Auf der anderen Seite passt es aber auch nicht zu ges. Ausgestaltung der AR-Befugnisse, die Informationsrechte in § 90 ausschließlich auf Vorstand fokussieren. Deshalb ist Pflicht des Vorstands anzuerkennen, Mitarbeiter entspr. anzuweisen, wobei neben allg. Kooperationspflicht auch Rechtsgedanke des § 90 II herangezogen werden kann (Hoffmann-Becking ZGR 2011, 136, 153 f.). Sinnvoll erscheint konsensuale Regelung zwischen Vorstand und AR in **Informationsordnung** (→ § 90 Rn. 1a – BeckOGK/Fleischer § 90 Rn. 45). Weitergehende AR-Rechte sind zT in branchenspezifischen Regelungen vorgesehen (§ 25d VIII 7, 8, IX 4, 5, XII 7, 8 KWG), ohne dass allg. aktienrechtl. Pflichtenlage dadurch verschoben wird (grds. zum Problem der Ausstrahlungswirkung → § 76 Rn. 183). Ggü. Anfragen des AR kann sich Vorstand nicht auf Verschwiegenheitspflicht aus § 93 I 3 berufen. Es gelten die zu § 90 entwickelten Grundsätze (→ § 90 Rn. 3). Zu Folgen unzureichender Informationsversorgung des AR durch Vorstand für Haftung der AR-Mitglieder s. Cahn WM 2013, 1293, 1297 ff. Zur Frage der Teilnahme von Mitarbeitern an AR-Sitzungen → § 109 Rn. 5. 36

2. Einsichts- und Prüfungsaufträge. AR kann nach § 111 II 2 Fall 1 auch **einzelne seiner Mitglieder** mit Ausübung des Prüfungsrechts beauftragen. Erforderlich ist dafür gem. § 108 I ein Beschluss des AR. Sondervergütung kann dafür nicht gewährt werden (→ § 113 Rn. 23). Statt einzelne Mitglieder zu beauftragen, kann AR dafür auch Ausschuss einsetzen. Unter Voraussetzungen des § 107 IV 1 ist Einrichtung eines ständigen Prüfungsausschusses (→ § 107 Rn. 31 ff.) mittlerweile zwingend geboten (→ § 107 Rn. 27). Auch **Compliance** 37 fällt in Zuständigkeit des Prüfungsausschusses (→ § 107 Rn. 37). Nach bis 2022 geltendem D.3 DCGK aF sollte das nur gelten, sofern nicht eigenständiger Compliance-Ausschuss besteht. Durch Neuregelung des FISG 2021 war bei Unternehmen von öffentl. Interesse, für die Kodex regelmäßig allein Gültigkeit beansprucht, allerdings zweifelhaft geworden, ob Compliance noch aus Zuständigkeit des Prüfungsausschusses abgetrennt werden kann (→ § 107 Rn. 37). Empfehlung D.3 DCGK aF wurde deshalb ersatzlos gestrichen. Richtig bleibt aber, dass AR hinreichende Wahrnehmung der Compliance-Aufgabe durch Vorstand zu überwachen hat (→ Rn. 4 f.; → § 76 Rn. 16 ff.). Namentl. muss (auch) AR prüfen, ob und welche organisatorischen Anforderungen erfüllt werden müssen (Einzelheiten bei Bürgers ZHR 179 [2015], 173, 185 ff.; sa v. Busekist/Keuten CCZ 2016, 119 ff.), insbes., ob vom Vorstand ergriffene Maßnahmen nach den konkreten Verhältnissen ausreichend wirksam sind. Dabei haben Häufigkeit und Schwere von Verstößen indizierende Bedeutung.

38 Gem. § 111 II 2 Fall 2 kann AR mit Wahrnehmung bestimmter Aufgaben auch bes. **Sachverständige** (zB Rechtsanwälte oder Wirtschaftsprüfer) beauftragen. Dabei muss es sich um konkrete Einzelangelegenheiten handeln (BGHZ 85, 293, 296 = NJW 1983, 991), zB um Erwerb im Nachhinein verlustreicher größerer Beteiligung. Konkretisierung ergibt sich dann schon aus Umschreibung des Prüfungsauftrags. Bezug zur Überwachungsaufgabe des § 107 I ist aber nur Regelfall, nicht notwendig (Hoffmann-Becking ZGR 2011, 136, 144). Nicht zulässig wäre generelle Ausübung des Einsichts- und Prüfungsrechts durch Sachverständige (unstr., vgl. BGHZ 85, 293, 296).

39 AR oder Prüfungsausschuss kann Auftrag (genauer: § 675 BGB) namens der AG selbst erteilen; § 111 II 2 regelt also nicht nur Geschäftsführungsbefugnis, sondern auch Vertretungsmacht (BGHZ 218, 122 Rn. 16 = NZG 2018, 629). Nicht empfehlenswert ist Auftragserteilung durch AR-Vorsitzenden ohne Beschlussfassung des Gremiums, wenn Vertragsgegenstand nicht seiner Funktion als Sitzungsleiter zugeordnet werden kann (Hoffmann-Becking ZGR 2011, 136, 141). Auch für Hilfsgeschäfte im Zusammenhang mit Beauftragung ist AR zuständig, und zwar einschließlich gerichtl. Auseinandersetzung (BGHZ 218, 122 Rn. 13, 18 ff.; differenzierende Fallgruppenbildung bei Menkel AG 2019, 330, 333 ff. und E. Vetter ZGR 2020, 35, 49 ff.). **Vergütungsanspruch** des Sachverständigen richtet sich **gegen die AG** (BGHZ 218, 122 Rn. 16; GK-AktG/Hopt/Roth § 112 Rn. 56 ff.). IdR wird es jedoch genügen, entspr. Prüfungswunsch an Vorstand heranzutragen, der seinerseits Mandat im Namen der AG vergibt.

40 Noch nicht abschließend geklärt ist, ob AR organschaftlichen **Anspruch auf Budget** zur eigenen Bewirtschaftung hat oder ein solcher zumindest durch Satzung oder HV eingeführt werden kann (dafür insbes. Theisen AR 2011, 1; Theisen FS Säcker, 2011, 487, 490 ff.; Theisen AG 2018, 589 ff.; Theisen AG 2021, 329 Rn. 1 ff.; sa Grigoleit/Grigoleit/Tomasic Rn. 68; Bulgrin AG 2019, 101, 106 ff.; Diekmann/Wurst NZG 2014, 121, 126; Eichner/Leukel AG 2020, 513 Rn. 23 ff.; Schnorbus/Ganzer BB 2019, 258, 266 ff.; Strohn FS K. Schmidt, Bd. II, 2019, 461, 466 ff. sowie Knoll/Zachert AG 2011, 309, 311 ff. mit Alternativvorschlag: Kontozugang; zumindest de lege ferenda auch Hennrichs FS Hommelhoff, 2012, 383, 392 f.). BGHZ 218, 122 Rn. 13 ff. kann zu dieser Frage keine Stellungnahme entnommen werden (so aber Eichner/Leukel AG 2020, 513 Rn. 28), da Aussage über Vertretungsmacht nicht (auch nicht mittelbar) zugleich Berechtigung zur Zahlungsanweisung klärt (E. Vetter FS Hopt, 2020, 1363, 1367 ff.). Lit. ist gespalten: Praxis betont mit starken Argumenten entspr. Notwendigkeit (vgl. Diskussionsbericht VGR 20 GesR 2014, 143 ff.; Gaul AG 2017, 877, 880 f.), doch weist hM zu Recht auf derzeit fehlende Rechtsgrundlage hin (ausf. E. Vetter FS Hopt, 2020, 1363, 1367 ff.; sa MüKoAktG/Habersack

Rn. 102; KK-AktG/Mertens/Cahn § 112 Rn. 26; Goette/Arnold/Wasmann/Gärtner AR § 6 Rn. 197; Lutter/Krieger/Verse AR Rn. 656 ff.; v. Falkenhausen ZIP 2015, 956, 957; Habersack AG 2014, 1, 7; Roßkopf in Hommelhoff/Kley/Verse AR-Reform, 177, 189 ff.; Rotering/Mohamed Konzern 2016, 433, 435; v. Schenck FS Marsch-Barner, 2018, 483 ff.). Insbes. HV-Zuständigkeit kann kaum über § 113 begründet werden. Praxis muss daher weiterhin Weg über Kostenerstattung des Vorstands gehen, wenngleich problematische Konstellationen (Personalberater für Vorstandswechsel) auf der Hand liegen (monographisch zu dieser Frage aus neuerer Zeit Scherb-Da Col, Ausstattung des AR, 2018).

§ 111 II 4 wurde neu eingeführt durch CSR-RL-UG 2017 und nimmt Bezug 41 auf **nichtfinanziellen (CSR-)Bericht** iSd §§ 289b, 315b HGB (ausf. → § 170 Rn. 2c f.). Vom Abschlussprüfer wird nach § 317 II 5 HGB nur dessen formelles Vorliegen, nicht aber sein Inhalt geprüft (→ § 170 Rn. 2d). Da AR nach § 171 I 4 aber dennoch zur Prüfung verpflichtet bleibt (→ § 171 Rn. 8a), kann er nach § 111 II 4 aus eigener Initiative Prüfung beauftragen. Einbeziehung der HV nach § 119 I Nr. 8 ist dafür nicht erforderlich. Schon vor Einführung des § 111 II 4 war eine solche Zusatzprüfung bei DAX 30-Unternehmen üblich (Hennrichs NZG 2017, 2017, 841, 842). Auch unter neuem Recht ist freiwillige Beauftragung für AR indes keinesfalls unumgänglich, um eigener Prüfungsaufgabe nachzukommen, da diese nach umstr., aber zutr. Auffassung auf bloße **Plausibilitätskontrolle** beschränkt ist (→ § 171 Rn. 8a). Prüfungsintensität erhöht sich auch nicht bei freiwilliger Zusatzkontrolle, da Verschärfung des Sorgfaltsmaßstabs einer ergänzenden Beauftragung sonst prohibitiv entgegenstehen würde; es genügt auch hier krit. Lektüre (Hennrichs NZG 2017, 841, 845). Obwohl Gesetzgeber die Zusatzprüfung ausdr. als freiwillige ausgestaltet hat, wird sich AR im Lichte etwaiger **Haftungsgefahr** (wenngleich bei Prüfung des CSR-Berichts sehr überschaubar) doch zumeist für Beauftragung entscheiden, was zu ähnlich ungesunder Eigendynamik und Übererfüllung im CSR-Bereich führen wird, wie sie schon seit langem im Compliance-Bereich zu beobachten ist (→ § 76 Rn. 24). Dennoch darf AR bei Einschaltung des Abschlussprüfers nicht auf gleichermaßen entlastende Wirkung vertrauen wie im Bereich der Abschlussprüfung (→ § 171 Rn. 10), da Prüfer in den von CSR-Berichten erfassten Themen (→ § 170 Rn. 2c) keine deutlich größere Expertise haben wird als AR. Beratungspraxis wird Produktpalette in den kommenden Jahren vermutlich aber auch auf diesen Bereich ausdehnen. Erfolgt freiwillige Beauftragung, ist nach § 289b IV HGB, § 315b IV HGB auch die Beurteilung des Prüfungsergebnisses öffentl. zugänglich zu machen. Diese **Veröffentlichungspflicht** tritt nach Art. 81 EGHGB allerdings erst am 1.1.2019 in Kraft und gilt dann für das nach dem 31.12.2018 beginnende Geschäftsjahr. Ob § 111 II 4 alternativ auch noch freiwillige Beauftragung durch Vorstand selbst zulässt, ist noch nicht geklärt, richtigerweise aber zu bejahen (Hennrichs NZG 2017, 841, 845 Fn. 30).

3. Aufsichtsrat und Abschlussprüfer. a) Allgemeines. Rechtsbeziehungen 42 des Abschlussprüfers zur AG beruhen auf Bestellung und Prüfungsauftrag, genauer: dem über die Prüfung geschlossenen Geschäftsbesorgungsvertrag nach § 675 BGB. Bestellung erfolgt gem. § 119 I Nr. 5 durch HV-Beschluss, soweit nicht Sonderregeln eingreifen (→ § 119 Rn. 5). Zuständigkeit für Auftragserteilung lag früher gem. § 318 I 4 HGB iVm § 78 beim Vorstand, ist aber nunmehr durch § 111 II 3 dem AR zugewiesen. Durch KonTraG 1998 eingefügte Norm soll Signalwirkung entfalten, nämlich **Unabhängigkeit des Prüfers vom Vorstand** unterstreichen und verdeutlichen, dass Prüfer den AR bei Wahrnehmung seiner Überwachungsaufgabe zu unterstützen hat (RegBegr. BT-Drs. 13/9712, 16). Flankierende Regelungen finden sich in § 107 IV 1 (Prüfungsausschuss → § 107 Rn. 26), § 171 I 2 (Teilnahme an AR-Sitzungen), §§ 319 ff. HGB (Stärkung der

Unabhängigkeit des Abschlussprüfers), § 321 V 2 HGB (Vorlage des Prüfberichts an AR). Gesamttendenz des Ges. geht dahin, Abschlussprüfer als weiteren Protagonisten in Corporate Governance der AG einzubeziehen (MüKoAktG/Habersack Rn. 90 f.). Zur Neuregelung durch AReG 2016 → § 100 Rn. 22 ff.; → § 107 Rn. 31 ff.

43 **Anwendungsbereich** des § 111 II 3 ist nicht nur Pflichtprüfung (§ 316 I 1, II HGB), sondern auch freiwillige Prüfung des Jahres- oder Konzernabschlusses (OLG Stuttgart AG 2021, 522, 525; MüKoAktG/Habersack Rn. 92; KK-AktG/Mertens/Cahn Rn. 72). Für reine Beratungsleistung des Prüfers bleibt Vorstand zuständig, doch da sie Unabhängigkeit des Abschlussprüfers in Frage stellt und damit Inhabilität begründen kann, sollte sich AR für derartige Verträge Zustimmung vorbehalten (→ Rn. 51 ff.; de lege ferenda auch hier für AR-Zuständigkeit Hennrichs DB 2021, 268, 278 f.). Bestellung des **Konzernabschlussprüfers** erfolgt durch Beschluss der Gesellschafter des Mutterunternehmens (§ 318 I 1 HGB), also durch seine HV. Mangels Wahlbeschlusses gilt als bestellt, wer den Jahresabschluss prüft (§ 318 II 1 HGB). Zuständigkeit für Erteilung des Prüfungsauftrags ist auch insoweit durch § 111 II 3 auf AR übergegangen, und zwar auf AR des Mutterunternehmens. **Prüfer für prüferische Durchsicht** von unterjährigen Finanzberichten: Fakultative Prüfung ist in § 115 V 1 WpHG vorgesehen (vgl. dazu und zur Prüferbestellung → § 124 Rn. 28 f.). Zum Prüfungsauftrag trifft Ges. keine bes. Regelung, so dass nach allg. Grundsätzen Vertretung der AG dem Vorstand obläge (§ 78). Bessere Gründe sprechen jedoch für sinngem. Anwendung des § 111 II 3, also für Vertretung durch AR. Jedenfalls unschädlich sind Doppelvertretung oder Genehmigung durch jew. anderes Organ.

44 **b) Einzelfragen.** Zur Auftragserteilung gilt: **Vertretung** der AG durch AR als Kollegialorgan stößt auf die üblichen Schwierigkeiten (→ § 112 Rn. 19 ff.). AR oder dafür zuständiger Ausschuss muss über Auftragserteilung beschließen. Dass auch Ausschuss beschließen kann, folgt aus § 107 III 7 (→ § 107 Rn. 58), der § 111 II 3 gerade nicht nennt (wie hier MüKoAktG/Habersack Rn. 98; Hölters/Weber/Groß-Bölting/Rabe Rn. 68; GK-AktG/Hopt/Roth Rn. 460; BeckOGK/Spindler Rn. 64; aA Hommelhoff BB 1998, 2567, 2570; Theisen DB 1999, 341, 345; Velte NZG 2011, 771, 772). Gegenmeinung überzeugt nicht. Auf unveränderten Wortlaut des Delegationsverbots muss sich Praxis verlassen können, sofern nicht zwingende Sachgründe andere Auslegung erfordern. Solche Gründe bestehen nicht. Namentl. wird Bedeutung der Abschlussprüfung für Überwachungstätigkeit des AR (→ Rn. 42 ff.) nicht dadurch geschmälert, dass anstelle des Plenums ein Ausschuss, bes. der Prüfungsausschuss (→ § 107 Rn. 31 ff.), über den Auftrag beschließt. Bes. Sachkunde lässt sich so besser nutzen und Einzelheiten von Vertragsverhältnissen eignen sich nicht durchweg für Plenarentscheidungen (entspr. Empfehlung deshalb auch bei Nonnenmacher/Wemmer/v. Werder DB 2016, 2826, 2832). Auch Gesamtverantwortung des AR für Überwachung (→ Rn. 32) rechtfertigt keine andere Beurteilung, weil Auftragsvergabe in diesem Rahmen nur Hilfsgeschäft ist (zur Parallelproblematik bei Wahlvorschlag → § 124 Rn. 28 f. mwN).

45 Umgekehrt kann mittlerweile aber Frage aufgeworfen werden, ob Prüfungsausschuss nicht zwingend für Auftragserteilung zuständig sein muss. Das ist jedenfalls dort eindeutig zu verneinen, wo – wie im Regelfall des § 107 III 2 – Einsetzung des Prüfungsausschusses als solche optional ist. In diesen Fällen besteht uneingeschränktes Selbstorganisationsrecht des AR. Zweifelhaft ist, ob dies auch für Unternehmen von öffentl. Interesse iSd § 316a S. 2 HGB (→ § 100 Rn. 23) gilt. Frage wurde schon mit Neufassung der **Abschlussprüfer-RL 2014** aufgeworfen, war da aber noch klar zu verneinen, da Art. 39 II Abschlussprüfer-RL Selbstorganisationsrecht des AR ausdr. unberührt lässt (vgl. auch die Eingangs-

worte des Art. 39 VI Abschlussprüfer-RL: „Unbeschadet der Verantwortung der Mitglieder des Verwaltungs-, Leitungs- oder Aufsichtsorgans"). Nachdem Einrichtung des Prüfungsausschusses für Unternehmen von öffentl. Interesse mit Neufassung des § 107 IV 1 zwingend geworden ist, kann andere Sichtweise geboten sein, doch sprechen bessere Gründe dagegen. Auch § 107 III 2 sieht vor, dass sich Prüfungsausschuss mit Auswahl „befasst", aber nicht, dass damit zwangsläufig auch Auftragserteilung verbunden sein muss. Das mag im Einzelfall zweckmäßig sein; zwingend ist es nicht. Erhebliche Erweiterung des Aufgabenkreises des AR ergibt sich indes durch neue **Vorgaben des Art. 16 Abschlussprüfer-VO,** der für Unternehmen von öffentl. Interesse iSd § 316a S. 2 HGB (→ § 100 Rn. 23) detailliertes Verfahren zur Bestellung des Abschlussprüfers vorsieht, sofern Abschlussprüfer unter der Vorgabe externer Rotation (Art. 17 Abschlussprüfer-VO) für die ges. Abschlussprüfung gewechselt werden soll (vgl. dazu etwa Buhleier/Niehues/Splinter DB 2016, 1885, 1888 ff.; Schilha ZIP 2016, 1316, 1326 f.; zu Vor- und Nachteilen von Kontinuität und Rotation W. Müller FS Marsch-Barner, 2018, 376 ff.; zur Neuregelung auf nat. Ebene durch FISG 2021 [insbes. Streichung der Verlängerungsmöglichkeit nach § 318 Ia] vgl. Bormann/Böttger NZG 2021, 330, 332 f.; Gros/Veltes Konzern 2021, 371, 377; Hennrichs DB 2021, 268, 270 f.; Krolop NZG 2021, 853, 854 f.; Liebscher/Rinker BKR 2021, 466, 469 ff.; Quick/Sánchez Toledano/Sánchez Toledano AG 2020, 819 ff.). Auch Durchführung dieses Verfahrens liegt in den Händen des AR bzw. des Prüfungsausschusses. Dass er sich dabei der Unterstützung von Mitarbeitern der Geschäftsleitung bedient, ist unproblematisch (sa Schilha ZIP 2016, 1316, 1327; Schüppen NZG 2016, 247, 251), doch ist darauf zu achten, dass Vorstand auf diesem Wege nicht Einfluss auf Auftragsvergabe nehmen kann.

Von Beschlussfassung zu unterscheiden ist **Abgabe der Vertragserklärung.** 46 Erklärungsvertretung (dazu Hüffer FS Claussen, 1997, 171, 181 ff.) kann einzelnen AR-Mitgliedern, namentl. dem Vorsitzenden, überlassen werden (→ § 112 Rn. 19 ff.). Soweit Satzung oder Geschäftsordnung dafür keine eindeutigen Regeln enthalten, sollte Vollmacht vorsorglich im AR-Beschluss erteilt werden. Vertrag bedarf keiner Form, kann also auch konkludent zustande kommen. Aufsichtsrechtl. Anzeigepflichten (§ 28 I KWG; § 36 I VAG) sind vor Auftragserteilung zu erfüllen. Findet sich kein Abschlussprüfer, der Auftrag annehmen will, hilft gerichtl. Bestellung nach § 318 IV HGB nicht, da sie allein Wahl durch HV, aber nicht Annahme des Antrags zum Abschlussprüfer ersetzt (Hopt/Merkt § 318 Rn. 17; Schüppen NZG 2023, 371, 372). **Vertragsmängel** berühren Gültigkeit der Bestellung nicht, führen also auch nicht zur Nichtigkeit des Jahresabschlusses nach § 256 I Nr. 3 (→ § 256 Rn. 13).

Honorarvereinbarung ist mangels Gebührenordnung und wegen unter- 47 schiedlicher Stundensätze unerlässlich. Zuständigkeit liegt beim AR als Vertreter der Auftraggeberin (RegBegr. BT-Drs. 13/9712, 16), der aber als Kollegialorgan keine Verhandlungen führen kann. Verhandlungsvertretung liegt beim AR-Vorsitzenden kraft Amtsstellung (→ § 107 Rn. 9), soweit nicht bes. Vollmacht erteilt ist. Sie kann auch gemeinsam an Prüfungsausschuss im Zuge der Beschlussdelegation (→ Rn. 46) erteilt werden (zutr. BeckOGK/Spindler Rn. 65). Sachkunde des Vorstands darf genutzt, vorbereitende Gespräche dürfen ihm überlassen werden. Vollmacht wird idR Abschluss zu üblichen Bedingungen einschließen. AR kann als Auftraggeber auch eigene **Prüfungsschwerpunkte** setzen (RegBegr. BT-Drs. 13/9712, 16), also zum Gegenstand des Auftrags machen; eigene Verantwortung des Prüfers für Mindeststandard bleibt unberührt. In komplizierten Fragen muss sich AR allerdings schlüssig werden, ob seine Kenntnis der Unternehmensinterna für Erteilung sinnvoller detaillierter Prüfungsaufträge ausreicht. Kontinuierliche Begleitung des Prüfungsvorgangs durch AR-Vorsitzenden oder Ausschussmitglieder dürfte idR eher sinnvoll sein als vorab erfolgende Schwerpunktsetzung. Ersatzansprüche der AG gegen Abschlussprüfer werden vom Vorstand geltend gemacht (Schuhknecht GWR 2015, 316 ff.).

IV. Einberufung der Hauptversammlung (§ 111 III)

48 AR ist, anders als Vorstand (§ 121 II), nur dann verpflichtet und berechtigt, HV einzuberufen, wenn das **Wohl der Gesellschaft** die Einberufung erfordert (§ 111 III). Konkretisierung kann nur anhand der **HV-Kompetenzen** erfolgen. Jedenfalls idR ist deshalb zu verlangen, dass (1.) HV über jeweiligen Gegenstand Beschluss fassen kann und dass (2.) dieser Beschluss bestimmten Interessen der AG dient, die ohne ihn nicht oder nicht ohne weiteres gewahrt werden könnten. Einberufung der HV ist danach typischerweise gerechtfertigt, wenn sie Gelegenheit zum **Vertrauensentzug** gem. § 84 IV 2 erhalten soll (→ § 84 Rn. 62 ff.), damit AR auf dieser Basis nach § 84 IV 1 Vorstandsmitglied oder Vorstandsvorsitzenden abberufen kann (Lutter/Krieger/Verse AR Rn. 137). Fehlt ein solcher Grund, bleibt Wirksamkeit der Einberufung davon aber unberührt (LG Frankfurt NZG 2014, 1232).

49 In **Fragen der Geschäftsführung** hat HV **grds. keine Beschlusskompetenz** (§ 119 II). Dennoch wird verbreitet angenommen, dass AR HV auch zur bloßen Erörterung einberufen darf (NK-AktR/Breuner/Fraune Rn. 26; S/L/Drygala Rn. 46; Butzke HV B 43; MHdB AG/Bungert § 36 Rn. 12; Lutter/Krieger/Verse AR Rn. 137). Obwohl diese Sichtweise für den Vorstand mittlerweile ganz hM entspr. (→ § 119 Rn. 4), ist sie auf AR dennoch nicht zu übertragen (MüKoAktG/Kubis § 121 Rn. 21; KK-AktG/Mertens/Cahn Rn. 74; BeckOGK/Spindler Rn. 72). Zwar kann es im Interesse der AG liegen, dass sich Vorstand ein Bild von Meinung der HV macht (MHdB AG/Bungert § 36 Rn. 12). Darin liegt jedoch noch kein zureichender Grund für Einberufung durch AR gegen Willen des Vorstands. Andere Beurteilung ist in den **Ausnahmefällen** geboten, in denen Vorstand verpflichtet ist, Beschluss der HV in Fragen der Geschäftsführung einzuholen (BGHZ 83, 122 = NJW 1982, 1703; → § 119 Rn. 16 ff.). Dann möglicher Beschluss der HV liegt schon deshalb im Interesse der AG, weil Vorstand ohne ihn rechtswidrig handeln würde (MüKoAktG/Habersack Rn. 105). IdR wird dafür jedoch kein Bedarf bestehen, da AR Kompetenzüberschreitung des Vorstands über (Ad-hoc-)Zustimmungsvorbehalt (→ Rn. 51 ff.) entgegenwirken kann, der dann ggf. über § 111 IV zur Vorlage an HV führt (zutr. KK-AktG/Mertens/Cahn Rn. 74).

50 Recht zur Einberufung steht **AR nur als Organ** zu. Erforderlich ist Beschluss nach § 108 I. Für ihn genügt, wie § 111 III 2 klarstellt, einfache Mehrheit (→ § 108 Rn. 6 ff.). Delegation an Ausschuss ist durch § 107 III 7 ausgeschlossen. **Art und Weise** der Einberufung: § 121 III und IV, §§ 123 ff. Beauftragung eines HV-Dienstleisters im Namen der AG ist als Annexkompetenz ebenfalls von § 111 III 1 gedeckt (LG Frankfurt NZG 2014, 1232 m. präzisierender Anm. Rahlmeyer/Groh). **Kosten** fallen der AG zur Last. Unter den weiteren Voraussetzungen der §§ 93, 116 können der Gesellschaft Schadensersatzansprüche zustehen, wenn Voraussetzungen des § 111 III nicht vorlagen.

V. Geschäftsführung und Zustimmungsvorbehalte (§ 111 IV)

51 **1. Keine Geschäftsführung durch AR (§ 111 IV 1). a) Grundsatz.** § 111 IV 1 und 2 betr. Kompetenzen des AR in Fragen der **Geschäftsführung** und grenzt seine Befugnisse damit von denen des Vorstands ab, dem in erster Linie Geschäftsführungs- und Leitungsaufgabe obliegt. § 111 IV 1 stellt klar, dass die primär dem AR zugewiesene Überwachungsaufgabe zwar die Geschäftsführung zum Gegenstand hat, aber nicht dazu führen darf, dass AR sich diese

Geschäftsführung selbst anmaßt. AR darf also eigene Geschäftsführungskompetenzen nicht selbst begründen und kann sie auch nicht durch die Satzung erhalten. Auch mittelbar darf er nicht durch Vergütungsanreize (Prämien) bei Erreichen bestimmter strategischer Ziele auf Vorstand Einfluss nehmen (→ § 87 Rn. 17). Diese ges. Zuordnung der Geschäftsführungbefugnis steht auch nicht zur Disposition des Vorstands selbst, der sich anderenfalls entspr. Ansinnen seines Anstellungs- und Überwachungsorgans nur schwer entziehen könnte; auch er darf Aufgaben daher nicht an AR delegieren (J. Koch AG 2017, 129, 134 f.).

Delegationsverbot gilt nicht nur für AR insgesamt, sondern auch für einzelne AR-Mitglieder, namentl. **AR-Vorsitzenden** (GK-AktG/Hopt/Roth Rn. 598; Grunewald ZIP 2016, 2009, 2010). Auf den ersten Blick klare Funktionstrennung wird aber relativiert durch ges. Zuweisung eigener Geschäftsführungsaufgaben an AR (s. zB § 111 II 3 [→ Rn. 42], §§ 112, 161), durch Beratungsfunktion des AR (→ § 90 Rn. 4 ff.), über die er an Leitungsaufgabe teilhat, sowie durch Einführung von Zustimmungsvorbehalten nach § 111 IV 2 (zum Verhältnis der Organe → § 76 Rn. 2 f.). Mit § 111 IV 2 ist zwar vornehmlich bezweckt, dem AR die **präventive Überwachung** der Geschäftsführung zu erleichtern (BGH AG 2007, 167 Rn. 9; Fonk ZGR 2006, 841, 866). Vetorecht gegen Maßnahmen des Vorstands gibt ihm aber auch Einfluss auf dessen Geschäftsführung (vgl. MüKoAktG/Habersack Rn. 110). Zustimmungsvorbehalte können auch **konzernbezogen** sein, also Maßnahmen in Untergesellschaft von Zustimmung des AR der Obergesellschaft abhängig machen (→ Rn. 74 ff.). 52

Weitere Relativierung des § 111 IV 1 kann sich aus mitbestimmungsrechtl. Sonderregelung in § 32 MitbestG, der für Ausübung von Beteiligungsrechten Bindung des Vorstands an AR-Beschlüsse vorsieht, die von den AR-Mitgliedern der Aktionäre allein gefasst werden (→ § 78 Rn. 8a, 8b). Regelung geht § 111 IV vor, so dass AR-Mitglieder der AN auch dann nicht mitwirken, wenn Maßnahme sonst unter § 111 IV 2 fallen würde (KK-AktG/Mertens/Cahn Anh. § 117 B § 32 MitbestG Rn. 16; Habersack/Henssler/Habersack MitbestG § 32 Rn. 20). Auch ohne solche ges. Sonderregelung kann es erforderlich sein, ungeschriebene **Annexkompetenzen** des AR anzuerkennen, soweit dies zur Erfüllung seiner ges. zugewiesenen Aufgaben erforderlich ist (MüKoAktG/Habersack Rn. 113; BeckOGK/Spindler Rn. 77; Beispiel → Rn. 50). Maßstab muss insofern insbes. Funktionsfähigkeit des Systems der Checks and Balances, Organadäquanz und korrespondierendes Haftungsrisiko sein (→ § 76 Rn. 3; zur damit zusammenhängenden Frage nach eigenem Budgetrecht → Rn. 40). Schrifttum tendiert in neuerer Zeit allerdings zu einer (im Lichte des § 111 IV 1) vorschnellen Konstruktion derartiger Kompetenzen. 53

b) Kapitalmarktkommunikation. Problematisch ist insofern namentl. Kapitalmarktkommunikation, für die verbreitet umfassende **Annexkompetenz des AR** innerhalb seines Aufgabenbereichs angenommen wird. Meinungsstand ist hier uneinheitlich, wobei Grenzen zwischen Befürwortern und Gegnern oft nicht ganz trennscharf gezogen werden können (weitgehende Gestattung bei Bachmann VGR 22 GesR 2016, 135 ff.; S/L/Drygala § 107 Rn. 25; GK-AktG/Hopt/Roth Rn. 567 ff.; Lutter/Krieger/Verse AR Rn. 284; Ebrahimzadeh, Investorendialog, 2020, 39 ff.; Fleischer/Bauer/Wansleben DB 2015, 360 ff.; Hirt/Hopt/Mattheus AG 2016, 725 ff.; Kau, Zulässigkeit und Grenzen des Investorenkontakts, 2021, 131 ff.; Landsittel, Investorenkommunikation, 2019, 195 ff.; Schiessl FS Krieger, 2020, 813 ff.; zurückhaltend bis ablehnend DAV-HRA NZG 2017, 57, 59 f.; VGR AG 2017, 1, 4 f.; Grigoleit/Grigoleit/Tomasic Rn. 71 ff.; MüKoAktG/Habersack § 116 Rn. 67; GK-AktG/Kort § 76 Rn. 9a; MHdB AG/Hoffmann-Becking § 29 Rn. 18; Hexel AR 2014, 121; Holle ZIP 2019, 1895, 1897 ff.; J. Koch AG 2017, 129 ff.; Schauer, Aufsichtsratskommunikation, 54

2021, 185 ff.; Spindler FS Seibert, 2019, 855, 865 ff.; E. Vetter AG 2016, 873 ff.; H. P. Westermann/Paefgen ZHR 185 [2021], 175, 177; vermittelnd Reichert FS Grunewald, 2021, 891 ff.). Da investor relations nach einhelliger Auffassung nicht nur Geschäftsführungs-, sondern **Leitungsaufgabe des Vorstands** sind, können solche Kompetenzen in Abweichung von § 111 IV 1 nur sehr beschränkt rechtsfortbildend dort konstruiert werden, wo Vorstand grds. nicht in der Lage ist, Informationen zu kommunizieren, zugleich aber zwingendes Informationsbedürfnis der Investoren anzuerkennen ist (J. Koch AG 2017, 129 ff.; zust. Grigoleit/Grigoleit/Tomasic Rn. 73; Gröntgen, Operativer Shareholder Activism, 2020, 258 ff.; Holle ZIP 2019, 1895, 1897; Schauer, Aufsichtsratskommunikation, 2021, 185 ff.; ähnlich MüKoAktG/Habersack § 116 Rn. 67; großzügiger Bachmann VGR 22 GesR 2016, 135, 144 ff.). Das kann namentl. dann der Fall sein, wenn Person des Vorstands selbst betroffen ist, etwa wenn mögliche Pflichtverletzungen im Raum stehen und über die Erhebung von Organhaftungsansprüchen nachgedacht wird (J. Koch AG 2017, 129, 133; zust. MüKoAktG/Habersack § 116 Rn. 67; weitere Bsp. bei Holle ZIP 2019, 1895, 1897 f.). Auch in Fragen der Vorstandsvergütung dürfen Investoren einbezogen werden (Schauer, Aufsichtsratskommunikation, 2021, 246 ff.). Das Gleiche gilt für Kommunikation zur Abschlussprüfung (Schauer, Aufsichtsratskommunikation, 2021, 250 f.) und der Selbstorganisation des AR, nicht aber für Fragen der Unternehmensfinanzierung (Schauer, Aufsichtsratskommunikation, 2021, 251 ff.). Nach ganz hM darf **Unternehmensstrategie** nicht Gesprächsgegenstand sein (vgl. MüKoAktG/Habersack § 116 Rn. 67; Lutter/Krieger/Verse AR Rn. 284; VGR AG 2017, 1, 4; AK Recht des AR NZG 2021, 477, 479 Nr. 16; Bachmann VGR 22 GesR 2016, 135, 175; Grunewald ZIP 2016, 2009, 2010 f.; Holle ZIP 2019, 1895, 1898; J. Koch AG 2017, 129, 134; Reichert FS Grunewald, 2021, 891, 908 f.; Schauer, Aufsichtsratskommunikation, 2021, 255 f.; Spindler FS Seibert, 2019, 855, 866 f.; aA Hirt/Hopt/Mattheus AG 2016, 725); nach empirischen Erhebungen wird gerade über Strategiefragen aber am häufigsten gesprochen (Tietz/Hammann/Hoffmann AR 2019, 69 ff.), was ausufernde Tendenzen einer solchen Kompetenzaufweichung zur Genüge illustriert (J. Koch ZGR 2020, 183, 213).

55 **Institutionalisierter Dialog** zwischen AR und institutionellen Investoren, wie er namentl. von sog Arbeitsgruppe „Developing Shareholder Communication" propagiert wird (AG 2016, R 300 ff.; vgl. auch Hirt/Hopt/Mattheus AG 2016, 725 ff.), ist dagegen mit Geschäftsführungszuweisung an den Vorstand (§ 111 IV 1) ebenso wenig zu vereinbaren wie mit Gleichbehandlungsgebot und Verschwiegenheitspflicht; in vielen Fällen droht auch Konflikt mit Insiderrecht (ausf. J. Koch AG 2017, 129 ff.; krit. auch DAV-HRA NZG 2017, 57, 59 f.; VGR AG 2017, 1, 4 f.; Grigoleit/Grigoleit/Tomasic Rn. 71 ff.; MüKoAktG/Habersack § 116 Rn. 67; M. Arnold ZHR 185 [2021], 281, 310 ff.; Schauer, Aufsichtsratskommunikation, 2021, 185 ff.). Auch in 2017 neu gefasster **Aktionärsrechte-RL** (RL 2017/828/EU v. 17.5.2017, ABl. EU 2017 L 132, 1) findet eine solche privilegierte Informationsversorgung institutioneller Investoren keine Grundlage (J. Koch AG 2017, 129, 137 f.; zust. Grigoleit/Grigoleit/Tomasic Rn. 72; Gröntgen, Operativer Shareholder Activism, 2020, 266; aA Herz NZG 2020, 281, 289 f.; Hirt/Hopt/Mattheus AG 2016, 725 ff.). Dass Regierungskommission Corporate Governance aufgrund personeller Verflechtung mit genannter Arbeitsgruppe und zeitlicher Koinzidenz ihres Tätigwerdens Eindruck erweckt hat, sich deren Leitsätze durch neu eingefügte **Anregung in A.6 DCGK** zu eigen zu machen, ist unglücklich (→ § 161 Rn. 5a), zumal es AR-Vorsitzenden im Lichte dieser Anregung kaum noch möglich sein wird, sich entspr. Auskunftsansinnen zu verwehren (J. Koch AG 2017, 129 ff., 140; J. Koch BB 2016, Heft 50, Die erste Seite; krit. auch DAV-HRA NZG 2017, 57, 59; VGR AG

2017, 1, 4 f.; Schauer, Aufsichtsratskommunikation, 2021, 158 ff.; aA M. Roth AG 2020, 278 Rn. 16 mit aussagekräftigem Hinweis, Kommission habe „erfreulicherweise nicht mit Fokus auf aktienrechtl. Zulässigkeit" agiert; statistische Angaben zur Handhabung vor und nach Kodex-Änderung bei v. Werder/Danilov DB 2018, 1997, 2002, 2006; v. Werder/Danilov/Schwarz DB 2021, 2097, 2107).

Selbst wo Annexkompetenz zur Kapitalmarktkommunikation ausnahmsweise **56**
anzuerkennen ist, kann sie aufgrund des Charakters des **AR als Kollegialorgan** nicht auf AR-Vorsitzenden verengt werden; zur Begründung angeführte § 80 I 1, § 176 I 2 (für das Erste M. Roth ZGR 2012, 343, 370; für das Zweite Fleischer/Bauer/Wansleben DB 2015, 360, 363) bieten dafür keine tragfähige Grundlage (ausf. dazu J. Koch in 50 Jahre AktG, 2016, 65, 89 ff.; sa J. Koch AG 2017, 129, 135 f.; wie hier AK Recht des AR NZG 2021, 477, 479 Nr. 16; DAV-HRA NZG 2017, 57, 59 f.; VGR AG 2017, 1, 4 f.; Grigoleit/Grigoleit/Tomasic Rn. 75; MüKoAktG/Habersack § 116 Rn. 67; Lutter/Krieger/Verse AR Rn. 680; Hexel AR 2014, 121; Holle ZIP 2019, 1895, 1900 f.; Schauer, Aufsichtsratskommunikation, 2021, 331 ff.; Schilha/Theusinger NZG 2019, 521, 524 f.; Wilhelmi FS Ebke, 2021, 1089, 1097; auch insofern großzügiger Bachmann VGR 22 GesR 2016, 135, 171 ff.). Wo sie gewollt ist, muss entspr. Ermächtigung des AR-Vorsitzenden durch Gesamt-AR begründet werden, etwa in Gestalt eines Ermächtigungsbeschlusses (Grigoleit/Grigoleit/Tomasic Rn. 75; Holle ZIP 2019, 1895, 1900) oder sog **Kommunikationsordnung** (vgl. dazu MüKoAktG/Habersack § 116 Rn. 67; Bachmann VGR 22 GesR 2016, 135, 172; Ebrahimzadeh, Investorendialog, 2020, 245 ff.; Fleischer/Bauer/Wansleben DB 2015, 360, 365; J. Koch AG 2017, 129, 136; Reichert FS Grunewald, 2021, 891, 912 ff.; Schauer, Aufsichtsratskommunikation, 2021, 350 ff.). Werden auf dieser Grundlage institutionelle Investoren privilegiert informiert, entsteht **Nachauskunftsanspruch** nach § 131 IV (str.; ausf. → § 131 Rn. 107). Auch Vorstand selbst sollte – soweit nicht aus Geheimhaltungsgründen verwehrt (Schadensersatzansprüche) – über Gespräche informiert werden, und zwar sowohl im Vorfeld als auch über Ergebnisse im Nachgang (Schauer, Aufsichtsratskommunikation, 2021, 307 ff.).

Darüber hinaus wird Annexkompetenz des AR von hM namentl. auch im **57**
Bereich der **Ad-Hoc-Publizität nach Art. 17 MAR** im Hinblick auf solche Insiderinformationen befürwortet, die in seinem Aufgabenbereich entstehen (BaFin, Emittentenleitfaden 2020, Modul C, 19 f., 35 ff.; Löbbe FS Krieger, 2020, 607, 614 ff.; Mülbert FS Stilz, 2014, 411, 416 ff.; Retsch NZG 2016, 1201, 1206; weitergehend Groß FS U. H. Schneider, 2011, 385, 392; Groß/Roye BKR 2019, 272, 277; Kocher/S. Schneider ZIP 2013, 1607, 1611: kursrelevante Informationen, von denen AR, aber nicht Vorstand Kenntnis hat; gegen solche Ausweitung Schockenhoff/Hoffmann ZGR 2021, 212, 220: stattdessen Pflicht des AR zur Informationsweiterleitung an den Vorstand. Ausf. zum Streitstand Bekritsky BKR 2020, 382, 383). Vorgeschaltet muss allerdings zunächst Frage sein, ob Insiderinformation im Aufgabenbereich des AR im konkreten Einzelfall überhaupt veröffentlichungspflichtig ist (aufschlussreich dazu Bekritsky BKR 2020, 382, 383 f. mit bislang noch nicht hinreichend beachteten Ableitungen aus unionsrechtl. Pflichtursprung und dessen Erfassung auch monistischer Board-Strukturen). Sodann muss AR-Wissen dem Emittenten zuzurechnen sein (ausf. dazu → § 112 Rn. 17 f.). Selbst wo diese beiden Voraussetzungen erfüllt sind, muss **Ad-hoc-Meldung durch Vorstand,** nicht durch AR, erfolgen (ganz hM – MüKoAktG/Habersack § 116 Rn. 65; Leyendecker/Kleinhenz AG 2015, 72, 75; Schockenhoff/Hoffmann ZGR 2021, 212, 219 mwN; ausf. unionsrechtl. Herleitung bei Bekritsky BKR 2020, 382, 383 ff.; aA Hemeling ZHR 184 [2020], 397, 404 f.; Kiefner/Krämer/Happ DB 2020, 1386,

1392). Annexkompetenz ist daher keine Kommunikationskompetenz, aber AR muss doch für **Selbstbefreiung in seinem Aufgabenbereich** zuständig sein, da sonst Zwischenschritte im Tätigkeitsfeld des AR unbeachtet bleiben könnten, weil Vorstand oft nur über Endereignis Kenntnis erlangt (Bekritsky BKR 2020, 382, 388). Übertragung der Selbstbefreiungsentscheidung auf AR-Ausschuss ist zulässig, da Delegationsgrenze des § 107 III 7 nicht greift (so nun wohl auch BaFin, Emittentenleitfaden 2020, Modul C, 19 f., 35 ff. in Abweichung von vorangegangenem Konsultationspapier; sa Bekritsky WM 2020, 1959, 1965; Löbbe FS Krieger, 2020, 607, 608 ff.; Merkt FS Krieger, 2020, 647, 654). Zur Zurechnung von Insiderwissen aus dem AR vgl. J. Koch ZIP 2015, 1757 ff.; sa → § 112 Rn. 17 f.

58 **2. Begründung von Zustimmungsvorbehalten (§ 111 IV 2). Satzung oder AR** hat nach § 111 IV 2 Zustimmungsvorbehalte anzuordnen. Früheres Ermessen („kann" anordnen) ist mit Änderung der Vorschrift durch TransPuG 2002 entfallen. Ges. will damit erreichen, dass AR bei wesentlichen Maßnahmen in Willensbildung der Gesellschaft eingebunden wird (RegBegr. BT-Drs. 14/8769, 17; OLG Hamm NZG 2022, 662 Rn. 202). Deshalb darf er Entscheidung über Begründung eines Zustimmungsvorbehalts nach § 107 III 7 auch nicht auf Ausschuss delegieren, wohl aber Entscheidung über Zustimmung selbst (→ § 107 Rn. 58). Zustimmungsvorbehalte sind effektivste Möglichkeit des AR, auf Vorstandshandeln präventiv Einfluss zu nehmen, so dass sich Gesetzgeber von ihrer sorgfältigen Handhabung deutliche **Verbesserung der Corporate Governance** verspricht. Bereitschaft dazu in der Praxis war aber nach Einführung der paritätischen Mitbestimmung deutlich zurückgegangen (Fleischer BB 2013, 835, 837 f.). Dem soll Gesetzesänderung entgegenwirken. These, dass Vorstand auch außerhalb des Zustimmungskatalogs AR-Beschluss erzwingen kann (Manger/Giannakis AR 2023, 54 f.), findet im Ges. keine Grundlage. Zur Begründung eines gestreckten Geschehensablaufs iSd Art. 7 III MAR (→ § 84 Rn. 82) durch Zustimmungsbedürftigkeit vgl. Buck-Heeb FS Hopt, 2020, 101, 108 ff.

59 **Inhaltliche Vorgabe** ist trotz Verstärkung von Ermessens- zu Pflichtentscheidung (→ Rn. 58) zu Recht unterblieben, weil sie nicht allgemeingültig gelingen kann (RegBegr. BT-Drs. 14/8769, 17). GS 6 II DCGK verlangt „Geschäfte von grundlegender Bedeutung", die jedenfalls bei grundlegender Veränderung der Vermögens-, Finanz- oder Ertragslage gegeben sein sollen (nicht wesentlich anders RegBegr. BT-Drs. 14/8769, 17). Danach ist einerseits klar, dass sich Satzung oder AR nicht mit funktionsuntauglichem Marginalien-Katalog zufriedengeben dürfen, andererseits aber auch, dass bloße Grundsatzbestimmung der umschriebenen Art nicht genügt. Vielmehr hat AR nach pflichtgemäßem Ermessen (dazu Habersack FS Hüffer, 2010, 259, 265 f.) die grundlegenden Geschäfte unternehmensbezogen zu konkretisieren (OLG Düsseldorf AG 2016, 410, 411; Hüffer NZG 2007, 47, 52 f.; ähnlich Fonk ZGR 2006, 841, 846 ff.; Säcker/Rehm DB 2008, 2814, 2816 f.) und regelmäßig zu prüfen, ob sachgerechte Wahrnehmung der Überwachungsaufgabe **Fortschreibung des Katalogs** erfordert (S/L/Drygala Rn. 56; Seebach AG 2012, 70, 71: einjähriger Überprüfungsrhythmus entspr. D.12 DCGK). Ges. Ermessen wird nicht hinsichtlich des „Ob" der Aufstellung, wohl aber hinsichtlich des „Wie" eröffnet. Da es hier an ges. Vorprägungen fehlt, die über das Gesellschaftswohl hinausreichen (dann Pflichtaufgabe; → § 93 Rn. 29), handelt es sich um Fall der BJR (so auch Goette/Arnold/M. Arnold AR § 4 Rn. 389; Lieder ZGR 2018, 523, 536 f.; Schnorbus/Ganzer BB 2020, 386, 390 f.; aA Habersack NZG 2020, 881, 884). Unternehmensbezogene Konkretisierung schließt sachgerechte Auswahl ein. Weder geboten noch sinnvoll wäre Auflistung aller grundlegenden Geschäfte (J. Hüffer FS Hüffer, 2010, 365, 369); nötige Flexibilität kann ggf. Ad-hoc-Vorbehalt geben

(→ Rn. 62). Stets erforderlich ist, dass Vorgabe für Vorstand eindeutig erkennbar ist, was dann nicht gegeben ist, wenn bewusst weite Begriffe verwendet werden (OLG Düsseldorf AG 2016, 410, 412; zu daraus resultierenden Haftungsrisiken vgl. Mutter AR 2016, 130).

60 Keine Geschäfte iSd § 111 IV 2 sind bloße **Unterlassungen** (ganz hM – s. etwa OLG Stuttgart AG 2013, 599, 603; Dietrich DStR 2003, 1577 ff.; Schnorbus/Ganzer BB 2020, 386, 387; aA nur Lange DStR 2003, 376, 377). Das folgt schon aus Zusammenhang mit § 111 IV 1, der Maßnahmen voraussetzt; Unterlassung ist aber deren Gegenteil. Auch liefe Zustimmung zur Unterlassung auf Geschäftsführung durch AR hinaus, für die er nicht kompetent ist (→ Rn. 51). Wenn schlechthin und eindeutig unvertretbares Vorstandshandeln zu befürchten ist, kann Befugnis des AR im Einzelfall auch durch **Ermessensschrumpfung** in Verpflichtung umschlagen, Vorstandstätigkeit an seine Zustimmung zu binden (BGHZ 124, 111, 127 = NJW 1994, 520; LG Bielefeld AG 2000, 136, 138; Götz ZGR 1990, 633, 639; insoweit zust. auch Dreher ZHR 158 [1994], 614, 634 f.). Daran hat sich durch Neufassung des § 111 IV 2 nichts geändert (Lieder DB 2004, 2251, 2253; aA GK-AktG/Kort Vor § 76 Rn. 12). Stets erforderlich ist jedoch, dass es sich um Maßnahmen des Vorstands handelt. **Beschlüsse der HV** können keinem Zuständigkeitsvorbehalt unterworfen werden. Diese Folge darf auch nicht mittelbar dadurch herbeigeführt werden, dass Durchführungsmaßnahme nach § 83 II der Zustimmung unterworfen wird, doch kann für vorangehende Initiative des Vorstands Zustimmungsvorbehalt nach umstr., aber zutr. Auffassung begründet werden (→ § 83 Rn. 5). Damit nicht zu verwechseln ist Konstellation, dass Geschäftsführungsmaßnahme sowohl AR-Zustimmung nach § 111 IV 2 als auch HV-Zustimmung nach **Holzmüller/Gelatine-Grundsätzen** (→ § 119 Rn. 16 ff.) unterliegt. In diesem Fall ist Zustimmung nach § 111 IV 2 durch spätere HV-Einbeziehung nicht obsolet. Gerade bei mitbestimmten Aufsichtsräten kann HV-Zustimmung AR-Zustimmung selbstverständlich nicht ersetzen.

61 Für **Verhältnis von Satzung und AR-Beschluss** gilt: Satzung muss Katalog nicht enthalten, weil nach § 111 IV 2 Bestimmung des AR genügt. Enthält sie nichts, muss AR tätig werden, weil ges. Vorgabe sonst verfehlt würde. Wenn Satzungsgeber Zustimmungsvorbehalt anordnet, ist AR daran gebunden, kann also nicht seinerseits Vorbehalt abschaffen oder durch Generalkonsens leerlaufen lassen (allgM, s. MüKoAktG/Habersack Rn. 144). Satzung kann aber entspr. Befugnis des AR auch nicht ihrerseits beschränken oder ausschließen, dh er kann über dort genannte Vorbehalte hinausgehen; es handelt sich also um konkurrierende Rechte und Pflichten (hM, s. MüKoAktG/Habersack Rn. 118; Habersack FS Hüffer, 2010, 259, 262 f.; Lutter/Krieger/Verse AR Rn. 114; Götz ZGR 1990, 633, 634 ff.; Immenga ZGR 1977, 248, 261 ff.). Will AR von seiner Befugnis Gebrauch machen, so ist **Beschluss des Gesamtorgans** erforderlich, der dem Vorstand bekanntgemacht werden muss (OLG Düsseldorf AG 2016, 410, 411). Ausschüsse können entspr. Beschluss nicht fassen (§ 107 III 7), wohl aber Zustimmung erteilen (→ Rn. 69). Zum Mehrheitserfordernis für die Zustimmung → § 108 Rn. 8. Praxis empfiehlt, Zustimmungsvorbehalt in Geschäftsordnung des Vorstands aufzunehmen, wobei zugleich auch flankierende Berichtspflichten präzisiert und Regeln zur nachträglichen Zustimmungserteilung aufgenommen werden können (Seebach AG 2012, 70, 75).

62 Nach mittlerweile wohl allgM ist es überdies zulässig, Zustimmungsvorbehalt **ad hoc für Einzelgeschäft** zu begründen (BGHZ 124, 111, 127 = NJW 1994, 520; OLG Düsseldorf AG 2016, 410, 411; OLG Stuttgart WM 1979, 1296, 1300; MüKoAktG/Habersack Rn. 131; jetzt auch GK-AktG/Kort Vor § 76 Rn. 12). Satzung kann dieses Recht nicht beschränken (MüKoAktG/Habersack Rn. 131). Im Schrifttum wird diese Auffassung zT allerdings dahingehend eingeschränkt,

Ad-hoc-Zustimmung sei nur in Ausnahmefällen oder bei bes. bedeutsamen Geschäften zulässig (Lutter/Krieger/Verse AR Rn. 119). Für solche Beschränkung besteht indes kein Anlass (zutr. dagegen Brouwer, Zustimmungsvorbehalte, 2008, 125 ff.). Andere Sichtweise würde Leitungsbefugnis des Vorstands nicht stärken, sondern AR dazu anhalten, Katalog zustimmungsbedürftiger Geschäfte schon im Vorfeld präventiv extensiv auszudehnen. Es gelten nur die allg. Schranken, die auch für herkömmlichen Katalog gelten (→ Rn. 63 ff.). Pflicht nach § 111 IV 2 wird durch Ad-hoc-Vorbehalt aber noch nicht genügt (Grigoleit/Grigoleit/Tomasic Rn. 90).

63 **3. Schranken.** Während Zustimmungsvorbehalte nach Umwandlung in AR-Pflicht zunächst extensiv gehandhabt wurden, werden mittlerweile auch Schranken wieder stärker betont (vgl. Brouwer, Zustimmungsvorbehalte, 2008, 88, 102 ff.; Fleischer BB 2013, 835 ff.; Seebach AG 2012, 70, 71). Werden diese Grenzen überschritten, ist Zustimmungsvorbehalt nichtig. Schranken ergeben sich zunächst aus Natur eines Zustimmungsvorbehalts: Satzung oder AR können **nur Zustimmungserfordernis** begründen. Wird Zustimmung versagt, muss Maßnahme unterbleiben. Zustimmungsverweigerung wirkt also wie Ausübung eines Vetorechts. Nichtig wäre demgegenüber Bestimmung der Satzung oder Beschluss des AR, nach denen bestimmte Maßnahmen positiv in die Kompetenz des AR fielen, also nur von ihm vorgenommen werden könnten.

64 Weiterhin muss sich Zustimmungserfordernis auf **bestimmte Arten von Geschäften beziehen** (OLG Stuttgart AG 2013, 599, 603; LG München I AG 2017, 591, 593; ausf. Brouwer, Zustimmungsvorbehalte, 2008, 122 ff.). Mit Bestimmtheitserfordernis unvereinbar wäre etwa Generalklausel („alle wesentlichen Geschäfte"; Goette/Arnold/M. Arnold AR § 4 Rn. 394; Schnorbus/Ganzer BB 2020, 386, 388 f.; weiter für GmbH BGHSt 61, 48 Rn. 115 = NZG 2016, 703). Dasselbe gilt für Kombinationslösung, bei der bestimmt gefasster Vorbehalt ausgedehnt wird auf „sonstige Maßnahmen der Geschäftsführung, die die Vermögens-, Finanz- und Ertragslage des Unternehmens grdl. verändern" (zutr. Brouwer, Zustimmungsvorbehalte, 2008, 123; sa KK-AktG/Mertens/Cahn Rn. 85; Goette/Arnold/M. Arnold AR § 4 Rn. 394). In der Praxis erfolgt Festlegung zumeist durch Kombination von gegenständlichen Beschreibungen (zB Erwerb und Veräußerung von Beteiligungen) mit Schwellenwerten (Schick FS Krieger, 2020, 799, 803 f.). Zustimmungsvorbehalt gilt nicht nur für Rechtsgeschäfte, sondern auch **unternehmensinterne Leitungsmaßnahmen** können an Zustimmungserfordernis gebunden werden (Lutter/Krieger/Verse AR Rn. 120; Altmeppen FS K. Schmidt, 2009, 23, 29). Deshalb sind auch Maßnahmen der Unternehmensplanung (→ § 90 Rn. 4a) einem Zustimmungsvorbehalt nicht von vornherein entzogen. Sie müssen aber nach Konkretisierungsgrad bestimmten Geschäftsarten wenigstens vergleichbar sein. Das folgt nicht nur aus Wortlaut des § 111 IV 2, sondern ist auch der Sache nach erforderlich, damit Leitungsverantwortung des Vorstands (§ 76 I) nicht im Kern berührt wird. Unbedenklich ist danach, dass AR einzelne Planungsmaßnahmen unter Zustimmungsvorbehalt stellt; zulässig ist wohl auch, dass jährliche Budgetplanung seiner Zustimmung bedarf (KK-AktG/Mertens/Cahn Rn. 86), dagegen nicht, dass **Mehrjahresplanungen** ganz oder ausschnittsweise an Zustimmung gebunden werden (KK-AktG/Mertens/Cahn Rn. 86; BeckOGK/Spindler Rn. 84; Altmeppen FS K. Schmidt, 2009, 23, 30; Fonk ZGR 2006, 841, 850; aA MHdB AG/Hoffmann-Becking § 29 Rn. 62; Habersack FS Hüffer, 2010, 259, 268 ff.; Kropff NZG 1998, 613, 615 ff.). Als weitere unternehmensinterne Maßnahme kann auch Geschäftsverteilung und Organisation (zB Ressortbildung) des Vorstands an Zustimmung des AR geknüpft werden (Brouwer, Zustimmungsvorbehalte, 2008, 156 f.).

65 Weitere Schranke ergibt sich schließlich aus **Erheblichkeitsschwelle:** AR darf Vorstand nicht bei Alltagsgeschäften binden, sondern muss Vorbehalt auf grundlegende (nicht aber existenzgefährdende) Geschäfte außergewöhnlichen Charakters beschränken (Einzelheiten str., wobei zT nicht hinreichend auf Abgrenzung zwischen Zustimmungsvorbehaltsfähigkeit und Zustimmungsvorbehaltspflicht geachtet wird [→ Rn. 66 ff.] – zutr. Brouwer, Zustimmungsvorbehalte, 2008, 102 ff.; Fleischer BB 2013, 835, 839 ff.). Erheblichkeitsschwelle kann zwar für bloße Vorbehaltsfähigkeit nicht aus RegBegr. TransPuG (BT-Drs. 14/8769, 17 f.) abgeleitet werden, die nur Aussage für vorbehaltspflichtige Geschäfte (→ Rn. 68) enthält (insofern zutr. Thiessen AG 2013, 573, 578), wohl aber aus aktienges. garantierter **Leitungsautonomie** des Vorstands, die qualitative Mindestgrenze für unternehmerische Mitwirkung des AR erforderlich macht (zutr. Brouwer, Zustimmungsvorbehalte, 2008, 102; Fleischer BB 2013, 835, 839 f.; aA Thiessen AG 2013, 573 ff.). Festlegung der Wesentlichkeitsgrenze erweist sich allerdings als schwierig (sa Schnorbus/Ganzer BB 2020, 386, 387 f.), weshalb AR insofern **Ermessensspielraum** verbleiben sollte (→ § 93 Rn. 26 ff.; wie hier BGHZ 124, 111, 127 = NJW 1994, 520 [pflichtgem. Ermessen]; Cahn WM 2013, 1293, 1294; Lieder ZGR 2018, 523, 536 f.; aA MüKoAktG/Habersack Rn. 122; Harnos, Gerichtliche Kontrolldichte, 2021, 488: Pflichtaufgabe mit Beurteilungsspielraum). HLit. orientiert sich dabei am Maßstab des § 116 II HGB und fragt, ob sich Maßnahme nach Umfang, Gegenstand, Bedeutung oder Risiko als **außergewöhnliches Geschäft** für konkrete AG darstellt (Brouwer, Zustimmungsvorbehalte, 2008, 107 ff.). Tendenziell weitergehender Maßstab von Fleischer BB 2013, 835, 840 ff. (für Ertragslage und Risikoexposition bedeutsame Maßnahme) verwischt dagegen Grenze bloß vorbehaltsfähiger und vorbehaltspflichtiger Geschäfte (→ Rn. 68 – insofern zutr. Thiessen AG 2013, 573, 578; krit. auch Habersack ZHR 178 [2014], 131, 141 ff.). Angesichts Schwierigkeit der Grenzziehung sollte aus Praktikabilitätsgründen aber auch abstrahierende Anknüpfung an typischerweise riskanten Geschäftstyp unabhängig von konkreter Wertgrenze zulässig sein (zB Grundstücksgeschäft, Erwerb von Unternehmensbeteiligung).

66 **4. Zulässige und unzulässige Vorbehaltsgegenstände.** Aus vorstehenden Grundsätzen ergibt sich folgende **Einzelbeurteilung:** Zulässig sind Zustimmungsvorbehalte insbes. dann, wenn sie sich – wie üblich – an bestimmten **Geschäftstypen** orientieren (zum Folgenden Brouwer, Zustimmungsvorbehalte, 2008, 123 ff.). Darunter fallen etwa Zustimmungsvorbehalte für Erwerb und Veräußerung von Beteiligungen, Unternehmensteilen, Grundstücken, Immobilien und Lizenzen, ferner aber auch für Errichtung neuer Betriebsstätten, Gründung von Tochtergesellschaften oder Niederlassungen, Aufnahme oder Aufgabe von Produktlinien, Abschluss von Unternehmensverträgen, wesentliche Personalmaßnahmen (zur Eingrenzung der Wesentlichkeit s. KK-AktG/Mertens/Cahn Rn. 87; Brouwer, Zustimmungsvorbehalte, 2008, 157 f.), Erteilung von Prokura oder Generalvollmachten, Beratungsverträge mit Abschlussprüfer (→ Rn. 42 ff.), Pensionszusagen, Abschluss von Haustarifverträgen und Betriebsvereinbarungen, Kreditaufnahmen, die einen bestimmten Rahmen überschreiten, und Kreditvergaben (dazu Hommelhoff FS Werner, 1984, 315, 318 ff.). Vgl. für Organkredite auch Sonderregelung in § 15 KWG. Da aber nicht jeder dieser Geschäftstypen für AG von erheblicher Bedeutung ist, muss zT (etwa bei Kreditvergabe, nicht aber bei akzessorischen Personalsicherheiten) ergänzend **Umfang** beschränkt werden, und zwar aus Bestimmtheitsgründen möglichst durch Betragsgrenze (zB Kreditvergabe ab 500.000 Euro). Es genügt aber auch Anknüpfung an abstrakte Risikoträchtigkeit (→ Rn. 65). Beschränkung dergestalt, dass Geschäfte unzulässig sind, die „über gewöhnlichen Geschäftsbetrieb hinausgehen“, genügt nicht (KK-

AktG/Mertens/Cahn Rn. 85). Zulässig ist es dagegen, Wirkung des Geschäfts nicht allein betragsmäßig zu bestimmen, sondern durch Anknüpfung an die Zahl der davon betroffenen AN (insbes. bei Umstrukturierung – ausf. Habersack ZHR 178 [2014], 131, 141 ff.; sa S/L/Drygala Rn. 59; BeckOGK/Spindler Rn. 83; Thiessen AG 2013, 573, 579 ff.; aA Fleischer BB 2013, 835, 839 ff.).

67 Individualisierung des Geschäfts nach seinen **Wirkungen** (zB Geschäfte, die zu wesentlichen Veränderungen in Unternehmensentwicklung führen, existenzgefährdende Geschäfte etc.) ist wegen Unbestimmtheit unwirksam. Ebenfalls unzulässig ist, Vorlage des Vorstands an HV gem. § 119 II (erst recht nach § 111 IV 3) unter Vorbehalt zu stellen, da damit ges. verbundene Möglichkeit, Haftungsfreiheit gem. § 93 IV 3 zu erlangen, nicht zur Disposition des AR stehen kann (zutr. KK-AktG/Mertens/Cahn Rn. 89; Goette/Arnold/M. Arnold AR § 4 Rn. 401; Brouwer, Zustimmungsvorbehalte, 2008, 119 f.; aA Grigoleit/Grigoleit/Tomasic Rn. 83; MüKoAktG/Habersack Rn. 130). Als zulässig anzusehen ist es, Geschäfte mit erhöhtem **Konfliktpotenzial** (zB mit Verwandten, Ehegatten) Zustimmungsvorbehalt zu unterwerfen. Zur Unternehmensplanung → Rn. 64.

68 **5. Zustimmungspflichtige Geschäfte.** Von Frage, ob Maßnahmen zustimmungsvorbehaltsfähig sind, ist Frage abzugrenzen, ob sie zustimmungsvorbehaltspflichtig sind (s. dazu Fleischer BB 2013, 835, 839). Dafür genügt nicht schon außergewöhnlicher Charakter (→ Rn. 65), sondern es ist erforderlich, dass Maßnahme dazu geeignet ist, **Ertragslage und Risikoexposition** gravierend zu verändern. Existenzgefährdung ist auch hier nicht erforderlich (Brouwer, Zustimmungsvorbehalte, 2008, 94 ff.). Weiterhin können unabhängig vom Risikopotenzial auch Geschäfte mit grundlegender Bedeutung für strategische Ausrichtung der AG zustimmungspflichtig sein (Brouwer, Zustimmungsvorbehalte, 2008, 99 f.). Orientierung an Art. 7 MAR (dafür Schnorbus/Ganzer BB 2020, 386, 390) trägt abw. teleologischer Zielsetzung nicht hinreichend Rechnung. Zustimmungsvorbehaltspflicht kann sich auch erst nachträglich ergeben und ist dann durch Ad-hoc-Beschluss zu erfüllen (BGHZ 124, 111, 126 f. = NJW 1994, 520). Das kann insbes. dann der Fall sein, wenn AR gesetzwidrige Geschäftsführungsmaßnahme nur noch durch Anordnung eines Zustimmungsvorbehalts verhindern kann (BGHZ 124, 111, 127); Pflicht ist nicht schon dann gegeben, wenn AR iRd § 93 I 2 zu abw. unternehmerischer Einschätzung gelangen würde (Habersack NZG 2020, 881, 886 f.).

69 **6. Erteilung der Zustimmung.** Besteht Zustimmungsvorbehalt, ist Vorstand zur Einholung der Zustimmung verpflichtet. Anders als AR (→ Rn. 59) hat er **kein Ermessen,** ob Voraussetzungen der Zustimmungspflicht vorliegen (so aber Schnorbus/Ganzer BB 2020, 386, 392), sondern es gelten die zum Rechtsirrtum entwickelten Grundsätze (→ § 93 Rn. 79 ff.). Bei freiwilliger Vorlage besteht keine Befassungspflicht (Schnorbus/Ganzer BB 2020, 386, 394). Für Zustimmung ist AR als Organ zuständig, kann Erteilung der Zustimmung aber auch einem **Ausschuss** überlassen (BGH AG 1991, 398 f.). Ohne solche Überlassung ist Gesamtorgan zuständig, Entscheidung des AR-Vorsitzenden genügt nicht (BGHZ 219, 193 Rn. 20 ff. = NZG 2018, 1189). Indem Satzung oder AR Vornahme des Geschäfts von Zustimmung des AR abhängig machen, verpflichten sie Vorstand, erst Beschluss des AR herbeizuführen und Geschäft bis dahin zurückzustellen; nachträgliche Genehmigung genügt nicht (heute allgM – vgl. nur BGHZ 219, 193 Rn. 15 ff.; MüKoAktG/Habersack Rn. 141). Dass **vorherige Zustimmung erforderlich** ist, folgt aus Charakter des Vorbehalts als präventiver Überwachungsmaßnahme. Aus abw. Sprachgebrauch der §§ 183, 184 BGB ergibt sich nichts anderes, weil Geschäft dort bis zur Erteilung der Zustimmung jedenfalls unwirksam bleibt, während eigenmächtiger Vorstand AG gem.

§§ 78, 82 berechtigt und verpflichtet (keine Außenwirkung des § 111 IV 2; sa BGHZ 219, 193 Rn. 17). Sieht sich Vorstand nach eingeholter Zustimmung zur Vornahme wesentlicher inhaltlicher **Änderungen** veranlasst, ist erneute Zustimmung einzuholen (BGHZ 219, 193 Rn. 14; konkretisierend C. Schäfer FS E. Vetter, 2019, 645, 653 ff.: entscheidend ist Auslegung des Zustimmungsbeschlusses). Zum möglicherweise schadensausschließenden Einwand rechtmäßigen Alternativverhaltens → § 93 Rn. 92 ff. Auch Vorabbindungen, die nachträgliche Versagung der Zustimmung wirtschaftlich unmöglich machen (zB break fee → § 76 Rn. 128), müssen vermieden werden (Schnorbus/Ganzer BB 2020, 386, 392).

Ob bei **eilbedürftigen Geschäften** ausnahmsweise Genehmigung genügt, ist 70
str. (dafür Fleischer DB 2018, 2619, 2632 f.; Fonk ZGR 2006, 841, 871; dagegen MüKoAktG/Habersack Rn. 142; Lutter/Krieger/Verse AR Rn. 124; Götz ZGR 1990, 633, 643 f.). Gerade mit Blick auf schnelle moderne Kommunikationsformen und häufig praktizierte Delegierung auf AR-Ausschuss kann dies allenfalls eng begrenzter Ausnahmefall sein; bei weitergehender Gestattung liefe Genehmigung auf nur noch informative Überwachung hinaus. Zu fordern ist deshalb jedenfalls, dass Vorstand sich zuvor bemüht hat, zumindest AR-Vorsitzenden in Kenntnis zu setzen und obj. mit Zustimmung rechnen durfte (sa Grigoleit/Grigoleit/Tomasic Rn. 100; Marsch-Barner/Schäfer/E. Vetter Rn. 27.37; Brouwer, Zustimmungsvorbehalte, 2008, 176 f.; Buck-Heeb FS Hopt, 2020, 1010, 106; Wicke FS E. Vetter, 2019, 907, 915 f.; abw. C. Schäfer FS E. Vetter, 2019, 645, 650 f.). Unter diesen Voraussetzungen kann Pflichtwidrigkeit des Vorstands uU selbst dann zu verneinen sein, wenn AR nachträgliche Genehmigung verweigert (Brouwer, Zustimmungsvorbehalte, 2008, 176). Vorzugswürdig ist klärende Satzungsregelung zur nachträglichen Zustimmungserteilung (C. Schäfer FS E. Vetter, 2019, 645, 649 f.; Seebach AG 2012, 70, 75; Zulässigkeit offengelassen in BGHZ 219, 193 Rn. 16 = NZG 2018, 1189). Zur Möglichkeit eines vertraglichen Gremienvorbehalts im Vertrag mit Drittem Brouwer, Zustimmungsvorbehalte, 2008, 178.

Bei Erteilung der Zustimmung haben Mitglieder des AR ihre aus §§ 93, 116 71
S. 1 folgende **Sorgfaltspflicht** zu beachten, insbes. für entspr. Information zu sorgen; schuldhafte Verletzung der Sorgfaltspflicht macht schadensersatzpflichtig (BGH AG 2007, 167 Rn. 9 ff.). Zum erforderlichen Informationsniveau am Beispiel des Unternehmenskaufs Grooterhorst NZG 2011, 921, 923 f. Pflichtverletzung ist allerdings schon obj. nicht gegeben, soweit BJR (§ 93 I 2) eingreift, da AR bei Erteilung eigenes **unternehmerisches Ermessen** zukommt (BGHZ 219, 193 Rn. 50 = NZG 2018, 1189; Habersack NZG 2020, 881, 883; Harnos, Gerichtliche Kontrolldichte, 2021, 488 f.). Anwendung des § 93 I 2 ist auch für Repräsentanten des Mehrheitsaktionärs nicht durch Interessenkonflikt ausgeschlossen (→ § 93 Rn. 55 ff.), und zwar selbst dann nicht, wenn über Geschäft mit Mehrheitsaktionär zu entscheiden ist, da auch diese Befassung von herkömmlicher Konflikttoleranz des AR-Amtes (→ § 108 Rn. 12; → § 116 Rn. 6) erfasst ist (ausf. J. Koch FS Ebke, 2021, 533, 538 ff.). In der Praxis wird Zustimmung häufig unter Bezugnahme auf zugrunde liegenden Vorstandsbeschluss oder erläuternde Vorlage erfolgen (Schick FS Krieger, 2020, 799, 800). Vorweggenommene **Generalzustimmung** zu Vielzahl einzelner Geschäfte ist grds. unzulässig, sofern AR Zustimmungsbedürftigkeit nicht selbst festgelegt hat (und damit „Herr des Zustimmungsvorbehalts“ bleibt) oder Satzung Generalzustimmung zu einzelnen Punkten ausdr. für zulässig erklärt (Schick FS Krieger, 2020, 799, 802 f.). Möglich ist aber, dass AR vorgelegtem Geschäft als **Konzept** zustimmt, sofern dieses durch eine hinreichend konkrete Umschreibung in wesentlichen Grundzügen umrissen ist; dadurch kann Erfordernis späterer Zustimmungen bei nachträglichen Planungsänderungen aufgelockert werden (Schick FS Krieger, 2020,

799, 804 ff.). Vorstand wird durch Erteilung der Zustimmung weder zur Vornahme des Geschäfts verpflichtet noch von seiner Haftung befreit, sondern er bleibt zur selbständigen sorgfältigen Prüfung verpflichtet. Zur Relevanz einer erteilten Zustimmung im Rahmen der Vertretbarkeitsprüfung nach § 93 I 2 → § 93 Rn. 47.

72 **7. Wirkung der Versagung.** Wird Zustimmung versagt, darf Vorstand Maßnahme im **Innenverhältnis** nicht durchführen. Tut er es doch, muss er sich um Rückgängigmachung bemühen und macht sich überdies **ersatzpflichtig** nach § 93 II. Auf BJR (§ 93 I 2) kann er sich nicht berufen, da § 111 IV zu gebundener Entscheidung führt (Seebach AG 2012, 70, 72). Vorteilsanrechnung und Einwand rechtmäßigen Alternativverhaltens sind bei Kompetenzüberschreitung – ebenso wie bei anderen Pflichtverstößen (→ § 93 Rn. 90 f.) – anzuerkennen (Altmeppen FS K. Schmidt, 2009, 23, 31 ff.; Fleischer DStR 2009, 1204 ff.; Seebach AG 2012, 70, 72 ff.). IdR wird auch grobe Pflichtverletzung vorliegen, die Widerruf der Bestellung nach § 84 IV rechtfertigt. Im **Außenverhältnis** besteht Vertretungsmacht fort; Ausnahme nur bei erkennbarem Missbrauch der Vertretungsmacht (Brouwer, Zustimmungsvorbehalte, 2008, 179 ff.). Dass Versagung des AR ihrerseits pflichtwidrig ist, ändert an Bindungswirkung nichts (so aber Schnorbus/Ganzer BB 2020, 451, 455; wie hier die ganz hM – vgl. etwa Grigoleit/Grigoleit/Tomasic Rn. 97; Goette/Arnold/M. Arnold AR § 4 Rn. 432; Brouwer, Zustimmungsvorbehalte, 2008, 212 ff.). Auch **Organklage** ist hier nicht im Wege der Rechtsfortbildung zuzulassen, da ges. Instrumentarium über § 111 IV 3 (Anrufung der HV) **keine Regelungslücke** erkennen lässt (zust. Goette/Arnold/M. Arnold AR § 4 Rn. 432). Eher erwägenswert ist, ob AR Organklage erheben kann, wenn Vorstand bestehenden Zustimmungsvorbehalt nicht beachtet. Richtigerweise ist aber auch diese Möglichkeit zu verneinen, da Möglichkeit der Abberufung und drohende Haftung AR funktionsfähiges Instrumentarium an die Hand geben (sa Grigoleit/Grigoleit/Tomasic Rn. 98; Mertens ZHR 154 [1990], 24, 28 ff.; aA MüKoAktG/Habersack Rn. 99; Bork ZGR 1989, 1, 17 ff.; Brouwer, Zustimmungsvorbehalte, 2008, 185 ff.; Schürnbrand, Organschaft, 2007, 384 f.).

73 **8. Ersetzung durch Hauptversammlungsbeschluss.** Von AR verweigerte Zustimmung kann gem. § 111 IV 3 durch HV-Beschluss ersetzt werden, wenn Vorstand das verlangt, also Zustimmung zum Tagesordnungspunkt der HV macht. Das gilt auch, wenn Zustimmungserfordernis auf Satzung beruht (RegBegr. Kropff S. 155). Erforderlich ist **qualifizierte Stimmenmehrheit** von drei Vierteln (§ 111 IV 4), nicht auch qualifizierte Kapitalmehrheit. Regelung ist zwingend (§ 111 IV 5).

74 **9. Konzernrechtliche Fragen. a) AR einer Obergesellschaft.** Nicht nur § 111 I, sondern auch § 111 IV klammert konzernrechtl. Perspektive aus. Weil AR der Obergesellschaft Konzernleitung des Vorstands als dessen Geschäftsführung zu überwachen hat (→ Rn. 33) und Zustimmungsvorbehalte dabei ein wesentliches Instrument darstellen, fragt sich jedoch, wie weit Zustimmungsvorbehalte konzernbezogen sein können und müssen. Konzernweite Zustimmungsvorbehalte sind **zulässig,** soweit Zweck des Vorbehalts sonst nicht erreichbar wäre; Maßnahmen im Tochterbereich müssen also nach ihrer Bedeutung den unmittelbar geregelten Fällen entspr. (KK-AktG/Mertens/Cahn Rn. 96; Hoffmann-Becking ZHR 159 [1995], 325, 339 ff.; Löbbe, Unternehmenskontrolle im Konzern, 2003, 304 ff.; teilw. aA M. Schmidt FS Imhoff, 1998, 67, 71 ff.). Dies gilt auch, wenn Maßnahme in Untergesellschaft nicht auf konzernleitendem Tätigwerden des Vorstands der Obergesellschaft beruht (vgl. Brouwer, Zustim-

mungsvorbehalte, 2008, 293; näher Weyl, Zustimmungsvorbehalte als Möglichkeit einer Konzernsteuerung, 2015, 131 ff.).

Weil konzernweite Zustimmungsvorbehalte zulässig sind und AR gehalten ist, von Zustimmungsvorbehalten Gebrauch zu machen, muss er auch, soweit Effektivität der (Konzern-)Überwachung das erfordert, **konzernweit geltende Zustimmungsvorbehalte festlegen** (OGH NZG 2021, 647 Rn. 41; Götz NZG 2002, 599, 603; näher Weyl, Zustimmungsvorbehalte als Möglichkeit einer Konzernsteuerung, 2015, 140 ff.), allerdings wie im konzernfreien Bereich (→ Rn. 59) ohne inhaltliche Vorgaben (GK-AktG/Hopt/Roth Rn. 745; Löbbe, Unternehmenskontrolle im Konzern, 2003, 327 f.; aA betr. Personalentscheidungen Martens ZHR 159 [1995], 567, 577). AR kann somit Verpflichtung treffen, Zustimmungsvorbehalt auf außerordentliche Geschäftsführungsmaßnahmen von Beteiligungsgesellschaften zu erstrecken, und zwar dann, wenn diese wesentliche Auswirkungen auf Gesamtkonzern haben; maßgebend dafür ist der Gedanke, dass sich das wirtschaftliche Risiko in derartigen Fällen üblicherweise bei Muttergesellschaft realisiert (OGH NZG 2021, 647 Rn. 41). 75

Für **konzernweite Geltung** ist erforderlich, dass Zustimmungsvorbehalte auch tats. konzernbezogen gewollt sind. Satzung oder Geschäftsordnung können das ausdr. vorsehen (unüblich). Mangels ausdr. Regelung in der Satzung ist Konzernbezogenheit als Ergebnis obj. Auslegung (→ § 23 Rn. 39) anzunehmen, wenn Maßnahme als solche eines rechtl. unselbständigen Teils der Obergesellschaft zustimmungspflichtig wäre (OGH NZG 2021, 647 Rn. 42 f.; S/L/Drygala Rn. 66; KK-AktG/Mertens/Cahn Rn. 96 f.; Spindler AG 2020, 681 Rn. 25; Hoffmann-Becking ZHR 159 [1995], 325, 339 ff.). Bestimmtheitserfordernis (→ Rn. 64) steht **konzernweiter Auslegung** in Zweifelsfällen nicht entgegen, da dieses nur dazu dient, Vorstand klare Vorstellungen von den Grenzen seiner uneingeschränkten Geschäftsführungsbefugnis zu vermitteln. Das wird durch Auslegungsregel aber gerade erreicht, wenn im Zweifel von konzernweiter Geltung auszugehen ist (Weyl, Zustimmungsvorbehalte als Möglichkeit einer Konzernsteuerung, 2015, 168 ff.; aA MüKoAktG/Altmeppen § 311 Rn. 432 ff.; Brouwer, Zustimmungsvorbehalte, 2008, 297 f.). Auf Zustimmungsvorbehalte, die AR in Geschäftsordnung oder durch Einzelbeschluss selbst vorsieht, ist diese Auslegung zu übertragen (Weyl, Zustimmungsvorbehalte als Möglichkeit einer Konzernsteuerung, 2015, 189 f.; Götz ZGR 1990, 633, 655; Harbarth FS Hoffmann-Becking, 2013, 457, 465 f.; aA KK-AktG/Mertens/Cahn Rn. 97; BeckOGK/Spindler Rn. 119). 76

Rechtsfolge konzernbezogener Zustimmungsvorbehalte ist, dass Vorstand der Obergesellschaft Zustimmung des AR einzuholen hat, soweit Maßnahme in der Tochtergesellschaft von seiner Mitwirkung abhängt und dem keine rechtl. Hindernisse entgegenstehen (allgA). Unterlassen genügt als Maßnahme nicht (Habersack FS Henssler, 2023, 899, 903). Ob **formloses Einverständnis** der Zustimmung bedarf (dafür MHdB AG/Hoffmann-Becking § 29 Rn. 64; dagegen Habersack FS Henssler, 2023, 899, 903 f.), hängt davon ab, was man begrifflich darunter versteht. „Form" iSd §§ 125 ff. BGB ist nicht erforderlich, um zustimmungsbedürftige Mitwirkung anzunehmen; wenn billigende Kenntnisnahme aber rein innere Tatsache bleibt, die ggü. Tochter nicht zum Ausdruck gebracht wird, ist – auch um Abgrenzungsschwierigkeiten zum Unterlassen zu vermeiden – Zustimmung nicht erforderlich. Allerdings muss Vorstand auch bei Maßnahmen in Tochtergesellschaften ohne seine Mitwirkung iR seiner Möglichkeiten auf Durchsetzung der konzernweiten Zustimmungsvorbehalte hinwirken (OGH NZG 2021, 647 Rn. 49 f.; Weyl, Zustimmungsvorbehalte als Möglichkeit einer Konzernsteuerung, 2015, 193 ff.; Hoffmann-Becking ZHR 159 [1995], 325, 341 f.). Dagegen erhobenem Einwand, Konzernleitungsermessen des Vorstands nach § 76 I werde übermäßig eingeschränkt (so Fonk ZGR 2006, 841, 856 f.; 77

Habersack FS Henssler, 2023, 899, 904 ff.), ist entgegenzuhalten, dass Konzernleitungsermessen nicht weiter geht als sonstiges Leitungsermessen des Vorstands, dem aber – im Konzern wie in der Einzelgesellschaft – § 111 IV 2 eine Grenze zieht. Bei **Vertrags- oder Eingliederungskonzern** kann Obergesellschaft durch ihren Vorstand den der Untergesellschaft anweisen (§§ 308, 323), Maßnahme zu unterlassen, solange Zustimmung des AR nicht vorliegt (Lenz AG 1997, 448, 453 f.; Lutter FS Rob. Fischer, 1979, 419, 424 f.; Lutter FG Happ, 2006, 143, 145 f.; M. Schmidt FS Imhoff, 1998, 67, 87). Durchsetzung ist durch umfassendes Weisungsrecht sehr weitgehend möglich. Auch bei Enkelgesellschaften sind Zustimmungsweisungen zulässig (Lutter FS Happ, 2006, 143, 147 f.).

78 Im **faktischen Konzern,** bei bloßer Abhängigkeit oder bei Minderheitsbeteiligung hängt Durchsetzbarkeit von Rechtsform der Tochtergesellschaft ab. In faktisch konzernierter Personengesellschaft erfolgt Durchsetzung mittels Geschäftsführungs-, Widerspruchs- und Zustimmungsrecht (§ 116 HGB); Schranken ergeben sich aus gesellschaftlicher Treupflicht (Weyl, Zustimmungsvorbehalte als Möglichkeit einer Konzernsteuerung, 2015, 205 ff.). Ggü. faktisch konzernierter GmbH ermöglicht Weisungsrecht der Gesellschafter deren Durchsetzung, beschränkt durch Treupflicht und Mehrheitserfordernisse (Weyl, Zustimmungsvorbehalte als Möglichkeit einer Konzernsteuerung, 2015, 215 ff.). Bei faktisch konzernierter AG liegt es mangels Weisungsbindung des Vorstands schwieriger (→ § 311 Rn. 48). Entspr. Einflussnahme ist aber nicht von vornherein ausgeschlossen, sondern zulässig, soweit daraus etwa entstehender Nachteil voll ausgleichsfähig ist (str.; s. Götz ZGR 1990, 633, 653; Götz ZGR 1998, 524, 543 mN zur Gegenansicht in Fn. 53; teilw. aA zB Lutter FS Rob. Fischer, 1979, 419, 428 ff.). Gerade dieses Erfordernis zieht der Zulässigkeit und Durchsetzung von Zustimmungsvorbehalten allerdings relativ enge Grenzen (M. Schmidt FS Imhoff, 1998, 67, 83). Rechtl. verbindliche Durchsetzung ist möglich durch Doppelmandate im AR der Tochter (OGH NZG 2021, 647 Rn. 51). Doppelmandatsträger sind ggü. Obergesellschaft zu entspr. Stimmverhalten verpflichtet, soweit mit § 311 vereinbar; § 111 VI und §§ 116, 93 I 3 stehen nicht entgegen (Weyl, Zustimmungsvorbehalte als Möglichkeit einer Konzernsteuerung, 2015, 285 ff.; zust. Spindler AG 2020, 681 Rn. 29).

79 **b) AR einer Untergesellschaft.** Möglichkeit zur Festlegung von Zustimmungsvorbehalten und deren Funktion wird durch Konzernierung nicht beeinflusst (GK-AktG/Hopt/Roth Rn. 747). AR hat Zustimmungsvorbehalte zur Kontrolle der Einflussnahme der herrschenden Gesellschaft festzulegen (Weyl, Zustimmungsvorbehalte als Möglichkeit einer Konzernsteuerung, 2015, 268 ff.). Im Vertragskonzern kann sich Obergesellschaft jedoch gem. § 308 III durch **Wiederholung der Weisung** über Veto des AR der Untergesellschaft hinwegsetzen; im faktischen Konzern kann Zustimmung des AR gem. § 111 IV 3–5 durch Zustimmung der HV ersetzt werden. Obergesellschaft wiederum kann AR der Untergesellschaft als dezentrales Konzernleitungsorgan einsetzen (Weyl, Zustimmungsvorbehalte als Möglichkeit einer Konzernsteuerung, 2015, 276 ff.; Hoffmann-Becking ZHR 159 [1995], 325, 344; U. H. Schneider FS Raiser, 2005, 341, 343).

VI. Frauenquote (§ 111 V)

80 § 111 V ist **Parallelvorschrift zu § 76 IV.** Während dieser Vorstand verpflichtet, Zielgrößen für Frauenanteil in den beiden Führungsebenen unterhalb des Vorstands festzulegen, formuliert § 111 V 1 entspr. Verpflichtung für AR hinsichtlich **Vorstands- und AR-Besetzung.** Norm geht zurück auf FüPoG I 2015 (zur rechtspolit. Zielsetzung → § 76 Rn. 162) und ist durch FüPoG II 2021 nochmals verschärft worden, um Sonderregelung für „Zielgröße Null" einzuführen (→ Rn. 82). Für inhaltliche Ausfüllung gelten die zu § 76 IV dargelegten Grundsätze (→ § 76 Rn. 163 ff.). Wie dort wird Festlegung nur für Frauenanteil verlangt und ist für AG mit inländischem Satzungssitz alternativ bei Börsennotierung oder Mitbestimmung nach DrittelbG, MitbestG, MontanMitbestG, MitbestErgG, MgVG oder MgFSG erforderlich, wobei es auf Ist-, nicht Soll-Zustand ankommt (→ § 76 Rn. 163). Maßgeblich ist Einzelgesellschaft (→ § 76 Rn. 164). Bei **KGaA** kann Festlegung nur für AR selbst, nicht aber für Geschäftsführung erfolgen (RegBegr. BT-Drs. 18/3784, 123; Backhaus AG 2021, 653 Rn. 18 ff.; Fromholzer/Simons AG 2015, 457, 459). Etwas anderes gilt auch nicht für AR einer Komplementär-AG (Johannsen-Roth/Kießling FS Marsch-Barner, 2018, 273, 279 f.). Im Anwendungsbereich des § 25d XI KWG findet § 111 V keine Anwendung (RegBegr. BT-Drs. 18/3784, 124).

Für **Zielgröße** ist auch hier keine Mindesthöhe erforderlich, sondern spätestens nach Einführung des § 111 V 3 ergibt sich aus dem Ges. klar, dass selbst Zielgröße Null grds. zulässig ist. Festlegung kann an konkreten Unternehmensstrukturen ausgerichtet werden und für Vorstand und AR durchaus uneinheitlich erfolgen. Auch getrennte Zielgrößen für beide Bänke sollten zulässig sein (Fromholzer/Simons AG 2015, 457, 462; Herb DB 2015, 964, 968). Üblicherweise – aber nicht zwingend – erfolgt **Angabe in Prozent,** wobei mit FüPoG II 2021 in § 111 V 2 klargestellt wurde, dass Zielgröße in diesem Fall vollen Personenzahlen entspr. muss (→ § 76 Rn. 166). Langfristiges Ziel ist auch hier paritätische Besetzung (RegBegr. BT-Drs. 18/3784, 123). **81**

Mit FüPoG II 2021 neu eingeführte Vorgaben zur **Zielgröße Null** in § 111 V 3 und 4 entspr. denen iRd § 76 IV (→ § 76 Rn. 169; zur Übergangsfrist nach § 26l II EGAktG → § 76 Rn. 162, 172). Sie haben hier aber größere praktische Bedeutung, da Leitungsorgane nur in Ausnahmefällen für ganze Leitungsebenen eine solche Zielgröße formulieren werden, sich bei kleineren Vorständen oder AR aber durchaus **Ausnahmesituationen** ergeben können, in denen sich auch solche Gestaltung aufdrängt (zB zwei Gründer als einzige Vorstandsmitglieder; weitere Bsp. bei Seibt DB 2021, 438, 444 f.). Aus denselben Gründen kann in konkreter Situation auch Zielgröße von 100 % geboten sein (RegBegr. BT-Drs. 18/3784, 123). Noch ungeklärt ist, ob jenseits dieser Sonderfälle Zielgröße Null **Pflichtwidrigkeit** begründet (dafür – noch zu FüPoG I-Fassung – Weller/Benz AG 2015, 467, 471). Im Wortlaut findet diese Sicht keine Stütze und auch in der Sache ist es bedenklich, Feststellung der Pflichtwidrigkeit davon abhängig zu machen, ob Annahme eines „Sonderfalls" gerechtfertigt ist. Für Berichtspflicht bei Zielgröße Null gelten Ausführungen zu § 76 IV 3 und 4 entspr. (→ § 76 Rn. 169, 175 f.). **82**

Nach § 111 V 5 gilt **Verschlechterungsverbot** entspr. den in → § 76 Rn. 170 dargestellten Regeln. Nach § 111 V 6 und 7 sind für Erreichung der Zielgrößen Fristen festzulegen, die wie in § 76 IV 7 auf fünf Jahre beschränkt sind (→ § 76 Rn. 172). Auch für Veröffentlichung und Berichtspflicht gelten Ausführungen in § 76 Rn. 172 ff. entsprechend. § 111 V 8 und 9 regeln **Verhältnis zu ges. festgelegten Mindestquoten.** Nach § 111 V 8 erübrigt sich Angabe für AR im Anwendungsbereich des § 96 II (→ § 96 Rn. 13 ff.). Nach § 111 V 9 entfällt auch Pflicht zur Zielgrößensetzung für Vorstand, wenn für ihn Beteiligungsgebot nach § 76 IIIa gilt (→ § 76 Rn. 153 ff.). Beide Regelungen greifen nach Sinn und Zweck auch dann, wenn Anwendungsbereich lediglich über Anwendung des § 393a II Nr. 2 (→ § 393a Rn. 4) eröffnet wird (sa RegBegr. BT-Drs. 19/26689, 86). Verbleibende Anwendungsbereiche erschließen sich dort, wo jew. Anwendungsbereiche nicht eröffnet sind (§ 76 IIIa: Mitbestimmung plus Vorstandsgröße; § 96 II: Mitbestimmung plus Börsennotierung; vgl. Spindler WM 2021, 817, 824). **83**

84 **Adressat** der Regelung ist AR, was nicht unproblematisch ist, da er – anders als Vorstand gem. § 76 IV – nicht selbst über Besetzung entscheidet. Derartige Bedenken haben aber auch schon Kodex-Geber nicht von entspr. Verantwortung abgehalten (vgl. Diversity-Vorgabe in C.1 S. 2 DCGK; → § 100 Rn. 51; sa Fromholzer/Simons AG 2015, 457, 462). Einwirkung soll über Erarbeitung der Wahlvorschläge gem. § 124 III 1 erfolgen. Befolgungsdruck von Seiten der HV wird namentl. durch entspr. verschärfte Voting Guidelines von Stimmrechtsberatern (→ § 134a Rn. 4; → § 134d Rn. 1 ff.) herbeigeführt (Rieckers DB 2023, 307, 309 – bezogen auf „gender diverse directors"). AR selbst entscheidet durch Beschluss, wobei Ges. von einheitlichem Beschluss, nicht Beschluss der jeweiligen Gruppen auszugehen scheint (vgl. zu entspr. Vorgehensweise bei Vorgabe in C.1 DCGK → § 101 Rn. 2; wie hier Herb DB 2015, 964, 968; aA für AR-Zielgrößen Seibt ZIP 2015, 1193, 1205: Wahlrecht). **Delegation an Ausschuss** ist zulässig (Spindler WM 2021, 817, 824).

85 Wie bei § 76 (→ § 76 Rn. 174) bleibt Verfehlung der Zielgröße **sanktionslos.** Diese Folge kann auch nicht über allg. Sorgfaltspflicht umgangen werden (ausf. mwN → § 76 Rn. 174). Nur für Verletzung der Festlegungspflicht sieht RegBegr. Schadensersatzpflicht nach § 93 II, § 116 S. 1 vor (BT-Drs. 18/3784, 123), wenngleich nachweisbarer Schaden nur schwer vorstellbar ist (Spindler WM 2021, 817, 824). Größtes Haftungsrisiko besteht auf Bußgeld- und Pflichtverletzungsebene bei unterlassener oder fehlerhafter Erklärung nach § 289f HGB (→ § 76 Rn. 176). Auch Geschlechterdiskriminierung wird nicht nach § 22 AGG durch Zielverfehlung indiziert (→ § 76 Rn. 174).

VII. Keine Wahrnehmung durch Dritte (§ 111 VI)

86 § 111 VI verpflichtet AR-Mitglieder zur **persönlichen Amtswahrnehmung** und schließt Dritte von entspr. Tätigkeit aus. Regelung korrespondiert mit § 101 III 1. Danach kann HV oder sonst zuständige Stelle stellvertretende AR-Mitglieder nicht bestellen (→ § 101 Rn. 13). Nach § 111 VI kann AR-Mitglied auch nicht selbst einen Stellvertreter einsetzen. Zulässig sind nur **Stimmboten** (§ 108 III; → § 108 Rn. 19 f.) und bei Verhinderung **Sitzungsteilnahme Dritter,** wenn Satzung das vorsieht (§ 109 III; → § 109 Rn. 7). Auch wenn es nicht um rechtsgeschäftliches Handeln, also nicht um Stellvertretung im technischen Sinne geht, ist Amt des AR-Mitglieds höchstpersönlich. Das gilt namentl. für Überwachungsaufgabe (§ 111 I).

87 **Hilfspersonal** (zB Schreib- und Bürokraft) kann von AR-Mitgliedern zugezogen werden, etwa zur Vorbereitung der eigenen Sitzungsteilnahme (Lutter/Krieger DB 1995, 257, 259). Zumindest AR-Vorsitzender in größerem Unternehmen wird neben Sekretariatsdiensten idR auch Assistenzkraft benötigen, die zur Wahrung der Unabhängigkeit nicht zugleich auch dem Vorstand zugeordnet sein darf; Ausbau zu eigenem AR-Büro ist bei entspr. Bedarf nicht zu beanstanden (Semler/v. Schenck/Wilsing AR-HdB/v. Schenck § 12 Rn. 13; Diekmann/Wurst NZG 2014, 121, 125 f.; Strohn FS K. Schmidt, Bd. II, 2019, 461 ff.; zur näheren Ausgestaltung Plagemann NZG 2016, 211 ff.). Auch **Beraterdienste** dürfen nach Maßgabe der §§ 109 I 2, 111 II 2 in Anspruch genommen werden, wovon Praxis angesichts deutlich gestiegener Haftungsrisiken auch zunehmend Gebrauch macht (Diekmann/Wurst NZG 2014, 121, 125; Hasselbach NZG 2012, 41, 45). In diesem Fall sind Berater zur Verschwiegenheit verpflichtet, ohne dass Hinzuziehung auf von vornherein zur Berufsverschwiegenheit verpflichtete Personen beschränkt wäre (so aber für den Bereich der Abschlussprüfung Hommelhoff ZGR 1983, 551, 567 f.; wie hier v. Schenck FS D. Weber, 2016, 407, 412 f.).

Kosten für Berater sind, sofern sie nur von einzelnem Mitglied herangezogen werden, idR von diesem selbst zu tragen, da anderenfalls Explosion der Beratungskosten zu befürchten wäre (v. Schenck FS D. Weber, 2016, 407, 424; aA Schnorbus/Ganzer BB 2019, 258, 260). Dauerhafte und umfassende Beratung durch Sachverständige ist ausgeschlossen (BGHZ 85, 293, 295 ff. = NJW 1983, 991; krit. v. Schenck FS D. Weber, 2016, 407,422 f.); zur weitergehenden Möglichkeit der Aufgabendelegation → § 108 Rn. 8a. AR-Mitglied muss selbst über die zur Ausübung seines Amtes erforderlichen **Mindestqualifikationen** verfügen (→ § 113 Rn. 10). Bedürfnis nach externer Beratung des Gesamt-AR dürfte aber durch § 100 V (Finanzexperten) zumindest in diesem Bereich auch deutlich gemindert sein (vgl. H. P. Westermann FS Hommelhoff, 2012, 1319, 1327 f.). Zur Heranziehung von Sachverständigen durch Gesamt-AR → § 112 Rn. 2. 88

Neben persönlicher Amtsausübung verlangt § 111 VI aber auch im Vorfeld der Entscheidung **freie Willensbildung** des AR-Mitglieds, das sich also nicht fremden Weisungen unterwerfen darf (BGHZ 36, 296, 306 = NJW 1962, 864; BGHZ 64, 325, 330 = NJW 1975, 1412; BGHZ 90, 381, 389 = NJW 1984, 1893; zu entspr. Fallmaterial potenzieller Einflussnahmen H. P. Westermann FS Hommelhoff, 2012, 1319, 1320 ff.; zu neueren Bindungsformen in Gestalt von Investorenvereinbarungen → § 76 Rn. 124 ff.; Reichert ZGR 2015, 1, 7; zu der damit verbundenen Debatte um Unabhängigkeit des AR → § 100 Rn. 36 ff.; zur Verpflichtung zur Amtsniederlegung → § 103 Rn. 18). Durch Bestellungsakt wird originäre Pflicht des einzelnen AR-Mitglieds begründet, Wohl der AG zum obersten Pflichten- und Verantwortungsmaßstab zu machen (Säcker FS Rebmann, 1989, 781, 785). Das wird bestätigt durch Sorgfaltsmaßstab des § 116 iVm § 93, da obj. Maßstab nur Interesse der AG sein kann; Bindung an fremde Interessen ist damit ausgeschlossen. In § 22 RefE MitbestG 1974 war Weisungsfreiheit noch ausdr. vorgesehen und ist nur wegen Selbstverständlichkeit nicht Gesetz geworden (Raiser ZGR 1978, 391, 393; Säcker FS Rebmann, 1989, 781, 784). Freiheit darf auch nicht durch andere Zwänge, wie etwa Vertragsstrafen etc., beeinträchtigt werden (MüKoAktG/Habersack Rn. 163). Weisungsfreiheit gilt auch für Vertreter der **öffentl. Hand;** sog Ingerenzprinzip steht nicht entgegen (→ § 394 Rn. 14 ff., 59 ff. mwN; sa KK-AktG/Mertens/Cahn Rn. 117). Rein faktische Einflussnahme ist in den Grenzen der §§ 117, 311, 317 möglich (MüKoAktG/Habersack Rn. 164 f.). 89

Geschäfte mit nahestehenden Personen

111a (1) [1]**Geschäfte mit nahestehenden Personen sind Rechtsgeschäfte oder Maßnahmen,**

1. durch die ein Gegenstand oder ein anderer Vermögenswert entgeltlich oder unentgeltlich übertragen oder zur Nutzung überlassen wird und
2. die mit nahestehenden Personen gemäß Satz 2 getätigt werden.

[2]**Nahestehende Personen sind nahestehende Unternehmen oder Personen im Sinne der internationalen Rechnungslegungsstandards, die durch die Verordnung (EG) Nr. 1126/2008 der Kommission vom 3. November 2008 zur Übernahme bestimmter internationaler Rechnungslegungsstandards gemäß der Verordnung (EG) Nr. 1606/2002 des Europäischen Parlaments und des Rates (ABl. L 320 vom 29.11.2008, S. 1; L 29 vom 2.2.2010, S. 34), die zuletzt durch die Verordnung (EU) 2019/412 (ABl. L 73 vom 15.3.2019, S. 93) geändert worden ist, in der jeweils geltenden Fassung übernommen wurden.** [3]**Ein Unterlassen ist kein Geschäft im Sinne des Satzes 1.**

(2) [1] **Geschäfte, die im ordentlichen Geschäftsgang und zu marktüblichen Bedingungen mit nahestehenden Personen getätigt werden, gelten nicht als Geschäfte mit nahestehenden Personen im Sinne der §§ 107 und 111a bis 111c.** [2] **Um regelmäßig zu bewerten, ob die Voraussetzungen nach Satz 1 vorliegen, richtet die börsennotierte Gesellschaft ein internes Verfahren ein, von dem die an dem Geschäft beteiligten nahestehenden Personen ausgeschlossen sind.** [3] **Die Satzung kann jedoch bestimmen, dass Satz 1 nicht anzuwenden ist.**

(3) **Nicht als Geschäfte mit nahestehenden Personen im Sinne der §§ 107 und 111a bis 111c gelten ferner**

1. **Geschäfte mit Tochterunternehmen im Sinne der internationalen Rechnungslegungsstandards, die durch die Verordnung (EG) Nr. 1126/2008 übernommen wurden, die unmittelbar oder mittelbar in 100-prozentigem Anteilsbesitz der Gesellschaft stehen oder an denen keine andere der Gesellschaft nahestehende Person beteiligt ist oder die ihren Sitz in einem Mitgliedstaat der Europäischen Union haben und deren Aktien zum Handel an einem in einem Mitgliedstaat gelegenen oder dort betriebenen geregelten Markt im Sinne des Artikels 4 Absatz 1 Nummer 21 der Richtlinie 2014/65/EU des Europäischen Parlaments und des Rates vom 15. Mai 2014 über Märkte für Finanzinstrumente sowie zur Änderung der Richtlinien 2002/92/EG und 2011/61/EU (ABl. L 173 vom 12.6.2014, S. 349; L 74 vom 18.3.2015, S. 38; L 188 vom 13.7.2016, S. 28; L 273 vom 8.10.2016, S. 35; L 64 vom 10.3.2017, S. 116; L 278 vom 27.10.2017, S. 56), die zuletzt durch die Richtlinie (EU) 2016/1034 (ABl. L 175 vom 30.6.2016, S. 8) geändert worden ist, zugelassen sind;**
2. **Geschäfte, die einer Zustimmung oder Ermächtigung der Hauptversammlung bedürfen;**
3. **alle in Umsetzung der Hauptversammlungszustimmung oder -ermächtigung vorgenommenen Geschäfte und Maßnahmen, insbesondere**
   a) **Maßnahmen der Kapitalbeschaffung oder Kapitalherabsetzung (§§ 182 bis 240), Unternehmensverträge (§§ 291 bis 307) und Geschäfte auf Grundlage eines solchen Vertrages,**
   b) **die Übertragung des ganzen Gesellschaftsvermögens gemäß § 179a,**
   c) **der Erwerb eigener Aktien nach § 71 Absatz 1 Nummer 7 und 8 Satzteil vor Satz 2,**
   d) **Verträge der Gesellschaft mit Gründern im Sinne des § 52 Absatz 1 Satz 1,**
   e) **der Ausschluss von Minderheitsaktionären nach den §§ 327a bis 327f sowie**
   f) **Geschäfte im Rahmen einer Umwandlung im Sinne des Umwandlungsgesetzes;**
4. **Geschäfte, die die Vergütung betreffen, die den Mitgliedern des Vorstands oder Aufsichtsrats im Einklang mit § 113 Absatz 3 oder § 87a Absatz 2 gewährt oder geschuldet wird;**
5. **Geschäfte von Kreditinstituten oder Wertpapierinstituten, die zur Sicherung ihrer Stabilität durch die zuständige Behörde angeordnet oder gebilligt wurden;**
6. **Geschäfte, die allen Aktionären unter den gleichen Bedingungen angeboten werden.**

Übersicht

I. Regelungsgegenstand und -zweck

Der durch das ARUG II 2019 neu eingeführte § 111a regelt sog **related party** 1
transactions, also Geschäfte mit nahestehenden Personen, bei denen bes. Gefahr unlauterer Einflussnahme der nahestehenden Person auf den handelnden Vorstand zu befürchten steht. Solche Geschäfte werden bes. Kautelen unterworfen, um insbes. **unausgewogener Vermögensverlagerung** auf nahestehende Person (sog tunneling) entgegenzuwirken. Sie werden deshalb in § 111a legal definiert, in § 111b einem Zustimmungsvorbehalt des AR und in § 111c einer Offenlegungspflicht unterworfen. Sämtliche Vorschriften gehen zurück auf Art. 9c Aktionärsrechte-RL (ausf. dazu S/L/J. Vetter Rn. 37 ff.). Dessen Umsetzung in deutsches Recht hat Gesetzgeber vor bes. Herausforderungen gestellt, da europ. Vorgaben mit nat. Rahmenbedingungen, namentl. des deutschen Konzernrechts, nicht ohne weiteres in Einklang zu bringen waren (vgl. allg. dazu Mörsdorf/Piroth ZIP 2018, 1469 ff.). Gesetzgeber hat sich deshalb unter Ausnutzung der von der Richtlinie gewährten Spielräume um **minimalinvasive Umsetzung** bemüht (RegBegr. BT-Drs. 19/9739, 35, 80; vgl. dazu S/L/J. Vetter Rn. 21 ff.), was im Lichte europ. Vorgaben nicht durchgängig zu unbedenklichen Ergebnissen geführt hat, als rechtspolitisches Anliegen aber doch sehr sinnvoll ist. Auch wenn Minderheitenschutz bei related party transactions der Bezeichnung nach neu sein mag, bestand schon seit langem „dicht gewebter Flickenteppich" an Regelungen der damit verbundenen Gefahren (Seibert FS E. Vetter 2019, 749, 760; zur Einordnung in den deutschen Normenbestand vgl. Florstedt RPT Rn. 39 ff.; S/L/J. Vetter Rn. 7 ff.; Fleischer BB 2014, 2691 ff.; zur Umsetzung in anderen Mitgliedstaaten vgl. Florstedt ZGR 2022, 13 ff.). Entspr. Vorgaben der Aktionärsrechte-RL bleibt Anwendungsbereich auf **börsennotierte AG** iSd § 3 II beschränkt (→ § 3 Rn. 5 f.), was zwar noch nicht in § 111a, aber in §§ 111b, 111c zum Ausdruck kommt (aufschlussreich zu empirischen Vorfragen der Umsetzung Florstedt ZHR 184 [2020], 10, 15 ff.; krit. Lotz ZIP 2020, 1843 ff.). Auch börsennotierte KGaA ist nach § 278 II, III erfasst (RegBegr. BT-Drs. 19/9739, 79), wobei aber zT rechtsformtypische Anpassungen erforderlich sind (vgl. Florstedt RPT Rn. 434 ff.; Backhaus/Brouwer AG 2019, 287 ff.; Teichmann FS Krieger, 2020, 993 ff.; sa RAusschuss BT-Drs. 19/15153, 53 f.; speziell zum Zustimmungsvorbehalt nach § 111b → § 111b Rn. 7). Praxisrelevanz des Regelungskomplexes ist – entgegen vereinzelter ursprünglicher Vermutungen – durchaus gegeben, aber doch überschaubar (empirische Aus-

wertung bei Florstedt NZG 2023, 395, 397 ff.: bis zum 22.1.2023 62 Meldungen nach § 111c; Hauptanwendungsfälle: Darlehensverträge).

II. Geschäfte mit nahestehenden Personen (§ 111a I)

2 **1. Rechtsgeschäfte.** § 111a enthält in allen drei Absätzen ausf. **Legaldefinition** der Geschäfte mit nahestehenden Personen, wobei § 111a I Grundtatbestand formuliert und § 111a II und III Ausn. enthalten. Geschäfte werden zunächst in § 111a I 1 möglichst weit als Rechtsgeschäfte oder Maßnahmen umschrieben. Zur weiteren Ausfüllung kann auf Definition der Transaktion bzw. des Geschäftsvorfalls in IAS 24.9 zurückgegriffen werden (S/L/J. Vetter Rn. 111 ff.). Auch zu § 311 I entwickelte Grundsätze können behutsam herangezogen werden (→ § 311 Rn. 23; DAV-HRA NZG 2019, 12 Rn. 54). Für **Begriff des Rechtsgeschäfts** verweist RegBegr. BT-Drs. 19/9739, 79 auf die zu § 285 Nr. 21 HGB entwickelten Grundsätze (vgl. dazu MüKoHGB/Poelzig § 285 Rn. 347 ff.) und gibt Grundtendenz einer weiten, funktionalen Auslegung vor. Erfasst ist grds. sowohl schuldrechtl. als auch dingliches Rechtsgeschäft, doch ist aufgrund funktionalen Begriffsverständnisses idR nur **einheitliche Zustimmung** erforderlich (RegBegr. BT-Drs. 19/9739, 79; MüKoAktG/Habersack Rn. 10; zu Unrecht einschränkend Hirte/Heidel/Heidel/Illner Rn. 12). Dasselbe gilt für Dauerschuldverhältnisse und Sukzessivlieferverträge (RegBegr. BT-Drs. 19/9739, 79). Soweit gesonderte Darstellung doch geboten erscheint, genügt es, wenn sie in Jahresabschlussunterlagen erfolgt (RegBegr. BT-Drs. 19/9739, 79). Bei Rahmenverträgen ist nach konkretem Vertragsinhalt zu unterscheiden, ob Belastung der AG schon dadurch oder erst durch Ausführungsgeschäfte begründet wird (S/L/J. Vetter Rn. 129). Aufhebungsvertrag ist erfasst, wenn dadurch Rückgewährverpflichtungen begründet oder vertragliche Rechte aufgegeben werden (S/L/J. Vetter Rn. 131). Neben Verträgen sind auch **einseitige Rechtsgeschäfte** (Anfechtung, Kündigung, Aufrechnung, Ausübung von Optionen etc.) erfasst (Florstedt RPT Rn. 263; J. Vetter AG 2019, 853, 854). **Unwesentliche Änderung** von Geschäften (zB Anpassung von Service Agreements) ist kein eigenständig zustimmungs- und veröffentlichungspflichtiger Vorgang (RegBegr. BT-Drs. 19/9739, 79; Grigoleit/Grigoleit Rn. 29).

3 **2. Maßnahmen.** Maßnahme ist jedes **willensgeleitete Verhalten,** das sich auf Vermögens- oder Ertragslage auswirken kann (Lieder/Wernert DB 2020, 882, 883; J. Vetter AG 2019, 853, 854 f.). Als Maßnahmen, die entgeltliche oder unentgeltliche Übertragung oder Überlassung eines Vermögenswertes zum Gegenstand haben (→ Rn. 4), zählt RegBegr. BT-Drs. 19/9739, 79 beispielhaft Folgendes auf: Bezug oder Erbringung von Dienstleistungen; Käufe bzw. Verkäufe von Grundstücken, fertigen oder unfertigen Waren oder Erzeugnissen; Nutzung oder Nutzungsüberlassung von Vermögensgegenständen; Finanzierungen, Gewährung von Bürgschaften oder anderen Sicherheiten (zB Patronatserklärungen → § 1 Rn. 31). Dasselbe gilt für Produktionsverlagerungen, Produktionsänderungen, Investitionen, Stilllegungen von Betriebsteilen, Abstimmungen im Ein- oder Verkauf, Übernahme der Erfüllung von Verbindlichkeiten, sofern damit Vermögensübertragung (→ Rn. 4) verbunden ist (RegBegr. BT-Drs. 19/9739, 79). § 111 I 3 stellt klar, dass **Unterlassen** weder Geschäft noch Maßnahme ist (klarstellend auch für letztgenannten Fall RegBegr. BT-Drs. 19/9739, 79). Das ist, wenn etwa Geschäftschancen zugunsten eines Großaktionärs nicht genutzt werden, nicht selbstverständlich, entspr. aber restriktiver Umsetzungstendenz (→ Rn. 1; erläuternd J. Vetter AG 2019, 853, 855 f.). Festlegung ist deshalb auch dort nicht zu korrigieren, wo Unterlassen konkrete Meinungsbildung auf Vorstandsebene zugrunde liegt (so aber Grigoleit ZGR 2019, 412, 420;

wie hier MüKoAktG/Habersack Rn. 12; Hirte/Heidel/Heidel/Illner Rn. 25; BeckOGK/Spindler/Seidel Rn. 9; Lieder/Wernert DB 2020, 882, 884; J. Vetter FS Hopt, 2020, 1383, 1398 f.). Anderes Verständnis würde entgegen § 111 IV 1 Weisungsrecht des AR ggü. Vorstand begründen (→ § 111 Rn. 60). Gegen klaren Wortlaut von Ges. und RegBegr. ließe sich rechtsfortbildende Korrektur auch kaum konstruieren. Rein passive Konzerneffekte (→ § 311 Rn. 30) sind vom Maßnahmenbegriff ebenfalls nicht erfasst (S/L/J. Vetter Rn. 119). Dasselbe gilt für Maßnahmen, zu deren Vornahme AG rechtl. verpflichtet ist, da Entscheidung des AR (§ 111b) ohnehin nur zustimmend ausfallen dürfte (S/L/J. Vetter Rn. 120).

3. Übertragung/Überlassung eines Vermögenswerts. Durch Rechtsgeschäft oder Maßnahme muss nach § 111a I 1 Nr. 1 Gegenstand oder anderer Vermögenswert **entgeltlich oder unentgeltlich** übertragen oder zur Nutzung überlassen werden. Für Verständnis des Vermögenswerts liegt Rückgriff auf Legaldefinition des Vermögensgegenstands in § 1 VII GWG nahe (S/L/J. Vetter Rn. 122). Für Übertragungs-/Überlassungsbegriffe zeigt schon Einzelaufzählung in RegBegr. BT-Drs. 19/9739, 79 (→ Rn. 2 f.), dass sie derart weit aufgefasst werden, dass ihnen kaum begriffliche Scheidekraft zukommt (Bsp.: Bürgschaft). Letztlich ausschlaggebend ist Normzweck, wonach **alle potenziell nachteiligen Geschäfte** erfasst werden sollen (Grigoleit ZGR 2019, 412, 418; J. Vetter AG 2019, 853, 855). Neben herkömmlichen Austauschverträgen werden daher auch Konzern- oder Steuerumlagen oder rein tats. Überlassung von Personal oder Informationen erfasst (J. Vetter AG 2019, 853, 855). 4

4. Nahestehende Personen. a) Mögliche Anknüpfungspunkte. Nahestehende Personen werden in § 111a I 2 nicht eigenständig definiert, sondern es wird stattdessen auf int. Rechnungslegungsstandards verwiesen. Maßgeblich ist namentl. **IAS 24.9,** aber auch davon in Bezug genommene Standards IFRS 10 und IFRS 11 sowie IAS 28 werden erfasst (RegBegr. BT-Drs. 19/9739, 79 f.; ausf. zu diesem Wertungstransfer Florstedt RPT Rn. 196 ff., 728 ff.; Baur ZGR 2021, 395 ff.; vgl. zu IAS 24 auch MüKoBilR/Hennrichs/Schubert IAS 24; zur Regelungstechnik der int. Standards S/L/J. Vetter Rn. 64 ff.). Aufgrund sperriger Ausgestaltung dieses Referenzpunktes kann Verweis für Rechtsanwender in Detailfragen gewisse Herausforderung darstellen (DAV-HRA NZG 2019, 12 Rn. 53; ausf. Florstedt ZHR 184 [2020], 10, 20 ff.), ist rechtstechnisch aber doch alternativlos (sa Lieder/Wernert DB 2020, 882, 885). RegBegr. wirkt Schwierigkeiten durch hilfreiche Konkretisierung praxisrelevantester Anwendungsfälle entgegen. So greift RegBegr. BT-Drs. 19/9739, 80 aus Vielzahl möglicher **Anknüpfungspunkte** zunächst **gesellschaftsrechtl. Verbindungen** heraus, zB Beherrschung, gemeinschaftliche Führung, maßgeblicher Einfluss auf Führung oder Zugehörigkeit zu derselben Unternehmensgruppe. **Beherrschung** (IFRS 10) kann auch mehrstufige oder durch Zurechnung begründete sein und setzt voraus: (1) Verfügungsgewalt über AG (insbes. durch Stimmrechtsmacht [idR, aber nicht notwendig mehrheitlich] oder Beherrschungsvertrag), (2) Risikobelastung und (3) durch Verfügungsgewalt vermittelte Möglichkeit, auf Rendite Einfluss zu nehmen (S/L/J. Vetter Rn. 72 ff.). Die beiden letztgenannten Voraussetzungen werden bei Verfügungsgewalt idR ebenfalls gegeben sein (S/L/J. Vetter Rn. 74). **Gemeinschaftliche Führung** ist vertraglich vereinbarte und gemeinsam ausgeübte Führung eines Gemeinschaftsunternehmens (IFRS 11.7), die einstimmige Zustimmung der Partnerunternehmen erforderlich macht (S/L/J. Vetter Rn. 95 f.). **Maßgeblicher Einfluss** liegt vor, wenn (ohne Beherrschung oder gemeinschaftliche Führung) Möglichkeit besteht, an finanz- und geschäftspolit. Entscheidungen der börsennotierten AG mitzuwirken (IAS 28.3). In Anlehnung an IAS 28.5 wird maßgeblicher Einfluss ab unmittelbarer oder mittel- 5 barer Beteiligung von 20 % der Stimmrechte widerleglich vermutet (zu weiteren Indizien vgl. IAS 28.6: zB Teilnahme an Entscheidungsprozessen, Austausch von Führungspersonal, Bereitstellung bedeutender technischer Informationen). Widerlegung kann etwa durch Nachw. erfolgen, dass Einflussnahme auf Finanz- oder Geschäftspolitik der AG rechtl. oder tats. unmöglich ist (RegBegr. BT-Drs. 19/9739, 80; vertiefend Florstedt ZHR 184 [2020], 10, 24 f.). Einfluss muss nicht ausgeübt werden, sondern Möglichkeit der Einflussnahme genügt (RegBegr. BT-Drs. 19/9739, 80). Unterhalb der 20 %-Schwelle wird widerleglich vermutet, dass kein hinreichender Einfluss besteht (RegBegr. BT-Drs. 19/9739, 80). **Zugehörigkeit zu derselben Unternehmensgruppe** kann im Verhältnis Mutter/Tochter, aber auch zwischen Schwestergesellschaften begründet sein (S/L/J. Vetter Rn. 71). Für alle Fallgruppen gilt, dass in Zweifelsfragen aufgrund eigenständiger Anknüpfung an int. Grundsätze und Rspr. nicht auf systematischen Vergleich mit §§ 15 ff. zurückgegriffen werden kann; umgekehrt sind diese Vorschriften auch nicht im Lichte der int. Grundsätze auszulegen (RegBegr. BT-Drs. 19/9739, 80).

6 Als weiteren Anknüpfungspunkt nennt RegBegr. BT-Drs. 19/9739, 80 dienstvertragliche bzw. organschaftliche Verbindungen wie das Bekleiden einer **Schlüsselposition** in AG oder ihrem Mutterunternehmen (zB als Mitglied des Vorstands oder AR, aber auch als Stellvertreter iSd § 94, ggf. auch Mitglieder der zweiten Führungsebene oder faktische Organe [→ § 93 Rn. 73 ff.]; vgl. iE S/L/J. Vetter Rn. 103). Auch Beziehungen zu demselben Dritten können Nahestehen begründen, zB wenn AG und nahestehende Person durch denselben Dritten beherrscht oder geführt werden (RegBegr. BT-Drs. 19/9739, 80). Es genügt auch, wenn eine der in → Rn. 5 genannten Verbindungen zu **nahem Familienangehörigen** besteht (insbes. Ehe-/Lebenspartner, Kinder und ihre Ehe-/Lebenspartner, sonstige unterhaltsberechtigte oder haushaltszugehörige Verwandte; vgl. RegBegr. BT-Drs. 19/9739, 80). Aufzählung ist als Fiktion der Beeinflussungsmöglichkeit, nicht als Regelbeispiel zu verstehen (str. – vgl. Grigoleit/Grigoleit Rn. 60; S/L/J. Vetter Rn. 104). Damit sehr weit gezogener persönlicher Anwendungsbereich wird speziell bei natürlichen Personen durch den auch nach Absenkung immer noch relativ hohen Schwellenwert des § 111b I ausgeglichen (→ § 111b Rn. 2), den Transaktion mit Einzelperson nur selten überschreiten wird (H.-F. Müller ZGR 2019, 97, 102; Tarde NZG 2019, 488, 489).

7 Nach RegBegr. BT-Drs. 19/9739, 98 sind im Anschluss an IAS 24.11 Kapitalgeber, Gewerkschaften, öffentl. Versorgungsunternehmen, Behörden und Institutionen einer öffentl. Stelle nicht schon aufgrund **gewöhnlicher Geschäftsbeziehungen** als nahestehende Personen anzusehen. Einfluss auf gesellschaftliche Entscheidungen ändert daran nichts, sofern dieser nicht gesellschaftergleiches Gewicht bekommt (RegBegr. BT-Drs. 19/9739, 80). Dieses Szenario kann sich namentl. bei Distressed Debt Investoren ergeben, sofern ihnen maßgeblicher Einfluss auf die AG eingeräumt wird, und zwar durch direkten Einfluss auf Leitungspersonal, Verpfändung wesentlicher Anteile oder sonstige einflussbegründende Nebenbestimmungen (ausf. Florstedt ZIP 2021, 53 ff.). Dieselben Grundsätze gelten für einzelne Kunden, Lieferanten, Franchisenehmer, Vertriebspartner oder Generalvertreter, wenn wirtschaftliche Abhängigkeit ggü. diesen Unternehmen allein auf mit ihnen abgewickeltem Geschäftsvolumen beruht (S/L/J. Vetter Rn. 106).

8 **b) Weitere Maßgaben.** Vorliegen der in → Rn. 5–7 genannten Anknüpfungspunkte genügt in formalrechtl. Gestaltung allein noch nicht, sondern entscheidend ist **wirtschaftl. Gehalt** (RegBegr. BT-Drs. 19/9739, 80; Florstedt RPT Rn. 204: „substance over form-Prinzip"; sa Grigoleit/Grigoleit Rn. 92; Hirte/Heidel/Heidel/Illner Rn. 23). So kann – ähnlich wie in deutscher Ent-

sprechung der Mehrmütterherrschaft (→ § 17 Rn. 13 ff.) – auch **konzertiertes Zusammenwirken mehrerer,** die in Bezug auf AG eine langfristig ausgerichtete Stimmrechtsvereinbarung getroffen haben, dazu führen, dass sie für Beurteilung des Nahestehens einheitlich zu berücksichtigen sind (RegBegr. BT-Drs. 19/9739, 80).

Voraussetzungen des Nahestehens müssen nicht stets bei Geschäftsabschluss (idR Verpflichtungsgeschäft) vorliegen, sondern wirtschaftl. Begriffsverständnis (→ Rn. 8) erlaubt, **Vor- und Nachwirkung des Näheverhältnisses** anzuerkennen (Florstedt RPT Rn. 253 f.; Hirte/Heidel/Heidel/Illner Rn. 24; krit. S/L/J. Vetter Rn. 69; Kleinert/Mayer EuZW 2019, 103, 104). Das kann nach RegBegr. BT-Drs. 19/9739, 80 dann der Fall sein, wenn bei Abschluss faktisch noch oder schon ein dem Nahestehen entspr. Einflusspotenzial besteht. Ein solches wird **widerleglich vermutet,** wenn eines der in → Rn. 5–7 genannten Verhältnisse in einem kurzen Zeitraum (etwa bis zu sechs Monaten) vor oder nach Abschluss bestand oder aufgrund begründeter Erwartungen bestehen wird (RegBegr. BT-Drs. 19/9739, 80). Ges. regelt nicht, wie AG von Näheverhältnis **Kenntnis** erlangen kann. Vorstand börsennotierter AG muss geeignete organisatorische Maßnahmen ergreifen, um etwaige Nähebeziehungen zu identifizieren, namentl. auch Führungskräfte dazu anhalten, um potenzielle Beteiligung von Familienangehörigen (→ Rn. 6) erkennen und melden zu können (S/L/J. Vetter Rn. 107 ff.). **9**

III. Ausnahme bei ordentlichem Geschäftsgang (§ 111a II)

§ 111a II 1 schließt Geschäfte, die (kumulativ) im ordentl. Geschäftsgang und zu marktüblichen Bedingungen getätigt werden, aus der Legaldefinition des § 111a I und damit aus Anwendungsbereich der §§ 107, 111a–111c aus. Gerade mit diesen Ausn. soll Anwendungsbereich auf unabdingbaren Kern begrenzt werden (→ Rn. 1). Noch im RefE vorgesehene Vorgabe einer „engen Auslegung" wurde in RegBegr. nicht übernommen (S/L/J. Vetter Rn. 144; dennoch daran festhaltend Grigoleit/Grigoleit Rn. 100). Einordnung als „widerlegliche Vermutung" (dafür Hirte/Heidel/Heidel/Illner Rn. 27) wird weder von Wortlaut noch Materialien getragen. Allfälligen Umgehungsgefahren (zum Umgehungspotenzial missbräuchlicher Qualifizierung Redeke/Schäfer/Troidl AG 2020, 159 Rn. 5 f.) ist auch hier durch allg. Umgehungsregeln zu begegnen. **Ordentl. Geschäftsgang** umfasst insbes. typische, sich wiederholende Alltagsgeschäfte. Zur näheren Ausfüllung kann auf Auslegung des funktional vergleichbaren Tatbestandsmerkmals der „laufenden Geschäfte" in § 52 IX abgestellt werden (→ § 52 Rn. 18 ff.; so auch Florstedt RPT Rn. 339; MüKoAktG/Habersack Rn. 28; Bungert/Wansleben DB 2017, 1190, 1197; für ebenfalls plausible Orientierung an § 116 II HGB Backhaus NZG 2020, 695, 697 f.; Lieder/Wernert DB 2020, 882, 886; H.-F. Müller FS E. Vetter 2019, 479, 480; skeptisch ggü. beiden Maßstäben S/L/J. Vetter Rn. 146). Hier wie dort gilt individuelle Betrachtung, speziell auch im Lichte des jew. Unternehmensgegenstands (MüKoAktG/Habersack Rn. 28; Backhaus NZG 2020, 695, 697 f.; Grigoleit ZGR 2019, 412, 431 f.). Maßgeblich für Beurteilung sind letztlich Inhalt, Umfang und Häufigkeit (RegBegr. BT-Drs. 19/9739, 11; aA Hirte/Heidel/Heidel/Illner Rn. 29: nur Häufigkeit). Diese Unterkriterien müssen allerdings nicht kumulativ vorliegen, so dass ggf. auch einmaliges Geschäft (zB Cash Pooling → Rn. 11) von ordentl. Geschäftsgang umfasst sein kann (S/L/J. Vetter Rn. 149; Backhaus NZG 2020, 695, 698). Mit Blick auf signifikanten Schwellenwert (→ § 111b Rn. 2) wird Ausn. nur selten eingreifen; Anwendungsbereich wird in erster Linie bei aggregierten Geschäften (→ § 111b Rn. 6) liegen (Grigoleit/Grigoleit Rn. 100; S/L/J. Vetter Rn. 141; Tarde NZG 2019, 488, 490). **10**

11 RegBegr. stellt ausdr. klar, dass Ausn. auch bei konzerninternen Geschäften gilt, einschließlich **Cash Pooling** (→ § 57 Rn. 42), wenn sie üblichen Gestaltungsformen entspr. (RegBegr. BT-Drs. 19/9739, 81; krit. Hirte/Heidel/Heidel/Illner Rn. 30; Grigoleit ZGR 2019, 412, 433). Praktische Relevanz wird dadurch gemindert, dass Tochter, sofern sie börsennotiert (§ 111b I) ist, nur selten in solchen Cash Pool einbezogen wird. Wo solche Konstellation besteht, ist Bedeutung und Tragweite der Ausn. in diesem Zusammenhang noch nicht abschließend geklärt. Anerkannt ist, dass § 111a II 1 jedenfalls für Geschäfte innerhalb eines bestehenden Cash Pools gilt. Ob auch Einrichtung des Cash Pools selbst unter diese Vorschrift fallen kann, wenn Schwellenwert erfüllt ist, ist dagegen umstr. (dafür MüKoAktG/Habersack Rn. 29; Hirte/Heidel/Heidel/Illner Rn. 30; Barg AG 2020, 149 Rn. 26; Tarde NZG 2019, 488, 490). RegBegr. BT-Drs. 19/9739, 81 scheint aber auch insofern entspr. generell restriktiver Umsetzungsstrategie (→ § 111a Rn. 1) davon auszugehen, dass Einrichtung zwar grds. erfasst sein kann, aber Privilegierung des § 111a II greift, wenn herkömmliche Gestaltungsformen gewahrt werden (so auch BeckOGK/Spindler/Seidel Rn. 28; S/L/J. Vetter Rn. 161; Backhaus NZG 2020, 695, 698; Lieder/Wernert DB 2020, 882, 886 f.; H.-F. Müller ZIP 2019, 2429, 2432). Das ist auch deshalb sinnvoll, weil Schwellenwertbemessung hinsichtlich Einrichtungsentscheidung größere Probleme aufwerfen würde (Ansätze dazu bei J. Vetter AG 2019, 853, 859 f.).

12 Weiterhin muss Geschäft zu **marktüblichen Bedingungen** abgeschlossen sein. Für Begriff der Marktüblichkeit verweist RegBegr. BT-Drs. 19/9739, 81 vornehmlich auf die zu § 285 Nr. 21 HGB entwickelten Maßstäbe (vgl. dazu MüKoHGB/Poelzig § 285 Rn. 354 ff.). Im unmittelbaren aktienrechtl. Kontext können auch Grundsätze zur Nachteilsfeststellung in § 311 I herangezogen werden, die ebenfalls unter Heranziehung von Marktüblichkeit und Drittvergleich ausgefüllt werden (→ § 311 Rn. 27 f.; Florstedt RPT Rn. 335; Lieder/Wernert ZIP 2018, 2441, 2445; H.-F. Müller ZGR 2019, 97, 121 f.). Gestreckter Nachteilsausgleich (→ § 311 Rn. 46) wird hier allerdings nicht als ausreichend anzusehen sein, da AR wegen des in § 111c vorgesehenen Publizitätserfordernisses und entspr. allg. Regelung des § 111 IV 2 Zustimmung nur in Kenntnis der genauen Konditionen des Geschäfts erteilen kann (GK-AktG/Fleischer § 311 Rn. 346; MüKoAktG/Habersack Rn. 30; Florstedt ZHR 184 [2020], 10, 55; Lieder/Wernert DB 2020, 882, 886; H.-F. Müller ZGR 2019, 97, 122; Tarde NZG 2019, 488, 494 f.; Verse FS Hopt, 2020, 1335, 1348; aA J. Vetter ZHR 179 [2015], 273, 298; weitergehend für eine Gestattung eines auch unbezifferten Ausgleichsanspruchs Bürgers/Guntermann FS Krieger, 2020, 141, 143 ff. [vgl. dazu → § 311 Rn. 46]). Als weiteres Referenzmodell bieten sich zu § 57 entwickelte Grundsätze an (→ § 57 Rn. 15 ff.), die ebenfalls ähnliche teleologische Funktionen erfüllen. Während dort § 57 I 3 aber Vollwertigkeitskriterium in den Vordergrund rückt (→ § 57 Rn. 15 ff.), wird bei § 111a II auch **Drittvergleich** bes. betont: Marktunübliche Bedingungen sind anzunehmen, wenn aus Sicht der AG dem Geschäft zugrunde liegende Konditionen mit unabhängigem Dritten nicht zu erreichen gewesen wären (RegBegr. BT-Drs. 19/9739, 81; vgl. auch → § 57 Rn. 15 ff.). Auch konzerninterne Geschäfte können marktüblich sein, wenn sie Drittvergleich standhalten (RegBegr. BT-Drs. 19/9739, 81). Das Gleiche gilt für Cash-Pooling-Systeme (→ Rn. 11), sofern sie gängigen Ausgestaltungen entspr. (RegBegr. BT-Drs. 19/9739, 81; Einzelheiten bei S/L/J. Vetter Rn. 161 ff.; krit. Grigoleit ZGR 2019, 412, 432 f.). Für Konditionenvergleich ist insbes. Branchenüblichkeit und Marktpreis heranzuziehen; wo ein solcher nicht zu ermitteln ist, kann auf Schätzwerte zurückgegriffen werden (RegBegr. BT-Drs. 19/9739, 81; krit. aber MüKoAktG/Habersack Rn. 30). Zu diesem Zweck kann etwa auch Selbstkostenpreis mit Gewinnaufschlag angesetzt werden (Backhaus NZG 2020, 695, 699).

Um Bestimmung zu erleichtern, ob iSd § 111a II 1 marktübliche Bedingungen vorliegen, verpflichtet § 111a II 2 AG dazu, ein **internes Verfahren** einzurichten, in dem – ähnlich wie im Abhängigkeitsbericht nach § 312 – solche Geschäfte dokumentiert werden. Da auch im faktischen Konzern für Nachteilsbestimmung (→ § 311 Rn. 31) Marktüblichkeit zu ermitteln ist, empfiehlt sich einheitliches Verfahren, wenn nahestehende Person herrschendes Unternehmen iSd § 17 ist. In der Praxis erfolgt idR unterjährige Bewertung iR eines formalisierten Monitoring-Verfahrens durch Clearing-Stelle, die auch Einschlägigkeit der §§ 111a ff. überprüfen kann (ausf. Geiger/Mahr NZG 2021, 216 ff. mit Hinweisen zur konkreten Ausgestaltung; sa H.-F. Müller ZGR 2019, 97, 121). Das hilft allerdings nur in Fällen, wo nahestehende Person zugleich herrschendes Unternehmen ist, was oft nicht der Fall sein wird (Grigoleit ZGR 2019, 412, 434). Internes Verfahren muss nicht konzerndimensional ausgestaltet sein, sondern es genügt, wenn Eigengeschäfte unter Beteiligung der börsennotierten AG erfasst sind (MüKoAktG/Habersack Rn. 32; S/L/J. Vetter Rn. 173; Backhaus NZG 2020, 695, 699 f.; Redeke/Schäfer/Troidl AG 2020, 159 Rn. 12 ff.; aA Hirte/Heidel/Heidel/Illner Rn. 33). **Nahestehende Personen,** die an dem konkreten Geschäft beteiligt sind (nur solche, nicht alle nahestehenden Personen), sind von dem Verfahren ausgeschlossen (RegBegr. BT-Drs. 19/9739, 81). Ausschluss bleibt damit hinter konfliktbedingtem Ausschluss nach § 111b II zurück. Das ist rechtspolit. nicht unproblematisch, weshalb zT rechtsfortbildende-teleologische Korrektur befürwortet wird (Hirte/Heidel/Heidel/Illner Rn. 32; Grigoleit ZGR 2019, 412, 433 f.; Hommelhoff FS Windbichler, 2020, 759, 766 f.). Da Diskrepanz in RegBegr. BT-Drs. 19/9739, 81 ausdr. angesprochen wird, fehlt aber dafür erforderliche Voraussetzung planwidriger Regelungslücke (wie hier S/L/J. Vetter Rn. 181). **Zuständig** für Einrichtung des Verfahrens ist – obgleich in § 111a II 1 nicht ausdr. angesprochen – ausweislich Art. 9c V 2 Aktionärsrechte-RL **AR** (Backhaus NZG 2020, 695, 697; Barg AG 2020, 149 Rn. 27; Florstedt ZHR 184 [2020], 10, 35 f.; Hommelhoff FS Windbichler, 2020, 759, 765 f.; Redeke/Schäfer/Troidl AG 2020, 159 Rn. 7 ff.; Rieckers DB 2020, 207, 215; aA Markworth AG 2020, 166 Rn. 32). Nicht geklärt ist allerdings, ob AR dafür zwangsläufig unmittelbar selbst tätig werden muss. Gesichtspunkt der Organadäquanz (→ § 76 Rn. 3) spricht ebenso wie Bezugnahme auf Verfahren nach § 312 dafür, dass AR Einrichtung eines umfassenden Monitoring-Verfahrens auch zunächst Vorstand überlassen kann, sofern er nur Wirksamkeit dieses Verfahrens durch eigene Überprüfung sicherstellt (S/L/J. Vetter Rn. 177 ff.; für gewisses Maß an Kooperation auch Florstedt RPT Rn. 368; MüKoAktG/Habersack Rn. 31; Backhaus NZG 2020, 695, 701; Hommelhoff FS Windbichler, 2020, 759, 766; für maßgebliche Beteiligung des AR Hirte/Heidel/Heidel/Illner Rn. 33). Um zu gewährleisten, dass gesamtes Regime der §§ 111a – 111c ordnungsgemäß umgesetzt wird (zum sonst anzunehmenden Sorgfaltsverstoß → § 111b Rn. 10), sollte Verfahren nicht auf Feststellung marktüblicher Bedingungen beschränkt sein, sondern auch andere Aspekte erfassen (zB Identifizierung nahestehender Personen, Überschreitung des Schwellenwerts etc.; vgl. dazu S/L/J. Vetter Rn. 111 ff.). Diese Überprüfung liegt unstr. zunächst beim Vorstand (Redeke/Schäfer/Troidl AG 2020, 159 Rn. 9), was ebenfalls dafür spricht, dass auch Entwicklung des Verfahrens nach § 111 II 2 zunächst ihm überlassen werden kann. 13

Nach § 111a II 3 kann **Satzung** Anwendung des § 111a II 1 ausschließen und damit durch **opt-in** auch Geschäfte im ordentlichen Geschäftsgang dem Schutzmechanismus des § 111b unterwerfen. Davon dürften freilich nur wenig Gesellschaften Gebrauch machen (DAV-HRA NZG 2019, 12 Rn. 57; Bungert/Berger DB 2018, 2860, 2862). Anreiz könnte allenfalls darin bestehen, dass in diesem Fall internes Verfahren zur regelmäßigen Bewertung dieser Geschäfte iSd 14

§ 111a II 2 nicht erforderlich ist (RegBegr. BT-Drs. 19/9739, 81; Grigoleit/Grigoleit Rn. 114; ausf. Backhaus NZG 2020, 695 f.).

IV. Sonstige Ausnahmen (§ 111a III)

15 **1. Allgemeines.** § 111a III zählt enumerativ weitere Ausnahmen von § 111a I auf, die ihre teleologische Gemeinsamkeit darin finden, dass **Minderheitenschutz nicht erforderlich** erscheint oder auf anderen Wegen gesichert ist (RegBegr. BT-Drs. 19/9739, 81). Regelung ist abschließend, was aber **Auslegung** nach herkömmlicher Methodik nicht versperrt (klarstellend: RegBegr. BT-Drs. 19/9739, 81).

16 **2. Geschäfte mit Tochterunternehmen (§ 111a III Nr. 1). § 111a III Nr. 1** enthält in Umsetzung von Art. 9c VI lit. a Aktionärsrechte-RL zunächst vier Varianten von Geschäften mit Tochterunternehmen, wobei letztgenannter **Begriff** nach int. Rechnungslegungsstandards, namentl. IFRS 10 Anh. A Konzernabschlüsse auszufüllen ist (RegBegr. BT-Drs. 19/9739, 82). In allen Konstellationen können sich durch Verlagerung auf Tochter **Umgehungsgefahren** ergeben (vgl. Tröger AG 2015, 53, 62 f.), die Gesetzgeber aber augenscheinlich sehenden Auges aus Praktikabilitätsgründen in Kauf genommen hat (Grigoleit ZGR 2019, 412, 439 f.). Ihnen wird zumindest zT durch Veröffentlichungspflicht nach § 111c IV entgegengewirkt. Auch allg. Umgehungsgrundsätze bleiben anwendbar (Hirte/Heidel/Heidel/Illner Rn. 38; S/L/J. Vetter § 111b Rn. 82 f.; Lieder/Wernert DB 2020, 882, 887; H.-F. Müller ZGR 2019, 97, 113 f.).

17 **Erste Variante** erfasst Geschäfte mit Tochterunternehmen, die **unmittelbar in 100 %-Anteilsbesitz** der AG stehen, da Vermögen Konsolidierungskreis vorerst nicht verlässt und § 111c IV (→ § 111c Rn. 5) Mindestschutz für (weiterhin missbrauchsanfällige) Veräußerung durch Tochter bietet (RegBegr. BT-Drs. 19/9739, 82). Ausn. ist gerade mit Blick auf Aggregationszwang nach § 111b I (→ § 111b Rn. 6) sinnvoll, um Dauerberichterstattung zu vermeiden (Florstedt ZHR 184 [2020], 10, 36). Einschränkung kann auch nicht dadurch umgangen werden, dass AR-Zustimmungsvorbehalt nach § 111b I entspr. den zu § 111 IV 2 entwickelten Grundsätzen (→ § 111 Rn. 74 ff.) konzernweit ausgedehnt wird (so aber Hirte/Heidel/Heidel/Illner Rn. 39), da Gesetzesauslegung anderen Regeln folgt als Auslegung der für § 111 IV 2 maßgeblichen Satzung oder eines AR-Beschlusses und Gesetzesmaterialien klare Hinweise gegen konzernweite Deutung enthalten (RegBegr. BT-Drs. 19/9739, 82). Ist börsennotierte AG nicht Mutter, sondern Tochter, findet § 111a III Nr. 1 auf Geschäft mit Mutter keine Anwendung (Florstedt RPT Rn. 396; BeckOGK/Spindler/Seidel Rn. 35; Barg AG 2020, 149 Rn. 31).

18 Aus identischen teleologischen Überlegungen nimmt **zweite Variante** Geschäfte mit solchen Tochterunternehmen aus dem Anwendungsbereich der §§ 111a ff. heraus, die **mittelbar in 100 %-Anteilsbesitz** stehen, wobei als mittelbare Beteiligung auch Enkel- und Urenkelgesellschaften gelten (RegBegr. BT-Drs. 19/9739, 82; zur wirtschaftlichen Beteiligung eines Dritten über Nießbrauch oder Unterbeteiligung s. S/L/J. Vetter Rn. 200). Auch in letztgenannter Konstellation muss an zwischengeschalteten Gesellschaften **100 %-Anteilsbesitz** bestehen. Bei geringerer Anteilsquote und anderweitiger Beteiligung ist nach Maßstab des § 111a III Nr. 1, dritte Variante weiter zu differenzieren, ob beteiligter Dritter nahestehende Person ist oder nicht (→ Rn. 19). Nach RegBegr. BT-Drs. 19/9739, 82 fällt unter zweite Variante augenscheinlich auch Konstellation, dass Tochter zwar nicht zu 100 % im AG-Besitz ist, aber restliche Anteile von anderer Tochter gehalten werden (so auch das Verständnis von MüKoAktG/

Habersack Rn. 38). Hier käme auch Zuordnung zu dritter Variante in Betracht, doch kann konkrete Zuordnung wegen identischer Rechtsfolge offen bleiben.

Weitere Ausn. gilt in **dritter Variante** für Geschäfte mit Tochterunternehmen, an denen **keine andere nahestehende Person** beteiligt ist, da hier kein Anreiz besteht, Vermögen auf außenstehenden Dritten zu verlagern. Bei börsennotierter Tochter kann allerdings auf ihrer Ebene Regime der §§ 111a ff. zur Anwendung gelangen (Grigoleit ZGR 2019, 412, 440). Speziell bei dieser Variante sind teleologische Erweiterungen denkbar, etwa wenn neben Dritten noch andere Tochter der AG als nahestehende Person Anteile hält, an der aber keine nahestehende Person beteiligt ist (sa MüKoAktG/Habersack Rn. 39; Lieder/Wernert DB 2020, 882, 887). Gleiches gilt, wenn Geschäft mit Gemeinschaftsunternehmen oder assoziierten Unternehmen iSd IAS geschlossen wird, an denen ebenfalls keine nahestehende Person beteiligt ist. Noch ungeklärt ist Geltung, wenn andere nahestehende Person nur mittelbar beteiligt ist oder ihre Beteiligung geringfügig ist. 19

Letzte Ausn. gilt in **vierter Variante** für Geschäfte mit Tochterunternehmen, die ihren Sitz in EU-Mitgliedsstaat haben und deren Aktien dort **zum geregelten Handel zugelassen** sind. Da solche Tochter selbst jew. nat. Umsetzungsvorschriften unterliegt, ist Schutzniveau auf diesem Wege gewährleistet (RegBegr. BT-Drs. 19/9739, 82; zu Recht krit. S/L/J. Vetter Rn. 205; Grigoleit ZGR 2019, 412, 441 f.; Tröger FS Hopt, 2020, 1298, 1299 f. unter Verweis auf Tunneling-Risiko beim Mutterunternehmen). Jedenfalls Schutz des § 111c IV (→ § 111c Rn. 5) bleibt auch hier bestehen (S/L/J. Vetter Rn. 205). Da auch in EWR-Staaten ansässige Töchter von Aktionärsrechte-RL erfasst sind, spricht viel dafür, Regelung in richtlinienkonformer Auslegung auch auf sie zu erstrecken (Florstedt RPT Rn. 401). 20

3. Zustimmung oder Ermächtigung der HV (§ 111a III Nr. 2 und 3). § 111a III Nr. 2 nimmt aus Anwendungsbereich des § 111a I solche Geschäfte aus, die ohnehin einer Zustimmung oder Ermächtigung der HV bedürfen. § 111a III Nr. 3 erstreckt diese Ausnahme als zwangsläufige gedankliche Fortsetzung auf sämtliche in Umsetzung der HV-Zustimmung oder -Ermächtigung vorgenommenen Geschäfte und Maßnahmen. Teleologischer Hintergrund ist, dass Minderheitenschutz hier auf andere Weise, namentl. HV-Beteiligung, Mehrheitserfordernisse, Informationspflichten und Beschlussmängelrecht, gewährleistet ist (RegBegr. BT-Drs. 19/9739, 82). Wichtigste Anwendungsfälle werden in Nr. 3 lit. a – f als **Regelbeispiele** (nicht abschließend) aufgezählt (zum hier vorzunehmenden gedanklichen Brückenschlag von Nr. 3 zu Nr. 2 vgl. RegBegr. BT-Drs. 19/9739, 82). Von Maßnahmen der Kapitalbeschaffung sind auch Maßnahmen nach § 221 (dazu MüKoAktG/Habersack Rn. 43) sowie Geschäfte in Umsetzung einer Ermächtigung nach §§ 202 ff. gedeckt. Erfassung der zweiten Konstellation wird zwar unter Verweis auf Wortlaut des Art. 9c VI lit. b Aktionärsrechte-RL vereinzelt in Zweifel gezogen (Florstedt RPT Rn. 408; Hirte/Heidel/Heidel/Illner Rn. 46). Diese sind jedoch unbegründet, da „genau festgelegte Arten von Geschäften" durchaus auch Verwendung von Sammelbegriffen gestattet. Als weiteres ungeschriebenes Beispiel nennt RegBegr. BT-Drs. 19/9739, 82 etwa in der Satzung bereits festgesetzte Sondervorteile gem. § 26. Ausn. gilt überdies aber auch für Holzmüller-Beschlüsse (→ § 119 Rn. 16 ff.; für ihre Erfassung auch MüKoAktG/Habersack Rn. 42; Grigoleit/Grigoleit Rn. 144; S/L/J. Vetter Rn. 221; aA Florstedt RPT Rn. 427; Hirte/Heidel/Heidel/Illner Rn. 44; Barg AG 2020, 149 Rn. 34). Geschäfte nach **§ 119 II** (ebenso § 111 IV 3) sollen dagegen aus Gründen des Umgehungsschutzes nicht erfasst sein (RegBegr. BT-Drs. 19/9739, 82; Florstedt RPT Rn. 426; S/L/J. Vetter Rn. 208; aA noch DAV-HRA NZG 2019, 12 Rn. 60; weiterhin abl. Grigoleit/Grigoleit 21

Rn. 146). Teleologische Erweiterung ist für Aufhebung eines Unternehmensvertrags anzunehmen, wo Sonderbeschluss außenstehender Aktionäre nach § 296 II hinreichenden Schutz gewährt (S/L/J. Vetter Rn. 220; H.-F. Müller ZIP 2019, 97, 108 f.; zur Ausdehnung auf Verschmelzungsverträge vgl. S/L/J. Vetter Rn. 224).

22 Größte Bedeutung hat in § 111a III Nr. 3 lit. a angeordnete Ausn. für Unternehmensverträge und Geschäfte auf Grundlage eines solchen Vertrags, da auf diese Weise **System des Vertragskonzerns unangetastet** bleiben kann; anderenfalls wären deutlich schwererwiegende systematische Verwerfungen innerhalb des deutschen Aktienrechts zu erwarten gewesen. Ob Ausn. von europ. Vorgaben der Aktionärsrechte-RL tats. in dieser Form getragen wird, ist zwar nicht zweifelsfrei (Tarde NZG 2019, 488, 491; Tröger/Roth/Strenger BB 2018, 2946, 2951 f.; für Europarechtskonformität H.-F. Müller ZGR 2019, 97, 111 f.), zumindest teleologisch aber durchaus zu rechtfertigen, da – in Worten der RegBegr. BT-Drs. 19/9739, 82 – HV mit Unternehmensvertrag abgesicherten und transparent beschlossenen Handlungsrahmen zieht und komplexe Schutzmechanismen des deutschen Vertragskonzernrechts europ. Schutzstandards nach Art. 9a und 9b Aktionärsrechte-RL genügen (Gegenüberstellung bei H.-F. Müller ZGR 2019, 97, 106 f., 109 f.). Das ist bei Schutzstandards des faktischen Konzerns nicht der Fall, so dass etwaige Verfahrensdoppelung hier hinzunehmen ist und in § 311 III ausdr. angeordnet wird (→ § 311 Rn. 52a). **Konkrete Reichweite** der Ausn. hängt von Vertragstyp ab. Geschäftsabschluss ist davon nur erfasst, wenn sich auch Vertrag darauf erstreckt (RegBegr. BT-Drs. 19/9739, 82). Das wird bei Gewinnabführungsvertrag idR nur hinsichtlich der Gewinnabführung selbst der Fall sein (MüKoAktG/Habersack Rn. 45; S/L/J. Vetter Rn. 236), wohingegen Beherrschungsvertrag grds. alle konzerninternen Geschäfte erfasst, die ihre Grundlage im vertraglichen Konzernverhältnis haben (RegBegr. BT-Drs. 19/9739, 82). Ausn. ist auch nicht auf solche Geschäfte beschränkt, die auf Weisung nach § 308 I 1 beruhen (RegBegr. BT-Drs. 19/9739, 83; Löbbe FS Grunewald, 2021, 689, 692; jetzt auch MüKoAktG/Habersack Rn. 45 in Abw. von Emmerich/Habersack/Habersack, 9. Aufl. 2019, § 311 Rn. 96).

23 **4. Vergütungsbezogene Geschäfte, behördliche Anordnung, Angebot zu gleichen Bedingungen (§ 111a III Nr. 4 – 6).** § 111a III Nr. 4 statuiert als weitere Ausnahme vergütungsbezogene Geschäfte mit Vorstands- oder AR-Mitgliedern nach § 113 III oder § 87a II, weil Ges. hier anderweitige Schutzmechanismen vorsieht (Überblick und Weiterverweisung → § 87 Rn. 2). § 111a III Nr. 5 privilegiert mit Blick auf übergeordnetes Ziel der **Finanzmarktstabilität** Geschäfte von Kreditinstituten oder Wertpapierinstitut (§ 2 I WpIG; → § 70 Rn. 2), die zur Sicherung ihrer Stabilität durch die zuständige Behörde angeordnet oder gebilligt wurden (zB nach Art. 458 CRR, § 48t KWG, §§ 45 ff. KWG, SRM-VO [VO (EU) 806/2014], SAG oder KredReorgG). § 111a III Nr. 6 schließt Geschäfte, die **allen Aktionären unter gleichen Bedingungen** angeboten werden, aus Anwendungsbereich des § 111a I aus. Das können etwa Dividendenzahlungen und Bezugsrechtsemissionen sein, die allerdings auch schon unter § 111a III Nr. 2, 3 fallen (s. deshalb auch S/L/J. Vetter Rn. 257: praktische Bedeutung sehr begrenzt; Tarde NZG 2019, 488, 491).

Zustimmungsvorbehalt des Aufsichtsrats bei Geschäften mit nahestehenden Personen

111b (1) **Ein Geschäft der börsennotierten Gesellschaft mit nahestehenden Personen, dessen wirtschaftlicher Wert allein oder zusammen mit den innerhalb des laufenden Geschäftsjahres vor Ab-**

schluss des Geschäfts mit derselben Person getätigten Geschäften 1,5 Prozent der Summe aus dem Anlage- und Umlaufvermögen der Gesellschaft gemäß § 266 Absatz 2 Buchstabe A und B des Handelsgesetzbuchs nach Maßgabe des zuletzt festgestellten Jahresabschlusses übersteigt, bedarf der vorherigen Zustimmung des Aufsichtsrats oder eines gemäß § 107 Absatz 3 Satz 4 bis 6 bestellten Ausschusses.

(2) **Bei der Beschlussfassung des Aufsichtsrats nach Absatz 1 können diejenigen Mitglieder des Aufsichtsrats ihr Stimmrecht nicht ausüben, die an dem Geschäft als nahestehende Personen beteiligt sind oder bei denen die Besorgnis eines Interessenkonfliktes auf Grund ihrer Beziehungen zu der nahestehenden Person besteht.**

(3) **Ist die Gesellschaft Mutterunternehmen (§ 290 Absatz 1 und 2 des Handelsgesetzbuchs) und nicht gemäß § 290 Absatz 5 oder den §§ 291 bis 293 des Handelsgesetzbuchs von der Konzernrechnungslegungspflicht befreit, so tritt an die Stelle der Summe des Anlage- und Umlaufvermögens der Gesellschaft die Summe aus dem Anlage- und Umlaufvermögen des Konzerns gemäß § 298 Absatz 1 in Verbindung mit § 266 Absatz 2 Buchstabe A und B des Handelsgesetzbuchs nach Maßgabe des zuletzt gebilligten Konzernabschlusses oder in den Fällen des § 315e des Handelsgesetzbuchs die Summe aus den entsprechenden Vermögenswerten des Konzernabschlusses nach den internationalen Rechnungslegungsstandards.**

(4) [1] **Verweigert der Aufsichtsrat seine Zustimmung, so kann der Vorstand verlangen, dass die Hauptversammlung über die Zustimmung beschließt.** [2] **Die an dem Geschäft beteiligten nahestehenden Personen dürfen ihr Stimmrecht bei der Beschlussfassung der Hauptversammlung weder für sich noch für einen anderen ausüben.**

I. Regelungsgegenstand und -zweck

1 In § 111a umschriebene related party transactions bergen Gefahr unausgewogener Vermögensverlagerung auf nahestehende Person in sich (→ § 111a Rn. 1). Nach § 111b I soll dieser Gefahr dadurch entgegengewirkt werden, dass ab bestimmter **Relevanzschwelle** (→ Rn. 2) **AR oder AR-Ausschuss** dem Geschäft oder der Maßnahme zuzustimmen hat. Gesetzgeber hat sich damit entgegen ursprünglicher Überlegungen gegen die von Aktionärsrechte-RL ebenfalls eröffnete Option gewandt, Zustimmung HV zu überlassen. Gerade auch unter Gesichtspunkt der **Organadäquanz** (→ § 76 Rn. 3; sa Wenzel WM 2019, 906, 912) ist das eine unbedingt zu begrüßende rechtspolitische Entscheidung (vgl. statt aller DAV-HRA NZG 2019, 12 Rn. 43).

II. Schwellenwert (§ 111b I)

2 Schwellenwert des § 111b I ist erreicht, wenn **wirtschaftlicher Wert** des Geschäfts allein oder zusammen mit den innerhalb des laufenden Geschäftsjahrs vor Abschluss mit derselben Person getätigten Geschäfte 1,5 % der Summe aus Anlage- und Umlaufvermögen gem. § 266 II lit. A und B HGB nach Maßgabe des zuletzt festgestellten Jahresabschlusses übersteigt. Bilanzielle Bezugsgröße wird verbreitet als wenig aussagekräftige Indikation für wahren Unternehmenswert kritisiert (vgl. etwa Barg AG 2020, 149 Rn. 18; Engert/Florstedt ZIP 2019, 493, 501 f.; Tarde NZG 2019, 488, 489 f.; Tröger/Roth/Strenger BB 2018, 2946, 2948 f.), hat aber Vorzug einfacher Handhabbarkeit und damit gesteigerter Rechtssicherheit für sich (positive Würdigung deshalb bei S/L/J.

Vetter Rn. 15, 18: praktische Anwendungsprobleme kaum denkbar; DAV-HRA NZG 2019, 12 Rn. 66: begrüßenswerte Komplexitätsreduktion; Lieder/Wernert ZIP 2019, 989, 992). Durch Verweis auf Bilanzwerte sind auch Ansatz-, Bewertungs- und Bilanzierungswahlrechte in Bezug genommen (S/L/J. Vetter Rn. 19). Maßgeblich ist der **letzte festgestellte Jahresabschluss,** was auch dann gilt, wenn der nächste aufgestellte Abschluss Überschreitung erkennen lässt oder sich Auf-/Feststellung verzögert (S/L/J. Vetter Rn. 21 ff. – jew. mit Ausn. für missbräuchliche Gestaltungen). Zu Besonderheiten im Konzern → Rn. 8. Von dieser bilanziellen Bezugsgröße abzuleitender Schwellenwert war ursprünglich noch höher, nämlich auf 2,5 %, festgelegt, worin sich abermals Wille des Gesetzgebers manifestierte, Systembruch mit konzernrechtl. Regeln und Bürokratieaufwand der Gesellschaften möglichst gering zu halten (→ § 111a Rn. 1; Grigoleit ZGR 2019, 412, 417, 422; zur statistischen Häufigkeit zustimmungsbedürftiger Geschäfte auf Grundlage dieses Wertes vgl. Engert/Florstedt ZIP 2019, 493, 498 ff.; sa S/L/J. Vetter § 111a Rn. 26 ff.). Verbreitete rechtspolitische Kritik hat dann augenscheinlich **Rechtsausschuss** zur Absenkung auf 1,5 % veranlasst, was systematischen Eingriff notgedrungen vertieft (s. aber RAusschuss BT-Drs. 19/15153, 57: Regelung wird wirkungsvoller, ohne Unternehmen mit überflüssigen Bürokratiekosten zu belasten; vgl. zu den Hintergründen Florstedt ZIP 2020, 1, 6 ff.).

3 Während bilanzieller Bezugsbegriff ziffernmäßig klar fixiert ist, kann Bestimmung des wirtschaftlichen Werts des Geschäfts größere Probleme aufwerfen (ausf. J. Vetter AG 2019, 853, 856 ff. mit detaillierten Bsp. zu einzelnen Vertragstypen). Maßgeblich ist hier nicht reiner Bilanz-, sondern **Marktwert,** der aber auch nicht an Gegenleistung bemessen werden darf, da Angemessenheit der Gegenleistung gerade kontrolliert werden soll. Ausschlaggebend ist vielmehr allg. Verkehrswert, bemessen auf Grundlage einer **steuerlichen Nettobetrachtung** (J. Vetter AG 2019, 853, 857; zust. MüKoAktG/Habersack Rn. 8; Lieder/Wernert DB 2020, 882, 884). Vertragliche Risiken sind nicht anhand theoretischen Maximalrisikos (abgeleitet etwa anhand möglicher Gewährleistungsrisiken etc.) in Verkehrswert einzupreisen, sondern nach Grad der Wahrscheinlichkeit (J. Vetter AG 2019, 853, 856 f.; zust. MüKoAktG/Habersack Rn. 8; Lieder/Wernert DB 2020, 882, 884). Solchermaßen fomulierter Maßstab erweist sich bei einfachen Austauschgeschäften, etwa Kaufverträgen, als handhabbar, doch schon beim Darlehensvertrag ist umstr., ob Wert am Nominalbetrag (dafür Eisele/Oser DB 2019, 1517, 1521; Florstedt ZHR 184 [2020], 10, 29 f.) oder am Barwert künftiger Zinszahlungen (S/L/J. Vetter Rn. 49) zu bemessen ist. Bessere Gründe dürften für letztgenannte Lesart sprechen, da sie wirtschaftlichem Gehalt der Transaktion eher Rechnung trägt.

4 Bes. Schwierigkeiten kann Wertbestimmung bei unbefristeten **Dauerschuldverhältnissen** bereiten. Hierzu ist vorgeschlagen worden, Wert zunächst auf Zeitwert bis zur erstmöglichen Kündigung zu beschränken (BeckOGK/Spindler/Seidel Rn. 6; Lieder/Wernert DB 2020, 882, 885; Tarde NZG 2019, 488, 489). Alternativ dazu wird Orientierung an marktüblichen Vertragslaufzeiten oder Orientierung an Nachhaftungsbegrenzung von fünf Jahren entspr. § 26 I HGB, § 137 I HGB, § 327 IV empfohlen (vgl. zu beiden Vorschlägen J. Vetter AG 2019, 853, 858). Übliche Laufzeit wird aber oft nicht zu ermitteln sein und Anknüpfung an Nachhaftung scheint teleologisch eher willkürlich gegriffen, so dass erstgenannter Vorschlag am sachgerechtesten erscheint. Befürchtung, Mutter werde auf Tochter Einfluss nehmen, damit diese Kündigungsrecht nicht ausübt (J. Vetter AG 2019, 853, 858), kann dadurch begegnet werden, dass Eingriffsschwelle noch nachträglich überschritten werden kann, wenn Kündigungsmöglichkeit nicht genutzt wird (Tarde NZG 2019, 488, 489; zust. Lieder/Wernert DB 2020, 882, 885; Markworth AG 2020, 166 Rn. 27).

Trotz Schwierigkeiten der Bestimmung muss AR für Feststellung des Marktwerts nicht zwingend Gutachten einholen, sondern darf sich auf realistische Schätzung verlassen (RegBegr. BT-Drs. 19/9739, 83). Auch wenn RegBegr. BT-Drs. 19/9739, 83 dies nicht ausdr. ausspricht, kann Begriff realistischer Schätzung hier tats. die speziell von anwaltlicher Praxis sonst oft überstrapazierte (→ § 93 Rn. 32, 40 f., 84; → § 111 Rn. 22 ff.) **Anerkennung eines Beurteilungsspielraums** rechtfertigen. HM ordnet ihn als Fall des § 93 I 2 ein (Bungert/Wansleben BB 2019, 1026, 1029; Fiebelkorn ZIP 2020, 953, 956; Harnos, Gerichtliche Kontrolldichte, 2021, 493 f.; Lieder/Wernert DB 2020, 882, 888; Markworth AG 2020, 166 Rn. 37; H.-F. Müller FS E. Vetter, 2019, 479, 485 f.; Rieder ZfPW 2020, 129, 144; Verse FS Hopt, 2020, 1335, 1348 ff.), was in der Tat naheliegt, wenn man davon ausgeht, dass BGH in UMTS-Entscheidung BJR auch für Beurteilung der Angemessenheit iRd § 311 heranzieht (→ § 311 Rn. 25). Wertungswiderspruch ergibt sich aber zur Behandlung der Angemessenheit iRd § 57, wo ganz hM Heranziehung des § 93 I 2 ablehnt (→ § 57 Rn. 25). Ungleichbehandlung dieser drei Angemessenheitsprüfungen ist sachlich nicht gerechtfertigt (J. Koch ZGR 2022, 337, 365 ff.; Verse FS Hopt, 2020, 1335, 1348 ff.). Richtigerweise dürfte ges. Vorgabe der Angemessenheit und weiteres Anliegen des Gläubigerschutzes in allen drei Konstellationen eher für Einordnung als **Pflichtaufgabe mit Entscheidungsspielraum** sprechen als für Zuordnung zur BJR; insbes. bei marktgängigen Gütern werden obj. Wertmaßstäbe vorhanden sein, die vom Gericht angelegt werden können (zur Unterscheidung → § 93 Rn. 29; ausf. J. Koch ZGR 2022, 337, 369 f.; zurückhaltend auch MüKoAktG/Habersack Rn. 10; S/L/J. Vetter Rn. 87; J. Vetter AG 2019, 953, 956). Verbleibenden Haftungsgefahren (vgl. dazu Lanfermann BB 2018, 2859, 2862 f.; Paschos/Goslar AG 2018, 857, 867; sa Mutter AG 2019, R 196) ist auf Verschuldensebene entgegenzuwirken, wo gerade bei wertungsoffenen Begriffen bes. großzügige Maßstäbe anzulegen sind (→ § 93 Rn. 84). In Zweifelsfällen sollte schon aus Vorsichtsgründen Zustimmung eingeholt werden; auch freiwillige Verfahrensdurchführung ist zulässig (RegBegr. BT-Drs. 19/9739, 83). 5

Für Berechnung, ob Schwellenwert erreicht ist, kommt es nicht allein auf Einzelgeschäft an, sondern nach § 111b I sind Einzelwerte aller innerhalb des laufenden Geschäftsjahres mit derselben Person getätigten Geschäfte im Wege sog **Aggregation** zusammenzurechnen. Damit soll auch naheliegenden Umgehungsstrategien entgegengewirkt werden (Florstedt ZHR 184 [2020], 10, 39). Während in RefE noch auf letzte zwölf Monate abgestellt wurde, kommt es jetzt auf **Geschäftsjahr** (auch Rumpfgeschäftsjahr) an, um Gleichlauf mit Rechnungslegungspflichten zu ermöglichen (RegBegr. BT-Drs. 19/9739, 84). Bei Aggregation mehrerer Geschäfte sind solche nicht zu berücksichtigen, die unter Ausnahmen des § 111a II, III fallen, und solche, für die bereits Zustimmung erteilt wurde (RegBegr. BT-Drs. 19/9739, 84). Aggregation beginnt im letztgenannten Fall vielmehr neu und endet mit Ablauf des Geschäftsjahrs (RegBegr. BT-Drs. 19/9739, 84). Auch im Fall der Aggregation sind nicht sämtliche Geschäfte zustimmungsbedürftig (was praktisch auch nicht durchführbar wäre), sondern nur das jeweils letzte, die Schwelle überschreitende Geschäft (RegBegr. BT-Drs. 19/9739, 84; anders für Veröffentlichung → § 111c Rn. 2). Aggregation setzt zwar keine Geschäfte derselben Art voraus (S/L/J. Vetter Rn. 74), aber doch Abschluss **mit derselben nahestehenden Person** (RegBegr. BT-Drs. 19/9739, 84; MüKoAktG/Habersack Rn. 13; S/L/J. Vetter Rn. 73; Lieder/Wernert DB 2020, 882, 885; aA Barg AG 2020, 49 Rn. 20; Grigoleit ZGR 2019, 412, 426). Wortlaut ist insofern eindeutig und Wille zur minimalinvasiven Umsetzung (→ § 111a Rn. 1) spricht gegen großzügige teleologische Extension (J. Vetter FS Hopt, 2020, 1383, 1400). Auch Geschäfte einer Tochter mit nahestehenden Personen der börsennotierten Mutter bleiben für Berechnung der Zustimmungsschwelle 6 außer Betracht (RegBegr. BT-Drs. 19/9739, 84; ausf. J. Vetter AG 2019, 853, 861 f.). Besteht Nähebeziehung nicht im gesamten Referenzzeitraum, sind nur Geschäfte zu aggregieren, die zeitlich während Nähebeziehung erfolgen (Florstedt ZHR 184 [2020], 10, 39 f.).

III. Zustimmungsverfahren (§ 111b I und II)

7 Hinsichtlich des Zustimmungsverfahrens stellt § 111b I zunächst klar, dass **AR selbst oder Ausschuss** gem. § 107 III 4–6 zustimmen kann. Zuständigkeit des AR gilt auch für KGaA (Emmerich/Habersack/Habersack § 311 Rn. 98; MüKoAktG/Perlitt § 287 Rn. 140; BeckOGK/Spindler/Seidel Rn. 20; S/L/J. Vetter Rn. 157 ff.; Lieder/Wernert ZIP 2019, 989, 990; Teichmann FS Krieger, 2020, 993, 996 ff.; aA Backhaus/Brouwer AG 2019, 287, 289 ff.; Fiebelkorn ZIP 2020, 953 ff.). Das entspr. zwar nicht grds. Führungsstruktur der KGaA, die für außerwöhnliche Geschäfte über § 278 II nach § 164 I HGB iVm § 116 II 1 HGB Zustimmung der Kommanditaktionäre vorsieht, findet aber in RegBegr. BT-Drs. 19/9739, 79 klare Bestätigung. Gerade aufgrund Satzungsdispositivität des § 164 HGB erscheint personengesellschaftsrechtl. Lösung für Umsetzung der Aktionärsrechte-RL wenig geeignet (Teichmann FS Krieger, 2020, 993, 1000 f.). Für Ausschussbesetzung gilt ergänzend Regelung des § 107 III 4–6 (→ § 107 Rn. 51 ff.). Wurde solcher Ausschuss nicht eingerichtet, bleibt Entscheidung bei AR. Es gilt dann nach § 111b II (in Umsetzung von Art. 9c IV UAbs. 3 Aktionärsrechte-RL) **Stimmrechtsausschluss** für diejenigen AR-Mitglieder, die an Geschäft als nahestehende Personen beteiligt sind oder bei denen die Besorgnis eines Interessenkonflikts aufgrund ihrer Beziehungen zu nahestehender Person besteht. Begriff nahestehender Person ist wie in § 111a I zu verstehen (→ § 111a Rn. 5 ff.), Merkmal der Beteiligung wie in § 107 III 5 (→ § 107 Rn. 50), Merkmal der Besorgnis eines Interessenkonflikts wie in § 107 III 6 (→ § 107 Rn. 51 ff.). Wie bei Ausschussentscheidung (→ § 107 Rn. 55) ist AR-Mitglied auch im Gesamt-AR selbst durch Treupflicht dazu angehalten, Interessenkonflikt offen zu legen (Markworth AG 2020, 166 Rn. 18; sa → § 108 Rn. 10 ff.). Auch wenn Ausschuss gebildet wurde, kann Gesamt-AR Entscheidung mit einfacher Mehrheit jederzeit wieder an sich ziehen (RegBegr. BT-Drs. 19/9739, 84). **Inhaltlicher Maßstab** für Zustimmung ist in § 111b I nicht vorgegeben, doch legt systematischer Vergleich mit § 111c II 3 Maßstab der Angemessenheit nahe, die ähnlich wie in § 111a II (→ § 111a Rn. 12) zu bemessen ist (dazu und zur inhaltlichen Ausfüllung H.-F. Müller FS E. Vetter, 2019, 479, 481 ff.; differenzierend Lieder/Wernert DB 2020, 882, 888; zweifelnd Heldt AG 2018, 905, 918 f.). Zustimmung muss **vor rechtswirksamem Abschluss** des Geschäfts vorliegen („vorherige Zustimmung"), doch ist es möglich, Geschäft unter aufschiebender Bedingung (§ 158 I BGB) späterer Zustimmung vorzunehmen (RegBegr. BT-Drs. 19/9739, 84; Florstedt RPT Rn. 507). IdR wird möglichst frühzeitige Einbeziehung des AR wünschenswert sein (Lieder/Wernert DB 2020, 882, 888; Tarde NZG 2019, 488, 492). **Erteilte Zustimmung** bindet Vorstand nicht; Abschluss steht weiterhin in seinem pflichtgem. Ermessen (MüKoAktG/Habersack Rn. 23; S/L/J. Vetter Rn. 99). Erweist sich Abschluss als pflichtwidrig, schließt AR-Zustimmung seine Haftung gem. § 93 IV 2 nicht aus (S/L/J. Vetter Rn. 101).

IV. Besonderheiten im Konzern (§ 111b III)

8 Besonderheit für Schwellenwertberechnung (→ Rn. 2) gilt, wenn AG **Mutterunternehmen iSd § 290 I, II HGB** und nicht gem. § 290 V HGB oder §§ 291 –293 HGB von Konzernrechnungslegungspflicht befreit ist. An die Stelle der

Summe des Anlage- und Umlaufvermögens der AG tritt dann Summe des entspr. Konzernvermögens gem. § 298 I HGB iVm § 266 II lit. A, B HGB nach Maßgabe des zuletzt gebilligten Konzernabschlusses oder in Fällen des § 315e HGB Summe aus entspr. Vermögenswerten des Konzernabschlusses nach int. Rechnungslegungsstandards. Letztgenannte Entsprechung kann deshalb schwer festzustellen sein, weil nat. Werte nicht deckungsgleich auch in int. Rechnungslegungsstandards wiederzufinden sind. RegBegr. BT-Drs. 19/9739, 85 lässt es hier zu, etwa auf Summe aus lang- und kurzfristigen Vermögenswerten oder Bilanzsumme abzustellen. Dass aus **alternativen Anknüpfungspunkten** aufgrund unterschiedlicher Bilanzierungsprinzipien auch unterschiedliche Schwellenwerte resultieren können, ist nicht restlos befriedigend, wird aber aus Praktikabilitätsgründen (s. schon → Rn. 2) auch hier in Kauf genommen (RegBegr. BT-Drs. 19/9739, 85).

V. Beschlussfassung durch HV (§ 111b IV)

Verweigert AR Zustimmung, kann Vorstand (in Parallele zu § 111 IV 3) nach § 111b IV verlangen, dass HV über Zustimmung beschließt (subsidiäre Zuständigkeit). Bes. Mehrheitserfordernis entspr. § 111b IV 4 besteht nicht; einfache Mehrheit (§ 133 I) genügt. **Nahestehende Personen** dürfen Stimmrecht bei Beschlussfassung aber weder für sich noch für einen anderen ausüben. Anders als bei AR-Zustimmung (→ Rn. 7) gilt Erstreckung auf bloße Besorgnis der Befangenheit hier nicht (S/L/J. Vetter Rn. 151). 9

VI. Rechtsfolgen fehlender oder verfahrensfehlerhafter Zustimmung

Bei fehlender Zustimmung ist Geschäft **im Außenverhältnis wirksam,** damit Subsumtionsschwierigkeiten der zT wertungsoffenen Tatbestandsmerkmale nicht nach außen durchschlagen (RegBegr. BT-Drs. 19/9739, 84). Obwohl in RegBegr. nicht erwähnt, ist entspr. allg. Grundsätzen ausnahmsweise dann fehlende Vertretungsmacht anzunehmen, wenn Vertragspartner positiv weiß, dass erforderliche Zustimmung fehlt oder vertragsschließende Parteien kollusiv zusammenwirken (→ § 78 Rn. 9; → § 82 Rn. 6 f.; wie hier Florstedt RPT Rn. 510; S/L/J. Vetter Rn. 103 f.). **Unterlassungsansprüche** sind theoretisch denkbar, praktisch aber kaum durchzusetzen. **Rückgewähransprüche** können nur gegeben sein, wenn zugleich Voraussetzungen der §§ 57, 62, des § 52 oder des § 826 BGB erfüllt sind (RegBegr. BT-Drs. 19/9739, 84). Vorstand handelt aber sorgfaltspflichtwidrig und macht sich uU **schadensersatzpflichtig** (RegBegr. BT-Drs. 19/9739, 84; Zweifel an Effektivität dieser Rechtsfolgen bei Tröger/Roth/Strenger BB 2018, 2946, 2952; zum möglichen Einwand rechtmäßigen Alternativverhaltens → § 93 Rn. 92 ff.). Dafür erforderliches Verschulden ist auch dann gegeben, wenn Vorstand keine prozeduralen Vorkehrungen (Monitoring) getroffen hat, um Vorliegen einer related party transaction zu erkennen (vgl. zu diesen über § 111a II 2 hinausgehenden Anforderungen → § 111a Rn. 13). Dieselben Grundsätze gelten für konfliktbehaftetes AR-Stimmverhalten (→ Rn. 7), das Geschäft ebenfalls unberührt lässt, aber Haftung des AR-Mitglieds nach § 116 S. 1, § 93 II begründen kann (RegBegr. BT-Drs. 19/9739, 84; MüKoAktG/Habersack Rn. 23; zu Einzelheiten Markworth AG 2020, 166 Rn. 17 f.). 10

Veröffentlichung von Geschäften mit nahestehenden Personen

111c (1) [1]**Die börsennotierte Gesellschaft hat Angaben zu solchen Geschäften mit nahestehenden Personen, die gemäß § 111b Absatz 1 der Zustimmung bedürfen, unverzüglich gemäß Absatz 2 zu**

veröffentlichen. ²Ist die Zustimmungsbedürftigkeit eines Geschäfts nach § 111b Absatz 1 durch Zusammenrechnung mehrerer Geschäfte ausgelöst worden, so sind auch diese Geschäfte zu veröffentlichen.

(2) **¹Die Veröffentlichung hat in einer Art und Weise zu erfolgen, die der Öffentlichkeit einen leichten Zugang zu den Angaben ermöglicht. ²Die Veröffentlichung hat entsprechend den Regelungen in § 3a Absatz 1 bis 4 der Wertpapierhandelsanzeigeverordnung vom 13. Dezember 2004 (BGBl. I S. 3376), die zuletzt durch Artikel 1 der Verordnung vom 19. Oktober 2018 (BGBl. I S. 1758) geändert worden ist, zu erfolgen. ³Die Veröffentlichung muss alle wesentlichen Informationen enthalten, die erforderlich sind, um zu bewerten, ob das Geschäft aus Sicht der Gesellschaft und der Aktionäre, die keine nahestehenden Personen sind, angemessen ist. ⁴Dies umfasst mindestens Informationen zur Art des Verhältnisses zu den nahestehenden Personen, die Namen der nahestehenden Personen sowie das Datum und den Wert des Geschäfts. ⁵Die Angaben sind zudem auf der Internetseite der Gesellschaft für einen Zeitraum von mindestens fünf Jahren öffentlich zugänglich zu machen.**

(3) **¹Handelt es sich bei dem Geschäft mit einer nahestehenden Person um eine Insiderinformation gemäß Artikel 17 der Verordnung (EU) Nr. 596/2014 des Europäischen Parlaments und des Rates vom 16. April 2014 über Marktmissbrauch (Marktmissbrauchsverordnung) und zur Aufhebung der Richtlinie 2003/6/EG des Europäischen Parlaments und des Rates und der Richtlinien 2003/124/EG, 2003/125/EG und 2004/72/EG der Kommission (ABl. L 173 vom 12.6.2014, S. 1; L 287 vom 21.10.2016, S. 320; L 348 vom 21.12.2016, S. 83), die zuletzt durch die Verordnung (EU) 2016/1033 (ABl. L 175 vom 30.6.2016, S. 1) geändert worden ist, sind die nach Absatz 2 erforderlichen Angaben in die Mitteilung gemäß Artikel 17 der Verordnung (EU) Nr. 596/2014 aufzunehmen. ²In diesem Fall entfällt die Verpflichtung nach Absatz 1. ³Artikel 17 Absatz 4 und 5 der Verordnung (EU) Nr. 596/2014 gilt sinngemäß.**

(4) **Ist die Gesellschaft Mutterunternehmen im Sinne der internationalen Rechnungslegungsstandards, die durch die Verordnung (EG) Nr. 1126/2008 übernommen wurden, gelten Absatz 1 Satz 1 sowie die Absätze 2 und 3 entsprechend für ein Geschäft eines Tochterunternehmens mit der Gesellschaft nahestehenden Personen, sofern dieses Geschäft, wenn es von der Gesellschaft vorgenommen worden wäre, nach § 111b Absatz 1 und 3 einer Zustimmung bedürfte.**

I. Regelungsgegenstand und -zweck

1 Da mit §§ 111a ff. bezweckter Minderheitenschutz durch Zuständigkeit des mit Mehrheitsmacht gewählten AR allein nicht gewährleistet werden kann, ergänzt § 111c in Umsetzung des Art. 9c II Aktionärsrechte-RL weiteren **Schutzmechanismus der Transparenz.** Nach § 111b I zustimmungsbedürftige Geschäfte (→ § 111b Rn. 2 ff.) sind unverzüglich (§ 121 I BGB) zu veröffentlichen (Zweifel an Europarechtskonformität bei Paschos/Goslar AG 2018, 857, 871; Tröger/Roth/Strenger BB 2018, 2946, 2949; VGR AG 2018, 920, 924; dagegen S/L/J. Vetter Rn. 28; Lieder/Wernert ZIP 2019, 989, 996 f.). Ausweislich der Gesetzesmaterialien sollen damit neben Aktionären auch andere Stakeholder (zB AN, Gläubiger) geschützt werden (RegBegr. BT-Drs. 19/9739, 86).

II. Veröffentlichungspflicht (§ 111c I)

Veröffentlichungspflicht ist von **Vorstand** zu erfüllen. Sie knüpft an Geschäft mit nahestehenden Personen iSd § 111a I (→ § 111a Rn. 2 ff.) an, das Schwellenwert nach § 111b I überschreitet (→ § 111b Rn. 2 ff.) und nicht von Ausn. nach § 111a II, III (→ § 111a Rn. 10 ff.) erfasst ist. Ergibt sich Zustimmungsbedürftigkeit aus **Aggregation** (→ § 111b Rn. 6), so entsteht Veröffentlichungspflicht erst mit letztem Geschäft, das zur Überschreitung des Schwellenwerts führt (§ 111b Rn. 6), doch sind auch vorangegangene Geschäfte zu veröffentlichen (Guntermann ZIP 2020, 1290, 1291). Von Veröffentlichung sollten in diesem Fall auch solche früheren Geschäfte innerhalb der Referenzperiode erfasst sein, die zur Schwellenüberschreitung nicht erforderlich waren, weil erst Gesamtschau Ausmaß des Interessenkonflikts erkennen lässt (Florstedt RPT Rn. 574; MüKoAktG/Habersack Rn. 7; aA S/L/J. Vetter Rn. 17). Maßgeblicher **Zeitpunkt** für Veröffentlichung bestimmt sich nach Abschluss des zustimmungspflichtigen Geschäfts (RegBegr. BT-Drs. 19/9739, 86; ggf. also auch schon bloßes Verpflichtungsgeschäft [→ § 111a Rn. 3]; Guntermann ZIP 2020, 1290, 1291). Veröffentlichung hat grds. spätestens zum Zeitpunkt des Abschlusses zu erfolgen, wird aber idR erst nach Erteilung der Zustimmung vorgenommen werden (RegBegr. BT-Drs. 19/9739, 86; Bungert/Berger DB 2018, 2860, 2866 f.). Das ändert aber nichts daran, dass Veröffentlichungspflicht an Zustimmungspflichtigkeit des Geschäfts und nicht an Erteilung der Zustimmung anknüpft (RegBegr. BT-Drs. 19/9739, 86; S/L/J. Vetter Rn. 20; aA Grigoleit/Grigoleit Rn. 6). Auch unter diesem Gesichtspunkt empfiehlt sich Aufnahme einer aufschiebenden Bedingung (→ § 111b Rn. 7), da in diesem Fall Veröffentlichungspflicht erst mit Rechtswirksamkeit eintritt (Markworth AG 2020, 166 Rn. 28 ff.). In Einzelfällen kann Veröffentlichung zum Zeitpunkt des Abschlusses faktisch erschwert sein, etwa wenn nötige Daten und Unterlagen für aggregierte Geschäfte noch aufbereitet werden müssen. Hier gibt **Maßstab der Unverzüglichkeit** (§ 121 I BGB: ohne schuldhaftes Zögern) erforderliche Flexibilität (RegBegr. BT-Drs. 19/9739, 86). RegBegr. BT-Drs. 19/9739, 86 hält auch noch eine Veröffentlichung innerhalb einer Frist von spätestens vier Handelstagen für zulässig, wie sie zT auch in ähnlichen Regelungen im WpHG (zB in § 33 WpHG) vorgesehen ist. In Fällen des § 111c III 1 (→ Rn. 4) kommt allerdings strengerer Unverzüglichkeitsmaßstab des Art. 17 I MAR zur Anwendung (RegBegr. BT-Drs. 19/9739, 86). Zum Verhältnis zu sonstigen Veröffentlichungspflichten nach § 285 Nr. 21 HGB, § 314 I Nr. 13 HGB s. Grigoleit ZGR 2019, 412, 448. 2

III. Art der Veröffentlichung (§ 111c II)

Nach § 111c II 1 muss Veröffentlichung der Öffentlichkeit leicht zugänglich sein, und zwar in einer Form, die nicht nur passive Kenntnisnahme ermöglicht, sondern **aktive Information** bewirkt (RegBegr. BT-Drs. 19/9739, 86). Veröffentlichung hat deshalb nach § 111c II 2 gem. § 3a I–IV WpAV zu erfolgen (naheliegend: durch denselben Dienstleister), wobei Bestimmungen der WpAV nur entspr. Anwendung finden (RegBegr. BT-Drs. 19/9739, 86 f.; zu Einzelheiten S/L/J. Vetter Rn. 32 ff.). Veröffentlichung muss nach § 111c II 3 alle **wesentlichen Informationen** enthalten, die erforderlich sind, um zu bewerten, ob das Geschäft aus Sicht der AG und der Aktionäre, die keine nahestehenden Personen (→ § 111a Rn. 5–7) sind, angemessen ist. Dazu gehören nach § 111c II 4 mindestens Informationen zu Art des Verhältnisses zu den nahestehenden Personen, deren Namen sowie Datum und Wert des Geschäfts. Aufzählung ist nicht abschließend, sondern **beispielhaft.** Als weitere ggf. erforderli- 3 che Angaben nennt RegBegr. BT-Drs. 19/9739, 87 kurze Beschreibung des Geschäfts sowie bei Rechtsgeschäften Angabe von Leistung und Gegenleistung, bei anderen Maßnahmen Angaben zu Vor- und Nachteilen des Geschäfts. Angaben sind auch auf AG-Internetseite für mindestens fünf Jahre zugänglich zu machen (§ 111c II 5). Übermittlung an Unternehmensregister ist nicht vorgesehen, ergibt sich in Fällen des § 111c III aber aus § 26 WpHG (Tarde NZG 2019, 488, 494). Rechtspolitisch wünschenswert wäre Ergänzung um Möglichkeit eines Geheimnisschutzes, und zwar sowohl für AG als auch für Tochterunternehmen.

IV. Insiderinformation (§ 111c III)

4 § 111c III regelt Verhältnis der Transparenzpflicht zum Insiderrecht. Handelt es sich bei dem Geschäft iSd § 111a I um Insiderinformation iSd Art. 7 I MAR (Gesetzestext verweist auf Art. 17 MAR, der aber auf Art. 7 I MAR Bezug nimmt), sind nach § 111c II erforderliche Angaben in **Ad-Hoc-Meldung** nach Art. 17 I MAR aufzunehmen und es entfällt gem. § 111c III 1 Verpflichtung nach § 111c I. In diesem Fall gilt dann allerdings Frist nach Art. 17 I MAR, nicht großzügigere Bemessung nach § 111c II (Guntermann ZIP 2020, 1290, 1292). Nach § 111c III 2 gilt Möglichkeit der Selbstbefreiung gem. Art. 17 IV, V MAR singgemäß, um Schutz sensibler Informationen zu gewährleisten (RegBegr. BT-Drs. 19/9739, 87). Dazu ist nicht erforderlich, dass tats. **Insiderinformation** vorliegt, sondern Selbstbefreiung ist auch in sonstigen Fällen des § 111c eröffnet (RegBegr. BT-Drs. 19/9739, 87). Wie bei Art. 17 IV MAR wird Veröffentlichungspflicht in sämtlichen Fällen nicht vollständig aufgehoben, sondern nur aufgeschoben (MüKoAktG/Habersack Rn. 20; S/L/J. Vetter Rn. 60; Guntermann ZIP 2020, 1290, 1294; anders noch → 14. Aufl. 2020, Rn. 4). Abw. von sonstigen Fällen des Art. 17 MAR werden iRd § 111c III vorliegende Hinderungsgründe oft aber auch dauerhafter Natur sein. Bei isolierter Selbstbefreiung iSd § 111c III 3 iVm Art. 17 IV MAR ist nachträgliche Behördeninformation nicht erforderlich (Guntermann ZIP 2020, 1290, 1294).

V. AG als Mutterunternehmen iS int. Rechnungslegungsstandards (§ 111c IV)

5 Ist AG Mutterunternehmen iS int. Rechnungslegungsstandards, gilt § 111c I 1, II, III entspr. für **Geschäft eines Tochterunternehmens** mit der AG nahestehenden Personen, sofern dieses Geschäft – vorgenommen durch AG – nach § 111b I, III zustimmungsbedürftig gewesen wäre. Zweck ist Umgehungsschutz (RegBegr. BT-Drs. 19/9739, 87). Abw. von § 111b III bestimmt sich Begriff des Mutterunternehmens hier nach den durch IAS-VO übernommenen int. Rechnungslegungsstandards, derzeit IFRS 10 Anh. A Konzernabschlüsse (RegBegr. BT-Drs. 19/9739, 87). Da entspr. Verweis auch für Definition nahestehender Personen in § 111a I 2 gilt, werden Maßstäbe auf diese Weise passgenau aufeinander abgestimmt (RegBegr. BT-Drs. 19/9739, 87). In der Sache stellt sich § 111c IV als **gedankliche Fortsetzung des § 111a III Nr. 1** dar. Dort wurde Ausn. von § 111a I zugelassen, da Vermögenswert Konsolidierungskreis nicht verlässt. § 111c IV schreibt für den Fall, dass das doch geschieht und nahestehende Person involviert ist, zumindest Transparenz vor (RegBegr. BT-Drs. 19/9739, 87). Voraussetzung ist stets, dass Geschäft bzw. Maßnahme auf Ebene der Mutter Voraussetzungen für Zustimmungspflicht erfüllt, sei es allein, sei es durch Aggregation. Dabei sind auch Geschäfte in Tochterunternehmen mit derselben nahestehenden Person des Mutterunternehmens zu aggregieren; es erfolgt aber keine Gruppenaggregation mit Geschäften zwischen Tochterunternehmen untereinander oder mit Mutterunternehmen (RegBegr. BT-Drs. 19/9739, 87; sa J. Vetter

FS Hopt, 2020, 1383, 1401 f.). Mit § 111c IV bezweckter **Umgehungsschutz** ist nicht abschließend, so dass weiterer Schutz nach allg. Grundsätzen (zB bei Gesamtplan zur Umgehung) dadurch nicht verwehrt ist (RegBegr. BT-Drs. 19/ 9739, 88).

VI. Rechtsfolgen bei Verstoß

Auch Transparenzverstoß lässt **Wirksamkeit des Geschäfts** unberührt. Vorstand handelt aber auch hier pflichtwidrig, was ggf. (wenngleich wenig wahrscheinlich) Schadensersatzpflicht nach § 93 II nach sich ziehen kann. Schutzgesetzeigenschaft iSd § 823 II BGB zugunsten von Aktionären oder Dritten ist aber zu verneinen (BeckOGK/Spindler/Seidel Rn. 26; S/L/J. Vetter Rn. 75). Wesentliche Sanktion liegt in **Bußgeldbewehrung** nach § 405 IIa Nr. 6, IV. Sanktionsrahmen geht bis zu 500.000 Euro; relativ hohe Maximalbebußung erklärt sich aus kapitalmarktrechtl. Bezügen (RegBegr. BT-Drs. 19/9739, 116), wird aber dadurch gemildert, dass nach § 10 OWiG Vorsatzerfordernis gilt. Ist veröffentlichungspflichtige Tatsache zugleich Insiderinformation, tritt Sanktionssystem des § 120 XV Nr. 6–10 WpHG hinzu, wo auch Leichtfertigkeit genügt (Guntermann ZIP 2020, 1290, 1295). Zuständigkeit liegt nach § 405 V Nr. 2 grds. beim BfJ. Wird allerdings nach § 111c III 1 Veröffentlichung mit Ad-Hoc-Mitteilung nach Art. 17 I MAR verbunden, besteht nach § 405 V Nr. 1 lit. a einheitliche BaFin-Zuständigkeit. 6

Vertretung der Gesellschaft gegenüber Vorstandsmitgliedern

112

[1] Vorstandsmitgliedern gegenüber vertritt der Aufsichtsrat die Gesellschaft gerichtlich und außergerichtlich. [2] § 78 Abs. 2 Satz 2 gilt entsprechend.

Übersicht

I. Regelungsgegenstand und -zweck

Norm betr. Vertretung der AG, soweit es um Rechtsgeschäfte oder Rechtshandlungen zwischen Gesellschaft und Vorstandsmitgliedern geht. Bezweckt ist, **unbefangene Wahrung der Gesellschaftsbelange** sicherzustellen. Norm beruht auf Besorgnis, dass Vorstand als regelmäßiges Vertretungsorgan (§ 78) die erforderliche Unbefangenheit nicht aufbringt, wenn einzelne seiner Mitglieder an dem fraglichen Rechtsverhältnis selbst beteiligt sind (s. etwa BGHZ 103, 213, 216 = NJW 1988, 1384; BGHZ 130, 108, 111 f. = NJW 1995, 2559; BAG NZG 1

2017, 69 Rn. 52). Es geht also ähnlich wie in § 181 Fall 1 BGB um Schutz der vertretenen AG vor (abstrakter; → Rn. 4) Gefährdung ihrer Interessen (KK-AktG/Mertens/Cahn Rn. 2; zu Überschneidungsfragen vgl. Hermanns FS E. Vetter, 2019, 233 ff.). § 112 ist aber strikter, da zum einen auch andere Vorstandsmitglieder aus Sorge vor kollegialem Zusammenhalt von Vertretung ausgeschlossen werden und überdies weder AR noch Satzung davon befreien können (Bachmann FS Grunewald, 2021, 31, 32, 35 ff.); als Schutznorm ist § 112 zwingend (§ 23 V).

2 Vorschrift ist aber nicht abschließend (BGHZ 218, 122 Rn. 15 = NZG 2018, 629). AR ist nämlich in bestimmten Fällen auch zur **Vertretung der AG ggü. Dritten** befugt; vgl. zB § 111 II 2 (Beauftragung von Sachverständigen), § 111 II 3 (Erteilung des Prüfungsauftrags), § 246 II 2, § 249 I 1 (Doppelvertretung durch Vorstand und AR); Überblick bei Leuering FS Kollhosser, 2004, 361 ff. HM leitet daraus Befugnis des AR ab, auch zur Erledigung seiner sonstigen Aufgaben **Sachverständige** heranzuziehen (MüKoAktG/Habersack § 111 Rn. 86 ff.; GK-AktG/Hopt/Roth Rn. 54; J. Koch ZHR 180 [2016], 578, 591 f. mw Ausführungen zur Überwachung der damit verbundenen Kostenverursachung durch Vorstand). Bei fehlender Angemessenheit hat AR Pflichten verletzt, doch ist ihm insofern weites Ermessen zuzubilligen. Selbst Hinzuziehung von gesonderten Beratern für AN- und Anteilseignerseite ist zulässig (Erkens/Fuchs NZG 2019, 651 ff.), sollte aber auf Ausnahmefälle beschränkt bleiben. Vertrag mit Drittem kommt dennoch zustande, da Pflichtverletzung Vertretungsmacht im Außenverhältnis unberührt lässt (J. Koch ZHR 180 [2016], 578, 592; aA Berger, Die Kosten der Aufsichtsratstätigkeit, 2000, 115 f.). Auch Hilfsgeschäfte, die AR im Zuge seiner eigenen Auftragserfüllung heranzieht (zB Sekretariatsdienste – zu den Grenzen → § 111 Rn. 86 ff.), kann AR selbständig abschließen (BGHZ 218, 122 Rn. 15 [gegen früher vertretene These der Selbstverpflichtung]; GK-AktG/Hopt/Roth Rn. 57).

3 Soweit **bes. Vertreter** für die Verfolgung von Ersatzansprüchen bestellt worden sind (§ 147 II), liegt Vertretungszuständigkeit allein bei ihnen. § 147 II verdrängt also § 112 (MüKoAktG/Habersack Rn. 5). Sofern Geschäft mit Vorstand Dimension einer related party transaction annimmt, sind zudem Vorgaben der §§ 111a ff. zu beachten. Ges. nicht geregelt sind schließlich Fälle, in denen AG beim Vertragsschluss **zugleich Vorstands- und AR-Mitgliedern** gegenübersteht. In diesem Fall bedarf es komplementärer Vertretung der AG durch Vorstand und AR (ausf. Blath FS Heidinger, 2023, 25 ff.).

II. Vertretung gegenüber Vorstandsmitgliedern

4 **1. Alle Vorstandsmitglieder, auch ausgeschiedene.** Gem. § 112 vertritt AR die AG ggü. Vorstandsmitgliedern. Gemeint sind alle Vorstandsmitglieder, also amtierende, und zwar ohne Rücksicht darauf, ob Bestellung wirksam oder unwirksam erfolgt ist (MüKoAktG/Habersack Rn. 12; Werner ZGR 1989, 369, 376 f.; teilw. aA, aber durch AktG 1965 überholt: BGHZ 47, 341, 344 = NJW 1967, 1711), und namentl. auch ausgeschiedene Vorstandsmitglieder (BGH AG 1991, 269; BGHZ 130, 108, 111 f. = NJW 1995, 2559; BGHZ 157, 151, 153 f. = NJW 2004, 1528; BGH AG 2013, 257 Rn. 10; AG 2013, 562 Rn. 22; NZG 2019, 798 Rn. 5; BAG NZG 2017, 69 Rn. 53; BeckOGK/Spindler Rn. 17). Entgegenstehende frühere hM (BGHZ 13, 188, 191 = NJW 1954, 998; BGHZ 41, 223, 227 = NJW 1964, 1270) ist überholt, war auch nicht richtig, weil Norm **abstrakte Gefährdung der Gesellschaftsinteressen** vermeiden will und solche Gefährdung **bei typisierender Betrachtung** auch besteht, wenn es um Rechtsbeziehungen zu ausgeschiedenen Vorstandsmitgliedern geht (zutr. Werner ZGR 1989, 369, 377 ff.; ausf. zu dieser Typisierung und etwaigen Ausnahmen BAG

NZG 2017, 69 Rn. 53 ff.; zutr. aber gegen vorschnelle Ausdehnung auf sonstige Konfliktsituationen Bachmann FS Grunewald, 2021, 31, 34 f.). Auch aktives Vorstandsmitglied wird irgendwann ausscheiden und dann von Präzedenzwirkung seiner Entscheidung uU betroffen sein. Ausnahme kann allenfalls dann anerkannt werden, wenn späterer Vertragsschluss mit früherer Vorstandstätigkeit in keinerlei Zusammenhang steht (MüKoAktG/Habersack Rn. 15, 17; GK-AktG/Hopt/Roth Rn. 27). In Misch- oder Zweifelsfällen sollte es aber bei AR-Zuständigkeit verbleiben; das gilt insbes. auch für anschließende Beratertätigkeit für die AG (ausf. Fischbach BB 2017, 1283, 1286 ff.).

Ferner ist AR auch dann zuständig, wenn es um **Kündigungsschutzklage** 5 des Vorstandsmitglieds aus ruhendem Dienstverhältnis wegen angeblichen Fehlverhaltens im Vorstandsamt geht (BAG NJW 2002, 1444 f.; S/L/Drygala Rn. 8) oder wenn **Geschäfte im Vorfeld der Bestellung** betroffen sind (BGHZ 26, 236, 238; BGHZ 220, 377 Rn. 31 f. = NZG 2019, 420; OLG Brandenburg AG 2015, 428 Rn. 35; OLG Saarbrücken AG 2012, 922, 923; MüKoAktG/Habersack Rn. 13; Bachmann FS Grunewald, 2021, 31, 43 f.; Seibt/Scholz AG 2016, 557, 563 f.), etwa Zusage von Spesenerstattung oder Regelung (Aufhebung oder Ruhen) bisherigen Dienstvertrags des künftigen Vorstandsmitglieds (Fischbach BB 2017, 1283 f.). Aus Gründen des Sachzusammenhangs sollte das auch für gescheiterte Bewerbungen gelten (zB Auslagenerstattung – s. GK-AktG/Hopt/Roth Rn. 21; aA KK-AktG/Mertens/Cahn Rn. 15).

Dasselbe gilt aber auch für **Unternehmenskauf,** wenn Verkäufer in Vorstand 6 der Käufer-AG eintreten soll (BGHZ 220, 377 Rn. 31 f. = NZG 2019, 420; Wachter DB 2019, 951 ff.), was dazu führt, dass AR in organinadäquate (→ § 76 Rn. 3; → § 100 Rn. 5) Rolle gedrängt wird, selbst Verhandlungsprozess führen zu müssen (E. Vetter FS Windbichler, 2020, 1129, 1133 ff.). Erleichterung kann hier insbes. durch Ausschussbildung und Einbeziehung des Vorstands geschaffen werden; AR darf sich aber nicht auf Position einer nur formalen Vertragspartei zurückziehen (E. Vetter FS Windbichler, 2020, 1129, 1133 ff.). Im Vorfeld einer Inanspruchnahme kann auch Abschluss eines Prozessfinanzierungsvertrags analog § 112 erfasst sein (Theusinger/Guntermann AG 2017, 798, 803).

Wird **GmbH in AG umgewandelt,** ist § 112 vor Eintragung des Rechts- 7 formwechsels im HR nicht auf umzuwandelnde GmbH anwendbar, sofern es nicht um Rechtsgeschäfte geht, die die Bestellung und die hierfür erforderlichen vertraglichen Vereinbarungen mit dem Vorstand der AG betreffen (BAG NZG 2017, 69 Rn. 38). Etwas anderes gilt aber, wenn AG entstanden ist und Rechtsgeschäft mit ausgeschiedenem Geschäftsführer der GmbH geschlossen werden soll. Um zu vermeiden, dass Präzedenzfall zu eigenen Gunsten geschaffen wird, kann nach den dargestellten Grundsätzen auch hier Zuständigkeit des AR analog § 112 begründet sein (BGH NJW 1997, 2324; BAG NZG 2017, 69 Rn. 53 f.; OLG Hamm BeckRS 2021, 21511 Rn. 28). Auf Geschäfte mit **Familienmitgliedern** eines Vorstandsmitglieds ist § 112 nicht anzuwenden (BGHZ 196, 312 Rn. 10), doch sollte AR insofern Zustimmungsvorbehalt nach § 111 IV 2 erwägen (→ § 111 Rn. 67).

Weiterhin liegt Vertretungskompetenz auch dann bei AR, wenn es zwar nicht 8 um Ansprüche eines Vorstandsmitglieds, aber um Ansprüche aus mit ihm geschlossenen **Versorgungsvertrag** geht, etwa um Witwenrente. Das übersteigt zwar den Wortlaut des § 112, entspr. aber seinem Zweck (→ Rn. 1), weil es für Schutz der Gesellschaftsinteressen entscheidend auf anstellungsvertragliche Wurzel und auf einheitliche Kompetenz des AR für anstellungsvertragliche Belange ankommt (BGH AG 2007, 86 Rn. 6; OLG Hamm BeckRS 2021, 21511 Rn. 28; LG München I AG 1996, 38; abw. und nicht überzeugend OLG München AG 1996, 328 f.). Aus denselben Gründen ist AR auch für Abschluss des Agenturvertrags in Fällen einer **Drittanstellung** durch Interim Management-Agentur (→ § 84 Rn. 14) zuständig, um zu gewährleisten, dass alle aus dem Anstellungsverhältnis resultierenden Ansprüche einheitlich durch AR entschieden werden (BGH NZG 2015, 792 Rn. 24; OLG Celle AG 2012, 41 f.; OLG München AG 2017, 750, 753; Krieger FS Hoffmann-Becking, 2013, 711, 716 f. mw Ausführungen auch zur Zuständigkeit für kombinierte Anstellung von Vorstand und sonstigen Mitarbeitern [vgl. dazu auch OLG München AG 2017, 750, 753]; zur weitergehenden Pflicht zur Einflussnahme auf Drittanstellungsvertrag selbst → § 84 Rn. 17 f.). Grenzen der § 112 S. 1 sind aber dort erreicht, wenn iR eines mehrseitigen Vertrags AG und Vorstandsmitglied keine gegenläufigen, sondern parallele WE ggü. anderer Vertragspartei abgeben (BGH NZG 2017, 1219 Rn. 34). Weder nach Wortlaut noch Zweck trifft § 112 dagegen zu, wenn **Aktionäre,** die nicht Vorstandsmitglieder sind, Vorstandsbesetzung zum Gegenstand einer Feststellungsklage machen (BGH NJW 1997, 318 f.).

9 Nach herrschender, wenngleich umstr. Auffassung ist § 112 auch dann nicht anwendbar, wenn es um Vertrag der AG mit anderer Gesellschaft geht, an der Vorstandsmitglied beteiligt ist, mag es sich auch um eine maßgebliche **Beteiligung** handeln (OLG München NZG 2012, 706, 707; OLG Saarbrücken AG 2001, 483; S/L/Drygala Rn. 17; MüKoAktG/Habersack Rn. 11; KK-AktG/Mertens/Cahn Rn. 18; Bayer/Scholz ZIP 2015, 1853, 1857 f.; Fischer ZNotP 2002, 297, 300 f.; Jenne/Miller ZIP 2019, 1052, 1056 ff.; Wachter DB 2019, 951, 954 f.; Witt ZGR 2013, 668, 679 ff.; aA OLG München AG 2018, 758, 760; BeckOGK/Spindler Rn. 11; Bachmann FS Grunewald, 2021, 31, 46 ff.; Mutter ZIP 2019, 1655 f.; Rupietta NZG 2007, 801, 802 ff.; Werner Konzern 2008, 639, 641). BGHZ 196, 312 Rn. 9 = NJW 2013, 1742 hat Frage offengelassen, aber klargestellt, dass jedenfalls bei Beteiligung unter 25 % keine maßgebliche Beteiligung in Frage kommt. Dagegen jüngst geäußerte Bedenken mit Blick auf § 111b I iVm IAS 24.9 (E. Vetter FS Windbichler, 2020, 1129, 1138) schlagen deshalb nicht durch, weil § 111b I 2 auf Innenverhältnis beschränkt bleibt (→ § 111b Rn. 10), während § 112 auf das Außenverhältnis durchschlägt (→ Rn. 24; abl. auch Wicke FS Krieger, 2020, 1103, 1105 f.). Gerade mit Blick auf diese eher systemfremde Außenwirkung sollte rechtsfortbildende Ausdehnung entspr. hM nur sehr behutsam erfolgen (Jenne/Miller ZIP 2019, 1052, 1057; zur möglichen Zweckentfremdung des § 112 als „Reurecht" vgl. Bachmann FS Grunewald, 2021, 31, 32 f.). Stattdessen sind aber höhere Anforderungen an Umgang mit Interessenkonflikten iRd Treupflicht zu stellen (Bayer/Scholz ZIP 2015, 1853, 1857 ff.).

10 Bei **wirtschaftlicher Identität** des Vorstands mit dem vertretenen Dritten (Alleingesellschafter) ist § 112 hingegen anwendbar (BGHZ 220, 377 Rn. 11 ff. = NZG 2019, 420; OLG Brandenburg AG 2015, 428 Rn. 36; OLG Saarbrücken AG 2012, 922, 923; NZG 2014, 343 f.; S/L/Drygala Rn. 14 ff.; KK-AktG/Mertens/Cahn Rn. 18; Schindeldecker RNotZ 2015, 533, 544 f.; aA noch OLG München NZG 2012, 706, 707; GK-AktG/Hopt/Roth Rn. 43; Eßwein AG 2015, 151 ff.; Witt ZGR 2013, 668, 679 ff.). Das gilt auch dann, wenn Beteiligung über mehrere zwischengeschaltete Gesellschaften im Alleinbesitz vermittelt wird (Wicke FS Krieger, 2020, 1103, 1105) oder wenn mehrere Vorstände gemeinsam 100 %-Beteiligung an Gesellschaft halten (E. Vetter FS Windbichler, 2020, 1129, 1137). Unterhalb dieser Schwelle ist der Praxis in Ermangelung höchstrichterlicher Klärung in Zweifelsfällen derzeit doppelte Unterzeichnung zu empfehlen (Fuhrmann NZG 2017, 291, 293; Heckschen GWR 2020, 87, 88; Wachter DB 2019, 951, 957). Durch Zustimmungsvorbehalte nach § 111 IV 2 für Beteiligungsverhältnisse auch unter 100 % kann weitere Vorsorge getroffen werden (Wicke FS Krieger, 2020, 1103, 1106 f.). In Treuhandfällen ist wirtschaftliche Identität zu verneinen, da weiterhin zwei Personen auf Gegenseite stehen (überzeugend Jenne/Miller ZIP 2019, 1052, 1055 f.). Auch bloße Stellung

des Vorstandsmitglieds als Organmitglied einer anderen AG genügt nicht für analoge Anwendung des § 112 (Bachmann FS Grunewald, 2021, 31, 48).

2. Sachliche Reichweite der AR-Vertretung. Ausschließliche Vertretungsmacht des AR besteht für **alle Rechtsgeschäfte** mit Vorstandsmitgliedern (→ Rn. 4 ff.), insbes. auch für Beraterverträge mit (amtierenden oder ausgeschiedenen) Vorstandsmitgliedern (MüKoAktG/Habersack Rn. 17; Fuhrmann NZG 2017, 291, 292; van Kann/Keiluweit AG 2010, 805, 806 f.; einschr. BeckOGK/Spindler Rn. 20), und für **Rechtsstreitigkeiten jeder Art** (Aktiv- wie Passivprozesse) einschließlich der Verfolgung von Ersatzansprüchen gegen Vorstandsmitglieder (→ § 111 Rn. 7 ff.). Ob im Einzelfall Interessen der AG gefährdet erscheinen, ist nicht erheblich. Maßgeblich ist auch hier (→ Rn. 4) abstrakte Interessengefährdung, die sich bei typisierender Betrachtung ergibt (BGH AG 1991, 269; NJW 1997, 2324; MüKoAktG/Habersack Rn. 1, 21; BeckOGK/Spindler Rn. 29). Solche Betrachtung verweist alle Streitigkeiten in die Zuständigkeit des AR, die in gegenwärtiger oder früherer Vorstandstätigkeit ihren Ursprung haben (Werner ZGR 1989, 369, 380 f.; Rellermeyer ZGR 1993, 77, 80 f.). Damit ist nicht vereinbar, Streitigkeiten aus einer Abfindungsvereinbarung deshalb dem Vorstand zu überantworten, weil amtierende Mitglieder vom Prozessergebnis nichts haben können (aA unter Verwischung von abstrakter und konkreter Interessengefährdung OLG Köln OLGZ 1993, 337 f.). 11

Ges. enthält auch **keine Bagatellklausel,** nach der etwa Geschäfte des täglichen Lebens von AR-Vertretung ausgenommen wären (gegen jede Auflockerung deshalb die hM – vgl. etwa S/L/Drygala Rn. 6; GK-AktG/Hopt/Roth Rn. 47 und auch noch → 16. Aufl. 2022, Rn. 12). Hilfskonstruktionen über Vertreterlösungen (→ Rn. 20) können Problem einigermaßen entschärfen, führen letztlich aber nicht zu durchgängig praktikablen Ergebnissen, zumal Vollmachtserteilung gerade im herkömmlichen Vertriebsbereich reine Fiktion sein wird. Dieser bedarf es aber nicht, weil es mit Normzweck durchaus vereinbar erscheint, ähnlich den zu § 57 entwickelten Grundsätzen (→ § 57 Rn. 27) teleologische Reduktion zu gestatten, wenn Vorstand als unus ex multis zu marktüblichen Bedingungen Leistungen im Massengeschäft der AG bezieht (überzeugend Seyfarth VorstandsR, § 1 Rn. 210; zust. Bachmann FS Grunewald, 2021, 31, 49; zu Erleichterungen außerhalb des Massengeschäfts → Rn. 20). Richtig, aber nicht durch Rspr. gesichert, ist überdies einschränkende Auslegung bei sog neutralen Geschäften mit ausgeschiedenen Vorstandsmitgliedern, wenn also kein Bezug mehr zur früheren Vorstandstätigkeit besteht (vgl. Fischer ZNotP 2002, 297, 301; Werner ZGR 1989, 369, 382 f.). Zwar wird diese Einschränkung unter Hinweis auf klare Abgrenzungskriterien zT auch mit starken Argumenten bestr. (Bachmann FS Grunewald, 2021, 31, 42 f.). Wenn man Rechtsfortbildung mit Blick auf ihren Ausnahmecharakter und die grds. fehlende Organadäquanz (→ § 76 Rn. 3) des AR für Vertragsabschlüsse berücksichtigt, sprechen bessere Gründe aber dafür, solche Ausn. anzuerkennen. 12

Beraterverträge mit ehemaligen Vorstandsmitgliedern sind bei einer (aus Rechtssicherheitsgründen gebotenen) typisierenden Betrachtung nicht neutral, sondern mandatsbedingt, so dass § 112 eingreift, und zwar auch dann, wenn Vertragsschluss mit Ausscheiden nicht mehr zeitlich zusammenhängt (BGH AG 1994, 35; OLG Saarbrücken AG 2012, 922, 923; LG Frankfurt BeckRS 2010, 21849; MüKoAktG/Habersack Rn. 17; van Kann/Keiluweit AG 2010, 805, 806 f.; jetzt auch GK-AktG/Hopt/Roth Rn. 29; nach Einzelfall diff. Leinekugel/Heusel GmbHR 2012, 309, 311). Für Vertrag mit Tochtergesellschaft trifft das zwar nicht zu (van Kann/Keiluweit AG 2010, 805, 806 f.), doch greift § 112 auch bei Umgehung des Vertretungsmonopols ein. Schwierigkeiten bereiten auch Geschäfte im bloßen **Umfeld der Anspruchserhebung,** wie namentl. 13

Abschluss der D&O-Versicherung (→ § 93 Rn. 123) und neuerdings auch Prozessfinanzierungsverträge (→ § 93 Rn. 2; für AR-Zuständigkeit hier Rahlmeyer/Fassbach GWR 2015, 331, 334).

14 Unsicher war lange Zeit Rechtslage in äußerst praxisrelevanter Konstellation, dass Vorstandsmitglied zum **Organmitglied bei Tochtergesellschaft** bestellt werden soll. LG Berlin NJW-RR 1997, 1534 verlangt Vertretung durch AR. Herrschende und mittlerweile vom BGH bestätigte Auffassung lehnt Anwendung des § 112 dagegen zu Recht ab, da es sich bei Bestellung um **Rechtsverhältnis der Untergesellschaft,** nicht der Obergesellschaft, handelt (BGH NZG 2023, 567 Rn. 43 ff.; OLG Frankfurt AG 2007, 127 f.; OLG Frankfurt NZG 2022, 713 Rn. 12 ff.; OLG München FGPrax 2012, 175, 176; LG Nürnberg-Fürth AG 2001, 152; GK-AktG/Hopt/Roth Rn. 69 ff.; Dicke/Johnen GmbHR 2022, 1117 Rn. 14 ff.; Werner NZG 2022, 702, 704 f.; aA Grigoleit/Grigoleit/Tomasic Rn. 10; Blath DNotZ 2022, 314 ff.). Das gilt nicht nur für Bestellung, sondern auch für Anstellungsvertrag (aA Pluskat/Bassler Konzern 2006, 403 ff.). Ungeachtet der Trennungstheorie sollte Personalkompetenz in einer Hand bleiben und durch Vorstandsmitglieder ausgeübt werden, die nicht selbst betroffen sind. Mitwirkung des zu bestellenden Vorstandsmitglieds steht **§ 181 Mod. 1 BGB** entgegen (BGH NZG 2023, 567 Rn. 17 ff.; OLG Frankfurt NZG 2022, 713 Rn. 16 ff.; krit. Schirmer ZGR 2023, 556, 568 f. mit allerdings zweifelhafter Einordnung als „neutrales Geschäft"). Darin liegt entgegen Blath GmbHR 2018, 345, 353 kein Widerspruch zur Nichtanwendung des § 112, sondern bloß wortlautgetreue Rechtsanwendung, nach der zwischen Handeln für Mutter und Tochter zu differenzieren ist. Anwendung des § 181 BGB wird auch nicht durch Einschaltung eines Untervertreters ausgeschlossen (BGH NZG 2023, 567 Rn. 26 ff.); anderes gilt nach Rspr. für Prokurist, da er Vertretungsaufgabe in eigener Verantwortung ausübt (BGHZ 91, 334, 335 ff. = NJW 1984, 2085; Wicke GmbHR 2023, 477 Rn. 10 f.; krit. Ph. Scholz ZfPW 2023, 157, 167 ff.). Vorab-Befreiung von § 181 BGB kann entspr. allg. Grundsätzen (→ § 78 Rn. 7) entweder schon in Satzung vorgesehen oder durch AR jedenfalls aufgrund Satzungsermächtigung analog § 78 III 2 erfolgen (Wicke GmbHR 2023, 477 Rn. 7); korrespondierende HR-Eintragung ist mit entspr. Begrenzungen zulässig (ausf. Bulgrin/Wolf NJW 2023, 1325 Rn. 18 ff.; Wicke GmbHR 2023, 477 Rn. 7). Bei Einzelfallentscheidung wird man in dieser Konstellation auf Satzungsgrundlage auch verzichten können (überzeugend Bulgrin/Wolf NJW 2023, 1325 Rn. 15 ff.). Auch Aufspaltung des Bestellungsvorgangs in mehrere Einzelbeschlüsse kann möglich sein, wenn Vertretungsregeln auf Ebene der AG dies zulassen (problematisch namentl. bei Einzelvorstand – ausf. Bulgrin/Wolf NJW 2023, 1325 Rn. 10 f.; zur von der Rspr. angenommenen Möglichkeit wechselseitiger Ermächtigung gesamtvertretungsbefugter Vorstandsmitglieder → § 78 Rn. 6). **Verstoß** gegen § 181 BGB führt dazu, dass Stimmabgabe schwebend unwirksam ist, ohne dass es einer Anfechtungsklage bedarf (BGH NZG 2023, 567 Rn. 33). Zugleich erfolgte Bestellung anderer Geschäftsführer, bei denen Voraussetzungen des § 181 BGB nicht vorliegen, wird nicht über § 139 BGB von Nichtigkeitsfolge erfasst (BGH NZG 2023, 567 Rn. 39 ff.). **Genehmigung** kann durch übrige vertretungsberechtigte Vorstandsmitglieder – nicht AR – erfolgen (BGH NZG 2023, 567 Rn. 33 f.; krit. Schirmer ZGR 2023, 556, 564 f.; krit. ggü. Ausschluss des AR Wicke GmbHR 2023, 477 Rn. 14 ff.). Ungeklärt ist Rechtslage, wenn AG – namentl. bei Einzelvorstand oder mehreren Betroffenen – durch Restvorstand nicht vertreten werden kann. Erwogen wird in dieser Situation Vertretung durch AR (GK-AktG/Hopt/Roth Rn. 73) oder Bestellung eines stellvertretenden Vorstandsmitglieds gem. § 105 II (dafür KK-AktG/Cahn/Mertens Rn. 4; offengelassen in BGH NZG 2023, 567 Rn. 42). Im Gleichlauf zur Rechtslage bei Vorabbefreiung sollte zumindest in dieser Konstellation Auf-

fangzuständigkeit des AR Vorzug vor praktisch aufwendiger ultima ratio-Lösung des § 105 II eingeräumt werden (Bulgrin/Wolf NJW 2023, 1325 Rn. 12 f.; Wicke GmbHR 2023, 477 Rn. 16; für vorsorgliche Kombination Wagner/Bärnreuther NotBZ 2023, 241, 244 mit Formulierungsvorschlag). Noch vor höchstrichterlicher Klärung empfohlene vorsorgliche Einbeziehung des AR (→ 17. Aufl. 2023, Rn. 14; zust. Schiller GWR 2019, 102, 103; insofern offenlassend OLG München FGPrax 2012, 175, 176) kann deshalb auch weiterhin sinnvoll sein (Wagner/Bärnreuther NotBZ 2023, 241 244). Fortdauernde Unsicherheit ergibt sich trotz höchstrichterlicher Klärung allerdings daraus, dass BGH Anwendung des in praktischer Handhabung deutlich sperrigeren **§ 47 IV GmbHG** zwar offengelassen, aber doch erwogen hat (BGH NZG 2023, 567 Rn. 51 ff.; zu daraus resultierenden Problemen s. Wicke GmbHR 2023, 477 Rn. 17 ff.). Richtigerweise sollte Vorschrift aber auf Organisations- und Verwaltungsentscheidungen des inneren Verbandsrechts generell keine Anwendung finden (OLG Frankfurt NZG 2022, 713 Rn. 28 ff.; BayObLG NZG 2001, 128; Scholz/K. Schmidt GmbHG § 47 Rn. 181, 110; Cramer NZG 2012, 765, 768 f.; aA MüKoGmbHG/Drescher § 47 Rn. 191, 194, 198, 227). Ähnliche Grundsätze wie für Bestellung sind anwendbar, wenn (amtierendes oder ehemaliges) Vorstandsmitglied des herrschenden Unternehmens **Beratervertrag** mit Tochtergesellschaft schließt (aA OLG Frankfurt ZIP 2011, 2008, 2009 ff.). § 112 darf jedenfalls nicht umgangen werden. Bei aktiven Vorstandsmitgliedern ist überdies § 88 zu beachten (van Kann/Keiluweit AG 2010, 805, 807 ff.). Bei Vorstandsmitgliedern der Tochtergesellschaft ist Zustimmung des dort bestehenden AR erforderlich, wenn Tochter beraten werden soll.

III. Wahrnehmung der Vertretungsmacht

1. Aktivvertretung. a) Zuständigkeit des Gesamt-AR. § 112 S. 1 weist dem AR Vertretungsmacht zu, sagt aber nicht, wie davon iE Gebrauch zu machen ist. § 78 II 1 enthält keinen allg. Rechtsgrundsatz, der sich auf AR übertragen ließe. Zu unterscheiden ist zwischen interner Willensbildung und nach außen gerichtetem Erklärungsakt. Nur letztgenannter Erklärungsakt ist **Vertretungshandlung ieS;** bei interner Willensbildung geht es hingegen eher um Geschäftsführungsbefugnis, die von § 112 S. 1 implizit vorausgesetzt wird (Bayer/Scholz ZIP 2015, 1853, 1855; Cahn FS Hoffmann-Becking, 2013, 247, 249; sa BeckOGK/Spindler Rn. 36). 15

Für **Willensbildung** gilt § 108 I, also Beschlusserfordernis mit Geltung des Mehrheitsprinzips (BGH AG 2013, 257 Rn. 11; 2013, 562 Rn. 22; → § 108 Rn. 6). Beschluss muss sich zumindest auf die wesentlichen Punkte des mit dem Vorstand abzuschließenden Rechtsgeschäfts beziehen (OLG München NZG 2015, 706 f.). Auf dieser Grundlage können einzelne AR-Mitglieder, bes. AR-Vorsitzender, mit **Kundgabe** nach außen betraut werden (→ Rn. 19; OLG Zweibrücken AG 2010, 918). Solche Betrauung sollte in Satzung oder Geschäftsordnung des AR erfolgen, um Einzelermächtigung entbehrlich zu machen (zu dieser MüKoAktG/Habersack Rn. 24). Auch Tätigwerden des Vorstands ist nicht ausgeschlossen, sofern er nur reine Botenstellung hinreichend zum Ausdruck bringt (OLG Brandenburg AG 2015, 428 Rn. 38). Liegt Betrauung nicht vor, ist erforderlich, aber auch genügend, dass Erklärung von Mitgliedern abgegeben wird, die für Beschluss gestimmt haben (MüKoAktG/Habersack Rn. 24). 16

Kommt es für jur. Beurteilung auf Kenntnis der AG an, so kann ihr **Wissen aus dem AR** nur dann **zugerechnet** werden, wenn AR innerhalb seines originären ges. Aufgabenbereichs (insbes. Personalentscheidungen) tätig wird (MüKoAktG/Habersack Rn. 31 f.; Buck-Heeb FS Grunewald, 2021, 113, 117 ff.; Gasteyer/Goldschmidt AG 2016, 116, 123; J. Koch ZIP 2015, 1757 ff.; 17

Schürnbrand ZHR 181 [2017], 357, 377; Verse AG 2015, 413, 417; Weller ZGR 2016, 384, 406; Werner WM 2016, 1474 ff.; aA insbes. Schwintowski ZIP 2015, 617, 618 ff.; sa Ihrig ZHR 181 [2017], 381, 404 ff.; Ihrig FS Krieger, 2020, 437, 443 ff.; vermittelnd Nietsch ZGR 2020, 923, 942 ff., 948, der auf faktische Einflussmöglichkeiten des AR abstellt und deshalb „gesteigerte Informationsverantwortung" fordert; Schockenhoff/Hoffmann ZGR 2021, 212, 218: auch Informationen außerhalb des Zuständigkeitsbereichs, wenn im Rahmen seiner Tätigkeit Kenntnis erlangt). Nur innerhalb dieser Zuständigkeitsgrenze kann auch Insiderwissen iSd Art. 7, 17 I MAR aus dem AR dem Emittenten zugerechnet werden (ausf. J. Koch ZIP 2015, 1757 ff.; sa MüKoAktG/Habersack Rn. 32; Bekritsky, Wissen und Ad-Hoc-Publizität, 2022, 327 ff.; Schockenhoff/Hoffmann ZGR 2021, 201, 212 ff.; auch in diesem Fall gegen Zurechnung Leyendecker-Langner/Kleinhenz AG 2015, 72, 73 ff.; wieder anders Gaßner, Ad-Hoc-Publizität, 2020, 212 f.: AR nicht für Ad-Hoc-Pflicht zuständig, doch soll Kenntnis auch außerhalb seines Zuständigkeitsbereichs zugerechnet werden; zur Frage der Melde- und Selbstbefreiungszuständigkeit → § 111 Rn. 57). Daneben ist Zurechnung auch möglich, wenn originär zuständigem Vorstand Zugriff auf Wissen aus dem AR bei ordnungsgem. Wissensorganisation möglich gewesen wäre (→ § 78 Rn. 24 ff.). Das wird aber nur ausnw. der Fall sein, da Organisationsmacht des Vorstands und damit Grundlage für Wissenszurechnung bei Kompetenzbereich des AR an ihre Grenzen stößt (Buck-Heeb FS Grunewald, 2021, 113, 120; Reichert FS Thümmel 2020, 657, 661). Dementspr. scheidet grds. auch Weiterleitungspflicht einzelner AR-Mitglieder an Vorstand aus, soweit es sich um Informationen aus Bereichen handelt, für die AR nicht zuständig ist (Buck-Heeb FS Grunewald, 2021, 113, 121 ff.). Zudem wird Wissenszurechnung idR an **Verschwiegenheitspflicht** der AR-Mitglieder (→ § 116 Rn. 9 ff.) scheitern, die auch im faktischen Konzern nicht durch Schädigungsverbot durchbrochen wird (so aber Schwintowski ZIP 2015, 617 ff.; dagegen BGH NJW 2016, 2569 Rn. 32; J. Koch ZIP 2015, 1757, 1763 ff.; Reichert FS Thümmel 2020, 657, 667 f.; Verse AG 2015, 413, 414 ff.; Werner WM 2016, 1474, 1477 ff.).

18 Korrektur dieses Ergebnisses über **§ 242 BGB** ist nicht ausgeschlossen (so zu § 626 BGB BGH NJW 1984, 2689, 2690; sa → § 84 Rn. 90), aber auf enge Ausnahmefälle zu beschränken (J. Koch ZIP 2015, 1757, 1766). Erst recht ist eine konzernweite Zurechnung von Wissen aus dem AR nicht möglich (→ § 77 Rn. 25; speziell für Wissen im AR für eine solche Zurechnung aber Schwintowski ZIP 2015, 617, 622 f.; dagegen J. Koch ZIP 2015, 1757, 1765; Reichert FS Thümmel 2020, 657, 669 f.; Verse AG 2015, 413, 418 ff.). Auch wo Zurechnung von Wissen aus dem AR im Einzelfall in Betracht zu ziehen ist, muss Wissen stets bei **Gesamt-AR** vorliegen (so zu § 626 II BGB jetzt auch BGH NZG 2002, 46, 48 in Abweichung von BGHZ 41, 282, 287 = NJW 1964, 1367; vgl. aber auch BGH NJW 2019, 3718 Rn. 26, wo ohne weitere Begründung auf das Einzelwissen des AR-Vorsitzenden einer GmbH abgestellt wird; wie hier MüKoAktG/Habersack Rn. 32; Buck-Heeb FS Grunewald, 2021, 113, 118; wN → § 84 Rn. 90; aA Nietsch ZGR 2020, 923, 955: Ausschüsse und AR-Vorsitzender; zu Art. 17 MAR auch Gaßner, Ad-Hoc-Publizität, 2020, 224; str. für Passivvertretung, → Rn. 22). In engen Grenzen ist auch hier Korrektur über § 242 BGB möglich; dann tritt Wissenszurechnung ein, sobald AR oder AR-Vorsitzender zumutbar informiert werden konnte (Buck-Heeb FS Grunewald, 2021, 113, 119).

19 **b) Übertragung auf Ausschüsse; Ermächtigung; Vollmacht.** Soweit anstelle des Gesamt-AR ein Ausschuss beschließen darf (§ 107 III), kann ihm auch die Vertretung der AG überwiesen werden (allgM, s. RegBegr. Kropff S. 156;

MüKoAktG/Habersack Rn. 26; BeckOGK/Spindler Rn. 40). Für **einzelne AR-Mitglieder** einschließlich des AR-Vorsitzenden gilt das nach hM nur mit der Maßgabe, dass sie den durch Beschluss des AR oder seiner Ausschüsse gebildeten Willen erklären, aber den Willen nicht selbst bilden dürfen; sie können also **nur als Erklärungs-, nicht als Willensvertreter** tätig werden (BGHZ 12, 327, 334 ff. = NJW 1954, 797; BGH AG 2013, 257 Rn. 11; 2013, 562 Rn. 22; OLG Düsseldorf AG 2004, 321, 322 f.; OLG München NZG 2015, 706; BeckOGK/Spindler Rn. 42 f.; MüKoAktG/Habersack Rn. 27; Hüffer FS Claussen, 1997, 171, 181 ff.; krit. Werner ZGR 1989, 369, 385 ff.; aA Leuering NZG 2004, 120, 122 f.). Ist ein eigener Beurteilungsspielraum danach vollständig ausgeschlossen, besteht allerdings auch kein Grund, die Übertragung auf AR-Mitglieder zu beschränken; auch Dritte, und zwar auch Vorstandsmitglieder selbst, können deshalb als Boten eingesetzt werden (ausf. Cahn FS Hoffmann-Becking, 2013, 247, 254 f.; sa Grigoleit/Grigoleit/Tomasic Rn. 14).

Aus Praktikabilitätsgründen wird man es schließlich auch als zulässig ansehen müssen, wenn Vertreter zumindest bei Maßnahmen untergeordneter Bedeutung **beschränkter eigener Entscheidungsspielraum** verbleibt; allerdings kann dann nur AR-Mitglied AR vertreten (etwas anderes gilt im Massengeschäft, das qua teleologischer Reduktion vollständig aus Anwendungsbereich des § 112 auszuschließen ist; → Rn. 12). Bislang hM zieht Grenzen insofern eher eng (vgl. etwa MüKoAktG/Habersack Rn. 28; BeckOGK/Spindler Rn. 42: wiederkehrende Bagatellgeschäfte), doch wird im Lichte praktischer Anforderungen neuerdings zu Recht für großzügigere Deutung plädiert (S/L/Drygala Rn. 23; Breidenich, Organisation der AR-Arbeit, 2020, 306 ff.; v. Falkenhausen ZIP 2015, 956 ff.; Löbbe FS Krieger, 2020, 607, 622 f.; Reichert FS Hopt, 2020, 973, 989; sehr weitgehend Cahn FS Hoffmann-Becking, 2013, 247, 254 ff.). Das ist zwar nicht unproblematisch, weil damit die dem AR aufgegebene Willensbildung durch Beschluss (§ 108 I) unterlaufen wird (Stein AG 1999, 28, 39), doch sollte es genügen, wenn AR durch grundlegenden Beschluss Ermessensausübung des Handelnden klaren Rahmen zieht (Cahn FS Hoffmann-Becking, 2013, 247, 255 ff.; Breidenich, Organisation der AR-Arbeit, 2020, 306 ff.). Bsp.: Firmenbezug und sonstige im Anstellungsvertrag der Vorstandsmitglieder vorgesehene Leistungen; ähnlich auch für Vertretung ggü. Dritten, namentl. bei Honorarvereinbarung üblichen Inhalts mit Abschlussprüfer (→ § 111 Rn. 47). Noch großzügigere Lockerungen sollte auch dann nicht anerkannt werden, wenn man grds. **weitergehende Delegationsfähigkeit** von AR-Aufgaben zulässt (ausf. → § 108 Rn. 8a), da speziell iRd § 112 Kern der Überwachungsaufgabe berührt ist. 20

Dieselben Grundsätze wie zur Ausübung der Vertretungsmacht gelten für die Erteilung einer **Prozessvollmacht:** Entscheidung, ob AG überhaupt klagen oder sich gegen Klage verteidigen will, obliegt ebenso wie Entscheidung über Einlegung von Rechtsmitteln dem Gesamt-AR, der seinen Willen durch Beschluss bildet. Dieser Beschluss kann nicht durch einzelnes ermächtigtes Mitglied ersetzt werden (BGH AG 2013, 257 Rn. 11; 2013, 562 Rn. 22). 21

2. Passivvertretung. § 112 S. 2 ordnet entspr. Anwendung des § 78 II 2 an und regelt damit Passivvertretung, zu der auch **einzelne AR-Mitglieder** ermächtigt sind. Insofern früher unklare Rechtslage ist durch MoMiG 2008 klargestellt worden (RegBegr. BT-Drs. 16/6140, 52). Weiterhin ungeklärt ist, ob damit in Abweichung von allg. Grundsätzen (→ Rn. 17) auch **Wissenszurechnung** von Einzelmitglied möglich ist (dafür KK-AktG/Mertens/Cahn Rn. 34 [sofern an Vertretung beteiligt]; B/K/L/Bürgers/Fischer Rn. 7; zumindest für AR-Vorsitzenden auch GK-AktG/Hopt/Roth Rn. 88). Berücksichtigt man, dass AR vielköpfiges und schwerfälliges Organ ist, das schon aus diesem Grund zeitlichen Vorlaufs für Entscheidungsfindung bedarf, sprechen bessere Gründe 22 dafür, auch hier auf Gesamt-AR abzustellen (so auch MüKoAktG/Habersack Rn. 31; BeckOGK/Spindler Rn. 47; Buck, Wissen und juristische Person, 2001, 238, 281 ff.). Zustellung im Zivilprozess: § 170 III ZPO.

IV. Nachweis der Vertretungsmacht

23 Eines bes. Nachweises wird es bei Vertretung durch Gesamt-AR im allg. nicht bedürfen. Handeln nicht alle AR-Mitglieder, sind Geschäftsordnung oder AR-Protokoll oder bes. Ermächtigungsurkunde vorzulegen (OLG Düsseldorf AG 2004, 321, 323 f.; MüKoAktG/Habersack Rn. 36; Leuering NZG 2004, 120, 123). Fehlt es daran, so gilt **§ 174 S. 1 BGB** analog, bes. bei fristloser Kündigung eines Vorstandsmitglieds (OLG Düsseldorf AG 2004, 321, 323 f.; MüKoAktG/Habersack Rn. 33; aA Bauer/Krieger ZIP 2004, 1247, 1248 f.). In Grundbuch- und Handelsregisterangelegenheiten hat Nachw. in öffentl. beglaubigter Form (§ 29 GBO, § 12 HGB) zu erfolgen (zur durch DiRUG 2021 neu geschaffenen Möglichkeit der Beglaubigung mittels Videokommunikation → § 36 Rn. 2). Dafür genügt Nachw. gem. § 130 I 1. Schwierigkeiten können sich ergeben, soweit gem. § 130 I 3 Wahlbeschlüsse der HV und/oder bei Erklärungsvertretung durch AR-Vorsitzenden (→ Rn. 19) Wahlbeschlüsse des AR nicht notariell beurkundet sind. Schriftform und Beglaubigung müssen dann genügen (BeckOGK/Spindler Rn. 52; Steiner BB 1998, 1910, 1911).

V. Rechtsfolgen bei Vertretungsmangel

24 **1. Materiell-rechtliche Fragen.** Nach früher hM führen Verstöße gegen § 112 zur Nichtigkeit von Rechtsgeschäften gem. § 134 BGB (OLG Brandenburg AG 2015, 428 Rn. 40 ff.; OLG Hamburg WM 1986, 972; OLG Stuttgart AG 1993, 85, 86; KK-AktG/Mertens/Cahn Rn. 10 mwN; iErg auch Stein AG 1999, 28, 31 ff.). Nach aA sind §§ 177 ff. BGB mit der Folge anzuwenden, dass das Geschäft nur schwebend unwirksam ist und **genehmigungsfähig** bleibt (OLG Celle AG 2003, 433; OLG München AG 2008, 423, 425; LG München I AG 2020, 446, 447; MüKoAktG/Habersack Rn. 38 f.; BeckOGK/Spindler Rn. 54; Häger/Schlosser WM 2020, 7, 9; Holtkamp, Interessenkonflikte, 2016, 100 ff.; Köhler NZG 2008, 161, 162 ff.; Jenne/Miller ZIP 2019, 1052, 1058 f.; Werner ZGR 1989, 369, 392 ff.; Graf Wolffskeel v. Reichenberg FS D. Mayer, 2020, 169 ff.; offenlassend BGH AG 1994, 35; AG 2008, 894, 895; BGHZ 220, 377 Rn. 35 = NZG 2019, 420). Dieser zweiten, in der prozessrechtl. Parallelfrage (→ Rn. 25) auch vom BGH geteilten Ansicht ist beizutreten. Das entspr. jedenfalls dann mittlerweile ganz hM, wenn **AR-Mitglied oder Ausschuss** ohne Vertretungsmacht handelt (OLG Karlsruhe AG 1996, 224, 225 f.; MüKoAktG/Habersack Rn. 38; sa GK-AktG/Hopt/Roth Rn. 118; KK-AktG/Mertens/Cahn Rn. 11; aA Stein AG 1999, 28, 35), ist aber auch dann richtig, wenn **Vorstand** AG entgegen § 112 vertritt (aA S/L/Drygala Rn. 27). Ausgestaltung als Vertretungsregel legt Anwendung der §§ 177 ff. BGB eher nahe als § 134 BGB. Kompetenzverstoß ist durch schwebende Unwirksamkeit hinreichend sanktioniert, AG durch Genehmigungserfordernis und ggf. AR-Haftung nach § 116 S. 1 hinreichend geschützt, ohne dass sinnvoller Gestaltungsspielraum des § 177 I BGB bei vorteilhaftem Geschäft abgeschnitten werden muss (MüKoAktG/Habersack Rn. 39; Fuhrmann NZG 2017, 291, 297; Wicke FS Krieger, 2020, 1103, 1110 f.). Verbleibende Gefahr einer Vorprägung durch Vorstand stellt sich auch in anderen Zusammenhängen. **Genehmigung** nach § 177 I BGB muss durch AR als ges. zuständiges Vertretungsorgan in Beschlussform (→ Rn. 16) erfolgen (LG München I AG 2020, 446, 447). Unterbleibt sie, kann Handelnder nach § 179 I BGB auf **Schadensersatz** in Anspruch genommen

werden, sofern nicht Voraussetzungen des § 179 III BGB vorliegen (Kenntnis oder fahrlässige Unkenntnis – vgl. dazu LG München I AG 2020, 446, 447).

2. Prozessuale Fragen. Vertretungsmangel führt zur **Unzulässigkeit der Klage,** gleichgültig, ob sich AG in der Parteirolle der Klägerin oder der Beklagten befindet (BGHZ 130, 108, 110 ff. = NJW 1995, 2559; OLG Stuttgart AG 2013, 599, 600); ausgenommen sind Fälle, in denen Vertretungsmangel erst nachträglich auftritt (BGHZ 157, 151, 154 ff. = NJW 2004, 1528 für Verschmelzung; OLG Stuttgart AG 2013, 599, 600). Unzulässigkeit infolge des Mangels ist auch ohne entspr. Rüge in allen Instanzen zu beachten (BGH NJW 1987, 254; AG 1990, 359; 1991, 269; BGHZ 130, 108, 111 f. = NJW 1995, 2559; BGH NJW 1997, 318; NZG 2004, 327; AG 2009, 327 Rn. 9; BAGE 98, 196, 204 = AG 2002, 459 f.). Reine Rubrumsberichtigung nach § 319 ZPO genügt idR nicht, sofern nicht nur irrtümlich unrichtige Bezeichnung (BGH AG 2009, 327 f.; OLG Saarbrücken AG 2012, 922, 924; Gehle MDR 2011, 957, 958). Korrektur durch Auslegung wird etwa dann zugelassen, wenn Klage gegen AG „vertreten durch AR-Vorsitzenden" gerichtet wird. Sie wird dahingehend verstanden, dass AG durch AR als Gesamtorgan vertreten und Klage an AR-Vorsitzenden nur zugestellt werden soll (OLG Hamburg AG 2002, 521, 522 f.; OLG Stuttgart AG 2013, 599, 600 f.; MüKoAktG/Habersack Rn. 40). Auch bei Vertretungsmangel kann AR jedoch in Prozess eintreten und Prozessführung des Vorstands bis in den Revisionsrechtszug noch genehmigen (BGH NJW 1987, 254; 1989, 2055 f.; 1999, 3263 f.; AG 2009, 327 Rn. 10 ff.; BAGE 98, 196, 204; Gehle MDR 2011, 957, 958 f.). 25

Genehmigung kann auch konkludent erfolgen (BGH NJW 1999, 3263 f.; OLG Saarbrücken AG 2012, 922, 924; Einzelheiten bei Gehle MDR 2011, 957, 959). IdR hilft Lösung allerdings nur der klagenden AG. Die Klage des Vorstandsmitglieds zulässig zu machen, wird sich AR der beklagten Gesellschaft kaum veranlasst sehen (Brandner FS Quack, 1991, 201, 202; sa LAG Köln NZA 2000, 833, 834 f. zur Kündigungsschutzklage; zu Ausnahmefällen s. Gehle MDR 2011, 957, 958). Rechtsmissbrauch ist darin nicht zu finden (BGH NZG 2004, 327; OLG Saarbrücken AG 2012, 922, 924). Tritt AR in Rechtsstreit ein, ist er an Wahl des Prozessbevollmächtigten nicht gebunden (Gehle MDR 2011, 957, 958). Genehmigung führt rückwirkend auf Zeitpunkt der Zustellung die Hemmung der Verjährung herbei, und zwar auch dann, wenn Erklärung erst nach Ablauf der Verjährung abgegeben wird; rückwirkende Wahrung ges. Ausschlussfristen ist dagegen nicht möglich (BGH NJW 1990, 3085, 3086 f.; Gehle MDR 2011, 957, 958). Für Aufhebung und Zurückverweisung, wenn Hinweis nach § 139 III ZPO unterblieben ist, Hager NJW 1992, 352, 353. 26

Vergütung der Aufsichtsratsmitglieder

113 (1) [1] **Den Aufsichtsratsmitgliedern kann für ihre Tätigkeit eine Vergütung gewährt werden.** [2] **Sie kann in der Satzung festgesetzt oder von der Hauptversammlung bewilligt werden.** [3] **Sie soll in einem angemessenen Verhältnis zu den Aufgaben der Aufsichtsratsmitglieder und zur Lage der Gesellschaft stehen.**

(2) [1] **Den Mitgliedern des ersten Aufsichtsrats kann nur die Hauptversammlung eine Vergütung für ihre Tätigkeit bewilligen.** [2] **Der Beschluß kann erst in der Hauptversammlung gefaßt werden, die über die Entlastung der Mitglieder des ersten Aufsichtsrats beschließt.**

(3) [1] **Bei börsennotierten Gesellschaften ist mindestens alle vier Jahre über die Vergütung der Aufsichtsratsmitglieder Beschluss zu fassen.** [2] **Ein**

die Vergütung bestätigender Beschluss ist zulässig; im Übrigen gilt Absatz 1 Satz 2. [3] In dem Beschluss sind die nach § 87a Absatz 1 Satz 2 erforderlichen Angaben sinngemäß und in klarer und verständlicher Form zu machen oder in Bezug zu nehmen. [4] Die Angaben können in der Satzung unterbleiben, wenn die Vergütung in der Satzung festgesetzt wird. [5] Der Beschluss ist wegen eines Verstoßes gegen Satz 3 nicht anfechtbar. [6] § 120a Absatz 2 und 3 ist sinngemäß anzuwenden.

Übersicht

I. Regelungsgegenstand und -zweck

1 § 113 stellt klar, dass AR-Mitgliedern eine Vergütung gewährt werden kann (§ 113 I 1), fordert dafür aber Satzungspublizität oder HV-Beschluss (§ 113 I 2) und verlangt Angemessenheit der Vergütung (§ 113 I 3). Dem ersten AR kann nur HV Vergütung bewilligen (§ 113 II). Nach durch ARUG II 2019 neu eingefügten § 113 III muss HV der börsennotierten AG Vergütung des AR alle vier Jahre durch Beschluss bestätigen. Bislang in § 113 III aF enthaltene Inhaltsvorgaben zur AR-Vergütung wurden dagegen ersatzlos gestrichen (→ Rn. 11 ff.).

2 Regelung bezweckt im Wesentlichen **Schutz der Gesellschaftsgläubiger und der Aktionäre** vor überhöhten Bezügen und dient überdies der **inneren Ordnung der AG,** indem sie Selbstbedienung der AR-Mitglieder, aber auch Kompetenz des Vorstands ausschließt, über Vergütung seines Überwachungsorgans zu befinden (BGHZ 230, 190 Rn. 22 = NZG 2021, 1311; BGHZ 230, 203 Rn. 13 = NZG 2021, 1314; sa Mertens FS Steindorff, 1990, 173, 174). Höhe der Gesamtbezüge aller AR-Mitglieder ist Pflichtangabe im Anh. nach § 285 Nr. 9 lit. a HGB und ggf. im Konzernanh. nach § 314 I Nr. 6 lit. a HGB; für börsennotierte AG ist mit ARUG II 2019 überdies Dokumentation nach § 162 hinzugetreten (→ § 162 Rn. 1), die auch für AR-Mitglieder nunmehr individualisierte Vergütungsangabe vorsieht (→ § 162 Rn. 1). Angesichts deutlich gesteigerter Anforderungen und Haftungsrisiken der AR-Tätigkeit ist in jüngerer Vergangenheit Anstieg der Vergütungen zu beobachten (empirische Erhebung bei Allen & Overy, Analyse der Vergütungssysteme 2020, 75 ff.; zusammenfassend MüKoAktG/Habersack Rn. 11).

II. Vergütung der AR-Mitglieder (§ 113 I)

3 **1. Allgemeines.** § 113 I 1 setzt Zulässigkeit der Vergütung voraus, gewährt Anspruch aber nicht selbst. Vielmehr wird Vergütung nur unter den Voraussetzungen des § 113 I 2 geschuldet. „Stillschweigende" Begründung entspr. Pflichten gibt es nicht. Auch § 612 BGB ist unanwendbar. Das eine wie das andere würde vertragliches Anstellungsverhältnis voraussetzen, das nach zutr. hM zwischen AR-Mitglied und AG jedoch nicht besteht (→ § 101 Rn. 2). Rechts-

grund von Vergütungen ist deshalb das Amtsverhältnis oder ein damit verknüpftes ges. Schuldverhältnis (→ § 101 Rn. 2), und zwar iVm der Satzung oder dem Bewilligungsbeschluss der HV (sa MüKoAktG/Habersack Rn. 33; Kort FS Hüffer, 2010, 483, 484). Vergütungsbestandteile sind auch **Nebenleistungen** der Gesellschaft. Keine AR-Vergütung ist Abfindung, die Vorstandsmitglied für vorzeitiges Ausscheiden aus seinem Mandat erhält, und zwar auch dann, wenn damit Wechsel vom Vorstand in AR vorbereitet wird (→ § 84 Rn. 85).

AN-Vertreter haben die gleichen Vergütungsansprüche wie Vertreter der Kapitalseite, unterliegen jedoch als Gewerkschaftsmitglieder einer gestaffelten Abführungspflicht zugunsten der Hans-Böckler-Stiftung (zur Ausdehnung auf Sitzungsgelder → Rn. 21). Sie wird vereinbart, kann aber auch in Gewerkschaftssatzung vorgesehen sein (zum Einwand fehlender Unterstützung durch Gewerkschaft OLG Frankfurt NZG 2019, 945 Rn. 16 ff.; krit. dazu Sagan ZGR 2020, 889 ff.). Solche Abführungspflichten sind problematisch, da sie professionell ausgerichtetes Amt von außen in Ehrenamt umgestalten (Rieble AG 2016, 315, 316), können aber nach hM weder aktienrechtl. (KK-AktG/Mertens/Cahn Rn. 58; Habersack FS Hopt, 2020, 333, 346 ff.) noch zivilrechtl. (OLG Frankfurt NZG 2018, 870 Rn. 14 ff.; LG Frankfurt NZG 2018, 821 Rn. 13 ff.; LG Stuttgart NZG 2008, 558 ff.) beanstandet werden (umfassende Prüfung in BAG NZA 2015, 1319 Rn. 19 ff.; krit. aber Krieger FS E. Vetter, 2019, 363 ff.; Rieble AG 2016, 315, 316 f.; C. Schäfer/Bachmaier ZIP 2018, 2141 ff.; Uffmann AG 2020, 567 Rn. 19 ff.). Noch bedenklicher erscheint es, wenn AG diese Abführung dadurch wieder zugunsten der AN-Vertreter ausgleicht, dass seitens der AG überhöhte Vergütungen für das als unvergütetes Ehrenamt ausgestattete **Betriebsratsamt** gezahlt werden (so der Praxisbericht von Rieble AG 2016, 315, 317 ff. auf allerdings noch schmaler empirischer Grundlage; vgl. aber auch Schönhoft/Oelze NZA 2016, 145, 147 ff.; aus österr. Sicht Schima GesRZ 2016, 137 ff.). Anders als nach § 37 II BetrVG besteht für AR-Amt nach zutr. Auffassung in Ermangelung einer ges. Grundlage auch kein Anspruch auf entgeltliche Arbeitsfreistellung (Habersack/Henssler/Habersack MitbestG § 26 Rn. 5; Schönhoft/Oelze NZA 2016, 145 f. mwN), so dass auch danach AN-Vertretern keine Mittel zufließen dürfen. Sonst so akribisch betriebene Compliance-Bemühungen (→ § 76 Rn. 16 ff.) dürfen auch vor Mitbestimmung nicht halt machen (zum derzeit unzureichenden Instrumentarium des Korruptionsschutzes im AR Rieble AG 2016, 315, 319 ff.). 4

Umstr. ist, ob zu Nebenleistungen (→ Rn. 3) auch Abschluss von **D&O-Versicherung** (→ § 93 Rn. 122 ff.) auf Kosten der Gesellschaft gehört, was zur Folge hätte, dass dafür idR, nämlich bei Fehlen einer Satzungsgrundlage, HV-Beschluss erforderlich ist (dafür Armbrüster NJW 2016, 897, 900 f.; Fassbach/Wettich GWR 2016, 199, 200 ff.; Henssler in RWS-Forum 20, 2001, 131, 144 ff.; Seibt AG 2002, 249, 258; Ulmer ZHR 171 [2007], 119, 122). Mit heute hM ist diese Einordnung abzulehnen (MüKoAktG/Habersack Rn. 18; GK-AktG/Hopt/Roth Rn. 70 ff.; KK-AktG/Mertens/Cahn Rn. 16; Hemeling FS Hoffmann-Becking, 2013, 491, 492 f.; MHdB AG/Hoffmann-Becking § 33 Rn. 21; Dreher ZGR 2009, 31, 48 ff.; Lange ZIP 2001, 1524, 1526 ff.; jetzt auch S/L/Drygala Rn. 16; diff. BeckOGK/Spindler Rn. 19). D&O-Versicherung dient nicht allein dem Schutz der AR-Mitglieder, sondern mindestens in gleichem Maße Schutz der AG durch Bereitstellung eines **solventen Regressschuldners.** Wenn hM aus diesem Grund auch für D&O-Versicherung des Vorstands dessen eigene Zuständigkeit bejaht (→ § 93 Rn. 123), ist es konsequent, für AR gleiche Schlussfolgerung zu ziehen und Vertragsschluss ebenfalls dem Vorstand zu überantworten (zur finanzbehördlichen Bestätigung → § 93 Rn. 123). 5

Da Frage in Rspr. ungeklärt ist, sollte vorsorglich entspr. Vergütungsregelung in Satzung aufgenommen werden (zur entspr. unternehmerischen Praxis vgl. 6

Fleischer/Maas AG 2020, 761 Rn. 43). Erforderliche Konkretisierung (→ Rn. 17) kann durch (auch nach Risiken differenzierende) Festlegung der Versicherungssumme („bis zu“ genügt), muss nicht durch Angabe der Prämienhöhe erfolgen (zust. MüKoAktG/Habersack Rn. 18). Eine solche Angabe wäre wenig praktikabel und wird von § 113 nach Wortlaut und Zweck (→ Rn. 2) auch nicht gefordert, weil (Sach-)Vergütung in Bereitstellung des Versicherungsschutzes besteht, Zahlungen also nicht an AR-Mitglieder geleistet werden.

7 **Keine Vergütung** iSd § 113 ist **Ersatz angemessener Auslagen** ggü. einzelnen AR-Mitgliedern (zu Aufwendungen des Gesamt-AR → § 111 Rn. 86 ff.; → § 112 Rn. 2; zur Angemessenheit vgl. Schnorbus/Ganzer BB 2019, 258, 261 ff.). Er bedarf weder einer Satzungsregelung noch eines Bewilligungsbeschlusses (MüKoAktG/Habersack Rn. 26). Gewährt Satzung Auslagenersatz, so ist sie allerdings auch Anspruchsgrundlage (Fonk NZG 2009, 761 f.). Sonst folgt Ersatzanspruch aus Amtsverhältnis oder damit verknüpftem ges. Schuldverhältnis unter analoger Anwendung der **§§ 675, 670 BGB.** Beschränkungen des § 104 VII 1, der § 35 III 1 nachgebildet ist, rechtfertigen sich nur aus bes. gerichtl. Entscheidungsbefugnis (§ 35 III 2 BGB, § 104 VI 2) und sind nicht durch Analogie zur Sondernorm zu verallgemeinern (Gaul AG 2017, 877, 879; Schnorbus/Ganzer BB 2019, 258, 259; aA Bosse/Malchow NZG 2010, 972; Fonk NZG 2009, 761, 762). Gleichstellung gerichtl. bestellter und anderweitig berufener AR-Mitglieder erfordert vielmehr, Ersatz nur der objektiv angemessenen baren Auslagen als Mindestregelung zu verstehen und auch im Falle gerichtl. Bestellung nach Maßgabe der Satzung oder der §§ 675, 670 BGB zu verfahren, wobei Rechtsschutz jedoch nur durch Klage und Urteil gewährt werden kann. Sonderregelung in § 104 VII 1 bestätigt Existenz eines satzungsunabhängigen Anspruchs, ist aber nicht selbst die Analogiebasis (insoweit aA Fonk NZG 2009, 761, 762).

8 Wer dafür **zuständig** ist, zu beurteilen, ob Auslagen erstattungsfähig sind, ist umstr. Um jegliche Einflussnahme des Vorstands auf AR auszuschließen, befürwortet wohl hM einheitliche Zuständigkeit des AR (S/L/Drygala Rn. 14; MüKoAktG/Habersack Rn. 32; GK-AktG/Hopt/Roth Rn. 39; KK-AktG/Mertens/Cahn Rn. 13; Gaul AG 2017, 877, 879; Schnorbus/Ganzer BB 2019, 258, 263 f.). Diese Lösung widerspricht jedoch der allg. Vertretungsanordnung des § 78, ohne dass dafür die für eine teleologische Reduktion erforderlichen zwingenden Sachgründe erkennbar sind. Auf der einen Seite ist Möglichkeit der Einflussnahme des Vorstands ohnehin gering, da es sich bei Erstattung nicht um Gnadenakt handelt, sondern durchsetzbarer Anspruch zugrunde liegt. Zum anderen erscheint es auch nicht unproblematisch, wenn AR selbst die eigene Anspruchsberechtigung bejaht. Angesichts dieses ambivalenten teleologischen Befundes muss es bei allg. Vertretungsanordnung bleiben, zumal die in § 93 III Nr. 7 angeordnete Haftung des Vorstands für nicht erstattungsfähige Auslagen deutlich für Vorstandszuständigkeit spricht (ausf. dazu J. Koch ZHR 180 [2016], 578, 603 ff.; ebenso BeckOGK/Spindler Rn. 11; MHdB AG/Hoffmann-Becking § 33 Rn. 18; Berger, Kosten der Aufsichtsratstätigkeit, 2000, 125 f.; Bulgrin AG 2019, 101, 105 f.; Fonk NZG 2009, 761, 765; Scherb-Da Col, Ausstattung des AR, 2018, 532 ff.). Prüfung und Entscheidung obliegt daher dem Vorstand, der dafür auch unter dem Gesichtspunkt der Organadäquanz am besten geeignet erscheint (ausf. J. Koch ZHR 180 [2016], 578, 606 f.; zur Aussagekraft dieses Umstandes → § 76 Rn. 3). In der Praxis ist Frage ohnehin häufig in Leitlinien geregelt und auf Sachbearbeiterebene verortet, die jedenfalls in kleinerer AG ohne eigenständiges AR-Büro eher Vorstand unterstehen wird. Um Bedenken der Gegenansicht hinsichtlich Unabhängigkeit des AR Rechnung zu tragen, ist Vorstand aber gehalten, AR-Entscheidung einzuholen, sofern Grund oder Höhe des Ersatzanspruchs str. sind. Dabei handelt es sich aber nur um

pragmatische Gestaltungsempfehlung, nicht um aus dem Ges. ableitbare Vorstandspflicht (so schon J. Koch ZHR 180 [2016], 578, 606; Berger, Kosten der Aufsichtsratstätigkeit, 2000, 125 f.; Bulgrin AG 2019, 101, 106; für Rechtspflicht BeckOGK/Spindler Rn. 11; Semler FS Claussen, 1997, 381, 402; Scherb-Da Col, Ausstattung des AR, 2018, 532 ff.). Wegen fehlender ges. Vorgabe kann Vorstand auch nur AR-Vorsitzenden heranziehen (J. Koch ZHR 180 [2016], 578, 604).

Auslagen sind insbes. Reise-, Übernachtungs-, Verpflegungs-, Telefonkosten uÄ; s. zu Reisekosten Semler/v. Schenck/Wilsing AR-HdB/Grau § 13 Rn. 121 ff.; Fonk NZG 2009, 761, 766 ff.; Thüsing/Veil AG 2008, 359, 362 ff. Dagegen sind **Personalkosten** der AR-Mitglieder grds. nicht analog § 670 BGB ersatzfähig; anders nur, wenn sie im Einzelfall angemessen sind (zB Schreibkosten, aber nicht allg. Assistenz) und Zahlungspflicht ggü. Dritten belegbar ist (iE ähnlich S/L/Drygala Rn. 14; aA wohl Potthoff/Trescher Das AR-Mitglied Rn. 982; Semler FS Claussen, 1997, 381, 388); für den **AR-Vorsitzenden** sollte angesichts der in den letzten Jahren deutlich angewachsenen Aufgabenfülle insofern allerdings großzügigerer Maßstab gelten (→ § 111 Rn. 86 ff. mwN). Gewährung einer **Pauschale** anstelle von Einzelabrechnungen ist grds. unbedenklich, sofern sie moderat gefasst und an tats. Kosten orientiert ist (KK-AktG/Mertens/Cahn Rn. 12; E. Vetter VGR 20 GesR 2014, 115, 124); insbes. dürfen sich in ihr keine Vergütungsbestandteile verbergen (s. zur Abgrenzung BGH NJW-RR 1988, 745, 746 ff. [zum Verein]). Auslagenersatz und Sitzungsgelder dürfen auch nicht zusammengerechnet werden, weil Sitzungsgelder idR nicht Auslagenersatz, sondern Vergütungen sind (→ Rn. 21). Zur Frage eines eigenen Budgetrechts → § 111 Rn. 40. 9

D.11 DCGK empfiehlt seit 2010, dass AR-Mitglieder von AG bei Wahrnehmung von **Aus- und Fortbildungsmaßnahmen** angemessen unterstützt werden. Dabei ist übersehen, dass nach Hertie-Entscheidung AR-Mitglieder grds. selbst für die zur Amtsausübung erforderlichen Kenntnisse und Fähigkeiten zu sorgen haben (BGHZ 85, 293, 295 f. = NJW 1983, 991) und Auslagenersatz deshalb nur dann in Betracht kommt, wenn es um Erwerb von speziellen Qualifikationen geht, der im Unternehmensinteresse liegt (hM, s. KK-AktG/Mertens/Cahn Rn. 12; BeckOGK/Spindler Rn. 13; Bosse/Malchow NZG 2010, 972, 973; Gaul AG 2017, 877, 883; auch insoweit noch einschr. Fonk NZG 2009, 761, 769; aA [auch Ausbildungskosten] Mutter AG 2013, R 161, R 246). Weil die Kodex-Empfehlungen nur im Rahmen des geltenden Rechts Beachtung finden können, ist D.11 DCGK einschr. auszulegen (und nicht umgekehrt Ges. im Lichte des Kodex – so aber Mutter AG 2013, R 161; wie hier E. Vetter VGR 20 GesR 2014, 115, 121). Gesetzl. Umfeld der Hertie-Entscheidung hat sich allerdings verschoben, weil mittlerweile **§ 25d IV KWG** Finanzinstituten ausdr. vorschreibt, angemessene personelle und finanzielle Ressourcen einzusetzen, um AR-Mitgliedern die Einführung in ihr Amt zu erleichtern und die Fortbildung zu ermöglichen, die zur Aufrechterhaltung der erforderlichen Sachkunde notwendig ist (ähnlich für Versicherungswirtschaft Art. 41 IV RL 2009/138/EG – Solvency II, Art. 42 I RL 2009/138/EG – Solvency II, s. dazu Bürkle FS Lorenz, 2014, 101 ff.; Dreher WM 2015, 649 ff.). Da insofern für Sonderbehandlung des Finanz- und Versicherungsbereichs kein Anlass besteht, ist anzunehmen, dass neue Vorgabe auch auf allg. AktienR ausstrahlt (MüKoAktG/Habersack Rn. 30; Semler/v. Schenck/Wilsing AR-HdB/Grau § 13 Rn. 126 ff.; Lutter/Krieger/Verse AR Rn. 940; Schick WPg 2023, 53, 56; vgl. zur Ausstrahlung in solchen Fällen auch AK Externe und interne Überwachung DB 2016, 1118 ff.; sa → § 76 Rn. 183). Auch weiterhin kann „Einführung in das Amt" keine umfassende Ausbildung gestatten. **Interne Einführungsschulungen** dürften danach aber zulässig sein (sa E. Vetter VGR 20 GesR 2014, 115, 122 ff.; zu Inhalten vgl. 10

Schick WPg 2023, 53, 57 f.) und erscheinen gerade im Lichte verbreiteter Diversity-Forderungen (→ § 95 Rn. 1; → § 100 Rn. 51), die auch Branchenfremden Zugang zu AR eröffnen sollen, sachgerecht. Geboten ist zeitnahe Einführung, um Haftungsrisiko zu begegnen (Schick WPg 2023, 53, 54 ff. mw Ausführungen zu typischen Inhalten und Informationswegen: „Onboarding-Paket" oder Zugang zum „Electronic Boardroom"). Erfolgen sie vor Amtsantritt (zulässig), ist Vertraulichkeit zu gewährleisten (Schick WPg 2023, 53, 59). Auch bei **Fortbildungsmaßnahmen** ist großzügigere Beurteilung als bisher angezeigt (so bereits Leyendecker-Langner/Huthmacher NZG 2012, 1415; ähnlich Ghassemi-Tabar/Busch/Link DCGK D.12 Rn. 5; KBFW/Favoccia DCGK D.11 Rn. 2; MHdB AG/Hoffmann-Becking § 33 Rn. 16; Bachmann Gutachten E zum 70. DJT, Bd. I, 2014, 70; Hopt/Leyens ZGR 2019, 929, 972 f.), wenngleich weiterhin vermieden werden muss, dass eigene Kostentragungspflicht durch entspr. Etikettierung der Veranstaltung ohne weiteres umgangen werden kann. In jedem Fall erstattungspflichtig sind solche Ausgaben, die an bes. Anlass, zB Beitritt zu einem Ausschuss oder Gesetzesänderung, anknüpfen (KK-AktG/Mertens/Cahn Rn. 12; ähnlich MüKoAktG/Habersack Rn. 29).

11 **2. Art der Vergütung.** Zur konkreten Art der AR-Vergütung enthält § 113 keine Angaben. Bis 2019 enthielt § 113 III Vorgabe für den Fall, dass Vergütung in einem **Anteil am Jahresgewinn** der AG besteht. Das ist indes eher unüblich, da Arbeitsbelastung und Haftungsrisiko des AR bei negativer Entwicklung eher gesteigert als reduziert werden, so dass Abstriche in der Vergütung kaum sachgerecht erscheinen (Wilsing/v. der Linden DStR 2012, 1391, 1393; generell zur Sinnhaftigkeit erfolgsabhängiger Vergütungsformen Geerken, Erfolgsabhängige Aufsichtsratsvergütung, 2015, 6 ff., 33 ff.). Auch wird kritisiert, dass tats. Anreizwirkung die von variabler Vergütung gerade für Überwachungstätigkeit ausgeht, fragwürdig erscheine (KK-AktG/Mertens/Cahn Rn. 18; Reimsbach BB 2011, 940 ff.; dagegen Dörrwächter NZG 2020, 370 f.). Aus diesem Grund soll nach Empfehlung der EU-Kommission (→ § 100 Rn. 37) erfolgsabhängige Vergütung Unabhängigkeit des AR ausschließen (krit. dazu Dörrwächter NZG 2020, 370, 371, 373). Praxis scheint deshalb zu reiner Fixvergütung zu tendieren (Dörrwächter NZG 2020, 370; Preen/Pacher/Bannas DB 2014, 1633 ff.). Da § 113 III auch in der Sache auf berechtigte Kritik gestoßen war (vgl. → 13. Aufl. 2018, Rn. 9), wurde Vorschrift durch ARUG II 2019 zu Recht gestrichen. Auch G.18 S. 1 DCGK regt **Festvergütung** an (zu entspr. Empfehlung von Stimmrechtsberatern vgl. Dörrwächter NZG 2020, 370, 371 m. Fn. 26) und empfiehlt iÜ in G.17 DCGK **höheren zeitlichen Aufwand** des Vorsitzenden, des stellvertretenden Vorsitzenden sowie des Vorsitzenden und der Mitglieder von Ausschüssen angemessen zu berücksichtigen.

12 AG steht es dennoch weiter offen, **variable AR-Vergütung** zu gewähren (allgM). G.18 S. 2 DCGK empfiehlt für diesen Fall Ausrichtung auf langfristige Entwicklung der AG. Variable Vergütung kann auch weiterhin an Jahresgewinn geknüpft werden, aber auch an andere **vergleichbare Ergebniszahlen,** wovon Praxis verbreitet Gebrauch macht (Überblick über gängige Gestaltungsformen bei Geerken, Erfolgsabhängige Aufsichtsratsvergütung, 2015, 87 ff. mit ausf. Zweckmäßigkeitserwägungen).

13 Früher am stärksten verbreitet und auch heute noch oft verwandt ist sog **Dividendentantieme,** die in neuerer Zeit aber zunehmend durch andere renditebezogene Kennzahlen oder unternehmensbezogene Ergebniskennzahlen verdrängt wird, wie sie auch bei Vorstandsvergütung herangezogen werden (insbes. EPS, ROI, EBIT, EBITDA, Cash Flow – zu diesen Abkürzungen → § 87 Rn. 29; speziell für AR Geerken, Erfolgsabhängige Aufsichtsratsvergütung, 2015, 85 ff. sowie Lutter/Krieger/Verse AR Rn. 856, die Kombination empfehlen).

Solche Gestaltungsformen sind zulässig, mussten aber auf der Grundlage der früheren Rechtslage (→ Rn. 11) nach bisher hM Vorgaben des § 113 III aF entspr., um Umgehungen entgegenzuwirken (vgl. statt vieler Hoffmann-Becking ZHR 169 [2005], 155, 175 f.). Das führte namentl. für Berechnung an Unternehmenskennzahlen wie Cash-Flow oder EBITDA zu praktischen Problemen (vgl. noch Martinius/Zimmer BB 2011, 3014, 3016), die mit Streichung des § 113 III ausgeräumt wurden.

Gegen verschiedene Gestaltungsformen erhobener **Einwand der Beeinflussbarkeit** ist dagegen zwar nicht gänzlich von der Hand zu weisen, angesichts der nur begrenzten Einflussmöglichkeiten des AR aber auch nicht geeignet, um generelle Unzulässigkeit begründen zu können (Geerken, Erfolgsabhängige Aufsichtsratsvergütung, 2015, 95 f.). Zulässigkeit der Anknüpfung an entspr. **Zahlen des Konzerns** ist nicht zweifelsfrei, lässt sich aber bejahen (Krieger FS Röhricht, 2005, 349, 359 ff.). Praxis macht von dieser Möglichkeit zumindest bei Konzernobergesellschaft verbreitet Gebrauch, weniger bei Tochterunternehmen (Geerken, Erfolgsabhängige Aufsichtsratsvergütung, 2015, 97 f.). 14

Stock Options für AR-Mitglieder scheiden nach BGHZ 158, 122, 125 ff. = NJW 2004, 1109 (Mobilcom) nicht nur als zulässiger Zweck des Erwerbs eigener Aktien aus, sondern sollen generell eine unzulässige Vergütungsform darstellen. Das folgt de lege lata für bedingtes Kapital aus bewusster Beschränkung in § 192 II Nr. 3, der über Verweisungsnormen in § 71 I Nr. 8 S. 5 und § 221 IV 2 – jew. iVm § 193 II Nr. 4 – auch für Erwerb eigener Aktien (→ § 71 Rn. 19h) und Wandelschuldverschreibungen gilt (→ § 192 Rn. 21). Nicht gleichermaßen geklärt ist, ob Unzulässigkeit auch für **schuldrechtliche Nachbildungen** wie Phantom Stocks oder Stock Appreciation Rights (→ § 87 Rn. 42) gilt. Das wird rechtspolit. mit guten Gründen in Zweifel gezogen (Dörrwächter NZG 2020, 370, 372 f.; Spindler/Gerdemann FS Stilz, 2014, 629, 638 ff.), doch scheint BGHZ 158, 122, 127 mit allg. gefasstem Vorbehalt ggü. aktienbasierter Vergütung auch hier von Unzulässigkeit auszugehen. Neufassung durch ARUG II hat daran nichts geändert (Spindler AG 2020, 61 Rn. 47). In der Sache bleibt derart pauschale Ablehnung **rechtspolitisch dennoch zweifelhaft** (vgl. zB Hoffmann-Becking ZHR 169 [2005], 155, 179 ff.; E. Vetter AG 2004, 234, 236 ff.) und findet namentl. in Überwachungsfunktion des AR keine genügende Stütze (aA Habersack ZGR 2004, 721, 728 ff.). Vielmehr erscheinen entspr. Vergütungsformen auch für AR im Lichte der weiteren Aufwertung der AR-Tätigkeit und Steigerung seiner Erfolgsverantwortung durchaus erwägenswert (Claussen FS Röhricht, 2005, 63, 72 ff.; Weiß, Aktienoptionspläne, 1999, 198 ff.). Warum es sinnvoll sein soll, Vorstand und AR in unterschiedliche Richtungen zu incentivieren, erschließt sich auch mit Blick auf Überwachungsaufgabe des AR nicht (Dörrwächter NZG 2020, 370, 373; aA GK-AktG/Hopt/Roth Rn. 65: AR und Vorstand sollen „nicht aus derselben Quelle trinken“). Entgegenstehende Rspr. hat mittlerweile aber auch durch RegBegr. UMAG (BT-Drs. 15/5092, 25) eine Bestätigung gefunden und kann daher allenfalls **de lege ferenda** noch in Frage gestellt werden. Zumindest erfolgsbezogene Vergütungen, bei denen Börsenkurs nur ein Parameter von mehreren ist (vgl. Marsch-Barner FS Röhricht, 2005, 401, 417), sollten aber beanstandungsfrei bleiben. Selbstverständlich bleibt es AR-Mitglied auch unbenommen, auf eigene Initiative Aktien zu erwerben. Zur Möglichkeit von Share Ownership Guidelines (→ § 87 Rn. 38) für AR-Mitglieder vgl. Dörrwächter NZG 2020, 370, 373 ff.; Langen, Share Ownership Guidelines, 2023, 197 ff. 15

Für den Fall, dass erfolgsorientierte Vergütung iSd → Rn. 11 ff. gewährt wird, empfiehlt G.18 S. 2 DCGK, dass sie auf **langfristige Unternehmensentwicklung** ausgerichtet sein soll. Damit soll etwa klargestellt werden, dass Orientierung an Vorjahrsdividende nicht kodexkonform ist (Ringleb/Kremer/Lutter/v. Wer- 16 der NZG 2012, 1081, 1088 [Rn. 1094a]). **Mischvergütung** aus Fixgehalt mit erfolgsabhängigen Komponenten genügt dieser Empfehlung, sofern diese dem Nachhaltigkeitsgebot entspr. (zweifelnd Bredol/Schäfer BB 2013, 652, 653). Für weitere Ausfüllung des Nachhaltigkeitsbegriffs kann auf Erkenntnisse zu § 87 I 2 zurückgegriffen werden (→ § 87 Rn. 25 ff.; aA Bredol/Schäfer BB 2013, 652, 653).

17 **3. Festsetzung oder Bewilligung.** Nach § 113 I 2 kann Vergütung zunächst **in Satzung** festgesetzt werden. Praxis entscheidet sich gerade in größeren Unternehmen meist für diesen Weg, um Vergütung nicht jedes Jahr öffentl. diskutieren zu müssen (Fleischer/Maas AG 2020, 761 Rn. 40). Es handelt sich dann um formellen (im Unterschied zum materiellen) Satzungsbestandteil (→ § 23 Rn. 4). Es genügt nicht, dass Satzung das „Ob" der Vergütung festsetzt. Sie darf sich auch nicht auf bloße Ermächtigungen beschränken (OLG München AG 2003, 164 f.). Vielmehr muss Vergütung in der Satzung beziffert sein. Insoweit genügt nach hM allerdings Angabe eines Gesamtbetrags, der vorbehaltlich konkretisierender Satzungsregelung gem. § 420 BGB nach Köpfen aufzuteilen ist (RGZ 75, 308; KG OLGR 22, 2; OLG Dresden OLGR 24, 141; MüKoAktG/Habersack Rn. 35; GK-AktG/Hopt/Roth Rn. 125; aA S/L/Drygala Rn. 9). Abw. Verteilungszuständigkeit des AR (etwa nach billigem Ermessen) kann nur durch Satzung begründet werden (MüKoAktG/Habersack Rn. 36; KK-AktG/Mertens/Cahn Rn. 47 f.; aA BeckOGK/Spindler Rn. 37: HV-Beschluss genügt).

18 Möglich ist nach § 113 I 2 auch, dass Vergütung **durch HV-Beschluss** bewilligt wird. Auch insoweit ist Bezifferung erforderlich. Bewilligung gilt iZw, bis HV anderes beschließt (MüKoAktG/Habersack Rn. 41; KK-AktG/Mertens/Cahn Rn. 45; abw. E. Vetter BB 1989, 442, 443, nach dem Eigenschaft als Grundsatzbeschluss im Wortlaut zum Ausdruck kommen muss). Wandelanleihen sind rechtl. mögliche Vergütungsform, doch darf Vorstand auf ihre Ausgabe auch nicht teilw. Einfluss nehmen können, soweit Erwerbsrecht Vergütungsbestandteil sein soll (LG München I AG 2001, 210, 211). Für gänzlichen oder teilw. Vergütungsverzicht gilt § 113 I 2 nicht, wegen des insoweit nicht betroffenen Regelungszwecks (→ Rn. 2) auch nicht analog. Erforderlich ist Erlassvertrag, bei dem AG arg. § 78 I vom Vorstand vertreten wird (Wettich NZG 2009, 852, 853 f., dort auch zu Modalitäten).

19 Da AR-Mitglieder – anders als Vorstand (§ 88) – keinem Wettbewerbsverbot unterliegen, ist auch **Drittvergütung** (zB durch institutionelle Investoren) als zulässig anzusehen (GK-AktG/Hopt/Roth Rn. 78; Grigoleit/Grigoleit/Tomasic/Kochendörfer Rn. 1; Kiem FS Stilz, 2014, 329, 333 ff.; Neuhaus/Gellißen NZG 2011, 1361 ff.; Selzner AG 2013, 818, 823 f.; für analoge Anwendung des § 113 aber S/L/Drygala Rn. 11), mit der Unabhängigkeit aber selbstverständlich entfällt (→ § 100 Rn. 36 ff.). Auch aus neuen Vorgaben des ARUG II (§ 113 II 3, § 87a I 2) folgt keine Unzulässigkeit (so aber Habersack FS Hopt, 2020, 333, 341), da diese allein Verhältnis der AG zu AR-Mitgliedern regeln und ErwG 35 Aktionärsrechte-RL gerade bes. praxisrelevante Vergütung durch verbundene Unternehmen ausdr. zulässt. Auf konkrete Einzelkonflikte ist mit allg. aktienrechtl. Konfliktinstrumentarium zu reagieren (→ § 93 Rn. 25 ff., → § 108 Rn. 10 ff.; Kiem FS Stilz, 2014, 329, 338 ff.). Ansonsten unzulässige Koppelung an Börsenkurs (→ Rn. 15) ist bei Drittvergütung zulässig (Kiem FS Stilz, 2014, 329, 336 ff.). Zur Herabsetzung der Vergütung → Rn. 24.

20 **4. Angemessene Vergütung.** § 113 I 3 fordert im Wege einer Sollvorschrift, dass Vergütung angemessen ist. Darin liegt Begrenzung nach oben, nicht weitergehende inhaltliche Vorgabe (KK-AktG/Mertens/Cahn Rn. 30; Kort FS Hüffer, 2010, 483, 485 f.). Beurteilungsmaßstab sind Aufgaben der AR-Mitglieder und (kumulativ) Lage der Gesellschaft sowie Erfolg des Unternehmens (so auch

GS 25 DCGK). Ähnlich ist Regelung in § 87 I (→ § 87 Rn. 8 ff.). Satzung oder HV-Beschluss können **differenzieren** und insbes. für AR-Vorsitzenden und seinen Stellvertreter höhere Vergütung festsetzen als für andere AR-Mitglieder; auch Vorsitz und Mitgliedschaft in Ausschüssen können und sollten gesondert honoriert werden (Kort FS Hüffer, 2010, 483, 486 ff.; so auch die Empfehlung in G.17 DCGK und die unternehmerische Praxis – vgl. Fleischer/Maas AG 2020, 761 Rn. 41). Wegen Gebots der **Gleichbehandlung** von AR-Mitgliedern (→ § 107 Rn. 1) ist aber nur funktionsbezogene, keine qualifikationsbezogene Differenzierung zulässig (ausf. KK-AktG/Mertens/Cahn Rn. 9 f.; sa S/L/Drygala Rn. 18; aA Haarmann FS Hüffer, 2010, 243 ff.).

Sitzungsgelder gehören, wenn sie – was die Regel ist – nicht eng am tats. 21
Aufwand orientiert sind, zur Vergütung, nicht zum Auslagenersatz (MüKoAktG/Habersack Rn. 16; Reichard/Kaubisch AG 2013, 150, 151 – zur Erstreckung auf Video- oder Telefonkonferenz → § 108 Rn. 24). Angemessenheitserfordernis bezieht sich also auf Gesamtbetrag einschließlich der Sitzungsgelder, die augenscheinlich wegen bislang fehlender **Abführungspflicht der AN-Vertreter** (→ Rn. 4) in der Praxis zunehmend Verbreitung gefunden haben (Hölters/Weber/Groß-Bölting/Rabe Rn. 18; Maser/Göttle NZG 2013, 201, 203). DGB hat darauf reagiert und auch für Sitzungsgelder Abführungspflicht (mit Selbstbehalt) eingeführt (Maßmann/Bursee BOARD 2014, 97, 99). Die früher in Ziff. 5.4.6 II DCGK aF enthaltene Empfehlung, neben Festvergütung eine erfolgsorientierte Vergütung vorzusehen, ist mit Neufassung 2012 aufgegeben worden. Wird sie gewährt, so soll sie nach G.18 S. 2 DCGK aber auf langfristige Unternehmensentwicklung ausgerichtet sein (→ Rn. 11 ff., 16). Zur Besteuerung von Sitzungsgeldern → Rn. 26.

Aus **Aktienoptionen** darf Vergütung nach BGHZ 158, 122, 125 ff. = NJW 22
2004, 1109 aber nicht bestehen (str.; → Rn. 15; → § 71 Rn. 19h). Für **Kreditinstitute** enthält § 25d V KWG weitergehende Vorgabe, dass durch Ausgestaltung des Überwachungssystems keine Interessenkonflikte im Hinblick auf wirksame Wahrnehmung der Überwachungsfunktion erzeugt werden soll.

Ein bes. Problem stellen sog **Sondervergütungen für Sonderleistungen** 23
iRd Überwachungsaufgabe dar, zB bei einem nach § 111 II 2 erteilten Prüfungsauftrag. Sie können zwar durch Satzung oder HV-Beschluss iRd Angemessenen festgesetzt bzw. bewilligt werden, doch kommt der erste Weg praktisch überhaupt nicht, der zweite allenfalls ausnahmsweise in Betracht. Ist das doch der Fall, bedarf es eines zusätzlichen Ausführungsgeschäfts nicht (OLG Stuttgart AG 1991, 404). Ohne diese Grundlage ist **vertragliche Zusage** solcher Sondervergütung ohne HV-Beschluss wegen Verstoßes gegen § 113 **gem. § 134 BGB nichtig,** und zwar gleichgültig, ob AG durch Vorstand oder AR handelt (vgl. BGHZ 114, 127, 133 = NJW 1991, 1830; BeckOGK/Spindler Rn. 45; → § 114 Rn. 5).

5. Herabsetzung. Für Herabsetzung einer in der Satzung festgelegten AR- 24
Vergütung genügte nach § 113 I 4 aF mit einfacher Stimmenmehrheit gefasster HV-Beschluss. Norm ist als systematischer Fremdkörper durch ARUG II 2019 aufgehoben worden, so dass nunmehr allg. Regelung des § 179 II gilt (Einzelheiten: RegBegr. BT-Drs. 19/9739, 88). Beschluss kann keine Rückwirkung entfalten. Str. ist, ob er schon für das **laufende Geschäftsjahr** gelten kann. Das ist jedenfalls für Fixgehalt abzulehnen, da Vergütungsanspruch mit Beginn des Geschäftsjahrs entsteht (ganz hM – s. etwa LG München AG 2013, 138, 140; 2013, 474, 475; Buckel AG 2013, 451, 453). Etwas anderes soll nach LG München AG 2013, 474, 475 für variable Vergütung gelten, da insofern kein schutzwürdiges Vertrauen entgegenstehe: Auch wenn Vergütungsanspruch schon mit Beginn des Geschäftsjahrs entstehe, könne auf seine Höhe erst vertraut werden, wenn HV auf Grundlage des Jahresabschlusses Gewinnverwendungs-

beschluss fasse (bestätigt durch OLG München 16.5.2013 – 7 U 428/13, nv; so auch bereits LG Magdeburg JW 1930, 288; sa S/L/Drygala Rn. 26; BeckOGK/Spindler Rn. 49; MHdB AG/Hoffmann-Becking § 33 Rn. 32; Wilsing BB 2013, 398). Das ist zweifelhaft, weil AR zwar nicht auf konkrete Höhe, aber doch auf Berechnungsgrundlage vertraut und davon uU seine Bereitschaft abhängig machen wird, für das Unternehmen tätig zu werden. Zwar kann er als Reaktion auf Herabsetzung das Amt niederlegen (Wilsing BB 2013, 398), doch ist er bereits auf der Grundlage der in der Satzung festgesetzten Berechnungsweise tätig geworden. Aus diesem Grund ist auch hier **schutzwürdige Anwartschaft** entstanden, die nicht durch HV-Beschluss (der anders als AR-Beschluss in § 87 II keine sachliche Rechtfertigung braucht) zerstört werden kann (gegen Herabsetzung deshalb MüKoAktG/Habersack Rn. 38, 40; KK-AktG/Mertens/Cahn Rn. 52). Kompromiss zwischen Belangen der AG und schutzwürdigem Vertrauen des AR-Mitglieds liegt darin, Herabsetzung zwar auch für das laufende Geschäftsjahr zuzulassen, diese Wirkung aber erst ex nunc mit Eintragung ins HR eintreten zu lassen (ausf. Buckel AG 2013, 451 ff.; sa NK-AktR/Breuner/Fraune Rn. 12; Grigoleit/Grigoleit/Tomasic/Kochendörfer Rn. 6; GK-AktG/Hopt/Roth Rn. 130 ff.; Maser/Göttle NZG 2013, 201, 202).

25 **6. Steuerrechtliche Behandlung.** Bei der AG ist Vergütung der AR-Mitglieder (nicht auch: Auslagenersatz, vgl. Abschnitt 45 I KStR 1995) **nur zur Hälfte als Betriebsausgabe abzugsfähig** (§ 10 Nr. 4 KStG; vgl. dazu BVerfGE 34, 103, 117; BFHE 133, 193, 194: verfassungsmäßig; krit. KK-AktG/Mertens/Cahn Rn. 56 mwN). Regelung soll unangemessener Höhe von AR-Vergütungen entgegenwirken (zur Entstehungsgeschichte s. Schwan, Steuerliche Begrenzungsmöglichkeiten, 2012, 135 ff.), stellt aber im Lichte des § 4 IV EStG (Betriebsausgaben) und des obj. Nettoprinzips (§ 2 II EStG iVm § 8 I 1 KStG) systemwidrigen Fremdkörper im Steuerrecht dar. Tats. liegt darin steuerrechtl. eingekleidete Bevormundung der Unternehmen, die abgeschafft werden sollte (ebenso Baums [Hrsg.], Bericht der Regierungskommission Corporate Governance, 2001, Rn. 65; krit. auch Fleischer/Hupka DB 2010, 601, 603; Kort FS Hüffer, 2010, 483, 494; aA Peetz AG 2009, 192, 193; Überblick über die Diskussion bei Schwan, Steuerliche Begrenzungsmöglichkeiten, 2012, 139 ff. mit krit. Stellungnahme). Ursprüngliche Begründung des Gesetzgebers, es handele sich um „ohne besondere Mühe erworbene Bezüge" (RT-Drs. 359 1905/1906, 3943), trifft auf AR-Mandat heutigen Zuschnitts nicht mehr zu (zu Ausweichstrategien über Beratungsverträge → § 114 Rn. 1, 6).

26 Bei dem AR-Mitglied unterliegt Vergütung der Einkommensteuer. Nach bislang stdRspr war AR-Tätigkeit idR auch **umsatzsteuerpflichtig** (eingehend Holle/R. Müller ZIP 2020, 1601). Nach EuGH DStR 2019, 1396 Rn. 24 ff. ist Tätigkeit des AR-Mitglieds aber mangels wirtschaftlicher Risikotragung zumindest dann keine umsatzsteuerpflichtige selbständige Tätigkeit, wenn AG-Mitglied eine nicht-variable Festvergütung erhält. Dem hat sich BFH NZG 2020, 359 Rn. 14 ff. angeschlossen, dabei aber offengelassen, ob dies auch für variable Vergütung oder AR-Vergütung mit fixer Aufwandspauschale und zusätzlichen Sitzungsgeldern gilt (vgl. zu diesen Zweifelsfragen Binnewies/Esteves Gomes AG 2020, 249 f.; Holle/R. Müller ZIP 2020, 1601, 1603 f.; Vobbe/Stelzer AG 2022, 519 Rn. 13 ff.; Wunderlich WM 2021, 624, 626; zu Besonderheiten und Handlungsempfehlungen bei AR von Finanzdienstleistern Haßa/Baumgartner, BB 2022, 2071 ff.). Sofern Umsatzsteuerpflicht besteht, kann AR-Mitglied nach heute hM auch dann von AG Erstattung verlangen, wenn das weder in Satzung festgestellt noch von HV bewilligt ist (MüKoAktG/Habersack Rn. 58; MHdB AG/Hoffmann-Becking § 33 Rn. 42). Dem ist entgegen früher verbreiteter Ansicht beizutreten, weil es sich für AG infolge Vorsteuerabzugs (§ 15 UStG) nur

um durchlaufenden Posten handelt. AN-Vertreter, die Teil der Vergütung abführen müssen (→ Rn. 4), können **abgeführte Beträge** vom steuerpflichtigen Einkommen abziehen (BFHE 131, 506 = DStR 1981, 146). Sofern keine Umsatzsteuerpflicht bestand, steht AG Rückerstattungsanspruch gegen AR-Mitglied aus § 812 I 1, 1. Mod. BGB zu (Einzelheiten bei Wunderlich WM 2021, 624, 628 ff.).

7. Rechtsfolgen bei Verstoß. Zahlungen, die gegen § 113 verstoßen, erfolgen ohne Rechtsgrund und können nach § 812 I 1, § 819 II BGB zurückgefordert werden (MüKoAktG/Habersack Rn. 56). Darüber hinaus ist aber auch zT strengere Vorschrift des **§ 114 II entspr. anzuwenden,** um zu gewährleisten, dass weniger gravierender Verstoß nach § 114 nicht strenger sanktioniert wird als schwererwiegender Verstoß gegen § 113 (ausf. → § 114 Rn. 10 ff.). Das gilt insbes. in praxisrelevanten Fällen, in denen Vertrag besteht, dessen Gegenstand aber nicht iSd § 114 außerhalb der AR-Tätigkeit liegt (→ § 114 Rn. 6 f.). Vorstands- und AR-Mitglieder können überdies nach **§ 93 III Nr. 7, § 116 S. 1** haften, sofern weitere Voraussetzungen vorliegen (MüKoAktG/Habersack Rn. 56). 26a

III. Erster Aufsichtsrat (§ 113 II)

Den Mitgliedern des ersten AR (§ 30) kann **nur HV** eine Vergütung bewilligen (§ 113 II 1), und zwar erst die HV, die auch über ihre Entlastung beschließt (§ 113 II 2). Ob Tätigkeit vergütet wird, entscheidet sich also erst **am Ende der Amtszeit** (§ 30 III). Ges. will damit Einfluss der Gründer möglichst ausschalten (MüKoAktG/Habersack Rn. 60). Möglich bleiben Gründerlohn oder Sondervorteile nach den dafür geltenden Bestimmungen (bes. § 26; → § 30 Rn. 8). 27

IV. Beschlussfassung der HV (§ 113 III)

§ 113 III schreibt parallel zu § 87a auch für AR Festlegung eines Vergütungssystems vor. Norm wurde durch ARUG II 2019 eingeführt und soll der Umsetzung des Art. 9a Aktionärsrechte-RL dienen. Übertragung europ. Vorgaben, die Abstimmung über Vergütungspolitik vorsehen, in nat. System wirft deshalb Probleme auf, weil in Deutschland HV ohnehin für Festlegung der AR-Bezüge bzw. für Änderung dafür vorgesehener Satzungsbestimmungen zuständig ist (ausf. RegBegr. BT-Drs. 19/9739, 88). Um „sanfte" Umsetzung zu gewährleisten, werden Beschluss über Vergütungssystem und Beschluss über konkrete Vergütung in **vereinheitlichender Form** zusammengeführt: Beschluss über konkrete Vergütung muss auch Angaben nach § 87a I 2 enthalten und damit zugleich Anforderungen an Vergütungssystem entspr. (RegBegr. BT-Drs. 19/9739, 88). 28

Ob daneben auch weiterhin **getrennte Beschlussfassung** optional möglich ist, wird unterschiedlich beurteilt (dafür S/L/Drygala Rn. 29; Bachmann/Pauschinger ZIP 2019, 1, 9; Habersack FS Hopt, 2020, 333, 339; dagegen Löbbe/Fischbach AG 2019, 373, 382; Paschos/Goslar AG 2019, 365, 369 [anders wohl noch Paschos/Goslar AG 2018, 857, 864]; J. Schmidt NZG 2018, 1201, 1205), ist im Ges. aber eher nicht angelegt (vgl. zur Entstehungsgeschichte Florstedt ZGR 2019, 630, 653 ff.); schon aus Gründen kautelarjuristischer Vorsicht sollte Praxis von Aufspaltung absehen. Auch nach Neufassung des § 113 III bleibt es weiterhin möglich, keine AR-Vergütung zu gewähren (RegBegr. BT-Drs. 19/9739, 89). § 26j I EGAktG enthält speziell zu § 113 III **Übergangsvorschrift,** wonach Beschlussfassung erstmalig bis zum Ablauf der ersten ordentl. HV, die auf 31.12.2020 folgt, zu erfolgen hat; frühere Beschlussfassung ist aber zulässig (Reg- 29

Begr. BT-Drs. 19/9739, 117). Vierjahres-Zeitraum in § 113 III berechnet sich nach dieser erstmaligen Beschlussfassung (RegBegr. BT-Drs. 19/9739, 117).

30 Nach § 113 III 1 hat börsennotierte AG iSd § 3 II (→ § 3 Rn. 5) mindestens **alle vier Jahre** über Vergütung der AR-Mitglieder Beschluss zu fassen. Dabei kann nach § 113 III 2 Hs. 1 auch bisherige Vergütung bestätigt werden, und zwar sowohl konkrete Vergütungsfestsetzung als auch zugrunde liegendes Vergütungssystem (RegBegr. BT-Drs. 19/9739, 89). Für Beschluss, der sich in Bestätigung erschöpft, genügt einfache HV-Mehrheit iSd § 133 I, unabhängig davon, ob ursprüngliche Festsetzung in Satzung oder durch HV erfolgte (RegBegr. BT-Drs. 19/9739, 89; Habersack FS Hopt, 2020, 333, 341). Hinsichtlich Erstfestsetzung oder Änderung bleibt es auch für Vergütung der börsennotierten AG weiterhin möglich, sie in **zwei Varianten des § 113 I 2** festzusetzen (→ Rn. 17 ff.; klarstellend § 113 III 2 Hs. 2), was zur Folge haben kann, dass bei Wahl satzungsändernder Beschlussfassung Mehrheitserfordernis des § 179 II zu beachten ist (RegBegr. BT-Drs. 19/9739, 89). In der Praxis wird Problem dadurch entschärft, dass Mehrheitserfordernisse in diesem Punkt häufig gem. § 179 II 2 zu einfacher Mehrheit abgeändert werden (Löbbe/Fischbach AG 2019, 373, 382).

31 Ziel der Beschlussvereinheitlichung (→ Rn. 28) wird dadurch erreicht, dass § 113 III 3 für Beschluss **inhaltliche Vorgaben nach § 87a I 2** verlangt. Angeordnet ist nur sinngem. Anwendung, was es ermöglicht, inhaltliche Vorgaben auf Besonderheiten der AR-Tätigkeit abzustimmen. So soll nach RAusschuss BT-Drs. 19/15153, 56 Maximalvergütung nach § 87a I 2 Nr. 1 ausdr. von Verweisung ausgenommen sein. Auch Angaben zum Beitrag zur Förderung der Geschäftsstrategie nach § 87a I 2 Nr. 2 können kurz gefasst sein, da AR nicht für operatives Geschäft zuständig ist (RegBegr. BT-Drs. 19/9739, 90). Vergütungselemente nach § 87a I 2 Nr. 4–8 werden bei AR oft nicht vorgesehen sein und müssen dann auch nicht Gegenstand des Beschlusses nach § 113 III sein (Löbbe/Fischbach AG 2019, 373, 382).

32 Konkrete Beschlussausgestaltung bleibt AG überlassen (RegBegr. BT-Drs. 19/9739, 90). Erforderliche Angaben können wahlweise erneut aufgeführt oder in Bezug genommen werden (RegBegr. BT-Drs. 19/9739, 90). Stets müssen allerdings inhaltliche Leitlinien der **Klarheit und Verständlichkeit** gewahrt werden (RegBegr. BT-Drs. 19/9739, 89). § 113 III 4 enthält Sonderregelung für Vergütungsfestsetzung in Satzung. Dann sind Angaben nach § 87a I 2 zwar in satzungsändernden Beschluss aufzunehmen, müssen aber **nicht in Satzungstext aufgenommen** werden. Damit soll Umstand Rechnung getragen werden, dass Beschluss über AR-Vergütung keine normative Selbstbindungskraft entfaltet und deshalb allenfalls als formeller Satzungsbestandteil (→ § 23 Rn. 4) in Betracht kommt (RegBegr. BT-Drs. 19/9739, 90).

33 Für Vorbereitung und Vorlage des Vergütungsentwurfs gilt allg. Regel des § 124 III 1, dh gemeinsame Zuständigkeit von Vorstand und AR, womit auch Gegenanträge zulässig sind (Löbbe/Fischbach AG 2019, 373, 382; Spindler AG 2020, 61 Rn. 39). Werden inhaltliche Vorgaben des § 113 III 3 nicht beachtet, ist Beschluss nach § 113 III 5 dennoch **nicht anfechtbar;** aus sonstigen Gesetzesverstößen kann Anfechtbarkeit aber abgeleitet werden (Löbbe/Fischbach AG 2019, 373, 382 f.; Habersack FS Hopt, 2020, 333, 343). Für Veröffentlichung verweist § 113 III 6 auf § 120a II (→ § 120a Rn. 8), für Überprüfung im Falle der Nichtbilligung auf § 120a III (→ § 120a Rn. 9). Letztgenannte Verweisung sollte aber nicht gelten, wenn HV unmittelbar eigene Vergütungsregelung beschließt, sondern nur wenn sie sich ausschließlich ablehnend äußert.

Verträge mit Aufsichtsratsmitgliedern

114 (1) **Verpflichtet sich ein Aufsichtsratsmitglied außerhalb seiner Tätigkeit im Aufsichtsrat durch einen Dienstvertrag, durch den ein Arbeitsverhältnis nicht begründet wird, oder durch einen Werkvertrag gegenüber der Gesellschaft zu einer Tätigkeit höherer Art, so hängt die Wirksamkeit des Vertrags von der Zustimmung des Aufsichtsrats ab.**

(2) [1] **Gewährt die Gesellschaft auf Grund eines solchen Vertrags dem Aufsichtsratsmitglied eine Vergütung, ohne daß der Aufsichtsrat dem Vertrag zugestimmt hat, so hat das Aufsichtsratsmitglied die Vergütung zurückzugewähren, es sei denn, daß der Aufsichtsrat den Vertrag genehmigt.** [2] **Ein Anspruch des Aufsichtsratsmitglieds gegen die Gesellschaft auf Herausgabe der durch die geleistete Tätigkeit erlangten Bereicherung bleibt unberührt; der Anspruch kann jedoch nicht gegen den Rückgewähranspruch aufgerechnet werden.**

Übersicht

I. Regelungsgegenstand und -zweck

§ 114 betr. entgegen seiner Überschrift nicht sämtliche Verträge mit AR- 1 Mitgliedern (vgl. zur Kreditgewährung § 115), sondern nur die in § 114 I näher umschriebenen Dienst- oder Werkverträge. Typischerweise handelt es sich dabei um vergütete **Beratungsverträge.** Norm bezweckt, **unsachliche Beeinflussung von AR-Mitgliedern** durch vertragschließenden Vorstand zu verhindern, und ergänzt zugleich § 113, der nicht durch vertragsmäßig kaschierte Sondervergütung umgangen werden soll (BGHZ 168, 188 Rn. 9 = AG 2006, 667; BGHZ 170, 60 Rn. 9 = NJW 2007, 298; BGHZ 194, 15 Rn. 13 = NJW 2012, 3235; BGHZ 230, 190 Rn. 22 = NZG 2021, 1311; BGHZ 230, 203 Rn. 13 = NZG 2021, 1314; AusschussB Kropff S. 158). Vorstand als überwachtes Organ soll Mitgliedern des AR nicht hinter dem Rücken und nicht ohne Billigung des AR Honoraransprüche gegen AG verschaffen (→ § 113 Rn. 2). Am effektivsten hätte unsachlicher Beeinflussung durch vollständiges Verbot solcher Verträge entgegengewirkt werden können, doch können sich aus interner Beratung durch AR-Mitglied auch zahlreiche Vorteile ergeben, die AG für sich soll nutzbar machen können (insbes. Beratung durch Person mit Unternehmens- und Branchenkenntnis ohne zusätzliche Weitergabe von Betriebsgeheimnissen; ausf. zu Vorteilen und Risiken von Beratungsverträgen Kanzler, Beratungsverträge, 2017, 35 ff.). Beschränkung auf bestimmten Vertragstyp lässt andere Formen potenzieller Beeinflussung unberücksichtigt, doch ist angesichts Offenkundigkeit dieser Möglichkeit nicht von unbewusster Regelungslücke auszugehen, die durch großzügige Analogiebildung zu schließen wäre; vielmehr ist **bewusste legislative Zurückhaltung** anzunehmen und von Rechtsanwender zu respektieren (zutr. Hoffmann-Becking FS K. Schmidt, 2009, 657, 659 ff.; zust. KK-AktG/Mertens/

Cahn Rn. 2). Beratungsvertrag begründet aber Interessenkonflikt des vertragschließenden AR-Mitglieds, so dass auch Offenlegung gem. **E.1 DCKG** geboten ist (BGHZ 194, 14 Rn. 30 = NJW 2012, 3235; Kanzler, Beratungsverträge, 2018, 260 ff.; aA OLG München AG 2009, 121, 123). In der Praxis spielen Beratungsverträge eine große Rolle, wozu auch das Steuerrecht beiträgt, das mit verfehltem Hälfteabzug bei AR-Vergütung (→ § 113 Rn. 25) zu Ausweichgestaltungen einlädt (→ Rn. 6). Häufigstes Beispiel ist Rechtsanwalt, dessen Sozietät zugleich AG vertritt (Fuhrmann NZG 2017, 291). Regelung ist nach § 23 V zwingend (OLG Nürnberg AG 2018, 166, 169).

II. Zustimmungserfordernis für Dienst- oder Werkverträge

2 **1. Vertragsparteien. a) Aufsichtsratsmitglied.** Zustimmungspflichtig sind nach § 114 I Verträge, die AR-Mitglied mit AG oder ihr gleichstehendem Unternehmen (→ Rn. 4) abschließt. Norm gilt ohne weiteres für schon amtierende AR-Mitglieder, also für Verträge, die **nach Amtsbeginn** geschlossen werden. Sie sind ohne Zustimmung des AR unwirksam und werden auch nicht mit dem Amtsende wirksam. Dagegen erfasst § 114 I nach früher hM solche Verträge nicht, die **vor Amtsbeginn** geschlossen worden sind; sie sollten während des Mandats wirksam bleiben. Von dieser Rechtslage kann Praxis seit BGHZ 114, 127, 133 f. = NJW 1991, 1830 zumindest für Regelfall nicht mehr ausgehen (sa BGH AG 1998, 583, 584; BGHZ 168, 188 Rn. 19 = AG 2006, 667; BGHZ 230, 203 Rn. 32 = NZG 2021, 1314). Danach wird zuvor begründetes Vertragsverhältnis mit Amtsbeginn wirkungslos, solange Mandat besteht, und zwar „jedenfalls", soweit es um § 113 geht, soweit also geschuldete Tätigkeit ihrer Art nach schon organschaftliche Aufgabe ist (→ Rn. 64 f.). Dem ist beizupflichten (OLG Hamm NZG 2020, 949 Rn. 41; OLG Nürnberg AG 2018, 166, 169; MüKoAktG/Habersack Rn. 10 f.; KK-AktG/Mertens/Cahn Rn. 22; sa Lutter/Kremer ZGR 1992, 87, 99), und zwar nicht nur für § 113, sondern auch für § 114 (BGHZ 126, 340, 346 ff. = NJW 1994, 2484). Dessen Regelungszweck (→ Rn. 1) wird durch Altverträge in ähnlicher Weise gefährdet wie durch Neuabschlüsse, so dass Vertrag unwirksam wird, wenn Zustimmung nicht vorliegt (KK-AktG/Mertens/Cahn Rn. 22). Erst mit Ende der Amtsdauer treten bis dahin „ruhende" Verträge wieder in Kraft (BGHZ 114, 127, 134; krit. Kanzler, Beratungsverträge, 2017, 145 ff.). Bloße Ersatzmitgliedschaft ist künftige Mitgliedschaft, so dass § 114 erst mit Eintritt greift (OLG Hamburg AG 2007, 404, 407 f.). Auf fehlerhaft bestelltes AR-Mitglied ist § 114 anwendbar (BGHZ 168, 188 Rn. 14 = AG 2006, 667; OLG Hamm NZG 2020, 949 Rn. 40; MüKoAktG/Habersack Rn. 8; zur grds. reservierten, aber doch für Einzelnorm differenzierenden Handhabung dieser Figur durch den BGH → § 101 Rn. 20 ff.).

3 **Beteiligungsfälle.** Wenn Vertrag notwendig mit AR-Mitglied geschlossen werden müsste, gingen §§ 113, 114 wegen leicht möglicher Gesetzesumgehung durch Beteiligung Dritter vielfach ins Leere. Bei buchstäblicher Anwendung des § 114 kann es deshalb auch dann nicht bleiben, wenn Analogiemöglichkeit grds. zurückhaltend gehandhabt wird (→ Rn. 1). Nur ihre Reichweite kann fraglich sein. Auf Seiten des AR-Mitglieds ist Analogie jedenfalls in den Fällen des § 115 II geboten (Beratungsverträge mit Ehegatten etc.). Auch bei Vertrag mit Sozietät in der Rechtsform einer **Personengesellschaft,** deren Gesellschafter AR-Mitglied ist, ist § 114 analog anzuwenden (BGH AG 2007, 484 Rn. 11; Kanzler, Beratungsverträge, 2017, 210 ff.). Für Vertrag mit **Kapitalgesellschaft** ist Anwendung des § 114 jedenfalls dann anzuerkennen, wenn AR-Mitglied Alleingesellschafter des Beratungsunternehmens ist (BGHZ 168, 188 Rn. 12 = AG 2006, 667; BGHZ 230, 190 Rn. 16 ff. = NZG 2021, 1311; OLG Hamm NZG 2020, 949 Rn. 63) oder dieses von ihm abhängig ist (GK-AktG/Hopt/

Roth Rn. 57; BeckOGK/Spindler Rn. 10; Lutter/Drygala FS Ulmer, 2003, 381, 384 f.). Aber auch jenseits dieser klar gelagerten Fallkonstellationen hat BGH Anwendung des § 114 auch bei geringerer Beteiligungsquote in Gestalt sog mittelbarer Zuwendungen anerkannt, nämlich dann, wenn Gewinn des Beratungsunternehmens und damit das von AG erbrachte Honorar dem AR-Mitglied kraft seiner Beteiligung zugute kommt (BGHZ 170, 60 Rn. 11 f. = NJW 2007, 298; BGH AG 2007, 484 Rn. 11 f.; OLG Frankfurt AG 2005, 925, 926; OLG Köln NZG 2019, 1351 Rn. 16 f.; ebenso MüKoAktG/Habersack Rn. 14; BeckOGK/Spindler Rn. 10; Bosse NZG 2007, 172, 173; Lutter FS Westermann, 2008, 1171, 1180 f.; E. Vetter AG 2006, 173, 176 f.; krit. Cahn Konzern 2012, 501, 504 ff.; Ihrig ZGR 2012, 417, 433 ff.). Ausnahmen werden nur bei **Bagatellvergütungen** (gemessen an Verhältnis zu AR-Vergütung) zugelassen, um die es aber nicht zu gehen pflegt (BGH NZG 2007, 103 Rn. 8; BGHZ 194, 14 Rn. 14 = NJW 2012, 3235; BGHZ 230, 203 Rn. 14 =NZG 2021, 1314 [nicht ganz klar allerdings Verhältnis zu Rn. 30]; OLG Köln NZG 2013, 548, 551; NZG 2019, 1351 Rn. 16; krit. wegen mangelnder Bestimmheit KK-AktG/Mertens/Cahn Rn. 15f; Happ FS Priester, 2007, 175, 179 ff.). Selbst bei verhältnismäßig geringer Vergütung soll Maßgeblichkeit des konkreten Mandats-/Kundenverhältnisses mittelbare Zuwendung begründen können (OLG Frankfurt AG 2011, 256, 258; krit. BeckOGK/Spindler Rn. 10). Rspr. ist tendenziell streng, überzeugt aber doch wegen der hohen Bedeutung einer unvoreingenommenen Überwachung und sonst kaum beherrschbarer Umgehungsproblematik. Da AG und betroffenes AR-Mitglied von Rechtsfolgenprogramm – anders etwa als in § 112 – nur geringfügig belastet werden (Gesamt-AR muss zustimmen), sprechen Zumutbarkeitsgründe ebenfalls nicht gegen solche strenge Linie (sa Polley FS Henssler, 2023, 1159, 1172; Told ZGR 2022, 302, 320 mwN zur Lückenhaftigkeit des § 114 auf S. 310). Auch § 115 III steht nicht im Wege des Umkehrschlusses entgegen (BGHZ 168, 188 Rn. 13; BGHZ 170, 60 Rn. 7; BGHZ 230, 203 Rn. 24 ff.). Vielmehr ist Vorschrift iRd § 114 analog auch auf jur. Person zu übertragen, deren **ges. Vertreter** AR-Mitglied ist (BGHZ 230, 203 Rn. 16 ff.; OLG Hamm NZG 2020, 949 Rn. 63 ff.; KG AG 1997, 42, 44; LG Köln AG 2003, 167 f.; zu über § 115 III hinausgehenden rechtsfortbildenden Erweiterungen vgl. Told ZGR 2022, 302, 311 ff.). Zusätzliche Beteiligung an jur. Person ist nicht erforderlich (BGHZ 230, 203 Rn. 21). Auf Höhe der Vergütung für Organtätigkeit und Verhältnis zu Beratungshonorar kommt es nicht an (BGHZ 230, 203 Rn. 30), und zwar auch dann nicht, wenn für Organtätigkeit überhaupt keine Vergütung gezahlt wird (zweifelnd insofern Selter NZG 2021, 1301, 1304). BGH lässt Auswirkung auf „berufliche Stellung“ genügen (BGHZ 230, 203 Rn. 21). Rechtsfolgen bei Verstoß: Nichtigkeit des Vertrags und Rückgewährpflicht analog § 114 II (→ Rn. 10 ff.).

b) Gesellschaft. Dienst- oder Werkvertrag muss nach Wortlaut des § 114 I von AR-Mitglied oder an seiner Stelle handelnder Gesellschaft (→ Rn. 3) mit AG geschlossen werden. Auch dabei kann es nicht bleiben, weil Umgehung der §§ 113, 114 sonst ein Leichtes wäre (→ Rn. 3). Norm ist deshalb über ihren Wortlaut hinaus jedenfalls dann anwendbar, wenn **von AG beherrschte Gesellschaft Vertragspartner** ist und Vertrag seinem Inhalt nach auch mit AG geschlossen werden könnte oder sollte, weil es um Überwachung ihrer Geschäftsführung geht (MHdB AG/Hoffmann-Becking § 33 Rn. 52; Marsch-Barner/Schäfer/E. Vetter Rn. 31.9). Aus Gründen der Rechtssicherheit gilt dieser Grundsatz aber auch ohne Rücksicht auf umgehungstypischen Inhalt des Vertrags (GK-AktG/Hopt/Roth Rn. 61 ff.; Lutter FS Westermann, 2008, 1171, 1181 ff.; Lutter/Kremer ZGR 1992, 87, 105 f.; Rellermeyer ZGR 1993, 77, 78; gegen diese Ausdehnung KK-AktG/Mertens/Cahn Rn. 11; Cahn Konzern 2012, 501, 4

502 f.). Insbes. auf Umgehungsvorsatz kommt es nicht an, sondern es genügt, wenn Schutzzwecke der §§ 113, 114 obj. gefährdet erscheinen (BGHZ 230, 190 Rn. 25 =NZG 2021, 1311). Weil § 115 in den Beteiligungsfällen keine Sperrwirkung entfaltet (→ Rn. 3), wird auch bei **Beratungsvertrag mit Drittunternehmen** kein Umkehrschluss möglich sein (BGHZ 230, 190 Rn. 20, 23). Folgerichtig muss es für Anwendung der §§ 113, 114 genügen, dass von Drittgesellschaft geleistete Vergütung sich bei obj. wirtschaftl. Betrachtung ganz oder teilw. als mittelbare Zahlung durch AG selbst darstellt, namentl., aber nicht nur, wenn erforderliche Mittel von dieser zur Verfügung gestellt werden. Ebenso genügt es, wenn Drittunternehmen von AG mit Beratungsleistungen beauftragt ist (BGHZ 230, 190 Rn. 20, 23). Schließlich greifen §§ 113, 114 auch dann ein, wenn für AG handelndes Drittunternehmen mit Beratungsunternehmen kontrahiert, das dem AR-Mitglied zuzurechnen ist (→ Rn. 3; BGHZ 230, 190 Rn. 23). Dabei kommt es nicht darauf an, dass von AG an Drittunternehmen und von diesem an AR-Mitglied bzw. von ihm beherrschte Gesellschaft gezahlte Vergütungen betragsmäßig übereinstimmen (BGHZ 230, 190 Rn. 23). Nach zutr. hM ist § 114 dagegen nicht (analog) anzuwenden, wenn AG abhängig ist und Mitglied ihres AR mit **herrschendem Unternehmen** kontrahiert (OLG Hamburg AG 2007, 404, 408; GK-AktG/Hopt/Roth Rn. 64; KK-AktG/Mertens/Cahn Rn. 12; BeckOGK/Spindler Rn. 8; Hoffmann-Becking FS K. Schmidt, 2009, 657, 666 f.; Kanzler, Beratungsverträge, 2017, 248 ff.). Wenn selbst § 115 diese Fälle nicht erfasst, besteht kein Grund, für die unproblematischeren Beratungsverträge darüber hinauszugehen. Ebenfalls ausgeschlossen ist Analogie bei Verträgen mit Schwestergesellschaften (KK-AktG/Mertens/Cahn Rn. 13) oder bei unmittelbaren Dienst- oder Werkverträgen mit Vorstandsmitglied. Hier scheitert Analogieschluss an bewusster Lückenhaftigkeit des Schutzes vor Einflussnahme (→ Rn. 1; Hoffmann-Becking FS K. Schmidt, 2009, 657, 667 ff.; KK-AktG/Mertens/Cahn Rn. 19; aA MüKoAktG/Habersack Rn. 19; diff. BeckOGK/Spindler Rn. 12).

5 **2. Dienst- oder Werkvertrag.** § 114 I erfasst (vergütete) Dienst- und Werkverträge, kraft deren Tätigkeit höherer Art iSd § 627 BGB geschuldet wird; von Dienstverträgen sind Arbeitsverträge (namentl. die der AN-Vertreter im AR) ausgenommen. Vertragstypen: §§ 611, 631, 675 BGB, uU auch § 651 BGB. **Tätigkeit höherer Art** ist zumindest jede Beratung oder Geschäftsbesorgung, die sich aus dem Alltäglichen heraushebt (bes. Kenntnisse, bes. Vertrauensstellung); Merkmal wird bei Verträgen von AR-Mitgliedern durchgängig zu bejahen sein (ebenso OLG Nürnberg AG 2018, 166, 168; Lorenz/Pospiech NZG 2011, 81, 82; sa OLG Hamm NZG 2020, 949 Rn. 42: Publikation von Fachaufsätzen). Analogie auf weitere Vertragstypen, zB Austauschverträge, ist nicht möglich (→ Rn. 1). Dienstvertrag begründet **Arbeitsverhältnis,** wenn sich bei typologischer Gesamtwürdigung persönliche Abhängigkeit des Dienstverpflichteten ergibt, die sich in Weisungsgebundenheit hinsichtlich seiner Dienstleistung niederschlägt. Weil § 114 I für solche Verträge nicht gilt, ist Vorschrift für AR-Mitglieder der AN nur einschlägig, wenn mit ihnen zusätzliche Verträge geschlossen werden.

6 **3. Außerhalb der Tätigkeit im Aufsichtsrat.** Damit Vertrag unter § 114 I fällt, muss sich AR-Mitglied zu Leistungen „außerhalb seiner Tätigkeit im AR" verpflichten. Das bedeutet nicht, dass Verträge über AR-Tätigkeit beliebig geschlossen werden könnten. Vielmehr muss § 114 zusammen mit § 113 gelesen werden (→ § 113 Rn. 2); die dort angeordnete HV-Zuständigkeit für Vergütung der originären AR-Tätigkeit darf auch durch Vorstand und Gesamt-AR nicht umgangen werden. Ausgeschlossen ist damit, niedrig gehaltene AR-Vergütung durch Beratungshonorare aufzustocken. Dieser aufgrund des sog Hälfteabzugs

(→ § 113 Rn. 25) nicht fernliegende Weg (→ Rn. 1) ist durch BGHZ 114, 127, 131 = NJW 1991, 1830 versperrt. **Missglückte steuerrechtl. Regelung** des § 10 Nr. 4 KStG (→ § 113 Rn. 25) sollte aufgegeben und damit angemessene Vergütung steuerunschädlich ermöglicht werden. Zusammenfassend ergibt sich also: Vergütung für AR-Tätigkeit kann nur durch Satzung festgesetzt oder durch HV-Beschluss bewilligt werden; Vereinbarungen zwischen AR und Vorstand sind insofern nach § 134 BGB nichtig (→ Rn. 10). Nur **anderweitige Tätigkeiten** dürfen auf Vertragsbasis honoriert werden, sofern AR dem Vertrag nach § 114 I zugestimmt hat (vgl. BGHZ 114, 127, 129 f. mwN = NJW 1991, 1830; BGH AG 1998, 583, 584; KK-AktG/Mertens/Cahn Rn. 5). Diese Grundsätze gelten auch für sog Sonderleistungen von AR-Mitgliedern (→ § 113 Rn. 23). Weil sie zur AR-Tätigkeit gehören, können sie nicht zum Gegenstand eines Vertrags iSd § 114 gemacht werden.

Danach erforderliche **Abgrenzung** kann schwierig sein, weil AR dem Vorstand iR seiner Überwachungsaufgabe (§ 111 I) auch und gerade Beratung schuldet (→ § 111 Rn. 28; vgl. dazu BGHZ 114, 127, 131 = NJW 1991, 1830). Abgrenzung kann also **nur nach der Art der Tätigkeit** in ihrer durch den konkreten Vertrag individualisierten Gestalt erfolgen (vgl. BGHZ 114, 127, 130; BGHZ 126, 340, 344 ff. = NJW 1994, 2484; BGHZ 168, 188 Rn. 16 = AG 2006, 667; BGHZ 170, 60 Rn. 14 = NJW 2007, 298; OLG Frankfurt AG 2005, 925, 926; OLG Hamburg AG 2007, 404, 405; KG AG 1997, 42, 43 [Unternehmensberatung]; OLG Köln AG 1995, 90, 91 [Entwicklung EDV-gestützten Controlling-Systems]; NZG 2013, 548, 551 [Erstellung eines Leitfadens für HV; → § 129 Rn. 17]; KK-AktG/Mertens/Cahn Rn. 6 f.; Bosse NZG 2007, 172, 173; Lorenz/Pospiech NZG 2011, 81, 83; krit. Happ FS Priester, 2007, 175, 185 ff.; D. Hoffmann FS Havermann, 1995, 201, 211 ff.; Müller NZG 2002, 797, 798 ff.). § 114 ist nur einschlägig, wenn Tätigkeit über das iRd AR-Tätigkeit Geschuldete hinausgeht, und zwar auch unter Berücksichtigung, dass AR-Mitglied verpflichtet ist, seine bes. Expertise, die oft Anlass zur Berufung gewesen sein wird, in AR einzubringen. 7

Maßgeblich ist danach Gegenstand der Beratungstätigkeit. Bezieht sie sich auf Fragen der **Unternehmenspolitik,** die Kerngegenstand der Überwachungsaufgabe des AR ist, so ist grds. nicht § 114, sondern § 113 einschlägig (BGHZ 114, 127, 132 = NJW 1991, 1830; BGHZ 126, 340, 344 = NJW 1994, 2484). Wo es dagegen nur um klassische Geschäfte der laufenden Verwaltung geht, die zwar Gegenstand nachgelagerter AR-Überwachung sind, aber nicht zu seinen Aufgaben zählen, ist § 114 einschlägig; das gilt auch, wenn als Nebenpflicht übergeordnete Fragen der Unternehmenspolitik Gegenstand der Beratung werden können (ausf. Abgrenzung bei Drescher FS Henssler, 2023, 829, 831 ff.; vgl. zu Fallgruppen auch Ziemons GWR 2012, 451, 452 ff.). Ausdr. zugelassen hat BGH Beratung, die sich auf **bes. Fachgebiet** bezieht, allerdings auch insofern klargestellt, dass sich zu erbringende Beratungsleistung dabei nicht auf übergeordnete, in den Rahmen der AR-Tätigkeit fallende allg. Fragen der Unternehmenspolitik bezieht; Umfang der Beratung soll dagegen keine Rolle spielen (BGHZ 126, 340, 344). Gleiche Einschränkung gilt augenscheinlich für ebenfalls als Abgrenzungskriterium genannte **Beratungstiefe** (BGHZ 126, 340, 345; so jedenfalls die Deutung bei Drescher FS Henssler, 2023, 829, 831), was zur Folge hat, dass **überobligationsmäßiger Charakter** der Beratungsaufgabe Zuordnung zu § 114 nicht rechtfertigen kann (ausf. Drescher FS Henssler, 2023, 829, 835 ff.; sa MüKoAktG/Habersack Rn. 24; aA noch → 17. Aufl. 2023, Rn. 7; KK-AktG/Mertens/Cahn Rn. 7). AR-Mitglied kann in dieser Situation nur Übernahme der Aufgabe verweigern (Drescher FS Henssler, 2023, 829, 835). Das ist zur Vermeidung von Umgehungen und Abgrenzungsschwierigkeiten nachvollziehbar, aber doch auch nicht unbedenklich, da Gesetzgeber interne Beratung gerade 7a nicht umfassend unterbinden wollte und deshalb gewisse Restrisiken der Einflussnahme hingenommen und dem Regime des § 114 unterstellt hat (→ Rn. 1). Diese gesetzgeberische Zielsetzung wird durch sehr enge Lesart des BGH in gewissem Maße konterkariert und Beratungstätigkeit weitgehend unmöglich gemacht (vgl. das Fazit bei Drescher FS Henssler, 2023, 829, 839: AR-Mitglied kann AG nur in eingeschränktem Umfang und mit erheblichen Unsicherheiten belastet entgeltlich rechtl. beraten; zur Prozessvertretung für AR vgl. Drescher FS Henssler, 2023, 829, 836 ff.). Stattdessen eröffnete Beauftragung iRd § 113 wird nur bei Einpersonengesellschaften oder kleiner AG möglich sein (Drescher FS Henssler, 2023, 829, 834 f.).

7b Wird Leistungsbeschreibung so **pauschal gefasst,** dass geschuldete Tätigkeit nicht klar erkennbar ist (zB „Beratung in betriebswirtschaftlichen Fragen"), so geht Unklarheit zu Lasten der Vertragsschließenden (BGHZ 168, 188 Rn. 17 = AG 2006, 667; BGH NZG 2021, 133 Rn. 27; OLG Köln NZG 2013, 548, 550; NZG 2019, 1351 Rn. 23, 28 ff.; zu Einzelheiten Kanzler, Beratungsverträge, 2017, 161 ff.); Vertrag ist unwirksam nach § 134 BGB (→ Rn. 10). Dasselbe gilt bei nur beispielhafter Aufzählung (BGHZ 170, 60 Rn. 14 = NJW 2007, 298). Ob in diesen Fällen Heilung durch nachträgliche Konkretisierung und Genehmigung erfolgen kann, ist noch offen (BGHZ 194, 14 Rn. 18 = NJW 2012, 3235; dafür S/L/Drygala Rn. 23; E. Vetter ZIP 2008, 1, 8; dagegen OLG Frankfurt AG 2005, 925, 926 f.; MüKoAktG/Habersack Rn. 26; KK-AktG/Mertens/Cahn Rn. 28), zutr. aber zu bejahen, wenngleich Zahlung durch Vorstand pflichtwidrig bleibt (→ Rn. 9); aA gelangt durch Konstruktion einer Neuvornahme zu ähnlichen Ergebnissen (KK-AktG/Mertens/Cahn Rn. 28).

8 **4. Zustimmung des Aufsichtsrats.** Soweit bei Verträgen mit AR-Mitgliedern neben Tätigkeitsvergütung iSd § 113 überhaupt Raum bleibt (→ Rn. 6 f.), bedürfen sie, um wirksam zu sein, der Zustimmung des AR; stillschweigende Billigung genügt nicht (BGH AG 2007, 484 Rn. 15; OLG Hamm NZG 2020, 949 Rn. 47; OLG Nürnberg AG 2018, 166, 169), auch nicht Zustimmung durch HV (OLG Hamm NZG 2020, 949 Rn. 48; OLG Nürnberg AG 2018, 166, 169). Zustimmung muss sich auf **konkretes Vertragsverhältnis** beziehen; reine Budgetgenehmigung genügt nicht (OLG Frankfurt AG 2011, 256, 257; Spindler NZG 2011, 334, 337; offengelassen in BGHZ 194, 14 Rn. 10 = NJW 2012, 3235). Sowohl Vorstand als auch das kontrahierende AR-Mitglied sind verpflichtet, Zustimmung einzuholen. Wenn sie versagt wird, gibt es mit Rücksicht auf den Zweck des § 114 (→ Rn. 1) keinen Anspruch aus § 280 I iVm § 311 II BGB (MüKoAktG/Habersack Rn. 38); Entscheidung steht vielmehr im pflichtgem. Ermessen des AR (Ulrich GmbHR 2012, 1153, 1155). Da AR seine Entscheidung allein an Unternehmensinteresse auszurichten hat, liegt keine Pflichtaufgabe mit Ermessensspielraum, sondern Fall des **§ 93 I 2** vor (zur Abgrenzung → § 93 Rn. 29; so auch MüKoAktG/Habersack Rn. 31; Rahlmeyer/Gömöry NZG 2014, 616, 619 ff.; anders noch → 14. Aufl. 2020, Rn. 8; für intensivere Kontrolle wegen Interessenkonflikten im AR Harnos, Gerichtliche Kontrolldichte, 2021, 491 ff.). AR-Mitglied hat keinen Anspruch auf Zustimmung (MüKoAktG/Habersack Rn. 31). Insbes. überhöhter Vergütung darf AR nicht zustimmen (MüKoAktG/Habersack Rn. 31). AR entscheidet durch Beschluss (§ 108 I), der auch einem Ausschuss überantwortet werden kann, weil § 114 in § 107 III 7 nicht aufgeführt ist (BGHZ 194, 14 Rn. 21). AR-Mitglied darf teilnehmen, muss sich aber analog § 34 BGB enthalten (BGH AG 2007, 484 Rn. 13; zu Folgen für Beschlussfähigkeit → § 108 Rn. 16). Damit Zustimmung dem Vertrag zur Wirksamkeit verhelfen kann, muss AR bei seiner Beschlussfassung wenigstens den **wesentlichen Vertragsinhalt,** darunter die Vergütungshöhe, kennen (OLG Köln AG 1995, 90, 91 f.; OLG Nürnberg AG 2018, 166,

170; LG Stuttgart ZIP 1998, 1275, 1278 ff.; krit. zur Entscheidung Wissmann/Ost BB 1998, 1957 ff.). Insofern genügt Bezugnahme auf Rahmenvertrag (wohl krit. OLG Nürnberg AG 2018, 166, 170) oder auf amtl. Gebührenordnung (MHdB AG/Hoffmann-Becking § 33 Rn. 54; krit. Kanzler, Beratungsverträge, 2017, 173 ff.), nicht aber auf „üblichen Stundensatz" ohne Bezifferung (OLG Nürnberg AG 2018, 166, 170; LG Stuttgart ZIP 1998, 1275, 1279; Lorenz/Pospiech NZG 2011, 81, 84). Aus Vorlage- und Zustimmungspflicht ist im Lichte der in → Rn. 7 ff. beschriebenen Anforderungen ungeschriebenes **Schrift- oder Textformerfordernis** iSd §§ 126, 126b BGB zu folgern (Grigoleit/Grigoleit/Tomasic Rn. 7; MüKoAktG/Habersack Rn. 26; tendenziell auch OLG Frankfurt AG 2005, 925, 927; offengelassen in OLG Köln NZG 2013, 548, 550).

Zustimmung kann schon nach § 114 II **als Einwilligung oder als Genehmigung** erteilt werden, und zwar auch dann, wenn Vertrag bereits vollzogen wurde (BGHZ 194, 14 Rn. 18 = NJW 2012, 3235; S/L/Drygala Rn. 23; KK-AktG/Mertens/Cahn Rn. 29; Happ FS Priester, 2007, 175, 190 ff.; Ihrig ZGR 2013, 417, 424 ff. – zur Genehmigung bei ungenügender Präzisierung → Rn. 7b). Bis zur Genehmigung ist Vertrag schwebend unwirksam, woraus BGH die Folge zieht, dass Zahlung seitens AG bis zu diesem Zeitpunkt **Pflichtwidrigkeit** des Vorstands und des diese Praxis billigenden AR darstellt, die zur Anfechtung der Entlastungsbeschlüsse führen kann (BGHZ 194, 14 Rn. 9, 12, 17 ff.; OLG Frankfurt AG 2011, 256, 257; krit. KK-AktG/Mertens/Cahn Rn. 30 f. und zur Vorinstanz auch schon Drygala ZIP 2011, 427 ff.; Pietzke BB 2012, 658, 660 f.). Diese Lösung ist im Lichte des Normzwecks (→ Rn. 1) sachgerecht, da AR-Entscheidung sonst de facto präjudiziert werden kann, und wird auch nicht durch § 114 II widerlegt, der zwar Genehmigung grds. gestattet, nicht aber Vollzug vor Genehmigung (ebenso Ihrig ZGR 2013, 417, 424 ff.). Praxis wird damit aber vor große Probleme gestellt, insbes. da Pflichtenverstoß auch in Fällen **fehlender inhaltlicher Präzisierung** anzunehmen ist (→ Rn. 7b) und auch in dieser Konstellation Anfechtung des Entlastungsbeschlusses begründen kann (OLG Köln NZG 2013, 548, 550). Verbreitete Übung, zunächst Rahmenvertrag abzuschließen, der dann durch Einzelaufträge in Kenntnis der konkreten Umstände ausgefüllt wird (s. dazu Ulrich GmbHR 2012, 1153, 1157), ist daher nur in der Form aufrechtzuerhalten, dass vor Einzelzahlung jew. Zustimmung von AR eingeholt wird, was praktisch idR nur über Einbindung eines Ausschusses funktionieren wird (s. dazu BGHZ 194, 14 Rn. 21; zust. S/L/Drygala Rn. 24; auch insofern krit. Ihrig ZGR 2013, 417, 430 f.). AR-Mitglied bleibt dann aber zu problematischer Vorleistung verpflichtet. 9

III. Rechtsfolgen bei Verstoß

Zu unterscheiden sind zwei Fälle, nämlich (1.) Beratungs- und andere Verträge, die sich auf AR-Tätigkeit beziehen, und (2.) Verträge, bei denen die geschuldete Tätigkeit außerhalb der Mandatswahrnehmung liegt (→ Rn. 6 f.). Im ersten Fall ist Vertrag gem. § 134 BGB nichtig, weil die Mandatswahrnehmung vergütet wird, obwohl dafür die Voraussetzungen des § 113 I 2 fehlen; das ist verboten (BGHZ 114, 127, 129 = NJW 1991, 1930; BGHZ 168, 188 Rn. 16, 20 = AG 2006, 667; BGHZ 170, 60 Rn. 16 = NJW 2007, 298; BGHZ 230, 190 Rn. 27 = NZG 2021, 1311; zur Konstruktion iE vgl. Kanzler, Beratungsverträge, 2017, 129 ff.). Im zweiten Fall ist Vertrag zunächst schwebend, bei Versagung der Zustimmung endgültig unwirksam (§ 114 I). Gleichwohl erbrachte Leistungen unterliegen in beiden Fällen der bes. aktienrechtl. **Rückgewährpflicht nach § 114 II.** Stattdessen im ersten gravierenderen Fall auf §§ 812 ff. BGB zurückzugreifen (so noch GK-AktG/Hopt/Roth, 4. Aufl. 2005, § 113 Rn. 112 f.), 10 wäre nicht einsichtig (BGHZ 168, 188 Rn. 20; BGHZ 230, 190 Rn. 31, 33; Lutter FS Westermann, 2008, 1171, 1186).

11 Im Einzelnen folgt aus § 114 II: Gezahlte Vergütung ist sofort (OLG Hamm NZG 2020, 949 Rn. 49; AusschussB Kropff S. 159) und **ohne Rücksicht auf bereicherungsrechtl. Besonderheiten** (§§ 814, 818 BGB) zurückzugewähren. Bei Erstreckung auf Drittbeteiligte (→ Rn. 3 f.) besteht Anspruch nicht nur gegen AR-Mitglied selbst (BGHZ 230, 203 Rn. 33 = NZG 2021, 1314), sondern auch gegen ihm nahestehende Gesellschaft (→ Rn. 3; BGHZ 170, 60 Rn. 16 = NJW 2007, 298; BGHZ 230, 190 Rn. 31 = NZG 2021, 1311) und kann, sofern sie durch ein der AG nahestehendes Drittunternehmen erfolgt (→ Rn. 4), von diesem unmittelbar zurückverlangt werden (BGHZ 230, 190 Rn. 31; krit. Told ZGR 2022, 302, 321 f.). Verjährung richtet sich nach §§ 195, 199 BGB (BGHZ 168, 188 Rn. 21 = AG 2006, 667; OLG Hamm NZG 2020, 949 Rn. 50 [mw Ausführungen zur Wissenszurechnung iRd § 199 BGB]; Ulrich GmbHR 2012, 1153, 1158; aA BeckOGK/Spindler Rn. 30). Auch Sachvergütungen (zB Dienstwagen) werden erfasst, einschließlich gezogener Nutzungen (§§ 346 I, 818 I BGB; soweit Herausgabe nicht möglich ist, ist nach §§ 346 II, 818 II BGB Wertersatz zu leisten (OLG Hamm NZG 2020, 949 Rn. 57). Anspruch entfällt nur und erst mit Genehmigung des AR. Vorstandsmitglieder sind der AG nach § 93 I und II zum Schadensersatz verpflichtet, wenn Anspruch nicht geltend gemacht wird. Davon unabhängig ist Gewährung der Vergütung selbständiger Ersatztatbestand (§ 93 III Nr. 7). Umgekehrt hat **AR-Mitglied,** das schon geleistet hat, nur unter den Voraussetzungen und in den Grenzen der §§ 812 ff. BGB einen Wertersatzanspruch (§ 818 II BGB; ausf. S. Fischer BB 2015, 1411, 1416 f.). Ausgleichspflichtige Bereicherung der AG liegt nur vor, wenn Leistung nicht schon zum organschaftlichen Pflichtenkreis gehörte, weil sonst Organverhältnis Rechtsgrund bildet (BGH AG 2009, 661 f.). § 114 II 2 enthält Rechtsgrundverweisung, so dass auch **§ 814 BGB anwendbar** ist (AusschussB Kropff S. 159), der aber positive Kenntnis der Nichtschuld voraussetzt und auch dann entfällt, wenn AR-Mitglied in berechtigter Erwartung eines zustimmenden AR-Beschlusses geleistet hat (MüKoAktG/Habersack Rn. 37; Happ FS Priester, 2007, 175, 198; Kanzler AG 2013, 554, 558; aA KK-AktG/Mertens/Cahn Rn. 32); Normzweck des venire contra factum proprium ist nicht einschlägig, wenn mit Genehmigung gerechnet werden darf. Auch Kondiktionsausschluss nach **§ 817 S. 2 BGB** kommt nicht zur Anwendung (BGH AG 2007, 484 Rn. 20; OLG Köln NZG 2019, 1351 Rn. 26), was zutr. Begründung allerdings nicht – wie BGH annimmt – darin findet, dass Verbot sich nur gegen Vergütung richtet (dagegen schon Vollmer/Maurer BB 1993, 591, 592), sondern in teleologischer Reduktion der Vorschrift (Kanzler AG 2013, 554, 560; andere Konstruktion bei S. Fischer BB 2015, 1411, 1416). Auch BGH hat diese Begründung in jüngerer Entscheidung nicht wieder herangezogen, ohne dass sich dadurch an dem Ergebnis etwas ändert (BGHZ 230, 190 Rn. 33; sa Selter NZG 2021, 1301, 1303). Schließlich unterliegt Anspruch des Mitglieds dem **Aufrechnungsverbot** des § 114 II 2 Hs. 2. AR-Mitglied kann also gegen Rückzahlungsanspruch der AG keine Einwendungen aus deren Bereicherungsschuld herleiten.

12 Wird Verstoß gegen § 113 über Vehikel der **Anfechtung des Entlastungsbeschlusses** geltend gemacht – was grds. zulässig ist (→ Rn. 9) – trifft Beweislast zwar Anfechtungskläger, sekundäre Beweislast hinsichtlich Inhalt der Beratungsleistungen aber AG, da Kläger in diese Unterlagen keinen Einblick haben kann (OLG Köln 2013, 548, 551).

Kreditgewährung an Aufsichtsratsmitglieder

115 (1) [1]**Die Gesellschaft darf ihren Aufsichtsratsmitgliedern Kredit nur mit Einwilligung des Aufsichtsrats gewähren.** [2]**Eine herrschende Gesellschaft darf Kredite an Aufsichtsratsmitglieder eines abhängigen Unternehmens nur mit Einwilligung ihres Aufsichtsrats, eine abhängige Gesellschaft darf Kredite an Aufsichtsratsmitglieder des herrschenden Unternehmens nur mit Einwilligung des Aufsichtsrats des herrschenden Unternehmens gewähren.** [3]**Die Einwilligung kann nur für bestimmte Kreditgeschäfte oder Arten von Kreditgeschäften und nicht für länger als drei Monate im voraus erteilt werden.** [4]**Der Beschluß über die Einwilligung hat die Verzinsung und Rückzahlung des Kredits zu regeln.** [5]**Betreibt das Aufsichtsratsmitglied ein Handelsgewerbe als Einzelkaufmann, so ist die Einwilligung nicht erforderlich, wenn der Kredit für die Bezahlung von Waren gewährt wird, welche die Gesellschaft seinem Handelsgeschäft liefert.**

(2) **Absatz 1 gilt auch für Kredite an den Ehegatten, Lebenspartner oder an ein minderjähriges Kind eines Aufsichtsratsmitglieds und für Kredite an einen Dritten, der für Rechnung dieser Personen oder für Rechnung eines Aufsichtsratsmitglieds handelt.**

(3) [1]**Ist ein Aufsichtsratsmitglied zugleich gesetzlicher Vertreter einer anderen juristischen Person oder Gesellschafter einer Personenhandelsgesellschaft, so darf die Gesellschaft der juristischen Person oder der Personenhandelsgesellschaft Kredit nur mit Einwilligung des Aufsichtsrats gewähren; Absatz 1 Satz 3 und 4 gilt sinngemäß.** [2]**Dies gilt nicht, wenn die juristische Person oder die Personenhandelsgesellschaft mit der Gesellschaft verbunden ist oder wenn der Kredit für die Bezahlung von Waren gewährt wird, welche die Gesellschaft der juristischen Person oder der Personenhandelsgesellschaft liefert.**

(4) **Wird entgegen den Absätzen 1 bis 3 Kredit gewährt, so ist der Kredit ohne Rücksicht auf entgegenstehende Vereinbarungen sofort zurückzugewähren, wenn nicht der Aufsichtsrat nachträglich zustimmt.**

(5) **Ist die Gesellschaft ein Kreditinstitut oder Finanzdienstleistungsinstitut, auf das § 15 des Gesetzes über das Kreditwesen anzuwenden ist, gelten anstelle der Absätze 1 bis 4 die Vorschriften des Gesetzes über das Kreditwesen.**

I. Regelungsgegenstand und -zweck

1 Norm betr. Kreditgewährung der AG an AR-Mitglieder, enthält also ein Seitenstück zu § 89, mit dem Vorschrift auch inhaltlich weitgehend übereinstimmt. Wie dort (→ § 89 Rn. 1) ist auch mit der seit 1965 bestehenden Regelung des § 115 bezweckt, **Missbräuchen** entgegenzuwirken (RegBegr. Kropff S. 160), zu denen auch unangemessene Beeinflussung einzelner AR-Mitglieder durch großzügige Gewährung von Krediten seitens des Vorstands gerechnet werden kann.

II. Einwilligung des AR

2 Kreditgewährung an Mitglieder des AR bedarf der Einwilligung des AR als Organ (§ 115 I 1). Anstelle des Gesamtorgans kann gem. § 107 ein Ausschuss tätig werden. IÜ ist auf die Erl. zu § 89 mit Ausnahme der dort erfassten leitenden Angestellten (→ § 89 Rn. 5) zu verweisen. In den **Anhang** sind AR-

Kredite ebenso aufzunehmen wie Vorstandskredite (§ 285 Nr. 9 lit. c HGB; → § 89 Rn. 8 aE). Das gilt nach hM (s. zB BeckOGK/Spindler Rn. 10 mwN) auch für Mitarbeiterdarlehen an AN-Vertreter; anders jedoch Prüfungspraxis (BeckBil-Komm/Ellrott HGB § 285 Rn. 190), was in problematische Differenzierungen führt. **Abweichungen gegenüber § 89:** Sog Entnahmen (§ 89 I 4) können AR-Mitglieder nicht zulässig tätigen. Eine Ausnahme zugunsten von Kleinkrediten (§ 89 I 5) gibt es insoweit nicht. Zulässig ohne Einwilligung des AR ist dagegen nach § 115 I 5 sog Warenkredit (aber auch nur dieser), den AG einem AR-Mitglied für dessen kaufmännisches Unternehmen (§§ 1 ff. HGB) gewährt. Damit sollen unzumutbare Erschwernisse des Geschäftsverkehrs zwischen AG und ihrem Abnehmer, der zugleich Mitglied des AR ist, vermieden werden (RegBegr. Kropff S. 160).

Sorgfaltspflicht und Verantwortlichkeit der Aufsichtsratsmitglieder

116 **[1] Für die Sorgfaltspflicht und Verantwortlichkeit der Aufsichtsratsmitglieder gelten § 93 mit Ausnahme des Absatzes 2 Satz 3 über die Sorgfaltspflicht und Verantwortlichkeit der Vorstandsmitglieder und § 15b der Insolvenzordnung sinngemäß. [2] Die Aufsichtsratsmitglieder sind insbesondere zur Verschwiegenheit über erhaltene vertrauliche Berichte und vertrauliche Beratungen verpflichtet. [3] Sie sind namentlich zum Ersatz verpflichtet, wenn sie eine unangemessene Vergütung festsetzen (§ 87 Absatz 1).**

Übersicht

I. Regelungsgegenstand und -zweck

1 § 116 betr. **Sorgfaltspflicht und Verantwortlichkeit** der AR-Mitglieder. Regelungsgegenstand und -zweck sind also ebenso zu bestimmen wie für § 93 als Parallelnorm bzgl. der Vorstandsmitglieder (→ § 93 Rn. 1 f.). Verfehlt wäre es jedoch, wegen der Verweisung auf § 93 anzunehmen, dass Sorgfaltspflicht und Haftung der AR-Mitglieder mit denen der Vorstandsmitglieder auch in der Sache durchweg übereinstimmen. Unterschiede in den Aufgaben, in der Struktur der (Neben-)Tätigkeit und der beruflichen Herkunft müssen bei der „sinngemäßen" Rechtsanwendung berücksichtigt werden (MüKoAktG/Habersack Rn. 2; Schwark FS Canaris, 2007, 389, 390 f.). Sinngem. Geltung des § 93 umfasst dessen gesamten Regelungsgehalt. Insbes. unterliegen auch Mitglieder des AR der Pflicht zur **Verschwiegenheit** (→ § 116 S. 2). In der Vergangenheit war AR-Haftung wie auch Vorstandshaftung (→ § 93 Rn. 2 f.) praktisch „totes Recht", weil die Neigung des Vorstands, „seinen" AR zu verklagen, naturgemäß gering war. Größtes Haftungsrisiko drohte vom Insolvenzverwalter. Nachdem mittlerweile Vorstände wesentlich häufiger in Anspruch genommen werden und

zunehmend darauf mit Streitverkündung ggü. AR-Mitgliedern reagieren, ist auch deren **Haftungsrisiko deutlich gestiegen** (vgl. dazu MHdB CL/J. Koch § 30 Rn. 84 und Rn. 90 zur Außenhaftung; Kocher/v. Falkenhausen AG 2016, 848 ff.; Schockenhoff AG 2019, 745 f.; zu Strafbarkeitsrisiken vgl. Wagner/Spemann NZG 2015, 945, 947 f.; zu den Folgen für Rechtsberater aufgrund des Verbots der Vertretung widerstreitender Interessen vgl. de Raet AG 2016, 225, 231 f.). AR darf darauf allerdings nicht in der Weise reagieren, dass er seine Verfolgungspflicht vernachlässigt (→ Rn. 16).

II. Allgemeiner Verhaltensstandard

1. Sorgfaltspflicht: Mindeststandard und Differenzierungen. Gem. § 93 I 1 iVm § 116 unterliegen auch Mitglieder des AR einer Sorgfaltspflicht (→ § 93 Rn. 6). Bezugspunkt der Sorgfaltspflicht ist das **Gesellschaftsinteresse;** ein dieses überwölbende Konzerninteresse ist abzulehnen (→ § 76 Rn. 132), und zwar auch für konzernweit gewählte AN-Vertreter (Hoffmann-Becking FS Hommelhoff, 2012, 433, 444 ff.; sa öOGH NZG 2021, 647 Rn. 32). Soweit es um Inhalt der Sorgfaltspflicht geht, ist die Leitfigur des ordentlichen Geschäftsleiters gegen die des ordentlichen AR-Mitglieds auszutauschen (→ Rn. 1); **Überwachungsfunktion** tritt also in den Vordergrund (unstr.). Sorgfaltspflichten bei der Überwachung können nicht nur durch konkretes Überwachungsversagen im Einzelfall verletzt werden (zB Duldung pflichtwidrigen Vorstandshandelns), sondern auch schon in Missachtung vorgeschalteter Sorgfaltspflichten bei **Selbstorganisation** des AR liegen, wozu zB Bildung von Ausschüssen, Ordnung des Berichtswesens, Einrichtung von Zustimmungsvorbehalten etc. gehören (Einzelheiten bei MüKoAktG/Habersack Rn. 16 ff.). 2

In diesem Sinne typisierter Sorgfaltsmaßstab gilt **grds. für alle AR-Mitglieder in gleichem Maße,** auch für diejenigen der AN-Seite (heute hM, s. BGHZ 85, 293, 295 f. = NJW 1983, 991; OLG Düsseldorf AG 2015, 434 Rn. 34; Habersack/Henssler/Habersack MitbestG § 25 Rn. 117 ff.; Edenfeld/Neufang AG 1999, 49, 50 f.). Zu Recht fordert BGHZ 85, 293, 295 f., jedes AR-Mitglied müsse die Mindestkenntnisse und -fähigkeiten besitzen oder sich aneignen, die zum Verständnis oder zur Beurteilung aller normalen Geschäftsvorgänge erforderlich sind (Mindeststandard; → § 113 Rn. 10; gleichsinnig öOGH AG 2004, 49 f.). Deshalb kann sich Arbeitnehmervertreter bei Einsichtnahme in den Bericht des Abschlussprüfers nicht von externen Sachverständigen beraten lassen (→ § 111 Rn. 86 ff.). Auch eine Schonfrist innerhalb einer **Einarbeitungszeit** wird überwiegend abgelehnt, doch sollte Gericht fehlender Erfahrung dadurch begegnen, dass es Verschuldensmaßstab mit Augenmaß handhabt (Bachmann Gutachten E zum 70. DJT, Bd. I, 2014, 71; Seibt/Scholz AG 2016, 739, 746 f.; zu entspr. Überlegungen bei Vorstandsmitgliedern → § 84 Rn. 9). Besonderheit gilt für Tätigkeit des AR-Mitglieds als HV-Leiter (→ § 129 Rn. 25). 3

Persönliche Differenzierungen sind insofern vorzunehmen, als für einzelne Mitglieder des AR entspr. einer **bes. Funktion** höhere Anforderungen gelten können als für die übrigen (wohl allgM, s. BeckOGK/Spindler Rn. 17; Dreher FS Boujong, 1996, 71, 83 ff.). Übernahmeverschulden trifft denjenigen, der solche Funktion übernimmt, obwohl er sie nicht ausfüllen kann. Weitere personenbezogene Differenzierungen sind dahingehend geboten, dass beruflich erworbenes **Spezialwissen** oder sonstige bes. Kenntnisse oder Fähigkeiten Sorgfaltsstandards erhöhen können (BGH AG 2011, 876 Rn. 28; MüKoAktG/Habersack Rn. 28; BeckOGK/Spindler Rn. 19; Binder ZGR 2012, 757, 773 f.; aA Schwark FS Werner, 1984, 841, 850 f., 853 f.). Um gerade vor dem Hintergrund gesamtschuldnerischer Haftung übermäßige Verschärfung und schwierigen Nachweis im Einzelfall zu vermeiden, sollte gesteigerter Sorgfaltsmaßstab aber 4 mit Zurückhaltung angewandt werden (Selter AG 2012, 11, 19). Differenzierungen sind iÜ nach **Art und Größe des Unternehmens** möglich. AR einer Großbank muss anderen Anforderungen genügen als derjenige einer Regionalbrauerei (Habersack/Henssler/Habersack MitbestG § 25 Rn. 118). Zur Bedeutung der jeweiligen Organisation der AR-Tätigkeit → Rn. 2, 15. Schließlich hängt Sorgfaltspflicht auch von **Situation des Unternehmens und konkreter Risikoexposition** ab (→ § 111 Rn. 30): Bei Geschäften, die wegen ihres Umfangs, der mit ihnen verbundenen Risiken oder ihrer strategischen Funktion bes. bedeutsam sind, muss jedes AR-Mitglied relevanten Sachverhalt erfassen und sich aufgrund selbständiger Risikoanalyse eigenes Urteil bilden (OLG Stuttgart AG 2012, 298 Ls. 1; Selter NZG 2012, 660 ff.; krit. ggü. überzogenen Verhaltensanforderungen G. Hoffmann AG 2012, 478, 482 ff.). Erst recht gilt dies bei existenzgefährdenden Risiken (Hasselbach NZG 2012, 41 ff.).

4a Aus Sorgfalts- und ggf. Haftungspflicht ergibt sich, dass auch AR einer **gegenläufigen Überwachung durch den Vorstand** unterliegen kann, die durch bloße Eigentümerkontrolle nicht ersetzt werden kann (J. Koch ZHR 180 [2016], 578 ff.; sa MüKoAktG/Spindler § 93 Rn. 122; Ihrig/Schäfer Vorstand Rn. 1018 ff.; M. Arnold FS Krieger, 2020, 41 ff.; aA Jo. Schmidt, Unternehmerische Verantwortung des AR, 2020, 266 ff.). Allerdings wird diese gegenläufige Kontrolle schon durch fehlendes Überwachungsinstrumentarium, insbes. fehlendes Weisungs- und Auskunftsrecht, sachgerecht eingeschränkt (ausf. dazu J. Koch ZHR 180 [2016], 578, 593 ff.). Auch **Übereifer in der Überwachung** kann uU Pflichtwidrigkeit des AR begründen, doch ist insofern weites Ermessen des AR anzuerkennen (J. Koch ZHR 180 [2016], 578, 585 ff.; zust. MüKoAktG/Spindler § 93 Rn. 122; M. Arnold FS Krieger, 2020, 41, 46 f.). Schadensersatzklage wird in dieser bes. Fallgruppe spätestens an fehlendem Verschulden scheitern, Unterlassungsklage ist nach hier vertretener Auffassung als Interorganstreit unzulässig (→ § 90 Rn. 18 ff.); in Betracht kommt nach hM aber allg. Rechtmäßigkeitskontrolle über Feststellungsklage (J. Koch ZHR 180 [2016], 578, 596 ff., 609 ff.; zust. M. Arnold FS Krieger, 2020, 41, 49; zur Zulässigkeit einer solchen Klage → § 108 Rn. 30).

5 **2. Anwendung des § 93 I 2.** Über § 116 S. 1 gilt grds. auch § 93 I 2 (BJR), der aber nur auf **unternehmerische Entscheidungen** anwendbar ist (Kropff FS Raiser, 2005, 225, 228 ff.), unter die rein rückschauende Überwachungstätigkeit nicht fällt (→ § 111 Rn. 6). Raum für Anwendung des § 93 I 2 bleibt daher nur, wenn AR in Unternehmensplanung einbezogen ist, etwa bei Ausübung von Zustimmungsvorbehalten nach § 111 IV 2 (→ § 111 Rn. 58 ff. – Einzelaufzählung bei Cahn WM 2013, 1293 f.). Abgrenzung kann oft schwierig sein. Für bes. praxisrelevante Frage nach Ermessen hinsichtlich **Verfolgung von Ersatzansprüchen** gegen Vorstandsmitglieder ist Anwendung des § 93 I 2, aber auch sonstiger Ermessensspielraum jedenfalls abzulehnen (str.; → § 111 Rn. 7 ff.).

6 Für die praktisch relevante Frage nach Auswirkungen eines **Interessenkonflikts** auf § 93 I 2, und zwar namentl. auch für übrige AR-Mitglieder, gelten grds. die in → § 93 Rn. 55 ff. skizzierten Grundsätze. Für AR-Mitglieder ist allerdings höhere Konflikttoleranz des Ges. zu berücksichtigen (→ § 108 Rn. 12): Wenn Ges. – wie namentl. für AN-Vertreter, aber auch Vertreter der Muttergesellschaft – bestimmte Rollenerwartung toleriert oder gar vorschreibt, bleibt solcher Konflikt auch im Rahmen des § 93 I 2 unbeachtlich (ausf. J. Koch FS Ebke, 2021, 533 ff.; sa schon J. Koch ZGR 2014, 697, 700 f., 707 f.; ferner GK-AktG/Hopt/Roth § 100 Rn. 268; Harnos, Gerichtliche Kontrolldichte, 2021, 468 ff.; M. Meyer, Interessenkonflikte im AR, 2021, 52 ff.). Aber auch jenseits solcher vorprogrammierter Konflikte ist die – schon für Vorstände geltende – **Relevanzschwelle** (→ § 93 Rn. 56) noch weiter anzuheben (J. Koch ZGR

2014, 697, 708; M. Meyer, Interessenkonflikte im AR, 2021, 63 ff.; noch weitergehend für gänzliche Irrelevanz des Konflikts S/L/Drygala Rn. 16; zum Interessenkonflikt aufgrund möglicher gesamtschuldnerischer Mithaftung vgl. Kocher/v. Falkenhausen AG 2016, 848, 851 f.). Ist Konflikt auch nach diesem weiteren Maßstab zu bejahen, sollte betroffenes AR-Mitglied möglichst schon von Teilnahme an Beratungen ausgeschlossen werden (→ § 108 Rn. 13 f.). Sind ausnahmsweise alle Mitglieder von Interessenkonflikt betroffen (insbes. Übernahmesituation), kann für Vorstand entwickelte Lösung, Zustimmung des AR einzuholen (→ § 93 Rn. 60), auf AR selbst nicht übertragen werden. Es überzeugt aber auch nicht, wenn sich konfliktbefangener Vorstand durch Zustimmung des AR Privilegierung des § 93 I 2 sichern kann, AR selbst dann aber in die Haftung rückt. Zumindest in den Fällen, in denen sich Rolle des AR in solcher Zustimmung erschöpft, wird man deshalb auch AR-Mitgliedern Berufung auf § 93 I 2 gestatten müssen (J. Koch ACI-Quarterly 2013, 7, 9; speziell für Übernahmesituation iErg auch Krause/Pötzsch/Stephan in Assmann/Pötzsch/Schneider WpÜG, 2. Aufl. 2013, WpÜG § 33 Rn. 183 ff.; Fuchs in Fleischer VorstandsR-HdB § 22 Rn. 135 Fn. 335; Seibt FS Hoffmann-Becking, 2013, 1119, 1122 f.). **Mangelnde Selbstinformation** als wesentliches Haftungselement (→ § 93 Rn. 42 ff.) muss auf Besonderheiten der AR-Tätigkeit abgestimmt werden, und zwar namentl. auf Abhängigkeit der Informationsversorgung vom Vorstand (ausf. dazu Cahn WM 2013, 1293, 1297 ff.; Kropff FS Raiser, 2005, 225, 231 ff.; Lieder ZGR 2018, 523, 554 ff.; Thümmel FS A. Reuter, 2021, 461, 467 ff.). Das kann AR bei vorenthaltenen Informationen uU entlasten, doch kann sich Vorwurf pflichtwidrigen Verhaltens dann auf unzureichende Organisation des Berichtswesens verlagern (→ Rn. 2, 15). Zum Rückgriff des AR auf Ressourcen der Rechtsabteilung → § 109 Rn. 5.

Eine Änderung hat § 116 S. 1 durch SanInsFoG 2020 erfahren. Nach Art. 15 Nr. 2 SanInsFoG wird die sinngem. Geltung der Vorschriften über die Sorgfalt und Verantwortlichkeit der Vorstandsmitglieder auch auf die Vorschrift des **§ 15b InsO nF** ausgedehnt, der in modifizierender Übernahme des bisherigen Normenbestands des § 92 II aF und § 93 III Nr. 6 aF das **Zahlungsverbot des Vorstands** bei Zahlungsunfähigkeit und Überschuldung mitsamt der entspr. Verstoßfolgen regelt (→ § 92 Rn. 46 f.). Die Erweiterung des § 116 S. 1 zieht aus dieser Verschiebung die notwendigen Konsequenzen für AR-Mitglieder und dehnt ihre Pflichten auch auf diese Vorschrift aus. Das bedeutet zunächst, dass AR selbst keine Zahlungen nach Insolvenzreife erbringen darf, was aber ohnehin nur ausnahmsweise vorkommen kann, da Vorstand auch dort **zuständige Zahlungsstelle** bleibt, wo Maßnahme im Zuständigkeitsbereich des AR liegt (str. → § 111 Rn. 40). Bes. Erwähnung in § 116 S. 1 wird man deshalb dahin zu deuten haben, dass AR in Insolvenzsituation auch in solchen Ausnahmekonstellationen Zahlung verwehrt ist, er etwaige Zustimmungsvorbehalte nach § 111 IV 2 (§ 111 Rn. 58 ff.) in Bezug auf Zahlungen des Vorstands ablehnend auszuüben hat und dass vorgenommene kompetenz- und rechtswidrige Zahlungen des AR nach den Regeln des § 15b IV InsO zurückgefordert werden können. Überdies wird man Vorschrift auch den Auftrag entnehmen können, über Einhaltung der entsprechenden Vorstandspflicht bes. aufmerksam zu wachen. 6a

3. Organschaftliche Treubindungen; Interessenkollisionen. Auch AR-Mitglieder unterliegen kraft ihrer Bestellung organschaftlichen Treubindungen (→ § 84 Rn. 10 f.; → § 93 Rn. 61; unstr., s. statt vieler OLG Stuttgart AG 2012, 298, 302 f.; BeckOGK/Spindler Rn. 80 ff.). Konkretisierung kann jedoch nicht unter pauschaler Übernahme derjenigen Grundsätze erfolgen, die für Vorstandsmitglieder gelten. Vielmehr muss in Rechnung gestellt werden, dass Tätigkeit im AR typische **Nebentätigkeit** ist (→ § 100 Rn. 5). Daher kann nach zutr. hM 7 nicht gefordert werden, dass AR-Mitglied den Interessen der AG unbedingten Vorrang gibt (MHdB AG/Hoffmann-Becking § 33 Rn. 80; Ulmer NJW 1980, 1603, 1606). Eigene Geschäftsbeziehungen zur AG müssen aber vertretbar ausgestaltet sein. Treuwidrig handelt stets, wer AG unter Ausnutzung von Informationen aus seiner Amtstätigkeit übervorteilt. Zu Einzelheiten s. Fleck FS Heinsius, 1991, 89, 92 ff., 99 f.

8 Aus **anderweitiger Pflichtbindung** des AR-Mitglieds kann sich Interessenkollision ergeben, bes. dann, wenn Vorstandsmitglieder oder leitende Angestellte der einen Gesellschaft im AR der anderen tätig sind. Einschlägige Fragen sind vielgestaltig und nicht abschließend geklärt (→ § 108 Rn. 10 ff., insbes. zu Auswirkungen auf Beschlussfassung; zur Situation des Wettbewerbers im AR → § 103 Rn. 13a f; zu Haftungsfolgen → Rn. 6). Jedenfalls darf Mitglied des AR seinen Einfluss nicht dazu missbrauchen, dem Vorstand gesellschaftsschädliches Verhalten (Ausstellung eines Gefälligkeitswechsels für notleidende Bank) nahezubringen. Dass dies „seiner" Gesellschaft dient, enthält weder Rechtfertigung noch Entschuldigung (BGH NJW 1980, 1629 f.; MHdB AG/Hoffmann-Becking § 33 Rn. 82). Weitergehend ist anzunehmen, dass AR-Mitglied dem **Unternehmensinteresse stets Vorrang** geben muss, wenn es sein AR-Mandat ausübt (GS 20 DCGK; Möllers ZIP 2006, 1615, 1616 f.). E.1 DCGK empfiehlt überdies Transparenz durch Offenlegung (→ § 108 Rn. 11). Findet sich keine andere Lösung, muss es, wenn sich Interessenkollision zum andauernden Pflichtenwiderstreit verdichtet, eines der kollidierenden Ämter niederlegen (LG Hannover ZIP 2009, 761, 762 mit zutr. Einschränkung für Repräsentanten des herrschenden Unternehmens; MHdB AG/Hoffmann-Becking § 33 Rn. 82; Lutter/Krieger/Verse AR Rn. 900). Zur Frage einer Weisungsbindung ggü. Hoheitsträgern bei AG mit hoheitlicher Beteiligung → § 394 Rn. 59 ff.

9 **4. Pflicht zur Verschwiegenheit. Grundlagen.** Aus § 93 I 3 iVm § 116 folgt nicht nur Sorgfaltspflicht der AR-Mitglieder, sondern auch ihre Pflicht zur Verschwiegenheit, die letztlich **Ausdruck organschaftlicher Treupflichten** ist (→ Rn. 7 f.; → § 93 Rn. 62) und Amtszeit des AR-Mitglieds überdauert (MüKoAktG/Habersack Rn. 53). Pflicht der AR-Mitglieder zur Verschwiegenheit ist notwendiges Korrelat zur Pflicht des Vorstands, dem AR in den Gesellschaftsangelegenheiten in voller Offenheit zu begegnen (→ § 90 Rn. 3; → § 93 Rn. 65). Sie ist für konstruktives Zusammenwirken der Gesellschaftsorgane schlichtweg unverzichtbar und deshalb strikt zu beachten (Ausnahmen → Rn. 10). Durch TransPuG 2002 angefügte **Insbesondere-Vorschrift in § 116 S. 2** soll deshalb Pflicht zur Verschwiegenheit wegen ihrer Bedeutung für Funktionsfähigkeit des AR hervorheben und verdeutlichen, worauf sich Pflicht vor allem bezieht (RegBegr. BT-Drs. 14/8769, 18). Dass Gesetzgeber sich insofern nicht mit bloßem Rückverweis auf § 93 I 3 begnügt, erklärt sich aus bes. **Appellfunktion** der Norm. Aus der Hervorhebung „insbesondere" folgt im Rückschluss, dass vertrauliche Berichte und vertrauliche Beratungen nur Beispiele sind, die AR-Mitgliedern verdeutlichen sollen, wo bes. Sorgfalt geboten ist. Verschwiegenheitspflicht erstreckt sich also weitergehend auf **jede vertrauliche Information** und vor allem auf **gesamten Beratungsinhalt** sowohl des Plenums als auch der Ausschüsse, weil Beratungen immer – also auch ohne bes. Kennzeichnung – vertraulich sind (BGHZ 64, 325, 330 ff. = NJW 1975, 1412; DAV-HRA NZG 2002, 115, 117; Breidenich, Organisation der AR-Arbeit, 2020, 70; Wilsing/v. der Linden ZHR 178 [2014], 419, 426; zum Spannungsverhältnis zur Offenlegungsempfehlung nach E.1 S. 2 DCGK → § 171 Rn. 18). Insbes. ist auch Abstimmungsverhalten von Verschwiegenheitspflicht erfasst, und zwar auch wenn es die eigene Stimmabgabe betr. (B/K/L/Bürgers/Fischer Rn. 22; Lutter/Krieger/Verse AR Rn. 267). Außenstehenden Klägern ist inso-

fern uU Erleichterung über Grundsätze der sekundären Beweislast zu verschaffen (BGHZ 196, 195 Rn. 27 ff. = NJW 2013, 1535; v. Selle NZG 2023, 1199, 1202). Frage, welche Mitglieder an AR-Sitzung teilgenommen haben, ist dagegen nicht von Auskunftsverweigerungsrecht gedeckt (MüKoAktG/Kubis § 131 Rn. 199; diff. Hoffmann-Becking NZG 2017, 281, 284). Verschwiegenheitspflicht gilt ggü. allen nicht zu den Organmitgliedern der AG gehörenden Personen (BGH NJW 2016, 2569 Rn. 332; OLG München WM 2015, 2139, 2144); ggü. Vorstand ist Offenlegung dagegen auch ohne korrespondierende Auskunftspflicht (§ 90 AktG) zulässig (Buck-Heeb WM 2016, 1469, 1473). **Sanktionen:** → § 93 Rn. 70. Verschärfung des Strafrahmens für Verletzung der Geheimhaltungspflicht bei börsennotierten Gesellschaften (§ 3 II) in **§ 404 I und II** zielt vor allem auf AR-Mitglieder (RegBegr. BT-Drs. 14/8769, 24 f.). In RegBegr. (BT-Drs. 14/8769, 24 f.) ist zu Recht betont, dass Verschwiegenheit zu den Funktionsbedingungen des AR-Systems gehört, womit ausnahmslos bestehendes Antragserfordernis des § 404 III allerdings nicht recht harmoniert. Für Antragstellung zuständiger Vorstand wird ggü. AR-Mitglied häufig Beißhemmung haben. Umwandlung in Offizialdelikt ist dennoch kaum wünschenswert (Koch in Hommelhoff/Verse/Kley, Reform des AR-Rechts, 111, 135 ff.). Als zumindest **vorläufige Abhilfemaßnahme** kann erwogen werden, gesprächiges AR-Mitglied von Informationsfluss auszuschließen (ausf. Kalss FS Grunewald, 2021, 423, 435 ff.). Endgültige Bereinigung der Konfliktsituation hat dann über § 103 III 1 zu erfolgen (→ § 103 Rn. 10 f.), wenn Eigentümer nicht selbst nach § 103 I tätig werden. Befreiung von Verschwiegenheitspflicht gilt zT für AG mit hoheitlicher Beteiligung → § 394 Rn. 76 ff.

Für den **Umfang** der Verschwiegenheitspflicht gelten die zu § 93 entwickel- **10**
ten Grundsätze, so dass konkrete Eingrenzung am Maßstab des obj. Gesellschaftsinteresses zu erfolgen hat (→ § 93 Rn. 62 ff.). Insbes. kann Verschwiegenheitspflicht auch hier zurücktreten, wenn Weitergabe der Information gerade im Interesse der AG liegt (→ § 93 Rn. 66). Namentl. hinsichtlich des Beratungsgeheimnisses (→ Rn. 9) kann sich AR in einem solchen Fall selbst **von Verschwiegenheitspflicht befreien** (BGHZ 193, 110 Rn. 40 = NJW 2012, 2346: um Beweis fehlender Diskriminierung nach § 22 AGG zu führen; BGHZ 196, 195 Rn. 29 f. = NJW 2013, 1535; vgl. dazu auch v. Selle NZG 2023, 1199, 1202; ausf. und zT krit. zu beiden Entscheidungen Wilsing/v. der Linden ZHR 178 [2014], 419 ff.), allerdings nur sofern es um aus dem AR selbst stammende Umstände geht, wie Abstimmungsgegenstände oder Diskussionsinhalte (BGH NJW 2016, 2569 Rn. 35). Dazu genügt einfache Mehrheit; AR-Mitglied, dessen Verhalten offengelegt werden soll, muss nicht mitstimmen (Wilsing/v. der Linden ZHR 178 [2014], 419, 440; aA KK-AktG/Mertens/Cahn Rn. 53). Auch wenn AR Befreiung beschlossen hat, bleibt Herr des Geschäftsgeheimnisses doch Vorstand, sofern AR nicht selbst geschäftsführend tätig wird (MüKoAktG/Habersack Rn. 65; Wilsing/v. der Linden ZHR 178 [2014], 419, 432 ff.). Weitere Ausnahmen können sich aus gegenläufigen Offenlegungspflichten oder -rechten ergeben (zB §§ 90, 93, 97 AO); in engen Ausnahmefällen kann Einhaltung der Verschwiegenheitspflicht auch **unzumutbar** sein, zB bei Abwehr unberechtigter Ansprüche oder Verteidigung im Strafverfahren (MüKoAktG/Habersack Rn. 61). Weitergehende Einschränkung aus Art. 5 GG (dafür Säcker NJW 1986, 803, 804) ist abzulehnen (Lutter/Krieger/Verse AR Rn. 257 f.). Auch im Vorhinein können AR-Mitglieder nicht für bestimmten Themenbereich generell von Schweigepflicht entbunden werden (BGH NJW 2016, 2569 Rn. 34), auch nicht durch Satzung (Mülbert/Sajnovits NJW 2016, 2540, 2542). Selbst HV kann nicht über Offenbarung vertraulicher Angaben und Geheimnisse befinden (BGH NJW 2016, 2569 Rn. 35). Wenn AR-Mitglieder Mitarbeiter einsetzen (→ § 111 Rn. 86 ff.), erfüllen sie Pflicht zur Verschwiegenheit, indem sie mit ihnen Ver-

traulichkeit vereinbaren oder auf ohnehin bestehende anstellungsvertragliche Verschwiegenheitspflicht achten und deren Erfüllung durch Hinweise und Kontrollen sicherstellen (MüKoAktG/Habersack Rn. 61; Lutter/Krieger DB 1995, 257, 259 f.). Im Zivil-, nicht aber im Strafprozess, begründet Verschwiegenheitspflicht auch **Zeugnisverweigerungsrecht** gem. § 383 I Nr. 6 ZPO (str., → § 93 Rn. 69 mwN und MüKoAktG/Habersack Rn. 53).

11 Umfängliche Diskussion über Pflicht zur Verschwiegenheit findet ihren Grund in der häufigen Existenz anderweitiger Interessenbindungen (→ Rn. 7 f.) und hier bes. in anderweitiger Bindung der AN-Vertreter in **mitbestimmten Gesellschaften** (s. dazu Lutter/Krieger/Verse AR Rn. 255 f.). Insoweit können folgende Ergebnisse festgehalten werden: (1.) Ges. ist abschließend. Verschwiegenheitspflicht kann also durch Satzung oder Geschäftsordnung **nicht abgeschwächt, aber auch nicht verschärft** werden (BGHZ 64, 325 = NJW 1975, 1412; OLG Düsseldorf AG 1974, 51, 52 f.; MüKoAktG/Pentz § 23 Rn. 164; Säcker FS Rob. Fischer, 1979, 635, 636 ff.). Möglich bleiben nach BGHZ 64, 325, 328 erläuternde Hinweise in Gestalt von Richtlinien. Sie können auch Verfahrensregeln enthalten (zu in der Praxis gebräuchlichen Maßnahmen vgl. Goette/Arnold AR-HdB/Bingel § 3 Rn. 527 ff.). Vorgängige Beratung mit AR-Vorsitzendem kann empfohlen, aber nach richtiger Ansicht nicht zur Pflicht gemacht werden (Habersack/Henssler/Habersack MitbestG § 25 Rn. 115; aA MHdB AG/Hoffmann-Becking § 33 Rn. 68; beide mwN). (2.) AN-Vertreter unterliegen Pflicht zur Verschwiegenheit in genau der gleichen Weise wie Vertreter der Anteilseigner; es gibt **keine gespaltene Vertraulichkeit** (ganz hM, s. OLG Stuttgart AG 2007, 218, 219; MüKoAktG/Habersack Rn. 58, 63 f.; GK-AktG/Hopt/Roth Rn. 211 ff.). (3.) Schließlich gibt es auch **keinen Beurteilungsspielraum** der AR-Mitglieder in dem Sinne, dass sie bei unrichtiger, aber immerhin vertretbarer Verneinung der Geheimhaltungsbedürftigkeit reden dürften; denn das wäre nichts anderes als Lockerung der Gesetzesbindung durch Entscheidungskompetenz. Maßgeblich ist obj. am Unternehmensinteresse ausgerichtete, gerichtl. voll nachprüfbare Bewertung (hM, s. MüKoAktG/Habersack Rn. 56; Harnos, Gerichtliche Kontrolldichte, 2021, 505 f.). Während nach bisheriger Praxis zumeist eher Vertraulichkeitsverstöße der AN-Vertreter im Vordergrund der Gerichtspraxis standen, zeigt sich mittlerweile auch auf Seite der Anteilseigenervertreter stärkere Tendenz, namentl. **ggü. institutionellen Investoren** Vertraulichkeit zu durchbrechen, was aber ebenfalls § 116 S. 1, 2 iVm § 93 I 3 verletzen kann (ausf. → § 111 Rn. 54 ff.; J. Koch AG 2017, 129 ff., 139). Unglückliche Kodex-Anregung in A.6 DCGK kann sich daher gerade für AR-Vorsitzenden als gefährliche Haftungsfalle erweisen (→ § 111 Rn. 54 ff.).

12 Weiterhin umstr. ist Begrenzung der Verschwiegenheitspflicht im **Unternehmensverbund.** HM lässt solche Beschränkungen sowohl im Vertragskonzern als auch im faktischen Konzern für AR-Mitglieder zu (S/L/Drygala Rn. 37; GK-AktG/Hopt/Roth Rn. 203 ff.; KK-AktG/Mertens/Cahn Rn. 42; MHdB AG/Hoffmann-Becking § 33 Rn. 60; Dittmar AG 2013, 498, 500 ff.; aA MüKoAktG/Habersack Rn. 60; BeckOGK/Spindler Rn. 129 f.). Grds. Durchbrechung der Verschwiegenheitspflicht im Unternehmensverbund ist auch im nur faktischen Konzern grds. zuzustimmen (→ § 311 Rn. 36a ff.). Fraglich ist allein, ob Information ausschließlich über Vorstand erfolgen darf oder auch über AR-Mitglieder selbst. Grds. Bindung auch der Informationserteilung an **§ 311** (→ § 311 Rn. 36a ff.) spricht dafür, es bei alleiniger Zuständigkeit des Vorstands zu belassen, da nur er befugt ist, gebotenen Nachteilsausgleich zu kontrollieren. In die gleiche Richtung weist § 394, der nur AR-Mitglieder einer Gebietskörperschaft von Verschwiegenheitspflicht befreit (zust. etwa J. Bauer/Schmidt-Bendun FS Wegen, 2015, 105, 113 f.). Nicht zu verkennen ist allerdings, dass ges. Kompetenzordnung hier an gelebter Konzernwirklichkeit deutlich vorbeigehen

wird (nachvollziehbar deshalb KK-AktG/Mertens/Cahn Rn. 42: „Forderung so lebensfremd, dass man aus ihr kein Rechtsgebot machen sollte"). Praxis behilft sich damit, dass Tochtervorstand **Einverständnis mit Informationsweitergabe** auch durch AR-Mitglieder erklärt, solches Einverständnis zT auch als konkludent erteilt vermutet wird (Bank NZG 2013, 801, 806). Weil aktienrechtl. Kompetenzordnung zwingend ist, kann Tochtervorstand dem AR-Mitglied durch Einverständnis allerdings keine eigenständige Kompetenz zur Informationsweitergabe verschaffen, sondern ihn lediglich als Mittler in seinen eigenen Kommunikationsprozess ggü. herrschendem Unternehmen einsetzen (Mader, Der Informationsfluss im Unternehmensverbund, 2016, 477 ff.). Besonderheiten gelten für **AR-Doppelmandatar.** Aus Konzernprivileg des § 100 II 2 kann geschlossen werden, dass Doppelmandatar Informationen, die er als AR-Mitglied des abhängigen Unternehmens erhalten hat, auch in Funktion als Organ der herrschenden Gesellschaft in dem Sinne verwenden darf, dass er sie seinen eigenem Abstimmungsverhalten zugrunde legt. Eine „chinese wall" im Kopf des einzelnen AR-Mitglieds, die auch der „inneren Informationsweitergabe" entgegensteht, kann nicht gezogen werden, so dass Doppelmandat unzulässig sein müsste; das soll es nach § 100 II 2 aber gerade nicht sein (Mader, Der Informationsfluss im Unternehmensverbund, 2016, 491 ff.; zust. Goette/Arnold AR-HdB/Bingel § 3 Rn. 520). Befugnis zu darüber hinausgehender Weitergabe der Informationen innerhalb Gremien der herrschenden Gesellschaft trägt Norm dagegen nicht (Mader, Der Informationsfluss im Unternehmensverbund, 2016, 492 ff.; Goette/Arnold AR-HdB/Bingel § 3 Rn. 520; aA Dittmar AG 2013, 498, 500 f.).

III. Schadensersatzpflicht der Aufsichtsratsmitglieder

1. Sinngemäße Anwendung des § 93 II–VI. Unter den Prämissen des 13 § 93 II (→ § 93 Rn. 72 ff.) sind auch AR-Mitglieder der AG schadensersatzpflichtig (zur Geltung des § 93 I 2 → Rn. 5 f.), wobei Vorstands- und AR-Mitglieder auch untereinander zur gesamtschuldnerischen Haftung verbunden sind (BGH NJW 1983, 1856 [zur GmbH aber unter Berufung auf aktienrechtl. Rspr. in RG JW 1920, 1032, 1033]; BGH NZG 2015, 38 Rn. 22; RG SächsArch 12 [1902], 723, 729; OLG Braunschweig OLGE 18 [1909], 8; MüKoAktG/Habersack Rn. 78; BeckOGK/Fleischer § 93 Rn. 319; Guntermann/Noack FS Grunewald, 2021, 253, 260 m. Fn. 32; Kocher/v. Falkenhausen AG 2016, 848, 849 f.; aA S/L/Drygala Rn. 52; Groh, Einstandspflichten und gestörte Gesamtschuld, 2020, 125 ff.; C. Schäfer/Groh FS Ebke, 2021, 855, 859 f.). Erst im Innenverhältnis erlaubt § 426 I 1 BGB abgestufte Ausgleichspflicht nach Grad der Verursachung und des Verschuldens analog § 254 BGB (MüKoAktG/Habersack Rn. 75, 78; sa → § 93 Rn. 116 ff.). Praktische Bedeutung der AR-Haftung nimmt unverkennbar zu (→ Rn. 1). Enthaftende Satzungsklauseln oder Vereinbarungen sind unzulässig, Freistellungserklärungen Dritter dagegen erlaubt und gültig. Nach hM ist auch bei Haftung von AR-Mitgliedern Vorstand nach **ARAG-Grundsätzen** (→ § 111 Rn. 7 ff.) zur Verfolgung verpflichtet (OLG Stuttgart AG 2016, 370, 375; S/L/Drygala Rn. 55; MüKoAktG/Habersack Rn. 8; BeckOGK/Spindler Rn. 152; J. Koch ZHR 180 [2016], 578, 584; zweifelnd GK-AktG/Hopt/Roth § 93 Rn. 178; Bachmann FS Krieger, 2020, 61, 69 ff.). Dem ist grds. zuzustimmen, da sich Klagepflicht in erster Linie aus Schadensabwendungspflicht ergibt, die auch Vorstand trifft. Weitere Herleitung der ARAG-Grundsätze aus § 111 I kann zu Abweichungen in den Details des Pflichtenregimes führen (vgl. dazu Bachmann FS Krieger, 2020, 61, 69 ff.), grds. Verfolgungspflicht aber nicht widerlegen. Zum Versicherungsschutz (D&O) → § 84 Rn. 22; → § 93 Rn. 122 ff.; → § 113 Rn. 5. Nicht anzuwenden ist § 93 II 3. Für **D&O-Versicherung** von AR-Mitgliedern gibt es also keinen obligatorischen Selbstbehalt. Ges. Verhaltenssteuerung bezieht sich daher nur auf Pflichtverletzungen von Vorstandsmitgliedern, nicht auch auf unzureichende Überwachung (AusschussB BT-Drs. 16/13433, 11 f.). Ziff. 3.8 III DCGK aF empfahl aber auch hier Selbstbehalt. Mit Kodex-Reform 2020 ist diese Empfehlung entfallen.

14 **Sondertatbestände** (§ 93 III; → § 93 Rn. 148 ff.) gelten auch iRd § 116. Norm stellt nicht darauf ab, durch wen Zuwendung gewährt wird, sondern knüpft an verbotenen Erfolg an. Regeln des § 93 IV bzgl. Haftungsausschluss, Verzicht und Vergleich (→ § 93 Rn. 153 ff.) gelten grds. auch für Ansprüche gegen Mitglieder des AR. § 93 IV 1 kommt jedoch kaum in Betracht, weil AR nicht an Beschlüsse der HV gebunden ist; Ausnahme: § 147 (MüKoAktG/Habersack Rn. 76; weiteres Verständnis bei Fischbach AG 2013, 1153, 1154 f. aufgrund unzutr. Annahme, auch AR könne HV-Vorlage nach § 119 II vornehmen; → § 119 Rn. 13a). Ansprüche können gem. § 93 V auch von den Gläubigern verfolgt werden (→ § 93 Rn. 170 ff.) und verjähren in fünf Jahren (§ 93 VI; → § 93 Rn. 175 ff.). Str. ist, ob nicht nur AR-Mitglied, sondern ggf. auch benennende oder entsendende Gesellschaft bzw. Institution (zB Kommune) gem. § 31 BGB haftbar ist. BGHZ 90, 381, 398 = NJW 1984, 1893 verneint das (aA Ulmer FS Stimpel 1985, 705 ff.). Ersatzpflicht **ggü. Aktionären oder Dritten** folgt nicht aus § 116 (OLG Düsseldorf AG 2008, 666 f.; LG Düsseldorf AG 1991, 70, 71) und ist auch sonst nur ausnahmsweise begründbar. Sie kann sich jedoch über § 117 I 2 hinaus nach §§ 823 ff. BGB ergeben. Es gelten insofern dieselben Grundsätze wie für Vorstand (→ § 93 Rn. 133 ff.). Da AR selten direkt im Außenverhältnis handelt, werden die entspr. Haftungsgründe hier noch seltener einschlägig sein. Als gefährlich kann sich insofern aber neuere Tendenz der Rspr. erweisen, Teilnehmerhaftung von AR-Mitgliedern an sittenwidriger Schädigungshandlung des Vorstands gem. §§ 826, 830 BGB anzunehmen (vgl. dazu OLG Düsseldorf AG 2008, 666 f.; BeckRS 2009, 14700; krit. zu dieser Entwicklung Oechsler AcP 214 [2014], 542 ff. mwN; sa → § 93 Rn. 137 f.).

15 **2. Insbesondere: Pflichtverletzung.** Nach § 93 II iVm § 116 setzt Haftung Pflichtverletzung (und Verschulden) voraus (zur Geltung des § 93 I 2 → Rn. 5 ff.). Zentraler Streitpunkt in der Auseinandersetzung um Überwachungsversagen wird idR die **Informationsobliegenheit** sein (vgl. zum Folgenden MHdB CL/J. Koch § 30 Rn. 86). Von AR kann keine laufende Überwachung in dem Sinne erwartet werden, dass er einzelne Geschäftsvorfälle, Zahlungseingänge und Buchungsunterlagen prüft (OLG Stuttgart AG 2012, 762, 764). Vielmehr darf AR sich grds. auf Informationsversorgung durch Vorstand verlassen, muss aber für hinreichende Organisation des Berichtswesens Sorge tragen (OLG Karlsruhe v. 23.3.2022 – 11 U 58/17, 92 f. [nv]) und bei Vorliegen bes. Umstände Überwachung intensivieren, namentl. in Krisenzeiten bei Hinweisen auf existenzgefährdende Geschäftsführungsmaßnahmen, aber auch bei neu gegründeten Gesellschaften (OLG Düsseldorf AG 2015, 434 Rn. 41; OLG Stuttgart AG 2012, 762, 764; zu vergleichbarem Vertrauensgrundsatz im Binnenverhältnis des Vorstands → § 77 Rn. 15). Wer ggü. Maßnahmen des Vorstands Bedenken hat, muss sie vorbringen und sollte auf Protokollierung dringen (LG Berlin ZIP 2004, 73, 76; Scholderer/v. Werder ZGR 2017, 865, 870 ff., 893). Insbes. bei Verstößen gegen Legalitätspflicht (→ § 93 Rn. 9 ff.) verlangt Rspr. aktives Tätigwerden in dem Sinne, dass AR-Mitglied auf Einberufung des AR drängen und diese notfalls über § 110 II selbst initiieren muss (OLG Braunschweig NJW 2012, 3798, 3800: anderenfalls Untreue [§ 266 StGB] durch Unterlassen; zur Anwendung des § 266 StGB auf AR-Mitglieder BGHSt 61, 48 Rn. 51 ff. = NZG 2016, 703; Brand/Petermann WM 2012, 62 ff.). Gang an die

Öffentlichkeit darf nur als ultima ratio eingesetzt werden (OLG Stuttgart AG 2012, 298, 303: notstandsähnliche Extremfälle; MüKoAktG/Habersack Rn. 33; Scholderer/v. Werder ZGR 2017, 865, 906 ff.). Auch insofern können für Vorstand entwickelte Maßstäbe (→ § 77 Rn. 15b) herangezogen werden. Ob AR zur Aufdeckung eigener Pflichtverstöße verpflichtet sein kann (grds. abl. Grunewald NZG 2013, 841 ff.), ist wie bei Vorstand von konkreter Pflicht und Umständen des Einzelfalls abhängig (→ § 93 Rn. 25). Jedenfalls darf AR keinesfalls Pflichtverstöße des Vorstands ungeahndet lassen, um eigenes Überwachungsversagen zu verbergen, weil sonst Aufsichtsfunktion ausgehöhlt würde (BGHZ 219, 356 Rn. 46 = NZG 2018, 1301; für Offenbarung eigenen strafbaren Verhaltens offenlassend, aber tendenziell sympathisierend in Rn. 48; zust. Bayer/Scholz NZG 2019, 201, 206 f.; krit. Fleischer ZIP 2018, 2341, 2347 ff.). **Exculpation** bzgl. Pflichtverletzung und Verschulden liegt gem. § 93 II 2 bei AR-Mitgliedern (→ § 93 Rn. 103 ff.; zur Geltung für AR-Mitglieder s. BGH NZG 2013, 795 Rn. 15). Für Rechtsirrtum, namentl. aufgrund fehlerhafter Beratung, gelten in ISION-Entscheidung des BGH entwickelte Grundsätze (→ § 93 Rn. 80 ff.; s. speziell zum AR auch Redeke AG 2017, 289, 295 f.). Hat bereits Vorstand Gutachten eingeholt, das AR zugänglich ist und nach seiner Wahrnehmung ISION-Grundsätzen genügt, muss AR kein eigenes Gutachten in Auftrag geben (ähnlich G. M. Hoffmann AG 2012, 478, 482). Einwand rechtmäßigen Alternativverhaltens (→ § 93 Rn. 92 ff.) kann AR ebenso wie Vorstand geltend machen (KG NZG 2021, 1358 Rn. 83).

Auch wer Pflichten vernachlässigt, die ihm als **Mitglied eines Ausschusses** 16
obliegen, verletzt damit seine Mandatspflichten (Schwark FS Canaris, 2007, 389, 394 ff.). Ob AR-Mitglieder ihre Überwachungsaufgabe pflichtwidrig vernachlässigt haben, hängt auch von Organisation der Arbeit des Gesamtorgans ab. Übertragung von Aufgaben auf Ausschüsse wirkt wegen **Gesamtverantwortung** aller AR-Mitglieder nicht enthaftend (RGZ 93, 338, 340). Gesamtorgan muss sich davon überzeugen, dass seine Ausschüsse sachgem arbeiten. Bloße Entgegennahme von Ausschussberichten genügt jedenfalls in wesentlichen Fragen nicht.

Bsp. für Pflichtverletzung (sa Lutter/Krieger/Verse AR Rn. 985 ff.; Hüffer 17
ZGR 1980, 320, 329 ff., 335 ff.): Untätigkeit ggü. ungewöhnlich leichtfertigen Maßnahmen des Vorstands (BGHZ 69, 207, 214 = NJW 1977, 2311); Hinnahme unzulässiger Verzögerungen bei Stellung des Insolvenzantrags trotz Kenntnis der Überschuldung (BGHZ 75, 96 = NJW 1979, 1823); Veranlassung des Vorstands zu gesellschaftsschädlichem Geschäft (BGH NJW 1980, 1629; → Rn. 8); Hinnahme einer Schmälerung der Insolvenzmasse (§ 93 III) durch verbotswidrige Zahlungen des Vorstands (→ § 92 Rn. 46 f.), denen AR nicht durch situationsangemessene Überwachung entgegentritt (BGH AG 2009, 404, 405; BGHZ 187, 60 Rn. 12 ff. = NJW 2011, 221; sa Thiessen ZGR 2011, 275, 278 ff.); Ausübung des Amtes ohne eigenes Bild von Geschäftstätigkeit vornehmlich im Ausland tätiger Gesellschaft (OLG Düsseldorf WM 1984, 1080; problematisch); Zustimmung zur erheblich unterpreisigen Veräußerung des Betriebsgrundstücks, dessen höherer Wert leicht feststellbar war (LG Stuttgart AG 2000, 237, 238 f.); mangelnde Unterrichtung des AR über Vergabe ungesicherter Kredite an herrschendes Unternehmen (LG Dortmund AG 2002, 97, 98 f.); unzureichende Sachverhaltserfassung, Urteilsbildung und Risikoanalyse (OLG Stuttgart AG 2012, 298, 299 ff.); kreditgefährdende Äußerungen über AG in der Öffentlichkeit (OLG Stuttgart AG 2012, 298, 302 ff.).

3. Festsetzung einer unangemessenen Vergütung. § 116 S. 3 hebt Scha- 18
densersatzpflicht hervor („namentlich"), die AR-Mitglieder bei Festsetzung einer unangemessenen Vorstandsvergütung (§ 87 I) treffen kann. Durch VorstAG 2009 angefügte Norm ist kein selbständiger Haftungstatbestand. Vielmehr sind Schaden

der AG, potenziell pflichtwidrige Handlung des AR-Mitglieds, deren relevante Kausalität für den Schaden und Scheitern des Entlastungsbeweises vorausgesetzt. § 116 S. 3 hat also **nur deklaratorische Bedeutung.** Auch ist die Unangemessenheit als Pflichtwidrigkeitsmerkmal nicht weiter konkretisiert worden. Es handelt sich um Ausdruck überflüssiger Symbolpolitik, auf den besser verzichtet worden wäre (MüKoAktG/Habersack Rn. 45). Wegen nur deklaratorischer Bedeutung verbleibt es auch in Fällen des § 87 II bei potenzieller Ersatzpflicht nach § 116 S. 1; § 116 S. 3, der nur § 87 I nennt, erlaubt keinen Umkehrschluss (BeckOGK/Spindler Rn. 60; Bauer/Arnold AG 2009, 717, 730 f.; Rahlmeyer/v. Eiff NZG 2021, 397, 401).

19 HM sieht in § 87 I 1 unternehmerische Entscheidung mit der Folge, dass § 93 I 2 zur Anwendung gelangt (s. KK-AktG/Cahn § 87 Rn. 5; Hüffer FS Hoffman-Becking, 2013, 589, 599 f.; Lieder ZGR 2018, 523, 546 ff.; wohl auch BGHSt 50, 331, 336 = NJW 2006, 522). Tats. handelt es sich um **rechtl. bindende Pflichtaufgabe mit Ermessensspielraum,** in dessen Rahmen AR den ges. Zielvorgaben verpflichtet ist (→ § 93 Rn. 29; ähnlich GK-AktG/Kort Rn. 348; Bayer/Meier-Wehrsdorfer AG 2013, 477, 480). Einbeziehung von Vergütungsberatern ist nicht zwingend geboten (→ § 87 Rn. 16), kann aber der prozeduralen Haftungsvermeidung dienen; es gelten insofern die zur Vorstandshaftung entwickelten Grundsätze (→ § 93 Rn. 80 ff.). Trotzdem ist es ausgesprochen unglücklich, dass Gesetzgeber Vergütungsfrage derart verrechtlicht und verkompliziert hat (→ § 87 Rn. 2 f.), dass Entscheidungsträger sich ohne Hinzuziehung externer Berater nicht mehr in der Lage sehen, „hochkomplexes Thema" zu bewältigen (Habersack NZG 2018, 127, 130; ähnlich Bachmann ZHR 184 [2020], 127, 131; krit. auch Bayer DB 2018, 3034, 3042). Haftung trifft im Lichte des § 107 III 7 (→ § 107 Rn. 58 – Plenumszuständigkeit) jedes AR-Mitglied, unabhängig von unmittelbarer Beteiligung an konkreter Ausarbeitung, etwa im Personalausschuss (Hüffer FS Hoffmann-Becking, 2013, 589, 596 f.). Billigung durch HV gem. § 120a I lässt Haftung unberührt (RegBegr. BT-Drs. 19/9739, 93; S/L/Spindler Rn. 16; Florstedt ZGR 2019, 630, 650; Gärtner/Himmelmann AG 2021, 259 Rn. 5; sa → § 120a Rn. 5). Erforderlicher **Schaden der AG** kann mangels anderer ges. Vorgaben nur als Differenz zwischen der tats. gewährten und der iSd § 87 I angemessenen Vergütung verstanden werden, deren Bestimmung im Schadensersatzprozess erhebliche Probleme bereiten dürfte. Tats. Elemente sind von AG darzulegen und ggf. zu beweisen. Wertende Betrachtungen obliegen dagegen dem Gericht (Einzelheiten bei Cahn FS Hopt, 2010, 231, 449 f.; Spindler AG 2011, 725, 727 mw Hinweisen zur ggf. flankierenden Vorstandshaftung auf S. 728; → § 87 Rn. 45 ff.). Neben Schadensersatzpflicht kommt auch Abberufung aus wichtigem Grund durch Minderheit nach § 103 III in Betracht (Spindler AG 2011, 725, 727).

Dritter Abschnitt. Benutzung des Einflusses auf die Gesellschaft

Schadenersatzpflicht

117 (1) [1]**Wer vorsätzlich unter Benutzung seines Einflusses auf die Gesellschaft ein Mitglied des Vorstands oder des Aufsichtsrats, einen Prokuristen oder einen Handlungsbevollmächtigten dazu bestimmt, zum Schaden der Gesellschaft oder ihrer Aktionäre zu handeln, ist der Gesellschaft zum Ersatz des ihr daraus entstehenden Schadens verpflichtet.** [2]**Er ist auch den Aktionären zum Ersatz des ihnen daraus entstehenden Schadens verpflichtet, soweit sie, abgesehen von einem**

Schaden, der ihnen durch Schädigung der Gesellschaft zugefügt worden ist, geschädigt worden sind.

(2) [1]**Neben ihm haften als Gesamtschuldner die Mitglieder des Vorstands und des Aufsichtsrats, wenn sie unter Verletzung ihrer Pflichten gehandelt haben.** [2]**Ist streitig, ob sie die Sorgfalt eines ordentlichen und gewissenhaften Geschäftsleiters angewandt haben, so trifft sie die Beweislast.** [3]**Der Gesellschaft und auch den Aktionären gegenüber tritt die Ersatzpflicht der Mitglieder des Vorstands und des Aufsichtsrats nicht ein, wenn die Handlung auf einem gesetzmäßigen Beschluß der Hauptversammlung beruht.** [4]**Dadurch, daß der Aufsichtsrat die Handlung gebilligt hat, wird die Ersatzpflicht nicht ausgeschlossen.**

(3) **Neben ihm haftet ferner als Gesamtschuldner, wer durch die schädigende Handlung einen Vorteil erlangt hat, sofern er die Beeinflussung vorsätzlich veranlaßt hat.**

(4) **Für die Aufhebung der Ersatzpflicht gegenüber der Gesellschaft gilt sinngemäß § 93 Abs. 4 Satz 3 und 4.**

(5) [1]**Der Ersatzanspruch der Gesellschaft kann auch von den Gläubigern der Gesellschaft geltend gemacht werden, soweit sie von dieser keine Befriedigung erlangen können.** [2]**Den Gläubigern gegenüber wird die Ersatzpflicht weder durch einen Verzicht oder Vergleich der Gesellschaft noch dadurch aufgehoben, daß die Handlung auf einem Beschluß der Hauptversammlung beruht.** [3]**Ist über das Vermögen der Gesellschaft das Insolvenzverfahren eröffnet, so übt während dessen Dauer der Insolvenzverwalter oder der Sachwalter das Recht der Gläubiger aus.**

(6) **Die Ansprüche aus diesen Vorschriften verjähren in fünf Jahren.**

(7) **Diese Vorschriften gelten nicht, wenn das Mitglied des Vorstands oder des Aufsichtsrats, der Prokurist oder der Handlungsbevollmächtigte durch Ausübung**

1. **der Leitungsmacht auf Grund eines Beherrschungsvertrags oder**
2. **der Leitungsmacht einer Hauptgesellschaft (§ 319), in die die Gesellschaft eingegliedert ist,**

zu der schädigenden Handlung bestimmt worden ist.

Übersicht

I. Regelungsgegenstand und -zweck

1 § 117 begründet Schadensersatzanspruch bei Veranlassung von Verwaltungsmitgliedern oder leitenden Mitarbeitern zu einem Verhalten, das der AG oder ihren Aktionären schädlich ist. Norm bezweckt **Integrität des Verwaltungshandelns** sowie **Schutz des Gesellschaftsvermögens** durch Schadensausgleich (GK-AktG/Kort Rn. 5 f.; aA Voigt, Haftung aus Einfluss, 2004, 46). Insbes. § 117 I 2 dient daneben auch dem **Schutz der Aktionäre,** soweit von ihnen erlittener Schaden nicht über das Gesellschaftsvermögen ausgeglichen werden kann. Von Ersatzpflicht nach § 117 ausgenommen sind in § 117 VII zusammengefasste Handlungen, nämlich Ausübung der Leitungsmacht im Vertrags- bzw. Eingliederungskonzern (§§ 308, 323). Im faktischen Konzern kann § 117 zwar eingreifen, doch tritt Norm hinter **speziellere Regelung des § 311** zurück (→ Rn. 14).

2 Nach Entstehungsgeschichte (Überblick bei GK-AktG/Kort Rn. 21 ff.) und Textfassung ist § 117 bes. **Tatbestand des Deliktsrechts** (BGH NJW 1992, 3167, 3172; LG München I ZIP 2013, 1664, 1670; GK-AktG/Kort Rn. 5 ff., 19; MüKoAktG/Spindler Rn. 4; Hüffer FS Kropff, 1997, 127, 135 f.; aA Voigt, Haftung aus Einfluss, 2004, 58 ff., 72 ff.). Soweit schädliche Einflussnahme von Aktionären ausgeht, könnte deren Haftung heute zwar auch als solche aus Verletzung mitgliedschaftlicher Treubindungen (→ § 53a Rn. 13 ff.) konzipiert werden (vgl. auch BGH NJW 1992, 3167, 3172; S/L/Witt Rn. 2). Nach seinem jetzigen Zuschnitt, insbes. dem weiteren Adressatenkreis, lässt sich § 117 in diese Konzeption aber nicht einordnen (GK-AktG/Kort Rn. 92 ff.). § 280 BGB als einschlägige Anspruchsgrundlage bei treuwidrigem Verhalten und § 117 können deshalb nebeneinander zur Anwendung gelangen (KK-AktG/Mertens/Cahn Rn. 12). Da für § 280 BGB aber schon fahrlässiges Handeln genügt, während § 117 Vorsatz verlangt, spielt letztgenannte Vorschrift für bes. wichtige Fallgruppe des Aktionärseinflusses keine nennenswerte Rolle. Da für schädigende Organmitglieder überdies §§ 93, 116 gelten, ist **eigenständige Relevanz** des § 117 auch ansonsten **gering** (→ Rn. 10). Sie ist vornehmlich in eigener Anspruchsberechtigung der Aktionäre nach § 117 I 2 zu sehen.

II. Haftung wegen schädigender Beeinflussung (§ 117 I)

3 **1. Objektiver Tatbestand. a) Einfluss auf die Gesellschaft.** Nach § 117 I 1 ist ersatzpflichtig, wer tatbestandsmäßig iSd Norm, rechtswidrig und vorsätzlich handelt. Erstes Merkmal des Tatbestands ist Einfluss auf die AG. Es genügt **jeder Einfluss,** der nach Art und Intensität geeignet ist, Führungspersonen der Gesellschaft zu einem schädigenden Handeln zu bestimmen. Er kann, muss aber nicht gesellschaftsrechtl. vermittelt sein (GK-AktG/Kort Rn. 120; anders bei Abhängigkeit iSd § 17, → § 17 Rn. 8). In Frage kommen zB: Aktienbesitz, künftiger Beteiligungsbesitz, Kredit- oder Lieferbeziehungen, Entsendungsrecht, polit. Einfluss, Mitgliedschaft in Gesellschaftsorganen oder in AN-Vertretungen (MüKoAktG/Spindler Rn. 16 ff.). Der Täter iSd § 117 qualifiziert sich nur durch seinen Einfluss und dessen Ausübung. Ob er natürliche oder jur. Person, solche des privaten oder des öffentl. Rechts (Bund, Land, Kommune) ist, spielt keine Rolle (→ § 394 Rn. 30; ferner GK-AktG/Kort Rn. 102 ff.). Schließlich kann auch Verwaltungsmitglied selbst Täter sein und damit nicht nur nach §§ 93, 116, sondern auch nach § 117 haftbar werden, was für Haftung unmittelbar ggü. Aktionären relevant werden kann (→ Rn. 10). Zur Anwendung des § 117 zur Eingrenzung des sog Shareholder Activism Link ZGR 2021, 904, 911 ff.; Thaeter/Guski AG 2007, 301, 304 f.

b) Benutzung des Einflusses. Zweite Haftungsvoraussetzung ist, dass Einfluss 4
auf AG benutzt wird, um ein Mitglied des Vorstands, des AR, einen Prokuristen (§§ 48 ff. HGB) oder einen Handlungsbevollmächtigten (§ 54 HGB) zu einem Handeln zu bestimmen. Einfluss auf fehlerhaft bestelltes Organ genügt (BeckOGK/Schall Rn. 17). Dass auch unbeeinflusstes Eigenhandeln durch Erst-Recht-Schluss § 117 I zu unterstellen sei (so Grigoleit/Grigoleit/Tomasic Rn. 9 f.), ist dagegen mit Normstruktur und -wortlaut nicht zu vereinbaren (zutr. GK-AktG/Kort Rn. 105). Beeinflussung des Organs ist auch Beeinflussung seiner Mitglieder; einer Zuspitzung auf bestimmte Organpersonen bedarf es nicht (zutr. Brüggemeier AG 1988, 93, 96). Jede unmittelbare oder mittelbare Form der Benutzung des Einflusses genügt, sofern sie für das Handeln des Vorstandsmitglieds usw **ursächlich** wird (Ausschluss bei omnimodo facturus). Abw. von früherer Rechtslage genügt auch Stimmrechtsausübung in HV (→ Rn. 13). Ein anstößiges Verhalten ist nicht erforderlich, gesellschaftsfremde Vorteile müssen nicht erstrebt werden (im Anschluss an RegBegr. Kropff S. 162 ganz hM – vgl. nur GK-AktG/Kort Rn. 113; Hölters/Weber/Leuering/Goertz Rn. 4; KK-AktG/Mertens/Cahn Rn. 16; S/L/Witt Rn. 7). Gegenauffassung von Grigoleit/Grigoleit/Tomasic Rn. 11 f. verfolgt richtiges Anliegen, Verfolgung legitimer Eigeninteressen sanktionslos zu lassen, doch gelangt hM über umfassende Prüfung auf Ebene der Pflichtwidrigkeit zu übereinstimmenden Ergebnissen (→ Rn. 6). Auch das Organ selbst muss nicht pflichtwidrig handeln (GK-AktG/Kort Rn. 155 ff.). Bestimmung durch Unterlassen ist möglich (KK-AktG/Mertens/Cahn Rn. 16).

c) Schaden. Handeln der Organperson oder des leitenden Mitarbeiters muss 5
Schaden der AG oder ihrer Aktionäre bewirken. Auch insoweit ist (haftungsausfüllende) Kausalität erforderlich (Brüggemeier AG 1988, 93, 96). Schaden eines Aktionärs genügt. Schaden ist jede Vermögensminderung einschließlich entgangener Gewinne (unstr.). Am Schaden der AG kann es aber fehlen, wenn sie Gewinn selbst nicht hätte erzielen können (vgl. als Bsp. OLG Düsseldorf AG 1991, 106, 109: AG gibt Aktien aus ihrem Bestand ab, die zu einem höheren Kurs weiterverkauft werden, der von AG aber nicht zu erzielen war, weil er den Aufschlag für eine Mehrheitsbeteiligung enthält). Mitwirkung an Paketbildung auf Aktionärsseite genügt für Schadensannahme nicht, sondern nur, wenn bes. Umstände hinzutreten, die auf entspr. Gefahrenpotenzial schließen lassen (MüKoAktG/Spindler Rn. 28 f.). Dasselbe gilt für Mitwirkung an Abhängigkeitsbegründung iSd § 17, die aufgrund anderweitiger ges. Kautelen nicht per se als Schaden der AG anzusehen ist (GK-AktG/Kort Rn. 147). Vgl. zu den ersatzfähigen Schäden der Aktionäre → Rn. 9.

2. Rechtswidrigkeit. Haftung nach § 117 I setzt nicht nur den Tatbestand, 6
sondern überdies Rechtswidrigkeit voraus. Das folgt auch ohne bes. ges. Anordnung aus dem deliktsrechtl. Charakter der Norm (→ Rn. 2) und ist unstr. Fraglich ist jedoch, ob Tatbestandsmäßigkeit iSd § 117 I die Rechtswidrigkeit indiziert (GK-AktG/Kort Rn. 155 ff.), ob sie dann vorliegt, wenn ungerechtfertigte Verwirklichung des Tatbestands mit pflichtwidrigem Verhalten des Beeinflussten zusammentrifft (MüKoAktG/Spindler Rn. 33 ff.) oder ob sie durch **Interessenabwägung** positiv festgestellt werden muss, ohne dass es dabei auf Pflichtwidrigkeit des Beeinflussten ankäme (NK-AktR/Kleinertz/Walchner Rn. 9; Hölters/Weber/Leuering/Goertz Rn. 6; KK-AktG/Mertens/Cahn Rn. 22; BeckOGK/Schall Rn. 23; S/L/Witt Rn. 10). Diese letztgenannte Ansicht überzeugt, weil es in § 117 I nicht um die Verletzung leicht fassbarer Rechtsgüter oder Rechte geht und weil sie (anders als die Meinung von MüKoAktG/Spindler Rn. 36 f.) die Grenze zum eigenständigen Haftungstatbestand des § 117 II wahrt.

7 **3. Vorsatz.** Subj. setzt Haftung des Einflussnehmers Vorsatz voraus. Bedingter Vorsatz genügt (RegBegr. Kropff S. 162). Dagegen wirkt bloße Fahrlässigkeit nicht haftungsbegründend. Vorsatz, also Wissen um den und Wollen des Erfolgs, muss sich auf die Elemente des obj. Tatbestands (→ Rn. 3–5) beziehen. Bzgl. des Schadens genügt es, dass Täter um generelle Eignung der erwirkten Maßnahme zur Schädigung der AG oder ihrer Aktionäre weiß und sie trotzdem will. Art und Höhe des Schadens müssen vom Vorsatz nicht umfasst sein (MüKoAktG/Spindler Rn. 42). Vorsatz fehlt, wenn Einflussnehmer Insolvenzantrag verhindert, weil er Sanierung ernsthaft für möglich hält und daher auf Ausbleiben einer Schädigung hofft (vgl. BGH NJW 1982, 2823, 2827). **Beweislast** für Haftungsvoraussetzungen einschließlich des Vorsatzes liegt nach heute ganz hM beim Gläubiger, weil § 117 keine Umkehr anordnet (OLG Karlsruhe NZG 2018, 508 Rn. 47; OLG Karlsruhe v. 23.3.2022 – 11 U 58/17, 95 [nv]; GK-AktG/Kort Rn. 167 ff.; KK-AktG/Mertens/Cahn Rn. 24). Beweiserleichterungen wegen Tatsachennähe oder typischen Ablaufs sind jedoch denkbar.

8 **4. Haftungsfolgen. a) Schaden der AG.** Ersatzanspruch gem. § 117 I 1 steht der AG zu und wird vom Vorstand geltend gemacht (§ 78 I), bei Haftung von Vorstandsmitgliedern vom AR (§ 112). Geltendmachung kann durch HV-Beschluss erzwungen werden (§ 147). Aktionäre können Anspruch aus § 117 I 1 nur unter Voraussetzungen des § 148 geltend machen (zum Ausschluss vgl. OLG Bremen AG 2002, 620; LG Düsseldorf AG 1991, 70, 71; beide mwN), Gesellschaftsgläubiger können dagegen unter Voraussetzungen des § 117 V vorgehen (→ Rn. 12).

9 **b) Schaden der Aktionäre.** Aktionäre sind gem. § 117 I 2 ersatzberechtigt, wenn sie Schäden erleiden, die ihnen nicht durch Schädigung der AG zugefügt sind. Gemeint ist: Schädigung der AG, die dem Aktionär durch Wertminderung seiner Aktie als eigener Schaden vermittelt wird (sog Reflexschaden), begründet in seiner Person keinen Ersatzanspruch. Schadensausgleich erfolgt insoweit allein über das Gesellschaftsvermögen, also als **Reflex des Gesellschaftsanspruchs,** damit der AG die praktische Durchsetzung ihrer Forderung nicht erschwert wird (BGHZ 94, 55, 58 f. = NJW 1985, 1777; BGHZ 105, 121, 130 f. = NJW 1988, 2794; BGH NJW 1992, 3167, 3171 f.; LG München I AG 2022, 94, 95 f.; öOGH AG 1996, 42; RegBegr. Kropff S. 163; KK-AktG/Mertens/Cahn Rn. 38; Meilicke/Heidel AG 1989, 117, 118 ff.; ausf. Müller FS Kellermann, 1991, 317, 331 ff.). Als **ersatzfähig** verbleiben danach nur Schäden, die nicht über die Wertminderung einer Aktie vermittelt werden. Bsp.: Verlust aus Kauf oder Verkauf aufgrund fehlerhafter Äußerung nach Art. 17 I MAR oder § 27 WpÜG (KK-AktG/Mertens/Cahn Rn. 20); weiteres Bsp. nach BGHZ 94, 55, 59: Aktionär gewährt wegen dieser Eigenschaft Überbrückungsdarlehen, mit dem er in späterer Insolvenz der AG ausfällt, weil der AR-Vorsitzende den Vorstand dazu bestimmte, ungerechtfertigte Zahlungen zu leisten und Forderungen nicht zu verfolgen. Nicht genügend: Beeinträchtigung von Vermögensinteressen des Aktionärs, die weder gesellschafts- noch mitgliedschaftsbezogen sind, sondern etwa aus Stellung als Lieferant oder Abnehmer erwachsen (BGH NJW 1992, 3167, 3172).

III. Mithaftung von Verwaltungsmitgliedern (§ 117 II)

10 Gem. § 117 II haften neben dem Einflussnehmer (§ 117 I) als Gesamtschuldner (§§ 421 ff. BGB) auch die **Mitglieder von Vorstand und AR,** wenn sie pflichtwidrig gehandelt haben und sich nicht exculpieren können. Es müssen die Voraussetzungen des § 117 I und zusätzlich diejenigen der §§ 93, 116 erfüllt sein. Praktische Bedeutung besteht im Wesentlichen darin, dass Verwaltungsmitglieder

nicht nur der AG, sondern **auch den Aktionären zum Ersatz verpflichtet** sind, wenn diese einen nach § 117 I 2 ersatzfähigen Schaden (→ Rn. 9) erleiden. Wegen der aus § 93 übernommenen Tatbestandselemente → § 93 Rn. 71 ff. Soweit es um Schäden der AG geht, können Ansprüche nach § 93 bzw. § 116 und zusätzlich nach § 117 II begründet sein (MüKoAktG/Spindler Rn. 58).

IV. Mithaftung des Nutznießers (§ 117 III)

Als Gesamtschuldner (§§ 421 ff. BGB) haftet auch, wer durch die schädigende Handlung einen **Vorteil erlangt und die Beeinflussung vorsätzlich veranlasst** hat. Vorschrift setzt Drei-Personen-Verhältnis voraus; durch § 117 III wird Hintermann der Beeinflussung erfasst (GK-AktG/Kort Rn. 223). Auf Seiten des Dritten genügt jeder Vorteil. Veranlassung ist weniger als Anstiftung iSd § 830 II BGB, doch wegen der Weite der ebenfalls in § 830 II BGB normierten Gehilfenhaftung, die auf deliktsrechtl. verstandene (→ Rn. 2) Haftung aus § 117 Anwendung findet, ist § 117 III weitgehend bedeutungslos (BeckOGK/Schall Rn. 29). Eigenständigen Anwendungsbereich erhält sie dadurch, dass Anforderungen an subj. Tatbestand hinsichtlich Pflichtwidrigkeit und Schadensfolge gesenkt werden: Wer aus der Handlung des Organmitglieds usw seinen Vorteil zieht, soll schon dann haften, wenn er um die Handlung weiß und diese will; bzgl. der Pflichtwidrigkeit des Organmitglieds und der Schadensfolgen genügt Fahrlässigkeit (MüKoAktG/Spindler Rn. 63). 11

V. Haftungsmodalitäten (§ 117 IV–VI)

Für **Aufhebung** der Ersatzpflicht verweist § 117 IV auf § 93 IV 3 und 4. Verzicht auf oder Vergleich über Ansprüche der AG sind also grds. erst nach Ablauf von drei Jahren zulässig; HV muss zustimmen, Minderheit von 10 % des Grundkapitals darf nicht widersprechen (§ 93 IV 3). Ausnahmen von zeitlicher Beschränkung nur bei Zahlungsunfähigkeit des Ersatzpflichtigen (§ 93 IV 4). Für Ersatzansprüche der Aktionäre gibt es keine entspr. Beschränkungen. Gem. § 117 V kann Ersatzanspruch der AG auch **von ihren Gläubigern geltend gemacht werden,** soweit sie von der Gesellschaft keine Befriedigung erlangen können. Vorschrift entspr. weitgehend § 93 V; Abweichung: Auf gröbliche Pflichtverletzung der Organmitglieder (§ 93 V 2) kommt es nicht an. Wegen der Einzelheiten → § 93 Rn. 170 ff.; dort (→ § 93 Rn. 174) auch zur Neufassung des § 117 V 3 durch EGInsO (BGBl. 1994 I 2911), die namentl. Ausübung des Verfolgungsrechts durch den Sachwalter vorsieht, wenn Eigenverwaltung angeordnet ist. **Verjährung** tritt gem. § 117 VI in fünf Jahren ein, und zwar seit Entstehung des Anspruchs (§ 200 S. 1 BGB; → § 93 Rn. 175 ff.). 12

VI. Ausnahmen von der Haftung (§ 117 VII)

Haftung nach § 117 I–VI tritt nicht ein, wenn Organmitglied oder leitender Mitarbeiter durch **Ausübung der Leitungsmacht** (§ 308) kraft Beherrschungsvertrags (§ 117 VII Nr. 1) oder der Leitungsmacht (§ 323) kraft Eingliederung (§ 117 VII Nr. 2) zu der schädlichen Handlung bestimmt worden ist. Schädliche Einwirkungen (dazu § 308 I 2, § 323 I) werden durch konzernrechtl. Sonderregeln neutralisiert (bes. §§ 300 ff., § 324); → Rn. 14. Durch UMAG 2005 entfallen ist frühere Privilegierung der Stimmrechtsausübung durch Organmitglieder oder leitende Mitarbeiter. RegBegr. BT-Drs. 15/5092, 12 betrachtet Haftungsprivileg für Großaktionäre, um das es der Sache nach ging, mit Recht als unangemessen. Allerdings kann Mitverschulden der übrigen Aktionäre (§ 254 BGB) darin liegen, dass sie von Anfechtungsmöglichkeit des § 243 I oder II keinen Gebrauch gemacht haben (RegBegr. BT-Drs. 15/5092, 12). Privilegie- 13 rung für Stimmrechtsausübung ist auch insoweit entfallen, als Großaktionär Unternehmenseigenschaft hat (faktischer Konzern). Das ist im Hinblick auf §§ 311 ff. nicht gänzlich stimmig (glA S/L/Witt Rn. 29). Praktische Auswirkungen sind jedoch als gering einzuschätzen.

VII. Verhältnis zu anderen Haftungstatbeständen

14 Neben § 117 anwendbar ist **§ 826 BGB.** Nicht anwendbar ist **§ 823 II BGB,** weil § 117 kein Schutzgesetz darstellt (allgM, s. KK-AktG/Mertens/Cahn Rn. 44). Bei Bestehen eines Beherrschungsvertrags und unzulässiger Ausübung von Leitungsmacht kann idealkonkurrierend neben der Haftung nach **§§ 309, 310** eine Ersatzpflicht nach § 117 in Betracht kommen (KK-AktG/Mertens/Cahn Rn. 41; MüKoAktG/Spindler Rn. 89). Demgegenüber verdrängt **§ 311** in seinem Anwendungsbereich § 117 (hM, s. MüKoAktG/Spindler Rn. 90; Kropff DB 1967, 2147, 2150 ff.). Erfolgt allerdings Nachteilszufügung ohne angemessenen Ausgleich (§ 311 II), so ist neben **§ 317** auch § 117 anwendbar (MüKoAktG/Spindler Rn. 91 f.; KK-AktG/Mertens/Cahn Rn. 42; aA Brüggemeier AG 1988, 93, 101 f.: § 317 lex specialis zu § 117).

Vierter Abschnitt. Hauptversammlung

Erster Unterabschnitt. Rechte der Hauptversammlung

Allgemeines

118 (1) [1]**Die Aktionäre üben ihre Rechte in den Angelegenheiten der Gesellschaft in der Hauptversammlung aus, soweit das Gesetz nichts anderes bestimmt.** [2]**Die Satzung kann vorsehen oder den Vorstand dazu ermächtigen vorzusehen, dass die Aktionäre an der Hauptversammlung auch ohne Anwesenheit an deren Ort und ohne einen Bevollmächtigten teilnehmen und sämtliche oder einzelne ihrer Rechte ganz oder teilweise im Wege elektronischer Kommunikation ausüben können.** [3]**Bei elektronischer Ausübung des Stimmrechts ist dem Abgebenden der Zugang der elektronisch abgegebenen Stimme nach den Anforderungen gemäß Artikel 7 Absatz 1 und Artikel 9 Absatz 5 Unterabsatz 1 der Durchführungsverordnung (EU) 2018/1212 von der Gesellschaft elektronisch zu bestätigen.** [4]**Sofern die Bestätigung einem Intermediär erteilt wird, hat dieser die Bestätigung unverzüglich dem Aktionär zu übermitteln.** [5]**§ 67a Absatz 2 Satz 1 und Absatz 3 gilt entsprechend.**

(2) [1]**Die Satzung kann vorsehen oder den Vorstand dazu ermächtigen vorzusehen, dass Aktionäre ihre Stimmen, auch ohne an der Versammlung teilzunehmen, schriftlich oder im Wege elektronischer Kommunikation abgeben dürfen (Briefwahl).** [2]**Absatz 1 Satz 3 bis 5 gilt entsprechend.**

(3) [1]**Die Mitglieder des Vorstands und des Aufsichtsrats sollen an der Hauptversammlung teilnehmen.** [2]**Die Satzung kann jedoch bestimmte Fälle vorsehen, in denen die Teilnahme von Mitgliedern des Aufsichtsrats im Wege der Bild- und Tonübertragung erfolgen darf.**

(4) **Die Satzung oder die Geschäftsordnung gemäß § 129 Abs. 1 kann vorsehen oder den Vorstand oder den Versammlungsleiter dazu ermäch-**

tigen vorzusehen, die Bild- und Tonübertragung der Versammlung zuzulassen.

Übersicht

I. Grundlagen

1. Regelungsgegenstand und -zweck. Norm konzentriert die Ausübung 1 von Verwaltungsrechten der Aktionäre auf die HV, konstituiert sie als **Organ der AG** (§ 118 I) und begründet **Teilnahmepflicht** der Mitglieder von Vorstand und AR (§ 118 III). Aus Perspektive der Aktionäre dient § 118 I der Mediatisierung ihrer Einflussmöglichkeiten. Sie kommen nämlich nur zum Tragen, soweit HV überhaupt zuständig ist und eine Stimmenmehrheit in einen Beschluss der HV einmündet. Aus Sicht der AG wird der Einfluss der Aktionäre in geordnete Bahnen gelenkt. In § 118 III vorgesehene Teilnahmepflicht der Verwaltungsmitglieder schließt entspr. Befugnis ein, die bis § 102 II AktG 1937 noch nicht außerhalb jeden Zweifels stand. Pflicht zur Teilnahme wurde 1965 im Wege der Sollvorschrift begründet, weil Teilnahme nach pflichtgem. Ermessen der Verwaltungsmitglieder nicht angemessen erschien (RegBegr. Kropff S. 164). § 118 III 2 (Lockerung der Präsenzpflicht von AR-Mitgliedern) und § 118 IV (Übertragung der HV) gehen zurück auf TransPuG 2002. Seither sind § 118 I 2 (Online-Teilnahme) und § 118 II 1 (Briefwahl) eingefügt und § 118 IV neu gefasst durch ARUG 2009, § 118 I 3–5 und § 118 II 2 wurden durch ARUG II 2019 eingefügt. Gewichtigste Änderung wurde aber nicht in § 118, sondern mit VHVG 2022 in ergänzendem § 118a eingefügt, der mittlerweile auch virtuelle HV zulässt.

2. Stellung der Hauptversammlung im aktienrechtlichen Kompetenzgefüge. HV ist Organ der AG mit der **Aufgabe interner Willensbildung** in 2 dem vom Ges. geordneten Zuständigkeitsbereich. Organqualität der HV steht außer Zweifel (MüKoAktG/Kubis Rn. 8 ff.). Die HV und nicht die Gesamtheit der Aktionäre (so noch Art. 224 ADHGB in seiner bis zur Novelle 1884 geltenden Fassung; s. dazu Hüffer FS 100 Jahre GmbHG, 1992, 521, 527) ist das Organ. Im Recht der GmbH verbreitete These, zur Beschlussfassung sei die Gesellschaftergesamtheit berufen, ihre Versammlung sei nur das regelmäßige Beschlussverfahren (vgl. zB Scholz/K. Schmidt/Bochmann GmbHG § 45 Rn. 5), findet im Aktienrecht keine Entsprechung. Wollte man allerdings ganz oder optional auf HV verzichten (dafür Bachmann FS G. H. Roth, 2011, 37, 46 ff.), so würde Aktionärsgesamtheit zum beschließenden Organ. Probleme gesellschaftsinterner Willensbildung (→ Rn. 3) würden sich damit ändern, aber nicht entfallen.

3 HV ist **Willensbildungsorgan.** Organschaftliches Handeln gibt es nicht nur vertretungsähnlich im Außenverhältnis; vielmehr vollzieht sich auch interne Willensbildung durch Organe. Im Beschluss gebildeter Wille der HV ist kraft organschaftlicher Zurechnung Wille der AG selbst (GK-AktG/Mülbert Vor § 118 Rn. 19). Solchermaßen gebildeter Wille muss dann idR von den beiden Handlungsorganen der AG – Vorstand und AR – umgesetzt werden. Dabei ist Vorstand zur Leitung der AG (§ 76 I), AR zur Überwachung der Geschäftsführung berufen (§ 111 I; → § 76 Rn. 5; → § 111 Rn. 1). Daraus abgeleitete Gegenüberstellung von Willensbildungs- und Handlungsorgan (MüKoAktG/Kubis Rn. 9) ist von typologisch-deskriptivem Anschauungswert, zur trennscharfen funktionalen **Abgrenzung der HV ggü. Vorstand und AR** indes nur bedingt geeignet, da auch Vorstand und AR in ihrem Zuständigkeitsbereich interner Willensbildung bedürfen (GK-AktG/Mülbert Vor § 118 Rn. 41 f.). Sachlicher Wert solcher Abgrenzung ist allerdings schon an sich fragwürdig, solange sie über Wiedergabe ges. vorgegebener Zusammensetzungs-, Beschluss- und Zuständigkeitsregeln hinausgehen soll. Im Schrifttum wird insofern auf Unterschied in geborener (HV) und gekorener (Vorstand und AR) Organmitgliedschaft verwiesen sowie auf Bindung von Vorstand und AR an exogen vorgegebenen Gesellschaftszweck, der durch HV bestimmt wird (GK-AktG/Mülbert Vor § 118 Rn. 42). Beides ist zutr., wohl aber ebenfalls nicht abschließend, da auch andere Kategorisierungen denkbar sind.

4 AG hat **keine hierarchische Organverfassung.** Insbes. ist HV nicht das oberste Organ der AG (BVerfG NJW 2000, 349, 350; KK-AktG/Tröger Rn. 11 ff.), was sich auch schon in systematischer Stellung nach Vorstand und AR spiegelt. In der Publikums-AG könnte sie diese Rolle auch nicht ausfüllen (G. H. Roth ZIP 2003, 369, 373 ff.). Kennzeichnend für aktienrechtl. Kompetenzgefüge ist vielmehr **Machtbalance zwischen Vorstand, AR und HV** (→ § 119 Rn. 1; zur früher abw. Rechtslage s. Horrwitz, Recht der Generalversammlung, 1913, 10 ff.).

5 **3. Entwicklungstendenzen und Reformbestrebungen.** HV ist seit vielen Jahren Gegenstand zahlreicher Reformbemühungen. Diese sind zunächst auf das **Phänomen räuberischer Aktionäre** zurückzuführen, die durch extensive Ausübung von Aktionärsrechten Verfahrensfehler zu provozieren suchen, um sodann „Lästigkeitswert" darauf gestützter Anfechtungsklagen zu ihrem finanziellen Vorteil zu nutzen (→ § 245 Rn. 22 ff.). Namentl. durch das UMAG 2005 wurden insofern Aktionärsrechte verkürzt oder doch zumindest die damit verbundene Anfechtungsbefugnis eingeschränkt (vgl. J. Koch ZGR 2006, 769, 791 ff.). Weiterer Reformansatz zielt darauf ab, unerwünschte Diskrepanz zwischen hoher Teilnehmerzahl bei zugleich **sinkender Präsenz** entgegenzuwirken (vgl. dazu MüKoAktG/Kubis Rn. 25, 27). Während hohe Teilnehmerzahl in erster Linie zu logistischen Problemen führt, stellt geringe HV-Präsenz Grundgedanken der Aktionärsdemokratie in Frage und ermöglicht es sog aktivistischen Aktionären, auch mit geringer Stimmmacht überproportionalen Einfluss auf AG zu erlangen (Butzke HV A 15; zum Phänomen des Shareholder Activism Graßl/Nikoleyczik

AG 2017, 49 ff.; Kocher DB 2016, 2887 ff.; Link ZGR 2021, 904 ff. [m. Ausführungen auch zum neuen Phänomen des ESG-Activism; s. dazu auch Rieckers DB 2023, 307, 310]; Schockenhoff/Culmann ZIP 2015, 297 ff.; monographisch: Gröntgen, Operativer Shareholder Activism, 2020; zu daraus resultierenden Proxy-Fights Schockenhoff NZG 2015, 657 ff.; sa → § 134 Rn. 24b). Geringe Präsenz beruht zumindest für Aktionäre mit geringer Beteiligung auf **rationaler Apathie** (vgl. dazu etwa Servatius, Strukturmaßnahmen als Unternehmensleitung, 2004, 196 ff.) und erweist sich deshalb als bes. schwer zu bekämpfen. Gesetzgeber hat dieser Entwicklung bislang insbes. entgegengewirkt durch Erleichterungen des Depotstimmrechts (→ § 135 Rn. 2 ff.) sowie durch Gestattung der elektronischen Teilnahme (→ Rn. 10 ff.), die mittlerweile in § 118a neuem virtuellen Format zugeführt wurde. Daneben tragen auch die vornehmlich der Bekämpfung räuberischer Anfechtungsklagen dienenden Bestrebungen (zB Verkürzung der Redezeit und damit der HV-Dauer) als Kollateralnutzen dazu bei, HV-Teilnahme attraktiver zu machen. Weitergehende Überlegungen zur Präsenzsteigerung durch Präsenzboni oÄ haben sich (zu Recht) nicht durchgesetzt (vgl. dazu Jung ZVglRWiss 120 [2021], 104 ff.; Klühs ZIP 2006, 107 ff.). Als stärkstes Gegenmittel haben sich nicht legislative Eingriffe erwiesen, sondern rechtstatsächliche Entwicklungen, namentl. Herausbildung zweier neuer „Corporate-Governance-Supermächte", Index- und Private-Equity-Fonds (Fleischer AR 2023, 137), sowie Phänomen **institutioneller Stimmrechtsberater** iSd § 134a I Nr. 3 (→ § 134a Rn. 4; → § 134d Rn. 1 ff.), die aber anderweitige Probleme aufwerfen, weil sie trotz unverkennbaren Machtzuwachses bislang nur sehr oberflächlich aktienrechtl. Vorgaben unterworfen sind (→ § 134d Rn. 1 ff.). **Kodex-Kommission** versucht Problem „proaktiv" zu begegnen, indem institutionelle Anleger in 2017 neu gefasster Präambel des DCGK (VI 3) angehalten werden, Eigentumsrechte aktiv auszuüben. Da Anleger aber nicht Adressaten des Kodex sind, bleibt Wert dieser Anregung zweifelhaft (DAV-HRA NZG 2017, 57 f.). HV selbst kommt im Kodex dagegen so gut wie überhaupt nicht vor, was ihrem Stellenwert im Corporate Governance-Gefüge nicht ganz gerecht wird (Ghassemi-Tabar/Simons DCGK GS 8 Rn. 6). **Praktische Durchführung** von Hauptversammlungen wird mittlerweile ganz überwiegend in die Hände von HV-Dienstleistern gelegt (Überblick über Anbieter – unter bes. Berücksichtigung der Pandemiesituation 2020 – 2022 – bei Danwerth AG 2021, 613 Rn. 56 ff.; sa Danwerth ZIP 2023, 2329, 2334).

II. Ausübung der Aktionärsrechte (§ 118 I)

1. Hauptversammlung. § 118 I stellt das Prinzip auf, dass Aktionäre ihre 6
Rechte in der HV ausüben. Daraus folgende Notwendigkeit, HV begrifflich zu erfassen, hat zu heute herrschendem **dualen HV-Begriff** geführt: Danach ist HV iSd AktG zum einen das Rechtsgebilde, durch das die Aktionäre für die AG willensbildend tätig werden (HV im organschaftlichen Sinne), zum anderen aber auch die tats. Versammlung, zu der Aktionäre zusammenkommen, um insbes. ihr Stimmrecht auszuüben (HV im tats. Sinne – vgl. MüKoAktG/Kubis Rn. 1; GK-AktG/Mülbert Vor § 118 Rn. 10 ff.). Nur im letztgenannten Sinne ist es richtig, sie als nicht ständiges Organ zu bezeichnen; als Rechtsgebilde gelangt sie dagegen schon mit Satzungsfeststellung zur Entstehung und besteht von da an dauernd fort (GK-AktG/Mülbert Vor § 118 Rn. 25). Trennscharfe Scheidung dieser Begriffe ist indes nur schwer möglich, da beide Funktionen eng miteinander verwoben sind (S/L/Spindler Rn. 6); praktischer Wert der Unterscheidung ist deshalb auch gering (KK-AktG/Tröger Rn. 8). Weitere begriffliche Eingrenzung anhand Beachtung bestimmter Einberufungsvorschriften lässt sich mit § 121 VI und in diesem Fall eingreifenden Nichtigkeitsgründen nicht in Einklang bringen (zutr.

GK-AktG/Mülbert Vor § 118 Rn. 14). IdR verbleibt es bei der einmal jährlich stattfindenden sog **ordentlichen HV** (→ § 175 Rn. 1). Jede andere HV, nicht nur die gem. § 92 einberufene, ist eine außerordentliche. Auch der rechtl. Wert dieser Unterscheidung bleibt allerdings gering (MüKoAktG/Kubis Rn. 2; KK-AktG/Tröger Rn. 21), weil §§ 121 ff., 129 f., 133 ff. für beide Versammlungen gleichermaßen gelten. Vorschriften, die nur die ordentliche HV betr., sind § 120 III, §§ 175, 176.

7 **2. Aktionärsrechte in Gesellschaftsangelegenheiten.** § 118 I verweist Aktionäre darauf, ihre Rechte in Gesellschaftsangelegenheiten in der HV auszuüben. Es muss sich also jedenfalls um **aus der Mitgliedschaft folgende Befugnisse** im Unterschied zu Gläubigerrechten handeln. Auch Rechte aus Schuldverschreibungen der AG einschließlich der Wandel- oder Optionsanleihen (§ 221 I) oder aus Genussscheinen (§ 221 III) sind nicht in der HV auszuüben und geben den Gläubigern insoweit auch keine Befugnisse, insbes. kein Teilnahmerecht (→ Rn. 9 ff.). Zu beachten ist insoweit die Sonderregelung des Schuldverschreibungsgesetzes v. 31.7.2009 (BGBl. 2009 I 2512); s. §§ 5, 6 SchVG (Mehrheitsbeschlüsse der Gläubiger), § 7 SchVG (Gemeinsamer Vertreter). Ebenfalls nicht teilnahmeberechtigt sind Inhaber sog american depositary receipts (ADRs – GK-AktG/Mülbert Rn. 22; KK-AktG/Tröger Rn. 56).

8 **3. Versammlungsgebundene Aktionärsrechte.** Von den aus der Mitgliedschaft folgenden Befugnissen sind versammlungsgebunden: das Teilnahmerecht (→ Rn. 20 ff.), das Stimmrecht (§ 12, §§ 133 ff.), das Recht, Widerspruch zur Niederschrift zu erklären (§ 245 S. 1 Nr. 1), im Prinzip das Auskunftsrecht (§ 131), schließlich bestimmte, an eine qualifizierte Minderheit gebundene Befugnisse wie zB das Widerspruchsrecht nach § 93 IV 3 oder § 309 III 1 (Einzelaufzählung bei GK-AktG/Mülbert Rn. 25; KK-AktG/Tröger Rn. 53 ff.). Stets handelt es sich also um **Verwaltungsrechte** der Aktionäre im Unterschied zu ihren Vermögensrechten. Ausübung von versammlungsgebundenen Rechten außerhalb der HV, bes. des Stimmrechts, ist unbeachtlich, weil HV zum Tatbestand wirksamer Rechtsausübung gehört (MHdB AG/Bungert § 35 Rn. 1).

9 **4. Nicht versammlungsgebundene Aktionärsrechte.** Nicht versammlungsgebunden sind zunächst **sämtliche Vermögensrechte** wie zB der Dividendenzahlungsanspruch aus § 58 IV iVm Gewinnverwendungsbeschluss (Überblick bei KK-AktG/Tröger Rn. 99 ff.). Außerhalb der HV kann aber auch ein erheblicher Teil der Verwaltungsrechte ausgeübt werden; dabei handelt es sich durchweg um **Kontrollbefugnisse und Informationsrechte** der Aktionäre. Hierhin gehören: Anfechtungsbefugnis (§ 245), Recht auf Nichtigkeitsklage (§ 249), Ansprüche auf Mitteilung nach § 125 II und IV, das Recht auf Einsichtnahme und Erteilung von Abschriften (§ 175 II, §§ 293 f., 295 I 2, § 63 I und III UmwG), Recht auf Sonderprüfung im faktischen Konzern (§ 315). Aktionäre haben auch berechtigtes (wirtschaftliches) Interesse (§ 12 GBO), für AG geführtes Grundbuch einzusehen (LG Kempten AG 1990, 364). Von den Minderheitsrechten zählen hierher: Recht auf Einberufung der HV und auf Bek. zur Tagesordnung (§ 122 I und II) sowie Rechte auf Sonderprüfung und in deren Zusammenhang bestehende Hilfsrechte (§ 142 II und IV, § 147 II 2, § 258 II). Als organbezogene Einzelbefugnisse der Aktionäre sind zu nennen: Recht auf Einleitung des Statusverfahrens nach § 98 II Nr. 3, Recht zur Entsendung von AR-Mitgliedern, wenn Satzung die Entsendung vorsieht (§ 101 II).

10 **5. Elektronische Teilnahme (§ 118 I 2–5). a) Teilnahme ohne Anwesenheit.** § 118 I 2–5 regelt elektronische Teilnahme iSv Optionen, die Satzungsgeber eingeräumt werden (→ Rn. 11). Norm geht auf ARUG 2009 zurück und

setzt Art. 8 Aktionärsrechte-RL um. Regelung geht aber insofern über Richtlinienvorgabe hinaus, als sie ohne Rücksicht auf Börsennotierung gilt (Noack NZG 2008, 441, 444). § 118 I 2 geht nicht von sog virtueller HV aus, die in § 118a gesonderte Regelung gefunden hat, sondern von **Präsenz-HV** (RegBegr. BT-Drs. 16/11642, 26). In diesem herkömmlichen Rahmen erfolgt nach § 118 I 2 nur **Teilnahme** (im Extremfall auch aller Aktionäre) an Präsenz-HV **durch Zuschaltung.** Gedankliche Grundlage der Vorschrift ist Unterscheidung von Teilnahme und (physischer) Anwesenheit des Aktionärs oder eines Bevollmächtigten. Anwesenheit wird durch elektronische Kommunikation ersetzt. Gemeint ist damit eine **interaktive Zwei-Wege-Direktverbindung in Echtzeit** (Art. 8 I lit. b Aktionärsrechte-RL), die dem Aktionär aktive Teilnahme ermöglicht, also elektronische Ausübung aller oder einzelner versammlungsgebundener Rechte, namentl. des Stimmrechts, womit der Einsatz von Stimmrechtsvertretern entbehrlich werden soll (RegBegr. BT-Drs. 16/11642, 26; KK-AktG/Tröger Rn. 46). Zweck der Regelung ist es, Aktionären Rechtsausübung zu erleichtern und damit zugleich HV-Präsenz zu steigern (→ Rn. 5). Obwohl in vielen Gesellschaften satzungsmäßige Voraussetzungen geschaffen wurden (Danwerth AG 2020, 776 Rn. 35) und sich dieser Trend durch COVID-19-Pandemie 2020–2022 nochmals deutlich verstärkt hat (Seibt/Danwerth NZG 2020, 1241, 1242), nimmt Praxis Möglichkeit nur zurückhaltend wahr (KK-AktG/Tröger Rn. 65; v. Holten/Bauerfeind AG 2018, 729, 732 f.). **Hybridveranstaltung** wurde weder in Normal- noch in Pandemiezeiten (zum hier vorgeschlagenen Kombinationsmodell → Rn. 40) als sinnvolle Alternative empfunden, da sie AG **keinerlei Vorteile,** dafür aber mögliche Nachteile bringt (Seibt/Danwerth NZG 2020, 1241, 1242); namentl. Mitteilung der Teilnahmebedingungen (→ Rn. 11) gilt als anfechtungsgefährdet (Arnold/Carl/Götze AG 2011, 349, 360). Größere Verbreitung findet stattdessen auch in reiner Präsenz-HV ebenfalls zulässige **Online-Abstimmung** über internetfähiges Endgerät (zB Smartphone, Laptop, Tablet oder Wahl-Terminal), deren Zulässigkeit ebenfalls anerkannt ist (ausf. dazu Simons NZG 2017, 567 ff.). Auch digitale Aktionärsportale als Kommunikationsplattform der AG mit ihren Aktionären haben sich spätestens mit pandemiebedingt erzwungener Umstellung auf virtuelle HV in den Jahren 2020 – 2022 in der Praxis weitgehend durchgesetzt.

b) Optionen des Satzungsgebers. Art. 8 I Aktionärsrechte-RL verlangt 11
nicht Einführung der elektronischen Teilnahme. Gesetzgeber muss AG nur gestatten, ihren Aktionären solche Teilnahme anzubieten. § 118 I 2 kommt dem nach, indem dem Satzungsgeber zwei Optionen eröffnet werden: Er kann elektronische Teilnahme **selbst vorsehen,** kann aber auch den **Vorstand ermächtigen,** seinerseits elektronische Teilnahme einzuführen. Ermächtigung des Vorstands erlaubt es, Satzung von technischen Detaillösungen freizuhalten und wird deshalb von der Praxis bevorzugt (Arnold/Carl/Götze AG 2011, 349, 360). Möglich sind ferner Zwischenlösungen, nach denen die Satzung die grundlegenden Entscheidungen trifft und der Vorstand verbleibende Einzelfragen regelt (RegBegr. BT-Drs. 16/11642, 26). Nicht in § 118 I 2 vorgesehen sind weitere Anforderungen an Gestaltung durch den Vorstand, namentl. hinsichtlich **Bekanntgabe** und Abänderung der Rahmenbedingungen. Das ist insofern korrekturbedürftig, als Aktionäre im Vorfeld ihrer Entscheidung sichere Kenntnis haben müssen, unter welchen Voraussetzungen sie an HV teilnehmen. Deshalb müssen Voraussetzungen in Einladung zur HV kommuniziert werden; anderenfalls besteht Anfechtungsgrund (BeckOGK/J. Hoffmann Rn. 48). Weil den Gesellschaften nur Optionen eröffnet werden, entscheiden sie frei, ob sie Online-Teilnahme überhaupt zulassen wollen (RegBegr. BT-Drs. 16/11642, 26). Soweit Gründungssatzung nichts enthält, bedarf es dafür einer Satzungsänderung, die nur auf

gemeinsamen Vorschlag von Vorstand und AR zustande kommen kann (§ 124 III 1).

12 c) **Online-Teilnehmer als erschienener Aktionär; Rechtsausübung.** Zugeschaltete Aktionäre sind zwar nicht physisch anwesend, nehmen aber gleichwohl an HV teil (→ Rn. 10). Folgerichtig können sie nach Maßgabe der Satzung oder der Entschließung des dazu ermächtigten Vorstands (→ Rn. 11) auch ihre Versammlungsrechte so ausüben, als ob sie anwesend wären: Auskunftsrecht (Kersting NZG 2010, 30), Rede-, Antrags- und Stimmrecht; Widerspruch zur Niederschrift. Auch in **Teilnehmerverzeichnis** gem. § 129 I 2 sind sie aufzunehmen (KK-AktG/Noack/Zetzsche § 129 Rn. 41 ff.; zur Frage, ob ihnen Teilnehmerverzeichnis auch zugänglich gemacht werden muss → § 129 Rn. 13). Stellvertretung ist nach allg. Regeln möglich (§ 134 III; → § 134 Rn. 21 ff.). Online gestellte Fragen werden idR durch Verlesung zur Kenntnis gebracht (KK-AktG/Kersting § 131 Rn. 562). **Legitimation** des Aktionärs muss wie bei Präsenzteilnahme erfolgen; idR empfiehlt sich, Identifizierung im Wege einer Registrierung über Login-Maske unter Verwendung zuvor vergebener Zugangscodes (PIN) vorzunehmen (GK-AktG/Mülbert Rn. 102). Teilnahme nichtberechtigter Personen aufgrund unbefugter Verwendung fremder Zugangsdaten führt nicht zur Anfechtbarkeit iSd § 243 I (MüKoAktG/Kubis Rn. 93). Rechtsausübung kann nach § 118 I 2 beschränkt, aber nicht ganz ausgeschlossen werden. § 53a gilt insofern nicht (RegBegr. BT-Drs. 16/11642, 26); auch sachliche Rechtfertigung ist nicht erforderlich (GK-AktG/Mülbert Rn. 104; Arnold/Carl/Götze AG 2011, 349, 360). Satzungsmäßige Privilegierung von Online-Aktionären, die über Verzicht auf physische Präsenz hinausgeht, ist aber unzulässig (MüKoAktG/Kubis Rn. 86; KK-AktG/Tröger Rn. 74). Beschränkung kann nur versammlungsbezogene Rechte betreffen, nicht aber solche im Vorfeld der HV (MüKoAktG/Kubis Rn. 87). Werden den Aktionären in der Satzung nur einzelne Rechte ausdr. zugewiesen, folgt daraus im Umkehrschluss, dass andere Rechte ausgeschlossen sind (RegBegr. BT-Drs. 16/11642, 26). Ein Manko stellt es dar, dass § 118 I 2 **Beschränkung des Rede- und Fragerechts** nach Vorbild des § 131 II 2 zumindest nicht eindeutig vorsieht. Tats. spricht grds. weite Ermächtigung des Gesetzgebers dafür, auch insoweit zulässige Begrenzung nach Zahl und Umfang vorzunehmen (sa KK-AktG/Kersting § 131 Rn. 563; v. Holten/Bauerfeind AG 2018, 729, 735 f.), doch kann verbleibende Unsicherheit dazu führen, dass diese Rechte generell nicht zur elektronischen Ausübung freigegeben werden (Schaaf/Slowinski ZIP 2011, 2444, 2445).

13 Ob Aktionärsrechte auch auf **Rechtsfolgenseite,** zB durch Beschneidung der Anfechtungsmöglichkeit, eingeschränkt werden können, ist zweifelhaft (dagegen KK-AktG/Kersting § 131 Rn. 566; MüKoAktG/Kubis Rn. 87; GK-AktG/Mülbert Rn. 116; v. Holten/Bauerfeind AG 2015, 489, 492; Noack WM 2009, 2289, 2293). Wortlaut steht dem allerdings nicht entgegen und auch RegBegr. BT-Drs. 16/11642, 27 scheint von solcher Möglichkeit auszugehen. Dort wird zwar nicht grds. Anfechtungsbefugnis zur Disposition des Satzungsgebers gestellt, wohl aber die Möglichkeit, Widerspruch zur Niederschrift einzulegen (so auch die zutr. Gestaltungsempfehlung von BeckOGK/J. Hoffmann Rn. 47; KK-AktG/Tröger Rn. 89 ff.; Arnold/Carl/Götze AG 2011, 349, 360; Besse AG 2012, R 358, 359; aA KK-AktG/Kersting § 131 Rn. 567; S/L/Spindler Rn. 60; diff. GK-AktG/Mülbert Rn. 117: unzulässig nur bei Rechtsmissbrauch). Da damit **Anfechtungsbefugnis iErg beseitigt** werden kann, ist anzunehmen, dass Rechtsfolgenseite grds. nicht von Satzungsermächtigung ausgenommen bleibt; in der Praxis werden Online-Teilnehmern zumeist keine eigenen Rechtsschutzmöglichkeiten eingeräumt (Besse AG 2012, R 358; Kruchen DZWIR 2020, 431, 433).

14 Elektronisch teilnehmende Aktionäre sind iSd Gesetzes erschienene Aktionäre (§ 121 VI, § 129 I 2, § 132 II 1, § 245 S. 1 Nr. 1 und 2; s. Beck RNotZ 2014, 160, 164). Sie rechnen deshalb zur **Präsenz.** Bei Feststellung des Abstimmungsergebnisses im **Subtraktionsverfahren** (→ § 133 Rn. 24) sind online abgegebene Nein-Stimmen und Enthaltungen von dieser Präsenz abzuziehen (RegBegr. BT-Drs. 16/11642, 26; Drinhausen/Keinath BB 2009, 64, 67; zu praktischen Schwierigkeiten Arnold/Carl/Götze AG 2011, 349, 361). Sofern auch Aktionäre ohne Stimmrecht online teilnehmen, rechnen sie nicht zur Präsenz (Bosse NZG 2009, 807, 809). Online teilnehmende Aktionäre sind auch so zur **Anfechtung** befugt, als ob sie physisch anwesend wären (RegBegr. BT-Drs. 16/11642, 27; → § 245 Rn. 12), sofern Anfechtungsrecht nicht ausgeschlossen wird (→ Rn. 13). Verletzung elektronisch wahrgenommener Rechte durch technische Störung ist aber grds. kein Anfechtungsgrund (§ 243 III 1 Nr. 1; → § 243 Rn. 44), sofern technische Störungen überhaupt als Rechtsverletzung angesprochen werden können. Vorstand trifft aber Beseitigungspflicht (v. Holten/Bauerfeind AG 2015, 489, 492).

14a **d) Bestätigung der Stimmabgabe (§ 118 I 3–5).** § 118 I 3–5 wurde durch ARUG II 2019 eingefügt und setzt Art. 3c II UAbs. 1 Aktionärsrechte-RL um. Zweck der Regelung ist, Aktionär auch bei elektronischer Teilnahme **über Stimmabgabe zu informieren** (RegBegr. BT-Drs. 19/9739, 91). § 118 I 3 verpflichtet AG zu entspr. Information über Zugang in ebenfalls elektronischer Form und enthält iÜ deklaratorische und dynamische Verweisung auf Art. 7 I, 9 V UAbs. 1 **Aktionärsrechte-RL II-DVO.** Erste Vorschrift nimmt Bezug auf konkretisierende Tab. 6 der Aktionärsrechte-RL II-DVO, zweite Vorschrift verpflichtet zur unmittelbaren Bestätigung. Wird Bestätigung Intermediär erteilt, ist sie gem. § 118 I 4 und 5 unverzüglich nach **Regeln des § 67a III** zu übermitteln (→ § 67a Rn. 7a), wobei entspr. § 67a II 1 auch Übermittlung durch beauftragte Dritte möglich ist (→ § 67a Rn. 5; zu weiteren Einzelheiten vgl. KK-AktG/Tröger Rn. 82 ff.).

III. Stimmrechtsausübung ohne Teilnahme (§ 118 II)

15 Von Teilnahme ohne Anwesenheit (oder elektronischer Teilnahme; → Rn. 10) ist Ausübung des Stimmrechts ohne Teilnahme zu unterscheiden. § 118 II 1 bezeichnet sie als **Briefwahl,** was gleich doppelt unglücklich ist, da es nicht nur um Wahlen, sondern um alle Abstimmungen geht; auch wird nicht nur die schriftliche, sondern ebenso die elektronische Stimmabgabe zugelassen, die nach allg. Sprachgebrauch aber nicht brieflich ist (DAV-HRA NZG 2008, 534 Rn. 19, 21). Norm ist eingefügt durch ARUG 2009 und führt Art. 12 Aktionärsrechte-RL durch, soweit es um briefliche Abstimmung geht. Sie gilt auch für nicht börsennotierte Gesellschaften, was Art. 1 I der RL zwar nicht verlangt, aber sinnvoll ist. In der Praxis wird diese Möglichkeit – anders als elektronische Teilnahme gem. § 118 I 2 (→ Rn. 10) – von zahlreichen Gesellschaften ebenso wie von ihren Aktionären genutzt (Danwerth AG 2021, 613 Rn. 37 ff.; Wettich NZG 2011, 721, 725; abw. Befund aber bei MHdB AG/Austmann § 40 Rn. 31), doch werden die technischen und rechtl. Rahmenbedingungen gerade der grenzüberschreitenden Stimmrechtsausübung weiterhin als defizitär bemängelt (Strenger/Zetzsche AG 2013, 397 ff.). Hier hat allerdings pandemiebedingte vorübergehende Gestattung virtueller HV, die 2022 in Einführung der vHV in § 118a mündete, deutlichen **Modernisierungsschub** gebracht (→ Rn. 31 ff.).

16 Wie § 118 I 2 beschränkt sich auch § 118 II 1 darauf, für Satzungsgeber **Optionen** zu begründen. Satzungsgeber kann Briefwahl gestatten oder Vorstand ermächtigen, diese Gestattung selbst auszusprechen (→ Rn. 11), wobei Praxis

auch insofern Ermächtigung des Vorstands bevorzugt (KK-AktG/Tröger Rn. 107; Schaaf/Slowinski ZIP 2011, 2444 mit entspr. Formulierungsvorschlag). Satzung kann elektronische Teilnahme und Briefwahl gar nicht, alternativ, aber auch kumulativ gestatten. Wird von Möglichkeit der Briefwahl Gebrauch gemacht, gelten bei börsennotierter AG für Einberufung der HV bes. Vorgaben des § 121 III 3 Nr. 2 lit. b (→ § 121 Rn. 10c). Bei entspr. Satzungsvorgabe gem. § 123 II 1 ist überdies Anmeldung erforderlich (Einzelheiten: Schaaf/Slowinski ZIP 2011, 2444, 2445 f.). Anders als bei elektronischer Teilnahme lässt § 118 II 1 es nicht zu, Rechtsstellung des Briefwählers zu beschneiden, so dass § 53a hier zur Anwendung gelangt (GK-AktG/Mülbert Rn. 110). Satzung sollte auch Verfahren zur **Identifikation** des Briefwählers vorsehen. Bei schriftlichen Wahlen kann dies etwa durch Stimmkarte, bei elektronischen Wahlen durch entspr. Legitimationsmedien geschehen, zB Kennung, Login-Maske oder elektronische Signatur (S/L/Spindler Rn. 58; Noack WM 2009, 2289, 2290).

17 Briefwahl kann schriftlich oder im Wege elektronischer Kommunikation ausgeübt werden. Für **Schriftlichkeit** genügt Schriftform (§ 126 BGB). Eigenhändige Unterzeichnung wird aber von § 118 II 1 nicht verlangt. Satzung kann auch bloße Schriftlichkeit genügen lassen, was aber anderweitige Klärung der Identität des sog Briefwählers voraussetzt. Auch **elektronische Kommunikation** ist untechnischer Oberbegriff, der elektronische Form (§ 126a BGB), aber auch Textform (§ 126b BGB) und weitergehend jede andere Form einseitiger elektronischer Willensäußerung abdeckt, bes. unter Verwendung eines von AG vorgehaltenen Internetformulars (Noack NZG 2008, 441, 445). Einsatz von Blockchains ist aktienrechtl. unbedenklich, aber im Hinblick auf etwaiges Geheimhaltungsbedürfnis bei Stimmabgabe derzeit problematisch (vgl. Mutter/Otto AG 2017, R 244, 245; Spindler ZGR 2018, 17, 50 f.; sa Kuntz ZHR 183 [2019], 190, 201 ff.; ausf. zu datenschutzrechtl. Anforderungen Spindler ZGR 2020, 707, 723 ff.). Zeitlich geht Ges. von Stimmabgabe vor der HV aus, setzt aber auch keine Grenze, so dass elektronische Stimmabgabe auch noch bis in HV angeboten werden kann (Arnold/Carl/Götze AG 2011, 349, 358). Bei Stimmabgabe vor HV muss zumindest **Bek. der Tagesordnung** (§ 124) erfolgt sein, weil ohne Kenntnis des Beschlussgegenstands kein rechtl. relevanter Regelungswille gebildet werden kann (DAV-HRA NZG 2008, 534 Rn. 18: keine „prophylaktische" Stimmabgabe). Nach mittlerweile hM sollte unter heutigen technischen Voraussetzungen elektronische Stimmabgabe noch bis zum Beginn des jeweiligen Abstimmungsvorgangs zulässig sein (GK-AktG/Mülbert Rn. 111; S/L/Spindler Rn. 58; Bürgers/Körber/Reger Rn. 5 f.; jetzt auch Grigoleit/Herrler Rn. 23 unter Aufgabe von Herrler/Reymanns DNotZ 2009, 815, 821: „nur bis zur Eröffnung der HV"; zu großzügigerer Handhabung in vHV → § 118a Rn. 29). Sinnvolle Satzungsgestaltung kann dahin gehen, für schriftliche und elektronische Stimmabgabe unterschiedliche Fristen vorzusehen (Arnold/Carl/Götze AG 2011, 349, 358).

18 Durch sog Briefwahl abgegebene Stimmen rechnen für Feststellung der **einfachen Mehrheit** (§ 133 I) mit (RegBegr. BT-Drs. 16/11642, 27). Auch Subtraktionsverfahren (→ § 133 Rn. 24) ist anwendbar. Briefwahlstimme wird als Willenserklärung unter Abwesenden gem. § 130 I BGB nach allg. Zugangsregeln wirksam, und zwar nach zutr. Auffassung mit Beginn der Abstimmung über konkreten Beschlussgegenstand; nur bei diesem Verständnis wird Gleichbehandlung mit Präsenzaktionären gewährleistet (S/L/Spindler Rn. 58; Arnold/Carl/Götze AG 2011, 349, 358). Bis zu diesem Zeitpunkt ist folglich auch **Widerruf** zulässig (S/L/Spindler Rn. 58). Beschlussanträge, die erst in HV gestellt werden, sind für Briefwahl nicht zugänglich, sofern nicht Onlineteilnahme und -abstimmung erfolgt (Arnold/Carl/Götze AG 2011, 349, 359). Werden Vorschläge mehr als nur redaktionell geändert, müssen Stimmen unberücksichtigt bleiben (GK-

AktG/Mülbert Rn. 114), was aber bei hohem Briefwähleranteil ebenfalls problematisch sein kann (Kocher BB 2014, 2317, 2319 ff. m. zutr. Hinweis auf entspr. Probleme bei Proxy Voting [→ § 134 Rn. 26 ff.] und Stimmrechtsberatern iSd § 134a I Nr. 3 [→ § 134a Rn. 4; → § 134d Rn. 1 ff.]). Möglichkeiten zur Vorschlagsänderung werden dadurch trotzdem nicht beschränkt (ausf. → § 124 Rn. 20).

Briefwähler nehmen, soweit sie nicht zugleich Online-Teilnehmer sind 19 (→ Rn. 10 ff.), an HV nicht teil und sind deshalb auch in Teilnehmerverzeichnis iSd § 129 I 2 nicht aufzunehmen. Ihre Stimmen gehören aber zum vertretenen Grundkapital (zB iSd § 179 II), weshalb empfohlen wird, in der Weise Transparenz zu schaffen, dass Summe der Teilnehmer und Briefwähler dokumentiert wird (Butzke HV Q 10). Mangels ihrer Anwesenheit haben gem. § 118 II 1 abstimmende Aktionäre **keine Anfechtungsbefugnis** nach § 245 S. 1 Nr. 1 (RegBegr. BT-Drs. 16/11642, 27; Bosse NZG 2009, 807, 809), wohl aber nach § 245 S. 1 Nr. 2 oder 3 unter den dort genannten Voraussetzungen (KK-AktG/Tröger Rn. 114 f.). Briefwähler können in HV aber auch **erscheinen** und haben dann neben den Teilnahmerechten auch die Anfechtungsbefugnis des § 245 S. 1 Nr. 1. Sinnvoll ist, dass die Teilnahmebedingungen für diesen Fall die Briefwahlstimme unter eine aufschiebende Bedingung stellen (Arnold/Carl/Götze AG 2011, 349, 359).

Durch ARUG II 2019 neu eingefügter § 118 II 2 sieht für zweite Modalität 19a der Stimmabgabe im Wege elektronischer Kommunikation entspr. Geltung der ebenfalls neu eingefügten Regelung über **Bestätigung der Stimmabgabe bei Online-Teilnahme** vor. Normzweck und technischer Ablauf sind identisch (→ Rn. 14a).

IV. Teilnahme an der Hauptversammlung (§ 118 III)

1. Allgemeines. § 118 III erfasst nur einen speziellen Aspekt der Teilnahme 20 an der HV. Das gilt zunächst für den Träger des Teilnahmerechts. Als selbstverständlich vorausgesetzt ist Teilnahmerecht der Aktionäre (→ Rn. 24 ff.). Keine Regelung gefunden hat Teilnahme Dritter an der HV (→ Rn. 28). Auch zum **Inhalt des Teilnahmerechts** ergibt die Vorschrift nichts. Insoweit kann jedoch als geklärt angesehen werden, dass es das Recht auf Anwesenheit und das Recht auf Mitberatung umfasst. Zum **Recht auf Mitberatung** gehört das Recht, sich zu den Gegenständen der Tagesordnung zu äußern (Rederecht), insbes. Anträge zu stellen; HV muss den Teilnahmeberechtigten auch anhören (BGH NJW 1971, 2225). Mittelbar wird Rederecht nun auch in § 131 II 2 anerkannt, der seine zeitliche Beschränkung gestattet. Übertragung des Rederechts auf anderen anwesenden Aktionär ist nicht zulässig (OLG München AG 2011, 840, 843). Anders als das Rede- und Antragsrecht ist das Stimmrecht kein Bestandteil des Teilnahmerechts, sondern ein ihm ggü. selbständiges Verwaltungsrecht (ganz hM, s. Butzke HV E 3). **HV-Sprache** ist – auch bei HV im Ausland (→ § 121 Rn. 14 ff.) – deutsch, sofern nicht alle Versammlungsteilnehmer anderes beschließen (zur Sprache des HV-Leiters → § 129 Rn. 18); auch fremdsprachige Aktionärsbeiträge sollen nur zugelassen werden, wenn Übersetzung gewährleistet ist (Drinhausen/Marsch-Barner AG 2014, 757, 762 ff.; krit. Mohamed NZG 2015, 1263 ff.). Da Ges. HV-Sprache nicht eindeutig festlegt, dürfte auch Satzungsregelung als Ergänzung nach § 23 V 2 zulässig sein (Backhaus FS 10 Jahre Österberg, 2018, 93, 97 f.).

2. Recht und Pflicht der Verwaltungsmitglieder. Mitglieder des Vorstands 21 (auch die stellvertretenden, § 94) und des AR (ohne Rücksicht auf Wahl oder Entsendung [§ 101], auf Zugehörigkeit zur Aktionärs- oder AN-Seite) sind **teil-**

nahmeberechtigt, und zwar auch dann, wenn sie nicht Aktionäre sind. § 102 II AktG 1937 sprach das noch ausdr. aus. Andere Fassung des § 118 III soll daran nichts ändern (RegBegr. Kropff S. 164). Teilnahmerecht der Verwaltungsmitglieder hat den in → Rn. 20 umschriebenen Inhalt. Es ist satzungsfest und kann auch sonst nicht entzogen werden. Individuelles Sachantragsrecht ist davon idR nicht erfasst, sondern Vorstand und AR müssen jew. als Gesamtorgan Antrag formulieren (anders bei Geschäftsordnungsanträgen → § 133 Rn. 9). Rederecht besteht grds., kann aber mit anderen organschaftlichen Pflichten, namentl. Verschwiegenheitspflicht und organinterner Zuständigkeitsordnung kollidieren, so dass einfaches AR-Mitglied nur zurückhaltend davon Gebrauch machen sollte (Hoffmann-Becking NZG 2017, 281, 286 f.). Obwohl § 118 II nur Soll-Formulierung enthält, ergibt sich aus RegBegr. Kropff S. 164 doch klar, dass Verwaltungsmitglieder auch **teilnahmepflichtig** sind (allgM), und zwar grds. in Person; sie können sich also nicht beliebig vertreten lassen. Verletzung der Teilnahmepflicht bleibt allerdings ohne beschlussrechtl. Konsequenzen (anders uU bei Verletzung des Teilnahmerechts; vgl. OLG Stuttgart NJW 1973, 2027, 2028; MüKoAktG/Kubis Rn. 112; GK-AktG/Mülbert Rn. 53, 56; Dreher FS Krieger, 2020, 201, 202 ff.). Ausn. gilt nur dann, wenn aufgrund Fernbleibens eines Organmitglieds Aktionärsfragen nicht ordnungsgem. beantwortet werden können; in diesem Fall ist Anfechtung nach § 243 I möglich (GK-AktG/Mülbert Rn. 56). Als persönliche Sanktionen kommen (namentl. im vorstehend genannten Anfechtungsfall) Schadensersatzpflichten nach §§ 93, 116 in Betracht, uU auch Abberufung aus wichtigem Grund (§ 84 IV, § 103 III). Persönliche Hinderungsgründe (zB Krankheit, Todesfall im Familienkreis, Pandemie – zum letztgenannten Fall Unmuth NZG 2020, 448 ff.) lassen nach hM Teilnahmepflicht (MüKoAktG/Kubis Rn. 110), nach Gegenauffassung, die strenger Systematik des § 280 I BGB entspr., Vorwerfbarkeit des Pflichtverstoßes entfallen (GK-AktG/Mülbert Rn. 44). Da § 118 III in § 121 VI nicht genannt wird, besteht Teilnahmerecht auch bei Vollversammlungen (Einzelheiten: → § 121 Rn. 23). **Ausgeschiedene Verwaltungsmitglieder** haben kein Teilnahmerecht, können aber als Gäste zugelassen werden (E. Vetter AG 1991, 171, 172 ff.). IdR besteht auch keine Teilnahmepflicht. Sie kann sich aber im Einzelfall als Nachwirkung des Organ- und des Anstellungsverhältnisses ergeben (GK-AktG/Mülbert Rn. 60; S/L/Spindler Rn. 39; E. Vetter AG 1991, 171, 172; aA BeckOGK /J. Hoffmann Rn. 36).

22 **Lockerung der Präsenzpflicht** durch TransPuG 2002 in § 118 III 2 erfolgt durch Zulassung abw. Satzungsregelung (§ 23 V 1). Sie bezieht sich aber nur auf AR-Mitglieder, die bei HV idR ohnehin eher passiv anwesend sind, so dass Aufwand und Ertrag ihrer Teilnahme oft in keinem vernünftigen Verhältnis stehen (GK-AktG/Mülbert Rn. 57). Unter den Rahmenbedingungen gewünschter int. Besetzung hat RegBegr. BT-Drs. 14/8769, 19 dabei vor allem ausländische AR-Mitglieder nichtbörsennotierter AG (§ 3 II) im Blick, denen Anreise etwa bei Konzerntöchtern erspart werden soll. Lockerung setzt Angabe bestimmter Fallgruppen oder Konstellationen voraus und belässt es wenigstens bei sog **Videozuschaltung,** genauer bei beidseitiger Übertragung der HV in Bild und Ton. Formulierungsvorschlag bei Mutter AG 2003, R 34, dessen Regelungsgehalt aber nicht voll überzeugt: Zeitaufwand für An- und Abreise ist mit fünf Stunden zu niedrig angesetzt. Gegenläufig erscheint notwendige Erstattung der Gesellschaftskosten durch AR-Mitglied nicht sachgerecht (für Kostenpflicht der AG BeckOGK/J. Hoffmann Rn. 34), zumal dieses ges. Anspruch auf Auslagenersatz (Reisekosten usw.) hätte (→ § 113 Rn. 7 ff.).

23 Teilnahmepflicht der **Abschlussprüfer** besteht im Ausnahmefall des § 176 II 1 (→ § 176 Rn. 8); sonst nicht. Weitergehende Teilnahme ist üblich und sinnvoll, doch ist Abschlussprüfer dazu aktienrechtl. nicht verpflichtet und

nach richtiger Ansicht auch nicht berechtigt; Versammlungsleiter kann seine Anwesenheit jedoch zulassen (näher → § 176 Rn. 8).

3. Teilnahmerecht der Aktionäre. a) Grundsatz. Jeder Aktionär ist teilnahmeberechtigt, auch Inhaber stimmrechtsloser Vorzüge (§ 140 I), auch Inhaber nicht voll eingezahlter Aktien (→ § 134 II), auch von Stimmverbot (§ 136 I) betroffener Aktionär. Nur wenn Rechte aus der Aktie ausnahmsweise überhaupt nicht ausgeübt werden dürfen (zB § 20 VII, § 71b, § 44 WpHG), besteht für jeweiligen Inhaber auch kein Teilnahmerecht (→ § 20 Rn. 12 ff.; → § 71b Rn. 3 ff.). Verletzung des Teilnahmerechts ist Anfechtungsgrund (§ 243 I) und ergibt Anfechtungsbefugnis (§ 245 S. 1 Nr. 2 Fall 1). Anspruch auf Teilnahme kann auch gerichtl. geltend gemacht werden, üblicherweise durch Leistungsklage und einstweilige Verfügung, uU aber auch durch Feststellungsklage gem. § 256 ZPO (BeckOGK/Stilz/J. Hoffmann Rn. 25; GK-AktG/Mülbert Rn. 81; KK-AktG/Tröger Rn. 190; aA MüKoAktG/Kubis Rn. 77). Ausschließliche Durchführung der HV im Internet wahrt Teilnahmerecht der Aktionäre nicht und ist daher auch dann nicht möglich, wenn Satzung die Durchführung vorsieht (Riegger/Mutter ZIP 1998, 637, 638 f.). Auch Teilnahme an herkömmlicher HV mittels Internet ist nur zuzulassen, wenn Satzung von Option des § 118 III 2 Gebrauch gemacht hat (→ Rn. 22). Eine mitgliedschaftliche Teilnahmepflicht gibt es nicht. 24

Teilnahmerecht der Aktionäre ist **in seinem Kern unentziehbar** (unstr., vgl. bes. BGH WM 1989, 63, 64 f. zur Vertreterklausel bei GmbH). Wenn Teilnahme des Aktionärs – namentl. unter Pandemiegesichtspunkten – gesundheitliche Gefahren für Mitaktionäre mit sich bringen kann, bestehen (ebenso wie in anderen Lebensbereichen) keine Hinderungsgründe, Zutritt zur HV von Einhaltung hinreichender Schutzstandards (zB unter Corona-Vorzeichen Nachw. entsprechend sog 3G- oder 2G-Regeln) abhängig zu machen (generell zur Pflicht der AG, gesundheitliche Gefahren von Aktionären abzuwenden, vgl. Guntermann ZGR 2021, 436, 443 ff.). Im Gegenteil erwächst aus Teilnahmerecht des Aktionärs auch dessen Recht auf **Schutz vor Drittgefahren,** namentl. vor Infektionsgefahren, denen Vorstand deshalb mit bes. Maßnahmen (Kontrollen, Zugangsverweigerung, Einschränkung des Verpflegungsangebots etc.) begegnen muss (ausf. dazu Guntermann ZGR 2021, 436, 441 ff.). Entsprechende öffentl.-rechtl. Restriktionen (Versammlungsbeschränkungen, Hygiene- und Abstandsregelungen) müssen beachtet werden (Lieder ZIP 2021, 161, 163; Simons/Hauser NZG 2021, 1340, 1341). Auch **Ordnungsmaßnahmen** einschließlich Saalverweis werden durch Teilnahmerecht nicht ausgeschlossen (BGHZ 44, 245, 251 ff. = NJW 1966, 43; → § 129 Rn. 22 ff.; zum Problem unzureichender akustischer Übertragung → § 243 Rn. 16). Als mitgliedschaftliche Befugnis ist Teilnahmerecht auch nicht selbständig übertragbar, insbes. nicht veräußerlich (→ § 8 Rn. 26). **Verkauf** an Dritte (Darstellung bei Junge FS Röhricht, 2005, 277 ff.) ist Unding, Übertragung als Abspaltungsversuch nichtig. Zulässige Bevollmächtigung kann ebenfalls nicht zur Rechtsvervielfältigung führen (→ § 134 Rn. 27). 25

b) Einzelfragen. Teilnahmerecht ist kein höchstpersönliches Recht, kann also durch **Vertreter des Aktionärs,** bes. Bevollmächtigte, ausgeübt werden. Das folgt zwingend aus § 134 III 1, weil die danach zulässige Ausübung des Stimmrechts durch einen Bevollmächtigten sonst nicht möglich wäre (→ § 134 Rn. 21 ff.). Sonderfall der Bevollmächtigung ist Bestellung des gemeinsamen Vertreters bei Rechtsgemeinschaft an einer Aktie gem. § 69 I. Teilnahmerecht liegt bei ihm und nicht bei den Mitinhabern (→ § 69 Rn. 5). Teilnahmerecht wird auch durch Legitimationsübertragung begründet. Kein Teilnahmerecht haben dagegen Beistände oder Berater des Aktionärs, wenn sie nicht auch Bevollmächtigte oder Zessionare einer Legitimationsübertragung sind; HV-Leiter kann 26 jedoch Anwesenheit gestatten (MüKoAktG/Kubis Rn. 122). Zur Legitimationszession → § 129 Rn. 12 ff.

27 Für **Treuhand, Pfandrecht, Nießbrauch** ist stets rechtl. Eigentumssituation maßgeblich, dh: Teilnahmeberechtigt ist Treuhänder, nicht Treugeber; Pfandgläubiger erwirbt die Aktie nicht, hat also auch kein Teilnahmerecht (sa OLG Celle AG 2015, 363 zu § 122 III). Umstr. ist, ob auch Nießbrauch eine Teilnahmebefugnis begründet. Das hängt davon ab, ob man dem Nießbraucher eine Stimmbefugnis zuweist, was richtigerweise zu verneinen ist, sofern ihm Aktionär nicht ausdr. Stimmrechtsvollmacht erteilt hat (Einzelheiten → § 134 Rn. 17a). Bei **Wertpapierleihe** (Sachdarlehen) ist Entleiher als Eigentümer (Kort WM 2006, 2149; vgl. zur differenzierenden steuerrechtl. Bewertung FG Nürnberg NZG 2017, 204 ff.) ebenso teilnahmeberechtigt wie Treuhänder (str. zum Stimmrecht, → § 134 Rn. 17). Soll Teilnahmerecht beim Verleiher liegen, bedarf es der sog Legitimationszession von Entleiher auf Verleiher gem. § 129 III (→ § 129 Rn. 12 ff.).

28 **4. Dritte.** Ein bes. Teilnahmerecht haben **Vertreter der Aufsichtsbehörden** im Bereich der Banken- und Versicherungsaufsicht (§ 44 IV KWG, § 3 I BauSparkG, § 306 I 1 Nr. 4, 5 VAG, § 14 II, III ZAG). IÜ gibt es weder ein Teilnahmerecht noch ein Anwesenheitsrecht dritter Personen. HV ist keine öffentl. Veranstaltung, auch dann nicht, wenn es sich um Publikums-AG handelt; hier wird allein faktisch eine Quasi-Öffentlichkeit bestehen (MüKoAktG/Kubis Rn. 7). Zulassung Dritter kann aber in Satzung oder Geschäftsordnung geregelt werden. Geschieht das nicht, steht sie im Ermessen des HV-Leiters, der bei Ermessensausübung insbes. § 53a zu beachten hat (GK-AktG/Mülbert Rn. 93). Nur in Ausnahmefällen sind Dritte zwingend zuzulassen; als Beispiele zu nennen sind etwa Hilfspersonen eines körperlich beeinträchtigten Aktionärs, Dolmetscher eines fremdsprachigen Aktionärs, nicht aber anwaltliche Berater oder sonstige Experten (MüKoAktG/Kubis Rn. 73).

29 HV ist auch **nicht presseöffentlich.** Anwesenheit der Presse wird jedoch verbreitet gestattet. Versammlungsleiter kann nach allgM Anwesenheit von Pressevertretern von sich aus zulassen, soll nach verbreiteter Auffassung für ihren Ausschluss aber eines HV-Beschlusses bedürfen (Butzke HV C 34). Rechtsgrundlage für diese Sichtweise ist allerdings nicht ersichtlich, weshalb man auch hier von freiem Ermessen des Versammlungsleiters auszugehen hat (so auch GK-AktG/Mülbert Rn. 93; B/K/L/Reger Rn. 10). Allerdings kann HV Zuständigkeit an sich ziehen und auf diese Weise Zulassungs- oder Ausschlussentscheidung des Versammlungsleiters überspielen (BeckOGK/J. Hoffmann Rn. 39; Grigoleit/Herrler Rn. 33; S/L/Spindler Rn. 48; insofern aA GK-AktG/Mülbert Rn. 93; Hoffmann-Becking NZG 2017, 281, 288). In der Praxis kommt dies allerdings kaum vor (Höreth AG 2013, R 182, 183). Ein Recht auf Einsichtnahme in das Teilnehmerverzeichnis (§ 129 IV 1) gibt es für Pressevertreter auch dann nicht, wenn ihnen die Anwesenheit gestattet ist (→ § 129 Rn. 13 mwN). Übertragung (nicht: Durchführung; → Rn. 24) mittels Internet dürfte zulässig sein, wenn Satzung sie vorsieht oder HV entspr. beschließt. Von bloßer Zulassung durch HV-Leiter sollte wegen Unüblichkeit des Verfahrens abgesehen werden (vgl. dazu Riegger/Mutter ZIP 1998, 637, 638, insofern aA GK-AktG/Mülbert § 118 Rn. 95).

V. Übertragung der Hauptversammlung (§ 118 IV)

30 § 118 IV (angefügt durch TransPuG 2002 und neu gefasst durch ARUG 2009) eröffnet **Regelungsspielraum für Satzung** (§ 23 V 2) und alternativ **für Geschäftsordnung** (§ 129 I 1). Sie können bestimmen, dass HV in Bild und Ton

übertragen werden darf, namentl. im **Internet,** aber auch im Werksfernsehen oder sonstwie. Satzung und Geschäftsführung können auch auf eigene Regelung verzichten und stattdessen jew. einzeln auch Vorstand oder HV-Leiter ermächtigen, ihrerseits Bild- oder Tonübertragung zuzulassen. Ermächtigung des Vorstands geht auf RegE zurück, die des HV-Leiters auf Beschlussempfehlung des Rechtsausschusses (AusschussB BT-Drs. 16/13098, 56). Ermächtigung des HV-Leiters entspr. der Versammlungspraxis und ist sinnvoll (zur empirischen Auswertung vgl. Danwerth AG 2020, 776 Rn. 11). Gesamtregelung bezweckt Klarstellung; namentl. können einzelne Aktionäre der Aufzeichnung ihres Beitrags durch Rede oder Frage nicht widersprechen, wenn Satzung oder Geschäftsordnung Übertragung vorsehen (RegBegr. BT-Drs. 14/8769, 19). Regelung ist verfassungsgemäß (LG Frankfurt a. M. AG 2005, 821 f.; GK-AktG/Mülbert Rn. 123). Vorausgesetzt ist, dass Präsenz-HV stattfindet. Rein virtuelle HV ist nur unter Sondervoraussetzungen des § 118a zulässig. IÜ besteht Regelungsfreiheit: AG kann Regelung treffen, muss es aber nicht. Sie kann Bild- oder Tonübertragung zulassen, und zwar für jedermann oder auch beschränkt auf bes. legitimierten Personenkreis (GK-AktG/Mülbert Rn. 124; S/L/Spindler Rn. 65; Noack DB 2002, 620, 623; teilw. aA BeckOGK/J. Hoffmann Rn. 60). Auch Beschränkung auf einzelnen HV-Abschnitt (zB nur Rede des Vorstands) ist zulässig (Grigoleit/Herrler Rn. 36). Satzung oder Geschäftsordnung dürfen auch fallweise Entscheidung der Verwaltung zulassen (RegBegr. BT-Drs. 14/8769, 19), was als Kompetenz des Vorstands zu konkretisieren ist (§ 76 I). Formulierungsvorschlag findet sich bei Mutter AG 2003, R 34, der aber von Entscheidungsbefugnis des HV-Leiters ausgeht, was außerhalb der HV nicht überzeugt. Entgegen teilweise vertretener Auffassung (MüKoAktG/Kubis Rn. 129) muss Online-Übertragung nicht gem. § 121 II 1 in **Einberufung** bekannt gemacht werden. Solche Sichtweise ist nicht damit vereinbar, dass nach allgM auch HV-Leiter erst in Versammlung selbst Anordnung vornehmen darf (GK-AktG/Mülbert Rn. 127). Dennoch ist solche Angabe auch ohne Rechtspflicht zu empfehlen.

Virtuelle Hauptversammlung

118a (1) [1] **Die Satzung kann vorsehen oder den Vorstand dazu ermächtigen, vorzusehen, dass die Versammlung ohne physische Präsenz der Aktionäre oder ihrer Bevollmächtigten am Ort der Hauptversammlung abgehalten wird (virtuelle Hauptversammlung).** [2] **Wird eine virtuelle Hauptversammlung abgehalten, sind die folgenden Voraussetzungen einzuhalten:**

1. **die gesamte Versammlung wird mit Bild und Ton übertragen,**
2. **die Stimmrechtsausübung der Aktionäre ist im Wege elektronischer Kommunikation, namentlich über elektronische Teilnahme oder elektronische Briefwahl, sowie über Vollmachtserteilung möglich,**
3. **den elektronisch zu der Versammlung zugeschalteten Aktionären wird das Recht eingeräumt, Anträge und Wahlvorschläge im Wege der Videokommunikation in der Versammlung zu stellen,**
4. **den Aktionären wird ein Auskunftsrecht nach § 131 im Wege elektronischer Kommunikation eingeräumt,**
5. **den Aktionären wird, sofern der Vorstand von der Möglichkeit des § 131 Absatz 1a Satz 1 Gebrauch macht, der Bericht des Vorstands oder dessen wesentlicher Inhalt bis spätestens sieben Tage vor der Versammlung zugänglich gemacht,**

6. den Aktionären wird das Recht eingeräumt, Stellungnahmen nach § 130a Absatz 1 bis 4 im Wege elektronischer Kommunikation einzureichen,

7. den elektronisch zu der Versammlung zugeschalteten Aktionären wird ein Rederecht in der Versammlung im Wege der Videokommunikation nach § 130a Absatz 5 und 6 eingeräumt,

8. den elektronisch zu der Versammlung zugeschalteten Aktionären wird ein Recht zum Widerspruch gegen einen Beschluss der Hauptversammlung im Wege elektronischer Kommunikation eingeräumt.

[3] Für die Fristberechnung nach Satz 2 Nummer 5 gilt § 121 Absatz 7; bei börsennotierten Gesellschaften hat das Zugänglichmachen über die Internetseite der Gesellschaft zu erfolgen. [4] § 118 Absatz 1 Satz 3 und 4 sowie § 67a Absatz 2 Satz 1 und Absatz 3 gelten entsprechend.

(2) **[1] Die Mitglieder des Vorstands sollen am Ort der Hauptversammlung teilnehmen. [2] Gleiches gilt für die Mitglieder des Aufsichtsrats, sofern deren Teilnahme nicht nach § 118 Absatz 3 Satz 2 im Wege der Bild- und Tonübertragung erfolgen darf. [3] Der Versammlungsleiter und in den Fällen des § 176 Absatz 2 Satz 1 und 2 der Abschlussprüfer haben am Ort der Hauptversammlung teilzunehmen. [4] Ein von der Gesellschaft nach § 134 Absatz 3 Satz 5 benannter Stimmrechtsvertreter kann am Ort der Hauptversammlung teilnehmen.**

(3) **[1] Eine Bestimmung in der Satzung nach Absatz 1 Satz 1, die die Abhaltung virtueller Hauptversammlungen vorsieht, muss befristet werden. [2] Die Abhaltung virtueller Hauptversammlungen darf in einer solchen Bestimmung für einen Zeitraum von längstens fünf Jahren nach Eintragung der Gesellschaft vorgesehen werden.**

(4) **[1] Eine Ermächtigung des Vorstands durch die Satzung nach Absatz 1 Satz 1, die Abhaltung virtueller Hauptsammlungen vorzusehen, muss befristet werden. [2] Sie kann für einen Zeitraum von längstens fünf Jahren nach Eintragung der Gesellschaft erteilt werden.**

(5) **Werden nach Absatz 1 Satz 1 getroffene Bestimmungen oder Ermächtigungen durch Satzungsänderung geschaffen,**

1. darf die Bestimmung die Abhaltung virtueller Hauptversammlungen bis zu einem Zeitraum von längstens fünf Jahren nach Eintragung der Satzungsänderung vorsehen und

2. kann die Ermächtigung des Vorstands für einen Zeitraum von längstens fünf Jahren nach Eintragung der Satzungsänderung erteilt werden.

(6) **Bestimmt dieses oder ein anderes Gesetz, dass Unterlagen in der Hauptversammlung zugänglich zu machen sind, so sind die Unterlagen den der Hauptversammlung elektronisch zugeschalteten Aktionären während des Zeitraums der Versammlung über die Internetseite der Gesellschaft oder eine über diese zugängliche Internetseite eines Dritten zugänglich zu machen.**

Übersicht

I. Regelungsgegenstand und -zweck

Durch VHVG 2022 eingefügter § 118a (in Kraft getreten: 27.7.2022) eröffnet Möglichkeit einer virtuellen HV (vHV; gängige Synonyme: Online-HV, Cyber-HV, digitale HV, vgl. Cyglakow, Virtuelle HV, 2021, 32 f.). VHV wird in § 118a I 1 legaldefiniert als HV ohne physische Präsenz ihrer Aktionäre. Einführung setzt ein **langjähriges Reformanliegen** um (vgl. etwa Lieder FS E. Vetter, 2019, 419 ff.; Spindler ZGR 2018, 17, 25 ff.; Teichmann ZfPW 2019, 247, 261 ff.), das seit Corona-Pandemie 2020 mit zunehmender Vehemenz vorgetragen wurde (vgl. Dubovitskaya NZG 2020, 647, 653; Kruchen DZWIR 2020, 431, 464 f.; Noack/Zetzsche AG 2020, 721 Rn. 1 ff.; wN zu konkreten Gestaltungsvorschlägen in → Rn. 4). **Reformfortschritt** ggü. schon zuvor gestatteter hybrider HV nach § 118 I 2 (→ § 118 Rn. 10 ff.) liegt darin, dass auf physische Präsenz der Aktionäre generell verzichtet werden kann. 1

Hinwendung zum virtuellen Format wurde angestoßen und stark erleichtert durch pandemiebedingte **Testphase 2020 – 2022.** Diese wurde mit Ausbruch der Corona-Pandemie überstürzt erzwungen, weil gerade HV als **Massenveranstaltung mit übermäßiger Ansteckungsgefahr** verbunden war (zur Gesetzgebungsgeschichte vgl. Noack FS Heidel, 2021, 307, 308 ff.). Deshalb gestattete **§ 1 COVMG aF** bereits vHV in ges. eher behelfsmäßig gestalteter Form, die insbes. Aktionärsrechten nur bedingt gerecht wurde (ausf. → 16. Aufl. 2022, § 118 Rn. 31 ff.). Möglichkeit wurde nahezu von sämtlichen größeren Unternehmen genutzt, die seit April 2020 HV einberufen mussten (ausf. Danwerth AG 2021, 613 Rn. 1 ff.). 2

In dieser Testphase hat Option der vHV nicht nur Krisenbewältigung ermöglicht, sondern auch zahlreiche **Vorzüge dieses Formats** unter Beweis gestellt (ausf. Redeke AG 2022, 98 Rn. 1 ff.). Als solche wurden unter COVMG-Rahmenbedingungen insbes. reduzierte Kosten (Noack/Zetzsche AG 2020, 721 Rn. 26; Wicke/Teichmann ZGR 2021, 173, 177) und höhere Antwortqualität genannt, wobei Letztgenannte allerdings nicht aus Format der vHV, sondern aus Möglichkeit der Vorabeinreichung resultierte. Ob dieses künftig noch genutzt wird, ist in neuerer Gestaltung jedoch zweifelhaft (→ Rn. 4; → § 131 Rn. 41). Ob das neue Format auch zu **Steigerung der Präsenz** geführt hat, ist empirisch noch nicht gesichert (vgl. zu dieser Frage – mit zT unterschiedlichen Beobachtungen – insbes. Ruppert/Schöning ZCG 2022, 149, 151 ff.; ferner Franzmann/Brouwer AG 2020, 921 Rn. 5; Redenius-Hövermann/Bannier ZIP 2020, 1885, 3

1891; Seibt/Danwerth AG 2022, 177 Rn. 4). In der Sache ist aber unbestreitbar, dass HV-Teilnahme in diesem Format zu **niedrigschwelligem Angebot** geworden ist: Wer teilnehmen will, kann dies ohne nennenswerten Zeit- und Kostenaufwand tun.

4 Mit VHVG 2022 ist Gesetzgeber der vielstimmig vorgetragenen Forderungen nach Verstetigung der vHV nachgekommen, hat aber entspr. **rechtspolit. Anliegen nur bedingt umgesetzt.** Insbes. wurde nicht hinreichend berücksichtigt, dass wesentliche legislative Fortschritte des COVMG aF nicht so sehr im virtuellen Format als solchem gesehen wurden, sondern in der mit COVMG aF zugleich eingeführten Möglichkeit, das **Vorfeld** der HV stärker zur Ausübung von Aktionärsrechten (Frage-, Antrags-, Rederecht) nutzbar zu machen und dafür die eigentliche HV (Hauptfeld) zu entlasten. Diese Möglichkeit hätte nicht nur vHV, sondern auch Präsenz-HV deutlich verschlanken, rechtl. entschärfen und damit verbessern können. RegE hat Nutzung des Vorfelds beibehalten, aber – abw. vom besser gelungenen RefE (vgl. dazu noch Seibt/Danwerth AG 2022, 177 Rn. 1 ff.) – auf Entlastung des Hauptfelds verzichtet. Wichtigstes Ziel des RegE war es stattdessen, **Präsenz-HV in virtuelles Format** weitestgehend zu übertragen (RegBegr. BT-Drs. 20/1738, 14). Wissenschaft und Praxis hatten dagegen gefordert, auf solche deckungsgleiche Übertragung zu verzichten und HV-Format, das schon vor Pandemie vielstimmiger Kritik ausgesetzt war, gänzlich neu zu überdenken (vgl. etwa VGR AG 2021, 380 Rn. 1 ff.; Butzke VGR 26 GesR 2020, 35 Rn. 32 ff.; Noack/Zetzsche AG 2020, 721 Rn. 30 ff.; Seibt/Danwerth NZG 2020, 1241, 1248 ff.; Teichmann/Wicke ZGR 2021, 173 ff.). Dass diese **Chance nicht genutzt** wurde, ist bedauerlich und wird nach verbreiteter Auffassung Erfolg des Reformprojekts gefährden (s. etwa DAV-HRA NZG 2022, 797, 798; Bungert/Rieckers/Becker DB 2022, 2074; Seibt/Danwerth DB 2022, 1434 f.). Insbes. Option der Vorabeinreichung ist aus Sicht einer größeren AG mit breit gestreutem Aktionariat kaum noch attraktiv (ausf. → § 131 Rn. 41). Als zentrale Neuerung der Reform bliebe dann allein virtuelles Format. Dieses zumindest ist in HV-Saison 2023 von Praxis aber durchaus verbreitet angenommen worden (Danwerth ZIP 2023, 2329 ff.; Merkner/Schulenburg/Elixmann AG 2023, 643 Rn. 2 ff.).

5 § 118a führt Format der vHV nicht nur als provisorischen Pandemiebehelf, sondern als **dauerhafte Gestaltungsoption** in das deutsche AktG ein. Formatwahl wird in § 118a I 1 in die Hände der HV gelegt, die Entscheidung an Vorstand weiterdelegieren kann. Regelungsschwerpunkt des § 118a liegt sodann in § 118a I 2, der vorgibt, unter welchen Voraussetzungen vHV angeordnet werden darf, womit zugleich Ausgestaltung der Aktionärsrechte in vHV näher konturiert wird. § 118a I 2 orientiert sich in weiten Zügen am **Vorbild des § 1 COVMG aF,** an dessen Ausdeutung durch Rspr. und Wissenschaft deshalb jedenfalls teilweise angeknüpft werden kann. Dabei ist allerdings zu beachten, dass sich rechtl. Rahmenbedingungen während Geltungsdauer des COVMG verschoben haben: § 1 COVMG aF wurde durch **Art. 11 Ges. zur weiteren Verkürzung des Restschuldbefreiungsverfahrens** (BGBl. 2020 I 3328) zT neu geordnet, was sich auf praktische Abläufe, namentl. hinsichtlich des Antragsrechts (→ Rn. 30 ff.) und des Auskunftsrechts (→ Rn. 34 f.), durchaus bedeutsam niedergeschlagen hat. § 118 II normiert grds. Teilnahmepflicht der Organe und sonstiger Akteure auch in vHV. § 118a III – V enthält Befristungserfordernis; § 118a VI regelt digitalen Zugang zu Unterlagen in vHV.

II. Anwendungsbereich

6 § 118a gilt für jede HV, unabhängig von Beschlussgegenstand oder Charakter als ordentl. oder außerordentl. HV. Nicht umgesetzt wurde damit insbes. in

§ 118a I 2 RegE **ursprünglich noch vorgesehene Eingrenzung,** wonach Satzung best. Gegenstände vorsehen kann, die nicht in vHV behandelt werden dürfen (RegBegr. BT-Drs. 20/1738, 23). Damit sollten bes. zentrale Strukturmaßnahmen, namentl. etwa Umwandlungsmaßnahmen, Präsenzabstimmung vorbehalten bleiben. Durchgesetzt hat sich aber Praxisforderung, Gleichstellung von Präsenz-HV und vHV (→ Rn. 4) auch insofern zu beherzigen und vHV als vollwertiges Format anzuerkennen (RAusschuss BT-Drs. 20/2653, 31; s. zuvor auch DAV-HRA NZG 2022, 797, 799; Seibt/Danwerth DB 2022, 1434, 1436). Damit ist zugleich früher umstr. Frage klargestellt, ob **Anordnungsermessen** des Vorstands (ausf. dazu noch → Rn. 10 ff.) bei bestimmten Beschlussgegenständen eingeschränkt wird (→ 16. Aufl. 2022, § 118 Rn. 41 ff.). Nach Streichung des ursprünglich vorgesehenen § 118a I 2 RegE ist für solche Einschränkungen kein Raum mehr (vgl. in diese Richtung schon RegBegr. BT-Drs. 20/1738, 22). Auch Satzung darf sie nicht vorsehen (Hoppe NZG 2023, 587, 588 f.). Maßnahmen nach WStBG (→ § 182 Rn. 5a ff.) können deshalb ebenfalls in vHV getroffen werden (RegBegr. BT-Drs. 20/1738, 22). Auch von vereinzelt erwogener Beschränkung auf **börsennotierte AG** hat Gesetzgeber zutr. abgesehen (zur Begründung vgl. RegBegr. BT-Drs. 20/1738, 23).

III. Satzungsanordnung oder -ermächtigung (§ 118a I 1)

1. Satzungsgrundlage. Grundlage der vHV ist nach § 118a I 1 Satzungsvorgabe oder entspr. satzungsmäßige Ermächtigung des Vorstands. Gegenstand dieser Vorgabe/Ermächtigung ist, dass HV ohne physische Präsenz der Aktionäre oder ihrer Bevollmächtigten am Ort der HV abgehalten wird. Damit wird Anordnung der vHV, die nach § 1 COVMG aF noch ausschließlich Vorstand mit Zustimmung des AR oblag, in **Entscheidungsmacht der HV** gelegt. Das ist zT als inkonsequent kritisiert worden (Seibt/Danwerth AG 2022, 177 Rn. 12), trägt aber dem Umstand Rechnung, dass vHV weiterhin von Aktionärsseite verbreiteten Bedenken begegnet, die es empfehlen, Aktionäre selbst über Art ihrer Zusammenkunft bestimmen zu lassen. Auch in bisherige Systematik des § 118 I 2, II fügt sich jetzige Regelung konsistent ein (RegBegr. BT-Drs. 20/1738, 22; krit. KK-AktG/Tröger Rn. 10). Durch **Optionsmodell** wird klargestellt, dass Präsenz-HV auch weiterhin „Grundform" der Versammlung bleibt und vHV Zusatzoption darstellt, in die sich Satzung hineinwählen muss („opt-in" – vgl. RegBegr. BT-Drs. 20/1738, 23). Praktisch bedeutsame **Übergangsvorschrift** enthält § 26n I EGAktG, wonach für Hauptversammlungen, die bis einschließlich 31.8.2023 einberufen werden, Vorstand mit Zustimmung des AR entscheiden kann, dass HV als vHV nach § 118a abgehalten wird. Regelung war erforderlich, weil zeitlich befristete Regelungen zur vHV in COVMG aF zum 31.8.2022 ausliefen und verhindert werden sollte, dass Gesellschaften noch einmal für ein Jahr in das Präsenzformat zurückgezwungen werden, bevor sie endgültig für das neue virtuelle Format optieren können (RegBegr. BT-Drs. 20/1738, 38). Somit konnte auf vHV 2023 Satzungsgrundlage geschaffen werden, die dann dauerhaft virtuelles Format eröffnet. Vereinzelt vertretene Auffassung, dass nur Präsenz-HV über Übergang in neues Format entscheiden könne und Vorstand, der andere Entscheidung initiiere, deshalb pflichtwidrig handele (so Schirmer AG 2023, 19 Rn. 4 ff.), bedürfte teleologischer Reduktion des § 26n EGAktG, für die klarer Regelungswille des Gesetzgebers keinen Raum lässt (wie hier Danwerth ZIP 2023, 2329, 2331 Rn. 17; Redeke AG 2023, 118 Rn. 1 ff; Rieckers DB 2023, 373, 374 f. m. Fn. 86: „abwegig"; dagegen wiederum Schirmer AG 2023, 121 Rn. 1 ff.). 7

Bei **Wahl** zwischen den beiden Optionen der unmittelbaren Satzungsanordnung und der nur mittelbaren Ermächtigung wird sich Praxis zweckmäßigerweise 8 für zweite Option entscheiden, um **nötige Flexibilität** zu behalten (KK-AktG/Tröger Rn. 13; Danwerth ZIP 2023, 2329, 2332; Höreth/Linnerz AG 2022, R 225 – mit Formulierungsvorschlag; Reger/Gaßner RDI 2022, 396 Rn. 5; Schilha/Gaßner ZIP 2022, 2357, 2358). Selbst wenn vHV nicht geplant ist, sollte Entwicklung 2020 gezeigt haben, wie hilfreich derartige Option sein kann (Bungert/Rieckers/Becker DB 2022, 2074, 2075). In beiden Fällen bedarf es, sofern Satzungsgrundlage nicht schon in Ursprungssatzung enthalten ist, einer **Satzungsänderung mit ¾-Mehrheit** (§ 179), die in der Praxis allerdings verbreitet über § 179 II 2 auf einfache Mehrheit reduziert wird (→ § 179 Rn. 19). Ob Mehrheit erreicht werden kann, wird in vielen Gesellschaften namentl. davon abhängen, ob Stimmrechtsberater ihre bislang krit. Zurückhaltung ablegen werden (Bungert/Rieckers/Becker DB 2022, 2074, 2075; Kuthe AG 2023, R 8 f.; Seibt/Danwerth AG 2022, 177 Rn. 10). Neuere Entwicklung scheint darauf hinzudeuten, doch behalten sich Berater Einzelfallprüfung vor (v. der Linden/Wilk NZG 2023, 193).

9 Satzungsänderungsbeschluss bedarf **keiner sachlichen Rechtfertigung** (RegBegr. BT-Drs. 20/1738, 23). Wird er gefasst, so beziehen sich sowohl Anordnung als auch Ermächtigung allein auf „Ob" der vHV, nicht dagegen auf **ihre konkrete Ausgestaltung,** die damit – soweit sie über ges. Mindeststandards hinausgeht – auch weiterhin Vorstand obliegt (RegBegr. BT-Drs. 20/1738, 23). Namentl. über Möglichkeit der Vorabeinreichung von Fragen nach § 131 Ia sowie zeitliche oder inhaltliche Beschränkungen für Fragen, Stellungnahmen, Reden darf Satzung also keine Vorgaben machen. Auch Vorgaben für Vorabeinreichung von Fragen nach § 131 Ia sind unzulässig (missverständlich insofern Höreth/Linnerz AG 2022, R 225, 226: „verzichtbar"). Zustimmungsvorbehalt nach § 111 IV 2 ist dagegen zulässig (Höreth/Linnerz AG 2022, R 255, 226; Hoppe NZG 2023, 587, 589 f.). Für HV-Beschluss ist Freigabeverfahren nach § 246a eröffnet. (→ § 246a Rn. 3).

10 **2. Entscheidung des Vorstands.** Wenn Satzung vHV vorschreibt, ist Vorstand an diese Entscheidung gebunden. Wird er nur zur Anordnung einer vHV ermächtigt, obliegt ihm alleinige Entscheidungsbefugnis (für die KGaA: dem oder den persönlich haftenden Gesellschaftern – Drinhausen/Keinath BB 2022, 451, 452). Aufgrund außergewöhnlichen Charakters dieser Entscheidung sollte sie durch **Gesamtvorstand** erfolgen; § 121 II 1 ist nicht anzuwenden, sondern es gilt – wie bei § 118 I 2, § 118 II – herkömmliches Mehrheitserfordernis nach § 77, im Zweifel also Einstimmigkeit (Hoppe NZG 2023, 587, 590 m. Hinw. zu entspr. Satzungsgestaltungen; Mayer/Jenne/Miller BB 2022, 2946, 2949).

11 Zustimmung des AR ist daneben nicht mehr erforderlich (RegBegr. BT-Drs. 20/1738, 23). **Widerspruchsrecht der Aktionäre** ggü. Anordnung des Vorstands besteht nicht, und zwar auch dann nicht, wenn Internetzugang fehlt (Simons/Hauser NZG 2020, 488, 489). Auch auf Gegenstand der HV (ordentliche, außerordentliche, mit oder ohne strukturändernde Beschlüsse, nach AktG oder UmwG) kommt es nicht an (so schon zu COVMG aF Kruchen DZWIR 2020, 431, 437 ff.; Noack/Zetzsche AG 2020, 265 Rn. 12 f.; Simons/Hauser NZG 2020, 488, 489; ebenso trotz rechtspolit. Kritik iErg KK-AktG/Tröger Rn. 36; zu praktischen Anwendungsfällen Seibt/Danwerth NZG 2020, 1241, 1244). Zu Besonderheiten der Einberufung → § 121 Rn. 11j ff.

12 Sofern vHV nicht schon in Satzung festgeschrieben wurde, sind AR, Aktionärsminderheit oder **andere Akteure** zur Entscheidung auch dann nicht berechtigt, wenn Ges. ihnen ausnahmsweise Einberufungszuständigkeit zugesteht, etwa nach § 111 III, § 121 II 3, 122 (so zu COVMG aF Kruchen DZWIR 2020, 431, 439; Noack/Zetzsche AG 2020, 265 Rn. 15; Simons/Hauser NZG 2020, 488, 490). Das gilt auch für eine vom Gericht ermächtigte Aktionärsminderheit nach

§ 122 III (so zu COVMG aF Grigoleit/Herrler § 118 Rn. 36c; Kruchen DZWIR 2020, 431, 439; Noack/Zetzsche AG 2020, 265 Rn. 15; Simons/Hauser NZG 2020, 488, 490; aA Mayer/Jenne/Miller BB 2020, 1282, 1284 f.). AR bleibt es aber unbenommen, eigene Mitentscheidungszuständigkeit – auch durch Ad hoc-Beschluss – über **Zustimmungsvorbehalt** nach § 111 IV 2 zu begründen (→ § 111 Rn. 58 ff.), sofern dieser nicht schon in Satzung enthalten ist (→ Rn. 9).

Vorstand entscheidet über Anordnung nach **pflichtgem. Ermessen.** Vorstand muss bei seiner Entscheidung Voraussetzungen des § 118a I 2 beachten, ist ansonsten aber nur an Gesellschaftswohl gebunden, so dass Entscheidung **§ 93 I 2** unterfällt (so zu COVMG aF auch Bücker et al. DB 2020, 775, 777; Bungert/Strothotte DB 2021, 830, 831; Herrler DNotZ 2020, 468, 469; Danwerth AG 2020, 776 Rn. 3; Kruchen DZWIR 2020, 431, 439; Lieder ZIP 2021, 161, 162 ff.; Stelmaszczyk/Forschner Konzern 2020, 221, 225; zur Abgrenzung von Pflichtaufgabe mit Entscheidungsspielraum → § 93 Rn. 29). 13

In HV-Saison 2020 – 2022 sind aus **Ermessensbindung des Vorstands** (→ Rn. 10 ff.) zT umfangreiche Verhältnismäßigkeitserwägungen abgeleitet worden (dafür insbes. Tröger BB 2020, 1091, 1095; Eichten/Weinmann DStR 2020, 2314 f.; vgl. aus der Rspr. auch LG München I AG 2020, 598, 599). Lösung war schon zu COVMG aF zweifelhaft (ausf. und abl. → 16. Aufl. 2022, § 118 Rn. 38, 41). Wenn RegBegr. BT-Drs. 20/1738, 23 nunmehr ausdr. klarstellt, dass jedenfalls zugrunde liegender satzungsändernder Beschluss **keiner sachlichen Rechtfertigung** mehr bedarf, so zeigt dies, dass vHV keine Notbehelfslösung sein soll, die nur unter einschränkenden Voraussetzungen eröffnet ist (sa schon → Rn. 6). Jedenfalls angesichts dieser Klarstellung ist für Verhältnismäßigkeitsprüfung – auch auf Ebene der Vorstandsentscheidung – kein Raum mehr (ähnlich Bungert/Rieckers/Becker DB 2022, 2074, 2075; iE ähnlich KK-AktG/Tröger Rn. 15: treupflichtgebunden, aber Treupflichtverstoß „praktisch kaum denkbar" mit weiteren Ermessensdeterminanten in Rn. 57). Auch **einstweilige Verfügung** gegen Durchführung virtueller HV ist abzulehnen, solange nicht anzunehmen ist, dass auf HV gefasste Beschlüsse nichtig seien (so schon zu COVMG aF LG München I AG 2020, 598 ff.). Ebenfalls mit ges. Neuaufstellung überkommen dürften unter COVMG-Rahmenbedingungen erwogene **Kombinationsmodelle** sein, die darauf hinausliefen, Präsenz-HV mit limitiertem Aktionärskreis zuzulassen, während anderen nur virtuelle Zuschaltung eingeräumt wird (Noack/Zetzsche AG 2020, 265 Rn. 35 ff.). Jedenfalls unter neuer Rechtslage, die an vHV keine sachlichen Anforderungen mehr stellt, ist dafür kein Bedarf (krit. bereits → 16. Aufl. 2022, § 118 Rn. 40). Schließlich ist dem zu COVMG aF zT erhobenem **Vorwurf der Verfassungs- und Unionswidrigkeit** (ausf. → 16. Aufl. 2022, § 118 Rn. 38) spätestens mit Neuregelung durch VHVG 2022 jede Grundlage entzogen worden (sa Bungert/Rieckers DB 2022, 581, 582). 14

Besteht für Vorstand **keine Pflicht,** Präsenz-HV durchzuführen, so ist er umgekehrt im Regelfall auch nicht zur vHV verpflichtet. Jedenfalls aus Kosten- und Effizienzgründen wird man entspr. Ermessensreduktion nicht ableiten können, wenn sich Gesetzgeber doch (in Kenntnis solcher Vorteile) dafür entschieden hat, an Präsenz-HV als Normalfall festzuhalten. Etwas anderes gilt aber, wenn zum **Schutz der Aktionäre** – namentl. unter Pandemiegesichtspunkten – Präsenz-HV auch weiterhin mit Gesundheitsgefahren für Aktionäre verbunden ist. In dieser Situation ist es auch weiterhin nicht ausgeschlossen, dass sich Vorstandsermessen in Phasen bes. strenger Versammlungsbeschränkungen oder akuter gesundheitlicher Gefahren **auf Null reduzieren** kann und vHV alternativlos geboten sein wird (so zu COVMG aF Grigoleit/Herrler § 118 Rn. 36e; Danwerth AG 2021, 776 Rn. 3; Simons/Hauser NZG 2021, 1340, 1341; zur Frage einer Untersagungsanordnung gegen Präsenz-HV unter COVMG-Rahmenbe- 15 dingungen VG Frankfurt AG 2020, 399 Rn. 13ff.). **Maßgeblicher Zeitpunkt** für Ermessensentscheidung ist nicht Tag der HV oder der HV-Einladung, sondern es muss gebührender zeitlicher Vorlauf möglich sein.

16 Unterschiedlich wurde unter COVMG-Rahmenbedingung Frage beantwortet, ob es sich bei vHV ggü. herkömmlicher Gestaltung um **Aliud** handelt (dafür Grigoleit/Herrler § 118 Rn. 36g; vgl. zur Diskussion iRd § 131 auch → § 131 Rn. 43), für das umfassend eigenständige Regeln gelten, oder ob es sich lediglich um ein **Weniger** iS einer modifizierenden, abgeschwächten Ausprägung herkömmlicher Gestaltungsformen handelt (dafür Simons/Hauser NZG 2020, 488, 489f.). Frage resultierte in erster Linie aus damaligem Eilcharakter des Rechtsetzungsverfahrens (→ 16. Aufl. 2022, § 118 Rn. 31f.), das vermehrte Lückenschließung erforderlich machte, wobei sich stets Frage stellte, ob Lücke über Regeln zur Präsenz-HV oder aus speziell auf vHV zugeschnittene Zweckmäßigkeitserwägungen geschlossen werden konnte (ausf. → 16. Aufl. 2022, § 118 Rn. 39). In **neuer Gesetzesfassung** wird man These vom Aliud-Charakter nicht aufrechterhalten können. Gesetzgeber hat § 118a bewusst in bisherige HV-Regelungen eingepasst. Aktienrechtl. Vorgaben werden deshalb – ebenso wie entgegenstehendes Satzungsrecht – nur dort umfassend verdrängt werden, wo dies in § 118a angeordnet ist. Wo solche Anforderungen fehlen, ist aus bestehenden Regeln allg. Grundsatz auch für sonstige Anwendungsfragen abzuleiten (so schon zu COVMG aF Herb/Merkelbach DStR 2020, 811, 817; Simons/Hauser NZG 2020, 488, 489f.). Ausn. können nur dort gelten, wo sich Nichtanwendung aus funktionalen Gegebenheiten virtueller HV zwangsläufig ergibt. Von übermäßig eigenständiger Herleitung aus reinen Zweckmäßigkeitsgesichtspunkten sollte aber gerade unter sorgfältig ausdifferenziertem neuen Regime des VHVG 2022 abgesehen werden.

IV. Voraussetzungen (§ 118a I 2)

17 **1. Übertragung (§ 118a I 2 Nr. 1).** § 118a I 2 enthält **acht Voraussetzungen,** die eingehalten werden müssen, damit vHV abgehalten werden darf. ZT verwandte Begrifflichkeit, dass Rechte „eingeräumt" werden müssen (vgl. Nr. 3, 4, 6, 7, 8), ist missverständlich, da Rechte nicht explizit durch Satzung begründet, sondern lediglich organisatorische Vorkehrungen für ihre Ausübung geschaffen werden müssen (J. Hoffmann DB 2022, 1498, 1499f.). Sind die in § 118a I 2 genannten Voraussetzungen nicht erfüllt, handelt es sich dennoch um vHV, deren Beschlüsse aber nach § 243 I wegen Gesetzesverletzung angefochten werden können (RegBegr. BT-Drs. 20/1738, 23). Nach § 118a I 2 Nr. 1 muss **gesamte HV mit Bild und Ton übertragen** werden. Für die Art der **Übertragung** enthält § 118a keine weiteren Vorgaben, doch ist anerkannt, dass zu § 118 IV anerkannte Wahlmöglichkeiten (namentl. Übertragung nur im Aktionärskreis oder an breite Öffentlichkeit; ausf. → § 118 Rn. 30) auch hier Gültigkeit beanspruchen (zu Einzelheiten unter COVMG-Rahmenbedingungen vgl. Kruchen DZWIR 2020, 431, 446f.).

18 § 118a I 2 Nr. 1 entspr. bisherigem § 1 II 1 Nr. 1 COVMG aF, so dass in weiten Zügen auf dazu entwickelte Interpretationen zurückgegriffen werden kann (→ 16. Aufl. 2022, Rn. 43), die zT auch in RegBegr. BT-Drs. 20/1738, 24 ausdr. aufgegriffen wurden. So wird dort etwa festgestellt, dass Übertragung jedenfalls bei Gesellschaften mit größerem, breit gestreuten Aktionärskreis idR über **Livestream über Internetseite** erfolgen wird. Das entspr. in der Tat der bisherigen Praxis unter COVMG-Rahmenbedingungen, wobei Zugang idR über das von HV-Dienstleistern eingerichtete **Aktionärsportal** eröffnet wird.

19 Zugang zum Aktionärsportal ist üblicherweise durch **Zugangscode** beschränkt auf Aktionäre unter Ausschluss der Öffentlichkeit (Danwerth AG 2021,

613 Rn. 10; Simons/Hauser NZG 2021, 1340, 1342). Ob darüber hinaus auch frei zugängliche Internetübertragung angeboten werden darf, ist umstr. In → 17. Aufl. 2023, Rn. 19 wurde Frage mit hM in Kontinuität bisheriger COVMG-Regelung bejaht (so auch KK-AktG/Tröger Rn. 26; BeckOGK/Paschos, 1.10.2023, Rn. 43; Drinhausen/Keinath BB 2022, 451, 453), doch ist zu Recht darauf hingewiesen worden, dass sich Regelung nach neuem Recht nur auf § 118 IV stützen kann, der solche Möglichkeit nur unter Satzungsvorbehalt eröffnet (Kruchen/Werner AG 2023, R 124 f.; zust. Danwerth ZIP 2023, 2329, 2334; in diese Richtung wohl auch Merkner/Schulenburg/Elixmann AG 2023, 643 Rn. 17). Da sich Kontinuitätswille des Gesetzgebers nicht klar genug aus Ges. oder RegBegr. ergibt, sollte öffentl. Übertragung nur bei entspr. Satzungsgrundlage erfolgen. Wenn entspr. Satzungsermächtigung vorliegt, sind auch Mischformen zulässig, bei denen einzelne Abschnitte öffentl., andere Abschnitte nur für Aktionäre zugänglich sind (KK-AktG/Tröger Rn. 26; Drinhausen/Keinath BB 2022, 451, 453). Bei kleinen Gesellschaften wurden unter COVMG-Rahmenbedingungen auch Videokonferenzdienste (insbes. Zoom) genutzt (Drinhausen/Keinath BB 2022, 451, 453), was RegBegr. BT-Drs. 20/1738, 24 ebenfalls ausdr. gestattet (auch bei Anmeldepflicht – vgl. KK-AktG/Tröger Rn. 26). **HV-Sprache** ist auch in diesem Format grds. deutsch (→ § 118 Rn. 20), doch bietet Online-Format interessante Möglichkeiten der Übersetzung, die in Praxis zT auch schon genutzt werden (Teichmann/Krapp DB 2020, 2169, 2172 f.). RegBegr. BT-Drs. 20/1738, 24 stellt weiterhin klar, dass Aktionäre in Übertragung nicht sichtbar sein müssen. Zu Besonderheiten für die Aufstellung des Teilnehmerverzeichnisses → § 129 Rn. 10a ff.

Vorgabe, dass **gesamte HV** zu übertragen ist, ist dahingehend zu verstehen, 20
dass virtuelle HV von der Eröffnung bis zu ihrer Beendigung durch HV-Leiter übertragen wird (so zu COVMG aF Kruchen DZWIR 2020, 431, 447). Dazu zählen auch Generaldebatte und Abstimmungen (RegBegr. BT-Drs. 20/1738, 24). Nicht vorausgesetzt wird dagegen, dass Übertragung technisch ungestört abläuft und bei jedem Aktionär ankommt (so zu COVMG aF klarstellend schon FraktE BT-Drs. 19/18110, 26). Für **Übertragung der Abstimmung** (→ Rn. 21 ff.) ist zu verlangen, dass von Aktionären verfolgt werden kann, welche Beschlussvorschläge HV-Leiter zur Abstimmung stellt, wann Abstimmung beginnt und endet sowie welches Abstimmungsergebnis festgestellt und verkündet wird (so zu COVMG aF Kruchen DZWIR 2020, 431, 448). Stimmauszählung muss nicht übertragen werden (so zu COVMG aF Mayer/Jenne/Miller BB 2020, 1282, 1286; Wicke DStR 2020, 885, 886).

2. Stimmrechtsausübung (§ 118a I 2 Nr. 2). a) Mögliche Gestaltungen. 21
Auch § 118a I 2 Nr. 2 ist in der Sache nicht neu, sondern lehnt sich an § 1 II 1 Nr. 2 COVMG aF an (→ 16. Aufl. 2022, § 118 Rn. 45 ff.). Danach ist zweite Voraussetzung für Anordnung virtueller HV, dass Stimmrechtsausübung der Aktionäre über **elektronische Kommunikation** (elektronische Teilnahme iSd § 118 I 2 oder elektronische Briefwahl iSd § 118 II) **sowie Vollmachtserteilung** eröffnet wird. Vollmachtserteilung muss also neben den beiden Formen elektronischer Kommunikation in jedem Fall möglich sein (RegBegr. BT-Drs. 20/1738, 24; so schon die ganz hM zu § 1 II 1 Nr. 2 COVMG aF – vgl. statt aller Danwerth AG 2020, 776 Rn. 32). Auch hinsichtlich eigener Stimmrechtsausübung der Aktionäre mittels elektronischer Kommunikation steht es Vorstand frei, beide Varianten vorzusehen. Es bedarf für diese Festlegungen auch **keiner Satzungsregelung** (RegBegr. BT-Drs. 20/1738, 24). Da HV nur über das „Ob", nicht über „Wie" entscheiden darf, wäre eine solche Regelung sogar unzulässig (→ Rn. 9). Regelung weicht insofern von § 118 I 2, II ab, wo auch solche Vorgaben noch zulässig sind (→ § 118 Rn. 16).

22 **b) Eigene Stimmrechtsausübung.** In bisheriger COVMG-Praxis (→ Rn. 2 f.) **dominiert elektronische Briefwahl** sehr deutlich (Danwerth AG 2021, 613 Rn. 33 ff.; Kruchen DZWIR 2020, 431, 448; Stelmaszczyk/Forschner Konzern 2020, 221, 228), was sich aber daraus erklärt, dass Teilnahme unter seinerzeitigen rechtl. Rahmenbedingungen ohnehin nur als rein passive Zuhörerrolle ausgestaltet war. Trotzdem hat sich auch im neuen Regime Briefwahl als Praxisstandard durchgesetzt (Danwerth ZIP 2023, 2329, 2337). In beiden Gestaltungen erfolgt elektronische Ausübung des Stimmrechts idR durch **Aktionärsportal** (Danwerth AG 2021, 613 Rn. 39), doch ist dies (etwa für kleinere Gesellschaften) nicht zwingend, sondern es genügt etwa auch Stimmabgabe per E-Mail (so zu COVMG aF Danwerth AG 2021, 613 Rn. 39; Kruchen DZWIR 2020, 431, 449; Noack/Zetzsche AG 2020, 265 Rn. 13). Einsatz von Blockchain-Technologie ist auch in diesem Rahmen (Kruchen DZWIR 2020, 431, 449) aus Geheimhaltungsgründen problematisch (allg. → § 118 Rn. 17). Zu § 1 II Nr. 2 COVMG aF war noch umstr, ob **Briefwahl** unter Rahmenbedingungen einer vHV nur noch elektronisch möglich sei oder auch in analoger Form zulässig bleibe (→ 16. Aufl. 2022, § 118 Rn. 46). RegBegr. BT-Drs. 20/1738, 24 klärt Frage im letztgenannten Sinne. In der Praxis haben die meisten Unternehmen auch postalische Briefwahl oder Übertragung per Fax oder E-Mail zugelassen (Seibt/Danwerth NZG 2020, 1241, 1242).

23 **Elektronische Briefwahl** iSd § 118 II gilt nach **ges. Grundkonzeption** nicht als Teilnahme und eröffnet deshalb auch keine Teilnahmerechte (→ § 118 Rn. 19); bei elektronischer Teilnahme iSd § 118 I 2 wäre zumindest Beschränkung auf bestimmte Rechte möglich (→ § 118 Rn. 11 ff.). Beide Formen der Rechtsverkürzung erklären sich daraus, dass Recht auf Präsenzteilnahme unbenommen bleibt. Weil dies bei vHV gerade nicht besteht, gelten Einschränkungen hier nicht. § 118a I 2 Nr. 2 knüpft deshalb nicht an Teilnahmebegriff des § 118 I 2, sondern schreibt **Mindestgehalt der Rechte** ausdr. fest und verleiht ihnen nähere Konturen (RegBegr. BT-Drs. 20/1738, 24). Das solchermaßen ausgestaltete Teilnahmerecht in der vHV vermittelt aber kein Recht auf physische oder elektronische Teilnahme nach § 118 I 2 (RegBegr. BT-Drs. 20/1738, 24).

24 **c) Stimmrechtsausübung über Vollmachtserteilung.** Für Stimmrechtsausübung über Vollmachtserteilung verweist RegBegr. BT-Drs. 20/1738, 24 auf allg. Regeln aus § 134 III, § 135, wobei zu Vorgängerregelung des § 1 II 1 Nr. 2 COVMG aF namentl. den von AG benannten **Stimmrechtsvertretern** iSd § 134 III 5 (→ § 134 Rn. 26 ff.) bes. Relevanz zukam (→ 16. Aufl. 2022, § 118 Rn. 47). Bevollmächtigung und Anweisung (→ § 134 Rn. 26 ff.) erfolgten bislang herkömmlich postalisch über von AG bereitgestelltes Formular, doch wurde in HV-Saison 2020 – 2022 entspr. Möglichkeit auch über Aktionärsportal und E-Mail angeboten, und zwar – im letztgenannten Fall – in den meisten Fällen bis in virtuelle HV hinein (Danwerth AG 2021, 613 Rn. 46 ff.). Auch nach COVMG-Geltung wird in Praxis noch zumeist auf Stimmrechtsvertreter zurückgegriffen, wenngleich zT in Zweifel gezogen wird, ob ihm auch unter Rahmenbedingung flexibel erweiterbaren elektronischen Briefwahl noch nennenswerte Vorzüge zukommen (Danwerth ZIP 2023, 2329, 2338). Jedenfalls kann aus § 118a I 2 Nr. 2 nicht gefolgert werden, dass Erteilung der Stimmrechtsvollmacht zwingend auch elektronisch möglich sein muss (so aber KK-AktG/Tröger Rn. 27). Über Art der Vollmachtserteilung trifft Norm keine Aussage. An gleichzeitiger Teilnahme von Aktionär und Vertreter in vHV bestehen keine Bedenken, sofern nur sichergestellt ist, dass aus jeder Aktie nur einmal abgestimmt wird.

25 Ob AG **Stimmrechtsvertretung zwingend anzubieten** hat, war unter Rahmenbedingungen des COVMG aF umstr. (→ 16. Aufl. 2022, § 118 Rn. 47). Entspr. bislang hM stellt RegBegr. BT-Drs. 20/1738, 27 nunmehr ausdr. klar,

dass solche **Pflicht nicht besteht.** Aus praktischen Gründen und Respekt vor Bedeutung der Stimmausübung sollte solches Angebot dennoch erfolgen. Auch für AG selbst liegt darin hilfreiche Unterstützung, so dass jedenfalls unter COVMG-Rahmenbedingung nahezu alle größeren Unternehmen diesen Service angeboten haben (Danwerth AG 2021, 613 Rn. 44). Wenn Stimmrechtsvertreter bestellt wurde, ist dieser dennoch nicht verpflichtet, Aktionärsanträge vor Ort zu stellen (RegBegr. BT-Drs. 20/1738, 27). Zur Teilnahmepflicht des Stimmrechtsvertreters → Rn. 46.

Auch wenn Stimmrechtsvertreter zur Verfügung steht, bleibt daneben Vollmachtserteilung an **sonstige Dritte,** die nicht von AG beauftragt sind, möglich (so zu COVMG aF Herb/Merkelbach DStR 2020, 811, 812; Kruchen DZWIR 2020, 431, 448). Das hat RegBegr. BT-Drs. 20/1738, 24 mit Verweis auf §§ 134, 135 noch einmal ausdr. klargestellt. Wie sonst auch (→ § 134 Rn. 22a) muss AG für Nachw. der Bevollmächtigung nicht zwingend Übermittlung der Vollmacht auf elektronischem Wege gestatten, kann umgekehrt Übermittlung aber auch nicht auf rein elektronischen Weg beschränken (so zu COVMG aF Danwerth AG 2021, 613 Rn. 49; Simons/Hauser NZG 2020, 488, 499). 26

d) Abstimmungsvorgang und Stimmauszählung. Unabhängig von Art der Stimmrechtsausübung ist Möglichkeit der Stimmabgabe **bis zum Zeitpunkt der Schließung der Abstimmung** durch HV-Leiter zu ermöglichen (RegBegr. BT-Drs. 20/1738, 24). Wird Abstimmungsfenster geschlossen, hat entspr. Hinweis durch HV-Leiter zu ergehen (RegBegr. BT-Drs. 20/1738, 24). Beginn und Ende der Stimmabgabe zu einzelnen Beschlussgegenständen muss für alle Teilnehmer wahrnehmbar mitgeteilt werden (so zu COVMG aF Noack/Zetzsche AG 2020, 265 Rn. 42; Tröger BB 2020, 1091, 1093; vgl. zur Übertragung der Abstimmung auch schon die Ausführungen in → Rn. 20). **Auszählung der Stimmen** erfolgt durch HV-Leiter, der sich dafür grds. des Additions- oder Subtraktionsverfahrens bedienen darf. Da Subtraktionsverfahren Präsenzfeststellung voraussetzt, die unter Voraussetzungen einer vHV nicht zweifelsfrei möglich ist, sollte auf zuverlässigeres Additionsverfahren zurückgegriffen werden (Danzeglocke RNotZ 2022, 229, 251 f.; Simons/Hauser NZG 2020, 488, 500). Verkündung des Ergebnisses muss Anforderungen des § 130 II (→ § 130 Rn. 15 ff.) entspr. (Tröger BB 2020, 1091, 1093). Zur Frage der notariellen Beurkundung der Beschlussfeststellung in vHV → § 130 Rn. 23e ff. 27

Elektronische Briefwahlstimmen sind nach heute hM zu § 118 I 2 zwingend auch dann noch zu berücksichtigen, wenn sie **nach Beginn der HV** eingehen; Grenze wird hier aber überwiegend bei Beginn des Abstimmungsvorgangs gezogen (→ § 118 Rn. 17). Daran hat sich Praxis unter COVMG-Rahmenbedingungen auch für vHV überwiegend orientiert (so zu COVMG aF Danwerth AG 2021, 613 Rn. 40 f.; für eine solche Grenze auch Bücker et al. DB 2020, 775, 778). Jedenfalls bis zu diesem Zeitpunkt muss auch **Änderung oder Widerruf** elektronischer Briefwahlstimmen noch bis in vHV angeboten werden (so zu COVMG aF Herb/Merkelbach DStR 2020, 811, 812; Mayer/Jenne/Miller BB 2020, 1282, 1288; Simons/Hauser NZG 2020, 488, 499; Stelmaszczyk/Forschner Konzern 2020, 221, 230 mit Formulierungsvorschlag; → § 118 Rn. 18). 28

Schon unter COVMG-Rahmenbedingungen wurde in Lit. allerdings darauf hingewiesen, dass in rein virtueller HV auch großzügigerer Maßstab zweckmäßig sein könne, und deshalb zwingend Berücksichtigung der Stimmen bis zum **Abstimmungsende** gefordert (Herrler DNotZ 2020, 468, 486 f.; Mayer/Jenne/Miller BB 2020, 1282, 1288). Diese Sichtweise wurde auch in RegBegr. BT-Drs. 20/1738, 24 übernommen, so dass sich Praxis nunmehr an diesem Maßstab zu orientieren hat (zur praktischen Umsetzung vgl. Danwerth ZIP 2023, 2329, 2337). Ob auch Möglichkeit des Widerrufs bis zu diesem Zeitpunkt 29 besteht, ergibt sich aus RegBegr. nicht gleichermaßen deutlich. Nach allg. Rechtsgeschäftslehre gilt insofern strenge Vorgabe des § 130 I 1 BGB, doch wird man Praxis auch insofern aus Vorsichtsgründen zu großzügiger Handhabung raten (Mayer/Jenne/Miller BB 2022, 2946, 2954). Unbenommen bleibt aber Möglichkeit, für Übermittlung der Briefwahlstimmen auf einzelnen – nicht elektronischen – Wegen (zB Post oder Fax) aus organisatorischen Gründen abweichend spätesten Eingangszeitpunkt festzulegen (Simons/Hauser NZG 2020, 488, 499; zu entspr. Gestaltungen in der Praxis Danwerth ZIP 2023, 2329, 2337). Zu Besonderheiten bei der Abstimmung über Gegenanträge → § 126 Rn. 19.

30 **3. Antragstellung (§ 118a I 2 Nr. 3).** Nach § 118a I 2 Nr. 3 wird den der vHV zugeschalteten Aktionären das Recht eingeräumt, **Anträge und Wahlvorschläge** im Wege der Videokommunikation in der Versammlung zu stellen. Unter COVMG-Rahmenbedingungen (→ Rn. 2 f.) hat speziell Antragstellung noch größere Probleme aufgeworfen, weil in COVMG-Ursprungsfassung noch unklar war, ob im Vorfeld gestellte Anträge fortwirkten oder – wie auch sonst – in HV ausdr. gestellt werden müssen, was unter seinerzeitigen Rahmenbedingungen der vHV nicht möglich war. Deshalb erfolgte zwischenzeitliche Änderung durch Art. 11 Ges. zur weiteren Verkürzung des Restschuldbefreiungsverfahrens (BGBl. 2020 I 3328): Neu gefasster § 1 II 3 COVMG aF stellte klar, dass Antragstellung in HV fingiert wurde (→ 16. Aufl. 2022, § 118 Rn. 59 f.). Nach jetziger Regelung werden Aktionärsrechte ggü. COVMG-Ursprungsfassung gleich doppelt gestärkt: Zum einen erlaubt § 118a I 2 Nr. 3 Antragstellung auch in vHV selbst. Zum anderen schreibt Gesetzgeber für Gegenanträge und Wahlvorschläge in § 126 IV **Fiktionslösung** (in modifizierter Form) fest (→ § 126 Rn. 17 ff.; Bochmann/Harnos, Beschlussfassung in vHV, 2023, 59, 66 ff.; krit. DAV-HRA NZG 2022, 797, 799 f.).

31 Im Gesetzgebungsverfahren bes. umstr. war Frage, ob Möglichkeit der Vorabeinreichung auch spätere **Spontananträge** während der Veranstaltung ausschließt. Das war in RefE noch so vorgesehen. Nach § 118a I 2 Nr. 3 RefE sollten nur Anträge gestellt werden dürfen, „die keine Gegenanträge nach § 126 sind". Diese sollten nach § 126 IV 3 RefE in vHV grds. nicht mehr gestellt werden können, sondern ausschließlich im Vorfeld der vHV, womit für geordneten Ablauf der vHV wesentlicher Gewinn einhergegangen wäre. In derzeitiger Gestaltung bleibt aus Spontananträgen resultierendes Problem der „Zufallsmehrheiten" weiter erhalten, das allerdings kein Spezifikum der vHV ist, sondern sich in Präsenz-HV gleichermaßen stellt (→ § 126 Rn. 2). Tats. wäre es aber in beiden Formaten sinnvoll gewesen, diesem Problem unter **Nutzung des Vorfelds** abzuhelfen (so auch die Forderung der VGR AG 2021, 380 Rn. 22 f.; aA Hirte FS Strenger, 2023, 195, 200 f.; Lochner AG 2022, 320 Rn. 11 ff.).

32 Nach neuer Rechtslage können Anträge weiterhin jederzeit gestellt werden. Abw. von RegE BT-Drs. 20/1738, 6 ist finale Gesetzesfassung aber insofern unternehmensfreundlicher ausgestaltet, als Anträge nur **im Wege der Videokommunikation** gestellt werden können (eingefügt durch RAusschuss BT-Drs. 20/2653, 31 – Begr.: „Mündlichkeitsprinzip"; krit. Bochmann/Harnos, Beschlussfassung in vHV, 2023, 59, 69: satzungsdisponibel). Damit ist gewährleistet, dass zumindest gewisse psychologische Hemmschwellen erhalten bleiben, die bei jeder beliebigen Form elektronischer Kommunikation (so noch RegE) weggefallen wären (vgl. dazu die Kritik von Seibt/Danwerth DB 2022, 1434, 1441). E-Mail an AG oder Textfeld im Aktionärsportal kann deshalb für Anträge nicht mehr genutzt werden, sondern es bedarf einer Zwei-Wege-Direktverbindung. Um geordneten Ablauf zu ermöglichen, wird auch für solche Antragstellung **virtueller Wortmeldetisch** genutzt werden können (ausf. → § 130a Rn. 17).

§ 118a I 2 Nr. 3 erfasst nicht nur Gegenanträge iSd § 126, sondern sämtliche Anträge und Wahlvorschläge. **Anträge, aber keine Gegenanträge** sind etwa Anträge zur Geschäftsordnung, Anträge zur Absetzung oder Vertagung eines Tagesordnungspunktes oder zur Abwahl des HV-Leiters, ergänzende Anträge zu Tagesordnungspunkten (zB Sonderprüfung), Verlangen nach § 120 I 2 und § 130 II 3, Anträge nach § 137 oder Anträge zu nach § 122 II ergänzten Tagesordnungspunkten (KK-AktG/Tröger Rn. 34; Guntermann ZIP 2022, 781, 784; Seibt/Danwerth DB 2022, 1434, 1441). **Wahlvorschläge** sind solche iSd § 127 (→ § 127 Rn. 3). 33

4. Auskunftsrecht (§ 118a I 2 Nr. 4). Nach § 118a I 2 Nr. 4 wird Aktionären überdies ein Auskunftsrecht nach § 131 **im Wege elektronischer Kommunikation** eingeräumt, das in § 131 Ia – If jedoch deutlich modifiziert wird, wenn Vorstand Vorabeinreichung von Fragen gestattet. In diesem Punkt hatte sich Rechtslage schon während der Pandemie verschoben, weil COVMG-Ursprungsfassung durch Art. 11 Ges. zur weiteren Verkürzung des Restschuldbefreiungsverfahrens (BGBl. 2020 I 3328) gerade hinsichtlich des Auskunftsrechts neu geordnet wurde. Während Aktionären ursprünglich nur bloße Fragemöglichkeit ohne korrespondierendes Auskunftsrecht eingeräumt worden war, wurde es durch Neufassung des § 1 II 1 Nr. 3 COVMG aF zum Frage- und Auskunftsrecht verstärkt (→ 16. Aufl. 2022, § 131 Rn. 79 ff.). Vorstand durfte vorgeben, dass Fragen bis spätestens einen Tag vor vHV im Wege elektronischer Kommunikation einzureichen waren, wovon Praxis nahezu flächendeckend Gebrauch machte (→ 16. Aufl. 2022, § 131 Rn. 81). Insbes. nach Aufwertung zum Fragerecht führte dies allerdings zum **Phänomen der Fragenflut,** die Unternehmen in HV-Saisons 2021 und 2022 vor große Probleme stellte (→ 16. Aufl. 2022, § 131 Rn. 82; sa Rieckers DB 2022, 172, 173). 34

Mit § 118a I 2 Nr. 4 wird nunmehr vorgegeben, dass Aktionär unmittelbar in vHV Auskunftsrecht einzuräumen ist. Einschränkung, dass Ausübung **im Wege elektronischer Kommunikation** zu erfolgen hat, könnte dahingehend zu verstehen sein, dass AG Auskunftsrecht auch lediglich über Textfeld iRd Aktionärsportal anbieten kann, doch steht dieser Deutung § 118a I 2 Nr. 7 iVm § 130a V entgegen. Wenn Aktionären danach ein Rederecht im Wege der Videokommunikation zu gewähren ist, dass auch Auskunftsverlangen nach § 131 I umfassen darf, ist damit klargestellt, dass auch Auskunftsverlangen über echte **Zwei-Wege-Direktkommunikation** gestellt werden darf. Zu den Einzelheiten vgl. die Darstellung in → § 130a Rn. 14 ff.; → § 131 Rn. 44. 35

5. Vorstandsbericht (§ 118a I 2 Nr. 5). § 118a I 2 Nr. 5 betr. Veröffentlichung des Vorstandsberichts. In RegBegr. BT-Drs. 20/1738, 25 war noch vorgesehen, dass Bericht stets vorab zu veröffentlichen ist. Finale Fassung beschränkt diese Pflicht auf Fälle, in denen Vorstand **von Möglichkeit des § 131 Ia 1 Gebrauch** macht (was in der Praxis eher selten geschehen wird → Rn. 4). Grund dieser Beschränkung ist, dass Vorstandsbericht nur dann vorab veröffentlicht werden muss, wenn er als **Bezugspunkt von Vorabfragen** dienen soll (RAusschuss BT-Drs. 20/2653, 31). In diesem Fall ist nach § 118a I 2 Nr. 5 Vorstandsbericht oder dessen wesentlicher Inhalt **bis spätestens sieben Tage vor vHV** zugänglich zu machen. Regelung war im COVMG aF noch ohne Vorbild, sondern findet ihren Ursprung in Bemühungen der Praxis, Transparenz und Qualität der Rechtsausübung für Aktionäre auch unter Pandemierahmenbedingungen zu steigern (vgl. zu solchen Bemühungen VGR AG 2021, 380 Rn. 3; Danwerth AG 2020, 776 Rn. 17, 22 f.). Dazu gehörte auch, Vorstandsrede vorab zu veröffentlichen, um zusätzlichen Referenzpunkt für Fragen und Stellungnahmen zu geben (Danwerth AG 2021, 613 Rn. 53). 36

37 Sofern von Möglichkeit des § 131 Ia 1 Gebrauch gemacht wird, hat § 118a I 2 Nr. 5 dies nunmehr als **Übernahme einer best practice** ges. festgeschrieben, um damit Grundlage für teilweise Vorverlagerung des Rederechts und Möglichkeit zur teilweisen Vorverlagerung des Fragerechts in vHV zu schaffen (RegBegr. BT-Drs. 20/1738, 25). Frist von sieben Tagen ist so gewählt, dass sie rechtzeitig vor dem Zeitpunkt endet, bis zu dem – falls von Möglichkeit des § 131 Ia 1 Gebrauch gemacht wird (→ § 131 Rn. 48 ff.) – Fragen vor vHV spätestens eingereicht werden können (RegBegr. BT-Drs. 20/1738, 25). Vorstandsbericht tritt damit neben weitere Unterlagen, die Aktionären bereits vor HV zur Verfügung stehen und mit Einberufung übermittelt werden (RegBegr. BT-Drs. 20/1738, 25). Mit Regelung ist keine Vorgabe für Textformat verbunden, sondern auch Video ist möglich (RegBegr. BT-Drs. 20/1738, 25). Für Fristberechnung gilt § 121 VII (Einzelheiten: KK-AktG/Tröger Rn. 43). Macht Vorstand von Option des § 131 Ia keinen Gebrauch, kann AG Vorstandsrede **freiwillig** vorab zugänglich machen (eher skeptisch Bungert/Rieckers/Becker DB 2022, 2074, 2077: idR kein Anlass; zur praktischen Handhabung Danwerth ZIP 2023, 2329, 2336).

38 Obwohl selten problematisiert, ist doch nicht ganz klar, was mit Vorstandsbericht konkret gemeint sein soll. AktG sieht Vorstandsbericht im Wesentlichen nur in Form einer Erläuterung der in § 175 II genannten Vorlagen des Vorstands gem. **§ 176 I 2 und 3** vor, die in Spezialvorschriften ggf. anlassbezogen weiter ergänzt werden, etwa in § 64 I 2, § 239 II UmwG (für Veröffentlichung dieser Pflichterläuterungen deshalb DAV-HRA NZG 2022, 504, 507; KK-AktG/Tröger Rn. 41 f.; Drinhausen/Keinath, BB 2022, 451, 458). In der Praxis werden diese Pflichten aber häufig zu umfassender **CEO-Rede** über allg. Entwicklungen ausgedehnt (→ § 176 Rn. 3; für deren Vorabveröffentlichung deshalb Seibt/Danwerth AG 2022, 177 Rn. 19). Vorveröffentlichung dieser Rede entspr. auch der best practice aus vHV 2020 – 2022, die mit § 118a I 2 Nr. 5 festgeschrieben werden sollte (→ Rn. 37). Da jedoch nicht davon auszugehen ist, dass AG damit indirekt zugleich generell zu einer ges. in keiner Weise konturierten CEO-Rede verpflichtet werden sollte, ist Vorschrift so zu deuten, dass Rede zu veröffentlichen ist, die mindestens die in § 176 I 2 und 3 enthaltenen Erläuterungen enthält. Werden diese Erläuterungen in weiteren Kontext gestellt, kann auch diese Gesamtrede veröffentlicht werden. Für die Erfüllung ges. Pflichten, namentl. der Wiedergabe des wesentlichen Inhalts, genügt es, wenn Angaben nach § 176 I 2 und 3 gemacht werden.

39 Ebenfalls noch nicht abschließend geklärt ist, wie iRd § 118a I 2 Nr. 5 mit **möglichen Abweichungen** von Vorabveröffentlichung und späterem Bericht umzugehen ist. Sie können sich etwa dann ergeben, wenn AG von Möglichkeit Gebrauch macht, nicht Vorstandsbericht insgesamt, sondern nur dessen **wesentlichen Inhalt** zugänglich zu machen. Frage, ob tats. wesentlicher Inhalt erfasst ist, sollte im absoluten Regelfall zugunsten der AG entschieden werden (zurückhaltender Seibt/Danwerth AG 2022, 177 Rn. 21: „gewisses Auswahlermessen"; iÜ Maßstab des verständigen Durchschnittsaktionärs). Mit unbest. Gesetzesfassung muss entspr. Auswahlermessen einhergehen. Auch Abweichungen von veröffentlichtem Inhalt und späterem Bericht dürfen **allenfalls bei krassen Divergenzen** Anfechtung begründen. Vorstandsvorsitzender sollte sich vorsichtshalber dennoch um größtmögliche Übereinstimmung mit veröffentlichter Fassung bemühen (KK-AktG/Tröger Rn. 45). Das gilt aber natürlich nicht für neuere Entwicklungen, auf die in vorab veröffentlichtem Bericht nicht eingegangen werden konnte. Auf sie darf Vorstandsvorsitzender Rede selbstverständlich erweitern; auch Veröffentlichung von Nachträgen oder Korrekturen ist möglich. Verpflichtung zu solchen Aktualisierungen besteht allerdings nicht (Seibt/Danwerth AG 2022, 177 Rn. 20).

6. Stellungnahmen (§ 118a I 2 Nr. 6). Weitere Voraussetzung der vHV ist nach § 118a I 2 Nr. 6, dass Aktionären das Recht eingeräumt wird, Stellungnahmen nach § 130a I – IV **im Wege elektronischer Kommunikation** einzureichen. Stellungnahmerecht wird – anders als Rederecht (→ Rn. 41) – im Vorfeld der HV ausgeübt, und zwar unabhängig davon, ob Vorstand Vorabeinreichung nach § 131 Ia gestattet. Stellungnahmerecht wird in § 130a I – IV näher geregelt; vgl. → § 130a Rn. 2 ff. 40

7. Rederecht (§ 118a I 2 Nr. 7). § 118a I 2 Nr. 7 knüpft vHV an weitere Voraussetzung eines Rederechts in Versammlung selbst und macht damit echte **Zwei-Wege-Direktkommunikation** erforderlich. Technische Machbarkeit solcher Kommunikation galt speziell in größeren Gesellschaften lange Zeit als fragwürdig (vgl. auch noch LG Köln AG 2021, 446), doch zeigt sich Praxis mittlerweile zuversichtlicher. Nähere Ausprägung des Rederechts enthält § 130a V und VI; → § 130a Rn. 14 ff. 41

8. Widerspruchsrecht (§ 118a I 2 Nr. 8). § 118a I 2 Nr. 8 verlangt, dass elektronisch zugeschalteten Aktionären **Möglichkeit zum Widerspruch** gegen HV-Beschluss nach § 245 S. 1 Nr. 1 eingeräumt wird. Das setzt nach § 245 S. 1 Nr. 1 grds. voraus, dass Aktionär in HV erschienen ist, weshalb § 245 S. 2 nunmehr klarstellt, dass im Fall der vHV auch alle elektronisch zugeschalteten Aktionäre als erschienen iSd § 245 S. 1 Nr. 1 gelten (→ § 245 Rn. 21a f.). Zu weiteren Einzelheiten der Widerspruchserhebung → § 245 Rn. 21c ff. 42

9. Sonderregelungen für Fristberechnung und Zugänglichmachen (§ 118 I 3 und 4). Nicht mehr zu den Voraussetzungen der vHV, sondern zum **erläuternden Normenbestand** zählen Vorgaben des § 118a I 3. Nach Hs. 1 wird für Fristberechnung im Fall des § 118a I 2 Nr. 5 (Vorstandsbericht → Rn. 36 ff.) auf § 121 VII verwiesen. Hs. 2 ergänzt, dass bei börsennotierten Gesellschaften Zugänglichmachen über Internetseite der AG zu erfolgen hat. § 118a I 4 verweist überdies auf § 118 I 3 und 4 (Bestätigung des Stimmzugangs → § 118 Rn. 14a) sowie § 67a II 1 und III in entsprechender Anwendung (zur Bedeutung dieser Vorschrift iRd Zugangsbestätigung → § 118 Rn. 14a). 43

V. Teilnahmepflicht (§ 118a II)

§ 118a II regelt Teilnahme der Organmitglieder an HV. Frage wurde zu COVMG aF kontrovers diskutiert, wobei zT nicht immer klar unterschieden wurde zwischen Teilnahme an virtueller HV und physischer Teilnahme „vor Ort". § 118a II 1 stellt nunmehr klar, dass **Mitglieder des Vorstands am Ort der HV** teilnehmen sollen. Bislang verbreitete Lesart, Teilnahmepflicht bei vHV dahingehend zu begreifen, dass Organmitglieder zwar auch hier zur Teilnahme verpflichtet sind, aber eine virtuelle Teilnahme genügt (→ 16. Aufl. 2022, § 118 Rn. 57 mwN), wird sich deshalb nicht aufrechterhalten lassen. Auch vHV ist demnach **keine rein virtuelle HV** in dem Sinne, dass niemand mehr an einem räumlichen Ort zusammenkommt (RegBegr. BT-Drs. 20/1738, 26). „Soll"-Formulierung wird wie in § 118 III als grds. **Teilnahmepflicht** verstanden (→ § 118 Rn. 21). Aktionäre sollen auch in vHV Organmitglieder auf Podium wahrnehmen können (RegBegr. BT-Drs. 20/1738, 26). Wie in § 118 III (→ § 118 Rn. 21) führt Verletzung dieser Pflicht aber auch in der Ausformung des § 118a II nicht zur Anfechtbarkeit (Bungert/Rieckers/Becker DB 2022, 2074, 2078). 44

Teilnahmepflicht gilt nach § 118a II 2 auch für **AR-Mitglieder,** die sich aber auch hier auf Ausn. nach § 118 III 2 (→ § 118 Rn. 22) berufen können. Danach kann Satzung **bestimmte Fälle** vorsehen, in denen Teilnahme von AR-Mitgliedern im Wege der Bild- und Tonübertragung erfolgen darf. Weder aus Ges. 45

noch aus RegBegr. ergibt sich klar, ob vHV als solche schon „bestimmter Fall“ in diesem Sinne sein kann oder ob es zusätzlich noch bes. Gründe in der Person des AR-Mitglieds selbst bedarf. Weil Präsenz-HV und vHV grds. gleichgestellt werden sollen, könnte daraus abgeleitet werden, dass virtuelles Format allein nicht für Ausn. genügt (so Hoppe NZG 2023, 587, 591; Reger/Gaßner RDI 2022, 396 Rn. 10). Andererseits ist zu berücksichtigen, dass HV-Teilnahme von AR-Mitgliedern vor Ort ohnehin nur **bedingten Mehrwert** bringt (vgl. DAV-HRA NZG 2022, 504, 508; Seibt/Danwerth AG 2022, 177 Rn. 32), der gerade bei int. Besetzung zu Reiseaufwand oft außer Verhältnis steht (→ § 118 Rn. 21). Wenn überdies HV nur virtuell stattfindet und deshalb Aktionäre Verwaltung selbst bei deren Präsenz vor Ort letztlich doch nur digital wahrnehmen können, spricht aus Sachgründen deutlich mehr für **großzügigere Sichtweise.** Auch wenn § 118 III in seinem ursprünglichen Anwendungsbereich einhellig als Teilnahmepflicht verstanden wird (→ § 118 Rn. 21), sollte grds. weit gefasster Wortlaut (Soll-Pflicht) zumindest in Übertragung auf Sondersituation der vHV für solche sachgerechte Handhabung hinreichenden Spielraum lassen (wie hier KK-AktG/Tröger Rn. 64; Ahlswede AG 2023, 14 Rn. 17 ff.; Mayer/Jenne/Miller BB 2022, 2946, 2952; Merkner/Schulenburg/Elixmann AG 2023, 643 Rn. 13 ff.; Rieckers DB 2023, 373, 375; zur praktischen Handhabung Danwerth ZIP 2023, 2329, 2333). Weil diese Deutung mit Restunsicherheiten behaftet bleibt, kann es sich als kleinere Lösung empfehlen, bestimmte Fälle in Satzungsgestaltung noch weiter zu präzisieren und etwa auf übermäßigen Reiseaufwand zu erstrecken. AG sollte jedenfalls prüfen, ob sich **bisherige Satzungsfassung** im Lichte neuer virtueller Rahmenbedingungen ggf. als zu eng erweist. Zumindest in vHV 2023 bestand aufgrund bisheriger Satzungsgestaltung für vollständige Abwesenheit des AR noch keine eindeutige Grundlage. In vielen Gesellschaften wurde sie mittlerweile aber geschaffen (Danwerth ZIP 2023, 2329, 2333; Merkner/Schulenburg/Elixmann AG 2023, 643 Rn. 15). Sollte in Ermangelung größeren Sitzungssaals umfassendes Podium fehlen, spricht nichts dagegen, AR-Mitglieder in Nebenraum unterzubringen, elektronisch zuzuschalten und nur im Bedarfsfall in Hauptraum zuzulassen (ausf. Ahlswede AG 2023, 14 Rn. 3 ff.; Rieckers DB 2023, 373, 375). Solche **Behelfslösungen** illustrieren allerdings fehlende Sachgerechtigkeit der Anwesenheitsvorgabe.

46 Auch **HV-Leiter** muss nach § 118a II 3 vor Ort an vHV teilnehmen. Dasselbe gilt nach § 118a II 3 für **Abschlussprüfer,** allerdings nur in den seltenen Fällen, dass HV nach § 176 II 1 und 2 Jahresabschluss feststellt (→ § 176 Rn. 7; krit. DAV-HRA NZG 2022, 504, 508). Für **Stimmrechtsvertreter** der AG nach § 134 III 5 (→ Rn. 24; → § 134 Rn. 26 ff.) wechselt § 118a II 4 von „Soll“- zu „Kann“-Formulierung, was dahin zu verstehen ist, dass seine Präsenz zulässig, aber nicht ges. vorgeschrieben ist; in der Praxis wird Präsenz üblicherweise empfohlen (Bungert/Rieckers/Becker DB 2022, 2074, 2078; vgl. zu COVMG aF auch schon Danwerth AG 2021, 613 Rn. 44; Herrler DNotZ 2020, 468, 480). Unter COVMG umstr. Frage, ob auch **Notar** im Übertragungsraum anwesend sein muss (→ 16. Aufl. 2022, § 118 Rn. 56), wurde nicht in § 118a II geklärt, sondern in § 130 Ia. Danach hat Notar seine Wahrnehmungen über den Gang der HV unter Anwesenheit am Ort der HV zu machen hat. Damit ist Anwesenheitspflicht auch für vHV klargestellt. In der Praxis wird darüber hinaus häufig auch Backoffice in Präsenz vor Ort sein (Bungert/Rieckers/Becker DB 2022, 2074, 2078).

VI. Zeitliche Befristung (§ 118a III–V)

47 § 118a III – V enthalten inhaltlich verwandte und gesetzestechnisch unnötig kompliziert anmutende Regelungen (krit. auch DAV-HRA NZG 2022, 504,

508; Seibt/Danwerth AG 2022, 177 Rn. 13), die sicherstellen sollen, dass Satzungsentscheidung zugunsten virtueller HV nicht zeitlich unbeschränkt fortgilt. Dafür sieht Ges. zeitliche Beschränkung auf maximal **fünf Jahre** vor. Um dies umzusetzen, schreibt § 118a III 1 vor, dass Satzungsregelung, die Abhaltung einer vHV vorsieht, befristet werden muss. § 118a III 2 ergänzt, dass vHV – bezogen auf Ursprungssatzung – für einen Höchstzeitraum von fünf Jahren nach Eintragung der AG vorgesehen werden darf (augenscheinlich missverstanden bei Höreth/Linnerz AG 2022, R 225: Eintragung der Satzungsänderung). § 118a IV überträgt Befristungsvorgabe auf Vorstandsermächtigung nach § 118a I 1. § 118a V ergänzt Regelung für den (praxisrelevantesten) Fall, dass Bestimmung bzw. Ermächtigung nach § 118a I 1 erst nachträglich durch Satzungsänderung geschaffen wird und schreibt auch dafür Höchstfrist von fünf Jahren vor, die sowohl für originäre Bestimmung (Nr. 1) wie für bloße Ermächtigung (Nr. 2) zeitlich auf Eintragung der Satzungsänderung bezogen wird.

IdR wird **Verwaltungspraxis** dazu tendieren, Befristung auf das ges. Maximum von fünf Jahren auszudehnen; es zeichnet sich allerdings ab, dass von Investorenseite auf kürzeren Zeitraum gedrängt und Forderung in Praxis auch durchgesetzt wird (Danwerth ZIP 2023, 2329, 2332; Merkner/Schulenburg/Elixmann AG 2023, 643 Rn. 8 ff.; Rieckers DB 2023, 373, 374). Nach Ablauf des solchermaßen festgesetzten Zeitraums muss HV Entscheidung erneuern. Nicht eindeutig ist, ob dies durch **Satzungsänderung** oder bloßen Bestätigungsbeschluss zu geschehen hat (zweifelnd Reger/Gaßner RDI 2022, 396 Rn. 7). Dogmatische Ausgestaltung (Befristung) und Wortlaut sprechen aber klar für erstgenannte Lösung (so auch KK-AktG/Tröger Rn. 19; Mayer/Jenne/Miller BB 2022, 2946, 2948; Schilha/Gaßner ZIP 2022, 2357, 2360). Maßgeblich für Fristbeginn ist Eintragung der AG bzw. der Satzungsänderung. Frist beginnt nicht automatisch zu laufen, sondern muss ausdr. in Satzung festgeschrieben werden. Das kann durch konkrete **Datumsangabe** oder Angabe der **Berechnungsgrundlage** („von Eintragung an fünf Jahre") geschehen (Bungert/Rieckers/Becker DB 2022, 2074, 2075; Mayer/Jenne/Miller BB 2022, 2946, 2948). Bloße Einberufung innerhalb der Frist genügt nicht (klargestellt durch RAusschuss BT-Drs. 20/2653, 7, 31). Fehlt Befristung, ist Satzungsgestaltung wegen § 23 V nichtig, auf dennoch durchgeführter vHV getroffene Beschlüsse sind anfechtbar (KK-AktG/Tröger Rn. 20 f.). 48

VII. Unterlagen (§ 118a VI)

Zahlreiche Vorschriften sehen vor, dass den Aktionären bestimmte **Unterlagen in HV zugänglich** gemacht werden müssen (zB § 52 II 5, § 176 I 1, § 179a II 4, § 186 IV 2, § 293g I, § 319 III 4, § 327d S. 1, § 64 I 1 UmwG). Auch dort, wo in Spezialvorschriften vorgesehen ist, dass es genügt, wenn Unterlagen über Internetseite zugänglich gemacht werden, entbindet dies lediglich von Pflicht, Unterlagen in Geschäftsräumen auszulegen (vgl. etwa § 52 II 4), nicht aber von Veröffentlichung iR der HV (Simons/Hauser AG 2020, 488, 493). Abw. von früherer Rechtslage bedarf es dafür schon seit Änderungen des ARUG keiner Auslage in Papierform mehr, sondern es genügt, wenn Unterlagen in elektronischer Form am Ort der HV (etwa über Monitore) bereitgestellt werden (RegBegr. BT-Drs. 20/1738, 27). Weil auch dies für vHV nicht zweckmäßig ist, stellt § 118a VI klar, dass es für vHV auch genügt, wenn Unterlagen während des Zeitraums der Versammlung **über Internetseite der AG zugänglich** gemacht werden. Zusatz, dass dies auch über die zugängliche Internetseite eines Dritten erfolgen kann, soll der Tatsache Rechnung tragen, dass die in der Praxis verwendeten **Online-Portale** idR von HV-Dienstleistern betrieben werden (RegBegr. BT-Drs. 20/1738, 27). AG muss diese Möglichkeit nicht auf elektronisch 49 zugeschaltete Aktionäre beschränken, sondern kann Vorgabe praktisch auch in der Weise umsetzen, dass bereits ab Einberufung auf Internetseite der AG veröffentlichte Unterlagen während der Dauer der HV weiterhin dort zugänglich sind (RegBegr. BT-Drs. 20/1738, 27).

Rechte der Hauptversammlung

119 **(1) Die Hauptversammlung beschließt in den im Gesetz und in der Satzung ausdrücklich bestimmten Fällen, namentlich über**

1. die Bestellung der Mitglieder des Aufsichtsrats, soweit sie nicht in den Aufsichtsrat zu entsenden oder als Aufsichtsratsmitglieder der Arbeitnehmer nach dem Mitbestimmungsgesetz, dem Mitbestimmungsergänzungsgesetz, dem Drittelbeteiligungsgesetz, dem Gesetz über die Mitbestimmung der Arbeitnehmer bei einer grenzüberschreitenden Verschmelzung oder dem Gesetz über die Mitbestimmung der Arbeitnehmer bei grenzüberschreitendem Formwechsel und grenzüberschreitender Spaltung zu wählen sind;
2. die Verwendung des Bilanzgewinns;
3. das Vergütungssystem und den Vergütungsbericht für Mitglieder des Vorstands und des Aufsichtsrats der börsennotierten Gesellschaft;
4. die Entlastung der Mitglieder des Vorstands und des Aufsichtsrats;
5. die Bestellung des Abschlußprüfers;
6. Satzungsänderungen;
7. Maßnahmen der Kapitalbeschaffung und der Kapitalherabsetzung;
8. die Bestellung von Prüfern zur Prüfung von Vorgängen bei der Gründung oder der Geschäftsführung;
9. die Auflösung der Gesellschaft.

(2) Über Fragen der Geschäftsführung kann die Hauptversammlung nur entscheiden, wenn der Vorstand es verlangt.

Übersicht

I. Regelungsgegenstand und -zweck

Norm betr. **Beschlusskompetenzen der HV,** und zwar im positiven wie im negativen Sinne. Im positiven Sinne, indem sie Zuständigkeiten festlegt, im negativen Sinne, indem sie diese auf die in Ges. und Satzung ausdr. bestimmten Fälle beschränkt und insbes., indem ihr eine autonome Zuständigkeit in Fragen der Geschäftsführung abgeschnitten wird; nur der Vorstand kann HV insoweit zuständig machen. Bezweckt ist, **Machtbalance zwischen den Gesellschaftsorganen,** bes. zwischen Vorstand und HV, aber für die Fälle des § 111 IV auch zwischen Vorstand und AR, ges. zu etablieren (MüKoAktG/Spindler Vor § 76 Rn. 47 ff.). In §§ 76, 119 gewählte Ausgestaltung ist nicht selbstverständlich. Bis AktG 1937 hatte Gesetzgeber aus dem Umstand, dass in HV wirtschaftliche Eigentümer der AG versammelt sind, noch Konsequenz gezogen, ihr grds. Allzuständigkeit für Geschicke der AG zuzuweisen (ausf. J. Koch in 50 Jahre AktG, 2016, 65, 66 ff.). In 1930er Jahren setzte sich aber zunehmend Erkenntnis durch, dass HV aufgrund ihrer inhomogenen Zusammensetzung und organisatorischen Schwerfälligkeit nicht in der Lage sei, unternehmerische Entscheidungen des Tagesgeschäfts sachgerecht zu beurteilen (aufschlussreich BGHZ 159, 30, 43 ff. = NJW 2004, 1860; zu den Folgen dieser Deutung → Rn. 18 ff.). Daraus zog Gesetzgeber von 1937 die Konsequenz, Vorstand weitgehend von HV zu emanzipieren und seine Kompetenzen zu ihren Lasten auszuweiten (zur Frage, inwiefern diese Kompetenzverlagerung durch nationalsozialistisches Führerprinzip beeinflusst war, vgl. Bahrenfuss, Die Entstehung des Aktiengesetzes von 1965, 2001, 659 ff.; sa Thiessen AG 2013, 573, 575 f.). § 119 umschreibt verbleibende Restzuständigkeiten, namentl. in grundlegenden Strukturfragen (→ Rn. 5 ff.). Angesichts dieses klaren ges. Regelungswillens ist der These nicht zu folgen, das entstehungsgeschichtliche Anliegen der Norm liege „ausschließlich in einer haftungsrechtlichen Funktion" (Martens ZHR 147 [1983], 337, 383). Diese aus § 93 IV 1 (→ § 93 Rn. 153 ff.) folgende Funktion ist aus der Sicht des vorlegenden Vorstands wichtig. Aber sie ergibt nicht den Normzweck, sondern einen Nebeneffekt. Norm ist insges. zwingend (§ 23 V). 1

II. Willensbildung durch Beschluss (§ 119 I)

Regelmäßiges **Ziel der HV** ist es, iR ihrer Zuständigkeit über die zur Tagesordnung angekündigten **Gesellschaftsangelegenheiten durch Beschluss zu entscheiden.** Darauf ist die Durchführung der HV, insbes. das Verhalten der Aktionäre bei Ausübung ihres Rede- und Fragerechts, aber auch die Sitzungsleitung, auszurichten. Dagegen ist es nicht Sinn der HV, als Forum für die Diskussion von Fragen zu dienen, die nicht Gesellschaftsangelegenheiten sind oder außerhalb der HV-Zuständigkeit liegen oder nur diskutiert und nicht entschieden werden sollen. Das folgt aus der Eigenschaft der HV als Willensbildungsorgan der AG (→ § 118 Rn. 3) und ist auch unstr. (s. zB Quack AG 1985, 145 ff.; Trouet NJW 1986, 1302 ff.). Für die Ausbreitung von Weltanschauungen, den Vortrag allg. politischer Ideen, für Obstruktionsübungen und dergleichen ist die HV der rechtl. falsche Ort. Vgl. wegen daran anknüpfender Ordnungsmaßnahmen → § 129 Rn. 22 ff. 2

HV-Beschluss ist nur **Bildung und Erklärung des Organwillens durch Abstimmung über einen Antrag.** Er ist mehrseitiges nichtvertragliches 3

Rechtsgeschäft eigener Art, das sich aus den Stimmabgaben zusammensetzt und notarieller Beurkundung oder einer durch den Vorsitzenden des AR unterzeichneten Niederschrift (§ 130) bedarf. Überholt (und verfehlt) ist früher vertretene, den rechtsgeschäftlichen Charakter negierende Sozialaktslehre (Nachw. dazu in → § 133 Rn. 3; zum rechtsgeschäftlichen Charakter und dessen Folgen → § 133 Rn. 3 f.).

4 Unter welchen Voraussetzungen auch **beschlusslose HV** zulässig ist, also HV, die etwa nur zu Informationszwecken einberufen wird, ist nicht abschließend geklärt. Ges. selbst sieht zwei Fälle dieser Art vor: Nach § 92 muss HV einberufen werden, um die Anzeige über den Verlust des hälftigen Grundkapitals entgegenzunehmen (→ § 92 Rn. 4 ff., 9 f.). Nach § 175 I darf sie einberufen werden zur bloßen Entgegennahme des von Vorstand und AR bereits festgestellten Jahresabschlusses und des Lageberichts (§ 175 I), wenn mangels Bilanzgewinns kein Verwendungsbeschluss zu fassen ist. Praktisch wohl immer wird jedoch zusätzlich die Entlastung (§ 120) als Beschlussgegenstand auf der Tagesordnung stehen. Jenseits dieser Fälle wurde Zulässigkeit beschlussloser HV im älteren Schrifttum noch verneint, da Vorstand gerade in Sanierungsfällen gem. § 76 I gehalten sei, Meinungsführung zu übernehmen (KK-AktG/Zöllner, 1. Aufl. 1985, Rn. 8). Tats. wird Vorstand aus diesem Grund in der Praxis zumeist von Einberufung der HV absehen. Ges. Hinderungsgründe, die ihn auch rechtl. davon abhalten könnten, sind indes nicht zu erkennen; vielmehr scheint Ges. selbst nunmehr in § 122 II 2, § 124a I Nr. 2 von der Zulässigkeit einer solchen Vorgehensweise auszugehen. Bei überflüssiger Einberufung einer kostenträchtigen HV droht allenfalls **Ersatzpflicht nach § 93 II,** die Vorstand davon abhalten wird, leichtfertig von dieser Möglichkeit Gebrauch zu machen (unternehmerisches Ermessen besteht aber auch hier, s. Harnos/Holle AG 2021, 853 Rn. 42 f.). Mit heute ganz hM ist deshalb auch beschlusslose HV als zulässig anzuerkennen (ausf. H. Huber ZIP 1995, 1740, 1741 ff.; zust. Hölters/Weber/Drinhausen Rn. 4; MüKoAktG/Kubis Rn. 6; GK-AktG/Mülbert § 118 Rn. 56; KK-AktG/Noack/Zetzsche § 121 Rn. 28; → § 121 Rn. 5; speziell zu beschlusslosem Say on Climate Harnos/Holle AG 2021, 853 Rn. 39 ff.). Auch nach Gegenauffassung ist es jedenfalls zulässig, Erstinformation und Beschlussfassung zeitlich zu entkoppeln (Überlegungsfrist), soweit sich Information nicht auf eingetretene Lage beschränkt, sondern angibt, was HV nach Meinung des Vorstands zu ihrer Bewältigung beschließen soll (vgl. KK-AktG/Zöllner, 1. Aufl. 1985, § 121 Rn. 16).

III. Zuständigkeit der Hauptversammlung (noch: § 119 I)

5 **1. Katalog des § 119 I. a) Regelmäßig wiederkehrende Maßnahmen.** Zuständigkeitskatalog des § 119 I ist unglücklich gefasst, da Zusammenstellung nicht abschließend ist, in ihrer Auswahl von Einzelzuständigkeiten aber auch willkürlich erscheint (MüKoAktG/Kubis Rn. 10). Zuständigkeitskatalog des § 119 I wird üblicherweise in regelmäßig wiederkehrende Maßnahmen (Nr. 1–5), Strukturmaßnahmen oder Grundlagenzuständigkeiten (Nr. 6, 7 und 9) sowie Sonderfälle (Nr. 8) eingeteilt, was allerdings keine rechtl. Konsequenzen auslöst, sondern nur der systematischen Ordnung dient und uU zur Analogiebildung nutzbar gemacht werden kann (MüKoAktG/Kubis Rn. 10). Solche Analogiebildung muss angesichts der großen Regelungsdichte des AktG aber enger Ausnahmefall sein. Das gilt insbes. mit Blick auf **Grundsatz der Organadäquanz,** der idR gegen Einbeziehung der HV spricht und frühere Legitimationsperspektive abgelöst hat (ausf. J. Koch in 50 Jahre AktG, 2016, 65, 71 ff.; sa Renner AG 2015, 513, 516 ff.; J. Vetter FS Seibert, 2019, 1021 ff.). Aus Verwendung des Wortes „namentlich" folgt nichts anders, da weiterhin Beschränkung auf die in Ges. und Satzung genannten Fälle gilt (aA Stöber WM 2014, 1757, 1759;

dagegen auch KK-AktG/Tröger Rn. 1). **Wiederkehrende Maßnahmen** sind: **Nr. 1:** Wahl der Mitglieder des AR (§ 101 I Fall 1; → § 101 Rn. 4 ff.), soweit sie nicht zu entsenden (§ 101 II; → 101 Rn. 9 ff.) oder aufgrund der Mitbestimmungsgesetze zu bestellen sind (§ 101 I Fall 2; → § 96 Rn. 5, 7, 9, 11, 11a, 11c). **Nr. 2:** Verwendung des Bilanzgewinns. Er ist gem. § 158 I Nr. 5 (→ § 158 Rn. 6) grds. notwendiger Posten der GuV (vgl. iÜ → § 174 Rn. 1 ff.). **Nr. 3:** Vergütungssystem (→ § 87a Rn. 1 ff.; → § 120a Rn. 1 ff.) und Vergütungsbericht (→ § 162 Rn. 1 ff.) für Mitglieder des Vorstands und des AR der börsennotierten AG. Gem. **Nr. 4:** Entlastung der Mitglieder des Vorstands und des AR. HV muss darüber beschließen (§ 120), Entlastung aber nicht notwendig erteilen. Gem. **Nr. 5:** Bestellung des Abschlussprüfers gem. § 318 I HGB, und zwar nach § 115 V, VII WpHG (vgl. v. Werder/Bartz DB 2017, 769, 770 f.) auch Prüfer für Halbjahresfinanz- oder Quartalsberichte (Vogel/Pöschke AG 2015, R 360 f.; Wasmann/Harzenetter NZG 2016, 97 ff.; → § 124 Rn. 28 f.). Wahl erfolgt für jedes einzelne Geschäftsjahr; Vorratsbestellung ist unzulässig (Simons WPg 2018, 1, 2). Voraussetzungen der Prüfereigenschaft und Bestellungshindernisse: §§ 319, 319a, 319b HGB. Der HV obliegt die Wahl, soweit nicht Sondervorschriften eingreifen; so für Versicherungsunternehmen in § 341k II 1 HGB und für Pensionsfonds in § 341 IV HGB: Bestellung des Abschlussprüfers durch AR. Wahl des Konzernabschlussprüfers erfolgt durch HV des Mutterunternehmens (§ 318 I 1 HGB). Aufsichtsrechtl. Anzeigepflichten (§ 28 I KWG; § 36 I VAG) hat Vorstand wahrzunehmen. Unterlassene Wahl kann nach § 318 IV HGB durch gerichtl. Entscheidung ersetzt werden (s. zB AG Berlin-Charlottenburg NZG 2023, 370 Rn. 4 ff. mAnm Schüppen), nicht aber Annahme durch Prüfer (→ § 111 Rn. 35). Erteilung des Prüfungsauftrags obliegt AR (§ 111 II 3; → § 111 Rn. 42 ff.). Kompetenzen nach § 119 I Nr. 1–5 kann Satzung wegen zwingenden Charakters der Vorschrift (→ Rn. 1) nicht anderweitig zuweisen. Nach Bestellung kann Abschlussprüfer noch durch nachträglichen Aufhebungsbeschluss ersetzt werden, nach Mandatierung nur noch im Verfahren gem. § 318 III HGB (Einzelheiten bei Hüffer FS Hommelhoff, 2012, 483 ff.).

b) Strukturmaßnahmen. Zu Strukturmaßnahmen gehören Maßnahmen 6 nach § 119 I Nr. 6, 7 und 9. **Nr. 6** betr. Satzungsänderungen (§ 179). HV ist zuständig für Änderung materieller (→ § 179 Rn. 4) und nach richtiger Ansicht auch formeller Satzungsbestandteile (str.; → § 179 Rn. 5 f.), soweit nicht von Delegationsmöglichkeit des § 179 I 2 zulässiger Gebrauch gemacht wird (→ § 179 Rn. 11). Regelung ist auch iÜ nicht abschließend, sondern für andere ges. Zuständigkeitsordnung offen (LG München I AG 1993, 195). **Nr. 7** gibt Maßnahmen der Kapitalbeschaffung (§§ 182 ff.) einschließlich der Ausgabe von Wandel- und Gewinnschuldverschreibungen (§ 221) und der Kapitalherabsetzung (§§ 222 ff.) in Zuständigkeit der HV. Das ist schon deshalb folgerichtig, weil solche Maßnahmen notwendig zugleich Satzungsänderung sind (→ § 182 Rn. 3). **Nr. 9** betr. Auflösung der AG (§ 262 I Nr. 2; → § 262 Rn. 10 ff.). Auch diese Zuständigkeiten (sowie die nach Nr. 8; → Rn. 8) sind satzungsfest.

2. Weitere gesetzlich bestimmte Fälle. a) Weitere Strukturmaßnahmen. 7 § 119 I ist zwar zwingend, nennt Beschlusszuständigkeiten der HV aber keineswegs abschließend. Als weitere Strukturmaßnahmen sind zu nennen: Fortsetzungsbeschlüsse nach § 274 I und II (→ § 274 Rn. 2 f., 5); Abschluss und Änderung von Unternehmensverträgen gem. § 293 I (→ § 293 Rn. 2 ff.), § 293 II (→ § 293 Rn. 17 ff.) und § 295 I (→ § 295 Rn. 8); Eingliederungsbeschlüsse nach § 319 I (→ § 319 Rn. 2 ff.), § 319 II (→ § 319 Rn. 6 ff.), § 320 I (→ § 320 Rn. 5); Squeeze-Out-Beschlüsse nach §§ 327a ff.; Verschmelzung (§§ 65, 73 UmwG); Vermögensübertragung (§ 179a I, §§ 174 ff. UmwG); Spaltungsmaßnahmen (§ 125 iVm § 65 II UmwG); Rechtsformumwandlungen (§§ 226 ff. iVm § 193 I UmwG).

8 **b) Sonderfälle.** Unter diesem Sammelbegriff werden Beschlusszuständigkeiten zusammengefasst, bei denen es weder um regelmäßig wiederkehrende Maßnahmen (→ Rn. 5) noch um Strukturmaßnahmen (→ Rn. 6 f.) geht. Hierhin gehört zunächst **§ 119 I Nr. 8,** der auf Sonderprüfung gem. §§ 142 ff. Bezug nimmt.

9 **Außerhalb des § 119** nennt Ges. folgende Fälle: Verzicht und Vergleich über Ersatzansprüche (§ 50, 93 IV, § 116); Zustimmung zu Nachgründungsverträgen (§ 52); Zustimmung zu Erwerb und Veräußerung eigener Aktien (§ 71 I Nr. 8); Beschlüsse über Vorbereitungshandlungen (§ 83 I); Vertrauensentzug (§ 84 IV 2); Abberufung von AR-Mitgliedern (§ 103 I); Zustimmung zu Geschäften in den Fällen des § 111 IV, wenn Vorstand es verlangt; Festsetzung der AR-Vergütung (§ 113 I 2 und II; dazu OLG Stuttgart AG 1991, 404); Verabschiedung einer Geschäftsordnung (§ 129 I 1); Entscheidung über Geltendmachung von Ersatzansprüchen und Bestellung bes. Vertreter zu diesem Zweck (§ 147); ausnahmsweise Feststellung des Jahresabschlusses (§ 173 I, § 234 II); Verwendung des Ertrags aufgrund höherer Bewertung nach Sonderprüfung (§ 261 III 2); Bestellung anderer Abwickler als der Vorstandsmitglieder (§ 265 II) und Abberufung von Abwicklern (§ 265 V); Regelung ihrer Vertretungsmacht als sonst zuständige Stelle (→ § 269 Rn. 5) gem. § 269 II und III; Feststellung der Liquidationseröffnungsbilanz, der Liquidationsjahresabschlüsse sowie Entlastung von Abwicklern und AR-Mitgliedern (§ 270 II 1); Feststellung des Jahresabschlusses einer KGaA (§ 286 I). Zur Anhebung der 10 %-Grenze auf 30 % bei Erfüllung des Andienungsrechts der SPACs-Aktionäre (§ 47 I BörsG) s. § 47 II BörsG und → § 23 Rn. 65.

10 **3. Zuständigkeit kraft Satzung.** § 119 I setzt voraus, dass Satzung weitere Beschlusszuständigkeiten der HV durch ausdr. Bestimmung begründen kann. Wegen zwingender ges. Kompetenzordnung (§ 23 V) verbleibt jedoch **kaum Regelungsspielraum.** Keinesfalls kann Satzung Zuständigkeiten des Vorstands oder des AR auf HV verlagern (MüKoAktG/Kubis Rn. 17). Unzulässig und nichtig wäre Satzungsbestimmung, nach der an Stelle des Vorstands (§ 63 I) die HV zur Einzahlung von Einlagen auffordert (→ § 63 Rn. 5). Zulässig ist dagegen Satzungsklausel, nach der HV an Stelle des Vorstands über Zustimmung zur **Übertragung vinkulierter Namensaktien** entscheidet (§ 68 II 3 Fall 2; → § 68 Rn. 14 f.). Zulässig ist auch die Bildung von Ausschüssen und sonstigen Gremien durch HV-Beschluss auf Satzungsgrundlage, soweit dadurch nicht in ges. Organkompetenzen eingegriffen wird. Darunter kann etwa HV-Befugnis fallen, Gremien (Beiräte, Ausschüsse) einzusetzen oder Ehrenämter zu vergeben (MüKoAktG/Kubis Rn. 17; KK-AktG/Tröger Rn. 82).

10a **4. Ermächtigungsbeschlüsse.** In manchen Fällen beschließt HV jeweilige Maßnahme oder ihre nähere Ausgestaltung nicht selbst, sondern ermächtigt Vorstand, die Maßnahme mit oder ohne Zustimmung des AR zu ergreifen bzw. ihre Einzelheiten festzulegen. Solche Ermächtigung bedarf im grds. Aufgabenbereich der HV einer ges. Grundlage (s. dazu § 71 I Nr. 8 S. 1, § 202 I 1, § 203 II 1, § 204 I, § 205 I, § 221 II). Außerhalb des eigenen Aufgabenbereichs der HV wie beim Abschluss von Unternehmensverträgen (§ 293) oder bei Verpflichtungsgeschäften nach § 179a ist Ermächtigung des Vorstands auch ohne ausdr. ges. Anordnung möglich (→ § 179a Rn. 7; → § 293 Rn. 4). Soweit HV danach Ermächtigung aussprechen darf, kann sie Vorstand auch an **Zustimmung des AR** binden, und zwar als Regelung der Ermächtigungsmodalitäten auch dann, wenn dies nicht schon ges. ausgesprochen ist (§ 202 III 2, § 204 I 2, § 205 II 2). Gegenansicht von Bergau AG 2006, 769, 771 ff. überzeugt nicht, soweit Vorstand im Kompetenzbereich der HV tätig wird. Deshalb kann auch aus Satzungsvorbehalt nach § 111 IV 2 Fall 1 kein Gegenschluss gezogen werden. Regelung bezieht sich nämlich auf Kernkompetenz des Vorstands.

IV. Fragen der Geschäftsführung (§ 119 II)

1. Grundsatz: keine Zuständigkeit. HV hat in Fragen der Geschäftsführung 11
grds. keine Zuständigkeit. Sie kann sich insbes. nicht durch entspr. Beschluss zuständig machen, sondern ist von einem darauf gerichteten Verlangen des Vorstands abhängig (§ 119 II; → Rn. 1). Das gilt auch in Einmann-AG. § 119 II verbietet jedoch nur Entscheidungen über Fragen der Geschäftsführung, nicht deren Erörterung (GK-AktG/Mülbert Rn. 192). Dem steht auch nicht entgegen, dass HV beschlussorientiert zu beraten hat (→ Rn. 2). Als geeignete Tagesordnungspunkte kommen insoweit insbes. Entlastung der Mitglieder von Vorstand und AR (§ 120) und auch Verwendung des Bilanzgewinns (§ 174) in Betracht. Reiner **Meinungsbeschluss** der HV ist außerhalb der ihr zugewiesenen Kompetenzen dagegen unzulässig (GK-AktG/Mülbert Rn. 214; aA Hölters/Weber/Drinhausen Rn. 11; speziell zu Klima- und Umweltfragen wie hier Harnos/Holle AG 2021, 853 Rn. 44 ff.; Ch. Ott NZG 2020, 99, 101; aA Roth/Ekkenga AG 2021, 409 Rn. 44 ff.). Erwägenswert, wenn auch nicht gänzlich unproblematisch ist HV-Kompetenz zur beschlusslosen Meinungsbildung in Geschäftsführungsangelegenheiten (vgl. Harnos/Holle AG 2021, 853 Rn. 59 ff.).

HV hat **grds. auch keine Vertretungszuständigkeit** (MüKoAktG/Kubis 12
Rn. 19). Vielmehr verbleibt es bei §§ 78, 112. Ausnahmen bestehen allerdings dann, wenn rechtsgeschäftlicher Wille der AG ohne Einschaltung von Vorstand oder AR direkt durch HV gebildet und erklärt oder wenn vom Vorstand geschlossener Vertrag nur mit Zustimmung der HV wirksam wird. Unmittelbare HV-Zuständigkeit ist namentl. gegeben bei Wahl der AR-Mitglieder (→ § 101 Rn. 8), ferner bei Bestellung von Sonderprüfern (§ 142 I) und von bes. Vertretern zur Verfolgung von Ersatzansprüchen (§ 147 II 1). Das entspr. der allgM zu entspr. Fragen iRd § 46 Nr. 5 und 8 GmbHG, die häufiger praktisch werden (BGH WM 1968, 570; AG 1969, 359, 360; BGHZ 52, 316, 321 = NJW 1970, 33; HCL/Hüffer/Schäfer GmbHG § 46 Rn. 51 ff., 100 ff.). Der Zustimmung zu von Vorstand geschlossenem Vertrag bedarf es bei Geschäften mit bes. Gefährdungspotenzial (§ 52 I 2, § 179a I 1, § 293 I und II), ferner Verzicht und Vergleich auf bzw. über bestimmte Ersatzansprüche (§ 50 S. 1, § 93 IV 3, § 117 IV; funktional vergleichbar § 302 II 3, § 309 III 1, § 317 IV).

2. Ausnahme: Verlangen des Vorstands. a) Voraussetzungen. HV ist 13
gem. § 119 II zur Entscheidung in Fragen der Geschäftsführung (zum Begriff → § 77 Rn. 3) berufen, wenn Vorstand es verlangt. Ohne entspr. Verlangen kann HV selbst bloße **Konsultativbeschlüsse** in Geschäftsführungsfragen nicht fassen (dazu de lege ferenda Fleischer AG 2010, 681 ff.; sa speziell zur Klimapolitik Harnos/Holle AG 2021, 853 Rn. 44 ff.; Weller/Hoppmann AG 2022, 640 Rn. 23 ff.). Konsultativbeschlüsse auf Verlangen des Vorstands sind hingegen möglich (KK-AktG/Tröger Rn. 19, 70; Fleischer AG 2010, 681, 689; Fleischer/Hülse DB 2023, 44, 46; Harnos/Holle AG 2021, 853 Rn. 24 ff. [zu Say on Climate]; aA GK-AktG/Mülbert Rn. 202; Cahn NZG 2023, 299, 301; wohl auch S/L/Spindler Rn. 22 m. Fn. 48), wobei unklar ist, ob und inwieweit sie justiziabel sind (eingehend Harnos/Holle AG 2021, 853 Rn. 34 ff. mwN). Vorstand muss für Maßnahme **zuständig** sein; ist sie AR zugewiesen, kann er HV nicht zuständig machen (MüKoAktG/Kubis Rn. 24). Hinter anderweitige abschließende Regelung tritt § 119 II auch bei Zuständigkeit des Vorstands zurück, etwa Fall des § 68 II 2 (str., → § 68 Rn. 14). Ist **Maßnahme abgeschlossen,** ist

nachträgliche Billigung nicht mehr möglich und führt insbes. nicht zur Enthaftung nach § 93 IV 1 (→ § 93 Rn. 154). Etwas anderes gilt, wenn Billigung zugleich auch Grundlage für künftige Maßnahmen sein soll (BGHZ 146, 288, 292 f. = NJW 2001, 1277). In diesem Fall tritt zwar keine Enthaftung für Vergangenheit ein, aber Beschluss ist zulässig.

13a Nur **Vorstand** kann das Verlangen aussprechen, nicht AR, auch nicht um sich Haftungsfreiheit nach § 93 IV 1 zu sichern (RegBegr. Kropff S. 165; MüKoAktG/Kubis Rn. 20; Henssler/Strohn/Liebscher Rn. 8; GK-AktG/Mülbert Rn. 9, 197; Dietz-Vellmer NZG 2014, 721, 724; Poelzig in Hommelhoff/Kley/Verse AR-Reform, 239, 241 f.; aA bei originärer Geschäftsführungskompetenz MüKoAktG/Habersack § 116 Rn. 76; S/L/Spindler Rn. 15; Fischbach ZIP 2013, 1153, 1155; Pollmann WM 2023, 1349 ff.; Schüppen ZIP 2010, 905, 909 f. mit jew. aber zu großzügiger Konstruktion einer Regelungslücke). Klare Aussage des Gesetzgebers, der sich bewusst gegen eine entspr. Befugnis des AR entschieden hat, kann nicht durch die Behauptung relativiert werden, sie solle nur für den Regelfall gelten (so aber Fischbach ZIP 2013, 1153, 1155). Lösung bietet sich ohnehin vornehmlich in Verfolgungsfällen an, wo sich aber überdies Spannungsverhältnis zur Drei-Jahres-Frist des § 93 IV 3 ergibt und es auch in der Sache zweifelhaft erscheint, ob es sinnvoll ist, AR Flucht aus der Verantwortung in öffentl. HV zu gestatten, wo Belange der AG und ihrer Organe kaum sachgerecht abgewogen werden können (zur Übertragung dieses Ergebnisses auch auf Vergütungsfragen → § 120a Rn. 5).

13b Über Vorlage an HV entscheidet Vorstand nach seinem **pflichtgemäßen Ermessen** (BGHZ 83, 122, 131 = NJW 1982, 1703; BGHZ 232, 375 Rn. 44 = NZG 2022, 706; sa Harnos/Holle AG 2021, 853 Rn. 18 ff., 30 ff. mwN [zu Klimafragen]). In Holzmüller-Entscheidung noch vorgesehene Ermessensreduzierung auf Null (→ § 119 Rn. 16) dürfte nach Neufassung im Zuge der Gelatine-Urteile (→ § 119 Rn. 18) nicht mehr zur Anwendung gelangen (GK-AktG/Mülbert Rn. 201). Für Beschlussfassung sind die zu § 77 anerkannten Regeln maßgeblich. Vorstand entscheidet also durch einstimmigen Beschluss (→ § 77 Rn. 6), wenn Satzung oder Geschäftsordnung nichts anderes vorsehen (→ § 77 Rn. 9 ff.); § 121 II 1 gilt insofern nicht (MüKoAktG/Kubis § 121 Rn. 18; GK-AktG/Mülbert Rn. 198; aA S/L/Ziemons § 121 Rn. 20). Er muss als **Kollegialorgan** tätig werden (→ § 77 Rn. 17). Verlangen eines einzelnen Vorstandsmitglieds genügt auch dann nicht, wenn es für betr. Geschäftsführungsmaßnahme zuständig ist.

13c **Praktische Bedeutung** entspr. Beschlussanträge ist gering (Hölters/Weber/Hölters/Hölters § 93 Rn. 279; Dietz-Vellmer NZG 2014, 721). Vorstände sind augenscheinlich auch im Lichte gesteigerter Haftungsrisiken wenig geneigt, Entscheidung an HV abzugeben, was auf hohen Aufwand und zeitliche Verzögerung der Entscheidung, aber auch auf unglückliche Außenwirkung eines nicht selbständig entscheidenden Vorstands zurückzuführen sein mag. Auch Informationsanforderungen im Vorfeld des HV-Beschlusses (→ Rn. 14) können abschreckend wirken (Dietz-Vellmer NZG 2014, 721, 723). Häufiger begegnet allerdings, dass Vorstand **vorsorgliche Holzmüller-Beschlüsse** (→ Rn. 16 ff.) einholt, weil er sich über konkrete Reichweite der Vorlagepflicht nicht im Klaren ist. Derartige vorsorglich eingeholte HV-Beschlüsse sind als Vorlagebeschlüsse nach § 119 II zu werten (so augenscheinlich BGHZ 146, 288 = AG 2001, 261; wohl auch Kort AG 2006, 272, 275; zu Informationspflichten iR freiwilliger Vorlage LG Berlin v. 20.7.2023 – AZ 95 O 69/22 [nv]).

14 **b) Beschlussfassung.** Vorstand muss sein Entscheidungsverlangen in die Form eines Antrags bringen, weil HV sonst nicht darüber beschließen kann. Verlangt Vorstand Entscheidung der HV, so muss er ihr auch die **Informationen** geben,

die sie für sachgerechte Willensbildung braucht, und zwar auch dann, wenn keine Rechtspflicht zu ihrer Befassung (→ Rn. 16 ff.) besteht (BGHZ 146, 288, 294 = NJW 2001, 1277; OLG Dresden AG 2003, 433, 434; OLG Frankfurt AG 1999, 378, 380; OLG München AG 1996, 327 f.; aA noch Wilde ZGR 1998, 423, 446 f.). Bei **Zustimmung zu Vertragswerk** ist dieses analog § 124 II 3 bekannt zu machen (BGHZ 146, 288, 294; Dietz-Vellmer NZG 2014, 721, 723; aA GK-AktG/Mülbert Rn. 204 f.). Schriftlicher Bericht ist aber nicht generell erforderlich (aA Dietz-Vellmer NZG 2014, 721, 723). HV entscheidet grds. mit der **einfachen Stimmenmehrheit** des § 133 I, wenn Satzung keine strengeren Anforderungen bestimmt. Qualifizierte Mehrheit von drei Vierteln der abgegebenen Stimmen ist nach § 111 IV 4 (→ § 111 Rn. 73) erforderlich, wenn Beschluss der HV von AR verweigerte Zustimmung ersetzen soll. Nach hM soll es auch möglich sein, erforderlichen Zustimmungsvorbehalt zu umgehen und Frage sofort HV vorzulegen, die dann ebenfalls mit Dreiviertelmehrheit zu beschließen hat (MüKoAktG/Kubis Rn. 24; GK-AktG/Mülbert Rn. 194, 207). Das ist zweifelhaft, da Gesetz diese Möglichkeit erst nach vorheriger Befassung des AR eröffnet, dessen inhaltliche Positionierung für HV auch durchaus von Bedeutung sein kann (zutr. Dietz-Vellmer NZG 2014, 721, 724 f.). Neben Beschlüssen nach § 111 IV 2 bedürfen auch Holzmüller-Beschlüsse (→ Rn. 16 ff.) einer qualifizierten Mehrheit (str.; → Rn. 29).

c) Beschlusswirkungen. Soweit Beschluss der HV inhaltlich reicht, bindet er den Vorstand (RegBegr. Kropff S. 165 f.). Vorstand muss also Maßnahme unterlassen, wenn HV so beschlossen hat. Umgekehrt ist er nach § 83 II zur Ausführung verpflichtet, wenn HV beschlossen hat, dass Geschäftsführungsmaßnahme ergriffen werden soll (→ § 83 Rn. 5). HV ist jedoch nicht verpflichtet, in bindender Weise zu entscheiden, sondern kann sich auch auf bloße Empfehlungen beschränken (GK-AktG/Mülbert Rn. 207; Harnos/Holle AG 2021, 853 Rn. 19; Weller/Hoppmann AG 2022, 640 Rn. 36 f.). Der Bindung des Vorstands entspr. die haftungsausschließende Wirkung, die dem Beschluss nach § 93 IV 1 grds. zukommt, soweit es um Verhältnis der Vorstandsmitglieder zur Gesellschaft geht (→ § 93 Rn. 153 ff., 172). **Bindungswirkung entfällt** mit erfolgreicher Anfechtung (MüKoAktG/Kubis Rn. 27; GK-AktG/Mülbert Rn. 208; KK-AktG/Tröger Rn. 74). Auch die mittels Vorlage nach § 119 II begründete Zuständigkeit der HV wird durch Anfechtung des Beschlusses beseitigt; Vorstand ist nicht zu erneuter Vorlage verpflichtet (aA MAH AktienR/Binge/Thölke § 25 Rn. 25). Außenwirkung kann der Beschluss (auch der negative Beschluss) als solcher nicht haben. Vorstand kann aber das Geschäft unter die Bedingung stellen, dass HV zustimmt (GK-AktG/Mülbert Rn. 213). 15

V. Ungeschriebene HV-Zuständigkeiten

1. Individualschutz bei Maßnahmen von herausragender Bedeutung. a) Grundlagen. aa) Entwicklung der Rspr. von Holzmüller zu Gelatine. Eine der umstrittensten aktienrechtl. Fragen der letzten Jahrzehnte ist, ob neben den enumerativ im Ges. angeführten Zuständigkeiten auch noch ungeschriebene HV-Kompetenzen anzuerkennen sind. BGHZ 83, 122 = NJW 1982, 1703 hatte dazu angenommen, Vorstand sei verpflichtet, Zustimmung der HV einzuholen, wenn er einen Betrieb, der den wertvollsten Teil des Gesellschaftsvermögens ausmacht, durch Übertragung auf eine zu diesem Zweck errichtete Tochtergesellschaft aus dem bisherigen Gesellschaftsunternehmen ausgliedere (Holzmüller; ausf. Darstellung bei Fleischer/Heinrich in Fleischer/Thiessen, Gesellschaftsrechts-Geschichten, 2018, 345 ff.). Ausgegliederter Vermögensteil stellte dabei ca 80 % der Unternehmensaktiva dar (vgl. Angaben im Berufungsurteil OLG Ham- 16 burg ZIP 1980, 1000, 1005). In einem solchen Fall erleiden Aktionäre zwar keinen Vermögensschaden, können über diesen Unternehmensteil aber nicht mehr unmittelbar entscheiden; denn alleiniger Gesellschafter der Tochter ist nunmehr Mutter-AG, die durch ihren Vorstand vertreten wird, der auf diese Weise über Satzungsänderungen, Kapitalerhöhungen oÄ beschließen kann – sog **Mediatisierungseffekt** (vgl. dazu auch BGHZ 159, 30, 40 f. = NJW 2004, 1860; Hoffmann-Becking ZHR 172 [2008], 231 ff.; krit. dazu GK-AktG/Mülbert Rn. 40 ff., der vermögensbezogene Betrachtung in den Vordergrund stellt). BGH folgerte daraus Ermessensschrumpfung in der Weise, dass das von § 119 II vorausgesetzte Ermessen des Vorstands in **Pflicht zur Vorlage an HV** umschlage, wenn Vorstand „vernünftigerweise nicht annehmen kann, er dürfe sie" – die Entscheidung – „in ausschließlich eigener Verantwortung treffen, ohne die Hauptversammlung zu beteiligen" (BGHZ 83, 122, 131). Pflichtverletzung ändere allerdings nichts an unbeschränkbarer Vertretungsmacht des Vorstands (§ 82 I), so dass pflichtwidrige Maßnahme im Außenverhältnis (anders als etwa nach § 361 aF [§ 179a]) wirksam werde (s. dazu auch OLG Celle AG 2001, 357, 358 f.; GK-AktG/Kort § 76 Rn. 128: „Zwitterstellung von Holzmüller-Maßnahmen"). Entscheidung fußte auf Vorarbeiten des Schrifttums, das jedoch keine von breitem Konsens getragene Lösung anbieten konnte (vgl. bes. Lutter FS Westermann, 1974, 347, 357 ff.; Timm, Die AG als Konzernspitze, 1980, 130 ff., 165 ff.; zu früheren Ansätzen in der Rspr. vgl. Fleischer in Bayer/Habersack, Aktienrecht im Wandel, Bd. II, Kap. 9 Rn. 15 ff.).

17 Da der BGH in der Holzmüller-Entscheidung zwar die grds. Möglichkeit einer ungeschriebenen HV-Zuständigkeit anerkannt hatte, ohne aber ihre dogmatische Grundlage zu benennen oder ihre tatbestandlichen Voraussetzungen zu präzisieren, löste diese Entscheidung eine heftige **Debatte** über die Zuständigkeitsabgrenzung innerhalb der AG aus. Während einige Autoren die Mitwirkung der HV extensiv auf eine Vielzahl unternehmerischer Entscheidungen von gesteigerter Bedeutung ausdehnen wollten (vgl. statt vieler Lutter FS Stimpel, 1985, 825, 843 ff.; Lutter ZHR 151 [1987], 444, 452 f.), plädierten andere dafür, sie auf **eher extrem gelagerte Sachverhalte** in der Nähe der grundlegenden Holzmüller-Entscheidung (also Maßnahme, die etwa 80 % der Aktiva betraf; → Rn. 16) zu begrenzen (vgl. statt vieler Hüffer FS Ulmer, 2003, 279 ff. mwN zum unüberschaubaren Schrifttum). Beratungspraxis musste in dieser unklaren Situation schon aus Gründen kautelarjuristischer Vorsicht zu eher großzügiger Handhabung des Vorlageerfordernisses raten, was aus Vorstandssicht auch mit zusätzlichem Vorteil der Haftungsprivilegierung nach § 93 IV 1 verbunden war.

18 Eine Präzisierung hat der BGH schließlich im Jahr 2004 durch die **Gelatine-Entscheidung** (BGHZ 159, 30 = NJW 2004, 1860; nachfolgend und nahezu wortgleich BGH NZG 2004, 575) herbeigeführt, in der er sich weitgehend der restriktiven Literaturauffassung (→ Rn. 17) angeschlossen hat. Im Einzelnen hat er zwar grds. an Holzmüller-Rspr. festgehalten, die Begr. aber rechtsfortbildend geändert, den Ausnahmecharakter und die daraus folgenden hohen Anwendungsvoraussetzungen klargestellt (→ Rn. 20 ff.) und schließlich eine Dreiviertel-Mehrheit für die Beschlussfassung verlangt (→ Rn. 29). Zur Begründung verweist BGH auf **Entwicklungsgeschichte des AktG 1937.** Der dort vollzogenen Kompetenzverlagerung habe bewusste Entscheidung zugrunde gelegen, HV nicht mit Maßnahmen der Geschäftsführung zu befassen. Mehr noch als damals komme es heute in global vernetzter Wirtschaftswelt darauf an, sich bietende Chancen umgehend zu nutzen oder aufkommenden Gefahren sogleich zu begegnen (→ Rn. 1). In dieser Situation sei zu enge Bindung des Vorstands an Entschließungen der nicht ständig präsenten, sondern idR nur mit Aufwand einzuberufenden HV unpraktikabel (BGHZ 159, 30, 44). Aus diesem Grund wird ungeschriebene Zuständigkeit nur bei erheblichen Strukturänderungen angenommen, die in ihrer Bedeutung für AG an Umstände des Holzmüller-Falls (ca. 80% der Unternehmensaktiva; → Rn. 16) heranreicht (BGHZ 159, 30, 45). Als Rechtsgrundlage war in Holzmüller-Entscheidung noch § 119 II genannt, was ggü. anderweitig vorgeschlagener Gesamtanalogie zu sonstigen Strukturmaßnahmen den Vorteil hatte, dass unterlassene HV-Mitwirkung zwar Vorstandsbefugnis im Innenverhältnis entfallen ließ, nicht aber Zuständigkeit im Außenverhältnis. Auf der anderen Seite kann Beschluss nach § 119 II mit einfacher Mehrheit gefasst werden, was insofern unstimmig erschien, als es für sonstige Strukturentscheidungen Dreiviertelmehrheit bedarf. BGHZ 159, 30, 42 f., 45 f. verbindet die praktischen Vorzüge beider Ansätze und postuliert im Wege der **offenen Rechtsfortbildung** eine Beschlusszuständigkeit mit Dreiviertelmehrheit, deren Missachtung Vertretungsmacht des Vorstands im Außenverhältnis unberührt lässt.

bb) Stellungnahme. Im Schrifttum ist diese Präzisierung zumindest im 19
Grundsatz überwiegend auf **berechtigte Zustimmung** gestoßen (vgl. etwa Adolff ZHR 169 [2005], 310 ff.; M. Arnold ZIP 2005, 1573 ff.; Fleischer NJW 2004, 2335 ff.; Liebscher ZGR 2005, 1 ff.; Reichert AG 2005, 150 ff.). Insbes. Bekräftigung des grds. restriktiven Verständnisses ist zu begrüßen, da anderenfalls Grundsatzentscheidung des Gesetzgebers von 1937, HV-Befugnisse aus wohlerwogenen Gründen nur schwach auszugestalten, ausgehöhlt würde (→ Rn. 1, 18). Auf der anderen Seite belegt Holzmüller-Fall, dass es auch möglich sein muss, Aktionären Individualschutz vor Eingriffen in ihre Mitgliedsrechte und ihr darin verkörpertes Vermögensinteresse zu gewähren, wenn Vorstand seine grds. gegebenen Befugnisse übermäßig in Anspruch nimmt. Derzeitige Rspr.-Linie scheint insofern in der Sache ein rechtes Maß zu treffen. Ebenso zu begrüßen ist Beschränkung der HV-Zuständigkeit auf Innenverhältnis, da Rechtsverkehr nicht mit Folgen gesellschaftsinterner Kompetenzverletzungen belastet werden darf (zu Ausnahmen bei erkennbarem Missbrauch → Rn. 26). Zweifelhaft ist allenfalls Erfordernis einer Dreiviertelmehrheit und die damit verknüpfte Frage nach dogmatischer Grundlage der Rechtsfortbildung (→ Rn. 27, 29). Insofern überzeugt BGH-Lösung eher iErg als in der Begründung (krit. auch GK-AktG/Fleischer Vor §§ 311 ff. Rn. 86 f.), doch belegt jahrzehntelange und dennoch weitgehend festgefahrene Schrifttumsdiskussion, dass auf Grundlage des geltenden Rechts zufriedenstellende und in sich schlüssige Lösung in der Tat nur schwer zu finden war.

b) Voraussetzungen. aa) Erfasste Fallkonstellationen. Individualschutz 20
greift zunächst bei **Konzernbildungssachverhalten** auf der Ebene des herrschenden Unternehmens ein (nicht: bei der abhängigen Gesellschaft; → § 311 Rn. 3 f. [Konzernoffenheit]), wenn es sich um eher krasse, in die Nähe der Vermögensübertragung geratende Fälle handelt (→ Rn. 25). Hier tritt der für Holzmüller-Sachverhalte maßgebliche Mediatisierungseffekt ein, so dass von Anschauungslücke des Gesetzgebers auszugehen ist (Goette AG 2006, 522, 525). Namentl. für **Ausgliederung** im Wege partieller Gesamtrechtsnachfolge gelten aber spezielle Regelungen in § 123 III UmwG, §§ 125, 13, 65 UmwG, so dass Holzmüller-Grundsätze nur bei Ausgliederung im Wege der Einzelrechtsnachfolge Anwendung finden (S/L/Spindler Rn. 33), und zwar unabhängig davon, ob Bar- oder Sachgründung vorliegt (Emmerich/Habersack/Habersack Vor § 311 Rn. 41 f.). Obwohl diese Fälle tatbestandlich auch von § 179a erfasst sein können (→ § 179a Rn. 3), entfaltet diese Vorschrift nur dann Sperrwirkung ggü. Holzmüller-Grundsätzen, wenn ihre Tatbestandsvoraussetzungen erfüllt sind (→ § 179a Rn. 3). Auch auf durch Beherrschungsvertrag oder Eingliederung gebundene Tochtergesellschaften findet Holzmüller-Rspr. mit Blick auf zulässige Einflussmöglichkeiten und anderweitige Schutzmechanismen keine Anwendung

(Emmerich/Habersack/Habersack Vor § 311 Rn. 36; Siegel/Hasselbach AG 1999, 241, 244 ff.; Wirth FS Bechtold, 2006, 647 ff.).

20a Noch nicht abschließend geklärt ist, inwiefern auch Maßnahmen unter **Beteiligung bereits bestehender Tochtergesellschaften** von Holzmüller-Rspr. erfasst sein können. Unproblematisch nicht erfasst ist bloßes „Umhängen" von Beteiligungen aus 100%iger Tochtergesellschaft in andere 100%ige Tochter, da Mediatisierungseffekt dadurch nicht vertieft wird (BGHZ 159, 30, 47 = NJW 2004, 1860). Etwas anderes gilt bei sog „Verenkelung", wenn AG bestehende Tochtergesellschaft in andere Tochtergesellschaft einbringt und sie damit zu Enkelgesellschaft macht, da Mediatisierungseffekt durch Schaffung weiterer Hierarchieebene verstärkt wird (BGHZ 159, 30, 47). Das gilt auch, wenn Satzung sog Konzernöffnungsklausel (→ § 23 Rn. 24a) enthält (BGHZ 159, 30, 46). Ausnahme ist erwägenswert, wenn Mediatisierungseffekt auf andere Art kompensiert wird, etwa über Unternehmensvertrag zwischen AG und neu geschaffener Enkelgesellschaft (Emmerich/Habersack/Habersack Vor § 311 Rn. 45; M. Arnold ZIP 2005, 1573, 1576; Bungert BB 2004, 1345, 1348; krit. GK-AktG/Mülbert Rn. 91). Ob Zustimmung auch dann erforderlich ist, wenn schon bestehende Tochter- oder Enkelgesellschaft Anteilsbesitz selbständig in untergeordnete Gesellschaft ausgliedert, ist zweifelhaft, da AG in diesem Fall an Maßnahme nicht zwangsläufig unmittelbar beteiligt ist, so dass Holzmüller-Rechtsfolgenprogramm in Gestalt von Vorlage- und Unterlassungspflichten nur in deutlich modifizierter Form Anwendung finden könnte. Zumindest auf Enkelebene wird Mediatisierungseffekt durch solche Maßnahmen auch nicht wesentlich vertieft (deshalb jedenfalls hier gegen Zustimmungspflicht MHdB AG/Krieger § 70 Rn. 10). Aus letztgenanntem Grund hat OLG Hamm NZG 2008, 155, 157 jedenfalls für Veräußerung von Enkelanteilen durch Tochter Zustimmungspflicht verneint. Entscheidungsgründe deuten darauf hin, dass auch bei sonstigen Maßnahmen auf Enkelebene Holzmüller-Grundsätze keine Anwendung finden sollen (aA aber Emmerich/Habersack/Habersack Vor § 311 Rn. 45). Wer das verneint, muss geringerem Maße der Mediatisierung spätestens bei qualitativer Gesamtbetrachtung Rechnung tragen (→ Rn. 25). BGH bejaht Zustimmungserfordernis schließlich auch bei **Kapitalerhöhung** der Tochter (BGHZ 83, 122, 141 ff. = NJW 1982, 1703), was allerdings dann zweifelhaft ist, wenn Obergesellschaft Bezugsrecht vollumfänglich ausübt (Lutter FS Westermann, 1974, 347, 357 ff.; sa Emmerich/Habersack/Habersack Vor § 311 Rn. 49).

21 Schutz der Mitgliedsrechte als tragender Grund der Holzmüller-Rspr. (→ Rn. 16 ff.) erlaubt es grds., über Konzernbildung hinauszugehen und Vorlagepflicht auch in anderen vergleichbar evidenten Übermaßfällen anzunehmen (Hüffer FS Ulmer, 2003, 279, 293). Konkrete Reichweite ist ungewiss. Bes. umstr., richtigerweise aber zu bejahen, ist Vorlagepflicht bei **Beteiligungserwerb** von hinreichendem quantitativem Ausmaß (str., wie hier namentl. LG Frankfurt a. M. WM 2010, 618; Emmerich/Habersack/Habersack Vor § 311 Rn. 43; GK-AktG/Fleischer Vor §§ 311 ff. Rn. 94 ff.; BeckOGK/J. Hoffmann Rn. 36 ff.; S/L/Spindler Rn. 34; KK-AktG/Tröger Rn. 132 ff.; Goj, Ungeschriebenes Hauptversammlungserfordernis beim Beteiligungserwerb?, 2017, 120 ff.; Henze FS Ulmer, 2003, 211, 229 f.; Lorenz/Pospiech DB 2010, 1925, 1928 f.; Priester AG 2011, 654, 658 f.; Zientek, Ungeschriebene Hauptversammlungskompetenzen, 2016, 138 ff., 183 ff.; aA etwa OLG Frankfurt AG 2011, 173 f. [bei Vorliegen einer Konzernöffnungsklausel]; Henssler/Strohn/Liebscher Rn. 14; MHdB AG/Krieger § 70 Rn. 10; Kiefner ZIP 2011, 545, 547 f.; diff. GK-AktG/Mülbert Rn. 71 ff.). Entscheidend ist insofern der auch mit Beteiligungserwerb eintretende **Mediatisierungseffekt** (→ Rn. 16). Befürchtung einer allg. Mittelverwendungskontrolle (MüKoAktG/Kubis Rn. 71) mag im Lichte des früher zT weiteren Verständnisses der Holzmüller-Grundsätze (→ Rn. 16 f.)

berechtigt gewesen sein, ist jetzt aber angesichts hoher quantitativer Voraussetzungen unbegründet (S/L/Spindler Rn. 34; KK-AktG/Tröger Rn. 132). Etwas anderes gilt auch dann nicht, wenn Satzung über sog Konzernöffnungsklausel Beteiligungserwerb grds. gestattet, da Holzmüller-Rspr. gerade auf Konstellationen zielt, in denen Vorstand sich im Rahmen ges. und satzungsmäßiger Befugnisse hält, mit Blick auf außergewöhnlichen Umfang seine Kompetenzen aber doch überschreitet (Emmerich/Habersack/Habersack Vor § 311 Rn. 42; S/L/Spindler Rn. 34; Goj, Ungeschriebenes Hauptversammlungserfordernis beim Beteiligungserwerb?, 2017, 118 ff.; Zientek, Ungeschriebene Hauptversammlungskompetenzen, 2016, 192 f.; aA OLG Frankfurt AG 2011, 173; Nikoleyczik/Gubitz NZG 2011, 91, 93).

Ebenfalls umstr. ist Zustimmungskompetenz der HV bei hinreichend umfänglicher **Veräußerung von Gesellschaftsvermögen,** insbes. Beteiligungsveräußerung. Vor Gelatine-Entscheidung (→ Rn. 18) hat hLit auch in solchen Fällen Vorlagepflicht angenommen (Fleischer ZHR 165 [2001], 513, 524 f.; Henze FS Ulmer, 2003, 211, 230 f.; Lutter/Leinekugel ZIP 1998, 225, 229 ff.; Lutter AG 2000, 342, 343; schon damals abl. Groß AG 1994, 266, 275 f.; Habersack DStR 1998, 533, 535 f.; Joost ZHR163 [1999], 164, 185 f.) Auch instanzgerichtl. Rspr. hat Zustimmungskompetenz zT bejaht, etwa für Weggabe des einzigen werthaltigen Vermögensgegenstands in Gestalt des ganzen Grundbesitzes (OLG München AG 1995, 232, 233); bei Übertragung des ganzen Vermögens der eingegliederten Gesellschaft, die ihrerseits die einzige Beteiligung der Hauptgesellschaft darstellt (OLG Celle AG 2001, 357, 358; LG Hannover AG 2001, 150, 151); bei Veräußerung aller wesentlichen Beteiligungen bis auf Restumsatz von 2–3 % (LG Frankfurt a. M. AG 2001, 431, 433); bei Veräußerung des Kerngeschäfts, das 90 % des Unternehmensvermögens ausmacht (LG München I AG 2007, 336, 337); bei Veräußerung von Beteiligung, wenn Kernbereich der Unternehmenstätigkeit betroffen (LG Duisburg AG 2003, 390, 391; in diese Richtung auch LG Stuttgart AG 1992, 236, 237 f.; OLG Stuttgart AG 2003, 527, 532; tendenziell auch OLG Karlsruhe AG 2003, 388, 389). Mit Gelatine-Entscheidung und damit einhergehender **Fokussierung auf Mediatisierungseffekt** als maßgebliches Kriterium folgte gerichtl. Neubewertung; nunmehr wird Zuständigkeit der HV überwiegend abgelehnt (Ausgangspunkt waren sog. Hofbräu-Entscheidungen des OLG Stuttgart ZIP 2005, 1415, 1418 und des BGH NZG 2007, 234 [Nichtannahmebeschluss]: Mediatisierungseffekt nicht gegeben; ebenso OLG Hamm ZIP 2008, 832; OLG Köln AG 2009, 416, 418; offenlassend BVerfG AG 2011, 873, 874 f.; BGHZ 159, 30, 41 = NJW 2004, 1860; aA noch LG München I AG 2007, 336, 337; Hanseatisches Oberlandesgericht [Hamburg] ZIP 2005, 1074, 1081). Ausdehnung der Holzmüller-Grundsätze auf Veräußerungen wird im Schrifttum weiter diskutiert, was insbes. daran liegt, dass höchstrichterliche Klärung durch Nichtannahmebeschlus des BGH in Sachen Hofbräu (BGH NHG 2007, 234) bestritten wird (vgl. BeckOGK AktG/Hoffmann Rn. 43; sa MüKoAktG/Kubis Rn. 68; Bungert BB 2004, 1345, 1349 f.; Götze NZG 2004, 585, 588; den Rspr.-Wandel konstatierend, aber abl. KK-AktG/Tröger Rn. 94, 103 ff.; differenzierend nach Umfang der Veräußerung Liebscher ZGR 2005, 1, 24; Reichert AG 2005, 150, 155 f.; Staake, Ungeschriebene Hauptversammlungskompetenzen, 2009, 66, 81 f.; Stukenberg, Ungeschriebene „Holzmüller"-Zuständigkeiten der Hauptversammlung, 2007, 188 ff.; GK-AktG/Mülbert Rn. 84, 88; dagegen explizit Zientek, Ungeschriebene Hauptversammlungskompetenzen, 2016, 309; iErg auch Hofmeister NZG 2008, 47, 50). Weit überwiegende hM folgt Wandel in Rspr. und lehnt Zuständigkeit ab (Emmerich/Habersack/Habersack Vor § 311 Rn. 43; S/L/Spindler Rn. 35; Goette AG 2006, 522, 527; Hofmeister NZG 2008, 47, 48 ff.; Röhricht VGR 9 GesR 2004, 1, 10 f.; Zientek, Ungeschriebene Hauptversammlungskompetenzen, 22

2016, 282 ff.). Dem ist zuzustimmen, da hier maßgeblicher **Mediatisierungseffekt nicht eintritt,** und namentl. bei Beteiligungsveräußerung sogar rückgängig gemacht wird (Emmerich/Habersack/Habersack Vor § 311 Rn. 43; Goette AG 2006, 522, 527; Röhricht VGR 9 GesR 2004, 1, 11; S/L/Spindler Rn. 35; Zientek, Ungeschriebene Hauptversammlungskompetenzen, 2016, 307). Zuständigkeit der HV ist deshalb nur denkbar, wenn durch Veräußerung Unternehmensgegenstand unterschritten wird; das ist aber kein Anwendungsfall der Holzmüller-Doktrin (Habersack AG 2005, 137, 145 f.). Gegenteilige Sicht ist mit § 179a, der nur unter engen Voraussetzungen Veräußerung von Gesellschaftsvermögen der HV-Zustimmung unterstellt, kaum in Einklang zu bringen (so auch Röhricht VGR 9 GesR 2004, 1, 11; krit. dagegen Zientek, Ungeschriebene Hauptversammlungskompetenz, 2016, 313).

23 Bei **Börsengang der AG** (IPO) stellt sich Frage nach Zustimmungsbedürftigkeit idR nicht, da HV-Beteiligung an zumeist erforderlicher Kapitalerhöhung für zusätzlichen Zustimmungsbeschluss keinen Raum lässt (MüKoAktG/Kubis Rn. 87). Wo ausnahmsweise keine Kapitalerhöhung erforderlich ist, da nur Altaktien angeboten werden, ist Zustimmungserfordernis str. (dafür S/L/Spindler Rn. 38; Stöber WM 2014, 1757, 1762; Trapp/Schick AG 2001, 381, 382 f.; aA MüKoAktG/Kubis Rn. 87; GK-AktG/Mülbert Rn. 129 ff.; KK-AktG/Tröger Rn. 163 ff.; Reichert AG 2005, 150, 157). Bejahende Auffassung stützt sich auf schwerwiegende Strukturveränderung in Gestalt von Zulassungsfolgepflichten etc. Berücksichtigt man indes, dass BGH für spiegelbildlichen Umkehrfall des **Delistings** Strukturveränderung abgelehnt hat (BGHZ 153, 47, 53 ff. = NJW 2003, 1032; ausdr. bekräftigend BGH NJW 2014, 146 Rn. 10), ist diese Argumentation bedenklich. Zustimmungspflicht für IPO ist auf dieser Grundlage abzulehnen.

24 Keine rechtl. Sonderstellung kommt der Ausgliederung von Unternehmensteilen mit anschließendem **Börsengang der Tochtergesellschaft** zu. HV der Obergesellschaft ist also nur mitwirkungsbefugt, wenn Ausgliederung quantitativ und qualitativ den genannten Bsp. vergleichbar ist. Ob Aktionäre der Obergesellschaft Vorrechte auf Aktien der Tochter-AG haben, ist eher ein Thema des § 186 (→ § 186 Rn. 5a) als des § 119; kompetenzrechtl. angelegte Holzmüller-Doktrin des BGH gibt für solche Vorrechte nichts her (ebenso GK-AktG/Mülbert Rn. 136 f.; S/L/Spindler Rn. 38; KK-AktG/Tröger Rn. 162 ff.; Habersack WM 2001, 545, 546 f.; aA Lutter AG 2000, 342, 343 ff.). Kein der Konzernbildung vergleichbarer Ausnahmefall liegt ferner vor, soweit es um **Aktienoptionspläne** geht. Zuständigkeit der HV beschränkt sich auf § 192 I, II Nr. 3, § 193 II Nr. 4 (OLG Stuttgart AG 2001, 540, 541; LG Stuttgart AG 2001, 152, 153; RegBegr. BT-Drs. 13/9712, 24: keine Grundlagenentscheidung; sa Hüffer ZHR 161 [1997], 214, 224). Mit Einführung des § 120a im Zuge des ARUG II hat Frage an Bedeutung verloren (KK-AktG/Tröger Rn. 182). Ebenfalls nicht anzuerkennen ist Vorlagepflicht bei **radikaler Umstellung des Geschäftsmodells** unterhalb der Satzungsänderung (dafür KK-AktG/Tröger Rn. 183a); Holzmüller-Diskussion hat zur Genüge bewiesen, wie sehr derart unscharfe Umschreibungen Rechtssicherheit unternehmerischen Handelns beeinträchtigen (Bachmann ZHR 187 [2023], 166, 186 f.).

24a Auch neuerdings im Anschluss an Entscheidung des OLG München (NZG 2013, 742, 744 [GmbH & Co. KG]) diskutierte HV-Zuständigkeit für **fakultative Insolvenzantragstellung** (dafür C. Schäfer ZIP 2020, 1950 ff.; Stöber WM 2014, 1757, 1762 f.; Wortberg ZInsO 2004, 707, 708 f.) ist schon mit Blick auf Grundsatz der Organadäquanz abzulehnen. Gesetzgeberischer Wille, mit freiwilligem Eigenantrag schnelles und geräuschloses Sanierungsverfahren zu ermöglichen, würde durch HV-Einbeziehung konterkariert (→ Rn. 5; wie hier GK-AktG/Mülbert Rn. 179 f.; KK-AktG/Tröger Rn. 179 ff.). Stärker sanierungsorientiertes Insolvenzrecht eröffnet Aktionären im Verlauf des Insolvenzverfahrens hinreichende Gestaltungsmöglichkeiten (→ § 182 Rn. 32c). Aktionärsinteressen können auch hier – funktionsgem. und organadäquat – durch AR vertreten werden, der nach § 111 IV 2 (auch ad hoc → § 111 Rn. 62) Zustimmungsvorbehalt aussprechen kann. Gleicher Befund gilt mit derselben Begründung für StaRUG-Restrukturierungsverfahren (→ § 92 Rn. 27 ff.; wie hier Brinkmann KTS 2021, 303, 317 ff.; Brünkmanns ZInsO 2021, 121, 127; G. Hoffmann WM 2021, 429, 433 f.; Ph. Scholz ZIP 2021, 226 ff.; Skauradszun/Amort DB 2021, 1317, 1320 ff.; aA Fuhrmann/Heinen/Schilz NZG 2021, 684, 686 ff.; Lieder FS Smid, 2022, 543, 549 ff.; C. Schäfer ZIP 2020, 2164, 2168; Seibt/Bulgrin DB 2020, 2226, 2236; zur Einbeziehung der Anteilseigner in dieses Verfahren → § 92 Rn. 28, 31 f.).

Wird **unabhängige AG zur abhängigen AG,** liegt darin nach hier vertretener Auffassung – auch ohne entspr. Konzernierungsklausel – keine Satzungsänderung, da AktG konzernoffen ausgestaltet ist (→ § 311 Rn. 3 f.; sa LG München I NZG 2019, 384 Rn. 29) und Verwaltung auf Entstehung der Abhängigkeit oft keinen Einfluss haben wird (→ § 23 Rn. 24a). Aus demselben Grund ist auch Strukturveränderung iSd Holzmüller/Gelatine-Rspr. abzulehnen (LG München I NZG 2019, 384 Rn. 27 ff.; ausf. J. Koch ZGR 2019, 588, 603 ff.; ebenso Emmerich/Habersack/Habersack vor § 311 Rn. 45a; KK-AktG/Tröger Rn. 154; KK-AktG/Zetzsche § 179a Rn. 38 ff.; Bachmann FS Ebke, 2021, 61, 62; Horn, Fusion durch NewCo-Übernahme, 2020, 103 ff.; Schmidbauer/Kürten NZG 2021, 1150, 1155 ff.; Schmolke VGR 24 GesR 2018, 137 Rn. 31 ff.; J. Vetter in Veil/Grigoleit/Habersack Öffentliche Unternehmensübernahmen, 2022, 177, 202 ff.; aA Strohn ZHR 182 [2018], 114, 144 ff.; BeckOGK/J. Hoffmann Rn. 50 f.; Priester FS Krieger, 2020, 713, 717 ff.). Die im int. Vergleich überaus detailreiche Ausgestaltung des konzernrechtl. Aktionärsschutzes lässt für Rechtsfortbildung (→ Rn. 18) keinen Raum (LG München I NZG 2019, 384 Rn. 27 ff.; J. Koch ZGR 2019, 588, 609 ff.; sa Emmerich/Habersack/Habersack Vor § 311 Rn. 45a; KK-AktG/Zetzsche § 179a Rn. 38 ff.; Rieckers DB 2020, 207, 213; Schmolke VGR 24 GesR 2018, 137 Rn. 34 f.; Bachmann FS Ebke, 2021, 61, 62; Schmidbauer/Kürten NZG 2021, 1150, 1154 ff.; Wilsing FS Marsch-Barner, 2018, 595, 601; sympathisierend auch OLG München NZG 2021, 1160 Rn. 89: „lässt sich gut vertreten"). Keine ungeschriebene Kompetenz hat die Hauptversammlung in **Klima- und Umweltfragen** (Say on Climate – vgl. Harnos/Holle AG 2021, 853 Rn. 12; Ch. Ott NZG 2020, 99, 100). Das ist heute anerkannt; Diskussion hat sich zunehmend auf Frage nach Begründung entspr. Kompetenzen de lege ferenda verlagert. Sie werden heute überwiegend befürwortet (ausf. dazu und tendenziell aufgeschlossen Fleischer/Hülse DB 2023, 44 ff.; Kühle NZG 2023, 1583 ff.; J. Vetter AG 2023, 564 Rn. 1 ff.; Weller/Hoppmann AG 2022, 640 Rn. 1 ff.; krit. v. Bomhard/Redeke FS Strenger, 2023, 76 ff.; Cahn NZG 2023, 299 ff.), wobei als selbstverständlich unterstellt wird, dass HV klimafreundliche Politik unterstützt. Ob rechtspolit. Sympathien auch fortbestehen, wenn HV sich für klimafeindliche Politik entscheidet (zu zunehmend krit. Stimmen auf US-Investorenseite vgl. J. Koch AG 2023, 553 Rn. 1, 45), bleibt zweifelhaft, sollte aber als mögliches Szenario mitberücksichtigt werden. 24b

bb) Quantitative Voraussetzungen. Lange Zeit umstr., durch Gelatine-Entscheidung nunmehr aber zumindest im Grundsatz geklärt, sind quantitative Voraussetzungen der Zustimmungspflicht. Ältere instanzgerichtl. Rspr. und Lit. haben insofern Vorlagepflicht zT schon bei Überschreitung von 10 %, 20 % oder 25 % des Vermögens oder des Umsatzes oder anderer Bemessungsgrundlagen angenommen (LG Frankfurt AG 1993, 287, 288; LG Frankfurt AG 1998, 45, 46; Lutter FS Fleck, 1988, 169, 179 f. mit Fn. 38; sa OLG Stuttgart AG 2003, 527, 25

532: 62 % des Umsatzes). Durch Gelatine-Entscheidung ist nunmehr ausdr. bestätigt worden, dass angesichts Ausnahmecharakters einer ungeschriebenen HV-Zuständigkeit Vorlagepflicht nur dort in Betracht kommt, wo Bedeutung für AG der Holzmüller-Konstruktion vergleichbar ist, in der **80 % der Aktiva** betroffen waren (→ Rn. 16; BGHZ 159, 30, 44 ff. = NJW 2004, 1860). In Rspr. und Lit. wird Schwelle verbreitet auf 75 % abgesenkt (vgl. zB OLG Hamm NZG 2008, 155, 158; LG München I BeckRS 2006, 10432 [insofern nicht in NZG 2006, 873]; Priester AG 2011, 654, 661; noch weitergehend OLG Köln BeckRS 2009, 04001 [insofern nicht in AG 2009, 416]: 70–80 %; zu Einzelheiten vgl. Zientek, Ungeschriebene Hauptversammlungskompetenzen, 2016, 192 f.), was nach BGH-Vorgabe nicht zwingend erscheint, aber zumindest als kautelarjuristischer Sicherheitspuffer sinnvoll sein wird (sa BGHZ 159, 30, 2. Leitsatz: „in etwa"). Während Eingriffsschwelle damit weitgehend geklärt ist, setzt sich Unsicherheit aber hinsichtlich des nicht minder bedeutsamen **Bezugspunktes** fort. Diskutiert werden hier insbes. Bilanzsumme, Eigenkapital, Umsatz, Ergebnis vor Steuern (BGHZ 159, 30, 48; sa S/L/Spindler Rn. 32; KK-AktG/Tröger Rn. 126 ff.; für Berücksichtigung der Mitarbeiterzahl auch LG München I BeckRS 2006, 10432 [insofern nicht in NZG 2006, 873]; MHdB AG/Krieger § 70 Rn. 11; aA BeckOGK/J. Hoffmann Rn. 52). Folgen dieser Unsicherheit werden dadurch abgeschwächt, dass Schwellenwerten auch weiterhin lediglich Indizwirkung zukommt, in Grenzfällen aber richtigerweise **einzelfallbezogene Gesamtbetrachtung** geboten ist, bei der letztlich qualitative Bewertung maßgeblich sein muss (Emmerich/Habersack/Habersack Vor § 311 Rn. 47; S/L/Spindler Rn. 32). Sie fragt danach, ob Maßnahme Kernbereich des Unternehmens betr. und tiefen Eingriff in Mitgliedschaftsrecht darstellt (B/K/L/Reger Rn. 23). Dabei kann insbes. auch geringerem Grad der Mediatisierung (etwa bei schon zuvor bestehender Konzernstruktur) oder bes. Unternehmensgegenstand, namentl. als Holding-AG (vgl. dazu Emmerich/Habersack/Habersack Vor § 311 Rn. 47; Zientek, Ungeschriebene Hauptversammlungskompetenzen, 2016, 209 ff.), Rechnung getragen werden. Setzt sich Transaktion aus mehreren Einzelmaßnahmen zusammen, so sind diese zur Beurteilung, ob quantitative Voraussetzungen erfüllt sind, zusammenzurechnen, sofern wirtschaftlicher und zeitlicher Zusammenhang besteht (OLG Frankfurt AG 2011, 173, 174; OLG Hamm NZG 2008, 155, 157; Emmerich/Habersack/Habersack Vor § 311 Rn. 47; MüKoAktG/Kubis Rn. 52; J. Koch ZGR 2019, 588, 606 ff.). Darüber hinaus müssen sich Einzelmaßnahmen auch subj. in einheitliche Gesamtstrategie einfügen (OLG Hamm NZG 2008, 155, 157; Emmerich/Habersack/Habersack Vor § 311 Rn. 47; J. Koch ZGR 2019, 588, 606 ff.; Simon DStR 2004, 1482, 1486). Diese Maßgaben gelten jedenfalls im Grundsatz auch für **Beteiligungserwerb** (→ Rn. 21), wobei Prozentsatz auf Erwerber zu beziehen ist (nicht ausdiskutiert, s. Priester AG 2011, 654, 661 mwN in Fn. 94; niedrigere Prozentsätze beziehen sich teilw. auf höhere Bemessungsgrundlage).

26 **c) Rechtsfolgen.** Unmittelbare Rechtsfolge der Holzmüller-Rspr. ist Vorlagepflicht. Missachtet Vorstand diese Pflicht und befasst HV nicht, folgen daraus **Beseitigungs- sowie Unterlassungsansprüche,** die auch der Sicherungsverfügung nach § 935 ZPO zugänglich sind (OLG Hamm NZG 2008, 155, 156) und von jedem einzelnen Aktionär aus eigenem mitgliedschaftlichen Anspruch durchgesetzt werden können. Möglichkeit der Feststellungsklage tritt hinter diese Leistungsklagen zurück; erst wenn zum Schutze Dritter Rückabwicklung ausgeschlossen bleibt, ist **Feststellungsklage** richtige Klageart (MüKoAktG/Kubis Rn. 106). Auch dann ist Feststellungsinteresse aber konkret festzustellen (ausf. dazu OLG München NZG 2021, 1160 Rn. 26 ff.). Wiederholungsgefahr wird idR nicht vorliegen; für Schadensersatzansprüche wird Feststellungsinteresse

allenfalls erwogen, wenn Schaden bereits eingetreten ist oder mit Eintritt eines relevanten Schadens zu rechnen ist; bloße Möglichkeit eines Schadens genügt nicht (OLG München NZG 2021, 1160 Rn. 46 ff., 55). Grds. kann Vorstand sich aber ersatzpflichtig nach § 93 II machen, wenn er erforderliche Zustimmung nicht einholt. In das **Außenverhältnis** schlägt Beschränkung der Vorstandsbefugnisse hingegen nicht durch, und zwar auch nicht bei Beteiligung an Kapitalmaßnahmen der Tochter (BGHZ 83, 122, 132 f. = NJW 1982, 1703; krit. insofern Ekkenga/Schneider ZIP 2017, 1053 ff.). Etwas anderes gilt nur bei erkennbarem **Missbrauch** der Vertretungsmacht (Adolff/Adolff FS Mailänder, 2006, 289, 297 ff.), der in diesen Fallgestaltungen auch durchaus naheliegen kann, da gerade beim Abschluss von Verträgen zwischen Mutter- und Tochtergesellschaft oft Zurechnung zu missbrauchsbegründender Wissensgemeinschaft vorliegen kann (MüKoAktG/Kubis Rn. 105; KK-AktG/Tröger Rn. 187; ausf. zu Kapitalmaßnahmen Ekkenga/Schneider ZIP 2017, 1053 ff.). Kaum Gegenstand wissenschaftlicher Diskussion ist durchaus praxisrelevante Fallgestaltung, dass Holzmüller-Beschluss zwar **gefasst, aber angefochten** wird. Hat Anfechtungsklage Erfolg, lässt rückwirkende Beseitigung Wirksamkeit möglicher Ausführungshandlungen im Außenverhältnis unberührt, sofern nicht Figur des Missbrauchs der Vertretungsmacht zur Anwendung gelangt (J. Vetter Liber Amicorum Winter, 2011, 731, 740). Allerdings lässt erfolgreiche Anfechtung Geschäftsführungsbefugnis des Vorstands im Innenverhältnis entfallen, so dass Ersatzpflicht nach § 93 II droht. Sofern Zustimmungsbeschluss der HV in Gestalt eines Ausführungsbeschlusses gefasst und daraufhin angefochten wird, muss Vorstand anhand Prognose über Erfolgsaussichten der Klage entscheiden, ob er Beschluss ausführt oder nicht; in Betracht kommt Haftungsausschluss wegen unverschuldeten Rechtsirrtums (zur Pflichtenkollision vor Hintergrund der Ausführungspflicht bei gesetzmäßigem Beschluss → § 83 Rn. 6).

Legt Vorstand pflichtgem. vor, muss er auch für angemessene Informationsgrundlage sorgen. In jedem Fall bedarf es deshalb **erweiterter Bekanntmachungspflicht** analog § 124 II 3, die von heute ganz hM angenommen wird (BGHZ 146, 288, 294 = NJW 2001, 1277 – ausf. und mwN → § 124 Rn. 14). Umstr. ist, ob daneben auch weitergehende **Berichtspflicht** besteht, also Pflicht des Vorstands zur schriftlichen Erstattung eines sog Holzmüller-Berichts. Heute hM bejaht – mit Unterschieden im Detail – auch diese Pflicht, stößt aber auf Widerspruch (zur hM s. OLG Frankfurt AG 1999, 378, 379 f.; LG Frankfurt NZG 1998, 113, 115 f.; LG Karlsruhe NZG 1998, 393, 395 f.; MüKoAktG/Kubis Rn. 55; S/L/Spindler Rn. 44; MHdB AG/Krieger § 70 Rn. 14; aA LG Hamburg AG 1997, 238; Hüffer FS Ulmer, 2003, 279, 300; Priester ZHR 163 [1999], 187, 201 f.). Unsicherheit in dieser Frage resultiert aus grds. Schwächen der jur. Herleitung (→ Rn. 19). Parallele zu ges. geregelten Strukturmaßnahmen führt zwar einheitlich zu Dreiviertelmehrheitserfordernis, aber bei Berichtspflichten begegnen Unterschiede, da zwar für einzelne Maßnahmen in § 186 IV 2, § 293a AktG, §§ 8, 63, 127 UmwG Berichtspflicht vorgesehen ist, für andere, namentl. §§ 179, 179a, nicht. Gesamtanalogie müsste deshalb scheitern, womit **Grenzen der Rechtsfortbildung** grds. schon überschritten sind (sa Butzke HV L 81). Wenn § 179 selbst für Satzungsänderung keine Berichtspflicht vorsieht, kann für bloß „satzungsnahe" Holzmüller-Maßnahme nichts strengeres gelten. Angesichts ergebnisorientierter Handhabung der „offenen Rechtsfortbildung" im Gelatine-Urteil (→ Rn. 18 f.) ist aber nicht sicher, ob Rspr. bei diesem Ergebnis stehen bleibt, zumal Bericht in vielen Fällen auch sinnvoll sein mag. ZT wird deshalb differenzierende Lösung vorgeschlagen, die sich an „Erforderlichkeit" eines Berichts orientiert, die insbes. dann gegeben sein soll, wenn noch kein Vertrag oder Entwurf vorliegt (Grigoleit/Herrler Rn. 36; MüKoAktG/Kubis Rn. 55; S/L/Spindler Rn. 44). Auch diese Lösung ist zwar sachgerecht und mag 27 deshalb pragmatischer Herangehensweise des BGH entspr., erscheint in dogmatischer Herleitung aber doch fragwürdig. Praxis muss derzeit in jedem Fall Berichterstattung empfohlen werden (sa Butzke HV L 81: „aus Vorsichtsgründen").

28 Wer schon Berichtspflicht verneint (→ Rn. 27), für den stellt sich auch nachgelagerte Frage nicht, ob Bericht auszulegen ist. Nimmt man dagegen mit heute hM Berichtspflicht an (→ Rn. 27), so ist es folgerichtig, auch berichtstypische Auslegungspflichten zu bejahen. Von Auslegung des Berichts zu unterscheiden ist die Frage, ob auch **Auslegung von Verträgen** zum geschuldeten Informationsstandard gehört, sofern HV nicht nur ein Konzept billigen (dann kann es keine Auslegungspflicht geben), sondern gem. § 119 II einem Vertrag zustimmen soll, etwa ausnahmsweise über Veräußerung eines Unternehmensteils. In instanzgerichtl. Rspr. ist Pflicht zur Auslegung von Verträgen in gesamtanaloger Anwendung der § 179a II, § 293f I Nr. 1, § 293g I AktG, § 63 I Nr. 1 UmwG, § 64 I Nr. 1 UmwG teilw. angenommen worden (OLG Frankfurt AG 1999, 378, 379 f.; OLG Schleswig AG 2006, 120; LG Frankfurt NZG 1998, 113, 115 f.). BGH hat solche Auslegung jedoch zumindest als Ergebnis einer Gesamtanalogie ausdr. abgelehnt und lediglich Einzelanalogie erwogen (BGHZ 146, 288, 295 f. = NJW 2001, 1277; sa Zeidler NZG 1998, 91, 93; krit. Tröger ZHR 165 [2001], 593, 600 ff.). Im Schrifttum setzen sich in dieser Frage Unsicherheiten und damit auch rechtl. Bedenken zur grds. Berichtspflicht fort: Wer davon ausgeht, dass Vertrag bzw. Vertragsentwurf Bericht ersetzen kann (→ Rn. 27), muss zumindest dessen Auslegung gestatten (so Hölters/Weber/Drinhausen Rn. 24; MüKoAktG/Kubis Rn. 56; S/L/Spindler Rn. 45; aA Kort AG 2006, 272, 275 f.). Rechtsgrundlage soll insofern nicht Gesamtanalogie, sondern pauschal angenommene Einzelanalogie sein, was BGHZ 146, 288, 295 f. in der Begründung Rechnung trägt, iErg aber zuwiderläuft (sa Weißhaupt AG 2004, 585, 591). Soweit trotz dieser Bedenken Auslegung erfolgt, wozu der Praxis aus Vorsichtsgründen auch hier geraten werden muss, ist bei Verträgen in fremder Sprache deutsche Übersetzung vorzulegen (LG München I ZIP 2001, 1148, 1150; sa OLG Dresden AG 2003, 433, 435 für Bewertungsgutachten in russischer Sprache), und zwar neben der fremdsprachlichen Originalfassung (insoweit offenlassend LG München I ZIP 2001, 1148, 1150). Problematisch bleibt Schutz von Geheimhaltungsinteressen. Nach BGHZ 146, 288, 297 können sie gebotene Auslegung nicht verhindern (so auch MüKoAktG/Kubis Rn. 57; S/L/Spindler Rn. 45; zurückhaltend Emmerich/Habersack/Habersack Vor § 311 Rn. 52; aA Weißhaupt AG 2004, 585, 591). Auch das ist nicht unproblematisch, aber bei (bedenklicher) Annahme einer Auslagepflicht doch folgerichtig.

29 **d) Beschlussfassung, besonders Mehrheitserfordernisse.** Auch soweit sich im Einzelfall Pflicht zur Vorlage ergibt, gelten für Beschlussfassung allg. Grundsätze (→ Rn. 14). Vorstand muss Maßnahme also antragsförmig umschreiben. Zustimmung kann nicht nur zu konkretem Vertrag erteilt werden, sondern es ist auch **vorab gefasster Konzeptbeschluss** zulässig (Emmerich/Habersack/Habersack Vor § 311 Rn. 51). Nachträgliche Zustimmung beseitigt Pflichtwidrigkeit des Vorstands nicht (→ Rn. 26), führt aber zur Heilung in der Weise, dass nachträglicher Abwehr- und Beseitigungsklage die Grundlage entzogen wird (BGHZ 83, 122, 135 = NJW 1982, 1703; Emmerich/Habersack/Habersack Vor § 311 Rn. 51). HV erteilt Zustimmung durch Annahme des Antrags, die neben der einfachen Stimmenmehrheit des § 133 I nach BGHZ 159, 30, 45 f. = NJW 2004, 1860 der Dreiviertel-Mehrheit des vertretenen Grundkapitals bedarf (auch bei Konzernöffnungsklausel). Das ist verbreitet kritisiert worden (OLG Karlsruhe AG 2003, 388, 389 f.; Hüffer FS Ulmer, 2003, 279, 298), im Rechtsfortbildungskonzept des BGH (→ Rn. 18) aber folgerichtig und damit für die Praxis geklärt. In Konsequenz dieses Mehrheitserfordernisses kommt § 130 I 3 nicht zur An-

wendung (Emmerich/Habersack/Habersack Vor § 311 Rn. 50). Beschluss kann nicht im Wege **materieller Beschlusskontrolle** auf sachliche Rechtfertigung überprüft werden (LG Frankfurt AG 1993, 287; Hölters/Weber/Drinhausen Rn. 23; MüKoAktG/Kubis Rn. 60). Verfahrensfehler können Anfechtung dagegen begründen (MüKoAktG/Kubis Rn. 107).

2. Delisting. a) Begriff und Fallgruppen. Als zweite Fallgruppe ungeschriebener HV-Zuständigkeit wurde bislang sog Delisting diskutiert. Delisting bezeichnet Rückzug der börsennotierten AG vom regulierten Handel (→ § 3 Rn. 5 f.). Rückzug kann zunächst als sog reguläres oder **echtes Delisting** durch Zulassungswiderruf erfolgen, den Zulassungsstelle durch Verwaltungsakt auf Antrag der AG (Emittentin) ausspricht (§ 39 II 1 BörsG). Zuständig für Antragstellung ist Vorstand, dem insoweit § 93 I 2 zugute kommt (ausf. Wieneke/Schulz AG 2016, 809, 814 ff.). Möglich ist darüber hinaus sog unechtes oder **kaltes Delisting** durch Wegfall der Börsennotiz oder Verlust der Börsenfähigkeit infolge Verschmelzung (§§ 2 ff. UmwG), Vermögensübertragung auf nichtbörsennotierte AG und Formwechsel auf GmbH (§§ 190 ff. UmwG). Als Unterfall wird auch Konstellation des **Zwangsdelistings** behandelt, bei der durch Verstoß gegen börsenrechtl. Vorschriften Ausschluss nach § 39 I BörsG provoziert wird (ausf. Marsch-Barner/Schäfer/Eckhold Rn. 63.3 ff.; zum Zwangsdelisting bei SPACs-Auflösung gem. § 47b I 1 BörsG → § 23 Rn. 67). Vom vollständigen Rückzug abzugrenzen ist bloßer Wechsel vom regulierten Handel in nicht regulierten Handel, das sog **Downlisting,** wobei weiter unterschieden werden kann, ob Wechsel in qualifiziertes Freiverkehrssegment erfolgt (zB SME-Segment „Scale" [früher: Entry Standard] der Frankfurter Wertpapierbörse oder m:access der Börse München) oder nicht. Wird von mehreren Notierungen nur eine aufgegeben, spricht man von **partiellem Delisting.** Überblick zum echten und unechten Delisting bei Probst, Rechtsfragen des regulären Börsenrückzugs, 2013, 27 ff. In sämtlichen Varianten stellt sich Frage nach Rechtsschutz der (außenstehenden) Aktionäre. Zur Problemlösung im angelsächsischen Raum Maume EBOR 16 (2015), 255, 264 ff.; Verse FS Baums, 2017, 1317, 1322 ff. 30

b) Echtes Delisting (§ 39 II BörsG). aa) Macrotron-Grundsätze. Nach der bis zum Inkrafttreten des Transparenz-RL-ÄndRL-UG (BGBl. 2015 I 2029) am 26.11.2015 (→ Rn. 35) geltenden Rechtslage stand im Mittelpunkt der Diskussion die Beeinträchtigung der Mitgliedsrechte außenstehender Aktionäre durch Wegfall der börsenmäßigen Handelbarkeit (ausf. zur Entwicklungsgeschichte Bayer ZfPW 2015, 163, 166 ff.). Aus aktienrechtl. Perspektive ging es insbes. um Fragen nach Beteiligung der HV und Abfindung für außenstehende Aktionäre. Nach Macrotron-Urteil des BGH durfte Vorstand Antrag auf Zulassung nicht eigenverantwortlich stellen, sondern musste dafür **Zustimmung der HV** (mit einfacher Mehrheit) einholen (BGHZ 153, 47, 53 ff. = NJW 2003, 1032). Überdies musste außenstehenden Aktionären ein **Abfindungsangebot** unterbreitet werden, dessen Angemessenheit analog ges. geregelten Fällen (→ SpruchG § 1 Rn. 6) im Spruchverfahren überprüft werden konnte (BGHZ 153, 47, 56 ff.). Dogmatisch leitete BGH diese Erfordernisse aus dem durch **Art. 14 GG** gebotenen Vermögensschutz der Aktionäre her, da Veräußerungsfreiheit weitgehend beschnitten werde und damit idR auch Handelswert der Aktie deutlich sinke (BGHZ 153, 47, 53 ff.). Außerdem konnten außenstehende Aktionäre nach hM den die Zulassung widerrufenden Verwaltungsakt mit Widerspruch und Anfechtungsklage angreifen (vgl. nur BGH NJW 2014, 146 Rn. 16; VG Düsseldorf ZIP 2015, 1733, 1734 f.; sa Stellungnahme des BVerwG in BVerfGE 132, 99 = NJW 2012, 3081 Rn. 35; aA VG Frankfurt AG 2013, 847, 848; krit. auch Hammen ZBB 2016, 398, 400 ff.; ausf. zum Meinungsstand 31

→ 11. Aufl. 2014, Rn. 31 sowie Gabriel ZIP 2022, 1251, 1253 f.; zur Bedeutung des verwaltungsrechtl. Schutzes → Rn. 34, 44).

32 **bb) Neuordnung durch BVerfG.** Diese Rspr. wurde allerdings dadurch erschüttert, dass BVerfG aufgrund abw. rechtstatsächlicher Untersuchungen, wonach Delisting den Marktwert tats. nicht wesentlich beeinflusse (s. BVerfGE 132, 99 Rn. 68 = NJW 2012, 3081; bestätigend Heldt/Royé AG 2012, 660, 667 ff.), festgestellt hat, dass **Art. 14 GG durch eine solche Maßnahme nicht berührt** werde, aktienrechtl. Schutz beim Delisting also zumindest verfassungsrechtl. nicht geboten sei (BVerfGE 132, 99 Rn. 49 ff.; aA Heidel/Lochner AG 2012, 169 ff.). Verfassungsrecht schütze allein rechtl. Verkehrsfähigkeit, die hier nicht angetastet werde. Beeinträchtigt sei lediglich tats. Verkehrsfähigkeit, die reine Ertrags- und Handelschance darstelle und zumindest dann nicht unter Art. 14 GG falle, wenn Aktienwert tats. nicht signifikant beeinträchtigt werde (BVerfGE 132, 99 Rn. 57 ff.). Überraschende rechtstatsächliche Neubewertung ist **bedenklich,** da viel dafür spricht, dass Preisverfall gerade mit Blick auf bislang bestehende Abfindungspflicht nach Macrotron-Grundsätzen (Untersuchungszeitraum: 2002–2009) ausgeblieben ist (vgl. zu derartigen Unwägbarkeiten auch DAI Stellungnahme Verfassungsbeschwerde 1 BvR 3142/07 S. 18; abrufbar über DAI-Homepage; krit. auch Bayer/Hoffmann AG 2013, R 371, 372 f. mit zutr. Hinweis, dass auch ältere Studie von Eisele/Walter zbfb 2006, 337 durch Einpreisung anderer Effekte [hier: Übernahmeangebot] verzerrt werde; sa Bayer/Hoffmann AG 2014, R 3 f.; dem BVerfG zust. dagegen Thomale ZGR 2013, 686, 709 ff.). In diese Richtung deuten auch neue empirische Untersuchungen (vgl. Aders/Muxfeld/Lill CF 2015, 389, 393 ff.; Bayer ZfPR 2015, 163, 194 ff.; Bayer/Hoffmann AG 2014, R 371 ff.; Bayer/Hoffmann AG 2015, R 55 ff.; Bayer/Hoffmann AG 2015, R 307 ff.; Pilsl/Knoll DB 2016, 181 ff.; in die entgegengesetzte Richtung aber Thomale/Walter ZGR 2016, 679, 700 ff. [dagegen wiederum Bayer/Hoffmann AG 2016, R 367 ff.]; krit. zu bisherigen empirischen Studien Casper FS Köndgen, 2016, 117, 123 ff.; Morell ZBB 2016, 67, 79 ff.). Ebenso sprechen ökonomische Modelle für ges. Aktionärsschutz (ausf. Morell ZBB 2016, 67, 70 ff.; sa Casper FS Köndgen, 2016, 117, 133 ff.; Maume EBOR 16 [2015], 255, 259 ff.). Diese Bedenken ändern aber nichts daran, dass jedenfalls iErg durch grundrechtl. Neubewertung des BVerfG das Fundament der Macrotron-Entscheidung erschüttert wurde, wenngleich das Gericht grds. Rechtsfortbildungsbefugnis des BGH auch für Delisting weiterhin nicht in Frage gestellt hat (BVerfGE 132, 99 Rn. 73 ff.; zust. Heldt/Royé AG 2012, 660 ff.; krit. dazu Thomale ZGR 2013, 686, 692 ff.).

33 **cc) Frosta-Beschluss.** Während Schrifttum auch nach Entscheidung des BVerfG angesichts fortbestehender Rechtsfortbildungsbefugnis (→ Rn. 32) ganz überwiegend auf Fortführung der Rspr. auf abw. dogmatischer Grundlage spekulierte und unterschiedliche Begründungsmodelle kontrovers diskutierte (Überblick über die vielfältigen Ansätze bei Marsch-Barner/Schäfer/Eckhold Rn. 63.65), hat BGH in einer Paukenschlag-Entscheidung gesellschaftsrechtl. Anforderungen der Macrotron-Entscheidung vollständig verworfen (BGH NJW 2014, 146 Rn. 3 ff.; Stellungnahme dazu in → 11. Aufl. 2014, Rn. 36 f.). Obwohl konkreter Sachverhalt nur einen Fall des sog Downlisting (→ Rn. 30) und hier das Erfordernis eines Spruchverfahrens (→ Rn. 31) betraf, hat BGH seine Neuordnung augenscheinlich bewusst weit gefasst, um **vollständigen Wegfall gesellschaftsrechtl. Anforderungen** unzweideutig klarzustellen (so die allg. Lesart – vgl. statt aller Schockenhoff ZIP 2013, 2429, 2432). In Rn. 2 der Entscheidung wird nicht nur Spruchverfahren, sondern werden auch Abfindungsangebot und HV-Beschluss ausdr. für obsolet erklärt. Weite Fassung lässt – obwohl nicht ausdr. ausgesprochen – überdies darauf schließen, dass nicht nur

Fälle des Downlisting, sondern auch des vollständigen Rückzugs von der Börse durch diese Rspr.-Änderung erfasst sein sollen (OLG Jena AG 2015, 450 Rn. 56 ff.; OLG Karlsruhe NZG 2015, 516 Rn. 9).

dd) Behandlung von Altfällen (bis 26.11.2015). Für weitere jur. Behandlung nach Frosta-Entscheidung ist zu unterscheiden zwischen Delisting-Anträgen, die vor und nach dem Inkrafttreten des Transparenz-RL-ÄndRL-UG (BGBl. 2015 I 2029) am 26.11.2015 gestellt wurden (zur Rückwirkung nach § 52 IX BörsG → Rn. 35). Im Ausgangspunkt ist für Sachverhalte vor dem 26.11.2015 anzunehmen, dass in der Vergangenheit bereits abgeschlossene Spruchverfahren von der neuen Frosta-Rspr. unberührt bleiben (Roßkopf ZGR 2014, 487, 502). Anhängige Spruchverfahren wurden dagegen als unzulässig angesehen und zivilrechtl. Schutz danach nicht mehr gewährt (OLG München AG 2020, 440 Rn. 42; zur verfassungsrechtl. Zulässigkeit BVerfG NZG 2016, 61 Rn. 11 ff.). Nur wo Delisting gezielt eingesetzt wurde, um bei anschließender Strukturmaßnahme (zB Squeeze-Out) Mindestabfindung nach Börsenkurs zu umgehen, kann gegen strukturändernden Beschluss Anfechtungsklage unter Berufung auf **Rechtsmissbrauch** erhoben werden (→ § 327a Rn. 21 mwN). **Rechtsschutz der Minderheitsaktionäre** verlagert sich damit vollständig auf verwaltungsrechtl. Ebene (→ Rn. 31), kann dort aber nicht auf bisherigem gesellschaftsrechtl. Niveau fortgeschrieben werden. Für Altfälle wird Rechtsschutz schon oft an Versäumung der Anfechtungsfristen scheitern (Lampert/Weichel WM 2014, 1024, 1029). Wo Klage rechtzeitig erhoben wurde, ist Ausgangspunkt der rechtl. Beurteilung § 39 II 2 BörsG aF. Danach muss Geschäftsführung der Börsen überprüfen, ob Delisting Anlegerschutz widerspricht, was Norm **drittschützenden Charakter** verleiht und Kontrollmöglichkeit durch Verwaltungsgerichte eröffnet (→ Rn. 31; VGH Kassel BKR 2021, 580 Rn. 23 ff.; ausf. – auch zur Abgrenzung zwischen verwaltungsrechtl. und kapitalmarkt- bzw. gesellschaftsrechtl. Belangen – Gabriel ZIP 2022, 1251, 1253 ff.). Generalklausel des § 39 II 2 BörsG aF wurde meist in Börsenordnungen ausgefüllt, wobei sich kein Marktstandard herausgebildet hat. Meist wurde Widerruf an **Zeitablauf** geknüpft, zT wurde Abfindung vorausgesetzt (vgl. Hasselbach/Pröhl NZG 2015, 209, 211 ff.; tabellarischer Überblick über Anforderungen der alten Börsenordnungen bei Pasch/Schmeling CF 2015, 259, 263 f.). 34

Besonderheit gilt gem. § 52 IX BörsG für Delisting-Anträge, die zwischen 7.9.2015 und 26.11.2015 gestellt und über die am 26.11.2015 noch nicht bestands- oder rechtskräftig entschieden wurde (dazu Bayer AG 2016, R 3 f.). Diese Fälle sind nach § 39 BörsG nF zu beurteilen, so dass Rückzug nur unter erschwerten Voraussetzungen möglich ist (→ Rn. 36 ff.). Die in § 52 IX BörsG geregelte **Rückwirkung** ist verfassungsrechtl. unbedenklich, weil Emittenten nach Anhörung im Finanzausschuss am 7.9.2015 nicht mehr auf Fortbestand der Rechtslage nach Frosta-Beschluss vertrauen durften (so auch Bayer NZG 2015, 1169, 1177; Harnos ZHR 179 [2015], 750, 755; krit. aber Buckel/Glindemann/Vogel AG 2015, 373, 378; Groß AG 2015, 812, 818). 35

ee) Rechtslage seit 26.11.2015 (§ 39 BörsG nF). Neuere rechtstatsächliche Studien zu Auswirkungen des Delistings auf Kursentwicklung (→ Rn. 32) haben Gesetzgeber veranlasst, Aktionärsschutz beim Delisting zu stärken, ohne aber Macrotron-Grundsätze zu kodifizieren (AusschussB BT-Drs. 18/6220, 83 f.). Gesetzgeber hat sich für **kapitalmarktrechtl. Lösung** entschieden und Generalklausel des § 39 II 2 BörsG im Zuge des Transparenz-RL-ÄndRL-UG (BGBl. 2015 I 2029) konkretisiert. Zugleich hat er deutlich gemacht, dass für gesellschaftsrechtl. Schutzinstrumente, namentl. HV-Erfordernis, kein Raum bleibt (AusschussB BT-Drs. 18/6220, 86; sa Bayer NZG 2015, 1169, 1173 f.; Verse FS Baums, 2017, 1317, 1322 f.). § 39 BörsG erstreckt sich auf Delisting 36 und Downlisting, nicht aber auf Rückzug vom Freiverkehr (AusschussB BT-Drs. 18/6220, 84; Groß AG 2015, 812, 814 f.). Diese Ausgestaltung war 2015 noch überzeugend (Gegler BKR 2016, 273, 274; J. Koch/Harnos NZG 2015, 729, 731 f.), ist nach Erstreckung der Zulassungsfolgepflichten auf multilaterale Handelssysteme (vgl. Art. 2 I lit. a MAR, § 48 III 2 BörsG) aber rechtspolitisch zweifelhaft geworden (Kastl, Rückzug kapitalmarktfähiger Unternehmen von der Börse, 2016, 340 ff., 376 ff.; Linnerz/Freyling BB 2017, 1354, 1357 ff.; zurückhaltend Marsch-Barner/Schäfer/Eckhold Rn. 63.19; Verse FS Baums, 2017, 1317, 1319 ff.). Zur Anwendung der Delisting-Regelungen in § 39 II, III BörsG in Fällen, in denen SPAC gem. § 47b II BörsG als reguläre AG fortgeführt wird, s. § 47b II 3 und 4 BörsG und → § 23 Rn. 68.

37 Nach § 39 II 3 BörsG ist Delisting in zwei Fällen zulässig: § 39 II 3 Nr. 1 BörsG sieht vor, dass Bieter **Angebotsunterlage nach WpÜG-Vorschriften** veröffentlichen muss, die sich auf alle Wertpapiere der AG bezieht, die zum Handel am regulierten Markt zugelassen sind (zum Verfahren AusschussB BT-Drs. 18/6220, 85 f.; Groß AG 2015, 812, 816 f.; zu den zulässigen Einschränkungen des Angebots Marsch-Barner/Schäfer/Eckhold Rn. 63.26 ff.; zum Inhalt der Angebotsunterlage ausf. Sanders, Anlegerschutz bei Delisting, 2017, 115 ff., 222 ff.). Es handelt sich um eigenständige Angebotsform des BörsG, nicht um eine Angebotskategorie des WpÜG (zutr. Marsch-Barner/Schäfer/Eckhold Rn. 63.23; aA Klepsch/Hippeli RdF 2016, 194, 195; Wackerbarth WM 2016, 385 ff.). Angebot muss bei Antragstellung veröffentlicht sein und Annahmefrist darf noch nicht abgelaufen sein (Bungert/Leyendecker-Langner ZIP 2016, 49, 52; Drygala VGR 21 GesR 2015, 75, 79; krit. Zimmer/v. Imhoff NZG 2016, 1056, 1059 ff.; großzügiger Klepsch/Hippeli RdF 2016, 194, 195). An **Person des Bieters** stellt § 39 II 3 Nr. 1 BörsG keine bes. Anforderungen; aus praktischen Gründen wird es sich idR um Großaktionär des Emittenten handeln (statt vieler Marsch-Barner/Schäfer/Eckhold Rn. 63.30 ff.). Vorstand des Emittenten ist anzuraten, sich mit dem Bieter hinsichtlich der Einzelheiten und des Verfahrens abzustimmen (ausf. Wieneke/Schulz AG 2016, 809, 810 ff.). Aufgrund passivisch formulierten Wortlauts ist es aber auch zulässig, dass Emittent selbst als Bieter auftritt (Self-Tender Offer; ausf. Guntermann NZG 2021, 1621 ff. mw Ausführungen zu etwaigen aktienrechtl. Hindernissen, insbes. § 71 I; sa J. Koch/Harnos NZG 2015, 729, 734). Da Delistingantrag idR gem. Art. 17 Abs. 1 MAR mitteilungspflichtig ist, sollte Vorstand Selbstbefreiung nach Art. 17 Abs. 4 MAR beschließen (Kocher/Seiz DB 2016, 153, 154); mit Veröffentlichung des Angebots fallen Befreiungsvoraussetzungen weg (Wieneke/Schulz AG 2016, 809, 811).

38 **Kein Angebot** ist gem. § 39 II 3 Nr. 2 BörsG bei **partiellem Delisting** (→ Rn. 30) erforderlich, wenn AG im Inland oder EU-/EWR-Ausland mit vergleichbarem Schutzniveau notiert ist (dazu von Berg, Der Marktrückzug des Emittenten, 2018, 415 ff.; Schulz/Wieneke NZG 2017, 449, 451; krit. zur fehlenden Einbeziehung von Börsen in Drittstaaten Bungert/Leyendecker-Langner ZIP 2016, 49, 52; Groß AG 2015, 812, 816). **De lege ferenda** sind weitere Ausnahmen von der Angebotspflicht in Insolvenz- und Sanierungssituationen sowie in zeitlicher Nähe zu vorangegangenen Erwerbsangeboten und Strukturmaßnahmen überlegenswert (vgl. Kastl, Rückzug kapitalmarktfähiger Unternehmen von der Börse, 2016, 341 f. mit Formulierungsvorschlag auf 397 ff.; J. Koch/Harnos NZG 2015, 729, 732; Kocher/Seiz DB 2016, 153, 154; Verse FS Baums, 2017, 1317, 1324; zum Delisting in der Insolvenz ausf. Häller ZIP 2016, 1905 ff.; für teleologische Reduktion des § 39 II 3 Nr. 1 BörsG in der Insolvenz des Emittenten mit beachtlichen Argumenten Sanders, Anlegerschutz bei Delisting, 2017, 215 f.; Korch BKR 2020, 285, 286 ff.; dagegen aber VGH Kassel BKR 2021, 580 Rn. 7 ff.; VG Frankfurt BKR 2020, 308 Rn. 8 ff.; Heidel BKR 2021, 530 ff.).

Einzelheiten zum Angebot iSd § 39 II 3 Nr. 1 BörsG sind in § 39 III BörsG geregelt, der Übernahmerecht insoweit modifiziert, als Abfindung nicht von **Bedingungen** abhängig sein darf (§ 39 III 1 BörsG); gemeint sind damit in erster Linie Mindestannahmequote und Zustimmung der Gesellschafterversammlung des Bieters (AusschussB BT-Drs. 18/6220, 85). Anfechtung eines für Angebotsfinanzierung ggf. erforderlichen HV-Beschlusses ist keine Bedingung (Guntermann NZG 2021, 1621, 1625; Heidel BKR 2021, 438, 441). § 39 III 1 gilt darüber hinaus für Angebote unter dem Vorbehalt eines Delistingantrags des Emittenten oder einer Zustimmungsentscheidung der Börse (Marsch-Barner/Schäfer/Eckhold Rn. 63.36 f.; Klepsch/Hippeli RdF 2016, 194, 197; aA Kocher/Seiz DB 2016, 153, 156; für vertragliche Verpflichtung des Emittenten ggü. dem Bieter, einen Delistingantrag zu stellen, Bungert/Leyendecker-Langner ZIP 2016, 49, 50; eine solche Vereinbarung muss den in → § 76 Rn. 124 ff. beschriebenen Anforderungen genügen). Ist behördliche Zustimmung erforderlich, etwa im Fusionskontrollverfahren, liegt keine Bedingung iSd § 39 III 1 BörsG vor (Grigoleit/Herrler Rn. 46; Kocher/Seiz DB 2016, 153, 156; Mense/Klie DStR 2015, 2782, 2784; aA Habersack/Mülbert/Schlitt/Habersack Unternehmensfinanzierung Rn. 40.21; Zimmer/v. Imhoff NZG 2016, 1056, 1058 f.). Auf Angebotsunterlage ist § 31 WpÜG iVm §§ 3 ff. WpÜG-AV mit der Maßgabe anzuwenden, dass Bieter **Geldleistung** anbieten muss (§ 39 III 2 BörsG; einschr. Sanders, Anlegerschutz bei Delisting, 2017, 233 ff.; Leyendecker/Herfs BB 2018, 643, 644 ff.). **Abfindungshöhe** richtet sich grds. gem. § 39 III 2 BörsG nach dem gewichteten durchschnittlichen inländischen **Börsenkurs** der AG während der letzten sechs Monate vor Veröffentlichung der Angebotsunterlage (grds. zust. Casper FS Köndgen, 2016, 117, 142 ff.; Verse FS Baums, 2017, 1317, 1325 ff.; krit. die hM, vgl. von Berg, Der Marktrückzug des Emittenten, 2018, 431 ff.; Kastl, Rückzug kapitalmarktfähiger Unternehmen von der Börse, 2016, 330 ff.; Schmitz, Die Entwicklung des Anlegerschutzes beim regulären Delisting in Deutschland, 2020, 246 ff.; Bayer NZG 2015, 1169, 1174 f.; Harnos ZHR 179 [2015], 750, 758 ff.; zu Besonderheiten bei KMU Zwirner/Kähler BB 2016, 171, 172 f.; zur Diskussion vor der Reform → 12. Aufl. 2016, § 119 Rn. 37). Ggf. sind die Regelungen zu **Vor-, Parallel- und Nacherwerben** in § 31 IV–VI WpÜG, § 4 WpÜG-AV heranzuziehen (BeckOGK/J. Hoffmann Rn. 67; Drygala VGR 21 GesR 2015, 75, 79; Ilyevich, Delisting, 2018, 155 ff.; einschr. Sanders, Anlegerschutz bei Delisting, 2017, 233 ff.; Leyendecker/Herfs BB 2018, 643, 644 ff.). Bestimmungen über Angebotsunterlage gelten nach § 39 IV BörsG auch für **ausländische Emittenten** (ausf. Schulz/Wieneke NZG 2017, 449, 451 ff.). Zum zeitlichen Anwendungsbereich → Rn. 35. **Ausnahme von Abfindungspflicht nach Börsenkurs** gilt bei Kursverzerrung iSd § 39 III 3, 4 BörsG (→ Rn. 40 f.); Beweislast für Voraussetzungen des § 39 III 3, 4 BörsG liegt bei Aktionären (ausf. Krug, Der Rückzug von der Börse, 2019, 323 ff.). Bei bedeutsamen Störungen der Börsenpreisbildung, die nicht in § 39 III 3 und 4 BörsG abgebildet sind, eröffnet Verweis des § 39 III 2 BörsG auf Angemessenheitsvorgabe in § 31 I 1 WpÜG Möglichkeit, auch weitere Ausnahmen anzuerkennen (ausf. J. Koch AG 2021, 249 ff. mwN zum Streitstand; ähnlich bereits Marsch-Barner/Schäfer/Eckhold Rn. 63.41 [allerdings auf Analogiegrundlage]; zust. Groß KapitalmarktR § 39 Rn. 22; Guntermann NZG 2021, 1621, 1628; Heidel BKR 2021, 438, 440; sympathisierend Redenius-Hövermann ZIP 2021, 485, 488 Fn. 57; aA Gegler BKR 2016, 273, 275 f.; Harnos AG 2020, 601 Rn. 38 f.; Morell, AcP 217 [2017], 61, 84). Ob daneben auch noch Schadensersatzanspruch wegen Treupflichtverstoßes ggü. AG bestehen kann (ausf. v. Bernuth FS Strenger, 2023, 52 ff.), ist nicht pauschal, sondern nur im Lichte des Einzelfalls zu beantworten. 39

40 Hat Emittent während des Referenzzeitraums **gegen Art. 17 I MAR verstoßen,** ist Bieter gem. § 39 III 3 Nr. 1 BörsG zur Ausgleichszahlung verpflichtet, deren Höhe sich nach innerem Unternehmenswert bestimmt (Einzelheiten bei Habersack/Mülbert/Schlitt/Habersack Unternehmensfinanzierung Rn. 40.24 ff.; zu den Bewertungsgrundsätzen → § 305 Rn. 24 ff.). Dasselbe gilt gem. § 39 III 3 Nr. 2 BörsG für den Fall, dass Emittent oder Bieter während des Referenzzeitraums **Art. 12, 15 MAR verletzt haben** (zu Abgrenzungsproblemen Harnos ZHR 179 [2015], 750, 763 ff.; krit. zu Ausnahmetatbeständen Kastl, Rückzug kapitalmarktfähiger Unternehmen von der Börse, 2016, 324 f.; Groß AG 2015, 812, 817; Verse FS Baums, 2017, 1317, 1327 ff. [Anspruch auf Zahlung der Differenz zwischen verzerrtem und bereinigtem Börsenkurs überzeugender als Auswechslung der Bewertungsparameter]; Wackerbarth WM 2016, 385, 387 f. [unzulässige Belastung des Bieters wegen Rechtsverstoßes des Emittenten]). § 39 III 3 BörsG ist über den zu engen Wortlaut hinaus auf Verstöße zu erstrecken, die vor der Referenzperiode begangen wurden, aber in diesem Zeitraum noch fortwirken (zutr. Grigoleit/Herrler Rn. 46; Habersack/Mülbert/Schlitt/Habersack Unternehmensfinanzierung Rn. 40.26; Verse FS Baums, 2017, 1317, 1331 f.). Entgegen Ausführungen in Beschlussempfehlung des Finanzausschusses ist **behördliche Feststellung** eines Verstoßes gegen Art. 17 I MAR, Art. 12, 15 MAR keine Voraussetzung des Zahlungsanspruchs, weil dieses Erfordernis keinen Niederschlag im Gesetzeswortlaut gefunden hat (str., wie hier Habersack/Mülbert/Schlitt/Habersack Unternehmensfinanzierung Rn. 40.27; Drygala VGR 21 GesR 2015, 75, 83 f.; Harnos ZHR 179 [2015], 750, 767 f.; Verse FS Baums, 2017, 1317, 1327; Wackerbarth WM 2016, 385, 387; aA KG AG 2021, 597, 601; AusschussB BT-Drs. 18/6220, 85; Hopt/Kumpan HGB § 39 BörsG Rn. 9; Marsch-Barner/Schäfer/Eckhold Rn. 63.42; Groß AG 2015, 812, 817 f.; Klepsch/Hippeli RdF 2016, 194, 195 f.; Kocher/Seiz DB 2016, 153, 155; Mense/Klie DStR 2015, 2782, 2785); auf Verschulden kommt es nicht an (Drygala VGR 21 GesR 2015, 75, 84 f.; Verse FS Baums, 2017, 1317, 1327). Nach § 39 III 3 Hs. 2 BörsG verbleibt es bei Abfindung nach Börsenkurs, wenn sich Verstöße gegen Art. 17 I MAR, Art. 12, 15 MAR nur unwesentlich auf Aktienkurs ausgewirkt haben (vgl. Hopt/Kumpan BörsG § 39 Rn. 9; Marsch-Barner/Schäfer/Eckhold Rn. 63.44). Außerdem schlägt hM teleologische Reduktion des § 39 III 3 Hs. 1 BörsG vor, wenn sich Kursverfälschung zugunsten der Aktionäre ausgewirkt hat (Grigoleit/Herrler Rn. 46; Habersack/Mülbert/Schlitt/Habersack Unternehmensfinanzierung Rn. 40.26; Kocher/Seiz DB 2016, 153, 155; Verse FS Baums, 2017, 1317, 1328; so wohl auch Casper FS Köndgen, 2016, 117, 143; aA Harnos ZHR 179 [2015], 750, 762 f.).

41 Angebotshöhe ist gem. § 39 III 4 BörsG von vornherein anhand Unternehmensbewertung zu bestimmen, wenn Aktie innerhalb von sechs Monaten vor Veröffentlichung des Angebots **illiquide** war; Liquiditätskriterien sind in § 39 III 4 BörsG, der an § 5 IV WpÜG-AV angelehnt ist, abschließend geregelt. Erforderlich sind namentl. zwei unmittelbar nacheinander auftretende Kurssprünge von über 5 % (BGH AG 2020, 124 Rn. 12 ff.; von Berg, Der Marktrückzug des Emittenten, 2018, 408; Harnos AG 2020, 601 Rn. 35 ff.). Bei Missachtung des § 39 III 4 BörsG durch Emittenten wird BaFin Angebotsunterlage idR nicht zur Veröffentlichung zulassen (Schmitz, Entwicklung des Anlegerschutzes beim regulären Delisting, 2020, 186); Aktionäre haben ggf. Zuzahlungsanspruch (→ Rn. 43). Ausnahme ist rechtspolitisch umstritten (Krug, Der Rückzug von der Börse, 2019, 270 ff.; Casper FS Köndgen, 2016, 117, 144 f.; Morell AcP 217 [2017], 61, 90 f.).

42 Angebotsunterlage wird durch **BaFin,** nicht aber durch Börse geprüft (Harnos ZHR 179 [2015], 750, 774 f.). Stellt BaFin bei der Prüfung fest, dass Ausnahme des § 39 III 3 BörsG eingreift, kann sie vom Bieter verlangen, dass dieser dem

Angebot den inneren Unternehmenswert zugrunde legt (zutr. Bayer NZG 2015, 1169, 1175; Verse FS Baums, 2017, 1317, 1328). Ihre Entscheidung kann durch Bieter angegriffen werden, nicht aber durch AG oder Aktionäre (Marsch-Barner/Schäfer/Eckhold Rn. 63.70; Gegler BKR 2016, 273, 278; Harnos ZHR 179 [2015], 750, 777 f.). **Börse kontrolliert nur,** ob Angebotsunterlage beim Widerrufsantrag vorlag (§ 39 II 3 Nr. 1 BörsG) oder ob AG anderweitig notiert ist (§ 39 II 3 Nr. 2 BörsG). Inhaltliche Prüfung der Angebotsunterlage durch Börse erfolgt gem. § 39 VI BörsG nicht (Groß AG 2015, 812, 818; zum Zusammenspiel zwischen BaFin und Börse Klepsch/Hippeli RdF 2016, 194, 197). Auch Anfechtung eines zur Angebotsfinanzierung erforderlichen HV-Beschlusses muss von Börse – jenseits von Fällen offenkundiger Rechtswidrigkeit – unbeachtet gelassen werden (Guntermann NZG 2021, 1621, 1624 ff.: ggf. Möglichkeit der Nebenbestimmung). Bei Auslandsnotierung muss Börse prüfen, ob ausländisches Anlegerschutzniveau deutschem Standard entspr. (§ 39 II 3 Nr. 2 lit. b BörsG; dazu Schulz/Wieneke NZG 2017, 449, 451). Liegen Voraussetzungen des § 39 II 3 BörsG vor, hat AG idR Anspruch auf Widerruf der Zulassung (für Ermessensbeschränkung Marsch-Barner/Schäfer/Eckhold Rn. 63.12, 63.56 [zu den Ausnahmen Rn. 63.16]; Groß AG 2015, 812, 815; Kocher/Seiz DB 2016, 153, 157; Wieneke/Schulz AG 2016, 809, 812; für gebundene Entscheidung der Börse Grigoleit/Herrler Rn. 48; MüKoAktG/Kubis Rn. 94; Habersack/Mülbert/Schlitt/Habersack Unternehmensfinanzierung Rn. 40.31; Harnos ZHR 179 [2015], 750, 775 f.). Zum Inhalt und Bekanntgabe der Widerrufsentscheidung Marsch-Barner/Schäfer/Eckhold Rn. 63.53 ff.

Rechtsschutz ist zweispurig ausgestaltet: Sind Ausnahmetatbestände in § 39 III 3, 4 BörsG erfüllt, können Aktionäre, die Abfindungsangebot angenommen haben, vor **Zivilgerichten** Anspruch auf Zahlung angemessener Abfindung geltend machen (VGH Kassel BKR 2021, 436 Rn. 25; AusschussB BT-Drs. 18/6220, 86; Bayer NZG 2015, 1169, 1177; Harnos ZHR 179 [2015], 750, 777). Nach BGH ist gem. § 253 II Nr. 2 ZPO **bezifferter Klageantrag** erforderlich (BGH AG 2020, 124 Rn. 6 ff.; sa Gegler BKR 2016, 273, 278), was in dieser Allgemeinheit nicht überzeugt, weil Aktionäre namentl. in Fällen des § 39 III 3 BörsG faktisch keine Unternehmensbewertung durchführen können (für Zulässigkeit unbezifferter Klage Ilyevich, Delisting, 2018, 242 f.; Drygala VGR 21 GesR 2015, 75, 86; differenzierend Krug, Der Rückzug von der Börse, 2019, 323; von Berg BKR 2020, 339, 342 f.; Harnos AG 2020, 601 Rn. 7 ff.). Sonstigen Aktionären stehen keine zivilrechtl. Schutzinstrumente zur Verfügung, was rechtspolitisch unbefriedigend ist, sich aber de lege lata nicht korrigieren lässt (zutr. Marsch-Barner/Schäfer/Eckhold Rn. 63.73; Habersack/Mülbert/Schlitt/Habersack Unternehmensfinanzierung Rn. 40.33; Verse FS Baums, 2017, 1317, 1333 ff.; für Zahlung eines Differenzbetrags aber Drygala VGR 21 GesR 2015, 75, 85). Nach § 1 I Nr. 3 KapMuG ist Antrag auf Durchführung eines **Musterverfahrens** zulässig; Einleitung eines Spruchverfahrens ist nicht möglich (begrüßend Casper FS Köndgen, 2016, 117, 146; zu Recht krit. hinsichtl. Konzeption kollektiven Rechtsschutzes Kastl, Rückzug kapitalmarktfähiger Unternehmen von der Börse, 2016, 344 ff.; Schmitz, Die Entwicklung des Anlegerschutzes beim regulären Delisting in Deutschland, 2020, 268 ff.; Bayer NZG 2015, 1169, 1177; Drygala VGR 21 GesR 2015, 75, 86 ff.; Gegler BKR 2016, 273, 278 f.; Harnos ZHR 179 [2015], 750, 779 f.; Verse FS Baums, 2017, 1317, 1336 ff.; Wackerbarth WM 2016, 385, 387). 43

Darüber hinaus können Aktionäre Widerrufsentscheidung der Börse vor **Verwaltungsgerichten** anfechten (→ Rn. 31; VGH Kassel BKR 2021, 436 Rn. 24; Hopt/Kumpan BörsG § 39 Rn. 15; Grigoleit/Herrler Rn. 49; MüKoAktG/Kubis Rn. 95; Marsch-Barner/Schäfer/Eckhold Rn. 63.69; Drygala VGR 21 GesR 2015, 75, 91; Groß AG 2015, 812, 818 f.; Hammen ZBB 2016, 398, 406; Harnos 44

ZHR 179 [2015], 750, 776 f.; aA S/L/Spindler Rn. 51; Habersack/Mülbert/Schlitt/Habersack Unternehmensfinanzierung Rn. 40.32; Klepsch/Hippeli RdF 2016, 194, 196 f.). Von verwaltungsgerichtlicher Kontrolle ausgeschlossen sind aber gem. § 39 VI BörsG Fragen im Zusammenhang mit § 39 III BörsG; Gesetzgeber wollte mit dieser Einschränkung sicheres und handhabbares Delisting-Verfahren gewährleisten (AusschussB BT-Drs. 18/6220, 86; eingehend Harnos ZHR 179 [2015], 750, 776 f.). Ausschluss gilt für sämtliche Tatbestandsmerkmale des § 39 III BörsG, insbes. auch für Vorliegen eines Marktmissbrauchs nach § 39 III 3 BörsG (VGH Kassel BKR 2021, 436 Rn. 27; krit. Heidel BKR 2021, 438 ff.). Überprüfbar sind im verwaltungsgerichtl. Verfahren stattdessen namentl. Voraussetzungen des § 39 II BörsG (ausf. VGH Kassel BKR 2021, 436 Rn. 25 ff.; Gabriel ZIP 2022, 1251, 1254 ff.).

45 Ungeklärt ist, ob § 39 II, III BörsG **verschärft** werden kann, etwa indem **HV-Beschluss** als Delisting-Voraussetzung in Börsenordnung oder Satzung der AG vorgesehen wird. Eine solche Verschärfung dürfte in **Börsenordnungen** zulässig sein: Bislang wurden konkretisierende Delisting-Regelungen in Börsenordnungen auf § 39 II 5 BörsG aF gestützt, der in § 39 V 3 BörsG wörtlich übernommen wurde, was entgegen der hM dafür spricht, dass Börsen weiterhin satzungsautonom verschärfte Delisting-Voraussetzungen aufstellen dürfen (aA Grigoleit/Herrler Rn. 50; GK-AktG/Mülbert Rn. 152; B/K/L/Reger Rn. 31; Habersack/Mülbert/Schlitt/Habersack Unternehmensfinanzierung Rn. 40.31; Bungert/Leyendecker-Langner ZIP 2016, 49, 50; Groß AG 2015, 812, 814 f.: Börsen dürften nur formale Aspekte regeln; wie hier wohl Marsch-Barner/Schäfer/Eckhold Rn. 63.20; Schmitz, Entwicklung des Anlegerschutzes beim regulären Delisting, 2020, 279 f.; differenzierend Krug, Der Rückzug von der Börse, 2019, 285 ff.). AG selbst ist es dagegen mit Blick auf § 23 V nicht möglich, eigenständig HV-Kompetenz qua **Satzungsregelung** einzuführen; derartige Einschränkung der Geschäftsführungsbefugnis ist vom Unternehmensgegenstand nicht gedeckt und ergänzt Ges. deshalb nicht, sondern ändert es ab (hM, vgl. Grigoleit/Herrler Rn. 43; BeckOGK/J. Hoffmann Rn. 72; B/K/L/Reger Rn. 31; S/L/Spindler Rn. 52; Groß AG 2015, 812, 814; Kocher/Seiz DB 2016, 153, 158; v. der Linden NZG 2015, 176 ff.; Ph. Scholz BB 2015, 2248 ff.; Verse FS Baums, 2017, 1317, 1231 Fn. 23; aA MüKoAktG/Kubis Rn. 96; GK-AktG/Mülbert Rn. 151; Marsch-Barner/Schäfer/Eckhold Rn. 63.61; Schmitz, Entwicklung des Anlegerschutzes beim regulären Delisting, 2020, 276 ff.; Schockenhoff ZIP 2013, 2429, 2434; zu Tendenzen, den Unternehmensgegenstand großzügiger zu fassen, vgl. aber auch → § 82 Rn. 10).

46 **c) Unechtes Delisting.** Soweit Delisting auf „kaltem" Weg, also durch Wegfall der Börsennotiz oder Verlust der Börsenfähigkeit, erreicht werden soll (→ Rn. 30), ist Mitwirkungszuständigkeit der HV iErg keine Frage (zust. Schwark/Zimmer/Heidelbach BörsG § 39 Rn. 41). Sie folgt aus der jew. **ges. Regelung** (s. namentl. § 179a I, § 320 I; §§ 13, 65 UmwG). Diese bestimmt auch Informationsstandard und Mehrheitserfordernisse, weil es Vorstand anders als beim echten Delisting (→ Rn. 31 ff.) nicht bei einer Maßnahme der Geschäftsführung belässt. Ähnliches gilt für Abfindungsansprüche (OLG Düsseldorf Konzern 2005, 439, 440). Bei bloßem Formwechsel gilt § 207 UmwG unmittelbar. In demselben Sinne geregelt ist Verschmelzung auf nicht börsennotierte AG, nämlich in § 29 I 1 Fall 2 UmwG. Diese Grundsätze gelten nach Frosta-Beschluss fort (OLG Düsseldorf NZG 2016, 509 Rn. 22 ff.; Staake WuB 2017, 146, 149; zum Frosta-Beschluss → Rn. 33).

Entlastung

120 (1) [1]**Die Hauptversammlung beschließt alljährlich in den ersten acht Monaten des Geschäftsjahrs über die Entlastung der Mitglieder des Vorstands und über die Entlastung der Mitglieder des Aufsichtsrats.** [2]**Über die Entlastung eines einzelnen Mitglieds ist gesondert abzustimmen, wenn die Hauptversammlung es beschließt oder eine Minderheit es verlangt, deren Anteile zusammen den zehnten Teil des Grundkapitals oder den anteiligen Betrag von einer Million Euro erreichen.**

(2) [1]**Durch die Entlastung billigt die Hauptversammlung die Verwaltung der Gesellschaft durch die Mitglieder des Vorstands und des Aufsichtsrats.** [2]**Die Entlastung enthält keinen Verzicht auf Ersatzansprüche.**

(3) **Die Verhandlung über die Entlastung soll mit der Verhandlung über die Verwendung des Bilanzgewinns verbunden werden.**

Übersicht

I. Grundlagen

1. Regelungsgegenstand und -zweck. Norm betr. Entlastung der Verwaltungsmitglieder als jährlich wiederkehrende Befugnis und Aufgabe der HV. Regelungszweck liegt in Festlegung des grundsätzlichen **Billigungserfordernisses** (→ Rn. 2) und der **Abstimmungsmodalitäten** (§ 120 I), ferner in klarstellender **Beschränkung der Entlastungswirkungen** (§ 120 II) und darin, Entlastung den sog **Regularien** zuzuordnen (§ 120 III; → Rn. 11); vgl. RegBegr. Kropff S. 166 f. Bislang in § 120 IV aF enthaltene Regelung zum sog Say on Pay wurde durch ARUG II 2019 zu eigenständiger Regelung in § 120a verselbständigt. Regelung ist zwingend (§ 23 V). Auch von Sollvorschrift des § 120 III kann Satzung nicht dispensieren. 1

2. Begriff und Rechtsnatur der Entlastung. Entlastung ist **Billigung** der Verwaltung (§ 120 II 1; → Rn. 11 ff.). Sie bezieht sich notwendig auf die Vergangenheit (BGH WM 1976, 204, 205; BGHZ 94, 324, 326 = NJW 1986, 129), idR auf abgelaufenes Geschäftsjahr (LG Frankfurt AG 2005, 51, 52). Sie erfasst damit auch ausgeschiedene Organmitglieder; ob für Erstreckung auf verstorbene 2

Mitglieder Bedürfnis besteht (dafür Goette/Arnold/Gärtner AR § 4 Rn. 1062; Punte/Stefanink, NZG 2019, 575 f.), erscheint zweifelhaft. Über die Billigung hinaus liegt in der Entlastung typischerweise auch eine **Vertrauenskundgabe** für die künftige Verwaltung der Gesellschaft (hM, s. BGH WM 1977, 361 f.; BGHZ 94, 324, 326; RG DR 1941, 506, 508; RGZ 167, 151, 166; Barner, Die Entlastung, 1990, 106 ff.; aA Buchner GmbHR 1988, 9, 13). Dagegen ist in der aktienrechtl. Entlastung gem. § 120 II 2 kein (wie immer konstruierbarer) Verzicht auf Ersatzansprüche zu finden, der in den meisten Fällen nach § 93 IV 3 wegen fehlenden Ablaufs der Sperrfrist ohnehin unwirksam wäre (Rühlicke, Entlastung, 2015, 64 ff.). Es gibt also, anders als im Recht der GmbH, **keine Präklusionswirkung** (→ Rn. 13; vgl. Beuthien GmbHR 2014, 682, 686: „platonischer Akt"; ausf. Rühlicke, Entlastung, 2015, 56 ff.). Damit wird zwar rechtl. Bedeutung geschmälert, doch wird Entlastung wegen prestigeschädigender Wirkung ihrer Verweigerung **rechtstatsächlich** große Bedeutung beigemessen (krit. Siemens, Die aktienrechtliche Entlastung, 2023, 202 ff.), weshalb sie bes. häufig Gegenstand gerichtl. Auseinandersetzungen ist (MüKoAktG/Kubis Rn. 2). Praktische Bedeutung wird mittelbar noch dadurch erhöht, dass TOP Entlastung häufig genutzt wird, um enge Beschränkungen des Auskunftsrechts nach § 131 I 1 zu umgehen (→ § 131 Rn. 33 ff.). Entlastungsergebnisse fielen in der Vergangenheit idR mit Zustimmungswerten weit über 90 % deutlich positiv aus; in neuerer Zeit ist namentl. auf Seiten institutioneller Investoren kritischere Grundhaltung zu beobachten (Rieckers DB 2020, 207, 209; ausf. empirische Auswertung bei Siemens, Die aktienrechtliche Entlastung, 2023, 79 ff.).

3 **Dogmatische Einordnung der Entlastung** ist seit jeher str. (Meinungsübersicht bei Rühlicke, Entlastung, 2015, 103 ff.). Diskussion ist geprägt von der Präklusionswirkung, die Entlastung ursprünglich auch im Aktienrecht entfaltete (uneingeschränkt bis AktG 1937) und im Recht der GmbH weiterhin entfaltet (→ Rn. 2 aE). Da diese Präklusionswirkung nach heutiger Rechtslage gem. § 120 II 2 nicht eintritt (→ Rn. 2), ist Diskussion aktienrechtl. nicht weiterführend (BeckOGK/J. Hoffmann Rn. 26). In aktienrechtl. Ausprägung ist Entlastung als **spezifisch gesellschaftsrechtl. Institut** einzuordnen, mit dem Verhalten der Organmitglieder ohne unmittelbare rechtl. Sanktionen oder Begünstigungen, allein aufgrund psychologischer Effekte, gesteuert werden soll (so vor allem K. Schmidt ZGR 1978, 425, 432 ff.; zust. GK-AktG/Mülbert Rn. 30 ff.; KK-AktG/Tröger Rn. 96 ff.).

4 Aus Charakter der Entlastung als einem spezifisch gesellschaftsrechtl. Institut folgt, dass die **Billigung** der Verwaltung die ges. Folge des ggü. den Organmitgliedern kundgemachten HV-Beschlusses ist. Bes. Mitteilung ist idR entbehrlich, weil Mitglieder des Vorstands und des AR verpflichtet sind, an HV teilzunehmen (§ 118 III 1). Auch wenn das nicht der Fall ist, bedarf es keiner formlosen Kundgabe, sondern es genügt wirksames Zustandekommen des Entlastungsbeschlusses (zutr. KK-AktG/Tröger Rn. Rn. 104 f.). Früher von hM für GmbH noch weitergehend geforderte bes. rechtsgeschäftliche Erklärung und Zugang beruhten auf überkommener Vorstellung eines ausführungsbedürftigen Beschlusses (vgl. HCL/Hüffer/Schäfer § 46 Rn. 72). Bei § 120 ist aber nichts auszuführen, so dass es keines Rechtsgeschäfts neben dem HV-Beschluss bedarf (S/L/Spindler Rn. 29).

II. Entlastungsbeschluss (§ 120 I)

5 **1. Zuständigkeit.** Zuständigkeit für Entlastungsbeschluss liegt nach § 120 I 1 bei HV, und zwar ausschließlich. Gesellschaftsorgane können sich nicht wechselseitig entlasten. Bei Entlastung der AR-Mitglieder ist unerheblich, ob sie von HV gewählt (§ 101 I), durch Entsendung ins Amt gekommen (§ 101 II) oder AR-

Mitglieder der AN sind (MüKoAktG/Kubis Rn. 3). Ist in **Einpersonen-AG** der Alleinaktionär auch Vorstandsmitglied, so müsste seine Entlastung am Stimmverbot des § 136 scheitern (MüKoAktG/Kubis Rn. 3). Sie brächte auch nichts, sondern wäre nur beschlussförmiges Selbstlob (iE ebenso S/L/Spindler Rn. 14; KK-AktG/Tröger Rn. 56; aA, aber wegen § 120 II 2 überholt, noch RGZ 119, 229, 230 zu § 260 I HGB aF). Vor diesem Hintergrund ist teleologische Reduktion des § 120 einer ebenfalls möglichen teleologischen Reduktion des § 136 (dafür Goette/Arnold/Gärtner AR § 4 Rn. 1081) vorzuziehen, nach der Beschlussfassung weiterhin erforderlich bliebe (wie hier GK-AktG/Mülbert Rn. 136; KK-AktG/Tröger Rn. 56). Es gibt insoweit also keine Entlastung. Gegenauffassung hat vornehmlich Folgen für **andere Organkollegen** vor Augen, für die bislang überwiegend verlangt wird, es müsse – jedenfalls für Organ, dem Alleingesellschafter angehört – zwangsläufig Einzelentlastung vorgenommen werden, um zu verhindern, dass sich sonst eingreifendes Stimmverbot auch auf sie erstreckt (MüKoAktG/Kubis Rn. 3; GK-AktG/Mülbert Rn. 136). Gerade im Lichte des Meinungsstands erscheint solche Einzelabstimmung in der Tat ratsam. Wird sie nicht beachtet, ist es aber auch unter dem Vorzeichen der hier präferierten Konstruktion möglich, teleologische Reduktion des § 120 in der Weise zu beschränken, dass sich Gesamtentlastung in dieser Konstellation nicht auf Alleingesellschafter bezieht. Wirksamkeit des Beschlusses wäre damit also nicht berührt (so – auf unterschiedlichen Konstruktionswegen – iErg auch Grigoleit/Herrler Rn. 4; BeckOGK/J. Hoffmann Rn. 5; KK-AktG/Tröger Rn. 56; Goette/Arnold/Gärtner AR § 4 Rn. 1081; Bachmann NZG 2001, 961, 968).

2. Frist. HV hat gem. § 120 I 1 in den ersten acht Monaten des Geschäftsjahrs über Entlastung zu beschließen. Das entspr. der Frist, die § 175 I 2 für Entgegennahme des festgestellten Jahresabschlusses und des Lageberichts sowie für Gewinnverwendungsbeschluss setzt. Wegen der Zusammenfassung dieser Tagesordnungspunkte zur ordentlichen HV (→ Rn. 1) ist andere Regelung auch nicht denkbar. Zu den Einzelfragen der Fristberechnung → § 175 Rn. 4. Verzicht auf Beschlussfassung ist unzulässig (Beuthien GmbHR 2014, 799). 6

3. Beschlussfassung. a) Allgemeines. HV beschließt mit der einfachen Stimmenmehrheit des § 133. Entlastung ist danach erteilt, wenn darauf gerichteter Antrag diese Mehrheit gefunden hat. Sonst ist sie verweigert. Über Verweigerung der Entlastung abstimmen zu lassen, ist zwar zulässig (MüKoAktG/Kubis Rn. 6; S/L/Spindler Rn. 20; aA BeckOGK/J. Hoffmann Rn. 8; GK-AktG/Mülbert Rn. 99), führt aber nur dann zu der vom Ges. eingeforderten Entscheidung über die Entlastung, wenn dieser Antrag die erforderliche Mehrheit findet. Scheitert er, so ist deshalb noch keine Entlastung erteilt. Es bedarf vielmehr einer zweiten Abstimmung aufgrund entspr. positiv gefassten Antrags. Anstelle einer inhaltlichen Entscheidung über die Entlastung kann – auch ohne eine diesbezügliche Bekanntmachung in der Tagesordnung (MüKoAktG/Kubis Rn. 30) – eine **Vertagung** beschlossen werden (Hölters/Weber/Drinhausen Rn. 25; MüKoAktG/Kubis Rn. 30; GK-AktG/Mülbert Rn. 109; S/L/Spindler Rn. 43; einschr. BeckOGK/J. Hoffmann Rn. 8; Goette/Arnold/Gärtner AR § 4 Rn. 1091 – mit allerdings unterschiedlichen Begründungen). Das kann zB dann sinnvoll sein, wenn ein Sonderprüfungsverfahren zu Vorgängen aus der Entlastungsperiode noch nicht abgeschlossen oder aus anderen Gründen noch keine abschließende Bewertung möglich ist (KK-AktG/Tröger Rn. 78; Goette/Arnold/Gärtner AR § 4 Rn. 1091). HV ist in solchen Fällen jedoch nicht gezwungen, Vertagung zu beschließen, sondern kann stattdessen über die Entlastung entscheiden (Hölters/Weber/Drinhausen Rn. 25; MüKoAktG/Kubis Rn. 30; Goette/Arnold/Gärtner AR § 4 Rn. 1091). Versammlungsleiter muss einen Vertagungsantrag daher vor dem Sachantrag über die Entlastung zur Ab- 7 stimmung stellen (Hölters/Weber/Drinhausen Rn. 25; MüKoAktG/Kubis Rn. 30). Wenn ausnahmsweise HV über Feststellung des Jahresabschlusses beschließt (§ 173), liegt darin noch keine Entlastung; Beschlüsse müssen auch nicht inhaltlich übereinstimmen (RGZ 49, 141, 146; RGZ 112, 19, 26). Mitglieder des Vorstands und des AR, die zugleich Aktionäre sind, unterliegen dem **Stimmverbot des § 136,** das namentl. im Konzern Probleme bereiten kann (→ § 136 Rn. 14, 19 ff.). Bei Einzelentlastung (→ Rn. 9) dürfen aber die Aktionäre, um deren Entlastung als Organmitglied es nicht geht, von ihrem Stimmrecht grds. Gebrauch machen (→ § 136 Rn. 20). Aktionäre, die gem. § 101 II ein AR-Mitglied entsandt haben, sind bei dessen Entlastung nicht von der Abstimmung ausgeschlossen (BGHZ 36, 296, 306 ff. = NJW 1962, 864).

8 **b) Gesamtentlastung.** Sie ist, wie aus § 120 I 2 folgt, der ges. **Regelfall** (dazu OLG München AG 1995, 381, 382; AusschussB Kropff S. 167; → Rn. 10) und auch das übliche Verfahren (vgl. zu einem leicht gegenläufigen Trend in neuerer Zeit aber Rieckers DB 2020, 207, 209; umfassende empirische Auswertung bei Siemens, Die aktienrechtliche Entlastung, 2023, 67 ff.). Gesamtentlastung heißt, dass über Entlastung von Mitgliedern des Vorstands und entspr. von Mitgliedern des AR jew. in einem Abstimmungsgang entschieden wird. Dabei sind alle Organpersonen, um deren Entlastung es geht, zB alle Vorstandsmitglieder, gem. § 136 von der Abstimmung ausgeschlossen (→ § 136 Rn. 20). Versammlungsleiter muss auf diese Folge und die etwaige Alternative einer Einzelentlastung mit weniger weitgehendem Stimmverbot (→ § 136 Rn. 20) nicht explizit hinweisen (vgl. OLG München AG 2008, 864, 865 zu dem ähnlich gelagerten Fall des Stimmverbots nach § 136 I 1 Fall 3). Nicht zulässig ist es, Entlastung sämtlicher Verwaltungsmitglieder (Vorstand und AR) in einem Abstimmungsgang zusammenzufassen (ganz hM, s. OLG München WM 2006, 1486; MüKoAktG/Kubis Rn. 7; S/L/Spindler Rn. 21; großzügiger BeckOGK/J. Hoffmann Rn. 16). Wortlaut und Materialien (RegBegr. Kropff S. 166) stehen dem entgegen. Erweist sich Gesamtentlastung nur hinsichtlich eines Organmitglieds als **inhaltlich fehlerhaft,** ist Beschluss idR teilbar iSd § 139 BGB (→ § 243 Rn. 4 iVm → § 241 Rn. 33). Aus Gesamtverantwortung ergibt sich nicht zwangsläufig etwas anderes (so aber OLG Stuttgart AG 2012, 298, 304; zweifelnd Henssler/Strohn/Drescher § 241 Rn. 45), sondern allenfalls dann, wenn sie tats. auch zur Fehlerhaftigkeit der Entlastung bei übrigen Organmitgliedern führt (Ph. Scholz AG 2017, 612 ff.). Ob damit zugleich Teilabweisung mit Kostenfolge zu Lasten des Klägers einhergeht (so Ph. Scholz AG 2017, 612, 616), hängt von noch ungeklärter Frage ab, ob Kläger entspr. beschränkten Klageantrag stellen kann; wird dies gestattet, müsste jedenfalls richterlicher Hinweis nach § 139 ZPO erfolgen.

9 **c) Einzelentlastung.** Sie erfolgt, wenn über Entlastung der Mitglieder des Vorstands oder des AR gesondert, also personenbezogen, abgestimmt wird (§ 120 I 2). Gesonderte Abstimmung kann sich auch lediglich auf einzelne Organmitglieder beziehen; unzulässig ist aber nach Tätigkeitsbereichen oder – im Fall eines mitbestimmten AR – zwischen Anteilseigner- und Arbeitnehmervertretern differenzierende Entlastung (Grigoleit/Herrler Rn. 8). Einzeln zu entlasten ist, wenn (1.) HV es beschließt oder (2.) wenn qualifizierte Minderheit es verlangt. Praxis greift zT darauf zurück, um zu verhindern, dass breitflächig Stimmverbote eingreifen (Petersen/Schulze De la Cruz NZG 2012, 453, 454 f.; → § 136 Rn. 20), was in der Sache bedenklich sein mag, de lege lata aber nicht unzulässig ist (→ Rn. 10). Zu (1.): Nicht Gesamtentlastung als Regelfall (→ Rn. 8), sondern Einzelentlastung als Ausnahme setzt vorgängigen Verfahrensbeschluss voraus. Dazu bedarf es aber keiner vorgeschalteten Sonderabstimmung (v. Ruckteschell AG 2007, 736, 737; aA BeckOGK/J. Hoffmann Rn. 19; Mü-

KoAktG/Kubis Rn. 8). Vielmehr kann wie bei Listenwahl verfahren werden (→ § 101 Rn. 6): Ablehnung des auf Gesamtentlastung gerichteten Sachantrags impliziert bei entspr. Hinweis des HV-Leiters den Verfahrensbeschluss, über Entlastung einzeln abzustimmen. Umgekehrt bedeutet Annahme des auf Gesamtentlastung gerichteten Antrags durch entspr. belehrte Mehrheit zugleich, dass sie keine Einzelabstimmung wünscht. § 136 findet auf diesen Beschluss, der nur verfahrenstechnische Vorfrage betrifft, keine Anwendung (GK-AktG/Mülbert Rn. 121; Petersen/Schulze De la Cruz NZG 2012, 453, 455). Zu (2.): Aktien der Minderheit müssen 10 % des Grundkapitals oder anteiligen Betrag (§ 8 III) von 1 Mio. Euro erreichen. Es genügt nicht, dass das Quorum in der einen oder der anderen Variante iRd Beschlussfassung über Gesamt- oder Einzelentlastung erreicht wird. Minderheit muss vielmehr verlangen, dass Einzelentlastung stattfindet (so auch OLG Frankfurt AG 2007, 672, 674: S/L/Spindler Rn. 26; aA GK-AktG/Mülbert Rn. 126; MüKoAktG/Kubis Rn. 9). Sachliche Rechtfertigung ist nicht erforderlich (GK-AktG/Mülbert Rn. 125). Verlangen muss gem. § 130 I 2 in die Niederschrift aufgenommen werden. HV-Leiter ist verpflichtet, Feststellung der qualifizierten Minderheit zu fördern, indem er unterstützungswillige Aktionäre zur Meldung auffordert (BeckOGK/J. Hoffmann Rn. 20 f.).

Einzelentlastung darf nach heute hM nicht nur unter den Voraussetzungen des **10** § 120 I 2 stattfinden, sondern **Versammlungsleiter** kann sie auch von sich aus oder schon aufgrund Antrags eines HV-Teilnehmers anordnen, wenn er dieses Vorgehen für sinnvoll hält (BGHZ 182, 272 Rn. 12 ff. = AG 2009, 824; MüKoAktG/Kubis Rn. 12; KK-AktG/Tröger Rn. 53 ff.; Petersen/Schulze De la Cruz NZG 2012, 453, 458 f.; abw. bei vorliegendem Antrag GK-AktG/Mülbert Rn. 129; Goette/Arnold/Gärtner AR § 4 Rn. 1062). Dem ist zuzustimmen, weil Einzelentlastung sinnvoll sein kann, bes. wenn Organmitglieder Vorgänge in unterschiedlicher Weise zu verantworten haben. Wortlaut enthält Gebot, aber nicht Verbot und Materialien rechtfertigen Gesamt- statt Einzelentlastung mit bloßen Zweckmäßigkeitserwägungen (AusschussB Kropff S. 167; BGHZ 182, 272 Rn. 14 stellt gar Regel/Ausnahme-Verhältnis in Frage). Einzelentlastung muss deshalb ohne Rücksicht auf HV-Beschluss oder Minderheitsverlangen möglich sein, wenn Antrag auf Gesamtentlastung gescheitert ist. Auch einer **sachlichen Rechtfertigung** bedarf sie nicht (BGHZ 182, 272 Rn. 14; MüKoAktG/Kubis Rn. 13; GK-AktG/Mülbert Rn. 128; aA S/L/Spindler Rn. 28). Vielmehr ist Pflicht zur Gesamtentlastung entgegen OLG München AG 1995, 381, 382 f. auch unter Missbrauchsgesichtspunkten nicht anzuerkennen (BeckOGK/J. Hoffmann Rn. 22; Petersen/Schulze De la Cruz NZG 2012, 453, 458 f.). Entscheidend ist vielmehr sachliche Reichweite des § 136 I. Besteht danach wegen gleicher Betroffenheit Stimmverbot (→ § 136 Rn. 20), so hilft Einzelentlastung nicht. Ist Stimmrechtsausübung dagegen nicht verboten, so kann Einzelentlastung auch nicht beanstandet werden (Lutter FS Odersky, 1996, 845, 854 f.). Umgekehrt ist auch Gesamtentlastung nicht deshalb als rechtsmissbräuchlich anzusehen, weil sie zu breitflächigerem Stimmverbot mehrerer Beteiligter führen kann (vgl. OLG München AG 2008, 864, 865 zu dem ähnlich gelagerten Fall des Stimmverbots nach § 136 I 1 Fall 3; → § 136 Rn. 20, 23).

III. Bedeutung der Entlastung (§ 120 II)

1. Billigung der Verwaltung. Entlastung bedeutet nach § 120 II 1 Billigung **11** der Verwaltung (→ Rn. 2). Insoweit fragt sich, ob Billigung **gesetz- und satzungsmäßiges Verhalten** der Verwaltung voraussetzt oder ob HV nach Belieben Entlastung erteilen kann. Antwort hängt namentl. davon ab, ob man Entlastung eher Charakter eines Vertrauensbeweises oder einer Billigungserklärung beimisst. Nur in der ersten Deutung ist HV in ihrer Entscheidung frei, was dazu führt, dass Entlastungsbeschluss wegen Inhaltsfehlers nicht angefochten werden kann (so in der Tat Lutter NJW 1973, 113 f.; ihm folgend GK-AktG/Mülbert Rn. 37, 89 ff.; sa MüKoAktG/Kubis Rn. 17, der allerdings auf deutliche Einschränkung der Ermessensfreiheit in der Praxis hinweist). Danach soll sich aus § 120 II 2 ergeben, dass HV auch „einer pflichtvergessenen Verwaltung Entlastung erteilen" kann (zust. wohl OLG Düsseldorf AG 1996, 273, 274; stark einschr. auch OLG Hamburg AG 2002, 460, 462). Nach hM enthält Entlastung in erster Linie Erklärung der HV, sie billige Verwaltung als im **Großen und Ganzen gesetz- und satzungsmäßig;** Vertrauenserweis trete ergänzend neben diese Billigung. Folge ist, dass inhaltlich „falscher" Entlastungsbeschluss anfechtbar ist (Nichtigkeit liegt idR nicht vor), wobei ganz überwiegend verlangt wird, dass eindeutige und schwerwiegende Verletzung von Ges. oder Satzung vorliegen muss (stRspr seit BGHZ 153, 47, 50 ff. = NJW 2003, 1032; BGHZ 160, 385, 388 = NJW 2005, 828; aus jüngerer Zeit etwa BGHZ 194, 14 Rn. 9 = NJW 2012, 3235; BGH NZG 2013, 783 f.; NZG 2020, 1349 Rn. 29; BGHZ 229, 27 Rn. 91 = NZG 2021, 782; s. ferner S/L/Spindler Rn. 32 ff.; Goette FS Hopt, 2010, 689, 690 ff.; ebenso, wenn auch unter Betonung breiten Ermessens der HV, OLG München AG 2001, 197, 198; NZG 2002, 187; 2003, 452, 453; Weitemeyer ZGR 2005, 280, 292 ff.). Unterschiedliche Auffassungen gelangen zT dennoch zu übereinstimmenden Ergebnissen, weil Inhaltsfehler sich oft zugleich als in wesentlichen Punkten mangelhafte Berichterstattung darstellt (so in BGHZ 62, 193, 194 f. = NJW 1974, 855; OLG Düsseldorf AG 2000, 365, 366 f.; LG Berlin AG 1997, 183, 184 f.). Informationsmangel in diesem Sinne ist aber nicht schon dann anzunehmen, wenn HV ein Umstand nicht mitgeteilt wird, der Verweigerung der Entlastung rechtfertigen könnte (OLG Stuttgart AG 2012, 298, 304; wohl auch OLG Frankfurt AG 2007, 329, 330). Ungenau ist dagegen die Aussage in OLG Düsseldorf NZG 2015, 1115 Rn. 57, wonach Versagung der Entlastung eindeutigen und schwerwiegenden Verstoß voraussetze, da damit Anforderungen an Verweigerung der Entlastung und an Anfechtung des Entlastungsbeschlusses vermengt werden (zutr. Lieder/Scholz WuB 2016, 23, 24).

12 HM ist zuzustimmen. Andere Lösung würde es einer zur Billigung rechtsbrechenden Verhaltens entschlossenen Mehrheit ermöglichen, gegen den Widerstand einer gesetzes- und satzungstreuen **Minderheit** eine Entlastung der Verwaltung durchzusetzen (BGHZ 153, 47, 51 = NJW 2003, 1032). Aus § 120 II 2 folgt nichts anderes. Dass AG ihre Ersatzansprüche behält, macht Pflichtverletzungen nämlich nicht ungeschehen. Aus Erfordernis schwerwiegenden Verstoßes folgen Abgrenzungsschwierigkeiten (MüKoAktG/Kubis Rn. 17), die sich aber auch in anderen Zusammenhängen stellen (S/L/Spindler Rn. 33) und iÜ auch mit Gegenauffassung nicht ganz vermieden werden können (→ Rn. 11); zur Frage, ob fehlerhafte Entsprechenserklärung (§ 161) hinreichend schwer wiegt, → § 161 Rn. 31. Da anfechtungsbegründender Fehler in Ermessensüberschreitung der HV gesehen wird (OLG Stuttgart AG 2012, 298, 299 f.), ist Anfechtung nur hinsichtlich solcher Fehler möglich, die für HV schon erkennbar waren (OLG Frankfurt AG 2007, 329; OLG Köln AG 2010, 219; OLG Stuttgart AG 2011, 93, 94; OLG Stuttgart AG 2012, 298, 303; OLG Stuttgart BeckRS 2022, 42801 Rn. 63; BeckOGK/J. Hoffmann Rn. 53; S/L/Spindler Rn. 33), und sei es auch nur durch Redebeitrag eines Aktionärs (OLG Stuttgart AG 2012, 298 Ls. 3; wohl auch OLG Köln NZG 2013, 548, 552). Es genügt also nicht, wenn Beschlussanfechtung sich auf Verstöße stützt, die erst im Anfechtungsprozess aufgeklärt und bewiesen werden sollen (OLG Stuttgart AG 2011, 93, 94; OLG Stuttgart AG 2016, 370, 373 f.). Fehlende Erkennbarkeit kann aber Anfechtung wegen Informationsmängeln begründen (→ Rn. 12a). An **hinreichend gewichtiger Pflichtverletzung** fehlt es namentl., wenn Rechtslage zweifelhaft ist und der zu Entlastende sein Verhalten nach einer gewichtigen Schrifttumsauffassung ausrichtet, die von höchstrichterlicher Rspr. noch nicht verworfen wurde (BGH AG 2012, 24; BGHZ 194, 14 Rn. 23 = NJW 2012, 3235; BGH AG 2013, 90, 91; NZG 2020, 1349 Rn. 28 ff.; OLG Frankfurt NZG 2014, 1017, 1018 ff.; OLG Stuttgart AG 2011, 93, 94; geradezu lehrbuchartige Wiedergabe des Prüfungsablaufs in OLG Stuttgart AG 2016, 370, 373 f.; sa OLG Stuttgart BeckRS 2022, 42801 Rn. 52 ff.; ausf. auch BGH NZG 2020, 1349 Rn. 28 ff.). Auch in tats. Hinsicht muss Rechtsverstoß eindeutig vorliegen; sofern HV auf unsicherer Tatsachenlage urteilen muss, entscheidet sie in Grenzen des ihr zukommenden Ermessens (BGHZ 229, 27 Rn. 91 = NZG 2021, 782). Ist Sachverhalt dagegen zwar nicht eindeutig aufzuklären, aber nach allen denkbaren Deutungen eine schwerwiegende Pflichtverletzung des zu Entlastenden feststellbar, ist erforderliche Eindeutigkeit des Verstoßes gegeben (OLG Stuttgart AG 2012, 298 Ls.).

Ist Entlastungsbeschluss für nichtig erklärt oder sonst nichtig, so ist AG ihren 12a Pflichten aus § 120 I 1 trotzdem (jedenfalls idR) nachgekommen. **Erneute Beschlussfassung** ist also zwar möglich, aber nicht erforderlich (B/K/L/Reger Rn. 18; Volhard/Weber NZG 2003, 351, 352 f.). Sog **Teilentlastung** verstößt gegen § 120 II 1, wenn ausgeklammerte Vorgänge Kern der Amtsführung betr.; so bei Vorwurf illoyalen Verhaltens durch Wahrnehmung eigennütziger Interessen (iE zutr. OLG Düsseldorf AG 1996, 273, 274 f.; LG Düsseldorf AG 1995, 237, 238 [Vorinstanz]). Ausklammerung sachlich oder zeitlich abgrenzbarer Teilbereiche sollte dagegen zulässig sein (OLG Celle NJW-RR 1994, 1545, 1546 [e. V.]; GK-AktG/Mülbert Rn. 104; Butzke HV I 14; Beuthien GmbHR 2014, 682, 692; Sethe ZIP 1996, 1321, 1322 ff.). Davon zu unterscheiden ist Umkehrfall, nämlich Entlastung wegen bloßer Einzelangelegenheit; sie ist nicht möglich (OLG Stuttgart AG 1995, 233, 234; GK-AktG/Mülbert Rn. 106). Auch Entlastung unter Bedingung oder Vorbehalt ist unzulässig (OLG Düsseldorf AG 1996, 273, 274). Neben Anfechtung wegen Inhaltsmängeln tritt Anfechtung wegen Verfahrensmängeln, insbes. bei Informationsmängeln, Berichtsfehlern oder Verletzungen des Auskunftsrechts (vgl. BeckOGK/J. Hoffmann Rn. 49 ff.; insofern zust. auch MüKoAktG/Kubis Rn. 17).

2. Kein Verzicht auf Ersatzansprüche. Gem. § 120 II 2 liegt in der Ent- 13 lastung kein Verzicht auf Ersatzansprüche, die der AG aus dem Handeln der Organmitglieder erwachsen sind. Damit unterscheidet sich aktienrechtl. Lage grdl. von der bei anderen Verbandsformen, bes. bei der GmbH, wo Gesellschaft solche Ansprüche, für die Gesellschafterversammlung Entlastung erteilt hat, nicht mehr geltend machen kann. Bei fehlender Verzichtswirkung bleibt es auch im Fall einstimmiger Entlastung (ganz hM, s. OLG Düsseldorf AG 1996, 273, 274; OLG München AG 2003, 452, 453; MüKoAktG/Kubis Rn. 33; KK-AktG/Tröger Rn. 106 ff.; insoweit überholt BGHZ 29, 385 = NJW 1959, 1082). Gesetzgeberische Entscheidung ist richtig, da Präklusionswirkung mit **beschränkten Erkenntnismöglichkeiten der HV** im Beschlusszeitpunkt nicht in Einklang zu bringen ist. Auch Beweislastumkehr ist mit Entlastung nicht verbunden (so aber Beuthien GmbHR 2014, 682, 687 f.), da entspr. Ausnahme in § 93 II 2 nicht vorgesehen ist und für rechtsfortbildende Korrektur angesichts unzureichender HV-Information auch kein Raum ist (sa GK-AktG/Mülbert Rn. 26; KK-AktG/Tröger Rn. 111; gegen eine weitergehende Wirkung auch schon RegBegr. Kropff S. 167).

IV. Verfahrensfragen (§ 120 III)

1. Verbundene Verhandlungen. Gem. § 120 III soll Verhandlung über die 14 Entlastung mit derjenigen über die Gewinnverwendung (§ 174) verbunden werden. Damit erfolgt Verbindung mit sog **Regularien** (→ Rn. 1). Über Regularien hat ordentliche HV (→ § 118 Rn. 6; → § 175 Rn. 1) alljährlich zu beschließen. Hierhin gehören neben der Entlastung Entgegennahme des festgestellten Jahresabschlusses (Regelfall des § 172; → § 172 Rn. 2 f.), ausnahmsweise dessen Feststellung (§ 173; → § 173 Rn. 2 f.), und des Lageberichts sowie des gem. § 171 II zu erstattenden AR-Berichts (→ § 171 Rn. 17 ff.). Durch Jahresabschluss, Lagebericht und AR-Bericht legt Verwaltung Rechenschaft ab, die somit als Bezugspunkt der Entlastung bes. hervorgehoben wird. Durch § 120 III vorgeschriebene Verbindung der Verhandlungen über Entlastung und Gewinnverwendung (§ 174) dient nur der Zweckmäßigkeit und ist daher auch nur Gegenstand einer Sollvorschrift. Auch wenn bei Sollvorschriften Anfechtung nicht zwingend ausgeschlossen ist (ausf. → § 243 Rn. 6), ergibt Auslegung hier, dass Gesetzgeber bewusst unverbindliche Vorgabe machen wollte, deren Missachtung nicht zur Beschlusskassation führen soll (MüKoAktG/Kubis Rn. 45; KK-AktG/Tröger Rn. 73).Verbindung bedeutet zeitlich zusammenhängende Verhandlung in derselben HV (näher → § 175 Rn. 9). Soweit HV infolge Änderung des § 173 I durch TransPuG 2002 über Billigung des Konzernabschlusses zu entscheiden hat, sollte auch diese Billigung mit Entlastung und Gewinnverwendung verbunden werden; entspr. Ergänzung des § 120 III ist empfehlenswert (→ Rn. 15).

15 **2. Information der Aktionäre.** Information der Aktionäre richtet sich nach §§ 175, 176. Verletzung der Informationspflichten macht gleichwohl gefassten Entlastungsbeschluss anfechtbar (→ Rn. 12 f.; BGHZ 62, 193, 194 f. = NJW 1974, 855; KG AG 2001, 355, 356). Bei **Mutterunternehmen** (§ 290 I, II HGB) gehört Vorlage des Konzernabschlusses, des Konzernlageberichts und des Prüfungsberichts des AR (§ 175 II 3) zu den Entlastungsvoraussetzungen, weil sich Aktionären geschuldeter Informationsstandard nach Aufhebung des § 120 III 2 unmittelbar nach §§ 175, 176 richtet.

V. Entlastungsverweigerung

16 **1. Konsequenzen für Amtsstellung.** Verweigerung der Entlastung bleibt ohne unmittelbare rechtl. Folgen für Amtsstellung der Betroffenen. Soweit es um **Vorstandsmitglieder** geht, liegt deren Abberufung ohnehin nicht in Zuständigkeit der HV, sondern des AR; vgl. § 84 IV und → § 84 Rn. 49 ff. **Vertrauensentzug durch HV-Beschluss** ist allerdings wichtiger Grund für Widerruf der Bestellung gem. § 84 IV 2 Fall 3. In Entlastungsverweigerung kann Vertrauensentzug liegen, doch kommt dem HV-Beschluss diese Bedeutung nach heute allgM nicht notwendig zu (→ § 84 Rn. 66). Wenn Vertrauensentzug gewollt ist, empfiehlt sich deshalb entspr. klare, am Wortlaut des § 84 IV 2 Fall 3 orientierte Fassung des Beschlussantrags, um Aktionäre schon in Tagesordnung auf diese Konsequenz hinzuweisen (BeckOGK/J. Hoffmann Rn. 35; zu Fällen einer fehlenden Erforderlichkeit der Bekanntmachung → § 124 Rn. 41 ff.). Im Schrifttum wird diskutiert, ob jede Entlastungsverweigerung wichtigen Grund für **Amtsniederlegung** (→ § 84 Rn. 79 ff.) darstellt (so MüKoAktG/Kubis Rn. 40; S/L/Spindler Rn. 48) oder ob dafür erforderlich ist, dass sie zu Unrecht (→ Rn. 11 f.) erfolgt (so Hölters/Weber/Drinhausen Rn. 30; BeckOGK/J. Hoffmann Rn. 41; GK-AktG/Mülbert Rn. 58; Weitemeyer ZGR 2005, 280, 304) oder nicht einmal begründet worden ist. Da Amtsniederlegung als solche nach zutr. Auffassung keinen wichtigen Grund erfordert (→ § 84 Rn. 80), ist Frage dahingehend zu präzisieren, dass Wirkung auf Anstellungsvertrag zu klären ist. Insofern ist anzunehmen, dass ein durch das Fehlverhalten des Vorstands gerechtfertigter Vertrauensentzug ihn nicht von seiner Vertragstreue entbinden kann (KK-AktG/Tröger Rn. 126). Hat Vorstand Amtsniederlegung in diesem Sinne dagegen nicht verschuldet, kann nicht von ihm verlangt werden, dass er zugleich **Anstellungs-**

vertrag kündigt und damit auf Bezüge verzichtet (Hölters/Weber/Drinhausen Rn. 30; MüKoAktG/Kubis Rn. 40; aA BeckOGK/J. Hoffmann Rn. 43 f.; → Rn. 19; → § 84 Rn. 79 ff.). Der unberechtigten Verweigerung ist der Fall gleichzustellen, dass überhaupt keine Begründung erfolgt (Butzke HV I 44).

Abberufung von AR-Mitgliedern bestimmt sich nach § 103. Danach ist Abberufung durch HV-Beschluss möglich, wenn darauf gerichteter Antrag Mehrheit von mindestens ¾ der abgegebenen Stimmen erhalten hat. Entlastungsverweigerung als solche genügt auch dann nicht, wenn darauf gerichteter Beschluss mit dieser Mehrheit gefasst wurde. Antrag und Beschlussfassung müssen vielmehr Abberufung zum Gegenstand haben und sollten auch so formuliert sein (→ § 103 Rn. 3 f.). 17

2. Entlastungsklage. Entlastungsklage, also Klage gegen die AG auf Erteilung der Entlastung, ist im Aktienrecht **nach heute allgM nicht gegeben,** seitdem es gem. § 120 II 2 keine Präklusionswirkung der Entlastung mehr gibt (RegBegr. Kropff S. 167; MüKoAktG/Kubis Rn. 42; KK-AktG/Tröger Rn. 131 ff.). Wegen insofern abw. Ausgangslage im **GmbH-Recht** (→ Rn. 13) ist Frage dort stärker umstr. (abw. etwa Noack/Servatius/Haas/Noack GmbHG § 46 Rn. 46), für Praxis aber durch abl. Stellungnahme in BGHZ 94, 324, 326 ff. (= NJW 1986, 129) geklärt (vgl. zum Verein auch OLG Köln NJW-RR 1997, 483). 18

Ablehnende Haltung ist deshalb berechtigt, weil **Vertrauen nicht eingeklagt** werden kann und Entstehungsgeschichte diese Deutung bestätigt. In der Sache ist Lösung indes auch bei AG nicht unproblematisch, weil unberechtigte Entlastungsverweigerung das betroffene Organmitglied diskriminiert und in seinem persönlichen wie beruflichen Ansehen empfindlich trifft (HCL/Hüffer/Schäfer GmbHG § 46 Rn. 80) und diese Beeinträchtigungen unabhängig von der (nicht gegebenen) Präklusionswirkung bestehen bleiben. Keinesfalls lässt sich deshalb sagen, der Klage fehle das Rechtsschutzinteresse (Butzke HV I 46 mit Fn. 62). Verneinung der Entlastungsklage findet ihre Rechtfertigung vielmehr darin, dass es keinen darauf gerichteten Anspruch gibt (zutr. Butzke HV I 46 mit Fn. 62). Problem des Rechtsschutzes bleibt dann jedoch ungelöst, zumal Organmitglieder als solche anders als Aktionäre (→ Rn. 11 f.) den die Entlastung unberechtigt verweigernden HV-Beschluss gem. § 245 S. 1 Nr. 4 und 5 nicht anfechten können (GK-AktG/Mülbert Rn. 65). Anspruch auf Mitteilung der Nichtentlastungsgründe verbietet sich schon angesichts der Struktur der AG (Beuthien GmbHR 2014, 799, 803). Organmitgliedern bleibt allein Möglichkeit der Amtsniederlegung, was ebenfalls dafür spricht, diese ohne gleichzeitige Kündigung des Anstellungsvertrags zuzulassen (→ Rn. 16). 19

Votum zum Vergütungssystem und zum Vergütungsbericht

120a

(1) [1]**Die Hauptversammlung der börsennotierten Gesellschaft beschließt über die Billigung des vom Aufsichtsrat vorgelegten Vergütungssystems für die Vorstandsmitglieder bei jeder wesentlichen Änderung des Vergütungssystems, mindestens jedoch alle vier Jahre.** [2]**Der Beschluss begründet weder Rechte noch Pflichten.** [3]**Er ist nicht nach § 243 anfechtbar.** [4]**Ein das Vergütungssystem bestätigender Beschluss ist zulässig.**

(2) **Beschluss und Vergütungssystem sind unverzüglich auf der Internetseite der Gesellschaft zu veröffentlichen und für die Dauer der Gültigkeit des Vergütungssystems, mindestens jedoch für zehn Jahre, kostenfrei öffentlich zugänglich zu halten.**

(3) **Hat die Hauptversammlung das Vergütungssystem nicht gebilligt, so ist spätestens in der darauf folgenden ordentlichen Hauptversammlung ein überprüftes Vergütungssystem zum Beschluss vorzulegen.**

(4) [1] **Die Hauptversammlung der börsennotierten Gesellschaft beschließt über die Billigung des nach § 162 erstellten und geprüften Vergütungsberichts für das vorausgegangene Geschäftsjahr.** [2] **Absatz 1 Satz 2 und 3 ist anzuwenden.**

(5) **Bei börsennotierten kleinen und mittelgroßen Gesellschaften im Sinne des § 267 Absatz 1 und 2 des Handelsgesetzbuchs bedarf es keiner Beschlussfassung nach Absatz 4, wenn der Vergütungsbericht des letzten Geschäftsjahres als eigener Tagesordnungspunkt in der Hauptversammlung zur Erörterung vorgelegt wird.**

Übersicht

I. Regelungsgegenstand und -zweck

1 § 120a wurde eingefügt durch ARUG II 2019 und geht auf 2017 durch Aktionärsrechte-RL II neu gefasste Vorgaben in Art. 9a V Aktionärsrechte-RL zurück. Norm schreibt konsultatives HV-Votum zur Organvergütung vor, wie es schon bislang in § 120 IV aF vorgesehen war (→ 13. Aufl. 2018, § 120 Rn. 20 ff.). Während Votum danach nur fakultativ war, wird es jetzt für börsennotierte AG iSd § 3 II (→ § 3 Rn. 5 f.) **verbindlich vorgeschrieben.** Norm gilt auch für KGaA (→ § 87a Rn. 3). Entgegen verbreiteter rechtspolit. Forderung ist aber nur Votum als solches zwingend, es entfaltet für AR keine bindende Wirkung. Schritt vom „Say on Pay" zum „Decide on Pay" ist damit auch durch ARUG II 2019 nicht vollzogen, obwohl Aktionärsrechte-RL diese Option eröffnet hätte (vgl. zu entspr. Ansätzen RegBegr. VorstKoG BT-Drs. 17/14214, 22 f. und dazu DAV-HRA NZG 2013, 694 ff.; Löbbe/Fischbach WM 2013, 1625 ff.; Verse NZG 2013, 921 ff.). In dieser Form bezweckt Vorschrift daher nur, AR durch bloße **Öffentlichkeitswirkung** (ohne weitere Sanktionen) zu bes. Gewissenhaftigkeit bei Wahrnehmung seiner aus § 87 folgenden Aufgaben anzuhalten (AusschussB BT-Drs. 16/13433, 12; zu rechtsökonomischen und rechtsvergleichenden Grundlagen s. KK-AktG/Tröger Rn. 8 ff.; Hupka, Vergütungsvotum, 2012, 9 ff., 65 ff.; rechtsvergleichend zum US-amerikanischen Aktionärsvotum Siefer NZG 2013, 691 ff.). Bei **AG ohne Börsennotierung** (§ 3 II) hat HV keine entspr. Kompetenz, doch kann eine solche nach zutr. hM durch Satzungsregelung begründet werden (MüKoAktG/Kubis Rn. 27; GK-AktG/Mülbert § 120 Rn. 160); § 23 V steht wegen fehlender rechtl. Konsequenzen nicht entgegen. Formales Korsett des § 87a muss dabei nicht eingehalten werden; ges. Folgen wie Bindungswirkung nach § 87a II 1 und Folgepflicht nach § 120a III sind damit nicht verbunden (KK-AktG/Tröger Rn. 27; Herrler ZHR 184 [2020], 408, 452 f.).

2 **Praktische Erfahrungen** mit Vergütungsvotum stützten sich in der Vergangenheit vornehmlich auf freiwillige Gestaltung nach § 120 IV aF. Wo auf dieser Grundlage entspr. Beschlüsse gefasst wurden, waren es in den ersten Jahren nach Einführung der Norm fast durchgängig zustimmende, doch ist seit HV-Saison

2016 – insbes. auf Initiative von Stimmrechtsberatern iSd § 134a I Nr. 3 (→ § 134a Rn. 4; → § 134d Rn. 1 ff.) und aktivistischen Investoren – auch **verstärkt krit. Auseinandersetzung** zu beobachten (Dörrwächter AG 2017, 409 ff.; Siemens, Die aktienrechtliche Entlastung, 2023, 51 ff.). Dieser Trend scheint sich auch iR verpflichtender Gestaltung fortzusetzen (aktuelle Zahlen bei Rieckers DB 2022, 172, 177; Schmelter AR 2022, 50 f.). § 26j I EGAktG enthält **Übergangsvorschrift,** wonach Beschlussfassung nach § 120a I erstmalig bis zum Ablauf der ersten ordentl. HV, die auf 31.12.2020 folgt, zu erfolgen hat; frühere Beschlussfassung ist aber zulässig (RegBegr. BT-Drs. 19/9739, 117). Vierjahres-Zeitraum in § 120a I 1 berechnet sich nach dieser erstmaligen Beschlussfassung (RegBegr. BT-Drs. 19/9739, 117). Für Beschlussfassung nach § 120a IV (→ Rn. 10) sieht § 26j II EGAktG vor, dass erstmalige Beschlussfassung bis zum Ablauf der ersten ordentlichen HV, gerechnet ab Beginn des zweiten Geschäftsjahrs, das auf 31.12.2020 folgt, zu erfolgen hat.

II. Billigungsbeschluss (§ 120a I)

Dass HV über Vergütungssystem beschließen kann, bedeutet nicht, dass sie von 3
sich aus tätig werden dürfte (Hoffmann-Becking/Krieger NZG-Beil. 26/2009, Rn. 86). Erforderlich sind vielmehr ein entspr. **Tagesordnungspunkt** sowie ein **Beschlussvorschlag,** der hier aber nach § 124 III 1 allein vom AR stammt (→ § 124 Rn. 21 ff.). In § 120a I allein vorgeschriebene Beschlusszuständigkeit der HV impliziert damit zugleich Vorlagepflicht des AR (zur Möglichkeit klageweiser Durchsetzung der Vorlagepflicht vgl. BeckOGK/J. Hoffmann Rn. 33 f.). Zur Information der HV genügt es, im Vorfeld Vergütungssystem iSd § 87a zu veröffentlichen. In diesen Fällen entfällt nach § 131 I 1 Erforderlichkeit der Auskunft (MüKoAktG/Kubis Rn. 10; GK-AktG/Mülbert § 120 Rn. 166; Schick ZIP 2011, 593, 600 f.). Für Beantwortung verbleibender Fragen kann Einbeziehung des AR-Vorsitzenden nach in → § 131 Rn. 7 dargelegten Grundsätzen sachgerecht sein; auch Praxis verfährt in dieser Weise (Butzke HV Q 26).

Gegenstand der HV-Billigung ist von AR für künftige (nicht vergangene) 4
Vertragsgestaltung vorgelegtes Vergütungssystem iSd § 87a I 1 (zur Zukunftsbezogenheit S/L/Spindler Rn. 11). Vergütungssystem ist „als Ganzes" Beschlussgegenstand; Teilbilligung ist unzulässig (Bachmann/Pauschinger ZIP 2019, 1, 4; Florstedt ZGR 2019, 630, 650; Herrler ZHR 184 [2020], 408, 414; aA Gärtner/Himmelmann AG 2021, 259 Rn. 10 ff.). Da Vorlage zwingend durch AR erfolgt, ist sie nicht gegenantragsfähig (→ § 126 Rn. 1 ff.; sa RegBegr. BT-Drs. 19/9739, 92; BeckOGK/J. Hoffmann Rn. 19; Bachmann/Pauschinger ZIP 2019, 1, 4). Auch können Aktionäre Beschlussfassung nicht aus eigener Initiative herbeiführen (S/L/Spindler Rn. 7; Florstedt ZGR 2019, 630, 645; Gärtner/Himmelmann AG 2021, 259 Rn. 15 f.; Löbbe/Fischbach AG 2019, 373, 378; aA Hirte/Heidel/Krenek Rn. 8; Herrler ZHR 184 [2020], 408, 426 ff.). Auch sonst hat HV – jenseits der Herabsetzungskompetenz nach § 87 IV – keinerlei Möglichkeit auf Inhalt des Vergütungssystems oder auf konkrete Vergütung aller oder einzelner Vorstandsmitglieder Einfluss zu nehmen (BeckOGK/J. Hoffmann Rn. 19). **Gegenstand des Beschlusses** ist Billigung des Vergütungssystems, aber auch dessen wesentliche Änderung. Begriff der Wesentlichkeit sollte nicht zu eng ausgelegt werden, ist aber auch nicht zwangsläufig immer schon dann erfüllt, wenn Höchstvergütungsgrenzen verändert werden (im zweiten Punkt aA S/L/Spindler Rn. 7; Anzinger ZGR 2019, 39, 78 f.; Dörrwächter/Harrack DB 2021, 2064, 2071; wie hier KK-AktG/Tröger Rn. 30; Herrler ZHR 184 [2020], 408, 419 f. mw Konkretisierung). Maßgeblich muss sein, ob verständiger Durchschnittsaktionär davon ausgehen musste, dass Systemänderung zur Veränderung der Anreizwirkung führt (Anzinger ZGR 2019, 39, 78; Gärtner/Himmelmann

AG 2021, 259 Rn. 19; Spindler AG 2020, 61, 73). Auch ohne wesentliche Änderungen ist aber spätestens nach vier Jahren weiterer Beschluss zu fassen, wobei Jahr als **Geschäftsjahr,** nicht als Kalenderjahr zu verstehen ist (KK-AktG/Tröger Rn. 29; Heldt AG 2018, 905, 908). Taggenaue Fristberechnung ist nicht erforderlich, sondern es genügt, wenn Votum innerhalb der ersten acht Monate (§ 174 I 2) des vierten auf Vergütungsvotum folgenden Geschäftsjahres erfolgt (KK-AktG/Tröger Rn. 29; Herrler ZHR 184 [2020], 408, 415 f.). Erfolgt die Vorlage nicht turnusgemäß, sondern aufgrund wesentlicher Änderungen, genügt – entspr. Rechtsgedanken in § 120a III (→ Rn. 9) – Beschlussfassung auf nächster ordentlicher HV (Herrler ZHR 184 [2020], 408, 418).

5 Beschlusskompetenz der HV beschränkt sich auf **Billigung oder Nichtbilligung** ohne eigene Gestaltungskompetenz (RegBegr. BT-Drs. 19/9739, 92). Wie § 120a I 2 eigens hervorhebt, begründet Beschluss **weder Rechte noch Pflichten** der anderen Organe (bloßes Votum). Insbes. lässt er Verpflichtungen (einschließlich Haftung nach § 116 S. 3; Nachw. → § 116 Rn. 19), aber auch organschaftliche Befugnisse des AR nach § 87 unberührt (RegBegr. BT-Drs. 19/9739, 93). Abw. Bindung kann auch durch Satzung nicht begründet werden (§ 23 V; vgl. KK-AktG/Tröger Rn. 65; Gärtner/Himmelmann AG 2021, 259 Rn. 2). Umgekehrt kann AR sich nicht durch Vorlage analog § 119 II seiner Vergütungsverantwortung entziehen (so aber wohl Grigoleit/Herrler § 119 Rn. 16). Analogieschluss ist für AR generell abzulehnen (→ § 119 Rn. 13a), widerspricht speziell iRd Vorstandsvergütung aber auch klar geäußertem gesetzgeberischen Willen, Letztverantwortung bei AR zu belassen (RegBegr. BT-Drs. 19/9739: „es bleibt bei der Eigenverantwortung des AR"; so auch Gärtner/Himmelmann AG 2021, 259 Rn. 12). Auch für Wirksamkeit des Vorstandsvertrags ist Beschluss unbeachtlich (RegBegr. BT-Drs. 19/9739, 93). AR kann Vergütungszusagen in Anstellungsverträgen aber an auflösende Bedingung knüpfen, dass HV System billigt (Gärtner/Himmelmann AG 2021, 259 Rn. 3).

5a In § 120a III niedergelegte **Rechtsfolgen** sind keine Ausflüsse des Beschlusses, sondern entspringen ges. Anordnung (RegBegr. BT-Drs. 19/9739, 92; missverständlich deshalb verbreitete Bezeichnung als „Selbstbindung", vgl. etwa Anzinger ZGR 2019, 39, 83; zutr. dagegen KK-AktG/Tröger Rn. 47 m. Fn. 149). Gleichwohl handelt es sich nicht nur nach Wortlaut des § 120a I, sondern auch der Sache nach um **echten Beschluss** (→ § 133 Rn. 2 ff.), freilich mangels unmittelbarer Rechtswirkung um Beschluss eigener Art (Fleischer AG 2010, 681, 683 ff.: Konsultativbeschluss; ähnlich Schüppen ZIP 2010, 905, 907 f.; für Beschlusscharakter auch BeckOGK/J. Hoffmann Rn. 17; Döll WM 2010, 103, 111; aA Begemann/Laue BB 2009, 2442, 2444). Positiver wie negativer Beschluss bedarf der **einfachen Stimmenmehrheit** des § 133 I (BeckOGK/J. Hoffmann Rn. 23); qualifiziertes Mehrheitserfordernis ist als ergänzende Regelung iSd § 23 V 2 möglich (KK-AktG/Tröger Rn. 65; Gärtner/Himmelmann AG 2021, 259 Rn. 1). Stimmverbot analog § 136 I 1 besteht nicht (MüKoAktG/Kubis Rn. 10; KK-AktG/Tröger Rn. 44; Hupka, Vergütungsvotum, 2012, 277 ff.). Für Festsetzung der Vergütung gem. § 87a II 1 ist nicht entscheidend, dass Vergütungssystem gebilligt wurde, sondern nur, dass es **vorgelegt** wurde (Einzelheiten → § 87a Rn. 13). Nicht HV-Beschluss ist es also, der AR bindet, sondern Vorlage als solche bewirkt nach § 87a II 1 Bindung an Festlegungen des Vergütungssystems (BeckOGK/J. Hoffmann Rn. 24). Auch Vertagung durch HV ist daher möglich und nicht als Ablehnung des Systems zu behandeln (Gärtner/Himmelmann AG 2021, 259 Rn. 4; aA BeckOGK/J. Hoffmann Rn. 37).

6 Wie § 120a I 3 eigens hervorhebt, ist Beschluss **nicht anfechtbar.** Gleichwohl erhobene Anfechtungsklage ist schon unzulässig. Regelung ist nicht überflüssig (aA Hohenstatt ZIP 2009, 1349, 1356), sondern wirkt teilw. klärend. Auch wegen eines Verfahrensfehlers kann nicht angefochten werden (MüKoAktG/

Kubis Rn. 17; v. Falkenhausen/Kocher AG 2010, 623, 624). Nach seinem Wortlaut schließt § 120a I 3 die Anfechtung sowohl des billigenden als auch des missbilligenden Beschlusses aus (MüKoAktG/Kubis Rn. 17). Angesichts klarer Äußerungen im Gesetzgebungsverfahren (RAusschuss, BT-Drs. 16/13433, 12) ist teleologische Reduktion des ohnehin deutlich gefassten § 120a I 3 nicht zulässig. Unter Fortführung des Rechtsgedankens des § 120a I 3 ist anzunehmen, dass Beschluss idR auch nicht mit Nichtigkeitsklage angegriffen werden kann (ebenso BeckOGK/J. Hoffmann Rn. 27; MüKoAktG/Kubis Rn. 18; Begemann/Laue BB 2009, 2442, 2443 ff.; Gärtner/Himmelmann AG 2021, 259 Rn. 29; Goslar DB 2020, 937, 940; Löbbe/Fischbach AG 2019, 373, 378; Schick ZIP 2011, 593, 594; aA Grigoleit/Herrler Rn. 31; Hirte/Heidel/Krenek Rn. 13; S/L/Spindler Rn. 15; KK-AktG/Tröger Rn. 54; Florstedt ZGR 2019, 630, 649), zumal dafür idR allg. Rechtsschutzinteresse fehlen wird (Begemann/Laue BB 2009, 2442, 2445; zweifelnd Fleischer NZG 2009, 801, 805). Etwas anderes kann nur für **kompetenzüberschreitenden Beschluss** gelten (→ § 241 Rn. 17), wozu auch der Fall gehört, dass HV in unzulässiger Weise über einzelne Vergütungen abstimmt (insofern zutr. S/L/Spindler 120 Rn. 15; E. Vetter ZIP 2009, 2136, 2140).

§ 120a I 4 enthält Klarstellung, dass ein das Vergütungssystem **bestätigender** 7
Beschluss zulässig ist. AR kann danach auch bereits geltendes System neuerlich zur Abstimmung stellen, wobei Abstimmung entweder durch Wiederholung des bereits geltenden Vergütungssystems oder durch Bezugnahme erfolgen kann (sa → § 113 Rn. 32).

III. Veröffentlichung (§ 120a II)

Nach § 120a II sind Beschluss (einschließlich Datum und Ergebnis) und Ver- 8
gütungssystem unverzüglich (§ 121 I BGB) auf **AG-Internetseite** kostenlos zu veröffentlichen. Wie bei § 130 VI (→ § 130 Rn. 29a) genügt es dafür, wenn Abstimmungsergebnis innerhalb von sieben Tagen veröffentlicht wird. Veröffentlichungspflicht dauert an, solange Vergütungssystem „gültig" ist (berechtigte Kritik an Begrifflichkeit bei BeckOGK/J. Hoffmann Rn. 43 ff.), mindestens aber zehn Jahre.

IV. Folgen der Nichtbilligung (§ 120a III)

Billigt HV vorgelegtes Vergütungssystem nicht, ist nach § 120a III spätestens 9
auf nächster ordentlicher HV überprüftes Vergütungssystem zum Beschluss vorzulegen. Nach RegBegr. BT-Drs. 19/9739, 94 soll selbst auf laufender HV abändernde Vorlage möglich sein, was aber idR an praktischen Schwierigkeiten scheitern wird (Gärtner/Himmelmann AG 2021, 259 Rn. 8). Überprüftes System muss **nicht zwangsläufig überarbeitetes System** sein (RegBegr. BT-Drs. 19/9739, 94; zust. DVA-HRA NZG 2019, 12 Rn. 89; Bachmann/Pauschinger ZIP 2019, 1, 6; Löbbe/Fischbach AG 2019, 373, 378 f.; krit. Anzinger ZGR 2019, 39, 82). Andere Lesart würde im – ohnehin nicht sonderlich wahrscheinlichen – Szenario eines derart renitenten AR zur wenig sinnvollen Variante kosmetischer Alibiänderungen führen (Herrler ZHR 184 [2020], 408, 421). Durch Abstellen auf ordentliche HV wird verhindert, dass außerordentliche HV mit Vergütungsvotum belastet werden muss. Zusatz „spätestens" lässt AG aber auch diese Option offen. Bis zur erneuten Vorlage kann AR abgelehntes System zugrunde legen, stattdessen aber auch auf anderes System zurückgreifen, das HV früher gebilligt hat, sofern seitdem nicht vier Jahre vergangen sind oder das System wesentlich verändert wurde; einer erneuten Vorlage bedarf es dazu nicht (Gärtner/Himmelmann AG 2021, 259 Rn. 6).

V. Billigung des Vergütungsberichts (§ 120a IV, V)

10 Neben Votum zum Vergütungssystem fasst HV nach § 120a IV auch Beschluss zur Billigung des nach § 162 erstellten und geprüften (§ 162 II) Vergütungsberichts für vorangegangenes Geschäftsjahr. Da Vergütungsbericht – anders als Vergütungssystem – jedes Jahr vorgelegt werden muss (→ § 162 Rn. 4) – ist auch Billigungsbeschluss jedes Jahr zu fassen (BeckOGK/J. Hoffmann Rn. 47). **Verweis auf § 120a I 2, 3** in § 120a IV 2 stellt klar, dass auch dieser Beschluss weder Rechte noch Pflichten begründet (→ Rn. 5) und nicht anfechtbar ist (→ Rn. 6). Rechtsfolge liegt allein darin, dass AR im folgenden Vergütungsbericht nach § 162 I 2 Nr. 6 zu berichten hat, wie Kritik der Aktionäre berücksichtigt wurde (→ § 162 Rn. 7b). § 120a V enthält **Erleichterung für börsennotierte kleine und mittelgroße AG** iSd § 267 I, II HGB, um deren Verwaltungsaufwand zu reduzieren. Hier bedarf es keiner Beschlussfassung nach § 120a IV, wenn Bericht des letzten Geschäftsjahres als eigener Tagesordnungspunkt HV zur Erörterung vorgelegt wird (ausf. Philipps AG 2021, 773 Rn. 44 ff.). Zur bes. Übergangsvorschrift → Rn. 2.

Zweiter Unterabschnitt. Einberufung der Hauptversammlung

Allgemeines

121

(1) **Die Hauptversammlung ist in den durch Gesetz oder Satzung bestimmten Fällen sowie dann einzuberufen, wenn das Wohl der Gesellschaft es fordert.**

(2) [1] **Die Hauptversammlung wird durch den Vorstand einberufen, der darüber mit einfacher Mehrheit beschließt.** [2] **Personen, die in das Handelsregister als Vorstand eingetragen sind, gelten als befugt.** [3] **Das auf Gesetz oder Satzung beruhende Recht anderer Personen, die Hauptversammlung einzuberufen, bleibt unberührt.**

(3) [1] **Die Einberufung muss die Firma, den Sitz der Gesellschaft sowie Zeit und Ort der Hauptversammlung enthalten.** [2] **Zudem ist die Tagesordnung anzugeben.** [3] **Bei börsennotierten Gesellschaften hat der Vorstand oder, wenn der Aufsichtsrat die Versammlung einberuft, der Aufsichtsrat in der Einberufung ferner anzugeben:**

1. **die Voraussetzungen für die Teilnahme an der Versammlung und die Ausübung des Stimmrechts sowie gegebenenfalls den Nachweisstichtag nach § 123 Absatz 4 Satz 2 und dessen Bedeutung;**
2. **das Verfahren für die Stimmabgabe**
   a) **durch einen Bevollmächtigten unter Hinweis auf die Formulare, die für die Erteilung einer Stimmrechtsvollmacht zu verwenden sind, und auf die Art und Weise, wie der Gesellschaft ein Nachweis über die Bestellung eines Bevollmächtigten elektronisch übermittelt werden kann sowie**
   b) **durch Briefwahl oder im Wege der elektronischen Kommunikation gemäß § 118 Abs. 1 Satz 2, soweit die Satzung eine entsprechende Form der Stimmrechtsausübung vorsieht;**
3. **die Rechte der Aktionäre nach § 122 Abs. 2, § 126 Abs. 1, den §§ 127, 131 Abs. 1; die Angaben können sich auf die Fristen für die Ausübung der Rechte beschränken, wenn in der Einberufung im Übrigen auf weitergehende Erläuterungen auf der Internetseite der Gesellschaft hingewiesen wird;**

4. die Internetseite der Gesellschaft, über die die Informationen nach § 124a zugänglich sind.

(4) [1]**Die Einberufung ist in den Gesellschaftsblättern bekannt zu machen.** [2]**Sind die Aktionäre der Gesellschaft namentlich bekannt, so kann die Hauptversammlung mit eingeschriebenem Brief einberufen werden, wenn die Satzung nichts anderes bestimmt; der Tag der Absendung gilt als Tag der Bekanntmachung.** [3]**Die Mitteilung an die im Aktienregister Eingetragenen genügt.**

(4a) **Bei börsennotierten Gesellschaften, die nicht ausschließlich Namensaktien ausgegeben haben oder welche die Einberufung den Aktionären nicht unmittelbar nach Absatz 4 Satz 2 übersenden, ist die Einberufung spätestens zum Zeitpunkt der Bekanntmachung solchen Medien zur Veröffentlichung zuzuleiten, bei denen davon ausgegangen werden kann, dass sie die Information in der gesamten Europäischen Union verbreiten.**

(4b) [1]**Im Fall der virtuellen Hauptversammlung muss die Einberufung auch angeben, wie sich Aktionäre und ihre Bevollmächtigten elektronisch zur Versammlung zuschalten können.** [2]**Zusätzlich ist in der Einberufung darauf hinzuweisen, dass eine physische Präsenz der Aktionäre und ihrer Bevollmächtigten am Ort der Hauptversammlung ausgeschlossen ist.** [3]**Bei börsennotierten Gesellschaften ist im Fall der virtuellen Hauptversammlung abweichend von Absatz 3 Satz 3 Nummer 2 Buchstabe b das Verfahren für die Stimmabgabe im Wege elektronischer Kommunikation anzugeben.** [4]**Zudem ist bei diesen Gesellschaften zusätzlich auf § 126 Absatz 4 und, falls der Vorstand von der Möglichkeit des § 131 Absatz 1a Satz 1 Gebrauch macht, auf § 131 Absatz 1a bis 1f hinzuweisen sowie darauf, dass der Bericht des Vorstands oder dessen wesentlicher Inhalt nach § 118a Absatz 1 Satz 2 Nummer 5 zugänglich gemacht wird.**

(5) [1]**Wenn die Satzung nichts anderes bestimmt, soll die Hauptversammlung am Sitz der Gesellschaft stattfinden.** [2]**Sind die Aktien der Gesellschaft an einer deutschen Börse zum Handel im regulierten Markt zugelassen, so kann, wenn die Satzung nichts anderes bestimmt, die Hauptversammlung auch am Sitz der Börse stattfinden.** [3]**Im Fall der virtuellen Hauptversammlung finden die Sätze 1 und 2 keine Anwendung.**

(6) **Sind alle Aktionäre erschienen oder vertreten, kann die Hauptversammlung Beschlüsse ohne Einhaltung der Bestimmungen dieses Unterabschnitts fassen, soweit kein Aktionär der Beschlußfassung widerspricht.**

(7) [1]**Bei Fristen und Terminen, die von der Versammlung zurückberechnet werden, ist der Tag der Versammlung nicht mitzurechnen.** [2]**Eine Verlegung von einem Sonntag, einem Sonnabend oder einem Feiertag auf einen zeitlich vorausgehenden oder nachfolgenden Werktag kommt nicht in Betracht.** [3]**Die §§ 187 bis 193 des Bürgerlichen Gesetzbuchs sind nicht entsprechend anzuwenden.** [4]**Bei nichtbörsennotierten Gesellschaften kann die Satzung eine andere Berechnung der Frist bestimmen.**

Übersicht

I. Grundlagen

1. Regelungsgegenstand und -zweck. Einberufung der HV ist in §§ 121–128 geregelt, die bei bestimmten Maßnahmen zT noch durch Sonderregeln ergänzt werden (vgl. etwa § 11 III UmwG, §§ 175, 293 f., 327c, 63 UmwG, § 16 WpÜG). Spitzenvorschrift des § 121 betr. vor allem **Grunderfordernisse ordnungsgem. Einberufung,** nämlich Einberufungsgrund (§ 121 I), Einberufung durch Berechtigte (§ 121 II), Einberufungsinhalt (§ 121 III), Art und Weise der Bek. (§ 121 IV, IVa) sowie Ort der HV (§ 121 V). Durch ARUG 2009 eingefügter § 121 VII regelt allg. für §§ 121 ff. Berechnung von Terminen und Fristen. Einberufung soll HV-Teilnahme und angemessene Vorbereitung ermöglichen und dient damit der Wahrung der Aktionärsrechte; bes. Bedeutung wird durch Aufnahme in Nichtigkeitsgründe nach § 241 Nr. 1 unterstrichen (MüKoAktG/Kubis Rn. 1; zur Entschärfung durch ARUG 2009 → § 241 Rn. 1). Deshalb ist auf Einberufungsgestaltung auch bes. Sorgfalt zu verwenden (BeckOGK/Rieckers Rn. 3). Zu Begriff und Rechtsnatur der Einberufung sagt § 121 nichts. Dem Begriff nach ist Einberufung **Leitungsmaßnahme** des Vorstands (§ 76 I), durch die HV als Willensbildungsorgan (→ § 118 Rn. 3) der AG konstituiert wird (→ § 118 Rn. 6). Rechtsnatur: **innergesellschaftliche Verfahrenshandlung** ohne rechtsgeschäftlichen Charakter (BGHZ 100, 264, 267 = NJW 1987, 2580 zur GmbH; aA noch Wenck, Die Einberufung der Generalversammlungen, 1914, 16 ff., 25). Regelung ist zwingend (§ 23 V), soweit sie der Satzung nicht selbst Spielraum gibt (§ 121 V 1) und soweit es sich nicht um eine Vollversammlung handelt, für die § 121 VI vollständig auf Einhaltung der Versammlungsförmlichkeiten (§§ 121–128) verzichtet. 1

2. Gesetzesänderungen und europarechtlicher Hintergrund. § 121 war in der Vergangenheit mehrfach Gegenstand von Gesetzesänderung. Insbes. Ges. für kleine Aktiengesellschaften und zur Deregulierung des Aktienrechts v. 2.8.1994 (BGBl. 1994 I 1961) zielte darauf ab, **Versammlungsförmlichkeiten** für Gesellschaften abzubauen, die solcher Förmlichkeiten aufgrund der tats. Struktur ihres Aktionärskreises nicht bedürfen (Fraktionsbegr. BT-Drs. 12/6721, 8). Weitere Änderungen beruhen auf ARUG 2009, was zur Folge hat, dass § 121 in weiten Zügen durch **Art. 5 Aktionärsrechte-RL** vorgeprägt ist, was richtlinienkonforme Auslegung erforderlich macht (ausf. S/L/Ziemons Rn. 3 ff.). 2

II. Einberufungsgründe (§ 121 I)

1. Gesetzlich bestimmte Fälle. HV ist in ges. bestimmten Fällen einzuberufen. Insoweit ist Vorstand (§ 121 II) zur Einberufung nicht nur berechtigt, sondern auch verpflichtet. Hierhin gehören zunächst die (wenigen) **ausdr. bestimmten Fälle,** vgl. § 92 (Verlust des hälftigen Grundkapitals), § 122 I (Minderheitsverlangen) sowie § 44 V 1 KWG, § 3 I 2 BausparkG, § 306 I 1 Nr. 4, 5 VAG, § 19 III ZAG, § 3 PfandBG (aufsichtsrechtl. Maßnahmen; → § 118 Rn. 28). Einberufung muss aber nicht ausdr. bestimmt sein, sondern es genügt, dass **Maßnahme** ansteht, **für die HV zuständig ist** (RegBegr. Kropff S. 168). Solche Maßnahmen sind insbes. solche, die HV periodisch wiederkehrend treffen muss und die insofern Einberufung gebieten. Dazu gehören insbes. § 175 I (Vorlage des Jahresabschlusses), § 174 (Verwendung des Bilanzgewinns), Bestellung von AR-Mitgliedern (§ 101 I), Entlastung der Verwaltungsmitglieder (§ 120 I 1), Billigung des Vergütungssystems und des Vergütungsberichts für die Mitglieder des Vorstands und des AR der börsennotierten AG (§ 120a I, IV), Wahl des Abschlussprüfers (§ 318 I HGB). Vgl. iÜ die in → § 119 Rn. 5–9 zusammengestellten HV-Zuständigkeiten sowie zur daraus abgeleiteten ungeschriebenen 3

HV-Zuständigkeit nach Holzmüller-Grundsätzen → § 119 Rn. 16 ff. Regelmäßig, aber nicht immer wird HV zur Beschlussfassung einberufen; uU kommt auch Einberufung zu bloßen Informationszwecken in Betracht (→ § 119 Rn. 4). Wird HV grundlos einberufen, kann sich Vorstand uU schadensersatzpflichtig machen; Beschlüsse der HV sind allerdings nicht deshalb anfechtbar, weil es am Einberufungsgrund (§ 121 I) fehlte (BeckOGK/Rieckers Rn. 116).

4 **2. Durch Satzung bestimmte Fälle.** HV muss gem. § 121 I auch einberufen werden, wenn durch Satzung bestimmter Einberufungsgrund vorliegt. Spielraum des Satzungsgebers ist jedoch gering, weil er zwingende ges. Kompetenzordnung (§ 23 V) nicht zugunsten der HV verschieben kann (→ § 119 Rn. 10). Einberufungsgrund kann danach gegeben sein, wenn HV an Stelle des Vorstands über Zustimmung zur **Übertragung vinkulierter Namensaktien** zu bestimmen hat (§ 68 II 3 Fall 2) und solcher Fall zur Entscheidung ansteht. Lässt man mit mittlerweile hM Satzungsbestimmungen zum Vergütungsvotum zu (→ § 120a Rn. 2), fallen auch sie unter § 121 I (KK-AktG/Noack/Zetzsche Rn. 25). Schließlich kann hierher iwS auch der Fall gerechnet werden, dass das Recht einer Minderheit, Einberufung der HV zu verlangen, an geringere als an ges. Anforderungen geknüpft wird (§ 122 I 2).

5 **3. Wohl der Gesellschaft.** Dieser Einberufungsgrund (§ 121 I Fall 3) hat nach herkömmlichem Verständnis nur geringe praktische Bedeutung. Er darf nicht als generalklauselartige Erweiterung der Einberufungsgründe verstanden werden, sondern setzt wie § 111 III anderweitig begründete Beschlusskompetenz der HV und überdies voraus, dass Beschluss zur Wahrung der Gesellschaftsinteressen erforderlich ist. Weil Einberufungsgrund nicht ausdr. bestimmt sein muss, sondern Einberufung bei Entscheidungsbedarf im gesamten Zuständigkeitsbereich der HV veranlasst ist (→ Rn. 3), wird dieser Einberufungsgrund weithin als entbehrlich eingestuft. Auch dem Gesetzgeber ging es offenbar im Wesentlichen nur darum, in der Einberufungszuständigkeit **Parität zwischen AR und Vorstand** zu wahren (RegBegr. Kropff S. 168 f.), weshalb auch in der Sache für § 121 I Fall 3 die gleiche Auslegung geboten ist wie für § 111 III (→ § 111 Rn. 48 ff.). Dieses grds. sehr restriktive Verständnis erfährt allerdings eine Ausweitung, wenn man mit mittlerweile ganz hM auch beschlusslose HV zulässt (→ § 119 Rn. 4). In diesem Fall wird Einberufungsverlangen des Vorstands allein am Maßstab des Gesellschaftswohls beurteilt werden können, wobei ihm allerdings breiter Entscheidungsspielraum einzuräumen ist. Zumindest bei größerer AG wird Wohl der Gesellschaft allerdings nur selten Einberufung für Konsultativbeschluss rechtfertigen können (zutr. BeckOGK/Rieckers Rn. 10). Nach A.8 DCGK sollte Vorstand aber außerordentliche HV im Falle eines Übernahmeangebots einberufen. Es handelt sich dabei allerdings um bloße Anregung („sollte"), die von Entsprechenserklärung nicht umfasst ist, was sinnvoll ist, da Vorgabe oft schon aus zeitlichen Gründen kaum erfüllt werden kann (→ § 76 Rn. 118).

III. Einberufungsberechtigte (§ 121 II)

6 **1. Vorstand. a) Grundsatz.** Nach § 121 II 1 wird HV durch Vorstand einberufen, ggf. auch durch gerichtl. bestellten Notvorstand iSd § 85 (BeckOGK/Rieckers Rn. 12). Insolvenzeröffnung lässt Berechtigung unberührt (BeckOGK/Rieckers Rn. 12). AR ist nur ausnahmsweise zur Einberufung berechtigt, nämlich dann, wenn es das Gesellschaftswohl verlangt (§ 111 III), wobei ihm allerdings kein Recht zusteht, auch beschlusslose HV einzuberufen (str.; → § 111 Rn. 49; → § 119 Rn. 4). Vorstand ist als Gesamtorgan zuständig, entscheidet also über die Einberufung durch **Beschluss** (öOGH AG 2002, 575). Abw. vom Gesamtprinzip des § 77 I 1 beschließt Vorstand gem. § 121 II 1 **mit einfacher**

Stimmenmehrheit; Ausnahme gilt nur bei Vorlagen nach § 119 II, da ihnen Geschäftsführungsmaßnahme iSd § 77 zugrunde liegt (→ § 119 Rn. 13b). Beschluss kann aufgrund Qualifikation als Leitungsmaßnahme (→ Rn. 1) weder delegiert noch einzelnen Vorstandsmitgliedern überlassen werden, wohl aber Ausführung des Beschlusses, einschließlich kleinerer Korrrekturen, zB Formulierungsänderungen (KK-AktG/Noack/Zetzsche Rn. 34). Auch der Vorstandsvorsitzende kann ohne Beschluss nicht ordnungsgem. einladen (ausf. zu Folgen eines Beschlusses in Unterbesetzung BeckOGK/Rieckers Rn. 118 ff.). Bei **Verstoß** gegen Einberufungspflicht droht Ersatzpflicht nach § 93 II ggü. AG (nicht ggü. Aktionären – s. BeckOGK/Rieckers Rn. 115; aA S/L/Ziemons Rn. 19) und Zwangsgeld nach § 407 iVm § 175; AR ist in diesem Fall zur Einberufung nach § 111 III verpflichtet (S/L/Ziemons Rn. 19).

b) Eingetragene Vorstandsmitglieder. Wer als Vorstandsmitglied in das HR eingetragen ist (s. § 39 I, § 81 I), gilt gem. § 121 II 2 als einberufungsbefugt. Darin liegt **unwiderlegbare,** von Gutgläubigkeit der Aktionäre unabhängige **Vermutung,** die Einberufungsmängel vermeiden soll, also der Rechtssicherheit dient (BGH NZG 2017, 182 Rn. 26). Entscheidend ist Eintragung im Zeitpunkt der Einberufung, also idR gem. § 121 IV 1 bei Bek. in den Gesellschaftsblättern (GK-AktG/Butzke Rn. 27; MüKoAktG/Kubis Rn. 20; B/K/L/Reger Rn. 7; BecKOGK/Rieckers Rn. 18). Gegenauffassung von KK-AktG/Noack/Zetzsche Rn. 40, wonach es auf Zeitpunkt der Beschlussfassung ankommt, beruht auf der zweifelhaften Begründung, dass sich Vermutung des § 121 II 2 auf „befugte Mitwirkung an der Abstimmung“ beziehe, und führt auch in der Sache zu bedenklichen Ergebnissen, da Zeitpunkt für Aktionäre intransparent ist (GK-AktG/Butzke Rn. 27). Regelung des § 121 II 2 ist nicht in dem Sinne abschließend, dass nur eingetragene Vorstandsmitglieder einberufen könnten. Wer wirksam bestellt, aber nicht eingetragen ist (→ § 81 Rn. 9), kann fehlerfreie Einberufung aussprechen (allgM – s. nur BeckOGK/Rieckers Rn. 19). 7

2. Andere Personen. § 121 II 3 setzt anderweitig begründete Einberufungsbefugnis anderer Personen voraus und lässt sie unberührt. Einberufungszuständigkeit **kraft Ges.** haben AR, wenn Wohl der Gesellschaft es verlangt (§ 111 III; → § 111 Rn. 48 ff.), ferner gerichtl. ermächtigte Aktionäre (§ 122 III), schließlich Abwickler der AG (§ 268 II 1; → § 268 Rn. 5), nicht aber Insolvenzverwalter (BGH NJW 2002, 1128, 1129; KK-AktG/Noack/Zetzsche Rn. 48). Aufsichtsrechtl. Eingriffsbefugnisse (→ Rn. 3) fallen nicht unter § 121 II 3, da Behörde Einberufung nicht selbst vornehmen, sondern nur vom Vorstand verlangen kann; für ihn begründet entspr. Verlangen ges. Einberufungsgrund (KK-AktG/Noack/Zetzsche Rn. 49 f.). Einberufungszuständigkeit **kraft Satzung** kann insbes. zugunsten einzelner näher bezeichneter Aktionäre begründet werden (ganz hM, s. zB BeckOGK/Rieckers Rn. 23). Auch gesellschaftsfremde Dritte (zB Behörden, Stiftungen) können durch Satzung ein Einberufungsrecht erhalten (S/L/Ziemons Rn. 24). Wenn Einberufungsbefugnis fehlt, liegt Nichtigkeitsgrund nach § 241 Nr. 1 bzgl. gleichwohl gefasster HV-Beschlüsse vor (vgl. BGHZ 11, 231, 236 = NJW 1954, 385; BGHZ 87, 1, 2 f. = NJW 1983, 1677; beide zur GmbH; zur AG öOGH AG 2002, 575, 576). 8

IV. Einberufungsinhalt (§ 121 III)

1. Überblick. § 121 III regelt seit Neufassung durch ARUG 2009 nur noch **Inhalt der Einberufung.** Grundform des Einberufungsverfahrens, nämlich Bek. in den Gesellschaftsblättern, findet sich jetzt in § 121 IV 1 (→ Rn. 11a). Inhaltliche Anforderungen sind durch ARUG weitgehend umgestaltet worden. Dabei ist zwischen Gesellschaften mit und ohne **Börsennotierung** (§ 3 II) zu unter- 8a scheiden. Während die Letztgenannten von Formalitäten entlastet werden, sind inhaltliche Anforderungen bei börsennotierten Gesellschaften deutlich gestiegen (§ 121 III 3), was auf Durchführung von Art. 5 III Aktionärsrechte-RL beruht. Weitere kapitalmarktrechtl. Pflichtangaben sind überdies in § 49 I 1 Nr. 1 WpHG vorgesehen (vgl. dazu Süßmann NZG 2015, 467 ff.). Einladungsinhalt richtet sich an sämtliche Aktionäre und ist deshalb nach den Verständnismöglichkeiten eines objektiv urteilenden, jur. nicht vorgebildeten Aktionärs auszulegen (OLG Koblenz BeckRS 2013, 08497).

9 **2. Basisangaben.** Bek. muss nach § 121 III 1 für alle Gesellschaften enthalten: **Firma** (§ 4; mit ausgeschriebenem oder abgekürztem Rechtsformzusatz) und **Sitz** (§ 5; bei Doppelsitz: beide) der Gesellschaft; **Ort** der HV, dh Anschrift des Versammlungsraums (zu Einzelheiten s. BeckOGK/Rieckers Rn. 29; zur Verlegung → Rn. 18e); **Zeit** der HV, also Tag und Stunde des Beginns, nicht auch voraussichtliche Dauer (OLG Koblenz ZIP 2001, 1093; Happ/Freitag AG 1998, 493, 495 mwN; zur Verschiebung → Rn. 18d); soll HV ausnahmsweise für mehr als einen Tag einberufen werden, ist auch dies in Einberufung aufzunehmen (Butzke HV B 69 mit Formulierungsbeispiel; zu praktischen Schwierigkeiten Arnold/Carl/Götze AG 2011, 349 f.). Nicht ausdr. erwähnt, aber aufzunehmen ist auch Einberufungsorgan (GK-AktG/Butzke Rn. 57). Bedingungen für Teilnahme und Ausübung des Stimmrechts gehören anders als nach § 121 III 2 nicht mehr zu den auch von AG ohne Börsennotierung (§ 3 II) zu machenden Basisangaben (RegBegr. BT-Drs. 16/11642, 28; krit. dazu DAV-HRA NZG 2008, 534 Rn. 26); vgl. aber § 121 III 3 Nr. 1 und → Rn. 10a. Anders als früher muss **Tagesordnung** jedoch schon in Einberufung enthalten sein, was ohnehin gängiger Praxis entsprach (RegBegr. BT-Drs. 16/11642, 27 f.). Erforderlich ist danach, Verhandlungs- und Beschlussgegenstände so konkret zu bezeichnen, dass Aktionäre erkennen können, um was es gehen wird (zu Einzelfällen s. BeckOGK/Rieckers Rn. 36 ff.; zur Konkretisierung durch Verwaltungsvorschlag → § 124 Rn. 10 f.). Nicht genügend ist daher etwa Angabe „Satzungsänderung" (GK-AktG/Butzke Rn. 63). Angabe löst gleichermaßen positive und negative **Bindungswirkung** aus, dh Gegenstand muss in HV behandelt werden (zur späteren Absetzung → Rn. 18c), nicht angekündigte Gegenstände können nicht behandelt werden (BeckOGK/Rieckers Rn. 33). Soll früher beschlossene Sonderprüfung aufgehoben werden, so genügt es nicht, wenn nur Bericht des Vorstands angekündigt wird (OLG Brandenburg AG 2011, 418, 419). Aufnahme eines Tagesordnungspunktes „Verschiedenes" ist zulässig, aber nicht zu empfehlen, da mangels Konkretisierung keine Sachentscheidungen getroffen werden können, Aktionären aber Gelegenheit geboten wird, sich zu beliebigen Themen der AG zu äußern (BeckOGK/Rieckers Rn. 41). Regelung ist zwingend, aber nicht abschließend. Weitere Angaben sind gem. § 124 erforderlich.

10 **3. Weitere Angaben bei börsennotierten Gesellschaften. a) Bedingungen der Teilnahme und der Stimmrechtsausübung; Record Date.** Ist AG börsennotiert (§ 3 II), so muss Einberufung richtlinienbedingt (→ Rn. 8a) den zusätzlichen Inhalt des § 121 III 3 haben, und zwar – abw. vom Wortlaut – unabhängig davon, wer HV einberuft (KK-AktG/Noack/Zetzsche Rn. 8; zust. GK-AktG/Butzke Rn. 66). Erforderlich sind deshalb zunächst Angaben zu Bedingungen der Teilnahme und der Stimmrechtsausübung (§ 121 III 3 Nr. 1). Angesprochen sind damit Bestimmungen der Satzung zur Anmeldung (§ 123 II) und zur Legitimation der Aktionäre (§ 123 III–V) → § 123 Rn. 4 ff., 14 ff. Bezweckt ist deren bessere Unterrichtung (s. schon RegBegr. Kropff S. 169). Dafür genügt es, dass Bestimmungen der Satzung inhaltlich zutr. wiedergegeben werden; Verweisung genügt nicht, aber auch Wiedergabe im Wortlaut ist nicht erforderlich (OLG Stuttgart AG 2009, 204, 210), wenngleich zum Ausschluss von

Anfechtungsrisiken empfehlenswert (BeckOGK/Rieckers Rn. 46). Regelung gilt auch für **vHV** (→ § 118a Rn. 1 ff.), für die § 121 IVb sodann nochmals ergänzende Angaben vorsieht (→ Rn. 11j ff.). Wird etwa Teilnahme an vHV von Anmeldung abhängig gemacht (zur Zulässigkeit → § 123 Rn. 4), ist Anmeldungserfordernis in Einberufung anzugeben (RegBegr. BT-Drs. 20/1738, 28). Gleiches gilt für Verfahren der Stimmabgabe, sofern Satzung entspr. Bestimmungen enthält. Für vHV gilt das mit Blick auf zwingende Voraussetzung des § 118a I 2 Nr. 3 gem. § 121 IVb 3 auch dann, wenn entspr. Satzungsbestimmung fehlt (→ Rn. 11l; RegBegr. BT-Drs. 20/1738, 28). In instanzgerichtl. Rspr. und Schrifttum sehr umstritten war die Frage, ob auch **Vertretungsmodalitäten** zu den Bedingungen der Teilnahme und der Stimmrechtsausübung gehören. Nach Einfügung des § 121 III 3 Nr. 2a ist diese Frage zu verneinen und Angabe dort zu verorten (→ Rn. 10b). Ebenfalls umstr. ist, ob auch **Umschreibestopp** bei Namensaktien (→ § 123 Rn. 24 ff.) von § 121 III 3 Nr. 1 erfasst ist (dafür LG Köln NZG 2009, 467, 468; MüKoAktG/Kubis Rn. 64; S/L/Ziemons Rn. 50; aA GK-AktG/Butzke Rn. 69; KK-AktG/Noack/Zetzsche Rn. 93; BeckOGK/Rieckers Rn. 45; Baums FS Hüffer, 2010, 15, 28 ff.; v. Nussbaum NZG 2009, 456, 458). Nachdem § 121 III 3 Nr. 1 nunmehr noch deutlicher als aF nicht mehr auf Teilnahmebedingungen, sondern auf Teilnahmevoraussetzungen abstellt, spricht mehr für abl. Auffassung, weil Teilnahmerecht ohnehin schon vor Anmeldeschluss erworben sein muss (überzeugend v. Nussbaum NZG 2009, 456, 458). Praxis ist vorsorgliche Aufnahme dennoch zu empfehlen.

Hat AG nach ihrer Satzung **Record Date (§ 123 IV 2),** so ist auch dieser nach § 121 III 3 Nr. 1 in Einberufung anzugeben und seine Bedeutung zu erläutern (→ § 123 Rn. 30 ff.). Norm geht auf Art. 5 III lit. c Aktionärsrechte-RL zurück. Angabe erfolgt durch konkrete Datumsnennung; Angabe der Berechnungsformel genügt nicht (RegBegr. BT-Drs. 16/11642, 28). Bedeutung liegt, wie RL eigens ausführt, darin, dass nur die Personen zur Teilnahme an HV und zur Ausübung des Stimmrechts berechtigt sind, die am Stichtag Aktionäre sind (Drinhausen/Keinath BB 2009, 2322). Warnhinweis dieses Inhalts muss also in Einberufung enthalten sein. Dagegen ist andauernder Aktienbesitz noch am Tag der HV keine Bedingung der Teilnahme oder der Stimmrechtsausübung, weshalb sich Angaben in Einberufung erübrigen (OLG Frankfurt AG 2010, 334, 336). **10a**

b) Einzelfragen der Stimmabgabe. aa) Bevollmächtigte. Nach § 121 III 3 Nr. 2a idF des ARUG 2009 muss in Einberufung der börsennotierten AG auch angegeben werden, wie Stimmabgabe durch einen Bevollmächtigten erfolgt, und zwar unter Hinweis auf einschlägige Formulare und auf Modalitäten der elektronischen Übermittlung des Bestellungsnachweises. Damit wird Art. 5 III lit. b ii Aktionärsrechte-RL umgesetzt. **Vollmachtsfälle:** § 129 I 2, II, § 135, nicht auch sog Legitimationsübertragung nach § 129 III (Ermächtigung zur Stimmrechtsausübung im eigenen Namen). Anzugeben ist demnach insbes. **Form** der Vollmachtserteilung. Maßgeblich ist insofern § 134 III 3, wonach Bevollmächtigung in Textform (§ 126b BGB) stets genügt (zu möglichen Gestaltungen → § 134 Rn. 22a). Das Gleiche gilt für Bevollmächtigung von Intermediären iSd § 135 I (→ § 135 Rn. 9). Ob Satzungserleichterungen nach § 134 III 4, § 135 I 2 möglich sind und dann ebenfalls von Hinweispflicht erfasst wären, ist str. (→ § 134 Rn. 23; → § 135 Rn. 9). Angabe soll überdies **Formulare** erfassen, die für Vollmachtserteilung zu verwenden sind. Wortlaut erfasst nur zwingend zu verwendende Formulare („zu verwenden sind"), doch findet sich bestehende Gesetzesvorgabe nur für gesellschaftsbestellte Stimmrechtsvertreter (→ § 134 Rn. 26c). Es kann auch nicht auf satzungsmäßig oder sonst von AG verlangte **10b**

Formularbenutzung abgestellt werden, da Regelung Erleichterung der Stimmrechtsausübung bezweckt (Grigoleit/Herrler Rn. 15; S/L/Ziemons Rn. 60). Im Lichte des in RegBegr. BT-Drs. 16/11642, 28 enthaltenen Verweises auf § 30a I Nr. 5 WpHG aF (jetzt § 48 I Nr. 5 WpHG) ist Vorgabe vielmehr dahin zu verstehen, dass AG entspr. Formulare bereitstellen und darauf hinweisen muss, ohne die Benutzung dieser Formulare vorschreiben zu können (Grigoleit/Herrler Rn. 15; MüKoAktG/Kubis Rn. 65; S/L/Ziemons Rn. 60). **Elektronische Übermittlung** verlangt, dass AG EDV-gestützten Kommunikationsweg für Übermittlung der Vollmachtsurkunde anzubieten hat, wofür Fax-Adresse nicht genügt (RegBegr. BT-Drs. 16/11642, 32); idR wird E-Mail-Adresse anzugeben sein. Auch Bereitstellung eines Internetdialogs genügt (str. → § 134 Rn. 22a).

10c **bb) Briefwahl oder elektronische Kommunikation.** Einberufung der HV einer börsennotierten AG muss gem. § 121 III 3 Nr. 2 lit. b idF des ARUG 2009 auch Angaben enthalten über das Verfahren einer Abstimmung durch Briefwahl (§ 118 II 1; → § 118 Rn. 15 ff.) oder im Wege elektronischer Kommunikation (§ 118 I 2; → § 118 Rn. 10 ff.). Regelung entspr. der Vorgabe in Art. 5 III lit. b Ziff. iii Aktionärsrechte-RL. In beiden Fallgruppen sind Angaben nur erforderlich, soweit **Satzung** derartige Stimmrechtsausübung vorsieht (keine „Fehlanzeige" geboten – BeckOGK/Rieckers Rn. 52). Soweit sie den Vorstand nur ermächtigt, seinerseits Briefwahl oder elektronische Kommunikation zuzulassen, entsteht Pflicht zur Einberufung mit erweitertem Inhalt, sobald Vorstand von Ermächtigung Gebrauch macht. Briefwahl (besser: Ausübung des Stimmrechts ohne Teilnahme) kann nach § 118 II 1 schriftlich oder im Wege elektronischer Kommunikation erfolgen. Einberufung muss deshalb angeben, in welcher Weise (Internetdialog, E-Mail, vorgedruckte Formulare), in welchem Zeitraum (→ § 118 Rn. 17) Stimmabgabe erfolgt und wie Aktionär sich zu legitimieren hat (RegBegr. BT-Drs. 16/11642, 28). Wörtliche Wiedergabe der Satzungsregelung bzw. Vorstandsanordnung ist empfehlenswert (BeckOGK/Rieckers Rn. 52). Gleiche Grundsätze gelten auch für elektronische Kommunikation in Gestalt von Online-Teilnahme. Nicht von § 121 III Nr. 2 lit. b gefordert („Stimmabgabe"), aber üblich und ratsam ist, zusätzliche Angabe, welche sonstigen Aktionärsrechte in diesem Rahmen ausgeübt werden können (→ § 118 Rn. 12; GK-AktG/Butzke Rn. 78; BeckOGK/Rieckers Rn. 52; für zwingende Angabe KK-AktG/Noack/Zetzsche Rn. 91).

10d **c) Ergänzungs- und Gegenanträge; Wahlvorschläge; Auskunftsrecht.** Ist AG börsennotiert, so muss Einberufung der HV nach § 121 III 3 Nr. 3 Hs. 1 idF durch ARUG 2009, der Art. 5 III lit. b Ziff. i Aktionärsrechte-RL umsetzt, auch die Rechte bezeichnen, die den Aktionären nach § 122 II, § 126 I, § 127, § 131 I zustehen. Mindestens anzugeben sind **Fristen** für Ausübung der Rechte, soweit solche Fristen bestehen. Soweit Rechtsausübung nicht fristgebunden ist, sollte auch das aus Vorsichtsgründen in Einberufung zum Ausdruck kommen. Keine Ausübungsfrist ist Mindestbesitzzeit nach § 142 II 2, § 122 I 3 (glA BeckOGK/Rieckers Rn. 54; Mimberg/Gätsch, Die HV nach ARUG, 2010, Rn. 49; wohl aA Kocher/Lönner BB 2010, 1675; Schroeder/Pussar BB 2010, 717, 718 ff.). Insoweit geht es um die Voraussetzungen für den Erwerb der Aktionärsrechte, nicht um ihre Ausübung. Auch darauf hinzuweisen, dürfte jedoch unschädlich sein. Angaben zu Fristen sind mit Rücksicht auf ausländische Aktionäre konkret zu machen, also durch Datumsangabe (RegBegr. BT-Drs. 16/11642, 28; BeckOGK/Rieckers Rn. 54; S/L/Ziemons Rn. 67). IÜ muss Darstellung so erfolgen, dass sie von **europäischem Durchschnittsaktionär** nachvollzogen werden kann (MüKoAktG/Kubis Rn. 68). Dafür genügt nicht bloße Wortlautwiedergabe der ges. Bestimmungen, sondern erforderlich ist (wenn auch knapp gehaltene) allgemeinverständliche Darstellung des jeweiligen Regelungsgehalts einschließlich „weitergehender Erläuterungen" (so auch GK-AktG/Butzke Rn. 81; Hölters/Weber/Drinhausen Rn. 29; MüKoAktG/Kubis Rn. 68; B/K/L/Reger Rn. 13d; aA KK-AktG/Noack/Zetzsche Rn. 109; S/L/Ziemons Rn. 70). Dazu gehören zB Hinweise auf Vorbesitzzeit bei § 122 II, auf Ausnahmekatalog des § 126 II bei § 126 I sowie auf Grenzen des Auskunftsrechts in § 131 III (MüKoAktG/Kubis Rn. 68; weitere Details sind str. – vgl. dazu BeckOGK/Rieckers Rn. 55). Für diese Erl. eröffnet § 121 III 3 Nr. 3 **zwei alternative Veröffentlichungswege:** Sie können in vollem Umfang in der Einberufung erfolgen oder Einberufung beschränkt sich auf einzelne Angaben, die in jedem Fall Fristen zur Rechtsausübung umfassen müssen, und verweist auf weitere Erl. auf Internetseite der AG; in der Summe müssen in beiden Varianten dieselben Informationen gegeben werden (GK-AktG/Butzke Rn. 80).

d) Internetseite. Einberufung der börsennotierten AG muss schließlich Internetseite angeben, auf der AG Veröffentlichungen gem. § 124a vornimmt (§ 121 III Nr. 4 in Durchführung von Art. 5 III lit. e Aktionärsrechte-RL). Über die Internetseite müssen der Inhalt der Einberufung und wesentliche Angaben zur HV, notwendige Informationsunterlagen, Informationen zu Aktien und Stimmrechten sowie Formulare zur Stimmrechtsausübung in den Fällen des § 121 III 3 Nr. 2 (→ Rn. 10b, 10c) zugänglich sein. Angabe des „Klick-Pfads" ist nicht erforderlich (BeckOGK/Rieckers Rn. 56; aA S/L/Ziemons Rn. 71). 10e

4. Rechtsfolgen bei Verstoß. Anforderungen des § 121 III sind strikt einzuhalten, um Beschlussmängel zu vermeiden. Hierzu gilt: **Nichtigkeit** tritt nach dem durch ARUG 2009 geänderten § 241 Nr. 1 nur ein, wenn HV unter Verstoß gegen § 121 III 1 einberufen worden ist, also wenn die Basisangaben (→ Rn. 9) nicht oder fehlerhaft gemacht worden sind (→ § 241 Rn. 8 ff., 10; LG München I AG 2009, 296, 299). Bei Bagatellverstößen, bei denen Verwechslungen und sonstige Einflüsse auf Beschlussfassung ausgeschlossen sind, ist strenge Nichtigkeitsfolge hingegen nicht anzunehmen (ganz hM – vgl. Nachw. in → § 241 Rn. 11). Früher anerkannte Ausnahme von Nichtigkeitsfolge bei Vollversammlung (vgl. noch BGHZ 36, 207, 211 = NJW 1962, 538) ist heute wegen § 121 VI obsolet (→ § 241 Rn. 12). Verletzung des § 121 III 2 ist kein Nichtigkeitsgrund, begründet aber Beschlusshindernis nach § 124 IV 1 (RegBegr. BT-Drs. 16/11642, 39) und bei dessen Missachtung **Anfechtbarkeit** nach § 243 I. Verstoß gegen § 121 III 3 ist ebenfalls kein Nichtigkeitsgrund, kann aber Anfechtung nach § 243 I rechtfertigen, soweit sich Verstoß im Einzelfall auf Beschlussfassung auswirken sollte (dazu Kocher/Lönner BB 2010, 1675, 1677 f. gegen Schroeder/Pussar BB 2010, 717 f., 721). Soweit Angaben zur Mindestbesitzzeit (§ 121 III 3 Nr. 3) falsch sein sollten, fehlt es schon am Normverstoß (→ Rn. 10d). Anfechtungsausschluss nach Vorbild des § 52 WpHG (→ § 243 Rn. 44a) ist hier nicht vorgesehen, obwohl erweiterter Einberufungsinhalt teilw. §§ 48 ff. WpHG folgt und Erweiterung der Anfechtungsgründe anderweitig verfolgten rechtspolitischen Zielen zuwiderläuft. Soweit Einberufungsinhalt von **Satzung** abhängt (zB § 123 II – IV), ist eingetragene Satzung (§ 181) auch dann maßgebend, wenn sie gegen Ges. verstößt und Satzungsbestimmung nicht rechtskräftig für nichtig erklärt wurde oder Nichtigkeit festgestellt wurde. Das gilt auch dann, wenn zugrunde liegender HV-Beschluss mit Anfechtungs- und/oder Nichtigkeitsklage angegriffen, darüber aber noch nicht rechtskräftig entschieden ist (OLG Frankfurt AG 2008, 167, 171; 2010, 413, 414; 2010, 679, 680). Selbst mit Rechtskraft des Anfechtungs- oder Nichtigkeitsurteils soll alte Satzung nach teilw. vertretener Ansicht nach den für fehlerhafte Gesellschaften geltenden Grundsätzen maßgebend bleiben (OLG Frankfurt AG 2008, 167, 171; 2010, 413, 414; 2010, 679, 680; im Wesentlichen abl. Vocke NZG 2010, 1249, 1250 ff.), was aber grds. zweifelhaft bleibt, weil Satzungsänderung iSd § 123 II–IV keine Struktur- 11 maßnahmen darstellen dürfte und Lösung in den Nichtigkeitsfällen überdies mit § 242 II nicht in Einklang steht (ausf. S/L/Schwab § 241 Rn. 15 ff.).

V. Modalitäten der Bekanntmachung (§ 121 IV, IVa)

11a **1. Bekanntmachung in den Gesellschaftsblättern.** Gem. § 121 IV 1 ist Einberufung in Gesellschaftsblättern bekannt zu machen; sie ist daher gem. § 25 in **BAnz.** einzurücken (parallele kapitalmarktrechtl. Anordnung in § 49 I Nr. 1 WpHG). Es handelt sich dabei um **Grundform der Bek.,** die stets genügt, also auch bei namentlich bekannten Aktionären (§ 121 IV 2). Namentl. für Fristberechnung nach § 123 I, § 125 I 1 kann Zeitpunkt der Bek. von Bedeutung sein. Früher insofern bestehende Unsicherheiten, die aus Zulassung mehrerer Gesetzblätter in § 25 S. 2 aF entstanden, wurden durch Streichung der Vorschrift beseitigt (dazu und zur Übergangsregelung für Altsatzungen → § 25 Rn. 1). Publikation in den Börsenblättern ist gesellschaftsrechtl. nicht erforderlich. Weitere satzungsmäßige Erfordernisse sind dagegen denkbar (ausf. BeckOGK/Rieckers Rn. 60).

11b **2. Einberufung durch eingeschriebenen Brief. a) Namentlich bekannte Aktionäre. aa) Allgemeines.** Statt durch Bek. in Gesellschaftsblättern (→ Rn. 11a) kann Einberufung bei namentlich bekannten Aktionären gem. § 121 IV 2 auch durch eingeschriebenen Brief erfolgen, sofern Satzung nichts anderes vorschreibt. Solche anderweitige Satzungsmaßgabe kann allerdings nicht schon angenommen werden, wenn vor Einführung des § 121 IV 2 beschlossene Altsatzung lediglich § 121 IV 1 wiederholt (so aber Behrends NZG 2000, 578, 579 f.; wie hier GK-AktG/Butzke Rn. 102). Voraussetzung für Verwendung eingeschriebener Briefe ist, dass Vorstand (§ 121 II 1) oder sonst zur Einladung berufene Personen Namen und Anschriften der Aktionäre kennen. § 121 IV 2 knüpft also nicht an Merkmale der AG, sondern an Kenntnisse der für sie handelnden Personen an. Dem liegt **bloße Typusvorstellung** von Gesellschaften zugrunde, die aufgrund Zusammensetzung ihres Aktionärskreises bei Einberufung keine Öffentlichkeit herzustellen brauchen. „Klein" müssen sie deshalb nicht sein. Wie Vergleich mit § 130 I 3 zeigt, steht selbst Börsenzulassung der Einberufung durch eingeschriebenen Brief nicht zwingend entgegen (wohl ebenso Fraktionsbegr. BT-Drs. 12/6721, 8; sa BeckOGK/Rieckers Rn. 61). § 121 IV wird durch § 242 II 4 ergänzt. Danach können Aktionäre, die bei brieflicher Einberufung übergangen worden sind, HV-Beschluss genehmigen (→ § 242 Rn. 5a).

11c **bb) Namensaktien.** Wenn nur Namensaktien ausgegeben sind, kennt AG ihre Aktionäre kraft Ges. Gem. § 67 II ist ihr ggü. nämlich nur Aktionär, wer in das (ordnungsgem. geführte) Aktienregister eingetragen ist (→ § 67 Rn. 25 ff.). Dieses Regelungsprinzip wird durch den mit ARUG II 2019 neu eingeführten § 121 IV 3 bekräftigt, wonach Mitteilung an im Aktienregister Eingetragenen genügt. Das entspr. der auch §§ 67a ff. zugrunde liegenden Regelungskonzeption, dass Pflichten der AG bei Eingetragenem enden (→ § 67a Rn. 3), AG also nicht dafür Sorge tragen muss, in ihrer Kommunikation „wahren" Aktionär zu erreichen (RegBegr. BT-Drs. 19/9739, 94). Unsicherheiten verbleiben nur bei sog freiem Meldebestand (→ § 67 Rn. 49), wenn Altaktionär ausgetragen, sein Rechtsnachfolger aber noch nicht eingetragen ist, so dass es hier bei Erfordernis öffentl. Einberufung bleibt (S/L/Ziemons Rn. 80). Bei Namensaktien mit **Blankoindossament,** die zum Börsenhandel zugelassen sind (→ § 68 Rn. 3, 5), ist § 67 II dagegen anwendbar, weil Veräußerer für AG Aktionär bleibt, bis Erwerber in das Aktienregister eingetragen ist (Butzke HV B 53; HV-HdB/Reichert/Balke § 4 Rn. 150). Es ist in diesem Fall auch nicht sinnvoll, im Einzelfall tats.

bekannte Erwerber zur HV einzuladen, weil ihnen ohne Eintragung in das Aktienregister das Teilnahmerecht abgeht (→ § 67 Rn. 29).

cc) Inhaberaktien. Bei Ausgabe von Inhaberaktien bleibt Vorstand letztlich auf seine Personenkenntnis angewiesen, weil Veräußerung nicht ausgeschlossen werden kann und Gesetzgeber eine § 16 I GmbHG entspr. Regelung nicht getroffen hat. Um dieser Gefahr entgegenzuwirken, werden verbreitet **statutarische Mitteilungspflichten** empfohlen (MüKoAktG/Kubis Rn. 80; BeckOGK/Rieckers Rn. 65), deren Zulässigkeit im Lichte des § 23 V aber zweifelhaft ist, da Ges. für diesen Fall Namensaktie vorsieht (Grigoleit/Herrler Rn. 22; KK-AktG/Noack/Zetzsche Rn. 140; S/L/Ziemons Rn. 82). Vereinbarungen der Aktionäre über Anmeldeverpflichtungen oder gesellschaftsinterne Informationssysteme (Fraktionsbegr. BT-Drs. 12/6721, 8) helfen dem Vorstand auch nicht entscheidend weiter, weil Absprachen nur schuldrechtl. Charakter haben und deshalb nicht ggü. dem Erwerber wirken (Lutter AG 1994, 429, 438). Umstr. ist, unter welchen Voraussetzungen **Irrtümer** über Person der Gesellschafter Einberufungsmangel begründen. Nach zT vertretener Auffassung soll das nur dann der Fall sein, wenn Irrtum zu vertreten ist, da § 121 IV 2 sonst bei Gesellschaften mit Inhaberaktien von vornherein sein Ziel verfehle (Hölters/Weber/Drinhausen Rn. 35; HV-HdB/Reichert/Balke § 4 Rn. 151; Lutter AG 1994, 429, 438). Vorzugswürdig ist dagegen die heute hM, wonach jeder Irrtum Einberufungsmangel begründet (Grigoleit/Herrler Rn. 22; MüKoAktG/Kubis Rn. 80; B/K/L/Reger Rn. 15; BeckOGK/Rieckers Rn. 65; Butzke HV B 54 mit Fn. 87; Fleischer/Eschwey BB 2015, 2178, 2183 f.; offenlassend BGH AG 2004, 670, 672). Verschulden ist für Feststellung von Einberufungs- und Beschlussmängeln keine relevante Kategorie. Auch geht § 121 IV 2 keinesfalls ins Leere, sondern begründet allenfalls in Einzelkonstellationen höhere Fehleranfälligkeit. Einberufung bleibt deshalb auch dann fehlerhaft, wenn Vorstand aufgrund entspr. Aktionärsabsprachen darauf vertraut, dass sich Aktionäre an ihre schuldrechtl. begründete Anmeldeverpflichtung halten, und aus diesem Grund bei unbekannter Veräußerung bisherigen Aktionär einlädt. Vor diesem Hintergrund ist der Praxis davon abzuraten, diesen Weg trotz der sicheren Möglichkeit des § 121 IV 1 zu beschreiten (Hoffmann-Becking ZIP 1995, 1, 6). Gerade bei komplizierten Verhältnissen (zerstrittene Aktionäre; Familienstämme mit Vielzahl von Mitgliedern; fremdfinanzierte Aktien), erst recht bei Börsennotierung eines Teils der Aktien, ist Einberufung durch eingeschriebenen Brief nicht empfehlenswert (sa GK-AktG/Butzke Rn. 97). 11d

dd) Unverbriefte Aktien. Auch ihre Übertragung, nämlich nach §§ 398, 413 BGB (→ § 10 Rn. 2), ist möglich und vom Vorstand letztlich nicht zu kontrollieren. Es gelten deshalb die in → Rn. 11d entwickelten Grundsätze mit der Maßgabe, dass Börsennotierung nicht in Betracht kommt. Wenn ständig nach § 121 IV 2 verfahren werden soll, erscheint es zweckmäßig, die durchweg wenigen Aktien als Namensaktien auszugeben, um damit § 67 II anwendbar zu machen (→ Rn. 11c) und sonst entstehenden Problemen aus dem Weg zu gehen. 11e

b) Eingeschriebener Brief. Individuelle Empfehlung gem. § 121 IV 2 kann durch eingeschriebenen Brief erfolgen, wenn Satzung nichts anderes bestimmt. Daneben bleibt Bek. in den Gesellschaftsblättern nach § 121 IV 1 zulässig und stets genügend (→ Rn. 11a). **Briefform** erfordert schriftliche, aber nicht notwendig unterschriebene Erklärung. Wenngleich nicht notwendig, ist Unterschrift wenigstens eines (beauftragten, → Rn. 6) Vorstandsmitglieds ratsam. Rückschein ist nicht vorgeschrieben. Einschreiben gibt es seit 1997 nicht mehr nur in traditioneller Form des Übergabe-Einschreibens, sondern auch als Einwurfs-Einschreiben, das nach mittlerweile hM zu Recht ebenfalls als Einschreiben iSd 11f

§ 121 IV 2 anerkannt ist (LG Mannheim NZG 2008, 111, 112; GK-AktG/Butzke Rn. 99; MüKoAktG/Kubis Rn. 82; BeckOGK/Rieckers Rn. 69;Lieder/Bialluch NZG 2017, 9, 15; so für Kaduzierung nach § 21 I 2 GmbHG auch BGH NZG 2016, 1417 Rn. 13 ff.). Darüber hinaus ist Einschreiben auch nicht mehr auf solche der Deutschen Post AG beschränkt, sondern es genügt Versendung mittels privater Zustelldienste, sofern eine dem Einschreiben der Deutschen Post gleichwertige Versendungsform genutzt wird (MüKoAktG/Kubis Rn. 82; BeckOGK/Rieckers Rn. 70; ausf. Kunz/Rubel GmbHR 2011, 849 ff.). Die letztgenannte Erweiterung ist aber höchstrichterlich nicht bestätigt und damit derzeit noch mit Unsicherheitsfaktor behaftet. Vorbehalt zugunsten der Satzung dient weiterer **Erleichterung der Einberufung** (RegBegr. RegBegr. BT-Drs. 14/4987, 30). Sie kann, wenn Satzung das vorsieht, zB auch durch Telefax, E-Mail, SMS oder Facebook-Nachricht erfolgen. Zu beachten ist bei Einsatz moderner Kommunikationsmedien aber stets, dass bloße Abrufbarkeit nicht genügt („pull“), sondern Nachricht den Aktionären überbracht werden muss („Push-System“ – vgl. KK-AktG/Noack/Zetzsche Rn. 153). Da Erleichterungsfunktion des Satzungsvorbehalts im Ges. nicht hinreichend zum Ausdruck kommt, kann Satzung auch Erschwernisse vorsehen, zB zwingendes Erfordernis eines Rückscheins (BeckOGK/Rieckers Rn. 71). Nach heute zu Recht hM kann dies sogar bedeuten, dass individuelle Adressierung gänzlich ausgeschlossen wird (GK-AktG/Butzke Rn. 102; KK-AktG/Noack/Zetzsche Rn. 155 f.; BeckOGK/Rieckers Rn. 71; aA B/K/L/Reger Rn. 16). Für **Inhalt der Einberufung** gilt dasselbe wie bei Bek. in den Gesellschaftsblättern (→ Rn. 8a ff.). Insbes. müssen auch bei dieser Form der Bek. Beschlussvorschläge nach § 124 III enthalten sein (→ § 124 Rn. 20). **Mindestangaben** nach § 121 III 1 (→ Rn. 9) bleiben also unverzichtbar und sollten wegen sonst drohender Nichtigkeit von HV-Beschlüssen (→ Rn. 11) keinesfalls fehlen. Mischung der Bekanntmachungsformen ist unzulässig (MüKoAktG/Kubis Rn. 82).

11g **c) Tag der Bekanntmachung.** Als Tag der Bekanntmachung gilt gem. § 121 IV 1 Hs. 2 Tag der **Absendung.** Bei mehreren Briefen kommt es auf den letzten an. Mit Absendung ist Einlieferung des eingeschriebenen Briefs gemeint (Postaufgabe); vgl. MüKoAktG/Kubis Rn. 84. Dieser Tag und nicht Tag des erwartbaren Zugangs (so hM zur GmbH, s. BGHZ 100, 264, 267 f. = NJW 1987, 2580) wurde gewählt, weil es bei Frist von 30 Tagen nach § 123 I auf Postlaufzeit weniger ankommt als bei Wochenfrist des § 51 I 2 GmbHG (HV-HdB/Reichert/Balke § 4 Rn. 154; Lutter AG 1994, 429, 437).

11h **d) Geltung der §§ 125–127.** §§ 125–127 sind auch auf Einberufung durch eingeschriebenen Brief (oder satzungsmäßig gleichgestellte Formate nach § 121 IV 2 → Rn. 11f; Hoppe NZG 2019, 1401, 1402) anwendbar. Das war bislang in § 121 IV 3 angeordnet („sinngemäße Anwendung“), ergibt sich aber schon aus der allg. Systematik, so dass diese Anordnung iRd Aktienrechtsnovelle 2016 gestrichen wurde (sa RegBegr. BT-Drs. 18/4349, 21). Änderung kann allerdings insofern noch bedeutsam sein, als bislang aus ausdr. Verweisung in § 121 IV 3 auf § 125 hergeleitet wurde, dass **Mitteilung an Informationsintermediäre** auch dann erforderlich bleibt, wenn Aktionäre selbst durch eingeschriebenen Brief benachrichtigt wurden (→ 11. Aufl. 2014, Rn. 11h). Nach jetzt geltender Rechtslage sollte davon zumindest dann abgesehen werden können, wenn die gem. § 125 I 4 und 5 zusätzlich erforderlichen Informationen bereits in der Einberufung enthalten sind (BeckOGK/Rieckers Rn. 75; weitergehend S/L/Ziemons § 125 Rn. 10). Ausn. gilt nur für Aktionärsvereinigung unter Voraussetzungen des § 125 I 1 Nr. 3, da deren Information nicht allein zur Weiterleitung an Aktionäre erfolgt (Hoppe NZG 2019, 1401 f.). Auch Mitteilungspflicht ggü. Aktionären nach § 125 II entfällt, wenn erforderliche Informationen bereits in eingeschriebenem Brief enthalten sind (BeckOGK/Rieckers Rn. 75).

3. Mediale Verbreitung bei börsennotierten Gesellschaften (§ 121 IVa). 11i
Nach § 121 IVa, der durch ARUG 2009 zwecks Durchführung von Art. 5 II 2 Aktionärsrechte-RL eingefügt worden ist, müssen börsennotierte (§ 3 II) Gesellschaften Einberufung solchen Medien zur Veröffentlichung zuleiten, von denen angenommen werden kann, dass sie die Information in der gesamten **Europäischen Union** verbreiten. Zuleitung muss spätestens zum Zeitpunkt der Bek. erfolgen. Verpflichtung entfällt, wenn AG ausschließlich Namensaktien ausgegeben hat oder, auch bei Inhaberaktien, die Einberufung unmittelbar nach § 121 IV 2 den Aktionären zuleitet. Früher bestehende Streitfrage, ob Verhältnis der beiden Fallgruppen alternativ oder kumulativ zu verstehen ist, wurde durch Aktienrechtsnovelle 2016 im erstgenannten Sinne klargestellt („oder" statt früher „und"). Europarechtl. Bedenken gegen diese Klarstellung (vgl. S/L/Ziemons Rn. 90; Söhner ZIP 2016, 151, 155) sind unbegründet (BeckOGK/Rieckers Rn. 76; dennoch sicherheitshalber Weiterleitung empfehlend Wandt NZG 2016, 367, 371). Hinreichende Verbreitung eines Mediums ist gegeben, wenn Medienbetreiber hinreichendes Angebot unterhält. Seine tats. Nutzung hat nur indizierende Bedeutung. Medienbetreiber kann seinen Sitz auch außerhalb des Hoheitsgebiets der jeweiligen Mitgliedstaaten haben (Art. 5 II 3 Aktionärsrechte-RL). Medien können grds. auch in Papierform erscheinen, doch ist solcher Fall in Ermangelung eines gesamteuropäischen Druckerzeugnisses eher theoretischer Natur (KK-AktG/Noack/Zetzsche Rn. 164). Von praktischer Bedeutung sind dabei nur **elektronische Informationsmedien,** zu denen namentl. auch BAnz. zählt (RegBegr. BT-Drs. 16/11642, 28; GK-AktG/Butzke Rn. 90 [jedenfalls bei Zusatzservice europaweiter Verbreitung]; KK-AktG/Noack/Zetzsche Rn. 164; BeckOGK/Rieckers Rn. 78; aA S/L/Ziemons Rn. 88; Drinhausen/Keinath BB 2009, 2322, 2333). Da dieser aber in seiner elektronischen Form ohnehin reguläres Einberufungsmedium ist (§ 121 IV 1), kommt § 121 IVa keine eigenständige Bedeutung zu (KK-AktG/Noack/Zetzsche Rn. 164; sa Söhner ZIP 2016, 151, 155 f.). **Verstoß** gegen § 121 IVa ist kein Nichtigkeitsgrund iSd § 241 und führt nach § 243 III 1 Nr. 4 (→ § 243 Rn. 44a) auch nicht zur Anfechtbarkeit. Verstoß stellt jedoch OWi nach § 405 IIIa Nr. 1 dar.

4. Einberufung der virtuellen HV (§ 121 IVb). Mit VHVG 2022 neu 11j
eingefügter § 121 IVb erweitert Einberufungsinhalt im Fall einer vHV. Auch für sie gelten grds. **in § 121 III 1 genannte Angaben.** Dazu gehört auch Angabe eines Versammlungsortes, auf die schon wegen Vorgaben des Art. 5 III lit. a Aktionärsrechte-RL nicht gänzlich verzichtet werden kann. Unter COVMG-Rahmenbedingungen (→ § 118a Rn. 2 f.) war umstr., was genau bei vHV unter Ort der HV zu verstehen ist (→ 16. Aufl. 2022, § 118 Rn. 51). Auch § 121 IVb lässt sich Antwort auf diese Frage nicht klar entnehmen. RegBegr. BT-Drs. 20/1738, 28 weist aber deutlich darauf hin, dass bloße Angabe der Internetadresse nicht genügt (so noch zu COVMG aF Mayer/Jenne/Miller BB 2020, 1282, 1285: „digitaler Ort"), sondern Ort anzugeben ist, wo sich Organmitglieder physisch in Präsenz versammeln (Bungert/Rieckers/Becker DB 2022, 2074, 2076; zu Recht krit. KK-AktG/Noack/Zetzsche Rn. 174b). Wird dagegen verstoßen, greift strenge Nichtigkeitsfolge des § 241 Nr. 1 aber nicht (zutr.: Mayer/Jenne/Miller BB 2022, 2946, 2949: teleologische Reduktion). Rspr. zur geringfügigen Unrichtigkeit (→ § 241 Rn. 11) bietet dafür dogmatische Grundlage.

Anpassung an Rahmenbedingung der vHV erfolgt in § 121 IVb 1 sodann in 11k
der Weise, dass Einberufung anzugeben hat, wie sich Aktionäre und Bevollmächtigte elektronisch zur vHV **zuschalten** können (vgl. RegBegr. BT-Drs. 20/1738, 28: „Ergänzung"). Einberufung muss also angeben, wie und wo elek-

tronische Zuschaltung zur Versammlung zu erfolgen hat, etwa durch Angabe der Internetadresse sowie der erforderlichen Zugangs- und Einwahldaten (RegBegr. BT-Drs. 20/1738, 28). Nach § 121 IVb 2 ist deutlicher Hinweis zu ergänzen, dass physische Präsenz der Aktionäre und ihrer Bevollmächtiger am Ort der HV ausgeschlossen ist.

11l § 121 IVb 3 und 4 enthalten Sonderregelungen für **börsennotierte AG** iSd § 3 II (→ § 3 Rn. 5 f.), für die schon bei Präsenz-HV nach § 121 III 2 Sonderregeln gelten (→ Rn. 10 ff.). Diese werden in § 121 IVb 3 und 4 abermals modifiziert. So ist nach § 121 IVb 3 **Verfahren für Stimmabgabe** im Wege elektronischer Kommunikation schon in Einberufung anzugeben, und zwar auch dann, wenn es an entspr. Satzungsvorgabe iSd § 121 III 3 Nr. 2b fehlt (→ Rn. 10c). Ebenfalls hinzuweisen ist gem. § 121 IVb 4 auf Sonderregelung zur Antragstellung nach § 126 IV (→ § 126 Rn. 17 ff.), auf Veröffentlichung des Vorstandsberichts nach § 118a I 2 Nr. 5 (→ § 118a Rn. 36 ff.) und – sofern Vorstand von Möglichkeit des § 131 Ia 1 Gebrauch macht – auf Sonderregeln zur Vorabeinreichung und damit einhergehende Modifizierungen des Auskunftsrechts nach § 131 Ia – If (→ § 131 Rn. 40 ff.).

11m Daneben finden sich – außerhalb von § 121 IVb – auch in **anderen Vorschriften** noch weitere Angabepflichten: Nach § 130a I 1 ist in Einberufung Adresse mitzuteilen, unter der Aktionäre Stellungnahmen einreichen können (→ § 130a Rn. 2); Gleiches gilt für Angabe zu Beschränkungen der Stellungnahmen auf ordnungsgem. angemeldete Aktionäre und Umfangsbeschränkungen (→ § 130a Rn. 5 ff.). Auch Prüfung der Funktionsfähigkeit der Videokommunikation nach § 130a VI ist in Einberufung anzukündigen (→ § 130a Rn. 25).

VI. Ort und Zeit der Hauptversammlung (§ 121 V)

12 **1. Ort. a) Gesellschaftssitz oder Börsensitz.** HV soll, wenn Satzung nichts anderes bestimmt, am Sitz der Gesellschaft (§ 5) stattfinden (§ 121 V 1). Bei Doppelsitz kann an jedem Sitz einberufen werden. Sollvorschrift bedeutet, dass Gesellschaftssitz nach ges. Wertung der zweckmäßige Versammlungsort ist. Damit sollen insbes. Minderheitsaktionäre vor willkürlicher Festlegung geschützt werden (BGHZ 203, 68 Rn. 15 = NJW 2015, 336). Deshalb darf auch ohne Regelung der Satzung abgewichen werden, wenn dafür Sachgründe bestehen, nach denen ges. Wertung im Einzelfall schlechterdings nicht zutrifft, etwa Fehlen eines geeigneten Versammlungsraums oder Störung einer Verkehrsverbindung (BGH NZG 2016, 552 Rn. 24; OLG München NZG 2023, 945 Rn. 21 ff.). **Abweichungen sind mit Vorsicht zu handhaben,** weil Unzulässigkeit des Orts nach zutr. hM Anfechtungsgrund gem. § 243 I darstellt (RGZ 44, 8, 9 f.; BGH AG 1985, 188, 189; BayObLGZ 1958, 294, 297 = NJW 1959, 485 [Genossenschaft]; OLG Celle NJW-RR 1998, 970; OLG Hamm OLGZ 1974, 149, 153 = NJW 1974, 1057). BGH AG 1985, 188, 189 verlangt für Zulässigkeit der Abweichung, dass anderer Versammlungsort für sämtliche Gesellschafter günstiger ist als der Satzungssitz und dass dies eindeutig feststeht (ebenso OLG Dresden AG 2001, 489). Börsensitz statt Gesellschaftssitz darf gewählt werden, wenn Aktien zum regulierten Markt zugelassen sind; Einbeziehung in Freiverkehr genügt nicht.

13 **b) Bestimmungen der Satzung: Allgemeines.** Satzung kann nach § 121 V anderen Versammlungsort bestimmen als den Gesellschafts- oder Börsensitz. Es ist auch nicht notwendig, dass AG an dem von der Satzung bestimmten Ort ihre Hauptverwaltung oder Zweigniederlassung oder ähnliches unterhält (LG Frankfurt AG 2007, 824). Satzung kann auch **mehrere Orte** bestimmen, unter denen der Einberufende auswählen darf, oder regional begrenzte geographische Vorgabe machen (BGH NJW 1994, 320, 321 f.; BGHZ 203, 68 Rn. 20 = NJW 2015,

336). Es muss sich aber im Lichte des Normzwecks (→ Rn. 12) um eine sachgerechte und am **Teilnahmeinteresse der Aktionäre** ausgerichtete Vorgabe handeln, die das Ermessen des Vorstands oder des sonst zur Einberufung Berechtigten bindet. Eine Vorgabe, die den Versammlungsort in das Ermessen des Einberufenden stellt oder ihm die Auwahl unter einer großen Zahl geographisch weit auseinander liegender Orte überlässt („Großstadt in der EU mit mehr als 500.000 Einwohnern"), ist danach unzulässig (BGHZ 203, 68 Rn. 20 f.; krit. Bungert/Leyendecker-Langner BB 2015, 268, 269; Herrler ZGR 2015, 918, 922 f.). Auch Satzungsklausel, nach der HV ohne inhaltliche Vorgaben mit einfacher Stimmenmehrheit den Ort der nächsten HV bestimmt, genügt den Anforderungen des § 121 V nicht (BGH NJW 1994, 320, 321 f.; Brandes WM 1994, 2177, 2183; noch offenlassend LG Stuttgart AG 1992, 236, 237). Überblick über praktisch verbreitete Gestaltungen bei Bayer/Hoffmann AG 2013, R 23 ff. Folge des Verstoßes ist **Anfechtbarkeit** des satzungsändernden Beschlusses gem. § 243 I; bloße Missbrauchskontrolle im Einzelfall genügt nicht (BGHZ 203, 68 Rn. 6, 22; Herrler ZGR 2015, 922, 927 f.). Auf Auswirkung auf Beschlussergebnis kommt es nicht an (OLG München NZG 2023, 945 Rn. 29). Unterbleibt Anfechtung, wird Beschluss bestandskräftig. Da Beschluss aber auch Interessen künftiger Aktionäre berührt, kann Registerrichter nach den in → § 243 Rn. 56 skizzierten Grundsätzen Eintragung trotzdem ablehnen (zutr. OLG Hamburg AG 1993, 384, 385; MüKoAktG/Kubis Rn. 95; aA S/L/Ziemons Rn. 99; Herrler ZGR 2015, 922, 928). Erfolgt Eintragung, ist Satzungsvorgabe wirksam, doch kann dann auf zweiter Stufe noch Missbrauchskontrolle im Einzelfall erfolgen, die zur Rechtswidrigkeit der Einberufung und damit zur Anfechtbarkeit aller gefassten Beschlüsse führen kann (keine Nichtigkeit, da § 121 V in § 241 Nr. 1 nicht aufgeführt ist; zu Einzelheiten Herrler ZGR 2015, 922, 928 f.). Dieselben Grundsätze gelten für Verstoß in Gründungssatzung. Registerrichter muss Eintragung verweigern. Trägt er trotzdem ein, ist Satzungsvorgabe wirksam, aber es erfolgt Missbrauchskontrolle im Einzelfall.

c) Insbesondere: Hauptversammlung im Ausland. Bislang umstr. Frage, ob HV im Ausland stattfinden darf, ist für Praxis mittlerweile **durch BGH geklärt** (BGHZ 203, 68 Rn. 13 ff. = NJW 2015, 336). Sie wurde in älterer Rspr. zT generell verneint (OLG Hamburg OLGZ 1994, 42, 43 f.; OLG Hamm OLGZ 1974, 149 = NJW 1974, 1057), im neueren Schrifttum aber zunehmend befürwortet (ausf. Darstellung des bisherigen Meinungsstands bei KK-AktG/Noack/Zetzsche, 3. Aufl. 2011, Rn. 187). Dieser letztgenannten Ansicht hat der BGH sich nunmehr angeschlossen, was zu begrüßen ist, da die ältere Auffassung im Normzweck (→ Rn. 13) keine Rechtfertigung findet und zunehmender **Internationalisierung** deutscher Aktiengesellschaften nicht hinreichend Rechnung trägt (zutr. HV-HdB/Reichert/Balke § 4 Rn. 129; ausf. Th. Jansen, HV im Ausland, 2018, 71 ff.). 14

Auslandsversammlung ist danach als **zulässig** anzusehen, **wenn Satzung einen ausländischen Versammlungsort bestimmt.** Entscheidend ist auch hier allein Zweckmäßigkeitsbetrachtung (→ Rn. 13; BGHZ 203, 68 Rn. 20 f. = NJW 2015, 336), die allerdings zu der Einschränkung führt, dass HV-Ort ohne wesentliche Erschwernisse erreichbar sein muss (BGHZ 203, 68 Rn. 20; ausf. Th. Jansen, HV im Ausland, 2018, 135 ff.; krit. Bungert/Leyendecker-Langner BB 2015, 268, 269 f.). Zu solchen Erschwernissen zählen auch finanzielle Belastungen (zB Flugreise – s. Herrler ZGR 2015, 918, 924 ff.). Auch Bezug zur geschäftlichen Tätigkeit kann bei Auswahl eine Rolle spielen (BGHZ 203, 68 Rn. 21). Entspr. Satzungsbestimmung ist allerdings auch weiterhin erforderlich, weil es ohne sie bei § 121 V verbleibt und daraus folgende Versammlungsorte notwendig im Inland liegen. Entspr. Satzungsvorgabe nicht vorstehenden Anfor- 15 derungen, ist entspr. satzungsändernder Beschluss nach den in → Rn. 13 skizzierten Grundsätzen anfechtbar (→ Rn. 13 – auch zu Folgen der Bestandskraft). Ohne Satzungsgrundlage kommt nur in Betracht, dass Aktionäre unter den Voraussetzungen einer **Vollversammlung** im Ausland zusammentreten (§ 121 VI; → Rn. 19 ff., 23). Das ist bei kleinem Aktionärskreis denkbar und kann insbes. auch derart geschehen, dass im allseitigen Einverständnis ein Bevollmächtigter ins Ausland entsandt wird (OLG Düsseldorf NJW 1989, 2200 f. zur GmbH). Verletzung des Teilnahmerechts (→ § 118 Rn. 24 ff.) ist jedenfalls dann nicht gegeben, wenn, wie nach § 121 V erforderlich, ein Versammlungsort im Ausland konkret bestimmt oder hinreichend eingegrenzt ist (→ Rn. 13). Zur HV-Sprache → § 118 Rn. 8.

16 Problematischer als HV im Ausland ist Einhaltung des Erfordernisses **notarieller Niederschrift** (§ 130). Erfordernis kann nach zutr. hM nicht durch Ortsform (oder gar Formlosigkeit des Ortes) gem. Art. 11 I Fall 2 EGBGB überwunden werden, da Vorschrift auf gesellschaftsrechtl. Sachverhalte keine Anwendung findet; es verbleibt deshalb bei Geschäftsform, sog Wirkungsstatut (→ § 23 Rn. 10 mwN; offenlassend BGHZ 203, 68 Rn. 16 = NJW 2015, 336). Auch Hinzuziehung deutschen Notars im Ausland ist nach § 2 I BeurkG nicht möglich (HV-HdB/Reichert/Balke § 4 Rn. 131 mit allerdings bedenklichen Überlegungen zur Auflockerung bei späterer Niederschrift im Amtsbezirk). Nach hM kann Geschäftsform jedoch durch Auslandsbeurkundung verwirklicht werden, wenn sie der Niederschrift durch deutschen Notar **gleichwertig** ist (Nachw. zum Gründungsrecht → § 23 Rn. 11; speziell für HV-Beurkundung jetzt auch BGHZ 203, 68 Rn. 16 im Anschluss an BGHZ 80, 76, 79 f.; BeckOGK/Rieckers Rn. 89; Th. Jansen, HV im Ausland, 2018, 99 ff.; aA BeckOGK/Wicke § 130 Rn. 37 mwN; skeptisch auch Herrler ZGR 2015, 918, 929 ff.). Zwar tendiert verbreitete Gegenauffassung im Gründungsrecht dazu, Möglichkeit einer gleichwertigen Beurkundung des Gründungsaktes gänzlich zu verneinen (ausf. → § 23 Rn. 10 f.), doch kann diese Sichtweise nicht auf HV-Beurkundung übertragen werden, da rechtl. und tats. Rahmenbedingungen divergieren. Insbes. gilt § 17 BeurkG iRd § 130 nicht (→ § 130 Rn. 12) und überdies hält auch Gesetzgeber selbst Mitwirkung des Notars unter bestimmten Bedingungen für entbehrlich (→ § 130 Rn. 14a ff.; BGHZ 203, 68 Rn. 18). Danach maßgebliche Gleichwertigkeit ist nicht für jede notarielle Tätigkeit einheitlich zu beurteilen, sondern es gilt **zweckgebundene Gleichwertigkeit** (zutr. Bungert/Leyendecker-Langner BB 2015, 268, 271). Speziell für HV-Beurkundung soll sie in erster Linie an Zielen der Rechtssicherheit und Transparenz gemessen werden, wohingegen Verantwortung für rechtl. geordneten Verfahrensablauf eher bei HV-Leiter liegt (BGHZ 203, 68 Rn. 17 f.). Auch Prüfungs- und Belehrungspflicht tritt hier in den Hintergrund (BGHZ 203, 68 Rn. 19). Auch unter diesen abgeschwächten Anforderungen besteht weiterhin **Rechtsunsicherheit,** die je nach Gegebenheiten des Landes noch verstärkt werden kann (HV-HdB/Reichert/Balke § 4 Rn. 131). Mit Blick auf scharfe Rechtsfolge von Beurkundungsfehlern (§ 241 Nr. 2; → § 241 Rn. 13 ff.) sollte Praxis strengen Maßstab anlegen (BeckOGK/Rieckers Rn. 89; Goslar DB 2015, 178, 179). Da Registergerichte nicht selten Nachw. der Gleichwertigkeit verlangen und dabei teilw. auch zu überzogenen Anforderungen neigen, sind Kostenvorteile der Auslandsversammlung und **Verzögerungsrisiken,** bes. bei Eintragung von Grundlagenbeschlüssen, vorher gegeneinander abzuwägen. UU empfiehlt es sich, Akzeptanz der im Ausland gefertigten Niederschrift zu testen, bevor eilbedürftige Maßnahme angemeldet wird (MüKoAktG/Kubis Rn. 94); alternativ ist vorherige Absprache mit Registergericht zu erwägen (Bungert/Leyendecker-Langner BB 2015, 268, 271). BGH hat daneben auch Beurkundung durch Konsularbeamten als weitere Gestaltungsalternative anerkannt (BGHZ 203, 68 Rn. 16). Risikofrei ist Auslands-HV nur

in den Fällen, in denen nach § 130 I 3 auf notarielle Beurkundung verzichtet wird.

Ges. enthält keine Vorgaben zu geeignetem **Versammlungslokal,** so dass AG Auswahl in erster Linie nach Zweckmäßigkeitsgesichtspunkten treffen darf (zB abgeschlossener Raum zur Erstellung des Teilnehmerverzeichnisses, hinreichendes Fassungsvermögen, ausreichende Beschallung, feuerpolizeiliche Zulässigkeit etc.; zu Einzelheiten GK-AktG/Butzke Rn. 127; sa Grigoleit/Herrler Rn. 34). Grenze der Auswahlfreiheit ist dort erreicht, wo massive Zugangshindernisse Teilnahme **unzumutbar** machen, etwa durch unangemessene Personenkontrollen oder hohen Eintrittspreis zur Erreichung der Räumlichkeit (GK-AktG/Butzke Rn. 128). Nach BGH NZG 2016, 552 Rn. 25 ff. (GmbH) ist auch Einberufung in Privaträume eines verfeindeten Mitgesellschafters unzumutbar (sa OLG München NZG 2023, 945 Rn. 27). Rechtsfolge der Unzumutbarkeit ist Anfechtbarkeit. Schwelle sollte aber hoch gesetzt werden. Hohe Komfortstandards, wie kostenlose Parkplätze oder Beschallung außerhalb des Präsenzbereichs, können nicht verlangt werden (zum Ersten GK-AktG/Butzke Rn. 128; zum Zweiten → § 243 Rn. 16). Auch Verköstigung der Aktionäre gehört nicht zum geschützten Mindeststandard (→ § 243 Rn. 16). 16a

d) Sonderregelung für virtuelle HV. Mit VHVG 2022 neu eingefügter § 121 V 3 enthält für vHV Ausn. von § 121 V 1 – 2. Damit wird dem Umstand Rechnung getragen, dass Versammlungsort in diesem Fall nicht mehr der physischen Präsenz der Aktionäre dient. Versammlungsort behält Funktion nur noch insofern, als hier **in § 118a II genannte Personen** zusammentreffen (→ § 118a Rn. 44 ff.). Für sie besteht aber kein Grund für Einschränkungen nach § 121 V 1 und 2, die im Wesentlichen Aktionärsschutz dienen (RegBegr. BT-Drs. 20/1738, 29). Deshalb werden Beschränkungen aufgehoben. Bestehende Satzungsregelungen beanspruchen für vHV keine Gültigkeit (Hoppe NZG 2023, 587, 590). 16b

2. Sonderregelung nach § 16 IV WpÜG. Bestimmungen des § 121 V und auch, soweit vorhanden, Regelungen der Satzung (KK-WpÜG/Hasselbach § 16 Rn. 77) zum Ort der HV gelten nach § 16 IV 4 WpÜG nicht, wenn HV gem. § 16 III WpÜG einberufen wird, also als **HV der Zielgesellschaft** im Zusammenhang mit dem Angebot zum Erwerb ihrer Aktien nach Veröffentlichung der Angebotsunterlage (§ 10 WpÜG). Mangels bes. Vorgaben ist AG in Wahl geeigneten Versammlungsortes frei, um mit möglichst kurzer Vorlaufzeit auszukommen (RegBegr. BT-Drs. 14/7034, 47), was Rechtsausübung der Aktionäre erleichtern soll (→ § 76 Rn. 118 ff. zu § 33 WpÜG). Freiheit bezieht sich auf Versammlungsort und Versammlungslokal. Ort wird nach RegBegr. (BT-Drs. 14/7034, 47) idR, also nicht zwingend, im Inland liegen und verkehrstechnisch zumutbar sein. Versammlungslokal kann jeder Ort sein, der es den Aktionären ermöglicht, in zumutbarer Weise zur HV zusammenzutreten (Saal, Festzelt, bei entspr. Witterung Stadion [RegBegr. BT-Drs. 14/7034, 47]). Zur Zumutbarkeit gehört technischer Apparat, der Versammlungsleitung, Sicherheit der Anwesenden, Wortmeldungen der Aktionäre und Stimmrechtsauszählung insges. angemessen, wenn auch mit Erschwerungen ggü. üblicher HV, ermöglicht. Bei Auslands-HV kommt Zumutbarkeit des Ortes nur in Sonderlagen in Betracht (str. – ähnlich Grigoleit/Herrler Rn. 27; KK-WpÜG/Hasselbach § 16 Rn. 78; aA BeckOK/Rieckers Rn. 92). Soweit notarielle Beurkundung erforderlich ist (§ 130), ist auf Gleichwertigkeit der Auslandsbeurkundung zu achten (→ Rn. 16; RegBegr. BT-Drs. 14/7034, 47). 16c

3. Zeit. Zu Zeit und Dauer der HV enthält Ges. keine ausdr. Regelung. Bestimmt auch die Satzung nichts, so entscheidet der Einberufende unter **Berücksichtigung des Zumutbaren und der Verkehrssitte** (sa MüKoAktG/ 17

Kubis Rn. 36). Danach darf HV von Publikumsgesellschaften grds. nicht an Sonn- oder Feiertagen stattfinden; normative Wertung des § 121 VII 2 (→ Rn. 25) steht dem nicht entgegen, da Regelungsanliegen ein anderes ist (sa MüKoAktG/Kubis Rn. 36); in bes. Konstellationen kann dieser Grundsatz allerdings auch durchbrochen werden (KK-AktG/Noack/Zetzsche Rn. 68; aA MüKoAktG/Kubis Rn. 36). HV am Samstag ist unüblich, aber nicht unzulässig (GK-AktG/Butzke Rn. 129; MüKoAktG/Kubis Rn. 36; BeckOGK/Rieckers Rn. 94; aA S/L/Ziemons Rn. 34). Auch 24. und 31. Dezember sind als unzumutbar anzusehen (HV-HdB/Reichert/Balke § 4 Rn. 120). Nur für Einmann-AG ist Ausklammerung nicht veranlasst. Für Gesellschaften mit engem Aktionärskreis gilt dies nur unter Voraussetzungen einer Vollversammlung (sa KK-AktG/Noack/Zetzsche Rn. 68; ferner LG Darmstadt BB 1981, 72 f.; großzügiger HV-HdB/Reichert/Balke § 4 Rn. 120). Auch **Beginn und Ende** müssen zumutbar gelegt werden. Richtschnur: nicht vor acht Uhr morgens und nicht über Mitternacht (MüKoAktG/Kubis Rn. 36). Fortsetzung der HV nach Mitternacht führt nach heute hM aber nicht zur Nichtigkeit der dann gefassten Beschlüsse (OLG Koblenz ZIP 2001, 1093; OLG München AG 2011, 840, 842; GK-AktG/Butzke Rn. 131; KK-AktG/Noack/Zetzsche Rn. 70; BeckOGK/Drescher § 241 Rn. 177; Happ/Freitag AG 1998, 493, 495 f.; aA LG Düsseldorf ZIP 2007, 1859, 1860; MüKoAktG/Kubis Rn. 35; GK-AktG/Mülbert § 129 Rn. 177). § 241 Nr. 1 greift nicht ein, weil Dauer nicht unter § 121 III 2 fällt (→ Rn. 10). Erweiternde oder analoge Anwendung verkennt Ausnahmecharakter der Nichtigkeit, die als Sanktion auch zu starr und durchweg von übertriebener Härte wäre. Ob immerhin Anfechtbarkeit gegeben ist, hängt nach richtiger Ansicht von Zumutbarkeitsprüfung im Einzelfall ab (LG München I AG 2008, 340, 342; HV-HdB/Reichert/Balke § 4 Rn. 121; Happ/Freitag AG 1998, 493, 495 f.). Dabei spielt auch eine Rolle, welchen Beitrag Anfechtungskläger zur ausufernden Dauer der HV geleistet hat oder haben (zust. GK-AktG/Butzke Rn. 131 mit Fn. 251; Grigoleit/Herrler Rn. 35). HV von 18 Stunden Dauer mit Versammlungsschluss um 4 Uhr morgens ist auch dann regelmäßig zu lang, wenn Fortsetzung nach Mitternacht angekündigt war (LG München I AG 2008, 340, 342).

17a **Mehrtägige HV** weicht zwar vom ges. Leitbild ab (→ § 131 Rn. 75), ist aber zulässig, wenn nach Ermessen des Vorstands wegen Inhalts und/oder Umfangs der Tagesordnung damit gerechnet werden muss, dass sich ausnahmsweise HV an einem Tag nicht zumutbar durchführen lässt (OLG München AG 2011, 840, 842; GK-AktG/Butzke Rn. 132; Nagel/Ziegenhahn WM 2010, 1005, 1006 ff.). Soll HV mehrtägig stattfinden, so muss sie von vornherein entspr. **einberufen** werden. Sonst liegt Verstoß gegen § 121 III 1 vor, der Beschlüsse nichtig macht, die in wiederaufgenommener HV gefasst werden (anders als bei nach Mitternacht andauernder Versammlung [→ Rn. 17]; insoweit zutr. LG Mainz NZG 1995, 819 f.). Davon zu unterscheiden ist, ob Vorstand ausnahmsweise verpflichtet sein kann, HV mehrtägig einzuberufen. Das wird zwar vereinzelt angenommen (LG Mainz NZG 1995, 819 f.; MüKoAktG/Kubis Rn. 36), ist aber abzulehnen (LG München AG 2010, 378, 381; GK-AktG/Butzke Rn. 132; BeckOGK/Rieckers Rn. 95; offenlassend OLG München AG 2011, 840, 842). Vorstand darf sich auch bei anspruchsvoller Tagesordnung am Leitbild der eintägigen HV orientieren (→ § 131 Rn. 75; Arnold/Carl/Götze AG 2011, 349 f.; Nagel/Ziegenhahn WM 2010, 1005, 1008; sa A.7 DCGK), muss dann aber in Kauf nehmen, dass HV neu einzuberufen ist, wenn nicht durch versammlungsleitende Maßnahmen Konzentration auf einen Tag gelingt.

VII. Absage; Verlegung; Änderungen

18 **Absage** der HV ist nach bislang hM bis zur ihrer förmlichen Eröffnung möglich (vgl. nur KK-AktG/Noack/Zetzsche Rn. 117; empirische Erfassung von HV-Absagen und ihren Motiven: Bayer/Hoffmann AG 2016, R 115 ff.; zur Absagepflicht aufgrund behördlicher Anordnung oder gesundheitlicher Gefahren [Corona-Pandemie 2020/21] Noack/Zetzsche DB 2020, 658, 659). BGH hat möglichen Absagezeitraum indes weiter eingegrenzt und Absage auch dann nicht anerkannt, wenn Aktionäre sich nach Einlasskontrolle im Versammlungsraum eingefunden haben und angegebene Zeit des Beginns verstrichen ist (BGHZ 206, 143 Rn. 29 ff. = NZG 2015, 1227; zust. Schüppen/Tretter ZIP 2015, 2097, 2100; krit. GK-AktG/Butzke Rn. 109; Cziupka/Kraack DNotZ 2016, 15, 22 ff.; Lieder NZG 2016, 81, 85 f. jew. mw Überlegungen zum Anfechtungsrecht; → § 245 Rn. 36). Noch weitere zeitliche Vorverlagerung – die BGH nicht auszuschließen scheint – wäre indes in Ermangelung eines rechtssicheren alternativen Bezugspunkts problematisch. Jedenfalls nach förmlicher Eröffnung ist Absage nicht mehr möglich.

18a **Zuständig** für Absage ist nur derjenige, der einberufen hat; bloßes Einberufungsrecht genügt nicht (RGZ 166, 129, 133; BGHZ 206, 143 Rn. 22; OLG Frankfurt AG 2015, 445 Rn. 70; KK-AktG/Noack/Zetzsche Rn. 117). Sie darf nicht durch Einzelmitglied, sondern muss durch Gesamtorgan erfolgen, das darüber analog § 121 II 1 mit einfacher Mehrheit entscheidet (BeckOGK/Rieckers Rn. 98; Lieder NZG 2016, 81, 83). Organbeschluss ist selbst dann erforderlich, wenn mit Einberufung einzelnes Mitglied beauftragt worden war (BeckOGK/Rieckers Rn. 98). Nach Eröffnung ist nur Vertagung möglich (→ § 129 Rn. 23). Auch auf **Aktionärsverlangen nach § 122 I** einberufene HV kann von Vorstand noch abgesagt werden; einstweilige Anordnung auf Untersagung einer solchen Absage ist unzulässig (OLG Frankfurt AG 2019, 47 f.). Absagekompetenz des Vorstands entfällt nur für nach § 122 III von Aktionären selbst einberufene HV (→ § 122 Rn. 24 ff.; vgl. BGHZ 206, 143 Rn. 23 ff.; OLG Frankfurt AG 2015, 445 Rn. 74; BeckOGK/Rieckers Rn. 96; Bayer/Scholz/Weiß ZIP 2014, 1, 2 ff.; Cziupka/Kraack DNotZ 2016, 15, 19 ff.; aA noch LG Frankfurt NZG 2013, 748; Selter NZG 2013, 1133, 1135; weiterhin krit. Schüppen/Tretter ZIP 2015, 2097, 2100). UU kann sogar Pflicht zur Absage bestehen, wenn sachgerechte Vorbereitung und Information der Aktionäre nicht möglich ist (Butzke FS Marsch-Barner, 2018, 103, 112 ff.). Erfolgt Absage aus strategischen Gründen, um Minderheiteninitiative zu unterlaufen, kann sie pflichtwidrig sein, bleibt aber dennoch wirksam (BGHZ 206, 143 Rn. 26; OLG Frankfurt AG 2015, 445 Rn. 75; sa KG NZG 2023, 1021 Rn. 60 ff. [GmbH mw Ausführungen zur Abberufbarkeit]). Hat Vorstand nach § 122 I einberufene HV wirksam abgesagt, kann Minderheit Weg des § 122 III einschlagen, womit HV dann neuerlicher Absage durch den Vorstand entzogen ist (überzeugend Bayer/Scholz/Weiß ZIP 2014, 1, 4 ff. mit Details zu weiteren Gestaltungsvarianten).

18b **Form der Einberufung** muss für Absage nicht eingehalten werden. Es bedarf lediglich einer eindeutigen, nicht fristgebundenen Mitteilung in der effektivsten Form, so dass Aktionäre bestmöglich und rechtzeitig Kenntnis nehmen können (OLG Frankfurt AG 2015, 445 Rn. 78; BeckOGK/Rieckers Rn. 98; Lieder NZG 2016, 81, 87; enger Schüppen/Tretter ZIP 2015, 2097, 2102: idR als actus contrarius wie Ladung). Verstoß gegen Effektivitätsgebot kann dazu führen, dass AG Reisekosten zu erstatten hat (KK-AktG/Noack/Zetzsche Rn. 117). Am besten dürfte für Absage BAnz geeignet sein, doch ist Wahl dieses Mediums nicht zwingend (BeckOGK/Rieckers Rn. 98; Bayer/Hoffmann AG 2016, R 115).

Auch Begründung ist nicht unbedingt erforderlich (GK-AktG/Butzke Rn. 111; Bayer/Hoffmann AG 2016, R 115).

18c Dieselben Grundsätze sind bis zur Eröffnung der HV (danach → § 129 Rn. 23) a maiore ad minus auf **Absetzung eines Tagesordnungspunktes** zu übertragen (BeckOGK/Rieckers Rn. 100; S/L/Ziemons Rn. 110; aA GK-AktG/Butzke Rn. 114; Grigoleit/Herrler Rn. 39 f.). Etwas anderes gilt allein in Fällen des § 122 II (→ § 122 Rn. 20 f.).

18d **Verschiebung** der HV auf neuen Termin ist gleichfalls möglich, muss aber wie neue Einberufung behandelt werden, bes. bzgl. der Einberufungsfrist des § 123 (BGHZ 100, 264, 266 = NJW 1987, 2580 zur GmbH; LG München I AG 2009, 296, 297; Lieder NZG 2016, 81, 84). Bloße Verschiebung des Beginns um 15 oder 30 Minuten oder vergleichbare Zeitspanne ist keine Verlegung (zust. OLG Frankfurt AG 2015, 445, 447).

18e Wie Verlegung zu behandeln ist **Änderung der Teilnahmebedingungen,** sofern sich Änderung nicht auf unwesentliche Angaben beschränkt oder Teilnahme lediglich zugunsten der Aktionäre erleichtert (GK-AktG/Butzke Rn. 112; MüKoAktG/Kubis Rn. 108; Atta WM 2020, 1047, 1049 ff.). Darunter fällt auch nachträgliche Gestattung der Teilnahme im Wege elektronischer Kommunikation nach § 118 I 2, nicht aber vollständige Umstellung auf virtuelle HV aufgrund von § § 118a. Ebenfalls wie Verlegung zu behandeln ist **Wahl eines anderen Versammlungsorts.** Bei bloßer Verlegung des Versammlungslokals (zB aus Kapazitäts- oder Sicherheitsgründen) genügt dagegen rechtzeitige und deutliche Information; Transfer muss nicht organisiert werden (S/L/Ziemons Rn. 106; aA NK-AktR/M. Müller Rn. 32). Zur Absage einer nach § 92 einberufenen HV → § 92 Rn. 10.

VIII. Vollversammlung (§ 121 VI)

19 **1. Allgemeines.** § 121 VI regelt Vollversammlung und befreit für diesen Fall von Einhaltung sämtlicher Vorschriften der §§ 121–128. Dennoch handelt es sich um „vollwertige HV". Regelungszweck liegt insbes. in verfahrensrechtl. Verschlankung für AG mit geschlossenem Aktionärskreis (S/L/Ziemons Rn. 100). Mit Einführung des **Squeeze-Out** hat Norm an Bedeutung gewonnen. Seit Einführung der vHV durch VHVG 2022 (→ § 118a Rn. 1 ff.) ist auch virtuelle Vollversammlung möglich, die aber meist keine gewichtigen Vorteile bieten wird (ausf. Kerlen BB 2023, 2438 ff.).

20 **2. Voraussetzungen. a) Vollständige Präsenz.** Vollversammlung liegt nach § 121 VI vor, wenn alle Aktionäre erschienen oder vertreten sind und kein Aktionär der Beschlussfassung widerspricht (→ Rn. 21). Dabei ist „Vollversammlung" nur begriffliche Verkürzung für Vorliegen einer von §§ 121–128 befreiten Beschlussfassung. Bezeichnung als HV ist nicht zwingend erforderlich; es genügt Zusammenkunft, sofern sie nicht gerade zu anderen Zwecken erfolgt (MüKoAktG/Kubis Rn. 97). Beschlussfassung ohne jede Versammlung, etwa im Umlaufverfahren, ist aber unzulässig. HV des Alleinaktionärs ist notwendig Vollversammlung. IÜ gilt: Aktionäre sind **erschienen,** wenn sie oder an ihrer Stelle Legitimationsaktionäre (Fremdbesitz nach § 129 III; → § 129 Rn. 12 ff.) anwesend sind. Nachweis ist über Teilnehmerverzeichnis zu führen, das nur bei Einmann-AG durch HV-Niederschrift ersetzt werden kann (→ § 129 Rn. 5). Online-Teilnahme (uU auch aller Aktionäre) genügt (MüKoAktG/Kubis Rn. 98), nicht aber Stimmabgabe durch Briefwahl (BeckOGK/Rieckers Rn. 103). Aktionäre sind **vertreten,** wenn an ihrer Stelle Bevollmächtigte oder ges. Vertreter offen auftreten (Fall des § 129 I; → § 129 Rn. 2 ff.; s. dazu auch LG Dortmund BeckRS 2014, 6200) oder Bevollmächtigte im Namen dessen,

den es angeht, für sie an HV teilnehmen (Vollmachtsbesitz nach § 129 II; → § 129 Rn. 11). Dazu genügt entgegen LG Duisburg NZG 2016, 1229, 1230 auch Vertretung durch Prokuristen (zutr. Kocher NZG 2016, 1221 ff.). Auch Vorzugsaktionäre ohne Stimmrecht (§§ 139 ff.) müssen erschienen oder vertreten sein, weil es nur auf das Teilnahme-, nicht auf das Stimmrecht ankommt (GK-AktG/Bezzenberger/Bezzenberger § 140 Rn. 7). Teilnahmerecht kann aber nach § 20 VI AktG, § 44 WpHG, § 59 WpÜG verloren werden (KK-AktG/Noack/Zetzsche Rn. 197; BeckOGK/Rieckers Rn. 103; aA GK-AktG/Butzke Rn. 135), doch darf dieser Umstand nicht rechtsmissbräuchlich durch „handstreichartiges Vorgehen" zu Lasten eines ausgeschlossenen Aktionärs ausgenutzt werden (BGH NW 2009, 2458 Rn. 3). Dieselben Grundsätze wird man anzulegen haben, wenn es an formeller Registrierung des materiell berechtigten Namensaktionärs fehlt (KK-AktG/Noack/Zetzsche Rn. 199).

b) Kein Widerspruch. Beschlussfassung der HV ohne Beachtung der §§ 121–128 bleibt gem. § 121 VI trotz vollständiger Präsenz unzulässig, soweit auch nur ein Aktionär widerspricht. Widerspruch bedarf keiner bes. Form und ist ggü. HV-Leiter (bzw. Hilfspersonen) zu erklären (BeckOGK/Rieckers Rn. 104). Erforderlich ist lediglich, dass Aktionär der Beschlussfassung **vor Verkündung des Abstimmungsergebnisses** widerspricht (OLG Stuttgart AG 2013, 845 f.; GK-AktG/Butzke Rn. 139; widersprüchlich in Bezug auf relevanten Zeitpunkt MüKoAktG/Kubis Rn. 99). Damit soll insbes. der Aktionär geschützt werden, der sich mangels Tagesordnung nicht auf HV vorbereiten konnte (KK-AktG/Noack/Zetzsche Rn. 209). Widerspruch muss sich auf **konkreten Beschluss** beziehen, kann deshalb uU auch nur einzelne Punkte betr. Aktionär muss Beschlussfassung aber als solcher widersprechen; dass er schweigt oder gegen Beschluss stimmt, genügt nicht (KK-AktG/Noack/Zetzsche Rn. 209). Ob gleichwohl gefasster Beschluss nichtig oder nur anfechtbar ist, hängt von Art des Einberufungsmangels ab (→ § 241 Rn. 8 ff.; → § 243 Rn. 14 ff.). Aufnahme des Widerspruchs in HV-Niederschrift ist nicht zwingend, aber aus Dokumentationsgründen empfehlenswert (BeckOGK/Rieckers Rn. 104). 21

3. Befreiung von Einberufungsförmlichkeiten. a) Grundsatz. Die umfassende Befreiung von Beachtung der §§ 121–128 hat insbes. Bedeutung hinsichtlich des Versammlungsorts (§ 121 V), der Einberufungsmodalitäten (§ 121 III und IV, § 123) und der Bek. der Tagesordnung (§ 124). Entscheidend ist Tatsache der Vollversammlung. Zusätzliche Verzichtserklärung der Aktionäre ist entbehrlich. Sinnvoll ist, vollständige Präsenz (→ Rn. 20) und das Ausbleiben von Widerspruch (→ Rn. 21) in die **Niederschrift** (§ 130) aufzunehmen (Ott RNotZ 2014, 423 m. Formulierungsbeispiel; ausf. Muster bei Happ/Zimmermann AktienR 10.19, 10.20). 22

b) Einzelfragen. Einberufung durch Unbefugte, zB durch Aktionär anstelle des Vorstands (§ 121 II), schadet nicht, wenn § 121 VI erfüllt ist, ebenso nicht Einberufungsmängel (§ 121 III und IV), zB briefliche Einladung des bisherigen Aktionärs, wenn der neue erscheint und nicht widerspricht. Ort (§ 121 V) und Zeit kann Vollversammlung wählen, wie sie will; vgl. bes. zur Auslandsversammlung (etwa: Sitz des herrschenden ausländischen Unternehmens) → Rn. 15. Vollversammlung kann ohne Frist (§ 123) stattfinden. Aktionäre können sich dazu auch verabreden, aber nur mit schuldrechtl. Wirkung (Lutter AG 1994, 429, 439). Ankündigung einer Tagesordnung (§ 124) ist entbehrlich, und zwar auch dann, wenn insoweit **bes. Vorschriften zur Bek.** bestehen (§ 183 I 2, § 186 IV 1, § 203 II 2, § 320 II, § 327c I). Auf sie bezieht sich Wortlaut des § 121 VI zwar nicht. Sie setzen aber voraus, dass Bek. nach § 124 I erfolgt, und gehen deshalb ins Leere, wenn Vollversammlung ohne solche Bek. beschließen will (Polte/ 23

Haider-Giangreco AG 2014, 729, 733). Aktionäre, die sich nicht für genügend informiert halten, können gem. § 121 VI widersprechen. Beschlussfassung hat dann zu unterbleiben. Entspr. gilt für Beachtung von **Berichts- und Auslegungspflichten,** etwa nach § 175 II, § 293ff.; § 319 III, § 320 IV, § 327c III (KK-AktG/Noack/Zetzsche Rn. 218; BeckOGK/Rieckers Rn. 107; vgl. zur Erstellung des Berichts aber Polte/Haider-Giangreco AG 2014, 729, 733 f.; zur Entbehrlichkeit von Einberufungsbelegen → § 130 Rn. 24). Verstöße gegen Rede- und Auskunftsrecht sind ebenso wie materielle Verstöße hingegen beachtlich (MüKoAktG/Kubis Rn. 101). **Teilnahmerecht von Vorstand und AR** besteht auch hier, da § 118 III 1 in § 121 VI nicht ausgeschlossen ist (Dreher FS Krieger, 2020, 201, 205 ff. m. krit. Würdigung zT abw. Konzernpraxis); seine Verletzung schließt Vollversammlung aber nicht aus und begründet auch keinen Anfechtungsgrund. Dissentierende Aktionäre sind auch insofern über Widerspruchsrecht hinreichend geschützt (mittlerweile wohl allgM – ausf. Zöllter-Petzoldt NZG 2013, 607 ff.; ebenso GK-AktG/Butzke Rn. 143; MüKoAktG/Kubis Rn. 100; KK-AktG/Noack/Zetzsche Rn. 206 f.). Obwohl in § 121 VI nicht ausdr. benannt, sind auch Angaben in HV-Niederschrift über Art und Ergebnis der Abstimmung sowie Feststellungen des Vorsitzenden zur Beschlussfassung in Einmann-AG entbehrlich (Ott RNotZ 2014, 423, 427; skeptisch Polte/Giangreco AG 2014, 729, 735). Niederschrift als solche bleibt aber erforderlich, wobei auch für Auslandsbeurkundung geltende Grundsätze (→ Rn. 16) zu beachten sind (BeckOGK/Rieckers Rn. 107). Zur Versammlungsleitung → § 129 Rn. 18.

IX. Rückberechnung von Fristen und Terminen (§ 121 VII)

24 **1. Überblick und Grundsatz.** § 121 VII ist angefügt durch ARUG 2009. Norm tritt an die Stelle des früheren § 123 IV und soll Praxis entlasten, indem sie bisherige Auslegungsspielräume beseitigt (RegBegr. BT-Drs. 16/11642, 28). Sie betr. alle Fristen und Termine der Einberufungsvorschriften (§§ 121–128) und stellt für alle Gesellschaften (auch solche ohne Börsennotierung) die Regel auf, dass **Fristen** und Termine vom Tag der HV rückberechnet und dieser Tag nicht mitgerechnet wird. Diese Regel kennt keine Ausnahmen. **Bsp.:** Wenn HV am 20.7. stattfinden soll, beginnt Frist von 30 Tagen (§ 123 I 1) am 19.7. Sie würde deshalb am 20.6. enden, wenn nicht nach § 123 I 2 auch Tag der Einberufung unberücksichtigt bliebe. Weil er nicht mitzurechnen ist, muss bis 19.6. um 24 Uhr einberufen sein (→ § 123 Rn. 2 f.; Mimberg/Gätsch, Die HV nach ARUG, 2010, Rn. 70). Ähnliche Sonderregeln finden sich in § 123 II 4, IV 4. Neu eingeführt wird Begriff des **Termins** iSd Aktienrechts. RegBegr. BT-Drs. 16/11642, 28 umschreibt ihn als jur. Sekunde, die auf Beginn des errechneten Tages fällt, also auf 0 Uhr. Um solche Termine geht es in § 123 IV 2 oder § 125 II. Überblick: Florstedt ZIP 2010, 761 ff.

25 **2. Folgerungen.** Früherer Schutz von **Sonn- und Feiertagen** (§ 123 IV Hs. 2 aF) ist durch § 121 VII 2 abgeschafft. RegBegr. BT-Drs. 16/11642, 29 bezeichnet ihn als im modernen Aktienrecht nicht mehr zeitgemäß und verweist auf Interessen ausländischer Investoren, denen Nachforschungen zu deutschen Feiertagen nicht zumutbar seien (sa Florstedt ZIP 2010, 761, 762). Positiv zu bewerten ist, dass mit alleiniger Maßgeblichkeit des errechneten Tags eine wesentliche Ursache früherer Fristprobleme entfallen ist. Vorstand, der schon wegen organisatorischer Probleme keine Einberufung am Wochenende oder am Feiertag aussprechen will, kann HV früher einberufen oder Versammlungstag anders legen. **Unanwendbar** sind **§§ 187–193 BGB.** § 121 VII 3 spricht das klarstellend aus. Fristberechnung erfolgt also allein nach aktienrechtl. Regeln.

3. Satzungsregeln bei nichtbörsennotierten Gesellschaften. Ist AG nicht börsennotiert (§ 3 II), so gilt § 121 VII 1–3, wenn Satzung nichts anderes bestimmt. Solchen Satzungsvorbehalt lässt § 121 VII 4 ausdr. (§ 23 V 1) zu. Satzung kann etwa am ges. abgeschafften Schutz von Sonn- und Feiertagen (→ Rn. 25) festhalten. Damit erhöht sich jedoch die Komplexität der Fristberechnung, weshalb solches Satzungsrecht idR nicht zweckmäßig sein dürfte. 26

Einberufung auf Verlangen einer Minderheit

122 (1) [1] **Die Hauptversammlung ist einzuberufen, wenn Aktionäre, deren Anteile zusammen den zwanzigsten Teil des Grundkapitals erreichen, die Einberufung schriftlich unter Angabe des Zwecks und der Gründe verlangen; das Verlangen ist an den Vorstand zu richten.** [2] **Die Satzung kann das Recht, die Einberufung der Hauptversammlung zu verlangen, an eine andere Form und an den Besitz eines geringeren Anteils am Grundkapital knüpfen.** [3] **Die Antragsteller haben nachzuweisen, dass sie seit mindestens 90 Tagen vor dem Tag des Zugangs des Verlangens Inhaber der Aktien sind und dass sie die Aktien bis zur Entscheidung des Vorstands über den Antrag halten.** [4] **§ 121 Absatz 7 ist entsprechend anzuwenden.**

(2) [1] **In gleicher Weise können Aktionäre, deren Anteile zusammen den zwanzigsten Teil des Grundkapitals oder den anteiligen Betrag von 500 000 Euro erreichen, verlangen, daß Gegenstände auf die Tagesordnung gesetzt und bekanntgemacht werden.** [2] **Jedem neuen Gegenstand muss eine Begründung oder eine Beschlussvorlage beiliegen.** [3] **Das Verlangen im Sinne des Satzes 1 muss der Gesellschaft mindestens 24 Tage, bei börsennotierten Gesellschaften mindestens 30 Tage vor der Versammlung zugehen; der Tag des Zugangs ist nicht mitzurechnen.**

(3) [1] **Wird dem Verlangen nicht entsprochen, so kann das Gericht die Aktionäre, die das Verlangen gestellt haben, ermächtigen, die Hauptversammlung einzuberufen oder den Gegenstand bekanntzumachen.** [2] **Zugleich kann das Gericht den Vorsitzenden der Versammlung bestimmen.** [3] **Auf die Ermächtigung muß bei der Einberufung oder Bekanntmachung hingewiesen werden.** [4] **Gegen die Entscheidung ist die Beschwerde zulässig.** [5] **Die Antragsteller haben nachzuweisen, dass sie die Aktien bis zur Entscheidung des Gerichts halten.**

(4) **Die Gesellschaft trägt die Kosten der Hauptversammlung und im Fall des Absatzes 3 auch die Gerichtskosten, wenn das Gericht dem Antrag stattgegeben hat.**

Übersicht

I. Regelungsgegenstand und -zweck

1 Norm betr. Recht einer Minderheit von 5 % des Grundkapitals, Einberufung der HV zu verlangen (§ 122 I), ferner Recht der gleichen Minderheit, aber auch von Aktionären, die nominal Aktien von 500.000 Euro halten, auf Bek. von Gegenständen zur Beschlussfassung (§ 122 II). Regelung bezweckt **Minderheitenschutz** und ermöglicht Ausübung versammlungsgebundener Rechte, bes. des Teilnahmerechts (→ § 118 Rn. 8; KG NZG 2020, 710 Rn. 18; OLG München WM 2010, 517, 518), aber auch Nichtigkeits- und Anfechtungsklage, für die ohne Beschlussfassung kein Raum wäre. Entspr. ihrem Schutzzweck ist Regelung grds. zwingend (§ 23 V). Satzung kann Recht der Minderheit aber an geringere Kapitalbeteiligung knüpfen (§ 122 I 2). Auf Vor-AG ist § 122 entspr. anzuwenden, namentl. § 122 III (AG Karlsruhe NZG 2001, 619 m. zust. Anm. Pentz; genauer → § 41 Rn. 7). Parallelvorschrift: § 50 GmbHG. **Typische Anwendungsfälle** sind Vertrauensentzug ggü. Vorstand (§ 84 IV 1), Abberufung und Neuwahl von AR-Mitgliedern (§ 103 I, § 101 I), Bestellung von Sonderprüfern und bes. Vertreter (§ 147 II); Heeg NZG 2012, 1056. Praktische Bedeutung des weniger voraussetzungsreichen § 122 II überwiegt die des § 122 I (GK-AktG/Butzke Rn. 6 f.; BeckOGK/Rieckers Rn. 6). Neuerdings hat Vorschrift auch als Mittel des Shareholder Activism (→ § 118 Rn. 5) verstärkte Bedeutung erlangt (Graßl/Nikoleyczik AG 2017, 49, 51 f.; Gröntgen, Operativer Shareholder Activism, 2020, 22 ff.); zu möglicher Ad-Hoc-Relevanz vgl. Kuthe/Beck AG 2019, 898, 905 f. Aktuelles Zahlenmaterial bei Bayer/Hoffmann AG 2014, R 23 ff.

II. Recht auf Einberufung (§ 122 I)

2 **1. Aktionärseigenschaft; Mindestbeteiligung.** Einberufung muss nach § 122 I von Aktionären verlangt werden. Verlangen ist rechtsgeschäftsähnliche Erklärung, auf die grds. §§ 104 ff. BGB entspr. anwendbar sind (BeckOGK/Rieckers Rn. 18). Antragstellung durch mehrere Aktionäre ist ausdr. möglich („zusammen"), sofern diese Antrag gemeinschaftlich stellen (zum dafür erforderlichen Grad der Konkretisierung → Rn. 7). Um welche Aktien es sich dabei handelt (Stämme, Vorzüge, voll oder nur teilw. eingezahlt), spielt keine Rolle. Dem Zusammenhang zwischen Teilnahmerecht und Recht auf Einberufung entspr. es, dass das Verlangen von allen Aktionären erhoben werden kann, denen das **Teilnahmerecht** zukommt (ausf. → § 118 Rn. 24 ff.). Auch Stimmverbot steht demnach nicht entgegen, wohl aber Ruhen der Rechte nach § 20 VII 1, § 21 IV 1, § 71b, § 71d S. 4, § 44 WpHG, § 59 WpÜG (BeckOGK/Rieckers Rn. 7).

Stellvertretung ist (offen oder verdeckt) zulässig, ggf. auch durch Legitimationsaktionär (→ § 129 Rn. 12 ff.). Insbes. kann Recht auf Einberufung auch von Abwesenheitspfleger ausgeübt werden, wenn die von ihm vertretenen Aktionäre die Mindestbeteiligung erreichen und Tagesordnung der begehrten HV innerhalb seines Wirkungskreises liegt (OLG Frankfurt WM 1986, 642). **Vollmacht** muss sich auf Einberufungsverlangen erstrecken; bloße Stimmrechtsvollmacht genügt nicht (OLG Celle AG 2015, 363; GK-AktG/Butzke Rn. 10). Zu Treuhand, Pfandrecht, Nießbrauch und Wertpapierleihe → § 118 Rn. 27. § 122 I setzt zwar Mindestbeteiligung voraus, ist aber kein Minderheitenrecht. Auch Mehrheitsaktionär kann deshalb Einberufung verlangen (OLG Frankfurt ZIP 2017, 1714, 1716; OLG Hamm DStR 2003, 219; Halberkamp/Gierke NZG 2004, 494, 495 f.).

Mindestbeteiligung liegt bei **5 % des Grundkapitals** (§ 122 I 1 Hs. 1), einschließlich des auf Vorzugsaktien entfallenden Teils (BeckOGK/Rieckers Rn. 10). Weitergehendes Individualrecht gibt es nicht (öOGH AG 2002, 580 f.). Grundkapital bleibt auch dann maßgeblich, wenn AG **eigene Aktien** hält (Umkehrschluss aus § 320 I 2, § 327a II iVm § 16 II 2); ihr Ausgabebetrag ist also nicht abzusetzen (unstr. – statt aller MüKoAktG/Kubis Rn. 6; anders nur hM zur GmbH, s. HCL/Hüffer/Schäfer GmbHG § 50 Rn. 8 mwN). **Kapitalmaßnahmen** sind erst nach Eintragung zu berücksichtigen, bedingtes Kapital erst, soweit sich Grundkapital durch Ausgabe der Bezugsaktien nach § 200 erhöht hat (BeckOGK/Rieckers Rn. 10). Das Quorum kann durch Aktien aller Art erreicht werden (→ Rn. 2). Auch **Wertpapierleihe** genügt, da es nur auf formale Eigentümerposition ankommt (GK-AktG/Butzke Rn. 11, 35; Grigoleit/Herrler Rn. 3). Missbräuchliche Gestaltung ist denkbar, doch sollten auch hier eher strenge Maßstäbe gelten, wie sie zu § 327a entwickelt und vom BGH bestätigt wurden (ausf. → § 327a Rn. 22). Für Vorbesitzzeit und Haltedauer kommt es in diesem Fall auf Person des Entleihers an (Grigoleit/Herrler Rn. 3). 3

2. Nachweis. Soweit es dessen bedarf, müssen Aktionäre ihre **Mindestbeteiligung nachweisen.** Hier ist zwischen unterschiedlichen Aktienarten zu unterscheiden. Für Namensaktien genügt gem. § 67 II 1 Eintragung in das HR; bei unberechtigter Löschung (Verstoß gegen § 67 III) kommt es auf die ursprüngliche Eintragung an (OLG Zweibrücken AG 1997, 140 f.). Bei Inhaberaktien börsennotierter AG ist § 123 IV 1 sinngem. anzuwenden, so dass Bescheinigung gem. § 67c III (→ § 67c Rn. 6 ff.) genügt; auch bei nicht börsennotierter AG reicht Bescheinigung des Letztintermediärs aus (Grigoleit/Herrler Rn. 5). Daneben ist auch Urkundenvorlage oder Bestätigung eines die Urkunden verwahrenden Notars zulässig (Grigoleit/Herrler Rn. 5). Hinterlegung kann nicht gefordert werden. Zu den weiteren Einzelheiten, namentl. auch zum vergangenheits- und zukunftsbezogenen Nachweis bgzl. Vorbesitzzeit und Haltedauer vgl. die hier entspr. geltenden Ausführungen zu § 142 II (→ § 142 Rn. 23 f.). Sind maßgebliche Informationen Vorstand bekannt oder von ihm ohne weiteres selbst zu ermitteln, namentl. durch Einsicht in Aktienregister, kann auf Nachw. auch verzichtet werden (GK-AktG/Butzke Rn. 17). Keines Nachw. bedarf es danach etwa, wenn Einberufung der HV fordernder Abwesenheitspfleger für alle unbekannten Aktionäre bestellt ist und dem Vorstand nur 8 % der Aktionäre bekannt sind (OLG Frankfurt WM 1986, 642). Auch **Vollmachten** sind nachzuweisen, und zwar analog § 134 III 3 mindestens in Textform (§ 126b BGB); unter Voraussetzungen des § 174 BGB kann aber Urkundenvorlage verlangt werden (GK-AktG/Butzke Rn. 17). Mit hM zu § 50 GmbHG (s. HCL/Hüffer/Schäfer GmbHG § 50 Rn. 12) ist anzunehmen, dass Vorstand das Fehlen eines solchen Nachw. unverzüglich beanstanden muss; später kann er darauf nicht zurückkommen. Ohne Mindestbeteiligung gibt es kein Recht auf Einberufung, auch dann 4 nicht, wenn Aktionär geltend macht, seine Befugnisse in vorhergehender HV seien verkürzt worden (hier: keine Befassung mit Sonderprüfungsantrag; vgl. öOGH AG 1996, 42 f.).

5 **3. Vorbesitzzeit und Haltedauer.** Nach dem durch Aktienrechtsnovelle 2016 neu eingefügten § 122 I 3 haben Antragsteller nachzuweisen, dass sie seit mindestens **90 Tagen vor dem Tag des Zugangs** des Verlangens Inhaber der Aktien sind und dass sie die Aktien bis zur Entscheidung des Vorstands über den Antrag halten. Wie bei § 148 I 2 Nr. 2 (→ § 148 Rn. 5) oder § 245 S. 1 Nr. 1 (→ § 245 Rn. 7 ff.) soll damit vermieden werden, dass Aktien kurzfristig erworben werden, um durch Ausübung von Minderheitenrechten Störpotenzial zu entfalten (RegBegr. BT-Drs. 13/9712, 17). Durch Neufassung wurden zahlreiche Unklarheiten des bisherigen Fristenregimes beseitigt (ausf. → 14. Aufl. 2020, Rn. 3a). Als Bezugspunkt der Fristberechnung ist nach heute geltender Rechtslage auf **Zeitpunkt des Einberufungsverlangens** abzustellen. Wird Antrag von mehreren aufeinander bezogenen Einzeläußerungen getragen (→ Rn. 3, → Rn. 7), ist maßgebend, wann Quorum erreicht wurde (Grigoleit/Herrler Rn. 4). Für weitere Fristberechnung verweist § 122 I 4 auf § 121 VII, womit auf 90-Tage-Frist auch § 121 VII 3 Anwendung findet (RegE BT-Drs. 18/4349, 22). Tag des Zugangs ist damit nicht mitzurechnen (zu weiteren Einzelheiten → § 121 Rn. 24 ff.).

6 Für die Frage, bis wann Quorum erfüllt sein muss, ist zu unterscheiden, ob Vorstand dem Verlangen der Aktionäre folgt oder gerichtl. Ermächtigungsverfahren eingeleitet wird. Im ersten Fall muss Quorum nach § 122 I 3 bis zum **Zeitpunkt der Vorstandsentscheidung** erfüllt sein (RegBegr. BT-Drs. 18/4349, 22). Im zweiten Fall eines gerichtl. Ermächtigungsverfahrens ist Quorum Voraussetzung des Verfahrens und einer positiven Entscheidung über den Antrag. Es muss deshalb bis zur Entscheidung gegeben sein (vgl. auch RegBegr. BT-Drs. 18/4349, 22; wie hier Bezzenberger/Bezzenberger FS K. Schmidt, 2009, 105, 110). Es genügt auch nicht, dass Quorum nur rechnerisch vorhanden ist. Vielmehr müssen es die ursprünglichen Antragsteller einschließlich ihrer Gesamtrechtsnachfolger erfüllen (OLG Düsseldorf FGPrax 2004, 87; LG Duisburg AG 2004, 159; Bezzenberger/Bezzenberger FS K. Schmidt, 2009, 105, 110 f.; str.; → Rn. 25). Zum Nachw. → Rn. 4.

7 **4. Form und Inhalt.** Einberufung muss nach § 122 I 1 Hs. 1 **schriftlich** verlangt werden, sofern Satzung keine Erleichterung vorsieht (→ Rn. 16). Auf Schriftform ist § 126 BGB anzuwenden, weshalb auch hier elektronische Form iSd § 126a genügt (§ 126 III BGB), nicht aber Textform iSd § 126b BGB (str. – wie hier GK-AktG/Butzke Rn. 21; Hölters/Weber/Drinhausen Rn. 9; BeckOGK/Rieckers Rn. 20; S/L/Ziemons Rn. 14; Marsch-Barner/Schäfer/Marsch-Barner/v. d. Linden Rn. 34.27; Weisner/Heins AG 2012, 706 ff.; Wettich NZG 2011, 721, 724 f.; aA KK-AktG/Noack/Zetzsche Rn. 47; Kemmerer BB 2011, 3018, 3019). Richtlinienkonforme Auslegung im Lichte des Art. 11 Aktionärsrechte-RL zwingt nicht, von klarem Wortlaut abzuweichen, da Art. 6 I UAbs. 3 Aktionärsrechte-RL insofern weiten Spielraum eröffnet (Weisner/Heins AG 2012, 706, 709 f.). Praxis muss angesichts offenen Streitstands jedenfalls Orientierung am deutschen Gesetzeswortlaut empfohlen werden (Wettich NZG 2011, 721, 724). Nimmt man Schriftform an, müssen im **Fall mehrköpfiger Antragstellung** so viele Aktionäre oder ihre Vertreter unterschreiben, dass die Mindestbeteiligung erreicht wird. Einheitliches Vorgehen ist allerdings nicht zwingend erforderlich, sondern es genügen korrdinierte, aufeinander bezogene Schreiben (GK-AktG/Butzke Rn. 21; BeckOGK/Rieckers Rn. 20; aA Hölters/Weber/Drinhausen Rn. 9). Vollmachtsurkunden (→ Rn. 4) können nachgereicht wer-

den, wenn Vorstand nicht entspr. § 174 BGB verfährt (sa OLG Düsseldorf AG 2013, 264, 265).

Aktionäre müssen Einberufung **verlangen,** also unzweideutig und, weil Vorstand sonst nicht tätig werden kann (→ Rn. 15), auch unbedingt zum Ausdruck bringen, dass sie die Einberufung wollen. **Rücknahme** ist möglich und muss ebenfalls Form des § 122 I 1 (→ Rn. 7) genügen. Es genügt Rücknahme durch einzelne Aktionäre, wenn Quorum dadurch unterschritten wird (Grigoleit/Herrler Rn. 6; Kuthe/Beck AG 2019, 898, 900). Vom Vorstand schon einberufene HV findet aber statt, wenn er sie nicht absagt (BeckOGK/Rieckers Rn. 22; zur Absage → § 121 Rn. 18). Zu einer solchen Absage ist er zwar nicht zwingend verpflichtet, doch wird sie idR im Unternehmensinteresse liegen (R. Weber NZG 2013, 890, 891). Auch ohne vorherige Rücknahme des Aktionärsverlangens ist Absage wirksam, bedarf aber einer sachlichen Rechtfertigung; Vorstand hat insofern also kein freies Ermessen (Einzelheiten → § 121 Rn. 18a). 8

Zweck und Gründe der Einberufung sind anzugeben. Angabe des Zwecks erfolgt durch Mitteilung der Beschlussgegenstände (OLG Köln WM 1959, 1402, 1403). Weitergehender Begründung für geforderten Gegenstand der Tagesordnung oder gar für (fakultativen) Beschlussvorschlag bedarf es nicht (OLG Frankfurt NZG 2023, 1507 Rn. 24). Ob Einberufung zur ausschließlichen Erörterung beschlussloser Tagesordnungspunkte zulässig sein kann, ist umstr., richtigerweise aber zumindest im Regelfall zu verneinen (KG NZG 2020, 710 Rn. 18; OLG München AG 2010, 84, 85; MüKoAktG/Kubis Rn. 16; BeckOGK/Rieckers Rn. 23; aA KK-AktG/Noack/Zetzsche Rn. 62; tendenziell großzügig auch GK-AktG/Butzke Rn. 23 f.); aufgrund ungleich höheren Aufwands müssen hier höhere Anforderungen gelten als iRd § 122 II (→ Rn. 17). Für **Satzungsänderungen und Unternehmensverträge** sind Erfordernisse des § 124 II 3 zu beachten (→ § 124 Rn. 9). Mitteilung einer förmlichen Tagesordnung genügt jedenfalls, ist aber nicht erforderlich. Angabe von Gründen erfordert kurze Darlegung, warum HV befasst werden soll und warum sie gerade jetzt stattfinden soll, also nicht bis zur nächsten ordentlichen HV zugewartet werden kann (GK-AktG/Butzke Rn. 25; wohl zweifelnd OLG Karlsruhe ZIP 2015, 125, 126). 9

5. Adressat. Gem. § 122 I 1 Hs. 2 ist **Einberufungsverlangen an Vorstand zu richten.** Gemeint ist: an die durch Vorstand vertretene AG. Analog § 78 II 2 genügt es, wenn Verlangen einem Vorstandsmitglied zugeht (Halberkamp/Gierke NZG 2004, 494, 496). Ob Erklärung an Vorstand oder an AG adressiert wird, bleibt gleich. AR kann nicht Adressat des Minderheitsverlangens sein, und zwar auch dann nicht, wenn AG keinen Vorstand hat oder dieser handlungsunfähig ist; vielmehr ist gem. § 85 zu verfahren, also Bestellung eines Notvorstands zu beantragen (str. – wie hier OLG Celle NJW 1964, 112; KG NZG 2020, 710 Rn. 16; B/K/L/Reger Rn. 8; BeckOGK/Rieckers Rn. 19; S/L/Ziemons Rn. 15; aA MüKoAktG/Kubis Rn. 11 → § 85 Rn. 3). Gerichtl. Ermächtigung nach § 122 III ist subsidiär ggü. Bestellung eines Notvorstands (OLG Celle NJW 1964, 112). 10

6. Schranken des Rechts auf Einberufung. Recht auf Einberufung ist aus Mitgliedschaft folgendes, zusätzlich an Mindestbeteiligung gebundenes Verwaltungsrecht der Aktionäre. Als solches unterliegt es den Treubindungen, die zwischen AG und Aktionär bestehen (→ § 53a Rn. 13 ff., 19). Rechtsausübung darf also **nicht missbräuchlich** sein (allgM, s. OLG Braunschweig NZG 2023, 1504 Rn. 24; OLG Düsseldorf AG 2013, 264, 266; OLG Frankfurt NZG 2023, 1507 Rn. 25; OLG Hamburg AG 2003, 643; OLG Karlsruhe ZIP 2015, 125, 126; OLG München AG 2018, 581, 585; NZG 2019, 745 Rn. 2 ff.; KG AG 2003, 500, 502 f.; KG FGPrax 2012, 28, 30; OLG Köln WM 1959, 1402, 1404; RegBegr. Kropff S. 170; MüKoAktG/Kubis Rn. 18; KK-AktG/Noack/Zetz- 11 sche Rn. 66; Halberkamp/Gierke NZG 2004, 494, 497 ff.; zurückhaltend aber Reger NZG 2013, 536, 537). Bei Konkretisierung ist allerdings Zurückhaltung geboten, damit Zweck des Minderheitenschutzes (→ Rn. 1) nicht verfehlt wird (OLG Frankfurt NZG 2023, 1507 Rn. 26 ff.; OLG Karlsruhe ZIP 2015, 125, 126; KG FGPrax 2012, 28, 30; OLG München AG 2018, 581, 585). Insbes. darf angesichts Systematik aktienrechtl. Rechtsbehelfe nicht vollständige beschlussmängelrechtl. Prüfung bereits in Vorprüfung nach § 122 III 1 verlagert werden (OLG Frankfurt NZG 2023, 1507 Rn. 26 ff.). Zur Konkretisierung zT vorgeschlagene Anlehnung an Katalog des § 126 II (vgl. Mertens AG 1997, 481 ff., 489 f.; zust. BeckOGK/Rieckers Rn. 25; Halberkamp/Gierke NZG 2004, 494, 497) ist bedenklich, da Antrag nach § 122 – anders als nach § 126 – von **beachtlichem Minderheitsquorum** getragen sein muss, das ihm **höhere Legitimität** verleiht, so dass Ablehnung nur unter strengen Voraussetzungen zulässig sein kann (GK-AktG/Butzke Rn. 33; MüKoAktG/Kubis Rn. 25).

12 Missbrauch ist aber jedenfalls zu bejahen, wenn angestrebtes Ziel (Reaktivierung sog Altbank) nicht zu erreichen ist (OLG Hamburg AG 2003, 643; OLG München AG 2018, 581, 585; krit. Meilicke FS Heidel, 2021, 263, 266 f.); wenn **Dringlichkeit nur vorgeschoben** wird, also ohne weiteres bis zur nächsten HV gewartet werden könnte (OLG Frankfurt NZG 2023, 1507 Rn. 25; OLG Karlsruhe ZIP 2015, 125, 126; OLG München WM 2010, 517, 518; LG Stuttgart AG 2008, 757, 758; krit. Heeg NZG 2012, 1056, 1058); wenn Verlangen der Durchsetzung rechtl. nicht zu billigender Ziele dient (OLG Karlsruhe ZIP 2015, 125, 127; OLG München AG 2018, 581, 585); wenn erst unlängst beschlossen wurde und erneute Beschlussfassung der HV durch nichts veranlasst ist (OLG Karlsruhe ZIP 2015, 125, 127; anders aber, wenn Beschluss vor Abstimmung abgesetzt wurde – s. Schatz AG 2015, 696, 703 f.); wenn außerordentliche HV erst nach regulärer HV stattfinden würde (OLG München NZG 2019, 745 Rn. 2); wenn **HV unzuständig** ist oder der angestrebte Beschluss gesetz- oder satzungswidrig wäre (OLG Braunschweig NZG 2023, 1504 Rn. 24; OLG Frankfurt NZG 2023, 1507 Rn. 25; OLG Karlsruhe ZIP 2015, 125, 127); wenn Verlangen in beleidigender Form abgefasst wird (MüKoAktG/Kubis Rn. 23). Geschäftsführungsmaßnahmen können von HV nicht initiiert werden, auch nicht solche, die unter Holzmüller/Gelatine-Rspr. fallen (→ § 119 Rn. 16 ff.). Ergreift Vorstand von sich aus solche Maßnahme, ohne HV-Zustimmung einzuholen, ist Einberufungsverlangen zulässig (BeckOGK/Rieckers Rn. 24). Maßgeblich für Entscheidung über Missbräuchlichkeit ist nicht Zeitpunkt der Antragstellung, sondern der Gerichtsentscheidung (OLG Frankfurt NZG 2023, 1507 Rn. 25).

13 Dagegen liegt Missbrauch nicht allein deshalb vor, weil angestrebtes Beschlussergebnis mit Sicherheit nicht mehrheitsfähig ist; denn damit würde von § 122 bezweckter Minderheitenschutz abgeschnitten (heute hM – statt vieler KK-AktG/Noack/Zetzsche Rn. 70; aA noch KG DNotZ 1935, 592 f.). Auch Einwand, dass Verlangen jeder vernünftigen Grundlage entbehre, ist nicht gänzlich unzulässig, sollte aber zurückhaltend eingesetzt werden, um Minderheitenschutz nicht auszuhöhlen (MüKoAktG/Kubis Rn. 21).

14 Liegt nach diesen Grundsätzen ein missbräuchlicher Antrag vor, darf Vorstand **Einberufung ablehnen.** Auch Pflicht, unzulässiges Einberufungsverlangen in Ergänzungsverlangen iSd § 122 II umzudeuten, besteht nicht (OLG München NZG 2019, 745 Rn. 6; Kuthe/Beck AG 2019, 898, 903; Rieckers DB 2020, 207, 212; aA KK-AktG/Noack/Zetzsche Rn. 98). Ebenso wenig ist Pflicht zur Ablehnung eines formal unbedenklichen, aber missbräuchlichen Antrags anzuerkennen, da anderenfalls Vorstand in unzumutbar schwierige Entscheidungssituation gedrängt würde (OLG Düsseldorf AG 2013, 264, 266; GK-AktG/Butzke Rn. 36; Reger NZG 2013, 536, 537). Zu gegenläufigen Missbrauchsgefahren von Seiten der AG Meilicke FS Heidel, 2021, 263 ff.

7. Vorstandspflichten. Einem ordnungsgem. Einberufungsverlangen hat Vorstand stattzugeben, und zwar **unverzüglich** (§ 121 I 1 BGB; OLG Düsseldorf AG 2019, 348, 353 f.) und vollständig. Vorstand entscheidet gem. § 121 II 1 mit einfacher Stimmenmehrheit (MüKoAktG/Kubis Rn. 36). Antrag darf nur zurückgewiesen werden, wenn Mindestbeteiligung nicht erreicht wird (→ Rn. 2 f.) oder Form oder Inhalt den ges. Vorgaben nicht entspr. (→ Rn. 7) oder Einberufungsverlangen missbräuchlich ist (→ Rn. 11 ff.). IÜ handelt es sich um gebundene Entscheidung (OLG Düsseldorf AG 2013, 264, 266). Auch AR kann nicht über § 111 IV 2 intervenieren. Zum Erfordernis unverzüglichen Handelns vgl. RGZ 92, 409, 410 (eine Woche ist nicht pflichtwidrig); RG JW 1931, 2980 (auch vier Wochen sollen noch angehen; für den Regelfall abzulehnen); BGH WM 1985, 567, 568 (mehr als sieben Wochen sind zu lang; insoweit nicht in AG 1985, 188). Richtigerweise ist bei Einberufungsverlangen nach § 122 I längere Frist zu gewähren als bei Ergänzungsverlangen nach § 122 II (→ § 124 Rn. 2). An eine von ihnen selbst gesetzte Frist sind Aktionäre grds. gebunden (BGHZ 87, 1, 3 = NJW 1983, 1677). Vollständig wird dem Verlangen nur entsprochen, wenn Tagesordnung die von der Minderheit genannten Beschlussgegenstände enthält. Einberufung mit anderer Tagesordnung genügt nicht (OLG Frankfurt WM 1986, 642; OLG München WM 2010, 517, 518). Ergänzungen durch den Vorstand sind jedoch zulässig. Vorstand muss darauf hinweisen, dass HV aufgrund eines Minderheitsverlangens erfolgt (GK-AktG/Butzke Rn. 47; MüKoAktG/Kubis Rn. 42; KK-AktG/Noack/Zetzsche Rn. 79; Bayer/Hoffmann AG 2013, R 23; aA BeckOGK/Rieckers Rn. 33). Einberufung erfolgt gem. § 121 II–IV, §§ 123, 124. Mindestfrist von 30 Tagen (§ 123 I) ist einzuhalten. IÜ muss HV in angemessener Zeit stattfinden. Zur Absage der HV → § 121 Rn. 18 f. 15

8. Regelungen der Satzung. Gem. § 122 I 2 kann Satzung für Einberufungsverlangen andere Form als Schriftform vorsehen. Sie kann Recht auf Einberufung auch an Besitz eines geringeren Anteils am Grundkapital knüpfen als an ges. vorgesehene 5 %. **Andere Form als Schriftform** als optionale Satzungsklausel geht auf FormanpassungsG v. 13.7.2001 (BGBl. 2001 I 1542) zurück. Auch wenn Wortlaut der Öffnungsklausel das nicht zum Ausdruck bringt, lässt sie wegen ihres Zwecks nur Formerleichterungen zu, nicht auch Erschwerungen (RegBegr. BT-Drs. 14/4987, 30; GK-AktG/Butzke Rn. 26; Halberkamp/Gierke NZG 2004, 494, 496). Welche Erleichterung gewählt wird, steht ganz im Regelungsermessen des Satzungsgebers (RegBegr. BT-Drs. 14/4987, 30), doch ist Formlosigkeit aus Dokumentationsgründen nicht zu empfehlen (Grigoleit/Herrler Rn. 10). Das gilt auch für **Bestimmung des Mindestbesitzes.** Wegen insoweit unbestimmter Gesetzesfassung kann Satzung auch den Besitz einer Aktie genügen lassen. Abweichungen zuungunsten der Minderheit sind dagegen nach Wortlaut der Norm (→ Rn. 1) unzulässig. 16

III. Recht auf Bekanntmachung zur Beschlussfassung (§ 122 II)

1. Grundsatz. Minderheit kann nicht nur Einberufung der HV, sondern auch Ergänzung der Tagesordnung einer **ohnehin stattfindenden HV verlangen** (§ 122 II 1). Recht steht Aktionären zu, wenn sie Mindestbeteiligung von 5 % (→ Rn. 3) oder anteiligen Betrag von 500.000 Euro erreichen (§ 122 II 1). Alternativer Schwellenwert ist nur in § 122 II, nicht aber in § 122 I vorgesehen. Unterschied rechtfertigt sich aus geringerer Belastung der AG, wenn HV lediglich um TOP ergänzt wird (Butzke FS Marsch-Barner, 2018, 103). Schwellenwert in Form des anteiligen Betrags soll wirksame Rechtskontrolle auch dort gewährleisten, wo hohe Grundkapitalziffer Großteil der Aktionäre von Antragsbefugnis 17 ausschließen würde. Anteiliger Betrag von 500.000 Euro wird dennoch zumeist deutlich über dieser Summe liegen, da Unternehmenswert Grundkapital idR um das 10–20-fache übersteigt (sa → § 246a Rn. 20a). Anteiliger Betrag (§ 8 III 3) folgt aus Division des Grundkapitals durch Aktienanzahl. Bei Nennbetragsaktien (§ 8 I und II) ist Nennbetrag der anteilige Betrag. Mindestbetrag von 500.000 Euro steht im Zusammenhang mit Sonderprüfung nach §§ 142 ff. und soll deren Vorbereitung und Durchführung erleichtern (AusschussB Kropff S. 170).

18 **2. Bekanntmachungsverlangen.** Bekanntmachungsverlangen kann gem. § 122 II 1 „in gleicher Weise" wie Einberufungsverlangen gestellt werden, so dass Grundsätze zu Form, Inhalt und Adressat (→ Rn. 7 ff.) hier entspr. gelten (OLG Frankfurt ZIP 2017, 1714, 1716). Anforderungen an Zweck und Gründe müssen aber weniger Gewicht haben, da AG durch bloße Erweiterung einer ohnehin stattfindenden HV **weniger belastet** wird (BeckOGK/Rieckers Rn. 44). Insbes. ist iRd § 122 II unstr. auch Ergänzung nur beschlusslosen Tagesordnungspunktes zulässig (GK-AktG/Butzke Rn. 23, 52). Anspruch auf bestimmte Tagesordnungsreihenfolge besteht nicht (BeckOGK/Rieckers Rn. 58). Stets erforderlich ist, dass Entscheidungsgegenstand in **Zuständigkeit der HV** fällt (KG NZG 2020, 710 Rn. 18 [verneint bei Aufklärungsbedarf zum Hintergrund eines Insolvenzantrags]; Butzke FS Marsch-Barner, 2018, 103, 107). Neuerdings begegnet namentl. als Ausprägung des **ESG-Activism** zunehmend Ansatz, diese Schranke dadurch zu umgehen, dass Anliegen zum Gegenstand einer Satzungsänderung gemacht wird, für die HV nach § 119 I Nr. 6 grds. zuständig ist. In diesem Fall scheitert Antrag häufig nicht an fehlender HV-Zuständigkeit, sondern an Unzulässigkeit des Änderungsantrags, wenn dieser nämlich auf Gegenstände abzielt, die wegen Grundsatzes der Satzungsstrenge (§ 23 V) nicht aufgenommen werden dürfen (Bsp. aus VW-Konzern: Offenlegungspflicht über Lobbyaktivitäten – Zulässigkeit zu Recht abl. OLG Braunschweig NZG 2023, 1504 Rn. 21 ff.; Fuhrmann/Röseler AG 2022, R 153 f.; Reichert/Groh NZG 2023, 1500 ff.; Verse AG 2023, 578 ff.; sa schon Ch. Ott NZG 2020, 99, 102; aA Klöhn NZG 2023, 645 ff. sowie → § 170 Rn. 2c; zu den Grenzen des Unternehmensgegenstands → § 82 Rn. 10). Sofern Gegenstand von HV-Kompetenz erfasst ist (zB Abspaltungsantrag), kann Instrumentalisierung, um ESG-Fragen zu thematisieren, allenfalls unter Missbrauchsgesichtspunkten (→ Rn. 23) verhindert werden (Weller/Hoppmann AG 2022, 640 Rn. 27 ff.).

19 Aus Verweisung auf § 122 I („in gleicher Weise") müsste auch Begründungszwang folgen, was allerdings in noch ungeklärtem Spannungsverhältnis zu nur alternativ vorgesehener Begründung nach § 122 II 2 steht. Danach muss dem Verlangen eine **Begründung oder Beschlussvorlage** beiliegen, wobei nach Wortlaut nicht nur bei beschlusslosen Gegenständen, sondern auch bei Beschlüssen nicht zwingend Beschlussvorlage erforderlich ist, sondern Begründung ausreicht (GK-AktG/Butzke Rn. 55; BeckOGK/Rieckers Rn. 46; aA S/L/Ziemons Rn. 47). Beschlussvorlage ist so zu formulieren, dass sie (ggf. mit geringfügigen Änderungen) in HV zur Abstimmung gestellt werden kann. Auch für Berechnung der Vorbesitzzeit gelten die durch Aktienrechtsnovelle 2016 herbeigeführten Klarstellungen (→ Rn. 5: Berechnung der Vorbesitzzeit vom Tag des Zugangs des Einberufungsverlangens; Quorum bis zur Vorstandsentscheidung) auch iRd § 122 II (sa RegBegr. BT-Drs. 18/4349, 22). Nach § 122 II 3 ist das Verlangen in der Weise **fristgebunden,** dass es der AG grds. 24, der börsennotierten AG aber 30 Tage vor der HV zugehen muss. Der Tag des Zugangs ist nach § 122 II 4 nicht mitzurechnen (zum Spannungsverhältnis zu § 16 IV 1 WpÜG und § 7 IV WStBG BeckOGK/Rieckers Rn. 54 f.). Bekanntmachung des Ergänzungsverlangens richtet sich nach § 124 I 1 (→ § 124

Rn. 1 ff.), bei börsennotierter AG zudem auch nach §§ 124a S. 2, 125 I 2. Fristprobleme stellen sich idR bei Ergänzungsverlangen nach Einberufung. Verlangen kann aber auch schon weit im Vorfeld der nächsten HV gestellt werden, bevor diese einberufen wurde (BGHZ 226, 224 Rn. 22 = NZG 2020, 1106). Vorstand muss ergänzte Gegenstände dann mit Einberufung bekannt machen; unterlässt er dies, kommt das Ablehnung gleich (BGHZ 226, 224 Rn. 22).

3. Rücknahme des Bekanntmachungsverlangens und Absage. Wie Einberufungsverlangen kann auch Ankündigungsbegehren **zurückgenommen** werden. Nach Bek. der ergänzten Tagesordnung kann auch nach Antragsrücknahme aber nur noch HV selbst angekündigten Punkt absetzen (KK-AktG/Noack/Zetzsche Rn. 53; teilw. aA BeckOGK/Rieckers Rn. 45; → § 129 Rn. 23). Jedoch darf es auch HV nicht ohne weiteres möglich sein, einen aufgrund Minderheitsverlangens ergänzten Tagesordnungspunkt abzusetzen oder zu vertagen. Minderheit erhält nicht nur das Recht, Tagesordnungspunkte aufzunehmen, sondern auch das **Recht auf sachliche Auseinandersetzung,** da anderenfalls Minderheitenschutz durch Mehrheit ausgehebelt werden könnte. Mehrheitlich beschlossene Absetzung ist deshalb nur zulässig, wenn sie durch hinreichend gewichtigen Grund geboten erscheint (str. – wie hier NK-AktR/Heidel Vor § 129 Rn. 48; KK-AktG/Noack/Zetzsche Anh. § 129 Rn. 98 f.; BeckOGK/Wicke § 129 Rn. 53 Fn. 343; MHdB AG/Bungert § 37 Rn. 50; Grunewald AG 2015, 689, 690 ff.; Kemmerer BB 2011, 3018, 3020; gegen das Erfordernis eines sachlichen Grundes GK-AktG/Butzke Rn. 74; Austmann FS Hoffmann-Becking, 2013, 45, 53; Wilsing/v. der Linden ZIP 2010, 2321, 2323; gegen jede mehrheitliche Absetzung MüKoAktG/Kubis § 119 Rn. 145; GK-AktG/Mülbert § 129 Rn. 176). 20

Erst recht wird man aus demselben Grund auch dem Vorstand die eigenmächtige Absetzung eines ergänzten TOP versagen müssen (so auch GK-AktG/Butzke Rn. 72; Grigoleit/Herrler Rn. 40; KK-AktG/Noack/Zetzsche Rn. 53; Grunewald AG 2015, 689, 693). Gegenauffassung beruft sich auf Regeln zur Absage einer HV (→ § 121 Rn. 18 f.), die a maiore ad minus auch auf § 122 II zu übertragen seien (BeckOGK/Rieckers Rn. 45; Lieder NZG 2016, 81, 84). Dieser Schluss erscheint indes nicht zwingend, wenn man berücksichtigt, dass die Belastungen, die für die AG mit der Durchführung einer HV einhergehen, ungleich größer sind als die Belastungen, die sich aus der inhaltlichen Auseinandersetzung mit einem TOP ergeben. Zur Absetzung durch HV-Leiter → § 129 Rn. 23. 21

4. Form und Adressat. Auch für Ergänzungsantrag muss **Schriftform oder elektronische Form** (§ 126 BGB) eingehalten (auch hier str.; → Rn. 7) und Antrag an Vorstand gerichtet werden (→ Rn. 10). Erleichterungen des Minderheitenrechts durch Satzung (→ Rn. 16) sind auch hier möglich, insbes. auch Formerleichterungen (RegBegr. BT-Drs. 14/4987, 30). Soweit sich Antrag auf unzulässige Beschlussfassung, namentl. auf unzulässige Satzungsänderung, richtet, ist ihm entspr. § 126 II 1 Nr. 2 nicht stattzugeben (MüKoAktG/Kubis Rn. 35; Mertens AG 1997, 481, 487 ff.; dort weitere Einzelheiten). 22

5. Missbrauch. Auch Missbrauch des Antragsrechts ist möglich (Mertens AG 1997, 481, 489 f.), wenn auch zurückhaltender anzunehmen als beim Einberufungsverlangen (KK-AktG/Zöllner, 1. Aufl. 1985, Rn. 9; ähnlich LG Frankfurt AG 2004, 218); Beispiel: Antrag auf Fassung eines Meinungsbeschlusses in Klimaschutzfragen (eingehend Harnos/Holle AG 2021, 853 Rn. 44 ff.; sa Weller/Hoppmann AG 2022, 640 Rn. 23). Liegt Missbrauch vor, so bleibt Verlangen unbeachtlich. Entscheidung darüber obliegt allerdings in erster Linie dem Vorstand. Ist er Antrag auf Ergänzung der Tagesordnung gefolgt, so ist Versamm- 23 lungsleiter idR an diese Entscheidung gebunden (Grunewald AG 2015, 689, 692 f.; zurückhaltender Schatz AG 2015, 696, 700 f.; zur Möglichkeit einer Verwerfung durch HV-Leiter → § 129 Rn. 23). Noch stärker ist Bindung ausgeprägt, wenn Antragstellung **aufgrund gerichtl. Ermächtigung** nach § 122 III erfolgt (→ Rn. 24 ff.), da in diesem Fall schon Gericht Zulässigkeit des Antrags und fehlenden missbräuchlichen Charakter geprüft hat. Das gilt auch dann, wenn Ermächtigung noch ohne konkrete Beschlussvorlage erfolgt ist (Grunewald AG 2015, 689, 690 f.; insofern zust. Schatz AG 2015, 696, 699 f.).

IV. Rechtsdurchsetzung (§ 122 III)

24 **1. Gerichtliche Ermächtigung.** Nach § 122 III kann Gericht Aktionäre ermächtigen, HV selbst einzuberufen oder Beschlussgegenstände bekanntzumachen, wenn auf das eine oder das andere gerichtetes Verlangen erfolglos geblieben ist. Zuständig ist Amtsgericht (§ 23a I Nr. 2, II Nr. 4 GVG iVm § 375 Nr. 3 FamFG) im Landgerichtsbezirk des Gesellschaftssitzes (§ 14 AktG iVm § 376 I FamFG, § 377 FamFG); § 376 II FamFG enthält allerdings Konzentrationsermächtigung für anderweitige Festlegung (Überblick bei Sternal/Eickelberg FamFG § 376 Rn. 11 ff.). Gericht entscheidet im **fG-Verfahren,** so dass insbes. Amtsermittlungsgrundsatz gilt (§ 26 FamFG). Anderweitige Klagemöglichkeit, namentl. Leistungsklage, ist daneben ausgeschlossen (BeckOGK/Rieckers Rn. 59; Bayer/Scholz/Weiß ZIP 2014, 1), einstweiliger Rechtsschutz nach §§ 49 ff. FamFG aber eröffnet und wegen enger Publikationsvorgaben (→ § 124 Rn. 2 f.) oft auch geboten (S/L/Ziemons Rn. 57).

25 **2. Antrag.** Gericht wird nur auf Antrag tätig. Antrag muss von den Aktionären gestellt werden, die das erfolglose Verlangen erhoben haben (LG Duisburg AG 2004, 159; zur Aktionärseigenschaft → Rn. 2). Gesamtrechtsnachfolger stehen gleich, nicht jedoch Erwerber kraft Rechtsgeschäfts (GK-AktG/Butzke Rn. 81; MüKoAktG/Kubis Rn. 56; S/L/Ziemons Rn. 54; aA B/K/L/Reger Rn. 18). Aus § 142 II 2, § 122 I 3 folgt nämlich, dass nur Altaktionäre zur Antragstellung berechtigt sind. Dass Aktionäre abspringen, ist unschädlich, solange Quorum (5 % des Grundkapitals bzw. 500.000 Euro) bis zur letztinstanzlichen Entscheidung von bisherigen Aktionären erfüllt wird. Auch das ist durch **Aktienrechtsnovelle 2016** in neu gefasstem § 122 III 5 klargestellt worden (RegE BT-Drs. 18/4349, 22; OLG Frankfurt NZG 2023, 1507 Rn. 22; Söhner ZIP 2016, 151, 156). Wenn Quorum durch bisher nicht beteiligte Aktionäre aufgefüllt wird, muss Verlangen zunächst neu an Vorstand gerichtet werden (wie hier OLG Düsseldorf FGPrax 2004, 87, 88; LG Duisburg AG 2004, 159). Antragsfrist ist nicht vorgesehen. Antrag wird aber unzulässig, wenn infolge Zeitablaufs nicht mehr gewährleistet ist, dass abl. Vorstandsentscheidung auch jetzt noch gelten soll (BeckOGK/Rieckers Rn. 66).

26 **Rücknahme des Antrags** ist möglich, und zwar auch noch in Beschwerdeinstanz, führt dann aber zur Kostenlast für zurücknehmende Aktionäre (MüKoAktG/Kubis Rn. 61). Erledigung des Ermächtigungsverfahrens tritt ein, wenn HV entspr. dem Verlangen gesetzes- und satzungsgem. einberufen und durchgeführt worden ist (BGH AG 2012, 592 Rn. 8; BGHZ 216, 112 Rn. 69 = NZG 2017, 1374; OLG Düsseldorf AG 2013, 468). Dagegen lässt Eröffnung des Insolvenzverfahrens oder Eigenverwaltung Ermächtigungsverfahren unberührt, sofern Kompetenz aus insolvenzneutralem Schuldnerbereich (→ § 264 Rn. 10) betroffen ist (OLG Düsseldorf AG 2013, 468 f. zur Wahl des AR; OLG München AG 2018, 581, 582; KG NZG 2020, 710 Rn. 15). Dasselbe gilt für Insolvenzplanverfahren nach §§ 217 ff. InsO (OLG München AG 2018, 581, 583; → § 182

Rn. 32). Zur Absage der nach § 122 III einberufenen HV → § 121 Rn. 18a; zur Absetzung eines nach § 122 III ergänzten Tagesordnungspunktes → Rn. 20 f.

3. Entscheidung des Gerichts. Gericht entscheidet durch **Beschluss,** der mit Gründen zu versehen ist (§ 38 III FamFG) und nach § 40 Abs. 1 FamFG mit Bekanntgabe an den Beteiligten wirksam wird, für den er bestimmt ist (LG München I AG 2018, 206 Rn. 18). Das Gericht „kann" dem Antrag stattgeben und muss so entscheiden, wenn er zulässig und begründet ist, also dem Verlangen der Minderheit vom Vorstand stattzugeben war (KG FGPrax 2012, 28, 29; OLG Köln WM 1959, 1402; MüKoAktG/Kubis Rn. 54). Dem wird Vorstand nicht gerecht, wenn er Verlangen ausdr. zurückweist oder über eine ihm zuzubilligende Prüfungsfrist (→ § 124 Rn. 2 f.) hinaus untätig bleibt (BGHZ 226, 224 Rn. 18 = NZG 2020, 1106). Als Untätigkeit zählt auch, wenn Termin veröffentlicht, aber keine Tagesordnung bekannt gegeben wird (BeckOGK/Rieckers Rn. 63). Das Gleiche gilt, wenn er einberufene HV ohne sachlichen Grund wieder absagt; liegt Sachgrund dagegen vor, ist es Minderheit zuzumuten, Vorstand erneut zur Einberufung aufzufordern (so für GmbH KG GmbHR 1997, 1001; OLG München NZG 2021, 1454 Rn. 56). Befugnis des Gerichts zur inhaltlichen Prüfung reicht nicht weiter als die des Vorstands (→ Rn. 7 ff., 11 ff.; KG FGPrax 2012, 28, 30). Stattgebende Entscheidung lautet je nach Antrag auf Ermächtigung, HV einzuberufen oder Gegenstände zur Beschlussfassung bekanntzumachen. Gerichtl. Ermächtigung zur Bekanntmachung ergänzender Tagesordnungspunkte gilt für folgende HV fort, wenn von ihr für unmittelbar anstehende HV im Hinblick auf Bekanntmachungsfrist (→ § 124 Rn. 1 ff.) kein Gebrauch gemacht werden kann; neuerliches Ergänzungsverlangen ist hier unzumutbar (BGHZ 226, 224 Rn. 21; KK-AktG/Noack/Zetzsche Rn. 113; aA Mertens AG 1997, 481, 490). 27

4. Bestimmung des HV-Leiters. Mit Ermächtigung der Aktionäre kann Gericht zugleich den Versammlungsleiter bestimmen (§ 122 III 2), und zwar von Amts wegen oder auf Antrag, der also als Anregung aufzufassen ist (allgM, s. zB S/L/Ziemons Rn. 60). Auch hier muss Gericht von seiner Befugnis Gebrauch machen, wenn es der Überzeugung ist, der nach Satzung zuständige Versammlungsleiter (AR-Vorsitzender) werde dem **Minderheitsanliegen nicht in gebührender Weise gerecht** werden (OLG Köln NZG 2015, 1118 f.; MüKoAktG/Kubis Rn. 72; Theusinger/Schilha NZG 2016, 56, 57 f.). Von dieser Befugnis ist jedoch nur zurückhaltend Gebrauch zu machen (OLG Hamburg AG 2012, 294, 295; Theusinger/Schilha NZG 2016, 56, 58; v. der Linden FS Marsch-Barner, 2018, 303, 307 ff.). Übertragung an Dritten (zB Notar- oder Industrie- und Handelskammer) ist unzulässig (OLG Düsseldorf AG 2013, 468, 469), doch können Vorschläge der Antragsteller berücksichtigt werden, wenn keine Interessenkollisionen bestehen und fachliche Eignung (häufig, aber nicht zwingend juristische Ausbildung) gegeben ist (Rieckers FS Krieger, 2020, 753, 757). Auswahl des die HV beurkundenden Notars ist nicht zulässig (→ § 129 Rn. 20). 28

Bestimmung des HV-Leiters kann entgegen dem Wortlaut zeitlich auch noch nach Ermächtigung erfolgen (OLG Düsseldorf NZG 2023, 991 Rn. 15; OLG Hamburg AG 2012, 294, 295; GK-AktG/Butzke Rn. 90; BeckOGK/Rieckers Rn. 72). Bezieht sie sich nur auf Ergänzungsverlangen (→ Rn. 17 ff.), ist uU **gespaltene Versammlungsleitung** denkbar (GK-AktG/Butzke Rn. 93; BeckOGK/Rieckers Rn. 71; Schatz AG 2015, 696, 705 f.; Theusinger/Schilha NZG 2016, 56, 59; aA MüKoAktG/Kubis Rn. 72; offenlassend, aber im konkreten Sachverhalt abl. OLG Frankfurt AG 2022, 448, 450 f.). Gerade hier sollten an Befürchtung unparteiischer Leitung aber noch höhere Anforderungen gestellt werden, da auch Einheitlichkeit der Versammlungsleitung hohes Ge- 29 wicht zukommt und persönliche Betroffenheit des Versammlungsleiters auch in anderen Zusammenhängen (zB §§ 116 S. 1 iVm § 94 IV 3, § 113 III 1 oder § 142 I 1) in Kauf genommen wird (Rieckers FS Krieger, 2020, 753, 755; großzügiger OLG Köln NZG 2015, 1118, 1119). Vom Gericht bestimmter Versammlungsleiter kann Bestellung verweigern, was Antragsteller aber üblicherweise durch vorweggenommene Einverständniserklärungen verbunden mit Negativerklärung hinsichtlich Interessenkonflikten ausschließen (Rieckers FS Krieger, 2020, 753, 757). Nimmt er sie an, ist er in HV selbst bei Vorliegen eines wichtigen Grundes nicht abrufbar (BeckOGK/Rieckers Rn. 72; MüKoAktG/Kubis Rn. 72).

30 Möglichkeit gerichtl. Bestellung des HV-Leiters besteht nach dem Wortlaut nur in Fällen des § 122 III 1, nicht in **Fällen des § 122 I und II.** Verbreitete Auffassung spricht sich aber für Analogieschluss aus (KK-AktG/Noack/Zetzsche Rn. 103; BeckOGK/Rieckers Rn. 72; Hoffmann-Becking NZG 2017, 281, 283; Schatz AG 2015, 696, 706 f.; Theusinger/Schilha NZG 2016, 56, 57). Das ist im Hinblick auf Vergleichbarkeit des geregelten und ungeregelten Falles bedenklich, da in Fällen des § 122 I und II AG im Vorfeld der HV Kooperation nicht verweigert hat (abl. deshalb GK-AktG/Butzke Rn. 91; Grigoleit/Herrler Rn. 18; MüKoAktG/Kubis Rn. 73). Richtigerweise ist Analogieschluss daher zumindest im Grundsatz abzulehnen und Ausnahme nur dort zuzulassen, wo Leitungsmängel mit gesteigerter Wahrscheinlichkeit zu erwarten sind, etwa weil Vorstand nur unter dem Druck der sonst zu erwartenden Ermächtigung dem Verlangen nachgegeben hat (OLG Düsseldorf NZG 2023, 991 Rn. 15 ff.; MüKoAktG/Kubis Rn. 73; Hoffmann-Becking NZG 2017, 281, 283; v. der Linden FS Marsch-Barner, 2018, 303, 306 f.). Dieser Ergänzung bedarf es mit Blick auf unzureichende sonstige Rechtsschutzmöglichkeiten gegen Maßnahmen des HV-Leiters (→ § 129 Rn. 23), der Minderheitsverlangen sonst ad infinitum sanktionslos ins Leere laufen lassen könnte (Schatz AG 2015, 696, 706). Für Haftung des gerichtl. bestellten HV-Leiters gelten in → § 129 Rn. 25 festgelegte Grundsätze (Rieckers FS Krieger, 2020, 760 ff.).

31 **Rechtsmittel** ist gem. § 122 III 4 Beschwerde (§§ 58 ff. FamFG) mit Monatsfrist des § 63 FamFG; Beschwerde hat aber keine aufschiebende Wirkung (LG München I AG 2018, 494; zu Einzelheiten GK-AktG/Butzke Rn. 95 ff.). Fehlerhafte gerichtliche Ermächtigung begründet, solange sie nicht aufgehoben wurde, keine Anfechtbarkeit (OLG Düsseldorf AG 2019, 348, 354; LG München I AG 2018, 206 Rn. 18; 2019, 476, 478). Selbst erfolgreiche Beschwerde führt nicht dazu, dass Beschlüsse, die in einer aufgrund rechtswidriger Ermächtigung einberufenen HV gefasst sind, anfechtbar sind (BGH AG 2012, 592 Rn. 9; KK-AktG/Noack/Zetzsche Rn. 124). Nur wenn Ermächtigung noch vor HV aufgehoben wird, ist diese abzusagen (KK-AktG/Noack/Zetzsche Rn. 123).

32 **5. Einberufung oder Bekanntmachung durch die Aktionäre.** Aktionäre nehmen Einberufung im eigenen Namen vor (OLG München AG 2018, 581, 583) und müssen grds. für organisatorische Vorbereitung sorgen (BGHZ 216, 112 Rn. 69 = NZG 2017, 1374; OLG München AG 2018, 581, 583). Umstr. ist, ob Einberufung durch alle Aktionäre ausgesprochen werden muss, die Minderheitsverlangen gestellt haben, oder ob es genügt, wenn schon ein einzelner Aktionär, der zum Quorum beigetragen hat, von Ermächtigung Gebrauch macht (für das Erste GK-AktG/Butzke Rn. 100; BeckOGK/Rieckers Rn. 79; für das Zweite MüKoAktG/Kubis Rn. 80). Auch wenn § 122 III 5, der Nachw. des Aktienbesitzes nur bis zur Gerichtsentscheidung verlangt, eher für letztgenannte Sichtweise zu sprechen scheint, ist aus Gründen der Praktikabilität zur Vermeidung mehrfacher Einberufungen eine Einberufung durch eine das Quorum erfüllende Zahl von Aktionären zu verlangen.

33 Gem. § 122 III 3 müssen Aktionäre bei Einberufung der HV auf gerichtl. Ermächtigung hinweisen, damit die Einladungsadressaten die Einberufungsberechtigung beurteilen können. Hinweis ist in Bek. nach § 121 III aufzunehmen. Nach ganz hM genügt der Hinweis **„kraft gerichtlicher Ermächtigung“,** also ohne nähere Bezeichnung (Gericht, Datum, Aktenzeichen) der Entscheidung (RGZ 170, 83, 95 f. zur Genossenschaft; GK-AktG/Butzke Rn. 99; MüKoAktG/Kubis Rn. 82). Ausnahme gilt nur dann, wenn anderenfalls Überprüfung der Einberufungsermächtigung erschwert wäre (S/L/Ziemons Rn. 67). Ohne Hinweis ist Einberufung nicht ordnungsmäßig, sind gleichwohl gefasste Beschlüsse anfechtbar (§ 243 I – str.; vgl. dazu und zu anderen Einberufungsmängeln → § 241 Rn. 10 mwN). Entspr. gilt für Bek. von Beschlussgegenständen. IÜ müssen Aktionäre allg. Vorschriften beachten, bes. §§ 121, 123, 124.

34 **6. Ablauf.** Über genauen Ablauf und **Aufgabenverteilung zwischen AG und Minderheit** schweigt das Ges., so dass sich zahlreiche Zweifelsfragen ergeben (S/L/Ziemons Rn. 62: „Patchwork-HV“; ausf. dazu Bayer/Scholz/Weiß AG 2013, 742 ff.; Habersack/Mülbert ZGR 2014, 1, 9 ff.). Als grobe Orientierungslinie kann schlagwortartige Abgrenzung dienen, dass Einberufung und Vorbereitung, nicht aber Durchführung der HV den ermächtigten Aktionären obliegen (Habersack/Mülbert ZGR 2014, 1, 9; zur Beschränkung auf „logistische Vorbereitungen“ auch BGHZ 216, 112 Rn. 69 = NZG 2017, 1374). Trennscharfe Zuständigkeitsabgrenzung wird dadurch aber nicht ermöglicht, weil danach von der AG zu tragende Folgeverantwortung für Beschlussfassung und -umsetzung auch auf Einberufung ausstrahlen kann. Insbes. erscheint es deshalb nicht sachgerecht, Zugangsadresse außerhalb ihres Herrschafts- und Zugriffsbereichs anzusiedeln; Legitimationsprüfung muss durch AG selbst erfolgen können, wovon auch § 123 II 2 für alle Einberufungsszenarien auszugehen scheint (ausf. Bayer/Scholz/Weiß AG 2013, 742, 746 ff.; aA GK-AktG/Butzke Rn. 107 f.; MüKoAktG/Kubis Rn. 83; BeckOGK/Rieckers Rn. 83; Habersack/Mülbert ZGR 2014, 1, 14 ff.). Beschlussvorschläge von Vorstand und AR nach § 124 III 1 sind nicht erforderlich (OLG München AG 2010, 84, 87; GK-AktG/Butzke Rn. 102 f.; MüKoAktG/Kubis Rn. 83; BeckOGK/Rieckers Rn. 82; aA S/L/Ziemons Rn. 68). Pflichten nach §§ 124a–127 sind aber durch Vorstand der AG zu erfüllen und im Falle seiner Weigerung durch einstweilige Verfügung durchzusetzen (LG München I AG 2018, 494; BeckOGK/Rieckers Rn. 86).

V. Kosten (§ 122 IV)

35 **1. Kosten der Hauptversammlung.** Kosten der HV fallen nach § 122 IV der AG zur Last. Ges. will mit dieser Regelung Effizienz des Minderheitenschutzes sicherstellen (RegBegr. Kropff S. 171). Einberufungskosten gehören dazu (RegBegr. Kropff S. 171). Ob das Gleiche auch für gerichtl. bestellten HV-Leiter gilt, ist noch nicht abschließend geklärt, dürfte aber in Konsequenz der ges. Regelung liegen (Pliquett, Haftung des Hauptversammlungsleiters, 2015, 117 f.; zweifelnd Rieckers FS Krieger, 2020, 753, 763 f.). Aktionäre haben aber nur **Freistellungsanspruch,** ggf. Erstattungsanspruch aus § 122 IV, **keine Vertretungsmacht;** sie können AG also nicht direkt, etwa durch Abschluss des Mietvertrags über das Versammlungslokal in ihrem Namen, verpflichten (OLG München AG 2018, 581, 582 [für Insolvenzsituation; krit. dazu Thole ZIP 2018, 1565, 1567 ff.]; MüKoAktG/Kubis Rn. 87; Habersack/Mülbert ZGR 2014, 1, 14; Halberkamp/Gierke NZG 2004, 494, 501). Von § 122 IV nicht erfasst sind **außergerichtliche Kosten,** so dass hier § 81 FamFG gilt, der Kostentragung nach Billigkeitsregeln in das Ermessen des Gerichts stellt (GK-AktG/Butzke Rn. 115).

36 **2. Verfahrenskosten.** Zu unterscheiden ist zwischen den **Gerichtskosten** und den außergerichtl. Kosten der Beteiligten. Gerichtskosten fallen nach § 122 IV der Gesellschaft zur Last, wenn Ermächtigung der Aktionäre antragsgem. ausgesprochen wird; abw. Vorschriften des § 81 FamFG gelten insoweit nicht (§ 81 V FamFG). Allerdings sind Kostenschuldner entgegen missverständlichem Wortlaut auch hier Aktionäre (§ 22 I GNotKG), die gegen AG nur Kostenerstattungsanspruch haben (BeckOGK/Rieckers Rn. 88). Für **außergerichtl. Kosten** ist § 81 FamFG maßgebend. Gericht entscheidet also nach billigem Ermessen. Über gerichtl. und außergerichtl. Kosten kann in einem Beschluss entschieden werden.

Frist, Anmeldung zur Hauptversammlung, Nachweis

123 (1) [1]**Die Hauptversammlung ist mindestens dreißig Tage vor dem Tage der Versammlung einzuberufen.** [2]**Der Tag der Einberufung ist nicht mitzurechnen.**

(2) [1]**Die Satzung kann die Teilnahme an der Hauptversammlung oder die Ausübung des Stimmrechts davon abhängig machen, dass die Aktionäre sich vor der Versammlung anmelden.** [2]**Die Anmeldung muss der Gesellschaft unter der in der Einberufung hierfür mitgeteilten Adresse mindestens sechs Tage vor der Versammlung zugehen.** [3]**In der Satzung oder in der Einberufung auf Grund einer Ermächtigung durch die Satzung kann eine kürzere, in Tagen zu bemessende Frist vorgesehen werden.** [4]**Der Tag des Zugangs ist nicht mitzurechnen.** [5]**Die Mindestfrist des Absatzes 1 verlängert sich um die Tage der Anmeldefrist.**

(3) **Die Satzung kann bestimmen, wie die Berechtigung zur Teilnahme an der Versammlung oder zur Ausübung des Stimmrechts nachzuweisen ist; Absatz 2 Satz 5 gilt in diesem Fall entsprechend.**

(4) [1]**Bei Inhaberaktien börsennotierter Gesellschaften reicht ein Nachweis gemäß § 67c Absatz 3 aus.** [2]**Der Nachweis des Anteilsbesitzes nach § 67c Absatz 3 hat sich bei börsennotierten Gesellschaften auf den Geschäftsschluss des 22. Tages vor der Versammlung zu beziehen und muss der Gesellschaft unter der in der Einberufung hierfür mitgeteilten Adresse mindestens sechs Tage vor der Versammlung zugehen.** [3]**In der Satzung oder in der Einberufung auf Grund einer Ermächtigung durch die Satzung kann eine kürzere, in Tagen zu bemessende Frist vorgesehen werden.** [4]**Der Tag des Zugangs ist nicht mitzurechnen.** [5]**Im Verhältnis zur Gesellschaft gilt für die Teilnahme an der Versammlung oder für die Ausübung des Stimmrechts als Aktionär nur, wer den Nachweis erbracht hat.**

(5) **Bei Namensaktien börsennotierter Gesellschaften folgt die Berechtigung zur Teilnahme an der Versammlung oder zur Ausübung des Stimmrechts gemäß § 67 Absatz 2 Satz 1 aus der Eintragung im Aktienregister.**

Übersicht

I. Regelungsgegenstand und -zweck

Norm betr. **Einberufungsfrist** (§ 123 I) und Regelungen der Satzung über Bedingungen für Teilnahme an HV und Ausübung des Stimmrechts (§ 123 II) sowie über HV-Legitimation (§ 123 III–V). Einberufungsfrist dient dem **Dispositionsschutz;** Aktionäre sollen sich auf HV-Termin einrichten und darauf auch sachlich vorbereiten können (RegBegr. Kropff S. 172). Übermäßig kurze Zweiwochenfrist des § 107 I 1 AktG 1937 ist deshalb 1965 auf einen Monat verlängert und 2005 nur unwesentlich gekürzt worden (→ Rn. 2). So wünschenswert Monatsfrist aus Aktionärssicht sein mag, so ist doch nicht zu verkennen, dass sie gerade Entscheidungsfindung im Wege außerordentlicher HV verfahrensrechtl. schwerfällig macht, da sich mit Vorbereitungs- und Bekanntmachungsdauer faktisch **Vorbereitungszeit von etwa zwei Monaten** ergibt (vgl. MüKoAktG/Kubis Rn. 2: Grund für „Flucht aus HV-Zuständigkeit"). Wegen Geltung des § 23 V kann Frist nach § 123 I auch nicht über Satzungsgestaltung weiter verkürzt werden (zur Möglichkeit der Verlängerung → Rn. 2). § 123 II-V enthalten – zT satzungsdisponible – Bedingungen der Teilnahme und der Stimmrechtsausübung und dienen dem Ziel, auf Seiten der AG vorbereitende Planung des Versammlungsablaufs zu erleichtern (MüKoAktG/Kubis Rn. 1) Norm ist durch UMAG 2005 insges. neu gefasst worden; weitere bedeutsame Änderung erfolgte durch ARUG 2009. 1

II. Einberufungsfrist (§ 123 I)

Einberufungsfrist beträgt mindestens **30 Tage** (§ 123 I 1), kann sich aber ggf. nach § 123 II 5 um Anmelde- und Nachweisfrist verlängern (→ Rn. 9 f.; → Rn. 33). Mit UMAG 2005 wurde frühere Monatsfrist zugunsten einer Tagesfrist aufgegeben, um einheitliche, nämlich die Fristen nach § 123 II und IV einschließende, Rückrechnung zu ermöglichen (RegBegr. BT-Drs. 15/5092, 13). Längere Frist ist unschädlich („mindestens") und kann wohl auch in vernünftigen Grenzen von Satzung vorgesehen werden, ohne dass dies als zweckmäßig erschiene (s. dazu GK-AktG/Butzke Rn. 13; Mimberg AG 2005, 716, 720 ff.). Praxis macht von dieser Möglichkeit nur selten Gebrauch (Fleischer/Maas AG 2020, 761 Rn. 46). Frist darf allerdings nicht so weit im Vorfeld der Versammlung liegen, dass diese in Vergessenheit zu geraten droht (GK-AktG/Butzke Rn. 18: keinesfalls mehr als 90 Tage). Frühere Monatsfrist sollte weiterhin eingehalten werden, soweit sie wie etwa in Art. 92 GesR-RL bezüglich 2

Verschmelzung oder Art. 138, 140 GesR-RL bezüglich Spaltung für Offenlegung vorgesehen ist. In gemeinschaftskonformer Auslegung des § 123 I 1 tritt Mindestfrist von 30 Tagen insoweit hinter Monatsfrist zurück (vgl. Grigoleit/Herrler Rn. 3; S/L/Ziemons Rn. 14; J. Schmidt DB 2006, 375; aA BeckOGK/Rieckers Rn. 6; GK-AktG/Butzke Rn. 15). Wegen üblicherweise eintretender Fristverlängerung nach § 123 II 5, III Hs. 2 hat Frage allerdings nur geringe praktische Bedeutung (KK-AktG/Noack/Zetzsche Rn. 42). In einzelnen Gesetzen sind **zusätzlich verkürzte Fristen** vorgesehen, so für Übernahmesituation in § 16 IV WpÜG (→ Rn. 12) und für Restrukturierungen in § 7 I 1 WStBG und § 36 V SAG (→ Rn. 13).

3 Maßgeblich für Tag der Einberufung ist Bek. in den Gesellschaftsblättern bzw. Absendung des eingeschriebenen Briefs (§ 121 IV 1 und 2 Hs. 2). **Fristberechnung:** § 121 VII; → § 121 Rn. 24f. Nicht nur Tag der HV (§ 121 VII 1), sondern auch Tag der Einberufung (dazu nach altem und neuem Recht BGH WM 2010, 1839 Rn. 9ff.) bleibt nach dem durch ARUG 2009 angefügten § 123 I 2 unberücksichtigt. Deshalb kann bis Ablauf (24 Uhr) des 31. Tags vor HV einberufen werden (RegBegr. BT-Drs. 16/11642, 29; Seibert/Florstedt ZIP 2008, 2145, 2149). **Nichteinhaltung der Einladungsfrist** berechtigt grds. zur Anfechtung, weil Vorbereitungszeit verkürzt wird. Unter Rückbezug auf Kausalitätserfordernis (→ § 243 Rn. 13) kann Anfechtung dem Aktionär ausnahmsweise verwehrt sein, wenn im konkreten Einzelfall satzungsmäßig großzügig bemessene Ladungsfrist nur geringfügig verfehlt wird, Aktionär teilnimmt und feststeht, dass seine Vorbereitung durch Verkürzung nicht beeinträchtigt war (Drescher FS Krieger, 2020, 215, 220f. unter Verweis auf entspr. Handhabung im Personengesellschaftsrecht – vgl. BGH NZG 2014, 621 Rn. 13; NJW 2015, 2261 Rn. 22).

III. Erfordernisse für Teilnahme oder Stimmrechtsausübung (§ 123 II)

4 **1. Anmeldeerfordernis.** Nach Gesetzeslage gibt es kein Anmeldeerfordernis. Satzung kann ein solches Erfordernis aber einführen (§ 123 II 1). Unzulässig ist dagegen nach klarem Gesetzeswortlaut reine Satzungsermächtigung (MüKo-AktG/Kubis Rn. 48; BeckOGK/Rieckers Rn. 16). Anmeldung dient nicht der Legitimation, sondern nur der **Vorbereitung der HV,** namentl. als Anhaltspunkt für künftige Teilnehmerzahl (OLG Stuttgart AG 2009, 204, 211; Bayer/Scholz/Weiß AG 2013, 742, 744). Für Legitimation gilt vielmehr § 123 III–V. Anmeldeerfordernis kann aber mit **Nachweiserfordernis** verknüpft werden (B/K/L/Reger Rn. 6). Möglichkeit eines Anmeldeerfordernisses besteht (obwohl rechtspolitisch keinesfalls gleichermaßen zwingend) auch für Online-Teilnahme (§ 118 I 2) und Briefwähler (§ 118 II 1), für die Satzung bes. Procedere vorsehen kann (Grigoleit/Herrler Rn. 5; BeckOGK/Rieckers Rn. 22).

5 Wer sich nicht oder nicht ordnungsgem. anmeldet, ist zur Teilnahme nicht berechtigt. AG darf Aktionäre aber einseitig auch noch nach Ablauf der Anmelde- und Nachweisfrist zulassen, sofern **Gleichheitsgrundsatz (§ 53a)** gewahrt bleibt (KK-AktG/Noack/Zetzsche Rn. 74, 141; BeckOGK/Rieckers Rn. 26; aA NK-AktR/M. Müller Rn. 34). Das wird allerdings idR nicht der Fall sein, da nicht ordnungsgem. angemeldete Aktionäre erst gar nicht Zutritt zur HV verlangen werden (BGHZ 220, 36 Rn. 13ff. = NZG 2019, 262; S/L/Ziemons Rn. 66; Rieckers DB 2020, 207, 211; zu Praxisfolgen Herfs/Rowold DB 2019, 712ff.; Kuthe BB 2019, 776ff.; Reger/Jud AG 2019, 172, 173; Simons NZG 2019, 643, 644f.). Ausn. gilt nur, wenn in Einberufung ausdr. auf Möglichkeit nachträglicher Zulassung hingewiesen wird (so wohl implizit BGHZ 220, 36 Rn. 13ff.; vgl. zu diesem Verständnis BeckOGK/Rieckers Rn. 26; Herfs/Ro-

wold DB 2019, 712, 714; Reger/Jud AG 2019, 172, 173; Simons NZG 2019, 641, 642). Da solche Auflockerung in Satzungsregelungen nach § 123 II bislang idR nicht vorgesehen ist, macht Einberufungspraxis von dieser Möglichkeit bislang aber keinen Gebrauch (BeckOGK/Rieckers Rn. 26). Auch künftig dürfte Zulassung aus organisatorischen Gründen kaum zweckmäßig sein (Bayer JZ 2019, 677, 678). Wird Aktionär unter Verstoß gegen § 53a zugelassen, führt dies zur Anfechtbarkeit, wenn Zulassung Abstimmungsergebnis rechnerisch hätte beeinflussen können (BGHZ 220, 36 Rn. 18; → § 243 Rn. 19). Liegt Grund für unterlassene Anmeldung in Sphäre der AG, kann allerdings auch dies Anfechtung begründen, weshalb sich Verschiebung der HV empfehlen kann (Grigoleit/Herrler Rn. 5; Kuthe BB 2019, 776, 778).

Führt Satzung ein Anmeldeerfordernis ein, so bestimmen sich die weiteren Einzelheiten nach § 123 II 2–5. **Person des Anmeldenden** ist grds. derjenige, der ggü. AG als Aktionär gilt (§ 67 II), doch kann für ihn auch Stellvertreter oder Legitimationsaktionär tätig werden; umgekehrt kann auch Aktionär Stellvertreter anmelden (GK-AktG/Butzke Rn. 28). Auch Anmeldung durch Aktionär schließt spätere Bevollmächtigung nicht aus, da Person des Teilnehmers für Vorbereitung der HV nicht von Bedeutung ist (GK-AktG/Butzke Rn. 29). Anmeldender Stellvertreter muss Person des Aktionärs offenlegen; Ausnahme gilt bei Vertretung von Inhaberaktien durch Intermediär (GK-AktG/Butzke Rn. 28; BeckOGK/Rickers Rn. 20). 6

Anmeldeerfordernis gilt gleichermaßen für **Teilnahme und Stimmrechtsausübung.** Trennung erscheint auf den ersten Blick übermäßig formalistisch, ist aber gerade mit Blick auf Möglichkeit der Briefwahl iSd § 118 II 1 sinnvoll (GK-AktG/Butzke Rn. 24). Wird etwa Anmeldung nur für Teilnahme gefordert, können Briefwähler ohne vorherige Anmeldung abstimmen (GK-AktG/Butzke Rn. 24 ff.). Enthält Satzung nur für Stimmrechtsausübung Anmeldeerfordernis, ist unbegrenzte und unangemeldete Teilnahme aller Aktionäre zu gestatten, was idR nicht sinnvoll ist. Für Anmeldeerfordernis nicht von Bedeutung ist Unterscheidung von **Inhaber- und Namensaktien.** Das ergibt ein Gegenschluss aus § 123 IV und V, die eigens an diese Unterscheidung anknüpfen. Anmeldeerfordernis kann also **auch bei Namensaktien** begründet werden (RegBegr. BT-Drs. 15/5092, 13). Zweckmäßig ist Anmeldeerfordernis bei Publikumsgesellschaften, bei Namensaktien also dann, wenn sie infolge Blankoindossaments umlauffähig geworden sind. Veräußerung wird durch Anmeldung nicht gesperrt, führt aber zum Verlust des Teilnahmerechts. Anmeldestichtag allein fungiert also nicht als Record Date, sondern es bleibt grds. Registerstand am Tag der HV maßgebend, solange nicht Record Date iSd § 123 IV 2 (→ Rn. 30 ff.) oder Umschreibestopp (→ Rn. 24 ff.) greift (Grigoleit/Herrler Rn. 5; Baums FS Hüffer, 2010, 15, 16 ff.; aA v. Nussbaum NZG 2009, 456, 457). 7

Anmeldung kann grds. **formlos** erfolgen, doch ist es zweckmäßig, sie an Text- oder Schriftform zu knüpfen; bloßem Hinweis auf Zugang „unter der in der Einberufung hierfür mitgeteilten Adresse" lässt sich solches Formerfordernis allerdings nicht entnehmen (Linnerz/Hoppe BB 2016, 1098, 1100 f.). Auch weitere Angaben, etwa zur Nennung der Aktienzahl und -gattung, können vorgesehen werden (GK-AktG/Butzke Rn. 31). Übermäßige Erschwerungen (zB notarielle Beglaubigung) darf Satzung nicht enthalten (Einzelheiten bei Linnerz/Hoppe BB 2016, 1098, 1099). Anmeldung sollte ausdr. klargestellt werden. Bei bloßer Übersendung eines Anteilsbesitznachweises bleibt konkreter Aussagegehalt undeutlich (Hoppe NZG 2019, 1401, 1402 f.; großzügiger BeckOGK/Rieckers Rn. 17); Bitte um Ausstellung von Eintrittskarten genügt dagegen (OLG Frankfurt BeckRS 2010, 258; Hoppe NZG 2019, 1401, 1403). Bei **börsennotierter AG** ist § 67c I zu beachten, wonach Letztintermediär vom Aktionär erhaltene Informationen, dh auch HV-Anmeldung, an AG weiterzuleiten hat (zu Format 8 und Inhalt vgl. § 67c II 3 mit Verweis auf Aktionärsrechte-RL II-DVO [→ § 67c Rn. 4]; ausf. BeckOGK/Rieckers Rn. 19). Als **Anmeldeadresse** ist jedenfalls Angabe einer Postadresse unbedenklich. HM lässt zu Recht auch E-Mail-Adresse genügen (KK-AktG/Noack/Zetzsche Rn. 121; BeckOGK/Rieckers Rn. 26; Ihrig/Wagner FS Spiegelberger, 2009, 722, 738), doch sollte angesichts fortbestehender Einwände (vgl. GK-AktG/Butzke Rn. 33; S/L/Ziemons Rn. 26) von isolierter Angabe abgesehen werden. Adressat wird idR AG sein, doch kann auch HV-Dienstleister als Anmeldestelle (etwa über c/o-Adresse) eingeschaltet werden (Habersack/Mülbert ZGR 2014, 1, 5). Wird keine Adresse genannt, gelten allg. Zugangsregeln (→ Rn. 10).

9 **2. Anmeldefrist.** Aus **§ 123 II 3** folgt, dass Satzung Anmeldefrist nicht bestimmen muss, aber kann. Bestimmt sie nichts, so muss Anmeldung nach § 123 II 2 mindestens sechs Tage vor HV zugehen. Maßgebend für **Fristberechnung** ist § 121 VII (→ § 121 Rn. 24 f.). Nicht nur Tag der HV wie nach § 123 I 2 (→ Rn. 2), sondern auch Tag, an dem Anmeldung zugeht, ist nicht mitzurechnen (§ 123 II 4). **Bsp.** unter Fortführung von → § 121 Rn. 24: Soll HV am 20.7. stattfinden, so entfallen die sechs Tage auf den 19., 18., 17., 16., 15. und 14.7. Zugang muss deshalb spätestens am 13.7. um 24 Uhr erfolgt sein (sa RegBegr. BT-Drs. 16/11642, 29; zum früheren Recht OLG Frankfurt NZG 2008, 943). Das gilt auch dann, wenn der 13.7. Sonn- oder Feiertag sein sollte.

10 Satzung kann Anmeldefrist verkürzen, aber nicht verlängern (§ 123 II 3). **Kürzere** Frist muss in Kalender-, darf nicht (mehr) in Werktagen ausgedrückt sein (RegBegr. BT-Drs. 16/11642, 29). Abw. Altsatzungen müssen geändert werden. Während nach § 123 II 3 aF kürzere Frist in Satzung selbst enthalten sein musste (s. noch OLG München AG 2008, 460; LG München I WM 2007, 2111, 2113; krit. dazu Hellermann NZG 2008, 561, 563), genügt nunmehr nach § 123 II 3, dass Vorstand in Einberufung kürzere Frist bestimmt, wenn Satzung ihn dazu ermächtigt. Unzulässige Verlängerung liegt auch vor, wenn Satzung vorschreibt, dass Anmeldung spätestens sieben Tage vor HV erfolgt sein muss. Das läuft nämlich auf ein Erfordernis von sieben Freitagen hinaus (OLG Frankfurt NZG 2008, 943; zur Klarstellung ggü. bisher unklarer Rechtslage durch Aktienrechtsnovelle 2016 vgl. RegBegr. BT-Drs. 18/4349, 22 f.). Maßgeblich für Fristberechnung ist **Zugang bei AG** unter hierfür in Einberufung mitgeteilter Adresse (→ Rn. 8). Anderweitiger Zugang wahrt Anmeldefrist nicht, doch bleibt es AG unbenommen, fehlgeleitete Anmeldung unter Beachtung des § 53a (→ Rn. 5) freiwillig zu berücksichtigen (BeckOGK/Rieckers Rn. 26). Wenn Einberufung keine Adresse enthält, muss AG jeden rechtzeitigen Zugang am Ort der Hauptverwaltung oder Geschäftsleitung gegen sich gelten lassen (→ § 126 Rn. 9 zur gleichliegenden Frage bei Gegenanträgen).

11 **3. Folgen für Einberufungsfrist.** Wenn Satzung Anmeldeerfordernis begründet (→ Rn. 6), ist für Berechnung der Einberufungsfrist des § 123 I (→ Rn. 2) **§ 123 II 5** zu beachten. Mindestfrist von 30 Tagen verlängert sich also um Tage der Anmeldefrist, und zwar nach heute allgM nicht um ges. Regelfrist von sechs Tagen, sondern um die nach § 123 II 2, 3 **konkret geltende Frist** (vgl. statt aller BeckOGK/Rieckers Rn. 27). Regelung soll erreichen, dass Teilnahme der Aktionäre nicht durch Anmeldeerfordernis erschwert wird. Sie sollen nach Einberufung jedenfalls 30 Tage Zeit haben, um über ihre Teilnahme zu entscheiden und die Bedingungen zu erfüllen (RegBegr. Kropff S. 172; RegBegr. BT-Drs. 15/5092, 13).

12 **4. Sonderregelungen in § 16 IV WpÜG und § 7 I 1 WStBG.** Nach § 16 IV 1 WpÜG gilt für **HV der Zielgesellschaft** (→ § 121 Rn. 16c) verkürzte Einberufungsfrist (→ Rn. 2 f.), nämlich bis zwei Wochen vor Tag der HV,

ferner nach § 16 IV 5 WpÜG verkürzte Anmeldefrist (→ Rn. 9 f.), nämlich vier Tage. Durch Fristverkürzung und weitere Erleichterungen des § 16 IV WpÜG (→ § 124 Rn. 4; → § 125 Rn. 21 f.; → § 126 Rn. 3; → § 186 Rn. 23) soll es AG ermöglicht werden, HV bei Übernahmeangeboten zügig und trotzdem mit angemessener Präsenz einzuberufen (RegBegr. BT-Drs. 14/7034, 47). Bloße Beschlüsse der Verwaltungsorgane (§ 33 I 2 Fall 3 WpÜG) oder Vorratsbeschlüsse der HV (§ 33 II WpÜG) mögen sich damit im Einzelfall vermeiden lassen (→ § 76 Rn. 118 ff.). Für auf Verlangen des Bieters einberufene Durchbrechungs-HV iSd § 33b II Nr. 3 WpÜG gilt § 16 IV WpÜG nach § § 33b IV WpÜG entspr. Zur ebenfalls möglichen Verkürzung der Einberufungsfrist nach § 36 V SAG → § 182 Rn. 5j.

Auf Frist des § 16 IV WpÜG wird in § 7 I 1 WStBG auch für **Rekapitalisierungsmaßnahmen nach § 7 oder § 22 StFG** bzw. für **Stabilisierungsmaßnahmen nach § 29 I EnSiG** (→ § 182 Rn. 5a ff.) verwiesen, und zwar auch wenn im Einzelfall Eilbedürftigkeit nicht vorliegt (vgl. dazu OLG Frankfurt AG 2015, 272 Rn. 33 f. – zur Vorgängerregelung in § 7 I 1 FMStGB aF). Verkürzte Frist gilt nicht nur bei Beteiligung des Finanzmarkt- oder Wirtschaftsstabilisierungsfonds bzw. bei Stabilisierungsmaßnahmen nach § 29 I EnSiG des Bundes selbst, sondern auch, wenn Kapitalerhöhung allein von Aktionären oder Dritten gezeichnet wird (Noack DB 2020, 1328, 1329). Anders als in § 7 I 1 FMStBG aF wird bei Verweis in § 7 I 1 WStBG nicht mehr von § 16 IV WpÜG abw. Geltung von 21-Tages-Mindestfrist angeordnet. Daraus kann sich allerdings Konflikt mit **Art. 5 I Aktionärsrechte-RL** ergeben, der für börsennotierte AG Frist von 21 Tagen vorsieht, von der nur für Übernahmesituation verkürzende Ausn. in Art. 11 II Übernahme-RL vorgesehen ist. Börsennotierte AG sollte sich deshalb aus Vorsichtsgründen auch weiterhin an 21-Tages-Frist orientieren (Lieder ZIP 2020, 837, 846; Nolden/Heusel/M. Goette DStR 2020, 800, 801; Noack DB 2020, 1328; zu ähnlich gelagertem Problem bzgl. Record Date s. BeckOGK/Rieckers Rn. 54). Im Bereich des Sanierungs- und Abwicklungsges. (SAG) ist nach § 36 V SAG sogar noch weitergehende Verkürzung auf zehn Tage möglich (→ § 182 Rn. 5j). 13

IV. Legitimation (§ 123 III–V)

1. Allgemeines. Durch Aktienrechtsnovelle 2016 neu gefasster § 123 III–V betr. Legitimation der Aktionäre, also Nachw. ihrer Berechtigung zur HV-Teilnahme und zur Stimmrechtsausübung. Diese Legitimation wird nicht umfassend geregelt, sondern § 123 III enthält nur Regelung zur grds. **satzungsdisponiblen Gestaltung** (→ Rn. 18 ff.), lässt damit aber offen, welche Regeln ohne entspr. Satzungsvorgabe gelten. Lediglich in § 123 IV und V werden für **börsennotierte Gesellschaften** bestimmte Formen der Legitimation umschrieben, die für den Nachweis der Berechtigung stets ausreichend sind. IÜ wird auf ungeschriebene allg. Gesetzeslage verwiesen, die sich allerdings für Inhaber- und Namensaktien schon im wertpapierrechtl. Ausgangspunkt unterschiedlich darstellt; weitere Differenzierungen ergeben sich daraus, ob Aktien verkörpert oder nicht verkörpert sind (→ Rn. 15 ff.). Legitimationsprüfung erfolgt im Vorfeld der HV durch Vorstand, der sie üblicherweise delegiert und delegieren darf; während HV entscheidet HV-Leiter (→ § 129 Rn. 22). Zulassung unberechtigter Aktionäre begründet ebenso wie Nichtzulassung berechtigter Aktionäre Anfechtungsgrund iSd § 243 I. Da es im erstgenannten Fall aber meist an Relevanz des Fehlers für Abstimmungsergebnis fehlen wird, empfiehlt sich aus strategischen Gründen im Zweifel eher Zulassung als Ablehnung (Grigoleit/Herrler Rn. 10). 14

15 **2. Gesetzeslage.** Als wertpapierrechtl. Ausgangspunkt gilt in Ermangelung einer Satzungsregelung (→ Rn. 14; → Rn. 18 ff.) allg. Grundsatz, dass derjenige, der Rechte ausüben will, sich als Berechtigter zu legitimieren hat, soweit nicht der andere Teil im Besitz der Legitimationsmittel ist oder sein muss. Danach ergibt sich: Die **unverkörperte Mitgliedschaft** (zu dieser Möglichkeit → § 10 Rn. 2) kann nur durch Zeichnung erworben und durch Verkehrsgeschäft (§§ 398, 413 BGB) oder durch Gesamtrechtsnachfolge (zB § 1922 BGB, § 20 I Nr. 1, § 131 I Nr. 1 UmwG) übergegangen sein. Eines Nachweises der Zeichnung bedarf es nicht, weil AG entspr. Unterlagen haben muss; dagegen ist Rechtsübertragung analog §§ 410, 413 BGB urkundlich nachzuweisen (BeckOG/Rieckers Rn. 33); der Erbe legitimiert sich durch Erbschein (§ 2365 BGB). Wesentlich für das Stimmrecht ist Leistung der Einlage (§ 134 II). Entspr. Unterlagen muss aber AG vorhalten, so dass Aktionär von sich aus nichts nachzuweisen braucht. Diese Grundsätze gelten gleichermaßen für Inhaber- und Namensaktien. Für **Namensaktien** ändert sich Legitimationsmöglichkeit aber nach Eintragung im Aktienregister. Insofern wurde durch Änderung des § 67 I 1 im Zuge der Aktienrechtsnovelle 2016 klargestellt, dass solche Eintragung auch unabhängig von Verbriefung erfolgen kann (→ § 67 Rn. 6). Ist sie erfolgt, so gilt Vermutungsregel des § 67 II (→ § 67 Rn. 25 ff.).

16 Bei (einzeln oder global) **verkörperter Mitgliedschaft** kommt es darauf an, ob Namens- oder Inhaberaktien ausgegeben sind und ob Einzelverbriefung ausgeschlossen ist oder nicht (→ § 10 Rn. 12 ff.). Bei **Inhaberaktien** kann sich der Berechtigte jedenfalls legitimieren, indem er in Fällen der Einzelverbriefung das Papier oder entspr. Hinterlegungsbescheinigung vorlegt. Regelfall ist aber Legitimation durch Vorlage einer Bescheinigung des depotführenden Intermediärs (bei Inhaberaktien börsennotierter Gesellschaften gem. § 123 IV 1 insbes. durch Bescheinigung des Letztintermediärs gem. § 67c III; → § 67c Rn. 6 ff.), und zwar auch dann, wenn Satzung (→ Rn. 6 f.) insoweit nichts enthält. Nach Verkehrssitte tritt die Bescheinigung für Legitimationszwecke an die Stelle der etwa vorhandenen Einzelurkunde, so dass auch kein Bruch mit wertpapierrechtl. Grundsätzen (Inhaberpapier als Vorlegungspapier) gegeben ist (hM, vgl. MüKoAktG/Kubis Rn. 19). Bescheinigung ist namentl. dann ohne Alternative, aber auch erforderlich, wenn Einzelverbriefung gem. § 10 V ausgeschlossen ist.

17 Auch für verkörperte **Namensaktien** gilt § 67 II. Eintragung im Aktienregister begründet unwiderlegbare Vermutung der Berechtigung und Verpflichtung des Eingetragenen; er ist also zur HV und zur Stimmabgabe zuzulassen (näher → § 67 Rn. 25 ff., bes. → Rn. 29). Für börsennotierte AG stellt § 123 V klar, dass weitere Berechtigungsnachw. nicht verlangt werden dürfen (→ Rn. 34 f.), während bei nicht börsennotierter AG Satzung gem. § 123 III (in Grenzen) abw. Vorgaben enthalten kann. **Zwischenscheine** (Begriff: → § 8 Rn. 28) lauten auf den Namen und sind daher gem. § 67 VII wie Namensaktien zu behandeln (→ § 67 Rn. 75); entscheidend ist also auch hier die Registereintragung.

18 **3. Satzungsgestaltung bei Gesellschaften ohne Börsennotierung (§ 123 III). a) Allgemeines.** § 123 III enthält zunächst die für Inhaber- und Namensaktien gleichermaßen geltende Aussage, dass Satzung bestimmen kann, wie die **Berechtigung zur Teilnahme an HV oder zur Ausübung des Stimmrechts** nachzuweisen ist, und ordnet entspr. Anwendung des § 123 II 5 an (→ Rn. 11). Aktionäre, die sich nicht entspr. der Satzung legitimieren können, dürfen an HV nicht teilnehmen. Sie dürfen auch nicht zugelassen werden. Bloße Ermächtigung des Einberufenden genügt für solche Einschränkung jedoch nicht (BeckOGK/Rieckers Rn. 35). Augenscheinlich weit gefasste Regelung in § 123 III wird aus systematischen Gründen dadurch eingeschränkt, dass § 123 IV und V weitergehende Anforderungen für börsennotierte Gesellschaften iSd § 3 II

vorsehen. Ohne weitere Modifizierungen gelangt § 123 III deshalb uneingeschränkt nur bei **nicht börsennotierten Gesellschaften** (einschließlich Freiverkehr) zur Anwendung. Für diesen Fall eröffnet § 123 III hinsichtlich der Legitimation der Aktionäre **Satzungsfreiheit** iSd § 23 V 2 (OLG Frankfurt AG 2009, 699, 700; OLG Stuttgart AG 2008, 299; AusschussB BT-Drs. 15/5693, 17).

b) Inhaberaktien. Jedenfalls für Inhaberaktien (zu Namensaktien → Rn. 24 ff.) wird diese Freiheit lediglich begrenzt durch Verbot, Teilnahme unangemessen zu **erschweren** oder weitere materielle Beschränkungen (zB Mindestanteil, Vorbesitzzeit) vorzusehen (BeckOGK/Rieckers Rn. 35). Zulässig und bes. bei Notierung im Freiverkehr in Betracht zu ziehen ist danach **Satzungsregelung,** die sich an § 123 IV anlehnt (OLG Frankfurt AG 2009, 699, 700; NK-AktR/M. Müller Rn. 17; Mohamed ZIP 2016, 1100, 1102). Zur Frage eines Nachweisstichtags → Rn. 23, 30 f. 19

Satzung kann ferner nicht nur zugunsten von allg. Grundsätzen (→ Rn. 14 ff.) auf jede Regelung verzichten (Mohamed ZIP 2016, 1100, 1102), sondern kann auch Legitimationsregelung einführen, die nicht an bloßen Nachweis des Anteilsbesitzes anknüpft. **Hinterlegungserfordernis** wurde zwar mit UMAG 2005 als Grundform der Aktionärslegitimation abgeschafft, kann aber satzungsmäßig neu vorgesehen werden(RegBegr. BT-Drs. 15/5092, 13). Auch vor dem Inkrafttreten des UMAG eingeführte satzungsmäßige Hinterlegungsklauseln sind weiterhin gültig (BeckOGK/Rieckers Rn. 36; Simon/Zetzsche NZG 2005, 369, 371). Solche Gestaltung setzt aber entspr. Einzelverbriefung voraus. Fehlt es daran (§ 10 V), so ist satzungsmäßiges Hinterlegungserfordernis gegenstandslos und es gelten allg. Grundsätze (→ Rn. 14 ff.; so zutr. BeckOGK/Rieckers Rn. 36). Wenn Satzung nach Wortlaut und Sinn Hinterlegung vorsieht, kann und sollte sie auch deren Modalitäten regeln (Muster bei Happ/Pühler AktienR 1.01 § 18). Aktionär hat keinen Anspruch gegen AG auf Erstattung der Hinterlegungskosten (AG Leverkusen AG 1994, 476). 20

c) Namensaktien. Für Namensaktien bietet sich in erster Linie **Aktienregister** (§ 67 I) als Legitimationsgrundlage an. Dass § 123 V nur für börsennotierte AG darauf verweist, lässt nicht den Rückschluss zu, dass bei Namensaktien nichtbörsennotierter Gesellschaften das Aktienregister nicht maßgeblich ist (so aber Götze NZG 2016, 48, 49; Ihrig/Wandt BB 2016, 6, 9 f.). Vielmehr gilt auch für sie § 67 II 1; abw. Lesart widerspräche dem gesetzgeberischen Anliegen, das Aktienregister zu stärken (Harbarth/v. Plettenberg AG 2016, 145, 152). Fraglich kann allenfalls sein, ob aus Erstreckung des § 123 III auch auf Namensaktie der Schluss zu ziehen ist, dass Satzung neben oder anstelle der Eintragung im Aktienregister **weitere Nachweiserfordernisse** einführen kann. Das wird im Schrifttum im Lichte eines Vorentwurfs zur Aktienrechtsnovelle in Zweifel gezogen (Grigoleit/Herrler Rn. 16; BeckOGK/Rieckers Rn. 38). Die Tatsache, dass § 123 V in seiner neuen Fassung ausschließlich für nicht börsennotierte AG die schon aus § 67 II folgende Anordnung der Legitimationswirkung bekräftigend wiederholt (→ Rn. 34), legt indes den Rückschluss nahe, dass für nicht börsennotierte AG in der Tat weitergehende Gestaltungsspielräume gelten sollen (GK-AktG/Butzke Rn. 69 ff. m. Bsp. Hinterlegungserfordernis; MüKoAktG/Kubis Rn. 39; HV-Hdb/Reichert/Balke § 4 Rn. 101 ff.; Götze/Nartowska NZG 2015, 298, 301; Mohamed ZIP 2016, 1100, 1104). Dagegen vorgebrachte Einwände sind weniger dogmatischer als pragmatischer Natur. Gesellschaften sollten diese zutr. pragmatischen Einwände aber zum Anlass nehmen, von solchen zusätzlichen Erschwernissen abzusehen. Zur Behandlung von Zwischenscheinen → Rn. 17. 21

22 **d) Wechsel der Berechtigung zwischen Nachweis und HV. aa) Allgemeines.** Bes. Schwierigkeit des Legitimationsnachw. besteht darin, dass zwischen Nachw. und HV zwangsläufig Zeitraum liegen muss, in dem sich tats. Inhaberschaft verändern kann, namentl. durch Veräußerung der Aktien. Naheliegender Gedanke einer **Veräußerungssperre** würde Dispositionsbefugnis der Aktionäre über Gebühr beschränken und deutsche Aktien für int. Investoren unattraktiv machen. Für börsennotierte Inhaberaktien besteht Lösung im Konzept des Record Date iSd § 123 IV 2, also eines vorgelagerten Zeitpunktes, der allein für Legitimation maßgeblich ist (→ Rn. 23, 30 f.). Übertragung dieses Konzepts auf Namensaktien ist für börsennotierte AG erwogen worden, letztlich aber nicht Ges. geworden (→ Rn. 35).

23 **bb) Inhaberaktien.** Jedenfalls für nicht börsennotierte AG eröffnet § 123 III vielfältige kautelarjuristische Gestaltungsmöglichkeiten, die rechtssicheren Nachw. ermöglichen, ohne Veräußerung zu erschweren. Für **Inhaberaktien** bietet es sich an, Konzept des Nachweisstichtags (→ Rn. 30 f.) von börsennotierter auf nicht börsennotierte AG zu übertragen. Möglich ist insofern auch, dass sich Nachweisstichtag erst aus Einberufung ergibt, wobei allerdings zu empfehlen ist, Frist des § 123 IV 2 nicht zu überschreiten (Butzke WM 2005, 1981, 1983). Für Nachweisfrist gilt nach § 123 III Hs. 2 Regelung des § 123 II 5 analog, so dass sich Einberufungsfrist entspr. verlängert (→ Rn. 11).

24 **cc) Namensaktie.** Auch für nicht börsennotierte AG mit Namensaktien ist satzungsmäßige Festschreibung eines Record Date möglich (S/L/T. Bezzenberger § 67 Rn. 42; str. bei börsennotierter AG → Rn. 35), aber nicht alternativlos. Praxis behilft sich stattdessen verbreitet auch mit funktionsäquivalenter Gestaltung eines sog. **Umschreibestopps** (zur funktionalen Vergleichbarkeit s. KK-AktG/Noack/Zetzsche Rn. 261: Unterschied ist rechtstechnischer Natur). Darunter versteht man Möglichkeit, Löschung und Neueintragung im Aktienregister für angemessen kurze Frist vor HV komplett auszusetzen und auf Grundlage des solchermaßen „eingefrorenen" Registers Teilnehmerverzeichnis (§ 129 I 2) zu erstellen, damit Teilnahmeberechtigung (§ 67 II) rechtzeitig feststeht und sachgerechte HV-Vorbereitung ermöglicht wird (S/L/T. Bezzenberger § 67 Rn. 42). RegBegr. NaStraG BT-Drs. 14/4051, 11 und Rspr. haben Zulässigkeit dieser Gestaltung ausdr. anerkannt (BGHZ 182, 272 Rn. 9 = AG 2009, 824; OLG Köln AG 2009, 449; Bayer/Lieder NZG 2009, 1361, 1362 f.). Übertragung bleibt mithin möglich, aber legitimiert ist nicht neuer, sondern alter Aktionär (§ 67 II 1). Als tendenziell etwas aktionärsfreundlichere, aber auch weniger rechtssichere Alternative zum Umschreibestopp besteht daneben Möglichkeit, Umschreibung ab einem bestimmten Datum nicht völlig auszusetzen, sondern lediglich **Mitteilungsstichtag** in dem Sinne zu statuieren, dass Umschreibungsanträge, die nach dieser Frist eingehen, nicht mehr bearbeitet werden. Auch diese Möglichkeit hat BGH für zulässig erachtet (BGHZ 182, 272 Rn. 9; S/L/T. Bezzenberger § 67 Rn. 42; Grigoleit/Herrler Rn. 20; Baums FS Hüffer, 2010, 15, 20 ff.).

25 Während generelle Möglichkeit eines Umschreibestopps anerkannt ist, besteht über seine **ges. Grundlage** noch Uneinigkeit. Nach hM ist es zwar zweckmäßig, aber nicht zwingend, ihn in die Satzung aufzunehmen, sondern Vorstand soll es auch aus eigener Initiative möglich sein, diese Gestaltung anzuordnen, soweit es für eine ordnungsgem. HV-Vorbereitung erforderlich ist (MüKoAktG/Bayer § 67 Rn. 115; KK-AktG/Lutter/Drygala § 67 Rn. 104; GK-AktG/Butzke Rn. 64; MüKoAktG/Kubis Rn. 40; BeckOGK/Rieckers Rn. 55; KK-AktG/Zetzsche/Noack Rn. 265; Baums FS Hüffer, 2010, 15, 28; Grigoleit/Rachlitz ZHR 174 [2010], 12, 28). ZT wird nach Einführung des § 123 III aber auch für Erfordernis einer Satzungsgrundlage plädiert (S/L/T. Bezzenberger § 67 Rn. 43; Grigoleit/Herrler Rn. 19; GK-AktG/Merkt § 67 Rn. 128; S/L/Zie-

mons Rn. 35). HM wird damit begründet, dass es sich bei Umschreibestopp nicht um Teilnahmebedingung iSd § 123 III handelt, sondern um eine durch praktische Notwendigkeiten bei der AG getriebene technische Maßnahme (GK-AktG/Butzke Rn. 64). Das dürfte auch **Sichtweise des BGH** entspr., der – zu einer Fallkonstellation ohne Satzungsgrundlage (augenscheinlich andere Lesart der Vorinstanz KG AG 2009, 118 aber bei S/L/Ziemons Rn. 35 Fn. 80) – feststellt, dass diese Notwendigkeit für Gesetzgeber so selbstverständlich gewesen sei, dass er ausdr. von einer Regelung abgesehen habe (BGHZ 182, 272 Rn. 9 = AG 2009, 824 unter Hinweis auf RegBegr. UMAG BT-Drs. 15/5092, 14; ähnlich bereits RegBegr. NaStraG 14/4051, 11). Auch Beschränkung von Teilnahmerechten wird darin nicht gesehen (BGHZ 182, 272 Rn. 10), was tendenziell eher gegen Zuordnung zu § 123 III spricht. Umstand, dass neu eingeführter § 123 III gerade auch zu dem Zweck geschaffen wurde, um Nachweisstichtag eine Grundlage zu geben (RegBegr. Aktienrechtsnovelle 2016 BT-Drs. 18/4349, 23), wird in seiner Bedeutung dadurch relativiert, dass einschlägige Passage noch von anderem Regelungskontext umrahmt wurde als dem, der letztlich Ges. geworden ist (S/L/T. Bezzenberger § 67 Rn. 42 Fn. 188), und sich überdies nur auf Nachweisstichtag, nicht auf Umschreibestopp bezieht. Auch Wortlaut des § 123 III erfasst Umschreibestopp nicht, da er in seiner konkreten Funktionsweise nicht den Berechtigungsnachweis regelt. Mit Blick auf dissentierende Stimmen ist Praxis Aufnahme in Satzung dennoch zu empfehlen (aA GK-AktG/Butzke Rn. 98 mit Verweis auf Gestaltungsspielräume beschränkende Wirkung).

Ebenfalls noch nicht abschließend geklärt ist zulässige **Länge des Umschreibestopps.** 26 Angaben schwanken zwischen zwei (GK-AktG/Merkt § 67 Rn. 129) und sieben Tagen (RegBegr. UMAG BT-Drs. 15/5092, 13; ähnlich RegBegr. NaStraG BT-Drs. 14/4051, 11: keinesfalls länger als sieben Tage). Letztgenannter Zeitraum erschien namentl. deshalb plausibel, weil er der Wertung des funktional ähnlichen § 123 II 3 aF entsprach (BGHZ 182, 272 Rn. 9; Baums FS Hüffer, 2010, 15, 26; v. Nussbaum NZG 2009, 456, 457). Nachdem diese in § 123 II 2 vorgesehene Frist durch ARUG 2009 auf sechs Tage verkürzt wurde, bietet es sich an, diese Änderung auch auf § 67 zu übertragen (S/L/T. Bezzenberger § 67 Rn. 43; S/L/Ziemons Rn. 34; Bayer/Lieder NZG 2009, 1361, 1363). Weitere Verkürzung kann auch nicht damit begründet werden, dass aus Verhältnismäßigkeitserwägungen Gebot eines minimalinvasiven Eingriffs abzuleiten sei (so aber Grigoleit/Grigoleit/Rachlitz § 67 Rn. 113 f.), da durch § 123 III eröffnete Satzungsfreiheit es im Sinne der Rechtssicherheit gerade erübrigen soll, über gebotenes Mindestmaß zu streiten (wie hier Grigoleit/Herrler Rn. 20). Auch BGH hat Bemessung am Maßstab des „Unvermeidbaren" ausdr. Absage erteilt (BGHZ 182, 272 Rn. 9). In RegBegr. ARUG II 2019 BT-Drs. 19/9739, 58 wird im Zusammenhang mit Übernahme von Aktionärsdaten aus Abfrage nach § 67d auch **Umschreibestopp von bis zu etwa zehn Handelstagen** für zulässig gehalten. Ob diese Frist nur für von HV entkoppelten Umschreibestopp gilt oder auch für mit Anmeldung zur HV zusammengelegten Umschreibestopp, lässt sich RegBegr. nicht entnehmen (für Entkoppelung Zetzsche ZGR 2019, 1, 21). Vor dem Hintergrund, dass nach RegBegr. BT-Drs. 19/9739, 58 selbst noch längere Zeiträume durch Satzungsregelung abgesichert werden können und Umschreibestopp vor HV nur für angemessen kurze (allgM – s. nur HV-HdB/Heusel § 30 Rn. 18) und technisch notwendige (RegBegr. NaStraG BT-Drs. 14/4051, 11) Frist erfolgen soll, muss es bei HV-Anmeldung aber auch weiterhin bei Sechstagefrist bleiben. Auch hier kann Satzung weitere Einzelheiten bestimmen, überlange Frist aber nicht zur angemessenen machen. Üblich ist, Umschreibestopp mit Ablauf des letzten Anmeldetages beginnen zu lassen (GK-AktG/Butzke Rn. 64). Geht man mit hier vertretener Auffassung davon aus, dass Umschreibestopp idR kein Fall des § 123 III ist (→ Rn. 25), folgt daraus zugleich, dass damit keine Verlängerung der Mindesteinberufungsfrist nach § 123 III, 2. Hs. iVm II 5 einhergeht (GK-AktG/Butzke Rn. 64; aA Grigoleit/Herrler Rn. 23).

27 **4. Börsennotierte Gesellschaften mit Inhaberaktien (§ 123 IV). a) Legitimationsnachweis.** Ist AG börsennotiert (§ 3 II), so verbleibt es bei Freiheit zur Satzungsergänzung gem. § 123 III 1 (→ Rn. 18 ff.). Satzungsautonomie ist zum Schutz der Aktionäre nur in dem Sinne durch § 123 IV 1 eingeschränkt, dass **Nachw. gem. § 67c III** stets genügt, also unabhängig davon, ob und in welcher Weise Berechtigungsnachweis in der Satzung geregelt ist (OLG Frankfurt AG 2009, 702 f.; OLG München AG 2008, 508; RegBegr. BT-Drs. 15/5092, 13). Regelung tritt an Stelle des § 123 IV 1 aF, wonach bislang Bankbescheinigung durch depotführendes Institut verlangt wurde. Da Nachw. gem. § 67c III von Letztintermediär ausgestellt wird, der üblicherweise depotführendes Institut sein wird, bleiben Änderungen aber überschaubar. Zu beachten sind jedoch **gesteigerte Formanforderungen** des § 67c III (→ § 67c Rn. 8), zu denen uA Angabe des Kontoinhabers, des Aktionärs und seines Vertreters gehört, was dazu führt, dass bislang in Fällen verdeckter Stellvertretung gebräuchliche zusammengefasste Nachw. ohne Einzelinformationen nicht mehr genügen (Butzke AG 2020, R 57; zust. BeckOGK/Rieckers Rn. 42). Auch bisher geführter Streit, ob Nachw. durch ausländisches Institut genügt, hat sich erledigt, da § 67a IV entspr. Begrenzungen des Intermediärsbegriffs nicht kennt (BeckOGK/Rieckers Rn. 45 mwN zu früherem Streit).

28 Dass Nachw. gem. § 67c III stets erforderlich sei, ist dagegen nach Wortlaut und Schutzzweck des § 123 IV 1 (Erleichterungsfunktion) nicht anzunehmen (BeckOGK/Rieckers Rn. 43; so auch schon zur Altfassung Heidinger/Blath DB 2006, 2275, 2276; Mohamed ZIP 2016, 1100, 1103; aA Gantenberg DB 2005, 207 f.). AG kann deshalb in ihrer Satzung gem. § 123 III **alternative Formen der Legitimation** vorsehen, was sich insbes. empfiehlt, wenn nicht alle Aktien girosammelverwahrt sind (BeckOGK/Rieckers Rn. 43; DAV-HRA NZG 2005, 388, 389 zum Hinterlegungserfordernis). Von solcher alternativer Legitimationsmöglichkeit ist auch dann auszugehen, wenn **alte Satzungsklausel** unter der Geltung des neuen Rechts weitergeführt wird (Grigoleit/Herrler Rn. 21; BeckOGK/Rieckers Rn. 44; Mayer/Jenne/Miller BB 2021, 899, 903 f.; Rieckers DB 2022, 172, 175 f.; ebenso zur früheren Neuordnung der Rechtslage auch OLG Celle AG 2008, 858; OLG Frankfurt AG 2008, 896, 897; 2010, 334, 335; OLG München AG 2008, 508; 2011, 342 f.; OLG Stuttgart AG 2008, 299 f.; GK-AktG/Butzke Rn. 76; aA S/L/Ziemons Rn. 44 f.; skeptisch auch Mutter AG 2021, R 5).

29 Fraglich ist weiterhin, ob auch **Aktionärsidentifikation über § 67d** als ausreichend angesehen werden kann (dafür S/L/v. Nussbaum, 5. Aufl. 2024 [Vorab-Onlinefassung], § 67d Rn. 46 ff.; Zetzsche AG 2020, 1 Rn. 44 f.), was allerdings nicht gleichermaßen klar im Ges. angelegt ist und auch in praktischem Ablauf mit Schwierigkeiten verbunden sein kann (S/L/v. Nussbaum, 5. Aufl. 2024 [Vorab-Onlinefassung], § 67d Rn. 50). Änderung ist nach § 26j IV EGAktG seit 3.9.2020 in Kraft und ist auf HV anzuwenden, die nach diesem Datum einberufen wird. AG mussten bis dahin sicherstellen, dass Satzungsvorgabe Anforderungen des § 123 IV 1 genügt, was bei offen gehaltener Fassung idR zu bejahen sein wird (MüKoAktG/Bayer/Illhardt § 67c Rn. 24; BeckOGK/Rieckers Rn. 44; Butzke AG 2020, R 57 f.; Heun WM 2021, 1412, 1417; strenger Mutter AG 2020, R 58). Falschausstellung oder Verfälschung des Nachw. ist nach § 402 mit Strafe bedroht (zur Überprüfung durch die AG vgl. Mohamed ZIP 2016, 1100, 1104 f.).

30 **b) Record Date.** Eigentliche Reform der Legitimationsregeln durch UMAG 2005 besteht, abgesehen von Abschaffung des früheren Hinterlegungserforder-

nisses, in Einführung eines Record Date für **börsennotierte Inhaberaktien** (Namensaktien: → Rn. 35) durch § 123 IV 2. Record Date ist Stichtag (OLG Frankfurt AG 2009, 699, 700), auf den sich Legitimation zu beziehen hat. Wer am Stichtag Aktionär war und sich entspr. legitimieren kann, behält nach § 123 IV 5 also **versammlungsbezogene Rechte** auch dann, wenn er seine Aktien noch vor HV veräußert (keine Veräußerungssperre). Umgekehrt wird Erwerber zwar Aktionär, aber ohne Berechtigung zur Teilnahme an HV und zur Ausübung des Stimmrechts. Für Ausübung der versammlungsbezogenen Rechte wird Aktionärsbestand also „eingefroren", um Vorbereitung der HV auf eine sichere Basis zu stellen (RegBegr. BT-Drs. 15/5092, 14: unwiderlegbare Vermutung). Gesetzgeber nimmt damit aus Gründen der **Rechtssicherheit** ein Auseinanderfallen der formellen und der materiellen Berechtigung bewusst in Kauf und vertraut darauf, dass der daraus erwachsende Interessengegensatz von den Parteien vertraglich geregelt wird, soweit er wirtschaftliche Relevanz erhält (RegBegr. BT-Drs. 15/5092, 14). Entspr. schuldrechtl. Vereinbarungen zwischen Veräußerer und Erwerber von Aktien, nach denen der Erste das Stimmrecht im Interesse des Zweiten ausübt oder der Zweite als Bevollmächtigter des Ersten auftritt, bleiben zulässig, werden bei börsennotierter AG aber Ausnahmefall sein (RegBegr. BT-Drs. 15/5092, 14; S/L/Ziemons Rn. 60). Entgegen zu engem Wortlaut gilt § 123 IV 2 nicht allein für Teilnahme und Ausübung des Stimmrechts, sondern für sämtliche versammlungsbezogenen Rechte, zB auch Widerspruchs- und Anfechtungsrecht (KK-AktG/Noack/Zetzsche Rn. 226). Für andere mitgliedschaftliche Rechte, namentl. **Dividende,** gilt Regelung nicht, sondern insofern kommt es allein auf materielle Berechtigung an, so dass auch Erwerb nach Record Date zum Zahlungsanspruch führen kann (RegBegr. BT-Drs. 15/5092, 14 mit unberechtigtem Hinweis auf Namensaktien; zutr. Mutter AG 2004, R 202, 204). **Mitteilungspflicht** nach § 33 I WpHG besteht auch dann, wenn Aktien erst nach Record Date erworben wurden (ausf. Merkner/Sustmann AG 2013, 243 ff.; sa BeckOGK/Rieckers Rn. 61).

31 Um Legitimation zu begründen, muss sich Bestandsnachweis auf Geschäftsschluss des **22. Tag vor HV** beziehen. Regelung wurde mit ZuFinG 2023 neu gefasst. Bis dahin war maßgeblich „Beginn des 21. Tages". Gesetzgeber bezweckt damit an Aktionärsrechte-RL II-DVO (RegBegr. BT-Drs. 20/8292, 110). Materielle Änderung ist damit aber nicht verbunden, da Geschäftsschluss des 22. Tages mit dem Beginn des 21. Tages identisch ist und dazwischenliegende Sekunde allenfalls eine jur. ist, die keine Änderung mit sich bringt (RegBegr. BT-Drs. 20/8292, 110). Frist beläuft sich deshalb weiterhin auf 21, nicht auf 22 Tage. Wenn Satzung bisherigen Wortlaut aufgegriffen hat, kann Anpassung an neuen Gesetzeswortlaut – da materielle Änderung nicht bezweckt ist – als bloße Fassungsänderung von AR vorgenommen werden, wenn er dazu gem. § 179 I 2 ermächtigt ist (→ § 179 Rn. 11 f.). Maßgeblich ist Zeit (0.00 Uhr) am Sitz der AG. Hierzu erörtertes Problem eines Doppelsitzes in verschiedenen Zeitzonen (KK-AktG/Noack/Zetzsche Rn. 205) kann nicht eintreten, da Satzungssitz gem. § 5 im Inland liegen muss (BeckOGK/Rieckers Rn. 56). Entscheidend ist für Berechnung nicht Ausstellungs-, sondern Bezugsdatum (MüKoAktG/Kubis Rn. 35); bei mehrtägiger HV ist erster Tag maßgeblich (BGH AG 2010, 453; OLG Stuttgart AG 2009, 124, 126 f.). Fällt Record Date auf Sonn- oder Feiertag oder auf Sonnabend, so verbleibt es nach § 121 VII 2 gleichwohl bei diesem Tag (RegBegr. BT-Drs. 16/11642, 29; Grobecker NZG 2010, 165, 166). Vor Record Date ausgestellter Nachw. entfaltet keine Wirkung (BeckOGK/Rieckers Rn. 57).

32 Als **berechtigt** gilt gem. **§ 123 IV 5** derjenige, der Nachw. erbracht hat, bei mehreren Depotinhabern der von ihnen uU begründete Rechtsträger bzw. Bruchteilsgemeinschaft (KK-AktG/Noack/Zetzsche Rn. 232). Umstr. ist Rechtslage bei **Gesamtrechtsnachfolge,** namentl. Erbfall oder Umwandlungs-

vorgänge. Vor dem Hintergrund, dass in diesen Fällen – anders als bei Einzelnachfolge – gar kein berechtigter Rechtsvorgänger mehr existiert, wird verbreitet dafür plädiert, Rechtsnachfolger als Berechtigten anzuerkennen (GK-AktG/Butzke Rn. 95; BeckOGK/Rieckers Rn. 62; KK-AktG/Noack/Zetzsche Rn. 232). Im Gesetzeswortlaut findet diese Ausnahme aber keinen Anhaltspunkt, obwohl es sich keinesfalls um fernliegende Konstellationen handelt. Vor diesem Hintergrund ist es nicht unwahrscheinlich, dass Gesetzgeber auch hier Rechtssicherheit den Vorzug geben wollte, womit Voraussetzungen für teleologische Reduktion des § 123 IV 5 nicht vorliegen (so auch Grigoleit/Herrler Rn. 24; MüKoAktG/Kubis Rn. 38; S/L/Ziemons Rn. 60; Heidinger/Blath DB 2006, 2275, 2277 f.).

33 **c) Zugangserfordernis.** Nachweis der Aktionärseigenschaft muss AG zugehen, und zwar unter der Adresse, die sie hierfür in Einberufung mitgeteilt hat (→ Rn. 8); auch Vorlage ggü. externem Dienstleister ist möglich (Butzke HV C 46). Das entspr. § 123 II 2 (→ Rn. 8). Zugang muss **spätestens sechs Tage** vor HV erfolgen (§ 123 IV 2), wenn Satzung oder Einberufung aufgrund einer Satzungsermächtigung keine kürzere Frist vorsieht (Ausf. zu → Rn. 9 f. gelten hier entspr.). Auch das ist deckungsgleich mit § 123 II 2, 3, so dass AG danach am siebten Tag vor HV um 24 Uhr auf Grund von Anmeldung und Legitimation weiß, mit welchen und wie vielen Aktionären zu rechnen ist. Fristberechnung erfolgt nach § 121 VII; Tag der HV ist nicht mitzurechnen (→ § 121 Rn. 24 f.). Ergebnis entspr. dem Umschreibestopp, der vor HV bei Namensaktien erforderlich ist (→ Rn. 24 ff.). Risiko rechtzeitigen Zugangs trägt Aktionär (Butzke HV C 46). Nachw. kann durch Aktionär oder Depotbank erfolgen. AG hat Nachw. auf Echtheit und innere Stimmigkeit zu prüfen und kann bei Auffälligkeiten auch weitere Nachw. anfordern (GK-AktG/Butzke Rn. 79; MüKoAktG/Kubis Rn. 45; BeckOGK/Rieckers Rn. 69; aA etwa Gätsch/Mimberg AG 2006, 746, 748 f.). Einberufungsfrist wird nach § 123 III iVm II 5 **um Nachweisfrist verlängert.** Treffen Anmeldefrist und Nachweisfrist zusammen, wird Einberufungsfrist nur einmal verlängert. Sind sie ausnahmsweise unterschiedlich lang, gilt längere Frist (BeckOGK/Rieckers Rn. 63). Nachweis, der erst nach Fristablauf eingeht, muss nicht, kann aber beachtet werden, sofern § 53a gewahrt bleibt (BeckOGK/Rieckers Rn. 63). Auch hier ist aber strenge Rspr. zur Handhabung des Gleichheitsgrundsatzes bzgl. HV-Zulassung zu beachten (→ Rn. 5).

34 **5. Börsennotierte Gesellschaften mit Namensaktien (§ 123 V).** Für börsennotierte Gesellschaften mit Namensaktien wird allg. Bestimmung in § 123 III nur dahingehend modifiziert, dass Berechtigung zur Teilnahme an HV oder zur Ausübung des Stimmrechts gem. § 67 II 1 aus der Eintragung im Aktienregister folgt. Damit wird Aussage des **§ 67 II 1 lediglich wiederholt,** was obsolet ist, vom Gesetzgeber aber doch aus Gründen systematischer Klarheit als sinnvoll erachtet wurde (RAusschuss BT-Drs. 18/6681; sa Götze/Nartowska NZG 2015, 298, 301). Daraus folgt zugleich, dass ergänzende Hinterlegungserfordernisse, die bei nichtbörsennotierten Gesellschaften auf der Grundlage des § 123 III weiterhin möglich sind (→ Rn. 14 ff.) für börsennotierte AG nicht mehr eingeführt werden können (GK-AktG/Butzke Rn. 98).

35 Nicht Gesetz geworden ist in ursprünglicher Entwurfsfassung der Aktienrechtsnovelle vorgeschlagener **einheitliche Nachweisstichtag** („Record Date") von 21 Tagen für Namens- und Inhaberaktien börsennotierter Gesellschaften (vgl. zum Folgenden RegBegr. BT-Drs. 18/4349, 23 f.). Grds. Vorzüge eines Record Date auch für Namensaktien scheinen mittlerweile weitgehend anerkannt zu sein. Ggü. derzeitiger Praxis des „Umschreibestopps" (→ § Rn. 24 ff.) hat diese Gestaltung insbes. den Charme, dass sie **internationalen Investoren** geläufig und daher leichter vermittelbar ist. Auf der anderen Seite liegt es ebenso auf der Hand, dass ein **Auseinanderfallen** der Berechtigung zur HV-Teilnahme

und der tats. Berechtigung aus vielerlei Gründen nicht wünschenswert ist und deshalb auf möglichst kurzen Zeitraum beschränkt werden sollte. Vor diesem Hintergrund wurde von Seiten der Unternehmenspraxis der geplante Nachweisstichtag von 21 Tagen als problematisch empfunden, weil er deutlich über Zeitraum des Umschreibestopps (3–7 Tage; → Rn. 24 ff.) hinausgegangen wäre. Nach Angaben der Bankpraxis soll Verkürzung dieses Zeitraums bei Inhaberaktien auch de lege ferenda nicht möglich sein, obwohl in anderen Ländern kürzere ges. Gestaltungen begegnen (vgl. insbes. § 111 I 1 öAktG: 10 Tage; sa Harnos/Piroth ZIP 2015, 456, 462). Vor diesem Hintergrund haben sich die im Gesetzgebungsverfahren konsultierten Verbände überwiegend abl. geäußert, weil Vorteile der Vereinheitlichung derartige Fristverlängerung nicht aufwiegen könnten (krit. etwa DAV-HRA NZG 2014, 863 Rn. 3 ff.; Götze/Nartowska NZG 2015, 298, 302; positive Würdigung aber bei Harnos/Piroth ZIP 2015, 456, 459 ff.; Schüppen/Tretter WPg 2015, 643, 649). Angesichts dieser Bedenken hat Gesetzgeber von der geplanten Regelung letztlich Abstand genommen. Stattdessen soll eine einheitliche europäische Regelung angeregt werden (RAusschuss BT-Drs. 18/6681, 12; vgl. auch Harbarth/v. Plettenberg AG 2016, 145, 150 f.). Bis dahin gelten in → Rn. 17, 24 ff. dargestellte Grundsätze zum **Wechsel des Berechtigten zwischen Nachweis und HV** auch für börsennotierte AG mit Namensaktien. Umstr. ist allerdings, ob danach auch Nachweisstichtag eingeführt werden könnte. Im Schrifttum wird dies zu Recht mit der Begründung abgelehnt, dass dies der in § 123 V festgeschriebenen ausschließlichen Maßgeblichkeit des Aktienregisters widerspreche (GK-AktG/Butzke Rn. 98; BeckOGK/Rieckers Rn. 55; aA Grigoleit/Herrler Rn. 27). Es bleibt Möglichkeit des Umschreibestopps, wobei Streitigkeiten über Erfordernis einer Satzungsgrundlage und der angemessenen Frist sich auch hier fortsetzen (→ Rn. 24 ff.).

Bekanntmachung von Ergänzungsverlangen; Vorschläge zur Beschlussfassung

124 (1) [1] **Hat die Minderheit nach § 122 Abs. 2 verlangt, dass Gegenstände auf die Tagesordnung gesetzt werden, so sind diese entweder bereits mit der Einberufung oder andernfalls unverzüglich nach Zugang des Verlangens bekannt zu machen.** [2] **§ 121 Abs. 4 gilt sinngemäß; zudem gilt bei börsennotierten Gesellschaften § 121 Abs. 4a entsprechend.** [3] **Bekanntmachung und Zuleitung haben dabei in gleicher Weise wie bei der Einberufung zu erfolgen.**

(2) [1] **Steht die Wahl von Aufsichtsratsmitgliedern auf der Tagesordnung, so ist in der Bekanntmachung anzugeben, nach welchen gesetzlichen Vorschriften sich der Aufsichtsrat zusammensetzt; ist die Hauptversammlung an Wahlvorschläge gebunden, so ist auch dies anzugeben.** [2] **Die Bekanntmachung muss bei einer Wahl von Aufsichtsratsmitgliedern börsennotierter Gesellschaften, für die das Mitbestimmungsgesetz, das Montan-Mitbestimmungsgesetz oder das Mitbestimmungsergänzungsgesetz gilt, ferner enthalten:**

1. **Angabe, ob der Gesamterfüllung nach § 96 Absatz 2 Satz 3 widersprochen wurde, und**
2. **Angabe, wie viele der Sitze im Aufsichtsrat mindestens jeweils von Frauen und Männern besetzt sein müssen, um das Mindestanteilsgebot nach § 96 Absatz 2 Satz 1 zu erfüllen.**

[3] **Soll die Hauptversammlung über eine Satzungsänderung, das Vergütungssystem für die Vorstandsmitglieder, die Vergütung des Auf-**

sichtsrats nach § 113 Absatz 3, den Vergütungsbericht oder über einen Vertrag beschließen, der nur mit Zustimmung der Hauptversammlung wirksam wird, so ist bei einer Satzungsänderung der Wortlaut der Satzungsänderung, bei einem vorbezeichneten Vertrag dessen wesentlicher Inhalt, im Übrigen der vollständige Inhalt der Unterlagen zu den jeweiligen Beschlussgegenständen bekanntzumachen. [4] Satz 3 gilt auch im Fall des § 120a Absatz 5.

(3) **[1] Zu jedem Gegenstand der Tagesordnung, über den die Hauptversammlung beschließen soll, haben der Vorstand und der Aufsichtsrat, zur Beschlussfassung nach § 120a Absatz 1 Satz 1 und zur Wahl von Aufsichtsratsmitgliedern und Prüfern nur der Aufsichtsrat, in der Bekanntmachung Vorschläge zur Beschlußfassung zu machen. [2] Bei Gesellschaften, die Unternehmen von öffentlichem Interesse nach § 316a Satz 2 des Handelsgesetzbuchs sind, ist der Vorschlag des Aufsichtsrats zur Wahl des Abschlussprüfers auf die Empfehlung des Prüfungsausschusses zu stützen. [3] Satz 1 findet keine Anwendung, wenn die Hauptversammlung bei der Wahl von Aufsichtsratsmitgliedern nach § 6 des Montan-Mitbestimmungsgesetzes an Wahlvorschläge gebunden ist, oder wenn der Gegenstand der Beschlußfassung auf Verlangen einer Minderheit auf die Tagesordnung gesetzt worden ist. [4] Der Vorschlag zur Wahl von Aufsichtsratsmitgliedern oder Prüfern hat deren Namen, ausgeübten Beruf und Wohnort anzugeben. [5] Hat der Aufsichtsrat auch aus Aufsichtsratsmitgliedern der Arbeitnehmer zu bestehen, so bedürfen Beschlüsse des Aufsichtsrats über Vorschläge zur Wahl von Aufsichtsratsmitgliedern nur der Mehrheit der Stimmen der Aufsichtsratsmitglieder der Aktionäre; § 8 des Montan-Mitbestimmungsgesetzes bleibt unberührt.**

(4) **[1] Über Gegenstände der Tagesordnung, die nicht ordnungsgemäß bekanntgemacht sind, dürfen keine Beschlüsse gefaßt werden. [2] Zur Beschlußfassung über den in der Versammlung gestellten Antrag auf Einberufung einer Hauptversammlung, zu Anträgen, die zu Gegenständen der Tagesordnung gestellt werden, und zu Verhandlungen ohne Beschlußfassung bedarf es keiner Bekanntmachung.**

Übersicht

I. Regelungsgegenstand und -zweck

Norm betr. auf Ergänzung der Tagesordnung gerichtetes Verlangen einer Aktionärsminderheit (§ 124 I) sowie Vorschläge der Verwaltung zur Beschlussfassung und deren Bek. (§ 124 II, III). Bezweckt ist nicht allein, Erörterung des ergänzten Punktes im Interesse der antragstellenden Minderheit sicherzustellen, sondern mehr noch **rechtzeitige Information** der übrigen Aktionäre über Beschlussgegenstände. Erst dadurch werden sie in die Lage versetzt, von ihrem Teilnahmerecht sinnvoll Gebrauch zu machen. Aktionäre müssen entscheiden können, ob sie teilnehmen wollen (persönlich oder durch Dritte), und sie müssen Gelegenheit haben, sich mit den einzelnen Gegenständen ausreichend zu befassen, damit Rede-, Frage- und Stimmrecht sinnvoll ausgeübt werden können (vgl. BGHZ 153, 32, 36 = NJW 2003, 970; BGHZ 226, 224 Rn. 16 = NZG 2020, 1106). Entspr. gilt für Intermediäre und Aktionärsvereinigungen, die Stimmrecht der Aktionäre geschäftsmäßig ausüben und durch diese Information Weisungsvorschläge präzise formulieren können (RegBegr. Kropff S. 174). Auch soll sich eine Opposition rechtzeitig melden und den anderen Aktionären zur Kenntnis gebracht werden (vgl. §§ 125, 126 und RegBegr. Kropff S. 173 f.). Flankiert wird Vorschrift durch weitere Bekanntmachungs-, Auslegungs- und Übersendungserfordernisse (Überblick: BeckOGK/Rieckers Rn. 1). Durch Satzung können Bekanntmachungspflichten nicht abbedungen oder erleichtert, wohl aber verschärft werden (BeckOGK/Rieckers Rn. 2). 1

II. Bekanntmachungspflicht: Allgemeines (§ 124 I)

1. Bekanntmachungsverlangen der Minderheit. § 124 I 1 setzt voraus, dass Aktionärsminderheit iSd § 122 II Ergänzung der Tagesordnung verlangt hat. Gegenstände, um die Tagesordnung ergänzt werden soll, sind bereits mit Einberufung bekanntzumachen, wenn das dem Vorstand zeitlich möglich ist. IdR wird das Verlangen jedoch der Einberufung nachfolgen. Erforderlich und genügend ist dann, dass Vorstand Bek. unverzüglich (§ 121 I 1 BGB) nach Zugang des Verlangens vornimmt. Das lässt Raum für **kurzfristige rechtl. Prüfung** des Antrags (RegBegr. BT-Drs. 16/11642, 30), deren genaue Dauer nicht pauschal festgelegt werden kann. Verglichen mit Einberufungsverlangen nach § 122 I (→ § 122 Rn. 15) wird Prüfungsfrist idR kürzer zu bemessen sein, weil Vorstand mit Ergänzungsverlangen nach § 122 II rechnen muss (MüKoAktG/Kubis § 122 Rn. 38). Entspr. Schrifttumsvorschläge schwanken zwischen 2–5 Arbeitstagen (vgl. MüKoAktG/Kubis Rn. 4 mit Fn. 8). Mehr Zeit wird idR auch kaum zur Verfügung stehen, da zumindest bei **börsennotierter AG** richtlinienkonforme Auslegung iSd Art. 6 IV Aktionärsrechte-RL erfordert, dass Bekanntmachung der geänderten Tagesordnung **zeitlich vor Record Date** (→ § 123 Rn. 30 ff.) erfolgt (GK-AktG/Butzke Rn. 12 f.; BeckOGK/Rieckers Rn. 4; wohl weitergehend OLG Frankfurt ZIP 2017, 1714, 1715). Berücksichtigt man überdies zeitliche Vorgabe des § 122 II 3, wonach Minderheitsverlangen bei börsennotierter AG mindestens 2

30 Tage vor der Versammlung zugehen muss, ergibt sich automatisch enge Begrenzung des zur Verfügung stehenden Prüfungszeitraums (BeckOGK/Rieckers Rn. 4). Gewisse zeitliche Auflockerung ergibt sich daraus, dass in der Praxis Einberufungsfrist nur selten auf 30 Tage nach § 123 I beschränkt bleibt, sondern idR nach § 123 II 5, III Hs. 2 verlängert wird. Anders stellt sich Situation bei **nichtbörsennotierter AG** dar, weil Verlangen hier nach § 122 II 3 mindestens 24 Tage vor HV zugehen muss. Aus dieser zeitlichen Vorgabe folgt, dass etwaiger statutarischer Record Date nach § 123 III (→ § 123 Rn. 18 ff.) hier keine starre Grenze bilden kann, da anderenfalls für hinreichende Prüfung iRd Record Date keine Möglichkeit mehr bliebe (BGHZ 226, 224 Rn. 28 = NZG 2020, 1106; OLG Frankfurt ZIP 2017, 1714, 1715; GK-AktG/Butzke Rn. 24).

3 In jedem Fall darf aber – unabhängig von Börsennotierung – dem Vorstand zuzubilligende Frist nicht dazu führen, dass Ergänzung nicht mehr rechtzeitig bekannt gemacht werden kann (BGHZ 226, 224 Rn. 16 = NZG 2020, 1106). Selbst dort, wo nicht Vorstand, sondern Minderheitsaktionäre nach **§ 122 III** ergänzte Tagesordnung bekannt machen, muss Möglichkeit sachgerechter Information gewahrt bleiben (BGHZ 226, 224 Rn. 19 f.). Bekanntmachung muss also rechtzeitig vor letztem Anmelde- und/oder Nachweistag erfolgen; Bekanntmachung am letzten Tag, an dem Anmeldung möglich ist, ist deshalb jedenfalls zu spät (BGHZ 226, 224 Rn. 25, 28). Schrifttum leitet aus Zusammenspiel von § 122 II 3 und § 123 IV 2 ab, dass Bekanntmachung bei börsennotierter AG spätestens neun Tage vor HV erfolgen muss, bei nicht börsennotierter AG spätestens 15 Tage vor HV (GK-AktG/Butzke Rn. 13, 14; BeckOGK/Rieckers Rn. 4; offenlassend BGHZ 226, 224 Rn. 30 f.). Ist rechtzeitige Bekanntmachung aus Zeitgründen nicht möglich, muss Minderheit ihr Anliegen entweder bei nächster regulärer HV oder von ihr mit Hilfe des Gerichts durchgesetzter HV auf Tagesordnung gesetzt werden (BGHZ 226, 224 Rn. 20).

4 Bei **Übernahmesachverhalten** ist für HV der Zielgesellschaft Sonderregelung in § 16 IV 7 WpÜG zu beachten (→ § 126 Rn. 3). Danach genügt es ua für fristgerecht eingereichte Aktionärsanträge, dass sie zwar allen Aktionären zugänglich, aber nur in Kurzfassung bekanntgemacht werden. Solche Anträge sind auch Minderheitsanträge zur Tagesordnung. Genügend ist deshalb, wenn sie im Geschäftslokal der AG ausgelegt oder in ihre Homepage eingestellt werden (RegBegr. BT-Drs. 14/7034, 47). Für Bek. in Kurzfassung genügt Mitteilung der für die Beurteilung der einzelnen Beschlussgegenstände wesentlichen Elemente, wenn Fundstelle des Volltextes auf Website angegeben wird (RegBegr. BT-Drs. 14/7034, 47). Für **Rekapitalisierung** nach § 7 oder § 22 StFG sowie für Stabilisierungsmaßnahmen nach § 29 I EnSiG (→ § 182 Rn. 5a ff.) ordnet § 7 I 1 WStBG, der seinerseits nach § 125 II SAG entspr. anzuwenden ist, ebenfalls entspr. Geltung des § 16 IV WpÜG an (ausf. BeckOGK/Rieckers Rn. 11 ff.).

5 **2. Modalitäten der Bekanntmachung.** § 124 I 2 Hs. 1 sieht sinngem. Geltung des § 121 IV vor. Danach kann Einberufung der HV durch eingeschriebenen Brief erfolgen, wenn AG alle Aktionäre nach Namen und Anschrift kennt (→ § 121 Rn. 11a ff.). Unter dieser Prämisse kann auch Ergänzungsverlangen der Minderheit durch **eingeschriebenen Brief** bekanntgemacht werden (Fraktionsbegr. BT-Drs. 12/6721, 9). Vorstand handelt unverzüglich, wenn er Einberufungsschreiben ohne schuldhaftes Zögern absendet. Weiter vorgeschriebene entspr. Geltung des § 121 IVa bei börsennotierten Gesellschaften (§ 124 I 2 Hs. 2) bedeutet, dass diese das Ergänzungsverlangen der Minderheit spätestens im Zeitpunkt seiner Bek. geeigneten **Publikationsmedien** (→ § 121 Rn. 11i) zur Veröffentlichung zuzuleiten haben.

6 § 124 schreibt vor, dass Bek. (§ 124 I 1) und Zuleitung (§ 121 IVa iVm § 124 I 2 Hs. 2) **in gleicher Weise** erfolgen **wie bei Einberufung.** Das bezieht

sich auf die ergänzte Tagesordnung und führt Art. 6 IV Aktionärsrechte-RL durch. Erledigt hat sich damit Zweifelsfrage des früheren Rechts, nach dem offen blieb, ob Einberufung und Minderheitsverlangen in verschiedener Weise (Briefe bzw. Gesellschaftsblätter) bekanntgemacht werden durften. Nunmehr richtet sich Art der nachfolgenden Bek. nach zunächst gewählter Publikationsform. KK-AktG/Noack/Zetzsche Rn. 29 weisen zwar mit beachtlichen Argumenten darauf hin, dass zB bei börsenferner AG auch nach Veröffentlichung der Tagesordnung im BAnz. namentl. Versendung der Ergänzung sinnvoll sein kann, doch hat sich Gesetzgeber zu deutlich von derartiger Mischform bewusst abgewandt, als dass für teleologische Reduktion aus Praktikabilitätsgründen Raum bliebe. Hinweis kann daher nur als rechtspolitische Anregung aufgegriffen werden (unstr. – GK-AktG/Butzke Rn. 17 mit Fn. 15; BeckOGK/Rieckers Rn. 7; jetzt auch S/L/Ziemons Rn. 9). Zur Anfechtungsfolge bei Verstoß → Rn. 35 ff.

III. Ergänzende Bekanntmachungspflichten bei besonderen Beschlussgegenständen (§ 124 II)

1. Aufsichtsratswahlen. Wenn Wahl von AR-Mitgliedern auf der Tagesordnung steht, muss nach **§ 124 II 1 Hs. 1** in der Bek. (nicht genügend: separate Publikation) angegeben werden, nach welchen ges. Vorschriften sich AR zusammensetzt. Das gilt auch bei HV aufgrund gerichtl. Ermächtigung nach § 122 III (BGHZ 216, 112 Rn. 74 = NZG 2017, 1374). Für **Zusammensetzung** gelten §§ 96 ff. iVm mitbestimmungsrechtl. Vorgaben. Es gilt das **Status quo-Prinzip** (§ 96 IV; → § 96 Rn. 28). Maßgeblich ist also die bisherige Zusammensetzung (§ 96 IV) oder die Zusammensetzung, die sich aus Bek. des Vorstands gem. § 97 ergibt, oder im Falle rechtzeitigen Antrags auf gerichtl. Entscheidung die Zusammensetzung, die aus Bek. der rechtskräftigen gerichtl. Entscheidung gem. §§ 98, 99 folgt. Ist Statusverfahren bereits eingeleitet, aber noch nicht abgeschlossen, bietet es sich an, auf nach Abschluss voraussichtlich geltende Vorschriften hinzuweisen (BecKOGK/Rieckers Rn. 16). Inhaltlich genügt Nennung der einschlägigen Normen; Norminhalt muss nicht wiedergegeben werden (GK-AktG/Butzke Rn. 24). Weitere statutarische Ausformung ges. Gestaltungsspielräume (vgl. zB § 7 II MitbestG) ist nicht bekanntmachungspflichtig, ihre Darstellung aber dennoch sinnvoll (MüKoAktG/Kubis Rn. 9). Nach § 124 II 1 Hs. 2 ist weiterhin Angabe erforderlich, sofern HV an Wahlvorschläge gebunden ist. **Bindende Wahlvorschläge** können ausschließlich auf **§ 6 VI, § 8 III MontanMitbestG** beruhen (→ § 96 Rn. 7). Andere Fälle bindender Wahlvorschläge gibt es nicht (für SE allerdings auch: § 36 IV SEBG). Verstoß gegen Bekanntmachungspflicht begründet idR anfechtungsrelevanten (→ § 243 Rn. 12 f.) Verfahrensfehler (→ Rn. 35 ff.). Nach früherem Gesetzeswortlaut war auch bei Fehlen einer solchen Bindung stets Fehlanzeige erforderlich. Bek. musste in diesem Fall also den Hinweis enthalten: „an Wahlvorschläge ist HV nicht gebunden". Da von ca 15.000 Aktiengesellschaften derzeit nur etwa zwei Dutzend solcher Bindung unterliegen, erschien dies als überflüssiger Formalismus und wurde folgerichtig im Zuge der **Aktienrechtsnovelle 2016** gestrichen (RegBegr. BT-Drs. 18/4349, 24; schon nach alter Rechtslage für Irrelevanz eines Verstoßes OLG Frankfurt AG 2016, 252, 253). Auf Entsendungsrechte (§ 101 II) ist Pflicht zur Bek. nicht zu erstrecken, da die zu entsendenden AR-Mitglieder nicht von Aktionären zu wählen sind (KK-AktG/Noack/Zetzsche Rn. 35; aA v. Falkenhausen BB 1966, 337, 339). Auch Stimmbindungsverträge müssen nicht bekanntgemacht werden, da sie nicht HV, sondern nur einzelne Aktionäre binden, und auch diese nur in schuldrechtl. Form (→ § 133 Rn. 26). 7

Erfolgt die Wahl unter **Voraussetzungen des § 96 II** (Geschlechterquote; zu den Anwendungsvoraussetzungen → § 96 Rn. 14 ff.), muss Bekanntmachung 8 nach **§ 124 II 2** ferner Angabe enthalten, ob Gesamterfüllung nach § 96 II 3 widersprochen wurde. Aus Formulierung „ob" folgt, dass auch Negativanzeige erforderlich ist (BeckOGK/Rieckers Rn. 19; S/L/Ziemons Rn. 60). Weiterhin ist anzugeben, wie viele der Sitze im AR mindestens jew. von Frauen und Männern besetzt sein müssen, um Mindestanteilsgebot nach § 96 II 1 zu erfüllen (Formulierungsbeispiele bei S/L/Ziemons Rn. 62 f.). Auf diese Weise soll sachgerechte Vorbereitung auf quotierte AR-Wahl ermöglicht werden (RegBegr. BT-Drs. 18/3784, 124). Regelung soll zugleich klarstellen, dass nicht allein Wahl, sondern auch vorbereitender Wahlvorschlag des AR Anforderungen des § 96 II genügen muss (RegBegr. BT-Drs. 18/3784, 124). Auf Vorgaben des § 111 V muss sich Bekanntmachung dagegen nicht beziehen (S/L/Drygala § 111 Rn. 80). Zu weiteren Angaben aufgrund Kodex-Empfehlung C.13 → Rn. 25 f., aufgrund Empfehlung C.14 → § 100 Rn. 55.

9 **2. Satzungsänderungen. § 124 II 3** wurde durch ARUG II 2019 neu gefasst, dabei insbes. auf Beschlussvorlagen zur Organvergütung erweitert und zugleich textlich gestrafft. In sämtlichen Varianten ist Zweck die angemessene Information der Aktionäre im Vorfeld der HV (RegBegr. BT-Drs. 19/9739, 95). Bei **Satzungsänderung** ist Wortlaut der Änderung bekanntzumachen. Während RegBegr. BT-Drs. 19/9739, 95 hier noch Wiedergabe der gesamten Satzung verlangt hatte, wurde aufgrund sinnvoller Anregung des Rechtsausschusses klargestellt, dass Wiedergabe der konkret betroffenen Passage genügt. Vorgängerfassung muss nicht ebenfalls bekannt gemacht werden, sondern Aktionär wird zugemutet, alten Satzungswortlaut selbst hinzuzuziehen (MüKoAktG/Kubis Rn. 18). Das gilt zur Vermeidung willkürlicher Abgrenzungen auch, wenn nur einzelnes Wort geändert wird, doch empfiehlt sich zur besseren Verständlichkeit Darstellung im Kontext (str. – wie hier KK-AktG/Noack/Zetzsche Rn. 43; BeckOGK/Rieckers Rn. 27; aA GK-AktG/Butzke Rn. 35; S/L/Ziemons Rn. 75). Auch Darstellung im Änderungsmodus genügt (GK-AktG/Butzke Rn. 33). Synoptische Gegenüberstellung oder gar Begründung kann nicht verlangt werden (MüKoAktG/Kubis Rn. 18). Ob es sich dabei um Verwaltungsvorschlag oder um Minderheitsverlangen handelt, bleibt grds. gleich. Für Form und Frist der Bek. gelten in → Rn. 5 f. dargestellte Grundsätze.

10 Fraglich ist, ob Bek. des Vorschlagstextes Kreis zulässiger Beschlussgegenstände eingrenzt oder ob es dafür entscheidend auf Kurzkennzeichnung in Tagesordnung ankommt. Nach heute allgM ist das Zweite richtig, da Bek. des Vorschlagstextes Zusatzinformation bieten, aber nicht Beschlussgegenstand eingrenzen soll (OLG Celle AG 1993, 178, 179; GK-AktG/Butzke Rn. 31; Hölters/Weber/Drinhausen Rn. 9; Wieneke FS Schwark, 2009, 305, 314 ff.). Allenfalls anzuerkennen ist **Ausstrahlungswirkung** des Beschlussvorschlags auf Tagesordnungspunkt, sofern dieser nur sehr schlagwortartig umschrieben ist. Dafür wird als Beispiel genannt, dass Tagesordnung als Beschlussgegenstand nur „Satzungsänderung" benennt (vgl. S/L/Ziemons Rn. 84; Kocher AG 2013, 406, 407). Tats. ist solche Angabe wegen fehlender Bestimmtheit der Tagesordnung als unzulässig anzusehen (→ § 121 Rn. 9), doch ist insofern Präzisierung durch Beschlussvorschlag zu gestatten, der dann in der Tat doch zur Ermittlung des grds. Beschlussgegenstands (nicht aber dessen konkreter Fassung) heranzuziehen ist (zutr. KK-AktG/Noack/Zetzsche Rn. 42). Maß zulässiger Abweichungen bestimmt sich dann danach, mit welchen Änderungen Aktionäre zumutbar noch rechnen mussten (Kocher AG 2013, 406, 407 f.).

11 Umstr. ist, ob Vorschlagstext dann zum Inhalt der Tagesordnung wird, wenn diese ausdr. darauf **Bezug nimmt** („Änderung von § 5 der Satzung gem. dem unter II abgedruckten Vorschlag"). ZT wird diese Frage bejaht, da Aktionäre bei solcher Gestaltung nicht damit rechnen müssten, dass in HV etwas ganz anderes

herauskommt; zulässig seien daher nur rein redaktionelle Änderungen oder Korrektur offenbarer Unrichtigkeiten (MüKoAktG/Kubis § 121 Rn. 53; KK-AktG/Noack/Zetzsche Rn. 40 f.; BeckOGK/Rieckers Rn. 26 unter zweifelhafter Berufung auf OLG Rostock AG 2013, 668, 670). Dem wird allerdings zu Recht entgegengehalten, dass damit Gegenantragsrecht der Aktionäre ausgehebelt und auf bloße Ablehnung beschränkt wird (OLG Celle AG 1993, 178, 179; GK-AktG/Butzke Rn. 32; S/L/Ziemons Rn. 85; Kocher AG 2013, 406, 407 ff.; jetzt auch Grigoleit/Herrler Rn. 7). In der Tat erscheint es zweifelhaft, ob **berechtigte Erwartungshaltung des Aktionärs** (→ Rn. 10) sich erheblich anders darstellt, je nachdem, ob Tagesordnungspunkt und Beschlussvorschlag unabhängig nebeneinander stehen oder ob sie durch das Wort „gemäß" in ausdr. Verbindung gesetzt werden. Richtigerweise sollte deshalb auch im zweiten Fall Abweichung gestattet werden, wenn sie sich im Rahmen des grds. Beschlussgegenstandes hält und Aktionäre damit rechnen müssen, dass Sachdiskussion in HV zu anderen Ergebnissen gelangt. Angesichts offenen Streitstands ist Verwaltung allerdings zu empfehlen, von solcher Verbindung zwischen Tagesordnung und Vorschlag grds. Abstand zu nehmen, um Beschlussflexibilität in jedem Fall zu erhalten.

3. Vergütungsbezogene Zustimmungsbeschlüsse. Durch ARUG II 2019 neu eingefügt wurden Vorgaben zur Bekanntmachung über **Vergütungssystem** für Vorstandsmitglieder (§ 87a), **AR-Vergütung** (§ 113 III) und (formell geprüften) **Vergütungsbericht** (§ 162), einschließlich Vermerk des Abschlussprüfers. Anders als bei Satzungsänderung ist hier vollständiger Inhalt der Unterlagen anzugeben, der in jew. Gesetzesvorgaben ausf. ausbuchstabiert wird. Aufgrund in § 113 III angelegter Vereinheitlichung von abstrakter Systemvorgabe und konkreter Vergütungsfestsetzung (→ § 113 Rn. 17 ff.) sind auch hier beide Elemente Gegenstand der Bekanntmachung (RegBegr. BT-Drs. 19/9739, 95). Begriff **Unterlagen** ist untechnisch zu verstehen und umfasst sowohl physische wie nicht-physische Inhaltsverkörperungen (RegBegr. BT-Drs. 19/9739, 95). Anders als bei Verträgen (→ Rn. 13 ff.) genügen Auszüge oder bloße Zusammenfassung des wesentlichen Inhalts nicht (RegBegr. BT-Drs. 19/9739, 95). Durch neue Inhalte wird **Einberufung unnötig überfrachtet** (krit. auch DAV-HRA NZG 2023, 738 Rn. 87 m. Änderungsvorschlag) und kann Höchstumfang von 25 DIN A4-Seiten überschreiten, für den BAnz. Vorlauf von zwei Arbeitstagen gewährleistet, was bei zeitl. Kalkulation der Einberufung zu berücksichtigen ist (Höreth AG 2020, R 58). Ebenfalls neu eingefügter § 124 III 4 stellt klar, dass auch in Fällen, in denen nach § 120a V keine Beschlussfassung über Vergütungsbericht erforderlich ist (→ § 120a Rn. 10), Vorschriften zur Bekanntmachung gleichermaßen greifen (RegBegr. BT-Drs. 19/9739, 95). 12

4. Zustimmungsbedürftige Verträge. Verträge, die der Zustimmung der HV bedürfen, sind gem. § 124 II 3 zwar nicht im Wortlaut, aber ihrem **wesentlichen Inhalt** nach bekanntzumachen, um Aktionären angemessene Urteilsbildung zu ermöglichen (RegBegr. Kropff S. 174). Hierhin gehören vor allem Unternehmensverträge (§ 293 I und II, § 295 I), Verschmelzungsverträge (§§ 13, 60 ff. UmwG), Spaltungs- und Übernahmeverträge (§ 126 UmwG) sowie auf Vermögensübertragung gerichtete Verträge (§ 179a, §§ 174 ff. UmwG), aber auch Nachgründungsverträge (§ 52 I; s. OLG München AG 2003, 163) sowie Verzicht oder Vergleich auf bzw. über Ersatzansprüche der Gesellschaft (§ 50 S. 1, §§ 53, 93 IV, §§ 116, 117 IV, § 309 III, § 310 IV, § 317 IV, § 318 IV). Wo Ges. weitergehend auch Auslage von Dokumenten in den Geschäftsräumen der AG verlangt (vgl. etwa § 179a, 293f), wird in Einberufung oft darauf hingewiesen, ohne dass insofern aber rechtl. Erfordernis besteht (BGHZ 234, 19 Rn. 25 = NZG 2022, 1441; zust. Groß AG 2022, 693 Rn. 13). 13

14 Ebenfalls von § 124 II 3 erfasst sind Fälle, in denen Vorstand nach **Holzmüller-Grundsätzen** bei Maßnahmen herausragender Bedeutung vorherige oder nachträgliche Zustimmung der HV einholt (→ § 119 Rn. 16 ff.). Direkte Anwendung ist hier ausgeschlossen, da Vertrag im Außenverhältnis auch ohne Zustimmung wirksam wird (→ § 119 Rn. 26). Dennoch wird zu Recht angenommen, dass **Darstellung des Unternehmenskonzepts und der wesentlichen Einzelschritte** zu seiner Durchführung analog § 124 II 3 bekanntgemacht werden muss (BGHZ 146, 288, 294 f. = NJW 2001, 1277; OLG München AG 1995, 232, 233; LG Frankfurt AG 2001, 431, 432 f.). Dem ist beizupflichten (→ § 119 Rn. 27), weil Vorbereitung der Aktionäre auf HV, bes. Unterstützung ihrer Urteilsbildung durch Information, hier nicht weniger erforderlich ist als bei Satzungsänderung und zustimmungsbedürftigen Verträgen. Dasselbe gilt bei **freiwilliger Vorlage nach § 119 II** (vgl. BGHZ 146, 288, 294 f.; OLG München AG 1996, 327, 328; OLG Schleswig AG 2006, 120, 123; LG München I ZIP 2008, 555, 556; GK-AktG/Butzke Rn. 46; Hölters/Weber/Drinhausen Rn. 14; MüKoAktG/Kubis Rn. 22; BeckOGK/Rieckers Rn. 33). Gegenauffassung, die hier Pflicht zur Bek. verneint (KK-AktG/Noack/Zetzsche Rn. 50, 53), hat zwar Wortlaut für sich, doch teleologische Aspekte erzwingen analoge Anwendung, da Zustimmung nicht sachgerecht erfolgen kann, wenn sie nicht auf entspr. Kenntnis beruht.

15 Auch bei **Kapitalerhöhung mit Bezugsrechtsausschluss** wurde für Vorstandsbericht gem. § 186 IV 2 von lange Zeit hM analoge Anwendung des § 124 II 3 angenommen (OLG Celle AG 2002, 292; KK-AktG/Ekkenga § 186 Rn. 181; MüKoAktG/Schürnbrand/Verse § 186 Rn. 90; S/L/Ziemons Rn. 79). BGH hat diese Auffassung jedoch zu Recht verworfen, weil für solche ergänzende Bek. spätestens seit Neufassung des § 186 IV 2 durch ARUG 2009 (→ § 186 Rn. 22 f.) **kein Bedürfnis** mehr besteht (BGHZ 234, 19 Rn. 11 ff. = NZG 2022, 1441; sa GK-AktG/Butzke Rn. 54; MüKoAktG/Kubis Rn. 27; BeckOGK/Rieckers Rn. 37; zur alten Rechtslage noch offenlassend BGHZ 120, 141, 155 f. = NJW 1993, 400). Darin liegt für Praxis, die in der Vergangenheit aus Vorsichtsgründen zT gesamten Vorstandsbericht in Einladung abgedruckt hat, erhebliche Erleichterung (Groß AG 2022, 693 Rn. 4 ff.; Seibt/Stepper NZG 2022, 1444, 1445). Auch bei Auflegung von Aktienoptionsprogrammen oder Ausgabe von **Wandelschuldverschreibungen** genügen indes ges. Vorgaben, die für analoge Anwendung des § 124 II 3 keinen Raum lassen (GK-AktG/Butzke Rn. 55; MüKoAktG/Kubis Rn. 29).

16 Bekanntmachungspflicht greift nicht allein bei Vertragsschluss selbst, sondern auch bei **Änderung oder Beendigung** zustimmungspflichtiger Verträge (zum ersten Punkt BGHZ 119, 1, 11 = NJW 1992, 2760; zum zweiten Punkt MüKoAktG/Kubis Rn. 23; KK-AktG/Noack/Zetzsche Rn. 49; aA BeckOGK/Rieckers Rn. 33). Ob Vertrag schon geschlossen ist oder nur als **Entwurf** vorliegt, ist unbeachtlich; im letztgenannten Fall gelten für Abweichung der HV von bekanntgemachtem Inhalt die in → Rn. 11 zur Satzungsänderung skizzierten Grundsätze (OLG Brandenburg BeckRS 2023, 26120 Rn. 90; GK-AktG/Butzke Rn. 41; MüKoAktG/Kubis Rn. 21).

17 Bei Umfang der erforderlichen Bek. ist zu berücksichtigen, dass insbes. Unternehmensverträge und Verschmelzungsverträge ab Einberufung der HV auszulegen und den Aktionären auf Verlangen abschriftlich mitzuteilen sind (§§ 293 f., 293g I und II, § 63 I und IV UmwG). Es genügt deshalb, wenn Bek. Aktionären ermöglicht, ihre Rechte sinnvoll auszuüben (zust OLG Düsseldorf Konzern 2006, 768, 775; OLG Stuttgart AG 1997, 138, 139). Sie müssen entscheiden können, ob sie die Texte lesen wollen, und sie müssen darüber informiert werden, was Verwaltung selbst als wesentlichen Regelungsgehalt ansieht (zust. LG Köln AG 1999, 333f). Erforderlich ist deshalb Auswahl der **kennzeichnenden und krit. Punkte**

(KK-AktG/Noack/Zetzsche Rn. 55), wobei Vorstand ggü. gerichtl. Kontrolle gewisses Auswahlermessen einzuräumen ist. Zu wesentlichen Punkten gehören etwa Vertragsparteien, Hauptleistungen, Gewährleistungsrechte, Aktionärsschutzvorschriften, Beendigungsrechte bei längerer Vertragsdauer, nicht aber Rechtswahlklauseln und Schiedsgerichtsvereinbarungen (in letzten beiden Punkten str. – wie hier BeckOGK/Rieckers Rn. 35; Ihrig/Wagner FS Spiegelberger, 2009, 722, 732; aA LG München I ZIP 2008, 555, 556 f.; KK-AktG/Noack/Zetzsche Rn. 55). Auch mit Vertrag zusammenhängende sonstige schuldrechtl. Abreden sind offen zu legen (BGHZ 82, 188, 195 ff. = NJW 1982, 933), wovon auch Investorenvereinbarungen erfasst sein können (Reichert ZGR 2015, 1, 17 f.).

Bek. gem. § 124 II 3 erfolgt unabhängig von Vertragssprache auf deutsch (BeckOGK/Rieckers Rn. 34). Information muss richtig sein. Kleinere Ungenauigkeiten in der Wiedergabe berechtigen mangels Relevanz nicht zur Anfechtung (BeckOGK/Rieckers Rn. 36). Falsche Inhaltsangabe wird auch durch Übersendung des vollen Vertragstextes nicht exculpiert (OLG München DB 2005, 2568 f.). Grds. kann nicht verlangt werden, dass das **ganze Vertragswerk** bekanntgemacht wird (BGHZ 119, 1, 11 f. = NJW 1992, 2760), doch ist dies in der Praxis durchaus üblich und zulässig, entlastet aber zumindest bei komplexeren Vertragswerken trotzdem nicht von Bek. wesentlicher Punkte (str. – wie hier GK-AktG/Butzke Rn. 50 f.; MüKoAktG/Kubis Rn. 24 f.; aA S/L/Ziemons Rn. 73). Überzogen aber LG Hanau AG 1996, 184, 185: „komplette Wiedergabe" der GmbH-Satzung bei Umwandlung. Bek. ist unzureichend, wenn Betrag der Ausgleichszahlung Körperschaftsteuer einschließen soll, dies aber verspätet bekanntgemacht wird (LG Nürnberg-Fürth AG 1995, 141 f.). 18

IV. Vorschläge zur Beschlussfassung (§ 124 III)

1. Grundsatz: Vorschlagspflicht. a) Vorschläge von Vorstand und Aufsichtsrat. Verwaltung muss grds. (Ausnahmen in → Rn. 31 f.) gem. § 124 III 1 zu jedem Beschlusspunkt Vorschläge zur Beschlussfassung machen. Sie dienen nicht allein Vorbereitung der HV, sondern sollen Aktionären auch die Möglichkeit geben, Stimmrechtsvertretern entspr. Weisungen zu erteilen (MüKoAktG/Kubis Rn. 30). Vorstand und AR unterbreiten jew. einen Vorschlag, wenn es nicht um Wahl von AR-Mitgliedern oder Prüfern geht (→ Rn. 23 ff.). Auch wenn Vorschläge wie idR inhaltlich übereinstimmen (zB: AR schließt sich Vorschlägen des Vorstands an), handelt es sich nicht um gemeinsamen Vorschlag (MüKoAktG/Kubis Rn. 33; aA v. Falkenhausen BB 1966, 337, 339). Sind Vorstand und AR unterschiedlicher Ansicht, so muss ohnehin jedes Organ eigenen Vorschlag unterbreiten; in Bekanntmachung ist dann deutlich zu machen, von wem Vorschlag stammt (MüKoAktG/Kubis Rn. 33). Für Vorstand handelt es sich bei Beschlussfassung (anders bei Ausführung durch Bek.) um **Leitungsaufgabe,** so dass er beschlussfähig besetzt sein muss (→ § 76 Rn. 139; BGHZ 149, 158, 161 = NJW 2002, 1128; OLG Dresden AG 2000, 43, 44 f.; KG ZIP 2011, 123, 125 f.; MüKoAktG/Kubis Rn. 35; C. Schäfer ZGR 2003, 147, 153 f.; aA Götz ZIP 2002, 1745, 1748 ff.). Ist für Beschluss Einstimmigkeit erforderlich, die wegen mangelnder Einigungsbereitschaft einzelner Mitglieder nicht erzielt werden kann, ist Abhilfe über Änderung der entspr. Satzungs- oder Geschäftsordnungsregelung möglich (Happ/Bednarz FS Marsch-Barner, 2018, 215, 218). Ggf. kann auch erwogen werden, Gegenstand der Beschlussfassung über § 122 I, II einbringen zu lassen, der gem. § 124 III 3 keine Vorschlagspflicht nach § 124 III 1 begründet, und zwar auch nicht bei Verlangen durch Mehrheitsaktionär (→ Rn. 32). Ob auch bloß gleichlautender Aktionärsantrag in der HV genügt, ist nicht geklärt, doch sind ges. Regelung keine Hinderungsgründe zu entnehmen (KK-AktG/Noack/Zetzsche Rn. 88; BeckOGK/Rieckers Rn. 72; 19

Happ/Bednarz FS Marsch-Barner, 2018, 215, 219 f.). Auch AR muss Beschlussverfahren einhalten (LG Frankfurt NZG 2004, 672, 673 f.). Delegierung an Ausschuss ist aber möglich (arg. e § 107 III 7) und kann sinnvoll sein, um Interessenkonflikte auszuschließen (Happ/Bednarz FS Marsch-Barner, 2018, 215, 222).

20 Vorschlagspflicht bedeutet, dass Verwaltung ihre Vorstellungen im Zeitpunkt der Bek. **antragsförmig** ausformulieren und als Bestandteil der Tagesordnung in die Einberufung (§ 121 III 2) aufnehmen muss. Verwaltung kann sowohl positives als auch negatives Beschlussergebnis beantragen; einer Begründung bedarf es nicht (BeckOGK/Rieckers Rn. 59). Für Bek. gilt § 121 IV (→ § 121 Rn. 11a ff.), so dass Beschlussvorschläge auch in Einberufung durch eingeschriebenen Brief nach § 121 IV 2 aufzunehmen sind (OLG Jena AG 2015, 160, 162). Auch **Alternativvorschläge** oder **Eventualvorschläge** sind zulässig (hM, s. OLG Frankfurt AG 2011, 36, 41; MüKoAktG/Kubis Rn. 40), und zwar auch bei Wahlen (→ Rn. 33). Vorschlag ist noch kein Antrag, wird aber idR in HV zum Antrag gemacht. Insofern ist Verwaltung durch ihre Vorschläge nicht zwingend gebunden. Sie kann Vorschläge fallen lassen und auch **abw. Anträge** stellen. Umstr. ist allerdings, ob Abweichung ohne weiteres möglich ist oder nur dann, wenn dafür seit Bek. neue Tatsachen entstanden oder bekanntgeworden sind oder neue Beurteilung aus anderen Gründen erforderlich geworden ist (für das Erste die mittlerweile wohl hM, s. OLG Hamm AG 2005, 361, 363; GK-AktG/Butzke Rn. 77 ff.; KK-AktG/Noack/Zetzsche Rn. 62; BeckOGK/Rieckers Rn. 40; Kocher AG 2013, 406, 410; Wieneke FS Schwark, 2009, 305, 312 f.; für das Zweite Hölters/Weber/Drinhausen Rn. 22; Grigoleit/Herrler Rn. 14; MüKoAktG/Kubis Rn. 49; S/L/Ziemons Rn. 94 f.; Arnold/Carl/Götze AG 2011, 349, 354 f.). Für engeres Verständnis spricht zwar Bedeutung des Vorschlags namentl. für Weisungserteilung (→ Rn. 19; sa → § 118 Rn. 18), doch würde der Bedeutung der HV als Forum der Aktionärskommunikation nicht hinreichend Rechnung getragen, wenn Verwaltung sich nicht auch von besseren Argumenten zur Abwandlung ihres Vorschlags (im Rahmen der Tagesordnung) bewegen lassen dürfte. Da auch Vertreter der Gegenauffassung zT schon Opposition in HV als Änderungsgrund genügen lassen (Arnold/Carl/Götze AG 2011, 349, 355), nähern sich die Meinungsgruppen aber deutlich an. Angesichts offenen Streitstands behilft sich Praxis damit, zu weit geratenen Beschlussvorschlag entweder durch „Selbstverpflichtungserklärungen" des Vorstands nachträglich einzugrenzen (Arnold/Carl/Götze AG 2011, 349, 355; Vorteil: Weisungserteilung läuft nicht ins Leere) oder Gegenvorschlag aus Aktionärskreis zu initiieren (Kocher AG 2013, 406, 410), doch sprechen auch derart umweghafte Gestaltungen dafür, Verwaltung selbst Abweichung eher großzügig zu gestatten; Grenze ist aber jedenfalls Missbrauchsverbot (Kocher BB 2014, 2317, 2320 ff.). Normverstoß begründet idR **Anfechtbarkeit** (zu Einzelheiten → Rn. 35 ff.).

21 **b) Vorschläge nur des Aufsichtsrats. aa) Allgemeines.** Nur AR ist vorschlagspflichtig und auch -berechtigt, wenn es um Beschlussfassung nach § 120a (zu Fehlerquellen hier Mutter/Werner AG 2020 R 346), Wahl von AR-Mitgliedern (auch iRd § 100 II 1 Nr. 4; ausf. → § 100 Rn. 17) oder Prüfern geht. Vorstand soll nicht beeinflussen können, wer seine Vergütung und seine Tätigkeit überwacht oder prüft (RegBegr. Kropff S. 174). Entspr. gilt für **Bestätigungsbeschluss** gem. § 244 (LG Frankfurt AG 2014, 132, 133).

22 **bb) Votum zum Vergütungssystem.** Beschlussfassung nach § 120a ist auf Votum zum Vergütungssystem beschränkt. Für AR-Vergütung und Vergütungsbericht (§ 162) bleiben Vorstand und AR gemeinsam in der Pflicht (krit. Anzinger ZGR 2019, 39, 75). Weitere vergütungsbezogene Sonderregelung enthält **§ 25a V 6 KWG,** wonach allein AR berechtigt und verpflichtet ist, Beschlussvorschlag zu unterbreiten, wenn HV eines KI über Erhöhung der Obergrenze für

variable Vergütung der Vorstandsmitglieder auf bis zu 200 % der fixen Vergütung beschließen soll (vgl. BeckOGK/Rieckers Rn. 47).

cc) Wahl der AR-Mitglieder. Wahl der AR-Mitglieder soll ebenfalls allein auf Vorschlag des bisherigen AR zurückgehen. Beschlussvorschlag ist auch in Fällen des § 100 II 1 Nr. 4 erforderlich (zu den dann zu beachtenden Besonderheiten → § 100 Rn. 17). Nach zu Recht hM unzulässig ist auch **Vorwegbindung** des AR iR einer Investorenvereinbarung (→ § 76 Rn. 124 ff. mwN), sofern sie sich nicht in reiner „Einwirkungs- oder Bemühenspflicht" erschöpft (Reichert ZGR 2015, 1, 7). Nehmen an Beschlussvorschlag AR-Mitglieder teil, deren **Wahl nachträglich angefochten** wird, so wird auf Beschlussvorschlag beruhende Wahl nicht durch Anfechtung der Wahl des am Vorschlag beteiligten AR-Mitglieds fehlerhaft. HLit leitet dies aus Lehre vom fehlerhaften Organ ab (→ § 101 Rn. 20 ff.). BGHZ 196, 195 Rn. 18 ff., 25 = NJW 2013, 1535 hat die pauschale Anerkennung dieser Lehre für den AR zwar ausdr. verworfen, gelangt aber durch – dogmatisch wenig stringente – Ausnahme speziell für Wahlvorschläge nach § 124 III zu identischen Ergebnissen (→ § 101 Rn. 22; krit. insofern auch Höpfner ZGR 2016, 505, 523 f.; Lieder ZHR 178 [2014], 282, 306 ff.). Ob diese Ausnahme auch für nichtige Wahl gilt, ist umstr. (dafür GK-AktG/Butzke Rn. 73; Happ/Bednarz FS Marsch-Barner, 2018, 215, 221; Priester GWR 2013, 175, 176; aA Arnold/Gayk DB 2013, 1830, 1832 f.; Kocher BB 2013, 1170; Rieckers ZGR 2022, 61, 75; Schürnbrand NZG 2013, 481, 483). Da BGH-Lösung aber gerade auf vorläufiger Wirksamkeit des nur anfechtbaren Wahlbeschlusses beruht, ist Frage wohl zu verneinen und davon auszugehen, dass in diesem Fall fehlerhafte AR-Wahl HV-Beschluss infizieren kann. In der Sache bleibt diese Differenzierung aber zweifelhaft. Zur Frage, wie sich Widerspruch zu DCGK-Empfehlung auf Beschlussvorschlag auswirkt → § 161 Rn. 32 ff. 23

Bei **Abberufungsbeschlüssen** (§ 103 I) ist unklar, ob sie wie Wahlbeschlüsse zu behandeln sind (keine Mitwirkung des Vorstands) oder ob insoweit auch Vorstand einen Vorschlag zu machen hat. HM nimmt gemeinschaftliche Zuständigkeit von AR und Vorstand an (Grigoleit/Herrler Rn. 19; BeckOGK/Rieckers Rn. 44; Happ/Bednarz FS Marsch-Barner, 2018, 215, 223; Heinze AG 2011, 540, 541 f.; aA GK-AktG/Butzke Rn. 83; Messerschmidt in Beck'sches Form-Buch S. 472 f.). Dafür spricht Wortlaut des § 124 III 1, ist aber doch auch mit Zweifeln behaftet, weil erst Abwahl für Neubestellung Raum schafft, mit Abberufungsvorschlag des Vorstands also doch mittelbar auf Zusammensetzung des AR Einfluss genommen würde. Da teleologisches Votum aber nicht so eindeutig ausfällt, dass Reduktion zwingend geboten erscheint, muss Praxis sich auf wortlautgetreue Auslegung verlassen können, zumal auch präventiv-kautelarjuristischer Ausschluss des Vorstands nicht die erwünschte Sicherheit schaffen, sondern bei abw. Verständnis ebenfalls Anfechtungsrisiko begründen würde (Heinze AG 2011, 540). Sicheren Weg bietet allein umweghafte Lösung eines Minderheitsverlangens nach § 122 II (Grigoleit/Herrler Rn. 19; S/L/Ziemons Rn. 36), der Praxis aber ebenfalls nicht zugemutet werden sollte. Abzuberufendes AR-Mitglied unterliegt bei Beschlussfassung keinem Stimmverbot, da es auch an HV-Abstimmung teilnehmen darf (→ § 103 Rn. 4; zu beiden Fällen aA Happ/Bednarz FS Marsch-Barner, 2018, 215, 223 f.). 24

Für börsennotierte AG empfiehlt **C.13 S. 1 DCGK,** dass AR die persönlichen oder geschäftlichen Beziehungen eines jeden Kandidaten zum Unternehmen (Konzernbetrachtung), den Organen der AG und einem wesentlich beteiligten Aktionär offen legt, wobei als wesentlich beteiligt nach C.13 S. 3 DCGK Aktionär gilt, der direkt oder indirekt mehr als 10 % der stimmberechtigten Aktien hält. Durch diese Offenlegung soll Grundlage für Unabhängigkeitsprüfung nach C.6 DCGK gelegt werden (→ § 100 Rn. 36 ff.), doch weichen tatbestandliche Vo- 25 raussetzungen zT voneinander ab (s. Klein AG 2012, 805, 811; Kremer/v. Werder AG 2013, 340, 346; ausf. de Raet AG 2013, 488, 490 ff.). C.13 S. 2 DCGK schränkt Vorgabe dahingehend ein, dass nur solche Umstände offen zu legen sind, die nach der Einschätzung des AR obj. urteilender Aktionär für seine Wahlentscheidung als maßgeblich ansehen würde. An diesem Maßstab sollte auch Detailtiefe der Offenlegung gemessen werden (Stephanblome ZIP 2013, 1411, 1416). Etwaige **Verschwiegenheitspflichten** können von Offenlegung nicht grds. dispensieren, doch macht umgekehrt auch Offenlegungsobliegenheit Pflicht zur Verschwiegenheit nicht obsolet. Namentl. für berufsrechtl. Verschwiegenheitspflicht – etwa nach § 43a II BRAO – wird sich deshalb zumeist Abweichungserklärung empfehlen (de Raet AG 2013, 488, 495 f.; Ziemons ZGR 2016, 839 ff., 848 f.). Negativerklärung („Fehlanzeige") ist nicht erforderlich (de Raet AG 2013, 488, 497). Offenlegung in Einberufungsunterlagen, wie sie derzeit überwiegend praktiziert wird, ist nicht erforderlich, sondern es genügt Aufklärung über Internetseite der AG, sofern darauf in der Einberufung hingewiesen wird (Kremer/v. Werder AG 2013, 340, 347; Paschos/Goslar NZG 2012, 1361, 1365; de Raet AG 2013, 488, 489 f.; aA Klein AG 2012, 805, 812). Unsicherheiten in der Rechtsanwendung sind derzeit aber noch hoch, weshalb vor dem Hintergrund gestiegener Anfechtungsrisiken zT pauschal Abweichungserklärung empfohlen wird (Wilsing/v. der Linden DStR 2012, 1391, 1392 f.); durch Maßgeblichkeit der Einschätzung des AR tritt gewisse Entschärfung ein (de Raet AG 2013, 488, 496 f.).

26 Bedenkliche, da konfliktträchtige Ausdehnung hat neuere Kodex-Empfehlung in C.1 S. 6 DCGK gebracht, wonach Erklärung zur Unternehmensführung auch über nach Einschätzung des AR **angemessene Zahl unabhängiger Mitglieder** der Anteilseigner und die Namen dieser Mitglieder informieren soll (→ § 100 Rn. 52). Weiterhin empfiehlt C.1 S. 4 DCGK, dass bei Wahlvorschlägen Zusammensetzungsziele und Kompetenzprofil (→ § 100 Rn. 50 ff.) berücksichtigt werden, was in mitbestimmter AG Probleme aufwerfen kann, da HV nur über einen Teil der AR-Mandate zu bestimmen hat (v. Werder/Bartz DB 2017, 769, 771). Zum Erfordernis, Kandidatenlebenslauf beizufügen → § 100 Rn. 55. Über diese Kodexvorgaben hinausgehend sollte in den **Fällen des § 394** auch Veranlassung der Wahl durch Gebietskörperschaft in den Vorschlag aufgenommen werden (MüKoAktG/Schockenhoff Vor § 394 Rn. 46; J. Koch BOARD 2016, 251, 254). Eine entspr. Pflicht wird man in Ermangelung einer ges. Vorgabe nicht annehmen können (aA aber KK-AktG/Kersting §§ 394, 395 Rn. 147 ff.), doch ist Ergänzung auch aus Sicht der Gebietskörperschaft sinnvoll, um sonst schwierig nachzuweisende Veranlassung zu dokumentieren (→ § 394 Rn. 70, 82). Zur Möglichkeit, den Wahlvorschlag als Aktionärsverlangen nach § 122 I oder II einbringen zu lassen, vgl. Tielmann AG 2013, 704 ff.; zum Wahlvorschlag als Gegenstand eines Auskunftsverlangens nach § 131 vgl. Seibt/Scholz AG 2016, 739, 741.

27 Von Wahlvorschlag ggü. HV zu unterscheiden sind Auswahl und **Nominierung** geeigneter AR-Kandidaten ggü. dem Gremium selbst. Möglich sind zunächst Wahlkoalitionen von Aktionären, die dem Alt-AR erfolgreich nahegebracht werden. Es stellt sich dann die Frage nach einem acting in concert (§ 34 II 2 Fall 2 WpHG), die aber idR zu verneinen ist (eingehend Gesell FS Maier-Reimer, 2010, 123, 133 ff.). Ges. vorgeschrieben ist entspr. Initiative, wenn Karenzzeit des § 100 II 1 Nr. 4 durch Aktionärsverlangen überwunden werden soll (→ § 100 Rn. 12 ff.). D.4 DCGK empfiehlt zur Auswahl Einrichtung eines **Nominierungsausschusses,** der wegen Sonderbeschlussrechts der Aktionärsvertreter (→ Rn. 34) nur mit solchen besetzt ist (zu Kollisionen mit ges. Anforderungen in § 25d XI 2 KWG Rieckers DB 2015, 2131, 2132). Umstr. ist, ob daraus auch folgt, dass nur Aktionärsvertreter für Ausschussbildung wahlberechtigt sind.

Das wird zT in entspr. Anwendung von § 124 III 5 (→ Rn. 34) bejaht (vgl. etwa MHdB AG/Hoffmann-Becking § 32 Rn. 19), doch sprechen bessere Gründe dafür, zwischen Wahlrecht und Ausschusszusammensetzung zu trennen (so MüKoAktG/Habersack § 107 Rn. 110). Um Publizitätsanforderungen des C.13 DCGK zu genügen, muss AR bzw. Nominierungsausschuss entspr. Informationen von Kandidaten anfordern, etwa durch Fragebogen. Einzelheiten zur Auswahl und zur Nominierung bei v. Werder/Wieczorek DB 2007, 297 ff.; sa Sünner AG 2012, 265, 267 f.; zur verbotenen Einflussnahme des Vorstands auf das Verfahren s. Hennrichs FS Hommelhoff, 2012, 383, 389 f. Statt Beschlussfassung des AR herbeizuführen, kann Nominierungsausschuss Wahlvorschlag auch selbst der HV unterbreiten (arg. § 107 III 7), wenn Geschäftsordnung das vorsieht (BeckOGK/Rieckers Rn. 50). Zum Widerruf der Bestellung → § 119 Rn. 6.

dd) Wahl von Prüfern. Prüfer iSd Norm sind Abschlussprüfer (vgl. § 318 I HGB) und Sonderprüfer (vgl. § 142 I) sowie Prüfer für prüferische Durchsicht von Halbjahresfinanzberichten (§ 115 WpHG) und unterjährigen Finanzberichten (§ 115 VII WpHG), sofern solche Durchsicht erfolgt (Kann-Bestimmung des § 115 V 1, VII WpHG). Maßgeblich für Bestellung sind §§ 318, 319, 319a, 319b HGB iVm § 115 V 2 WpHG (s. dazu RegBegr. BT-Drs. 16/2498, 45; Mutter/Arnold/Stehle AG 2007, R 109, 113). Bestellung zum **Abschlussprüfer** schließt Bestellung für prüferische Durchsicht nicht ein. Sie muss also gesondert vorgeschlagen und beschlossen werden. Fehlt es an gesonderter Beschlussfassung, so dürfte § 318 II 1 HGB, fehlt es an Bestellungsbeschluss überhaupt, § 318 II 2 HGB gem. § 115 V 2 WpHG entspr. anzuwenden sein (Mutter/Arnold/Stehle AG 2007, R 109, 113). AR entscheidet über seinen Vorschlag durch **Beschluss** (§ 108). Aufgabe nach § 124 III 1 kann auch einem Ausschuss übertragen werden, weil § 124 III 1 in § 107 III 7 nicht genannt ist und auch Informationszweck (→ Rn. 1) keine andere Beurteilung erfordert (ganz hM, s. zB KK-AktG/Noack/Zetzsche Rn. 66; Simons WPg 2018, 771, 773; aA Hommelhoff BB 1998, 2567, 2570; zur parallelen Fragestellung bei Beauftragung auch → § 111 Rn. 45). 28

ZT wird angenommen, dass Vorschlag gänzlich unterbleiben müsse, wenn über **Sonderprüfung** zu beschließen ist und auch AR ins Visier der Prüfer geraten könnte (OLG Düsseldorf v. 5.7.2012 – I-6 U 69/11, juris-Rn. 102 [insofern nicht in NZG 2013, 546]; LG München I NZG 2021, 557 Rn. 24 f.; S/L/Ziemons Rn. 35), was aber in dieser Weite nicht aus dem Ges. ableitbar ist. Analogieschluss (dafür LG München I NZG 2021, 557 Rn. 24 f.) ist bedenklich, weil planwidrige Regelungslücke nur unzureichend plausibilisiert werden kann. Da jede Pflichtverletzung des Vorstands argumentativ auch in Überwachungsversagen des AR umgemünzt werden kann, würde Vorschrift in Konstellation der Sonderprüfung – obwohl unstr. von § 124 III erfasst (vgl. statt aller LG München I NZG 2021, 557 Rn. 24; GK-AktG/Butzke Rn. 81) – weitestgehend ins Leere laufen. Eher kann bei Betroffenheit einzelner AR-Mitglieder Stimmverbot erwägenswert sein (GK-AktG/Butzke Rn. 82; Grigoleit/Herrler Rn. 18; Happ/Bednarz FS Marsch-Barner, 2018, 215, 224 f.), doch bleibt auch das zweifelhaft. Es genügt Stimmverbot bei späterem HV-Beschluss nach § 142 I 2, das – wie namentl. Vergleich mit Entlastung belegt (vgl. dazu KK-AktG/Rieckers/J. Vetter § 142 Rn. 145) – nicht schon auf vorangehenden Vorschlag ausstrahlt (BeckOGK/Rieckers Rn. 67; GK-AktG/Verse/Gaschler § 142 Rn. 90). Im praktisch häufigeren Fall, dass Initiative von **Minderheitsverlangen nach § 122** ausgeht, ist Beschlussvorschlag des AR entbehrlich (§ 124 II 3 → Rn. 32); es bleibt ihm aber unbenommen, freiwillig solchen Vorschlag zu unterbreiten (GK-AktG/Verse/Gaschler Rn. 91). Zum Inhalt des Vorschlags → Rn. 33; zu mitbestimmungsrechtl. Besonderheiten → Rn. 34. 29

30 **c) Empfehlung des Prüfungsausschusses.** § 124 III 2 geht ursprünglich auf Art. 41 III Abschlussprüfer-RL 2006 zurück, die mittlerweile durch Neufassung in Art. 16 II Abschlussprüfer-VO (→ § 107 Rn. 31 ff.) abgelöst und durch AReG 2016 in deutsches Recht umgesetzt wurde. Nach heute geltender Fassung stützt sich AR bei seinem Vorschlag zur **Wahl des Abschlussprüfers** (§ 124 III 1) auf Empfehlung des Prüfungsausschusses, sofern AG Unternehmen von öffentl. Interesse iSd § 316a S. 2 HGB ist (→ § 100 Rn. 23). Für diese Unternehmen ist mit FISG 2021 bisheriges Einsetzungswahlrecht nach § 107 III 2 entfallen; sie sind nach § 107 IV 1 zur Einsetzung eines Prüfungsausschusses verpflichtet (→ § 107 Rn. 41 ff.; dort auch zur verbleibenden Ausn. für Dreier-AR). Prüfungsausschuss kann in diesen Fällen anstelle des Plenums tätig werden, was § 107 III 7 zulässt (→ § 107 Rn. 58), kann sich aber auch darauf beschränken, dem Plenum einen Vorschlag zu machen. Im ersten Fall geht § 124 III 2 ins Leere, im zweiten Fall besagt er Selbstverständliches (Habersack AG 2008, 98, 99 Fn. 6). Nicht in § 124 III 2 erwähnt, aber aus unmittelbar geltendem Art. 16 II Abschlussprüfer-VO abzuleiten ist, dass Prüfungsausschuss mindestens zwei Vorschläge für Prüfungsmandat unterbreiten und dabei eine Präferenz für einen der der beiden Vorschläge mitteilen muss. Vorschlag und Präferenz müssen – obwohl ebenfalls in § 124 III nicht erwähnt – nach Art. 16 V Abschlussprüfer-VO im Vorschlag des AR an die HV wiedergegeben werden. AR ist an diese Empfehlung aber nicht gebunden. Seine davon abw. Entscheidung ist aber nach RegBegr. BilMoG BT-Drs. 16/10067, 103 begründungspflichtig. Dafür genügt Aufnahme der wesentlichen Gründe in die Sitzungsniederschrift (§ 107 II 1). Wird nicht abgewichen, bedarf es auch keiner Begründung (Rieckers DB 2017, 2720, 2721). Hat AG, die Unternehmen von öffentl. Interesse in diesem Sinne ist, nach § 107 IV 2 keinen Prüfungsausschuss (→ § 107 Rn. 42), ist fraglich, ob auch AR selbst der HV zwei Vorschläge mit Präferenzmitteilung unterbreiten muss. Da Adressat der Empfehlung hier ein anderer ist, nämlich HV und nicht AR, kann eine solche Folge jedoch weder aus Abschlussprüfer-VO noch aus § 124 III 2 abgeleitet werden (Buhleier/Niehues/Splinter DB 2016, 1885, 1889 f.; aA Hoppe NZG 2017, 361, 366 f.; Schilha ZIP 2016, 1316, 1327; Schüppen NZG 2016, 247, 251 f.). Geist der RL dürfte es aber entspr., dass AR ggü. HV darlegt, welche Prüfer in der engeren Wahl gestanden haben und aus welchen Gründen er sich für vorgeschlagenen Prüfer entschieden hat (so die vermittelnde Lösung von Troidl NZG 2023, 3, 8 f.; sa Wachter/Kocher Rn. 31).

31 **2. Ausnahmen: Keine Vorschlagspflicht. a) Bindung an Wahlvorschläge.** Nach § 124 III 3 Fall 1 ist Verwaltung nicht verpflichtet, der HV einen Beschlussvorschlag zu unterbreiten, wenn HV bei Wahl von AR-Mitgliedern nach § 6 MontanMitbestG an Wahlvorschläge gebunden ist. Solche Bindung sieht **§ 6 VI MontanMitbestG** vor (→ § 96 Rn. 7). Beschlussvorschlag wäre sinnlos, weil HV keinen Entscheidungsspielraum hat. Auf Wahl des sog neutralen AR-Mitglieds gem. **§ 8 MontanMitbestG** (→ § 96 Rn. 7) ist Regelung nicht zu erstrecken. § 124 III 4 führt diese Vorschrift zu Recht nicht an, weil HV an Wahlvorschlag insoweit nicht gebunden ist (MüKoAktG/Kubis Rn. 27; Erle AG 1970, 31, 32). Also muss der HV insoweit ein Vorschlag gemacht werden. Abschließende Sondervorschrift ist § 8 MontanMitbestG nur hinsichtlich der Vorschlagsberechtigung, die bei allen übrigen AR-Mitgliedern liegt. Anders als nach § 108 (→ § 108 Rn. 6) genügt also nicht die einfache Stimmenmehrheit.

32 **b) Minderheitsverlangen. Vorschlagspflicht entfällt** ferner, wenn Gegenstand der Beschlussfassung auf Verlangen einer Minderheit auf die Tagesordnung gesetzt worden ist (§ 124 III 3 Fall 2). Vorschrift gilt für sämtliche Fälle des § 122, unabhängig davon, ob Einberufung auf Verlangen der Minderheit erfolgt (§ 122 I), lediglich Tagesordnungspunkte nach § 122 II ergänzt wurden und ob

Vorstand selbst oder Minderheit (§ 122 III) einberufen hat (unstr.). Verwaltung soll in allen Fällen nicht gezwungen werden, in Aktionärskonflikt Stellung zu beziehen (GK-AktG/Butzke Rn. 63); oft würden Verwaltungsvorschläge auch an Fristproblemen scheitern (→ Rn. 5). ZT wird solche Initiative auch von Verwaltung selbst angestoßen werden, wenn etwa AR nicht ordnungsgemäß besetzt ist und deshalb keinen eigenen Vorschlag unterbreiten kann (vgl. zu solchen Gestaltungen Happ/Bednarz FS Marsch-Barner, 2018, 215, 220 f.). Auch ohne Rechtspflicht ist Verwaltung nicht gehindert, der HV einen Vorschlag zu unterbreiten (keine Neutralitätspflicht – OLG München WM 2010, 517, 519; LG München I AG 2019, 476, 477 f. [mit daraus abgeleitetem Auskunftsrecht des AR]; MüKoAktG/Kubis Rn. 32). Wird davon kein Gebrauch gemacht, sollte auch selektive Information einzelner Aktionäre unterbleiben (Butzke FS Marsch-Barner, 2018, 103, 111 f.). Noch nicht abschließend geklärt ist, ob Vorschrift auch gilt, wenn nicht Minderheit, sondern **Mehrheit** Einberufung der HV verlangt hat. Wortlaut beantwortet Frage nur scheinbar klar, weil Begriff der „Minderheit" nicht nur als Gegenbegriff zur Mehrheit, sondern überzeugender als bloßer Hinweis auf Schwellenwerte des § 124 I iVm § 122 II verstanden werden kann (OLG Düsseldorf v. 5.7.2012 – I-6 U 69/11, juris-Rn. 103 [insofern nicht in NZG 2013, 546]; LG Frankfurt AG 2017, 366 [vgl. dazu aber OLG Frankfurt NZG 2017, 1080]; ausf. v. der Linden AG 2016, 280 ff.; zust. GK-AktG/Butzke Rn. 65 f.; Happ/Bednarz FS Marsch-Barner, 2018, 215, 220; aA LG Köln BeckRS 2015, 14961). Aus Sicherheitsgründen ist bei derzeitigem Meinungsstand Vorschlag aber trotzdem zu empfehlen. Zur ähnlich gelagerten Situation eines Verlangens des Hauptaktionärs gem. § 327a → § 327a Rn. 11b.

3. Besonderheiten bei Wahlbeschlüssen. a) Notwendiger Inhalt des Vorschlags. Soweit AR für Wahl von AR-Mitgliedern einen Vorschlag zu machen hat (→ Rn. 21 ff.), muss dieser gem. § 124 III 4 **Namen, ausgeübten Beruf und Wohnort** des oder der Vorgeschlagenen enthalten (für weitergehende Begründungspflicht de lege ferenda VGR AG 2022, 239 Rn. 44 ff.; Dreher FS Windbichler, 2020, 553 ff.; Verse in Hommelhoff/Kley/Verse AR-Reform, 69, 72 ff.). Vorschrift gilt auch für Minderheitsverlangen nach § 122 (BeckOGK/Rieckers Rn. 61). Als Name ist Nachname und mindestens ein ausgeschriebener Vorname anzugeben (Grigoleit/Herrler Rn. 24). Änderung durch KonTraG 1998, nach der nicht wie früher Beruf, sondern ausgeübter Beruf angegeben werden muss, soll der HV das Eignungsurteil erleichtern (RegBegr. BT-Drs. 13/9712, 17 – Gesamtbelastung, Interessenkonflikte). Gemeint ist Angabe der konkreten beruflichen Haupttätigkeit; RegBegr. BT-Drs. 13/9712, 17 nennt Finanzvorstand bei der X-AG oder Rechtsanwalt in Sozietät Y als Bsp. Nicht genügend sollen demnach allg. Angaben wie selbständiger Unternehmer, Ingenieur oder Rechtsanwalt ohne nähere Zuordnung zu bestimmtem Unternehmen oder Kanzlei sein (LG München Konzern 2007, 448, 452 f.; krit. dazu Hölters/Weber/Simons § 106 Rn. 5; Wachter AG 2016, 776, 777). Diese restriktive Linie findet zwar im Gesetzeswortlaut keinen klaren Niederschlag, kann aber neben Verweis auf RegBegr. auch mit Normzweck begründet werden, der auf umfassende Aufklärung über anderweitige Bindungen abzielt. Norm steht im Zusammenhang mit erweiterter Angabepflicht nach § 125 I 5 (→ § 125 Rn. 11) und soll der informierten HV auch Entscheidung über Wettbewerber im AR überlassen (RegBegr. BT-Drs. 13/9712, 17), was ggü. anderweitig erwogener spezieller Mandatsunfähigkeit (→ § 103 Rn. 13b) deutlich überlegene Lösung ist. Auch Beurteilung der Sektorenkenntnis iSd § 100 V (→ § 100 Rn. 26 ff.) wird damit erleichtert (Nodoushani AG 2016, 381, 387). Ausgeübter Beruf gehört auch zu den Pflichtangaben des Anh. nach § 285 Nr. 10 S. 1 HGB. Für Wohnortangabe ist genaue postalische Anschrift nicht erforderlich (LG Frankfurt AG 2014, 132 33

Rn. 115). Vorschlag muss nur so viele Namen enthalten, wie Personen zu wählen sind, kann aber auch echte Auswahl durch Alternativvorschläge eröffnen (hM, s. MüKoAktG/Kubis Rn. 40; Einmahl DB 1968, 1936; aA Laabs DB 1968, 1014). Angaben zur Vereinbarkeit der Wahl mit DCGK sind nach § 124 III 4 nicht erforderlich (BGHZ 220, 36 Rn. 43 = NZG 2019, 262; → § 161 Rn. 32 ff.). Für die Wahl von Prüfern (§ 318 I HGB, § 142 I) gelten diese Grundsätze entspr. Wenn Wirtschaftsprüfungsgesellschaften vorgeschlagen werden, sind diese statt durch Name, Beruf und Wohnort durch Firma und Sitz zu kennzeichnen.

34 **b) Mehrheiten bei Wahlvorschlägen in mitbestimmten Gesellschaften.** § 124 III 5 Hs. 1 schreibt vor, dass AR-Beschlüsse über Wahlvorschläge zur Wahl von AR-Mitgliedern nur der Stimmenmehrheit der AR-Mitglieder der Aktionäre bedürfen, wenn AR auch aus AR-Mitgliedern der AN zu bestehen hat. Dadurch wird § 108 I modifiziert; AR-Mitglieder der Aktionäre haben ein **Sonderbeschlussrecht.** Vorschrift geht auf § 35 I Nr. 10 MitbestG zurück und soll sicherstellen, dass AR-Mitglieder der AN auf Wahl der Aktionärsvertreter keinen Einfluss nehmen können; sie haben daher auch **kein Recht auf Mitberatung** (GK-AktG/Butzke Rn. 97; GK-AktG/Hopt/Roth § 101 Rn. 79; Ihrig/Meder ZIP 2012, 1210; aA MHdB AG/Hoffmann-Becking § 30 Rn. 49). Auf den Mitbestimmungsstatus der Gesellschaft kommt es nicht an. In § 124 III 5 Hs. 2 ist klargestellt, dass § 8 MontanMitbestG unberührt bleibt (→ Rn. 31; → § 96 Rn. 7). Dasselbe gilt für Wahl nach § 5 MitbestErgG (BeckOGK/Rieckers Rn. 58).

V. Unzulässige Beschlussfassung bei Bekanntmachungsfehlern (§ 124 IV 1)

35 Nach § 124 IV 1 dürfen Beschlüsse über Gegenstände der Tagesordnung nicht gefasst werden, soweit sie nicht ordnungsgem. bekanntgemacht sind. Verstöße gegen § 124 I–III führen also zur **Anfechtbarkeit gleichwohl gefasster Beschlüsse** gem. § 243 I. Frage wird allerdings zu einzelnen Abs. des § 124 zT unterschiedlich beantwortet, wobei jew. zwischen genereller Anfechtbarkeit und Relevanz des Anfechtungsgrundes (→ § 243 Rn. 13) zu unterscheiden ist (Bsp. für fehlende Relevanz → Rn. 38).

36 Für **Verstoß gegen § 124 I und II** wird Relevanz allerdings gerade im Lichte des § 124 IV 1 in Rspr. grds. bejaht (BGHZ 149, 158, 164 f. = NJW 2002, 1128; BGHZ 153, 32, 36 = NJW 2003, 970; BGHZ 160, 253, 255 f. = NJW 2004, 3561; BGHZ 216, 110 Rn. 74 ff. = NZG 2017, 1374 [dort allerdings ausnahmsweise verneint]; BGHZ 226, 224 Rn. 33 ff. = NZG 2020, 1106; OLG Jena AG 2015, 160, 162 f.; OLG Köln AG 2003, 448 f.; OLG Rostock AG 2013, 768, 769; LG München I AG 2010, 419, 420 f.; Drescher FS Krieger, 2020, 215 f.; einschr. [nur § 124 I] K.-S. Scholz AG 2008, 11, 12 ff.). Bei kleineren Auslassungen und Fehlern, wie zB falsche Zitierung ges. Vorschriften, kann aber auch großzügigerer Maßstab angezeigt sein (BeckOGK/Rieckers Rn. 70). In atypischem Sonderfall hat es BGH Aktionär unter Rückbesinnung auf **Kausalitätsüberlegungen** (→ § 243 Rn. 13) darüber hinaus verwehrt, sich auf Bekanntmachungsfehler zu berufen, weil ihm nicht bekanntgemachte Information ohnehin bekannt sein konnte und musste (BGHZ 216, 110 Rn. 76 f. [näher erläutert von Drescher FS Krieger, 2020, 215 ff., 220 ff.]; BGHZ 226, 224 Rn. 37).

37 Auch **Verstoß gegen § 124 III** begründet Anfechtbarkeit, was bei **gemeinschaftlicher Vorschlagspflicht** namentl. auch dann der Fall ist, wenn erforderliche Vorschläge von unterbesetztem Vorstand ausgehen (OLG Dresden AG 1999, 517, 518 f.; OLG Dresden AG 2000, 43, 44 f.; LG Heilbronn AG 2000, 373, 374). Anfechtbarkeit ist auch dann gegeben, wenn nur Vorschlag des Vor-

stands oder des AR fehlt (BGHZ 149, 158, 160 ff.; OLG München AG 2003, 163; AG 2010, 842, 843; Happ/Bednarz FS Marsch-Barner, 2018, 215, 217 f.; aA GK-AktG/Butzke Rn. 71; MüKoAktG/Kubis Rn. 59). Das ist in der Sache unglücklich, weil damit Vorstand oder AR Beschlussfassung blockieren können, doch ist Gesetzeslage zu eindeutig, um sie aus Zweckmäßigkeitsgründen rechtsfortbildend korrigieren zu können. In Einzelfällen kann es hier allerdings an Relevanz des Verstoßes fehlen (zu Einzelheiten vgl. Happ/Bednarz FS Marsch-Barner, 2018, 215, 217 ff.; für fehlende Relevanz als Regelfolge Kocher AG 2013, 406, 412). Das kann etwa dann angenommen werden, wenn fehlende Beschlussfassung zu bekanntgemachtem Beschlussvorschlag noch nachträglich nachgeholt wurde (OLG Stuttgart BeckRS 2013, 00660 [insoweit nicht in AG 2013, 559]; BeckOGK/Rieckers Rn. 48; Zweifel allerdings bei Nikoleyczik/Gubitz EWiR 2013, 263, 264 unter Verweis auf „Drucksituation" für AR-Mitglieder).

Ist nach § 124 III 1 **AR allein vorschlagspflichtig,** führt gleichwohl vom Vorstand gemachter Vorschlag zur Anfechtbarkeit des Beschlusses (OLG Hamm AG 1986, 260, 261; OLG München AG 2003, 645), und zwar auch dann, wenn Vorschlag als solcher nicht zur Abstimmung gestellt worden ist (BGHZ 152, 32, 35 ff. = NJW 2003, 970; anders noch OLG München AG 2001, 193, 196; krit. auch MüKoAktG/Kubis Rn. 34; KK-AktG/Noack/Zetzsche Rn. 86 ff.). Gesetzesverstoß kann aber auch hier derart marginal sein, dass ihm die erforderliche **Relevanz** (→ § 243 Rn. 12 f.) abgeht und Anfechtbarkeit deshalb zu verneinen ist (LG Berlin ZIP 2003, 1352, 1353); so zB, wenn im Wahlvorschlag (§ 124 III 3) Wohnort und Dienstsitz verwechselt werden oder irrtümlich ein früherer Beruf angegeben wird oder die Angaben zum ausgeübten Beruf ungenau sind (vgl. dazu BGH DStR 2007, 1493; OLG Bremen AG 2007, 550, 551; OLG Frankfurt AG 2007, 374; LG Düsseldorf AG 2010, 882, 883; Hölters/Weber/Drinhausen Rn. 19; MüKoAktG/Kubis Rn. 58; aA LG München Konzern 2007, 448, 452 f.). Verletzung weitergehender Pflichten nach § 49 I 1 WpHG ist schon tatbestandlich kein Verstoß gegen § 124 I; Anfechtungsausschluss nach **§ 52 WpHG** hat nur klarstellende Bedeutung. **38**

Weiterhin ist auch Situation vorstellbar, dass Vorstand oder AR Vorschlag unterbreiten, dieser aber **ausnahmsweise unterbleiben** musste (zu dieser Konstellation auf allerdings zweifelhafter tatbestandl. Grundlage [→ Rn. 29] LG München I NZG 2021, 557 Rn. 26 f.). Auch hier wird Relevanz grds. zu bejahen sein, da die Gefahr besteht, dass Aktionäre von der Teilnahme an HV abgehalten werden, weil sie davon ausgehen, Mehrheit würde dem Beschlussvorschlag der Verwaltung folgen (insofern zutr. LG München I NZG 2021, 557 Rn. 27). **39**

Wegen Verstoßes gegen § 124 I–III ist Anfechtbarkeit auch gegeben, wenn alle Erschienenen mit der Beschlussfassung einverstanden sind. Ihr **Einverständnis** hilft nicht (Ausn.: Vollversammlung), weil Regelung auch den Schutz der nicht erschienenen Aktionäre bezweckt (hM, s. BGHZ 160, 253, 255 f. = NJW 2004, 3561; OLG Jena AG 2015, 160, 163; MüKoAktG/Kubis Rn. 52). Sie sind gem. § 245 S. 1 Nr. 2 Fall 3 anfechtungsbefugt, ohne dass es darauf ankäme, ob in der HV Widerspruch zur Niederschrift erklärt worden ist (GK-AktG/Butzke Rn. 100; aA KK-AktG/Noack/Zetzsche Rn. 86 ff.). Eine andere Frage ist es, ob **HV-Leiter** Beschlussfassung trotz Anfechtbarkeit zulassen darf, ohne damit pflichtwidrig zu handeln. Das kann bejaht werden, wenn Gesetzesverstoß wenig gravierend ist oder wenn Anfechtungsklage wegen Einverständnisses der Aktionäre mit der beschlossenen Maßnahme nicht zu erwarten steht. Einberufung einer zweiten HV ist dann die schlechtere Lösung (GK-AktG/Butzke Rn. 101; BeckOGK/Rieckers Rn. 74: kein generelles Beschlussverbot). **40**

VI. Bekanntmachungsfreie Anträge und Verhandlungen (§ 124 IV 2)

41 **1. Neue Einberufung.** § 124 IV 2 zählt drei Fallgruppen auf, in denen es keiner Bek. bedarf. **Erste Fallgruppe** ist, dass in Versammlung beantragt wird, HV neu einzuberufen. Hauptfall ist **Vertagung,** doch kann Antrag auch darauf gerichtet sein, über eine neue Tagesordnung zu verhandeln und zu beschließen (GK-AktG/Butzke Rn. 105; Werner FS Fleck, 1988, 401, 418 ff.). Beschlussfassung über Einberufungsanträge ist also ohne deren vorherige Bek. rechtl. fehlerfrei (zu entspr. Verfahrensantrag vgl. Austmann FS Hoffmann-Becking, 2013, 45, 49 f.).

42 **2. Anträge zu Gegenständen der Tagesordnung.** Zweite Fallgruppe des § 124 IV 2 ist, dass Anträge zu Gegenständen der Tagesordnung gestellt werden. Hierhin gehören jedenfalls **Verfahrensanträge** (zB Absetzung oder Vertagung eines Tagesordnungspunktes), aber auch **Gegenanträge** zu den Verwaltungsvorschlägen. Auch Minderheitsverlangen nach § 122 II kann danach bekanntmachungsfrei sein, wenn sich Anliegen auf Gegenstände der Tagesordnung bezieht (BGHZ 226, 224 Rn. 24 = NZG 2020, 1106). Unter § 124 IV 2 fallen etwa Anträge zur Änderung einer vorgeschlagenen Satzungsklausel (→ Rn. 9 ff.), sofern sie sich nicht nur nach Gegenstand und wirtschaftlicher Tragweite noch im Rahmen des urspr. Beschlussvorschlags halten (LG München I AG 2007, 255, 256; BeckOGK/Rieckers Rn. 77; iErg auch Kocher AG 2013, 406, 408; zur Überschreitung dieser Grenze bei Kapitalschnitt durch Zusammenlegung von Aktien im Verhältnis 100:1 nach angekündigtem Kapitalschnitt im Verhältnis 4:3 s. OLG Rostock AG 2013, 768, 771). Ebenfalls möglich ist Abweichung bei Gewinnverwendung (MüKoAktG/Kubis Rn. 66; BeckOGK/Rieckers Rn. 77; Kocher AG 2013, 406, 409) oder Vorschlag alternativer Kandidaten als AR-Mitglieder oder Abschlussprüfer (OLG Frankfurt AG 2016, 252, 254; BeckOGK/Rieckers Rn. 77). Unzulässig ist dagegen Ausschluss des Bezugsrechts nach angekündigter Kapitalerhöhung mit Bezugsrecht oder Übergang von Bar- zu Sacheinlage (wohl aber umgekehrt – vgl. BeckOGK/Rieckers Rn. 79; Kocher AG 2013, 406, 408 f.; aA GK-AktG/Butzke Rn. 111). Entscheidend ist in allen Fällen, ob Aktionär bei unbefangener Betrachtung der Tagesordnung mit entspr. Beschlussfassung rechnen musste, was im Einzelfall vom Konkretisierungsgrad der Tagesordnungspunkte abhängen kann (OLG Frankfurt AG 2016, 252, 254). Nicht bekanntmachungspflichtig sind ferner rein redaktionelle oder stilistische Änderungen einschließlich Korrektur offenkundiger Fehler (BeckOGK/Rieckers Rn. 79).

43 Ebenfalls von § 124 IV 2 erfasst sind **sachlich ergänzende Anträge.** Dazu zählt nach hM etwa Bestellung von **Sonderprüfern** iRd Entlastungsantrags, sofern sich die zu prüfenden Vorgänge auf den Entlastungszeitraum beziehen (OLG Brandenburg AG 2003, 328, 329; OLG Frankfurt AG 2016, 252, 254; GK-AktG/Butzke Rn. 112; BeckOGK/Rieckers Rn. 82; aA Kocher AG 2013, 406, 409) oder, ebenfalls iRd Entlastungsantrags, **förmlicher Vertrauensentzug** (B/K/L/Reger Rn. 26; KK-AktG/Noack/Zetzsche Rn. 105; S/L/Ziemons Rn. 91; aA LG München I AG 2005, 701, 702; GK-AktG/Butzke Rn. 113; Kocher AG 2013, 406, 409). Beschluss über Geltendmachung von Ersatzansprüchen oder Bestellung eines bes. Vertreters nach **§ 147 I, II** ist dagegen iRd Entlastung unzulässig; anders wenn Tagesordnung Vorlage eines Sonderprüfungsberichts ankündigt (→ § 148 Rn. 8). Zu weitgehend erscheint es auch, **Abberufung eines AR-Mitglieds** nach § 103 bekanntmachungsfrei im Gefolge eines Entlastungsantrags zu gestatten (dafür Grigoleit/Herrler Rn. 30), da hier – anders als bei Vertrauensentzug – Rechtsfolgen unmittelbar eintreten

(vgl. zu diesem Unterschied S/L/Ziemons Rn. 91). Auch ist iRd AR-Wahl Sonderprüfungsantrag nicht zulässig (LG Frankfurt NZG 2009, 149, 150 f.; Slavik WM 2017, 1684). Das Gleiche gilt für Herabsetzungsbeschluss nach § 87 IV iRd Entscheidung über Vergütungssystem (→ § 87 Rn. 67).

3. Verhandlung ohne Beschlussfassung. Dritte Fallgruppe bekanntmachungsfreier Gegenstände iSd § 124 IV 2 ist, dass nicht beschlossen, sondern nur verhandelt werden soll. Solche Verhandlung ist nicht schon deshalb unzulässig, weil ihr Gegenstand nicht oder nur unter einem Sammelbegriff („Verschiedenes") angekündigt wurde. Versammlungsleiter hat jedoch auf grds. **beschlussorientierten Charakter der HV** zu achten (zu Ausnahmen → § 119 Rn. 4) und sicherzustellen, dass erforderliche Zeit für Beratung und Beschlussfassung zu angekündigten Tagesordnungspunkten zur Verfügung steht (GK-AktG/Butzke Rn. 107). Weitergehender Vorschlag einer teleologischen Reduktion in dem Sinne, dass Verhandlungen nur zu solchen Themen statthaft sind, die sich aus bekanntgemachten Gegenständen der Tagesordnung ergeben (Austmann FS Hoffmann-Becking, 2013, 45, 50 f.; zust. BeckOGK/Rieckers Rn. 87) findet im Ges. keine Stütze und schränkt HV-Autonomie über Gebühr ein (GK-AktG/Butzke Rn. 108). Ausn. von § 124 IV 2, 3. Var. gilt – obwohl im Wortlaut nicht vorgesehen – für Vorlage des Jahres- und Konzernabschlusses (§ 176), Vorlage des Sonderprüfungsberichts (§ 145 VI 5) oder Verlustanzeige nach § 92 (S/L/Ziemons Rn. 103). 44

Veröffentlichungen auf der Internetseite der Gesellschaft

124a **[1] Bei börsennotierten Gesellschaften müssen alsbald nach der Einberufung der Hauptversammlung über die Internetseite der Gesellschaft zugänglich sein:**

1. der Inhalt der Einberufung;
2. eine Erläuterung, wenn zu einem Gegenstand der Tagesordnung kein Beschluss gefasst werden soll;
3. die der Versammlung zugänglich zu machenden Unterlagen;
4. die Gesamtzahl der Aktien und der Stimmrechte im Zeitpunkt der Einberufung, einschließlich getrennter Angaben zur Gesamtzahl für jede Aktiengattung;
5. gegebenenfalls die Formulare, die bei Stimmabgabe durch Vertretung oder bei Stimmabgabe mittels Briefwahl zu verwenden sind, sofern diese Formulare den Aktionären nicht direkt übermittelt werden.

[2] Ein nach Einberufung der Versammlung bei der Gesellschaft eingegangenes Verlangen von Aktionären im Sinne von § 122 Abs. 2 ist unverzüglich nach seinem Eingang bei der Gesellschaft in gleicher Weise zugänglich zu machen.

I. Regelungsgegenstand und -zweck

Norm betr. börsennotierte AG (§ 3 II) und verpflichtet sie, für HV wesentliche Informationen über ihre **Internetseite** publik zu machen, um Aktionären auf diese Weise erleichterten Zugriff zu ermöglichen. Frühere Empfehlung in Ziff. 2.3.1 S. 3 DCGK aF wird damit durch ARUG 2009 obligatorisch und zugleich inhaltlich ausgebaut. RegBegr. BT-Drs. 16/11642, 30 spricht von Internetseite als dem „zentralen Medium des Informationsaustauschs". Regelung ist notwendig, weil von Art. 5 IV Aktionärsrechte-RL vorgegeben. 1

II. Publizitätspflichtige Gegenstände

2 Sieht man vorerst von dem Verlangen einer Aktionärsminderheit zur Ergänzung der Tagesordnung (§ 124a S. 2) ab (→ Rn. 8), so erstreckt sich obligatorische Internetpublizität zunächst auf **Inhalt der Einberufung** (§ 124a S. 1 Nr. 1), der sich seinerseits nach § 121 III bestimmt. Börsennotierte AG iSd § 3 II (→ § 3 Rn. 5 f.) muss nicht nur Firma und Sitz sowie Zeit und Ort der HV und deren Tagesordnung, sondern auch die weiteren Angaben des § 121 III (→ § 121 Rn. 10 ff.) ins Internet stellen. Auch Beschlussvorschläge der Verwaltung gem. § 124 III 1 sind zu veröffentlichen (RegBegr. BT-Drs. 16/11642, 30; BeckOGK/Rieckers Rn. 8).

3 Veröffentlichungspflicht gilt ferner für eine **Erläuterung,** wenn zu einem Gegenstand der Tagesordnung kein Beschluss gefasst werden soll (§ 124a S. 1 Nr. 2 unter Durchführung von Art. 5 IV lit. d Aktionärsrechte-RL). Darunter fallen insbes. Verlustanzeige gem. § 92 und Vorlage von Jahresabschluss und Lagebericht nach § 175 S. 1. Jenseits dieser Fälle ist beschlusslose HV in der Praxis Ausnahmefall, wenngleich nach heute hM weder unzulässig noch auf Sonderkonstellationen beschränkt (→ § 119 Rn. 4). Zum **Inhalt** enthält Ges. keine näheren Vorgaben; idR wird kurze inhaltliche Beschreibung des Verhandlungsgegenstands genügen (BeckOGK/Rieckers Rn. 10). **Zuständig** ist das einberufende Organ, idR also Vorstand (§ 121 II 1). Erl. des Vorstands soll Informationsgehalt der wegfallenden Beschlussvorlage ersetzen. Bei auf **beschlusslosen Gegenstand** gerichtetes Minderheitsverlangen gem. § 122 I, II (nur in Ausnahmefällen zulässig → § 122 Rn. 9) ist Veröffentlichung nicht erforderlich, da Aktionäre kein Organ der AG iSd Art. 5 IV Aktionärsrechte-RL sind (GK-AktG/Butzke Rn. 34; BeckOGK/Rieckers Rn. 11; aA Grigoleit/Herrler Rn. 4; Horn ZIP 2008, 1558, 1561).

4 Publikationspflichtig sind weiter sämtliche **Unterlagen,** die der HV zugänglich zu machen sind (§ 124a S. 1 Nr. 3); vgl. etwa § 52 II 2, § 175 II, § 176 I, § 179a II, § 293f I, § 293g I, § 319 III, § 327c III AktG, § 63UmwG. Im Zusammenspiel mit derartigen Offenlegungspflichten erhält Veröffentlichungspflicht bes. rechtl. Relevanz, die aufgrund weitestgehender Sanktionslosigkeit (→ Rn. 9) auf den ersten Blick gering erscheint. Sie birgt für AG aber erhebliche Erleichterungsfunktion, da zahlreiche der hier angeführten **Auslegungs- und Versendungspflichten** entfallen, wenn maßgebliche Dokumente auf Internetseite zugänglich sind (vgl. zB § 52 II 2, 3, § 175 II 1, 2, § 179 II 1, 2, § 293f I, II AktG, § 63 I, III UmwG). Zweifel an Richtlinienkonformität dieser Substitutionsmöglichkeit (S/L/Ziemons Rn. 2) sind nicht begründet. Sie finden im Wortlaut von Art. 5 Aktionärsrechte-RL keine hinreichende Grundlage und werden der tats. Erleichterung, die sich auch für Aktionäre aus Möglichkeit des Internetzugriffs ergibt, nicht gerecht (Grigoleit/Herrler Rn. 2; BeckOGK/Rieckers Rn. 13). Inhaltliche Diskrepanz ergibt sich aber daraus, dass genannte Auslegungspflichten idR jeweils „von der Einberufung an" gelten, während § 124a S. 1 Zugänglichmachen „alsbald nach der Einberufung" verlangt (→ Rn. 7). Erleichterungseffekt ist rechtl. demnach nur gegeben, wenn Zugang schon mit Einberufung gegeben ist.

5 Publizitätspflicht erstreckt sich sodann nach § 124a S. 1 Nr. 4 auf **Gesamtzahl der Aktien und der Stimmrechte** im Zeitpunkt der Einberufung. Damit wird Transparenz der Kapital- und Stimmverhältnisse bezweckt. Für Berechnung zählen eigene Aktien mit (RegBegr. BT-Drs. 16/11642, 30); gesonderter Ausweis ist aber nicht erforderlich (BeckOGK/Rieckers Rn. 14). Gleiches gilt für Aktien, bei denen Stimmrecht ausgesetzt ist, wie zB § 20 VII 1, § 21 IV 1, § 328 I AktG, § 44 S. 1 WpHG, § 59 S. 1 WpÜG (BeckOGK/Rieckers

Rn. 15). Bestehen mehrere Aktiengattungen, so sind Angaben getrennt zu machen. Pflicht aus § 124a S. 1 Nr. 4 besteht neben gleich gefasster Pflicht aus § 49 I 1 Nr. 1 WpHG, dessen Vorgaben in der Praxis oft in der Weise erfüllt werden, dass Angaben schon in Einberufung aufgenommen werden. In diesem Fall folgt Pflicht zur Internetpublikation schon aus § 124a S. 1 Nr. 1 (GK-AktG/Butzke Rn. 26; KK-AktG/Noack/Zetzsche Rn. 30).

Schließlich müssen über Internet **Formulare** zugänglich sein, wenn solche bei 6
Stimmabgabe durch Vertreter oder mittels Briefwahl (vgl. § 118 II 1, § 121 III 3 Nr. 2) zu benutzen sind und nicht schon bei Einberufung übermittelt werden (§ 124a S. 1 Nr. 5). Vorschrift gilt nach klarem Wortlaut nur für von AG **zwingend vorgegebene Formulare** (GK-AktG/Butzke Rn. 28; KK-AktG/Noack/Zetzsche Rn. 32; BeckOGK/Rieckers Rn. 16; aA S/L/Ziemons Rn. 13). Angesichts verbreiteter satzungsfester ges. Formerleichterungen kann AG solche Pflicht allein für Briefwahl nach § 118 II 1 (→ § 118 Rn. 15 ff.) und für Bevollmächtigung der von AG benannten Stimmrechtsvertreter nach § 134 III 5 (→ § 134 Rn. 26 ff.) vorsehen (GK-AktG/Butzke Rn. 28; B/K/L/Reger Rn. 6). Besteht danach Veröffentlichungspflicht, kann ihr auch durch Bereitstellung eines Online-Dialogs genügt werden (Wachter/Kocher Rn. 7; Paschos/Goslar AG 2009, 14, 17).

III. Modalitäten

Internetpublizität muss **alsbald** hergestellt sein. Begriff dürfte iSd gebräuchli- 7
cheren „unverzüglich" gem. § 121 I BGB zu verstehen sein und wird im Anschluss an RegBegr. BT-Drs. 16/11642, 30 überwiegend so gedeutet, dass Veröffentlichung unter Berücksichtigung des technischen und sonstigen betriebsinternen Ablaufs **idR einen Tag nach Einberufung** erfolgen muss, also nach Bek. in Gesellschaftsblättern gem. § 121 IV 1 (vgl. nur GK-AktG/Butzke Rn. 46; aA S/L/Ziemons Rn. 22: gleichzeitig mit Einberufung). Informationen müssen auf Internetseite leicht auffindbar und für jeden Aktionär zugänglich sein; Passwortsicherung ist zulässig (KK-AktG/Noack/Zetzsche Rn. 12; BeckOGK/Rieckers Rn. 5).

IV. Aktionärsverlangen

§ 124a S. 2 knüpft an § 122 II an und verpflichtet durch Vorstand handelnde 8
AG, Verlangen einer qualifizierten Aktionärsminderheit, das auf Ergänzung der Tagesordnung gerichtet ist, durch Internet zugänglich zu machen. Ist Verlangen gem. § 124 I 1, 1. Mod. schon mit Einberufung bekannt gemacht worden, folgt Veröffentlichungspflicht aus § 124a S. 1 Nr. 1; nur für nachträgliche Verlangen gilt § 124a S. 2. In diesem Fall muss AG Ergänzungsverlangen unverzüglich (§ 121 I 1 BGB) veröffentlichen, was allerdings – wie bei § 122 I, II, § 124 I (→ § 122 Rn. 15; → § 124 Rn. 2 f.) – noch Raum für **Prüfungspflicht des Vorstands** lassen muss. Publizitätspflicht erstreckt sich auch auf Beschlussvorschlag oder Begründung iSd § 122 II 2 (im zweiten Punkt str. – wie hier Grigoleit/Herrler Rn. 9; KK-AktG/Noack/Zetzsche Rn. 18; aA GK-AktG/Butzke Rn. 37; BeckOGK/Rieckers Rn. 19). Wenn Ergänzungsverlangen nicht zur Erweiterung der Tagesordnung führt (vor allem: Quorum verfehlt; Verlangen nicht begründet oder verfristet), entfällt auch Verpflichtung nach § 124a S. 2 (GK-AktG/Butzke Rn. 38).

V. Rechtsfolgen eines Verstoßes

Verletzung des § 124a ist **kein Anfechtungsgrund** (§ 243 III 1 Nr. 4), stellt 9
allerdings nach § 405 IIIa Nr. 2 eine OWi dar. Davon unberührt bleibt anderwei-

tig begründete Anfechtung, etwa wegen fehlerhafter Einberufung oder wegen Fehlens vorgeschriebener Unterlagen.

Mitteilungen für die Aktionäre und an Aufsichtsratsmitglieder

125 (1) [1]**Der Vorstand einer Gesellschaft, die nicht ausschließlich Namensaktien ausgegeben hat, hat die Einberufung der Hauptversammlung mindestens 21 Tage vor derselben wie folgt mitzuteilen:**

1. den Intermediären, die Aktien der Gesellschaft verwahren,
2. den Aktionären und Intermediären, die die Mitteilung verlangt haben, und
3. den Vereinigungen von Aktionären, die die Mitteilung verlangt haben oder die in der letzten Hauptversammlung Stimmrechte ausgeübt haben.

[2]**Der Tag der Mitteilung ist nicht mitzurechnen.** [3]**Ist die Tagesordnung nach § 122 Abs. 2 zu ändern, so ist bei börsennotierten Gesellschaften die geänderte Tagesordnung mitzuteilen.** [4]**In der Mitteilung ist auf die Möglichkeiten der Ausübung des Stimmrechts durch einen Bevollmächtigten, auch durch eine Vereinigung von Aktionären, hinzuweisen.** [5]**Bei börsennotierten Gesellschaften sind einem Vorschlag zur Wahl von Aufsichtsratsmitgliedern Angaben zu deren Mitgliedschaft in anderen gesetzlich zu bildenden Aufsichtsräten beizufügen; Angaben zu ihrer Mitgliedschaft in vergleichbaren in- und ausländischen Kontrollgremien von Wirtschaftsunternehmen sollen beigefügt werden.**

(2) **Die gleiche Mitteilung hat der Vorstand einer Gesellschaft, die Namensaktien ausgegeben hat, den zu Beginn des 21. Tages vor der Hauptversammlung im Aktienregister Eingetragenen zu machen sowie den Aktionären und Intermediären, die die Mitteilung verlangt haben, und den Vereinigungen von Aktionären, die die Mitteilung verlangt oder die in der letzten Hauptversammlung Stimmrechte ausgeübt haben.**

(3) **Jedes Aufsichtsratsmitglied kann verlangen, daß ihm der Vorstand die gleichen Mitteilungen übersendet.**

(4) **Jedem Aufsichtsratmitglied und jedem Aktionär sind auf Verlangen die in der Hauptversammlung gefassten Beschlüsse mitzuteilen.**

(5) [1]**Für Inhalt und Format eines Mindestgehaltes an Informationen in den Mitteilungen gemäß Absatz 1 Satz 1 und Absatz 2 gelten die Anforderungen der Durchführungsverordnung (EU) 2018/1212.** [2]**§ 67a Absatz 2 Satz 1 gilt für die Absätze 1 und 2 entsprechend.** [3]**Bei börsennotierten Gesellschaften sind die Intermediäre, die Aktien der Gesellschaft verwahren, entsprechend den §§ 67a und 67b zur Weiterleitung und Übermittlung der Informationen nach den Absätzen 1 und 2 verpflichtet, es sei denn, dem Intermediär ist bekannt, dass der Aktionär sie von anderer Seite erhält.** [4]**Das Gleiche gilt für nichtbörsennotierte Gesellschaften mit der Maßgabe, dass die Bestimmungen der Durchführungsverordnung (EU) 2018/1212 nicht anzuwenden sind.**

Übersicht

I. Regelungsgegenstand und -zweck

Norm betr. vom Vorstand zu erfüllende Mitteilungspflichten der AG. Sie bezweckt vor allem **Unterrichtung der Aktionäre** vor der HV. Unterrichtung wirft namentl. bei Inhaberaktien Probleme auf, weil AG Inhaberaktionäre oft nicht kennt, bloß öffentl. Bekanntmachung Informationsadressaten aber zumeist nicht erreichen wird (sa MüKoAktG/Kubis Rn. 1). Nach Neugestaltung der Vorschrift durch ARUG II 2019 wird in § 125 I und II **zwischen Inhaber- und Namensaktien unterschieden** und für problematischeren ersten Fall umweghafte, unter Rahmenbedingungen der Inhaberaktie aber alternativlose Zuleitung über Intermediäre und Aktionärsvereinigungen vorgeschrieben. Ggü. § 67a, der Mitteilung über sonstige Unternehmensereignisse regelt, ist § 125 qua ausdr. Anordnung in § 67a I 2 **Spezialvorschrift,** weil bewährtes System der HV-Einberufung nicht in Frage gestellt werden sollte. Durch deklaratorischen und dynamischen Verweis auf **Inhalt und Formate der Aktionärsrechte-RL II-DVO** in § 125 V wird dennoch sichergestellt, dass europ. Anforderungen genügt wird. 1

§ 125 III erstreckt Mitteilungspflicht auch auf AR-Mitglieder, die – wie insbes. Textfassung der Vorläufernorm (§ 109 II AktG 1937) zeigt – ohne Rücksicht auf Aktionärsstellung – dieselben Informationsrechte haben sollen. Unter den Voraussetzungen des **§ 125 IV** haben Aktionäre und AR-Mitglieder ferner Anspruch auf schriftliche Mitteilung der in der HV gefassten Beschlüsse, was sinnvoll ist, aber nicht in den ges. Zusammenhang der Einberufungsvorschriften passt. Durch ARUG II 2019 ebenfalls komplett neu gefasster **§ 125 V** macht Inhalts- und Formatangaben und schlägt den Bogen zur Regelung der Intermediärskette in §§ 67a ff. (→ Rn. 25 ff.). Regelung ist nach § 23 V insofern zwingend, als jedenfalls Satzungserleichterungen unzulässig sind. Statutarische Erweiterung der Mitteilungspflichten wird dagegen von mittlerweile allgM zu Recht zugelassen (vgl. MüKoAktG/Kubis Rn. 51; KK-AktG/Noack/Zetzsche Rn. 188 f.). 2

II. Mitteilungspflichten vor der Hauptversammlung

1. Mitteilung bei Ausgabe von Inhaberaktien (§ 125 I). a) Mitteilungsempfänger. § 125 I regelt Mitteilung durch AG, die auch Inhaberaktien ausgegeben hat. Mitteilungspflicht wird in Form des § 125 V (→ Rn. 25 ff.) durch Vorstand erfüllt und besteht nach § 125 I 1 ggü. **drei Personengruppen,** nämlich aktienverwahrenden Intermediären iSd § 67a IV (Nr. 1; → § 67a Rn. 8), Aktionären und sonstigen Intermediären, die Mitteilung verlangt haben (Nr. 2; → Rn. 4) sowie Aktionärsvereinigungen (Nr. 3; → Rn. 5). Da in Aktionärsrechte-RL nicht vorgesehen, gilt für erstgenannte Gruppe der **Intermediäre** nicht mehr bisherige Beschränkung, dass Stimmrechte auf letzter HV ausgeübt wurden 3 oder Mitteilung verlangt wurde (RegBegr. BT-Drs. 19/9739, 96). Umstr. ist, ob aus § 125 I 1 Nr. 2 Rückschluss zu ziehen ist, dass unter § 125 I 1 Nr. 1 nur solche Intermediäre fallen, die Aktien **physisch verwahren,** in der Praxis also namentl. Zentralverwahrer Clearstream (dafür Grigoleit/Herrler Rn. 4; aA Beck-OGK/Rieckers Rn. 12: auch Letztintermediäre erfasst). Weiter Verwahrungsbegriff in § 67a IV könnte hier für umfassendes Verständnis sprechen, doch wäre in diesem Fall Anwendungsbereich der Nr. 1 und 2 in der Tat deckungsgleich. Lösung sollte deshalb parallel zu § 67a I 1 Nr. 2 erfolgen, wo hM davon ausgeht, dass Mitteilung an physisch verwahrenden Intermediär genügt und Versorgung der Übrigen durch Weiterleitungspflicht nach § 67a III sichergestellt wird (→ § 67a Rn. 3). Davon scheint auch RegBegr. BT-Drs. 19/9739, 96 auszugehen (jedenfalls iE so auch BeckOGK/Rieckers Rn. 12). **Verzicht** auf Mitteilung ist aufgrund fremdnützigen Charakters des Rechts nicht möglich (BeckOGK/Rieckers Rn. 13; aA Grigoleit/Herrler Rn. 4). Werden Aktien von einem der AG nicht bekannten Intermediär verwahrt, kann er ggü. Aktionär ggf. verpflichtet sein, Übermittlung nach § 125 I 1 Nr. 2 zu verlangen (S/L/Ziemons Rn. 39). Rechtsfrage ist aber nicht im Aktienrecht angesiedelt, sondern im jew. Innenverhältnis zwischen Aktionär und Intermediär.

4 § 125 I 1 Nr. 2 erfasst weiterhin (inländische oder ausländische) **Aktionäre und Intermediäre.** Intermediäre müssen Voraussetzungen des § 67a IV (→ § 67a Rn. 8) erfüllen. Dieser Gruppe sind Mitteilungen nur auf **Verlangen** zukommen zu lassen. Verlangen nach Nr. 2 oder Nr. 3 kann in beliebiger Form (schriftlich, E-Mail, mündlich, telefonisch usw.) und grds. auch ohne Bindung an eine Frist (aber → Rn. 13 ff.) gestellt werden. Es muss jedoch hinreichend eindeutig sein. Pflicht, solches Verlangen zu stellen, besteht auch für Intermediäre nicht (BeckOGK/Rieckers Rn. 15; zu evtl. Ausn. für verwahrenden Aktionär → Rn. 3). AG kann Nachweis der Aktionärsstellung verlangen, für den Satzung nähere Vorgaben enthalten kann. Analog § 123 IV 2 muss Nachw. des Anteilsbesitzes nach § 67c III (→ § 67c Rn. 6 ff.) aber auch ohne Satzungsgrundlage jedenfalls stets genügen (BeckOGK/Rieckers Rn. 14). Unklar ist nach Neufassung durch ARUG II 2019, ob Verlangen für nächste HV wiederholt werden muss oder ob auch sog **Daueraufträge** anzuerkennen sind, um Mitteilungspflicht zu begründen. Unter bisheriger Fassung waren Daueraufträge für Aktionäre durch UMAG-Gesetzgeber ausdr. zugelassen worden (RegBegr. BT-Drs. 15/5092, 15), wurden für andere Mitteilungsberechtigte von hM aber verneint (→ 13. Aufl. 2018, Rn. 4; GK-AktG/Butzke Rn. 38; Hölters/Weber/Drinhausen Rn. 2). Nach Zusammenführung in einer Vorschrift wird man wohl schon aus Gründen gestalterischer Vorsicht von Zulässigkeit eines solchen Dauerauftrags ausgehen müssen, wenngleich damit Gefahr einhergeht, AG dauerhaft mit ggf. unnötigem Formalaufwand zu belasten (zust. Grigoleit/Herrler Rn. 6; MüKoAktG/Kubis Rn. 6; BeckOGK/Rieckers Rn. 15).

5 Unter letztgenannte Gruppe der **Aktionärsvereinigungen** fallen auf Dauer angelegte Personenzusammenschlüsse mit dem Hauptzweck, Aktionärsrechte in organisierter Form auszuüben. Rechtsform als Verein (zB Deutsche Schutzvereinigung für Wertpapierbesitz e. V.) ist Regelfall, aber mangels ges. Vorgabe nicht erforderlich; auch GbR oder GmbH sind denkbar (MüKoAktG/Kubis Rn. 7; KK-AktG/Noack/Zetzsche Rn. 63). Nicht genügend sind bloße Poolverträge (unstr.). Mitteilungspflicht setzt für diese Gruppe wie für Aktionäre und Intermediäre entspr. Verlangen voraus (→ Rn. 4). Alternativ kann Mitteilungspflicht aber auch aufgrund Stimmrechtsausübung in der letzten (ordentlichen oder außerordentlichen) HV begründet sein, wobei Enthaltung genügt (BeckOGK/Rieckers Rn. 18). § 125 I greift deshalb nicht ein bei bloßer Vertretung von Eigenbesitz oder **stimmrechtsloser Vorzugsaktien** (GK-AktG/Butzke Rn. 36; MüKoAktG/Kubis Rn. 8; KK-AktG/Noack/Zetzsche Rn. 67; in zweitem Punkt

aA Grigoleit/Herrler Rn. 7; BeckOGK/Rieckers Rn. 18; S/L/Ziemons Rn. 29). Letztgenannte Beschränkung kann man unter Hinweis auf Informationsbedürfnis auch der Vorzugsaktionäre zwar rechtspolitisch in Zweifel ziehen; angesichts klarer ges. Anknüpfung an Stimmrechtsausübung de lege lata aber nicht teleologisch korrigieren. Praxis entschärft das Problem durch großzügige Handhabung auf freiwilliger Basis (GK-AktG/Butzke Rn. 36). Stimmrechtsausübung muss AG von sich aus anhand ihrer Unterlagen (Teilnehmerverzeichnis, vgl. § 129) prüfen.

b) Mitteilungsschuldner. Mitteilungspflicht trifft gem. § 125 I 1 **Vorstand** 6
(präziser: AG, vertreten durch Vorstand), und zwar auch dann, wenn AR (§ 111 III 1) oder Aktionärsminderheit kraft gerichtl. Ermächtigung (§ 122 III) einberuft (BeckOGK/Rieckers Rn. 9). Förmlicher Vorstandsbeschluss ist mangels Handlungsspielraums nicht erforderlich, so dass es unschädlich ist, wenn Gesamtorgan aufgrund Fehlens einzelner Mitglieder grds. handlungsunfähig wäre (BeckOGK/Rieckers Rn. 9).

c) Mitteilungsinhalt. Gegenstand der Mitteilung ist **Einberufung.** Nach 7
§ 125 I 1, II aF war Einberufung, so wie sie in den Gesellschaftsblättern bekanntgemacht wurde (§ 121 IV 1), mitzuteilen (→ 13. Aufl. 2018, Rn. 5). Ausweislich RegBegr. BT-Drs. 19/9739, 97 kann AG solche Inhalte auch weiterhin freiwillig mitteilen, doch ist dies nicht mehr zwingend, sondern § 125 I 1, II iVm § 125 V 1 beschränken Angaben auf bestimmte Kerndaten, die in § 125 I 3 – 5 noch um Zusatzangaben für bestimmte Einzelsituationen ergänzt werden (→ Rn. 10 f.). Mitteilung kann deshalb auf diesen **Mindestinhalt** beschränkt werden (BeckOGK/Rieckers Rn. 27 f.). Neufassung des § 125 durch ARUG II reduziert damit Einberufungsinhalt ggü. früherer Rechtslage (S/L/v. Nussbaum, 5. Aufl. 2024 [Vorab-Onlinefassung], § 67f Rn. 36a; BeckOGK/Rieckers Rn. 27 f.; Hoppe NZG 2022, 110, 112; aA Hölters/Weber/Drinhausen Rn. 8; B/K/L/Reger Rn. 10).

Für Mindestinhalt der Mitteilungen nach § 125 I 1 und § 125 II verweist 8
§ 125 V 1 auf **Aktionärsrechte-RL II-DVO,** und zwar namentl. auf Art. 2 II, Art. 4 Aktionärsrechte-RL II-DVO iVm Anh. Tab. 3 (vgl. zu deren Inhalt Heun WM 2021, 1412, 1413 f.; Hoppe NZG 2022, 110, 112 f.). Für börsennotierte AG ist Hinweis deklaratorisch; er gilt aber auch für nicht börsennotierte AG. Ausschluss in § 125 V 4 bezieht sich nur auf § 125 V 3 (Grigoleit/Herrler Rn. 13; BeckOGK/Rieckers Rn. 25; Heun WM 2022, 757, 759; aA S/L/Ziemons Rn. 24; Hoppe NZG 2022, 110, 114). Zwingende Angaben sind in jedem Fall: Kennung des Ereignisses und Art der Mitteilung (Block A); ISIN und Name des Emittenten (Block B) sowie Datum, Uhrzeit, Art, Ort der HV, record date (in deutscher Fassung missverständlich bezeichnet als „Aufzeichnungsdatum" – vgl. RegBegr. ZuFinG BT-Drs. 20/8292, 110) und URL Hyperlink (Block C). Diese **verkürzte Mitteilung** ist ausreichend, sofern in Anh. Tab. 3 Aktionärsrechte-RL II-DVO vorgesehene Informationen zur Einberufung den Aktionären auf **Website des Emittenten** zur Verfügung stehen (vgl. Eingangstext Anh. Tab. 3; erst recht zulässig für Veröffentlichung weitergehender Inhalte → Rn. 7). Andernfalls hat Mitteilung auch zu enthalten: Art der Teilnahme des Aktionärs, festgelegte Frist für Mitteilung der Teilnahme und festgelegte Frist für Abstimmung (Block D); eindeutige Kennung des TOP, Überschrift des TOP, URL der Unterlagen, Abstimmung (verbindlich/empfehlend) und alternative Option für Stimmabgabe (Block E) sowie zu Fristen für Ausübung anderer Aktionärsrechte, Gegenstand der Frist und anwendbare Emittentenfrist (Block F). Zulässig ist weiterhin Übersendung von Kurzfassungen des Geschäftsberichts (ausf. Interpretationshilfen im ARUG II-Umsetzungsleitfaden des Bankenver-

bands, Modul Hauptversammlungsprozesse – abrufbar über Verbandshomepage; zusammenfassende Darstellung bei BeckOGK/Rieckers Rn. 26 ff.).

9 Sofern Tagesordnung nach Einberufung durch Ergänzungsverlangen (§ 122 II) geändert wurde, ist bei börsennotierter AG gem. **§ 125 I 3** auch geänderte Tagesordnung mitzuteilen, und zwar unabhängig davon, ob TOP mit oder nach Einberufung veröffentlicht wurden (→ § 124 Rn. 2). Auch wenn Verlangen verfristet war, Tagesordnung aber trotzdem entspr. erweitert wurde, ist – entgegen dem zu engen Wortlaut – auch diese erweiterte Fassung mitzuteilen (GK-AktG/Butzke Rn. 14). Aufnahme in ursprüngliche Tagesordnung ist empfehlenswert, aber nicht zwingend erforderlich, soweit Irreführung der Adressaten nicht zu befürchten steht (KK-AktG/Noack/Zetzsche Rn. 76; zust. Grigoleit/Herrler Rn. 14; aA S/L/Ziemons Rn. 13). Mitteilungspflicht gilt nur, wenn Inhalt der geänderten Tagesordnung von **zwingendem Mitteilungsinhalt** erfasst wird (→ Rn. 8). Ist das nicht der Fall, genügt auch hier Mitteilung auf Website (→ Rn. 8; BeckOGK/Rieckers Rn. 30).

10 Nach **§ 125 I 4** muss Vorstand in Mitteilung darauf hinweisen, dass Aktionäre ihr Stimmrecht durch einen Bevollmächtigten (→ § 134 Rn. 21 ff.), auch durch Aktionärsvereinigung, ausüben lassen können. Das soll Aktionäre darüber informieren, dass kein „Vertretungsmonopol" der KI besteht (RegBegr. KonTraG BT-Drs. 13/9712, 17 f.); sa § 135 I 6. Hinweis kann in Anlehnung an Wortlaut des § 125 I 4 formuliert werden. Hinweis auf best. Aktionärsvereinigungen ist nicht erforderlich (BeckOGK/Rieckers Rn. 31). Teleologische Reduktion für „börsenferne" AG (dafür KK-AktG/Noack/Zetzsche Rn. 82) ist abzulehnen (OLG München AG 2019, 266, 268; GK-AktG/Butzke Rn. 16; BeckOGK/Rieckers Rn. 31).

11 **§ 125 I 5** betr. Vorschlag zur **Wahl von AR-Mitgliedern** und verpflichtet börsennotierte AG (§ 3 II) zu ergänzenden Informationen über andere Mandate der Vorgeschlagenen. Regelung geht auf Vorschlag von Mülbert Gutachten E zum 61. DJT, 1996, E 108 zurück und soll personelle Verflechtungen transparent machen (sa Hopt AG 1997, August-Sonderheft, 42, 43). Gegenstand der Mitteilungspflicht ist Mitgliedschaft in nach deutschem Recht (sonst → Rn. 12) zu bildenden AR (BeckOGK/Rieckers Rn. 35). Das umfasst vor allem AG und GmbH, soweit sie nach § 6 I MitbestG AR haben muss. Mitteilungspflicht gilt vorrangig aber nur für Vorschläge des AR nach § 124 III 1. Entspr. § 124 III 3 ist keine Mitteilung erforderlich, wenn Bindung gem. § 6 VI MontanMitbestG besteht (→ § 124 Rn. 31). Gleiches gilt für Wahlvorschläge von Aktionären nach § 127, was schon daraus folgt, dass § 127 S. 1 nur auf § 126, nicht auf § 125 verweist. Auch in der Sache wäre es nicht überzeugend, wenn Vorstand anderweitige Mandate der Personen zu erforschen hätte, die von Aktionären zur Wahl gestellt werden (KK-AktG/Noack/Zetzsche Rn. 88; BeckOGK/Rieckers Rn. 34; aA GK-AktG/Butzke Rn. 21). Das gilt grds. auch für Ergänzungsanträge nach § 122 II. Werden Informationen hier aber schon von Minderheitsaktionären mitgeliefert, sind sie – sofern nicht offenkundig unrichtig – von Mitteilungspflicht ebenfalls erfasst (GK-AktG/Butzke Rn. 21; Grigoleit/Herrler Rn. 16; BeckOGK/Rieckers Rn. 34). Anzugeben sind Mandate, die zum **Zeitpunkt des Wahlvorschlags** bestehen, soweit sich nicht bis zur Abfassung der Mitteilung Veränderungen ergeben haben, die noch berücksichtigt werden können. Nicht vorgeschrieben, aber zur Vermeidung von Missverständnissen empfehlenswert ist, in Mitteilung Höchstzahlregelung des § 100 II zu berücksichtigen, also Konzernmandate gesondert auszuweisen und Vorsitzämter anzugeben.

12 Während § 125 I 5 Hs. 1 Mussvorschrift enthält, sind **vergleichbare Mandate** in anderen Kontrollgremien, auch solchen ausländischer Unternehmen, nur Gegenstand einer Sollvorschrift, deren Verletzung nicht zur Anfechtung führt. In Betracht kommen namentl. Verwaltungs- oder Beiräte, soweit es sich um Wirt-

schaftsunternehmen im Unterschied zu karitativen oder wissenschaftlichen oder ähnlichen Einrichtungen handelt (RegBegr. BT-Drs. 13/9712, 17; Konkretisierungen bei Mülbert/Bux WM 2000, 1665, 1670 ff.). § 125 I 5 wird ergänzt durch **§ 285 Nr. 10 S. 1 HGB.** Alle Mandate (auch die in vergleichbaren Kontrollgremien) sind danach Pflichtangaben des Anh. Angaben zur Vereinbarkeit der Wahl mit DCGK sind nach § 125 I 5 nicht erforderlich (BGHZ 220, 36 Rn. 43 = NZG 2019, 262; → § 161 Rn. 32 ff.).

d) Frist. Mitteilungspflicht muss gem. § 125 I 1 **spätestens 21 Tage vor HV** erfüllt sein. Zeitpunkt soll sicherstellen, dass ebenfalls fristgebundene Ergänzungsverlangen (§ 122 II; → § 122 Rn. 17 ff.) jedenfalls bei börsennotierten Gesellschaften (§ 125 I 3) bereits in mitzuteilende Tagesordnung aufgenommen werden können, um Doppelmitteilungen zu vermeiden (RegBegr. ARUG BT-Drs. 16/11642, 30 f.). Bei AG ohne Börsennotierung ist es dagegen wegen Frist von nur 24 Tagen (§ 122 II 3) möglich, dass Ergänzungsverlangen nach § 122 II aus Fristgründen noch nicht in mitgeteilter Tagesordnung berücksichtigt werden kann. § 125 I 3 gilt dann weder unmittelbar noch analog. Es verbleibt bei Bek. einer geänderten Tagesordnung nach § 124 I (RegBegr. BT-Drs. 16/11642, 31). 13

Problematisch ist Verhältnis der Fristvorgabe nach § 125 I 1 zu **Art. 9 I Aktionärsrechte-RL II-DVO,** wonach Emittent, der Unternehmensereignis initiiert, Intermediären Informationen rechtzeitig und spätestens am **Geschäftstag,** an dem er nach geltendem Recht das Unternehmensereignis bekanntgibt, zur Verfügung stellt. Wer Bekanntgabe in diesem Sinne als sprachlich eng verwandte Bekanntmachung nach § 121 IV 1 versteht, gelangt zu deutlicher Vorverlegung des Mitteilungszeitpunkts. Nach zutr. Auffassung erzwingt aber auch diese Vorschrift keine frühere Mitteilung an Intermediäre, da danach verpflichtende Intermediärsinformation zur HV ausschließlich an Mitteilung nach § 125 anknüpft (ausf. S/L/v. Nussbaum, 5. Aufl. 2024 [Vorab-Onlinefassung], § 67a Rn. 79 ff.; sa BeckOGK/Rieckers Rn. 54; Noack DB 2019, 2785, 2786; aA Hoppe NZG 2022, 110, 111 f.; zweifelnd Zetzsche AG 2020, 1 Rn. 79 ff. mit Lösungsvorschlag der Doppelmitteilung). Anknüpfung des Art. 9 I Aktionärsrechte-RL II-DVO an „geltendes Recht" gestattet derartige Lesart im Lichte des nat. Normenbestandes und ermöglicht es überdies, **Doppelmitteilungen zu vermeiden** (S/L/v. Nussbaum, 5. Aufl. 2024 [Vorab-Onlinefassung], § 67a Rn. 81; zu Konsequenzen dieser Entscheidung für weitere HV-Vorbereitung vgl. Heun WM 2021, 1412, 1414 f.). 14

Maßgeblich für **Fristberechnung** ist § 121 VII (→ § 121 Rn. 19). Nicht nur Tag der HV, sondern auch Tag der Mitteilung bleibt nach § 125 I 2 unberücksichtigt. Deshalb kann bis Ablauf (24 Uhr) des 22. Tags vor HV mitgeteilt werden. Mitteilungspflicht ist nach zutr. hM rechtzeitig erfüllt, wenn **Absendung innerhalb der Frist** erfolgt (GK-AktG/Butzke Rn. 42; MüKoAktG/Kubis Rn. 17; BeckOGK/Rieckers Rn. 49; aA KK-AktG/Noack/Zetzsche Rn. 125 ff.). Auf Zugang kommt es nicht an, weil bloße Mitteilung weder Willenserklärung noch geschäftsähnliche Handlung ist. Auch unter Praktikabilitätsgesichtspunkten wäre Lösung unbefriedigend, da sich Zugang kaum zuverlässig prognostizieren lässt (GK-AktG/Butzke Rn. 42). Bei **Übernahmesachverhalten** ist Sonderregelung in § 16 IV 5 WpÜG zu beachten. Danach kann sich Frist auf vier Tage verkürzen (→ § 123 Rn. 12). Für **Weiterleitung innerhalb der Intermediärskette** gelten nach § 125 V 3 bei börsennotierter AG Fristen gem. § 67a III, der auf Art. 9 Aktionärsrechte-RL II-DVO verweist (→ § 67a Rn. 7a). Für nicht börsennotierte AG gilt diese Vorgabe nach § 125 V 4 nicht, doch wird aus Funktion der Mitteilungspflicht Pflicht zur unverzüglichen Übermittlung abgeleitet, die noch Möglichkeit zur rechtzeitigen Anmeldung belässt (BeckOGK/Rieckers Rn. 53). 15

16 Bei **Mitteilungen auf Verlangen** nach § 125 I 1 Nr. 2 und 3 muss Übersendung unverzüglich nach Eingang erfolgen; 21-Tage-Frist ist aber auch hier stets ausreichend (BeckOGK/Rieckers Rn. 51). Umstr. ist, ob Mitteilungspflicht auch dann entsteht, wenn Mitteilungsverlangen (→ Rn. 4) erst nach Ablauf der Frist oder doch so spät gestellt wird, dass Frist von AG nicht mehr eingehalten werden kann. Frage ist im Interesse einer – wenn auch suboptimalen – Aktionärsinformation zu bejahen. Frist soll Aktionär vor verspäteter Mitteilung, nicht Vorstand vor Verwaltungsaufwand schützen (GK-AktG/Butzke Rn. 43; Grigoleit/Herrler Rn. 5 f.; MüKoAktG/Kubis Rn. 18; BeckOGK/Rieckers Rn. 16; S/L/Ziemons Rn. 56; aA Hölters/Weber/Drinhausen Rn. 12; KK-AktG/Noack/Zetzsche Rn. 139).

17 **2. Mitteilung bei Ausgabe von Namensaktien (§ 125 II).** Durch ARUG II 2019 wurde auch § 125 II neu gefasst und auf Mitteilungen von AG ausgerichtet, die Namensaktien ausgegeben hat. Damit sind nicht nur solche gemeint, die ausschließlich Namensaktien ausgegeben haben (so aber wohl Paschos/Goslar AG 2019, 365, 367), sondern es genügt auch hier, dass auch Namensaktien ausgegeben wurden (RegBegr. BT-Drs. 19/9739, 96). Klare Aufteilung zwischen Aktienformen und zeitliche Abstimmung des Einladungsprozesses sollen insbes. bei AG mit Mischaktien (Inhaber- und Namensaktien) **Doppelmitteilungen vermeiden** (RegBegr. BT-Drs. 19/9739, 96). Mitteilung erfolgt hier ohne weitere Voraussetzungen und ungeachtet tats. Rechtslage an den im Aktienregister **Eingetragenen,** womit auch an dieser Stelle ges. Prinzip bekräftigt wird, dass Pflichten der AG stets beim Eingetragenen enden (§ 67 II; zur Weiterleitung an wahren Aktionär → § 67a Rn. 3; zur Kostenfolge → § 67f Rn. 4). Verzicht auf Mitteilung ist aber möglich (BeckOGK/Rieckers Rn. 22). Unabhängig von Eintragung haben gem. § 125 II Aktionäre, Intermediäre und Aktionärsvereinigungen (→ Rn. 4 f.) unter denselben Voraussetzungen wie in § 125 I 1 ebenfalls Mitteilungsanspruch (zu Einzelheiten → Rn. 4 f.). Als **Intermediär** ist hier aber nicht der nur verwahrende Intermediär wie in § 125 I 1 Nr. 1 angesprochen, sondern nur derjenige, der Mitteilung iSd § 125 I 1 Nr. 2 verlangt. Mitteilung entspr. inhaltlich der nach § 125 I (→ Rn. 7 ff.). Übertragungsform entspr. Vorgaben zu AG mit (auch) Inhaberaktien, da neuer § 125 V gleichermaßen für § 125 I und II gilt (ausf. → Rn. 25 ff.). Durch § 125 II 2 aF eröffnete Möglichkeit, durch **Satzung** Übermittlung auf elektronische Kommunikation zu beschränken, wurde gestrichen.

18 **Zeitliche Voraussetzung** für Mitteilung ggü. Eingetragenem ist, dass Eintragung im Aktienregister (§ 67) zu Beginn des 21. Tages vor HV bestand. Stichtagsregelung führt zu **Versendungsstopp,** der in seiner Grundform bereits durch NaStraG 2001 eingeführt wurde und auf Beschlussempfehlung des Rechtsausschusses zurückgeht (s. AusschussB BT-Drs. 14/4618, 6, 13). Frist ist jedoch **keine Präklusionsfrist.** Später eingetragene Aktionäre können also an HV teilnehmen und die ihnen zustehenden Rechte ausüben (RegBegr. BT-Drs. 12/4051, 12 f.); ihnen wird lediglich die Einberufung nicht mehr mitgeteilt (Noack DB 2019, 2785, 2787). Durch ARUG II 2019 wurde Frist von 14 auf **21 Tage** verlängert, um Vereinheitlichung mit § 125 I 1 zu erreichen. Anders als dort kommt es hier jedoch auf Eintragung im Aktienregister zum Stichtag an, wohingegen Mitteilung selbst denklogisch erst nach diesem Datum durchgeführt werden kann (RegBegr. BT-Drs. 19/9739, 96). Stichtag wird in RegBegr. BT-Drs. 19/9739, 96 irreführend als „Record Date" bezeichnet, darf aber nicht mit dem in § 123 IV 2 verwendeten Begriffsäquivalent im Bereich der Inhaberaktien verwechselt werden (→ § 123 Rn. 30 ff.); für Namensaktien wurde Record Date bislang bewusst nicht übernommen (→ § 123 Rn. 35).

Fristberechnung erfolgt wie bei Einberufung der HV (→ § 123 Rn. 2f.) durch **Rückwärtsrechnung** vom Tag der HV an (AusschussB BT-Drs. 14/4618, 6, 13). Ob Eintragung als Aktionär oder Intermediär erfolgt, ist unbeachtlich (RegBegr. BT-Drs. 19/9739, 06). Aktionär, der nicht selbst eingetragen ist, erhält Mitteilung aufgrund Weiterleitung durch eingetragenen Intermediär nach § 125 V iVm §§ 67a, 67b (RegBegr. BT-Drs. 19/9739, 96), kann aber auch Mitteilung unmittelbar von AG nach § 125 II Fall 2 verlangen, womit nach § 125 V 3 Weiterleitungspflicht des Intermediärs entfällt (RegBegr. BT-Drs. 19/9739, 96). 19

Mitteilung an die in § 125 II genannten **sonstigen Mitteilungsadressaten** aufgrund eines entspr. Verlangens kann auch schon vor 21. Tag erfolgen. Sind sie darüber hinaus auch im Aktienregister eingetragen, muss aber keine neuerliche Mitteilung erfolgen (RegBegr. BT-Drs. 19/9739, 96). Für Verlangen ist bes. Form nicht vorgeschrieben. Jedenfalls genügend ist daher spiegelbildlich zur elektronischen Mitteilung (→ Rn. 26) das elektronische Verlangen (RegBegr. BT-Drs. 15/5092, 15). AG kann **Legitimationsnachweis** verlangen, für den Ges. keine Form vorsieht. RegBegr. BT-Drs. 15/5092, 15 verweist insofern allerdings auf Anforderungen des § 123, namentl. auf Bescheinigung iSd § 123 IV 1 iVm § 67c III. Da aber nicht klar ist, ob diese Vorgabe nur für damals noch zulässige Satzungsregelung gelten sollte oder generell, sollte Praxis großzügig verfahren und auch andere Legitimationsformen zulassen, um Anfechtungsrisiken auszuschließen, zumal Gefahr der Doppellegitimation hier nicht droht (MüKoAktG/Kubis Rn. 5). Durch Satzung können entspr. Beschränkungen aber unproblematisch erfolgen. Zulässigkeit von **Daueraufträgen** ist für andere Mitteilungsempfänger als Aktionäre auch durch ARUG II 2019 noch nicht abschließend geklärt, doch sollte AG schon aus Vorsichtsgründen Mitteilung vornehmen (→ Rn. 4). 20

3. Übernahme- und Rekapitalisierungssachverhalte. Bei Übernahmesachverhalten darf Zusendung gem. **§ 16 IV 8 WpÜG** ganz unterbleiben, wenn Eingang vor HV bei den Aktionären nicht wahrscheinlich ist (insbes. auch bei Weiterleitung durch Intermediärskette). Das kommt vor allem in Betracht, wenn nur noch Zweiwochenfrist des § 16 IV 1 WpÜG zur Verfügung steht (→ § 123 Rn. 12). Für **Wahrscheinlichkeitsurteil** ist auf nicht unerheblichen Teil der Aktionäre abzustellen (RegBegr. BT-Drs. 14/7034, 47). Dafür genügen 5 % des Grundkapitals (arg. § 122 I und II; s. KK-WpÜG/Hasselbach § 16 Rn. 95; Assmann/Pötzsch/Schneider/Seiler WpÜG § 16 Rn. 74; aA Angerer/Brandi/Süßmann/Süßmann WpÜG § 16 Rn. 95; Schwark/Zimmer/Noack/Zetzsche KMRK WpÜG § 16 Rn. 47: 25 % der Kopfzahl [die aber bei Inhaberaktien nicht bekannt ist]). Vorstand hat Einschätzungsspielraum (RegBegr. BT-Drs. 14/7034, 47), muss aber Zustimmung des AR einholen. Bei deren Fehlen ist unterbliebene Zusendung Anfechtungsgrund. Bloße Möglichkeit abw. Beurteilung rechtfertigt Anfechtung aber nicht. Für Rekapitalisierung nach § 7 oder § 22 StFG sowie für Stabilisierungsmaßnahmen nach § 29 I EnSiG gilt § 16 IV WpÜG gem. § 7 I 1 WStBG entspr.; § 125 II SAG verweist seinerseits auf § 7 WStBG, so dass dieselben Regeln auch hier gelten (BeckOGK/Rieckers Rn. 60). 21

Inwiefern **§ 16 IV 8 WpÜG mit Art. 3b I, II Aktionärsrechte-RL vereinbar** ist, wurde bislang noch nicht diskutiert, doch dürfte sich Problem der Nichterreichbarkeit gerade unter durch ARUG II 2019 neu geordneten Rahmenbedingungen nur selten stellen. Das gilt insbes. dann, wenn man § 16 IV 8 WpÜG so versteht, dass Norm ohnehin elektronische Mitteilung nicht erfasst, sondern nur Absehen von postalischer Mitteilung regelt (dahingehend Angerer/Brandi/Süßmann/Süßmann WpÜG § 16 Rn. 93). Auch wenn man dem nicht 22 folgt, wird Nichterreichbarkeit nur selten gegeben sein, da elektronische Zusendung an Intermediäre und auch postalische Weiterleitung an Aktionär noch innerhalb Zweiwochenfrist zu bewerkstelligen sein sollte (spätestens fünf Tage vor HV – vgl. Schwark/Zimmer/Noack/Zetzsche KMRK WpÜG § 16 Rn. 48 f.). Da verspäteter Zugang trotz Versendung auf schnellstmögliche Art jedenfalls keinen Verfahrensfehler iSd § 243 I darstellt (Schwark/Zimmer/Noack/Zetzsche KMRK WpÜG § 16 Rn. 49), ist Vorstand Zusendung in jedem Fall zu empfehlen.

23 **4. Mitteilung an Aufsichtsratsmitglieder (§ 125 III).** Jedes AR-Mitglied kann gem. § 125 III verlangen, dass ihm die Gesellschaft die in § 125 I genannten Mitteilungen übersendet. Aus Wortlaut des Ges. („übersenden") fordert hM, dass hier weiterhin Übersendung in Papierform erforderlich ist, sofern AR-Mitglied elektronischer Zusendung nicht ausdr. zugestimmt hat (GK-AktG/Butzke Rn. 27). Aus Gegenschluss zu § 125 II Nr. 2 aF folgte früher, dass AR-Mitglieder anders als Aktionäre auch **Dauerauftrag für gesamte Amtszeit** in einer Erklärung einfordern konnten. Das muss nach Wegfall des systematischen Bezugspunktes trotzdem weiterhin gelten, nachdem auch Aktionäre solchen Dauerauftrag abgeben können (→ Rn. 4; sa MüKoAktG/Kubis Rn. 32). Bes. Form muss für Verlangen des AR-Mitglieds nicht eingehalten werden. Das Recht steht ihm als **Individualrecht** gegen AG zu, kann ihm also durch Beschluss des AR nicht entzogen werden und kann auch nicht inhaltlich beschränkt werden (MüKoAktG/Kubis Rn. 32). Praktische Relevanz der Übersendung ist angesichts Einbindung des AR in HV-Planung gering (MüKoAktG/Kubis Rn. 32).

III. Mitteilung von Beschlüssen (§ 125 IV)

24 Mitteilung der in HV gefassten Beschlüsse können gem. § 125 IV jedes **AR-Mitglied** (Individualrecht, → Rn. 23) und seit Neufassung der Vorschrift durch NaStraG 2001 auch **jeder Aktionär,** also gleichermaßen Inhaber- und Namensaktionäre, in beliebiger Form verlangen (RegBegr. BT-Drs. 14/4051, 13). Mitteilungsverlangen nach § 125 IV bleibt von ARUG II 2019 unberührt. Insbes. Übertragungsformen richten sich nicht nach § 125 V (→ Rn. 25 ff.). Übermittlung kann danach sowohl in schriftlicher als auch in elektronischer Form erfolgen, sofern gewährleistet ist (zB durch Angabe einer E-Mail-Adresse), dass Mitteilung den Interessenten erreicht (RegBegr. BT-Drs. 14/4051, 13). Bei Übersendung an Aktionär ist ggf. § 49 III 1 WpHG zu beachten (→ Rn. 29). Bloße Publikation der Beschlüsse im Internet ist noch keine § 125 IV genügende Mitteilung, sondern nur geeignet, die Zahl der Mitteilungsverlangen zu reduzieren (RegBegr. BT-Drs. 14/4051, 13). Inhaltlich sind sowohl positive als auch negative Beschlüsse (zur Unterscheidung → § 130 Rn. 2), nicht aber reine Verfahrensanträge mitzuteilen (B/K/L/Reger Rn. 14; BeckOGK/Rieckers Rn. 66; aA GK-AktG/Butzke Rn. 67; S/L/Ziemons Rn. 69). Mitteilung bezieht sich auf Inhalt und Ergebnis, nicht aber auf konkretes Abstimmungsergebnis (BeckOGK/Rieckers Rn. 66). Mitteilung muss **unverzüglich** (§ 121 I 1 BGB) erfolgen. Dabei ist zu berücksichtigen, dass Mitteilung von Beschlüssen auch der Prüfung einer Anfechtungsklage dient; Monatsfrist des § 246 I muss im Wesentlichen erhalten bleiben.

IV. Inhalt und Format (§ 125 V)

25 **1. Allgemeines.** Bisher in § 125 V aF enthaltene Gleichstellung sonstiger Institute und Unternehmen ist mit Ersetzung des bisherigen Begriffs „Kreditinstitut" durch „Intermediär" obsolet geworden (RegBegr. BT-Drs. 19/9739, 96). Stattdessen trifft § 125 V jetzt für **Inhaber- und Namensaktien** Aussage über Inhalt und Format der Mitteilungen nach § 125 I und II und sieht dafür in

§ 125 V 1 (für börsennotierte) deklaratorische und dynamische **Verweisung auf Aktionärsrechte-RL II-DVO** vor, und zwar namentl. auf Art. 2 II, Art. 4 Aktionärsrechte-RL II-DVO iVm Tab. 3 (RegBegr. BT-Drs. 19/9739, 96 f.). Vorschrift stellt sich gerade in der praktischen Anwendung als überaus unübersichtlich dar, da nicht nur zwischen verschiedenen Übermittlungswegen zu differenzieren ist, sondern auch Normenbestand auf § 125, §§ 67a ff. und Aktionärsrechte-RL II-DVO aufgeteilt ist.

2. Übermittlung von AG an Intermediär. Für Übermittlung von **AG an Intermediär** ist zwingend **elektronische Form** vorgeschrieben, was sich nicht aus § 125 V 3, 4 ergibt (dort nur: Übermittlung durch Intermediäre → Rn. 27 f.), sondern aus deklaratorischer und dynamischer Verweisung von § 125 V 1 auf Art. 2 II und III Aktionärsrechte-RL II-DVO (BeckOGK/Rieckers Rn. 37; Noack DB 2019, 2785, 2788). Form muss überdies den Anforderungen des Art. 2 II UAbs. 1 Aktionärsrechte-RL II-DVO genügen, also namentl. zur Weiterverarbeitung durch Intermediäre geeignet sein (ausf. → § 67a Rn. 6; speziell bezogen auf HV-Einladung auch Heun WM 2021, 1412 f.). Dabei ist auch hier **beschränkte Informationsübermittlung** unter Mitteilung der Internetseite zulässig (RegBegr. BT-Drs. 19/9739, 97; Noack DB 2019, 2785, 2787; ausf. → Rn. 8). Anforderungen der DVO gelten aber nur für Mindestinformationen nach Maßgabe der Aktionärsrechte-RL II-DVO, nicht für zusätzliche Informationen, die AG freiwillig mitübermittelt (RegBegr. BT-Drs. 19/9739, 97; → Rn. 7). § 125 V 2 stellt klar, dass auch iRd § 125 I und II **Einschaltung Beauftragter Dritter** nach Maßgabe des § 67a II 1 zulässig ist (Einzelheiten → § 67a Rn. 5). Zum Zeitpunkt der Übermittlung → Rn. 14. 26

3. Weiterleitung zwischen Intermediären. § 125 V 3 verpflichtet für **börsennotierte AG** verwahrende Intermediäre iSd § 67a IV zur Weiterleitung und Übermittlung der Informationen nach Maßgabe der §§ 67a, 67b, so dass Aktionär letztlich ebenso wie über andere Unternehmensereignisse iSd § 67a VI informiert wird (zur Form der Übermittlung und Weiterleitung → Rn. 26; zur Endübermittlung an Aktionär → § 67b Rn. 2 f.). Wie dort entfällt Pflicht aber, wenn Aktionär Information schon von anderer Seite enthält (→ § 67a Rn. 4). Regelung ist bewusst offen gehalten, um auch Kenntnisnahme über künftige Informationssysteme oder -plattformen zu erfassen (RegBegr. BT-Drs. 19/9739, 97). Elektronische Form für Übermittlung von AG an Intermediär einerseits und von Intermediär zu Intermediär andererseits gilt ausweislich § 125 V 3 und 4 sowohl für **börsennotierte** als auch **nichtbörsennotierte AG.** Für Letztgenannte gelten jedoch Vorschriften von Aktionärsrechte-RL II-DVO nicht (§ 125 V 4). Zwingend elektronische Form soll bei börsennotierter AG für Interoperabilität sorgen, da kraft Bezugnahme in § 125 V 3 auf §§ 67a und 67b deklaratorischer und dynamischer Verweis auf Art. 2 II und III Aktionärsrechte-RL II-DVO auch hier gilt. Demnach ist bei Übermittlung von **Intermediär an nachstehenden Intermediär** in der Kette Mitteilung **elektronisch** und in maschinenlesbaren Formaten weiterzuleiten (zu den Einzelheiten → § 67a Rn. 7; von BDB empfohlener ISO Standard 20022 sieht speziell für HV-Einladung bes. Nachrichtentyp MeetingNotification vor – s. dazu auch Heun WM 2021, 1412 f.). 27

4. Übermittlung an Aktionär. Bei Übermittlung an Aktionär ist zu unterscheiden, ob sie nach § 125 I 1 Nr. 2, II durch AG selbst oder nach Übermittlung von AG an Intermediär (§ 125 I 1 Nr. 1; → Rn. 3 f.) durch Intermediärskette erfolgt. Für **Übermittlung von AG an Aktionär** sieht Ges. keine bes. Form vor. Elektronische Übermittlung ist zulässig, soweit entspr. Empfangsvorrichtung bei Aktionär besteht (E-Mail-Postfach). Abw. von früherer Rechtslage ist es aber nicht mehr möglich, Mitteilung qua Satzungsregelung auf elektro- 28 nische Mitteilung zu beschränken; daher auch keine Aktionärsobliegenheit zur Einrichtung (BeckOGK/Rieckers Rn. 44; aA Grigoleit/Herrler Rn. 19). Satzung kann Zusendung in Papierform auch nicht von Kostenerstattung durch Aktionär abhängig machen (BeckOGK/Rieckers Rn. 44; aA GK-AktG/Butzke Rn. 62). Wieder anders stellt sich Rechtslage dar, wenn Information über Intermediärskette erfolgt. Auch für Mitteilung von **Letztintermediär an Aktionär** besteht keine zwingende Form (RegBegr. BT-Drs. 19/9739), was sich im Ges. daraus ergibt, dass § 67b I 2 nur auf § 67a II 1 – 4 verweist, nicht aber auf § 67a II 2. Rückschluss aus Kostenregelung in § 67f I 2 Nr. 1 (→ § 67f Rn. 3) bestätigt diesen Befund (zu den Gründen → § 67b Rn. 2; → § 67f Rn. 3). Ziel ist aber, durch Kostenlast des Letztintermediärs Anreiz für rein elektronische Kommunikation mit Aktionär zu setzen (RegBegr. BT-Drs. 19/9739, 63). Zum **Inhalt der Übermittlung** scheint Aktionärsrechte-RL II-DVO davon auszugehen, dass sich vollautomatische Weiterleitung und Abwicklung im STP-Prozess (→ § 67a Rn. 7) bis zum Aktionär fortsetzt, was aber daran scheitert, dass namentl. Retail-Aktionäre herkömmliche ISO-Formate (→ Rn. 28) nicht auswerten können, so dass es textlicher Aufarbeitung der Information durch Letztintermediär bedarf (vgl. zu dieser „Schnittstellenproblematik" schon → § 67b Rn. 2; zu daraus resultierenden Problemen konkret im Kontext der HV-Einladung vgl. BeckOGK/Rieckers Rn. 41; Heun WM 2021, 1412, 1415).

29 Für börsennotierte AG ist weiterhin **Sonderregelung des § 49 III 1 Nr. 1 lit. d WpHG** zu beachten, wonach börsennotierte Emittenten deutscher Herkunft iSd § 2 XIII WpHG Datenfernübertragung nur unter erschwerten Bedingungen, namentl. vorheriger Zustimmung durch Beschluss der HV und Einwilligung der einzelnen Aktionäre, gestatten dürfen. Regelung geht aufgrund unionsrechtl. Ursprungs (Art. 17 III Transparenz-RL) § 125 als lex specialis vor und gilt auch nach Neuordnung durch ARUG II 2019 unverändert fort (RegBegr. BT-Drs. 19/9739, 61). HV-Zustimmung ist bei Vorhandensein einer Satzungsregelung gem. Art. 2 IV 1 Aktionärsrechte-RL II-DVO stets erfüllt, da hierin zugleich notwendige HV-Zustimmung gesehen werden kann (BeckOGK/Rieckers Rn. 45). Hat Aktionär elektronischer Kommunikation ausdr. zugestimmt, sind Voraussetzungen des § 49 III 1 Nr. 1 lit. c und d WpHG (sichere Identifizierung und Einwilligung) ohne weiteres erfüllt. Nach zutr. Auffassung bedarf es in diesem Fall keines weiteren HV-Beschlusses, da Schutzbedürfnis nur besteht, wo dem Aktionär elektronische Form einseitig oktroyiert wird; § 49 III 1 Nr. 1 lit. d WpHG ist insofern **teleologisch zu reduzieren** (zutr. BeckOGK/Rieckers Rn. 46; zust. Grigoleit/Herrler Rn. 20; [zu § 30b III Nr. 1 lit. d WpHG aF]). Einwilligung nach § 49 III 1 Nr. 1 lit. d WpHG kann ausdr. erteilt werden. Bloße Anmeldung einer E-Mail-Adresse zum Aktienregister (→ § 67 Rn. 7) genügt dagegen noch nicht (S/L/v. Nussbaum, 5. Aufl. 2024 [Vorab-Onlinefassung], § 67e Rn. 19 f.; Assmann/Schneider/Mülbert/Mülbert WpHR § 49 WpHG Rn. 42; aA BeckOGK/Rieckers Rn. 45; Zetzsche AG 2020, 1 Rn. 89). Zustimmung des Aktionärs wird aber fingiert, wenn er entspr. Zustimmungsbitte in Textform nicht widerspricht (Assmann/Schneider/Mülbert/Mülbert WpHR § 49 WpHG Rn. 42). Wenn er widerspricht, lebt damit nach Einführung des § 49 III 2 WpHG Anspruch auf Papiermitteilung wieder auf; Schriftform iSd § 126 BGB ist nicht erforderlich (BeckOGK/Rieckers Rn. 45; zu Problemen nach § 30b III WpHG aF Evers/Fett NZG 2012, 530 ff.). Anspruch kann ggü. AG auch durch Satzungsregelung nach Art. 2 IV Aktionärsrechte-RL II-DVO nicht ausgeschlossen werden (dafür aber Grigoleit/Herrler Rn. 20), da Vorschrift allein für Übermittlung durch Intermediäre Geltung beansprucht. Auch bei Verstoß nach § 49 III 1 Nr. 1 WpHG ist darin nach § 52 WpHG kein Anfechtungsgrund zu sehen (→ § 243 Rn. 44a).

V. Rechtsfolgen bei Verstoß

Verstöße gegen **§ 125 I 1–5 Hs. 1, II** machen **HV-Beschlüsse anfechtbar** (vgl. zu § 125 I 4 auch OLG München AG 2019, 266, 268 f.), nicht aber Verstöße gegen § 125 I 5 Hs. 2 (RegBegr. BT-Drs. 13/9712, 17: „sanktionslos“; OLG München AG 2019, 266, 269; Marsch-Barner FS K. Schmidt, 2009, 1109, 1111 f.). Das kommt schon im Charakter der Norm als Sollvorschrift zum Ausdruck (RegBegr. BT-Drs. 13/9712, 17) und wird überdies bestätigt durch Trennung der Fallgruppen in § 125 I 5, mit der indiziert wird, dass AG in den Fällen des Hs. 2 das Anfechtungsrisiko wegen häufiger Abgrenzungsschwierigkeiten nicht tragen soll. Gesetzesverletzung iSd § 243 I ist auch Verstoß gegen **§ 125 II.** Anfechtung scheitert, wenn Beschluss nicht auf Verfahrensfehler beruht, was aber idR jedenfalls dann anzunehmen ist, wenn Mitteilung vollständig unterblieben ist (→ § 243 Rn. 14 f.). Wenn Vorstand die Frist von 21 Tagen (→ Rn. 13 ff.) versäumt hat, sollte er noch nachträglich mitteilen, weil dann möglicherweise die Relevanz des Verfahrensfehlers für das Beschlussergebnis fehlt (BeckOGK/Rieckers Rn. 72; aA S/L/Ziemons Rn. 63). Auch in anderen Fehlerkonstellationen ist Relevanz stets sorgfältig zu prüfen. Zur Anfechtungsbefugnis nach § 245 S. 1 Nr. 2 → § 245 Rn. 19. Verletzung des **§ 125 III** kann AR-Mitglied, aber nicht Aktionäre zur Anfechtung berechtigen (GK-AktG/Butzke Rn. 70). Verstoß gegen **§ 125 IV** führt nicht zur Anfechtbarkeit, da erst nach HV zu erfüllen (BeckOGK/Rieckers Rn. 71). Nicht zur Anfechtung berechtigt nach § 243 III 1 Nr. 4 auch **unterlassene Weiterleitung** der Einladung durch Intermediäre nach § 67a III, § 67b I (→ § 243 Rn. 44a). In Einzelfällen kommt auch **Schadensersatzpflicht** der Vorstandsmitglieder in Betracht (§ 93). **Klagbarkeit** (Klage gegen AG, vertreten durch den Vorstand) ist anzunehmen (vgl. MüKoAktG/Kubis Rn. 47), aber schon aus Zeitgründen praktisch nicht relevant. Wegen der vor HV zu erfüllenden Mitteilungspflichten führt Durchführung der HV zur Erledigung der Hauptsache. 30

Anträge von Aktionären

126 (1) [1] **Anträge von Aktionären einschließlich des Namens des Aktionärs, der Begründung und einer etwaigen Stellungnahme der Verwaltung sind den in § 125 Abs. 1 bis 3 genannten Berechtigten unter den dortigen Voraussetzungen zugänglich zu machen, wenn der Aktionär mindestens 14 Tage vor der Versammlung der Gesellschaft einen Gegenantrag gegen einen Vorschlag von Vorstand und Aufsichtsrat zu einem bestimmten Punkt der Tagesordnung mit Begründung an die in der Einberufung hierfür mitgeteilte Adresse übersandt hat.** [2] **Der Tag des Zugangs ist nicht mitzurechnen.** [3] **Bei börsennotierten Gesellschaften hat das Zugänglichmachen über die Internetseite der Gesellschaft zu erfolgen.** [4] **§ 125 Abs. 3 gilt entsprechend.**

(2) [1] **Ein Gegenantrag und dessen Begründung brauchen nicht zugänglich gemacht zu werden,**

1. **soweit sich der Vorstand durch das Zugänglichmachen strafbar machen würde,**
2. **wenn der Gegenantrag zu einem gesetz- oder satzungswidrigen Beschluß der Hauptversammlung führen würde,**
3. **wenn die Begründung in wesentlichen Punkten offensichtlich falsche oder irreführende Angaben oder wenn sie Beleidigungen enthält,**

4. wenn ein auf denselben Sachverhalt gestützter Gegenantrag des Aktionärs bereits zu einer Hauptversammlung der Gesellschaft nach § 125 zugänglich gemacht worden ist,
5. wenn derselbe Gegenantrag des Aktionärs mit wesentlich gleicher Begründung in den letzten fünf Jahren bereits zu mindestens zwei Hauptversammlungen der Gesellschaft nach § 125 zugänglich gemacht worden ist und in der Hauptversammlung weniger als der zwanzigste Teil des vertretenen Grundkapitals für ihn gestimmt hat,
6. wenn der Aktionär zu erkennen gibt, daß er an der Hauptversammlung nicht teilnehmen und sich nicht vertreten lassen wird, oder
7. wenn der Aktionär in den letzten zwei Jahren in zwei Hauptversammlungen einen von ihm mitgeteilten Gegenantrag nicht gestellt hat oder nicht hat stellen lassen.

[2] **Die Begründung braucht nicht zugänglich gemacht zu werden, wenn sie insgesamt mehr als 5 000 Zeichen beträgt.**

(3) **Stellen mehrere Aktionäre zu demselben Gegenstand der Beschlußfassung Gegenanträge, so kann der Vorstand die Gegenanträge und ihre Begründungen zusammenfassen.**

(4) [1] **Im Fall der virtuellen Hauptversammlung gelten Anträge, die nach den Absätzen 1 bis 3 zugänglich zu machen sind, als im Zeitpunkt der Zugänglichmachung gestellt.** [2] **Die Gesellschaft hat zu ermöglichen, dass das Stimmrecht zu diesen Anträgen ausgeübt werden kann, sobald die Aktionäre die gesetzlichen oder satzungsmäßigen Voraussetzungen für die Ausübung des Stimmrechts nachweisen können.** [3] **Sofern der Aktionär, der den Antrag gestellt hat, nicht ordnungsgemäß legitimiert und, sofern eine Anmeldung erforderlich ist, nicht ordnungsgemäß zur Hauptversammlung angemeldet ist, muss der Antrag in der Versammlung nicht behandelt werden.**

Übersicht

I. Regelungsgegenstand und -zweck

1 Norm betr. Opposition von Aktionären. Sie wird durch § 127 ergänzt. Regelung steht im Zusammenhang mit § 125 und bezweckt vor allem **frühzeitige Information der Aktionäre über beabsichtigte Opposition.** Dem dient es, dass Gegenanträge zugänglich gemacht werden müssen, und zwar den Intermediären und den Aktionärsvereinigungen (§ 125 I 1), und dass diese die erhaltenen Informationen gem. § 125 V iVm §§ 67a f. an die Aktionäre weiterzugeben haben (RegBegr. Kropff S. 178). Vorschrift regelt damit – entgegen Überschrift – nicht Antragsrecht selbst, sondern lediglich **Publizitätspflicht** der AG (Simons NZG 2019, 127, 128). Antrag iSd § 126 I ist vielmehr Ankündigung, Antrag

stellen zu wollen, was sodann in HV aber noch getan werden muss, damit wirksamer Gegenantrag vorliegt. Umgekehrt steht es jedem Teilnehmer einer HV frei, oppositionelle Beschlussanträge erstmals in HV zu stellen (Simons/Hauser NZG 2020, 488, 493). § 118a I 2 Nr. 3 stellt klar, dass diese Möglichkeit **auch in vHV** eröffnet werden muss (→ § 118a Rn. 30 ff.). In § 126 I enthaltene Pflicht, Gegenanträge zugänglich zu machen, wird in **§ 126 II** begrenzt. Norm will **unzulässige und rechtsmissbräuchliche Gegenanträge** von der Weitergabe ausschließen (AusschussB Kropff S. 178) und stellt entspr. Gestaltungen deshalb enumerativ zusammen. In **§ 126 III** ausgesprochene Gestattung, Gegenanträge zusammenzufassen, ist heute ohne praktische Bedeutung, nachdem diese nicht mehr übermittelt, sondern nur noch zugänglich gemacht werden müssen (BeckOGK/Rieckers Rn. 1).

§ 126 ist **abschließend und zwingend** (§ 23 V). Rechtspolit. ist Regelung aber durchaus problematisch, da gerade Stimmabgabe institutioneller Investoren (namentl. aus dem Ausland) oft weit im Vorfeld der HV abgeschlossen ist (Seibt/Danwerth AG 2021, 370 Rn. 5) und sie deshalb keine Notwendigkeit sehen, an HV teilzunehmen. Unangekündigter Antrag birgt deshalb Risiko, dass **Minderheit zur Mehrheit** wird. Im Gesetzgebungsverfahren zum VHVG 2022 wurde verbreitet Korrektur angemahnt (zu möglichen gesetzgeberischen Korrekturen vgl. VGR AG 2021, 380 Rn. 22 ff.), die in RefE auch aufgegriffen wurde, in RegE BT-Drs. 20/1738 und finale Gesetzesfassung jedoch nicht übernommen wurde. Problem ist für Unternehmen lästig, aber nicht unlösbar, solange nur im Vorfeld für hinreichende Repräsentanz in gesamter HV gesorgt wird. Das setzt aber Rückkehr der Intermediäre in HV voraus, die ggf. zumindest über entspr. Stimmrechtsvollmachten gewährleistet werden kann (sa Bungert/Rieckers/Becker DB 2022, 2074, 2078; Seibt/Danwerth DB 2022, 1434, 1441 f.). Ob Bereitschaft zur Ausstellung solcher „Blankoschecks" besteht, ist abzuwarten (skeptisch KK-AktG/Tröger § 118a Rn. 31). Altmodisch-aufwendigere Alternative ist spontane „Telefonkette", die Ad hoc-Abstimmung ermöglicht. 2

In **Übernahmesachverhalten** ist § 16 IV 7 WpÜG zu beachten, der als „Anträge von Aktionären" auch Gegenanträge iSd § 126 erfasst. Dort vorgesehene Bekanntmachung „in Kurzfassung" geht allerdings über Anforderungen des § 126 I hinaus, was mit Blick auf bes. Eilbedürftigkeit widersinnig ist und wohl auf unterlassene redaktionelle Anpassung an TransPuG zurückzuführen ist. § 16 IV 7 WpÜG sollte daher teleologisch so reduziert werden, dass für Gegenanträge ausschließlich allg. Regel des § 126 gilt (GK-AktG/Butzke Rn. 6; BeckOGK/Rieckers Rn. 32). Konfliktsituation mit § 16 IV 8 WpÜG besteht dagegen nicht, da § 126 lediglich Zugänglichmachung, nicht Zusendung verlangt (GK-AktG/Butzke Rn. 6; S/L/Ziemons Rn. 4). 3

II. Pflicht zur Zugänglichmachung (§ 126 I)

1. Voraussetzungen. AG ist nach § 126 I verpflichtet, Aktionärsanträge den in § 125 I–III genannten Berechtigten zugänglich zu machen. Antrag muss sich nach Wortlaut und früher hM gegen Vorschlag von Vorstand und AR iSd § 124 III 1 richten (vgl. etwa GK-AktG/Butzke Rn. 14), doch ist § 126 I im Lichte von Art. 6 I UAbs. 1 lit. b Aktionärsrechte-RL für börsennotierte AG (anders für nichtbörsennotierte – vgl. BeckOGK/Rieckers Rn. 11) auch auf Gegenanträge zu Minderheitsverlangen nach § 122 II auszudehnen (so überzeugend S/L/Ziemons Rn. 10; zust. die heute hM – vgl. Grigoleit/Herrler Rn. 6; KK-AktG/Noack/Zetzsche Rn. 27; jetzt auch BeckOGK/Rieckers Rn. 11; MüKoAktG/Kubis Rn. 10; aA GK-AktG/Butzke Rn. 17; offenlassend OLG Düsseldorf AG 2013, 264, 266 f.). 4

5 Für **Aktionärseigenschaft** kommt es auf Stimmberechtigung nicht an, so dass Stimmrechtsausschluss nach § 136 I oder § 142 I 2 unschädlich ist und auch Inhaber von Vorzugsaktien antragsberechtigt sind. Ausnahme nur bei Rechtsverlust nach § 20 VII, § 21 IV, § 71b, § 71d S. 4, § 328 I AktG, § 44 WpHG, § 59 WpÜG oder fehlender Teilnahmeberechtigung (Rückschluss aus § 126 II Nr. 6; vgl. MüKoAktG/Kubis Rn. 4 ff.; KK-AktG/Noack/Zetzsche Rn. 16 f.). Offene Stellvertretung ist zulässig (MüKoAktG/Kubis Rn. 5). Legitimationsaktionäre üben Aktionärsrechte im eigenen Namen aus und können Gegenantrag daher stellen, ohne Hintermann offenzulegen (GK-AktG/Butzke Rn. 12). Gleichzeitige Organmitgliedschaft steht Antragsrecht nicht entgegen; ggf. Einschränkung aus organschaftlicher Treupflicht (→ § 84 Rn. 10; sa BeckOGK/Rieckers Rn. 6). Für Nachweis der Aktionärseigenschaft ist keine Form vorgeschrieben; zeitnah ausgestellter Nachweis des depotführenden Intermediärs genügt (BeckOGK/Rieckers Rn. 8).

6 **Gegenantrag** liegt vor, wenn Aktionär zu einem angekündigten Beschlussgegenstand hinlänglich eindeutig, aber nicht notwendig in Form eines ausformulierten Vorschlags einen entgegengesetzten oder inhaltlich abw. Beschluss herbeiführen (LG München I AG 2011, 211, 215) oder der Beschlussfassung als solcher entgegentreten will (Absetzen von der Tagesordnung; Vertagung; vgl. GK-AktG/Butzke Rn. 18; KK-AktG/Noack/Zetzsche Rn. 25; Noack BB 2003, 1393; aA S/L/Ziemons Rn. 9). Kein Gegenantrag ist bei unterschiedlichen Vorschlägen von Vorstand und AR gegeben, wenn Aktionär erklärt, er werde für bzw. gegen den einen oder den anderen Vorschlag stimmen (Grigoleit/Herrler Rn. 6; BeckOGK/Rieckers Rn. 12; HV-HdB/Schlitt § 4 Rn. 323; aA GK-AktG/Butzke Rn. 19; MüKoAktG/Kubis Rn. 12); hier ist Opposition ohnehin offensichtlich, so dass es keiner weiteren Mitteilung bedarf (→ Rn. 1). Auch die bloße Ankündigung des Aktionärs, er werde gegen den Verwaltungsvorschlag stimmen, ist noch kein Gegenantrag (unstr.).

7 Gegenantrag muss nach früher hM **mit Begründung** übersandt werden. Darin soll Aktionär in gebotener Kürze (s. § 126 II 2) deutlich machen, auf welche Argumente Opposition gestützt ist (so auch weiterhin GK-AktG/Butzke Rn. 20 ff.; Simons NZG 2019, 127 ff.). Auch wenn sowohl Wortlaut des § 126 I 1, III als auch Rückschluss aus § 127 S. 2 und Sachgründe solches Erfordernis nahelegen (ausf. Simons NZG 2019, 127 ff.), so hat hM diese Sichtweise im Lichte des Art. 5 IV lit. d Aktionärsrechte-RL und Art. 6 I 1 lit. b Aktionärsrechte-RL doch zu Recht aufgegeben, da dort – im Gegensatz zu Art. 6 I 1 lit. a Aktionärsrechte-RL – eine solche Begründung gerade nicht vorgesehen ist (Grigoleit/Herrler Rn. 7; MüKoAktG/Kubis Rn. 16; KK-AktG/Noack/Zetzsche Rn. 33 ff.; S/L/Ziemons Rn. 17 f.). Entspr. Deutung auch des deutschen Rechts ist jedenfalls dann zulässig, wenn man Rspr.-Tendenz zur extensiven **richtlinienkonformen Auslegung** (s. etwa BGHZ 179, 27 Rn. 20 ff. = NJW 2009, 427) als vorgegebenes Faktum akzeptiert (aA Simons NZG 2019, 127, 131), zumal Wortlaut des § 126 keinesfalls eindeutig ist (MüKoAktG/Kubis Rn. 16). Problematischer ist Übertragung dieses Ergebnisses auf **nichtbörsennotierte AG,** die von heute hM aus Gründen der Rechtseinheit ebenfalls befürwortet wird (MüKoAktG/Kubis Rn. 16; KK-AktG/Noack/Zetzsche Rn. 33c; S/L/Ziemons Rn. 18). Das ist indes zu Recht als methodisch nicht tragfähig gerügt worden (Simons NZG 2019, 127, 131 f.; sa BeckOGK/Rieckers Rn. 15), da BGH gespaltene Auslegung bei hinreichend klarem nationalem Regelungswillen gestattet (BGHZ 195, 135 Rn. 17 ff. = NJW 2013, 220), der hier aus Gesamtschau von Wortlaut und Gesetzesmaterialien in der Tat abgeleitet werden kann (vgl. Simons NZG 2019, 127 ff.). Mit Blick auf Meinungsstand muss Praxis dennoch auch hier Veröffentlichung unbegründeter Anträge empfohlen werden.

8 **Form** zugänglich zu machender Aktionärsanträge ergibt sich aus Übersendungserfordernis des § 126 I 1 und Zeichenangabe nach § 126 II 2. Danach muss Antrag als Text verfasst sein, wohingegen Schriftform nicht erforderlich ist (unstr.). Auch Textform iSd § 126b BGB wird nicht ausdr. gefordert, doch ist gerade sie vom Gesetzgeber als Zwischenform für Fälle konzipiert, in denen Schriftform nicht erforderlich erscheint, aber bloße Mündlichkeit nicht genügt (MüKoBGB/Einsele BGB § 126b Rn. 1), was dafür spricht, § 126b BGB auch hier als Maßstab heranzuziehen (BeckOGK/Rieckers Rn. 18). Es genügt daher auch E-Mail oder Telefax, sofern mit Zugang bei AG gerechnet werden kann, was bei Existenz einer E-Mail- oder Fax-Adresse problemlos zu bejahen ist (KK-AktG/Noack/Zetzsche Rn. 47; B/K/L/Reger Rn. 8; Mimberg ZGR 2003, 21, 33; aA S/L/Ziemons Rn. 20). Aushändigung statt Übersendung ist zuzulassen (MüKoAktG/Kubis Rn. 19). Hyperlinks auf Internetseite des Aktionärs müssen nicht zugänglich gemacht werden, da Inhalt von Vorstand nicht dauerhaft verlässlich geprüft werden kann (GK-AktG/Butzke Rn. 20; Stehle ZIP 2003, 980 ff.; aA KK-AktG/Noack/Zetzsche Rn. 36).

9 Übersendung (→ Rn. 9) muss innerhalb einer **Frist von 14 Tagen vor HV** erfolgt sein. Berechnung der Frist bestimmt sich nach § 121 VII (→ § 121 Rn. 24 f.). Nicht nur Tag der HV, sondern auch Tag des Zugangs ist nach § 126 I 2 nicht mitzurechnen, so dass dieser bis zum Ablauf (24 Uhr) des 15. Tags vor HV erfolgen kann (vgl. zum Eingang bis 24 Uhr BGHZ 143, 339, 341 ff. = NJW 2000, 1328; OLG Frankfurt AG 1999, 233 f.). Zugang muss bei **Adresse** erfolgt sein, die AG hierfür mitgeteilt hat. Mitteilung ist in dem Sinne Obliegenheit, als AG ohne sie Zugang nicht steuern kann, also auch andere Zugangsmöglichkeiten gegen sich gelten lassen muss (RegBegr. BT-Drs. 14/8769, 20). Auch dann ist aber rechtzeitiger Zugang am Ort der Hauptverwaltung oder Geschäftsleitung erforderlich, also Zugang bei Zweig- oder Außenstellen nur dann genügend, wenn diese für rechtzeitigen Zugang bei Geschäftsleitung gesorgt haben (Ek NZG 2002, 664, 666). Adresse muss in Einberufung (§ 121) und „hierfür" angegeben sein, also als solche zum Einreichen von Gegenanträgen. Faxnummer oder E-Mail-Anschluss genügen (RegBegr. BT-Drs. 14/8769, 20).

10 In welchem Umfang AG durch Adressangabe (E-Mail, Fax- oder Postadresse) auch **Zugangsart** beschränken kann, ist noch nicht abschließend geklärt. Grds. Möglichkeit einer solchen Beschränkung ist zu bejahen, um legitimem Interesse der AG an einheitlichem Zugangsweg Rechnung zu tragen. Durch Angabe einer Postadresse kann E-Mail-Versand daher ausgeschlossen werden (KK-AktG/Noack/Zetzsche Rn. 50; B/K/L/Reger Rn. 8). Fraglich ist, ob umgekehrt auch bloße Angabe einer E-Mail-Adresse **Postzugang** ausschließen kann oder ob dieser stets möglich bleiben muss, um Gegenanträge auch solchen Aktionären zu ermöglichen, die digitale Kommunikation nicht nutzen. Bislang hM hat Erfordernis eines Postzugangs bejaht (Hölters/Weber/Drinhausen Rn. 8; Grigoleit/Herrler Rn. 8; MüKoAktG/Kubis Rn. 19; S/L/Ziemons Rn. 21), doch mehren sich die Stimmen, die mit Blick auf zunehmende Internetverbreitung ausschließliche Angabe einer E-Mail-Adresse für zulässig halten (GK-AktG/Butzke Rn. 24; KK-AktG/Noack/Zetzsche Rn. 50; B/K/L/Reger Rn. 8; BeckOGK/Rieckers Rn. 20). Zweite Auffassung gewinnt mit zunehmender Digitalisierung stetig an Plausibilität. Da elektronische Kommunikationsmedien aber auch weiterhin keinesfalls flächendeckend verbreitet sind, sollte der Praxis schon mit Blick auf starke Gegenaufassung weiterhin Angabe einer Postadresse empfohlen werden. Adresse kann auch c/o-Adresse eines HV-Dienstleisters sein (S/L/Ziemons Rn. 21). Übersendung an andere als angegebene Adresse genügt nicht, so dass AG solche Anträge nicht zu beachten braucht.

11 **2. Modalitäten der Zugänglichmachung.** § 126 I 1 fordert, dass form- und fristgerecht eingegangene Gegenanträge (→ Rn. 4–10) zugänglich gemacht werden, und zwar für die in § 125 I–III genannten Berechtigten unter den dort genannten Voraussetzungen. Dafür genügt es, dass Gegenanträge auf **Website der AG** veröffentlicht werden, auch ausschließlich (RegBegr. BT-Drs. 14/8769, 20), auch durch Einscannen des übersandten Textes, wobei es sich empfiehlt, über § 126 I 1 hinausgehende personenbezogene Daten unkenntlich zu machen (Höreth AG 2015, R 124). Nach § 126 I 3 ist Internetpublizität nunmehr für börsennotierte Gesellschaften (§ 3 II) vorgeschrieben, was Art. 5 IV 1 lit. d Aktionärsrechte-RL entspr. Zugriff durch unbeschränkten Personenkreis nimmt § 126 I mit Öffnung für elektronische Medien hin. Fehlt Website bei AG ohne Börsennotierung oder will sie diesen Weg nicht gehen, so erfolgt Zugänglichmachung über die Gesellschaftsblätter (Mimberg ZGR 2003, 21, 25 f.) was zum BAnz. führt (§ 25). Berechtigte nach § 125 I–III sind – unter den dort umschriebenen Voraussetzungen – Intermediäre und Aktionärsvereinigungen (→ § 125 Rn. 4 f.), mitteilungsberechtigte Aktionäre nach § 125 I 1 Nr. 2 oder § 125 II (→ § 125 Rn. 4 f., 17) und AR-Mitglieder (→ § 125 Rn. 23). Letztgenannte haben auch den Übersendungsanspruch nach § 125 III, weil Norm gem. § 126 I 2 entspr. gilt. Ihrem Inhalt nach erstreckt sich Zugänglichmachung auf Namen des Aktionärs, Begründung und (etwaige) Stellungnahme der Verwaltung. AG wird unverzüglich (§ 121 I 1 BGB) tätig, was einerseits Prüfung nach § 126 II erlaubt, andererseits dem Informations- und Vorbereitungsinteresse der Aktionäre und ihrer Vertreter Rechnung trägt. Stellungnahme der Verwaltung kann nach Fristablauf zusammenfassend erfolgen.

III. Ausnahmen von der Mitteilungspflicht (§ 126 II)

12 **1. Allgemeines.** Auch wenn Voraussetzungen des § 126 I erfüllt sind, kann Pflicht zum Zugänglichmachen fehlen. So zunächst dann, wenn gestellter Gegenantrag als solcher unter **Mängeln** leidet, insbes., wenn er inhaltlich nicht hinreichend bestimmt ist. Unter diesem Gesichtspunkt sind auch Alternativanträge (nicht auch: Hilfsanträge) als unzulässig zu beurteilen (vgl. KK-AktG/Noack/Zetzsche Rn. 29). Ferner dann, wenn einer der in § 126 II 1 abschließend enumerierten Fälle vorliegt, schließlich bei Überlänge der Begründung (§ 126 II 2), doch bleibt AG dann zur Zugänglichmachung des Gegenantrags ohne Begründung verpflichtet. Ob Ausnahme iSd § 126 II vorliegt, entscheidet Vorstand durch Beschluss unter Beachtung des Gleichbehandlungsgrundsatzes, die in vollem Umfang gerichtl. nachprüfbar ist; Zustimmungsvorbehalt des AR ist insofern unzulässig (MüKoAktG/Kubis Rn. 27). Noch nicht abschließend geklärt ist, ob § 126 II in vollem Umfang mit Vorgaben der **Art. 5 IV, 6 I Aktionärsrechte-RL** vereinbar ist, die für börsennotierte Gesellschaften entspr. Beschränkungen nicht vorsehen. Einigkeit besteht dahingehend, dass § 126 II 2 unbedenklich ist, da europäisches Recht nur für Gegenantrag selbst, nicht aber für Begründung Vorgaben macht; dasselbe gilt im Lichte des europaweit geltenden Legalitätsprinzips auch für § 126 I Nr. 1 und 2 (statt aller GK-AktG/Butzke Rn. 56). Zweifel verbleiben für § 126 II 1 Nr. 3–7 (s. insbes. S/L/Ziemons Rn. 38 ff.; vgl. aber auch GK-AktG/Butzke Rn. 56; KK-AktG/Noack/Zetzsche Rn. 69 f.). Namentl. für Nr. 6 und 7 ist der Praxis für börsennotierte AG aus Gründen kautelarjuristischer Vorsicht zu empfehlen, Vorschlag zu veröffentlichen und in Fällen des Nr. 3 lediglich auf die Begründung zu verzichten (GK-AktG/Butzke Rn. 56). Aktionär muss von Zurückweisung nicht in Kenntnis gesetzt werden (BeckOGK/Rieckers Rn. 34). Da unbegründete Zurückweisung aber Anfechtungsgrund darstellt, sollte Vorstand von dieser Maßnahme nur mit großer Zurückhaltung Gebrauch machen. Veröffentlichung löst allerdings Bindungswir-

kung für HV aus; Versammlungsleiter kann Antrag dann nicht mehr zurückweisen (Höreth AG 2014, R 124, 125). Bei **Übernahmesachverhalten** besteht Sonderregelung in § 16 IV 7 WpÜG; danach genügt zB Einstellen auf Website mit Angabe der Fundstelle in Hinweisbek. (→ § 124 Rn. 4).

2. Enumeration des § 126 II 1. Unzulässige oder rechtsmissbräuchliche 13
Gegenanträge sind in § 126 II 1 zusammengefasst, und zwar abschließend (LG Frankfurt AG 1992, 235, 236). Liegt einer der Tatbestände vor, so besteht keine Pflicht zum Zugänglichmachen. Darunter fällt nach § 126 II 1 Nr. 1 zunächst der Fall, dass sich Vorstand gerade durch Publizierung des Gegenantrags strafbar macht; da ihm Urhebereigenschaft fehlt, kann das in erster Linie in Gehilfenschaft möglich sein, was für § 126 II 1 Nr. 1 indes genügt (MüKoAktG/Kubis Rn. 29). HM folgert aus Wortlaut („soweit"), dass Vorstand zunächst prüfen muss, ob es möglich ist, strafwürdige Passagen zu streichen, wenn dies ohne Sinnentstellung möglich ist (GK-AktG/Butzke Rn. 59; MüKoAktG/Kubis Rn. 29). Ob Wortlaut derartiges Verständnis tats. erzwingt, erscheint indes bedenklich. Eigenmächtige Veränderungen werden zumeist eher skeptisch beurteilt (→ Rn. 15) und erhöhen Anfechtungsgefahr, was eher für bloße Streichungsbefugnis statt Streichungspflicht spricht (B/K/L/Reger Rn. 15; ganz ablehnend KK-AktG/Noack/Zetzsche Rn. 80). Beschluss ist gesetz- oder satzungswidrig iSd **§ 126 II 1 Nr. 2,** wenn er im Falle seines Zustandekommens nichtig oder anfechtbar wäre (§§ 241, 243). Gegenanträge sind bes. daraufhin zu prüfen, ob sie noch zu Gegenständen der Tagesordnung gestellt werden und daher gem. § 124 IV 2 (→ § 124 Rn. 41 f.) bekanntmachungsfrei sind. Das ist problematisch, wenn inhaltlich abw. Beschluss gewollt ist (s. mit Bsp. Lehmann FS Quack, 1991, 287, 294 f.). Wenn Bekanntmachungsfreiheit zu verneinen ist, wäre gleichwohl gefasster Beschluss anfechtbar (→ § 124 Rn. 35 ff.). Es besteht dann auch keine Pflicht zur Zugänglichmachung. Soweit Geschäftsführungsmaßnahmen begehrt werden (Bsp. nach Lehmann FS Quack, 1991, 287, 295: Erforschung alternativer Energien; ferner: Verbot der Geschäftstätigkeit in bestimmten Ländern, Spenden für die Dritte Welt, Ausstieg aus der Kernenergie, sonstige Produktionsumstellungen oder -einstellungen, personalpolitische Maßnahmen), ist HV gem. § 119 II unzuständig, wären gleichwohl gefasste Beschlüsse mithin gesetzwidrig, besteht also keine Pflicht zur Zugänglichmachung (MüKoAktG/Kubis Rn. 31). Dass Fehlerhaftigkeit „offenkundig" ist, kann nicht verlangt werden (so aber KK-AktG/Noack/Zetzsche Rn. 81); Rechtsirrtum geht aber zu Lasten der AG (MüKoAktG/Kubis Rn. 30).

Mit **§ 126 II 1 Nr. 3 Fall 1** ist eher behutsam umzugehen (sa Lehmann FS 14
Quack, 1991, 287, 296 f.). Es genügt nicht jede unzutr. Sachdarstellung. Angaben der Begründung müssen vielmehr „offensichtlich" falsch oder irreführend sein und das in wesentlichen Punkten der Begründung. Ob das der Fall ist, muss vom Standpunkt eines unbefangenen Durchschnittsaktionärs ohne Detailkenntnisse beurteilt werden (OLG Stuttgart AG 1995, 233, 234; OLG Stuttgart AG 1995, 236; sa LG Wuppertal AG 1967, 139: Behauptung absichtlich falscher, auf Strafvereitelung gerichteter Begutachtung durch Abschlussprüfer ist irreführend, wenn allenfalls Sorgfaltsverstöße vorliegen). **§ 126 II 1 Nr. 3 Fall 2** meint §§ 185 ff. StGB, also auch üble Nachrede oder Verleumdung. In beiden Fällen ist bes. Feinfühligkeit, insbes. des Vorstands selbst, nicht angezeigt. „Seitenhiebe" sind hinzunehmen (MüKoAktG/Kubis Rn. 34). Weitere Tatbestände der Nr. 4–7 sprechen durchweg für sich. Namentl. Antragswiederholung nach § 126 II 1 Nr. 4 kann es empfehlen, Unterlagen der Vorjahre heranzuziehen (Höreth AG 2011, R 116, 117).

3. Überlänge der Begründung. § 126 II 2 dispensiert von Pflicht, Begrün- 15
dung von Gegenanträgen zugänglich zu machen, wenn sie insges. **mehr als 5.000 Zeichen** beträgt. Dispens bezieht sich nur auf Begründung, nicht auf

Antrag des Aktionärs einschließlich seines Namens und nicht auf etwaige Stellungnahme der Verwaltung. Selbst Kurzfassungen herzustellen, ist Vorstand wohl berechtigt, nicht aber verpflichtet. Nur die ersten 5.000 Zeichen zugänglich zu machen, ist Vorstand nicht einmal berechtigt (MHdB AG/Bungert § 36 Rn. 112). Mangels anderer Vorgabe ist Zeichen im Wortsinne auszulegen; gemeint sind also Buchstaben, Symbole, Satzzeichen und Zahlen, dagegen nicht „Leerzeichen", und zwar ohne Rücksicht darauf, dass auch sie bei elektronischer Bearbeitung Speicherkapazität beanspruchen (wie hier GK-AktG/Butzke Rn. 84; Hölters/Weber/Drinhausen Rn. 22; Noack NZG 2003, 241, 244; Pentz ZIP 2003, 1925, 1927 f.; aA S/L/Ziemons Rn. 17; B/K/L/Reger Rn. 24; Mutter ZIP 2002, 1759; Seibert AG 2006, 16, 21 Fn. 21). Weil Aktionäre Gegenanträge auch schriftlich stellen können (→ Rn. 8), wäre Sonderbedeutung bei elektronischen Medien auch der Sache nach unpassend. Kleinlichkeiten sind wegen Anfechtungsrisikos ohnehin nicht angezeigt.

IV. Zusammenfassung mehrerer Gegenanträge (§ 126 III)

16 Vorstand kann Gegenanträge und Begründungen zusammenfassen, wenn mehrere Aktionäre zu identischen Beschlussgegenständen Gegenanträge stellen (§ 126 III). Die Beschlussgegenstände müssen identisch sein, nicht die Gegenanträge. Vorstand darf in seiner Zusammenfassung Wiederholungen weglassen und Überflüssiges streichen (RegBegr. Kropff S. 179). Eine ges. Umfangsbegrenzung gibt es in diesem Fall nicht. Verbale Entgleisungen müssen nicht aufgenommen werden. Zu sachlichen Verfälschungen oder Verkürzungen darf es jedoch nicht kommen. Anträge und tragende Begründungselemente müssen vielmehr erhalten bleiben (vgl. zB GK-AktG/Butzke Rn. 87). Praxis macht von dieser Möglichkeit kaum Gebrauch (Höreth AG 2015, R 124).

V. Sonderregelung für virtuelle HV (§ 126 IV)

17 Mit VHVG 2022 neu eingefügter § 126 IV enthält Sonderregelung für vHV iSd § 118a (→ § 118a Rn. 1 ff.). Nach § 126 IV 1 gelten im Fall einer vHV Anträge, die nach § 126 I – III zugänglich zu machen sind, als im **Zeitpunkt der Zugänglichmachung** gestellt. Verzichtet wird damit auf in Präsenz-HV geltendes Erfordernis mündlicher Antragstellung. Antrag wird vielmehr **fingiert.** Grds. zweistufiges Verfahren (→ Rn. 1) wird damit für vHV also aufgegeben (RegBegr. BT-Drs. 20/1738, 29). Begründet wird dies damit, dass sich Gegenanträge auf vorab gestellte Beschlussvorschläge der Verwaltung beziehen (RegBegr. BT-Drs. 20/1738, 29). Das ist richtig, ohne dass sich daraus aber Ungleichbehandlung von Präsenz-HV und vHV sowie Abweichung von sonst geltendem Mündlichkeitsprinzip erklärt (krit. auch Bungert/Rieckers/Becker DB 2022, 2074, 2077). Fiktion steht **Rücknahme** des Antrags allerdings nicht entgegen (RegBegr. BT-Drs. 20/1738, 29).

18 § 126 IV 1 gilt **allein für Gegenanträge** nach § 126 und **Wahlvorschläge** nach § 127 (→ § 127 Rn. 3), nicht dagegen für Verfahrensanträge und ergänzende Sachanträge, Ergänzungsverlangen iSd § 122 II (Bungert/Rieckers/Becker DB 2022, 2074, 2078) oder Anträge nach § 137 (abl. schon zu COVMG aF Bungert/Strothotte DB 2021, 830, 834; Mutter AG 2021, R 86). Angesichts intensiver Diskussion möglicher Erweiterungen im Laufe des Gesetzgebungsverfahrens dürfte auch **analoge Anwendung ausgeschlossen** sein (KK-AktG/Noack/Zetzsche Rn. 128; Bungert/Rieckers/Becker DB 2022, 2074, 2078).

19 Weil Antragstellung damit durch Zugänglichmachung schon abgeschlossen ist, braucht auch mit darauf bezogener **Stimmabgabe** nicht bis zur vHV gewartet werden. **§ 126 IV 2** verpflichtet AG deshalb dazu, Ausübung des Stimmrechts

schon dann zu ermöglichen, sobald Aktionäre ges. und satzungsmäßige Voraussetzungen für Stimmrechtsausübung nachweisen können. Das ist der Fall, sobald Nachw. des Anteilsbesitzes nach § 123 IV 2 (→ § 123 Rn. 30 ff.) erbracht werden oder etwa erforderliche Anmeldung nach § 123 II 1 erfolgen kann (RegBegr. BT-Drs. 20/1738, 29). Ab diesem Zeitpunkt muss Abstimmungsmöglichkeit eröffnet werden. AG hat Anträge also in **elektronisches Abstimmungssystem** einzustellen, das bei größeren Gesellschaften üblicherweise in HV-Portal eingebettet wird (RegBegr. BT-Drs. 20/1738, 29). Auch in der Praxis verwendete Formulare für Briefwahl, Vollmachts- und Weisungserteilung an Stimmrechtsvertreter (→ § 134 Rn. 26 ff.) sehen üblicherweise entspr. Abstimmungsmöglichkeit vor (Bungert/Rieckers/Becker DB 2022, 2074, 2077). Voraussetzung für Antragsfiktion ist nach § 126 IV 3 jedoch, dass Aktionär ordnungsgem. legitimiert und **zur HV angemeldet** ist. Ist das nicht der Fall, wird Antrag in Versammlung nicht behandelt (RegBegr. BT-Drs. 20/1738, 29). Abw. von sonstigen Grundsätzen (→ § 118 Rn. 18; → § 118a Rn. 29) folgt aus frühem Abstimmungsbeginn aber nicht, dass Änderung schon von diesem Zeitpunkt an nicht mehr möglich ist; erst mit Beginn des Abstimmungsvorgangs in vHV selbst ist Änderung nicht mehr möglich (überzeugend Schirmer AG 2023, 19 Rn. 11 ff.; Bochmann/Harnos, Beschlussfassung in vHV, 2023, 59, 72 f.; Rieckers DB 2023, 373, 376).

§ 126 IV 2 gilt jedoch nur für sog **echte Gegenanträge,** die sich nicht auf bloße Ablehnung des Verwaltungsvorschlags beschränken (unechte Gegenanträge), sondern auf dessen Änderung abzielen (RegBegr. BT-Drs. 20/1738, 29). Auch **unechte Gegenanträge** werden damit nur von § 126 IV 2 ausgeschlossen, bleiben aber von § 126 I–III erfasst (Bungert/Rieckers/Becker DB 2022, 2074, 2078). Auch iRd § 126 IV 2 wird Differenzierung zwischen Antragsarten idR folgenlos bleiben, weil Möglichkeit, zu Verwaltungsvorschlägen mit „Nein“ zu stimmen, idR ebenfalls mit Eröffnung des HV-Portals besteht (Bungert/Rieckers/Becker DB 2022, 2074, 2078). 20

Wie in Präsenz-HV (→ Rn. 1) ist es auch in vHV nach § 118a I 2 Nr. 3 weiterhin möglich, **spontane Gegenanträge** zu stellen (RegBegr. BT-Drs. 20/1738, 29). Abw. von RefE hat Gesetzgeber damit auch in vHV Gefahr der Zufallsmehrheiten (→ Rn. 2) nicht entgegengewirkt (krit. schon → § 118a Rn. 31). 21

Wahlvorschläge von Aktionären

127 **[1] Für den Vorschlag eines Aktionärs zur Wahl von Aufsichtsratsmitgliedern oder von Abschlußprüfern gilt § 126 sinngemäß. [2] Der Wahlvorschlag braucht nicht begründet zu werden. [3] Der Vorstand braucht den Wahlvorschlag auch dann nicht zugänglich zu machen, wenn der Vorschlag nicht die Angaben nach § 124 Absatz 3 Satz 4 und § 125 Abs. 1 Satz 5 enthält. [4] Der Vorstand hat den Vorschlag eines Aktionärs zur Wahl von Aufsichtsratsmitgliedern börsennotierter Gesellschaften, für die das Mitbestimmungsgesetz, das Montan-Mitbestimmungsgesetz oder das Mitbestimmungsergänzungsgesetz gilt, mit folgenden Inhalten zu versehen:**

1. Hinweis auf die Anforderungen des § 96 Absatz 2,
2. Angabe, ob der Gesamterfüllung nach § 96 Absatz 2 Satz 3 widersprochen wurde und
3. Angabe, wie viele der Sitze im Aufsichtsrat mindestens jeweils von Frauen und Männern besetzt sein müssen, um das Mindestanteilsgebot nach § 96 Absatz 2 Satz 1 zu erfüllen.

1 § 127 betr. Wahlvorschläge von Aktionären und regelt Pflicht der Gesellschaft zu ihrer **Zugänglichmachung.** Norm ergänzt also § 126, teilt Sinn und Zweck dieser Vorschrift (→ § 126 Rn. 1) und verweist auch auf dessen Folgen, weshalb nicht recht ersichtlich ist, warum Wahlvorschläge nicht generell den Gegenanträgen iSd § 126 zugeordnet werden (MüKoAktG/Kubis Rn. 1). Sinngem. Anwendung des § 126 erfasst auch mit **VHVG 2022** in § 126 IV 1 neu eingefügte Fiktionslösung (→ § 126 Rn. 17 ff.). § 118a I 2 Nr. 3 stellt aber klar, dass Wahlvorschläge auch in vHV selbst noch gestellt werden können.

2 **Anwendungsbereich** ist Wahl von AR-Mitgliedern und Abschlussprüfern, nicht aber deren Abberufung (KK-AktG/Noack/Zetzsche Rn. 12). Analog anwendbar ist Vorschrift auf Wahl von Sonderprüfern (§ 142), bes. Vertretern (§ 147 II), Abwicklern (§ 265 II) und sonstigen Mitgliedern von HV zu wählender Gremien (BeckOGK/Rieckers Rn. 3). Wahlvorschlag liegt nur dann vor, wenn eigener Kandidatenvorschlag unterbreitet wird, nicht schon bei bloßer Ablehnung des Verwaltungsvorschlags (heute allgM – s. nur GK-AktG/Butzke Rn. 7).

3 Für diese Wahlvorschläge gilt § 126 einschließlich der Beschränkungen nach § 126 II sinngem., aber mit zwei Abweichungen: (1.) Sie können, müssen aber **nicht begründet** sein (§ 127 S. 2). Auch der nicht mit Begründung versehene Wahlvorschlag ist also zugänglich zu machen. Wenn er mit Begründung vorgelegt wird, ist diese nach den zu § 126 geltenden Grundsätzen zugänglich zu machen (ebenso NK-AktR/M. Müller Rn. 4). (2.) Über § 126 II hinaus ist Vorstand auch dann nicht verpflichtet, Wahlvorschlag zugänglich zu machen, wenn Angaben nach § 124 III 4 fehlen (→ § 124 Rn. 33). Pflicht entfällt ferner, wenn Angaben nach § 125 I 5 zu Mitgliedschaft in anderen ges. zu bildenden Aufsichtsräten fehlen. Diese Einschränkung soll sicherstellen, dass Aktionäre auch bei Wahlvorschlägen, die nicht vom AR stammen, über anderweitige Mitgliedschaften informiert werden (→ § 125 Rn. 11). Norm bezieht sich insoweit nur auf AR-Wahl und ist Rechtsgrundverweisung, setzt also wie § 125 I 5 Börsennotierung (§ 3 II) voraus (BeckOGK/Rieckers Rn. 10).

4 Aufgrund Verweises auf § 126 I können Vorstand und AR zu dem Antrag **Stellungnahme** abgeben. Im Lichte des ausschließlichen Vorschlagsrechts des AR nach § 124 III 1 wird zT gefolgert, iR einer analogen Anwendung könne allein dieser „Stellungnahme der Verwaltung" iSd § 126 I 1 abgeben (Rahlmeyer ZIP 2015, 1958 ff.). Das ist in der Sache erwägenswert, doch ist teleologischer Befund nicht klar genug, um ausdr. Verweisung in § 127 S. 1 umzudeuten und Verstoßfolgen sodann mit Anfechtungsrisiko zu belasten. Aus Vorsichtsgründen sollte Vorstand aber auf Stellungnahme verzichten (wie hier GK-AktG/Butzke Rn. 11).

5 § 127 S. 4 wurde ergänzt durch **FüPoG I 2015.** Norm flankiert Angabepflicht für Wahlvorschläge des AR in § 124 III 5 (→ § 124 Rn. 8) und dient damit Durchsetzung der Geschlechterquote gem. § 96 II (→ § 96 Rn. 13 ff.). Stammt Vorschlag nicht von AR, sondern von Aktionären, soll er durch entspr. Informationen des Vorstands über AR-Besetzung und Widerspruch gegen Gesamterfüllung (→ § 96 Rn. 15) ergänzt werden. Überdies soll auch allg. Hinweis auf ges. Anforderungen des § 96 II erfolgen. Anforderungen stimmen nicht gänzlich mit § 124 II 2 überein, ohne dass daraus Erfordernis einer teleologischen Reduktion abzuleiten wäre (so aber S/L/Ziemons Rn. 11 f.). Aktionärsbeschluss, der aus ex ante-Sicht zu quotenwidriger Besetzung führt, sollte dennoch veröffentlicht werden, da sich Geschlechterzusammensetzung bis zu HV noch ändern kann (GK-AktG/Butzke Rn. 13; Herb DB 2015, 966, 967).

Aktionärsforum

127a (1) **Aktionäre oder Aktionärsvereinigungen können im Aktionärsforum des Bundesanzeigers andere Aktionäre auffordern, gemeinsam oder in Vertretung einen Antrag oder ein Verlangen nach diesem Gesetz zu stellen oder in einer Hauptversammlung das Stimmrecht auszuüben.**

(2) **Die Aufforderung hat folgende Angaben zu enthalten:**

1. **den Namen und eine Anschrift des Aktionärs oder der Aktionärsvereinigung,**
2. **die Firma der Gesellschaft,**
3. **den Antrag, das Verlangen oder einen Vorschlag für die Ausübung des Stimmrechts zu einem Tagesordnungspunkt,**
4. **den Tag der betroffenen Hauptversammlung.**

(3) **Die Aufforderung kann auf eine Begründung auf der Internetseite des Auffordernden und dessen elektronische Adresse hinweisen.**

(4) **Die Gesellschaft kann im Bundesanzeiger auf eine Stellungnahme zu der Aufforderung auf ihrer Internetseite hinweisen.**

(5) **Das Bundesministerium der Justiz und für Verbraucherschutz wird ermächtigt, durch Rechtsverordnung die äußere Gestaltung des Aktionärsforums und weitere Einzelheiten insbesondere zu der Aufforderung, dem Hinweis, den Entgelten, zu Löschungsfristen, Löschungsanspruch, zu Missbrauchsfällen und zur Einsichtnahme zu regeln.**

I. Regelungsgegenstand und -zweck

1 § 127a regelt sog Aktionärsforum. Es handelt sich um elektronische Internetplattform, die als bes. Rubrik des BAnz. der Kontaktaufnahme und Kommunikation zwischen Aktionären und Aktionärsvereinigungen dient. Es soll die **Effizienz von Verwaltungsrechten** der Aktionäre steigern, sofern sie mehrheitsabhängig sind (Anträge nach §§ 126, 127) oder doch ein bestimmtes Mindestquorum voraussetzen (Minderheitsverlangen nach § 120 I 2, § 122 I und II, § 142 II 1 und IV 1, § 148 I 1, § 258 II 3). In dieser Situation soll auch Einzelaktionär Möglichkeit haben, durch im Aktionärsforum organisierten Zusammenschluss ges. vorgesehene Schwellenwerte zu erreichen; Gesetzgeber spricht von sinnvollem Korrelat für Streubesitz und fortschreitende Internationalisierung der Aktionärsstrukturen (RegBegr. BT-Drs. 15/5092, 15). Norm ist rechtspolitisch umstr. geblieben (krit. DAV-HRA NZG 2004, 555, 558) und hat praktisch kaum Bedeutung erlangt (ausf. Bayer/Hoffmann AG 2013, R 61 ff.; sa S/L/Ziemons Rn. 3 mit „Kommentierungsverzicht"), was auch mit konkreter technischer Ausgestaltung des Forums zu tun haben dürfte, das gerade keine Kommunikation erlaubt, sondern lediglich „elektronische Pinnwand" für einseitige Aktionärsaufforderungen ist (so die anschauliche Umschreibung von KK-AktG/Noack/Zetzsche Rn. 2). Auch Verortung im BAnz. ist zweifelhaft. Bei börsennotierter AG könnte Internetseite, die nun auch von § 124a als HV-Publikationsforum in Dienst genommen wird, sinnvolle Alternative sein (KK-AktG/Noack/Zetzsche Rn. 3).

II. Aktionärsforum (§ 127a I, V)

2 Von § 127a vorausgesetztes Aktionärsforum findet nicht auf Internetseite der Gesellschaft statt, sondern ist **Rubrik des BAnz.** Wie bei BAnz. ist auch hier Träger Bundesanzeiger Verlagsgesellschaft in Köln. Aktionärsforum soll aus-

schließlich der Kommunikation unter den Aktionären dienen (Seibert WM 2005, 157, 159). Nähere Gestaltung des Aktionärsforums sowie Modalitäten seiner Inanspruchnahme einschließlich des Entgelts regelt BMJ durch RechtsVO, nämlich sog AktFoV v. 22.11.2005 (BGBl. 2005 I 3193), für die § 127a Ermächtigungsgrundlage enthält; Abdruck mit (nichtamtlicher) Begr. bei Seibert AG 2006, 16, 19 ff.; anschaulicher Überblick über Funktionsweise auch bei KK-AktG/Noack/Zetzsche Rn. 11 ff. Aktionär muss sich unter Angabe von Name/Firma, Anschrift und E-Mail-Adresse registrieren, um Missbräuchen vorzubeugen; Nachweis der Aktionärsstellung ist aber nicht erforderlich (BeckOGK/Rieckers Rn. 8). Abruf erfolgt über www.bundesanzeiger.de. Der Umstand, dass Aktionärsforum nicht von AG zu organisieren ist, nimmt dem Vorstand die Last, die eigene Opposition zu unterhalten (Noack NZG 2004, 297, 302). Das ist sachgerecht, hat allerdings den Preis, dass Vorstand auf Inhalt der Aufforderung und ihre Begründung (auf die im BAnz. gem. § 127a III auch nur hingewiesen werden kann, → Rn. 3 f.) ohne Einfluss bleibt und sich gegen die Aufforderung auch rechtl. kaum erfolgreich wehren kann (abl. deshalb DAV-HRA NZG 2004, 555, 558); Aktionäre haben gegen AG keinen Kostenerstattungsanspruch, weil sie mit Inanspruchnahme des Forums nur eigene Rechte verfolgen (Seibert WM 2005, 157, 159).

III. Inhalt der Aufforderung (§ 127a II)

3 Aufforderung ist **Formaltext** mit dem aus § 127a II ersichtlichen Inhalt. Dieser beschränkt sich auf Angaben, die zur Identifizierung des Aktionärs (der Aktionärsvereinigung) und der Gesellschaft erforderlich sind (§ 127a II Nr. 1 und 2; üblich wäre auf Seiten der Gesellschaft auch Angabe ihres Sitzes), auf Wiedergabe von **Antrag, Minderheitsverlangen oder Vorschlag,** für die bei Mitaktionären geworben werden soll (§ 127a II Nr. 3), und auf Angabe des Tages der betroffenen HV (§ 127a II Nr. 4). Da es sich nach § 127a I um ein Verlangen „nach diesem Gesetz“ handeln muss, ist Minderheitsverlangen gem. § 62 II UmwG dem Wortlaut nach nicht erfasst; für Analogie dürfte Regelungslücke fehlen, da Vorschrift bei Erlass des UMAG 2005 bereits in Kraft war (BeckOGK/Rieckers Rn. 12; Wachter/Kocher Rn. 5; aA aber GK-AktG/Butzke Rn. 14; KK-AktG/Noack/Zetzsche Rn. 39). Aufforderungsbegründung darf (auch in Kurzform) nicht eingestellt werden, doch ist insofern Verweis nach § 127a III möglich (→ Rn. 4). Publikationsfähig ist danach nur neutraler Aufforderungstext, von dem RegBegr. BT-Drs. 15/5092, 15 annimmt, dass er als Verfolgung eigener Vermögensinteressen grds. legitim ist. In diesen Grenzen wird von einem **Kontrahierungszwang** für den Rechtsträger des BAnz. gesprochen (Seibert WM 2005, 157, 159), was seinem Publikationsmonopol entspricht.

IV. Hinweisrechte (§ 127a III, IV)

4 Aktionär oder Aktionärsvereinigung können in ihrer Aufforderung und damit durch das Medium des BAnz. auf eine **Begründung** auf der Internetseite des Auffordernden sowie auf dessen elektronische Adresse hinweisen (§ 127a III). Daran leuchtet ein, dass die Begründung, die nicht in Aufforderung selbst enthalten sein darf (→ Rn. 3), anderweitig ihren Platz finden muss. Weniger einsichtig ist Beschränkung auf Internet und elektronische Adresse. Wer für seine Zwecke werben will, sollte dies auch durch Drucksachen, Vervielfältigungen, telefonisch oder sonstigen Direktkontakt tun können. Bloße Behauptungen, Entstellungen des Sachverhalts, Schmähkritik und ähnliches lassen sich als Begründungsinhalt nicht ausschließen (s. DAV-HRA NZG 2004, 555, 558), bieten aber, wie andere Missbrauchsmöglichkeiten auch, als solche keinen hinreichenden

Anlass, die genannte Einrichtung in Zweifel zu ziehen. Regelung ist auch nicht unausgewogen, weil AG **korrespondierendes Hinweisrecht** nach § 127a IV hat, also, wiederum beschränkt auf Internet, eine Stellungnahme veröffentlichen und diesen Umstand durch BAnz. publik machen darf. Weitere Rechtsschutzmöglichkeiten sind nicht vorgesehen; auch in Missbrauchsfällen iSd § 3 V AktFV kann sich AG nur an Betreiber des Bundesanzeigers wenden, der dann über Löschung zu entscheiden hat. Im Falle von Beleidigungen oÄ stehen uU allg. zivilrechtl. Abwehransprüche zur Verfügung (BeckOGK/Rieckers Rn. 24).

128 *(aufgehoben)*

§ 128 regelte Pflicht eines verwahrenden KI, Einberufungsinformation nach Aktionär zu übermitteln. An Stelle dieser Vorschrift sind mit ARUG II 2019 neue Übermittlungsregeln der §§ 67a ff. und darauf bezogene Neufassung des § 125 getreten, so dass Vorschrift aufgehoben werden konnte. Streichung ist nach § 26j IV EGAktG am 3.9.2020 in Kraft getreten und auf HV anzuwenden, die nach diesem Datum einberufen wird. 1

Dritter Unterabschnitt. Verhandlungsniederschrift. Auskunftsrecht

Geschäftsordnung; Verzeichnis der Teilnehmer; Nachweis der Stimmzählung

129 (1) [1] **Die Hauptversammlung kann sich mit einer Mehrheit, die mindestens drei Viertel des bei der Beschlußfassung vertretenen Grundkapitals umfaßt, eine Geschäftsordnung mit Regeln für die Vorbereitung und Durchführung der Hauptversammlung geben.** [2] **In der Hauptversammlung ist ein Verzeichnis der erschienenen oder vertretenen Aktionäre und der Vertreter von Aktionären mit Angabe ihres Namens und Wohnorts sowie bei Mehrstimmrechtsaktien die Zahl der auf sie entfallenden Stimmrechte, bei Nennbetragsaktien des Betrags, bei Stückaktien der Zahl der von jedem vertretenen Aktien unter Angabe ihrer Gattung aufzustellen.** [3] **Im Fall der virtuellen Hauptversammlung sind die elektronisch zu der Versammlung zugeschalteten oder vertretenen Aktionäre und die elektronisch zu der Versammlung zugeschalteten Vertreter von Aktionären in das Verzeichnis nach Satz 2 aufzunehmen.**

(2) [1] **Sind einem Intermediär oder einer in § 135 Abs. 8 bezeichneten Person Vollmachten zur Ausübung des Stimmrechts erteilt worden und übt der Bevollmächtigte das Stimmrecht im Namen dessen, den es angeht, aus, so sind bei Nennbetragsaktien der Betrag, bei Stückaktien die Zahl und die Gattung der Aktien, für die ihm Vollmachten erteilt worden sind, zur Aufnahme in das Verzeichnis gesondert anzugeben.** [2] **Die Namen der Aktionäre, welche Vollmachten erteilt haben, brauchen nicht angegeben zu werden.**

(3) [1] **Wer von einem Aktionär ermächtigt ist, im eigenen Namen das Stimmrecht für Aktien auszuüben, die ihm nicht gehören, hat bei Nennbetragsaktien den Betrag, bei Stückaktien die Zahl und die Gattung dieser Aktien zur Aufnahme in das Verzeichnis gesondert anzugeben.** [2] **Dies gilt auch für Namensaktien, als deren Aktionär der Ermächtigte im Aktienregister eingetragen ist.**

(4) [1] **Das Verzeichnis ist vor der ersten Abstimmung allen Teilnehmern, im Fall der virtuellen Hauptversammlung allen elektronisch zu**

der Versammlung zugeschalteten Aktionären und Vertretern von Aktionären zugänglich zu machen. [2]Jedem Aktionär ist auf Verlangen bis zu zwei Jahren nach der Hauptversammlung Einsicht in das Teilnehmerverzeichnis zu gewähren.

(5) **[1]Der Abstimmende kann von der Gesellschaft innerhalb eines Monats nach dem Tag der Hauptversammlung eine Bestätigung darüber verlangen, ob und wie seine Stimme gezählt wurde. [2]Die Gesellschaft hat die Bestätigung gemäß den Anforderungen in Artikel 7 Absatz 2 und Artikel 9 Absatz 5 Unterabsatz 2 der Durchführungsverordnung (EU) 2018/1212 zu erteilen. [3]Sofern die Bestätigung einem Intermediär erteilt wird, hat dieser die Bestätigung unverzüglich dem Aktionär zu übermitteln. [4]§ 67a Absatz 2 Satz 1 und Absatz 3 gilt entsprechend.**

Übersicht

I. Regelungsgegenstand und -zweck

§§ 129–132 regeln **Durchführung der HV** einschließlich des gerichtl. Verfahrens bei Auskunftsstreitigkeiten, erfassen jedoch nur Teilaspekte, nämlich: Geschäftsordnung (§ 129 I 1), Teilnehmerverzeichnis (§ 129 I 2, II–V), Versammlungsniederschrift (§ 130) und Auskunftsrecht (§§ 131, 132). **Geschäftsordnung:** HV soll sich damit selbst organisieren (→ Rn. 1a ff.). **Teilnehmerverzeichnis** bezweckt nach RegBegr. Kropff S. 182, Durchführung der HV zu erleichtern und teilnehmende Personen festzuhalten. Das ist jedoch nichtssagend. Im Wesentlichen geht es (1.) um Feststellung der Beschlussfähigkeit, soweit sie nach der Satzung von Mindestpräsenz abhängt; (2.) um Erleichterung bei der Feststellung des Abstimmungsergebnisses (Anwendung des Subtraktionsverfahrens); (3.) um Beurteilung von Stimmrechtsausschlüssen (§ 136 I); vgl. RGZ 114, 202, 203 f.; GK-AktG/Mülbert Rn. 38 ff.; KK-AktG/Noack/Zetzsche Rn. 32 ff. Nur am Rande bezweckt und auch kaum erreichbar ist Transparenz der Beteiligungsverhältnisse (Butzke HV C 53). 1

II. Geschäftsordnung der Hauptversammlung (§ 129 I 1)

1. Allgemeines. Nach § 129 I 1 kann sich HV eine Geschäftsordnung geben. 1a Diese kann Regeln über Vorbereitung und Durchführung der HV enthalten. Beschluss zur Einführung einer Geschäftsordnung bedarf einer **Mehrheit von drei Vierteln** des vertretenen Kapitals. Durch KonTraG 1998 eingeführte Regelung bekräftigt schon vorher anerkannte Befugnis der HV, ihr Verfahren eigenverantwortlich zu ordnen (RegBegr. BT-Drs. 13/9712, 19). Mit Geschäftsordnung soll dem Leiter der HV wohl teilw. vermisste **Verfahrenssicherheit** gegeben und auch inhaltliche Qualität der Aussprache verbessert werden (RegBegr. BT-Drs. 13/9712, 19). Anders als Geschäftsordnung des Vorstands (→ § 77 Rn. 19 ff.) und des AR (→ § 107 Rn. 65 ff.) hat Geschäftsordnung der HV aber bisher **kaum praktische Bedeutung** erlangt (KK-AktG/Noack/Zetzsche Rn. 3: totes Recht). Ihr Nutzen bleibt auch künftig als gering zu veranschlagen (GK-AktG/Mülbert Rn. 11), mag aber im Einzelfall in deskriptiver Zusammenfassung von Verfahrensregeln liegen.

2. Rechtsnatur. Fragen der Geschäftsordnung können zwar in der Satzung 1b geregelt sein (§ 121 V 1, § 123 II–IV, § 134 IV; auch Person des Versammlungsleiters → Rn. 18). Geschäftsordnung selbst ist jedoch **Verfahrensregelung ohne Satzungscharakter,** die für Wahrnehmung der Aufgaben des jeweiligen Organs und kraft seiner rechtsgeschäftlich begründeten Selbstbindung gilt, soweit sich Organ Geschäftsordnung selbst gegeben hat. Seine Kompetenz dazu folgt aus der Aufgabenzuweisung, die Befugnis zu zweckentspr. Selbstorganisation einschließt. Dass Geschäftsordnung keinen Satzungscharakter hat, gilt auch im Fall des § 129 I 1 (RegBegr. BT-Drs. 13/9712, 19), weil HV ungeachtet des Erfordernisses qualifizierter Mehrheit nicht als Satzungsgeber tätig wird, wenn sie sich Geschäftsordnung gibt (BeckOGK/Wicke Rn. 4; aA Dietrich NZG 1998, 921, 922 f.); sie schafft nur die rechtsgeschäftliche Grundlage (→ § 133 Rn. 2 ff.) für ihre Selbstbindung. Aus fehlendem Satzungscharakter folgt **Nachrang der Geschäftsordnung** nicht nur ggü. ges. Regelung, sondern auch ggü. Satzung selbst (GK-AktG/Mülbert Rn. 14 ff.). Geschäftsordnung ist zwar wie Satzung autonom gesetzte Regelung. Der sie tragende Geltungswille ist jedoch nicht auf Verdrängung, sondern auf Ergänzung der Satzung gerichtet. Schließlich hat Geschäftsordnung auch **keine Satzungspublizität:** Sie ist nicht wie Satzung (§ 37 IV Nr. 1) zum HR einzureichen. Für unmittelbare oder analoge Anwendung des auf Änderungen zugeschnittenen § 181 fehlt von vornherein die Basis.

1c **3. Inhalt.** Geschäftsordnung kann nach § 129 I 1 Regeln über **Vorbereitung und Durchführung** der HV enthalten (Mustertext bei Schaaf ZIP 1999, 1339, 1342 ff.). Das gilt jedoch wegen Nachrangs der Geschäftsordnung (→ Rn. 1b) nur iR von Ges. und Satzung. Undeutlicher Hinweis in RegBegr. BT-Drs. 13/9712, 19, satzungsändernde Mehrheit legitimiere „weiteren Gestaltungsspielraum mit Blick auf § 23 Abs. 5“, geht fehl, soweit sich HV nicht auch als Satzungsgeber betätigt (S/L/Ziemons Rn. 1, 4). Für Regeln der Geschäftsordnung, die nicht nur wiederholenden Charakter haben, besteht danach wenig Raum (Überblick bei BeckOGK/Wicke Rn. 10). Verfahrensablauf der HV ist in §§ 129 ff. zwar nur rudimentär geregelt (→ Rn. 17). Praxisübliche Satzungsklauseln engen Spielraum aber schon ein. Im Geltungsbereich der § 121 V 1, § 123 II–IV, § 134 IV hilft Geschäftsordnung auch nicht beim Schweigen der Satzung, weil Regelung nur dort, nicht auch in Geschäftsordnung getroffen werden kann; Hinweis in RegBegr. BT-Drs. 13/9712, 19 auf § 134 IV ist deshalb nicht recht verständlich. Vor allem muss Geschäftsordnung jedoch **eigene Rechte und Pflichten des HV-Leiters** (→ Rn. 22 ff.) respektieren; sie sind nämlich nicht von HV abgeleitet, sondern stehen ihm kraft seines ges. vorausgesetzten Amtes (§ 129 IV, § 130 II) zu (ebenso Bezzenberger ZGR 1998, 352, 358 f.; Dietrich NZG 1998, 921, 923). In RegBegr. BT-Drs. 13/9712, 19 aufgeführte Einzelgegenstände fallen ganz weitgehend in Leitungskompetenz des HV-Leiters (→ Rn. 22 ff.). Bzgl. der Sicherheitskontrollen ist auch deskriptive Regelung unzweckmäßig, weil erforderliche Maßnahmen situationsabhängig sind (wohl aA Dietrich NZG 1998, 921, 925). Fragen des Tonbandmitschnitts liegen weitgehend schon auf Gesetzesebene (→ § 130 Rn. 33). Regelungen zur Stimmrechtsausübung gehören nach § 134 IV in die Satzung, nicht in die Geschäftsordnung.

1d **4. Einführung und Geltung. a) Beschlusserfordernisse.** Beschluss über Einführung einer Geschäftsordnung ist gem. § 124 **bekanntmachungspflichtig.** § 124 IV greift nicht ein; Einführung einer Geschäftsordnung ist selbst Gegenstand der Tagesordnung, nicht Antrag zu anderweitigem Verhandlungsgegenstand (→ § 124 Rn. 41 f.). Umfang der Bekanntmachungspflicht (s. § 124 II 3) ist ungeklärt. Richtig ist Mitteilung des wesentlichen Inhalts analog § 124 II 3 letzter Fall, der für Vertragsänderungen gilt (Wortlaut wird zu lang); hM, s. MüKoAktG/Kubis Rn. 9; BeckOGK/Wicke Rn. 11; aA S/L/Ziemons Rn. 12. Beschluss bedarf der einfachen Stimmenmehrheit des § 133 I und überdies der **Kapitalmehrheit von drei Vierteln** nach § 129 I 1. Anders als bei Satzungsänderung nach § 179 II 2 kann Satzung das Mehrheitserfordernis nicht abschwächen; Sachgründe für unterschiedliche Behandlung sind nicht ersichtlich. Wegen Mehrheitserfordernisses bedarf Beschluss gem. § 130 I 1 und 3 (→ § 130 Rn. 14b) auch dann notarieller Beurkundung, wenn Gesellschaft nicht börsennotiert ist, was wiederum nicht voll überzeugt. Insges. liegt in Erfordernis qualifizierter Mehrheit eher ein Rückschritt ggü. früherer Gesetzeslage, nach der einfache Mehrheit genügte. Verfahren wird dadurch erschwert, ohne dass sachlich etwas gewonnen wäre (krit. auch GK-AktG/Mülbert Rn. 27).

1e **b) Änderung und Aufhebung.** Dass HV durch erneute Beschlussfassung Geschäftsordnung ändern oder aufheben kann, versteht sich von selbst. Erforderlich ist auch hier Bek. (→ Rn. 1d). Mehrheitserfordernisse hat § 129 I 1 nicht geregelt. Mangels bes. Auslegungsgesichtspunkte ist anzunehmen, dass es bei Änderung neben der einfachen Stimmenmehrheit der **qualifizierten Kapitalmehrheit** bedarf. Änderung ist nämlich teilw. Einführung neuer Geschäftsordnung. Für Aufhebung gilt dieses Argument nicht. Es wird keine Norm mit dauerhaftem Geltungsanspruch geschaffen, sondern lediglich zur Gesetzeslage zurückgekehrt (Grigoleit/Herrler Rn. 3). Auch gibt es keinen allg. Grundsatz, nach dem die eingetretene Rechtswirkung nur nach den für ihre Begründung geltenden Regeln beseitigt werden könnte, sofern es wie bei Geschäftsordnung nur um interne Bindung geht (hM, Hölters/Weber/Drinhausen Rn. 9; MüKoAktG/Kubis Rn. 10; KK-AktG/Noack/Zetzsche Rn. 24; aA GK-AktG/Mülbert Rn. 28; S/L/Ziemons Rn. 14). Deshalb genügt einfache Mehrheit.

c) Durchbrechung. Von Änderung und Aufhebung zu unterscheiden ist 1f
Durchbrechung, also Außerkraftsetzung fortgeltender Geschäftsordnungsregeln im Einzelfall (zum vergleichbaren Problem der Satzungsdurchbrechung → § 179 Rn. 7 ff.). Grds. Zulässigkeit ist anerkannt, aber umstr., ob sie durch **einfachen Mehrheitsbeschluss** erfolgen kann oder Voraussetzungen der § 121 III 2, § 129 I 1 erfüllt sein müssen (für das Erste die hM Hölters/Weber/Drinhausen Rn. 10; MüKoAktG/Kubis Rn. 11; KK-AktG/Noack/Zetzsche Rn. 27; BeckOGK/Wicke Rn. 13; für das Zweite GK-AktG/Mülbert Rn. 29). Für hM spricht die pragmatische, in der Sache aber durchaus gewichtige Überlegung, dass schwerfälliges Organ der HV in bes. Weise darauf angewiesen ist, **situativ auf neue Entwicklungen reagieren** zu können (BeckOGK/Wicke Rn. 13). Würde sie sich dieser Flexibilität mit Geschäftsordnung begeben (vgl. zu dieser Folge GK-AktG/Mülbert Rn. 29), müsste Praxis dringend davon abgeraten werden. Erst durch Öffnungsklausel könnte sachgerechte Handhabung wieder ermöglicht werden (Hölters/Weber/Drinhausen Rn. 10). Bei Geschäftsordnung, deren Aufhebung mit einfacher Mehrheit aufgehoben werden kann (→ Rn. 9) und Verstoß ohnehin weitgehend sanktionslos ist (so auch GK-AktG/Mülbert Rn. 37), sollte es aber möglich sein, dieses sachgerechte Ergebnis schon im Wege der Gesetzesauslegung zu erzielen. Ordnungsgem. Verfahren ist, von bestehender Geschäftsordnung nicht einfach abzuweichen, sondern Abweichung als solche zu beschließen. Darin liegender Geschäftsordnungsbeschluss ist bekanntmachungsfrei (→ § 124 Rn. 41).

5. Rechtsfolgen bei Verstoß. Wenn Beschluss in einem Verfahren zustande 1g
kommt, das der Geschäftsordnung widerspricht, kann er zwar nicht nichtig (§ 241), uU aber anfechtbar sein (§ 243 I). Mangels Satzungsqualität der Geschäftsordnung (→ Rn. 1b) scheidet zwar eine Satzungsverletzung aus (so aber S/L/Ziemons Rn. 16). Andere Sichtweise hätte prohibitive Wirkung, da HV durch Erlass der Geschäftsordnung Anfechtungsrisiko erhöhen würde (BeckOGK/Wicke Rn. 15). Möglich bleibt aber Anfechtung wegen Gesetzesverletzung, wenn sich Verstoß gegen Geschäftsordnung im Einzelfall **zugleich als Gesetzesverstoß** darstellt (namentl. bei Anwesenheits-, Rede- und Auskunftsrecht denkbar). Daneben ist Anfechtung auch dort möglich, wo ausdr. ges. Ermächtigung (zB § 118 IV, § 131 II 2) umgesetzt wird (GK-AktG/Mülbert Rn. 34). Auch wenn spezielle Vorschrift nicht zur Verfügung steht, kann Verstoß gegen vorhandene und sonst praktizierte Geschäftsordnung gegen § 53a verstoßen oder treuwidrig sein; Einzelheiten sind ungeklärt (wie hier GK-AktG/Mülbert Rn. 30 ff.; KK-AktG/Noack/Zetzsche Rn. 28 ff.; BeckOGK/Wicke Rn. 15).

III. Mindestinhalt und Aufstellung des Teilnehmerverzeichnisses (§ 129 I 2)

1. Erschienene und offen vertretene Aktionäre. a) Erforderliche Angaben. § 129 I 2 schreibt Teilnehmerverzeichnis vor (Zweck → Rn. 1), in das die 2
in Person erschienenen Aktionäre sowie die vertretenen Aktionäre und ihre Vertreter aufzunehmen sind; sog **Eigenbesitz** (E). Eigenbesitz hat auch, wer Aktien darlehensweise übernimmt (§ 607 BGB), insbes. bei sog Wertpapierleihe; Grund ist sein Eigentumserwerb (→ § 118 Rn. 27). Aus demselben Grund ist auch Treuhänder Eigenbesitzer (GK-AktG/Mülbert Rn. 62). Aufnahmepflicht gilt auch für Vorzugsaktionäre ohne Stimmrecht (Henseler BB 1962, 1023, 1024).

Stellvertretung iSd § 129 I 2 ist nur die offene Stellvertretung (unstr.); zur verdeckten Stellvertretung → Rn. 11, zur Stimmrechtsermächtigung → Rn. 12 ff. Abdruck eines Musters bei Butzke HV Anh. 4 (S. 605 f.). Auch **online teilnehmende Aktionäre** sind in Teilnehmerverzeichnis aufzunehmen, nicht aber Briefwähler (MüKoAktG/Kubis Rn. 24; KK-AktG/Noack/Zetzsche Rn. 41 ff.). Wird andere Person bevollmächtigt, die selbst nur über Briefwahl teilnimmt (→ Rn. 47), wird weder Aktionär noch Bevollmächtigter im Teilnehmerverzeichnis aufgeführt (Danwerth NZG 2020, 586, 587). Nicht ges. vorgeschrieben, aber doch sinnvoll, sind Angaben zu eigenen Aktien der AG (GK-AktG/Mülbert Rn. 60).

3 Aktionäre und ggf. Stellvertreter sind durch **Namen und Wohnort** zu bezeichnen. Name ist der bürgerliche Name einschließlich des Vornamens. Einzelkaufleute können stattdessen unter ihrer Firma auftreten (§ 17 I HGB). Bei Handelsgesellschaften ist Auftritt unter ihrer Firma alternativlos, weil sie keinen anderen Namen haben. Wohnort ist die Gemeinde. Bei Einzelkaufleuten, die unter ihrer Firma auftreten, ist stattdessen der Ort der Handelsniederlassung anzugeben. Bei Handelsgesellschaften tritt der Sitz an die Stelle des Wohnorts (BeckOGK/Wicke Rn. 24 f.). Berufsangaben, Titel und dergl. sind überflüssig. Neben Namen und Wohnort müssen **Umfang der gehaltenen oder vertretenen Aktien sowie ihre Gattung** (§ 11) angegeben werden. Angaben variieren nach Aktienform (§ 8). Mit ZuFinG 2023 wurden **Mehrstimmrechtsaktien** in § 12 S. 2 wieder zugelassen (→ § 12 Rn. 7 ff.). Als Folgeänderung ist § 129 I 2 in der Weise erweitert worden, dass bei Mehrstimmrechtsaktien die Zahl der auf sie entfallenden Stimmrechte anzugeben ist. Bei Nennbetragsaktien ist Betrag (Gesamtbetrag) der Aktien anzugeben, bei Stückaktien ihre Zahl. Bei verschiedenen Gattungen sind jeweilige Gesamtbeträge der Nennbetragsaktien bzw. jeweilige Anzahl der Stückaktien anzugeben. Wenn Aktionäre oder ihre Vertreter nur mit einem Teil des Aktienbesitzes an der HV teilnehmen (nur teilw. hinterlegt), muss der darauf entfallende Gesamtbetrag im Teilnehmerverzeichnis stehen.

4 **b) Weitere Angaben.** Als weitere Angaben kommen solche zur Stimmenzahl und zur Leistung auf die Einlage in Betracht. Angaben zur **Stimmenzahl** sind nach heute allgM nicht erforderlich (KK-AktG/Noack/Zetzsche Rn. 69). Sie ergibt sich im ges. Regelfall ohnehin aus den Aktiennennbeträgen (§ 134 I 1). Mehrstimmrechtsaktien (§ 12 S. 2) sind schon nach § 129 I 2 als eigene Gattung gesondert anzugeben (→ Rn. 3). Wenn Teilnehmerverzeichnis die ihm grds. zukommende Eignung als Hilfsmittel für die Feststellung des Abstimmungsergebnisses (→ Rn. 1) infolge des Fehlens von Angaben zur Stimmenzahl nicht mehr erfüllen kann, muss es entweder durch freiwillige Zusatzangaben ergänzt oder mit ergänzender Präsenzliste ausgeholfen werden (MüKoAktG/Kubis Rn. 33; KK-AktG/Noack/Zetzsche Rn. 69). Angaben zur **Leistung der Einlage** sind sinnvoll, wenn der Umfang des Stimmrechts davon abhängt (§ 134 II). Dass solche Angaben unter dieser Prämisse im Teilnehmerverzeichnis enthalten sein müssen (so noch GK-AktG/Werner, 4. Aufl. 1993, Rn. 40, 42), lässt sich jedoch aus § 129 I 2 nicht ableiten (MüKoAktG/Kubis Rn. 33; GK-AktG/Mülbert Rn. 79). Bezweckte Erleichterung bei Feststellung des Abstimmungsergebnisses (→ Rn. 1) tritt dann zwar nicht ein, doch liegt darin nicht der einzige Zweck des Verzeichnisses.

5 **2. Pflicht zur Aufstellung. a) Allgemeines.** § 129 I 2 begründet Pflicht zur Aufstellung. Verpflichtet ist die AG (→ Rn. 6). Pflicht zur Aufstellung besteht nach zutr. hM auch dann, wenn Aktionäre zu einer **Vollversammlung** zusammengetreten sind (heute allgM – statt vieler MüKoAktG/Kubis Rn. 17). Keine Pflicht zur Aufstellung eines Teilnehmerverzeichnisses besteht nur bei **Einmann-AG,** weil Dokumentation in diesem Fall keinen vernünftigen Zweck

erfüllen könnte und erforderliche Angaben in HV-Niederschrift erfolgen können (fast allgM, s. MüKoAktG/Kubis Rn. 17; GK-AktG/Mülbert Rn. 41; KK-AktG/Noack/Zetzsche Rn. 39; Ott RNotZ 214, 423, 427; aA S/L/Ziemons Rn. 18). Da Rechtslage aber nicht höchstrichterl. geklärt ist, sollte vorsorglich Erstellung erfolgen (Polte/Haider-Giangreco AG 2014, 729, 736).

b) Schuldner der Aufstellungspflicht. Wer das Teilnehmerverzeichnis zu erstellen hat, sagt § 129 nicht ausdr. Nach einer Ansicht soll der Leiter der HV aufstellungspflichtig sein (MüKoAktG/Kubis Rn. 18). Gegenansicht sieht entspr. Verpflichtung bei der **Gesellschaft,** für die ihr Vorstand handelt (B/K/L/Reger Rn. 17; BeckOGK/Wicke Rn. 19; S/L/Ziemons Rn. 19). Frage findet unterschiedliche Antworten, weil sie nicht genau genug gestellt ist. Pflicht zur Vorbereitung und Durchführung kann nur bei der AG liegen, weil allein sie durch Anmeldung (§ 123 II) oder aus dem Aktienregister (§ 67) die erforderlichen Vorinformationen hat und auch nur sie über Personal und technischen Apparat verfügt, was jedenfalls bei großen Gesellschaften für die Erstellung des Verzeichnisses unerlässlich ist (zust. MHdB AG/Hoffmann-Becking § 37 Rn. 28). 6

Demgegenüber kann **Leiter der HV** nur dafür verantwortlich sein, dass die Gesellschaft das Verzeichnis überhaupt und soweit ordnungsmäßig führt, wie das mit den Mitteln des Versammlungsleiters prüfbar ist. Soweit Versammlungsleiter schon vor der HV kraft Satzung feststeht, kann auch gefordert werden, dass er sich vor Beginn von der ordnungsmäßigen Anlage des Entwurfs und den nötigen organisatorischen Vorkehrungen überzeugt. Wenn danach Beanstandungen zu erheben sind und nicht ausgeräumt werden, ist er berechtigt und verpflichtet, HV nicht zu eröffnen oder nicht fortzuführen (zutr. MüKoAktG/Kubis Rn. 18; GK-AktG/Mülbert Rn. 47). Seine Verantwortung durch Unterzeichnung zu dokumentieren, ist dem HV-Leiter nicht mehr vorgeschrieben. Pflicht zur Unterzeichnung wäre unvereinbar mit ges. Verzicht auf papiergebundenes Teilnehmerverzeichnis (→ Rn. 13 f.). 7

3. Art und Weise der Aufstellung. Erstellung des Teilnehmerverzeichnisses bedarf der Vorbereitung. Es sind zunächst die Aktionäre zu erfassen, die erwartet werden können (Hinterlegung und/oder Anmeldung, Aktienregister → Rn. 6). Auf dieser Basis wird üblicherweise ein **Entwurf** gefertigt (Formular zB bei Butzke HV Anh. 4 [S. 605 f.]). Entwurf ist bei Eingangskontrolle zugrunde zu legen und zu korrigieren. Dabei kann aufgeteilt werden, zB nach Alphabet oder Eintrittskartennummer. Korrigierte Fassung muss so klar und übersichtlich sein, dass sie dem üblichen Versammlungsteilnehmer eine sinnvolle Kenntnisnahme gestattet (vgl. § 129 IV 1). Auch elektronisches Verzeichnis ist zulässig (GK-AktG/Mülbert Rn. 58). Teilnehmerverzeichnis ist ggü. Niederschrift (§ 130) von selbständiger Bedeutung. Bei kleineren Gesellschaften zT geübte Praxis, beides zu verbinden und Anwesenheitsfeststellung in der Niederschrift oder einem ihr beigefügten Sonderblatt zu ersetzen, ist unter Formgesichtspunkten dennoch zulässig. Zu beachten ist aber, dass auch in dieser Form Zugänglichkeit iSd § 129 IV 1 gewährleistet sein muss (zutr. MüKoAktG/Kubis Rn. 23; BeckOGK/Wicke Rn. 23). 8

4. Zeitpunkt; nachträgliche Veränderungen. Gem. § 129 I 2 ist Teilnehmerverzeichnis in der HV aufzustellen. § 129 IV 1 präzisiert, dass Verzeichnis **vor der ersten Abstimmung** aufgestellt sein muss; denn sonst könnte es nicht allen Teilnehmern zugänglich gemacht werden. Nur auf die erste Abstimmung kommt es an. Mit HV kann also unschädlich auch vor Aufstellung begonnen werden, üblich und zweckmäßig mit Entgegennahme des festgestellten Jahresabschlusses (§ 172), weil insoweit nichts zu beschließen, also auch nichts abzustimmen ist (GK-AktG/Mülbert Rn. 53). 9

10 **Nachträgliches Erscheinen** von Aktionären oder **vorzeitiges Verlassen** der HV ist nach hM im Teilnehmerverzeichnis zu vermerken (MüKoAktG/Kubis Rn. 21; MHdB AG/Hoffmann-Becking § 37 Rn. 29). Der hM ist beizupflichten, weil sonst nur eine Momentaufnahme für den Beginn der HV entstünde, die dem Dokumentationszweck (→ Rn. 1) nicht gerecht würde. Es genügt auch nicht, nur diejenigen Aktionäre und ihre Vertreter zu vermerken, die sich an- bzw. abmelden (MüKoAktG/Kubis Rn. 21). Zu- und Abgänge sind vielmehr zu kontrollieren, weil sonst bloße Zufallsergebnisse entständen. Aus Gründen der Praktikabilität muss es jedoch ausreichen, die Ergebnisse von Kontrolllisten oder ähnlichen Unterlagen abschnittsweise in das Teilnehmerverzeichnis zu übernehmen, jedenfalls zu den Abstimmungsgängen (MHdB AG/Hoffmann-Becking § 37 Rn. 29).

10a **5. Sonderregelung für virtuelle HV (§ 129 I 3).** Mit VHVG 2022 neu eingeführter § 129 I 3 enthält Sonderregelung für vHV. Auch hier gilt **Pflicht zur Aufstellung** des Teilnehmerverzeichnisses. Unter COVMG-Rahmenbedingungen (→ § 118a Rn. 2 f.) wurde Ausübung des Stimmrechts ganz überwiegend allein in Form elektronischer Briefwahl und nicht über elektronische Teilnahme angeboten. Da Briefwähler nicht als in HV erschienen gelten, sind sie nicht in das Teilnehmerverzeichnis aufzunehmen (→ Rn. 2), was zur Folge hatte, dass bei virtuellen Veranstaltungen in den Jahren 2020 – 2022 zumeist allein Stimmrechtsvertreter in Teilnehmerverzeichnis aufgenommen wurde (RegBegr. BT-Drs. 20/1738, 30).

10b Nach neuer Gestaltung des § 118a stehen **elektronisch zugeschalteten Aktionären** dagegen zahlreiche Rechte zu, die ihre Position derjenigen physisch anwesender Aktionäre zwar nicht gleichstellen, sie aber doch einander annähern (RegBegr. BT-Drs. 20/1738, 30). Das rechtfertigt es, auch elektronisch zugeschaltete oder (elektronisch) vertretene Aktionäre in Teilnehmerverzeichnis aufzunehmen. Voraussetzung ist allerdings, dass sie – nach ggf. erforderlicher Anmeldung – so **zugeschaltet** sind, dass sie (etwa über Aktionärsportal) Teilnehmerrechte ausüben und daher auch durch AG identifiziert werden können (RegBegr. BT-Drs. 20/1738, 30); Anmeldung allein genügt nicht (so zu COVMG aF schon Danwerth NZG 2020, 586; Simons/Hauser NZG 2020, 488, 493). Dagegen kommt es nicht darauf an, ob sie Rechte auch tats. ausgeübt haben (RegBegr. BT-Drs. 20/1738, 30). Praktische Probleme der Identifikation stellen sich, wenn **Zugangscode an Dritten weitergegeben** wird, ohne dies offenzulegen; daraus resultierende Ungenauigkeit des Teilnehmerverzeichnisses ist als unvermeidbare Konsequenz des virtuellen Formats hinzunehmen. Ebenfalls aufzunehmen ist **Stimmrechtsvertreter der AG,** der nach § 118a II 3 am Versammlungsort anwesend sein darf (→ § 118a Rn. 46). Von Praxis noch zu lösen ist die Frage, wie **Doppelungen** vermieden werden können, wenn Aktionär Stimmrechtsvertreter beauftragt, sich sodann aber auch selbst zuschaltet (Bungert/Rieckers/Becker DB 2022, 2074, 2079; Rieckers DB 2023, 373, 375).

10c **Briefwähler** iSd § 118 II, die sich nicht zuschalten (sonst → Rn. 10b), nehmen dagegen an vHV nicht teil und sind deshalb auch im Teilnehmerverzeichnis nicht zu erfassen (→ Rn. 2). Das ändert sich auch nicht, wenn Briefwahl in vHV ausnahmsweise noch bis in HV hinein zugelassen wird (→ § 118a Rn. 28 f.; Danwerth NZG 2020, 586; sa Herrler DNotZ 2020, 468, 482, der aber abw. Handhabung nahelegt). Stattdessen genügt es in diesem Fall, wenn **Stimmrechtsvertreter** aufgeführt wird (so zu COVMG aF Danwerth NZG 2020, 586, 587 mw Einzelheiten; Herb/Merkelbach DStR 2000, 811, 814; Kruchen DZWIR 2020, 431, 451; aA Mayer/Jenne/Miller BB 2020, 1282, 1292). Zur Frage, ob Teilnehmerverzeichnis auch elektronisch teilnehmenden Aktionären zugänglich gemacht werden muss, → Rn. 13, → Rn. 13b.

IV. Vollmachts- und Fremdbesitz (§ 129 II, III)

1. Verdeckte Stellvertretung. Während § 129 I 2 nur offene Stellvertretung erfasst (→ Rn. 3), betr. § 129 II verdeckte Stellvertretung, also den Fall, dass Vertreter zwar im fremden Namen handelt, aber die Person des Vertretenen nicht aufdeckt; sog **Vollmachtsbesitz.** Solches Handeln im Namen dessen, den es angeht, ist vorbehaltlich abw. Vollmachtsgestaltung gem. § 135 V 2, VIII Intermediär, Aktionärsvereinigungen und gleichgestellten Personen gestattet, und zwar nur ihnen (→ § 135 Rn. 40); andere Vertreter müssen offen handeln und unterliegen notwendig § 129 I 2, sofern nicht von der Möglichkeit der Legitimationsübertragung Gebrauch gemacht wird (→ Rn. 12 ff.). Es wäre widersprüchlich, Ausübung des Stimmrechts im Namen dessen, den es angeht, eigens zuzulassen und gleichwohl Offenlegung im Teilnehmerverzeichnis zu fordern. Deshalb gestattet § 129 II, dass nur der Vertreter (Intermediär, Aktionärsvereinigung usw) mit Name und Wohnort/Sitz unter gesonderter Angabe von Betrag (Gesamtbetrag, nämlich bei Nennbetragsaktien) bzw. Zahl (bei Stückaktien) und Gattung der Aktien, auf die sich die Vollmacht bezieht, in das Teilnehmerverzeichnis aufgenommen wird. Damit wird das Verzeichnis zugleich wesentlich entlastet (vgl. RegBegr. Kropff S. 182). Vollmachtbesitz wird herkömmlich mit „V" gekennzeichnet. Vertretungsverhältnisse müssen nicht gesondert aufgeführt sein, sondern nach zu Recht hM ist Zusammenfassung gestattet (MüKoAktG/Kubis Rn. 36; BeckOGK/Wicke Rn. 26; aA S/L/Ziemons Rn. 34). Nach allgM ist Regelung auch auf den in § 134 III 5 benannten **Stimmrechtsvertreter** der AG auszudehnen, der folglich ebenfalls in Teilnehmerverzeichnis aufzunehmen ist, sofern verdeckte Stellvertretung vorliegt (statt aller MüKoAktG/Kubis Rn. 35). 11

2. Ermächtigung zur Ausübung des Stimmrechts im eigenen Namen. 12
§ 129 III enthält Vorgaben zur Eintragung in das Teilnahmeverzeichnis in Fällen der **Legitimationsübertragung.** Dieses wichtige Institut wird im AktG also nicht umfassend, sondern nur punktuell geregelt, damit aber zugleich seine grds. Zulässigkeit vorausgesetzt. Entgegen dem engeren Wortsinn geht es dabei nicht um Übertragung des Stimmrechts oder anderer Verwaltungsbefugnisse (→ § 132 Rn. 5; → § 245 Rn. 11), aber auch nicht um Fall der Stellvertretung (so jedoch KK-AktG/Zöllner 1. Aufl. 1985, Rn. 7). Legitimationsaktionär ist vielmehr ein „Zwitter zwischen dinglicher Anteilsübertragung und rechtsgeschäftlicher Stimmrechtsvollmacht" (KK-AktG/Noack/Zetzsche Rn. 55). Der Dritte wird ermächtigt, fremde Stimmrechte im eigenen Namen auszuüben; sog **Fremdbesitz** (vgl. zur dogmatischen Einordnung OLG Bremen AG 2013, 643, 646; MüKoAktG/Kubis Rn. 37; ausf. Mohamed, Legitimationszession, 2018, 67 ff.; Piroth, Legitimationsübertragung, 2022, Kap. 3 A I; Than ZHR 157 [1993], 125, 130 ff.; krit. Noack FS Stilz, 2014, 437: „dubiose Rechtsfigur"; Grunewald ZGR 2015, 347: „Fremdkörper im deutschen Recht"). Zugleich wird ihm formeller Ausweis des Mitgliedschaftsrechts verschafft (Mohamed, Legitimationszession, 2018, 76 ff., 95 ff.). Zweifel an Vereinbarkeit mit Abspaltungsverbot (Grunewald ZGR 2015, 347, 352; zurückhaltender Noack FS Stilz, 2014, 439, 452; zum Abspaltungsverbot → § 8 Rn. 26; speziell bei Stimmrechten → § 133 Rn. 17 f., → § 134 Rn. 21) greifen nicht durch, da gerade nicht das Stimmrecht vom Aktieneigentum abgespalten, sondern nur die Ausübungsbefugnis übertragen wird (zust. Hauschild/Zimmermann FS Krieger, 2020, 331, 335). Da Legitimationsaktionär idR weisungsgebunden und Legitimationsübertragung widerruflich ist, droht kein Verstoß gegen Grundsatz der Verbandssouveränität (so aber Grunewald ZGR 2015, 347, 356).

12a Nach früher hM soll neben Ermächtigungsakt auch Übertragung des Besitzes an den Aktien auf Dritten erforderlich sein, der ggü. AG als durch Aktienbesitz legitimierter Vollrechtsinhaber auftritt (OLG Bremen AG 2013, 643, 646; KG AG 2010, 166, 168; MüKoAktG/M. Arnold § 134 Rn. 70; offengelassen LG Frankfurt AG 2013, 529, 530). Nachdem individuelle Aktienurkunden heute indes kaum noch ausgestellt werden (→ § 10 Rn. 3 f., 12 ff.) und Aktionärslegitimation mittlerweile nicht mehr durch Urkundsbesitz, sondern durch **Intermediärsnachweis iSd § 123 IV 1 iVm § 67c III** (→ § 67c Rn. 6 ff.) geführt wird, muss diese Entwicklung auch für Legitimationszession nachvollzogen werden (GK-AktG/Mülbert Rn. 68; KK-AktG/Noack/Zetzsche Rn. 55 f.; Bayer/Scholz NZG 2013, 721, 722; Noack FS Stilz, 2014, 439, 444 f.; ausf. Mohamed, Legitimationszession, 2018, 101 ff.; Piroth, Legitimationsübertragung 2022, Kap. 3 C II). Besitzübertragung, die ohnehin nur noch „in absurd gekünstelter Weise" konstruiert werden kann (KK-AktG/Noack/Zetzsche Rn. 56), ist **materiell-rechtl.** also nicht erforderlich (Piroth, Legitimationsübertragung, 2022, Kap. 3 C II). Folgerungen des OLG Bremen AG 2013, 643, 646 zur Beweislast der AG gehen deshalb von fehlerhafter Prämisse aus (zutr. Bayer/Scholz NZG 2013, 721, 723 f.; Mohamed, Legitimationszession, 2018, 220 ff). Auch zur **formellen Legitimation** muss bei **Inhaberaktien** ein auf den Legitimationsaktionär ausgestellter Intermediärsnachweis genügen, der Fremdbesitz offenlegt (Bayer/Scholz NZG 2013, 721, 722 f.; Noack FS Stilz, 2014, 439, 444 f.; Piroth, Legitimationsübertragung, 2022, Kap. 3 B II 2). Um sicher zu gehen, sollte Bescheinigung des Intermediärs vorgelegt werden, aus der sich gleichermaßen Aktienbesitz und Wille zur Legitimationsübertragung ergibt (Bayer/Scholz NZG 2013, 721, 723; Noack FS Stilz, 2014, 439, 446).

12b Auch bei **Namensaktien** ist neben Ermächtigung kein Besitz erforderlich (GK-AktG/Mülbert Rn. 69; Piroth, Legitimationsübertragung, 2022, Kap. 3 B; aA MüKoAktG/M. Arnold § 134 Rn. 70). Für formelle Legitimation ist Eintragung des Legitimationsaktionärs in das Aktienregister erforderlich (zur Zulässigkeit → § 67 Rn. 15 ff.; sa Grunewald ZGR 2015, 347, 348; Piroth, Legitimationsübertragung, 2022, Kap. 3 B I) ausf. zu den Besonderheiten bei Namensaktien Mohamed, Legitimationszession, 2018, 163 ff.).

12c So ermächtigte Personen werden als **Legitimationsaktionäre** bezeichnet (missverständlich, da gerade keine Aktionäre – s. KK-AktG/Noack/Zetzsche Rn. 55). Sie sind in das Teilnehmerverzeichnis wie Aktionäre einzutragen, während deren Eintragung unterbleibt (unstr., s. MüKoAktG/Kubis Rn. 38). Zusätzlich verlangt § 129 III 1 gesonderte Angabe von Betrag bzw. Zahl und Gattung der Legitimationsaktien. Tatsache des **Fremdbesitzes** wird durch Kürzel „F" gekennzeichnet. Mit diesen Angaben wird dem Umstand Rechnung getragen, dass ungeachtet der anderen rechtl. Konstruktion iErg wie bei der verdeckten Stellvertretung (→ Rn. 11) fremde Interessen wahrgenommen werden. Anders als bei verdeckter Stellvertretung (→ Rn. 11) ist Zusammenfassung hier nicht gestattet (MüKoAktG/Kubis Rn. 38; Mohamed, Legitimationszession, 2018, 194; aA GK-AktG/Mülbert Rn. 72). Regelung gilt auch bei Namensaktien, ohne dass sich Legitimationsaktionär auf seine Eintragung im Aktienregister berufen könnte (Klarstellung des § 129 III 2 ggü. § 67 II). Wie sich aus § 135 I 1 ergibt, können Intermediäre jedenfalls bei Inhaberaktien nicht Legitimationsaktionäre sein (→ § 135 Rn. 6). Stimmrechtsvollmacht für den, den es angeht (→ Rn. 11, → § 135 Rn. 40), leistet jedoch im praktischen Ergebnis dasselbe. Bei Namensaktien können Intermediäre unter Voraussetzungen des § 135 VI als Legitimationsaktionäre tätig werden (→ § 135 Rn. 43 ff.). Zur Mitteilungspflicht des Legitimationsaktionärs nach § 20 VII AktG, § 33 I 1 WpHG → § 67 Rn. 34 f.

V. Publizität des Teilnehmerverzeichnisses (§ 129 IV)

1. Möglichkeit der Kenntnisnahme. Teilnehmerverzeichnis ist nach § 129 IV 1 allen Teilnehmern zugänglich zu machen. **Teilnehmer** ist, wer kraft eigenen oder fremden Teilnahmerechts anwesend ist (→ § 118 Rn. 20 ff.), dagegen nicht, wem Anwesenheit nur gestattet ist (Gäste; Pressevertreter; → § 118 Rn. 29). Folglich steht solchen Personen auch kein Recht auf Einsichtnahme in der HV zu (heute unstr. – vgl. nur GK-AktG/Mülbert Rn. 84). Gestattet AG elektronische Teilnahme iSd **§ 118 I 2,** kann sie iRd dafür maßgeblichen Satzungsgrundlage oder Vorstandsentscheidung festlegen, ob auch Aktionären, die in dieser Form teilnehmen, Einsichtsrecht gewährt werden soll (Grigoleit/Herrler Rn. 12; BeckOGK/Wicke Rn. 32; für generelles Einsichtsrecht dagegen MüKoAktG/Kubis Rn. 39; S/L/Spindler Rn. 39). Mit VHVG 2022 neu eingefügte Ergänzung stellt klar, dass gleiche Transparenzvoraussetzung im **Fall einer vHV** auch ggü. allen elektronisch zur Versammlung zugeschalteten Aktionären und Vertretern von Aktionären gilt. 13

Pflicht zur Publizität ist erfüllt, wenn teilnehmende Aktionäre angemessene **Möglichkeit zur Kenntnisnahme** erhalten (RegBegr. NaStraG BT-Drs. 14/4051, 14 f.). Sie kann bei **Präsenz-HV** seit NaStraG 2001 sowohl durch papiergebundes Verzeichnis als auch auf andere Weise, namentl. Bildschirmgeräte eröffnet werden (RegBegr. BT-Drs. 14/4051, 14 f.). Kenntnisnahme muss während der HV ohne wesentlichen Zeitaufwand möglich sein. Ggf. müssen also hinreichend viele funktionstüchtige Geräte und Personal zur Verfügung stehen. Kenntnisnahme muss nicht unbedingt im Versammlungsraum erfolgen. Entsprechende Möglichkeiten können auch in Vor- oder Nebenräumen geboten werden, wenn sie kenntlich gemacht werden und leicht aufzusuchen sind. Kenntnisnahme muss **vor der ersten Abstimmung** möglich sein. Gemeint ist nach ganz hM jede Abstimmung, auch über Verfahrensanträge (allgM – s. nur MüKoAktG/Kubis Rn. 40). Wenn unverhofft Verfahrensanträge gestellt werden und Teilnehmerverzeichnis noch nicht fertig ist, muss HV unterbrochen werden. Vorgeschalteter **Einsichtsgewährungsfrist** bedarf es nicht, da keine Präventivkontrolle ermöglicht, sondern nur Transparenz geschaffen werden soll (zutr. GK-AktG/Mülbert Rn. 83; BeckOGK/Wicke Rn. 31; aA MüKoAktG/Kubis Rn. 41). 13a

Im **Fall einer vHV** kann Einsichtnahmemöglichkeit über elektronisches, passwortgeschütztes Aktionärsportal erfolgen (RegBegr. BT-Drs. 20/1738, 30; s. zu COVMG aF auch schon Herb/Merkelbach DStR 2000, 811, 814; Simons/Hauser NZG 2020, 488, 493). Recht auf Zugänglichmachung der vor Ort anwesenden HV-Teilnehmer, die nicht Aktionäre sind, bleibt davon unberührt (RegBegr. BT-Drs. 20/1738, 30). 13b

2. Nachträgliche Einsichtnahme. § 129 IV 2 gewährt Recht auf Einsichtnahme in Teilnehmerverzeichnis, und zwar unterschiedslos jedem Aktionär (nicht auch: Dritten), der diese Einsichtnahme in beliebiger Form verlangt, allerdings befristet bis zu zwei Jahre nach der HV. Dieses Recht auf nachträgliche **Einsichtnahme bei der AG** ersetzt das aus § 9 I HGB folgende Recht, neben dem HR selbst auch die zum Register eingereichten Dokumente einzusehen. Dieses Recht bleibt zwar grds. unberührt, wird aber bei börsennotierter AG durch § 48 I Nr. 3 WpHG gesperrt (S/L/Ziemons Rn. 45) und geht auch sonst ins Leere, weil das Teilnehmerverzeichnis nach der Änderung in § 130 III durch NaStraG 2001 nicht mehr zu den notwendigen Anlagen der Versammlungsniederschrift gehört und deshalb auch nicht gem. § 130 V zum HR eingereicht wird (→ § 130 Rn. 24). Weil es ein schriftliches Teilnehmerverzeichnis nicht mehr geben muss (→ Rn. 13), kann den Aktionären auch durch **elektronische** 14

Darstellung auf einem Bildschirm Einsicht gewährt werden (RegBegr. BT-Drs. 14/4051, 15). Weil § 129 IV 2 bisherige Registerpublizität ersetzen soll, zu der nach § 9 II 1 HGB das Recht auf Abschrift gehört, wird man annehmen müssen, dass Aktionäre analog § 9 II 1 HGB diese **Abschrift** (bei schriftlichem Teilnehmerverzeichnis) oder einen **Ausdruck** (bei elektronisch geführtem Teilnehmerverzeichnis) von der Gesellschaft fordern können (unstr. – s. nur BeckOGK/Wicke Rn. 33). Auch Online-Einsicht ist zulässig, wenn entspr. Zugangsbeschränkungen der Website gewährleistet sind (GK-AktG/Mülbert Rn. 86). Durch Einsichtnahme anfallende Kosten sind wie bisher von den Aktionären zu tragen.

VI. Nachweis der Stimmenzählung (§ 129 V)

15 § 129 V wurde durch ARUG II 2019 neu eingeführt. Regelung bezweckt, Aktionär Überprüfung zu ermöglichen, ob seine Stimme von AG wirksam aufgezeichnet und gezählt wurde (RegBegr. BT-Drs. 19/9739, 97). Dafür genügt, wenn AG dies dem Abstimmenden mitteilt, der dann seinerseits „wahren" Aktionär in Kenntnis zu setzen hat, ohne dass dies ges. näher geregelt wäre (RegBegr. BT-Drs. 19/9739, 97). Frist für Anfrage beträgt – im Gleichlauf zur Anfechtungsfrist nach § 246 – einen Monat nach Tag der HV; für Fristberechnung gelten §§ 187–193 BGB, nicht aber § 121 VII, da Frist nicht von HV zurückberechnet wird (RegBegr. BT-Drs. 19/9739, 112). Hinsichtlich Format, Inhalt und Frist verweist § 129 V 2 auf Aktionärsrechte-RL II-DVO (→ § 67a Rn. 6 ff.). Verlangt wird nicht nur, dass Stimmenzählung bestätigt wird, sondern auch, wie Stimmen gewertet wurden (ja, nein, Enthaltung – vgl. Noack DB 2019, 2785, 2790; zu Folgeproblemen für Subtraktionsverfahren [→ § 133 Rn. 24] Kuntz AG 2020, 18 Rn. 75, 105). Sofern Bestätigung an Intermediär iSd § 67a IV erteilt wird, hat dieser sie weiterzuleiten, wobei Verweis auf § 67a II 1 klarstellt, dass Beauftragung Dritter möglich ist (→ § 67a Rn. 5). Weiterer Verweis auf § 67a III stellt klar, dass Intermediäre in der Kette iSd § 67a V (→ § 67a Rn. 9) ebenfalls zur Weiterleitung verpflichtet sind (RegBegr. BT-Drs. 19/9739, 98). Änderung tritt nach § 26j IV EGAktG in Kraft ab 3.9.2020 und ist auf HV anzuwenden, die nach diesem Datum einberufen wird.

VII. Rechtsfolgen bei Verstoß

16 **Verstoß gegen Geschäftsordnung** (§ 129 I 1) ist nicht Satzungsverstoß, kann aber als Gesetzesverletzung anfechtungsrelevant sein (→ Rn. 1g). Wenn **Teilnehmerverzeichnis** von AG nicht oder nicht ordnungsmäßig geführt wird (§ 129 I 2, II–IV), liegt **Gesetzesverletzung** vor, die zur Anfechtbarkeit von Beschlüssen gem. § 243 I führt, sofern AG nicht der Nachweis gelingt, dass der Verstoß für das Beschlussergebnis ohne Bedeutung war (vgl. OLG Hamburg NJW 1990, 1120, 1121; LG Frankfurt AG 2021, 441, 444 [für Sondersituation virtueller HV]; MüKoAktG/Kubis Rn. 46; GK-AktG/Mülbert Rn. 89 f.). Nachweis ist insbes. gelungen, wenn feststeht, dass Teilnehmerverzeichnis für Beschlussergebnis ohne Bedeutung war oder sein Fehler sich nach der Stimmenzahl nicht ausgewirkt haben kann. Da Verzeichnis nur nachträgliche Rechtmäßigkeits-, aber keine Präventivkontrolle ermöglichen soll, sollte Nachweis zumeist gelingen (GK-AktG/Mülbert Rn. 90; Bungert/Strothotte DB 2021, 830, 834). Unterbliebene oder falsche Angaben der Aktionäre oder ihrer Vertreter führen nicht zu Anfechtbarkeit, da in diesem Fall nicht erst Verschulden, sondern schon Gesetzesverstoß der AG fehlt (KK-AktG/Noack/Zetzsche Rn. 98; aA GK-AktG/Mülbert Rn. 91), erfüllen aber den obj. Tatbestand einer **Ordnungswidrigkeit nach § 405 II;** Bußgeld kann jedoch nur bei Vorsatz

verhängt werden (§ 10 OWiG; s. BeckOGK/Wicke Rn. 35). Verstöße können auch **Schadensersatzansprüche** anderer HV-Teilnehmer aus § 823 II BGB iVm § 129 begründen; insoweit genügt (anders als für § 405 II, der ebenfalls Schutzgesetz ist, s. MüKoAktG/Kubis Rn. 49) jedes Verschulden. Schadensverursachung durch Verstoß gegen § 129 ist auf Seiten der Aktionäre indes nur schwer vorstellbar (GK-AktG/Mülbert Rn. 97).

VIII. Anhang: Ablauf und Leitung der Hauptversammlung

1. Allgemeines. Gesetz regelt Ablauf der HV nur rudimentär (→ Rn. 1 und 1c), nämlich in § 129 und § 130, ferner bzgl. einzelner Gegenstände der Tagesordnung durch die Pflicht, bestimmte Unterlagen vorzulegen und zu erläutern (vgl. bes. § 176 I, §§ 293f, 293g I und II, § 64 I UmwG). IwS kann zum Ablauf der HV auch die Handhabung des Auskunftsrechts der Aktionäre (§ 131) gerechnet werden. **Satzung** kann Regeln über den Ablauf der HV enthalten (Muster bei Happ/Pühler AktienR 1.01 §§ 17 ff.; einschr. Stützle/Walgenbach ZHR 155 [1991], 516, 521 ff.). HV kann sich auch selbst Geschäftsordnung geben, was § 129 I 1 ausdr. bekräftigt (→ Rn. 1a ff.). IÜ ist auf allg. anerkannte Grundsätze über Durchführung von Versammlungen zurückzugreifen (Max AG 1991, 77, 79 f.). In der Unternehmenspraxis hat sich auch **Leitfaden für Versammlungsleiter** bewährt (Muster: HV-HdB Anh. 1 [Gehling]; Butzke HV Anh. 3). Nach OLG Köln NZG 2013, 548, 551 gehört Erstellung des Leitfadens zum Pflichtenkreis des AR-Vorsitzenden, wenn diesem HV-Leitung obliegt, so dass kein weiteres Entgelt nach § 114 vereinbart werden kann; Entscheidung ist zweifelhaft und dehnt Pflichtenkreis über Gebühr aus (zust. GK-AktG/Mülbert Rn. 111). Zusammenfassende Darstellungen des Ablaufs der HV bei MüKoAktG/Kubis § 119 Rn. 108 ff.; HV-HdB/Gehling § 9 Rn. 56 ff. 17

2. Versammlungsleitung. a) Person des Leiters, Bestimmung und Abberufung. HV muss einen Leiter haben, und zwar auch dann, wenn sie Vollversammlung ist. Das folgt aus § 118 IV, § 122 III 2, § 130 II 1 und 3 sowie aus § 131 II 2. Ausnahme gilt nur für **Einmann-AG,** wo solches Erfordernis unnötige Erschwernis ohne greifbare Vorteile brächte (Hölters/Weber/Drinhausen Anh. § 129 Rn. 1; MüKoAktG/Kubis § 119 Rn. 108; GK-AktG/Mülbert § 129 Rn. 107; Terbrack RNotZ 2012, 221, 222; aA S/L/Ziemons Rn. 55; Ott RNotZ 2014, 423, 426; sa Blasche AG 2017, 16 ff. aufgrund zweifelhafter Annahme, dass Beschlussfeststellung nur durch Vorsitzenden erfolgen könne; → § 130 Rn. 22). Nach OLG Köln NZG 2008, 635, 636 soll aber selbst bei Einmann-AG Versammlungsleiter unentbehrlich sein, wenn Satzung das ausdr. vorsieht, etwa durch Vorgabe, dass HV durch AR-Vorsitzenden geleitet wird, weil darin Teilnahmegarantie für AR-Vorsitzenden liege. Aussagegehalt einer solchen Klausel scheint damit allerdings überdehnt (krit. auch GK-AktG/Mülbert Rn. 107; KK-AktG/Noack/Zetzsche Anh. § 129 Rn. 3; Happ/Zimmermann AktienR 10.18 Rn. 4.1; Terbrack RNotZ 2012, 221; aA Ott RNotZ 2014, 423, 425; vorsorglich stets für Wahl eines Versammlungsleiters Polte/Haider-Giangreco AG 2014, 729, 731 f.). Über die Person des Leiters sagt Ges. nichts. Üblich ist, dass Satzung **AR-Vorsitzenden** zum Leiter der HV bestimmt. Rechtl. handelt es sich dabei jedoch um **zusätzliche Aufgabe,** nicht um Funktion des Vorsitzes im AR (sa KG AG 2011, 170, 172; OLG Köln NZG 2013, 548, 551; LG Ravensburg NZG 2014, 1233, 1234; KK-AktG/Noack/Zetzsche Anh. § 129 Rn. 53 ff.). AR-Vorsitzender kann Aufgabe deshalb auch **ablehnen,** ohne Rückwirkung auf Rolle im AR befürchten zu müssen; in diesem Fall greift Regelung für Verhinderungsfall, hilfsweise Wahl durch HV (MüKoAktG/Kubis § 119 Rn. 111, 114; BeckOGK/Wicke Rn. 43; Butzke HV D 9; aA GK-AktG/ 18

Mülbert Rn. 117; Decher FS Heidel, 2021, 201, 216 ff.). Durch mittlerweile verstärkt diskutierte Haftungsfrage (→ Rn. 25) wird diese Konstellation künftig möglicherweise größere Bedeutung erhalten. Satzung kann deshalb auch andere Person zum HV-Leiter bestimmen oder diese Bestimmung der Beschlussfassung des AR oder der Repräsentanten der Anteilseignerseite überlassen (§ 23 V 2). Sie kann ferner **Vertretungsregelung** für Verhinderungsfälle enthalten, auch derart, dass AR-Vorsitzender seinen Vertreter selbst bestimmt (zu Einzelheiten Hoffmann-Becking NZG 2017, 281, 282). Vertreter kann stellvertretender AR-Vorsitzender sein, doch ist das nicht notwendig, auch nicht unter mitbestimmungsrechtl. Gesichtspunkten. Stehen zwei Stellvertreter zur Verfügung, so kann der Repräsentant der Aktionäre Leiter der HV werden. HV-Leiter oder sein Stellvertreter muss auch weder Mitglied des AR noch Aktionär sein, weshalb außenstehende Dritte wegen ihrer Sachkompetenz zu Versammlungsleitern berufen werden können (Butzke HV D 57; Wilsing/v. der Linden ZIP 2009, 641, 646). Vorübergehende Übertragung an Interims-Leiter ist in engen zeitlichen Grenzen zulässig (idR weniger als 30 Minuten – vgl. Kocher/Feigen NZG 2015, 620, 621). HV-Leiter muss der deutschen Sprache nicht mächtig sein; Kommunikation durch Simultandolmetscher genügt und ist zulässig (OLG Hamburg AG 2001, 359, 363; GK-AktG/Mülbert Rn. 110; Wicke NZG 2007, 771; zur HV-Sprache → § 118 Rn. 20). Fehlerhafte Leitungsmaßnahmen, die auf Übersetzungsmängel zurückzuführen sind, können aber anfechtungsrelevante Verfahrensfehler sein.

19 Sonderfall fehlerhafter Leitung liegt vor, wenn sog **Scheinaufsichtsratsvorsitzender** HV leitet, also AR-Vorsitzender, dessen Wahl nachträglich für unwirksam erklärt wird. Bislang hM hat hier Fehler verneint unter Berufung auf Lehre vom fehlerhaften Organ (s. etwa OLG Frankfurt AG 2011, 36, 39 f.; NZG 2012, 942, 943; MüKoAktG/Kubis § 130 Rn. 91; wN → § 101 Rn. 21). BGH hat der pauschalen Übertragung dieser Lehre auf AR zwar mittlerweile deutliche Absage erteilt (→ § 101 Rn. 20 ff.), dabei aber speziell für HV-Leitung eine – dogmatisch bedenkliche – Ausnahme zugelassen (BGHZ 196, 195 Rn. 25 = NJW 2013, 1535 → § 101 Rn. 20), so dass Frage für Praxis geklärt ist: Beschluss gilt jedenfalls bei bloßer Anfechtbarkeit als nicht fehlerhaft (nicht gleichermaßen geklärt für Nichtigkeitsgründe → § 124 Rn. 23; für Übertragbarkeit KK-AktG/Noack/Zetzsche Anh. § 129 Rn. 49). Dieselben Grundsätze gelten – wenngleich vom BGH nicht ausdr. bestätigt – wenn AR durch Beschluss anderen Versammlungsleiter bestimmt (GK-AktG/Mülbert Rn. 236; C. Arnold/Gayk DB 2013, 1830, 1833). Nur wenn gänzlich unbefugte Person HV-Leitung übernimmt, ist Fehlerhaftigkeit iSd § 243 anzunehmen. Zwar kann über Relevanz gestritten werden, doch kann Fehler insofern spätestens unter dem Gesichtspunkt der notariellen Beurkundung nicht unbeachtlich bleiben (→ § 130 Rn. 30).

20 Wenn Satzung nichts enthalten sollte und auch eine Geschäftsordnung nichts hergibt, ist es **Aufgabe der HV,** sich einen Leiter zu wählen (MüKoAktG/Kubis § 119 Rn. 114). Für den Wahlbeschluss genügt die einfache Stimmenmehrheit (KK-AktG/Noack/Zetzsche Anh. § 129 Rn. 26; E. Vetter FS Bergmann, 2018, 799, 803). Vorstandsmitglieder (alle, nicht nur der Vorsitzende) und der zur Niederschrift zugezogene Notar (§ 130) können nicht gewählt werden (ganz hM – KG AG 2011, 170, 172; MüKoAktG/Kubis § 119 Rn. 109; GK-AktG/Mülbert Rn. 110; Sauerwald, Versammlungsleiter, 2018, 135 f.; aA für Vorstandsvorsitzenden Max AG 1991, 77, 78). Wahl ist zwingende Voraussetzung für HV und muss deshalb nicht in Tagesordnung angekündigt werden; bis zur Wahl übernimmt Einberufender, idR Vorstandsvorsitzender, **Sitzungsleitung** (HV-HdB/Gehling § 9 Rn. 15). Auch hier besteht zur Annahme der Wahl keine Pflicht (→ Rn. 18). Beurkundender Notar ist auch von provisorischer Versammlungsleitung ausgeschlossen (KG AG 2011, 170, 172). Vorschlag, nach sog parlamentarischem Verfahren, dem ältesten Aktionär Versammlungsleitung zu übertragen (S/L/Ziemons Rn. 61), findet in AktG keine Stütze und erweist sich auch in der Sache in vielerlei Hinsicht als unpraktikabel (zutr. Höreth AG 2011, R 318; zust. Grigoleit/Herrler Rn. 37; Hoffmann-Becking NZG 2017, 281, 282). Auch in Satzungen sollte deshalb von dieser Regelung – obgleich zulässig – Abstand genommen werden. Zum Sonderfall eines Unternehmensexternen als HV-Leiter E. Vetter FS Bergmann, 2018, 799 ff.

Beendigung des Amtes hängt ab von Art der Amtsbegründung: Von HV 21 gewählter Versammlungsleiter kann ohne weiteres auch jederzeit von ihr abberufen werden, ohne dass ein wichtiger Grund vorliegen muss (hM – statt vieler MüKoAktG/Kubis § 119 Rn. 123; GK-AktG/Mülbert Rn. 118; aA aber Austmann FS Hoffmann-Becking, 2013, 45, 59). Gleichzeitig unterbreiteter Wahlvorschlag für künftigen Leiter ist sinnvoll, aber nicht rechtl. geboten (GK-AktG/Mülbert Rn. 118; Ek Praxisleitfaden HV Rn. 243; aA MüKoAktG/Kubis § 119 Rn. 123). Bei gerichtl. bestelltem Versammlungsleiter ist Abberufung hingegen selbst bei Vorliegen eines wichtigen Grundes nicht möglich (→ § 122 Rn. 29). Auch Amtsniederlegung durch Versammlungsleiter selbst ist zulässig, da zur Übernahme des Amtes keine Verpflichtung besteht (→ Rn. 18). Probleme bereitet **Abwahl eines satzungsmäßig bestimmten Versammlungsleiters** durch HV. Heute hM lässt Abwahl zu Recht aus wichtigem Grund zu (OLG Bremen AG 2010, 256; OLG Frankfurt AG 2022, 448, 450; OLG Köln NZG 2017, 1344 Rn. 247; OLG Stuttgart AG 2015, 163, 169; AG 2016, 370, 372; LG Frankfurt AG 2005, 892; BeckRS 2012, 09259; LG Köln AG 2005, 696; AG 2016, 513, 515; MüKoAktG/Kubis § 119 Rn. 115; GK-AktG/Mülbert Rn. 119; KK-AktG/Noack/Zetzsche Anh. § 129 Rn. 33 ff.; Langenbach, Versammlungsleiter, 2018, 93 ff.; Sauerwald, Versammlungsleiter, 2018, 176 ff.; vgl. zur GmbH auch BGH NJW 2010, 3027 Rn. 18; aA S/L/Ziemons § 124 Rn. 100; HV-HdB/Gehling § 9 Rn. 25 ff.; MHdB AG/Hoffmann-Becking § 37 Rn. 44; v. der Linden DB 2017, 1371 ff.; Krieger AG 2006, 355, 359 ff.). Antragsteller müssen entspr. Grund zumindest schlüssig vortragen (OLG Stuttgart AG 2015, 163, 169 abl. für bloße Redezeitbeschränkung; OLG Stuttgart AG 2016, 370, 372). Antrag ist im Falle seiner Zulässigkeit grds. umgehend nach Aufstellung des Teilnehmerverzeichnisses zur Abstimmung zu stellen (BeckOGK/Wicke Rn. 47; Kremer FS Hoffmann-Becking, 2013, 697, 700 f.; präzisierend KK-AktG/Noack/Zetzsche Anh. § 129 Rn. 39). Da in Abwahl für Dauer der HV punktuelle Satzungsdurchbrechung liegt, ist **Dreiviertel-Kapitalmehrheit** erforderlich (MüKoAktG/Kubis § 119 Rn. 115; BeckOGK/Wicke Rn. 46; KK-AktG/Noack/Zetzsche Anh. § 129 Rn. 38; Ek Praxisleitfaden HV Rn. 242; aA GK-AktG/Mülbert Rn. 119). § 136 gilt für HV-Leiter nicht (Drinhausen/Marsch-Barner AG 2014, 757, 764). Problematisch ist insbes. Vorliegen eines **wichtigen Grundes.** Antragstellende Aktionäre trifft insofern Substanziierungslast: Vorgebrachter Grund muss im Zusammenhang mit HV-Leitung stehen, nicht mit sonstigen Maßnahmen, etwa in Funktion als AR-Vorsitzender; auch persönliches Fehlverhalten oder charakterliche Defizite genügen nicht (MüKoAktG/Kubis § 119 Rn. 116; GK-AktG/Mülbert Rn. 120), nach OLG Stuttgart AG 2016, 370, 372 f. auch kein staatsanwaltschaftliches Ermittlungsverfahren. In Betracht kommen danach insbes. grobe Verhandlungsfehler, uU auch auf zurückliegender HV (MüKoAktG/Kubis § 119 Rn. 116). Dazu gehört auch unberechtigte Nichtzulassung eines Antrags (→ Rn. 23; OLG Köln NZG 2017, 1344 Rn. 254 ff.). Nicht genügend ist Wortentzug iR zulässiger Redezeitbeschränkung (LG Frankfurt v. 15.12.2016 – 3 – 05 O 154/16 juris-Rn. 80). Im Rahmen von Anträgen nach §§ 142, 147 soll auch potenziell eigene Haftungsverantwortung des HV-Leiters Abwahl begründen können (OLG Köln NZG 2017, 1344 Rn. 251; LG Köln AG 2016, 513, 515), doch müssen in diesem Fall an Substanziierung erhöhte Anforderungen gestellt werden (Rieckers DB 2017, 2720, 2724 f.; ganz ablehnend Hoppe NZG 2017,

361, 362; Wicke NZG 2018, 161, 162). Wird Antrag zu Unrecht unbeachtet gelassen, liegt hinsichtlich nachfolgender Sachbeschlüsse zwar keine Nichtigkeit vor (→ § 241 Rn. 7), wohl aber **Anfechtbarkeit** (OLG Bremen AG 2010, 256, 257; OLG Stutttgart AG 2016, 370, 371; MüKoAktG/Kubis § 119 Rn. 118; B/K/L/Reger Rn. 38b; BeckOGK/Wicke Rn. 47; Rose NZG 2007, 241, 244; sa → § 243 Rn. 16). Dasselbe muss gelten, wenn über Antrag entschieden und dieser von der Mehrheit treuwidrig verworfen wird (insofern zutr. OLG Köln NZG 2008, 429, 430; NZG 2017, 1344 Rn. 249; KK-AktG/Noack/Zetzsche Anh. § 129 Rn. 41; aA OLG Stuttgart AG 2015, 370, 371), was aber nur selten anzunehmen sein wird. Abzulehnen ist dagegen in instanzgerichtl. Rspr. zT zugelassene selbständige Anfechtbarkeit des Abberufungsbeschlusses iVm positiver Beschlussfeststellungsklage (so OLG Köln NZG 2017, 1344 Rn. 246 ff.; OLG Stuttgart AG 2016, 370, 371). Mit Versammlungsende hat sich Rechtsschutz erledigt; verbleibende Schutzbedürfnisse können durch Anfechtung der Sachbeschlüsse gewahrt werden (zutr. v. der Linden DB 2017, 1371 ff.; Wicke NZG 2018, 161, 163). In Zweifelsfällen wird freiwillige Amtsniederlegung empfohlen, um Anfechtungsrisiko zu vermeiden (Wicke NZG 2018, 161, 162).

22 **b) Aufgaben und Rechte.** Aufgabe des Leiters der HV ist es, für **sachgerechte Erledigung der Versammlungsgegenstände** Sorge zu tragen; er hat die Rechte, die er dafür braucht (BGHZ 44, 245, 248 = NJW 1966, 43; BGHZ 220, 36 Rn. 47 = NZG 2019, 262; RG LZ 1920 Sp. 763; OLG Frankfurt AG 2011, 36, 41; Sauerwald, Versammlungsleiter, 2018, 52 ff.), und zwar kraft eigenen, nicht von HV abgeleiteten Rechts (→ Rn. 1c; BeckOGK/Wicke Rn. 49; einschr. Ihrig FS Goette, 2011, 205, 211 ff.). Das hat insbes. zur Folge, dass Befugnisse satzungs- und geschäftsordnungsfest sind und Leiter innerhalb seines Zuständigkeitsbereichs auch nicht durch HV-Beschluss gebunden werden kann; freiwillige **Delegation** von Einzelfragen an das Plenum ist aber möglich (MüKoAktG/Kubis § 119 Rn. 128 ff.; GK-AktG/Mülbert Rn. 131; im zweiten Punkt aA BeckOGK/Wicke Rn. 49; MHdB AG/Hoffmann-Becking § 37 Rn. 48; zur Ausn. für Presseöffentlichkeit → § 118 Rn. 29). Zur Erfüllung seiner Leitungsaufgabe darf er auch **Hilfspersonen** einsetzen, die aber keine eigenständigen Verfahrensentscheidungen treffen, sondern ihn lediglich bei der Ausführung unterstützen dürfen (Kocher/Feigen NZG 2015, 620 ff.; Sauerwald, Versammlungsleiter, 2018, 240 ff.). Bei Wahrnehmung seiner **Ordnungsbefugnisse** hat er sich am Gebot der Sachdienlichkeit, Gleichbehandlungsgebot und Verhältnismäßigkeit zu orientieren (BGHZ 184, 239 Rn. 16 = NJW 2010, 1604; BGHZ 220, 36 Rn. 54; zu überschießenden Auswirkungen vgl. Linnertz/Höreth AG 2018, R 286 f.). Daraus folgt: HV-Leiter hat schon vor Beginn der HV Zugang zur HV zu regeln; er entscheidet über Zulassung von Aktionären, deren Berechtigung zweifelhaft ist, sowie sonstiger dritter Personen (→ § 118 Rn. 29). Er hat für Sicherheit der HV-Teilnehmer zu sorgen und kann dazu auch Sicherheitskontrollen anordnen, die von Rspr. zT aber übermäßig streng auf Erforderlichkeit geprüft wird (bedenklich etwa OLG Frankfurt AG 2007, 357 f.; zu Recht krit. Arnold/Carl/Götze AG 2012, 349, 352 → § 243 Rn. 12). Wegen hohen Anfechtungsrisikos sollte von Zugangsverweigerung nur mit Zurückhaltung Gebrauch gemacht werden (BeckOGK/Wicke Rn. 50). HV wird durch ihren Leiter eröffnet und geschlossen, wenn notwendig, auch unterbrochen. Die Versammlungsgegenstände wird er idR in der Reihenfolge der angekündigten **Tagesordnungspunkte** behandeln. Er darf aber abweichen, wenn ihm das aus Sachgründen zweckmäßig erscheint (OLG Frankfurt AG 2011, 36, 41; KG NJW 1957, 1680 f. für Genossenschaft). Unbedenklich ist, mehrere Tagesordnungspunkte zusammen aufzurufen und Aussprache darüber einschließlich Ausübung des Fragerechts (§ 131; → § 131 Rn. 71) als **Generaldebatte** stattfinden zu

lassen. Über Anträge von Aktionären muss nicht vor denen der Verwaltung abgestimmt werden; § 137 regelt Ausnahme und ist nicht verallgemeinerungsfähig (BGHZ 220, 36 Rn. 55; LG Hamburg AG 1996, 233; GK-AktG/Mülbert Rn. 161; KK-AktG/Noack/Zetzsche Anh. § 129 Rn. 113; Arnold/Carl/Götze AG 2011, 349, 355). Nach zutr. und mittlerweile wohl hM steht HV auch hinsichtlich Abstimmungsreihenfolge keine Letztentscheidungskompetenz zu (str.; MüKoAktG/Kubis § 119 Rn. 141; GK-AktG/Mülbert Rn. 130; BeckOGK/Wicke Rn. 52; Stützle/Walgenbach ZHR 155 [1991], 516, 529; aA Max AG 1991, 77, 86); zum Sonderfall einer Aufsichtsratswahl bei mehreren vorgeschlagenen Kandidaten → § 101 Rn. 5.

Der Leiter der HV erteilt das Wort, er veranlasst und leitet die Abstimmung 23
über die gestellten Anträge. Bei Festlegung der Rednerfolge ist er an Reihenfolge der Wortmeldungen nicht gebunden (OLG München AG 2011, 840, 843; Stützle/Walgenbach ZHR 155 [1991], 516, 527 f.), sondern entscheidet nach pflichtgem. Ermessen, allerdings nur nach einschränkender Maßgabe des § 53a. IdR ist Zusammenfassung zu einzelnen Blöcken sinnvoll (Einzelheiten: Kremer FS Hoffmann-Becking, 2013, 697, 698 f.); verbreitete Praxis, ersten Rednerblock Vertretern von Aktionärsvereinigungen und Depotbanken zu überlassen, ist unbedenklich (MHdB AG/Hoffmann-Becking § 37 Rn. 62). Zur Leitung gehört, **sachdienliche Abstimmungsreihenfolge** festzulegen. Bei konkurrierenden Anträgen ist Vermeidung überflüssiger Abstimmungsgänge ein beachtlicher Sachgesichtspunkt, was oft dafür sprechen wird, mehrheitsfähigen Verwaltungsvorschlag zunächst zur Abstimmung zu stellen (BGHZ 220, 36 Rn. 55 = NZG 2019, 262; GK-AktG/Mülbert Rn. 161). Er trifft die nach § 130 II gebotene Feststellung über den Beschlussinhalt (zur Möglichkeit geheimer Abstimmung → § 134 Rn. 35). Er kann die **HV unterbrechen,** jedoch nicht vertagen. Vertagung bedarf eines HV-Beschlusses (BGH NZG 2015, 127 Rn. 31; zur Absage vor Eröffnung → § 121 Rn. 18); das gilt auch für Vertagung einzelner Tagesordnungspunkte (MüKoAktG/Kubis § 119 Rn. 145; GK-AktG/Mülbert Rn. 175). Über einen entspr. Verfahrensantrag ist vor den Sachanträgen abzustimmen. Auch Absetzung von der Tagesordnung ist nicht Sache des HV-Leiters, sondern der HV selbst, die dafür – aufgrund positiver Bindungswirkung der Tagesordnung (→ § 121 Rn. 9) – aber eines hinreichend gewichtigen Grundes bedarf (MüKoAktG/Kubis § 119 Rn. 145; KK-AktG/Noack/Zetzsche Anh. § 129 Rn. 98; aA Butzke HV D 83; zur Absetzung vor Eröffnung → § 121 Rn. 18). Ein solcher wichtiger Grund kann auch Absetzung bei Minderheitsverlangen nach § 122 II rechtfertigen, was sonst nur mit Zustimmung der Minderheit möglich ist (→ § 122 Rn. 20). Nur mit Zurückhaltung anzuerkennen ist Recht des Versammlungsleiters, Beschlussantrag nicht zur Abstimmung zuzulassen, wenn er ihn für rechtswidrig hält. **Rechtmäßigkeitskontrolle** obliegt Gerichten, nicht HV-Leiter, so dass Zurückweisungsbefugnis nur bei evident mangelhaften Beschlussanträgen anzunehmen ist (vgl. beispielhaft → § 96 Rn. 26); gegenteilige Auffassung eröffnet weitgehende (und auch missbrauchsgefährdete) Gestaltungsmöglichkeiten, für die dem HV-Leiter die Legitimation fehlt (ausf. Schatz AG 2015, 696, 697 ff.; sa OLG Köln NZG 2017, 1344 Rn. 254 ff.; GK-AktG/Butzke § 122 Rn. 73; GK-AktG/Mülbert Rn. 155; BeckOGK/Wicke Rn. 53; Lochner/Beneke ZIP 2015, 2010, 2011 f.; weitergehend KK-AktG/Tröger § 133 Rn. 85; zum noch weitergehenden Ausschluss des Verwerfungsrechts in Fällen des § 122 → § 122 Rn. 23; zu Verteidigungsmöglichkeiten des Aktionärs bei rechtswidriger Beschlussvereitelung vgl. Schatz AG 2015, 696, 701 ff.; Beneke, Der Besondere Vertreter, 2017, 120 ff.; zum Sonderfall nicht ordnungsgem. bekanntgemachter Anträge → § 124 Rn. 35 ff.). Ausn. ist allerdings dann anzunehmen, wenn Zulassung des Antrags zugleich darüber entscheidet, in welcher Zusammensetzung HV abstimmt, was namentl. dann der Fall ist,

wenn Antrag Stimmverbot nach § 136 I 1 (insbes. iRd § 147 II) auslösen würde. Hier kann Missbrauchskontrolle nur über HV-Leiter erfolgen (ähnlich Tielmann/Gahr AG 2016, 199, 206 f. [mit allerdings übermäßig restriktiver Tendenz]; aA Lochner/Beneke ZIP 2015, 2010, 2011 ff.). Bestehen an seiner Unvoreingenommenheit gewichtige Bedenken, kann in Ausnahmefällen Verfahren des § 122 III 2 auch iRd § 122 I, II eingeleitet werden (→ § 122 Rn. 30). Weitergehende positive Beschlussfeststellungsklage steht dagegen in dieser Situation nicht zur Verfügung (OLG Köln AG 2017, 351, 358 [insoweit nicht in NZG 2017, 1344]; Grunewald AG 2015, 689, 691; Schatz AG 2015, 696, 702; aA NK-AktR/Heidel § 246 Rn. 12). Über sonstige **Verfahrensanträge** (auch: Anträge zur Geschäftsordnung) entscheidet grds. HV-Leiter, sofern Befugnis nicht ausnahmsweise HV zugewiesen ist (vgl. zu unterschiedlichen Erscheinungsformen Austmann FS Hoffmann-Becking, 2013, 45 ff., zur Begrifflichkeit 47 f., zur „Auffangzuständigkeit" des HV-Leiters S. 65; Übersicht auch bei HV-HdB/Gehling § 9 Rn. 190 f.; ausf. monographische Darstellung bei Höreth/Linnerz Geschäftsordnungsanträge in Hauptversammlungen, 2012 mit entspr. Mustern und Praxistipps). Über sie ist grds. vor Sachanträgen abzustimmen (MüKoAktG/Kubis § 119 Rn. 156; MHdB AG/Austmann § 40 Rn. 17). Hinsichtlich der Abstimmung obliegt es HV-Leiter, Methode zur Ermittlung des Abstimmungsergebnisses (→ § 133 Rn. 22 ff.) und Form der Stimmabgabe festzulegen, sofern Satzung insofern keine Regelung iSd § 134 IV enthält (→ § 130 Rn. 17; → § 134 Rn. 34 f.); zur Prüfung des Stimmrechts → § 130 Rn. 22 ff.; zur Anordnung geheimer Abstimmung → § 134 Rn. 35. **Leitungsfehler** können nicht selbständig rechtl. angegriffen werden, sondern nur im Rahmen der Beschlussmängelkontrolle überprüft werden (BGHZ 44, 245, 250 = NJW 1966, 43; OLG Köln AG 2017, 351, 358 [insoweit nicht in NZG 2017, 1344]); zur Möglichkeit einstweiligen Rechtsschutzes s. Drinhausen/Marsch-Barner AG 2014, 757, 765 f.; zur Haftung → Rn. 25.

24 Versammlungsleiter darf und muss ferner die **Ordnungsmaßnahmen** ergreifen, die für eine sachgerechte Behandlung der Versammlungsgegenstände notwendig sind. Dazu gehört insbes. **generelle Beschränkung der Redezeit.** Sie wird mittlerweile in § 131 II 2 auf Grundlage entspr. Satzungsvorgabe gestattet, ist nach herrschender, wenngleich nicht unbestrittener, Auffassung auch ohne solche Vorgabe zulässig. Zu den Einzelheiten → § 131 Rn. 72 ff.; zu weiteren Ordnungsmaßnahmen ggü. einzelnen HV-Mitgliedern → Rn. 26 f.

25 **c) Haftung.** Aufgrund Zusatzcharakters der HV-Leitung (→ Rn. 18) kann **Haftung für Leitungsfehler** nicht aus § 93 II, § 116 S. 1 folgen, sondern nur aus allg. schuldrechtl. Grundsätzen (hM – vgl. statt vieler LG Ravensburg NZG 2014, 1233, 1234; KK-AktG/Tröger § 136 Rn. 100; Langenbach, Versammlungsleiter, 2018, 155 ff.; Poelzig AG 2015, 476, 478 f.; Rieckers FS Krieger, 2020, 753, 760 f.; Sauerwald, Versammlungsleiter, 2018, 357 ff.; aA S/L/Drygala § 107 Rn. 22; GK-AktG/Mülbert Rn. 247 f.; Decher FS Heidel, 2021, 201, 203 ff.; Pliquett, Die Haftung des Hauptversammlungsleiters, 2015, 59 ff.). In jedem Fall gilt § 826 BGB (vgl. LG Ravensburg NZG 2014, 1233, 1234; MüKoAktG/Kubis § 119 Rn. 190), dessen Voraussetzungen idR aber nicht vorliegen werden. Vorgelagert ist auch Haftung aus Vertrag (unentgeltlicher Auftrag) oder vertragsähnlichem Schuldverhältnis denkbar (so mit Unterschieden im Detail S/L/Spindler § 136 Rn. 34; Theusinger/Schilha BB 2015, 131, 136 ff.; v. der Linden NZG 2013, 208 ff.; Sauerwald, Versammlungsleiter, 2018, 162 ff.), was insofern problematisch ist, als sachgerechte **Begrenzung des Verschuldensmaßstabs** auf Vorsatz und grobe Fahrlässigkeit bei vertragsähnlicher Haftung konstruktiv nicht ohne weiteres möglich ist (vgl. dazu Danelzik, Versammlungsleitung, 2023, 361 ff.; Poelzig AG 2015, 476, 480 ff.; Theusinger/Schilha BB

2015, 131, 140 ff.). Bloßer Hinweis, dass derartige Beschränkung sachgerecht sei (Rieckers FS Krieger, 2020, 753, 762 f.), vermag eine solche Herleitung nicht zu ersetzen. Wo sie nicht möglich ist, sollte deshalb jedenfalls in Fällen **unentgeltlicher Übernahme** entspr. BGH-Rspr. zu sonstigen Aufträgen mit hoher Fehleranfälligkeit, unverhältnismäßigem Haftungsrisiko und ohne Gegenleistung (vgl. BGH NJW 1974, 1705, 1706) rechtl. Bindung gänzlich verneint werden (so iErg auch MüKoAktG/Kubis § 119 Rn. 189). Nimmt man eine solche Bindung doch an, ist jedenfalls Haftungsreduzierung nach den in → § 93 Rn. 96 ff. skizzierten Grundsätzen zu prüfen (Harnos AG 2015, 732, 741; aA Sauerwald, Versammlungsleiter, 2018, 390 ff.). Ausdr. kann Beschränkung vereinbart werden, und zwar auch in der Satzung (Danelzik, Versammlungsleitung, 2023, 379 f.; Poelzig AG 2015, 476, 487 f.; Sauerwald, Versammlungsleiter, 2018, 394 ff.; U. H. Schneider AG 2021, 58 Rn. 35; E. Vetter FS Bergmann, 2018, 799, 823 f.; widersprüchlich Grigoleit/Herrler Rn. 55, der individuell vereinbarte Haftungsbeschränkung für Organhaftung verneint, Haftung des HV-Leiters aber § 280 BGB zuordnet – sa U. H. Schneider AG 2021, 58 Rn. 35 m. Fn. 75). Zum Sonderfall fehlerhafter Protokollierung nach § 130 I 3 → § 130 Rn. 30.

3. Ordnungsmaßnahmen gegen einzelne Hauptversammlungsteilnehmer. Von den generellen Maßnahmen der Versammlungsleitung (→ Rn. 22 ff.) sind Maßnahmen zu unterscheiden, die sich gegen einzelne, den geordneten Ablauf der HV störende Aktionäre richten. Gegen ein derartiges Verhalten vorzugehen, kann wegen der Rechte der anderen Aktionäre auch verfassungsrechtl. geboten sein (BVerfG NJW 2000, 349, 351). Solche Maßnahmen sind: **Ordnungsruf** oder sonstige Abmahnung; **Beschränkung der Redezeit im Einzelfall** (→ § 131 Rn. 86); **Wortentziehung; Saalverweis.** Sie liegen sämtlich in der Kompetenz des HV-Leiters (BGHZ 44, 245, 248 = NJW 1966, 43; sa MüKoAktG/Kubis § 119 Rn. 172 ff.; Siepelt AG 1995, 254, 258 f.; Wicke NZG 2007, 771, 773 f.). Nach zT vertretener Auffassung darf er seine Zuständigkeit allerdings an die HV delegieren (Martens WM 1981, 1010, 1012 f.; Max AG 1991, 77, 92; aA Kuhn WM 1966, 50, 57 f.), was fragwürdig bleibt, jedenfalls nicht zweckmäßig ist. Ordnungsmaßnahmen können im gesamten Präsenzbereich der HV getroffen werden, wozu auch das Foyer gehören kann, wenn es dort zu Störungen kommt (Höreth AG 2012, R 25). 26

Zulässig sind spezielle Ordnungsmaßnahmen, wenn sie **sachlich erforderlich** sind, weil das Recht aller Aktionäre auf ordnungsgem. Behandlung der Versammlungsgegenstände nicht gewahrt wäre, und wenn sie **verhältnismäßig** sind, also in das Teilnahme- und Stimmrecht des störenden Aktionärs möglichst schonend eingreifen (BGHZ 44, 245, 251 ff. = NJW 1966, 43; unstr.). Abmahnung ist stets das mildeste Mittel. Zur individuellen Beschränkung der Redezeit → § 131 Rn. 86). Saalverweis ist das härteste Mittel und sollte vorher angedroht sein. Andere Maßnahmen dürfen nicht genügen. In Betracht kommt Saalverweis insbes. bei nachhaltigen Störungen außerhalb von Wortmeldungen (Sprechchöre, beleidigende Zwischenrufe, Entrollen von Transparenten usw.), ferner, wenn Rednerpult oder Saalmikrofon trotz nachhaltiger Aufforderung nicht freigegeben werden (vgl. LG Frankfurt AG 1984, 192; LG Stuttgart AG 1994, 425, 426 f.; GK-AktG/Mülbert Rn. 219 ff.; zu eng [Doppelmikrofon] Siepelt AG 1995, 254, 259). Saalverweis kann temporär (Cooling down) oder endgültig ausgestattet sein (KK-AktG/Noack/Zetzsche Anh. § 129 Rn. 185) und notfalls zwangsweise durchgesetzt werden (Werkschutz). Zur Anfechtbarkeit von Beschlüssen als Folge unzulässiger Ordnungsmaßnahmen → § 243 Rn. 16; → § 245 Rn. 17 f. 27

Niederschrift

130 (1) [1]**Jeder Beschluß der Hauptversammlung ist durch eine über die Verhandlung notariell aufgenommene Niederschrift zu beurkunden.** [2]**Gleiches gilt für jedes Verlangen einer Minderheit nach § 120 Abs. 1 Satz 2, § 137.** [3]**Bei nichtbörsennotierten Gesellschaften reicht eine vom Vorsitzenden des Aufsichtsrats zu unterzeichnende Niederschrift aus, soweit keine Beschlüsse gefaßt werden, für die das Gesetz eine Dreiviertel- oder größere Mehrheit bestimmt.**

(1a) **Der Notar hat seine Wahrnehmungen über den Gang der Hauptversammlung unter Anwesenheit am Ort der Hauptversammlung zu machen.**

(2) [1]**In der Niederschrift sind der Ort und der Tag der Verhandlung, der Name des Notars sowie die Art und das Ergebnis der Abstimmung und die Feststellung des Vorsitzenden über die Beschlußfassung anzugeben.** [2]**Bei börsennotierten Gesellschaften umfasst die Feststellung über die Beschlussfassung für jeden Beschluss auch**

1. **die Zahl der Aktien, für die gültige Stimmen abgegeben wurden, wobei Mehrstimmrechtsaktien gesondert unter Angabe der auf sie entfallenden Stimmenzahl anzugeben sind,**
2. **den Anteil des durch die gültigen Stimmen vertretenen Grundkapitals am eingetragenen Grundkapital,**
3. **die Zahl der für einen Beschluss abgegebenen Stimmen, Gegenstimmen und gegebenenfalls die Zahl der Enthaltungen.**

[3]**Abweichend von Satz 2 kann der Versammlungsleiter die Feststellung über die Beschlussfassung für jeden Beschluss darauf beschränken, dass die erforderliche Mehrheit erreicht wurde, falls kein Aktionär eine umfassende Feststellung gemäß Satz 2 verlangt.**

(3) **Die Belege über die Einberufung der Versammlung sind der Niederschrift als Anlage beizufügen, wenn sie nicht unter Angabe ihres Inhalts in der Niederschrift aufgeführt sind.**

(4) [1]**Die Niederschrift ist von dem Notar zu unterschreiben.** [2]**Die Zuziehung von Zeugen ist nicht nötig.**

(5) **Unverzüglich nach der Versammlung hat der Vorstand eine öffentlich beglaubigte, im Falle des Absatzes 1 Satz 3 eine vom Vorsitzenden des Aufsichtsrats unterzeichnete Abschrift der Niederschrift und ihrer Anlagen zum Handelsregister einzureichen.**

(6) **Börsennotierte Gesellschaften müssen innerhalb von sieben Tagen nach der Versammlung die festgestellten Abstimmungsergebnisse einschließlich der Angaben nach Absatz 2 Satz 2 auf ihrer Internetseite veröffentlichen.**

Übersicht

I. Regelungsgegenstand und -zweck

1 Norm betr. Niederschrift von HV-Beschlüssen und bestimmten Minderheitsverlangen (§ 130 I–IV) sowie Pflicht des Vorstands, Niederschrift und ihre Anlagen abschriftlich zum HR einzureichen (§ 130 V). Notarielle Niederschrift ist nach § 130 I 3 und V nicht mehr stets erforderlich; vielmehr genügt seit Ges. für kleine Aktiengesellschaften und zur Deregulierung des Aktienrechts v. 2.8.1994 (BGBl. 1994 I 1961) bei Beschlussgegenständen der ordentlichen HV von Gesellschaften ohne Börsenzulassung (§ 3 II) privatschriftliches Protokoll mit Unterschrift des AR-Vorsitzenden (→ Rn. 14a ff.). Beurkundungspflicht wurde durch Aktienrechtsnovelle 1884 in Art. 238a ADHGB eingeführt (sa Schulte AG 1985, 33) und bezweckt **Dokumentation der Willensbildung** der HV, die ihrerseits im Interesse aller Beteiligten (auch der Gläubiger und der künftigen Aktionäre) der Rechtssicherheit dient (OLG Düsseldorf AG 2003, 510, 512; OLG Frankfurt AG 2011, 36, 39; MüKoAktG/Kubis Rn. 1). Bei Gesellschaften mit Börsenzulassung sollen Anwesenheit des Notars und seine Niederschrift zugleich gewährleisten, dass ges. Vorgaben bei Beschlussfassung beachtet werden (MüKoAktG/Kubis Rn. 1). Notar ist insofern Dokumentator und Rechtmäßigkeitsgarant (KK-AktG/Noack/Zetzsche Rn. 27). Einreichung zum HR bezweckt **Publizität,** die durch Recht zur Einsichtnahme nach § 9 I HGB hergestellt wird. Publizität ist allerdings insofern begrenzt, als Protokoll nur **Ergebnisprotokoll** und kein Verlaufsprotokoll ist, so dass auf diesem Wege keine

vollständige HV-Dokumentation erfolgt (KK-AktG/Noack/Zetzsche Rn. 3; Drescher FS 25 Jahre DNotI, 2018, 443); diesem Zweck dienen vielmehr die in der Praxis zT angefertigten stenographischen Protokolle oder Tonbandaufzeichnungen (MüKoAktG/Kubis Rn. 2). Im Lichte der drastischen Nichtigkeitsfolge (→ Rn. 30) ist restriktive Auslegung geboten (BGHZ 216, 112 Rn. 42 = NZG 2017, 1374). Regelung ist zwingend (§ 23 V), hindert Notar oder anderen Protokollführer aber nicht, Niederschrift vollständiger vorzunehmen als ges. gefordert. Im Prozess erbringt notarielle Niederschrift Beweis gem. § 415 ZPO, während privatschriftliches Protokoll freier Beweiswürdigung nach § 286 ZPO unterliegt (Priester DNotZ 2001, 661, 665). § 416 ZPO passt nicht, weil Erklärungen von den Aktionären, nicht vom AR-Vorsitzenden als Aussteller stammen (zust. GK-AktG/Mülbert Rn. 7; aA KK-AktG/Noack/Zetzsche Rn. 354). Ausf. rechtsvergleichende Darstellung bei KK-AktG/Noack/Zetzsche, 3. Aufl. 2010, Rn. 20 ff. (in 4. Aufl. nicht übernommen).

II. Beurkundungspflicht (§ 130 I)

2 **1. Beurkundungspflichtige Vorgänge. a) Beschlüsse der Hauptversammlung.** Nach § 130 I 1 ist jeder Beschluss der HV zu beurkunden, also jede Willensbildung durch Abstimmung der Aktionäre, und zwar auch bei Einmann-AG (RGZ 119, 229, 230). Ausnahmen lässt Ges. nicht zu. Beurkundungspflichtig sind also nicht nur **Sachbeschlüsse,** sondern auch **Verfahrensbeschlüsse,** auch **Wahlbeschlüsse,** nicht nur die Annahme eine Antrags (positiver Beschluss), sondern auch sein Scheitern (negativer Beschluss); heute ganz hM, s. MüKo-AktG/Kubis Rn. 4; KK-AktG/Noack/Zetzsche Rn. 92 ff. Auch in Beschlussform abgegebene Empfehlungen, namentl. das Votum zur Vorstandsvergütung nach § 120 IV, fallen unter Beurkundungspflicht (KK-AktG/Noack/Zetzsche Rn. 95). Es muss sich aber um einen Beschluss der HV handeln. Nicht beurkundungspflichtig sind also versammlungsleitende Maßnahmen des Vorsitzenden, die er von sich aus ohne Beschluss ergreift, auch nicht bloße Meinungsbilder in solchen Fragen (zust. Hölters/Weber/Drinhausen Rn. 5; KK-AktG/Noack/Zetzsche Rn. 97). Beschlusslose HV (→ § 119 Rn. 4) bedarf daher keiner Beurkundung (MüKoAktG/Kubis Rn. 3; GK-AktG/Mülbert Rn. 13 f.; aA für ungeplant beschlusslose HV Mielke/Riechmann BB 2014, 387 ff.). Zur Beurkundung einer HV im Ausland → § 121 Rn. 16.

3 **b) Minderheitsverlangen.** Gem. § 130 I 2 sind die dort genannten Minderheitsverlangen in die Niederschrift aufzunehmen, und zwar ohne Rücksicht darauf, ob sie zum Beschlussantrag erhoben worden sind. Hierhin gehören § 120 I 2 (gesonderte Abstimmung bei Entlastung) und § 137 (Reihenfolge der Abstimmung über Wahlvorschläge). Verlangen muss in HV gestellt, nicht bloß im Vorfeld angekündigt werden (MüKoAktG/Kubis Rn. 5; BeckOGK/Wicke Rn. 9). Nicht erforderlich ist, dass Quorum erreicht wird; gerade dieser Umstand soll durch Protokoll dokumentiert werden, weshalb auch Namen und Stimmenzahl der unterstützenden Aktionäre sowie Feststellungen des HV-Leiters zu seinem Erfolg oder Misserfolg aufzunehmen sind (MüKoAktG/Kubis Rn. 5; Butzke HV N 24).

4 **c) Weitere beurkundungspflichtige Vorgänge.** § 130 I ist zwingend, aber nicht abschließend. Vielmehr muss Notar in die Niederschrift auch aufnehmen: bei **Auskunftsverweigerung** Frage und Verweigerungsgrund, wenn der Aktionär es verlangt (§ 131 V), nicht dagegen sonstige Ausführungen des Aktionärs oder erteilte Auskünfte (Wilhelmi BB 1987, 1331, 1334); Widersprüche von Aktionären gem. § 245 S. 1 Nr. 1; **Widersprüche** einer Minderheit von Aktionären gegen Verzicht auf oder Vergleich über bestimmte Ersatzansprüche (§ 50

S. 1, § 93 IV 3, § 116); Widersprüche einer Minderheit von außenstehenden Aktionären (Begriff → § 304 Rn. 2 f.) gegen Verzicht auf oder Vergleich über Ausgleichs- oder Ersatzansprüche im Konzern (§ 302 III 3, § 309 III 1, § 310 IV, § 317 IV, § 318 IV, § 323 I 2); Widersprüche einer Minderheit von Aktionären gegen die Wahl von Abschlussprüfern (§ 318 III 2 HGB); Widersprüche einzelner Aktionäre als Anspruchsvoraussetzungen für Barabfindung infolge umwandlungsrechtl. Maßnahmen (§ 29 I 1 UmwG, § 125 S. 1 UmwG, § 207 I 1 UmwG). Bezeichnung als Widerspruch ist nicht erforderlich, sofern dem sachlichen Gehalt nach als Protest gegen Beschlussfassung erkennbar (MüKoAktG/Kubis Rn. 8; ausf. → § 245 Rn. 14 f.). Pauschaler Widerspruch gegen alle Beschlüsse ist möglich (→ § 245 Rn. 14). Zum zeitlichen Rahmen, in dem Widerspruch erhoben werden kann, → § 245 Rn. 14. Praktische Probleme bereitet Protokollierung von **Online-Erklärungen** iRd § 118 I 2 (ausf. BeckOGK/Wicke Rn. 13 f.), weshalb Verwaltung von der Möglichkeit Gebrauch machen sollte, Widerspruchsrecht auszuschließen (→ § 118 Rn. 13).

d) Ungeschriebene obligatorische Angaben? Str. ist, ob und inwieweit 5
Notar verpflichtet ist, weitere vom Ges. nicht genannte Vorgänge zu beurkunden. Frage wird vielfach in dem Sinne bejaht, dass Notar alles in Urkunde aufnehmen müsse, was zur Beurteilung der Wirksamkeit eines Beschlusses oder seines ordnungsmäßigen Zustandekommens **erheblich** sein könne (Lamers DNotZ 1962, 287, 293; ähnlich v. Godin/Wilhelmi Rn. 2; v. Falkenhausen BB 1966, 337, 341; Knur DNotZ 1938, 700 und 703; Wilhelmi BB 1987, 1331, 1334). Teilw. wird dem als zu weitgehend widersprochen, aber gefordert, dass Ordnungsmaßnahmen des Vorsitzenden (→ § 129 Rn. 22 ff.) und erkennbare Verstöße gegen Stimmverbote (§ 136) protokolliert werden (KK-AktG/Zöllner, 1. Aufl. 1985, Rn. 45 ff.). Nach wiederum aA gibt es auch in solchen Fällen keine Beurkundungspflicht, verbleibt es vielmehr bei ausdr. angeordneten Beurkundungsvorfällen (OLG Düsseldorf AG 2003, 510, 512 f.). **Stellungnahme.** Zu unterscheiden ist zwischen aktienrechtl. Lage und Amtspflichten des Notars (zutr. zB MüKoAktG/Kubis Rn. 11, 71; Bezzenberger FS Schippel, 1996, 361, 376 ff.; Schulte AG 1985, 33, 39). **Aktienrechtl.** kann es keine Nichtigkeitsfolge gem. § 241 Nr. 2 geben, ohne dass Ges. Beurkundung ausdr. fordert (ebenso OLG Düsseldorf AG 2003, 510, 512 f.; OLG Frankfurt AG 2010, 39, 40). **Amtspflicht** mit der Folge von Schadensersatzpflichten bei schuldhafter Verletzung von Pflichten kann weitergehen, ist aber mit überwiegend angebotener Formel zu weit umschrieben. Auch insoweit sollte sich Beurkundungspflicht auf **unmittelbar beschlussrelevante Vorgänge** beschränken (ebenso Priester DNotZ 2001, 661, 667 f.; offenlassend BeckOGK/Wicke Rn. 17). Dazu zählen namentl. tats. oder vermeintliche Verstöße gegen Stimm- oder Rechtsausübungsverbote, wesentliche Ordnungsmaßnahmen, Zutrittsverweigerung zur HV etc. (vgl. iE KK-AktG/Noack/Zetzsche Rn. 242 ff.). Weitergehendes Verständnis würde bewusster Beschränkung auf Ergebnis-, statt Verlaufsprotokoll über den Umweg der Amtspflichten zuwiderlaufen (Grigoleit/Herrler Rn. 8).

e) Fakultativer Inhalt. Notar kann Niederschrift über den ges. geforderten 6
Mindestinhalt hinaus nach seinem pflichtgem. Ermessen um weitere Angaben ergänzen (unstr., vgl. zB MüKoAktG/Kubis Rn. 78; KK-AktG/Noack/Zetzsche Rn. 248 ff.). Unter diesem Gesichtspunkt unbedenklich und jedenfalls zweckmäßig sind Angaben zu Beginn und Ende der HV, zu anwesenden Mitgliedern von Vorstand und AR, ggf. auch Wirtschaftsprüfer, zur Person des HV-Leiters, zu seinen Ordnungsmaßnahmen (→ Rn. 5), ferner zu verbotener Stimmrechtsausübung sowie zur Tonübertragung etc. Solchen freiwilligen Angaben kommt **Beweiswert nach § 415 ZPO** zu. Dennoch sollte davon zurückhaltend Gebrauch gemacht werden, um nicht durch ausufernde Niederschrift Blick auf

obligatorischen Inhalt zu versperren (zutr. MüKoAktG/Kubis Rn. 78; zust. KK-AktG/Noack/Zetzsche Rn. 249 f.).

7 **2. Notarielle Niederschrift. a) Person des Notars.** § 130 I verlangt notariell aufgenommene Niederschrift. Notar wird vom Vorstand namens der AG beauftragt (§ 78). **Abwahl** durch HV wäre Kompetenzüberschreitung und ist daher unzulässig (zust. BeckOGK/Wicke Rn. 19). AG ist als Auftraggeberin auch Kostenschuldnerin (→ Rn. 14). AG kann auch **zwei Notare** beauftragen, was in verschiedenen Varianten in Betracht kommt (ausf. Reul/Zetzsche AG 2007, 561, 562 ff.; sa BGHZ 180, 9 Rn. 8 = NJW 2009, 2207; BGH NZG 2014, 867 Rn. 21; BeckOGK/Wicke Rn. 27; mittelbar bestätigt auch durch BGHZ 205, 319 Rn. 13 ff. = NZG 2015, 867; einschr. MHdB AG/Hoffmann-Becking § 41 Rn. 16). Werden beide tätig, so errichtet jeder eine eigene Urkunde. Urkundenmehrheit ist Niederschrift iSd § 130 I. In den Fällen des § 122 kann auch die Minderheit den Notar beauftragen, doch kann sie die AG mangels Vertretungsmacht nicht verpflichten (MüKoAktG/Kubis Rn. 17; GK-AktG/Mülbert Rn. 34; aA KK-AktG/Noack/Zetzsche Rn. 43). Kosten fallen also zunächst der Minderheit zur Last, die sich aber gem. § 122 IV an die Gesellschaft halten kann (→ § 122 Rn. 35).

8 Förmliche Regelung der **örtlichen Zuständigkeit** gibt es nicht. Recht zur Amtsausübung ist allerdings durch §§ 10, 10a, 11 BNotO und Standesrecht auf bestimmten Amtsbereich räumlich begrenzt (Ausnahme nach § 10a BNotO). Verstöße haben aber nach § 11 III BNotO, § 2 BeurkG keinen Einfluss auf Wirksamkeit der Beurkundung (vgl. BeckOGK/Wicke Rn. 22). Findet HV im Ausland statt (→ § 121 Rn. 14 ff.), kann Niederschrift auch durch **ausländischen Notar** erfolgen, wenn sie der Inlandsbeurkundung **gleichwertig** ist (str.; → § 121 Rn. 16 mwN).

9 **b) Ausschluss von der Beurkundungstätigkeit.** Maßgeblich ist § 3 BeurkG. Danach soll der Notar nicht mitwirken, wenn er dem Vorstand der AG angehört (§ 3 I Nr. 6 BeurkG; eher fernliegend); weiter dann nicht, wenn er Mitglied des AR ist (nach hM wegen § 112 ebenfalls § 3 I Nr. 6 BeurkG, s. MüKoAktG/Kubis Rn. 15; GK-AktG/Mülbert Rn. 39; KK-AktG/Noack/Zetzsche Rn. 45; aA S/L/Ziemons Rn. 54). Vereinbarkeit mit Aktionärseigenschaft ist nur zu verneinen, wenn in § 3 I Nr. 9 BeurkG genannte Schwellenzahlen überschritten werden oder er selbst an HV teilnimmt oder sich vertreten lässt (§ 3 I Nr. 1 BeurkG – allgM, vgl. nur MüKoAktG/Kubis Rn. 15). Ausschluss tritt nicht schon ein, wenn er mit einem Mitglied des Vorstands oder des AR oder einem Aktionär verheiratet, verwandt oder verschwägert ist (§ 3 I Nr. 2, 2a, 3 BeurkG), sondern es gelten auch hier die für Notar selbst in § 3 I Nr. 9 BeurkG festgesetzten Schwellenwerte (MüKoAktG/Kubis Rn. 15). Beurkundung sollte aber in den beiden letzten Fallgruppen wegen Interessenkollision abgelehnt werden, bes. bei größerem Aktienbesitz.

10 Mitwirkung ausgeschlossenen Notars begründet **keine Nichtigkeit** der HV-Beschlüsse (unstr., s. nur MüKoAktG/Kubis Rn. 15). § 241 Nr. 2 greift nicht ein, weil Beurkundung trotz ihres Mangels den Anforderungen des § 130 genügt. Das folgt aus dem Zusammenhang der §§ 3, 6 f. und 36 ff. BeurkG. **Anfechtung** nach § 243 I ist nicht schlechthin ausgeschlossen, doch wird ein der Beschlussfassung nachfolgender Gesetzesverstoß in aller Regel nicht die erforderliche Relevanz besitzen.

11 **c) Pflicht zur Niederschrift.** Notar muss Niederschrift fertigen, in der beurkundungspflichtige Vorgänge (→ Rn. 2 ff.) festgehalten sind. Sie muss überdies Inhalt des § 130 II haben (→ Rn. 15 ff.). Beurkundung erfolgt idR als **Tatsachenprotokoll** iSd §§ 36 f. BeurkG mit reduzierten Prüfungspflichten des No-

tars (zur ebenfalls zulässigen [str.] Alternative der Beurkundung nach §§ 6 ff. vgl. Danzeglocke RNotZ 2022, 229, 236 f. mwN), doch geht § 130 als speziellere Norm §§ 36 ff. BeurkG vor (sa § 59 BeurkG). Niederschrift ist **Ergebnis-, nicht Wortprotokoll.** Notar muss deshalb auch nicht mehr oder minder wörtlich mitschreiben. Erforderlich und genügend ist vielmehr, dass er während der HV Aufzeichnungen über seine Wahrnehmungen (§ 37 I 1 Nr. 2 BeurkG) fertigt, die ihm zeitnahe Niederschrift als zuverlässige Gedächtnisleistung ermöglichen (ähnlich Krieger FS Priester, 2007, 387, 400). Tonbandaufzeichnungen sind als Gedächtnisstütze zulässig, genügen aber nicht. Formularmäßige Vorbereitung (Muster bei Happ/Zimmermann AktienR 10.17; BeckFormB/Hoffmann-Becking X.23) ist zulässig und zweckmäßig (MüKoAktG/Kubis Rn. 19). Unterzeichnet Notar den in HV vervollständigten **Entwurf** nach deren Beendigung und entäußert er sich dieses Papiers (zB durch von ihm veranlasste Zuleitung an AG), so stellt es die Niederschrift iSd § 130 I 1 dar. Wird jedoch stattdessen spätere **Reinschrift** gefertigt und entäußert sich Notar dieser Reinschrift (zB durch Einreichung einer beglaubigten Abschrift beim HR), so ist erst sie die Urkunde iSd § 130 I 1 (BGHZ 180, 9 Rn. 8 ff. = NJW 2009, 2207). Wirksam ist also die eine oder die andere Beurkundung, weshalb mangels Verstoßes gegen § 130 auch keine Nichtigkeit nach § 241 Nr. 2 vorliegt (BGHZ 180, 9 Rn. 8 ff.; OLG Frankfurt AG 2007, 672, 673; AG 2009, 542, 543 f.; AG 2012, 924; BeckOGK/Wicke Rn. 30; Hoffmann-Becking FS Hellwig, 2011, 153, 155 ff.; Krieger FS Priester, 2007, 387, 400 f.; sa Reul/Zetzsche AG 2007, 561 Fn. 3; aA iR eines Klageerzwingungsverfahrens OLG Frankfurt NJW 2007, 1221 f.). Vorteil dieser Vorgehensweise liegt darin, dass schnell Wirksamkeit eintritt, Unfallgefahr vorgebeugt und dennoch etwaige Berichtigung ermöglicht wird. In den Reinschriftfällen fragt sich allerdings, ob **Wirksamkeit** erst mit Abschluss der Protokollierung eintritt, was namentl. für Dividendenausschüttung im unmittelbaren Anschluss an HV problematisch wäre (Rechtsgrundlosigkeit). Um dies zu vermeiden, bejaht mittlerweile ganz hM in diesem Fall in Anlehnung an Rechtsgedanken des § 184 I BGB Rückwirkung auf Zeitpunkt der Beschlussfassung (RAusschuss BT-Drs. 18/6681, 14; → 13. Aufl. 2018, Rn. 11; Harbarth/v. Plettenberg AG 2016, 145, 149; Hoffmann-Becking NZG 2017, 281, 289 ff.; Roeckl-Schmidt/Stoll AG 2012, 225 ff.; iErg auch GK-AktG/Mülbert Rn. 73; Habersack ZIP-Beil. 22/2016, 23 ff. mit Blick auf zitierte RAusschuss-Äußerung sowie KK-AktG/Tröger § 133 Rn. 192 f.). Auf konstruktiv überzeugenderem Weg gelangt man indes zu demselben Ergebnis, indem man § 241 Nr. 2 entspr. seiner Negativformulierung nicht als Fall schwebender Unwirksamkeit, sondern **schwebender Nichtigkeit** auffasst (so in der Tat auch die Formulierung in BGHZ 180, 9 Rn. 14), die erst dann zur endgültigen Nichtigkeit führt, wenn feststeht, dass Unterschrift nicht mehr ordnungsgemäß erfolgen wird (ausf. Drescher FS Bergmann, 2018, 169 ff.). Notar darf Hilfspersonen wie Stenographen oder Stimmzähler einsetzen, solange nur Niederschrift auf eigenen Wahrnehmungen des Notars beruht (vgl. BeckOGK/Wicke Rn. 27 f.; Arnold/Carl/Götze AG 2011, 349, 357). Dass Notar Versammlungsraum kurzfristig verlässt, ist aber unbedenklich (BeckOGK/Wicke Rn. 28). Urkundensprache ist Deutsch (§ 5 I BeurkG), wenn HV wie regelmäßig, wenn auch nicht notwendig (→ § 121 Rn. 14 ff.), im Inland stattfindet (→ Rn. 8); Niederschrift in Fremdsprache nur mit Zustimmung aller anwesenden Aktionäre und HV-Leiter, doch muss auch dann zum HR deutsche Übersetzung eingereicht werden (MüKoAktG/Kubis Rn. 23; GK-AktG/Mülbert Rn. 66). Wenn in ausländischer Sprache verhandelt wird, die Notar nicht voll beherrscht, ist ein Dolmetscher zuzuziehen, doch darf sich diese Hilfestellung nur auf einzelne Beiträge beziehen, nicht aber auf gesamte Versammlung, da Notar Niederschrift sonst nicht mehr auf eigene Wahrnehmung stützen kann (KK-AktG/Noack/Zetzsche Rn. 278 f.). Niederschrift wird nicht verlesen und nicht genehmigt, aber vom Notar unterzeichnet (§ 130 IV 1; → Rn. 26).

11a Protokoll ist Tatsachenurkunde iSd §§ 36 f. BeurkG (BGHZ 216, 112 Rn. 26 = NZG 2017, 1374), so dass **nachträgliche Berichtigung** gem. § 44a II BeurkG zulässig ist. Das ist für offensichtliche Fehler (zB technische Fehlleistungen iSd § 319 ZPO) unstr. (BGHZ 216, 112 Rn. 36; ausf. zur Kategorie offensichtlicher Fehler Drescher FS 25 Jahre DNotI, 2018, 443, 449 f.), wurde bislang bei nicht offensichtlichen Fehlern aber unterschiedlich beurteilt. BGH hat Streit iS der schon bislang hM dahingehend entschieden, dass Notar Protokoll in beiden Fällen ohne Mitwirkung des HV-Leiters oder der in der HV anwesenden Aktionäre korrigieren darf, da der **Rechtsverkehr größeres Interesse an berichtigten richtigen Urkunden** habe als an unveränderten unrichtigen Urkunden. Als Person öffentlichen Glaubens habe der Notar dafür zu sorgen, dass eine unter seiner Verantwortung entstandene unrichtige Urkunde berichtigt werde und nicht weiterhin im Rechtsverkehr einen falschen Schein hervorrufe (BGHZ 216, 112 Rn. 35 ff.; zust. MüKoAktG/Kubis Rn. 26; Hupka ZGR 2018, 688, 695 ff.; Heckschen/Kreußlein NZG 2018, 401, 410 f.; Herrler NJW 2018, 585, 587; aA noch GK-AktG/Mülbert Rn. 70). Zeitlich unbeschränkte Korrekturmöglichkeit (vgl. BGHZ 216, 112 Rn. 34) ist mit Blick auf Beweisfunktion der Urkunde zwar nicht unbedenklich, angesichts drastischer Nichtigkeitsfolge nach § 241 Nr. 2 aber doch sinnvoll. Unterschiede zwischen offensichtlichen und nicht offensichtlichen Mängeln wirken auch weiterhin hinsichtlich **Art der Korrektur** fort: Während offensichtliche Mängel nicht allein durch ergänzende Niederschrift, sondern auch durch bloßen Nachtragsvermerk iSd § 44a II 1, 2 BeurkG korrigiert werden können, bedarf es für nicht offensichtliche und inhaltliche Änderungen zwingend ergänzender Niederschrift gem. § 44a II 3 BeurkG (BGHZ 216, 112 Rn. 32; zu Einzelheiten Danzeglocke RNotZ 2022, 229, 239 ff.; Heckschen/Kreußlein NZG 2018, 401, 407 ff.). Obwohl vom BGH nicht entschieden, deutet Begründung darauf hin, dass Korrekturmöglichkeit unabhängig davon besteht, ob bereits Abschriften oder Ausfertigungen erteilt wurden (KK-AktG/Noack/Zetzsche Rn. 306; Drescher FS 25 Jahre DNotI, 2018, 443447; aA GK-AktG/Mülbert Rn. 70). Auch Nichtigkeits- oder Anfechtungsklage steht nicht entgegen (Drescher FS 25 Jahre DNotI, 2018, 443, 448). In jedem Fall ist zu beachten, dass Korrektur nur aufgrund eigener Wahrnehmungen erfolgen darf, nicht dagegen auf ausschließlicher Veranlassung Dritter (MüKoAktG/Kubis Rn. 26). Offengelassen hat BGH, ob Korrekturmöglichkeit auch dann besteht, wenn Aktionär bereits **Dispositionen im Vertrauen auf Nichtigkeit** der gefassten Beschlüsse getroffen hat (BGHZ 216, 112 Rn. 41; skeptisch Heckschen/Kreußlein NZG 2018, 401, 411 f.; Herrler NJW 2018, 585, 587 f.; Reger/Schilha AG 2018, 65, 68; großzügiger Drescher FS 25 Jahre DNotI, 2018, 443, 448; Hupka ZGR 2018, 688, 698). Richtigerweise ist Korrektur auch hier zu bejahen, da Interesse an zutr. HV-Dokumentation auch hier vorgeht (Drescher FS 25 Jahre DNotI, 2018, 443, 448); Vertrauen kann auch über Ersatzansprüche geschützt werden (vgl. Danzeglocke RNotZ 2022, 229, 241 f.).

12 **d) Weitere Pflichten.** Der als Urkundsperson zugezogene Notar hat in dieser Eigenschaft **keine Beratungspflicht,** auch keine umfassende Prüfungs-, Belehrungs- und Einwirkungspflicht (allgM, s. nur MüKoAktG/Kubis Rn. 39; Priester DNotZ 2001, 661, 669). § 130 legt ihm solche Pflichten nicht auf und § 17 BeurkG gilt nicht für Niederschriften (BGHZ 203, 68 Rn. 19 = NJW 2015, 336). Dass es dabei notwendig verbleiben müsse, kann jedoch nicht angenommen werden. Vielmehr folgt aus dem die Wahrung der ges. Anforderungen umfassenden Regelungszweck (→ Rn. 1) und aus der Amtsstellung des Notars, dass er über **evidente Rechtsverstöße** nicht hinweggehen darf (OLG Düsseldorf AG

2003, 510, 512 f.; OLG Hamburg AG 2003, 698, 699; MüKoAktG/Kubis Rn. 39; GK-AktG/Mülbert Rn. 45; BeckOGK/Wicke Rn. 34 f.; wohl weitergehend, jedenfalls mit nicht überzeugender Folgerung zur Auslandsversammlung [→ § 121 Rn. 14 ff.] OLG Hamburg OLGZ 1994, 42, 43 f.). Ihm obliegt insofern jedenfalls Hinweispflicht (zur Möglichkeit der Verweigerung → Rn. 13), der eine **summarische Rechtmäßigkeitskontrolle** voranzugehen hat. Sie beschränkt sich aber auf solche Vorgänge, die im unmittelbaren Tätigkeitsbereich des Notars stattfinden (nicht: Einlasskontrolle) und beruht auf beurkundungsrechtl. Grundlage, so dass sich daraus keinerlei aktienrechtl. Folgen, insbes. keine Nichtigkeitsfolge, ergeben kann (MüKoAktG/Kubis Rn. 39). In diesem Sinne muss der Notar jedenfalls prüfen: Ordnungsmäßigkeit der Einberufung (Evidenzkontrolle genügt), Ablauf der Präsenzerfassung und Führung des Teilnehmerverzeichnisses, Legitimation des HV-Leiters, Abstimmungsverfahren und Beachtung von Stimmverboten durch HV-Leiter (vgl. MüKoAktG/Kubis Rn. 40 ff.; teilw. einschr. Bezzenberger FS Schippel, 1996, 361, 380). Auf Mängel ist HV-Leiter hinzuweisen. Auf die Formulierung von Beschlussanträgen sollte eingewirkt werden, wenn anderenfalls ersichtlich fehlerhafte oder unklare Beschlüsse drohen (GK-AktG/Mülbert Rn. 50).

e) Nichtige oder anfechtbare Beschlüsse. Fraglich ist, ob und in welchen Fällen der Notar die Beurkundung von Beschlüssen zu verweigern hat. Nach § 4 BeurkG ist die Niederschrift jedenfalls dann abzulehnen, wenn mit der jeweiligen Handlung, bes. dem HV-Beschluss, erkennbar **unerlaubte oder unredliche Zwecke** verfolgt werden (BGHZ 203, 68 Rn. 18 = NJW 2015, 336). Inwiefern er sich auch unterhalb dieser Schwelle der Beurkundung von Beschlüssen verweigern darf, ist umstr. BGH tendiert insofern zu restriktiver Sichtweise, da es nicht Aufgabe des Notars sei, anstelle des nach §§ 245 ff. berufenen Richters die Mangelhaftigkeit von Beschlüssen festzustellen. Bislang verbreitet angenommene Ausnahme für Fälle, in denen Beschluss aus anderen als den in § 4 BeurkG genannten Gründen **evident und nach allg. geteilter Rechtsauffassung nichtig** ist (MüKoAktG/Kubis Rn. 45; BeckOGK/Wicke Rn. 26; KK-AktG/Noack/Zetzsche Rn. 105 ff.), wird augenscheinlich von BGH nicht anerkannt (BGHZ 203, 68 Rn. 18 mwN). Das ist mit Blick auf Rolle als Rechtmäßigkeitsgarant (→ Rn. 1) nicht unbedenklich, vermeidet aber zumindest Abgrenzungsschwierigkeiten und wahrt überdies Heilungsmöglichkeit nach § 242 (Happ/Zimmermann AktienR 10.17 Rn. 2.8; wie hier GK-AktG/Mülbert Rn. 54; HV-HdB/Pöschke/Vogel § 13 Rn. 30). Unstr. ist jedenfalls, dass Notar bei **bloßer Anfechtbarkeit** kein Weigerungsrecht zusteht, da endgültige Wirksamkeit hier zur Disposition der Aktionäre steht; auch ist es nicht Amt des Notars, die Rechtsfolge des § 243 I gegen die Nichtigkeitsfolge des § 241 Nr. 2 auszutauschen (MüKoAktG/Kubis Rn. 45; Danzeglocke RNotZ 2022, 229, 243). In jedem Fall hat ein Vermerk in der Niederschrift zu erfolgen (BeckOGK/Wicke Rn. 26). 13

f) Kosten. Kosten der Niederschrift sind von der Gesellschaft zu tragen. Geschäftswert bestimmt sich nach § 108 GNotKG, der auf Differenzierung zwischen Beschlüssen mit und ohne bestimmten Geschäftswert nach § 105 GNotKG verweist. Im ersten Fall ist dieser Wert, im zweiten Fall 1 % des Grundkapitals, mindestens 30.000 Euro, anzusetzen. Notar erhält nach KV 21100 GNotKG doppelte Gebühr. Jeder Beschluss bildet einzelnen Beurkundungsgegenstand (§ 86 GNotKG), deren Werte zusammenzurechnen sind (§ 35 I GNotKG). Es greift dann aber auch für Mehrzahl von Beschlüssen, die in einem Beurkundungsverfahren zusammengefasst sind, nach § 108 V GNotKG Höchstgeschäftswert von 5 Mio. Euro, der frühere Höchstgebühr von 5.000 Euro nach § 47 S. 2 KostO aF ersetzt hat (vgl. RegBegr. BT-Drs. 17/11471, 140, 186). Hinzu 14 kommen ggf. Reisekosten und Auslagen sowie die Auswärtsgebühr gem. KV 26002 GNotKG. Möglich ist weitere 0,5-2,0-fache Gebühr für zusätzliche beratende Tätigkeit oder für Erstellung des Teilnehmerverzeichnisses gem. KV 24203 GNotKG, wenn sich Mandat jew. darauf erstreckt (vgl. RegBegr. BT-Drs. 17/11471, 230). Geschäftswert für Beratung bestimmt sich nach § 120 GNotKG. Zu weiteren Einzelheiten s. BeckOGK/Wicke Rn. 40.

14a **3. Privatschriftliches Protokoll. a) Allgemeines.** Gem. § 130 I 3 kann AG bei Niederschrift auf Mitwirkung des Notars verzichten, also privatschriftliches Protokoll führen, wenn ihre Aktien nicht zum Börsenhandel zugelassen sind und HV keine sog Grundlagenbeschlüsse (→ Rn. 14b) fasst. Regelung bezweckt **Kostenentlastung,** dadurch Annäherung an § 48 GmbHG und auf diesem Wege Abbau eines angenommenen Zugangshindernisses zur Rechtsform der AG (Fraktionsbegr. BT-Drs. 12/6721, 9). Muster bei Happ/Ludwig/Bednarz AktienR 10.19, 10.20; sa → Rn. 15 ff.

14b **b) Voraussetzungen.** § 130 I 3 setzt zunächst voraus, dass es sich um **nichtbörsennotierte Gesellschaft** handelt. Begriff bestimmt sich nach § 3 II (→ § 3 Rn. 5 f.). Aktien dürfen also nicht zum Handel im regulierten Markt zugelassen sein. Dagegen ist privatschriftliches Protokoll nach § 130 I 3 iVm § 3 II bei Freiverkehrswerten (§ 48 BörsG) zulässig. Weiterhin ist erforderlich, dass **keine Grundlagenbeschlüsse** gefasst werden, was dann der Fall sein soll, wenn Ges. (nicht Satzung) eine Dreiviertel- oder größere Mehrheit bestimmt. Ob darunter nur solche Beschlüsse fallen, die wenigstens einer Mehrheit von drei Vierteln des vertretenen Grundkapitals bedürfen oder auch solche, bei denen es einer Mehrheit von drei Vierteln der Stimmenmehrheit bedarf, ist umstr. (für das Erste OLG Karlsruhe NZG 2013, 1261, 1265; GK-AktG/Mülbert Rn. 79; MüKoAktG/Kubis Rn. 33; Butzke HV N 17; Beck AG 2014, 275, 276 f.; Harnos AG 2015, 732, 733 f.; Hoffmann-Becking ZIP 1995, 1, 7; Bezzenberger FS Schippel, 1996, 361, 362; jetzt auch KK-AktG/Noack/Zetzsche Rn. 127; aA BeckOGK/Wicke Rn. 43). Für die zweite Ansicht wird angeführt, dass es sich auch in diesem Fall um keine bloße Routineangelegenheit handelt, was in der Sache ein durchaus berechtigter Einwand ist, der aber in der Auslegung doch hinter die in den Gesetzesmaterialien klar geäußerte Beschränkung auf eine **Dreiviertelmehrheit des Grundkapitals** zurücktreten muss (s. dazu Fraktionsbegr. BT-Drs. 12/6721, 9; AusschussB BT-Drs. 12/7848, 9; zur Relevanz der Materialien im Lichte der Paktentheorie vgl. MüKoBGB/Säcker Einl. BGB Rn. 131; Fleischer NJW 2012, 2087, 2090). Unschädlich ist in jedem Fall, wenn Ges. Herabsetzung des Mehrheitserfordernisses durch Satzung zulässt (MHdB AG/Hoffmann-Becking § 41 Rn. 27).

14c **Einzelfragen.** Mittlerweile weitgehend geklärt dürfte sein, dass Grundlagenbeschlüsse nach **Holzmüller-**Vorbild (→ § 119 Rn. 16 ff.) nicht unter § 130 I 3 fallen können. Das war früher zweifelhaft, solange als dogmatische Grundlage solcher Beschlüsse § 119 II herangezogen und sie damit der Geschäftsführungsbefugnis des Vorstands zugeordnet wurden. Nachdem BGH die Holzmüller-Fälle in der Gelatine-Entscheidung (→ § 119 Rn. 16 ff.) von § 119 II gelöst und ihren strukturändernden Charakter auch durch das Erfordernis einer Dreiviertelmehrheit betont hat, ist Zuordnung zu Routineangelegenheiten iSd § 130 I 3 nicht mehr gerechtfertigt (vgl. Hölters/Weber/Drinhausen Rn. 23; MüKoAktG/Kubis Rn. 34; GK-AktG/Mülbert Rn. 81; KK-AktG/Noack/Zetzsche Rn. 130; B/K/L/Reger Rn. 32; NK-AktR/Terbrack/Lohr Rn. 7; BeckOGK/Wicke Rn. 44; S/L/Ziemons Rn. 48; Harnos AG 2015, 732, 734; aA aber weiterhin Henssler/Strohn/Liebscher Rn. 11). Umstr. war bislang die Behandlung sog **gemischter HV,** bei der sowohl Grundlagenbeschlüsse als auch Regularbeschlüsse mit einfacher Mehrheit gefasst wurden. Ganz hM ging hier bislang von **Unteilbarkeit des HV-Protokolls** aus, da anderenfalls zwei Niederschriften zum HR eingereicht werden müssten, deren Inhalt nicht hinreichend aufeinander abgestimmt wäre (OLG Jena AG 2015, 275 f.; Butzke HV N 20; so auch weiterhin Grigoleit/Herrler Rn. 33; BeckOGK/Wicke Rn. 45; S/L/Ziemons Rn. 51). Ältere Gegenauffassung (vgl. etwa Blanke BB 1995, 681, 682; Lutter AG 1994, 429, 440), die neuerdings von KK-AktG/Noack/Zetzsche, 3. Aufl. 2010, Rn. 152 ff. wieder aufgegriffen worden war, hat solchen Grundsatz indes verneint. Dieser letztgenannten Auffassung hat sich BGH mit ausf. Begr. angeschlossen (BGHZ 205, 319 Rn. 13 ff. = NZG 2015, 867; zust. GK-AktG/Mülbert Rn. 82 ff.; Drygala/v. Bressensdorf WuB 2015, 569, 571 f.; Harnos AG 2015, 732, 734 ff.). Es wird daher künftig möglich sein, Niederschrift in notariell beurkundete und in vom AR-Vorsitzenden unterzeichnete Abschnitte aufzuteilen (krit. dazu Wachter Rn. 30; Bayer/Meier-Wehrsdorfer LMK 2015, 373659; Weiler MittBayNot 2015, 256, 257 f.; Wicke DB 2015, 1770 f.). Einwand mangelnder inhaltlicher Abstimmung wird mit Hinweis auf Zulässigkeit der Beurkundung durch mehrere Personen (→ Rn. 7) entkräftet (BGHZ 205, 319 Rn. 21), zumal Protokollierung in diesen Fällen zeitlich gestaffelt erfolgt (Harnos AG 2015, 732, 736 f.; zum praktischen Ablauf vgl. Danzeglocke RNotZ 2022, 229, 234 ff.; Höreth AG 2015, R 293, 294 f.). Derartige Trennung kann für AG namentl. Kostenvorteile haben, sofern notariell zu beurkundende Gegenstände Höchstgeschäftswert von 5 Mio. Euro nicht erreichen und daher nicht zu beurkundende Gegenstände nach § 35 I GNotKG addierten Geschäftswert weiter erhöht hätten (zu Einzelheiten Drygala/v. Bressensdorf WuB 2015, 569, 572; Harnos AG 2015, 732, 736; Höreth AG 2015, R 293 f.).

c) Niederschrift und Unterzeichnung. Zur Person des Protokollführers enthält § 130 I 3 nichts. Zunächst vorgesehene Regelung, nach der Vorstand Niederschrift aufnehmen (und unterzeichnen) musste, ist zu Recht nicht Ges. geworden (vgl. AusschussB BT-Drs. 12/7848, 5, 9). Protokollführer wird deshalb vom **HV-Leiter** (nicht: vom Vorstand) bestimmt. Wenn HV keinen Leiter hat (insbes. bei Einmann-AG; zur Zulässigkeit → § 129 Rn. 18), genügt Unterzeichnung durch alle Teilnehmer (Noack FG Happ, 2006, 201, 207). Inhalt der Niederschrift richtet sich ebenso nach § 130 I und II wie bei Beurkundung durch Notar (→ Rn. 2 ff., 15 ff.; Bezzenberger FS Schippel, 1996, 361, 364; für einzelne Erleichterungen Noack FG Happ, 2006, 201, 205 ff.). Beurkundungsmängel führen (auch bei Vollversammlung) zur Nichtigkeit von Beschlüssen nach § 241 Nr. 2 (→ Rn. 30; ferner B/K/L/Reger Rn. 34; BeckOGK/Wicke Rn. 70; einschr. Noack FG Happ, 2006, 201, 211 f.; Bezzenberger FS Schippel, 1996, 361, 364 f.). 14d

Unterzeichnung durch **AR-Vorsitzenden** (§ 130 I 3) ersetzt Unterschrift des Notars (§ 130 IV 1; → Rn. 26). Mit Unterzeichnung übernimmt AR-Vorsitzender die Verantwortung dafür, dass das Protokoll inhaltlich richtig und ordnungsgem. angefertigt ist. § 130 I 3 geht von Regelfall aus, dass AR-Vorsitzender die HV leitet (→ § 107 Rn. 5). Wer ihr nur beiwohnt, kann nicht die Verantwortung für das Versammlungsprotokoll übernehmen. Bei Verhinderung des AR-Vorsitzenden unterzeichnet sein Stellvertreter (AusschussB BT-Drs. 12/7848, 9), wenn er HV-Leiter war. Wenn Satzung eine dritte Person zum Versammlungsleiter bestimmt, muss diese unterzeichnen, obwohl das Ges. das nicht sagt (hM, s. OLG Frankfurt NZG 2019, 1055 Rn. 27; OLG Karlsruhe NZG 2013, 1261, 1265; MüKoAktG/Kubis Rn. 38; GK-AktG/Mülbert Rn. 87; B/K/L/Reger Rn. 34; Beck AG 2014, 275, 277 f.; Hoffmann-Becking NZG 2017, 281, 288 f.; Hoppe NZG 2019, 1401, 1404; Noack FG Happ, 2006, 201, 206; aA BeckOGK/Drescher § 241 Rn. 209; S/L/Ziemons Rn. 50; Harnos AG 2015, 732, 737 f.; offenlassend OLG Köln NZG 2008, 635, 636; vorsorglich für Unterzeich- 14e nung auch durch AR-Vorsitzenden Polte/Haider-Giangreco AG 2014, 729, 734 f.). Nachträgliche Korrektur sollte mindestens ebenso großzügig zugelassen werden, wie bei notarieller Niederschrift (→ Rn. 11a; Drescher FS 25 Jahre DNotI, 2018, 443, 451; Drescher VGR 24 GesR 2018, Diskussionsbericht Rohwetter S. 22 Rn. 11; Lubberich DNotZ 2018, 324, 331; Reger/Schilha AG 2018, 65, 68 f.; Seibt EWiR 2018, 39, 40; zurückhaltend Heckschen/Kreußlein NZG 2018, 401, 411; Hupka ZGR 2018, 688, 699). Bei gespaltener Versammlungsleitung (→ § 122 Rn. 29) bedarf es gemeinsamer Unterschrift; können sich Leiter nicht einigen, müssen gesonderte Niederschriften erstellt werden (Hoppe NZG 2019, 1401, 1403 f.).

III. Anwesenheit in HV (§ 130 Ia)

14f Mit **VHVG 2022** neu eingefügter § 130 Ia schreibt vor, dass Notar seine Wahrnehmungen über Gang der HV unter Anwesenheit am Ort der HV zu machen hat (sofern nicht Ausn. des § 130 I 3 greift; → Rn. 14a ff.). Obwohl Vorschrift ihrem Wortlaut nach nicht darauf beschränkt ist, zielt sie doch in erster Linie auf **Situation einer vHV** ab, bei der in der Vergangenheit umstr. war, ob auch Notar Anwesenheitspflicht trifft (→ 16. Aufl. 2022, § 118 Rn. 56). Diese Anwesenheitspflicht wird nunmehr für Präsenz-HV wie vHV gleichermaßen klargestellt (RegBegr. BT-Drs. 20/1738, 30). Zu den Aufgaben des Notars in vHV → Rn. 23c f.

IV. Inhalt der Niederschrift (§ 130 II)

15 **1. Formalien. a) Ort und Tag.** Gem. § 130 II sind jedenfalls anzugeben Ort und Tag der Verhandlung sowie Name des Notars. Als Ortsangabe genügt Bezeichnung der politischen Gemeinde. Angabe des Versammlungsorts nach Straße und Hausnummer ist, da bereits in Einberufung dokumentiert, nicht erforderlich, aber üblich und zweckmäßig (vgl. GK-AktG/Mülbert Rn. 92; KK-AktG/Noack/Zetzsche Rn. 77; BeckOGK/Wicke Rn. 48; aA MüKoAktG/Kubis Rn. 49). Tag der Verhandlung wird durch sein Datum benannt. Wenn HV mehrere Tage dauert, ist das anzugeben, und zwar unter tageweiser Zuordnung der gefassten Beschlüsse (MüKoAktG/Kubis Rn. 50). Uhrzeit muss nicht angegeben werden, doch ist auch das üblich und sinnvoll (KK-AktG/Noack/Zetzsche Rn. 83; Wachter Rn. 36; S/L/Ziemons Rn. 10; aA MüKoAktG/Kubis Rn. 50). Zu Straffungspotenzial bei Protokollerstellung vgl. Heinze FS Heidinger, 2023, 181, 185 ff.

16 **b) Name des Notars.** § 130 II verlangt ferner, dass der Name des Notars in die Urkunde aufgenommen wird. Unterschrift (§ 130 IV 1) genügt nicht, auch nicht die lesbare. Nach hM genügt Angabe des **Familiennamens;** Vorname ist nur bei Verwechslungsgefahr hinzuzufügen (Grigoleit/Herrler Rn. 35; MüKoAktG/Kubis 51; BeckOGK/Wicke Rn. 49; aA Wachter Rn. 39; S/L/Ziemons Rn. 9). Bloße Existenz verschiedener Meinungen wird vorsichtigen Notar allerdings veranlassen, Vornamen stets beizufügen (GK-AktG/Mülbert Rn. 93).

17 **2. Abstimmungsart.** Neben den Formalien verlangt § 130 II Angabe der Abstimmungsart (zu Besonderheit bei Einmann-AG → § 121 Rn. 23). Dazu gehören wenigstens Form der Abstimmung und Art und Weise der Stimmenauszählung; Rechtsgrund für die gewählte Abstimmungsart muss dagegen nicht protokolliert werden (BGHZ 216, 112 Rn. 42 = NZG 2017, 1374). **Form der Abstimmung** richtet sich gem. § 134 IV in erster Linie nach der Satzung, bei deren Schweigen nach Bestimmung des Versammlungsleiters, sofern HV nichts anderes beschließt. In Betracht kommen herkömmliche Methoden wie Stimm-

karten, Zuruf, Handzeichen, Aufstehen oder namentlicher Aufruf, in neuerer Zeit verstärkt aber auch Online-Abstimmung (→ § 118 Rn. 10) und in Ausnahmefällen Geheimabstimmung (→ § 134 Rn. 35; sa Selter ZIP 2018, 1161, 1164). Entspr. Angabe ist nach § 130 II unentbehrlich, und zwar auch bei überschaubaren Gesellschafterverhältnissen (BGHZ 216, 112 22; sa RGZ 75, 259, 267). Zu protokollieren ist ferner, wie **Stimmenauszählung** vorgenommen wurde (Einsatz von Stimmzählern, Subtraktionsmethode, elektronische Stimmzählung bei Onlineabstimmung); vgl. OLG Oldenburg AG 2002, 682; LG München AG 2013, 138, 139; GK-AktG/Mülbert Rn. 98; aA BeckOGK/Wicke Rn. 50 f.; Schulte AG 1985, 33, 38. Dasselbe gilt für die Beachtung von **Stimmverboten** (hM – statt vieler MüKoAktG/Kubis Rn. 58). Zu diesen Punkten zT vertretene einschränkende Ansätze (vgl. insbes. BeckOGK/Wicke Rn. 50 ff.) sind vor dem Verständnishintergrund der strengen und zT überzogenen Nichtigkeitsanordnung in § 241 Nr. 2 zu verstehen und verfolgen insofern berechtigtes rechtspolitisches Anliegen. Dessen Umsetzung sollte aber dort ansetzen, wo tats. Problemursprung liegt, nämlich im Beschlussmängelrecht, nicht aber in künstlicher Aufspaltung der notariell beurkundeten HV-Informationen (zutr. Butzke HV N 26).

Nicht voll geklärt ist, ob Niederschrift auch Angaben zur **Feststellung der Stimmkraft** enthalten muss, ob also anzugeben ist, wie Stimmenzahl des einzelnen Aktionärs bei Stimmabgabe durch Handzeichen, Aufstehen usw ermittelt wurde, zB durch Nachfrage. Überwiegend wird das jedenfalls bei unübersichtlichen Stimmverhältnissen angenommen (KG JW 1933, 2465; MüKoAktG/Kubis Rn. 59; KK-AktG/Noack/Zetzsche Rn. 141; S/L/Ziemons Rn. 16; aA BeckOGK/Wicke Rn. 51). Dem ist beizutreten, weil es auf die Zahl der abgegebenen Stimmen (§ 133 I) und nicht auf die Zahl der abstimmenden Aktionäre ankommt. Für das Gegenteil zitierte Entscheidung RGZ 105, 373, 374 f. besagt nichts anderes, sondern handelt allg. von offenbar unerheblichen Formfehlern. In diesem Zusammenhang ist auch zu protokollieren, welche Maßnahmen der Vorsitzende zur **Einhaltung von Stimmverboten** (§ 136) ergriffen hat, etwa die Aufforderung an betr. Aktionäre, nicht abzustimmen. 18

3. Abstimmungsergebnis. Vorgeschrieben ist in § 130 II 1 ferner, das Ergebnis der Abstimmung zu protokollieren. Dabei ist zwischen der Zahl der abgegebenen Stimmen und der rechtl. Folgerung zu unterscheiden, die sich aus den Stimmenzahlen ergibt. Jedenfalls erforderlich ist Angabe der **Zahl der Ja-Stimmen und der Nein-Stimmen** (BGHZ 216, 112 Rn. 45 ff. = NZG 2017, 1374; Prozentangabe genügt nicht, BGHZ 216, 112 Rn. 59), und zwar nach Feststellung des Notars, ferner Niederschrift des Antrags, wenn sich dessen Inhalt nicht aus der Feststellung des Abstimmungsergebnisses (→ Rn. 21) ergibt (zur Angabe des Antrags s. KK-AktG/Noack/Zetzsche Rn. 100). ZT vertretene Auffassung, das zahlenmäßige Abstimmungsergebnis sei nach Einfügung des § 130 II 2 im Zuge des ARUG 2009 nicht mehr Teil des Abstimmungsergebnisses iSd § 130 II 1 (KK-AktG/Noack/Zetzsche Rn. 152 ff.), vermag deshalb nicht zu überzeugen, weil sie aus § 130 II 2 als Spezialvorschrift für börsennotierte AG Rückschlüsse auf allg. gefasste Vorschrift des § 130 II 1 ziehen will. Das würde für nicht börsennotierte AG zu wesentlichen Dokumentationsdefiziten führen, die hier auch durch § 130 VI nicht ausgeglichen werden könnten, weil diese Vorschrift ebenfalls auf börsennotierte AG beschränkt ist (abl. deshalb auch BGHZ 216, 112 Rn. 45 ff.; MüKoAktG/Kubis Rn. 62 Fn. 191; GK-AktG/Mülbert Rn. 101; Leitzen ZIP 2010, 1065, 1066 f.). Rechtspolitisch sinnvolles Anliegen, Folgen der Nichtigkeitsanordnung in § 241 Nr. 2 einzuschränken, sollte dort ansetzen, nicht aber bei Relativierungen der HV-Dokumentation (→ Rn. 17). BGH hat dazu richtigen Weg eingeschlagen, indem er in Abkehr 19 von bisheriger Rspr. Nichtigkeitsfolge dann ausgeschlossen hat, wenn trotz des Mangels keine Zweifel am Beschlussergebnis bestehen (BGHZ 216, 112 Rn. 61 f.; → § 241 Rn. 13c mwN). Rspr. ist auch auf privatschriftliche Protokolle (→ Rn. 14a ff.) zu übertragen, da an formlosere Variante nicht strengere Anforderungen gestellt werden dürfen als an formstrengere Variante (Reger/Schilha AG 2018, 65, 68; aA Heckschen/Kreußlein NZG 2018, 401, 411: Ausnahmevorschrift zugunsten eines Hoheitsträgers).

19a Feststellung des Notars zum Abstimmungsergebnis stützt sich idR und zu Recht auf dessen **Bekanntgabe durch Leiter der HV.** Eigene Wahrnehmungen zum Abstimmungsvorgang, bes. Beaufsichtigung der Stimmenauszählung, sind nach § 130 II 1 nicht erforderlich (BGHZ 180, 9 Rn. 16 = NJW 2009, 2207; OLG Düsseldorf AG 2003, 510, 511 ff.; OLG Frankfurt AG 2011, 36, 39; Krieger ZIP 2002, 1597, 1598 ff.; Reul AG 2002, 543, 545 ff.; aA LG Wuppertal AG 2002, 567, 568). HV muss deshalb auch nicht unterbrochen werden, um Notar diese Beaufsichtigung zu ermöglichen (Mutter AG 2009, 470). Grds. nicht genügend, wenn auch nach § 130 II 2 Nr. 2 uU erforderlich (→ Rn. 23a, 23b), ist Angabe der Kapitalbeträge, mit denen für und gegen den Antrag gestimmt worden ist; Ausnahme nur erwägenswert, wenn alle Aktien bei gleichem Nennbetrag oder als Stückaktien (§ 8 III 2) gleiches Stimmrecht geben (BGH AG 1994, 466; LG Essen AG 1995, 191, 192; sa Brandes WM 1994, 2177, 2184). Ob auch **Stimmenthaltungen** angegeben werden müssen, ist str. Nach hM ist Frage vorbehaltlich einer erweiterten Feststellung bei börsennotierten Gesellschaften nach § 130 II 2 Nr. 3 (→ Rn. 23a, 23b) zu verneinen (KG AG 2009, 118, 119; MüKoAktG/Kubis Rn. 62; Schulte AG 1985, 33, 38). Ältere Gegenansicht (Baumbach/Hueck Rn. 5) überzeugt schon deshalb nicht, weil es auf die Enthaltungen nicht ankommt (§ 133 I), und scheitert als für alle Gesellschaften geltende Lösung heute auch am Umkehrschluss aus § 130 II 2 Nr. 3. Festgestellte Enthaltungen haben aber immerhin Informationswert und werden deshalb zweckmäßig in die Niederschrift aufgenommen. Bei Anwendung des Subtraktionsverfahrens (→ § 133 Rn. 24) sollten Stimmenthaltungen wegen ihrer Bedeutung als Berechnungsfaktor angegeben werden (GK-AktG/Mülbert Rn. 102; Selter ZIP 2018, 1161, 1667).

20 Wenn Abstimmung nach **Aktiengattungen** getrennt erfolgt, ist nach zT vertretener Ansicht auch getrennte Feststellung der Abstimmungsergebnisse erforderlich (Wachter Rn. 51; S/L/Ziemons Rn. 19). Das überzeugt in dieser Allgemeinheit nicht (abl. daher die hM – vgl. KK-AktG/Noack/Zetzsche Rn. 157; BeckOGK/Wicke Rn. 54) und findet auch in RGZ 122, 102, 107 keine Stütze. Getrennte Angabe ist ohne weiteres erforderlich bei **Sonderbeschlüssen** (§ 138 S. 1), ferner bei **getrennter Auszählung,** wenn Gattungen unterschiedliche Stimmkraft haben; dagegen nicht, wenn es sich um bloßen Zählmodus ohne Bedeutung für das Ergebnis handelt (zust. Hölters/Weber/Drinhausen Rn. 33; aA GK-AktG/Mülbert Rn. 103).

21 Rechtl. Folgerung aus der Zahl der Ja-Stimmen und der Nein-Stimmen ist **Annahme oder Ablehnung des Antrags.** Umstr. ist, ob Notar insofern seine eigene Wahrnehmung niederzuschreiben hat oder auch hier (→ Rn. 19a) lediglich die **Feststellung des Vorsitzenden** (→ Rn. 22, 23), auch wenn sie von seiner eigenen Beobachtung abweichen mag. HM begnügt sich mit Wiedergabe der Feststellung des Vorsitzenden; abw. eigene Beobachtung sei lediglich durch Vermerk in Niederschrift zu dokumentieren (Grigoleit/Herrler Rn. 38; BeckOGK/Wicke Rn. 57; S/L/Ziemons Rn. 21; Happ/Zimmermann AktienR 10.17 Rn. 38.5; gegen Pflicht [reine Zweckmäßigkeitsentscheidung] B/K/L/Reger Rn. 16). Diese Sichtweise ist angesichts des Wortlauts, der Angabe des Abstimmungsergebnisses und Feststellung durch den Vorsitzenden nebeneinander verlangt, nicht unproblematisch (für eigenständige Protokollierung daher MüKo-

AktG/Kubis Rn. 61). Dennoch ist hM in der Sache zu folgen, da sie zu sachgerechtem Procedere führt, das allg. **Funktionstrennung** zwischen HV-Leiter und Notar Rechnung trägt (BGHZ 180, 9 Rn. 16 = NJW 2009, 2207; → Rn. 19a) und zudem klarstellt, dass Notar keine eigenständige Amtspflicht zur Prüfung hat, sondern sich im Grundsatz auf Feststellungen des Versammlungsleiters verlassen darf (insofern zust. auch MüKoAktG/Kubis Rn. 61).

4. Feststellung des Vorsitzenden über Beschlussfassung. Erforderlich ist nach § 130 II schließlich, dass Feststellung des Vorsitzenden über die Beschlussfassung in die Niederschrift aufgenommen wird. Vorsitzender ist, wer als solcher tätig wird und sich dazu auch als berechtigt ansehen darf. Wer HV als AR-Vorsitzender leitet, aber dazu nur **scheinbar gewählt** worden ist (→ § 129 Rn. 19), bleibt Vorsitzender iSd § 130 II, weshalb § 241 Nr. 2 nicht anzuwenden ist (Heller AG 2009, 278, 279 f.). Bei Einmann-AG wäre solche Feststellung allerdings bloße Förmelei, weshalb Erklärung des einzigen Aktionärs an ihre Stelle tritt (ganz hM – vgl. nur MüKoAktG/Kubis Rn. 67; aA aber neuerdings Blasche AG 2017, 16, 20). Aus § 130 II folgt zunächst, dass solche Feststellung notwendig ist, also bloße Verkündung von Ja- und Nein-Stimmen nicht genügt (→ Rn. 23). Der Vorsitzende muss vielmehr feststellen, dass Antrag angenommen oder abgelehnt, oder sinngleich, dass Beschluss mit näher bezeichnetem Inhalt zustande gekommen oder nicht zustande gekommen ist. **Rechtl. Bedeutung:** Feststellung des Vorsitzenden und notarielle Niederschrift konstituieren Beschluss auch dann, wenn sie dem Abstimmungsergebnis (→ Rn. 19) nicht entspr. und daher unrichtig sind; festgestellter und niedergeschriebener Beschluss kann nur und muss ggf. durch Anfechtungsklage und -urteil vernichtet werden (§ 241 Nr. 5, §§ 243 ff.). Vgl. RGZ 75, 239, 242 ff.; RGZ 122, 102, 107; RGZ 142, 123, 129; sa (zur GmbH) BGHZ 14, 25, 35 f. = NJW 1954, 1401 und BGHZ 104, 66, 69 = NJW 1988, 1844 (unter Aufgabe von BGHZ 51, 209, 212 = NJW 1969, 841); im Schrifttum ganz hL. Für **stimmlose Beschlüsse** (→ § 133 Rn. 2) gilt nichts anderes, weshalb Fehlen gültiger Stimmen nur durch Anfechtungsklage geltend gemacht werden kann (→ § 241 Rn. 3 mwN). 22

Im Hinblick auf Bedeutung seiner Feststellung ist Vorsitzender berechtigt, Gültigkeit der Stimmabgabe zu prüfen und **nichtige Stimmen** nicht zu berücksichtigen, so in Fällen des § 20 VII (→ § 20 Rn. 10 ff.), des § 44 WpHG (vgl. dazu U. H. Schneider AG 2021, 58 Rn. 12 ff., 28 ff.), des § 136 (→ § 136 Rn. 24) und auch bei treuwidriger Stimmabgabe. Auch im letztgenannten Fall entspr. Nichtigkeitsfolge in deutscher Rspr. und Lit. heute nahezu allgM (→ § 53a Rn. 30), woraus zugleich Konsequenz gezogen wird, dass HV-Leiter berechtigt und verpflichtet (s. dazu noch → Rn. 22c) sei, treuwidrige Stimmen unberücksichtigt zu lassen (vgl. BGH NJW 1991, 846 [GmbH]; BGH NJW-RR 1993, 1253, 1254 [GmbH]; OLG Köln NZG 2021, 1217 Rn. 46; KK-AktG/Drygala § 53a Rn. 138; S/L/Fleischer § 53a Rn. 63; MüKoAktG/Götze Vor § 53a Rn. 72; GK-AktG/Henze/Notz § 53a Rn. 325 ff.; C. Schäfer FS Hommelhoff, 2012, 939, 956; Seibt ZIP 2014, 1909, 1915). ZT abw. Positionierung des **öOGH** betr. allein GmbH (OGH 6 Ob 130/05v; OGH 6 Ob 139/06v; OGH 6 Ob 37/08x; OGH 6 Ob 100/12t; offengelassen aber in OGH 6 Ob 197/11 f. – jew. online abrufbar über österr. Rechtsinformationssystem des Bundes [RIS]), ist auch dort nicht unbedenklich und dürfte jedenfalls auf AG wegen hier abw. Bedeutung der Beschlussfeststellung durch HV-Leiter (vgl. dazu Fehrenbach, Der fehlerhafte Gesellschafterbeschluss, 2011, 150) nicht übertragbar sein (aA insofern Schärf GesRZ 1999, 170, 181). 22a

Auch wenn Zurückweisungsrecht des HV-Leiters daher ganz überwiegend anerkannt ist, so ist es doch auch nicht unproblematisch, weil HV-Leiter, der idR Mehrheit repräsentiert, es damit in der Hand hat, Beschluss durch missbräuchli- 22b che Behauptung der Treuwidrigkeit zu mindestens **vorläufiger Wirksamkeit** zu verhelfen und Minderheitsgesellschafter in Klägerrolle zu drängen (vgl. zu diesen Gefahren Koppensteiner ZIP 1994, 1325, 1328; s. auch Eckert in Artmann/Rüffler/Torggler, Beschlussmängel, 2018, 71, 83). Dennoch ist hM zuzustimmen, da anfängliche Unwirksamkeit zum einen zivilrechtl. Grundwertung im Falle nichtiger WE entspr. und zum anderen HV-Leiter anderenfalls sehenden Auges **schwerwiegende Schädigung** der AG hinnehmen müsste (überzeugend C. Schäfer FS Hommelhoff, 2012, 939, 955 ff. unter Verweis auf Girmes-Fall [→ § 53a Rn. 22 f.]; sa Seibt ZIP 2014, 909, 915). Gegenläufigen Missbrauchsgefahren ist dadurch zu begegnen, dass sowohl an treugebundende Stimmpflicht (→ § 53a Rn. 20) als auch an Zurückweisung hohe Anforderungen zu stellen sind. Treupflichtverstoß muss derart **greifbar** sein, dass HV-Leiter selbst unter Versammlungsbedingungen zuverlässiges Urteil gewinnen kann (vgl. KK-AktG/Drygala § 53a Rn. 138; S/L/Fleischer § 53a Rn. 63; Marsch-Barner ZHR 157 [1993], 172, 189; Seibt ZIP 2014, 1909, 1915; Stützle/Walgenbach ZHR 155 [1991], 516, 536; zur Parallelproblematik bei Verstößen gegen kapitalmarktrechtl. Beteiligungspublizität [§ 44 WpHG] wird überwiegend „hinreichende Gewissheit" des Verstoßes gefordert – vgl. Fuchs/Zimmermann WpHG § 28 Rn. 37; Veil BB 2012, 1374, 1377; weiter differenzierend Seibt ZIP 2014, 1909, 1915: bei hinreichender Gewissheit Zurückweisungsrecht; bei Offenkundigkeit Zurückweisungspflicht).

22c Eröffnet man HV-Leiter damit das Recht, treuwidrige Stimmabgabe zurückzuweisen, so ergibt sich aus dem zugrunde liegenden Gedanken der **Schadensabwendung** auch zugleich eine korrespondierende Pflicht (BGH AG 1993, 514, 515; ZIP 1991, 23, 24; OLG Köln NZG 2021, 1217 Rn. 46; S/L/Fleischer § 53a Rn. 63; Marsch-Barner ZHR 157 [1993], 172, 189; Stützle/Walgenbach ZHR 155 [1991], 516, 536; wohl weitergehend U. H. Schneider AG 2021, 58 Rn. 28 ff. sowie Seibt ZIP 2014, 1909, 1915 für Sanierungssituationen). Um Schwierigkeiten der ad hoc-Beurteilung in laufender Versammlungssituation zu entgehen, sollte HV-Leiter, soweit sich Problem schon im Vorfeld abzeichnet, alles Erforderliche tun (zB durch Heranziehung von Rechtsberatern), um zu **solider jur. Einschätzung** gelangen zu können (sa OLG Stuttgart AG 2009, 124, 128 f.; S/L/Spindler § 136 Rn. 33; U. H. Schneider AG 2021, 58 Rn. 32, 36; Seibt ZIP 2014, 1909, 1915).

23 Der Bedeutung der Feststellung entspr., dass sie **ausdr. als solche getroffen werden muss** (BayObLGZ 1972, 354, 359 f. = NJW 1973, 250; KG JW 1938, 1901, 1902), und zwar stets, nicht nur bei unklarem Stimmergebnis. Das setzt nicht notwendigerweise verbale Kommunikation voraus, sondern es genügt auch wenn HV-Leiter sich offenkundig visuelle Einblendung des zahlenmäßigen Ergebnisses zu Eigen macht (Link/Hess DB 2022, 851, 854; aA S/L/Ziemons Rn. 21). Ausn. von Feststellungserfordernis kann nach BayObLGZ 1972, 354, 360 (nur) zugelassen werden, wenn Feststellung Förmlichkeit ohne Sinn wäre; als Bsp. gilt Einstimmigkeit. Empfehlenswert ist es selbst dann nicht, von ausdr. Feststellung abzusehen, und zwar schon deshalb nicht, weil hinterher zweifelhaft werden kann, worauf sich Einstimmigkeit bezieht. Notar muss Feststellung des Vorsitzenden so niederschreiben, wie dieser sie getroffen hat, mag er sie für richtig halten oder nicht (MüKoAktG/Kubis Rn. 69; GK-AktG/Mülbert Rn. 110). Abw. Wahrnehmung der Stimmenzahl oder abw. Beurteilung sind nicht hier, sondern bei Niederschrift des Abstimmungsergebnisses zum Ausdruck zu bringen (→ Rn. 21).

23a **5. Erweiterte Feststellung bei börsennotierten Gesellschaften. a) Einzelheiten zum Abstimmungsergebnis.** § 130 II 2 verlangt für börsennotierte Gesellschaften (§ 3 II) grds. (→ Rn. 23b, 29a) eine Feststellung über die Beschlussfassung, die ggü. § 130 II 1 erweitert ist. Das entspr. der Vorgabe in Art. 14 I Aktionärsrechte-RL. Alle Angaben sind als Bestandteil der vom Vorsitzenden getroffenen Feststellung in die Niederschrift aufzunehmen (DAV-HRA NZG 2008, 534 Rn. 12). Erforderlich ist zunächst Angabe der **Zahl der Aktien,** für die gültige Stimmen abgegeben wurden (§ 130 II 2 Nr. 1). Abgegeben sind (auch bei Anwendung des Subtraktionsverfahrens) nur Ja- und Nein-Stimmen, nicht auch Enthaltungen (GK-AktG/Mülbert Rn. 112; BeckOGK/Wicke Rn. 59). Gemeint ist iÜ Gesamtzahl der gültigen Stimmen. Wenn jede Aktie eine Stimme gewährt (→ § 134 Rn. 2) und alle Stimmen gültig sind, sind Stimmen- und Aktienzahl identisch. Bei abw. Verteilung der Stimmkraft (Höchst- oder Mehrstimmrechte, unvollständige Leistung der Einlage; → § 134 Rn. 3 ff., 16 ff.) fallen die Zahlen auseinander. Vorzugsaktien ohne Stimmrecht (§§ 139 ff.) oder Stammaktien, die einem Stimmverbot unterliegen (etwa: § 20 VII, § 21 IV, §§ 71b, 136; § 44 WpHG) sind in keinem Fall mitzurechnen, weil Stimmen, die auf sie entfallen sollten, jedenfalls nicht gültig sind. Mit ZuFinG 2023 wurden **Mehrstimmrechtsaktien** in § 12 S. 2 wieder zugelassen (→ § 12 Rn. 7 ff.). Als Folgeänderung ist § 130 II 2 Nr. 1 erweitert worden auf gesonderte Angabe von Mehrstimmrechtsaktien unter Angabe der auf sie entfallenden Stimmenzahl; zu ihrer Feststellung darf sich Notar auf Angaben im Teilnehmerverzeichnis nach § 129 I 2 verlassen (→ § 129 Rn. 3). Weiter anzugeben ist gem. § 130 II 2 Nr. 2 **Anteil des** durch die gültigen Stimmen vertretenen **Grundkapitals** am eingetragenen Grundkapital (nicht am vertretenen Kapital – klargestellt durch Aktienrechtsnovelle 2016; vgl. RegBegr. BT-Drs. 18/4349, 24 f.). RegBegr. BT-Drs. 16/11642, 32 empfiehlt bes. Hinweis, falls eigene Aktien beim vertretenen Grundkapital mitgezählt werden. Schließlich ist Gesamtzahl der gültigen Stimmen nach § 130 II 2 Nr. 3 jedenfalls in **Ja- und Nein-Stimmen** aufzugliedern. Zahl der **Enthaltungen** ist nur ggf. anzugeben. Gemeint ist damit nicht die Selbstverständlichkeit, dass es zu Enthaltungen gekommen sein muss. Vielmehr muss es für Feststellung des Abstimmungsergebnisses auf Zahl der Enthaltungen ankommen, also Subtraktionsmethode angewandt worden sein (RegBegr. BT-Drs. 16/11642, 32; DAV-HRA NZG 2008, 534 Rn. 12; Deilmann/Otte BB 2010, 722, 723). **Verstoß** gegen § 130 II 2 führt allerdings nicht zur Nichtigkeitsfolge nach § 241 Nr. 2, so dass Regelung weitgehend sanktionslose Ordnungsnorm bleibt (Allmendinger DNotZ 2012, 164 ff.).

b) Vereinfachte Beschlussfeststellung. Art. 14 I Aktionärsrechte-RL gestattet den Mitgliedstaaten, die vereinfachte Beschlussfeststellung vorzusehen, falls kein Aktionär eine umfassende Darstellung des Abstimmungsergebnisses verlangt. Davon hat Gesetzgeber mit **§ 130 II 3** Gebrauch gemacht (zur Geltung in vHV → Rn. 23e f.). Praxis hat sinnvolle Erleichterung verbreitet angenommen, da sie HV-Leiter zeitaufwendige Verlesung (etwa längerer Zahlenkolonnen) erspart (vgl. Link/Hess DB 2022, 851). Regelung erlaubt **bei Mehrheitsbeschluss** knappe Feststellung des HV-Leiters, dass Beschluss mehrheitlich gefasst wurde, ohne Beachtung der Vorgaben aus § 130 II 2. Wird Mehrheit verfehlt, muss umfassende Beschlussfeststellung erfolgen (Butzke HV E 117; Wettich NZG 2011, 721, 727). 23b

Greift Erleichterung nach § 130 II 3, ist umstr., ob es trotzdem noch einer **Verlesung der Ja- und Nein-Stimmen** bedarf. Das wird zT mit Begründung bejaht, dass sich dieses Erfordernis schon aus § 130 II 1 ergebe (MüKoAktG/Kubis Rn. 74; GK-AktG/Mülbert Rn. 110, 115 f.), doch würde damit Vereinfachungseffekt weitgehend konterkariert. Tats. bezieht sich § 130 II 1 allein auf Inhalt der **Niederschrift,** so dass es genügt, wenn zahlenmäßiges Beschlussergebnis dort erkennbar ist (ausf. Hess/Link DB 2022, 851, 852 f.; sa BeckOGK/Wicke Rn. 60; auch gegen Erfordernis einer Protokollierung des zahlenmäßigen 23c

Abstimmungsergebnisses KK-AktG/Noack/Zetzsche Rn. 192 ff.). Für Notar genügt es, wenn ihm Abstimmungsergebnis in anderer Weise als durch Verlesung von HV-Leiter zur Kenntnis gebracht wird (Grigoleit/Herrler Rn. 47; zur praktischen Handhabung vgl. Heinze FS Heidinger, 2023, 181, 184 f.). Sonstige Inhalte des § 130 II 3 müssen in diesem Fall aber auch in Niederschrift nicht enthalten sein (BeckOGK/Wicke Rn. 60). Für die Internetpublizität (§ 130 VI) gibt es dagegen keinen Dispens vom erweiterten Feststellungsinhalt, da gerade auf diesem Wege Publizität weiterhin hergestellt werden soll (Begr. RAusschuss BT-Drs. 16/13098, 57). Erforderlich sind dafür also alle Angaben nach § 130 II 2 (→ Rn. 29a).

23d Form und Zeitpunkt des **Aktionärsverlangens** sind in § 130 II 3 nicht näher präzisiert. Für Form genügt daher mündliches Verlangen; auch hinsichtlich des Zeitpunkts ist großzügiger Maßstab anzulegen (MüKoAktG/Kubis Rn. 75). **Relevanter Zeitraum** beginnt mit Bekanntmachung der Einberufung und endet nicht schon mit Beschlussfeststellung durch HV-Leiter, sondern erst mit Ende der HV; strengere Sichtweise würde vorsorgliche Antragstellung provozieren (wie hier Grigoleit/Herrler Rn. 47; MüKoAktG/Kubis Rn. 75; GK-AktG/Mülbert Rn. 116; S/L/Ziemons Rn. 33; aA [jew. mit unterschiedlichen Anknüpfungspunkten] KK-AktG/Noack/Zetzsche Rn. 196; BeckOGK/Wicke Rn. 60; Allmendinger DNotZ 2012, 164, 166 f.).

23e **6. Besonderheiten der Beschlussfeststellung in virtueller HV.** Beschlussfeststellung in vHV nach § 118a muss – sofern nicht nach § 130 I 3 entbehrlich (→ Rn. 14a ff.) – durch Notar gem. § 130 I 1 mit Inhalt des § 130 II 1, 2 **notariell beurkundet** werden (ausf. zur Rolle des Notars in vHV nach COVMG aF Hauschild/Zetzsche AG 2020, 557 Rn. 1 ff.; zur neuen Fassung vgl. Heinze FS Heidinger, 2023, 181 ff.; Luther RNotZ 2023, 317 ff.; Wicke FS Heidinger, 2023, 619 ff.). Hier gelten weitgehend allg. Regeln. Notar sollte aber zu Beginn der Niederschrift feststellen, dass es sich um virtuelle HV handelt und AG Anforderungen nach § 118a korrekt umgesetzt hat; insbes. sollte erklärt werden, in welcher Form Aktionären Teilnahme- oder Beteiligungsmöglichkeiten eröffnet wurden (Danzeglocke RNotZ 2022, 229, 250). Wie auch sonst gilt, dass Notar sich ein Bild von der Ordnungsmäßigkeit des Versammlungsablaufs zu machen hat und über evidente Verstöße gegen Ges. oder Satzung nicht hinwegsehen darf (BGH NZG 2021, 1562 Rn. 20; Wicke FS Heidinger, 2023, 619, 623). Funktionsfähigkeit technischer Abläufe muss Notar aber nicht prüfen, sondern allenfalls evidente Verstöße dokumentieren (Danzeglocke RNotZ 2022, 229, 252). Niederschrift beruht – wie sonst – auf **eigenen Wahrnehmungen** des Notars, die sich bei vHV auf Einsichten am Bildschirm oder Ausdrucke beziehen (Danzeglocke RNotZ 2022, 229, 249 f.). Unklar war unter COVMG-Rahmenbedingungen (→ § 118a Rn. 2 f.) Umgang mit Möglichkeit **vereinfachter Beschlussfassung** nach § 130 II 3, falls kein Aktionär umfassende Feststellung gem. § 130 II 2 verlangt. Weil Teilnahmerechte der Aktionäre hier idR beschränkt waren und sie deshalb nicht die Möglichkeit hatten, solches Ansinnen zu formulieren, wurde zT aus Vorsichtsgründen empfohlen, von dieser Möglichkeit abzusehen (so zu COVMG Kruchen DZWIR 2020, 431, 459; aA Herrler DNotZ 2020, 468, 501; Link/Hess DB 2022, 851 ff.; Stelmaszczyk/Forschner Konzern 2020, 221, 234). Nachdem es unter dem Regime des § 118a I 2 problemlos möglich ist, solche Anträge zu stellen, bestehen gegen verkürzte Beschlussfassung keine Bedenken mehr.

23f **Besonderheiten der Stimmrechtsausübung** sind unter Merkmal „Art der Abstimmung" in § 130 I 1 zu subsumieren (zu Einzelheiten vgl. Danzeglocke RNotZ 2022, 229, 250 ff.; Herrler DNotZ 2020, 468, 502; Wicke FS Heidinger, 2023, 619, 624; zur Heranziehung von IT-Experten durch den Notar s. Hauschild/Zetzsche AG 2020, 557 Rn. 11). Nicht erforderlich – und infolge Digitalisierung auch nicht mehr möglich – ist Dokumentation des Auszählungsverfahrens (Noack/Zetzsche AG 2020, 265 Rn. 69), wohl aber Art der Stimmauszählung (Danzeglocke RNotZ 2022, 229, 251 f.). Nachdem durch § 126 IV 1 klargestellt wurde, dass auch **Gegenanträge,** die im Vorfeld der HV gestellt wurden, aber in HV nicht wiederholt werden können, fortgelten (→ Rn. 17 ff.), muss Notar auch diese in Niederschrift aufnehmen (so auch schon zu COVMG aF Herrler DNotZ 2020, 468, 502; aA Stelmaszczyk/Forschner Konzern 2020, 221, 233). **Widerspruch** iSd § 245 S. 1 Nr. 1 ist ebenfalls in Niederschrift aufzunehmen (zu Besonderheiten bei elektronischem Widerspruch nach § 118a I 2 Nr. 8 → § 118a Rn. 42; → § 245 Rn. 21c ff.; zur Frage, ob nicht beantwortete Fragen nach § 131 V dokumentiert werden müssen → § 131 Rn. 110).

In Lit. ist vereinzelt empfohlen worden, Notar solle sämtliche Schrift-, Ton- **23g**
und Bilddaten selbst **aufzeichnen** und sie so in seine notarielle Wahrnehmung aufnehmen, dass ihnen Beweiskraft gem. § 415 ZPO zukommt (so zu COVMG aF Noack/Zetzsche AG 2020, 265 Rn. 70 f.; etwas vorsichtiger Hauschild/Zetzsche AG 2020, 557 Rn. 10 – „ließe sich erwägen"). Dem mag man als Vorschlag zur praktischen Handhabung folgen, aber Datenträger kann nicht Inhalt der Niederschrift sein und in dieser Form an Beweiskraft nach § 415 ZPO teilhaben; Niederschrift ist kein Wortlaut-, sondern Ergebnisprotokoll (Danzeglocke RNotZ 2022, 229, 254 f.; Herrler DNotZ 2020, 468, 503; Stelmaszczyk/Forschner Konzern 2020, 221, 234 f.; Wicke FS Heidinger, 2023, 619, 627).

V. Anlagen (§ 130 III)

1. Einberufungsbelege. Gem. § 130 III sind der Niederschrift die Belege **24**
über die Einberufung (§ 121 III) als Anlagen beizufügen. Das muss **nicht notwendigerweise im Original** erfolgen, sondern es genügt grds. BAnz-Ausdruck (heute ganz hM – s. MüKoAktG/Kubis Rn. 79; GK-AktG/Mülbert Rn. 119; Heinze FS Heidinger, 2023, 181, 183 f. empfiehlt PDF-Abspeicherung und Ausdruck); andere Sichtweise verträgt sich nicht mit verstärkter Zulassung elektronischer Kommunikationsmedien, deren Einsatz dazu führt, dass zT Originalexemplare schlicht nicht vorhanden sind (S/L/Ziemons Rn. 76). Bei Einberufung per eingeschriebenem Brief sind Kopie des Einladungsschreibens samt Versandnachweis beizufügen, bei Einberufung durch E-Mail oder Fax gem. § 121 IV 2 Hs. 2 die entspr. Sendeberichte (BeckOGK/Wicke Rn. 63; Wachter Rn. 67; aA GK-AktG/Mülbert Rn. 119). Teilnehmerverzeichnis gehört seit Neufassung der Vorschrift durch NaStraG 2001 nicht mehr zu den obligatorischen Anlagen, da sich früher obligatorische Beifügung nicht mit Verzicht auf notwendig papiergebundenes Teilnehmerverzeichnis verträgt (→ § 129 Rn. 13 f.). Soweit es nach wie vor geführt wird, wäre Beifügung als Anlage zwar möglich. Bei börsennotierter AG steht allerdings Vertraulichkeitsvorgabe des § 48 I Nr. 3 WpHG entgegen. Auch bei nicht börsennotierter AG ist sie nicht sinnvoll, weil Publizität nicht mehr durch das HR (§ 9 I und II HGB), sondern unter Beschränkung auf die Aktionäre durch die Gesellschaft hergestellt werden soll (§ 129 IV 2; → § 129 Rn. 14). **Beifügung** der Belege erfolgt, indem sie in der Niederschrift als Anlagen bezeichnet und mit ihr äußerlich dauerhaft verbunden werden (Ankleben oder Heftfaden und Siegel, s. §§ 37 I 2, 44 BeurkG, § 30 II DONot). Statt so vorzugehen, gestattet § 130 III hinsichtlich der Einberufungsbelege auch deren Aufnahme in die Niederschrift. Textliche Übereinstimmung ist zwar nicht gefordert, doch muss Ordnungsmäßigkeit der Einberufung allein aus der Niederschrift prüfbar sein (KG RJA 7, 240). Entbehrlich ist Beifügung der Einberufungsbelege bei **Vollversammlung,** bes. Einmann-AG, sofern kein Widerspruch erhoben wird (MüKoAktG/Kubis Rn. 79; Ott RNotZ

2014, 423, 424 f.). Vorstandsberichte, die Aktionären bei Einberufung der HV ihrem wesentlichen Inhalt nach bekanntgemacht wurden (→ § 124 Rn. 13 ff.), können bei Auslegung von HV-Beschlüssen herangezogen werden, wenn sie gem. § 130 III beigefügt oder inhaltlich in die Niederschrift aufgenommen worden sind (BGH NJW 1995, 2656 Ls. = AG 1995, 227; BGHZ 205, 319 Rn. 37 = NZG 2015, 867; OLG Karlsruhe NZG 2018, 508 Rn. 32; → § 133 Rn. 4). Gleiches gilt auch für Bericht nach § 186 IV 2 (→ § 186 Rn. 39k), auf den § 124 II 3 heute nicht mehr analog angewandt wird (→ § 124 Rn. 15), der aber ebenfalls der notariell aufgenommenen Niederschrift als Anlage beigefügt und gem. § 130 zum HR eingereicht werden muss, wenn er nicht bereits in Einladungsbekanntmachung enthalten ist (BGH NZG 2023, 1068 Rn. 29; aA [lediglich freiwillig] Hölters/Weber/Drinhausen § 130 Rn. 39).

25 **2. Weitere Anlagen.** § 130 III ist nicht abschließend. Vielmehr sind in bes. Fällen weitere Dokumente der Niederschrift als Anlagen beizufügen, nämlich Nachgründungsverträge (§ 52 II 6), Unternehmensverträge (§ 293g II 2 [s. dazu BGH NJW 1992, 1452 zu § 293 III 6 aF]), Verschmelzungsverträge (§ 17 I UmwG) sowie vermögensübertragende Verträge (§ 17 I UmwG, § 176 I UmwG). Nicht zwingend (aber fakultativ) beizufügen ist der festgestellte Jahresabschluss (MüKoAktG/Kubis Rn. 80), und zwar auch dann nicht, wenn er durch Bezugnahme zum freiwilligen Protokollbestandteil geworden ist (LG München I AG 1991, 75). Er ist jedoch nach §§ 325 ff. HGB zum BAnz. einzureichen. Nicht der Niederschrift, sondern der HR-Anmeldung beizufügen ist vollständiger Text der Satzung bei deren Änderung (§ 181 I 2; → § 181 Rn. 7 f.). In die Niederschrift sind Satzungsänderungen wörtlich oder durch Bezugnahme aufzunehmen.

VI. Unterschrift des Notars (§ 130 IV)

26 Die Niederschrift ist vom Notar zu unterschreiben (§ 130 IV 1; zur Nichtigkeitsfolge bei Verstoß → Rn. 11; → § 241 Rn. 13 ff.). Unterschrift muss **eigenhändig** sein; Amtsbezeichnung soll beigefügt werden (§ 13 III 2 BeurkG, § 37 III BeurkG). Unterschrift **muss nicht in der HV erfolgen,** sondern kann nach deren Ende geleistet werden (OLG München HRR 1939 Nr. 1109; Wachter Rn. 59). Zeitliche Schranken ergeben sich jedoch mittelbar aus dem Erfordernis unverzüglicher (§ 121 I 1 BGB) Einreichung zum HR nach § 130 V. Bei bewusst unterlassener Unterzeichnung ist Nachholung nicht mehr möglich; Beteiligte dürfen Wirksamkeit eines HV-Beschlusses nicht bewusst in der Schwebe lassen (OLG Stuttgart AG 2015, 282, 283; 2015, 284 f.). Empfehlenswert ist, Unterschrift kurzfristig zu leisten, um Verhinderungsrisiko (Krankheit usw) gering zu halten (Wilhelmi BB 1987, 1331, 1335 f.). Weitere Unterschriften sind nicht erforderlich, auch nicht die des HV-Leiters. Schließlich müssen auch Zeugen nicht zugezogen werden (§ 130 IV 2).

VII. Einreichung zum Handelsregister (§ 130 V)

27 **1. Einzureichende Urkunden.** Gem. § 130 V ist Vorstand verpflichtet, unverzüglich (§ 121 I 1 BGB) nach der HV eine **öffentl. beglaubigte Abschrift** der Niederschrift und ihrer Anlagen (→ Rn. 24 f.) zum HR einzureichen. Die Urschrift des Protokolls verbleibt beim Notar (§ 45 BeurkG). Einreichung erfolgt gem. § 12 II HGB in elektronischer Form und nach Inkrafttreten des DiRUG 2021 „in einem maschinenlesbaren und durchsuchbaren Datenformat" in Gestalt eines mit einem einfachen elektronischen Zeugnis (§ 39a BeurkG) versehenen Dokuments (GK-HGB/J. Koch/Harnos § 12 Rn. 25 ff., 71 ff., 78) und kann vom Registergericht nach § 14 HGB im Zwangsgeldverfahren durchgesetzt werden. Tut es das nicht, steht Aktionär allerdings kein Beschwerderecht zu

(OLG Hamm FGPrax 2011, 205). Soweit HV-Beschlüsse zur Eintragung in das HR anzumelden sind (zB § 181), ersetzt Anmeldung nicht die Einreichung. Vielmehr sind beide Pflichten nebeneinander zu erfüllen (MüKoAktG/Kubis Rn. 82; GK-AktG/Mülbert Rn. 127). Von § 130 V wird aber keine Doppeleinreichung verlangt. Genügend ist, Niederschrift der Anmeldung beizufügen, wenn diese unverzüglich erfolgt. Umgekehrt kann im Fall des § 181 I auch erst eingereicht und bei Anmeldung auf schon vorliegende Niederschrift verwiesen werden.

Soweit **privatschriftliches Protokoll** an Stelle notarieller Niederschrift tritt (→ Rn. 14a ff.), lässt es § 130 V genügen, dass Vorstand eine vom Vorsitzenden des AR (gemeint ist auch hier: Versammlungsleiter → Rn. 14e) unterzeichnete Abschrift dieses Protokolls zum HR einreicht; das Original verbleibt bei der AG. Nach dem Wortlaut dieser Anordnung soll es nicht nur genügen, dass das Original unterzeichnet ist, sondern die Abschrift selbst soll unterzeichnet sein. Im Schrifttum wird aber zu Recht darauf hingewiesen, dass diese Anordnung nicht hinreichend auf die Vorgaben der elektronischen Registerführung abgestimmt ist, weil auch die erneut vorgenommene Unterschrift dann wieder eingescannt werden müsste (KK-AktG/Noack/Zetzsche Rn. 348; zust. GK-AktG/Mülbert Rn. 131). Es genügt daher, das unterschriebene Original einzuscannen und dann gem. § 12 II 2 Hs. 1 HGB als einfache elektronische Aufzeichnung an das HR zu übermitteln (s. dazu GK-HGB/J. Koch/Harnos § 12 Rn. 75). Wird – was möglich, aber selten zweckmäßig ist – Unterzeichnung der Abschrift durch Beglaubigung der Abschrift des Originals nach § 42 BeurkG ersetzt, gilt auch hier Übermittlung nach § 12 II 2 Hs. 2 (→ Rn. 27). In der Praxis wird Einreichungspflicht häufig missachtet, was ebenso häufig registergerichtlich ungeahndet bleibt (Bayer/Hoffmann AG 2016, R 63, R 64 f.). Zur Verhinderung des AR-Vorsitzenden → Rn. 14e. 27a

2. Behandlung durch das Registergericht; Einsichtsrecht. Das Registergericht nimmt die eingereichten Dokumente in den nach § 9 I HRV elektronisch geführten Registerordner für das Registerblatt der AG (§ 13 I HRV) auf. Ihre formelle oder inhaltliche Richtigkeit ist grds. nicht zu prüfen. Ausnahmen bestehen, soweit Registergericht unter anderen Gesichtspunkten zur Prüfung berechtigt und verpflichtet ist, jedenfalls bei Anmeldung von HV-Beschlüssen zur Eintragung. Prüfung, ob Eintragungshindernis vorliegt (vgl. zB § 241 Nr. 2), erfolgt auch aufgrund der eingereichten Schriftstücke (sa Hölters/Weber/Drinhausen Rn. 44). 28

Einsichtnahme in die eingereichten Schriftstücke beim Registergericht ist gem. § 9 I HGB **jedermann gestattet.** Das bezieht sich auf die Niederschrift ebenso wie auf ihre Anlagen (§ 130 III). Auch kann nach § 9 IV HGB ein Ausdruck bzw. eine Datei der Niederschrift gegen Gebühr (vgl. KV 17000 ff. GNotKG) verlangt werden. Ggü. dem Notar ist derjenige, der die Aufnahme der Urkunde beantragt hat, nach § 51 I Nr. 2, III BeurkG berechtigt, Ausfertigungen, beglaubigte Abschriften oder Einsichtnahme zu verlangen. 29

VIII. Internetpublizität der festgestellten Abstimmungsergebnisse (§ 130 VI)

Ist AG börsennotiert (§ 3 II), so muss sie die festgestellten Abstimmungsergebnisse gem. § 130 VI auf ihrer **Website** veröffentlichen, und zwar **innerhalb von sieben Tagen** nach HV. Vorschrift ist durch ARUG 2009 angefügt, mit dem Art. 14 II Aktionärsrechte-RL umgesetzt wird. Publizitätserfordernis schließt Angaben nach § 130 II 2 ohne Rücksicht darauf ein, ob in HV von Möglichkeit vereinfachter Beschlussfeststellung Gebrauch gemacht wurde oder nicht 29a

(→ Rn. 23a, 23b). Die erforderlichen Feststellungen müssen also in jedem Fall in HV getroffen werden; unterbleiben darf nur entspr. umfassende Ergebnisfeststellung (hM – s. MüKoAktG/Kubis Rn. 86; BeckOGK/Wicke Rn. 68; S/L/Ziemons Rn. 73 f.; aA KK-AktG/Noack/Zetzsche Rn. 376). Deshalb ist es richtig, dass Veröffentlichung im wesentlichen Ablauftechnik darstellt, weshalb Frist von sieben Tagen genügen kann (RegBegr. BT-Drs. 16/11642, 32). Veröffentlichungspflicht erstreckt sich jedenfalls auf Sachbeschlüsse, was auch durch Aktionärsrechte-RL vorgegeben ist. Für Verfahrensanträge besteht solche Vorgabe nicht, weshalb zT für teleologische Reduktion plädiert wird (MüKoAktG/Kubis Rn. 86 Fn. 266; KK-AktG/Noack/Zetzsche Rn. 374). Das ist in der Sache erwägenswert, doch fällt teleologischer Befund nicht hinreichend eindeutig aus, um von klarem Wortlaut abzuweichen (so auch Grigoleit/Herrler Rn. 56; GK-AktG/Mülbert Rn. 139; Butzke HV N 42;). Beschlussantrag ist zumindest in Kurzform wiederzugeben (MüKoAktG/Kubis Rn. 86). Ankündigung der Veröffentlichung in Einladungsbekanntmachung ist sinnvoll, aber nicht zwingend vorgeschrieben (MüKoAktG/Kubis Rn. 86). Wie lange Ergebnisse online verfügbar sein müssen, wird nicht geregelt; Zeitraum bis zur nächsten HV wird in jedem Fall ausreichend sein, doch verlangen Stimmrechtsberater neuerdings längerfristige Abrufbarkeit (Rieckers DB 2023, 373, 377). Von § 241 Nr. 2 wird § 130 VI nicht in Bezug genommen, so dass unterbliebene oder verspätete Veröffentlichung keine Nichtigkeit begründen kann.

IX. Rechtsfolgen bei Verstößen

30 Beurkundungsfehler wird in § 241 Nr. 2 bes. streng sanktioniert, nämlich mit Nichtigkeitsfolge (zur Frage eines Bagatellvorbehalts → § 241 Rn. 13c). Ob diese Folge eintritt, hängt allerdings von mehrfacher Differenzierung ab: Zu unterscheiden ist, ob sich Gesetzesverstoß auf Niederschrift (§ 130 I, II oder IV), auf ihre Anlagen (§ 130 III) oder auf Einreichungspflicht des Vorstands (§ 130 V) bezieht. Bei Niederschrift ist weiter zu differenzieren, ob Verstoß einen HV-Beschluss oder ein Minderheitsverlangen betr. **HV-Beschlüsse** sind gem. § 241 Nr. 2 **nichtig,** wenn Verstoß gegen § 130 I, II 1 (nicht auch: II 2) oder IV vorliegt (→ § 241 Rn. 13 ff.), sofern nicht nach den Umständen über Abstimmungsergebnis kein Zweifel besteht (BGHZ 216, 112 Rn. 61 f. = NZG 2017, 1374; ausf. → § 241 Rn. 13c). Das gilt nicht nur bei unvollständiger, sondern auch bei unrichtiger Beurkundung, weil das Richtige überhaupt nicht beurkundet ist (sa MüKoAktG/Kubis Rn. 89; GK-AktG/Mülbert Rn. 145). Obwohl von Wortlaut („beurkundet") nicht eindeutig erfasst, erstreckt sich § 241 Nr. 2 wegen umfassender Verweisung auf § 130 I auch auf **privatschriftliches HV-Protokoll** (Hölters/Weber/Drinhausen Rn. 47; MüKoAktG/Kubis Rn. 87; GK-AktG/Mülbert Rn. 143; BeckOGK/Wicke Rn. 70; Harnos AG 2015, 732, 738 ff.; aA Noack FG Happ, 2006, 201, 208 ff.; sa KK-AktG/Noack/Zetzsche Rn. 331 ff.). Sonderfall unrichtiger Beurkundung liegt vor, wenn derjenige, der HV tats. geleitet hat, dazu nicht berufen war. Dieses Problem wurde insbes. für sog Scheinaufsichtsratsvorsitzenden erörtert, doch hat BGHZ 196, 195 Rn. 25 (= NJW 2013, 1535) insofern Klarheit geschaffen, dass in diesem Fall HV-Leitung nicht fehlerhaft ist mit der Folge, dass auch ein Beurkundungsfehler nicht vorliegt (→ § 129 Rn. 19). Wird HV dagegen von gänzlich unbefugter Person geleitet, ist Beschluss fehlerhaft iSd § 243, wobei über Relevanz gestritten werden kann (sa OLG Frankfurt NZG 2012, 942). Spätestens bei Beurkundung ist jedoch Nichtigkeit gem. § 241 Nr. 2 anzunehmen, da es sich nicht um die von § 130 II 1 vorausgesetzte Feststellung des (wirklichen) Vorsitzenden handelt (so auch B/K/L/Reger Rn. 55; aA GK-AktG/Mülbert § 129 Rn. 234). Auch Lösung über Relevanzerfordernis wurde in diesen Fällen bislang abgelehnt, da § 241 Nr. 2

keinen Bagatellvorbehalt vorsieht (LG München AG 2013, 138, 140). Nachdem BGH solchen Vorbehalt anerkannt hat (→ § 241 Rn. 13c), ist auch hier anderes Ergebnis denkbar. Darüber hinaus kann Mangel bei eintragungsbedürftigen Beschlüssen gem. § 242 I durch Eintragung in das HR geheilt werden. In Fällen zu Unrecht nicht erfolgter Abwahl (→ § 129 Rn. 21) liegt entgegen instanzgerichtl. Rspr. Anfechtbarkeit, keine Nichtigkeit vor (→ § 241 Rn. 7; → § 243 Rn. 16). Soweit Verschulden vorliegt, ist **Schadensersatzpflicht** des Notars wegen Amtspflichtverletzung möglich (§ 19 I BNotO). In den bes. fehleranfälligen Fällen des § 130 I 3 ist Haftungssituation noch wenig geklärt. Viel spricht dafür, Erstellung und Unterzeichnung des Protokolls wie bei HV-Leitung (→ § 129 Rn. 18) auch hier nicht als organschaftliche Pflichten anzusehen (so aber BeckOGK/Wicke Rn. 46), so dass auf allg. schuldrechtl. Anspruchsgrundlagen (→ § 129 Rn. 25) zurückzugreifen ist (ausf. – auch zur Außenhaftung ggü. Aktionären – Harnos AG 2015, 732, 740 ff.; sa MHdB AG/Hoffmann-Becking § 41 Rn. 39).

Minderheitsverlangen ist auch dann gültig, wenn es nicht oder nicht ordnungsmäßig beurkundet wurde. §§ 415, 417 ZPO gelten insoweit nicht. Die Niederschrift, die ein Minderheitsverlangen nicht ausweist, indiziert aber, dass auch keines gestellt wurde (MüKoAktG/Kubis Rn. 95). Notar kann aus § 19 I BNotO auch ggü. den Aktionären schadensersatzpflichtig sein, die die Minderheit ausmachen. Dieselben Grundsätze gelten für Auskunftsverlangen (§ 131 V) und Widersprüche zur Niederschrift (§ 245 S. 1 Nr. 1); s. dazu MüKoAktG/Kubis Rn. 96 f. 31

Wenn **Anlagen** fehlen oder nicht rechtzeitig beigefügt werden, hat das auf Gültigkeit der beurkundeten Vorgänge gleichfalls keinen Einfluss. § 130 III ist insbes. in § 241 Nr. 2 nicht als Nichtigkeitsgrund genannt. Auch Anfechtung gem. § 243 I scheidet aus, weil bereits gefasste HV-Beschlüsse nicht auf dem nachfolgenden Gesetzesverstoß beruhen können (heute unstr., s. OLG Frankfurt NZG 2021, 971 Rn. 67; MüKoAktG/Kubis Rn. 99; GK-AktG/Mülbert Rn. 153). Möglich sind auch hier Schadensersatzansprüche aus § 19 I BNotO. **Einreichungspflicht des Vorstands** aus § 130 V kann gem. § 14 HGB im Zwangsgeldverfahren (§§ 388 ff. FamFG) durchgesetzt werden → Rn. 27. Für Herstellung der Internetpublizität (§ 130 VI) ist keine Sanktion vorgesehen. 32

X. Andere Niederschriften (zB Tonbandprotokolle)

Von Niederschrift iSd § 130 strikt zu unterscheiden ist zusätzliches Protokoll, das AG (mit oder ohne Tonband) führen lässt. Solche zusätzliche Protokollführung ist verbreitet, doch besteht **keine Verpflichtung der AG,** so zu verfahren (BGHZ 127, 107, 113 = NJW 1994, 3094; BeckOGK/Wicke Rn. 77). Wenn Tonbandprotokoll geführt werden soll, muss HV-Leiter zum Schutz des Persönlichkeitsrechts zuvor darauf ausdr. aufmerksam machen und Einverständnis der Versammlungsteilnehmer einholen (BGHZ 127, 107, 109; GK-AktG/Mülbert § 129 Rn. 268; BeckOGK/Wicke Rn. 77; Max AG 1991, 77, 81); dasselbe gilt bei etwa geplanter Bildaufzeichnung. Ausnahmen können sich aus § 118 IV ergeben, wenn Satzung oder Geschäftsordnung Bild- und/oder Tonübertragung gestattet oder HV online übertragen wird; in diesem Fall muss Einzelzustimmung der Teilnehmer nicht eingeholt werden (MüKoAktG/Kubis Rn. 107). Aktionäre haben auf **Aushändigung** vollständiger Protokollabschrift oder vollständiger Tonbandaufnahme keinen Anspruch (BGHZ 127, 107, 108 ff.). Anspruch besteht aber aus Treupflicht (der AG in der Variante der Rücksichtspflicht), soweit es um Protokoll- oder Aufzeichnungsteile geht, die eigene Fragen, Redebeiträge und entspr. Antworten und Stellungnahmen umfassen (BGHZ 127, 107, 110 f.; s. dazu Gehrlein WM 1994, 2054, 2056 f.; aA OLG München AG 1993, 186 f. als Vorinstanz). Kosten fallen dem Aktionär zur Last. Fraglich ist, ob Aktionäre ohne 33 eigenen Redebeitrag, die Widerspruch zur Niederschrift erklärt haben, Anspruch auf Protokollauszug haben (bejahend Max AG 1991, 77, 84; offenlassend BGHZ 127, 107, 120). Wird Zusatzprotokoll nicht geführt und HV auch nicht sonstwie aufgezeichnet, so empfiehlt sich, das zur Klarstellung einleitend mitzuteilen.

Stellungnahme- und Rederecht bei virtuellen Hauptversammlungen

130a (1) [1]**Im Fall der virtuellen Hauptversammlung haben die Aktionäre das Recht, vor der Versammlung Stellungnahmen zu den Gegenständen der Tagesordnung im Wege elektronischer Kommunikation unter Verwendung der in der Einberufung hierfür mitgeteilten Adressen einzureichen.** [2]**Das Recht kann auf ordnungsgemäß zu der Versammlung angemeldete Aktionäre beschränkt werden.** [3]**Der Umfang der Stellungnahmen kann in der Einberufung angemessen beschränkt werden.**

(2) **Stellungnahmen sind bis spätestens fünf Tage vor der Versammlung einzureichen.**

(3) [1]**Die eingereichten Stellungnahmen sind allen Aktionären bis spätestens vier Tage vor der Versammlung zugänglich zu machen.** [2]**Das Zugänglichmachen kann auf ordnungsgemäß zu der Versammlung angemeldete Aktionäre beschränkt werden.** [3]**Bei börsennotierten Gesellschaften hat dies über die Internetseite der Gesellschaft zu erfolgen; im Fall des Satzes 2 kann das Zugänglichmachen auch über die Internetseite eines Dritten erfolgen.** [4]**§ 126 Absatz 2 Satz 1 Nummer 1, 3 und 6 gilt entsprechend.**

(4) **Für die Berechnung der in den Absätzen 2 und 3 Satz 1 genannten Fristen gilt § 121 Absatz 7.**

(5) [1]**Den elektronisch zu der Versammlung zugeschalteten Aktionären ist in der Versammlung ein Rederecht im Wege der Videokommunikation zu gewähren.** [2]**Für die Redebeiträge ist die von der Gesellschaft angebotene Form der Videokommunikation zu verwenden.** [3]**Anträge und Wahlvorschläge nach § 118a Absatz 1 Satz 2 Nummer 3, das Auskunftsverlangen nach § 131 Absatz 1, Nachfragen nach § 131 Absatz 1d sowie weitere Fragen nach § 131 Absatz 1e dürfen Bestandteil des Redebeitrags sein.** [4]**§ 131 Absatz 2 Satz 2 gilt entsprechend.**

(6) **Die Gesellschaft kann sich in der Einberufung vorbehalten, die Funktionsfähigkeit der Videokommunikation zwischen Aktionär und Gesellschaft in der Versammlung und vor dem Redebeitrag zu überprüfen und diesen zurückzuweisen, sofern die Funktionsfähigkeit nicht sichergestellt ist.**

Übersicht

I. Regelungsgegenstand und -zweck

§ 130a wurde eingefügt durch VHVG 2022 und eröffnet ausschließlich für Format der vHV (→ § 118 Rn. 1 ff.) speziell ausgestaltetes **Stellungnahme- und Rederecht.** Erstgenanntes (§ 130a I – IV) wird im Vorfeld der vHV, Letztgenanntes (§ 130a V – VI) in vHV selbst ausgeübt. Forderung, das Vorfeld der HV zum Hauptfeld zu machen, war im Gesetzgebungsverfahren zentrales Anliegen in Wissenschaft und Praxis, wobei man damit allerdings Forderung verband, AG auf vHV selbst zu entlasten (→ § 118a Rn. 4). Gesetzgeber ist dem bedauerlicherweise nicht gefolgt, sondern hat vHV nach Vorbild der Präsenz-HV ausgestaltet, die dann noch zusätzlich um (teils zwingendes, teils optionales) Vorfeld ergänzt wird. Recht zur Stellungnahme, das AG idR weniger belastet, muss stets angeboten werden; Auskunftsrecht kann von Vorstand nur auf eigene Initiative nach § 131 Ia – If auf Vorfeld ausgedehnt werden. Rechtspolit. ebenfalls zu kritisieren ist die **legislative Selbstbeschränkung,** Nutzung des Vorfelds auf vHV zu beschränken (ausdr. klarstellend in diesem Sinne RegBegr. BT-Drs. 20/1738, 30); Erweiterungen wären für Präsenz-HV gleichermaßen sinnvoll gewesen. § 130a ist **zwingend (§ 23 V),** lässt also weder Beschränkungen noch Erweiterungen zu (BeckOGK/Poelzig, 1.10.2023, Rn. 7 f.). 1

II. Stellungnahmen im Vorfeld der vHV (§ 130a I und II)

§ 130a I 1 gibt Aktionären (und deren Stellvertretern – KK-AktG/Noack/Zetzsche Rn. 17) **im Fall einer vHV** das Recht, vor HV (einzeln oder zusammen – BeckOGK/Poelzig, 1.10.2023, Rn. 11) Stellungnahmen zu den Gegenständen der Tagesordnung im Wege elektronischer Kommunikation einzureichen. **Stellungnahmerecht folgt Teilnahmerecht;** auf Stimmrecht kommt es nicht an (BeckOGK/Poelzig, 1.10.2023, Rn. 12). Bei Namensaktien gilt für Aktionärseigenschaft unwiderlegbare Vermutung des § 67 II (→ § 67 Rn. 27; BeckOGK/Poelzig, 1.10.2023, Rn. 12). Gesetzgeber greift mit Neuregelung zT (auf freiwilliger Basis) geübte Praxis unter COVMG-Rahmenbedingungen (→ § 118a Rn. 2 f.) auf, die nunmehr als best practice festgeschrieben werden soll (RegBegr. BT-Drs. 20/1738, 30). Damit Aktionäre von Recht Gebrauch machen können, hat AG in Einberufung entspr. Adresse anzugeben. 2

Anders als Pflicht zur Veröffentlichung der Vorstandsrede (→ § 118a Rn. 36 ff.) ist diese Neuerung unabhängig davon, ob von Möglichkeit der Voreinreichung nach § 131 Ia Gebrauch gemacht wird. Anträge und Wahlvorschläge sind nach § 130a V 3 zwar von Rederecht umfasst, aber nicht von Stellungnahmerecht (BeckOGK/Poelzig, 1.10.2023, Rn. 15). Auch müssen iRe Stellungnahme gestellte Fragen nicht beantwortet werden (KK-AktG/Noack/Zetzsche Rn. 20). Stellungnahme- und Rederecht können kumulativ ausgeübt werden (KK-AktG/Noack/Zetzsche Rn. 9). Mögliche **Gegenstände des Stellungnahmerechts** werden durch Tagesordnung vorgegeben (KK-AktG/Noack/Zetzsche Rn. 19). Zur Sprache → Rn. 11. 3

Möglichkeit zur Stellungnahme wurde in HV-Saisons 2020 – 2022 zT in Form von Texten, zT in Form von Videobeiträgen eröffnet (Danwerth AG 2021, 613 Rn. 28). Beide Optionen sollen auch auf neuer ges. Grundlage möglich bleiben, was mit weitem Begriff elektronischer Kommunikation zum Ausdruck gebracht wird (RegBegr. BT-Drs. 20/1738, 30 f. [unrichtig dagegen auf S. 25: „Textform"]). **Ausgestaltung** steht AG frei, die auch sonstige Formate (Audiosequenzen, Chat) oder mehrere Formate parallel anbieten kann (RegBegr. BT-Drs. 20/1738, 31). Vorgaben kann sie überdies für Gestaltung des Beitrags in der Weise machen, dass etwa Präsentationselemente oder dokumentarisch filmische Bei- 4 tragselemente ausgeschlossen werden (Franzmann/Rothweiler AG 2022, 809 Rn. 23). Für Einreichung soll die in der Einberufung hierfür mitgeteilte Adresse genutzt werden. § 130a I 2 gestattet es der Verwaltung, dieses Recht auf ordnungsgem. zur HV **angemeldete Aktionäre** zu beschränken, was durch Satzungs- oder Geschäftsordnungsregelung, aber auch durch Vorstandsfestlegung in Einberufung geschehen kann (KK-AktG/Noack/Zetzsche Rn. 18).

5 Auch **Umfang** der Stellungnahmen darf nach § 130a I 3 in der Einberufung angemessen beschränkt werden (zuständig: Vorstand – vgl. Franzmann/Rothweiler AG 2022, 809 Rn. 22). Damit soll Umgang mit Stellungnahmen für AG praktikabel gehalten werden (RegBegr. BT-Drs. 20/1738, 31). Gesellschaftsseitiger Aufwand wird idR aber überschaubar sein und sich in Prüfung erschöpfen, ob Veröffentlichung nach § 130a III 4 iVm § 126 II 1 – etwa wegen Beleidigungen – zu untersagen sind (→ § 126 Rn. 14). Ob AG zur Prüfung **verpflichtet** ist, ergibt sich nicht aus Ges., doch könnte entspr. Verantwortung aus Position des Plattformbetreibers hergeleitet werden, was jedenfalls kursorische Durchsicht nahelegt. Zumindest vor diesem Hintergrund ist Beschränkung für Praxis empfehlenswert und kann bei Stellungnahmen in Textform durch maximale Zeichenzahl, bei Videobotschaften durch Vorgabe maximaler Dauer erfolgen; es gilt aber nicht Maßstab des § 131 II 2 (RegBegr. BT-Drs. 20/1738, 31; Bungert/Rieckers/Becker DB 2022, 2074, 2077).

6 Vage Vorgabe einer **angemessenen Beschränkung** liegt weitestgehend im Ermessen des Vorstands, der dabei aber durchaus großzügig verfahren kann, da Zeitbudget in vHV selbst von Stellungnahmen nicht berührt wird (RegBegr. BT-Drs. 20/1738, 31). Aus Fristenregime des § 130a II und III folgt aber, dass AG für Prüfung nur einen Tag hat, was restriktive Handhabung rechtfertigt (KK-AktG/Noack/Zetzsche Rn. 23). Erste Praxisvorschläge zielen auf etwa 5.000–10.000 Zeichen für Text- bzw. drei Minuten für Videobotschaften (KK-AktG/Noack/Zetzsche Rn. 23; Mayer/Jenne/Miller BB 2022, 2946, 2961; Seibt/Danwerth AG 2022, 177 Rn. 28). Umgang mit längeren Stellungnahmen kann sich an besser ausgeleuchteter Praxis zu überlangen Gegenanträgen orientieren (→ § 126 Rn. 15; sa KK-AktG/Noack/Zetzsche Rn. 32; von diesen Grundsätzen teilw. abw. Seibt/Danwerth AG 2022, 177 Rn. 28, die etwa Kürzung überlanger Stellungnahmen zulassen). Gegenständliche Vorgaben sind nicht möglich (BeckOGK/Poelzig, 1.10.2023, Rn. 23). Zur Umsetzung in HV-Saison 2023 vgl. Danwerth ZIP 2023, 2329, 2338 ff.; Merkner/Schulenburg/Elixmann AG 2023, 643 Rn. 26 ff.

III. Frist (§ 130a II)

7 § 130a II ergänzt Fristvorgabe, wonach Stellungnahmen bis **spätestens fünf Tage vor vHV** einzureichen sind (Fristberechnung → Rn. 13). Damit ist Gleichlauf zum Fristlauf bei Vorabeinreichung von Fragen nach § 131 Ia 1 hergestellt (RegBegr. BT-Drs. 20/1738, 31). AG steht es aber offen, auch spätere Einreichung zu gestatten (RegBegr. BT-Drs. 20/1738, 31). Frist soll so gestaltet sein, dass Aktionäre vorab veröffentlichten Vorstandsbericht nach § 118a I 2 Nr. 5 (7 Tage vor HV) angemessen berücksichtigen können und es zugleich AG ermöglicht wird, Stellungnahmen bei Beantwortung vorab eingereichter Fragen zu berücksichtigen (RegBegr. BT-Drs. 20/1738, 31).

IV. Vorabveröffentlichung (§ 130a III)

8 Nach § 130a III 1 sind Stellungnahmen, die an in Einberufung genannte Adresse eingereicht werden, allen Aktionären bis **spätestens vier Tage vor vHV** zugänglich zu machen, wobei auch hier Möglichkeit besteht, Zugäng-

lichmachen auf ordnungsgem. zur HV angemeldete Aktionäre zu beschränken (§ 130a III 2), etwa durch Veröffentlichung im zugangsbeschränkten Aktionärsportal. Videobotschaften werden idR über Nutzung der Internetseite zugänglich gemacht, doch sind als Alternative auch Versendung per E-Mail oder Upload in Cloud denkbar (KK-AktG/Noack/Zetzsche Rn. 27). In Textform eingereichte Stellungnahmen können auch über Gesellschaftsblätter (→ § 25 Rn. 1 ff.) zugänglich gemacht werden (so RegBegr. BT-Drs. 20/1738, 31), doch ist auch Versendung per Mail- oder Messengerdienst zulässig (KK-AktG/Noack/Zetzsche Rn. 27). Namensnennung ist – wie in Präsenz-HV – datenschutzrechtl. jedenfalls dann unbedenklich, wenn keine allg. Öffentlichkeit besteht (ausf. KK-AktG/Noack/Zetzsche Rn. 28).

Für **börsennotierte AG** (§ 3 II; → § 3 Rn. 5 f.) wird Zugänglichmachen über Internetseite in Anlehnung an § 126 I 3 zwingend vorgeschrieben. Vorschrift ist **irreführend gefasst,** weil im späteren Stadium des Gesetzgebungsverfahrens noch § 130a I 2 eingeführt wurde, womit sich Bezugspunkt des Demonstrativpronomens „dies" in S. 3 unglücklich verschoben hat. In § 130a III 3 Hs. 1 für börsennotierte AG vorgesehene Pflicht, Internetseite der AG zu nutzen, bezieht sich auf Zugänglichmachen, nicht auf Beschränkung. 9

Umstr. ist, was unter **Internetseite** zu verstehen ist. ZT wird Passus iSe allg. zugänglichen Veröffentlichung verstanden (DAV-HRA NZG 2022, 797, 800; Seibt/Danwerth DB 2022, 1434, 1438), während nach anderer Auffassung Zugänglichmachen über einen für Aktionäre reservierten, geschützten Bereich der Web-Präsenz genügt (KK-AktG/Noack/Zetzsche Rn. 4, 26; KK-AktG/Tröger § 118a Rn. 50; Franzmann/Rothweiler AG 2022, 809 Rn. 21). In der Tat wird erstgenannte Deutung augenscheinlich durch bewusste Scheidung zwischen Zugänglichmachen ggü. Aktionären und Internetveröffentlichung in § 130a III nahegelegt. § 130a III 3, Hs. 1 steht nicht entgegen, wenn man mit hier vertretener Auffassung davon ausgeht, dass sich „dies" auf Zugänglichmachen beschränkt (→ Rn. 9). Dennoch spricht § 130a III 3, Hs. 2 doch deutlich für Beschränkungsmöglichkeit. Dort enthaltene Bezugnahme auf S. 2 kann nur in der Weise verstanden werden, dass keine Allgemeinöffentlichkeit gegeben sein muss. 10

§ 130a III 3 Hs. 2 gestattet, für Zugänglichmachen Internetseite eines **Dritten** zu nutzen, womit Einbeziehung von HV-Dienstleistern ermöglicht wird. IdR wird Zugang bei größeren Gesellschaften über HV-Portal eröffnet werden (KK-AktG/Noack Rn. 26; Bungert/Rieckers/Becker DB 2022, 2074, 2077). Stellungnahmen, die nicht in **deutscher Sprache** eingereicht werden, müssen nicht durch AG übersetzt werden, sondern können in Sprache und Form der Einreichung zugänglich gemacht werden (RegBegr. BT-Drs. 20/1738, 32). Pflicht dazu besteht allerdings nicht (BeckOGK/Poelzig, 1.10.2023, Rn. 17). Umgekehrt ist aber auch freiwillige „convenience translation" – etwa als Untertitel zu Videostatement – unbedenklich (Seibt/Danwerth AG 2022, 177 Rn. 30; zur praktischen Umsetzung vgl. Danwerth ZIP 2023, 2329, 2340; Merkner/Schulenburg/Elixmann AG 2023, 643 Rn. 30). 11

§ 130a III 4 verweist auf **§ 126 II 1,** wonach Pflicht, Gegenanträge zu veröffentlichen, unter bestimmten Voraussetzungen entfällt (zB beleidigende Inhalte). Diese Regelungen gelten für Stellungnahmen nach § 130a I entspr., sofern sie auch auf Stellungnahmen passen, was nach Einschätzung des Gesetzgebers bei § 126 II 1 Nr. 1, 3 und 6 der Fall ist (ausf. → § 126 Rn. 13 f.). Nach § 126 II 1 Nr. 6 entfällt Stellungnahmerecht auch, wenn Aktionär schon bei Einreichung **fehlende Zuschaltungsabsicht** erkennen lässt (BeckOGK/Poelzig, 1.10.2023, Rn. 12), was in der Sache kaum zwingend, im Ges. aber klar angelegt ist. Tats. spätere Zuschaltung ist jedoch nicht erforderlich. 12

V. Fristberechnung (§ 130a IV)

13 Für die Berechnung der Frist nach § 130a II verweist § 130a IV auf **§ 121 VII,** so dass Tag der HV nicht mitzurechnen ist (ausf. → § 121 Rn. 24 ff.). Für vHV am 20.4. muss Frage also bis 14.4., 24 Uhr eingereicht sein (BeckOGK/Poelzig, 1.10.2023, Rn. 20.1).

VI. Rederecht (§ 130a V)

14 Während § 130a I – IV Stellungnahmen im Vorfeld der vHV betrifft, regelt § 130a V und VI **Redebeiträge in der vHV** selbst. Rederecht ist damit nur für vHV, nicht aber für Präsenz-HV ausdr. geregelt, aber auch dort seit jeher anerkannt (→ § 118 Rn. 20). Für vHV war nach COVMG aF (→ § 118a Rn. 2 f.) Rederecht noch nicht vorgesehen und wurde nur von wenigen Gesellschaften auf freiwilliger Grundlage in Form einer Zwei-Wege-Kommunikation in Echtzeit gewährt (→ § 118 Rn. 10; sa Jaspers/Pehrsson NZG 2021, 1244, 1247: „Goldstandard virtueller Versammlungen"). Nach nunmehr geltendem § 130a V ist elektronisch zugeschalteten Aktionären (und deren Stellvertretern – vgl. KK-AktG/Noack/Zetzsche Rn. 36) in vHV ein Rederecht im Wege der **Videokommunikation** zu gewähren. Damit soll dem Charakter der „Geisterspiele", der vHV unter COVMG-Rahmenbedingungen (→ § 118a Rn. 2 f.) zT geprägt hat, entgegengewirkt werden. Stattdessen soll zentrales Element des Dialogs in vHV bewahrt und freies und spontanes Rederecht auch in diesem Format zugelassen werden (RegBegr. BT-Drs. 20/1738, 32). Erforderlich ist dafür – anders als nach dem COVMG-Modell – eine echte **Zwei-Wege-Direktverbindung,** mit der sich Aktionär über Video in vHV zuschalten kann; Zurverfügungstellung eines Textfeldes über Aktionärsportal ist nicht mehr ausreichend (RegBegr. BT-Drs. 20/1738, 32). Über Format der Videokommunikation (zB Plattform eines best. Dienstleisters) entscheidet nach § 130a V 2 AG, so dass Aktionär keinen Anspruch auf einen von ihm bevorzugten Kommunikationskanal hat (RegBegr. BT-Drs. 20/1738, 32). Hinsichtlich Sprache gelten Vorgaben zur Präsenz-HV (→ § 118 Rn. 20).

15 § 130a V und VI enthalten – anders als für Stellungnahmerecht (→ Rn. 3) – keine inhaltliche Beschränkung auf **Gegenstände der Tagesordnung,** doch ist solcher Bezug parallel zur Präsenz-HV auch hier zu verlangen (BeckOGK/Poelzig, 1.10.2023, Rn. 46). Auch Verfahren zur Ausgestaltung des Rederechts ist ges. nicht vorgegeben, sondern soll analog zur physischen Präsenz-HV erfolgen. Insbes. gilt auch hier nach § 130a V 4 Möglichkeit der **Redezeitbeschränkung nach § 131 II 2** (→ § 131 Rn. 72 ff.); bisher genutzte Satzungsfassungen werden idR nicht angepasst werden müssen (→ § 131 Rn. 45).

16 Redezeitbeschränkung tritt an die Stelle der ursprünglich in § 130a IV 3 RefE vorgesehene Möglichkeit der AG, in der Einberufung angemessenen Gesamtzeitraum für Redebeiträge und angemessene Anzahl der zuzulassenden Redebeiträge festzulegen. Ebenfalls nicht übernommen wurde § 130a V 1 RefE, wonach Redebeiträge schon vier Tage vor vHV angemeldet werden mussten, sowie § 130a VI 1, wonach Anmeldungen für Redebeiträge in zeitl. Reihenfolge ihres Eingangs bis zu der nach § 130a IV 3 vorgesehenen Zahl zugelassen wurden. In der Tat führt Präferenz nach zeitl. Eingang zu **unerwünschtem Windhundrennen,** das von technisch bes. versierten Akteuren sogar in ihrem Sinne beeinflusst werden kann (zB „Sniper-Programme" für Erstanmeldung; krit. schon DAV-HRA NZG 2022, 504, 510 f.; Seibt/Danwerth AG 2022, 177 Rn. 43). Dennoch besteht abw. von Präsenz-HV, wo Anmeldeerfordernis gewisse Wartezeiten erzwingt, bei rein elektronischer Meldung Risiko äußerst schneller und

ggf. auch hoher Anzahl von Wortmeldungen (Franzmann/Rothweiler AG 2022, 809 Rn. 47).

Um auch nach diesen Streichungen geordneten Ablauf zu gewährleisten, sieht RegBegr. BT-Drs. 20/1738, 32 Einrichtung eines **virtuellen Wortmeldetisches** vor, der ab Beginn der vHV zu eröffnen ist und Möglichkeit geben soll, Wortmeldungen zwar nicht vor vHV (so noch RefE → Rn. 16), aber doch zumindest in vHV anzumelden. Bei größeren Gesellschaften wird dieser Meldetisch üblicherweise über HV-Portal zugänglich sein (Bungert/Rieckers/Becker DB 2022, 2074, 2078). Über seine Einrichtung entscheidet nicht HV-Leiter, sondern **Vorstand.** Auf dieser Grundlage sollen Aktionäre sodann Rede- und Auskunftsrecht durch Zuschaltung nach Aufruf durch HV-Leiter ausüben können. **17**

Um Missbrauch vorzubeugen, soll zunächst jeder **Teilnehmer identifiziert** werden, was bei Nutzung des virtuellen Wortmeldetisches etwa über Eingabe in Textfeld (analog Wortmeldezettel in Präsenz-HV) geschehen kann. Bei Nutzung des Aktionärsportals wird entspr. Identifizierung idR automatisch erfolgen; zur digitalen Identitätsprüfung ist AG nicht verpflichtet (KK-AktG/Noack/Zetzsche Rn. 39). Um sinnvolle Festlegung der Rednerreihenfolge zu ermöglichen, können dabei auch Angaben zu **in Bezug genommenen TOP** verlangt werden. Zur weiteren Entschleunigung des Anmeldeprozesses ist es überdies denkbar, virtuellen Wortmeldetisch von vornherein so auszugestalten, dass – ähnlich virtuellem Verkaufsraum bei Online-Ticketverkäufen – zunächst nur beschränkte Zahl von Internetnutzern parallel zugelassen wird. Auch solche Vorabgestaltung bleibt Vorstand vorbehalten, während nach Eröffnung der HV Entscheidungsmacht hinsichtlich der Ordnung der Redebeiträge an deren Leiter übergeht (→ Rn. 19). Nur Funktionskontrolle über Wortmeldetisch bleibt weiterhin in der Organisationsmacht des Vorstands. **18**

Bei weiterer ordnender Gestaltung der virtuellen HV-Kommunikation kommt **HV-Leiter** bedeutende Rolle zu, weil er die Aufgabe und Möglichkeit hat, notwendige Anordnungen zur Sicherstellung des geordneten Ablaufs der vHV zu treffen, zB Schließung der Rednerliste oder Verkürzung der Redezeiten (RegBegr. BT-Drs. 20/1738, 32). Für die nähere Ausgestaltung dieser Rolle hat Gesetzgeber von präzisen Vorgaben abgesehen, was dann spiegelbildlich dafür spricht, HV-Leiter große Ermessensspielräume zuzugestehen, weil nur so **missbräuchlichen Strategien** vorgebeugt werden kann, die darauf abzielen, gesamte Redezeit für einzelne Anliegen zu monopolisieren (Bsp. NGO mit großer Mitgliederzahl sichert sich durch Anmeldung unmittelbar nach Freischaltung sämtliche Redeslots). Steuernde Ansätze können sowohl schon bei Zulassung zum Wortmeldetisch als auch bei Ausübung des Rederechts liegen. So kann auch HV-Leiter etwa entscheiden (sofern nicht schon vorab entspr. Ausgestaltung erfolgt ist → Rn. 18), dass virtueller Wortmeldetisch im Zulassungsverfahren nach Anmeldung einer bestimmten Rednerzahl vorübergehend deaktiviert wird, um vorhandene Meldungen zu sichten, zu ordnen und voraussichtliche Zeitdauer zu kalkulieren. Kalkulation kann sich dabei vorerst an Erfahrungen aus bisheriger Präsenz-HV orientieren. **19**

Steht Rednerliste (ggf. vorläufig) fest, soll es nach RegBegr. BT-Drs. 20/1738, 32 möglich sein, Anmeldeliste zu **veröffentlichen,** damit für andere Aktionäre transparent wird, wer auf Rednerliste steht (krit. Bungert/Rieckers/Becker DB 2022, 2074, 2079). Darüber hinaus soll es HV-Leiter wie bei Präsenz-HV offenstehen, Rednerreihenfolge festzulegen, Redner für bestimmte Themenblöcke zusammenzufassen oder die Rednerliste zu schließen (RegBegr. BT-Drs. 20/1738, 32). Auch Einsatz eines Warteraums ist iSe geordneten Ablaufs zulässig (Bungert/Rieckers/Becker DB 2022, 2074, 2079), der zugleich zur Prüfung der Funktionsfähigkeit gem. § 130a VI (Rn. 25 ff.) genutzt werden kann. Wie bei **20**

Präsenz-HV sind einzelne Redner sodann mit Vor- und Nachnamen von HV-Leiter aufzurufen. Bei **zeitlicher Beschränkung nach § 131 II 2** (→ Rn. 15) steht es HV-Leiter offen, Zuschaltung des Redners unmittelbar nach Fristablauf abzustellen (Bungert/Rieckers/Becker DB 2022, 2074, 2079), was ggü. Präsenz-HV disziplinierteren Ablauf der vHV ermöglicht. Möglich ist es auch, rückwärts zählende Uhr oder rotes Licht, das baldiges Ende der Redezeit signalisiert, auf Bildschirm des Redners einzublenden (Bungert/Rieckers/Becker DB 2022, 2074, 2079).

21 Idealziel sollte es sein, sämtliche redewilligen Aktionäre zu Wort kommen zu lassen, doch ist dieses Anliegen dem übergeordneten Ziel unterzuordnen, dass auch vHV möglichst zeitlichen Rahmen von **vier bis sechs Stunden** nicht überschreiten soll (→ § 131 Rn. 75). Für vHV gilt dies noch viel mehr, weil hier durch Nutzung des Vorfelds zeitl. Rahmen tats. für Einbeziehung der Aktionäre deutlich erhöht wird. Selbst wenn Vorstand von Möglichkeit des § 131 Ia keinen Gebrauch macht, besteht bei vHV doch zumindest Möglichkeit der Stellungnahmen nach § 130a I, die unabhängig von der Option des § 131 Ia eröffnet ist. Aus diesem Grund sollte Zeitfenster von vier bis sechs Stunden bei vHV noch stärker als Orientierungsgröße dienen als in Präsenz-HV (zur durchschnittlichen Dauer einer virtuellen HV sa Redenius-Hövermann/Bannier ZIP 2020, 1885, 1890 f.).

22 Lässt Zahl der Anmeldungen erkennen, dass Einräumung des Rederechts zeitl. Grenzen sprengt, stellt sich – wie bei Auskunftsrecht (→ § 131 Rn. 72 ff.) – auch hier Frage nach **ermessensleitenden Kriterien.** Erste Notmaßnahme kann auch hier Verkürzung der Redezeit sein, doch wird Informationswert der HV durch übermäßige Verkürzung mit dem Ziel gleichmäßiger Verteilung nicht erhöht, sondern geschmälert. 30-Sekunden-Slots sind in niemandes Interesse. Präferenz nach zeitl. Eingang ist bewusst gestrichen worden (→ Rn. 16). Damit stellt sich hier – wie auch zu § 131 I – Frage, inwiefern es zulässig ist, **Fragen bestimmter Aktionäre bevorzugt** zu berücksichtigen, zB Aktionärsvereinigungen oder institutionelle Investoren (→ § 131 Rn. 78 ff.; → § 53a Rn. 7). Hier wie dort ist es zulässig, dass HV-Leiter jedenfalls bei der Reihung Reden größerer Aktionäre bevorzugt (so auch Mayer/Jenne/Miller BB 2022, 1155, 1158). Das ist gerade unter den Rahmenbedingungen eines sich zunehmend ausbreitenden Investorendialogs (→ § 53a Rn. 7; → § 111 Rn. 54 ff.) keinesfalls unproblematisch (→ § 131 Rn. 79), doch wenn Auswahl getroffen werden muss, ist dieses **Repräsentanzkriterium** wohl noch das plausibelste. Alternative Gestaltung, Redebeiträge strikt nach zeitl. Eingang zu berücksichtigen, hätte Gleichbehandlung wohl eher gewährleistet, wäre aber aus anderen Gründen nicht wünschenswert gewesen (→ Rn. 16). Von Bemessung der Redezeit am Anteilsbesitz sollte dagegen im Lichte des § 53a, aber auch aus optischen Gründen abgesehen werden (→ § 131 Rn. 78 ff.).

23 Auch wenn es HV-Leiter demnach gestattet wird, gewichtige Aktionäre zu bevorzugen, sollte er dennoch darauf achten, dass auch für andere Gruppen wie Kleinaktionäre hinreichend Raum bleibt, um ein einigermaßen **diverses Anteilseignerspektrum** abbilden zu können. Dabei kann er sich neben konkreter Person des redewilligen Aktionärs (die durchaus auch dessen Seriosität umfasst) an Verteilung auf verschiedene Tagesordnungspunkte, Relevanz des angesprochenen Themas und Interesse anderer Aktionäre orientieren. Auch wenn ihm diese Auswahl misslingt, begründet dies jedenfalls keinen Anfechtungsgrund, wenn Zulassung weiterer Redebeiträge aus zeitl. Gründen ausgeschlossen ist. Wenn Gesetzgeber HV-Leiter mit Auswahl allein lässt und weder in Ges. noch RegBegr. ermessensleitende Kriterien an die Hand gibt, kann dies nur durch große Ermessensspielräume auf Seiten des Entscheidungsträgers ausgeglichen werden.

§ 130a V 3 sieht **Erweiterungen des Rederechts** vor, das auch Anträge und Wahlvorschläge nach § 118a I 2 Nr. 3, Auskunftsverlangen nach § 131 I, Nachfragen nach § 131 Id sowie weitere Fragen nach § 131 Ie umfassen darf. Damit wird klargestellt, dass solche Anträge, Vorschläge und Fragen – soweit sie nach den genannten Vorschriften zulässig sind – in einem Redebeiträge mündlich an Verwaltung adressiert werden dürfen und nicht gesondert über den Kanal der elektronischen Kommunikation (→ § 131 Rn. 44) übermittelt werden müssen (RegBegr. BT-Drs. 20/1738, 32). **24**

VII. Prüfung der Funktionsfähigkeit (§ 130a VI)

§ 130a VI war in ähnlicher Form schon in RefE (§ 130a VI 2 RefE) enthalten, in RegE zunächst aber nicht übernommen worden. Auf Anregung des RAusschusses (BT-Drs. 20/2653, 32) hat Gesetzgeber Vorschrift wieder aufgenommen. Danach kann sich AG in Einberufung vorbehalten, Funktionsfähigkeit der Videokommunikation zwischen Aktionär und AG in vHV vor Redebeitrag zu überprüfen und diesen zurückzuweisen, sofern Funktionsfähigkeit nicht sichergestellt ist. Das ist insbes. vor dem Hintergrund sinnvoll, dass gerade in bes. teilnehmerstarker vHV **technische Belastbarkeit der Zwei-Wege-Direktkommunikation** keinesfalls stets gewährleistet ist. Über Einrichtung entscheidet nicht HV-Leiter, sondern Vorstand (arg.: AG-Zuständigkeit, die iRd Einberufung auszuüben ist; aA Kruchen/Werner DZWIR 2023, 175, 183; Mutter/Werner AG 2022, R 352); konkrete Handhabung in HV selbst bleibt HV-Leiter überlassen (so wohl auch Rieckers DB 2023, 373, 376). Nach Wortlaut und Systematik gilt § 130a VI nur für Redebeitrag, nicht für Auskunftsrecht. Da für Differenzierung insoweit kein Raum besteht, ist dies als offenkundiges Redaktionsversehen rechtsfortbildend zu korrigieren, sofern HV-Leiter nach § 131 If festlegt, dass auch Auskunftsrecht nur im Wege der Videokommunikation ausgeübt werden kann (Bungert/Rieckers/Becker DB 2022, 2074, 2079). **25**

Abw. vom RefE erfolgt Prüfung aber nicht am Tag vor vHV, sondern **in vHV.** RAusschuss BT-Drs. 20/2653, 32 nennt Gestaltungsmöglichkeit, dass dem Aktionär, der Redebeitrag über virtuellen Meldetisch angemeldet hat, durch Mitarbeiter oder HV-Dienstleister Link übermittelt wird, über den **Warteraum** erreicht werden kann, in dem Funktionsfähigkeit der Verbindung geprüft wird. Ob Funktionsfähigkeit gegeben ist, steht im Ermessen der AG (RAusschuss BT-Drs. 20/2653, 32). ZT behauptete erhöhte Anfechtungsrelevanz (Sturm/Imsameh NZG 2022, 1327, 1331) besteht deshalb nicht. Kleinere Störungen (Kurzunterbrechung) genügen aber idR nicht, um Zulassung zu versagen (Reger/Gaßner RDI 2022, 396 Rn. 31; zu Einzelheiten: Kruchen/Werner DZWIR 2023, 175, 181 ff.). Namentl. HV-Dienstleister sollten aber in jedem Fall gewährleisten, dass fehlende Funktionsfähigkeit auf geeignete Weise dokumentiert wird (Bungert/Rieckers/Becker DB 2022, 2074, 2079; Kruchen/Werner DZWIR 2023, 175, 184). **26**

Ist **Funktionsfähigkeit nicht gewährleistet,** kann Zulassung des Redebeitrags versagt oder alternativ fernmündliche Zuschaltung angeboten werden (RAusschuss BT-Drs. 20/2653, 32; zu Unrecht zweifelnd Kruchen/Werner DZWIR 2023, 175, 183). Eine Pflicht zur letztgenannten Option besteht jedoch nicht; auch weiterer vorgeschalteter Funktionstest ist zulässig (Reger/Gaßner RDI 2022, 396 Rn. 31). Spätere Neuanmeldung am virtuellen Meldetisch wird durch Zurückweisung nicht ausgeschlossen (Reger/Gaßner RDI 2022, 396 Rn. 31). Zurückweisung kann auch **aus anderen Gründen** qua Organisationshoheit des HV-Leiters erfolgen (Bsp.: nackter Aktionär, unsittlicher oder verfassungsfeindlicher Hintergrund). Zur weiteren Kontrolle kann auch anschließen- **27** de Zuschaltung mit kleiner Zeitverzögerung versehen werden (KK-AktG/Noack/Zetzsche Rn. 48).

VIII. Rechtsschutz

28 Verstöße gegen § 130a können nicht in Verfahren nach § 132, sondern allein über **Anfechtung** geltend gemacht werden; § 243 IV findet keine Anwendung, doch kann Anfechtung nach § 243 III 1 Nr. 2 ausgeschlossen sein, wenn Verstoß auf technischer Störung beruht (BeckOGK/Poelzig, 1.10.2023, Rn. 51). **Relevanz** des Verstoßes wird bei Verletzung des Stellungnahme- und Rederechts idR zu bejahen sein, doch wird Ausn. für Rederecht erwogen, wenn Beschluss aufgrund vorab abgegebener Briefwahl- und weisungsgebunden Vertreterstimmen schon feststeht (KK-AktG/Noack/Zetzsche Rn. 51). Dafür spricht viel, doch ist diese Sicht mit Blick auf bewusste Abkehr vom Kausalitätserfordernis (→ § 243 Rn. 11) und Möglichkeit der Abänderung von Stimmen und Weisungen (→ § 118a Rn. 24, 27 ff.) letztlich doch stärkeren Bedenken ausgesetzt.

Auskunftsrecht des Aktionärs

131 **(1) [1]Jedem Aktionär ist auf Verlangen in der Hauptversammlung vom Vorstand Auskunft über Angelegenheiten der Gesellschaft zu geben, soweit sie zur sachgemäßen Beurteilung des Gegenstands der Tagesordnung erforderlich ist. [2]Die Auskunftspflicht erstreckt sich auch auf die rechtlichen und geschäftlichen Beziehungen der Gesellschaft zu einem verbundenen Unternehmen. [3]Macht eine Gesellschaft von den Erleichterungen nach § 266 Absatz 1 Satz 3, § 276 oder § 288 des Handelsgesetzbuchs Gebrauch, so kann jeder Aktionär verlangen, dass ihm in der Hauptversammlung über den Jahresabschluss der Jahresabschluss in der Form vorgelegt wird, die er ohne diese Erleichterungen hätte. [4]Die Auskunftspflicht des Vorstands eines Mutterunternehmens (§ 290 Abs. 1, 2 des Handelsgesetzbuchs) in der Hauptversammlung, der der Konzernabschluss und der Konzernlagebericht vorgelegt werden, erstreckt sich auch auf die Lage des Konzerns und der in den Konzernabschluss einbezogenen Unternehmen.**

(1a) [1]Im Fall der virtuellen Hauptversammlung ist Absatz 1 Satz 1 mit der Maßgabe anzuwenden, dass der Vorstand vorgeben kann, dass Fragen der Aktionäre bis spätestens drei Tage vor der Versammlung im Wege der elektronischen Kommunikation einzureichen sind. [2]Für die Berechnung der Frist gilt § 121 Absatz 7. [3]Nicht fristgerecht eingereichte Fragen müssen nicht berücksichtigt werden.

(1b) [1]Der Umfang der Einreichung von Fragen kann in der Einberufung angemessen beschränkt werden. [2]Das Recht zur Einreichung von Fragen kann auf ordnungsgemäß zu der Versammlung angemeldete Aktionäre beschränkt werden.

(1c) [1]Die Gesellschaft hat ordnungsgemäß eingereichte Fragen vor der Versammlung allen Aktionären zugänglich zu machen und bis spätestens einen Tag vor der Versammlung zu beantworten; für die Berechnung der Frist gilt § 121 Absatz 7. [2]Bei börsennotierten Gesellschaften haben das Zugänglichmachen der Fragen und deren Beantwortung über die Internetseite der Gesellschaft zu erfolgen. [3]§ 126 Absatz 2 Satz 1 Nummer 1, 3 und 6 gilt für das Zugänglichmachen der Fragen entsprechend. [4]Sind die Antworten einen Tag vor Beginn und in der Versammlung

durchgängig zugänglich, darf der Vorstand in der Versammlung die Auskunft zu diesen Fragen verweigern.

(1d) [1]**Jedem elektronisch zu der Versammlung zugeschalteten Aktionär ist in der Versammlung im Wege der elektronischen Kommunikation ein Nachfragerecht zu allen vor und in der Versammlung gegebenen Antworten des Vorstands einzuräumen.** [2]**Absatz 2 Satz 2 gilt auch für das Nachfragerecht.**

(1e) [1]**Zudem ist jedem elektronisch zu der Versammlung zugeschalteten Aktionär in der Versammlung im Wege der elektronischen Kommunikation das Recht einzuräumen, Fragen zu Sachverhalten zu stellen, die sich erst nach Ablauf der Frist nach Absatz 1a Satz 1 ergeben haben.** [2]**Absatz 2 Satz 2 gilt auch für dieses Fragerecht.**

(1f) **Der Versammlungsleiter kann festlegen, dass das Auskunftsrecht nach Absatz 1, das Nachfragerecht nach Absatz 1d und das Fragerecht nach Absatz 1e in der Hauptversammlung ausschließlich im Wege der Videokommunikation ausgeübt werden dürfen.**

(2) [1]**Die Auskunft hat den Grundsätzen einer gewissenhaften und getreuen Rechenschaft zu entsprechen.** [2]**Die Satzung oder die Geschäftsordnung gemäß § 129 kann den Versammlungsleiter ermächtigen, das Frage- und Rederecht des Aktionärs zeitlich angemessen zu beschränken, und Näheres dazu bestimmen.**

(3) [1]**Der Vorstand darf die Auskunft verweigern,**

1. **soweit die Erteilung der Auskunft nach vernünftiger kaufmännischer Beurteilung geeignet ist, der Gesellschaft oder einem verbundenen Unternehmen einen nicht unerheblichen Nachteil zuzufügen;**
2. **soweit sie sich auf steuerliche Wertansätze oder die Höhe einzelner Steuern bezieht;**
3. **über den Unterschied zwischen dem Wert, mit dem Gegenstände in der Jahresbilanz angesetzt worden sind, und einem höheren Wert dieser Gegenstände, es sei denn, daß die Hauptversammlung den Jahresabschluß feststellt;**
4. **über die Bilanzierungs- und Bewertungsmethoden, soweit die Angabe dieser Methoden im Anhang ausreicht, um ein den tatsächlichen Verhältnissen entsprechendes Bild der Vermögens-, Finanz- und Ertragslage der Gesellschaft im Sinne des § 264 Abs. 2 des Handelsgesetzbuchs zu vermitteln; dies gilt nicht, wenn die Hauptversammlung den Jahresabschluß feststellt;**
5. **soweit sich der Vorstand durch die Erteilung der Auskunft strafbar machen würde;**
6. **soweit bei einem Kreditinstitut, einem Finanzdienstleistungsinstitut oder einem Wertpapierinstitut Angaben über angewandte Bilanzierungs- und Bewertungsmethoden sowie vorgenommene Verrechnungen im Jahresabschluß, Lagebericht, Konzernabschluß oder Konzernlagebericht nicht gemacht zu werden brauchen;**
7. **soweit die Auskunft auf der Internetseite der Gesellschaft über mindestens sieben Tage vor Beginn und in der Hauptversammlung durchgängig zugänglich ist.**

[2]**Aus anderen Gründen darf die Auskunft nicht verweigert werden.**

(4) [1]**Ist einem Aktionär wegen seiner Eigenschaft als Aktionär eine Auskunft außerhalb der Hauptversammlung gegeben worden, so ist sie jedem anderen Aktionär auf dessen Verlangen in der Hauptversammlung zu geben, auch wenn sie zur sachgemäßen Beurteilung des Gegenstands**

der Tagesordnung nicht erforderlich ist. [2] Im Fall der virtuellen Hauptversammlung ist zu gewährleisten, dass jeder elektronisch zu der Versammlung zugeschaltete Aktionär sein Verlangen nach Satz 1 im Wege der elektronischen Kommunikation übermitteln kann. [3] Der Vorstand darf die Auskunft nicht nach Absatz 3 Satz 1 Nr. 1 bis 4 verweigern. [4] Die Sätze 1 bis 3 gelten nicht, wenn ein Tochterunternehmen (§ 290 Abs. 1, 2 des Handelsgesetzbuchs), ein Gemeinschaftsunternehmen (§ 310 Abs. 1 des Handelsgesetzbuchs) oder ein assoziiertes Unternehmen (§ 311 Abs. 1 des Handelsgesetzbuchs) die Auskunft einem Mutterunternehmen (§ 290 Abs. 1, 2 des Handelsgesetzbuchs) zum Zwecke der Einbeziehung der Gesellschaft in den Konzernabschluß des Mutterunternehmens erteilt und die Auskunft für diesen Zweck benötigt wird.

(5) **[1] Wird einem Aktionär eine Auskunft verweigert, so kann er verlangen, daß seine Frage und der Grund, aus dem die Auskunft verweigert worden ist, in die Niederschrift über die Verhandlung aufgenommen werden. [2] Im Fall der virtuellen Hauptversammlung ist zu gewährleisten, dass jeder elektronisch zu der Versammlung zugeschaltete Aktionär sein Verlangen nach Satz 1 im Wege der elektronischen Kommunikation übermitteln kann.**

Übersicht

I. Grundlagen

1. Regelungsgegenstand und -zweck. Norm betr. Auskunftsrecht des Aktionärs in seiner Eigenschaft als Teilnehmer der HV. Sie steht in gedanklichem Zusammenhang mit § 118 I und bezweckt, dem Aktionär die **Informationen** zu beschaffen, die er für sinnvolle Ausübung der Rechte braucht, die ihm in HV oder als HV-bezogene Rechte zustehen (BayObLG AG 1996, 180, 181; RegBegr. Kropff S. 184; wN in → Rn. 21 ff.). Dabei steht **Stimmrecht** im Vordergrund, doch geht es auch um Ausübung der Anfechtungsbefugnis (§ 245) und der Minderheitenrechte (S/L/Spindler Rn. 1). Auskunftsrecht bietet insofern (schwache) Kompensation für Wegfall jeglicher sonstiger Auskunfts- und Einsichtsrechte (etwa nach Vorbild des § 51a GmbHG), der sich seinerseits aus beitrittsoffenem, anonymen Charakter der AG erklärt. Angesichts dieser über Stimmausübung hinausgehenden Schutzrichtung gewähren auch stimmrechtslose Aktien den Auskunftsanspruch (→ Rn. 4). Regelung ist zwingend (§ 23 V) und im Wesentlichen auch abschließend (→ Rn. 3). Erweiternde Sondervorschriften bestehen für Konzernverhältnisse und Verschmelzung (→ Rn. 15). Eingeführt wurde Auskunftsrecht als Individualrecht durch AktG 1937; zuvor musste auf Auskunfterteilung gerichteter Beschluss herbeigeführt werden (S/L/Spindler 1

Rn. 2). Seit Erlass der **Aktionärsrechte-RL** bestehen europarechtl. Vorgaben, die uU im Rahmen richtlinienkonformer Auslegung zu beachten sind. **Rechtstats. Bedeutung** des Auskunftsrechts ist hoch, ebenso allerdings sein Missbrauch, um Verfahrensfehler zu provozieren und damit Anfechtungsrisiko zu begründen (→ Rn. 99 ff.; → § 243 Rn. 45 ff.; → § 245 Rn. 22 ff.) oder um HV zum Forum politischer Interessen zweckzuentfremden (GK-AktG/Decher Rn. 35 ff.). Daraus resultierenden Belastungen für Funktionsfähigkeit der HV hat Gesetzgeber namentl. durch UMAG 2005 entgegenzuwirken versucht (Überblick: J. Koch ZGR 2006, 769, 791 ff.). Inhaltlich stehen in neuerer Zeit verstärkt Auskunftsverlangen zu etwaigen Organhaftungsansprüchen im Mittelpunkt, was deren insges. deutlich angestiegene praktische Bedeutung an anderer Stelle widerspiegelt (→ § 93 Rn. 2). Tiefgreifende Änderung hat § 131 zuletzt durch **VHVG 2022** erfahren, mit dem Abs. Ia – If eingeführt wurden, um Auskunftsrecht an Rahmenbedingung der vHV anzupassen (→ Rn. 40 ff.).

2 **2. Rechtsnatur.** Auskunftsrecht ist **eigennütziges mitgliedschaftliches Individualrecht** des Aktionärs (OLG München NZG 2002, 187, 188; sa zum Vereinsrecht Haas/Scholl FS Hadding, 2004, 365, 374 ff.). Individualrecht heißt, dass das Recht den einzelnen Aktionären, nicht der HV und nicht der AG selbst zusteht. ISd Unterscheidung zwischen kollektiven und individuellen Informationsrechten gehört Auskunftsanspruch in die zweite Kategorie (Hüffer ZIP 1996, 401, 405 f.). Als mitgliedschaftliche Befugnis steht Auskunftsrecht im Zusammenhang mit den Verwaltungsrechten des Aktionärs (→ Rn. 1) und kann deshalb auch nicht ohne die Aktie übertragen werden (MHdB AG/Hoffmann-Becking § 38 Rn.). Einen neben der mitgliedschaftlichen Befugnis bestehenden auftragsähnlichen Rechenschaftsanspruch der Aktionäre (§ 27 III BGB, § 666 BGB) gibt es nicht (→ § 76 Rn. 60). Deshalb besteht auch keine allg. Informationspflicht der AG (OLG Karlsruhe AG 2003, 444, 446). Anspruch kann auch nicht, wie aber gelegentlich angenommen (KG WM 1995, 1927, 1928 [dazu → Rn. 31]), aus einem angeblich neben der Mitgliedschaft bestehenden Anteilseigentum der Aktionäre oder aus ihrer Eigenschaft als Kapitalanleger abgeleitet werden (GK-AktG/Decher Rn. 17 f.; Hüffer ZIP 1996, 401, 403 f.). Richtig ist nur, dass Mitgliedschaft und mit ihr Auskunftsrecht in **Schutzbereich des Art. 14 I 1 GG** fallen; Inhalts- und Schrankenbestimmungen (Art. 14 I 2 GG) sind zulässig (BVerfG NJW 2000, 129; 2000, 349, 350 f.; NK-AktR/Heidel Rn. 3 mit Kritik in Einzelpunkten). Eigennütziges Recht bedeutet, dass Aktionär nicht verpflichtet ist, Auskunftsrecht vorrangig in den Dienst der AG zu stellen. Soweit deren Interessen nicht durch § 131 selbst geschützt werden, wird Ausübung des Rechts nur – aber immerhin – durch **mitgliedschaftliche Treupflicht** begrenzt (→ Rn. 99 ff.).

3 **3. Regelungen in Satzung oder Geschäftsordnung.** Weil § 131 gem. § 23 V zwingend ist (→ Rn. 1), besteht für Satzungsgeber wenig Spielraum. Das gilt auch für Geschäftsordnung der HV (§ 129 I 1), weil ihr Regelungsspielraum nicht weiter gehen kann als derjenige der Satzung (Nachrang → § 129 Rn. 1c). Spielraum haben Satzungsgeber oder HV bei Erlass einer Geschäftsordnung in den Grenzen des § 131 II 2, sonst allenfalls bzgl. der Modalitäten der Rechtsausübung, doch darf darin für Aktionäre keine Erschwernis liegen (Bsp.: Zeitpunkt der Wortmeldung, Reihenfolge der Fragesteller, Benutzung von Mikrophonen etc.). Satzung kann unter diesem Gesichtspunkt **keine Schriftform** für Auskunftsverlangen vorsehen (MüKoAktG/Kubis Rn. 29). BayObLGZ 1988, 349, 352 betr. Auskunftsverlangen in der GmbH und dort außerhalb der Gesellschafterversammlung, ergibt also für § 131 nichts. Gegenläufig können Satzungsgeber oder Geschäftsordnung Auskunftsanspruch gem. § 23 V aber auch nicht erweitern, weil § 131 das nicht vorsieht und in dieser Aussage auch als abschließend

verstanden werden muss; anderenfalls würde ges. Interessenausgleich zwischen Informationsanspruch der Aktionäre und Geheimhaltungsinteressen der AG verzerrt (GK-AktG/Decher Rn. 22; KK-AktG/Kersting Rn. 60; BeckOGK/Poelzig Rn. 46; S/L/Spindler Rn. 8; aA NK-AktR/Heidel Rn. 4; MüKoAktG/Kubis Rn. 189). Ob satzungsmäßige Statuierung einer **Auskunftserteilung außerhalb HV** möglich ist, wird von hM bejaht (vgl. etwa KK-AktG/Kersting Rn. 62; Klöhn NZG 2023, 645, 648), stößt aber spätestens dann an Grenzen des § 23 V, wenn es sich um spezifische Berichtspflichten mit verhaltenssteuernder Wirkung handelt (ausf. Verse AG 2023, 578 Rn. 7 ff.).

II. Voraussetzungen und Grenzen des Auskunftsrechts (§ 131 I)

1. Gläubiger und Schuldner des Auskunftsrechts. a) Aktionäre als Gläubiger. Auskunftsberechtigt ist nach § 131 I 1 **jeder Aktionär,** sofern er an HV teilnimmt (zum Verlassen des Saals vor Auskunft → Rn. 9). Macht AG von Öffnungsbefugnis für nicht anwesende Teilnehmer in § 118 I 2 Gebrauch, gilt auch Online-Teilnehmer als auskunftsberechtigt (MüKoAktG/Kubis Rn. 10). Auch eine einzige Aktie gibt das Auskunftsrecht (BayObLGZ 1974, 208, 213 = NJW 1974, 2094; RegBegr. Kropff S. 185). Um stimmberechtigten Aktionär muss es sich nicht handeln. Auch wer stimmrechtslose Aktien hat (§§ 139 ff.) oder seiner Einlagepflicht noch nicht nachgekommen ist (§ 134 II) oder im Einzelfall gem. § 136 nicht mitstimmen darf, hat das Auskunftsrecht (unstr., vgl. zB OLG Stuttgart AG 2011, 93, 97; S/L/Spindler Rn. 13). Auch Umkehrung ist richtig: Wer nicht Aktionär ist, kann Auskünfte nach § 131 nicht verlangen, auch dann nicht, wenn seine Anwesenheit in der HV zulässig ist (→ § 118 Rn. 28). Nicht berechtigt sind daher Inhaber von Wandel- oder Gewinnschuldverschreibungen, Inhaber eines Pfandrechts, Nießbraucher oder bes. Vertreter iSd § 147 (GK-AktG/Decher Rn. 61). Gleichzustellen ist dem Aktionär allerdings derjenige, der qua Eintragung im Aktienregister gem. § 67 II ggü. AG als legitimiert gilt (MüKoAktG/Kubis Rn. 11). Dass Aktionär ohnehin entschlossen ist, seine Stimme in einem bestimmten Sinne abzugeben, steht seinem Auskunftsrecht nicht entgegen (→ Rn. 100). 4

b) Rechtsausübung durch Dritte. Auskunftsrecht hat **keinen höchstpersönlichen Charakter** und kann daher durch Dritte ausgeübt werden, soweit sie für Aktionäre an HV teilnehmen. Das gilt bes. für Vertreter und Legitimationsaktionäre (→ § 118 Rn. 26 f.; → § 129 Rn. 12 ff.; unstr., s. MüKoAktG/Kubis Rn. 15). Abw. Rspr. zum Recht der Personengesellschaften (zB BGHZ 25, 115, 122 = NJW 1957, 1555) ist auf AG schon im Hinblick auf § 129 III 1, § 134 III 1 nicht übertragbar. IdR ist anzunehmen, dass **Stimmrechtsvollmacht** (einschließlich § 135 V 2) und **Legitimationsübertragung** zur Ausübung des Auskunftsanspruchs berechtigen (LG Heilbronn NJW 1967, 1715, 1716; KK-AktG/Kersting Rn. 67). Reichweite kann zweifelhaft sein, sollte aber bei Tagesordnungspunkten, die im Sachzusammenhang stehen, nicht eng beurteilt werden (LG Köln AG 1991, 38; MüKoAktG/Kubis Rn. 15): Als Regel gilt, dass Vollmacht Auskunftsrecht nur begründet für Beschlussgegenstände oder Tagesordnungspunkte, die mit Beschlussfassung typischerweise im Zusammenhang stehen (zB Entgegennahme des Jahresabschlusses zutr. GK-AktG/Decher Rn. 60; Meilicke/Heidel DStR 1992, 72, 73). 5

c) Gesellschaft als Schuldnerin. Gem. § 131 I 1 muss Auskunft zwar vom Vorstand erteilt werden. Auskunftspflichtig ist jedoch AG selbst, für die ihr Vorstand organschaftlich tätig wird (allgM, s. MüKoAktG/Kubis Rn. 19). 6

7 **d) Auskunftserteilung durch den Vorstand.** Nur Vorstand kann nach § 131 Auskunft erteilen. Auskünfte durch Leiter der HV oder durch AR sind keine Auskünfte iSd § 131, es sei denn, dass sich Vorstand solche Bekundungen erkennbar als seine Auskunft **zu eigen macht** (vgl. OLG Düsseldorf NJW 1988, 1033, 1034 zum Umkehrfall der Auskunftsverweigerung). Dafür wird es im Regelfall genügen, wenn Vorstand den in seiner Gegenwart für AG gemachten Aussagen nicht widerspricht (Grigoleit/Herrler Rn. 7). Umgekehrt kann auch nicht verlangt werden, dass andere Personen oder Stellen Auskünfte erteilen. Das gilt nach ganz hM auch dann, wenn begehrte Auskunft in Zuständigkeitsbereich des AR fallende Maßnahme betr. (BVerfG NJW 2000, 349, 351; GK-AktG/Decher Rn. 66; Hölters/Weber/Drinhausen Rn. 6; MüKoAktG/Kubis Rn. 22; aA Hoffmann-Becking NZG 2017, 281, 285; Trescher DB 1990, 515 ff.; J. Vetter FS E. Vetter, 2019, 833, 836 ff.). AR-Mitglieder können zu den an sie gerichteten Fragen aber Stellung beziehen und Vorstand kann sich diese Stellungnahme zu eigen machen (KK-AktG/Kersting Rn. 74). Dass Abschlussprüfer nicht auskunftspflichtig ist, stellt § 176 II 3 ausdr. klar (→ § 176 Rn. 9).

8 Erteilung der Auskunft ist für Vorstand **Geschäftsführungsmaßnahme,** so dass er gem. § 77 grds. einstimmig darüber zu befinden hat, ob er Auskunft erteilt und mit welchem Inhalt. Satzung oder Geschäftsordnung können jedoch für das Vorgehen des Vorstands anderes bestimmen (MHdB AG/Hoffmann-Becking § 38 Rn. 6). Teilw. abw. Entscheidung BGHZ 36, 121, 129 f. = NJW 1962, 104, nach der einstimmiger Beschluss entbehrlich sein soll, erging noch zu § 70 AktG 1937 und ist insoweit überholt. In der Praxis erfolgt Auskunfterteilung durch Vorstandsvorsitzenden oder sachkundiges Ressortmitglied. Zuweisung erfolgt durch Gesamtvorstand; Aktionär hat keinen Anspruch auf Auskunft durch bestimmtes Vorstandsmitglied (GK-AktG/Decher Rn. 65). In größeren Publikumshauptversammlungen wird Vorstand häufig durch professionelles **Back Office** unterstützt (GK-AktG/Decher Rn. 284). Zur Auskunftsverweigerung → Rn. 87 ff.

9 **2. Auskunftsverlangen. a) Allgemeines.** Auskunft ist Aktionären nur zu erteilen, wenn sie es verlangen. Ohne entspr. Verlangen kann Auskunftspflicht jedenfalls nicht nach § 131 begründet sein (aA LG Berlin AG 1997, 183, 187). Erforderlich ist also entspr. Frage, die an Vorstand, aber auch an Leiter der HV gestellt werden kann, weil er AG repräsentiert. An ihn gerichtete Frage gibt HV-Leiter an Vorstand weiter (→ Rn. 7 f.; MüKoAktG/Kubis Rn. 26). Nach heute zu Recht hM kann Frage **ausschließlich mündlich,** nicht auch schriftlich gestellt werden, weil nur so Mitaktionäre davon Kenntnis erlangen können (OLG Frankfurt AG 2007, 451, 452; 2007, 672, 675; LG Köln AG 1991, 38; MüKoAktG/Kubis Rn. 29; jetzt auch GK-AktG/Decher Rn. 74; aA S/L/Spindler Rn. 24; Marsch-Barner WM 1984, 41, 42; diff. KK-AktG/Kersting Rn. 511 ff.). Gesetzgeber selbst hat im Rahmen der COVID-19-Gesetzgebung zur Begründung der Einschränkung in § 1 II 2 COVMG aF deutlich gemacht, dass Prinzip der Mündlichkeit auch Filterfunktion habe, die AG vor „Flut von Fragen" schützen solle (FraktE BT-Drs. 19/18110, 26; → 16. Aufl. 2022, Rn. 79 ff.). Überdies setzt auch Beschränkung durch HV-Leiter (vgl. § 131 II 2) mündliche Fragestellung voraus, weil sie sonst ins Leere ginge (zust. OLG Frankfurt AG 2007, 451, 452). Auch Satzung darf ausschließliche Einreichung der Frage nicht vorschreiben (→ Rn. 3). Frage muss nach allgM in der HV gestellt werden, weil sie auch dort zu beantworten ist (MüKoAktG/Kubis Rn. 25; Meilicke/Heidel DStR 1992, 72, 73 f.). Auskunftsverlangen kann nach entspr. Aufruf des HV-Leiters gestellt werden (Zwischenruf genügt nicht – GK-AktG/Decher Rn. 79) und muss nicht begründet werden. Es muss grds. in deutscher Sprache gestellt werden, sofern HV-Teilnehmer nicht einvernehmlich etwas anderes vereinbaren

(MüKoAktG/Kubis Rn. 27; BeckOGK/Poelzig Rn. 62). **Vorherige Ankündigung** ist **grds. nicht erforderlich,** bei komplizierten Fragen aber empfehlenswert (MHdB AG/Hoffmann-Becking § 38 Rn. 31) und ausnahmsweise auch geboten, wenn Auskunftsrecht bestehen soll (→ Rn. 11). Auch **nach Verlassen des Saals** sollte Frage schon sicherheitshalber beantwortet werden, weil Vertretung (→ Rn. 4) nicht ausschliessbar und Rechtslage nicht zuverlässig geklärt ist. Richtig dürfte sein, dass Vorstand von Auskunft nur dann absehen darf, wenn er zuvor Gelegenheit gegeben hat, Frage des Abwesenden aufzugreifen und dem kein Aktionär gefolgt ist (GK-AktG/Decher Rn. 274; Simon AG 1996, 540, 541 f.). **Rücknahme** des Auskunftsverlangens ist möglich, doch sollte Mitaktionären auch dann die Möglichkeit gegeben werden, sich die Frage zu eigen zu machen (GK-AktG/Decher Rn. 81). Rücknahmefiktion (zB bei unterlassener Wiederholung obj. nicht vollständig beantworteter Frage – vgl. MüKoAktG/Kubis Rn. 33) kann nur mit großer Zurückhaltung in Ausnahmefällen anerkannt werden.

b) Vorbereitungspflicht und immanente Grenzen des Auskunftsrechts. 10
Vorstand muss nicht nur Auskünfte geben, die er aus dem Stand erteilen kann. Er muss sich vielmehr auch auf Fragen zu Gegenständen der Tagesordnung einstellen, die ohne Vorbereitung nicht beantwortet werden können. Deshalb müssen in der HV **Personal- und Hilfsmittel** vorgehalten werden, die den Vorstand in die Lage versetzen, sich kurzfristig sachkundig zu machen, und zwar auch dann, wenn HV zu üblicherweise arbeitsfreien Zeiten stattfindet (BGHZ 32, 159, 165 f. = NJW 1960, 1150; OLG Brandenburg AG 2003, 328; OLG Düsseldorf WM 1991, 2148, 2152; LG Berlin AG 2000, 288; LG Essen AG 1999, 329, 332 f.; LG München I NZG 2021, 557 Rn. 35). Auch Pflicht zur vorbereitenden Organisation kennt aber **Grenzen.** Vorstand kann und muss sich zwar unterstützen lassen. Recht auf Auskunft durch Vorstand schließt aber nicht Auskünfte ein, die nur als Arbeitsergebnis eines umfänglichen Back Office (M. Arnold AG 2004, R 423: über 100 Personen) denkbar sind und Vorstand zum bloßen Mittler solcher Informationen machen (zust. OLG Karlsruhe BeckRS 2018, 49021 Rn. 96; sa Ott AG 2020, 377 Rn. 20 ff.). Gesteigerte Pflichtenstandards sind bei bes. weitreichenden oder schon im Vorfeld bes. umstr. Maßnahmen denkbar (LG München I NZG 2021, 557 Rn. 35; GK-AktG/Decher Rn. 282). Auch Ablauf vorangegangener Hauptversammlungen kann Indikator sein, welche Fragen bes. kontrovers diskutiert werden und deshalb gesteigerte Vorbereitung nahelegen (LG München I NZG 2021, 557 Rn. 35).

Trotz angemessener Vorbereitung kann Fall eintreten, dass **Vorstand zur Beantwortung von Fragen nicht imstande** ist, etwa dann, wenn sie sehr speziellen Charakter haben und in dieser Form nach der Sachlage nicht zu erwarten waren und auch nicht angekündigt worden sind (→ Rn. 9). Nach richtiger Ansicht ist Auskunftspflicht in solchen Fällen nicht verletzt (und evtl. Anfechtungsklage nicht begründet), wenn Vorstand das sagt, was er weiß, und iÜ die Antwort schuldig bleibt (so iErg auch BGHZ 32, 159, 165 f. = NJW 1960, 1150 mit einer auf § 242 BGB abhebenden Begründung, derer es hier jedoch nicht bedarf; OLG Frankfurt AG 1999, 231, 232; OLG Hamburg AG 2002, 460, 462; OLG Stuttgart AG 2012, 377, 380 [§ 275 BGB analog]; S/L/Spindler Rn. 26). Pflicht des Vorstands, Auskunft in der HV zu geben (→ Rn. 1: Zusammenhang mit § 118 I), zeigt immanente Beschränkung des Auskunftsrechts auf Fragen, die ordentlich präparierter Vorstand in diesem Rahmen beantworten kann (BayObLG AG 1996, 180, 183 [Allianz]; LG München I NZG 2021, 557 Rn. 35; MüKoAktG/Kubis Rn. 97). Umfassendere Auskunft kann dann geboten sein, wenn Aktionär, den insofern Obliegenheit trifft, sein Auskunftsverlangen im Vorfeld ankündigt (OLG Karlsruhe BeckRS 2018, 49021 Rn. 99; BeckOGK/ 11

Poelzig Rn. 238). Zusage in der HV, Antwort später schriftlich nachzuholen, mag der Pflege des Versammlungsklimas dienen. Darauf gerichteter gem. § 132 durchsetzbarer Anspruch der Aktionäre kann jedoch entgegen Meilicke/Heidel DStR 1992, 72, 74 aus § 131 nicht abgeleitet werden (BayObLG AG 1996, 180, 182; GK-AktG/Decher Rn. 289). Umgekehrt entfällt Rechtsschutzinteresse für einen Antrag gem. § 132 nicht deshalb, weil Vorstand nachträgliche schriftliche Auskunft verspricht (→ Rn. 71). Neben Unzumutbarkeit der Auskunfterteilung ist auch Unmöglichkeit denkbar, und zwar namentl. dann, wenn Vorstand nicht in der Lage ist, Informationen von Muttergesellschaft zu beschaffen; er bleibt in diesem Fall aber verpflichtet, sich um Informationsbeschaffung ernstlich zu bemühen (GK-AktG/Decher Rn. 290).

12 **3. Gegenstand des Auskunftsrechts. a) Angelegenheiten der Gesellschaft.** Aktionäre können nach § 131 I 1 Auskunft über Angelegenheiten der Gesellschaft fordern. Das klingt nach tatbestandlicher Einschränkung des Auskunftsrechts, enthält sie aber nicht in nennenswertem Umfang (Kubis ZGR 2014, 608, 610: „Scheinhürde"). Angelegenheit der Gesellschaft ist nämlich **alles, was sich auf die AG und ihre Tätigkeit bezieht.** Dazu gehören namentl. alle Tatsachen und Umstände, die Vermögens-, Finanz- und Ertragslage der AG sowie ihre rechtl. und tats. Verhältnisse zu Dritten betr. (OLG Stuttgart NZG 2020, 309 Rn. 29; GK-AktG/Decher Rn. 82). Selbst vordergründig naheliegende Annahme, es dürfe sich jedenfalls nicht um Angelegenheiten anderer Personen oder Gesellschaften handeln (vgl. LG München I AG 1996, 186), erweist sich als problematisch, weil Kunden- und Lieferantenbeziehungen Gesellschaftsangelegenheiten sind und auch nach Beziehungen zu verbundenen Unternehmen gefragt werden darf (MüKoAktG/Kubis Rn. 37; → Rn. 15 ff.). In solchen **mittelbaren Gesellschaftsangelegenheiten** muss Fragesteller in Zweifelsfällen Bezug zur AG nachweisen (OLG Stuttgart NZG 2020, 309 Rn. 30; MüKoAktG/Kubis Rn. 37).

13 Unter die Angelegenheiten der AG fallen danach etwa **Fragen zu Organmitgliedern,** sofern sie Bezug zur AG haben (zB Nebentätigkeit und Vorbildung), nicht aber über ihre persönlichen Angelegenheiten (GK-AktG/Decher Rn. 86 f.). Hinreichender Bezug besteht daher hinsichtlich der Wahrnehmung von konzernfremden AR-Mandaten durch Vorstandsmitglied (BayObLG AG 1996, 180, 181) und Fragen zu Inkompatibilitätsgründen oder zur Unabhängigkeit von AR-Mitgliedern (LG Hannover AG 2009, 914, 915). Ähnliches gilt für **Strafverfolgungsmaßnahmen** gegen einzelne Organmitglieder (LG Frankfurt AG 2005, 891, 892), die nur dann für Abstimmung (namentl. für Einzelentlastung, Vertrauensentzug oder Abberufung) relevant sein können, wenn sie seine Organtätigkeit betr. oder sie beeinträchtigen können. Entspr. Grundsätze sind auch an berufsrechtl. Verfahren gegen Abschlussprüfer anzulegen (LG Frankfurt AG 1992, 235, 236). Als mittelbare Gesellschaftsangelegenheiten mit **Bezug zu Dritten** kann etwa Vergabe von Mandaten an Rechtsanwaltskanzlei oder verweigerte Geschäftsbeziehung in Gestalt von Liefer- oder Bezugsboykott Angelegenheit der AG sein (GK-AktG/Decher Rn. 90). **Angelegenheiten von Aktionären** (zB Höhe des Aktienbesitzes) sind grds. keine Gesellschaftsangelegenheiten. Dazu gehört auch Abstimmungsempfehlung eines KI an seine Depotkunden (BayObLGZ 1996, 234, 242).

14 Interna des AR und seiner Mitglieder fallen nicht unter § 131 I 1, da hier **Vertraulichkeit der Beratung** im AR Vorrang vor Informationsinteresse der Aktionäre haben muss (BVerfG NJW 2000, 349, 351; BGHZ 198, 354 Rn. 47 = NJW 2014, 541; BGH NZG 2014, 423 Rn. 76; OLG Düsseldorf NZG 2015, 1115 Rn. 65; OLG Frankfurt AG 2013, 302, 303; Kocher/Lönner AG 2014, 81, 83 f.). Nach zu Recht hM gilt das auch für den Gegenstand einer AR-Sitzung

oder des in ihr gefassten Beschlusses (LG Mannheim AG 2005, 780, 781; BeckOGK/Poelzig Rn. 70; S/L/Spindler Rn. 52; aA NK-AktR/Heidel Rn. 29; offengelassen in BGHZ 198, 354 Rn. 47 mwN) sowie Zusammenarbeit zwischen Vorstand und AR im Bereich der AR-Tätigkeit, etwa wer Impuls für bestimmten Beschluss gegeben hat (BGH NZG 2014, 423 Rn. 76 f.). Zusammenstellung der typischerweise vom Begriff der Gesellschaftsangelegenheiten gedeckten und nicht gedeckten Fragegegenstände bei GK-AktG/Decher Rn. 86 ff.

b) Verbundene Unternehmen (§ 131 I 2). aa) Allgemeines. Auskunftspflicht erstreckt sich gem. § 131 I 2 auch auf rechtl. und geschäftliche Beziehungen der AG zu verbundenen Unternehmen. Verdrängenden Vorrang der §§ 312 ff. gibt es nicht (ganz hM, s. OLG Stuttgart AG 2005, 94, 95 f.; Habersack/Verse AG 2003, 300, 303 ff.; aA OLG Frankfurt AG 2003, 335 f.; → Rn. 17). Vorschrift hat nach zutr. hM nur klarstellende Bedeutung, weil Beziehungen zu verbundenen Unternehmen **notwendig Gesellschaftsangelegenheiten** sind (OLG Bremen AG 1981, 229; LG München I AG 1999, 283, 284; S/L/Spindler Rn. 37). Deshalb gilt auch hier, dass Auskunft zur sachgem. Beurteilung des Gegenstands der Tagesordnung erforderlich sein muss (→ Rn. 21 ff.). Von den Beziehungen zu verbundenen Unternehmen lassen sich deren Angelegenheiten begrifflich unterscheiden (vgl. Grunewald ZHR 146 [1982], 211, 233 f.; Kort ZGR 1987, 46, 51 f.). Sie sind nach RegBegr. Kropff S. 185 f. zwar nicht stets und ohne weiteres zugleich Angelegenheiten der Gesellschaft, wohl aber dann, wenn sie eine Erheblichkeitsschwelle überschreiten (→ Rn. 18). Ergänzende Sonderregelungen treffen **§ 293g III** (→ § 293 Rn. 3 f.), ferner **§ 295 II, § 319 III 5, § 320 IV 3, § 326** sowie **§ 64 II UmwG** für Eingliederung bzw. Verschmelzung. Danach ist über wesentliche Angelegenheiten des anderen Vertragsteils bzw. der beteiligten Rechtsträger auch dann Auskunft zu geben, wenn sie nicht verbundene Unternehmen sind. 15

bb) Begriff des verbundenen Unternehmens. Begriff des verbundenen Unternehmens ist nach § 15 zu bestimmen. Bloßer Lizenzvertrag oder andere nur schuldrechtl. Verhältnisse genügen nicht (MüKoAktG/Kubis Rn. 70; Spitze/Diekmann ZHR 158 [1994], 447, 451 f.; aA LG Heilbronn NJW 1967, 1715). Eine über § 15 hinausgehende Erstreckung auf **Minderheitsbeteiligungen** ist auch dann nicht erforderlich, wenn die Beziehungen zu dem Beteiligungsunternehmen oder seine Verhältnisse wegen seiner Größe oder Eigenart trotz bloßer Minderheitsbeteiligung für die AG erheblich sind. Es kann dann aber nach allg. Regel des § 131 I 1 Angelegenheit der AG vorliegen (GK-AktG/Decher Rn. 107; KK-AktG/Kersting Rn. 280). Jedenfalls entbehrlich sind Abhängigkeit (§ 17) oder Konzernverhältnisse (§ 18). Beschränkung auf Konzernverhältnisse entsprach § 112 AktG 1937 und ist 1965 ausdr. aufgegeben worden (RegBegr. Kropff S. 185). 16

cc) Rechtliche und geschäftliche Beziehungen. Unter dem Vorbehalt, dass Auskunft erforderlich sein muss (→ Rn. 21 ff.), ist über rechtl. und geschäftliche Beziehungen Auskunft zu geben. Darunter fallen zunächst alle Umstände, die **Unternehmensverbindung begründen oder ausgestalten** wie Höhe des Beteiligungsbesitzes, personelle Verflechtungen, Abschluss und Inhalt von Unternehmensverträgen oder Rahmenverträgen über wechselseitige Lieferungen und Leistungen, Zahlung einer Konzernumlage, Service-Agreements und Kooperationsverträge (OLG Karlsruhe AG 1990, 82; OLG Stuttgart NZG 2004, 966, 968; Meilicke/Heidel DStR 1992, 113, 114 f.; Spitze/Diekmann ZHR 158 [1994], 447, 453). Ferner sind darunter zu fassen **Inhalt und Abwicklung einzelner Rechtsgeschäfte,** etwa die vom herrschenden Unternehmen berechneten Ver- 17 triebskosten (OLG Stuttgart AG 2005, 94, 96; GK-AktG/Decher Rn. 108; MüKoAktG/Kubis Rn. 71; aA OLG Frankfurt AG 2003, 335 f.; KG NJW 1973, 2307, 2309 f.; → § 312 Rn. 39).

18 **dd) Angelegenheiten verbundener Unternehmen als solche der Gesellschaft.** Auch Angelegenheiten verbundener Unternehmen unterliegen dem Auskunftsrecht, wenn sie wegen ihrer Bedeutung zu Angelegenheiten der Gesellschaft selbst werden (BGHZ 152, 339, 345 = NZG 2003, 396 [Verein]; BayObLGZ 2000, 193, 196; OLG Düsseldorf NJW 1988, 1033, 1034; OLG Köln AG 2002, 89, 90 f.; → Rn. 1; → § 293g Rn. 3 f.). § 131 I 2 löst also keine Sperrwirkung aus (GK-AktG/Decher Rn. 93 f.; Hölters/Weber/Drinhausen Rn. 8; MüKoAktG/Kubis Rn. 35 ff.; aA nur Vossel, Auskunftsrechte im Aktienkonzern, 1996, 43 ff.). Erstreckung auf Tochter muss aber dem Umstand Rechnung tragen, dass speziell bei faktischer Konzernierung Informationsbeschaffung an rechtl. Grenzen stößt (→ § 311 Rn. 36a ff.) und auch auf Ebene der Informationsverwertung Weiterleitung an Aktionäre durch § 311 I gesperrt wird, wenn damit Nachteil der Tochter ausgelöst werden kann. Anderenfalls müsste Vorstand der Tochter, der keinen Weisungen unterliegt (→ § 311 Rn. 48), Weitergabe stets verweigern, wenn damit zu rechnen wäre, dass Obergesellschaft zur ungefilterten Offenlegung nach § 131 I 1 befugt wäre. Über § 131 III Nr. 1 hinausgehend besteht für Obergesellschaft in solchen Fällen nicht nur Auskunftsverweigerungsrecht, sondern Auskunftsverweigerungspflicht (→ Rn. 87; bedenklich deshalb LG Stuttgart NZG 2018, 665 Rn. 85 ff., 162 ff. mit eigener Umschreibung der Erheblichkeitsschwelle; krit. auch BeckOGK/Poelzig Rn. 82.1; Kort NZG 2018, 641, 643 ff.; Mayer/Richter AG 2018, 220 ff.; Rieckers DB 2019, 107, 116). **Abstufungen der Erheblichkeitsschwelle** können nach Intensität der Unternehmensverbindung vorgenommen werden (MüKoAktG/Kubis Rn. 73; Lutter JZ 1981, 216). Für die häufige Frage nach Bezügen der Verwaltungsmitglieder des Tochterunternehmens ist zu unterscheiden: Gesamtbetrag ist anzugeben, Bezüge einzelner Verwaltungsmitglieder müssen dagegen nicht offengelegt werden (→ Rn. 26, 35). Wenn AG ganz oder weitgehend als Holding fungiert, werden Angelegenheiten der Töchter und bei mehrstufigem Aufbau des Unternehmensverbunds auch der nachgeordneten Unternehmen eher zu ihren Angelegenheiten, als wenn eigenes operatives Geschäft prägende Bedeutung hat (ebenso BayObLGZ 2000, 193, 196 f.).

19 **c) Lage des Konzerns und konsolidierter Unternehmen (§ 131 I 4).** § 131 I 4 erweitert Auskunftspflicht des Vorstands des Mutterunternehmens (§ 290 I, II HGB). Nach § 131 I 2 können Aktionäre in HV Auskünfte über rechtl. und geschäftliche Beziehungen der AG zu verbundenen Unternehmen verlangen. Gem. § 131 I 4 können sie in der ordentlichen HV auch fordern, dass sie über **Lage des Konzerns und der in Konzernabschluss einbezogenen Unternehmen** unterrichtet werden. Welche Unternehmen einzubeziehen sind, ergibt sich aus §§ 294, 296 HGB. Quotenkonsolidierung (§ 310 HGB) ist Einbeziehung iSd § 131 I 4, während Auskünfte über assoziierte Unternehmen (§§ 311 f. HGB) nach dieser Vorschrift nicht gefordert werden können (MüKoAktG/Kubis Rn. 68). In Frage kommt jedoch Auskunftspflicht nach § 131 I 1, soweit sich Angelegenheiten bei assoziierten Unternehmen als solche der AG einstufen lassen. Dafür ist allerdings erforderlich, dass Angelegenheiten der assoziierten Unternehmen für AG selbst von obj. Bedeutung sind (ausf. zur ähnlichen Frage bei § 51a GmbHG HCL/Hüffer/Schäfer GmbHG § 51a Rn. 27 ff.; sa Kort ZGR 1987, 46, 52 ff.).

20 § 131 I 4 erweitert zwar Auskunftspflicht des Vorstands, soweit es um Konzern und Konsolidierungskreis geht, setzt aber **übrige Voraussetzungen des § 131** als gegeben voraus. Auskunft muss deshalb zur sachgerechten Beurteilung des

Gegenstands der Tagesordnung erforderlich sein (§ 131 I 1; allgM, s. OLG Hamburg AG 1994, 420 zu den Jahresergebnissen konsolidierter Tochterunternehmen; MüKoAktG/Kubis Rn. 73). Ebenfalls anzuwenden ist § 131 III, und zwar gleichermaßen für in Konsolidierung einbezogene Einzelabschlüsse wie für Konzernabschluss selbst (MüKoAktG/Kubis Rn. 68), wobei Gegenausnahme einer Feststellung durch HV selbst für Konzernabschluss nicht in Betracht kommt. Rechtsdurchsetzung erfolgt im Verfahren des § 132, das jedoch nicht ausschließlich ist; daneben ist Anfechtungsklage möglich (→ § 132 Rn. 2).

4. Umfang des Auskunftsrechts (Erforderlichkeit). a) Allgemeine Grundsätze. Auskunft muss zur sachgem. Beurteilung des Gegenstands der Tagesordnung erforderlich sein. Fragender Aktionär muss im Zweifel selbst Auskunftsersuchen einem oder mehreren Tagesordnungspunkten zuordnen (OLG Karlsruhe BeckRS 2018, 49021 Rn. 97). Bloßer Zusammenhang genügt nicht (OLG Frankfurt AG 2011, 36, 42; OLG Frankfurt NZG 2021, 971 Rn. 73; KG AG 1996, 421, 423). Damit will Ges. **Missbräuchen vorbeugen** (RegBegr. Kropff S. 185). Unternehmenspraxis tendiert jedoch zu großzügiger Handhabung, da Begriff konturlos ist, speziell unter Rahmenbedingungen der HV kaum vertieft geprüft werden kann und bei Verletzung schwerwiegende Anfechtungsfolge droht; Filterfunktion wirkt daher zumeist nicht schon in HV, sondern vornehmlich erst im Klageverfahren, wo Erforderlichkeit verbreitet verneint wird (GK-AktG/Decher Rn. 122 f.; sa → § 243 Rn. 45). Im Schrifttum aufgestellte These, wonach es aufgrund **richtlinienkonformer Auslegung** im Lichte des Art. 9 I Aktionärsrechte-RL nicht mehr auf Erforderlichkeit ankommen soll (KK-AktG/Kersting Rn. 117; Kersting FS Hoffmann-Becking, 2013, 651 ff.), wird von ganz hM zu Recht abgelehnt. Erforderlichkeitskriterium fällt unter Art. 9 II Aktionärsrechte-RL, der es den Mitgliedstaaten gerade gestattet, entspr. Beschränkungen zur Gewährleistung des ordnungsgem. HV-Ablaufs vorzusehen (BGHZ 198, 354 Rn. 21 ff., 27 ff. = NJW 2014, 541; BGH NZG 2014, 423 Rn. 27; OLG Frankfurt AG 2013, 302 f.; OLG Karlsruhe BeckRS 2018, 49021 Rn. 54; OLG Stuttgart ZIP 2012, 970, 973 ff. [insofern nicht in AG 2012, 377]; BeckOGK/Poelzig Rn. 86; Kubis ZGR 2014, 608, 613 ff.; für Klärung durch EuGH allerdings Teichmann NZG 2014, 401, 406 f.). 21

Zur Konkretisierung der Erforderlichkeit hat sich in Rspr. Formel durchgesetzt, es komme auf Standpunkt **obj. denkenden Durchschnittsaktionärs** an, der die Gesellschaftsverhältnisse nur aufgrund allg. bekannter Tatsachen kennt; für ihn muss begehrte Auskunft ein für seine Urteilsfindung wesentliches Element bilden (stRspr, vgl. aus neuerer Zeit etwa BGHZ 160, 385, 389 = NJW 2005, 828; BGH NZG 2014, 423 Rn. 26; BGHZ 229, 27 Rn. 99 = NZG 2021, 782). Generelle Umschreibung ist zustimmungsfähig, gibt Auskunftsrecht aber noch wenig Konturen, weil übliche Tagesordnungspunkte einer ordentlichen HV wie Entgegennahme des Jahresabschlusses, Entlastung der Verwaltungsmitglieder oder Verwendung des Bilanzgewinns aufgrund ihrer thematischen Spannweite auch obj. denkendem Aktionär viel Informationsbedarf bieten können. Entscheidend ist daher Konkretisierung. Fülle der insoweit vorhandenen Judikatur (→ Rn. 30 ff.) ist kein gutes Zeichen (zust. Leyens ZGR 2019, 544, 562). Erhebliche Ausdehnung des Auskunftsrechts erfolgt insbes. über Tagesordnungspunkt Entlastung, weshalb speziell hier strengerer Maßstab angebracht erscheint (OLG Düsseldorf WM 1991, 2148, 2153; zu Einzelheiten → Rn. 33). 22

Maßstab des objektiv denkenden Durchschnittsaktionärs betr. sog **qualitative Erheblichkeit** (BGHZ 229, 27 Rn. 99 = NZG 2021, 782). Ihre gedankliche Fortsetzung findet sie in § 243 IV 1, der selbst bei Verletzung der Auskunftspflicht noch Relevanzerfordernis ergänzt (GK-AktG/Decher Rn. 133; zur Kasuistik → Rn. 30 ff.). Ob **Relevanzerfordernis mit Erforderlichkeit inhalts-** 23

gleich ist oder weitergehende Wesentlichkeitsschwelle zieht, wird in Rspr. und Lit. unterschiedlich beurteilt (für Maßstabsidentität OLG Stuttgart NZG 2020, 309, 310; BeckOGK/Drescher § 243 Rn. 124; BeckOGK/Poelzig Rn. 276 mwN; dagegen OLG Frankfurt AG 2011, 36, 42 f.; GK-AktG/Decher Rn. 133). Parallelität der Formulierung legt in der Tat Auslegungsgleichlauf nahe, doch spricht Systematik dagegen, da § 243 IV 1 überflüssig wäre, wenn in Ermangelung der Erforderlichkeit schon Rechtsverstoß entfiele. Mit Erforderlichkeit gezogene Maßgeblichkeitsschwelle ist im Lichte des jew. Tagesordnungspunkts zu beurteilen (OLG Frankfurt AG 2013, 302), muss bei Einzeldebatte also hinsichtlich des konkret erörterten, bei Generaldebatte hinsichtlich eines beliebigen Tagesordnungspunktes bestehen (GK-AktG/Decher Rn. 131). Ein bloß allg. Zusammenhang genügt nicht. Allerdings sind dabei auch ges. Rahmenbedingungen zu beachten. So konnte Erforderlichkeit nach früherer Rechtslage bei Erörterung **ethischer oder sozialer Standards** zweifelhaft sein. Nach Ausdehnung der Unternehmensberichtspflichten (→ § 170 Rn. 2c) iRd CSR-RL-UmsetzungsG 2017 wird man Erforderlichkeit nunmehr großzügiger zu beurteilen haben (GK-AktG/Decher Rn. 136). Auch Fragen zur Beachtung von Menschenrechten in Produktionsländern kann danach zulässig sein (Mock/Mohamed NZG 2022, 350, 356). Nicht erforderlich ist, dass Frage schon für sich genommen Beurteilung des Tagesordnungspunkts ermöglicht, sondern es genügt, wenn bisheriger Kenntnisstand des Aktionärs nur ergänzt wird (OLG Frankfurt AG 2013, 302)

24 Neben der qualitativen Erheblichkeit wird in neuerer Rspr. Erforderlichkeit zT aber auch noch in **quantitativer Hinsicht** und am **Detaillierungsgrad** der zu erteilenden Auskünfte gemessen (BGHZ 180, 9 Rn. 39 = NJW 2009, 2207; BGH NZG 2014, 423 Rn. 26; BGHZ 198, 354 Rn. 20 = NJW 2014, 541; BGHZ 229, 27 Rn. 99 = NZG 2021, 782; OLG Düsseldorf AG 2019, 467, 475; OLG Karlsruhe BeckRS 2018, 49021 Rn. 54 ff.; OLG Stuttgart AG 2015, 163, 169; S/L/Spindler Rn. 35; ausf. zu diesen Unterformen GK-AktG/Decher Rn. 137 ff.). Ausdehnung auf Detaillierungsgrad wird sich noch unter herkömmliche Erforderlichkeitsdefinition (→ Rn. 22) fassen lassen, da es bei übermäßiger Detailtiefe auch unter qualitativen Gesichtspunkten an Maßgeblichkeit fehlt (GK-AktG/Decher Rn. 140). **Quantitative Begrenzung** ist dagegen nicht zweifelsfrei, weil § 131 I 1 mit Erforderlichkeitskriterium auf Qualität, nicht auf Quantität abheben will und seit Einführung des § 131 II 2 durch zeitliche Beschränkung solcher quantitativen Überlastung auch auf anderem Wege abgeholfen werden kann (abl. deshalb KK-Akt/Kersting Rn. 160 ff.; zurückhaltend auch GK-AktG/Decher Rn. 138 f.). Problem scheint deshalb bei **Ausübungsschranke des Rechtsmissbrauchs** besser aufgehoben zu sein (→ Rn. 99 ff.). Praxis muss sich aber an höchstrichterlicher Rspr. orientieren. Danach kann Erforderlichkeit auch dann entfallen, wenn Einzelfragen für sich erforderlich sind, aber unangemessen gehäuft werden (MüKoAktG/Kubis Rn. 38, 62). In solchem Fall entfällt Auskunftsrecht nicht unmittelbar, sondern es wird verlangt, dass HV-Leiter Aktionär dazu auffordert, seine Fragen zu beschränken (OLG Karlsruhe BeckRS 2018, 49021 Rn. 62); absolute Obergrenze wird abgelehnt (GK-AktG/Decher Rn. 137). In der gerichtlichen Praxis ist quantitative Überschreitung bislang nur vereinzelt anerkannt worden (GK-AktG/Decher Rn. 137).

25 Ob Auskunft erforderlich ist, um Gegenstand der Tagesordnung zu beurteilen, kann letztlich nur im Einzelfall entschieden werden. In der Vergangenheit unternommene Versuche, **allg. Marschroute** einer generell strengen Handhabung zu formulieren (vgl. etwa OLG Düsseldorf AG 1992, 34, 35 f.; B/K/L/Reger Rn. 11), sind vor dem Hintergrund eines früher stärker verbreiteten gewerblichen Missbrauchs des Anfechtungsrechts zu verstehen (→ § 245 Rn. 22 ff.). Dieses Problem ist mittlerweile auf anderem Wege entschärft, weshalb für weitergehende Beschneidung dieses zentralen Aktionärsrechts, die im Ges. auch keine Stütze findet, kein Anlass besteht (wie hier GK-AktG/Decher Rn. 127; Grigoleit/Herrler Rn. 20). Besonderheiten sind **allenfalls für Entlastungsbeschlüsse** anzuerkennen (→ Rn. 33).

b) Anderweitige Befriedigung des Informationsbedürfnisses. Da Adressat der Auskunft HV in ihrer Gesamtheit ist, entfällt Erforderlichkeit nicht schon deshalb, weil Aktionär Auskunft schon kennt oder schon in bestimmter Weise zur Abstimmung entschlossen ist (→ Rn. 100). Erforderlichkeit der Auskunft ist aber zu verneinen, wenn sich gewünschte Auskunft ohne weiteres aus dem Jahresabschluss einschließlich Anh. ergibt oder sonstigen Dokumenten, die **HV qua gesetzl. Anordnung zugänglich** sind (OLG Düsseldorf WM 1991, 2148, 2153 f.; AG 2019, 467, 475; NZG 2020, 1061 Rn. 38; OLG Stuttgart AG 2012, 377, 380; sa BGHZ 93, 327, 329 f. = NJW 1985, 1693; zu sonstigen Quellen → Rn. 27). Aktionär kann danach namentl. auch auf Angaben des Geschäftsberichts verwiesen werden (OLG Stuttgart NZG 2020, 309 Rn. 33, 55; GK-AktG/Decher Rn. 144). Das gilt insbes. für Gesamtsumme der Vorstands- und/oder AR-Bezüge der Gesellschaft wegen § 285 Nr. 9 lit. a HGB (MHdB AG/Hoffmann-Becking § 38 Rn. 25) oder für individualisierte Bezüge der Vorstandsmitglieder wegen Vergütungsberichts nach § 162 (→ § 162 Rn. 2 ff.) oder für Zahl der Mitarbeiter (LG München I AG 1993, 519 [Nr. 4]), sofern nicht Erleichterungen nach §§ 267 I, 288 HGB in Anspruch genommen werden; anders bei Tochterunternehmen (→ Rn. 26, 35). Entspr. gilt für § 285 Nr. 10 S. 1 HGB, wonach sich ausgeübter Beruf von AR-Mitgliedern (→ § 124 Rn. 33) und anderweitige Mandate (→ § 125 Rn. 12) schon aus Anh. ergeben, und auch für § 285 Nr. 11 Hs. 2 HGB, wonach börsennotierte AG Beteiligungen an großen Kapitalgesellschaften (§ 267 III HGB) anzugeben hat, soweit sie 5 % der Stimmrechte überschreiten (→ Rn. 31). Beeinflusst werden kann Erforderlichkeit ebenso von **anderweitigen organschaftlichen Informations- und Berichtspflichten,** die im Zusammenhang mit HV gegeben werden, namentl. etwa zur Angemessenheit des Umtauschverhältnisses bei Umwandlungen, Unternehmensvertrag oder Squeeze-Out. Sofern im Zuge dieser Berichterstattung hinreichende Transparenz geschaffen wird, kann die Erforderlichkeit einer (wiederholenden) Auskunft verneint werden (GK-AktG/Decher Rn. 27 f.; KK-AktG/Kersting Rn. 31; aA NK-AktR/Heidel Rn. 2). 26

Dagegen genügt es jenseits des Sonderfalls des § 131 III 1 Nr. 7 (→ Rn. 97 f.) noch nicht, wenn Aktionär sich aus **sonstigen anderweitigen Veröffentlichungen** der AG im Vorfeld der HV (etwa aufgrund kapitalmarktrechtl. Informationspflichten) entspr. Informationen hätte beschaffen können (Grigoleit/Herrler Rn. 21; BeckOGK/Poelzig Rn. 99 f.; aA aber Drescher FS Krieger, 2020, 215, 221 in erweiternder Lesart von BGHZ 182, 272 Rn. 18 = NZG 2009, 1270; zuvor schon KK-AktG/Noack/Zetzsche § 243 Rn. 70). Noch nicht abschließend geklärt ist insofern namentl. Verhältnis des § 131 zu **Insiderrecht und Ad-Hoc-Publizität** gem. Art. 14, 17 MAR. Nicht zu folgen ist der These, dass nur berichtspflichtige Angelegenheiten überhaupt Schwelle zur Erforderlichkeit überschreiten könnten (so Joussen DB 1994, 2485, 2488 f.), da insbes. Kurserheblichkeit iSd Art. 7 I lit. a MAR in § 131 I keine Entsprechung findet. Sind tatbestandliche Voraussetzungen beider Informationsregime erfüllt, wird zT angenommen, dass auch Ad-Hoc-Meldung Erforderlichkeit entfallen lasse (MüKo-AktG/Kubis Rn. 8), doch kann vom Aktionär tats. Kenntnis solcher Meldungen, die üblicherweise nicht vom allg. Anlegerpublikum ausgewertet werden, kaum erwartet werden (KK-AktG/Kersting Rn. 44). Hat Vorstand Offenlegung gem. **Art. 17 IV MAR** berechtigt aufgeschoben, ist **gleichlaufendes Auskunftsverweigerungsrecht** gem. § 131 III 1 Nr. 1 anzunehmen (GK-AktG/Decher 27

Rn. 33; KK-AktG/Kersting Rn. 48; BeckOGK/Poelzig Rn. 39; Kocher/Sambulski DB 2018, 1905, 1907 ff.; Wilsing/v. der Linden FS Seibert, 2019, 1119, 1125 ff.). Liegen Aufschubsvoraussetzungen nicht vor, sollte Veröffentlichung schon vor HV erfolgt sein. Ist das pflichtwidrig nicht geschehen, wird man Auskunftsverweigerungsrecht nicht anerkennen können, sondern AG sollte schnellstmöglich beide Pflichten erfüllen, Ad-Hoc-Meldung also ggf. aus HV heraus veröffentlichen (GK-AktG/Decher Rn. 33; KK-AktG/Kersting Rn. 49 ff.; Götz DB 1995, 1949, 1951 f.). Erforderlichkeit entfällt überdies auch nicht schon dadurch, dass gerichtl zu einem bestimmten Vorgang Durchführung einer **Sonderprüfung angeordnet** wurde (OLG Düsseldorf NZG 2020, 1061 Rn. 41).

28 **c) Zeitliche Grenzen.** Zeitlich muss Auskunft Geschäftsvorfälle aus dem Zeitraum betr., auf den sich HV bezieht, idR also auf **abgeschlossenes vorangegangenes Geschäftsjahr** (OLG Stuttgart NZG 2020, 309 Rn. 35; OLG Zweibrücken AG 1990, 496; GK-AktG/Decher Rn. 145). Bei weiter zurückliegenden Vorfällen genügt es aber, wenn sie sich auf das vergangene Geschäftsjahr ausgewirkt haben, gerade erst bekannt geworden sind oder aufgrund aktueller Entwicklungen in neuem Licht erscheinen (GK-AktG/Decher Rn. 146).

29 **d) Feststellung der Beurteilungserheblichkeit in HV und Prozess.** Beurteilungserheblichkeit ist obj. Voraussetzung des Auskunftsanspruchs, ihr Vorliegen aber oft zweifelhaft. In solchen Zweifelsfällen ist zunächst HV-Leiter zur **Klärung durch Nachfrage** aufgefordert (MüKoAktG/Kubis Rn. 46). Im gerichtl. Verfahren (§ 132 oder §§ 243 ff.) ist es sodann Aufgabe des Aktionärs, die Beurteilungserheblichkeit seines Auskunftsverlangens darzulegen, wenn AG Auskunft unter Berufung auf fehlende Erforderlichkeit verweigert hat (BGH NZG 2014, 423 Rn. 60), ggf. können ergänzend aber **Grundsätze sekundärer Darlegungslast** herangezogen werden (OLG Stuttgart AG 2015, 163, 170). Wird erst in diesem Stadium Erheblichkeit plausibilisiert, ist Vorbringen noch zuzulassen, aber Aktionär kann volle **Kostenlast** nach § 132 V bzw. entspr. § 91a ZPO auferlegt werden (MüKoAktG/Kubis Rn. 46). Gericht kann Erforderlichkeit voll überprüfen; es bestehen keine Beurteilungsspielräume (OLG Karlsruhe BeckRS 2018, 49021 Rn. 54; GK-AktG/Decher Rn. 126).

30 **e) Kasuistik. aa) TOP Vorlage des Jahresabschlusses.** Hinsichtlich des Tagesordnungspunkts Vorlage des Jahresabschlusses sind sämtliche Fragen erforderlich, die für das **Verständnis bedeutender Bilanzansätze und Geschäftsvorfälle** des vergangenen Geschäftsjahres (zu dieser zeitlichen Grenze → Rn. 28) wesentlich sind (OLG Frankfurt AG 1991, 206) und nicht schon aus dem in HV vorgelegtem Jahresabschluss selbst ersichtlich sind (→ Rn. 26). Auch wo Wesentlichkeit zu bejahen ist, kann Auskunft an § 131 III 1 Nr. 1–3, 6 scheitern. Erforderlichkeit wurde nach diesem Maßstab etwa bejaht für Auskünfte über einzelne Positionen der Bilanz oder der GuV, soweit nicht nach den Zahlenverhältnissen völlig unbedeutend (BayObLG AG 1996, 322, 323 [Verkaufspreis einer Immobilie, der 2/3 des Grundkapitals entspr.]; OLG Düsseldorf WM 1991, 2148, 2154 [Umsatzerlöse eines einzelnen Geschäftsbereichs]; OLG Frankfurt AG 1986, 233, 234; 1991, 206; OLG Hamburg AG 1969, 150, 151 [Bierausstoß einer Brauerei, die auch alkoholfreie Getränke herstellt]; KG AG 2001, 421, 422 [die fünf größten Verlustgeschäfte bei negativem Gesamtergebnis des Effektenbereichs in der Höhe des doppelten Grundkapitals]; LG Berlin AG 1991, 34, 35 f. [Anschaffungskosten bei Beteiligungserwerb]; LG Frankfurt WM 1989, 683 f.). Unbedeutende Einzelgeschäfte können allerdings unter bes. Umständen auskunftspflichtig werden (BayObLG AG 1999, 320, 321 zum Verkauf eines Gesellschaftsgrundstücks an stellvertretenden AR-Vorsitzenden). Erforderlich sind auch

Angaben über Konzernverrechnungspreise und Konzernumlagen (OLG Hamburg AG 1970, 372 f.; OLG Karlsruhe AG 1990, 82) oder ungewöhnlich hohe Abschreibungen (OLG Frankfurt AG 1991, 206). Bei Jahresfehlbetrag können krit. Fragen zu Gründen und entspr. Verursachungsbeiträgen von Beteiligungen im In- und Ausland erforderlich sein (LG München I AG 1987, 26, 27). Keine Auskunftspflicht besteht für Einzelangaben wie Urheberschaft einer Analyse (OLG Düsseldorf WM 1991, 2148, 2153), ebenso nicht für Details der innerbetrieblichen Kalkulation (LG Dortmund AG 1987, 189; LG Mainz AG 1988, 169, 171; LG München I AG 1987, 185, 187).

Sehr umstr. war lange Zeit Auskunftspflicht über **Existenz und Umfang von Minderheitsbeteiligungen** (idR als Spezialfall des Verlangens nach Aufgliederung einzelner Bilanzpositionen; vgl. MüKoAktG/Kubis Rn. 255). Auskunftspflicht wird in Rspr. des KG bejaht für Beteiligungen, die mindestens 10 % der Stimmrechte ausmachen (KG AG 1994, 83; 1994, 469) oder 10 % des Grundkapitals überschreiten (KG AG 1994, 469, 470), ferner dann, wenn Beteiligung nach Einzelumständen, bes. Bilanzrelationen, absolut wesentlichen Betrag ausmacht (KG AG 1994, 83: 100 Mio. DM für Beteiligungen der Siemens AG; ebenso KG AG 1994, 469, 471 für Beteiligungen der Allianz AG); seither ebenso KG AG 1996, 131; 1996, 135; WM 1995, 1927; AG 2001, 421 f. (Beteiligungen mit Börsenwerten von jew. mindestens 20 Mio. DM bei eigenem Grundkapital von 26 Mio. DM und negativem Ergebnis des Effektengeschäfts; wohl iErg richtig entschiedener Sonderfall). BayObLG AG 1996, 516, 517 f. und BayObLGZ 1996, 234, 239 f. sind dem KG iErg mit der Maßgabe gefolgt, dass 5 % der Stimmrechte oder des Kapitals genügen. Soweit Beteiligungen **gem. § 285 Nr. 11 Hs. 2 HGB im Anh. anzugeben** sind, erledigt sich Problem (→ Rn. 26). IÜ, bes. hinsichtlich des angeblichen 50 Mio. Euro-Grenzwerts, bleibt es dabei, dass Annahme solcher Auskunftspflichten auf Fehlvorstellung eines neben § 131 I bestehenden umfassenden Rechenschaftsanspruchs (→ Rn. 2; insoweit offenlassend BayObLG AG 1996, 516, 517) beruhen. Sie können auch nicht aus § 131 I abgeleitet werden (krit. mit Unterschieden iE S/L/Spindler Rn. 57; Groß AG 1997, 97, 106 f.; Hüffer ZIP 1996, 401, 406 ff.; Saenger DB 1997, 145, 148 ff.; Spitze/Diekmann ZHR 158 [1994], 447, 461 ff.; im Wesentlichen wie KG aber Großfeld/Möhlenkamp ZIP 1994, 1425, 1426 f.). Es fehlt hinreichend deutlicher Rückbezug zu organschaftlichen Aufgaben der HV, die jedenfalls nicht Aktienanalyse (vgl. KG AG 1994, 469; KG AG 2001, 421) und auch nicht allg. Unternehmensbewertung zu betreiben hat, wenn daraus nichts Konkretes für Entlastung, Rücklagendotierung usw folgen soll. Für Fixierung eines 100 Mio. DM-Grenzwerts bei Großunternehmen oder vergleichbare Zahlen lässt sich tragfähige Ableitung weder aus § 131 I 1 (Konkretisierungsnotwendigkeit, auf die sich BayObLG AG 1996, 516, 517 beruft, ist nur Folge zu weit geratenen Ansatzes) noch aus allg. Erwägungen ableiten (zu Recht abl. LG Frankfurt WM 1994, 1929, 1931; LG Frankfurt WM 1994, 1931, 1932; sa Franken/Heinsius FS Budde, 1995, 213, 236; Hüffer ZIP 1996, 401, 409 f.; Saenger DB 1997, 145, 150). 31

bb) TOP Gewinnverwendung. Zum Tagesordnungspunkt Gewinnverwendung sind Fragen zur **Dividendenhöhe** und auch zu einer etwaigen Erhöhung vom legitimen Renditeinteresse des Aktionärs gedeckt (BGHZ 36, 121, 135 = NJW 1962, 104). Gedanklich vorgelagert sind Fragen zur Gewinnermittlung, zur Bildung von Rückstellungen und genereller Reservenpolitik (OLG Düsseldorf NZG 2020, 1061 Rn. 39; GK-AktG/Decher Rn. 171). Fragen zu Stimmrechtsmitteilungen eines Großaktionärs können mit Blick auf dessen möglichen Stimmverlust nach § 44 WpHG erforderlich sein (OLG Düsseldorf 13.6.2013 – I-6 U 148/12, juris-Rn. 167). 32

33 **cc) TOP Entlastung.** Da Entlastung sich auf gesamtes Handeln des Vorstands und AR bezieht, wohnt Auskünften zu diesem Tagesordnungspunkt **bes. ausufernde Tendenz** inne. Speziell hier erscheint deshalb strengerer Maßstab angebracht (OLG Düsseldorf WM 1991, 2148, 2153). Detailinformationen sind dabei grds. nur insoweit erforderlich, als sie obj. Durchschnittsaktionär benötigt, um beurteilen zu können, ob die Verwaltung sich kaufmännisch vernünftig verhalten hat; es gelten aber nicht gleichermaßen strenge Anforderungen wie bei Anfechtung der Entlastung (→ § 120 Rn. 11; OLG Stuttgart AG 2012, 377, 378). Für detailliertere Prüfung eröffnet Ges. Aktionären die Möglichkeit, Sonderprüfer nach § 142 zu bestellen (OLG Düsseldorf NZG 2020, 1061 Rn. 37). Damit Auskunft für Entlastungsentscheidung relevant sein kann, muss es sich überdies um **Verstoß von einigem Gewicht** handeln, der für Beurteilung der Vertrauenswürdigkeit der Verwaltung von Bedeutung ist (BGHZ 160, 385, 389 f. = NJW 2005, 828; BGHZ 229, 27 Rn. 94 = NZG 2021, 782; OLG Frankfurt NZG 2021, 971 Rn. 76; OLG Stuttgart NZG 2020, 309 Rn. 34; MüKoAktG/Kubis Rn. 53). Überdies muss Frage auf **Geschäftsjahr** gerichtet sein, für das Entlastung erteilt werden soll (OLG Düsseldorf NZG 2020, 1061 Rn. 37; OLG Karlsruhe BeckRS 2018, 49021 Rn. 81; OLG Stuttgart NZG 2020, 309 Rn. 35; LG Frankfurt AG 2014, 869, 870; NZG 2016, 622, 623; NZG 2020, 1381 Rn. 29; GK-AktG/Decher Rn. 190). Vorgänge aus der Zeit vor behandeltem Geschäftsjahr sind nur dann beurteilungsrelevant, wenn für diesen Zeitraum noch nicht über Entlastung beschlossen wurde oder Ereignisse in Berichtsperiode obj. hineinwirken (BGHZ 160, 385, 391; OLG Düsseldorf NZG 2020, 1061 Rn. 42 f.; OLG Karlsruhe BeckRS 2018, 49021 Rn. 82 mwN); dafür genügt bloße Dauerwirkung, wie zB periodisch wiederkehrende Leistungspflicht, nicht (OLG Düsseldorf NZG 2020, 1061 Rn. 42; OLG Karlsruhe BeckRS 2018, 49021 Rn. 82). Auch Vorgänge aus Zeitraum nach Beendigung des behandelten Geschäftsjahrs genügen, weil Vorfall Anlass zu Nachforschungen über frühere Vorgänge geben kann (RGZ 167, 161, 177; BGHZ 32, 159, 164 f. = NJW 1960, 1150; OLG Karlsruhe BeckRS 2018, 49021 Rn. 83). Als erforderlich wurde etwa Auskunft über Gesamtaufkommen an Spenden angesehen, dagegen nicht über Einzelspenden (OLG Frankfurt AG 1994, 39, 40). Ob und welches Überwachungssystem Vorstand eingerichtet hat (§ 91 II), dürfte durchweg entlastungsrelevant sein, Einzelmaßnahmen zur **Risikovorsorge** dagegen nur, wenn in Frage stehende Risiken nach Art und Höhe für Beurteilung der Verwaltungsleistung obj. Bedeutung haben (zust. LG Frankfurt NZG 2016, 622, 624; weitergehend Kiethe NZG 2003, 401, 403 ff.). Auch die Klimapolitik der Gesellschaft kann entlastungsrelevant sein (Harnos/Holle AG 2021, 853 Rn. 13).

34 In neuerer Praxis haben Fragen zur Aufdeckung von **Pflichtverletzungen** der Verwaltung größere Bedeutung erlangt (GK-AktG/Decher Rn. 179 ff.). Bloße Spekulation des Fragestellers genügt insofern aber nicht, um Detailkontrolle des Verwaltungshandelns zu rechtfertigen, sondern es muss konkrete Möglichkeit eines Fehlverhaltens bestehen (Decher FS Marsch-Barner, 2018, 129, 133 ff.). In diesem Zusammenhang können auch Fragen zu Pflichtverstößen **ausgeschiedener** Mitglieder erforderlich sein, um zu beurteilen, ob amtierende Organmitglieder ihrer Verfolgungspflicht nachkommen (OLG Düsseldorf BeckRS 2015, 09412; zu etwaigen Auskunftsverweigerungsgründen in diesen Fällen → Rn. 88, 91). Macht Aktionär Fehler geltend, die iR einer Verschmelzung den Organmitgliedern der übertragenden Gesellschaft unterlaufen sein sollen, so gehören Antworten auf entspr. Fragen dann zur Entlastung der Organmitglieder der neuen AG, wenn sie weitgehend auch schon bei Verschmelzung im Amt waren (BGH NZG 2005, 77, 78 f.). Differenziert zu beurteilen sind Fragen nach **D&O-Versicherungsschutz** (ausf. Dreher/Fritz AG 2022, 3 Rn. 1 ff.). Umfassende Auskunft wäre dann zu bejahen, wenn HV für Abschluss zuständig wäre, was nach

hM aber nicht der Fall ist (→ § 93 Rn. 123; sa Dreher/Fritz AG 2022, 3 Rn. 30 ff.). Darüber hinaus ist umfassende Beantwortung auch geboten, wenn Vergleich nach § 93 IV 3 auf Tagesordnung steht (Dreher/Fritz AG 2022, 3 Rn. 22 ff., 36 ff.). Für Entlastung ist Auskunft idR nur dann erforderlich, wenn sie mit zulässigem Auskunftsbegehren zu konkreten Organhaftungsfragen zusammenhängt (Dreher/Fritz AG 2022, 3 Rn. 11 ff.). Auch dann kann aber noch Möglichkeit der Auskunftsverweigerung nach § 131 III 1 Nr. 1 bestehen (Dreher/Fritz AG 2022, 3 Rn. 24 ff., 39 ff.).

Große Bedeutung hatten in der Vergangenheit auch **Auskünfte zur Vorstandsvergütung,** bei denen Erforderlichkeit aber mittlerweile häufig wegen anderweitiger Veröffentlichung verneint werden kann (→ Rn. 26). Das gilt insbes. für Gesamtsumme der Vorstands- und/oder AR-Bezüge der Gesellschaft wegen § 285 Nr. 9 lit. a HGB (→ Rn. 26) oder bei börsennotierter AG für individualisierte Bezüge der Vorstandsmitglieder wegen Vergütungsberichts (→ § 162 Rn. 2 ff.). Angaben über Bezüge einzelner Verwaltungsmitglieder sind auch ohne ihren Ausweis im Vergütungsbericht (also bei nicht börsennotierter AG) für Entlastungsbeschlüsse idR nicht erforderlich (LG Berlin AG 1991, 34, 36; MHdB AG/Hoffmann-Becking § 38 Rn. 25; Lutter AG 1985, 117, 118; aA Meilicke/Heidel DStR 1992, 113, 118 in Fn. 129; wohl auch [Sachverhalt bleibt undeutlich] LG Köln AG 1997, 188 f.). Alleinvorstand einer nicht börsennotierten AG muss seine Bezüge grds. nicht offenlegen (sa § 286 IV HGB). Auskunftsanspruch kann aber im Einzelfall (Entlastungsbeschluss) gegeben sein, weil seine Bezüge zugleich Gesamtaufwand des Vorstands darstellen (Kempter BB 1996, 419, 420). Erforderlichkeit der Auskunft wird dagegen bejaht, soweit es um Gesamtvergütung von Mitgliedern eines Group Executive Committee geht, die nicht zugleich Mitglieder des Vorstands sind (OLG Frankfurt AG 2006, 460 f.), nicht aber über ihre individualisierten Bezüge (OLG Frankfurt AG 2006, 336 f.). Ebenfalls ist Erforderlichkeit zu bejahen bei auf jew. Organ entfallende Gesamtbezüge für Tätigkeiten im AR oder im Beirat von Tochterunternehmen (OLG Düsseldorf NJW 1988, 1033; LG Dortmund AG 1999, 133; aA noch OLG Hamm AG 1977, 233, 234; anders bei von AG selbst gezahlter Gesamtvergütung → Rn. 26) oder (vorbehaltlich § 285 Nr. 10 S. 1 HGB → Rn. 26) für berufliche Erfahrungen und Umfang von **Nebentätigkeiten** von Organmitgliedern (MüKoAktG/Kubis Rn. 56 ff.; zu Unrecht einschr. OLG Düsseldorf AG 1987, 21; LG München I AG 1993, 519 [Nr. 5]); das gilt auch für konzernfremde AR-Mandate (BayObLG AG 1996, 180, 181). 35

dd) TOP Bestellung des Abschlussprüfers. Fragen zur **Bestellung des Abschlussprüfers** haben schon in der Vergangenheit größere Bedeutung erlangt, die durch Neuordnung der ges. Grundlagen im Zuge des AReG (→ § 107 Rn. 31 ff.) noch weiter steigen wird. Erforderlich können insofern etwa Fragen zur Eignung, aber auch zu Interessen- und Branchenkonflikten sein (GK-AktG/Decher Rn. 204 mwN). 36

ee) TOP Wahl von AR-Mitgliedern. Bei Wahl von AR-Mitgliedern können insbes. **Fragen zur Eignung** (LG Hannover AG 2009, 914, 915, 917) und zu Interessenkonflikten (Butzke FS Hoffmann-Becking, 2013, 229, 244 f.) erforderlich sein (ausf. Fritz NZG 2023, 547, 550 ff.: „Fit-and-Proper-Anforderungen"). Beim anwaltlichen Berater des Großaktionärs trägt Kenntnis der auf den Mandanten entfallenden Honorarumsätze zum Eignungsurteil aber nichts Wesentliches bei, so dass Auskunft nicht gegeben werden muss (Hüffer ZIP 2010, 1979, 1983 f.; aA LG Hannover AG 2009, 914, 917). Weiterhin nicht erforderlich sind Auskünfte über berufliche Qualifikation von Organmitgliedern, die über Angabe des ausgeübten Berufs hinausgehen, sofern keine konkreten Anhaltspunkte für mangelnde fachliche Eignung vorliegen (OLG Düsseldorf AG 2013, 37

759, 760 f.; OLG Frankfurt BeckRS 2012, 15341; BeckOGK/Poelzig Rn. 123 f.; tendenziell weitergehend Fritz NZG 2023, 547, 551). Ausgeübter Beruf selbst (→ § 124 Rn. 33) und anderweitige Mandate (→ § 125 Rn. 12) ergeben sich gem. § 285 Nr. 10 S. 1 HGB aus Anh., so dass Erforderlichkeit schon deshalb entfällt (→ Rn. 26). Auch Fragen zur Geschlechterquote, zB Gründe für Verfehlung einer Zielgröße, sind als beurteilungsrelevant anzusehen (MüKoAktG/Kubis Rn. 57).

38 **ff) Sonstige Beschlüsse.** Hinsichtlich sonstiger Beschlüsse können bei **Kapitalmaßnahmen** Auskünfte über Kapitalbedarf und beabsichtigte Verwendung der neuen Mittel erforderlich sein (LG Frankfurt AG 1968, 24, 25), ebenso zum Emissionskurs (GK-AktG/Decher Rn. 218). Über Ausschluss des Bezugsrechts wird dagegen weitgehend schon iRd Berichts nach § 186 IV 2 informiert (→ § 186 Rn. 23). Bei **Umwandlungs- und Verschmelzungsbeschlüssen** wird häufig Vorrang anderweitiger Informationsgrundlagen (→ Rn. 26) eingreifen. Erforderlichkeit ist iÜ hier auch für solche Umstände ausgeschlossen, die Aktionäre wegen Komplexität und Umfang in HV ohnehin nicht für ihre Entscheidung verwenden können (LG Essen AG 1999, 329, 332 [„sämtliche Quadratmeterzahlen und Verkehrswerte betriebsnotwendiger Grundstücke, hilfsweise Versicherungswerte"]. Für **Ausgliederungsbeschluss** wurden Auskünfte über Inhalt von Pachtverträgen mit Tochtergesellschaft als wesentlich angesehen, wenn diese bisherige Geschäftsbereiche des herrschenden Unternehmens übernehmen soll, weshalb dividendenfähige Gewinne aus Pachtzinsen resultieren müssen (KG NZG 2010, 462). Ferner wurde Erforderlichkeit etwa bejaht für Auskunft über Zusammensetzung der Vergütungskomponenten (relativ, nicht in absoluten Beträgen), wenn über **Aktienoptionsprogramm** (→ § 192 Rn. 15 ff.; → § 193 Rn. 7 ff.) beschlossen werden soll (RegBegr. BT-Drs. 13/9712, 23) oder über Vermögensverhältnisse einer GmbH, über deren Übernahme HV beschließen soll (LG München I AG 1993, 435 f.). Bei Bestellung von **Sonderprüfern** (§ 142 I) kommt es nur auf begründeten Anfangsverdacht von Unredlichkeiten oder groben Verstößen an. Auskunftsrecht ist entspr. beschränkt, weshalb Einzelheiten in die Prüfung und nicht in die HV gehören (M. Arnold AG 2004, R 70 f.; Decher FS Marsch-Barner, 2018, 129, 141). Umgekehrt darf Einwand der „Vorgreiflichkeit" aber auch nicht pauschal jedem Auskunftsverlangen entgegengehalten werden (LG München I NZG 2021, 557 Rn. 31). Zu Besonderheiten bei **Bestätigungsbeschlüssen** → § 244 Rn. 2.

39 **5. Vorlage des vollständigen Jahresabschlusses (§ 131 I 3).** Sofern HV als Tagesordnungspunkt Vorlage des Jahresabschlusses behandelt, kann jeder Aktionär gem. § 131 I 3 verlangen, dass ihm in der HV der vollständige Jahresabschluss vorgelegt wird, wenn kleine oder mittelgroße AG von den Abschlusserleichterungen der §§ 266 I 3, 276 oder 288 HGB Gebrauch macht. Vorschrift soll dem Umstand Rechnung tragen, dass abgekürzter Jahresabschluss keine vollständige Rechenschaft enthält. Dass Vorlage für Beurteilung der Tagesordnungspunkte erforderlich ist, wird von § 131 I 3 anders als von § 131 I 1 und 2 nicht vorausgesetzt. Vorlage muss in Gestalt eines schriftlichen Dokuments erfolgen; mündliche Auskunft genügt hier nicht (GK-AktG/Decher Rn. 119). Anspruch auf Vorlage kann im Auskunftserzwingungsverfahren des § 132 geltend gemacht werden (OLG Düsseldorf WM 1991, 2148, 2151 f.). Nicht in § 131 I 3 genannt ist § 264 I 4 HGB, der auch für **Kleinstkapitalgesellschaften iSd § 267a HGB** entspr. Abschlusserleichterung vorsieht. Diese Erleichterungen werden aktienrechtl. flankiert durch Ergänzungen in § 152 IV, § 158 III, § 160 III, um sicherzustellen, dass handelsrechtl. eingeräumte Erleichterungen nicht durch zusätzliche aktienrechtl. Pflichtvorgaben konterkariert werden (→ § 152 Rn. 8; → § 158 Rn. 10; → § 160 Rn. 16; → § 58 Rn. 21). Ob damit allerdings auch Auskunfts-

recht nach § 131 I beschränkt werden kann, ist fraglich. Angesichts der damit verbundenen erheblichen Beschneidung der Aktionärsrechte sprechen die besseren Gründe dafür, § 131 I 3 hier entspr. anzuwenden (GK-HGB/Meyer § 266 Rn. 13; zust. GK-AktG/Decher Rn. 117).

III. Auskunftsrecht in der virtuellen Hauptversammlung (§ 131 Ia – If)

1. Grundgedanke. Mit VHVG 2022 neu eingefügte Abs. Ia – If regeln Besonderheiten des Auskunftsrechts in vHV nach § 118a (→ § 118a Rn. 1 ff.). Vorschriften gelten nicht nur für Grundform des Auskunftsrechts, sondern auch für **Spezialvorschriften,** die Gegenstand des Auskunftsrechts erweitern (zB § 293g III, § 295 II 3, § 319 III 5 AktG, § 64 II UmwG). Im Ausgangspunkt verweist § 131 Ia 1 für Auskunftsrecht in vHV auf **§ 131 I 1** und ergänzt, dass Vorstand vorgeben kann, dass Fragen der Aktionäre bis spätestens drei Tage vor vHV im Wege elektronischer Kommunikation einzureichen sind. Damit soll Vorfeld der vHV für Information der Aktionäre genutzt werden, was sinnvoll ist, verbreitetes rechtspolit. Anliegen war und sich namentl. unter COVMG-Rahmenbedingungen (→ § 118a Rn. 2 f.) schon bewährt hatte. Hier hat sich gezeigt, dass **Transparenz und Qualität** durch nahezu durchgängig genutzte Möglichkeit der Vorabeinreichung tendenziell deutlich gesteigert worden sind (VGR AG 2021, 380 Rn. 3; Danwerth AG 2020, 776 Rn. 17, 22 f.). Zugleich wird Anfechtungsrisiko spürbar gemindert, was ebenfalls im Interesse aller redlichen Aktionäre ist. In HV-Saison 2020 – 2022 hat angesichts dieser Vorzüge – soweit ersichtlich – jede Gesellschaft von dieser Möglichkeit Gebrauch gemacht (Danwerth AG 2021, 613 Rn. 15; Simons/Hauser NZG 2021, 1340, 1342; Teichmann/Krapp DB 2020, 2169, 2176 f.). 40

Obwohl § 131 Ia – If demnach rechtspolit. Desiderata umzusetzen scheint, ist jetzige Gestaltung doch **erheblicher Kritik ausgesetzt,** die sich aus zwei Quellen speist: Zum einen ist nicht ersichtlich, warum Möglichkeit der Vorabeinreichung auf vHV beschränkt und nicht auch für Präsenz-HV eröffnet wurde (KK-AktG/Kersting Rn. 615). Zum anderen hat Gesetzgeber Chance verpasst, mit Öffnung des Vorfelds auch Entlastung der Versammlung selbst zu verbinden, womit schon lang konstatierte **Defizite des HV-Formats,** namentlich im Bereich des Auskunftsrechts, hätten beseitigt werden können. Gesetzgeber hat sich aber genötigt gesehen, Präsenz-HV im digitalen Format eins zu eins abzubilden, ohne dabei die Erleichterungen des Vorfelds mitzudenken (zu Recht krit. Seibt/Danwerth DB 2022, 1434, 1435). Ob Gesellschaften tats. bereit sein werden, Vorfeldnutzung auch dann zu öffnen, wenn damit für sie fast nur Belastungen, aber keine nennenswerten Erleichterungen verbunden sind, wird abzuwarten sein. Antwort wird namentl. auch von Struktur des Aktionariats im Einzelfall abhängig sein. Größere Gesellschaften mit gestreutem Aktionariat und daraus resultierend höherer Streitanfälligkeit werden eher zurückhaltend agieren (skeptisch auch DAV-HRA NZG 2022, 797, 799; Bungert/Rieckers/Becker DB 2022, 2074; wohl auch Dörrbecker FS Strenger, 2023, 161, 171; optimistischer KK-AktG/Kersting Rn. 625). Jedenfalls HV-Saison 2023 hat diese Skepsis bestätigt (Danwerth ZIP 2023, 2329, 2335 f.; Merkner/Schulenburg/Elixmann AG 2023, 643 Rn. 31 ff.). Es bleibt aber doch zu hoffen, dass mit VHVG 2022 Tor zur vHV zumindest aufgestoßen ist, das von künftigen Legislatoren noch mutiger durchschritten wird. 41

In Praxis wird erörtert, ob für AG Möglichkeit besteht, **Vorfeld freiwillig zu eröffnen,** ohne sich damit zugleich Regime des § 131 Abs. Ia – If zu unterwerfen. AG könnte dann etwa Vorabeinreichung von Fragen gestatten, um Antwortqualität zu erhöhen, ohne jedoch zur Veröffentlichung der Antworten nach § 131 42

Ic verpflichtet zu sein. Es sind keine Gründe ersichtlich, AG solchen **Zusatzservice** zu untersagen, doch kann sich AG in solcher Gestaltung selbstverständlich nicht auf mit Vorabeinreichung zT verbundene Erleichterungen (etwa Verweigerungsrecht nach § 131 Ic 4) berufen.

43 **2. Grundsätzliche Geltung des Auskunftsrechts (§ 131 Ia).** Auch wenn auf den ersten Blick in § 131 Ia – If Möglichkeit der Vorabeinreichung im Mittelpunkt zu stehen scheint, spricht Vorschrift zugleich ebenso bedeutsame Aussage aus, dass – unabhängig von Vorabeinreichung oder nicht – **Auskunftsrecht grds. auch in vHV Geltung** beansprucht. Das kommt bereits in § 118a I 2 Nr. 4 zum Ausdruck. Möglichkeit der Vorabeinreichung ist nur Zusatzoption, deren Nutzung Auskunftsrecht in vHV modifiziert, aber keinesfalls suspendiert. Zu COVMG aF diskutierte Frage, ob es sich bei Fragerecht nach § 1 II 1 Nr. 3 COVMG aF um **Aliud** ggü. regulärem Auskunftsrecht handelt (dafür noch Noack/Zetzsche AG 2020, 265 Rn. 46 ff.; Rieckers DB 2022, 172, 180) oder lediglich abgeschwächte Ausprägung (hM; → 16. Aufl. 2022, § 131 Rn. 92 mwN), ist nach neuer Einpassung in § 131 noch deutlicher als bisher im letztgenannten Sinne zu beantworten (→ § 118a Rn. 16; sa BeckOGK/Poelzig, 1.10.2023, Rn. 317).

44 Wird zwar von Möglichkeit der vHV, nicht aber von Möglichkeit der Vorfeldnutzung nach § 131 Ia Gebrauch gemacht, bestehen keine Sonderregeln, sondern es gilt herkömmliches Auskunftsrecht nach § 131 (→ Rn. 4 ff.). Aktionäre machen dann von ihrem Fragerecht im Wege der **elektronischen Kommunikation** Gebrauch. Gemeint ist hier also keine interaktive Zwei-Wege-Direktverbindung, sondern es genügt jede geeignete Form elektronischer Kommunikation, wie etwa schriftliche Eingabe in Online-Tool auf Website der AG oder E-Mail-Übermittlung (Franzmann/Rothweiler AG 2022, 809 Rn. 29; Troidl/Richter AG 2023, 150 Rn. 5 ff.). Allerdings kann damit Ausübung iRd Rederechts nach § 118a I 2 Nr. 7 iVm § 130a V 3 nicht beschränkt werden, das in Gestalt echter Zwei-Wege-Direktkommunikation angeboten werden muss und auch Fragen umfassen darf (→ § 130a Rn. 14 ff.).

45 Auch in vHV gilt **Möglichkeit der zeitlichen Beschränkung,** für die es nach hier vertretener Auffassung nicht zwingend einer Satzungsgrundlage bedarf (→ Rn. 83 ff.). Wo Satzungsvorgabe besteht, wird sie üblicherweise unverändert auch auf vHV übertragen werden können, da gängige Fassungen nicht formatspezifisch formuliert sind (Bungert/Rieckers/Becker DB 2022, 2074, 2079). Auch für Erweiterung auf Nachfragen iSd § 131 Id (→ Rn. 62 ff.) und Fragen zu neuen Sachverhalten iSd § 131 Ie (→ Rn. 66 f.) bedarf es keiner Satzungsneufassung, sondern in Satzung idR verwendeter Begriff der „Frage" erfasst als Oberbegriff auch diese Unterkategorien (aA Reger/Gaßner RDI 2022, 396 Rn. 12; auch Hoppe NZG 2023, 587, 591 f.; Merkner/Schulenburg/Elixmann AG 2023, 643 Rn. 16; Schilha/Gaßner ZIP 2022, 2357, 2360 [mit Formulierungsvorschlag] und Seibt/Danwerth DB 2022, 1434, 1439 empfehlen „Nachschärfung"). Praxis hat jedenfalls in HV-Saison 2023 von Neufassung überwiegend noch abgesehen (Merkner/Schulenburg/Elixmann AG 2023, 643 Rn. 16).

46 Problematisch ist, dass Möglichkeit zeitl. Beschränkung voraussetzt, dass Frage mündlich gestellt wird; auf **schriftliche Frageneinreichung** passt § 131 II 2 nicht. Naheliegende Lösung liegt darin, in analoger Anwendung des § 131 II 2 auch formatentspr. Einschränkungen (zB Zeichenbegrenzung oder Beschränkung der Fragenzahl pro Aktionär) zu gestatten (Franzmann/Rothweiler AG 2022, 809 Rn. 30). Insofern bestehende Unsicherheiten legen es nahe, von **Möglichkeit des § 131 If Gebrauch** zu machen und Fragerecht insgesamt auf Videokommunikation zu beschränken (→ Rn. 68 f.). Um Besonderheiten schriftlicher Einreichung Rechnung zu tragen, sollte es überdies gestattet werden, Beschränkung

auch schon im Vorfeld zu formulieren (überzeugend Franzmann/Rothweiler AG 2022, 809 Rn. 31).

Weil § 131 Ia nur auf § 131 I 1 verweist, gilt Vorschrift nicht auch für **Verlangen nach § 131 I 3.** RegBegr. BT-Drs. 20/1738, 33 stellt klar, dass es möglich sein muss, auch solches Verlangen auf elektronischem Weg zu übermitteln, und dergestalt zu erfüllen ist, dass dem Aktionär der vollständige Jahresabschluss per E-Mail übersandt wird. Von Möglichkeit der Vorabeinreichung wird dieses Verlangen aber nicht erfasst (RegBegr. BT-Drs. 20/1738, 33). 47

3. Vorabeinreichung (§ 131 Ia). Eröffnung des Vorfelds nach § 131 Ia 1 ist **Option des Vorstands,** die er nach pflichtgem. Ermessen nutzen oder ungenutzt lassen kann (RegBegr. BT-Drs. 20/1738, 33). Für unter COVMG-Rahmenbedingungen noch diskutierte **Verhältnismäßigkeitsbeurteilung** (dafür Tröger BB 2020, 1091, 1095 f.) ist jedenfalls nach neuer Gesetzesfassung kein Raum mehr, weil Regelungen in § 131 Id und Ie auch in vHV selbst hinreichende Fragemöglichkeiten gewährleisten (abl. auch schon zur COVMG-Fassung → 16. Aufl. 2022, Rn. 81; Kruchen DZWIR 2020, 431, 455). Auch Konflikt mit Art. 9 I Aktionärsrechte-RL besteht jedenfalls in jetziger Gesetzesfassung nicht mehr (str. noch unter COVMG-Rahmenbedingungen → 16. Aufl. 2022, § 131 Rn. 79). Will Vorstand Vorabeinreichung gestatten, muss dies in der **Einberufung** geschehen (RegBegr. BT-Drs. 20/1738, 33; ausf. → § 121 Rn. 11j ff.). **Satzung** darf zwar über virtuelles Format nach § 118a I entscheiden (→ § 118a Rn. 7 ff.), nicht aber über Vorabeinreichung. Auch einer Zustimmung des AR bedarf es nicht (RegBegr. BT-Drs. 20/1738, 33), doch bleibt Zustimmungsvorbehalt nach § 111 IV 2 zulässig. Anders als iRd § 131 steht Auskunftsrecht im Vorfeld auch Briefwählern oder solchen Aktionären zu, die sich auf HV vertreten lassen (so zu COVMG aF BeckOGK/Poelzig Rn. 297). 48

Vorabeinreichung muss **im Wege elektronischer Kommunikation** ermöglicht werden. Unter COVMG-Rahmenbedingung (→ § 118a Rn. 2 f.) war insofern anerkannt, dass Vorstand für Ausübung des Fragerechts nähere Vorgaben machen kann. Das gilt aufgrund technischer Organisationshoheit über HV auch iRd § 131 Ia, so dass Aktionäre **an von AG gewählte Kommunikationsform gebunden** sind (KK-AktG/Kersting Rn. 619 ff.). RegBegr. BT-Drs. 20/1738, 33 nennt als Möglichkeiten, dass Internetseite bereitgestellt wird, über die Fragen einzugeben sind, oder entspr. E-Mail-Adresse eingerichtet wird (RegBegr. BT-Drs. 20/1738, 33). Bei größeren Unternehmen wird üblicherweise Fragestellung über **Aktionärsportal** erbeten (so zu COVMG aF Danwerth AG 2021, 613 Rn. 19). Ebenso möglich ist auch sonstige Übermittlung einer im Wege digitaler Zusendung schriftlich formulierten Frage, aber auch andere Gestaltung, wie zB Chat-Funktion, Zusendung einer Audio- oder Sprachdatei (KK-AktG/Kersting Rn. 618). 49

Vorstand kann vorgeben, dass Fragen bis **spätestens drei Tage vor vHV** einzureichen sind. Darin liegt signifikante Verbesserung ggü. COVMG aF (→ § 118a Rn. 2 f.), wo ursprünglich auf zwei Tage veranschlagte Frist durch Art. 11 Ges. zur weiteren Verkürzung des Restschuldbefreiungsverfahrens (BGBl. 2020 I 3328) auf einen Tag verkürzt worden war (rechtspolit. Missgriff; ausf. → 16. Aufl. 2022, § 131 Rn. 81). Augenscheinlich großzügigere Dreitagesfrist wird allerdings dadurch relativiert, dass Fragen nach § 131 Ic 1 **bis einen Tag vor vHV zu beantworten** sind. Vorstand kann Frist nicht verlängern, wohl aber kürzere Frist vorsehen. Mangels ges. Klarstellung ist zweifelhaft, ob auch Angabe eines **frühestmöglichen Zeitpunktes** möglich ist. Das wird zT bejaht, um für Gleichbehandlung verschiedener Kommunikationskanäle zu sorgen (so zu COVMG aF Simons/Hauser NZG 2020, 488, 495 f.). Geht man davon aus, dass AG einheitlichen Kommunikationskanal vorgeben kann (→ Rn. 49), lässt sich 50

Problem aber auch lösen, ohne solche ges. nicht vorgesehene Beschränkung zu ergänzen (KK-AktG/Kersting Rn. 628; MüKoAktG/Kubis Rn. 196). Frage muss nicht deshalb ausführlicher beantwortet werden, weil sie voreingereicht wurde (Simons/Hauser NZG 2020, 488, 497).

51 Nach § 131 Ia 2 gilt für Fristberechnung **§ 121 VII** (nicht § 187 I, 188 I BGB – dafür aber zu COVMG aF noch S/L/Spindler § 118 Rn. 63j; Götze/Roßkopf DB 2020, 771). Das hat zur Folge, dass Tag der vHV nicht mitzurechnen ist (→ § 121 Rn. 24). Zwischen den beiden maßgeblichen Ereignissen – vHV und Frageneinreichung – müssen also **mindestens drei volle Tage** liegen (→ § 121 Rn. 24 ff.; sa – bezogen auf COVMG aF – LG Frankfurt AG 2021, 441, 443; Bungert/Strothotte DB 2021, 830, 832; Kuthe/Zimmer AG 2021, R 164, 165; zu Einzelheiten vgl. BeckOGK/Poelzig, 1.10.2023, Rn. 321 f.; Jaspers/Pehrsson NZG 2021, 1244, 1248; Mayer/Jenne/Miller BB 2021, 899, 901 f.; Mutter/Kruchen AG 2021, 108 Rn. 8 ff.; Simons/Hauser NZG 2020, 488, 495; zu den in der Praxis genutzten Gestaltungen vgl. Danwerth AG 2021, 613 Rn. 17 f.). § 131 Ia 3 stellt klar, dass nicht fristgem. eingereichte Fragen nicht berücksichtigt werden müssen (aber dürfen – Seibt/Danwerth AG 2022, 177 Rn. 23).

52 **4. Fragenumfang (§ 131 Ib).** Option, Fragen vorab zu beantworten, ist für AG hilfreich, da es ihr damit ermöglicht wird, Antworten sorgfältiger auszuarbeiten, Hintergründe zu ermitteln und präzise zu formulieren (→ Rn. 40). Positiver Effekt wird aber konterkariert, wenn AG mit solcher (jedenfalls zT missbräuchlich motivierter) **Flut von Fragen** überhäuft wird, die auch im vorbereitenden Stadium nicht mehr sinnvoll beantwortet werden können. Gerade in **HV-Saison 2022** ist dieses Problem in der Praxis deutlich zutage getreten (Rieckers DB 2022, 172, 173; Seibt/Danwerth AG 2022, 177 Rn. 22). Dabei hat sich aus Sicht der AG ggü. COVMG-Rechtslage **Problem verschoben.** Weil Fragen danach in HV selbst zu beantworten waren, konnte übermäßige Fragenzahl letztlich mit Instrumentarium des § 131 II 2 bewältigt werden, wenn HV keinen hinreichenden zeitl. Rahmen bot, um Fragen in angemessener Zeit zu beantworten (zur Konstruktion → 16. Aufl. 2022, § 131 Rn. 83). Dadurch konnten auch **Kapazitätsprobleme** auf Seiten der Rechtsabteilung zT aufgefangen werden. Nach neuer Rechtslage sind Antworten vorab zu veröffentlichen, so dass § 131 II 2 keine Anwendung findet; auch für analoge Anwendung besteht kein Raum, weil Vorschrift nicht auf Human-, sondern Zeitressourcen zugeschnitten ist.

53 Um dem Problem der Fragenflut Herr zu werden, eröffnet § 131 Ib dem Vorstand Möglichkeit, Umfang der Einreichung von Fragen in Einberufung **angemessen zu beschränken.** Damit soll sichergestellt werden, dass Verwaltung für Fragenbeantwortung angemessener Zeitrahmen zur Verfügung steht (RegBegr. BT-Drs. 20/1738, 34). Ausweislich RegBegr. BT-Drs. 20/1738, 34 geht Regelung auf Rechtsgedanken des **§ 131 II 2** (→ Rn. 72) zurück, was es auch iRd § 131 Ib nahelegen soll, bei Festlegung der angemessenen Beschränkung den zu erwartenden **Gesamtzeitrahmen** der Versammlung zugrunde zu legen. Das ist insofern überraschend, als Fragen und Antworten vorab zu veröffentlichen sind, so dass Gesamtzeitrahmen der vHV davon unberührt bleibt (KK-AktG/Kersting Rn. 641 f.). Anderes würde nur gelten, wenn man AG verpflichtet oder es ihr zumindest gestattet, Fragen und Antworten in vHV erneut zu verlesen, was aber zweifelhaft ist und Entlastungseffekt der Vorabeinreichung zuwiderlaufen würde (→ Rn. 40). Zutr. ist es, stattdessen auf erwartbaren **Bearbeitungszeitraum durch AG** abzustellen (sa KK-AktG/Kersting Rn. 642). ZT wird insofern für (ggü. AG) strengen Maßstab plädiert (KK-AktG/Kersting Rn. 642), doch spricht freiwilliger Charakter der Vorabeinreichung, durch den Aktionärsrechte deutlich erweitert werden, eher für großzügige Handhabung,

um ohnehin schon geringe Attraktivität dieser Option nicht noch weiter zu verringern.

Innerhalb des so ermittelten Zeitraums gestattet es § 131 Ib 1 dem Vorstand sodann etwa, eine **Höchstzahl von Fragen pro Aktionär** festzulegen oder eine Zeichenbeschränkung vorzugeben (RegBegr. BT-Drs. 20/1738, 34). Beschränkungen müssen schon in Einberufung vorgesehen sein; spätere Beschränkung kommt – anders als bei § 131 II 2 – nicht in Betracht (KK-AktG/Kersting Rn. 643). § 134 Ib 2 gestattet es AG, Vorabeinreichung von Fragen auf ordnungsgem. **angemeldete Aktionäre** zu beschränken, was voraussetzt, dass solches Anmeldeerfordernis überhaupt nach § 123 II vorgesehen ist (→ § 123 Rn. 4 ff.). Gesondertes Anmeldeerfordernis für Vorabeinreichung von Fragen ergibt sich daraus aber nicht (RegBegr. BT-Drs. 20/1738, 34). Zur praktischen Handhabung vgl. Danwerth ZIP 2023, 2329, 2336. 54

Beschlussempfehlung RAusschusses BT-Drs. 20/2653, 32 stellt ausdr. klar, dass neben Beschränkung der Fragenhöchstzahl pro Aktionär auch Beschränkung der **Gesamtzahl von Fragen** möglich ist (sa Reger/Gaßner RDI 2022, 396 Rn. 22). Solche Beschränkung ist vor dem Hintergrund allfälliger **Missbrauchsgefahren** (→ § 245 Rn. 22 ff.) sinnvoll, weil es sonst möglich ist, dass ein unredlich agierender Aktionär Beschränkung der Höchstzahl dadurch umgeht, dass er übermäßig hohe Fragenzahl auf verbundene Personen mit minimalem Anteilsbesitz verteilt. Auch hier stellt sich Frage, wie Angemessenheitsbegriff auszufüllen ist. Angemessenheit ist jedenfalls dann anzunehmen, wenn sich Beschränkung der Fragenanzahl grds. an der in **vergangenen virtuellen HV** (also solchen der Jahre 2020 – 2022) durchschnittlich eingereichten Fragenzahl orientiert, sofern sich Tagesordnungspunkte weitgehend entspr. (RegBegr. BT-Drs. 20/1738, 34; krit. Schilha/Gaßner ZIP 2022, 2357, 2363 f.). Damit ist aber den Unternehmen wenig geholfen, die schon in diesen Jahren mit „Fragenflut" konfrontiert waren (→ Rn. 52). Ihnen muss auch andere **gesellschaftsseitig hinreichend plausibilisierte Ausfüllung des Angemessenheitsbegriffs** gestattet sein; ein zT behauptetes „substanzielles Anfechtungspotenzial" (Sturm/Imsameh NZG 2022, 1327, 1330) besteht deshalb nicht. Einschränkende Lesart kann auch nicht verfassungs- oder unionsrechtl. begründet sein, wenn AG durch Möglichkeit der Vorabeinreichung Auskunftsmöglichkeiten freiwillig ausdehnt. Im Einzelfall kann konkrete Zählung durchaus problematisch sein (etwa wenn zwei Fragen in einem Satz untergebracht sind, zB: „Wie und warum….?"; sa Seibt/Danwerth AG 2022, 177 Rn. 37), was Zeichenbeschränkung nahelegen kann (KK-AktG/Kersting Rn. 644). AG sollte in diesen Fällen eher großzügig verfahren. Gerichte sollten schlichten common sense zugrunde legen (sa Seibt/Danwerth AG 2022, 177 Rn. 37) und missbräuchlichen Praktiken entgegenwirken. 55

5. Veröffentlichung und Beantwortung (§ 131 Ic). § 131 Ic 1 verpflichtet AG, ordnungsgem. eingereichte Fragen vor vHV **allen Aktionären zugänglich zu machen.** Damit soll Information der Aktionäre im Vergleich zur Präsenz-HV gestärkt werden (zu Gestaltungsoptionen → § 130a Rn. 8 ff.). Für börsennotierte AG iSd § 3 II (→ § 3 Rn. 5 f.) muss dies über Internetseite erfolgen, was auch hier nicht iS allg. Öffentlichkeit zu verstehen ist, sondern auf Aktionärszugänglichkeit beschränkt werden kann (→ § 130a Rn. 10). Für kleinere AG wird dagegen auch Weiterleitung per E-Mail ausdr. als gangbare Gestaltung genannt (RegBegr. BT-Drs. 20/1738, 34). Als einfachsten Weg empfiehlt RegBegr. BT-Drs. 20/1738, 34 eingereichte Fragen nach Fristablauf **gesammelt** auf Internetseite der AG zur Verfügung zu stellen. Alternativ soll es aber auch möglich sein, Fragen **kontinuierlich nach Eingang** zugänglich zu machen (RegBegr. BT-Drs. 20/1738, 34). 56

57 **Namensnennung** des Fragenstellers, die von einzelnen Akteuren (zB Aktionärsvereinigungen) durchaus erwünscht wird (Danwerth AG 2020, 776 Rn. 21), ist datenschutzrechtl. jedenfalls dann unbedenklich, wenn keine allg. Öffentlichkeit besteht (iE ähnlich KK-AktG/Kersting Rn. 636). Dieser Grundsatz wurde zu COVMG aF entwickelt, wo Beantwortung in nur Aktionären zugänglicher vHV erfolgte (Kruchen DZWIR 2020, 431, 457; Simons/Hauser NZG 2020, 488, 497). Gleiches muss für nur Aktionären zugängliches Aktionärsportal gelten. Dennoch bestehenden Bedenken trägt Praxis durch Widerspruchsrecht Rechnung (so zu COVMG aF Danwerth AG 2021, 613 Rn. 20 f.). Moderate redaktionelle Bearbeitung ist zulässig, sofern dadurch Inhalte nicht verfälscht werden (KK-AktG/Kersting Rn. 654).

58 Weiterhin verpflichtet § 131 Ic 1 auch zur **Beantwortung** der Fragen bis spätestens **einen Tag vor vHV,** womit Bearbeitungsfrist (→ Rn. 50) spürbar verkürzt wird. Damit soll zum einen HV entlastet, zum anderen Möglichkeit zu Nachfragen gegeben werden (RegBegr. BT-Drs. 20/1738, 34). Auch diese Antwortpflicht kann Nutzung des Vorfelds aus AG-Sicht unattraktiv machen, da Unternehmen gerade bei **verschriftlichter Außendarstellung** oft auf äußerst sorgfältige Darstellung bedacht sind und entspr. Standards in kurzer Frist kaum eingehalten werden können. Bes. gilt dies für börsennotierte AG, wo Veröffentlichung nach § 131 Ic 2 über Internetseite erfolgt und damit für jedermann einsehbar ist (DAV-HRA NZG 2022, 797, 798; Mayer/Jenne/Miller BB 2022, 1155, 1160; Reger/Gaßner RDI 2022, 396 Rn. 18; Seibt/Danwerth DB 2022, 1434, 1437). Wie auch bei mündlicher Beantwortung in HV ist es möglich, Antworten zusammenzufassen, wofür namentl. Verweisungstechnik genutzt werden dürfte. Beantwortung in Textform ist nicht zwingend erforderlich, sondern Antwort kann auch durch Audio- oder Videosequenzen gegeben werden (BeckOGK/Poelzig, 1.10.2023, Rn. 328).

59 Für **Fristberechnung** gilt nach § 131 Ic 1Hs. 2 wiederum **§ 121 VII** (→ § 121 Rn. 24). Speziell für börsennotierte AG iSd § 3 II (→ § 3 Rn. 5 f.) schreibt § 131 Ic 2 vor, dass Zugänglichmachen der Fragen und Beantwortung über **AG-Internetseite** zu erfolgen hat. Nach § 131 Ic 3 sind für Gegenanträge geltende Einschränkungen der Veröffentlichungspflicht anwendbar, sofern passend (konkret nach § 126 II 1 Nr. 1, 3 und 6) auch hier (→ § 126 Rn. 12 ff.). Das ist insbes. im Hinblick auf § 126 II 1 Nr. 6 nicht selbstverständlich, der von Pflicht zum Zugänglichmachen suspendiert, wenn Aktionär zu erkennen gibt, dass er an HV nicht teilnehmen und sich nicht vertreten lassen wird. Einschränkung leuchtet nicht ein, wenn Frage grds. vorab zu beantworten ist (zutr. Seibt/Danwerth DB 2022, 1434, 1437; ebenso KK-AktG/Kersting Rn. 663 mit möglicherweise zu weitgehender interpretatorischer Korrektur).

60 Nach § 131 Ic 4 darf Vorstand in vHV zu solchen Fragen **Auskunft verweigern,** auf die Antworten schon im Vorfeld gegeben wurden, sofern diese einen Tag vor Beginn und in vHV durchgängig zugänglich sind. Verweigert wird letztlich also nicht Auskunft, sondern Wiederholung schon erteilter Auskunft (KK-AktG/Kersting Rn. 665). Damit soll AG entlastet werden, doch greift diese Erleichterung allein, wenn Vorstand in Versammlungssituation **Deckungsgleichheit** der Fragen eindeutig identifizieren kann; anderenfalls wird Anfechtungsgefahr erhöht (Seibt/Danwerth DB 2022, 1434, 1438). Erfahrung hat gezeigt, dass Praxis von ähnlich gestalteter Entlastungsmöglichkeit des § 131 III Nr. 7 gerade aus diesem Grund kaum Gebrauch macht (→ Rn. 94).

61 Ges. nicht eindeutig geklärt ist die Frage, ob Vorstand Zeit für Nachfragen und neue Fragen dadurch abkürzen kann, dass er von § 131 II 2 gezogenes Zeitfenster dafür nutzt, in vHV schlicht noch einmal **vorveröffentlichte Fragen und Antworten vorzulesen** (Frage aufgeworfen von Franzmann/Rothweiler AG 2022, 809 Rn. 43). Um angestrebten Entlastungseffekt der Vorabeinreichung nicht zu

konterkarieren, sollte Frage verneint werden, obwohl RegBegr. selbst zT von solcher Verlesung auszugehen scheint (→ Rn. 53).

6. Nachfragerecht (§ 131 Id). Schwierigste Frage des Gesetzgebungsverfahrens lag darin, wie bei Zulassung von Fragen im HV-Vorfeld mit Fragen in vHV selbst umzugehen ist. Extremlösung, überhaupt keine Fragen mehr zuzulassen, hätte Charakter der „Geisterspiele" (→ § 130a Rn. 14) perpetuiert, was Gesetzgeber vermeiden wollte. Stattdessen hat er in § 131 Ia – If elaboriertes System aus verschiedensten Fragentypen entwickelt, das allerdings aufgrund dieser **legislativen Ausdifferenzierung** derart überzüchtet erscheint, dass handelnde Akteure gerade in angespannter Versammlungssituation kaum in der Lage sein werden, erforderliche jur. Subsumtion trennscharf durchführen zu können. Zu erwarten ist deshalb, dass Gesellschaften sich gezwungen sehen werden, vorsorglich sämtliche Fragen zu beantworten (DAV-HRA NZG 2022, 797, 800; Seibt/Danwerth DB 2022, 1434, 1438 f.), und möglicherweise mit Blick auf diesen Zwang von Gestattung der Vorabeinreichung von vornherein absehen werden (so auch die Prognose von Bungert/Rieckers/Becker DB 2022, 2074, 2076; Reger/Gaßner RDI 2022, 396 Rn. 20). 62

Neben den schon beantworteten Fragen (→ Rn. 60), die nicht mehr beantwortet werden müssen, begegnet als nächste Fragenkategorie die der Nachfragen: § 131 Id gewährt jedem elektronisch zur vHV zugeschalteten Aktionär in Versammlung ein Nachfragerecht im Wege der elektronischen Kommunikation zu allen vor und in vHV gegebenen Antworten des Vorstands. Einzige Beschränkung ist, dass auch für dieses Recht Möglichkeit der angemessenen **zeitlichen Beschränkung nach § 131 II 2** gilt (→ Rn. 72 ff.; zur Anwendbarkeit bisher verwendeter Satzungsvorgaben → Rn. 45). Anders als bei Rederecht (→ § 130a Rn. 14) ist hier nicht erforderlich, dass Möglichkeit der Nachfrage in Form einer Zwei-Wege-Direktverbindung mittels Videozuschaltung bestehen muss. Vielmehr genügt etwa – wie es unter COVMG-Rahmenbedingungen 2020 – 2022 verbreitet gehandhabt wurde – Freischaltung eines Textfeldes im Aktionärsportal (RegBegr. BT-Drs. 20/1738, 34 f.). Auch Chatfunktion oder E-Mail-Adresse erfüllen ges. Vorgaben (RegBegr. BT-Drs. 20/1738, 35; Seibt/Danwerth DB 2022, 1434, 1439 nennen überdies telefonische Nachfragenhotline und Online-Debattentool). Aktionäre, die einen Redebeitrag leisten, können dann wegen § 130a V 3 auch Nachfrage über Videokommunikation stellen (RegBegr. BT-Drs. 20/1738, 35). IÜ kann nach § 131 If auch HV-Leiter Ausübung ausschließlich im Wege der Videokommunikation anzuordnen. 63

Begriff der **Nachfrage** impliziert, dass diese in sachlichem Zusammenhang zu vorheriger Frage (qua Vorabeinreichung oder iRe Redebeitrags) und einer zu dieser gegebenen Antwort steht, weil Antwort etwa als unzureichend angesehen oder Präzisierung erbeten wird (RegBegr. BT-Drs. 20/1738, 35). RefE, 37 sah noch vor, dass sachlicher Zusammenhang im Zweifel vermutet wird. Vermutung wurde in RegE BT-Drs. 20/1738 jedoch nicht übernommen und muss deshalb im Zweifel von Fragensteller bewiesen werden. Nicht erforderlich ist, dass es sich um eigene Fragen handelt, sondern es sind auch sog **Über-Kreuz-Fragen** zu den Fragen anderer Aktionäre und dazu gegebenen Antworten zulässig. Auch Nach-Nachfragen auf Antworten, die der Vorstand auf gestellte Nachfragen gibt, sind möglich (Seibt/Danwerth DB 2022, 1434, 1439). Aktionäre dürfen Nachfragen auch dann stellen, wenn sie vorher keine Frage eingereicht haben (RegBegr. BT-Drs. 20/1738, 35). Für **Zuordnung zur Kategorie der Nachfragen** wäre es hilfreich, wenn Aktionär konkreten Bezug zu vorab gestellten Fragen/Antworten selbst herstellt. AG kann solche Bezugnahme erleichtern, indem sie jedenfalls veröffentlichte Fragen und Antworten vorab durchnummeriert. Ob Aktionär Obliegenheit auferlegt werden kann, solche 64

Bezugnahme selbst herzustellen, um sich Anspruch auf Antwort zu sichern, ist allerdings zweifelhaft.

65 Nachfragen sind wie reguläre Fragen von Vorstandsvorsitzendem zu beantworten, der Antwort auch insofern AR-Vorsitzendem überlassen und sich diese sodann zu eigen machen kann (→ Rn. 7). Sollen Fragen unter Berufung auf Verweigerungsgründe oder zeitl. Grenzen nicht beantwortet werden, muss entspr. **Ermessensausübung** aber grds. (zumindest in Form von Leitlinien) Vorstand vorbehalten bleiben (so zu COVMG aF Simons/Hauser NZG 2020, 488, 498). Wie für Redebeiträge (→ § 130a Rn. 15) verweist § 131 Id 2 auch für Nachfrage auf **§ 131 II 2,** der angemessene zeitliche Beschränkung zulässt. Grundsätze zur Präsenz-HV sollen damit auch auf vHV übertragen werden. Nach RegBegr. BT-Drs. 20/1738, 35 soll es danach etwa möglich sein, **Zeitraum** zu begrenzen, in dem Nachfragen nach Antwort des Vorstands gestellt werden können, oder **Anzahl der Nachfragen** pro Aktionär zu begrenzen und festzulegen. Darüber hinaus soll es auch zulässig sein, Aktionäre vorab um Mitteilung zu bitten, ob sie grds. Nachfragen beabsichtigen, damit AG das Potenzial von Nachfragen abschätzen kann. Verneint Aktionär diese Frage, stellt dann aber doch eine Nachfrage, ist sie dennoch zu beantworten (RegBegr. BT-Drs. 20/1738, 35). Unklar ist, welche Folge es auslöst, wenn Vorstand **Frage falsch beantwortet,** die danach nicht hätte beantwortet werden müssen. Im Lichte des § 243 IV wird man Anfechtung in diesem Fall nicht gänzlich ausschließen können, sofern Antwort gegeben wird, die wesentlichen Informationsmangel iS dieser Vorschrift begründet.

66 **7. Neue Fragen (§ 131 Ie).** Neben dem Recht zur Nachfrage nach § 131 Id eröffnet § 131 Ie 1 elektronisch zugeschalteten Aktionären Möglichkeit, im Wege elektronischer Kommunikation auch Fragen zu Sachverhalten zu stellen, die sich erst nach Ablauf der Frist nach § 131 Ia 1 ergeben haben. Bei Beurteilung, ob in diesem Sinne **neuer Sachverhalt** vorliegt, ist nicht auf konkret fragenden Aktionär abzustellen, sondern HV-Leiter hat obj. Maßstab zugrunde zu legen (RegBegr. BT-Drs. 20/1738, 35). Erforderlich ist auch nicht, dass Tatsachen erst nachträglich eingetreten sind, sondern es genügt, wenn sie erst nachträglich bekannt geworden sind (KK-AktG/Kersting Rn. 694). Entscheidend ist, ob Frage bereits vorab hätte eingereicht werden können (RegBegr. BT-Drs. 20/1738, 35). Bsp. nach RegBegr. BT-Drs. 20/1738, 35: Veröffentlichung von Geschäftszahlen oder Presseberichten erst nach Ablauf der Frist zur Vorabeinreichung (→ Rn. 50). Nicht klar ergibt sich aus Ges., ob auch **Antwort auf Vorab-Frage** nach § 131 Ic neuen Sachverhalt bildet, der sodann Gegenstand einer Frage nach § 131 Ie sein kann, oder ob hier die Kategorie der Nachfrage nach § 131 Id einschlägig ist (Seibt/Danwerth DB 2022, 1434, 1439). Nachdem Gesetzgeber ausdifferenziertes Stufensystem des RefE nicht übernommen hat, ist eindeutige Zuordnung allerdings nicht erforderlich. Wichtig ist dagegen in RegBegr. BT-Drs. 20/1738 noch nicht enthaltene Klarstellung, dass auch für neue Fragen § 131 II 2 gilt.

67 § 131 Ie 2 idF des RegE BT-Drs. 20/1738 hatte noch weitergehend vorgesehen, dass auch **sonstige Fragen,** die weder Nachfragen noch neue Fragen sind, zu beantworten sind, wenn nach Beantwortung der Nachfragen nach § 131 Id und Fragen nach § 131 Ie 1 dafür noch Zeit bleibt. In finaler Gesetzesfassung wurde auf diese Regelung verzichtet. Stattdessen verweist § 131 Ie 2 auch für neue Fragen auf Beschränkungsmöglichkeit des § 131 II 2 (→ Rn. 72 ff.). Streichung lässt darauf schließen, dass künftig solche neuen Fragen zu alten Sachverhalten nicht mehr beantwortet werden müssen (so ausdr. auch RAusschuss BT-Drs. 20/2653, 33). HV-Leiter kann Fragen aber nach pflichtgem. Ermessen zulassen (RAusschuss BT-Drs. 20/2653, 33).

8. Ausübung qua Videokommunikation (§ 131 If). § 131 If gibt HV-Leiter das Recht festzulegen, dass Auskunftsrecht nach § 131 I, Nachfragerecht nach § 131 Id und Fragerecht nach § 131 Ie in vHV **nur im Wege der Videokommunikation** ausgeübt werden dürfen. In diesem Fall ist Rückgriff auf andere elektronische Kommunikationswege (→ Rn. 44) unzulässig. Dafür sieht RegBegr. BT-Drs. 20/1738, 36 namentl. dann Bedarf, wenn vHV wie Präsenz-HV geführt werden soll und Redebeiträge überwiegen. In diesem Fall soll es HV-Leiter möglich sein, Fragen und Nachfragen auf anderen Kommunikationswegen auszuschließen. Folge ist, dass sämtliche Informationen in ihrer Reihenfolge zeitlich nacheinander durch bloßes Zuhören verfolgt werden können. Auch Praxis empfiehlt solche Vorgehensweise, um sicherzustellen, dass Rede- und Auskunftsrecht über **einheitlichen Kommunikationskanal** laufen, was schon deshalb sinnvoll ist, weil Redebeiträge und Auskunftsverlangen ohnehin häufig kombiniert werden (DAV-HRA NZG 2022, 797, 801; Bungert/Rieckers/Becker DB 2022, 2074, 2078; Mayer/Jenne/Miller BB 2022, 1155, 1161; zu entspr. Vorgehensweise in HV-Saison 2023 vgl. Merkner/Schulenburg/Elixmann AG 2023, 643 Rn. 33). Auch Missbrauchsgefahren, etwa durch elektronische Übermittlung langer Fragenkataloge kurz vor Ende der Generaldebatte, können damit eingedämmt werden (Bungert/Rieckers/Becker DB 2022, 2074, 2078). 68

Nicht ganz klar ist **Zeitpunkt der Festlegung.** Unproblematisch ist Vorabfestlegung zu Beginn der Veranstaltung, doch lässt Wortlaut auch Anordnung während der HV zu, wenn sie sonst aus dem Ruder zu laufen droht (Franzmann/Rothweiler AG 2022, 809 Rn. 33). Am sinnvollsten ist Vorabfestlegung iRd Einberufung, was aber Frage nach **Zuständigkeit** aufwirft. Nach Wortlaut des § 131 If ist allein HV-Leiter zuständig, der nach allg. Grundsätzen funktional aber erst mit Eröffnung der HV Kompetenzträger wird. Vor Beginn der HV ist Vorstand zuständig. Würde man § 131 If Sperrwirkung zuschreiben, die Vorstand von Anordnung ausschließt, könnte sinnvolle Zuständigkeitsabgrenzung nicht erfolgen. Richtig ist es deshalb, Sperrwirkung zu verneinen und nach allg. Grundsätzen auch Kanalisationsentscheidung des Vorstands im Vorfeld der HV zuzulassen (ausf. Troidl/Richter AG 2023, 150 Rn. 12 ff.; aA BeckOGK/Poelzig, 1.10.2023, Rn. 339; Mayer/Jenne/Miller BB 2022, 2946, 2959). Im Lichte des Wortlauts dürfte sicherster Weg aber im Zusammenwirken von Vorstand und HV-Leiter liegen, der sich also atypisch im Vorfeld der HV zu betätigen hat (Franzmann/Rothweiler AG 2022, 809 Rn. 34). 69

IV. Modalitäten von Auskunft und Fragestellung (§ 131 II)

1. Inhaltliche Anforderungen. § 131 II 1 enthält ebenso wie § 90 IV (→ § 90 Rn. 13) Generalklausel, nach der Auskünfte den Grundsätzen einer gewissenhaften und getreuen Rechenschaft zu entspr. haben. Sie müssen also **vollständig und sachlich zutr.** sein (OLG Stuttgart AG 2011, 93, 98; zur entspr. Vorbereitungspflicht → Rn. 10 f.). Gedanke, dass ISION-Rspr. (→ § 93 Rn. 80 ff.) es erlaubt, auch unrichtige Antwort genügen zu lassen, wenn Vorstand angemessen beraten wird (Ott AG 2020, 377 Rn. 25 ff.), verkennt, dass BGH-Grundsätze erst auf Verschuldensebene greifen (→ § 93 Rn. 79 ff.), die iRd § 131 keine Rolle spielen. Auskunftsfehler kann allein nach allg. Relevanzkriterien unbeachtlich sein (→ § 243 Rn. 12 ff.). Lässt sich erteilter Auskunft begehrte Information nur mittelbar durch weitergehende Recherche entnehmen, ist Auskunft nur ausreichend, wenn Recherche mühelos durch Aktionär in HV vorgenommen werden kann (OLG Stuttgart BeckRS 2019, 34369 Rn. 13). Es darf auch dann nicht gelogen werden, wenn Auskunftsverweigerungsrecht nach § 131 III besteht. Wenn Vorstand von Verweigerungsrecht Gebrauch machen will, muss er es sagen. Aktionär hat keinen Anspruch darauf, dass Richtigkeit an 70

Eides statt versichert wird (BayObLG AG 2003, 499, 500; LG München I ZIP 2010, 2148, 2149; MüKoAktG/Kubis Rn. 86). Auch einer Begründung bedarf es nicht (KK-AktG/Kersting Rn. 300). Detaillierungsgrad ist zunächst anhand der Beurteilungsrelevanz zu prüfen (OLG Düsseldorf BeckRS 2015, 09412). IÜ hängen Anforderungen an Genauigkeit der Antwort von Genauigkeit der Frage ab (zust. OLG Stuttgart AG 2015, 163, 170; NZG 2020, 309 Rn. 37; BeckOGK/Poelzig Rn. 238; Kubis ZGR 2014, 608, 623). **Allg. gehaltene Fragen** können entspr. beantwortet werden (BayObLGZ 1988, 413, 420 f.; LG Braunschweig AG 1991, 36). Wenn Aktionär mit Antwort nicht zufrieden ist, muss er nachfragen (BGHZ 198, 354 Rn. 44 = NJW 2014, 541; BGHZ 229, 27 Rn. 31 = NZG 2021, 782; OLG Stuttgart AG 2012, 377, 380; LG Braunschweig AG 1991, 36). Dasselbe gilt, wenn Frage auf eine Vielzahl von Informationen gerichtet ist, die zumindest teilw. nicht für Beurteilung eines Tagesordnungspunkts relevant sind (zum quantitativen Fragenexzess → Rn. 24, 101). Erhält Aktionär hier auf seine Frage eine aus seiner Sicht unzureichende Pauschalantwort, muss er durch **Nachfrage** deutlich machen, dass sein Informationsinteresse auf bestimmte Detailauskünfte gerichtet ist (BGHZ 198, 354 Rn. 44; OLG Stuttgart AG 2015, 163, 170; NZG 2020, 309 Rn. 65). Gegenstand der Frage und Aussagegehalt der Auskunft müssen uU durch Auslegung nach §§ 133, 157 BGB ermittelt werden (OLG Stuttgart AG 2012, 377, 380; aA Reger NZG 2013, 48, 49). Generelle Mitwirkungsobliegenheit des Aktionärs bei unvollständigen Antworten oder Missverständnissen kann daraus aber nicht abgeleitet werden (str. → Rn. 102). Fragen nach subj. Einschätzung können nicht als obj. falsch bemängelt werden (OLG Stuttgart AG 2015, 163, 170).

71 **2. Mündliche oder schriftliche Auskunft; Einsichtnahme.** Auskünfte sind grds. mündlich zu erteilen (BGHZ 101, 1, 15 = NJW 1987, 3186; OLG Düsseldorf WM 1991, 2148, 2152 f.; AG 2010, 711, 714; LG Heidelberg AG 1996, 523, 524; LG Saarbrücken NZG 2004, 1012, 1013; AG 2006, 89, 90); sog Mündlichkeitsgrundsatz, der aber durch § 131 III 1 Nr. 7 gelockert wird (→ Rn. 97 f.). Antwort erfolgt in deutscher Sprache, ggf. unter Heranziehung eines Dolmetschers oder durch Delegation an geeigneten Dritten (GK-AktG/Decher Rn. 276). Antworten müssen nicht unmittelbar an Frage anschließen, sondern können auch **blockweise** gegeben werden, wie namentl. in Generaldebatte (→ § 129 Rn. 22) üblich. Ausnahmsweise kann mündliche Auskunft durch Einsichtnahme in schriftliche Unterlagen ersetzt werden, nämlich dann, wenn sie in HV erfolgt und Informationsinteresse des Aktionärs schneller und besser befriedigt als mündliche Auskunft. So etwa, wenn in HV einer Großbank nach Handel in eigenen Aktien gefragt wird und Einsichtnahme in listenförmige nach Tagen und Wochen geordnete Übersicht angeboten wird, und zwar nicht nur dem Fragesteller, sondern auch den anderen an HV teilnehmenden Aktionären (BGHZ 101, 1, 15; aA Kubis FS Kropff, 1997, 171, 184 f., 187, der aber Erforderlichkeit pauschaler Auskunft verneint). Jenseits solcher Fälle kann Aktionär nicht einseitig von AG auf schriftliche Auskunft verwiesen werden, doch lässt hM zu Recht sog **erfüllungsersetzende Auskunftserteilungsvereinbarungen** zu (KK-AktG/Kersting Rn. 532; S/L/Spindler Rn. 62). Sie sind nicht unproblematisch, da Auskunftspflicht auch kollektiver Willensbildung dient, doch da Vereinbarung öffentl. im Rahmen der HV getroffen werden muss, kann jeder andere Aktionär sofortige Beantwortung für sich reklamieren (überzeugend MüKoAktG/Kubis Rn. 94). Umgekehrt haben Aktionäre aber auch keinen Anspruch auf schriftliche Auskunft (→ Rn. 11) oder auf Einsichtnahme in Unterlagen der AG (BGHZ 122, 211, 236 f. = NJW 1993, 1976; LG München I NZG 2009, 143, 146 f.; AG 2010, 378, 383; 2011, 211, 219). Verlesung eines Vertrags kann jedenfalls bei bes. Bedeutung verlangt werden (vgl. etwa BGH NJW 1967,

1462, 1463; OLG München AG 2015, 677, 678 f. zu einer Investorenvereinbarung; MüKoAktG/Kubis Rn. 90; Kersting/Billerbeck WuB 2016, 332 ff.). Sie sollte idR aber auf maßgebliche Passagen beschränkt werden können (GK-AktG/Decher Rn. 277 f.)

3. Beschränkungen des Frage- und Rederechts. a) Gesetzliche Vorgabe. Gem. § 131 II 2 kann HV-Leiter **durch Satzung oder Geschäftsordnung** (§ 129) ermächtigt werden, Frage- und Rederecht des Aktionärs zeitlich angemessen zu beschränken; Satzung oder Geschäftsordnung können dazu auch Näheres bestimmen, insbes. auch konkrete Zeitvorgaben enthalten (BGHZ 184, 239 Rn. 8, 13 = NJW 2010, 1604; Formulierungsvorschlag bei Weißhaupt ZIP 2005, 1766, 1769; Beispiele für gängige Gestaltungen auch bei Kremer FS Hoffmann-Becking, 2013, 697, 704 f.). Durch UMAG 2005 angefügte Vorschrift versteht sich als Erweiterung der Satzungs- oder Geschäftsordnungsautonomie (RegBegr. BT-Drs. 15/5092, 17). Aktionäre sollen HV-Leiter in die Lage versetzen können, ausufernder und **Funktionsfähigkeit** der HV abträglicher Ausnutzung des Fragerechts angemessen zu begegnen (RegBegr. BT-Drs. 15/5092, 17). Damit wird das sinnvolle Anliegen verfolgt, HV wieder zu einer straffen, auf die wesentlichen strategischen Entscheidungen konzentrierten Plattform zu machen, die dann auch wieder an inhaltlichem Gewicht und Attraktivität für Aktionäre, die über ernstzunehmende Stimmanteile verfügen, gewinnen könnte (BGHZ 184, 239 Rn. 11 f.; BGHZ 198, 354 Rn. 34 = NJW 2014, 541). Vorwurf der Verfassungswidrigkeit (NK-AktR/Heidel Rn. 54) kann nicht überzeugen. Vielmehr handelt es sich um zulässige Inhalts- und Schrankenbestimmung iSd Art. 14 GG. Sie steht auch mit Vorgaben der Aktionärsrechte-RL im Einklang, die in Art. 9 zur Gewährleistung eines ordnungsgem. Ablaufs verpflichtet (sa KK-AktG/Kersting Rn. 302). Regelung selbst ist jedoch nicht durchgängig gelungen. Soweit es zunächst um Gegenstand der Beschränkung geht, sind „Frage- und Rederecht" nicht zwingend kumulativ zu verstehen. Gemeint ist vielmehr, dass Satzung oder Geschäftsordnung Beschränkungen der reinen Redezeit, der reinen Fragezeit und der beides umfassenden Gesamtzeit enthalten können. Fragen, die gemeinsames Zeitkontingent des Aktionärs übersteigen, sind deshalb unbeachtlich und dürfen unbeantwortet bleiben, ohne dass es dafür wie zu § 131 III (→ Rn. 87) eines Vorstandsbeschlusses bedürfte (DAV-HRA NZG 2004, 555, 559; GK-AktG/Decher Rn. 297). In der Praxis, namentl. börsennotierter AG, sind entspr. Satzungsvorgaben weit verbreitet, während Aufnahme in Geschäftsordnung keine große Bedeutung erlangt hat (GK-AktG/Decher Rn. 294; sa → § 129 Rn. 1a). 72

b) Satzungsvorgabe oder Satzungsermächtigung. Satzungsermächtigung nach § 131 II 2 kann unterschiedlich ausgestaltet sein, insbes. kann sie Versammlungsleiter pauschal zur selbständigen Beschränkung ermächtigen oder selbst entspr. Zeitvorgaben enthalten, die Vorstand allerdings nur iSe Orientierungsmaßgabe binden, im Rahmen seiner Leitungsmacht bei vom Normalfall abw. Tagesordnung oder unvorhergesehenem Debattenverlauf aber auch durchbrochen werden können (sa MüKoAktG/Kubis § 119 Rn. 166). Für die Praxis haben sich generell-abstrakte Ermächtigungen als besser geeignet erwiesen (GK-AktG/Decher Rn. 300). Inhaltliche Gesetzesvorgabe der Angemessenheit als normative Grenze solcher Beschränkungen bleibt jedoch blass. HV-Leiter hat deshalb für Ablauf zu sorgen, der **Informations- und Mitwirkungsinteresse** der Aktionäre gerecht wird, Funktionsfähigkeit und inhaltliche Qualität der HV aber nicht in Frage stellt (OLG München AG 2011, 840, 843). Er wird sich dabei an dem zu prognostizierenden Diskussionsbedarf zu einzelnen Tagesordnungspunkten orientieren und diese insbes. im Lichte der zeitlichen Vorgaben gewichten (→ Rn. 72). **Prognoseentscheidung** ist keine unternehmerische Entschei- 73 dung iSd § 93 I 2, wohl aber Pflichtaufgabe mit Ermessensspielraum (→ § 93 Rn. 29; zust. BeckOGK/Poelzig Rn. 205; iErg auch LG Frankfurt ZIP 2007, 1861, 1863; s. zu Redezeitverkürzung auch OLG Düsseldorf AG 2017, 900, 904; OLG Frankfurt NZG 2012, 942; AG 2015, 272 Rn. 40; Grigoleit/Herrler Rn. 41; aA KK-AktG/Kersting Rn. 308; zu weitgehend Weißhaupt ZIP 2005, 1766, 1768: nur in ganz krassen Ausnahmefällen). Prognosegrundlage sollte dokumentiert werden (Kremer FS Hoffmann-Becking, 2013, 697, 707).

74 Zur näheren Ausgestaltung der Beschränkung findet sich verbreitet der Hinweis, dass Angemessenheitserfordernis es gebiete, **höherer Wertigkeit des Fragerechts** ggü. Rederecht Rechnung zu tragen (MüKoAktG/Kubis § 119 Rn. 175; Martens AG 2004, 238, 242; krit. GK-AktG/Decher Rn. 297, 316 ff.; Grigoleit/Herrler Rn. 36; Arnold/Carl/Götze AG 2012, 349, 354; Kremer FS Hoffmann-Becking, 2013, 697, 706). Dem Befund einer solchen höheren Wertigkeit ist grds. zuzustimmen (BGHZ 184, 239 Rn. 18 = NJW 2010, 1604). Daraus für Satzung konkrete Gestaltungskonsequenzen zu ziehen, ist dennoch problematisch, da trennscharfe Differenzierung zwischen Rede- und Fragebeitrag oftmals nur schwer möglich ist (BGHZ 184, 239 Rn. 18; BeckOGK/Poelzig Rn. 200; Kremer FS Hoffmann-Becking, 2013, 697, 706). Auch § 131 II 2 legt eher die Lesart nahe, dass Gesetzgeber nicht zwingend satzungsmäßige Differenzierung zwischen diesen Rechten vorsieht (BGHZ 184, 239 Rn. 17; Arnold/Carl/Götze AG 2012, 349, 354). Wenn dem Aktionär für Rede und Frage zB 15 Minuten eingeräumt werden und er 15 Minuten redet, dann ist kaum ersichtlich, was HV-Leiter mehr tun kann, als rechtzeitig an Zeitbeschränkung zu erinnern. Zeitlich unbeschränkte Auskunftgestattung würde hier § 131 II 2 zuwiderlaufen. Auch zeitliche Aufteilung innerhalb der Satzung (zB 5 Minuten Redezeit, 10 Minuten Fragezeit) wäre wegen mangelnder Flexibilität und angesichts fließender Übergänge von Rede und Frage kaum sachgerecht. Zu beachten ist daher allenfalls, dass Gesamtzeit jedenfalls so bemessen sein muss, dass sie angemessene Ausübung des Fragerechts gestattet. Weitergehende Rücksichtnahme auf Stellenwert dieses Rechts wird eher **HV-Leiter** im Einzelfall gewähren können als Satzungsgeber (BGHZ 184, 239 Rn. 18; zur Rolle des HV-Leiters bei Konkretisierung → Rn. 76 ff.).

75 Ist Höherwertigkeit des Auskunftsrechts daher keine taugliche Leitlinie zur Ausfüllung des Angemessenheitserfordernisses innerhalb der Satzung, bleiben in erster Linie quantitative Maßstäbe. Praxis beruft sich hier verbreitet auf A.7 DCGK, wonach normale HV in **vier bis sechs Stunden** abgewickelt sein sollte. Herleitungsbasis ist aufgrund fehlender Gesetzesqualität des Kodex und bloßem Anregungscharakter indes gleich doppelt schwach (Ghassemi-Tabar/Simons DCGK A.7 Rn. 9, 23). Tats. folgt dieser Maßstab aber schon aus RegBegr. BT-Drs. 15/5092, 17, erhält damit zumindest mittelbar legislative Grundlage und darf deshalb als Orientierungshilfe für Konkretisierung des Angemessenen herangezogen werden (BGHZ 184, 239 Rn. 20 = NJW 2010, 1604; OLG Frankfurt AG 2011, 36, 41; Seibert WM 2005, 157, 160). A.7 DCGK ist deshalb genau genommen keine Anregung, sondern Wiedergabe der Rechtslage (Ghassemi-Tabar/Simons DCGK A.7 Rn. 9). Ist Beschränkung in HV mit üblicher Tagesordnung im Hinblick auf Zeitkontingent von maximal sechs Stunden notwendig, so indiziert das Rechtmäßigkeit einer Beschränkung von Frage- und Rederecht (OLG Frankfurt AG 2011, 36, 41; Mutter AG 2006, R 380 f.). Bei Beschlussfassungen über wesentliche strukturrelevante Vorhaben reicht der genannte Zeithorizont nicht, doch sollte es wenigstens beim **Leitbild der eintägigen HV** verbleiben (vgl. dazu BGHZ 184, 239 Rn. 24; OLG Brandenburg BeckRS 2023, 26120 Rn. 111; sa GK-AktG/Decher Rn. 306). Diesen Vorgaben entspr. Satzung, die für ordentliche HV Dauer von sechs Stunden, bei außergewöhnlichen TOP von zehn Stunden und für Rede- sowie Fragezeit einzelner Aktionäre 10–

15 Minuten vorsieht (BGHZ 184, 239 Rn. 7 ff., 20 f.; zust. dazu Angerer ZGR 2011, 27 ff.; Wachter DB 2010, 829 ff.; teilw. krit. Kersting NZG 2010, 446, 447 ff.; vgl. ferner LG Frankfurt ZIP 2007, 1861, 1863; aA OLG Frankfurt AG 2008, 592 f.). Neben derartig präzisen Zeitvorgaben in der Satzung ist es verbreitet und sinnvoll, HV-Leiter pauschal zur angemessenen zeitlichen Beschränkung zu ermächtigen und Näheres zu bestimmen (zur Ausfüllung dieses Gestaltungsspielraums → Rn. 76 ff.). Für außerordentliche HV gilt Zeitvorgabe regelmäßig nicht (Ghassemi-Tabar/Simons DCGK A.7 Rn. 18).

Im Rahmen der durch Satzung oder aufgrund Satzungsermächtigung gegebenen zeitlichen Vorgaben hat HV-Leiter Beiträge zeitlich so aufzuteilen, dass die dort enthaltenen zeitlichen Vorgaben eingehalten werden. Dazu muss er während des gesamten Verlaufs der Debatte im Pendelblick zwischen angemeldeten Wortmeldungen und geplantem Versammlungsende Redebeiträge zeitlich einteilen (sa BGHZ 184, 239 Rn. 22 = NJW 2010, 1604; MüKoAktG/Kubis § 119 Rn. 171), wobei er iRd Möglichen **Gleichbehandlungsgrundsatz** (§ 53a) zu beachten hat (Kremer FS Hoffmann-Becking, 2013, 697, 705 ff. mit Hinweis auf entspr. Softwaretools, die Kalkulation erleichtern). § 53a verpflichtet allerdings nicht dazu, späteren Rednern zwangsläufig dieselbe Redezeitlänge einzuräumen wie früheren Rednern, wenn zeitliche Vorgaben erst im späteren Debattenverlauf Straffung erforderlich machen (sa BGHZ 184, 239 Rn. 21; MüKoAktG/Kubis § 119 Rn. 169 f.; GK-AktG/Mülbert § 129 Rn. 206). 76

Zeigt sich im Laufe der Debatte **größerer Beratungsbedarf,** als ursprünglich angenommen, kann auch Aufhebung oder Ausdehnung der ursprünglichen festgesetzten Redezeitbeschränkung angezeigt sein. In der Praxis haben sich Redezeitempfehlungen bewährt, an die durch entspr. (optische oder mündliche) Hinweise bei Ablauf der Redezeit erinnert wird (Kremer FS Hoffmann-Becking, 2013, 697, 705). Zumindest bei Satzungsvorgabe kann der so ermittelte zeitliche Rahmen im Grundsatz auch auf Auskunftsrecht übertragen werden. Grds. angemessener zeitlicher Rahmen kann sich allerdings auch dann als unzulässig erweisen, wenn Verwaltung selbst unverhältnismäßig großes Zeitkontingent für eigene Beiträge beansprucht (MüKoAktG/Kubis § 119 Rn. 168). 77

Unterschiedlich beurteilt wird, ob es zulässig ist, bei zeitl. erforderlichen Einschränkungen des Auskunfts- und Rederechts nach **Höhe der Kapitalbeteiligung** zu differenzieren. Erstaunlicherweise wird dies von Kommentarlit. zu § 53a überwiegend bejaht (→ § 53a Rn. 7), von Kommentarlit. zu § 131 überwiegend verneint (abl. etwa NK-AktR/Heidel Rn. 54; Grigoleit/Herrler Rn. 35; KK-AktG/Kersting Rn. 307; MüKoAktG/Kubis § 119 Rn. 167; GK-AktG/Mülbert § 129 Rn. 206; aA GK-AktG/Decher Rn. 321; Seibert WM 2005, 157, 161; Weißhaupt ZIP 2005, 1766, 1768 f.). Zu COVMG aF hatte FraktE BT-Drs. 19/18110, 26 es noch ausdr. gestattet, **Fragen bestimmter Aktionäre bevorzugt** zu berücksichtigen (zB Aktionärsvereinigungen oder institutionelle Investoren). Angesichts extremer zeitl. Drucksituation, unter der dieses Ges. zustande gekommen ist (zur Geschichte vgl. Noack FS Heidel, 2021, 307, 308 ff.), kann dieser Aussage aber jedenfalls kein Gewicht beigemessen werden, das nach Ablauf der Geltungsdauer des COVMG aF fortwirkt. Gesetzgeber des VHVG 2022 hat diese Festlegung, die auch in Lit. zT krit. gewürdigt wurde (vgl. etwa Herrler GWR 2020, 191, 194; Lieder ZIP 2020, 837, 842; Stelmaszczyk/Forschner Konzern 2020, 221, 231), jedenfalls nicht übernommen. 78

Kritik an differenzierender Lösung entzündet sich insbes. daran, dass zeitl. Gewichtung nach Mehrheitsanteilen im Lichte des Gleichbehandlungsgrundsatzes ohnehin schon problematisch ist; Verweis auf Beteiligungshöhe als sachlicher Grund ist bei Minderheitenrecht aus § 53a bedenklich (→ § 53a Rn. 7, 11). Unbehagen wird insbes. dort vertieft, wo best. Investoren – wie mittlerweile in der Praxis üblich – iR eines Investorendialogs (→ § 53a Rn. 7; 79

→ § 131 Rn. 79) ausf. informiert wurden. Solches Ungleichgewicht muss nicht in HV abermals vertieft werden (s. schon → § 53a Rn. 7; Herrler DNotZ 2020, 468, 493). Auf der anderen Seite ist nicht zu verkennen, dass zeitl. Einschränkung Ausschluss einzelner Aktionäre erforderlich machen kann und dafür auch kein deutlich geeigneteres Kriterium als **Repräsentanzgedanke** (qua Beteiligungsgewicht oder qua bes. Funktion, zB Aktionärsvereinigung) erkennbar ist. Sachgerechter Mittelweg kann darin liegen, dass es HV-Leiter gestattet wird, gewichtigere Repräsentanten in der Rednerreihenfolge nach vorne zu ziehen (sa KK-AktG/Tröger § 118a Rn. 52); von zeitlicher Gewichtung der Redezeit sollte dagegen mit Blick auf unsichere Grenzen des § 53a, aber auch schon aus rein optischen Gründen abgesehen werden, um Eindruck einer Zwei-Klassen-Gesellschaft zu vermeiden. Auch sollte zeitlich vorrangige Berücksichtigung gewichtigerer Aktionäre nicht dazu führen, dass für andere, namentl. Kleinaktionäre, kein Raum für Auskunft und Stellungnahme mehr bleibt. Vielmehr sollte HV-Leiter sich bemühen, dass in HV **diverses Anteilseignerspektrum** abgebildet wird.

80 Auch wenn man Vorstand in diesem Sinne ermessensleitende Kriterien an die Hand gibt, bleibt doch fraglich, inwiefern **Ermessensausübung justiziabel** ist. Dabei ist auf der einen Seite zu bedenken, dass jede rechtl. Anleitung praktisch wertlos ist, wenn sie nicht auch gerichtl. durchsetzbar ist. Auf der anderen Seite muss Gesetzgeber, der sich bewusst aller ermessensleitenden Vorgaben enthält, dem handelnden Entscheidungsträger **als Ausgleich für legislative Zurückhaltung weite Ermessensspielräume** zugestehen, um gerade im Bereich der HV-Beschlüsse, wo Beschlussmängel bes. gravierende Folgen haben, Rechtsunsicherheit möglichst einzugrenzen. Andere Handhabung wäre gerade vor dem Hintergrund immer noch verbreiteten **Missbrauchs** des Anfechtungsrechts problematisch. Ein zur Anfechtung berechtigtender Ermessensfehlgebrauch sollte deshalb nur **in eher krass gelagerten Fallgestaltungen** angenommen werden. Als Beispiel kann LG München I ZIP 2009, 662 dienen: HV mit gut zwei Stunden Dauer und ganzen zwei Wortmeldungen, für die die Redezeit sogleich auf jew. fünf Minuten begrenzt wird. Hier kann Unverhältnismäßigkeit selbst dann angenommen werden, wenn Redezeitbeschränkung von grds. angemessener Satzungsvorgabe noch gedeckt ist (sa Arnold/Carl/Götze AG 2011, 349, 354).

81 Möglichkeit zeitl. Beschränkung gilt für Rede- und Auskunftsrecht des Aktionärs, anders als noch in vHV unter COVMG-Rahmenbedingungen (→ § 118a Rn. 2 f.) nicht für Auskunftszeit des Vorstands (s. dazu noch → 16. Aufl. 2022, § 131 Rn. 83). In Fällen zeitl. Bedrängnis kann zwar Fragezeit verkürzt oder Rednerliste gar geschlossen werden (→ Rn. 82). Vorstand darf Fragen aber nicht unbeantwortet lassen, sondern kann sich allenfalls um **verknappte Antworten** bemühen.

82 **c) Ende der Debatte.** Reicht die Zeit nicht, kommen **Schluss der Rednerliste** und **Schluss der Debatte** in Frage, beides bezogen auf jew. Tagesordnungspunkt (OLG Düsseldorf AG 2019, 467, 472 f.; GK-AktG/Decher Rn. 344 ff.; MHdB AG/Hoffmann-Becking § 37 Rn. 70 ff.). Zwischen diesen beiden Maßnahmen ist Schluss der Rednerliste der Vorzug zu geben; Debattenschluss ist ultima ratio. Wahl zwischen fortschreitender Verkürzung der Redezeit und Schluss der Rednerliste steht im Ermessen des HV-Leiters, wobei **Grundsatz der Verhältnismäßigkeit** grds. eher für Redezeitbeschränkung spricht. Schluss der Rednerliste kann aber besser sein als einige Kürzestbeiträge, in denen sich auch versierte Debattenredner nicht überzeugend äußern können. Wurde Aktionär allerdings auf Rednerliste aufgenommen, muss er auch tats. zu Wort kommen, wenn auch mit uU beschränkter Redezeit. Geschieht das nicht, liegt Anfechtungsgrund vor, der idR auch durch Einwand mangelnder Relevanz in Unkenntnis des vorenthaltenen Redeinhalts nicht ausgeräumt werden kann (LG Frankfurt AG 2013, 178). Anlass für Schluss der Rednerliste müssen zeitliche Motive sein; es genügt nicht, dass nach Auffassung des HV-Leiters, „keine neuen Argumente" zu erwarten seien (GK-AktG/Mülbert § 129 Rn. 210). Schluss der Debatte ist weitergehend und führt dazu, dass auch diejenigen Aktionäre nicht mehr zu Wort kommen, die bereits auf der Rednerliste eingetragen sind (GK-AktG/Mülbert § 129 Rn. 212). Gerade aus diesem Grund kommt sie nur in Extremfällen in Betracht. Alle Maßnahmen stehen in der **Leitungskompetenz des HV-Leiters,** der in der HV Meinungsbilder herstellen kann, aber nicht muss. Sowohl Schluss der Rednerliste als auch Schluss der Debatte sollten zweckmäßigerweise von HV-Leiter zuvor angekündigt werden (GK-AktG/Mülbert § 129 Rn. 210, 213), ohne dass andere Handhabung zwangsläufig Rechtsverstoß begründet (OLG Düsseldorf AG 2019, 467, 473 f.). Entscheidender rechtl. Maßstab für Zulässigkeitsbeurteilung ist hier **Verhältnismäßigkeitsprinzip** (→ § 129 Rn. 22). Schluss der Rednerliste kann nicht durch Übertragung des Rederechts von einem in die Liste aufgenommenen auf einen nicht berücksichtigten Aktionär umgangen werden (OLG München AG 2011, 840, 843).

d) Beschränkungen der Rede- und Fragezeit ohne Satzungsgrundlage. 83
Wo Satzungsvorgaben ausnahmsweise (→ Rn. 72) fehlen, ist zumindest **Beschränkung der Redezeit** als allg. Instrument der Sitzungsleitung dennoch anerkannt (OLG Frankfurt AG 2011, 36, 41; OLG Stuttgart AG 2015, 163, 169; MüKoAktG/Kubis § 119 Rn. 166) und auch verfassungsrechtl. unbedenklich (BVerfG NJW 2000, 349, 351); zumindest insofern hat § 131 II 2 also nur klarstellende Funktion (Wilsing/v. der Linden DB 2010, 1277, 1279). Problematischer ist, ob auch **Einschränkung der Fragezeit** ohne Satzungsgrundlage zulässig ist, weil dem Auskunftsrecht höherer Stellenwert zukommt als Rederecht (→ Rn. 74). HM bejaht zu Recht aber auch diese Frage im Lichte des Art. 14 I GG, der zum Schutz der Teilnahmerechte aller Aktionäre notfalls auch Beschränkung der Fragezeit gebietet (BVerfG NJW 2000, 349, 351; BGHZ 184, 239 Rn. 29; GK-AktG/Decher Rn. 295; Hölters/Weber/Drinhausen Rn. 28; MüKoAktG/Kubis § 119 Rn. 175; S/L/Ziemons § 129 Rn. 95; aA NK-AktR/Heidel Rn. 55; KK-AktG/Kersting Rn. 317 f.; GK-AktG/Mülbert § 129 Rn. 202). Auch die fließenden Übergänge von Rede und Frage, die eine trennscharfe Abgrenzung oft nicht erlauben, sprechen dafür, beide Rechte ähnlichen Regeln zu unterwerfen (s. dazu auch BGHZ 184, 239 Rn. 18). Umkehrschluss aus § 131 II 2 steht dem nicht entgegen (so aber KK-AktG/Kersting Rn. 317), da diese Argumentation Ausschließlichkeitsanspruch des § 131 II 2 unterstellt, ohne Möglichkeit einer nur klarstellenden Funktion des § 131 II 2 in Betracht zu ziehen, die aber zumindest für Rederecht allg. anerkannt ist. HV-Leiter kann deshalb allenfalls angeraten werden, Beschränkungen des Auskunftsrechts mit größerer Behutsamkeit vorzunehmen; sie ist aber grds. zulässig. Satzungsermächtigung nach § 131 II 2 ist dringend zu empfehlen.

Beschränkung der Rede- und Fragezeit fällt auch ohne entspr. Satzungsvorgabe in **Leitungskompetenz des HV-Leiters,** nicht in Beschlusszuständigkeit der HV (hM, s. OLG Stuttgart AG 1995, 234; OLG Frankfurt AG 2011, 36, 41; MüKoAktG/Kubis § 119 Rn. 166; Stützle/Walgenbach ZHR 155 [1991], 516, 540 f.; aA zB RGZ 36, 24, 26 [atypischer Sachverhalt: HV umfasste sechs bzw. sieben Aktionäre]; noch offenlassend BGHZ 44, 245, 247 = NJW 1966, 43). Unangemessene Beschränkung kann Beschluss daher anfechtbar machen, gibt HV aber kein Recht, Ordnungsmaßnahmen des Versammlungsleiters zu revidieren (str. – wie hier MüKoAktG/Kubis § 119 Rn. 166; aA Max AG 1991, 77, 91). 84

85 Für danach zulässige Beschränkungen gelten im Ausgangspunkt die in → Rn. 72 ff. dargelegten Grundsätze, doch ist ohne Satzungsvorgabe **tendenziell großzügigere Bemessung der Beitragszeit** geboten, da damit verbundene Einschränkung der Aktionärsrechte hier nur durch Leitungsmacht des HV-Leiters gerechtfertigt wird, bei Satzungsermächtigung aber durch eigenes Votum der Aktionäre höhere Legitimation erhält (Herrler DNotZ 2010, 331, 342 f.). Dennoch sollte es auch bei Tagesordnung mit sog Strukturbeschlüssen bei **eintägiger HV** verbleiben (→ Rn. 75). Zehn bis zwölf Stunden darf HV-Leiter auch dann als Obergrenze annehmen, wenn damit Mitternacht nicht überschritten wird (zust. GK-AktG/Mülbert § 129 Rn. 178). Auch bei Überschreitung sind Beschlüsse aber allenfalls anfechtbar (Zumutbarkeitsfrage, → § 121 Rn. 17). Redezeitvorgaben von 10–15 Minuten sind die Regel; sie können zu späterem Zeitpunkt auch auf fünf Minuten verkürzt werden (OLG Stuttgart AG 2015, 163, 169). Länger als 15 Minuten sollte niemand reden. Generelle Verkürzung auf zehn Minuten ist jedenfalls idR zulässig (vgl. BeckOGK/Wicke § 129 Rn. 56). Zumindest für Beiträge zur Geschäftsordnung kann Frist auch kürzer sein. Wenn es von vornherein als möglich erscheint, dass diese Zeitspannen noch zu lang sind, sollten weitere Verkürzungen rechtzeitig als möglich angekündigt werden. Sie sind auch während der Debatte zulässig (zu Unrecht zweifelnd OLG Stuttgart AG 1995, 234). Gleichbehandlungsgrundsatz gilt auch hier. Beschränkungen des **Auskunftsrechts** sind möglich, sollten ohne Ermächtigung aber nur zurückhaltend eingesetzt werden (→ Rn. 74). Verbreitet wird insofern empfohlen, Auskunftsrecht nur dann zu beschneiden, wenn redezeitbeschränkende Instrumente ausgeschöpft sind (ultima ratio – LG Frankfurt AG 2007, 48, 49; MüKoAktG/Kubis § 119 Rn. 175; Martens AG 2004, 238, 242), was allerdings auf praktische Schwierigkeiten stoßen kann, wenn – wie im Regelfall – Redebeitrag der Frage vorausgeht (→ Rn. 74).

86 **e) Individuelle Beschränkungen des Rede- und Fragerechts.** Neben den in → Rn. 72 ff. erörterten allg. Beschränkungen des Rede- und Fragerechts, die für alle Teilnehmer Geltung beanspruchen, kann HV-Leiter iR seiner allg. Leitungsmacht auch Rede- und Fragerecht eines einzelnen Aktionärs beschränken, wenn dieser **Ablauf der HV stört,** etwa durch Ausführungen, die keinen Bezug zur Tagesordnung haben, beleidigende Äußerungen oder übermäßige Inanspruchnahme vom Redezeit (GK-AktG/Decher Rn. 334). Es gelten insofern die allg. Grundsätze für die Ergreifung von Ordnungsmaßnahmen (insbes. Erforderlichkeit und Verhältnismäßigkeit), was jedenfalls im Regelfall Abmahnung voraussetzen wird (→ § 129 Rn. 26 f.). Beschränkung der Redezeit im Einzelfall kann kürzer ausfallen als die entspr. generelle Maßnahme (→ Rn. 83). Sie bietet sich insbes. bei Vielrednern als **Vorstufe zur Wortentziehung** an („noch drei Minuten"); Einzelheiten bei Quack AG 1985, 145, 147 f.

V. Auskunftsverweigerungsgründe (§ 131 III)

87 **1. Allgemeines.** Nach § 131 III darf Vorstand Auskunft unter bestimmten Voraussetzungen verweigern. Dabei ist vorausgesetzt, dass ein Auskunftsanspruch an sich besteht, Erfordernisse des § 131 I also erfüllt sind. Verweigerung der Auskunft ist ebenso **Geschäftsführungsmaßnahme** wie Erteilung (→ Rn. 8). Vorstand muss also nach § 77 vorgehen und grds. einstimmig Beschluss fassen (MüKoAktG/Kubis Rn. 115). Bekundungen des HV-Leiters genügen nicht, Beschluss der HV ist mangels Kompetenz nichtig gem. § 241 Nr. 3 (RGZ 167, 151, 161). Vorstandsbeschluss kann aber konkludent gefasst werden (BGHZ 101, 1, 5 f. = NJW 1987, 3186; OLG Frankfurt AG 1986, 233), und zwar auch in der Art, dass sich Vorstand eine Ablehnung durch den HV-Leiter zu Eigen macht.

Pflicht zur Auskunftsverweigerung kann zwar nicht aus § 131 III, aber jedenfalls aus § 93 I 1 abgeleitet werden (vgl. BGHZ 36, 121, 131 = NJW 1962, 104; MüKoAktG/Kubis Rn. 117; Kersting/Billerbeck NZG 2019, 1326 ff.; sa → Rn. 18). Andere als die in § 131 III 1 aufgeführten Verweigerungsgründe gibt es nach § 131 III 2 nicht. Abschließend genannt sind jedoch nur die Einzeltatbestände, so dass nach richtiger, wenngleich bestrittener Ansicht für eine Auskunftsverweigerung wegen Missbrauchs des Fragerechts durchaus Raum bleibt (→ Rn. 99 ff.). Ob Verweigerungsgrund vorliegt, ist obj. zu bestimmen (BGH NZG 2014, 423 Rn. 43) und unterliegt unbeschränkter richterlicher Nachprüfung (OLG Düsseldorf AG 1992, 34, 35; OLG Stuttgart AG 2011, 93, 99; LG Saarbrücken NZG 2004, 1012, 1013; LG Saarbrücken AG 2006, 89, 91; MüKoAktG/Kubis Rn. 114). Ob Vorstand Auskunftsverweigerung in HV näher **begründen** muss, ist umstr. (dafür OLG Dresden AG 2003, 433, 435; OLG Hamburg AG 1969, 150, 151 [Nachschieben im Klageverfahren aber zulässig]; KK-AktG/Kersting Rn. 544; aA OLG Frankfurt AG 1986, 233; KG AG 1994, 469 ff.; GK-AktG/Decher Rn. 357; MüKoAktG/Kubis Rn. 118; BeckOGK/Poelzig Rn. 152; offenlassend BGHZ 101, 1, 8 f. mwN = NJW 1987, 3186; BGH NZG 2014, 423 Rn. 43). Vorzugswürdig erscheint Mittelweg, wonach Vorstand Weigerung zwar begründen muss, an Begründung aber keine hohen Anforderungen gestellt werden. Zumindest sollte Angabe gemacht werden, die Zuordnung zu Fallgruppen des § 131 III 1 erlaubt, damit Aktionär für etwaiges Klageverfahren groben Anhaltspunkt hat. Erst im gerichtl. Verfahren trifft die AG weitergehende Plausibilisierungspflicht (→ § 132 Rn. 7). In diesem Verfahren kann Begründung noch nachgeschoben werden, und zwar unabhängig davon, ob Vorstand sich schon in HV auf Auskunftsverweigerungsrecht berufen hat (BGH NZG 2014, 423 Rn. 43, 106). Dadurch wird Streit wesentlich entschärft. Provoziert nicht hinreichend substanziierte Begründung allerdings Klage, erscheint es angemessen, AG **Verfahrenskosten** des Auskunftserzwingungs- bzw. Anfechtungsverfahrens aufzuerlegen (BGHZ 36, 121, 131 f. = NJW 1962, 104; GK-AktG/Decher § 132 Rn. 103; MüKoAktG/Kubis Rn. 118; vgl. deshalb auch Lieder NZG 2014, 601, 603: Begründungsobliegenheit statt Begründungspflicht).

2. Einzelne Verweigerungsgründe. a) Nachteilszufügung. In der Praxis dominiert Verweigerungsgrund des § 131 III 1 Nr. 1. Dieser gestattet Verweigerung der Auskunft, soweit sie geeignet ist, der AG oder einem verbundenen Unternehmen nicht unerheblichen Nachteil zuzufügen; maßgeblich ist **vernünftige kaufmännische Beurteilung.** Nachteil muss nicht zwingend als Folge der Auskunft zu erwarten sein; Eignung genügt (OLG Stuttgart AG 2012, 377, 381; LG Saarbrücken NZG 2004, 1012, 1013; MüKoAktG/Kubis Rn. 120). Nachteil ist nicht nur Schaden iSd §§ 249 ff. BGB, sondern jede einigermaßen gewichtige Beeinträchtigung des Gesellschaftsinteresses (GK-AktG/Decher Rn. 364). Maßgeblich für Begriff der verbundenen Unternehmen ist § 15. Nachteile für Dritte (zB Organmitglieder) rechtfertigen Auskunftsverweigerung nicht (MüKoAktG/Kubis Rn. 120). Gerade umgekehrt muss uU sogar Nachteil für AG in Kauf genommen werden, wenn HV nur auf diese Weise über **Pflichtwidrigkeiten von Organmitgliedern** in Kenntnis gesetzt werden kann (BGH NZG 2014, 423 Rn. 28, 52). Entspr. Aufklärungsinteresse muss aber substanziiert so dargelegt werden, dass Pflichtverletzung wahrscheinlich erscheint (OLG Stuttgart AG 2012, 377, 383). Überdies muss Nachteil zu Lasten der AG auch dann nicht in Kauf genommen werden, wenn aufgrund **interner Aufarbeitung** wirksames Eingreifen der zuständigen Gesellschaftsorgane zu erwarten steht (BGHZ 86, 1, 19 = NJW 1983, 878; BGH NZG 2014, 423 Rn. 52). Dieser höchstrichterliche Argumentationsstrang hat in Lit. bislang nur wenig Beachtung gefunden, erhält 88 aber sinnvolle Ergänzung, um Vorzüge repräsentativer Durchsetzung, die auch Berücksichtigung der Unternehmensbelange gestatten soll (→ § 111 Rn. 7), nicht zu gefährden (ausf. Holle ZHR 182 [2018], 569, 583 ff.; ferner Pauschinger, Vorstandshaftung und Vertraulichkeit, 2020, 154 ff.). Aufgrund offenkundiger Missbrauchsgefahr von Seiten der AG bedürfen die näheren Anforderungen aber noch genauerer Konturierung. Weniger strenge Beurteilung ist dann angezeigt, wenn **Organmitglieder nicht mehr im Amt** sind (BGH NZG 2014, 423 Rn. 53). Erforderlichkeit der Auskunft kann sich dann allerdings hinsichtlich der Frage ergeben, ob AG ihrer Verfolgungspflicht nachkommt (OLG Düsseldorf NZG 2015, 1194 Rn. 26 ff.; zur Gefahr einer eigenen Haftung der AG als Folge offengelegter Pflichtverletzungen ihrer Organmitglieder vgl. OLG Düsseldorf BeckRS 2015, 09412). Ob Verweigerungsrecht auch iRd § 293g III besteht, ist str. (→ § 293g Rn. 5).

89 **Maßgeblich** ist nicht subj. Überzeugung des Vorstands, sondern **vernünftige kaufmännische Beurteilung** als obj. verstandener Maßstab. Auch hier kann volle richterliche Nachprüfung erfolgen, die allerdings dadurch abgeschwächt wird, dass bloße Eignung genügt (→ Rn. 88). Erforderliche Tatsachen beizubringen, obliegt AG iR ihrer verfahrensrechtl. Förderungspflicht (→ § 132 Rn. 7). Notwendig, aber auch genügend ist „einige Plausibilität" (BGH NZG 2014, 423 Rn. 42; OLG Düsseldorf AG 1992, 34, 35; aA [negativer Beweis des Aktionärs] LG Heilbronn NJW 1967, 1715; → § 132 Rn. 7). Schlichter Hinweis auf „Konkurrenzgründe" genügt nicht (OLG Düsseldorf AG 1992, 34, 35), auch nicht Berufung auf Vertraulichkeitsabsprache, wenn es um Kapitalerhöhung gegen Sacheinlagen geht, die durch Verrechnung der Einlagenansprüche mit Kaufpreisforderung erbracht werden sollen, und als Verkäufer Mitglieder des Vorstands tätig geworden sind (LG Koblenz AG 2001, 205 f.). Hat Vorstand überwiegende Gründe für Auskunftsverweigerung hinreichend plausibel dargestellt, obliegt Aktionär „Erwiderungslast", wenn er sein Auskunftsrecht wiederherstellen will (MüKoAktG/Kubis Rn. 124; Decher FS Marsch-Barner, 2018, 129, 138 f.).

90 Bedeutung **vertraglicher Geheimhaltungspflichten** ist noch nicht abschließend geklärt. Anerkannt ist, dass Vorstand sich nicht durch Abschluss solcher Abkommen seiner Auskunftspflicht nach Belieben entziehen kann. Drohende Schadensersatzpflicht ggü. Vertragspartner genügt daher noch nicht, um Auskunftsverweigerung zu begründen, sondern erforderlich ist, dass schon Abschluss der Geheimhaltungsabrede selbst erforderlich war, um Nachteil von AG abzuwenden; Maßstab des § 131 III 1 Nr. 1 wird damit auf **Zeitpunkt der Absprache** vorverlegt (ähnlich BGHZ 180, 9 Rn. 42 = NJW 2009, 2207; OLG München AG 1996, 327 f.; GK-AktG/Decher Rn. 371; MüKoAktG/Kubis Rn. 122). BGHZ 180, 9 Rn. 42 hat an diese Gründe keinen strengen Maßstab angelegt, sondern lässt es genügen, wenn bei konkretem Geschäft „Diskretionsgründe" vorliegen, die zu beachten sind, „um eine nachhaltige Beschädigung ihrer Kontrahierungsfähigkeit im Wirtschaftsleben bei Großgeschäften dieser Art zu vermeiden." Hinreichend gewichtige Gründe hat BGH etwa für stichtagsbezogene Strike-Preise bei Derivategeschäften anerkannt, aber auch bei Möglichkeit der Spekulation auf Aktien der AG (BGH NZG 2014, 423 Rn. 44 f.; für „Indizwirkung" der Vertraulichkeitsabrede Haggeney/Hausmanns NZG 2016, 814, 817).

91 **Vor- und Nachteilsabwägung** ist nicht in dem Sinne statthaft, dass Vorteile für den Aktionär eine Rolle spielen dürften (hM, s. nur MüKoAktG/Kubis Rn. 121). Zulässig und geboten ist aber Gesamtabwägung der **Vor- und Nachteile für die AG;** dabei kann Aufdeckung von Pflichtverletzungen der Verwaltung (§§ 93, 116) ein dominierender Vorteil sein (BGHZ 86, 1, 19 f. = NJW 1983, 878; BGHZ 180, 9 Rn. 43 = NJW 2009, 2207; BGH NZG 2014, 423

Rn. 28, 52; OLG Düsseldorf BeckRS 2015, 09412; MüKoAktG/Kubis Rn. 121; Seibt/Cziupka AG 2015, 93, 103).

b) Steuern. Gem. § 131 III 1 Nr. 2 darf Vorstand Auskünfte verweigern, soweit sie sich auf steuerliche Wertansätze oder die Höhe einzelner Steuern beziehen würden. Ausweislich RegBegr. Kropff S. 186 sollen Aktionäre vor dem Irrtum geschützt werden, steuerlicher Gewinn sei betriebswirtschaftlich erzielt und möglicherweise ausschüttungsfähig (sa MüKoAktG/Kubis Rn. 125). Zugrunde liegendes Adressatenbild eines unmündigen Aktionärs wird rechtspolitisch verbreitet kritisiert (statt vieler Butzke HV G 70), ist aber de lege lata hinzunehmen (MüKoAktG/Kubis Rn. 125). Das gilt auch dann, wenn man mit verbreiteter Auffassung Unvereinbarkeit mit Art. 9 I Aktionärsrechte-RL annimmt (KK-AktG/Kersting Rn. 349; MüKoAktG/Kubis Rn. 125; aA GK-AktG/Decher Rn. 391; Fischer zu Cranenburg NZG 2007, 539; J. Schmidt BB 2006, 1641, 1643), da Abhilfe auch insofern Gesetzgeber und nicht nationalem Richter obliegt (weitergehend KK-AktG/Kersting Rn. 349; wie hier BeckOGK/Poelzig Rn. 167). Vorstand darf deshalb auch Auskünfte über die **Tarifbelastung des Eigenkapitals** verweigern (GK-AktG/Decher Rn. 395; S/L/Spindler Rn. 79; Kamprad AG 1991, 396; aA Meilicke BB 1991, 241 f.; Meilicke/Heidel DStR 1992, 113, 117). Allerdings kann im Hinblick auf überholten Normzweck teleologische Reduktion etwas großzügiger erwogen werden. Sie wird von hM zu Recht in Betracht gezogen, wo steuerliche Wertansätze in handelsrechtl. Jahresabschluss zu übernehmen sind, da hier wegen Nennwertbilanzierung Verwirrung der Aktionäre ausgeschlossen ist (GK-AktG/Decher Rn. 394; MüKoAktG/Kubis Rn. 126; S/L/Spindler Rn. 79). 92

c) Stille Reserven. Vorstand braucht keine Angaben zu machen über Unterschied zwischen Bilanzansätzen und höherem Wert der bilanzierten Gegenstände (stille Reserven), wenn nicht ausnahmsweise HV gem. § 173 den Jahresabschluss feststellt (§ 131 III 1 Nr. 3). Für KGaA gilt Auskunftsverweigerungsrecht wegen § 286 I iErg nicht. Stille Reserven ergeben sich aus durch Niederstwertprinzip (§ 252 I Nr. 4 HGB, § 253 III 3, IV HGB) eröffneten Schätzungsreserven, für Finanzanlagen ferner aus dem nach § 253 III 6 HGB bestehendem Abwertungswahlrecht. Da auch im deutschen Bilanzrecht mittlerweile die Tendenz vorherrscht, dass Darstellung der Vermögens-, Finanz- und Ertragslage den **tats. Verhältnissen entspr.** soll (RegE BilMoG BT-Drs. 16/10067, 57), wurden viele bisherige Ansatz- und Bewertungswahlrechte aufgehoben, so dass Bildung stiller Reserven nur noch in geringerem Umfang möglich ist und damit auch Anwendungsbereich der Vorschrift eingeschränkt wurde. Noch stärker gilt dieser Befund für Gesellschaften, die gem. §§ 315a, 325 IIa HGB Konzernabschluss befreiend nach IFRS erstellen, die Bildung stiller Reserven noch stärker beschränken (GK-AktG/Decher Rn. 399). Soweit Gesetzgeber stille Reserven weiterhin akzeptiert, ist Auskunftsverweigerungsrecht (Bsp.: LG Berlin AG 2000, 288) folgerichtig. Vor allem aus Anteilseigentum (Art. 14 I GG) der Aktionäre abgeleitete **verfassungsrechtl. Einwände** beruhen auf Überbetonung der Vermögensinteressen der Aktionäre und vernachlässigen deren Einbindung in Mitgliedschaft als Rechts- und Pflichtenkomplex (→ Rn. 2), der ges. Abwägung zugunsten eines Geheimhaltungsinteresses der AG, namentl. auch im Hinblick auf Wettbewerber, erlaubt (BVerfG NJW 2000, 129, 130; zust. MüKoAktG/Kubis Rn. 129; sa schon Ebenroth/Koos BB-Beil. 8/1995, 1, 3, 4 ff.; krit. KK-AktG/Kersting Rn. 357). Anwendungsbereich der Vorschrift wird von hM erstreckt auf stille Reserven in Handelsbilanz verbundener Unternehmen (GK-AktG/Decher Rn. 401; MüKoAktG/Kubis Rn. 131; B/K/L/Reger Rn. 22) sowie auf stille Lasten, da anderenfalls Ausforschungsfragen drohen, die Ges. gerade verhindern will (MüKoAktG/Kubis Rn. 132). Auskunftsverweigerungs- 93 recht besteht aber dann nicht, wenn stille Reserven an anderer Stelle aufgedeckt werden, zB in IFRS-Konzernabschluss (ZB/Ziemons, 66. EL 2014, Rn. 10.740). Zu auch hier bestehenden europarechtl. Bedenken s. KK-AktG/Kersting Rn. 360.

94 **d) Bilanzierungs- und Bewertungsmethoden.** In der Zielrichtung der in § 131 III 1 Nr. 3 getroffenen Regelung vergleichbar ist Auskunftsverweigerungsrecht des § 131 III 1 Nr. 4, das ebenfalls Feststellung des Jahresabschlusses durch Vorstand und AR (§ 172; anders §§ 173, 286 I) voraussetzt. Danach müssen Bilanzierungs- und Bewertungsmethoden nicht offengelegt werden, soweit ihre in § 284 II Nr. 1 HGB vorgeschriebene Angabe im Anh. ausreicht, um den Standard des § 264 II HGB zu erreichen. Regelung hat praktisch keine Bedeutung erlangt (GK-AktG/Decher Rn. 407).

95 **e) Strafbarkeit.** § 131 III 1 Nr. 5 enthält Selbstverständliches, weil das Ges. niemandem ansinnt, sich strafbar zu machen (entspr. anwendbar, wenn Vorstand OWi begehen würde – vgl. GK-AktG/Decher Rn. 410). In Betracht kommen etwa §§ 93 ff. StGB (Landesverrat), wobei sowohl täterschaftliches als auch Teilnehmerhandeln erfasst ist (MüKoAktG/Kubis Rn. 137). Auskünfte über schon begangene Straftaten können nicht nach § 131 III 1 Nr. 5 verweigert werden (GK-AktG/Decher Rn. 413). Drohender Verstoß gegen Insiderrecht rechtfertigt keine Auskunftsverweigerung, weil insofern auch Art. 17 I MAR Offenlegung verlangt. Ist Selbstbefreiung gem. Art. 17 IV MAR möglich, wird auch § 131 III 1 Nr. 1 einschlägig sein (BeckOGK/Poelzig Rn. 182; ZB/Ziemons, 66. EL 2014, Rn. 10.745). Auf § 404 kann sich Vorstand ebenfalls nicht berufen, da Beantwortung einer Aktionärsfrage nicht „unbefugt" erfolgt (KK-AktG/Kersting Rn. 385; ähnlich GK-AktG/Decher Rn. 413; MüKoAktG/Kubis Rn. 138; aA B/K/L/Reger Rn. 24). Ob auch ausländische Strafandrohungen Auskunftsverweigerung rechtfertigen können, ist umstr., richtigerweise aber mit Blick auf vergleichbare Zwangslage des Vorstands zu bejahen (GK-AktG/Decher Rn. 410; Grigoleit/Herrler Rn. 48; BeckOGK/Poelzig Rn. 179; ZB/Ziemons, 66. EL 2014, Rn. 10.746; aA MüKoAktG/Kubis Rn. 140; S/L/Spindler Rn. 82; diff. nach Entsprechung im deutschen Recht KK-AktG/Kersting Rn. 388).

96 **f) Sonderregelung für Kredit- oder Finanzdienstleistungsinstitute.** Gem. § 131 III 1 Nr. 6 darf Vorstand einer AG, die KI (§ 1 I KWG, § 2 I KWG), Finanzdienstleistungsinstitut (§ 1 I a KWG, § 2 VI KWG) oder Wertpapierinstitut (§ 2 I WpIG; → § 70 Rn. 2) ist, Auskunft verweigern, soweit es um Angaben über **Bilanzierungs- und Bewertungsmethoden** sowie über **Verrechnungen** geht, die in der Rechnungslegung der Einzelgesellschaft oder des Konzerns nicht gemacht zu werden brauchen. Vorschrift nimmt damit auch Erleichterungen nach §§ 340–340g HGB Bezug, wonach Bildung außerordentlicher stiller Reserven, teilw. auch sonst verbotene Saldierung zulässig ist, um Vertrauensstellung der KI nicht unnötig zu gefährden. Nach BGHZ 101, 1, 6 ff. = NJW 1987, 3186 (noch zu § 26a III 2 KWG aF) kann sich Auskunftspflicht der Institute allerdings dann ergeben, wenn Gesamtabwägung (→ Rn. 91) Offenheit als überwiegend vorteilhaft erscheinen lässt. Unter neuer Rechtslage sollte diese Rspr. nicht fortgelten. Wortlaut sieht entspr. Ausnahme nicht vor und auch teleologischer Befund fällt nicht eindeutig für Reduktion aus, da außer Gesellschaftsinteressen auch Interessen der Allgemeinheit geschützt werden können (KK-AktG/Kersting Rn. 375; MüKoAktG/Kubis Rn. 145; aA GK-AktG/Decher Rn. 423; NK-AktR/Heidel Rn. 73).

97 **g) Anderweitige Bekanntmachung oder Beantwortung.** Schließlich darf Vorstand nach § 131 III 1 Nr. 7 Auskunft auch dann verweigern, wenn sie für Aktionäre anderweitig zugänglich ist. Regelung soll es dem Vorstand ermögli-

chen, (1.) Informationen zu erwartbaren **Standardfragen** (frequently asked questions) vorab zu geben sowie (2.) tats. gestellte **Vorabfragen** auch vorab zu beantworten (RegBegr. UMAG BT-Drs. 15/5092, 17; Wilsing DB 2005, 35, 40 f.). Zusatz- und Vertiefungsfragen, die in HV gestellt werden, müssen allerdings noch in ihr beantwortet werden (Weißhaupt ZIP 2005, 1766, 1770), was Effizienz des § 131 III 1 Nr. 7 als fraglich erscheinen lässt (s. schon J. Koch ZGR 2006, 769, 793). **Informationsmedium** ist Internetseite der AG, und zwar über mindestens sieben Tage vor Beginn der HV und trotz wenig klaren Gesetzeswortlauts auch während ihrer gesamten Dauer (RegBegr. UMAG BT-Drs. 15/5092, 18). In HV muss Information also noch zusätzlich vorgehalten werden, ohne dass insoweit ein bestimmter Weg vorgeschrieben wäre. Jedenfalls genügend sind Schrift- oder Textform (§§ 126, 126b BGB). Hilfreich ist es, schon in Einberufung auf antizipierte Veröffentlichung hinzuweisen, doch besteht entspr. Verpflichtung nicht (RegBegr. UMAG BT-Drs. 15/5092, 18). Auch generelle Verpflichtung zur Internetpublizität kann aus § 131 III 1 Nr. 7 nicht hergeleitet werden (MüKoAktG/Kubis Rn. 146).

Für **dogmatische Einordnung** des § 131 III 1 Nr. 7 ist zu unterscheiden: **98**
Soweit Information in der (1.) Fallgruppe vorab erteilt wird, ist Auskunft in HV nicht erforderlich (→ Rn. 21 ff., 26), weshalb es sich auch nur scheinbar um Auskunftsverweigerungsrecht handelt; richtig ist, dass es schon am **Tatbestand des § 131 I 1** fehlt (Diekmann/Leuering NZG 2004, 249, 256). Ist dagegen Vorabfrage außerhalb der HV beantwortet worden (2. Fallgruppe), so läuft § 131 III 1 Nr. 7 auf **Begrenzung des Mündlichkeitsprinzips** (→ Rn. 71) hinaus. Deshalb können anwesende Aktionäre nochmalige mündliche Auskunft in HV nicht erzwingen, indem sie sich Vorabfrage zu eigen machen. RegBegr. UMAG BT-Drs. 15/5092, 17 spricht zwar auch insoweit von bloßer Qualifizierung des § 131 I 1, greift damit aber zu kurz. Für Auskunftsansprüche nach **§ 131 IV 1, § 293g III, § 319 III 5, § 320 IV 3, § 326** sowie **§ 64 II UmwG** gilt § 131 III 1 Nr. 7 in beiden Fallgruppen, weil es sich insoweit nur um gegenständliche Erweiterungen der Grundnorm handelt (ähnlich RegBegr. UMAG BT-Drs. 15/5092, 17). Klarstellung der Erforderlichkeitsschranken und Begrenzung des Mündlichkeitsprinzips sind hier ebenso angebracht wie ggü. § 131 I bzw. II 1.

3. Treupflichtverletzungen, besonders Rechtsmissbrauch. a) Grundsatz. Es ist unter der Geltung des § 131 anders als vor 1965 (s. zB BGHZ 36, 121, 135 ff. = NJW 1962, 104) str., ob dem Auskunftsrecht des Aktionärs im Einzelfall mit dem Einwand des Rechtsmissbrauchs (§ 242 BGB) begegnet werden kann. Mittlerweile wird Frage aber ganz überwiegend bejaht (BayObLGZ 1974, 208, 213 = NJW 1974, 2094; OLG Frankfurt AG 1984, 25 [Unzumutbarkeit von mehr als 25 000 Einzelangaben]; OLG Frankfurt AG 2007, 672, 674; KK-AktG/Kersting Rn. 414; Hefermehl FS Duden, 1977, 109, 116 ff.; aA noch Meilicke/Heidel DStR 1992, 113, 115; Meyer-Landrut FS Schilling, 1973, 235, 242 ff.). Dem ist zuzustimmen mit der Maßgabe, dass die hier erörterten Missbrauchsfälle in weiteren Zusammenhang der **Treupflichtverletzung** gehören (S/L/Spindler Rn. 91; Henze BB 1996, 489, 494 f.), hier der Treupflicht ggü. AG in ihrer Ausprägung als Schrankenfunktion bei Ausübung eigennütziger Mitgliedsrechte (→ § 53a Rn. 17; zur entspr. Einordnung des Auskunftsrechts → Rn. 2). § 131 III 2 steht schon deshalb nicht entgegen, weil er nur den Katalog des § 131 III 1 für abschließend erklärt (Hefermehl FS Duden, 1977, 109, 114). **99**

b) Einzelne Fallgruppen. Zu unterscheiden ist zwischen (1.) illoyaler, grob eigennütziger Rechtsausübung, (2.) übermäßiger Rechtsausübung und (3.) widersprüchlicher Rechtsausübung. Der Diskussion um den Missbrauchsgedanken **100**

(→ Rn. 99) liegt im Wesentlichen die erste Fallgruppe zugrunde. Insoweit ist es richtig, dass die ggü. früher engere Fassung des § 131 (Erforderlichkeit) die praktische Bedeutung des Missbrauchsgedankens wesentlich gemindert hat (→ Rn. 21 ff.). Warum das entspr. Verbot deshalb nicht mehr gelten sollte, ist indessen nicht einzusehen (zutr. Hefermehl FS Duden, 1977, 109, 117). Man wird damit jedoch behutsam umgehen müssen, da Auskunftsrecht im Grundsatz durchaus auch zur Verfolgung eigener Interessen eingesetzt werden kann (KK-AktG/Kersting Rn. 419). Auch Spruchpraxis hat **Missbrauch** bislang nur sehr zurückhaltend anerkannt (GK-AktG/Decher Rn. 440). Kein Missbrauch des Fragerechts ist es insbes., wenn Aktionär ohnehin entschlossen ist, seine Stimme in einem bestimmten Sinne abzugeben und mit der Frage für von ihm betriebene Opposition werben will (OLG Düsseldorf AG 1987, 21, 22 f.; darin zutr. Meilicke/Heidel DStR 1992, 72, 73; zweifelnd OLG Karlsruhe BeckRS 2018, 49021 Rn. 106). Zeigt sich später, dass Aktionär auf Auskunftsverweigerung eine Anfechtungsklage aufbaut, um sich diese „abkaufen" zu lassen, so ist die Anfechtung missbräuchlich, nicht unbedingt die Frage.

101 Unter das **Verbot übermäßiger Rechtsausübung** kann es fallen, wenn Aktionäre Fragenkataloge von mehreren DIN A 4-Seiten präsentieren, die sie in der HV beantwortet haben wollen. Darin liegt allerdings kein starrer Grundsatz, sondern eher Regelvermutung, die im konkreten Einzelfall ausnahmsweise auch abw. beurteilt werden kann (so die zutr. Klarstellung in LG München I AG 2010, 919, 921; NZG 2021, 557 Rn. 38). Der vom OLG Frankfurt AG 1984, 25 angeführte Aspekt der Unzumutbarkeit (→ Rn. 100) trifft nicht ganz das Entscheidende. Auch der Gedanke, solche Massenauskünfte seien nicht erforderlich (so augenscheinlich die neuere BGH-Rspr. → Rn. 24), überzeugt nicht ganz (→ Rn. 24). Vielmehr handelt es sich um Schranke übermäßiger Rechtsausübung: Wenn HV am Einberufungstag nach längstens zehn bis zwölf, idR aber schon nach vier bis sechs (→ Rn. 75) Stunden enden soll, können Aktionäre sie nicht für individuelle Informationsbedürfnisse monopolisieren. Die Rechte der HV als Organ und die gem. Art. 14 I GG verfassungsrelevanten Rechte der anderen Aktionäre setzen dem Grenzen. HV-Leiter kann und muss deshalb auch Fragerecht ausnahmsweise beschränken (BVerfG NJW 2000, 349; OLG Düsseldorf Konzern 2006, 768, 773 [zulässige Beschränkung des Fragerechts bei zwölf Stunden Dauer und knapp 400 Fragen von zehn Personen]; Mutter, Auskunftsansprüche des Aktionärs in der HV, 2002, 63; zust. Arnold AG 2003 R 329; M. Arnold AG 2004, R 423, 424). § 131 II 2 hat daran in seiner gebotenen verfassungskonformen Auslegung nichts geändert (→ Rn. 2, 72), doch erscheint es in jedem Fall vorzugswürdig, solchen Auswüchsen auf gesicherter satzungsmäßiger Grundlage gem. § 131 II 2 entgegenzutreten. Dem Aktionär sollte allerdings die Möglichkeit gegeben werden, Fragenzahl zu beschränken (OLG Frankfurt AG 2007, 672, 675; LG München I AG 2010, 919, 921; NZG 2021, 557 Rn. 38 f.). Ungeachtet dieser vorgelagerten Zulässigkeitsfrage hat BGH Rechtssituation in Fällen quantitativen Fragenexzesses dadurch entschärft, dass er zumindest **Nachfrageobliegenheit** anerkannt hat (BGHZ 198, 354 Rn. 44 = NJW 2014, 541).

102 **Verbotenes widersprüchliches Verhalten** (und nicht konkludenter Verzicht) ist es, wenn Aktionär eine Vielzahl von Fragen stellt, später 27 – aber nicht alle – auf Tonband diktiert und nach Schluss der HV fehlende Auskunft auf die nicht diktierte Frage rügt (Fall des LG Mainz AG 1988, 169). Widersprüchlich ist es auch, wenn Aktionär Fragen nach Schluss der Debatte stellt und vorhergehende Worterteilungen zu sonstigen Beiträgen genutzt hat, obwohl nach Ankündigung des Debattenschlusses nur noch eine Fragenstunde stattfinden sollte (LG Karlsruhe AG 1998, 99, 100). Umstr. ist, ob darüber hinaus Aktionär auch allg. **Mitwirkungsobliegenheit** bei der Beantwortung in der Form trifft, dass er

unzureichende Beantwortung rügen muss und sich im Falle des Unterlassens spätere Klage als rechtsmissbräuchlich darstellt (dafür LG Mainz AG 1988, 169, 170; KK-AktG/Noack/Zetzsche Vor § 121 Rn. 24 ff.; Bredol NZG 2012, 613 ff.; Kocher/Lönner AG 2014, 81, 83; Reger NZG 2013, 48, 49; zumindest in der Tendenz auch KK-AktG/Kersting Rn. 429; Drescher FS Krieger, 2020, 215, 221 f.; dagegen OLG Köln AG 2011, 838, 839; GK-AktG/Decher Rn. 527; MüKoAktG/Kubis Rn. 83; BeckOGK/Poelzig Rn. 226). Pauschale Lösung – wenngleich im Sinne der Rechtssicherheit wünschenswert – verbietet sich, da Vorwurf des Rechtsmissbrauchs nur in eher extrem gelagerten Fällen erhoben werden kann. Jedenfalls allg. Mitwirkungsobliegenheit ist abzulehnen (zu abw. Beurteilung bei Pauschalfragen → Rn. 70 und quantitativem Frageexzess → Rn. 24, 101; zur Beschränkung auf diese Fallgruppen sa Henze/Born/Drescher HRR AktienR Rn. 1418; zur Einordnung in das Beschlussmängelrecht → § 245 Rn. 26). Insbes. kann Vorstand/HV-Leiter nicht durch **„salvatorische Frage"** nach Debattenende, ob alle Fragen beantwortet seien, Verantwortung für die Beantwortung der gestellten Fragen auf Aktionäre abwälzen (überzeugend OLG Köln AG 2011, 838, 839; insofern zust. Grigoleit/Herrler Rn. 54; BeckOGK/Poelzig Rn. 226; S/L/Schwab § 243 Rn. 12; Hoppe NZG 2019, 1401, 1405; für Einzelfallbetrachtung auch Drescher FS Krieger, 2020, 215, 221 f.; aA GK-AktG/Decher Rn. 528; wohl auch OLG Stuttgart NZG 2020, 309 Rn. 65; MüKoAktG/Kubis Rn. 83; offengelassen von OLG Karlsruhe BeckRS 2018, 49021 Rn. 102 [krit. dazu Hoppe NZG 2019, 1401, 1405]). Potenzielle Motive des Aktionärs, in dieser Situation zu schweigen, sind gerade unter den Voraussetzungen einer längeren Generaldebatte in einer Großversammlung zu vielschichtig, als dass pauschaler Missbrauchsvorwurf gerechtfertigt wäre; treten weitere Umstände hinzu, die missbräuchliche Vorgehensweise bekräftigen, zB konkret-persönliche Adressierung des Aktionärs oÄ, kann anderes gelten (BeckOGK/Poelzig Rn. 227; MHdB AG/Hoffmann-Becking § 38 Rn. 32). Professionell handelnde Anfechtungskläger erklären in solcher Situation ohnehin pauschal, dass ihre Fragen nicht beantwortet worden seien (GK-AktG/Decher Rn. 528). Ähnlich sind die Fälle zu beurteilen, in denen **Aktionärsfrage missverstanden** wurde: Nur wenn Missverständnis offenkundig war und von dem Aktionär in konkreter Versammlungssituation klärende Nachfrage erwartet werden musste, kann Missbrauchsvorwurf erhoben werden (ähnlich OLG Stuttgart BeckRS 2018, 34369 Rn. 4; BeckOGK/Poelzig Rn. 227; aA Reger NZG 2013, 48, 49: „volles Interpretationsrisiko beim Aktionär" unter zweifelhafter Berufung auf OLG Frankfurt NZG 2013, 23, 25, wo schon obj. Auslegung der Frage das Verständnis der HV-Leitung rechtfertigte: „naheliegendes Verständnis" [insoweit nicht in AG 2013, 302] – zum obj. Verständnis auch → Rn. 70).

VI. Erweiterte Auskunftspflicht (§ 131 IV)

1. Allgemeines. § 131 IV erweitert Auskunftspflicht des Vorstands. Unter den dort genannten Voraussetzungen ist Auskunft nämlich anders als nach § 131 I 1 auch dann zu erteilen, wenn sie nicht zur sachgem. Beurteilung der Tagesordnungsgegenstände erforderlich ist. Auch bleiben von den Verweigerungsgründen des § 131 III nur § 131 III 1 Nr. 5–7 übrig (speziell zu Nr. 7 → Rn. 97 f.). **Zweck** der Erweiterung ist es, ein **Informationsmonopol von Aktionären zu verhindern,** die außerhalb der HV fragen und auch Antwort erhalten. Das dient der gleichmäßigen Behandlung der Aktionäre (§ 53a; vgl. RegBegr. Kropff S. 187). Sie wird indes nur teilw. erreicht, weil erweiterte Pflicht zur Auskunftserteilung erst in der HV und deshalb oft nur mit großem zeitlichem Abstand zu erfüllen ist (vgl. MüKoAktG/Kubis Rn. 152). Für bessere Informationsversorgung soll im Anwendungsbereich des § 161 Empfehlung nach **103**

F.1 DCGK sorgen, der bei Offenlegung wesentlicher neuer Tatsachen unverzügliche Weitergabe an alle Aktionäre verlangt. Ebenso wie § 131 IV wird aber auch diese Vorgabe in der Praxis als **rechtspolitisch problematisch** angesehen, da sie vertrauliche Gespräche mit Investoren erschwert (GK-AktG/Decher Rn. 455 f.; BeckOGK/Poelzig Rn. 242; angebliche Befolgungsquote aber bei 97,7% – vgl. v. Werder/Danilov/Schwarz DB 2021, 2097, 2104 [DAX: 100%]). Das stellt Geltungsanspruch des § 131 IV zwar nicht in Frage (zu weitgehende Konsequenzen deshalb bei Hirt/Hopt/Mattheus AG 2016, 725, 738 f.), hat aber dazu geführt, dass Norm **in der Praxis häufig missachtet** wird, was auch dadurch erleichtert wird, dass Aktionär nur selten der Nachw. gelingen wird, dass solche vertraulichen Gespräche stattgefunden haben (MüKoAktG/Kubis Rn. 152; sa GK-AktG/Decher Rn. 451: Klagen nahezu ausnahmslos erfolglos).

104 **2. Voraussetzungen der erweiterten Auskunftspflicht. a) Aktionärseigenschaft.** Auskunftspflicht der AG wird gem. § 131 IV erweitert, wenn sie zuvor einem Aktionär **wegen dieser Eigenschaft** außerhalb der HV Auskunft erteilt hat. Es genügt, dass Auskunft an einen Aktionärsvertreter oder Legitimationsaktionär gegeben wurde (GK-AktG/Decher Rn. 457). Nicht genügend sind dagegen Auskünfte an Dritte, zB Banken oder AR-Mitglieder (RegBegr. Kropff S. 187), ferner nicht Auskünfte an Aktionäre, die nicht durch Gesellschaftereigenschaft, sondern durch andere Beziehungen zur AG veranlasst sind, zB an Finanzanalysten iR einer Präsentationsveranstaltung gegeben werden. Informiert Vorstand den AR als Organ, können daraus auch dann keine Rechte gem. § 131 IV hergeleitet werden, wenn dem AR Aktionäre angehören (vgl. MüKoAktG/Kubis Rn. 158; Seifert AG 1967, 1, 2 f.). § 131 IV greift auch **in M&A-Fällen** nicht ein. Ist Aktionär Kaufinteressent, so erhält er Auskünfte in dieser Eigenschaft. Ist er verkaufswilliger (Groß-)Aktionär, so besteht zwar ein innerer Bezug zu dieser Eigenschaft. Informationserteilung trägt aber bes. Informationsinteresse Rechnung, das Ungleichbehandlung (→ Rn. 103) ggü. anderen Aktionären erlaubt (Hemeling ZHR 169 [2005], 274, 288; Kocher Konzern 2008, 611, 614 f.). § 131 IV als Fortsetzung des § 53a generell nicht zur Anwendung gelangen zu lassen, wenn ungleiche Informationsversorgung sachlich gerechtfertigt ist (dafür Verse, Gleichbehandlungsgrundsatz, 2006, 510 ff.), ist indes problematisch, weil § 131 IV dann letztlich kein Anwendungsbereich mehr verbleibt (KK-AktG/Kersting Rn. 462).

105 Für **verbundene Unternehmen** ist zu unterscheiden: Im **Vertragskonzern** (§ 291 I 1 Fall 1) sind Auskünfte, die der eine Vertragsteil dem anderen gibt, nach allgM als leitungsbezogen aufzufassen. Sie sind also nicht durch Aktionärseigenschaft veranlasst und genügen deshalb nicht für § 131 IV (LG München I AG 1999, 138 f.; MüKoAktG/Kubis Rn. 168; Mader, Der Informationsfluss im Unternehmensverbund, 2016, 139 ff.; Decher ZHR 158 [1994], 473, 480 f.). Das gilt auch dann, wenn zwischen herrschendem und beherrschtem Unternehmen sonstiger Unternehmensvertrag (§ 291 I 1 Fall 2, § 292) besteht und Vorzugsauskunft mit Rücksicht auf Vertrag gegeben wird (MüKoAktG/Kubis Rn. 168). Im **faktischen Konzern** ohne jede vertragliche Grundlage fragt sich dagegen, ob Beherrschungsverhältnis als solches (§§ 311 ff.) rechtl. Status ist, der Aktionärseigenschaft überlagert. HM unterscheidet insofern zwischen faktischem Konzern und bloßer Abhängigkeit (vgl. zB Habersack/Verse AG 2003, 300, 305 f.), was irreführend ist, weil mit faktischem Konzern üblicherweise Modell der §§ 311 ff. bezeichnet wird, das aber gerade keine einheitliche Leitung erfordert, sondern nur Abhängigkeit; faktischer Konzern in diesem Sinne ist gerade kein Konzern iSd § 18 (zur verwirrenden Terminologie → § 311 Rn. 8). Gemeint ist Unterscheidung zwischen ausgeübter und nicht ausgeübter Leitungsmacht iSd §§ 17 f. Für **Fälle ausgeübter Leitungsmacht** iSd § 18 wird Überlagerung des

§ 131 IV heute von hM zu Recht bejaht (LG München I Konzern 2007, 448, 455 f.; LG Saarbrücken AG 2006, 89, 90; MüKoAktG/Kubis Rn. 169; Decher ZHR 158 [1994], 473, 483 ff.; Habersack/Verse AG 2003, 300, 305 f.; Kocher Konzern 2008, 611, 612 f.; aA zB LG Frankfurt AG 2007, 48, 50; Kort ZGR 1987, 46, 59 f.). Weil Ges. faktischen Konzern hinnimmt (→ § 311 Rn. 6 f.), muss es auch den Funktionsbedingungen einheitlicher Leitung Rechnung tragen; aus § 131 IV 4 folgt nichts anderes (→ Rn. 106). Vielmehr ist zu berücksichtigen, dass Auskunft im Hinblick auf Einflussnahmerecht des herrschenden Unternehmens gem. § 311 I gegeben wird und dieses Recht Aktionärsstellung gerade nicht voraussetzt (vgl. § 16 IV; ausf. dazu Mader, Der Informationsfluss im Unternehmensverbund, 2016, 441 ff.). Besteht **Abhängigkeit ohne ausgeübte Leitungsmacht** (§ 17) oder **bloße Mehrheitsbeteiligung** (§ 16) wird verbreitet angenommen, dass § 131 IV eingreift (BayObLGZ 2002, 227, 229; MüKoAktG/Kubis Rn. 170; S/L/Spindler Rn. 101). Zunehmend vertretene Gegenansicht verneint erweiterte Auskunftspflicht aber schon bei bloßer Abhängigkeit und verweist dafür auf eben daran anknüpfendes Rechtsverhältnis der §§ 311 ff. (GK-AktG/Decher Rn. 471; KK-AktG/Koppensteiner § 312 Rn. 8; Hüffer FS Schwark, 2009, 185, 194 f.; Löbbe, Unternehmenskontrolle im Konzern, 2003, 128; Mader, Der Informationsfluss im Unternehmensverbund, 2016, 458 f.; Pentz FS Priester, 2007, 593, 612; Pentz ZIP 2007, 2298, 2301; Werner AG 1967, 122, 123; so jetzt auch Emmerich/Habersack/Habersack § 312 Rn. 5 unter Aufgabe von Habersack/Verse AG 2003, 300, 307). Für diese Ansicht spricht entscheidend, dass §§ 311 ff. eben nicht erst bei Konzernierung, sondern schon bei bloßer Abhängigkeit eine Sonderrechtsbeziehung zwischen herrschendem Unternehmen und abhängiger Gesellschaft begründen (Löbbe, Unternehmenskontrolle im Konzern, 2003, 127). Sie rechtfertigt es, Aktionäre unterschiedlich zu behandeln.

§ 131 IV 4 enthält **Sondervorschrift für Konzernrechnungslegung.** Danach gelten § 131 IV 1 bis 3 nicht für Auskünfte, die Tochterunternehmen (§ 290 I und II HGB), Gemeinschaftsunternehmen (§ 310 I HGB) oder assoziierte Unternehmen (§ 311 I HGB) einem Mutterunternehmen (§ 290 I und II HGB) geben, damit dieses die AG in seinen Konzernabschluss einbeziehen kann. Norm bezweckt, Nachteile für betr. Unternehmen zu vermeiden, die mit sonst denkbarer erweiterter Auskunftspflicht verbunden wären (RegBegr. BT-Drs. 11/6275, 26). Ergebnis hätte sich wohl auch daraus ableiten lassen, dass Auskunft dem Mutterunternehmen gerade in dieser Eigenschaft gegeben wird (→ Rn. 104 f.; ebenso Decher ZHR 158 [1994], 473, 486), doch enthält Norm jedenfalls sinnvolle Klarstellung (Hoffmann-Becking FS Rowedder, 1994, 155, 169). Verfehlt wäre ihr Sinn, wenn man daraus das Auskunftsrecht der Aktionäre stützenden Umkehrschluss ziehen würde (zutr. Decher ZHR 158 [1994], 473, 485 f.; Pentz FS Priester, 2007, 593, 603 f.). 106

b) Auskunftserteilung. Dem Aktionär (→ Rn. 104 ff.) muss außerhalb der HV Auskunft gegeben worden sein. Erforderlich ist Erteilung der Auskunft iS einer der AG zurechenbaren Geschäftsführungsmaßnahme. Das setzt grds. Vorstandshandeln voraus. Vorstand kann jedoch wie sonst Angestellte für sich tätig werden lassen. Unbefugte Weitergabe von Informationen durch **AR-Mitglieder,** deren Handeln AG sich nicht zurechnen lassen muss, genügt dagegen nicht (MüKoAktG/Kubis Rn. 154), und zwar nach LG Frankfurt NZG 2016, 622 f. auch dann nicht, wenn dem Aktionär Teilnahme an AR-Sitzung gestattet wird (zur Zulässigkeit → § 109 Rn. 4 ff.). Dass Informationsweitergabe durch AR-Mitglieder generell keinen Nachauskunftsanspruch auslösen kann (dafür Hirt/Hopt/Mattheus AG 2016, 725, 738 f.), ist indes zumindest dann zu weitgehend, wenn man dem AR Annexkompetenz zur eigenständigen **Kapitalmarktkommunikation** zuweist (ausf. → § 111 Rn. 54 ff.). Wenn beachtlicher Teil der 107

Aktionärsinformation auf diesem Wege auf AR übertragen wird, muss den übrigen Aktionären auch entspr. Anspruch auf Nachauskunft gem. § 131 IV zustehen (ausf. J. Koch AG 2017, 129, 138; insofern wie hier BeckOGK/Poelzig Rn. 257; Bachmann VGR 22 GesR 2016, 135, 169 f.; Ebrahimzadeh, Investorendialog, 2020, 231 ff.; Fleischer/Bauer/Wansleben DB 2015, 360, 364; Schauer, Aufsichtsratskommunikation, 2021, 388 ff.; Spindler FS Seibert, 2019, 855, 864).

108 **c) Auskunftsverlangen.** Erweiterte Auskunftspflicht hängt schließlich davon ab, dass anderer Aktionär von AG die Erteilung der Auskunft verlangt. Die bloße Frage genügt nicht. Aktionär muss vielmehr deutlich machen, dass er die dem anderen Aktionär gegebene Auskunft auch für sich begehrt. Die Frage, ob einem anderen Aktionär außerhalb der HV Auskunft gegeben worden ist, müsste Vorstand dann beantworten, wenn die Voraussetzungen des § 131 I 1 erfüllt wären. Praktisch ist das nicht vorstellbar, so dass solche **Ausforschung erfolglos** bleiben muss (MüKoAktG/Kubis Rn. 163; Hoffmann-Becking FS Rowedder, 1994, 155, 160 ff.). Für vHV stellt mit VHVG 2022 neu eingefügter § 131 IV 2 klar, dass elektronisch zugeschaltete Aktionäre Verlangen nach § 131 IV 1 auch im Wege elektronischer Kommunikation (→ Rn. 44) übermitteln können. Aus Systematik ergibt sich nicht klar, ob auch insofern Möglichkeit nach § 131 If besteht, Kommunikationsweg auf Videokommunikation zu beschränken (→ Rn. 68). Im Lichte des mit § 131 If bezweckten Vereinfachungszwecks sollte der AG diese Möglichkeit auch iRd § 131 IV 1 eröffnet werden (zust. Merkner/Schulenburg/Elixmann AG 2023, 643 Rn. 35).

109 **3. Rechtsfolge: Auskunft in der Hauptversammlung.** Wenn die in → Rn. 104 ff. erläuterten Voraussetzungen gegeben sind, muss Vorstand die Auskunft in der HV wiederholen, und zwar auch dann, wenn sie zur sachgem. Beurteilung von Gegenständen der Tagesordnung nicht erforderlich ist. § 131 IV 1 verzichtet ausdr. auf dieses Erfordernis des § 131 I 1. Dagegen muss es sich wenigstens um eine Gesellschaftsangelegenheit handeln. Für die weitergehende Forderung eines Zusammenhangs mit der Tagesordnung der HV (so noch KK-AktG/Zöllner, 1. Aufl. 1985, Rn. 70) bietet § 131 IV dagegen keine Stütze (BayObLGZ 2002, 227, 229; GK-AktG/Decher Rn. 488). Es dürfte auch kaum schwer fallen, einen solchen Zusammenhang herzustellen. Praktisch wichtiger ist Frage, ob Aktionäre **Auskunft auch außerhalb der HV** fordern können. Das wurde früher unter Gleichbehandlungsgesichtspunkten vereinzelt bejaht (Geßler/Hefermehl/Eckardt Rn. 161), doch nimmt heute hM zu Recht eine **Sperrwirkung** des § 131 IV an: Auch wenn § 131 IV Gleichbehandlungsgebot im Bereich der Informationserteilung keinesfalls vollständig verdrängt (so aber Zetzsche AG 2019, 701, 703; dagegen die ganz hM – vgl. nur J. Koch FS Hopt, 2020, 525, 534 f. mwN), so ordnet Norm doch zumindest die Rechtsfolgen im Falles eines Verstoßes. § 131 IV ist insofern auf Rechtsfolgenseite als spezielle Ausformung des § 53a aufzufassen, die auch dem Grundgedanken des § 118 I Rechnung tragen will, wonach Aktionäre ihre Rechte ausschließlich in der HV ausüben (wie hier GK-AktG/Decher Rn. 453; KK-AktG/Kersting Rn. 492 f.; Grunewald FS Ebke, 2021, 263, 269; Hoffmann-Becking FS Rowedder, 1994, 155, 157 ff.). Auch aus europarechtl. Gleichbehandlungsgebot (Nachw. → § 53a Rn. 1) iVm Effektivitätsgebot ergibt sich nichts anderes (so mit beachtlichen Argumenten aber Verse, Gleichbehandlungsgrundsatz, 2006, 513 ff.; zust. Kalss ZGR 2020, 217, 230; weiter diff. Zetzsche, Aktionärsinformation in der börsennotierten AG, 2006, 343 ff.). Da Tragweite dieses Gebots zweifelhaft ist (vgl. etwa Harnos ZEuP 2015, 543, 562 ff.) und EuGH Mitgliedstaaten tendenziell weites Ermessen einräumt (EuGH NJW 1984, 2021, 2022; NZG 2013, 786 Rn. 57), sprechen bessere Gründe für eine Sperrwirkung (iE ähnlich GK-AktG/Decher

Rn. 453; KK-AktG/Kersting Rn. 493). Auf die **Verweigerungsgründe des § 131 III 1 Nr. 1–4** kann sich Vorstand gem. § 131 IV 3 nicht mehr stützen, wenn er sich ihrer zugunsten eines anderen Aktionärs begeben hat. Sich neuerlich strafbar zu machen, wird ihm allerdings nicht angesonnen; § 131 III 1 Nr. 5 gilt. Ebenfalls nicht ausgeschlossen ist nach dem Wortlaut des § 131 IV 3, dass sich Vorstand auf Sonderregelung für Aktienbanken (§ 131 III 1 Nr. 6; → Rn. 99) beruft. RegBegr. BT-Drs. 11/6275, 26 enthält zur sachlichen Begründung nichts. Zu weitgehend ist es aber, daraus Möglichkeit einer teleologischen Reduktion abzuleiten (so GK-AktG/Decher Rn. 491; MüKoAktG/Kubis Rn. 166), da teleologische Ungewissheit bzgl. Normzweck zu wortlautgetreuer Auslegung führen muss (KK-AktG/Kersting Rn. 503).

VII. Aufnahme in die Niederschrift (§ 131 V)

Notar ist grds. nicht verpflichtet, HV-Debatte umfassend nachzuzeichnen (zur Möglichkeit einer gestrafften Darstellung der protokollrelevanten Vorkommnisse vgl. Heinze FS Heidinger, 2023, 181, 186 ff.). Nach § 131 V 1 kann Aktionär aber verlangen, dass seine Frage und der Grund, aus dem Vorstand die Auskunft verweigert hat, in die Niederschrift (§ 130) aufgenommen werden. Protokollierungspflicht bezieht sich damit nicht nur auf gerügte Antwortverweigerung, sondern auch auf Frage selbst, die damit ebenfalls von Beweiskraft der notariellen Niederschrift erfasst wird (OLG Frankfurt AG 2013, 302, 305), was für beurkundenden Notar allerdings zu praktischen Schwierigkeiten führen kann (Reger NZG 2013, 48, 49 f.). In vHV sind auch unbeantwortete Nachfragen (§ 131 Id) bzw. Fragen zu neuen Sachverhalten (§ 131 Ie) erfasst, wenn Vorstand Vorabeinreichung angeordnet hatte (§ 131 Ia; Wicke FS Heidinger, 2023, 619, 626). Regelung dient **Beweiszwecken** (RegBegr. Kropff S. 188). Norm unterstellt, dass Vorstand einen Grund genannt hat. Hat er keinen genannt, ist Frage gleichwohl zu protokollieren (MüKoAktG/Kubis Rn. 174). Norm unterstellt weiter, dass Aktionär nur eine oder wenige Fragen stellt, deren Niederschrift die weitere Beobachtung der HV durch den Notar zulässt. Ist Prämisse nach Umfang oder Zahl der Fragen nicht verwirklicht, so entspr. es dem Normzweck, dass Aktionär seine Fragen schriftlich (bei Bedarf wohl mit technischer Hilfe der Gesellschaft) übergibt, damit Notar sie der Niederschrift als Anlage beifügen kann (Danzeglocke RNotZ 2022, 229, 245 f.; Heinze FS Heidinger, 2023, 181, 187 f.; Krieger FS Priester, 2007, 387, 402 ff.; Priester DNotZ 2001, 661, 666; einschr. NK-AktR/Heidel Rn. 82). Niederzuschreiben sind sodann ggf. nur die Auskunftsverweigerung und ihr Grund. Weil es nur um eine Beweisregelung geht, sind die aus der Auskunftsverweigerung resultierenden Rechtsfolgen (→ Rn. 111) von der Protokollierung unabhängig. Ist – wie häufig – str., ob Frage beantwortet wurde oder nicht, hat Notar jedenfalls Behauptung des Aktionärs über Nichtbeantwortung und Stellungnahme der AG zu protokollieren, wobei er klarstellen sollte, dass Nichtbeantwortung keine Feststellung des Notars, sondern Behauptung des Aktionärs ist (Heinze FS Heidinger, 2023, 181, 187). Mit VHVG 2022 neu eingefügter § 131 V 2 stellt klar, dass im Fall einer vHV zu gewährleisten ist, dass jeder elektronisch zugeschaltete Aktionär Verlangen nach § 131 V 1 auch im Wege elektronischer Kommunikation übermitteln kann. Dies kann zB durch Freitextfeld im HV-Portal ermöglicht werden (Bungert/Rieckers/Becker DB 2022, 2074, 2079). 110

VIII. Rechtsfolgen bei Verstößen gegen Auskunftspflicht

Aktionär kann das **Auskunftserzwingungsverfahren** des § 132 einleiten, wenn Auskunft verweigert wird. **Beschlüsse** sind **nach § 243 I anfechtbar,** 111 sofern verweigerte Auskunft den Beschlussgegenstand und nicht einen anderen Punkt der Tagesordnung betr. (BGHZ 119, 1, 13 ff. = NJW 1992, 2760). Möglich ist, dass wesentliche Auskunftsverweigerung mehrere Beschlüsse anfechtbar macht (OLG Brandenburg AG 2003, 328, 329). Entlastungsbeschlüsse sind bei unberechtigter Auskunftsverweigerung anfechtbar, wenn Informationsmangel für Entlastung Bedeutung hat (OLG Köln AG 2011, 838; OLG Stuttgart AG 2005, 94, 96). Bei Auskunftsverweigerung wird sog Kausalitätsgegenbeweis durch § 243 IV (→ § 243 Rn. 46) wesentlich eingeschränkt. Verfahren des § 132 muss der Anfechtungsklage nicht vorgeschaltet werden (→ § 132 Rn. 2). Entsteht der AG aus der Auskunftsverweigerung Schaden, so sind Vorstandsmitglieder unter den weiteren Voraussetzungen des § 93 dafür **ersatzpflichtig** (ausf. Moser NZG 2017, 1419 ff.). Ob daneben auch Fragesteller Ersatzansprüche aus § 823 II BGB iVm § 131 haben können, ist umstr. (dafür NK-AktR/Heidel Rn. 5b; S/L/Spindler Rn. 117; aA GK-AktG/Decher Rn. 536; Hölters/Weber/Drinhausen Rn. 44; Grigoleit/Herrler Rn. 63; MüKoAktG/Kubis Rn. 183; KK-AktG/Kersting Rn. 606). Überzeugend erscheint es, Schutzgesetzeigenschaft des § 131 unter Verweis auf das **eigenständige Sanktionssystem** des AktG für Auskunftspflichtverletzungen zu verneinen, Schutzgesetzeigenschaft des § 400 I Nr. 1 aber zu bejahen, so dass nur vorsätzlich falsche oder verschleierte Auskunft Ersatzanspruch begründen kann, wobei es allerdings zumeist an nachweisbarem Aktionärsschaden fehlen wird (zutr. KK-AktG/Kersting Rn. 606 f.; MüKoAktG/Kubis Rn. 183; auch dagegen GK-AktG/Decher Rn. 536). In diesem Fall ist zugleich Strafbarkeit nach § 400 I Nr. 1 gegeben.

Gerichtliche Entscheidung über das Auskunftsrecht

132 (1) **Ob der Vorstand die Auskunft zu geben hat, entscheidet auf Antrag ausschließlich das Landgericht, in dessen Bezirk die Gesellschaft ihren Sitz hat.**

(2) [1] **Antragsberechtigt ist jeder Aktionär, dem die verlangte Auskunft nicht gegeben worden ist, und, wenn über den Gegenstand der Tagesordnung, auf den sich die Auskunft bezog, Beschluß gefaßt worden ist, jeder in der Hauptversammlung erschienene Aktionär, der in der Hauptversammlung Widerspruch zur Niederschrift erklärt hat.** [2] **Im Fall der virtuellen Hauptversammlung sind folgende elektronisch zugeschaltete Aktionäre antragsberechtigt:**

1. **jeder Aktionär, dem die verlangte Auskunft nicht gegeben worden ist,**
2. **jeder Aktionär, der Widerspruch im Wege elektronischer Kommunikation erklärt hat, wenn über den Gegenstand der Tagesordnung, auf den sich die Auskunft bezog, Beschluss gefasst worden ist.**

[3] **Der Antrag ist binnen zwei Wochen nach der Hauptversammlung zu stellen, in der die Auskunft abgelehnt worden ist.**

(3) [1] **§ 99 Abs. 1, 3 Satz 1, 2 und 4 bis 6 sowie Abs. 5 Satz 1 und 3 gilt entsprechend.** [2] **Die Beschwerde findet nur statt, wenn das Landgericht sie in der Entscheidung für zulässig erklärt.** [3] **§ 70 Abs. 2 des Gesetzes über das Verfahren in Familiensachen und in den Angelegenheiten der freiwilligen Gerichtsbarkeit ist entsprechend anzuwenden.**

(4) [1] **Wird dem Antrag stattgegeben, so ist die Auskunft auch außerhalb der Hauptversammlung zu geben.** [2] **Aus der Entscheidung findet die Zwangsvollstreckung nach den Vorschriften der Zivilprozeßordnung statt.**

(5) **Das mit dem Verfahren befaßte Gericht bestimmt nach billigem Ermessen, welchem Beteiligten die Kosten des Verfahrens aufzuerlegen sind.**

Übersicht

I. Grundlagen

1. Regelungsgegenstand und -zweck. Norm betr. Durchsetzung des Auskunftsanspruchs und bezweckt **beschleunigten Rechtsschutz** (RegBegr. Kropff S. 189). Dem dient das Streitverfahren der fG, das an die Stelle der sonst einschlägigen Leistungsklage des Aktionärs tritt (BGHZ 32, 159, 161 f. = NJW 1960, 1150; BGHZ 36, 121, 124 = NJW 1962, 104). Ob Beschleunigungsziel erreicht wird, ist str. (verneinend Scholz/K. Schmidt GmbHG § 51b Rn. 3; Back Verfahrensbeschleunigung, 1986, passim [Ergebnis: S. 189 ff.]; eher positiv jedoch GK-AktG/Decher Rn. 4; MüKoAktG/Kubis Rn. 1). Frage war bislang allerdings kaum von praktischem Interesse, weil Aktionäre grds. Anfechtungsklage (→ Rn. 2) bevorzugen (S/L/Spindler Rn. 1). In jüngerer Zeit begegnen speziell im Zusammenhang mit Organhaftungsklagen (→ § 131 Rn. 1) Auskunftserzwingungsklagen indes häufiger (GK-AktG/Decher Rn. 7). 1

2. Verhältnis zur Anfechtungsklage. Unberechtigte Auskunftsverweigerung ist Anfechtungsgrund iSd § 243 I (→ § 131 Rn. 111). Damit fragt sich, in welchem Verhältnis Auskunftserzwingung und Anfechtungsklage zueinander stehen. Nach heute zu Recht ganz hM handelt es sich um **voneinander unabhängige Verfahren** (BGHZ 86, 1, 3 ff. = NJW 1983, 878; BGH GmbHR 1988, 213 f. zur GmbH; MüKoAktG/Hüffer/C. Schäfer § 243 Rn. 114 f.; W. Lüke ZGR 1990, 657, 659 ff.; aA Kollhosser AG 1977, 117, 118 ff.; Werner FS Heinsius, 1991, 911, 918 ff.). Anfechtungsklage kann deshalb ohne vorgeschaltetes Erzwingungsverfahren erhoben werden. Entscheidung nach § 132 bindet mangels dem Anfechtungsprozess vergleichbarer Richtigkeitsgewähr (vgl. zur Beschränkung von Rechtsmitteln → Rn. 8) nicht im Anfechtungsprozess (BGHZ 180, 9 Rn. 35 = NJW 2009, 2207 [kein Verweis in § 132 II 1 auf § 99 V 2]; GK-AktG/Decher Rn. 13; aA noch OLG Stuttgart AG 1992, 459; GK-AktG/K. Schmidt § 243 Rn. 34). **Aussetzung** des Anfechtungsprozesses bleibt gem. § 148 ZPO zulässig (s. zB GK-AktG/Decher Rn. 14; W. Lüke ZGR 1990, 657, 663 ff.; aA LG Frankenthal AG 1989, 253, 255), ist aber nicht notwendig. Unzulässig ist dagegen Leistungsklage, die durch § 132 gerade ersetzt werden soll (→ Rn. 1). Wird sie dennoch erhoben, kann sie uU in Antrag nach § 132 umgedeutet und entspr. § 17a II, VI GVG verwiesen werden (so zur Parallelvorschrift des § 51b GmbHG BGH NJW-RR 1995, 1183, 1184). 2

II. Gerichtliche Zuständigkeit

3 Zuständig für Auskunftserzwingungsverfahren ist gem. § 132 I ausschließlich **LG des Gesellschaftssitzes** (§ 14). Funktionale Zuständigkeit der KfH ergibt sich aus § 71 II Nr. 4 lit. b GVG, § 95 II Nr. 2 GVG, ist aber – abw. von früherer Rechtslage – keine ausschließliche mehr, sondern KfH entscheidet nur, wenn sie von Antragsteller (§ 96 I GVG) oder Antragsgegner (§ 98 I GVG) angerufen wird. Wie bei Parallelgestaltungen in § 98 (→ § 98 Rn. 2), § 132 (→ § 132 Rn. 3), § 142 (→ § 142 Rn. 31), § 258 (→ § 258 Rn. 18), § 260 (→ § 260 Rn. 4), § 315 (→ § 315 Rn. 4) ist auch hier str. (mit jew. unterschiedlichem Meinungsstand), ob funktionelle Zuständigkeit ausschließlich ist (legislativ geklärt nur für SpruchG → SpruchG § 2 Rn. 5). Speziell zu § 132 wird Frage von mittlerweile klar hM zu Recht verneint (GK-AktG/Decher Rn. 18; KK-AktG/Kersting Rn. 24; MüKoAktG/Kubis Rn. 8; Simons NZG 2012, 609, 610; aA BeckOGK/Poelzig Rn. 6; ausf. Begründung → § 98 Rn. 2). KfH entscheidet deshalb nur, wenn sie von Antragsteller (§ 96 I GVG) oder Antragsgegner (§ 98 I GVG) angerufen wird. Beschwerde kann jedoch nicht auf Entscheidung des falschen Spruchkörpers gestützt werden, sofern Verstoß nicht willkürlich erfolgte (→ § 98 Rn. 2). Örtl. Zuständigkeit kann durch landesrechtl. Vorschriften für Bezirke mehrerer LG einem von ihnen übertragen werden. Entspr. Ermächtigung findet sich in § 71 IV GVG. Ausf. Überblick über Umsetzung bei GK-AktG/Decher Rn. 19 m. Fn. 46. Str. ist Fortwirken der Konzentrationsermächtigungen, die noch auf Grundlage des § 132 I 3 aF erlassen und seitdem nicht angepasst worden sind. Weil § 71 IV GVG in der Nachfolge dieser Vorschrift steht, ist von Fortgeltung darauf gestützten VO-Rechts auszugehen (so auch Preuß/Leuering NJW-Spezial 2009, 671; aA Simons NZG 2012, 609, 612).

III. Antrag

4 **1. Allgemeines.** Verfahren findet gem. § 132 I nur auf Antrag statt. Antrag kann formlos gestellt werden, auch zu Protokoll der Geschäftsstelle (§ 25 FamFG). Es besteht kein Anwaltszwang (§ 10 I FamFG). Zum Inhalt des Antrags gibt es keine bes. Vorschriften. § 253 ZPO gilt weder unmittelbar noch analog. Empfehlenswert ist konkreter Antrag mit Begründung. Feststellungsantrag ist als Leistungsantrag auszulegen und nicht etwa abzuweisen, wenn sich aus dem Vorbringen ergibt, dass AG zur Auskunft verpflichtet werden soll (OLG Koblenz AG 1996, 34 f.). **Rücknahme des Antrags** ist zulässig (MüKoAktG/Kubis Rn. 20) und beendet das Verfahren. Schon ergangene, aber noch nicht rechtskräftige Entscheidung wird wirkungslos (MüKoAktG/Kubis Rn. 21; v. Falkenhausen AG 1967, 309, 314 f.). In Abweichung von alter Rechtslage (vgl. dazu noch BayObLGZ 1973, 106, 108 ff. [zu § 306 IV]; OLG Hamm RdL 1961, 205, 206) ist in diesem Verfahrensstadium dazu aber gem. § 22 I 2 FamFG Einwilligung der Gesellschaft erforderlich (GK-AktG/Decher Rn. 36; KK-AktG/Kersting Rn. 54).

4a **2. Antragsberechtigung und -frist.** Antragsberechtigt ist nach § 132 II 1 Fall 1 zunächst **jeder Aktionär,** der eine Auskunft in der HV verlangt und nicht erhalten hat, wobei wirksame Vertretung genügt (OLG Frankfurt AG 2013, 302, 304). Dass Voraussetzungen des § 245 S. 1 Nr. 1 erfüllt sind (Erwerb vor Bekanntmachung der Tagesordnung), ist dagegen nicht erforderlich, da Vorschrift der Missbrauchsbekämpfung dient und Auskunftserzwingungsverfahren nicht gleichermaßen missbrauchsanfällig ist (ähnlich KK-AktG/Kersting Rn. 41; aA GK-AktG/Decher Rn. 27). Wer nicht (mehr) Aktionär ist, handelt ohne Antragsbefugnis, weshalb sein Antrag als unzulässig zurückzuweisen ist (LG München I Konzern 2010, 589, 590). Im Fall des Todes eines Aktionärs geht Antragsbefugnis auf dessen Rechtsnachfolger über, nicht aber bei Veräußerung (OLG Frankfurt AG 2013, 302, 304 in überzeugender Auseinandersetzung mit NK-AktR/Heidel Rn. 5; ebenso KK-AktG/Kersting Rn. 31). Auskunft verlangt auch, wer sich in HV konkret bezeichnete Fragen anderer Aktionäre ausdr. zu eigen macht (KG ZIP 2010, 698, 700 [insoweit nicht in AG 2010, 254]; GK-AktG/Decher Rn. 25). Hat Aktionär Auskunft zwar erhalten, ist sie aber **unrichtig,** so steht Verfahren des § 132 nach bisheriger ober- und instanzgerichtl. Rspr. nicht zur Verfügung (BayObLG NZG 2022, 118 Rn. 29 ff.; KG AG 2010, 254 f.; LG Dortmund AG 1999, 133; LG Köln AG 1991, 38; zust. Borries NZG 2022, 401, 402 ff.); stattdessen: Anfechtungsklage (→ Rn. 2) oder anderweitiger Rechtsschutz im Zivilprozess. Im Vordringen befindliche Gegenansicht will auch insoweit Rechtsschutz im Streitverfahren der fG gewähren (LG München I AG 2010, 919, 920; GK-AktG/Decher Rn. 10; KK-AktG/Kersting Rn. 6, 38; Hellwig FS Budde, 1995, 265, 275 ff.; Kubis ZIP 2022, 573, 575 f.; Lieder NZG 2014, 601, 608 f.; Quack FS Beusch, 1993, 663, 668 ff.; Werner NZG 2022, 115, 116 f.; offenlassend BGH NZG 2014, 423 Rn. 83). Dem ist beizupflichten, weil nach Verfahren und Ergebnis unterschiedliche Rechtsschutzmöglichkeiten nicht überzeugen, in Erteilung unzutreffender Auskunft zugleich die Verweigerung der richtigen liegt und Feststellung der Unrichtigkeit auch im beschleunigten Verfahren des § 132 durch substanziierten Vortrag des Antragstellers (Pflicht zur Verfahrensförderung) ermöglicht wird (Hellwig FS Budde, 1995, 265, 285 f.). Dass Richtigkeit der Auskunft **eidesstattlich versichert** wird, kann Aktionär dagegen nicht fordern (BayObLGZ 2002, 227, 230 f.; GK-AktG/Decher Rn. 34; MüKoAktG/Kubis Rn. 17; S/L/Spindler Rn. 9; Poelzig AG 2022, 67 Rn. 1 ff.; de Raet EWiR 2022, 71, 72; Werner NZG 2022, 115, 117 f.). Neuerdings instanzgerichtl. vertretene Gegenauffassung (BayObLG NZG 2022, 118 Rn. 37 ff. auf materieller Grundlage der § 259 II, § 260 II BGB als allg. Rechtsgedanken; zust. Borries NZG 2022, 401, 404 f.) beruht auf hier abgelehnter Auffassung, dass § 132 unrichtige Auskunft nicht erfasst, so dass (richtigerweise anzunehmendes) Spezialitätsverhältnis abgelehnt wird. Eines zusätzlichen Hilfsanspruchs analog § 259 II, § 260 II BGB, der mit aktienrechtl. Hauptanspruch aus § 131 ohnehin nur bedingt vergleichbar ist (vgl. BayObLGZ 2002, 227, 230 f.; Kubis ZIP 2022, 573, 575 f.; Poelzig AG 2022, 67 Rn. 9 f.), bedarf es deshalb nicht. Umstand, dass damit gem. § 161 I StGB **strafrechtliche Verantwortung bei bloß fahrlässiger Falschauskunft** einhergeht (BayObLG NZG 2022, 118 Rn. 44; anders bei § 400 I Nr. 1 nur Vorsatz) zeigt praktisch bedenkliche und methodisch zumindest tendenziell systemwidrige Folgen dieser Sichtweise (abl. auch Theusinger/Dolff DB 2021, 2886, 2887). Protokollierung gem. § 131 V muss er nicht verlangt, auch Widerspruch zur Niederschrift nicht erklärt haben. Wer aber nichts gefragt hat, hat auch kein Antragsrecht (LG München I AG 1993, 519 [Nr. 3]). Ausnahme gilt allein im Fall des § 132 II 1 Fall 2, wenn Aktionär in HV erschienen ist, über den Tagesordnungspunkt, auf den sich Frage bezog, Beschluss gefasst wurde und er Widerspruch zur Niederschrift (§ 130) erklärt hat.

Dagegen hat **kein Antragsrecht,** wer an HV nicht teilgenommen hat und 5
auch nicht vertreten war. Wer für den Aktionär in der HV Auskunft verlangen konnte, zB sein Vertreter, hat deshalb noch kein Antragsrecht nach § 132; vielmehr ist bes. Vollmacht erforderlich (ganz hM, s. OLG Hamburg AG 1970, 51; MüKoAktG/Kubis Rn. 13; aA LG Heilbronn NJW 1967, 1715). Entspr. gilt für Legitimationsaktionär (→ § 129 Rn. 12 ff.). Antragsrecht ist ebenso zu beurteilen wie Anfechtungsbefugnis und liegt deshalb grds. beim Zedenten, nicht beim Zessionar (BayObLGZ 1996, 234, 237 f.; → § 245 Rn. 11). Zum Verlust der Aktionärseigenschaft während des Verfahrens vgl. GK-AktG/Decher Rn. 21.

Antragsrecht wurde ursprünglich auch dann verneint, wenn Vorstand nach **§ 1 II COVMG aF** von Möglichkeit Gebrauch gemacht hatte, in virtueller HV Antwort zu verweigern (→ § 131 Rn. 112 ff.). Nachdem Vorschrift mittlerweile wieder zum Auskunftsrecht des Aktionärs verstärkt wurde (→ § 131 Rn. 112 ff.) und Vorstand Auskunft nur noch verweigern kann, wenn sonst zeitliche Grenzen gesprengt werden (→ § 131 Rn. 116 ff.), muss in Fällen einer unberechtigten Verweigerung auch in diesem Kontext Antragsrecht angenommen werden (→ § 131 Rn. 124 mwN).

5a Mit VHVG 2022 neu eingefügter § 132 II 2 enthält Sonderregelung für **Antragsberechtigung bei vHV.** Vorschrift ist § 132 II 1 nachgebildet, aber auf Besonderheiten elektronischer Teilnahme zugeschnitten. Antragsberechtigt sind danach ausschließlich **elektronisch zugeschaltete Aktionäre,** wobei weiterhin zwischen zwei Gruppen unterschieden wird. In die erste Gruppe fallen Aktionäre, denen verlangte Auskunft nicht erteilt wurde. In die zweite Gruppe fallen Aktionäre, die Widerspruch im Wege elektronischer Kommunikation erklärt haben, wenn über Gegenstand der Tagesordnung, auf den sich Auskunft bezog, Beschluss gefasst worden ist. Auskunftserzwingungsverfahren ist auch hinsichtlich **vorab gestellter Fragen** eröffnet, die nicht ordnungsgem. nach § 131 Ic 1 beantwortet wurden, doch kann Auskunft auch hier nur von zugeschalteten Aktionären erzwungen werden. RegBegr. BT-Drs. 20/1738, 36 begründet das damit, dass Antworten in jedem Fall in HV zu geben sind, was mit Blick auf § 131 Ic zwar nicht zwingend erscheint, aber als geltendes Recht hinzunehmen ist. § 132 II 2 setzt nicht ausdr. voraus, dass Widerspruch **zur Niederschrift** eingelegt werden muss, doch kann dieses Erfordernis aus Einbettung in allg. beschlussmängelrechtl. System und Bezugnahme auf § 245 gefolgert werden, der dieses Erfordernis auch weiterhin enthält (ausf. J. Hoffmann DB 2022, 1498, 1500 f.).

5b **Antragsfrist** beträgt nach § 132 II 3 zwei Wochen, beginnend mit Tag der HV. Berechnung erfolgt nach § 187 I BGB, § 188 II BGB. Es handelt sich um eine materiell-rechtl. Ausschlussfrist (BayObLG AG 1995, 328 [dort auch zur Fristwahrung bei Antragstellung durch Telefax]; MüKoAktG/Kubis Rn. 19). Rechtzeitiger Eingang bei unzuständigem Gericht genügt (BayObLG NZG 2001, 608, 609; OLG Dresden AG 1999, 274, 275; → § 246 Rn. 24). Verspätete Anträge sind unbegründet, Wiedereinsetzung in den vorigen Stand gibt es nicht.

IV. Gerichtliches Verfahren

6 **1. Überblick.** Verfahren des Gerichts bestimmt sich in erster Linie nach den Vorschriften des § 99 III (s. § 132 III 1), in zweiter Linie gem. § 99 I nach dem FamFG mit den für das Streitverfahren geltenden bes. Grundsätzen (→ § 99 Rn. 7, 9 ff.). Im Einzelnen gilt: Erforderlich ist ein Antrag (→ Rn. 4 f.); Verfahren ist formlos und nach § 170 I 1 GVG nicht öffentl. (OLG Stuttgart AG 2012, 377, 385; GK-AktG/Decher Rn. 40; aA KK-AktG/Kersting Rn. 61). Anwaltszwang besteht nicht (→ Rn. 4). Für die Tatsachenermittlung gilt gem. § 26 FamFG das Amtsprinzip, das aber durch eine Darlegungslast der Beteiligten modifiziert wird (→ Rn. 7). Das LG entscheidet durch Beschluss, der mit Gründen versehen sein muss (§ 99 III 1). Nur die Kammer ist zur Entscheidung berufen. Entscheidungszuständigkeit des Vorsitzenden der KfH gibt es nicht, weil § 349 ZPO (und auch §§ 348, 348a ZPO) im Verfahren nach FamFG nicht anwendbar sind. Beschlusstenor muss so präzise gefasst sein, dass aus ihm die Zwangsvollstreckung erfolgen kann (→ Rn. 9). Wirksam wird Beschluss erst mit Eintritt der Rechtskraft (§ 99 V 1).

2. Amtsermittlung und Beweislast. Weil Tatsachenermittlung von Amts wegen betrieben wird (§ 26 FamFG), gibt es **keine Beweisführungslast** und auch keine Darlegungslast. Es ist vielmehr Sache des Gerichts, von sich aus die entscheidungserheblichen Tatsachen oder ihr Fehlen festzustellen (zutr. MüKoAktG/Kubis Rn. 31; nicht überzeugend LG Heilbronn NJW 1967, 1715, 1717). Allerdings wird Charakter als fG-Verfahren dadurch modifiziert, dass Auskunftserzwingungsverfahren als **echtes Streitverfahren** ausgestaltet ist (GK-AktG/Decher Rn. 38; Lieder NZG 2014, 601, 607). Das wirkt sich insbes. darin aus, dass Beteiligte **Pflicht zur Verfahrensförderung** tragen (§ 27 FamFG). Antragsteller ist deshalb gehalten, dem Gericht darzulegen, inwiefern Auskünfte fehlen oder nicht ausreichen (BGH NZG 2014, 423 Rn. 42; OLG Stuttgart AG 2012, 377, 381; LG Frankfurt AG 2009, 92). Gegenläufig trifft auch AG als Antragsgegnerin verfahrensrechtl. Förderpflicht, der sie durch Berufung auf pauschale Leerformeln (Konkurrenz- oder Vertraulichkeitsgründe) nicht genügt (→ § 131 Rn. 89). Andererseits dürfen Anforderungen an Plausibilisierung aber auch nicht so hoch gesetzt werden, dass AG Information letztlich doch preisgeben muss. Es genügt danach, wenn sie ihre Darlegung anhand abstrakter, branchentypischer Erwägungen plausibilisiert (OLG Stuttgart AG 2012, 377, 381). Zur Kostenlast → § 131 Rn. 88. Zur Beweislastverteilung bei Unaufklärbarkeit des Sachverhalts vgl. HCL/Hüffer/Schäfer GmbHG § 51b Rn. 16. 7

3. Rechtsmittel. Gegen Beschluss des LG ist Beschwerde iSd §§ 58 ff. FamFG statthaft (§ 99 III 2), **wenn LG sie für zulässig erklärt** (§ 132 III 2; s. dazu OLG Düsseldorf AG 2003, 581). Abw. von §§ 58 ff. FamFG gilt für Zulassung § 70 II FamFG entspr. (§ 132 III 3; zur Nachholung s. OLG Düsseldorf NZG 2015, 204 f.). Danach ist Beschwerde bei grds. Bedeutung zuzulassen wie etwa bei Abweichung von Rspr. des BGH oder eines OLG (S/L/Spindler Rn. 22), ferner zur Fortbildung des Rechts oder zur Sicherung einheitlicher Rspr. Eine Nichtzulassungsbeschwerde gibt es nicht. Für Beschwerde gilt Monatsfrist des § 63 I FamFG. Über sie entscheidet das OLG (§ 119 I Nr. 2 GVG). Beschwerde ist beim LG einzulegen (§ 64 I FamFG iVm § 132 I). Beschwerdeschrift muss von Rechtsanwalt unterzeichnet sein (§ 99 III 4). Zulassungsabhängige Rechtsbeschwerde (§§ 70 ff. FamFG) ist möglich (Umkehrschluss aus § 35 III 3, § 85 III 3, § 104 VII 3, § 147 II 7, § 265 III 4). Zum Prüfungsumfang in diesem Verfahren s. BGH NZG 2014, 423 Rn. 30. 8

V. Auskunftserteilung; Zwangsvollstreckung

Nach § 132 IV 1 ist Auskunft aufgrund eines stattgebenden Beschlusses **auch außerhalb der HV** zu erteilen. Wirksamkeit des Beschlusses hängt gem. § 99 V 1 iVm § 132 III 1 vom Eintritt der Rechtskraft ab. Mit Rechtskraft treten zwei weitere Wirkungen ein. (1.) Vorstand muss Beschluss unverzüglich (§ 121 I 1 BGB) zum HR einreichen (§ 99 V 3 iVm § 132 III 1). Beschluss nimmt deshalb gem. § 9 HGB an der **Öffentlichkeit des HR** teil. Folglich kann jedermann einsehen und Abschriften fordern. Damit soll sichergestellt werden, dass Aktionäre, die nicht am Verfahren beteiligt waren, ihr Auskunftsrecht nach § 131 IV ausüben können (AusschussB Kropff S. 190). (2.) **Mit Eintritt der Rechtskraft** wird Beschluss **vollstreckbar.** Eine vorläufige Vollstreckbarkeit gibt es insoweit nicht, auch nicht gegen Sicherheitsleistung. Beschluss ist selbst Vollstreckungstitel gem. § 794 Nr. 3 ZPO. Art und Weise der Zwangsvollstreckung richten sich nach § 888 ZPO. Zu Einzelheiten des Vollstreckungsverfahrens und der Koordination mit dem fG-Verfahren s. BayObLG ZIP 1996, 1039 (Androhungsbeschluss soll unzulässig sein); GK-AktG/Decher Rn. 90 ff. 9

VI. Verfahrenskosten

10 Gebühren für gerichtl. Entscheidung über Auskunftsrecht des Aktionärs werden seit 2. Kostenrechtsmodernisierungsgesetz v. 23.7.2013 (BGBl. 2013 I 2586) unmittelbar nach **GNotKG** erhoben (§ 1 II Nr. 1 GNotKG). § 79 I 1 GNotKG erlaubt Geschäftswertfestsetzung von Amts wegen (idR 5.000 Euro – GK-AktG/Decher Rn. 100). Gericht bestimmt gem. § 132 V nach **billigem Ermessen,** welchem Beteiligten die **gerichtl. Kosten** des Verfahrens aufzuerlegen sind. § 132 V hat trotz § 81 I 1 FamFG, der über § 132 III 1 iVm § 99 I Anwendung findet, eigenständige Bedeutung, weil er Gericht zu einer Kostenentscheidung verpflichtet und § 81 I 1 FamFG Kostenentscheidung bloß in das Ermessen des Gerichts stellt (vgl. RegBegr. BT-Drs. 17/11471, 287; Einzelheiten bei GK-AktG/Decher Rn. 98 ff.; Simons AG 2014, 182, 185 f.; zur Kostenlast bei unzureichender Begründung der Auskunftsverweigerung → § 131 Rn. 87). Für **außergerichtl. Kosten** gilt nicht § 132 V, sondern § 81 I 1 FamFG, so dass Entscheidungen auch voneinander abweichen können (GK-AktG/Decher Rn. 105 f.). Rechtsbehelf: Beschwerde gem. § 83 GNotKG, die anders als Sachentscheidung keiner Zulassung bedarf (BeckOGK/Poelzig Rn. 40).

Vierter Unterabschnitt. Stimmrecht

Grundsatz der einfachen Stimmenmehrheit

133 (1) **Die Beschlüsse der Hauptversammlung bedürfen der Mehrheit der abgegebenen Stimmen (einfache Stimmenmehrheit), soweit nicht Gesetz oder Satzung eine größere Mehrheit oder weitere Erfordernisse bestimmen.**

(2) **Für Wahlen kann die Satzung andere Bestimmungen treffen.**

Übersicht

I. Regelungsgegenstand und -zweck

Norm betr. Zustandekommen von HV-Beschlüssen. Regelungszweck liegt in **Bestimmung des Mehrheitserfordernisses** und in **Präzisierung der Grenzen satzungsautonomer Gestaltung** (vgl. § 23 V). Grds. gilt Prinzip der einfachen Stimmenmehrheit, die als Mehrheit der abgegebenen Stimmen (und nicht nach dem Vorbild des § 32 I 3 BGB als Mehrheit der erschienenen Aktionäre) definiert wird (§ 133 I). Regelung ist zwingend iS einer Untergrenze. Satzung kann also höhere, aber nicht geringere Anforderungen an Zustandekommen von Beschlüssen stellen. Anderes gilt für Wahlen (§ 133 II). Hier kann Satzung geringere Mehrheit genügen lassen, zB relative Mehrheit, oder Verhältniswahl vorsehen (str., → Rn. 33). 1

II. Beschlüsse der Hauptversammlung

1. Begriff und Rechtsnatur. § 133 I verwendet Begriff des HV-Beschlusses, ohne ihn zu bestimmen. Er ist aus seiner Funktion und aus dem für ihn charakteristischen Verfahren zu entwickeln (s. GK-AktG/Grundmann Rn. 39 ff.; Baltzer, Der Beschluss als rechtstechnisches Mittel, 1965, 42 ff.; Zöllner, Die Schranken mitgliedschaftlicher Stimmrechtsmacht, 1963, 9 ff.). Beschluss dient der **Bildung und Äußerung des organschaftlichen Willens** der HV, der der AG als eigener Wille zugerechnet wird. Das Verfahren liegt in Abstimmung der Aktionäre über einen Beschlussantrag. Also ist HV-Beschluss durch Abstimmung der Aktionäre erzielte Willensbildung und -äußerung der Versammlung, die der AG als Bildung eigenen Willens zugerechnet wird (sa HCL/Hüffer/Schäfer GmbHG § 47 Rn. 2). Gültigkeit der abgegebenen Stimmen ist Regelfall, doch gibt es auch **stimmlose Beschlüsse,** nämlich bei Nichtigkeit aller abgegebenen Stimmen. Beschluss wird dann durch Feststellung des Vorsitzenden und Niederschrift konstituiert (→ § 130 Rn. 22, 23; Casper FS Hüffer, 2010, 111, 113; → § 241 Rn. 3 mwN). 2

HV-Beschluss ist **mehrseitiges, aber nicht vertragliches Rechtsgeschäft eigener Art** (→ § 119 Rn. 3). Rechtsgeschäftlicher Charakter folgt daraus, dass Aktionäre ihre Rechtsverhältnisse und die der AG durch verbindliche kollektive Willensbildung privatautonom regeln wollen; bloße Innenwirkung schadet nicht (vgl. zum rechtsgeschäftlichen Charakter, BGHZ 65, 93, 97 f. = NJW 1976, 49; BGH WM 1979, 71, 72; KK-AktG/Tröger Rn. 38; Schilling FS Ballerstedt, 1975, 257 ff.; Skauradszun, Beschluss als Rechtsgeschäft, 2020, 50 ff.). Individuelle Stimmabgabe ist private Willensäußerung, die auf die Herbeiführung dieses Rechtserfolgs gerichtet ist (→ Rn. 18). Zu Recht aufgegeben ist damit sog Sozialaktstheorie, die rechtgeschäftlichen Charakter leugnete (s. noch RGZ 122, 367, 369; BGHZ 52, 316, 318 = NJW 1970, 33). Langjähriger Streit um Rechtsnatur des Beschlusses ist in der Sache von eher geringer Bedeutung, da daraus grds. zu folgernde Prinzipien der Rechtsgeschäftslehre durch spezielle aktienrechtl. Vorgaben überlagert werden (KK-AktG/Tröger Rn. 39; sa → Rn. 4; zu ähnlichen Fragestellungen bei AR-Beschlüssen → § 108 Rn. 3). Auch **Konsultativbeschlüsse** (→ § 119 Rn. 13) haben Beschlussqualität (Fleischer AG 2010, 681, 683 f. [zu § 120 IV aF]; Harnos/Holle AG 2021, 853 Rn. 27 ff. [zu Say on Climate]). 3

4 Beschluss ist damit zwar Rechtsgeschäft, aber doch **kein Vertrag,** weil die dem Beschluss zugrunde liegenden Stimmabgaben nicht auf Konsensbildung durch korrespondierende Willenserklärungen, sondern auf Entscheidung durch Feststellung des Mehrheitswillens gerichtet sind (S/L/Spindler Rn. 2). Mit der Umschreibung als Rechtsgeschäft **eigener Art** ist vor allem ausgedrückt, dass die einschlägigen Vorschriften zwar im Prinzip, aber nicht vollständig gelten: so insbes. nicht §§ 125, 134, 138 BGB (stattdessen §§ 241 ff. – zu Einzelheiten KK-AktG/Tröger Rn. 41 ff.); umstr. ist Anwendung des § 181 BGB (→ § 134 Rn. 25). Auch ist der Rechtsgeschäftslehre des BGB die **konstitutive Bedeutung** fremd, die der Feststellung des Beschlussergebnisses durch den HV-Leiter zusammen mit der notariellen Niederschrift zukommt (→ § 130 Rn. 22, 23). Ferner gilt wie für materielle Satzungsbestandteile Prinzip der **obj. Auslegung,** die in der Revision unbeschränkt nachprüfbar ist (OLG Karlsruhe NZG 2018, 508 Rn. 32; LG München I AG 2015, 639, 640; AG 2020, 448, 450 f.; AG 2021, 246, 247; zur Satzung → § 23 Rn. 39 mwN). Gegenstände der Tagesordnung erläuternde schriftliche Vorstandsberichte können Auslegungsmittel sein (→ § 130 Rn. 24). Dasselbe gilt für die zum HR einzureichende HV-Niederschrift (LG München I AG 2015, 639, 640). Beschlüsse unter Bedingung (§ 158 BGB) zu stellen, ist namentl. bei satzungsändernden Beschlüssen nur in engen Grenzen zulässig, doch kann HV Vorstand in Gestalt sog „unechter Bedingung" anweisen, Beschluss erst bei Eintritt eines künftigen Ereignisses zu vollziehen (→ § 179 Rn. 26; ausf. KK-AktG/Tröger Rn. 50 f.).

5 **2. Beschlussarten; Abgrenzungen. a) Positive und negative Beschlüsse.** HV-Beschlüsse können positiven oder negativen Inhalt haben. Im ersten Fall wird Antrag angenommen, im zweiten abgelehnt. § 133 I bezieht sich nur auf den positiven Beschluss, indem er dafür wenigstens erforderliche Mehrheit bestimmt (→ Rn. 1). Aber **auch der negative Beschluss ist HV-Beschluss** iSd in → Rn. 2 ff. erläuterten Grundsätze (heute allgM, s. zB RGZ 122, 102, 107; RGZ 142, 123, 130; RGZ 146, 71, 72 f.; BGHZ 104, 66, 69 = NJW 1988, 1844; GK-AktG/Grundmann Rn. 48), und zwar insbes. auch dann, wenn Antrag nicht mit der Mehrheit des § 133 I abgelehnt wurde, zB bei Scheitern des Antrags infolge Stimmengleichstands (BeckOGK/Rieckers Rn. 6). Hauptfolge des Beschlusscharakters der Antragsablehnung ist **Geltung der §§ 241 ff.,** insbes. Notwendigkeit der Anfechtungsklage unter den Voraussetzungen des § 243 I.

6 **b) Sonderbeschlüsse, Minderheitsverlangen, Übergehen eines Antrags.** Sonderbeschlüsse sind keine Beschlüsse der HV, sondern bestimmter **Aktionärsgruppen,** zB der Vorzugsaktionäre (§ 141; → § 138 Rn. 2). Sie unterliegen jedoch gem. § 138 S. 2 (→ § 138 Rn. 4) den für HV-Beschlüsse geltenden Regeln, mithin auch dem Mehrheitserfordernis des § 133 I. Minderheitsverlangen (§ 120 I 2, §§ 137, 147 I) sind keine Beschlüsse der HV und diesen auch nicht nach Art des § 138 S. 2 gleichgestellt. Dasselbe gilt bei Übergehen eines Antrags (zum Zurückweisungsrecht des HV-Leiters → § 129 Rn. 23). Insoweit hat HV einen Regelungswillen (→ Rn. 4) überhaupt nicht gebildet, so dass auch nicht von einem negativen Beschluss (→ Rn. 5) gesprochen werden kann. Zu sog Scheinbeschlüssen → § 241 Rn. 3.

7 **3. Beschlussverfahren.** Beschluss der HV iS eines rechtl. fehlerfreien Regelungstatbestands setzt zunächst voraus, dass HV durch Einberufung (§§ 121 ff.) ordnungsgem. konstituiert worden ist. Sie muss sodann beschlussfähig sein (→ Rn. 8). HV-Leiter muss einen Beschlussantrag zur Abstimmung gestellt haben (→ Rn. 9 f.). Antrag muss, wenn positiver Beschluss vorliegen soll, wenigstens die einfache Stimmenmehrheit des § 133 I gefunden haben (→ Rn. 11 ff.). HV-

Leiter muss Beschlussergebnis festgestellt und Notar bzw. AR-Vorsitzender (§ 130 I 3) dieses protokolliert haben (§ 130 II; → § 130 Rn. 22, 23).

4. Beschlussfähigkeit. Abgesehen vom Sonderfall der Nachgründung (§ 52 V 2; → 52 Rn. 15), enthält Ges. keine bes. Anforderungen. Teilnahme auch nur eines Aktionärs genügt (RGZ 82, 386, 388). **Satzung** kann Mindestpräsenz als weiteres Erfordernis iSd § 133 I vorschreiben, doch ist auch das nicht üblich und jedenfalls bei Publikumsgesellschaften auch nicht zweckmäßig (vgl. Fleischer/Maas AG 2020, 761 Rn. 50). Zu möglichen Satzungsgestaltungen s. BeckOGK/Rieckers Rn. 11. 8

5. Beschlussantrag. Es gibt keinen HV-Beschluss ohne einen vom HV-Leiter zur Abstimmung gestellten Beschlussantrag, es sei denn, es handle sich um Einmann-AG (unstr., s. zB KK-AktG/Tröger Rn. 75; Baltzer, Der Beschluss als rechtstechnisches Mittel, 1965, 103 ff.). Denn ohne Antrag ginge Feststellung des Abstimmungsergebnisses mangels Gegenstands ins Leere. Antragsrecht der **Aktionäre und ihrer Vertreter** ist Bestandteil des Teilnahmerechts, setzt also nicht voraus, dass Antragsteller stimmberechtigt ist (→ § 118 Rn. 24). Ebenfalls antragsberechtigt sind **Vorstand und AR,** aber nicht ihre einzelnen Mitglieder (str. – wie hier GK-AktG/Mülbert § 118 Rn. 51 [mit Ausnahme für eigene Entlastung]; BeckOGK/Rieckers Rn. 13; S/L/Spindler § 118 Rn. 40 [anders aber § 133 Rn. 12]; Hoffmann-Becking NZG 2017, 281, 286; aA GK-AktG/Grundmann Rn. 61; KK-AktG/Tröger Rn. 79). Ausschluss des individuellen Antragsrechts der Organmitglieder folgt aus § 124 III 1 und ist auch in der Sache sinnvoll, damit organinterne Vorabstimmung nicht unterlaufen wird. Recht, Anträge zur Geschäftsordnung zu stellen, bleibt davon aber unberührt (MüKoAktG/Kubis § 118 Rn. 109; Hoffmann-Becking NZG 2017, 281, 286). HV-Leiter hat kein eigenes Sachantragsrecht, kann aber Verfahrensanträge stellen (str. – wie hier die hM – vgl. BeckOGK/Rieckers Rn. 13; MHdB AG/Austmann § 40 Rn. 10; aA S/L/Spindler Rn. 12; KK-AktG/Tröger Rn. 79). Stellt er dennoch einen Beschlussantrag zur Abstimmung, den Aktionäre nicht gewollt haben, kommt Beschluss zustande; er kann jedoch **gem. § 243 I anfechtbar** sein. 9

Anträge können **in positiver oder negativer Fassung** zur Abstimmung gestellt werden. Positive Beschlussergebnisse lassen sich jedoch nur aufgrund positiver Anträge erreichen (RGZ 80, 189, 195 f. für Vereinsbeschluss; KK-AktG/Tröger Rn. 82 f.). Wenn etwa Entlastung erteilt werden soll, muss Antrag auch so gefasst sein. Über Verweigerung der Entlastung abstimmen zu lassen, ist zwar zulässig, führt aber nur dann zum Ergebnis, wenn dieser Antrag die erforderliche Mehrheit findet (ausf. → § 120 Rn. 7). **Mehrere Anträge** sind nach den üblichen Regeln zur Abstimmung zu stellen; also solche zur Geschäftsordnung (zB Vertagung) vor Sachanträgen, der weitergehende vor dem engeren (zu Einzelheiten s. KK-AktG/Tröger Rn. 86 ff.). 10

III. Stimmenmehrheit

1. Prinzip der einfachen Mehrheit. a) Bedeutung. Nach der Regel des § 133 I ist für Beschluss der HV die Mehrheit der abgegebenen Stimmen erforderlich und genügend; das ist zugleich **Legaldefinition** der einfachen Stimmenmehrheit. Mit Beschluss meint § 133 I nur positiven, dem Antrag zust. Beschluss (→ Rn. 5). Weil nur jew. ein Antrag zur Abstimmung steht (→ Rn. 9), ist einfache Mehrheit notwendig die absolute Mehrheit der abgegebenen Stimmen. Auf Kapitalmehrheit kommt es für Regel des § 133 I nicht an. 11

Für **Feststellung der Mehrheit** gilt iE: Einfache Mehrheit ist erreicht, wenn Zahl der gültigen Ja-Stimmen die der gültigen Nein-Stimmen um wenigstens eine übertrifft (statt aller MüKoAktG/M. Arnold Rn. 37). Sonst, also auch bei 12

Stimmengleichstand, ist Antrag abgelehnt (negativer Beschluss; → Rn. 5). **Stimmenthaltungen** zählen nicht (RGZ 20, 142, 144; RGZ 82, 386, 388; BGHZ 129, 136, 153 = NJW 1995, 1739), sind also insbes. nicht den Nein-Stimmen zuzurechnen (BGHZ 83, 35, 36 f. = NJW 1982, 1585 zum Verein; sa S/L/Spindler Rn. 26). Sie müssen auch nicht (können aber) in die Niederschrift aufgenommen werden (→ § 130 Rn. 19). Schließlich kommt es nur auf die **gültigen Stimmen** an. Ungültige (nichtige) bleiben außer Ansatz (RGZ 106, 258, 263). Zur Feststellung der Ungültigkeit, namentl. bei treuwidriger Stimmabgabe, → § 130 Rn. 22 ff.; vgl. auch KK-AktG/Tröger Rn. 121 ff.

13 **b) Geltungsbereich.** Einfache (absolute) Stimmenmehrheit ist, abgesehen von Wahlbeschlüssen, stets erforderlich. Genügend ist sie, wenn Ges. oder Satzung keine strengeren Anforderungen stellen (→ Rn. 14 ff.), zB für Beschlüsse nach § 119 II, § 120 I, § 174. ZT sieht Ges. weitere **Kapitalmehrheit** vor, die dann in allen ges. Fällen zugleich auch stets qualifizierte Mehrheit von drei Vierteln sein muss (Einzelaufzählung bei KK-AktG/Tröger Rn. 132 ff.). Zu einem **Auseinanderfallen von Stimm- und Kapitalmehrheit** kann es namentl. aufgrund von Mehrstimmrechtsaktien oder Höchststimmrechten kommen, die indes beide nur unter eingeschränkten (bei Mehrstimmrechtsaktien seit ZuFinG 2023 aber wieder deutlich erweiterten) Voraussetzungen zulässig sind (vgl. zu Mehrstimmrechten → § 12 Rn. 7 ff.; → § 135a Rn. 1 ff.; vgl. zu Höchststimmrechten → § 134 Rn. 4 ff.), ferner bei nicht voll eingezahlten Aktien (§ 134 II). Nicht entscheidend ist dagegen Relation des in der HV teilnehmenden Kapitals zur Gesamtsumme des Grundkapitals (KK-AktG/Tröger Rn. 145; Ausn.: § 52 V 2). Soweit (qualifizierte) Kapitalmehrheit ges. angeordnet wird, liegt darin keine Alternative zur einfachen Stimmenmehrheit, sondern ein **zusätzliches Erfordernis,** so dass stets beide Mehrheiten gegeben sein müssen (→ § 179 Rn. 14; RGZ 125, 356, 359; BGH NJW 1975, 212; S/L/Spindler Rn. 31). Außer in den ges. aufgeführten Fällen gilt qualifiziertes Mehrheitserfordernis auch bei sog **Holzmüller-Beschlüssen** (→ § 119 Rn. 29).

14 **2. Weitergehende gesetzliche Anforderungen.** Nach § 133 I tritt Prinzip der einfachen Mehrheit zurück, soweit Ges. eine größere Mehrheit verlangt. Damit gemeint ist größere Stimmenmehrheit; so in § 103 I 2 für Abberufung von AR-Mitgliedern eine Mehrheit von drei Vierteln der abgegebenen Stimmen (→ § 103 Rn. 4). Durchgängig geht es jedoch nicht um eine größere Mehrheit, sondern um weitere Erfordernisse, die zu der einfachen Mehrheit des § 133 I hinzutreten müssen, so vor allem, wenn eine **Kapitalmehrheit** verlangt wird (→ Rn. 13). Des Weiteren kann das Erfordernis eines **zust. Sonderbeschlusses** hierher gerechnet werden (Anwendungsfälle: → § 138 Rn. 2), ferner, dass nicht eine **Minderheit von 10 % des Grundkapitals** gegen den beabsichtigten Beschluss Widerspruch zur Niederschrift erhebt (vgl. § 50 S. 1, § 93 IV 3, §§ 116, 117 IV, § 309 III 1, § 317 IV). Zu weiteren Erfordernissen, bes. zur Zustimmung betr. Aktionäre → § 179 Rn. 21; § 180 sowie Erl. dazu.

15 **3. Weitergehende Anforderungen der Satzung.** Erfordernis einfacher Stimmenmehrheit kann durch die Satzung, abgesehen von Wahlbeschlüssen, grds. **nur verschärft,** aber nicht gemildert werden (§ 133 I). Solche Verschärfung kann bis zum Einstimmigkeitserfordernis reichen, es sei denn, dass Ges. ausdr. auf einfache Stimmenmehrheit abhebt wie in § 103 II 2, § 142 I 1, § 147 I 1 (hM, s. MüKoAktG/M. Arnold Rn. 64). Auch wenn Ges. schon qualifizierte Mehrheit oder zusätzliche Kapitalmehrheit oder beides verlangt, kann Satzung die Erfordernisse noch erhöhen. Neben reinen Verschärfungen des Mehrheitserfordernisses ist auch Quorum zur Beschlussfähigkeit möglich, etwa um in geschlossener AG zu verhindern, dass Beschlüsse ohne einzelne Aktionärsstämme gefasst werden

(vgl. MüKoAktG/M. Arnold Rn. 22; KK-AktG/Tröger Rn. 207 ff.; Leuering/Prüm NJW-Spezial 2017, 79 f.). Milderung ges. Mehrheitserfordernisse ist nur ausnahmsweise zulässig (vgl. § 103 I 3). Ausf. zu möglichen Satzungsgestaltungen KK-AktG/Tröger Rn. 204 ff.

IV. Stimmrecht und Stimmabgabe; Auszählung

1. Stimmrecht. § 133 I setzt voraus, dass die an der Abstimmung teilnehmenden Aktionäre das Stimmrecht haben. Wenn es fehlt, ist Stimmabgabe ungültig und die ungültige Stimme nicht mitzuzählen (→ Rn. 12). Grds. gewährt jede Aktie das Stimmrecht (§ 12 S. 1). Es ist die **mitgliedschaftliche Befugnis,** durch Stimmabgabe (→ Rn. 18 ff.) am Zustandekommen von HV-Beschlüssen mitzuwirken und in den durch die Stimmenzahl gesetzten Grenzen ihren Inhalt zu bestimmen (→ § 12 Rn. 2). Weil der Beschlussinhalt der AG als ihr Wille zugerechnet wird (→ Rn. 2), geht es um Teilhabe an der Bildung des Gesellschaftswillens, deshalb um ein **Verwaltungs- oder Herrschaftsrecht** (vgl. K. Schmidt GesR § 21 II 1). 16

Einzelheiten. Ein Stimmrecht ohne Mitgliedschaft gibt es nicht. Insbes. gilt das **Abspaltungsverbot,** nach dem das Stimmrecht nicht isoliert übertragen werden kann (→ § 8 Rn. 26). Träger des Stimmrechts ist daher grds. Inhaber des Mitgliedschaftsrechts, also der Aktionär. Daraus folgt, dass bei **Treuhandübereignung** das Stimmrecht – entspr. der dinglichen Zuordnung – dem Treuhänder zusteht, der dabei aber bes. Treubindungen zu beachten hat (Einzelheiten bei KK-AktG/Tröger § 134 Rn. 47 ff.). Ebenso unstr. ist, dass bei **Pfandrecht** Stimmrecht beim Aktionär bleibt (allgM – s. nur BeckOGK/Rieckers § 134 Rn. 42). Auch bei **Wertpapierleihe,** die entgegen dem Wortsinn ein Sachdarlehen darstellt, erfolgt Übereignung an Entleiher, dem deshalb nach hM das Stimmrecht zusteht (LG München NZG 2009, 145; S/L/Spindler § 134 Rn. 7; KK-AktG/Tröger § 134 Rn. 50; Kort DB 2006, 1546). Da Entleiher bei kurzfristig zurückzugewährenden Aktien von Folgen der Stimmausübung nicht betroffen ist, werden gegen diese Zuordnung mit gewichtigen Argumenten Bedenken erhoben (Bachmann ZHR 173 [2009], 596, 608 ff.: institutioneller Missbrauch), doch kann diesen Bedenken durch Treubindungen des Entleihers im Innenverhältnis hinreichend Rechnung getragen werden (KK-AktG/Tröger § 134 Rn. 50). Zum Nießbrauch → Rn. 17a. Ausübung des Stimmrechts durch Dritte ist zulässig (§ 129 II und III, § 134 III 1). Aktien ohne Stimmrecht sind als Vorzugsaktien zulässig (§ 12 S. 2), wenn sie die nach § 139 I notwendige Ausstattung haben (→ § 139 Rn. 5 ff.). Ausübung des Stimmrechts kann nach § 136 verboten, auch nach § 20 VII, § 21 IV, §§ 71b, 328 I oder nach § 44 I 1 WpHG ausgeschlossen sein. Vom Stimmrecht zu unterscheiden ist das Teilnahmerecht (→ § 118 Rn. 24 ff.). 17

Bes. umstr. ist die Zuordnung des Stimmrechts beim **Nießbrauch** (Überblick über den Meinungsstand bei MüKoBGB/Pohlmann BGB § 1068 Rn. 71 ff.; Wedemann ZGR 2016, 798, 799 ff.). Nach hM bleibt Stimmrecht beim Aktionär (vgl. etwa OLG Koblenz NJW 1992, 2163, 2164 f. [GmbH]; GK-AktG/Grundmann § 134 Rn. 81; MüKoBGB/Pohlmann BGB § 1068 Rn. 71 ff.; BeckOGK/Rieckers § 134 Rn. 43; KK-AktG/Tröger § 134 Rn. 54; MHdB AG/Sailer-Coceani § 14 Rn. 74; MüKoGmbHG/Drescher GmbHG § 47 Rn. 77), während andere es dem Nießbraucher zuweisen (vgl. insbes. Wedemann NZG 2013, 1281, 1284 ff.) oder für ein gemeinschaftliches Stimmrecht plädieren (Schön ZHR 158 [1994], 229, 261 f.). Verbreitet wird auch Aufspaltungslösung befürwortet, die zwischen Beschlussgegenständen differenziert und bei bes. bedeutsamen Angelegenheiten (Grundlagenbeschlüssen) Stimmrecht dem Anteilsinhaber, iÜ aber dem Nießbraucher zuweist (OLG Stuttgart NZG 2013, 432, 17a

433 [KG]; MüKoAktG/Bayer § 16 Rn. 28). **BGH** hat sich bislang lediglich dahingehend geäußert, dass bei Grundlagengeschäften Stimmrecht dem Gesellschafter verbleiben müsse (BGH NJW 1999, 571 f.), Entscheidung zwischen hM und Aufspaltungslösung dagegen offengelassen. In einer Entscheidung zum Nießbrauch am Wohnungseigentum hat er eine solche Aufspaltung allerdings verworfen (BGHZ 150, 109, 119 = NJW 2002, 1647). **Aufspaltungslösung** führt zu sachgerechten Ergebnissen, weil sie Stimmrecht danach zuweist, wer von seiner Ausübung betroffen ist und so ausgewogenen Interessenausgleich erzielt. Auf der anderen Seite kann aber nicht übersehen werden, dass diese Passgenauigkeit mit **erschwerter Praktikabilität** erkauft wird. Abgrenzung der Zuständigkeit von Anteilsinhaber und Nießbraucher bedarf jedoch klarer Zuordnung nach eindeutigen Kriterien, die Aufspaltungslösung nicht bieten kann (MüKoGmbHG/Drescher GmbHG § 47 Rn. 77; Wedemann NZG 2013, 1281, 1283; vgl. zu diesen Abgrenzungsschwierigkeiten auch BGHZ 150, 109, 119). Da **Kautelarpraxis** iÜ andere Wege, namentl. Stimmrechtsvollmacht, eröffnet, besteht für derart schwierige Differenzierung kein zwingendes praktisches Bedürfnis (MüKoGmbHG/Drescher GmbHG § 47 Rn. 77). Selbst wo die Parteien solche Vorsorge nicht getroffen haben, kann entspr. Schutzbedürfnissen des Nießbrauchers nach Maßgabe der sachenrechtl. begründeten Beziehungen hinreichend Rechnung getragen werden (KK-AktG/Tröger § 134 Rn. 54). Vorzug verdient danach hM.

18 **2. Stimmabgabe. a) Begriff und Rechtsnatur.** Das Stimmrecht wird durch Stimmabgabe ausgeübt, indem Aktionäre dem zur Abstimmung gestellten Antrag (→ Rn. 9 f.) zustimmen oder ihn ablehnen oder sich der Stimme enthalten. Die Erklärung von anwesenden, zur Stimmabgabe berechtigten Personen, an der Abstimmung nicht teilnehmen zu wollen, ist rechtl. nichts anderes als Enthaltung (B/K/L/Holzborn Rn. 6). Stimmabgabe ist **Willenserklärung,** weil der Abstimmende den der AG zurechenbaren Willen der HV (→ Rn. 2, 16) als rechtl. gesicherten Erfolg mitgestalten will (vgl. BGHZ 14, 264, 267 = NJW 1954, 1563; BGH NJW 1952, 98, 99). Das ist mittlerweile nicht nur für Ja-Stimme, sondern auch für Nein-Stimme weitgehend anerkannt, da sie ebenfalls auf negative Abwehr einer Rechtsfolge gerichtet ist (vgl. statt vieler KK-AktG/Tröger Rn. 55; aA noch Winnefeld DB 1972, 1053, 1054). Bei **Stimmenthaltung** lehnt hM Einordnung als WE hingegen zu Recht ab (GK-AktG/Grundmann Rn. 67 m. Fn. 139; B/K/L/Holzborn Rn. 2; MüKoAktG/M. Arnold Rn. 24 f.; KK-AktG/Tröger Rn. 55). Dem wird zwar entgegengehalten, dass auch Enthaltung den Erfolgswert der abgegebenen Stimmen beeinflusse (BeckOGK/Rieckers Rn. 20; Ulmer FS Niederländer, 1991, 415, 419), doch handelt es sich nur um sehr mittelbare Wirkung; Stimmenthaltung ist aber nicht darauf ausgerichtet, Willensbildung der AG mitzugestalten (MüKoAktG/M. Arnold Rn. 25). Auch Anfechtung ist demnach nicht möglich (GK-AktG/Grundmann Rn. 72). Als abgegebene Stimmen iSd § 133 I sind Enthaltungen nicht anzusehen (BeckOGK/Rieckers Rn. 20).

19 Aus dem Charakter der Stimmabgabe als Willenserklärung folgt Anwendung der §§ 104 ff. BGB, bes. der §§ 119 ff. BGB. Nach Feststellung des Beschlussergebnisses kann Anfechtung jedoch nur noch nach Regeln des Beschlussmängelrechts erfolgen (zu den str. Einzelheiten vgl. BeckOGK/Rieckers Rn. 23; KK-AktG/Tröger Rn. 58). Ebenfalls anwendbar ist § 130 I BGB, so dass **Stimmabgabe mit Zugang beim HV-Leiter wirksam** wird. Zugangsfolge ist Bindungswirkung, die ihrerseits freien Widerruf ausschließt (statt aller MüKoAktG/M. Arnold Rn. 28). Bislang hM hat auch nach Eintritt der Bindungswirkung **Widerruf** der Stimmabgabe ausnahmsweise bei Vorliegen eines wichtigen Grundes bejaht, wenn sich Festhalten an der Stimmabgabe als obj. treuwidrig darstellen

würde und beschlossene Maßnahme noch nicht vollzogen ist (S/L/Spindler Rn. 18). Mittlerweile hM geht hingegen zu Recht davon aus, dass gerade bei der in bes. Maße auf Rechtssicherheit angewiesenen Beschlussfassung in HV kein Anlass besteht, von Regel des § 130 I 2 BGB abzuweichen; bei nachträglicher Änderung der Verhältnisse muss HV neuerlich mit Angelegenheit befasst werden (OLG München NZG 2023, 1407, 62; Hölters/Weber/Krebs Rn. 20; B/K/L/Holzborn Rn. 8; BeckOGK/Rieckers Rn. 23; MüKoAktG/M. Arnold Rn. 28; MHdB AG/Austmann § 40 Rn. 29).

b) Uneinheitliche Stimmabgabe. Uneinheitliche Stimmabgabe liegt vor, wenn Aktionär über mehrere Stimmen verfügt und teils mit Ja, teils mit Nein stimmt. Erfolgt Stimmabgabe nicht durch den Aktionär, sondern durch Vertreter oder sog Legitimationsaktionär, der für verschiedene Auftraggeber tätig wird, so ist das keine uneinheitliche Stimmabgabe. **Interessenwalter** darf und muss vielmehr entspr. den ihm erteilten Weisungen unterschiedlich abstimmen (RGZ 118, 67, 70; B/K/L/Holzborn Rn. 9). Um uneinheitliche Stimmabgabe handelt es sich auch dann nicht, wenn Aktionär teils mitstimmen, teils sich der Stimme enthalten will; das ist zulässig, weil er sich auch ganz enthalten könnte (RGZ 118, 67, 70; nicht eindeutig BGHZ 104, 66, 74 = NJW 1988, 1844 zur GmbH). 20

IÜ ist zu unterscheiden, ob es sich um **mehrere Stimmen aus einer Aktie** oder um mehrere Aktien mit entspr. vielen Stimmen handelt. Für den ersten (wohl seltenen, Mehrstimmrechte erfordernden) Fall ist uneinheitliche Stimmabgabe nach richtiger Ansicht unzulässig (str.; wie hier B/K/L/Holzborn Rn. 9; S/L/Spindler Rn. 20; Heckelmann AcP 170 [1970], 306, 339 ff.; aA HCL/Hüffer/Schäfer GmbHG § 47 Rn. 64; Armbrüster FS Bezzenberger, 2000, 3, 13 ff.). Uneinheitliche **Stimmabgabe aus mehreren Aktien** wird dagegen heute entgegen RGZ 118, 67, 70 von allgM zu Recht gestattet, und zwar ohne dass es dafür eines bes. Interesses an solcher Stimmrechtsausübung bedürfte (s. nur MüKoAktG/M. Arnold Rn. 29; S/L/Spindler Rn. 19). Auch wenn diese Frage für GmbH zT abw. beantwortet wird (vgl. zum Streitstand HCL/Hüffer/Schäfer GmbHG § 47 Rn. 61 f.), trifft sie doch jedenfalls für die AG das Richtige, da diese keine personalistische Struktur hat und namentl. in Gestalt der Stimmrechtsausübung durch Legitimationsaktionäre für solche Konstruktion auch praktisches Bedürfnis besteht. Dass hier gespaltene Stimmrechtsausübung gestattet sein muss, folgt zumindest für börsennotierte AG auch aus Art. 13 IV Aktionärsrechte-RL (KK-AktG/Tröger Rn. 100 f.). 21

3. Auszählung. Es ist Aufgabe des HV-Leiters, das rechnerische Abstimmungsergebnis (Zahl der Ja-Stimmen und der Nein-Stimmen; Enthaltungen rechnen nicht mit) zu ermitteln und Annahme oder Ablehnung des Antrags als rechtl. Folgerung festzustellen (→ § 130 Rn. 19, 22 f.). Das ist bei großer HV schwierig und zeitaufwendig, zumal sich Stimmkraft nicht nach Köpfen, sondern nach Aktiennennbeträgen bemisst (§ 134 I 1). Einsatz von Personal und Hilfsmitteln ist zulässig. Über **Form der Stimmabgabe** enthält Ges. keine Aussage. Maßgeblich ist die Satzung (§ 134 IV), wenn sie nichts enthält, die Bestimmung des Versammlungsleiters, es sei denn, dass HV anderes beschließt (GK-AktG/Grundmann Rn. 17; aA KK-AktG/Tröger Rn. 105). 22

Als Auszählungsarten sind Additions- und Subtraktionsmethode bekannt. Bei der **Additionsmethode** werden die Ja-Stimmen und die Nein-Stimmen getrennt gezählt und die Zahl der abgegebenen Stimmen durch Addition ermittelt. Stimmenthaltungen brauchen dabei nicht mitgezählt zu werden, weil es auf sie für Feststellung der Mehrheit nicht ankommt (→ Rn. 12). Methode ist zuverlässig und sollte bei kleiner HV gewählt werden. Additionsmethode galt bislang namentl. bei großen Publikumsgesellschaften als übermäßig aufwendig und wurde deshalb durch leichter zu handhabende – wenngleich bedenklichere – Subtrakti- 23 onsmethode verdrängt (→ Rn. 24). Aufgrund fortschreitender technologischer Entwicklung kann sie mittlerweile – etwa in Gestalt elektronischer Stimmgeräte – auch bei solchen Gesellschaften problemlos zur Anwendung gelangen (KK-AktG/Tröger Rn. 106; sa → § 118 Rn. 10).

24 Bei der **Subtraktionsmethode** werden im Regelfall die Nein-Stimmen und die Stimmenthaltungen gezählt. Ausgangsgröße ist Gesamtzahl der HV-Teilnehmer. Von ihr sind zunächst die Enthaltungen abzuziehen, woraus sich Zahl der abgegebenen Stimmen errechnet. Davon ist Zahl der Nein-Stimmen zu subtrahieren. Die Differenz entspr. der Zahl der Ja-Stimmen. Vorteil des Verfahrens wird darin gesehen, dass Auszählung der Stimmen bei nicht-elektronischer Abstimmung weniger Zeit in Anspruch nimmt (s. aber → Rn. 23). Nachteil liegt darin, dass „Verpflegungsaktionären" außerhalb des Versammlungssaals Abstimmungswille unterstellt wird, der oftmals nicht vorhanden sein wird (MHdB AG/Austmann § 40 Rn. 37). Überdies kann hinterfragt werden, ob es richtig ist, dass reine Passivität automatisch als Zustimmung für Verwaltungsvorschlag gewertet wird (Meilicke FS Heidel, 2021, 263, 271 f.). Trotz dieser Bedenken ist Subtraktionsmethode nach heute ganz hM **grds. zulässig** (OLG Frankfurt AG 1999, 231, 232; LG Dortmund AG 1968, 390; LG München I AG 2016, 834, 835; MüKoAktG/M. Arnold Rn. 33; GK-AktG/Grundmann Rn. 130; KK-AktG/Tröger Rn. 115; krit. OLG Karlsruhe AG 1991, 144, 146 [obiter dictum]; Brox DB 1965, 731, 733). Zumindest für Wohnungseigentümerversammlung lässt auch BGH ZIP 2003, 437, 438 ff. Subtraktionsmethode zu (enger dazu OLG Düsseldorf FGPrax 2000, 140). Der hM ist beizutreten, sofern Gesamtzahl der HV-Teilnehmer für den jeweiligen Abstimmungsgang hinreichend zuverlässig aus Teilnehmerverzeichnis und etwa daneben geführter Präsenzliste (→ § 129 Rn. 2 ff., 9 f.) entnommen werden kann (OLG Hamm AG 2004, 38 zu unzuverlässigen Aufzeichnungen). Das erfordert insbes. **ständige Aktualisierung** des Teilnehmerverzeichnisses (BeckOGK/Rieckers Rn. 32). Überdies muss Aktionären im gesamten Präsenzbereich vor Abstimmung Bedeutung ihres Schweigens (idR ja) deutlich gemacht werden (MüKoAktG/M. Arnold Rn. 33). Für entspr. Vorkehrungen ist AG, weil sie zu den positiven Zulässigkeitsvoraussetzungen gehören, im Anfechtungsprozess darlegungs- und beweispflichtig. Subtraktionsverfahren bietet sich in erster Linie bei klaren Mehrheitsverhältnissen an, wenn hoher Anteil an Ja-Stimmen erwartet wird; bei **knappen Abstimmungsverhältnissen** erscheint es weniger geeignet, weil Rest von Unsicherheit verbleibt (BeckOGK/Rieckers Rn. 34; grds. abratend MHdB AG/Austmann § 40 Rn. 37). Auch bei **Online-Teilnahme** und Briefwahl ist Subtraktionsverfahren zulassig; im erstgenannten Fall bedarf es aber bes. Vorkehrungen zur dauerhaften Präsenzsicherung, etwa durch Unterbinden der Ein- und Ausloggmöglichkeiten während des Abstimmungsvorgangs (BeckOGK/Rieckers Rn. 30, 33). Tendenziell wird bei Unsicherheiten iRd Präsenzfeststellung, die sich gerade bei vHV ergeben, eher zu Additionsverfahren geraten (→ § 118a Rn. 27).

V. Stimmbindungsverträge

25 **1. Begriff und Zweck; Rechtsnatur.** Durch Stimmbindungsverträge verpflichten sich die Vertragsteile, die ihnen zustehenden Stimmrechte in der vertraglich festgelegten Weise (bei Konsortien regelmäßig nach vorhergehender Mehrheitsentscheidung) auszuüben. **Terminologie** ist uneinheitlich. Verbreitet wird von Konsortial- oder Poolvereinbarungen gesprochen; mit ebenfalls verwendetem Begriff der Schutzgemeinschaft verbindet sich überdies bes. Zweckbestimmung zur Abwehr des Einflusses außenstehender Gesellschafter (Ulmer FS Hommelhoff, 2012, 1249, 1250 Fn. 3). **Wesentliche Zwecke** sind Einflusssicherung in Familiengesellschaften, Einflussnahme auf die Ausübung des Stimmrechts

durch Treuhänder oder Verpfänder sowie Durchsetzung von gleichgerichteten wirtschaftlichen Interessen iR von holdingähnlichen Konsortialverträgen (s. Noack, Gesellschaftervereinbarungen, 1994, 19 ff.; S. Schneider Stimmbindungsvertrag, 2017, 12 ff.). Genannt werden auch Stimmbindungsverträge vornehmlich kommunaler Aktionäre mit Gewerkschaften, die auf faktischen Wechsel des Mitbestimmungsstatus abzielen (s. Raiser/Veil KapGesR § 16 Rn. 88 – Zulässigkeit zweifelhaft). Sonderfall des Stimmbindungsvertrags und damit sowie als Minus ggü. Entherrschungsvertrag (→ § 17 Rn. 22; Reichert/Harbarth AG 2001, 447, 454) zulässig ist **Stimmrechtsausschlussvertrag,** durch den sich Aktionär verpflichtet, seine Stimmrechte für die Laufzeit des Vertrags nicht auszuüben; damit kann Konsolidierung vermieden werden, die sonst nach § 290 II-IV HGB geboten wäre. Zu erbschaftsteuerlichen Poolabreden im Hinblick auf § 13b ErbStG Wunsch BB 2011, 2315, 2316 f.

Stimmbindungsverträge haben **schuldrechtl., nicht organisationsrechtl. Charakter,** können aber gleichwohl in die Satzung aufgenommen werden und haben dann entweder formelle oder fakultativ-materielle Eigenschaft (→ § 23 Rn. 4 f.; näher HCL/Hüffer/Schäfer GmbHG § 47 Rn. 66 ff.); damit verbundene Publizität wird jedoch in der Praxis nicht gesucht. Unterbleibt Aufnahme in die Satzung, ist Stimmbindung formlos wirksam. Dem schuldrechtl. Charakter entspr., dass Stimmbindungsverträge **keine Außenwirkung** entfalten. Vertragswidrig abgegebene Stimme ist also gültig (allgM, s. RGZ 119, 386, 388 f.); auch Anfechtung abredewidrig zustande gekommenen Beschlusses ist zumindest dann nicht möglich, wenn nicht ausnahmsweise alle Aktionäre in Bindung einbezogen sind (Einzelheiten str., → § 243 Rn. 9 ff.; zur Rechtsfolgenseite → Rn. 29 ff.). Rechtsnatur stimmbindender Verträge ist iE unterschiedlich. Konsortialverträge begründen Innengesellschaften bürgerlichen Rechts ohne Gesamthandsvermögen (BGHZ 179, 13 Rn. 8 = NJW 2009, 669; MüKoBGB/Schäfer BGB Vor § 705 Rn. 69; Ulmer FS Hommelhoff, 2012, 1249, 1253 f.), sofern Pflicht zur Verfolgung gemeinsamen Zwecks besteht (zB nicht bei einseitig verpflichtender Wahlabsprache, wohl aber bei Sicherung des Aktionärskreises gegen Eindringen Dritter, s. BGH AG 2009, 870). Daraus resultierende Möglichkeit freier Kündbarkeit nach § 740a I Nr. 4, III BGB iVm § 725 I BGB ist von Praxis idR nicht gewünscht und wird durch Vereinbarung für bestimmte Zeit vermieden, die nach § 740a I Nr. 4, III BGB iVm § 725 II BGB nur außerordentlich gekündigt werden kann (KK-AktG/Tröger § 136 Rn. 117). IR von Kreditbeziehungen handelt es sich idR um leistungssichernde Nebenabreden. Sonst ist von Auftrag (§§ 662 ff. BGB) oder Geschäftsbesorgung (§ 675 BGB) auszugehen (Lübbert, Abstimmungsvereinbarungen, 1971, 142 ff.). 26

2. Zulässigkeit und Schranken von Stimmbindungen. a) Grundsatz. Nach heute einhelliger Auffassung sind Stimmbindungsverträge grds. zulässig (vgl. zB BGHZ 48, 163, 166 ff. = NJW 1967, 1963; BGHZ 179, 13 Rn. 12 = NJW 2009, 669; BGH AG 2014, 705; MüKoAktG/M. Arnold § 136 Rn. 84; S. Schneider, Stimmbindungsvertrag, 2017, 119 ff.; Zöllner ZHR 155 [1991], 168, 170 ff.). Das folgt aus Vertragsfreiheit und wird in §§ 136 II, 405 III Nr. 6 und 7 vorausgesetzt. Umstr. ist, ob auch **Stimmbindungsverträge mit Nichtaktionären** zulässig sind. ZT wird diese Frage verneint, weil derartige Bindung mit Abspaltungsverbot (→ Rn. 17 f.; allg. → § 8 Rn. 26) nicht vereinbar sei und den notwendigen Zusammenhang von Ausübung des Stimmrechts und Treupflicht auflöse (so zumindest für „umfassende" Bindungen Habersack ZHR 164 [2000], 1, 11 f.). Mittlerweile geht hM indes zu Recht davon aus, dass auch dagegen zumindest im Regelfall keine grundlegenden Bedenken bestehen, da bloßer Einfluss auf Stimmberechtigten – wenn auch vertraglich gesichert – noch nicht das Abspaltungsverbot (→ § 8 Rn. 26) verletzt (BGH AG 2014, 705; 27

MüKoAktG/M. Arnold § 136 Rn. 90 ff.; GK-AktG/Grundmann § 136 Rn. 87; BeckOGK/Rieckers § 136 Rn. 54; KK-AktG/Tröger § 136 Rn. 128; S. Schneider, Stimmbindungsvertrag, 2017, 124 ff.). Dass er dadurch in **Konflikt mit Treubindung** gerät, ist zwar denkbar, dürfte aber eher Ausnahmefall sein, der nicht dazu zwingt, Stimmbindung von vornherein zu untersagen. Auflösung der Konfliktlage wird sich hier zumeist aus Unwirksamkeit einer die Treupflichten verletzenden Stimmbindung (→ Rn. 28 f.) ergeben (MüKoAktG/M. Arnold § 136 Rn. 91). Dass derart Gebundener als „steinerner Gast" der HV den Beiträgen nicht mehr zugänglich sei (M. Wolff JW 1929, 2115, 2116), zwingt ebenfalls nicht zur Abkehr von allg. Grundsatz der Privatautonomie, da das Ideal des solchermaßen flexiblen Aktionärs im AktG keinen Niederschlag gefunden hat (MüKoAktG/M. Arnold § 136 Rn. 92; KK-AktG/Tröger § 136 Rn. 128).

28 **b) Einzelfragen.** Soweit Stimmbindungsverträge als solche zwischen Aktionären grds. zulässig sind (→ Rn. 27), kann im Einzelfall noch unter bes. Umständen Nichtigkeit oder Unwirksamkeit eintreten. **§ 136 II** führt zur Nichtigkeit von Stimmbindungsverträgen, wenn diese einen Verwaltungseinfluss auf die HV begründen würden (→ § 136 Rn. 25 ff.). § 405 III Nr. 6 und 7 betr. sog **Stimmenkauf.** Er ist nicht nur als OWi zu verfolgen, sondern durch die genannten Tatbestände verboten, was zur Nichtigkeit entspr. Stimmbindungsverträge gem. § 134 BGB führt (OLG Hamm BeckRS 2015, 00257 Rn. 84 ff. mw Ausführungen zu den Folgen der Teilnichtigkeit nach § 139 BGB in Rn. 100; zur Anwendung auf das sog empty voting vgl. Tautges, Empty voting, 2015, 216 ff.). Wahlabsprachen unter Aktionären fallen allerdings idR nicht unter den Tatbestand (MüKoAktG/M. Arnold § 136 Rn. 86). Ausübung des Stimmrechts nach den Weisungen einer gem. § 136 I von der Abstimmung ausgeschlossenen Person ist Umgehung des ges. Stimmverbots und daher ebenfalls nach § 134 BGB nichtig (RGZ 85, 170, 173 f.; BGHZ 48, 163, 166 f. = NJW 1967, 1963; MüKoAktG/M. Arnold § 136 Rn. 87). Nichtig ist ferner die aus einem Stimmbindungsvertrag gewollte Verpflichtung, unter **Verletzung der mitgliedschaftlichen Treupflicht** abzustimmen (vgl. MüKoAktG/M. Arnold § 136 Rn. 85). Überschießend formulierte Vertragspflichten sind entspr. einschr. auszulegen. Auch kann aus § 1 GWB Ungültigkeit folgen. Unzulässig ist Stimmbindung bei **vinkulierten Namensaktien,** wenn Zustimmung fehlt, da anderenfalls der Einfluss ausgeübt werden könnte, der mit Zustimmungsvorbehalt gerade ausgeschlossen werden soll (MüKoAktG/M. Arnold § 136 Rn. 88; BeckOGK/Rieckers § 136 Rn. 53).

28a Im Stimmbindungsvertrag enthaltene **Mehrheitsklausel** ist gem. § 715 IV BGB zulässig und auch dann keinen durchgreifenden aktienrechtl. Bedenken ausgesetzt, wenn danach einfache Mehrheit genügt, während die Maßnahme in der AG einer Beschlussfassung mit qualifizierter Mehrheit bedarf (BGHZ 179, 13 Rn. 18 ff. = NJW 2009, 669; OLG Karlsruhe BeckRS 2019, 49058 Rn. 107; König ZGR 2005, 417, 421 ff.; Krieger FS Hommelhoff, 2012, 593, 596 ff.; C. Schäfer ZGR 2009, 768, 781 ff.; Zöllner FS Ulmer, 2003, 725, 732 ff.; aA MüKoAktG/Pentz § 23 Rn. 195; Habersack ZHR 164 [2000], 1, 12 ff.). Ausreichend, aber auch erforderlich ist inhaltliche Prüfung der beschlossenen Maßnahme nach den Vorgaben des Treupflichtkonzepts (BGHZ 170, 283 Rn. 10 = NJW 2007, 1685). BGH hat **treupflichtwidrige Konsortialentscheidungen** insbes. (aber nicht nur) bei solchen Maßnahmen in Erwägung gezogen, die gesellschaftsvertragliche Grundlagen berühren oder in Kernbereich der Mitgliedschaftsrechte bzw. in absolut oder relativ unentziehbare Rechte der Minderheit eingreifen (BGHZ 179, 13 Rn. 17). Nachdem BGH Bestimmtheitsgrundsatz und Kernbereichslehre verworfen hat (BGHZ 203, 77 Rn. 9 ff. = NJW 2015,

859), sollte an diesen Maßstäben indes auch nicht mehr im Bereich der Stimmbindungsverträge festgehalten werden (Lieder FS Krieger, 2020, 583, 588 ff.). Maßgeblich sollte vielmehr (und insofern auch durchaus in Übereinstimmung mit älterer Rspr.) sein, ob sich Mehrheit im Einzelfall in treuwidriger Weise über beachtenswerte Belange der Minderheit hinweggesetzt hat (BGHZ 191, 293 Rn. 23 = NJW 2012, 1439; BGH NZG 2012, 520 Rn. 25; OLG Karlsruhe BeckRS 2019, 49058 Rn. 86 ff.; Krieger FS Hommelhoff, 2012, 593, 600 f.; Lieder FS Krieger, 2020, 583, 593 ff.; krit. S. Schneider Stimmbindungsvertrag, 2017, 208 ff.). Einer sachlichen Rechtfertigung bedarf die Konsortialentscheidung hingegen nicht, und zwar auch dann nicht, wenn sie strukturändernden Beschluss betr. (Krieger FS Hommelhoff, 2012, 593, 602 f.; Lieder FS Krieger, 2020, 583, 596 f.; aA C. Schäfer ZGR 2009, 768, 791). Treubindung verpflichtet Konsortialmitglieder schließlich auch, Beschlussfassung erst dann anzusetzen, wenn Aktionäre Gelegenheit hatten, von beschlussbezogenen Informationen Kenntnis zu nehmen (Krieger FS Hommelhoff, 2012, 593, 603 f.; Lieder FS Krieger, 2020, 583, 597 f.; zu den Grenzen dieses Rechts aber auch OLG Karlsruhe BeckRS 2019, 49058 Rn. 65 ff.; zum Gegenszenario eines treuwidrigen Auskunftsverlangens ohne Möglichkeit vorheriger Vorbereitung LG Heidelberg AG 2017, 162, 164). UU können Konsortialmitglieder aus Treupflicht auch zur Zustimmung verpflichtet sein (so für die von einem Minderheitsgesellschafter beantragte Sonderprüfung gem. § 142 II 1 OLG Karlsruhe BeckRS 2019, 49058 Rn. 103 ff. – im konkreten Fall aber verneint). Auch Stimmverbot im Fall von Interessenkonflikten ist nach allg. gesellschaftsrechtl. Grundsätzen denkbar, wird jedoch idR abzulehnen sein, wenn Mitglied nach aktienrechtl. Regelung keinem Stimmverbot unterliegen würde (LG Heidelberg AG 2017, 162, 166 f.) Weitere Besonderheiten ergeben sich, wenn Stimmrechtskonsortium durch Erwerb weiterer Anteile oder Bildung eines Unterpools derart **unterwandert** wird, dass Einzelaktionär oder Aktionärsgruppe gesamtes Konsortium majorisieren kann und damit über Hebelwirkung der Stimmbindung überproportionales Gewicht in AG erlangt (zu diesem Szenario Ulmer FS Hommelhoff, 2012, 1249, 1251 ff.; sa Odersky FS Lutter, 2000, 57 ff.). In diesem Fall haben Mitglieder idR Kündigungsrecht nach § 729 I Nr. 3, § 731 BGB, doch wird man zumeist auch schon Beendigung wegen Unmöglichwerdens des gemeinsamen Zwecks gem. § 729 II BGB annehmen können (ausf. Ulmer FS Hommelhoff, 2012, 1249, 1256 ff.; zust. KK-AktG/Tröger § 136 Rn. 117). Letztlich maßgeblich muss aber konkrete vertragliche Ausgestaltung sein (sa S. Schneider Stimmbindungsvertrag, 2017, 227 ff. mit stärkerer Tendenz zu § 729 I Nr. 3, § 731 BGB).

3. Rechtsfolgen zulässiger Stimmbindungen. Stimmbindungsverträge schlagen nicht auf das Außenverhältnis durch (→ Rn. 26), sondern binden allein im Innenverhältnis. Hier begründen sie nach heute nahezu einhelliger Auffassung **klagbaren Erfüllungsanspruch** (BGHZ 48, 163, 169 ff. = NJW 1967, 1963 zur GmbH; aus dem Schrifttum statt vieler MüKoAktG/M. Arnold § 136 Rn. 112; ausf. Noack, Gesellschaftervereinbarungen, 1994, 68 ff.). Entgegenstehende Rspr. des RG (s. zB RGZ 112, 273, 279 f.; RGZ 160, 257, 262) ist seither für Praxis überholt. In ihren praktischen Folgen ist diese Behandlung nicht unproblematisch, insbes. da sich Kollisionen mit Treupflicht (→ Rn. 27 f.) möglicherweise erst nach Prozess ergeben können (krit. deshalb MüKoAktG/M. Arnold § 136 Rn. 112; HCL/Hüffer/Schäfer GmbHG § 47 Rn. 87), doch bleibt Klagbarkeit folgerichtige Konsequenz einer schuldrechtl. bindenden Stimmvereinbarung (BeckOGK/Rieckers § 136 Rn. 66). **Anfechtbarkeit** eines absprachewidrigen Beschlusses ist abzulehnen (str., → § 243 Rn. 9 f.). Dagegen hindert Stimmbindungsvertrag Vertragspartner nicht seinerseits Anfechtungsklage zu erheben, da Absprache der Stimmbindung nicht auch bedeutet, dass damit auch 29

Verzicht auf Rechtmäßigkeitskontrolle einhergeht (OLG Karlsruhe BeckRS 2019, 49058 Rn. 119 ff.).

30 **Zwangsvollstreckung** erfolgt nach hM gem. § 894 ZPO (BGHZ 48, 163, 173 f. = NJW 1967, 1963; OLG Köln WM 1988, 974; S. Schneider, Stimmbindungsvertrag, 2017, 314 ff.; Noack Gesellschaftervereinbarungen, 1994, 73 f.; aA [§ 887 ZPO] Peters AcP 156 [1957], 311, 341; Rob. Fischer GmbHR 1953, 63, 69 f. [dieser für § 888 ZPO]). Dem ist grds. zuzustimmen, weil Stimmabgabe Willenserklärung ist (→ Rn. 18). Probleme sind damit aber noch nicht gelöst, weil Stimmabgabe nur in der HV erfolgen kann, die Teilnahme voraussetzt, was nur durch Aktionär geschehen kann, so dass Vollstreckung insofern nach § 888 ZPO erfolgen muss (BeckOGK/Rieckers § 136 Rn. 67). Regelmäßig wird das rechtskräftige Urteil ohnehin zu spät kommen. In diesem Fall bleibt zwar **Schadensersatzanspruch** gem. § 280 BGB, der aber wegen Schwierigkeiten des Schadensnachweises häufig ins Leere gehen wird, weshalb sich flankierende Absicherung durch Vertragsstrafen empfiehlt. Ist Aktionär durch Stimmbindung zur Enthaltung oder Nichtausübung des Stimmrechts verpflichtet, erfolgt Vollstreckung nach § 890 ZPO (BeckOGK/Rieckers § 136 Rn. 67).

31 Lässt man Erfüllungsklage zu, muss auch vorläufiger Rechtsschutz durch **einstweilige Verfügung** gestattet sein (str. – wie hier die hM, vgl. BeckOGK/Rieckers § 136 Rn. 68 f.; MüKoAktG/M. Arnold § 136 Rn. 116; KK-AktG/Tröger § 136 Rn. 158; S. Schneider, Stimmbindungsvertrag, 2017, 320 ff.), und zwar unabhängig davon, ob es sich um Pflicht zur positiven Stimmabgabe handelt oder Stimmverbot (MüKoAktG/M. Arnold Rn. 116 f.; aA – kein Stimmgebot möglich OLG Celle GmbHR 1981, 264; OLG Frankfurt WM 1982, 282; BeckOGK/Rieckers § 136 Rn. 69). Vorwegnahme der Hauptsache steht zwar uU zu befürchten, ist mit dem Wesen des einstweiligen Rechtsschutzes aber nicht gänzlich unvereinbar und droht überdies ebenso (dann zu Lasten des Vertragspartners), wenn Beschluss abredewidrig gefasst wird (MüKoAktG/M. Arnold § 136 Rn. 117). Dass Unterlassen einer abredewidrigen Stimmabgabe zT weniger schwerwiegend sein mag als Folgen einer positiven Stimmabgabe (so BeckOGK/Rieckers § 136 Rn. 69), kann im Rahmen der gebotenen **folgenorientierten Interessenabwägung** zu berücksichtigen sein (dazu MüKoAktG/M. Arnold § 136 Rn. 118), führt aber nicht dazu, dass positive Stimmabgabe durch vorläufige Verfügung überhaupt nicht gewährt werden kann (zust. KK-AktG/Tröger § 136 Rn. 158).

VI. Wahlen

32 Für Wahlbeschlüsse gilt kraft Ges. **Prinzip der einfachen Stimmenmehrheit** (§ 133 I), doch kann die Satzung für sie andere Bestimmungen treffen (§ 133 II). Satzungsgeber kann Mehrheitserfordernis nicht nur verschärfen (BGHZ 76, 191, 193 f. = NJW 1980, 1465 [Zweidrittelmehrheit]), sondern auch abmildern. Norm gilt für Wahlen schlechthin, nicht nur AR-Wahlen, hat aber hier ihren wesentlichen Anwendungsbereich. Zulässig ist vor allem, auch **relative Mehrheit** genügen zu lassen (→ § 101 Rn. 4), Stichwahl (krit. dazu Füchsel NZG 2018, 416 ff.), ferner Entscheidung durch das Los bei Stimmengleichheit. Ob Satzung dem HV-Leiter oder einer anderen Person ein Recht zum **Stichentscheid** geben kann, wird unterschiedlich beurteilt (bejahend GK-AktG/Grundmann Rn. 126; KK-AktG/Tröger Rn. 172; abl. BeckOGK/Rieckers Rn. 61; diff. [kein Stichentscheid für HV-Leiter ohne Aktionärseigenschaft] MüKoAktG/M. Arnold Rn. 98; S/L/Spindler Rn. 51). Frage ist zu verneinen, weil Wahl sonst bei HV-Leiter ohne Aktionärseigenschaft fremdbestimmt würde und bei HV-Leiter mit Aktionärseigenschaft der Wertung des § 135a widerspräche, der

Mehrstimmrechte nur unter strengen Vorgaben zulässt (ähnlich BeckOGK/Rieckers Rn. 61 auf Grundlage von § 12 II aF).

Als bes. Form des Wahlbeschlusses ist überdies **Verhältniswahl** möglich, bei der in einem Wahlgang gleichzeitig mehrere Personen gewählt und Posten nach Stimmanteil für die einzelnen Kandidaten verteilt werden. Damit wird erreicht, dass auch Aktionärsminderheit hinreichende Repräsentation findet (BeckOGK/Rieckers Rn. 64), was namentl. auch dazu dienen kann, Kodex-Empfehlung in C.6 DCGK zur Unabhängigkeit der AR-Mitglieder (→ § 100 Rn. 36 ff.) umzusetzen (KK-AktG/Tröger Rn. 177). Zulässigkeit der Verhältniswahl ist heute ganz überwiegend anerkannt (GK-AktG/Grundmann Rn. 126; BeckOGK/Rieckers Rn. 64; S/L/Spindler Rn. 54; KK-AktG/Tröger Rn. 176; aA KK-AktG/Mertens/Cahn § 101 Rn. 22 f.). Durchgreifende Bedenken sind in der Tat nicht ersichtlich. § 133 II gibt diesen Weg frei und ein Prinzip, nach dem Repräsentanten einer Aktionärsminderheit nicht in den AR gelangen dürften, gibt es nicht. Gebräuchliche **Listenwahl** (→ § 101 Rn. 6 f.) ist meist ohnehin nicht Verhältniswahl, sondern bloße Zusammenfassung von Wahlvorschlägen, mithin unbedenklich (BeckOGK/Rieckers Rn. 65). Ausf. zur Festlegung der Wahlmodalitäten bei AR-Wahl → § 101 Rn. 5 f. 33

Stimmrecht

134 (1) [1]**Das Stimmrecht wird nach Aktiennennbeträgen, bei Stückaktien nach deren Zahl ausgeübt.** [2]**Für den Fall, daß einem Aktionär mehrere Aktien gehören, kann bei einer nichtbörsennotierten Gesellschaft die Satzung das Stimmrecht durch Festsetzung eines Höchstbetrags oder von Abstufungen beschränken.** [3]**Die Satzung kann außerdem bestimmen, daß zu den Aktien, die dem Aktionär gehören, auch die Aktien rechnen, die einem anderen für seine Rechnung gehören.** [4]**Für den Fall, daß der Aktionär ein Unternehmen ist, kann sie ferner bestimmen, daß zu den Aktien, die ihm gehören, auch die Aktien rechnen, die einem von ihm abhängigen oder ihn beherrschenden oder einem mit ihm konzernverbundenen Unternehmen oder für Rechnung solcher Unternehmen einem Dritten gehören.** [5]**Die Beschränkungen können nicht für einzelne Aktionäre angeordnet werden.** [6]**Bei der Berechnung einer nach Gesetz oder Satzung erforderlichen Kapitalmehrheit bleiben die Beschränkungen außer Betracht.**

(2) [1]**Das Stimmrecht beginnt mit der vollständigen Leistung der Einlage.** [2]**Entspricht der Wert einer verdeckten Sacheinlage nicht dem in § 36a Abs. 2 Satz 3 genannten Wert, so steht dies dem Beginn des Stimmrechts nicht entgegen; das gilt nicht, wenn der Wertunterschied offensichtlich ist.** [3]**Die Satzung kann bestimmen, daß das Stimmrecht beginnt, wenn auf die Aktie die gesetzliche oder höhere satzungsmäßige Mindesteinlage geleistet ist.** [4]**In diesem Fall gewährt die Leistung der Mindesteinlage eine Stimme; bei höheren Einlagen richtet sich das Stimmenverhältnis nach der Höhe der geleisteten Einlagen.** [5]**Bestimmt die Satzung nicht, daß das Stimmrecht vor der vollständigen Leistung der Einlage beginnt, und ist noch auf keine Aktie die Einlage vollständig geleistet, so richtet sich das Stimmenverhältnis nach der Höhe der geleisteten Einlagen; dabei gewährt die Leistung der Mindesteinlage eine Stimme.** [6]**Bruchteile von Stimmen werden in diesen Fällen nur berücksichtigt, soweit sie für den stimmberechtigten Aktionär volle Stimmen ergeben.** [7]**Die Satzung kann Bestimmungen nach diesem Absatz nicht für einzelne Aktionäre oder für einzelne Aktiengattungen treffen.**

(3) [1]**Das Stimmrecht kann durch einen Bevollmächtigten ausgeübt werden.** [2]**Bevollmächtigt der Aktionär mehr als eine Person, so kann die Gesellschaft eine oder mehrere von diesen zurückweisen.** [3]**Die Erteilung der Vollmacht, ihr Widerruf und der Nachweis der Bevollmächtigung gegenüber der Gesellschaft bedürfen der Textform, wenn in der Satzung oder in der Einberufung auf Grund einer Ermächtigung durch die Satzung nichts Abweichendes und bei börsennotierten Gesellschaften nicht eine Erleichterung bestimmt wird.** [4]**Die börsennotierte Gesellschaft hat zumindest einen Weg elektronischer Kommunikation für die Übermittlung des Nachweises anzubieten.** [5]**Werden von der Gesellschaft benannte Stimmrechtsvertreter bevollmächtigt, so ist die Vollmachtserklärung von der Gesellschaft drei Jahre nachprüfbar festzuhalten; § 135 Abs. 5 gilt entsprechend.**

(4) **Die Form der Ausübung des Stimmrechts richtet sich nach der Satzung.**

Übersicht

I. Regelungsgegenstand und -zweck

1 § 134 setzt Stimmrecht (§ 12 S. 1) der Aktionäre als gegeben voraus (→ § 12 Rn. 2; → § 133 Rn. 16 ff.) und regelt **Stimmrechtsausübung,** und zwar unter drei Aspekten: Stimmkraft (§ 134 I und II), Ausübung durch Bevollmächtigte (§ 134 III) und Form der Stimmabgabe (§ 134 IV). Regelungsschwerpunkt liegt bei Stimmkraft; Diskussion konzentriert sich auf Höchststimmrechte (→ Rn. 4 ff.) und seit Wiedereinführung mit ZuFinG 2023 auf Mehrstimmrechte, die in § 135a eigenständige Regelung gefunden haben (→ § 135a Rn. 1 ff.). § 134 III wird durch Sonderregelung des § 135 für Stimmrechtsausübung durch Intermediäre, Aktionärsvereinigungen und andere geschäftsmäßig Handelnde ergänzt. Form der Stimmabgabe überantwortet § 134 IV dem Satzungsgeber. IÜ ist Norm zwingend; insbes. kann Satzung Stimmverbote nicht als Sanktion bei Verletzung von bloßen Satzungspflichten einführen (öOGH AG 2002, 571 f.). Gedankliche Linie des § 134 wird fortgeführt durch Stimmverbote des § 136. Zu beweglichen Schranken der Stimmrechtsausübung vgl. → § 53a Rn. 13; → § 243 Rn. 21 ff., 30 ff.

II. Stimmkraft bei vollständiger Leistung der Einlage (§ 134 I)

2 **1. Ausübung nach Nennbeträgen oder Zahl der Aktien.** § 134 I 1 betr. ges. Regelfall des § 12 S. 1, also Aktien mit einfachem Stimmrecht im Unterschied zu Mehrstimmrechtsaktien (→ § 12 Rn. 7 ff.; → § 135a Rn. 1 ff.) und zu stimmrechtslosen Vorzügen (§§ 139 ff.). Wie aus § 134 II 1 folgt, ist vollständige Leistung der Einlage vorausgesetzt. Unter diesen Prämissen bestimmt sich Stimmkraft bei Nennbetragsaktien (§ 8 II) nach Nennbeträgen, bei Stückaktien (§ 8 III) nach ihrer Zahl (sog proportionales Stimmrecht). Im Einzelnen gilt für **Nennbetragsaktien:** Jede Aktie gewährt eine Stimme, wenn Grundkapital ausschließlich in Aktien mit gleichen Nennbeträgen eingeteilt ist. Bei unterschiedlichen Nennbeträgen ist zu unterscheiden, ob höherer Nennbetrag ein Mehrfaches des niedrigeren darstellt (Bsp. 1: eine Aktie: 1 Euro, eine Aktie: 10 Euro) oder nicht (Bsp. 2: eine Aktie: 10 Euro, eine Aktie: 25 Euro). Im ersten Fall gilt auch entspr. vervielfachtes Stimmrecht (in Bsp. 1:1 Stimme gegen 10 Stimmen). Im zweiten Fall ist von dem größten gemeinsamen Divisor auszugehen (im Bsp. 2:5). Nennbeträge sind durch Divisor zu teilen; Quotient gibt Zahl der Stimmen an (im Beispiel 2: 2 Stimmen zu 5 Stimmen); Beispiel nach MüKoAktG/M. Arnold Rn. 5. **Stückaktien** sind gem. § 8 III 2 notwendig gleichmäßig am Grundkapital beteiligt (→ § 8 Rn. 17), so dass jede Aktie eine Stimme gibt.

3 **2. Abweichungen: Überblick.** Stimmkraft nach Aktiennennbeträgen (§ 8 II) oder nach Aktienzahl (§ 8 III) bildet ges. Regelfall (one share, one vote). Für Ausnahmen ist zu unterscheiden: Mehrstimmrechte sind mit ZuFinG 2023 in § 12 S. 2 wieder gestattet worden (→ § 12 Rn. 7 ff.). Höchststimmrechte kann Satzung gem. § 23 V 1 iVm § 134 I 2 nur noch für nichtbörsennotierte Gesellschaften einführen (→ Rn. 4). Beiden Gestaltungen ist gemein, dass sie zum **Auseinanderfallen von Kapitaleinsatz und Stimmkraft** führen und damit der gesetzgeberischen Idealvorstellung des proportionalen Stimmgewichts (→ Rn. 2) zuwiderlaufen. Prinzip, nach dem eine Aktie eine Stimme gewährt, ist zwar nach wie vor kein aktienrechtl. „Naturrecht" (Zöllner/Noack AG 1991, 117, 118). Gesetzgeber hat sich aber über Jahrzehnte hinweg doch weitgehend von Zweckmäßigkeitsvorstellungen dieses Inhalts leiten lassen (RegBegr. BT-Drs. 13/9712, 12, 20). Erst mit ZuFinG 2023 wurde Prinzip des „one share – one vote" durch Wiederzulassung der Mehrstimmrechtsaktien in § 12 S. 2 in größerem Umfang durchbrochen (→ § 12 Rn. 7 ff.). Im Lichte dieser ges. Neu-

orientierung scheint fortdauernd restriktiver Umfang mit Höchststimmrechten jedenfalls in Detailgestaltung nicht mehr gleichermaßen stringent, entspr. aber weiterhin geltender Rechtslage.

4 **3. Höchststimmrecht. a) Allgemeines.** § 134 I 2 regelt satzungsmäßiges Höchststimmrecht. Ein solches Recht bewirkt, dass Stimmrecht – unabhängig von konkretem Kapitaleinsatz – bestimmte Stimmkraftschwelle (zB 5 oder 10%) nicht überschreitet. Damit wird erreicht, dass AG nicht durch Großaktionär beherrscht werden kann. § 134 I 2 lässt Höchststimmrechte kraft Satzungsbestimmung zwar zu, aber seit Änderung durch KonTraG 1998 nur noch für **nichtbörsennotierte Gesellschaften.** Übergangsregelung für Altfälle ist 2000 ausgelaufen (§ 5 III EGAktG). Auch früher in § 2 I VW-Gesetz aF vorgesehenes Höchststimmrecht ist entfallen, nachdem EuGH Slg. 2007, I-8995 Rn. 38 ff. = NJW 2007, 3481 es als unzulässigen Eingriff in Kapitalverkehrsfreiheit gewertet hat (→ § 101 Rn. 9, 11; zur Europarechtskonformität des geltenden VW-Gesetzes s. EuGH AG 2013, 921 Rn. 33 ff. [allerdings im Verfahren nach Art. 260 AEUV und damit beschränkt auf Urteilsumsetzung]; vgl. ferner Lutter/Bayer/Schmidt EuropUntKapMR Rn. 15.9 ff.; Behme AG 2014, 841 ff.; Holle AG 2010, 14 ff.; Seibert AG 2013, 904 ff.; Verse FS E. Klein, 2013, 701 ff.). Mit dem Verbot von Höchststimmrechten bei börsennotierten Gesellschaften ist ein Eingriff in satzungsautonome Gestaltung verbunden, der auf vielstimmige Kritik gestoßen ist. Begründet wird er mit rechtspolitischen Bedenken gegen Höchststimmrechte (Zusammenstellung der Gegenargumente bei U. H. Schneider AG 1990, 56, 57). Dagegen wird insbes. vorgebracht, sie seien der sog **Übernahmephantasie** abträglich, überdies nicht tauglich zur Abwehr unerwünschter Unternehmensübernahmen und schließlich einem sich selbst stabilisierenden Management förderlich. Auch werden sie auf Markt für Unternehmensübernahmen als Störfaktor wahrgenommen (prononciert Adams AG 1989, 333 ff.; Adams AG 1990, 63 ff.; sa RegBegr. BT-Drs. 13/9712, 20; Baums AG 1990, 221 ff.).

5 Kritik erscheint zumindest insofern plausibel, als Höchststimmrechte sich in der Tat gerade mit Blick auf **Kursphantasie** in Übernahmesituationen als nicht zweckmäßig erweisen können, wenngleich empirischer Beleg dafür bislang noch nicht erbracht ist (S/L/Spindler Rn. 16). Dennoch bleibt es zweifelhaft, ob diese Entscheidung nicht dem Satzungsgeber hätte überlassen bleiben können, da es um interne Willensbildung der Gesellschaft geht (vgl. Zöllner/Noack AG 1991, 117, 118 f.). Ob Abschaffung von Höchststimmrechten überhaupt veranlasst war, bleibt danach fragwürdig. Richtig war jedenfalls, sie nur für börsennotierte Gesellschaften abzuschaffen, weil iÜ kein Anlass besteht, Satzungsautonomie stärker einzuschränken als bisher. **Nichtbörsennotierte Gesellschaften** sind gem. § 3 II Gesellschaften, deren Aktien nicht im regulierten Markt gehandelt werden; Handel im Freiverkehr begründet keine Börsennotierung iSd Legaldefinition (→ § 3 Rn. 5 f.).

6 **b) Formen der Stimmrechtsbegrenzung.** Soweit Höchststimmrechte noch zulässig sind, gilt iE: Gem. § 134 I 2 kann Satzung für das Stimmrecht einen Höchstbetrag festsetzen oder Abstufungen bestimmen. Als **Höchstbetrag** üblich sind 5 % oder 10 % des Grundkapitals; auch 3 % kommen vor. Höchstbetrag kann auch so gewählt werden, dass iErg nach Köpfen abgestimmt wird (ganz hM, s. BeckOGK/Rieckers Rn. 15). Abstimmung nach Köpfen ist erreicht, wenn jede Aktie die gleiche Stimmenzahl gibt und die auf eine Aktie entfallende Stimmenzahl den Höchstbetrag darstellt. **Abstufungen** erfolgen, indem nur eine begrenzte Stückzahl die volle Stimmenzahl gewährt, während auf eine weitere Stückzahl eine gekürzte Stimmenzahl entfällt (ab 1.000 Aktien gewähren 10 Aktien nur eine Stimme, ab 2000 Aktien entfällt eine Stimme auf 20 Aktien usw). Beide Beschränkungsformen können auch **kombiniert** werden (Bsp. wie vor, aber

höchstens 1.500 Stimmen). Nicht möglich ist es, Stimmkraft nach anderen Kriterien als der Kapitalbeteiligung zu bemessen, zB nach der Warenerzeugung (KG JW 1939, 491; KK-AktG/Tröger Rn. 88). Dagegen kann die Satzung nach Beschlussgegenständen differenzieren, zB den Höchstbetrag nur für satzungsändernde Beschlüsse vorsehen oder zwar für alle Beschlüsse, aber unter Ausnahme von Wahlen (S/L/Spindler Rn. 19; KK-AktG/Tröger Rn. 96).

c) Beschränkung durch Satzung. Stimmrecht kann nach § 134 I 2 **nur durch die Satzung** beschränkt werden. Ohne weiteres unzulässig wäre es also, Vorstand und/oder AR die Beschränkung zu überlassen (allgM, s. KG HRR 1931 Nr. 1242; KK-AktG/Tröger Rn. 89). Beschränkung muss nicht in der ursprünglichen Satzung enthalten sein, sondern kann auch nachträglich durch Satzungsänderung erfolgen; so jedenfalls dann, wenn bei Einführung des Höchststimmrechts noch kein Aktionär über die dem Höchstbetrag entspr. Quote hinaus beteiligt ist (ganz hM seit BGHZ 70, 117, 119 ff. = NJW 1978, 540; vgl. statt vieler MüKoAktG/M. Arnold Rn. 22 ff. mwN; aA noch Immenga BB 1975, 1042, 1043 f.; Meilicke/Meilicke FS Luther, 1976, 99, 106 f.; s. aus neuerer Zeit aber auch KK-AktG/Tröger Rn. 121 ff.: materielle Rechtfertigung erforderlich). Auch wenn einzelne Aktionäre (deren Anteilswert zB knapp unterhalb des Kontrollerwerbs liegt) durch Einführung faktisch stärker betroffen sein können als andere (KK-AktG/Tröger Rn. 121), ist damit einhergehende Beeinträchtigung doch hinzunehmen, da solche Erschwernis mit **gesetzgeberischer Wertentscheidung,** Höchststimmrechte zuzulassen, notwendig verknüpft ist. Anteilseigentum ist von vornherein mit der potenziellen Einführung von Höchststimmrechten belastet (MüKoAktG/M. Arnold Rn. 22). Einführung soll nach ges. Ausgestaltung auch **ohne Erfordernis materieller Berechtigung** erfolgen können. Parallele zu materieller Rechtfertigung bei Bezugsrechtsausschluss (dafür KK-AktG/Tröger Rn. 123) scheitert daran, dass beide Fälle in ihren Rechtsfolgen nicht gleichermaßen belastend sind, da Bezugsrechtsausschluss unmittelbar Stimmrechtsverwässerung und zugleich idR wertmäßige Beeinträchtigung auslösen kann (→ § 186 Rn. 26 ff.), während Höchststimmrechte lediglich tats. Aussicht künftigen Einflusserwerbs oder Paketzuschlags bei Veräußerung beeinflusst (BeckOGK/Rieckers Rn. 13). Erforderlich ist aber stets, dass satzungsändernder Beschluss als solcher gültig sein und wirksam werden muss. Zumindest anfechtbar (wenn nicht schon nach § 241 Nr. 3 nichtig) ist ein Beschluss, der die Anmeldung der Satzungsänderung weitgehend in das Ermessen des Vorstands stellt, was nach § 139 BGB auf die Änderung der Satzung selbst durchschlägt (LG Frankfurt AG 1990, 169, 170 f.). 7

Problematischer ist die Beurteilung, wenn ein oder mehrere Aktionäre bei nachträglicher Einführung des Höchststimmrechts **bereits über entspr. Quote hinaus beteiligt** sind, da in diesem Fall Beschränkung der Stimmkraft durch Satzungsänderung in Stimmrecht eingreift. Nach mittlerweile ganz hM bedarf aber auch dieser Eingriff nicht der Zustimmung der betroffenen Aktionäre, womit nachträgliche Einführung praktisch scheitern würde (BGHZ 70, 117, 121 ff. = NJW 1978, 540; OLG Celle AG 1993, 178, 180; OLG Düsseldorf AG 1976, 215; MüKoAktG/M. Arnold Rn. 22; MüKoAktG/Hüffer/C. Schäfer § 243 Rn. 64; BeckOGK/Rieckers Rn. 12; S/L/Spindler Rn. 21; aA noch Immenga BB 1975, 1042, 1043 f.; Meilicke JW 1937, 2430, 2431; für sachliche Rechtfertigung KK-AktG/Tröger Rn. 121 ff.). In der Tat ist **Zulässigkeit zu bejahen,** weil § 134 I 2 auch insofern keine Einschränkung erkennen lässt und darin liegende spezielle Regelung es ausschließt, auf allg. Grundsätze zurückzugreifen (→ § 243 Rn. 24, 28; BeckOGK/Rieckers Rn. 12; Lutter ZGR 1981, 171, 176 f.). Stimmrecht ist auch kein Sonderrecht iSd § 35 BGB, so dass Zustimmungserfordernis auch auf diesem Wege nicht begründet werden kann 8

(BeckOGK/Rieckers Rn. 12). Da Höchststimmrecht alle Aktionäre gleichermaßen trifft, ist § 53a zumindest formal nicht verletzt. Faktische Ungleichbehandlung der vom Höchststimmrecht betroffenen Minderheitsaktionäre ist zwar gegeben, aber wegen § 134 I 2 von vornherein im Aktieneigentum angelegt (BeckOGK/Rieckers Rn. 12). Auch Entschädigung kann Aktionär deshalb nicht verlangen (BGHZ 70, 117, 125 f.). Einer sachlichen Rechtfertigung bedarf es nicht (BGHZ 71, 40, 45 = NJW 1978, 1316; auch insofern aA KK-AktG/Tröger Rn. 121 ff.). Umgekehrt bedarf auch nachträgliche Beseitigung einer bestehenden und alle Aktien betreffenden Stimmrechtsbeschränkung iSv § 134 I 2 weder einer Zustimmung der begünstigten „Kleinaktionäre" noch einer sachlichen Rechtfertigung (BeckOGK/Rieckers Rn. 14 mwN; aA KK-AktG/Tröger Rn. 127, 121 ff.).

9 **d) Zurechnung von Drittbesitz.** Nach § 134 I 3 und 4 kann Satzung über die Beschränkung des Stimmrechts hinaus anordnen, dass dort näher umschriebener Drittbesitz dem Aktionär wie Eigenbesitz zugerechnet wird, soweit es um die Beschränkung der Stimmkraft geht. Bezweckt ist **Umgehungsschutz** (RegBegr. Kropff S. 192). Satzung muss die Zurechnung aber selbst vorsehen; sie findet also nicht kraft Ges. statt. Zurechnung kann wie Beschränkung der Stimmkraft auch nachträglich durch Satzungsänderung eingeführt werden (Hefermehl FS O. Möhring, 1973, 103 f.).

10 Im Einzelnen gilt: Satzung kann gem. **§ 134 I 3** vorsehen, dass dem Aktionär die von einem anderen für seine Rechnung gehaltenen Aktien zugerechnet werden. Wer der andere ist, bleibt gleich. Erfasst werden Auftrag, Geschäftsbesorgung und Kommission (§§ 662 ff., 675 BGB, §§ 383 ff., 406 HGB). Norm dient zwar dem Umgehungsschutz (→ Rn. 9), doch ist Umgehungsabsicht nicht vorausgesetzt. Satzung kann also allein an das **Rechtsverhältnis** anknüpfen; auf den damit verfolgten Zweck kommt es nicht an. Aktien, die einem anderen für Rechnung des Aktionärs gehören, sind solche, bei denen der Aktionär die wesentlichen Risiken und Chancen der Beteiligung trägt (LG Hannover ZIP 1992, 1236, 1239, 1241; Einzelheiten bei MüKoAktG/M. Arnold Rn. 17). Das ist auch dann anzunehmen, wenn wirtschaftliches Risiko lediglich in Gestalt einer Verkaufsoption vom Aktionär getragen wird (BeckOGK/Rieckers Rn. 22; KK-AktG/Tröger Rn. 104). **Stimmbindungsverträge** können durch Satzung nur dann zurechnungsbegründend wirken, wenn sie faktisch eine Weisungsgebundenheit des abstimmenden Aktionärs begründen (BeckOGK/Rieckers Rn. 23; KK-AktG/Tröger Rn. 105).

11 **§ 134 I 4** setzt zunächst voraus, dass der Aktionär, um dessen Stimmkraft es geht, **Unternehmen** ist. Dem Zweck der Norm, den Mehrheitseinfluss zu beschränken, wenn der Satzungsgeber es will, entspr. es, Unternehmenseigenschaft rechtsformneutral dahin anzunehmen, wenn anderweitige wirtschaftliche Interessenbindung des Aktionärs besorgen lässt, er könne diesen Interessen vor dem Gesellschaftsinteresse den Vorzug geben (→ § 15 Rn. 10 ff.). Erforderlich ist weiter, dass zwischen dem Unternehmensaktionär und dem Inhaber der anderen Aktien ein **Abhängigkeits- bzw. Beherrschungsverhältnis** (§ 17) oder eine **Konzernverbindung** (§ 18) besteht. Auf die Art der Konzernverbindung kommt es nicht an. Es muss aber ein Konzernverhältnis vorhanden sein, so dass isolierter Gewinnabführungsvertrag oder Verträge iSd § 292 nicht ausreichen (KK-AktG/Tröger Rn. 108). Nicht erfasst sind bloße (Vermutung des § 17 II muss widerlegt werden) Mehrheitsbeteiligungen iSd § 16; Satzung kann nicht an sie anknüpfen, weil sie in § 134 I 4 nicht genannt sind, was sich durch Umkehrschluss aus anderen Normen (zB § 71a II, § 71d S. 2) als gewollt bestätigt (BeckOGK/Rieckers Rn. 24; Hefermehl FS O. Möhring, 1973, 103, 104 ff.).

Erfolgt eine Zurechnung, sind die Stimmen der betroffenen Aktionäre auf den Höchstbetrag zu kappen, indem bei der Ergebnisfeststellung nur die **maximal zulässige Stimmzahl** berücksichtigt wird. Bei uneinheitlicher Stimmabgabe steht es den betroffenen Aktionären bis zur Beschlussfeststellung durch den Versammlungsleiter frei, sich darauf zu verständigen, welche Stimmen berücksichtigt werden sollen (Grigoleit/Herrler Rn. 13; BeckOGK/Rieckers Rn. 25; aA KK-AktG/Tröger Rn. 113). Andernfalls erfolgt eine proportionale Kürzung (MüKoAktG/M. Arnold Rn. 21; BeckOGK/Rieckers Rn. 25 mwN). 11a

e) Andere Umgehungssachverhalte. § 134 I 3 und 4 bezwecken Umgehungsschutz (→ Rn. 9) und verwirklichen ihn **abstrakt,** dh ohne dass es auf Umgehung im Einzelfall ankäme. Es genügt mit den umschriebenen Tatbeständen **typischerweise verknüpfte Umgehungsgefahr.** Dadurch wird nicht ausgeschlossen, dem von der Stimmkraftbeschränkung betroffenen Aktionär die Stimmrechtsausübung durch Dritte ohne Satzungsgrundlage als eigene zuzurechnen, wenn im Einzelfall ein Umgehungssachverhalt gegeben ist. Das zeigt auch weiter gefasster § 405 III Nr. 5, da Stimmrechtsausübung nicht nach § 134 I 3 zulässig, aber nach dieser Vorschrift OWi sein kann (BeckOGK/Rieckers Rn. 20). Drittbesitz für Rechnung des Aktionärs kann deshalb auch ohne Satzungsgrundlage in die Stimmkraftbeschränkung eingerechnet werden (str. – wie hier GK-AktG/Grundmann Rn. 72; Grigoleit/Herrler Rn. 11; B/K/L/Holzborn Rn. 10; BeckOGK/Rieckers Rn. 20; KK-AktG/Tröger Rn. 100 ff.; Schröder DB 1976, 1093; aA MüKoAktG/M. Arnold Rn. 16; S/L/Spindler Rn. 28). Bloße **Stimmrechtsbindung** (→ § 133 Rn. 25 ff.) ist noch **keine Umgehung** (BeckOGK/Rieckers Rn. 21; KK-AktG/Tröger Rn. 102; Martens AG 1993, 495, 497 ff.); Satzung kann aber vorschreiben, dass sie in Berechnung der Stimmrechtsquote einbezogen werden, sofern aufgrund der in → Rn. 10 formulierten Einschränkungen (faktische Weisungsabhängigkeit) Umgehungstendenz angenommen werden kann (ohne die letztgenannte Einschränkung Martens AG 1993, 495, 501 f.). 12

Legitimationsübertragung; Vollmacht. Überlässt der Aktionär bei fortdauernder Mitgliedschaft die bloße Ausübung des Stimmrechts einem Dritten (§ 129 III 1, § 134 III 1, § 135 IV 2), so wird schon der Tatbestand des § 134 I 2 nicht vermieden. Stimmrechtsbeschränkung wird daher nicht umgangen, sondern verwirklicht. Nachweisprobleme können allerdings dazu führen, dass Beschränkung umgehungsähnlich ins Leere läuft. Derart zustande gekommene Beschlüsse sind jedoch gem. § 243 I anfechtbar. Auch kommt Verfolgung als OWi nach § 405 II und III Nr. 5 in Betracht (vgl. iÜ U. H. Schneider AG 1990, 56, 58 ff.). 13

f) Unzulässig: Beschränkungen für einzelne Aktionäre. Stimmkraftbeschränkungen nach § 134 I 2–4 (→ Rn. 6 ff., 9 f.) kann Satzungsgeber nach § 134 I 5 nicht für einzelne Aktionäre anordnen. Damit sollte ursprünglich verhindert werden, dass das reflexartig steigende Stimmgewicht der nicht betroffenen Aktionäre als Ersatz für die gem. § 12 II aF unzulässigen Mehrstimmrechtsaktien diente (RegBegr. Kropff S. 192). Nach Wiedergestattung von Mehrstimmrechten (→ § 12 Rn. 7 ff.) ist Vorgabe nicht mehr gleichermaßen stimmig. Zulässig ist es jedoch nach hM, die Stimmkraftbeschränkung zu Lasten einer **Aktiengattung** vorzunehmen (GK-AktG/Grundmann Rn. 70; B/K/L/Holzborn Rn. 11; BeckOGK/Rieckers Rn. 27; S/L/Spindler Rn. 15; aA KK-AktG/Tröger Rn. 115 ff.). Der hM muss gefolgt werden; denn der RegE sah die Unzulässigkeit der Beschränkung für einzelne Gattungen noch vor, die Ausschüsse haben sie nicht gewollt (RegBegr. und AusschussB Kropff S. 192), und so ist es Ges. geworden. Immerhin ist zu fordern, dass es sich wirklich um eine Gattung (§ 11) handelt. Nicht anzunehmen ist, dass sonst gleichberechtigte Aktien nur in ihrer 14

Stimmkraft unterschiedlich behandelt werden können (v. Godin/Wilhelmi Rn. 7).

15 **g) Keine Berücksichtigung bei Berechnung einer Kapitalmehrheit.** Für zahlreiche und wesentliche Beschlüsse genügt Stimmenmehrheit nicht. Vielmehr muss als weiteres Erfordernis iSd § 133 I eine Kapitalmehrheit erreicht werden (vgl. Zusammenstellung in → § 133 Rn. 13). Bei Berechnung einer solchen Kapitalmehrheit (auch dann, wenn sie nicht ges., sondern satzungsmäßiges Erfordernis ist) bleiben Beschränkungen der Stimmkraft gem. **§ 134 I 6** außer Betracht. Gewicht der Kapitalbeteiligung bleibt also erhalten, soweit es um die Verhinderung von Beschlüssen geht; nur bei ihrem positiven Zustandekommen wirkt sich Stimmkraftbeschränkung aus (RegBegr. Kropff S. 192). Wirksamkeit eines Höchststimmrechts kann dadurch langfristig ausgehöhlt werden, nämlich durch Blockadepolitik des Aktienerwerbers (Martens AG 1993, 495, 496 mwN). Über seinen Wortlaut hinaus gilt § 134 I 6 auch, wenn Ausübung von Minderheitsrechten an bestimmte Kapitalbeteiligung geknüpft wird (RegBegr. Kropff S. 192).

III. Stimmkraft bei unvollständiger Leistung der Einlage (§ 134 II)

16 **1. Allgemeines.** Nach § 134 II setzt Ausübung des Stimmrechts vollständige Leistung der Einlage voraus. Auf diese Weise soll für Aktionär Erfüllungsanreiz geschaffen werden. Wenn Einlage nicht vollständig geleistet ist, muss weiter zwischen Gesetzeslage (§ 134 II 1, 4 und 5) und möglichen Bestimmungen der Satzung (§ 134 II 2 und 3, 6) unterschieden werden. **Leistung der Einlage** muss den Einlagevorschriften entspr., insbes. also zur freien Verfügung des Vorstands erfolgen (§ 36 II). Für Fälle der verdeckten Sacheinlage macht § 134 II 2 insofern allerdings eine Ausn., als er auch Erlöschen der Einlagenverbindlichkeit durch Anrechnung genügen lässt (→ Rn. 17a). Soweit Einlage vor der Eintragung geleistet wird, muss sie den Anforderungen des § 54 II entspr. (→ § 54 Rn. 11 ff.). Vorbehaltl. abw. Satzungsregelung (→ Rn. 19) ist vollständige Leistung erforderlich; Zahlung des Mindestbetrags gem. § 36a II genügt nicht. Sacheinlagen sind gem. § 36a II 1 ohnehin vollständig zu leisten.

17 **2. Gesetzeslage. a) Einlageleistung bei einem Teil der Aktien vollständig.** Volle Leistung der Einlage einschließlich Agio (§ 54 II) lässt gem. § 134 II 1 das Stimmrecht entstehen, und zwar mit der aus den Aktiennennbeträgen oder der Aktienzahl folgenden Stimmkraft (§ 134 I 1). Wie § 134 II 4 ergibt, ist dabei vorausgesetzt, dass die Einlage wenigstens auf eine Aktie voll eingezahlt ist. Wenn keine Aktie voll bedient ist, kann Grundsatz nicht gelten, weil sonst HV-Beschlüsse mangels stimmberechtigter Aktionäre ausgeschlossen wären (→ Rn. 18). Unterschiedliche Höhe der Nennbeträge (bei Stückaktien wegen § 8 III 2 ohne Parallele) und damit der geschuldeten Einlage ändert nichts. Wer die 30 Euro-Aktie bezahlt, hat das daraus folgende Stimmrecht. Wer 125 Euro auf die 500 Euro-Aktie einzahlt, hat es nicht (MüKoAktG/M. Arnold Rn. 32). Soweit es auf das vertretene Grundkapital ankommt, sind die nicht vollständig eingezahlten Aktien nicht mitzurechnen (B/K/L/Holzborn Rn. 13). Nicht ausdr. geregelt ist, ob Stimmrecht bei **offenen Sacheinlagen** auch dann mit deren Leistung beginnt, wenn wegen Überbewertung des Einlagegegenstands noch Anspruch aus ges. Differenzhaftung besteht (→ § 36a Rn. 6). Aus § 134 II 2 (→ Rn. 17a) folgt, dass Stimmrecht bei verdeckter Sacheinlage auch bei Wertdifferenz entsteht, sofern diese nicht offensichtlich ist. Das kann bei offener Sacheinlage nicht anders sein, so dass Lösung des § 134 II 2 auf § 134 II 1 zu übertragen ist (MüKoAktG/M. Arnold Rn. 30; BeckOGK/Rieckers Rn. 30; Haber-

sack FS Maier-Reimer, 2010, 161, 166 ff.; aA noch [vor ARUG] Lutter FS von Rosen, 2008, 569, 571 f.).

§ 134 II 2 betr. **verdeckte Sacheinlage.** Norm geht wie auch § 27 III und IV (→ § 27 Rn. 23 ff., 47 ff.), § 183 II, § 205 III auf Beschlussempfehlung des Rechtsausschusses zurück (AusschussB ARUG BT-Drs. 16/13098, 39). Sie enthält zwei Aussagen. Mittelbar folgt aus § 134 II 2, dass verdeckte Sacheinlage, deren Wert den Beträgen des § 36a II 3 entspr., **vollständige Einlageleistung** iSd § 134 II 1 darstellt. Das ist iR einer bloßen Anrechnungslösung nicht selbstverständlich und wäre zur Vermeidung der vom Gesetzgeber angenommenen unbilligen Härten einer fortdauernden Bareinlagepflicht wohl auch nicht notwendig gewesen. Ausdr. sagt § 134 II 2, dass Verfehlung des nach § 36a II 3 maßgebenden geringsten Ausgabebetrags und ggf. auch des Agio (→ § 36a Rn. 6) für **Beginn des Stimmrechts** unschädlich ist, es sei denn, dass es sich um offensichtliche Verfehlung dieser Beträge handelt. Regelung ist sinnvoll (krit. aber Andrianesis WM 2011, 968, 970 f.), wenn man von ihrer (freilich fragwürdigen) Basis ausgeht. Dass § 134 II 2 nicht nur hinsichtlich der verdeckten Sacheinlage, sondern auch hinsichtlich der Betragsvorgaben von Wert- bzw. Wertunterschied spricht, stellt nur terminologische Unschärfe dar. Regelung bezweckt, Beginn des Stimmrechts nicht mit Bewertungsstreitigkeiten und Beschlüsse der HV nicht mit sonst drohendem Anfechtungsrisiko zu belasten (AusschussB BT-Drs. 16/13098, 39). Offensichtlich ist Differenz ggü. den abzudeckenden Beträgen, wenn Bewertung der Sachleistung zweifelsfrei (→ § 38 Rn. 8) außerhalb der üblichen Bandbreite von Bewertungsdifferenzen liegt (AusschussB BT-Drs. 16/13098, 39; sa Hüffer ZHR 172 [2008], 572, 581). Darlegungs- und Beweislast trägt, wer das geltend macht. 17a

b) Einlageleistung bei allen Aktien unvollständig. Ist Einlageleistung bei allen Aktien unvollständig, lässt § 134 II 5 **Stimmrecht schon aufgrund von Teilleistungen** entstehen, weil sonst keine Beschlüsse gefasst werden könnten (→ Rn. 17). Stimmkraft bemisst sich nach der Höhe der geleisteten Einlagen, und zwar mit der Maßgabe, dass die Mindesteinlage eine Stimme ergibt. Mindesteinlage ist hier entgegen früher hM (s. aber noch GK-AktG/Grundmann Rn. 52) ebenso wie iRd § 36a I die ges. Mindesteinlage einschließlich Agio (MüKoAktG/M. Arnold Rn. 31; B/K/L/Holzborn Rn. 15; BeckOGK/Rieckers Rn. 39; KK-AktG/Tröger Rn. 134 f.; jetzt auch Grigoleit/Herrler Rn. 20). Früher entgegenstehende Praktikabilitätserwägungen hinsichtlich der Berechnung können angesichts heutiger technischer Möglichkeiten kein Hinderungsgrund mehr sein (ausf. MüKoAktG/M. Arnold Rn. 31). Weil bei Sacheinlagen stets volle Leistung geschuldet wird (→ Rn. 16), gibt die Teilleistung insoweit kein Stimmrecht. Frage nach Berücksichtigung von Stimmenbruchteilen stellt sich, wenn mehr eingezahlt ist als die Mindesteinlage, ohne dass die Leistung vollständig wäre (dann: § 134 II 1). **Stimmenbruchteile** sind gem. § 134 II 6 zu berücksichtigen, soweit sie für den jeweiligen Aktionär volle Stimmen ergeben. Verbleibende Bruchteile kommen nicht zum Zuge. **Bsp.:** Nennbetrag oder bei Stückaktien anteiliger Betrag 30 Euro, Mindesteinlage (§ 36a I): 7,50 Euro, Zahlung auf 10 Aktien 150 Euro = 20 Stimmen; Zahlung auf 10 Aktien 155 Euro = 20 Stimmen; die verbleibenden 5 Euro werden nicht mitgezählt. 18

3. Regelungen der Satzung. Satzung kann von dem grds. Erfordernis voller Leistung der Einlage (→ Rn. 17) abweichen und bestimmen, dass Stimmrecht schon beginnt, wenn die ges. oder die höhere satzungsmäßige **Mindesteinlage** erbracht ist (§ 134 II 3). Mindesteinlage ist in diesem Fall entspr. § 36a I ein Viertel des geringsten Ausgabebetrags (§ 9 I) zuzüglich Agio (KK-AktG/Tröger Rn. 145). In diesem Fall bemisst sich Stimmkraft nach der Mindesteinlage, bei 19 höheren Einlagen nach deren Verhältnis (§ 134 II 4); davon kann Satzung nicht abweichen. Für Stimmenbruchteile verbleibt es bei § 134 II 6 (→ Rn. 18). Umstr. ist, ob Satzung für den Beginn des Stimmrechts auch eine höhere Leistung als die der Mindesteinlage fordern kann (etwa: die Hälfte). Dem Normzweck, einen Anreiz zur möglichst vollständigen Kapitalaufbringung zu geben, entspr. es, auch solche Gestaltung zuzulassen (str. – wie hier MüKoAktG/M. Arnold Rn. 33; B/K/L/Holzborn Rn. 14; S/L/Spindler Rn. 36; aA Grigoleit/Herrler Rn. 19; BeckOGK/Rieckers Rn. 34; KK-AktG/Tröger Rn. 146).

20 **4. Unzulässig: Satzungsbestimmungen für einzelne Aktionäre oder einzelne Gattungen.** Gem. § 134 II 7 kann die Satzung Bestimmungen nach § 134 II nicht für einzelne Aktionäre, auch nicht (im Unterschied zu § 134 I 5; → Rn. 14) für einzelne Gattungen treffen. Vorverlegung des Stimmrechtsbeginns auf Leistung der Mindesteinlage (→ Rn. 19) ist also nur für alle Aktionäre gleichmäßig oder gar nicht möglich. Sachgründe für unterschiedliche ges. Behandlung von Aktiengattungen bei Stimmkraft einerseits, Beginn des Stimmrechts andererseits sind allerdings nicht erkennbar.

IV. Ausübung des Stimmrechts durch Dritte (§ 134 III)

21 **1. Stimmrechtsvollmacht. a) Zulässigkeit.** Gem. § 134 III 1 kann das Stimmrecht durch einen Bevollmächtigten (§§ 164 ff. BGB) ausgeübt werden. Darin liegt wichtiges Instrument, um **rationaler Aktionärsapathie** als zentralem Problem einer funktionierenden Corporate Governance (→ § 118 Rn. 5) entgegenzuwirken (S/L/Spindler Rn. 38). Praxis macht von Stimmrechtsvertretung, namentl. auch in Gestalt des Proxy-Votings (→ Rn. 26a), intensiv Gebrauch. Neueres Phänomen ist öffentl. Einwerben von Stimmrechtsvollmachten durch aktivische Aktionäre, das grds. zulässig ist, aber vielfältige Schranken, insbes. §§ 33 f. WpHG, § 30 WpÜG, § 5 UWG, zu beachten hat (→ § 118 Rn. 5; Schockenhoff NZG 2015, 657 ff.). Möglichkeit der Stimmrechtsvertretung bringt zum Ausdruck, dass Stimmrecht **keinen höchstpersönlichen Charakter** hat. Auch die Satzung kann die Stimmrechtsvollmacht nicht ausschließen (KK-AktG/Tröger Rn. 153) oder einschränken (OLG Düsseldorf AG 1991, 444, 445; LG München I AG 2020, 497, 498 [Eingrenzung auf bestimmten Personenkreis]). Erteilung der Vollmacht muss jedoch das **Abspaltungsverbot** beachten, wonach Stimmrecht als mitgliedschaftliche Befugnis nicht von der Aktie getrennt und auf einen anderen als den Aktionär übertragen werden kann (allg. → § 8 Rn. 26; speziell beim Stimmrecht → § 133 Rn. 17 f.; → § 134 Rn. 21). Vollmacht ist gem. § 134 BGB nichtig, wenn mit ihr der verbotene Erfolg isolierter Übertragung iErg erreicht würde. Eine unwiderrufliche verdrängende Vollmacht kann es danach – ungeachtet der Möglichkeit eines Widerrufs aus wichtigem Grund – jedenfalls prinzipiell nicht geben (BGH NJW 1987, 780 f.; sa BGHZ 3, 354, 358 f. = NJW 1952, 178; BGHZ 20, 363, 364 = NJW 1956, 1198; BGH WM 1976, 1247, 1250; KK-AktG/Tröger Rn. 156 ff.). Auch Erlöschen der Vollmacht mit dem Kausalverhältnis rechtfertigt keine andere Beurteilung (HCL/Hüffer/Schäfer GmbHG § 47 Rn. 101; großzügiger GK-AktG/Grundmann Rn. 99; BeckOGK/Rieckers Rn. 51: Unwirksamkeit nur bei langfristiger Bindung). Ob etwas anderes gilt, wenn bisheriger Aktionär als Treugeber oder iR einer SU oder ähnlicher Rechtsverhältnisse **unwiderruflich bevollmächtigt** wird, ist umstr. (für Wirksamkeit GK-AktG/Grundmann Rn. 99; KK-AktG/Tröger Rn. 158; aA BeckOGK/Rieckers Rn. 51; S/L/Spindler Rn. 40). Vorzugswürdig erscheint es, aus Gründen der Rechtssicherheit auch hier von Unwirksamkeit auszugehen, da Einschränkungen der Stimmrechtsausübung im Innenverhältnis vereinbart

werden können, so dass wirtschaftlichem Eigentum des Treugebers oÄ auf diesem Wege hinreichend Rechnung getragen werden kann.

b) Vollmachtsart. Jede Vollmacht genügt, sofern die vorgelegte Urkunde (→ Rn. 23) ergibt, dass der Vertreter das Stimmrecht seines Vollmachtgebers in dieser HV ausüben darf. Dabei kann es sich um eine Spezialvollmacht handeln, doch ist das nicht notwendig (unstr., vgl. zB MüKoAktG/M. Arnold Rn. 64). Auch ein Generalbevollmächtigter ist zur Abstimmung zuzulassen. Prokura (§ 48 HGB) reicht, wenn die Aktien, etwa als Finanzanlagen, zum Gewerbebetrieb des Kaufmanns gehören. Handlungsvollmacht (§ 54 HGB) muss als sog Generalhandlungsvollmacht (§ 54 I Fall 1 HGB) die Ausübung des Stimmrechts aus den Aktien als zum gewöhnlichen Betrieb des konkreten Handelsgewerbes gehörig umfassen (MüKoAktG/M. Arnold Rn. 64). Wegen des notwendigen liquiden urkundlichen Nachw. ist Erteilung bes. Vollmacht zumindest zweckmäßig. 22

c) Erteilung und Widerruf der Vollmacht; Legitimation. Erteilung der Vollmacht bestimmt sich nach § 167 I BGB (Außen- oder Innenvollmacht), ihr Widerruf nach §§ 168–173 BGB. Solange etwa ausgestellte Vollmachtsurkunde dem Aktionär nicht zurückgegeben ist, folgt aus § 172 II BGB Vertretungsmacht, es sei denn (§ 173 BGB), dass formgerechter Vollmachtswiderruf bekannt ist oder bekannt sein muss. Nach § 134 III 3 ist für Erteilung der Vollmacht, für ihren Widerruf (dazu und bes. zum Widerrufserfordernis Kiefner/Friebel NZG 2011, 887, 888 ff.) und für ihren Nachweis **Textform** (§ 126b BGB) erforderlich, sofern Satzung oder dazu durch sie ermächtigter Vorstand in Einberufung nichts anderes bestimmen. Zur Wahrung der Textform genügen auch Fax, E-Mail oder SMS. Zur Vermeidung von Zweifelsfragen empfiehlt sich, dass AG Fax- oder Mail-Adressen in Einberufung angibt (Götze NZG 2010, 93, 94). Auch durch Bildschirmformular oder Internetdialogsystem kann Vollmacht erteilt werden (RegBegr. BT-Drs. 16/11642, 32; BeckOGK/Rieckers Rn. 74; KK-AktG/Tröger Rn. 177; Götze NZG 2010, 93, 94; aA S/L/Ziemons § 121 Rn. 61 f.). Regelung beruht auf ARUG 2009, mit dem Art. 11 II Aktionärsrechte-RL durchgeführt wird. Vorbehalt zugunsten der Satzung geht ursprünglich auf NaStraG 2001 zurück. Gesellschaften sollte dadurch ermöglicht werden, Erteilung von Vollmachten durch E-Mail oder ähnliche Medien zuzulassen, wenn das (etwa bei Gesellschaften mit überschaubarem Aktionärskreis) als sinnvoll erscheint oder wenn HV tats. an mehreren Orten zur selben Zeit stattfinden soll (RegBegr. BT-Drs. 14/4051, 15; Wiebe ZHR 166 [2002], 182, 186 f.). Neben Textform im herrschenden, elektronische Kommunikation einschließenden Verständnis besteht für weitere Erleichterungen kaum noch Raum (Götze NZG 2010, 93, 95). Vollständige Beschränkung auf elektronische Medien ist auch in Satzung unzulässig (MüKoAktG/M. Arnold Rn. 53). Umgekehrt ist es Satzungsgeber nicht verwehrt, selbst für virtuelle HV nach § 118a analoge Nachweisformen vorzuschreiben (so zu COVMG aF Simons/Hauser NZG 2020, 488, 499). Als problematisch können sich im Lichte des § 134 III 3 verbreitete praktische Usancen, wie etwa formlose Weitergabe des Stimmbogens auf HV, erweisen. Sie ist unbedenklich, sofern sie als Botenschaft gedeutet werden kann, ist als Bevollmächtigung aber wegen Formverstoßes unwirksam. Es kann aber Umdeutung in Legitimationsübertragung (→ § 129 Rn. 12 ff.) möglich sein (Hauschild/Zimmermann FS Krieger, 2020, 331 ff.). Abw. Sonderregelung besteht für Vollmachten, die Intermediär, Aktionärsvereinigung oder den weiteren Vertretern iSd § 135 VIII erteilt werden (s. § 135 I 2, 3). Bei **Übernahmesachverhalten** ist AG nach § 16 IV 6 WpÜG gehalten, ihren Aktionären für Sonder-HV (§ 16 III WpÜG) Erteilung von Stimmrechtsvollmachten zu erleichtern, soweit nach Ges. und Satzung möglich. Im Lichte der durch ARUG 2009 eingeführten Erleichterungen ist für weitere Lockerungen indes nur wenig Raum (BeckOGK/Rieckers Rn. 78). Bei 22a bloßer Ermächtigung des Vorstands zur Gestattung von Erleichterungen kann daraus aber eine entspr. Pflicht des Vorstands abgeleitet werden (KK-AktG/Tröger Rn. 180). Zur problematischen Weiterleitung einer Bevollmächtigung in der Intermediärskette nach §§ 67a ff. → § 67c Rn. 2.

23 Nach § 134 III 3 kann Satzung von grds. geltendem Textformerfordernis (→ Rn. 22a) abweichen. Während nichtbörsennotierte Gesellschaft danach auch über Textform hinausgehen und Schriftlichkeit verlangen kann, darf börsennotierte AG gem. § 134 III 3 keine Erschwerungen vorsehen. Danach verbleibende Erleichterungsmöglichkeiten sind aber fragwürdig im Hinblick auf Anforderungen des **Art. 11 II Aktionärsrechte-RL,** die Schriftlichkeit iSv Textform verlangt (vgl. Lutter/Bayer/Schmidt EuropUntKapMR Rn. 29.240). HM befürwortet daher richtlinienkonforme Auslegung in dem Sinne, dass Erleichterung für börsennotierte AG nicht möglich ist (Grigoleit/Herrler Rn. 28; K. Schmidt/Lutter/Spindler Rn. 45; Götze NZG 2010, 93, 95; Grundmann BKR 2009, 31, 37; aA BeckOGK/Rieckers Rn. 76; zweifelnd auch KK-AktG/Tröger Rn. 182), was zwar angesichts des klaren Wortlauts nicht unproblematisch ist, aber doch zumindest dann hinzunehmen ist, wenn man die Rspr.-Tendenz zur extensiven richtlinienkonformen Auslegung (s. etwa BGHZ 179, 27 Rn. 20 ff. = NJW 2009, 427) als vorgegebenes Faktum akzeptiert. Frage ist ohne nennenswerte praktische Bedeutung, da die Gesellschaften von dieser Erleichterung kaum Gebrauch gemacht haben (BeckOGK/Rieckers Rn. 76). Für Wahrung der Form ist zu beachten: Wahrung der strengeren Form genügt stets. Form ist Gültigkeitserfordernis (hM zur Schriftform, s. BGHZ 49, 183, 194 = NJW 1968, 743; OLG Hamm AG 2001, 146; S/L/Spindler Rn. 49). Nur ausnahmsweise kann Formmangel gem. § 242 BGB überwunden werden (vgl. zur GmbH BGHZ 49, 183, 194 sowie BayObLGZ 1988, 400, 405). Für **Prokura** ist anzunehmen, dass es der (sonst dafür nicht erforderlichen) Textform bedarf, solange Eintragung in das HR (§ 53 I HGB) noch aussteht. Dagegen ersetzt Eintragung die Form. Für Legitimation genügt amtl. Handelsregisterausdruck (§ 9 IV HGB).

24 **Legitimation.** Es genügt nicht, dass Vertreter Vollmacht hat. Er muss sie auch nachweisen. Früher einschlägige Regelung in § 134 III 3 ist mit Neufassung durch NaStraG 2001 entfallen. Damit bewusst lückenhaft gewordene Regelung kann durch ergänzende Satzungsbestimmung (§ 23 V 2) geschlossen werden (RegBegr. BT-Drs. 14/4051, 15). Regelt sie nichts, so ist zu unterscheiden, ob es bei ges. Textform verbleibt oder ob Satzung insoweit Erleichterungen bestimmt hat (→ Rn. 23). Im ersten Fall entspr. Legitimation durch Vorlegung allg. Grundsätzen (LG München I AG 2010, 48, 49). Sie kann deshalb nach wie vor gefordert werden, dagegen mangels ges. Grundlage nicht mehr die weitergehende Aushändigung der Vollmachtsurkunde zur Verwahrung durch die AG. Bei Übermittlung auf elektronischem Kommunikationsweg genügt auch Bildschirmdarstellung etwa auf Smartphone, Tablet oÄ (zu Einzelheiten KK-AktG/Tröger Rn. 196). Bei schriftlich zu erteilenden Vollmachten muss Vertreter die Vollmachtsurkunde im Original vorweisen (OLG Köln AG 2012, 599, 600; Grigoleit/Herrler Rn. 32). Im zweiten Fall (keine Textform) wird Nachweis geführt, wenn AG Gelegenheit erhält, das Kommunikationsmedium und seinen Inhalt in einer der Vorlegung vergleichbaren Weise unmittelbar sinnlich wahrzunehmen, bes. durch Augenschein (OLG Köln AG 2012, 599, 600). AG wird durch Vorstand, in der HV durch Versammlungsleiter vertreten. Den nicht gehörig legitimierten Vertreter kann sie zurückweisen. Nach hM ist sie dazu jedoch nicht verpflichtet, kann den Vertreter vielmehr zulassen und sich mit nachträglicher Vorlage der Urkunde oder des sonstigen Legitimationsmittels begnügen (RGZ 106, 258, 261; OLG Düsseldorf AG 1991, 444, 445; S/L/Spindler Rn. 55; KK-AktG/Tröger Rn. 201; aA noch KK-AktG/Zöllner, 1. Aufl. 1985, Rn. 90). Der hM ist zuzustimmen, sofern es nur um die Legitimation, nicht um die Formgül-

tigkeit geht. Vollmacht muss also bis zur HV textförmig erteilt worden sein, wenn Satzung nichts anderes zulässt (→ Rn. 23). Vom Medium der Legitimation ist dessen **Übermittlung** zu unterscheiden. Die nichtbörsennotierte Gesellschaft hat insoweit keine Pflichten. Dagegen muss die börsennotierte AG (§ 3 II) gem. § 134 III 4 zumindest einen Weg elektronischer Kommunikation anbieten (insbes. Angabe einer E-Mail-Adresse). Elektromechanische Kommunikation ist Sammelbegriff für computergestützte Verfahren. Wenigstens eines muss AG anbieten, damit Bevollmächtigte ihre Legitimation übermitteln können (RegBegr. BT-Drs. 16/11642, 32). Andere Kommunikationswege genügen nicht, können aber als Alternative angeboten werden.

d) Person des Bevollmächtigten. aa) Allgemeines. Aktionär kann grds. (Ausnahmen: → Rn. 26 ff.) frei darüber bestimmen, welche natürliche oder jur. Person ihn vertreten soll. Auch Bestimmung eines anderen Aktionärs ist zulässig. In diesen Fällen wird Anwendung des **§ 181 BGB** überwiegend verneint (MüKoAktG/M. Arnold Rn. 38; S/L/Spindler Rn. 59), doch wird in neuerer Lit. darauf hingewiesen, dass diese Deutung zur Rechtsentwicklung bei Beschlussfassung in anderen Gesellschaftsformen im Widerspruch steht (ausf. Bayer/Möller FS Windbichler, 2020, 535, 546 ff. mwN; zuvor schon KK-AktG/Tröger § 133 Rn. 67 f.). Bloßer Hinweis auf vermeintliche Sonderregelung in § 135 kann Ungleichbehandlung nach allg. Spezialitätsgrundsätzen jedenfalls nicht rechtfertigen (KK-AktG/Tröger § 133 Rn. 67; so aber Baetzgen RNotZ 2005, 193, 222). Gerade bei AG wäre damit hervorgerufene Rechtsunsicherheit bes. misslich, würde aber doch zT dadurch eingegrenzt, dass bei Bevollmächtigung eines Mitaktionärs jedenfalls von Befreiung nach § 181 BGB auszugehen wäre (so für GmbH Noack/Servatius/Haas/Noack GmbHG § 47 Rn. 61). Einschränkung der Wahlfreiheit kann sich überdies aus Treupflicht in dem Sinne ergeben, dass Bevollmächtigter der AG „zumutbar" sein muss, woran es etwa bei Bestellung eines Konkurrenten oder Wirtschaftskriminellen fehlen mag (MüKoAktG/M. Arnold Rn. 45; S/L/Spindler Rn. 57; vertiefend KK-AktG/Tröger Rn. 164). Nach früher hM sollte **Satzung** weitere Bestimmungen zur Person des Bevollmächtigten enthalten können (s. RGZ 55, 41 f.), doch ist dieser Auffassung durch Art. 10 I UAbs. 1 Aktionärsrechte-RL die (im Lichte des § 23 V ohnehin schon bedenkliche) Grundlage entzogen worden (heute ganz hM – vgl. OLG Stuttgart AG 1991, 69 f.; OLG Braunschweig BeckRS 2014, 20216 Rn. 22; S/L/Spindler Rn. 58; KK-AktG/Tröger Rn. 161 ff.). 25

bb) Stimmrechtsvertreter der AG. Grds. bestehende personelle Wahlfreiheit (→ Rn. 25) gilt aber nicht schrankenlos. Grenzen ergeben sich vor allem aus dem **Rechtsgedanken des § 136 II,** nach dem Willensbildung der AG nicht so erfolgen darf, dass sie oder ihre Organe (Vorstand und/oder AR) Stimmrechte für die Aktionäre ausüben und mit solchen sog Verwaltungsstimmrechten ein sich selbst stabilisierendes System einrichten (ganz hM, vgl. nur Bachmann WM 1999, 2100, 2103 f.; Habersack ZHR 165 [2001], 172, 185; Hüther AG 2001, 68, 71 ff.; Zöllner FS Westermann, 1974, 604, 605 ff., 608 ff.; aA noch LG Stuttgart AG 1974, 260). Daher wird es zu Recht als unzulässig angesehen, wenn Organe der Gesellschaft ermächtigt werden, wohingegen Bevollmächtigung einzelner Organmitglieder nicht von vornherein ausgeschlossen ist (MüKoAktG/M. Arnold Rn. 39; BeckOGK/Rieckers Rn. 52). Werden sie von AG selbst benannt, liegt ein Fall des sog Proxy Voting vor, für das § 134 III 5 und weitere ungeschriebene Vorgaben (→ Rn. 26a ff.) zu beachten sind. 26

Ob AG eigene Stimmrechtsvertreter anbieten darf, sog **Proxy-Voting,** war früher angesichts der aus § 136 II hergeleiteten Bedenken (→ Rn. 26) umstr. (Nachw. bei MüKoAktG/M. Arnold Rn. 40 Fn. 115). Gesetzgeber hat im Zuge des NaStraG 2001 durch Neufassung des § 134 III 5 Proxy-Voting zwar nicht 26a unmittelbar zugelassen, setzt es aber inzident voraus; auch in Materialien findet zulässiges Proxy-Voting Erwähnung (AusschussB BT-Drs. 14/4618, 14). Damit vorgenommene sprachliche Anlehnung an US-amerikanisches Gesellschaftsrecht schafft allerdings wegen dessen komplexer Struktur und wegen der Aufsicht der SEC auch über zentrale Teile des Proxy-Verfahrens keine rechtsvergleichende Legitimation (zutr. S/L/Spindler Rn. 62). Aus **rechtspolitischer Sicht** bleibt Proxy-Voting wegen potenzieller Interessenkonflikte und Einflussnahme auf HV-Abstimmungsverhalten nicht unproblematisch, vermag auf der anderen Seite aber auch Lücken zu schließen, die sich daraus ergeben, dass sich Depotbanken (uU auch aus Kostengründen im Wettbewerb mit Online-Direktbanken) zT breitflächig aus Stimmrechtsvertretung zurückgezogen haben (→ § 135 Rn. 2). Solche Lückenschließung ist mit Blick auf wünschenswerte Corporate Governance-Effekte (→ Rn. 21) zu begrüßen. In Deutschland bietet mittlerweile allein jede DAX30-Gesellschaft Proxy-Voting an; nicht nur Privatanleger, sondern gerade auch institutionelle Anleger machen davon Gebrauch (Schockenhoff NZG 2015, 657, 659).

26b Da § 134 III 5 Proxy-Voting voraussetzt, aber nicht inhaltlich regelt und insbes. keine ges. Vorgaben formuliert, sind Zulässigkeitsvoraussetzungen nicht abschließend geklärt. Im Einzelnen ist festzuhalten: AG kann Stimmrechtsvertreter benennen, Aktionär diesen Vertreter bevollmächtigen; denn das ist der verbindliche Regelungskern des § 134 III 5. Zulässig ist Bevollmächtigung des von AG benannten Stimmrechtsvertreters aber nur, soweit Aktionär zum Gegenstand der Beschlussfassung ausdr. Weisung erteilt hat. **Erfordernis ausdr. Weisung** folgt zwar nicht aus Wortlaut des § 134 III 5, entspr. aber der mit Neufassung offenbar verfolgten Absicht, im Anschluss an LG Baden-Baden AG 1998, 534, 535 f. (abgeändert aus wettbewerbsrechtl. Gründen durch OLG Karlsruhe AG 1999, 234 f.) aufgekommene Praxis der Stimmrechtsvertretung bei Namensaktien für eine Experimentierphase zu legalisieren (Seibert ZIP 2001, 53, 55). Diese Praxis setzt nämlich Weisungen zu den einzelnen Tagesordnungspunkten voraus; ohne Weisungen werden die Stimmrechte nicht vertreten (zum Problem der Auslegung solcher Weisungen s. Zetzsche FS Krieger, 2020, 1165, 1170 ff.). Das rechtfertigt einschränkende Auslegung des zu weit geratenen Wortlauts in § 134 III 5 (wie hier MüKoAktG/M. Arnold Rn. 42; Hölters/Weber/Krebs Rn. 51; S/L/Spindler Rn. 63; NK-AktR/M. Müller Rn. 32; Butzke HV E 67; Hüther AG 2001, 68, 71 ff.; Noack ZIP 2001, 57, 62; aA Grigoleit/Herrler Rn. 38; B/K/L/Holzborn Rn. 22; BeckOGK/Rieckers Rn. 57 f.; KK-AktG/Tröger Rn. 208; Bachmann AG 2001, 635, 638 f.; Schockenhoff NZG 2015, 657, 662 f.; Stüber WM 2020, 211, 213). Weitere Bestätigung findet diese Sichtweise in § 135 III 3, der auch für Stimmrechtsausübung von Depotbanken ausdr. Weisung vorsieht; Schlechterstellung der depotführenden Intermediäre ggü. hauseigenen Stimmrechtsvertretern erscheint in der Sache kaum gerechtfertigt (ausf. MüKoAktG/M. Arnold Rn. 42). Lückenhafte Regelungsvorgabe in § 134 III 5 lässt für entspr. Wertungstransfer hinreichend Raum. Zum Problem derart festgelegter Stimmen bei Änderungen des Beschlussvorschlags → § 118 Rn. 18; → § 124 Rn. 20. **Person des Stimmrechtsvertreters** verliert zwar bei Erfordernis ausdr. Einzelweisung an Bedeutung, wird dadurch aber nicht unerheblich. Auch insoweit ist an bisherige Praxis anzuknüpfen, sind also externe Vertreter oder solche Mitarbeiter der Gesellschaft zu wählen, denen Professionalität und damit Abstand ggü. etwaigen Wünschen der Verwaltung zugetraut werden kann (sa KK-AktG/Tröger Rn. 207; Noack ZIP 2001, 57, 62), die dann allerdings zumeist als geschäftsmäßig Handelnde iSd § 135 VIII einzustufen sein werden (→ § 135 Rn. 48 mwN). Organe oder Organmitglieder (bes. Vorstandsmitglieder) sind derart ungeeignet, dass sie wegen des aus § 136 II ableitbaren Manipulationsverbots (→ Rn. 26) nicht bevollmächtigt werden dürfen (str., wie hier etwa

S/L/Spindler Rn. 63; KK-AktG/Tröger Rn. 171; ZB/Ziemons, 66. EL 2014, Rn. 10.536; aA etwa GK-AktG/Grundmann Rn. 122; BeckOGK/Rieckers Rn. 56; Bunke AG 2002, 57, 59 ff.; diff. Bachmann FS Schwintowski, 2018, 725 ff. für Vertretung eines Aktionärspools). Davon zu unterscheiden ist Bevollmächtigung eines Organmitglieds im Einzelfall, die vom Aktionär ausgeht. Sie sollte an Organeigenschaft nicht scheitern (→ Rn. 26; insofern aA KK-AktG/Tröger Rn. 171). Das von AG ausgehende **organisierte Einwerben von Vollmachten** (Proxy-Solicitation) würde Durchsetzung von Verwaltungsinteressen ungebremst ermöglichen und ist deshalb nicht angängig, zumal in der Situation von Proxy-Fights gegnerische Aktionäre nicht über gleichen Zugang zu anderen Aktionären verfügen (sa GK-AktG/Grundmann Rn. 124; B/K/L/Holzborn Rn. 23; BeckOGK/Rieckers Rn. 61; S/L/Spindler Rn. 65; aA MüKoAktG/M. Arnold Rn. 43; KK-AktG/Tröger Rn. 211; Gröntgen, Operativer Shareholder Activism, 2020, 316 ff.; Schockenhoff NZG 2015, 657, 663 f.).

Anwendbare Einzelregeln normiert § 134 III 5 teilw. selbst, teilw. durch **26c** Verweis auf § 135 V. Nach § 134 III 5 Hs. 1 muss AG Vollmachterklärungen drei Jahre lang nachprüfbar festhalten, soweit von ihr benannte Stimmrechtsvertreter bevollmächtigt worden sind. Damit ist einer Anregung des Bundesrats (→ Rn. 23) teilw. Rechnung getragen worden. Wie AG Vollmachtserklärungen nachprüfbar festhalten soll, sagt § 134 III 5 nicht. Im praktischen Hauptfall – Rücksendung des vorbereiteten Formulars – ist dieses aufzubewahren; auch Mikroverfilmung oder elektronische Speicherung kann genügen. Wenn Satzung andere Formen als Schriftform vorsieht (→ Rn. 23 f.), sollte sie auch regeln, wie derartige Erklärungen nachprüfbar festgehalten werden. Frist beginnt mit dem (letzten) Tag der HV, also nicht mit Zugang der Vollmachterklärung. So ist es, weil fehlende Vollmacht zu den Gültigkeitsmängeln der Hauptversammlungsbeschlüsse gehört (AusschussB BT-Drs. 14/4618, 14); Lösung ohne festen Anfangstermin wäre auch schlecht praktikabel. Fristberechnung: § 187 I BGB, § 188 II BGB. § 135 V regelt Ausübung des Stimmrechts durch Intermediär (→ § 135 Rn. 39 ff.). Sinngem. Geltung für von AG benannten Stimmrechtsvertreter, die § 134 III 5 Hs. 2 vorsieht, bedeutet vor allem, dass Anonymität des Aktionärs auch bei dieser Vertretungsvariante gewahrt werden kann (AusschussB BT-Drs. 14/4618, 14).

e) Mehrere Bevollmächtigte. Wie § 134 III 2 erkennen lässt, kann Aktionär **27** mehrere Bevollmächtigte bestellen, wenn Satzung das nicht ausschließt. Von mehreren **Einzelvertretern** muss aber grds. nur einer zur HV zugelassen werden. AG kann nach § 134 III 2 einen oder mehrere, nicht aber alle Vertreter zurückweisen. Das gilt auch dann, wenn ein Aktionär über mehrere Stücke verfügt. § 134 III 2 kodifiziert nur, was auch schon bisher richtig war. Teilnahmerecht, ohne das Stimme nicht abgegeben werden kann, ist nämlich als bloßes Hilfsrecht (→ § 53a Rn. 7) auf die Person und nicht auf die Aktie bezogen, erfährt also keine Vervielfältigung entspr. der Aktienzahl (ebenso B/K/L/Holzborn Rn. 17a; BeckOGK/Rieckers Rn. 66; Butzke HV C 15; Ihrig FS Seibert, 2019, 409, 420 ff.; Junge FS Röhricht, 2005, 277, 282 ff.; aA S/L/Spindler Rn. 60). Praktisch bedeutsame Ausn. gilt aufgrund richtlinienkonformer Auslegung im Lichte des Art. 10 II 2 Aktionärsrechte-RL für Aufteilung des Aktienbesitzes auf mehrere Aktiendepots, bei der ebenfalls mehrere Berechtigte zuzulassen sind (OLG München NZG 2023, 512 Rn. 60; BeckRS 2023, 29257 Rn. 68 ff.; Ihrig FS Seibert, 2019, 409, 422 ff.). Liegt diese Ausn. nicht vor, ist bei Ausübung des Zurückweisungsrechts trotzdem auf berechtigte Belange der Aktionäre Rücksicht zu nehmen. Erfordert sachgerechte Vertretung wegen der Eigenart der Beschlussgegenstände zB Anwalt und Wirtschaftsprüfer, so sollten beide zugelassen werden. Enthält Satzung nähere Vorgaben, ist HV-Leiter daran gebunden (B/K/L/

Holzborn Rn. 17a; BeckOGK/Rieckers Rn. 66). Recht zur Zurückweisung besteht auch bei **Gesamtvollmacht,** so dass die mehreren Bevollmächtigten einen von ihnen mit Untervollmacht ausstatten müssen, wenn Versammlungsleiter nur einen zur Teilnahme oder jedenfalls zur Abstimmung zulassen will (KK-AktG/Tröger Rn. 167). Wenn mehrere Gesamtvertreter zugelassen werden und der eine mit Ja, der andere mit Nein stimmt, ist Stimmabgabe wegen Perplexität nichtig (BeckOGK/Rieckers Rn. 66). Fall ist von dem der uneinheitlichen Abgabe mehrerer Stimmen zu unterscheiden; → § 133 Rn. 20 f.

28 **f) Mehrere Vollmachtgeber (Gruppenvertretung).** Mehrere Aktionäre können gemeinsamen Bevollmächtigten bestellen. Sie müssen es unter den Voraussetzungen des **§ 69 I,** also bei Bruchteils-, Erben- und Gütergemeinschaft (→ § 69 Rn. 2 f.; → Rn. 30). Gruppenvertretung begegnet ferner auf der Basis von Konsortialverträgen, etwa zur Zusammenfassung von Familienstämmen oder zur Koordination der Stimmrechtsausübung durch verbundene Unternehmen. **Obligatorische Gruppenvertretung** kann Satzung der AG (anders als die der GmbH, vgl. BGH WM 1989, 63, 64 f. [insoweit nicht in AG 1989, 95]; sa zur KG BGHZ 46, 291, 294 ff. = NJW 1967, 826) nicht vorsehen, weil dafür erforderliche Freiheit zur Gestaltung der internen Rechtsbeziehungen gem. § 23 V nicht gegeben ist (S/L/Spindler Rn. 61; aA KK-AktG/Tröger Rn. 169).

29 **2. Gesetzliche und organschaftliche Vertreter; Amtswalter.** Für die ges. Vertretung durch Vater und Mutter (§ 1629 I 2 BGB), Vormund (§ 1789 BGB) oder Pfleger (§§ 1809 ff. BGB) gilt § 134 III nach Wortlaut und Zweck nicht. Sie legitimieren sich durch Personenstandsunterlagen bzw. Bestellungsurkunden.

30 § 134 III gilt auch nicht für **organschaftliche Vertreter,** also Vorstand einer AG, Geschäftsführer einer GmbH oder vertretungsbefugte Gesellschafter von OHG oder KG, die die Stimmrechte aus den ihrer Gesellschaft gehörenden Aktien ausüben wollen. Sie können Legitimationsnachweis durch Vorlage eines beglaubigten HR-Auszugs neueren Datums erbringen (MüKoAktG/M. Arnold Rn. 82). Nach richtiger Ansicht werden auch GbR, nicht eingetragener Verein und Vor-AG sowie Vor-GmbH organschaftlich vertreten (ganz hM; vgl. Nachw. in → § 69 Rn. 3; aA iRd § 134 aber KK-AktG/Tröger Rn. 243 ff.). Legitimationsnachweis wird hier über Vorlage des aktuellen Gesellschaftsvertrags bzw. Abschrift geführt (Grigoleit/Herrler Rn. 45). Um Anwendungsfälle des § 69 I handelt es sich dabei nach hier vertretener Auffassung nicht (str.; → § 69 Rn. 3). Bei **mehrköpfigen Vertretungsorganen** mit Gesamtvertretungsmacht stellt sich die Frage, ob die Vertretungspersonen vollständig zur Abstimmung aus einer Aktie zuzulassen sind oder ob sie einen von ihnen bevollmächtigen müssen. Das Erste ist richtig (HCL/Hüffer/Schäfer GmbHG § 47 Rn. 118; Großfeld/Spennemann AG 1979, 128, 129 f.; aA Noack/Servatius/Haas//Noack GmbHG § 48 Rn. 10). Dagegen dürfen Einzelvertreter auch nur einzeln an der Abstimmung teilnehmen. IdR wird sich Problem dadurch erledigen, dass Mitgliedsgesellschaft mehrere Aktien hält. Wegen der Selbständigkeit der Mitgliedschaften sind jedenfalls dann entspr. viele Vertreter zuzulassen.

31 Amtswalter sind **Insolvenzverwalter, Nachlassverwalter und Testamentsvollstrecker.** Sofern Aktien zu der von ihnen repräsentierten Vermögensmasse gehören, fällt die Ausübung der Stimmrechte als Verwaltungshandlung in den Bereich ihrer Aufgaben und Befugnisse (vgl. § 80 I InsO bzw. § 1984 I 1 BGB, § 1985 BGB bzw. § 2205 S. 1 BGB). Davon geht BGH NJW 1959, 1820, 1821 (GmbH) für den Testamentsvollstrecker aus (ebenso Wertenbruch NZG 2009, 645, 647). Eine abspaltende Testamentsvollstreckung, nach der dem Erben die Mitgliedschaft verbleibt, während die Stimmrechte der Verwaltung unterliegen, gibt es nach richtiger Ansicht nicht (str., s. BGH BB 1953, 926 [KG]; KK-AktG/Tröger Rn. 223; aA zB OLG Hamm BB 1956, 511). Ihre Legitimation erfolgt

über Vorlage der Bestellungsurkunde (B/K/L/Holzborn Rn. 24). Statutarischer Stimmrechtsausschluss des Testamentsvollstreckers ist wegen § 23 V nicht möglich (Wicke ZGR 2015, 161, 166).

3. Ermächtigung zur Stimmrechtsausübung (sogenannte Legitimationsübertragung). Legitimationsübertragung begründet nicht Vertretungsmacht, sondern Befugnis aufgrund einer Ermächtigung des Aktionärs, Stimmrecht aus fremden Aktien **im eigenen Namen** auszuüben (zutr. gegen die verbreitete Zuordnung dieser Ermächtigung zu § 185 BGB Mohamed, Legitimationszession, 2018, 67 ff.; Piroth, Legitimationsübertragung, 2022, Kap. 3). So vorzugehen ist in § 129 III als zulässig vorausgesetzt (→ § 129 Rn. 12 ff.). Satzung kann Näheres zur Zulässigkeit der Legitimationsübertragung bestimmen (vgl. § 67 I 5). Gänzlicher Ausschluss ist bei börsennotierter AG unzulässige Fungibilitätsbeschränkung (→ § 67 Rn. 17). Wer sog Fremdbesitz zur Aufnahme in das Teilnehmerverzeichnis angibt, ist auch auf Verlangen nicht verpflichtet, die Ermächtigung durch den Aktionär nachzuweisen. Denn damit ginge die Anonymität des Aktionärs verloren, die der Legitimationsübertragung ihren Sinn gibt (→ § 129 Rn. 12 ff.; sa B/K/L/Holzborn Rn. 26). Intermediäre und geschäftsmäßig Handelnde (§ 135 I, VIII) dürfen Stimmrechte aus Inhaberaktien nicht in dieser Weise im eigenen Namen ausüben. Anonymität kann aber im Wege der Vertretung für den, den es angeht, gewahrt werden (§ 135 V 2; → § 135 Rn. 16 ff.). 32

4. Stimmboten. Stimmbote gibt keine eigene Erklärung ab, sondern überbringt Abstimmungserklärung des abwesenden Aktionärs. Es handelt sich also nicht um Vertretung, so dass § 134 III nicht eingreift. Stimmabgabe des Aktionärs erfolgt außerhalb der HV und ist daher nach § 118 I unzulässig. Daran kann auch die Satzung nichts ändern (§ 23 V), so dass für den Stimmboten im Aktienrecht kein Raum ist (unstr. – s. statt aller KK-AktG/Tröger Rn. 150). 33

V. Form der Stimmrechtsausübung (§ 134 IV)

1. Kompetenzfragen. § 134 IV verzichtet auf eigene Regelung und verweist stattdessen auf Satzung, soweit es um Form der Abstimmung (Handaufheben, Stimmkarten, Online-Abstimmung usw.) geht. Satzungen enthalten üblicherweise und wegen der gebotenen Flexibilität zu Recht nur die Bestimmung, dass Form (oder Art) der Abstimmung durch den **Versammlungsleiter** festgelegt wird. Für abw. Bestimmung durch HV-Beschluss ist sodann kein Raum (vgl. U. H. Schneider FS Peltzer, 2001, 425, 434; Stützle/Walgenbach ZHR 155 [1991], 516, 534). Enthält Satzung nichts, so fällt die Festlegung der Abstimmungsmodalitäten zwar ebenfalls in die Kompetenz des HV-Leiters, doch kann ihn die HV durch einen Verfahrensbeschluss binden. Entspr. Antrag ist Geschäftsordnungsantrag und muss nach allg. Versammlungsregeln vor dem Sachantrag zur Abstimmung gestellt werden (Hölters/Weber/Krebs Rn. 63; Butzke HV E 102; U. H. Schneider FS Peltzer, 2001, 425, 433; Stützle/Walgenbach ZHR 155 [1991], 516, 534 f.; aA v. der Linden NZG 2012, 930 ff.; Simons NZG 2017, 567, 568). 34

2. Abstimmungsmodalitäten. Im Regelfall der Bestimmung durch den Versammlungsleiter (→ Rn. 34) entscheidet dieser nach **pflichtgem. Ermessen.** Modalitäten wird er so wählen, dass Feststellung des Abstimmungsergebnisses möglichst sicher erfolgen kann und Abstimmungsvorgang zugleich möglichst wenig Zeit in Anspruch nimmt. Bei kleinen Versammlungen bieten sich Handaufheben oder Aufstehen oder Zuruf an; Stimmenzahl kann dann anhand des Teilnehmerverzeichnisses ohne weiteres festgestellt werden. Bei großen Ver- 35 sammlungen wird Abstimmung idR über Stimmkarten oder per elektronischer Stimmabgabe erfolgen (S/L/Spindler Rn. 74). Wenn im erstgenannten Fall pro Kopf und Abstimmung nur eine Karte ausgegeben wird, muss durch Nummerierung von Stimm- und Einlasskarte sichergestellt werden, dass Stimmenzahl aus Teilnehmerverzeichnis ablesbar ist. Alternative liegt in Ausgabe von Stimmkarten, die Stimmenzahl unmittelbar erkennen lassen, etwa durch Stückelung nach Nennbeträgen oder (Stückaktien) nach Aktienzahl. Online-Abstimmung (→ § 118 Rn. 10) kann HV-Leiter auch ohne Satzungsgrundlage nach § 118 I 2 anordnen, da Stimme in diesem Fall nicht „ohne Anwesenheit" in HV abgegeben wird (Simons NZG 2017, 567, 568). Stimmabgabe selbst muss unbeeinflusst erfolgen, was auch subtilere Formen der Einflussnahmen, etwa durch Default-Options oder Voreinstellungen iSd Verwaltungsvorschlags, ausschließt (Simons NZG 2017, 567, 569). Umstr. ist Zulässigkeit **geheimer Abstimmungen** (dafür LG München I AG 2016, 834, 836; MüKoAktG/M. Arnold Rn. 94f.; BeckOGK/Rieckers Rn. 88; S/L/Spindler Rn. 75; KK-AktG/Tröger § 133 Rn. 95ff.; aA Grigoleit/Herrler Rn. 52; S/L/Ziemons § 129 Rn. 87). Ges. schließt sie nicht aus, was Zulässigkeit nahelegt, wenn Satzung sie vorsieht oder Versammlungsleiter sie anordnet oder HV sie beschließt und ihr Leiter daran gebunden ist (→ Rn. 34). Stimmverbote können bereits bei Ausgabe der Stimmkarten überprüft werden. Auch Erfordernis, ggf. treuwidriges Verhalten aufzudecken, steht geheimer Abstimmung nicht grds., sondern allenfalls in Sonderkonstellationen entgegen (U. H. Schneider FS Peltzer, 2001, 425, 431); Handhabung kann Anordnungsermessen des HV-Leiters überlassen werden. Dennoch ist geheime Abstimmung nur selten empfehlenswert und bei großen Versammlungen ohnehin unpraktikabel. Als Alternative kann **verdeckte Abstimmung** erwogen werden, bei der zumindest Vertraulichkeit ggü. anderen Aktionären gewahrt bleibt (MüKoAktG/M. Arnold Rn. 95; MHdB AG/Austmann § 40 Rn. 27). Mittlerweile ganz überwiegend anerkannt ist, dass Aktionäre zumindest kein Individualrecht auf geheime Abstimmung haben (statt vieler LG München I AG 2016, 834, 836; MüKoAktG/M. Arnold Rn. 94; KK-AktG/Tröger § 133 Rn. 95ff.; aA U. H. Schneider FS Peltzer, 2001, 425, 433f.); bei berechtigten Geheimhaltungsinteressen kann aber uU verdeckte Abstimmung verlangt werden (B/K/L/Holzborn Rn. 29).

Begriffsbestimmungen; Anwendungsbereich

134a **(1) Im Sinne der §§ 134b bis 135 ist**

1. institutioneller Anleger:
   a) ein Unternehmen mit Erlaubnis zum Betrieb der Lebensversicherung im Sinne des § 8 Absatz 1 in Verbindung mit Anlage 1 Nummer 19 bis 24 des Versicherungsaufsichtsgesetzes,
   b) ein Unternehmen mit Erlaubnis zum Betrieb der Rückversicherung im Sinne des § 8 Absatz 1 und 4 des Versicherungsaufsichtsgesetzes, sofern sich diese Tätigkeiten auf Lebensversicherungsverpflichtungen beziehen,
   c) eine Einrichtung der betrieblichen Altersversorgung gemäß den §§ 232 bis 244d des Versicherungsaufsichtsgesetzes;

2. Vermögensverwalter:
   a) ein Finanzdienstleistungsinstitut mit Erlaubnis zur Erbringung der Finanzportfolioverwaltung im Sinne des § 1 Absatz 1a Satz 2 Nummer 3 des Kreditwesengesetzes,

b) ein Wertpapierinstitut mit Erlaubnis zur Erbringung der Finanzportfolioverwaltung im Sinne des § 2 Absatz 2 Nummer 9 des Wertpapierinstitutsgesetzes,
c) eine Kapitalverwaltungsgesellschaft mit Erlaubnis gemäß § 20 Absatz 1 des Kapitalanlagegesetzbuchs;

3. Stimmrechtsberater:
ein Unternehmen, das gewerbsmäßig und entgeltlich Offenlegungen und andere Informationen von börsennotierten Gesellschaften analysiert, um Anleger zu Zwecken der Stimmausübung durch Recherchen, Beratungen oder Stimmempfehlungen zu informieren.

(2) **Für institutionelle Anleger, Vermögensverwalter und Stimmrechtsberater sind die §§ 134b bis 135 nur anwendbar, soweit sie den folgenden Bestimmungen der Richtlinie 2007/36/EG des Europäischen Parlaments und des Rates vom 11. Juli 2007 über die Ausübung bestimmter Rechte von Aktionären in börsennotierten Gesellschaften (ABl. L 184 vom 14.7.2007, S. 17), die zuletzt durch die Richtlinie (EU) 2017/828 (ABl. L 132 vom 20.5.2017, S. 1) geändert worden ist, unterfallen:**

1. für institutionelle Anleger: Artikel 1 Absatz 2 Buchstabe a und Absatz 6 Buchstabe a,
2. für Vermögensverwalter: Artikel 1 Absatz 2 Buchstabe a und Absatz 6 Buchstabe b, und
3. für Stimmrechtsberater: Artikel 1 Absatz 2 Buchstabe b und Absatz 6 Buchstabe c sowie Artikel 3j Absatz 4.

I. Regelungsgegenstand und -zweck

§§ 134a–134d wurden neu eingeführt durch ARUG II 2019. Mit ihnen tritt 1
Corporate Goverance-Debatte in neue Phase und wird auf **Eigentümer und ihre Helfer** ausgedehnt (so schon die Prognose von Seibert FS Hoffmann-Becking, 2013, 1101 ff.). Ziel ist es, Anleger und sonstige Endbegünstigte (zB Begünstigte einer Lebensversicherung – vgl. Schockenhoff/Nußbaum ZGR 2019, 163, 175; vertiefend dazu Bürkle VersR 2021, 1, 4 f.) besser über Ausübung der Aktionärsrechte und Mitwirkung der Vermögensverwalter und institutioneller Anleger iRd Corporate Governance zu informieren, namentl. über Anlagestrategien und -horizont (RegBegr. BT-Drs. 19/9739, 98; J. Koch BKR 2020, 1 f.). Transparenz ist dabei Zwischenziel auf Weg zu **verbesserter Corporate Governance** durch Stärkung des Engagements institutioneller Anleger unter Berücksichtigung der Interessen der Endbegünstigten (Bürkle VersR 2021, 1, 2; J. Koch BKR 2020, 1 f.). Nat. Gesetzgeber hat sich auch hier auf Minimalumsetzung beschränkt und jedes Goldplating vermieden (Zetzsche AG 2020, 637 Rn. 11), was sich in eher restriktiver Auslegungstendenz fortsetzen sollte (zust. BeckOGK/Rieckers Rn. 17). § 134a I enthält **vor die Klammer gezogen** Definitionen für maßgebliche Begriffe institutionelle Anleger, Vermögensverwalter und Stimmrechtsberater; § 134a II grenzt den Anwendungsbereich weiter ein. § 134b enthält sodann Regeln zur Mitwirkungspolitik, § 134c zur Anlagestrategie und § 134d zur Stimmrechtsberatung. **Systematische Verortung** in §§ 134a–d wird mit Zusammenhang zur Stimmrechtsausübung erklärt (RegBegr. BT-Drs. 19/9739, 98). Sachlich näher gelegen hätte wohl kapitalmarktrechtl. Einbettung, die insbes. aufsichtsrechtl. Durchsetzung stärker gewährleistet hätte als Aufnahme in den Bußgeldtatbestand des § 405 IIa (S/L/Illhardt Rn. 11; Mülbert AG 2021, 53 Rn. 8; Tröger ZGR 2019, 126, 147 f.). Aktienrechtl. Verortung ermöglicht aber Einheitsregelung, die ggü. Aufsplitterung auf Vielzahl aufsichtsrechtl. Einzelgesetze auch Vorteile bringt (J. Koch BKR 2020, 1, 2;

Zetzsche AG 2020, 637 Rn. 15 f.; dort auch ausf. zum Zusammenspiel mit aufsichtsrechtl. Vorgaben in Rn. 154 ff.). Zur rechtspolit. Würdigung → § 134b Rn. 1.

II. Definitionen (§ 134a I)

2 § 134a I setzt Art. 2 lit. e–g Aktionärsrechte-RL um. 134a I Nr. 1 definiert zunächst **institutionelle Anleger** (ausf. zu Vorgaben der Aktionärsrechte-RL Schoch, Interessenkonflikte bei kollektiven Vermögensverwaltern und Stimmrechtsberatern, 2021, 74 ff.). Dabei wird in Anlehnung an Art. 2 lit. e der Aktionärsrechte-RL in § 134 I Nr. 1 lit. a und b für Unternehmen mit Erlaubnis zum Betrieb der **Lebensversicherung** auf § 8 I iVm Anlage 1 Nr. 19–24 VAG, für **Rückversicherung** auf § 8 I–IV VAG verwiesen, sofern sich diese Tätigkeiten auf Lebensversicherungsverpflichtungen beziehen (krit. zu dieser Einschränkung Bürkle VersR 2021, 1, 3; zur herausragenden Bedeutung der Lebensversicherer als Investoren vgl. Brellochs ZHR 185 [2021], 319, 334). Auch für Einrichtung der **betrieblichen Altersversorgung** (§ 134a I Nr. 1 lit. c) wird auf §§ 232–244d VAG Bezug genommen (insbes. Pensionskassen, § 232 VAG, und Pensionsfonds, § 236 VAG). Nicht erfasst sind berufsständische Versorgungswerke und Zusatzversorgungseinrichtungen (krit. Dahmen GWR 2019, 117, 119), was aufgrund bewusster Lückenhaftigkeit nicht im Wege der Rechtsfortbildung korrigiert werden kann (BeckOGK/Rieckers Rn. 24). Instruktiv zu Erscheinungsformen und praktischer Bedeutung institutioneller Investoren sowie damit verbundenen jur. Fragestellungen Brellochs ZHR 185 (2021), 319 ff.

3 Als **Vermögensverwalter** erfasst § 134a I Nr. 2 lit. a zunächst Finanzdienstleistungsinstitute mit Erlaubnis zur Erbringung der Finanzportfolioverwaltung iSd § 1 Ia 2 Nr. 3 KWG. Sie verwalten Portfolio, das Kunden dinglich zugeordnet ist (insbes. Asset Management – Hölters/Weber/Krebs Rn. 10). § 134a I Nr. 2 lit. b wurde ergänzt durch Ges. zur Umsetzung der RL (EU) 2019/2034 über die Beaufsichtigung von Wertpapierinstituten v. 12.5.2021 (BGBl. 2021 I 990), um neu eingeführte Kategorie des „Wertpapierinstituts" iSd § 2 I WpIG (vgl. dazu → § 70 Rn. 2) jedenfalls dann zu erfassen, wenn sie Erlaubnis zur Erbringung der Finanzportfolioverwaltung iSd § 2 II Nr. 9 WpIG haben. § 134a I Nr. 2 lit. c nennt als dritte Form Kapitalverwaltungsgesellschaften (§ 17 I 1 KAGB: Unternehmen, deren Geschäftsbetrieb auf Verwaltung von Investmentvermögen ausgerichtet ist) mit Erlaubnis gem. § 20 I KAGB (zu Einzelheiten Zetzsche AG 2020, 637 Rn. 21 ff.). Durch Anknüpfung an Erlaubnis sollen sämtliche in Art. 2 lit. f Aktionärsrechte-RL genannten Formen der Fondsverwaltung erfasst sein, da KAGB vom Prinzip der Einheitserlaubnis ausgeht. Erfasst sind damit Verwalter von AIF oder OGAW sowie intern verwaltete Investmentgesellschaften iSd § 1 XII KAGB (nähere Aufschlüsselung in RegBegr. BT-Drs. 19/9739, 98 sowie bei Ruppel ZGR 2022, 219, 221 ff.; ausf. zum Begriff des Vermögensverwalters nach der Aktionärsrechte-RL Schoch, Interessenkonflikte bei kollektiven Vermögensverwaltern und Stimmrechtsberatern, 2021, 99 ff.; überblicksartig zu rechtl. Vorgaben nach dem KAGB betreffend Indexfonds s. Winterhalder, Indexfonds in der Corporate Governance, 2022, S. 29 f.). Krit. zur nat. Umsetzung Ruppel ZGR 2022, 219, 224: Durch Verweis auf Erlaubnis scheine Anwendungsbereich der §§ 134a ff. in Abweichung zur Vorgabe in Art. 2 lit. f Aktionärsrechte-RL für den Fall bestehender Erlaubnispflicht bei (noch) nicht erteilter Erlaubnis nicht eröffnet. Konstellation ist aber nur von geringer praktischer Relevanz.

4 Begriff der **Stimmrechtsberater** ist bewusst rechtsformneutral gehalten („Unternehmen") und umfasst natürliche und jur. Personen. Das weicht von Art. 2 lit. g Aktionärsrechte-RL ab, dessen deutsche Fassung „juristische Person"

aber im weiteren Sinne der englischen Sprachfassung „investment firm" verstanden wird (RegBegr. BT-Drs. 19/9739, 99; krit. Tröger ZGR 2019, 126, 153 f.). Ohnehin wird Rechtsform der jur. Person in der Praxis die Regel sein (RegBegr. BT-Drs. 19/9739, 99; BeckOGK/Rieckers Rn. 29). Geschäftsmodell der Stimmrechtsberater wird dahingehend legal definiert, dass sie gewerbsmäßig und entgeltlich Offenlegungen und andere Informationen von börsennotierten Gesellschaften analysieren, um Anleger zu Zwecken der Stimmausübung durch Recherchen, Beratungen oder Stimmempfehlungen zu informieren. Das ist abzugrenzen von Stimmrechtsausübung durch KI und Intermediäre iSd § 135, da diese Leistung idR unentgeltlich als Nebendienstleistung des Depotvertrags angeboten wird (RegBegr. BT-Drs. 19/9739, 99). Abstimmungsvorschlag oder entspr. Empfehlung ist nicht erforderlich (Schoch, Interessenkonflikte bei kollektiven Vermögensverwaltern und Stimmrechtsberatern, 2021, 139).

III. Räumlicher Anwendungsbereich (§ 134a II)

§ 134a II grenzt Anwendungsbereich für vorstehende Personengruppen ein 5
und bedient sich dazu Rückverweisung auf umzusetzende Vorschriften der Art. 1 II und VI Aktionärsrechte-RL. Regelungstechnik soll Norm verschlanken und spätere Anpassungen obsolet machen (J. Schmidt NZG 2018, 1201, 1218), erweist sich aus Sicht des Gesetzesanwenders aber als wenig benutzerfreundlich (Tröger ZGR 2019, 126, 142). Danach ist für **institutionelle Anleger und Vermögensverwalter** der Herkunftsmitgliedstaat im Sinne eines anwendbaren sektorspezifischen Rechtsakts der Union maßgeblich, womit auf den **Zulassungsort** verwiesen wird (RegBegr. BT-Drs. 19/9739, 99; zu Einzelheiten vgl. J. Koch BKR 2020, 1, 3 f.; Zetzsche AG 2020, 637 Rn. 29 ff.; vgl. speziell für Versicherer auch Bürkle VersR 2021, 1, 4 m. Verweis auf bes. Zulassungspflicht für Versicherungsunternehmen aus Drittstaaten in § 67 I 1 VAG). Für davon nicht erfasste **ausländische Anbieter** bleibt damit Regelungslücke, die mit Blick auf das große Gewicht auch außereuropäischer Hedge- und Investmentfonds gravierend ist und Sinnhaftigkeit des gesamten Ansatzes in Frage stellt (S/L/Illhardt Rn. 14; Grigoleit/Splinter Rn. 25; Baums, ZHR 183 [2019], 605, 608 f.; Kleinmanns, IRZ 2016, 341, 341; J. Koch BKR 2020, 1, 3; Plagemann/Rahlmeyer NZG 2015, 895; Zetzsche AG 2020, 637 Rn. 31; vgl. auch Schoch, Interessenkonflikte bei kollektiven Vermögensverwaltern und Stimmrechtsberatern, 2021, 81: „weitreichende Umgehungsmöglichkeiten"; relativierend dagegen Ruppel ZGR 2022, 219, 230 ff.). Durch Verweis auf Art. 1 VI Aktionärsrechte-RL wird Anwendungsbereich zusätzlich auf Aktivitäten am **geregelten Markt** iSd Art. 4 MiFID II beschränkt (RegBegr. BT-Drs. 19/9739, 99), was grds. mit organisiertem Markt iSd § 2 XI WpHG identisch ist (S/L/Illhardt Rn. 28; Dahmen GWR 2019, 117, 118). Nach RegBegr. BT-Drs. 19/9739, 99 soll es dagegen nicht darauf ankommen, wo Aktieninvestitionen räumlich getätigt werden. Im Lichte europ. Vorgaben erscheint diese Festlegung jedoch zweifelhaft. Sowohl in Art. 1 I Aktionärsrechte-RL als auch in Art. 4 I iVm Art. 44 I MiFID II, auf die in Art. 2 lit. a Aktionärsrechte-RL verwiesen wird, ist klare Beschränkung auf Gesellschaften erkennbar, deren Aktien zum Handel an einem in einem Mitgliedstaat gelegenen oder dort betriebenen geregelten Markt zugelassen sind; reiner **Drittstaatenbezug genügt daher nicht** (Zetzsche AG 2020, 637 Rn. 38 ff.; zust. und vertiefend Mülbert AG 2021, 53 Rn. 14 ff.; Ruppel ZGR 2022, 219, 232 f.; krit. auch Brellochs ZHR 185 [2021], 319, 333; rechtspolit. Zweifel auch schon bei Tröger ZGR 2019, 126, 141 f.; aA auch weiterhin BeckOGK/Rieckers Rn. 34; Bürkle VersR 2021, 1, 4 unter Verweis auf insofern allerdings wenig aussagekräftigen Art. 1 VI lit. a Aktionärsrechte-RL). Umstr. ist außerdem, ob Portfolio-Gesellschaft Sitz in Mitgliedstaat des EWR haben muss

(dagegen RegBegr. BT-Drs. 19/9739, 99; in der Tendenz für Sitzerfordernis unter Verweis auf europ. Vorgaben Ruppel ZGR 2022, 219, 233 f.; ebenso Mülbert AG 2021, 53 Rn. 14 ff., 21; offener Zetzsche AG 2020, 637 Rn. 39 f.). Sollten institutionelle Anleger und Vermögensverwalter zugleich den Umsetzungsvorschriften anderer Mitgliedstaaten unterliegen, ist durch deren Erfüllung auch deutschen Anforderungen genügt, da von Gleichwertigkeit der Umsetzungsbestrebungen auszugehen ist (RegBegr. BT-Drs. 19/9739, 100).

6 Auch für **Stimmrechtsberater** wird auf mehrere Bezugspunkte der Aktionärsrechte-RL zurückverwiesen. Aus Verweis auf Art. 1 VI lit. c Aktionärsrechte-RL folgt zunächst, dass nur Stimmrechtsberater erfasst werden, die Leistungen im Hinblick auf Aktien von Gesellschaften mit Satzungssitz und Börsennotierung in EU/EWR-Mitgliedstaat haben (RegBegr. BT-Drs. 19/9739, 100). Darüber hinaus folgt aus Verweis auf Art. 3j IV Aktionärsrechte-RL Erfordernis **örtlicher Anknüpfung** in dem Sinne, dass Stimmrechtsberater wahlweise Sitz, Hauptverwaltung oder Niederlassung in einem EU- oder EWR-Mitgliedstaat haben müssen (RegBegr. BT-Drs. 19/9739, 100). Zwischen diesen Anknüpfungspunkten wird durch Art. 1 II UAbs. 2 lit. b Aktionärsrechte-RL **Hierarchie** in genannter Reihenfolge angeordnet, die vermeiden soll, dass auf denselben Stimmrechtsberater mehrere unterschiedliche Rechtsordnungen anzuwenden sind (RegBegr. BT-Drs. 19/9739, 100). Stimmrechtsberater ohne solchen Anknüpfungspunkt in EU/EWR wird von Regelung nicht erfasst, was bei derzeitiger Marktstruktur unproblematisch ist, künftig aber durchaus Raum für Regulierungsvermeidung eröffnen könnte (Schockenhoff/Nußbaum ZGR 2019, 163, 177, 189).

Mitwirkungspolitik, Mitwirkungsbericht, Abstimmungsverhalten

134b (1) **Institutionelle Anleger und Vermögensverwalter haben eine Politik, in der sie ihre Mitwirkung in den Portfoliogesellschaften beschreiben (Mitwirkungspolitik), und in der insbesondere folgende Punkte behandelt werden, zu veröffentlichen:**

1. **die Ausübung von Aktionärsrechten, insbesondere im Rahmen ihrer Anlagestrategie,**
2. **die Überwachung wichtiger Angelegenheiten der Portfoliogesellschaften,**
3. **der Meinungsaustauch[1] mit den Gesellschaftsorganen und den Interessenträgern der Gesellschaft,**
4. **die Zusammenarbeit mit anderen Aktionären sowie**
5. **der Umgang mit Interessenkonflikten.**

(2) [1] **Institutionelle Anleger und Vermögensverwalter haben jährlich über die Umsetzung der Mitwirkungspolitik zu berichten.** [2] **Der Bericht enthält Erläuterungen allgemeiner Art zum Abstimmungsverhalten, zu den wichtigsten Abstimmungen und zum Einsatz von Stimmrechtsberatern.**

(3) **Institutionelle Anleger und Vermögensverwalter haben ihr Abstimmungsverhalten zu veröffentlichen, es sei denn, die Stimmabgabe war wegen des Gegenstands der Abstimmung oder des Umfangs der Beteiligung unbedeutend.**

(4) **Erfüllen institutionelle Anleger und Vermögensverwalter eine oder mehrere der Vorgaben der Absätze 1 bis 3 nicht oder nicht vollständig, haben sie zu erklären, warum sie dies nicht tun.**

---

[1] Richtig wohl: „Meinungsaustausch".

(5) [1] **Die Informationen nach den Absätzen 1 bis 4 sind für mindestens drei Jahre auf der Internetseite der institutionellen Anleger und der Vermögensverwalter öffentlich zugänglich zu machen und mindestens jährlich zu aktualisieren.** [2] **Davon abweichend können institutionelle Anleger auf die Internetseite der Vermögensverwalter oder andere kostenfrei und öffentlich zugängliche Internetseiten verweisen, wenn dort die Informationen nach den Absätzen 1 bis 4 verfügbar sind.**

I. Regelungsgegenstand und -zweck

§ 134b wurde eingeführt durch ARUG II 2019 und unterwirft in Umsetzung des Art. 3g Aktionärsrechte-RL institutionelle Anleger und Vermögensverwalter iSd § 134a I der Verpflichtung, Mitwirkungspolitik aufzustellen und zu veröffentlichen (zum zugrunde liegenden „Stewardship-Ansatz" vgl. Brellochs ZHR 185 [2021], 319, 351 ff.; Tröger ZGR 2019, 126, 136 ff.). Als Mitteilungspflicht des Aktionärs tritt Vorschrift neben Beteiligungspublizität nach §§ 33 ff. WpHG und § 43 WpHG, der ebenfalls Mitteilungspflicht über Zielvorstellungen anordnet, Verletzung dieser Pflicht aber nur geringfügig sanktioniert (Dahmen GWR 2019, 117 f.). **Rechtspolitische Kritik** richtet sich weniger gegen nat. Umsetzung, sondern gegen allg. legislative Überzeugung, unternehmerischen Missständen durch immer weitere Bekenntnisse zu Engagement und Wohlverhalten entgegenwirken zu können, deren Überzeugungskraft nicht gesteigert wird, wenn sie ges. vorgeschrieben werden (krit. auch Tröger ZGR 2019, 126, 147: „vor allem ein Betätigungsfeld für die Marketing Abteilung"; sa Baums ZHR 183 [2019], 605 ff.; Gröntgen, Operativer Shareholder Activism, 2020, 177 ff.; J. Koch BKR 2020, 1, 8; Velte AG 2019, 893, 898; positive Würdigung dagegen bei Bürkle VersR 2021, 1, 6). 1

II. Mitwirkungspolitik und -bericht (§ 134b I)

In § 134b I legaldefinierte **Mitwirkungspolitik** (Engagement Policy) bezieht sich nicht auf endbegünstigte Anleger, sondern auf institutionelle Anleger und Vermögensverwalter. Anleger sind vielmehr Adressaten der Veröffentlichung und sollen kontrollieren können, ob Mitwirkung ihren Interessen entspricht (RegBegr. BT-Drs. 19/9739, 101). Als Mitwirkung in diesem Sinne sind allein direkte Investments, keine indirekten, erfasst (Brellochs ZHR 185 [2021], 319, 337). Veröffentlichte Mitwirkungspolitik soll aber nur generelle Aussagen über Engagement in Portfoliogesellschaften enthalten; **detaillierte Beschreibung ist nicht erforderlich** (Bürkle VersR 2021, 1, 5). Von den enumerativ und nicht abschließend („insbesondere" – sa RegBegr. BT-Drs. 19/9739, 101) genannten Gegenständen der Mitwirkungspolitik ist als Ausübung von Aktionärsrechten iSd **Nr. 1** namentl. Abstimmungsverhalten erfasst, insbes. in Gestalt von Abstimmungsleitlinien (BeckOGK/Rieckers Rn. 10; Ruppel ZGR 2022, 219, 237). Einfügung in Anlagestrategie setzt voraus, dass auch diese knapp skizziert wird (BeckOGK/Rieckers Rn. 11). Wichtige Angelegenheiten, die iSd **Nr. 2** der Überwachung unterliegen, werden in Art. 3g I lit. a Aktionärsrechte-RL beispielhaft hervorgehoben: Strategie, finanzielle und nicht finanzielle Leistung und Risiko, Kapitalstruktur, soziale und ökologische Auswirkungen und Corporate Governance (ESG: Environmental, Social and Governance; ausf. dazu → § 76 Rn. 63 ff.). Als Überwachungsinstrumente kommen allerdings in erster Linie nur Auswertung öffentl. zugänglicher Informationen (zB Jahresabschluss, Quartalsberichte, Ad-hoc-Mitteilungen) in Betracht sowie ggfs. von Nr. 3 erfasster Meinungsaustausch (S/L/Illhardt Rn. 6; Paschos/Goslar AG 2018, 857, 871). Weitere Informationsquellen institutioneller Anleger können Vermögensverwalter und 2

Stimmrechtsberater sein (Bürkle VersR 2021, 1, 6). Unter **Nr. 3** fällt Investorendialog mit Vorstand (→ § 53a Rn. 7) und – sofern in engen Grenzen zulässig (→ § 111 Rn. 54 ff.) – auch mit AR (vgl. dazu J. Koch BKR 2020, 1, 4). Mit „Interessenträger" werden neben Aktionären sämtliche sonstigen Stakeholder umschrieben. RegBegr. BT-Drs. 19/9739, 101 nennt: Organe, Beschäftigte, Kunden und Lieferanten. Ausdehnung auch auf Kreditgeber liegt – obwohl nicht genannt – nahe (BeckOGK/Rieckers Rn. 15; S/L/Illhardt Rn. 8; J. Koch BKR 2020, 1, 4 f.; Schockenhoff/Nußbaum ZGR 2019, 163, 180; Zetzsche AG 2020, 637 Rn. 62). Als Zusammenarbeit mit anderen Aktionären iSd **Nr. 4** ist insbes. „acting in concert" erfasst (→ § 134d Rn. 2), doch genügen auch weniger weitreichende Kooperationsformen, wie etwa Meinungsaustausch im Vorfeld von Strukturmaßnahmen, öffentl. Übernahmen und wesentlichen M&A-Transaktionen (vgl. BeckOGK/Rieckers Rn. 16; Brellochs ZHR 185 [2021], 319, 340), einschließlich Koordination in Gestalt von Interessenverbänden (Zetzsche AG 2020, 637 Rn. 63). Sowohl Wortlaut („Zusammenarbeit") als auch Teleologie legen es nahe, nicht jeden informellen Austausch genügen zu lassen, sondern gewisses Gewicht zu verlangen (BeckOGK/Rieckers Rn. 16; Brellochs ZHR 185 [2021], 319, 340; aA Grigoleit/Splinter Rn. 12). Unter Interessenkonflikte nach **Nr. 5** fallen nicht nur tatsächliche, sondern auch potenzielle (S/L/Illhardt Rn. 12; J. Koch BKR 2020, 1, 5; Brellochs ZHR 185 [2021], 319, 340; Zetzsche AG 2020, 637 Rn. 64; Ruppel ZGR 2022, 219, 238; Winterhalder, Indexfonds in der Corporate Governance, 2022, 234). In erster Linie können sie sich aus Geschäftsbeziehungen zu Portfoliogesellschaft oder personellen Verflechtungen ergeben (BeckOGK/Rieckers Rn. 18; Zetzsche AG 2020, 637 Rn. 64; Ruppel ZGR 2022, 219, 238 f.). Potenzieller Interessenkonflikt und somit Veröffentlichungspflicht nach § 134b I Nr. 5, II bestehen auch dann, wenn Kapitalverwaltungsgesellschaft über verschiedene Fonds mit unterschiedlichen Anlagestrategien Anteile an Portfoliogesellschaft hält und Stimmrechte aus diesen Fonds einheitlich ausgeübt werden (Winterhalder, Indexfonds in der Corporate Governance, 2022, 263 f.). Common Ownership genügt dagegen nicht, da sich Gesetzgeber bewusst gegen Erfassung horizontaler Verflechtungen entschieden hat (BeckOGK/Rieckers Rn. 19 unter Verweis auf RAusschuss BT-Drs. 19/15153, 52; aA Grigoleit/Splinter Rn. 13; ausf. zu Risiken des common ownership für den Wettbewerb Winterhalder, Indexfonds in der Corporate Governance, 202 ff., der aktien- und kartellrechtl. Grenzen [zur Zeit] aber für ausreichend hält).

III. Umsetzung der Mitwirkungspolitik (§ 134b II und III)

3 Nach **§ 134b II** ist jährlich über Umsetzung der Mitwirkungspolitik zu berichten. In Abgrenzung von § 134b I geht es hier also nicht um abstrakt-zukunftsgerichtete Absichtserklärung, sondern um konkret-vergangenheitsbezogenen Tätigkeitsbericht (Grigoleit/Splinter Rn. 14). **Abstimmungsverhalten** wird in § 134b II und III gleich doppelt betont, was augenscheinlich dahingehend zu verstehen ist, dass nach § 134b II generelle Wertmaßstäbe für Abstimmungsverhalten bzgl. des Bündels an Portfoliogesellschaften zu nennen sind (Zetzsche AG 2020, 637 Rn. 69: „Vogelperspektive"), nach § 134b III konkretes Stimmverhalten in einzelnen Gesellschaften (vgl. J. Koch BKR 2020, 1, 5; zust. BeckOGK/Rieckers Rn. 15; S/L/Illhardt Rn. 14; Grigoleit/Splinter Rn. 16; Brellochs ZHR 185 [2021], 319, 342 f.; Ruppel ZGR 2022, 219, 240). Unklar ist auch dann aber noch Verhältnis zu weiterer Tatbestandsalternative der **wichtigsten Abstimmungen,** was iSd Abstimmungsverhaltens bei zentralen (Einschätzungsprärogative des Berichtspflichtigen – BeckOGK/Rieckers Rn. 26) Einzelbeschlüssen zu verstehen sein wird, ohne dass konkretes Stimmverhalten in sämtlichen Abstimmungen aufgeschlüsselt werden müsste (Brellochs ZHR 185

[2021], 319, 343; ausf. Zetzsche AG 2020, 637 Rn. 71). **Einsatz von Stimmrechtsberatern** bezieht sich darauf, ob sie eingesetzt werden, inwieweit ihren Empfehlungen gefolgt wird und ob zuvor eigenständige Evaluation stattgefunden hat (BeckOGK/Rieckers Rn. 27). **§ 134b III** verpflichtet institutionelle Anleger und Vermögensverwalter zur Offenlegung konkreten Abstimmungsverhaltens (tabellarische Darstellung genügt – vgl. Brellochs ZHR 185 [2021], 319, 344).Pflicht trifft aber nur denjenigen, der tats. abgestimmt hat, was bei institutionellen Anlegern seltener der Fall sein wird (Zetzsche AG 2020, 637 Rn. 74 f.). § 134b III macht Ausn. von Veröffentlichung des Abstimmungsverhaltens, wenn die Stimmabgabe wegen des Gegenstands der Abstimmung oder des Umfangs der Beteiligung **unbedeutend** war. Erste Ausnahme gilt insbes. für rein verfahrensrechtliche Angelegenheiten (RegBegr. BT-Drs. 19/9739, 101; krit. S/L/Illhardt Rn. 15; Brellochs ZHR 185 [2021], 319, 344; Tröger ZGR 2019, 126, 144: nicht zwingende Deutung), wenngleich auch hier Ausn. (zB Vertagungsanträge) möglich sind (Zetzsche AG 2020, 637 Rn. 78 mw Bsp.). Unbestimmtheit der Tatbestandsvoraussetzung spricht für eher weite Auslegung (sa Ruppel ZGR 2022, 219, 241). Zweite Ausn. wird wahlweise an Verhältnis zum Gesamtportfoliowert oder an Verhältnis zur Zahl der Gesamtstimmen gemessen werden können (BeckOGK/Rieckers Rn. 31; Zetzsche AG 2020, 637 Rn. 79; ausf. zu verschiedenen Bewertungsmethoden Ruppel ZGR 2022, 219, 241 f.). IÜ wird zu beiden Punkten nähere Beurteilung iS eines Beurteilungsspielraums den Berichtspflichtigen selbst überlassen (RegBegr. BT-Drs. 19/9739, 101 f.; sa Brellochs ZHR 185 [2021], 319, 344). **Jährlicher Bericht** bedeutet, dass spätestens innerhalb von zwölf Monaten zu veröffentlichen ist (J. Koch BKR 2020, 1, 5; Paschos/Goslar AG 2018, 857, 872). Tendenziell etwas großzügigere Handhabung (dafür BeckOGK/Rieckers Rn. 23; S/L/Illhard Rn. 13; Zetzsche AG 2020, 637 Rn. 66: „im selben Monat") ist im Ges. nicht eindeutig gestattet, in der Sache aber trotzdem sinnvoll und sollte deshalb nicht beanstandet werden.

IV. Comply-or-explain (§ 134b IV)

Nach § 134b IV sind (in Umsetzung von Art. 3g I Aktionärsrechte-RL) vorstehende Vorgaben nach § 134b I–III **kein zwingendes Recht,** sondern lediglich Gegenstand eines comply-or-explain-Mechanismus nach dem Vorbild des § 161 I (→ § 161 Rn. 18). Sofern Berichtspflichtige eine oder mehrere Vorgaben nicht oder nicht vollständig erfüllen, müssen sie (klar und verständlich) erklären, warum sie dies nicht tun. **Detailgrad** kann variieren, um zB Betriebsgeheimnisse zu schützen oder Vertraulichkeitsvereinbarung einzuhalten (RegBegr. BT-Drs. 19/9739, 102). Weitere Differenzierungen können danach vorgenommen werden, wie bedeutsam Informationen für die Interessen der Endbegünstigten sind. Bei **gesteigerter Relevanz** sind höhere Anforderungen an Begründung der Abweichung von Veröffentlichungspflicht zu stellen (vertiefend für Lebensversicherungsunternehmen Bürkle VersR 2021, 1, 7, der insbes. Aktienanteil der Kapitalanlage sowie Beteiligungsquote an jew. Unternehmen als relevante Kriterien benennt). Regelung soll es insbes. solchen institutionellen Anlegern, die nur indirekt über Vermögensverwalter beteiligt sind, ermöglichen, von Veröffentlichung einer Mitwirkungspolitik absehen zu können (RegBegr. BT-Drs. 19/9739, 102). 4

V. Einzelheiten der Veröffentlichung (§ 134b V)

Art. 134b V 1 regelt Veröffentlichung in dem Sinne, dass Angaben nach § 134b I–IV für mindestens drei Jahre auf Internetseite öffentl. zugänglich zu machen und mindestens jährlich (→ Rn. 3) zu aktualisieren sind. Nach Wortlaut 5

(„mindestens jährlich") kann sich iRd § 134b IV Pflicht zur unterjährigen Aktualisierung entspr. den zu DCGK entwickelten Grundsätzen ergeben (→ § 161 Rn. 20; anders bei § 134d III → § 134d Rn. 5). Nach § 134b V 2 ist Verweis auf andere Internetseiten zulässig, sofern diese öffentl. zugänglich sind, was auch Kostenfreiheit implizieren soll (RegBegr. BT-Drs. 19/9739, 102). Dabei ist insbes. an Konstellation gedacht, in der institutioneller Anleger nur indirekt über Vermögensverwalter beteiligt ist und auf dessen Internetseite verweisen kann (RegBegr. BT-Drs. 19/9739, 102). Erfordernis kostenfreien Zugangs muss – obwohl nicht ausdr. genannt – auch für § 134b V 1 gelten (S/L/Illhardt Rn. 22; vertiefend – speziell zu Lebensversicherungsunternehmen – auch Bürkle VersR 2021, 1, 7).

VI. Rechtsfolgen bei Verstößen

6 Verstöße gegen § 134b V 1 sind nach § 405 IIa Nr. 8 **bußgeldbewehrt.** Zuständige Verwaltungsbehörde ist nach § 405 V Nr. 2 BfJ; kapitalmarktrechtl. Verortung hätte hier möglicherweise effektivere Durchsetzung gewährleistet (→ § 134a Rn. 1). Bußgeldhöhe ist mit 25.000 Euro (§ 405 IV) eher moderat gefasst (Dahmen GWR 2019, 117, 118). Frage nach zivilrechtl. Haftung ggü. Endbegünstigten dürfte wegen schwierigen Kausalitätsnachweises eher theoretischer Natur sein (zu möglichen Ansätzen BeckOGK/Rieckers Rn. 42).

Offenlegungspflichten von institutionellen Anlegern und Vermögensverwaltern

134c (1) **Institutionelle Anleger haben offenzulegen, inwieweit die Hauptelemente ihrer Anlagestrategie dem Profil und der Laufzeit ihrer Verbindlichkeiten entsprechen und wie sie zur mittel- bis langfristigen Wertentwicklung ihrer Vermögenswerte beitragen.**

(2) **[1] Handelt ein Vermögensverwalter für einen institutionellen Anleger, hat der institutionelle Anleger solche Angaben über die Vereinbarungen mit dem Vermögensverwalter offenzulegen, die erläutern, wie der Vermögensverwalter seine Anlagestrategie und Anlageentscheidungen auf das Profil und die Laufzeit der Verbindlichkeiten des institutionellen Anlegers abstimmt. [2] Die Offenlegung umfasst insbesondere Angaben**

1. zur Berücksichtigung der mittel- bis langfristigen Entwicklung der Gesellschaft bei der Anlageentscheidung,
2. zur Mitwirkung in der Gesellschaft, insbesondere durch Ausübung der Aktionärsrechte, einschließlich der Wertpapierleihe,
3. zu Methode, Leistungsbewertung und Vergütung des Vermögensverwalters,
4. zur Überwachung des vereinbarten Portfolioumsatzes und der angestrebten Portfolioumsatzkosten durch den institutionellen Anleger,
5. zur Laufzeit der Vereinbarung mit dem Vermögensverwalter.

[3] Wurde zu einzelnen Angaben keine Vereinbarung getroffen, hat der institutionelle Anleger zu erklären, warum dies nicht geschehen ist.

(3) **[1] Institutionelle Anleger haben die Informationen nach den Absätzen 1 und 2 im Bundesanzeiger oder auf ihrer Internetseite für einen Zeitraum von mindestens drei Jahren öffentlich zugänglich zu machen und mindestens jährlich zu aktualisieren. [2] Die Veröffentlichung kann auch durch den Vermögensverwalter auf dessen Internetseite oder auf**

einer anderen kostenfrei und öffentlich zugänglichen Internetseite erfolgen; in diesem Fall genügt die Angabe der Internetseite, auf der die Informationen zu finden sind.

(4) [1] **Vermögensverwalter, die eine Vereinbarung nach Absatz 2 geschlossen haben, haben den institutionellen Anlegern jährlich zu berichten, wie ihre Anlagestrategie und deren Umsetzung mit dieser Vereinbarung im Einklang stehen und zur mittel- bis langfristigen Wertentwicklung der Vermögenswerte beitragen.** [2] **Statt des Berichts an den institutionellen Anleger kann auch eine Veröffentlichung des Berichts entsprechend Absatz 3 Satz 2 erfolgen.** [3] **Der Bericht enthält Angaben**

1. **über die wesentlichen mittel- bis langfristigen Risiken,**
2. **über die Zusammensetzung des Portfolios, die Portfolioumsätze und die Portfolioumsatzkosten,**
3. **zur Berücksichtigung der mittel- bis langfristigen Entwicklung der Gesellschaft bei der Anlageentscheidung,**
4. **zum Einsatz von Stimmrechtsberatern,**
5. **zur Handhabung der Wertpapierleihe und zum Umgang mit Interessenkonflikten im Rahmen der Mitwirkung in den Gesellschaften, insbesondere durch Ausübung von Aktionärsrechten.**

I. Regelungsgegenstand und -zweck

§ 134c wurde eingeführt durch ARUG II 2019 und enthält in Umsetzung von Art. 3h und 3i Aktionärsrechte-RL Offenlegungspflichten von institutionellen Anlegern und Vermögensverwaltern hinsichtlich ihrer **Anlagestrategie.** Europ. Gesetzgeber geht hier über Stewardship-Ansatz (→ § 134b Rn. 1) hinaus, weil nicht nur Ausübung von mitgliedschaftlichen Verwaltungsrechten kommuniziert werden soll, sondern allg. Geschäftsstrategie institutioneller Anleger und Vermögensverwalter (Tröger ZGR 2019, 126, 144 f.). Zur rechtspolit. Kritik → § 134b Rn. 1. 1

II. Offenlegungspflicht (§ 134c I)

§ 134c I enthält grds. Offenlegungspflicht, die aber nur **institutionelle Anleger** iSd § 134a I Nr. 1 betrifft und sich darauf beziehen soll, inwieweit Hauptelemente ihrer Anlagestrategie dem Profil und der Laufzeit ihrer Verbindlichkeiten entspr. und wie sie zur mittel- bis langfristigen Wertentwicklung ihrer Vermögenswerte beitragen. Information soll insbes. **Endbegünstigten** (→ § 134a Rn. 1) dienen. Diese sollen durch Offenlegung Möglichkeit erhalten, Anlageverhalten der institutionellen Anleger und Wertentwicklung der Vermögensanlagen zu beurteilen (RegBegr. BT-Drs. 19/9739, 33). Offenlegungspflicht soll überdies Entwicklung längerfristiger Anlagestrategien fördern (RegBegr. BT-Drs. 19/9739, 103). Genaue Darstellung ist in **Ermessen** des Offenlegungsverpflichteten gestellt, der zB zwischen Darstellung seiner Aktien- oder Gesamtportfolioanlagestrategie wählen kann (RegBegr. BT-Drs. 19/9739, 103). Gleichgültig ist, ob institutioneller Anleger selbst investiert oder nur indirekt über Vermögensverwalter (RegBegr. BT-Drs. 19/9739, 103). Allerdings wird in Fällen ausschließlich indirekter Investition Pflicht zur Offenlegung, inwieweit Hauptelemente der Anlagestrategie dem Profil und der Laufzeit ihrer Verbindlichkeiten entspr., idR bereits durch Offenlegung nach § 134c II (→ Rn. 3 ff.) erfüllt sein (RegBegr. BT-Drs. 19/9739, 103). 2

Im Schrifttum ist vorgeschlagen worden, dass **Offenlegungspflicht entfällt,** wenn Anlagestrategie für Endbegünstigten keine Rolle spielt, etwa wenn bei 2a

Investitionen in fondsgebundene Lebensversicherung Endbegünstigter eigene Anlagestrategie verfolgt oder Anlage nach Vereinbarung mit Endbegünstigtem von dynamischem Referenzwert abhängt, der von Berichtspflichtigem nicht beeinflusst werden kann, zB Aktienindex (Bürkle VersR 2021, 1, 8 f.). Gedanke könnte auch auf andere institutionelle Anleger übertragbar sein, wenn Veröffentlichung tats. keinen Mehrwert schafft, weil eigenständige Anlagestrategie des institutionellen Anlegers nicht besteht oder aber vertraglich fixiert wurde und daher nicht verändert werden kann. Mit Blick auf Informationsinteresse künftiger Endbegünstigter könnte Informationszweck aber auch weiterhin erreicht werden. Vor diesem Hintergrund und angesichts klaren Richtlinien- und Gesetzeswortlauts ist Praxis von solcher Beschränkung deshalb bis auf Weiteres abzuraten. Zu parallel bestehenden Publizitätspflichten von Lebensversicherungsunternehmen nach VAG und Solva-II-VO Bürkle VersR 2021, 1, 8.

III. Einschaltung von Vermögensverwaltern (§ 134c II)

3 § 134c II unterwirft institutionelle Anleger, die – ggf. neben eigenen Aktivitäten – **Vermögensverwalter einsetzen,** zusätzlichen Offenlegungspflichten. Anleger hat in diesem Fall nach § 134c II 1 Angaben über Vereinbarungen mit Verwalter offenzulegen, die erläutern, wie dieser Anlagestrategie und -entscheidungen auf Profil und Laufzeit der Verbindlichkeiten des institutionellen Anlegers abstimmt. Dadurch wird Informationslage geschaffen, die der nach § 134c I entspr. (Bürkle VersR 2021, 1, 9). Vorgabe darf nicht in zu engem jur.-technischem Sinne verstanden werden, sondern geht sowohl mit Terminus des „Handelns für" als auch mit dem der „Vereinbarung" über nat. Regeln zur Stellvertretung und über Vertragsverhältnisse hinaus. Stattdessen wird im ersten Fall jede Form fremdnütziger Tätigkeit, im zweiten Fall auch jede Vereinbarung ohne Vertragscharakter erfasst, die für Anlagestrategie bedeutsam sein kann (BeckOGK/Rieckers Rn. 19; Zetzsche AG 2020, 637 Rn. 97, 100 ff.; Ruppel ZGR 2022, 219, 245, 249 f.). Offenlegungspflicht beschränkt sich auf Hauptelemente der Vereinbarung (Ruppel ZGR 2022, 219, 250 unter Verweis auf § 134c I und ErwGr 19 Aktionärsrechte-RL). Erfasst werden **sämtliche Formen individueller und kollektiver Vermögensverwaltung** (vgl. RegBegr. BT-Drs. 19/9739, 103; BeckOGK AktG/Rieckers Rn. 16; MüKoAktG/M. Arnold Rn. 5; Ruppel ZGR 2022, 219, 245). Wird Investmentgesellschaft zwischengeschaltet und existiert deshalb kein Investmentvertrag, sondern Anlagebedingungen, Gesellschaftsvertrag oder Satzung, erstreckt sich Transparenzpflicht darauf (Ruppel ZGR 2022, 219, 254 f.). Bei gestuftem Investment ist Transparenzpflicht auf Vereinbarung mit Vermögensverwalter beschränkt, der unmittelbar vertragl. mit institutionellem Anleger verbunden ist (RegBegr. BT-Drs. 19/9739, 103; BeckOGK/Rieckers Rn. 18; vertiefend Ruppel ZGR 2022, 219, 253 f.). **Spannungsfeld zwischen aktienrechtl. Tranzparenzpflicht und Investmentrecht** entsteht, wenn institutioneller Anleger über Verwaltungsgesellschaft iSd Investmentrechts in Fonds investiert, weil Transparenzpflicht des § 134c II individuelle Abstimmung intendiert, während nach Investmenrecht individuelle Anlegerrechte nicht berücksichtigt werden dürfen, sondern kollektive Anlagestrategie verfolgt werden soll (vgl. § 26 III KAGB, § 2 II KAVerOV; ausf. Ruppel ZGR 2022, 219, 245 ff., 251 f.). Nach Art. 1 VII Aktionärsrechte-RL ist sektorspezifisches Recht im Kollisionsfall vorrangig, was von § 134c II intendierte Abstimmung der Strategien erschwert (Ruppel ZGR 2022, 219, 247 f.; zum Vorrangverhältnis vgl. auch ErwGr 54 Aktionärsrechte-RL). Reduktion des § 134c II auf Mehrheitsbeteiligung (dafür Zetzsche AG 2020, 637, 648 f.) bleibt dennoch bedenklich (zutr. dagegen Ruppel ZGR 2022, 219, 249 und Fn 159 sowie 251 f.: Auflösung über comply-or-explain-Regel).

§ 134c II 1 wird durch (weitgehend selbsterklärende) **Regelvorgaben in § 134c II 2** konkretisiert, zu denen RegBegr. BT-Drs. 19/9739, 103f. punktuelle Einzelerläuterungen ergänzt. So wird zur Entwicklung iSd **Nr. 1** klargestellt, dass gleichermaßen finanzielle und nicht finanzielle (insbes. ESG-Faktoren – ausf. dazu → § 76 Rn. 63ff.) zu berücksichtigen sind; das Gleiche gilt für Reputationsschäden (RegBegr. BT-Drs. 19/9739, 103). Zur Mitwirkung iSd **Nr. 2** wird klargestellt, dass auch Aktivitäten in der Wertpapierleihe umfasst sind (RegBegr. BT-Drs. 19/9739, 103). Vorgaben zur Vergütung des Vermögensverwalters in **Nr. 3** werden dahingehend konkretisiert, dass insbes. Anreizstruktur sichtbar gemacht werden soll, wofür es ausreichen kann, abstrakte Angaben zu machen, ohne Vergütungshöhe erkennen zu lassen (RegBegr. BT-Drs. 19/9739, 104). IÜ ist hier in erster Linie Anlagestrategie zu skizzieren, insbes. Ausgestaltung als aktives Management (dann mitsamt Kriterien für Auswahl) oder passives Management (dann mitsamt Angabe des nachgebildeten Index; BeckOGK/Rieckers Rn. 24f.; Grigoleit/Splinter Rn. 10). Begriff der Portfolioumsatzkosten in **Nr. 4** entspr. weitgehend Begriff der Transaktionskosten iSd § 165 III Nr. 6 KAGB (zB Bid/Ask-Spread), soll aber darüber hinausgehen und sämtliche bezifferbaren nachteiligen Folgen umfassen (RegBegr. BT-Drs. 19/9739, 104). § 134c II 2 setzt Art. 3h II 1 lit. a – e Aktionärsrechte-RL unter Verwendung sprachlicher Vereinfachungen um, ohne dass inhaltliche Abweichung beabsichtigt ist (RegBegr. BT-Drs. 19/9739, 103). Im Einzelfall kann daher Abgleich mit Art. 3h II Aktionärsrechte-RL angebracht sein (vgl. speziell zu Art. 3h II 1 lit. b Bürkle VersR 2021, 1, 9). Nähere Fallgruppenbildung soll Wissenschaft und Rspr. überlassen werden (RegBegr. BT-Drs. 19/9739, 104; ausf. Zetzsche AG 2020, 637 Rn. 138ff.). 4

§ 134c II 3 regelt Fall, dass zu einzelnen Angaben keine Vereinbarungen getroffen wurden, und unterwirft institutionellen Anleger insofern einer Begründungspflicht, was implizit zum Ausdruck bringt, dass Vorgaben des § 134c II 1–2 nicht zwingend sind. Vielmehr gilt auch (→ § 134b Rn. 4) hier **comply- or-explain-Mechanismus** (J. Koch BKR 2020, 1, 5f.; zust. S/L/Illhardt Rn. 15). Wie in § 134b IV (→ § 134b Rn. 4) wird es dabei zugelassen, dass Detailgrad variiert, um etwa Betriebsgeheimnisse zu schützen oder Vertraulichkeitsvereinbarungen einzuhalten (RegBegr. BT-Drs. 19/9739, 104). 5

IV. Art der Offenlegung (§ 134c III)

Informationen nach § 134c I, II sind im BAnz. oder auf Internetseite des Anlegers für mindestens drei Jahre **öffentl. zugänglich** zu machen und mindestens jährlich (→ § 134b Rn. 3) zu aktualisieren. Obwohl in § 134c III 1 nicht ausdr. erwähnt, müssen Informationen nach Art. 3h III UAbs. 1 1 Aktionärsrechte-RL **kostenfrei** zugänglich sein (BeckOGK/Rieckers Rn. 33). Nach Wortlaut („mindestens jährlich") kann sich iRd § 134c III Pflicht zur unterjährigen Aktualisierung bei wesentlichen Veränderungen entspr. den zu DCGK entwickelten Grundsätzen ergeben (→ § 161 Rn. 20; RegBegr. BT-Drs. 19/9739, 104; anders bei § 134d III → § 134d Rn. 5). Wesentlichkeit ist aus Sicht eines durchschnittlichen Adressaten der Informationen zu beurteilen, wobei gesamtes Aktienportfolio des institutionellen Anlegers Anknüpfungspunkt für Beurteilung darstellt (Bürkle VersR 2021, 1, 9). Mit Verweis auf BAnz. soll institutionellen Anlegern, die handelsrechtl. Offenlegungspflichten unterliegen, Möglichkeit eingeräumt werden, Angaben in Jahresabschluss aufzunehmen (RegBegr. BT-Drs. 19/9739, 104). Verweis auf andere kostenfreie und öffentl. zugängliche Internetseite (namentl. des Verwalters) genügt. Versicherungsunternehmen sollen Bericht nach § 40 II Nr. 1 VAG in Solvabilitäts- und Finanzbericht sowie Solvabilitätsübersicht nach §§ 74ff. VAG (Brellochs ZHR 185 [2021], 319, 348) 6 aufnehmen, Kapitalanlagegesellschaften gem. § 101 II Nr. 5 KAGB in Jahresbericht (RegBegr. BT-Drs. 19/9739, 104).

V. Berichtspflicht der Vermögensverwalter (§ 134c IV)

7 Im Fall des § 134c II (→ Rn. 3 ff.) müssen Verwalter nach § 134c IV 1 (in Umsetzung des Art. 3h III Aktionärsrechte-RL; zu den Transparenzregeln für Stimmrechtsberater nach der Aktionärsrechte-RL vertiefend Schoch, Interessenkonflikte bei kollektiven Vermögensverwaltern und Stimmrechtsberatern, 2021, 342 ff.) den institutionellen Anlegern jährlich berichten, wie ihre Anlagestrategie und deren Umsetzung mit Vereinbarungen im Einklang stehen und zur mittel- bis langfristigen Wertentwicklung beitragen. Das sollte dem institutionellen Anleger grds. schon aus zugrunde liegender Vereinbarung bekannt sein, doch hält Gesetzgeber mit Blick auf kleinere und weniger erfahrenere institutionelle Anleger solche Klarstellung für sinnvoll (RegBegr. BT-Drs. 19/9739, 105). Mit Berichtspflicht geht entspr. Prüfungspflicht des institutionellen Anlegers einher (vgl. Bürkle VersR 2021, 1, 9). Bilaterale Mitteilung kann auch hier gem. § 134c IV 2 durch (kosten-)frei zugängliche **Veröffentlichung auf Internetseite** entspr. § 134c III 2 (→ Rn. 6) ersetzt werden. Institutionellem Anleger muss dann nur Verweis auf diese Internetseite gegeben werden (RegBegr. BT-Drs. 19/9739, 105). Berichtsinhalt wird durch § 134c IV 3 konkretisiert, der Art. 3i I Aktionärsrechte-RL umsetzt (RegBegr. BT-Drs. 19/9739, 105) und abschließende Aufzählung enthält (Bürkle VersR 2021, 1, 10). Einschränkung ergibt sich daraus, dass Bericht nur sinnvoll ist, wenn zu best. Angaben auch Vereinbarung getroffen wurde (Ruppel ZGR 2022, 219, 257). Neben mittel- und langfristigen Risiken (Nr. 1) wird in Nr. 2 Begriff der Portfolioumsatzkosten aufgegriffen (→ Rn. 4). Nr. 4 verpflichtet zum Bericht über Einsatz von Stimmrechtsberatern. Nr. 5 greift aus § 134c II 2 Nr. 2 Information über Wertpapierleihe (ausf. dazu Zetzsche AG 2020, 637 Rn. 147 ff.), aus § 134b I Nr. 5 Umgang mit Interessenkonflikten (→ § 134b Rn. 2; für divergierende Maßstäbe insofern Zetzsche AG 2020, 637 Rn. 64 einerseits und Rn. 152 andererseits) auf.

VI. Rechtsfolgen bei Verstößen

8 Verstöße gegen § 134c III 1 sind nach § 405 IIa Nr. 9 **bußgeldbewehrt** (maximale Bußgeldhöhe 25.000 EUR – § 405 IV). Zuständige Verwaltungsbehörde ist nach § 405 V Nr. 2 BfJ; kapitalmarktrechtl. Verortung hätte hier möglicherweise effektivere Durchsetzung gewährleistet (→ § 134a Rn. 1).

Offenlegungspflichten der Stimmrechtsberater

134d (1) [1] **Stimmrechtsberater haben jährlich zu erklären, dass sie den Vorgaben eines näher bezeichneten Verhaltenskodex entsprochen haben und entsprechen oder welche Vorgaben des Verhaltenskodex sie nicht eingehalten haben und einhalten und welche Maßnahmen sie stattdessen getroffen haben.** [2] **Wenn Stimmrechtsberater keinen Verhaltenskodex einhalten, haben sie zu erklären, warum nicht.**

(2) **Stimmrechtsberater veröffentlichen jährlich Informationen**

1. **zu den wesentlichen Merkmalen der eingesetzten Methoden und Modelle sowie ihren Hauptinformationsquellen,**
2. **zu den zur Qualitätssicherung sowie zur Vermeidung und zur Behandlung von potentiellen Interessenkonflikten eingesetzten Verfahren,**

3. zur Qualifikation der an der Stimmrechtsberatung beteiligten Mitarbeiter,
4. zur Art und Weise, wie nationale Marktbedingungen sowie rechtliche, regulatorische und unternehmensspezifische Bedingungen berücksichtigt werden,
5. zu den wesentlichen Merkmalen der verfolgten Stimmrechtspolitik für die einzelnen Märkte,
6. dazu, wie und wie oft das Gespräch mit den betroffenen Gesellschaften und deren Interessenträgern gesucht wird.

(3) **Die Informationen nach den Absätzen 1 und 2 sind gesondert oder gebündelt auf der Internetseite des Stimmrechtsberaters für mindestens drei Jahre öffentlich zugänglich zu machen und jährlich zu aktualisieren.**

(4) **Stimmrechtsberater haben ihre Kunden unverzüglich über Interessenkonflikte sowie über diesbezügliche Gegenmaßnahmen zu informieren.**

I. Regelungsgegenstand und -zweck

§ 134d wurde eingeführt durch ARUG II 2019 und erstreckt Offenlegungspflicht (in Umsetzung von Art. 1 I, II lit. b, VI lit. c, Art. 2 lit. g, Art. 3j Aktionärsrechte-RL) auch auf Stimmrechtsberater iSd § 134a I Nr. 3 (→ § 134a Rn. 4) innerhalb des räumlichen Anwendungsbereichs des § 134a II Nr. 3 (→ § 134a Rn. 6). Auftreten dieser Akteure ist verhältnismäßig neues, aber **wirkungsmächtiges Phänomen,** weil Großteil aller Anteile an DAX-Gesellschaften von ausländischen institutionellen Anlegern gehalten wird, die sich mehrheitlich an Empfehlungen solcher Stimmrechtsberater orientieren (Poelzig ZHR 185 [2021], 373, 376 ff.; Schockenhoff/Nußbaum ZGR 2019, 163, 164 f.; sa Klöhn/Schwarz ZIP 2012, 149 ff.; Langenbucher FS Hoffmann-Becking, 2013, 733 ff.; monographisch P. Schwarz, Institutionelle Stimmrechtsberatung, 2013). Wachsender Druck auf institutionelle Investoren zur verantwortlichen Stimmausübung wird Trend noch verstärken (Fleischer AG 2012, 2, 3). 1

Vor diesem Hintergrund war es unglücklich, dass Stimmrechtsberater bislang nicht als ein aktienrechtl. Vorgaben unterworfener Akteur erfasst waren (vgl. zu entspr. Ansätzen de lege lata Wilhelm, Dritterstreckung im Gesellschaftsrecht, 2017, 415 ff.). Zwar ist anerkannt, dass Stimmrechtsberater aufgrund gebündelter Beratungskompetenz **Corporate Governance stärken** und oft beklagte rationale Apathie (→ § 118 Rn. 5) überwinden können (vgl. zu diesen und weiteren Vorteilen Schockenhoff/Nußbaum ZGR 2019, 163, 166 ff.), doch werden diese Vorteile auch mit **Nachteilen** erkauft, die hier nur schlagwortartig benannt werden können. Sie manifestieren sich namentl. in einer von Treubindungen und Folgenverantwortung losgelösten Einflussmacht (Fleischer AG 2012, 2, 4; Hell ZGR 2021, 50, 56 f.; → § 53a Rn. 18), in der Gefahr von Interessenkonflikten, die sich namentl. aus paralleler Corporate Governance Beratungstätigkeit ergibt (vgl. dazu Hell ZGR 2021, 50, 57 ff.; Schockenhoff/Nußbaum ZGR 2019, 163, 169), der unzureichenden Berücksichtigung nationaler Besonderheiten aufgrund int. Tätigkeitsfelds („one-size-fits-all"; Poelzig ZHR 185 [2021], 373, 381 f.; Tröger ZGR 2019, 126, 151 f.) und kapitalmarktrechtl. problematischer Einflussbündelung („acting in concert" – vgl. dazu U. H. Schneider/Anzinger NZG 2007, 88, 94 f.; Vaupel AG 2012, 63, 75 f.). 2

§ 134a I Nr. 3 und § 134d bieten zumindest ersten Ansatz, um „regulatorisches Vakuum" (Fleischer AG 2012, 2, 4) zu füllen, indem sie auch Stimmrechtsberater einer **Offenlegungspflicht** unterwerfen (Transparenzlösung – zu regulatorischen Alternativgestaltungen vgl. Fleischer AG 2012, 2, 5 ff.; Klöhn/Schwarz 3

ZIP 2012, 149, 155 ff.). Wie schon systematische Abfolge der §§ 134a–134d andeutet, stehen Stimmrechtsberater nicht im Mittelpunkt legislativen Interesses, sondern ihre Regulierung erfüllt **dienenden Zweck,** um aktives Engagement institutioneller Investoren (§§ 134b, 134c) zu ermöglichen (J. Koch BKR 2020, 1, 6; Tröger ZGR 2019, 126, 130). Bisher überwiegend positive **rechtspolitische Würdigung** stützt sich insbes. auf geringe Eingriffstiefe (vgl. etwa Schockenhoff/Nußbaum ZGR 2019, 163, 187 f.), setzt aber voraus, dass Selbstregulierung über Erklärungspflichten zu selbstgesetzten Wohlverhaltensregeln überhaupt regulierender Einfluss zugetraut wird (eher krit. Tröger ZGR 2019, 126, 159 ff.; sa BeckOGK/Rieckers Rn. 8; S/L/Illhardt § 134a Rn. 10 ff.; Hell ZGR 2021, 50, 73 ff.; Stüber WM 2020, 211, 217; zu weitergehenden Gestaltungsmöglichkeiten de lege ferenda vgl. Poelzig ZHR 185 [2021], 373, 402 ff.).

II. Einhaltung eines Verhaltenskodex (§ 134d I)

4 Gegenstand dieser Offenlegungspflicht ist jährliche (→ § 134b Rn. 3) Erklärung, den Vorgaben eines näher bezeichneten Verhaltenskodex entsprochen zu haben und derzeit zu entsprechen. Anders als bei § 161 wird **Kodex nicht inhaltlich vorgegeben,** sondern Wahl bzw. Ausgestaltung der Berater selbst überlassen, was regulatorisches Anliegen durchaus schwächen kann (Schockenhoff/Nußbaum ZGR 2019, 163, 179). Als möglichen Bezugsrahmen nennt RegBegr. BT-Drs. 19/9739, 105 die auf ESMA-Initiative von Industriearbeitsgruppe erarbeiteten **Best Practice Principles for Shareholder Voting Research** (vgl. dazu Zetzsche/Preiner AG 2014, 685 ff.), gestattet aber auch Ausarbeitung eigener Kodizes. Kodex muss aber ohne weiteres identifiziert und aufgefunden werden können, um Transparenzzielen zu genügen (RegBegr. BT-Drs. 19/9739, 105).

5 Auch in dieser weiten Ausgestaltung besteht aber keine Kodexpflicht (missverständlich deshalb RegBegr. BT-Drs. 19/9739, 105; wie hier J. Koch BKR 2020, 1, 6 f.; Tröger ZGR 2019, 126, 155 Fn. 99), sondern es gilt **comply-or-explain-Gedanke:** Berater müssen erklären, dass sie Vorgaben des von ihnen zugrunde gelegten Kodex eingehalten haben oder nicht oder vollständig von einem solchen Kodex absehen. **Begründungspflicht** soll nach Gesetzeswortlaut nur dann eingreifen, wenn überhaupt kein Kodex eingehalten wird (§ 134d I 2), nicht aber bei einzelnen Abweichungen. Im Lichte des Art. 3j I UAbs. 2 S. 2 Aktionärsrechte-RL und in Übereinstimmung mit sonst herkömmlicher Ausgestaltung (→ § 134b Rn. 4; → § 134c Rn. 5; → § 161 Rn. 18) ist Wortlaut aber dahingehend zu korrigieren, dass auch insofern von Begründungspflicht auszugehen ist (ausf. J. Koch BKR 2020, 1, 7; zust. BeckOGK/Rieckers Rn. 18). Pflicht zur **unterjährigen Korrektur** besteht nicht, da auf Ausgestaltung als Dauererklärung verzichtet wurde und stattdessen nur jährliche Veröffentlichung verlangt wird (ausf. J. Koch BKR 2020, 1, 7; sa S/L/Illhardt Rn. 7; BeckOGK/Rieckers Rn. 20; Poelzig ZHR 185 [2021], 373, 390; Tröger ZGR 2019, 126, 155; aA Grigoleit/Splinter Rn. 13; Schockenhoff/Nußbaum ZGR 2019, 163, 178 f.). Wortlaut weicht insofern von dem des § 134b V (→ § 134b Rn. 5) und des § 134c III (→ § 134c Rn. 6) ab, die jew. „mindestens jährlich" Aktualisierung verlangen.

III. Weitere Veröffentlichungspflichten (§ 134d II)

6 § 134d II ergänzt weitere Informationspflichten, die namentl. Analyseverfahren betr. und enumerativ aufgezählt werden. Damit soll angemessene Information der Kunden über **Professionalität und Zuverlässigkeit** der Stimmrechtsberater sichergestellt werden (RegBegr. BT-Drs. 19/9739, 106). Das ist sinnvoll, weil auch Qualität der Beratung in der Vergangenheit häufig in Frage gestellt wurde

(Dörrwächter AG 2017, 409, 411; Fleischer AG 2012, 2, 4; Schockenhoff/Nußbaum ZGR 2019, 163, 168). Indem Angaben nicht nur bilateral kommuniziert, sondern **veröffentlicht** werden müssen, sollen Richtigkeitsgewähr und Zuverlässigkeit weiter erhöht werden (RegBegr. BT-Drs. 19/9739, 106). Von den in § 134d II aufgezählten Mitteilungsgegenständen soll durch Beschränkung auf „wesentliche" Merkmale und „Haupt"-Informationsquellen in **Nr. 1** inhaltliche Beschränkung vorgenommen werden, die auch für **Schutz von Betriebsgeheimnissen** noch Raum lässt (RegBegr. BT-Drs. 19/9739, 106). Nach **Nr. 2** sind Maßnahmen der Qualitätssicherung genannt, die in Art. 3j II lit. c Aktionärsrechte-RL auf Qualität der Recherchen, Beratungen und Stimmempfehlungen bezogen wird. Dazu gehört auch Vermeidung von potentiellen Interessenkonflikten entsprechend § 134b I Nr. 5 (→ § 134b Rn. 2) und § 134c IV 3 Nr. 5 (→ § 134c Rn. 7). Für tats. aufgetretene Konflikte gilt zusätzlich § 134d IV (→ Rn. 8). Qualifikationsangabe nach **Nr. 3** wird bewusst auf „beteiligte" Mitglieder beschränkt, womit sonstige Beschäftigte ausgeklammert werden (RegBegr. BT-Drs. 19/9739, 106). Für deutschen Markt kommt **Nr. 4** bes. Bedeutung zu, weil namentl. Mitbestimmung, Two-Tier-System und geschriebenes Konzernrecht nationale Besonderheiten begründen, die Übertragung eines one-size-fits-all-Modells (→ Rn. 2) entgegenstehen (zust. S/L/Illhardt Rn. 12; Grigoleit/Splinter Rn. 10). Wie Nr. 1 und mit ähnlichem gesetzgeberischem Anliegen wird auch **Nr. 5** auf „wesentliche" Merkmale der verfolgten Stimmrechtspolitik begrenzt. Für **Nr. 6** stellt RegBegr. BT-Drs. 19/9739, 106 klar, dass Begriff der Interessenträger auch hier – wie in § 134b I – Begriff der Stakeholder entspricht (→ § 134b Rn. 2).

IV. Art der Veröffentlichung (§ 134d III)

Entspr. § 134b V (→ § 134b Rn. 5) und § 134c III (→ § 134c Rn. 6) sind auch diese Informationen für mindestens drei Jahre öffentl. zugänglich zu machen und jährlich (→ § 134b Rn. 3) zu aktualisieren. Zugang muss auch hier kostenfrei erfolgen und dauerhaft möglich sein (RegBegr. BT-Drs. 19/9739, 106). Für beide Vorgaben nach § 134d I und II gilt Gebot umfangreicher und angemessener Information, die von durchschnittlichem Adressaten ohne größere Schwierigkeit erfasst werden kann (Schockenhoff/Nußbaum ZGR 2019, 163, 183: Orientierung an den zu § 161 II entwickelten Grundsätzen [→ § 161 Rn. 23 ff.]). 7

V. Interessenkonflikte (§ 134d IV)

Während sich Offenlegungspflicht nach § 134d II Nr. 2 nur auf potentielle Konflikte bezieht, schreibt § 134d IV generell für Interessenkonflikte unverzügliche (§ 121 I BGB) Offenlegung, allerdings **nur ggü. Kunden,** vor. Damit sollen sowohl tats. aufgetretene als auch nur potentielle Konflikte erfasst sein (RegBegr. BT-Drs. 19/9739, 107). Vorschrift steht im **Zusammenhang mit § 135 VIII,** der Stimmrechtsberater auf das Aktionärsinteresse verpflichtet (→ § 135 Rn. 47a; RegBegr. BT-Drs. 19/9739, 107). Durch Information über **Gegenmaßnahmen** soll in vereinfachter Form Richtlinienvorgabe umschrieben werden, wonach über sämtliche Schritte zu berichten ist, die die Berater „zur Ausräumung, Milderung oder Behandlung dieser tatsächlichen oder potenziellen Interessenkonflikte unternommen haben" (RegBegr. BT-Drs. 19/9739, 103). Diese Vorgabe impliziert, dass Interessenkonflikt an sich **kein Tätigkeitsverbot** begründet, sondern Gesetzgeber insofern auf Transparenz und Marktkontrolle vertraut (S/L/Illhardt Rn. 19; Schockenhoff/Nußbaum ZGR 2019, 163, 181). 8

VI. Rechtsfolgen bei Verstößen

9 Verstöße sind nach § 405 IIa Nr. 10 und 11 **bußgeldbewehrt.** Ob **zivilrechtl. Haftung** besteht, wird in RegBegr. BT-Drs. 19/9739, 106 f. Rspr. und Wissenschaft überlassen. Ggü. Kunden ergeben sich solche Ansprüche unproblematisch aus Vertragsverhältnis (nach deutschem Recht etwa §§ 675, 280 BGB), werden in § 135 IX vorausgesetzt, zumeist aber daran scheitern, dass Nachw. kausalen Schadens nicht gelingt (S/L/Illhardt Rn. 25; J. Koch BKR 2020, 1, 8; Poelzig ZHR 185 [2021], 373, 395 f.). **Ggü. Emittenten** ist Haftung nach Grundsätzen des Vertrags mit Schutzwirkung zugunsten Dritter denkbar, stößt aber – ebenso wie hilfsweise erwägenswerte deliktsrechtl. Anspruchsbegründung – auch auf konstruktive Widerstände und wird idR ebenfalls am Schadensnachweis scheitern (vgl. S/L/Illhardt Rn. 26; J. Koch BKR 2020, 1, 8; Poelzig ZHR 185 [2021], 373, 397 f.). **Ggü. sonstigen Anlegern** wird außer in Extremfällen des § 826 BGB Haftung nicht in Betracht kommen (J. Koch BKR 2020, 1, 8; Poelzig ZHR 185 [2021], 373, 400). **Anfechtung von HV-Beschlüssen** wegen fehlerhafter Stimmrechtsberatung wird dagegen ausgeschlossen, da Beratung nur Innenverhältnis zwischen Aktionär und Berater betr. und deshalb nichts ins Außenverhältnis umschlagen soll (RegBegr. BT-Drs. 19/9739, 106 f.).

Ausübung des Stimmrechts durch Intermediäre und geschäftsmäßig Handelnde

135 **(1) [1] Ein Intermediär darf das Stimmrecht für Aktien, die ihm nicht gehören und als deren Inhaber er nicht im Aktienregister eingetragen ist, nur ausüben, wenn er bevollmächtigt ist. [2] Die Vollmacht darf nur einem bestimmten Intermediär erteilt werden und ist von diesem nachprüfbar festzuhalten. [3] Die Vollmachtserklärung muss vollständig sein und darf nur mit der Stimmrechtsausübung verbundene Erklärungen enthalten. [4] Erteilt der Aktionär keine ausdrücklichen Weisungen, so kann eine generelle Vollmacht nur die Berechtigung des Intermediärs zur Stimmrechtsausübung**

1. entsprechend eigenen Abstimmungsvorschlägen (Absätze 2 und 3) oder

2. entsprechend den Vorschlägen des Vorstands oder des Aufsichtsrats oder für den Fall voneinander abweichender Vorschläge den Vorschlägen des Aufsichtsrats (Absatz 4)

vorsehen. [5] Bietet der Intermediär die Stimmrechtsausübung gemäß Satz 4 Nr. 1 oder Nr. 2 an, so hat er sich zugleich zu erbieten, im Rahmen des Zumutbaren und bis auf Widerruf einer Aktionärsvereinigung oder einem sonstigen Vertreter nach Wahl des Aktionärs die zur Stimmrechtsausübung erforderlichen Unterlagen zuzuleiten. [6] Der Intermediär hat den Aktionär jährlich und deutlich hervorgehoben auf die Möglichkeiten des jederzeitigen Widerrufs der Vollmacht und der Änderung des Bevollmächtigten hinzuweisen. [7] Die Erteilung von Weisungen zu den einzelnen Tagesordnungspunkten, die Erteilung und der Widerruf einer generellen Vollmacht nach Satz 4 und eines Auftrags nach Satz 5 einschließlich seiner Änderung sind dem Aktionär durch ein Formblatt oder Bildschirmformular zu erleichtern.

(2) [1] Ein Intermediär, der das Stimmrecht auf Grund einer Vollmacht nach Absatz 1 Satz 4 Nr. 1 ausüben will, hat dem Aktionär rechtzeitig

eigene Vorschläge für die Ausübung des Stimmrechts zu den einzelnen Gegenständen der Tagesordnung zugänglich zu machen. [2]Bei diesen Vorschlägen hat sich der Intermediär vom Interesse des Aktionärs leiten zu lassen und organisatorische Vorkehrungen dafür zu treffen, dass Eigeninteressen aus anderen Geschäftsbereichen nicht einfließen; er hat ein Mitglied der Geschäftsleitung zu benennen, das die Einhaltung dieser Pflichten sowie die ordnungsgemäße Ausübung des Stimmrechts und deren Dokumentation zu überwachen hat. [3]Zusammen mit seinen Vorschlägen hat der Intermediär darauf hinzuweisen, dass er das Stimmrecht entsprechend den eigenen Vorschlägen ausüben werde, wenn der Aktionär nicht rechtzeitig eine andere Weisung erteilt. [4]Gehört ein Vorstandsmitglied oder ein Mitarbeiter des Intermediärs dem Aufsichtsrat der Gesellschaft oder ein Vorstandsmitglied oder ein Mitarbeiter der Gesellschaft dem Aufsichtsrat des Intermediärs an, so hat der Intermediär hierauf hinzuweisen. [5]Gleiches gilt, wenn der Intermediär an der Gesellschaft eine Beteiligung hält, die nach § 33 des Wertpapierhandelsgesetzes meldepflichtig ist, oder einem Konsortium angehörte, das die innerhalb von fünf Jahren zeitlich letzte Emission von Wertpapieren der Gesellschaft übernommen hat.

(3) **[1]Hat der Aktionär dem Intermediär keine Weisung für die Ausübung des Stimmrechts erteilt, so hat der Intermediär im Falle des Absatzes 1 Satz 4 Nr. 1 das Stimmrecht entsprechend seinen eigenen Vorschlägen auszuüben, es sei denn, dass er den Umständen nach annehmen darf, dass der Aktionär bei Kenntnis der Sachlage die abweichende Ausübung des Stimmrechts billigen würde. [2]Ist der Intermediär bei der Ausübung des Stimmrechts von einer Weisung des Aktionärs oder, wenn der Aktionär keine Weisung erteilt hat, von seinem eigenen Vorschlag abgewichen, so hat es dies dem Aktionär mitzuteilen und die Gründe anzugeben. [3]In der eigenen Hauptversammlung darf der bevollmächtigte Intermediär das Stimmrecht auf Grund der Vollmacht nur ausüben, soweit der Aktionär eine ausdrückliche Weisung zu den einzelnen Gegenständen der Tagesordnung erteilt hat. [4]Gleiches gilt in der Versammlung einer Gesellschaft, an der er mit mehr als 20 Prozent des Grundkapitals unmittelbar oder mittelbar beteiligt ist; für die Berechnung der Beteiligungsschwelle bleiben mittelbare Beteiligungen im Sinne des § 35 Absatz 3 bis 6 des Wertpapierhandelsgesetzes außer Betracht.**

(4) **[1]Ein Intermediär, der in der Hauptversammlung das Stimmrecht auf Grund einer Vollmacht nach Absatz 1 Satz 4 Nr. 2 ausüben will, hat den Aktionären die Vorschläge des Vorstands und des Aufsichtsrats zugänglich zu machen, sofern dies nicht anderweitig erfolgt. [2]Absatz 2 Satz 3 sowie Absatz 3 Satz 1 bis 3 gelten entsprechend.**

(5) **[1]Wenn die Vollmacht dies gestattet, darf der Intermediär Personen, die nicht seine Angestellten sind, unterbevollmächtigen. [2]Wenn es die Vollmacht nicht anders bestimmt, übt der Intermediär das Stimmrecht im Namen dessen aus, den es angeht. [3]Ist die Briefwahl bei der Gesellschaft zugelassen, so darf der bevollmächtigte Intermediär sich ihrer bedienen. [4]Zum Nachweis seiner Stimmberechtigung gegenüber der Gesellschaft genügt bei börsennotierten Gesellschaften die Vorlegung eines Berechtigungsnachweises gemäß § 123 Abs. 3; im Übrigen sind die in der Satzung für die Ausübung des Stimmrechts vorgesehenen Erfordernisse zu erfüllen.**

(6) **[1]Ein Intermediär darf das Stimmrecht für Namensaktien, die ihm nicht gehören, als deren Inhaber er aber im Aktienregister eingetragen**

ist, nur auf Grund einer Ermächtigung ausüben. [2] Auf die Ermächtigung sind die Absätze 1 bis 5 entsprechend anzuwenden.

(7) **Die Wirksamkeit der Stimmabgabe wird durch einen Verstoß gegen Absatz 1 Satz 2 bis 7, die Absätze 2 bis 6 nicht beeinträchtigt.**

(8) **Die Absätze 1 bis 7 gelten sinngemäß für Aktionärsvereinigungen, für Stimmrechtsberater sowie für Personen, die sich geschäftsmäßig gegenüber Aktionären zur Ausübung des Stimmrechts in der Hauptversammlung erbieten; dies gilt nicht, wenn derjenige, der das Stimmrecht ausüben will, gesetzlicher Vertreter, Ehegatte oder Lebenspartner des Aktionärs oder mit ihm bis zum vierten Grad verwandt oder verschwägert ist.**

(9) **Die Verpflichtung des Intermediärs, der Stimmrechtsberater sowie der Personen, die sich geschäftsmäßig gegenüber Aktionären zur Ausübung des Stimmrechts in der Hauptversammlung erbieten, zum Ersatz eines aus der Verletzung der Absätze 1 bis 6 entstehenden Schadens kann im Voraus weder ausgeschlossen noch beschränkt werden.**

Übersicht

I. Grundlagen

1. Regelungsgegenstand und -zweck. Norm betr. insbes. sog Depotstimmrecht der Banken, die nach Neufassung durch ARUG II 2019 nunmehr von allg. Begriff des Intermediärs iSd § 67a IV umfasst sind (→ § 67a Rn. 8). § 135 bezweckt, **Kontrollfunktion** der Aktionäre iR ihrer Rechtsausübung in der HV zu verstärken (§ 118 I, vgl. RegBegr. Kropff S. 194; AusschussB Kropff S. 195). Genauer sollen **Eigeninteressen der Aktionäre** wahrgenommen und damit zur Kontrolle der Verwaltung nutzbar gemacht werden. Deshalb und auch, um Rolle der depotführenden Intermediäre richtig zu definieren, ist sog Depotstimmrecht, das sich in ursprünglicher Ausgestaltung sichtlich als Ausübung des Stimmrechts der Aktionäre im eigenen Namen der Institute kraft Ermächtigung nach § 185 BGB darstellte, durch AktG 1965 zum Vollmachtsstimmrecht umgestaltet worden (zur Rechtsentwicklung MüKoAktG/M. Arnold Rn. 8 ff.; KK-AktG/Zetzsche Rn. 20 ff.). Depotstimmrecht gehörte seit 1998 wiederholt zu den Regelungsschwerpunkten des aktienrechtl. Gesetzgebers (komplette Neufassung namentl. durch ARUG 2009), hat in jüngerer Zeit aber an Brisanz verloren (→ Rn. 2 f.) und ist damit auch aus rechtspolitischem Fokus gerückt (MHdB AG/Hoffmann-Becking § 37 Rn. 20). Unmittelbare europarechtl. Vorgaben bestehen nicht, doch können Art. 10 und 11 Aktionärsrechte-RL (Stimmrechtsvertretung und Förmlichkeiten der Bestellung) auch in § 135 hineinstrahlen (ausf. KK-AktG/Zetzsche Rn. 56 ff.). 1

2. Grundgedanken der Regelung. § 135 hat seit jeher Kompromisscharakter. Er gestattet Depotstimmrecht, um auf diese Weise **rationale Apathie** der Aktionäre und ausreichende HV-Präsenz zu sichern (Verödungsargument → § 118 Rn. 5; ausf. zur rechtsökonomischen Begr. KK-AktG/Zetzsche Rn. 11 ff.). Zugleich wird dieses Recht aber auch begrenzt, um sicherzustellen, dass gebündelte Stimmmacht der Aktionäre in ihrem Interesse und nicht im Eigeninteresse des Intermediärs genutzt wird. Derartige **Eigeninteressen** können sich etwa aus Eigenbesitz der Intermediäre ergeben, aber auch daraus, dass sie als Bankpartner der Gesellschaften, namentl. als Kreditgeber, tendenziell eher an Stärkung der inneren Reserven des Unternehmens interessiert sind als an hoher Ausschüttung (Überblick über die Diskussion bei Körber, Die Stimmrechtsvertretung durch Kreditinstitute, 1989, 52 ff.). Auch wettbewerbsrechtl. wird die Konzentration wirtschaftlicher Macht bei den Banken krit. beurteilt, wobei allerdings Entflechtung der sog Deutschland-AG in den letzten Jahren Problem deutlich entschärft hat (BeckOGK/Rieckers Rn. 11). Vorschrift ist im sachlichen Zusammenhang mit Proxy Voting zu sehen, das als alternative – und seinerseits nicht unproblematische – Form der Stimmrechtsausübung ähnliche Ziele verfolgt (→ § 134 Rn. 26 ff.). 2

Gesetzgebung hat sich wechselvoll entwickelt, was namentl. darauf zurückzuführen ist, dass **rechtspolitische Beurteilung** in den letzten Jahrzehnten mehrmals hin- und hergeschwankt ist. RegE 1965 sah noch vor, dass Vollmacht erst nach Einberufung und entspr. Mitteilungen erteilt werden dürfe (Bericht bei v. Falkenhausen AG 1966, 69, 72). Kreditwirtschaft schlug Wahlrecht der Aktionäre vor. Lösung des Gesetzgebers von 1965 schaltete Aktionär zwar zu jeder einzelnen HV ein, ermöglichte Ausübung seines Stimmrechts durch KI aber auch dann, wenn er auf ihm übersandte Nachrichten nicht reagierte. Das **KonTraG** 1998 war von noch **größerer Skepsis** ggü. Bankenmacht geprägt und hat zT deutliche organisatorische und bürokratische Erschwernisse gebracht (zur vorangehenden Diskussionswelle s. mit unterschiedlichen Akzenten Baums AG 1996, 11, 21 ff.; Peltzer AG 1996, 26, 28 ff.). Dieser Eingriff hat gerade auch vor dem 3

Hintergrund eines verschärften Kostenwettbewerbs mit Online-Direktbanken zum Rückzug eines Teils der Institute geführt und als nachgeschaltete Folge zu einem deutlichen **Absinken der HV-Präsenzen** (Simon/Zetzsche ZGR 2010, 918, 924). Diese Entwicklung hat ua dazu beigetragen, dass sog aktivistische Investoren einen im Verhältnis zu ihrer Kapitalbeteiligung zT überproportionalen Einfluss in der AG erhielten, der ebenfalls krit. beurteilt wurde (vgl. zur Diskussion um Shareholder Activism → § 118 Rn. 5; zur teilw. Kompensation durch Proxy-Voting → § 134 Rn. 2). Der Gesetzgeber des **ARUG** 2009 hat dieser Entwicklung entgegengewirkt und das Vollmachtstimmrecht **deutlich dereguliert** (RegBegr. BT-Drs. 16/11642, 33). Neuerung ist zu Recht auf weitgehende Zustimmung gestoßen (DAV-HRA NZG 2008, 534 Rn. 48 ff.). Brauchbare Alternative zum Bankenstimmrecht ist derzeit nicht ersichtlich (→ § 118 Rn. 5). Insbes. wird auch gesellschaftsinternes Proxy-Voting (→ § 134 Rn. 26a ff.) rechtspolitisch nicht positiver bewertet als Bankenvertretung (BeckOGK/Rieckers Rn. 11). Möglichkeit der Online-Teilnahme wird zumindest rationale Apathie der Kleinaktionäre (→ § 118 Rn. 5) kaum überwinden (MüKoAktG/M. Arnold Rn. 30).

II. Fremde Aktien (§ 135 I–V)

4 **1. Vollmacht als Basis der Stimmrechtsausübung (§ 135 I). a) Vollmachtserfordernis. aa) Intermediär.** Gem. § 135 I 1 darf Intermediär das Stimmrecht für fremde Aktien (→ Rn. 5) nur aufgrund einer Vollmacht (→ Rn. 6 f.) ausüben. Begriff des Intermediärs ist legal definiert in § 67a IV und erfasst auch **im Ausland ansässige Intermediäre,** und zwar unabhängig davon, ob sie Zweigniederlassung im Inland unterhalten (→ § 67a Rn. 8). Ihre Einbeziehung war nach alter Rechtslage nicht möglich, da sie der in § 135 II, III vorausgesetzten Mitteilungspflicht nicht unterlagen. Nachdem sie durch Regelungsregime der §§ 67a ff. ebenfalls erfasst sind, können sie auch § 135 unterstellt werden. Stimmrechtsberater werden von Intermediärsbegriff nicht erfasst (→ § 67a Rn. 8), aber in § 135 VIII gleichgestellt. Hauptanwendungsfall werden auch weiterhin depotführende Banken sein.

5 **bb) Fremde Aktien.** § 135 I 1 setzt weiter voraus, dass Aktien dem Intermediär nicht gehören. Er darf also nicht selbst Aktionär und bei Namensaktien nicht als deren Inhaber in das Aktienregister eingetragen sein (§ 67 II). Für Stimmrechte aus Eigenbesitz gilt § 135 auch dann nicht, wenn Intermediär wie bei SÜ nur (eigen- oder fremdnütziger) Treuhänder ist (KK-AktG/Zetzsche Rn. 101 f.). Bloße Inpfandnahme oder Nießbrauchsbestellung ändert dagegen nichts an Zuordnung der Aktien, so dass sich Intermediär als Pfandgläubiger oder Nießbraucher nach § 135 zu richten hat.

6 **b) Vollmachtserklärung. aa) Inhaltliche Beschränkungen.** Intermediär darf Stimmrecht nur aufgrund einer Vollmacht ausüben, damit also nicht als Legitimationsaktionär. Das gilt aber nur für Inhaberaktien, während § 135 VI von dieser Regel für Namensaktien eine Ausn. zulässt (→ Rn. 43 ff.; MüKoAktG/M. Arnold Rn. 78). Maßgeblich für Vollmachtserteilung ist § 135 I 2, 3. Vollmacht darf nach § 135 I 2 **nur einem bestimmten Intermediär** erteilt werden. Es muss also namentlich benannt sein; eine gültige Inhabervollmacht gibt es nicht (B/K/L/Holzborn Rn. 7). Unzulässig ist auch Alternativvollmacht zugunsten mehrerer Intermediäre, ferner Blankovollmacht, die den Namen des Intermediärs offenlässt (MüKoAktG/M. Arnold Rn. 74). Ges. will damit das heimliche Ausleihen von Stimmen verhindern. Intermediär muss nicht zugleich depotführende Bank sein. Das war schon bislang anerkannt und ist nach Neufassung durch ARUG II 2019 dem Ges. noch deutlicher zu entnehmen. Zugrunde

liegendes Rechtsverhältnis ist idR Auftrag (§ 662 BGB) oder – bei Entgeltlichkeit – Geschäftsbesorgung (§ 675 BGB); Entgeltklausel kann auch in AGB enthalten sein (Simon/Zetzsche ZGR 2010, 918, 942). Anders als nach § 135 X aF besteht insoweit für Intermediär **kein Kontrahierungszwang** mehr, was im Kontext der gewollten Deregulierung (→ Rn. 3) zu sehen ist.

Vollmacht darf befristet, aber auch **unbefristet** erteilt werden. Frühere Befristung auf längstens 15 Monate ist durch NaStraG 2001 als bürokratisch überflüssige Erschwernis abgeschafft worden (RegBegr. BT-Drs. 14/4051, 15 f.). 7

Auch wenn Vollmacht unbefristet erteilt wird, ist sie doch **jederzeit widerruflich.** Das ist nicht ausdr. ausgesprochen, folgt aber aus § 135 I 6, wonach Intermediär verpflichtet ist, Aktionär auf diese Widerruflichkeit hinzuweisen, und zwar jährlich und deutlich hervorgehoben, also so, dass mit Kenntnisnahme durch verständigen Aktionär auch gerechnet werden kann. Jährlicher Hinweis auf Widerruflichkeit (und auf anderweitige Vertretungsmöglichkeiten, → Rn. 15) soll Aktionär in ähnlicher Weise zur periodischen Prüfung der von ihm erteilten Vollmacht veranlassen wie früher deren Befristung (s. RegBegr. BT-Drs. 14/4051, 15 f.). Jederzeitiger Widerruf schließt Möglichkeit ein, Widerruf auch noch in der HV zu erklären, in der das Stimmrecht ausgeübt werden soll (KK-AktG/Zetzsche Rn. 110). Regelung ist zwingend und schließt aus, Vollmacht nur nach Maßgabe des Depotvertrags erlöschen zu lassen (vgl. § 168 S. 2, 2. Satzteil BGB). Widerruf erfolgt durch (auch formlose) Erklärung ggü. Intermediär oder AG (§ 167 I BGB, § 168 S. 3 BGB). Formblatt und Bildschirmformular (§ 135 I 7) dienen der Erleichterung, können also nicht zur Wirksamkeitsbedingung gemacht werden. IÜ gelten §§ 169–176 BGB. § 135 VII ändert daran nichts. Danach ist Stimmabgabe durch Intermediär wirksam, wenn Vollmacht entgegen formalen Vorgaben des § 135 erteilt wurde, wohingegen wirksamer Widerruf Vertretungsmacht entfallen lässt (S/L/Spindler Rn. 13). 8

bb) Anforderungen an Vollmachtserteilung. Nach dem Gesetzeswortlaut bedarf Bevollmächtigung seit NaStraG 2001 nicht mehr der Schriftform. Damit bezweckte Deregulierung wird aber dadurch in Frage gestellt, dass Art. 11 II 1 Aktionärsrechte-RL **Textform** iSd § 126b BGB vorschreibt (zum Verständnis von „schriftlich" als Textform s. Lutter/Bayer/Schmidt EuropUntKapMR Rn. 29.240). Auch wenn zwingender Charakter dieser Vorgabe mit Hinweis auf Deregulierungsabsicht des europ. Gesetzgebers zT in Frage gestellt wird (MüKoAktG/M. Arnold Rn. 52; BeckOGK/Rieckers Rn. 18; KK-AktG/Zetzsche Rn. 122 f.; Grobecker NZG 2010, 165, 167; Wettich NZG 2011, 721, 722), ist Formulierung der europ. Vorgabe („müssen in jedem Fall") doch zu klar, als dass deutsche Fassung als richtlinienkonform angesehen werden kann (so auch Grigoleit/Herrler Rn. 7; B/K/L/Holzborn Rn. 6; S/L/Spindler Rn. 8; Lutter/Bayer/Schmidt EuropUntKapMR Rn. 29.243; Grundmann BKR 2009, 31, 37; J. Schmidt WM 2009, 2350, 2356). Lässt man mit BGH sehr weitherzige richtlinienkonforme Auslegung auch gegen Wortlaut und Regelungsabsicht zu (→ § 134 Rn. 23), muss zumindest Textformerfordernis beachtet werden. Europ. Vorgabe gilt allerdings nur für börsennotierte AG. Angesichts klaren Regelungswillens des deutschen Gesetzgebers zur weiteren Deregulierung wird man ausnahmsweise für nichtbösennotierte AG **gespaltene Auslegung** (vgl. dazu Habersack/Verse EuropGesR § 3 Rn. 78 f.) annehmen müssen (aA GK-AktG/Grundmann Rn. 46). Textform ist hier also nicht erforderlich, sondern Vollmacht kann etwa auch telefonisch erteilt werden. In beiden Lesarten ist ges. Vorgabe mit Blick auf Erleichterungsabsicht des Gesetzgebers zwingend, so dass Satzung insbes. keine Schriftform vorschreiben kann (Grigoleit/Herrler Rn. 7; B/K/L/Holzborn Rn. 6; BeckOGK/Rieckers Rn. 21; aA Schulte/Bode AG 2008, 730, 733 f.). 9

9a Weiterhin zu beachten sind die Vorgaben des § 135 I 2, 3, wonach Erklärung vollständig, exklusiv und dokumentationsfähig (→ Rn. 10) zu sein hat. Maßgeblich für **Vollständigkeit** ist Zeitpunkt des Wirksamwerdens der Erklärung, regelmäßig also ihr Zugang (S/L/Spindler Rn. 15). Bis dahin darf die Erklärung ergänzt werden, allerdings nicht vom Intermediär selbst. Vollständig ist sie, wenn sie den Namen des Intermediär, den Namen des Vollmachtgebers und die Vollmachtserklärung enthält. Dass die betroffenen Aktien näher bezeichnet werden (so noch KK-AktG/Zöllner, 1. Aufl. 1985, Rn. 35: Name der AG, Zahl, Gattung und, soweit vorhanden, Nennbetrag), ist nach dem Sinn der Dauervollmacht nicht erforderlich. Der übliche Hinweis auf Depot oder Buchung genügt; denn sonst müsste bei Bestandsveränderungen neue Vollmacht auch innerhalb der ges. Höchstfrist erteilt werden, was § 135 nicht verlangt (MüKoAktG/M. Arnold Rn. 59; S/L/Spindler Rn. 14).

10 **Sondervollmacht.** § 135 I 3 verbietet, Bevollmächtigung mit anderen Erklärungen zu verbinden. Damit soll insbes. verhindert werden, dass Vollmacht schon durch Anerkennung der AGB erteilt wird. Gedanke ist dahin zu erweitern, dass Stimmrechtsvollmacht auch nicht Bestandteil anderer die Geschäftsbeziehung regelnder Erklärungen sein darf. Vollmacht zur Vermögensverwaltung kann deshalb Ausübung des Stimmrechts nicht abdecken (MüKoAktG/M. Arnold Rn. 62; BeckOGK/Rieckers Rn. 33; S/L/Spindler Rn. 16; aA KK-AktG/Zetzsche Rn. 159 f.). Wortlaut des § 135 I 3 schießt aber über das Ziel hinaus. Bzgl. der Untervollmacht nach § 135 V 1 setzt Ges. selbst voraus, dass sie zum Bestandteil der Bevollmächtigung gemacht wird. Auch andere Erklärungen, durch die Rechte und Pflichten des Intermediärs als Vollmachtnehmer näher bestimmt werden, sind als unschädlich anzusehen, nämlich Weisungen bzgl. der Stimmrechtsausübung und auch der (übliche) Vorbehalt, von Vollmacht keinen Gebrauch machen zu müssen (MüKoAktG/M. Arnold Rn. 62; v. Falkenhausen AG 1966, 69, 73; aA Eckardt DB 1967, 233, 234 f.). Text muss aber so prägnant bleiben, dass Erteilung einer Stimmrechtsvollmacht für den erklärenden Aktionär ohne weiteres erkennbar ist. Schließlich gebietet § 135 I 2 Hs. 2, dass Intermediär Vollmachtserklärung **nachprüfbar festhält.** Diesem Dokumentationserfordernis genügen alle Erklärungsverkörperungen, die als solche oder nach einer technischen Umwandlung sinnlich wahrnehmbar sind, also gelesen oder gehört werden können (sonst ist nicht nachprüfbar, ob die Anforderungen nach § 135 I 3 eingehalten sind), und ihren Urheber ähnlich sicher erkennen lassen wie frühere Schriftform; insoweit genügt die Identifikation über Codeworte oder Geheimnummern (RegBegr. BT-Drs. 14/4051, 16). Dokumentation muss so erfolgen, dass sie im Rahmen einer Prüfung nach § 29 II 2 KWG überprüft werden könnte (Einzelheiten bei KK-AktG/Zetzsche Rn. 129 ff.); Dauer der Dokumentationspflicht wird in Anlehnung an § 257 IV HGB auf sechs Jahre veranschlagt (MüKoAktG/M. Arnold Rn. 55; Grigoleit/Herrler Rn. 8).

11 **c) Möglichkeiten der Stimmrechtsausübung. aa) Weisungen des Aktionärs.** § 135 I 4 betr. Inhalt der Vollmacht. Dabei ist zu unterscheiden, ob Aktionär Weisungen erteilt hat oder nicht. An Weisungen ist Intermediär grds. gebunden, muss aber nicht mehr wie nach § 128 II 4 aF um Erteilung von Weisungen bitten. Vielmehr genügt nach § 135 II 3 der Hinweis auf Ausübung des Stimmrechts entspr. den eigenen Vorschlägen des Intermediär, wenn anderweitige Weisung nicht rechtzeitig vorliegt. Von Weisungsbindung kann sich Intermediär auch nicht durch Vertragsgestaltung dispensieren. Es gibt also keinen dritten Weg neben weisungskonformer Stimmabgabe oder Stimmabgabe entspr. eigenen Vorschlägen (iE unstr, s. MüKoAktG/M. Arnold Rn. 98). Auch rechtzeitige Gegenweisung ist verbindlich (BGHZ 103, 143, 145 = NJW 1988, 1320). **Weisungsbindung** gilt jedoch **nicht schrankenlos.** Vielmehr sind Abweichun-

gen nach § 665 S. 1 BGB zulässig, also dann, wenn Intermediär nach den Umständen annehmen darf, dass Aktionär bei entspr. Kenntnis die Abweichung billigen würde. Dass solche Abweichungen möglich sind, ergibt sich auch aus § 135 III 2 (vgl. MüKoAktG/M. Arnold Rn. 123; Simon/Zetzsche ZGR 2010, 918, 932). Abweichungsfall ist insbes. dann gegeben, wenn sich erst in HV herausstellt, dass Stimmabgabe iSd Weisung evident **gesellschaftsschädlich** ist (zutr. LG Düsseldorf AG 1991, 409, 410 – Girmes; offenlassend OLG Düsseldorf AG 1994, 421, 422; KK-AktG/Zetzsche Rn. 460; aA S/L/Spindler Rn. 32). Der Beauftragte muss nicht blindlings vorher festgelegtem Konzept folgen. Er darf es auch nicht. Wenn Weisungsdurchführung erkennbar interessenwidrig wäre, muss abgewichen werden (Henssler ZHR 157 [1993], 91, 103 ff.). Vorsicht ist allerdings bei bloßer Veränderung der Antragslage geboten. Wenn Opposition angekündigt ist und Intermediär entspr. abstimmen soll, aber Opponent nicht erscheint, wird Verwaltungsvorlage gleichwohl abzulehnen sein (MüKoAktG/M. Arnold Rn. 126).

bb) Keine Weisung. Wenn Weisung nicht oder nicht rechtzeitig erteilt ist, kann Intermediär nach § 135 I 4 nur in dem Sinne bevollmächtigt werden, dass er das Stimmrecht entspr. **eigenen Abstimmungsvorschlägen** ausübt (Nr. 1) oder sich nach den **Verwaltungsvorschlägen** richtet (Nr. 2). Das „oder" ist als „und/oder" zu lesen, weshalb Intermediär dem Aktionär auch beide Varianten der Stimmrechtsausübung anbieten kann (RegBegr. BT-Drs. 16/11642, 33). Eine dritte Möglichkeit besteht jedoch nicht. Vorschriften, die sich auf beide Vollmachtsvarianten beziehen, finden sich in § 135 I 5–7. Genauere Vorgaben zu § 135 I 4 Nr. 1 sind in § 135 II, III enthalten (→ Rn. 17 ff.) und zu § 135 I 4 Nr. 2 in § 135 IV (→ Rn. 38). 12

Regelungsproblem liegt darin, einerseits im Interesse besserer **HV-Präsenzen** Auftrags- oder Depotstimmrecht so zu deregulieren, dass Intermediär davon möglichst umfassend Gebrauch machen, aber andererseits im Regelfall fehlender Einzelweisung wenigstens den mutmaßlichen **Willen der Aktionäre** zu treffen und nicht über das Auftrags- oder Depotstimmrecht den Verwaltungsvorschlägen ungefiltert zur Mehrheit zu verhelfen. Vorstellungen in einem Teil der Kreditwirtschaft, nach denen Intermediär bei fehlender Einzelweisung ohne eigene Vorschläge berechtigt sein sollte, nach Verwaltungsvorschlägen abzustimmen (DSGV ua Positionspapier v. 23.7.2007), ist Gesetzgeber nicht gefolgt (RegBegr. BT-Drs. 16/11642, 33), und zwar mit Recht, weil Vorschlagsrecht der Verwaltung damit zum Instrument der Mehrheitsbeschaffung geworden wäre (krit. dazu Baums ZHR 171 [2007], 599, 605 ff.; Lenz AG 2006, 572, 574 ff.; positiv jedoch Dauner-Lieb WM 2007, 9, 15 f.). Andererseits hätte zunächst geplante Lösung, nach der Intermediär bei Verzicht auf eigene Abstimmungsvorschläge verpflichtet gewesen wäre, alternativ den Vorschlägen einer zwar benannten Aktionärsvereinigung oder eines geschäftsmäßigen Stimmrechtsintermediärs zu folgen (§ 135 I RefE), zu erheblichen Unzuträglichkeiten führen können (DSW Stellungnahme 2008 S. 6 f.). Aus der ursprünglich geplanten Lösung ist daher die Pflicht geworden, Stimmrechtsunterlagen Aktionärsvereinigung oder Stimmrechtsvertreter zuzuleiten und dies anzubieten (§ 135 I 5; → Rn. 14). 13

d) Pflichten des Intermediärs. In beiden Varianten des Depotstimmrechts (→ Rn. 11 f.) hat Intermediär Pflichten nach § 135 I 5–7 zu erfüllen. § 135 I 5 soll erreichen, dass aus Stimmrecht kein faktisches Vertretungsmonopol der Kreditinstitute erwächst. Deshalb muss zugleich mit dem Angebot der Stimmrechtsvertretung durch Intermediär dessen Angebot vorliegen, zur Stimmrechtsausübung erforderliche Unterlagen einer **Aktionärsvereinigung** oder einem **sonstigen Vertreter** zuzuleiten. Vereinigung oder sonstiger Vertreter werden vom Aktionär ausgewählt. Benennungen durch Intermediäre sind nur Vorschlä- 14 ge, die auch keine Verantwortlichkeit begründen. Erforderlich ist Zuleitung der Legitimationsunterlagen nach § 123 III–V (→ § 123 Rn. 18ff.), ferner der Unterlagen, die zur sog Briefwahl einschließlich elektronischer Kommunikation und bloßer Onlineteilnahme (§ 118 I 2, II; → § 118 Rn. 10ff., 15) benötigt werden. Ob Vereinigung oder Vertreter schon Vollmacht haben, bleibt gleich. Vollmacht kann auch konkludent durch Weiterleitung erteilt werden (RegBegr. BT-Drs. 16/11642, 34), wobei Intermediär mangels eigenen Entschließungsspielraums als Erklärungsbote seines Kunden tätig wird. Zumutbarkeitsschranke ist berührt, wenn Zuleitung mit Gegebenheiten des Massengeschäfts nicht zusammenpasst (erschwerte Erreichbarkeit wegen Auslandssitzes außerhalb des EU/EWR-Raums [J. Schmidt WM 2009, 2350, 2354 Fn. 85], unvollständige oder fehlerhafte Adresse). Konkretisierung in AGB ist zulässig (RegBegr. BT-Drs. 16/11642, 34).

15 Weiterhin hat Intermediär ggü. dem Aktionär **Hinweispflichten** nach § 135 I 6. Zunächst ist Intermediär verpflichtet, Aktionär auf Möglichkeit jederzeitigen **Widerrufs der Vollmacht** hinzuweisen (zur vorausgesetzten Widerruflichkeit → Rn. 8). Hinweis muss jährlich und deutlich hervorgehoben erfolgen, also so, dass mit Kenntnisnahme durch verständigen Aktionär auch gerechnet werden kann. Hinzuweisen ist ferner darauf, dass auch **Änderung des Bevollmächtigten** jederzeit möglich ist. Wie § 125 I 4 ergibt, ist dabei namentl. an Vertretung durch Aktionärsvereinigungen gedacht (sa RegBegr. BT-Drs. 13/9712, 17). Zweckmäßig ist es, Hinweise in Formblatt oder Bildschirmformular aufzunehmen, mit dem Intermediär ua Erteilung der Vollmacht nach § 135 I 7 zu erleichtern hat. Daneben steht Intermediär aber auch jede andere Form der individuellen Mitteilung offen, etwa durch gesondertes Schreiben oder Mail, aber auch als Bestandteil anderer Mitteilungen (zutr. MüKoAktG/M. Arnold Rn. 71; BeckOGK/Rieckers Rn. 44; KK-AktG/Zetzsche Rn. 281). Auch ohne solchen Hinweis bleibt **Bevollmächtigung gleichwohl wirksam,** weil Aktionär dem Intermediär Vollmacht erteilen will und sein erklärter Wille nicht dadurch unbeachtlich wird, dass er auch Bevollmächtigung einer Aktionärsvereinigung wollen könnte. Danach ist Regelung unschädlich. Sie bleibt aber wie § 125 I 4 (→ § 125 Rn. 10) auch überflüssig, weil sie stärkere Beachtung von Aktionärsvereinigungen nicht erreichen wird (DAV-HRA ZIP 1997, 163 Rn. 60).

16 Schließlich muss Intermediär dem Aktionär die Abgabe von vertretungsrelevanten Erklärungen erleichtern, indem es dafür **Formblatt oder Bildschirmformular** oder beides bereithält (§ 135 I 7). Weil es um Erleichterung geht, bleibt Erklärung auch dann wirksam, wenn Aktionär seine Erklärung anders, etwa fernmündlich, abgibt (→ Rn. 8), was allerdings Nachweisprobleme auslösen kann. Vertretungsrelevante Erklärungen liegen in Erteilung von Einzelweisungen (je Tagesordnungspunkt), in Erteilung und Widerruf der generellen Weisung nach § 135 I 4 (→ Rn. 12), in Erteilung und Widerruf eines Auftrags nach § 135 I 5 (→ Rn. 14) sowie seiner Änderung. Arbeitshilfe muss es Aktionären erlauben, beabsichtigte Einzelweisungen eindeutig zu erteilen; die bankühlichen Formulare entsprechen dem.

17 **2. Ausübung des Stimmrechts entsprechend eigenen Vorschlägen (§ 135 II, III). a) Vorschläge und Hinweise des Intermediärs. aa) Vorschläge für Stimmrechtsausübung. (1) Adressaten und Voraussetzungen der Vorschlagspflicht.** Wenn Intermediär Stimmrechte seiner Depotkunden aufgrund einer Vollmacht nach § 135 I 4 Nr. 1 ausüben will (→ Rn. 12), darf er sich nicht auf Weitergabe von Mitteilungen (§§ 67a, 67b, 125 V) beschränken, sondern ist nach § 135 II 1 außerdem verpflichtet, den Aktionären eigene Vorschläge für Stimmrechtsausübung zugänglich zu machen. IdR wird depotführender Intermediär Stimmrecht für alle Depotkunden ausüben wollen. Dann muss er

auch allen Kunden Vorschläge mitteilen. Ob Vorschlagspflicht auch dann ggü. allen Kunden besteht, wenn Intermediär ausnahmsweise nur einen Teil von ihnen vertreten will, war früher str. Heute ganz hM verneint Frage zu Recht, weil Vorschläge ohne Stimmrechtsausübung keinen Sinn haben und Pflicht zur Stimmrechtsausübung nicht besteht (heute allgM – s. GK-AktG/Grundmann Rn. 75; Grigoleit/Herrler Rn. 22; B/K/L/Holzborn Rn. 19; KK-AktG/Zetzsche Rn. 303). **Erforderlich** ist **konkrete Absicht, das Stimmrecht auszuüben.** Bloße Einholung von Stimmrechtsvollmachten erlaubt noch keinen zwingenden Rückschluss auf die Absicht (MüKoAktG/M. Arnold Rn. 81). Absicht kann aber dann vermutet werden, wenn Stimmrechte später tats. ausgeübt wurden. Wille des Intermediärs muss darauf gerichtet sein, Stimmrechte für die Depotkundschaft im Großen und Ganzen auszuüben. Geplante Vertretung nur eines Kunden mit großem Bestand genügt also nicht (MüKoAktG/M. Arnold Rn. 81; Johansson BB 1967, 1315, 1317 f.; aA KK-AktG/Zetzsche Rn. 305 f.; D. Schmidt BB 1967, 818, 821). Pflicht entfällt, wenn Aktionär nach Einberufung Einzelweisungen (→ Rn. 11) erteilt hat; vorausgesetzte Stimmrechtsausübung entspr. eigenen Vorschlägen des Intermediärs, kommt dann nämlich nicht zum Zuge.

18 **(2) Zugänglichmachen.** Intermediär muss Aktionären eigene Abstimmungsvorschläge nicht mehr „mitteilen" wie nach § 128 II 1 aF, sondern zugänglich machen. Früher bei Inhaberaktien erforderliche Zusendung oder vergleichbare papiergebundene Bek. ist damit entfallen, doch bleibt aktive Übermittlung weiterhin möglich (Simon/Zetzsche ZGR 2010, 918). Grds. genügt zur Verringerung des Verwaltungsaufwands aber elektronische Bek., bes. über **Homepage** (RegBegr. BT-Drs. 16/11642, 34; sa RegBegr. BT-Drs. 14/4051, 13 zur Verwahrung von Namensaktien). Vorschläge müssen allerdings rechtzeitig bekannt gemacht werden, damit Aktionär hinreichende Reaktionszeit für eigene Weisungserteilung verbleibt. Zeitraum wird mit etwa zwei Wochen veranschlagt; spätester Zeitpunkt ist jedenfalls Nachweisstichtag (Record Date) iSd § 123 IV 2 (Simon/Zetzsche ZGR 2010, 918, 933; zust. B/K/L/Holzborn Rn. 24).

19 Vom Gesetzgeber nicht bedacht ist **Gefahr der Doppelvertretung** als Folgeproblem der verfahrensmäßigen Erleichterung einerseits und der Zulässigkeit von AG benannter Stimmrechtsvertreter (§ 134 III 5) andererseits (s. dazu Marsch-Barner FS Peltzer, 2001, 261, 275 f.). Namentl. sind Rechtsfolgen solcher Doppelvertretung noch diskussionsbedürftig. Dabei wird zwischen Innen- und Außenverhältnissen zu unterscheiden und den Rechtsgedanken der §§ 168 ff. BGB Rechnung zu tragen sein. Problemvermeidender weitgehender Rückzug der Intermediäre von Stimmrechtsvertretung liefe der Fließrichtung letzter Reformen zuwider (→ Rn. 3) und wäre auch generell nicht wünschenswert (Zöllner FS Peltzer, 2001, 661, 671 ff.).

20 **(3) Inhaltliche Anforderungen.** Inhaltliche Anforderungen an Abstimmungsvorschläge des Intermediärs richten sich nach § 135 II 2. Intermediär muss eigenen Vorschlag unterbreiten, was aber nicht ausschließt, dass er sich fremden Vorschlag (zB einer anderen Bank oder der Verwaltung selbst) zu Eigen macht, sofern es zumindest eigene Schlüssigkeitsprüfung vornimmt (MüKoAktG/M. Arnold Rn. 84; KK-AktG/Zetzsche Rn. 317). Begründungspflicht besteht nicht, ist aber zweckmäßig (MüKoAktG/M. Arnold Rn. 86). Nach § 135 II 2 Hs. 1 muss sich Intermediär bei seinem Vorschlag vom **Interesse des Aktionärs** leiten lassen, etwa vorhandene eigene Interessen also zurückstellen. IÜ ist diejenige Stimmrechtsausübung vorzuschlagen, die verständige Aktionäre in Kenntnis des Sachverhalts als ihren Interessen entspr. beurteilen würden (vgl. mit Unterschieden iE MüKoAktG/M. Arnold Rn. 88; B/K/L/Holzborn Rn. 20 f.; BeckOGK/Rieckers Rn. 55 f.). Nicht zutr. wäre es, Gesellschaftsinteresse und Aktio-

närsinteresse in einen Gegensatz zu bringen. Vielmehr schließt typisiertes Aktionärsinteresse das Gesellschaftsinteresse ein (zust. KK-AktG/Zetzsche Rn. 340 ff.; ähnlich BeckOGK/Rieckers Rn. 62), sofern man dieses wie zutr. wesentlich durch den Bestand des Unternehmens und seine dauerhafte Rentabilität geprägt findet (→ § 76 Rn. 63 ff., 89).

21 **(4) Organisatorische Vorkehrungen.** Gem. § 135 II 2 Hs. 1 ist Intermediär auch verpflichtet, seine Bindung an Aktionärsinteressen (→ Rn. 20) durch organisatorische Vorkehrungen abzusichern; Ziel muss sein, dass Eigeninteressen aus anderen Geschäftsbereichen nicht in Inhalt der Abstimmungsvorschläge einfließen. Absicherung soll ausweislich RegBegr. von 1997 namentl. bei Banken ggü. Kreditgeschäft, Beteiligungsverwaltung und Emissionsgeschäft erfolgen (RegBegr. BT-Drs. 13/9712, 18). Aufgrund bes. dynamischer Entwicklung des Bankgeschäfts werden konfliktträchtige Geschäftsfelder damit aber nicht abschließend umschrieben (zutr. KK-AktG/Zetzsche Rn. 347 ff.). Begriff der „Absicherung" wird in RegBegr. ebenfalls dahingehend präzisiert, dass damit keine Abschottung gemeint ist (RegBegr. BT-Drs. 13/9712, 18; DAV-HRA ZIP 1997, 163, 168 Rn. 151). Es genügt vielmehr eine **von Eigeninteressen institutionell unabhängige Urteilsbildung** (zust. KK-AktG/Zetzsche Rn. 352 f.). Erforderliche Vorkehrungen sind deshalb interne Zuständigkeit von Mitarbeitern, die den genannten Bereichen nicht angehören und auch keiner Weisungsbindung unterliegen, die sie den Interessen dieser Bereiche verpflichten würde (RegBegr. BT-Drs. 13/9712, 18; Marsch-Barner FS Peltzer, 2001, 261, 266 f.). Zur Organisation gehört auch Dokumentation der ergriffenen Maßnahmen; denn sonst könnte sich Überwachung (§ 135 II 2 Hs. 2) darauf nicht erstrecken.

22 **(5) Überwachung.** Intermediär hat nach § 135 II 2 Hs. 2 ein Mitglied der Geschäftsleitung (Vorstandsmitglied oder ges. Vertreter in Abhängigkeit von der Rechtsform) zu benennen, das Einhaltung der aus § 135 II 2 Hs. 1 folgenden Pflichten überwacht. Überwachung erstreckt sich auf Maßgeblichkeit der Aktionärsinteressen, organisatorische Vorkehrungen und Dokumentation. Sie ist Leitungsaufgabe, erfordert also idR kein Tätigwerden im Einzelfall. Zu dokumentieren sind namentl. die den Abstimmungsvorschlägen zugrunde liegenden Erwägungen (RegBegr. BT-Drs. 13/9712, 18). Vorstandsmitglieder werden durch Beschluss des Vorstands oder durch für ihn maßgebliche Geschäftsordnung benannt. **Gesamtverantwortung** des Vorstands (→ § 77 Rn. 15) bleibt erhalten (RegBegr. BT-Drs. 13/9712, 18; DAV-HRA ZIP 1997, 163, 168 Rn. 52). Weder Benennung eines Vorstandsmitglieds noch unternehmensinterne Zuständigkeitszuweisung unterhalb der Geschäftsleitungsebene sind also als Einsetzung eines Stimmrechtsbeauftragten mit verdrängenden Kompetenzen zu verstehen (GK-AktG/Grundmann Rn. 80).

23 **bb) Abstimmung nach eigenen Vorschlägen.** Zusammen mit seinen Vorschlägen für die Stimmrechtsausübung hat Intermediär gem. § 135 II 3 darauf hinzuweisen, dass er entspr. seinen mitgeteilten Vorschlägen abstimmen werde, wenn Aktionär nicht rechtzeitig andere Weisung erteilt. Voraussetzungen der Hinweispflicht sind mit denen der Vorschlagspflicht identisch (→ Rn. 17). Der früheren Bitte um Erteilung von Weisungen bedarf es nicht mehr. Dass Hinweis „zusammen mit" Abstimmungsvorschlägen zu erfolgen hat, bedeutet, dass sich **Kommunikationsweg** nach dem für Vorschläge geltenden Weg richtet (RegBegr. BT-Drs. 14/4051, 14). Hinweis nach § 135 II 3 muss also nur zugänglich sein, wobei Homepage genügt (→ Rn. 18).

24 **Weisungsinhalt** kann sein, Vorschlägen der Verwaltung oder Aktionärsanträgen zuzustimmen, sie abzulehnen oder sich der Stimme zu enthalten. Dagegen kann nicht angenommen werden, dass Depotkunden durch Weisung den Inter-

mediär verpflichten können, in ihrem Namen Anträge zu stellen (Butzke HV E 85; BeckOGK/Rieckers Rn. 69; KK-AktG/Zetzsche Rn. 220; aA noch KK-AktG/Zöllner, 1. Aufl. 1985, § 128 Rn. 32). § 135 II 3 bietet dafür keine genügende Handhabe. Auch eine entspr. Nebenpflicht aus Depotvertrag ist idR nicht begründbar. Möglich bleibt nur, dass sich Intermediär durch Annahme eines Auftrags zur Antragstellung verpflichtet. **Rechtzeitigkeit der Weisung** ist anzunehmen, wenn sie nach ordentlichem Geschäftsgang noch bei der Abstimmung in der HV Berücksichtigung finden kann (allgM – s. nur B/K/L/Holzborn Rn. 10; BeckOGK/Rieckers Rn. 71). Es ist zweckmäßig, dem Kunden eine Rücksendungsfrist zu setzen, doch darf diese nicht als Ausschlussfrist behandelt werden, wenn später eingehende Weisungen noch berücksichtigt werden können (sa Weyl, Zustimmungsvorbehalte als Möglichkeit einer Konzernsteuerung, 2015, 187; HV-HdB/Schlitt § 4 Rn. 311; ohne die letztgenannte Einschränkung BeckOGK/Rieckers Rn. 71).

cc) Personelle Verflechtungen. Wenn Intermediär Stimmrechte ausüben will, muss er seinem Kunden nach § 135 II 4 ggf. auch Mitteilung von personellen Verflechtungen zwischen ihm und der AG machen, um deren HV es geht. Mitteilung ist erforderlich, wenn Vorstandsmitglied (auch stellvertretendes; § 94) oder ein aktiver Mitarbeiter (nicht ehemaliger) dem AR der Gesellschaft angehört; ebenso im umgekehrten Fall, wenn also Vorstandsmitglied oder Mitarbeiter der AG dem AR des Intermediärs angehört. Den **Vorstandsmitgliedern** stehen Komplementäre einer KGaA gleich (§ 283 Nr. 6). Ferner sind auch Vorstandsdoppelmandate erfasst, nicht aber Doppelmandate im AR (B/K/L/Holzborn Rn. 26). Nach zutr. hM ist überdies ausdehnende Anwendung auf **vergleichbare Funktionsträger** geboten, wenn Intermediär nicht in der Rechtsform einer AG betrieben wird (KK-AktG/Zetzsche Rn. 382; HV-HdB/Schlitt § 4 Rn. 313). Erstreckung der Hinweispflicht auf AR-Mitgliedschaft von **Mitarbeitern** soll sicherstellen, dass Transparenz von personellen Verflechtungen nicht dadurch verlorengeht, dass AR-Mandate wegen Doppelzählung von Vorsitzmandaten nach § 100 II 3 (→ § 100 Rn. 8) Mitarbeitern übertragen werden (RegBegr. BT-Drs. 13/9712, 19). Mangels ges. Beschränkung ist auf Organmitgliedschaft aller Mitarbeiter hinzuweisen, sofern Dienstverhältnis gegenwärtig besteht. Ehemalige Mitarbeiter fallen nicht unter § 135 II 4, auch nicht im Ruhestand befindliche (RegBegr. BT-Drs. 13/9712, 19). Hinweispflicht wird erfüllt, indem Tatsache und Art der Verflechtung mitgeteilt werden. Anzugeben ist auch, ob AR-Mandat von Vorstandsmitglied oder Mitarbeiter wahrgenommen wird. Namentliche Nennung der beteiligten Personen ist dagegen ebenso wenig erforderlich wie Fehlanzeige (BeckOGK/Rieckers Rn. 62). 25

dd) Beteiligungsbesitz. § 135 II 5 bringt inhaltliche Erweiterung der Hinweispflichten. Nach § 135 II 5 Fall 1 ist Intermediär hinweispflichtig, wenn er an der AG eine nach § 33 WpHG meldepflichtige Beteiligung hält. RegBegr. BT-Drs. 13/9712, 19 verspricht sich von Transparenz der Beteiligung, dass Eigeninteressen des Intermediärs nicht in seinen Abstimmungsvorschlag eingehen. **Verweisung auf § 33 WpHG** ist nicht ohne Unschärfe und als dynamische Verweisung wegen umfänglicher Änderungen des WpHG auch sonst nicht ohne Probleme. Im Einzelnen gilt: Mitzuteilen ist Vorhandensein einer nach § 33 WpHG meldepflichtigen Beteiligung; sie muss also wenigstens 3% der Stimmrechte erreichen und an AG bestehen, die Emittentin iSd § 2 XIII WpHG ist. Weil sich § 135 II 5 nur auf Beteiligung und nicht auf Schwellenwerte bezieht, muss Intermediär nach bloßem Wortlaut jew. erreichten Schwellenwert nicht mitteilen. Dieses Ergebnis ist mit Blick auf Transparenzzweck aber zu korrigieren, zumal auch RegBegr. BT-Drs. 13/9712, 19 von Schwellenwerten ausgegangen zu sein scheint, weil Intermediär auf Wiederholung der ihm ges. obliegenden 26

Meldungen verwiesen wird (wie hier MüKoAktG/M. Arnold Rn. 96; GK-AktG/Grundmann Rn. 82; BeckOGK/Rieckers Rn. 64; aA KK-AktG/Zetzsche Rn. 395 f.). Jedenfalls nicht vorgeschrieben ist, neben der Tatsache der meldepflichtigen Beteiligung auch genaue Höhe des Stimmrechtsanteils mitzuteilen, ferner nicht, im Abstimmungsvorschlag des Folgejahres etwa eingetretenes Unterschreiten der Schwellenwerte offenzulegen, was jedoch zur Vermeidung von Missverständnissen sinnvoll sein dürfte. Nicht in § 135 II 5 genannt, aber als zu § 33 WpHG gehörige Berechnungsvorschrift anwendbar ist § 34 WpHG, wobei Vollmachtstimmrechte mangels eigenen Ermessens nicht gem. § 34 I 1 Nr. 6 WpHG dem Intermediär zuzurechnen sind (RegBegr. BT-Drs. 16/11642, 34 [zu § 22 I 1 Nr. 6 WpHG aF]). Dasselbe hat für § 36 WpHG zu gelten. In den Konzernfällen des § 37 WpHG ändert Zulässigkeit einer Mitteilung durch das Mutterunternehmen nichts an Existenz einer meldepflichtigen Beteiligung des Intermediärs; sie muss also im Abstimmungsvorschlag angegeben werden.

27 **ee) Emissionstätigkeit.** Gem. § 135 II 5 Fall 2 hat Intermediär im Abstimmungsvorschlag ggf. auch mitzuteilen, dass er einem **Konsortium** angehörte, das die zeitlich letzte Emission von Wertpapieren der AG übernommen hat. Nach dem Sinn der Norm besteht Mitteilungspflicht auch dann, wenn Intermediär Emission allein besorgt hat. Ob Aktien, Anleihen oder andere Wertpapiere Gegenstand der Emission waren, bleibt gleich. Für Wertpapierbegriff kann auf § 2 I WpHG abgestellt werden, so dass nicht nur Aktien, sondern auch Optionen oder Anleihen erfasst sind (MüKoAktG/M. Arnold Rn. 97: BeckOGK/Rieckers Rn. 65). Mitteilungspflichtig ist nur die zeitlich letzte Emission; sie darf auch nicht länger als fünf Jahre zurückliegen. Vorhergehende Emission ist auch dann nicht mitteilungspflichtig, wenn sie in Fünfjahreszeitraum fällt. Fristberechnung kann schwierig sein, weil Emission als solche weder Ereignis noch Zeitpunkt ist (§ 187 I BGB, § 188 II BGB). Nach heute ganz hM ist insofern auf Beendigung der Emissionstätigkeit abzustellen, die durch zeitlich letzte Platzierung markiert wird (MüKoAktG/M. Arnold Rn. 97; BeckOGK/Rieckers Rn. 65; KK-AktG/Zetzsche Rn. 403). Dass jede Mitgliedschaft in Emissionskonsortien genügt (auch bei geringer Tranche ohne Veranlassung der AG selbst), schießt über das Ziel hinaus (sa DAV-HRA ZIP 1997, 163, 168 Rn. 53), ist aber nach Gesetzeslage hinzunehmen.

28 **b) Stimmrechtsausübung durch Intermediär. aa) Bindung des Intermediärs an eigene Vorschläge.** An eigene, gem. § 135 II 1 zugänglich gemachte Vorschläge ist Intermediär nach § 135 III 1 ebenso gebunden, wie wenn Aktionär entspr. Weisung erteilt hätte, und zwar ohne sich davon dispensieren zu können (MüKoAktG/M. Arnold Rn. 122). Alles andere wäre sachwidrig, weil Aktionäre, die mit den Vorschlägen einverstanden sind, durch sie veranlasst werden, von eigener Weisung abzusehen. Auch hier ist Bindung jedoch **nicht schrankenlos.** Vielmehr übernimmt § 135 III 1, 2. Satzteil den Wortlaut des § 665 S. 1 BGB, so dass für Recht und Pflicht zur Abweichung dasselbe gilt wie bei erteilter Weisung (→ Rn. 11). ZT wird zwar erwogen, bei Abweichung von eigenem Vorschlag tendenziell geringere Anforderungen an Schadenswahrscheinlichkeit zu stellen, da Stimmrechtsvertreter hier größere Verantwortung für Aktionärsinteressen übernommen habe und zugleich Aktionär nicht gleichermaßen persönliches Anlageinteresse habe wie bei persönlicher Weisung (Henssler ZHR 157 [1993], 91, 105; zust. Grigoleit/Herrler Rn. 31; BeckOGK/Rieckers Rn. 86; wohl auch MüKoAktG/M. Arnold Rn. 134). Zumindest aus Aktionärsperspektive bleibt Differenzierung zweifelhaft, da Aktionär, der angesichts eines seinen Vorstellungen entsprechenden Vorschlags von Weisung absieht, nicht weniger persönliches Interesse hat als derjenige, der Weisung doch erteilt (abl. auch S/L/Spindler Rn. 36; KK-AktG/Zetzsche Rn. 424 ff.).

bb) Mitteilungs- und Begründungspflicht. § 135 III 2 setzt Pflicht des Intermediärs voraus, Weisungen des Aktionärs grds. zu befolgen oder sich mangels solcher Weisungen grds. an die eigenen Vorschläge zu halten (§ 135 III 1; → Rn. 28). Wenn ausnahmsweise abgewichen werden soll, besteht an sich **Anzeigepflicht** nach § 665 S. 2 BGB (hM, s. GK-AktG/Grundmann Rn. 94; BeckOGK/Rieckers Rn. 84; Johansson BB 1967, 1315, 1319; aA KK-AktG/Zetzsche Rn. 433 ff.), doch wird die Zeit dafür vielfach nicht reichen, insbes., wenn sich Abweichung erst in HV als notwendig herausstellt. Veranlasst ist dann **Rechenschaft** in dem durch § 135 III 2 konkretisierten Umfang. Ergebnis ließe sich auch aus § 666 BGB gewinnen (s. dazu BGHZ 109, 260, 266 = NJW 1990, 510), doch ist § 135 III 2 vollen Umfangs zwingend. Bes. Form schreibt Ges. nicht vor, auch keine Frist. Nach allg. Grundsätzen ist unverzügliches Handeln (§ 121 I 1 BGB) geboten (ebenso S/L/Spindler Rn. 31). 29

cc) Stimmrechtsausübung in eigener Hauptversammlung. Für Aktienbanken fragt sich, ob sie die Stimmrechte ihrer Aktionäre als deren Bevollmächtigte in der eigenen HV ausüben dürfen. Frage ist in § 135 III 3 in dem Sinne gelöst, dass das Stimmrecht in eigener HV ausgeübt werden darf, allerdings mit der Maßgabe, dass Aktionär **ausdr. Weisung** zu den einzelnen Gegenständen der Tagesordnung erteilt haben muss. Norm enthält Ausnahmeregelung, die nicht in dem Sinne verallgemeinert werden kann, dass sog Verwaltungsstimmrechte bei Nichtbanken zulässig würden (→ § 136 Rn. 26). Soweit § 134 III 5 aber sog Proxy-Voting legalisiert hat (→ § 134 Rn. 26a), kann sich gebotene einschränkende Auslegung dieser Vorschrift zusätzlich auf den Rechtsgedanken des § 135 III 3 stützen (→ § 134 Rn. 26b). 30

Einzelheiten sind fraglich geblieben, haben aber offenbar wenig praktische Bedeutung erlangt. Hierzu gilt: Weisung ist formfrei möglich (MüKoAktG/M. Arnold Rn. 143). Ausdr. ist Weisung des Aktionärs, wenn sich sein Wille aus seinem Erklärungsverhalten inhaltlich eindeutig ergibt (MüKoAktG/M. Arnold Rn. 143). Zu den einzelnen Gegenständen der Tagesordnung kann Weisung erst erteilt werden, nachdem HV einberufen worden ist (§ 124 I 1). Zu **Fragen der Geschäftsordnung** werden regelmäßig keine Weisungen vorliegen. Dann darf die Bank die Stimmrechte ihrer Depotkunden insoweit auch nicht ausüben (bei Vertagungsanträgen nicht zweifelsfrei). Stimmabgabe ohne genügende Weisung bleibt wirksam (§ 135 VII). 31

dd) Stimmrechtsausübung bei Beteiligungsbesitz. (1) Allgemeines. § 135 III 4 betr. Intermediär, der mit mehr als 20 % des Kapitals selbst an AG beteiligt ist. Früher geltende Schwellenzahl von 5 % ist aufgrund breiter rechtspolitischer Kritik im Zuge des ARUG 2009 auf 20 % angehoben worden. Regelung setzt gedanklich nicht bei Vertretung des sog Streubesitzes, sondern beim Eigenbesitz des Intermediärs an, vermutet wegen seiner Existenz Interessenkonflikt und geht in typisierender Betrachtung davon aus, dass sich Intermediär im Konflikt zugunsten der eigenen Interessen entscheidet. Daraus abgeleitete **Einflusskumulation** soll unterbunden werden (RegBegr. BT-Drs. 13/9712, 20). 32

Rechtspolitische Würdigung bleibt auch nach Entschärfung im Zuge des ARUG 2009 zweifelhaft, und zwar schon deshalb, weil angebliche Missbräuche bis heute nicht belegt sind. Im Übrigen vernachlässigt Norm wegen gedanklicher Fixierung auf Eigenbesitz des Intermediärs (sog Bankenmacht), dass es um Stimmrechte der Aktionäre geht. Ein Beitrag zur Verbesserung der Stimmrechtslage kann nicht darin gefunden werden, dass die Stimmrechte der Aktionäre brachfallen. Dabei geht es nicht um das Verödungsargument (→ Rn. 3), sondern um den schon erstaunlichen Umstand, dass Intermediär berechtigt ist, mit seiner Entscheidung zugunsten der eigenen Stimmrechte diejenigen der Aktionäre unter den Tisch fallen zu lassen. Dass dies ohne vorgängigen Hinweis des Intermediärs 33 geschehen kann, ist vollends nicht einsichtig (ebenso S/L/Spindler Rn. 44). Ges. Regelung, die eher müßige Hinweise auf Stimmrechtsvertretung durch Aktionärsvereinigungen vorschreibt (→ Rn. 15), es aber hinnimmt, dass Aktionäre auf den möglichen Wegfall ihrer Stimmrechte nicht hingewiesen werden, erscheint unausgewogen (ausf. zur Kritik [allerdings noch in schärferer Fassung vor ARUG] Mülbert Gutachten zum 61. DJT, Bd. I, 1996, E 83 ff.).

34 **(2) Voraussetzungen der Ausübungsbeschränkungen.** Gem. § 135 III 4 greifen Ausübungsbeschränkungen ein, wenn Intermediär am Grundkapital der AG mit mehr als 20 % beteiligt ist. Dabei ist jede Aktie mitzurechnen, auch stimmrechtslose Vorzüge (ebenso Marsch-Barner FS Peltzer, 2001, 261, 268). Maßgeblich ist nicht vertretenes Kapital, sondern am Tag der HV in das HR **eingetragene Kapitalziffer.** Absolute Beteiligungshöhe ist ohne Belang. Der eigenen unmittelbaren Beteiligung des Intermediärs steht die von anderem Unternehmen gehaltene Beteiligung gleich, wenn Intermediär daran Mehrheitsbeteiligung hält (mittelbare Beteiligung). Diese ist nach § 16 zu bestimmen (RegBegr. BT-Drs. 13/9712, 20). Anwendungsbereich des § 135 III 4 wird dadurch, namentl. durch Zurechnung nach § 16 IV (→ § 16 Rn. 12 f.), erheblich ausgedehnt, was Problematik der Norm weiter verschärft (s. DAV-HRA ZIP 1997, 163, 168 Rn. 59). Im Handelsbestand gehaltene Aktien sind dagegen nicht zu berücksichtigen (MüKoAktG/M. Arnold Rn. 148). Nach dem durch das Transparenz-RL-ÄndRL-UG v. 20.11.2015 (BGBl. 2015 I 2029) eingefügten letzten Hs. des § 135 III 4 bleiben für Berechnung der Beteiligungsschwelle mittelbare Beteiligungen iSd § 35 III–VI WpHG (zB Kapitalverwaltungsgesellschaften) allerdings außer Betracht. Eine ähnliche Vorgabe fand sich schon bislang in § 94 II 1, IV 1 KAGB.

35 **Negatives Tatbestandsmerkmal** für Ausübungsbeschränkungen nach § 135 III 3, 4 ist Erteilung ausdr. **Abstimmungsweisung** zu den einzelnen Gegenständen der Tagesordnung. Im Wesentlichen sollen also sog Dauervollmachten getroffen werden. Erteilt Aktionär zu einzelnen Gegenständen der Tagesordnung Weisung, zu anderen aber nicht, nötigt Wortlaut der Norm zu der Auslegung, dass Intermediär **gespalten abstimmen** muss: Soweit er Einzelweisung hat, darf er Stimmrechte der Aktionäre und die eigenen ausüben; soweit nicht, unterliegt er dem Ausübungsverbot des § 135 III 4. Mangels anderweitiger Bestimmung muss wohl angenommen werden, dass Intermediär sein Abstimmungsverhalten bis zur HV offenhalten darf (sa Assmann AG 1997, August-Sonderheft S. 100, 106); unberührt bleibt Pflicht zur Benachrichtigung, wenn er sich entschieden hat (→ Rn. 36). Vorausgesetzte ausdr. Weisung ist jedenfalls Formblattweisung nach § 135 II 3. Auch anders erteilte Weisungen sind jedoch beachtlich, wenn sie inhaltlich eindeutig erteilt sind (→ Rn. 31).

36 **(3) Ausübungsverbot.** Liegen Voraussetzungen des § 135 III 4 einschließlich des negativen Tatbestandsmerkmals vor, so darf Intermediär Stimmrechte der Aktionäre nicht ausüben oder ausüben lassen (§ 135 V 1). Weil Vollmacht erteilt ist, handelt es sich um ges. Verbot, davon Gebrauch zu machen. Ausnahme besteht nur bei Verzicht auf Ausübung eigener Stimmrechte einschließlich der Stimmrechtsvertretung. Das war früher in § 135 I 3 Hs. 2 ausdr. ausgesprochen, versteht sich aber auch nach geltendem, auf bloße Deregulierung (RegBegr. BT-Drs. 16/11642, 34) gerichtetem Recht (wie hier MüKoAktG/M. Arnold Rn. 152; S/L/Spindler Rn. 47; Marsch-Barner FS Peltzer, 2001, 261, 268; aA B/K/L/Holzborn Rn. 33; KK-AktG/Zetzsche Rn. 507). Entschließt sich Intermediär, eigene Stimmrechte und nicht die seiner Kunden auszuüben, so stellt sich Frage nach **Benachrichtigungspflicht gem. § 665 S. 2 BGB.** Diese ist zu bejahen, weil Intermediär von eigenen Vorschlägen nicht nur abweicht, wenn er anders abstimmt, sondern auch, wenn er überhaupt nicht abstimmt. Steht entspr.

Absicht so rechtzeitig fest, dass Einzelweisung noch berücksichtigt werden kann, so darf auf Anzeige gem. § 665 S. 2 BGB nicht verzichtet werden. In jedem Fall muss nachträgliche Benachrichtigung gem. § 135 III 2 (→ Rn. 29) erfolgen.

(4) Rechtsfolgen bei unzulässiger Stimmrechtsausübung. Intermediär handelt gem. § 405 III Nr. 5 **ordnungswidrig,** wenn er gegen § 135 III 4 verstößt. Beschlussrechtl. Folgen (§ 243 I) können sich aus Unwirksamkeit der Stimmabgabe ergeben. Diese betr. jedoch nicht eigene Stimmen des Intermediärs, weil § 135 III 4 deren Ausübung nicht verbietet. Betroffen sind vielmehr Stimmen der Aktionäre. Weil Intermediär gegen Verbot verstößt, von seinen Vollmachten Gebrauch zu machen, wäre Rechtsfolge nach allg. Grundsätzen ebenso zu bestimmen, wie wenn er keine wirksame Vollmacht hätte. Vorrangige Sonderregelung in § 135 VII nimmt jedoch ua Verstoß gegen § 135 III 4 von Unwirksamkeitsfolge aus, was auch iErg überzeugen kann. 37

3. Ausübung des Stimmrechts nach Verwaltungsvorschlägen (§ 135 IV). § 135 IV knüpft an § 135 I 4 Nr. 2 an, betr. also Ausübung des Stimmrechts nach übereinstimmenden Vorschlägen von Vorstand und AR (§ 124 III 1 Fall 1), bei Divergenzen oder bei alleiniger Zuständigkeit des AR (§ 124 III 1 Fall 2) nach dessen Vorschlägen. Selbstbindung iSd Verwaltung bedeutet für Intermediär Verzicht auf eigene Abstimmungsvorschläge. Für diese Fälle enthält § 135 IV **Auffangregelung,** die dann zum Tragen kommt, wenn Verwaltungsvorschläge den Aktionären noch nicht anderweitig zugänglich gemacht worden sind. Das dürfte wegen Pflicht zur Bek. nach § 124 kaum praktisch werden (sa RegBegr. BT-Drs. 16/11642, 34; Simon/Zetzsche ZGR 2010, 918, 934). Falls doch, ist Intermediär, der nach Verwaltungsvorschlägen abstimmen will, verpflichtet, für Möglichkeit der Kenntnisnahme zu sorgen. Dabei gelten § 135 II 3 und III 1–3 entspr. Entspr. Geltung bedeutet, dass statt auf eigene Abstimmungsvorschläge des Intermediärs auf Verwaltungsvorschläge abzustellen ist. 38

4. Modalitäten der Vollmachtsausübung (§ 135 V). a) Untervollmacht; Vollmachtsübertragung. § 135 V 1 betr. Erteilung einer Untervollmacht durch Intermediär. Seinen Angestellten darf er stets Untervollmacht erteilen. Das ist notwendig, weil Stimmrechte sonst nur vom Vorstand wahrgenommen werden könnten. Sonst ist Erteilung einer Untervollmacht bei **Gestattung** durch Aktionär zulässig. Gestattung muss ausdr. erfolgen und in Vollmachtsurkunde aufgenommen werden (MüKoAktG/M. Arnold Rn. 176; BeckOGK/Rieckers Rn. 46; aA KK-AktG/Zetzsche Rn. 532). Anders als in § 135 III 2 aF ist Vollmachtsübertragung in § 135 V nicht mehr erwähnt. Gleichstellung mit Untervollmacht in § 135 III 2 aF bezweckte, Umgehung der für Untervollmacht geltenden Erfordernisse zu verhindern (AusschussB Kropff S. 197). Das ist jetzt, sofern man Vollmachtsübertragung überhaupt für möglich hält, aus allg. Grundsätzen abzuleiten. 39

b) Ausübungsformen. Regelfall der Vollmachtsausübung ist gem. § 135 V 2 Stimmabgabe unter Wahrung der Anonymität des Aktionärs, bei der nur offengelegt wird, dass Intermediär überhaupt als Vertreter tätig wird (Vollmachtsbesitz), während Person des Vertretenen verborgen bleibt: **Stimmabgabe im Namen dessen, den es angeht.** Intermediär hat insoweit Recht zur Geheimhaltung (BGHZ 129, 136, 157 = NJW 1995, 1739). Dem BGB ist diese Form fremd. Sie stellt **Ersatz für Legitimationsübertragung** dar und leistet iErg weitgehend dasselbe. Aus § 135 V 2 folgt nicht nur Zulässigkeit der Stimmabgabe im Namen dessen, den es angeht, sondern auch Unzulässigkeit der Legitimationsübertragung. Das war schon zu § 135 I 1 aF weitgehend anerkannt (Eckardt DB 1967, 191, 192) und hat sich durch ARUG 2009 nicht geändert. Im Gegenteil ist Stimmabgabe im Namen dessen, den es angeht, insofern aufgewertet worden, als 40 sie nicht mehr wie früher durch die Vollmacht bestimmt sein muss. § 135 V 2 trägt damit dem praktischen Regelfall Rechnung, lässt aber auch die übliche, § 164 I BGB entspr. Stimmabgabe zu.

41 **c) Briefwahl.** § 135 V 3 stellt klar, dass Intermediär von Briefwahl Gebrauch machen darf, wenn sie bei AG zugelassen ist. Aus Übernahme der Stimmrechtsvertretung folgt also nicht die Pflicht, in HV physisch repräsentiert zu sein, wobei auch hier Gleichstellung der Online-Teilnahme zu beachten ist (B/K/L/Holzborn Rn. 42; Simon/Zetzsche ZGR 2010, 910, 943). Das gilt bei Abstimmung nach Einzelweisung und gem. eigenen Abstimmungsvorschlägen (§ 135 I 4 Nr. 1) ebenso wie bei Abstimmung nach Verwaltungsvorschlag (§ 135 I 4 Nr. 2). Der dritte Fall wird zwar in RegBegr. BT-Drs. 16/11642, 35 nicht eigens erwähnt. § 135 V 3 lässt aber keine Einschränkung erkennen. Sie wäre auch der Sache nach nicht gerechtfertigt. Ob **bei AG Briefwahl zugelassen** ist, bestimmt sich gem. § 118 II 1 nach der Satzung (→ § 118 Rn. 15 ff.). Im Schrifttum vertretene These, Briefwahl sei nur dann zulässig, wenn Intermediär Aktionär zuvor davon informiert habe (Grigoleit/Herrler Rn. 39), findet im klaren Wortlaut des § 135 V 3, der eine solche Informationspflicht nicht vorsieht, keine Grundlage. Dieses Schweigen des Ges. ist umso aussagekräftiger, als in RefE ARUG entspr. Hinweispflicht noch vorgesehen war (ausdr. abl. deshalb auch GK-AktG/Grundmann Rn. 83; BeckOGK/Rieckers Rn. 100; KK-AktG/Zetzsche Rn. 567; ebenfalls ohne Erwähnung einer Hinweispflicht MüKoAktG/M. Arnold Rn. 184; B/K/L/Holzborn Rn. 42).

42 **d) Legitimation.** Wenn Intermediär Stimmrechte von Aktionären ausübt, muss er sich ggü. AG legitimieren. § 135 V 4 Hs. 1 stellt dazu abw. von § 135 IV 3 aF klar, dass bei börsennotierter AG (§ 3 II) die Vorlegung einer **Bankbescheinigung** iSd § 123 IV 1 genügt, und zwar ohne Rücksicht auf **Satzungsinhalt.** Auf diesen kommt es gem. § 135 V 4 Hs. 2 nur „im Übrigen" an, weshalb andere Legitimationsformen ebenfalls ausreichen, die Legitimation durch Bankbescheinigung aber weder verdrängen noch erschweren können. Regelung entspr. § 123 III, weshalb Bankbescheinigung zwar genügt, aber nicht auch erforderlich ist, sofern Satzung Alternativen zulässt (→ § 123 Rn. 14 ff., 27 ff.).

III. Zusatzregeln für fremde Namensaktien (§ 135 VI)

43 **1. Bei Eintragung des Intermediärs im Aktienregister.** § 135 VI betr. Stimmrechte aus fremden Namensaktien, regelt aber nur den Fall, dass Intermediär **als Inhaber der fremden Aktien** in das Register eingetragen ist (Platzhalter; → § 67 Rn. 57 ff.). Wenn diese Eintragung fehlt, sind mangels bes. Regelung allg. Grundsätze maßgeblich, wie sie bes. für Inhaberaktien entwickelt worden sind (→ Rn. 45). Bei Eintragung darf Intermediär Stimmrechte des (wahren) Aktionärs nach § 135 VI 1 nur ausüben, wenn es dazu ermächtigt worden ist, nicht also aufgrund einer Vollmacht. **Erfordernis der Ermächtigung** rechtfertigt sich aus der in § 67 II getroffenen Regelung. Danach wird eingetragener Intermediär unwiderlegbar als Aktionär vermutet (→ § 67 Rn. 25 ff.). Erteilung einer Vollmacht durch den Hintermann wäre also im maßgeblichen Verhältnis zur Gesellschaft Umwandlung des Berechtigten zum Vertreter durch eine Person, die selbst nicht berechtigt ist; solche Konstruktionen verbieten sich von selbst.

44 Für **Erteilung und Ausübung der Ermächtigung** gelten allg. Grundsätze und § 135 I-V, weil § 135 VI darauf verweist. Daraus ergibt sich: Ermächtigung zur Stimmrechtsausübung im eigenen Namen begründet Legitimationsübertragung iSd § 129 III (→ § 129 Rn. 12 ff.; MüKoAktG/M. Arnold Rn. 190). Diese Ermächtigung wird idR schon der Registereintragung zugrunde liegen (Beck-

OGK/Rieckers Rn. 105). Schriftform ist zwar bewusst abgeschafft worden, muss aber aufgrund Gleichstellung von Vollmacht und Ermächtigung in § 135 VI 2 auch hier in richtlinienkonformer Auslegung im Lichte des Art. 11 Aktionärsrechte-RL zumindest durch Textform iSd § 126b BGB ersetzt werden (zutr. Grigoleit/Herrler Rn. 42; S/L/Spindler Rn. 51; aA BeckOGK/Rieckers Rn. 105; → Rn. 9; → § 134 Rn. 23). Gem. § 135 III 3 darf ermächtigter Intermediär Stimmrechte in eigener HV nur ausüben, wenn ausdr. Einzelweisungen vorliegen (→ Rn. 30). Entspr. gilt nach § 135 III 4 für Stimmrechtsausübung bei eigener 20 % übersteigender Beteiligung, sofern Intermediär nicht darauf verzichtet, die eigenen Stimmrechte auszuüben (→ Rn. 32 ff.). Wegen Weisungsbindung nach § 135 III 1 wird Intermediär, der sich als Platzhalter eintragen lässt (→ § 67 Rn. 57 ff.), nicht meldepflichtig nach §§ 33 ff. WpHG. § 135 VII gilt kraft bes. Anordnung in dieser Vorschrift (→ Rn. 46). Für Ausübung der Ermächtigung ist mangels bes. Vorschrift § 135 V 4 maßgeblich. Danach genügt Legitimation wie bei Eigenbesitz (→ Rn. 42). Stimmrechtsausübung kann also auch bei Namensaktien den wirklichen Aktionär oder Hintermann anonym lassen (ebenso Marsch-Barner FS Peltzer, 2001, 261, 274).

2. Ohne Eintragung des Intermediärs im Aktienregister. Wenn Intermediär nicht im Aktienregister eingetragen ist, werden gem. § 67 II Mitgliedschaft und Stimmberechtigung nur des Eingetragenen unwiderlegbar vermutet. Intermediär muss sich in diesem Fall anderweitig legitimieren und kann es **nur durch Vollmacht unter Benennung des Aktionärs.** Ggü. Verwaltung der AG kann Aktionär Anonymität nicht wahren, da für Legitimation ggü. der AG der eingetragene Vollmachtgeber offengelegt werden muss (S/L/Spindler Rn. 52). Seit Wegfall der Pflicht zur Benennung des Aktionärs durch das NaStraG und der damit einhergehenden Gleichstellung von Inhaber- und Namensaktie ist auch Stimmrechtsvertretung gem. § 135 V 2 **im Namen dessen, den es angeht,** möglich (vgl. MüKoAktG/M. Arnold Rn. 193). Der Zweck dieser Abstimmungsart beschränkt sich darauf, im Teilnehmerverzeichnis nicht mehr die Namen der Aktionäre aufführen zu müssen, wodurch diese den Mitaktionären verborgen bleiben, seit durch NaStraG 2001 das umfassende Einsichtsrecht in das Aktienregister auf ein nur die eigenen Daten betreffendes Auskunftsrecht nach § 67 VI 1 verengt worden ist (vgl. BeckOGK/Rieckers Rn. 107; KK-AktG/Zetzsche Rn. 610). 45

IV. Rechtsfolgen bei unzulässiger Stimmrechtsausübung (§ 135 VII)

Nach § 135 VII schlagen nur Verstöße gegen **§ 135 I 1** auf die Wirksamkeit der Stimmabgabe durch. Das geht über früheres Recht hinaus und soll Anfechtbarkeit von HV-Beschlüssen wegen Fehlern des Bevollmächtigten oder im Innenverhältnis zwischen ihm und dem Aktionär von vornherein ausschließen (RegBegr. BT-Drs. 16/11642, 35). Stimmabgabe ist also nur dann unwirksam, wenn Vollmacht fehlt (keine, keine gültige oder keine wirksame Bevollmächtigung). Anfechtbarkeit des HV-Beschlusses ergibt sich daraus freilich nur, wenn es für Abstimmungsergebnis auf die betroffenen Stimmen ankommt. Alle übrigen Verstöße, nämlich gegen **§ 135 I 2–7, II–VI,** lassen dagegen Wirksamkeit der Stimmabgabe unberührt, und zwar auch in den Fällen fehlender Ermächtigung im Fall institutsregistrierter Namensaktien (BeckOGK/Rieckers Rn. 106; Bayer/Scholz NZG 2013, 721, 724; Piroth, Legitimationsübertragung, 2022, Kap. 1 D V 2c; aA B/K/L/Holzborn Rn. 44; KK-AktG/Zetzsche Rn. 650). Teleologische Reduktion der Verweisung ist nicht angezeigt, da nicht auszuschließen ist, dass Gesetzgeber Vermutungswirkung des Registers iSd Rechtssicherheit bewusst 46 stärkere Bestandskraft zuweisen wollte. Zur Schadensersatzpflicht des Intermediärs vgl. § 135 IX und → Rn. 51.

V. Aktionärsvereinigungen, Stimmrechtsberater und geschäftsmäßige Aktionärsvertreter (§ 135 VIII)

47 **1. Normadressaten. a) Aktionärsvereinigungen.** Gem. § 135 VIII Hs. 1 stehen Aktionärsvereinigungen (dazu Simon/Zetzsche ZGR 2010, 918, 949) hinsichtlich der Stimmrechtsausübung den Intermediären gleich. Das ist sachgerecht, weil es auch insoweit Regelungsziel sein muss, Stimmrechtsausübung an den Interessen der Aktionäre zu orientieren (→ Rn. 1). Zum Begriff der Aktionärsvereinigung → § 125 Rn. 5. Ob sie Empfänger von Gesellschaftsmitteilungen nach § 125 I ist, bleibt gleich.

47a Durch ARUG II 2019 wurden auch **Stimmrechtsberater** in die durch § 135 VIII angeordnete Gleichstellung einbezogen. Sie waren schon bislang erfasst, wenn sie nicht bloß Empfehlungen aussprechen, sondern auch Ausübung des Stimmrechts anbieten, weil sie dann als geschäftsmäßig Handelnde gelten (→ Rn. 48; vgl. RegBegr. BT-Drs. 19/9739, 107). Durch Einfügung in § 135 VIII werden nunmehr aber auch Stimmrechtsberater **mit reiner Beratungstätigkeit** erfasst. Für sie wird aber differenzierende Lösung dahingehend angeordnet, dass die sinngemäß in Bezug genommenen Regelungen, die die Stimmrechtsausübung in Vollmacht betr., keine Anwendung finden sollen (RegBegr. BT-Drs. 19/9739, 107 f.). Regelungstechnik ist wenig übersichtlich (krit. Tröger ZGR 2019, 126, 160), soll aber wohl in der Weise gedeutet werden, dass im Wesentlichen **Bindung an Aktionärsinteressen** gem. § 135 II 2 und 4 statuiert werden soll (RegBegr. BT-Drs. 19/9739, 107 f.). Damit soll Art. 3j III Aktionärsrechte-RL umgesetzt werden. Verweis auf § 135 II 2 ist namentl. wegen Vorgabe zur **Vermeidung von Konflikten** relevant, die sich für Stimmrechtsberater aus paralleler Corporate Governance-Beratung (→ § 134d Rn. 1) ergeben können (RegBegr. BT-Drs. 19/9739, 108). Zum Normzweck des § 135 II 4 → Rn. 25).

48 **b) Geschäftsmäßig Handelnde.** Nach § 135 VIII Hs. 1 sind den Intermediären hinsichtlich der Stimmrechtsausübung auch Personen gleichgestellt, die sich ggü. Aktionären geschäftsmäßig zur Ausübung des Stimmrechts erbieten, weil auch insoweit das Stimmrecht entspr. dem Aktionärswillen ausgeübt werden soll (RegBegr. Kropff S. 199). Entscheidendes Merkmal der Geschäftsmäßigkeit ist **Wiederholungsabsicht** (BGHZ 129, 136, 157 = NJW 1995, 1739; OLG Hamm NZG 2013, 302, 303; MüKoAktG/M. Arnold Rn. 40). Dass Tätigkeit beruflich oder gar gewerblich betrieben wird, ist nicht vorausgesetzt; auch Entgeltlichkeit ist nicht wesensnotwendig (MüKoAktG/M. Arnold Rn. 40; GK-AktG/Grundmann Rn. 27; BeckOGK/Rieckers Rn. 114; aA NK-AktR/M. Müller Rn. 28; KK-AktG/Zetzsche Rn. 740; offengelassen in OLG Hamm NZG 2013, 302, 303). Geschäftsmäßigkeit muss sich gerade auf das Sich-erbieten beziehen (MüKoAktG/M. Arnold Rn. 40), nicht auf die Wahrung fremder Interessen. Rechtsanwälte und solche Vermögensverwalter, die nicht von sich aus an ihre potenziellen Kunden herantreten, scheiden deshalb von vornherein aus. In Betracht kommen jedoch Hrsg. von Börsendiensten und ähnlichen Presseerzeugnissen, wenn sie Wahrnehmung von HV-Terminen in ihr Leistungsangebot generell oder für den Einzelfall aufnehmen (BGHZ 129, 136, 157). Von AG benannte Stimmrechtsvertreter fallen nicht unter § 135 VIII, wenn es sich um gesellschaftseigene Mitarbeiter handelt (BeckOGK/Rieckers Rn. 115; KK-AktG/Zetzsche Rn. 746; Noack ZIP 2001, 57, 62; offengelassen in OLG Hamm NZG 2013, 302, 303), wovon zumeist aber abgeraten wird (→ § 134 Rn. 26b).

Professionelle externe Anbieter werden dagegen von § 135 VIII erfasst (OLG Hamm NZG 2013, 302, 303; KK-AktG/Zetzsche Rn. 746; Noack ZIP 2001, 57, 61). Im Einzelnen ist Abgrenzung wenig gesichert. Nicht mehr wie noch in § 135 IX 1 Nr. 2 aF sind in § 135 VIII **Geschäftsleiter und Angestellte des Intermediärs** für den Fall genannt, dass die fremden Aktien dem Intermediär zur Verwahrung anvertraut sind. Frühere Gleichstellung sollte einer Umgehung der Vorschriften über Vollmachts- oder Auftragsstimmrecht vorbeugen (RegBegr. Kropff S. 199), wobei jede abstrakte Umgehungsgefahr genügte. Nach Wegfall der Regelung sind allg. Grundsätze zur Gesetzesumgehung heranzuziehen. Sie setzen jedoch voraus, dass es im konkreten Einzelfall um Umgehung geht.

c) Ausnahme für Angehörige. § 135 VIII Hs. 2 nimmt dort umschriebenen Personenkreis von Gleichstellung mit Stimmrechtsausübung durch Intermediär aus, weil Wahrung der Aktionärsinteressen nicht gefährdet erscheint. Norm bezieht sich nur auf § 135 VIII Hs. 1. Warum ges. Vertreter genannt wird, ist nicht ersichtlich; denn er (und organschaftliche Vertreter sowie Amtswalter) braucht keine Vollmacht (→ § 134 Rn. 29 ff.). Grad der Verwandtschaft oder Schwägerschaft wird nach Zahl der sie vermittelnden Geburten bestimmt (§ 1589 S. 3 BGB, § 1590 I 2 BGB). 49

2. Sinngemäße Geltung des § 135 I–VII. Für den in § 135 VIII umschriebenen Kreis von Institutionen und Personen (→ Rn. 47 ff.) gilt gesamte Regelung des § 135 I–VII sinngem. Danach bedarf es jedenfalls einer Vollmacht nach Maßgabe des § 135 I. Untervollmacht (§ 135 V 1) bleibt jedenfalls von ausdr. Gestattung abhängig. Vollmacht kann gem. § 135 V 2 ausgeübt werden, idR also im Namen dessen, den es angeht. Verwehrt ist (abgesehen vom Sonderfall des § 135 VI 1) nur Ausübung des Stimmrechts im eigenen Namen (Legitimationsübertragung). Bzgl. der Weisungen von Aktionären gilt § 135 III 1, 2. Dort alternativ vorausgesetzte Vorschläge müssen die Adressaten des § 135 VIII nicht machen. Wenn sie solche Vorschläge unterbreiten, ist Norm jedoch anzuwenden (KK-AktG/Zetzsche Rn. 760). Sonst ist interessengerecht abzustimmen. § 135 VII gilt, doch sind Verstöße gegen § 135 III 3 praktisch kaum denkbar. 50

VI. Sanktionen (§ 135 IX)

Gem. § 135 IX kann **Schadensersatzpflicht des Intermediärs** wegen Verletzung seiner aus § 135 I–VII folgenden Pflichten im Voraus weder ausgeschlossen noch beschränkt werden. Vorschrift war bis 2019 nur auf KI beschränkt, wurde durch ARUG II 2019 aber auf sämtliche **Intermediäre, Stimmrechtsberater und geschäftsmäßige Stimmrechtsvertreter** ausgedehnt, womit sich früherer Streit über Möglichkeit einer analogen Anwendung (vgl. dazu noch Simon/Zetzsche ZGR 2010, 917, 953 f.) erledigt hat (RegBegr. BT-Drs. 19/9739, 108). Ausgenommen sind weiterhin die nicht kommerziell agierenden Aktionärsvereinigungen (vgl. Ausklammerung des § 135 IX in § 135 VIII sowie RegBegr. BT-Drs. 19/9739, 108). Beschränkung des Haftungsausschlusses soll formularmäßigen Haftungsausschluss vermeiden und setzt anderweitige Begründung der Ersatzpflicht voraus. Sie kann sich aus Verletzung des Depot- oder Beratungsvertrags (§ 280 I BGB), aus § 826 BGB und nach hM auch aus § 823 II BGB iVm § 135 ergeben (MüKoAktG/M. Arnold Rn. 199; S/L/Spindler Rn. 55). Ob Annahme eines Schutzgesetzes in dieser Allgemeinheit zutrifft, ist jedoch nicht hinsichtlich jeder Einzelregelung zweifelsfrei (diff. auch B/K/L/Holzborn Rn. 52; BeckOGK/Rieckers Rn. 121). Frage ist ohne wesentliche praktische Bedeutung, da idR Schadensnachweis ohnehin nicht geführt werden kann (MüKoAktG/M. Arnold Rn. 200). Vergleich oder Erlassvertrag (§ 397 51

BGB) bleiben zulässig. Verstöße können gem. § 405 III Nr. 4 oder 5 als OWi zu verfolgen sein.

Mehrstimmrechtsaktien

135a (1) [1]**Die Satzung kann Namensaktien mit Mehrstimmrechten vorsehen. Die Mehrstimmrechte dürfen höchstens das Zehnfache des Stimmrechts nach § 134 Absatz 1 Satz 1 betragen.** [2]**Ein Beschluss der Hauptversammlung zur Ausstattung oder Ausgabe von Aktien mit Mehrstimmrechten bedarf der Zustimmung aller betroffenen Aktionäre.**

(2) [1]**Bei börsennotierten Gesellschaften sowie Gesellschaften, deren Aktien in den Handel im Freiverkehr nach § 48 des Börsengesetzes einbezogen sind, erlöschen die Mehrstimmrechte im Fall der Übertragung der Aktie.** [2]**Sie erlöschen spätestens zehn Jahre nach Börsennotierung der Gesellschaft oder Einbeziehung der Aktien in den Handel im Freiverkehr, wenn die Satzung keine kürzere Frist vorsieht.** [3]**Die Frist nach Satz 2 kann in der Satzung um eine bestimmte Frist von bis zu zehn Jahren verlängert werden.** [4]**Der Beschluss über die Verlängerung darf frühestens ein Jahr vor Ablauf der Frist nach Satz 2 gefasst werden und bedarf einer Mehrheit, die mindestens drei Viertel des bei der Beschlussfassung vertretenen Grundkapitals umfasst.** [5]**Die Satzung kann eine größere Kapitalmehrheit bestimmen.** [6]**Sind mehrere Gattungen von stimmberechtigten Aktien vorhanden, so bedarf der Beschluss zu seiner Wirksamkeit der Zustimmung der Aktionäre jeder Gattung.** [7]**Über die Zustimmung haben die Aktionäre jeder Gattung einen Sonderbeschluss zu fassen.** [8]**Für diesen gelten die Sätze 4 und 5.**

(3) **Die Satzung kann weitere Erfordernisse aufstellen.**

(4) **Bei Beschlüssen nach § 119 Absatz 1 Nummer 5 sowie § 142 Absatz 1 berechtigen Mehrstimmrechtsaktien zu nur einer Stimme.**

Übersicht

I. Normzweck

1 Mit **ZuFinG 2023** wurden durch Änderung des § 12 S. 2 Mehrstimmrechtsaktien in Deutschland wieder zugelassen (→ § 12 Rn. 7 ff.). § 135a ergänzt konkrete Vorgaben zum Anleger- und Minderheitenschutz, um damit bisherigen (und zT auch fortdauernden) Einwänden gegen Mehrstimmrechtsaktien (→ § 12 Rn. 10 f.) zumindest durch **volumenmäßige und zeitliche Begrenzungen** Rechnung zu tragen (RegBegr. BT-Drs. 20/8292, 108 f.). Vorgaben werden in Abs. 1 generell formuliert und dann in Abs. 2 für börsennotierte oder im Freiverkehr gehandelte AG nochmals verschärft. Abs. 3 erlaubt, in Satzung weitere

Erfordernisse vorzusehen. Abs. 4 nimmt einzelne Beschlussgegenstände von Mehrstimmrechtsmacht aus, um sinnvollen Minderheitenschutz zu gewährleisten.

II. Allgemeine Begrenzungen (§ 135a I)

1. Einführung durch Satzung oder Beschluss. § 135a I 1 enthält keine Vorgaben hinsichtlich Adressatenkreises, namentl. auch nicht die im EU-Listing Act (→ § 12 Rn. 9) vorgesehene Beschränkung auf KMU-Wachstumsunternehmen (nachdrücklich dagegen DAV-HRA NZG 2023, 464, 466; NZG 2023, 738 Rn. 39). Erste Voraussetzung des § 135a I 1 lautet, dass Gestattung von Mehrstimmrechten in **Satzung** enthalten sein muss. Mehrstimmrechtsaktien bilden eigene Gattung iSd § 11 (→ § 11 Rn. 7 f.), so dass insbes. die in § 23 III Nr. 4 vorgesehenen Angaben in Satzung aufzunehmen sind. Darüber hinaus ist bei künftigen Kapitalmaßnahmen gem. § 182 II, § 222 II Sonderbeschluss auch dieser Gattung erforderlich, was Mehrstimmrechtsaktionären faktisch Vetorecht zuweist (→ Rn. 5 f.); Gleiches gilt für einzelnen Aktionär, wenn er nur mehr als 25 % der Mehrstimmaktien hält. 2

Zudem beschränkt § 135a I 1 Möglichkeit von Mehrstimmrechten auf **Namensaktien** (→ § 10 Rn. 5 ff.; → § 68 Rn. 10 ff.). Hintergrund ist Annahme, dass Mehrstimmrechte nur best. Personen zustehen sollen, deren Einfluss auf Ausrichtung und Strategie gestärkt werden soll, so dass idR Vinkulierung nach § 68 II (→ § 68 Rn. 10 ff.) vorgenommen wird (RegBegr. BT-Drs. 20/8292, 111). IÜ ist hinsichtlich des **Personenkreises,** der Inhaber der Mehrstimmrechtsaktien sein kann, keine ges. Einschränkung (zB auf Gründer oder Aktionäre, die zugleich Vorstandsmitglied sind) vorgesehen, um etwa auch später hinzutretenden Schlüsselmitarbeitern Bezug zu eröffnen (RegBegr. BT-Drs. 20/8292, 111). Damit können auch jur. Personen, insbes. Konzernmütter, Inhaber von Mehrstimmrechtsaktien sein (S/L/Spindler, 5. Aufl. 2024 [Vorab-Onlinefassung], Rn. 81). Speziell in solcher Konzernierungssituation wird Schutzniveau für Minderheitsaktionäre hinsichtlich der Einführung von Mehrstimmrechten über § 16 erhöht (RegBegr. BT-Drs. 20/8292, 112; sa → Rn. 9). AG kann solchen Szenarien aber auch entgegenwirken, indem sie durch entspr. beschränkende Satzungsgestaltung nach § 135a III von sich aus Personenkreis verengt (→ Rn. 15). Zeitliche Befristung ist nur für börsennotierte AG in § 135a II 2 vorgesehen (→ Rn. 12), kann aber auch für nichtbörsennotierte qua Satzung eingeführt werden. Auch Übertragung lässt – vorbehaltlich bes. Satzungsregelung – Mehrstimmrechte nur bei börsennotierter AG gem. § 135a II 1 entfallen (→ Rn. 10 f.; Gebhard/Herzog ZIP 2023, 1161, 1164). 3

Ebenfalls nicht in § 135a I enthalten ist Vorgabe eines festen **Stimmverhältnisses,** sondern auch dies wird privatautonomer Satzungsgestaltung vorbehalten. Damit soll es auch ermöglicht werden, mehrere Gattungen von Mehrstimmrechtsaktien mit unterschiedlich hohen Mehrstimmrechten vorzusehen, wie sie zT im Ausland (USA) verbreitet sind (RegBegr. BT-Drs. 20/8292, 111; Bsp. nach Gebhard/Herzog ZIP 2023, 1161, 1164: A-Aktien mit 10-fachem, B-Aktien mit 3-fachem Stimmrecht). Aus Gründen des Minderheitenschutzes wird allerdings **Höchstzahl** an Stimmen festlegt, zu denen Mehrstimmrechtsaktie berechtigen kann (zu int. Vorbildern vgl. RegBegr. BT-Drs. 20/8292, 111). § 135a I 2 enthält deshalb volumenmäßige Begrenzung, wonach Mehrstimmrechte höchstens das Zehnfache des Stimmrechts nach § 134 I 1 betragen dürfen. Mit diesem **maximalen Stimmverhältnis von 10:1** wird sichergestellt, dass die mit Ermöglichung von Mehrstimmrechten verfolgten Ziele erreicht werden können, das Stimmrecht aber nicht vollständig von wirtschaftl. Beteiligung abgekoppelt wird (RegBegr. BT-Drs. 20/8292, 111). Ges. kennt aber **keine Höchst-** 4

zahl an Mehrstimmrechtsaktien (S/L/Spindler, 5. Aufl. 2024 [Vorab-Onlinefassung], Rn. 85; dafür noch Casper ZHR 187 [2023], 5, 31).

5 HV-Beschluss zur Ausstattung oder Ausgabe von Aktien mit Mehrstimmrechten bedarf aus Gründen des Minderheitenschutzes nach § 135a I 3 der **Zustimmung aller betroffenen Aktionäre.** Das sind idR alle Aktionäre, da Einführung von Mehrstimmrechtsaktien gleichermaßen Begünstigte und Nichtbegünstigte betr. (RegBegr. BT-Drs. 20/8292, 111). Ausn. soll allein für stimmrechtslose **Vorzugsaktien** gelten, da diese nicht von Verschiebung des Stimmrechtsverhältnisses „betroffen" seien (RegBegr. BT-Drs. 20/8292, 111). Das ist mit Blick auf mögliches Wiederaufleben nach § 140 II nicht zweifelsfrei (v. der Linden/Schäfer DB 2023, 2292, 2293), aber angesichts klarer Aussage in Materialien so hinzunehmen. Rechtspolit. wird Einstimmigkeitserfordernis kritisiert, da gerade Wachstumsunternehmen nach mehreren Finanzierungsrunden ggf. breite Investorenbasis, ggf. auch Mitarbeiteraktien haben können, so dass Einstimmigkeit große Hürde darstellen kann (für qualifizierte Mehrheit deshalb DAV-HRA NZG 2023, 464, 467 f.; sa DAV-HRA NZG 2023, 738 Rn. 39 ff. sowie Casper ZRP 2023, 105 mit Hinweis auf AG mit mehreren Familienstämmen oder renitenten Kleinaktionären).

6 Danach idR erforderliche Einstimmigkeit liegt automatisch dann vor, wenn Mehrstimmrechtsaktien in **Gründungssatzung** vorgesehen sind (RegBegr. BT-Drs. 20/8292, 111). Anderenfalls bedarf es Satzungsänderung, für die **sachliche Rechtfertigung nicht erforderlich** ist (S/L/Spindler, 5. Aufl. 2024 [Vorab-Onlinefassung], Rn. 81; Harnos AG 2023, 348 Rn. 14; Kuthe BB 2023, 1603, 1606). Praktische Regelkonstellation dürfte sein, dass im Vorfeld geplanter Kapitalerhöhung mit Ausgabe von Stammaktien (zB iRe Börsengangs) bereits ausgegebene Aktien durch Satzungsänderung mit Mehrstimmrechten ausgestattet werden sollen. In diesem Fall bedarf satzungsändernder Beschluss ebenfalls der Zustimmung aller betroffenen Aktionäre. Insoweit handelt es sich bei § 135a I 3 um **spezielle Regelung,** die allg. Regelungen in § 179 II, III vorgeht (RegBegr. BT-Drs. 20/8292, 111). Damit ist zugleich ausgeschlossen, dass nach Satzung Mehrstimmrechte durch Beschluss mit einfacher oder qualifizierter Mehrheit eingeführt werden können. Faktisch bedeutet dies, dass Mehrstimmrechte **nur bis zum Börsengang** eingeführt werden können, da Zustimmung aller betroffenen Aktionäre anschließend kaum erreicht werden kann (RegBegr. BT-Drs. 20/8292, 111). Gleichermaßen ist Zustimmung aller betroffenen Aktionäre erforderlich, wenn iRe Kapitalerhöhung Aktien mit Mehrstimmrechten neu ausgegeben werden sollen (RegBegr. BT-Drs. 20/8292, 111). Ausgabe von Mehrstimmrechtsaktien iRv **genehmigtem Kapital** ist nach § 202 I 2 nicht gestattet (→ § 202 Rn. 2). **Beseitigung der Mehrstimmrechte** vor und nach Börsengang ist über eine Satzungsänderung nach § 179 mit Erfordernis eines Sonderbeschlusses gem. § 179 III möglich.

7 **2. Einführung qua Umwandlung.** Besonderheiten bestehen bei praxisrelevanter Konstellation, dass Wachstumsunternehmen als **GmbH** organisiert ist, in der Mehrstimmrechte in Gesellschaftsvertrag vorgesehen werden können (vgl. zum Folgenden RegBegr. BT-Drs. 20/8292, 112). Soll sie anlässlich eines geplanten Börsengangs in AG umgewandelt werden, wird **Kontinuität** durch Möglichkeit des Formwechsels erlaubt, dessen Ausgestaltung im UmwG auch Erhaltung von Mehrstimmrechten ermöglicht. Voraussetzung ist, dass Formwechselbeschluss gem. § 194 I Nr. 5 UmwG in Bezug auf Fortführung bestehender Mehrstimmrechte Regelung vorsieht, die mit Vorgaben des § 135a I – namentl. mit Blick auf **Stimmverhältnis** (→ Rn. 4) – vereinbar ist. Beschluss bedarf nach § 241 II UmwG iVm § 50 II UmwG ggf. der Zustimmung der beeinträchtigten Gesellschafter.

3. Wirkung. Mit Ausn. der in § 135a IV genannten Beschlussgegenstände (→ Rn. 16) wirken Mehrstimmrechte grds. bei jeder Beschlussfassung der HV. Wirkungsmacht wird allerdings dadurch eingeschränkt, dass AktG für viele HV-Beschlüsse **doppelte Mehrheit** vorsieht, bei der zusätzlich zur Stimmenmehrheit Entscheidung mit Kapitalmehrheit erforderlich ist (vgl. zum Folgenden Seidel NZG 2023, 1205, 1210). Bei Bestimmung des **Kapitalanteils** bleiben Mehrstimmrechte – wie in der Vergangenheit – außer Betracht (RegBegr. BT-Drs. 20/8292, 114). Bsp.: Satzungsänderung (§ 179 II 1), Beschlüsse über Kapitalerhöhung oder -herabsetzung (§ 182 I 1, § 222 I 1), Schaffung von genehmigtem Kapital (§ 202 II 2), Zustimmung zu Unternehmensverträgen (§ 293 I 2) oder Umwandlungsmaßnahmen (§ 65 I, § 125 S. 1, § 240 I UmwG). In all diesen Fällen reicht das Mehrstimmrecht allein nicht aus, um Beschluss durchzusetzen, wohl aber, ihn zu blockieren (Kalss ZHR 187 [2023], 438, 493 f.; zur bes. Blockadeposition bei Erfordernis gattungsbezogener Sonderrechte → Rn. 2). Auch für **Minderheitenrechte** wie Einberufung der HV (§ 122 I, II) oder Antrag auf Abberufung von AR-Mitgliedern (§ 137) kommt es zT auf Kapitalbeteiligung an. Nur wo reine Stimmrechtsmehrheit zählt, entfalten Mehrstimmrechtsaktien volle Wirkung. Dazu gehören etwa AR-Wahl (§ 101 I), Verwendung des Bilanzgewinns (§ 174), Votum zu Vergütungsbericht und -system (§ 120a) oder Entlastung des Vorstands (§ 120). Zum Bezugsrecht der Mehrstimmrechtsaktien bei Kapitalerhöhung → § 186 Rn. 4. 8

Wo Mehrstimmrechtsaktien Wirkung entfalten, besteht Risiko potenziellen **Machtmissbrauchs,** dem durch herkömmliche Instrumentarien entgegengewirkt werden muss. Bes. Bedeutung kommt dabei Konzernrecht (§§ 311 ff.) zu, was allerdings nach hM voraussetzt, dass Inhaber von Mehrstimmrechtsaktien zugleich konzernrechtl. Unternehmensbegriff erfüllt (→ § 15 Rn. 10 ff.). **Abhängigkeitsfeststellung** nach § 17 I wird aufgrund Mehrstimmrechts häufig über § 17 II iVm § 16 I erfolgen können. Weiterer Schutz erfolgt über RPT-Regeln (→ § 111a Rn. 1 ff.), Treupflicht der mehrheitsstimmberechtigten Aktionäre sowie darauf gestützte materielle Beschlusskontrolle (DAV-HRA NZG 2023, 738 Rn. 48; sa Harnos AG 2023, 348 Rn. 14). Disziplinierende Funktion wird überdies Kapitalmarkt haben, an dem Aktien von Unternehmen mit Mehrstimmrechten ohne „marktübliche" Regelungen idR nur mit Bewertungsabschlag gehandelt werden dürften (DAV-HRA NZG 2023, 738 Rn. 48). 9

III. Kapitalmarktorientierte AG (§ 135a II)

Verschärfte Anforderungen gelten für börsennotierte AG iSd § 3 II (→ § 3 Rn. 5 f.) sowie AG, deren Aktien nach § 48 BörsG in Freiverkehr (einschließlich KMU-Wachstumsmarkt nach § 48a BörsG; RegBegr. BT.-Drs. 80/8292, 112) einbezogen sind. In beiden Fällen erlöschen Mehrstimmrechte im Fall der **Übertragung** der Aktie („transfer-based sunset clause"). Hintergrund ist, dass bisherige Inhaber im Umfang der Übertragung nicht mehr an Entwicklung des Unternehmens teilnehmen. Zweck der Mehrstimmrechte, ihnen auch nach Börsengang in der Wachstumsphase Kontrolle über die Unternehmensstrategie zu ermöglichen, entfällt. Daraus erwachsendes Risiko des Einflussverlustes ist in Alternative des Börsengangs für Inhaber von Mehrstimmrechtsaktien idR steuerbar, nicht aber bei Einbeziehung in Freiverkehr, die auch ohne Einverständnis des Emittenten erfolgen kann (s. § 48 I 5 BörsG – ausf. Ceesay Max Planck Private Law Research Paper No. 23/20, 24 f.). Unter diesen Rahmenbedingungen kann Inhaber Einflussverlust zwar dadurch vermeiden, dass er rechtsgeschäftliche Übertragung nicht vornimmt. Bei todesfallbedingter Gesamtrechtsnachfolge, die von § 135a II auch erfasst wird (→ Rn. 11), geht Einfluss dagegen ohne sein Zutun verloren. 10

11 Begriff der Übertragung ist weit zu verstehen und umfasst nicht nur rechtsgeschäftliche Verfügungen, sondern auch alle Fälle ges. **Einzel- oder Gesamtrechtsnachfolge** (wie etwa § 1922 BGB). Damit wird Eignung der Mehrstimmrechte zur Einflusssicherung für Familiengesellschaften deutlich geschmälert (DAV-HRA NZG 2023, 738 Rn. 50; Volkmann/Thoma RFamU 2023, 443, 446 f.; sa Gebhard/Herzog ZIP 2023, 1161, 1166: death sunset clause). Sie werden vermutlich auch weiterhin Gestaltungsalternative der KGaA nutzen, die aber an int. Kapitalmärkten als exotische deutsche Besonderheit mit Bewertungsabschlägen belegt wird. Freie Handelbarkeit wird durch Regelung jedoch nicht eingeschränkt. Umgehungsgefahren können sich bei Einschaltung **jur. Personen** ergeben, die Mehrstimmrechtsaktien – zB in Holdingstruktur – für wechselnde Eigentümer halten (Volkmann/Thoma RFamU 2023, 443, 447); hier wird Durchgriff nach Zurechnungsregeln erwogen (S/L/Spindler, 5. Aufl. 2024 [Vorab-Onlinefassung], Rn. 90; Kraack NZG 2023, 1151, 1156 f.; zu ähnlichen Fragen bei Vinkulierungsklausel → § 68 Rn. 12; ausf. MüKoAktG/Bayer § 68 Rn. 116 ff.). Weiteren Umgehungsschutz kann § 71a II bieten (→ § 71a Rn. 2 ff.; RegBegr. BT-Drs. 20/8292, 112).

12 Noch weitergehend sieht § 135a II 2 aus Gründen des Anlegerschutzes vor, dass Mehrstimmrechte auf **zehn Jahre** nach Börsengang bzw. Einbeziehung in Freiverkehr befristet werden und anschließend ipso iure erlöschen („time-based sunset clause"). Damit soll Gründern ausreichend Zeit gegeben werden, Visionen umzusetzen, sodann aber iSd Anlegerschutzes „asymmetrische Kontrolle" beseitigt und wieder Gleichlauf von Beteiligung und Stimmmacht hergestellt werden (RegBegr. BT-Drs. 20/8292, 113). Gedanklicher Hintergrund ist empirischer Befund, dass positive Effekte von Mehrstimmrechten mit größerem Zeitablauf abnehmen (Gebhard/Herzog ZIP 2023, 1161, 1166). Bei Wechsel zwischen Freiverkehr und reguliertem Markt ist früherer Zeitpunkt für Fristbeginn maßgeblich (RegBegr. BT-Drs. 20/8292, 113). Formulierung in S. 2 stellt klar, dass Satzung abweichend von dort geregelter Frist auch kürzere Fristen als zehn Jahre vorsehen kann.

13 Frist kann nach § 135a II 3 in Satzung (über Frist des § 135a II 2 hinaus) nochmals um best. Frist von **bis zu zehn Jahren verlängert** werden (vgl. zum Folgenden RegBegr. BT-Drs. 20/8292, 113). Dadurch wird Praxis größere Flexibilität eingeräumt. Aktionäre können entscheiden, ob sich Mehrstimmrechte bewährt haben. Verlängerung ist aber nur einmal möglich. § 135a II 4 verlangt für Verlängerungsbeschluss **satzungsändernde Mehrheit** von ¾ des bei Beschlussfassung vertretenen Grundkapitals. Regelung in § 135a I 5 ermöglicht die Festlegung einer größeren Kapitalmehrheit in der **Satzung.** Damit wird zum einen gewährleistet, dass keine zu hohe Hürde besteht, die nach Börsengang kaum mehr erreicht werden kann. Zum anderen wird durch Abstellen auf Kapitalmehrheit dafür gesorgt, dass Inhaber der Mehrstimmrechte nicht allein durch deren Einsatz Verlängerung gegen Willen der übrigen Aktionäre durchsetzen können. Darüber hinaus kann Verlängerung **frühestens ein Jahr vor Ablauf der ges. Frist** beschlossen werden. Das verhindert frühzeitige Zementierung der Mehrstimmrechte zu Zeitpunkt, in dem ihre (fortdauernden) Effekte noch nicht bewertet werden können. Verlängerung ist zudem nur wirksam, wenn Aktionäre jeder stimmberechtigten Gattung in Form eines Sonderbeschlusses zugestimmt haben, der der Kapitalmehrheit nach S. 4 bzw. der nach S. 5 in der Satzung festgelegten höheren Kapitalmehrheit bedarf.

14 Mit **Erlöschen von Mehrstimmrechten** reduziert sich Gesamtzahl der Stimmrechte an betroffener AG, was zu Verschiebung des Stimmgewichts führt und Überschreiten der **Kontrollschwelle nach § 29 II WpÜG** zur Folge haben kann (vgl. zum Folgenden RegBegr. BT-Drs. 20/8292, 113). Für betroffenen Aktionär ist in derartigen Fällen Befreiung von übernahmerechtl. Pflichten nach

§ 35 WpÜG (Kontrollerwerbsmitteilung, Pflichtangebot) gem. § 37 WpÜG iVm § 9 S. 1 Nr. 5 WpÜG-AV möglich. § 9 S. 1 Nr. 5 WpÜG-AV enthält ausdr. Befreiungsgrund der „Verringerung der Gesamtzahl der Stimmrechte an der Zielgesellschaft". Dieser Befreiungsgrund deckt auch Verringerung der Gesamtstimmrechtszahl durch Erlöschen von Mehrstimmrechten ab (dennoch krit. angesichts aufwendigen Verwaltungsverfahrens Kraack NZG 2023, 1151, 1159; dagegen wiederum Gebhard/Herzog ZIP 2023, 1161, 1166).

IV. Satzungsergänzung (§ 135a III)

Nach § 135a III kann Satzung weitere Einschränkungen vorsehen, die über ges. 15 Regelungen hinausgehen. ZB kann **Kreis möglicher Inhaber** von Mehrstimmrechtsaktien oder Geltung dieser Rechte für best. Beschlussfassungen begrenzt werden. Als Anwendungsfälle bieten sich insofern etwa Abberufung von AR-Mitgliedern nach § 103 I 2 an, Holzmüller/Gelatine-Fälle (→ § 119 Rn. 16 ff.) oder Entscheidungen über der HV vorgelegte Geschäftsführungsmaßnahmen des Vorstands nach § 111 IV 3 (S/L/Spindler, 5. Aufl. 2024 [Vorab-Onlinefassung], Rn. 89a). Zudem können auch nichtbörsennotierte AG **sunset-clauses** nach Vorbild des § 135a II 1 und 2 (→ Rn. 10 ff.) festlegen (RegBegr. BT-Drs. 20/8292, 114). Mit Verwässerungs- und Divestitionsklauseln wird versucht, Auseinanderfallen von Kapitalbeteiligung und Stimmmacht auf noch erträgliches Maß zu begrenzen (vgl. S/L/Spindler, 5. Aufl. 2024 [Vorab-Onlinefassung], Rn. 89a; Gebhard/Herzog ZIP 2023, 1161, 1167 f.). Kopplung an Beschäftigungsverhältnis in Gestalt sog „separation-based sunset clauses" könnte in der Sache ebenfalls sinnvoll sein, droht aber bei gerichtl. Inhaltskontrolle Probleme aufzuwerfen (Gebhard/Herzog ZIP 2023, 1161, 1168).

V. Besondere Beschlussgegenstände (§ 135a IV)

Mehrstimmrechtsmacht kann sich gerade bei solchen Beschlüssen als bedenk- 16 lich erweisen, die Minderheit vor Mehrheitsmacht schützen sollen. Wo hier nicht bereits Erfordernis doppelter Mehrheit schützt (→ Rn. 8), beschränkt § 135a IV noch weitergehend Mehrstimmrechtsmacht **punktuell** für Beschlüsse nach § 119 I Nr. 5 (Bestellung des Abschlussprüfers) sowie § 142 I (Bestellung von Sonderprüfern). Für diese Fälle wird angeordnet, dass Mehrstimmrechte **nur einfaches Stimmgewicht** haben. Erste Beschränkung soll bes. Bedeutung der Rechnungslegung für Anlegerschutz Rechnung tragen, zweite Beschränkung Blockademöglichkeiten verhindern (RegBegr. BT-Drs. 20/8292, 114).

VI. Transparenz

Erforderliche **Transparenz über Existenz** von Mehrstimmrechten wird zum 17 einen über **Satzungspublizität** erreicht (vgl. zum Folgenden RegBegr. BT-Drs. 20/8292, 112). Darüber hinaus ist Gesamtstimmenzahl von Mehrstimmrechtsaktien und die der übrigen Aktien nach § 152 I 4 in **Bilanz** zu vermerken. Im (Konzern-)Lagebericht von Aktiengesellschaften und KGaA, die organisierten Markt in Anspruch nehmen, sind zudem nach § 289a S. 1 Nr. 1 HGB bzw. § 315a S. 1 Nr. 1 HGB ua Gattung der Aktien und damit verbundene Rechte und Pflichten anzugeben. Durch diese Instrumente wird Anleger allerdings nur über Bestehen, nicht aber über Inhaber informiert. Dies geschieht nur, wenn schwellenabhängige aktienrechtl. **Mitteilungspflichten** nach §§ 20 f. überschritten werden, die auch an Stimmrechte anknüpfen. Bei börsennotierten Gesellschaften haben Inhaber von Mehrstimmrechten zudem nach §§ 33 ff. WpHG ab Überschreiten einer Schwelle von 3 % Stimmrechtsmitteilung abzugeben, die im Unternehmensregister einsehbar ist. Durch FinanzA BT-Drs. 20/9363, 22, 127 (nicht lektorierte Vorabfassung) wurde überdies Änderung des § 41 I 1 WpHG ergänzt, wonach Inlandsemittent bei Zu- und Abnahme von Stimmrechten die Gesamtzahl der Stimmrechte unter Angabe der auf diese entfallenden Anzahl von Mehrstimmrechten veröffentlichen muss. Weitergehende Transparenz wird über den durch ZuFinG 2023 ebenfalls ergänzten § 49 WpHG (Veröffentlichung von Mitteilungen und Übermittlung im Wege der Datenfernübertragung; → § 125 Rn. 29) hergestellt. Mehrstimmrechtsaktien sind zudem in **Börsenprospekt** für den Börsengang aufzunehmen.

Ausschluß des Stimmrechts

136 (1) **[1]Niemand kann für sich oder für einen anderen das Stimmrecht ausüben, wenn darüber Beschluß gefaßt wird, ob er zu entlasten oder von einer Verbindlichkeit zu befreien ist oder ob die Gesellschaft gegen ihn einen Anspruch geltend machen soll. [2]Für Aktien, aus denen der Aktionär nach Satz 1 das Stimmrecht nicht ausüben kann, kann das Stimmrecht auch nicht durch einen anderen ausgeübt werden.**

(2) **[1]Ein Vertrag, durch den sich ein Aktionär verpflichtet, nach Weisung der Gesellschaft, des Vorstands oder des Aufsichtsrats der Gesellschaft oder nach Weisung eines abhängigen Unternehmens das Stimmrecht auszuüben, ist nichtig. [2]Ebenso ist ein Vertrag nichtig, durch den sich ein Aktionär verpflichtet, für die jeweiligen Vorschläge des Vorstands oder des Aufsichtsrats der Gesellschaft zu stimmen.**

Übersicht

I. Grundlagen

1. Regelungsgegenstand und -zweck. Norm betr. Stimmverbote (§ 136 I) und Nichtigkeit von Stimmbindungsverträgen, die der AG selbst oder ihrer Verwaltung Einfluss auf das Abstimmungsverhalten ihrer Aktionäre verschaffen würden (§ 136 II). Bezweckt ist mit § 136 I **Neutralisierung von Sonderinteressen der Aktionäre,** die ihrer Art nach typischerweise dazu führen würden, dass sich die Stimmabgabe und daraus folgend der HV-Beschluss nicht am Gesellschaftsinteresse, sondern an den Eigeninteressen der Abstimmenden orientieren (RGZ 60, 172, 173; BGHZ 108, 21, 26 f. = NJW 1989, 2694; Zöllner, Die Schranken mitgliedschaftlicher Stimmrechtsmacht, 1963, 146 ff., 157 ff.). Funktional vergleichbar sind **bewegliche Stimmrechtsschranken,** die sich aus Treupflicht der Aktionäre ergeben (→ § 53a Rn. 10, 20). Während unter diesem Blickwinkel eine zulässige Stimmabgabe inhaltlich überprüft wird, ist gem. § 136 I wegen des typischen Verfälschungsrisikos schon die Stimmabgabe nicht gestattet. Schutz des § 136 I dient allein den **Interessen der Mitgesellschafter,** nicht aber den Interessen anderer Beteiligter, namentl. der Gesellschaftsgläubiger (vgl. BGHZ 105, 324, 333 = NJW 1989, 295 [zur GmbH]; BGH AG 2011, 702, 703), die über andere Kautelen (zB § 93 V, § 117, §§ 308 ff.) geschützt werden (vgl. S/L/Spindler Rn. 8). 1

In § 136 II geht es nicht um Sonderinteressen der Aktionäre, sondern um **Interessen der Verwaltung,** die ebenfalls die Willensbildung durch HV-Beschluss nicht beeinflussen sollen. Aktionäre können zwar Mitglied des Vorstands oder des AR sein. Ausübung der Aktionärsrechte in der HV (§ 118 I) soll aber unabhängig von Verwaltungsinteressen erfolgen. In der ges. Konzeption ist also HV das Organ der Aktionäre in ihrer Rolle als Kapitalgeber, die durch Verwaltungseinfluss nicht verwässert werden soll (BeckOGK/Rieckers Rn. 1). Parallelvorschrift zu § 136: § 47 IV GmbHG. 2

2. Dogmatische Grundlagen. Dogmatik der Stimmverbote ist str. geblieben, was sich in Behandlung von Einzelproblemen niederschlägt. Vertreten werden im Wesentlichen drei Ansichten: (1.) § 136 I beruht zum einen (bes. Entlastungsbeschlüsse) auf dem **Verbot des Richtens in eigener Sache,** zum anderen auf dem Gedanken, dass nicht auf Rechtsgeschäfte Einfluss nehmen soll, wer daran selbst als Partei beteiligt ist (so insbes. BGHZ 9, 157, 178 = NJW 1953, 780; BGHZ 97, 28, 33 = NJW 1986, 2051; BGH NZG 2012, 625 Rn. 16). (2.) Der Gesichtspunkt der Interessenkollision und damit der **Rechtsgedanke des § 181 BGB** dominiert (namentl. Wilhelm Rechtsform und Haftung, 1981, 66 ff.). (3.) Es handelt sich um **kasuistische Ausprägungen von Interessenkollisionen,** die nicht notwendig dem einen oder dem anderen Rechtsgedanken zugeordnet werden müssen und auch keine entspr. Erweiterungen erzwingen (grdl. Zöllner, Die Schranken mitgliedschaftlicher Stimmrechtsmacht, 1963, 161 ff.; zust. S/L/Spindler Rn. 4). Der dritten Ansicht ist beizupflichten, weil die genannten Rechtsgedanken sich bei der Lösung der verschiedenen Normanwendungsprobleme nur begrenzt bewähren. Satzung kann die ges. Kasuistik nicht beschränken, auch nicht erweitern. Regelung ist also zwingend (§ 23 V). 3

3. Sonstige Stimmverbote. Neben § 136 finden sich weitere Stimmverbote in **§ 71b, 71d.** Sie betreffen Ausübung des Stimmrechts aus eigenen Aktien der AG oder solchen, die ihr nach § 71d zugerechnet werden (→ § 71b Rn. 4 f.; → § 71d Rn. 10, 18, 24). Weitere Sonderregelungen enthalten § 142 I 2, 3 (Bestellung von Sonderprüfern, → Rn. 13 ff.), § 285 I 2 (für persönlich haftenden Gesellschafter der KGaA, → § 285 Rn. 1). 4

II. Stimmrechtsausschluss: Verbotsadressaten (§ 136 I)

5 **1. Aktionäre.** Unter den weiteren Voraussetzungen des § 136 I sind zunächst Aktionäre von Ausübung des Stimmrechts ausgeschlossen, und zwar auch, wenn sie für einen anderen handeln wollen (→ Rn. 6). Ausnahme gilt, wenn es sich um **Einmann-AG** handelt (BGHZ 105, 324, 333 = NJW 1989, 295 zu § 47 IV 2 GmbHG; BGH AG 2011, 702, 703), soweit sonst vorgeschriebene Beschlüsse in diesem Fall überhaupt erforderlich sind. Ohne diese Ausnahme wäre HV beschlussunfähig. Von § 136 I geschützte Minderheiteninteressen werden dadurch nicht mehr beeinträchtigt; sonstige Interessen sind durch diese Vorschrift nicht erfasst (→ Rn. 1). So kann Verzicht auf Schadensersatzansprüche gegen Alleinaktionär mit dessen Stimmen gefasst werden (MüKoAktG/M. Arnold Rn. 19; Altmeppen NJW 2009, 3757, 3758 f.). Nicht anzuerkennen ist Rückausnahme, wenn es um Abberufung zuvor bestellten bes. Vertreters geht, da auch hier **Handlungsfähigkeit der HV** hergestellt werden muss (BGH AG 2011, 702, 703; OLG München NZG 2010, 503, 504 ff.; S/L/Spindler Rn. 8; KK-AktG/Tröger Rn. 62; Altmeppen NJW 2009, 3757, 3758 f.; aA LG München I NJW 2009, 3794, 3796; Hirte/Mock BB 2010, 775, 776; Krenek FS Heidel, 2021, 527, 542 f.). Entlastungsbeschluss ist dagegen schon von vornherein entbehrlich, wenn in Einmann-AG Alleinaktionär auch Vorstandsmitglied ist (→ § 120 Rn. 5). Stimmverbot zu Lasten der Aktionäre gilt überdies nicht bei **gleichmäßiger Befangenheit** aller stimmberechtigten Aktionäre, weil HV-Beschluss sonst überhaupt nicht gefasst werden könnte (näher BeckOGK/Rieckers Rn. 24; KK-AktG/Tröger Rn. 61).

6 **2. Vertreter; Legitimationsaktionäre; Treuhänder.** Insoweit ist zu unterscheiden, ob der Ausschlusstatbestand in der Person des Vertreters oder in der Person des Vertretenen verwirklicht ist. § 136 I 1 („für einen anderen") meint den ersten, § 136 I 2 („nicht durch einen anderen") den zweiten Fall. Wer (Fall 1) Stimmrecht aus seinen Aktien nicht ausüben darf, darf auch nicht für einen anderen abstimmen, und zwar ohne Rücksicht darauf, ob **in der Person des Vertretenen** gleichfalls ein Ausschlusstatbestand vorliegt (RGZ 146, 71, 77; BGHZ 56, 47, 53 = NJW 1971, 1265 zur GmbH). Das gilt auch bei verdeckter Vertretung (§ 135 V 2), bei Legitimationsübertragung (§ 129 III), bei Testamentsvollstreckung (ausf. dazu Wicke ZGR 2015, 161, 168 ff.) und schließlich dann, wenn Vertreter nicht selbst Aktionär ist, sofern er nur als solcher dem Stimmverbot unterläge (vgl. BGHZ 56, 47, 53; BGHZ 108, 21, 25 f. = NJW 1989, 2694 [beide zur GmbH]; MüKoAktG/M. Arnold Rn. 41). Der vom Stimmverbot betroffene Vertreter (Legitimationsaktionär, Testamentsvollstrecker) kann auch nicht einen Untervertreter mit der Stimmabgabe betrauen (str.; wie hier MüKoAktG/M. Arnold Rn. 40; GK-AktG/Grundmann Rn. 21; KK-AktG/Tröger Rn. 64; aA [aber ohne Vertiefung] RGZ 106, 258, 263).

7 Wer (Fall 2) von Stimmabgabe ausgeschlossen ist, kann sein Stimmrecht auch nicht durch einen anderen ausüben lassen (§ 136 I 2). Es gibt **keine Stimmrechtsvertretung für den Ausgeschlossenen** (vgl. BGHZ 56, 47, 53 = NJW 1971, 1265 zur GmbH; Fischer NZG 1999, 192, 193 f.). Dadurch soll ebenfalls Umgehung des Stimmverbots verhindert werden (RegBegr. Kropff S. 201). Auch hier kommt es nicht darauf an, ob offene oder verdeckte Vertretung vorliegt, und es wird auch hier Ermächtigung in Gestalt einer Legitimationsübertragung erfasst. Testamentsvollstrecker werden durch § 136 I 2 ebenfalls von der Ausübung der Stimmrechte der Erben ausgeschlossen (BGHZ 108, 21, 25 f. = NJW 1989, 2694 zur GmbH).

3. Beteiligung anderer Gesellschaften. a) Überblick. Zurechnungsprobleme ergeben sich, wenn Aktien einer Drittgesellschaft gehören oder mehreren Personen gemeinschaftlich zustehen. Ältere Auffassung differenzierte nach **Rechtsform der Drittgesellschaft** als Personengesellschaft oder jur. Person (vgl. dazu KK-AktG/Zöllner, 1. Aufl. 1985, Rn. 35 ff.; Wilhelm Rechtsform und Haftung, 1981, 125 ff., 131 ff.). Diese Differenzierung ist angesichts der zunehmenden Annäherung der beiden Gesellschaftsgruppen, namentl. unter dem Gesichtspunkt der Rechtsfähigkeit, heute überkommen (vgl. MüKoAktG/M. Arnold Rn. 50). Maßgeblich für die Zurechnung ist allein der **Zweck des § 136,** gesellschaftsfremde Sonderinteressen der Aktionäre nicht auf Willensbildung der AG durchschlagen zu lassen (→ Rn. 1). Es ist mit Blick auf die konkrete Interessenstruktur in der jew. zu würdigenden Gesellschaftskonstellation zu untersuchen, ob ein derartiger Interessengegensatz auftreten kann, wobei personalistische oder kapitalistische Struktur bedeutsamer sein kann als Rechtsform (BeckOGK/Rieckers Rn. 27). Die rechtl. Selbständigkeit der Drittgesellschaft darf aber auch nicht vorschnell beiseite geschoben werden (S/L/Spindler Rn. 17). 8

Heute wird deshalb im Ausgangspunkt zunächst nach dem **Adressaten des Stimmverbots** unterschieden. Als solcher kommen die Drittgesellschaft selbst, ihre Mitglieder oder ihre Organe in Betracht (allgM, s. S/L/Spindler Rn. 13 ff.). Während es in den beiden letztgenannten Fällen um Erstreckung des gegen einzelne Gesellschafter/Organmitglieder gerichteten Stimmverbots auf die Drittgesellschaft geht, stellt sich im erstgenannten Fall das umgekehrte Problem, zB ob Gesellschafter/Organmitglied der X-GmbH Stimmrechte aus seinen eigenen Y-Aktien ausüben darf, wenn HV der Y über Verfolgung eines Anspruchs gegen X beschließt. Auf der Grundlage dieser Unterscheidung werden die iE denkbaren Konstellationen im Folgenden (→ Rn. 10 ff.) behandelt. 9

b) Drittgesellschaft und deren Gesellschafter. aa) Stimmverbot gegen einzelne Gesellschafter. Das gegen einzelne Gesellschafter einer Drittgesellschaft gerichtete Stimmverbot begründet nicht ohne weiteres den Stimmrechtsausschluss zu Lasten der Gesellschaft selbst. Erforderlich ist vielmehr, dass die Mitglieder der Drittgesellschaft auf diese **maßgeblichen Einfluss** ausüben können; denn nur unter dieser Prämisse steht zu befürchten, dass sich Sonderinteressen im HV-Beschluss Geltung verschaffen (heute hM, vgl. zur Beteiligung von Personengesellschaften BGHZ 49, 183, 193 f. = NJW 1968, 743; BGHZ 51, 209, 219 = NJW 1969, 841; BGHZ 116, 353, 358 = NJW 1992, 977; BGH WM 2009, 2130 Rn. 5; zur Beteiligung von jur. Personen KG NZG 2015, 198; U. H. Schneider ZHR 150 [1986], 609, 618 f.; zu beiden Formen Mülbert/Sajnovits AG 2020, 841 Rn. 1 ff.; Villeda AG 2013, 57, 59; Wank ZGR 1979, 222, 225 ff.). Nicht richtig ist also einerseits, aus der Befangenheit eines Mitglieds einer Personengesellschaft ohne weiteres ein Stimmverbot gegen die OHG oder KG oder gegen ihre sämtlichen Mitglieder abzuleiten (so aber RGZ 146, 71, 74; Wiedemann GmbHR 1969, 247, 251 f.), und andererseits, bei jur. Personen deren vollständige Beherrschung durch den Gesellschafter zu fordern (so aber wohl RGZ 146, 385, 391). Entscheidend sind vielmehr konkrete gesellschaftsrechtl. Position des Betroffenen sowie **organisationsrechtl. Vorgaben für Willensbildung** in der Drittgesellschaft, die darüber entscheiden, wie Einfluss des einzelnen Gesellschafters sich letztlich auswirken kann (KK-AktG/Tröger Rn. 71; Mülbert/Sajnovits AG 2020, 841 Rn. 10). Maßgeblich ist dabei **rein abstrakte Beeinflussungsgefahr;** auf tats. Beeinflussung kommt es nicht an (MüKoAktG/M. Arnold Rn. 57; Happ/Bednarz FS Hoffmann-Becking, 2013, 433, 443; Mülbert/Sajnovits AG 2020, 841 Rn. 9). 10

Bsp. für maßgeblichen Einfluss: Gesellschafter **führt Geschäfte** der OHG allein oder ist einziger Komplementär (S/L/Spindler Rn. 14; Wank ZGR 1979, 11

222, 230); er ist Alleingesellschafter der Mitglieds-AG oder der Mitglieds-GmbH (RGZ 146, 385, 392; OLG Brandenburg NZG 2001, 129, 130; sa BGHZ 36, 296, 299 = NJW 1962, 864); alle Gesellschafter der AG oder GmbH sind vom Stimmverbot betroffen (BGHZ 68, 107, 110 = NJW 1977, 850). Wann **bloße Beteiligung** genügt, um Stimmverbot zu begründen, ist noch nicht abschließend geklärt. Entspr. der Wertung des § 17 wird man es auch insofern genügen lassen müssen, wenn Gesellschafter die Möglichkeit der Beherrschung hat, die bei Mehrheitsbeteiligung nach § 17 II vermutet wird; auf Unternehmenseigenschaft kommt es nicht an (KK-AktG/Tröger Rn. 72; Mülbert/Sajnovits AG 2020, 841 Rn. 20; Noack Gesellschaftervereinbarungen, 1994, 258; Wank ZGR 1979, 222, 230; strenger MüKoGmbHG/Drescher GmbHG § 47 Rn. 200: knappe Mehrheit genügt nur bei zusätzlicher unternehmerischer Funktion). Nach KG NZG 2015, 198 Rn. 12 genügt jedenfalls „erhebliche Beteiligung" (im Fall: 50 %), wenn weitere Einflussmöglichkeiten, etwa über unternehmerische Funktion, hinzutreten. IÜ wird man – in Anlehnung an zu § 17 I entwickelte Maßstäb (vgl. MüKoAktG/Bayer § 17 Rn. 26) – Abhängigkeit vornehmlich an Personalhoheit anknüpfen, um Beherrschung zu begründen (Mülbert/Sajnovits AG 2020, 841 Rn. 19 ff. mw Überlegungen zum Umgehungsschutz in Rn. 25 ff.). Zum Verhältnis eines Fonds zur sie verwaltenden Investmentgesellschaft vgl. LG Frankfurt NZG 2013, 1181, 1182 f.

12 **bb) Stimmverbot gegen Drittgesellschaft.** Das gegen die Drittgesellschaft gerichtete Stimmverbot ist auf deren Gesellschafter bzgl. ihres persönlichen Aktienbesitzes zu erstrecken, wenn gesellschaftsrechtl. fundierte **nachhaltige Interessenverknüpfung** zur Drittgesellschaft besteht und intensiver ist als diejenige zur AG; denn dann steht zu befürchten, dass Mitglied der Drittgesellschaft sich eher von deren Interessen leiten lässt als von denen der AG (hM; vgl. S/L/Spindler Rn. 15; KK-AktG/Tröger Rn. 74; Villeda AG 2013, 57, 63 f.; aA noch KK-AktG/Zöllner, 1. Aufl. 1985, Rn. 37 und 42 f.).

13 **Bsp. für nachhaltige Interessenverknüpfung:** Vollhaftender Gesellschafter einer OHG oder KG darf nicht abstimmen, wenn Gesellschaft dem Stimmverbot unterliegt (BGH NJW 1973, 1039, 1040). Dasselbe gilt, wenn Mithaftung auf anderem Rechtsgrund, wie zB privatautonomer Vereinbarung (Bürgschaft) oder § 302, ruht (KK-AktG/Tröger Rn. 75). Ebenfalls von Stimmabgabe ausgeschlossen ist Alleingesellschafter der Mitglieds-AG oder Mitglieds-GmbH, der zwar nicht unmittelbar rechtl., aber doch wirtschaftlich von Folgen getroffen wird (BGHZ 56, 47, 53 = NJW 1971, 1265; BGH NJW 1973, 1039, 1040; BGHZ 232, 209 Rn. 29 = NZG 2022, 357; BGH NZG 2023, 1267 Rn. 33). Umstr. ist, ob auch der die Drittgesellschaft nur **beherrschende Gesellschafter iSd § 17** vom Stimmverbot erfasst ist (dafür OLG Hamburg AG 2001, 91, 92; S/L/Spindler Rn. 15; aA BeckOGK/Rieckers Rn. 34; KK-AktG/Tröger Rn. 75). Dagegen ist zu Recht eingewandt worden, dass es nicht um Beeinflussung des Abstimmungsverhaltens der Drittgesellschaft geht, sondern um wirtschaftliche Betroffenheit des Gesellschafters, die von Beherrschung indiziert werden kann, aber nicht schematisch vermutet werden darf (MüKoAktG/M. Arnold Rn. 53 f.). Für GmbH hat BGH darüber hinaus Stimmverbot auch dann angenommen, wenn mehrere Gesellschafter sämtliche Anteile an der Mitgliedsgesellschaft halten (BGHZ 68, 107, 109 = NJW 1977, 850). Da sich Interessenlage insofern nicht von AG unterscheidet, dürfte Rspr. auch auf AG zu übertragen sein (dagegen KK-AktG/Tröger Rn. 75), wobei es auch hier auf eine zur Beherrschung der Drittgesellschaft erforderliche persönliche Verbundenheit nicht ankommt (dafür aber MüKoAktG/M. Arnold Rn. 53 f.; BeckOGK/Rieckers Rn. 34); entscheidend ist allein wirtschaftliche Betroffenheit, die zumindest für die Gruppe als solche festgestellt werden kann.

c) Drittgesellschaft und Organmitglieder. Problemlage ist ähnlich wie in → Rn. 10f., 12f., wenn Drittgesellschaft beteiligt ist und Stimmverbot des § 136 sich primär gegen ein Mitglied ihres Vorstands oder ihres AR richtet oder umgekehrt primär gegen Drittgesellschaft, wenn deren Organmitglied aus eigenen Aktien abstimmen will (zur bes. verbreiteten Konstellation des Stimmverbots bei Doppelmandaten s. Happ/Bednarz FS Hoffmann-Becking, 2013, 433ff.). Im ersten Fall ist Erstreckung des Stimmverbots wiederum unter der Prämisse **maßgeblichen Einflusses** des Organmitglieds anzunehmen, was namentl. bei Alleingeschäftsleiter einer Mitglieds-AG/GmbH oder beherrschendem Einfluss im Kollegialorgan anzunehmen ist (hM, s. RGZ 146, 385, 391 [bei „vollständiger Beherrschung"]; BGHZ 36, 296, 299 = NJW 1962, 864; BGH NZG 2012, 625 Rn. 17; OLG Düsseldorf AG 1968, 19, 20; OLG Karlsruhe AG 2001, 93, 94 [maßgeblicher Einfluss kraft Rechtsposition]; MüKoAktG/M. Arnold Rn. 59; Petersen/Schulze De la Cruz NZG 2012, 453, 456; U. H. Schneider ZHR 150 [1986], 609, 620f.; Surminski DB 1971, 417, 418 [mehr als 50%]; aA LG Heilbronn AG 1971, 94, 95; Villeda AG 2013, 57, 63: nur bei Mehrheitsgesellschafter-Geschäftsführer); zu Folgen für Abstimmung im Kollegialorgan → Rn. 18. Dieser maßgebliche Einfluss kann namentl. bei Vorstandsdoppelmandaten in mitbestimmter AG auch geschwächt sein über § 32 MitbestG, der gerade für Entlastungsentscheidung Bindung an AR-Beschluss vorsieht (Happ/Bednarz FS Hoffmann-Becking, 2013, 433, 449f.; Petersen/Schulze De la Cruz NZG 2012, 453, 456). Zu weiteren kautelarjuristischen Möglichkeiten, maßgeblichen Einfluss einzudämmen und dadurch Stimmverbot auszuschalten s. Happ/Bednarz FS Hoffmann-Becking, 2013, 433, 443f., 448ff., 452ff. Im zweiten Fall eines Stimmverbots gegen Drittgesellschaft ist nach heute hM wie bei Gesellschafter (→ Rn. 12f.) auf **Interessenverknüpfung** abzustellen (vgl. BGH NZG 2012, 625 Rn. 32f. [zu § 47 IV 2 GmbHG]; MüKoAktG/M. Arnold Rn. 55; Hölters/Weber/Krebs Rn. 31). Sie wird bei Vorstandsmitgliedern einer AG idR aufgrund der gehobenen Sichtbarkeit ihrer persönlichen Identifikation mit AG, aber auch iher unternehmensspezifischen Investitionen in die Gesellschaft (zB durch Erwerb spezifischer Kenntnisse) anzunehmen sein (KK-AktG/Tröger Rn. 78). Dagegen wird man bei reinen Fremdgeschäftsleitern einer GmbH oder Prokuristen nicht ohne weitere Besonderheiten auf hinreichend starke Interessenverknüpfung schließen dürfen (BGH NZG 2012, 625 Rn. 33 zu § 47 IV 2 GmbHG). Auch für Aufsichtsräte wird man schon aufgrund der Ausgestaltung des Amtes als Nebentätigkeit (→ § 100 Rn. 5) Stimmverbot nicht ohne weiteres annehmen können (KK-AktG/Tröger Rn. 78; Villeda AG 2013, 57, 64). 14

4. Gemeinschaftliche Berechtigung. Wenn Aktien gemeinschaftliches Vermögen von Miterben sind (§§ 2032ff. BGB) oder Ehegatten gehören, die in Gütergemeinschaft leben (§§ 1415ff. BGB), oder den Teilhabern einer Bruchteilsgemeinschaft zustehen (§§ 741ff. BGB), ist das gegen einen Beteiligten gerichtete Stimmverbot nicht ohne weiteres auf den anderen zu erstrecken (heute hM, s. BGHZ 49, 183, 194 = NJW 1968, 743; BGHZ 51, 209, 219 = NJW 1969, 841; BGH WM 1976, 204, 205; S/L/Spindler Rn. 19; aA noch RGZ 146, 71, 74). Andere Beurteilung ist, ähnlich wie bei Gesellschaftern (→ Rn. 10f.), nur geboten, wenn der betr. Teilhaber die Stimmabgabe aus den gemeinschaftlichen Aktien **maßgeblich beeinflussen** kann wie zB dann, wenn Miterben einem von ihnen die Verwaltung des Nachlasses übertragen haben (§ 745 I 1 BGB iVm § 2038 II 1 BGB). Unter dieser Prämisse dürfen auch die anderen Miterben nicht abstimmen. 15

5. Nahe Angehörige; persönliche Verbundenheit, Stimmbindung. Das gegen Ehepartner, Vater oder Mutter, Sohn oder Tochter, Lebensgefährten usw gerichtete Stimmverbot führt nicht dazu, auch den Aktionär von der Abstim- 16 mung auszuschließen, in dessen Person das Stimmverbot nicht verwirklicht ist (ganz hM, vgl. BGHZ 56, 47, 54 = NJW 1971, 1265; BGHZ 80, 69, 71 = NJW 1981, 1512; BGH NZG 2012, 625 Rn. 32f. [zu § 47 IV 2 GmbHG]; OLG Karlsruhe BeckRS 2019, 49058 Rn. 114; OLG München AG 2018, 761, 765; MüKoAktG/M. Arnold Rn. 42). Gegenansicht (U. H. Schneider ZHR 150 [1986], 609, 615f.) verfügt über keine hinlänglich trennscharfen Kriterien und überzeugt deshalb nicht. Möglich und richtig bleibt, Stimmverbot eingreifen zu lassen, wenn im Einzelfall **Umgehungssachverhalt** festgestellt wird (OLG Hamm GmbHR 1989, 79). Auch für Erben des vom Stimmrecht Ausgeschlossenen ist nicht automatisch ein Stimmverbot anzunehmen. Insbes. über Entlastung des Erblassers kann Erbe ohne weiteres abstimmen (S/L/Spindler Rn. 20). Etwas anderes kann aber dann gelten, wenn er nach Regeln erbrechtl. Sukzession unmittelbar vermögensrechtl. betroffen ist, etwa weil es um Befreiung von Nachlassverbindlickeit oder Geltendmachung eines entspr. Anspruchs geht (KK-AktG/Tröger Rn. 88). Bei Stimmbindungsverträgen dehnt sich Stimmverbot eines einzelnen Vertragspartners ebenfalls nicht automatisch auf andere Beteiligte aus, sondern Auflösung des Interessenkonflikts folgt in der Weise, dass hier Weisungsbindung suspendiert wird (Einzelheiten: KK-AktG/Tröger Rn. 89f.).

16a **6. Intermediär, proxy voting.** Teleologische Reduktion des § 136 I ist dann angezeigt, wenn Intermediär nach § 135 Stimmrecht für Aktionäre ausübt, seinerseits aber selbst vom Stimmverbot betroffen wäre. Interessenkonflikt kann sich in diesem Fall dann nicht auswirken, wenn Stimmrecht aufgrund **ausdr. Weisung** des nicht betroffenen Aktionärs ausgeübt wird (heute allgM – s. nur BeckOGK/Rieckers Rn. 41; KK-AktG/Tröger Rn. 85). Dasselbe gilt für proxy voting (→ § 134 Rn. 26ff.), wenn man mit hier vertretener Auffassung vom Erfordernis ausdr. Einzelweisung ausgeht (→ § 134 Rn. 26b) oder eine solche zumindest im Einzelfall vorliegt (KK-AktG/Tröger Rn. 86).

III. Stimmrechtsausschluss: objektiver Geltungsbereich (noch: § 136 I)

17 **1. Grundlagen.** Rechtsfolge des § 136 I ist Stimmrechtsausschluss in dort genannten tatbestandl. Grenzen. Sonstige Aktionärsrechte (Teilnahme, Auskunft, Widerspruch, Anfechtung) bleiben unberührt (LG Düsseldorf AG 2014, 214, 215). Stimmrechtsausschluss setzt obj. voraus, dass es um einen der drei in § 136 I 1 bezeichneten Sachverhalte geht: Entlastung; Befreiung von einer Verbindlichkeit; Geltendmachung eines Anspruchs. Verfahrensanträge zu den vorgenannten Beschlussgegenständen werden hiervon nicht erfasst (Grigoleit/Herrler Rn. 4). Die **tatbestandlichen Grenzen** sind Ergebnis bewusster gesetzgeberischer Entscheidung. Während § 252 III HGB aF (der Sache nach übereinstimmend: § 47 IV 2 GmbHG) noch die Vornahme von Rechtsgeschäften mit einem Aktionär erfasste, ist dieser Tatbestandsteil in § 114 AktG 1937 im Interesse der **Rechtssicherheit** gestrichen worden (dazu Amtl.Begr. Klausing S. 101). Damit erledigen sich für das Aktienrecht die aus dem GmbH-Recht bekannten entspr. Abgrenzungsprobleme. Ggü früherer Gesetzeslage anders gefasst wurde § 136 I 1 Fall 3. Norm begnügt sich jetzt mit der Geltendmachung eines Anspruchs; Einleitung oder Erledigung eines Rechtsstreits sind, anders als in § 252 III 2 HGB aF, nicht mehr ausdr. vorausgesetzt; sachliche Änderung ist jedoch nicht anzunehmen (→ Rn. 23).

18 Kasuistische Fassung der Norm (→ Rn. 3) muss man nicht als überzeugende gesetzgeberische Lösung empfinden. Sie ist aber als Ergebnis bewusster Entscheidung (→ Rn. 17) hinzunehmen. Es kann daher nach der Gesetzeslage **keine generelle Erweiterung auf andere Interessenkollisionen** im Wege der

Rechtsanalogie geben (BGHZ 97, 28, 33 mwN = NJW 1986, 2051; OLG Düsseldorf AG 2006, 202, 206; OLG Düsseldorf NZG 2022, 1104 Rn. 46; OLG Köln AG 2017, 351, 356 f. [insoweit nicht in NZG 2017, 1344]; BeckOGK/Rieckers Rn. 16; KK-AktG/Tröger Rn. 50; Zimmermann FS Rowedder, 1994, 593, 598 f.), auch nicht unter Beschränkung auf evidente Interessenkollisionen oder unter Berufung auf den allg. Rechtsgedanken des § 181 BGB (aA Wilhelm, Rechtsform und Haftung, 1981, 66 ff., dessen dogmatische Analyse über den Bruch von 1937 nicht hinweghilft). Ob solche Erweiterung wünschbar wäre oder eher nicht, weil die Sachfragen unter dem Vorzeichen der Eingrenzung eines umfassenden Prinzips wiederkehren, wäre ein Thema für sich. Nach Ges. verbleibt es bei den drei Einzeltatbeständen des § 136 I 1, ergänzt um § 142 I 2 und 3 (→ § 142 Rn. 13 ff.) und um § 285 I 2 (→ § 285 Rn. 1). Möglichkeit der **Einzelanalogie** ist dadurch nicht ausgeschlossen (BGH v. 28.11.2023 – II ZR 214/21 Rn. 13 f.; OLG Düsseldorf NZG 2022, 1104 Rn. 47 ff.: mittelbare Betroffenheit iRd § 147), hat aber keine breite praktische Bedeutung erlangt (s. dazu MüKoAktG/M. Arnold Rn. 23 ff.; → Rn. 23 aE; auch gegen Einzelanalogie Zimmermann FS Rowedder, 1994, 593, 600 ff.). Sie bietet sich namentl. dann an, wenn Vorstand der Obergesellschaft intern über Stimmabgabe bei Entlastung eines Doppelmandatsträgers in der Tochter entscheidet (KK-AktG/Cahn § 77 Rn. 41; BeckOGK/Fleischer § 76 Rn. 119; aA Petersen/Schulze De la Cruz NZG 2012, 453, 457), weil nur dann fortbestehendes Stimmrecht der Mutter im Lichte des Normzwecks noch gerechtfertigt sein kann (Ausnahme allerdings, wenn Vorstand dann handlungsunfähig wäre, zB bei Alleinvorstand); Praxis ist zumindest Stimmenthaltung zu empfehlen (BeckOGK/Fleischer § 76 Rn. 120; Happ/Bednarz FS Hoffmann-Becking, 2013, 433, 442; Petersen/Schulze De la Cruz NZG 2012, 453, 457 f.; weitergehend wohl Grigoleit/Herrler Rn. 20 [keine Teilnahme an der Verhandlung]). Zu ähnlichen Fragen bei AR-Beschlüssen, bes. zu Selbstwahl in den Vorstand, vgl. → § 108 Rn. 9. Bejaht wird Stimmverbot ferner bei Beschlussfassung über die Vertagung eines Beschlussgegenstands iSv § 136 I 1 (KK-AktG/Tröger Rn. 54). Richtigerweise sollte diese Ausdehnung aber auf solche Fälle beschränkt werden, in denen Geltendmachung eines Anspruchs gegen Aktionär in Rede steht; Vertagung der Beschlussfassung über Entlastung oder Befreiung von einer Verbindlichkeit begründet keinen vergleichbaren Interessenkonflikt (Grigoleit/Herrler Rn. 12; BeckOGK/Rieckers Rn. 20; S/L/Spindler Rn. 31). Nicht aus dem Ges. begründbar ist Wiedereinführung eines Stimmverbots bei Rechtsgeschäften mit dem Aktionär (KK-AktG/Tröger Rn. 51; möglicherweise aA K. Schmidt GesR § 21 II 2b), insbes. auch nicht, wenn HV gem. § 68 II 3 über Zustimmung zur Übertragung vinkulierter Namensaktien beschließt; Veräußerer darf mitstimmen (Nachw. → § 68 Rn. 14). In allen genannten Fällen bleibt indes stets die Möglichkeit einer treuwidrigen Stimmabgabe zu prüfen, die zwar nicht generalisierend, aber doch im Einzelfall zur Unwirksamkeit führen kann (→ § 53a Rn. 13 ff.; sa KK-AktG/Tröger Rn. 52 ff.).

2. Entlastung. a) Allgemeines. Gem. § 136 I 1 Fall 1 greift Stimmverbot 19
zunächst bei Entlastungsbeschlüssen ein. Entlastung ist **Billigung der Verwaltung** für die Vergangenheit und typischerweise auch Vertrauenskundgabe für die Zukunft, bedeutet dagegen nicht den Verzicht auf Ersatzansprüche (→ § 120 Rn. 2). Entlastung kann den Vorstandsmitgliedern, den Abwicklern und den AR-Mitgliedern gewährt werden. Die zust. Kenntnisnahme von geplanten Maßnahmen, bes. die Zustimmung durch HV-Beschluss nach § 119 II, ist keine Entlastung, fällt also nicht unter das Stimmverbot. Das Gleiche gilt für die Entscheidung nach § 120a. Ebenso ist Vertrauensentzug nach § 84 IV 2 mit Entlastung nicht identisch, so dass Vorstandsmitglied sich daran beteiligen kann (→ § 84 Rn. 62). Für Einordnung als Entlastung ist es dagegen unerheblich, ob

Beschlussgegenstand in der Tagesordnung als Entlastung bezeichnet wurde. Stimmverbot greift ohne Rücksicht auf Benennung ein, wenn inhaltlich Entlastung vorliegt (RGZ 106, 258, 262; RGZ 115, 246, 250; S/L/Spindler Rn. 22). Kein (negativer) Entlastungsbeschluss liegt vor, wenn AR-Mitglieder gem. § 103 I abberufen werden sollen. AR-Mitglied, das auch Aktionär ist, darf also mitstimmen (a. A. MüKoAktG/M. Arnold Rn. 28 ff., der Einzelanalogie vornimmt; → § 103 Rn. 4). Entspr. gilt, wenn sich Vertrauensentzug gegen Vorstandsmitglied richtet (Zimmermann FS Rowedder, 1994, 593, 596 ff.; → § 84 Rn. 66).

20 **b) Gesamtentlastung und Einzelentlastung.** Ges. Regelfall ist Gesamtentlastung aller Mitglieder des Vorstands oder des AR durch einen Beschluss der HV (→ § 120 Rn. 8). Dann sind alle Organmitglieder, um deren Entlastung es geht, von Abstimmung ausgeschlossen (unstr., s. zB BGHZ 108, 21, 25 f. = NJW 1989, 2694). Zulässig ist auch Einzelentlastung (§ 120 I 2), also getrennte Abstimmung über Entlastung einzelner Mitglieder des Vorstands oder des AR. Sie wird zT gezielt eingesetzt, um Stimmverbote zu verhindern (→ § 120 Rn. 9 f.). Dann sind jedenfalls die Aktionäre vom Stimmverbot betroffen, um deren Entlastung als Organmitglied es geht. Dagegen dürfen die anderen Organmitglieder nach zutr. hM grds. mitstimmen (vorausgesetzt von BGHZ 97, 28, 33 f. = NJW 1986, 2051; vgl. ferner OLG München AG 1995, 381, 382; MüKoAktG/M. Arnold Rn. 8 f.). Stimmrechtsausschluss besteht jedoch ausnahmsweise dann, wenn konkrete Möglichkeit gegeben ist, dass Aktionäre an einem Vorgang **mitgewirkt** haben, der dem Organmitglied, um dessen Entlastung es geht, als Pflichtverletzung vorgeworfen wird (vgl. BGHZ 108, 21, 25 f.; BGHZ 182, 272 Rn. 15 = AG 2009, 824; BeckOGK/Rieckers Rn. 8; → § 120 Rn. 10). Entspr. Tatsachen sind im Bestreitensfall von demjenigen zu beweisen, der sich auf Stimmverbot beruft; bloße Verdächtigungen genügen nicht (B/K/L/Holzborn Rn. 4, Semler FS Zöllner, Bd. I, 1998, 553, 562 f.). Weitergehende **Gegenauffassung,** die aufgrund gemeinsamer Führungsverantwortung stets vollständigen Stimmrechtsausschluss befürwortet, vermeidet zwar Abgrenzungsschwierigkeiten und schafft damit Rechtssicherheit (GK-AktG/Mülbert § 120 Rn. 134; KK-AktG/Tröger Rn. 26), erkauft diese Sicherheit aber durch zu weitgehende Beschränkung materieller Mitgliedschaftsrechte, zumal typisierend unterstellte Mitverantwortung in vielerlei Fällen tats. nicht vorliegen wird. Auch Wortlaut („ob er zu entlasten ist") steht solchem Verständnis entgegen (MüKoAktG/M. Arnold Rn. 9). Umgekehrt überzeugt es aber auch nicht, jede Erweiterung des Stimmverbots bei Einzelentlastung abzulehnen und Würdigung des Interessenkonflikts in Anfechtungsprozess zu verweisen (BeckOGK/J. Hoffmann § 120 Rn. 22), weil damit Rechtsunsicherheit perpetuiert würde (so auch MüKoAktG/M. Arnold Rn. 9).

21 **c) Vorstands- und Aufsichtsratsmitglieder.** Ob Aktionäre, die Vorstandsmitglieder sind, bei Entlastung der AR-Mitglieder mitstimmen dürfen und umgekehrt, ist in ähnlicher Weise str. wie Stimmrecht bei Einzelentlastung. Nach hM ist Frage zu bejahen (MüKoAktG/M. Arnold Rn. 10; BeckOGK/Rieckers Rn. 9; S/L/Spindler Rn. 25; aA KK-AktG/Tröger Rn. 27). Der hM ist auch hier beizutreten, allerdings wie in → Rn. 20 mit dem Vorbehalt, dass keine **Mitwirkung an Pflichtverletzung** vorliegt (so auch GK-AktG/Mülbert § 120 Rn. 135). Dass selbst solche Mitwirkung im Hinblick auf § 120 II 2 unerheblich ist, kann nicht angenommen werden.

22 **3. Befreiung von einer Verbindlichkeit.** Nach § 136 I 1 Fall 2 darf Aktionär nicht mitstimmen, wenn es um seine Befreiung von einer Verbindlichkeit geht, wobei es nicht darauf ankommt, ob die Befreiung von der Verbindlichkeit

direkt aus dem Hauptversammlungsbeschluss folgt oder erst noch eines Vollzugsakts bedarf (MüKoAktG/M. Arnold Rn. 12). Gleichgültig ist auch, ob Verbindlichkeit aus dem Gesellschaftsverhältnis oder einem Organverhältnis folgt (vgl. § 50 I, § 93 IV 3, §§ 116, 117 IV, § 309 III 1) oder sich aus Schuldverhältnis, zB Kaufvertrag, ergibt (allgM, s. MüKoAktG/M. Arnold Rn. 12). Der zweite Fall setzt voraus, dass Vorstand gem. § 119 II Entscheidung der HV verlangt. Befreiung von einer Verbindlichkeit ist nicht eng zu verstehen. Gemeint ist jedes Rechtsgeschäft, das den Aktionär endgültig (zB Erlassvertrag, Vergleich) oder vorübergehend (Stundung) von seiner Leistungspflicht dispensiert (allgM, s. nur KK-AktG/Tröger Rn. 30 f.). Im persönlichen Anwendungsbereich wird Stimmverbot hier auch auf Sicherungsgeber erstreckt, dessen Interessenlage mit der des Aktionärs weitgehend deckungsgleich ist (MüKoAktG/M. Arnold Rn. 44). **Kapitalherabsetzung** zwecks Befreiung der Aktionäre von Einlagepflichten (§ 66 III, §§ 222 ff., 237 ff.) fällt dem Wortlaut nach unter § 136 I 1, ist aber wegen gleichmäßiger Befangenheit aller Aktionäre (→ Rn. 5) vom Stimmverbot auszunehmen (S/L/Spindler Rn. 27; KK-AktG/Tröger Rn. 34). Das Gleiche gilt für Aufhebung von Nebenpflichten, und zwar auch dann, wenn sie nicht alle Aktionäre treffen; Interessenausgleich unter den Aktionären wird schon über § 179 III gewährleistet (MüKoAktG/M. Arnold Rn. 13; BeckOGK/Rieckers Rn. 11; aA KK-AktG/Tröger Rn. 33).

4. Geltendmachung eines Anspruchs. Aktionär darf schließlich auch dann nicht mitstimmen (§ 136 I 1 Fall 3), wenn HV über Geltendmachung eines gegen ihn gerichteten Anspruchs beschließt (vgl. §§ 147, 119 II). Ob Anspruch tats. besteht, ist unbeachtlich; Grenze bildet nur Rechtsmissbrauch (OLG Düsseldorf NZG 2022, 1104 Rn. 30; OLG München AG 2008, 864, 865; LG Frankfurt NZG 2013, 1181, 1182; vgl. dazu im Kontext des § 147 insbes. → § 147 Rn. 22). Worauf Anspruch beruht, ist auch hier gleichgültig (→ Rn. 22). Begriff des Geltendmachens ist weit zu fassen. Insbes. gehört hierher **jede Form der gerichtl. Anspruchsverfolgung.** Ferner gilt Stimmverbot bei vorbereitenden Maßnahmen wie Bestellung von bes. Vertretern nach § 147 II 1 (BGHZ 97, 28, 34 = NJW 1986, 2051), Einholung eines Sachverständigengutachtens (BGH NZG 2012, 625 Rn. 16) oder Mandatserteilung; für Bestellung eines Sonderprüfers gilt allerdings Spezialvorschrift des § 142 I 2. Stimmverbot gilt darüber hinaus auch schon bei außergerichtl. Maßnahmen wie Mahnung oder Fristsetzung (unstr.). Ferner greift es dann ein, wenn es um die Erledigung des gegen den Aktionär gerichteten Rechtsstreits geht (OLG Düsseldorf NZG 2022, 1104 Rn. 31 f.: zB Verzicht, Vergleich, Klagerücknahme; speziell zur Abberufung des bes. Vertreters → § 147 Rn. 21). Auch bloße Vertagung der Entscheidung ist von § 136 I 1 Fall 3 erfasst (KK-AktG/Tröger Rn. 54). Gesetzesformulierung ist auf Aktivprozesse zugeschnitten. Stimmverbot gilt aber auch dann, wenn **AG Beklagte** ist und HV zB über Vergleich beschließen soll. Wer Ergebnis nicht schon durch Auslegung gewinnen will, muss auf Einzelanalogie abheben (→ Rn. 18). Bestehen Ansprüche gegen mehrere Aktionäre, richtet sich Tragweite des Stimmverbots bei Einzelabstimmung nach innerer Verbundenheit (Stimmverbot also jedenfalls etwa bei Gesamtschuld; vgl. BeckOGK/Rieckers Rn. 14). Es gelten insofern die gleichen Grundsätze wie bei Entlastung (→ Rn. 20; vgl. BGH NZG 2012, 625 Rn. 19; BeckOGK/Rieckers Rn. 14; MüKoAktG/M. Arnold Rn. 16; aA Tielmann/Gahr AG 2016, 199, 202 ff. [deren These fehlender Analogievoraussetzungen allerdings auch gefestigte BGH-Rspr. zur Entlastung in Frage stellen würde]). Verbindung zur Gesamtabstimmung, die zu breitflächigerem Stimmverbot führt, ist in diesem Fall nicht rechtsmissbräuchlich; Versammlungsleiter muss auch nicht von sich aus auf Alternative der Einzelabstimmung hinweisen (OLG München AG 2008, 864, 865). Umgekehrt ist aber auch Antrag auf 23

Einzelabstimmung nicht rechtsmissbräuchlich (OLG Köln AG 2017, 351, 357 f. [insoweit nicht in NZG 2017, 1344]). Zur Prüfungspflicht des HV-Leiters → § 129 Rn. 23.

IV. Rechtsfolgen verbotswidriger Stimmabgabe (noch: § 136 I)

24 Verbotswidrig abgegebene **Stimmen sind gem. § 134 BGB nichtig.** Wenn HV-Beschluss infolge Mitzählens der nichtigen Stimmen falsch festgestellt wurde, ist Anfechtungsklage (§§ 243 ff.) möglich (BGHZ 220, 36 Rn. 18 = NZG 2019, 262), aber auch geboten (ebenso OLG Frankfurt NJW-RR 2001, 466, 467). Es tritt also keine Nichtigkeit des HV-Beschlusses ein, auch handelt es sich nicht um einen sog Scheinbeschluss (→ § 241 Rn. 3). Dasselbe gilt, wenn Teilnehmer zu Unrecht von Abstimmung ausgeschlossen oder seine Stimme nicht mitgezählt wurde (OLG Düsseldorf AG 2019, 348, 352). Anfechtung ist aber nur begründet, wenn sich fehlerhafte Zählung auf Ergebnis ausgewirkt hat (→ § 243 Rn. 19). Neben beschlussrechtl. Folgen kommt bei Verschulden **Schadensersatzpflicht** des verbotswidrig Abstimmenden ggü. der AG aus § 823 II BGB iVm § 136 I oder § 826 BGB in Betracht. Nach bisher hM kann **Versammlungsleiter** als AR-Mitglied gem. §§ 116, 93 haften (s. noch MüKoAktG/Schröer, 3. Aufl. 2013, Rn. 57), doch ergibt sich damit Diskrepanz zu mittlerweile weitgehend anerkanntem Ergebnis, dass Versammlungsleitung nicht zu Organpflichten zählt (→ § 129 Rn. 18). Deshalb muss auch hier Haftung aus allg. schuldrechtl. Konstruktion hergeleitet werden, was sich bei Missachtung von Stimmverboten als konstruktiv ebenso schwierig erweist wie bei anderen Sachverhalten (→ § 129 Rn. 25; wie hier MüKoAktG/M. Arnold Rn. 73; BeckOGK/Rieckers Rn. 46 f.; S/L/Spindler Rn. 34; KK-AktG/Tröger Rn. 100). Voraussetzung für Haftung des HV-Leiters ist aber, dass er Stimmverbot missachtet hat, obwohl es – auch unter HV-Voraussetzungen – für ihn erkennbar war (→ § 130 Rn. 22 ff.). Schließlich kann Verstoß als **Ordnungswidrigkeit** geahndet werden, und zwar unter den bes. Voraussetzungen des § 405 III Nr. 5. HV-Leiter muss nichtige Stimmen nicht mitzählen (→ § 130 Rn. 22 ff.). Kann Eingreifen eines Stimmverbots nicht zuverlässig geklärt werden, ist es für ihn eher empfehlenswert, Aktionär zur Abstimmung zuzulassen als ihn auszuschließen (MüKoAktG/M. Arnold Rn. 68; Grunsky ZIP 1991, 778, 780 f.).

V. Nichtigkeit von Stimmbindungen gegenüber Aktiengesellschaft oder Verwaltung (§ 136 II)

25 **1. Allgemeines.** § 136 II betr. sog **gebundene Aktien** und soll verhindern, dass die Verwaltung der AG in der HV für ihr genehme Abstimmungsergebnisse sorgt (RegBegr. Kropff S. 201). Der rechtl. Form nach handelt es sich um Stimmbindungsverträge. Dass diese grds. zulässig sind (Umkehrschluss aus § 136 II; → § 133 Rn. 25 ff.), aber die rechtl. Bindung ggü. der AG oder ihrer Verwaltung ausgeschlossen wird, hat seinen Grund darin, dass solche Stimmbindungen inhaltlich mit sonstigen Stimmrechtsabsprachen unter Aktionären nicht verglichen werden können. Sie stabilisieren nämlich den **Verwaltungseinfluss** zu Lasten der kapitalgebenden Aktionäre (→ Rn. 2) und sind deshalb mit der ges. konzipierten Organverfassung nicht vereinbar. Weil sonst weitgehend vergleichbare Ergebnisse erzielt würden, ist es nach richtiger Ansicht auch grds. unzulässig, die AG oder ihre Organe zur Ausübung des Stimmrechts zu bevollmächtigen (→ § 134 Rn. 26 mN). Lockerung zugunsten des sog **Proxy-Voting** besteht nach § 134 III 5 (→ § 134 Rn. 26a ff.), ferner Ausnahme für Aktienbanken in deren eigener HV (→ § 135 Rn. 8 f.), weil gängigste Form der Stimmrechtsvertretung sonst bei ihnen entfiele.

2. Tatbestandliche Voraussetzungen. Weisungsberechtigte müssen nach § 136 II 1 Fall 1 und Fall 2 sein: die AG selbst, ihr Vorstand oder AR. Ob AG durch den Vorstand handelt oder durch Prokuristen oder sonstwie vertreten wird, bleibt gleich (S/L/Spindler Rn. 40). Vorstand oder AR als solche können schon mangels Rechtsfähigkeit nicht Weisungsberechtigte sein. Ges. meint deshalb den Fall, dass zwar die **Organmitglieder** zu Weisungsberechtigten werden, damit aber dasselbe Ergebnis wie mit einer Stimmbindung ggü. der AG erreicht wird. Das ist nach der Gesetzesfassung jedenfalls anzunehmen, wenn der Vertrag die jeweiligen Mitglieder des Vorstands oder des AR nennt, ferner, wenn mit namentlicher Nennung die jeweiligen Mitglieder gemeint sind (KK-AktG/Tröger Rn. 138), und auch wohl dann, wenn zwar nur ein Teil der Organmitglieder bezeichnet ist, dieser aber nach der jeweiligen Geschäftsordnung die Bildung des Organwillens bestimmen kann, dagegen nicht, wenn nur die Bindung ggü. einzelnen Verwaltungsmitgliedern begründet wird (MüKoAktG/M. Arnold Rn. 97; S/L/Spindler Rn. 41). 26

Inhalt des Vertrags muss nach § 136 II 1 **Bindung an Weisungen** oder gem. § 136 II 2 Bindung an die jeweiligen Verwaltungsvorschläge sein. Die zweite Variante hat in erster Linie klarstellende Bedeutung. Es ist nämlich kaum vorstellbar, dass Verwaltung etwas anderes zum Weisungsinhalt macht als ihren eigenen Abstimmungsvorschlag. Dagegen verlangt § 136 II nicht, dass AG oder ihre Verwaltung auch Vertragspartner des Aktionärs sind. Es kommt nur darauf an, dass der, mit wem auch immer geschlossene, Vertrag die Weisungsbefugnis der AG oder ihrer Verwaltung begründen würde, wenn er gültig wäre (S/L/Spindler Rn. 43). Tatbestand ist aus teleologischen Gründen weit auszulegen, so dass etwa auch Selbstbindungen des Aktionärs im Rahmen von **Investorenvereinbarungen** (→ § 76 Rn. 124 ff.), zB hinsichtlich Fortdauer der Vorstandstätigkeit, von § 136 II erfasst sein können (ausf. Reichert ZGR 2015, 1, 24 ff.), nicht aber bei Standstill- oder Lock-up-Agreements, die nicht die Stimmrechtsausübung betreffen (KK-AktG/Tröger Rn. 144; Kiefner/Happ ZIP 2015, 1811, 1815; zur schwierigen Durchsetzung solcher Vereinbarungen vgl. Bachmann FS Köndgen, 2016, 17 ff.). 27

Gem. § 136 II 1 Fall 3 ist es auch unzulässig, Aktionäre an **Weisungen eines von der Gesellschaft abhängigen Unternehmens** zu binden. Rechtsform des Unternehmens ist unerheblich (→ § 15 Rn. 19), Begriff der Abhängigkeit nach § 17 zu bestimmen. Bezweckt ist, Umgehungen zu vermeiden, die einfach wären, wenn anstelle der AG oder ihrer Verwaltung ein Unternehmen Weisungen geben dürfte, bei dem AG oder Verwaltung aber ihren Willen durchsetzen können. Daher muss es auch unzulässig sein, wenn sich Aktionär verpflichtet, Weisungen der Verwaltung des abhängigen Unternehmens zu befolgen; Sachlage ist hier nicht anders als bei der Verwaltung der AG selbst (allgM, vgl. S/L/Spindler Rn. 42). Weitere Analogiebildung ist angezeigt bei mittelbarer Beteiligung, namentl. über sog Vorschaltgesellschaft, sowie bei Beteiligung der nach § 136 II Ausgeschlossenen an Stimmpool, auf dessen Abstimmverhalten sie maßgeblichen Einfluss ausüben können (vgl. zu beiden Fällen BeckOGK/Rieckers Rn. 60 f.). 28

3. Rechtsfolgen. Vertrag ist gem. § 134 BGB nichtig, soweit er verbotene Weisungsbindung zu begründen sucht. Gültigkeit des übrigen Vertragsinhalts ist nach **§ 139 BGB** zu beurteilen. Die Absprache kann nicht durch Vertragsstrafe gesichert werden (§ 344 BGB), die weisungswidrige Stimmabgabe mangels Vertragspflicht nicht zur Schadensersatzpflicht führen (RegBegr. Kropff S. 201). **Stimmabgabe** selbst ist aber nicht deshalb ungültig, weil sich Aktionär an die Absprache gehalten hat (heute allgM – vgl. OLG Nürnberg AG 1996, 228, 229; MüKoAktG/M. Arnold Rn. 108). Sie kann nur nach allg. Grundsätzen nichtig 29 sein oder (durch Anfechtung) werden. Lösung ist konsequent, weil Nichtigkeit des Vertrags die Abstimmungsfreiheit des Aktionärs herstellt. Ob sie auch glücklich ist, kann bezweifelt werden.

Abstimmung über Wahlvorschläge von Aktionären

137 Hat ein Aktionär einen Vorschlag zur Wahl von Aufsichtsratsmitgliedern nach § 127 gemacht und beantragt er in der Hauptversammlung die Wahl des von ihm Vorgeschlagenen, so ist über seinen Antrag vor dem Vorschlag des Aufsichtsrats zu beschließen, wenn es eine Minderheit der Aktionäre verlangt, deren Anteile zusammen den zehnten Teil des vertretenen Grundkapitals erreichen.

I. Regelungsgegenstand und -zweck

1 Norm betr. Abstimmungsreihenfolge bei Wahl von AR-Mitgliedern, hier den Sonderfall eines Aktionärsvorschlags (§ 127), und bezweckt gewisse **Erfolgsaussichten des Vorschlags,** weil dadurch Vertretung von Minderheitsinteressen gestärkt werden kann (AusschussB Kropff S. 201 f.; KK-AktG/Tröger Rn. 1). Erfolgsaussichten sollen durch Priorität eines dem Vorschlag entspr. Antrags in der Abstimmungsreihenfolge verbessert werden. Ob sich daraus allg. Grundsatz der prozeduralen Neutralität ableiten lässt (dafür Zetzsche FS Krieger, 2020, 1165, 1168 ff.), ist – obwohl noch kaum diskutiert – rechtspolitisch durchaus erwägenswert, im geltenden Recht aber, namentl. hinsichtlich der daraus abgeleiteten weiteren Folgen (zB Zugang zu Abstimmungssystemen der AG vor der HV – proxy access – Zetzsche FS Krieger, 2020, 1165, 1172 f.), nicht hinreichend klar angelegt. Weil es in § 137 um Wahrung der Aktionärsrechte geht, ist Vorschrift halbzwingend. Satzung kann Abstimmungspriorität also nicht an strengere Voraussetzungen knüpfen, diese aber mildern, zB auf das Verlangen einer qualifizierten Minderheit verzichten. Bei Verhältniswahl (Zulässigkeit str., aber zu bejahen) läuft § 137 leer (S/L/Spindler Rn. 1), weil es die vorausgesetzte Abstimmungsreihenfolge insoweit nicht gibt (→ § 133 Rn. 33).

II. Voraussetzungen der Abstimmungspriorität

2 Abstimmungspriorität erfordert Vorschlag nach § 127, entspr. Antrag in der HV und entspr. Verlangen einer qualifizierten Minderheit. **Vorschlag nach § 127** ist nicht jeder beliebige Wahlvorschlag, sondern nur derjenige, der nach § 126 mitteilungspflichtig ist. Die Regeln für Gegenanträge (→ § 126 Rn. 4 ff.) müssen also eingehalten sein, ohne dass es noch einer förmlichen Widerspruchsankündigung bedürfte (Hölters/Weber/Krebs Rn. 3). Auch **Frist von 14 Tagen** muss eingehalten sein (§ 126 I; → § 126 Rn. 9). **Antrag in der HV** ist unverzichtbar und muss sich auf den Kandidaten beziehen, der vorgeschlagen wurde, und von dem Aktionär stammen, der Vorschlag gemacht hat (BeckOGK/Rieckers Rn. 5; KK-AktG/Tröger Rn. 9). Es genügt nicht, dass nur fremder Vorschlag aufgegriffen wird (Grigoleit/Herrler Rn. 2; S/L/Spindler Rn. 4; KK-AktG/Tröger Rn. 9; aA GK-AktG/Grundmann Rn. 4; Zetzsche FS Krieger, 2020, 1065, 1173 f.). Stellvertretung ist aber möglich (KK-AktG/Tröger Rn. 9). Bei **vHV** wird Antrag nach § 137 von **Fiktionslösung des § 126 IV 1** nicht erfasst (→ § 126 Rn. 18).

3 Vorherige Abstimmung muss von einem **Minderheitsverlangen** gestützt werden. Minderheit muss auf wenigstens 10 % des vertretenen (also nicht: des gesamten), stimmberechtigten Grundkapitals gestützt werden (MüKoAktG/M. Arnold Rn. 10; BeckOGK/Rieckers Rn. 6; KK-AktG/Tröger Rn. 12). Gegen-

auffassung, wonach Minderheitenrecht als selbständiges, stimmrechtsunabhängiges Minderheitenrecht aufzufassen sei (Grigoleit/Herrler Rn. 3), findet im Ges. keine Grundlage, sondern attributlose Anknüpfung an „Grundkapital" ist hier – wie auch in anderen Zusammenhängen (vgl. zu § 142 II 1 etwa KK-AktG/Rieckers/J. Vetter § 142 Rn. 230 ff.) – als stimmberechtigtes Kapital zu verstehen (KK-AktG/Tröger Rn. 12). Auch Briefwahlstimmen gelten als vertretenes Kapital (BeckOGK/Rieckers Rn. 6). Verlangen kann **auch von Mehrheit** getragen werden; Minderheitenquorum ist also Mindestvoraussetzung, schließt Majoritätsbeschluss aber nicht aus (BeckOGK/Rieckers Rn. 7; KK-AktG/Tröger Rn. 13). Quorum kann schon bei Geltendmachung des Verlangens vorliegen (ggf. auch schon vor HV), muss aber spätestens bis zu Beginn der AR-Wahl erreicht sein (zum Nachw. MüKoAktG/M. Arnold Rn. 12; Zetzsche FS Krieger, 2020, 1165, 1174). Antragstellung allein verpflichtet HV-Leiter noch nicht, die vorherige Abstimmung durchzuführen. Die Priorität muss vielmehr in Anspruch genommen werden, wenn auch nicht notwendig vom Antragsteller (MüKoAktG/M. Arnold Rn. 10). Nach wohl überholter Ansicht soll HV-Leiter selbst dann noch nicht gehalten sein, die Aktionäre nach der Unterstützung für den Antrag zu fragen (v. Godin/Wilhelmi Rn. 1; so auch noch BeckOGK/Rieckers Rn. 8), was nicht überzeugt, weil die erforderliche Minderheit dann idR überhaupt nicht festgestellt werden kann und HV-Leiter zur angemessenen Unterstützung auch der Minderheit verpflichtet ist (Grigoleit/Herrler Rn. 3; S/L/Spindler Rn. 6; KK-AktG/Tröger Rn. 11; Zetzsche FS Krieger, 2020, 1165, 1175 f.; a. A. MüKoAktG/M. Arnold Rn. 12).

III. Rechtsfolgen

Sind Voraussetzungen erfüllt (→ Rn. 2 f.), so ist HV-Leiter in der Festlegung 4
der Abstimmungsreihenfolge gebunden. Mehrere Vorschläge desselben Aktionärs können einzeln oder geschlossen zur Vorabstimmung gestellt werden (OLG Hamburg AG 1968, 332). Wenn über Vorschläge mehrerer Aktionäre abzustimmen ist, kann HV-Leiter die Reihenfolge unter ihnen nach seinem Ermessen bestimmen; iÜ verbleibt es bei der Priorität ggü. dem Vorschlag des AR (Gesell FS Maier-Reimer, 2010, 123, 132). Verstöße gegen § 137 machen die Wahl nach § 243 1, § 251 I 1 anfechtbar, es sei denn, dass der Beschluss nicht auf dem Gesetzesverstoß beruht. Das kann etwa dann anzunehmen sein, wenn Mehrheit für von AR vorgeschlagenen Kandidaten eindeutig ausfällt (BeckOGK/Rieckers Rn. 12).

Fünfter Unterabschnitt. Sonderbeschluß

Gesonderte Versammlung. Gesonderte Abstimmung

138 **[1] In diesem Gesetz oder in der Satzung vorgeschriebene Sonderbeschlüsse gewisser Aktionäre sind entweder in einer gesonderten Versammlung dieser Aktionäre oder in einer gesonderten Abstimmung zu fassen, soweit das Gesetz nichts anderes bestimmt. [2] Für die Einberufung der gesonderten Versammlung und die Teilnahme an ihr sowie für das Auskunftsrecht gelten die Bestimmungen über die Hauptversammlung, für die Sonderbeschlüsse die Bestimmungen über Hauptversammlungsbeschlüsse sinngemäß. [3] Verlangen Aktionäre, die an der Abstimmung über den Sonderbeschluß teilnehmen können, die Einberufung einer gesonderten Versammlung oder die Bekanntmachung eines Gegenstands zur gesonderten Abstimmung, so genügt es, wenn ihre Anteile, mit denen sie an der Abstimmung über den Sonderbeschluß**

teilnehmen können, zusammen den zehnten Teil der Anteile erreichen, aus denen bei der Abstimmung über den Sonderbeschluß das Stimmrecht ausgeübt werden kann.

I. Regelungsgegenstand und -zweck

1 Norm betr. **Sonderbeschlüsse** und stellt ihre rechtl. Behandlung klar. Sonderbeschlüsse werden in § 138 aber nicht angeordnet, sondern beruhen auf anderweitiger ges. oder satzungsmäßiger Vorgabe. Ihr Zweck liegt darin, Aktionärsgruppen mit bes. Interessen vor Mehrheitsentscheidungen der HV zu schützen (BGHZ 229, 27 Rn. 70 = NZG 2021, 782). Insbes. sind sie vorgesehen für Inhaber von Aktien bes. Gattung und außenstehende Aktionäre abhängiger Gesellschaften (GK-AktG/Bezzenberger/Bezzenberger Rn. 1). § 138 stellt lediglich ihre rechtl. Behandlung klar. Vor allem sind **gesonderte Versammlung und gesonderte Abstimmung** als grds. **gleichermaßen zulässige Beschlussverfahren** vorgesehen (§ 138 S. 1); vgl. RegBegr. Kropff S. 202. Vorschrift ist 1965 neu eingeführt worden und soll durch zusammenfassende Regelung auch dem Umstand Rechnung tragen, dass Notwendigkeit von Sonderbeschlüssen ggü. AktG 1937 ausgedehnt wurde (RegBegr. Kropff S. 202).

II. Vorgeschriebene Sonderbeschlüsse

2 § 138 gilt für die im AktG oder in der Satzung vorgeschriebenen Sonderbeschlüsse gewisser Aktionäre (§ 138 S. 1). Ges. geregelte Fälle lassen sich in zwei Gruppen einteilen. Erste Gruppe ist dadurch gekennzeichnet, dass ein positiver Sonderbeschluss **zu einem HV-Beschluss hinzutreten** muss, um diesem zur Wirksamkeit zu verhelfen (→ Rn. 7). Hierher gehören: § 141 (mit Sonderregelung in § 141 III), § 179 III, § 182 II (mit Erweiterung des Anwendungsbereichs durch § 193 I 3, § 202 II 4, § 221 I 4, III), § 222 II (mit Erweiterung des Anwendungsbereichs durch §§ 229 III, 237 II 1), § 295 II. Erfordert Wirksamkeit eines HV-Beschlusses verschiedene Sonderbeschlüsse, müssen auch verschiedene gesonderte Abstimmungen oder Versammlungen durchgeführt werden (KK-AktG/J. Vetter Rn. 25). Zweite Gruppe wird von den Fällen gebildet, in denen eine in den Zuständigkeitsbereich der Verwaltung fallende Maßnahme (zB Aufhebung oder Kündigung eines Unternehmensvertrags; Verzicht oder Vergleich bei konzerngebundenen Gesellschaften) der **Zustimmung der außenstehenden Aktionäre** im Konzern bedarf (§ 296 II, § 297 II [keine Erstreckung auf Kündigung durch das herrschende Unternehmen → § 297 Rn. 18], § 302 III 3, § 309 III 1, § 310 IV, § 317 IV, § 318 IV, § 323 I 2). Ges. geregelte Fälle sind abschließend und nicht analogiefähig (BeckOGK/Rieckers Rn. 10). Satzung kann zwar nach § 138 S. 1 Sonderbeschlüsse vorsehen. Regelungsspielraum bleibt aber wegen abschließender ges. Kompetenzordnung gem. § 23 V schmal (ausf. KK-AktG/J. Vetter Rn. 71 ff.). Praktische Bedeutung haben solche satzungsmäßigen Erfordernisse nicht. Sind mehrere Sonderbeschlusserfordernisse einschlägig, bedarf es mehrerer gesonderter Versammlungen bzw. gesonderter Abstimmungen (KK-AktG/J. Vetter Rn. 25).

III. Gesonderte Versammlung oder gesonderte Abstimmung

3 Sonderbeschluss kann nach § 138 S. 1 in gesonderter Versammlung oder durch gesonderte Abstimmung gefasst werden, soweit nichts anderes vorgeschrieben ist (zu den Unterschieden s. KK-AktG/J. Vetter Rn. 92 ff.). Anderes, nämlich zwingend gesonderte Versammlung, ist in § 141 III 1 für Zustimmung der Vorzugsaktionäre bestimmt (→ § 141 Rn. 18 f.). IÜ entscheidet über das geeignete

Verfahren, wer Einberufungskompetenz hat, idR also der Vorstand (§ 121 II 1 iVm § 138 S. 2); s. S/L/Spindler Rn. 11. Weil **gesonderte Abstimmung einfacher und billiger** ist, wird meist sie gewählt werden. Soweit es um Zustimmung außenstehender Aktionäre zu Verwaltungsmaßnahmen geht (→ Rn. 2 Fallgruppe 2), muss deren Wirksamkeit allerdings bis zur nächsten HV Zeit haben. Wurde in Tagesordnung gesonderte Abstimmung angekündigt, kann HV Sonderbeschlussfassung nicht durch Mehrheitsbeschluss in gesonderte Versammlung verlegen und umgekehrt (BeckOGK/Rieckers Rn. 12). Von vornherein kein Entscheidungsspielraum besteht, wenn qualifizierte Minderheit explizit Sonderversammlung verlangt (§ 138 S. 3 Fall 1; S/L/Spindler Rn. 18).

IV. Sinngemäße Geltung der Hauptversammlungsregeln

1. Gesonderte Versammlung. Gem. § 138 S. 2 gelten für gesonderte Versammlung die ges. Vorschriften über Einberufung der HV, Teilnahme an ihr und Auskunftsrecht sinngem., ebenso für Sonderbeschlüsse die Bestimmungen über HV-Beschlüsse. Anzuwenden sind danach §§ 121 ff. (Einberufung [→ § 141 Rn. 19: inhaltliche und textliche Trennung von Einberufung der HV]), und zwar einschließlich der §§ 125 und 126 (S/L/Spindler Rn. 16; § 127 scheidet nach seinem Regelungsgegenstand aus), ferner § 118 (Teilnahme). Sinngem. Anwendung heißt hier Teilnahme der für Sonderbeschluss abstimmungsberechtigten Aktionäre, nicht auch der anderen (MüKoAktG/M. Arnold Rn. 27). Für gesonderte Versammlung ist Teilnehmerverzeichnis zu führen (§ 129). Sie kann für den Tag der HV einberufen werden, darf jedoch **nicht zur gleichen Zeit wie HV** stattfinden (ausführlich KK-AktG/J. Vetter Rn. 128 ff.). §§ 131 f. sind mit der Maßgabe anwendbar, dass Auskunft zur sachgem. Beurteilung des Gegenstands der Sonderversammlung erforderlich sein muss. Soweit es den Sonderbeschluss angeht, sind §§ 130, 133 ff., 241 ff. heranzuziehen. Leitung der gesonderten Versammlung erfolgt mangels anderer Bestimmung durch AR-Vorsitzenden, wenn ihm die Satzung diese Aufgabe für HV zuweist. 4

2. Gesonderte Abstimmung. Sie erfolgt in der HV durch die Aktionäre, die am Sonderbeschluss mitwirken dürfen. Gesonderte Abstimmung ist **eigener Tagesordnungspunkt,** der gem. § 124 I 1 iVm § 138 S. 2 als solcher angekündigt werden muss; Ankündigung des Gegenstands zur Beschlussfassung durch HV genügt insoweit nicht (S/L/Spindler Rn. 13). Teilnehmerverzeichnis (§ 129) muss die zur Mitwirkung bei der gesonderten Abstimmung berechtigten Aktionäre erkennen lassen. In die notarielle Niederschrift ist als zur Art der Abstimmung gehörig aufzunehmen, welche Vorkehrungen HV-Leiter ergriffen hat, um sicherzustellen, dass an der Abstimmung keine unberechtigten Personen teilnehmen (§ 130 II), zB Ausgabe bes. Stimmkarten. 5

V. Minderheitsverlangen

Nach § 122 I und II iVm § 138 S. 2 kann Minderheit von **5 % des Grundkapitals** Einberufung der gesonderten Versammlung oder Ankündigung von Gegenständen zur gesonderten Abstimmung verlangen. Regelung wird von § 138 S. 3 nicht berührt. Danach stehen die genannten Rechte nur zusätzlich auch einer Minderheit von 10 % der Aktionäre zu, die an der Sonderbeschlussfassung mitwirken können (vgl. GK-AktG/Bezzenberger/Bezzenberger Rn. 43). Die eine oder die andere Minderheit kann auch wählen, ob gesonderte Versammlung oder nur gesonderte Abstimmung stattfinden soll (→ Rn. 3 aE), wobei im Fall konfligierender Minderheitsverlangen Auswahl der sonderbeschlussberechtigten Aktionäre nach § 138 S. 3 vorrangig ist (KK-AktG/J. Vetter Rn. 105, 109). Minderheitsverlangen nach § 138 S. 3 kann auch dann noch 6 gestellt werden, wenn bereits Bekanntmachung zur gesonderten Abstimmung erfolgt ist oder HV, in der gesonderte Abstimmung erfolgen soll, bereits begonnen hat (BeckOGK/Rieckers Rn. 23).

VI. Hauptversammlungsbeschluss und Sonderbeschluss

7 Sonderbeschluss ist materiell-rechtl. Zustimmung zu HV-Beschluss (BGHZ 229, 27 Rn. 70 = NZG 2021, 782). Soweit HV-Beschluss durch positiven Sonderbeschluss ergänzt werden muss (→ Rn. 2 Fallgruppe 1), bewirkt isolierter Sonderbeschluss nichts. Er gilt aber als vorweggenommene Zustimmung zum fehlerhaften HV-Beschluss, sofern dieser innerhalb angemessener Frist (idR spätestens in nächster ordentlicher HV) neu gefasst oder bestätigt wird (KK-AktG/J. Vetter Rn. 34, 172). Im umgekehrten Fall (HV-Beschluss existiert, Sonderbeschluss fehlt) ist HV-Beschluss weder nichtig noch anfechtbar (LG Stuttgart NZG 2021, 1227 Rn. 27), sondern zunächst nur schwebend unwirksam. Besteht für Beschluss Eintragungserfordernis, muss Registergericht Eintragung verweigern (LG Stuttgart NZG 2021, 1227 Rn. 27). Er wird endgültig unwirksam, wenn Sonderbeschluss nicht innerhalb angemessener Frist (idR spätestens in nächster ordentlicher HV) zustande kommt oder Zustimmung bereits zuvor endgültig verweigert wird (GK-AktG/Bezzenberger/Bezzenberger Rn. 18; BeckOGK/Rieckers Rn. 4; KK-AktG/J. Vetter Rn. 31 ff.; aA Baums ZHR 142 [1978], 582 ff., der statt Unwirksamkeit Nichtigkeit annimmt). Gleiches gilt, wenn Sonderbeschluss nichtig ist oder erfolgreich angefochten wird, sofern er nicht innerhalb angemessener Frist mangelfrei wiederholt oder bestätigt wird, wobei es für erneute Sonderbeschlussfassung aber regelmäßig zu spät sein dürfte, wenn Sonderbeschluss auf Anfechtungsklage hin rechtskräftig für nichtig erklärt worden ist (KK-AktG/J. Vetter Rn. 171; BeckOGK/Rieckers Rn. 4, 25). Solange zustimmender Sonderbeschluss fehlt, besteht für **HV-Beschluss Eintragungshindernis** (Grigoleit/Herrler Rn. 6). Ist für Geschäftsführungsmaßnahme zustimmender Sonderbeschluss erforderlich (→ Rn. 2 Fallgruppe 2), darf Vorstand Maßnahme erst vornehmen, wenn Sonderbeschluss vorliegt, weil dieser Wirksamkeitsvoraussetzung darstellt. Auch Vertretungsmacht des Vorstands ist bis zum Vorliegen des Sonderbeschlusses ex lege beschränkt (B/K/L/Holzborn Rn. 2; BeckOGK/Rieckers Rn. 4).

VII. Fehlerhafte Sonderbeschlüsse

8 Behandlung fehlerhafter Sonderbeschlüsse richtet sich nach **§§ 241 ff.**, die über Verweisung in § 138 S. 2 anwendbar sind (KK-AktG/J. Vetter Rn. 166). Anfechtungsberechtigt sind neben Vorstand (§ 245 S. 1 Nr. 4) und einzelnen Vorstands- und Aufsichtsratsmitgliedern (§ 245 S. 1 Nr. 5) unter den Voraussetzungen des § 245 S. 1 Nr. 1–3 aber nur diejenigen Aktionäre, die im Hinblick auf den Sonderbeschluss stimmberechtigt sind (BeckOGK/Rieckers Rn. 24). Nichtigkeitsklage kann von jedem Aktionär erhoben werden (KK-AktG/J. Vetter Rn. 169). Wird Sonderbeschluss angefochten, kann uU faktische Registersperre auch für zustimmungsbedürftige Strukturmaßnahme eintreten, die durch Freigabeverfahren nach § 246a nicht überwunden werden, da Sonderbeschluss von Vorschrift nicht erfasst ist (→ § 246a Rn. 3 mwN; aA für Sonderbeschluss nach § 141 KK-AktG/J. Vetter § 141 Rn. 188). Fehlt es an wirksamem Sonderbeschluss, bewirkt Eintragung des HV-Beschlusses keine Heilung. In Betracht kommt aber Heilung entspr. § 242 II (BeckOGK/Rieckers Rn. 25).

Sechster Unterabschnitt. Vorzugsaktien ohne Stimmrecht

Wesen

139 (1) [1]**Für Aktien, die mit einem Vorzug bei der Verteilung des Gewinns ausgestattet sind, kann das Stimmrecht ausgeschlossen werden (Vorzugsaktien ohne Stimmrecht).** [2]**Der Vorzug kann insbesondere in einem auf die Aktie vorweg entfallenden Gewinnanteil (Vorabdividende) oder einem erhöhten Gewinnanteil (Mehrdividende) bestehen.** [3]**Wenn die Satzung nichts anderes bestimmt, ist eine Vorabdividende nachzuzahlen.**

(2) **Vorzugsaktien ohne Stimmrecht dürfen nur bis zur Hälfte des Grundkapitals ausgegeben werden.**

Übersicht

I. Grundlagen

1. Regelungsgegenstand und -zweck. § 139 umschreibt Vorzugsaktien ohne Stimmrecht als **bes. Gattung iSd § 11.** In der Sache zeichnen sie sich dadurch aus, dass sie mit einem Vorzug bei der Verteilung des Gewinns ausgestattet werden, dafür aber ihr Stimmrecht verlieren. Die Zulässigkeit einer solchen Gestaltung ist schon in § 12 S. 2 klargestellt (→ § 12 Rn. 15). Norm bezweckt, Voraussetzungen des Stimmrechtsausschlusses zu regeln (§ 139 I) und Zahl der stimmrechtslosen Aktien zu begrenzen (§ 139 II). Regelung ist zwingend (§ 23 V) und abschließend; insbes. kann es kein beschränktes Stimmrecht und auch kein sog Minderstimmrecht geben (→ Rn. 17). Vorzugsaktien mit Stimmrecht bleiben als bes. Gattung zulässig (§ 11), unterliegen aber nicht §§ 139 ff. Auch folgt aus §§ 139 ff. nichts gegen die Zulässigkeit aktiengleich ausgestalteter Genussrechte (→ § 221 Rn. 31 ff.). Regelung geht auf § 115 AktG 1937 zurück und wurde zuletzt geändert durch Aktienrechtsnovelle 2016 (ausf. 1

zur Historie GK-AktG/Bezzenberger/Bezzenberger Rn. 12 ff.; BeckOGK/Bormann Rn. 4 ff.).

2 **2. Bedeutung und Entwicklung.** Vorzugsaktien sollen der AG die Eigenfinanzierung erleichtern und zugleich einem Aktionärstyp entgegenkommen, der an Rendite und Substanzzuwachs, aber jedenfalls nicht primär an Mitsprache interessiert ist (vgl. RegBegr. Kropff S. 203). **Eigenfinanzierung** wird erleichtert, weil AG auch Vorzugsaktien nur aus Bilanzgewinn bedienen muss und darf (§ 57 III) und Bilanz nicht durch Zinsen auf Fremdkapital belastet wird (vgl. aber → Rn. 3). Zugleich werden aus Sicht der Stammaktionäre die Mitspracherechte solcher Kapitalgeber beschränkt, wodurch Übernahmegefahr eingegrenzt wird, was insbes. – aber nicht nur – für Familienunternehmen interessant sein kann (MüKoAktG/M. Arnold Rn. 4). Richtig ist auch, dass Kleinaktionäre aufgrund rationaler Apathie (→ § 118 Rn. 5) weithin nicht am Stimmrecht interessiert sind. Aus fehlendem Interesse darf allerdings nicht der Schluss gezogen werden, Vorzugsaktien müssten aus ihrer Sicht unbedingt attraktiv sein, weil Gewinnvorzug nicht allein mit Stimmverlust erkauft wird, sondern uU auch mit **Risiko unterproportionaler Kursentwicklung,** die aus fehlender „Übernahmephantasie" stimmrechtsloser Vorzugsaktien resultiert (T. Bezzenberger, Vorzugsaktien, 1991, 37 f.; Pellens/Hillebrandt AG 2001, 57, 61 ff.). Zur bilanziellen und steuerlichen Behandlung von Vorzugsaktien s. BeckOGK/Bormann Rn. 33 ff.

3 Vorzugsaktien ohne Stimmrecht haben seit 1980 ggü. früher **an Bedeutung gewonnen** und begegnen heute bei einer Vielzahl von mittelständischen Unternehmen, aber auch bei Großunternehmen des DAX oder MDAX (Auflistung bei KK-AktG/J. Vetter Rn. 48). Boom in den 1980er Jahren hatte seine Ursache in der Börseneinführung von Familienunternehmen (s. zB Herzig/Ebeling AG 1989, 221) sowie in der Ausgabe entspr. ausgestalteter Belegschaftsaktien (Reckinger AG 1983, 216, 220) und war auch durch Übernahmeängste bedingt (ausf. Überblick mit statistischen Angaben bei T. Bezzenberger, Vorzugsaktien, 1991, 36 ff.; sa BeckOGK/Bormann Rn. 8 f.; Hasselbach/Ebbinghaus DB 2015, 1269, 1271 f.). Entwicklung scheint **zum Stillstand** gekommen zu sein, was auf mehrere Gründe zurückgeführt wird: Zum einen sind Vorzugsaktien im Ausland weitgehend unbekannt und stoßen deshalb bei int. Anlegern auf Skepsis, namentl. auch wegen fehlender Übernahmephantasie (→ Rn. 2 – vgl. MüKoAktG/M. Arnold Rn. 5; Hasselbach/Ebbinghaus DB 2015, 1269, 1272). Zum anderen trennt Deutsche Börse AG seit Juni 2002 bei sämtlichen Auswahlindizes Stamm- und Vorzusgaktien, was dazu führt, dass sich Marktkapitalisierung auf zwei unterschiedliche Gattungen verteilt und damit Aufnahme in Index unwahrscheinlicher wird (GK-AktG/Bezzenberger/Bezzenberger Rn. 26; Hölters/Weber/Krebs Rn. 2). Auch rechtspolitisch werden Vorzugsaktien zT krit. beurteilt, weil sie (1.) die Verwaltungsmacht bei den Stammaktionären konzentrieren, (2.) die Eigenfinanzierung im Vergleich zur Ausgabe von Stammaktien verteuern (Christians AG 1990, 47, 48) und (3.) die Vorzugsaktionäre mit dem Risiko unterproportionaler Kursentwicklung belasten (→ Rn. 2). Zu weiteren rechtspolitischen Perspektiven Bezzenberger ZHR 183 (2019), 521 ff.; Hemeling FS U. H. Schneider, 2011, 471 ff.

II. Begriff, notwendige Ausstattung und Entstehung stimmrechtsloser Vorzugsaktien (§ 139 I)

4 **1. Begriff.** § 139 I 1 enthält Legaldefinition stimmrechtsloser Vorzugsaktien. Danach handelt es sich erstens um Aktien, also um **Mitgliedschaften,** und nicht, wie bei Genussscheinen, um Gläubigerrechte mit ähnlicher Ausstattung. Positives Kennzeichen ist zweitens die Ausstattung mit einem **Vorzugsrecht** bei der Ver-

teilung des Bilanzgewinns (→ Rn. 5 ff.); das frühere weitere Kennzeichen der Nachzahlung ist mit Aktienrechtsnovelle 2016 entfallen (→ Rn. 12 ff.). Negatives Kennzeichen ist der gänzliche **Ausschluss des Stimmrechts** (→ Rn. 17), während sonstige Verwaltungsrechte (wie Teilnahme an HV, Anfechtungsbefugnis) erhalten bleiben (§ 140 I).

2. Notwendige Ausstattung. a) Gestaltungsformen des Vorzugs. 5
§ 139 I 1 verlangt für Zulässigkeit des Stimmrechtsausschlusses, dass Aktien mit einem Vorzug bei der Verteilung des Gewinns ausgestattet sind. Vorzug muss sich auf den Gewinn, genauer: auf den **Bilanzgewinn** (Begriff → § 58 Rn. 3), beziehen (BeckOGK/Bormann Rn. 11; S/L/Spindler/Bayer Rn. 12). Andere Vorzugsrechte, etwa auf bevorzugte Berücksichtigung bei der Verteilung des Liquidationserlöses, sind überdies möglich, genügen aber nicht, um Ausschluss des Stimmrechts zulässig zu machen (BeckOGK/Bormann Rn. 11; Hölters/Weber/Krebs Rn. 6).

Nach früherem Verständnis bedeutete Vorzug ausschließlich **Priorität der Vorzugsaktionäre** ggü. den Stammaktionären bei Ausschüttung des Bilanzgewinns. Nach dem durch Aktienrechtsnovelle 2016 neu eingefügten § 139 I 2 kann Vorzug insbes. in einem auf die Aktie vorweg entfallenden Gewinnanteil (Vorabdividende) oder einem erhöhten Gewinnanteil (Mehrdividende) bestehen. Bei **Vorabdividende** wird zu verteilender Gewinn zunächst an Vorzugsaktionäre und erst nach deren Befriedigung an Stammaktionäre ausgeschüttet, so dass tatsächlich nur eine Rangfolge in der Gewinnverteilung begründet wird (wie hier KK-AktG/J. Vetter Rn. 86; aA GK-AktG/Bezzenberger/Bezzenberger Rn. 139). Zur finanziellen Bevorzugung der Vorzugsaktionäre führt Vorabdividende nur dann, wenn bei knapper Gewinnverteilung Stammaktionäre nicht mehr voll bedient werden können. Attraktiv ist sie aus Aktionärssicht also namentl., wenn geringe Ausschüttung zu erwarten ist. 6

Bei **Mehrdividende** dagegen erhalten Vorzugsaktionäre tats. regelmäßig mehr als Stammaktionäre (Einzelheiten bei T. Bezzenberger, Vorzugsaktien, 1991, 52 f.). Sie kann daher bei erfolgreicher AG attraktiver sein (RegBegr. BT-Drs. 18/4349, 26). Sie war schon bislang zulässig und in der Praxis in unterschiedlichen Formen verbreitet (ausf. GK-AktG/Bezzenberger/Bezzenberger Rn. 41 ff.). Allerdings galt sie bislang nicht als Vorzug iSd § 139 I, sondern dieser wurde allein in Priorität gesehen (S. Fischer ZGR 2013, 832, 839), so dass Mehrdividende Ausschluss des Stimmrechts nicht rechtfertigte. Nach heutiger Rechtslage können beide Gestaltungen Vorzug begründen. 7

Auch **Kombination aus Vorab- und Mehrdividende** soll zulässig sein, ebenso wie andere Gestaltungen („insbesondere“ – vgl. RegBegr. BT-Drs. 18/4349, 26; GK-AktG/Bezzenberger/Bezzenberger Rn. 50; Götze/Nartowska NZG 2015, 298, 303 f.). Als Beispiel für Kombination beider Formen nennt RegBegr. den Fall, dass Vorzugsaktionären sowohl Vorab- als auch Mehrdividende gewährt wird, aber nur die Erstgenannte nachzahlbar ist (RegBegr. BT-Drs. 18/4349, 26; abratend Marsch-Barner/Schäfer/Butzke Rn. 6.28a). Noch wenig geklärt ist, inwieweit bei Kombination von (nachzahlbarer) Vorabdividende und (nicht nachzahlbarer) Mehrdividende ausschließlich Vorabdividende als den Stimmrechtsausschluss begründender Vorzug ausgestaltet werden kann (dafür Marsch-Barner/Schäfer/Butzke Rn. 6.23 Fn. 52). Als sonstige Ausgestaltung des Dividendenvorzugs kommt namentl. **Höchstdividende** in Betracht, bei der Gewinnanteile der Vorzugsaktionäre satzungsmäßig auf Vorabdividende in bestimmter Höhe begrenzt wird. Sie hat zur Folge, dass ein Übergewinn den Stammaktionären zufällt; es wird dann von obligationenähnlichen oder limitierten Vorzugsaktien gesprochen (vgl. BeckOGK/Bormann Rn. 19; T. Bezzenberger, Vorzugsaktien, 1991, 54 ff.). Bes. Verbreitung haben so ausgestattete 8

Aktien nicht gefunden (GK-AktG/Bezzenberger/Bezzenberger Rn. 51: „heute in Deutschland anscheinend ausgestorben"). Zur Sachdividende als Vorzug s. GK-AktG/Bezzenberger/Bezzenberger Rn. 52; BeckOGK/Bormann Rn. 20. AG kann schließlich auch unterschiedlich ausgestaltete Vorzugsaktien ausgeben (Wälzholz/Graf Wolffskeel v. Reichenberg MittBayNot 2016, 197, 201 mit Mustern zur Satzungsgestaltung auf S. 202 f.).

9 Wahl zwischen unterschiedlichen Gestaltungsformen soll Marktbewertung überlassen bleiben, wobei **bankaufsichtsrechtl. Überlegungen** eine Rolle spielen können, da Vorzug in Gestalt einer Vorabdividende nicht als Instrument des harten Kernkapitals (insbes. Einlagen und Rücklagen) anerkannt wird, in Gestalt einer Mehrdividende aber doch (Art. 28 I 1 lit. h Ziff. i, IV CRR). Neuordnung der Rechtslage lag gerade der Wille zugrunde, solche Anpassungen an aufsichtsrechtl. Vorgaben zu gestatten (RegBegr. BT-Drs. 18/4349, 25). Durch diese Öffnung wird den Gesellschaften eine Gestaltungsfreiheit gewährt, die als Flexibilisierung der Eigenkapitalfinanzierung auf den ersten Blick erfreulich erscheint, zugleich aber zu einer weiteren Hypertrophie kautelarjuristischer Gestaltungsformen führt und damit Informationsanforderungen an potenziellen Aktionär erhöht.

10 In allen Konstellationen handelt es sich um bes. Ausgestaltung des mitgliedschaftlichen Rechts auf Gewinnbeteiligung (§ 58 IV; → § 58 Rn. 26), nicht um Zahlungsanspruch. Dieser kommt jedenfalls idR (vgl. § 140 III und → § 140 Rn. 9 f.) erst durch den Gewinnverwendungsbeschluss zustande (→ § 58 Rn. 28 ff.). Doch ist Beschluss wegen Kompetenzüberschreitung gem. § 241 Nr. 3 nichtig, soweit er gesamten an die Aktionäre auszuschüttenden Betrag auf verschiedene Aktiengattungen aufteilt und diese Aufteilung den Satzungsvorgaben über Gewinnvorzug widerspricht (überzeugend GK-AktG/Bezzenberger/Bezzenberger Rn. 36; KK-AktG/J. Vetter Rn. 77, 142 f.; aA → 13. Aufl. 2018, Rn. 10). Bei **Rumpfgeschäftsjahren** ist Vorabdividende pro rata temporis zu kürzen, wenn dazu nichts anderes bestimmt ist (GK-AktG/Bezzenberger/Bezzenberger Rn. 47; BeckOGK/Bormann Rn. 15). Mehrdividende ist nicht zu kürzen, da sie sich am Gewinn bemisst und dieser von vornherein nur auf das Rumpfgeschäftsjahr entfällt (BeckOGK/Bormann Rn. 15).

11 Hinsichtlich konkreter Berechnungsgrundlage des Vorzugs ist zu unterscheiden: Bei **nachzuzahlendem Vorzug** (→ Rn. 12 ff.) muss **Höhe des Vorzugs obj. bestimmbar** sein, dh Nachzahlung darf nicht mit Höhe des Bilanzgewinns (etwa durch Quotengestaltung) verknüpft werden (MüKoAktG/M. Arnold Rn. 13; BeckOGK/Bormann Rn. 13; wird nachzuzahlender Vorzug gleichwohl an Bilanzgewinn geknüpft liegt widersprüchliche Satzungsregelung vor, die regelmäßig dahingehend auszulegen sein dürfte, dass Mehrdividende ohne Nachzahlungsrecht gewollt ist, vgl. auch Grigoleit/Herrler Rn. 5). Obj. Bestimmbarkeit kann insbes. durch feste Rechnungsgröße erzielt werden. Üblich ist fester Prozentsatz in Höhe von 4–6 % des Nennbetrags, soweit Nennbetragsaktien (§ 8 II) ausgegeben sind (T. Bezzenberger, Vorzugsaktien, 1991, 38 f.). Bei Übergang zu Stückaktien (§ 8 III) ist Satzungsänderung durch HV-Beschluss erforderlich; Dividendenvorzug kann statt mit Nennbetrag mit anteiligem Betrag des Grundkapitals verknüpft werden (→ § 8 Rn. 27; zutr. Ihrig/Streit NZG 1998, 201, 206). Satzung kann auch Festbetrag vorsehen. Zulässig ist ferner Verknüpfung mit variabler Bezugsgröße, zB Koppelung an Basiszinssatz gem. § 247 BGB. Ges. sieht keine Begrenzung der Höhe nach vor. Stimmrechtsausschluss ist also auch dann zulässig, wenn Priorität der Höhe nach geringfügig ist, doch werden solche Aktien kaum einen Markt finden. Bei **nicht nachzuzahlendem Vorzug** ist obj. Bestimmbarkeit nicht zwingend geboten, so dass auch Koppelung an Jahresergebnis oder Bilanzgewinn möglich ist (Grigoleit/Herrler Rn. 5).

b) Recht auf Nachzahlung als optionale Gestaltung. Nach § 139 I aF war Ausgabe von Vorzugsaktien nur zulässig, wenn Aktien mit nachzuzahlendem Vorzug ausgestattet wurden. Ausstattung mit nachzuzahlendem Vorzug bedeutet, dass mangels hinreichenden Bilanzgewinns ganz oder teilw. **ausgefallene Vorzugsdividende** in späteren Geschäftsjahren nachgezahlt werden muss, sobald und soweit Bilanzgewinn dafür ausreicht (→ Rn. 18 ff.). Diese Gestaltung hat sich indes namentl. für KI (insbes. solche mit geschlossenem Anlegerkreis) als nachteilig erwiesen, da Vorzugsaktien bei nachzuzahlendem Vorzug weder als **regulatorisches Kernkapital** iSd Art. 28 I 1 lit. h Ziff. i, IV CRR noch als zusätzliches Kernkapital iSd Art. 52 I 1 lit. l. Ziff. iii CRR anerkannt werden (vgl. RegBegr. BT-Drs. 18/4349, 25). Durch Aktienrechtsnovelle 2016 wurde deshalb Erfordernis eines „nachzuzahlenden" Vorzugs gestrichen und Gesellschaften damit mehr **Flexibilität in der Eigenkapitalausstattung** gewährt. Die Klarstellung muss in der **Satzung** erfolgen, wobei § 139 I 3 eine „default rule" in dem Sinne aufstellt, dass bei fehlender Bestimmung Vorabdividende nachzuzahlen ist (sa GK-AktG/Bezzenberger/Bezzenberger Rn. 71). Das hat den Nebeneffekt, dass es einer Übergangsregelung für Altfälle, die eine solche Klarstellung – da bislang noch unzulässig – nicht enthalten, nicht bedurfte, sondern die bisherige Rechtslage für sie fortgilt (Götze/Nartowska NZG 2015, 298, 303). Für Mehrdividende oder sonstige Vorzugsrechte gilt eine solche Vermutung nicht (Ihrig/Wandt BB 2016, 6, 15); auch in der Praxis ist eine Nachzahlung hier unüblich (DAV-HRA NZG 2014, 863, 864 [Rn. 10 f.]), wenngleich keineswegs ausgeschlossen (MüKoAktG/M. Arnold Rn. 18; Marsch-Barner/Schäfer/Butzke Rn. 6.24; aA BeckOGK/Bormann Rn. 31; Grigoleit/Herrler Rn. 11). Zulässig und durchaus verbreitet ist es auch, bei Kombination von Vorab- und Mehrdividende nur die Vorabdividende als nachzahlbar auszugestalten (→ Rn. 8). Zur Übertragung und Verjährung des Nachzahlungsanspruchs (→ § 140 Rn. 9 f.). 12

Inwiefern es möglich ist, Nachzahlungsrecht etwa durch Befristung oder Bedingungen **variabel auszugestalten,** war nach früherer Rechtslage umstr. (s. noch → 13. Aufl. 2018, Rn. 13). Heute ist Frage dagegen klar zu bejahen. Wenn Nachzahlung ganz ausgeschlossen werden kann, so folgt daraus **a maiore ad minus,** dass auch bloße Beschränkungen möglich sind (MüKoAktG/M. Arnold Rn. 19; BeckOGK/Bormann Rn. 26; KK-AktG/J. Vetter Rn. 114). Nachzahlungspflicht kann also etwa höhenmäßig beschränkt, zeitlich gestreckt, befristet oder auflösend bedingt werden (GK-AktG/Bezzenberger/Bezzenberger Rn. 91; BeckOGK/Bormann Rn. 26; sa Wälzholz/Graf Wolffskeel v. Reichenberg MittBayNot 2016, 197, 202). Auch kann Nachzahlungsanspruch beliebig mit und ohne Priorität ausgestattet werden (S/L/Spindler/Bayer Rn. 19). 13

Zu beachten ist allerdings, dass Bestehen des Nachzahlungsanspruchs nach § 140 II Auswirkungen auf das **Wiederaufleben des Stimmrechts** hat, so dass die neu gewonnene Gestaltungsfreiheit hier eine Grenze findet. So wird man einen Nachzahlungsanspruch, der sich nur auf einen Teil des Vorzugs bezieht, grds. als zulässig anzusehen haben. Er rechtfertigt aber nicht die Privilegierung der Stammaktionäre in Gestalt eines verzögerten Wiederauflebens nach § 140 II 1 (→ § 140 Rn. 4 ff.), so dass das Stimmrecht unmittelbar mit Ausfall des Vorzugs nach § 140 II 2 wieder auflebt (GK-AktG/Bezzenberger/Bezzenberger § 140 Rn. 36; KK-AktG/J. Vetter Rn. 115, 140 Rn. 60 ff.; Marsch-Barner/Schäfer/Butzke Rn. 6.24; jetzt auch Grigoleit/Herrler § 140 Rn. 8; aA S/L/Spindler/Bayer § 140 Rn. 14). Dasselbe gilt für zeitliche Streckung des Nachzahlungsanspruchs. Wird Nachzahlungsanspruch dagegen befristet oder auflösend bedingt, ist jedenfalls für die jew. Zeitabschnitte klare Zuordnung zu § 140 II möglich, so dass für den Zeitabschnitt mit Nachzahlung § 140 II 1 Anwendung findet, für den ohne Nachzahlung § 140 II 2 (zust. Marsch-Barner/Schäfer/Butzke Rn. 6.24). 14

15 **3. Einführung von Vorzugsaktien. a) Satzung; Satzungsänderung.** Im ges. Regelfall gibt jede Aktie das Stimmrecht, und zwar gleichmäßig nach Nennbeträgen oder Zahl der Aktien (§ 12 S. 1, § 134 I 1; näher → § 134 Rn. 2). Für Gewinnverteilung führt § 60 I (→ § 60 Rn. 2) zu demselben Ergebnis. Vorzugsaktien ohne Stimmrecht können also nur durch Satzung eingeführt werden. § 12 S. 2, § 60 III geben dafür erforderlichen Spielraum. Entspr. Bestimmungen können in ursprünglicher Satzung enthalten sein oder durch Satzungsänderung (§§ 179 ff.) eingeführt werden. Dabei sind **verschiedene Gestaltungen** möglich: (1.) Es sind bereits mit Vorzug, aber auch mit Stimmrecht ausgestattete Aktien vorhanden; dann genügt Ausschluss des Stimmrechts. (2.) Stammaktien sollen in Vorzüge umgewandelt werden; dann ist zusätzlich erforderlich, dass Vorzug bei Gewinnverteilung eingeräumt wird. (3.) Vorzugsaktien werden im Zuge einer Kapitalerhöhung neu geschaffen (§§ 182 ff.). In den ersten beiden Fällen ist Zustimmung jedes betroffenen Aktionärs erforderlich (→ Rn. 16), dagegen nicht im dritten, weil nicht in bestehende Mitgliedsrechte eingegriffen wird (S/L/Spindler/Bayer Rn. 11). Zu beachten ist jedoch ges. Bezugsrecht der bisherigen Aktionäre gem. § 186 (→ § 186 Rn. 4, 30). Gegenstück zur Einführung von Vorzugsaktien ist deren **Abschaffung,** die aktienrechtl. ebenfalls durch Satzungsänderung erfolgt (§ 179 I), aber überdies eines Sonderbeschlusses der Vorzugsaktionäre bedarf (§ 141 III); individuelle Zustimmung der einzeln Betroffenen ist hier indes nicht erforderlich. Alternativ kommen umwandlungsrechtl. Maßnahmen in Betracht. Sie haben den Vorzug, dass das Freigabeverfahren des § 16 UmwG zur Verfügung steht und Streitigkeiten über das Umtauschverhältnis in das Spruchverfahren verwiesen sind (§§ 15, 125, 196 UmwG); s. dazu Marsch-Barner GS M. Winter, 2011, 469, 473 ff.

16 **b) Zustimmung der betroffenen Aktionäre.** Soweit Einführung von Vorzugsaktien mit **Eingriffen in das Stimmrecht** von Aktionären verbunden ist, bedarf es nicht nur der satzungsändernden Mehrheit des § 179 II, sondern überdies der (von bloßer Ja-Stimme zu unterscheidenden) Zustimmung der betroffenen Aktionäre (ganz hM, s. BGHZ 70, 117, 122 = NJW 1978, 540; Baums FS Canaris, 2007, 3, 18 f. [aber de lege ferenda für qualifizierte Mehrheit und Inhaltskontrolle]; T. Bezzenberger, Vorzugsaktien, 1991, 130). Fraglich ist allein, ob bei Umwandlung von stimmberechtigten in stimmrechtslose Aktien auch von Umwandlung nicht betroffene Aktionäre zustimmen müssen, weil Vorenthaltung des nachzahlbaren Vorzugs gegen § 53a verstößt (→ § 53a Rn. 5 aE; bejahend: BeckOGK/Bormann Rn. 44; T. Bezzenberger, Vorzugsaktien, 1991, 130 f.). Das trifft zu, obwohl der Dividendenvorzug nur den Stimmrechtsverlust ausgleichen soll (zur Konstellation, dass eine Umwandlung bereits bei Schaffung der Stammaktien vorbehalten wurde, KK-AktG/J. Vetter Rn. 192 f.). Aktionär muss nämlich selbst entscheiden können, was seinen Interessen eher entspr.: Stimmrecht oder bessere Dividende. Keiner ausdr. Einzelzustimmung bedarf es, wenn sämtlichen Aktionären das Recht eingeräumt wird, einen Teil ihrer Stammaktien (beispielsweise ¼) in stimmrechtslose Vorzugsaktien umzuwandeln, da individuelle Zustimmung hier konkludent durch Annahme des Angebots erklärt wird (BeckOGK/Bormann Rn. 45).

16a **4. Neugestaltung bestehender Vorzugsaktien.** Neben originärer Einführung neuer Aktien kommt nach Aktienrechtsnovelle 2016 auch Neugestaltung schon bestehender Vorzugsaktien in Betracht. Sie kann insbes. für Gesellschaften des Finanzsektors interessant sein, wenn bisherige Vorzugsaktien so gestaltet waren, dass sie **aufsichtsrechtl. Anforderungen an regulatorisches Kernkapital** (→ Rn. 12) nicht genügen, aber künftig genügen sollen. Das kann namentl. in der Weise geschehen, dass Nachzahlung des Vorzugs beseitigt wird, was aufgrund Vermutungsregel des § 139 I 3 (→ Rn. 12) ausdr. Klarstellung in der Satzung erfordert. Auch dafür bedarf es eines Sonderbeschlusses nach § 141 III 1 (→ § 141 Rn. 3).

III. Rechtsstellung der Vorzugsaktionäre im Einzelnen (noch: § 139 I)

1. Kein Stimmrecht. Wenn ges. Voraussetzungen vorliegen (→ Rn. 5 ff.) und Satzung es so vorsieht (→ Rn. 15 f.), haben die Vorzugsaktionäre kein Stimmrecht. Regelung ist verfassungskonform (BVerfG AG 2007, 821, 822). Andere aus der Mitgliedschaft folgende Rechte stehen ihnen dagegen zu (§ 140 I), auch kann das Stimmrecht wieder aufleben, wenn Vorzug nicht gezahlt oder – bei nachzuzahlendem Vorzug – nicht rechtzeitig nachgezahlt wird (§ 140 II 1 und 2; → § 140 Rn. 4 ff.). Bei Berechnung des vertretenen Kapitals werden stimmrechtslose Vorzüge nicht mitgezählt, wenn das Stimmrecht nicht gem. § 140 II 1 oder 2 aufgelebt ist (Umkehrschluss aus § 140 II 3; s. GK-AktG/Bezzenberger/Bezzenberger Rn. 33). Stimmrecht kann nur **ganz oder gar nicht** ausgeschlossen werden. Es ist rechtl. nicht möglich, den Vorzugsaktionären etwa das Stimmrecht für Satzungsänderungen einschließlich Kapitalmaßnahmen zu belassen (RegBegr. Kropff S. 203; MüKoAktG/M. Arnold Rn. 8). Auch Sonderstimmrecht bei Squeeze-Out ist weder aus Art. 14 I GG ableitbar noch sonst zu begründen (BVerfG AG 2007, 821, 822). Ausgeschlossen ist ferner, Vorzugsaktien mit einer geringeren Stimmkraft auszustatten; denn dadurch würden die anderen Aktien iErg zu Mehrstimmrechtsaktien, die jedoch nur unter den engen Voraussetzungen des § 135a zugelassen werden sollen (→ § 135a Rn. 1 ff.; ebenso – allerdings noch unter ges. Rahmenbedingung des Verbots von Mehrstimmrechten – GK-AktG/Bezzenberger/Bezzenberger Rn. 32; BeckOGK/Bormann Rn. 38). Allerdings kann Stimmrechtsausschluss wie Vorzug bedingt oder befristet werden (ausf. BeckOGK/Bormann Rn. 38; KK-AktG/J. Vetter Rn. 202 ff.). 17

2. Besonderheiten der Gewinnverteilung. a) Allgemeine Rangfolge. Rangfolge der Gewinnverteilung hängt davon ab, ob Vorzug nachzuzahlen ist oder nicht. Bei **nicht nachzuzahlendem Vorzug** geht Zahlung der laufenden Vorzugsdividende der Zahlung der Dividende auf die Stammaktie vor. Bei **nachzahlbarem Vorzug** sind vorab noch nachzuzahlende Rückstände der Vorzugsdividende zu begleichen, wobei ältere Rückstände vor jüngeren zu erfüllen sind (sa MüKoAktG/M. Arnold Rn. 22; S/L/Spindler/Bayer Rn. 20; teilw. aA T. Bezzenberger, Vorzugsaktien, 1991, 60), wobei Satzung insoweit aber entspr. der in → Rn. 14 dargelegten Grundsätze andere Regelung vorsehen kann (KK-AktG/J. Vetter Rn. 128). 18

Nicht notwendig, aber üblich ist, dass Satzung Vorzugsaktien mit **partizipierender Dividende** ausstattet. Zahlung der Dividende auf Stammaktien erfolgt dann zunächst nur bis zur Höhe der Vorzugsdividende. Danach verbleibender Bilanzgewinn wird auf Vorzugs- und Stammaktien verteilt, und zwar entweder nach dem Verhältnis der Aktiennennbeträge (§ 8 II) oder der anteiligen Beträge des Grundkapitals (§ 8 III) oder nach einem abw. Verteilungsschlüssel der Satzung (ausf. T. Bezzenberger, Vorzugsaktien, 1991, 51 ff.; sa S/L/Spindler/Bayer Rn. 21; Rubner/Leuering NJW-Spezial 2013, 207 f.). 19

b) Rangfolge von Vorzugsaktien untereinander. Bei Verteilung des Bilanzgewinns sind Vorzugsaktien untereinander gleichberechtigt, wenn Satzung kein Rangverhältnis bestimmt und sich ein solches auch nicht qua Auslegung eindeutig ausmachen lässt (BeckOGK/Bormann Rn. 21; diff. KK-AktG/J. Vetter Rn. 130). Aus § 141 II 1 folgt, dass Satzung **Gruppen von Vorzugsaktien** schaffen kann, die untereinander verschiedenen Rang haben (S/L/Spindler/Bayer Rn. 22). Dann sind Rückstände und laufende Vorzugsdividende zunächst auf die 20 ranghöheren, dann auf die nachgeordneten Vorzugsaktien zu zahlen. Dagegen ist es nach hM nicht möglich, die eine Gruppe nur beim Gewinnvorzug, die andere beim Recht auf Nachzahlung mit besserem Recht auszustatten. Vielmehr muss beides verknüpft bleiben (MüKoAktG/M. Arnold Rn. 25; BeckOGK/Bormann Rn. 29; S/L/Spindler/Bayer Rn. 22; aA T. Bezzenberger, Vorzugsaktien, 1991, 75 f.).

IV. Höchstgrenze für Vorzugsaktien (§ 139 II)

21 **1. Bedeutung.** Nach § 139 II dürfen Vorzugsaktien ohne Stimmrecht nur bis zur **Hälfte des Grundkapitals** ausgegeben werden. Mit Hälfteregel soll verhindert werden, dass Mehrheit von Kapitalgebern durch Stimmrechtsmacht einer Minderheit beherrscht wird (BeckOGK/Bormann Rn. 54). Andere Aktien iSd § 139 II sind alle Aktien mit Stimmrecht, jedoch ohne Rücksicht auf Leistung der Einlage und damit auf konkreten Beginn der Stimmrechtsausübung nach § 134 II (heute allgM, s. BeckOGK/Bormann Rn. 55; S/L/Spindler/Bayer Rn. 27; jetzt auch GK-AktG/Bezzenberger/Bezzenberger Rn. 105 m. Fn. 218 unter Aufgabe von T. Bezzenberger, Vorzugsaktien, 1991, 92 f.). Andere Sichtweise würde zu variabler Zulässigkeitsgrenze und damit zur Rechtsunsicherheit führen. Sie kann jedoch nicht hingenommen werden, weil Höchstgrenze im öffentl. Interesse liegt, dagegen verstoßende HV-Beschlüsse also nichtig gem. § 241 Nr. 3 sind (BeckOGK/Bormann Rn. 60). Unbeachtlich für Grenze des § 139 II ist daher auch, ob AG eigene Aktien hält, weil Vorschrift an Grundkapital und nicht an einsetzbares Stimmrecht anknüpft, das AG mit Blick auf eigene Aktien ohnehin nicht zukommt (§ 71b; vgl. BeckOGK/Bormann Rn. 56; Hölters/Weber/Krebs Rn. 25).

22 **2. Kapitalveränderungen.** Als maßgeblichen Zeitpunkt benennt § 139 II Ausgabe der stimmrechtslosen Vorzugsaktien. Vorschrift gilt also ohne weiteres auch dann, wenn Vorzugsaktien im Zuge einer **Kapitalerhöhung** geschaffen werden (vgl. §§ 191, 197, 203 I, § 219). Dagegen greift Norm nach ihrem Wortlaut nicht ein, wenn stimmberechtigtes Kapital **nachträglich herabgesetzt** wird. Der im öffentl. Interesse liegende Regelungszweck (→ Rn. 21) fordert jedoch auch insoweit Anwendung der Vorschrift (ganz hM, s. GK-AktG/Bezzenberger/Bezzenberger Rn. 108; BeckOGK/Bormann Rn. 59).

V. Rechtsfolgen bei Verstößen

23 Zu **§ 139 I** gilt: Stimmrecht bleibt jedenfalls dann bestehen, wenn Satzung keinen Gewinnvorzug einräumt (BeckOGK/Bormann Rn. 48). Satzungsändernde HV-Beschlüsse, die Stimmrecht ohne Gewährung eines Gewinnvorzugs ausschließen wollten, wären **nichtig gem. § 241 Nr. 3** (BeckOGK/Bormann Rn. 51 ff.). Fehlendes Nachzahlungsrecht ist dagegen nach Neuordnung durch Aktienrechtsnovelle 2016 unbeachtlich. Zu **§ 139 II** → Rn. 21; entgegenstehende HV-Beschlüsse sind gem. § 241 Nr. 3 nichtig.

Rechte der Vorzugsaktionäre

140 (1) **Die Vorzugsaktien ohne Stimmrecht gewähren mit Ausnahme des Stimmrechts die jedem Aktionär aus der Aktie zustehenden Rechte.**

(2) [1]**Ist der Vorzug nachzuzahlen und wird der Vorzugsbetrag in einem Jahr nicht oder nicht vollständig gezahlt und im nächsten Jahr nicht neben dem vollen Vorzug für dieses Jahr nachgezahlt, so haben die**

Aktionäre das Stimmrecht, bis die Rückstände gezahlt sind. [2]Ist der Vorzug nicht nachzuzahlen und wird der Vorzugsbetrag in einem Jahr nicht oder nicht vollständig gezahlt, so haben die Vorzugsaktionäre das Stimmrecht, bis der Vorzug in einem Jahr vollständig gezahlt ist. [3]Solange das Stimmrecht besteht, sind die Vorzugsaktien auch bei der Berechnung einer nach Gesetz oder Satzung erforderlichen Kapitalmehrheit zu berücksichtigen.

(3) **Soweit die Satzung nichts anderes bestimmt, entsteht dadurch, dass der nachzuzahlende Vorzugsbetrag in einem Jahr nicht oder nicht vollständig gezahlt wird, noch kein durch spätere Beschlüsse über die Gewinnverteilung bedingter Anspruch auf den rückständigen Vorzugsbetrag.**

I. Regelungsgegenstand und -zweck

Norm setzt zulässige Ausgabe von Vorzugsaktien ohne Stimmrecht (§ 139) 1 voraus und betr. Rechtsstellung ihrer Inhaber. § 140 I enthält Klarstellung. Regelungskern liegt in § 140 II. Zweck der Regelung ist **Effizienz des Gewinnvorzugs vom Stimmrecht ausgeschlossener Aktionäre.** Deshalb lebt Stimmrecht wieder auf, wenn Vorzug nicht gezahlt wird (→ Rn. 4 ff.). Insoweit kann man von einem bedingten oder ruhenden Stimmrecht sprechen. § 140 III enthält dispositives Recht und gestaltet Recht auf Nachzahlung – sofern es besteht (→ § 139 Rn. 12 ff.) – als Mitgliedsrecht (noch nicht: Gläubigerrecht) aus; → Rn. 9 f. § 140 II, III wurde neu gefasst durch Aktienrechtsnovelle 2016.

II. Rechte der Vorzugsaktionäre

1. Grundsatz. § 140 I stellt klar, dass stimmrechtslose Vorzugsaktien **sämtliche Mitgliedsrechte mit Ausnahme des Stimmrechts** gewähren. Demnach 2 sind alle für Aktien geltenden Vorschriften anwendbar, sofern sie nicht das Stimmrecht betr. oder voraussetzen. Gleichermaßen wie bei den Rechten der übrigen Aktionäre sind auch Beschränkungen möglich; dabei sind aber § 140 I und II zu beachten.

2. Einzelfragen. Vorzugsaktionäre sind zur **Teilnahme an HV** berechtigt 3 (OLG Frankfurt AG 1988, 304, 306; LG Mannheim AG 2014, 589, 591); Vollversammlung iSd § 121 VI setzt daher auch ihre Anwesenheit voraus (→ § 121 Rn. 20). Sie haben die mit Teilnahme verbundenen Einzelbefugnisse, zB Auskunftsrecht gem. § 131 (Meilicke/Heidel DStR 1992, 72, 73), ferner das Recht, Anträge zu stellen, Wahlvorschläge zu machen oder HV-Beschlüsse anzufechten (→ § 245 Rn. 5). Auch **Minderheitenrechte** stehen ihnen zu. Bei Berechnung des vertretenen Kapitals werden stimmrechtslose Vorzüge zwar nicht mitgezählt (→ § 139 Rn. 17), wohl aber dann, wenn ein bestimmtes Verlangen der Minderheit (zB auf Bestellung von Sonderprüfern, § 142 II) oder ein Widerspruch (zB § 93 IV 3) an eine bestimmte Beteiligungsquote gebunden ist (T. Bezzenberger, Vorzugsaktien, 1991, 108 f.). Vorzugsaktionäre haben auch das **Recht zum Bezug junger Aktien** aus einer Kapitalerhöhung (§ 186 I), und zwar auch dann, wenn nur Stämme oder nur Vorzüge ausgegeben werden (allgM, vgl. BeckOGK/Bormann Rn. 14; G. Bezzenberger FS Quack, 1991, 153 f.; iErg auch LG Tübingen AG 1991, 406, 407 f.; zu Einzelfragen → § 186 Rn. 4, 30). Vorzugsaktionäre sind zu den Mitteilungen nach §§ 20, 21 verpflichtet, da diese Mitteilungspflichten an den Aktienbesitz und nicht – wie die Mitteilungspflichten nach §§ 33 ff. WpHG – an die Stimmrechte anknüpfen (BeckOGK/Bormann Rn. 5).

III. Aufleben des Stimmrechts

4 **1. Voraussetzungen.** Nachdem mit Aktienrechtsnovelle 2016 Pflichtgestaltung als nachzuzahlender Vorzug aufgegeben wurde (→ § 139 Rn. 12 ff.), differenziert § 140 II für Aufleben des Stimmrechts zwischen nachzuzahlenden und nicht nachzuzahlenden Vorzügen. Bei ausgebliebener oder unvollständiger Zahlung auf **nachzuzahlenden Vorzug** lebt Stimmrecht erst auf, wenn auch im Folgejahr Rückstand nicht vollständig nachgezahlt oder Vorzugsdividende dieses Jahres nicht vollständig erbracht wird. Bei **nicht nachzuzahlendem Vorzug** lebt Stimmrecht wieder auf, wenn Vorzugsbetrag nicht oder nicht vollständig gezahlt wird. Sodann dauert es fort, bis Vorzug in einem Jahr vollständig gezahlt wird (zum genauen Zeitpunkt → Rn. 5). Unter welchen Bedingungen Stimmrecht iE wieder auflebt, hängt von konkreter Ausgestaltung im Einzelfall ab. Insbes. wenn AG von den mittlerweile eröffneten Möglichkeiten Gebrauch macht, Nachzahlungsanspruch inhaltlich zu beschränken, ist von Zuordnung zu § 140 II 2 auszugehen (str.; → § 139 Rn. 14 mwN). Anders als nach bisherigem Recht kann auch bloßer Ausfall einer Mehrdividende Folge des § 140 II 1 und 2 auslösen (vgl. MüKoAktG/M. Arnold Rn. 9; KK-AktG/J. Vetter Rn. 65; Müller-Eising GWR 2014, 229, 230 f.; sa DAV-HRA NZG 2014, 863 Rn. 13). Teilweise vertretener Ansatz, jedenfalls bei Altfällen nur Vorabdividende als Vorzug zu verstehen und Mehrdividende als daneben stehendes, nicht zur Begründung des Vorzugs bestimmtes Sonderrecht einzuordnen (Marsch-Barner/Schäfer/Butzke Rn. 6.26), hat sich bislang nicht durchgesetzt. Bei Kombination aus Vorab- und Mehrdividende müssen beide vollständig geleistet werden. Ob AG nicht zahlen kann oder will, bleibt gleich. Stimmrecht lebt also gleichermaßen auf, wenn kein Bilanzgewinn erzielt wird oder verteilungsfähiger Gewinn für Zahlung nicht genutzt wird (vgl. RegBegr. Kropff S. 204). Einer Zahlung gleich stehen Erfüllungsurrogate (ausf. GK-AktG/Bezzenberger/Bezzenberger Rn. 44; BeckOGK/Bormann Rn. 21). Für Zulässigkeit sogar dauerhaft stimmrechtsloser Vorzugsaktien de lege ferenda Habersack AG 2015, 613, 616; zur Erl. der gesetzgeberischen Zurückhaltung vgl. Harbarth/v. Plettenberg AG 2016, 145, 153.

5 **2. Zeitpunkt.** Stimmrecht lebt auf, sobald feststeht, dass ges. Voraussetzungen (→ Rn. 4) verwirklicht sind (MüKoAktG/M. Arnold Rn. 9 ff.). Eintragung des Auflebens in das HR ist weder erforderlich noch auch nur möglich. Im Einzelnen ist zu unterscheiden: Handelt es sich um **nachzuzahlenden Vorzug,** lebt das Stimmrecht wieder auf, wenn Vorzug in einem Jahr nicht oder nicht vollständig gezahlt und im nächsten Jahr nicht neben dem vollen Vorzug für dieses Jahr nachgezahlt wird. Wird in diesem Folgejahr Zahlung entspr. Gewinnverwendungsbeschluss unter Vorlage des Dividendenscheins gefordert und nicht erbracht, lebt Stimmrecht in diesem Augenblick auf. Praktisch wichtiger ist der Fall, dass schon ein hinreichender Bilanzgewinn nicht ausgewiesen wird. Dann lebt Stimmrecht **mit Feststellung des Jahresabschlusses** auf, idR also mit seiner Billigung durch den AR (§ 172), besteht demnach in der folgenden HV (allgM, s. MüKoAktG/M. Arnold Rn. 10; T. Bezzenberger, Vorzugsaktien, 1991, 99 f., der mit guten Gründen Bek. des Stimmrechtserwerbs analog § 124 I 1 verlangt; dem folgend auch BeckOGK/Bormann Rn. 29). Wenn zwar Bilanzgewinn ausgewiesen wird, Vorstand aber vorschlägt, den Gewinnvorzug nicht oder nicht vollständig zu bedienen, bewirkt das allein noch nicht das Aufleben des Stimmrechts, weil HV an den Vorschlag nicht gebunden ist (MüKoAktG/M. Arnold Rn. 11; GK-AktG/Bezzenberger/Bezzenberger Rn. 42; aA Schüppen/Tretter WPg 2015, 643, 647). Beschließt sie entspr., so ist mittlerweile anerkannt, dass Stimmrecht **sogleich nach Feststellung des Be-**

schlussergebnisses durch den Vorsitzenden eintritt und nicht erst mit Endgültigkeit des Beschlusses mit Versammlungsene und Beuurkundung (GK-AktG/Bezzenberger/Bezzenberger Rn. 42; S/L/Spindler/Bayer Rn. 18; jetzt auch MüKoAktG/M. Arnold Rn. 12 unter Aufgabe der in Voraufl. vertretener Gegenansicht). Dem ist zuzustimmen, weil Beschlussfassung für das Verhältnis der Aktionäre untereinander mit Ergebnisfeststellung durch den Vorsitzenden beendet ist und Regelungszweck (→ Rn. 1) sonst nicht voll erreicht würde. Hiervon ausgehend dürfte HV-Leiter idR verpflichtet sein, zu Beginn der HV über die Gewinnverwendung abstimmen zu lassen und das Abstimmungsergebnis festzustellen und zu verkünden, so dass Vorzugsaktionäre bei den nachfolgenden Tagesordnungspunkten schon mitstimmen können (BeckOGK/Bormann Rn. 25; KK-AktG/J. Vetter Rn. 83). Handelt es sich um **nicht nachzuzahlenden Vorzug,** gelten vorstehende Grundsätze zur genauen Zeitpunktbestimmung des Wiederauflebens des Stimmrechts grds. entspr., doch lebt das Stimmrecht hier schon wieder vollständig auf, wenn feststeht, dass der Gewinnvorzug in einem Jahr nicht oder nicht vollständig bedient werden kann. Im Ergebnis müssen Vorzugsaktionäre mit nachzuzahlendem Vorzug danach ein Jahr länger auf das Wiederaufleben ihres Stimmrechts warten (RegBegr. BT-Drs. 18/4349, 26; MüKoAktG/M. Arnold Rn. 9). Werden nachzuzahlende und nicht nachzuzahlende Vorzüge kombiniert (zB nicht nachzahlbare Mehr- und nachzahlbare Vorabdividende → § 139 Rn. 8, 12), führt schon der erste teilw. Ausfall des nicht nachzahlbaren Teils zum Wiederaufleben des Stimmrechts, das dann aber in dem Jahr wieder erlischt, in dem der nicht nachzahlbare Teil (zB Mehrdividende) ohne Rücksicht auf bestehende „Rückstände" erstmals wieder gezahlt wird (RegBegr. BT-Drs. 18/4349, 26; krit. Schüppen/Tretter WPg 2015, 643, 647).

3. Umfang des Stimmrechts. Stimmrecht lebt vollen Umfangs auf, so dass Vorzugsaktionäre im gesamten Zuständigkeitsbereich der HV, nicht etwa nur für Gewinnverwendung, stimmberechtigt sind (allgM; s. nur MüKoAktG/M. Arnold Rn. 14). **Stimmkraft** ist ebenso zu beurteilen wie bei Stammaktien, so dass ein satzungsmäßiges Höchststimmrecht auch für die aufgelebten Stimmrechte gilt (BeckOGK/Bormann Rn. 31). Satzung kann ein solches Höchststimmrecht aber nicht gezielt für die Fälle des § 140 II 1 und 2 einführen (GK-AktG/Bezzenberger/Bezzenberger Rn. 48; BeckOGK/Bormann Rn. 31). 6

4. Neuerliches Erlöschen des Stimmrechts. Gem. § 140 II 2 genügt für neuerliches Erlöschen des Stimmrechts bei **nicht nachzuzahlendem Vorzug,** dass im laufenden Geschäftsjahr Vorzug befriedigt wird; Rückstand ist unbeachtlich. Ob es einer teleologischen Reduktion für solche Fälle bedarf, in denen AG bestehenden Zahlungsanspruch schlicht nicht bedient (dafür Grigoleit/Herrler Rn. 12), erscheint zweifelhaft, weil herkömmliches Instrument der Leistungsklage hinreichenden Schutz bietet, der nicht weitergehend flankiert werden muss (zust. GK-AktG/Bezzenberger/Bezzenberger Rn. 51 m. Fn. 111; BeckOGK/Bormann Rn. 34). Bei **nachzuzahlenden Vorzügen** ist dagegen Zahlung der Vorzugsdividende des laufenden Geschäftsjahrs mitsamt angelaufenen Rückständen erforderlich. Für den jeweils erforderlichen Gewinnverwendungsbeschluss (§ 174) sind Vorzugsaktionäre noch stimmberechtigt. Sobald Vorzugsaktionäre befriedigt sind, geht Stimmrecht ebenso automatisch verloren, wie es entstanden ist (→ Rn. 5). Zahlung muss hierfür aber tats. erfolgen; bloßer Beschluss genügt nicht (T. Bezzenberger, Vorzugsaktien, 1991, 101). Sowohl bei nicht nachzuzahlendem als auch bei nachzuzahlendem Vorzug erlischt Stimmberechtigung daher erst nach der HV, in der der dafür erforderliche Gewinnverwendungsbeschluss gefasst wird (Marsch-Barner/Schäfer/Butzke Rn. 6.28). Erlischt Nachzahlungsanspruch aufgrund Insolvenzplans, erlischt zugleich das Stimmrecht (BGHZ 185, 206 Rn. 14 = AG 2010, 491; sa → Rn. 9). 7

8 **5. Berechnung einer Kapitalmehrheit.** Bei der Berechnung von Kapitalmehrheiten werden stimmrechtslose Vorzugsaktien grds. nicht mitgezählt (→ § 139 Rn. 17). § 140 II 3 stellt klar, dass dieser Grundsatz dann nicht gilt, wenn **Stimmrecht gem. § 140 II 1 und 2 aufgelebt** ist. Auf Initiative des Bundesrats (vgl. BR-Stellungnahme Kropff S. 204) eingefügte Regelung ist sachgerecht, weil Vorzugsaktien sonst, solange sie das Stimmrecht gewähren, überproportionale Bedeutung erhielten (BeckOGK/Bormann Rn. 32).

IV. Anspruch auf rückständigen Vorzugsbetrag

9 **1. Gesetzeslage: unselbständiges Nachzahlungsrecht.** Wenn nachzuzahlende Vorzugsdividende ganz oder teilw. ausfällt, entsteht Recht auf Nachzahlung (→ § 139 Rn. 12 ff.). Dieses Recht ist als bloßes Mitgliedsrecht, aber auch als Zahlungsanspruch denkbar. § 140 III gestaltet das Recht als bloßes Mitgliedsrecht aus, erlaubt aber auch eine andere Gestaltung der Satzung (→ Rn. 10). Regelung entspr. der hM, die sich schon vor 1965 gebildet hatte, und soll falschen Erwartungen der Öffentlichkeit entgegenwirken (AusschussB Kropff S. 205). Rechtsfolge ist vor allem, dass das Nachzahlungsrecht bis zum späteren Gewinnverwendungsbeschluss **unselbständiger Bestandteil der Vorzugsaktie** bleibt, also mit deren Übertragung übergeht, aber umgekehrt nicht selbständig verkehrsfähig iSd §§ 398 ff. BGB ist. Ferner bleibt es möglich, das Nachzahlungsrecht noch durch Satzungsänderung (§§ 179 ff.) zu beseitigen oder einzuschränken (ausdr. AusschussB Kropff S. 205), dies allerdings nur mit zust. Sonderbeschluss betroffener Vorzugsaktionäre (§ 141 I). Da Gewinnverwendungsbeschluss erst selbständigen Nachzahlungsanspruch begründet, beginnt auch dessen Verjährung erst mit Fassung eines entspr. Gewinnverwendungsbeschlusses zu laufen (LG Hamburg v. 26.9.201 4 – 403 HKO 19/13 juris-Rn. 53 = BeckRS 2014, 20493). Im **Insolvenzverfahren** sind sowohl unselbständiges als auch selbständiges (→ Rn. 10) Nachzahlungsrecht entspr. dem Rechtsgedanken des § 199 S. 2 InsO wie letztrangige Insolvenzforderungen zu behandeln (BGHZ 185, 206 Rn. 20 ff., 25 = AG 2010, 491; krit. Madaus ZIP 2010, 1214, 1218 ff.). Im Insolvenzplanverfahren gehen sie und das Stimmrecht des § 140 II 1 und 2 nach Vorbild des § 225 InsO unter (BGHZ 185, 206 Rn. 14; S/L/Spindler/Bayer Rn. 26; Bitter/Laspeyres WuB VI A. § 225 InsO 1.10; aA als Berufungsinstanz OLG Düsseldorf AG 2010, 258 f.; Madaus ZIP 2010, 1214, 1217 ff.). Für Neuvermessung im Lichte des ESUG 2011 GK-AktG/Bezzenberger/Bezzenberger Rn. 82 ff.

10 **2. Selbständiges Nachzahlungsrecht kraft Satzung.** § 140 III lässt zu, das Nachzahlungsrecht durch die Satzung als selbständiges Recht auszugestalten. Weil Dividendenzahlungsansprüche ohne Gewinnverwendungsbeschluss (§ 174) nicht entstehen können, ist das selbständige Nachzahlungsrecht allerdings durch diesen Beschluss **aufschiebend bedingt.** Mit dieser Maßgabe entsteht es als von der Mitgliedschaft gelöstes Gläubigerrecht in der Person derjenigen Vorzugsaktionäre, die diese Eigenschaft bei Ausfall der Vorzugsdividende haben (MüKoAktG/M. Arnold Rn. 17; T. Bezzenberger, Vorzugsaktien, 1991, 69 ff.; Bock NZG 2015, 824). Weil ggü. der Mitgliedschaft selbständig, kann das so ausgestaltete Nachzahlungsrecht **gem. §§ 398 ff. BGB übertragen** werden. Die bloße Übertragung der Vorzugsaktien lässt es noch nicht übergehen, wobei nach zT vertretener Ansicht iZw aber davon auszugehen sein soll, dass Nachzahlungsanspruch mit übertragen werden soll (KK-AktG/J. Vetter Rn. 120). Durch nachfolgende Satzungsänderungen kann es nicht beseitigt werden, auch nicht mit Zustimmung der betroffenen Vorzugsaktionäre nach § 141 I, weil Gläubigerrechte nicht zur Disposition des Satzungsgebers stehen (OLG Stuttgart AG 1995, 283 f. mwN).

Aufhebung oder Beschränkung des Vorzugs

141 (1) **Ein Beschluß, durch den der Vorzug aufgehoben oder beschränkt wird, bedarf zu seiner Wirksamkeit der Zustimmung der Vorzugsaktionäre.**

(2) [1] **Ein Beschluß über die Ausgabe von Vorzugsaktien, die bei der Verteilung des Gewinns oder des Gesellschaftsvermögens den Vorzugsaktien ohne Stimmrecht vorgehen oder gleichstehen, bedarf gleichfalls der Zustimmung der Vorzugsaktionäre.** [2] **Der Zustimmung bedarf es nicht, wenn die Ausgabe bei Einräumung des Vorzugs oder, falls das Stimmrecht später ausgeschlossen wurde, bei der Ausschließung ausdrücklich vorbehalten worden war und das Bezugsrecht der Vorzugsaktionäre nicht ausgeschlossen wird.**

(3) [1] **Über die Zustimmung haben die Vorzugsaktionäre in einer gesonderten Versammlung einen Sonderbeschluß zu fassen.** [2] **Er bedarf einer Mehrheit, die mindestens drei Viertel der abgegebenen Stimmen umfaßt.** [3] **Die Satzung kann weder eine andere Mehrheit noch weitere Erfordernisse bestimmen.** [4] **Wird in dem Beschluß über die Ausgabe von Vorzugsaktien, die bei der Verteilung des Gewinns oder des Gesellschaftsvermögens den Vorzugsaktien ohne Stimmrecht vorgehen oder gleichstehen, das Bezugsrecht der Vorzugsaktionäre auf den Bezug solcher Aktien ganz oder zum Teil ausgeschlossen, so gilt für den Sonderbeschluß § 186 Abs. 3 bis 5 sinngemäß.**

(4) **Ist der Vorzug aufgehoben, so gewähren die Aktien das Stimmrecht.**

Übersicht

I. Regelungsgegenstand und -zweck

1 Norm betr. Maßnahmen, durch die Vorzug aufgehoben, beschränkt oder beeinträchtigt wird, und bezweckt **Schutz der Vorzugsaktionäre** gegen solche Maßnahmen. Sie können deshalb nur mit Zustimmung der Vorzugsaktionäre ergriffen werden (§ 141 I und II). Erforderlich ist aber trotz Eingriffs in die Mitgliedschaft nicht Zustimmung jedes einzelnen Vorzugsaktionärs, sondern (nur) ein Sonderbeschluss der Vorzugsaktionäre (§ 141 III). Rechtsfolge der Aufhebung des Vorzugs ist Umwandlung der stimmrechtslosen Aktien in Aktien mit Stimmrecht (§ 141 IV). Aufgrund ihres Schutzzwecks ist Regelung zwingend. Ausf. zur historischen Entwicklung GK-AktG/Bezzenberger/Bezzenberger Rn. 6 ff.

II. Aufhebung oder Beschränkung des Vorzugs (§ 141 I)

2 **1. Satzungsändernder Hauptversammlungsbeschluss.** Zustimmungsbedürftig ist nach § 141 I den Vorzug aufhebender oder beschränkender Beschluss der HV. Weil Vorzug seinerseits nur durch ursprüngliche Satzung oder Satzungsänderung entstehen kann (→ § 139 Rn. 15), handelt es sich auch iRd § 141 I notwendig um satzungsändernden Beschluss. Er bedarf **qualifizierter Mehrheit** (§ 179 II) und wird erst mit Eintragung in das HR wirksam (§ 181 III). Ohne diese Erfordernisse bewirkt auch die Zustimmung der Vorzugsaktionäre nichts. An Beschlussfassung der HV nehmen sie nicht teil, auch dann nicht, wenn es um die Aufhebung des Vorzugs geht (vgl. § 141 IV); denn das Stimmrecht können die Aktien erst gewähren, wenn der Beschluss in das HR eingetragen ist.

3 **2. Vorzug als Beschlussgegenstand.** Durch den Beschluss muss der Vorzug betroffen sein. Unter bislang geltender Gesetzeslage fielen darunter nach allgM gleichermaßen der Gewinnvorzug wie das Nachzahlungsrecht (s. nur MüKoAktG/Schröer, 3. Aufl. 2013, Rn. 2). Nachdem durch Aktienrechtsnovelle 2016 zwingendes Erfordernis der **Nachzahlungspflicht** als Voraussetzung des Stimmrechtsausschlusses aufgegeben wurde, ist diese Behandlung nicht gleichermaßen selbstverständlich. ZT wird vorgeschlagen, es im Fall der Aufhebung der Nachzahlungspflicht bei den weniger strengen Anforderungen des § 179 III zu belassen (Grigoleit/Herrler Rn. 4 f. [und zwar auch für Altfälle]). Dafür herangezogenes Argument, strengere Anforderungen ließen sich nur damit rechtfertigen, dass Gewinnvorzug „notwendige“ Voraussetzung des Stimmrechtsausschlusses sei (Grigoleit/Herrler Rn. 4), findet im Ges. aber keine belastbare Basis. Berücksichtigt man, dass Bestehen eines Nachzahlungsanspruchs zwar nicht für Entstehen des Vorzugs zwingend erforderlich ist, wohl aber maßgeblich für den Zeitpunkt, in dem Stimmrecht bei Ausfall des Vorzugs nach § 140 II wieder auflebt, erscheint es eher angemessen, auch für seine Aufhebung Verfahren nach § 141 zu fordern (zust. MüKoAktG/M. Arnold Rn. 3; GK-AktG/Bezzenberger/Bezzenberger Rn. 59; KK-AktG/J. Vetter Rn. 25). Nach bislang ganz hM sollen dagegen sonstige, den Vorzugsaktionären eingeräumte Vorrechte, namentl. ein Recht auf **Mehrdividende,** nicht von § 141 erfasst sein (MüKoAktG/Schröer, 3. Aufl. 2013, Rn. 3). Nachdem neu eingefügter § 139 I 2 aber gerade auch Mehrdividende als „Vorzug“ definiert (→ § 139 Rn. 6), kann diese Auffassung nicht mehr aufrechterhalten werden (sa BGHZ 229, 27 Rn. 63 = NZG 2021, 782; MüKoAktG/M. Arnold Rn. 3; GK-AktG/Bezzenberger/Bezzenberger Rn. 52; Hölters/Weber/Krebs Rn. 6; S/L/Spindler/Bayer Rn. 8; KK-AktG/J. Vetter Rn. 26). Noch nicht abschließend geklärt ist Vorzug hinsichtlich des **Liquidationserlöses.** Nach zT vertretener Auffassung sollte auch solches Vor-

recht von § 141 erfasst sein (BeckOGK/Bormann Rn. 6; Werner AG 1971, 69). Begründet wird dieses Verständnis mit Rückschluss aus § 141 II. Da Liquidationserlös nach § 141 II schon vor mittelbaren Beeinträchtigungen geschützt sei, müsse dasselbe erst recht bei unmittelbaren Beeinträchtigungen gelten. Heute ganz hM lehnt diese Ausdehnung zu Recht ab (MüKoAktG/M. Arnold Rn. 4; GK-AktG/Bezzenberger/Bezzenberger Rn. 53; Hölters/Weber/Krebs Rn. 6; B/K/L/Holzborn Rn. 2; S/L/Spindler/Bayer Rn. 11 f.; KK-AktG/J. Vetter Rn. 27 ff.; Ihrig/Wandt BB 2016, 6, 14). Erst-Recht-Schluss aus § 141 II ist nicht zwingend, da entspr. Schutz schon durch § 179 III gewährleistet ist (überzeugend GK-AktG/Bezzenberger/Bezzenberger Rn. 53).

3. Erforderlich: unmittelbare Beeinträchtigung. a) Grundsatz. Gem. 4
§ 141 I zustimmungsbedürftig ist nach ganz hM nur die unmittelbare Beseitigung oder Beschränkung des Vorzugs, nicht auch ihre nur mittelbare Beeinträchtigung (BGHZ 229, 27 Rn. 64 = NZG 2021, 782; OLG Celle AG 2008, 858, 859; OLG Schleswig AG 2008, 39, 41; LG Frankfurt AG 1991, 405, 406; MüKoAktG/M. Arnold Rn. 5; BeckOGK/Bormann Rn. 8; Kiem ZIP 1997, 1627; aA T. Bezzenberger, Vorzugsaktien, 1991, 121 ff.; abl. iR von Kapitalherabsetzungen Frey/Hirte DB 1989, 2465, 2469). Begriffspaar unmittelbar/mittelbar ist zwar zT auf Kritik gestoßen (GK-AktG/Bezzenberger/Bezzenberger Rn. 54; Bock NZG 2015, 824, 825) und mag auch in Randbereichen in der Tat nicht hinreichend trennscharf sein, bringt aber zumindest allg. Prinzip hinreichend zum Ausdruck: Nur wenn Vorrecht **Gegenstand der Beschlussfassung** ist, liegt Eingriff vor, nicht aber, wenn es durch wirtschaftliche Nebenfolgen einer Beschlussfassung beeinträchtigt ist (MüKoAktG/M. Arnold Rn. 5). Unmittelbare Beeinträchtigungen sind deshalb nur nachteilige Veränderungen der rechtl. Ausgestaltung des Vorzugs, nicht aber Maßnahmen, die ihn nur wirtschaftlich negativ beeinflussen (BGHZ 229, 27 Rn. 64). Schutz gegen mittelbare Beeinträchtigungen wird nur unter engen Voraussetzungen des § 141 II (→ Rn. 12 ff.) gewährt (BGHZ 229, 27 Rn. 64).

b) Fallgruppen. Stets **für Anwendung des § 141 I genügend** sind daher 5
Aufhebung, Beschränkung, Änderung der Rangfolge sowie Befristung oder Bedingung des Gewinnvorzugs oder der Nachzahlbarkeit (ausf. GK-AktG/Bezzenberger/Bezzenberger Rn. 55 ff.; BeckOGK/Bormann Rn. 9). Unmittelbare Beeinträchtigung liegt ferner vor, wenn bisher selbständiges in unselbständiges Nachzahlungsrecht umgewandelt wird (→ § 140 Rn. 9 f.; MüKoAktG/M. Arnold Rn. 6) oder HV beschließt, Vorzugsaktien zwangsweise einzuziehen (MüKoAktG/M. Arnold Rn. 14). Bei Umwandlung von Vorzugs- in Stammaktien bedarf es neben Beschluss der HV einer Zustimmung der Vorzugsaktionäre durch Sonderbeschluss nur dann, wenn zwangsweise umgewandelt werden soll. Steht es dem Vorzugsaktionär demgegenüber frei, das Umtauschangebot anzunehmen, macht individuelle Zustimmung betroffener Vorzugsaktionäre einen Sonderbeschluss nach § 140 I entbehrlich (MüKoAktG/M. Arnold Rn. 15; ausf. BeckOGK/Bormann Rn. 21 ff.).

Von § 141 I nicht erfasst wird **Satzungsänderung,** die Verteilung von 6
Bilanzgewinn an Aktionäre einschränkt (zB nach § 58 II 2, III 2), auch nicht **Gewinnverwendungsbeschluss,** nach dem Bilanzgewinn ganz oder teilw. für andere Zwecke als Dividendenzahlung benutzt wird. Satzungsänderung nach § 237 I, die **Zwangseinziehung** gestattet, fällt ebenfalls nicht unter § 141 I, wohl aber späterer Einziehungsbeschluss (ausf. → § 237 Rn. 9). Ebenfalls nicht erfasst ist **Bezugsrechtskapitalerhöhung** nach §§ 182 ff., da Bezugsrecht (§ 186) sicherstellt, dass absolute Beteiligung – sowohl wert- als auch stimmrechtsbezogen – erhalten bleiben kann (Bock NZG 2015, 824, 825; zur Neuausgabe von Vorzugsaktien → Rn. 12 ff.). Weiterhin nicht anwendbar ist § 141 I

auf Abschluss eines **Gewinnabführungsvertrags** (§ 291 I 1 Fall 2), und zwar schon deshalb nicht, weil § 141 I satzungsändernden HV-Beschluss betr. (→ Rn. 2), aber der Zustimmungsbeschluss nicht den entspr. Regeln unterliegt (§ 293 I 4; s. GK-AktG/Bezzenberger/Bezzenberger Rn. 65 f.; S/L/Spindler/Bayer Rn. 10); auch in der Sache wird Beeinträchtigung durch § 304 I kompensiert. **Auflösung** (§ 262) fällt ebenfalls nicht unter § 141 I. Zwar darf nach § 272 I kein Gewinn mehr ausgeschüttet werden (→ § 272 Rn. 2 f.), doch ist dies nicht Gegenstand, sondern Folge des Beschlusses (MüKoAktG/M. Arnold Rn. 8). Bei **Umwandlungsmaßnahmen** wird § 141 I nicht von umwandlungsrechtl. Zustimmungsregeln verdrängt (BGHZ 229, 27 Rn. 53 ff. = NZG 2021, 782), doch wird es idR an unmittelbarer Beeinträchtigung fehlen, weil etwa bei Verschmelzung Stellung der Vorzugsaktionäre durch § 20 I Nr. 3, § 23 UmwG gewahrt bleibt (MüKoAktG/M. Arnold Rn. 8; KK-AktG/J. Vetter Rn. 53; Louven/Koglin DB 2021, 2135, 2139; diff. dagegen Kiem ZIP 1997, 1627, 1628 ff.; Trinks ZGR 2021, 1010, 1016 ff. [Beeinträchtigungsprüfung]; offengelassen in BGHZ 229, 27 Rn. 65; zur Gattungsverschiedenheit der beteiligten Aktien → § 305 Rn. 11; → § 320b Rn. 4). Dasselbe gilt für Abspaltung (BGHZ 229, 27 Rn. 65 f.). Auch Umwandlung der AG in KGaA ist nicht erfasst, obwohl nach § 140 II etwa auflebendes Stimmrecht in KGaA von geringerer Bedeutung ist als in AG (OLG Schleswig AG 2008, 39, 41 f.; GK-AktG/Bezzenberger/Bezzenberger Rn. 46; Louven/Koglin DB 2021, 2135, 2139). § 141 I findet auch keine Anwendung auf **Rückkauf gem. § 71 I Nr. 8;** allenfalls diskutable analoge Anwendung wegen Kursrückgangs infolge abnehmender Stückzahl scheitert am Unmittelbarkeitserfordernis (GK-AktG/Bezzenberger/Bezzenberger Rn. 68 ff.; Hillebrandt/Schremper BB 2001, 533, 536 f.). Ebenfalls nur mittelbar sind die Beeinträchtigungen durch **Squeeze-Out** (OLG Düsseldorf AG 2005, 293, 298; GK-AktG/Bezzenberger/Bezzenberger Rn. 67) oder **Delisting** (OLG Celle AG 2008, 858, 859; MüKoAktG/M. Arnold Rn. 8; erst recht nach Aufgabe der Macrotron-Rspr. [→ § 119 Rn. 30 ff.]).

7 **c) Insbesondere: Kapitalerhöhung aus Gesellschaftsmitteln.** Wenn Kapital aus Gesellschaftsmitteln erhöht wird (§§ 207 ff.), muss Dividendenvorzug gem. § 216 I für alte und junge Vorzüge so herabgesetzt werden, dass beide Vorzugsaktien zusammen den gleichen Vorzug gewähren wie alte Vorzugsaktien bisher allein. Nur so kann die **nach § 216 I 1 unzulässige Benachteiligung der Stammaktionäre** vermieden werden (vgl. iE → § 216 Rn. 3). Bei isolierter Betrachtung der alten Vorzugsaktien läge eine Beschränkung iSd § 141 I vor. Solche isolierte Betrachtung wäre jedoch verfehlt, weil nur ein Vorzugssplit gegeben ist, der die Rechte der Vorzugsaktionäre insges. unberührt lässt. Kapitalerhöhung aus Gesellschaftsmitteln unterliegt deshalb nicht dem Zustimmungserfordernis des § 141 I (allgM – s. OLG Stuttgart AG 1993, 94 f.; MüKoAktG/M. Arnold Rn. 10; KK-AktG/J. Vetter Rn. 80; S. Fischer ZGR 2013, 832, 846).

8 **d) Insbesondere: Kapitalherabsetzung.** Kapitalherabsetzung (§§ 222 ff.) ist jedenfalls bei betragsmäßig beziffertem Vorzug unbedenklich, aber umstr., wenn Vorzug prozentual von Grundkapitalziffer abgeleitet wird oder durch Zusammenlegung von Aktien nach § 222 IV 2 Zahl der Vorzugsaktionäre verringert wird. Hier kann sich **wertmäßige Beeinträchtigung** ergeben (Bsp. bei KK-AktG/J. Vetter Rn. 83), die sich aber nur mittelbar auswirkt (→ Rn. 4) und deshalb nach hM keine von § 141 I erfasste Beeinträchtigung des Vorzugs darstellt (OLG Frankfurt DB 1992, 272 f.; LG Frankfurt AG 1991, 405, 406; MüKoAktG/M. Arnold Rn. 11 ff.; Grigoleit/Herrler Rn. 11; Hölters/Weber/Krebs Rn. 12; B/K/L/Holzborn Rn. 5; S/L/Spindler/Bayer Rn. 15; zurückhaltend Krauel/Weng AG 2003, 561, 564 f.). Ebenfalls verbreitete **Gegenauf-**

fassung bejaht Zustimmungserfordernis mit Blick auf potenzielle finanzielle Schlechterstellung (GK-AktG/Bezzenberger/Bezzenberger Rn. 28 ff.; Beck-OGK/Bormann Rn. 14 ff.; KK-AktG/J. Vetter Rn. 62 ff., 85 ff.; Bock NZG 2015, 824, 826 f.; Frey/Hirte DB 1989, 2465, 2469). Benachteiligung der Vorzugsaktionäre müsse hier ebenso ausgeschlossen werden wie Benachteiligung der Stammaktionäre bei spiegelbildlichem Umkehrfall einer Kapitalerhöhung aus Gesellschaftsmitteln (→ Rn. 7).

Stellungnahme. Kapitalherabsetzung ist **kein Fall des § 141 I,** weil in den Vorzug als solchen nicht eingegriffen wird. Auch würde das Zustimmungserfordernis zwar nicht in der Konstruktion, aber iErg darauf hinauslaufen, den Vorzugsaktionären das abgestufte Stimmrecht zu geben (idR nein, für wesentliche Kapitalmaßnahmen doch), das sie erklärtermaßen nicht haben sollen (RegBegr. Kropff S. 203; → § 139 Rn. 17). Deshalb ist auch der Vergleich mit der die Rechte von Stammaktionären wahrenden Lösung in § 216 I (→ Rn. 7) nicht voll überzeugend. Auch früher zT herangezogener § 222 II aF (vgl. T. Bezzenberger, Vorzugsaktien, 1991, 172 f.) ist in geltender Fassung als Argumentationsbasis nicht geeignet, weil Sonderbeschluss nur erforderlich ist, wenn mehrere Gattungen stimmberechtigter Aktien vorhanden sind (→ § 222 Rn. 18). Adjektiv „stimmberechtigt" wurde 1994 bewusst ergänzt, um klarzustellen, dass Vorzugsaktionären ohne Stimmrecht kein Stimmrecht zusteht (RegBegr. BT-Drs. 12/6721 S. 10 f.). Diese bewusste gesetzgeberische Entscheidung kann nicht durch Rechtsanwender aus allg. Gerechtigkeitserwägungen korrigiert werden, zumal es auch in der Sache bedenklich wäre, wenn die vom Stimmrecht ausgeschlossenen Kapitalgeber in der Lage sein sollten, speziell sanierende Kapitalherabsetzungen und damit Maßnahmen im unternehmerischen Kernbereich durch Versagung ihrer Zustimmung scheitern zu lassen (insoweit aA Krauel/Weng AG 2003, 561, 564). 9

4. Zustimmung zum Hauptversammlungsbeschluss. Soweit nach § 141 I Zustimmung der Vorzugsaktionäre erforderlich ist, handelt es sich nicht um Einzelzustimmungen, sondern um das **Erfordernis eines positiven Sonderbeschlusses** nach § 141 III (→ Rn. 18 ff.). Bis zur Erteilung der Zustimmung bleibt satzungsändernder HV-Beschluss schwebend unwirksam. Wenn Zustimmung versagt wird, tritt endgültige Unwirksamkeit ein (→ § 138 Rn. 7). Registergericht darf Satzungsänderung (→ Rn. 2) nicht eintragen (§ 181), solange zust. Sonderbeschluss nicht vorliegt. Zustimmung nach § 141 I ist auch dann erforderlich, wenn Stimmrecht der Vorzugsaktionäre gem. § 140 II aufgelebt ist (→ § 140 Rn. 4 ff.). Zustimmung der Vorzugsaktionäre kann nicht deshalb entbehrlich sein, weil AG ihnen ggü. in Zahlungsrückstand geraten ist (MüKoAktG/M. Arnold Rn. 16). UU kann sich aber aus mitgliedschaftlicher Treupflicht Pflicht zur positiven Stimmabgabe ergeben (→ § 53a Rn. 20 f.). 10

5. Ausnahme: Entbehrlichkeit der Zustimmung. Vorzug kann bedingt oder befristet sein (→ § 139 Rn. 17). § 141 I greift nicht ein, wenn Vorzug durch **Bedingungseintritt oder Fristablauf** wegfällt oder sich verringert (allgM – statt aller S/L/Spindler/Bayer Rn. 18). Vielmehr tragen Vorzugsaktien den Grund der späteren Rechtsminderung von Anfang an in sich, so dass es genau genommen schon an einer Beeinträchtigung fehlt (Werner AG 1971, 69, 70). Dagegen ist es nach zutr. hM nicht möglich, der HV (oder gar der Verwaltung) durch Satzungsklausel das Recht vorzubehalten, den Vorzug ohne Zustimmung der Vorzugsaktionäre aufzuheben oder zu beschränken (öOGH AG 1996, 91, 93 f.; S/L/Spindler/Bayer Rn. 18; T. Bezzenberger, Vorzugsaktien, 1991, 76 f.). Solcher Vorbehalt liefe darauf hinaus, § 141 I zur Disposition des Satzungsgebers zu stellen, was mit § 23 V nicht vereinbar ist. § 141 II 2 trägt keine andere Beurteilung, sondern bestätigt das Ergebnis durch Umkehrschluss. 11

III. Ausgabe neuer Vorzugsaktien (§ 141 II)

12 **1. Grundsatz: Zustimmungserfordernis. a) Allgemeines.** § 141 II betr. bestimmte Fälle mittelbarer Beeinträchtigung von Vorzugsrechten und verlangt auch insoweit für ihre Wirksamkeit zust. Sonderbeschluss der Vorzugsaktionäre (→ Rn. 10). Durch Neufassung der § 182 II, § 222 II bleibt Vorschrift unberührt (Fraktionsbegr. BT-Drs. 12/6721, 10). **Mittelbare Beeinträchtigung** heißt: Das Vorzugsrecht bleibt als solches unangetastet (→ Rn. 4), ist jedoch reflexartig in seiner wirtschaftlichen Substanz betroffen. Rechtsgedanke des § 141 II kann nicht über seine tatbestandlichen Grenzen hinaus zur Geltung gebracht werden; Gesetzgeber hält ein Mitentscheidungsrecht der Vorzugsaktionäre nur in den von ihm normierten Fällen für geboten (AusschussB Kropff S. 206; → Rn. 9, 23). Im Einzelnen setzt § 141 II 1 voraus, dass neue Vorzugsaktien ausgegeben (→ Rn. 13) und dadurch alte Vorzugsaktien ohne Stimmrecht beeinträchtigt werden (→ Rn. 14 f.).

13 **b) Neue Vorzugsaktien.** Es muss sich für § 141 II 1 um Vorzugsaktien handeln. Ausgabe neuer Stammaktien unterliegt keinem Zustimmungserfordernis (AusschussB Kropff S. 205 f.). Unerheblich ist, ob es sich um Vorzugsaktien mit oder ohne Stimmrecht handelt; § 141 II 1 gilt für beide (s. statt aller BeckOGK/Bormann Rn. 33). Es kommt auch nicht darauf an, ob Aktien einen Gewinnvorzug iSd § 139 I geben; andere Vorrechte genügen ebenso. Von § 141 II 1 geforderte Ausgabe kann iR einer Kapitalerhöhung erfolgen (vgl. §§ 191, 197, 203 I, § 209); wenn genehmigtes Kapital geschaffen wird, ist schon Ermächtigung zustimmungspflichtig (§ 204 II; sa S. Fischer ZGR 2013, 832, 843 Fn. 44). Weiter fällt **Umwandlung von Stamm- in Vorzugsaktien** unter § 141 II 1, weil bisheriges Vorzugsrecht dadurch in gleicher Weise beeinträchtigt wird wie durch Ausgabe neuer Vorzugsaktien (hM, s. BeckOGK/Bormann Rn. 33; S/L/Spindler/Bayer Rn. 25).

14 **c) Beeinträchtigung der alten Vorzugsaktien.** Die alten Vorzugsaktien müssen beeinträchtigt werden, indem die neuen Vorzugsaktien ihnen bei der **Verteilung des Gewinns oder des Gesellschaftsvermögens** vorgehen oder gleichstehen. Zum Schutz anderer Vorrechte, die die alten Vorzugsaktien gewähren mögen, kann die Zustimmung angesichts klaren Gesetzeswortlauts nicht verlangt werden. Etwas anderes gilt für Beeinträchtigung des **Nachzahlungsanspruchs,** der durch Folgewirkungen nach § 140 II für Wiederaufleben des Stimmrechts von maßgeblicher Bedeutung ist (→ Rn. 3; zust. KK-AktG/J. Vetter Rn. 134; auch insofern aA Grigoleit/Herrler Rn. 17). Voraussetzung jeder Beeinträchtigung ist, dass das Recht durch die Satzung als Vorzug gewährt ist; es genügt nicht, wenn bloße Stammrechte betroffen sind. Wenn zB nur die neuen Vorzüge mit einem Liquidationsvorrecht ausgestattet werden, liegt kein Fall des § 141 II 1 vor, weil insoweit kein Vorrecht der alten Aktien besteht, das beeinträchtigt werden könnte (BeckOGK/Bormann Rn. 38 ff.; T. Bezzenberger, Vorzugsaktien, 1991, 147; Werner AG 1971, 69, 71 f.; aA KK-AktG/J. Vetter Rn. 138 ff.).

15 Für Beeinträchtigung entscheidend ist allein das **Rangverhältnis zwischen neuen und alten Vorzugsaktien.** § 141 II 1 greift ein, wenn die neuen Aktien Vorrang oder Gleichrang haben. Nicht entscheidend ist dagegen die Höhe des Vorzugs (GK-AktG/Bezzenberger/Bezzenberger Rn. 75; S/L/Spindler/Bayer Rn. 28). Es bedarf also keiner Zustimmung, wenn die neuen Aktien eine Dividendenpriorität von 6 %, die alten von 4 % haben, sofern nur letztere zuerst aus dem Bilanzgewinn zu bedienen sind. Dagegen besteht im Umkehrfall Zustimmungspflicht.

2. Ausnahme: ausdrücklicher Vorbehalt der Satzung. a) Vorbehalt. Auch wenn Voraussetzungen des Zustimmungserfordernisses an sich bestehen (→ Rn. 12ff.), greift es gem. § 141 II 2 nicht ein, wenn Ausgabe der neuen Vorzugsaktien ausdr. vorbehalten war und (kumulativ) das Bezugsrecht der alten Vorzugsaktionäre nicht ausgeschlossen ist (→ Rn. 17). Auf unmittelbare Beeinträchtigungen des Vorzugs (§ 141 I) kann Ausnahme nicht erstreckt werden (→ Rn. 11). Maßgeblicher Zeitpunkt ist derjenige, in dem die alten Aktien als stimmrechtslose Vorzugsaktien entstehen. Vorbehalt muss also spätestens bei Stimmrechtsausschluss gemacht werden und erklärt sein, wenn entspr. Satzungsänderung in das HR eingetragen wird (vgl. § 181 III). Vorbehalt muss in den **Satzungstext** aufgenommen werden (ganz hM, s. GK-AktG/Bezzenberger/Bezzenberger Rn. 80; S/L/Spindler/Bayer Rn. 30; aA Werner AG 1971, 69, 72 mwN), und zwar ausdr., dh so eindeutig, dass Kenntnisnahme vom Satzungswortlaut ohne weitere Auslegung genügt. Dagegen ist nicht erforderlich, dass Vorbehalt im Wortlaut der Aktienurkunde Ausdruck findet. Soll Vorbehalt zu einem Zeitpunkt in die Satzung aufgenommen werden, zu dem bereits Vorzugsaktien existieren, ist dazu Zustimmung nach § 141 II 1 erforderlich, aber auch ausreichend (MüKoAktG/M. Arnold Rn. 31). 16

b) Kein Bezugsrechtsausschluss. Vorzugsaktionäre haben das ges. Bezugsrecht des § 186 I (→ § 140 Rn. 3 aE; → § 186 Rn. 4, 30). Bezugsrecht kann jedoch ausgeschlossen sein, und zwar durch HV-Beschluss oder bei bedingter Kapitalerhöhung kraft Ges. (→ § 192 Rn. 4 aE, 8). Wie § 141 III 4 klarstellt (→ Rn. 21), kann HV-Beschluss auch das Bezugsrecht auf **vor- oder gleichrangige Aktien** (→ Rn. 14f.) ausschließen. In solchen Fällen greift jedoch der Ausnahmetatbestand des § 141 II 2 nicht ein. Ausgabe der neuen Vorzugsaktien bedarf also auch dann der Zustimmung bisheriger Vorzugsaktionäre, wenn sie in der Satzung ausdr. vorbehalten ist. Das gilt nicht nur bei gänzlichem, sondern auch bei teilw. Bezugsrechtsausschluss (MüKoAktG/M. Arnold Rn. 33). 17

IV. Sonderbeschluss (§ 141 III)

1. Allgemeines. a) Gesonderte Versammlung. Gem. § 141 III ist nicht Einzelzustimmung, sondern zust. Sonderbeschluss der Vorzugsaktionäre erforderlich. Er kann vor oder nach dem HV-Beschluss gefasst werden, dem er zur Wirksamkeit verhilft (→ Rn. 10). Wenn mehrere Gattungen von Vorzugsaktien bestehen, muss jede Gattung eigenen Sonderbeschluss fassen (MüKoAktG/M. Arnold Rn. 35; BeckOGK/Bormann Rn. 58). Für den Sonderbeschluss gilt § 138, soweit § 141 III keine bes. Regelung trifft. § 141 III 1 schließt es aus, den Sonderbeschluss gem. § 138 S. 1 Fall 2 durch gesonderte Abstimmung innerhalb der HV zu fassen. Bei **Einmann-AG** bedarf es keines Sonderbeschlusses und damit auch keiner gesonderten Versammlung. Hält Alleinaktionär neben Stamm- auch Vorzugsaktien, so muss er deshalb nicht vor sich selbst geschützt werden (→ § 179 Rn. 45; → § 182 Rn. 18). 18

Für **Einberufung** der gesonderten Versammlung gelten gem. § 138 S. 2 die §§ 121ff. sinngem. Sie kann mit Einberufung der HV verbunden werden. Es muss jedoch deutlich erkennbar sein, dass es sich auch um gesonderte Versammlung und nicht nur um HV handelt (s. zB GK-AktG/Bezzenberger/Bezzenberger § 138 Rn. 31: „äußerlich und inhaltlich eigenständige Texte"). **Teilnahmerecht** haben nur die zur Beschlussfassung aufgerufenen Vorzugsaktionäre. Stammaktionäre haben grds. keinen Zutritt, damit ungestörte Willensbildung gewährleistet ist (→ § 138 Rn. 4; BeckOGK/Bormann Rn. 58). UU besteht Möglichkeit, ihnen aus Praktikabilitätsgründen Gaststatus einzuräumen (GK-AktG/Bezzenberger/Bezzenberger § 138 Rn. 35; KK-AktG/J. Vetter § 138 19

Rn. 144). Vorstand und AR sind analog § 118 III verpflichtet, an gesonderter Versammlung teilzunehmen (BeckOGK/Bormann Rn. 58).

20 **b) Mehrheitserfordernis.** Sonderbeschluss bedarf nach § 141 III 2 einer Mehrheit, die **drei Viertel der abgegebenen Stimmen** oder einen höheren Anteil umfasst. Regelung ist schlechthin zwingend (§ 141 III 3). Weitere Verschärfung der Beschlusserfordernisse ist unzulässig, um Aufhebung oder Beschränkung des Vorzugs nicht übermäßig zu erschweren (RegBegr. Kropff S. 205). Dass Stimmen- statt Kapitalmehrheit gefordert wird, dürfte darauf zurückgehen, dass das Ges. betr. die gemeinsamen Rechte der Besitzer von Schuldverschreibungen v. 4.12.1899 (RGBl. 1899, 691 = BGBl. III 4134-1) als Regelungsvorbild gedient hat (dazu T. Bezzenberger, Vorzugsaktien, 1991, 17 ff., 181 f.). Weder angezeigt noch sachgerecht ist es, aus dem Erfordernis einer Stimmenmehrheit abzuleiten, dass bes. Regeln über die Stimmkraft von Aktien (Höchststimmrecht, Mehrstimmrechte) für Sonderbeschluss stimmrechtsloser Vorzugsaktionäre gelten sollen. Sie bleiben vielmehr außer Anwendung (MüKoAktG/M. Arnold Rn. 37; GK-AktG/Bezzenberger/Bezzenberger Rn. 104; BeckOGK/Bormann Rn. 60; aA Werner AG 1971, 69, 74).

21 **2. Besonderheiten bei Bezugsrechtsausschluss.** Aus § 141 III 4 folgt zunächst, dass Bezugsrecht auf Aktien, die nur mit Zustimmung der Vorzugsaktionäre ausgegeben werden dürfen (vor- oder gleichrangige Aktien; → Rn. 14 f., 17) ausgeschlossen werden kann (AusschussB Kropff S. 206). Ausschluss soll aber den dafür sonst geltenden Voraussetzungen unterliegen (AusschussB Kropff S. 206). Deshalb verweist § 141 III 4 auf § 186 III–V. Danach gilt: Sonderbeschluss darf nicht nur die Zustimmung zum Gegenstand haben (§ 141 I), sondern muss sich gerade auch **auf den Bezugsrechtsausschluss richten** (S/L/Spindler/Bayer Rn. 36; Schrifttum ist in dieser Frage nicht durchgängig klar, eindeutige Formulierung der Ankündigung zur Tagesordnung und des Beschlussinhalts ist jedenfalls empfehlenswert). **Kapitalmehrheit** des § 186 III 2 muss zusätzlich zur Stimmenmehrheit des § 141 III 2 gegeben sein (S/L/Spindler/Bayer Rn. 36). Vgl. iÜ → § 186 Rn. 20 ff.

V. Rechtsfolgen bei Aufhebung des Vorzugs (§ 141 IV)

22 Stimmrechtsausschluss ist gem. § 139 I nur zulässig, wenn Vorzugsaktien mit Vorzug ausgestattet sind (→ § 139 Rn. 5 ff.). Spiegelbildlich bestimmt § 141 IV, dass Aktien das Stimmrecht gewähren, wenn Vorzug aufgehoben ist. Das wurde bislang als **nachzahlbarer Vorzug** verstanden, so dass Aufhebung des Gewinnvorzugs oder des Nachzahlungsrechts genügt (hM, s. S/L/Spindler/Bayer Rn. 37). Nachdem durch Aktienrechtsnovelle 2016 Nachzahlbarkeit als zwingendes Erfordernis des Stimmrechtsausschlusses aufgegeben wurde, kann auch diese Behandlung nicht mehr aufrechterhalten werden. Wird lediglich Nachzahlungsrecht aufgehoben, lebt Stimmrecht nicht wieder auf, sondern es kommt ausschließlich darauf an, ob Vorzug aufgehoben wird (MüKoAktG/M. Arnold Rn. 43; Grigoleit/Herrler Rn. 27). Ebenso lebt Stimmrecht nicht auf, wenn Vorzug aus einer Vorab- und einer Mehrdividende besteht und nur eines dieser Elemente aufgehoben wird (KK-AktG/J. Vetter Rn. 201). Bloße Beschränkung reicht für § 141 IV anders als für § 141 I oder II nicht. **Stimmrecht entsteht mit Aufhebung kraft Ges.** HV braucht insoweit nichts zu regeln (B/K/L/Holzborn Rn. 13), womit auch vermieden wird, dass ihr Beschluss deshalb nach § 241 Nr. 3 nichtig ist, weil er den Vorzugsaktien das Stimmrecht nicht ausdr. beilegt (T. Bezzenberger, Vorzugsaktien, 1991, 102). Genauer Zeitpunkt des Auflebens wird kaum erörtert. Da Aktie durch Aufhebung des Vorzugs in ihrer rechtlichen Gestalt geändert wird, wird – anders als bei Aufleben des Stimmrechts

infolge (bloßen) Ausfalls des Vorzugs (→ § 140 Rn. 5) – für Eintragung im HR als maßgeblichem Zeitpunkt votiert (BeckOGK/Bormann Rn. 68). Stimmrechtserwerb ist, anders als nach § 140 II 1 und 2 (→ § 140 Rn. 7), endgültig. Die stimmrechtslosen Aktien werden also zu Stämmen oder, wenn mit ihnen noch ein Vorrecht verbunden ist, zu stimmberechtigten Vorzügen. §§ 139 ff. gelten nicht mehr. Anzuwenden sind vielmehr sämtliche das Stimmrecht voraussetzende Vorschriften, ferner § 179 III, § 182 II, § 222 II (→ Rn. 23). Ist Vorzug erloschen, steht ehemaligen Vorzugsaktionären auch für das Geschäftsjahr, in dem der Vorzug abgeschafft wurde, kein anteiliger Vorzug mehr zu (BeckOGK/Bormann Rn. 69).

VI. Konkurrenzfragen (§§ 179 III, 182 II, 222 II)

§ 141 enthält **abschließende Regelung,** und zwar zunächst ggü. § 179 III 23
(Spezialität; → § 179 Rn. 42). Nicht ganz einheitlich war Meinungsbild zu § 182 II aF und zu § 222 II aF. Auch insoweit nahm hM schon früher Spezialität des § 141 an (s. nur OLG Frankfurt DB 1993, 272, 273). Nach klarstellender Neufassung der § 182 II, § 222 II durch Ges. für kleine Aktiengesellschaften und zur Deregulierung des Aktienrechts v. 2.8.1994 (BGBl. 1994 I 1961) ist Sonderbeschluss nach diesen Vorschriften nur erforderlich, wenn mehrere Gattungen **stimmberechtigter** Aktien zusammentreffen (→ § 182 Rn. 19). Ihre Anwendung ist also schon tatbestandlich ausgeschlossen, so dass es insoweit auf Spezialität des § 141 nicht mehr ankommt, und zwar auch dann nicht, wenn Stimmrecht gem. § 140 II 1 und 2 wieder auflebt (→ § 182 Rn. 19). Jedoch verbleibt es bei Anwendung dieser Norm und danach erforderlicher Sonderbeschlussfassung.

Siebenter Unterabschnitt. Sonderprüfung. Geltendmachung von Ersatzansprüchen

Bestellung der Sonderprüfer

142 (1) [1]**Zur Prüfung von Vorgängen bei der Gründung oder der Geschäftsführung, namentlich auch bei Maßnahmen der Kapitalbeschaffung und Kapitalherabsetzung, kann die Hauptversammlung mit einfacher Stimmenmehrheit Prüfer (Sonderprüfer) bestellen.** [2]**Bei der Beschlußfassung kann ein Mitglied des Vorstands oder des Aufsichtsrats weder für sich noch für einen anderen mitstimmen, wenn die Prüfung sich auf Vorgänge erstrecken soll, die mit der Entlastung eines Mitglieds des Vorstands oder des Aufsichtsrats oder der Einleitung eines Rechtsstreits zwischen der Gesellschaft und einem Mitglied des Vorstands oder des Aufsichtsrats zusammenhängen.** [3]**Für ein Mitglied des Vorstands oder des Aufsichtsrats, das nach Satz 2 nicht mitstimmen kann, kann das Stimmrecht auch nicht durch einen anderen ausgeübt werden.**

(2) [1]**Lehnt die Hauptversammlung einen Antrag auf Bestellung von Sonderprüfern zur Prüfung eines Vorgangs bei der Gründung oder eines nicht über fünf Jahre zurückliegenden Vorgangs bei der Geschäftsführung ab, so hat das Gericht auf Antrag von Aktionären, deren Anteile bei Antragstellung zusammen den hundertsten Teil des Grundkapitals oder einen anteiligen Betrag von 100 000 Euro erreichen, Sonderprüfer zu bestellen, wenn Tatsachen vorliegen, die den Verdacht rechtfertigen, dass bei dem Vorgang Unredlichkeiten oder grobe Verletzungen des Gesetzes oder der Satzung vorgekommen sind; dies gilt auch für nicht über zehn Jahre zurückliegende Vorgänge, sofern die Gesellschaft zur**

Zeit des Vorgangs börsennotiert war. [2] Die Antragsteller haben nachzuweisen, dass sie seit mindestens drei Monaten vor dem Tag der Hauptversammlung Inhaber der Aktien sind und dass sie die Aktien bis zur Entscheidung über den Antrag halten. [3] Für eine Vereinbarung zur Vermeidung einer solchen Sonderprüfung gilt § 149 entsprechend.

(3) **Die Absätze 1 und 2 gelten nicht für Vorgänge, die Gegenstand einer Sonderprüfung nach § 258 sein können.**

(4) **[1] Hat die Hauptversammlung Sonderprüfer bestellt, so hat das Gericht auf Antrag von Aktionären, deren Anteile bei Antragstellung zusammen den hundertsten Teil des Grundkapitals oder einen anteiligen Betrag von 100 000 Euro erreichen, einen anderen Sonderprüfer zu bestellen, wenn dies aus einem in der Person des bestellten Sonderprüfers liegenden Grund geboten erscheint, insbesondere, wenn der bestellte Sonderprüfer nicht die für den Gegenstand der Sonderprüfung erforderlichen Kenntnisse hat, seine Befangenheit zu besorgen ist oder Bedenken wegen seiner Zuverlässigkeit bestehen. [2] Der Antrag ist binnen zwei Wochen seit dem Tage der Hauptversammlung zu stellen.**

(5) **[1] Das Gericht hat außer den Beteiligten auch den Aufsichtsrat und im Fall des Absatzes 4 den von der Hauptversammlung bestellten Sonderprüfer zu hören. [2] Gegen die Entscheidung ist die Beschwerde zulässig. [3] Über den Antrag gemäß den Absätzen 2 und 4 entscheidet das Landgericht, in dessen Bezirk die Gesellschaft ihren Sitz hat.**

(6) **[1] Die vom Gericht bestellten Sonderprüfer haben Anspruch auf Ersatz angemessener barer Auslagen und auf Vergütung für ihre Tätigkeit. [2] Die Auslagen und die Vergütung setzt das Gericht fest. [3] Gegen die Entscheidung ist die Beschwerde zulässig; die Rechtsbeschwerde ist ausgeschlossen. [4] Aus der rechtskräftigen Entscheidung findet die Zwangsvollstreckung nach der Zivilprozeßordnung statt.**

(7) **Ist für die Gesellschaft als Emittentin von zugelassenen Wertpapieren im Sinne des § 2 Absatz 1 des Wertpapierhandelsgesetzes mit Ausnahme von Anteilen und Aktien an offenen Investmentvermögen im Sinne des § 1 Absatz 4 des Kapitalanlagegesetzbuchs die Bundesrepublik Deutschland der Herkunftsstaat (§ 2 Absatz 13 des Wertpapierhandelsgesetzes), so hat im Falle des Absatzes 1 Satz 1 der Vorstand und im Falle des Absatzes 2 Satz 1 das Gericht der Bundesanstalt für Finanzdienstleistungsaufsicht die Bestellung des Sonderprüfers und dessen Prüfungsbericht mitzuteilen; darüber hinaus hat das Gericht den Eingang eines Antrags auf Bestellung eines Sonderprüfers mitzuteilen.**

(8) **Auf das gerichtliche Verfahren nach den Absätzen 2 bis 6 sind die Vorschriften des Gesetzes über das Verfahren in Familiensachen und in den Angelegenheiten der freiwilligen Gerichtsbarkeit anzuwenden, soweit in diesem Gesetz nichts anderes bestimmt ist.**

Übersicht

I. Regelungsgegenstand und -zweck

Norm betr. Basisform der Sonderprüfung. Ihr Zweck ist es vor allem, die **tats. Grundlagen für Ersatzansprüche** der AG gegen ihre Gründer und Verwaltungsmitglieder aufzuhellen (Habersack FS Wiedemann, 2002, 889, 892 ff.). Indem § 142 II die Antragsbefugnis einer qualifizierten Minderheit anerkennt, dient Regelung auch dem **Minderheitenschutz** (Hirte ZIP 1988, 953, 954). Wie auch §§ 147, 148 trägt sie der Gefahr eines Überwachungsversagens Rechnung, das sich daraus ergeben kann, dass Verwaltungsorgane, die dafür zuständig sind, etwaige Pflichtverletzungen zu ermitteln und zu verfolgen, dazu nicht bereit sind, weil sie mit Handelndem kollegial verbunden sind oder sich ggf. selbst ersatzpflichtig gemacht haben (→ § 147 Rn. 1). Während §§ 147 f. in diesem Fall der klageweisen Durchsetzung des Anspruchs dienen, soll § 142 im Vorfeld gewährleisten, dass für Anspruchserhebung notwendige Tatsachengrundlage unabhängig von Vorstand und AR geschaffen wird (sa KG AG 2012, 412, 413; ausf. KK-AktG/Rieckers/J. Vetter Rn. 16 ff.). Minderheitenschutz bedeutet allerdings nur, dass Minderheit verhindern kann, dass Mehrheit bestehende Ansprüche zum Schaden der AG nicht durchsetzt; Richtschnur ist aber auch in diesem Verständnis stets Gesellschafts-, nicht Minderheiteninteresse (zutr. GK-AktG/Verse/Gaschler Rn. 9; M. Arnold ZHR 185 [2021], 281, 297 ff.; Holle ZHR 182 [2018], 569, 593 f.). Allg. Sonderprüfung der §§ 142 ff. wird ergänzt durch Verfahren nach § 315; insoweit sind §§ 142 ff. anwendbar, soweit § 315 keine bes. Regelung enthält (→ § 315 Rn. 1, 6 f.). Dagegen bleibt allg. Sonderprüfung subsidiär ggü. Sonderprüfung wegen Unterbewertung und mangelhafter Bericht- 1 erstattung nach §§ 258 ff. (§ 142 III). Wichtiger als Durchführung im Einzelfall ist **präventive Wirkung** des Rechtsinstituts (allgM, s. MüKoAktG/M. Arnold Rn. 7). Seine praktische Bedeutung ist lange Zeit gering geblieben, doch lässt sich namentl. im Nachgang der Finankrise neuerdings zunehmende Bedeutung konstatieren, die sich auch in Gerichtspraxis widerspiegelt (KK-AktG/Rieckers/J. Vetter Rn. 43 ff.; Decher FS Baums, 2017, 279, 281). Empirische Grundlage ist allerdings weiterhin unsicher (s. aber Bayer/Hoffmann AG 2012, R 272 f.; Junginger, Sonderprüfung, 2018, 195 ff. – jew. mit Beispielen zu einzelnen Prüfungsgegenständen). Daneben begegnen in neuerer Zeit zT auch **freiwillige Sonderprüfungen,** die zwischen AG und einzelnen Aktionären vereinbart werden. Auch sie sind zulässig, unterfallen nicht §§ 142 ff., müssen aber vereinzelt den dort festgelegten Vorgaben entspr. (zu Einzelheiten GK-AktG/Verse/Gaschler Rn. 36 ff.; Marsch-Barner FS Baums, 2017, 775 ff.; Wilsing/v. der Linden AG 2017, 568 ff.). Für beaufsichtigte Unternehmen des Finanz- und Versicherungssektors treten bes. aufsichtsrechtl. Prüfungen nach §§ 44 I 2 KWG und § 306 I Nr. 1 VAG hinzu (GK-AktG/Verse/Gaschler Rn. 33 ff.). Auf Publikums-KG findet § 142 keine entspr. Anwendung (OLG Hamm ZIP 2013, 976).

II. Bestellung von Sonderprüfern durch die Hauptversammlung (§ 142 I)

2 **1. Bestimmte Vorgänge als Prüfungsgegenstände.** Prüfung muss sich ohne Rücksicht auf ihren Sachbereich (→ Rn. 3 ff.) auf Vorgänge beziehen (§ 142 I 1), und zwar bei AG selbst, nicht bei ihren Konzernunternehmen, soweit sie nicht zugleich Gesellschaftsangelegenheiten sind (OLG Düsseldorf WM 2010, 709, 711). **Hauptfall der Sonderprüfung** sind Vorgänge, aus denen sich Ersatzansprüche ergeben können. Genügend sind aber auch andere Konsequenzen wie Bestellungswiderruf (→ Rn. 8; KG AG 2012, 412, 413; Habersack FS Wiedemann, 2002, 889, 895 ff.). Bestimmte Vorgänge sind solche, die aufgrund ihrer näheren Bezeichnung einen **gegenständlich beschränkten Prüfungsauftrag** im Unterschied zur Prüfung ganzer Zeitabschnitte erlauben (RGZ 146, 385, 393 f.; OLG Düsseldorf WM 1992, 14, 22; OLG Hamburg ZIP 2011, 1209, 1211; LG München I AG 2018, 206 Rn. 20; MüKoAktG/M. Arnold Rn. 21 ff.; GK-AktG/Verse/Gaschler Rn. 52 ff.; Jänig, Sonderprüfung, 2005, 205 ff.). Auch eine Sonderprüfung der Geschäftsführung in ihrer Gesamtheit ist unzulässig (GK-AktG/Verse/Gaschler Rn. 83: keine „fishing expedition" ins Blaue hinein), sondern es muss sich um einen zumindest grob umrissenen und identifizierbaren Lebenssachverhalt handeln, nicht notwendig um einzelne Maßnahmen (KK-AktG/Rieckers/J. Vetter Rn. 101 ff.). So kann auch Geschäftsbeziehung zu konkretem Geschäftspartner zumindest über begrenzten Zeitraum hinweg Gegenstand einer Sonderprüfung sein (KK-AktG/Rieckers/J. Vetter Rn. 104; GK-AktG/Verse/Gaschler Rn. 56).

2a **Konkretisierungsanforderungen** sollten **nicht überzogen** werden, da Sonderprüfung gerade erst dazu dient, tats. Grundlagen zu erhellen (OLG Celle NZG 2017, 1381 Rn. 26; LG München I AG 2018, 206 Rn. 20; Hölters/Weber/Krebs Rn. 10). Prüfungsgegenstand ist allerdings stets nur **Tatsachenermittlung,** keine Klärung von Rechtsfragen, so dass Sonderprüfung insbes. ausscheidet, wenn vom Antragsteller behauptete Tatsachen unstr. sind (KG AG 2012, 412, 413; LG München I NZG 2016, 1342, 1345 f.: kein Rechtsschutzbedürfnis; sa MüKoAktG/M. Arnold Rn. 24 f.; GK-AktG/Verse/Gaschler Rn. 70).

2b Nicht abschließend geklärt ist allerdings, wie sich unzureichende Präzisierung **auf HV-Beschluss auswirkt.** Einige plädieren für Anfechtbarkeit (Hüffer ZHR 174 [2010], 642, 664 f.), während andere Nichtigkeit wegen Kompetenzüberschreitung nach § 241 Nr. 3 annehmen (KK-AktG/Rieckers/J. Vetter Rn. 184). Im Anschluss an die zu § 147 ergangene Entscheidung BGHZ 226, 182 Rn. 30 = NZG 2020, 1025 (→ § 142 Rn. 8) wird man in Fällen, wo sich Gefahr einer Kompetenzüberschreitung allein aus fehlender Bestimmtheit ergibt, allerdings auch für Sonderprüfung keine Nichtigkeit mehr annehmen können. Handelt es sich dagegen um Prüfungsthema, das generell nicht Gegenstand einer Sonderprüfung sein kann (zB Prüfung des gesamten Jahresabschlusses), ist dagegen Kompetenzüberschreitung und damit auch Nichtigkeit anzunehmen (so die zutreffende Differenzierung von GK-AktG/Verse/Gaschler Rn. 128; sa → § 147 Rn. 13; → § 241 Rn. 17).

In Einzelfällen kann Votum der HV für Sonderprüfung zu untauglichem Thema auch als bloße **Empfehlung einer freiwilligen Sonderprüfung** zu verstehen sein. Greift der Vorstand eine solche Empfehlung auf, handelt es sich trotzdem nicht um eine Sonderprüfung iSd § 142 (s. schon → Rn. 1). Stimmrechtsbeschränkungen des § 142 I 2 und 3 gelten dann nicht, HV-Beschluss kann auch nicht unter diesem Gesichtspunkt anfechtbar sein (RGZ 146, 385, 393 f.). Weil es nicht um Prüfung iSd § 142 geht, hat Vorstand andererseits auch nicht die Pflichten aus § 145 (BeckOGK/Mock Rn. 100). 2c

2. Sachbereiche der Prüfung. a) Gründung. Sonderprüfer können gem. § 142 I 1 zunächst bestellt werden, um bestimmte Vorgänge bei der Gründung zu prüfen, zB Werthaltigkeit einer Sacheinlage (ausf. KK-AktG/Rieckers/J. Vetter Rn. 111 ff.; zum Umgang mit unklarem Prüfungsauftrag s. Slavik WM 2017, 1684, 1690). Gründung umfasst die Maßnahmen bis zur Eintragung der Gesellschaft (§ 41) sowie **Nachgründungsvorgänge** (§ 52); s. MüKoAktG/M. Arnold Rn. 26. Dass bereits Gründungsprüfung (§§ 33–35) stattgefunden hat, steht nicht entgegen. Soweit Vor-AG schon Geschäftstätigkeit durch ihren Vorstand aufgenommen hat (→ § 41 Rn. 6, 10 ff.), könnte entspr. Prüfung auch als Prüfung der Geschäftsführung eingeordnet werden, doch hat das keine sachliche Bedeutung. Schwerpunkt liegt bei Ansprüchen nach §§ 46–48. 3

b) Geschäftsführung. Gegenstand der Sonderprüfung können nach § 142 I 1 ferner bestimmte Vorgänge bei der Geschäftsführung sein. Darunter ist zunächst der **gesamte Verantwortungsbereich des Vorstands** im Innen- und Außenverhältnis zu verstehen, und zwar im umfassenden Sinne des § 77 I (KG AG 2012, 412, 413; OLG Düsseldorf AG 2010, 330, 332); → § 77 Rn. 3: jedwede tats. oder rechtl. Tätigkeit für die AG (ebenso OLG Hamburg ZIP 2011, 1209, 1211). Auch fehlerhaft bestellte oder faktische Vorstände sind erfasst (KK-AktG/Rieckers/J. Vetter Rn. 116; MüKoAktG/M. Arnold Rn. 27). Nicht angezeigt wäre es, Sonderprüfung auf Leitungsmaßnahmen (Begriff → § 76 Rn. 10 ff.) zu beschränken. Private Belange des Vorstands sind allerdings ausgeklammert (MüKoAktG/M. Arnold Rn. 29). Ob Vorstand selbst tätig geworden ist oder Tätigkeit leitenden Angestellten oder anderen Angestellten (MüKoAktG/M. Arnold Rn. 27) überlassen hat, spielt für Zulässigkeit der Sonderprüfung keine Rolle. Soweit Vorstand delegieren darf, ergibt Fehler auf nachgeordneten Ebenen aber nicht ohne weiteres Pflichtverletzung des Vorstands. Vielmehr muss überdies ein Fehler bei der Aufgabendelegation oder bei Führung oder Überwachung der Mitarbeiter feststellbar sein (→ § 77 Rn. 15 ff.; ebenso GK-AktG/Verse/Gaschler Rn. 62). Geschäftliche Beziehung zu **Konzernunternehmen** kann ebenfalls unter dem Gesichtspunkt der Geschäftsführung untersucht werden, wenn es etwa um Fragen der Beteiligungsverwaltung oder Überwachung geht, nicht aber wenn Vorgänge ausschließlich Konzernunternehmen betreffen (OLG Düsseldorf AG 2010, 330, 332; B/K/L/Holzborn/Jänig Rn. 6b; MüKoAktG/M. Arnold Rn. 31). Dass Vorstandstätigkeit durch HV-Beschluss gedeckt ist, schließt Sonderprüfung nicht aus (BeckOGK/Mock Rn. 76). 4

5 Geschäftsführung iSd § 142 I 1 ist auch die **Tätigkeit des AR,** und zwar jedenfalls, soweit sie sich durch Überwachung (§ 111 I) oder Ausübung einer Zustimmungskompetenz (§ 111 IV 2) auf die Geschäftsführung des Vorstands bezieht (MüKoAktG/M. Arnold Rn. 32). Auch sonstige Amtsführung des AR kann Gegenstand einer Sonderprüfung sein, soweit sie sich auf Angelegenheiten des Vorstands bezieht (MüKoAktG/M. Arnold Rn. 32; KK-AktG/Rieckers/J. Vetter Rn. 117; weitergehend B/K/L/Holzborn/Jänig Rn. 6a; BeckOGK/Mock Rn. 74.1; GK-AktG/Verse/Gaschler Rn. 63 – jew. unter bedenklicher Ausdehnung des Begriffs „Geschäftsführung“). Das gilt bes. für die Festsetzung der Bezüge (§ 87), für die Befreiung vom Wettbewerbsverbot (§ 88) und für die Kreditgewährung (§ 89). Soweit es um Verträge mit AR-Mitgliedern geht (§ 114), folgt Möglichkeit einer Sonderprüfung schon daraus, dass die Verträge durch den Vorstand geschlossen werden und deshalb in den Kreis seiner Geschäftsführungsaufgaben fallen (→ Rn. 4).

6 **Jahresabschluss** kann nach hM **als solcher nicht** Gegenstand einer Sonderprüfung sein (ganz hM – s. nur MüKoAktG/M. Arnold Rn. 52 ff.; KK-AktG/Rieckers/J. Vetter Rn. 121 ff.; GK-AktG/Verse/Gaschler Rn. 29; aA noch Schedlbauer, Sonderprüfungen, 1984, 143). Sonderprüfung würde damit nämlich in Konkurrenz zur Abschlussprüfung (§§ 316 ff. HGB) treten, was jedenfalls nicht sinnvoll ist, teilw. auch in Konkurrenz zur Sonderprüfung nach §§ 258 ff., was § 142 III geradezu ausschließt. Unberührt bleibt Möglichkeit, Jahresabschluss in eine auf andere Vorgänge gerichtete Prüfung mit dem Ziel einzubeziehen, daraus für das Prüfungsthema Erkenntnisse zu gewinnen. Überwiegend wird auch angenommen, dass zwar nicht Abschluss als solcher, wohl aber einzelne seiner **Posten** Prüfungsgegenstand sein können (LG München I AG 2011, 760, 762; KK-AktG/Rieckers/J. Vetter Rn. 123; Habersack FS Wiedemann, 2002, 889, 902 f.). Formulierung ist unscharf, weil Posten als solche nicht die von § 142 I 1 vorausgesetzten Vorgänge sind (→ Rn. 3 ff.). Soweit es aber um solche Vorgänge geht, ist es in der Tat zulässig, inzident auch die einzelnen Posten zu prüfen (zutr. BeckOGK/Mock Rn. 82.1; sa GK-AktG/Verse/Gaschler Rn. 30). Um Ersatzansprüche muss es auch hier nicht gehen (→ Rn. 2). Bsp. nach Habersack FS Wiedemann, 2002, 889, 903: Verschleierung operativer Verluste.

7 **c) Kapitalveränderungen.** § 142 I 1 nennt als mögliche Gegenstände der Sonderprüfung schließlich Maßnahmen der Kapitalbeschaffung und Kapitalherabsetzung (§§ 182 ff., §§ 222 ff.). Weil diese Maßnahmen HV-Beschlüsse voraussetzen, kann ihre Verknüpfung mit der Geschäftsführung („namentlich“) nur bedeuten, dass die **vorbereitende und ausführende Tätigkeit der Verwaltung** (sa § 83) tauglicher Prüfungsgegenstand sein soll. HV-Beschluss als solcher ist von Prüfung dagegen nicht erfasst (KK-AktG/Rieckers/J. Vetter Rn. 128; GK-AktG/Verse/Gaschler Rn. 68; aA Grigoleit/Grigoleit/Rachlitz Rn. 39). Nach verbreiteter Auffassung soll schon Benennung der Gesamtmaßnahme als hinlänglich bestimmter Vorgang genügen (→ 14. Aufl. 2020, Rn. 7; B/K/L/Holzborn/Jänig Rn. 7; BeckOGK/Mock Rn. 86), doch wird darin liegende Abweichung von allg. Bestimmtheitsanforderungen (→ Rn. 2 ff.) weder vom Wortlaut („Vorgängen bei“) noch von Normzweck getragen (zutr. MüKoAktG/M. Arnold Rn. 35; S/L/Spindler Rn. 20; KK-AktG/Rieckers/J. Vetter Rn. 127; GK-AktG/Verse/Gaschler Rn. 68).

8 **3. Zeitliche Begrenzung und Missbrauch?** Zeitliche Begrenzung für prüfungstaugliche Vorgänge gibt es nach § 142 I 1 nicht; anders, wenn nicht HV, sondern Gericht Sonderprüfer bestellt (§ 142 II 1 → Rn. 19; jedenfalls unscharf OLG Düsseldorf WM 1992, 14, 22). Dass Vorgänge beliebig weit zurückliegen dürfen (ADS HGB §§ 142–146 Rn. 10), wirkt jedoch übertrieben. HV darf Sonderprüfung nämlich nicht missbräuchlich beschließen. **Rechtmissbrauch** ist

anzunehmen, wenn aus Prüfungsergebnis keinerlei Folgerung mehr gezogen werden könnte, insbes., wenn Ansprüche gegen Verwaltungsmitglieder wegen Verjährung nicht durchgesetzt und wegen Ausscheidens der Beteiligten auch keine personellen Konsequenzen mehr gezogen werden können (KG AG 2012, 412, 413; OLG München AG 2010, 598, 599; MüKoAktG/M. Arnold Rn. 37; KK-AktG/Rieckers/J. Vetter Rn. 129; GK-AktG/Verse/Gaschler Rn. 79; abw. Unmuth AG 2021, 905 Rn. 4 ff: sonstige Konsequenzen genügen nicht – unter zweifelhafter Berufung auf Vorbereitung von Ersatzansprüchen als „Hauptzweck" der Sonderprüfung; abl. auch Meinert ZHR 187 [2023], 671, 698 ff.). Dass Nutzen der Sonderprüfung ihre Kosten oder etwaigen Reputationsschaden nicht aufwiegt, soll nach LG München I AG 2018, 206 Rn. 26 nicht genügen, um Missbrauch zu begründen, was aber zumindest in extrem gelagerten Fällen zweifelhaft bleibt (im Münchener Fall: 451 Euro; sa Rieckers DB 2019, 107, 112). IdR wird Missbrauch bei von HV-Mehrheit getragenem Verlangen eher zu verneinen sein, sofern nicht umfassendes Stimmverbot Minderheit zur Mehrheit gemacht hat. Praxisrelevanter dürften Fälle des § 142 II sein (→ Rn. 21).

4. Bestellung durch Hauptversammlungsbeschluss. a) Notwendigkeit 9
und Erfordernisse des Hauptversammlungsbeschlusses. Bestellung von Sonderprüfern durch HV erfolgt wie deren sonstige Willensbildung durch Beschluss. Für diesen genügt zwingend (§ 23 V) die einfache Stimmenmehrheit des § 133 I. Ob Ankündigung zur Tagesordnung erforderlich ist, bestimmt sich nach § 124. Frage ist danach im Grundsatz zu bejahen (§ 124 I 1). Antrag auf Sonderprüfung ist aber als Antrag zum Tagesordnungspunkt Entlastung bekanntmachungsfrei (§ 124 IV 2 Fall 2), soweit sich Prüfungs- und Entlastungszeitraum decken (→ § 124 Rn. 42 f.). IRd AR-Wahl ist solche Ergänzung dagegen unzulässig (→ § 124 Rn. 42 f.). Für **Beschlussvorschlag** gilt, soweit es – wie idR – um Prüfung der Vorstandstätigkeit geht, nach § 124 III 1 alleiniges Vorschlagsrecht des AR (→ § 124 Rn. 21 ff.). Geht es um AR-Tätigkeit, ist entspr. dem Rechtsgedanken dieser Vorschrift Vorschlag des Vorstands erforderlich (MüKoAktG/M. Arnold Rn. 57). Zumeist erfolgt Sonderprüfung auf Antrag einer **Minderheit,** der nach § 122 II 1 eigenen Vorschlag enthalten muss, womit Erfordernis eines Verwaltungsvorschlags entfällt (→ § 124 Rn. 32; sa MüKoAktG/M. Arnold Rn. 59). Quorum für Antragstellung richtet sich in diesem Fall nach § 122 II 1 und wird nicht rechtsfortbildend an § 142 II angepasst (vgl. GK-AktG/Verse/Gaschler Rn. 88 f. – str. allerdings innerhalb des Autorenteams – vgl. Fn. 258).

HV-Beschluss muss **Sonderprüfer** selbst einsetzen, also **namentlich benen-** 10
nen (zu ihrer Auswahl → § 143 Rn. 2). Es genügt nicht, dass HV über das Ob der Sonderprüfung beschließt und die Bestellung als Ausführungshandlung dem Vorstand oder anderen Stellen innerhalb der AG überlässt (heute allgM, vgl. nur OLG Hamm AG 2011, 90, 92; LG Frankfurt NZG 2016, 830, 831; KK-AktG/Rieckers/J. Vetter Rn. 150). Denn § 142 I 1 stellt die Bestellung selbst in die Kompetenz der HV. Andere Lösung wäre auch nicht sachgerecht, weil sonst diejenigen, die für zu prüfende Vorgänge verantwortlich sind, Prüfer selbst auswählen könnten. In der Praxis begegnet vereinzelt auch Gestaltung, dass Auswahl einem außerhalb der AG stehenden Dritten überlassen bleiben soll (für Zulässigkeit Baal/Haager, Aktienrechtliche Sonderprüfungen, 2007, 44 f.; Leinekugel GmbHR 2008, 632, 633 Fn. 13), doch ist auch solche Aufteilung im Ges. nicht vorgesehen (Fischer/Rowold BB 2020, 1865 ff. unter Verweis in Fn. 11 auf OLG Köln v. 8.8.2019 – 18 U 1/19 [nv]). Trennung der Beschlussfassung über Sonderprüfung und des Sonderprüfers in verschiedene Tagesordnungspunkte ist aber unschädlich (OLG Hamm AG 2011, 90, 92). Während laufenden Insolvenzverfahrens ist Sonderprüfung ausgeschlossen (überzeugend MüKoAktG/M. Ar-

nold Rn. 49; S/L/Spindler Rn. 23; Sax NZI 2018, 541, 542; Thole ZIP 2018, 1565, 1566; aA OLG München AG 2018, 581, 584 f.; KK-AktG/Rieckers/J. Vetter Rn. 139; GK-AktG/Verse/Gaschler Rn. 143). Sonderprüfer muss Benennung **annehmen,** was üblicherweise konkludent mit Vertragsschluss (→ Rn. 11) einhergeht, konstruktiv aber davon zu trennen ist (GK-AktG/Verse/Gaschler Rn. 115 f.). Bei Nichtannahme ist HV-Beschluss fehlgeschlagen; in Lit. vorgeschlagener Rettungsweg über § 318 IV 2 HGB analog (so noch MüKoAktG/M. Arnold, 4. Aufl., Rn. 124) ist methodisch ebenso problematisch wie analoge Anwendung des § 142 IV, weshalb Vorabstimmung mit Sonderprüfer und Ersatzbestellung zu empfehlen ist (GK-AktG/Verse/Gaschler Rn. 308 ff.; Spindler NZG 2020, 841, 842). Qualifizierter Minderheit steht Weg nach § 142 II offen (GK-AktG/Verse/Gaschler Rn. 312).

11 **b) Vertragsverhältnis.** Wie Vertrag zwischen Sonderprüfer und Gesellschaft zustande kommt, regelt Ges. jedenfalls nicht ausdr. Teilw. wird angenommen, dass AG auch insoweit notwendig durch HV vertreten wird und Vorstand nur als Bote (KK-AktG/Kronstein/Zöllner, 1. Aufl. 1985, Rn. 20) bzw. als Bevollmächtigter handeln kann (S/L/Spindler Rn. 34 f.). Nach aA soll Vertretung dagegen beim Vorstand liegen, der analog § 318 I 4 HGB verpflichtet sei, Prüfungsauftrag zu erteilen (so BeckOGK/Mock Rn. 149 im Anschluss an ältere Kommentarliteratur, zB ADS HGB §§ 142–146 Rn. 13; v. Godin/Wilhelmi Rn. 3; zust. – allerdings ohne Rekurs auf § 318 I 4 – MüKoAktG/M. Arnold Rn. 82 f.; KK-AktG/Rieckers/J. Vetter Rn. 192 f.). Vermittelnde Auffassung schlägt vor, beide Standpunkte miteinander zu verbinden: **Vertretungsmacht** liege im Prinzip als **Annexkompetenz** bei der HV. Weil diese als nicht ständiges Organ nur während ihres Zusammentretens handlungsfähig sei und Vertragsschluss nicht innerhalb weniger Stunden erfolgen könne, sei anzunehmen, dass Vertretungsmacht nach dem Ende der HV entspr. § 318 I 4 HGB beim Vorstand liege (Grigoleit/Grigoleit/Rachlitz Rn. 76; B/K/L/Holzborn/Jänig Rn. 11; GK-AktG/Verse/Gaschler Rn. 119; S/L/Spindler Rn. 35). Zumindest Ansatz über § 318 I 4 HGB analog ist abzulehnen, da § 142 II anders als § 318 I 4 HGB ausdr. nur auf Bestellung beschränkt ist. Ohne solche Ableitungsbasis fehlt Konstruktion einer alleinigen Vertretungsmacht des Vorstands aber ges. Grundlage (aA MüKoAktG/M. Arnold Rn. 83). Den anderen Auffassungen ist gemeinsam, dass **originäre Zuständigkeit bei HV** liegt. Wenn diese – wie regelmäßig – zum Vertragsschluss nicht in der Lage ist, muss Vorstand für sie tätig werden. Ob man entspr. Ermächtigung qua konkludenter Erklärung oder qua Gesetzes konstruiert, macht letztlich keinen Unterschied. IdR wird konkludente Ermächtigung im Bewusstsein der Handelnden durchaus eine Grundlage finden. Ob Botenschaft oder Vertretung vorliegt, hängt schließlich davon ab, ob HV ihren Willen schon abschließend gebildet hat (dann Botenschaft) oder nicht (dann Vertretung). Im praktischen Regelfall wird das Zweite der Fall sein. Wichtige Erkenntnis aus Verortung der originären Zuständigkeit bei HV ist allerdings, dass sie, wenn sie Einflussnahme durch Vorstand befürchtet, auch andere Personen, etwa Versammlungsleiter oder den zur Niederschrift herangezogenen Notar ermächtigen kann (sa S/L/Spindler Rn. 35; GK-AktG/Verse/Gaschler Rn. 119; aA KK-AktG/Rieckers/J. Vetter Rn. 193).

12 Seiner Rechtsnatur nach ist Vertrag **auf Werkleistung gerichteter Geschäftsbesorgungsvertrag** (§§ 675, 631 ff. BGB). Dass Prüfung, wie früher angenommen, unentgeltlich erfolgen solle (dann: §§ 662 ff. BGB), entspr. nicht der Verkehrsauffassung und ist für den Regelfall abzulehnen (MüKoAktG/M. Arnold Rn. 80). Für AG idR handelnder Vorstand (→ Rn. 11) darf Bestellungsbeschluss nicht durch unzumutbar niedrige Vergütung unterlaufen, sondern muss sich iRd Angemessenen und Marktüblichen halten (GK-AktG/Verse/Gaschler Rn. 123).

13 **5. Stimmverbote. a) Allgemeines.** Gem. § 142 I 2 kann ein Mitglied des Vorstands oder des AR nicht mitstimmen, wenn sich Sonderprüfung auf Vorgänge erstrecken soll, die mit der Entlastung (§ 120) eines Verwaltungsmitglieds oder der Einleitung eines Rechtsstreits zwischen der AG und einem Verwaltungsmitglied im Zusammenhang stehen. Weil Verwaltungsmitglieder als solche nicht stimmberechtigt sind, vielmehr nur Aktien das Stimmrecht gewähren, handelt es sich der Sache nach um eine **Erweiterung und Verschärfung des Stimmverbots aus § 136.** Bezweckt ist wie dort, Willensbildung der HV von Sonderinteressen des Abstimmenden freizuhalten, die der Orientierung der Stimmabgabe am Gesellschaftsinteresse typischerweise entgegenstehen (OLG Düsseldorf AG 2006, 202, 205 f.). Diese Gefahr besteht auch dann, wenn Organmitglied nicht gegen, sondern für Sonderprüfung stimmen will, weshalb teleologische Reduktion des § 142 I 2 ausscheidet (OLG Hamm AG 2011, 90; aA als Vorinstanz LG Dortmund Konzern 2009, 427, 429). Wegen des Regelungszwecks dürfen Organmitglieder auch nicht, etwa kraft Vollmacht (s. aber → § 134 Rn. 26b zum Sonderfall des sog Proxy Voting), für andere (Aktionäre ohne Organeigenschaft) abstimmen (OLG Köln AG 2003, 450 f.). § 142 I 3 erstreckt Stimmverbote auf den Fall, dass Verwaltungsmitglieder das Stimmrecht aus eigenen oder aus fremden Aktien (Legitimationsübertragung) ihrerseits durch Dritte ausüben lassen. Diese Klarstellung (RegBegr. Kropff S. 207) ist sachgerecht, weil zu erwarten stünde, dass Dritte Sonderinteressen der hinter ihnen stehenden Verwaltungsmitglieder ebenso zur Geltung brächten wie diese selbst.

14 **b) Einzelheiten zum Tatbestand. Verbotsadressaten** sind Mitglieder des Vorstands und des AR, und zwar alle, auch diejenigen, die am zu prüfenden Vorgang nicht beteiligt waren (RegBegr. Kropff S. 207), nicht nur amtierende, sondern auch ehemalige, wenn Vorgang in ihre Amtszeit fiel (MüKoAktG/M. Arnold Rn. 69; KK-AktG/Rieckers/J. Vetter Rn. 157), nicht jedoch nur designierte Mitglieder des AR, die dem Organ auch bisher nicht angehört haben (LG München I AG 2010, 922 f.; GK-AktG/Verse/Gaschler Rn. 98). Schwierige Fragen können entstehen, wenn Verwaltungsmitglieder nicht allein oder nicht selbst Aktionäre sind, sondern Aktien in Gemeinschaftsbesitz stehen oder von Gesamthandsgesellschaften (zB OHG, KG) oder jur. Personen (AG, GmbH) gehalten werden, an denen Verwaltungsmitglieder ihrerseits beteiligt sind. Problemlage ergibt sich schon für § 136 und ist dort erörtert (→ § 136 Rn. 8 ff., 15 speziell zur Erstreckung des § 142 I 2 s. RGZ 146, 385, 391 f.).

15 **Aktionäre, die nicht Verwaltungsmitglieder sind,** unterliegen auch dann nicht dem bes. Stimmverbot des § 142 I, wenn sie aufgrund einer Kapital- oder Stimmenmehrheit beherrschenden Einfluss auf die AG und ihre Verwaltung ausüben können. Minderheit ist auf gerichtl. Bestellung von Sonderprüfern nach § 142 II angewiesen (OLG Hamburg AG 1981, 193 f.; AG 2003, 46, 48; MüKoAktG/M. Arnold Rn. 72; GK-AktG/Verse/Gaschler Rn. 109; Hüffer ZHR 174 [2010], 642, 648 f.; aA noch KK-AktG/Kronstein/Zöllner, 1. Aufl. 1985, Rn. 25). IÜ verbleibt es bei Stimmverboten des § 136 (keine analoge Anwendung, s. LG Düsseldorf AG 1999, 94, 95) und bei dem Verbot treuwidriger Stimmrechtsausübung, dessen Verletzung den HV-Beschluss nach § 243 I anfechtbar machen kann. Ersichtlich verdächtige Übertragungsgeschäfte mögen es rechtfertigen, dem Aktionär das Stimmrecht des § 134 wegen Missbrauchs abzusprechen; um einen Anwendungsfall des § 142 I 2 handelt es sich dabei jedoch mangels Organeigenschaft nicht (insoweit überzeugend OLG Brandenburg AG 2011, 418, 419).

16 Gegenständlich beziehen sich Stimmverbote des § 142 I auf Vorgänge, die mit der **Entlastung** eines Verwaltungsmitglieds oder mit der **Einleitung eines Rechtsstreits** zwischen der AG und einem Verwaltungsmitglied zusammenhän-

gen (zur Entlastung vgl. § 120). Rechtsstreit ist jede gerichtl. Durchsetzung von Rechten ohne Rücksicht auf die Verfahrens- oder Klageart und ohne Rücksicht auf die Verteilung der Parteirollen, sofern der rechtsbegründende Vorgang unter § 142 I 1 fällt (Gründung, Geschäftsführung, Maßnahmen bei Kapitalbeschaffung oder -herabsetzung → Rn. 3 ff.). Genügend ist bloßer Zusammenhang mit den genannten Vorgängen, auch wenn er nur mittelbarer Art ist (RGZ 142, 123, 132; RGZ 142, 134, 139; MüKoAktG/M. Arnold Rn. 73; GK-AktG/Verse/Gaschler Rn. 110).

17 **c) Rechtsfolgen unzulässiger Stimmrechtsausübung.** HV-Beschluss ist gem. § 243 I **anfechtbar,** wenn das Stimmrecht aus Aktien entgegen § 142 I ausgeübt wurde und Beschluss ohne die verbotene Stimmabgabe nicht zustande gekommen wäre. Unzulässige Stimmabgabe ist überdies **Ordnungswidrigkeit** nach § 405 III Nr. 5.

III. Bestellung von Sonderprüfern durch das Gericht (§ 142 II)

18 **1. Materiell-rechtliche Voraussetzungen. a) Ablehnender Hauptversammlungsbeschluss.** Gem. § 142 II 1 hat Gericht Sonderprüfer zu bestellen, wenn dort genannte Voraussetzungen erfüllt sind. Erforderlich ist zunächst, dass HV einen gem. § 142 I gestellten Antrag auf Bestellung von Sonderprüfern abgelehnt hat. Wegen der Subsidiarität der gerichtlichen Bestellung des Sonderprüfers ggü. der gesellschaftsrechtl. Zuständigkeitsordnung darf Gegenstand eines entspr. Antrags nur der in der HV abgelehnte Sonderantrag sein; Erweiterung, Änderung oder Beschränkung scheidet aus (OLG München AG 2008, 33, 35; OLG Stuttgart AG 2019, 527, 528 f.; LG Frankfurt NZG 2016, 830 f.; LG Hamburg BeckRS 2009, 13900; aA für engere Fassung GK-AktG/Verse/Gaschler Rn. 202; zur abw. Würdigung hinsichtlich Person des Sonderprüfers → Rn. 32). Dem abl. Beschluss der HV steht es gleich, wenn Bestellung von Sonderprüfern zunächst beschlossen und dieser Beschluss dann aufgehoben wird (RGZ 143, 401, 410; OLG Düsseldorf AG 2010, 126), ebenso, wenn HV trotz ordnungsgem. Beschlussantrags nicht in der Sache beschließt, sondern vertagt oder von der Tagesordnung absetzt (vgl. zu sämtlichen Konstellationen MüKoAktG/M. Arnold Rn. 130; KK-AktG/Rieckers/J. Vetter Rn. 259), ferner, wenn HV zwar Einsetzung von Sonderprüfern beschlossen hat, diese jedoch wegen eines Bestellungsverbots nach § 143 II nicht Sonderprüfer sein können (→ § 143 Rn. 6). Auch andere **Nichtigkeitsgründe** führen zur Anwendbarkeit des § 142 II, nicht aber bloße Anfechtbarkeit, solange Anfechtung nicht tats. Aufhebung des Beschlusses zur Folge hatte (MüKoAktG/M. Arnold Rn. 130; Grigoleit/Grigoleit/Rachlitz Rn. 51; aA BeckOGK/Mock Rn. 188). Noch weitgehend ungeklärt ist die Frage, ob § 142 II auch dann einschlägig ist, wenn HV dem Minderheitsantrag zwar grds. stattgibt, aber anderen als den von Minderheit ausgewählten Sonderprüfer bestellt (gegen eine Anwendbarkeit des § 142 II Hüffer ZHR 174 [2010], 642, 652; zust. Grigoleit/Grigoleit/Rachlitz Rn. 51; B/K/L/Holzborn/Jänig Rn. 13; KK-AktG/Rieckers/J. Vetter Rn. 261). Wortlaut des § 142 II 1 spricht in diesem Fall eher gegen gerichtl. Bestellung; teleologischer Befund ist nicht eindeutig (vgl. dazu Hüffer ZHR 174 [2010], 642, 652), so dass es bei wortlautgetreuer Lesart – wenngleich ebenfalls mit Unsicherheiten behaftet – bleiben muss. Zum damit eng verwandten Fall, dass HV Antrag zurückweist, sodann aber Bestellung eines abw. Sonderprüfers begehrt wird → Rn. 32.

19 **b) Prüfungsfähiger Vorgang.** Es muss die Prüfung eines Vorgangs begehrt werden, der gem. § 142 I 1 Gegenstand einer von der HV angeordneten Sonderprüfung sein könnte: Vorgang bei der Gründung oder bei der Geschäftsführung, und zwar, obwohl in § 142 II 1 nicht mehr eigens hervorgehoben, einschließlich

des Verwaltungshandelns bei Maßnahmen der Kapitalbeschaffung oder -herabsetzung (sa KG AG 2012, 412, 413). Für Gründungsvorgänge gibt es keine zeitliche Beschränkung. Dagegen gilt **für Geschäftsführungsvorgänge** anders als nach § 142 I 1 eine an § 93 VI angelehnte (s. RegBegr. Kropff S. 207) **Fünfjahresfrist** bzw. für im Zeitpunkt des Prüfungsvorgangs börsennotierte Gesellschaften (§ 3 II) eine **Zehnjahresfrist.** Regelung entspr. der Verlängerung der Verjährungsfrist in § 93 VI (→ § 93 Rn. 175 f.). Frist ist von dem Tag an zurückzurechnen, an dem HV ihren abl. Beschluss fasst, kann also im Zeitpunkt des Antrags auf gerichtl. Entscheidung schon abgelaufen sein. Es muss auch nicht der gesamte Vorgang in die Frist fallen. Vielmehr genügt es bei zeitlich gestreckten Vorgängen, dass sie in die Frist hineinreichen (OLG Düsseldorf NZG 2010, 306; MüKoAktG/M. Arnold Rn. 97; Spindler NZG 2010, 281, 282). IdR, aber nicht notwendig, wird es auch hier um Vorbereitung von Ersatzansprüchen gehen (→ Rn. 2; Habersack FS Wiedemann, 2002, 889, 895 ff.).

c) Unredlichkeit oder grobe Verletzungen. Gericht bestellt nach § 142 II 1 aE nur dann Sonderprüfer, wenn Tatsachen vorliegen, die den Verdacht rechtfertigen, dass bei dem zum Gegenstand des Antrags gemachten Vorgang Unredlichkeiten vorgekommen oder Ges. oder Satzung grob verletzt worden sind. Es genügt nicht, dass die Antragsteller einen Verdacht äußern. Vielmehr müssen sie **Tatsachen behaupten** (aber nicht beweisen, auch nicht glaubhaft machen), die den genannten Verdacht rechtfertigen (OLG Stuttgart AG 2010, 717, 718; AG 2019, 527, 529; GK-AktG/Verse/Gaschler Rn. 232; Harnos FS Heidel 2021, 483, 493: Vollbeweis). Die Tatsachen müssen Unredlichkeit oder grobe Verletzung von Ges. oder Satzung soweit indizieren, dass Gericht entweder von hinreichenden Verdachtsmomenten überzeugt ist oder sich zur Amtsermittlung gem. § 26 FamFG veranlasst sieht (zust. LG München I NZG 2016, 1342, 1344). Auch solche Amtsermittlung ist zulässig; Gericht ist nicht auf vorgetragene Indiztatsachen beschränkt (OLG Stuttgart AG 2019, 527, 530; s. ferner Dietz-Vellmer FS Heidel, 2021, 441, 452 f.). Möglichkeit von Pflichtverletzungen genügt dafür nicht; es muss vielmehr eine **gewisse Wahrscheinlichkeit** solcher Verletzungen bestehen (OLG Frankfurt AG 2011, 755; OLG Karlsruhe BeckRS 2019, 49058 Rn. 108; OLG Köln AG 2010, 414, 415; OLG München AG 2010, 840, 841; OLG Stuttgart AG 2010, 717, 718; 2019, 527, 530; MüKoAktG/M. Arnold Rn. 137; KK-AktG/Rieckers/J. Vetter Rn. 293; GK-AktG/Verse/Gaschler Rn. 218 ff.; großzügiger Dietz-Vellmer FS Heidel, 2021, 441, 451 f. [einfache Wahrscheinlichkeit/Plausibilität]; Harnos FS Heidel, 2021, 483, 496 ff. [Möglichkeit einer Pflichtverletzung]). Hinreichende Verdachtsmomente müssen denklogisch wahrscheinlich, nicht nur möglich sein (OLG Celle NZG 2017, 1381 Rn. 32: „qualifizierter Verdacht"; OLG München AG 2010, 840, 841; OLG Stuttgart AG 2019, 527, 530; LG München I NZG 2016, 1342, 1344). Bsp.: Bei Ausnutzung genehmigten Kapitals gelangen junge Aktien für 5 Euro mittelbar an Mehrheitsaktionär, der auch Vorstand der Gesellschaft ist, werden aber zeitnah für 9,30 Euro an Mitarbeiter ausgegeben (OLG München AG 2008, 33, 36 f.). **Grobe Pflichtverletzung** ist im Ges. und Gesetzesbegründung nicht näher umschrieben. Maßgeblich ist nicht allein objektive Interessenlage der AG, sondern es bedarf einer Gesamtschau, in deren Rahmen auch solche Faktoren zu berücksichtigen sind, die das Vertrauen und die Erwartungshaltung der Aktionäre sowie aller objektiver Marktteilnehmer in eine gute Unternehmensführung erschüttern würden (OLG Köln AG 2019, 695, 696; OLG Stuttgart AG 2019, 527, 529; LG München I NZG 2016, 1342, 1345). Insbes. Verstoß gegen § 93 III indiziert grobe Pflichtverletzung (OLG Stuttgart AG 2019, 527, 534). Grobe Pflichtverletzung ist zB gegeben, wenn sich Vorstand durch Teilnahme am Verbriefungs- oder Kreditersatzgeschäft in erheblichem Umfang außerhalb des Sat- 20 zungsgegenstands bewegt (OLG Düsseldorf AG 2010, 126, 127 f.; Müller-Michaels/Wingerter AG 2010, 903, 906 f.), was aber der Prüfung im Einzelfall bedarf. Auch wenn Vorstand in Übernahmesituation Unternehmenswert nicht realistisch abbildet und damit niedrigen Angebotspreis durch Bietergesellschaft als gerechtfertigt erscheinen lässt, wurde grobe Verletzung angenommen (LG München I NZG 2016, 1342, 1345). Soweit angeblich pflichtwidrige Maßnahme neben Nachteilen auch von AG dargelegte Vorteile mit sich bringt, sind auch diese in einer Gesamtabwägung zu berücksichtigen (OLG Frankfurt AG 2011, 755, 757; OLG Stuttgart AG 2019, 527, 529). Zur Relevanz des § 93 I 2 in diesem Kontext s. Harnos FS Heidel, 2021, 483, 500 ff.

21 **d) Missbrauch des Antragsrechts.** Antrag auf Bestellung von Sonderprüfern kann rechtsmissbräuchlich sein (§ 242 BGB), und zwar nicht nur wegen Folgenlosigkeit der Sonderprüfung infolge Zeitablaufs (→ Rn. 8), sondern auch **wegen illoyaler, grob eigennütziger Rechtsausübung** (OLG München AG 2010, 598, 599; NZG 2021, 1403 Rn. 5; OLG Stuttgart AG 2019, 527, 530; AG Düsseldorf WM 1988, 1668; KK-AktG/Rieckers/J. Vetter Rn. 306 ff.; GK-AktG/Verse/Gaschler Rn. 255; M. Arnold ZHR 185 [2021], 281, 299 f.; Meinert ZHR 187 [2023], 671, 697 ff.). So liegt es wie beim Abkauf von Anfechtungsklagen insbes. dann, wenn die Antragssteller mit dem Antrag einen Lästigkeitswert aufbauen und mit diesem Druckmittel Zahlungen an sich selbst durchsetzen wollen, die ihnen nicht zustehen (OLG München NZG 2021, 1403 Rn. 5). Fälle dieser Art werden iRd § 142 wegen des notwendigen Quorums allerdings selten sein. Wenn sie vorliegen, ist Antrag jedenfalls nicht unzulässig (so jedoch AG Düsseldorf WM 1988, 1668 unter I), sondern wegen Verlusts des materiellen Rechts unbegründet (zutr. OLG München NZG 2021, 1403 Rn. 4; KK-AktG/Rieckers/J. Vetter Rn. 315; GK-AktG/Verse/Gaschler Rn. 250). Nicht genügend ist es dagegen, dass Antragsteller Sonderprüfer auch dazu benutzen will, Verfolgung eigener Schadensersatzansprüche vorzubereiten (OLG München NZG 2021, 1403 Rn. 6). Vorangegangener Vergleich der AG mit Organmitglied hindert Antrag jedenfalls dann nicht, wenn noch andere personelle Konsequenzen möglich sind (→ Rn. 8; strenger Unmuth AG 2021, 905 Rn. 15). Die eine **Verhältnismäßigkeitsprüfung** stützende Abwägungsklausel des § 148 I 2 Nr. 4 gilt als ungeschriebenes Recht auch für § 142 II (OLG Düsseldorf NZG 2010, 306; OLG Stuttgart AG 2019, 527, 530; RegBegr. BT-Drs. 15/5092, 18; KK-AktG/Rieckers/J. Vetter Rn. 299 ff.; GK-AktG/Verse/Gaschler Rn. 237 ff.; MHdB CL/Lieder § 26 Rn. 133; Holle ZHR 182 [2018], 569, 591 ff.; Hüffer ZHR 174 [2010], 642, 657 ff.; aA Grigoleit/Grigoleit/Rachlitz Rn. 22 ff.; Meinert ZHR 187 [2023], 671, 678 ff.; Pauschinger, Vorstandshaftung und Vertraulichkeit, 2020, 198 ff.; wohl auch OLG Celle NZG 2017, 1381 Rn. 38). Dass Missbrauchsabwehr Prüfung der Verhältnismäßigkeit entbehrlich machen könnte (Fleischer NJW 2005, 3525, 3527), trifft nur in dem Sinne zu, dass bei Unverhältnismäßigkeit auch Missbrauch naheliegt. Es bleibt aber möglich, dass subj. Komponenten des Missbrauchs fehlen und Sonderprüfung trotzdem wegen überwiegender Gesellschaftsbelange zu unterbleiben hat. Nach OLG Celle NZG 2017, 1381 Rn. 39 soll Sonderprüfung auch nicht dadurch entbehrlich werden, dass sich AG selbst mit großem Aufwand um Aufklärung bemüht, solange Ergebnisse der internen Ermittlungen den Aktionären nicht zugänglich gemacht werden (VW-Abgasskandal; einstweiliger Rechtsschutz iR einer Verfassungsbeschwerde verweigert durch BVerfG NZG 2018, 103 Rn. 9 ff.). Das ist aus der Perspektive des Minderheitenschutzes plausibel (zust. Priester FS Marsch-Barner, 2018, 449, 453), doch verbleibt Unbehagen, weil sich auch Durchführung der Sonderprüfung am Gesellschaftswohl messen lassen muss (Holle ZHR 182 [2018], 569, 591 ff.; sa S/L/Spindler Rn. 54; Goette/Arnold/M. Arnold AR

§ 4 Rn. 2751; Rieckers DB 2019, 107, 112) und Schutzmechanismen des § 145 berechtigten Geheimhaltungsinteressen der AG nicht umfassend Rechnung tragen (sa Goette/Arnold/M. Arnold AR § 4 Rn. 2751; Bachmann ZIP 2018, 101, 107). Lösung dürfte in erster Linie darin zu suchen sein, eigene Ermittlungsbemühungen und Geheimhaltungsinteressen zumindest in Verhältnismäßigkeitsprüfung einzubeziehen (Holle ZHR 182 [2018], 569, 591 ff.; zust. S/L/Spindler Rn. 54; GK-AktG/Verse/Gaschler Rn. 245; Goette/Arnold/M. Arnold AR § 4 Rn. 2751; zu weitgehend MHdB AG/Bungert § 43 Rn. 7: Rechtsschutzbedürfnis fehlt).

2. Antrag einer qualifizierten Minderheit. Antrag muss nach § 142 II 1 von Aktionären gestellt werden, die 1 % des Grundkapitals oder den anteiligen Betrag von 100.000 Euro erreichen (§ 142 II 1; zum Zweck alternativer Schwellenwerte → § 122 Rn. 17; zur Frage der Beteiligtenfähigkeit eines US-Funds OLG Celle NZG 2017, 1381 Rn. 16 ff.; NZG 2020, 865 Rn. 15 ff.; insofern allerdings als verfassungswidrig gerügt durch BVerfG NZG 2023, 181 Rn. 20 ff.; NZG 2023, 187 Rn. 16 ff.; krit. auch schon Spindler NZG 2020, 841, 847 f.). Beteiligungsschwelle ist wie für Klagezulassungsverfahren in § 148 I durch UMAG 2005 abgesenkt worden. Erstrebte **Übereinstimmung der Schwellenwerte** (RegBegr. BT-Drs. 15/5092, 18) ist sinnvoll (J. Koch ZGR 2006, 769, 779 f.). Anteiliger Betrag (§ 8 III 3) folgt aus Division des Grundkapitals durch Aktienanzahl. Bei Nennbetragsaktien (§ 8 I und II) ist der Nennbetrag der anteilige Betrag. Jede Aktie gibt das Antragsrecht, auch stimmrechtslose Vorzüge oder nicht voll eingezahlte Aktien, nicht aber Aktien, die nach § 21 I AktG, § 44 WpHG mit Stimmverbot belegt sind (KK-AktG/Rieckers/J. Vetter Rn. 233; S/L/Spindler Rn. 39), wenngleich sie bei Berechnung des Grundkapitals zu berücksichtigen sind (GK-AktG/Verse/Gaschler Rn. 161, 167). Wer allerdings im Entscheidungszeitpunkt nicht (mehr) Aktionär ist, hat keine Antragsbefugnis, weshalb sein Antrag als unzulässig zurückzuweisen ist (OLG München NZG 2010, 866 f.). Antragsteller müssen nicht mit den Aktionären identisch sein, deren Beschlussantrag von HV abgelehnt worden ist. § 142 II 1 verlangt nicht einmal Teilnahme an HV (S/L/Spindler Rn. 41). Beim Grundkapital sind ebenfalls alle Aktien einzurechnen, auch solche ohne Stimmrecht. 22

3. Berechtigungsnachweis. Nach § 142 II 2 müssen Antragsteller Mindestdauer ihres Aktienbesitzes und dessen Fortdauer bis zur Entscheidung nachweisen. Dafür genügt bloße Glaubhaftmachung iSd § 31 FamFG nicht, sondern es muss volles Beweismaß des § 37 I FamFG erreicht werden (GK-AktG/Verse/Gaschler Rn. 179; sa S/L/Spindler Rn. 44). Nachw. ist gleichermaßen **vergangenheits- und zukunftsbezogen.** Vergangenheitsbezogen wird gefordert, dass Antragsteller seit mindestens drei Monaten vor Tag der HV, die Bestellung von Sonderprüfern abgelehnt hat (→ Rn. 18), Aktionäre sind und dies nachweisen. Frist ist rückwärts zu rechnen. Durch Mindestbesitzzeit soll vermieden werden, dass Aktien aufgekauft werden, um Sonderprüfung zu veranlassen (→ Rn. 21). Genügend ist, dass insges. ein Aktienbesitz nachgewiesen wird, der Quorum von 1 % des Grundkapitals oder anteiligen Betrag von 100.000 Euro ausmacht. Antragsteller müssen zweitens zukunftsbezogen nachweisen, dass sie ihre Aktien **fortdauernd bis zur Entscheidung über den Antrag** halten. Damit wird bezweckt, dass Antragsberechtigung für Dauer des gerichtl. Verfahrens erhalten bleibt (BayObLGZ 2004, 260, 263). Nachweispflicht bezieht sich aber nicht mehr auf Zeitraum der Sonderprüfung. Abw. von früherer Rechtslage müssen Aktien nicht hinterlegt werden, doch bleibt Hinterlegung weiterhin möglich, um Nachw. zu führen (→ Rn. 24). 23

Wie vergangenheits- und zukunftsbezogener **Nachweis** erbracht werden können, hängt ab von Aktien- und Verwahrungsart. Bei **Namensaktien** wird für 24 beide Nachweisformen Aktienregister (§ 67 II 1) genügen (GK-AktG/Verse/Gaschler Rn. 181, 188). Bei **girosammelverwahrten Inhaberaktien** wird für Vergangenheit Nachw. des Anteilsbesitzes iSd § 67c III genügen (→ § 67c Rn. 6 ff.), also üblicherweise Depotbescheinigung. Für zukunftsbezogenen Nachw. ist zusätzlich **Verpflichtungserklärung** des depotführenden Instituts ggü. Gericht vorzulegen, dieses über Veränderung des Aktienbestands zu unterrichten (BayObLGZ 2004, 260, 265; OLG München AG 2008, 33, 34; MüKoAktG/M. Arnold Rn. 124; KK-AktG/Rieckers/J. Vetter Rn. 254). Bei **einzelverbrieften, nicht sammelverwahrten Aktien** genügt für vergangenheitsbezogenen Nachw. Vorlage der Aktienurkunden mit Nachw. zum Erwerbszeitpunkt, zB Übereignungsvertrag (GK-AktG/Verse/Gaschler Rn. 180). Für zukunftsbezogenen Nachw. ist auch weiterhin Hinterlegung möglich (→ Rn. 23; bei Hinterlegungsstelle des Amtsgerichts oder bei AG selbst, s. BayObLGZ 2004, 260, 263; KG JW 1930, 3777; MüKoAktG/M. Arnold Rn. 125), deren künftige Fortdauer durch schuldrechtl. Verpflichtungen der Hinterlegungsstelle oder des Aktionärs zusätzlich abzusichern ist (GK-AktG/Verse/Gaschler Rn. 187).

25 **4. Abkauf von Sonderprüfungsverlangen.** Sonderprüfung hat Lästigkeitswert, weshalb damit gerechnet werden muss, dass ihr Unterbleiben der betroffenen Gesellschaft etwas wert ist. Das wiederum kann Aktionäre dazu veranlassen, Verfahren in Gang zu setzen, um es sich abkaufen zu lassen. Solchen und ähnlichen Situationen soll durch **Publizität** der vereinbarten Konditionen begegnet werden. § 142 II 3 ordnet deshalb entspr. Geltung des § 149 an. Vereinbarung zur Vermeidung von Sonderprüfung ist deshalb im vollen Umfang des § 149 II in den Gesellschaftsblättern (§ 25) bekanntzumachen.

IV. Vorrang einer Sonderprüfung nach § 258 (§ 142 III)

26 Gem. § 142 III können Sonderprüfer weder nach § 142 I noch nach § 142 II bestellt werden, soweit es um Vorgänge geht, die Gegenstände einer Sonderprüfung nach § 258 sein können. § 258 betr. Sonderprüfung **wegen unzulässiger Unterbewertung oder wegen mangelnder bzw. unvollständiger Berichterstattung** im Anhang und ist an eine Monatsfrist gebunden (§ 258 II 1; → § 258 Rn. 14 f.). Der Sonderprüfung nach dieser Vorschrift kommt schon mit Rücksicht auf die Monatsfrist Spezialität ggü. derjenigen nach § 142 zu (→ § 258 Rn. 2). Auch eine nur inzidente Prüfung bilanzrechtl. Bewertungsfragen darf iRd § 142 nicht erfolgen (LG Frankfurt NZG 2016, 380, 831). Ob Sonderprüfung tats. stattfindet, bleibt gleich. Es kommt allein darauf an, ob sie stattfinden könnte, weil der jeweilige Vorgang unter § 258 subsumierbar ist (LG Frankfurt NZG 2016, 830, 831; NK-AktR/v. der Linden Rn. 36; KK-AktG/Rieckers/J. Vetter Rn. 66; aA Wilsing/Neumann DB 2006, 31). Monatsfrist des § 258 II 1 würde sonst unterlaufen. Insbes. bleibt Vorrang deshalb auch dann bestehen, wenn Monatsfrist nach § 258 II 1 abgelaufen ist (LG Frankfurt NZG 2016, 830, 831; NK-AktR/v. der Linden Rn. 36). Für Überbewertungen gilt § 258 nicht, so dass § 142 hier anwendbar ist (LG München I AG 2011, 760, 761).

V. Gerichtliche Bestellung anderer Sonderprüfer (§ 142 IV)

27 **1. Allgemeines.** Gericht kann auf **Antrag einer qualifizierten Minderheit** von Aktionären andere Sonderprüfer bestellen als HV in ihrem Beschluss nach § 142 I, wenn das aus in der Person des Sonderprüfers liegenden Gründen geboten erscheint (§ 142 IV). Qualifizierte Minderheit muss gem. § 142 IV 1, der ebenso geändert ist wie § 142 II 1, derjenigen für gerichtl. Erstbestellung entspr. Erforderlich sind also Aktien, die 1 % des Grundkapitals oder den anteiligen Betrag von 100.000 Euro erreichen (→ Rn. 22). Als in der Person des

Sonderprüfers liegende Gründe nennt Ges. beispielhaft mangelnde Sachkenntnis, Besorgnis der Befangenheit und Bedenken gegen die Zuverlässigkeit. Grund für gerichtl. Bestellung ist jedenfalls gegeben, wenn HV Sonderprüfer bestellt, die den Anforderungen des § 143 I nicht gerecht werden (→ § 143 Rn. 2) oder den Bestellungsverboten des § 143 II unterliegen (→ § 143 Rn. 3 f.). Ungeachtet der im Singular gehaltenen Formulierung („einen anderen Sonderprüfer") kann Gericht mehrere bestellen, wenn HV so verfahren ist und die Ersetzung von mehreren Sonderprüfern geboten erscheint (MüKoAktG/M. Arnold Rn. 177; KK-AktG/Rieckers/J. Vetter Rn. 347; S/L/Spindler Rn. 67; großzügiger GK-AktG/Verse/Gaschler Rn. 303).

2. Antragsfrist. Antrag auf Bestellung anderer Sonderprüfer muss nach 28 § 142 IV 2 innerhalb einer **Frist von zwei Wochen** gestellt werden. Nach bislang hM ist diese Vorgabe zu korrigieren, wenn Bestellung erst später wirksam wird, etwa weil sich Bestellter eine Bedenkzeit vorbehält (→ 14. Aufl. 2020, Rn. 28; B/K/L/Holzborn/Jänig Rn. 24; BeckOGK/Mock Rn. 266.1; S/L/Spindler Rn. 66). Nach mittlerweile zu Recht hM ist solche teleologische Korrektur aber nicht angezeigt (MüKoAktG/M. Arnold Rn. 173; KK-AktG/Rieckers/J. Vetter Rn. 343; GK-AktG/Verse/Gaschler Rn. 296; MHdB CL/Lieder § 26 Rn. 149). Den Aktionären wird Zugang der Annahmeerklärung meist nicht bekannt sein, was zu Rechtsunsicherheit über Fristablauf führen kann. Dagegen ist ihnen mit Beschlussfassung Person des ausgewählten Prüfers bekannt, so dass sie innerhalb Zweiwochenfrist Ersetzungsverfahren vorbereiten und einleiten können (GK-AktG/Verse/Gaschler Rn. 296). Wird Bestellung abgelehnt, tritt Erledigung ein. Fristberechnung erfolgt gem. §§ 187, 188 BGB. Frist ist **zwingende materiell-rechtl. Ausschlussfrist.** Wiedereinsetzung in den vorigen Stand gibt es also nicht (MüKoAktG/M. Arnold Rn. 173). Der verspätete Antrag ist nicht unzulässig, sondern wegen Verlusts des Antragsrechts unbegründet (→ § 258 Rn. 14; MüKoAktG/M. Arnold Rn. 173; BeckOGK/Mock Rn. 268; KK-AktG/Rieckers/J. Vetter Rn. 343). Anders als in § 142 II 2 (→ Rn. 23) sind Hinterlegung und Glaubhaftmachung nicht vorgeschrieben. Sie dürfen deshalb auch nicht verlangt werden. Noch kaum diskutiert ist, ob gesonderte Frist dann zu laufen beginnt, wenn sich Inhabilität des Prüfers erst **nachträglich herausstellt** (dafür GK-AktG/Verse/Gaschler Rn. 297; Reichert/M. Goette NZG 2020, 887, 889 f.). Als „teleologische Interpretation" (dafür Reichert/M. Goette NZG 2020, 887, 889) stößt diese Deutung wohl an Wortlautgrenze, kann aber rechtsfortbildend in Analogie zu § 318 III 3 HGB begründet werden, da Interessenlage identisch ist (ausf. GK-AktG/Verse/Gaschler Rn. 297). Neufassung des § 318 III 3 HGB durch FISG 2021 ändert nichts an Möglichkeit der Analogiebildung.

VI. Anhörung und Rechtsmittel (§ 142 V)

1. Anhörung. § 142 V 1 setzt voraus, dass Gericht im **Verfahren nach** 29 **FamFG** tätig wird (→ Rn. 31), und erweitert lediglich den Kreis der anzuhörenden Personen (ähnlich § 258 III 1). **Beteiligte,** die wie stets so auch hier angehört werden müssen, sind die Antragsteller und die AG als Antragsgegnerin, diese vertreten durch ihren Vorstand. Überdies anzuhören ist **AR** und im Fall des § 142 IV der von HV bestellte **Sonderprüfer,** weil es um seine Ersetzung geht. Wenn mehrere Sonderprüfer ersetzt werden sollen, müssen sie alle angehört werden. Anhörung kann schriftlich oder mündlich erfolgen. Vorstand und AR sind als Gesellschaftsorgane angesprochen. Sie müssen also gem. § 77 verfahren bzw. gem. § 108 I beschließen. Sieht Gesamtorgan von Stellungnahme ab, verletzt einzelnes Mitglied, das sich dennoch äußert, in schwerwiegender Weise seine

Pflichten und kann nach § 103 II 1 auf Antrag des AR vom Gericht abberufen werden (OLG Köln AG 2020, 188, 189).

30 **2. Beschwerde.** Rechtsmittel gegen gerichtl. Entscheidung nach § 142 II oder IV ist Beschwerde nach §§ 58 ff. FamFG (§ 142 V 2) mit Monatsfrist des § 63 I FamFG. **Beschwerdeberechtigt** sind Antragsteller bei erfolglosem Antrag (§ 59 II FamFG), ist sonst AG als Antragsgegnerin (§ 59 I FamFG). Im Fall des § 142 IV sind bei Bestellung anderer Sonderprüfer auch die bisherigen beschwerdeberechtigt, weil sie materiell betroffen sind (§ 59 I FamFG). § 59 II FamFG (Antragsverfahren) steht nicht entgegen, weil dort Zurückweisung des Antrags vorausgesetzt ist, während ihm hier stattgegeben wurde. Gegen Entscheidung des Beschwerdegerichts (§ 119 I Nr. 2 GVG: OLG; sa OLG München AG 2008, 33, 34 zur früheren Rechtslage) ist zulassungsabhängige Rechtsbeschwerde (§§ 70 ff. FamFG) zum BGH gegeben. Wegen der Kosten → § 146 Rn. 2.

31 **3. Gerichtliches Verfahren und Entscheidung. a) Verfahren.** Zuständigkeit bestimmt sich seit Neufassung der Norm durch UMAG 2005 nach § 142 V 3 (sa § 148 II 1 und 2, § 145 V, § 315 S. 3). Sachlich und örtl. zuständig ist danach LG des Gesellschaftssitzes (§ 14). **Funktionelle Zuständigkeit** liegt nach § 71 II Nr. 4 lit. b GVG, § 95 II Nr. 2 GVG bei KfH. Wie bei Parallelgestaltungen in § 98 (→ § 98 Rn. 2), § 132 (→ § 132 Rn. 3), § 145 (→ § 145 Rn. 6), § 258 (→ § 258 Rn. 18), § 260 (→ § 260 Rn. 4), § 315 (→ § 315 Rn. 4) ist auch hier str. (mit jew. unterschiedlichem Meinungsstand), ob diese Zuständigkeit ausschließlich ist (legislativ geklärt ausschließlich für SpruchG → SpruchG § 2 Rn. 5). Speziell zu § 142 wird Frage von hM zu Recht verneint (Grigoleit/Grigoleit/Rachlitz Rn. 69; BeckOGK/Mock Rn. 294; GK-AktG/Verse/Gaschler Rn. 316; MHdB CL/Lieder § 26 Rn. 166; Simons NZG 2012, 609, 610; MüKoAktG/M. Arnold Rn. 108; KK-AktG/Rieckers/J. Vetter Rn. 357; ausf. Begründung → § 98 Rn. 2). Mehr noch als bei § 98 (→ § 98 Rn. 2) und § 132 (→ § 132 Rn. 3) sprechen die besseren Gründe gegen eine ausschließliche Zuständigkeit. Während in diesen Normen zumindest vor FGG-ReformG ausschließliche Zuständigkeit anerkannt war, gilt das für § 142 nicht, da hier AG zuständig war. Deshalb spricht hier nichts gegen Anwendung der klaren ges. Konsequenzen, die sich aus Einordnung in allg. **Regelungskontext der §§ 94 ff. GVG** ergeben (so zutr. zu § 2 SpruchG aF LG München BeckRS 2010, 01768 [Ls.: NZG 2010, 392/520]). Danach entscheidet KfH nur, wenn sie von Antragsteller (§ 96 I GVG) oder Antragsgegner (§ 98 I GVG) angerufen wird. § 71 IV 1 GVG ermöglicht Zuständigkeitskonzentration, von der Baden-Württemberg, Bayern, Hessen, Niedersachsen, NRW und Sachsen Gebrauch gemacht haben (Überblick über Landesgesetzgebung bei KK-AktG/Rieckers/J. Vetter Rn. 359; GK-AktG/Verse/Gaschler Rn. 317). Str. ist **Fortwirken der Konzentrationsermächtigungen,** die noch auf Grundlage des § 142 V 5 aF erlassen und seitdem nicht angepasst worden sind. Weil § 71 IV GVG in der Nachfolge dieser Vorschrift steht, ist von Fortgeltung darauf gestützten VO-Rechts auszugehen (so auch GK-AktG/Verse/Gaschler Rn. 318; Preuß/Leuering NJW-Spezial 2009, 671; aA Simons NZG 2012, 609, 612; offengelassen von KK-AktG/Rieckers/J. Vetter Rn. 360). Beschwerde kann jedoch nicht auf Entscheidung des falschen Spruchkörpers gestützt werden, sofern Verstoß nicht willkürlich erfolgte (zur näheren Begründung → § 98 Rn. 2). Gericht wird gem. § 142 VIII im Verfahren nach FamFG tätig (→ Rn. 36). Antrag ist bei förmlichen Mängeln als unzulässig zurückzuweisen, bes. bei Unzuständigkeit oder fehlender Antragsberechtigung (→ Rn. 22 f.), dagegen nicht bei Rechtsmissbrauch (→ Rn. 21). Er macht Antrag ebenso unbegründet wie Fehlen materieller Erfordernisse (→ Rn. 18 ff.). Zu Anhörung und Rechtsmitteln → Rn. 29 f.

b) Entscheidung. Aus § 145 V 2 folgt, dass Gericht durch Beschluss entscheidet, der mit Gründen zu versehen ist. Es bestellt Sonderprüfer (§ 142 II 1), wenn Antrag zulässig und begründet ist. Nicht genügend ist es, Sonderprüfung anzuordnen. **Sonderprüfer** sind vielmehr **namentlich zu bezeichnen** (OLG Frankfurt AG 2004, 104, 105). Umstr. ist, ob Sonderprüfer mit dem identisch sein muss, den HV zuvor abgelehnt hat. HLit verneint diese Frage, gestattet den Beteiligten deshalb Vorschläge zu machen, an die Gericht aber nicht gebunden ist (BeckOGK/Mock Rn. 225; KK-AktG/Rieckers/J. Vetter Rn. 305; GK-AktG/Verse/Gaschler Rn. 205, 257; ausf. Verse FS Ebke, 2021, 1007 ff.). LG Frankfurt NZG 2016, 830, 831 hält dagegen mit Blick auf Subsidiarität der gerichtl. Bestellung (→ Rn. 18) Identität des abgelehnten und neu zu bestellenden Sonderprüfers für erforderlich (zust. MüKoAktG/M. Arnold Rn. 134; Spindler NZG 2020, 841, 843 unter Aufgabe von S/L/Spindler, 3. Aufl. 2015, Rn. 61). Das ist in der Tat insofern plausibel, als Ablehnung der HV gerade auch auf konkret zu benennender (→ Rn. 10) Person des Prüfers beruhen kann (LG Frankfurt NZG 2016, 830, 831). Dennoch ist hLit zu folgen, da dem Minderheitenschutz wenig gedient wäre, würde aus gerichtl. Sicht fehlende Eignung erneute Befassung der HV erforderlich machen. Auch weit gefasster Wortlaut des § 142 II („hat das Gericht […] Sonderprüfer zu bestellen") deutet in diese Richtung (skeptisch auch Priester FS Marsch-Barner, 2018, 449, 454; Rieckers DB 2016, 2526, 2533; Slavik WM 2017, 1684, 1688 f.; Verse FS Ebke, 2021, 1007, 1010 f.). Folgt man dem, so gilt auch für gerichtl. Auswahl § 143. Zur Entscheidung gehört auch, dass Gericht den **Prüfungsauftrag** formuliert, also die Vorgänge benennt, die geprüft werden sollen (MHdB CL/Lieder § 26 Rn. 137). Gerichtl. Bestellung bedarf – wie Bestellung durch HV (→ Rn. 10) – Annahme des Prüfers (OLG Celle NZG 2020, 865 Rn. 35). Annahme ist auch hier (→ Rn. 10) – von schuldrechtl. Verhältnis konstruktiv zu trennen, geht faktisch aber damit einher (GK-AktG/Verse/Gaschler Rn. 261 f.). **Schuldverhältnis** besteht zwischen AG und Prüfer, ist aber kein Vertrag, da es an WE der AG fehlt. Vielmehr entsteht nach hM durch gerichtl. Bestellung und ihre Annahme vertragsähnliches Verhältnis zwischen Sonderprüfer und Gesellschaft, das eine auf Werkleistung gerichtete Geschäftsbesorgung zum Inhalt hat (OLG München BeckRS 2008, 46639 Rn. 8; MüKoAktG/M. Arnold Rn. 166; für Vertrag S/L/Spindler Rn. 61; zu Auslagenersatz und Vergütung s. § 142 VI und → Rn. 33). **Nichtannahme** der Bestellung (→ Rn. 10) ist auch hier möglich, erweist sich aber als weniger problematisch, da Gericht den Weg des § 48 I FamFG beschreiten kann (OLG Celle NZG 2020, 865 Rn. 31 ff.; GK-AktG/Verse/Gaschler Rn. 313; für Weg über § 318 IV HGB analog noch MüKoAktG/M. Arnold, 4. Aufl., Rn. 124; generell abl. Spindler NZG 2020, 841, 845 ff. in konsequenter gedanklicher Fortsetzung der Auffassung in LG Frankfurt NZG 2016, 830, 831, die nach hier vertretener Ansicht aber abzulehnen ist [s. oben]). 32

VII. Auslagenersatz und Vergütung (§ 142 VI)

§ 142 VI betr. **vom Gericht bestellte Sonderprüfer** (§ 142 II und IV), und nur diese. Ansprüche der von HV bestellten Sonderprüfer richten sich nach ihrem Vertragsverhältnis zur AG (→ Rn. 11 f.). § 142 VI 1 gibt Anspruch auf Auslagenersatz und Vergütung. Beschränkung auf bare Auslagen ist als obsolet zu betrachten; es sind alle Auslagen zu ersetzen (S/L/Spindler Rn. 71). Nach verbreiteter Auffassung soll AG eigenständige Vergütungsvereinbarung mit den Sonderprüfern treffen können (MüKoAktG/M. Arnold Rn. 167; KK-AktG/Rieckers/J. Vetter Rn. 382), doch sprechen Unabhängigkeit der Prüfer, Gleichlauf mit § 35 III 2 (→ § 35 Rn. 6) und nicht zuletzt auch Wortlaut des § 142 VI 2 für ausschließliche Festlegung durch das Gericht (zutr. GK-AktG/Verse/Gaschler 33

Rn. 349; Fleischer in Küting/Pfitzer/Weber Rechnungslegung-HdB § 142 Rn. 146; BeckOGK/Mock Rn. 300; S/L/Spindler Rn. 71). Es setzt gem. § 632 II BGB, § 675 BGB **übliche Vergütung** fest, wobei Umfang und Schwierigkeit der Prüfung zu berücksichtigen sind (nach OLG München BeckRS 2008, 46639 Rn. 9: Stunde à 300 Euro). **Schuldnerin ist AG** aufgrund des vertragsähnlichen Verhältnisses, das zwischen ihr und den Sonderprüfern durch gerichtl. Bestellung und deren Annahme zustande kommt (→ Rn. 25), nicht etwa die Staatskasse. Vorschüsse auf Vergütung sind im Hinblick auf den werkvertragsähnlichen Charakter unzulässig, möglich dagegen Vorschüsse für ersatzfähige Auslagen und Abschlagszahlungen für bereits erbrachte Teilleistungen (§ 632a BGB – OLG München BeckRS 2008, 46639 Rn. 12; B/K/L/Holzborn/Jänig Rn. 25; KK-AktG/Rieckers/J. Vetter Rn. 377; GK-AktG/Verse/Gaschler Rn. 351). **Rechtsmittel** gegen Festsetzung ist auch hier Beschwerde nach §§ 58 ff. FamFG (§ 142 VI 3 Hs. 1) mit Monatsfrist des § 63 I FamFG (→ Rn. 30). Wie auch sonst bei Streitigkeiten um Vergütung und Auslagenersatz (s. zB → § 35 Rn. 8), ist Rechtsbeschwerde iSd §§ 70 ff. FamFG nach § 142 VI 3 Hs. 2 ausgeschlossen, weil es insoweit keiner höchstrichterlichen Klärung bedarf (RegBegr. BT-Drs. 16/6308, 354). Der rechtskräftige Beschluss ist Vollstreckungstitel gem. § 794 I Nr. 3 ZPO (§ 142 VI 4).

VIII. Widerruf der Bestellung; sonstiger Wegfall

34 Widerruf der Bestellung ist in § 142 nicht geregelt, soweit er nicht in der gerichtl. Bestellung anderer Sonderprüfer (§ 142 IV) eingeschlossen ist. **HV** kann von ihr bestellte Sonderprüfer (§ 142 I) durch Beschluss abberufen; Stimmverbote des § 142 I 2 und 3 gelten dabei entspr. (S/L/Spindler Rn. 75). **Gericht** kann von ihm bestellten Prüfer auf Antrag der qualifizierten Minderheit (→ Rn. 22) abberufen (MüKoAktG/M. Arnold Rn. 188; GK-AktG/Verse/Gaschler Rn. 266; aA BeckOGK/Mock Rn. 235; für Unzulässigkeit der Abberufung nach Squeeze-Out auch Mock WM 2019, 1905 ff.; sa → § 147 Rn. 22). Str. ist, ob es dafür eines wichtigen Grundes bedarf. Wohl hM verneint Frage unter Hinweis auf Dispositionsbefugnis antragsinitiierender Minderheit (KK-AktG/Rieckers/J. Vetter Rn. 323; S/L/Spindler Rn. 75; aA GK-AktG/Verse/Gaschler Rn. 266: Voraussetzungen des § 48 I FamFG). Unter Voraussetzungen des über § 142 VIII (→ Rn. 36) anwendbaren § 48 I FamFG kann auch AG Abberufung beantragen, muss dafür aber nachträgliche wesentliche Änderung der Umstände nachweisen (GK-AktG/Verse/Gaschler Rn. 265; Unmuth AG 2021, 905 Rn. 20). Ansprüche auf Auslagenersatz und Vergütung werden durch den Widerruf der Bestellung als solchen nicht berührt. Maßgeblich ist dafür das Vertragsverhältnis. Bei **sonstigem Wegfall,** etwa durch Amtsniederlegung, gelten dieselben Grundsätze wie bei Nichtannahme, die allerdings für Bestellung durch HV (→ Rn. 10) und Gericht (→ Rn. 32) variieren (zur Gleichbehandlung von Nichtannahme und Wegfall GK-AktG/Verse/Gaschler Rn. 308 ff.; vgl. speziell zur Folge der Amtsniederlegung OLG Celle AG 2020, 554, 554; abw. Konstruktion bei Lieder WuB 2023, 58, 59; Mock AG 2020, 536 ff.). Fraglich ist, ob auch bloßer **Vergleich** der AG mit pflichtwidrig handelndem Organmitglied (als solcher auch während Sonderprüfung grds. zulässig – vgl. Unmuth AG 2021, 905 Rn. 11 ff.) zur Beendigung der Sonderprüfung führt. Nach zum Missbrauch entwickelten Grundsätzen (→ Rn. 8, 21) ist das zumindest dann anzunehmen, wenn auch sonstige personelle Konsequenzen nicht mehr in Betracht kommen (noch weitergehend Unmuth AG 2021, 905 Rn. 12 ff.).

IX. Mitteilungen an die BaFin (§ 142 VII)

Nach § 142 VII sind verschiedene **Mitteilungspflichten ggü. der BaFin** zu erfüllen, wenn für AG als Emittentin von zugelassenen Wertpapieren iSd § 2 I WpHG mit Ausn. von Anteilen und Aktien an offenen Investmentvermögen iSd § 1 IV KAGB BRD Herkunftsstaat ist (§ 2 XIII WpHG). Neufassung der Norm durch **ARUG II 2019** soll Gleichlauf aktienrechtl. Mitteilungspflicht mit Aussetzungspflicht der BaFin nach § 107 III WpHG im Bilanzkontrollverfahren ermöglichen (RegBegr. BT-Drs. 19/9739, 108; hier ebenfalls genannte DPR ist mit FISG 2021 abgeschafft worden [→ § 93 Rn. 68]). Aussetzungspflicht erklärt sich aus **Vorrang des aktienrechtl. Verfahrens** ggü. subsidiärer Enforcement-Prüfung, der seinerseits Ergebniskonflikt zweier parallel verlaufender Verfahren vermeiden soll. Aus dem deshalb angestrebten Gleichlauf erklärt sich auch Ausschluss von Anteilen und Aktien an offenen Investmentvermögen, da emittierende Unternehmen nicht Bilanzkontrollverfahren unterworfen sind (RegBegr. BT-Drs. 19/9739, 108). Parallelvorschriften sind § 256 VII 2 und § 261a (vgl. deshalb auch → § 256 Rn. 31a; → § 261a Rn. 1). Mitzuteilen sind (1.) bei Prüferbestellung durch HV die Bestellung und zu gegebener Zeit der Prüfungsbericht (beides durch Vorstand), (2.) bei Prüferbestellung durch Gericht der Eingang des darauf gerichteten Antrags (§ 142 VII Hs. 2), die Bestellung und der Prüfungsbericht. Die BaFin kann aber keine eigene Prüfung vornehmen, wenn und soweit Sonderprüfung durchgeführt wird. Diese hat nach § 107 III WpHG Vorrang vor sog Enforcement-Prüfung (RegBegr. BT-Drs. 15/3421, 21; S/L/Spindler Rn. 73). 35

X. Geltung des FamFG (§ 142 VIII)

§ 142 VIII stellt klar, dass gerichtl. **Verfahren nach § 142 II–VI** dem FamFG unterliegen, soweit keine aktienrechtl. Sondervorschrift besteht. Verweisung auf FamFG ist darauf zurückzuführen, dass § 142 nicht bei den unternehmensrechtl. Verfahren des § 375 Nr. 3 FamFG aufgeführt ist (s. AusschussB BT-Drs. 15/5693, 17). 36

Auswahl der Sonderprüfer

143 (1) **Als Sonderprüfer sollen, wenn der Gegenstand der Sonderprüfung keine anderen Kenntnisse fordert, nur bestellt werden**

1. **Personen, die in der Buchführung ausreichend vorgebildet und erfahren sind;**
2. **Prüfungsgesellschaften, von deren gesetzlichen Vertretern mindestens einer in der Buchführung ausreichend vorgebildet und erfahren ist.**

(2) [1]**Sonderprüfer darf nicht sein, wer nach § 319 Absatz 2, 3, § 319b des Handelsgesetzbuchs nicht Abschlussprüfer sein darf oder während der Zeit, in der sich der zu prüfende Vorgang ereignet hat, hätte sein dürfen.** [2]**Eine Prüfungsgesellschaft darf nicht Sonderprüfer sein, wenn sie nach § 319 Absatz 2, 4, § 319b des Handelsgesetzbuchs nicht Abschlußprüfer sein darf oder während der Zeit, in der sich der zu prüfende Vorgang ereignet hat, hätte sein dürfen.** [3]**Bei einer Gesellschaft, die Unternehmen von öffentlichem Interesse nach § 316a Satz 2 des Handelsgesetzbuchs ist, darf Sonderprüfer auch nicht sein, wer Nichtprüfungsleistungen nach Artikel 5 Absatz 1 der Verordnung (EU) Nr. 537/2014 des Europäischen Parlaments und des Rates vom 16. April 2014 über spezifische Anforderungen an die Abschlussprüfung bei Unterneh-**

men von öffentlichem Interesse und zur Aufhebung des Beschlusses 2005/909/EG der Kommission (ABl. L 158 vom 27.5.2014, S. 77; L 170 vom 11.6.2014, S. 66) erbringt oder während der Zeit, in der sich der zu prüfende Vorgang ereignet hat, erbracht hat.

I. Regelungsgegenstand und -zweck

1 Norm betr. Auswahl der Sonderprüfer, und zwar ohne Rücksicht darauf, ob sie von der HV (§ 142 I) oder durch das Gericht bestellt werden (§ 142 II, IV). Bezweckt ist, durch Auswahl geeigneter Prüfer **sachkundige und unparteiische Prüfung** zu gewährleisten. Deshalb fordert § 143 I wenigstens ausreichende Vorbildung und Erfahrung in der Buchführung und deshalb schließt § 143 II Personen und Prüfungsgesellschaften aus, von denen die nötige Unbefangenheit ggü. der AG typischerweise nicht erwartet werden kann. Regelung ist zwingend (§ 23 V).

II. Auswahl geeigneter Sonderprüfer

2 Nach § 143 I können natürliche Personen (Nr. 1) oder Prüfungsgesellschaften (Nr. 2) Sonderprüfer sein. Norm ist § 33 IV nachgebildet (→ § 33 Rn. 6). Wie dort gelten auch hier Voraussetzungen des § 319 I HGB nicht; Wirtschaftsprüfer oder Wirtschaftsprüfungsgesellschaften sind jedoch idR ausreichend qualifiziert (s. §§ 2, 129 WPO). Genügend sind ausreichende **Vorbildung und Erfahrung in der Buchführung,** die bei Prüfungsgesellschaften wenigstens bei einem ges. Vertreter (Vorstandsmitglied, Geschäftsführer usw) vorausgesetzt werden. Wenn Prüfungsgegenstand andere Kenntnisse erfordert (technisches oder betriebswirtschaftliches Spezialwissen, Kenntnis einer bes. Branche oder eines bes. Marktes), kann bei der Prüferbestellung zugunsten solcher Kenntnisse auf Vorbildung und Erfahrung in der Buchführung verzichtet werden. In solchen Fällen wird sich jedoch empfehlen, zwei Prüfer zu bestellen und damit Buchführung sowie Spezialwissen abzudecken. Auch Bestellung von Rechtanwälten ist nicht grds. ausgeschlossen, bedarf aber bes. Begründung im Lichte des speziellen Untersuchungsgegenstands (Slavik WM 2017, 1684, 1687). § 143 I gilt gleichermaßen bei Prüferbestellung durch HV-Beschluss (§ 142 I) oder durch gerichtl. Entscheidung (§ 142 II, IV); Ges. will auch der HV „eine Richtschnur" geben (vgl. RegBegr. Kropff S. 209). Hinzuziehung von Fachkräften bedarf – soweit nicht ausdr. abw. vereinbart – keiner bes. Gestattung (MüKoAktG/M. Arnold Rn. 11; vgl. auch § 144 iVm § 323 I HGB).

III. Bestellungsverbote

3 **1. Natürliche Personen (§ 143 II 1).** § 143 II 1 verweist auf die für Abschlussprüfer geltende Regelung der **§ 319 II und III HGB, § 319b HGB,** die Bestellungsverbote für typische Befangenheitsgründe enthalten (Überblick bei KK-AktG/Rieckers/J. Vetter Rn. 41 ff.; GK-AktG/Verse Rn. 22 ff.). Mit der bislang ebenfalls in Verweisung einbezogenen Vorschrift des § 319a HGB aF wurden von Abschlussprüfer-VO eingeräumte Mitgliedstaatenwahlrechte ausgeübt. Im Nachgang des Wirecard-Skandals 2020 wurde die Regelung durch FISG 2021 aufgehoben, was redaktionelle Anpassung in § 143 II 1 und 2 erforderlich machte. Auch verbleibender Katalog ist aber nicht abschließend (OLG München AG 2001, 193, 195). Maßgeblich ist der Zeitpunkt, in dem Bestellung erfolgt oder wirksam wird, sowie die Zeit, in der sich die zur Prüfung anstehenden Vorgänge ereignet haben. Die sehr detaillierten Vorschriften lauten auszugsweise:

HGB § 319 Auswahl der Abschlussprüfer und Ausschlussgründe

(1) (nicht abgedruckt)

(2) Ein Wirtschaftsprüfer oder vereidigter Buchprüfer ist als Abschlussprüfer ausgeschlossen, wenn während des Geschäftsjahres, für dessen Schluss der zu prüfende Jahresabschluss aufgestellt wird, oder während der Abschlussprüfung Gründe, insbesondere Beziehungen geschäftlicher, finanzieller oder persönlicher Art, vorliegen, nach denen die Besorgnis der Befangenheit besteht.

(3) [1] Ein Wirtschaftsprüfer oder vereidigter Buchprüfer ist insbesondere von der Abschlussprüfung ausgeschlossen, wenn er oder eine Person, mit der er seinen Beruf gemeinsam ausübt,

1. Anteile oder andere nicht nur unwesentliche finanzielle Interessen an der zu prüfenden Kapitalgesellschaft oder eine Beteiligung an einem Unternehmen besitzt, das mit der zu prüfenden Kapitalgesellschaft verbunden ist oder von dieser mehr als zwanzig vom Hundert der Anteile besitzt;
2. gesetzlicher Vertreter, Mitglied des Aufsichtsrats oder Arbeitnehmer der zu prüfenden Kapitalgesellschaft oder eines Unternehmens ist, das mit der zu prüfenden Kapitalgesellschaft verbunden ist oder von dieser mehr als zwanzig vom Hundert der Anteile besitzt;
3. über die Prüfungstätigkeit hinaus bei der zu prüfenden oder für die zu prüfende Kapitalgesellschaft in dem zu prüfenden Geschäftsjahr oder bis zur Erteilung des Bestätigungsvermerks
   a) bei der Führung der Bücher oder der Aufstellung des zu prüfenden Jahresabschlusses mitgewirkt hat,
   b) bei der Durchführung der internen Revision in verantwortlicher Position mitgewirkt hat,
   c) Unternehmensleitungs- oder Finanzdienstleistungen erbracht hat oder
   d) eigenständige versicherungsmathematische oder Bewertungsleistungen erbracht hat, die sich auf den zu prüfenden Jahresabschluss nicht nur unwesentlich auswirken,

   sofern diese Tätigkeiten nicht von untergeordneter Bedeutung sind; dies gilt auch, wenn eine dieser Tätigkeiten von einem Unternehmen für die zu prüfende Kapitalgesellschaft ausgeübt wird, bei dem der Wirtschaftsprüfer oder vereidigte Buchprüfer gesetzlicher Vertreter, Arbeitnehmer, Mitglied des Aufsichtsrats oder Gesellschafter, der mehr als zwanzig vom Hundert der den Gesellschaftern zustehenden Stimmrechte besitzt, ist;
4. bei der Prüfung eine Person beschäftigt, die nach den Nummern 1 bis 3 nicht Abschlussprüfer sein darf;
5. in den letzten fünf Jahren jeweils mehr als dreißig vom Hundert der Gesamteinnahmen aus seiner beruflichen Tätigkeit von der zu prüfenden Kapitalgesellschaft und von Unternehmen, an denen die zu prüfende Kapitalgesellschaft mehr als zwanzig vom Hundert der Anteile besitzt, bezogen hat und dies auch im laufenden Geschäftsjahr zu erwarten ist; zur Vermeidung von Härtefällen kann die Wirtschaftsprüferkammer befristete Ausnahmegenehmigungen erteilen.

[2] Dies gilt auch, wenn der Ehegatte oder der Lebenspartner einen Ausschlussgrund nach Satz 1 Nr. 1, 2 oder 3 erfüllt.

(4), (5) (nicht abgedruckt)

HGB § 319b Netzwerk

(1) [1] Ein Abschlussprüfer ist von der Abschlussprüfung ausgeschlossen, wenn ein Mitglied seines Netzwerks einen Ausschlussgrund nach § 319 Abs. 2, 3 Satz 1 Nr. 1, 2 oder Nr. 4, Abs. 3 Satz 2 oder Abs. 4 erfüllt, es sei denn, dass das Netzwerkmitglied auf das Ergebnis der Abschlussprüfung keinen Einfluss nehmen kann. [2] Er ist ausgeschlossen, wenn ein Mitglied seines Netzwerks einen Ausschlussgrund nach § 319 Abs. 3 Satz 1 Nr. 3 erfüllt. [3] Ein Netzwerk liegt vor, wenn Personen bei ihrer Berufsausübung zur Verfolgung gemeinsamer wirtschaftlicher Interessen für eine gewisse Dauer zusammenwirken.

(2) Absatz 1 ist auf den Abschlussprüfer des Konzernabschlusses entsprechend anzuwenden.

4 **2. Prüfungsgesellschaften (§ 143 II 2).** § 143 II 2 wandelt Regelung des § 143 II 1 ab, indem auf § 319 II und IV HGB, § 319b HGB verwiesen wird. Wortlaut von § 319 IV HGB (zu § 319 II HGB, § 319b HGB → Rn. 3):

HGB § 319 Auswahl der Abschlussprüfer und Ausschlussgründe

(1)–(3) (nicht abgedruckt)

(4) [1] Wirtschaftsprüfungsgesellschaften und Buchprüfungsgesellschaften sind von der Abschlussprüfung ausgeschlossen, wenn sie selbst, einer ihrer gesetzlichen Vertreter, ein Gesellschafter, der mehr als zwanzig vom Hundert der den Gesellschaftern zustehenden Stimmrechte besitzt, ein verbundenes Unternehmen, ein bei der Prüfung in verantwortlicher Position beschäftigter Gesellschafter oder eine andere von ihr beschäftigte Person, die das Ergebnis der Prüfung beeinflussen kann, nach Absatz 2 oder Absatz 3 ausgeschlossen sind. [2] Satz 1 gilt auch, wenn ein Mitglied des Aufsichtsrats nach Absatz 3 Satz 1 Nr. 2 ausgeschlossen ist oder wenn mehrere Gesellschafter, die zusammen mehr als zwanzig vom Hundert der den Gesellschaftern zustehenden Stimmrechte besitzen, jeweils einzeln oder zusammen nach Absatz 2 oder Absatz 3 ausgeschlossen sind.

(5) (nicht abgedruckt)

4a **3. Unternehmen von öffenlichem Interesse (§ 143 II 3).** Anstelle des bislang in § 143 II 1 und 2 enthaltenen Verweises auf § 319a HGB aF ist nunmehr § 143 II 3 getreten, der für Unternehmen von öffentl. Interesse iSd § 316a S. 2 HGB (→ § 100 Rn. 23) vorschreibt, dass Sonderprüfer auch nicht sein darf, wer Nichtprüfungsleistungen nach Art. 5 I Abschlussprüfer-VO erbringt oder während der Zeit, in der sich der zu prüfende Vorgang ereignet hat, erbracht hat.

IV. Rechtsfolgen bei Verstößen

5 **1. Auswahl eines ungeeigneten Sonderprüfers.** Wenn HV unter Verletzung des § 143 I einen Sonderprüfer bestellt, der den ges. Anforderungen nicht entspr., ist ihr **Beschluss** nicht nichtig, aber **gem. § 243 I anfechtbar** (mittlerweile allgM – s. statt aller KK-AktG/Rieckers/J. Vetter Rn. 26). Charakter des § 143 I als Sollvorschrift steht dem nicht entgegen, weil Gesetzeszweck und Entstehungsgeschichte Deutung als sanktionslose lex imperfecta nicht zulassen (zur Behandlung von Sollvorschriften → § 243 Rn. 6; zur Entstehungsgeschichte Jänig, Sonderprüfung, 2005, 345). Auch aus § 142 IV folgt nichts anderes, weil Individualrecht auf Anfechtung durch Minderheitenschutz nicht gleichwertig ersetzt werden kann. Antrag nach § 142 IV kann aber zusätzlich gestellt werden. § 243 III 1 Nr. 5 (→ § 243 Rn. 44a) betr. Abschlussprüfung und kann auf Sonderprüfung nicht erstreckt werden. Ist Verstoß gegen § 143 I im Fall des § 142 II oder IV dem Gericht unterlaufen, so liegt darin ein Beschwerdegrund. Ohne (sofortige, → § 142 Rn. 30) Beschwerde wird Beschluss ungeachtet des Rechtsfehlers formell und materiell rechtskräftig.

6 **2. Verletzung eines Bestellungsverbots.** Wenn **HV-Beschluss** gegen § 143 II verstößt, ist er nach wohl hM **nichtig** (Grigoleit/Grigoleit/Rachlitz Rn. 9; KK-AktG/Rieckers/J. Vetter Rn. 152; S/L/Spindler § 142 Rn. 49; Butzke HV M 25), während ebenfalls stark vertretene Gegenauffassung von bloßer Anfechtbarkeit ausgeht (MüKoAktG/M. Arnold Rn. 29 f.; BeckOGK/Mock Rn. 38; GK-AktG/Verse Rn. 50; MHdB CL/Lieder § 26 Rn. 111). Der hM ist beizutreten. Das erklärt sich nicht allein aus dem zwingenden Charakter des § 143 II, sondern entscheidend ist, dass am unparteiischen Charakter der

Sonderprüfung ein **öffentl. Interesse** besteht, so dass entgegenstehende Beschlüsse unter § 241 Nr. 3 fallen. Bestellungsverbot ist aber nur gegeben, wenn Sachverhalt unter § 319 HGB zu subsumieren ist, also nicht bei vorgängiger sonstiger Befassung (OLG München AG 2001, 193, 197). Der nichtige HV-Beschluss kann einer Ablehnung gleichgestellt werden, so dass Voraussetzungen für einen Antrag auf gerichtl. Bestellung nach § 142 II erfüllt sind (→ § 142 Rn. 18). Entgegen GK-AktG/G. Bezzenberger, 4. Aufl. 1999, § 142 Rn. 54 wird § 142 II nicht von § 318 IV HGB mit der Folge verdrängt, dass Bestellung ohne zusätzlichen Grund erforderlich wäre. Diese strenge Folge erklärt sich aus Besonderheit der Abschlussprüfung, die bes. Beschleunigung rechtfertigt; das ist bei Sonderprüfung nicht der Fall (zutr. LG Frankfurt NZG 2016, 830, 831; KK-AktG/Rieckers/J. Vetter § 142 Rn. 352 ff.; S/L/Spindler § 142 Rn. 49). Umstr. ist, ob Unwirksamkeitsfolge auch bei **gerichtl. Bestellungsbeschluss** unter Verletzung des § 143 II eintritt. Bislang hM lehnt das ab, da Gesetzesverletzungen die Gültigkeit gerichtl. Entscheidungen nicht berührten (MüKoAktG/M. Arnold Rn. 35; BeckOGK/Mock Rn. 42; GK-AktG/Verse Rn. 57). Neuere Gegenansicht bestreitet Allgemeingültigkeit dieses Grundsatzes und erstreckt Unwirksamkeitsfolge auch auf diesen Fall (Fleischer in Küting/Pfitzer/Weber Rechnungslegung-HdB § 143 Rn. 18; KK-AktG/Rieckers/J. Vetter Rn. 168; S/L/Spindler Rn. 33; s. aber auch schon Baumbach/Hueck Rn. 4). Dem ist zuzustimmen, da allg. anerkannte Unwirksamkeit des Prüfervertrags gem. § 134 BGB (statt aller BeckOGK/Mock Rn. 44) sich mit Unwirksamkeit der Bestellung nicht verträgt (KK-AktG/Rieckers/J. Vetter Rn. 168).

Verantwortlichkeit der Sonderprüfer

144 **§ 323 des Handelsgesetzbuchs über die Verantwortlichkeit des Abschlußprüfers gilt sinngemäß.**

Verantwortlichkeit der Sonderprüfer wird traditionell durch Verweis auf entspr. Regelung für Abschlussprüfer geregelt, nämlich § 323 HGB (Abdruck der Vorschrift in → § 49 Rn. 2). Danach ergibt sich in Grundzügen: Verantwortlichkeit bedeutet (1.) Pflicht zur **unparteiischen und gewissenhaften Prüfung** sowie zur Berufsverschwiegenheit (§ 323 I 1 HGB); (2.) Beachtung des Verbots, **Geschäfts- und Betriebsgeheimnisse** zu verwerten (auch Geheimnisse Dritter), die sie bei der Prüfung erfahren haben (§ 323 I 2 HGB); unzulässig ist insbes. die Wahrnehmung geschäftlicher Chancen, die sich aus Insiderinformationen ergeben; (3.) **Schadensersatzpflicht** bei schuldhafter Pflichtverletzung (§ 323 I 3 und 4 HGB), für die bei fahrlässiger Begehungsweise – je nach Unternehmenszuschnitt modifizierte – Haftungsbeschränkungen vorgesehen (§ 323 II HGB und dazu → § 49 Rn. 4 f.) und zwingend angeordnet sind (§ 323 IV HGB). Sa die **Strafvorschriften** der §§ 403, 404, die für den Sonderprüfer ebenso wie für den Abschlussprüfer gelten. 1

Rechte der Sonderprüfer. Prüfungsbericht

145 (1) **Der Vorstand hat den Sonderprüfern zu gestatten, die Bücher und Schriften der Gesellschaft sowie die Vermögensgegenstände, namentlich die Gesellschaftskasse und die Bestände an Wertpapieren und Waren, zu prüfen.**

(2) **Die Sonderprüfer können von den Mitgliedern des Vorstands und des Aufsichtsrats alle Aufklärungen und Nachweise verlangen, welche die sorgfältige Prüfung der Vorgänge notwendig macht.**

(3) **Die Sonderprüfer haben die Rechte nach Absatz 2 auch gegenüber einem Konzernunternehmen sowie gegenüber einem abhängigen oder herrschenden Unternehmen.**

(4) **Auf Antrag des Vorstands hat das Gericht zu gestatten, dass bestimmte Tatsachen nicht in den Bericht aufgenommen werden, wenn überwiegende Belange der Gesellschaft dies gebieten und sie zur Darlegung der Unredlichkeiten oder groben Verletzungen gemäß § 142 Abs. 2 nicht unerlässlich sind.**

(5) **[1] Über den Antrag gemäß Absatz 4 entscheidet das Landgericht, in dessen Bezirk die Gesellschaft ihren Sitz hat. [2] § 142 Abs. 5 Satz 2, Abs. 8 gilt entsprechend.**

(6) **[1] Die Sonderprüfer haben über das Ergebnis der Prüfung schriftlich zu berichten. [2] Auch Tatsachen, deren Bekanntwerden geeignet ist, der Gesellschaft oder einem verbundenen Unternehmen einen nicht unerheblichen Nachteil zuzufügen, müssen in den Prüfungsbericht aufgenommen werden, wenn ihre Kenntnis zur Beurteilung des zu prüfenden Vorgangs durch die Hauptversammlung erforderlich ist. [3] Die Sonderprüfer haben den Bericht zu unterzeichnen und unverzüglich dem Vorstand und zum Handelsregister des Sitzes der Gesellschaft einzureichen. [4] Auf Verlangen hat der Vorstand jedem Aktionär eine Abschrift des Prüfungsberichts zu erteilen. [5] Der Vorstand hat den Bericht dem Aufsichtsrat vorzulegen und bei der Einberufung der nächsten Hauptversammlung als Gegenstand der Tagesordnung bekanntzumachen.**

I. Regelungsgegenstand und -zweck

1 Norm betr. sog Auskunftsrecht der Sonderprüfer (§ 145 I–III) und Sonderprüfungsbericht (§ 145 IV–VI). Auskunftsrecht dient der **Effizienz der Sonderprüfung.** Prüfer sollen in der Lage sein, sich die erforderlichen Informationen über die Prüfungsgegenstände zu verschaffen. Gesetzgeber des AktG 1965 hat deshalb abw. von § 121 AktG 1937 vorgesehen, dass auch AR-Mitglieder auskunftspflichtig sind (§ 145 II) und das Auskunftsrecht auch gegen Unternehmen besteht, die mit der AG iSd §§ 17, 18 verbunden sind (RegBegr. und AusschussB Kropff S. 210 f.). Bericht über die Sonderprüfung (§ 145 IV–VI) ist notwendig, damit ihre Ergebnisse **Publizität** erlangen. Insbes. soll HV eine förmliche Basis für ihre Beratungen erhalten und damit in die Lage versetzt werden, über geeignete Konsequenzen zu beschließen. Deshalb gibt es auch **keine Schutzklausel.** Vielmehr ist iRd Erforderlichen auch über nachteilige Tatsachen zu berichten (RegBegr. Kropff S. 211 f.), wenn nicht Gericht etwas anderes gestattet hat (§ 145 IV).

II. Rechte der Sonderprüfer

2 **1. Prüfungsrechte.** § 145 I ist § 111 II nachgebildet und ermöglicht **vergangenheitsbezogene Kontrolle** (→ § 111 Rn. 5) von Vorgängen der Gründung und der Geschäftsführung. Vorstand schuldet Gestattung der Prüfungshandlungen. Das geht über bloße Duldung hinaus (vgl. BayObLGZ 2000, 11, 14). Er muss entspr. Unterlagen auf Verlangen vorlegen, Räume zur Verfügung stellen und für technische Hilfsmittel sorgen (Lesegeräte, EDV-Kapazität usw). Soweit Unterlagen bei Dritten (Rechenzentren) geführt werden, muss Vorstand auch

diese zugänglich machen. Einen **Geheimnisschutz** ggü. Sonderprüfern gibt es nicht, wie namentl. § 145 VI zeigt, der dazu verpflichtet, auch solche Umstände in den Bericht aufzunehmen, die geeignet sind, AG nicht unerheblichen Nachteil zuzufügen. Ausnahme gilt nur, wenn Organmitglieder sich gerade durch Auskunft selbst strafbar machen würden, nicht aber schon, wenn sie sich nur der Gefahr der Strafverfolgung aussetzen (B/K/L/Holzborn/Jänig Rn. 6; KK-AktG/Rieckers/J. Vetter Rn. 65; GK-AktG/Verse Rn. 28; aA BeckOGK/Mock Rn. 20; vgl. auch in → § 131 Rn. 95 dargestellte Maßgaben zu § 131 III 1 Nr. 5). Prüfungsrecht ist auch nicht gegenständlich oder zeitlich durch die zu prüfenden Vorgänge beschränkt. Das folgt aus Textvergleich von § 145 I und II und ist heute allg. anerkannt (statt aller MüKoAktG/M. Arnold Rn. 16). Auch in der Sache ist weite Prüfung geboten, weil Prüfung und Beurteilung **Umfeldwissen** voraussetzen. Prüfungsrecht darf aber nicht missbräuchlich ausgeübt werden. So liegt es, wenn Zusammenhang mit dem Prüfungsthema evident nicht gegeben sein kann. Auch andere Verhaltensweisen können Missbrauch indizieren (Reichert/M. Goette NZG 2020, 887, 880 mw Strategien zu Reaktionsmöglichkeiten der AG). Vorstand schuldet Gestattung solcher Prüfungshandlungen nicht, kann Mitwirkung aber keineswegs mit Begründung etwaiger Befangenheit vollständig verweigern (Reichert/M. Goette NZG 2020, 887, 890 f.), sondern ist insofern auf gerichtl. Verfahren angewiesen, das nach zutr. Ansicht auch noch bei sich nachträglich herausstellender Befangenheit initiiert werden kann (→ § 142 Rn. 28). Vielfach empfehlenswert ist vorab strukturierte Kooperation von Gesellschaft und Sonderprüfer (dazu Bungert/Rothfuchs DB 2011, 1677, 1678 ff.).

2. Auskunftsanspruch. Gem. § 145 II können Sonderprüfer von Mitgliedern des Vorstands und des AR Auskünfte verlangen. Auskunftspflichtig sind nicht die Gesellschaftsorgane als solche, sondern ihre Mitglieder einzeln. Gegen **ehemalige Verwaltungsmitglieder** richtet sich der Anspruch nicht (MüKoAktG/M. Arnold Rn. 27). Ggü. der AG können sie allerdings aus nachwirkender organschaftlicher Treupflicht zur Erteilung von Auskünften verpflichtet sein, und zwar auch dann, wenn keine Pensionen gezahlt werden (heute allgM – MüKoAktG/M. Arnold Rn. 27; KK-AktG/Rieckers/J. Vetter Rn. 58; GK-AktG/Verse Rn. 24; aA noch ADS HGB §§ 142–146 Rn. 34). Angestellte (auch leitende) sind nicht aus § 145 II verpflichtet. Sie können aber durch Weisung des Vorstands iR ihres Dienstverhältnisses zur Erteilung von Auskünften verpflichtet werden. 3

Anders als nach § 145 I ist nach § 145 II erforderlich, dass Aufklärungen und Nachw. **für sorgfältige Prüfung der Vorgänge notwendig** sind. Auskunftsbegehren muss sich also iRd Prüfungsthemas halten. In diesen Grenzen kann gefordert werden, dass Verwaltungsmitglieder von sich aus umfassend und nicht nur auf gezielte Fragen Auskunft geben (S/L/Spindler Rn. 10). 4

3. Verbundene Unternehmen im Sinne der §§ 17, 18. Das Recht auf Auskünfte nach § 145 II (dagegen nicht: das Prüfungsrecht nach § 145 I, s. AusschussB Kropff S. 211) steht den Sonderprüfern gem. § 145 III auch ggü. Konzernunternehmen (§ 18 I 1 Hs. 2 und II Hs. 2) sowie ggü. einem abhängigen oder herrschenden Unternehmen zu (§ 17). Auf die Rechtsform des Unternehmens kommt es nicht an. Weil die nach § 145 II bestehenden Rechte erstreckt werden, ist anzunehmen, dass zB Vorstands- oder AR-Mitglieder als einzelne auskunftspflichtig sind (→ Rn. 3). Notwendigkeit der Auskunft für sorgfältige Prüfung der Vorgänge (→ Rn. 4) muss auch hier gegeben sein. 5

4. Durchsetzung bei Verstoß. Gegen Vorstandsmitglieder (nicht: gegen Mitglieder des AR) kann Erfüllung der Auskunftspflichten aus § 145 I–III gem. § 407 I 1 im **Zwangsgeldverfahren** durchgesetzt werden. Nach hM sind Rechte **nicht einklagbar** und damit auch nicht im Wege einstweiliger Ver- 5a fügung durchzusetzen (OLG München NZG 2020, 186 Rn. 7 ff.; LG München I NZG 2019, 1421 Rn. 5 ff.; KK-AktG/Rieckers/J. Vetter Rn. 76; S/L/Spindler Rn. 19; GK-AktG/Verse Rn. 42; Slavik WM 2017, 1684, 1692 f.). Anspruchsstruktur und systematischer Vergleich mit ähnlichen Informationspflichten (→ § 90 Rn. 15) sprechen indes eher für Klagbarkeit, Rückschluss aus § 407 I spricht nicht zwingend dagegen (Harnos AG 2019, 824 ff.; Mock NZG 2019, 1161 ff.; Schüppen NZG 2021, 1329, 1330; sa Lochner FS Heidel, 2021, 547, 562 ff. zum einstweiligen Rechtsschutz).

III. Prüfungsbericht

6 **1. Gerichtliche Entscheidung zum Berichtsinhalt.** § 145 IV regelt gerichtl. Einschränkung des Berichtsinhalts und setzt damit Prüfungsbericht voraus, der – systematisch unglücklich – aber erst in § 145 VI geregelt ist. In der Sache knüpft § 145 IV an Pflicht zur umfassenden Berichterstattung in § 145 VI an und schränkt ihn dahingehend ein, dass bestimmte Tatsachen dann nicht aufgenommen werden müssen, wenn dies nach Abwägung der relevanten Belange durch **Gesellschaftsinteressen** geboten wird und kein zwingendes Interesse an Aufdeckung im Bericht besteht („Schwärzungsverfahren" – vgl. auch Langenbucher GesRZ-SH 2005, 3, 10; zur alternativen Möglichkeit einer Gegendarstellung bei inhaltlich unrichtigem Bericht s. Reichert/M. Goette NZG 2020, 887, 892). Regelung ersetzt zunächst geplante Beschränkung der Sonderprüfung selbst, die auf berechtigte Kritik gestoßen war (DAV-HRA NZG 2004, 555, 559 f.). Sie ist aber auch ihrerseits nicht unproblematisch, weil sie es bei zwingendem Aufdeckungsinteresse nicht zulässt, Offenlegung aus Gründen des Gesellschaftswohls zumindest hinauszuschieben (eingehend Holle ZHR 182 [2018], 569, 597 ff.; zust. GK-AktG/Verse Rn. 3; vorsichtige Kritik auch bei Bachmann ZIP 2018, 101, 107). § 145 IV ermöglicht **Inhaltskontrolle nach erfolgter Fertigstellung** des Prüfungsberichts, nicht bloß vorbeugendes Rechtsschutzverfahren, bei dem Vorstand Geheimschutzinteressen der AG geltend machen müsste, bevor Sonderprüfung abgeschlossen ist (überzeugend OLG Düsseldorf AG 2016, 295, 297 im Anschluss an KK-AktG/Rieckers/Vetter Rn. 137; zust. MüKoAktG/M. Arnold Rn. 66; GK-AktG/Verse Rn. 67). Wird Sonderprüfungsbericht daher zunächst Vorstand vorgelegt, um ihm Gelegenheit zur Intervention zu geben, liegt darin keine schuldhaft verzögerte Einreichung beim HR iSd § 145 VI 3 (→ Rn. 9). Zuständig ist nach § 145 V 1 LG des Gesellschaftssitzes (§ 14); für Zuständigkeitskonzentration und funktionale Zuständigkeit der KfH gelten die in → § 142 Rn. 31 genannten Grundsätze (nur auf Antrag; so die mittlerweile hM – vgl. Grigoleit/Grigoleit/Rachlitz Rn. 13; BeckOGK/Mock Rn. 48; S/L/Spindler Rn. 31; GK-AktG/Verse Rn. 69; MHdB CL/Lieder § 26 Rn. 166; Simons NZG 2012, 609, 610; aA noch Hölters/Weber/Krebs Rn. 15; KK-AktG/Rieckers/J. Vetter Rn. 140). Für das weitere Verfahren verweist § 145 V 2 auf § 142 V 2, VIII. Aus § 142 V 2 folgt, dass als Rechtsmittel Beschwerde nach §§ 58 ff. FamFG mit Monatsfrist des § 63 I FamFG statthaft ist (→ § 142 Rn. 30). Aus § 142 VIII ergibt sich Geltung des FamFG. Danach ergeht Entscheidung nur auf Antrag (§ 23 FamFG) und durch Beschluss (§ 38 FamFG).

7 **2. Berichtsgrundsätze.** § 145 VI 1 schreibt einen **schriftlichen Bericht** über das Ergebnis der Prüfung vor, den die Sonderprüfer zu unterzeichnen haben (§ 145 VI 3). Über Inhalt und Umfang des Berichts sagt Ges. nichts, auch nichts über die Notwendigkeit abschließender Feststellungen (anders zB § 259). Eine generelle Regelung wäre mit Rücksicht auf die Vielgestaltigkeit der prüfungsfähigen Vorgänge (§ 142 I 1) auch kaum möglich. Anforderungen sind aus dem **Berichtszweck** zu entwickeln. Weil Prüfungsbericht für Beratung und Beschluss

der HV die Grundlage bilden soll (→ Rn. 1), darf er sich auf das dafür Notwendige beschränken, muss jedoch in diesen Grenzen vollständig und auch für Aktionäre ohne bes. Vorkenntnisse verständlich sein (MüKoAktG/M. Arnold Rn. 53; S/L/Spindler Rn. 22). Insbes. genügt es nicht, nur über Ergebnisse ohne die Einzelheiten ihrer tats. Grundlagen zu berichten; die Einzelheiten gehören vorbehaltlich abw. Entscheidung nach § 145 IV (→ Rn. 6) zwingend dazu (allgM – vgl. nur MüKoAktG/M. Arnold Rn. 52; S/L/Spindler Rn. 22). Soweit sich der Sachverhalt als nicht oder nicht vollständig aufklärbar erweist, ist auch darüber und über die Gründe zu berichten (MüKoAktG/Schröer Rn. 37). Ob auch über **Zufallsfunde** im Hinblick auf zivil- oder strafrechtl. Verfehlungen außerhalb des Untersuchungsgegenstands zu berichten ist, wird unterschiedlich beurteilt (abl. S/L/Spindler Rn. 24). Richtigerweise sollte man zumindest bei schwerwiegenden Fehlern aus zugrunde liegendem Vertragsverhältnis entspr. Pflicht ggü. Verwaltung ableiten müssen; Aufnahme in Prüfbericht ist aber nicht erforderlich (MüKoAktG/M. Arnold Rn. 56; KK-AktG/Rieckers/J. Vetter Rn. 109 ff.; GK-AktG/Verse Rn. 51 f.; im letzten Punkt aA B/K/L/Holzborn/Jänig Rn. 10). Falsche oder unvollständige Berichterstattung ist strafbar nach § 403.

3. Keine Schutzklausel. Nach § 145 VI 2 sind auch Tatsachen in den Bericht aufzunehmen, durch deren Bekanntwerden die AG oder ein mit ihr verbundenes Unternehmen (§ 15) einen nicht unerheblichen Nachteil erleiden kann, sofern HV Kenntnis haben muss, um den Vorgang zu beurteilen. Anderes kann nur aus bes. gerichtl. Entscheidung folgen (→ Rn. 6). Es gibt also keine Schutzklausel nach Art. des § 131 III 1 Nr. 1. Gesetzgeber hat darauf bewusst und zu Recht verzichtet, weil solche Schutzklausel mit der Aufgabe der Sonderprüfung nicht vereinbar wäre (RegBegr. Kropff S. 211 f.). Auch Beurteilung durch HV ist jedoch nicht Selbstzweck. Soweit nach dem Prüfungsergebnis Ersatzansprüche oder personelle Konsequenzen nicht in Betracht kommen, ist mit Geheimsphäre der Gesellschaft bes. pfleglich umzugehen. Sonderprüfung darf also nicht als unbegrenztes Informationsbeschaffungsverfahren missverstanden werden. 8

4. Weitere Behandlung. Sonderprüfer müssen ihren **Bericht unterzeichnen** (§ 145 VI 3) und damit auch nach außen ihre Verantwortung für eine ordnungsgem. Prüfung übernehmen. Ferner müssen sie den Bericht unverzüglich (§ 121 I 1 BGB) **dem Vorstand einreichen,** ebenso dem zuständigen (§ 14) Registergericht (§ 145 VI 3). Vom Wortlaut nahegelegtes Gleichzeitigkeitserfordernis der Einreichung bei diesen beiden Berichtsadressaten soll nach OLG Düsseldorf AG 2016, 295, 297 zumindest für nach § 142 II bestellten Sonderprüfer nicht gelten. Stattdessen soll es zulässig sein, dem Vorstand zunächst die Gelegenheit zur Intervention nach § 145 IV zu geben (→ Rn. 6; ebenso GK-AktG/Verse Rn. 79; Reichert/M. Goette NZG 2020, 887, 892). Für diesen Zeitraum soll verzögerte Einreichung beim HR nicht „schuldhaft" iSd § 121 I 1 BGB sein (OLG Düsseldorf AG 2016, 295, 297 f.). Über diese Entscheidung hinausgehend wird man vorangehende Einreichung bei Vorstand wohl nicht nur als zulässig, sondern sogar als Pflicht des Sonderprüfers anzusehen haben (dafür auch BeckOGK/Mock Rn. 70; GK-AktG/Verse/Gaschler Rn. 79; Reichert/M. Goette NZG 2020, 887, 892). **Einreichung beim Registergericht** kann gem. § 14 HGB im Zwangsgeldverfahren durchgesetzt werden; Verfahren ist von Amts wegen einzuleiten (OLG Düsseldorf AG 2016, 295, 296). Das Registergericht gewährt jedermann Einsichtnahme und erteilt auf Anforderung Abschriften des Berichts (§ 9 I und II HGB). Auf Verlangen hat auch der **Vorstand** jedem Aktionär eine Abschrift zu erteilen (§ 145 VI 4), und zwar kostenlos. Vorstand muss Bericht nach § 145 VI 5 ferner dem AR vorlegen und bei Einberufung der nächsten HV als Gegenstand der Tagesordnung bekannt machen (s. §§ 124 f.). 9

Wie HV mit dem Bericht verfährt, steht in ihrem Ermessen. Sie kann ihn ohne Beschlussfassung zur Kenntnis nehmen. Sie kann aber auch beschließen, die Entlastung zu verweigern (§ 120) oder Ersatzansprüche geltend zu machen (§ 147).

Kosten

146 **[1]Bestellt das Gericht Sonderprüfer, so trägt die Gesellschaft die Gerichtskosten und die Kosten der Prüfung. [2]Hat der Antragsteller die Bestellung durch vorsätzlich oder grob fahrlässig unrichtigen Vortrag erwirkt, so hat der Antragsteller der Gesellschaft die Kosten zu erstatten.**

I. Regelungsgegenstand und -zweck

1 Norm betr. Kosten der Sonderprüfung und weist sie für das **Außenverhältnis** der Gesellschaft zu. Das gilt für Gerichtskosten und eigentliche Prüfungskosten gleichermaßen. Bezweckt ist mit der von § 121 IV AktG 1937 abw. Regelung, **Minderheitenschutz** zu verstärken (RegBegr. Kropff S. 212 f.). Diesem Ziel dient es, dass Kostenübernahme durch AG nicht mehr von Ermessensentscheidung der HV abhängt. Im **Innenverhältnis** kann AG Regressansprüche gegen Antragsteller haben.

II. Kostenlast bei gerichtlicher Bestellung von Sonderprüfern

2 **1. Gesellschaft als Schuldnerin.** § 146 S. 1 setzt voraus, dass das Gericht Sonderprüfer bestellt. Damit sind die Fälle des § 142 II und des § 142 IV gemeint (bei Beauftragung durch HV folgt Kostenlast der AG aus zugrunde liegendem Vertragsverhältnis, → § 142 Rn. 11 f.). Im Einzelnen ist zu unterscheiden: Von den **Verfahrenskosten** trägt die AG die Gerichtskosten (zur Berechnung vgl. MHdB CL/Lieder § 26 Rn. 142); abw. Vorschriften des § 81 FamFG gelten insoweit nicht (§ 81 V FamFG). **Außergerichtliche Kosten** sind dagegen grds. von jedem Beteiligten selbst zu tragen (MHdB CL/Lieder § 26 Rn. 144), doch kann Gericht nach § 81 FamFG nach billigem Ermessen die Kosten ganz oder zT einem Beteiligten auferlegen (idR AG, wenn Antrag erfolgreich war; idR Antragsteller, wenn Prüfung von vornherein offensichtlich unbegründet war – S/L/Spindler Rn. 8). Die **Kosten der Sonderprüfung,** nämlich Auslagenersatz und Vergütung gem. § 142 VI (→ § 142 Rn. 33), fallen ebenfalls der Gesellschaft zur Last. Der Sonderprüfer muss sich also wegen seiner Ansprüche stets an die AG halten.

3 **2. Kostenerstattung.** § 146 S. 2 gibt AG Anspruch auf Kostenerstattung gegen Antragsteller, der gerichtl. Bestellung von Sonderprüfern durch **vorsätzlich oder grob fahrlässig** unrichtigen Vortrag erwirkt hat. Regelung ist in dieser Form neu. Sie geht auf UMAG 2005 zurück und soll Missbräuchen des Antragsrechts durch spürbares Kostenrisiko begegnen (RegBegr. BT-Drs. 15/5092, 19). Deutliche Verschärfung des Kostenrisikos ggü. früherer Rechtslage ist aber nicht gegeben, weil Schadensersatzansprüche aus § 826 BGB oder aus schuldhafter Verletzung der Treupflicht zur AG (→ § 53a Rn. 19, 27 f.) schon bisher möglich waren (DAV-HRA NZG 2004, 555, 560). Solche Ansprüche können auch weiter neben § 146 S. 2 als eigenständiger Anspruchsgrundlage geltend gemacht werden (RegBegr. BT-Drs. 15/5092, 19) und erfassen dann auch sonstige Schäden, doch muss insofern strengerer Verschuldensmaßstab der groben Fahrlässigkeit – abw. von allg. Grundsätzen – auch für Treupflichtverlet-

zung gelten (ganz hM – MüKoAktG/M. Arnold Rn. 15; KK-AktG/Rieckers/J. Vetter Rn. 40). Dasselbe sollte gelten, wenn Regress anlässlich Bestellung durch HV, etwa aufgrund unrichtigen Vortrags eines Aktionärs, geltend gemacht werden soll (BeckOGK/Mock Rn. 18). Schließlich können Verfahrens- und Prüfungskosten der Gesellschaft bei aufgedeckter zu vertretender Pflichtwidrigkeit von Verwaltungsmitgliedern auch Schadensposten iR der gegen sie gerichteten Ersatzansprüche (§§ 93, 116) sein (Bode AG 1995, 261, 264).

III. Kostenlast bei Bestellung von Sonderprüfern durch die Hauptversammlung

Eine bes. Kostentragungsregel für den Fall des § 142 I enthält Ges. nicht. 4
Kosten der Sonderprüfung fallen auch insoweit der Gesellschaft zur Last, weil sie bei der Bestellung der Sonderprüfer und auch bei dem Abschluss des Vertrags mit ihnen durch die HV, beim Vertragsschluss uU auch durch den Vorstand, organschaftlich vertreten wird (→ § 142 Rn. 9 ff.).

Geltendmachung von Ersatzansprüchen

147 (1) [1]**Die Ersatzansprüche der Gesellschaft aus der Gründung gegen die nach den §§ 46 bis 48, 53 verpflichteten Personen oder aus der Geschäftsführung gegen die Mitglieder des Vorstands und des Aufsichtsrats oder aus § 117 müssen geltend gemacht werden, wenn es die Hauptversammlung mit einfacher Stimmenmehrheit beschließt.** [2]**Der Ersatzanspruch soll binnen sechs Monaten seit dem Tage der Hauptversammlung geltend gemacht werden.**

(2) [1]**Zur Geltendmachung des Ersatzanspruchs kann die Hauptversammlung besondere Vertreter bestellen.** [2]**Das Gericht (§ 14) hat auf Antrag von Aktionären, deren Anteile zusammen den zehnten Teil des Grundkapitals oder den anteiligen Betrag von einer Million Euro erreichen, als Vertreter der Gesellschaft zur Geltendmachung des Ersatzanspruchs andere als die nach den §§ 78, 112 oder nach Satz 1 zur Vertretung der Gesellschaft berufenen Personen zu bestellen, wenn ihm dies für eine gehörige Geltendmachung zweckmäßig erscheint.** [3]**Gibt das Gericht dem Antrag statt, so trägt die Gesellschaft die Gerichtskosten.** [4]**Gegen die Entscheidung ist die Beschwerde zulässig.** [5]**Die gerichtlich bestellten Vertreter können von der Gesellschaft den Ersatz angemessener barer Auslagen und eine Vergütung für ihre Tätigkeit verlangen.** [6]**Die Auslagen und die Vergütung setzt das Gericht fest.** [7]**Gegen die Entscheidung ist die Beschwerde zulässig; die Rechtsbeschwerde ist ausgeschlossen.** [8]**Aus der rechtskräftigen Entscheidung findet die Zwangsvollstreckung nach der Zivilprozeßordnung statt.**

Übersicht

I. Regelungsgegenstand und -zweck

1 Norm betr. Geltendmachung von bestimmten Ersatzansprüchen der AG, bes. gegen ihre Verwaltungsmitglieder (→ Rn. 3 ff.), und bezweckt praktische **Durchsetzung von Ersatzansprüchen im Gesellschaftsinteresse.** Diese wäre ohne bes. Regelung vielfach gefährdet, weil Vertretung der Gesellschaft bei Vorstand oder AR liegt (§ 78 bzw. § 112) und die Verwaltungsorgane in der Gefahr stehen, das Gesellschaftsinteresse hinter das eigene Interesse zurücktreten zu lassen. Es kann nämlich typischerweise nicht erwartet werden, dass derjenige Ansprüche verfolgt, der dem Ersatzpflichtigen kollegial verbunden ist, der (etwa wegen Überwachungsversagen) selbst ersatzpflichtig ist oder sein kann oder jedenfalls damit rechnen muss, dass im Prozess auch ihn belastende Tatsachen bekannt werden (BGHZ 234, 152 Rn. 21 = NJW 2022, 3077; KK-AktG/Rieckers/J. Vetter Rn. 16 ff.; J. Koch ZGR 2006, 769, 770 f.). Daher verpflichtet § 147 I, Ersatzansprüche geltend zu machen, wenn HV dies mit einfacher Mehrheit (§ 133 I) beschließt. **Bestellung bes. Vertreter** gem. § 147 II stärkt zusätzlich Effizienz der Rechtsverfolgung. Auf diese Weise kann auch Entscheidung des AR, aus Gründen des Unternehmenswohls nach ARAG-Grundsätzen von Verfolgung abzusehen (→ § 111 Rn. 16 ff.), überspielt werden (KK-AktG/Rieckers/Vetter Rn. 231), was abermals bestätigt, dass AR insofern keine Entscheidungsprärogative zusteht (→ § 111 Rn. 22 ff.). Um auch Minderheitenrechte zu sichern, ergänzt § 148 Klagezulassungsverfahren (→ § 148 Rn. 1). Erforderliche Tatsachengrundlage kann über Sonderprüfung nach § 142 geschaffen werden (zum Zusammenspiel → § 142 Rn. 1).

2 **Praktische Bedeutung** des bes. Vertreters ist nach einer zwischenzeitlichen Blütezeit zwischen 1893 und 1931 über viele Jahrzehnte hinweg gering geblieben (ausf. Mock FS Heidel, 2021, 599, 610 ff.). Das ist nicht überraschend, da AR sich Mehrheitswunsch seiner Aktionäre idR auch ohne Zwang des § 147 beugen wird. In neuerer Zeit ist dagegen deutlich verstärkte Anwendung zu beobachten, und zwar namentl. dort, wo § 147 aufgrund von Stimmverboten zu **faktischem Minderheitenrecht** wird (ausf. Zahlen- und Fallmaterial bei Bayer/Hoffmann AG 2018, 337 ff.; Beneke, Der Besondere Vertreter, 2017, 58 ff.; Spindler FS E. Vetter, 2019, 763 ff.; zum Missbrauchspotenzial → Rn. 7; zu den praktischen Grabenkämpfen um Ausdehnung und Eingrenzung des Stimmverbots vgl. Lochner/Beneke ZIP 2015, 2010 ff.). Entspr. Stimmverbot besteht bei § 142 nicht in gleicher Weise, so dass Gefahr besteht, dass bes. Vertreter – insbes. wenn ihm zugleich weite Informations- und Ermittlungsbefugnisse eingeräumt werden (→ Rn. 23 ff.) – in bedenklicher Weise als „Quasi-Sonderprüfer" instrumentalisiert wird (Rieckers DB 2015, 2131, 2134). Zu erfolgreichen Klagen führt Vertreterbestellung zumeist nicht (Bayer/Hoffmann AG 2018, 337, 348 ff.). Um Auswüchsen entgegenzuwirken, sollte bei Auslegung beachtet werden, dass § 147 eng begrenzte Ausnahme zur aktienrechtl. Kompetenzordnung enthält (OLG Karlsruhe NZG 2018, 508 Rn. 53). Regelung ist zwingend (§ 23 V 1).

II. Pflicht zur Geltendmachung

3 **1. Ersatzansprüche.** § 147 betr. Ersatzansprüche der AG, nicht auch Erfüllungsansprüche, gleich welchen Inhalts (AusschussB Kropff S. 215). Vielfach, aber

nicht notwendig, wird es sich dabei um **Schadensersatzansprüche** handeln. Ausdr. genannt sind insbes. **Ansprüche aus Gründung und Nachgründung** (§§ 46–48, 53) sowie aus unzulässiger Einflussnahme (§ 117), mittelbar angesprochen Ansprüche aus §§ 93, 116. Rechtsdurchsetzung ist bei anderen **Ausgleichsansprüchen** (zB §§ 667, 681 S. 2, 687 II, 812 I 1 Fall 2 BGB; § 88 II 2 [→ § 88 Rn. 7 f.], 89 V) sowie den zugehörigen **Hilfsansprüchen** auf Auskunft und Rechenschaft aber nicht weniger gefährdet, was erweiternde Auslegung rechtfertigt (so auch hM zum teilw. vergleichbaren § 46 Nr. 8 GmbHG, s. BGH NJW 1975, 977 f.; BGHZ 80, 69, 75 f. = NJW 1981, 1512; BGHZ 97, 382, 385 f. = NJW 1986, 2250; GK-AktG/Schmolke Rn. 97 ff.; S/L/Spindler Rn. 3; aA MüKoAktG/M. Arnold Rn. 30). Aus Praktikabilitätsgründen liegt auch Einbeziehung von Sicherungsansprüchen gegen Dritte, namentl. **D&O-Versicherer,** nahe (KK-AktG/Rieckers/J. Vetter Rn. 153; GK-AktG/Schmolke Rn. 115; Humrich, Der besondere Vertreter, 2013, 38 ff.).

Umstr. ist Anwendung auf **Unterlassungsansprüche** (dafür GK-AktG/G. Bezzenberger, 4. Aufl. 1999, Rn. 14 [aufgegeben in Neuaufl. – vgl. GK-AktG/Bezzenberger/Bezzenberger § 148 Rn. 74 ff.; GK-AktG/Schmolke Rn. 101]; B/K/L/Holzborn/Jänig Rn. 3; BeckOGK/Mock Rn. 23.4; dagegen MüKoAktG/M. Arnold Rn. 28; KK-AktG/Rieckers/J. Vetter Rn. 132 ff.; S/L/Spindler Rn. 3; Wandt/James-Schulz AG 2023, 389 Rn. 1 ff.). Ob und in welchem Umfang solche Ansprüche überhaupt zwischen der AG und ihren Organen bestehen können, ist noch weitgehend ungeklärt (vgl. dazu Harnos, Gerichtliche Kontrolldichte, 2021, 18 ff.; J. Koch ZHR 180 [2016], 578, 599 ff., 607 f.). Selbst wo man sie anerkennt, sprechen doch zumindest für Unterlassungsklagen, die sich auf Geschäftsführungsmaßnahmen beziehen, gute Gründe dafür, § 147 nicht anzuwenden, um Kompetenzverteilung innerhalb der AG, namentl. Ausschluss der HV von Geschäftsführung (§ 119 II), nicht zu untergraben (KK-AktG/Rieckers/J. Vetter Rn. 133; Roßkopf/Gayk DStR 2020, 2078, 2079). Anwendung wird dagegen für Maßnahmen erwogen, die keine Geschäftsführungsmaßnahmen sind, namentl. Unterlassen von Wettbewerb nach § 88 (dafür GK-AktG/Bezzenberger/Bezzenberger, 4. Aufl. 2008, § 148 Rn. 99 f.; dagegen KK-AktG/Rieckers/J. Vetter Rn. 133). Richtigerweise ist aber auch solche Ausdehnung zu verneinen, um **Zuständigkeitsgefüge der AG** nicht zu gefährden; auch praktische Notwendigkeit für solche Eingriffe hat sich nicht gezeigt (GK-AktG/Schmolke Rn. 101 f.; Wandt/James-Schulz AG 2023, 389 Rn. 6 ff.; jetzt auch GK-AktG/Bezzenberger/Bezzenberger Rn. 74 ff.). Unterlassungsansprüche sind deshalb nur dort erfasst, wo sie als Annex zur Geltendmachung eines Ersatzanspruchs erhoben werden (zB Ersatzanspruch aus § 88 II und zugleich Klage auf Unterlassen weiteren Wettbewerbs; KK-AktG/Rieckers/J. Vetter Rn. 132 ff.; zust. GK-AktG/Schmolke Rn. 101 f.). 4

Auch Ansprüche gegen **ausgeschiedene Verwaltungsmitglieder** fallen unter § 147 (RGZ 74, 301, 302; sa BGHZ 28, 355, 357 = NJW 1959, 194; BGH NJW 1960, 1667; 1975, 977; WM 1983, 498 [jew. zur GmbH]; OLG Frankfurt NZG 2023, 1507 Rn. 36). Anspruchsgegner muss aber idR Organmitglied sein, weil nur dann Grund zur Durchbrechung der grds. Geschäftsführungszuständigkeit des Vorstands besteht. Auch **Ansprüche gegen Aktionär** kann bes. Vertreter deshalb nur geltend machen, wenn sie auf § 117 gestützt werden, nicht aber auf andere Anspruchsgrundlagen (so zutr. OLG Karlsruhe NZG 2018, 508 Rn. 49 ff. zu § 62 I und § 823 II BGB iVm § 20 I AktG; sa LG Heidelberg AG 2019, 804, 811; BeckOGK/Mock Rn. 24.2; Krenek FS Heidel, 2021, 527, 531; aA NK-AktR/Lochner Rn. 4). Zur Rechtsfolge bei Bestellung für nicht von § 147 I 1 gedeckte Ansprüche → Rn. 13. 5

Konzernrechtl. Ersatzansprüche werden ebenfalls von §§ 147, 148 erfasst. 6
Das ist unstr., sofern es um Ansprüche aus Geschäftsführung gegen Verwaltungs-

mitglieder der eigenen (abhängigen) Gesellschaft geht (§§ 310, 318); s. dazu BGHZ 226, 182 Rn. 38 = NZG 2020, 1025; Bernau AG 2011, 894, 895 mwN. Str. ist dagegen, ob auch Ansprüche gegen das herrschende Unternehmen und seine Verwaltungsmitglieder (§§ 309, 317) unter §§ 147, 148 fallen. Für Praxis ist Frage geklärt, nachdem BGHZ 226, 182 Rn. 32 ff. sie im Anschluss an die schon bislang hM deutlich bejaht hat (grdl. Kropff FS Bezzenberger 2000, 233, 244 ff.; zust. OLG Düsseldorf AG 2019, 348, 355; OLG Düsseldorf NZG 2022, 1104 Rn. 50 f.; OLG Köln AG 2017, 351, 355 f. [insoweit nicht in NZG 2017, 1344]; OLG München AG 2008, 864, 866; MüKoAktG/Altmeppen § 317 Rn. 63 ff.; Emmerich/Habersack/Habersack § 317 Rn. 27; BeckOGK/Mock Rn. 25; KK-AktG/Rieckers/J. Vetter Rn. 142 ff.; S/L/Spindler Rn. 4; Beneke, Der Besondere Vertreter, 2017, 8 ff.; Bernau AG 2011, 894 ff.; H. F. Müller Konzern 2006, 725, 728 ff.; → § 309 Rn. 21; → § 317 Rn. 16). Gegenauffassung sieht nur Einzelklage der Aktionäre nach §§ 309 IV, 317 IV als ges. allein einschlägigen Rechtsbehelf an (MüKoAktG/M. Arnold Rn. 32; Grigoleit/Grigoleit/Rachlitz Rn. 7; Humrich, Der besondere Vertreter, 2013, 43 ff.; Kling ZGR 2009, 190, 202 ff.). Damit würde die Geltendmachung dieser Ansprüche aber schon mit Blick auf prohibitives Prozesskostenrisiko bei Einzelklage (s. BGHZ 226, 182 Rn. 40; Kropff FS Bezzenberger, 2000, 233, 245) deutlich erschwert, obwohl Bedürfnis hier bes. hoch ist, da die fehlende Klagebereitschaft (→ Rn. 1) der abhängigen AG noch geringer sein dürfte als sonst (BGHZ 226, 182 Rn. 39; OLG München AG 2008, 864, 866; Kropff FS Bezzenberger, 2000, 233, 246). Auch sonst vermag unterschiedliche rechtl. Behandlung, namentl. des § 317 und des damit dogmatisch eng verknüpften § 117 nicht einzuleuchten (BGHZ 226, 182 Rn. 38; OLG München AG 2008, 864, 866; Emmerich/Habersack/Habersack § 317 Rn. 27). Wortlaut steht nicht entgegen, da er auch hinsichtlich Ansprüchen nach §§ 310, 318 anerkanntermaßen nicht abschließend ist. Dasselbe gilt für mehrdeutige Gesetzesmaterialien (vgl. Kropff FS Bezzenberger, 2000, 233, 244; Bernau AG 2011, 894, 897). Noch wenig erörtert ist Anwendung auf § 302, doch dürfte auch sie im Hinblick auf Ausdehnung auf sonstige Ausgleichsansprüche (→ Rn. 3 ff.) zu bejahen sein (→ § 302 Rn. 18).

7 **2. Beschluss der Hauptversammlung. a) Stimmverbot und Missbrauchsrisiken.** AG ist verpflichtet, Ersatzansprüche (→ Rn. 3 f.) geltend zu machen, wenn HV mit einfacher Stimmenmehrheit (§ 133 I) entspr. beschließt (§ 147 I 1). Aktionäre, gegen die sich Ersatzansprüche richten, unterliegen dem **Stimmverbot** des § 136 I 1 Fall 3 (→ § 136 Rn. 23; BGHZ 97, 28, 34 = NJW 1986, 2051 zur GmbH), dem namentl. bei Ansprüchen aus §§ 309, 317 (→ Rn. 6) maßgebliche Bedeutung zukommt (KK-AktG/Rieckers/J. Vetter Rn. 203 f.). BGH v. 28.11.2023 – II ZR 214/21 Rn. 13 f. hat dieses Verbot in Abweichung von OLG Köln AG 2017, 351, 356 f. [insoweit nicht in NZG 2017, 1344] darüber hinaus auf mittelbar betroffenen Aktionär erweitert (so zuvor bereits OLG Düsseldorf NZG 2022, 1104 Rn. 47 ff.; zust. Schmolke AG 2022, 192 Rn. 17 ff.). Durch Hebel des Stimmverbots kann § 147 I 1 in der Sache zum Minderheitenrecht umfunktioniert werden (Bayer AG 2016, 637, 641 f.; Decher FS Baums, 2017, 279, 292 f.), woraus sich **Missbrauchsrisiken** ergeben, da Minderheit durch ein gegen Mehrheitsaktionär gerichtetes Anspruchsbegehren diesen von Abstimmung ausschließen und daher allein über Verfolgung (§ 147 I 1), aber auch über Einsetzung eines bes. Vertreters (→ Rn. 17 ff.) beschließen darf (sa OLG Düsseldorf AG 2019, 348, 356; OLG Düsseldorf NZG 2022, 1104 Rn. 36 ff. mit Indizien für Missbrauch: offensichtlich aussichtslos, eigennützige Zwecke; Einzelheiten bei Bayer/Hoffmann AG 2018, 337: Geschäftsmodell [338]; zuvor auch schon Bayer AG 2016, 637 ff. mN zur früheren Gestaltung des Minderheitsverlangens nach § 147 AktG aF auf S. 639 f.; Spindler FS E. Vetter,

2019, 763, 771 ff.). Bei Ansprüchen gegen Mitglieder der Verwaltungsorgane besteht für Gesellschafter nur dann Stimmverbot, wenn ihnen wegen gleichartiger Verletzung ebenfalls Inanspruchnahme droht (OLG Karlsruhe NZG 2018, 508 Rn. 81 ff.; KK-AktG/Rieckers/J. Vetter Rn. 205; strenger S/L/Spindler Rn. 14b).

b) Bestimmtheitsanforderungen. Im Übrigen versuchen Rspr. und Lehre etwaigem Missbrauch namentl. dadurch vorzubeugen, dass an Bestimmtheit des geltend zu machenden Anspruchs gesteigerte Anforderungen gestellt werden (zu den Folgen fehlender Bestimmtheit → Rn. 13). Danach sind Ersatzansprüche nach **Gegner** (insoweit großzügig OLG München AG 2008, 864, 867 ff.) und **Lebenssachverhalt** (OLG Düsseldorf AG 2019, 348, 354 f.; OLG Frankfurt AG 2004, 104, 105; OLG Karlsruhe NZG 2018, 508 Rn. 39; OLG München AG 2008, 864, 869 [unter Aufgabe von OLG München AG 2008, 172]; LG Duisburg ZIP 2013, 1379, 1380; LG Duisburg AG 2016, 795, 796) hinreichend konkret zu bezeichnen. Ist das nicht möglich, bedarf es vorgängiger Sonderprüfung gem. § 142 (ebenso OLG Düsseldorf AG 2019, 348, 355 f.; OLG Karlsruhe NZG 2018, 508 Rn. 46; LG Duisburg ZIP 2013, 1379, 1380 f.; LG Köln AG 2016, 513 ff.; Binder ZHR 176 [2012], 380, 393 ff.; Kocher/Lönner ZIP 2016, 653, 654 f.; Löbbe VGR 22 GesR 2016, 25, 44 ff.). Hinsichtlich Bestimmung des Anspruchsgegners ist keine namentliche Nennung erforderlich, zu der HV nicht in der Lage wäre. Es genügt **hinreichende Bestimmbarkeit,** zB Organmitglieder von Konzernunternehmen (LG München I AG 2008, 92, 93; BeckOGK/Mock Rn. 54; strenger: MüKoAktG/M. Arnold Rn. 45). Etwaigem Missbrauch über bewusste Provokation eines Stimmverbots (→ Rn. 7) könnte auch durch weitergehendes Erfordernis namentlicher Nennung nicht begegnet werden, da pauschale Namensnennung aller Organmitglieder möglich bliebe. 8

Im Übrigen werden **Anforderungen an hinreichende Bestimmtheit** unterschiedlich streng formuliert, wobei Unterschiede fließend sind und auch in Rspr. und Lehre nicht trennscharf akzentuiert werden (ausf. Überblick in BGHZ 226, 182 Rn. 28 = NZG 2020, 1025). So wird zT verlangt, dass ein auf überwiegend wahrscheinliche Tatsachen gestützter Sachverhalt vorgetragen wird, aus dem sich schlüssig das Bestehen der geltend zu machenden Ansprüche ergibt (KK-AktG/Rieckers/Vetter Rn. 183; ähnlich OLG Düsseldorf AG 2019, 348, 354 f.: keine hohe, aber „gewisse" Wahrscheinlichkeit – zust. GK-AktG/Schmolke Rn. 135, 139). ZT wird in diesem Kontext auch Kriterium des „Anfangsverdachts" verwandt (S/L/Spindler Rn. 9; ähnlich Decher FS Baums, 2017, 279, 296 ff.), das in Rspr. aber eher Voraussetzungen für Informationsanspruch des bes. Vertreters umschreibt (→ Rn. 26 f.). Andere lassen es genügen, wenn Tatsachen vorliegen, aus denen sich ergibt, dass sich Organmitglied möglicherweise pflichtwidrig verhalten hat und AG daraus ein Schaden entstanden ist (LG Stuttgart AG 2008, 757, 758; MüKoAktG/M. Arnold Rn. 44). Schließlich wird es zT auch schon für ausreichend gehalten, wenn im Sinne einer **Streitgegenstandsbestimmung** erkennbar ist, in welcher Weise ein Vorgang zu Schäden der AG geführt haben soll und welcher Art diese Schäden sein sollen (OLG Karlsruhe NZG 2018, 508 Rn. 39; OLG Köln NZG 2017, 1344 Rn. 139 ff., 152: „identifizierbar"; Krenek FS Heidel, 2021, 527, 531 ff.; wN bei Bayer AG 2016, 637, 644 ff.). Unterschiede zwischen den Auffassungen werden in weitem Maße dadurch relativiert, dass auch iR des § 147 I **Beweislastregel des § 93 II 2** gilt, was Darlegungslast iR eines HV-Beschlusses absenkt (vgl. MüKoAktG/M. Arnold Rn. 44; GK-AktG/Schmolke Rn. 139; Diskussionsbeitrag Harnos VGR 22 GesR 2016, 55, 56; zust. Löbbe VGR 22 GesR 2016, 25, 59). 9

BGH hat Anforderungen mittlerweile dahingehend konkretisiert, dass der Lebenssachverhalt, auf den geltend zu machender Ersatzanspruch gestützt wird, in 10 einem Geltendmachungsbeschluss gem. § 147 I 1 ausreichend klar und konkret beschrieben sein muss, damit Vorstand und AR bzw. der bes. Vertreter Umfang ihres Mandats erkennen können und Gerichte – im Falle der Bestellung eines bes. Vertreters – in der Lage sind, dessen Vertretungsmacht zu prüfen (BGHZ 226, 182 Rn. 24 = NZG 2020, 1025). In Anlehnung an BGHZ 97, 28, 36 = NJW 1986, 2051 (zu § 46 Nr. 8 GmbHG, aber unter Bezugnahme auf § 147) soll es insofern auch schon genügen, wenn Aktionär umreißt, worin Pflichtverletzung und Tatbeitrag der einzelnen Mitgesellschafter besteht; auf Erfolgsaussichten komme es nicht an (BGH v. 28.11.2023 – II ZR 214/21 Rn. 20; noch offengelassen in BGHZ 226, 182 Rn. 28 f.). Anderenfalls würde Durchsetzung der Ersatzansprüche unzumutbar erschwert, wenn schon im Anfechtungsprozess und mangels Rechtskrafterstreckung im nachfolgenden Prozess nochmals gerichtl. geklärt werden müsste, ob Haftungsgrund besteht (BGH v. 28.11.2023 – II ZR 214/21 Rn. 20 f.). Vor dem Hintergrund, dass damit schon bloß unsubstanziierte Behauptung genügen kann, um über **Hebel des Stimmverbots,** Hauptaktionär von Abstimmung auszuschließen (→ Rn. 7), erscheint diese Handhabung bedenklich, sofern sie nicht durch anderweitige Korrekturen ergänzt wird (skeptisch auch Roßkopf/Gayk DStR 2020, 2078, 2079 f.). Auch **systematischer Vergleich mit Sonderprüfung** spricht dafür, dass Bestimmtheitsanforderungen über denen des § 142 I liegen sollten, um zu verhindern, dass bes. Vertreter unter Umgehung der Voraussetzungen in § 142 zur Sachverhaltsausforschung zweckentfremdet wird (→ Rn. 24).

11 Weitergehend hat Bayer (AG 2016, 637, 647 ff.) vorgeschlagen, **zwischen Mehrheitsbeschluss und Minderheitsverlangen zu trennen** und für Mehrheitsbeschluss keine weiteren Bestimmtheitsanforderungen zu verlangen, Minderheitsverlangen dagegen am strengen Maßstab der § 142 II 1, § 148 I 2 Nr. 4 zu messen. Vorschlag ist in der Sache sehr erwägenswert, weil rechtspolitische Problematik der Vorschrift in der Tat in Stimmrechtsausschluss nach § 136 I 1 Fall 3 liegt und restriktivere Behandlung, die in solchen Fällen geboten sein kann, bei Beschlüssen, die tats. von Legitimation der Gesamt-HV getragen werden, nicht gerechtfertigt erscheint. Da § 147 I nicht unmittelbar als Minderheitenrecht ausgestaltet ist, sondern sich nur im Einzelfall als solches auswirken kann, ist rechtsfortbildende Umsetzung dieses Ansatzes indes nicht unproblematisch und findet zumindest derzeit in Rspr. und Lit. noch keine Bestätigung (zust. aber Löbbe VGR 22 GesR 2016, 25, 47; Spindler FS E. Vetter, 2019, 763, 772 ff.; nicht aufgegriffen dagegen von MüKoAktG/M. Arnold Rn. 43 ff.; abl. GK-AktG/Schmolke Rn. 140; Beneke, Der Besondere Vertreter, 2017, 40 ff.). Auch Anforderungen der §§ 142 II, 148 lassen sich nur modifizierend auf § 147 übertragen (Bayer AG 2016, 637, 648 f.). Tätigwerden des Gesetzgebers wäre wünschenswert.

12 **c) Beschlussfassung.** Beschluss darf nur gefasst werden, wenn Geltendmachung von Ersatzansprüchen zur **Tagesordnung** angekündigt (§ 124 I) oder entspr. Antrag nach § 124 IV 2 Fall 2 bekanntmachungsfrei ist (→ § 124 Rn. 41 ff.). Die zweite Konstellation ist einschlägig, wenn Sonderprüfungsbericht gem. § 124 I 1, § 145 IV bis VI als Gegenstand der HV bekanntgemacht wurde (→ § 145 Rn. 8) und sich Ersatzansprüche aus dem Bericht ergeben, dagegen nicht, wenn nur Entlastung auf der Tagesordnung steht (KK-AktG/Rieckers/J. Vetter Rn. 171; GK-AktG/Schmolke Rn. 126). **Aktionärsminderheit** kann entspr. Ergänzung der Tagesordnung nur unter Bedingungen des § 122 II 1 (Regelfall) oder gar außerordentliche HV nach § 122 I 1 erzwingen (Bayer AG 2016, 637, 642).

13 Inhaltskontrolle des Beschlusses auf **sachliche Rechtfertigung** erfolgt nicht, weshalb Anfechtung idR nur aus formellen Gründen möglich ist (BeckOGK/Mock Rn. 55). Gewisse Aufweichung dieses Grundsatzes folgt aus zT geforderten

Bestimmtheitsanforderungen (→ Rn. 8 ff.). Wird Beschluss gefasst, der diesen Anforderungen nicht genügt, ist er trotzdem nicht nichtig, sondern **anfechtbar** (BGHZ 226, 182 Rn. 20 ff. = NZG 2020, 1025; OLG Düsseldorf AG 2019, 348, 353; OLG Köln NZG 2016, 147 Rn. 33; OLG München ZIP 2008, 1916, 1917; LG Duisburg AG 2016, 795, 796; GK-AktG/Schmolke Rn. 162 ff.; Butzke HV M 40; Hüffer ZHR 174 [2010], 642, 667; aA KK-AktG/Rieckers/J. Vetter Rn. 262; S/L/Spindler Rn. 12b; Kocher/Lönner ZIP 2016, 653, 657; Priester ZIP 2021, 933, 935). Gegenauffassung beruht auf Praktikabilitätserwägungen auf Rechtsfolgenseite, die aber im Tatbestand des § 241 keine Basis finden. Etwas anderes gilt dann, wenn bes. Vertreter zur Geltendmachung von Ansprüchen ermächtigt wird, die nicht von § 147 I 1 gedeckt sind, weil sonst **Kompetenz** des Vorstands beeinträchtigt würde und solche Übertretung von § 241 Nr. 3 Fall 1 erfasst wird (OLG Karlsruhe NZG 2018, 508 Rn. 56 ff.; S/L/Spindler Rn. 12a; sa LG Heidelberg AG 2019, 804, 806 [mit weitgehenden Haftungsfolgen auf 809 ff.; ausf. dazu Bayer/Selentin ZGR 2022, 159, 174 ff.]; in beiden Punkten aA Mock/Goltner AG 2019, 787, 788 ff.; vgl. dazu auch Lochner/Beneke ZIP 2020, 351, 352 ff.; sa → § 241 Rn. 17). Aus BGHZ 226, 182 Rn. 20 ff. ergibt sich – obwohl in diesem Punkt nicht eindeutig – nichts anderes, weil Gericht sich nur zu Fällen äußert, wo Vorwurf der Kompetenzüberschreitung allein aus fehlender Bestimmtheit abgeleitet wurde (deutlich BGHZ 226, 182 Rn. 30). Kompetenzüberschreitung ist aber nicht schon anzunehmen, wenn HV Ausführungsorgan zur Prüfung und Auswahl von Ersatzansprüchen anweist (zutr. GK-AktG/Schmolke Rn. 164 gegen Humrich, Der besondere Vertreter, 2013, 63 m. 54 ff.).

III. Art und Weise der Geltendmachung; Sechsmonatsfrist

Beschluss der HV ändert ges. Zuständigkeitsverteilung nicht. AG wird also vom Vorstand vertreten (§ 78), oder, wenn dieser selbst Anspruchsgegner ist, vom AR (§ 112), und zwar auch dann, wenn sich Ansprüche gegen ausgeschiedene Vorstandsmitglieder richten (BGH AG 1991, 269; → § 112 Rn. 4 mwN). Zuständiges Gesellschaftsorgan soll Ersatzanspruch nach § 147 I 2 **binnen sechs Monaten** seit dem Tag der HV geltend machen. Fristberechnung erfolgt nach §§ 187, 188 BGB. Fristversäumung begründet Schadensersatzpflicht der dafür verantwortlichen Organmitglieder (§§ 93, 116), etwa wegen eingetretenen Zinsschadens. Zulässigkeit späterer Klage bleibt davon unberührt. Welche Handlungen innerhalb der Frist konkret vorgenommen sein müssen, sagt § 147 I 2 nicht. 14

Präzisierende Vorgaben der HV sind hinsichtlich des „Wie" unzulässig; nur das „Ob" der Geltendmachung kann genauer umgrenzt werden, wozu auch Reihenfolge der Inanspruchnahme und Höhe des Anspruchs zu zählen sind (zutr. KK-AktG/Rieckers/J. Vetter Rn. 185 f.; aA MüKoAktG/M. Arnold Rn. 63). Eigene Verfolgungspflicht des AR kann durch HV aber nicht eingeschränkt werden (KK-AktG/Rieckers/J. Vetter Rn. 185). Jedenfalls genügend ist jede Form gerichtl. Geltendmachung (Klageerhebung, Mahnbescheid; sa LG Heidelberg AG 2019, 804, 812). Auch vergleichsweise Erledigung ist möglich, wobei aber Vorgaben des § 93 IV 3 zu beachten sind (KK-AktG/Rieckers/J. Vetter Rn. 237 f.; zust. MüKoAktG/M. Arnold Rn. 65). Außergerichtl. Schritte können als Erstmaßnahme genügen, doch muss ihnen selbstverständlich gerichtl. oder schiedsgerichtl. Geltendmachung folgen, sobald sie sich als nicht zielführend erweisen. 15

Ob AR angesichts **unzureichender Erfolgsaussichten** auch ganz von Verfolgung absehen darf, ist umstr. (dafür Grigoleit/Grigoleit/Rachlitz Rn. 14; KK-AktG/Rieckers/J. Vetter Rn. 243 ff.; GK-AktG/Schmolke Rn. 180; H. P. Westermann AG 2009, 237, 240 f.; dagegen GK-AktG/G. Bezzenberger, 4. Aufl. 1999, Rn. 38, 56; Verhoeven ZIP 2008, 245, 250 f.), richtigerweise aber von 16

Reichweite des Prüfauftrags der HV abhängig zu machen (ausf. zur Paralleldiskussion für bes. Vertreter → Rn. 25). Ist Prüfungsauftrag hinreichend konkretisiert und Sachverhalt ausermittelt, überspielt Mandat der HV auch grds. Abwägungszuständigkeit des AR nach ARAG-Grundsätzen (→ § 111 Rn. 7 ff.; ähnlich OLG Düsseldorf AG 2019, 348, 355; Grigoleit/Grigoleit/Rachlitz Rn. 16; GK-AktG/Schmolke Rn. 180).

IV. Bestellung besonderer Vertreter

17 **1. Durch Hauptversammlungsbeschluss. a) Bestellung und Abberufung.** Gem. § 147 II 1 kann HV bes. Vertreter mit der Aufgabe bestellen, Ersatzansprüche geltend zu machen, wenn sie an Verfolgungswillen von Vorstand und AR zweifelt (Löbbe VGR 22 GesR 2016, 25, 40: „weitere Eskalationsstufe"). Auch Bestellung des bes. Vertreters muss grds. in **Tagesordnung** angekündigt werden (→ Rn. 12). Allerdings lässt es hM jedenfalls dann, wenn Verfolgung und Bestellung in einer Beschlussfassung zusammengefasst werden (zur Zulässigkeit BGHZ 226, 182 Rn. 44 = NZG 2020, 1025), genügen, wenn nur Beschlussfassung gem. § 147 I 1 angekündigt wird (GK-AktG/Schmolke Rn. 225; Bayer AG 2016, 637, 642; strenger KK-AktG/Rieckers/J. Vetter Rn. 305 ff.). Antrag und Beschluss müssen Person des bes. Vertreters **eindeutig bezeichnen** und – wie bei § 147 I 1 – eindeutig erkennen lassen, welche Ersatzansprüche er geltend machen soll, was bei Verbindung der Beschlüsse indes unproblematisch ist (KK-AktG/Rieckers/J. Vetter Rn. 311). Weitergehende „Glaubhaftmachung" solcher Ansprüche kann auch hier nicht gefordert werden (BGHZ 226, 182 Rn. 17; OLG Köln NZG 2017, 1344 Rn. 151; KK-AktG/Rieckers/J. Vetter Rn. 386 f.).

18 Werden **Bestellungs- und Geltendmachungsbeschluss** getrennt gefasst, bestimmt Letztgenannter die geltend zu machenden Ansprüche, während Bestellungsbeschluss näherer Bestimmung nur bedarf, wenn nicht alle vom Geltendmachungsbeschluss erfassten Ansprüche vom bes. Vertreter geltend gemacht werden sollen (BGHZ 226, 182 Rn. 17 = NZG 2020, 1025). Fällt Geltendmachungsbeschluss weg, verliert Bestellungsbeschluss seine Grundlage und das Amt des Vertreters endet, ohne dass es hierfür einer Anfechtungs- oder Nichtigkeitsklage bedarf (BGHZ 226, 182 Rn. 44; nicht aber bei bloßer Anfechtbarkeit – vgl. OLG Düsseldorf NZG 2022, 1104 Rn. 29). **Stimmverbot** des § 136 I 1 Fall 3 gilt auch im Rahmen des § 147 II 1 und ist mit ähnlichen Missbrauchsrisiken behaftet (→ Rn. 7). Dagegen darf mitstimmen, wer bes. Vertreter werden soll (vgl. zB BGHZ 97, 28, 34 f.).

19 Gericht bestellt bes. Vertreter, wenn ihm das „zweckmäßig erscheint" (§ 147 II 2 aE; ausf. → Rn. 40). Bes. Vertreter kann, muss aber nicht Aktionär sein. Ansonsten ist zumindest jede **natürliche Person** bestellbar, die an aufzuklärenden Vorgängen unbeteiligt und nicht in Interessenkonflikt ist, was auch auf Organmitglieder zutreffen kann (KG FGPrax 2012, 76, 77; MüKoAktG/M. Arnold Rn. 75). Mit beachtlichen Argumenten wird entgegen bislang ganz hM neuerdings und mittlerweile wohl schon überwiegend dafür plädiert, auch Bestellung einer **jur. Person** als bes. Vertreter zuzulassen (ausf. Schatz/Lüttenberg FS Heidel, 2021, 713 ff.; sa MüKoAktG/M. Arnold Rn. 76; Grigoleit/Grigoleit/Rachlitz Rn. 19; KK-AktG/Rieckers/J. Vetter Rn. 292 ff.; GK-AktG/Schmolke Rn. 329 ff.; Roßkopf/Gayk DStR 2020, 2078; aA S/L/Spindler Rn. 22; Krenek FS Heidel, 2021, 527, 533 f.). In der Tat steht ges. Ausgestaltung dem nicht zwingend entgegen und auch das auf den ersten Blick entgegenstehende Haftungserfordernis erweist sich bei näherer Betrachtung als überwindbar, wenn man mit zutr. Auffassung davon ausgeht, dass beim bes. Vertreter – anders als beim Vorstand (→ § 84 Rn. 23) – vertragliche Haftungsbeschränkungen zulässig sind (auch insofern zutr. KK-AktG/Rieckers/J. Vetter Rn. 744). Gerade vor diesem

Hintergrund wird Haftungssubstanz durch Einbeziehung jur. Person eher vergrößert als verkleinert.

Bestellung wird nur mit Annahme wirksam. Verpflichtung zur Annahme besteht auch für Aktionäre nicht (KK-AktG/Rieckers/J. Vetter Rn. 438). Bei nichtiger Bestellung findet **Lehre vom fehlerhaften Bestellungsakt** (→ § 84 Rn. 12 f.; → § 101 Rn. 17 f.) Anwendung (BGH AG 2011, 875, 876; OLG Karlsruhe NZG 2018, 508 Rn. 92 ff.; OLG München AG 2011, 177, 178; LG Heidelberg AG 2019, 804, 808 f. [im konkreten Fall verneinend; aA Lochner/Beneke ZIP 2020, 351, 353 f.; Mock/Goltner AG 2019, 787, 788 f.]; ausf. dazu Bayer/Lieder NZG 2012, 1, 7 ff.; Nietsch ZGR 2011, 589, 607 ff.; krit. Roßkopf/Gayk DStR 2020, 2078, 2081), was insbes. aus Sicht des bes. Vertreters den Vorteil hat, dass er seine Tätigkeit aufnehmen und nicht mit Schwebezustand der Klagesituation belastet wird (U. H. Schneider ZIP 2013, 1985, 1986; einschr. insofern aber LG Heidelberg AG 2019, 804, 808 ff.). 20

HV kann einen oder mehrere bes. Vertreter bestellen. Zuständig ist sie auch für die **Abberufung,** die jederzeit und auch ohne wichtigen Grund erfolgen kann (BGH AG 2013, 634 Rn. 6; OLG Karlsruhe NZG 2018, 508 Rn. 93, 100; OLG München AG 2010, 673, 676; zur fehlenden Anfechtungsbefugnis des Vertreters → Rn. 34). Stimmverbote für Bestellung gelten aber gleichermaßen auch für Abberufungsbeschluss, und zwar unabhängig davon, ob wichtiger Grund vorliegt (OLG Düsseldorf NZG 2022, 1104 Rn. 32 ff.; Schmolke AG 2022, 192 Rn. 10 f. m. Kritik an von OLG angedeuteten Ausnahmen). Weiterhin erforderlich ist ordnungsgem. Bekanntmachung in Tagesordnung; Ankündigung des Vertreterberichts genügt auch nach § 124 IV 2 nicht (OLG Brandenburg AG 2011, 418, 419 [zu § 142]; KK-AktG/Rieckers/J. Vetter Rn. 463). Darüber hinaus erlischt das Amt des bes. Vertreters aber auch automatisch mit der Verschmelzung des übertragenden Rechtsträgers auf einen anderen, und zwar auch dann, wenn der bes. Vertreter gerade auch Ansprüche gegen aufnehmenden Rechtsträger prüfen sollte (BGH AG 2013, 634 Rn. 3). 21

Auch **Abberufung nach Squeeze-Out** ist zulässig und begegnet in der Praxis (Bayer/Hoffmann AG 2018, 337, 349). OLG Köln NZG 2018, 459 Rn. 28 ff. hat bei laufender Prüfung durch bes. Vertreter Missbrauch angenommen (→ § 327a Rn. 20 f.; zust. Grigoleit/Grigoleit/Rachlitz Rn. 27), doch sollte dieser Einwand mit Blick auf gegenläufige Missbrauchsrisiken von Aktionärsseite (→ Rn. 7) nur mit großer Zurückhaltung erhoben werden (Bayer/Hoffmann AG 2018, 337, 341; Bühler BB 2018, 2886, 2892 f.; Decher FS E. Vetter, 2019, 95, 100 ff.; für [systemfremde] Fortführung der Minderheitenrechte auch in Einpersonen-AG Mock WM 2019, 1905 ff.; offengelassen in KG BeckRS 2023, 29426 Rn. 40 ff.; OLG München NZG 2021, 1594 Rn. 89). Für Abberufungsbeschluss in Einpersonen-AG gilt **§ 136 I 1** – auch wenn vor Squeeze-Out noch einschlägig – nicht mehr, da damit bezweckter Schutz übriger Gesellschafter nunmehr hinfällig ist und AG sonst nicht mehr entscheidungsfähig wäre (ausf. → § 136 Rn. 5). 22

b) Rechtsstellung besonderer Vertreter. aa) Allgemein. Befugnisse des bes. Vertreters werden in erster Linie durch ihren Aufgabenkreis bestimmt, aber auch begrenzt (LG Duisburg AG 2016, 795, 796; LG Heidelberg AG 2016, 868 Rn. 23 ff., 36; MüKoAktG/M. Arnold Rn. 81). In diesem Rahmen haben sie nach überwiegender Ansicht selbst **Organqualität** (BGH NJW 1981, 1097, 1098; AG 2011, 875 f.; OLG Karlsruhe AG 2022, 212; OLG Köln AG 2017, 351, 353 [insoweit nicht in NZG 2017, 1344]; LG München I AG 2007, 756, 757; MüKoAktG/M. Arnold Rn. 95; KK-AktG/Rieckers/J. Vetter Rn. 515 ff.; Mörsdorf ZHR 183 [2019], 695, 703 ff.; offenlassend OLG München AG 2009, 119, 120; AG 2011, 177, 178; aA Grobe, Inter- und Intraorganklagen, 2020, 151 ff.; Wirth FS Hüffer, 2010, 1129, 1143 ff., 1151). Das trifft insofern zu, als sie, 23 immer iR ihres Aufgabenkreises, für AG tätig sind und hinsichtlich der Anspruchsverfolgung Vorstand oder AR verdrängen (OLG Karlsruhe AG 2022, 212, 213). Welche Einzelbefugnisse ihnen zustehen, kann allerdings nicht aus dem **schwach konturierten Begriff** eines (Sonder-)Organs abgeleitet werden, sondern bisheriger Diskussionsverlauf zeigt, dass diese gedankliche Krücke rechtl. Beurteilung eher verdunkelt als erhellt hat. Stattdessen sind die Befugnisse des bes. Vertreters mangels ges. Regelung aus der jeweiligen Funktion und den fortbestehenden Leitungsrechten von Vorstand und AR abzuleiten (Hüffer ZHR 174 [2010], 642, 678 f.; ähnlich BGHZ 234, 152 Rn. 20, 40 = NJW 2022, 3077; OLG München AG 2009, 119, 120; 2011, 177, 178; KK-AktG/Rieckers/J. Vetter Rn. 522 ff.; Westermann AG 2009, 237, 240, 246 f.; Binder ZHR 176 [2012], 380, 389 ff.; aA Grigoleit/Grigoleit/Rachlitz Rn. 29; vermittelnd GK-AktG/Schmolke Rn. 399 ff.).

24 Aus dieser funktionalen Ableitung ergibt sich zunächst, dass bes. Vertreter Rolle eines ges. Vertreters der AG insoweit einnimmt, als seine Befugnis reicht, Ersatzansprüche gegen Mitglieder des Vorstands oder AR im Namen der AG zu verfolgen; diese Vertretungsmacht ist **abgespaltener Teil der umfassenden ges. Vertretungsmacht** des Vorstands (BGHZ 234, 152 Rn. 16 = NJW 2022, 3077). Für weitere inhaltliche Ausfüllung als aufschlussreich erweist sich insbes. **Wertungsabgleich mit Sonderprüfer** nach § 142. Dessen umfassende Befugnisse können schon angesichts der erheblich voneinander abweichenden Voraussetzungen nicht eingeschlossen sein, sondern es ist insofern aus Gründen systematischer Stimmigkeit von einem **inneren Stufenverhältnis** auszugehen, was sich insbes. hinsichtlich Informationsansprüchen (→ Rn. 27) als folgenreich erweist (für ein Stufenverhältnis mit Unterschieden im Detail auch RGZ 83, 248, 252; OLG Karlsruhe NZG 2018, 508, 510; OLG München NZG 2008, 230, 234; LG Köln AG 2016, 513, 514; MüKoAktG/M. Arnold Rn. 89 f.; S/L/Spindler Rn. 33; KK-AktG/Rieckers/J. Vetter Rn. 613 ff.; Bayer/Selentin ZGR 2022, 159, 180 ff.; Binder ZHR 176 [2012], 380, 393 ff.; Priester FS Seibert, 2019, 671, 676 ff.; Wirth FS Hüffer, 2010, 1129, 1146 ff.; aA OLG Köln NZG 2016, 147 Rn. 37; GK-AktG/Schmolke Rn. 409 ff.; Mock ZHR 181 [2017], 688, 697 ff.; Beneke, Der Besondere Vertreter, 2017, 17 ff.; Nietsch ZGR 2011, 589, 610 ff., dessen These von einer dem Vorstand und AR vergleichbaren Legitimation des bes. Vertreters [ZGR 2011, 589, 615] im Hinblick auf weit gefasstes Stimmverbot – wie HVB-Fall belegt – nicht überzeugt). Anderer Befund würde dazu führen, dass höhere Anforderungen an Sonderprüfer durch Wahl eines bes. Vertreters ohne weiteres umgangen werden könnten. These, dass solche Einschränkung mit Blick auf **Bestimmtheitsgebot** nicht erforderlich sei (GK-AktG/Schmolke Rn. 420 ff.), verliert gerade im Lichte jüngerer instanzgerichtl. Rspr. an Überzeugungskraft, die Anforderungen an Bestimmtheit eher niedrigschwellig formuliert (→ Rn. 8 ff.). Auch historisch lässt sich gegen ein solches Stufenverhältnis nicht einwenden, Gesetzgeber habe ursprünglich durch Aktienrechtsnotverordnung 1931 eingeführte Koppelung an Sonderprüfung 1965 wieder bewusst aufgegeben (so aber Mock FS Heidel, 2021, 599, 613 ff.). Daraus folgt lediglich, dass **Sonderprüfung keine rechtl. Voraussetzung** für Bestellung des bes. Vertreter ist (unstr. – vgl. GK-AktG/Schmolke Rn. 37 m. Fn. 98). Das lässt aber keinen Schluss auf dessen Befugnisse zu.

25 Wie für AR im Fall des § 147 I (→ Rn. 14 ff.), ist auch für bes. Vertreter umstr., ob er hinsichtlich der Geltendmachung des Anspruchs **Ermessen** hat. Das ist auch hier für das „Wie" der Anspruchsverfolgung (zB Feststellungsklage, Teilklage, Mahnverfahren etc.) zwar anerkannt (BGHZ 234, 152 Rn. 22 = NJW 2022, 3077, wird für das „Ob" aber unterschiedlich beurteilt (für Ermessen OLG Hamburg AG 2007, 331, 332; MüKoAktG/M. Arnold Rn. 82 f.; Kling ZGR 2009, 190, 206 ff.; Roßkopf/Gayk DStR 2020, 2078, 2081 f.; dagegen GK-

AktG/G. Bezzenberger, 4. Aufl. 1999, Rn. 56 [allerdings noch auf Grundlage des § 147 III aF]; S/L/Spindler Rn. 24 [Ausnahme, wenn Ermessen „expressis verbis" eingeräumt ist]). Wollte man Ermessen auch hinsichtlich des „Ob" pauschal verneinen, würde dem Umstand, dass bei Mandatierung noch kein abschließend ermittelter Sachverhalt feststehen muss (→ Rn. 8 ff.), nicht hinreichend Rechnung getragen (überschießende Folgen der Gegenansicht zeigen sich bei Mörsdorf ZHR 183 [2019], 695, 708 f., 715 ff., der Informationsrechte des bes. Vertreters kategorisch verneint). Andererseits könnte weites Ermessen HV-Entscheidung unterlaufen. Richtig ist daher, mit OLG München AG 2008, 864, 867 (wenngleich in Terminologie zu „Ob" und „Wie" zT missverständlich) in der Sache nach **Prüfauftrag der HV** zu differenzieren (für entspr. Wechselwirkung auch Bayer/Selentin ZGR 2022, 159, 178 ff.): Sofern dem ausermittelter Sachverhalt zugrunde liegt und bes. Vertreter Anspruch geltend machen soll, hat er kein Ermessen hinsichtlich des Ob, anderenfalls schon (zust. GK-AktG/Schmolke Rn. 424 ff.; U. H. Schneider ZIP 2013, 1985, 1989 f. und wohl auch LG Berlin ZIP 2012, 1034, 1035 allerdings mit derselben terminologischen Unschärfe; differenzierend nach Mehrheits- oder Minderheitenbestellung [Rn. 11] Bayer/Selentin ZGR 2022, 159, 170 ff.). Für Vorstand und AR gilt hinsichtlich der Rechtsverfolgung Einmischungsverbot (vgl. auch Goette/Arnold AR-HdB/Goette § 4 Rn. 2347); selbst prozessuale Nebenintervention ist ihnen nicht gestattet (Binder ZHR 176 [2012], 380, 386; Westermann AG 2009, 237, 241).

bb) Befugnisse. (1) Informationsbefugnisse. Im Mittelpunkt der Diskussi- 26
on um Befugnisse des bes. Vertreters stehen seine **Informationsrechte.** Auch wenn ges. nicht vorgesehen, besteht heute weitgehende Einigkeit, dass ihm solche Rechte als **Annexkompetenz** zu seinem Verfolgungsrecht zustehen. Danach hat er insbes. Anspruch auf Auskunft, Einsichtnahme in und Vorlage von Schriftstücken und anderen Datenträgern, soweit er Information zur Wahrnehmung seiner Aufgabe, im Kern also zur prozessualen Durchsetzung von Ersatzansprüchen, braucht (RGZ 83, 248, 250; LG München I AG 2006, 756, 757; LG Stuttgart ZIP 2010, 329, 330; Hüffer ZHR 174 [2010], 642, 675; Priester FS Seibert, 2019, 671, 678 ff.). Gegenansicht (insbes. Humrich NZG 2014, 441 ff.: keine Informationsrechte) hat sich zu Recht ebenso wenig durchgesetzt wie deutlich restriktivere Ansätze (vgl. dazu etwa Binder ZHR 176 [2012], 380, 397 ff.; Mörsdorf ZHR 183 [2019], 695, 715 ff.). Auch ohne ges. Erwähnung lässt sich Annexkompenz aus **effektuierender Kompetenzauslegung** ableiten (überzeugend Fleischer/Wedemann GmbHR 2010, 449, 455; sa OLG Karlsruhe AG 2022, 212, 213; Schatz FS Grunewald, 2021, 961, 965 ff. zu entspr. Ansätzen in der Rspr.). Anderes Verständnis würde Rechtsinstitut des bes. Vertreters „zur Wirkungslosigkeit verdammen" (OLG München AG 2008, 172, 175; Krenek FS Heidel, 2021, 527, 535). Entscheidend ist danach **Maßstab der Erforderlichkeit.** „Anfangsverdacht" ist dagegen keine Voraussetzung des Informationsanspruchs (so aber noch LG Stuttgart ZIP 2010, 329, 330; ausdr. dagegen LG Heidelberg AG 2016, 182; sa Schatz FS Grunewald, 2021, 961, 974).

Fortdauernder Streit dreht sich zunächst um die Frage, inwiefern **Abstands-** 27
gebot ggü. Sonderprüfung zu wahren ist (→ Rn. 24). Bejaht man das mit hier vertretener Auffassung, dürfen Befugnisse Umfang der in § 145 I–III vorgesehenen Auskunftsdichte nicht erreichen (so speziell zu den Informationsrechten auch schon RGZ 83, 248, 252 f.; LG Heidelberg AG 2016, 182; aA Mock ZHR 181 [2017], 688, 722: jedenfalls auch die Kompetenzen eines Sonderprüfers). Vor diesem Hintergrund ist auch neuerdings aufgestellte **These einer allumfassenden Informationsbeschaffungskompetenz unter Missbrauchsvorbehalt** (Mock ZHR 181 [2017], 688, 718 ff.) jedenfalls in dieser schlagwortartigen Kurzbezeichnung überzogen (sympathisierend aber Krenek FS Heidel, 2021, 527,

535). In der Sache wird sie dadurch relativiert, dass **Missbrauch** auch bei fehlender Erforderlichkeit angenommen wird. Gleichsetzung ist dennoch unglücklich, da Praxis zeigt, dass Gerichte den Parteien nur mit größter Zurückhaltung Missbrauch attestieren. Wenn stattdessen auf Erforderlichkeit abgestellt wird, schließt sich Folgefrage an, in welchem Maße diese Beurteilung gerichtlicher Kontrolle unterworfen ist (→ Rn. 28).

28 Nach allgM unterliegt Beurteilung der Erforderlichkeit (→ Rn. 26) dem **Ermessen** des bes. Vertreters, doch bestehen Unterschiede gradueller Art, ob weites oder enges Ermessen angenommen wird (für weites Ermessen OLG Köln NZG 2016, 147 Rn. 32; LG Duisburg AG 2016, 795, 796 f.; LG München I AG 2007, 756 im Verfügungstenor; Heidel/Lochner AR 2016, 34 f.; für engere Begrenzung KK-AktG/Rieckers/J. Vetter Rn. 626). Tats. lässt sich punktgenaue Festlegung in diesem Spektrum kaum treffen. Wenn man Informationsrecht jedoch an Erforderlichkeit knüpft, so muss diese auch **obj. gerichtl. Kontrolle** unterliegen, weil tatbestandliche Grenzen ohne jur. Überprüfbarkeit keinen Sinn ergeben (Bsp. für entspr. Kontrolle bei LG Heidelberg AG 2016, 182). Rein subj. Maßstab würde dem nicht gerecht und auch den in der Praxis schon sichtbar gewordenen **Missbrauchsgefahren** nicht hinreichend Rechnung tragen.

29 Bes. Vertreter muss seine Informationsrechte **ggü. Vorstand geltend machen** (zur gerichtl. Geltendmachung → Rn. 31), der Ermittlungen aktiv zu fördern hat (KK-AktG/Rieckers/J. Vetter Rn. 649). Er kann bes. Vertreter aber Einwand des Rechtsmissbrauchs entgegenhalten (GK-AktG/Schmolke Rn. 483). Bloße Anfechtbarkeit oder Anfechtung des Bestellungsbeschlusses kann Informationsanspruch aber nicht entgegengehalten werden, solange Gericht Nichtigkeit nicht festgestellt hat (OLG Köln NZG 2016, 147 Rn. 33; sa → Rn. 13). Dass bes. Vertreter bei Informationsbeschaffung vorstandsähnliche Befugnisse hätte (Böbel, Die Rechtsstellung der besonderen Vertreter, 1999, 56 ff.; Verhoeven ZIP 2008, 245, 248) oder sich gar von ihm für erforderlich gehaltene Informationen unternehmensintern auf eigene Faust beschaffen dürfte, verbietet sich von selbst (OLG Karlsruhe AG 2022, 212, 215; OLG München AG 2008, 172, 174 ff.; KK-AktG/Rieckers/J. Vetter Rn. 593 ff.; Fabritius GS Gruson, 2009, 133, 141; Hüffer ZHR 174 [2010], 642, 679 f.; Kling ZGR 2009, 190, 216 ff.; Wirth FS Hüffer, 2010, 1129, 1142). Namentl. **Befragung von Mitarbeitern** darf nicht eigenständig erfolgen, sondern nur über Vermittlung des Vorstands (sa OLG Karlsruhe AG 2022, 212, 215 f.; OLG München AG 2008, 172, 176; MüKoAktG/M. Arnold Rn. 93; KK-AktG/Rieckers/J. Vetter Rn. 642; S/L/Spindler Rn. 33; Nietsch ZGR 2011, 589, 620; aA GK-AktG/Schmolke Rn. 468; Beneke, Der Besondere Vertreter, 2017, 190 ff.). Wenn nach hM selbst AR solches Recht nicht zusteht (→ § 111 Rn. 36), kann für bes. Vertreter nichts anderes gelten. Auch **Zutrittsrecht** zu Räumen der AG ist idR zu verneinen (OLG München AG 2008, 172, 176; MüKoAktG/M. Arnold Rn. 92; aA GK-AktG/Schmolke Rn. 468; Krenek FS Heidel, 2021, 527, 535).

30 Nach LG Duisburg AG 2016, 795, 797 kann bes. Vertreter auch **Bestandsverzeichnis** nach § 260 I BGB hinsichtlich sämtlicher einschlägiger Dokumente verlangen. Diesem Recht kommt erhebliche praktische Bedeutung zu, da bes. Vertreter erst auf dieser Grundlage wird entscheiden können, welche Unterlagen relevant sein könnten (Schatz FS Grunewald, 2021, 961, 974). Dagegen hat bes. Vertreter keinen Anspruch auf Herausgabe der **Protokolle von Vorstands- und AR-Sitzungen,** soweit sie nicht seinen Aufgabenkreis betreffen, auch nicht um gerade diesen Zusammenhang zu überprüfen (LG Heidelberg AG 2016, 868 Rn. 36).

31 Bei Frage nach gerichtl. Durchsetzung setzen sich auch in Person des bes. Vertreters Unsicherheiten über **Zulässigkeit eines Interorganstreits** (→ § 90 Rn. 24 f.) fort, wobei Streitlinien hier jedoch erstaunlicherweise anders verlaufen (so auch der Befund von KK-AktG/Rieckers/J. Vetter Rn. 690). Überwiegend wird angenommen, dass Informationsanspruch **von bes. Vertreter geltend gemacht** werden kann, wobei aber umstr. ist, ob dieser im eigenen oder im fremden Namen handelt (für das Erste GK-AktG/Schmolke Rn. 456; S/L/Spindler Rn. 29; für das Zweite KK-AktG/Rieckers/J. Vetter Rn. 692; weiter differenzierend BeckOGK/Mock Rn. 196.1). Hinsichtlich des **Klagegegners** ist mittlerweile anerkannt, dass jedenfalls Ansprüche gegen Vorstandsmitglieder selbst grds. nicht bestehen (LG Heidelberg AG 2016, 182, 183; Ausn. denkbar, wenn nur einzelnes Mitglied Zugriff auf Information hat – vgl. GK-AktG/Schmolke Rn. 457). Umstr. ist dann aber auch hier, ob Klage gegen Vorstand oder gegen AG, vertreten durch Vorstand, gerichtet werden muss (für das Erste GK-AktG/Schmolke Rn. 456; S/L/Spindler Rn. 29; Harnos FS Seibert, 2019, 309, 321 f.; für das Zweite OLG München AG 2008, 172, 176; LG Duisburg AG 2016, 794, 797; LG Heidelberg AG 2016, 182, 183; MüKoAktG/M. Arnold Rn. 94). Praxis sollte sich hier – trotz starker Argumente der Gegenmeinung – in erster Linie an letztgenannter Gerichtsauffassung orientieren.

Bes. Vertreter kann seine Rechte bei Eilbedürftigkeit auch im Wege **einstweiligen Rechtsschutzes** nach §§ 935 ff. ZPO durchsetzen (LG Heidelberg AG 2016, 182, 183; MüKoAktG/M. Arnold Rn. 94). Dieser Möglichkeit kommt in der Praxis für die Funktionsfähigkeit des Rechtsinstituts bes. Vertreter überragende Bedeutung zu, da es an Kooperationsbereitschaft der Organe häufig fehlen wird (Schatz FS Grunewald, 2021, 961, 974 ff.). Verfügungsanspruch folgt in diesen Fällen unmittelbar aus Aufgaben des bes. Vertreters nach § 147 I, II; Verfügungsgrund aus § 147 I 2, wonach Anspruch innerhalb einer Frist von sechs Monaten geltend zu machen ist (→ Rn. 14; sa Krenek FS Heidel, 2021, 527, 536; ausf. GK-AktG/Schmolke Rn. 519 ff.; Schatz FS Grunewald, 2021, 961, 974 ff.). 32

(2) Sonstige Befugnisse. Ein eigenständiges **Recht, HV einzuberufen** oder Gegenstände auf Tagesordnung zu setzen, besteht grds. nicht (MüKoAktG/M. Arnold Rn. 103; im ersten Punkt aA LG München I AG 2007, 756; LG München I ZIP 2007, 2420, 2422 [insoweit nicht in AG 2008, 92]). Ausn. ist nur dann anzuerkennen, wenn dies für Aufgabenerfüllung oder zum Wohl der AG (entspr. § 111 III 1) zwingend erforderlich ist (KK-AktG/Rieckers/J. Vetter Rn. 670, 675; GK-AktG/Schmolke Rn. 486). Selbst **Teilnahme- und Rederecht** sind grds. zu verneinen (LG München AG 2008, 794, 795 f.), wenn nicht eigene Tätigkeit Gegenstand der Tagesordnung ist (S/L/Spindler Rn. 36; KK-AktG/Rieckers/J. Vetter Rn. 565; Krenek FS Heidel, 2021, 527, 536 f.). 33

Daneben hat BGH auch Vertretungszuständigkeit des bes. Vertreters für im Zusammenhang mit Aufgabenwahrnehmung anfallende **Hilfsgeschäfte** anerkannt, wobei sich Umfang dieser Zuständigkeit aus Inhalt der jew. Aufgabenzuweisung ergibt und nicht zu Erweiterung des sachlichen Aufgabenbereichs führen darf (BGHZ 234, 152 Rn. 20 = NJW 2022, 3077: enger Rahmen). Diese Zuständigkeit umfasst, dass er Hilfspersonen einsetzen kann, sie bei ihrer Tätigkeit anleitet und überwacht sowie nach Ausführung des Auftrags darüber befindet, ob dieser sachgerecht erfüllt wurde (BGHZ 234, 152 Rn. 27 = NJW 2022, 3077). Speziell für außergerichtl. Geltendmachung und Klageerhebung ist bes. Vertreter danach auch befugt, ggf. **Anwalt** auf Kosten der AG zu mandatieren (BGHZ 234, 152 Rn. 17; KG FGPrax 2012, 76, 77; OLG Karlsruhe AG 2022, 212, 214; BeckOGK/Mock Rn. 187; U. H. Schneider ZIP 2013, 1985, 1988). Dazu gehört auch, dass er AG ggü. Anwalt in Erkenntnisverfahren vertreten kann, das vor Abschluss der Geltendmachung der Ersatzansprüche wegen Streitigkeit über Honoraransprüche aus Auftragsverhältnis beginnt (BGHZ 234, 152 Rn. 17, 21 f., 25 ff. in Abw. von OLG Karlsruhe AG 2022, 212, 213 ff.; zust. Harnos AG, R 256 ff.). Dabei schließt Vertretungsbefugnis – jedenfalls für Prozessvertretung der 34

AG – diejenige durch andere Gesellschaftsorgane aus (BGHZ 234, 152 Rn. 42). Vorstand wird damit zur bloßen Zahlstelle degradiert, doch fungiert Haftung des bes. Vertreters als Korrektiv (Harnos AG 2022, R 256, 258 f.). Im **Anfechtungsprozess** von Aktionären ist bes. Vertreter Beitritt als Nebenintervenient idR verwehrt. Das gilt selbst dann, wenn man Organqualität oder relativierend organähnliche Stellung annimmt (→ Rn. 23), da Vertreter dennoch im Regelfall rechtl. Interesse iSd § 66 ZPO fehlen wird (OLG München AG 2009, 119, 120; LG Düsseldorf AG 2014, 214, 216; KK-AktG/Rieckers/J. Vetter Rn. 684; aA MüKoAktG/M. Arnold Rn. 101). Etwas anderes gilt aber dann, wenn Beschluss seine **eigene Rechtsstellung** betr., was namentl. bei Anfechtung des grds. Beschlusses über Verfolgung von Ersatzansprüchen und über seine Bestellung anzunehmen ist; in diesem Fall ist ihm als Einzelperson auch Parteifähigkeit zuzuerkennen (so BGH NZG 2015, 835 Rn. 11 ff. für Beitritt auf Seiten der AG; sa OLG Düsseldorf AG 2019, 348, 350; OLG Köln AG 2017, 351, 353 [insoweit nicht in NZG 2017, 1344]). Diese Ausnahme greift indes nicht ein, wenn sein Aufgabenbereich nur mittelbar berührt wird, wie etwa durch Beschluss über Sonderprüfung gem. § 142 (BGH NZG 2015, 835 Rn. 20; zu weitgehend deshalb Mock AG 2015, 652, 657: mittelbarer Zusammenhang mit Ersatzansprüchen). **Eigene Anfechtungsbefugnis** analog § 245 S. 1 Nr. 4 steht bes. Vertreter dagegen nicht zu (→ § 245 Rn. 36 mwN).

35 **Vergütung** des bes. Vertreters ist in HV-Beschluss festzulegen, sonst nach Üblichkeit zu bestimmen (§§ 675, 612 I, II BGB); Analogieschluss zu § 147 II 5 – 7 kommt dagegen nicht in Betracht (Nietsch NZG 2021, 271, 275). Recht auf Vorschuss wird überwiegend bejaht (KK-AktG/Rieckers/J. Vetter Rn. 721 m. 710; GK-AktG/Schmolke Rn. 631). Vgl. zu den üblichen Kosten, die insgesamt mit der Vertreterbestellung einhergehen, Bayer/Hoffmann AG 2018, 337, 350 f.

36 **cc) Pflichten.** Bes. Vertreter unterliegt keinen **Auskunfts- oder Berichtspflichten** ggü. Vorstand oder AR (BeckOGK/Mock Rn. 180), wohl aber entspr. § 666 Fall 3 BGB ggü. HV, wenn seine Tätigkeit eigenständiger Tagesordnungspunkt ist (MüKoAktG/M. Arnold Rn. 103; BeckOGK/Mock Rn. 199; KK-AktG/Rieckers/J. Vetter Rn. 566 f.; S/L/Spindler Rn. 36; aA Grigoleit/Grigoleit/Rachlitz Rn. 32). Fehlende Weisungsbindung steht dem – wie schon Vergleich mit Vorstand zeigt – nicht entgegen (GK-AktG/Schmolke Rn. 556 ff.)

37 Vorgaben und Weisungen der HV bei Bestellung oder im weiteren Verlauf seiner Tätigkeit hat bes. Vertreter zu beachten (MüKoAktG/M. Arnold Rn. 105). AR hat dagegen kein Überwachungsrecht. Bes. Vertreter unterliegt aber **Treubindungen** zur AG, die seinem Einwirkungspotenzial entspr. Dazu gehört insbes. auch Verschwiegenheitspflicht (MüKoAktG/M. Arnold Rn. 104). **Haftung** des bes. Vertreters folgt nicht aus § 93 II AktG, sondern aus **§ 280 I BGB** iVm Geschäftsbesorgungsvertrag (MüKoAktG/M. Arnold Rn. 107; KK-AktG/Rieckers/J. Vetter Rn. 731 ff.; Roßkopf FS Marsch-Barner, 2018, 457, 467 f.). Ebenfalls stark vertretene Gegenauffassung (KG AG 2012, 328, 329; LG Heidelberg AG 2019, 804, 809 ff.; BeckOGK/Mock Rn. 174 ff.; GK-AktG/Schmolke Rn. 598 ff.; Krenek FS Heidel, 2021, 527, 539; U. H. Schneider ZIP 2013, 1985, 1991; für kumulative Anwendung Bayer/Selentin ZGR 2022, 159, 166 ff.; offengelassen von BGHZ 234, 152 Rn. 34 = NJW 2022, 3077) kann sich, da Vorschrift dem Wortlaut nach nicht einschlägig ist, nur auf Analogieschluss gründen. Dafür muss aber neben planwidriger Regelungslücke (schon zweifelhaft) auch teleologische Passgenauigkeit nachgewiesen werden, an der es hier jedenfalls fehlt. Das gilt für bes. Verschärfungen, wie Beweislast und Verjährung, die sich gerade aus starker Vorstandsposition erklären, aber auch für Privilegierung der BJR, die ua Risikobereitschaft des Vorstands (nicht aber des bes. Ver-

treter) stärken soll (→ § 93 Rn. 26 f.; aA insofern Bayer/Selentin ZGR 2022, 159, 168 f.). Folgerichtig findet auch § 93 IV auf bes. Vertreter keine Anwendung (so auch Bayer/Selentin ZGR 2022, 159, 168; aA Schilz NZG 2023, 918 ff.). Aufzählung möglicher Pflichtverletzungen (zB unsorgfältige Anspruchsdurchsetzung, Verjährenlassen, Schädigung der Gesellschaftsreputation, Verschwendung von Gesellschaftsmitteln, unterlassene Prüfung der Wirksamkeit des Bestellungsbeschlusses – s. dazu schon → Rn. 13) bei Bayer/Selentin ZGR 2022, 159, 172 ff. Zuständig für Geltendmachung ist **Vorstand.** Dass er dafür einer Zustimmung der HV bedarf, findet in Aktienrechtsordnung keine Grundlage. Gegenauffassung von BeckOGK/Mock,1.10.2023, Rn. 197.1 stützt sich auf reine Zweckmäßigkeitserwägungen (Pac Man-Szenario), die rechtl. Herleitung aber nicht ersetzen können, zumal ähnliche Bedenken auch ggü. Klagekonstellation Vorstand-AR vorgebracht werden könnten.

2. Gerichtliche Bestellung. Gem. § 147 II 2 kann Gericht bes. Vertreter (einen oder mehrere) bestellen und damit Vorstand und AR, aber auch durch HV-Beschluss (§ 147 II 1) eingesetzte Vertreter von der Verfolgung der Gesellschaftsansprüche ausschließen (KG FGPrax 2012, 76, 77). **Voraussetzungen** sind (1.) Beschluss der HV, den Ersatzanspruch geltend zu machen (→ Rn. 12 f.), (2.) Antrag einer qualifizierten Minderheit von 10 % des Grundkapitals oder von Aktionären, deren Aktienbesitz den anteiligen Betrag von 1 Mio. Euro erreicht. Anteiliger Betrag (§ 8 III 3) folgt aus Division des Grundkapitals durch Aktienanzahl. Bei Nennbetragsaktien (§ 8 I und II) ist der Nennbetrag der anteilige Betrag. 38

Zum **Verfahren des Gerichts** und seiner **Entscheidung** gilt: Zuständig ist Amtsgericht (§ 23a I Nr. 2, II Nr. 4 GVG iVm § 375 Nr. 3 FamFG), in dessen Bezirk das zuständige LG seinen Sitz hat (§ 376 I FamFG iVm § 375 Nr. 3 FamFG – zutr. Grigoleit/Grigoleit/Rachlitz Rn. 24; KK-AktG/Rieckers/J. Vetter Rn. 342; Jänig/Leißring ZIP 2010, 110, 113; aA NK-AktR/Lochner Rn. 20: Amtsgericht am Sitz der AG). Örtl. Zuständigkeitsanordnung kann nach § 376 II 1, 2 FamFG weiter durch RechtsVO modifiziert werden (Übersicht bei Sternal/Eickelberg FamFG § 376 Rn. 11 ff.). Gericht entscheidet im unternehmensrechtl. Verfahren durch den Richter, nicht den Rechtspfleger (§ 17 Nr. 2 RPflG). Wenn Quorum nicht erreicht wird (→ Rn. 38), ist Antrag schon unzulässig. 39

Gericht bestellt bes. Vertreter, wenn ihm das **zweckmäßig erscheint** (§ 147 II 2 aE), dh, wenn es für den Einzelfall davon überzeugt ist, dass Rechtsverfolgung bei (anderen) bes. Vertretern in besseren Händen liegt als bei den sonst zuständigen Personen. Die Beteiligten können dafür **Vorschläge** machen, doch ist Gericht daran nicht gebunden (OLG Frankfurt AG 2004, 104, 105; KG FGPrax 2012, 76, 77; AG Nürtingen AG 1995, 287 f.). IdR wird es allerdings den von der Minderheit benannten Vertreter bestellen, sofern nicht bes. Umstände gegen dessen Qualifikation sprechen und eine grob unsachgem. Anspruchsverfolgung zu befürchten ist (KG FGPrax 2012, 76, 77; RegBegr. KonTraG BT-Drs. 13/9712, 21; MüKoAktG/M. Arnold Rn. 123; BeckOGK/Mock Rn. 124; zur Person des Vertreters → Rn. 19). 40

Gerichtskosten sind der Gesellschaft aufzuerlegen (§ 147 II 3); iÜ ist § 81 FamFG maßgebend. **Rechtsmittel** ist nach § 147 II 4 Beschwerde (§§ 58 ff. FamFG) mit Monatsfrist des § 63 I FamFG, dagegen wiederum zulassungsabhängige Rechtsbeschwerde nach § 70 I FamFG (→ § 33 Rn. 7a; → § 142 Rn. 30). Die Vorschriften über **Auslagenersatz und Vergütung** der bes. Vertreter in § 147 II 5–8 sind § 142 VI nachgebildet (→ § 142 Rn. 33; zu Einzelheiten vgl. Roßkopf FS Marsch-Barner, 2018, 457 ff.; U. H. Schneider ZIP 2013, 1985, 1988 f.). Insbes. gilt infolge Änderung des § 147 II 7 und 8 durch FGG-ReformG 2008 auch hier, dass Rechtsbeschwerde (§§ 70 ff. FamFG) unstatthaft ist. 41

Klagezulassungsverfahren

148 (1) [1]Aktionäre, deren Anteile im Zeitpunkt der Antragstellung zusammen den einhundertsten Teil des Grundkapitals oder einen anteiligen Betrag von 100 000 Euro erreichen, können die Zulassung beantragen, im eigenen Namen die in § 147 Abs. 1 Satz 1 bezeichneten Ersatzansprüche der Gesellschaft geltend zu machen. [2]Das Gericht lässt die Klage zu, wenn

1. die Aktionäre nachweisen, dass sie die Aktien vor dem Zeitpunkt erworben haben, in dem sie oder im Falle der Gesamtrechtsnachfolge ihre Rechtsvorgänger von den behaupteten Pflichtverstößen oder dem behaupteten Schaden auf Grund einer Veröffentlichung Kenntnis erlangen mussten,
2. die Aktionäre nachweisen, dass sie die Gesellschaft unter Setzung einer angemessenen Frist vergeblich aufgefordert haben, selbst Klage zu erheben,
3. Tatsachen vorliegen, die den Verdacht rechtfertigen, dass der Gesellschaft durch Unredlichkeit oder grobe Verletzung des Gesetzes oder der Satzung ein Schaden entstanden ist, und
4. der Geltendmachung des Ersatzanspruchs keine überwiegenden Gründe des Gesellschaftswohls entgegenstehen.

(2) [1]Über den Antrag auf Klagezulassung entscheidet das Landgericht, in dessen Bezirk die Gesellschaft ihren Sitz hat, durch Beschluss. [2]Ist bei dem Landgericht eine Kammer für Handelssachen gebildet, so entscheidet diese anstelle der Zivilkammer. [3]Die Landesregierung kann die Entscheidung durch Rechtsverordnung für die Bezirke mehrerer Landgerichte einem der Landgerichte übertragen, wenn dies der Sicherung einer einheitlichen Rechtsprechung dient. [4]Die Landesregierung kann die Ermächtigung auf die Landesjustizverwaltung übertragen. [5]Die Antragstellung hemmt die Verjährung des streitgegenständlichen Anspruchs bis zur rechtskräftigen Antragsabweisung oder bis zum Ablauf der Frist für die Klageerhebung. [6]Vor der Entscheidung hat das Gericht dem Antragsgegner Gelegenheit zur Stellungnahme zu geben. [7]Gegen die Entscheidung findet die sofortige Beschwerde statt. [8]Die Rechtsbeschwerde ist ausgeschlossen. [9]Die Gesellschaft ist im Zulassungsverfahren und im Klageverfahren beizuladen.

(3) [1]Die Gesellschaft ist jederzeit berechtigt, ihren Ersatzanspruch selbst gerichtlich geltend zu machen; mit Klageerhebung durch die Gesellschaft wird ein anhängiges Zulassungs- oder Klageverfahren von Aktionären über diesen Ersatzanspruch unzulässig. [2]Die Gesellschaft ist nach ihrer Wahl berechtigt, ein anhängiges Klageverfahren über ihren Ersatzanspruch in der Lage zu übernehmen, in der sich das Verfahren zur Zeit der Übernahme befindet. [3]Die bisherigen Antragsteller oder Kläger sind in den Fällen der Sätze 1 und 2 beizuladen.

(4) [1]Hat das Gericht dem Antrag stattgegeben, kann die Klage nur binnen drei Monaten nach Eintritt der Rechtskraft der Entscheidung und sofern die Aktionäre die Gesellschaft nochmals unter Setzung einer angemessenen Frist vergeblich aufgefordert haben, selbst Klage zu erheben, vor dem nach Absatz 2 zuständigen Gericht erhoben werden. [2]Sie ist gegen die in § 147 Abs. 1 Satz 1 genannten Personen und auf Leistung an die Gesellschaft zu richten. [3]Eine Nebenintervention durch Aktionäre ist nach Zulassung der Klage nicht mehr möglich. [4]Mehrere Klagen sind zur gleichzeitigen Verhandlung und Entscheidung zu verbinden.

(5) [1]Das Urteil wirkt, auch wenn es auf Klageabweisung lautet, für und gegen die Gesellschaft und die übrigen Aktionäre. [2]Entsprechendes gilt für einen nach § 149 bekannt zu machenden Vergleich; für und gegen die Gesellschaft wirkt dieser aber nur nach Klagezulassung.

(6) [1]Die Kosten des Zulassungsverfahrens hat der Antragsteller zu tragen, soweit sein Antrag abgewiesen wird. [2]Beruht die Abweisung auf entgegenstehenden Gründen des Gesellschaftswohls, die die Gesellschaft vor Antragstellung hätte mitteilen können, aber nicht mitgeteilt hat, so hat sie dem Antragsteller die Kosten zu erstatten. [3]Im Übrigen ist über die Kostentragung im Endurteil zu entscheiden. [4]Erhebt die Gesellschaft selbst Klage oder übernimmt sie ein anhängiges Klageverfahren von Aktionären, so trägt sie etwaige bis zum Zeitpunkt ihrer Klageerhebung oder Übernahme des Verfahrens entstandene Kosten des Antragstellers und kann die Klage nur unter den Voraussetzungen des § 93 Abs. 4 Satz 3 und 4 mit Ausnahme der Sperrfrist zurücknehmen. [5]Wird die Klage ganz oder teilweise abgewiesen, hat die Gesellschaft den Klägern die von diesen zu tragenden Kosten zu erstatten, sofern nicht die Kläger die Zulassung durch vorsätzlich oder grob fahrlässig unrichtigen Vortrag erwirkt haben. [6]Gemeinsam als Antragsteller oder als Streitgenossen handelnde Aktionäre erhalten insgesamt nur die Kosten eines Bevollmächtigten erstattet, soweit nicht ein weiterer Bevollmächtigter zur Rechtsverfolgung unerlässlich war.

Übersicht

I. Regelungsgegenstand und -zweck

1 Norm führt für qualifizierte Aktionärsminderheit das Recht ein, Ersatzansprüche der Gesellschaft (§ 147 I 1) im eigenen Namen klageweise durchzusetzen (§ 148 IV, V). Dieser von Aktionären erhobenen Klage ist bes. **Zulassungsverfahren** vorgeschaltet (§ 148 I, II). Klage und Zulassungsverfahren sind subsidiär ggü. einer Rechtsverfolgung durch AG selbst (§ 148 III). § 148 VI enthält

umfängliche Kostenregelung. Insges. beruht auch § 148 auf verbreiteten Durchsetzungsdefiziten in der Verfolgung durch AR (→ § 147 Rn. 1) und bezweckt deshalb verbesserte **Durchsetzung von Ersatzansprüchen** der Gesellschaft, will aber zugleich **missbräuchlichen Klagen vorbeugen** (RegBegr. BT-Drs. 15/5092, 19 f.), dies durch Erfordernis gerichtl. Zulassung und auch durch Publizität nach § 149. Regelung beruht auf UMAG 2005; ausf. zur Entstehungsgeschichte KK-AktG/Rieckers/J. Vetter Rn. 26 ff. mit rechtsvergleichenden Hinweisen in Rn. 45 ff.).

II. Gesamtkonzeption; Würdigung

2 Gesamtregelung hat ggü. § 147 aF an Klarheit gewonnen: Recht einer **qualifizierten Minderheit** zur Durchsetzung einer Sonderprüfung ist an denselben Mindestbesitz geknüpft wie Verfahren zur Zulassung der Haftungsklage (§ 142 II 1 [→ § 142 Rn. 22], § 148 I 1). Neben §§ 148, 149 besteht Recht und grds. auch Pflicht des zuständigen Organs, bes. des AR, Ersatzansprüche der Gesellschaft geltend zu machen (→ § 111 Rn. 7 ff.). Minderheitenrecht bedeutet also Ergänzung und nicht Abschaffung der Organbefugnisse. Da inhaltliche Ausgestaltung des Klagerechts aber nicht von Person des Klägers abhängen kann, muss ges. Ausgestaltung in § 148 auf Verständnis der Verfolgungspflicht des AR **ausstrahlen** (vgl. J. Koch ZGR 2006, 769, 776; J. Koch AG 2009, 93, 96, 97 ff.; Redeke ZIP 2008, 1549, 1551 ff.; ausf. → § 111 Rn. 16). De lege lata ausgeschlossen ist Aktionärsklage iS der **actio pro socio.** Sie scheitert an bes. Regelung des § 148 (hM, s. etwa Krieger ZHR 163 [1999], 343, 344; Zöllner ZGR 1988, 392, 408; aA zB Wellkamp DZWir 1994, 221, 223 f.; alle noch zu § 147 aF) und ist de lege ferenda zumindest bei börsennotierten Gesellschaften auch nicht wünschenswert.

3 Jetzige Regelung stellt unter dem Gesichtspunkt dogmatischer Stringenz ggü. Vorgängerregelung qualitativen Fortschritt dar, hat sich in der Praxis aber doch als weitgehend **wirkungslos** erwiesen (empirische Bestandsaufnahme bei Redenius-Hövermann/Henkel AG 2020, 349 ff.; zum Versuch, ihre Anforderungen durch US-amerikanische derivative suits zu umgehen → Rn. 12a). Für Kläger ist ges. Ausgestaltung idR weiterhin zu unattraktiv, um auf eigene Initiative Vorstandshaftung durchzusetzen (ausf. KK-AktG/Rieckers/J. Vetter Rn. 81 ff.; Schmolke ZGR 2011, 398 ff.; krit. Lochner FS Heidel, 2021, 547, 549 ff.). Ob – wie bei § 142 (→ § 142 Rn. 1) – institutionelle Investoren ges. Regelung neues Leben einhauchen können, bleibt abzuwarten (zur „Haftungsapathie" auch institutioneller Investoren Redeke AG 2015, 253 ff.). **Int. Gesamtschau** zeigt allerdings, dass dieser Befund nicht allein auf deutsche Regelung zutrifft, sondern es kaum einer Rechtsordnung gelungen ist, richtiges Maß zu treffen, um effektiven Minderheitenschutz zu gewährleisten und zugleich Missbräuchen entgegenzuwirken. Aktionärsklage ist in anderen Ländern entweder ähnlich wirkungslos oder führt zu Ergebnissen, die deutscher Gesetzgeber mit behutsamer Ausgestaltung gerade zu verhindern suchte (ausf. T. Bezzenberger ZGR 2018, 584, 585 ff. mit Charakterisierung des praktisch wirkungsvolleren amerikanischen Pendants als „Rechtsanwalts-Bereicherungsklage" [S. 625]; sa GK-AktG/Bezzenberger/Bezzenberger Rn. 35 ff.). Auch auf nat. Ebene ist zu konstatieren, dass **jahrelange Reformdebatte** (u. a. 63., 69. und 70. DJT) bislang nicht zu auch nur ansatzweise konsentierten Ergebnissen geführt hat (für eine Lockerung der Klagevoraussetzungen Habersack Gutachten E zum 69. DJT, 2012, E 91 ff.; Bachmann AG 2012, 565, 577 f.; Haar/Grechenig AG 2013, 653 ff.; Schmolke ZGR 2011, 398 ff., 423 ff.; krit. T. Bezzenberger ZGR 2018, 584, 610 ff.; Kahnert AG 2013, 663 ff.; J. Vetter FS Hoffmann-Becking, 2013, 1317, 1328 ff.; weitere Vorschläge bei Lochner FS Heidel, 2021, 547, 566 ff.). Es scheint leichter zu sein, gegen-

wärtiges Modell zu kritisieren, als überlegenes Modell zu entwickeln. Für deutsches Aktienrecht kommt hinzu, dass verstärkte Verfolgung durch Aktionäre – ungeachtet aller Missbrauchsszenarien – schon angesichts offenkundiger Defizite der **zu strengen Vorstandshaftung** (namentl. hinsichtlich der Regresshöhe → § 93 Rn. 96 ff. mwN), die derzeit nur durch maßvolle Verfolgung des AR aufgefangen werden können, keinesfalls wünschenswert wäre (zur Zurückhaltung mahnend deshalb Hemeling Referat zum 69. DJT, 2012, Bd. II/1, N 31, 367 ff.; KK-AktG/Rieckers/J. Vetter Rn. 90 ff.; Brommer AG 2013, 121 ff.; Kahnert AG 2013, 663, 668 f.). Da dieses Korrektiv durch schärfere Aktionärsklage wegfallen würde und Diskussion über Regressbeschränkung de lege lata noch im Fluss ist (→ § 93 Rn. 96 ff.), kann Reform allenfalls gemeinsam mit Reform der Vorstandshaftung erfolgen (konsequent daher der neu eingeführte Beschluss 23 des 69. DJT, 2012, N 91). Bis dahin dürfte Klagemöglichkeit zumindest (nicht zu unterschätzende) präventive Wirkung entfalten (T. Bezzenberger ZGR 2018, 584, 617 ff.).

III. Zulassung zur Aktionärsklage (§ 148 I)

1. Verfolgungsrecht der Aktionärsminderheit. Aktionäre dürfen Ersatzansprüche der AG geltend machen, wenn Gericht sie dazu zugelassen hat. Zulassung setzt voraus, dass Aktionäre (einer oder mehrere; s. zur Mehrheit Happ FS Westermann, 2008, 971, 975 ff.) bestimmtes **Quorum** erreichen, Rechtsverfolgung in geeigneter Weise betreiben wollen und die zusätzlichen Voraussetzungen des § 148 I 2 erfüllt sind. Im Einzelnen gilt: Quorum des § 148 I 1 deckt sich mit demjenigen des § 142 II 1 (→ § 142 Rn. 22). § 148 I 1 lässt es genügen, dass Quorum im Zeitpunkt der Antragstellung vorhanden ist (KK-AktG/Rieckers/J. Vetter Rn. 210 ff.; S/L/Spindler Rn. 11; Schröer ZIP 2005, 2081, 2083). Vereinzelt vertretene Gegenauffassung, die Fortbestand des Quorums forderte (Bezzenberger/Bezzenberger FS K. Schmidt, 2009, 105, 112 f.), wurde mittlerweile mit Blick auf eindeutigen Gesetzeswortlaut aufgegeben (GK-AktG/Bezzenberger/Bezzenberger Rn. 94). Aktionäre, die Quorum nicht allein erreichen, sollen nach Vorstellung des Gesetzgebers sog Aktionärsforum des BAnz. (§ 127a) in Anspruch nehmen (RegBegr. BT-Drs. 15/5092, 15), das sich aber in der Praxis als unzureichend und wirkungslos erwiesen hat (→ § 127a Rn. 1). Aktionäre müssen Ansprüche im eigenen Namen verfolgen, aber auf Leistung an AG klagen wollen (§ 148 IV 2; Prozessstandschaft → Rn. 15). Anspruch muss Ersatzanspruch iSd § 147 I 1 sein (→ § 147 Rn. 3 ff.) und sich gegen Mitglieder des Vorstands oder des AR richten (§ 148 IV 2). 4

2. Voraussetzungen der Klagezulassung. a) Erwerbszeitpunkt. Klagezulassung durch Gericht hängt von vier Voraussetzungen ab, darunter erstens Erwerb der Aktien, bevor Aktionäre von angeblichen Pflichtverstößen oder dem behaupteten Schaden Kenntnis erlangen mussten (§ 148 I 2 Nr. 1). Damit soll Erwerb zwecks missbräuchlicher Klageerhebung uninteressant gemacht werden (RegBegr. BT-Drs. 15/5092, 21). Dass es neben den **Pflichtverstößen** auch auf **Schaden** ankommt, verdankt sich einer Beschlussempfehlung des Rechtsausschusses (AusschussB BT-Drs. 15/5693, 17). Der Kenntnis steht fahrlässige Unkenntnis (§ 276 BGB) gleich; Maßstab ist Handeln verständiger Durchschnittsaktionäre (MüKoAktG/M. Arnold Rn. 19; Happ FS Westermann, 2008, 971, 982; Spindler NZG 2005, 865, 866; aA KK-AktG/Rieckers/J. Vetter Rn. 221: Aktionär mit unternehmerischem Interesse; zust. GK-AktG/Bezzenberger/Bezzenberger Rn. 102 unter Aufgabe der früher in Voraufl. Rn. 111 zwischen Aktionärstypen differenzierenden Sichtweise). Quelle erlangter oder möglicher Kenntnis muss Veröffentlichung der Gesellschaft sein (Radio, Fernsehen, Wirt- 5 schaftspresse, Online-Dienste bei weiter Verbreitung [RegBegr. BT-Drs. 15/5092, 21]). Wer danach Kenntnis hatte oder haben musste, kann Quorum nicht auffüllen. **Nachweis** ist von Aktionären bei Antragstellung zu erbringen. Weil Gericht ohne mündliche Verhandlung entscheidet (§ 148 II 1), dürfen Antragsteller nicht auf ein Bestreiten des Antragsgegners (→ Rn. 11) warten. **Vorbesitzzeiten** können analog § 70 unter den dort genannten Voraussetzungen wirtschaftlicher Gleichstellung mit dem Eigentum angerechnet werden (→ § 70 Rn. 5).

6 **b) Fristsetzung.** Nach § 148 I 2 Nr. 2 setzt Klagezulassung weiter voraus, dass Aktionäre AG unter angemessener Fristsetzung vergeblich aufgefordert haben, selbst Klage zu erheben. Verwendung des bestimmten Artikels („die" Aktionäre) verdeutlicht, dass **Quorum** schon bei Fristsetzung bestanden haben muss. Überdies müssen fristsetzende und antragstellende Aktionären auch identisch sein (unstr. – s. MüKoAktG/M. Arnold Rn. 34; KK-AktG/Rieckers/J. Vetter Rn. 269). Unverzichtbar ist wegen Subsidiarität des Verfolgungsrechts an AG gerichtete **Aufforderung,** Ersatzansprüche selbst auszuklagen. Bei Empfang der geschäftsähnlichen Erklärung ist Zugang bei dem Organ, dem Anspruchsverfolgung obliegt, genügend, also bei Ersatzansprüchen gegen Mitglieder des Vorstands Zugang beim AR (S/L/Spindler Rn. 21; Paschos/Neumann DB 2005, 1779, 1780; aA GK-AktG/Bezzenberger/Bezzenberger Rn. 114; KK-AktG/Rieckers/J. Vetter Rn. 272). Wenn Erklärung fälschlich Vorstand zugeht und dieser sie nicht an AR weiterleitet, kann darin treuwidriges Verhalten liegen, das sich AG so zurechnen lassen muss, als ob Zugang beim AR erfolgt wäre (S/L/Spindler Rn. 21). Entspr. § 78 II 2 genügt Zugang bei einem Mitglied des Vorstands bzw. des AR (MüKoAktG/M. Arnold Rn. 33).

7 Für **Länge der angemessenen Frist** verweist RegBegr. BT-Drs. 15/5092, 22 auf allg. Regeln; zwei Monate sollen jedenfalls reichen. Das ist angesichts der Wertung des § 246 I bei Ansprüchen gegen AR-Mitglieder schon eher großzügig, wird aber dann angehen, wenn sich Verfolgung der angeblichen Ansprüche für Vorstand bisher nicht aufdrängte (großzügiger Happ FS Westermann, 2008, 971, 983). Bei Zuständigkeit des AR sind systembedingte Schwerfälligkeiten der Willensbildung zu bedenken, so dass zwei Monate insoweit als knapp erscheinen (KK-AktG/Rieckers/J. Vetter Rn. 262; wohl aA Spindler NZG 2005, 865, 867). Unter den Voraussetzungen ernsthafter und endgültiger Erfüllungsverweigerung (§ 286 II Nr. 3 BGB, § 323 II Nr. 1 BGB) kann Fristsetzung auch entbehrlich sein (RegBegr. BT-Drs. 15/5092, 22). Aktionäre tragen auch hier Nachweispflicht, was zunächst nicht geplant war, aber Wertungswiderspruch ggü. § 148 I 2 Nr. 1 vermeidet (AusschussB BT-Drs. 15/5693, 17; DAV-HRA NZG 2005, 388, 391; KK-AktG/Rieckers/J. Vetter Rn. 287). Nachzuweisen ist Aufforderung unter Fristsetzung. Angemessenheit der Frist ist dagegen Rechtsfrage, über die Gericht zu entscheiden hat.

8 **c) Unredlichkeit oder grobe Verletzungen.** Klagezulassung setzt nach § 148 I 2 Nr. 3 drittens voraus, dass nach gerichtl. Würdigung Tatsachen vorliegen, die den Verdacht von schadenskausaler **Unredlichkeit oder grober Verletzung** von Ges. oder Satzung rechtfertigen (zum Verdachtsbegriff GK-AktG/Bezzenberger/Bezzenberger Rn. 141 ff.). Das entspr. dem aufgehobenen § 147 III, stammt aber aus § 142 II 1 (→ § 142 Rn. 20). Unredlichkeit umschreibt RegBegr. BT-Drs. 15/5092, 22 als ins Kriminelle reichenden Treupflichtverstoß (wohl für umfassenderes Verständnis LG München I AG 2007, 458, 459). Wettbewerbsverstoß genügt (OLG Köln NZG 2019, 582 Rn. 32). Grob ist Verletzung von Ges. oder Satzung bei evidenten und auch ihrer Art nach für verantwortlich handelnde Unternehmensleiter nicht hinnehmbaren Verstößen (zu den Auswirkungen des § 93 I 2 Harnos FS Heidel, 2021, 483, 500 ff.). Das

sind **Ausnahmefälle** (Thümmel DB 2004, 471, 473 f.), womit sich Klagezulassungsverfahren als außerordentlicher Rechtsbehelf erweist (positive Würdigung etwa bei Fleischer NJW 2005, 3525, 3526). Nichtverfolgung muss unerträglich sein (Seibert FS Priester, 2007, 763, 769). Weiterhin muss **Schaden** der AG gegeben sein, weshalb zB Eintrittsrecht gem. § 88 II 2 nicht Gegenstand der Aktionärsklage sein kann (OLG Köln NZG 2019, 582 Rn. 57 f.; krit. Mock AG 2019, 385, 386). **Verdacht** ist gegeben, wenn Tatsachen die behaupteten Verhaltensweisen und den Schaden nicht bloß möglich, sondern wahrscheinlich erscheinen lassen (OLG Köln NZG 2019, 582 Rn. 29; zust. Harnos FS Heidel, 2021, 483, 496; Rieckers DB 2020, 207, 214; krit. Mock AG 2019, 385, 387). Für verdachtsbegründende Tatsachen tragen Antragsteller die **volle Beweislast.** Früher geltende Abschwächung der Beweislast folgte aus Zuordnung zur freiwilligen Gerichtsbarkeit, hat aber mit Umwandlung in ZPO-Verfahren (→ Rn. 10) ihre Grundlage verloren und wäre im Hinblick auf Folgen für Kostenverteilung auch nicht sachgerecht (MüKoAktG/M. Arnold Rn. 49; GK-AktG/Bezzenberger/Bezzenberger Rn. 148 f.; KK-AktG/Rieckers/J. Vetter Rn. 333; S/L/Spindler Rn. 28; Harnos FS Heidel, 2021, 483, 493 f.; J. Koch ZGR 2006, 769, 775 f.; Seibert FS Priester, 2007, 763, 773; aA NK-AktR/Lochner Rn. 15; BeckOGK/Mock Rn. 94; Dietz-Vellmer FS Heidel, 2021, 441, 446).

d) Keine überwiegenden Gründe des Gesellschaftswohls. Schließlich 9
dürfen der Geltendmachung keine **überwiegenden Gründe des Gesellschaftswohls** entgegenstehen (§ 148 I 2 Nr. 4). BGHZ 135, 244, 255 = NJW 1997, 1926 spricht insoweit von gewichtigen Interessen und Belangen der Gesellschaft. Mit den „überwiegenden" Gründen soll dagegen nach RegBegr. BT-Drs. 15/5092, 22 zum Ausdruck gebracht werden, dass bei Vorliegen der Voraussetzungen nach § 148 I 2 Nr. 1–3 Zulassung der Klage Regelfall ist, so dass Nichtzulassung abwägungsbedingte Ausnahme darstellt. Im Übrigen gelten dieselben Maßstäbe wie bei Verfolgungspflicht nach ARAG-Entscheidung (→ § 111 Rn. 16 ff.). Vorangegangene Nichtverfolgungsentscheidung des AR unterliegt dabei unstr. **in vollem Umfang gerichtl. Kontrolle** (allg. Auffassung – vgl. BeckOGK/Mock Rn. 102; KK-AktG/Rieckers/J. Vetter Rn. 358; J. Koch NZG 2014, 934, 940; zur Ausstrahlung auf ARAG-Grundsätze → § 111 Rn. 24). Als gewichtige Gründe in diesem Sinne werden zB geringe Schadenssummen, Vermeidung von Mehrfachklagen, Uneinbringlichkeit des Anspruchs (s. zu diesen Punkten schon RegBegr. BT-Drs. 15/5092, 22), aber auch negative Auswirkungen auf Geschäftstätigkeit oder Betriebsklima und Wahrung von Geschäftsgeheimnissen genannt (ausf. KK-AktG/Rieckers/J. Vetter Rn. 347 ff.). Str. ist, wer **Darlegungs- und Beweislast** für überwiegende Gründe trägt. Vertreten wird: Beweislast des Antragstellers (S/L/Spindler Rn. 32), der AG (MüKoAktG/M. Arnold Rn. 58; Happ FS Westermann, 2008, 971, 996 f.), des verklagten Organmitglieds (GK-AktG/Bezzenberger/Bezzenberger Rn. 165; KK-AktG/Rieckers/J. Vetter Rn. 357 ff.) sowie eine Prüfung von Amts wegen (BeckOGK/Mock Rn. 102). Letztgenannte Auffassung scheitert aber schon an zivilprozessualem Verfahrenscharakter (→ Rn. 8, 10). Zutr. ist stattdessen die Annahme, dass **AG** entspr. Tatsachen vorbringen muss, um Aktionärsklage abzuwenden; eine solche Vorgehensweise wird idR auch in der Praxis üblich sein. Für ein solches Verständnis spricht nicht nur RegBegr. (BT-Drs. 15/5092, 22), sondern auch **§ 148 VI 2,** der AG zur Kostentragung verpflichtet, wenn sie Gründe iSd § 148 I 2 Nr. 4 nicht vorgetragen hat. Auch unter Praktikabilitätsgründen wäre Beweislast des außerhalb der Verwaltung stehenden Antragstellers oder des (idR schon ausgeschiedenen) Antragsgegners kaum sinnvoll. Bezweifelt werden darf, ob es überhaupt sinnvoll ist, von Darlegungs- und Beweislast zu sprechen, da Beigeladener nicht Prozesspartei ist, so dass allg. Grundsätze nur

modifiziert übertragen werden können: Kann AG Nachw. nicht führen, ist – wie aus Negativformulierung des § 148 I 2 Nr. 4 folgt – Klage zuzulassen, so dass negative Folgen Haftungsschuldner treffen; AG selbst trägt nur Kostenfolge gem. § 148 VI 2.

9a Während ARAG-Urteil des BGH noch vorsah, dass Verfolgungspflicht des AR schon bei gleichwertigen Belangen der AG zurücktreten kann, hat Gesetzgeber Maßstab für Aktionärsklage in § 148 I 2 Nr. 4 bewusst dahingehend verschärft, dass nur bei **überwiegenden Gegengründen** des Gesellschaftswohls von der Verfolgung abzusehen ist. Da Verfolgungsmaßstab nicht davon abhängen kann, wer als Kläger auftritt, muss dieser schärfere Maßstab auch auf Verfolgungspflicht des AR nach ARAG-Urteil **ausstrahlen** (str.; → § 111 Rn. 16 mwN).

IV. Gerichtliches Verfahren (§ 148 II)

10 **1. Allgemeines.** § 148 II betr. Einzelaspekte des Verfahrens, in dem über Zulassung der Haftungsklage zu entscheiden ist. Weitergehende Fragen wie die nach Verfahrensart und Antragsgegner haben dagegen keine ausdr. Regelung gefunden. **Verfahrensart:** Klagezulassungsverfahren ist summarisches Verfahren eigener Art, das nicht zum FamFG gehört, sondern der **ZPO** unterliegt (unstr., s. KK-AktG/Rieckers/J. Vetter Rn. 140), soweit nicht in § 148 selbst bes. Vorschriften enthalten sind; namentl. gilt nicht Amtsermittlungsgrundsatz (§ 26 FamFG), sondern Beibringungsgrundsatz (KK-AktG/Rieckers/J. Vetter Rn. 141; Happ FS Westermann, 2008, 971, 995). Diese Einordnung stützt sich auf Umkehrschluss aus § 142 VIII, auf Vorgeschichte der Norm, nach der vorgeschaltete Prüfung durch Prozessgericht der Haftungsklage erfolgen soll (→ Rn. 12, 17), und auf allg. Gedanken, dass es der ein Verfolgungsrecht reklamierenden Aktionärsminderheit obliegt, dessen Voraussetzungen zur gerichtl. Überzeugung zu bringen, weshalb sich ein fG-Verfahren nicht anbietet.

11 Norm ist auch insoweit defizitär, als sie **Antragsgegner** nicht bezeichnet, obwohl es einen solchen geben muss (s. § 148 II 6). Gegner im verfahrensrechtl. Sinne ist jedenfalls nicht AG selbst; denn Gegner kann nicht beigeladen werden. Eben das sieht § 148 II 9 aber in Anlehnung an §§ 65, 66 VwGO vor. Als Antragsgegner kommen deshalb nur Gesellschaftsorgane oder angebliche Haftungsschuldner in Betracht. Das Erste wäre sinnvoll, wenn § 148 ein Klageerzwingungsverfahren regeln würde; Verfahrensgegner wäre dann AR, der Ersatzansprüche gegen Vorstandsmitglieder pflichtwidrig nicht verfolgt, oder umgekehrt Vorstand bei Haftung der AR-Mitglieder. In § 148 geht es aber nicht darum, die Rechtsverfolgung durch das zuständige Organ zu erzwingen. Vielmehr wird Aktionärsminderheit zur eigenen Rechtsverfolgung im Wege ges. Prozessstandschaft zugelassen (→ Rn. 15). Deshalb und auch im Hinblick auf von Vorprüfung der Haftungsklage ausgehende Normgeschichte können nur **Haftungsschuldner** Antragsgegner sein (MüKoAktG/M. Arnold Rn. 69; KK-AktG/Rieckers/J. Vetter Rn. 144 f.; Happ FS Westermann, 2008, 971, 978). So auch der Sache nach die RegBegr., die zwar von einem Verfahren zwischen Minderheit und Organ spricht, mit Organ aber den Haftungsschuldner meint (RegBegr. BT-Drs. 15/5092, 22 f.).

12 **2. Einzelfragen.** Zuständig ist **LG des Gesellschaftssitzes** (§ 14), das, soweit vorhanden, durch KfH entscheidet (§ 148 II 1 und 2). § 148 II 3 und 4 gehen auf FGG-ReformG 2008 zurück. Möglich ist danach übliche Verfahrenskonzentration. Nach allg. Grundsätzen wäre LG des Gesellschaftssitzes nicht identisch mit Prozessgericht; denn dieses bestimmt sich nach Gerichtsstand des beklagten Organmitglieds (§ 13 ZPO, uU § 32 ZPO). § 148 IV 1 begründet für Haftungsklage aber Sonderzuständigkeit. Sie ist ausschließlich, weil Vorprüfung sonst nicht

durch Prozessgericht erfolgen würde (KK-AktG/Rieckers/J. Vetter Rn. 367). Gericht entscheidet durch Beschluss, der wegen § 148 II 7 mit Gründen zu versehen ist. Antragstellung **hemmt** Verjährung (§ 148 II 5; vgl. KK-AktG/Rieckers/J. Vetter Rn. 402 ff). Hemmungswirkung: § 209 BGB. Dabei bleibt Zeit bis Rechtskraft der Antragsabweisung oder bis Ablauf der Klagefrist (§ 148 IV 1) außer Ansatz. Gericht hat dem Antragsgegner (dem betroffenen Organmitglied → Rn. 11) Gelegenheit zur **Stellungnahme** zu geben (§ 148 II 6), und zwar nach den für rechtl. Gehör geltenden Grundsätzen. Mündliche Verhandlung kann nach § 128 IV ZPO anberaumt werden, ist aber nicht zwingend (S/L/Spindler Rn. 14). **Rechtsmittel** ist sofortige Beschwerde, nicht auch Rechtsbeschwerde (§ 148 II 7 und 8). Sie unterliegt §§ 567 ff. ZPO, nicht §§ 58 ff. FamFG (→ Rn. 10). **Beiladung** der Gesellschaft erfolgt im Zulassungs- und, wie besser in § 148 IV gesagt worden wäre, auch im Klageverfahren (§ 148 II 9). Das übliche Klageverfahren kennt keine Beiladung (krit. schon DAV-HRA NZG 2005, 388, 391). Verbreitet wird deshalb Rückgriff auf die zu §§ 65, 66 VwGO geltenden Regeln empfohlen (S/L/Spindler Rn. 8; Happ FS Westermann, 2008, 971, 980 f.; Paschos/Neumann DB 2005, 1779, 1783 f.; wohl auch MüKoAktG/M. Arnold Rn. 74; nicht eindeutig RegBegr. BT-Drs. 15/5092, 24), doch erscheint wie bei Aktionären (→ Rn. 13) autonome Ausgestaltung der Beiladung im Sinne einer optionalen streitgenössischen Nebenintervention (§ 69 ZPO) vorzugswürdig, um kooperative Anspruchsdurchsetzung zu gestatten (Zieglmeier ZGR 2007, 144, 154 f.; zust. B/K/L/Holzborn/Jänig Rn. 11; KK-AktG/Rieckers/J. Vetter Rn. 417 ff., 437 ff.; Backhaus, Die Beteiligung Dritter bei aktienrechtlichen Rechtsbehelfen, 2009, 216 ff.; Mencke, Die zivilprozessuale Beiladung im Klagezulassungsverfahren gem. § 148 AktG, 2012, 126 ff., 179 ff., 198 ff.). Aufgrund dieser Prozessstellung kann AG zu dem Antrag Stellung nehmen. insbes. obliegt es ihr, etwaige überwiegende Gründe des Gesellschaftswohls zur Geltung zu bringen (§ 148 I 2 Nr. 4). Vor ihrer Stellungnahme sollte deshalb auch nicht entschieden werden (RegBegr. BT-Drs. 15/5092, 22). Sie kann aber auch weitergehend selbst Angriffs- und Verteidigungsmittel vorbringen und sonstige Verfahrenshandlungen vornehmen (KK-AktG/Rieckers/J. Vetter Rn. 444 ff.; Zieglmeier ZGR 2007, 144, 154). Weil AG nur Beigeladene ist, führt Eröffnung des Insolvenzverfahrens über ihr Vermögen nicht zur Unterbrechung gem. § 240 ZPO (Mock ZInsO 2010, 2013; zust. MüKoAktG/M. Arnold Rn. 74).

Neueres rechtstats. Phänomen sind Klagen US-amerikanischer Aktionäre gegen deutsche Gesellschaften in Form sog **derivative suits vor New York Supreme Court** nach Section 626(a), 1319(a)(2) New York Business Corporation Law (vgl. dazu GK-AktG/Bezzenberger/Bezzenberger Rn. 181; ausf. Mock AG 2020, 929 Rn. 1 ff.; Mohamed ZVglRWiss 120 [2021], 388 ff.; unter speziellem Gesichtspunkt von Klimaklagen auch Fleischer AG 2023, 833 Rn. 24 f.). Dabei handelt es sich zumeist um Klagen, die Anforderungen des § 148 gerade nicht erfüllen, sondern allenfalls Anforderungen an Derivative Stuits nach US-amerikanischen Rechts. Inwiefern in dieser Konstellation aus § 148 oder Vorschriften des int. Zivilverfahrensrechts ausschließliche Zuständigkeit deutscher Gerichte angenommen werden kann, ist noch nicht abschließend geklärt (abl. für Art. 24 Nr. 2 Brüssel Ia-VO BeckOGK/Mock Rn. 55 ff.; KK-AktG/Rieckers/J. Vetter Rn. 375 ff.; Mohamed ZVglRWiss 120 [2021], 388, 402 ff.). AG selbst kann solche Ausschließlichkeit aber durch **Satzungsklausel nach Art. 25 Brüssel Ia-VO** begründen (→ § 23 Rn. 38). Das wird mit Argument bezweifelt, dass nicht AG, sondern Organe Antragsgegner seien (Mock AG 2020, 929 Rn. 26), was aber nicht hinreichend berücksichtigt, dass Antragsgegner auch in US-Verfahren stets AG ist, deren Klagezuständigkeit ggü. Organen im Wege einer actio pro socio übernommen werden soll. Auch ohne Satzungsklausel wäre solches 12a

Urteil in Deutschland gem. § 328 I Nr. 1 und 4 ZPO nicht vollstreckbar (GK-AktG/Bezzenberger/Bezzenberger Rn. 181; aA Mock AG 2020, 929 Rn. 19 ff.), was nach Grundsätzen des forum non conveniens (vgl. dazu Mohamed ZVglRWiss 120 [2021], 388, 407 ff.; monographisch König, Forum non conveniens, 2012) üblicherweise auch in Zuständigkeitsüberlegungen des New Yorker Gerichts einfließen sollte und zur Abweisung der Klage führen muss. Tats. hat New York Supreme Court Klagen abgewiesen, wobei zT forum non conveniens-Überlegungen, zT internal affairs doctrine ausschlaggebend waren (Zahava Rosenfeld v. Paul Achleitner et al., New York Supreme Court, 20.3.2023, S. 49 ff., 52 ff.; Haussmann v. Baumann, New York Supreme Court, Appellate Division First Department, 22.6.2023, 2023 NY Slip Op 03407). Sollte von anderen Zuständigkeit dennoch angenommen werden, müsste die Frage entschieden werden, ob § 148 AktG dem materiellen Recht (dann auch für amerikanische Gerichte bindend) oder dem Prozessrecht (dann nach dem Grundsatz des lex fori nicht bindend) zugerechnet werden soll (vgl. dazu Mohamed ZVglRWiss 120 [2021], 388, 406 ff.). Berücksichtigt man, dass Vorschrift nicht nur prozessrechtl. Standards formuliert, sondern auch festlegt, wer letztlich **Gesellschaftsinteresse definiert,** ist Frage klar im ersten Sinne zu entscheiden.

V. Rechtsverfolgung durch AG (§ 148 III)

13 **1. Neue Klage.** Gem. § 148 I 1 ist AG jederzeit berechtigt, von Aktionärsminderheit im Zulassungs- oder Hauptverfahren verfolgten, aber ihr zustehenden Anspruch **selbst gerichtl. geltend zu machen.** Für AG handelt jew. zuständiges Vertretungsorgan (§§ 78, 112), während ihrer Insolvenz der Insolvenzverwalter als Inhaber der Verwaltungs- und Verfügungsbefugnis (§ 80 I InsO). Mit Klageerhebung (§ 253 ZPO) werden der Zulassungsantrag (§ 148 I, II) oder die zugelassene Klage von Aktionären (§ 148 IV) unzulässig. RegBegr. BT-Drs. 15/5092, 23 spricht insoweit von fehlendem Rechtsschutzinteresse, was aber fehlgeht. Vielmehr tritt **Unzulässigkeit kraft bes. Vorschrift** ein, damit Klage der AG trotz bereits eingetretener Rechtshängigkeit, die gem. § 148 V 1 auch für und gegen AG wirken würde, noch zulässig erhoben werden kann (dazu vor allem Bork ZIP 2005, 66 f.; ferner MüKoAktG/M. Arnold Rn. 85; J. Koch ZGR 2006, 769, 777; Paschos/Neumann DB 2005, 1779, 1782; K. Schmidt NZG 2005, 796, 800). Der Sache nach meint Norm auch nicht Unzulässigkeit, sondern Fiktion, nach der Aktionärsklage als nicht mehr rechtshängig gilt, was aber keinen genügenden Ausdruck gefunden hat. Antrag oder Klage der Aktionärsminderheit sind deshalb als unzulässig abzuweisen (für automatischen Wegfall der Rechtshängigkeit aber Paschos/Neumann DB 2005, 1779, 1782), wenn sie nicht, wie ratsam, zurückgenommen werden. Kosten der verfahrensbetreibenden Aktionäre fallen der AG zur Last (§ 148 VI 4), was wo hl für gerichtl. und außergerichtl. Kosten gelten soll (RegBegr. BT-Drs. 15/5092, 23). Aktionäre sind gem. § 148 III 3 beizuladen. Das Gemeinte ist unklar, weil es eine **Beiladung** zwar nach § 65 VwGO, aber ungeachtet des § 856 ZPO nicht im Zivilprozess gibt. Sie kann auch nicht implementiert werden, weil sie vom Untersuchungsgrundsatz ausgeht, während im Zivilprozess die Verhandlungsmaxime gilt (Zieglmeier ZGR 2007, 144, 153 f.); iÜ eröffnet sie der Aktionärsminderheit keine Rechtsstellung, die eine Kontrolle der Prozessführung durch AR gestattet und damit Verfahrensrolle der Aktionäre iRd § 148 gerecht wird (Mencke, Die zivilprozessuale Beiladung im Klagezulassungsverfahren gem. § 148 AktG, 2012, 126 ff.). Dem nach § 148 III 2 „Beigeladenen“ kommt deshalb die Rechtsstellung eines Nebenintervenienten zu (§§ 66 ff. ZPO), und zwar eines streitgenössischen Nebenintervenienten (§ 69 ZPO; s. Zieglmeier ZGR 2007, 144, 155 und 157; zust. B/K/L/Holzborn/Jänig Rn. 14; KK-AktG/Rieckers/J. Vetter

Rn. 512 ff.; Backhaus, Die Beteiligung Dritter bei aktienrechtlichen Rechtsbehelfen, 2009, 216 ff.; Mencke, Die zivilprozessuale Beiladung im Klagezulassungsverfahren gem. § 148 AktG, 2012, 179 ff., 200 ff.), damit Aktionäre von ihnen initiierte Rechtsverfolgung durch AG überwachend begleiten können. Verfahrensbeendigung können allerdings auch streitgenössische Nebenintervenienten nicht verhindern (B/K/L/Holzborn/Jänig Rn. 11, 14). Bisherige Prozessergebnisse wirken nicht für oder gegen AG. Vor allem muss Beweisaufnahme erneuert werden (vgl. schon Bork ZIP 2005, 66, 67).

2. Übernahme der anhängigen Klage. Statt neu zu klagen, kann AG (bei Insolvenz: ihr Verwalter [§ 80 I InsO, § 85 InsO]) nach § 148 III 2 die anhängige Klage auch in der jeweiligen Verfahrenslage übernehmen. Es kommt dann zu **ges. Parteiwechsel** (MüKoAktG/M. Arnold Rn. 86; Bork ZIP 2005, 66, 67; Paschos/Neumann DB 2005, 1779, 1782), und zwar kraft bes. Vorschrift ohne Zustimmung des Beklagten oder der Aktionäre (Paschos/Neumann DB 2005, 1779, 1782). Wegen bloßen Parteiwechsels bedarf es keiner neuen Beweisaufnahme. AG bleibt an Ergebnisse einer Beweisaufnahme ebenso gebunden wie an Verfahrenshandlungen der Aktionärsminderheit. Sie ist auch in diesem Fall gem. § 148 III 3 beizuladen. AG kann wählen, ob sie neu klagen (→ Rn. 13) oder Aktionärsklage als eigene übernehmen will, was in dieser Form erst vom Rechtsausschuss eingeführt worden ist (AusschussB BT-Drs. 15/5693, 18). Besser wäre es wohl gewesen, auf Möglichkeit einer neuen Klage zu verzichten, also nur Übernahme und Parteiwechsel zuzulassen (S/L/Spindler Rn. 38; Bork ZIP 2005, 66, 67; Paschos/Neumann DB 2005, 1779, 1783). Bei erfolgreicher Klagezulassung nimmt hM **Pflicht des AR** an, Klage als gem. § 112 zuständiges Organ zu übernehmen, und zwar nach den Grundsätzen der ARAG/Garmenbeck-Entscheidung (→ § 111 Rn. 7 ff.); Zulassung der Klage zeige nämlich ihre Erfolgsaussichten (MüKoAktG/M. Arnold Rn. 82 ff.; S/L/Spindler Rn. 35; Linnerz AG 2004, 307, 311). Klagezulassungsverfahren wäre danach faktisch reines Klageerzwingungsverfahren (so in der Tat S/L/Spindler Rn. 35). Das widerspricht aber klarem Gestaltungswillen des Gesetzgebers und ist auch durch ARAG-Urteil nicht geboten. Danach resultiert Verfolgungspflicht aus Pflicht des AR, Schaden von AG abzuwenden, der eintreten würde, wenn Anspruch nicht verfolgt wird (J. Koch FS Hüffer, 2010, 447 ff.; zust. KK-AktG/Mertens/Cahn § 111 Rn. 46 Fn. 179; KK-AktG/Rieckers/J. Vetter Rn. 520 ff.; Cahn WM 2013, 1293, 1297 Fn. 63; Eichner/Höller AG 2011, 885, 891). Diese Gefahr besteht aber nicht, wenn Minderheit Verfolgung aufnimmt, zumal Anspruchsverfolgung der zugelassenen Minderheit idR keine schlechteren Prozesschancen hat als solche des AR (J. Koch FS Hüffer, 2010, 447, 455 ff.; zust. Grigoleit/Grigoleit/Rachlitz Rn. 20; vorsichtiger GK-AktG/Bezzenberger/Bezzenberger Rn. 267). Klagepflicht besteht deshalb, solange Minderheit ihr Verfolgungsrecht nicht ausübt (→ Rn. 2). Übt sie es aus, so liegt es im Ermessen des AR, ob er es dabei belässt, etwa wegen anhaltend negativer Beurteilung der Prozessaussichten, oder von seinem Recht zur Übernahme Gebrauch macht. 14

VI. Haftungsklage der Aktionäre (§ 148 IV)

1. Gesetzliche Prozessstandschaft; Zulässigkeitsvoraussetzungen. Im Zulassungsverfahren (§ 148 I, II) erfolgreiche Aktionäre können Ersatzansprüche der Gesellschaft selbst einklagen (§ 148 IV 1). Ihrer Information dient Sonderprüfung (§ 142). Weitere Befugnisse zur Erleichterung ihrer Informationslast haben sie nicht (krit. Langenbucher GesRZ-SH 2005, 11; Seibt WM 2004, 2137, 2142; Semler AG 2005, 321, 331). Sie klagen **im eigenen Namen,** müssen aber **Leistung an die Gesellschaft** als die materiell Berechtigte verlangen 15

(§ 148 IV 2). Es liegt also ein Fall der ges. Prozessstandschaft vor (RegBegr. BT-Drs. 15/5092, 23; ferner zB S/L/Spindler Rn. 40; Diekmann/Leuering NZG 2004, 249, 250). Mangels Parteieigenschaft der AG findet § 240 ZPO bei Eröffnung des Insolvenzverfahrens über ihr Vermögen keine Anwendung (→ Rn. 12; anders Mock ZInsO 2010, 2013, 2014). Nicht schon Zulassungsantrag (§ 148 I), jedoch Haftungsklage der als solche auftretenden Prozessstandschafter hemmt Verjährung (§ 204 I Nr. 1 BGB) auch zugunsten der AG. Prozessstandschaft entspr. richtig verstandener actio pro socio, die aber an Mindestanteilsbesitz des § 148 I 1 gebunden bleibt, weshalb die Verfolgungsbefugnis formal als Minderheitenrecht ausgestaltet ist. Nur die Aktionäre, die im Zulassungsverfahren erfolgreich waren, sind als Prozessstandschafter zugelassen, was schon dem Wortlaut des § 148 I 1 entspr. Es handelt sich also nicht um eine zugelassene Klage, der sich nachträglich beliebige Aktionäre anschließen könnten.

16 Konsequenz des zweistufigen Klageverfahrens ist ferner, dass **Zulassungsquorum** nicht mehr bei Klageerhebung vorhanden sein muss. Es kommt insoweit nur auf Antragstellung als erste Stufe an (ebenso MüKoAktG/M. Arnold Rn. 94: KK-AktG/Rieckers/J. Vetter Rn. 551; jetzt auch GK-AktG/Bezzenberger/Bezzenberger Rn. 303 unter Aufgabe des in Voraufl. vertretenen Standpunkts). Einzuhalten ist **Klagefrist** von drei Monaten nach Rechtskraft des Zulassungsbeschlusses, ferner erforderlich, dass die zur Klage zugelassenen Aktionäre AG nochmals (vgl. schon § 148 I 2 Nr. 2) unter Setzung einer angemessenen Frist vergeblich zur eigenen Klageerhebung aufgefordert haben (§ 148 IV 1). Fristbeginn erst mit Rechtskraft des Zulassungsbeschlusses und Erfordernis nochmaliger **Aufforderung** sind erst vom Rechtsausschuss eingefügt worden (AusschussB BT-Drs. 15/5693, 18). IdR kann danach erwartet werden, dass Haftungsklage der Aktionäre überflüssig wird, weil sich AG spätestens jetzt zur eigenen Rechtsverfolgung entschließt.

17 Sachlich und örtlich zuständig ist **LG des Gesellschaftssitzes,** wie aus § 148 II 1 iVm § 148 IV 1 folgt. Das gilt zunächst für Klage der Aktionäre. Weil Gerichtsstand für Haftungsklage nach allg. Grundsätzen anders zu bestimmen wäre (→ Rn. 12), wird Prozessgericht iE nach der Zulassungszuständigkeit festgelegt. Anders herum hätte es besser eingeleuchtet. Zuständigkeitsbestimmung nach § 148 II 1 iVm § 148 IV 1 gilt ferner abw. von allg. Grundsätzen auch für Klage der AG. Das sagt § 148 zwar nicht ausdr. Übernahme unter Parteiwechsel (→ Rn. 14) kann aber nicht anders erfolgen. Ohnehin fragwürdige neue Klage (→ Rn. 13) darf auch nicht mit Möglichkeit eines Zuständigkeitswechsels verbunden sein, weshalb Gesellschaftssitz Gerichtsstand kraft bes. Regelung ausschließlich bestimmt.

18 **2. Beklagter; Nebenintervention; Klagenmehrheit.** Klage ist, wie § 148 IV 2 eigens hervorhebt, gegen die in § 147 I genannten Personen zu richten, also je nach Sachlage gegen die Gründungs- oder Nachgründungsverantwortlichen, gegen die Mitglieder des Vorstands oder des AR, schließlich in Fällen des § 117 gegen jeden Einflussnehmer. Nebenintervention durch Aktionäre schließt § 148 IV 3 nach Zulassung der Klage aus; auf Rechtskraft des Zulassungsbeschlusses kommt es hier nicht an. So ist es, weil am Verfahren niemand auf der Klägerseite beteiligt sein soll, der nicht das Zulassungsverfahren durchlaufen hat (RegBegr. BT-Drs. 15/5092, 23). Wer rechtzeitig beitritt, muss für seine Person Voraussetzungen des § 148 I 2 Nr. 1 nachweisen (RegBegr. BT-Drs. 15/5092, 23). Von § 148 IV 4 vorausgesetzte Klagenmehrheit meint nicht Klage der Aktionäre und der Gesellschaft (→ Rn. 13), sondern Klagen verschiedener Aktionärsgruppen. Sie sind im Hinblick auf Gesellschaftswohl (§ 148 I 2 Nr. 4) kritisch zu sehen (RegBegr. BT-Drs. 15/5092, 23). IdR sollte die zeitlich erste Rechtsverfolgung schon wegen sonst eintretender erhöhter Kostenlast genü-

gen. In den verbleibenden Ausnahmefällen dient Verbindung beim Prozessgericht (→ Rn. 17) der Ökonomie der Verfahren und der Einheitlichkeit der Entscheidung.

VII. Urteils- und Vergleichswirkungen (§ 148 V)

1. Rechtskrafterstreckung. Urteil wirkt gem. § 148 V 1 für und gegen AG und nicht am Verfahren beteiligte Aktionäre. Das gilt für das auf Klage der Aktionärsminderheit ergangene Urteil, aber auch für Entscheidung, die nach Klagezulassung auf Klage der Gesellschaft getroffen worden ist. Es kommt auch nicht darauf an, ob Urteil der Klage stattgibt oder sie abweist (anders § 248 I 1; → § 248 Rn. 13 ff.). Rechtskraftwirkung des Urteils, mit dem Aktionärsklage abgewiesen wird, gegen AG folgt auch schon aus allg. Grundsatz, dass Prozessstandschaft (→ Rn. 15) nicht zur doppelten Rechtsverfolgung gegen angeblichen Schuldner führen darf. Soweit Rechtskraftwirkung eintritt, ist erneute Klage unzulässig (→ § 248 Rn. 8). Sofern AG Titel erstritten hat, aber nicht vollstreckt, wird man an Titelübertragung zugunsten der Aktionärsminderheit, die wenigstens das Zulassungsverfahren beantragt hatte, denken können (zust. B/K/L/Holzborn/Jänig Rn. 18). Erstreckung der Rechtskraft auf die übrigen Aktionäre schützt angeblichen Schuldner, der nicht erneut in Anspruch genommen werden kann (RegBegr. BT-Drs. 15/5092, 23). 19

2. Erstreckung der Vergleichswirkungen; Klagerücknahme. Drittwirkung kann nach § 148 V 2 auch einem Vergleich zukommen, wenn er nach § 149 bekanntzumachen ist, also auf Verfahrensbeendigung abzielt. Im Einzelnen ist zwischen **Klage der Aktionärsminderheit** und Klage der AG zu unterscheiden. Im ersten Fall wirkt vergleichsweise Erledigung jedenfalls für und gegen die Mitaktionäre (§ 148 V 2 Hs. 1). Im Verhältnis zur Gesellschaft tritt diese Drittwirkung nur ein, wenn zuvor die Klage zugelassen war (§ 148 V 2 Hs. 2). Das ist notwendig, weil Aktionäre sonst ohne Rücksicht auf Voraussetzungen des § 148 I 2 über Ansprüche disponieren könnten, die nicht ihnen, sondern der AG zustehen. § 93 IV 3 und 4 (→ Rn. 78 f.) gilt unter Verzicht auf Sperrfrist auch für Aktionärsklage (so auch DAV-HRA NZG 2005, 388, 391; S/L/Spindler Rn. 51; Paschos/Neumann DB 2005, 1779, 1784 f.). So ist es, weil Aktionäre als mittelbare Stellvertreter der AG keine weitergehende Rechtsmacht haben als diese selbst. Verzicht auf Sperrfrist wird im Schrifttum allerdings zT bestritten, da § 148 IV 4 solchen Verzicht nur für Klageerücknahme und nicht für Vergleich anordne und auch teleologischer Hintergrund dieser Privilegierung nicht klar sei (KK-AktG/Rieckers/J. Vetter Rn. 529, 601; zust. MüKoAktG/M. Arnold Rn. 99). So berechtigt beide Einwände auch sind, so ist ihnen doch entgegenzuhalten, dass sich aus Gesetzesmaterialien gleich an zwei Stellen ergibt, dass mit Klagerücknahme gerade auch vergleichsweise Klagerücknahme erfasst sein soll (RegBegr. UMAG BT-Drs. 15/5092, 24; Gegenäußerung BReg BT-Drs. 15/5092, 43). Dieser klar geäußerten Absicht können teleologische Zweifel nicht entgegenstehen. Gilt Privilegierung daher jedenfalls für AG selbst, spricht wenig dafür, dass initiierende Aktionäre Frist einzuhalten haben. **Klagerücknahme** der Aktionäre ohne Vergleichsabschluss bedarf dagegen nicht der Voraussetzungen des § 93 IV 3 (insofern zutr. MüKoAktG/M. Arnold Rn. 100). 20

Bei **Vergleich der Gesellschaft** zur Beendigung von ihr erhobener oder übernommener Klagen ergibt sich vor allem das aus § 93 IV 3 und 4 folgende Abstimmungsproblem. Hierzu sieht § 148 IV 4 in überraschender Gesetzessystematik vor, dass es für Klagerücknahme bei § 93 IV 3 und 4 verbleibt, jedoch mit Ausnahme der sonst einzuhaltenden Dreijahresfrist (→ § 93 Rn. 159). Wie sich aus Gesetzesmaterialien deutlich ergibt (→ Rn. 20), ist damit gerade auch ver- 21 gleichsweise Klagerücknahme gemeint (auch insofern aA KK-AktG/Rieckers/J. Vetter Rn. 529; MüKoAktG/M. Arnold Rn. 100). Danach bedarf es zwar eines zustimmenden HV-Beschlusses. Auch darf nicht eine Minderheit von wenigstens 10% des vorhandenen (nicht: des vertretenen) Grundkapitals widersprechen. Unter diesen Voraussetzungen ist die vergleichsweise Rücknahme aber auch gegen den Willen der (nur noch beigeladenen) ursprünglich die Klage betreibenden Aktionäre möglich (RegBegr. BT-Drs. 15/5092, 23; Paschos/Neumann DB 2005, 1779, 1784; teilw. krit. DAV-HRA NZG 2005, 388, 391). Soweit Vergleich danach wirksam ist, wirkt er gem. § 148 V 2 auch für und gegen die Aktionäre. Dieselben Grundsätze gelten für **Klagerücknahme,** die nicht mit Vergleich verknüpft wird.

VIII. Verfahrenskosten (§ 148 VI)

22 Hinsichtlich der Verfahrenskosten ist zwischen gerichtl. Kostenausspruch (§ 148 VI 1–4) und materiell-rechtl. Kostenzuweisung (§ 148 VI 5) zu unterscheiden. Sonderproblem sind außergerichtl. Kosten mehrerer Antragsteller oder Kläger (§ 148 VI 6). Für **gerichtl. Kostenausspruch** ist weiter nach den beiden Verfahrensstufen zu differenzieren. Kostenausspruch im Beschluss über **Zulassungsantrag** ergeht nur bei dessen Abweisung. Kosten sind dem Antragsteller aufzuerlegen (§ 148 VI 1), doch hat er unter Voraussetzungen des § 148 VI 2 (überwiegende Gründe des Gesellschaftswohls nicht rechtzeitig mitgeteilt) materiell-rechtl. Kostenerstattungsanspruch gegen AG, weil diese insoweit zur Kostenvermeidung in der Lage gewesen wäre (MüKoAktG/M. Arnold Rn. 105; KK-AktG/Rieckers/J. Vetter Rn. 639; S/L/Spindler Rn. 54). Streitwert des Zulassungsverfahrens wird gem. § 3 ZPO nach freiem Ermessen iRd Höchstgrenze des § 53 I 1 Nr. 5 GKG festgesetzt (MüKoAktG/M. Arnold Rn. 111; KK-AktG/Rieckers/J. Vetter Rn. 630 ff.; vgl. zu Einzelheiten OLG Köln AG 2019, 394 f.; OLG Stuttgart NZG 2023, 238 Rn. 12 ff.). Wird **Klage zugelassen,** so ist Kostenentscheidung auch über das Zulassungsverfahren dem Endurteil vorbehalten (§ 148 VI 3). Für Kostenausspruch des Endurteils bleiben §§ 91 ff. ZPO maßgeblich. Bei Abweisung der Klage haben Antragsteller danach nicht nur die Kosten des Haupt-, sondern auch des (zunächst erfolgreichen) Zulassungsverfahrens zu tragen. Das ist auch in § 148 VI 5 vorausgesetzt. Bei Rechtsverfolgung durch AG trägt sie die bis zur Klageerhebung oder Übernahme angefallenen Kosten der Antragsteller (§ 148 VI 4, 1. Satzteil).

23 Um **materiell-rechtl. Kostenzuweisung** geht es in § 148 VI 5: Die als Kläger erfolglosen Aktionäre sind zwar in die Kosten zu verurteilen, haben aber aus Billigkeitsgründen gegen AG einen Erstattungsanspruch, sofern sie Zulassung ihrer Klage nicht durch vorsätzlich oder grob fahrlässig unrichtigen Vortrag erwirkt haben. Schließlich soll § 148 VI 6 erreichen, dass mehrere Antragsteller oder Kläger aus dem Verfahren kein Geschäft machen können. Soweit sie einen Erstattungsanspruch haben, umfasst er deshalb in aller Regel nur die Kosten eines Bevollmächtigten. Unterschiedliche Wohn- oder Geschäftsorte der Antragsteller bzw. Kläger sind kein Grund, davon eine Ausnahme zu machen (RegBegr. BT-Drs. 15/5092, 24).

Bekanntmachungen zur Haftungsklage

149 (1) **Nach rechtskräftiger Zulassung der Klage gemäß § 148 sind der Antrag auf Zulassung und die Verfahrensbeendigung von der börsennotierten Gesellschaft unverzüglich in den Gesellschaftsblättern bekannt zu machen.**

(2) [1]**Die Bekanntmachung der Verfahrensbeendigung hat deren Art, alle mit ihr im Zusammenhang stehenden Vereinbarungen einschließlich Nebenabreden im vollständigen Wortlaut sowie die Namen der Beteiligten zu enthalten.** [2]**Etwaige Leistungen der Gesellschaft und ihr zurechenbare Leistungen Dritter sind gesondert zu beschreiben und hervorzuheben.** [3]**Die vollständige Bekanntmachung ist Wirksamkeitsvoraussetzung für alle Leistungspflichten.** [4]**Die Wirksamkeit von verfahrensbeendigenden Prozesshandlungen bleibt hiervon unberührt.** [5]**Trotz Unwirksamkeit bewirkte Leistungen können zurückgefordert werden.**

(3) **Die vorstehenden Bestimmungen gelten entsprechend für Vereinbarungen, die zur Vermeidung eines Prozesses geschlossen werden.**

I. Regelungsgegenstand und -zweck

§ 149 ist eingefügt durch UMAG 2005. Norm betr. nur börsennotierte Gesell- 1 schaft (§ 3 II). Sie hat Zulassungsantrag (§ 148 I 1) und Verfahrensbeendigung bekanntzumachen. Bek. des Zulassungsantrags bezweckt nur noch **Publizität der Haftungsklage** (→ Rn. 2) und Verständlichkeit der Angaben zur Verfahrensbeendigung. Hauptbedeutung der Vorschrift liegt in Bek. der Verfahrensbeendigung einschließlich aller dabei getroffenen Vereinbarungen und Absprachen zur Prozessvermeidung. Sie soll **Missbräuchen entgegenwirken,** nämlich missbräuchlichen Zulassungsanträgen und Haftungsklagen sowie unzulässigen Leistungen an verfahrensbetreibende Aktionäre oder ihnen gleichstehende Dritte durch Transparenz begegnen (RegBegr. BT-Drs. 15/5092, 24). Parallelvorschrift zu § 149 II und III ist § 248a.

II. Bekanntmachung des Zulassungsantrags und der Verfahrensbeendigung (§ 149 I)

Bekanntzumachen ist zunächst Antrag auf **Zulassung der Haftungsklage,** 2 aber erst nach rechtskräftiger, dem Antrag stattgebender Entscheidung (§ 148 II 1). Zweiwochenfrist für sofortige Beschwerde (§ 148 II 7) muss also abgelaufen oder Rechtsmittelverfahren abgeschlossen sein. Noch im RegE vorgesehene Bek. des Zulassungsantrags nach seinem Eingang sollte den übrigen Aktionären Gelegenheit geben, sich dem Antrag anzuschließen (RegBegr. BT-Drs. 15/5092, 24). Gesetzgeber hat davon im Hinblick auf wirkungsgleichen § 129a mit Recht Abstand genommen (AusschussB BT-Drs. 15/5693, 18). Weiter bekanntzumachen ist **Verfahrensbeendigung.** Als Verfahren spricht § 149 I sowohl Zulassungsverfahren (§ 148) wie auch zugelassene Haftungsklage an. Das folgt aus RegBegr. BT-Drs. 15/5092, 24, nach der gem. § 149 II 1 anzugeben ist, auf welche Art Zulassungs- oder Hauptverfahren beendet wurden, und entspr. auch dem Normzweck (→ Rn. 1), weil sich Missbrauchsgefahr schon mit Zulassungsantrag verbindet. Bek. hat unverzüglich zu erfolgen (§ 121 I 1 BGB), und zwar in den Gesellschaftsblättern, also jedenfalls im BAnz. (§ 25).

III. Einzelheiten zur Bekanntmachung der Verfahrensbeendigung (§ 149 II)

Eingehende Regelung des § 149 II bezieht sich zunächst auf Inhalt der Bek. 3 (§ 149 II 1 und 2), sodann auf Rechtsfolgen unterbliebener Bek. (§ 149 II 3–5). **Inhalt.** Bekanntzumachen ist zunächst Art der Verfahrensbeendigung. Das wird, weil Bek. des Zulassungsantrags rechtskräftige Zulassung der Klage voraussetzt, vor allem für Haftungsprozess Bedeutung haben. Insoweit kommen Urteil, Prozessvergleich, Rücknahme der Klage und Erledigung der Hauptsache in Betracht.

§ 93 IV 3 bleibt unberührt, so dass § 149 II 1 nur zum Tragen kommt, wenn bes. Vergleichserfordernisse (→ § 93 Rn. 158 ff.) beachtet sind (RegBegr. BT-Drs. 15/5092, 24). Angabe der Parteien muss entgegen RegBegr. BT-Drs. 15/5092, 25 Aktienanzahl des Klägers nicht nennen (Redaktionsversehen auf Grundlage des RefE; vgl. MüKoAktG/M. Arnold Rn. 11; KK-AktG/Rieckers/J. Vetter Rn. 55). Ferner bekanntzumachen sind – vor allem im Zusammenhang mit Vergleich oder Klagerücknahme – alle einschlägigen Vereinbarungen und Nebenabreden, alles vollen Wortlauts, schließlich die Namen der Beteiligten. Letztgenannte Namensangabe schließt die Namen ihrer Verfahrensvertreter ein. Neben Leistungen der AG an Aktionär werden durch bewusst weiten Wortlaut des § 149 II 1 auch solche Konstellationen erfasst, in denen nur **nahestehende Personen** oder sogar außenstehnde Dritte (zB gemeinnützige Organisation) beteiligt sind, die weder AG noch Aktionär zugerechnet werden können (RegBegr. BT-Drs. 15/5092, 24 f.; MüKoAktG/M. Arnold Rn. 18 f.; GK-AktG/Bezzenberger/Bezzenberger Rn. 38 ff.; S/L/Spindler Rn. 8). § 149 II 2 hebt nur praktisch wichtigsten Fall bes. hervor (GK-AktG/Bezzenberger/Bezzenberger Rn. 45). Fehlt es allerdings zwischen AG und leistendem Dritten an in § 149 II 2 vorausgesetzten Zurechnungszusammenhang, kann auf in dieser Vorschrift vorgesehene Detailbeschreibung und Hervorhebung verzichtet werden; Bek. nach § 149 II 1 muss aber dennoch erfolgen (überzeugend zust. GK-AktG/Bezzenberger/Bezzenberger Rn. 42 ff.; auch gegen Pflicht zur Bek. KK-AktG/Rieckers/J. Vetter Rn. 101 ff.). Als mögliche Leistungsformen benennt RegBegr. BT-Drs. 15/5092, 24 die üblichen verdeckten Leistungen: Kosten- und Aufwandserstattungen, überhöhte Vergleichswerte, Honorare für angebliche Leistungen an AG.

4 Zentrale **Rechtsfolge** fehlender oder unzureichender Bek. ist **Unwirksamkeit** jeder im Zuge der Verfahrensbeendigung vereinbarten Leistungspflicht (§ 149 II 3); Bek. der getroffenen Vereinbarung gehört also zum rechtsgeschäftlichen Tatbestand. Unwirksamkeit der Leistungspflicht strahlt jedoch nicht auf Klagerücknahme oder andere Prozesshandlungen aus, die zur Verfahrensbeendigung führen (§ 149 II 4); Verfahren ist und bleibt also beendet. Sind Leistungen trotz unwirksamer Verpflichtung erbracht worden, so können (und müssen) sie zurückgefordert werden (§ 149 II 5). Darin liegt **Sonderfall der Leistungskondiktion,** bei dem § 814 BGB ausgeschlossen ist (RegBegr. BT-Drs. 15/5092, 25; auch für § 818 III BGB sollte kein Raum sein). § 149 II 5 betr. nur den Fall fehlender oder unzureichender Bek. Davon unberührt bleibt Rückerstattungsanspruch des § 62 bei Verletzung des § 57 (→ § 57 Rn. 56 f.). Soweit § 57 und § 149 II zusammentreffen, bleibt für § 149 II 5 nur noch Rückforderung des Besitzes.

IV. Prozessvermeidung (§ 149 III)

5 Bekanntmachungspflichten gelten in entspr. Anwendung des § 149 I und II auch für prozessvermeidende Vereinbarungen (§ 149 II). Hauptfälle dieser Art sind Vereinbarungen, nach denen Aktionäre Zulassungsanträge (§ 148 I) zurücknehmen oder nicht verfolgen oder zugelassene Klage nicht erheben. Missbrauchspotenzial ist hier ähnlich wie bei Vergleichen, so dass Gleichbehandlung sachgerecht ist. Aus ihr folgt bei Verstößen namentl. Unwirksamkeit der Vereinbarung und Kondizierbarkeit des gleichwohl Geleisteten (→ Rn. 4).

Fünfter Teil. Rechnungslegung. Gewinnverwendung

Erster Abschnitt. Jahresabschluss und Lagebericht. Entsprechenserklärung und Vergütungsbericht

Gesetzliche Rücklage. Kapitalrücklage

150 **(1) In der Bilanz des nach den §§ 242, 264 des Handelsgesetzbuchs aufzustellenden Jahresabschlusses ist eine gesetzliche Rücklage zu bilden.**

(2) In diese ist der zwanzigste Teil des um einen Verlustvortrag aus dem Vorjahr geminderten Jahresüberschusses einzustellen, bis die gesetzliche Rücklage und die Kapitalrücklagen nach § 272 Abs. 2 Nr. 1 bis 3 des Handelsgesetzbuchs zusammen den zehnten oder den in der Satzung bestimmten höheren Teil des Grundkapitals erreichen.

(3) Übersteigen die gesetzliche Rücklage und die Kapitalrücklagen nach § 272 Abs. 2 Nr. 1 bis 3 des Handelsgesetzbuchs zusammen nicht den zehnten oder den in der Satzung bestimmten höheren Teil des Grundkapitals, so dürfen sie nur verwandt werden

1. zum Ausgleich eines Jahresfehlbetrags, soweit er nicht durch einen Gewinnvortrag aus dem Vorjahr gedeckt ist und nicht durch Auflösung anderer Gewinnrücklagen ausgeglichen werden kann;

2. zum Ausgleich eines Verlustvortrags aus dem Vorjahr, soweit er nicht durch einen Jahresüberschuß gedeckt ist und nicht durch Auflösung anderer Gewinnrücklagen ausgeglichen werden kann.

(4) [1]Übersteigen die gesetzliche Rücklage und die Kapitalrücklagen nach § 272 Abs. 2 Nr. 1 bis 3 des Handelsgesetzbuchs zusammen den zehnten oder den in der Satzung bestimmten höheren Teil des Grundkapitals, so darf der übersteigende Betrag verwandt werden

1. zum Ausgleich eines Jahresfehlbetrags, soweit er nicht durch einen Gewinnvortrag aus dem Vorjahr gedeckt ist;

2. zum Ausgleich eines Verlustvortrags aus dem Vorjahr, soweit er nicht durch einen Jahresüberschuß gedeckt ist;

3. zur Kapitalerhöhung aus Gesellschaftsmitteln nach den §§ 207 bis 220.

[2]Die Verwendung nach den Nummern 1 und 2 ist nicht zulässig, wenn gleichzeitig Gewinnrücklagen zur Gewinnausschüttung aufgelöst werden.

Übersicht

I. Grundlagen

1 **1. Regelungsgegenstand und -zweck.** §§ 150 ff. enthielten ursprünglich eigenständiges Aktienbilanzrecht, das mit BiRiLiG 1985 weitgehend in das allg. Handelsbilanzrecht übernommen wurde. Nur in §§ 150, 152, 158, 160 sind rechtsformspezifische Ergänzungen verblieben. § 150 begründet Pflicht, eine ges. Rücklage zu bilden (§ 150 I), und regelt deren Dotierung (§ 150 II) sowie Verwendung (§ 150 III und IV). Für Dotierung und Verwendung sind ges. Rücklage und Kapitalrücklagen nach § 272 II Nr. 1–3 HGB zusammenzurechnen (ADS Rn. 2 und S/L/Kleindiek Rn. 3: ges. Reservefonds). Regelung dient der **Kapitalerhaltung** und damit dem **Gläubigerschutz** (sa BGHZ 191, 364 Rn. 18 = NZG 2012, 69), indem sie gebundenes Vermögen schafft, das dem zur Deckung des Grundkapitals erforderlichen Vermögen als Pufferzone vorgelagert ist. Aus dem gebundenen Vermögen (Reservefonds) können Verluste ausgeglichen werden, ohne das dem Grundkapital entspr. Vermögen anzugreifen. Gebunden ist Vermögen in dem Sinne, dass entspr. Beträge nicht für Gewinnausschüttung zur Verfügung stehen (§ 57 III, § 58 IV, § 150 III und IV). Vgl. zum Ganzen KK-AktG/Ekkenga Rn. 3 ff.; MüKoAktG/Hennrichs/Pöschke Rn. 5 ff. Funktionsfähigkeit des Modells wird mit Blick auf nur geringe Marge am Grundkapital skeptisch beurteilt (MüKoAktG/Hennrichs/Pöschke Rn. 7).

2 **2. Begriffliche Vorklärung.** § 150 setzt Begriff der Rücklagen in den Varianten der ges. Rücklage und der Kapitalrücklage voraus. **Rücklagen** sind Passivposten und bezeichnen dasjenige Eigenkapital, das nicht gezeichnetes Kapital (Grundkapital) und auch nicht Gewinnvortrag (→ § 58 Rn. 24) oder Jahresüberschuss ist (§ 266 III A HGB). Davon strikt zu unterscheiden sind Rückstellungen (§§ 249, 266 III B HGB); sie beziehen sich auf Risiken und absehbare Aufwendungen und gehören deshalb zum Fremdkapital. **Ges. Rücklage** ist Unterform der Gewinnrücklagen (§ 266 III A III 1 HGB). Sie heißen so, weil sie aus einbehaltenen Gewinnen gebildet werden (§ 272 III HGB, § 150 II); → § 58 Rn. 4. Dagegen gehen in die **Kapitalrücklage** außerordentliche Erträge (→ § 232 Rn. 2 f., 6) oder Einnahmen wie Agio und Zuzahlungen ein (§ 272 II HGB). Ges. Rücklagen und Kapitalrücklage unterscheiden sich also nach der Herkunft des Eigenkapitals.

3 Skizzierte **Terminologie geht auf BiRiLiG zurück.** § 150 aF verstand den Begriff der ges. Rücklage noch anders, nämlich als durch vorgeschriebene Rücklagen gebundenes Vermögen ohne Rücksicht auf Herkunft des Eigenkapitals, mithin als Zusammenfassung von Gewinn- und (jetziger) Kapitalrücklage. Funktion der ges. Rücklage im früheren Verständnis muss nunmehr die Summe aus ges. Rücklage iSd geltenden Bilanzrechts und Kapitalrücklage iSd § 272 II Nr. 1–3 HGB übernehmen (ADS Rn. 2; Haller DB 1987, 645). Darauf beruht § 150 II–IV. Als bes. Bilanzposten tritt Summe nicht mehr in Erscheinung.

II. Pflicht zur Bildung einer gesetzlichen Rücklage (§ 150 I)

Nach § 150 I muss AG ges. Rücklage bilden. Norm ist zwingend. Für eingegliederte Gesellschaften gilt sie jedoch nicht (§ 324 I). Ges. Rücklage wird **in der Bilanz** des nach §§ 242, 264 HGB aufzustellenden Jahresabschlusses gebildet. Gemeint ist Jahresbilanz. IÜ korrespondiert § 150 I mit Vorschrift des § 270 I HGB, der entspr. Regelung für Kapitalrücklagen enthält. Dotierung der ges. Rücklage muss also schon bei Aufstellung erfolgen und ist im Umfang des § 150 II in jedem Fall **Pflicht des** dafür zuständigen **Vorstands** (§ 264 I 1 HGB), auch dann, wenn Jahresabschluss nach § 173 ausnahmsweise durch HV festgestellt wird (KK-AktG/Ekkenga Rn. 25; GK-AktG/Mock Rn. 60). 4

III. Dotierung der Rücklagen (§ 150 II)

1. Pflicht zur Einstellung. Ausgangsgröße für Berechnung des in die ges. Rücklage einzustellenden Jahresbetrags ist **Jahresüberschuss.** Das ist Überschuss der Aktiv- über die (sonstigen) Passivposten der Bilanz (§ 266 III A V HGB; GuV: § 275 II Nr. 17 HGB bzw. § 275 III Nr. 16 HGB). Jahresüberschuss ist um **Verlustvortrag** aus dem Vorjahr (§ 158 I 1 Nr. 1; → § 158 Rn. 2) zu mindern, dagegen nicht um Gewinnvortrag aus dem Vorjahr (→ § 58 Rn. 24) zu erhöhen. Aus der Differenz sind **fünf Prozent** zu berechnen. Daraus folgender Betrag ergibt die jährliche Einstellung, bis Obergrenzen (→ Rn. 6 f.) erreicht sind. Für Gesellschaften, die ihren Gewinn ganz oder teilw. abzuführen haben oder durch Beherrschungsvertrag konzerniert sind, gilt Sonderregelung des § 300. 5

2. Gesetzliche Obergrenze. Vorbehaltlich abw. Regelung der Satzung (→ Rn. 7) endet Pflicht, ges. Rücklage zu dotieren, wenn der in sie eingestellte Betrag und die nach § 272 II Nr. 1–3 HGB in Kapitalrücklage eingestellten Beträge zusammen **10 % des Grundkapitals** erreichen. Der rechnerische Reservefonds (→ Rn. 1, 3) ist also kraft Ges. auf 10 % des Grundkapitals begrenzt; für Konzernverhältnisse vgl. auch insoweit § 300. Die Dotierung von Kapitalrücklagen ist nur insoweit mitzurechnen, als sie unter § 272 II Nr. 1–3 HGB fallen. Sog „andere Zuzahlungen" (§ 272 II Nr. 4 HGB; gemeint: freiwillige Zahlungen ohne Gewährung eines Vorzugs) sind nicht zu berücksichtigen (allgM, s. ADS Rn. 37 f.; KK-AktG/Ekkenga Rn. 20; MüKoAktG/Hennrichs/Pöschke Rn. 19). Aus diesem Grund kommt etwa der Zuordnung eines sog schuldrechtl. Agios zur Rücklage nach § 272 II Nr. 1 oder 4 HGB für die Praxis überragende Bedeutung zu (→ § 9 Rn. 10 ff.). Problematisch ist Behandlung von Beträgen, die aus **Kapitalherabsetzung** stammen (§ 229 I, §§ 231, 232, 237 V). Nach Wortlaut des § 150 II zählen sie nicht zum Reservefonds und könnten zur Ausschüttung verwandt werden. Insoweit ist jedoch Redaktionsversehen des Gesetzgebers anzunehmen. Norm meint: Kapitalrücklagen mit Ausnahme der in § 272 II Nr. 4 HGB genannten (ADS Rn. 38; KK-AktG/Ekkenga Rn. 20; S/L/Kleindiek Rn. 7; ausf. Ebeling WPg 1988, 502, 503 ff.; aA GK-AktG/Mock Rn. 75). Grundkapital ist die in der Satzung festgesetzte Ziffer (§ 23 III Nr. 3) ohne Rücksicht auf Höhe der Einzahlungen. Bei Kapitalerhöhung kommt es auf den in § 189 bestimmten Zeitpunkt an (sa ADS Rn. 28). 6

3. Satzungsmäßige Obergrenze. Gem. § 150 II kann Satzung höhere Obergrenze als zehn Prozent des Grundkapitals bestimmen. Dabei muss es sich jedoch um einen **Teil des Grundkapitals** handeln. Satzung kann also nicht vorsehen, dass Gewinne bis zur Höhe des doppelten oder mehrfachen Grundkapitals thesauriert werden (hM, s. ADS Rn. 31; MüKoAktG/Hennrichs/Pösch- 7 ke Rn. 22; S/L/Kleindiek Rn. 9; aA KK-AktG/Ekkenga Rn. 11; GK-AktG/Mock Rn. 77). Andere Auslegung des § 150 II wäre auch mit Kompetenzordnung des § 58 II 1 nicht vereinbar (vgl. → § 58 Rn. 2, 13). Entgegenstehende Satzungsbestimmung ist nichtig (bei Satzungsänderung: § 241 Nr. 3). Abgesehen von Erhöhung der Obergrenze ist § 150 II abschließend und zwingend. Insbes. kann Betrag der jährlichen Zuführung (→ Rn. 5) nicht erhöht werden. HV kann jedoch gem. § 58 III 1 Fall 1 weitere Einstellung in Gewinnrücklagen beschließen; → § 58 Rn. 23. In der **Praxis** macht man von Möglichkeit der Satzungserweiterung wohl eher zurückhaltend Gebrauch, da AG damit eigenes Verhalten ohne Not strengeren rechtl. Bindungen unterwirft (Ganzer NZG 2023, 1251, 1253).

IV. Verwendung der Rücklagen: Mindestbetrag (§ 150 III)

8 **1. Ausgleich eines Jahresfehlbetrags.** Rücklagen dürfen entspr. dem Regelungszweck des § 150 (→ Rn. 1) nicht zur Gewinnausschüttung verwandt werden. Für die zulässige Verwendung ist zwischen dem Mindestbetrag (§ 150 III) und dem übersteigenden Betrag (§ 150 IV; → Rn. 11 f.) zu unterscheiden. Mindestbetrag entspr. der ges. (→ Rn. 6) oder der höheren satzungsmäßigen (→ Rn. 7) Obergrenze der Rücklagenbildung. Er darf nach § 150 III Nr. 1 verwandt werden zum Ausgleich eines Jahresfehlbetrags. Darunter ist nur der in Bilanz (§ 266 III A V HGB) sowie GuV (§ 275 II Nr. 17, III Nr. 16, V Nr. 8 HGB) als solcher ausgewiesene Posten zu verstehen (ausf. zu Begrifflichkeit und Behandlung Mylich ZGR 2022, 263 ff.).

9 Vorausgesetzt ist, dass **Jahresfehlbetrag nicht anderweitig ausgeglichen** werden kann, nämlich entweder durch Gewinnvortrag aus Vorjahr (§ 158 I 1 Nr. 1; → § 58 Rn. 24; → § 158 Rn. 2) oder durch Auflösung anderer Gewinnrücklagen. Begriff anderer Gewinnrücklagen ist nicht iSd Bilanzpostens nach § 266 III A III Nr. 4 HGB, sondern iSv nicht ges. gebundenen Gewinnrücklagen gemeint (GK-AktG/Mock Rn. 84); § 150 III aF sprach in diesem Sinne von freien Rücklagen. Vorrangig aufzulösen sind danach andere Gewinnrücklagen im technischen Sinne (§ 266 III A III Nr. 4 HGB), aber auch satzungsmäßige Rücklagen (KK-AktG/Ekkenga Rn. 31; MüKoAktG/Hennrichs/Pöschke Rn. 32; GK-AktG/Mock Rn. 84; aA Hölters/Weber/Waclawik Rn. 18). Notfalls muss Satzung geändert werden. Scheitert das, bleibt nur Verlustvortrag (→ § 158 Rn. 2). Zur Deckung eines Jahresfehlbetrags darf nicht auf anderweitig zweckgebundene Rücklagen zurückgegriffen werden. Das galt früher insbes. hinsichtlich der mittlerweile abgeschafften **Rücklage für eigene Aktien** (→ § 71 Rn. 21a, 25 ff.). Fehlende Ausgleichsfähigkeit wegen Zweckbindung gilt aber auch weiterhin hinsichtlich Rücklagen für Anteile an herrschendem Unternehmen iSd § 266 III A III Nr. 2 HGB und Rücklagen nach § 272 V HGB (MüKoAktG/Hennrichs/Pöschke Rn. 33). Ebenfalls im Zuge des BilMoG abgeschafft wurden **Sonderposten mit Rücklageanteil** (§§ 247 III, 273 HGB aF). Sie zählten aber schon zuvor nicht zu den Rücklagen (RegBegr. Kropff S. 222) und brauchen deshalb auch dann nicht vorrangig aufgelöst zu werden, wenn sie vor dem BilMoG gebildet und nach Art. 67 III 1 EGHGB beibehalten wurden (KK-AktG/Ekkenga Rn. 32; MüKoAktG/Hennrichs/Pöschke Rn. 36).

10 **2. Ausgleich eines Verlustvortrags.** Mindestbetrag der Rücklagen darf gem. § 150 III Nr. 2 ferner verwandt werden zum Ausgleich eines Verlustvortrags aus dem Vorjahr (§ 158 I 1 Nr. 1; → § 158 Rn. 2), soweit er nicht durch Jahresüberschuss (§ 266 III A V, § 275 II Nr. 17 bzw. § 275 III Nr. 16 HGB) gedeckt ist oder durch Auflösung anderer Gewinnrücklagen gedeckt werden kann; wegen der anderen Gewinnrücklagen → Rn. 9. Aus Wortlaut („darf") folgt zugleich,

dass **keine Pflicht** besteht, Verlustvorträge durch Auflösung bestehender Rücklagen zu vermeiden (Mock FS Ebke, 2021, 683, 692 f.).

V. Verwendung der Rücklagen: übersteigender Betrag (§ 150 IV)

1. Ausgleich von Jahresfehlbetrag oder Verlustvortrag. Übersteigen die Rücklagen den Mindestbetrag des Ges. oder der Satzung (→ Rn. 6 f.), so bleiben sie zwar gebunden, doch ist Bindung weniger streng. **Ausschüttungssperre** (→ Rn. 8) bleibt erhalten. Übersteigender Betrag kann aber zum Ausgleich eines nicht durch Gewinnvortrag (→ § 58 Rn. 24) gedeckten Jahresfehlbetrags (§ 150 IV 1 Nr. 1) oder zum Ausgleich eines nicht durch Jahresüberschuss gedeckten Verlustvortrags (→ § 158 Rn. 2) verwandt werden (§ 150 IV 1 Nr. 2), ohne dass zuvor andere, dh nicht ges. gebundene Rücklagen (→ Rn. 9), aufgelöst werden müssten. Eine Einschränkung im Interesse der Ausschüttungssperre sieht § 150 IV 2 vor. Danach darf gebundene Rücklage nicht verwandt werden, wenn gleichzeitig nicht ges. gebundene Gewinnrücklagen zur Gewinnausschüttung aufgelöst werden. AG hat auf Gewinnausschüttung zu verzichten, solange zum Verlustausgleich Beträge aus den ges. oder gebundenen Kapitalrücklagen verwandt werden müssen (RegBegr. Kropff S. 222). Rückschlüsse auf **materielle Tilgungsreihenfolge** lassen sich der Vorschrift nicht entnehmen (zutr. OLG München AG 2015, 576, 577; KK-AktG/Florstedt § 221 Rn. 615; Casper ZIP 2015, 201, 203 f. gegen behaupteten Vorrang des Ausgleichs von Verlustvorträgen (→ § 158 Rn. 2) vor Wiederauffüllen von Genussscheinkapital [dafür Habersack NZG 2014, 1041, 1043 ff.]). 11

2. Kapitalerhöhung aus Gesellschaftsmitteln. § 150 IV 1 Nr. 3 lässt schließlich zu, dass übersteigender Rücklagenbetrag zur Kapitalerhöhung aus Gesellschaftsmitteln (§§ 207–220; → § 207 Rn. 3) verwandt wird. Das gilt auch, wenn zugleich Gewinnrücklagen zur Gewinnausschüttung aufgelöst werden, da ges. Bindung des Grundkapitals strenger ist als die der bisherigen Rücklagen (sa MüKoAktG/Hennrichs/Pöschke Rn. 38). 12

VI. Rechtsfolgen bei Verstoß

Verstöße gegen § 150 bewirken **Nichtigkeit des Jahresabschlusses.** Umstr. ist, ob Nichtigkeit nach § 256 I Nr. 1 (Verletzung gläubigerschützender Vorschriften) oder Nr. 4 (Verletzung der Vorschriften zur Rücklagenbildung) eintritt, was insofern von Belang ist, als § 256 VI 1 für die beiden Fälle jew. unterschiedliche **Heilungsfolgen** anordnet (Nr. 1: drei Jahre, Nr. 4: sechs Monate → § 256 Rn. 30). Auffällig ist, dass sich Streitstand zu § 150 und § 256 gänzlich unterschiedlich entwickelt hat: **HM zu § 150** sieht § 256 I Nr. 1 als lex specialis und unterstellt ihm alle Verstöße gegen „überwiegend gläubigerschützende Vorschriften", also insbes. die Fälle, in denen in § 150 II vorgeschriebene Rücklagendotierung (→ Rn. 5 ff.) unterbleibt oder in denen vorhandene Rücklagen entgegen § 150 III oder IV aufgelöst werden (→ Rn. 8 ff.). Unter § 256 I Nr. 4 sollen hingegen nur die Fälle der Überdotierung der Rücklage gefasst werden (vgl. MüKoAktG/Hennrichs/Pöschke Rn. 41 ff.; KK-AktG/Ekkenga Rn. 8; BeckOGK/Euler/Sabel Rn. 32; S/L/Kleindiek Rn. 17; aA GK-AktG/Mock Rn. 107). **HM zu § 256** sieht hingegen § 256 I Nr. 4 als speziellere Vorschrift und fasst darunter sämtliche Verstöße gegen Rücklagenbildung (ADS § 256 Rn. 34; KK-AktG/A. Arnold § 256 Rn. 40; NK-AktR/Heidel § 256 Rn. 19; BeckOGK/Jansen § 256 Rn. 42; B/K/L/Schulz § 256 Rn. 9; S/L/Schwab § 256 Rn. 22; aA nur GK-AktG/T. Bezzenberger § 256 Rn. 112 ff.; jetzt aber auch MüKoAktG/J. Koch § 256 Rn. 31). Bessere systematische Gründe sprechen auf den ersten Blick für § 256 I Nr. 4 als lex specialis, da eher 13 pauschal gefasster Begriff des Gläubigerschutzes hier für Sonderfall der Rücklagenbildung präzisiert zu werden scheint. Unter **teleologischen Gesichtspunkten** macht es aus Gläubigersicht aber keinen Unterschied, ob AG Ausschüttungsspielraum durch Überbewertung von Bilanzposten oder durch unterlassene Rücklagenbildung überschreitet, so dass abweichende Behandlung hinsichtlich Heilung kaum sachgerecht wäre (GK-AktG/T. Bezzenberger § 256 Rn. 117). Diese teleologische Überlegung überwiegt den (ohnehin nicht eindeutigen) systematischen Befund, so dass hM zu § 150 zu folgen ist. Für § 256 I Nr. 4 verbleiben Fälle, in denen Bestimmungen der Satzung durch Unterdotierung oder Entnahmen verletzt werden; § 256 I Nr. 1 meint nur ges. Vorschriften (hM, → § 256 Rn. 7 mwN). Ebenfalls nichtig nach § 256 I Nr. 4 ist Jahresabschluss bei Überschreitung der jährlichen Einstellung (→ Rn. 5) und bei Überdotierung (→ Rn. 6 f.), und zwar auch dann, wenn satzungsmäßige Obergrenze überschritten wird. Bestimmungen des Ges. oder der Satzung über Rücklagen sind in diesen Fällen verletzt, ohne dass Gläubigerschutz berührt wird (ADS Rn. 73; MüKoAktG/Hennrichs/Pöschke Rn. 43 f.; S/L/Kleindiek Rn. 17; aA Schäfer ZfK 1966, 276 f.). Unter den weiteren Voraussetzungen der §§ 93, 116 machen sich Mitglieder des Vorstands und des AR schadensersatzpflichtig.

150a *(aufgehoben)*

1 § 150a regelte **Rücklage für eigene Aktien** der AG. Vorschrift war durch 2. EG-KoordG 1978 eingeführt (näher dazu Hüffer NJW 1979, 1065, 1069). Aufgehoben durch BiRiLiG 1985. Vgl. nunmehr § 266 III A III Nr. 2 HGB, § 272 IV HGB; → § 71 Rn. 25 ff.

151 *(aufgehoben)*

1 § 151 enthielt **Gliederung der Jahresbilanz.** Aufgehoben durch BiRiLiG 1985. Nunmehr geregelt in § 266 HGB.

Vorschriften zur Bilanz

152

(1) [1]Das Grundkapital ist in der Bilanz als gezeichnetes Kapital auszuweisen. [2]Dabei ist der auf jede Aktiengattung entfallende Betrag des Grundkapitals gesondert anzugeben. [3]Bedingtes Kapital ist mit dem Nennbetrag zu vermerken. [4]Bestehen Mehrstimmrechtsaktien, so sind beim gezeichneten Kapital die Gesamtstimmenzahl der Mehrstimmrechtsaktien und die der übrigen Aktien zu vermerken.

(2) **Zu dem Posten „Kapitalrücklage" sind in der Bilanz oder im Anhang gesondert anzugeben**

1. der Betrag, der während des Geschäftsjahrs eingestellt wurde;
2. der Betrag, der für das Geschäftsjahr entnommen wird.

(3) **Zu den einzelnen Posten der Gewinnrücklagen sind in der Bilanz oder im Anhang jeweils gesondert anzugeben**

1. die Beträge, die die Hauptversammlung aus dem Bilanzgewinn des Vorjahrs eingestellt hat;
2. die Beträge, die aus dem Jahresüberschuß des Geschäftsjahrs eingestellt werden;
3. die Beträge, die für das Geschäftsjahr entnommen werden.

(4) [1]**Die Absätze 1 bis 3 sind nicht anzuwenden auf Aktiengesellschaften, die Kleinstkapitalgesellschaften im Sinne des § 267a des Handelsgesetzbuchs sind, wenn sie von der Erleichterung nach § 266 Absatz 1 Satz 4 des Handelsgesetzbuchs Gebrauch machen.** [2]**Kleine Aktiengesellschaften im Sinne des § 267 Absatz 1 des Handelsgesetzbuchs haben die Absätze 2 und 3 mit der Maßgabe anzuwenden, dass die Angaben in der Bilanz zu machen sind.**

I. Regelungsgegenstand und -zweck

Norm betr. bilanziellen Ausweis des Eigenkapitals (ohne Gewinnvortrag und Jahresüberschuss) und dient der **rechtsformspezifischen Ergänzung des § 272 I–III HGB.** Ausweis des Grundkapitals als gezeichnetes Kapital (§ 152 I 1) soll int. Verständlichkeit verbessern (RegBegr. BT-Drs. 10/317, 102), bes. ausschließen, dass Grundkapitalziffer mit Summe geleisteter Einlagen verwechselt wird (GK-AktG/Mock Rn. 17). § 152 IV ist angefügt worden durch MicroBilG 2012 und sodann durch BilRUG 2015 erweitert worden (→ Rn. 8). 1

II. Ausweis des Grundkapitals (§ 152 I 1)

Grundkapital ist in Euro ausgedrückte (§ 6), wenigstens auf 50.000 Euro (§ 7) lautende und in der Satzung fixierte (§ 23 III Nr. 3) Bilanzziffer der Passivseite (§ 266 III A I HGB). Bilanzziffer erfüllt bestimmte Funktionen, bes. Garantiefunktion zugunsten der Gesellschaftsgläubiger (→ § 1 Rn. 10 ff.). Nach § 152 I 1 muss sie als „gezeichnetes Kapital" benannt werden. Darunter sollte nach § 272 I 1 HGB aF das Kapital verstanden werden, auf das Haftung der Gesellschafter für Verbindlichkeiten der Kapitalgesellschaft ggü. Gläubigern beschränkt ist. Dieser Versuch einer Legaldefinition war indes offenbar misslungen, weil Aktionäre den Gläubigern gar nicht haften (§ 1 I 2; → § 1 Rn. 8). Es haftet die AG, diese aber nicht unter Beschränkung auf das Grundkapital, sondern mit ihrem gesamten Vermögen (sa KK-AktG/Ekkenga Rn. 3). Durch Aktienrechtsnovelle 2016 wurde Vorschrift daher neu in dem Sinne gefasst, dass gezeichnetes Kapital mit dem Nennbetrag anzusetzen ist (s. dazu RAusschuss BT-Drs. 18/6681, 13). Maßgeblich ist der am Bilanzstichtag im HR eingetragene Betrag (vgl. § 39 I, §§ 189, 224). Zur KGaA vgl. § 286 II und → § 286 Rn. 2 f. 2

III. Angaben zu Aktien (§ 152 I 2–4)

1. Gattungen (§ 152 I 2). Beim Grundkapital sind die Beträge gesondert anzugeben, die auf jede Aktiengattung entfallen (§ 152 I 2). Damit soll insbes. Anlegern ermöglicht werden, ohne technischen Aufwand ihre Beteiligungsquote ermitteln zu können (KK-AktG/Ekkenga Rn. 6). Eine Gattung bilden **Aktien mit gleichen Rechten** (§ 11 S. 2; → § 11 Rn. 7). Hauptfall: Stammaktien mit Stimmrecht und stimmrechtslose Vorzüge. Summe der gesondert angegebenen Beträge muss der Höhe des Grundkapitals entspr. Zur Technik des Bilanzausweises vgl. ADS Rn. 17 f. 3

2. Bedingtes Kapital (§ 152 I 3). § 152 I 3 verlangt, ein bedingtes Kapital mit dem Nennbetrag zu vermerken. Zum Begriff des bedingten Kapitals → § 192 Rn. 2. Bezweckt ist, von AG **nicht mehr beeinflussbare mögliche Kapitalerhöhung** ersichtlich zu machen (MüKoAktG/Suchan Rn. 11). Maßgeblich ist insoweit, ob HV-Beschluss zum Bilanzstichtag vorlag, nicht, ob er eingetragen war (MüKoAktG/Suchan Rn. 11). 4

3. Mehrstimmrechtsaktien (§ 152 I 4). Mehrstimmrechte sind durch ges. Neuordnung im Zuge des ZuFinG 2023 neuerdings unter den Voraussetzungen 5 des § 135a wieder zulässig. Wo sie bestehen, sind gem. § 152 I 4 beim Grundkapital ihre Gesamtstimmenzahl und die der übrigen Aktien zu vermerken. Das gilt auch, soweit es sich um aufrechterhaltene alte Mehrstimmrechte nach § 5 II EGAktG nF iVm § 5 I EGAktG aF handelt (→ § 12 Rn. 14). Bilanzleser soll **verbliebenes Stimmgewicht der Stammaktien** beurteilen können (ADS Rn. 14; MüKoAktG/Suchan Rn. 14). Beschränkung des Mehrstimmrechts auf bestimmte Beschlussgegenstände muss nach § 152 I 4 nicht vermerkt werden (KK-AktG/Ekkenga Rn. 8; MüKoAktG/Suchan Rn. 14), doch ist solcher Vermerk zulässig und sinnvoll (ADS Rn. 14; S/L/Kleindiek Rn. 5). Angabe im Anh. statt in Bilanz wäre vernünftig, ist aber vom Ges. nicht vorgesehen und deshalb nicht genügend (GK-AktG/Mock Rn. 23; Hölters/Weber/Waclawik Rn. 7).

IV. Angaben zur Kapitalrücklage (§ 152 II)

6 Als Kapitalrücklage sind gem. § 272 II HGB außerordentliche Einnahmen auszuweisen, bes. Agio und Zuzahlungen (vgl. → § 150 Rn. 2). Kennzeichnend ist insbes., dass einzustellende Beträge nicht im Wege der Innenfinanzierung aus Gewinnen des Unternehmens entstanden sind, sondern im Wege der Außenfinanzierung; beide Finanzierungsarten müssen auch in der Darstellung getrennt werden (KK-AktG/Ekkenga Rn. 13). § 152 II verlangt Angabe von Veränderungen, und zwar wahlweise in der Bilanz oder im Anh. (§ 264 I HGB, § 284 I HGB); Anh. ist für Verlaufsübersichten idR besser geeignet (KK-AktG/Ekkenga Rn. 12; MüKoAktG/Suchan Rn. 23). Aufteilung auf Bilanz und Anh. ist unzulässig (BeckOGK/Euler/Sabel Rn. 22) Gesondert anzugeben ist zunächst der während des Geschäftsjahrs **eingestellte Betrag** (§ 152 II Nr. 1). Systematischer Wortlautvergleich zu § 152 III („jeweils") deutet darauf hin, dass Einstellungsbeträge nicht getrennt aufzuführen sind, sondern als Gesamtbetrag ausgewiesen werden können (sa BeckOGK/Euler/Sabel Rn. 25; GK-AktG/Mock Rn. 28; Hölters/Weber/Waclawik Rn. 9). Im Lichte des allg. Einblicksgebots gem. § 264 II 1 HGB ist Verständnis aber nicht zweifelsfrei (für Einzelausweis KK-AktG/Ekkenga Rn. 14 mwN), so dass Untergliederung auf jeden Fall sinnvoll ist (vgl. auch MüKoAktG/Suchan Rn. 24: „angezeigt"). Maßgeblicher Darstellungszeitraum reicht von Aufstellung der Schlussbilanz für das vorhergehende Geschäftsjahr bis zur Aufstellung der Schlussbilanz für das laufende Geschäftsjahr (vgl. § 270 I HGB; wie hier ADS Rn. 20; KK-AktG/Ekkenga Rn. 14; MüKoAktG/Suchan Rn. 15; aA Hölters/Weber/Waclawik Rn. 9). Welche Einzelbeträge einzustellen sind, folgt aus § 272 II HGB und ergänzenden Vorschriften wie § 229 I, §§ 231, 232, 237 V. Entspr. gilt für während des Geschäftsjahrs **entnommenen Betrag** (§ 152 II Nr. 2). Jede Entnahme, dh Verwendung der Kapitalrücklage, auch zur Kapitalerhöhung aus Gesellschaftsmitteln (§§ 207 ff.), ist anzugeben. Zulässig ist sie nur, wenn sie unter § 150 III oder IV fällt (→ § 150 Rn. 8 ff.). Überschneidungen ergeben sich mit § 158 I 1 Nr. 2. Angaben im Anh. entlasten daher nicht nur Bilanz (s. o.), zugleich unterbleibt doppelter Ausweis namentl. in Bilanz und GuV, sofern auch dort Angaben im Anh. erfolgen; Darstellung gewinnt an Übersicht (so auch ADS Rn. 31).

V. Angaben zu den Gewinnrücklagen (§ 152 III)

7 Gewinnrücklagen werden gem. § 272 III HGB aus dem Ergebnis gebildet (einbehaltener Gewinn → § 150 Rn. 2). § 152 III schreibt auch insoweit Angabe von Veränderungen vor, und zwar wie bei Kapitalrücklage (→ Rn. 6) wahlweise in Bilanz oder Anh. Nach hier klarem Wortlaut muss Angabe zu jedem einzelnen Posten erfolgen (MüKoAktG/Suchan Rn. 18). Anzugeben sind gem. § 152 III

Nr. 1 zunächst **Beträge, die HV** aus Bilanzgewinn des Vorjahrs **in Gewinnrücklagen eingestellt hat.** Gemeint ist Beschluss nach § 58 III 1 Fall 1, § 174 II Nr. 3 über Verwendung des Bilanzgewinns. Ferner sind nach § 152 III Nr. 2 Beträge anzugeben, die aus Jahresüberschuss des Geschäftsjahrs eingestellt werden. Vorschrift betr. **Dotierung der Gewinnrücklagen durch Vorstand und AR,** bes. nach § 58 II und § 58 IIa, ferner Einstellung in satzungsmäßige Gewinnrücklagen nach § 58 I. Schließlich sind gem. § 152 III Nr. 3 **Entnahmen für das Geschäftsjahr** anzugeben. Das ist auch hier (vgl. → Rn. 6) jegliche Verwendung der Gewinnrücklagen einschließlich der Kapitalerhöhung aus Gesellschaftsmitteln (§§ 207 ff.). Zulässigkeitsschranken aus § 150 III und IV sind zu beachten. Inwiefern Umwidmung von Gewinnrücklagen zulässig ist, ist umstr. (vgl. KK-AktG/Ekkenga Rn. 23; MüKoAktG/Suchan Rn. 22). Erfolgt sie, sind entspr. Angaben jedenfalls empfehlenswert, wenngleich nicht ausdr. in § 152 III vorgeschrieben (BeckOGK/Euler/Sabel Rn. 18; MüKoAktG/Suchan Rn. 22; aA GK-AktG/Mock Rn. 41). Für kleine AG (§ 267 I HGB) gelten Erleichterungen gem. § 266 I 3 HGB: keine Pflicht zur Untergliederung; Erleichterung gilt aber nicht für Vorlage in HV aufgrund entspr. Auskunftsverlangens gem. § 131 I 3 (MüKoAktG/Suchan Rn. 25). Für mittelgroße AG (§ 267 II HGB) gilt das erst bei Offenlegung des Jahresabschlusses (§ 327 HGB). Durch Anhebung der Schwellenwerte im Zuge des BilRUG 2015 wird sich Zahl der kleinen oder mittelgroßen Gesellschaften iSd § 267 I, II HGB erhöhen (vgl. BT-Drs. 18/4050, 60; Zwirner/Kähler BC 2015, 246 ff.).

VI. Ausnahme für kleine Kapitalgesellschaften (§ 152 IV)

8 § 152 I–III ist nach § 152 IV 1 auf **Kleinstkapitalgesellschaften** nicht anzuwenden, sofern diese von Erleichterung nach § 266 I 4 HGB Gebrauch gemacht haben. Vorschrift geht auf MicroBilG 2012 zurück und flankiert die damit eingeführten Neuerungen für Kleinstkapitalgesellschaften. Darunter fällt nach **§ 267a HGB,** wer mindestens zwei der folgenden drei Merkmale nicht überschreitet: (1) 350.000 Euro Bilanzsumme, (2) 700.000 Euro Umsatzerlöse in den zwölf Monaten vor Abschlussstichtag, (3) im Jahresdurchschnitt zehn Arbeiter. Überdies darf keine durch BilRuG 2015 eingeführte Ausnahme gem. § 267a III HGB vorliegen (Investmentgesellschaft iSd § 1 XI KAGB, Unternehmensbeteiligungsgesellschaft iSd § 1a UBGG oder sog Beteiligungsgesellschaft [insbes. Finanzholdinggesellschaft – zum letztgenannten Begriff vgl. Oser/Orth/Wirtz DB 2015, 1729 f.]). Kleinstkapitalgesellschaft kann nach § 266 I 4 HGB **verkürzte Bilanz** aufstellen, in die nur die in § 266 I und II HGB mit Buchstaben bezeichneten Posten aufgenommen werden (Gliederungsbeispiel bei Fey/Deubert/Lewe BB 2013, 107, 108; zu weiteren Einzelheiten vgl. Haller/v. Löffelmann/Schlechter DB 2013, 1917 ff.). Wenn sie davon Gebrauch macht, soll § 152 IV sicherstellen, dass damit gewährte Erleichterungen nicht über aktienrechtl. Ausweisvorgaben ausgehöhlt werden (RegBegr. BT-Drs. 17/11292, 19). Zu entspr. Erleichterungen bei GuV und Anh. → § 158 Rn. 10; → § 160 Rn. 16; → § 58 Rn. 21. Flankierende Erleichterung ist seit BilRUG 2015 in § 152 IV 2 auch für **kleine Kapitalgesellschaften** iSd § 267 I HGB in Umsetzung der Vorgaben des Art. 16 III Bilanz-RL vorgesehen. Sie haben Angaben zu Kapital- und Gewinnrücklagen nach § 152 II, III künftig in der Bilanz zu machen; Möglichkeit zum alternativen Ausweis im Anhang entfällt, womit der Maximalharmonisierung der Anhangsangaben für kleine Kapitalgesellschaften Rechnung getragen werden soll (RegBegr. BilRUG BT-Drs. 18/4050, 89).

153 *(aufgehoben)*

1 § 153 regelte **Wertansätze für Gegenstände des Anlagevermögens** und sprach verschiedene Aktivierungsverbote aus (originär geschaffene immaterielle Anlagewerte; Gründungsaufwendungen und Kosten der Kapitalbeschaffung; originär geschaffener Geschäfts- oder Firmenwert). Aufgehoben durch BiRiLiG 1985.

154 *(aufgehoben)*

1 § 154 betraf **Abschreibungen und Wertberichtigungen bei Gegenständen des Anlagevermögens.** Aufgehoben durch BiRiLiG 1985.

155 *(aufgehoben)*

1 § 155 normierte **Wertansätze für Gegenstände des Umlaufvermögens.** Aufgehoben durch BiRiLiG 1985.

156 *(aufgehoben)*

1 § 156 regelte **Ansätze von Passivposten.** Aufgehoben durch BiRiLiG 1985.

157 *(aufgehoben)*

1 § 157 enthielt **Gliederung der GuV.** Aufgehoben durch BiRiLiG 1985.

Vorschriften zur Gewinn- und Verlustrechnung

158

(1) [1]Die Gewinn- und Verlustrechnung ist nach dem Posten „Jahresüberschuß/Jahresfehlbetrag" in Fortführung der Numerierung um die folgenden Posten zu ergänzen:

1. Gewinnvortrag/Verlustvortrag aus dem Vorjahr
2. Entnahmen aus der Kapitalrücklage
3. Entnahmen aus Gewinnrücklagen
a) aus der gesetzlichen Rücklage
b) aus der Rücklage für Anteile an einem herrschenden oder mehrheitlich beteiligten Unternehmen
c) aus satzungsmäßigen Rücklagen
d) aus anderen Gewinnrücklagen
4. Einstellungen in Gewinnrücklagen
a) in die gesetzliche Rücklage
b) in die Rücklage für Anteile an einem herrschenden oder mehrheitlich beteiligten Unternehmen
c) in satzungsmäßige Rücklagen
d) in andere Gewinnrücklagen
5. Bilanzgewinn/Bilanzverlust.

[2]Die Angaben nach Satz 1 können auch im Anhang gemacht werden.

(2) [1] **Von dem Ertrag aus einem Gewinnabführungs- oder Teilgewinnabführungsvertrag ist ein vertraglich zu leistender Ausgleich für außenstehende Gesellschafter abzusetzen; übersteigt dieser den Ertrag, so ist der übersteigende Betrag unter den Aufwendungen aus Verlustübernahme auszuweisen.** [2] **Andere Beträge dürfen nicht abgesetzt werden.**

(3) **Die Absätze 1 und 2 sind nicht anzuwenden auf Aktiengesellschaften, die Kleinstkapitalgesellschaften im Sinne des § 267a des Handelsgesetzbuchs sind, wenn sie von der Erleichterung nach § 275 Absatz 5 des Handelsgesetzbuchs Gebrauch machen.**

I. Regelungsgegenstand und -zweck

§ 158 betr. GuV und **ergänzt Gliederungsschema des § 275 HGB,** soweit es um Maßnahmen der Ergebnisverwendung geht. Auf diese Weise soll Anteilseignern verdeutlicht werden, wie sich der Gewinn, über den sie zu befinden haben, zusammensetzt (MüKoAktG/Freisleben/Baumeister Rn. 5). Vorschrift korrespondiert mit § 275 IV HGB, wonach Veränderungen der Kapital- und Gewinnrücklagen, wenn sie in GuV gezeigt werden, erst nach dem Posten Jahresüberschuss/Jahresfehlbetrag ausgewiesen werden dürfen. Aufstellung der GuV unter Berücksichtigung der Ergebnisverwendung ist Seitenstück zur entspr. Aufstellung der Bilanz, die § 268 I HGB zulässt (ähnlich ADS Rn. 1). § 158 I entfaltet als bilanzielle Ordnungsvorschrift **keine materiell-rechtl. Wirkungen** bzgl. Tilgungsreihenfolge (OLG München AG 2015, 576, 578; Casper ZIP 2015, 201, 203 ff.; aA Habersack NZG 2014, 1041, 1043 ff.; → § 150 Rn. 11). § 158 III ist angefügt worden durch MicroBilG 2012 (→ Rn. 10). 1

II. Ergänzende Posten (§ 158 I)

1. Gewinnvortrag/Verlustvortrag (§ 158 I 1 Nr. 1). GuV der AG ist vorbehaltlich der in § 158 I 2 getroffenen Regelung (→ Rn. 7) in Fortführung der bisherigen Nummerierung zunächst um den Posten Gewinnvortrag/Verlustvortrag aus dem Vorjahr zu ergänzen (§ 158 I 1 Nr. 1). Bei früher aktienrechtl. zwingender, heute üblicher Gliederung nach **Gesamtkostenverfahren** (§ 275 I, II HGB) ist mit Posten Nr. 17 fortzufahren (Muster bei MüKoAktG/Freisleben/Baumeister Rn. 7). Leerposten müssen nur ausgewiesen werden, wenn im vorhergehenden Geschäftsjahr ein Betrag ausgewiesen wurde (§ 265 VIII HGB). Gewinnvortrag folgt aus Gewinnverwendungsbeschluss der HV (§ 174 II Nr. 4), wenn Vorjahresergebnis positiv war und in dieser Höhe weder ausgeschüttet noch zur Rücklagenbildung verwendet wurde (→ § 58 Rn. 24). Verlustvortrag ist Bilanzverlust (§ 158 I 1 Nr. 5) des Vorjahresabschlusses, der im laufenden Jahr weder durch Gewinne noch durch Auflösung von Rücklagen aufgelöst wurde (ausf. Mock FS Ebke, 2021, 683 ff.). 2

2. Entnahmen aus der Kapitalrücklage (§ 158 I 1 Nr. 2). Nächster Posten der Fortführung sind Entnahmen aus der Kapitalrücklage (vgl. zu deren Begriff → § 150 Rn. 2, zur Zulässigkeit von Entnahmen → § 150 Rn. 8 ff., 11). Verwendung zur **Kapitalerhöhung aus Gesellschaftsmitteln** (§§ 207 ff.) ist zwar bei der Entwicklung der Rücklagen aufzuzeigen (→ § 152 Rn. 6), stellt aber keine Entnahme iSd § 158 I 1 Nr. 2 dar, weil lediglich Passivposten umgebucht werden (→ § 150 Rn. 12); diese Verwendung ist deshalb nicht in GuV auszudrücken (ADS Rn. 10; GK-AktG/Mock Rn. 25; S/L/Kleindiek Rn. 5). **Einstellungen in Kapitalrücklage** sind nicht Ergebnisverwendung, sondern einlagenähnlich und finden deshalb in GuV keinen Niederschlag (MüKoAktG/Freisleben/Baumeister Rn. 12). 3

4 **3. Entnahmen aus Gewinnrücklagen (§ 158 I 1 Nr. 3).** In die GuV aufzunehmen sind nach § 158 I 1 Nr. 3 Entnahmen aus den dort iE aufgeführten Gewinnrücklagen (zum Begriff → § 150 Rn. 2, zur Zulässigkeit von Entnahmen aus der ges. Rücklage → § 150 Rn. 8 ff., 11). Einzelaufzählung rührt daher, dass Ges. Gewinnrücklagen nicht als einheitlichen Posten begreift; auch Einzelposten müssen aber unter einheitlicher Gliederungsnummer aufgeführt werden (Hölters/Weber/Waclawik Rn. 8). Auch hier nicht aufzuführen ist Verwendung iR einer **Kapitalerhöhung aus Gesellschaftsmitteln** (ADS Rn. 12; MüKoAktG/Freisleben/Baumeister Rn. 14). Zulässigkeit einer Entnahme folgt für jede Rücklagenart eigenen Regeln (Hölters/Weber/Waclawik Rn. 9). Ob Entnahme aus Rücklage für Anteile am herrschenden oder mehrheitlich beteiligten Unternehmen (entfallen ist frühere Rücklage für eigene Aktien → § 71 Rn. 21a, 25 ff.) zulässig ist, bestimmt sich nach § 272 IV 4 HGB. Sie ist ohne Ausnahme in GuV zu zeigen. GuV muss drittens Entnahmen aus satzungsmäßigen Rücklagen ausweisen. Solche Rücklagen entstehen nur, wenn Satzung zur Bildung der Rücklagen verpflichtet („Pflichtrücklagen"). Wenn Gesellschaftsorgane dagegen nur ermächtigt werden, handelt es sich um sog andere Gewinnrücklagen (vgl. ADS § 272 HGB Rn. 151; KK-AktG/Ekkenga Rn. 8). Direkte Umbuchung in andere Gewinnrücklagen kann zulässig sein, soweit damit Rechte der HV nicht verkürzt werden (vgl. ADS Rn. 14). Schließlich sind **Entnahmen aus anderen Gewinnrücklagen** (§ 58) in GuV auszuweisen, wiederum mit Ausnahme der Kapitalerhöhung aus Gesellschaftsmitteln (GK-AktG/Mock Rn. 27 ff.).

5 **4. Einstellungen in Gewinnrücklagen (§ 158 I 1 Nr. 4).** Die in § 158 I 1 Nr. 4 vorgeschriebene Ergänzung der GuV um Einstellungen in Gewinnrücklagen erfasst nur die Einstellungen, die gem. § 58 I–IIa **bei Feststellung des Jahresabschlusses** erfolgen (→ § 58 Rn. 6 ff., 18 ff.). Hauptfälle liegen also bei Einstellung durch Vorstand und AR. Soweit Einstellung dagegen erst im Gewinnverwendungsbeschluss der HV vorgenommen wird (§ 58 III; → § 58 Rn. 23), kann sie nicht in GuV gezeigt werden, weil Jahresabschluss dadurch nicht mehr berührt wird (§ 174 III). Insoweit verbleibt es bei Anforderung des § 152 III Nr. 1 (→ § 152 Rn. 7). Für Einstellung in **Rücklage für Anteile am herrschenden oder mehrheitlich beteiligten Unternehmen** (§ 158 I 1 Nr. 4b; → Rn. 4 zur früheren Rücklage für eigene Aktien) muss Ausweis in GuV erfolgen, wenn sie aus dem Jahresüberschuss gebildet wird. Wenn sie stattdessen aus schon vorhandenen frei verfügbaren Gewinnrücklagen gebildet wird (§ 272 IV 3 HGB), genügt Umbuchung in Bilanz, wenn Gliederungsschema des § 158 nicht schon aus anderen Gründen beachtet werden muss (s. zur früheren Rücklage für eigene Aktien ADS Rn. 19; weitergehend MüKoAktG/Freisleben/Baumeister Rn. 29).

6 **5. Bilanzgewinn/Bilanzverlust (§ 158 I 1 Nr. 5).** Dieser in § 158 I 1 Nr. 5 vorgeschriebene Posten der GuV ist bloßes Rechenergebnis, nämlich **Saldo** aus Jahresüberschuss/Jahresfehlbetrag (§ 275 II Nr. 17 HGB bzw. § 275 III Nr. 16 HGB) und den Posten nach § 158 I 1 Nr. 1–4, ggf. auch den bei Kapitalherabsetzung (§ 240) auszuweisenden Posten (ADS Rn. 22; → Rn. 8).

III. Wahlrecht zwischen GuV und Anhang (§ 158 I 2)

7 § 158 I 2 lässt zu, dass Angaben nach § 158 I 1 statt in GuV im Anh. (§ 264 I HGB, § 284 I HGB) gemacht werden. Wenn von diesem Ausweiswahlrecht Gebrauch gemacht wird, müssen Angaben **vollständig und in der Gliederung des § 158 I 1** im Anh. erscheinen. Das wird zu Recht aus § 243 II HGB abgeleitet (ADS Rn. 29, die überdies den vorangestellten Posten Jahresüberschuss/Jahresfehlbetrag verlangen). Keinesfalls ist es zulässig, Angaben teils in GuV und teils im Anh. zu machen. Zu Doppelangaben → § 152 Rn. 6.

IV. Kapitalherabsetzung

§ 240 enthält für alle Formen der Kapitalherabsetzung geltende Sonderregelung. Buchgewinn aus Kapitalherabsetzung ist gem. § 240 S. 1 gesondert in GuV auszuweisen, und zwar hinter dem Posten nach § 158 I 1 Nr. 3a unter der Bezeichnung „Ertrag aus der Kapitalherabsetzung". Gesondert auszuweisen und zu bezeichnen sind auch Einstellungen in die Kapitalrücklage nach § 229 I, § 232 (§ 240 S. 2). Dasselbe muss (trotz fehlender ges. Regelung) für Fall des § 237 V gelten (→ § 240 Rn. 5). Für Angaben nach § 240 S. 1 und 2 gibt Ges. **kein Ausweiswahlrecht** (→ Rn. 7). Sie können also nicht im Anh. gemacht werden (BeckOGK/Euler/Sabel Rn. 21; S/L/Kleindiek Rn. 10; GK-AktG/Mock Rn. 13; MüKoAktG/Oechsler § 240 Rn. 3; aA ADS Rn. 24; → § 240 Rn. 3 f.). Folglich müssen auch die Angaben nach § 158 I 1 in GuV gemacht werden, wenn Kapitalherabsetzung im Jahresabschluss berücksichtigt werden muss. In den Anh. gehören nur Erläuterungen zur Verwendung des Buchertrags (§ 240 S. 3; → § 240 Rn. 6). 8

V. Ertrag aus Gewinnabführung und Ausgleich für außenstehende Gesellschafter (§ 158 II)

§ 158 II regelt Teilaspekte von Gewinnabführungsverträgen (§ 291 I 1 Fall 2, 9 § 292 I Nr. 2) aus der Sicht des herrschenden Unternehmens. Vorausgesetzt ist Regelung des § 277 III 2 HGB. Danach sind ua Gewinne aus Gewinnabführungsverträgen und Aufwendungen aus Verlustübernahme gesondert unter entspr. Bezeichnung in GuV einzustellen (näher dazu ADS § 277 HGB Rn. 50 ff.). § 158 II 1 gebietet es **ausnahmsweise,** den Ertrag aus Gewinnabführung und den vertraglich zu leistenden Ausgleich für außenstehende Gesellschafter (Hauptfall: § 304 I) zu **saldieren** und nur das positive Ergebnis als Ertrag, das negative als Aufwendung aus Verlustübernahme in GuV auszuweisen (ausf. MüKoAktG/Freisleben/Baumeister Rn. 60). Andere Beträge dürfen gem. § 158 II 2 nicht saldiert werden. Insbes. ist es unzulässig, den bei Tochtergesellschaft X eingetretenen Verlust gegen den bei Tochter Y erzielten Gewinn zu verrechnen.

VI. Ausnahme für Kleinstkapitalgesellschaften (§ 158 III)

§ 158 I und II sind nicht anzuwenden auf Kleinstkapitalgesellschaften iSd 10 § 267a HGB (→ § 152 Rn. 8), wenn sie von Erleichterung nach § 275 V HGB Gebrauch gemacht haben. Wie mit § 152 IV und § 160 III soll auch dadurch sichergestellt werden, dass neu gewährte bilanzrechtl. Erleichterungen nicht aktienrechtl. konterkariert werden (→ § 152 Rn. 8; → § 160 Rn. 16). Während es in § 152 IV um Erleichterungen bei Aufstellung des Jahresabschlusses und bei § 160 III um Wegfall des Anh. geht, betr. § 158 III aber Darstellung in GuV, die gem. § 275 V HGB ebenfalls in verkürzter Form erfolgen darf. Zu Einzelheiten vgl. Zwirner/Kähler DB 2016, 2005 ff.

159 *(aufgehoben)*

§ 159 schrieb für den Jahresabschluss einen **Vermerk der Pensionszahlungen** vor. Vorschrift beruhte noch auf der Annahme, dass entspr. Verpflichtungen nicht passivierungspflichtig sind (BGHZ 34, 324, 326 ff. = NJW 1961, 1063). Aufgehoben durch BiRiLiG 1985. 1

Vorschriften zum Anhang

160 (1) **In jedem Anhang sind auch Angaben zu machen über**

1. **den Bestand und den Zugang an Aktien, die ein Aktionär für Rechnung der Gesellschaft oder eines abhängigen oder eines im Mehrheitsbesitz der Gesellschaft stehenden Unternehmens oder ein abhängiges oder im Mehrheitsbesitz der Gesellschaft stehendes Unternehmen als Gründer oder Zeichner oder in Ausübung eines bei einer bedingten Kapitalerhöhung eingeräumten Umtausch- oder Bezugsrechts übernommen hat; sind solche Aktien im Geschäftsjahr verwertet worden, so ist auch über die Verwertung unter Angabe des Erlöses und die Verwendung des Erlöses zu berichten;**
2. **den Bestand an eigenen Aktien der Gesellschaft, die sie, ein abhängiges oder im Mehrheitsbesitz der Gesellschaft stehendes Unternehmen oder ein anderer für Rechnung der Gesellschaft oder eines abhängigen oder eines im Mehrheitsbesitz der Gesellschaft stehenden Unternehmens erworben oder als Pfand genommen hat; dabei sind die Zahl dieser Aktien und der auf sie entfallende Betrag des Grundkapitals sowie deren Anteil am Grundkapital, für erworbene Aktien ferner der Zeitpunkt des Erwerbs und die Gründe für den Erwerb anzugeben. Sind solche Aktien im Geschäftsjahr erworben oder veräußert worden, so ist auch über den Erwerb oder die Veräußerung unter Angabe der Zahl dieser Aktien, des auf sie entfallenden Betrags des Grundkapitals, des Anteils am Grundkapital und des Erwerbs- oder Veräußerungspreises, sowie über die Verwendung des Erlöses zu berichten;**
3. **die Zahl der Aktien jeder Gattung, wobei zu Nennbetragsaktien der Nennbetrag und zu Stückaktien der rechnerische Wert für jede von ihnen anzugeben ist, sofern sich diese Angaben nicht aus der Bilanz ergeben; davon sind Aktien, die bei einer bedingten Kapitalerhöhung oder einem genehmigten Kapital im Geschäftsjahr gezeichnet wurden, jeweils gesondert anzugeben;**
4. **das genehmigte Kapital;**
5. **die Zahl der Bezugsrechte gemäß § 192 Absatz 2 Nummer 3;**
6. **(aufgehoben)**
7. **das Bestehen einer wechselseitigen Beteiligung unter Angabe des Unternehmens;**
8. **das Bestehen einer Beteiligung, die nach § 20 Abs. 1 oder Abs. 4 dieses Gesetzes oder nach § 33 Absatz 1 oder Absatz 2 des Wertpapierhandelsgesetzes mitgeteilt worden ist; dabei ist der nach § 20 Abs. 6 dieses Gesetzes oder der nach § 40 Absatz 1 des Wertpapierhandelsgesetzes veröffentlichte Inhalt der Mitteilung anzugeben.**

(2) **Die Berichterstattung hat insoweit zu unterbleiben, als es für das Wohl der Bundesrepublik Deutschland oder eines ihrer Länder erforderlich ist.**

(3) [1] **Absatz 1 Nummer 1 und 3 bis 8 ist nicht anzuwenden auf Aktiengesellschaften, die kleine Kapitalgesellschaften im Sinne des § 267 Absatz 1 des Handelsgesetzbuchs sind.** [2] **Absatz 1 Nummer 2 ist auf diese Aktiengesellschaften mit der Maßgabe anzuwenden, dass die Gesellschaft nur Angaben zu von ihr selbst oder durch eine andere Person für Rechnung der Gesellschaft erworbenen und gehaltenen eigenen Aktien machen muss und über die Verwendung des Erlöses aus der Veräußerung eigener Aktien nicht zu berichten braucht.**

Übersicht

I. Regelungsgegenstand und -zweck

Norm gibt an, welche aktienrechtl. Zusatzangaben (§ 160 I: „auch") im Anh. 1
gemacht werden müssen, dient also der **rechtsformspezifischen Ergänzung der §§ 284, 285 HGB** (→ § 150 Rn. 1). Inhaltlich weichen Angaben des § 160 I von sonstigen Anh.-Angaben insofern ab, als es nicht um wirtschaftliche Verhältnisse der AG geht, sondern um ihre **Beteiligungsstruktur und potenzielle Einflussfaktoren,** weshalb § 160 I auch in erster Linie bei Publikumsgesellschaften in Streubesitz Bedeutung zukommt (KK-AktG/Ekkenga Rn. 3; MüKo-AktG/Kessler Rn. 2). § 160 ist nicht abschließend. Pflichtangaben sind noch vorgesehen in § 240 S. 3 (Kapitalherabsetzung) und § 261 I 3 und 4 (Sonderprüfung wegen unzulässiger Unterbewertung). Weitere Angaben können gemacht werden aufgrund der **Ausweiswahlrechte** der § 58 IIa, § 152 II und III, § 158 I 2. Letzte Änderungen des § 160 waren durch Anpassung an bilanzrechtl. Neuregelungen bedingt und erfolgten namentl. im Zuge des MicroBilG 2012 (→ Rn. 16) und des BilRUG 2015, das Pflichtangaben in § 285 HGB ausgebaut hat, um sie auf andere Rechtsformen zu erstrecken, was zum Wegfall bislang spezifisch aktienrechtl. Pflichtangaben geführt hat (→ Rn. 12). Zugleich wurden Erleichterungen für kleine Gesellschaften ausgedehnt (→ Rn. 16).

II. Zusatzangaben im Anhang (§ 160 I)

1. Anhang. Von § 160 vorausgesetzter Rechtsbegriff des Anh. ergibt sich aus 2
§ 264 I 1 HGB. Er ist Teil des Jahresabschlusses und bildet eine Einheit mit Bilanz und GuV. Aufstellung (§ 264 I 2 HGB), Vorlage, Prüfung und Feststellung des Jahresabschlusses (§§ 170 ff.) beziehen sich also auch auf den Anh. Eigenschaft als Bestandteil des Jahresabschlusses kam dem Geschäftsbericht früheren Rechts nicht zu. Der Funktion nach ist Anh. jedoch wie früherer Geschäftsbericht Wortbericht, der Bilanz und GuV iSd Grundanforderungen an die Rechnungslegung (§§ 243, 264 II HGB) zu ergänzen hat.

2. Grundanforderungen an Anhang. Wie Anh. aufzustellen, bes. zu glie- 3
dern ist, sagt Ges. nicht ausdr. Anforderungen sind insbes. aus § 243 HGB abzuleiten. Anh. muss also **GoB-konform** sein (§ 243 I HGB). Daraus ergibt sich: Anh. muss vollständig und richtig iSv fachgerecht sein; er muss klar und

übersichtlich gegliedert sein (§ 243 II HGB); Darstellung muss formell und materiell stetig sein, darf also nicht ohne sachlichen Grund von Geschäftsjahr zu Geschäftsjahr wechseln; sie muss auch **stichtagsbezogen** sein, also Verhältnisse zum Schluss des Geschäftsjahrs wiedergeben (vgl. zum Ganzen zB ADS Rn. 4 ff.; KK-AktG/Ekkenga Rn. 4). Aus Vollständigkeitsgebot und Stichtagsprinzip ergibt sich, dass Angaben auch bei fortdauernden Sachverhalten jährlich wiederkehrend zu machen sind; Bezugnahme auf früheren Anh. genügt nicht (ADS Rn. 6; S/L/Kleindiek Rn. 1). Den Anforderungen des § 243 II HGB entspr. Gliederung kann in verschiedener Weise geleistet werden (vgl. dazu Döbel BB 1987, 412; Forster DB 1982, 1577 und 1631). Anders als bei §§ 284, 285 HGB ist für § 160 nicht erforderlich, dass es sich um „wesentliche" Angaben handelt, die zum Verständnis des übrigen Abschlussinhalts notwendig sind (KK-AktG/Ekkenga Rn. 4). Sind keine Angaben zu machen, bedarf es auch keiner „Fehlanzeige" (GK-AktG/Mock Rn. 25). Verweisungen auf Vorjahre oder Börsenzulassungsprospekte sind unzulässig (MüKoAktG/Kessler Rn. 3).

III. Erforderliche Angaben (noch: § 160 I)

4 **1. Vorratsaktien (§ 160 I Nr. 1). a) Tatbestandliche Voraussetzungen.** § 160 I Nr. 1 knüpft an die in § 56 getroffene Regelung an und begründet Berichtspflicht für Übernahme und Verwertung von Aktien, die ein Aktionär für Rechnung der AG oder eines von ihr abhängigen oder in ihrem Mehrheitsbesitz stehenden Unternehmens oder die ein von der AG abhängiges oder in ihrem Mehrheitsbesitz stehendes Unternehmen übernommen hat. Der erste Fall entspr. **§ 56 III,** der zweite **§ 56 II.** In beiden Fällen ist Übernahme zwar verboten, aber wirksam (→ § 56 Rn. 7 ff., 12 ff.). Das gilt für alle Arten originären Erwerbs (Gründung, Zeichnung, Ausübung von Umtausch- oder Bezugsrechten). Es entstehen damit sog Vorratsaktien (Verwaltungsaktien, Verwertungsaktien); vgl. → § 56 Rn. 1. Originärer Erwerb durch AG selbst ist ausgeschlossen, weil Verstöße gegen § 56 I zur Nichtigkeit führen (→ § 56 Rn. 4). Infolgedessen sieht § 160 I Nr. 1 insoweit auch keine Berichtspflicht vor. Wird Beteiligung an Tochter erst später erworben, ist nicht § 56 einschlägig, sondern § 71d S. 2, so dass auch Angaben nicht nach § 160 I Nr. 1 erfolgen, sondern nach § 160 I Nr. 2 (BeckOGK/Euler/Sabel Rn. 6; GK-AktG/Mock Rn. 30).

5 **b) Erforderliche Einzelangaben.** Nach § 160 I Nr. 1 Hs. 1 ist zu berichten über Bestand und Zugang von Vorratsaktien. **Angabe des Bestands** umfasst die Zahl, in den Fällen des § 8 II den Gesamtnennbetrag, bei Stückaktien (§ 8 III) den ihm entspr. Betrag des Grundkapitals und ggf. die Verteilung auf Aktiengattungen (ADS Rn. 19; MüKoAktG/Kessler Rn. 14), ferner die Verteilung auf die drei Unterfälle verbotenen, aber wirksamen originären Erwerbs (für Rechnung der AG; für Rechnung des abhängigen oder in Mehrheitsbesitz stehenden Unternehmens; durch das abhängige oder in Mehrheitsbesitz stehende Unternehmen). Umstr. ist, ob auch Anlass der Ausgabe (Gründung, Kapitalerhöhung usw.) anzugeben ist. Da Wortlaut dies anders als Nr. 2 („Gründe für den Erwerb") gerade nicht vorsieht, kann eine Rechtspflicht insofern nicht angenommen werden, wenngleich Angabe zweckmäßig sein kann (so auch KK-AktG/Ekkenga Rn. 11; B/K/L/Schulz Rn. 3; aA MüKoAktG/Kessler Rn. 14; S/L/Kleindiek Rn. 2; GK-AktG/Mock Rn. 34). Namentliche Benennung des Übernehmers ist grds. nicht erforderlich, wohl aber dann, wenn er ausnahmsweise von Bedeutung ist, insbes. bei Übernahme durch abhängiges oder in Mehrheitsbesitz stehendes Unternehmen (hM, s. ADS Rn. 19; S/L/Kleindiek Rn. 2; ohne diese Ausnahme KK-AktG/Ekkenga Rn. 11; aA GK-AktG/Mock Rn. 35; MüKoAktG/Kessler Rn. 14). Für **Angabe des Zugangs** gelten die genannten Erfordernisse entspr.

Empfehlenswert ist, Angabe des Gesamtbestands durch Davon-Vermerk zu ergänzen. Unzulässig ist, zugegangene und verwertete Aktien zu saldieren (GK-AktG/Mock Rn. 36).

Gem. § 160 I Nr. 1 Hs. 2 ist ggf. auch zu berichten über **Verwertung von Vorratsaktien** im Geschäftsjahr. Verwertung ist zunächst jeder Vorgang, bei dem Aktien ihren Inhaber wechseln, bes. jedes Umsatzgeschäft, gleichgültig, ob entgeltlich (Verkauf, Tausch) oder unentgeltlich, auch dann, wenn AG Aktien selbst erwirbt (berichtspflichtig nach § 160 I Nr. 2 → Rn. 7 ff.), ferner Übernahme der Aktien auf eigene Rechnung des Gründers oder Zeichners (→ § 56 Rn. 16; ADS Rn. 20; S/L/Kleindiek Rn. 3). Bericht muss den **Erlös und seine Verwendung** angeben. Erlös ist Preis abzüglich des Ausgabebetrags (KK-AktG/Ekkenga Rn. 11; BeckOGK/Euler/Sabel Rn. 9) und der an emissionsbegleitende Bank gezahlten Vergütung (insofern auch KK-AktG/Ekkenga Rn. 11), Verwendung seine tats. und bilanzielle Behandlung (ADS Rn. 21). 6

2. Eigene Aktien (§ 160 I Nr. 2). a) Tatbestandliche Voraussetzungen. Während § 160 I Nr. 1 den originären Erwerb betrifft, geht es in § 160 I Nr. 2 um den derivativen Erwerb. § 160 I Nr. 2 baut auf **§§ 71 ff.** auf. Norm begründet Berichtspflicht der AG für eigene Aktien, die sie selbst, von ihr abhängiges oder in ihrem Mehrheitsbesitz stehendes Unternehmen (derivativ) erwirbt oder in Pfand nimmt; dasselbe gilt, wenn Dritte für eines der genannten Unternehmen erwerben. Berichtspflicht hängt nicht von Zulässigkeit des Erwerbs ab; denn auch verbotener Erwerb eigener Aktien ist nicht unwirksam (§ 71 IV; → § 71 Rn. 24), ebenso wenig im Grundsatz ihre verbotene Inpfandnahme (§ 71e II; → § 71e Rn. 7). Schwierig ist Rechtsfolgensystem bei Aktienerwerb durch mittelbaren Stellvertreter der AG, durch von ihr abhängiges oder in ihrem Mehrheitsbesitz stehendes Unternehmen oder durch mittelbaren Stellvertreter solcher Tochterunternehmen (→ § 71d Rn. 8 ff.). Soweit Nichtigkeitsfolge des § 71a II reicht, wird nichts erworben und ist nichts zu berichten (sa ADS Rn. 31 aE). Zu berichten ist dagegen über eigene Aktien, die AG infolge Kaduzierung hält (str. – wie hier MüKoAktG/Bayer § 64 Rn. 70; KK-AktG/Drygala § 64 Rn. 43; GK-AktG/Mock Rn. 45; aA B/K/L/Schulz Rn. 4; → § 64 Rn. 8). **Kleinstkapitalgesellschaft** kann nach § 264 I 5 HGB grds. auf Anhang verzichten (→ Rn. 1, 16), muss dann aber Angaben nach § 160 III 2 unter der Bilanz machen. 7

b) Erforderliche Einzelangaben. AG hat zunächst zu berichten über **Bestand an eigenen Aktien,** die unter den Voraussetzungen der → Rn. 7 erworben oder als Pfand genommen worden sind (§ 160 I Nr. 2 S. 1 Hs. 1). Im Einzelnen ist nach § 160 I Nr. 2 S. 1 Hs. 2 zu berichten über Zahl der eigenen Aktien, auf sie entfallenden Betrag des Grundkapitals sowie Anteil (Vomhundertsatz) am Grundkapital, bei Erwerb (im Unterschied zur Inpfandnahme) der Aktien auch noch über Erwerbszeitpunkte (§ 71c I) und Erwerbsgründe (§ 71 I); insoweit ist Einzelangabe erforderlich (BGHZ 101, 1, 17 f. = NJW 1987, 3186). Vomhundertsatz des Grundkapitals muss zusätzlich angegeben werden. Auf eigene Aktien entfallender Betrag ist der Gesamtbetrag, nicht der Betrag pro Aktie (→ Rn. 5). Das konnte unter der früheren Gesetzesfassung noch fraglich sein (§ 160 I Nr. 2 S. 1 Hs. 2 aF sprach von Nennbetrag, nicht von Gesamtnennbetrag), folgt aber nunmehr auch daraus, dass vom Betrag und nicht (s. § 8 III 3) vom anteiligen Betrag des Grundkapitals oder vom geringsten Ausgabebetrag (§ 9 I) die Rede ist. „Entfallender Betrag" ist also entweder (§ 8 II) die Summe der Nennbeträge (teilw. aA noch zur früheren Gesetzesfassung ADS Rn. 31: Angabe der Einzelnennbeträge oder ihrer Summe) oder (§ 8 III) das Produkt aus anteiligen Beträgen und Zahl der Stückaktien. 8

Ergänzende Angaben sind erforderlich **bei Erwerb oder Veräußerung während des Geschäftsjahrs.** § 160 I Nr. 2 S. 2 schreibt insoweit gesonderte 9

Angaben iSd Rn. 8 für diese Aktien vor und verlangt überdies Angabe des Erwerbs- oder Veräußerungspreises sowie (bei Veräußerung) Angabe der Erlösverwendung (→ Rn. 6). Berichtspflicht kann bei umfangreichem Handel in eigenen Aktien sehr belastend sein. Praxis lässt insoweit **Monatszusammenfassungen** genügen (OLG Frankfurt AG 1984, 25, 26 [Bank]; ADS Rn. 32; GK-AktG/Mock Rn. 50; zu Recht, obwohl das dem Wortlaut der Vorschrift [„Zeitpunkt"] nicht voll entspr.). Geboten ist einschränkende Auslegung, die Information auf ein sinnvolles Maß zurückführt.

10 **3. Verteilung der Aktien auf Gattungen (§ 160 I Nr. 3).** Gem. § 160 I Nr. 3 Hs. 1 sind Zahl der Aktien jeder Gattung anzugeben, wobei zu Nennbetragsaktien der Nennbetrag und zu Stückaktien der rechnerische Wert für jede von ihnen anzugeben sind. Vorschrift ist durch BilRUG 2015 geringfügig neu gefasst, ohne dass damit wesentliche inhaltliche Änderung einhergeht (vgl. BT-Drs. 18/4050, 89). Anders als früher ist nunmehr aber auch bei Stückaktien nicht mehr nur die Angabe ihrer Zahl ausreichend, sondern auch der rechnerische Wert muss aufgeführt werden. Eine Gattung bilden die Aktien mit gleichen Rechten (§ 11 S. 2; vgl. → § 11 Rn. 7). Aus der Bilanz ergeben sich gem. § 152 I 2 die Beträge des Grundkapitals, die auf jede Aktiengattung gesondert entfallen (→ § 152 Rn. 3). § 160 I Nr. 3 Hs. 1 setzt als zulässig voraus, dass beim Grundkapital auch Zahl und ggf. (§ 8 II) Einzelnennbeträge der Aktien vermerkt sind. Ist so verfahren worden, dann ist im Anh. nichts mehr zu berichten. Sonst sind Stückzahl sowie rechnerischer Wert bzw. Nennbetrag anzuführen; Gesamtnennbeträge können, müssen aber nicht wiederholt werden (ADS Rn. 40). Erwogen wird, ob Angaben insgesamt, also auch die des § 152 I 2, im Anh. gemacht werden können (ADS Rn. 41; BeckOGK/Euler/Sabel Rn. 17). Das liefe jedoch auf ein Ausweiswahlrecht hinaus, welches Ges. insoweit nicht gewährt (so auch KK-AktG/Ekkenga Rn. 25; B/K/L/Schulz Rn. 6). Jedenfalls unbedenklich, deshalb empfehlenswert und bei anders nicht herstellbarer Klarheit gem. § 243 II HGB geboten sind vollständige Angaben in der Bilanz. Weitere Angaben (Stückzahl und ggf. Nennbetrag) sind nach § 160 I Nr. 3 Hs. 2 erforderlich, wenn im Laufe des Geschäftsjahrs Aktien aus einer bedingten Kapitalerhöhung (§§ 192 ff.) oder aus einem genehmigten Kapital (§§ 202 ff.) gezeichnet werden. Auch insoweit ist zwischen Gattungen zu differenzieren (Einzelheiten bei ADS Rn. 45 ff.).

11 **4. Genehmigtes Kapital (§ 160 I Nr. 4).** § 160 I Nr. 4 fordert Angaben über das genehmigte Kapital. Damit wird nicht nur offengelegt, ob sich der Vorstand im Rahmen der ihm erteilten Ermächtigung (§ 202) gehalten hat (§ 160 I Nr. 3), sondern auch welche künftigen Möglichkeiten zur eigenständigen Kapitalerhöhung ihm noch offen stehen (zutr. KK-AktG/Ekkenga Rn. 29; MüKoAktG/Kessler Rn. 42). Deshalb sind anzugeben der Nennbetrag des genehmigten Kapitals sowie der weitere Inhalt des Ermächtigungsbeschlusses (GK-AktG/Mock Rn. 58). Über Ausnutzung des genehmigten Kapitals ist nicht zu § 160 I Nr. 4, sondern zu § 160 I Nr. 3 zu berichten. Wird Ermächtigung erst nach Stichtag in Anspruch genommen, so hat Angabe seit BilRUG 2015 nicht mehr – wie bisher – im Lagebericht – sondern im Anh. (§ 285 Nr. 33 HGB) zu erfolgen.

12 **5. Aktienoptionen (§ 160 I Nr. 5).** § 160 I Nr. 5 fordert, dass im Anh. über Zahl der Bezugsrechte gem. § 192 II Nr. 3 berichtet wird. **Bezugsrechte gem. § 192 II Nr. 3** sind sog Stock Options zugunsten der AN und/oder der Geschäftsführungsmitglieder (→ § 192 Rn. 15 ff.). § 160 I Nr. 5 bezweckt Publizität solcher Rechte durch den Anh., und zwar hinsichtlich der noch nicht ausgeübten Bezugsrechte; Unterrichtung über bereits gezeichnete Aktien erfolgt schon gem. § 160 I Nr. 3 (→ Rn. 10; RegBegr. KonTraG BT-Drs. 13/9712, 21). Darüber

hinaus war bis zum Jahr 2015 auch noch über Wandelschuldverschreibungen und vergleichbare Wertpapiere unter Angabe der verbrieften Rechte (§ 160 I Nr. 5) sowie über Genussrechte und Besserungsscheine (§ 160 I Nr. 6) zu berichten. Mit BilRUG 2015 wurden diese Vorgaben gestrichen, finden sich nunmehr aber als allg. Pflichtangabe im neu eingeführten § 285 Nr. 15a HGB, um auf diese Weise auch GmbH und Personenhandelsgesellschaften iSd § 264a HGB zu erfassen.

6. Wechselseitige Beteiligung (§ 160 I Nr. 7). In § 160 I Nr. 7 vorgeschriebene Angabe wechselseitiger Beteiligung knüpft an § 19 an und soll den Leser des Jahresabschlusses über Risiken unterrichten, die sich aus Kapitalverwässerung und Verwaltungsstimmrechten ergeben (→ § 19 Rn. 1). Anzugeben sind die Tatsache der am Bilanzstichtag bestehenden **Beteiligung und das andere Unternehmen,** und zwar jährlich neu, solange wechselseitige Beteiligung besteht. Weitere Angaben, etwa zur Höhe der beiderseitigen Beteiligungen, sind nach § 160 I Nr. 7 nicht erforderlich (heute allgM – vgl. nur KK-AktG/Ekkenga Rn. 43; MüKoAktG/Kessler Rn. 55; GK-AktG/Mock Rn. 64). 13

7. Mitgeteilte Beteiligung (§ 160 I Nr. 8). Berichtspflichtig ist schließlich nach § 160 I Nr. 8 Bestehen einer Beteiligung, die der Gesellschaft nach § 20 I oder IV mitgeteilt worden ist, ferner Bestehen einer Beteiligung, die ihr nach § 33 I oder II WpHG mitgeteilt worden ist. Anzugeben ist in den Fällen der ersten Art auch Inhalt der Mitteilung, die AG gem. § 20 VI bekanntgemacht hat, desgleichen in den Fällen der zweiten Art der Inhalt der nach § 40 I WpHG bekanntgemachten Mitteilung. Ist nichts mitgeteilt, so braucht nach klarem Gesetzeswortlaut auch bei anders erlangter Kenntnis nichts gem. § 160 I Nr. 8 angegeben zu werden (hM, s. ADS Rn. 69; MüKoAktG/Kessler Rn. 66; GK-AktG/Mock Rn. 67). Berichtspflicht kann sich aber gem. § 160 I Nr. 7 (→ Rn. 13) ergeben. Soweit sich Angaben nach beiden Ziffern überschneiden, ist zusammenfassende Berichterstattung zulässig (allgM, s. BeckOGK/Euler/Sabel Rn. 39). § 160 I Nr. 8 Hs. 2 ist aber auch dann zu beachten. 14

IV. Schutzklausel (§ 160 II)

§ 160 II enthält sog Schutzklausel (zur Problematik vgl. noch RegBegr. Kropff S. 262). Danach besteht Rechtspflicht zur Unterlassung einer Berichterstattung, soweit das für **Wohl der Bundesrepublik Deutschland oder eines ihrer Länder** erforderlich ist. § 160 II bezieht sich nur auf § 160 I (vgl. aber für Angaben nach §§ 284, 285 HGB wörtlich übereinstimmende Regelung in § 286 I HGB). Öffentl. Wohl ist mangels zusätzlicher materieller Kriterien kaum subsumtionsfähiger Blankettbegriff (s. Bleckmann HdB unbestimmter Rechtsbegriffe, 1986, 461, 462 ff., 467); am ehesten ist an Sachverhalte zu denken, die §§ 93 ff. StGB ausfüllen oder ihnen jedenfalls nahe stehen. Berichterstattung muss unterbleiben, wenn diese Maßnahme zum Schutz des öffentl. Interesses geeignet und überdies das mildeste Mittel ist (Bleckmann, HdB unbestimmter Rechtsbegriffe, 1986, 466). Über Anwendung der Schutzklausel ist im Anh. nicht zu berichten (Umkehrschluss aus § 286 III 3 HGB). Belange der Gesellschaft oder verbundener Unternehmen können über § 160 II nicht geschützt werden. Vgl. aber § 286 III 1 Nr. 2; zur Vorläuferregelung des § 160 IV 3 aF s. Ertner WPg 1968, 509. 15

V. Ausnahme für Kleinstbeteiligung (§ 160 III)

§ 160 III sah in bis 2015 geltender Fassung Erleichterung für Kleinstkapitalgesellschaften iSd § 267a HGB (→ § 152 Rn. 8) vor, die im Zuge des BilRUG 16

2015 auf **kleine Kapitalgesellschaften** iSd § 267 I HGB ausgedehnt wurden. Sie müssen Angaben nach § 160 I Nr. 1–3 und 8 nicht machen, so dass allein Angaben zu eigenen Aktien nach § 160 I Nr. 2 verbleiben. Auch insofern muss sie nach § 160 III 2 aber nur Angaben zu von ihr selbst oder durch eine andere Person für Rechnung der AG erworbenen und gehaltenen eigenen Aktien machen. Über die Verwendung des Erlöses aus der Veräußerung eigener Aktien braucht sie nicht zu berichten. Bislang vorgesehene Erleichterung für Kleinstkapitalgesellschaften geht in dieser Erleichterung auf. Anders als kleine Kapitalgesellschaften können sie allerdings gem. § 264 I 5 HGB gänzlich auf Anh. verzichten, so dass es für sie – wenn sie von dieser Option Gebrauch machen – gem. § 160 III auch nicht der Angaben gem. § 160 I bedarf. Verbleibende Angaben gem. § 160 III 2 zu eigenen Aktien sind aber gem. § 264 I 5 Nr. 3 HGB unter der Bilanz anzugeben (→ Rn. 7). Neufassung des § 160 III setzt den schon in MicroBilG 2012 eingeschlagenen Weg fort, **kleineren Unternehmen bilanzrechtl. Erleichterungen** zu gewähren (→ § 152 Rn. 8; → § 158 Rn. 10). Regelung dient der Umsetzung des Art. 16 III Bilanz-RL.

Erklärung zum Corporate Governance Kodex

161 (1) [1] **Vorstand und Aufsichtsrat der börsennotierten Gesellschaft erklären jährlich, dass den vom Bundesministerium der Justiz und für Verbraucherschutz im amtlichen Teil des Bundesanzeigers bekannt gemachten Empfehlungen der „Regierungskommission Deutscher Corporate Governance Kodex" entsprochen wurde und wird oder welche Empfehlungen nicht angewendet wurden oder werden und warum nicht.** [2] **Gleiches gilt für Vorstand und Aufsichtsrat einer Gesellschaft, die ausschließlich andere Wertpapiere als Aktien zum Handel an einem organisierten Markt im Sinn des § 2 Absatz 11 des Wertpapierhandelsgesetzes ausgegeben hat und deren ausgegebene Aktien auf eigene Veranlassung über ein multilaterales Handelssystem im Sinn des § 2 Absatz 8 Satz 1 Nummer 8 des Wertpapierhandelsgesetzes gehandelt werden.**

(2) **Die Erklärung ist auf der Internetseite der Gesellschaft dauerhaft öffentlich zugänglich zu machen.**

Übersicht

I. Grundlagen

1. Regelungsgegenstand und -zweck. § 161 betr. Entsprechenserklärung (Überschrift vor § 150), genauer Erklärung der Gesellschaftsorgane über Befolgung oder Nichtbefolgung der empfehlenden Teile („soll") des Deutschen Corporate Governance Kodex (DCGK), der seit 2002 in ständig überarbeiteten Fassungen im BAnz. (→ § 25 Rn. 1 ff.) bekanntgemacht wird. Geregelt sind Inhalt der Erklärung (§ 161 I) und ihre Verfügbarkeit für Aktionäre; Erklärung muss ihnen dauerhaft zugänglich sein (§ 161 II). Insoweit ist Regelungszweck **Publizität der Erklärung** in ihrem jeweiligen Bestand (RegBegr. BT-Drs. 14/8769, 22); Publizitätsadressaten sind nicht nur gegenwärtige Aktionäre, sondern die int. Kapitalmarktteilnehmer einschließlich Anlageaspiranten (RegBegr. BT-Drs. 14/8769, 21). Regelungszweck ist weiterhin, durch die Publizität der Befolgung oder Nichtbefolgung der Empfehlungen des DCGK diesen zu grds. Beachtung zu verhelfen (RegBegr. BT-Drs. 14/8769); insofern verfolgt § 161 ein **Durchsetzungsinteresse,** was die genannten Empfehlungen als zwar außerges., jedoch ministerieller „Rechtskontrolle" (AusschussB BT-Drs. 14/9079, 18) unterliegende Normen ausweist (zur Problematik → Rn. 3 f.). **Befolgungsdruck** wird über Marktkräfte in der Weise ausgeübt, dass Abweichung bei Investoren auf Ablehnung stößt und damit Kapitalkosten langfristig erhöht (GK-AktG/Leyens Rn. 36 ff.; Tröger ZHR 175 [2011], 746, 752 ff.; zur rechtstats. Bewährung → Rn. 3). Dieser Regelungszweck liegt gleichermaßen § 161 und dem hier in Bezug genommenen DCGK zugrunde. **Regelungszweck des Kodex** selbst geht darüber aber noch hinaus, weil er neben **Empfehlungen** (→ Rn. 3) auch noch weitere Inhalte enthält. Dazu gehört zunächst sog **Anregungen,** die ähnliche Lenkungsfunktion wie Empfehlungen verfolgen, von § 161 aber nicht erfasst werden (→ Rn. 8). Daneben enthielt Kodex bis zum Jahr 2020 auch noch zahlreiche Passagen, in denen Rechtslage lediglich rein deskriptiv wiedergegeben wurde (gekennzeichnet durch Indikativ-Präsens-Formulierung: „Ist"). Diese Kodexteile standen wegen zT bedenklicher inhaltlicher Präzision der Wiedergabe aber oft in der Kritik (vgl. etwa Hoffmann-Becking FS Hüffer, 2010, 337, 344 ff.) und sind deshalb mit Kodex-Reform weitestgehend gestrichen worden. An ihre Stelle sind **Grundsätze** getreten, die wesentliche rechtl. Vorgaben verantwortungsvoller Unternehmensführung wiedergeben und der Information der Anleger 1 und weiterer Stakeholder dienen (Präambel IV 1 DCGK). Neuordnung rührt aus ursprünglicher Reformidee her, auch diese Grundsätze zum Gegenstand eines weiteren „Apply or Explain"-Mechanismus zu machen. Regelungsidee wurde zu Recht verworfen (vgl. zur Kritik DAV-HRA NZG 2019, 252 Rn. 7 ff.; VGR AG 2019, 123, 124 f.), Grundsatzkategorie aber trotzdem beibehalten (vgl. Hopt/Leyens ZGR 2019, 929, 948 ff.; v. Werder DB 2019, 1721, 1723 f.). Von Entsprechenserklärung sind Grundsätze nicht erfasst (→ Rn. 8). Norm wurde eingeführt durch TransPuG 2002; Begründungspflicht (→ Rn. 18) wurde durch BilMoG 2009 ergänzt. Noch nicht abschließend geklärt ist Verhältnis zum **europ. Recht,** da dieses zwar keine Vorgaben zu Entsprechenserklärung selbst macht, wohl aber in Art. 20 Bilanz-RL Vorgaben zur Veröffentlichung einer solchen Erklärung im Rahmen der Jahresabschlusspublizität (Einzelheiten → Rn. 24). Das wirkt mittelbar auf Entsprechenserklärung selbst zurück und hat namentl. Einführung der Begründungspflicht (→ Rn. 18) und des § 161 I 2 (→ Rn. 6b) veranlasst. Dennoch kann aufgrund nur mittelbaren Zusammenhangs Ergebnis nationaler Auslegung nicht in gleichem Maße wie sonst über richtlinienkonforme Auslegung korrigiert werden (vgl. etwa → Rn. 17a). Richtlinienkonforme Auslegung muss stattdessen gewissermaßen „über die Ecke" gedacht werden, was ihre Anwendung indes nicht leichter macht. Im Aktionsplan 2012 hat Kommission weitergehende Initiative angekündigt, um Qualität der Corporate Governance-Berichterstattung zu verbessern, die mittlerweile zu Richtlinienvorschlag geführt hat (COM [2014] 213 final; ausf. dazu Seibt DB 2014, 1910 ff.; v. Werder DB 2015, 847 ff.; sa BeckOGK/Bayer/Scholz Rn. 14 ff.).

2 **2. Begriff der Corporate Governance.** Corporate Governance bezeichnet **Führungsgrundsätze** und wendet sich damit hauptsächlich an Vorstand (§ 76 I; → § 76 Rn. 114 ff.). Dass sich Empfehlungen des DCGK vor allem auf verbesserte Überwachung durch AR richten (Analyse bei Ulmer ZHR 166 [2002], 150, 155 ff.), vermittelt insoweit ein schiefes Bild. Genauer geht es um Qualität der Unternehmensleitung, hier namentl. um nachhaltige Wertschöpfung im Interesse der Aktionäre, die jedenfalls iRd § 161 vor allem als **Teilnehmer des Kapitalmarkts** gesehen werden (Beschränkung auf börsennotierte AG; sa RegBegr. BT-Drs. 14/8769, 21: Unternehmen, das Kapitalmarkt in Anspruch nimmt), aber auch der Gläubiger, der AN und der Öffentlichkeit (ausf. → § 76 Rn. 114).

3 **3. Rechtsnatur (Geltungsanspruch) der DCGK-Empfehlungen.** Erklärungspflicht des § 161 bezieht sich nur auf **Empfehlungen** des Kodex. Das sind nach seiner Präambel IV 2 ausschließlich die Verhaltensanforderungen, die durch ein „soll" gekennzeichnet sind (zB Ziff. 2.3.2, 2.3.3 S. 1, 3.4 III 1). Zur Rechtsnatur dieser „Sollbestimmungen" ist klar, dass sie im tats. Sinne Normen sind, weil sie befolgt werden wollen, was durch Erwartungsdruck des Kapitalmarkts auch mehr oder minder durchgesetzt werden kann, nicht jedoch Rechtsnormen (Art. 2 EGBGB), weil sie **keine staatliche Rechtsetzung** darstellen (überzeugend Ulmer ZHR 166 [2002], 150, 158 ff.; sa OLG München ZIP 2009, 133, 134; Wymeersch FS Horn, 2006, 618, 627 ff. [nicht rechtl. bindend aber rechtl. relevant]; aA Seidel ZIP 2004, 285, 289). Es geht bei den DCGK-Empfehlungen auch nicht um Handelsbräuche iSd § 346 HGB (OLG Zweibrücken DB 2011, 754, 756; MüKoAktG/Goette Rn. 24; Borges ZGR 2003, 508, 515 ff.; Kort FS K. Schmidt, 2009, 945, 956 ff.; aA Peltzer NZG 2002, 10, 11). Obwohl Empfehlungen weder Rechtsnormen noch Handelsbräuche sind, soll ihnen aber doch „entsprochen" werden (§ 161 I 1), was auf **Geltungsanspruch mit Ausstiegsklausel** hinausläuft, die dem neueren Regelungsinstrumentarium des „soft law" zuzurechnen ist. Insoweit wird – kritisch – von mittelbarer Rechtsquelle gesprochen (Ulmer ZHR 166 [2002], 150, 160), was mit „Rechtskontrolle" korreliert, die BMJ vor Einstellung von Empfehlungen im BAnz. entfalten soll (AusschussB

BT-Drs. 14/9079, 18; vgl. dazu Bachmann FS Hoffmann-Becking, 2012, 75, 85 f.). Durch Begründungspflicht, wie sie BilMoG 2009 eingeführt hat (→ Rn. 18), intensivieren sich Geltungsanspruch und dagegen bestehende Bedenken (→ Rn. 4, 5a). **Tats. Akzeptanz** ist beachtlich, wenn man auf Zahl der Entsprechenserklärungen abhebt. Sie wird, bezogen auf Zahl der Empfehlungen und Anregungen, mit 85 % angegeben (DAX: 95,3 %; Angaben nach v. Werder/Danilov/Schwarz DB 2021, 2097 ff.,2110 mit umfassender tabellarischer Übersicht; sa Redenius-Hövermann/Strenger NZG 2023, 2121 ff.). Untersuchungen zur Anwendungspraxis einzelner Kodex-Regeln und zur unterschiedlichen Akzeptanz in den verschiedenen Börsensegmenten bei v. Werder/Danilov DB 2018, 1997 ff. Häufigste Abweichungen finden sich hinsichtlich „Zusammensetzung des AR" und „Vergütung des Vorstands" (Redenius-Hövermann/Strenger NZG 2023, 2121, 2122 f.). Tats. Kursrelevanz der Erklärung ist noch nicht abschließend empirisch geklärt; Nowak/Rott/Mahr ZGR 2005, 252 ff. konstatieren eher geringe Bedeutung; wN bei GK-AktG/Leyens Rn. 48 f.; Spindler FS Hopt, 2020, 1205, 1208 f. Umfassender Überblick bei Böcking/Böhme/Gros AG 2012, 615 ff. Empirische Daten zu „Totalverweigerern" bei Bayer/Hoffmann AG 2012, R 291 ff. In neuerer Zeit hat DCGK Konkurrenz namentl. durch **Stimmrechtsberater** (→ § 134a Rn. 4; → § 134d Rn. 1 ff.) erhalten, deren Corporate Governance-Leitlinien für Unternehmen größere praktische Bedeutung haben (so auch Hauber, Der Stimmrechtsberater in der Unternehmensverfassung, 2019, 280; Poelzig ZHR 185 [2021], 373, 385 f.; Seibt/Mohamed AG 2022, 357 Rn. 10); DCGK-Reform 2020 sollte dazu beitragen, diesem Bedeutungsverlust entgegenzuwirken (Hopt/Leyens ZGR 2019, 929, 945 ff.).

4. Verfassungsmäßigkeit. Diskussion um **verfassungsrechtl. Tragfähigkeit** des § 161 wurde bei Einführung der Vorschrift und des damit verbundenen neuen Regelungsinstrumentariums sehr intensiv und überwiegend krit. geführt (verneinend oder zumindest zweifelnd etwa MüKoAktG/Goette Rn. 26 ff.; Hoffmann-Becking FS Hüffer, 2010, 337, 341 f.; Mülbert/Wilhelm ZHR 176 [2012], 286, 312 ff.; Spindler FS Hopt, 2020, 1205, 1214 f.). Gesetzgeber und Rspr. haben sich davon indes unbeeindruckt gezeigt und auch neueres Schrifttum hat sich infolgedessen mit geltender Rechtslage weitgehend abgefunden, zumal rechtspolitische Würdigung verbreitet positiv ausfällt (→ Rn. 5a; für Verfassungsmäßigkeit etwa KBFW/Favoccia DCGK Einl. Rn. 115 ff.; BeckOGK/Bayer/Scholz Rn. 27 ff.; GK-AktG/Leyens Rn. 54 ff., 60; Habersack Gutachten E zum 69. DJT, 2012, E 53 f.; Hopt FS Hoffmann-Becking, 2013, 563, 569 ff.; Wegmann FS Schmidt-Preuß, 2018, 477, 507 ff.). Tats. belegt aber gerade große rechtstatsächliche Wirkungsmacht (→ Rn. 3), dass Kodex auch in Gestalt einer nur mittelbaren Rechtsquelle (→ Rn. 3) letztlich **Verhaltensregeln von gesetzesähnlicher Wirkung** aufstellt (sa Hoffmann-Becking ZIP 2011, 1173, 1174; J. Vetter ZGR 2018, 338, 344: „Lemming-Mentalität"), was auf Rechtsgeltung ohne staatliche Rechtssetzung hinausläuft. Damit setzen sich Kodex-Empfehlungen dem Einwand aus, sowohl gegen den Gesetzesvorbehalt (Art. 20 III GG) als auch gegen das Demokratieprinzip (Art. 20 II 2 GG) zu verstoßen. Danach kann es nämlich keine Rechtsgeltung von Normen in grundlegenden Bereichen geben, bei denen der Gesetzgeber die **wesentlichen Entscheidungen** nicht selbst getroffen hat (Wesentlichkeitstheorie), sondern diese stattdessen untergesetzlichen oder außerstaatlichen Normsetzungsinstanzen überlassen hat (BVerfGE 33, 125, 158 = NJW 1972, 1504; BVerfGE 49, 89, 126 = NJW 1979, 359; BVerfGE 64, 208, 214 f. = NJW 1984, 1225). Auf die Frage, ob dieses neue Instrumentarium des soft law mit seinen verschlungenen Wirkungspfaden dem Wesentlichkeitsvorbehalt unterfällt, kann derzeit wohl keine ganz belastbare verfassungsrechtl. Antwort gegeben werden. Grds. Möglichkeit der Ausstiegsklausel 4 und augenscheinliche Sanktionslosigkeit von Kodexverstößen scheinen auf den ersten Blick eher dagegen zu sprechen (maßgeblich darauf abstellend KBFW/Bachmann DCGK Einl. Rn. 115 ff.), doch zeigt Gerichtspraxis der letzten Jahre, dass zumindest über den Transmissionsriemen des § 161 letztlich doch mittelbares Rechtsfolgenprogramm eröffnet wird (→ Rn. 25 ff.; sa KK-AktG/Lutter Rn. 12; einschränkend insofern mittlerweile aber BGHZ 220, 36 Rn. 24 ff. = NZG 2019, 262; → Rn. 32 ff.). Weitere faktische Verbindlichkeitsstärkung hat Kodex zuletzt über „Guide to the DAX Equity Indices" der Deutschen Börse erfahren, wo **Indexzugehörigkeit an Kodexbefolgung geknüpft** wird (vgl. Nonnenmacher Konzern 2021, 393: Explain-Option damit faktisch genommen). Auch wenn rein mittelbare Anknüpfung Verfassungswidrigkeit wohl nicht begründen kann (dies erwägend Mutter AG 2021, R 297; wie hier Seibt/Mohamed AG 2022, 357 Rn. 2), wird Ziel und Geist des Kodex, der gerade auch für Abweichungskultur Raum lassen soll (→ Rn. 5a), doch zunehmend konterkariert (positive Würdigung aber bei Nonnenmacher Konzern 2021, 393). Vor diesem Hintergrund bleibt es ungeachtet der abschließenden verfassungsrechtl. Wertung jedenfalls in der Sache hoch problematisch, dass demokratisch nicht legitimierte Kodex-Kommission über Hebel des § 161 in einem solchen Ausmaß Prägewirkung auf deutsche Unternehmenswirklichkeit ausüben kann.

5 Bedenken lassen sich auch nicht durch Hinweis auf ähnlich gestaltete **Rechnungslegungsstandards** iSd § 342 I Nr. 1 HGB ausräumen. Zum einen ist auch verfassungsrechtl. Legitimation dieser Standards nicht zweifelsfrei (verneinend etwa GK-HGB/Hommelhoff/Schwab § 342 Rn. 89; Hellermann NZG 2000, 1097, 1100 ff.; bejahend Heintzen BB 1999, 1050, 1053 f.). Zum anderen haben die Kodex-Regeln mangels vertraglicher Anerkennung der Kommission durch das BMJ und wegen ihrer freihändigen Besetzung keine vergleichbare Legitimation. Danach setzen sich DCGK-Empfehlungen grds. Zweifeln aus, die besser vermieden worden wären. Auf der Ebene des einfachen Rechts ist den verfassungsrechtl. Bedenken vor allem Rechnung zu tragen, soweit es um Rechtsfolgen bei Verletzung der Erklärungspflicht geht (→ Rn. 26 f.).

5a **5. Rechtspolitische Würdigung.** Schon angesichts verfassungsrechtl. Bedenken muss rechtspolitische Würdigung krit. ausfallen. Diese **Kritik** wird noch verstärkt durch zentrifugale Tendenzen des Kodex, der immer stärker instrumentalisiert wird, um sozialpolitischen Desiderata (zB Frauenquote) zur Durchsetzung zu verhelfen (sa Mülbert/Wilhelm ZHR 176 [2012], 286, 321 ff.). Neben ohnehin engmaschiges AktG tritt damit zweite wuchernde Regelungsebene, die Überregulierung noch verstärkt. Auch zunehmende Verrechtlichung, namentl. über Anwendung der Anfechtungsregeln, erscheint im Lichte des schwachen verfassungsrechtl. Fundaments bedenklich. Kodex-Kommission verstärkt diese Bedenken zT selbst, wenn sie – wie namentl. bei Diskussion um Investorengespräche des AR (ausf. → § 111 Rn. 54 ff.) – hoch umstr. Rechtsfragen als Quasi-Gesetzgeber durch Kodex-Anregung (vgl. A.6 DCGK) zu entscheiden sucht und es dabei in Kauf nimmt, der Praxis rechtswidriges Verhalten anzuraten (J. Koch AG 2017, 129 ff., 140; J. Koch BB 2016, Heft 50, Die erste Seite; krit. auch DAV-HRA NZG 2017, 57, 59; VGR AG 2017, 1, 4 f.). Auf der anderen Seite kann **Erweiterung des rechtspolitischen Handlungsinstrumentariums** sinnvolle Bereicherung darstellen, sofern sie mit Augenmaß erfolgt und Kodex nicht als bloßes Durchgangsstadium zu rascher ges. Fixierung eingesetzt wird (vgl. Spindler NZG 2011, 1007, 1012: „Vorfluter"). Vor diesem Hintergrund ist Forderung nach gänzlicher **Streichung des § 161** (dafür zB Timm ZIP 2010, 2125, 2128; skeptisch auch Theisen DB 2014, 2057 ff.) nicht nachzukommen. Sie hat derzeit auch keine rechtspolitische Erfolgsaussicht (vgl. das deutliche Votum des 69. DJT, Wirtschaftsrechtl. Abteilung, Beschluss Nr. 6, 2012), zumal auch europäische Entwicklung eher dahin geht, derartige Mechanismen noch zu verstärken (ausf. BeckOGK/Bayer/Scholz Rn. 14 ff.; dazu und zur übereinstimmenden int. Fließrichtung Seibt/Mohamed AG 2022, 357 Rn. 4 ff.; zust. Bachmann ZHR 186 [2022], 641, 644). Empfehlenswert erscheint stattdessen, die fehlende verfassungsrechtl. Basis (→ Rn. 4) nachträglich zu legen, die Regelsetzung der Kommission deutlich transparenter und auch inhaltlich zurückhaltender zu gestalten, schließlich den schon vorhandenen Regelungsstoff zu präzisieren und zu straffen (Vorschläge bei DAV-HRA NZG 2015, 86 ff.). Der zunehmenden Verrechtlichung hat zwischenzeitlich schon der BGH in begrüßenswerter Weise entgegengewirkt, indem er klargestellt hat, dass Verstoß gegen § 161 jedenfalls Anfechtung von Wahlbeschlüssen nicht begründen kann (→ Rn. 32 ff.). Von Seiten der Unternehmen wäre mehr **Mut zur Abweichung** im Einzelfall wünschenswert („Abweichungskultur" – vgl. jetzt auch Präambel IV 5 DCGK; ferner Beschluss Nr. 9 der Wirtschaftsrechtl. Abteilung des 69. DJT, 2012; Bachmann AG 2011, 181, 192), was allerdings insbes. auch voraussetzt, dass verbreitetem Missverständnis vermeintlicher Verbindlichkeit der Kodex-Vorgaben von allen Seiten entschlossen entgegengewirkt wird (vgl. dazu J. Koch AG 2022, 1 Rn. 1 ff.; sa Bachmann ZHR 186 [2022], 641 ff.; abw. Nonnenmacher AG 2022, 97 Rn. 5: „Abweichungskultur als Fiktion zu betrachten" – mit positiver Würdigung [bedenklich]). Von Seiten der Kodex-Kommission wäre größere Zurückhaltung, namentl. in juristisch umstr. Fragen, wünschenswert (DAV-HRA NZG 2017, 57, 59).

II. Normadressaten (§ 161 I)

1. Vorstand und AR. Erklärungspflicht trifft nach § 161 I Vorstand und AR. 6
Sie (und nicht die AG) sind Verpflichtete (BeckOGK/Bayer/Scholz Rn. 55; S/L/Spindler Rn. 18; Mülbert/Wilhelm ZHR 176 [2012], 286, 303 ff.; aA Schürnbrand FS U. H. Schneider, 2011, 1197 ff.: „verkappte Zuständigkeitsregel"). Das entspr. dem Wortlaut und ist auch insofern sinnvoll, als sich DCGK-Empfehlungen auf ein **Verhalten der Organe** (oder ihrer Mitglieder) und nicht der AG richten. Hätte Gesetzgeber ausnahmsweise Doppelvertretung der AG gewollt, hätte er dies durch Formulierung entsprechend § 246 II 2 zum Ausdruck bringen können (Kiethe NZG 2003, 559, 560). Weitere teleologische Argumente (Schürnbrand FS U. H. Schneider, 2011, 1197 ff.) sind zwar gewichtig, aber nicht so zwingend, dass sie eine Korrektur des klaren Wortlauts rechtfertigen könnten. Auch dass Vorstand und AR grds. als Gesellschaftsorgane nicht verpflichtungsfähig sind, steht nicht entgegen. Soweit sie in ges. Vorschriften als solche angesprochen werden (s. etwa § 91 II; § 92 I), sind sie auch Verpflichtungssubjekte. Verpflichtung überdauert Eröffnung des **Insolvenzverfahrens** (dazu Mock ZIP 2010, 15, 17 ff.; Mülbert/Wilhelm ZHR 176 [2012], 286, 309 ff.; aA Maesch Corporate Governance in der insolventen AG, 2005, 119) und trifft wegen fortdauernder Organstruktur (→ § 264 Rn. 8) auch in diesem Stadium Vorstand und AR. Auch für insolvenzbedingte Änderungen gilt Berichtigungspflicht (→ Rn. 20). § 161 wendet sich aber nicht an Insolvenzverwalter, so dass dieser keine Erklärungen abzugeben hat.

2. Börsennotierte Gesellschaft. Zur Abgabe der Entsprechenserklärung ver- 6a
pflichtet sind nach § 161 I 1 zunächst Vorstand und AR der börsennotierten AG (§ 3 II), was dem kapitalmarktrechtl. Kontext der Erklärungspflicht entspr. (→ Rn. 2). **Freiverkehr** scheidet für § 161 I 1 aus (s. aber → Rn. 6b); die anderen Marktsegmente sind abgedeckt (→ § 3 Rn. 5 f.). Nicht erklärungspflichtig ist vergleichbare **Gesellschaft ausländischen Rechts** mit Börsennotierung im Inland (MüKoAktG/Goette Rn. 60; S/L/Spindler Rn. 17; aA Claussen/Bröcker

DB 2002, 1199, 1204). Das ist mit Blick auf kapitalmarktrechtl. Ausrichtung keinesfalls selbstverständlich, harmoniert aber mit dem aktienrechtl. Schwerpunkt der DCGK-Empfehlungen. Auf AG mit **inländischem Sitz und ausländischer Notierung** ist § 161 dagegen anwendbar (Einzelheiten: Michels/Hoffmann AG 2014, R 338 f.). Ausf. zur Anwendung auf KGaA Vollertsen, Corporate Governance der börsennotierten KGaA, 2019.

6b **3. Weitere Gesellschaften mit Kapitalmarktzugang.** § 161 I 2 erweitert Kreis der Normadressaten. Vorschrift geht auf BilMoG 2009 zurück, das seinerseits Art. 20 IV Bilanz-RL durchführt. Danach hat auch AG, deren Aktien nur in multilateralem Handelssystem iSd § 2 VIII 1 Nr. 8 WpHG (insbes. Freiverkehr, § 48 III 2 BörsG) gehandelt werden, eine Entsprechenserklärung abzugeben, wenn sie zugleich an einem organisierten Markt (§ 2 XI WpHG) Schuldverschreibungen oder Genussscheine (andere Wertpapiere als Aktien, s. § 2 I Nr. 3 WpHG) emittiert hat (RegBegr. BT-Drs. 16/10067, 104; Kuthe/Geiser NZG 2008, 172 f.). Erforderlich ist allerdings, dass Einbeziehung in Handelssystem auf eigene Veranlassung erfolgt, was auch im Freiverkehr nicht der Fall sein muss (vgl. RegBegr. BT-Drs. 16/10067, 104; Rubel/Kunz AG 2011, 399, 400; an Richtlinienkonformität dieser Einschränkung zweifelnd BeckOGK/Bayer/Scholz Rn. 53). DCGK-Präambel adressiert AG mit Kapitalmarktzugang auch als kapitalmarktorientierte AG, was nicht unproblematisch ist, da Begriff des § 161 I 1 nicht mit dem des § 264d HGB identisch ist (wo namentl. schon Zulassungsantrag genügt). Nach RegBegr. BilMoG sollen multilaterale Handelssysteme nur solche in EU-Mitglied- oder EWR-Vertragsstaaten (BT-Drs. 16/10067, 104) sein, was in Gesetzestext, namentl. in Verweisung auf § 2 VIII 1 Nr. 8 WpHG indes nicht zum Ausdruck kommt. Ausdr. Klarstellung in Gesetzesmaterialien sollte trotzdem nicht missachtet werden (für Unbeachtlichkeit aber BeckOGK/Bayer/Scholz Rn. 53). Praktische Bedeutung der tatbestandl. Erweiterung ist – schon nach Gesetzesmaterialien – „verschwindend gering" (RegBegr. BT-Drs. 16/10067, 104).

III. Erklärungspflicht (noch: § 161 I)

7 **1. Empfehlungen der Regierungskommission. a) Bekanntmachung im amtlichen Teil des BAnz.** Vorstand und AR der börsennotierten deutschen AG (→ Rn. 6) haben sich darüber zu erklären, dass sie denjenigen DCGK-Empfehlungen entsprochen haben und entsprechen, die im amtl. Teil des BAnz. bekanntgemacht worden sind; ebenso haben sie zu erklären, welchen Empfehlungen sie nicht gefolgt sind oder folgen (§ 161 I 1). Bloße Bekundung (im Geschäftsbericht), keine Entsprechenserklärung abgegeben zu haben, genügt den Vorgaben des § 161 I 1 nicht (OLG München AG 2008, 386, 387). Zum BAnz. → § 25 Rn. 1 ff. **Aktuelle Fassung** des Kodex ist darüber hinaus auch abrufbar unter http://www.dcgk.de/de/. Maßgeblich ist – zumindest für zukunftsbezogenen Erklärungsteil (→ Rn. 20 ff.) – **Kodexfassung,** die im Erklärungszeitpunkt jew. bekanntgemacht ist. Änderung nach Bek. begründet keine erneute Erklärungspflicht (→ Rn. 15). Für vergangenheitsbezogene Erklärungen muss dagegen im Erklärungszeitraum geltende Kodexvorgabe in Bezug genommen werden (BeckOGK/Bayer/Scholz Rn. 51; KK-AktG/Lutter Rn. 91). Bek. im amtl. Teil obliegt BMJ. Dadurch erhalten Empfehlungen **offiziösen Charakter.** Maßgeblichkeit nur der bekanntgemachten Empfehlungen soll gewährleisten, dass es dem BMJ obliegt, über Kodex eine Rechtskontrolle auszuüben; verfassungs- oder rechtswidrigen Empfehlungen habe BMJ die Bek. zu verwehren (AusschussB BT-Drs. 14/9079, 18; Seibert NZG 2002, 608, 611). Insoweit ist staatliche Mit-

wirkung gegeben, die jedoch die Anforderungen des Gesetzesvorbehalts verfehlt (→ Rn. 3 ff.).

b) Empfehlungen. Erklärungspflicht bezieht sich nur auf Empfehlungen des DCGK, also auf diejenigen Verhaltensanforderungen, die durch ein „soll" gekennzeichnet sind (→ Rn. 3; vgl. Präambel IV 2). Bloße **Anregungen** („sollte" [Präambel IV 6]) sind für § 161 ohne Bedeutung (vgl. dazu v. Werder FS Hommelhoff, 2012, 1299 ff.). Bericht über „Anregungen" war in Ziff. 3.10 DCGK aF noch selbst als Anregung ausgestaltet und „sollte" im damals ebenfalls empfohlenen Corporate Governance Bericht erfolgen. Mit Kodex-Reform 2020 wurde Corporate Governance Bericht abgeschafft (→ Rn. 24a) und damit auch auf diese Empfehlung verzichtet, so dass jetzt von jeder Erl. abgesehen werden kann. Auch informative Kodexteile, namentl. in Gestalt von **Grundsätzen** (→ Rn. 1), sind von § 161 nicht erfasst. Soweit darin die Rechtslage (zutr.) wiedergegeben wird, ist sie freilich als solche verbindlich. Insgesamt enthält Kodex mittlerweile 121 Empfehlungen, zu denen Vorstand und Aufsichtsrat Stellung beziehen müssen. Die Zahl der Anregungen ist mit letzter Neufassung 2020 von 10 auf 7 reduziert worden (v. Werder DB 2019, 1721, 1723). Zahl der neu eingefügten Grundsätze beträgt 25. 8

c) Wortlaut. Zum Wortlaut des Deutschen Corporate Governance Kodex s. S. 2691 und http://dcgk.de/de. 9

2. Beschlussfassung von Vorstand und AR. a) Entsprechenserklärung und Kompetenzordnung. § 161 I 1 begründet Pflicht und damit auch Zuständigkeit von Vorstand und AR, ihre Wissens- und Absichtserklärungen ggü. der Öffentlichkeit abzugeben. Obwohl sich Vorgabe an zwei Organe richtet, muss sie doch in – zumindest äußerlich – **einheitlicher Erklärung** erfolgen; Kapitalmarkt soll sich Erklärung nicht „zusammenpuzzeln" müssen (BeckOGK/Bayer/Scholz Rn. 56; Simons AG 2022, 217 Rn. 6; zu inhaltlichen Differenzen → Rn. 11). Über die Kompetenzverteilung des Innenverhältnisses ist damit noch nichts ausgesagt. Diese Frage stellt sich, weil manche Kodex-Empfehlungen nur an Vorstand, andere nur an AR oder auch nur an AR-Vorsitzenden (5.2. S. 1) gerichtet sind (S/L/Spindler Rn. 20; Krieger FS Ulmer, 2003, 365, 367 ff.). Mangels anderer Regelung verbleibt es insoweit bei allg. aktienrechtl. Kompetenzordnung, so dass **jedes Organ** die Entscheidung über Abgabe, Nichtabgabe oder eingeschränkte Abgabe der Erklärung **für seinen Zuständigkeitsbereich** trifft. Fehlt es an solcher Zuständigkeit (HV, AR-Vorsitzender), so hat gleichwohl abgegebene Erklärung im Innenverhältnis keine Bindungswirkung (Krieger FS Ulmer, 2003, 365, 370 f.). IÜ dürfte zwischen Wissens- und Absichtserklärung zu unterscheiden sein. **Vergangenheitsbezogene Wissenserklärungen** (→ Rn. 14 ff.) kann jedes Organ nach seiner Kenntnis abgeben (Krieger FS Ulmer, 2003, 365, 371 f.). **Zukunftsbezogene Absichtserklärungen** (→ Rn. 20 ff.) sind so aufzuteilen, dass Kompetenzordnung des Innenverhältnisses durch Entscheidungsprärogative gewahrt bleibt (Krieger FS Ulmer, 2003, 365, 372 ff.). Geboten ist allerdings der Erklärung vorangehende Feststellung, ob Beschlüsse die Empfehlungen abdecken oder ob insoweit nachgearbeitet werden muss; Verfahrensführung liegt nach § 76 I beim Vorstand. 10

b) Getrennte oder gemeinsame Beschlussfassung. Ob Entsprechenserklärung abgegeben werden soll, haben Vorstand und AR nach jew. für sie geltenden Regeln zu entscheiden. Als Kollegialorgan müssen sie also beschließen, und zwar jedes Organ für sich, weil es ein gemeinschaftliches Verwaltungsorgan nicht gibt (allgM – vgl. nur KBFW/Favoccia DCGK Teil 4 Rn. 17 ff.). Auch für die gelegentlich anzutreffende Meinung, es bestehe ein Einigungszwang, weil § 161 eine gemeinsame Erklärung von Vorstand und AR verlange (Seibt AG 2002, 249, 11

253), gibt es keine rechtl. Grundlage. Vielmehr haben Vorstand und AR notfalls ihre **divergierenden Erklärungen** (wenngleich in äußerlich einheitlicher Verlautbarung zusammengefasst) öffentlich zu machen, womit auch dem Informationsinteresse des Kapitalmarkts gedient wäre (→ Rn. 19). Vorstand und AR sind allerdings nicht gehindert, ihren jew. eigenen Organwillen in gemeinsamer Sitzung (etwa in zeitlichem Zusammenhang mit AR-Sitzung) zu bilden und bei Einigkeit aller Organmitglieder dann auch gemeinsam zu erklären (Simons AG 2022, 217 Rn. 13 ff.; wohl auch RegBegr. BT-Drs. 14/8769, 11).

12 **c) Beschluss des Vorstands.** Vorstand handelt durch Beschluss nach den für ihn geltenden Regeln. Weil § 161 Abgabe der Entsprechenserklärung dem Vorstand als bestimmte Einzelaufgabe zuweist, muss er als **Kollegialorgan** handeln (→ § 77 Rn. 17; Krieger FS Ulmer, 2003, 365, 376). Einzelne Vorstandsmitglieder können also nur zwecks Vorbereitung tätig werden. Vorstand entscheidet einstimmig, sofern Satzung oder Geschäftsordnung nichts anderes vorsehen (→ § 77 Rn. 6, 9). Auch wenn danach Mehrheitsentscheidung möglich ist, kann sie nur getroffen werden, soweit Empfehlungen Vorstand als solchen ansprechen. Sonst, also bei Empfehlungen, die an einzelne Vorstandsmitglieder gerichtet sind (Ziff. 4.3.3 S. 1), bedarf es auch ihrer **Individualzustimmung,** die allerdings in der Praxis regelmäßig in einstimmigem Verabschiedungsbeschluss implizit enthalten sein wird (Simons AG 2022, 217 Rn. 20 mit noch weitergehender und nicht unbedenklicher Zustimmungsvermutung qua organschaftlicher Treupflicht). Ausgeschiedene Mitglieder sind an Erklärung nicht zu beteiligen, auch wenn sie im Bezugszeitraum der Erklärung noch aktiv waren (BeckOGK/Bayer/Scholz Rn. 65). Bei neu hinzutretenden Mitgliedern ist hinsichtlich zukunftsbezogener Erklärung persönliche Absicht zu ermitteln und ggf. unterjährige Abweichung zu erklären (Simons AG 2022, 217 Rn. 52). Noch nicht abschließend geklärt ist, in welchem Rahmen Vorstandsmitglieder zur Kodexbeachtung schon **vorab verpflichtet** werden können. Pauschale **statutarische Vorfestlegung** ist nach § 23 V unzulässig; satzungsmäßige Bindung kann nur da wirksam sein, wo Satzungsstrenge nach § 23 V 2 Gestaltungsspielraum belässt (BeckOGK/Bayer/Scholz Rn. 77; Simons AG 2022, 217 Rn. 28). Verpflichtungen im Rahmen des **Anstellungsvertrags** sind ebenfalls nicht uneingeschränkt möglich, da Bindungen nach § 82 II nur im Rahmen der aktienrechtl. Kompetenzordnung zulässig sind (→ § 82 Rn. 8 ff.). Zugelassen werden sie deshalb nur dort, wo sich Verhaltensempfehlungen an einzelne Vorstandsmitglieder richten (S/L/Spindler Rn. 50). Genannte Individualzustimmung kann deshalb auch schon vorab im Anstellungsvertrag erklärt werden (KBFW/Favoccia DCGK Teil 4 Rn. 97), was indes nur für zukunftsbezogene Erklärung (→ Rn. 20 ff.) Bindung begründen kann. Von AR nach § 77 II erlassene **Geschäftsordnung** kann Bindungswirkung nur für Vorstand als Gesamtorgan und nur soweit auslösen, wie es ihre inhaltliche Reichweite (vorstandsinterne Zusammenarbeit und Zusammenarbeit mit AR, → § 77 Rn. 21) gestattet. Unmittelbare Selbstbindung der Vorstandsmitglieder wird dagegen einer von Vorstand selbst erlassenen Geschäftsordnung zugeschrieben, wenn Beschlussfassung einstimmig erfolgte und seitdem neu bestellte Mitglieder zugestimmt haben (GK-AktG/Leyens Rn. 262; Lutter ZHR 166 [2002], 523, 537). Auch das ist indes nicht zweifelsfrei (vgl. Krieger FS Ulmer, 2003, 365, 375) und kann iÜ auch nur innerhalb des in Geschäftsordnung zulässigen Erklärungsinhalts gelten (BeckOGK/Bayer/Scholz Rn. 78). Entscheidung des Vorstands unterliegt schließlich auch **keinem Zustimmungsvorbehalt** nach § 111 IV 2, Satzung oder AR können ihn nicht einführen, weil es sich um zugewiesene Einzelaufgabe handelt (hM – vgl. BeckOGK/Bayer/Scholz Rn. 67; MüKoAktG/Goette Rn. 66; Hölters/Weber/Hölters/Hölters Rn. 17; KBFW/Favoccia DCGK Teil 4 Rn. 18; Krieger FS Ulmer, 2003, 365, 375;

Simons AG 2022, 217 Rn. 22; aA GK-AktG/Leyens Rn. 284; S/L/Spindler Rn. 21; Regierungskommission Corporate Governance Baums [Hrsg.], Bericht 2001, Rn. 11).

d) Beschluss des Aufsichtsrats. Wie Vorstand so muss auch AR als Kollegialorgan tätig werden. Insoweit ist allerdings fraglich, ob er neben Vorbereitung (unbedenklich) auch Beschlussfassung einem Ausschuss überlassen kann. Dafür spricht, dass § 161 in § 107 III 7 nicht genannt wird. Dennoch wird Frage allg. verneint, weil Empfehlungen durchweg Verhalten des **Gesamt-AR** betr. und Verhalten des Gesamtorgans schlecht durch einen Ausschuss verbindlich festgelegt werden könne (s. nur BeckOGK/Bayer/Scholz Rn. 68; S/L/Spindler Rn. 26). Dem ist auch in der Sache zuzustimmen, weil Entsprechenserklärung in ihrer Bedeutung den in § 107 III 7 genannten Maßnahmen gleichsteht. IÜ gelten für AR-Beschluss **allg. Grundsätze.** Anders als beim Vorstand (→ Rn. 12) genügt also die einfache Stimmenmehrheit, soweit nichts anderes bestimmt ist. Soweit AR-Mitglieder als einzelne angesprochen werden, ist auch hier Individualzustimmung nötig. Erklärung der Zustimmung in Anstellungsvertrag scheidet aus, weil ein derartiger Vertrag mit AR-Mitgliedern nicht geschlossen wird. Für Bindung in Geschäftsordnung gelten in → Rn. 12 dargestellte Grundsätze. 13

3. Erklärungsinhalt. a) Erklärung für die Vergangenheit. aa) Wissenserklärung. Entsprechenserklärung ist nach § 161 I 1 jährlich abzugeben, und zwar zunächst für Vergangenheit („entsprochen wurde"). **Vergangenheitsbezogene Erklärung** ist **Wissenserklärung** (allgM – statt aller S/L/Spindler Rn. 28; zu zukunftsgerichteten Erklärungen → Rn. 20 ff.). Vorstand und AR erklären sich über ihr jew. eigenes Wissen. Soweit erforderlich, haben sie sich dieses Wissen zu verschaffen. Das gilt namentl., soweit empfehlungskonformes Verhalten ihrer Einzelmitglieder in Frage steht. Diese sind zu befragen und sind kraft ihrer organschaftlichen Bindungen auch zur Auskunft verpflichtet. Wegen nicht ausschließbarer Haftungsrisiken empfiehlt sich Dokumentation von Frage und Antwort (Kiethe NZG 2003, 559, 561). Mit Beschlussfassung des jeweiligen Organs übernimmt jedes Organmitglied auch die Verantwortung für Richtigkeit der Teilerklärungen der anderen Mitglieder (S/L/Spindler Rn. 28; Kiethe NZG 2003, 559, 561). Darauf darf idR vertraut werden, wenn entspr. schriftliche Erklärung vorliegt (zum Vertrauensgrundsatz → § 77 Rn. 15). Soweit es um Verhalten des jeweiligen Gesamtorgans geht, wird dem jeweiligen Vorsitzenden gesteigerte Verantwortung zuwachsen. Bei nicht ganz kleinen Verhältnissen wird **Pflicht zur ordnungsmäßigen Selbstorganisation** dauerhaften Einsatz eines Mitarbeiters erfordern, der Einhaltung der Empfehlungen prüft und darüber an das zuständige Vorstandsmitglied und über dieses oder unmittelbar an AR-Vorsitzenden berichtet (Peltzer, Deutsche Corporate Governance, 2003, Rn. 313 ff.: „Corporate Governance Beauftragter"; sa Seibt AG 2003, 465, 469 f.). 14

Jährliche Abgabe der Erklärung lässt konkreten Zeitpunkt und damit auch Bezug auf Kalender- oder Geschäftsjahr offen und umschreibt stattdessen nur **Erklärungsturnus** (zutr. BeckOGK/Bayer/Scholz Rn. 100 ff.; S/L/Spindler Rn. 39; MHdB AG/Hoffmann-Becking § 34 Rn. 20; Simons AG 2022, 217 Rn. 30; für Kalenderjahr aber GK-AktG/Leyens Rn. 360; für Geschäftsjahr MüKoAktG/Goette Rn. 73; Kiethe NZG 2003, 559, 560; vermittelnd Rosengarten/S. H. Schneider ZIP 2009, 1837, 1841: Kalender- oder Geschäftsjahr). Namentl. Orientierung an Kalenderjahr würde auch mit § 285 Nr. 16 HGB, § 314 I Nr. 8 HGB, § 325 I 2 HGB nicht zusammenpassen, die Entsprechenserklärung mit Rechnungslegung verknüpfen. Entspr. Verpflichtung zur Verknüpfung ist aber auch diesen Vorschriften nicht zu entnehmen (Kiethe NZG 2003, 559, 560 Fn. 24; Rosengarten/S. H. Schneider ZIP 2009, 1837, 1841 f.; aA Seibt AG 2002, 249, 257), so dass Festlegung des konkreten Erklärungszeitpunkts letzt- 15 lich Vorstand und AR obliegt. Ganz überwiegend wird insofern aufgrund paralleler handelsrechtl. Verpflichtungen Orientierung an **Geschäftsjahr** als sachdienlichste Lösung empfohlen (statt vieler BeckOGK/Bayer/Scholz Rn. 100). Spätestens nach entspr. Bestätigung für Parallelvorschrift des § 162 (→ § 162 Rn. 3) in RegBegr. BT-Drs. 19/9739, 118 dürfte Frage iSd hM entschieden sein. Nach hM wird Festlegungsermessen allerdings durch **Höchstfrist** von einem Jahr seit Abgabe der letzten Entsprechenserklärung gesetzt (OLG München AG 2008, 386, 387; MüKoAktG/Goette Rn. 73). Das ist sprachlich nicht zwingend, da „jährlich" nicht nur „im Abstand von einem Jahr", sondern auch „sich jedes Jahr wiederholend" bedeuten kann, was großzügigere Spannen erlaubt (aA deshalb Rosengarten/S. H. Schneider ZIP 2009, 1837, 1840 f.; sa Heckelmann WM 2008, 2146, 2147). Teleologie spricht aber dennoch dafür, sich an Zeitraum von zwölf Monaten zu orientieren, der indes – dafür lässt sprachliche Ambivalenz Raum – nicht taggenau eingehalten werden muss (so aber OLG München AG 2008, 386, 387). Überschreitung von einigen Tagen ist daher unproblematisch, sofern auch von Erklärung erfasster Zeitraum so ausgedehnt wird, dass lückenlose Berichterstattung gewährleistet ist (sa BeckOGK/Bayer/Scholz Rn. 86 ff.; Grigoleit/Grigoleit/Zellner Rn. 25; Simons AG 2022, 217 Rn. 32). Auch BGH NZG 2010, 452 Rn. 9 scheint es genügen zu lassen, wenn Erklärung im selben Monat des Folgejahres erfolgt (sa MüKoAktG/Goette Rn. 73; zust. BeckOGK/Bayer/Scholz Rn. 100; S/L/Spindler Rn. 39; noch großzügiger Simons AG 2022, 217 Rn. 32). Trifft AG erstmals Pflicht nach § 161 ist Wissenserklärung nach § 15 S. 2 EGAktG entbehrlich. Zur jew. Kodexfassung als Bezugspunkt der Erklärung → Rn. 7.

16 **bb) Einmütiger Beschluss aller Organmitglieder. (1) Volle Beachtung der DCGK-Empfehlungen.** Wenn sämtliche Mitglieder des Vorstands der Beschlussvorlage zustimmen, nach der im Berichtsjahr sämtliche Empfehlungen eingehalten worden sind (sog Übernahmemodell), kann sich Erklärung des Vorstands auf den Satz beschränken: „Den im amtlichen Teil des BAnz. bekanntgemachten Empfehlungen der ‚Regierungskommission Deutscher Corporate Governance Kodex' wurde im Jahr xy entsprochen." (ähnlich RegBegr. BT-Drs. 14/8769, 21). Für Erklärung des AR gilt Entsprechendes. Erklärung dürfen Vorstand und AR auch dann abgeben, wenn es zu **einzelnen Abweichungen** gekommen ist, diese sich aber als **unbedeutend** einstufen lassen (MüKoAktG/Goette Rn. 46; NK-AktR/Wittmann/Kirschbaum Rn. 61; GK-AktG/Leyens Rn. 318 ff.; KK-AktG/Lutter Rn. 82; Seibt AG 2002, 249, 252; aA BeckOGK/Bayer/Scholz Rn. 82; S/L/Spindler Rn. 32). Wortlaut des § 161 I 1 ist zwar nicht eindeutig, doch lässt sich sagen, dass Empfehlungen schon dann „entsprochen" wird, wenn die Adressaten nach Absicht und Praxis danach „leben", mögen auch einzelne Verstöße vorgekommen sein. Dementsprechend ist auch in RegBegr. BT-Drs. 14/8769, 21 nur von „ins Gewicht fallenden Abweichungen" die Rede. Strengere Ansicht würde Informationszweck eher behindern als fördern. Bei unterjähriger Änderung von DCGK-Empfehlungen bezieht sich Entsprechenserklärung grds. auf vorhergehende Fassung (→ Rn. 7), weil sie auch Gegenstand der Absichtserklärung ist (→ Rn. 20 f.). Über Wesentlichkeitserfordernis können auch Auslegungsschwierigkeiten bewältigt werden, die sich bei zT pauschal gefassten Kodexvorgaben in bes. Weise stellen. Grds. gelten für Kodexvorgaben ähnliche **Auslegungsregeln** wie bei ges. Vorgaben (ausf. Geiger ZGR 2023, 206 ff.; Ph. Scholz ZfPW 2017, 360 ff.; monographisch Huttner, Auslegung des DCGK, 2013). Wo fehlerhafter Entsprechenserklärung rechtl. Relevanz zukommt, ist – wie auch sonst im rechtl. relevanten Bereich (ausf. → § 93 Rn. 40 f.) – Auslegungsprärogative der Organe nicht anzuerkennen (Ph. Scholz ZfPW 2017, 360, 364 f.; aA Geiger ZGR 2023, 206, 238 ff.). Stattdessen wird

häufig auch dann, wenn Gericht zu anderer Einschätzung als Gesellschaftsorgane gelangt, bei Mehrdeutigkeit doch zumindest wesentliche Abweichung zu verneinen sein (ausf. zur Problematik KBFW/Bachmann DCGK Einl. 4 Rn. 77 ff.; Wegmann FS Schmidt-Preuß, 2018, 477, 497 f.).

(2) Teilweise Abweichung. Stimmen sämtliche Mitglieder des Vorstands oder des AR ihrer jeweiligen Beschlussvorlage zu, nach der im Berichtsjahr von den DCGK-Empfehlungen teilw. abgewichen wurde, so haben sie zu erklären, **welche Empfehlungen** nicht angewandt wurden (sog Selektionsmodell). Erklärungspflicht ist also nicht erfüllt, wenn nur Tatsache der Teilabweichung publik gemacht wird. Nicht angewandte Empfehlungen können verbalisiert, aber auch nur nach ihrer Textziffer bezeichnet werden (insofern aA KK-AktG/Lutter Rn. 47); weitere Klarstellung erfolgt durch Begründungspflicht (→ Rn. 18; sa MüKoAktG/Goette Rn. 48). Erklärung kann also lauten: „Den im amtl. Teil des BAnz. bekanntgemachten Empfehlungen der ‚Regierungskommission Deutscher Corporate Governance Kodex' wurde im Jahr xy mit der Ausnahme entsprochen, dass Empfehlung C.4 DCGK nicht angewandt wurde." Oder „… mit der Ausnahme entsprochen, dass eine Altersgrenze für Vorstandsmitglieder nicht festgelegt wurde." (vgl. Empfehlung B.5 DCGK). Soweit sich Empfehlungen an einzelne Organmitglieder richten (etwa E.3 DCGK) und teilw. nicht beachtet worden sind, ist diese Tatsache zu erklären. Namentliche oder sonstige Bezeichnung der Organmitglieder darf unterbleiben (BGHZ 220, 36 Rn. 39 = NZG 2019, 262; S/L/Spindler Rn. 36; aA Hölters/Weber/Hölters/Hölters Rn. 16). Statt Teilabweichung deutlich zu machen, können Vorstand und AR auch **Negativerklärung** (→ Rn. 17a) abgeben (Krieger FS Ulmer, 2003, 365, 371; Ulmer ZHR 166 [2002], 150, 172), was jedoch als Selbstdarstellung wenig ratsam ist. In der Praxis begegnet zT auch Phänomen „vorsorglicher" Abweichungserklärung bei unklarem Empfehlungsinhalt. Sie ist zulässig, sofern tats. Grauzone erkennbar ist, was in Begründung erläutert werden sollte (Simons AG 2022, 217 Rn. 55 f.). 17

(3) Gänzliche Ablehnung. Erklärungspflicht aus § 161 I 1 ist grds. auch dann erfüllt, wenn Vorstand und AR bekannt machen, dass AG den DCGK-Empfehlungen im Berichtszeitraum überhaupt nicht gefolgt ist (sog Ablehnungsmodell); denn die Verpflichtung bezieht sich auf die Abgabe der Erklärung, nicht auf die Befolgung der Empfehlungen (Ulmer ZHR 166 [2002], 150, 172). Sehr umstr. ist allerdings, ob gänzliche Ablehnung auch dann erklärt werden kann, wenn AG sich entscheidet, Kodex-Vorgaben zwar grds. nicht befolgen zu wollen, in **Einzelpunkten** aber doch – „gewissermaßen zufällig" (S/L/Spindler Rn. 33) – den Kodex-Vorgaben genügt (bejahend Grigoleit/Grigoleit/Zellner Rn. 22; Hölters/Weber/Hölters/Hölters Rn. 26; S/L/Spindler Rn. 33; Krieger FS Ulmer, 2003, 365, 371; verneinend BeckOGK/Bayer/Scholz Rn. 98; GK-AktG/Leyens Rn. 333; KK-AktG/Lutter Rn. 86). In diesem Fall eine zumindest teilw. positive Entsprechenserklärung zu verlangen, erscheint geradezu widersinnig und mit vermeintlich geringer Eingriffsintensität des Kodex (→ Rn. 3 ff.) kaum zu vereinbaren, zumal verfassungsrechtl. Bedenken (→ Rn. 4) eher für restriktive Auslegung sprechen. Und doch ist dieser Widersinn augenscheinlich im Ges. angelegt. Wenn iRd nachträglich eingeführten Begründungspflicht nämlich keine Pauschalverweigerung möglich ist, sondern sich Begr. auf Einzelempfehlung zu beziehen hat (→ Rn. 18), dann muss spätestens an dieser Stelle auch erklärt werden, dass im Einzelfall keine Abweichung vorliegt. Auch aufgrund europarechtl. Vorgabe des Art. 20 I lit. a Bilanz-RL wird man dieses Ergebnis schon deshalb nicht korrigieren können, weil Entsprechenserklärung selbst nicht unmittelbarer Regelungsgegenstand der Bilanz-RL ist (ausf. → Rn. 1; so iErg auch BeckOGK/Bayer/Scholz Rn. 89). Damit behält Ablehnungsmodell **nur noch** 17a

theoretische Relevanz, weil Kodex weithin, wenn auch nicht für jeden Fall und in jeder Einzelregelung (s. Krieger FS Ulmer, 2003, 365, 379), den Standard ordentlicher Leitung wiedergibt. Letztlich kann Totalverweigerung daher allenfalls als polit. Bekenntnis gegen Kodex-Gedanken ausgesprochen werden und mag in dieser Form auch weiterhin zulässig sein. Zur Entlastung der Unternehmen kann sie dagegen nicht beitragen, da Einzelauseinandersetzung auf Begründungsebene erforderlich bleibt. Diese Grundsätze gelten auch für die (in der Praxis allein denkbare) Form der Totalverweigerung durch Verweis auf **gesellschaftseigenen Hauskodex** („Code of best practice"), der anstelle der Kommissionsempfehlungen praktiziert werden soll (s. dazu GK-AktG/Leyens Rn. 345 ff.). Solcher Verweis wird in RegBegr. (BT-Drs. 14/8769, 21) ausdr. zugelassen, spätestens iRd Begr. (→ Rn. 14) muss allerdings auch hier offengelegt werden, von welchen Empfehlungen damit konkret abgewichen wurde (BeckOGK/Bayer/Scholz Rn. 99; GK-AktG/Leyens Rn. 346; KK-AktG/Lutter Rn. 84; aA MüKoAktG/Goette Rn. 54). Einer wünschenswerten flexiblen Abweichungskultur (→ Rn. 5a) ist diese Gesetzeslage indes eher abträglich.

18 **(4) Begründungspflicht.** Nach § 161 I 1 in seiner Fassung durch BilMoG 2009 müssen Vorstand und AR nicht nur ggf. erklären, von welchen Empfehlungen abgewichen wurde (→ Rn. 17). Vielmehr sind nach Maßgabe eines sog **Comply-or-Explain-Mechanismus** auch Gründe dafür anzugeben, und zwar für Nichtbefolgung jeder einzelnen Empfehlung („welche und warum nicht"; sa BeckOGK/Bayer/Scholz Rn. 88). Mangels jeglicher ges. Spezifizierung ist erforderlich und genügend, dass AG von ihr praktizierte Abweichungen nicht nur beschreibt, sondern argumentativ unterlegt. Dabei sind die wesentlichen Gründe zutr. anzugeben. Begr. muss sachbezogene, rationale, am Unternehmenswohl orientierte Erwägungen erkennen lassen (BGHZ 220, 36 Rn. 39 = NZG 2019, 262). Inhalt und Ausführlichkeit haben sich am Publizitäts- und Informationszweck der Entsprechenserklärung auszurichten (→ Rn. 1), was knappe Angaben nicht ausschließt (sa v. Werder/Talaulicar/Pissarczyk AG 2010, 62, 69 ff.). Aktionäre und künftige Investoren müssen zwar nicht überzeugt, aber möglichst **konkret informiert** werden (S/L/Spindler Rn. 42; Bachmann ZIP 2010, 1517, 1518). Noch weitergehende Inhalte sieht Kommissionsempfehlung 2014 vor (2014/208/EU, ABl. 2014 L 109, 43), wonach auch Weg der Entscheidungsfindung, gewählte Alternativmaßnahmen und Beitrag der Alternativmaßnahme zur guten Unternehmensführung dargestellt werden sollen. Empfehlung ist nach Art. 288 V AEUV grds. unverbindlich, kann aber ggf. in Grenzfällen als Auslegungshilfe herangezogen werden. Da Empfehlung in diesen Punkten aber über bloßes Begründungserfordernis hinausgeht, müssen sie nicht iRd Entsprechenserklärung zwingend berücksichtigt werden (insofern aA Verse/Wiersch EuZW 2016, 330, 335). Konkrete Information ist auch erforderlich bei Totalverweigerung oder Verweis auf Hauskodex (→ Rn. 17a). Obwohl „opting out" weiterhin möglich ist, verschiebt sich der Akzent mit Begründungspflicht weiter von Freiwilligkeit zum **mittelbaren Rechtszwang** (Kort FS K. Schmidt, 2009, 945, 961 f.). Kritik am deutschen Gesetzgeber ist jedoch nicht veranlasst, weil Neuregelung nur Vorgabe des Art. 20 I lit. b Bilanz-RL folgt. Nicht erklärungspflichtig ist **Übererfüllung** des Kodex (MüKoAktG/Goette Rn. 56; S/L/Spindler Rn. 37; aA GK-AktG/Leyens Rn. 342 f.).

19 **cc) Mehrheitsbeschlüsse.** Dass über Abgabe der Wissenserklärung für das abgelaufene Jahr keine Einigkeit unter den Organmitgliedern besteht, mag nicht häufig sein, ist aber denkbar. Auch über Beachtung der DCGK-Empfehlungen für die Vergangenheit oder über Unerheblichkeit von Abweichungen (→ Rn. 16) können verschiedene Meinungen bestehen. Denkbar sind dann bloße Mehrheitsbeschlüsse von Vorstand oder AR oder Beschluss ohne Gegenstimme mit Ent-

haltungen oder einstimmige Beschlüsse ohne Mitwirkung aller Mitglieder. Dass Mehrheitsentscheidung nicht möglich sei (Semler/Wagner NZG 2003, 553, 556; ebenso auf abw. dogmatischer Grundlage [→ Rn. 6] Schürnbrand FS U. H. Schneider, 2011, 1206 f.), ist nur in dem Sinne richtig, dass auf der Grundlage solcher Beschlüsse keine uneingeschränkte Entsprechenserklärung abgegeben werden darf; ein **Einigungszwang besteht nicht** (→ Rn. 11). Weil aber auch Abweichung nicht obj. feststeht, bleibt nur übrig, die Uneinigkeit der Organmitglieder zu erklären, uU mit zusätzlichen konkretisierenden Angaben (sa Hölters/Weber/Hölters/Hölters Rn. 20; GK-AktG/Leyens Rn. 234). Denkbare Alternative, mit Blick auf etwaige dissensbedingte Imageschädigung einheitlich Nichtbefolgung zu erklären (s. Goette FS Hommelhoff, 2012, 257, 273), ist bedenklich, da tats. Meinungsbild innerhalb der AG dann uU verzerrt nach außen getragen wird.

b) Erklärung für die Zukunft. aa) Absichtserklärung. Nach § 161 I 1 20
haben Vorstand und AR auch zu erklären, dass den DCGK-Empfehlungen entsprochen „wird" oder welche nicht angewandt „werden". Im zweiten Fall ist seit Inkrafttreten des BilMoG auch **Begründungspflicht** (→ Rn. 18) zu beachten. Ungeachtet der Präsensfassung des Gesetzes ist zukünftiges Verhalten der AG und ihrer Organe gemeint (RegBegr. BT-Drs. 14/8769, 22; S/L/Spindler Rn. 29; Krieger FS Ulmer, 2003, 365 f.; Seibert BB 2002, 581, 583; aA Schüppen ZIP 2002, 1269, 1273; Seibt AG 2002, 249, 251). Es handelt sich also um **Absichtserklärung** (RegBegr. BT-Drs. 14/8769, 22; gegen die Aufteilung in Wissens- und Absichtserklärung GK-AktG/Leyens Rn. 170). Ihre Zweckmäßigkeit bleibt fraglich. Dass § 161 I 1 so auszulegen ist, kann aber mit Rücksicht auf RegBegr. nicht in Frage gestellt werden. Auch hier gilt, dass jedes Organ für seinen Zuständigkeitsbereich entscheidet (→ Rn. 10). Ein grds. Entscheidungsvorrang des Vorstands ist nicht anzunehmen (Krieger FS Ulmer, 2003, 365, 373; aA Seibt AG 2002, 249, 253). Wechselseitige Abstimmung der Organe (Krieger FS Ulmer, 2003, 365, 374) mag aus Notwendigkeit gemeinsamer Erklärung (→ Rn. 10) abzuleiten sein, ist aber jedenfalls nicht erzwingbar. Hier kann allerdings in → Rn. 12 dargestellte **rechtl. Bindung** aus Anstellungsvertrag oder Geschäftsordnung Bedeutung erlangen. Als bloße Absichtserklärung ist Bekundung von Vorstand und AR **nicht rechtl. bindend.** Jedes Organ kann von seiner Erklärung abrücken, und zwar auch ohne dass dafür bes. Sachgründe sprechen müssten (insoweit unstr., s. RegBegr. BT-Drs. 14/8769, 22). Ein solcher Meinungswechsel kann auch **unterjährig** erfolgen, bes. bei neuer Zusammensetzung von Vorstand oder AR. Dass Erklärung nicht mehr den Absichten entspr., ist den Aktionären allerdings **bekanntzumachen,** weil vorhandene Erklärung unrichtig geworden ist (BGHZ 180, 9 Rn. 19 = NJW 2009, 2207; OLG München WM 2009, 658, 660; RegBegr. BT-Drs. 14/8769, 22; KK-AktG/Lutter Rn. 53; E. Vetter FS 10 Jahre Österberg, 2018, 243 ff.; mit starken Argumenten dagegen Leuering ZGR 2023, 298 ff.; s. zu den zeitlichen Anforderungen Mutter AG 2009, 470, 471). Verantwortlich für Bek. sind beide Verwaltungsorgane, AR also auch dann, wenn sich Empfehlung an Vorstand wendet (BGHZ 180, 9 Rn. 27). Richtet sich Kodex-Empfehlung an Organmitglieder als solche, sind diese zum Widerruf ihrer bisherigen Zustimmung berechtigt. Aufgabe der Organe ist es dann, bisherige Entsprechenserklärung zu korrigieren (Lutter GS M. Winter, 2011, 449, 452 ff.). Wie Erklärung selbst erfolgt auch Bekanntgabe der Aktualisierung auf Internetseite der AG (§ 161 II; → Rn. 23). Vollständig neue Entsprechenserklärung ist zulässig, aber nicht erforderlich (BeckOGK/Bayer/Scholz Rn. 107). Bei **unterjähriger Änderung des Kodex** muss allerdings keine Korrektur erfolgen, sondern Entsprechenserklärung gilt immer nur für die zur Zeit ihrer Abgabe geltende Fassung; nächste Entsprechenserklärung muss sich

dann für vergangenheitsbezogene Empfehlungen auf frühere, für zukunftsbezogene auf neue Fassung beziehen (Simons AG 2022, 217 Rn. 36 ff.). Zieht Inkrafttreten neuer Regelung Anpassungsbedarf nach sich, der zu kurzfristiger Abweichung führt, muss keine Abweichung erklärt werden, wenn sich Organe um unverzügliche Umsetzung bemüht haben (Simons AG 2022, 217 Rn. 41 ff.).

21 **bb) Erklärungsmöglichkeiten.** Vorstand und AR müssen sich darüber schlüssig werden, ob DCGK-Empfehlungen für die Zukunft ganz oder nur teilw. oder überhaupt nicht gefolgt werden soll. Entspr. sind Erklärungen zu formulieren (→ Rn. 16 ff.). Entschieden wird über Zweckmäßigkeit des empfohlenen Verhaltens unter bes. Berücksichtigung der unternehmensindividuellen Verhältnisse. Dafür können Organe (auch AR, weil er unternehmerisch tätig wird) umfassenden **unternehmerischen Ermessensspielraum** in Anspruch nehmen (Krieger FS Ulmer, 2003, 365, 379; Seibt AG 2002, 249, 253 f.). Ermessen ist in dem Sinne zu betätigen, ob Kodex überhaupt angewandt werden soll (→ Rn. 18: Haus- oder Unternehmenskodex), bezieht sich aber auch auf Einzelempfehlungen, wobei namentl. hier die konkreten unternehmensindividuellen Verhältnisse zu berücksichtigen sind. Absichtserklärung bezieht sich grds. auf geltende Fassung der DCGK-Empfehlungen, nicht nach Art einer dynamischen Verweisung auch auf spätere Änderungen, die unterjährig „in Kraft" gesetzt werden (→ Rn. 7). Materielle Prüfung der Organentscheidung durch Abschlussprüfer findet – obwohl in der Praxis augenscheinlich zT abw. gehandhabt – nicht statt (Simons AG 2022, 217 Rn. 74 ff.).

22 **4. Erklärungsform.** § 161 I 1 enthält keine Formvorschrift. Auch § 161 II ist nicht formprägend, weil danach **jede Form** genügt, die es erlaubt, Erklärung den Aktionären dauerhaft zugänglich zu machen (→ Rn. 23; glA S/L/Spindler Rn. 45). Auch aus § 325 I 1 Nr. 2 HGB, der vorschreibt, dass Erklärung nach § 161 zum BAnz. einzureichen ist, folgt weder Schriftformerfordernis (§ 126 BGB) noch Notwendigkeit schriftlicher Verkörperung, da § 325 VI HGB elektronische Einreichung gestattet. Folglich bedarf es auch nicht der Unterschrift aller Vorstands- bzw. AR-Mitglieder (Simons AG 2022, 217 Rn. 24 f.). Lage ist anders als bei Bericht über Unternehmensvertrag (→ § 293a Rn. 10), weil § 161 I 1 anders als § 293a I 1 keine schriftliche Berichterstattung vorsieht. Auch RegBegr. BT-Drs. 14/8769, 21 spricht zwar anders als Gesetzesfassung von einem „gesonderten Bericht", nicht aber von dessen Schriftform. Angesichts erkennbarer Öffnung der gesetzl. Regelung für neue Informationstechnologien ist für § 161 deshalb auch Unterzeichnung des jeweiligen Organvorsitzenden nicht mehr zu verlangen (MüKoAktG/Goette Rn. 76; jetzt auch BeckOGK/Bayer/Scholz Rn. 102; S/L/Spindler Rn. 45 m. Fn. 259; MHdB AG/Hoffmann-Becking § 34 Rn. 23; aA Grigoleit/Grigoleit/Zellner Rn. 28; Hölters Rn. 33; KK-AktG/Lutter Rn. 59), sondern es genügt Authentifizierung nach Maßgabe des § 325 VI iVm § 12 HGB (vgl. dazu GK-HGB/J. Koch/Harnos § 12 Rn. 22 ff.); in Praxis wird Unterzeichnung schon zu Protokollierungszwecken aber doch erfolgen (MüKoAktG/Goette Rn. 75; GK-AktG/Leyens Rn. 221). Von Form der Erklärung ist **Form der Organbeschlüsse** zu unterscheiden, die ihr zugrunde liegen. Ges. Formerfordernisse bestehen auch insoweit nicht (aA Semler/Wagner NZG 2003, 553, 555). Namentl. hat auch Niederschrift gem. § 107 II 1 nur Beweisfunktion (→ § 107 Rn. 20). Das ist grds. auch von Formvorschriften der Satzung oder einer Geschäftsordnung anzunehmen.

IV. Dauerhafter Zugang (§ 161 II); Erklärung zur Unternehmensführung

1. Dauerhafter öffentlicher Zugang. Gem. § 161 II in seiner Neufassung durch BilMoG 2009 muss Entsprechenserklärung auf **Internetseite** der AG dauerhaft öffentl. zugänglich sein. Anders als früher genügt Aktionärsöffentlichkeit nicht mehr, womit Art. 20 II lit. b Bilanz-RL durchgeführt wird. Internetseite ist Domain, unter der AG registriert ist, bei mehreren Websites Hauptseite (zu Einzelheiten S/L/Spindler Rn. 60). Zugänglichmachen bedeutet, dass Jedermann zur Erklärung Zugang haben muss (→ § 126 Rn. 11). Das schließt es aus, Zugang von Verwendung sicherheitsrelevanter Programme oder Spezialsoftware abhängig zu machen, nicht aber Verwendung kostenloser Leseprogramme (zu Einzelheiten S/L/Spindler Rn. 61). Erklärung muss nicht auf Startseite zur Verfügung stehen, sondern es genügt **verständliche und unkomplizierte Menüführung** (zB Verlinkung unter „Investor Relations – vgl. BeckOGK/Bayer/Scholz Rn. 120; S/L/Spindler Rn. 61; Simons AG 2022, 217 Rn. 63). Dauerhaft ist Zugang, wenn Erklärung einschließlich Begr. (→ Rn. 18, 20) in ihrer jew. maßgeblichen Fassung elektronisch zur Verfügung steht. Altfassungen müssen nicht vorbehalten werden (BeckOGK/Bayer/Scholz Rn. 121), wenngleich auch dies in F.5 DCGK empfohlen wird (zur Anwendung dieser Empfehlung auf Formwechsel oder Restrukturierungen vgl. Simons AG 2022, 217 Rn. 65). 23

2. Anderweitige Publizität. Im **Anh. des Einzelabschlusses** und ggf. im Anh. des Konzernabschlusses ist anzugeben, dass Entsprechenserklärung abgegeben und dauerhaft öffentl. zugänglich gemacht worden ist (§ 285 Nr. 16 HGB, § 314 I Nr. 8 HGB). Im Konzernanh. müssen Angaben für jede einbezogene AG gemacht werden, soweit sie börsennotiert ist (§ 3 II). Erklärung ist vom Vorstand gleichzeitig mit dem Jahresabschluss elektronisch beim Betreiber des BAnz. einzureichen (§ 325 I 1 Nr. 2 HGB). Anschließend hat Vorstand unverzüglich (§ 121 I 1 BGB) für Bek. im BAnz. zu sorgen (§ 325 II HGB; zur künftigen Veröffentlichung im Unternehmensregister → § 172 Rn. 11). **Abschlussprüfung** erstreckt sich darauf, ob Angabe im Anh. gemacht ist und auch zutrifft; Erklärung muss also abgegeben und dauerhaft zugänglich sein. Dagegen ist nicht zu prüfen, ob Erklärung inhaltlich zutr., den DCGK-Empfehlungen also tats. im erklärten Umfang entsprochen wurde und wird (RegBegr. BT-Drs. 14/8769, 25; Gelhausen/Hönsch AG 2002, 529, 533 ff.). Prüfungsstandard: IdW PS 345. **Redepflicht** besteht nach § 321 I 3 HGB unter den dort genannten Voraussetzungen (RegBegr. BT-Drs. 14/8769, 25). Schließlich empfiehlt D.8 DCGK, dass AR mit Abschlussprüfer Redepflicht vereinbart (s. dazu KBFW/Favoccia DCGK D.8 Rn. 3 ff.). 24

3. Erklärung zur Unternehmensführung. Nach dem durch BilMoG 2009 neu geschaffenen § 289f HGB sind börsennotierte Gesellschaften (§ 3 II) sowie weitere Gesellschaften mit Kapitalmarktzugang (§ 289f I 1 HGB entspr. § 161 I 2 → Rn. 6b) verpflichtet, eine Erklärung zur Unternehmensführung abzugeben (dazu umfassend AK Corporate Governance Reporting DB 2019, 317 ff.; Bachmann ZIP 2010, 1517 ff.); deren **Kernbestandteil** ist wiederum die **Entsprechenserklärung** nach § 161 (RegBegr. BT-Drs. 16/10067, 77 f.; Kuthe/Geiser NZG 2008, 172, 173 ff.). Erklärung zur Unternehmensführung kann gem. § 289f I 2 HGB alternativ statt als gesonderter Abschnitt des Lageberichts auf Internetseite der AG öffentl. zugänglich gemacht werden. Wenn so verfahren wird, ist zugleich Verpflichtung aus § 161 II (→ Rn. 23) erfüllt, so dass es **keiner Doppelpublikation** bedarf (RegBegr. BT-Drs. 16/10067, 78; Kuthe/Geiser NZG 2008, 172, 175; strenger Simons AG 2022, 217 Rn. 63). Neben Erklärung 24a zur Unternehmensführung war bis Kodex-Reform 2020 auch weiterer sog Corporate Governance Bericht zu veröffentlichen, in dem Vorstand und AR jährlich über Corporate Governance berichten sollten und zu Kodexanregungen Stellung nehmen konnten, was indes zu einem insges. ausgesprochen unübersichtlichen Nebeneinander mehrerer, sich überschneidender Pflichtenregime führte. Dieses Nebeneinander ist mit Kodex-Reform 2020 beseitigt worden, indem Corporate Governance-Bericht abgeschafft und damit Erklärung zur Unternehmensführung zum zentralen Instrument der Corporate Governance-Berichterstattung gemacht wurde.

V. Konsequenzen bei Nichtbefolgung

25 **1. Nichtbefolgung.** Bei Konsequenzen der Nichtbefolgung ist streng zwischen Nichtbefolgung der Pflicht zur Entsprechenserklärung und Nichtbefolgung des Kodex zu unterscheiden. Aufgrund **fehlender Normqualität** des Kodex kann allein das Erste unmittelbar Sanktionen auslösen; für das Zweite ist allenfalls denkbar, Kodex als Quelle von Sorgfaltsstandards im Rahmen von Haftungsfragen anzuerkennen (ausf. → Rn. 26). Verstoß gegen danach in erster Linie **maßgebliche Pflicht aus § 161** kann darin liegen, dass keine Entsprechenserklärung abgegeben wird, dass sie inhaltlich unrichtig ist, dass sie keine hinreichende Begr. enthält, dass sie nicht dauerhaft öffentlich zugänglich gemacht oder bei Veränderungen nicht unterjährig korrigiert wird (→ Rn. 20). Soweit es neben Verstoß auch auf **Vertretenmüssen** ankommt, ist zu berücksichtigen, dass Vorstand auch insofern Organisations- und Überwachungspflichten treffen können. Nichtwissen entlastet ihn demnach nicht, wenn er hätte wissen müssen. Als **Rechtsfolgen** der Nichtbefolgung werden in erster Linie Haftungsfragen (→ Rn. 25a ff.) sowie Anfechtung der Entlastung (→ Rn. 31 ff.) diskutiert. Daneben gilt aber auch herkömmliches sonstiges Sanktionsregime bei Pflichtverletzungen, etwa Verweigerung der Entlastung nach § 120 I oder auch Abberufung nach § 84 IV.

25a **2. Probleme der Innenhaftung (§ 93 II, § 116 S. 1).** Verstöße gegen § 161 sind pflichtwidrig und werden idR auch zu vertreten sein (→ Rn. 25). Schaden der AG und Kausalität für Gesellschaftsschaden sind jedoch eher fernliegende tats. Varianten. Allenfalls denkbare gestiegene Refinanzierungskosten aufgrund von Kursrückgängen sind zwar nicht ausgeschlossen, werden sich aber spätestens auf Beweisebene nicht monokausal auf Nichtabgabe zurückführen lassen (BeckOGK/Bayer/Scholz Rn. 144). Insoweit ist Praxisrelevanz des Haftungsproblems kaum zu erwarten (ebenso MüKoAktG/Goette Rn. 97; Mülbert/Wilhelm ZHR 176 [2012], 286, 299 f.). Bei Innenhaftung liegt Diskussionsschwerpunkt daher tats. eher bei Verstößen gegen Kodex selbst (→ Rn. 26).

26 Zur Frage, ob auch **Nichtbeachtung von DCGK-Empfehlungen** Pflichtverletzung iSd § 93 II sein kann, geht mittlerweile deutlich hM davon aus, dass Empfehlungen wegen ihres unverbindlichen Charakters nicht haftungsbestimmend werden dürfen (BeckOGK/Bayer/Scholz Rn. 35 ff.; BeckOGK/Fleischer § 93 Rn. 62 ff.; GK-AktG/Leyens Rn. 530 f.; S/L/Spindler Rn. 68; Berg/Stöcker WM 2002, 1569, 1575 ff.; Ettinger/Grützediek AG 2003, 353, 354 f.). Eine speziell in den ersten Kodex-Jahren noch verstärkt vertretene Auffassung, die auch heute noch Befürworter hat, nimmt zumindest bei Verstoß gegen eigene Entsprechenserklärung an, dass Nichtbeachtung von Empfehlungen Verletzung der Sorgfaltspflichten aus § 93 II, § 116 I 1 ungeachtet der bes. Bedeutung der Umstände des Einzelfalls doch nahelege (Kort FS K. Schmidt, 2009, 945, 949; Lutter ZHR 166 [2002], 523, 540 ff.; Ulmer ZHR 166 [2002], 150, 166 f.; zurückhaltend auch Wegmann FS Schmidt-Preuß, 2018, 477, 490 ff.: spezifische

Abwägungsaspekte iSd § 93 I 2). Nach vermittelnder Ansicht sollen Empfehlungen zumindest in die Voraussetzungen des § 93 I 2 einfließen und so mittelbare Haftungsrelevanz entfalten (Weber-Rey/Buckel AG 2011, 845 ff.).

Stellungnahme: Der hM ist schon deshalb beizutreten, weil DCGK-Empfehlungen keine staatliche Rechtsetzung darstellen und **informelle Einsetzung** der Regierungskommission jede Annahme, sie könne Rechtspflichten verbindlich ausfüllen, strikt verbietet. Vor diesem Hintergrund ist schon jetzt zu beobachtende Gestaltungsmacht des DCGK ohnehin verfassungsrechtl. Bedenken ausgesetzt (→ Rn. 4). Wollte man den Kodex überdies noch zur Ausformung von Sorgfaltspflichten heranziehen, würde es einem nicht demokratisch zur Rechtssetzung legitimierten Gremium überlassen, über die wirkungsmächtige Hebelwirkung der Haftungsandrohung bei Sorgfaltsverstoß (→ § 76 Rn. 24) aktienrechtl. Pflichtenstandards zu formulieren. Organmitglied, das gem. § 93 II 2, § 116 S. 1 mit Entlastungsbeweis auf obj. und subj. Ebene beschwert ist (→ § 93 Rn. 103 ff.; → § 11 Rn. 8), hätte bei solchem Verständnis nur minimalen Spielraum, Kodex-Empfehlung zu missachten, was der in Kodex-Präambel IV 5 selbst geforderten Abweichungskultur (→ Rn. 5) kaum förderlich wäre. Kodex darf aus Gründen der **Regelungshierarchie** nicht zur Ausfüllung des Gesetzesrechts herangezogen werden, weshalb auch mittelbare Haftungsrelevanz über das Vehikel des § 93 I 2 abzulehnen ist (iE wohl auch GK-AktG/Leyens Rn. 531 f.). Selbst Formulierungen, dass etwas anderes gelten könne, wenn Kommission nicht als Standard-Setzer, sondern Standard-Ermittler tätig werde (vgl. zu dieser Unterscheidung BeckOGK/Bayer/Scholz Rn. 36), sollten deshalb tunlichst vermieden werden. Es ist der Standard selbst, an dem Sorgfaltspflicht bemessen wird, nicht seine Wahrnehmung durch die Kommission. Etwas anderes ergibt sich auch nicht aus Parallele zu DIN-Normen (so aber Borges ZGR 2003, 508, 517), die unter staatlicher Restkontrolle für empirisch überprüfbare technische Sachverhalte formuliert werden, aber keine normativ wertenden Aussagen enthalten (BeckOGK/Fleischer § 93 Rn. 62; Bachmann WM 2002, 2137, 2138 f.). Umgekehrt überzeugt deshalb aber auch die Annahme nicht, dass Beachtung einer Kodex-Empfehlung pflichtgem. Verhalten indiziere (wie hier BeckOGK/Bayer/Scholz Rn. 38; GK-AktG/Leyens Rn. 535 f.; aA Kort FS K. Schmidt, 2009, 945, 959; Schüppen ZIP 2002, 1269, 1271; Weber-Rey/Buckel AG 2011, 845, 850). Diese Grundsätze gelten auch dann, wenn Vorstand nicht nur gegen Kodex-Empfehlung verstößt, sondern in zukunftsbezogener Entsprechenserklärung zuvor ihre Beachtung angekündigt hat. Entsprechenserklärung löst keine Bindungswirkung aus, so dass Pflichtenverstoß auch hier nur in unterlassener Aktualisierung, nicht aber in Abweichung liegen kann (GK-AktG/Leyens Rn. 524). 27

3. Probleme der Außenhaftung. a) Keine Haftung der AG. Soweit es im Kontext des § 161 um Außenhaftung geht, kommen als Gläubiger Aktionäre in Betracht, die einen Vermögensschaden durch Kursverluste oder entgangenen Kursgewinn erlitten haben, sofern für diesen Vermögensschaden eine zu vertretende Verletzung der Erklärungspflicht adäquat kausal ist. Solche Ansprüche sind prinzipiell möglich (→ § 93 Rn. 133 ff.), kommen aber hauptsächlich, wenn nicht nur, als deliktische Ansprüche in Betracht. Diese scheitern aber, soweit es um § 823 BGB geht, schon an fehlender obj. Tatbestandsmäßigkeit. **§ 823 I BGB** ist nicht verwirklicht, auch nicht durch Verletzung des Mitgliedschaftsrechts, weil Nichtbefolgung einzelner DCGK-Empfehlungen und damit Unrichtigkeit der Entsprechenserklärung nicht auf den einzelnen Aktionär bezogen und deshalb kein haftungsbegründender Eingriff ist (BeckOGK/Bayer/Scholz Rn. 148; Kort FS K. Schmidt, 2009, 945, 947 f.). Ein Gedanke an **§ 823 II BGB** erledigt sich, weil die DCGK-Empfehlungen keine Rechtsnormen (Art. 2 EGBGB) sind (→ Rn. 3); auf das weitere Erfordernis des Schutzges. kommt es 28 insoweit schon nicht mehr an (s. zB Berg/Stöcker WM 2002, 1569, 1578 f.; Kiethe NZG 2003, 559, 566 [dort auch zu anderen, iRd § 161 aber nicht weiterführenden Schutzges.]). Mit unrichtigen Angaben einhergehende Verletzung des § 161 führt ebenfalls nicht zur Haftung nach § 823 II BGB, weil mit Entsprechenserklärung kein Individualschutz bezweckt ist (BeckOGK/Bayer/Scholz Rn. 148; S/L/Spindler Rn. 73). Nicht überzeugend wäre schließlich idR Haftung nach **§§ 97, 98 WpHG;** denn durchweg wird es nicht um kursrelevante Tatsachen gehen (Borges ZGR 2003, 508, 532 ff.). Auch andere Normen kommen nicht ernsthaft als Schutzgesetze in Frage (Kort FS Raiser, 2005, 203, 208 ff.; für die ebenfalls in Betracht zu ziehende Kursmanipulation [§ 20a WpHG aF – jetzt Art. 12, 15 MAR] ausdr. abl. BGHZ 192, 90 Rn. 19 = NJW 2012, 1800).

29 Noch am ehesten ist an **§ 826 BGB** zu denken. Insoweit werden jedoch die erforderliche haftungsbegründende Kausalität zwischen Nichtbeachtung einer DCGK-Empfehlung und Vermögensschaden des Aktionärs sowie das Erfordernis seiner vorsätzlichen Schädigung (nicht genügend wäre vorsätzliche Sittenwidrigkeit) kaum überwindbare Hindernisse darstellen (iE ebenso MüKoAktG/Goette Rn. 101; Kort FS Raiser, 2005, 203, 215 f.). Außerges. kapitalmarktrechtl. **Vertrauenshaftung** ist schon grds. außerordentlich vager Ansatz (→ Rn. 30) und sollte jedenfalls nicht zu Ansprüchen gegen AG führen. Liegt Haftungstatbestand vor, so ist nach heute hM auch Zurechnung gem. § 31 BGB zu bejahen (GK-AktG/Leyens Rn. 598; S/L/Spindler Rn. 70; Mülbert/Wilhelm ZHR 176 [2012], 286, 302 ff.). Adressatenstellung der Organe steht dem nicht zwingend entgegen, da ihre Pflichtenstellung gerade aus ihrer Organtätigkeit entsteht (Mülbert/Wilhelm ZHR 176 [2012], 286, 305). Ebenso wenig verbietet § 57 die Zurechnung, da Wirkungsrichtung der Kapitalerhaltung ohnehin beschränkt ist (→ § 57 Rn. 6) und kein Hinweis auf ihren Vorrang vor Haftungsansprüchen besteht (MüKoAktG/Goette Rn. 101; BeckOGK/Bayer/Scholz Rn. 149; aA noch Reichert/Weller ZRP 2002, 49, 52 ff.; Ulmer ZHR 166 [2002], 150, 169).

30 **b) Haftungsfragen bei Organmitgliedern.** Haftung von Mitgliedern des Vorstands und des AR kann sich grds. als deliktische Haftung oder als Vertrauenshaftung ergeben. Wegen der deliktischen Ansprüche kann auf → Rn. 28 f. verwiesen werden. Indirekter Schädigungsvorsatz (§ 826 BGB) mag dann nahe liegen, wenn Entsprechenserklärung vorsätzlich falsch abgegeben worden ist; die Probleme des obj. Haftungstatbestands bleiben aber auch dann bestehen. Vertrauenshaftung von Organmitgliedern, die Aktionären (Anlegern) notwendig als Dritte gegenübertreten, ist Problem der **§ 280 I BGB, § 311 III BGB.** Danach ist Haftung der Organmitglieder zwar grds. denkbar, zumal § 311 III 2 BGB Inanspruchnahme von Verhandlungsvertrauen nur als Bsp. verwendet. Indessen ist nicht ersichtlich, was sonst Schutzpflichten der Vorstandsmitglieder (§ 241 II BGB) ggü. Aktionären (Anlegern) begründen sollte; insbes. kann es Prospekthaftung ohne Prospekt im spezifischen Sinne einer Vertriebsinformation nicht geben (vgl. MüKoAktG/Goette Rn. 102; Berg/Stöcker WM 2002, 1569, 1580 f.; Kort FS Raiser, 2005, 203, 218 ff.). Nicht zu folgen ist also weitergehender Ansicht von KK-AktG/Lutter Rn. 98 (sa Lutter FS Druey, 2002, 463, 473 ff.), nach dem unbestimmter Adressatenkreis und Erheblichkeit von Angaben für Beurteilung von Vermögensanlagen genügen soll.

31 **4. Anfechtungsfragen.** Wenn Entsprechenserklärung fehlt oder unrichtig ist, verstoßen Vorstand und/oder AR gegen ges. Pflicht, die sie bei Leitung bzw. Überwachung der Geschäftsführung zu erfüllen haben. Diese Gesetzesverletzung schließt, sofern auch schwerwiegend, Billigung der Verwaltung aus und macht gleichwohl gefasste **Entlastungsbeschlüsse** anfechtbar (→ § 120 Rn. 12; BGHZ 180, 9 Rn. 19 = NJW 2009, 2207; BGHZ 182, 272 Rn. 16 ff. = AG 2009, 824; BGH AG 2010, 452 Rn. 7; NJW 2012, 3235 Rn. 27; BGHZ 220, 36 Rn. 24 =

NZG 2019, 262; OLG Celle NZG 2018, 904 Rn. 18; Goette FS Hüffer, 2010, 225, 231 ff.). Nicht anzuerkennen ist Anfechtungsausschluss analog § 52 WpHG, weil § 161 anders als §§ 48 ff. WpHG nicht nur kapitalmarktrechtl. Informationspflicht ist, sondern auch verbandsrechtl. Interessen dienen soll (GK-AktG/Leyens Rn. 470; Hüffer VGR 16 GesR 2010, 63, 70 f.; Arens/Petersen Konzern 2011, 197, 199 ff.; aA Leuering DStR 2010, 2255, 2256 f.). **Anfechtungsgrund** ist allein **Verstoß gegen Erklärungspflicht,** nicht aber – mangels Normqualität – die Nichtbeachtung einzelner Kodex-Empfehlungen (BGHZ 220, 36 Rn. 25; sa → Rn. 25). Beanstandung liegt in **ermessensüberschreitender Entlastung** (→ § 120 Rn. 12) bei schwerwiegendem Verstoß gegen § 161, nicht allein in Informationsfehler. Das war bislang umstr. (wie hier Mülbert/Wilhelm ZHR 176 [2012], 286, 293 f.; aA OLG Celle NZG 2018, 904 Rn. 26 f.; MüKoAktG/Goette Rn. 91 f. und augenscheinlich auch noch BGH NJW 2012, 3235 Rn. 28, 32), ist nun aber höchstrichterlich geklärt, nachdem BGH zur Anfechtung von Wahlbeschlüssen klargestellt hat, dass § 161 keine hauptversammlungsbezogene Informationspflicht begründet (→ Rn. 33; → § 243 Rn. 47a; sa Simons DB 2019, 650, 653; v. der Linden DStR 2019, 802, 804 f.). Schwere des Verstoßes wird dabei von Wesentlichkeit der Kodex-Vorgabe geprägt (BGHZ 182, 272 Rn. 18; ausf. dazu Mutter FS Heidel, 2021, 297, 298 ff.; krit. BeckOGK/Bayer/Scholz Rn. 129 ff.; Tröger ZHR 175 [2011], 746, 777 f.). Weitere Kriterien können in dem Sinne hinzutreten, dass etwa Offenkundigkeit der Abweichung für schweren Verstoß, nachvollziehbare Auslegungszweifel oder bloß fehlende Begr. dagegen sprechen (Bayer/Scholz ZHR 181 [2017], 861, 880). Im letztgenannten Sinne hat etwa OLG Celle (NZG 2018, 902 Rn. 20 ff.) schweren Verstoß gegen Unabhängigkeitsempfehlung (Nr. 5.4.2 S. 1 DCGK aF; heute C.6–C.11 DCGK; → § 100 Rn. 36 ff.) im konkreten Fall aufgrund ihres seinerzeit noch vagen Inhalts (zur heutigen Beurteilung → § 100 Rn. 39) verneint. Stellt man mit hier vertretener Auffassung auf **Schwere des Verstoßes** und nicht auf Informationsdefizit ab, ist Information der Aktionäre auf anderem Wege (zB HV-Diskussion) unbeachtlich (so iErg auch schon BGHZ 180, 9 Rn. 28; aA Tröger ZHR 175 [2011], 746, 778 f.). Wichtigster Anwendungsfall ist E.1–E.3 DCGK (Umgang mit Interessenkonflikten). Wenn Gesetzesverletzung nur einzelne Organmitglieder betr. (zB keine Offenlegung einer Interessenkollision), tritt Anfechtbarkeit der Gesamtentlastung nicht notwendig ein (Ulmer ZHR 166 [2002], 150, 165 f.), wohl aber dann, wenn andere Organmitglieder Verstoß erkannt haben und gleichwohl nicht tätig geworden sind (BGHZ 180, 9 Rn. 26). Nicht verantwortlich sind bereits ausgeschiedene AR-Mitglieder, weshalb insoweit Entlastungsbeschluss auch nicht anfechtbar ist (BGH AG 2010, 452 Rn. 9). Auch bei verbleibenden Mitgliedern ist darauf zu achten, dass unrichtige Entsprechenserklärung bzw. unterlassene Aktualisierung in **Zeitraum** fallen müssen, für den Entlastung erfolgt (Bayer/Scholz ZHR 181 [2017], 861, 871 f., 877 ff.).

Gerichtl. Praxis wurde bislang durch Anfechtung von Entlastungsbeschlüssen 32
geprägt. Daneben kommen aber auch **weitere Beschlussgegenstände** als Anfechtungsziel in Betracht. Bes. intensiv ist in der Vergangenheit die Anfechtung von Wahlbeschlüssen diskutiert worden (vgl. etwa Waclawik ZIP 2011, 885, 887 ff.). Insofern ist anerkannt, dass Kodex-Verstoß allein auch hier kein Anfechtungsgrund sein kann (→ Rn. 31) und Verstoß gegen § 161 keinen inhaltlichen Mangel begründet, weil Norm nicht den Inhalt von Beschlüssen regelt (BGHZ 220, 36 Rn. 29 = NZG 2019, 262; Tröger ZHR 175 [2011], 746, 772 ff.). Verbreitet wird aber angenommen, dass ohne vorherige Aktualisierung der Entsprechenserklärung **Abstimmungsvorschlag** des AR nichtig sei, wenn vorgeschlagener Kandidat nicht den Kodexanforderungen genüge. Das mache § 124 IV 1 anwendbar und begründe auf diese Weise einen Verfahrensfehler (vgl. etwa OLG München ZIP 2009, 133, 135; Hölters/Weber/Hölters/Hölters

Rn. 60; Habersack FS Goette, 2011, 121, 123 f.; Lutter/Gröntgen ZGR 2020, 571, 574 f.; E. Vetter NZG 2008, 121, 123 f.). Bislang hM verfolgte dagegen anderen Ansatz, wonach unrichtige Entsprechenserklärung zumindest **verfahrensrechtl. Informationsfehler** darstellen soll und auf diesem Wege, wenngleich nur unter den Voraussetzungen des § 243 IV, Anfechtung eröffnen könne (OLG Celle NZG 2018, 904 Rn. 41; → 13. Aufl. 2018, Rn. 32; MüKoAktG/Goette Rn. 94 f.; KK-AktG/Kiefner § 251 Rn. 18; GK-AktG/Leyens Rn. 480 ff.; S/L/Spindler Rn. 64; Bayer/Scholz ZHR 181 [2017], 861, 882 ff.; Mülbert/Wilhelm ZHR 176 [2012], 286, 298 f.).

33 **BGH** hat beiden Ansätzen **klare Absage** erteilt: Erster Ansatz scheitert daran, dass etwaige Aktualisierungspflicht der Entsprechenserklärung sowohl rechtl. als auch zeitlich von Beschlussfassung über Wahlvorschlag und anschließende Wahl zu trennen ist (BGHZ 220, 36 Rn. 24 ff. = NZG 2019, 262; so auch bereits OLG Celle NZG 2018, 904 Rn. 37; Hoffmann-Becking ZIP 2011, 1173, 1175; Hüffer VGR 16 GesR 2010, 63, 73 ff.). Aktualisierungspflicht setze erst mit Annahme der Wahl ein (BGHZ 220, 36 Rn. 30). Zweiter Ansatz wurde vom BGH deshalb verworfen, weil § 161 zwar eine kapitalmarktrechtl., aber **keine hauptversammlungsbezogene Informationspflicht** begründe (BGHZ 220, 36 Rn. 33 ff.; krit. auch schon Rieder NZG 2010, 737, 738 f.; Tröger ZHR 175 [2011], 746, 772 f., 785; Waclawik ZIP 2011, 885, 889). Dasselbe soll für Erklärung zur Unternehmensführung nach § 289f II Nr. 1 HGB gelten (BGHZ 220, 36 Rn. 37; aA etwa noch Mülbert/Wilhelm ZHR 176 [2012], 286, 298 f.; dagegen schon Bayer/Scholz ZHR 181 [2017], 861, 883 f. [iE aber übereinstimmend]). Rspr. dürfte auch auf den Fall zu übertragen sein, dass zur Erfüllung einer Kodexempfehlung veröffentlichte Informationen unrichtig sind (Rieckers DB 2020, 207, 211).

34 Auch wenn bislang hM konstruktiv durchaus begründet werden konnte, ist Entscheidung dogmatisch ebenfalls gut vertretbar (vgl. auch MüKoAktG/J. Koch, § 251 Rn. 5) und jedenfalls in der Sache sehr zu begrüßen, weil sie unerfreulichen Tendenzen zur **zunehmenden Verrechtlichung des Kodex-Gedankens** (→ Rn. 5a) einen sinnvollen Riegel vorschiebt. Genau diese Klarstellung war augenscheinlich auch vom Gericht beabsichtigt (vgl. BGHZ 220, 36 Rn. 40 = NZG 2019, 262; zust. Herfs/Rodewald DB 2019, 712, 716; Rieckers DB 2020, 207, 211; krit. aber S/L/Spindler Rn. 64a; Bayer JZ 2019, 677, 678 f.; Habersack NJW 2019, 675 f.; Lutter/Gröntgen ZGR 2020, 571 ff.; Ph. Scholz ZIP 2019, 407, 410 f.; Simons DB 2019, 650, 652 f.; E. Vetter NZG 2019, 379, 381 f.; v. der Linden DStR 2019, 802 ff.).

VI. Anhang und Abschlussprüfung

35 Abgabe der Erklärung und dauerhafter Zugang zu ihr (§ 161) unterliegen der handelsrechtl. Publizität nach **§ 285 Nr. 16 HGB.** Sie sind also Gegenstand von Pflichtangaben. Als solche unterliegen sie der Abschlussprüfung. Diese bezieht sich jedoch nur auf die Erfüllung der handelsrechtl. Angabepflicht, erstreckt sich also nicht auf die aus § 161 folgenden Pflichten. Insbes. ist inhaltliche Richtigkeit der Erklärung nicht zu prüfen. Prüfungsstandard: IdW PS 345. Prüfungsrelevant sind GS 17 sowie Empfehlungen D.8–D.10 DCGK. Weitergehende Vorschläge bei Baetge/Lutter (Hrsg.), Abschlussprüfung und Corporate Governance, 2003.

Vergütungsbericht

162 (1) [1] **Vorstand und Aufsichtsrat der börsennotierten Gesellschaft erstellen jährlich einen klaren und verständlichen Bericht über die im letzten Geschäftsjahr jedem einzelnen gegenwärtigen oder frühe-**

ren Mitglied des Vorstands und des Aufsichtsrats von der Gesellschaft und von Unternehmen desselben Konzerns (§ 290 des Handelsgesetzbuchs) gewährte und geschuldete Vergütung. [2]Der Vergütungsbericht hat unter Namensnennung der in Satz 1 genannten Personen die folgenden Angaben zu enthalten, soweit sie inhaltlich tatsächlich vorliegen:

1. alle festen und variablen Vergütungsbestandteile, deren jeweiliger relativer Anteil sowie eine Erläuterung, wie sie dem maßgeblichen Vergütungssystem entsprechen, wie die Vergütung die langfristige Entwicklung der Gesellschaft fördert und wie die Leistungskriterien angewendet wurden;
2. eine vergleichende Darstellung der jährlichen Veränderung der Vergütung, der Ertragsentwicklung der Gesellschaft sowie der über die letzten fünf Geschäftsjahre betrachteten durchschnittlichen Vergütung von Arbeitnehmern auf Vollzeitäquivalenzbasis, einschließlich einer Erläuterung, welcher Kreis von Arbeitnehmern einbezogen wurde;
3. die Anzahl der gewährten oder zugesagten Aktien und Aktienoptionen und die wichtigsten Bedingungen für die Ausübung der Rechte, einschließlich Ausübungspreis, Ausübungsdatum und etwaiger Änderungen dieser Bedingungen;
4. Angaben dazu, ob und wie von der Möglichkeit Gebrauch gemacht wurde, variable Vergütungsbestandteile zurückzufordern;
5. Angaben zu etwaigen Abweichungen vom Vergütungssystem des Vorstands, einschließlich einer Erläuterung der Notwendigkeit der Abweichungen, und der Angabe der konkreten Bestandteile des Vergütungssystems, von denen abgewichen wurde;
6. eine Erläuterung, wie der Beschluss der Hauptversammlung nach § 120a Absatz 4 oder die Erörterung nach § 120a Absatz 5 berücksichtigt wurde;
7. eine Erläuterung, wie die festgelegte Maximalvergütung der Vorstandsmitglieder eingehalten wurde.

(2) Hinsichtlich der Vergütung jedes einzelnen Mitglieds des Vorstands hat der Vergütungsbericht ferner Angaben zu solchen Leistungen zu enthalten, die

1. einem Vorstandsmitglied von einem Dritten im Hinblick auf seine Tätigkeit als Vorstandsmitglied zugesagt oder im Geschäftsjahr gewährt worden sind,
2. einem Vorstandsmitglied für den Fall der vorzeitigen Beendigung seiner Tätigkeit zugesagt worden sind, einschließlich während des letzten Geschäftsjahres vereinbarter Änderungen dieser Zusagen,
3. einem Vorstandsmitglied für den Fall der regulären Beendigung seiner Tätigkeit zugesagt worden sind, mit ihrem Barwert und dem von der Gesellschaft während des letzten Geschäftsjahres hierfür aufgewandten oder zurückgestellten Betrag, einschließlich während des letzten Geschäftsjahres vereinbarter Änderungen dieser Zusagen,
4. einem früheren Vorstandsmitglied, das seine Tätigkeit im Laufe des letzten Geschäftsjahres beendet hat, in diesem Zusammenhang zugesagt und im Laufe des letzten Geschäftsjahres gewährt worden sind.

(3) [1]Der Vergütungsbericht ist durch den Abschlussprüfer zu prüfen. [2]Er hat zu prüfen, ob die Angaben nach den Absätzen 1 und 2 gemacht wurden. [3]Er hat einen Vermerk über die Prüfung des Vergütungsberichts zu erstellen. [4]Dieser ist dem Vergütungsbericht beizufügen. [5]§ 323 des Handelsgesetzbuchs gilt entsprechend.

(4) **Der Vergütungsbericht und der Vermerk nach Absatz 3 Satz 3 sind nach dem Beschluss gemäß § 120a Absatz 4 Satz 1 oder nach der Vorlage gemäß § 120a Absatz 5 von der Gesellschaft zehn Jahre lang auf ihrer Internetseite kostenfrei öffentlich zugänglich zu machen.**

(5) [1] **Der Vergütungsbericht darf keine Daten enthalten, die sich auf die Familiensituation einzelner Mitglieder des Vorstands oder des Aufsichtsrats beziehen.** [2] **Personenbezogene Angaben zu früheren Mitgliedern des Vorstands oder des Aufsichtsrats sind in allen Vergütungsberichten, die nach Ablauf von zehn Jahren nach Ablauf des Geschäftsjahres, in dem das jeweilige Mitglied seine Tätigkeit beendet hat, zu erstellen sind, zu unterlassen.** [3] **Im Übrigen sind personenbezogene Daten nach Ablauf der Frist des Absatzes 4 aus Vergütungsberichten zu entfernen, die über die Internetseite zugänglich sind.**

(6) [1] **In den Vergütungsbericht brauchen keine Angaben aufgenommen zu werden, die nach vernünftiger kaufmännischer Beurteilung geeignet sind, der Gesellschaft einen nicht unerheblichen Nachteil zuzufügen.** [2] **Macht die Gesellschaft von der Möglichkeit nach Satz 1 Gebrauch und entfallen die Gründe für die Nichtaufnahme der Angaben nach der Veröffentlichung des Vergütungsberichts, sind die Angaben in den darauf folgenden Vergütungsbericht aufzunehmen.**

Übersicht

I. Regelungsgegenstand und -zweck

1 § 162 steht im Zusammenhang mit Vergütungsregelungen in §§ 87, 87a, 120a und wurde wie die beiden letztgenannten Vorschriften in Umsetzung von Art. 9b Aktionärsrechte-RL mit ARUG II 2019 in das AktG eingeführt (zur generellen Kritik an legislativer Überregulierung im Vergütungsbereich → § 87 Rn. 2 f., → § 87a Rn. 1). Während namentl. § 87a Erstellung eines abstrakten Vergütungssystems verlangt, aus dem erst im weiteren Verlauf konkrete Vergütungsgestaltungen abzuleiten sind (→ § 87 Rn. 4; → § 87a Rn. 13), statuiert § 162 Pflicht zum **nachgelagerten Vollzugsbericht** über diese Einzelgestaltung (vgl. Dieckmann BB 2018, 3010, 3012: Spiegelbild des Vergütungssystems; zu begrifflichen Parallelen und Divergenzen zwischen den beiden Normen → § 87a Rn. 1). Abw. systematische Verortung erklärt sich daraus, dass es hier nicht um materiell-rechtl. Pflichten geht, sondern um Bericht über Erfüllung, was **Zuordnung zu Publizitätspflichten** (§§ 150 ff., § 161) rechtfertigt (RegBegr. BT-Drs. 19/9739, 108). Ziel ist Information der Aktionäre, Stärkung der Vergütungstransparenz und der Rechenschaftspflicht der Organmitglieder (RegBegr. BT-Drs. 19/9739, 109). In ErwG 33 Aktionärsrechte-RL II wird darüber hinaus auch Informationsbedürfnis sonstiger „interessierter Akteure" genannt. Nat. Gesetzgeber hat diese Funktion nicht gesondert betont, was zeigt, dass Corporate Governance-Erwägungen im Vordergrund stehen und sonstige Stakeholder eher

reflexhaft geschützt werden (BeckOGK/Bayer/Scholz Rn. 5). Aus Unternehmenssicht ergibt sich **unnötige Pflichtendoppelung** mit ähnlich gestalteten § 285 Nr. 9 lit. a HGB, § 314 I Nr. 6 lit. a HGB (→ § 87 Rn. 68 f.), die aber unumgänglich ist, um konkrete europ. Vorgaben umzusetzen (RegBegr. BT-Drs. 19/9739, 110; krit. Velte NZG 2019, 335 ff.). Zumindest Sonderangaben in § 285 Nr. 9 lit. a S. 5–8, § 314 I Nr. 6 lit. a S. 5–8 HGB aF wurden aufgehoben, um Redundanzen weitestgehend zu vermeiden (RegBegr. BT-Drs. 19/9739, 110). EU-Kommission will gem. Art. 9b VI Aktionärsrechte-RL für Gestaltung des Vergütungsberichts **Leitlinien** erlassen (vgl. dazu Mutter AG 2019, R 112 f.), deren Verbindlichkeit für nat. Gesetzesauslegung aber noch nicht abschließend geklärt ist. § 26j II EGAktG enthält **Übergangsvorschrift,** wonach Norm erst für das ab 31.12.2020 beginnende Geschäftsjahr anzuwenden ist. Bei kalenderjahrgleichem Geschäftsjahr ist Vergütungsbericht also erstmals für Geschäftsjahr 2021 in 2022 zu erstellen und HV vorzulegen (S/L/Seibt Rn. 31). § 162 I 2 Nr. 2 ist bis zum Ablauf des fünften Geschäftsjahrs, gerechnet ab so bemessenem Geschäftsjahr mit Maßgabe anzuwenden, dass nicht durchschnittliche Vergütung der letzten fünf Geschäftsjahre in vergleichende Betrachtung einbezogen wird, sondern lediglich durchschnittliche Vergütung über Zeitraum seit Ausgangsgeschäftsjahr. Damit soll AG erspart werden, Daten aus Vergangenheit nachträglich zusammentragen zu müssen (RegBegr. BT-Drs. 19/9739, 118; zu Einzelheiten Orth/Oser/Philippsen/Sultana DB 2019, 1011, 1014).

II. Allgemeine Kernaussage (§ 162 I 1)

§ 162 I statuiert allg. Pflicht zur Erstellung des Vergütungsberichts (für Vorstand erweitert in § 162 II [→ Rn. 8 ff.]) und formuliert dafür – wie in § 87a I 1 – inhaltliche Vorgabe einer klaren und verständlichen Gestaltung (Einzelheiten → § 87a Rn. 3). Norm gilt für **börsennotierte AG** (→ § 3 Rn. 5 f.) und KGaA, dort jedenfalls für AR-Mitglieder (allgM), nach hier vertretener, aber umstr. Ansicht auch für pers. haftenden Gesellschafter bzw. – bei atypischer AG – auf Mitglieder seiner Geschäftsleitung (→ § 87a Rn. 3; sa BeckOGK/Bayer/Scholz Rn. 178 ff.; GK-AktG/E. Vetter Rn. 26 ff.; Philipps AG 2021, 773 Rn. 12 ff.; Teichmann FS Krieger, 2020, 993, 1002 ff.; insofern zust. auch Backhaus AG 2020, 462 Rn. 21 ff.; aA Schorn AG 2022, 111 Rn. 18 ff.); dafür spricht iRd § 162 insbes. Kontinuität zu bisherigem Regelungsbestand (→ Rn. 1; GK-AktG/E. Vetter Rn. 29; Backhaus AG 2020, 462 Rn. 24). Börsennotierung muss sowohl am Bilanzstichtag des vorangegangenen Geschäftsjahrs als auch zum Beschlusszeitpunkt gegeben sein (GK-AktG/E. Vetter Rn. 24). Nichtbörsennotierte AG steht freiwillige Offenlegung iR vertraglicher und datenschutzrechtl. Grenzen offen. Zulässigkeit entspr. Satzungsvorgabe wird zT uneingeschränkt bejaht (Grigoleit/Rachlitz Rn. 27; MüKoAktG/Spindler Rn. 10; GK-AktG/E. Vetter Rn. 32; Kuthe/Reuters BB 2022, 2115, 2116), hängt aber von wissenschaftlich unzureichend durchdrungener Abgrenzung zwischen abw. und ergänzenden Regelungen iSd § 23 V ab (→ § 23 Rn. 37 f.), weshalb von solcher Gestaltung eher abzuraten ist (BeckOGK/Bayer/Scholz Rn. 13.2). Pflicht trifft AG, ist nach innergesellschaftlicher Kompetenzanordnung (BeckOGK/Bayer/Scholz Rn. 17) aber gemeinschaftlich zu erfüllen von **Vorstand und AR** der AG (nicht eines anderen Konzernunternehmens – RegBegr. BT-Drs. 19/9739, 110), um gegenseitige Kontrolle zu gewährleisten (RegBegr. BT-Drs. 19/9739, 109). Das entspr. Erklärungspflicht nach § 161 (s. deshalb die dazu entwickelten Grundsätze → § 161 Rn. 6) und spiegelt sich auch in gemeinsamer Vorlagepflicht nach § 124 III 1 (→ § 124 Rn. 19 f.). Beide Organe müssen **einheitlichen Bericht** erstellen; divergierende Berichte sind – anders als bei § 161 (→ § 161 Rn. 11) – ausgeschlossen (RegBegr. BT-Drs. 19/9739, 109 f.). Vorbereitung 2 kann – nach allg. Grundsätzen – an einzelne Mitglieder oder Dritte delegiert werden (→ § 76 Rn. 10 ff.; → § 77 Rn. 15 ff.). Organe entscheiden nicht als einheitliches Beschlussorgan, sondern nach für jew. Organ geltenden Regeln (ausf. zu den daraus resultierenden Detailproblemen BeckOGK/Bayer/Scholz Rn. 16 ff.; GK-AktG/E. Vetter Rn. 35 ff.). Berichtet wird nicht über Gesamtorganvergütung, sondern über **einzelne Mitglieder** des Vorstands und des AR, und zwar über gegenwärtige und frühere jew. unter Angabe ihrer Funktion (zB CEO, CFO, COO – vgl. GK-AktG/E. Vetter Rn. 48). Für ausgeschiedene Mitglieder bezieht sich Vorschrift namentl. auf Altersbezüge, über die auch dann (mit Einschränkungen nach § 162 V 2) zu berichten ist, wenn AG in ihrer Amtszeit noch nicht börsennotiert war (Arg.: weiter Wortlaut des Art. 9b I 1 Aktionärsrechte-RL: „Mitglieder der Unternehmensleitung" – vgl. BeckOGK/Bayer/Scholz Rn. 42: entspr. auch für Formwechsel in AG; zust. MüKoAktG/Spindler Rn. 35; aA C. Arnold/Hofer/Dolde AG 2021, 813 Rn. 14). Zur Vorgabe klarer und verständlicher Berichterstattung → § 87a Rn. 3.

3 Berichtspflicht erstreckt sich auf **gewährte und geschuldete Vergütung.** Erste Variante erfasst jeden faktischen Zufluss (auch aufgrund nichtigen Vertrags), namentl. durch Erfüllung einer Verbindlichkeit, aber auch durch sonstige Leistung, etwa rechtsgrundlos oder als Schlecht- oder Teilerfüllung (RAusschuss BT-Drs. 19/15153, 53). Verständnis als Zufluss entspr. im Anschluss an RegBegr. BT-Drs. 19/9739, 111 ganz hM (BeckOGK/Bayer/Scholz Rn. 43 ff.; S/L/Seibt Rn. 7; MüKoAktG/Spindler Rn. 16 ff.; GK-AktG/E. Vetter Rn. 58), doch ist mit starken teleologischen Argumenten für Verständnis als „erdient" plädiert worden (J. Vetter/Hell AG 2022, 137 Rn. 9 ff.; zust. Kuthe/Reuters BB 2022, 2115, 2117 f.). Gerade im Licht ausdr. Bekräftigung durch RAusschuss (BT-Drs. 19/15153, 53) bleibt diese Deutung aber zweifelhaft; Art. 9b Aktionärsrechte-RL lassen sich keine hinreichend klaren Hinweise entnehmen, um nat. Umsetzungswillen beiseite zu schieben (BeckOGK/Bayer/Scholz, 1.7.2023, Rn. 47.1). Danach maßgeblicher Zufluss wird bei Geldleistung idR mit **Gutschrift auf Bankkonto,** bei nichtmonetären Leistungen mit Übergang des rechtl. oder wirtschaftl. Eigentums vollzogen (Grigoleit/Rachlitz Rn. 32; Orth/Oser/Philippsen/Sultana DB 2019, 1011, 1012; für Besonderheiten bei variablen Vergütungsbestandteilen vgl. BeckOGK/Bayer/Scholz Rn. 50 ff.). Auch Abschlagszahlungen sind erfasst (GK-AktG/E. Vetter Rn. 53). Zweite Variante umschreibt nach rechtl. Kategorien fällige, aber noch nicht erfüllte Zahlungspflicht (RAusschuss BT-Drs. 19/15153, 53). Durch Ausschluss erfüllter Zahlungspflichten wird Überschneidung von gewährter und geschuldeter Vergütung vermieden (BeckOGK/Bayer/Scholz Rn. 45). Ob daraus auch Umkehrschluss gezogen werden kann, dass über Gewährung nicht mehr zu berichten ist, wenn schon früher Fälligkeit eingetreten ist (dafür BeckOGK/Bayer/Scholz Rn. 49; MüKoAktG/Spindler Rn. 19), ist dagegen zweifelhaft. **Vergütung** wird in § 285 Nr. 9 lit. a S. 1–3, lit. b S. 1, 2 und § 314 I Nr. 6 lit. a S. 1–3, lit. b S. 1 HGB jew. unterschiedlich definiert, ist hier aber iSd Gesamtbezüge aus beiden Definitionen zu verstehen (RegBegr. BT-Drs. 19/9739, 111; BeckOGK/Bayer/Scholz Rn. 32 ff.). Erfasst sind danach jedenfalls sämtliche Vergütungsbestandteile iSd § 87a I 1 (→ § 87a Rn. 5a; C. Arnold/Hofer/Dolde AG 2021, 813 Rn. 6). Angaben im Vergütungsbericht gehen darüber aber noch hinaus und erstrecken sich nach Art. 9b I UAbs. 1 Aktionärsrechte-RL auf **sämtliche Vorteile jeglicher Art,** so dass etwa auch Versicherungsprämien – obwohl nach hM keine Vergütung ieS (→ § 93 Rn. 123) – erfasst sind (überzeugend BeckOGK/Bayer/Scholz Rn. 33; aA GK-AktG/E. Vetter Rn. 54 und wohl auch C. Arnold/Hofer/Dolde AG 2021, 813 Rn. 6). Voraussetzung ist aber stets synallagmatisches Verhältnis zur Organtätigkeit, so dass sonstige Zuflüsse, etwa AN-Entgelt oder Beraterhonorar, nicht erfasst sind (BeckOGK/Bayer/Scholz Rn. 34; Rimmelspa-

cher/Kliem Konzern 2021, 358, 362). Auch Auslagenerstattung, die sich selbst unter Vorteilsbegriff nicht subsumieren lässt, ist nicht erfasst (GK-AktG/E. Vetter Rn. 81; Grigoleit/Rachlitz Rn. 29).

3a Um Interessenkonflikte offenzulegen (ErwG 35 Aktionärsrechte-RL II), sind Vergütungsbestandteile **durch andere Unternehmen** desselben (handelsrechtl.) Konzerns iSd § 290 HGB ebenfalls erfasst (vgl. für Vorstandsmitglieder auch § 162 II [→ Rn. 8a]) und gesondert (RegBegr. BT-Drs. 19/9739, 111) auszuweisen. Ausweispflicht trifft aber auch hier Organe der AG, nicht der Mutter (Rimmelspacher/Kliem Konzern 2021, 358, 359). Umkehrschluss ergibt, dass andere Vergütungen durch konzernexterne Dritte nicht erfasst sind (MüKoAktG/Spindler Rn. 28; Rimmelspacher/Kliem Konzern 2021, 358, 360). Unternehmensbegriff muss richtlinienkonform allerdings auf Gruppenbegriff des Art. 2 Nr. 11 iVm Art. 1 BilanzRL ausgedehnt werden, was zur Folge hat, dass als Muttergesellschaft auch Kapitalgesellschaft mit Sitz in anderem Mitgliedstaat genügt (BeckOGK/Bayer/Scholz Rn. 36; S/L/Seibt Rn. 8; MüKoAktG/Spindler Rn. 26; Rimmelspacher/Kliem Konzern 2021, 358, 360; ohne diese Erweiterung Grigoleit/Rachlitz Rn. 37). Weitere rechtsfortbildende Einschränkung nach Rechtsform der Konzernspitze (dafür MüKoAktG/Spindler Rn. 27) ist nicht angezeigt, da sich Unterschied auf maßgebliches Konfliktpotenzial nicht auswirkt (BeckOGK/Bayer/Scholz Rn. 37; Rimmelspacher/Kliem Konzern 2021, 358, 360). Wie bei § 87a I 1 (→ § 87a Rn. 4) sind Angaben nur zu machen, wenn tats. entspr. Vergütungsbestandteile gewährt wurden. Negativmeldungen sind nicht erforderlich (RegBegr. BT-Drs. 19/9739, 109; Grigoleit/Rachlitz Rn. 19; zur Ausn. bei Clawback-Klauseln → Rn. 7a). Berichtszeitpunkt ist letztes Geschäftsjahr.

4 Berichte müssen in **jährlichem Erklärungsturnus** erfolgen; es gelten zu § 161 entwickelte Grundsätze (→ § 161 Rn. 15). Dort zT noch str. Zuordnung zu Kalender- oder Geschäftsjahr wird in RegBegr. BT-Drs. 19/9739, 118 für § 162 im letztgenannten Sinne klargestellt. Nach RegBegr. BT-Drs. 19/9739, 118 kann Berichtspflicht grds. zu jedem Zeitpunkt innerhalb des Geschäftsjahrs erfüllt werden, was indes dahingehend einzuschränken ist, dass nach § 120a IV HV über Billigung des nach § 162 erstellten und geprüften Vergütungsberichts beschließen muss. Mit Blick auf in § 175 I 2 vorgesehene Frist verkürzt sich Zeitraum damit auf erste acht Monate des folgenden Geschäftsjahrs (S/L/Seibt Rn. 10; GK-AktG/E. Vetter Rn. 43).

III. Einzelangaben (§ 162 I 2)

5 § 162 I 2 umschreibt erforderliche Mindestangaben und ergänzt, dass diese unter Namensnennung zu erfolgen haben. **Nr. 1** verlangt zunächst Angabe aller **festen und variablen Vergütungsbestandteile,** wobei letztgenannte Bestandteile in Praxis zumeist weiter unterteilt werden in kurz- und langfristige variable Bestandteile (C. Arnold/Hofer/Dolde AG 2021, 813 Rn. 19; Kuthe/Reuters BB 2022, 2115, 2116). Weiterhin muss jew. relativer Anteil dieser Elemente an Gesamtvergütung angegeben werden, so dass deren Summe ebenfalls aufgeführt werden (zu Einzelheiten C. Arnold/Hofer/Dolde AG 2021, 813 Rn. 25 ff.). Vorgabe entspr. § 87a I 2 Nr. 3 (→ § 87a Rn. 6), doch können hier weitestgehend nicht bloß abstrakte „Kenngrößen" angegeben werden, sondern konkrete Zahlenwerte. Ausnahmen sind zB bei mehrjährig angelegter Bemessungsgrundlage denkbar (RegBegr. BT-Drs. 19/9739, 111). In diesen Fällen darf AG die für Angabe eines relativen Anteils notwendige feste Kenngröße für variablen Vergütungsbestandteil mittels eines geeignet erscheinenden Bezugspunkts, wie zB Zielvergütung, ermitteln. **Wahl des Bezugspunkts** ist AG freigestellt (RegBegr. BT-Drs. 19/9739, 111). Weiter erforderliche Erläuterung, wie Vergütungsbestandteile

maßgeblichem Vergütungssystem nach § 87a I entspr., ist selbsterklärend (ausf. Darstellung bei BeckOGK/Bayer/Scholz Rn. 67 ff.). Begriff der Erläuterung gibt Richtlinienvorgabe („information“) nicht ganz passgenau wieder (BeckOGK/Bayer/Scholz Rn. 69), doch ist Abweichung nicht so gravierend, dass Richtlinienkonformität bezweifelt werden muss (MüKoAktG/Spindler Rn. 39). Erläuterung, wie Vergütung langfristige Entwicklung der AG fördert und wie Leistungskriterien angewendet wurden, entspr. (in spiegelbildlicher Rückschau) Vorgaben des § 87a I 2 Nr. 2 (→ § 87a Rn. 6). De lege ferenda wird Erstreckung auf Fälle sog. common ownership erwogen, um offenzulegen, welche Anreize Vergütung für Wettbewerbsverhalten setzt (Florstedt ZIP 2019, 1693 ff.).

6 **Nr. 2** sieht vergleichende Darstellung vor, die sich auf Entwicklung von drei verschiedenen Parametern bezieht, und zwar (1) jährliche Veränderung der Vergütung, (2) Ertragsentwicklung der AG (Pay for performance disclosure) sowie (3) über letzte fünf Geschäftsjahre (beachte aber Übergangsvorschrift → Rn. 1) betrachtete durchschnittliche AN-Vergütung auf Vollzeitäquivalenzbasis, einschließlich Erläuterung, welcher Kreis von AN einbezogen wurde (Pay ratio disclosure). Nach Wortlaut bezieht sich **Fünfjahreszeitraum** allein auf AN-Vergütung, ist aber nach allgM richtlinienkonform dahingehend zu korrigieren, dass auch die anderen beiden Vergleichsparameter erfasst sind (BeckOGK/Bayer/Scholz Rn. 92; C. Arnold/Hofer/Dolde AG 2021, 813 Rn. 37). Erstgenannter Vergütungsbegriff entspr. § 162 I 2 Nr. 1 (→ Rn. 5). Für Ertragsentwicklung wird Leistungsbegriff aus Art. 9b I UAbs. 2 lit. b Aktionärsrechte-RL in zulässiger Weise (dazu BeckOGK/Bayer/Scholz Rn. 83; Bachmann/Pauschinger ZIP 2019, 1, 7) als Ertrag konkretisiert und damit an bilanzrechtl. Jahresüberschuss/-fehlbetrag (§ 275 II Nr. 17, III Nr. 16 HGB) angeknüpft (BeckOGK/Bayer/Scholz Rn. 87). Maßgeblich ist AG, nicht Konzern (Rimmelspacher/Roland Konzern 2020, 201, 205; krit. C. Arnold/Hofer/Dolde AG 2021, 813 Rn. 38 f.). Dritte Vergleichsgruppe der AN entspr. weitgehend § 87a I 2 Nr. 9. Zu hier verwendetem AN-Begriff → § 87a Rn. 10. AN, die zugleich AR-Mitglieder sind, werden nur in ihrer Stellung als AN erfasst (RegBegr. BT-Drs. 19/9739, 112). Wie in § 87a I 2 Nr. 9 kann AG **Vergleichsgruppe** auch hier frei wählen (Einzelheiten → § 87a Rn. 10; ausf. BeckOGK/Bayer/Scholz Rn. 89 f.). Damit soll ausreichende Flexibilität zur Berücksichtigung unterschiedlicher Vergütungsstrukturen je nach Branche und Belegschaftsstruktur geschaffen werden (RegBegr. BT-Drs. 19/9739, 112). Diese Flexibilität sollte AG auch bzgl. des nicht trennscharf verwendeten Begriffs der Vollzeitäquivalenz eingeräumt werden (C. Arnold/Hofer/Dolde AG 2021, 813 Rn. 42).

7 **Nr. 3** verlangt Angabe zur Anzahl gewährter oder zugesagter **Aktien und Aktienoptionen** sowie wichtigste Ausübungsbedingungen (zu Einzelheiten vgl. Rimmelspacher/Kliem AG 2021, 573 Rn. 1 ff.). „Gewährt“ ist wie in § 162 I 1 zu verstehen (→ Rn. 3), „zugesagt“ iS rechtl. Verbindlichkeit, ohne dass – anders als in § 162 I 1 – Fälligkeit gegeben sein muss (RegBegr. BT-Drs. 19/9739, 112; RAusschuss BT-Drs. 19/15153, 53). Analoge Anwendung auf Phantom Stocks, Stock Appreciation Rights und ähnliche an Entwicklung des Aktienkurses orientierte schuldrechtl. Gestaltungen (→ § 87 Rn. 42) ist nicht zulässig (BeckOGK/Bayer/Scholz Rn. 99; MüKoAktG/Spindler Rn. 56; zweifelnd C. Arnold/Hofer/Dolde AG 2021, 813 Rn. 44). Noch ungeklärt ist, ob auch Verpflichtung des Vorstandsmitglieds erfasst ist, aufgrund von Share Ownership Guidelines Aktien zu erwerben (→ § 87 Rn. 38). Das wird zT aus Parallele zu § 87a I 2 Nr. 7 (→ § 87a Rn. 8) abgeleitet (Rimmelspacher/Kliem AG 2021, 573 Rn. 46; zust. BeckOGK/Bayer/Scholz Rn. 99), was mit Blick auf dessen abw. Wortlaut aber zweifelhaft bleibt.

7a **Nr. 4** (Gebrauch von Rückforderungsmöglichkeit) entspr. § 87a I 2 Nr. 5 (→ § 87a Rn. 8), wobei aufgrund abw. Gesetzesfassung ausnahmsweise auch

Negativhinweis erforderlich ist (BeckOGK/Bayer/Scholz Rn. 66; Florstedt ZGR 2019, 630, 659). Maßgeblich ist Rückforderung, nicht aber auch Gewährung im Berichtsjahr (Kuthe/Reuters BB 2022, 2115, 2117). Einschränkung kann dort zugelassen werden, wo schon Vergütungssystem solche Möglichkeit nicht eröffnet (GK-AktG/E. Vetter Rn. 68). Nicht eindeutig erfasst sind rechtsgrundlos geleistete Vergütungen (fix oder variabel), doch wird Vorschrift mit Blick auf Transparenzanliegen auch insofern analog anzuwenden sein (BeckOGK/Bayer/Scholz Rn. 106; MüKoAktG/Spindler Rn. 60).

Nach **Nr. 5** sind etwaige (konkret bezeichnete) Abweichungen – namentl. nach § 87a II 2 – vom Vergütungssystem des Vorstands einschließlich Erläuterungen zu notwendigen Abweichungen anzugeben. Nicht berichtspflichtig sind jedoch Abweichungen vom AR-Vergütungssystem. Gesetzgeber hält Bericht hier für redundant, da Abweichung wegen einheitlicher Beschlussfassung über konkrete Vergütung und Vergütungssystem nicht möglich sei (RegBegr. BT-Drs. 19/9739, 111; krit. BeckOGK/Bayer/Scholz Rn. 110 f.). Nach **Nr. 6** ist Erläuterung beizufügen, wie HV-Beschluss nach § 120a IV oder Erörterung nach § 120a V berücksichtigt wurde. Auch das entspr. im Prinzip § 87a I 2 Nr. 11 (→ § 87a Rn. 11). Regelung gilt nicht nur im Fall der Ablehnung, sondern generell ist auf zentrale Stellungnahmen und Kritik in HV einzugehen (GK-AktG/E. Vetter Rn. 111). **7b**

Nach **Nr. 7** ist über Einhaltung der Maximalvergütung nach § 87a I 2 Nr. 1 (→ § 87a Rn. 5 ff.) zu berichten. Wie auch Maximalvergütung selbst (→ § 87a Rn. 5 ff.) hat Angabepflicht keinen europarechtl. Ursprung, sondern ist genuin nat. Recht. Der Vorgabe wird nicht Rechnung getragen, indem lediglich angegeben wird, dass Maximalvergütung nicht überschritten wurde, sondern der vom AR beschlossenenen Maximalvergütung muss tats. gewährte und geschuldete Vergütung gegenübergestellt werden (BeckOGK/Bayer/Scholz Rn. 118 ff.; S/L/Seibt Rn. 18). Dabei ist auf Jahr der Erdienung abzustellen; über späteres Kürzungserfordernis wegen nachträglicher Überschreitung (→ § 87a Rn. 5b) ist ggf. nachlaufend zu berichten (Grigoleit/Rachlitz Rn. 57; Nikoleyczik/Crombach AG 2021, 744 Rn. 56 f.) Ausgestaltungsfreiheit des AR bzgl. Maximalvergütung (→ § 87a Rn. 5) setzt sich auch hier fort, so dass Berichtstiefe von im Vergütungssystem gewählter Darstellung abhängt (BeckOGK/Bayer/Scholz Rn. 120; MüKoAktG/Spindler Rn. 70). Mehr als vergleichende Darstellung ist nicht geboten. Aus Begriff der „Erläuterung" ist nicht zu folgern, dass weitere narrative Darstellung erforderlich ist (BeckOGK/Bayer/Scholz Rn. 119; C. Arnold/Hofer/Dolde AG 2021, 813 Rn. 53). In der Praxis sorgt oftmals Diskrepanz zwischen angegebener Maximalvergütung im System des § 87a und im Reporting nach § 162 für Irritationen, die sich aber aus abw. Maßstäben der Aufwandsbetrachtung iRd § 87a I 2 Nr. 1 (→ § 87a Rn. 5a f.) einerseits und der Zuflussbetrachtung iRd § 162 I 2 Nr. 7 (→ Rn. 3) andererseits erklärt (zu solchen begrifflichen Divergenzen s. schon → § 87a Rn. 1). **7c**

IV. Erweiterung für Vorstandsmitglieder (§ 162 II)

§ 162 II sieht zusätzliche Angaben für Vergütung jedes einzelnen Vorstandsmitglieds vor. Angabepflicht ist nicht neu, sondern entspr. inhaltlich weitgehend mittlerweile aufgehobenen **§ 285 Nr. 9 lit. a S. 5–7 HGB aF bzw. § 314 I Nr. 6 lit. a S. 5–7 HGB aF,** die hier mit identischem Regelungsniveau, aber an anderem Regelungsstandort neu eingefügt werden (→ Rn. 1). Diese Regelungskontinuität spricht dafür, Begriff des Vorstandsmitglieds hier – anders als in § 162 I (→ Rn. 2) – auf im abgelaufenen Geschäftsjahr amtierende Vorstandsmitglieder zu beschränken (BeckOGK/Bayer/Scholz Rn. 125; C. Arnold/Hofer/Dolde AG 2021, 813 Rn. 58). Auch ansonsten kann zur wissenschaftlichen **8**

Entschlüsselung des § 162 II auf Erkenntnisse zu diesen Vorschriften zurückgegriffen werden. Obwohl in § 162 II nicht ausdr. hervorgehoben, muss auch hier – wie in § 162 I 2 – ausdr. Namensnennung erfolgen (überzeugend: BeckOGK/Bayer/Scholz Rn. 131; zust. GK-AktG/E. Vetter Rn. 118; Kuthe/Reuters BB 2022, 2115, 2118). Ebenfalls nicht erwähnt wird – anders als in § 162 I – Beschränkung auf Leistungselemente, die tats. gewährt wurden; aus Transparenzgründen einzig sinnvolle Klarstellung in § 162 I 2 strahlt aber auch insofern auf § 162 II aus (Grigoleit/Rachlitz Rn. 20; GK-AktG/E. Vetter Rn. 69).

8a Angaben erstrecken sich nach **Nr. 1** auf Leistungen, die **von Dritten** (zB anderen Konzernunternehmen [ausf. dazu Rimmelspacher/Kliem Konzern 2021, 358, 361: gesonderte Angabe], Großaktionär, Personalleasing-Agentur) im Hinblick auf Vorstandstätigkeit zugesagt oder im letzten Geschäftsjahr gewährt wurden. Namentl. Nennung des Dritten kann Transparenzanliegen fördern und ist deshalb empfehlenswert, aber nicht zwingend erforderlich (BeckOGK/Bayer/Scholz Rn. 131; Rimmelspacher/Kliem Konzern 2021, 358, 361 f.; aA GK-AktG/E. Vetter Rn. 118; Hirte/Heidel/Lochner/Beneke Rn. 25; Kuthe/Reuters BB 2022, 2115, 2118). „Gewährt" und „zugesagt" ist wie in § 162 I 2 Nr. 3 zu verstehen (→ Rn. 3). Angabepflicht der AG korrespondiert entspr. Offenlegungspflicht der Vorstandsmitglieder (GK-AktG/E. Vetter Rn. 120).

8b Nach **Nr. 2** sind Leistungen für Fall **vorzeitiger Beendigung** der Vorstandstätigkeit anzugeben, einschließlich Änderung dieser Zusagen im letzten Geschäftsjahr. Darunter fallen insbes. Abfindungsleistungen oder Weiterzahlung der Bezüge bis zum regulären Vertragsende, aber auch Versorgungszusagen (MüKoAktG/Spindler Rn. 77). Anders als bei Nr. 1 muss Leistung hier von AG selbst erfolgen (BeckOGK/Bayer/Scholz Rn. 137).

8c **Nr. 3** macht entspr. Angaben für **reguläre Beendigung** und erstreckt Pflicht auch auf von AG während des letzten Geschäftsjahrs hierfür aufgewandten oder zurückgestellten Betrag. Typische Bsp. sind Ruhegehalts- oder Hinterbliebenenbezüge, Nutzungsmöglichkeit für Dienstwagen oder Büro (MüKoAktG/Spindler Rn. 79). Anzugeben ist insofern Barwert, der nach herkömmlichen Bewertungsmethoden, ggf. Schätzung, zu ermitteln ist (BeckOGK/Bayer/Scholz Rn. 142).

8d **Nr. 4** dehnt Angaben auch auf **früheres Vorstandsmitglied** aus, wenn dieses seine Tätigkeit im Laufe des letzten Geschäftsjahres beendet hat. Erfasst sind Leistungen, die in diesem Zusammenhang zugesagt und im Laufe des letzten Geschäftsjahres gewährt worden sind. Verhältnis dieser beiden Merkmale bereitet Verständnisprobleme. Richtigerweise ist es so zu verstehen, dass sich Berichtspflicht auf alle im Zusammenhang mit dem Ausscheiden zugesagten Leistungen bezieht, auch wenn sie bereits im abgelaufenen Geschäftsjahr gewährt worden sind (überzeugend BeckOGK/Bayer/Scholz Rn. 147).

V. Prüfung durch Abschlussprüfer (§ 162 III)

9 Vergütungsbericht ist nach § 162 III 1 durch Abschlussprüfer daraufhin zu prüfen, ob Angaben nach § 162 I, II gemacht wurden. Rein **formelle Prüfung** ist § 317 II 6 HGB nachgebildet; materielle Prüfung ist damit nicht verbunden (RegBegr. BT-Drs. 19/9739, 113; krit. Orth/Oser/Philippsen/Sultana DB 2019, 1011, 1013). Prüfer hat Prüfungsvermerk anzufertigen (§ 162 III 2), der ebenfalls auf formelle Prüfung reduziert ist (kein „Bestätigungsvermerk" – BeckOGK/Bayer/Scholz Rn. 164), und Bericht anzufügen (§ 162 III 3). Für inhaltliche Gestaltung hat IDW 2021 mittlerweile eigenen Prüfungsstandard (IDW PS 870) veröffentlicht (Scheffler AG 2023, R 344 f.). Über § 162 III 4 gilt **§ 323 HGB zur Verantwortlichkeit des Abschlussprüfers** (vgl. dazu → § 49 Rn. 4 f.). Entspr. Klarstellung ist erforderlich, da es sich nicht um handelsrechtl. Abschlussprüfung iSd §§ 316 ff. HGB handelt (RegBegr. BT-Drs. 19/9739, 113).

VI. Veröffentlichung (§ 162 IV)

10 § 162 IV regelt Berichtstransparenz: Bericht nach § 162 I, II und Vermerk nach § 162 III sind nach Beschluss gem. § 120a IV 1 oder Vorlage gem. § 120a V von AG zehn Jahre lang **auf Internetseite kostenfrei öffentl. zugänglich** zu machen. Nach RegBegr. BT-Drs. 19/9739, 113 soll aber auch Bekanntmachung auf Internetseite iRd HV-Einberufung nach § 124 II 3 (ausf. → § 124 Rn. 12) iVm 124a genügen (Zweifel an Richtlinienkonformität allerdings bei BeckOGK/Bayer/Scholz Rn. 167; GK-AktG/E. Vetter Rn. 146; ebenfalls krit. Philipps AG 2021, 773, 780; dagegen wiederum MüKoAktG/Spindler Rn. 84). In Erklärung zur Unternehmensführung ist gem. § 289f II Nr. 1a HGB auf Internetveröffentlichung zu verweisen. Zusätzliche Veröffentlichung des Vergütungsberichts im Lagebericht ist darüber hinaus nicht vorgesehen und auch nicht zulässig (vgl. GK-AktG/E. Vetter Rn. 72 ff.; Hölters/Weber/Weber Rn. 48; Kuthe/Reuters BB 2022, 2115). Aktionärsrechte-RL II schließt in ErwG 32 S. 2 Möglichkeit der Festsetzung einer zusätzlichen Pflicht zur Veröffentlichung über andere Mittel nicht aus (Grigoleit/Rachlitz Rn. 73). Pflicht wird als solche der AG formuliert und wäre danach von **Vorstand** zu erfüllen. ZT wird dieses Ergebnis aber richtlinienkonform iSe gemeinsamen Zuständigkeit von Vorstand und AR korrigiert, da Art. 9b V UAbs. 2 Aktionärsrechte-RL von „gemeinsamer Aufgabe" der Organe spricht (Grigoleit/Rachlitz Rn. 72; MüKoAktG/Spindler Rn. 84). Richtigerweise dürfte dafür aber Überwachungsverantwortung des AR genügen, ohne ihn auch für organinadäquate Veröffentlichung eigens in die Pflicht zu nehmen (BeckOGK/Bayer/Scholz Rn. 165; GK-AktG/E. Vetter Rn. 144; zur Auslegungsrelevanz der Organadäquanz → § 76 Rn. 3). „Unverzüglich" ist wie in § 120a II zu verstehen (→ § 120a Rn. 8) und ist erfüllt, wenn Frist des § 130 VI beachtet wurde (→ § 130 Rn. 29a; RegBegr. BT-Drs. 19/9739, 113). Nach § 289f II Nr. 1a HGB ist in Erklärung zur Unternehmensführung auf Internetveröffentlichung hinzuweisen.

VII. Datenschutz (§ 162 V)

11 Nach § 162 V 1 dürfen Angaben nach § 162 I–III keine Daten über **Familiensituation** einzelner Organmitglieder enthalten. Das kann etwa bei Familien- oder Kinderzuschlägen eine Rolle spielen. Hier ist nur Gesamtbetrag zu nennen, nicht aber Grund für Gewährung (RegBegr. BT-Drs. 19/9739, 114). Für sonstige personenbezogenen Daten gilt DS-GVO unmittelbar. Das wurde als so selbstverständlich erachtet, dass es in § 162 V nicht gesondert erwähnt wurde (BeckOGK/Bayer/Scholz Rn. 149). § 162 V 2 ergänzt als Ausdruck der Datensparsamkeit für **frühere Organmitglieder** weitere Einschränkung personenbezogener Angaben, wenn seit Beendigung der Mitgliedschaft zehn Jahre vergangen sind (für Möglichkeit einer Gesamtangabe C. Arnold/Hofer/Dolde AG 2021, 813 Rn. 15). In diesem Fall soll in § 162 V 3 angeordnete Entfernung personenbezogener Daten nicht dadurch konterkariert werden, dass Altersbezüge stets neu gewährt werden und danach neue Angabepflicht auslösen würden (dazu und zu problematischen europ. Vorgaben der Aktionärsrechte-RL RegBegr. BT-Drs. 19/9739, 114). Bei Amtswechsel (insbes. von Vorstand in AR) kommt es nicht auf Gesamttätigkeit, sondern jew. Amt an (GK-AktG/E. Vetter Rn. 151; Kuthe/Reuters BB 2022, 2115, 2120; aA BeckOGK/Bayer/Scholz Rn. 150). Wenn sich AG entscheidet, Angaben länger als zehn Jahre (→ Rn. 10) auf Internetseite zugänglich zu halten, sind nach § 162 V 3 zumindest personenbezogene Daten zu entfernen. Diese Pflicht betr. nur auf Internetseite zugängliche Vergütungs-

berichte, nicht dagegen Veröffentlichung in anderen Berichten (RegBegr. BT-Drs. 19/9739, 114; BeckOGK/Bayer/Scholz Rn. 170; zu dann ggf. eingreifender Pflicht zur Löschung nach DS-GVO vertiefend MüKoAktG/Spindler Rn. 90).

VIII. Schutzklausel (§ 162 VI)

12 Nach § 162 VI 1 muss AG in Vergütungsbericht keine Daten aufnehmen, die nach vernünftiger kaufmännischer Beurteilung geeignet sind, ihr **nicht unerheblichen Nachteil** zuzufügen. Zweifel an Richtlinienkonformität (vgl. Bachmann/Pauschinger ZIP 2019, 1, 8) können dadurch ausgeräumt werden, dass § 162 VI 1 in richtlinienkonformer Auslegung so gedeutet wird, dass nur auf Detailangaben verzichtet werden kann, abstrakte Formulierung aber erforderlich bleibt (BeckOGK/Bayer/Scholz Rn. 152). IÜ gilt Maßstab des § 131 III Nr. 1 (→ § 131 Rn. 88 ff.) und des § 289e HGB (so auch Grigoleit/Rachlitz Rn. 84; S/L/Seibt Rn. 29; GK-AktG/E. Vetter Rn. 157; zweifelnd BeckOGK/Bayer/Scholz Rn. 153). Speziell im Kontext des § 162 werden insbes. Clawbacks (→ § 87 Rn. 31) als Anwendungsfall für nachteilige Offenlegung genannt (Löbbe/Fischbach AG 2019, 373, 384), doch ist Bsp. problematisch, da Regelung auch insofern gerade Öffentlichkeit und Rechtfertigungsdruck schaffen will (BeckOGK/Bayer/Scholz Rn. 152; MüKoAktG/Spindler Rn. 93). Würde daraus regelmäßig Reputationsschaden des Vorstands gefolgert, der auf AG durchschlägt, würde § 162 I 2 Nr. 4 ins Leere laufen. Beschränkung gilt nur für unmittelbaren Nachteil und kann Angabepflicht deshalb zumeist nur **punktuell** durchbrechen. Abweichung kann, wenn Gründe über längeren Zeitraum bestehen, auch in mehreren konsekutiven Berichten erfolgen (RegBegr. BT-Drs. 19/9739, 114). Fällt Grund nachträglich weg, muss **kein Nachtrag** erfolgen (RegBegr. BT-Drs. 19/9739, 114), doch ist Angabe nach § 162 VI 2 in nächsten Vergütungsbericht aufzunehmen.

IX. Verstoßfolgen

13 Wird Bericht nach § 162 I nicht oder fehlerhaft erstattet, ist darauf basierender HV-Beschluss nach § 120a I 3 trotzdem **nicht anfechtbar** (→ § 120a Rn. 6). Berichtsfehler begründet aber Pflichtverletzung der Organe, die allerdings kaum Schaden auslösen wird, so dass Sanktion nach § 93 II nicht in Betracht kommt. UU kommt bei hinreichender Schwere **Anfechtung der Entlastung** nach den in → § 120 Rn. 11 ff. skizzierten Grundsätzen in Betracht (BeckOGK/Bayer/Scholz Rn. 172). Unrichtige Darstellung ist überdies strafbewehrt gem. § 400 I Nr. 1 und Versäumnis (dauerhafter) Veröffentlichung überdies bußgeldbewehrt nach § 405 I Nr. 6.

Zweiter Abschnitt. Prüfung des Jahresabschlusses

Erster Unterabschnitt. Prüfung durch Abschlußprüfer

163–169 *(aufgehoben)*

1 Gesamter Unterabschnitt regelte **Abschlussprüfung,** also Prüfung des Jahresabschlusses durch von HV gewählte externe Abschlussprüfer. Aufgehoben durch BiRiLiG 1985. Nunmehr geregelt in §§ 316–324 HGB, für KI und Versicherungsunternehmen auch in § 340k HGB bzw. § 341k HGB.

Zweiter Unterabschnitt. Prüfung durch den Aufsichtsrat

Vorlage an den Aufsichtsrat

170 (1) [1]**Der Vorstand hat den Jahresabschluß und den Lagebericht unverzüglich nach ihrer Aufstellung dem Aufsichtsrat vorzulegen.** [2]**Satz 1 gilt entsprechend für einen Einzelabschluss nach § 325 Abs. 2a des Handelsgesetzbuchs sowie bei Mutterunternehmen (§ 290 Abs. 1, 2 des Handelsgesetzbuchs) für den Konzernabschluss und den Konzernlagebericht.** [3]**Nach Satz 1 vorzulegen sind auch der gesonderte nichtfinanzielle Bericht (§ 289b des Handelsgesetzbuchs) , der gesonderte nichtfinanzielle Konzernbericht (§ 315b des Handelsgesetzbuchs), der Ertragsteuerinformationsbericht (§§ 342b, 342c, 342d Absatz 2 Nummer 2 des**
Handelsgesetzbuchs) und die Erklärung nach § 342d Absatz 2 Nummer 1 des Handelsgesetzbuchs, sofern sie erstellt wurden.

(2) [1]**Zugleich hat der Vorstand dem Aufsichtsrat den Vorschlag vorzulegen, den er der Hauptversammlung für die Verwendung des Bilanzgewinns machen will.** [2]**Der Vorschlag ist, sofern er keine abweichende Gliederung bedingt, wie folgt zu gliedern:**

1. Verteilung an die Aktionäre ....
2. Einstellung in Gewinnrücklagen ....
3. Gewinnvortrag ....
4. Bilanzgewinn ....

(3) [1]**Jedes Aufsichtsratsmitglied hat das Recht, von den Vorlagen und Prüfungsberichten Kenntnis zu nehmen.** [2]**Die Vorlagen und Prüfungsberichte sind auch jedem Aufsichtsratsmitglied oder, soweit der Aufsichtsrat dies beschlossen hat, den Mitgliedern eines Ausschusses zu übermitteln.**

Übersicht

I. Regelungsgegenstand und -zweck

1 § 170 betr. Vorlagepflicht des Vorstands und bezweckt vor allem, **Prüfung** des Jahresabschlusses, des Lageberichts, des Gewinnverwendungsvorschlags und des CSR-Berichts **durch AR vorzubereiten.** Bei Mutterunternehmen (§ 290 I, II HGB) erstreckt sich Vorlagepflicht auch auf Konzernabschluss, Konzernlagebericht und CSR-Konzernbericht. Prüfung der Vorstandsvorlagen (§ 171) steht in engem Zusammenhang mit Überwachungsaufgabe des AR (§ 111). In § 170 II 2 vorgeschriebene Gliederung soll Basis für gegliederten Gewinnverwendungsbeschluss der HV (§ 174 II) schaffen (RegBegr. Kropff S. 276). Informationsrecht nach § 170 III soll jedes einzelne AR-Mitglied in die Lage versetzen, sich eigenes Urteil über Vorlagen des Vorstands zu bilden und dafür insbes. auf Prüfungsbericht des Abschlussprüfers zurückzugreifen (RegBegr. Kropff S. 276 f.; seither RegBegr. BT-Drs. 13/9712, 22; vgl. zur Rolle des Abschlussprüfers auch GK-AktG/E. Vetter Vor §§ 170, 171 Rn. 1 ff.).

II. Vorlagen an Aufsichtsrat (§ 170 I)

2 **1. Vorzulegende Schriftstücke. a) Jahresabschluss.** Vorstandsvorlagen sind Jahresabschluss und Lagebericht. Jahresabschluss, der in diesem Stadium nicht unterschrieben sein muss (→ Rn. 3: unterschriftsreifer Entwurf; s. OLG Stuttgart DB 2009, 1521, 1522), umfasst Bilanz und GuV (§ 242 III HGB) sowie Anh. (§ 264 I HGB). Lagebericht ist Wortbericht, der zumindest Geschäftsverlauf und Lage der AG darstellt (§ 289 HGB). Bis zum KonTraG 1998 sah § 170 I 2 auch **Vorlage des Prüfungsberichts** durch den Vorstand vor. Nach Gesetzesänderung erfolgt Vorlage gem. § 321 V 2 HGB dagegen unmittelbar durch Prüfer, der damit gezielt weg vom Vorstand auf den AR ausgerichtet wurde und als dessen „Sparringspartner" das Überwachungsorgan stärkt. Anders gewendet: AR ist als ges. Vertreter der AG, die Prüfungsauftrag erteilt hat (→ § 111 Rn. 42 ff.; → § 112 Rn. 2), auch unmittelbar Berichtsempfänger (RegBegr. BT-Drs. 13/9712, 22). Bericht ist ihm zu Händen seines Vorsitzenden zuzuleiten (→ Rn. 4). Seit AReG 2016 ist Bericht nach § 321 V 2 HGB zugleich auch Prüfungsausschuss zuzuleiten, sofern ein solcher eingerichtet wurde (→ § 107 Rn. 31 ff.). Vorlage setzt aber voraus, dass AG überhaupt prüfungspflichtig ist (Regelfall der § 267 I HGB, § 316 I 1 HGB). **Inhalt des Prüfungsberichts** richtet sich nach § 321 HGB, der allerdings für Unternehmen von öffentl. Interesse iSd § 316a S. 2 HGB (→ § 100 Rn. 23) erhebliche Ausdehnung in **Art. 11 Abschlussprüfer-VO** erfährt, ohne dass dies durch eine entspr. Verweisungsvorschrift im HGB klargestellt würde. Als maßgebliche Erweiterung sind namentl. die Beschreibung der angewandten Prüfungsmethode sowie die quantitativen Wesentlichkeitsgrenzen (Art. 11 II lit. h Abschlussprüfer-VO) zu nennen. Sofern Vorstand zu dem Bericht gem. § 321 V 3 HGB bes. Stellungnahme abgegeben hat, wird diese nicht Bestandteil des Prüfungsberichts. Vorstand kann aber Interesse daran haben, seine Stellungnahme von sich aus dem AR vorzulegen. Bei unüberbrückbaren Meinungsverschiedenheiten zwischen Vorstand und Prüfer ist an Berichtspflicht gem. § 90 I 2 Hs. 1 zu denken. Ggf. muss Vorstand auch **Abhängigkeitsbericht** vorlegen (§ 314 I 1). Zugehöriger Prüfungsbericht ist wie bei Abschlussprüfung zu behandeln, also dem AR zu Händen seines Vorsitzenden zuzuleiten.

2a **b) Einzelabschluss nach IFRS; Konzernabschluss.** Gem. § 170 I 2 Fall 1 besteht Vorlagepflicht nach für Jahresabschluss geltenden Grundsätzen (→ Rn. 2) auch dann, wenn AG von ihrem **Wahlrecht aus § 325 IIa HGB** Gebrauch macht, informationshalber Einzelabschluss nach IFRS (vgl. § 315e HGB) offenzulegen. Dieses Recht steht auch kleiner Kapitalgesellschaft iSd § 267 I HGB zu (zutr. GK-HGB/Kersting § 325 Rn. 53; sa MüKoAktG/Hennrichs/Pöschke Rn. 30 Fn. 55; aA BeckOGK/Euler/Klein Rn. 10; MüKoHGB/Fehrenbacher HGB § 325 Rn. 80). Zu Prüfung und Billigung durch AR s. § 171 IV und → § 171 Rn. 27. Ist AG Mutterunternehmen (§ 290 I, II HGB), so erstreckt sich Vorlagepflicht des Vorstands nach § 170 I 2 Fall 2 auch auf Konzernabschluss und Konzernlagebericht. Ggf. sind also Jahresabschluss nach HGB, Einzelabschluss nach IFRS und Konzernabschluss vorzulegen. **Mutterunternehmen** ist, wie Klammerzusatz verdeutlicht, iSd § 290 I, II HGB auszulegen. Mutterunternehmen iSd § 290 I HGB ist im Wesentlichen iSd in § 18 beschriebenen **Konzernbegriffs** zu verstehen (→ § 18 Rn. 2 ff.). Insbes. ist Merkmal einheitlicher Leitung ebenso auszulegen wie dort (→ § 18 Rn. 8 ff.). Nach richtiger Ansicht gilt das auch für Vermutungskette (ADS HGB § 290 Rn. 15). Mit Beitritt Großbritanniens zur EU hat ergänzend auch angelsächsisches **„control-concept"** Einzug ins Bilanzrecht gehalten, als dessen Folge alternativer Begriff des Mutterunternehmens in § 290 II HGB verankert wurde, der – abw. vom Konzept des § 18 – auch Einflussmöglichkeit ohne tats. Einflussnahme genügen lässt, namentl. bei Bestehen konzerntypischer Rechte nach § 290 II Nr. 1–3 HGB oder Qualifikation als Zweckgesellschaften iSd § 290 II Nr. 4 HGB (Einzelheiten bei MüKoHGB/Busse v. Colbe/Fehrenbacher HGB § 290 Rn. 25 ff.; Ulmer FS Goerdeler, 1987, 623, 629 ff.). Mutterunternehmen ist nach sog „Tannenbaumprinzip" auch ein Unternehmen, das nicht an der Spitze des Unternehmensverbunds, sondern auf nachgeordneter Stufe steht, aber seinerseits Voraussetzungen des § 290 HGB erfüllt. Das folgt aus § 291 HGB und ist bilanzrechtl. Variante des sog **Konzerns im Konzern,** den es jedoch nach zutr. Ansicht für Gesellschaftsrecht nicht gibt (→ § 18 Rn. 13 f.). Zur bes. Problematik von Gemeinschaftsunternehmen s. Hoffmann-Becking/Rellermeyer FS Goerdeler, 1987, 199. Das eine wie das andere ist Mutterunternehmen iSd § 170 I 2 und macht Vorschrift anwendbar.

Vorzulegende Schriftstücke sind Konzernabschluss (§ 297 HGB) und Konzernlagebericht (§ 315 HGB). Vorlagepflichtig sind auch Teilkonzernabschlüsse iSd § 330 aF, weil § 291 HGB Begriff des Mutterunternehmens entspr. erweitert hat („Tannenbaumprinzip", → Rn. 2a). Nicht vom Vorstand vorzulegen sind **Prüfungsberichte.** Weil Prüfungsauftrag auch bzgl. des Konzernabschlusses gem. § 111 II 3 durch AR erteilt wird (→ § 111 Rn. 42 ff.), ist ihm nach § 321 V 2 HGB Prüfungsbericht unmittelbar zuzuleiten. **2b**

c) Gesonderter nichtfinanzieller Bericht. Nach § 170 I 3 besteht Vorlagepflicht auch für gesonderten nichtfinanziellen Bericht, den große, kapitalmarktorientierte AG gem. § 289b HGB abzugeben hat. Berichtspflicht selbst geht auf **CSR-RL 2014** zurück und wurde mit CSR-RL-UG 2017 in Deutschland umgesetzt (vgl. zu RL und Umsetzung Hecker/Bröcker AG 2017, 761 ff.; Mock ZIP 2017, 1195 ff.; Nietsch NZG 2016, 1330 ff.; Seibt DB 2016, 2707 ff.). Mit dieser Berichtspflicht hat CSR/ESG-Diskussion in Deutschland neue Qualität, Verbindlichkeit und auch Beschleunigung erfahren (ausf. → § 76 Rn. 63 ff.). Mit Umsetzung der erweiterten Corporate Sustainability Reporting Directive (CSRD) wird Entwicklung noch weiter vertieft werden (vgl. dazu Balke AG 2023, 732 Rn. 1 ff.; Ekkenga ZHR 187 [2023], 228 ff.; Jaspers AG 2022, R 240 ff.; Nietsch ZIP 2022, 449 ff.; Velte DB 2022, 1081, 1082 ff.). Pflicht verfolgt kein originär unternehmensrechtl. Anliegen, sondern **gesellschaftspolitisches Ziel,** langfristige Rentabilität mit Gerechtigkeit und Umweltschutz zu verbinden (ErwG 3 CSR; skeptisch Hennrichs ZGR 2018, 206 ff.). Seltsame Nebenwirkung dieser ges. Verortung ist, dass in Deutschland heute ausgerechnet Experten für Finanzberichterstattung und Rechnungswesen **2c**

zugleich als ESG-Experten fungieren. Von Berichtspflicht erfasste Unternehmen werden durch bestimmte **Größenmerkmale** in § 289b I HGB näher umschrieben; Fiktion des § 267 III 2 HGB ist nicht anwendbar (RegBegr. BT-Drs. 18/9982, 44). Kreditinstitute und Versicherungsunternehmen sind nach § 340a Ia 1 HGB, § 341a Ia 1 HGB unabhängig von Kapitalmarktorientierung erfasst. Für Mutterunternehmen, das diese Größenmerkmale erfüllt, gilt Parallelverpflichtung zur Vorlage eines gesonderten nichtfinanziellen Konzernberichts nach § 315b HGB. Davon erfasste Tochterunternehmen sind nach § 289b II 1 HGB von Berichtspflicht ausgenommen. Zum Zeitpunkt des Inkrafttretens sollten 548 Unternehmen unmittelbar Berichtspflicht unterliegen (RegBegr. BT-Drs. 18/9982, 34 f.); mittelbar werden durch Erstreckung auf Lieferketten deutlich mehr Unternehmen davon betroffen (Hennrichs ZGR 2018, 206, 209 f.; Klene WM 2018, 308, 311 f.). IdR ist Bericht gem. § 289b I HGB Teil des **Lageberichts** und wäre damit ohnehin schon von Vorlagepflicht nach § 170 I 1 erfasst (RegBegr. BT-Drs. 18/9982, 65). § 289b III HGB gestattet aber auch gesonderten Bericht, so dass es der Ergänzung in § 170 I 3 bedurfte. Im Lagebericht ist dann entspr. Internetseite anzugeben (§ 289b III 1 Nr. 2 lit. b HGB). Berichtspflichtig ist Vorstand, dessen dahingehende Kompetenz nicht durch HV in Gestalt entspr. Satzungsregelung beschränkt werden darf (OLG Braunschweig NZG 2023, 1504 Rn. 21 ff.; aA Klöhn NZG 2023, 645, 646; wNachw → § 122 Rn. 18; sa → § 82 Rn. 10).

2d § 289c HGB umschreibt **Inhalt des Berichts** (entspr. Verweis in § 315c HGB). Er umfasst neben Kurzumschreibung des Geschäftsmodells (§ 289c I HGB) namentl. Umwelt-, Arbeitnehmer- und Sozialbelange, Achtung der Menschenrechte sowie Bekämpfung von Korruption und Bestechung (§ 289c II HGB). Art und Weise der Berichterstattung wird in § 289c III näher erläutert und insbes. auf Lieferkette ausgedehnt (§ 289c III Nr. 4 HGB). Ergänzend gelten in beiden Berichtsvarianten die Grundsätze ordnungsmäßiger Lageberichterstattung (Kajüter DB 2017, 617). Trotz detaillierter Vorgaben bleiben nähere **Konturen verschwommen** (vgl. Hennrichs ZGR 2018, 206, 211 ff.). So ist bei Menschen- oder Arbeitsrechtsverletzungen nicht erkennbar, welche Rechtsordnung in grenzüberschreitenden Sachverhalten zugrunde gelegt werden soll (Mock ZIP 2017, 1195, 1198). Erstreckung auf Lieferketten lässt Fragen der Informationsgewinnung unbeantwortet (Mock ZIP 2017, 1195, 1199). § 289d HGB lässt Orientierung an **Rahmenwerken** zu (zB Leitsätzen der OECD; zu Entwürfen des International Sustainability Standards Board vgl. Sellhorn/Wagner DB 2022, 1 ff.; weitere Bsp. in RegBegr. BT-Drs. 18/9982, 46; ausf. Krajewski ZGR 2018, 271 ff.) und führt insofern „Apply-or-Explain"-Mechanismus ein (Kajüter DB 2017, 617, 623), was mit Rücksicht auf deren fehlende Verbindlichkeit und Legitimation nicht unproblematisch ist (Klene WM 2018, 308, 313 f.; Nietsch NZG 2016, 1330, 1332). Schutz von Betriebs- und Geschäftsgeheimnissen eröffnet § 289e HGB. IRd **Abschlussprüfung** wird nach § 317 II 4 HGB nur geprüft, ob Bericht vorliegt, dessen Inhalt aber nicht geprüft, sondern allenfalls „kritisch gelesen" (Hennrichs NZG 2017, 841, 844; Velte NZG 2014, 1046, 1048; zur Prüfung durch AR → § 171 Rn. 8a). Fehlender Bericht kann auch nicht mit Ordnungsgeld nach § 335 HGB sanktioniert werden, da auf diesem Weg nur Veröffentlichung des Lageberichts, nicht aber auch seine Vollständigkeit erzwungen werden kann (Bachmann ZGR 2018, 231, 245; aA Mock ZIP 2017, 1195, 1201). Stattdessen greift Sanktionierung über Bußgeldvorschrift nach § 334 HGB sowie durch Straftatbestand des § 331 Nr. 1 und 2 HGB (Bachmann ZGR 2018, 231, 245; Seibt DB 2016, 2707, 2714 f.). Fehlender oder fehlerhafter Bericht begründet auch keinen Grund zur Anfechtung des Entlastungsbeschlusses (Mock ZIP 2017, 1195, 1202; so für AR auch ausdr. RAusschuss BT-Drs. 18/11450, 47; diff. Bachmann ZGR 2018, 231, 251 ff.; Hecker/

Bröcker AG 2017, 761, 769 f.). Umfassend zu Sanktionen bei fehlender Erklärung Bachmann ZGR 2018, 231, 244 ff.

d) Ertragsteuerinformationsbericht. Neuerlich erweitert wurde § 170 I 3 durch Ges. zur Umsetzung der RL (EU) 2021/2101 im Hinblick auf die Offenlegung von Ertragsteuerinformationen durch best. Unternehmen und Zweigniederlassungen (BGBl. I v. 21.6.2023, Nr. 154; erstmalige Geltung gem. § 26o EGAktG: Berichte und Erklärungen für nach 21.6.2024 beginnendes Geschäftsjahr). Mit diesem Ges. wurde in **§§ 342 ff. HGB** für multinat., umsatzstarke (§ 342b I HGB: Jahresumsatz von mehr als 750 Mio. Euro in zwei aufeinanderfolgenden Geschäftsjahren) Unternehmen und Konzerne mit Sitz bzw. Zweigniederlassungen in EU (Adressatenkreis legaldefiniert in §§ 342 f. HGB) neue Pflicht zur Erstellung eines Ertragsteuerinformationsberichts, sog **Public Country-by-Country Reporting,** eingeführt (§§ 342b ff. HGB), in dem nach § 342h HGB best. Unternehmens- und Ertragsteuerinformationen aufgeschlüsselt und bezogen auf jew. Tätigkeitsländer anzugeben sind. Ziel ist informierte öffentl. Debatte, ob in EU tätige Unternehmen Beitrag zum Gemeinwohl in Form von Steuerzahlungen dort leisten, wo sie tätig sind (RegBegr. BT-Drs. 20/5653, 28 unter Bezugnahme auf ErwG Nr. 2, 3, 8 und 19 der RL). In der Sache soll sozial inakzeptable **Verlagerung in Steueroasen** und Niedrigsteuerländer transparent gemacht und dadurch ausgelöste Reputationseffekte verhindert werden (E. Vetter AR 2023, 104). Da durch ges. Regelung adressierte Gesellschaften im Wesentlichen bereits gem. § 138a AO entspr. länderbezogenen Berichtspflichten ggü. Finanzverwaltung unterliegen und insoweit geltende Vorgaben auch für handelsrechtl. Berichtspflicht zugrunde gelegt werden dürfen (§ 342h IV HGB), wird Aufwand für zumutbar gehalten (RegBegr. BT-Drs. 20/5653, 36). Bericht ist gem. § 342b I HGB vom Vorstand aufzustellen, der ihn nach § 170 I 3 AR vorzulegen hat (zur Prüfung durch AR → § 171 Rn. 8b). Nach § 342m HGB wird Bericht im Unternehmensregister veröffentlicht. Zur Geltung für KGaA → § 283 Rn. 3. 2e

2. Pflicht des Vorstands. Vorstand ist zur Vorlage als Organ verpflichtet. Vorlage setzt **Beschluss** des ordnungsgem. besetzten Vorstands voraus (GK-AktG/E. Vetter Rn. 40 ff.); Weiterleitung an AR kann sodann als Maßnahme interner Geschäftsführung auch durch Vorsitzenden oder zuständiges Mitglied des Vorstands erfolgen (MüKoAktG/Hennrichs/Pöschke Rn. 34). Vorzulegen ist **unverzüglich** (§ 121 I 1 BGB) nach Aufstellung sämtlicher Unterlagen (→ Rn. 2–2d), und zwar auch bei prüfungspflichtigen Gesellschaften (Regelfall der § 267 I, § 316 I 1 HGB). Eingang des Prüfungsberichts ist nicht mehr wie nach § 170 I 2 aF abzuwarten, weil Prüfer den Bericht unmittelbar dem AR vorlegt (→ Rn. 2). Pflicht zur sukzessiven Vorlage von Teilen der Rechnungslegung gibt es nicht (ADS Rn. 9). Schriftliche Unterlage ist nicht erforderlich, sondern Übermittlung auf elektronischem Wege genügt, und zwar aus Gründen der Datensicherheit auch in virtuellem Datenraum (GK-AktG/E. Vetter Rn. 52). Aufstellung ist erfolgt, wenn Vorstand das gesamte Zahlen- und Erläuterungswerk vorbehaltlich seiner späteren Feststellung (vgl. § 172 S. 1, § 173 I und Erl. dazu) unterschriftsreif erstellt hat (→ § 172 Rn. 2). Erfüllung der Vorlagepflicht kann im Zwangsgeldverfahren durchgesetzt werden (§ 407 I); größere praktische Bedeutung hat aber Ordnungsgeldverfahren durch BfJ nach § 335 I 1 HGB bei Überschreitung der Frist gem. § 325 I 2 HGB zur Offenlegung des Jahresabschlusses (GK-AktG/E. Vetter Rn. 93). Auch kommen Abberufung (§ 84 IV) und Schadensersatzpflicht (§ 93 II) säumiger Vorstandsmitglieder in Betracht (MüKoAktG/Hennrichs/Pöschke Rn. 39). Nach Auffassung der BaFin soll bereits Aufstellung überraschend positiven oder negativen Jahresabschlusses **gem. Art. 17 I MAR publizitätspflichtig** sein (Emittentenleitfaden BaFin 2020, 3

Modul C, 12; sa Mock WPg 2018, 1594 ff.). Das passt mit Befugnissen des AR nach §§ 171, 172 und internem Charakter der Aufstellung nicht zusammen (so auch GK-AktG/E. Vetter Rn. 87; Happ/Semler ZGR 1998, 116, 141), muss aber vor dem Hintergrund, dass Veröffentlichungspflicht hinsichtlich Zwischenschritten einer Entscheidung mittlerweile deutlich eher angenommen wird als früher (→ § 84 Rn. 82), auch weiterhin beachtet werden. Im Einzelfall ist aber sorgfältig zu prüfen, ob Voraussetzungen einer Befreiung nach Art. 17 IV MAR vorliegen (skeptisch Mock WPg 2018, 1594, 1598 f.). Ist auch das nicht der Fall, kann Veröffentlichung doch zumindest auf relevante Einzelinformation beschränkt werden (MüKoAktG/Hennrichs/Pöschke Rn. 40).

4 **3. Aufsichtsrat als Adressat.** Jahresabschluss und Lagebericht, ggf. auch Konzernabschluss und Konzernlagebericht, sind nach § 170 I dem AR vorzulegen. Gemeint ist entspr. dem Normzweck (→ Rn. 1) Vorlage an AR als Organ, weil auch Prüfung (§ 171) gemeinschaftliche Aufgabe ist. Vorlage erfolgt richtigerweise wie in den Fällen des § 90 (→ § 90 Rn. 14) **zu Händen des AR-Vorsitzenden** (BeckOGK/Euler/Klein Rn. 26; MüKoAktG/Hennrichs/Pöschke Rn. 35). Aus § 170 III ergibt sich nichts anderes (→ Rn. 12 f.). Dass Vorstand die Vorlagen an alle AR-Mitglieder verschickt, ist vorbehaltlich anderweitiger Bestimmung des AR (§ 170 III 2) unbedenklich, aber nicht erforderlich.

III. Gewinnverwendungsvorschlag (§ 170 II)

5 **1. Allgemeines.** Nach § 170 II 1 muss Vorstand dem AR auch den Vorschlag vorlegen, den er der HV für Verwendung des Bilanzgewinns (nicht auch: eines Bilanzverlusts, → § 174 Rn. 2) unterbreiten will. Vorlage muss zugleich mit den in § 170 I genannten Unterlagen erfolgen, im Regelfall also **unverzüglich** (§ 121 I 1 BGB; → Rn. 3). Auch insoweit steht notfalls das Zwangsgeldverfahren zur Verfügung (§ 407 I). Richtiger Adressat ist auch hier der durch seinen Vorsitzenden repräsentierte AR (→ Rn. 4). Vorlage des Gewinnverwendungsvorschlags an AR ist notwendig, damit dieser seiner Prüfungspflicht aus § 171 I 1 (→ § 171 Rn. 2 ff.) genügen kann. Prüfung ergibt wiederum Basis für Beschlussvorschlag nach § 124 III 1. Nach hM genießen Verwaltungsorgane bei Formulierung des Vorschlags weites unternehmerisches Ermessen (KK-AktG/Ekkenga Rn. 26; GK-AktG/E. Vetter Rn. 111; einschränkend aber Harnos, Gerichtliche Kontrolldichte, 2021, 654 f.). Es setzen sich insofern Ermessensmaßstäbe, die Rücklagenbildung nach § 58 II zugrunde zu legen sind (→ § 58 Rn. 10), an dieser Stelle fort (vgl. E. Vetter AG 2020, 401 Rn. 25 ff. m. Vorschlag zur Orientierung an § 254 I als „Notbremse“ gegen übermäßige Rücklagenbildung [Rn. 30 f.]; ferner Wucherer/Zickgraf ZGR 2021, 259, 289 f.). Beschlusskompetenz der HV folgt aus § 119 I Nr. 2. Einzelheiten des Beschlussinhalts ergeben sich aus § 174.

6 Gliederung des HV-Beschlusses über die Verwendung des Bilanzgewinns (§ 174 II) und **Gliederung des vom Vorstand zu unterbreitenden Vorschlags** (§ 170 II 2) sind seit BiRiLiG 1985 nicht mehr deckungsgleich; es fehlt im Vorschlag der früher anzugebende zusätzliche Aufwand bei Beschlussfassung nach dem Vorschlag. Das findet seinen Grund in der **Aufgabe der Vollausschüttungshypothese** durch Aufhebung des § 278 HGB (vgl. RegBegr. BT-Drs. 18/4050, 64). Der Hypothese lag wiederum der frühere gespaltene Körperschaftsteuersatz zugrunde, nach dem ausgeschüttete Gewinne niedriger belastet waren als einbehaltene. Vollausschüttungshypothese führte dazu, dass Einstellung in Rücklagen zusätzlichen Steueraufwand auslöste, der von Vorstand zu beziffern war. Nunmehr ist nach § 278 HGB im praktischen Regelfall vom Verwendungsvorschlag auszugehen, so dass sich zusätzlicher Aufwand insoweit nicht mehr

ergibt. Weicht allerdings HV vom Verwendungsvorschlag ab, indem sie weniger ausschüttet, bes. weitere Beträge in Gewinnrücklagen einstellt (vgl. § 58 III; → § 58 Rn. 23), so kann sich infolge des Beschlusses höherer Aufwand ergeben, der dann auch im Beschluss anzugeben ist (§ 174 II Nr. 5) und Anspruch der Aktionäre auf Bilanzgewinn schmälert (§ 58 IV; → § 58 Rn. 27).

2. Gesetzliche Gliederung. a) Verteilung an Aktionäre. An erster Stelle vorzuschlagen ist Verteilung des Bilanzgewinns an die Aktionäre (§ 170 II 2 Nr. 1). Bei Barausschüttung ist anzugeben: vorgeschlagene **Dividende** (Euro pro Stück); soweit vorhanden, aufgeschlüsselt in Stamm- und Vorzugsaktien mit unterschiedlicher Gewinnberechtigung; abzusetzen ist etwa geleistete Abschlagszahlung (§ 59). Zweckmäßig ist, **Einzelangaben** in einer Vorspalte zu machen (Bsp. bei ADS Rn. 50). Daraus resultierende **Endsumme** ist in Euro auszuweisen. Vorstand muss bei seinem Vorschlag die ges. Bestimmungen beachten (zu verbleibenden Ermessensspielräumen → § 58 Rn. 10; zur Zulässigkeit sog. Superdividenden → § 174 Rn. 2). Dazu gehören insbes. § 60 (Gewinnverteilungsschlüssel), §§ 20 VII AktG, 44 WpHG (Ausschüttungssperre; → § 20 Rn. 12 ff.) und § 71b (eigene Aktien; → § 71b Rn. 3 ff.). Auch **Ausschüttungssperre des § 268 VIII HGB** (→ § 58 Rn. 27) und des **§ 253 VI HGB** müssen in diesem Zusammenhang Berücksichtigung finden (dazu KK-AktG/Ekkenga Rn. 24; S/L/Fleischer § 58 Rn. 38, 49; Simon NZG 2009, 1081, 1085). Bei **eigenen Aktien** ist üblich und jedenfalls zulässig, konkrete Fassung des Verwendungsvorschlags, die sich vorbehält, Veränderungen in der Zahl dividendenberechtigter Aktien bis Tag der HV durch Aktualisierung des Beschlussvorschlags zu berücksichtigen (Wettich NZG 2010, 767 f.). Ob auch sog abstrakte Fassung, bei der zwar der Bilanzgewinn, nicht aber die Beträge für Ausschüttung, Gewinnrücklagen und Gewinnvortrag (→ § 58 Rn. 24) angegeben werden, mit § 170 II, § 174 II in Einklang steht (dafür Wettich NZG 2010, 767, 768 ff.; zust. GK-AktG/E. Vetter Rn. 146 f.), ist ungesichert und bleibt wegen des ges. Gliederungsschemas fragwürdig. Bei **Sachausschüttung** (§ 58 V; → § 58 Rn. 31 ff.) muss auch diese bes. Form der Gewinnverteilung im Vorschlag des Vorstands Ausdruck finden. Mangels Regelung in § 170 muss Gliederung analog § 174 II erfolgen, also an erster Stelle Tatsache der Sachausschüttung und ihren Gesamtwert angeben. Sonst fehlen für Beschlussfassung der HV wesentliche Informationen (§ 124 III 1) oder sie stehen (bei abw. Gliederung) nicht in vergleichbarer Weise zu Verfügung. 7

b) Einstellung in Gewinnrücklagen. An zweiter Stelle vorzuschlagen ist Einstellung in Gewinnrücklagen (§ 170 II 2 Nr. 2). Begriff: → § 58 Rn. 4; → § 150 Rn. 2. Gemeint ist ausschließlich **Einstellung weiterer Beträge** iSd § 58 III 1 (sa ADS Rn. 38 ff.) → § 58 Rn. 22 f. Jeweilige Gewinnrücklage ist näher zu bezeichnen (zB ges. Rücklage, „andere" Gewinnrücklagen), Betrag zu beziffern. Thesaurierung muss begründet werden, wobei an Begründung aber keine gesteigerten Anforderungen gestellt werden dürfen (ADS Rn. 41; MüKoAktG/Hennrichs/Pöschke Rn. 61; tendenziell eher zurückhaltend auch GK-AktG/E. Vetter Rn. 155; Ganzer NZG 2023, 1251, 1255 f.), gehört sie nicht in den Gewinnverwendungsvorschlag, sondern in den Lagebericht (§ 289 HGB). Kapitalrücklage kann HV nicht dotieren. 8

c) Gewinnvortrag. Gewinnvortrag ist an dritter Stelle in den Vorschlag aufzunehmen (§ 170 II 2 Nr. 3). Das knüpft an § 58 III 1 Fall 2 (→ § 58 Rn. 24) an und meint Gewinnvortrag **auf neue Rechnung.** Üblich ist Vortrag nicht verteilbaren Spitzenbetrags. Auch Gewinnvortrag ist in Euro zu beziffern. 9

d) Bilanzgewinn. Schließlich muss der Vorstand in seinem Verwendungsvorschlag den Bilanzgewinn ausweisen (§ 170 II 2 Nr. 4). Hierher zu übernehmen 10 ist Betrag aus GuV gem. § 158 I 1 Nr. 5 (→ § 158 Rn. 6) oder entspr. Angabe des Anh. gem. § 158 I 2 (→ § 158 Rn. 7). Auf Ausschüttung des Bilanzgewinns haben Aktionäre einen grds. Anspruch (§ 58 IV; → § 58 Rn. 26 f.). **Addition der Vorschlagsposten** Nr. 1–3 muss deshalb dem Bilanzgewinn entspr. Sonst ist Vorschlag unvollständig. Es darf aber auch nicht mehr verteilt werden (§ 57 III; → § 57 Rn. 55). Vorschlag ist also gesetzwidrig, wenn Summe aus Posten Nr. 1–3 den Betrag aus Posten Nr. 4 übersteigen sollte (GK-AktG/E. Vetter Rn. 132).

11 **3. Abweichende Gliederung.** Gewinnverwendungsvorschlag ist gem. § 170 II 2 abw. zu gliedern, soweit das **durch seinen Inhalt bedingt** ist. So liegt es, wenn der Vorschlag Verwendungsarten nach § 170 II 2 Nr. 1–3 nicht vorsieht und/oder eine andere als die dort genannten Verwendungsarten vorgeschlagen wird. Leerposten brauchen nicht gebildet zu werden (ADS Rn. 21); unzulässig sind sie nicht. Andere Verwendung ist Zuwendung an Dritte, bes. Förderung gemeinnütziger Zwecke. Zulässig ist solche Verwendung nur, wenn Satzung entspr. Ermächtigung enthält (→ § 58 Rn. 25). Verwendungsvorschlag sollte ggf. entspr. Satzungsbestimmung anführen (ADS Rn. 47; MüKoAktG/Hennrichs/Pöschke Rn. 82).

IV. Informationsrechte der Aufsichtsratsmitglieder (§ 170 III)

12 **1. Materiell-rechtliche Fragen. a) Kenntnisnahme.** Nach § 170 III 1 hat jedes AR-Mitglied das Recht, von den Vorlagen des Vorstands (§ 170 I und II) und von den Prüfungsberichten Kenntnis zu nehmen. **Prüfungsberichte** sind ausdr. genannt, weil sie anders als früher nicht mehr zu den Vorstandsvorlagen nach § 170 I gehören (→ Rn. 2). Prüfungsberichte beziehen sich auf Jahresabschluss und, soweit gesondert erstattet, auf Berichte nach § 91 II, § 317 IV HGB (Frühwarnsystem; s. RegBegr. BT-Drs. 13/9712, 22), ferner auf Konzernabschluss; für Abhängigkeitsbericht enthält § 314 I 2 inhaltsgleiche Sondervorschrift. Bericht muss, um Nichtigkeit des Jahresabschlusses nach § 256 I Nr. 2 zu vermeiden, gem. § 321 I, V HGB schriftlich vorliegen und unterzeichnet sein, bevor AR Billigungsbeschluss (§ 172) fasst (→ § 256 Rn. 11). Zuleitung eines nicht unterzeichneten Entwurfs genügt jedoch, wenn sich dieser als endgültig erweist und Unterschrift vor Billigung nachgeholt wird (OLG Stuttgart DB 2009, 1521, 1524 f.). § 170 III 1 gewährt wie § 90 V (→ § 90 Rn. 22) **Individualanspruch,** den Satzung nicht entziehen oder einschränken kann (allgM – s. nur MüKoAktG/Hennrichs/Pöschke Rn. 88). Insbes. wäre es unzulässig, Kenntnisnahme auf Mitglieder des Prüfungsausschusses beschränken zu wollen. Soweit Vorlagen nicht ausgehändigt werden (§ 170 III 2), muss AG in ihren Geschäftsräumen und auf ihre Kosten Einsicht gewähren. AR-Mitglied darf Unterlagen durcharbeiten und Notizen fertigen. Ein Recht des AR-Mitglieds, sich dabei umfassend sachverständig beraten (oder gar vertreten) zu lassen, besteht nicht, auch nicht für AR-Mitglieder der AN (BGHZ 85, 293, 295 ff. = NJW 1983, 991). Recht zur Kenntnisnahme darf wie Berichtsanspruch des § 90 nicht missbräuchlich ausgeübt werden (→ § 90 Rn. 12a).

13 **b) Übermittlung.** Nach § 170 III 2 haben AR-Mitglieder nicht nur Recht auf Kenntnisnahme, sondern **individuellen Anspruch** auf Übermittlung der Vorlagen und der Prüfungsberichte (→ Rn. 12), soweit AR nicht beschlossen hat, dass sie nur den Mitgliedern eines Ausschusses vorgelegt werden. Auf entspr. Verlangen kommt es – abw. von früherer Rechtslage – nicht mehr an, so dass jedenfalls Mitglieder eines Ausschusses Vorlagen und Berichte erhalten müssen. Auf diese Weise soll **Wirksamkeit der AR-Arbeit** sichergestellt werden (RegBegr. BT-Drs. 13/9712, 22). Regelung wurde veranlasst durch wenig glückliche

Praxis, die von Recht auf Übermittlung offenbar nur zurückhaltend Gebrauch machte (s. Forster AG 1995, 1, 3). Dass AR beschließen kann, Übermittlung nur an Mitglieder eines **Ausschusses** vorzunehmen, ist auf Kritik gestoßen (S/L/Drygala Rn. 19; Velte NZG 2009, 737, 738 f.; sa Breidenich, Organisation der AR-Arbeit, 2020, 224 ff.). Beschränkung ist auch nicht unproblematisch, kann aber durch arbeitsteilige Arbeitsweise namentl. großer Aufsichtsräte nahegelegt sein. Aus § 171 iVm § 107 III 7 folgt nichts anderes, weil Delegationsverbot nur für Beschlussfassung gilt und dafür nach Wertung des § 170 III Einsichtnahme genügen kann, wenn Vorbereitung im Ausschuss erfolgt ist. Regelung ist satzungsfest und lässt auch für abw. Beschlussfassung des AR nur Raum, soweit in § 170 III 2 selbst vorgesehen. Anspruch auf Übermittlung besteht auch, soweit sich Prüfungsbericht auf **Abhängigkeitsbericht** bezieht.

Im Einzelnen gilt: **Übermittlung** kann wie Vorlage nach § 170 I 1 (→ Rn. 3) nicht nur schriftlich, sondern auch elektronisch (E-Mail, Datenraum) erfolgen. Erforderlich ist in jedem Fall, dass AR-Mitglieder Gelegenheit erhalten müssen, Unterlagen angemessen durchzuarbeiten. Übermittlung obliegt dem Vorsitzenden des AR (RegBegr. BT-Drs. 13/9712, 22), der dabei wie sonst auch Hilfspersonal in Anspruch nehmen darf. Mit seinem Einverständnis kann Übermittlung auch unmittelbar durch Vorstand erfolgen. Übermittlung muss auch rechtzeitig erfolgen. Reguläre Einberufungsfrist für AR-Sitzungen wird idR als Mindestfrist vor Bilanzsitzung einzuhalten sein; iÜ, etwa bei bes. Bestimmung der Geschäftsordnung, erscheint Frist von zwei Wochen als angängig, von einer Woche als zu knapp. Übereignung zum endgültigen Verbleib ist mit Übermittlung nicht gemeint (RegBegr. BT-Drs. 13/9712, 22). Satzung oder Geschäftsordnung können also wie schon generell (→ § 103 Rn. 6; OLG Düsseldorf AG 2007, 747, 748 f.) auch im Fall des § 170 III Rückgabepflichten vorsehen, die spätestens am Ende der Amtszeit zu erfüllen sind (Alternative: nach der ordentlichen HV; auch Differenzierung zB nach Mitgliedschaft im Finanzausschuss ist denkbar; krit. GK-AktG/E. Vetter Rn. 173). **Beschränkung auf Ausschussmitglieder** gehört zur Selbstorganisation des AR und kann daher nur von ihm beschlossen werden; Satzungsregel genügt nicht. Beschluss kann für den Einzelfall oder für die Zukunft gefasst werden und auch in der Geschäftsordnung enthalten sein (wie hier die hM – vgl. etwa MüKoAktG/Hennrichs/Pöschke Rn. 102; B/K/L/Schulz Rn. 14; krit. ggü. dauerhafter Beschränkung aber GK-AktG/E. Vetter Rn. 180). Wenngleich § 107 III 7 Beschlussmöglichkeit des § 170 III 2 nicht nennt, sollte Beschluss im Plenum gefasst werden, weil er in Individualrecht der AR-Mitglieder eingreift (→ Rn. 15). Um welchen Ausschuss es sich handelt (Präsidium, Bilanz- oder Finanzausschuss), bleibt gleich. § 170 III 2 ist auch nicht als zahlenmäßige Beschränkung zu verstehen, so dass auch Übermittlung an Mitglieder mehrerer Ausschüsse vorgesehen werden kann. 14

2. Rechtsdurchsetzung. Recht auf Kenntnisnahme und, soweit nicht ausgeschlossen, Recht auf Übermittlung sind **Individualrechte** der AR-Mitglieder und als solche **klagbar** (allgM; BGHZ 85, 293, 295 = NJW 1983, 991; → § 90 Rn. 23 mwN). Richtige **Beklagte ist AG** (BGHZ 85, 293, 295). Nach früher hM des Schrifttums sollte daneben Klage gegen AR-Vorsitzenden zulässig sein. Dem war und ist nicht zu folgen, weil das der Klage zugrunde liegende Rechtsverhältnis nur zur Gesellschaft besteht (sa MHdB AG/Hoffmann-Becking § 45 Rn. 12). AG wird auch nicht durch AR-Vorsitzenden oder AR (dafür aber GK-AktG/E. Vetter Rn. 192), sondern **durch ihren Vorstand vertreten** (BGHZ 85, 293, 295; str. zu § 90 V; → 90 Rn. 23). Neben Klage steht gem. § 407 I das Zwangsgeldverfahren zur Verfügung. 15

Prüfung durch den Aufsichtsrat

171 (1) [1]**Der Aufsichtsrat hat den Jahresabschluß, den Lagebericht und den Vorschlag für die Verwendung des Bilanzgewinns zu prüfen, bei Mutterunternehmen (§ 290 Abs. 1, 2 des Handelsgesetzbuchs) auch den Konzernabschluß und den Konzernlagebericht.** [2]**Ist der Jahresabschluss oder der Konzernabschluss durch einen Abschlussprüfer zu prüfen, so hat dieser an den Verhandlungen des Aufsichtsrats oder des Prüfungsausschusses über diese Vorlagen teilzunehmen und über die wesentlichen Ergebnisse seiner Prüfung, insbesondere wesentliche Schwächen des internen Kontroll- und des Risikomanagementsystems bezogen auf den Rechnungslegungsprozess, zu berichten.** [3]**Er informiert über Umstände, die seine Befangenheit besorgen lassen und über Leistungen, die er zusätzlich zu den Abschlussprüfungsleistungen erbracht hat.** [4]**Der Aufsichtsrat hat auch den gesonderten nichtfinanziellen Bericht (§ 289b des Handelsgesetzbuchs), den gesonderten nichtfinanziellen Konzernbericht (§ 315b des Handelsgesetzbuchs), den Ertragsteuerinformationsbericht (§§ 342b, 342c, 342d Absatz 2 Nummer 2 des Handelsgesetzbuchs) und die Erklärung nach § 342d Absatz 2 Nummer 1 des Handelsgesetzbuchs zu prüfen, sofern sie erstellt wurden.**

(2) [1]**Der Aufsichtsrat hat über das Ergebnis der Prüfung schriftlich an die Hauptversammlung zu berichten.** [2]**In dem Bericht hat der Aufsichtsrat auch mitzuteilen, in welcher Art und in welchem Umfang er die Geschäftsführung der Gesellschaft während des Geschäftsjahrs geprüft hat; bei börsennotierten Gesellschaften hat er insbesondere anzugeben, welche Ausschüsse gebildet worden sind, sowie die Zahl seiner Sitzungen und die der Ausschüsse mitzuteilen.** [3]**Ist der Jahresabschluß durch einen Abschlußprüfer zu prüfen, so hat der Aufsichtsrat ferner zu dem Ergebnis der Prüfung des Jahresabschlusses durch den Abschlußprüfer Stellung zu nehmen.** [4]**Am Schluß des Berichts hat der Aufsichtsrat zu erklären, ob nach dem abschließenden Ergebnis seiner Prüfung Einwendungen zu erheben sind und ob er den vom Vorstand aufgestellten Jahresabschluß billigt.** [5]**Bei Mutterunternehmen (§ 290 Abs. 1, 2 des Handelsgesetzbuchs) finden die Sätze 3 und 4 entsprechende Anwendung auf den Konzernabschluss.**

(3) [1]**Der Aufsichtsrat hat seinen Bericht innerhalb eines Monats, nachdem ihm die Vorlagen zugegangen sind, dem Vorstand zuzuleiten.** [2]**Wird der Bericht dem Vorstand nicht innerhalb der Frist zugeleitet, hat der Vorstand dem Aufsichtsrat unverzüglich eine weitere Frist von nicht mehr als einem Monat zu setzen.** [3]**Wird der Bericht dem Vorstand nicht vor Ablauf der weiteren Frist zugeleitet, gilt der Jahresabschluß als vom Aufsichtsrat nicht gebilligt; bei Mutterunternehmen (§ 290 Abs. 1, 2 des Handelsgesetzbuchs) gilt das Gleiche hinsichtlich des Konzernabschlusses.**

(4) [1]**Die Absätze 1 bis 3 gelten auch hinsichtlich eines Einzelabschlusses nach § 325 Abs. 2a des Handelsgesetzbuchs.** [2]**Der Vorstand darf den in Satz 1 genannten Abschluss erst nach dessen Billigung durch den Aufsichtsrat offen legen.**

Übersicht

I. Regelungsgegenstand und -zweck

§ 171 verpflichtet AR zur Prüfung des Einzel- und des Konzernabschlusses einschließlich der jeweiligen Lageberichte sowie des CSR-(Konzern-)Berichts (§ 171 I) und zur Berichterstattung ggü. HV, bes. über das Ergebnis seiner Prüfung (§ 171 II und III). Norm steht einerseits im Zusammenhang mit Überwachungsaufgabe des AR nach § 111 I; denn **Überwachung der Geschäftsführung** ohne Prüfung der Rechnungslegung ist nicht denkbar, da es gerade Aufgabe des Jahresabschlusses ist, Geschäftsmodell hochaggregiert verdichtet abzubilden, standardisierte Informationen über Lage der AG zu geben und Auswirkungen sämtlicher unternehmerischer Maßnahmen zu verdeutlichen (→ § 111 Rn. 1, 5 und 31; Hommelhoff ZGR 1983, 551, 555 f.; sa GK-AktG/E. Vetter Rn. 17: „Kardinalaufgabe"). Andererseits ist Prüfung des Jahresabschlusses die unverzichtbare **Voraussetzung für seine Billigung,** die ihrerseits im Regelfall zur Feststellung des Jahresabschlusses führt (§ 172 S. 1). 1965 eingeführte, zunächst von entspr. Verlangen des AR abhängige, nunmehr in jedem Fall bestehende **Teilnahmepflicht des Abschlussprüfers** an Plenar- oder Ausschusssitzung (§ 171 I 2) bezweckt vor allem, diesen dem AR als sachverständige Auskunftsperson zur Verfügung zu stellen (RegBegr. Kropff S. 277; aus dem jüngeren Schrifttum Haßler BB 2017, 1603, 1605 f.: „wichtigste neutrale Informationsquelle des AR"). Regelung des § 171 ist in allen Teilen zwingend (§ 23 V). Zur Erweiterung der Prüfung auf das Public Country-by-Country Reporting on Taxes AK BilanzR NZG 2023, 699 ff.; Bachmann/Seifert DB 2023, 1175 ff.; E. Vetter NZG 2023, 347 ff. 1

II. Prüfungspflicht (§ 171 I)

1. Prüfung durch Aufsichtsrat. a) Prüfungsgegenstände. AR hat gem. § 171 I 1 den Jahresabschluss, den Lagebericht und den Gewinnverwendungsvorschlag zu prüfen. Gegenstand seiner Prüfung sind also die entspr. Vorlagen des Vorstands nach § 170 I und II (→ § 170 Rn. 2, 5). **Ergänzend** steht dem AR 2 das **Einsichts- und Prüfungsrecht des § 111 II** zu Gebote, das sich auf sämtliche Unterlagen, vor allem die gesamte Buchführung, und Aktiva der AG erstreckt (→ § 111 Rn. 34). AR ist stets berechtigt und bei Verdacht auf Unregelmäßigkeiten auch verpflichtet, von diesen Befugnissen Gebrauch zu machen (ADS Rn. 4 f.; weitergehend Velte NZG 2010, 932). Ist AG Mutterunternehmen (§ 290 I, II HGB), so erstreckt sich Prüfungspflicht nach Änderung des § 171 I 1 durch KonTraG 1998 auch auf Konzernabschluss (§ 297 HGB) und Konzernlagebericht (§ 315 HGB). Was Prüfungspflicht iE bedeutet, ist allerdings noch nicht abschließend geklärt. Um Prüfung zwecks Feststellung nach § 172 handelt es sich jedenfalls nicht, weil Konzernabschluss nicht festgestellt wird. Richtig ist, Konzernrechnungslegung als Mittel bei Überwachung der Geschäftsführung der Obergesellschaft zu verstehen (Hoffmann-Becking ZHR 159 [1995], 325, 337 f.), sie also nicht für Überwachung des Gesamtkonzerns zu instrumentalisieren (so jedoch Kropff FS Claussen, 1997, 659, 668); denn Überwachungspflicht dieses Inhalts gibt es nicht (→ § 111 Rn. 33). Anders könnte es nur sein, wenn man spezifische Konzernleitungspflicht bejahen würde (s. Kropff ZGR 1984, 112, 116), was jedoch nicht zu überzeugen vermag (→ § 76 Rn. 130 ff.). Auch Prüfberichte der Tochtergesellschaften muss AR deshalb nicht einbeziehen (GK-AktG/E. Vetter Fn. 107; aA Hommelhoff ZGR 1996, 144, 162).

3 **b) Prüfungsmaßstäbe: Allgemeines.** Maßstäbe bei Prüfung der Rechnungslegung müssen mit denen bei Überwachung der Geschäftsführung im Kern übereinstimmen; denn (1.) ist Rechnungslegung ein bes. Teil der Geschäftsführung und (2.) drücken Bilanz, GuV und Lagebericht das Ergebnis der Vorstandstätigkeit periodengerecht aus. Auch die als Leitungsfunktion verstandene Überwachung (→ § 111 Rn. 28) findet sich in der Prüfung der Rechnungslegung wieder, weil sie sich auf die bilanzpolitischen Entscheidungen des Vorstands und die Verwendung des Ergebnisses, also auf auch zukunftsorientierte Maßnahmen, zu erstrecken hat. Rechnungslegung des Vorstands muss also wie seine (sonstige) Geschäftsführung **rechtmäßig, ordnungsmäßig und zweckmäßig** (dazu ADS Rn. 21; MHdB AG/Hoffmann-Becking § 45 Rn. 14; Clemm ZGR 1980, 455, 457) iSv ergebnisorientiert sein (→ § 111 Rn. 29).

4 **c) Rechtmäßigkeit.** Rechnungslegung muss den **ges. Vorschriften** und, soweit vorhanden, den **Vorgaben der Satzung** entspr. (vgl. statt aller MüKoAktG/Hennrichs/Pöschke Rn. 33). Die Anforderungen an die Gesetzmäßigkeit finden sich am prägnantesten im vorgeschriebenen Wortlaut des Bestätigungsvermerks des Abschlussprüfers (§ 322 III HGB). Rechnungslegung muss also den ges. Vorschriften entspr., insbes. den §§ 238 ff. HGB; sie muss unter Beachtung der GoB (vgl. § 238 I 1 HGB, § 243 I HGB) ein den tats. Verhältnissen entspr. Bild der Vermögens-, Finanz- und Ertragslage vermitteln (§ 264 II HGB); schließlich muss der Lagebericht mit dem Jahresabschluss in Einklang stehen. Gewinnverwendungsvorschlag ist rechtmäßig, wenn die vorgesehene Verwendung den ges. Anforderungen, bes. den §§ 58, 60, 20 VII, §§ 71b, 150, und den Vorgaben der Satzung, etwa zur Einstellung in andere Gewinnrücklagen, entspr. und der Vorschlag selbst gem. § 170 II 2 (→ § 170 Rn. 7 ff.) gegliedert ist.

5 Die dem AR aufgegebene **Rechtmäßigkeitsprüfung überschneidet sich inhaltlich mit den Aufgaben des Abschlussprüfers.** Das ist kein Mangel, sondern ges. so gewollt; denn die Abschlussprüfung soll die unvermeidlichen Befähigungsdefizite des AR auf dem Gebiete des Bilanzwesens iRd Möglichen kompensieren, den AR also bei seiner Prüfungsaufgabe unterstützen (s. statt aller MüKoAktG/Hennrichs/Pöschke Rn. 34). Daraus ergibt sich zugleich das **Prinzip selbständiger Prüfung und Urteilsbildung** (ADS Rn. 20; Clemm ZGR 1980, 455, 457 f.; Hüffer ZGR 1980, 320, 334), das sich ges. in § 171 II 3 ausdrückt; denn eine verantwortliche Stellungnahme zum Prüfungsergebnis des

Abschlussprüfers kann es ohne eigene Prüfung des AR nicht geben (sa RegBegr. Kropff S. 278). Unglücklich ist deshalb vereinzelt gebliebene Formulierung, angesichts des positiven Berichts einer renommierten Wirtschaftsprüfungsgesellschaft hätten die Mitglieder des AR grds. keinen Anlass zu weiteren Prüfungen, dürften vielmehr auf den Bericht vertrauen (redaktioneller Leitsatz zu OLG Köln AG 1978, 17; abl. Hüffer ZGR 1980, 320, 334). In dem aus → Rn. 9 ff. folgenden eingeschränkten Umfang sind sie auch bei positivem Bericht prüfungspflichtig (wohl ähnlich Forster FS Kropff, 1997, 71, 76). Richtig ist allerdings die in neuerer Zeit verstärkt betonte Notwendigkeit, bei Beurteilung des Prüfungsmaßstabs **amts- und qualifikationsadäquate Anforderungen** zu stellen, die der ges. Ausgestaltung des AR-Mandats als Nebenamt (→ § 100 Rn. 5) Rechnung tragen (vgl. insbes. Hennrichs NZG 2017, 841, 846, der de lege ferenda dafür plädiert, „Prüfung" durch „Durchsicht" zu ersetzen; ähnlich auch schon Nonnenmacher FS Ballwieser, 2014, 547, 556 f.). Umfassende Rechtmäßigkeitsprüfung kann AR im ges. Zuschnitt des AktG nicht leisten, sondern er genügt seiner Pflicht, wenn er Unterlagen krit. liest, im Lichte seiner Amts- und Geschäftserfahrung hinterfragt und Ungereimtheiten nachgeht (GK-AktG/E. Vetter Rn. 47 ff.; Hennrichs ZGR 2018, 206, 222 ff.; sa → Rn. 9 f.).

d) Zweckmäßigkeit. Prüfung durch AR hat neben derjenigen durch den Abschlussprüfer selbständige Bedeutung, indem sie sich auch auf Zweckmäßigkeitsfragen erstreckt (→ Rn. 3; Hennrichs ZHR 174 [2010], 683, 690). Beurteilung der Zweckmäßigkeit muss sich am **Unternehmensinteresse** ausrichten, für das der Bestand des Unternehmens und seine dauerhafte Rentabilität im Unterschied zur kurzfristigen Gewinnmaximierung prägend sind (→ § 76 Rn. 63 ff.). Insofern geht sein Prüfungsauftrag auch über den des Abschlussprüfers hinaus, der nach § 317 I 2 und 3 HGB Übereinstimmung des Abschlusses mit Ges. und Satzung zu überprüfen hat, nicht aber Bilanzpolitik und die von Vorstand vorgeschlagene Gewinnverwendung für einen ausgewiesenen Bilanzgewinn und dessen Ausschüttung oder Thesaurierung (LG Frankfurt v. 15.12.2016 – 3–05 O 154/16 juris-Rn. 95). 6

Prüfung der Zweckmäßigkeit betr. sog **bilanzpolitische Ermessensentscheidungen** und Ausschüttungs- bzw. Thesaurierungspolitik (vgl. MüKoAktG/Hennrichs/Pöschke Rn. 37; B/K/L/Schulz Rn. 3). Zu den bilanzpolitischen Ermessensentscheidungen gehört (1.) die **Ausübung von Wahlrechten,** vgl. zur Aktivseite § 250 III HGB (Disagio); zur Passivseite § 249 I 2 Nr. 1 HGB (Rückstellung wegen Aufwendungen für Instandhaltung nach Ablauf der Dreimonatsfrist), § 249 II HGB (Rückstellung zB für Großreparaturen), Art. 28 I 1 EGHGB (alte Pensionszusagen). Zu ihnen zählt (2.) die Selbstfinanzierung durch **Bildung stiller Reserven** unter Einsatz der durch das (in § 253 HGB vorausgesetzte) Niederstwertprinzip eröffneten Schätzungsmöglichkeiten und des bei Finanzanlagen bestehenden Abwertungswahlrechts nach § 253 III 6 HGB (einschr.: § 340e I 3 HGB). Weitere frühere Möglichkeiten zur Bildung stiller Reserven sind seit 2009 mit Reform der Rechnungslegung durch BilMoG 2009 entfallen. Es versteht sich, dass schließlich die **Auflösung stiller Reserven** in gleicher Weise der Zweckmäßigkeitsprüfung des AR unterliegt wie ihre Bildung. 7

Soweit es um **Ausschüttungs- bzw. Thesaurierungspolitik** geht, ist die **Dotierung oder Auflösung freier Gewinnrücklagen** angesprochen. Dass solche Maßnahmen nach §§ 58, 150 zulässig sind (→ Rn. 4), macht sie noch nicht wirtschaftlich sinnvoll. Ermessensleitende Gesichtspunkte müssen insoweit unter Konkretisierung des Unternehmensinteresses (→ Rn. 6) das Selbstfinanzierungsinteresse der AG, das Dividendeninteresse der Aktionäre und die langfristige Position der Gesellschaft am Kapitalmarkt sein, soweit es dafür auf die Dividendenpolitik ankommt (zust. Lutter AG 2008, 1, 4). 8

8a **e) Sonderfall: CSR-Berichterstattung (§ 171 I 4).** Durch CSR-RL-UG 2017 neu eingefügter § 171 I 4 weitet Prüfungspflicht des AR auf gesonderten nichtfinanziellen (CSR-)Bericht gem. § 289b HGB bzw. Konzernbericht gem. § 315b HGB aus (zu Ursprüngen und Inhalt des Berichts → § 170 Rn. 2c f.; speziell zur Prüfungspflicht Hennrichs/Pöschke NZG 2017, 121, 123 ff.; Hennrichs NZG 2017, 841 ff.; Lanfermann BB 2017, 747 ff.). Ist CSR-Bericht als nichtfinanzielle Erklärung Teil des Lageberichts, folgt Prüfungspflicht schon aus § 171 I 1, musste für gesonderten Bericht aber nochmals klargestellt werden (vgl. zu diesen Darstellungsformen → § 170 Rn. 2c f.; Hennrichs NZG 2017, 841, 844). Fraglich ist für beide Berichtsvarianten, welche **Anforderungen an Prüfungsintensität** zu stellen sind. Wortlaut und Gesetzessystematik legen Maßstab des § 171 I 1 nahe (vgl. Mock ZIP 2017, 1195, 1201: „Klarstellungsfunktion" des § 171 I 4). Das ist aber nur dann richtig, wenn man schon iRd § 171 I 1 danach differenziert, ob Prüfung des AR Abschlussprüfung vorgeschaltet ist (→ Rn. 11). Ist das – wie beim nichtfinanziellen Bericht (§ 317 II 4 HGB; → § 170 Rn. 2d) – nicht der Fall, muss dem Umstand Rechnung getragen werden, dass AR der **sachkundige Dialogpartner fehlt,** der ihn mit seiner Expertise erst zur Prüfung befähigt (→ Rn. 5, 9 f.). Ohne diese Unterstützung kann von AR im Lichte amts- und qualifikationsadäquater Auslegung (→ Rn. 5) nicht mehr erwartet werden als **Plausibilitätskontrolle** ohne vertiefte Rechtmäßigkeitsprüfung (überzeugend Hennrichs/Pöschke NZG 2017, 121, 125 ff.; Hennrichs NZG 2017, 841, 845 f.; sa AK BilanzR NZG 2016, 1337, 1338 mit zutr. Befürchtung neuer „Erwartungslücke"; zust. GK-AktG/E. Vetter Rn. 73 ff.; Hecker/Bröcker AG 2017, 761, 766; Hommelhoff FS Seibert, 2019, 371, 381; Rieckers DB 2017, 2786, 2791 f.; E. Vetter FS Marsch-Barner, 2018, 559, 567 ff.; krit. S/L/Drygala Rn. 6 ff.; Ekkenga FS E. Vetter, 2019, 115, 119 ff.; Hell, Offenlegung nichtfinanzieller Informationen, 2020, 174 ff.). Etwas anderes folgt auch nicht aus Möglichkeit des AR, Auftrag des Abschlussprüfers gem. § 111 II 4 (→ § 111 Rn. 41) aus eigener Initiative zu erweitern (so aber wohl Kajüter DB 2017, 617, 624), da sich systematische Auslegung an ges. Regelanordnung, nicht an optionalen Erweiterungen zu orientieren hat und anderenfalls freiwillige Prüfung mittelbar doch zur Pflichtprüfung würde (Hennrichs NZG 2017, 841, 845; zust. GK-AktG/E. Vetter Rn. 73; Hecker/Bröcker AG 2017, 761, 766 f.). Bei Unregelmäßigkeiten sind aber weitere Nachforschungen geboten (AK BilanzR NZG 2016, 1337, 1338). Unmittelbar nach Einführung der neuen Regeln war als CSR-spezifische Besonderheit überdies zu berücksichtigen, dass **Berichtsstandards nur schwach konturiert** und praktisch weitgehend unerprobt waren (→ § 170 Rn. 2d), was großzügigere Handhabung nahelegte. In jüngerer Zeit hat Prüfungspraxis entspr. Standards aber entwickelt, so dass mittlerweile strengere Anforderungen gestellt werden können. Für Aufgabendelegation gelten allg. Grundsätze (→ Rn. 12).

8b **f) Sonderfall: Ertragsteuerinformationsbericht (§ 171 I 4).** Mit Erstreckung der Vorlagepflicht des Vorstands auf Ertragsteuerinformationsbericht gem. § 170 I 3 (→ § 170 Rn. 2d) geht gem. § 171 I 4 auch (neuerliche) Erweiterung der Prüfungspflicht des AR einher. Diese Ausdehnung beruht auf Ges. zur Umsetzung der RL (EU) 2021/2101 im Hinblick auf die Offenlegung von Ertragsteuerinformationen durch best. Unternehmen und Zweigniederlassungen (BGBl. I v. 21.6.2023, Nr. 154; zum Adressatenkreis und erstmaliger Geltung → § 170 Rn. 2d). Einführung einer solchen Prüfungspflicht des AR war unionsrechtl. nicht geboten und wäre in der Sache auch besser unterblieben, weil sie Pflichtenkreis des AR noch weiter ausdehnt und ihn damit an die **funktionalen Grenzen** dessen bringt, was Organ dieses Zuschnitts (→ § 100 Rn. 5) ohne Delegationsmöglichkeit innerhalb des Unternehmens, aber mit doch umfassendem Haftungsrisiko leisten kann, zumal bes. Steuerrechtskompetenz im AR nur selten vorhanden sein wird (krit. deshalb AK BilanzR NZG 2023, 699 ff.; E. Vetter NZG 2023, 347 ff.; sa C. Bachmann/Seifert DB 2023, 1175 ff.). Prüfungspflicht bezieht sich auch hier auf Recht- und Zweckmäßigkeit (→ Rn. 3 ff.), doch wird man wie bei CSR-Bericht (→ Rn. 8a) aus dort genannten Gründen bloße **Plausibilitätskontrolle** ohne vertiefte Rechtmäßigkeitsprüfung genügen lassen müssen (E. Vetter NZG 2023, 347, 349 f.). Auch Beauftragung des Abschlussprüfers, dessen Einbeziehung nicht schon ges. geboten (zum Hintergrund vgl. RegBegr. BT-Drs. 20/5653, 42) und auch in § 111 II 4 – anders als bei Nachhaltigkeitsbericht (→ § 111 Rn. 41) – nicht explizit als ges. Option genannt wird, ist aber nach allg. Grundsätzen gem. **§ 111 II 2 Fall 2** aufgrund regelmäßig fehlender eigener Sachkunde trotzdem zulässig (RegBegr. BT-Drs. 20/5653, 42; E. Vetter NZG 2023, 347, 350). Delegation an Ausschuss ist nach § 107 II 7 iVm § 171 nicht möglich (krit. E. Vetter AR 2023, 104, 105).

2. Sorgfaltspflichten der Aufsichtsratsmitglieder. Die dem AR aufgegebene Prüfung (→ Rn. 2 ff.) ist Pflicht des Organs und damit Amtspflicht jedes einzelnen AR-Mitglieds (zur Haftungsfolge bei Verstoß OLG Düsseldorf AG 2015, 434 Rn. 24 ff.). Daraus folgende **obj. Anforderungen** wären missverstanden, wenn man eine zweite Abschlussprüfung fordern würde (OLG Karlsruhe BeckRS 2019, 49058 Rn. 98; MüKoAktG/Hennrichs/Pöschke Rn. 93, 99 ff.; GK-AktG/E. Vetter Rn. 49). Prüfung durch AR weicht qualitativ von Abschlussprüfung ab. Daraus folgt iE: AR-Mitglied muss Grundprinzipien und Zweck von Bilanz und GuV verstehen, sich aber keinesfalls Sachkunde eines Abschlussprüfers aneignen (Umkehrschluss aus § 100 V – sa MüKoAktG/Hennrichs/Pöschke Rn. 90 ff.; MHdB AG/Hoffmann-Becking § 45 Rn. 16; sa BGHZ 85, 293, 298 f. = NJW 1983, 991 und Hommelhoff ZGR 1983, 551, 556 f.: keine Bilanzanalyse „auf eigene Faust"). Deshalb hat es andererseits auch keinen Anspruch darauf, einen eigenen Sachverständigen bei der Einsichtnahme in die Vorstandsvorlagen umfassend beizuziehen (BGHZ 85, 293, 298 f.). Vielmehr ist es Aufgabe des AR-Mitglieds, den Bericht des Abschlussprüfers durchzuarbeiten, sich ein Urteil über die innere Plausibilität zu bilden, Unverständlichkeiten nachzugehen und das Urteil des Abschlussprüfers an der eigenen Lebens- und Geschäftserfahrung zu messen (OLG Karlsruhe BeckRS 2019, 49058 Rn. 98; Rürup FS Budde, 1995, 543, 550 f., 555 f.). Dabei darf die Hilfe eigener, ihrerseits auf Vertraulichkeit verpflichteter Zuarbeiter in Anspruch genommen werden (Forster FS Kropff, 1997, 71, 81 f.). Ergeben sich bei Prüfung Bedenken, so ist ihnen durch Ausübung des Einsichts- und Prüfungsrechts des § 111 II weiter nachzugehen (→ Rn. 2; Hüffer ZGR 1980, 320, 324; vgl. auch BGH NJW 1978, 425). Im Übrigen richtet sich Umfang der Sorgfaltspflichten auch nach Lage der AG; in **wirtschaftlicher Krisensituation** wird bes. umfangreiche Prüfung und Berichterstattung angezeigt sein (OLG Düsseldorf AG 2013, 759, 762). 9

Bes. Bedeutung kommt bei der Frage nach der Prüfungstiefe dem Ausgang der vorgeschalteten Abschlussprüfung zu. Hat Abschlussprüfer **Bestätigungsvermerk uneingeschränkt erteilt,** muss AR nur eine intensive Plausibilitätsprüfung auf Grundlage einer gewissenhaften Durchsicht des Jahresabschlusses vornehmen. Auch Stichproben müssen grds. nicht gemacht werden, sondern nur dann, wenn sich konkrete Anhaltspunkte für Unrichtigkeit des Abschlusses ergeben. AR darf also grds. auf Richtigkeit vertrauen und muss Prüfungsintensität nur dann erhöhen, wenn konkrete Zweifel auftreten (vgl. dazu mit Unterschieden in den Details S/L/Drygala Rn. 11 f.; KK-AktG/Ekkenga Rn. 25; B/K/L/Schulz Rn. 3 ff.; Hennrichs FS Hommelhoff, 2012, 383, 397 ff.; Selter AG 2013, 14, 15 f.). Ob ISION-Entscheidung des BGH zur Einsetzung externer Berater 10

(BGH AG 2011, 876; → § 93 Rn. 80 ff.) insofern strengeren Maßstab begründet hat, ist noch zweifelhaft (vgl. Hennrichs FS Hommelhoff, 2012, 383, 393 ff.), sollte angesichts ohnehin nur beschränkter Leistungsfähigkeit des AR (→ Rn. 5) aber eher verneint werden. Für AG von öffentl. Interesse iSd § 316a S. 2 HGB (PIE, → § 100 Rn. 22 f.) sieht Art. 10 Abschlussprüfer-VO **erweiterten Bestätigungsvermerk** vor, der namentl. für sog Key Audit Matters detailliertere Aussagen enthält (vgl. dazu AK Externe Unternehmensrechnung BB 2017, 107 ff.; Henselmann/Seebeck WPg 2017, 237 ff.; Reisch/Schmidt DB 2018, 2829 ff.). Erweiterter Vermerk richtet sich allerdings eher an externe Abschlussadressaten, nicht an AR, der schon bislang durch Prüfungsbericht mit ausf. Informationen versorgt wurde. Seine Pflichten werden eher im Vorfeld der Bestellung ausgedehnt, weil es hier mit dem Abschlussprüfer zu erörtern gilt, welche Key Audit Matters dieser bes. ins Auge zu fassen hat (Schilha ZIP 2016, 1316, 1325). Wird dagegen **Bestätigungsvermerk eingeschränkt oder versagt,** erhöht sich Prüfungspflicht deutlich. Insbes. muss AR den Gründen für die Einschränkung oder Versagung nachspüren und auf diese Punkte bes. Augenmerk legen (vgl. etwa MüKoAktG/Hennrichs/Pöschke Rn. 105; GK-AktG/E. Vetter Rn. 60 ff.).

11 Zweifelhaft ist Rechtslage, wenn bei kleiner AG iSd § 267 I HGB gem. § 316 I 1 HGB überhaupt **keine Prüfung** stattfindet. Verbreitete Auffassung geht hier davon aus, dass AR an die Stelle der Wirtschaftsprüfung trete und in dieser Situation erhöhte Prüfungsverantwortung und damit auch erhöhtes Haftungsrisiko trage (vgl. BeckOGK/Euler/Klein Rn. 13; Grigoleit/Grigoleit/Zellner Rn. 6; Lutter/Krieger/Verse AR Rn. 188). Diese Anforderungssteigerung ist aber keineswegs zweifelsfrei, da sie Entscheidung des Gesetzgebers, kleinere Gesellschaften nicht unbillig zu belasten, auf Kosten des AR konterkariert (ausf. Selter AG 2013, 14, 17 ff.; s. ferner KK-AktG/Ekkenga Rn. 46; Schmalenbach/Kiefner DB 2007, 1068, 1070; E. Vetter FS Marsch-Barner, 2018, 559, 569 f. und jetzt auch MüKoAktG/Hennrichs/Pöschke Rn. 95). AR wird schon aufgrund seines Zuschnitts als nicht ständiges Organ, in den meisten Fällen aber auch wegen mangelnder Prüferbefähigung zu einer einem Wirtschaftsprüfer auch nur ansatzweise vergleichbaren Prüfungstätigkeit kaum in der Lage sein. Nimmt er deshalb externe Hilfe in Anspruch, verpufft der Entlastungseffekt. Will er AG diese Belastung ersparen, muss er selbst Haftungsrisiko tragen. Überzeugender erscheint es, ebenso wie bei kleiner GmbH, bei der überhaupt keine institutionalisierte Prüfung des Jahresabschlusses stattfindet (Selter AG 2013, 14, 18), davon auszugehen, dass Gesetzgeber „Niveaugefälle" (KK-AktG/Ekkenga Rn. 46) sehenden Auges in Kauf genommen hat. Das entbindet AR nicht von sorgfältiger Prüfung, doch sollten Anforderungen nicht zu hoch geschraubt werden (Selter AG 2013, 14, 21 ff.).

12 IÜ kann und muss sich AR-Mitglied die **bes. Arbeitsweise des AR als Kollegialorgan** zunutze machen. Prüfung der Rechnungslegung kann zwar nach § 107 III 7 nicht zur endgültigen Wahrnehmung an einen Ausschuss überwiesen werden. Zulässig und sinnvoll ist es jedoch, dass namentl. **Prüfungsausschuss** (→ § 107 Rn. 31 ff.) die Meinungsbildung des AR vorbereitet und an ihn berichtet. Auch Bericht eines etwa eingesetzten Bilanzausschusses ist in Meinungsbildung einzubeziehen (Hommelhoff ZGR 1983, 551, 577; sa BGHZ 84, 209, 216 = NJW 1984, 1038 zur bergrechtl. Gewerkschaft). Auf den Bericht ist jedoch nicht blindlings zu vertrauen; AR-Plenum muss ihn seinerseits prüfen (RGZ 93, 338, 340; GK-AktG/E. Vetter Rn. 27; Buhleier/Krowas DB 2010, 1165, 1167 ff.; → § 111 Rn. 32). In das Plenum hat AR-Mitglied seine eigenen bes. Erfahrungen und Kenntnisse einzubringen, etwa aus anderen Wirtschaftszweigen, als AN der Gesellschaft, aus anwaltlicher Tätigkeit, aus politischen oder kommunalen Funktionen. Halten die Vorstandsvorlagen einer auf dieser Basis durchgeführten, durch Plenarberatung gebündelten und auf das fachliche Urteil des Wirtschaftsprüfers gestützten Prüfung stand, steht ihrer Billigung rechtl. nichts im Wege.

3. Teilnahme des Abschlussprüfers. a) Teilnahmepflicht. Nach § 171 I 2 ist Abschlussprüfer verpflichtet, an Verhandlungen des AR oder des Prüfungsausschusses (§ 107 III 2; → § 107 Rn. 31 ff.) über die in § 171 I 1 genannten Vorlagen (also ggf. einschließlich Konzernabschluss und Konzernlagebericht) teilzunehmen. Offenkundiger Bezugspunkt des § 171 I 2 ist ges. Pflichtprüfung (iE auch Bischof/Oser WPg 1998, 539, 540), doch ist Vorschrift auch auf nur satzungsmäßig gebotene Prüfung in kleiner AG (§ 267 I HGB) ohne ges. Verpflichtung zu erstrecken (MüKoAktG/Hennrichs/Pöschke Rn. 125; GK-AktG/E. Vetter Rn. 142). Sofern ausnahmsweise zwar nicht Jahresabschluss, aber Konzernabschluss der AG prüfungspflichtig ist (§ 316 I und II HGB), besteht Teilnahmepflicht, soweit AR darüber verhandelt. Seit Änderung der Vorschrift durch BilMoG 2009 beschränkt sich Teilnahmepflicht auf Plenum oder Prüfungsausschuss; Mitwirkung in anderen Ausschüssen kann nur auf freiwilliger Basis erfolgen (RegBegr. BT-Drs. 16/10067, 104; für kumulative Pflicht Velte WPg 2015, 482, 491). 13

Teilnahme ist obligatorisch. AR handelt also pflichtwidrig, wenn er Teilnahme des Abschlussprüfers ausschließt (heute allgM – vgl. nur MüKoAktG/Hennrichs/Pöschke Rn. 122). Scheinbar entgegenstehende RegBegr. BT-Drs. 13/9712, 22 meint nur, dass Teilnahmepflicht des Prüfers endet, wenn AR ihn erklärtermaßen nicht dabeihaben will; das ist auch richtig. Dass AR damit auch pflichtgem. handeln würde, hat im Wortlaut des § 171 I 2 dagegen keine Stütze und wäre auch in der Sache unverständlich. Zwischenberatungen ohne Prüfer werden dadurch nicht ausgeschlossen. Nach klarem Wortlaut darf AR wählen, ob Prüfer an Bilanzsitzung des Plenums und/oder eines zuständigen Ausschusses (Prüfungsausschuss) teilnehmen soll. Auch die Teilnahme an beiden Sitzungen kann er verlangen, was verbreitet und idR auch sinnvoll ist, wenngleich ges. Pflicht schon mit Teilnahme in einem Gremium erfüllt ist (MüKoAktG/Hennrichs/Pöschke Rn. 132 f.; GK-AktG/E. Vetter Rn. 144). Wenn WP-Gesellschaft Abschlussprüfer ist, ist Teilnahme des oder der **verantwortlichen Prüfungsleiter** erforderlich und genügend, weil nur sie notwendige Auskünfte geben können (MüKoAktG/Hennrichs/Pöschke Rn. 126). Schuldhafte Verletzung der Teilnahmepflicht gibt der AG Schadensersatzanspruch aus § 280 I BGB (Verletzung des Prüfungsvertrags, s. GK-AktG/E. Vetter Rn. 156 ff.). Auf Gültigkeit des festgestellten Jahresabschlusses ist unterbliebene Teilnahme dagegen ohne Einfluss (str. → § 256 Rn. 19). 14

b) Berichtspflicht. Prüfer hat gem. § 171 I 2 auch über die wesentlichen Ergebnisse seiner Prüfung zu berichten, und zwar iR seiner Teilnahme, also mündlich, was nachfolgende schriftliche Ergänzungen nicht ausschließt. Weil Prüfungsbericht schriftlich vorliegt, geht es vor allem um ergänzende Berichterstattung auf Nachfrage (RegBegr. BT-Drs. 13/9712, 22). Wesentlich ist, was für Meinungsbildung des AR iR seiner Prüfungsaufgabe (§ 171 I 1) obj. von einiger Bedeutung ist, wenn auch nur stichprobenhaft oder exemplarisch. Andererseits kann nicht erwartet werden, dass Prüfer jede Textziffer des Prüfungs- und Erläuterungsteils präsent hat. Auf Kenntnisse von Mitarbeitern darf er deshalb zurückgreifen. **Insbesondere-Einschub** des § 171 I 2 konkretisiert Berichtspflicht des Abschlussprüfers. Berichtspflichtig sind danach namentl. wesentliche Schwächen des internen Kontrollsystems (einschließlich der internen Revision; → § 91 Rn. 17 ff.; RegBegr. BT-Drs. 16/10067, 104) und des Risikomanagementsystems (→ § 91 Rn. 32 ff.), soweit sich diese Schwächen auf den Prozess der Rechnungslegung beziehen (zu Einzelheiten Zwirner/Boecker/Hartmann 15

DB 2013, 471 ff.). RegBegr. 16/10067 S. 104 verweist beispielhaft auf Risiken im Zusammenhang mit der Bildung von Bewertungseinheiten. Mit **Einführung des § 91 III** durch FISG 2021 hat hier verwendete Begrifflichkeit neuen ges. Bezugspunkt erhalten. Auch wenn § 91 III allein für börsennotierte AG gilt (→ § 91 Rn. 15), wird sich weitere Begriffsentwicklung unter dem Vorzeichen dieser Vorschrift und der konkretisierenden Gesetzgebungsmaterialien vollziehen (zur genauen Begrifflichkeit vgl. deshalb → § 91 Rn. 17). Zugleich bestätigt Beschränkung auf börsennotierte AG in § 91 III schon bislang herrschenden Befund, dass bloßer Nennung in § 171 I 2 nicht entnommen werden kann, dass solche Systeme tats. vorhanden sein müssen (ausf. dazu → § 91 Rn. 10 ff.). Regelung ist veranlasst durch Art. 41 IV AbschlussprüferRL 2006. Nach der **europäischen Abschlussprüferreform** finden sich die entspr. Vorgaben in Art. 11 Abschlussprüfer-VO und haben dort zumindest für die Prüfung von Unternehmen von öffentl. Interesse iSd § 316a S. 2 HGB (→ § 100 Rn. 23) **erhebliche Ausdehnung** erfahren. Auch für Unternehmen, die von dieser Vorgabe nicht erfasst sind, empfiehlt D.9 DCGK dem AR vertragliche Begr. erweiterter Berichtspflichten, nämlich hinsichtlich aller aufgabenrelevanten Feststellungen und Vorkommnisse.

16 **c) Information über Befangenheitsgründe und andere Leistungsbeziehungen.** Nach dem durch BilMoG 2009 angefügten § 171 I 3 informiert Abschlussprüfer über mögliche Befangenheitsgründe und über Leistungen, die er zusätzlich zur Abschlussprüfung erbracht hat. Regelung geht auf Art. 42 I lit. b, c Abschlussprüfer-RL (RL 2006/43/EG) zurück, der allerdings im Zuge der europäischen Reform der Abschlussprüfung 2014 gestrichen und sich mit erheblich verändertem Inhalt nunmehr in Art. 11 Abschlussprüfer-VO wiederfindet (→ § 170 Rn. 2). Art. 11 II lit. a Abschlussprüfer-VO schreibt auch weiterhin Erklärung über Unabhängigkeit nach Art. 6 II lit. a Abschlussprüfer-VO vor, die zuvor auch schon im Prüfungsbericht (§ 321 IVa HGB) sowie im Bestätigungsvermerk abzugeben ist (Art. 10 II lit. f Abschlussprüfer-VO). Hinsichtlich zusätzlicher Leistungen enthält Art. 5 Abschlussprüfer-VO für Unternehmen von öffentl. Interesse iSd § 316a S. 2 HGB (→ § 100 Rn. 23) aber weitgehendes Verbot der Erbringung von Nichtprüfungsleistungen. Für Unternehmen, die nicht von öffentl. Interesse sind, gilt dagegen weiter ausschließlich § 171 I 3. **Adressat** dieser Informationen ist AR oder Prüfungsausschuss. Befangenheitsgründe: § 319 II–IV HGB, § 319b HGB. Zusätzliche Leistungen sind solche, die Abschlussprüfer ggü. der geprüften AG erbracht hat, zB Beratungsleistungen. Leistungen an andere, der AG nahe stehende Adressaten sollten jedoch ebenfalls offengelegt werden, um den Eindruck der Befangenheit zu vermeiden.

III. Berichtspflicht (§ 171 II)

17 **1. Allgemeines.** Es genügt nicht, dass AR die Vorlagen des Vorstands (§ 171 I 1) und seine Geschäftsführung (§ 111) prüft. Vielmehr ist er nach § 171 II ggü. HV berichtspflichtig. Bericht soll HV nicht nur über die Prüfungsergebnisse des AR informieren, sondern auch über dessen eigene Tätigkeit und auf diese Weise eine Grundlage für Entlastungs- und Wiederwahlentscheidung geben (MüKoAktG/Hennrichs/Pöschke Rn. 184 f.). Er gehört deshalb zu den **notwendigen Vorlagen des Entlastungsbeschlusses.** AR muss über seinen Bericht ausdr. beschließen (§ 108; → § 108 Rn. 4; BGH AG 2010, 632 Rn. 12 mwN). Bericht ist schriftlich zu erstatten (Unterschrift des Vorsitzenden genügt, weil er Gesamtorgan repräsentiert [→ § 107 Rn. 9]; BGH AG 2010, 632 Rn. 15 ff.; GK-AktG/E. Vetter Rn. 266) und gem. § 175 II 1 zur Einsicht der Aktionäre auszulegen. Nach § 175 II 2 können sie Abschriften verlangen. Schließlich muss Vorstand

den AR-Bericht auch nach § 325 I 2 HGB der das **Unternehmensregister nach § 8b HGB** führenden Stelle zu übermitteln, damit er nach § 325 I 1 Nr. 1 HGB in Unternehmensregister offengelegt wird (→ § 172 Rn. 11), sofern nicht Ausnahmen nach § 326 HGB (kleine AG) oder § 264 III, IV HGB (Tochterunternehmen) eingreifen. Wenn Essentialia des Berichts fehlen (keine ausdr. Beschlussfassung, keine Unterschrift des AR-Vorsitzenden, gravierende inhaltliche Mängel), sind daran anknüpfende Beschlüsse zur Entlastung von Vorstand und AR, aber auch Wiederwahl zum AR **anfechtbar** (BGH AG 2010, 632 Rn. 19 ff.; Bsp. für fehlende Relevanz → Rn. 21). Im Einzelfall kann dem Kläger unter Rückbezug auf Kausalitätsgedanken (→ § 243 Rn. 13) Anfechtung ausnahmsweise aber trotzdem verwehrt sein, wenn Mitwirkungs- und Teilnahmerecht nicht verletzt sind, so etwa, wenn zunächst fehlender Beschluss nachgeholt wird, weil in diesem Fall Fehler beseitigt und Informationszweck erreicht ist (Drescher FS Krieger, 2020, 215, 221). Pflichtverletzung kann auch Schadensersatzpflicht nach § 93 II, § 116 S. 1 begründen (Mutze AG 1966, 173, 174). Strafbarkeit kann sich bei unrichtiger oder verschleiernder Darstellung nach § 400 I 1 ergeben. Namentl. Folge der Anfechtbarkeit hat zu deutlicher Ausweitung der Berichte in der Praxis geführt (Marsch-Barner FS Stilz, 2014, 397, 399 f. mit Überblick über flankierende Berichtspflichten auf anderer ges. Grundlage).

2. Kollision mit Geheimhaltungspflicht. Berichtspflicht kann gerade im Hinblick auf Publikation nach § 325 I 1 Nr. 2 HGB im Einzelfall mit Geheimhaltungspflicht nach § 116 S. 2 kollidieren, und zwar insbes. wenn Empfehlung nach E.1 S. 2 DCGK (Bericht über Interessenkonflikte → Rn. 23) nachgekommen werden soll. Spezialität des § 171 II ggü. § 116 S. 2 ist nicht anzuerkennen (zutr. Drygala AG 2007, 381, 386; zust. KK-AktG/Ekkenga Rn. 69; Hoffmann-Becking NZG 2017, 281, 284). Entscheidend ist insofern **Maßstab des § 131 III.** Wenn danach Auskunft ggü. HV verweigert werden dürfte, muss sich auch Berichtspflicht nicht auf diese Information erstrecken (KK-AktG/Ekkenga Rn. 69; weitergehend Drygala AG 2007, 381, 385). Inwieweit Angleichung der Interessenlagen dergestalt erforderlich ist, dass AR „Auskunftsverweigerung" im Bericht kenntlich zu machen hat, ist wenig geklärt (dafür jetzt Pauschinger, Vorstandshaftung und Vertraulichkeit, 2020, 79 ff.). Strengere Geheimhaltung ist auch durch Beratungsgeheimnis nicht veranlasst, da AR über Ergebnis der Beratung, nicht über ihren Verlauf zu berichten hat (zutr. KK-AktG/Ekkenga Rn. 69; MüKoAktG/Hennrichs/Pöschke Rn. 196; Hommelhoff FS Marsch-Barner, 2018, 261, 268; aA Drygala AG 2007, 381, 386 f.). Zum ähnlich gelagerten Problem einer Kollision mit Insiderrecht s. KK-AktG/Ekkenga Rn. 70; Wilsing/v. der Linden FS Seibert, 2019, 1119, 1123 ff. 18

3. Einzelne Berichtspunkte. Berichtsgegenstände sind in § 171 II aufgezählt. Tendenzen, Bericht darüber hinaus als **umfassenden Rechenschaftsbericht** aufzufassen, der sich auf sämtliche Aspekte unternehmerischer Mitentscheidung erstreckt (vgl. Hommelhoff FS Marsch-Barner, 2018, 261 ff.), ist de lege lata in § 171 II nicht angelegt; weitere Ausdehnung erscheint unter Gesichtspunkten der Rechtssicherheit auch nicht unproblematisch (Marsch-Barner FS Stilz, 2014, 397, 410). AR muss nach Gesetzeslage (weitergehende Empfehlung: E.1 S. 2 DCGK; → Rn. 23) zunächst berichten über Ergebnis seiner nach § 171 I 1 durchgeführten Prüfung der **Rechnungslegung** (§ 171 II 1; zur Ausdehnung auf CSR-Berichterstattung vgl. E. Vetter FS Seibert, 2019, 1007 ff.). Wenn keine Einwendungen zu erheben sind, fällt Berichtspunkt mit Schlusserklärungen des § 171 II 4 zusammen (→ Rn. 24; OLG Stuttgart AG 2021, 522, 528). Bestehen Einwendungen, so muss AR seine Gegenauffassung zur Vorstandsansicht so eingehend darlegen, dass sich HV **eigenes Urteil** bilden kann (ADS Rn. 64). 19

Soweit dafür erforderlich, ist auch Prüfungsbericht der Abschlussprüfer inhaltlich in AR-Bericht einzubeziehen.

20 Bericht muss sich zweitens darüber aussprechen, wie und inwieweit AR **Geschäftsführung** geprüft hat (§ 171 II 2). Nach früher hM genügte es, dass AR versichert, er habe Geschäftsführung aufgrund der Vorstandsberichte und gemeinsamer Sitzungen mit dem Vorstand laufend überwacht (s. noch ADS Rn. 69). Nachdem die Änderungen im Zuge des KonTraG 1998 gerade bisheriger Praxis entgegenwirken sollten, Bericht in Gestalt formelhafter Standardwendungen zu erstatten (vgl. KK-AktG/Ekkenga Rn. 64), werden höhere Anforderungen gestellt, wobei hM insofern zu Recht **nach Lage der AG differenziert.** Wo keine berichtspflichtigen Vorgänge ersichtlich sind, genügt auch weiterhin der formale Hinweis entspr. der früheren Praxis; weitergehende Anforderungen würden nur zu bürokratischer Aufblähung des Berichtswesens führen (OLG Hamburg AG 2001, 359, 362; OLG Stuttgart AG 2006, 379, 381; S/L/Drygala Rn. 19; KK-AktG/Ekkenga Rn. 65; MüKoAktG/Hennrichs/Pöschke Rn. 198; GK-AktG/E. Vetter Rn. 212; Kiethe NZG 2006, 888, 890 ff.; Maser/Bäumker AG 2005, 906, 908 f.; weitergehend LG München I AG 2005, 408 f.; LG München I AG 2007, 417, 418; Theisen BB 1988, 705 ff.; Theisen/Linn/Schöll DB 2007, 2493, 2496 f.). Wo dagegen im Einzelfall bes. **Überwachungsmaßnahmen geboten** waren, sind Anlass und Durchführung solcher Maßnahmen in den auch der Rechenschaft des AR dienenden Bericht (→ Rn. 17) aufzunehmen. Problem liegt insofern weniger im Umfang der Berichterstattung als in Anforderungen, die an sachgem. Überwachung zu stellen sind (→ § 111 Rn. 5 ff.). Erweist sich Bericht danach als unzureichend, so ist auf dieser Basis gefasster **Entlastungsbeschluss anfechtbar** (OLG Stuttgart AG 2006, 379, 382 f.; Liese/Theusinger BB 2007, 2528, 2529 ff.). Zur Kollision mit Geheimhaltungspflicht → Rn. 18.

21 Bes. vorgeschrieben ist durch § 171 II 2 Hs. 2 drittens, dass AR-Bericht bei börsennotierten Gesellschaften (→ § 3 Rn. 5 f.) die **Ausschüsse** bezeichnet, die AR gebildet hat, und die **Zahl der Sitzungen** des AR-Plenums (→ § 110 Rn. 10) und der Ausschüsse mitteilt. Nach RegBegr. BT-Drs. 13/9712, 22 soll damit einerseits Entwicklung zu aussagekräftigen AR-Berichten unterstrichen, andererseits unnütze Aufblähung vermieden werden. Gerade vor dem Hintergrund dieser Aussage erscheint es zweifelhaft, ob Berichtspflicht weitergehend auf das gesamte Zusammenspiel zwischen Prüfungsausschuss und AR einerseits und Prüfer andererseits erstreckt werden kann (dafür Lutter FS Hommelhoff, 2012, 683 ff.). Solche Darstellung mag zweckmäßig sein; dass sie sich zur Rechtspflicht verstärkt hat, ist nicht anzunehmen. Berichtsschwerpunkte sind stattdessen formale Struktur der Ausschüsse und inhaltliche Tätigkeit (Marsch-Barner FS Stilz, 2014, 397, 407 f.). Einzelne Mängel des Berichts über Überwachung geben für obj. urteilenden Aktionär (→ § 243 Rn. 17) keinen Grund, Entlastung des AR anzufechten (OLG Hamburg AG 2001, 359, 362; anders jedoch bei insgesamt unzureichender Berichterstattung → Rn. 19 ff.; OLG Stuttgart AG 2006, 379, 382 f.). Mit den vom AR gebildeten Ausschüssen meint § 171 II 2 Hs. 2 die im Geschäftsjahr bestehenden, nicht nur die neu gebildeten. Damit Bericht seinen Informationszweck erfüllen kann, sind Ausschüsse in jeden Bericht neu aufzunehmen (keine Bezugnahme auf Vorjahresbericht). Auch Sonderausschüsse sind zu benennen. Bestand Ausschuss nicht während des ganzen Geschäftsjahrs, so ist auch das anzugeben, um Irrtümer zu vermeiden. Zahl der Sitzungen ist für Plenum und jeden Ausschuss gesondert mitzuteilen. Angaben zu **§ 289f I HGB, § 315a HGB** sind **nicht erforderlich,** nachdem entspr. Satzteil des § 171 II 2 durch Zweites Ges. zur Änderung des Umwandlungsges. v. 19.4.2007 (BGBl. 2007 I 542) wieder aufgehoben worden ist (dazu AusschussB BT-Drs. 16/4193, 12); → § 120 Rn. 15; → § 175 Rn. 5.

Viertens vorgeschriebene **Stellungnahme zum Ergebnis der Abschlussprüfung** (§ 171 II 3) pflegt sich bei uneingeschränktem Testat auf Mitteilung zustimmender Kenntnisnahme zu beschränken (vgl. Vorschlag bei ADS Rn. 71; BeckOGK/Euler/Klein Rn. 81). Durchgreifende Bedenken gegen diese Kurzform bestehen im Allgemeinen nicht (OLG Düsseldorf AG 2013, 759, 762; S/L/Drygala Rn. 19; KK-AktG/Ekkenga Rn. 81; MüKoAktG/Hennrichs/Pöschke Rn. 207 f.; aA Lutter AG 2008, 1 ff.; Theisen BB 1988, 705, 709 f.). Solches Minimum ist aber auch erforderlich. Wenn Bestätigungsvermerk eingeschränkt oder versagt worden ist, muss AR dazu so ausf. Stellung nehmen, dass HV eine zusätzliche Beurteilungsgrundlage gewinnt (MüKoAktG/Hennrichs/Pöschke Rn. 209; GK-AktG/E. Vetter Rn. 233 f.; insofern großzügiger KK-AktG/Ekkenga Rn. 81). Das gilt namentl., aber nicht nur, für Gegenvorstellungen. Ist zwar das Testat uneingeschränkt, enthält der Prüfungsbericht jedoch Kritikpunkte, so lassen sich diese iwS dem Prüfungsergebnis zurechnen, weshalb auch insoweit eine Stellungnahme zum eigenen Umgang mit den Prüferhinweisen erforderlich ist (darin zutr. Theisen/Linn/Schöll DB 2007, 2493, 2500). 22

Erweiterungen der Berichtspflicht sind für börsennotierte AG in D.7 und E.1 S. 2 DCGK vorgesehen. Nach D.7 DCGK soll im Bericht vermerkt werden, an wie vielen Sitzungen des AR oder seiner Ausschüsse AR-Mitglied in einem Geschäftsjahr teilgenommen hat. Nach **E.1 S. 2 DCGK** soll AR über aufgetretene **Interessenkonflikte** und deren Behandlung informieren (zum Begriff des Interessenkonflikts → § 108 Rn. 10 ff.; zur inhaltlichen Deckungsgleichheit der Begriffe in E.1 S. 1 und E.1 S. 2 DCGK OLG Düsseldorf AG 2013, 759, 763 f.; zum Sonderfall der Beratungsverträge Marsch-Barner FS Stilz, 2014, 397, 402 ff.). In der instanzgerichtl. Rspr. war diese Vorgabe zT recht streng dahingehend gedeutet worden, dass der bloße Hinweis auf das Bestehen eines Interessenkonflikts nicht genüge, sondern der Konflikt konkret benannt und – insofern nicht ganz klar – wohl auch eindeutig einer Person zugeordnet werden müsse; eine Entsprechenserklärung ohne diese Offenlegung führe zur Anfechtbarkeit der anschließenden Entlastung (OLG Frankfurt AG 2011, 713, 715; zu den daraus resultierenden Problemen vgl. Butzke FS Hoffmann-Becking, 2013, 229 ff.). BGH hat dagegen klargestellt, dass **keine Einzelheiten** eines aufgetretenen Interessenkonflikts anzugeben seien, weil die Aktionäre ggf. in HV weitere Informationen erfragen könnten (BGHZ 194, 14 Rn. 32 = NJW 2012, 3235; BGH NZG 2013, 783, 784). Es genügt daher, wenn über Konflikt als solchen berichtet wird und wie damit verfahren wurde (GK-AktG/E. Vetter Rn. 253). Dabei muss insbes. ges. Wertung des § 116 S. 2 der Empfehlung des DCGK vorgehen (→ Rn. 18), so dass AR über **geheimhaltungspflichtige Umstände** keine Angaben machen darf, solange nicht betroffenes Mitglied und AR in seiner Gesamtheit zugestimmt haben (Butzke FS Hoffmann-Becking, 2013, 229, 240, 241 ff.; Priester ZIP 2011, 2081, 2083 ff.). Das umfasst Gremienverantraulichkeit (→ § 116 Rn. 9 f.; Wilsing/v. der Linden ZHR 178 [2014], 419, 436), die auch über Auskunftsrecht nach § 131 nicht überwunden werden kann (→ § 131 Rn. 14 mwN). Wo trotz abgeschwächter Anforderungen des BGH zwischen Offenlegungsempfehlung des DCGK und Geheimhaltungspflicht Kollisionslage entsteht, ist sie zugunsten ges. Pflicht aufzulösen, ohne dass Richtigkeit späterer **Entsprechenserklärung** durch nur pauschale Benennung des Konflikts in Frage gestellt werden könnte (vgl. zu diesem Problem – allerdings noch vor den Klarstellungen des BGH – Butzke FS Hoffmann-Becking, 2013, 229, 242 ff.). Als **Behandlung** des Interessenkonflikts iSd E.1 S. 2 DCGK wird in erster Linie Ausschluss von Beratung und Abstimmung in Betracht kommen (Priester ZIP 2011, 2081, 2084). Liegt kein Interessenkonflikt vor, ist „Fehlanzeige" nicht geboten (OLG Düsseldorf AG 2013, 759, 763). 23

24 **4. Schlusserklärungen.** Gem. § 171 II 4 muss sich AR am Schluss seines Berichts darüber erklären, ob nach dem abschließenden Ergebnis seiner Prüfung **Einwendungen** zu erheben sind und ob er den aufgestellten Jahresabschluss billigt. Prüfung des AR muss also zu einem Endergebnis führen. Ist nichts einzuwenden, so genügt die Mitteilung dieses Sachverhalts (ADS Rn. 74). Wenn Einwendungen zu erheben sind, müssen sie spezifiziert dargelegt werden (→ Rn. 20). Kleinere Beanstandungen ergeben noch keine Einwendungen. Es muss sich vielmehr um Mängel handeln, die nach Ansicht des AR die Einschränkung oder Versagung des Testats rechtfertigen würden; deshalb ist das Wort „Einwendungen" in § 171 II 4 gewählt worden (Textübereinstimmung mit § 322 I und III HGB; vgl. RegBegr. Kropff S. 278). Ausdr. Erklärung über Billigung oder Nichtbilligung ist unverzichtbar im Hinblick auf § 172 S. 1, § 173 I Fall 2 (Feststellung des Jahresabschlusses).

25 **5. Entsprechende Anwendung auf Konzernabschluss.** Gem. § 171 II 5 gilt § 171 II 3 und 4 für Konzernabschluss entspr. Konzernabschluss wird dadurch dem Jahresabschluss weitgehend gleichgestellt, was einer Empfehlung der Corporate Governance-Kommission entspr. (s. Baums [Hrsg.], Bericht, 2001, Rn. 274; RegBegr. TransPuG BT-Drs. 14/8769, 22). AR muss also auch zum Prüfungsergebnis hinsichtlich des Konzernabschlusses Stellung nehmen (§ 171 II 4) und sich in seiner Schlusserklärung darüber aussprechen, ob er vom Vorstand aufgestellten Konzernabschluss billigt oder nicht (§ 171 II 5). Versagt AR seine Billigung, so beschließt darüber HV (§ 173 I 2). Anders als Jahresabschluss wird Konzernabschluss mit Billigung nicht festgestellt (OLG Frankfurt AG 2007, 282 f.). Feststellung beschränkt sich nach §§ 172, 173 I auf Einzelabschluss, weil nur er Grundlage der Gewinnverwendung ist (→ § 172 Rn. 5). Für Konzernabschluss bedarf es keiner vergleichbaren Rechtswirkungen. Dass Vorstand und AR über Konzernabschluss uneinig sind, wird jedoch aus Bek. im Unternehmensregister (→ § 172 Rn. 11) öffentlich, die gem. § 325 III 1 HGB Bericht des AR umfasst (RegBegr. BT-Drs. 14/8769, 22).

IV. Fristen (§ 171 III)

26 AR muss seinen Bericht gem. § 171 III 1 binnen **Monatsfrist** dem Vorstand zuleiten, damit dieser gem. § 175 II, § 325 I 1 Nr. 1 HGB verfahren kann (→ Rn. 17). Frist beginnt nach Wortlaut mit Zugang der Vorlagen, was auf Vorstandsvorlagen iSd § 170 I und II Bezug nimmt. Dazu gehörte ursprünglich auch Bericht des Abschlussprüfers, der nunmehr dem AR aber unmittelbar vom Prüfer vorzulegen ist (→ § 170 Rn. 2). Wie sich Gesetzesänderung auf Fristlauf auswirkt, wurde im Gesetzgebungsverfahren nicht problematisiert und ist deshalb unklar. Hohe Bedeutung des Prüfungsberichts für AR-Prüfung spricht aber ebenso wie frühere Erfassung eher dafür, dass auch er dem AR vorliegen muss, damit Fristlauf beginnt (so die heute ganz hM – vgl. nur S/L/Drygala Rn. 25; KK-AktG/Ekkenga § 171 Rn. 84; GK-AktG/E. Vetter Rn. 282 f.; Gernoth/Wernicke NZG 2010, 531, 533 f.). Wird Monatsfrist versäumt, muss Vorstand dem AR nach § 171 III 2 unverzüglich (§ 121 I 1 BGB) eine **Nachfrist von höchstens einem Monat** setzen. Hilft auch das nicht, so greift **Erklärungsfiktion** des § 171 III 3 ein. Danach gilt Jahresabschluss als vom AR nicht gebilligt, so dass nunmehr gem. § 173 I Fall 2 die Feststellungskompetenz bei der HV liegt. Regelung will dem Vorstand den Einwand abschneiden, er könne den Jahresabschluss mangels rechtzeitiger Stellungnahme des AR nicht vorlegen (AusschussB Kropff S. 278). Pflicht des Vorstands zur Nachfristsetzung ist deshalb zwangsgeldbewehrt (§ 407 I). Erklärungsfiktion tritt nach § 171 III 3 Hs. 2 auch ein, wenn AR des Mutterunternehmens (§ 290 I, II HGB) sich nicht spätestens

innerhalb der Nachfrist über Billigung des Konzernabschlusses äußert. Zwangsgeldbewehrung (§ 407 I) besteht auch hier.

V. Prüfung des Einzelabschlusses nach IFRS (§ 171 IV)

§ 171 IV bezieht sich auf Einzelabschluss nach § 325 IIa HGB, also auf IFRS-Abschluss, der statt des Jahresabschlusses offengelegt werden soll (→ § 170 Rn. 2a). Prüfungs- und Berichtspflicht einschließlich der Pflicht zur Abgabe einer Schlusserklärung (→ Rn. 24) sind vom AR ebenso zu erfüllen wie beim Jahresabschluss; auch gilt dieselbe Fristenregelung. Das folgt aus entspr. Geltung des § 171 I–III, die § 171 IV 1 anordnet. Offenlegung (§ 325 HGB) darf Vorstand gem. § 174 IV 2 erst veranlassen, wenn AR IFRS-Abschluss gebilligt hat (§ 171 II 4 iVm § 171 IV 1; → Rn. 24). Wie beim Konzernabschluss (→ Rn. 25) bedeutet Billigung auch hier **nicht Feststellung** (RegBegr. BT-Drs. 15/3419, 54). Es bedarf ihrer nicht, weil sich weitergehende Rechtswirkungen nur mit dem Jahresabschluss verbinden. Prüfung und Billigung durch AR sollen aber der Bedeutung Rechnung tragen, die der Information der Öffentlichkeit zukommt (RegBegr. BT-Drs. 15/3419, 54). 27

Dritter Abschnitt. Feststellung des Jahresabschlusses. Gewinnverwendung

Erster Unterabschnitt. Feststellung des Jahresabschlusses

Feststellung durch Vorstand und Aufsichtsrat

172 [1] **Billigt der Aufsichtsrat den Jahresabschluß, so ist dieser festgestellt, sofern nicht Vorstand und Aufsichtsrat beschließen, die Feststellung des Jahresabschlusses der Hauptversammlung zu überlassen.** [2] **Die Beschlüsse des Vorstands und des Aufsichtsrats sind in den Bericht des Aufsichtsrats an die Hauptversammlung aufzunehmen.**

Übersicht

I. Regelungsgegenstand und -zweck

§ 172 betr. Feststellung des Jahresabschlusses und regelt die **Zuständigkeiten für** diese **Feststellung.** Kompetenz liegt primär bei Vorstand und AR (Regelfall), sekundär bei HV, nämlich in drei Fällen: (1.) AR billigt zwar den Jahresabschluss, Vorstand und AR beschließen jedoch, seine Feststellung der HV zu überlassen (§ 172 S. 1 Fall 2; → Rn. 7). (2.) AR erklärt gem. § 171 II 4 (→ § 171 Rn. 24), den Jahresabschluss nicht zu billigen; dann ist HV nach § 173 I Fall 2 zuständig. (3.) AR erfüllt seine aus § 171 II folgende Berichtspflicht auch inner- 1 halb der ihm gesetzten Nachfrist nicht, so dass Nichtbilligung gem. § 171 III 3 fingiert und § 173 I Fall 2 auf dieser Basis anwendbar wird (→ § 171 Rn. 26). **Erweiterung der Berichtspflicht des AR** durch § 172 S. 2 bezweckt frühzeitige Information der Aktionäre und sichert die durch § 175 IV angeordnete Bindung von Vorstand und AR gegen unbemerkte Änderungen ab (RegBegr. Kropff S. 279).

II. Feststellung des Jahresabschlusses durch Billigung

2 **1. Begriff und Rechtsnatur.** Im Regelfall des § 172 S. 1 erfolgt Feststellung des Jahresabschlusses, indem AR ihn billigt. Dabei ist Rechtsbegriff der Feststellung vorausgesetzt. Sie ist zunächst **von Aufstellung des Jahresabschlusses zu unterscheiden.** Diese ist nach § 264 I HGB, § 170 I zugleich öffentl.-rechtl. und gesellschaftsrechtl. Pflicht der Gesellschaft bzw. des Vorstands und stellt diejenige Maßnahme der Geschäftsführung dar, mit der Führung der Handelsbücher (§§ 238 ff. HGB, § 91) ihren periodischen Abschluss findet und sich die bilanzpolitischen Überlegungen des Vorstands (→ § 171 Rn. 6 f.) zu entscheidungsreifen Vorlagen konkretisieren (GK-AktG/E. Vetter Rn. 13). Demgegenüber bezweckt und erreicht die Feststellung die Verbindlichkeit des Jahresabschlusses für die Gesellschaftsorgane und die Aktionäre sowie die Inhaber sonstiger gewinnabhängiger Ansprüche; das schließt die Endgültigkeit des Jahresabschlusses ein (S/L/Drygala Rn. 7 ff.). Aus Zweck und Wirkung folgt, dass Feststellung rechtsgeschäftlichen Charakter hat; denn sonst könnte es keine Verbindlichkeit geben (→ Rn. 3).

3 **2. Vorlage und Billigung als Rechtsgeschäft.** Weil die Feststellung zur Verbindlichkeit des Jahresabschlusses führt (→ Rn. 2), ist in seiner Vorlage und Billigung nach heute allgM nicht nur ein tats. Zusammenwirken von Vorstand und AR, sondern ein **korporationsrechtl. Rechtsgeschäft eigener Art** zu erblicken (vgl. nur BGHZ 124, 111, 116 = NJW 1994, 520; OLG Frankfurt AG 2007, 282; MüKoAktG/Hennrichs/Pöschke Rn. 22). Elemente des Rechtsgeschäfts sind die Vorlage des Jahresabschlusses durch den Vorstand und die Billigungserklärung durch den AR. Die bloße Beschlussfassung genügt schon wegen der in § 171 II 4 und III getroffenen Regelung nicht (BGHZ 124, 111, 116; eingehend ADS Rn. 7). Umstr. ist, ob es sich bei Vorlage und Billigung um **Willenserklärungen** handelt, was insbes. zur Folge haben soll, dass Anfechtung nach §§ 119, 123 BGB bis zum Eintritt der Bindungswirkung gem. § 175 IV zulässig sein soll (dafür etwa noch ADS Rn. 7 f.). Nach heute zu Recht hM ist Frage zu verneinen, da es schon an Existenz zweier Rechtssubjekte fehlt, da Vorstand und AR keine rechtsfähigen Funktionsträger sind (S/L/Drygala Rn. 10; KK-AktG/Ekkenga Rn. 7; MüKoAktG/Hennrichs/Pöschke Rn. 22). Beschluss selbst ist allerdings mehrseitiges Rechtsgeschäft, das durch Willenserklärungen der einzelnen Organmitglieder zustande kommt, so dass insofern Anfechtung möglich ist, die allerdings nur dann zur Aufhebung des Beschlusses führt, wenn sich mit Wegfall der Stimme Beschlussergebnis geändert hätte (MüKoAktG/Hennrichs/Pöschke Rn. 22 f.).

4 Der Billigungserklärung des AR muss ein entspr. **Beschluss** zugrunde liegen (§ 108 I), den nur das **Gesamtorgan,** nicht ein Ausschuss fassen kann; denn § 107 III 7 nimmt Aufgaben des § 171 ausdr. von der Delegation auf Ausschüsse aus. Inhaltlich muss Beschluss auf Billigung gerichtet sein. In diesem Zusammenhang ist fraglich, ob es eine **Billigung unter Auflagen oder Bedingungen** geben kann. Das wird teilw. für möglich gehalten, wenn AR die Änderung von Einzelposten in genau bezeichnetem Umfang wünscht (KK-AktG/Ekkenga Rn. 15; B/K/L/Schulz Rn. 4). Vorzugswürdig erscheint aus Gründen der

Rechtssicherheit aber ablehnende Auffassung. Beschluss muss nach § 172 S. 2 in HV-Bericht aufgenommen werden, so dass spätestens zu diesem Zeitpunkt klar sein muss, ob HV zur Entgegennahme des festgestellten Jahresabschlusses oder zu dessen Feststellung einberufen wird (so überzeugend MüKoAktG/Hennrichs/Pöschke Rn. 29; sa S/L/Drygala Rn. 15; BeckOGK/Euler/Klein Rn. 12). IdR wird für solche bedenklichen Konstruktionen auch kein Bedürfnis bestehen, da Vorstand zumeist in Bilanzsitzung anwesend sein wird (MüKoAktG/Hennrichs/Pöschke Rn. 29).

III. Rechtswirkungen

Mit Feststellung des Jahresabschlusses werden die vom Vorstand in der Aufstellung vorgeschlagenen bilanzpolitischen Maßnahmen (→ § 171 Rn. 6 f.), ferner die von ihm vorgeschlagenen Einstellungen in oder Auflösung von Rücklagen (→ § 171 Rn. 8) wirksam (MüKoAktG/Hennrichs/Pöschke Rn. 46). Die mit der Feststellung verbindlich gewordenen Bewertungen wirken gem. § 252 I Nr. 1 und 6 HGB (formelle und materielle Bilanzkontinuität) auch in die Zukunft. HV ist bzgl. des von ihr zu fassenden Gewinnverwendungsbeschlusses an den festgestellten Jahresabschluss gebunden (§ 174 I 2). Dividendenzahlungsansprüche entstehen erst mit dem Gewinnverwendungsbeschluss selbst (→ § 58 Rn. 28 ff.). Mit Feststellung des einen Bilanzgewinn ausweisenden Jahresabschlusses ist aber der **mitgliedschaftliche Gewinnanspruch** begründet, kraft dessen Aktionäre einen klagbaren Anspruch auf Herbeiführung des Gewinnverwendungsbeschlusses haben (→ § 58 Rn. 26). 5

IV. Zur Abgrenzung: Unterzeichnung des Jahresabschlusses

Gem. § 245 S. 1 HGB ist Jahresabschluss vom Kaufmann, also auch von der AG (§ 3 iVm § 6 HGB), unter Angabe des Datums zu unterzeichnen. Für AG handeln nach allgM (s. MüKoAktG/Hennrichs/Pöschke Rn. 52) sämtliche Vorstandsmitglieder (arg. § 91) einschließlich der stellvertretenden (§ 94). Zu unterzeichnen ist nach hM der **festgestellte, nicht schon der aufgestellte Jahresabschluss** (BGH AG 1985, 188, 189 zur GmbH; MüKoAktG/Hennrichs/Pöschke Rn. 51; GK-AktG/E. Vetter Rn. 125; Bormann DStR 2011, 368, 369; aA Weiß WM 2010, 1010, 1013 ff.). Folglich muss unterzeichnen, wer am Tag der Feststellung (→ Rn. 3 f.) Vorstandsmitglied ist. Rechtzeitige Aufstellung sollte zusätzlich dokumentiert werden. Das kann, muss aber nicht durch Unterzeichnung des aufgestellten Jahresabschlusses erfolgen (MüKoAktG/Hennrichs/Pöschke Rn. 51). Gesellschaftsrechtl. (oder anderweitige zivilrechtl.) Bedeutung kommt der Unterzeichnung nicht zu. Sie ist vielmehr **Erfüllung öffentl.-rechtl. Pflicht,** die Verantwortung für Buchführung und Jahresabschluss zu dokumentieren (BGH AG 1995, 188, 189; OLG Karlsruhe WM 1987, 533, 536; Grigoleit/Grigoleit/Zellner Rn. 7). 6

V. Feststellung durch Hauptversammlung trotz Billigung

Feststellung durch Billigung des AR (→ Rn. 2 ff.) ist in dem Sinne zwingend, dass die Satzung keine andere Feststellungskompetenz begründen kann. **Vorstand und AR** haben jedoch gem. § 172 S. 1 die Option, die Feststellung des gebilligten Jahresabschlusses der HV zu überlassen. Erforderlich sind entspr. **Beschlüsse beider Organe.** AR allein kann HV nur zuständig machen, indem er die Billigung versagt (KK-AktG/Ekkenga Rn. 15). Beschluss wirkt nur für den konkreten Jahresabschluss, nicht für die Folgejahre. Ob anstelle des Gesamt-AR ein Ausschuss beschließen kann, ist nicht zweifelsfrei, weil § 107 III 7 diesen Fall nicht aufführt. Wenn aber die Regelfolge der notwendig in die Zuständigkeit des 7

Gesamtorgans fallenden Billigung (→ Rn. 4) nicht eintreten soll, wird man auch insoweit abschließende Kompetenz des Gesamt-AR annehmen müssen (ebenso BeckOGK/Euler/Klein Rn. 8).

VI. Aufnahme in Bericht des Aufsichtsrats

8 Gem. § 172 S. 2 sind die Beschlüsse des Vorstands und des AR in den Bericht des AR an die HV aufzunehmen. Gemeint sind die Beschlüsse, mit denen Vorstand und AR die Zuständigkeit der HV begründen, den gebilligten Jahresabschluss festzustellen (→ Rn. 7); denn die Billigung selbst ist schon nach § 171 II 4 Berichtsbestandteil (iE ebenso ADS Rn. 25). Zum Informationszweck der Regelung → Rn. 1.

VII. Änderung festgestellter Jahresabschlüsse

9 Ob Vorstand und AR den von ihnen festgestellten Jahresabschluss durch einvernehmliches Handeln (einseitige Maßnahmen scheiden von vornherein aus) ändern können, lässt sich nicht einheitlich beantworten. Gebotene **differenzierende Betrachtung** ergibt zur gesellschaftsrechtl. Seite (steuerrechtl. Würdigung bei Stapperfend FS Schwark, 2009, 772, 775 ff.): **Fehlt** schon die **Erklärung eines Organs** oder ist sie **nichtig,** etwa wegen Anfechtung der einzelnen Stimmabgaben nach §§ 119, 123 BGB (→ Rn. 3), so fehlt es auch an der Feststellung; sie kann allenfalls scheinbar gegeben sein. Sog Änderung ist erstmalige Feststellung und damit ohne weiteres zulässig (ADS Rn. 36 ff.; MüKoAktG/J. Koch § 256 Rn. 34 ff.). Wenn **Feststellung** gegeben, aber **gem. § 256 nichtig** und Nichtigkeit nicht gem. § 256 VI geheilt ist, ist Neuvornahme zulässig und grds. (→ § 256 Rn. 33) auch geboten (wohl unstr., s. ADS Rn. 36 ff.; KK-AktG/Ekkenga Rn. 21; MüKoAktG/Hennrichs/Pöschke Rn. 56; GK-AktG/E. Vetter Rn. 110 ff.). Soweit es vor der Feststellung zu Änderungen des bereits geprüften Jahresabschlusses kommt, ist **Nachtragsprüfung gem. § 316 III HGB** erforderlich. Vor Abschluss der Nachtragsprüfung kann Feststellungswirkung nicht eintreten (KK-AktG/Ekkenga Rn. 23).

10 Wenn **Feststellung erfolgt und gültig** ist, muss weiter unterschieden werden. **Vor Einberufung der HV** können Vorstand und AR den festgestellten Jahresabschluss einverständlich ändern (arg. § 175 IV), ohne dass es auf ihre Gründe ankäme. Das folgt aus erst späterem Eintritt der Bindungswirkung nach § 175 IV, aber auch aus § 325 Ib HGB, der solche Änderungsmöglichkeit implizit voraussetzt (heute hM – vgl. ADS Rn. 47; KK-AktG/Ekkenga Rn. 22; W. Müller FS Quack, 1991, 359, 363). Eingeschränkt wird Dispositionsfreiheit aber dann, wenn Feststellung auf anderem Wege internen Verbandsbereich verlässt, etwa durch Präsentation in Pressekonferenz oder Ad-Hoc-Meldung gem. Art. 17 I MAR (KK-AktG/Ekkenga Rn. 22). **Nach Einberufung** bestehende Rechtslage ist nicht vollständig gesichert. Sog Willküränderungen scheiden aus (BGHZ 23, 150, 152 = NJW 1957, 588; MüKoAktG/Hennrichs/Pöschke Rn. 71 ff.). Grds. zulässig sind jedoch Änderungen, mit denen Inhaltsfehler beseitigt werden, die gem. § 256 noch keine Nichtigkeit begründen. Dazu zählen etwa Gliederungsverstöße, die Klarheit und Übersichtlichkeit nicht wesentlich beeinträchtigen (MüKoAktG/Hennrichs/Pöschke Rn. 81; krit. KK-AktG/Ekkenga Rn. 26). Gleichzustellen ist Heilungseintritt gem. § 256 VI (W. Müller FS Quack, 1991, 359, 369). Daneben lässt hM Änderung auch dann zu, wenn zwingende wirtschaftliche einschließlich steuerlicher Gründe dafür sprechen (hM, s. ADS Rn. 58 iVm 54 ff.; S/L/Drygala Rn. 28; MüKoAktG/Hennrichs/Pöschke Rn. 71 ff.; Hennrichs ZHR 168 [2004], 383, 393 ff.; W. Müller FS Quack, 1991, 359, 363 ff., 366 ff.; E. Vetter AG 2020, 401 Rn. 19 ff. am Bsp.

Corona-Epidemie 2020/21; aA aber KK-AktG/Ekkenga Rn. 26: grds. Bindungswirkung), es sei denn, dass mit solchen Änderungen in bereits entstandene Rechte der Aktionäre (Dividendenkürzung – vgl. zu dieser Einschränkung BGH AG 2020, 540 Rn. 33) oder Dritter eingegriffen würde (so bes. Ludewig DB 1986, 133, 136; Weirich WPg 1976, 625, 628; aA W. Müller FS Quack, 1991, 359, 364 f., 368; nicht eindeutig ADS Rn. 58, 49 ff.). Ob das der Fall ist und in welchem Maße auch Vertrauensgesichtspunkte zu berücksichtigen sind, hängt maßgeblich auch von Realstruktur der AG ab, etwa ob es sich um börsennotierte AG oder AG mit geschlossenem Aktionärskreis handelt (MüKoAktG/Hennrichs/Pöschke Rn. 73). Soweit es zur Änderung des aufgestellten und schon geprüften Jahresabschlusses kommt, ist auch insoweit **Nachtragsprüfung gem. § 316 III HGB** erforderlich.

VIII. Veröffentlichung des festgestellten Jahresabschlusses

Festgestellter oder gebilligter Jahresabschluss (→ Rn. 2 ff.) ist vom Vorstand 11 nach **§ 325 I HGB** gemeinsam mit Lagebericht und Bestätigungsvermerk oder Vermerk über dessen Versagung sowie Bericht des AR und nach § 161 vorgeschriebener Entsprechenserklärung elektronisch bei der das **Unternehmensregister nach § 8b HGB** führenden Stelle einzureichen, die ihre Bek. ermöglicht. Vorschrift wurde durch DiRUG 2021 neu gefasst worden, um Änderungen des Art. 16 III 1 GesR-RL umzusetzen, die ihrerseits durch Digitalisierungs-RL (→ § 5 Rn. 17) eingeführt wurden. Danach müssen Unterlagen der Rechnungslegung in einem Register öffentl. zugänglich gemacht werden. Veröffentlichung im Amtsblatt kann fakultativ vorgesehen werden (Art. 16 III 2 GesR-RL). Damit ist bislang in BRD geltendes System umgekehrt, wonach Einreichung zunächst beim Betreiber des BAnz. erfolgt (so noch § 325 I HGB aF) und Unterlagen sodann an Unternehmensregister übermittelt werden (RegBegr. DiRUG BT-Drs. 19/28177, 101). Auf Möglichkeit zur fakultativen Übermittlung an Betreiber des BAnz. wird nunmehr verzichtet (RegBegr. DiRUG BT-Drs. 19/28177, 101). Unterlagen der Rechnungslegung sind damit ausschließlich im Unternehmensregister abrufbar. Dies vermeidet bisher bestehende Doppelpublizität und stärkt Funktion des Unternehmensregisters als **One-Stop-Shop** für Unternehmensinformationen (RegBegr. DiRUG BT-Drs. 19/28177, 101). Vgl. dazu auch → § 39 Rn. 8: Register only-Prinzip.

Feststellung durch die Hauptversammlung

173 (1) [1] **Haben Vorstand und Aufsichtsrat beschlossen, die Feststellung des Jahresabschlusses der Hauptversammlung zu überlassen, oder hat der Aufsichtsrat den Jahresabschluß nicht gebilligt, so stellt die Hauptversammlung den Jahresabschluß fest.** [2] **Hat der Aufsichtsrat eines Mutterunternehmens (§ 290 Abs. 1, 2 des Handelsgesetzbuchs) den Konzernabschluss nicht gebilligt, so entscheidet die Hauptversammlung über die Billigung.**

(2) [1] **Auf den Jahresabschluß sind bei der Feststellung die für seine Aufstellung geltenden Vorschriften anzuwenden.** [2] **Die Hauptversammlung darf bei der Feststellung des Jahresabschlusses nur die Beträge in Gewinnrücklagen einstellen, die nach Gesetz oder Satzung einzustellen sind.**

(3) [1] **Ändert die Hauptversammlung einen von einem Abschlußprüfer auf Grund gesetzlicher Verpflichtung geprüften Jahresabschluß, so werden vor der erneuten Prüfung nach § 316 Abs. 3 des Handelsgesetzbuchs**

von der Hauptversammlung gefaßte Beschlüsse über die Feststellung des Jahresabschlusses und die Gewinnverwendung erst wirksam, wenn auf Grund der erneuten Prüfung ein hinsichtlich der Änderungen uneingeschränkter Bestätigungsvermerk erteilt worden ist. [2] Sie werden nichtig, wenn nicht binnen zwei Wochen seit der Beschlußfassung ein hinsichtlich der Änderungen uneingeschränkter Bestätigungsvermerk erteilt wird.

I. Regelungsgegenstand und -zweck

1 Norm betr. Feststellung des Jahresabschlusses durch HV. § 173 I regelt ihre Kompetenz, § 173 II bilanzrechtl. Rahmen des Feststellungsbeschlusses und § 173 III Nachtragsprüfung. Zuständigkeit der HV ist im Wesentlichen **Notkompetenz** für Fall, dass sich Vorstand und AR nicht über Jahresabschluss einigen können; HV entscheidet als einzig verbleibendes Gesellschaftsorgan (MüKoAktG/Hennrichs/Pöschke Rn. 6). Der zweite Fall – Beschluss von Vorstand und AR – wird entweder ähnliche Züge tragen oder nur in bes. strukturierten Gesellschaften (bestimmender Großaktionär) in Betracht kommen. **§ 173 II** enthält **Klarstellung,** die sinnvoll ist, weil bilanzrechtl. Vorgaben für Jahresabschluss an dessen Aufstellung anknüpfen (deutlich bes. § 243 I HGB); vgl. RegBegr. Kropff S. 280. Mit **Nachtragsprüfung gem. § 173 III** verfolgt Ges. Doppelzweck: Einerseits soll Testat der Abschlussprüfer nicht Jahresabschluss decken, den sie mit diesem Inhalt nicht geprüft haben, andererseits soll keine zweite HV nach erneuter Abschlussprüfung erforderlich sein (RegBegr. Kropff S. 280 f.). § 173 ist zwingend (§ 23 V), aber nicht abschließend. HV ist für Feststellung des Jahresabschlusses auch im Sonderfall des § 234 zuständig (rückwirkende Kapitalherabsetzung), ferner gem. § 270 II nach Auflösung (→ § 270 Rn. 10, 17) und gem. § 286 I in der KGaA mit der Besonderheit, dass Beschluss der Zustimmung des Komplementärs bedarf (→ § 286 Rn. 1).

II. Zuständigkeit der Hauptversammlung

2 **1. Jahresabschluss.** Feststellungskompetenz der HV ist nach § 173 I 1 zunächst dann gegeben, wenn Vorstand und AR beschlossen haben, ihr **Feststellung zu überlassen.** Das ist Ausnahmefall des § 172 S. 1 (→ § 172 Rn. 7 f.). HV ist ferner zuständig, wenn AR Jahresabschluss **nicht gebilligt** hat (Notkompetenz, → Rn. 1). Das ist Fall einer negativen Schlusserklärung nach § 171 II 4. Ferner besteht **Notkompetenz** kraft Fiktion des § 171 III 3 bei fruchtlosem Ablauf einer dem AR gesetzten Nachfrist (→ § 171 Rn. 26). Schließlich begegnet Zuständigkeit der HV als Sonderkompetenz bei rückwirkender Kapitalherabsetzung (§ 234 II 1; → § 234 Rn. 4 ff.). Einzelheiten zum Feststellungsbeschluss in → Rn. 3 ff.

2a **2. Konzernabschluss.** HV ist auch zuständig, wenn AR eines Mutterunternehmens (§ 290 I, II HGB) Konzernabschluss nicht gebilligt hat (§ 173 I 2). Vorausgesetzte Pflicht des AR, sich in Schlusserklärung über Billigung des Konzernabschlusses zu äußern, folgt aus § 171 II 3–5 (→ § 171 Rn. 25). Anders als nach § 173 I 1 liegt gem. § 173 I 2 nicht Feststellung, sondern **nur Billigung** in Kompetenz der HV, weil Konzernabschluss nicht festgestellt wird (→ § 171 Rn. 25). HV nimmt ihre Kompetenz durch Beschlussfassung wahr. Für Billigung genügt einfache Stimmenmehrheit (§ 133 I). Kompetenz ist auch dann ausgeübt, wenn Beschlussantrag scheitert. Bei Beschlussmängeln gelten nicht §§ 256, 257 (→ Rn. 6), sondern §§ 241 ff. Wenn HV Billigung des Konzernabschlusses versagt, liegt darin zwar keine Entlastungsverweigerung. Es liegt aber nahe, dass den Beschluss tragende Gründe wenigstens für Entlastung der Vorstandsmitglieder der Mutterunternehmens von Bedeutung sind (→ § 120 Rn. 15).

III. Feststellungsbeschluss

1. Beschlussverfahren und -wirkungen. Feststellung obliegt der ordentlichen HV (§ 175 III; näher → § 175 Rn. 9). Sie entscheidet mangels abw. Bestimmung mit der **einfachen Stimmenmehrheit** des § 133 I. Jedem Aktionär ist auf Verlangen in der HV über die Differenz zwischen Buchwert und höherem Wert ausgewiesener Gegenstände und auch über die Bilanzierungs- und Bewertungsmethoden **Auskunft zu geben.** Das sonst gem. § 131 III 1 Nr. 3 bzw. 4 grds. bestehende Auskunftsverweigerungsrecht ist bei Feststellung durch HV ausgeschlossen. Wirkung des Beschlusses entspr. derjenigen einer Feststellung durch Vorstand und AR (→ § 172 Rn. 2). Jahresabschluss wird also für die Beteiligten verbindlich und endgültig. 3

2. Anwendung der Aufstellungsvorschriften. Gem. § 173 II 1 muss sich HV bei der Feststellung ebenso an das materielle Bilanzrecht halten wie Vorstand bei der Aufstellung. Zum klarstellenden Charakter der Norm → Rn. 1. Anzuwenden sind also §§ 242–256, 264–288 HGB, §§ 150, 152, 158, 160. Eine **weitergehende bilanzrechtl. Bindung der HV besteht nicht.** Sie kann also vom aufgestellten Jahresabschluss abw. und insbes. die sog bilanzpolitischen Ermessensentscheidungen (Ausübung von Wahlrechten; Ausnutzung von Bewertungsspielräumen; → § 171 Rn. 6 f.) anders treffen als der Vorstand. Dem entspr. die Erweiterung des Auskunftsrechts in § 131 (→ Rn. 3). Daran geübte Kritik (ADS Rn. 16 f.) ist bei isoliert bilanzrechtl. Betrachtung zutr, kann aber trotzdem nicht überzeugen, weil einzige rechtspolitische Alternative in verbindlicher Entscheidung des Vorstands läge. Das kann man gerade in den Fällen nicht empfehlen, in denen AR die Mitverantwortung nicht übernehmen will. Immerhin zeigt sich, dass Feststellung durch HV, abgesehen von Sonderlagen, nur ultima ratio sein kann. 4

3. Einstellung in Gewinnrücklagen. HV darf nach § 173 II 2 im Feststellungsbeschluss nur die Beträge in Gewinnrücklagen einstellen, die nach Ges. oder Satzung einzustellen sind. Dh: Es ist die **ges. Rücklage** (§ 150 I und II) und ggf. die **Rücklage für eigene Aktien** (§ 272 IV HGB) zu dotieren. Ferner sind **andere Gewinnrücklagen** zu bedienen, wenn Satzung eine § 58 I entspr. Klausel enthält; aber auch nur dann, also nicht bei bloßer Ermächtigung nach dem Vorbild des § 58 II 2 (ADS Rn. 23; MüKoAktG/Hennrichs/Pöschke Rn. 31). Sieht der aufgestellte Jahresabschluss danach nicht zulässige Rücklagen vor, weil Vorstand vom Regelfall einer Feststellung durch Billigung des AR ausging, so müssen sie zurückgeführt werden. Im **Gewinnverwendungsbeschluss** kann HV gem. § 58 III weitere Beträge in Gewinnrücklagen einstellen. 5

4. Beschlussmängel. Feststellungsbeschluss der HV kann nur unter den bes. Voraussetzungen des § 256 **nichtig** sein. Speziell für diesen Fall sieht § 256 III bes. Nichtigkeitsgründe vor (→ § 256 Rn. 20 f.). **Anfechtungsklage** ist zwar grds. möglich (§ 257 I 1), kann aber nicht auf inhaltliche Mängel gestützt werden (§ 257 I 2), so dass im Wesentlichen, wenn auch nicht ausschließlich, nur Verfahrensfehler als Anfechtungsgründe übrigbleiben. Wegen der Einzelheiten → § 257 Rn. 3 ff. 6

IV. Nachtragsprüfung

1. Notwendigkeit. § 173 III setzt voraus, dass AG kraft Ges. prüfungspflichtig ist. Das ist gem. § 316 I 1 HGB der Fall, wenn es sich nicht ausnahmsweise um eine sog kleine Kapitalgesellschaft iSd § 267 I HGB handelt (→ § 170 Rn. 2). Ist 7

AG prüfungspflichtig, so kann Jahresabschluss ohne Prüfung nicht festgestellt werden (§ 316 I 2 HGB). Ein gleichwohl festgestellter Jahresabschluss ist nach § 256 I Nr. 2 nichtig. Geprüft wird grds. nach Auf- und vor Feststellung (§ 320 I 1 HGB, § 170 I 2). Wenn HV den **aufgestellten Jahresabschluss im Feststellungsbeschluss ändert,** was ihr iRd bilanzrechtl. Vorgaben freisteht (→ Rn. 4), handelt es sich um eine Feststellung ohne Prüfung. Nach allg. Grundsätzen müsste der Feststellungsbeschluss also nichtig sein. Erforderlich wäre erneute Abschlussprüfung und danach erneute Beschlussfassung in einer zweiten HV. Dieses Ergebnis will § 173 III vermeiden (→ Rn. 1), indem bloße Nachtragsprüfung zugelassen wird. Nachtragsprüfung beschränkt sich gem. § 173 III 1 auf die Änderungen des aufgestellten Jahresabschlusses, weil Testat nur eine inhaltlich entspr. begrenzte Aussage enthält. Mit einer Nachtragsprüfung iSd § 316 III HGB ist Nachtragsprüfung nach § 173 III nicht voll vergleichbar (näher ADS Rn. 29 ff.).

8 **2. Rechtsfolgen.** Zu unterscheiden ist, ob Änderungen **uneingeschränkt testiert** werden oder nicht. Testat muss also einen § 322 I HGB entspr. Wortlaut haben. Einwendungen nach § 322 III HGB dürfen nicht erhoben sein. Ergänzende Bemerkungen gem. § 322 II HGB schaden dagegen nicht, wenn es beim uneingeschränkten Testat verbleibt. Uneingeschränkter Bestätigungsvermerk muss innerhalb von zwei Wochen seit Beschlussfassung vorliegen. Unter dieser Prämisse werden Feststellungs- und Gewinnverwendungsbeschluss der HV wirksam (§ 173 III). **Wird Testat** dagegen **versagt oder nur eingeschränkt erteilt** oder gibt es **keine fristgerechte Äußerung** des Abschlusspüfers, tritt nach § 173 III 2 hinsichtlich beider Beschlüsse Nichtigkeit ein, die nicht nach § 256 VI heilbar ist (allgM, s. ADS Rn. 37; KK-AktG/Ekkenga Rn. 22). Es bleibt dann nur der Weg des § 316 III (Nachtragsprüfung iSd Vorschrift nach erneuter Aufstellung).

9 Gem. § 176 II 1 ist **Abschlussprüfer** zwar **zur Teilnahme an HV verpflichtet.** Er muss sich aber nicht in der HV ein abschließendes Urteil über die Änderungen bilden. Ist er dazu jedoch bereit und in der Lage, so gilt: § 173 III verlangt förmlichen Bestätigungsvermerk (§ 322 IV HGB). Eine positive mündliche Stellungnahme bewirkt also noch nichts. Dasselbe muss aber wegen der Zweiwochenfrist des § 173 III 2 auch für eine **negative Stellungnahme** gelten, solange sie noch nicht die Form des § 322 IV HGB gefunden hat. HV kann gleichwohl sofort **erneut beschließen** und dabei den **Bedenken des Abschlussprüfers Rechnung tragen,** weil Tagesordnungspunkt durch unwirksame Beschlussfassung nicht verbraucht wird (sa S/L/Drygala Rn. 15; MüKoAktG/Hennrichs/Pöschke Rn. 56). Vorstand kann Jahresabschluss auch in HV iSd von ihr geäußerten Änderungswünsche neu aufstellen und die Verantwortung dafür übernehmen; es handelt sich dann um einen Fall des § 316 III HGB, nicht mehr um einen solchen des § 173 III (näher MüKoAktG/Hennrichs/Pöschke Rn. 56).

Zweiter Unterabschnitt. Gewinnverwendung

[Beschluss über Gewinnverwendung]

174 (1) [1] **Die Hauptversammlung beschließt über die Verwendung des Bilanzgewinns.** [2] **Sie ist hierbei an den festgestellten Jahresabschluß gebunden.**

(2) **In dem Beschluß ist die Verwendung des Bilanzgewinns im einzelnen darzulegen, namentlich sind anzugeben**
1. **der Bilanzgewinn;**
2. **der an die Aktionäre auszuschüttende Betrag oder Sachwert;**

3. die in Gewinnrücklagen einzustellenden Beträge;
4. ein Gewinnvortrag;
5. der zusätzliche Aufwand auf Grund des Beschlusses.

(3) **Der Beschluß führt nicht zu einer Änderung des festgestellten Jahresabschlusses.**

I. Regelungsgegenstand und -zweck

1 § 174 betr. das formelle im Unterschied zum materiellen Recht der Gewinnverwendung, das seine Basis vor allem in § 58 hat. § 174 I enthält eine **Kompetenzzuweisung und -begrenzung.** § 174 II bezweckt Klarheit in der HV über die Bedeutung der von ihr beschlossenen **einzelnen Verwendungsarten,** insbes. über den aus der Einstellung in Gewinnrücklagen resultierenden zusätzlichen Aufwand und seine Berücksichtigung bei den anderen Posten des Verwendungsbeschlusses (RegBegr. Kropff S. 282). Nach § 174 III sind **Bilanzänderungen in laufender Rechnung** vorzunehmen, soweit solche Änderungen durch den Gewinnverwendungsbeschluss erforderlich werden. Sie wirken sich also nicht im festgestellten, sondern erst im folgenden Jahresabschluss aus, insbes. durch Erhöhung des Postens Gewinnrücklagen (RegBegr. Kropff S. 282). Bis dahin ergibt sich vollständiges Bild nur unter Berücksichtigung des Gewinnverwendungsbeschlusses, der folgerichtig auch offenzulegen ist (§ 325 I 1 Nr. 1 HGB; RegBegr. Kropff S. 282). Regelung ist zwingend (§ 23 V).

II. Zuständigkeit und Bindungen der Hauptversammlung

2 **1. Bilanzgewinn.** Nach § 174 I 1 liegt Zuständigkeit für Verwendung des Bilanzgewinns zwingend bei der HV. Damit wird die Kompetenzzuweisung des § 119 I Nr. 2 bestätigt. Bindungen ergeben sich aus der rechtstechnischen Bedeutung des Bilanzgewinns und aus § 174 I 2. Bilanzgewinn ist der letzte Posten der gem. § 158 I 1 fortgeführten GuV oder der entspr. Erl. im Anh. (§ 158 I 2). Er ergibt sich als Saldo aus Jahresüberschuss/Jahresfehlbetrag und den Posten nach § 158 I 1 Nr. 1–4 (→ § 158 Rn. 6). Einstellungen in andere Gewinnrücklagen, insbes. solche durch Vorstand und AR gem. § 58 II, sind also schon abgerechnet (→ § 158 Rn. 5). Die entspr. Beträge stehen nicht mehr zur Verfügung der HV. Richtig ist aber auch, dass – mit Ausnahme in → Rn. 5 noch darzustellender ges. Ausnahmetatbestände – **keine weitergehende Ausschüttungssperre** besteht, HV also über Bilanzgewinn disponieren kann, und zwar auch dann, wenn hoher Bilanzgewinn nur durch Auflösung von Rücklagen, durch Neubewertungen, Teilveräußerungen oder durch verstärkten Übergang zur Kreditfinanzierung entstanden ist. Auch sog **Superdividenden,** die etwa von Private-Equity-Investoren eingesetzt werden, sind danach grds. zulässig, sofern bilanz- und aktienrechtl. Grenzen eingehalten werden (GK-AktG/E. Vetter Rn. 44; Habersack FS K. Schmidt, 2009, 523, 526 ff.; Schnorbus/Plassmann ZGR 2015, 446 ff.; Seibert FS Schwark, 2009, 261, 268 ff.; zu den Grenzen vgl. insbes. MüKoAktG/Hennrichs/Pöschke Rn. 13 f.; zur vorgeschalteten Aufstellung des Jahresabschlusses durch Vorstand → § 58 Rn. 10). Sie erscheinen in der Sache zwar namentl. in solchen Fällen, in denen sie Investor zur Finanzierung des Kaufpreises dienen, als durchaus problematisch (vgl. dazu U. H. Schneider NZG 2007, 888, 892 f.); im Kern geht es dabei aber um Deinvestitionsfreiheit der Aktionäre, die auch einem Neuaktionär (Investor) nicht abgesprochen werden kann. HV-Beschluss unterliegt allerdings Beschlusskontrolle, die jedoch nur in engen Grenzen möglich ist (→ § 254 Rn. 2). § 174 I 1 betr. nur Bilanzgewinn, nicht auch **Bilanzverlust.** Insoweit bedarf es keines Beschlusses, weil mangels Alternative zum Verlustvortrag nichts zu regeln ist (GK-AktG/E. Vetter Rn. 25 f.; Rousseau/Wasse NZG

2010, 535 f.). Beschlussvorschlag der Verwaltung wäre deshalb eher irreführend und sollte unterbleiben.

3 **2. Festgestellter Jahresabschluss.** Gem. § 174 I 2 ist HV bei Gewinnverwendung an festgestellten Jahresabschluss gebunden. Das bedeutet vor allem: **HV kann ihren Verteilungsspielraum nicht erweitern,** indem sie im Verwendungsbeschluss von einem höheren Bilanzgewinn als im festgestellten Jahresabschluss (→ Rn. 2) ausgeht. Sie kann aber auch keinen niedrigeren Bilanzgewinn zugrunde legen. Regelung gilt ohne Rücksicht darauf, ob Jahresabschluss von Vorstand und AR (§ 172 S. 1) oder von HV selbst festgestellt worden ist (§ 173). HV kann sich also von der Bindung an das materielle Bilanzrecht (§ 173 II 1; → § 173 Rn. 4) auch nicht im Verwendungsbeschluss befreien, die einmal von ihr beschlossenen bilanzpolitischen Festlegungen nicht im Verwendungsbeschluss umstoßen.

III. Gewinnverwendungsbeschluss

4 **1. Beschlussverfahren und -wirkungen, Abänderbarkeit.** Über Gewinnverwendung entscheidet die ordentliche HV (§ 175 I). Beschlussfassung erfolgt mangels abw. Regelung mit der **einfachen Stimmenmehrheit** des § 133 I. Beschluss lässt den **Dividendenzahlungsanspruch der Aktionäre** als unentziehbares, grds. sofort fälliges (Haertlein ZHR 168 [2004], 437, 438; zu Ausnahmen → § 58 Rn. 28 ff.) und selbständig verkehrsfähiges Gläubigerrecht entstehen (→ § 58 Rn. 28 ff.; zur Möglichkeit einer bedingten Gewinnausschüttung vgl. Strothotte, Gewinnverwendung, 2014, 399 f.). Wegen Unentziehbarkeit des Dividendenzahlungsanspruchs ist nachträgliche **Änderung des gefassten Gewinnverwendungsbeschlusses** mit dem Ziel, Dividende zugunsten höherer Rücklagenzuweisung abzusenken, nur möglich, wenn jeder einzelne Aktionär zustimmt (KK-AktG/Ekkenga Rn. 16; MüKoAktG/Hennrichs/Pöschke Rn. 55; GK-AktG/E. Vetter Rn. 133; zu den Einzelheiten Priester ZIP 2000, 261, 263). Welche Zulässigkeitsvoraussetzungen an umgekehrte Abänderung eines gefassten Gewinnverwendungsbeschlusses zwecks **höherer Ausschüttung** zu stellen sind, ist differenziert zu beantworten: Wird nachträgliche Erhöhung des Dividendenanspruchs durch Minderung des in Rücklagen eingestellten Betrages bewirkt, hängt Zulässigkeit der Abänderung von Zustimmung durch Vorstand und AR ab; denn dieser Vorgang greift in Geschäftsführung und Liquiditätsplanung ein (GK-AktG/E. Vetter Rn. 136; Klett/Reinhardt ZIP 2021, 275, 278). Wichtiger Grund ist dafür nicht erforderlich (Klett/Reinhardt ZIP 2021, 275, 278; aA MüKoAktG/Hennrichs/Pöschke Rn. 53). Weil Kompetenz, Rücklagen aufzulösen, der Verwaltung zugewiesen ist, kann ein solcher Änderungsbeschluss aber nur solange gefasst werden, wie nächster Jahresabschluss, der im Vorjahr gebildete Rücklagen berücksichtigt, noch nicht festgestellt ist (MüKoAktG/Hennrichs/Pöschke Rn. 50 ff.; ähnlich Schmidt-Versteyl/Probst BB 2011, 1416, 1419 ff.; Strothotte, Gewinnverwendung, 2014, 394 ff.; weitergehend Priester ZIP 2000, 261, 263: Feststellungskompetenz der Verwaltung steht einem Beschluss nicht entgegen, der Rücklagenzuführung in Ausschüttung abändert; aA ADS Rn. 24: Änderung generell unzulässig). Keiner Zustimmung durch Verwaltung bedarf dagegen Abänderungsbeschluss, der Dividende zu Lasten des Gewinnvortrags erhöht, weil HV stets über Gewinnvortrag verfügen und Verwaltung deshalb mit ihm nicht rechnen kann (MüKoAktG/Hennrichs/Pöschke Rn. 54; GK-AktG/E. Vetter Rn. 138; Klett/Reinhardt ZIP 2021, 275, 277 f.; Priester ZIP 2000, 261, 263; aA KK-AktG/Ekkenga Rn. 17: Zustimmung durch Verwaltung erforderlich). Auf Herbeiführung des Gewinnverwendungsbeschlus-

ses haben Aktionäre Anspruch, der nach Ablauf der Frist des § 175 I 2 klagbar ist (ausf. → § 58 Rn. 26).

2. Inhalt. Der HV liegt gem. § 124 III 1 der Gewinnverwendungsvorschlag der Verwaltung mit dem aus § 170 II 2 folgenden Inhalt vor (→ § 170 Rn. 5). Wie sich schon aus dem Wortsinn ergibt, ist HV daran nicht gebunden (allgM, s. ADS Rn. 17). Sie kann den Bilanzgewinn (nichts anderes; → Rn. 2 f.) auch anders verwenden, folgt in der Praxis jedoch nahezu durchgängig dem Vorschlag der Verwaltung (zur Empirie vgl. Zimmermann/Guder KoR 2022, 31, 34; sa Ganzer NZG 2023, 1251, 1255). Als Verwendungsmöglichkeiten stehen der HV, wie von § 174 II Hs. 2 vorausgesetzt, die **Ausschüttung** an die Aktionäre, die **Einstellung in Gewinnrücklagen** und der **Vortrag des Gewinns auf neue Rechnung** (zum Begriff des Gewinnvortrags → § 58 Rn. 24) zur Verfügung. HV entscheidet im Wesentlichen frei von rechtl. Bindungen. In der Praxis überwiegt Gewinnvortrag vor Einstellung in Rücklagen (Zimmermann/Guder KoR 2022, 31, 34, 38), da er HV-Kompetenz nicht berührt (→ § 58 Rn. 24). Schranken der Rücklagenbildung und (über den Gesetzeswortlaut hinaus) auch des Gewinnvortrags ergeben sich lediglich aus dem bes. Anfechtungsrecht des § 254 (vgl. Erl. dazu). Daneben bestehen ges. Ausschüttungssperren im Falle einer Kapitalherabsetzung (§ 225 II 1, § 230, § 233), im Falle der Aktivierung bestimmter Bilanzposten und der Zeitwertbewertung von sog Planvermögen (§ 268 VIII HGB) sowie im Falle von Rückstellungen für Altersversorgungsverpflichtungen (§ 253 VI HGB). Insofern gehen § 268 VIII HGB und § 253 VI HGB als leges speciales der Gewinnverwendungskompetenz der HV gem. § 174 I vor (MüKoAktG Hennrichs/Pöschke Rn. 11). Bei der Gewinnausschüttung zu berücksichtigen sind etwa geleistete Abschlagszahlungen (§ 59). Es genügt, wenn Beschluss auszuschüttenden Gesamtbetrag angibt (S/L/Drygala Rn. 7; MüKoAktG/Hennrichs/Pöschke Rn. 26), da HV nur über diesen entscheidet (BGHZ 84, 303, 311 = NJW 1983, 282; BGH AG 2014, 624 Rn. 10). Sie darf nicht beschließen, an welche Aktionäre Ausschüttungsbetrag verteilt wird; auch der auf einzelne Aktie entfallende Betrag oder Sachwert ergibt sich allein aus Ges. oder Satzung, so dass HV allenfalls nachrichtlich Einzelbetrag ausweisen, aber nicht selbst festlegen kann (BGH AG 2014, 624 Rn. 10, 14). **Gewinnverzicht** des Hauptaktionärs bezieht sich regelmäßig auf Gewinn des jeweiligen Geschäftsjahrs, entzieht sich also einer Dauerregelung und ist daher sinnvoll durch vertragliche Vorausverfügung zu verwirklichen, die nach Erwerb der Mitgliedschaft, aber vor dem jeweiligen Gewinnverwendungsbeschluss erfolgt und Anspruch des Hauptaktionärs auf Auszahlung gar nicht erst entstehen lässt (vgl. → § 60 Rn. 11 f.; s. mit Einzelheiten Horbach AG 2001, 78, 82 ff.; MüKoAktG/Hennrichs/Pöschke Rn. 27). Wenn Verzicht kapitalwirksam werden soll, muss HV Einstellung des entspr. Betrags in Gewinnrücklagen beschließen (§ 174 II Nr. 3). Ohne solchen Beschluss bleibt Ausschüttungsbetrag unverändert, begünstigt Verzicht also die anderen Aktionäre (§ 174 II Nr. 2). 5

3. Mindestangaben und Gliederung. Entspr. § 170 II 2 sieht § 174 II vor, dass der Beschluss der HV gewisse Mindestangaben in geordneter Gliederung enthält. Das ist problemlos, wenn HV wie durchweg dem **Verwaltungsvorschlag** folgt. Inhalt und Gliederung des Beschlusses entspr. dann denen des Vorschlags, allerdings mit der Maßgabe, dass Ausschüttungsbetrag durch Angabe des Sachwerts ersetzt wird, wenn HV Sachausschüttung beschließt. Entspr. Ergänzung des § 174 II Nr. 2 durch TransPuG 2002 geht auf Anregung des DAV-HRA zurück (NZG 2002, 115, 116). Sie trägt dem Umstand Rechnung, dass Satzung Sachdividende nach § 58 V vorsehen darf (→ § 58 Rn. 31 ff.). Das ist auch bei § 170 zu berücksichtigen (→ § 170 Rn. 7). Folgt HV dem Gewinnverwendungsvorschlag des Vorstands, so entfällt eine Angabe nach § 174 II 6

Nr. 5, weil es seit Aufgabe der Vollausschüttungshypothese durch § 278 S. 1 HGB keinen zusätzlichen Aufwand gibt (→ § 170 Rn. 6); Leerposten ist nicht erforderlich, aber zulässig (→ § 170 Rn. 11). Wird dagegen vom Verwaltungsvorschlag abgewichen, so ist der Beschluss durch den ihm zugrunde liegenden Antrag nach § 174 II zu gliedern (→ Rn. 5) und wegen der weiteren Posten → § 170 Rn. 8 ff. Nunmehr kann sich auch **zusätzlicher Aufwand** ergeben, bes. durch eine Erhöhung dividendenabhängiger Zahlungsverpflichtungen wie Vorstands- oder Aufsichtsratsbezügen, die aus dem Beschluss eines höheren Ausschüttungsbetrags resultiert (so auch BeckOGK/Euler/Klein Rn. 20; MüKoAktG/Hennrichs/Pöschke Rn. 36). Dieser Aufwand muss dann gem. § 174 II Nr. 5 als Gesamtbetrag in Euro beziffert werden.

7 **4. Beschlussmängel.** Gewinnverwendungsbeschluss der HV kann nichtig oder anfechtbar sein. **Nichtigkeitsgrund** für Gewinnverwendungsbeschluss ist gem. § 253 I insbes. auch Nichtigkeit des Jahresabschlusses gem. § 256, auf dem er beruht. **Anfechtungsgrund** ist nach § 254 I über § 243 hinaus auch die übermäßige Bildung von Gewinnrücklagen (gleichzustellen: der übermäßige Gewinnvortrag; → § 58 Rn. 24), als dessen Ergebnis selbst eine Mindestausschüttung von 4 % verfehlt wird (→ Rn. 5; wegen der Einzelheiten → § 253 Rn. 4; → § 254 Rn. 3 ff.). Erkennt Vorstand selbst Nichtigkeit, darf er Dividende nicht ausschütten. Dasselbe gilt, wenn von anderer Seite Nichtigkeitsklage geltend gemacht wird und ernstliche Anhaltspunkte für Nichtigkeit sprechen. Soweit infolge von Nichtigkeit oder erfolgreicher Anfechtung nicht wirksam über Gewinnverwendung beschlossen wurde, bleibt Bilanzgewinn unverwendet und wird – sofern nicht unmittelbar neuer Beschluss erfolgt – im Abschluss des Folgejahres automatisch zum **Gewinnvortrag** (OLG Frankfurt 12.5.2017 – 20 W 150/17, S. 5, nv; MüKoAktG/Hennrichs/Pöschke Rn. 60 f.; GK-AktG/E. Vetter Rn. 166). Mindestdividende von 4 % auf das Grundkapital (vgl. dazu § 254 I) ist in diesem Fall für beide Jahre auszuschütten. Beschlussfassung erfolgt in diesem Fall nicht separat für die Geschäftsjahre, sondern es ist **einheitlicher Beschluss** über Bilanzgewinn des Folgejahres zu fassen, in den Gewinn aus dem Vorjahr eingeflossen ist (OLG Frankfurt 12.5.2017 – 20 W 150/17, S. 5 f., nv; nicht eindeutig MüKoAktG/Hennrichs/Pöschke Rn. 62). Isolierter Beschluss über Gewinn aus dem Vorjahr ist nicht möglich, da dieser als Gewinnvortrag in einheitlichen Dispositionsgegenstand „Bilanzgewinn“ für das Folgejahr eingeflossen ist (damit erübrigen sich zT die von Hennrichs FS Bergmann, 2018, 303, 312 ff. dargestellten Folgeprobleme). Andere Handhabung würde Gesellschaftsorgane bei Aufstellung des Jahresabschlusses namentl. dann vor unlösbare Probleme stellen, wenn über Anfechtung noch nicht rechtskräftig entschieden ist. Das kann dazu führen, dass Aktionäre, die im Jahr der Anfechtung gewinnberechtigt gewesen wären, diese Berechtigung verlieren, wenn sie Aktien veräußern. Diese Folge ist aber im dynamischen Charakter der AG angelegt, findet deshalb auch eine Entsprechung in zahlreichen anderen Beschlusskonstellationen und ist auch wirtschaftlich hinnehmbar, da im Folgejahr nachzuholende Ausschüttung in Kaufpreis eingepreist werden kann. Wird aufgrund nichtigen Beschlusses Dividende doch ausgeschüttet, ist sie nach § 62 I 1 zurückzufordern, allerdings mit Beschränkung des § 62 I 2 (→ § 62 Rn. 13 f.); iÜ droht Haftung aus § 93 II, III Nr. 2 (BeckOGK/Euler/Klein Rn. 32; MüKoAktG/Hennrichs/Pöschke Rn. 65). Auch Anfechtbarkeit muss Vorstand nach § 245 S. 1 Nr. 4 geltend machen, um Gesellschaftsschaden abzuwenden (→ § 245 Rn. 36). Bei fremder Anfechtungsklage sollte – wie bei Nichtigkeit – Ausschüttung zurückgestellt werden, und zwar gerade auch um gutgläubigen Dividendenbezug nach § 62 I 2 zu vermeiden (MüKoAktG/Hennrichs/Pöschke Rn. 67; diff. zwischen Gesellschaftergröße Noack DB 2014, 1851, 1855).

IV. Keine Änderung des festgestellten Jahresabschlusses

Gewinnverwendungsbeschluss führt gem. § 174 III nicht zu einer Änderung des festgestellten Jahresabschlusses. Damit will Ges. nicht die Bindung der HV an den festgestellten Jahresabschluss festschreiben; denn die Bindung folgt schon aus § 174 I 2 (→ Rn. 3). Vielmehr wird klargestellt, dass **bilanzielle Auswirkungen** des Gewinnverwendungsbeschlusses (Erhöhung der Gewinnrücklagen durch Beschluss der HV) **erst im nächsten Jahresabschluss** zu zeigen sind. Die aus dem Bilanzgewinn des Vorjahrs eingestellten Beträge sind nach § 152 III Nr. 1 im nächsten Jahresabschluss gesondert anzugeben (→ § 152 Rn. 7). Bis dahin erfolgt Offenlegung durch Gewinnverwendungsbeschluss selbst (§ 325 I 1 Nr. 1 HGB), der als interimistische Bilanzergänzung zu lesen ist (→ Rn. 1). 8

Dritter Unterabschnitt. Ordentliche Hauptversammlung

Einberufung

175 (1) [1]**Unverzüglich nach Eingang des Berichts des Aufsichtsrats hat der Vorstand die Hauptversammlung zur Entgegennahme des festgestellten Jahresabschlusses und des Lageberichts, eines vom Aufsichtsrat gebilligten Einzelabschlusses nach § 325 Abs. 2a des Handelsgesetzbuchs sowie zur Beschlußfassung über die Verwendung eines Bilanzgewinns, bei einem Mutterunternehmen (§ 290 Abs. 1, 2 des Handelsgesetzbuchs) auch zur Entgegennahme des vom Aufsichtsrat gebilligten Konzernabschlusses und des Konzernlageberichts, einzuberufen.** [2]**Die Hauptversammlung hat in den ersten acht Monaten des Geschäftsjahrs stattzufinden.**

(2) [1]**Der Jahresabschluss, ein vom Aufsichtsrat gebilligter Einzelabschluss nach § 325 Absatz 2a des Handelsgesetzbuchs, der Lagebericht, der Bericht des Aufsichtsrats und der Vorschlag des Vorstands für die Verwendung des Bilanzgewinns sind von der Einberufung an in dem Geschäftsraum der Gesellschaft zur Einsicht durch die Aktionäre auszulegen.** [2]**Auf Verlangen ist jedem Aktionär unverzüglich eine Abschrift der Vorlagen zu erteilen.** [3]**Bei einem Mutterunternehmen (§ 290 Abs. 1, 2 des Handelsgesetzbuchs) gelten die Sätze 1 und 2 auch für den Konzernabschluss, den Konzernlagebericht und den Bericht des Aufsichtsrats hierüber.** [4]**Die Verpflichtungen nach den Sätzen 1 bis 3 entfallen, wenn die dort bezeichneten Dokumente für denselben Zeitraum über die Internetseite der Gesellschaft zugänglich sind.**

(3) [1]**Hat die Hauptversammlung den Jahresabschluss festzustellen oder hat sie über die Billigung des Konzernabschlusses zu entscheiden, so gelten für die Einberufung der Hauptversammlung zur Feststellung des Jahresabschlusses oder zur Billigung des Konzernabschlusses und für das Zugänglichmachen der Vorlagen und die Erteilung von Abschriften die Absätze 1 und 2 sinngemäß.** [2]**Die Verhandlungen über die Feststellung des Jahresabschlusses und über die Verwendung des Bilanzgewinns sollen verbunden werden.**

(4) [1]**Mit der Einberufung der Hauptversammlung zur Entgegennahme des festgestellten Jahresabschlusses oder, wenn die Hauptversammlung den Jahresabschluß festzustellen hat, der Hauptversammlung zur Feststellung des Jahresabschlusses sind Vorstand und Aufsichtsrat an die in dem Bericht des Aufsichtsrats enthaltenen Erklärungen über den Jahres-**

abschluß (§§ 172, 173 Abs. 1) gebunden. [2] Bei einem Mutterunternehmen (§ 290 Abs. 1, 2 des Handelsgesetzbuchs) gilt Satz 1 für die Erklärung des Aufsichtsrats über die Billigung des Konzernabschlusses entsprechend.

I. Regelungsgegenstand und -zweck

1 § 175 betr. in Überschrift des Unterabschnitts und auch in Praxis sog ordentliche HV. **Ordentliche HV** ist durch ihre typische, den sog Regularien gewidmete Tagesordnung (Vorlage des festgestellten Jahresabschlusses und des Lageberichts, bei Mutterunternehmen [§ 290 I, II HGB] auch des Konzernabschlusses und des Konzernlageberichts; Verwendung des Bilanzgewinns; Entlastung von Vorstand und AR [§ 120 III]; Wahl des Abschlussprüfers [§ 318 I HGB]) gekennzeichnet. Regelmäßig ist sie einzige HV des Geschäftsjahrs. Spezifisch rechtl. Bedeutung kommt dem Begriff, den Ges. anderweitig auch nicht aufnimmt, nicht zu. Insbes. kann ordentliche HV auch über andere Fragen als die genannten beschließen (allgM, vgl. zB MüKoAktG/Hennrichs/Pöschke Rn. 1, 10), also vor allem AR-Mitglieder wählen oder Kapitalmaßnahmen treffen. Auch iÜ sind §§ 118 ff. anwendbar. Teilnahmepflicht des Abschlussprüfers (§ 176 II 1) verbindet sich mit Verhandlungen über Feststellung des Jahresabschlusses (→ § 176 Rn. 7 f.). Ob HV als ordentliche bezeichnet wird, spielt dafür keine Rolle.

2 § 175 I regelt Zeitpunkt der Einberufung und gibt den Beteiligten einen **Endtermin** vor, an dem alle Planungen auszurichten sind (MüKoAktG/Hennrichs/Pöschke Rn. 14). § 175 II will **Information** der Aktionäre sicherstellen. § 175 III erstreckt die genannten Regelungen auf den Ausnahmefall einer Feststellung des Jahresabschlusses durch die HV und enthält Ordnungsvorschrift über die **Verbindung der Verhandlungen** zur Feststellung mit denen zur Gewinnverwendung. Schließlich bezweckt in § 175 IV vorgeschriebene **Bindung der Verwaltung** den Schutz der einmal begründeten Feststellungskompetenz der HV. Es soll verhindert werden, dass Vorstand und AR ihre Erklärungen zurücknehmen, weil sie nachträglich zu der Ansicht kommen, dass HV ihren Vorschlägen nicht folgen wird (RegBegr. Kropff S. 284).

II. Einberufungspflicht

3 **1. Unverzügliche Einberufung.** Gem. § 175 I 1 hat Vorstand die HV unverzüglich (§ 121 I 1 BGB) **nach Eingang des Berichts des AR** einzuberufen. Kein schuldhaftes Zögern iSd § 121 I 1 BGB kann etwa auch dann gegeben sein, wenn HV mit gesundheitlichen Risiken (zB Corona-Pandemie 2020/21) verbunden wäre (Noack/Zetzsche DB 2020, 658, 659). Bericht des AR ist dessen Prüfungs- und Rechenschaftsbericht nach § 171 II und IV (→ § 171 Rn. 17 ff., 27). Was geschehen soll, wenn AR seiner Berichtspflicht nicht nachkommt, hat Ges. nicht ausdr. geregelt. Pflicht des Vorstands zu unverzüglichem Handeln beginnt dann entspr. dem Rechtsgedanken des § 171 III mit fruchtlosem Ablauf der Nachfrist (MüKoAktG/Hennrichs/Pöschke Rn. 12). Aufgabe der HV liegt in **Entgegennahme** der Rechnungslegung und in Beschlussfassung über Verwendung des Bilanzgewinns. Feststellung des Jahresabschlusses oder Billigung des Konzernabschlusses obliegen ihr ausnahmsweise nach § 173 I, § 175 III. Dagegen verbleibt es für **IFRS-Abschluss** nach § 325 IIa HGB (dessen Einfügung beruht auf BilReG 2004) stets bei Billigung durch AR (→ § 171 Rn. 27). Gesetz will mit Billigung durch HV verbundene Verzögerung (mit Recht) nicht hinnehmen (RegBegr. BT-Drs. 15/3419, 54).

4 **2. Frist von acht Monaten.** HV muss nach § 175 I 2 in den ersten acht Monaten des Geschäftsjahrs stattfinden. Satzung kann diese Frist nicht verlängern

(unstr., s. RegBegr. Kropff S. 283), nach richtiger Ansicht wegen **abschließenden Charakters** der Regelung aber auch nicht verkürzen (KK-AktG/Ekkenga Rn. 11; GK-AktG/E. Vetter Rn. 32). Dafür spricht auch Wille des Gesetzgebers von 1965, der mit Fristregelung ua verhindern wollte, dass Zeit für Aufstellung und Prüfung des Jahresabschlusses zu sehr verkürzt wird (zu den gesetzgeberischen Motiven MüKoAktG/Hennrichs/Pöschke Rn. 16). Angesichts des wegen Fortschritten bei der EDV insofern heute geringeren Aufwands sieht gewichtige Gegenansicht in angemessener Fristverkürzung durch Satzung keine Gefahr für sorgfältige Abschlussprüfung (ADS Rn. 9; S/L/Drygala Rn. 7; an der Zweckmäßigkeit zweifelnd BeckOGK/Euler/Klein Rn. 15; MüKoAktG/Hennrichs/Pöschke Rn. 16). Es fehlen aber Kriterien, wann Fristverkürzung als angemessen anzusehen ist, weil sie noch genügend Zeit für Erstellung und Prüfung des Abschlusses belässt. **Auf den Endtermin,** der sich aus Frist von acht Monaten ergibt (Berechnung nach § 193 BGB), sind alle erforderlichen Maßnahmen auszurichten. Einberufung muss mindestens 30 Tage vor der Versammlung (§ 123 I) oder der Anmeldung (§ 123 II) oder dem Legitimationsnachweis (§ 123 III–V) erfolgt sein. Davor (§ 175 I 1) muss AR geprüft und berichtet haben, wofür ihm ebenfalls eine Monatsfrist zu Verfügung steht (§ 171 III 1). Davor muss Abschlussprüfung durchgeführt sein (§ 170 I 2). Für notwendig vorangehende Aufstellung gewährt § 264 I 3 HGB der nicht kleinen AG eine Höchstfrist von drei Monaten. In der verbleibenden Zeit von höchstens drei Monaten müssen Abschlussprüfung, organisatorische Vorbereitungen und Postlaufzeiten bewältigt werden. Bei absehbaren Fristproblemen ist es Pflicht der Verwaltung, bes. des Vorstands, die ihnen gesetzten Höchstfristen nicht auszuschöpfen (MüKoAktG/Hennrichs/Pöschke Rn. 14). Bei **Verstößen gegen § 175 I** steht gegen die Vorstandsmitglieder das Zwangsgeldverfahren des § 407 I zur Verfügung (zur Unanwendbarkeit bei Verschiebung aufgrund höherer Gewalt [Corona-Pandemie 2020/21] Noack/Zetzsche DB 2020, 658, 659). Auch können sich Vorstandsmitglieder schadensersatzpflichtig machen (§ 93 II). Wirksamkeit von HV-Beschlüssen wird dagegen durch Fristüberschreitung nicht berührt (KK-AktG/Ekkenga Rn. 13; GK-AktG/E. Vetter Rn. 33). Verkürzung der Frist zur Offenlegung auf vier Monate bei börsennotierten Gesellschaften (§ 325 I 1 Nr. 1, IV HGB) ändert nichts an Achtmonatsfrist, führt aber zu früherer Einberufung, weil AR-Bericht (→ Rn. 3) früher zur Verfügung steht; Einzelheiten bei Bedkowski/Kocher AG 2007, 341 ff.

III. Informationspflichten

1. Auslegung. Jahresabschluss, ggf. Einzelabschluss nach IFRS (Wahlrecht gem. § 325 IIa HGB; → § 170 Rn. 2a), Lagebericht, AR-Bericht und Gewinnverwendungsvorschlag sind gem. § 175 II 1 zur Einsicht durch die Aktionäre auszulegen. Änderung der Vorschrift im Zuge der Aktienrechtsnovelle 2016 hat klargestellt, dass keine Pflicht besteht, Bericht zur Erläuterung der Angaben nach § 289 IV HGB, § 289f I HGB, § 315a HGB auszulegen (dazu und zur zuvor bestehenden Rechtsunsicherheit vgl. RegBegr. BT-Drs. 18/4349, 26 f.; sa Götze/Arnold/Carl NZG 2012, 321, 327). Es genügt Zugänglichmachung in HV nach Maßgabe des § 124a S. 1 Nr. 3. Nicht auszulegen ist ferner Bericht des Abschlussprüfers (MüKoAktG/Hennrichs/Pöschke Rn. 28). Der Neuformulierung „Einsicht durch die Aktionäre“ kommt keine Bedeutung zu (zutr. Ihrig/Wandt BB 2016, 6, 11). Ist AG Mutterunternehmen (§ 290 I, II HGB), so sind auch Konzernabschluss, Konzernlagebericht und Prüfungsbericht des AR auszulegen (§ 175 II 1, 3). AG kann verlangen, dass sich als Aktionär ausweist, wer Einsicht begehrt, zB durch Vorlage einer **Depotbescheinigung** (LG Hagen AG 5

1965, 82; ADS Rn. 19; MüKoAktG/Hennrichs/Pöschke Rn. 24). Genügend ist Auslegung von Abschriften (GK-AktG/E. Vetter Rn. 69).

6 Auszulegen ist **von Einberufung an,** also mit deren Bek. (§ 121 III). Ort der Auslegung bezeichnet § 175 II 1 wenig klar als Geschäftsraum der Gesellschaft. Entscheidend ist nach heute allgM nicht Sitz der AG iSd § 5, sondern Sitz der **Hauptverwaltung** (vgl. nur BGHZ 189, 32 Rn. 16 = NZG 2011, 669; ADS Rn. 17; MüKoAktG/Hennrichs/Pöschke Rn. 30 f.). Wegen des Anfechtungsrisikos sollten Abschriften aber auch in Geschäftsräumen des Vorstands, bei verschiedenen Dienstsitzen in den verschiedenen Geschäftsräumen ausgelegt werden. Rechtsfolgen bei Pflichtverletzung: Zwangsgeldverfahren nach § 407 I; Leistungsklage; wohl auch einstweilige Verfügung, weil Zwangsgeldverfahren nur angeregt werden kann (str.; wie hier S/L/Drygala Rn. 13; KK-AktG/Ekkenga Rn. 25; zweifelnd ADS Rn. 22). Pflichtverletzung ist Anfechtungsgrund (§ 243 I), bes. für Entlastungsbeschluss (§ 120). So bei Fehlen des gebotenen Konzernabschlusses (OLG Stuttgart AG 2003, 527, 530; LG Frankfurt AG 1999, 96; nicht bedenkenfrei OLG Köln AG 2000, 134) oder des Lageberichts, sei er auch nur nach Satzung obligatorisch (BGH NZG 2008, 309 Rn. 5), aber auch, wenn erforderliche Unterlagen zwar vorhanden, aber nicht zugänglich gemacht worden sind (so noch zur Rechtslage vor dem AktG 1965 LG Hagen AG 1965, 82). Nach § 243 IV erforderliche Relevanz wird idR gegeben sein (näher MüKoAktG/Hennrichs/Pöschke Rn. 43).

7 **2. Erteilung von Abschriften.** Sie ist nach § 175 II 2 Pflicht der AG, wenn sie vom Aktionär verlangt wird. Recht auf Erteilung von Abschriften bezieht sich auf alle in § 175 II 1 genannten Unterlagen, bei Mutterunternehmen (§ 290 I, II HGB) also auch auf Konzernabschluss, Konzernlagebericht und Prüfungsbericht des AR (§ 175 II 3). Abschriften stehen **jedem Aktionär** zu, auch dem Inhaber stimmrechtsloser Vorzugsaktien. AG kann auch hier **Legitimation** fordern (→ Rn. 5). Verlangen kann formlos geäußert werden, auch vor Einberufung (hM – s. S/L/Drygala Rn. 10; KK-AktG/Ekkenga Rn. 20; aA ADS Rn. 20), muss aber erst nach Einberufung erfüllt werden. Kosten fallen AG als Schuldnerin zur Last. Für Versendungskosten ist dies str., folgt aber nach richtiger Ansicht aus dem in § 293f II, § 319 III 2, § 327c IV, § 62 III 6 UmwG, § 63 III UmwG, § 230 II 2 UmwG zum Ausdruck kommenden Grundsatz, dass AG die Kosten für Zusendung solcher Abschriften trägt, die Aktionär zur Vorbereitung auf HV benötigt (S/L/Drygala Rn. 10; MüKoAktG/Hennrichs/Pöschke Rn. 37; GK-AktG/E. Vetter Rn. 75). Rechtsfolgen bei Pflichtverletzung wie in → Rn. 6; für Anfechtung erforderliche Relevanz kann hier dann verneint werden, wenn feststeht, dass Beschluss auch ohne Stimmen des übergangenen Aktionärs zustande gekommen wäre (glA KG AG 2009, 30, 37 zu § 293 f.; S/L/Drygala Rn. 14; B/K/L/Reger Rn. 10). IÜ trifft Aktionär bei unterbliebener oder unvollständiger Zusendung vorgelagerte Prüfungs- und Erinnerungsobliegenheit, deren Verletzung zum Verlust der Anfechtungsbefugnis führt (LG München I AG 2011, 760, 761; BeckOGK/Euler/Klein Rn. 33).

8 **3. Information durch Internetseite.** Nach § 175 II 4 bestehen die Pflichten zur Auslegung (§ 175 II 1, 3) und zur Erteilung von Abschriften (§ 175 II 2, 3) nicht, wenn die im Ges. aufgeführten Dokumente von der Einberufung an über die Internetseite der AG zugänglich sind. Das geht auf EHUG 2006 zurück. Regelung, die im RegE noch nicht enthalten war, gibt Gesellschaften zusätzliche Option zum herkömmlichen Informationsverfahren und bezweckt ihre **Entlastung** von finanziellem und organisatorischem Aufwand (AusschussB BT-Drs. 16/2781, 173). Es soll genügen, dass sich Aktionäre und ihre Vertreter über das Internet informieren können. Nichtbeachtung des § 175 II 1–3 ist dann auch

kein Anfechtungsgrund (→ § 243 Rn. 17, 45 ff.). Praxis macht von dieser Möglichkeit verstärkt Gebrauch (Rieckers DB 2019, 107 f.).

IV. Vorstandspflichten bei Feststellung des Jahresabschlusses durch Hauptversammlung

§ 175 I und II gelten nach § 175 III 1 sinngem., wenn ausnahmsweise HV Jahresabschluss festzustellen oder über Billigung des Konzernabschlusses (→ § 173 Rn. 2a) zu entscheiden hat. Tagesordnung und Beschlussvorschlag sind entspr. zu formulieren (§ 124 I und III). Gegenstand des Informationsrechts (→ Rn. 5 f.) ist **Beschlussvorlage** des Vorstands. Zu informieren ist durch Auslegung oder, soweit § 124a S. 1 Nr. 3 eingreift, über Internetseite der AG; § 175 III 1 verwendet deshalb das beides umfassende „Zugänglichmachen". In § 175 III 2 im Wege der Sollvorschrift vorgegebene verbundene Verhandlung bedeutet zeitlich **zusammenhängende Verhandlung** in der gleichen HV (MüKoAktG/Hennrichs/Pöschke Rn. 22). Gleichzeitige Aussprache oder gar Abstimmung ist nicht vorgeschrieben, namentl. Abstimmung idR auch nicht sinnvoll. 9

V. Bindung von Vorstand und Aufsichtsrat an Erklärungen über Jahres- oder Konzernabschluss

§ 175 IV 1 schreibt vor, dass Vorstand und AR an im AR-Bericht über Jahresabschluss enthaltene Erklärungen (§§ 172, 173 I) gebunden sind, sobald HV gem. § 175 I oder III einberufen ist. §§ 172, 173 I betr. Kompetenz zur Feststellung des Jahresabschlusses, und entspr. sind Rechtsfolgen des § 175 IV 1 aufzufassen, soweit es um Jahresabschluss geht: Einmal begründete **Feststellungskompetenz der HV** kann nicht mehr beseitigt werden (→ Rn. 2). Bezugnahme auf § 172 zeigt jedoch auch, dass HV nicht mehr zuständig gemacht werden kann, wenn Billigung des AR vorliegt und HV schon einberufen ist. Vorstand und AR müssen ihre Beschlüsse, Feststellung der HV zu überlassen (→ § 172 Rn. 7), also vor Einberufung fassen. Mit Einberufung entfällt auch grds. bestehende Möglichkeit einer Anfechtung nach §§ 119, 123 BGB (→ § 172 Rn. 3, 9). Dagegen heißt Bindung iSd § 175 IV nicht, dass inhaltliche Änderung des Jahresabschlusses ausgeschlossen wäre (heute allgM, s. KK-AktG/Ekkenga Rn. 35; MüKoAktG/Hennrichs/Pöschke Rn. 51; B/K/L/Reger Rn. 12; GK-AktG/E. Vetter Rn. 105). Insoweit ist vielmehr in → § 172 Rn. 9 f. dargestellte differenzierende Betrachtung geboten. Nach § 175 IV 2 tritt Bindungswirkung analog § 175 IV 1 ein, soweit es um Erklärung des AR über Billigung des Konzernabschlusses geht (→ § 171 Rn. 25). Bindungswirkung bedeutet hier, dass nach § 173 I 2 (→ § 173 Rn. 2a) begründete Zuständigkeit der HV hinsichtlich der Billigung nicht nachträglich entfallen kann, indem AR seine Billigung doch noch erklärt. Inhaltlich gebunden ist HV auch hier nicht. Sie kann Konzernabschluss also billigen, obwohl AR sich dagegen ausgesprochen hat. 10

Vorlagen. Anwesenheit des Abschlußprüfers

176 (1) [1]**Der Vorstand hat der Hauptversammlung die in § 175 Abs. 2 genannten Vorlagen sowie bei börsennotierten Gesellschaften einen erläuternden Bericht zu den Angaben nach den §§ 289a und 315a des Handelsgesetzbuchs zugänglich zu machen.** [2]**Zu Beginn der Verhandlung soll der Vorstand seine Vorlagen, der Vorsitzende des Aufsichtsrats den Bericht des Aufsichtsrats erläutern.** [3]**Der Vorstand soll dabei auch zu einem Jahresfehlbetrag oder einem Verlust Stellung neh-**

men, der das Jahresergebnis wesentlich beeinträchtigt hat. [4] Satz 3 ist auf Kreditinstitute oder Wertpapierinstitute nicht anzuwenden.

(2) **[1] Ist der Jahresabschluß von einem Abschlußprüfer zu prüfen, so hat der Abschlußprüfer an den Verhandlungen über die Feststellung des Jahresabschlusses teilzunehmen. [2] Satz 1 gilt entsprechend für die Verhandlungen über die Billigung eines Konzernabschlusses. [3] Der Abschlußprüfer ist nicht verpflichtet, einem Aktionär Auskunft zu erteilen.**

I. Regelungsgegenstand und -zweck

1 § 176 betr. Behandlung der Verwaltungsvorlagen in der HV und Teilnahme des Abschlussprüfers an den Verhandlungen über die Feststellung des Jahresabschlusses. § 176 I **strukturiert den Ablauf der ordentlichen HV** (→ § 175 Rn. 1) und verpflichtet Vorstand zur Erl. auch eines Jahresfehlbetrags oder eines Verlustes, der das Jahresergebnis wesentlich beeinträchtigt hat (§ 176 I 2). Der zweite Punkt beruht auf BiRiLiG 1985 und bringt eine Erweiterung der Erläuterungspflicht ggü. der früheren auf den ausgewiesenen Bilanzverlust abhebenden Gesetzesfassung (vgl. RegBegr. BT-Drs. 10/317, 105). § 176 II soll Entscheidung über die Notwendigkeit einer **Nachtragsprüfung** (§ 173 III) erleichtern, in einfachen Fällen ihre sofortige Durchführung ermöglichen und die Informationsbasis des Prüfers um Fragen und Beiträge der Aktionäre erweitern (RegBegr. Kropff S. 285).

II. Vorlage- und Erläuterungspflicht

2 **1. Vorlagen.** Vorstand muss der HV die in § 175 II genannten Vorlagen zugänglich machen, also Jahresabschluss, Lagebericht, Bericht des AR und Vorschlag für die Verwendung des Bilanzgewinns, soweit vorhanden (§ 176 I 1 Hs. 1). Bei börsennotierten Gesellschaften (§ 3 II) hat Vorstand der HV auch Erläuterungsbericht zu den Angaben nach § 289a HGB, § 315a HGB zugänglich zu machen. Gemäß § 124a S. 1 Nr. 3 iVm § 176 I 1 muss auch Veröffentlichung auf Internetseite der AG erfolgen. Erweiterung der Informationspflicht in § 176 I 1 beruht auf ARUG 2009 und kompensiert entspr. Kürzung des § 175 II 1 (→ § 175 Rn. 5). Angaben nach § 289 IV HGB müssen in den Erläuterungsbericht nicht aufgenommen werden. Das entspr. Gesetzeslage, war aber aufgrund zT unglücklicher Gesetzesabstimmung zwischen BilMoG 2009 und ARUG 2009 (s. noch → 11. Aufl. 2014, § 175 Rn. 5) nicht eindeutig. RegBegr. zur **Aktienrechtsnovelle 2016** hat aber noch einmal ausdr. klargestellt, dass insofern kein Redaktionsversehen vorliegt (BT-Drs. 18/4349, 27; Wandt NZG 2016, 367 f.). An die Stelle der früheren Vorlegung ist, ebenfalls durch ARUG, das Zugänglichmachen getreten. Es kann nach wie vor durch Auslage von Mehrfertigungen im Versammlungsraum erfolgen, doch genügt es auch, dass sich Aktionäre elektronisch, etwa über Monitore, informieren können (Hölters/Weber/Drinhausen Rn. 6; Arnold/Carl/Götze AG 2011, 349, 351 f.). Wahl des Mediums obliegt der AG. Angaben nach § 289 IV HGB werden aber auch von dieser Vorgabe nicht erfasst (Wandt NZG 2016, 367, 368). Vorlagen nach § 175 II sowie Erläuterungsbericht müssen bis zum Abschluss der Verhandlungen zugänglich bleiben, idR bis zum Entlastungsbeschluss (§ 120 III). Verfügbarkeit in HV ist auch dann unverzichtbar, wenn sich zuvor alle Aktionäre gem. § 175 II 1 oder III informiert haben (ADS Rn. 5), weil die schriftliche oder anderweitig optisch wahrnehmbare Unterlage zur Unterstützung der Versammlungsteilnahme gedacht ist. Verlesung (ganz oder auszugsweise) ist dagegen nicht erforderlich (allgM, s. ADS Rn. 6; MüKoAktG/Hennrichs/Pöschke Rn. 8; B/K/L/Reger Rn. 2a), idR auch nicht empfehlenswert. Sie sollte auch nicht durch

Versammlungsleiter angeboten werden (zust. Butzke HV H 38; MüKoAktG/Hennrichs/Pöschke Rn. 8; GK-AktG/E. Vetter Rn. 25).

2. Erläuterungen: Allgemeines. Gem. § 176 I 2 soll Vorstand seine Vorlagen (→ Rn. 2) zu Beginn der Verhandlung erläutern, ebenso der Vorsitzende des AR den Bericht dieses Organs. Schuldner der Erläuterungspflicht ist **Vorstand als Organ.** Sind sich die Mitglieder des Vorstands über den Inhalt nicht einig, müssen sie darüber nach § 77 I beschließen. Erl. erfolgt durch den Vorsitzenden des Vorstands oder das nach der Geschäftsordnung zuständige Mitglied. Erl. ist der zusammenhängende mündliche Vortrag des wesentlichen Inhalts der Vorlagen unter Erstreckung auf seither eingetretene wichtige Entwicklungen und bereits bekannte Fragen oder Gegenvorstellungen von Aktionären (allgM, s. ADS Rn. 12; MüKoAktG/Hennrichs/Pöschke Rn. 12). Eine darauf aufbauende vorausschauende Beurteilung des laufenden Geschäftsjahrs gehört dazu (MüKoAktG/Hennrichs/Pöschke Rn. 12). Zur Erl. des Gewinnverwendungsbeschlusses gehört insbes., dass die Einstellung in Gewinnrücklagen oder ein Gewinnvortrag (→ § 58 Rn. 24) begründet werden (ADS Rn. 13), soweit es sich bei Gewinnvortrag nicht um einen für sich selbst sprechenden Spitzenbetrag handelt. Unabhängig von Vorgaben des § 176 I 2 hat sich in der Praxis Übung etabliert, dass Vorstand – ohne dazu verpflichtet zu sein – in Form einer **CEO-Rede** Bericht über laufendes Geschäftsjahr und künftige Entwicklungen gibt (GK-AktG/E. Vetter Rn. 41). 3

Entspr. Erläuterungspflicht trifft **Vorsitzenden des AR** hinsichtlich des AR-Berichts. Zum Inhalt des Berichts → § 171 Rn. 17 ff. Über den Inhalt seiner Erl. entscheidet der Vorsitzende selbst. Weil Grundlage dieser Erl. aber Bericht des AR ist, muss sich AR-Vorsitzender an dessen Tendenz halten; will er insofern eine andere Ansicht als der AR vertreten, muss er diese ausdrücklich als persönliche Meinung kennzeichnen (MüKoAktG/Hennrichs/Pöschke Rn. 19; B/K/L/Reger Rn. 6). Erl. sollten über die knappe schriftliche Vorlage hinausgehen und auch Lage und Entwicklung der Gesellschaft aus der Sicht des AR einschätzen. 4

3. Erläuterungen: Jahresfehlbetrag oder Verlust. Vorstand (→ Rn. 3) soll bei Erl. seiner Vorlagen (→ Rn. 2) auch zu einem Jahresfehlbetrag (§ 275 II Nr. 17 HGB bzw. § 275 III Nr. 16 HGB) oder zu einem Verlust Stellung nehmen, der das Jahresergebnis wesentlich beeinträchtigt hat (§ 176 I 3). Ausdr. Erläuterungspflicht soll Aktionäre rechtzeitig auf ungünstige Entwicklungen aufmerksam machen (RegBegr. BiRiLiG BT-Drs. 10/317, 105). Was Ges. mit wesentlichen Verlusten meint, ist wegen der durch GuV, Anh. und Lagebericht ohnehin gebotenen Informationen nicht vollständig klar (ADS Rn. 15 f.; vgl. dazu MüKoAktG/Hennrichs/Pöschke Rn. 15). Weil § 176 I 3 zwischen Jahresfehlbetrag und sonstigen Verlusten unterscheidet, sind jedenfalls **auch solche Verluste** erläuterungspflichtig, **die noch nicht zu einem Fehlbetrag geführt haben,** weil sie anderweitig ausgeglichen werden konnten (ADS Rn. 19), aber für die negative Entwicklung einer Sparte kennzeichnend sind oder außergewöhnliche bilanzwirksame Maßnahmen (wie Veräußerung von Anlagevermögen an Tochtergesellschaften) erfordert haben. Überdies sollte stets dann erläutert werden, wenn sich Vorstand zur Auflösung von Gewinnrücklagen veranlasst gesehen hat (ADS Rn. 18). Vorstand der Aktienbank ist von dieser Erläuterungspflicht wegen Vertrauensstellung der Bank (→ § 131 Rn. 96) gem. § 176 I 4 (eingefügt durch BankBiRiLiG v. 30.11.1990, BGBl. 1990 I 2570) ausdr. befreit. Mit VHVG 2022 wurde Vorschrift auf Wertpapierinstitute (§ 2 I WpIG; → § 70 Rn. 2) erweitert. 5

4. Rechtsfolgen bei Verstoß. Verletzung der Vorlagepflicht (§ 176 I 1) ist Anfechtungsgrund iSd § 243 I (MüKoAktG/J. Koch § 257 Rn. 8; MüKoAktG/ 6

Hennrichs/Pöschke Rn. 21), dagegen nicht Verletzung der Erläuterungspflichten aus § 176 I 2 und 3, da es sich insofern um bloße als Sollvorschriften ausgestaltete Ordnungsvorschriften handelt (OLG München NZG 2013, 622, 624; KK-AktG/Ekkenga Rn. 15; GK-AktG/E. Vetter Rn. 67 ff.). Insoweit muss HV entscheiden, ob sie auf der Basis als defizitär empfundener Erl. entlasten (§ 120) oder Jahresabschluss feststellen will, soweit sie dafür zuständig ist (§ 173). Einzelne Aktionäre können überdies vom Auskunftsrecht des § 131 Gebrauch machen.

III. Teilnahmepflicht des Abschlussprüfers

7 **1. Pflicht zur Teilnahme.** Gem. § 176 II 1 ist Abschlussprüfer (dh der oder die verantwortlichen Prüfungsleiter) einer prüfungspflichtigen AG (§ 267 I HGB, § 316 I 1 HGB) verpflichtet, an den Verhandlungen der HV über Feststellung des Jahresabschlusses teilzunehmen. Norm meint ausschließlich den Fall, dass HV den Jahresabschluss ausnahmsweise feststellt (§ 173). Weitergehende an Gewinnverwendungsbeschluss anknüpfende Teilnahmepflicht war bei Reform des Aktienrechts 1965 zunächst vorgesehen, wurde aber gestrichen, um übermäßige Belastung der Abschlussprüfer zu vermeiden (AusschussB Kropff S. 285). Teilnahmepflicht beschränkt sich auch auf **Feststellung des Jahresabschlusses als Tagesordnungspunkt** (ADS Rn. 29, 31). Wenn mit der Feststellung gem. § 175 III 2, § 120 III die Verhandlungen über die Verwendung des Bilanzgewinns und über die Entlastung verbunden werden, wird der Abschlussprüfer daran idR teilnehmen. Für Annahme, dass er daran teilzunehmen hat (S/L/Drygala Rn. 15; KK-AktG/Ekkenga Rn. 16), findet sich jedoch keine ges. Basis (wie hier ADS Rn. 30, GK-AktG/E. Vetter Rn. 73; MüKoAktG/Hennrichs/Pöschke Rn. 25; B/K/L/Reger Rn. 9; wohl auch ADS Rn. 30 – jedenfalls bzgl. der Entlastung). Teilnahmepflicht besteht gem. § 176 II 2 auch, soweit HV über Billigung des Konzernabschlusses verhandelt, nämlich ausnahmsweise gem. § 173 I 2 (→ § 173 Rn. 2a). Norm ist als Ergänzung des TransPuG durch BilReG 2004 eingefügt worden. Für Einzelabschluss nach IFRS gem. § 325 IIa HGB gibt es keine entspr. Regelung, weil HV insoweit auch nicht ausnahmsweise zur Billigung zuständig ist (→ § 175 Rn. 3).

8 **Weitergehende Teilnahme der Abschlussprüfer** ist üblich und sinnvoll (MüKoAktG/Hennrichs/Pöschke Rn. 25, 32); das gilt namentl. für die Tagesordnungspunkte Entgegennahme des festgestellten Jahresabschlusses, Gewinnverwendung und Entlastung. ZT wird insoweit von einem Teilnahmerecht des Abschlussprüfers gesprochen (vgl. ADS Rn. 32; KK-AktG/Ekkenga Rn. 17). Das hat jedoch keine ges. Grundlage und widerspricht dem Wortlaut des § 118 (ebenso Butzke HV C 27; B/K/L/Reger Rn. 10; GK-AktG/E. Vetter Rn. 77; diff. MüKoAktG/Hennrichs/Pöschke Rn. 30 ff.; S/L/Drygala Rn. 19). Richtig ist allerdings, dass Versammlungsleiter Teilnahme des Abschlussprüfers zulassen kann und HV-Beschluss über Teilnahme erst im Streitfall herbeizuführen braucht (→ § 118 Rn. 23).

9 **2. Rechte und Pflichten in der Hauptversammlung.** Abschlussprüfer ist nach § 176 II 3 **nicht verpflichtet, einem Aktionär Auskunft zu erteilen,** weil Unterrichtung der Aktionäre nicht von seinem Prüfungsauftrag gedeckt wird (RegBegr. Kropff S. 285). Dagegen muss Abschlussprüfer **Fragen des Vorstands beantworten,** soweit es um die Prüfung des Jahresabschlusses oder des Lageberichts geht (heute allgM – vgl. nur MüKoAktG/Hennrichs/Pöschke Rn. 42; GK-AktG/E. Vetter Rn. 83). Auf Fragen von Aktionären kann er antworten, wenn Vorstand ihn dazu im Einzelfall oder generell ermächtigt; eine Rechtspflicht besteht jedoch auch insoweit nicht (ADS Rn. 39; MüKoAktG/Hennrichs/Pöschke Rn. 43). Ob eine **Nachtragsprüfung** sofort durchgeführt

werden kann (→ Rn. 1), entscheidet sich nach der fachlichen Beurteilung des Abschlussprüfers. Er ist zu dieser Beurteilung, aber nicht ohne weiteres zur sofortigen Nachtragsprüfung verpflichtet. Eine darauf gerichtete Pflicht lässt sich nur bejahen, wenn wegen völliger Überschaubarkeit der Sach- und Rechtslage im konkreten Fall nur die sofortige Durchführung der Prüfung sachlich vertretbar ist. Unterbrechung der HV zur Meinungsbildung kann zweckmäßig sein (ADS Rn. 35).

3. Rechtsfolgen bei Verstoß. Abgesehen von berufs- und vertragsrechtl. Konsequenzen fragt sich, ob **Feststellungsbeschluss anfechtbar** ist, wenn Abschlussprüfer entgegen § 176 II 1 an HV nicht teilgenommen hat. Frage wird heute fast durchgängig bejaht (ADS Rn. 34; GK-AktG/T. Bezzenberger § 257 Rn. 13; S/L/Drygala Rn. 23; KK-AktG/Ekkenga Rn. 19; GK-AktG/E. Vetter Rn. 85; diff. MüKoAktG/Hennrichs/Pöschke Rn. 44; aA B/K/L/Reger Rn. 12). Der bejahenden Ansicht ist beizutreten (sa MüKoAktG/J. Koch § 257 Rn. 9), weil Auskünfte des Prüfers, aber auch Weigerung des Vorstands, Auskunftserlaubnis zu erteilen (→ Rn. 9), wesentliche Informationsgrundlagen darstellen, die der HV nicht entzogen werden dürfen. Das gilt auch, wenn Auskünfte in HV nicht gewünscht worden sind, da Abwesenheit des Prüfers dazu beitragen kann, entspr. Wünsche zu unterdrücken (GK-AktG/T. Bezzenberger § 257 Rn. 13). 10

Vierter Abschnitt. Bekanntmachung des Jahresabschlusses

177, 178 *(aufgehoben)*

Vorschriften regelten **Einreichung** des festgestellten Jahresabschlusses und des (früheren) Geschäftsberichts **zum HR** sowie Pflicht zur Bek. des festgestellten Jahresabschlusses und zur Einreichung der Bek. Aufgehoben durch Art. 2 BiRiLiG v. 19.12.1985 (BGBl. 1985 I 2335) und in der Sache verlagert in §§ 325–329 HGB aF. Seit EHUG 2006 besteht nur noch Pflicht zur Veröffentlichung im Unternehmensregister nach §§ 325 ff. HGB (zuvor BAnz; → § 172 Rn. 11). 1

Sechster Teil. Satzungsänderung. Maßnahmen der Kapitalbeschaffung und Kapitalherabsetzung

Erster Abschnitt. Satzungsänderung

Beschluß der Hauptversammlung

179

(1) [1]Jede Satzungsänderung bedarf eines Beschlusses der Hauptversammlung. [2]Die Befugnis zu Änderungen, die nur die Fassung betreffen, kann die Hauptversammlung dem Aufsichtsrat übertragen.

(2) [1]Der Beschluß der Hauptversammlung bedarf einer Mehrheit, die mindestens drei Viertel des bei der Beschlußfassung vertretenen Grundkapitals umfaßt. [2]Die Satzung kann eine andere Kapitalmehrheit, für eine Änderung des Gegenstands des Unternehmens jedoch nur eine

größere Kapitalmehrheit bestimmen. [3] Sie kann weitere Erfordernisse aufstellen.

(3) **[1] Soll das bisherige Verhältnis mehrerer Gattungen von Aktien zum Nachteil einer Gattung geändert werden, so bedarf der Beschluß der Hauptversammlung zu seiner Wirksamkeit der Zustimmung der benachteiligten Aktionäre. [2] Über die Zustimmung haben die benachteiligten Aktionäre einen Sonderbeschluß zu fassen. [3] Für diesen gilt Absatz 2.**

Übersicht

I. Grundlagen

1. Regelungsgegenstand und -zweck. § 179 enthält allg. Regelungen zum **Verfahren der Satzungsänderung.** Norm bestimmt Zuständigkeit der HV (§ 179 I 1; vgl. auch § 119 I Nr. 6), gibt ihr aber auch das Recht, sog Fassungsänderungen an AR zu delegieren (§ 179 I 2). Sie regelt die erforderliche Mehrheit (§ 179 II 1: drei Viertel des vertretenen Grundkapitals) und normiert, inwieweit Satzung von ihr abweichen kann (§ 179 II 2). Ferner nennt § 179 III zusätzliche Voraussetzungen für Satzungsänderungen, die Verhältnis mehrerer Aktiengattungen zum Nachteil einer Gattung verschieben. Ergänzende Vorschriften: §§ 180, 181; § 124 II 3; § 23 III, IV, V. 1

2. Anwendungsbereich. §§ 179 ff. sind nicht anwendbar auf **Vor-AG;** hier bedarf Satzungsänderung einstimmiger Beschlussfassung und überdies der Zustimmung aller Gründer (→ § 41 Rn. 7). Zur Vorgründungsgesellschaft → § 23 Rn. 15; → § 41 Rn. 3. Satzungsänderungen nach **Auflösung** der AG (§ 262) unterliegen gem. § 264 II den §§ 179 ff.; Zweck der Abwicklung kann bestimmten Satzungsänderungen jedoch entgegenstehen (BGHZ 24, 279, 286 = NJW 1957, 1279; iE → § 264 Rn. 16). **Insolvenz** schließt Satzungsänderung nach §§ 179 ff. ebenfalls nicht aus; sie darf aber dem Zweck des Insolvenzverfahrens nicht widersprechen (→ § 264 Rn. 11 f.; MüKoAktG/Stein Rn. 74). AktG enthält für bestimmte Satzungsänderungen **Sondervorschriften,** die § 179 modifizieren oder verdrängen, zB für Kapitalerhöhung (§§ 182 ff.) und Kapitalherabsetzung (§§ 222 ff.); → Rn. 35. Auf Zustimmungsbeschlüsse der HV bei Unternehmensverträgen (§§ 291 ff.) sind §§ 179 ff. gem. § 293 I 4 nicht anwendbar (→ Rn. 36; → § 293 Rn. 11). 2

3. Teilweise zwingender Charakter. § 179 ist teilw. zwingend. **Satzung muss jedenfalls abänderbar sein** (unstr.). Klausel, die Satzungsänderungen allg. oder für einzelne Bestimmungen ausschließt, ist nichtig (BeckOGK/Holzborn Rn. 6). Möglich ist Umdeutung (§ 140 BGB), nach der Zustimmung aller Aktionäre oder einstimmiger Beschluss aller an der Abstimmung teilnehmenden Aktionäre erforderlich ist (dazu ausf. MüKoAktG/Stein Rn. 58 f.). Satzung kann nach § 179 II 2 andere Kapitalmehrheit vorsehen. Auch Erschwerungen von Satzungsänderungen sind in den Grenzen des § 179 II 2, 3 (→ Rn. 20, 22 f.) zulässig; sie dürfen jedoch nicht dazu führen, dass Satzungsänderungen faktisch unmöglich werden. Beurteilung bestimmt sich nach den konkreten Verhältnissen der AG (Hölters/Weber/Haberstock/Greitemann Rn. 13). 3

II. Satzungsänderung (§ 179 I und II)

1. Begriff. a) Satzung und Satzungsänderung. Zu den Begriffen Satzung und Satzungsurkunde → § 23 Rn. 2; zur Rechtsnatur der Satzungsfeststellung → § 23 Rn. 7. Satzungsänderung iwS ist jedes Einwirken auf Text der Satzungsurkunde durch Einfügen oder Aufheben von Bestimmungen sowie deren inhaltliche oder formale Veränderung (MüKoAktG/Stein Rn. 22). Im Einzelnen ist zwischen materiellen Satzungsbestandteilen (→ § 23 Rn. 3) einerseits und formellen Satzungsbestandteilen (→ § 23 Rn. 4) andererseits zu unterscheiden. Aufhebung, Einfügung und inhaltliche Änderung **materieller Satzungsbestandteile** wirken rechtsgestaltend; §§ 179 ff. stellen Verfahren zur Verfügung, das der Schaffung neuen, innerverbandlichen Rechts dient (→ § 23 Rn. 7). Auch nur formale, bes. redaktionelle, Änderung unterliegt jedoch dem Verfahren nach §§ 179 ff. (arg. § 179 I 2). Änderung der Satzung ist erforderlich, wenn sich durch sie verlautbarte Gesellschaftsverhältnisse (§ 23 III) tats. ändern. Das ist nicht 4 der Fall, wenn Beteiligungserwerb durch sog **Konzern- bzw. Konzernöffnungsklausel** gedeckt ist (ausf. → Rn. 34).

5 Demgegenüber wirkt Änderung **formeller Satzungsbestandteile** im Grundsatz nicht rechtsgestaltend, weil sie keinen Regelungsgehalt (mehr) haben (Bsp.: Bestellung des ersten AR nach Ablauf der Amtszeit), oder HV nicht die ausschließliche Rechtsgestaltungsbefugnis hat (Bsp.: Nebenabreden zwischen einzelnen Aktionären) oder ihre Änderung einem anderen Verfahren unterliegt (Bsp.: Abberufung der in der Gründungssatzung benannten AR-Mitglieder). Die Aufhebung, Begr. oder inhaltliche Änderung formeller Satzungsbestandteile bestimmt sich idR allein nach den für das betroffene Rechtsverhältnis geltenden Vorschriften (BeckOGK/Holzborn Rn. 41; MüKoAktG/Stein Rn. 30 f.; MHdB AG/Austmann § 40 Rn. 75; Priester ZHR 151 [1987], 40, 41). Ausnahme: Wenn HV Regelungsbefugnis hat, kommt der Änderung formeller Satzungsbestimmungen auch eine rechtsgestaltende Wirkung zu (KK-AktG/Zetzsche Rn. 202). In diesem Fall ist Verfahren nach §§ 179 ff. einzuhalten.

6 Str. ist **Änderungsverfahren,** wenn formelle Satzungsbestandteile, die keine Rechtswirkung mehr entfalten, aus der Urkunde entfernt werden sollen. Nach einer Ansicht finden auch insoweit **§§ 179 ff.** uneingeschränkt Anwendung (BeckOGK/Holzborn Rn. 42; MüKoAktG/Stein Rn. 33; Groß Rpfleger 1972, 242 f.; Priester ZHR 151 [1987] 40, 41 f.). Gegenmeinung will Vorschriften über Satzungsänderung nur eingeschränkt anwenden, wobei jedoch Uneinigkeit über Umfang der Einschränkungen besteht. Jedenfalls soll einfache Mehrheit genügen (S/L/Seibt Rn. 9; KK-AktG/Zetzsche Rn. 199; HCL/Ulmer/Casper GmbHG § 53 Rn. 31); nach weitergehender Ansicht sollen auch Eintragung und Bek. (§ 181) entbehrlich sein (vgl. LG Dortmund GmbHR 1978, 235 f. betr. GmbH; HCL/Ulmer/Casper GmbHG § 53 Rn. 31; darin aA S/L/Seibt Rn. 9; KK-AktG/Zetzsche Rn. 200). Für umfassende Anwendung der §§ 179 ff. spricht zumindest im Aktienrecht § 23 V; sie ist zudem aus Gründen der Rechtssicherheit wünschenswert (tendenziell anders aber BGH NJW 1989, 168, 169 zur GmbH). Überwiegend betr. diese Änderungen auch nur die Fassung, so dass Delegation an AR gem. § 179 I 2 möglich ist und hilfreich sein kann (MüKo-AktG/Stein Rn. 33). Zur Registerkontrolle → § 181 Rn. 12. AG ist nicht verpflichtet, überholte formelle Satzungsbestandteile zu beseitigen (OLG Köln Rpfleger 1972, 257, 258 zur GmbH; MüKoAktG/Stein Rn. 34).

7 **b) Satzungsdurchbrechung.** Von Satzungsänderung zu unterscheiden ist Satzungsdurchbrechung (auch: Ad-Hoc-Satzungsänderung). Satzungsdurchbrechung liegt vor, wenn HV **im Einzelfall** Beschluss fasst, der einer fortbestehenden materiellen Satzungsbestimmung widerspricht, sofern Satzung nicht selbst entspr. Ausnahme zulässt (MüKoAktG/C. Schäfer § 243 Rn. 21; Pöschke, Satzungsdurchbrechende Beschlüsse, 2020, 1 ff.; Priester ZHR 151 [1987], 40 f.; zur Möglichkeit von Öffnungsklauseln s. Pöschke, Satzungsdurchbrechende Beschlüsse, 2020, 298 ff.; beschränkt auf GmbH auch Leuschner ZHR 184 [2020], 608 ff.; einschränkend Peterseim, Satzungsdurchbrechung, 2020, 188 ff.). **Bsp.:** Bestellung eines AR-Mitglieds, das entgegen der Satzung (→ § 23 Rn. 38; → § 100 Rn. 20) nicht Aktionär ist. Ob Beschluss gleichsteht, der für Einzelfall von dispositiver ges. Vorschrift abweicht (so Priester ZHR 151 [1987], 40 f.), bleibt fragwürdig, hat aber für Aktienrecht (§ 23 V) keine wesentliche praktische Bedeutung (→ Rn. 8). Namentl. im GmbH-Recht hat sich weitergehende begriffliche Differenzierung zwischen punktueller und zustandsbegründender Satzungsdurchbrechung durchgesetzt: Satzungsdurchbrechung ist **punktuell,** wenn sich Rechtswirkung des Beschlusses in ad hoc-Maßnahme erschöpft (Bsp. bei Priester ZHR 151 [1987], 40, 52), dagegen **zustandsbegründend,** wenn sie Dauerwirkung entfaltet. Begrifflichkeit wird allerdings nicht immer trennscharf,

was namentl. auch darauf zurückzuführen ist, dass zT schon Elemente der jur. Rechtsfolgenlösung in tatbestandl. Ausformung hineingelesen werden (vgl. auch den Befund von Goette RWS Forum GesR 1995, 113, 114: „babylonische Sprachverwirrung"; aA Koppensteiner wbl 2020, 552, 554 f.; Terminologie und Meinungsstand ordnend: Pöschke, Satzungsdurchbrechende Beschlüsse, 2020, 17 ff.). Bsp. für punktuelle Durchbrechung: inkongruente Vorabgewinnausschüttung (BFH DStR 2022, 2606 Rn. 21 ff.); Bsp. für zustandsbegründende Durchbrechung: Abberufung durch satzungsmäßig unzuständiges Organ (LG Hannover NZG 2023, 68 Rn. 37 ff.; krit. Werner NZG 2023, 64, 66 f.).

Im neueren Schrifttum wird Differenzierung zwischen punktuellen und zustandsbegründenden Satzungsdurchbrechungen mit starken Argumenten **zunehmend abgelehnt** und umfassende Neuausrichtung gefordert (ausf. → Rn. 8b; offengelassen in BGH NZG 2023, 1219 Rn. 18). Da namentl. auf Priester ZHR 151 (1987), 40 ff. zurückgehende literarische Ursprungskonzeption mittlerweile allerdings schon umfassend in Rspr. eingeflossen ist, wird diese Neuausrichtung auf bes. Widerstände stoßen, zumal auch über Alternativkonzepte noch keine Einigkeit herrscht (→ Rn. 8b). Praxis muss sich deshalb vorerst weiter auf unter → Rn. 7 dargestellte Differenzierung und daraus von Rspr. abgeleitete Folgerungen einstellen. Danach ist jedenfalls **zustandsbegründende Satzungsdurchbrechung,** auch bei zeitlicher Beschränkung, nur dann rechtl. fehlerfrei, wenn sie als förmliche Satzungsänderung beschlossen wird (einschließlich Ankündigung gem. § 124 I und II 2, s. OLG Köln AG 2001, 426 f.; LG Bonn AG 2001, 201, 202 f.; sa LG Hannover NZG 2023, 68 Rn. 39 – knapp bestätigt in OLG Celle NZG 2023, 71 Rn. 14 ff.), und gem. § 181 III erst dann wirksam, wenn sie in das HR eingetragen wird (BGHZ 123, 15, 19 f. = NJW 1993, 2246; BFH DStR 2022, 2606 Rn. 22; OLG Düsseldorf NZG 2016, 1424 Rn. 15; OLG Köln NJW-RR 1996, 1439, 1440 f. [auch für Erweiterungen oder Ergänzungen]; OLG Köln AG 2001, 426, 427; HCL/Ulmer/Casper GmbHG § 53 Rn. 38; Habersack ZGR 1994, 354, 361; Priester ZHR 151 [1987], 40, 55 ff.). Ob Anmeldung geänderter Satzungswortlaut beizufügen ist (§ 181 I 2), ist str., im Hinblick auf Informationsfunktion der Satzung (→ § 181 Rn. 7) aber zu bejahen (zutr. OLG Köln NZG 2019, 306 Rn. 9 ff.; Reichard GWR 2019, 44; so wohl auch OLG Düsseldorf NZG 2016, 1424 Rn. 15 [GmbH]; aA S/L/Seibt Rn. 20). Für **punktuelle Satzungsdurchbrechung** ist Diskussionsstand weniger eindeutig. Gem. § 130 I 1 unverzichtbar ist notarielle Beurkundung des HV-Beschlusses; privatschriftliches Protokoll (§ 130 I 3) genügt nicht. Entgegenstehende Entscheidungen zur GmbH sind wenig deutlich (BGHZ 32, 17, 29 = NJW 1960, 866; OLG Frankfurt BeckRS 2018, 19511 Rn. 53 ff.) oder nicht gut fundiert (BGH WM 1981, 1218, 1219). Str. ist, ob es auch insoweit der **Eintragung** in das HR bedarf. Für das GmbH-Recht wird Frage teilw. verneint (HCL/Ulmer/Casper GmbHG § 53 Rn. 39; Priester ZHR 151 [1987], 40, 47 ff.; aA Habersack ZGR 1994, 354, 367 f.; Koppensteiner wbl 2020, 552, 557; offenlassend BGHZ 123, 15, 19 f.; BGHZ 210, 186 Rn. 17 = NZG 2016, 742). Für Aktienrecht geht ganz hM davon aus, dass auch **Eintragungserfordernis** wegen damit bezweckter Rechtssicherheit zu bejahen ist. Folgen fehlender Eintragung bestimmen sich nach **§ 181 III,** so dass satzungsdurchbrechender Beschluss nicht wirksam werden kann, also nicht nur anfechtbar ist (BeckOGK/Holzborn Rn. 51 ff.; MüKoAktG/Stein Rn. 39 ff.; GK-AktG/Wiedemann Rn. 95; KK-AktG/Zetzsche Rn. 225 f.; Habersack ZGR 1994, 354, 369; Priester ZHR 151 [1987], 40, 57; aA für „nichtkapitalmarktnahe AG" S/L/Seibt Rn. 20; dagegen wiederum Bergmann FS Krieger, 2020, 99, 108; offengelassen in BGH NZG 2023, 1219 Rn. 18: jedenfalls anfechtbar). 8

Ausnahme wird von hM allerdings in Fällen sog **unbewusster Satzungsverletzung** zugelassen, wenn HV-Beschluss zwar obj. Verstoß gegen Satzung be- 8a gründet, dabei aber nicht das Ziel verfolgt, Satzungsdurchbrechung auch nur vorübergehend zu „legalisieren" (BeckOGK/Holzborn Rn. 54; S/L/Seibt Rn. 20; Habersack ZGR 1994, 354, 368). In diesem Fall soll bloße Satzungsverletzung (statt punktueller Änderung, → Rn. 7) vorliegen, die nur zu **Anfechtbarkeit** führt, so dass Beschluss bei Eintritt der Unanfechtbarkeit volle Wirksamkeit erlangt. Das mag in der Sache durchaus angemessen sein, doch weckt Anknüpfung im subj. Bewusstsein schon mit Blick auf Tatsachenfeststellung im Kollektivorgan Unbehagen, zumal auch nicht recht ersichtlich ist, wo genau diese Differenzierung im Ges. angelegt sein soll (zutr. MüKoAktG/Stein Rn. 42; Casper FS Grunewald, 2021, 133, 139; Leuschner ZHR 180 [2016], 422, 434 f.). Jedenfalls solange subj. Bewusstseinsinhalte nicht durch klare obj. Indizien untermauert werden, ist solche Ausnahme deshalb abzulehnen. Aussichtsreicher, um Beschluss iErg Wirksamkeit zu verleihen, ist **Umdeutung in satzungsergänzende Nebenabrede** (→ § 23 Rn. 45 f.), die auf schuldrechtl. Basis Wirksamkeit auch neben der Satzung behalten kann (BeckOGK/Holzborn Rn. 52; J. Koch AG 2015, 213 ff.; Priester ZHR 151 [1987], 40, 58).

8b Differenzierung zwischen punktuellen und zustandsbegründenden Satzungsdurchbrechungen ist schon seit längerem auf **Kritik** gestoßen (vgl. Habersack ZGR 1994, 354, 362 f.; Tieves ZIP 1994, 1341; Zöllner FS Priester, 2007, 879, 888 f.), die sich in vergangenen Jahren noch intensiviert hat (vgl. Casper FS Grunewald, 2021, 133, 141 ff.; Leuschner ZHR 180 [2016], 422, 434 f.; Pöschke, Satzungsdurchbrechende Beschlüsse, 2020, 45 ff.; mit anderer Stoßrichtung auch Peterseim, Satzungsdurchbrechung, 2020, 103 ff.: generelle Unzulässigkeit; Selentin NZG 2020, 292 ff.). Begründet wird sie damit, dass Differenzierung in § 243 I nicht angelegt sei, im Einzelfall keine trennscharfe Abgrenzung gestatte und auch unter teleologischen Gesichtspunkten nicht die entscheidenden Kriterien umschreibe, die für rechtl. Behandlung weichenstellend seien (vgl. Habersack ZGR 1994, 354, 362 f.; Leuschner ZHR 180 [2016], 422, 434 f.; Pöschke, Satzungsdurchbrechende Beschlüsse, 2020, 45 ff.; Zöllner FS Priester, 2007, 879, 888 f.). Diese Kritik ist berechtigt. Welche Folgerungen daraus zu ziehen sind, ist aber noch nicht abschließend geklärt. Neuere Ansätze fußen namentl. auf der auf Zöllner und Habersack zurückgehenden **Lehre vom Doppelinhalt,** die satzungsverletztenden Beschluss aufspaltet in Satzungsänderung und Satzungsverletzung (KK-AktG/Zöllner 2. Aufl. 1994, Rn. 92 f.; Habersack ZGR 1994, 354, 360 ff.; dem folgend Bergmann FS Krieger, 2020, 99, 102 ff.; Pöschke, Satzungsdurchbrechende Beschlüsse, 2020, 118 ff.; krit. Casper FS Grunewald, 2021, 133, 140 f.; Selentin NZG 2020, 292, 296 f.). Satzungsänderung scheitert an fehlender Eintragung, während Satzungsverletzung zwar § 243 I unterfällt, jedenfalls nach Fristablauf gem. § 246 I aber doch in dauernde Bestandskraft erwachsen kann. Neuere Ansichten denken diesen Ansatz in der Weise fort, dass für Einzelfallsatzungsänderung **Eintragungsformalitäten,** die vom Gesetzgeber auf abstrakt-generelle Satzungsänderungen zugeschnitten seien, teleologisch reduziert werden könnten (grdl. Leuschner ZHR 180 [2016], 422, 448 ff.; weitgehend zust. Pöschke, Satzungsdurchbrechende Beschlüsse, 2020, 190 ff.; krit. insofern Bergmann FS Krieger, 2020, 99, 107 f.).

8c Die genannten Ansätze sind dogmatisch in sich wesentlich schlüssiger, allerdings auch methodisch voraussetzungsreich. Zunächst muss einheitlicher Beschluss – meist im Wege der Auslegung (zu damit verbundenen Schwierigkeiten → Rn. 8a) – **in unterschiedliche Inhalte aufgespalten** werden, was nicht pauschal geschehen kann, sondern auch von tats. Einzelheiten der Beschlussfassung abhängt (vgl. zu dieser Auslegung Pöschke, Satzungsdurchbrechende Beschlüsse, 2020, 94 ff.). Will man mit neueren Ansätzen Einzelfallsatzungsänderung auch von weiteren Formalitäten befreien, muss überdies reduktionsgestattende **Regelungslücke** identifiziert werden (ausf. dazu Leuschner ZHR 180

[2016], 422, 448 ff.; Pöschke, Satzungsdurchbrechende Beschlüsse, 2020, 197 ff.). Das ist durchaus plausibel (vorschnell verworfen in → 14. Aufl. 2020, Rn. 8a), aber auch nicht alternativlos. Zudem gilt es weiter zwischen möglichen Beschlussinhalten und darauf bezogenen Anfechtungs-, Nichtigkeits- und Unwirksamkeitsgründen zu differenzieren (vgl. Pöschke, Satzungsdurchbrechende Beschlüsse, 2020, 133 ff.). Das führt iErg zu einer **Vielzahl unterschiedlichster Ausdifferenzierungen,** die Rechtsanwendung deutlich erschweren würden (krit. deshalb S/L/Seibt Rn. 21; mit anderer Begründung abl. auch Hölters/Weber/Haberstock/Greitemann Rn. 35; instinktive Skepsis auch bei Noack ZHR 184 [2020], 686: „verwirrende kleinteilige Differenzierungen"; sa Casper FS Grunewald, 2021, 133, 138: „Zeit für Entdifferenzierung"). Lösung erweckt deshalb Abwehrreflexe, die möglicherweise iS sachgerechter Handhabung hinzunehmen sind, zugleich aber auch Anlass geben, dogmatischen Überlegungsprozess noch weiter fortzusetzen. IErg werden traditionelle und neue Lehre oft zu sehr ähnlichen Ergebnissen gelangen (so auch Casper FS Grunewald, 2021, 133, 146; Noack ZHR 184 [2020], 686, 687). Insbes. besteht zwischen Vertretern beider Ansätze mittlerweile weitgehende Einigkeit, dass jedenfalls im Aktienrecht mit Begriff der Satzungsdurchbrechung **kein dritter Weg** zwischen Änderung und Verletzung der Satzung aufgezeigt wird, sondern eine Einordnung in herkömmliche Kategorien möglich ist (Hölters/Weber/Haberstock/Greitemann Rn. 35 f.; BeckOGK/Holzborn Rn. 56; Pöschke, Satzungsdurchbrechende Beschlüsse, 2020, 353; Selentin NZG 2020, 292, 293).

c) Faktische Satzungsänderung. Begriff der faktischen Satzungsänderung ist irreführend. Es handelt sich nicht um Satzungsänderung, sondern um **Satzungsverstoß** der Organe, insbes. des Vorstands (sa BGH NZG 2023, 1219 Rn. 14). Bsp.: Tätigkeit außerhalb des Unternehmensgegenstands (vgl. BGHZ 83, 122, 130 = NJW 1982, 1703; OLG Hamburg AG 1981, 344, 346). Auch langandauernde Übung führt nicht zu einer Satzungsänderung (BeckOGK/Holzborn Rn. 57; KK-AktG/Zetzsche Rn. 249). Zur Bindung des Vorstands an den Unternehmensgegenstand → § 23 Rn. 21; → § 84 Rn. 9. Satzungsverstoß kann Abberufung und Schadensersatzpflicht (§§ 93, 116) der Verwaltungsmitglieder begründen. Aktionäre haben uU und in engen zeitlichen Grenzen Anspruch auf Rückgängigmachung (BGHZ 83, 122, 133 ff.; sa BeckOGK/Holzborn Rn. 58); gegen die Satzung verstoßende Rechtsgeschäfte bleiben aber wegen umfassender ges. Vertretungsmacht des Vorstands (§ 82 I) nach außen wirksam (BGHZ 83, 122, 132). Ist Tätigkeit außerhalb des Unternehmensgegenstands für AG vorteilhaft, kommt im Einzelfall Verpflichtung der Aktionäre in Betracht, einer Satzungsanpassung durch HV-Beschluss zuzustimmen (BeckOGK/Holzborn Rn. 59. Zur Erzwingung von Satzungsänderungen → Rn. 30. 9

d) Insbesondere: Unterschreitung des Unternehmensgegenstands. In Satzung formulierter Unternehmensgegenstand (§ 23 III Nr. 2) kann nicht nur überschritten, sondern auch unterschritten werden, indem Vorstand durch Gegenstandsumschreibung vorgegebenes Tätigkeitsprofil nicht ausschöpft. **Meinungsstand.** Nach früher hM lag in Unterschreitung keine sog faktische Satzungsänderung (→ Rn. 9), weil Gegenstandsumschreibung Begrenzungsfunktion nach oben, aber nicht nach unten entfalte (Baumbach/Hueck Rn. 9). Inzwischen wird jedoch überwiegend angenommen, dass Vorstand bei unveränderter Satzung dort festgelegte Tätigkeit nicht dauerhaft aufgeben oder einschränken dürfe (OLG Köln AG 2009, 416, 417; OLG Stuttgart AG 2003, 527, 532; 2005, 693, 695 f.; LG Köln AG 2008, 327, 331; KK-AktG/Cahn § 82 Rn. 34; Priester ZGR 2017, 474, 478 ff.). **Stellungnahme.** Auszugehen ist vom Zweck der Satzungsangabe (→ § 23 Rn. 21). Soweit es um ihre **Begrenzungsfunktion** geht, handelt es sich um Frage obj. Satzungsauslegung (→ § 23 Rn. 39). Gerade bei Satzungen, die 9a tendenziell eher weit gefasst sind und eine Vielzahl von Unternehmensgegenständen nennen, wird solche Auslegung idR ergeben, dass Satzung Obergrenze zulässiger Geschäftsführung bezeichnen, Vorstand aber nicht auf entspr. Tätigkeit festlegen soll, solange nur geschichtlich geprägtes Erscheinungsbild der AG gewahrt bleibt (KK-AktG/Cahn § 82 Rn. 34). Je enger und genauer Satzungsklauseln bestimmte Tätigkeit oder Tätigkeitsart formulieren, wird Auslegung dagegen Vorstandspflicht ergeben, so umrissenen Unternehmensgegenstand auch auszufüllen (OLG Köln AG 2009, 416, 417; Priester ZGR 2017, 474, 478 ff.,). Speziell für Ausgliederungssachverhalte genügt es jedoch idR, wenn Unternehmensgegenstand durch unternehmerisch geführte Tochter weiter betrieben wird (str.; s. LG Mainz AG 1978, 320, 322; Priester ZGR 2017, 474, 482 mwN). Auch eine nur vorübergehende Unterschreitung wird überwiegend als unproblematisch angesehen (KK-AktG/Cahn § 82 Rn. 34; strenger Priester ZGR 2017, 474, 481 f.). Soweit **Informationsfunktion** der Satzungsangabe in Frage steht, mag tendenziell strengere Betrachtung angezeigt sein. Rechtsfolgen ergeben sich dann aber vor allem auf der Ebene des Registerrechts.

10 **2. Zuständiges Organ. a) Hauptversammlung.** Zuständig für Satzungsänderung (→ Rn. 4 ff.) ist HV (§ 179 I 1), soweit nicht Ges. Ausnahmen bestimmt oder zulässt. HV kann Befugnis zur Fassungsänderung auf AR übertragen (§ 179 I 2; → Rn. 11). Unter bes. Umständen (vor allem Satzungsermächtigung) kann Vorstand über Kapitalherabsetzung durch Einziehung von Aktien (§ 237 VI; → § 237 Rn. 40 f.) oder Kapitalerhöhung durch Verwendung genehmigten Kapitals (§ 202 I 1; → § 202 Rn. 6 ff., 20 ff.) entscheiden und damit Satzung ändern (s. § 23 III Nr. 3 und 4). Bei Versicherungs-AG kann HV den AR gem. § 195 III VAG iVm § 33 I VAG ermächtigen, konkretem Änderungsverlangen der Aufsichtsbehörde nachzukommen (vgl. dazu LG Stuttgart VerBAV 1968, 167). Greifen Ausnahmen nicht ein, so ist **Zuständigkeit der HV zwingend** (allgM); es besteht insoweit kein Delegationsrecht. HV kann auch nicht Vorstand darüber entscheiden lassen, ob er nach § 181 erforderliche Anmeldung vornimmt oder nicht (wie hier GK-AktG/Wiedemann Rn. 105; großzügiger KK-AktG/Zetzsche Rn. 360 ff., der nur freies Ermessen ausschließen will). Zu Befristungen und Bedingungen → Rn. 25 f. Zur Satzungsänderung durch Insolvenzverwalter bei Firmenveräußerung → § 264 Rn. 11.

11 **b) Aufsichtsrat (§ 179 I 2). aa) Übertragung von Fassungsänderungen.** HV kann AR Befugnis übertragen, Satzungsänderungen vorzunehmen, die nur die Fassung betr. (§ 179 I 2). HV kann nur **AR als Organ** ermächtigen, nicht einzelne AR-Mitglieder (allgM) oder AR-Ausschuss (MüKoAktG/Stein Rn. 170; MHdB AG/Austmann § 40 Rn. 76; aA für AR-Ausschuss GK-AktG/Wiedemann Rn. 109). AR selbst kann jedoch an einen Ausschuss weiterdelegieren (→ Rn. 12). **Fassungsänderung** betr. nur sprachliche Form der Satzung, nicht deren Inhalt (öOGH AG 2002, 583, 584). **Bsp.** bloßer Fassungsänderung: Streichung von Klauseln, die durch Gesetzesänderung unwirksam geworden sind (B/K/L/Körber/König Rn. 28); von Klauseln, die obsolet geworden sind, etwa genehmigtes Kapital nach Ablauf der Frist des § 202 I 1 oder bedingtes Kapital nach Erledigung seines Zwecks, § 192 II (vgl. OLG München NZG 2014, 1105, 1106); Berichtigung der Grundkapitalziffer und der Aktienzahl nach Einziehung und Kapitalherabsetzung gem. §§ 237 ff. (Kallweit/Simons AG 2014, 352, 358). Abgrenzung ggü. Inhaltsänderung kann schwierig sein. IZw ist Übertragungsbefugnis zu verneinen (LG Stuttgart VerBAV 1968, 167; MüKoAktG/Stein Rn. 160). § 179 I 2 erfasst auch den Fall, dass HV Satzungsänderung dem Inhalt nach beschließt, die Formulierung des Satzungstextes aber dem AR überlässt (MüKoAktG/Stein Rn. 161). Nach zutr. hM darf HV nicht nur für den konkreten Einzelfall delegieren, sondern kann AR auch generell ermächtigen (Mü-

KoAktG/Stein Rn. 164; MHdB AG/Austmann § 40 Rn. 76; aA Fritzsche WM 1984, 1243, 1244). **Modalitäten der Übertragung:** Ermächtigung in Gründungssatzung stets genügend. Im Übrigen bedarf es zwar keiner Satzungsänderung (einschließlich Registerverfahrens), wohl aber eines HV-Beschlusses mit der Mehrheit des § 179 II (str.; wie hier MüKoAktG/Stein Rn. 168).

bb) Beschlussfassung des Aufsichtsrats. Mangels bes. Regelung gelten **allg.** 12
Grundsätze der §§ 107, 108 (MüKoAktG/Stein Rn. 174). AR beschließt mit einfacher Mehrheit. Beschluss bedarf keiner notariellen Beurkundung, ist aber in Niederschrift gem. § 107 II aufzunehmen. AR muss nicht als Plenum beschließen; er (nicht HV, → Rn. 11) kann seine Ermächtigung zur Fassungsänderung auf Ausschuss übertragen, arg. § 107 III 7 (heute allgM). AR teilt Beschluss dem Vorstand mit, der dann Verfahren nach § 181 einleitet. AR-Beschluss ist nichtig, wenn Ermächtigung der HV nicht vorlag, wenn sie überschritten oder Satzung inhaltlich geändert wurde. Registergericht prüft Beschluss auf solche Mängel (→ § 181 Rn. 12).

3. Verfahren bei Zuständigkeit der Hauptversammlung. Beabsichtigte 13
Satzungsänderung ist als Gegenstand der Tagesordnung bekanntzumachen (§ 124 I 1), ebenso der vollständige Inhalt der Unterlagen zur vorgeschlagenen Satzungsänderung (§ 124 II 3); dazu, insbes. zur Frage, inwieweit HV-Beschluss vom vorgeschlagenen Wortlaut abweichen kann, und zu den Folgen fehlerhafter Bek. → § 124 Rn. 9 ff., 35 ff. Willensbildung der HV erfolgt durch Beschluss (§ 179 I 1). Er ist notariell zu beurkunden (vgl. § 130 I 1). Mehrheitserfordernisse bestimmt § 179 II (→ Rn. 14 ff.). Ferner kann Zustimmung betroffener Aktionäre gem. § 180 (vgl. Erl. dort) und/oder Sonderbeschluss nach § 179 III (→ Rn. 41) notwendig sein.

4. Mehrheitserfordernisse. a) Gesetz. aa) Grundsatz. § 179 regelt Mehr- 14
heitserfordernisse nicht vollständig. Erforderlich sind nämlich **Kapitalmehrheit** des § 179 II 1 und überdies einfache **Stimmenmehrheit** des § 133 I (allgM, vgl. nur RGZ 125, 356, 359; BGH NJW 1975, 212). § 179 II 1 ist somit weiteres Erfordernis iSd § 133 I Hs. 2, das vor allem die Folgen von Regelungen begrenzen soll, nach denen das Stimmrecht nicht der Kapitalbeteiligung entspr. (BGH NJW 1975, 212). Kapitalmehrheit muss gem. § 179 II 1 drei Viertel des bei der Beschlussfassung vertretenen Grundkapitals betragen. Bezugsgröße ist das bei der konkreten Beschlussfassung mit ja oder nein stimmende Kapital (MüKoAktG/Stein Rn. 82). Stimmenthaltungen zählen nicht mit (aA v. Godin/Wilhelmi § 133 Anm. 4); auch nicht Kapital, das freiwillig oder aus ges. Gründen an Beschlussfassung nicht mitwirkt, zB Vorzugsaktien ohne Stimmrecht (GK-AktG/Wiedemann Rn. 113). Zur einfachen Stimmenmehrheit → § 133 Rn. 11 ff. Zur Feststellung der erforderlichen Mehrheiten bedarf es nicht der zweifachen Abstimmung, sondern nur der zweifachen Zählung. Praktische Bedeutung hat Kumulation von Kapitalmehrheit und Stimmenmehrheit bei Aktien, deren Stimmgewicht nicht ihrem Nennbetrag oder bei Stückaktien ihrer Zahl entspr., zB bei Mehrstimmrechtsaktien (§ 12 S. 2), Stimmrechtsbeschränkungen (§ 134 I) und teileingezahlten Aktien (§ 134 II).

bb) Ausnahmen. Ges. weicht für bestimmte Beschlussgegenstände vom 15
Mehrheitserfordernis des § 179 II 1 ab. Gem. § 97 II 4 (→ § 97 Rn. 5), § 98 IV 2 kann HV mit einfacher Stimmenmehrheit neue Satzungsbestimmung über **Zusammensetzung des AR** beschließen, wenn alte Bestimmung den anzuwendenden ges. Vorschriften widerspricht (vgl. auch § 37 I 2 MitbestG). Einfache Stimmenmehrheit genügt gem. § 237 IV 2 (→ § 237 Rn. 35) auch für bestimmte Fälle der Kapitalherabsetzung durch **Einziehung von Aktien.**

16 **b) Satzung. aa) Umfang der Regelungsbefugnis.** Vorschrift des § 179 II 2 gestattet nur, Kapitalmehrheit anders zu bestimmen, nicht auch, das Erfordernis abzuschaffen (allgM). Umfang und Grenzen der Abänderbarkeit der einfachen Stimmenmehrheit ergeben sich aus § 133; möglich ist insoweit nur Bestimmung einer größeren Stimmenmehrheit, nicht aber Verzicht auf dieses Erfordernis (→ § 133 Rn. 15). Seine Bedeutung ist gering, da Kapitalmehrheit idR auch Stimmenmehrheit vermittelt. Praktische Relevanz hat einfache Stimmenmehrheit aber bei Mehrstimmrechten und Stimmrechtsbeschränkungen (→ Rn. 14 aE).

17 Satzung kann nach § 179 II 2 allg. oder für einzelne Regelungsgegenstände größere Kapitalmehrheit (→ Rn. 20) oder geringere Kapitalmehrheit (→ Rn. 19) bestimmen; Formulierungsbeispiel für Aufhebungsbeschluss (→ Rn. 40) bei Gotthardt/Krengel AG 2017, 222, 229. Satzung kann auch Bezugsgröße (→ Rn. 14) anders festlegen, zB das gesamte stimmberechtigte Grundkapital (MüKoAktG/Stein Rn. 89). Satzungsautonomie besteht aber nur, soweit Ges. nicht **zwingend andere Mehrheiten** (→ Rn. 15) vorschreibt. Hierhin gehören § 97 II 4, § 98 IV 2, § 113 I 4 und § 5 II 2 EGAktG und § 37 I 2 MitbestG (MüKoAktG/Stein Rn. 87), nicht aber § 237 IV 2 (vgl. § 237 IV 3). Für Änderung des Unternehmensgegenstands kann Satzung nur eine größere Kapitalmehrheit bestimmen (§ 179 II 2); vgl. ferner § 182 I 2; § 202 II 3; § 222 I 2. Besonderheiten bestehen bei Änderung des Gesellschaftszwecks (→ Rn. 33).

18 **bb) Bestimmtheit der Satzungsklausel.** Mehrheitsregelnde Satzungsbestimmung muss nach BGH NJW 1988, 260, 261 klar und eindeutig zum Ausdruck bringen, dass von ihr Satzungsänderungen erfasst werden, insbes. wenn qualifizierte Mehrheit herabgesetzt wird (sa BeckOGK/Holzborn Rn. 122). Eindeutigkeitsvorgabe erscheint überzogen, da Anforderungen an Deutlichkeit von Satzungsregelungen nicht höher angesetzt werden können als die von Gesetzen, die der obj. Auslegung zugänglich sind (deshalb für „hinreichende Deutlichkeit" KK-AktG/Zetzsche Rn. 379 f.; Witt AG 2000, 345, 348). Da Möglichkeit der obj. Auslegung (→ § 23 Rn. 39 f.) aber auch von BGH nicht in Zweifel gezogen wird (BGH NJW 1975, 212 f.), ergeben sich aus Streit um Begrifflichkeit keine nennenswerten inhaltlichen Abweichungen (sa GK-AktG/Wiedemann Rn. 118). Verbleiben nach Auslegung aber **Zweifel,** so gilt **ges. Regelung** (BGH NJW 1975, 212 f.; 1988, 260, 261; MüKoAktG/Stein Rn. 91). Hinreichend deutlich ist Satzungsbestimmung, die einfache Mehrheit des vertretenen Grundkapitals genügen lässt, wenn Ges. neben der Stimmen- auch eine Kapitalmehrheit verlangt (BGHZ 76, 191, 194 f. = NJW 1980, 1465), wohl auch Bestimmung, nach der einfache Mehrheit vorbehaltlich zwingender ges. Regelung genügt (LG Frankfurt AG 2002, 356, 357: einfache Kapitalmehrheit). Fraglich ist, welche Reichweite einer Satzungsklausel zuzuschreiben ist, die eine von § 179 II 1 **abw. Mehrheit nur allg. festschreibt,** ohne auf einzelne Beschlussgegenstände gesondert einzugehen. Im Schrifttum findet sich dazu verbreitet die These, dass davon auch speziellere Formen der Satzungsänderung, wie etwa Kapitalerhöhung etc., erfasst sind (KK-AktG/Ekkenga § 182 Rn. 6; Grigoleit/Rieder/Holzmann § 182 Rn. 11; BeckOGK/Servatius § 182 Rn. 31; MüKoAktG/Schürnbrand/Verse § 182 Rn. 27; MüKoAktG/Stein Rn. 88). Dieser Standpunkt ist durchaus naheliegend, berücksichtigt aber nicht hinreichend, dass sowohl nach allg. Sprachgebrauch als auch nach Systematik des Ges. Maßnahmen der Kapitalerhöhung von herkömmlicher Satzungsänderung losgelöst sind (Witt AG 2000, 345, 351). Vor diesem Hintergrund erscheint es vorzugswürdig, eine solche Klausel iZw nicht auf bes. Beschlussgegenstände wie iRd Kapitalbeschaffung anzuwenden (→ Rn. 35), erst recht nicht auf Änderungen des Gesellschaftszwecks (so auch BGHZ 96, 245, 249 = NJW 1986, 1033 für eV; S/L/Seibt Rn. 12; KK-AktG/Zetzsche Rn. 256, 309, 383; Witt AG 2000, 345, 351 ff.).

cc) Geringere Kapitalmehrheit. § 179 II 2 erlaubt nicht, auf Kapitalmehrheit zu verzichten. Zulässig ist nur, sie anders festzusetzen als in § 179 II 1 vorgesehen. Für Beschlussantrag müssen also jedenfalls mehr als 50% stimmen (unstr., vgl. BGH NJW 1975, 212 f.). Praxis macht von dieser Möglichkeit verbreitet Gebrauch und orientiert sich dabei an von BGHZ 76, 191, 194 (= NJW 1980, 1465) gebilligten Fassung (ausf. Happ/Möhrle AktR 1.06 Rn. 7.2 ff.; Fleischer/Maas AG 2020, 761 Rn. 50). Sofern nichts anderes bestimmt ist, gilt allg. gefasste Satzungsbestimmung auch für ihre eigene Änderung, und zwar sowohl (wenn möglich) für weitere Herabsetzung des Mehrheitserfordernisses als auch für seine Erhöhung (S/L/Seibt Rn. 15; MüKoAktG/Stein Rn. 119). Anders aber, wenn geringere Kapitalmehrheit nur für einzelne Beschlussgegenstände bestimmt ist; dann gilt für Änderungsbeschluss ges. Mehrheitserfordernis (S/L/Seibt Rn. 15; MüKoAktG/Stein Rn. 122). 19

dd) Größere Kapitalmehrheit. Satzung kann größere Kapitalmehrheit festsetzen, auch **Einstimmigkeit** der Abstimmenden bzw. in HV Anwesenden verlangen (MüKoAktG/Stein Rn. 95). Bestimmt Satzung Einstimmigkeit aller, auch der nichterschienenen Aktionäre, so handelt es sich nicht um Beschlusserfordernis, sondern um weiteres Erfordernis iSd § 179 II 3; Zulässigkeit str. (→ Rn. 23). Gilt Mehrheitserfordernis für **alle Satzungsänderungen,** so ist festgesetzte Mehrheit auch für seine Änderung nötig (BeckOGK/Holzborn Rn. 129; MüKoAktG/Stein Rn. 119). Wenn Satzung höhere Mehrheit nur für einzelne Satzungsänderungen vorsieht, gilt sie nur iZw (Auslegungsfrage) auch für Herabsetzung oder Beseitigung des Mehrheitserfordernisses selbst (BeckOGK/Holzborn Rn. 129; MüKoAktG/Stein Rn. 121; aA v. Godin/Wilhelmi Rn. 6; offengelassen von BGHZ 76, 191, 195 = NJW 1980, 1465). Bestimmt Satzung in Abweichung von § 133 I **für einfache Beschlussgegenstände** andere Mehrheit, gilt für deren Herabsetzung Mehrheitserfordernis, das in Ges. oder Satzung für Satzungsänderung vorgesehen ist. Ausn. gilt, wenn Mehrheit für einfachen Beschlussgegenstand höher ist als Mehrheit für Satzungsänderung; in diesem Fall gilt Mehrheit für einfache Beschlussgegenstände. Für weitere Erhöhung hingegen gilt weiterhin in Satzung vorgesehenes Mehrheitserfordernis für Satzungsänderung (MüKoAktG/Stein Rn. 125). 20

5. Weitere Erfordernisse. a) Gesetz. Neben Stimmen- und Kapitalmehrheit (→ Rn. 14) sieht Ges. für bes. Beschlussgegenstände weitere Wirksamkeitserfordernisse vor. Legt Satzungsänderungsbeschluss Aktionären **Nebenverpflichtungen** (§ 55) auf oder wird **Vinkulierung** von Aktien oder Zwischenscheinen (§ 68 II, V) eingeführt, so ist Zustimmung der betroffenen Aktionäre erforderlich (→ § 180 Rn. 2 ff., 5 ff.). Weiter bedarf es der Zustimmung bei Eingriff in **Sonderrechte** (→ § 23 Rn. 3) und Verstoß gegen **Gleichbehandlungsgebot** (→ § 53a Rn. 5). **Umwandlung einer AG in KGaA** (→ Rn. 37) bedarf der Zustimmung der dann persönlich haftenden Gesellschafter (§ 240 II 1 UmwG). Zur Änderung des Gesellschaftszwecks → Rn. 33. Satzungsänderung kann ferner **staatlicher Genehmigung** bedürfen (→ § 181 Rn. 10; → § 37 Rn. 14). 21

b) Satzung. aa) Allgemeines. Satzung kann gem. § 179 II 3 für Satzungsänderung weitere, also über die Kapitalmehrheit hinausgehende Erfordernisse festsetzen (vgl. auch § 182 I 3; § 202 II 3; § 222 I 2). Sie können allg. oder nur für einzelne Beschlussgegenstände bestimmt werden (MüKoAktG/Stein Rn. 138); nicht jedoch für solche, für die das Ges. zwingend geringere Mehrheit als die in § 179 II vorgesehene genügen lässt (Überblick → Rn. 17), da dies sich nicht mit bezweckter Erleichterung verträgt (MüKoAktG/Stein Rn. 138). Für Änderung oder Beseitigung weiterer Erfordernisse gelten die gleichen Grundsätze wie für Satzungsklauseln, die eine größere Kapitalmehrheit bestimmen 22

(→ Rn. 20; MüKoAktG/Stein Rn. 157). Erteilung der Zustimmung richtet sich, wenn Satzung nichts anderes bestimmt, nach den Grundsätzen, die für ges. Zustimmungserfordernisse gelten (→ § 180 Rn. 8).

23 **bb) Einzelfälle.** Weitere Erfordernisse der Satzung können sein: Bestimmung eines Quorums unter Bezugnahme auf stimmberechtigtes Grundkapital (vgl. MüKoAktG/Stein Rn. 139); Höhe des Quorums darf Satzungsänderung aber nicht faktisch unmöglich machen (→ Rn. 3). Satzung kann auch vorsehen: Wiederholung der Beschlussfassung in neuer HV (MüKoAktG/Stein Rn. 155); Zustimmung bestimmter Aktionäre (hM, vgl. RGZ 169, 65, 81 [zur GmbH]; MüKoAktG/Stein Rn. 142; s. ferner → § 182 Rn. 10) oder der Inhaber bestimmter Aktien oder Aktiengattungen (KK-AktG/Zetzsche Rn. 400), zB der Vorzugsaktionäre (§§ 139 ff.); befinden sich die Aktien in staatlicher Hand, sind europäische Grundfreiheiten (Art. 49, 63 AEUV) zu beachten (MüKoAktG/Stein Rn. 142). Ferner kann Satzung **Zustimmung aller Aktionäre** vorschreiben (MüKoAktG/Stein Rn. 143; Priester ZHR 151 [1987], 40, 49 Fn. 55), wenn Zustimmungserfordernis im konkreten Fall Satzungsänderung nicht faktisch ausschließt (→ Rn. 3; sa MüKoAktG/Stein Rn. 98, 144), wie idR bei Publikumsgesellschaften (zust. Hölters/Weber/ Apfelbacher/Metzner § 182 Rn. 26; BeckOGK/Holzborn Rn. 126; aA S/L/Veil § 182 Rn. 29, der sich allerdings auch gerade auf praktische Bedürfnisse kleinerer AG beruft; vgl. ferner KK-AktG/Ekkenga § 182 Rn. 5, der Einstimmigkeit für zulässig hält, solange Dreiviertelmehrheit Einstimmigkeitsprinzip durch Satzungsänderung abschaffen kann). **Nicht zulässig** ist Satzungsbestimmung, die Zustimmung dritter Stellen voraussetzt, etwa des AR (RGZ 169, 65, 80 f. zur GmbH; B/K/L/Körber/König Rn. 39; MüKoAktG/Stein Rn. 148; Lutter FS Quack, 1991, 301, 313), des Vorstands (allgM), eines Beirats (allgM) oder verbandsfremder Dritter (ganz hM, vgl. RGZ 169, 65, 80 zur GmbH; KG JW 1930, 1412 f.; GK-AktG/Wiedemann Rn. 135; Wiedemann FS Schilling, 1973, 105, 111; Zöllner FS 100 Jahre GmbHG, 1992, 85, 119 f.; aA Beuthien/Gätsch ZHR 156 [1992], 459, 477 f.). Derartige Erfordernisse verstoßen gegen Satzungsautonomie der HV. Mit ihr nicht vereinbar ist auch Klausel, dass Satzungsänderung dann nur der einfachen Kapitalmehrheit bedarf, wenn sie vom AR oder mit dessen Zustimmung beantragt worden ist (MüKoAktG/Stein Rn. 148; GK-AktG/Wiedemann Rn. 6; Eckardt NJW 1967, 369, 371; aA OLG Stuttgart AG 1967, 265, 266).

24 **6. Zulässigkeitsschranken. a) Allgemeines.** Satzungsänderungen dürfen nicht gegen ges. Vorschriften verstoßen, andernfalls ist Beschluss der HV anfechtbar (§ 243 I) oder nichtig (§ 241 Nr. 3 und 4). Änderungen stehen unter dem Grundsatz der **Satzungsstrenge** (§ 23 V); nur solche Bestimmungen können also beschlossen werden, die auch in der Gründungssatzung hätten vereinbart werden können (→ § 23 Rn. 34). Notwendige Satzungsbestandteile des § 23 III und IV dürfen nicht gestrichen werden; ihre Änderungen müssen den ges. Vorgaben entspr. (→ § 23 Rn. 20 ff.). **Gleichbehandlungsgebot** (§ 53a) und mitgliedschaftliche **Treubindungen** können jedenfalls nicht prinzipiell abgeschafft werden (→ § 53a Rn. 5, 26).

25 **b) Einzelheiten. aa) Befristung.** HV kann Satzungsänderung in der Weise beschließen, dass sie nur bis zu einem oder ab einem bestimmten Zeitpunkt gelten soll. Frist muss für Dritte **feststellbar** sein (ausf. Heinze NZG 2019, 847, 848 ff. mit Ausführungen zu Ausnahmen auf S. 850 f.; sa KGJ 28, A 216, 224; S/L/Seibt Rn. 39; MüKoAktG/Stein Rn. 47). Nicht erforderlich ist kalendermäßige Bestimmung; es reicht aus, dass Fristeintritt ohne Schwierigkeiten anhand eindeutiger Kriterien bestimmt werden kann (BeckOGK/Holzborn Rn. 164; MüKoAktG/Stein Rn. 47). Befristete Satzungsänderung kann, auch wenn sie erst

später in Kraft treten soll, etwa bei Anpassung an geänderte Gesetzeslage, sofort in das HR eingetragen werden (zur technischen Umsetzung s. Heinze NZG 2019, 847, 852). Möglich ist auch, dass HV Vorstand beauftragt, Satzungsänderung erst zu einem bestimmten Zeitpunkt anzumelden (allgM), der aber nicht nach der nächsten HV liegen darf; dann ist bestätigender Beschluss erforderlich (→ § 181 Rn. 13).

bb) Bedingung. Zu unterscheiden ist zwischen bedingtem HV-Beschluss und bedingtem Satzungsinhalt. **Bedingter HV-Beschluss:** Zulässig ist, Wirksamkeit des Satzungsänderungsbeschlusses unter eine Bedingung zu stellen; bis zu ihrem Eintritt ist Beschluss schwebend unwirksam und kann nicht angemeldet werden (LG Duisburg BB 1989, 257). Zudem kann HV Vorstand anweisen (Lutter FS Quack, 1991, 301, 315), Änderungsbeschluss nur bei Eintritt eines bestimmten Umstands anzumelden, sog unechte Bedingung (allgM). Bedingung darf Vorstand aber keinen Entscheidungsspielraum einräumen (LG Frankfurt AG 1990, 169, 170; BeckOGK/Holzborn Rn. 163; GK-AktG/Wiedemann Rn. 162; Grunewald AG 1990, 133, 138); ist Bedingung bis zur nächsten HV nicht eingetreten, muss neu beschlossen werden (RGZ 85, 205, 207 zur GmbH; Lutter FS Quack, 1991, 301, 316; → § 181 Rn. 13 aE). **Bedingter Satzungsinhalt:** Satzungsbestimmung kann nicht in der Weise unter Bedingung gem. § 158 BGB gestellt werden, dass sie als Satzungsinhalt mit in das HR eingetragen wird; Ungewissheit des Bedingungseintritts ist nicht vereinbar mit gebotener Rechtssicherheit (BeckOGK/Holzborn Rn. 161; MüKoAktG/Stein Rn. 49 f.; Grunewald AG 1990, 133 137; Lutter FS Quack, 1991, 301, 309 f.; aA Kuntz, Gestaltung von Kapitalgesellschaften, 2016, 547 ff.). Eintragung ist aber möglich, wenn Bedingung vor Anmeldung eingetreten, Satzungsklausel somit unbedingt geworden ist (BeckOGK/Holzborn Rn. 161; Lutter FS Quack, 1991, 301, 310; Priester ZIP 1987, 280, 285; aA GK-AktG/Wiedemann Rn. 161). 26

cc) Rückwirkung. Für einige Fälle bestehen **Sondervorschriften.** Von zulässiger Rückwirkung sprechen §§ 234, 235 bei vereinfachter Kapitalherabsetzung und sie ergänzender Kapitalerhöhung. In der Sache geht es aber nur um Ausnahmen vom Stichtagsprinzip (→ § 234 Rn. 1 f.; → § 235 Rn. 1 f.). Andere Vorschriften verbieten Rückwirkung, zB in den anderen Fällen der Kapitalerhöhung und -herabsetzung (§§ 189, 200, § 203 I 1, § 211 I, §§ 224, 238 S. 1) und in bestimmten Fällen des Formwechsels (§ 202 II UmwG). IÜ ist Rückwirkung **nicht generell ausgeschlossen,** auch nicht durch § 181 III. Norm bestimmt nur Zeitpunkt, zu dem Satzungsänderung wirksam wird (allgM). 27

Maßgeblicher Gesichtspunkt ist **Vertrauensschutz.** Danach ist Rückwirkung unzulässig, wenn Dritte, die Allgemeinheit oder Aktionäre auf Bestand der Satzungsbestimmung vertrauen dürfen (BeckOGK/Holzborn Rn. 169; MüKo-AktG/Stein § 181 Rn. 76; Dempewolf NJW 1958, 1212, 1214); das ist die Regel. **Einzelfälle:** Zulässig ist rückwirkende Erhöhung (nicht: Herabsetzung) der Vergütung der AR-Mitglieder (allgM); sie kann auch als Nachzahlung ausgelegt (so BeckOGK/Holzborn Rn. 169; Zilias JZ 1959, 50, 52) oder ausgestaltet werden. Unzulässig ist rückwirkende Änderung des Geschäftsjahrs (BGH NZG 2015, 157 Rn. 14 zu § 54 III GmbHG; KGJ 53, 99, 101; KG DR 1942, 735; OLG Schleswig AG 2001, 149; BeckOGK/Holzborn Rn. 169; MüKoAktG/Stein § 181 Rn. 77; aA Meilicke/Hohlfeld BB 1957, 793, 797). Etwas anderes gilt jedoch, wenn Insolvenzverwalter den mit Eröffnung des Insolvenzverfahrens neu beginnenden Geschäftsjahresrhythmus (§ 155 II 1 InsO) rückwirkend ändert und dies zur Eintragung im HR anmeldet: § 181 III ist auf diesen Fall nicht analog anzuwenden (BGH NZG 2015, 157 Rn. 14 ff. zu § 54 III GmbHG; sa MHdB AG/Austmann § 40 Rn. 85). Unzulässig ist rückwirkende Änderung des Gesellschaftszwecks (allgM); des Unternehmensgegenstands (allgM); des Katalogs 28 zustimmungsbedürftiger Geschäfte nach § 111 IV 2 (MüKoAktG/Stein § 181 Rn. 77; aA Dempewolf NJW 1958, 1212, 1214). Unzulässig ist ferner rückwirkende Umwandlung von Inhaber- in Namensaktien oder rückwirkende Vinkulierung (S/L/Seibt Rn. 43) sowie Änderung der Vertretungsbefugnis der Vorstandsmitglieder (§ 78 II), sei sie Umwandlung von Einzel- in Gesamtvertretung (allgM), sei sie umgekehrt Übergang von Gesamt- auf Einzelvertretung (S/L/Seibt Rn. 42; MüKoAktG/Stein § 181 Rn. 77; MHdB AG/Austmann § 40 Rn. 85; aA Dempewolf NJW 1958, 1212, 1215). Rückwirkung ist auch beim Beherrschungsvertrag ausgeschlossen (OLG Hamburg NJW 1990, 521; 1990, 3024; OLG Karlsruhe AG 1994, 283; → § 294 Rn. 19).

29 **dd) Grenzen der Mehrheitsmacht.** Mehrheitsprinzip schließt Anerkennung von beweglichen Schranken der Mehrheitsherrschaft ein (vgl. zB RGZ 132, 149, 163; BGHZ 80, 69, 74 f. = NJW 1981, 1512; Wiedemann GesR I § 8; Zöllner, Die Schranken mitgliedschaftlicher Stimmrechtsmacht, 1963, 287 ff.). Rechtsgedanke und darin eingeschlossener **Minderheitenschutz** werden jedoch überspannt, wenn für Satzungsänderungsbeschluss grds. eine am Gesellschaftsinteresse ausgerichtete sachliche Rechtfertigung verlangt wird (so aber GK-AktG/Wiedemann Rn. 169 ff.; Wiedemann ZGR 1980, 147, 156 f.; wie hier zB BeckOGK/Holzborn Rn. 173; S/L/Seibt Rn. 44; Lutter ZGR 1981, 171, 174 f., 180 f.; Timm JZ 1980, 665, 667 f.). Das gilt auch dann, wenn Satzungsänderung (Verwaltung eigenen Vermögens statt Bankgeschäft, s. OLG Düsseldorf WM 1994, 337) mit Vermögensübertragung iSd § 179a zusammentrifft (→ § 179a Rn. 5, 10; Henze FS Boujong, 1996, 233, 249 f.). Einzelheiten zur materiellen Beschlusskontrolle und ihren Grenzen → § 243 Rn. 21 ff., 30 ff.

30 **7. Pflicht zur positiven Stimmabgabe. a) Gegenüber Aktionären.** Aktionäre können untereinander kraft Treupflicht verpflichtet sein, Beschluss zur Satzungsänderung positiv zu unterstützen, wenn Satzungsänderung im **dringenden Interesse der AG liegt und dem Aktionär zumutbar ist** (Einzelheiten und Nachw. in → § 53a Rn. 13 ff., 16 f., 20 f.; → § 222 Rn. 15a; sa MüKoAktG/Stein Rn. 218). Praktische Relevanz ist unter den typischen Verhältnissen der AG wegen des Mehrheitsprinzips gering. Unter den dargelegten Umständen ist Aktionär auch zur Zustimmung gem. § 179 III verpflichtet (vgl. Lutter ZHR 153 [1989], 446, 467).

31 Bei **Verstoß gegen Mitwirkungspflicht** gilt: Treuwidrig abgegebene Stimme ist nichtig (→ § 53a Rn. 30) und wird auch als nicht vertreten gewertet (MüKoAktG/Stein Rn. 219; GK-AktG/Wiedemann Rn. 157; sa BGHZ 102, 172, 176 = NJW 1988, 969 zur Abberufung eines Geschäftsführers). Versammlungsleiter kann somit HV-Beschluss mit der erforderlichen Mehrheit feststellen (→ § 130 Rn. 22 ff.). Macht er davon Gebrauch, muss Gegner der Satzungsänderung Anfechtungsklage erheben. Zählt Versammlungsleiter treuwidrig abgegebene Stimme mit und stellt er deshalb fest, dass Satzungsänderung abgelehnt wurde, müssen die Aktionäre, die Satzungsänderung durchsetzen wollen, Anfechtungsklage verbunden mit positiver Beschlussfeststellungsklage (→ § 246 Rn. 42 f.) erheben (BeckOGK/Holzborn Rn. 179; Lutter ZHR 153 [1989] 446, 468). Klage auf Zustimmung zur Satzungsänderung kommt nur in Sonderfällen in Betracht (KK-AktG/Zetzsche Rn. 449).

32 **b) Gegenüber Dritten.** Dritte haben grds. keinen Anspruch auf Satzungsänderung, und zwar weder gegen AG noch gegen Aktionäre (MüKoAktG/Stein Rn. 212). Zur GmbH wird Ausnahme für konkreten Beschlussgegenstand erwogen, wenn **Ermächtigungs- oder Zustimmungsbeschluss der HV** vorliegt, der in notarieller Form (§ 130 I) mit satzungsändernder Mehrheit zustande gekommen ist; in diesem Fall soll Dritter auf Erfüllung klagen und gem. § 894 ZPO

vollstrecken können (HCL/Ulmer/Casper GmbHG § 53 Rn. 42; Fleck ZGR 1988, 104, 115 f.; Priester FS Werner, 1984, 658, 675). Auf AG ist diese Lösung aber nicht zu übertragen, da in diesem Fall Satzungsautonomie der nächsten HV beeinträchtigt würde (BeckOGK/Holzborn Rn. 175; MüKoAktG/Stein Rn. 212; GK-AktG/Wiedemann Rn. 136, 155). Auch Rechtsgeschäfte des Vorstands, die AG wirksam zu einem ihrer Satzung widersprechenden Verhalten verpflichten (zB Gebrauch der Firma zu unterlassen), begründen keine Pflicht der Aktionäre ggü. Dritten (allgM). Dritter kann aber AG auf Erfüllung der Vertragspflicht in Anspruch nehmen (BeckOGK/Holzborn Rn. 177; MüKoAktG/Stein Rn. 213 ff.). Anspruch eines Dritten, der AG zu einem ihrer Satzung widersprechenden Verhalten verpflichtet, kann auch kraft Ges. entstehen (§ 12 BGB; § 37 II HGB; §§ 8, 3 UWG).

8. Einzelne Beschlussgegenstände. a) Gesellschaftszweck. Änderung des Gesellschaftszwecks (→ § 23 Rn. 22) setzt entspr. § 33 I 2 BGB neben dem Mehrheitsbeschluss **Zustimmung aller Aktionäre** voraus (BeckOGK/Holzborn Rn. 62; S/L/Seibt Rn. 10; MüKoAktG/Stein Rn. 132). Gegenansicht (GK-AktG/Wiedemann Rn. 56; Wiedemann JZ 1978, 612; Timm, Die Aktiengesellschaft als Konzernspitze, 1980, 31 ff.) hebt darauf ab, dass AktG für wesentliche Strukturänderungen Mehrheitsentscheidungen ausreichen lässt (§ 262 I Nr. 2 Hs. 2, § 274 I 2, § 293). Zustimmung aller Aktionäre ist aber auch von diesem Standpunkt aus wegen Eingriffs in die Mitgliedschaft zumindest dann erforderlich, wenn AG von erwerbswirtschaftlicher zu gemeinnütziger Tätigkeit wechseln soll. Satzung kann Mehrheitsentscheidung zulassen, weil § 33 I 2 BGB nach § 40 BGB dispositiv ist (MüKoAktG/Stein Rn. 132). Die für Änderungen des Unternehmensgegenstands in § 179 II 2 vorgegebene Grenze findet entspr. Anwendung (allgM). Ob Satzungsbestimmung, die allg. für Satzungsänderungen eine von § 179 II abw. Mehrheit genügen lässt, auch für Änderung des Gesellschaftszwecks gilt, ist Frage obj. Auslegung, die durchweg zum negativen Ergebnis führen wird, wenn Gesellschaftszweck nicht ausdr. genannt ist (vgl. BGHZ 96, 245, 249 f. = NJW 1986, 1033 zum eV; BeckOGK/Holzborn Rn. 63). Umwandlung einer AG folgt nur den umwandlungsrechtl. Vorschriften, und zwar auch dann, wenn mit ihr zweckändernde Wirkung verbunden ist (Kort AG 2011, 611, 614). Zur Bedeutung des Gesellschaftszwecks bei Auslagerung von Geschäftsbereichen auf gemeinnützige Gesellschaften Kort NZG 2011, 929 ff. 33

b) Unternehmensgegenstand und Beteiligungserwerb. Unternehmensgegenstand als Mittel der Zweckverfolgung (→ § 23 Rn. 22 f.) ist mit qualifizierter Mehrheit gem. § 179 II 1 abänderbar (arg. § 179 II 2); der Zustimmung aller Aktionäre bedarf es nicht. Satzung kann nur eine größere Mehrheit vorsehen (§ 179 II 2). Zur sog faktischen Änderung des Unternehmensgegenstands → Rn. 9; zu seiner Unterschreitung → Rn. 9a. Problematisch kann sein, ob auch **Beteiligungserwerb** noch von Unternehmensgegenstand gedeckt ist. Das hängt zunächst von konkreter Satzungsgestaltung ab und sodann von Beteiligungsform. Hinsichtlich Satzungsgestaltung stellt sich insbes. die Frage, ob Satzung sog **Konzernöffnungsklausel** enthält (sa → § 23 Rn. 24a). Ist das der Fall, so ist Beteiligungserwerb im dort genauer festgelegten Umfang gestattet (BeckOGK/Holzborn Rn. 70; MüKoAktG/Stein Rn. 111). Wird reine Finanzanlage in Konzernöffnungsklausel nicht gestattet, kann sie dennoch zulässig sein, allerdings nur in der Weise, dass brachliegende Mittel vorübergehend investiert werden (BeckOGK/Holzborn Rn. 70). Der zT vertretenen Auffassung, wonach Konzernöffnungsklausel idR eng auszulegen sei und lediglich eine unternehmerische Beteiligung gestatte, wenn sie nicht ausdr. auch eine kapitalistische Beteiligung erlaube (KK-AktG/Koppensteiner Vor § 291 Rn. 64), ist OLG Frankfurt AG 2008, 862, 863 aber zu Recht entgegengetreten (zust. BeckOGK/Limmer § 23 34

Rn. 32). Ebenso wie bei Konzernöffnungsklausel ist Beteiligungserwerb für reine Holdinggesellschaft weitestgehend problemlos möglich (BeckOGK/Holzborn Rn. 69). Enthält Satzung keine Konzernöffnungsklausel, ist Beteiligungserwerb nur in eingeschränktem Maße möglich, da Umschreibung des Unternehmensgegenstands nach hM auch die Angabe enthalten muss, ob AG unmittelbar oder mittelbar auf diesem Gebiet tätig sein will (MüKoAktG/Stein Rn. 113 mwN). Beteiligungserwerb ist danach ohne Konzernöffnungsklausel ebenso wie Ausgliederung idR unzulässig, sofern er nicht ausnahmsweise aufgrund ungeschriebener Annexkompetenz für Hilfs- und Ergänzungsgeschäfte zulässig ist (MüKoAktG/Stein Rn. 113). Wird AG selbst zur **abhängigen Gesellschaft iSd § 17,** liegt darin keine Satzungsänderung, unabhängig davon, ob Satzung eine solche Konzernierung gestattet (str., → § 23 Rn. 24a).

35 **c) Grundkapital.** Grundkapital ist notwendiger Satzungsbestandteil (§ 23 III Nr. 3). Seine Änderung durch Kapitalerhöhung oder -herabsetzung ist mithin Satzungsänderung, die grds. eines Beschlusses der HV gem. § 179 I bedarf. Nur für Kapitalerhöhung durch Verwendung genehmigten Kapitals gem. §§ 202 ff. kann HV Vorstand zur Änderung ermächtigen (vgl. § 202 I 1; → 202 Rn. 6 ff.). §§ 179 ff. finden nur insoweit Anwendung, als §§ 182–240 keine Sondervorschriften enthalten (→ Rn. 2; → § 222 Rn. 6). Anwendbar ist zB § 179 I 2 (KK-AktG/Zetzsche Rn. 307). Keine Anwendung findet § 179 II; **Mehrheitserfordernis** unterliegt ges. Sondervorschriften (vgl. § 182 I 1, 2; § 193 I; § 202 II 2, 3; § 207 II; § 222 I, § 229 III, § 237 II 1, IV). Ob Satzungsbestimmung, die allg. für Satzungsänderung eine vom Ges. abw. Mehrheit vorsieht, auch Kapitalveränderungen erfasst, ist durch obj. Auslegung zu klären. IZw ist Frage zu verneinen; wegen der Sondervorschriften ist ausdr. Einbeziehung der Kapitalveränderung erforderlich (S/L/Seibt Rn. 12). Bestehen **mehrere Aktiengattungen** (§ 11), so findet § 179 III keine Anwendung; auch insoweit bestehen Sondervorschriften (vgl. § 182 II, § 193 I 3, § 222 II, § 229 III).

36 **d) Unternehmensverträge.** Vorschriften des Ges. oder der Satzung über Satzungsänderungen finden keine Anwendung, wenn HV über Abschluss oder Änderung von Unternehmensverträgen beschließt (§ 293 I 4 und II, § 295 I 2); es gelten ausschließlich die §§ 293 ff. (Kort AG 2011, 611, 613 f.). Für Unternehmensverträge iSd § 291 hat § 293 I 4 jedoch lediglich technische Bedeutung; der Sache nach steht ihr Abschluss einer Satzungsänderung im Hinblick auf Gesellschaftszweck und Unternehmensgegenstand gleich (→ § 291 Rn. 17 f.). Schuldrechtl. geprägt sind dagegen Unternehmensverträge iSd § 292 (→ § 292 Rn. 2).

37 **e) Formwechsel.** Formwechsel gem. §§ 238 ff. UmwG ist Satzungsänderung (vgl. zB § 243 UmwG). Es gelten aber weitgehend **Sondervorschriften,** insbes. bzgl. der Mehrheitserfordernisse, ihres dispositiven Charakters und der Aufstellung weiterer Erfordernisse in der Satzung (vgl. § 240 I UmwG). Teilw. bestehen zusätzliche ges. Erfordernisse (zB § 240 II UmwG). Wenn Satzung für alle Änderungen vom Ges. abw. Mehrheiten festsetzt, gelten Ausführungen zur Kapitalveränderung entspr. (→ Rn. 35); aA BeckOGK/Holzborn Rn. 79, der Erfordernis höherer Mehrheit auch auf Umwandlungsbeschluss anwenden will.

38 **f) Gesellschaftsdauer.** Enthält Satzung Vorschrift über die Dauer der AG (→ § 23 Rn. 3) und soll sie verkürzt werden oder wird nachträglich eine Bestimmung über die Gesellschaftsdauer eingefügt (Satzungsänderung, vgl. RGZ 65, 264, 266), so findet § 262 I Nr. 2 entspr. Anwendung (allgM, vgl. MüKo-AktG/J. Koch § 262 Rn. 29). Jedoch ist § 179 II anwendbar, wenn vor Erreichen des Endtermins die Dauer der AG wirksam (§ 181 III) verlängert oder entspr. Fristbestimmung wirksam aufgehoben wird (MüKoAktG/Stein Rn. 116;

GK-AktG/Wiedemann Rn. 81); danach kann nur Fortsetzungsbeschluss gefasst werden (→ § 274 Rn. 2).

g) Sonstiges. Einführung von Satzungsbestimmungen, die ges. Mehrheitserfordernisse gem. § 179 II 2, 3 absenken oder erhöhen, unterliegt dem ges. Mehrheitserfordernis des § 179 II 1. Zur Frage, ob sie auf ihre eigene Änderung oder Aufhebung Anwendung finden, → Rn. 19 f. Zur Einführung von Nebenpflichten und Vinkulierung vgl. § 180 (→ § 180 Rn. 1 ff.). **Sonderrechte** (→ § 23 Rn. 3) können gem. § 35 BGB nur mit Zustimmung des betroffenen Aktionärs beseitigt oder beeinträchtigt werden (allgM, vgl. BGHZ 15, 177, 181 = NJW 1955, 178 zur Genossenschaft; BGH WM 1989, 250, 251 f. zur GmbH). Aufnahme oder Änderung von Bestimmungen über das **Geschäftsjahr** ist Satzungsänderung (str., → § 23 Rn. 3). 39

9. Aufhebung und Änderung. Satzungsänderungsbeschluss wird erst mit Eintragung in das HR wirksam (§ 181 III). Bis dahin ist seine **Aufhebung** noch keine erneute Satzungsänderung; HV kann ihn also nach § 133 I mit einfacher Mehrheit aufheben (hM; vgl. MüKoAktG/Stein Rn. 53; S/L/Seibt Rn. 47; GK-AktG/Wiedemann Rn. 183), sofern Satzung nichts anderes bestimmt. Ein dagegen zT geäußerter „actus contrarius"-Gedanke (vgl. Hölters/Weber/Simons § 207 Rn. 33) findet im Ges. keine Stütze, sondern missachtet im Gegenteil, dass Wirksamkeit der Änderung erst mit Eintragung eintritt (so zutr. GK-AktG/Sethe § 222 Rn. 69; vgl. auch Gotthardt/Krengel AG 2017, 222, 224). Bis dahin liegt noch kein wirksamer satzungsändernder Beschluss vor, so dass AG nur zur bisherigen Satzung zurückkehrt, die schon von Aktionären gebilligt wurde. Dem kann auch nicht entgegengehalten werden, dass auf diese Weise einfache Mehrheit qualifizierte Mehrheit torpedieren kann, da qualifizierte Mehrheit zu diesem Zeitpunkt nicht mehr besteht (auch insofern zutr. GK-AktG/Sethe § 222 Rn. 69). Für die erneute **Änderung** eines Satzungsänderungsbeschlusses gelten jedoch schon vor Eintragung die Bestimmungen der §§ 179 ff. (MüKoAktG/Stein Rn. 54; S/L/Seibt Rn. 47). Nach Eintragung kann Satzungsänderung nur durch erneute Satzungsänderung rückgängig gemacht oder modifiziert werden. 40

III. Aktiengattungen (§ 179 III)

1. Allgemeines. § 179 III fordert Sonderbeschluss (s. § 138), wenn Satzungsänderung nachteilig in die Rechte einer Aktiengattung (s. § 11) eingreift. Norm bezweckt, **Veränderungen zu Lasten einer Gattung zu erleichtern;** ohne sie wäre nämlich Zustimmung aller betroffenen Aktionäre erforderlich (MüKoAktG/Stein Rn. 178; S/L/Seibt Rn. 48). § 179 III modifiziert § 53a; nachteilig betroffene Gattungsangehörige müssen also nicht einzeln zustimmen, wenn Sonderbeschluss vorliegt (ausf. Bezzenberger FS Seibert, 2019, 93, 98 ff. mit Erläuterungen zur Entwicklungsgeschichte auf S. 94 ff.). 41

2. Anwendungsbereich. Bei der **Kapitalerhöhung bzw. -herabsetzung** wird § 179 III von § 182 II bzw. § 222 II verdrängt; danach ist Sonderbeschluss der Aktionäre jeder Gattung erforderlich, sofern nur mehrere Aktiengattungen bestehen; auf eine Benachteiligung, wie bei § 179 III, kommt es insoweit nicht an (→ § 182 Rn. 18; → § 222 Rn. 18; Bezzenberger FS Seibert, 2019, 93, 101 f.). Aufhebung oder Beschränkung des **Vorzugs** bei Vorzugsaktien ohne Stimmrecht bedarf gem. § 141 I der Zustimmung der Vorzugsaktionäre; § 179 III ist daneben nicht anwendbar (→ § 141 Rn. 23; BGHZ 229, 27 Rn. 68 = NZG 2021, 782; OLG Köln NZG 2002, 966, 967; MüKoAktG/Stein Rn. 181; S/L/Seibt Rn. 49; abw. Werner AG 1971, 69, 75 f.). Beschluss über Ausgabe neuer Vorzugsaktien, die bei der Gewinn- oder Vermögensverteilung 42 den Vorzugsaktien ohne Stimmrecht vorgehen oder gleichstehen, bedarf der Zustimmung der Vorzugsaktionäre gem. § 141 II, der § 179 III ebenfalls verdrängt (S/L/Seibt Rn. 49). Auch **Mehrstimmrechte** (→ § 12 Rn. 7 ff.) können nach § 179 III nur mit Sonderbeschluss beseitigt werden (→ § 135a Rn. 6). Keine Konkurrenz besteht ggü. **konzernrechtl. Sonderbeschlüssen** (zB § 295 II, § 309 III), da außenstehende Aktionäre keine Gattung bilden. Liegt aus anderen Gründen Aktiengattung vor, so ist § 179 III anwendbar (S/L/Seibt Rn. 49).

43 **3. Voraussetzungen des Zustimmungserfordernisses.** § 179 III 1 setzt voraus, dass mehrere Gattungen (Begriff → § 11 Rn. 7) bereits bestehen (allgM). Beschluss, der unterschiedliche Gattungen erst bildet, bedarf danach keines Sonderbeschlusses (unstr.); bei Umwandlung bereits vorhandener Stammaktien ist jedoch Gleichbehandlungsgebot des § 53a zu beachten und deshalb Zustimmung ungleich betroffener Aktionäre (→ § 53a Rn. 5) erforderlich (vgl. S/L/Seibt Rn. 50; Lutter/U. H. Schneider ZGR 1975, 182, 190). Beschluss muss bisheriges Verhältnis mehrerer Aktiengattungen **zum Nachteil einer Gattung** ändern. Änderung liegt zB vor, wenn Zuckerrüben-AG durch Satzungsänderung bisher nicht andienungsberechtigter Gattung Lieferrechte verschafft (OLG Celle AG 2003, 505, 506 f.).

44 **Nachteil** liegt vor, wenn gattungsspezifische Rechte (KK-AktG/Zetzsche Rn. 416) beseitigt oder beschränkt werden oder entspr. Rechte der anderen Gattung verstärkt oder erweitert werden (OLG Köln NZG 2002, 966, 967 f. zur direkten Umwandlung von Vorzugs- in Stammaktien). Darin liegt jedoch nur Umschreibung, keine subsumtionsfähige Definition. Maßgeblich ist, ob Interesse der Mehrheit an Satzungsänderung höher zu bewerten ist als Interesse der Gattungsaktionäre am Fortbestand bisheriger oder gleichwertiger Verhältnisse. Das hängt davon ab, ob und wie nachhaltig in gattungsspezifische Ausgestaltung der Mitgliedschaft eingegriffen wird und welche Gesichtspunkte des Gesellschaftsinteresses (→ § 76 Rn. 63 ff.) dabei Beachtung finden müssen (ebenso OLG Köln NZG 2002, 966, 968; teilw. abw. OLG Celle AG 2003, 505, 506). Konkretisierung (dazu RGZ 80, 95, 97 f.; RGZ 125, 356, 361; OLG Celle AG 2003, 505, 506 f.) ist bislang noch wenig fortgeschritten. **Unmittelbarkeit** des Eingriffs (RGZ 125, 356, 361; MüKoAktG/Stein Rn. 187 f.) ist Indiz für Zustimmungserfordernis, aber nicht selbst entscheidungstragendes Kriterium (ähnlich BeckOGK/Holzborn Rn. 188; B/K/L/Körber/König Rn. 56; GK-AktG/Wiedemann Rn. 145).

45 **Jede nachteilige Veränderung** erfordert Sonderbeschluss. Unerheblich ist, ob mit Benachteiligung auch Vorteile einhergehen; Vor- und Nachteile können nicht verrechnet werden (MüKoAktG/Stein Rn. 191; GK-AktG/Wiedemann Rn. 144; Wirth/M. Arnold ZGR 2002, 859, 871; aA LG Berlin JW 1937, 2835). Wirkt Satzungsänderung nachteilig auf mehrere Aktiengattungen, so ist Sonderbeschluss jeder betroffenen Gattung erforderlich (LG Stuttgart NZG 2021, 1227 Rn. 34; MüKoAktG/Stein Rn. 192; vgl. KGJ 16, 14, 21). Dies selbst dann, wenn mehrere Gattungen ggü. einer anderen gleich benachteiligt werden; einheitlicher Sonderbeschluss der benachteiligten Gattungen genügt nicht (BeckOGK/Holzborn Rn. 192; MüKoAktG/Stein Rn. 192). Selbst wenn HV-Beschluss einstimmig gefasst wurde, ist Sonderbeschluss nötig (allgM, vgl. RGZ 148, 175, 181 f.), weil Erfordernis auch **Warnfunktion** zukommt (KGJ 35, A 162, 163 f.; KK-AktG/Zetzsche Rn. 418). Nicht erforderlich ist er jedoch bei Einmann-AG (GK-AktG/Bezzenberger § 138 Rn. 18; BeckOGK/Holzborn Rn. 200; MüKoAktG/Stein Rn. 195; aA KK-AktG/Zetzsche Rn. 418). Entbehrlich ist Sonderbeschluss der Stammaktionäre ferner für den Sonderfall, dass neben ihrer Gattung nur Vorzugsaktien ohne Stimmrecht (§§ 139 ff.) vor-

handen sind und Rechtsposition der Vorzugsaktionäre verbessert wird; Sonderbeschluss wäre dann nur Wiederholung des ersten Beschlusses (S/L/Seibt Rn. 53; MüKoAktG/Stein Rn. 195; Marsch-Barner GS M. Winter, 2011, 469, 470; Wirth/M. Arnold ZGR 2002, 859, 871; Werner AG 1971, 69, 74; aA Butzke HV L 48).

4. Sonderbeschluss. a) Verfahren. Verfahren für Sonderbeschluss ist in § 138 geregelt (→ § 138 Rn. 3 ff.). Vorstand hat entspr. § 83 II die erforderlichen organisatorischen Maßnahmen zu treffen (MüKoAktG/Stein Rn. 199). Sonderbeschluss kann vor wie nach HV-Beschluss gefasst werden (allgM). Erforderlich ist jedoch, dass er in angemessenem zeitlichen Zusammenhang mit HV-Beschluss steht (MüKoAktG/Stein Rn. 199). Frist ist Frage des Einzelfalls (vgl. dazu MüKoAktG/Stein Rn. 200). Satzung kann als weiteres Erfordernis (§ 179 III 3 iVm § 179 II 3) vorsehen, dass Sonderbeschluss in bestimmter Frist zu fassen ist; Fristversäumung führt zu endgültiger Unwirksamkeit des Änderungsbeschlusses (MüKoAktG/Stein Rn. 201). Sonderbeschluss kann auch dann nachgeholt werden, wenn Aktien nach HV-Beschluss veräußert worden sind (BeckOGK/Holzborn Rn. 197). 46

b) Mehrheit. Sonderbeschluss unterliegt doppeltem Mehrheitserfordernis. Erforderlich ist gem. § 179 III 3 iVm § 179 II 1 **Kapitalmehrheit** von drei Vierteln und gem. § 138 S. 2 iVm § 133 I einfache **Stimmenmehrheit.** Satzung kann gem. § 179 III 3 iVm § 179 II 2, 3 andere Mehrheit oder weitere Erfordernisse festsetzen; Gestaltungsgrenzen des § 179 II 2, 3 (→ Rn. 16 ff.) sind zu beachten (BeckOGK/Holzborn Rn. 203). Für Satzungsänderungen und Sonderbeschlüsse können unterschiedliche Mehrheiten bestimmt werden (S/L/Seibt Rn. 56; MüKoAktG/Stein Rn. 204; aA noch v. Godin/Wilhelmi Rn. 10). Enthält Satzung für Satzungsänderungen von § 179 II 1 abw. Mehrheitserfordernis, so gilt es iZw auch für Sonderbeschlüsse (allgM). Entspr. Auslegungsregel gilt für die weiteren Erfordernisse (MüKoAktG/Stein Rn. 204). Satzungsänderungsbeschluss, der Mehrheitserfordernis oder weitere Erfordernisse für Sonderbeschlüsse ändert, setzt Sonderbeschlüsse aller Aktiengattungen voraus (MüKoAktG/Stein Rn. 204). 47

c) Fehlerhaftigkeit. §§ 241 ff. finden auf Sonderbeschlüsse gem. § 138 S. 2 entspr. Anwendung (→ § 138 Rn. 4). Je nach Art des Mangels ist Sonderbeschluss **nichtig** (§ 241) oder **anfechtbar** (§ 243). Anfechtungsbefugt sind entspr. § 245 S. 1 Nr. 1–3 nur die Aktionäre der benachteiligten Aktiengattung (MüKoAktG/Stein Rn. 210). Nichtiger Sonderbeschluss wird wie fehlender behandelt (→ Rn. 49). Dem steht anfechtbarer Sonderbeschluss erst gleich, wenn er für nichtig erklärt wurde (§ 248 I); sonst ist er gültig. 48

5. Rechtsfolgen. Sonderbeschluss ist nicht Teil des HV-Beschlusses, sondern zusätzliches Wirksamkeitserfordernis. Wenn er fehlt, ist Satzungsänderungsbeschluss **schwebend unwirksam,** nicht aber nichtig oder anfechtbar (RGZ 148, 175, 184 ff.; OLG Stuttgart AG 1993, 94; LG Mannheim AG 1967, 83, 84; BeckOGK/Holzborn Rn. 205; MüKoAktG/Stein Rn. 207). Mit Sonderbeschluss, der Zustimmung verweigert, wird Satzungsänderungsbeschluss **endgültig unwirksam** (MüKoAktG/Stein Rn. 207). Registergericht darf Satzungsänderung nicht eintragen (RGZ 148, 175, 187; → § 181 Rn. 16). Fehlt Sonderbeschluss, so fordert Gericht zunächst durch Zwischenverfügung zur Beseitigung des Mangels auf (→ § 181 Rn. 16). Wenn fälschlich eingetragen worden ist, kann Mangel analog § 242 II geheilt werden (MüKoAktG/Stein Rn. 209; GK-AktG/Wiedemann Rn. 153 aE; → § 181 Rn. 27). 49

Verpflichtung zur Übertragung des ganzen Gesellschaftsvermögens

179a (1) [1] **Ein Vertrag, durch den sich eine Aktiengesellschaft zur Übertragung des ganzen Gesellschaftsvermögens verpflichtet, ohne daß die Übertragung unter die Vorschriften des Umwandlungsgesetzes fällt, bedarf auch dann eines Beschlusses der Hauptversammlung nach § 179, wenn damit nicht eine Änderung des Unternehmensgegenstandes verbunden ist.** [2] **Die Satzung kann nur eine größere Kapitalmehrheit bestimmen.**

(2) [1] **Der Vertrag ist von der Einberufung der Hauptversammlung an, die über die Zustimmung beschließen soll, in dem Geschäftsraum der Gesellschaft zur Einsicht der Aktionäre auszulegen.** [2] **Auf Verlangen ist jedem Aktionär unverzüglich eine Abschrift zu erteilen.** [3] **Die Verpflichtungen nach den Sätzen 1 und 2 entfallen, wenn der Vertrag für denselben Zeitraum über die Internetseite der Gesellschaft zugänglich ist.** [4] **In der Hauptversammlung ist der Vertrag zugänglich zu machen.** [5] **Der Vorstand hat ihn zu Beginn der Verhandlung zu erläutern.** [6] **Der Niederschrift ist er als Anlage beizufügen.**

(3) **Wird aus Anlaß der Übertragung des Gesellschaftsvermögens die Gesellschaft aufgelöst, so ist der Anmeldung der Auflösung der Vertrag in Ausfertigung oder öffentlich beglaubigter Abschrift beizufügen.**

Übersicht

I. Regelungsgegenstand und -zweck

1 § 179a betr. vertragliche Verpflichtung der AG zur Übertragung ihres gesamten Vermögens, soweit diese nicht unter UmwG fällt. In diesem Fall soll **Dispositionsfreiheit der Aktionäre gewahrt** werden, indem diese durch Zustimmungserfordernis davor geschützt werden, dass Verwaltung ohne ihren Willen

Vermögen der AG, das Grundlage ihrer satzungsmäßigen Unternehmenstätigkeit bildet, aus der Hand gibt oder fremden Einflüssen unterwirft (BGHZ 220, 354 Rn. 24 mwN = NZG 2019, 505; sa KK-AktG/Zetzsche Rn. 18 ff.). Namentl. wird damit auch Minderheit vor unangemessener Vertragsgestaltung, bes. bei Übertragung an bisherigen Mehrheitsaktionär, geschützt (MüKoAktG/Stein Rn. 5; Servatius FS Stilz, 2014, 601, 602 f.). Eine solche Übertragung konnte insbes. vor Einführung des Squeeze-Out von Interesse sein, um Weiterführung des Unternehmens durch Mehrheitsgesellschafter ohne bisherige Mitaktionäre zu ermöglichen (sog übertragende Auflösung – vgl. S/L/Seibt Rn. 1; → Rn. 21 ff.). Auch heute sind solche Übertragungsakte aber weiterhin verbreitet, und zwar aus einer **Vielzahl von Motiven,** die von der Geschäftsaufgabe, über den Börsenrückzug und die Insolvenzvermeidung bis zur Konzernbildung reichen (zu praktischer Verbreitung und Motiven KK-AktG/Zetzsche Rn. 28 ff.; Bayer/Lieder/Hoffmann AG 2017, 717, 718 ff., 722 ff.). Selbst wenn tatbestandliche Voraussetzungen des § 179a nicht erfüllt sind, wird **Zustimmung oft prophylaktisch** eingeholt, da über tatbestandliche Reichweite nicht immer Klarheit besteht (Bayer/Lieder/Hoffmann AG 2017, 717, 720; J. Weber DNotZ 2018, 96, 98 f.). Dem durch § 179a bezweckten Aktionärsschutz dienen Mitwirkungskompetenz der HV (Begr. BT-Drs. 12/6699, 177), die über § 131 hinausgehende Informationspflichten (→ Rn. 19; Servatius FS Stilz, 2014, 601, 603 f.) und Beschränkung der Vertretungsmacht des Vorstands, der AG ohne zustimmenden HV-Beschluss nicht wirksam vertreten kann (§ 164 I BGB). Daneben sind umwandlungsrechtl. Sonderregeln weder unmittelbar noch analog anzuwenden, doch kann in Ausnahmefällen der sog übertragenden Auflösung analoge Anwendung des Spruchverfahrens geboten sein (→ Rn. 22). Aus § 179a III folgt ferner, dass zustimmender HV-Beschluss **nicht Auflösung** der AG bewirkt (→ § 262 Rn. 4 f.). Norm ist eingefügt durch **UmwBerG 1994** und ersetzt § 361 aF, dem sie teilw. nachgebildet ist (zur Entwicklungsgeschichte BGHZ 220, 354 Rn. 16 ff.; KK-AktG/Zetzsche Rn. 4 ff.; Scheel FS Wegen, 2015, 297, 298 ff.). Im Schrifttum wurde sie lange Zeit als allg. verbandsrechtl. Grundsatz aufgefasst, der auf **andere Rechtsformen** übertragen werden konnte und dort in der Praxis wichtigste Anwendungsfelder gefunden hat (vgl. dazu KK-AktG/Zetzsche Rn. 23; Eschwey MittBayNot 2018, 299, 307 ff.; Hüren RNotZ 2014, 77, 85 ff.; J. Weber DNotZ 2018, 96, 120 ff.; so auch weiterhin Liebscher FS Ebke, 2021, 585 ff.). Nachdem BGH im Jahr 2019 analoge Übertragung aber selbst auf kapitalgesellschaftsrechtl. Schwestergesellschaft **GmbH** klar verneint hat (BGHZ 220, 354 Rn. 9 ff. = NZG 2019, 505, namentl. im Anschluss an Eschwey MittBayNot 2018, 299, 307 ff.; krit. auch bereits Scheel FS Wegen, 2015, 297, 310 f.; Servatius FS Stilz, 2014, 601, 607 ff.), war absehbar, dass sich Relevanz der Vorschrift unter diesem Gesichtspunkt weitestgehend erledigt hat (für Übertragung der Entscheidung auf Personengesellschaft auch Heckschen AG 2019, 420, 422; Witt, Veräußerung des ganzen Gesellschaftsvermögens, 2021, 276 ff.; wohl auch Götze NZG 2019, 695, 696). In Folgeentscheidung hat II. ZS dann auch früher angenommene Anwendung auf KG (s. noch BGH NJW 1995, 596 f.) verworfen (BGHZ 232, 375 Rn. 20 ff. = NZG 2022, 706 [offenlassend für Publikumsgesellschaft in Rn. 36; auch hier gegen Anwendung aber OLG Frankfurt BeckRS 2023, 29820 Rn. 77 ff.]; s. dazu Ebbinghaus/Metzen NZG 2022, 697 ff.; Keller/Schümmer DB 2022, 1625, 1628 ff.; Markworth ZPG 2023, 136 ff.; Wentz WM 2022, 2262 ff.), so dass § 179a heute nach höchstrichterlicher Ausdeutung als singuläre aktienrechtl. Vorschrift aufzufassen ist (so ausdr. BGHZ 232, 375 Rn. 24). Zur Anwendung auf KGaA → Rn. 25.

II. Zustimmungsbeschluss der Hauptversammlung (§ 179a I)

2 **1. Zustimmungserfordernis. a) Allgemeines.** Gem. § 179a I 1 bedarf Übertragungsvertrag der Zustimmung der HV nach § 179, und zwar auch dann, wenn mit der Übertragung keine Änderung des Unternehmensgegenstands (→ § 23 Rn. 21 ff.; → § 179 Rn. 34) verbunden ist. Sprachliche Anlehnung an § 179 I ist unglücklich, weil dadurch organisationsrechtl. Fragen nach Kompetenz der HV und schuldrechtl. Fragen nach Vertretungsmacht des Vorstands durcheinander geraten. Wie Zusammenhang mit § 361 aF zeigt und teilw. auch aus Begr. BT-Drs. 12/6699, 177 folgt, enthält § 179a I 1 **drei Aussagen:** (1.) Der Übertragungsvertrag bedarf der Zustimmung der HV. (2.) Ohne diese Zustimmung wirkt der vom Vorstand geschlossene Vertrag nicht gegen die AG. (3.) Wenn HV Änderung des Unternehmensgegenstands durch vertraglich fixierte (Entw. genügt) Veräußerung des gesamten Vermögens der AG satzungsändernd beschlossen hat, ist damit zugleich dem Zustimmungserfordernis Genüge getan (→ Rn. 9). Ist die Zustimmung nach diesen Regeln erfolgt, kommen daneben ungeschriebene **Holzmüller-Grundsätze** (→ § 119 Rn. 16 ff.) nicht zur Anwendung (S/L/Seibt Rn. 6).

3 **b) Übertragungsvertrag als Zustimmungsgegenstand.** Zustimmungsbedürftig ist Vertrag, durch den sich AG zur Übertragung ihres ganzen Vermögens verpflichtet, ohne dass Übertragung selbst unter die Vorschriften des UmwG fällt (Übertragungsvertrag). Zustimmungserfordernis bezieht sich also auf **Verpflichtungsgeschäft** (zB Kauf), nicht auf die zu seiner Durchführung erforderlichen weiteren Rechtsgeschäfte. Solche Rechtsgeschäfte sind aber weiterhin erforderlich, weil Gesamtrechtsnachfolge wie bei Verschmelzung oder übertragender Umwandlung mangels Geltung des UmwG nicht stattfindet. Maßgeblich sind allg. Vorschriften (§§ 398 ff., 413, 873, 925, 929 BGB). Neben Kauf kann auch Ausgliederung als weiterer wichtiger Anwendungsfall von § 179a erfasst sein (BGHZ 83, 122, 128 = NJW 1982, 1703 [zu § 361 aF]; NK-AktR/Wagner Rn. 7; Hüren RNotZ 2014, 77, 80; → Rn. 5). In diesem Fall kommt Holzmüller-Rspr. (→ § 119 Rn. 16 ff.) daneben nicht zur Anwendung (Hüren RNotZ 2014, 77, 80).

4 Verpflichtungsinhalt muss **Übertragung des ganzen Vermögens** der AG sein. Das ist nicht wörtlich zu verstehen. § 179a I greift vielmehr auch dann ein, wenn unwesentliches Vermögen bei AG zurückbleibt (RGZ 124, 279, 294 f.; BGHZ 83, 122, 128 = NJW 1982, 1703; OLG Düsseldorf BeckRS 2017, 133913 Rn. 36 [insofern nicht in NZG 2018, 297]; MüKoAktG/Stein Rn. 17). Wie Abgrenzung iE vorzunehmen ist, wird nicht einheitlich beurteilt. HM stellt auf **qualitativen Maßstab** ab und fragt, ob AG mit zurückbehaltenem Vermögen ihren in der Satzung festgelegten bisherigen Unternehmensgegenstand weiterverfolgen kann, wenn auch in eingeschränktem Umfang (BGHZ 83, 122, 128; öOGH AG 1996, 382 f.; OLG Düsseldorf BeckRS 2017, 133913 Rn. 36 [insofern nicht in NZG 2018, 297]; OLG München AG 1995, 232; OLG Stuttgart AG 2005, 693, 695; BeckOGK/Holzborn Rn. 21; B/K/L/Körber/König Rn. 5; Henze/Born/Drescher HRR AktienR Rn. 1688; Bayer/Lieder/Hoffmann AG 2017, 717, 720 f.; Henze FS Boujong, 1996, 233, 244 f.; Witt, Veräußerung des ganzen Gesellschaftsvermögens, 2021, 36 ff.; teilw. aA OLG Düsseldorf WM 1994, 337, 343 f.). § 179a stellt sich bei diesem Verständnis als speziell geregelter Fall der Satzungsunterschreitung (→ § 179 Rn. 9a) aufgrund Veräußerungsaktes dar (krit. dazu Scheel FS Wegen, 2015, 297, 302). Gegenauffassung stützt sich auf quantitativen Wertvergleich (Mertens FS Zöllner, 1998, 385, 386 ff.; ihm folgend Grigoleit/Ehmann Rn. 5; MüKoAktG/Stein Rn. 18; KK-AktG/Zetzsche

Rn. 70 f.; beide Ansätze kombinierend Eschwey MittBayNot 2018, 299, 304 ff.; Hüren RNotZ 2014, 77, 81; J. Weber DNotZ 2018, 96, 100 ff.), ohne dafür aber trennscharfe Wertverhältnisse formulieren zu können, weshalb hM zu folgen ist. Dem kann auch nicht entgegengehalten werden, dass die in solchen Fällen anzunehmende faktische Satzungsänderung schon nach § 179 zustimmungsbedürftig sei und § 179a deshalb in herrschendem Verständnis keinen originären Anwendungsbereich habe (so aber Grigoleit/Ehmann Rn. 5). Auch wenn sich im Tatbestand Überschneidungen ergeben, ist die Rechtsfolge doch eine andere, da § 179a auf das Außenverhältnis durchschlägt, was bei § 179 nicht der Fall ist (ausf. Witt, Veräußerung des ganzen Gesellschaftsvermögens, 2021, 44 ff.). Wortlaut (insbes. letzter Hs.) steht ebenfalls nicht entgegen, da Ausdehnung auf Fälle, in denen Vermögen nicht in Gesamtheit übertragen wird, ohnehin teleologische Extension ist, die sich über Wortlaut hinwegsetzt (ausf. auch dazu Witt, Veräußerung des ganzen Gesellschaftsvermögens, 2021, 44 ff.). Schließlich ergibt sich auch aus Gründen des **Verkehrsschutzes** nichts anderes (so aber MüKoAktG/Stein Rn. 18), da dieser zum einen auch durch quantitative Bemessung nicht zuverlässiger geleistet werden kann und Gesetzgeber mit § 179a überdies gewisse Beeinträchtigung des Rechtsverkehrs zugunsten des Aktionärsschutzes hingenommen hat (BGHZ 83, 122, 128 f.; krit. Servatius FS Stilz, 2014, 601, 605 f.). Deshalb ist entgegen zT vertretener Auffassung auch **keine positive Kenntnis** der Vermögensverhältnisse der AG oder zumindest obj. Erkennbarkeit für Vertragspartner erforderlich, um § 179a anzuwenden (wie hier BeckOGK/Holzborn Rn. 21; MüKoAktG/Stein Rn. 17; KK-AktG/Zetzsche Rn. 63; Bayer/Lieder/Hoffmann AG 2017, 717, 721; Witt, Veräußerung des ganzen Gesellschaftsvermögens, 2021, 146 ff.; aA Grigoleit/Ehmann Rn. 5; S/L/Seibt Rn. 8; Bredthauer NZG 2008, 816, 817 ff.; Eschwey MittBayNot 2018, 299, 306 f.; J. Weber DNotZ 2018, 96, 118 f.). Davon geht auch BGHZ 220, 354 Rn. 26 ff. = NZG 2019, 505 aus, wo analoge Anwendung auf GmbH gerade deshalb verworfen wird, weil dort solche Belastungen des Rechtsverkehrs, wie sie nach § 179a für AG gelten, nicht hinnehmbar seien und jedenfalls nicht im Wege der Rechtsfortbildung begründet werden könnten. Zumindest aus Gründen der Rechtssicherheit ist iZw nach § 179a zu verfahren (Hüren RNotZ 2014, 77, 80 ff.; Kuthe/Lingen AG 2020, 468 Rn. 12 f.).

Folgt man hM, so kann § 179a also auch bei Verbleib wesentlichen Vermögens, zB von Grundbesitz, anwendbar sein, wenn bisheriger Unternehmensgegenstand nicht weiterverfolgt werden kann (zu den dafür maßgeblichen Kriterien Witt, Veräußerung des ganzen Gesellschaftsvermögens, 2021, 102 ff.). UU kann auch **sukzessive Veräußerung** genügen (Einzelheiten: J. Weber DNotZ 2018, 96, 116 ff.; anderer Ansatz bei Witt, Veräußerung des ganzen Gesellschaftsvermögens, 2021, 153 ff.). Bei Mehrheit von Unternehmenszielen liegt Übertragung des ganzen Vermögens schon dann nicht vor, wenn wenigstens ein wesentlicher Unternehmensbereich weiterbetrieben werden kann (Henssler/Strohn/Strohn Rn. 4; Eschwey MittbayNot 2018, 299, 305; Hüren RNotZ 2014, 77, 81; Brocker/Schulenburg BB 2015, 1993, 1995; J. Weber DNotZ 2018, 96, 110; wohl auch BGHZ 83, 122, 129 = NJW 1982, 1703; aA Witt, Veräußerung des ganzen Gesellschaftsvermögens, 2021, 93 ff.); Satzungsunterschreitung (→ § 179 Rn. 9a) ist insoweit unerheblich. Nicht anwendbar ist § 179a I auf **Projektgesellschaften,** sofern sie durch Veräußerung gerade Unternehmensgegenstand umsetzen. Darin liegt keine teleologische Reduktion, sondern konsequente Beachtung qualitativen Maßstabs (→ Rn. 4; wie hier Zintl/Singbartl GWR 2015, 375, 376 f. [grdl.]; zust. BeckOGK/Holzborn Rn. 21; Reitze/Kawany ZfIR 2018, 687, 692 f.; J. Weber DNotZ 2018, 96, 114 ff.; Witt, Veräußerung des ganzen Gesellschaftsvermögens, 2021, 234 ff.; aA Decker NZG 2018, 447, 450; Fink/Chilevych NZG 2017, 1254, 1255). **Betriebsaufspaltung** 5 kann unter diesem Blickwinkel unter § 179a fallen, nämlich dann, wenn sie ausnahmsweise so erfolgt, dass AG ihr Anlagevermögen durch Übertragung auf Besitzgesellschaft ausgliedert (BeckOGK/Holzborn Rn. 21). Dass AG unter Berücksichtigung der **Gegenleistung** Unternehmensgegenstand mit verbliebenem Vermögen weiterbetreiben kann, schließt Anwendung des § 179a nicht aus (aA Brocker/Schulenburg BB 2015, 1993, 1996; J. Weber DNotZ 2018, 96, 112 f.). Solche Ausnahme mag teleologisch zwar erwägenswert sein, führt aber zu sehr weitgehender Einschränkung, die im Wortlaut keine Stütze findet, und Normanwendung mit Prüfung künftiger Verwendungsabsichten belastet (sa Eschwey MittBayNot 2018, 299, 306; Packi, Die Veräußerung des ganzen Gesellschaftsvermögens, 2011, 224 ff.; Witt, Veräußerung des ganzen Gesellschaftsvermögens, 2021, 138 ff. [mit einzelnen Ausn.]).

6 Schließlich darf Vermögensübertragung, damit § 179a anwendbar ist, nicht unter die Vorschriften des UmwG fallen. Es darf also **keine Verschmelzung** (§§ 2 ff., 60 ff. UmwG), **keine Spaltung** (Aufspaltung, Abspaltung, Ausgliederung) iSd §§ 123 ff. UmwG (s. LG Hamburg AG 1999, 239, 240), **kein Sonderfall der Vermögensübertragung** iSd §§ 174 ff., 178 ff. UmwG und **keine übertragende Umwandlung** (Formwechsel) iSd §§ 190 ff., 226 ff. UmwG vorliegen. Solche Fälle können zB auftreten, wenn Vermögensübertragung der Abwicklung dient (→ § 268 Rn. 3) oder wenn Tochter-AG eines ausländischen Unternehmens ihr Geschäft zu dessen Gunsten aufgibt, weil es selbst durch Zweigniederlassung im Inland tätig werden will (MüKoAktG/Stein Rn. 22 f., § 45 Anh. HGB §§ 13d–13f). Entspr. Anwendung umwandlungsrechtl. Vorschriften oder der §§ 293a ff. ist aber auch im Fall der sog übertragenden Auflösung nicht geboten (→ Rn. 21 f.).

7 **c) Einwilligung oder Genehmigung.** Erforderliche Zustimmung der HV kann dem Abschluss des Übertragungsvertrags nach hM als Einwilligung (§ 183 BGB) vorausgehen oder als Genehmigung (§ 184 BGB) nachfolgen (BGHZ 82, 188, 193 f. = NJW 1982, 933; MüKoAktG/Stein Rn. 43; Windbichler AG 1981, 169, 174 f.; → § 293 Rn. 4). Das entspr. der zur Verschmelzung bestehenden Rechtslage, weil nach §§ 60 ff. UmwG Prüfung und Vorlage eines Vertragsentwurfs genügen (dazu Möller, Der aktienrechtliche Verschmelzungsbeschluss, 1991, 109 ff.), wird vom Wortlaut des § 179a I 1 gedeckt und ist auch in der Sache sinnvoll, weil sonst notarielle Beurkundung (→ Rn. 16) erfolgen müsste, bevor Einverständnis der HV feststeht. Erforderlich ist jedoch, dass ihr ein schlechthin vollständiger schriftlicher Vertragsentwurf vorliegt (BGHZ 82, 188, 194 f.; Windbichler AG 1991, 169, 174 f.). Nur dieser ist von HV-Beschluss gedeckt. Bei Änderungen muss neu beschlossen werden (BeckOGK/Holzborn Rn. 17; MüKoAktG/Stein Rn. 43; Hüren RNotZ 2014, 77, 83); bei geringfügigen (namentl. formellen) Änderungen ist Ausnahme denkbar (Deilmann/Messerschmidt NZG 2004, 977, 984 ff.; zust. Grigoleit/Ehmann Rn. 9).

8 **d) Zustimmung und Satzungsänderung.** § 179a I 1 verlangt für Übertragungsvertrag Beschluss der HV nach § 179. Damit ist nicht gemeint, dass Beschluss als solcher eine Satzungsänderung zum Gegenstand hat. Wie systematischer Zusammenhang mit § 179a I 2 zeigt, soll nur ausgedrückt werden, dass Beschluss der **qualifizierten Mehrheit des § 179 II** bedarf, weil es um die Grundlagen der AG geht. Die bloße Zustimmung enthält auch schon deshalb keine Satzungsänderung, weil sie den Text der Urkunde unberührt lässt. Satzungsänderung ist auch nicht immer, wohl aber idR erforderlich, weil mit Vermögensübertragung eine Änderung des Unternehmensgegenstands einhergeht (zB Vermögensverwaltung statt Maschinenfabrik; vgl. auch → § 179 Rn. 34; Reichert ZHR-Beiheft 68, 1999, 25, 42). Liegt es so, dann muss Änderung der

Satzung zusätzlich zur Zustimmung beschlossen und gem. § 181 zur Eintragung angemeldet werden.

Aus Wortlaut des § 179a I 1 folgt weiter, dass Satzungsänderung, die Unternehmensgegenstand betr., einen zweiten auf Zustimmung gerichteten Beschluss entbehrlich machen kann (sa Begr. BT-Drs. 12/6699, 177). Das ist dann richtig, wenn satzungsändernder Beschluss den **Übertragungsvertrag** oder seinen **Entwurf** (→ Rn. 7) als Anlass der Änderung in seinen Inhalt aufnimmt und überdies Erfordernissen des § 179a II Rechnung getragen ist (ebenso BeckOGK/Holzborn Rn. 27; S/L/Seibt Rn. 5; Reichert ZHR-Beiheft 68, 1999, 25, 42). Beschluss über Satzungsänderung enthält dann auch Einverständnis mit Vertragsschluss. Sonst, also bei vorangehender Änderung des Satzungstextes, ist auch dann, wenn sie im Hinblick auf geplante Vermögensübertragung erfolgt, noch Zustimmung der HV zu darauf gerichtetem, insbes. Gegenleistung und Modalitäten der Abwicklung regelnden Vertrag oder seinem Entw. erforderlich (sa Mülbert, Aktiengesellschaft, Unternehmensgruppe und Kapitalmarkt, 2. Aufl. 1996, 174 ff., 378: Zustimmungserfordernis auch bei notwendiger Satzungsänderung). Andere Auslegung des wenig klaren Gesetzestextes (→ Rn. 3) würde Schutzzweck des Zustimmungserfordernisses (→ Rn. 1) verfehlen (hM, s. nur S/L/Seibt Rn. 5; aA KK-AktG/Zetzsche Rn. 79). 9

2. Inhalt und Erfordernisse des Beschlusses; Stimmrecht. a) Inhalt. Beschluss muss Zustimmung der HV (→ Rn. 7) zum Ausdruck bringen, und zwar zum ganzen Inhalt des Vertragswerks. Aufspaltung in mehrere Teile ändert nichts; sie sind sämtlich vorzulegen (→ § 293 Rn. 5; BGHZ 82, 188, 196 ff. = NJW 1982, 933). HV-Beschluss bedarf **keiner sachlichen Rechtfertigung,** und zwar auch dann nicht, wenn Vermögen auf Mehrheitsaktionär übertragen wird (→ Rn. 21 f.; → § 243 Rn. 27 f.; → § 293 Rn. 6 f.). Insbes. nach Rspr. des BGH wäre Erfordernis sachlicher Rechtfertigung kaum widerspruchsfrei zu begründen. BGHZ 103, 184, 191 f. = NJW 1988, 1579 verlangt solche Rechtfertigung nämlich für Auflösungsbeschluss auch dann nicht, wenn Mehrheitsgesellschafter das Gesellschaftsvermögen durch Liquidation übernehmen will. Das muss auch für Vermögensübertragung gelten, weil sie ähnliche Ergebnisse erzielt (näher Henze ZIP 1995, 1473, 1477 ff.; Henze FS Boujong, 1996, 233, 246 ff.; insoweit zust. Lutter/Drygala FS Kropff, 1997, 191, 215 f.). Beschluss kann sich aber als anfechtbar erweisen, wenn Stimmabgabe im Einzelfall iSd § 243 II treuwidrig ist (BGHZ 103, 184, 193 ff.). Regelung ist verfassungskonform, sofern Minderheit voll entschädigt und dies gerichtl. Prüfung unterzogen wird (BVerfG NJW 2001, 279; → Rn. 21 ff.). Zu weiteren Einzelheiten der HV-Vorbereitung Kuthe/Lingen AG 2020, 468 Rn. 24 ff. 10

b) Mehrheitserfordernisse. § 179a I 1 verlangt HV-Beschluss nach § 179. Es bedarf deshalb der **Kapitalmehrheit** des § 179 II 1 und überdies der **einfachen Stimmenmehrheit** gem. § 133 I (→ § 179 Rn. 14). Gem. § 179a I 2 kann **Satzung** nur eine größere Kapitalmehrheit bestimmen. Das entspr. der Regelung, die § 179 II 2 für Änderungen des Unternehmensgegenstands enthält (→ § 179 Rn. 16 ff.). Dagegen wird § 179 II 3 (weitere Erfordernisse) in § 179a I nicht wiederholt. Es gibt aber keine Sachgründe, die Satzungsautonomie bei Vermögensübertragung in diesem Sinne einzuschränken. Deshalb ist anzunehmen, dass § 179 II 3 von dem Verweis des § 179a I 1 mit umfasst ist und § 179a I 2 nur § 179 I 2 dahin modifizieren soll, dass Kapitalmehrheit nicht geringer als drei Viertel sein darf. 11

c) Stimmrecht. Stimmrecht steht jedem Aktionär zu, der auch sonst stimmberechtigt ist, insbes. auch dem **Mehrheitsaktionär,** der das Gesellschaftsvermögen übernimmt. Rechtslage ist insoweit ebenso wie beim Unternehmensver- 12 trag (→ § 293 Rn. 9): § 179a sieht Stimmrechtsausschluss nicht vor und § 136 I greift nicht ein (→ § 136 Rn. 17 f.).

13 **3. Rechtsfolgen.** Zustimmungsbeschluss der HV ist Wirksamkeitserfordernis des (schuldrechtl., → Rn. 4) Übertragungsvertrags. Ohne solchen Beschluss ist er (nicht auch: dingliches Erfüllungsgeschäft) auch bei schon erfolgter notarieller Beurkundung (→ Rn. 16) gem. § 177 BGB zunächst **schwebend, bei Ablehnung des Beschlussantrags endgültig unwirksam** (BGHZ 220, 354 Rn. 10 = NZG 2019, 505; Bayer/Lieder/Hoffmann AG 2017, 717; Witt, Veräußerung des ganzen Gesellschaftsvermögens, 2021, 179 ff.; aA Mülbert, Aktiengesellschaft, Unternehmensgruppe und Kapitalmarkt, 2. Aufl. 1996, 175 f., 180; Scheel FS Wegen, 2015, 297, 308 f.: keine Außenwirkung). Insofern unterscheidet sich Wirkung des § 179a von sonst eng verwandten Holzmüller-Beschlüssen (→ § 119 Rn. 26). Möglich ist aber Bestätigung analog § 141 BGB, wenn zunächst abgelehnte Zustimmung doch noch erteilt wird. Liegt Zustimmung von Anfang an vor, so erlangt der beurkundete Vertrag sogleich, sonst mit seiner Beurkundung Wirksamkeit. Zu Sonderproblemen bei teilw. Zustimmung und Zustimmung unter Änderungen → § 293 Rn. 12 f. Eintragung in das HR ist weder erforderlich noch möglich.

14 **4. Beschlussmängel.** Es gelten allg. Grundsätze (§§ 241 ff.). Anfechtbar ist Beschluss insbes. dann, wenn **Informations- und Auskunftspflichten** aus § 179a II (→ Rn. 19) verletzt sind, ferner bei unzulässiger Verfolgung von **Sondervorteilen** durch den Mehrheitsaktionär als Übernahmeinteressenten (→ Rn. 10). Darlegungs- und Beweislast liegen beim Kläger, können aber uU, namentl. bei Bewertungsfragen, nach Prinzip der Tatsachennähe gelockert werden (→ § 243 Rn. 62, 65). Nichtigkeit des Beschlusses, sei es von Anfang an (§ 241), sei es aufgrund erfolgreicher Anfechtungsklage (§§ 243, 248), nimmt dem Übertragungsvertrag eine Wirksamkeitsvoraussetzung (→ Rn. 13) und führt zur Rückabwicklung gleichwohl erbrachter Leistungen gem. §§ 812 ff. BGB, wenn es nicht vorher zu einer erneuten und gültigen Beschlussfassung kommt (BeckOGK/Holzborn Rn. 25; Hüren RNotZ 2014, 77, 84; aA MüKoAktG/Stein Rn. 35: endgültige Unwirksamkeit).

III. Abschluss, Wirkungen und Erfüllung des Übertragungsvertrags (noch: § 179a I)

15 **1. Abschluss.** AG schließt den Übertragungsvertrag, indem sie durch ihren **Vorstand,** ggf. durch ihre Abwickler, vertreten wird (§§ 78, 269). Ohne Zustimmung der HV haben Vorstand bzw. Abwickler keine Vertretungsmacht (→ Rn. 1). §§ 82, 269 V treten insoweit zurück. Beschränkung der Vertretungsmacht dient dem Schutz der Aktionäre; Beeinträchtigung der Rechtssicherheit ist insoweit hinzunehmen (BGHZ 83, 122, 128 f. = NJW 1982, 1703). Initiative zum Vertragsschluss muss nicht vom Vorstand ausgehen. Vielmehr kann er gem. § 83 I 2, II zur Vorbereitung und zum Abschluss des Vertrags verpflichtet sein (MüKoAktG/Stein Rn. 44).

16 Vermögensübertragung iSd § 179a wird häufig mit Vermögensübertragung nach § 311b III einhergehen, was **notarielle Beurkundung** erforderlich machen kann (vgl. Begr. BT-Drs. 12/6699, 177; zu § 311b III BGB Hüren RNotZ 2014, 77, 91 ff.; Servatius FS Stilz, 2014, 601, 612 ff.). § 311b III BGB gilt auch bei Vermögensübertragung durch jur. Person, weil Schutzzwecke der Rechtssicherheit und des Übereilungsschutzes auch hier einschlägig sind (RGZ 76, 1, 3; RGZ 137, 324, 348; Witt, Veräußerung des ganzen Gesellschaftsvermögens, 2021, 164 ff.; aA Kiem NJW 2006, 2363, 2366 f.). Fraglich ist allerdings, ob Beurkundungserfordernis nur dann gilt, wenn auch **Voraussetzungen des**

§ 311b III BGB erfüllt sind (dafür die mittlerweile hM S/L/Seibt Rn. 10; KK-AktG/Zetzsche Rn. 58; Berkefeld DNotZ 2020, 85, 88; Kuthe/Lingen AG 2020, 468 Rn. 19; Widder/Feigen NZG 2018, 972 ff.; Witt, Veräußerung des ganzen Gesellschaftsvermögens, 2021, 156 ff.; wohl auch OLG Düsseldorf BeckRS 2017, 133913 Rn. 52 ff. [insofern nicht in NZG 2018, 297]; anders noch BeckOGK/Holzborn Rn. 19; Hölters/Weber/Drinhausen Rn. 6; B/K/L/Körber/König Rn. 10). Frage ist deshalb von Interesse, weil trotz weitgehend übereinstimmenden Wortlauts Anwendungsbereiche des § 179a einerseits und § 311b III BGB andererseits unterschiedlich weit gezogen werden (insbes. etwa bei Übertragung eines einzelnen Vermögensgegenstands – vgl. MüKoBGB/Ruhwinkel BGB § 311b Rn. 118; Widder/Feigen NZG 2018, 972, 974 ff.). In diesem Fall spricht Systematik dafür, dass Voraussetzungen auch des § 311b III BGB erfüllt sein müssen. Entstehungsgeschichte spricht aber dagegen, weil Gesetzgeber mit Verweis auf § 311b III BGB früher geltenden Pauschalverweis des § 361 I 4 aF auf § 341 aF ersetzen wollte und dabei in seinem Bemühen um Verschlankung augenscheinlich unterschiedlichen Anwendungsbereich nicht erkannt hat (Begr. BT-Drs. 12/6699, 177). Lässt man in diesem Spannungsverhältnis der Auslegungskriterien teleologische Erwägungen den Ausschlag geben, so sprechen bessere Argumente dafür, dass Voraussetzungen des § 311b III BGB erfüllt sein müssen, weil nicht ersichtlich ist, warum Schutz einer jur. Person weiter reichen soll als der einer nat. Person. Ohne Beurkundung ist und bleibt Übertragungsvertrag gem. § 125 BGB nichtig. Heilung durch Erfüllung wie nach § 311b I 2 BGB findet nicht statt (hM, s. RGZ 76, 1, 3; RGZ 137, 324, 350; KK-AktG/Zetzsche Rn. 58).

2. Wirkungen. Vertragswirkung ist **Verpflichtung der AG** zur Übertragung ihres Vermögens im vereinbarten Umfang (→ Rn. 4 f.). **Gegenleistung** wird von § 179a zwar nicht verlangt. Ohne genügende, der AG (nicht: den Aktionären) zu erbringende Gegenleistung stellt sich Vermögensübertragung aber als **verbotene Einlagenrückgewähr** iSd § 57 I 1 dar, wenn sie unmittelbar oder mittelbar an Aktionär erfolgt (MüKoAktG/Stein Rn. 28, 36). Übertragungsvertrag ist dann zwar entgegen früher hM nicht gem. § 134 BGB nichtig, unterliegt aber der Rückerstattungspflicht nach § 62 (→ § 57 Rn. 56 f.; → § 62 Rn. 4 ff.). In das Vermögen der AG gelangte Gegenleistung unterliegt ihrerseits den Bindungen des § 57 I 1. Auskehrung an Aktionäre also nur unter Beachtung des § 225 (→ § 225 Rn. 15) oder des § 272 (→ § 272 Rn. 2 ff.; vgl. MüKoAktG/Stein Rn. 27). **Haftung des Übernehmers** und weitergehende Rechtsfolgen können sich aus § 613a BGB oder aus § 25 HGB ergeben, wenn deren selbständig zu prüfende Voraussetzungen erfüllt sind. 17

3. Erfüllung. Sie erfolgt durch Einzelübertragungen (→ Rn. 4 aE). Für dingliche Rechtsgeschäfte gilt § 179a nicht (LG Mainz AG 1998, 538). Gesamtrechtsnachfolge findet nicht statt und kann auch nicht vorgesehen werden, weil § 179a I auch dann eingreift, wenn Vermögen bei AG zurückbleibt (→ Rn. 5). Wenn Verwaltung der HV Zustimmung gem. § 179a I vorschlägt, muss sie § 179a II ohne Rücksicht darauf beachten, ob es sich um eine Vermögensübertragung handelt (OLG Dresden AG 2003, 433, 434). 18

IV. Informationspflichten (§ 179a II)

Gem. § 179a II ist AG verpflichtet, den Aktionären durch Auslegung Einsichtnahme in den **Vertrag** zu gewähren (§ 179a II 1) und ihnen auf Verlangen Abschriften zu erteilen (§ 179a II 2). Wie bei Squeeze-Out reicht Auslegung am Verwaltungssitz aus (MüKoAktG/Stein Rn. 60; → § 327c Rn. 6); zur elektronischen Abschrift KK-AktG/Zetzsche Rn. 107. Nach § 179a II 3 entfallen beide 19

Pflichten, wenn Vertrag ab Einberufung der HV über Internetseite der AG zugänglich ist (ausf. KK-AktG/Zetzsche Rn. 109 f.). Auch in HV muss Vertrag gem. § 179a II 4 zugänglich gemacht werden: Auslage einer Mehrfertigung, Bereitstellung von elektronischen Hilfsmitteln, uU auch Übersetzung bei fremdsprachigen Dokumenten (OLG Dresden AG 2003, 433, 435; grds. auch KK-AktG/Zetzsche Rn. 103, der Ausnahme befürwortet, wenn Satzung Unternehmenspublikationen in Fremdsprache zulässt). Vorstand hat Vertrag nach § 179a II 5 zu erläutern und ihn nach § 179a II 6 der Niederschrift als Anlage beizufügen. Vertrag iSd § 179a II ist auch sein **Entwurf,** wenn Beurkundung nachfolgen soll (→ Rn. 7). Zur entspr. Anwendung des § 179a II bei SPACs (§ 46 I 3 BörsG) → § 23 Rn. 64.

V. Vermögensübertragung und Auflösung

20 **1. Vermögensübertragung der werbenden Gesellschaft.** § 179a betr. die werbende Gesellschaft. Weder die Zustimmung der HV zur Vermögensübertragung noch diese selbst bewirken die Auflösung (→ Rn. 1). Das ist in § 179a III vorausgesetzt. Mit der Übertragung kann die Auflösung aber einhergehen, wenn ein Auflösungsgrund nach § 262 vorliegt, vor allem, wenn **Auflösungsbeschluss** nach § 262 I Nr. 2 gefasst wird (→ § 262 Rn. 10 ff.; sa Kuthe/Lingen AG 2020, 468 Rn. 34). Er liegt nicht schon in der Zustimmung zum Übertragungsvertrag, ist also **zusätzlich** zu fassen. Ggf. findet Abwicklung unter voller Geltung der §§ 264–273 statt; Vermögensübertragung ist dabei Abwicklungsmaßnahme. Geltung der §§ 264–273 war in § 361 III aF noch ausdr. ausgesprochen. Gesetzgeber hat diesen Normteil wegen seiner nur klarstellenden Bedeutung als überflüssig entfallen lassen (Begr. BT-Drs. 12/6699, 177). § 179a III bezieht sich jetzt nur noch auf § 263 S. 1. Der dort vorgeschriebenen Anmeldung ist auch der Übertragungsvertrag in Ausfertigung oder öffentl. beglaubigter Abschrift beizufügen.

21 **2. Sonderfall der übertragenden Auflösung (MotoMeter).** Übertragende Auflösung nach sog MotoMeter-Methode (benannt nach BVerfG NJW 2001, 279 und Vorinstanzen) vollzieht sich durch Vermögensübertragung an Mehrheitsaktionär mit anschließender Liquidation der Tochter, um Minderheitsaktionäre aus AG zu drängen (vgl. MüKoAktG/Stein Rn. 71). Gestaltung ist im Hinblick auf mitgliedschaftl. Bestandsinteresse und Vermögensinteressen der Minderheitsaktionäre sowie Stimmrecht des Mehrheitsaktionärs (→ Rn. 12) bedenklich, aber nicht generell unzulässig. Insbes. liegt **keine Umgehung des UmwG** vor (so aber Lutter/Drygala FS Kropff, 1997, 191, 195 ff., 208), da UmwG keinen Typenzwang kennt und aus etwaigen Schutzdefiziten noch kein Gestaltungsverbot folgt (sa BeckOGK/Holzborn Rn. 38; MüKoAktG/Stein Rn. 73; Henze ZIP 1995, 1473, 1474 f.), zumal anderweitige Schutzmechanismen zur Verfügung stehen (→ Rn. 22). Auch Einführung der **§§ 327a ff.** hat nicht zur Unzulässigkeit dieser Gestaltung geführt (str., wie hier OLG Frankfurt NZG 2021, 875 Rn. 28; GK-AktG/Fleischer Vor §§ 327a ff. Rn. 47; BeckOGK/Holzborn Rn. 39; Grigoleit/Rieder § 327a Rn. 6; S/L/Schnorbus Vor §§ 327a–327f Rn. 12; S/L/Seibt Rn. 25; MüKoAktG/Stein Rn. 74; KK-AktG/Zetzsche Rn. 135; aA BeckOGK/Bachmann § 262 Rn. 35 ff.; Grigoleit/Ehmann Rn. 12; Hanau NZG 2002, 1040, 1047; Wilhelm/Dreier ZIP 2003, 1369, 1373 ff.; einschr. auch MüKoAktG/Grunewald Vor § 327a Rn. 12); Materialien enthalten keinerlei Hinweise auf abschließenden Charakter, obwohl MotoMeter-Verfahren im Gesetzgebungsverfahren hinreichend erörtert wurde. Wie UmwG sollen auch §§ 327a ff. bestehende Gestaltungsmöglichkeiten erweitern, nicht verdrängen.

Schutz der Aktionäre erfolgt nicht durch systemwidrige gerichtl. Erforderlichkeitsprüfung des Zustimmungs- oder Auflösungsbeschlusses (→ Rn. 10), sondern durch **Anfechtungsmöglichkeit** gegen Zustimmungsbeschluss nach § 243 II bzw. wegen treuwidriger Stimmabgabe oder anderer Gesetzesverstöße (BeckOGK/Holzborn Rn. 40). Verfassungsrechtl. gebotener Vermögensschutz (vgl. BVerfG NJW 2001, 279, 281) kann dadurch allein aber nicht gewährleistet werden (S/L/Seibt Rn. 29), weshalb zutr. hM **Wertkontrolle** in analoger Anwendung des SpruchG befürwortet (Emmerich/Habersack/Emmerich § 1 SpruchG Rn. 11; BeckOGK/Holzborn Rn. 44; S/L/Seibt Rn. 29; MüKoAktG/Stein Rn. 81 ff.; J. Hoffmann FS Stilz, 2014, 267, 280 f.; aA noch OLG Zweibrücken NZG 2005, 935, 936 f.; Simon SpruchG § 1 Rn. 46 ff.; zur planwidrigen Regelungslücke vgl. BVerfG NJW 2001, 279, 281); Gesetzgeber hat generelle Analogiefähigkeit des SpruchG ausdr. bejaht (→ SpruchG § 1 Rn. 1, 6 f.). Gegenstand der Wertkontrolle ist der für Vermögensübertragung gezahlte **Kaufpreis** (BeckOGK/Holzborn Rn. 47; S/L/Seibt Rn. 29; MüKoAktG/Stein Rn. 88); weitergehender Abfindungsanspruch ist nicht anzuerkennen, da für Analogieschluss neben werthaltigem Kaufpreis kein Bedürfnis besteht. 22

Neben diesem Schutz bedarf es keiner weiteren analogen Anwendung umwandlungsrechtl. Sonderregeln, die schon am Fehlen der Analogievoraussetzungen scheitert (dazu BayObLGZ 1998, 211, 214 ff.; OLG Stuttgart AG 1997, 136, 137; LG München I NZG 2006, 873, 874 f.; BeckOGK/Holzborn Rn. 43; MüKoAktG/Stein Rn. 80; Reichert ZHR-Beiheft 68, 1999, 25, 35 ff.; M. Wolf ZIP 2002, 153, 154 ff.; aA Lutter/Drygala FS Kropff, 1997, 191, 208 ff.); Gesetzgeber hat bei Neufassung des § 179a bewusst auf Anpassung verzichtet (vgl. MüKoAktG/Stein Rn. 80 mwN). Ebenso wenig veranlasst ist analoge Anwendung des § 327c II 2 und 3 (aA M. Roth NZG 2003, 998, 1001) oder des Erfordernisses einer 95%-Mehrheit aus § 327a I 1 (MüKoAktG/Stein Rn. 75; M. Roth NZG 2003, 998, 1000; aA Hölters/Weber/Drinhausen Rn. 19; Rühland WM 2002, 1957, 1961 f.). Gerade der Umstand, dass Gesetzgeber in den vergangenen Jahren **unterschiedliche Schwellenwerte für Minderheitsrechte** eingeführt hat (zB § 142 II 1, § 148 I, § 62 V UmwG), zeigt, dass einheitliches und damit verallgemeinerungsfähiges Schutzprinzip mit 5% als anerkannter Minderheitengröße (so aber noch Rühland WM 2002, 1957, 1961 f.) nicht besteht. 23

3. Vermögensübertragung der aufgelösten Gesellschaft. Vermögensübertragung kann auch erfolgen, nachdem AG aufgelöst ist. Auch Abwickler bedürfen eines Zustimmungsbeschlusses nach § 179a I und müssen nach § 179a II vorgehen (hM – vgl. nur BGH NZG 2003, 532, 534; MüKoAktG/J. Koch § 268 Rn. 14; S/L/Seibt Rn. 3; aA OLG Brandenburg GmbHR 2019, 183, 184; Witt, Veräußerung des ganzen Gesellschaftsvermögens, 2021, 185 ff.). Veräußerungserlös fällt in die Abwicklungsmasse und unterliegt insbes. den Bindungen der §§ 271, 272. Im **Insolvenzverfahren** gilt § 179a hingegen nicht; Kontrolle erfolgt durch Gläubigerausschuss (§§ 69, 160 InsO; ausf. Witt, Veräußerung des ganzen Gesellschaftsvermögens, 2021, 196 ff.). 24

VI. KGaA

Für KGaA gilt § 179a nach **bislang hM** über § 278 III sinngem. (vgl. statt vieler BeckOGK/Bachmann § 278 Rn. 73 f.), was zur Folge hätte, dass auch Vertretungsmacht der Komplementäre an zustimmenden Beschluss der Kommanditaktionäre (→ § 278 Rn. 17) gebunden wäre, der seinerseits nach § 285 II 1 der Zustimmung der Komplementäre bedarf (→ § 285 Rn. 2). Beide Seiten müssten also zusammenwirken (dazu Hüren RNotZ 2014, 77, 85). HM kann sich auf § 361 I 1 aF stützen, der Anwendung auf KGaA ausdr. vorsah. Neuere 25

Auffassung weist indes zu Recht darauf hin, dass daraus gefolgerte Kontinuität in Gesetzestext und -materialien keine Bestätigung findet und vorrangig einschlägiger § 278 II (Regelung zur Vertretungsmacht) auf **Recht der KG** verweist, das nach neuer BGH-Rspr. (→ Rn. 1) nicht § 179a unterworfen ist (Bergmann FS E. Vetter, 2019, 79 ff.; zust. bzgl. Anwendung des § 278 II Witt, Veräußerung des ganzen Gesellschaftsvermögens, 2021, 295 ff.; aA Bachmann/Habighorst FS Heidinger, 2023, 1 ff.). Folgt man dem, findet § 179a auch auf KGaA keine Anwendung.

VII. Keine erweiternde Auslegung

26 Für **Ausgliederung wesentlicher Unternehmensteile** wurde von einem Teil der Lehre entspr. Anwendung des § 179a bzw. früher des § 361 aF befürwortet (s. namentl. Timm, Die Aktiengesellschaft als Konzernspitze, 1980, 115 ff., 165 ff.; sa Lutter/Leinekugel ZIP 1998, 805, 806 bei Fn. 21), um so vor allem Konzernbildungskontrolle (→ § 15 Rn. 4), teilw. auch weitergehende HV-Zuständigkeit zu erreichen. Das hat sich jedoch nicht durchgesetzt (BGHZ 83, 122, 129 = NJW 1982, 1703) und ist auch in Fortentwicklung zur Gesamtanalogie unter Einschluss der HV-Zuständigkeiten bei strukturändernden Maßnahmen nicht überzeugend zu befürworten. Schon nach Wortlaut, Normgeschichte (→ Rn. 2) und Ausgestaltung iE (Stimmrecht des Mehrheitsaktionärs, → Rn. 12) ist § 179a für Konzernbildungskontrolle (→ § 15 Rn. 4) wenig geeignet. Auch müssen tatbestandliche Grenzen der Vorschrift wegen ihrer in das Außenverhältnis durchschlagenden Bedeutung (keine Vertretungsmacht des Vorstands) greifbar bleiben (ebenso Reichert ZHR-Beiheft 68, 1999, 25, 45). Deshalb gibt es nur die im Innenverhältnis bedeutsame Pflicht des Vorstands, nach Holzmüller-Grundsätzen Zustimmung der HV einzuholen, und auch das nur ausnahmsweise, nämlich bei eng begrenzten durch ihre Auswirkung satzungsnahen Sachverhalten (→ § 119 Rn. 18 ff.). Sind Voraussetzungen des § 179a allerdings erfüllt, ist Norm auch auf Konzernsachverhalte anwendbar (so implizit BGHZ 83, 122, 128 f. = NJW 1982, 1703; weitere differenzierend Witt, Veräußerung des ganzen Gesellschaftsvermögens, 2021, 212 ff.). Davon zu trennen ist die Konstellation, in der AG gesamte **Tätigkeit über Tochter** ausübt und diese Vermögen vollständig überträgt. In diesem Fall kann nach allg. Durchgriffsgrundsätzen (→ § 1 Rn. 15, 32) Anwendung des § 179a erwogen werden (LG Hannover AG 2001, 150, 151 f.; MüKoAktG/Stein Rn. 21; Bayer/Lieder/Hoffmann AG 2017, 717, 721; Witt, Veräußerung des ganzen Gesellschaftsvermögens, 2021, 218 ff.; aA KK-AktG/Zetzsche Rn. 76). Probleme bereitet dann aber Rechtsfolge, da in diesem Fall Unwirksamkeit im Außenverhältnis nicht angemessen ist. Allenfalls kann Innenpflicht des Vorstands in Betracht gezogen werden, ihm zur Kenntnis gebrachte Veräußerung durch Weisungsmacht aufzuhalten, bis zustimmender HV-Beschluss der Mutter vorliegt (sa J. Weber DNotZ 2018, 96, 119 f.; aA Witt, Veräußerung des ganzen Gesellschaftsvermögens, 2021, 225 ff.).

Zustimmung der betroffenen Aktionäre

180 (1) **Ein Beschluß, der Aktionären Nebenverpflichtungen auferlegt, bedarf zu seiner Wirksamkeit der Zustimmung aller betroffenen Aktionäre.**

(2) **Gleiches gilt für einen Beschluß, durch den die Übertragung von Namensaktien oder Zwischenscheinen an die Zustimmung der Gesellschaft gebunden wird.**

I. Regelungsgegenstand und -zweck

Norm betr. **Nebenverpflichtungen** und **Vinkulierung** von Aktien oder Zwischenscheinen. Sie ergänzt § 179 und bezweckt Schutz der Aktionäre vor nachträglicher Vermehrung ihrer Pflichten sowie vor stärkerer Bindung an die AG. Außerhalb des Regelungsbereichs des § 180 ist Zustimmung betroffener Aktionäre erforderlich bei Eingriffen in Sonderrechte (→ § 179 Rn. 39) und bei Abweichung vom Gleichbehandlungsgebot (→ § 53a Rn. 5 und 12). 1

II. Nebenverpflichtungen (§ 180 I)

1. Allgemeines. § 180 I betr. Nebenverpflichtungen gem. § 55 (→ § 55 Rn. 3 ff.), die **nachträglich durch satzungsändernden Beschluss** auferlegt werden; nicht erfasst werden Pflichten aus satzungsergänzenden Nebenabreden (→ § 23 Rn. 45). Nebenverpflichtungen sind nur bei vinkulierten Namensaktien möglich (→ § 55 Rn. 2). Unerheblich ist, ob alle oder nur einzelne Aktionäre betroffen sind. § 55 I 3 bestimmt, dass Verpflichtung und Umfang der Leistung in den Aktien und Zwischenscheinen (→ § 8 Rn. 28) anzugeben sind; kein Wirksamkeitserfordernis (→ § 55 Rn. 10). Nach Satzungsänderung sind Aktienurkunden und Zwischenscheine inhaltlich unrichtig und deshalb zu berichtigen oder umzutauschen; ggf. kann AG nach § 73 vorgehen (MüKoAktG/Stein Rn. 14). 2

2. Auferlegen. Nebenverpflichtungen aufzuerlegen bedeutet zunächst, sie neu zu begründen. Dem stehen nach Sinn und Zweck der Vorschrift Änderungen bestehender Nebenverpflichtungen gleich, die nachteilig in die Rechtsposition der verpflichteten Aktionäre eingreifen (unstr.), zB ihre Erweiterung nach Art und Umfang (RGZ 91, 166, 169; RGZ 121, 238, 241 f.; RGZ 136, 313, 317), Einführung oder Verschärfung von Vertragsstrafen gem. § 55 II (RGZ 121, 238, 242), Herabsetzung der satzungsmäßigen Gegenleistung, Aufhebung einer zeitlichen Begrenzung (jew. allgM). Letztgenannter Änderung steht die Verlängerung der satzungsmäßigen Dauer einer Nebenleistungs-AG gleich (hM, vgl. RGZ 136, 185, 187 f. zur GmbH). **Keine Anwendung** findet § 180 I auf Beschlüsse, die in Nebenverpflichtungen eingreifen, ohne dass Rechtsposition der Aktionäre nachteilig betroffen wird; Bsp.: Verkürzung der Dauer der Nebenverpflichtung, Verminderung des Umfangs, Erhöhung der Gegenleistungen, Herabsetzung oder Beseitigung der Vertragsstrafe. 3

3. Sonderfälle. Keiner Zustimmung bedarf HV-Beschluss, der aufgrund eines **Satzungsvorbehalts** die Nebenverpflichtung iRv Satzungsvorgaben nach Maßgabe der §§ 315 ff. BGB konkretisiert (RGZ 87, 261, 265 f. zur GmbH; S/L/Seibt Rn. 4; KK-AktG/Zetzsche Rn. 12). Jedoch ist Zustimmung erforderlich, wenn entspr. Satzungsvorbehalt im Wege der Satzungsänderung eingeführt wird (KK-AktG/Zetzsche Rn. 12). Werden durch **Kapitalerhöhung** neue Aktien mit Nebenverpflichtungen geschaffen, so gilt: Bei effektiver Kapitalerhöhung bedarf es keiner Zustimmung, weil Aktionäre zum Bezug nur berechtigt, nicht verpflichtet sind (MüKoAktG/Stein Rn. 7). Das gilt auch, wenn Kapitalerhöhung aus Gesellschaftsmitteln vorgenommen wird (§§ 207 ff.), da in diesem Fall § 216 III 2 ausschließt, dass sich Gesamtumfang der Nebenverpflichtungen des einzelnen Aktionärs ändert (→ § 216 Rn. 17; S/L/Seibt Rn. 4; MüKoAktG/Stein Rn. 7). Festsetzung einer **Umtauschprämie** zum Ausgleich von Kursdifferenzen bei Umstellung von Aktiengattungen ist nicht von § 180 I erfasst, da es sich nicht um wiederkehrende Dauerverpflichtung handelt, sondern um Erhöhung der Einlagepflicht, die nach § 54 I generell unzulässig ist (sa S/L/Seibt 4

Rn. 5; MüKoAktG/Stein Rn. 10; aA Hölters/Weber/Drinhausen Rn. 3; Fuchs ZGR 2003, 167, 211; Senger/Vogelmann AG 2002, 193, 198).

III. Vinkulierung (§ 180 II)

5 **1. Allgemeines.** § 180 II betr. satzungsändernden Beschluss, der Übertragung von Namensaktien (→ § 10 Rn. 4) oder Zwischenscheinen (→ § 8 Rn. 28) an Einverständnis der AG bindet (Vinkulierung), und verlangt für seine Wirksamkeit Zustimmung der betroffenen Aktionäre. Vorschrift wurde 1965 eingefügt, um Streitfrage iSd damals hM zu entscheiden (RegBegr. Kropff S. 290). Vinkulierung ist nur bei Namensaktien und Zwischenscheinen zulässig (vgl. dazu und zu den mit ihr verfolgten Zwecken → § 68 Rn. 10, 18). Norm enthält allg. Rechtsgedanken, der analoge Anwendung des § 53 III GmbHG rechtfertigt (OLG Dresden GmbHR 2004, 1080 mwN).

6 **2. Anwendungsbereich.** Ausdr. betr. § 180 II nur **nachträgliche Vinkulierung.** Nach Sinn und Zweck ist Norm aber auch anzuwenden, wenn bestehende Vinkulierung verschärft wird (MüKoAktG/Stein Rn. 18; Heckschen/Weitbrecht NZG 2019, 721, 735), zB, indem satzungsmäßige Verweigerungsgründe ausgeweitet werden oder Bestimmung gestrichen wird, dass Einverständnis der AG nur aus wichtigem Grund verweigert werden darf. Unerheblich ist, ob Verschärfung geringfügiger Natur ist. **Nicht zustimmungsbedürftig** sind Beschlüsse, die Vinkulierung aufheben oder ausschließlich lockern (S/L/Seibt Rn. 10; MüKoAktG/Stein Rn. 22). Nicht anwendbar ist § 180 II bei **Verschmelzung,** wenn Aktionäre der übertragenden Gesellschaft vinkulierte Aktien der aufnehmenden AG erhalten sollen. Stattdessen muss gem. § 29 I 2 Barabfindungsangebot unterbreitet werden (Bermel/Müller NZG 1998, 331, 333 f.; Reichert GmbHR 1995, 176, 191). Dagegen verbleibt es für Aktionäre der aufnehmenden Gesellschaft bei Zustimmungserfordernis, wenn deren Aktien im Zuge der Verschmelzung vinkuliert werden sollen (Bermel/Müller NZG 1998, 331, 333; Reichert GmbHR 1995, 176, 191).

7 **3. Vinkulierung und Kapitalerhöhung.** Bei einer Kapitalerhöhung ist zu differenzieren: Enthält Satzung eine **Vinkulierungsklausel für alle Aktien,** so werden auch die jungen Aktien vinkuliert; einer Zustimmung bedarf es nicht (LG Bonn AG 1970, 18 f.; MüKoAktG/Bayer § 68 Rn. 47; KK-AktG/Lutter/Drygala § 68 Rn. 60; MüKoAktG/Stein Rn. 23; MHdB AG/Sailer-Coceani § 14 Rn. 18). Ebenso ist eine Zustimmung nach allgM nicht erforderlich, wenn Bezugsrecht der Aktionäre ausgeschlossen ist (BeckOGK/Holzborn Rn. 11; MHdB AG/Sailer-Coceani § 14 Rn. 18; Lutter/U. H. Schneider ZGR 1975, 182, 186; Otto DB-Beil. 12/1988, 6) oder junge Aktien nur für bisherige Nichtaktionäre bestimmt sind wie gem. § 192 II Nr. 2 und 3 (BeckOGK/Holzborn Rn. 11). Umstr. ist Rechtslage dann, wenn Satzung **keine Vinkulierungsklausel** enthält und junge Aktien oder Zwischenscheine vinkuliert werden sollen. Nach bislang hM bedarf es in diesem Fall grds. einer entspr. Satzungsänderung, auf die § 180 II anzuwenden ist. Dasselbe soll gelten, wenn Satzung Vinkulierungsklausel nur für einen Teil der Aktien enthält und Aktionäre, die bislang keiner Vinkulierung unterlagen, nunmehr Anspruch auf vinkulierte Aktien erhalten sollen (MüKoAktG/Bayer § 68 Rn. 49; BeckOGK/Holzborn Rn. 12; Lutter/U. H. Schneider ZGR 1975, 182, 185 f.). Nach zunehmend vertretener Gegenauffassung soll dagegen in keinem dieser Fälle Zustimmung nach § 180 II erforderlich sein (S/L/T. Bezzenberger § 68 Rn. 18; BeckOGK/Cahn § 68 Rn. 43; KK-AktG/Drygala § 68 Rn. 62; B/K/L/Wieneke § 68 Rn. 16; so nun auch MHdB AG/Sailer-Coceani § 14 Rn. 18). Dieser Auffassung ist zuzustimmen, weil bislang hM auf fehlerhafter Vorstellung beruht, dass Aktionäre bei

Kapitalerhöhung zwingend Bezugsrecht auf dieselbe Gattung haben. Das entspr. indes nicht der zu § 186 herrschenden Meinung (→ § 186 Rn. 4). Auch wenn man mit hier vertretener Auffassung annimmt, dass Aktionäre nicht nur Misch-, sondern Gattungsbezugsrecht haben (→ § 186 Rn. 4), so gilt dieses Recht doch nur unter der Voraussetzung, dass AG tats. mehrere Gattungen ausgibt. Tut sie das nicht, besteht **nur Bezugsrecht auf diese Gattung,** ohne dass Aktionäre zustimmen müssten (zutr. KK-AktG/Drygala § 68 Rn. 62). Dann besteht aber auch kein Grund, für Kapitalerhöhung Zustimmung nach § 180 II zu verlangen.

IV. Zustimmung aller betroffenen Aktionäre

Zustimmung ist **Willenserklärung** und ggü. der AG zu erteilen. Erklärung kann vor, während oder nach HV erfolgen (allgM). Sie unterliegt keiner Form (RGZ 68, 263, 266; RGZ 121, 238, 244), kann mithin auch konkludent abgegeben werden (RGZ 121, 238, 244), zB durch Ja-Stimme zum Antrag auf Satzungsänderung (allgM). Keine konkludente Zustimmung liegt vor, wenn Aktionär nur Anfechtungsfrist verstreichen lässt (aA RGZ 140, 231, 247 betr. eG). Zustimmen müssen alle betroffenen Aktionäre (kein Mehrheitsbeschluss wie bei § 179 III), ggf. der einzige Betroffene. Zustimmung ist **zusätzliches Wirksamkeitserfordernis** (→ Rn. 9), muss also zu den sonstigen Erfordernissen der Satzungsänderung hinzutreten. Sonderbeschluss gem. § 179 III ist daneben allerdings auch dann nicht erforderlich, wenn alle Betroffenen Inhaber einer Aktiengattung sind (MüKoAktG/Stein Rn. 30). Erteilte Zustimmung bindet auch Rechtsnachfolger, der vor Eintragung des Beschlusses Aktie erworben hat (S/L/Seibt Rn. 14). 8

V. Rechtsfolgen

Wenn sich Betroffene noch nicht erklärt haben, ist Beschluss schwebend unwirksam. Verweigert nur ein Betroffener seine Zustimmung, so wird Beschluss endgültig unwirksam (allgM, vgl. RGZ 121, 238, 244; BGHZ 160, 253, 258 f. = NJW 2004, 3561). Eintragung in das HR kann Zustimmung nicht ersetzen. Möglich ist Satzungsbestimmung, nach der Nebenverpflichtungen oder Vinkulierung nur für zustimmende Aktionäre wirksam wird (allgM). Wer Zustimmung verweigert, schuldet bei solcher Regelung keine Nebenleistung und kann seine Aktien ungehindert übertragen. Das muss sich aber eindeutig aus dem Beschluss ergeben; iZw ist Unwirksamkeit des Beschlusses anzunehmen (MüKoAktG/Stein Rn. 36; GK-AktG/Wiedemann Rn. 20). 9

VI. Prüfung durch Registergericht

Registergericht prüft vor Eintragung der Satzungsänderung (vgl. § 181 III) deren Wirksamkeit, damit auch **Vorliegen aller erforderlichen Zustimmungen.** Vorher darf Eintragung nicht verfügt werden. Nachweis der Zustimmungen kann, muss aber nicht in öffentl. beglaubigter Form erfolgen (MüKoAktG/Stein Rn. 37; GK-AktG/Wiedemann Rn. 21; aA RGZ 136, 185, 192; zur Auslandsbeglaubigung → § 23 Rn. 12). Wegen Formfreiheit der Zustimmung (→ Rn. 8) ist jeder Nachweis ausreichend, zB Vorlage von schriftlichen Zustimmungen. Zustimmung ist auch evident, wenn alle Aktionäre bei HV anwesend waren und Satzungsänderung einstimmig beschlossen wurde. Registergericht kann sich ferner mit Bescheinigung des Vorstands begnügen, dass Zustimmungserklärungen vorliegen, es sei denn, dass Aktionäre dem widersprechen (B/K/L/Körber/König Rn. 13; MüKoAktG/Stein Rn. 37). 10

Eintragung der Satzungsänderung

181 (1) [1] **Der Vorstand hat die Satzungsänderung zur Eintragung in das Handelsregister anzumelden.** [2] **Der Anmeldung ist der vollständige Wortlaut der Satzung beizufügen; er muß mit der Bescheinigung eines Notars versehen sein, daß die geänderten Bestimmungen der Satzung mit dem Beschluß über die Satzungsänderung und die unveränderten Bestimmungen mit dem zuletzt zum Handelsregister eingereichten vollständigen Wortlaut der Satzung übereinstimmen.**

(2) **Soweit nicht die Änderung Angaben nach § 39 betrifft, genügt bei der Eintragung die Bezugnahme auf die beim Gericht eingereichten Urkunden.**

(3) **Die Änderung wird erst wirksam, wenn sie in das Handelsregister des Sitzes der Gesellschaft eingetragen worden ist.**

Übersicht

I. Regelungsgegenstand und -zweck

1 § 181 regelt Anmeldung der Satzungsänderung sowie ihre Eintragung und Bek. und bestimmt ferner, dass Satzungsänderung erst mit Eintragung wirksam wird. Norm führt die durch **Normativsystem** (→ § 38 Rn. 1) bedingten §§ 36 ff. fort und stellt HR-Kontrolle sowie Publizität bei Satzungsänderungen sicher. § 181 wird für bestimmte Satzungsänderungen ergänzt, zB bei Sitzverlegung (§ 45), Kapitalerhöhung (§ 184; §§ 188–190; §§ 195 f.; §§ 200 f.; § 203 III 4; § 207 II; §§ 210 f.) und Kapitalherabsetzung (§§ 223 f.; § 227; § 229 III; § 237 II 1, IV 5; §§ 238 f.).

II. Anmeldung der Satzungsänderung (§ 181 I)

1. Allgemeines. § 181 erfasst jede Satzungsänderung (→ § 179 Rn. 4ff.), 2
auch Fassungsänderung durch AR gem. § 179 I 2 (S/L/Seibt Rn. 2). Eintragung ist Wirksamkeitsvoraussetzung (s. § 181 III; → Rn. 24). Darauf gerichtete Anmeldung ist Verfahrenshandlung (Eintragungsantrag) und Organisationsakt, nicht Rechtsgeschäft (→ § 36 Rn. 2). Mit ihr beginnt registergerichtl. Verfahren, das den Grundsätzen der fG unterliegt. **Rücknahme der Anmeldung** durch den Vorstand (→ Rn. 4) ist bis zur Eintragung ohne Angabe von Gründen möglich. Rücknahme kommt in Betracht, wenn nachträglich Beschlussmangel festgestellt oder Satzungsänderungsbeschluss aufgehoben wird (→ § 179 Rn. 40). Zur Anmeldepflicht → Rn. 5. Eintragung ist gebührenpflichtig (§ 58 I GNotKG). Gebühr bestimmt sich nach GV 2500 ff. HRegGebV. Geschäftswert: § 105 IV Nr. 1 GNotKG. **Kosten** hat gem. § 22 Nr. 1 GNotKG AG zu tragen, da Vorstand für sie handelt (→ Rn. 4).

2. Zuständiges Gericht. Zuständig ist **Amtsgericht** (§ 23a I 1 Nr. 2, II 3
Nr. 4 GVG) des Gesellschaftssitzes (§ 14). Bei Doppelsitz (→ § 5 Rn. 10) sind beide Registergerichte zuständig. Auch Sitzverlegung ist beim Gericht des bisherigen Sitzes anzumelden (§ 45 I); zum weiteren Vorgehen vgl. § 45 II und → § 45 Rn. 4f. Hat AG Zweigniederlassung, so ist Satzungsänderung gem. § 13 I HGB beim Gericht des Satzungssitzes anzumelden; HR der Zweigniederlassung ist mit EHUG 2006 aufgehoben, weshalb auch Überstücke nicht mehr beigefügt werden müssen. **Funktional zuständig** ist grds. der Richter; bei Fassungsänderungen ausnahmsweise der Rechtspfleger (§ 17 Nr. 1 lit. b RPflG).

3. Anmelder. Anmeldung obliegt **Vorstand;** bei Kapitaländerungen meldet 4
zusätzlich der AR-Vorsitzende an (vgl. Vorschriften in → Rn. 1). Nach Auflösung treten die Abwickler an die Stelle des Vorstands (§§ 265, 269). Vorstandsmitglieder handeln **im Namen der AG,** nicht im eigenen Namen (BGHZ 105, 324, 327 f. = NJW 1989, 295 zur GmbH; MüKoAktG/Stein Rn. 9; GK-AktG/Wiedemann Rn. 7; aA KGJ 41, 134, 135). Ausreichend ist Anmeldung in **vertretungsberechtigter Zahl.** Bei unechter Gesamtvertretung (§ 78 III 1 Fall 1) kann auch Prokurist mitwirken (hM, → § 78 Rn. 17). Anmeldung ist nicht mit Firma, sondern mit eigenem Namen zu zeichnen (B/K/L/Körber/König Rn. 3). Anmelder müssen nicht gleichzeitig handeln; erforderliche Erklärungen können auch nacheinander abgegeben werden (allgM). **Bevollmächtigung** ist nur zulässig, wenn Anmeldung keine Erklärungen zu enthalten hat, für deren Richtigkeit Anmelder zivilrechtl. (§§ 46, 48) oder strafrechtl. (§ 399) verantwortlich sind, zB §§ 184, 188 (BayObLGZ 1986, 203, 205 f. = NJW 1987, 136 f.; → § 36 Rn. 4 mwN). Vollmacht bedarf öffentl. Beglaubigung (§ 12 I 3 HGB; § 129 BGB); sie kann gem. § 12 I 4 HGB durch Bescheinigung nach § 21 III BNotO ersetzt werden. Handelt Urkundsnotar, greift Vollmachtsvermutung des § 378 II FamFG ein (RegBegr. FamFG BT-Drs. 16/6308, 285; OLG Oldenburg NZG 2011, 1233 [GmbH]; OLG Karlsruhe GmbHR 2011, 308, 309 [GmbH]; S/L/Seibt Rn. 7; MüKoAktG/Stein Rn. 12; aA noch die hM zu § 129 FGG aF; zur Auslandsbeglaubigung → § 23 Rn. 12).

4. Pflicht zur Anmeldung. Vorschrift begründet für Vorstand **keine erzwingbare** (§ 407 II 1) **öffentl.-rechtl. Pflicht,** beschlossene Satzungsänderung anzumelden (→ § 36 Rn. 5). Vorstand ist jedoch aus dem **Organverhältnis** ggü. AG zur Anmeldung verpflichtet (→ § 83 Rn. 5; S/L/Seibt Rn. 8 f.; MüKoAktG/Stein Rn. 13 f.). Anmeldung muss grds. unverzüglich (§ 121 I 1 BGB) erfolgen (MüKoAktG/Stein Rn. 14). HV kann aber Vorstand anweisen, Be- 5 schluss erst zu einem späteren Zeitpunkt anzumelden (→ § 179 Rn. 25 aE); ihm darf jedoch kein Ermessensspielraum eingeräumt werden (LG Frankfurt AG 1990, 169, 170). AG (vertreten durch AR, § 112) kann Vorstand auf Anmeldung verklagen (MüKoAktG/Stein Rn. 14; → § 36 Rn. 5). Unterlassene oder verspätete Anmeldung kann Schadensersatzpflicht nach § 93 und Abberufung nach § 84 IV begründen. Keine Pflicht zur Anmeldung besteht bei **Nichtigkeit** des Beschlusses (Volhard ZGR 1996, 55, 59). Bestehen insoweit Zweifel, wird Vorstand Satzungsänderung anmelden und Registerrichter auf seine Bedenken hinweisen (MüKoAktG/Stein Rn. 15; GK-AktG/Wiedemann Rn. 9). Bei Teilnichtigkeit (→ Rn. 14; → § 241 Rn. 33) kann Anmeldung auf wirksame Beschlüsse beschränkt werden (N. Klein BWNotZ 2016, 87, 88; Wicke DB 2015, 1770). **Anfechtbare Beschlüsse** sind anzumelden, auch wenn Anfechtungsklage erhoben wurde. Vorstand wird auch hier dem Gericht einen Hinweis geben, wenn er Zweifel an Rechtmäßigkeit hat, und mitteilen, ob Klage erhoben worden ist (Volhard ZGR 1996, 55, 60). Wartet Vorstand Klage oder Entscheidung ab, so handelt er auf eigene Gefahr (MüKoAktG/Stein Rn. 16 f.; GK-AktG/Wiedemann Rn. 9).

6 **5. Form und Inhalt der Anmeldung.** Anmeldung muss elektronisch in **öffentl. beglaubigter Form** erfolgen (§ 12 I 1 HGB); s. dazu § 129 BGB, § 39a BeurkG; zur durch DiRUG 2021 neu geschaffenen Möglichkeit der Beglaubigung mittels Videokommunikation → § 36 Rn. 2; zur Auslandsbeglaubigung → § 23 Rn. 12. Anzumelden ist beschlossene Satzungsänderung. Inhalt der Anmeldung ist iE abhängig vom Gegenstand der Änderung. Grds. genügt **Bezugnahme auf beigefügte Unterlagen,** insbes. auf notarielle Niederschrift des HV-Beschlusses (allgM). Angabe des geänderten Satzungsparagraphen ist nicht erforderlich (KK-AktG/Zetzsche Rn. 50; aA OLG Schleswig DNotZ 1973, 482, 483; Krafka NZG 2019, 81, 82). Betr. Satzungsänderung aber **Gegenstände des § 39** (Firma, Sitz, Gegenstand des Unternehmens, Höhe des Grundkapitals, Vertretungsbefugnis der Vorstandsmitglieder, Dauer der Gesellschaft, genehmigtes Kapital), so muss Anmeldung Inhalt der Änderung konkret bezeichnen. Dh nicht, dass Wortlaut der Satzungsänderung wiederzugeben ist (allgM); ausreichend ist inhaltliche Bezeichnung in der Form, wie Änderung einzutragen ist, zB: „Änderung der Firma in …", nicht aber „Änderung der Firma" usw (→ Rn. 20; S/L/Seibt Rn. 12; MüKoAktG/Stein Rn. 21; wohl auch GK-AktG/Wiedemann Rn. 13). Bloße Bezugnahme genügt jedoch nicht (hM zur GmbH, s. BGH NJW 1987, 3191 f.; HCL/Ulmer/Casper GmbHG § 54 Rn. 7; aA KK-AktG/Zetzsche Rn. 54 f.).

7 **6. Urkunden und Nachweise.** Der Anmeldung beizufügen ist gem. § 181 I 2 (eingefügt 1969) **vollständiger Wortlaut der Satzung.** Beifügung erleichtert Einsichtnahme (§ 9 I HGB), da Zusammensuchen der jew. gültigen Satzungsbestimmungen vermieden wird (BT-Drs. V/3862, 13). Zweck rechtfertigt entspr. Anwendung bei Satzungsänderungen im Gründungsstadium (→ § 23 Rn. 9; MüKoAktG/Stein Rn. 23). Satzung ist Satzungsurkunde (→ § 23 Rn. 2), und zwar mit Wortlaut der künftigen, mit Eintragung der Änderung wirksam werdenden Satzung. Aufzunehmen sind nach zutr. hM auch überholte Satzungsbestimmungen (zB Bestellung des ersten AR), solange sie nicht durch förmliches Satzungsänderungsverfahren beseitigt wurden (→ § 179 Rn. 6; BeckOGK/Holzborn Rn. 15; MüKoAktG/Stein Rn. 25; KK-AktG/Zetzsche Rn. 71; Priester DB 1979, 681, 685; aA OLG Köln Rpfleger 1972, 257, 258 zur GmbH; HCL/Ulmer/Casper GmbHG § 54 Rn. 19). Es obliegt dem Vorstand, die für das Registergericht bestimmte Fassung herzustellen. Er kann sich dabei der Hilfe des Notars bedienen.

Satzung muss mit **Bescheinigung des Notars** versehen sein, dass geänderte Satzungsbestimmungen mit dem Beschluss über die Satzungsänderung und unveränderte Bestimmungen mit dem zuletzt zum HR eingereichten und wirksam gewordenen (MüKoAktG/Stein Rn. 28) vollständigen Wortlaut der Satzung übereinstimmen (§ 181 I 2); zur Formulierung der Bescheinigung bei Teilnichtigkeit (→ Rn. 5, 14; → § 241 Rn. 33) N. Klein BWNotZ 2016, 87, 88. Bescheinigung dient der Entlastung des Registerrichters und kann von jedem Notar ausgestellt werden; zweckmäßig ist jedoch, den Notar zu beauftragen, der die Satzungsänderung beurkundet hat. Gebühr für Bescheinigung ist dann durch Gebühr für Beurkundung der Satzungsänderung abgegolten (KV Vorb. 2.1 II Nr. 4 GNotKG). Form: § 39 BeurkG. 8

Wenn **mehrere Satzungsänderungen** angemeldet sind und Registergericht **teilw. Eintragungshindernis** annimmt, kann es entweder die ganze Eintragung verweigern, bis berichtigter Satzungswortlaut mit notarieller Bestätigung vorgelegt wird, oder Eintragung vornehmen. In diesem Fall ist AG entspr. § 248 II verpflichtet, berichtigten Satzungswortlaut nachzureichen. Sie kann dazu gem. § 14 HGB durch Zwangsgeld angehalten werden, und zwar auch dann, wenn sie gegen Ablehnung der Eintragung Rechtsmittel eingelegt hat (S/L/Seibt Rn. 17; MüKoAktG/Stein Rn. 29). Vollständiger Wortlaut und Notarbescheinigung sind auch erforderlich, wenn HV die **Satzung vollständig neu beschlossen** hat (OLG Schleswig DNotZ 1973, 482, 483 zur GmbH; BeckOGK/Holzborn Rn. 15; S/L/Seibt Rn. 15; MüKoAktG/Stein Rn. 24; GK-AktG/Wiedemann Rn. 16; aA OLG Zweibrücken Rpfleger 1984, 104 f.; FGPrax 2002, 34). 9

In manchen Fällen bedarf Satzungsänderung **staatlicher Genehmigung,** zB bei Satzungsänderungen einer Versicherungs-AG, wenn sie nicht auf Kapitalerhöhung gerichtet sind (§ 12 I VAG, § 9 II Nr. 1 VAG). Ferner kann geänderter Unternehmensgegenstand (§ 23 III Nr. 2) genehmigungspflichtig sein (→ § 37 Rn. 14). Vorlage einer Genehmigungsurkunde ist jedoch nicht mehr erforderlich, seitdem Art. 1 Nr. 24a ARUG v. 30.7.2009 (BGBl. 2009 I 2479) § 181 I 3 aF aufgehoben hat. Das dient der Entbürokratisierung und ist nach entspr. Änderung des § 37 I (→ § 37 Rn. 14) auch folgerichtig. 10

Beizufügen ist ferner **notarielle Niederschrift über HV-Beschluss** (§ 130 I 1), die aber schon gem. § 130 V in öffentl. beglaubigter Abschrift unverzüglich einzureichen ist. Wurde dem entsprochen, ist erneute Beifügung nicht notwendig. Sonst ist Niederschrift vollständig beizufügen; ein nur die Satzungsänderung betr. Auszug genügt nicht (KK-AktG/Zetzsche Rn. 57 f.). Handelt es sich um von **AR beschlossene Fassungsänderung** (§ 179 I 2), ist Niederschrift der Sitzung vorzulegen, in der Beschluss gefasst wurde, und zwar in der nach § 107 II maßgeblichen Form (MüKoAktG/Stein Rn. 33). Einzureichen ist auch Niederschrift des HV-Beschlusses, der AR zur Fassungsänderung ermächtigt (MüKoAktG/Stein Rn. 33), wenn Ermächtigung nicht schon in der Satzung enthalten ist (→ § 179 Rn. 11). Bedarf es gem. §§ 141, 179 III eines **Sonderbeschlusses,** so ist auch dessen Niederschrift (→ § 138 Rn. 4) beizufügen, wenn sie nicht schon vorliegt. Sind **Zustimmungserklärungen** der Aktionäre erforderlich (→ § 180 Rn. 1), so sind sie nachzuweisen, jedoch nicht notwendig durch Vorlage von Urkunden, insbes. nicht in der Form des § 12 I HGB (S/L/Seibt Rn. 19; MüKoAktG/Stein Rn. 35; aA RGZ 136, 185, 192 zur GmbH), da Zustimmung formfrei erklärt werden kann (→ § 180 Rn. 8). Nachweis mit allen geeigneten Mitteln möglich, zB durch Bezugnahme auf Niederschrift über HV, wenn Zustimmungen dort erklärt worden sind; durch Bestätigung der Zustimmung; durch Bescheinigung des Vorstands (→ § 180 Rn. 10). Hat Registergericht Zweifel, ob alle Zustimmungen vorliegen, so ist von Amts wegen zu ermitteln (§ 26 FamFG). Wenn Sachlage nicht aufgeklärt werden kann, ist Ein- 11 tragung abzulehnen (KGJ 35, A 162, 163; KGJ 53, 101, 102 f.; aA KK-AktG/Zetzsche Rn. 61).

III. Eintragung und Bekanntmachung (§ 181 II)

12 **1. Registerkontrolle. a) Grundlagen.** Anders als bei Gründung (§ 38 I) schreibt Ges. bei Satzungsänderung registergerichtl. Prüfung nicht ausdr. vor. Gleichwohl ist allg. anerkannt, dass Gericht Anmeldung **in formeller und materieller Hinsicht** zu prüfen hat (s. zB OLG Karlsruhe EWiR 2002, 739). Umfang der materiellen Prüfung ist allerdings str. (→ Rn. 14). Bei Versicherungs-AG entbindet Vorlage der Genehmigung der BaFin gem. § 9 II Nr. 1 VAG, § 12 I VAG nicht von Prüfungspflicht (OLG Hamburg OLGZ 1984, 307, 309 f.). **Zweckmäßigkeitsprüfung** findet nicht statt (MüKoAktG/Stein Rn. 39; → § 38 Rn. 3). Gericht hat deshalb, soweit für Rechtsverkehr unschädlich, auch **unklare, unrichtige oder widersprüchliche** Beschlüsse einzutragen; bei Satzungsbestimmungen mit Außenwirkung (zB Vertretungsmacht der Vorstandsmitglieder) ist Eintragung aber von Berichtigung abhängig zu machen (BayObLG WM 1985, 572, 573 zur GmbH; MüKoAktG/Stein Rn. 39; Baums, Eintragung und Löschung, 1981, 103; HCL/Ulmer/Casper GmbHG § 54 Rn. 47; aA OLG Köln WM 1981, 1263 f. zur GmbH). Prüfungsgrundlage sind die mit Anmeldung eingereichten Unterlagen (→ Rn. 7 ff.). Prüfung auf Plausibilität genügt; genauere Prüfung ist nur erforderlich, wenn **Anlass zu Zweifeln** besteht (→ § 38 Rn. 2 mwN; OLG Karlsruhe EWiR 2002, 739; MüKoAktG/Stein Rn. 40). Es gilt **Amtsermittlungsgrundsatz** (§ 26 FamFG). Zuständig ist grds. Gericht der Anmeldung; Ausnahme: § 45 II 3 (→ 45 Rn. 5).

13 **b) Prüfungsumfang. aa) Ordnungsgemäße Anmeldung.** Registergericht prüft **ordnungsgem. Anmeldung,** nämlich: eigene örtl. und sachliche Zuständigkeit (→ Rn. 3); Befugnis der als Anmelder auftretenden Personen (→ Rn. 4); bei Bevollmächtigten deren Vollmacht (zur Form → Rn. 4); Form der Anmeldung (→ Rn. 6); Vollständigkeit und Ordnungsmäßigkeit der Urkunden und Nachweise (→ Rn. 7 ff.); Identität zwischen Anmeldungsinhalt und Satzungsänderungsbeschluss, sofern Anmeldung nicht auf diesen Bezug nimmt (→ Rn. 6). Gericht kann aber davon ausgehen, dass gem. § 181 I 2 beigefügter Satzungswortlaut aufgrund der notariellen Bestätigung (→ Rn. 8) richtig ist (MüKoAktG/Stein Rn. 41; Gustavus BB 1969, 1335, 1336). Stellt es dennoch Fehler fest, so gibt es durch Zwischenverfügung Berichtigung auf (→ Rn. 16 aE). Gericht prüft ferner, ob Beschluss von der letzten HV vor Anmeldung gefasst oder bestätigt worden ist (S/L/Seibt Rn. 23).

14 **bb) Wirksamkeit des Satzungsänderungsbeschlusses.** HM differenziert zutr. zwischen unwirksamen, nichtigen und anfechtbaren Beschlüssen. Einigkeit besteht auf Basis der hM darüber, dass **unwirksamer** Beschluss nicht eintragungsfähig ist; zur Unwirksamkeit führen vor allem fehlende Zustimmung (insbes. § 180; → § 180 Rn. 1), fehlender Sonderbeschluss (§ 179 III) oder fehlende staatliche Genehmigung (→ Rn. 10); so RGZ 136, 185, 192; KGJ 35, A 162, 166; MüKoAktG/Stein Rn. 42. Einigkeit besteht ferner, dass Gericht Beschluss auf **Nichtigkeitsgründe** gem. § 241 (→ § 241 Rn. 7 ff.) zu überprüfen hat (BayObLGZ 1972, 126, 128 f.; KG JW 1936, 334, 335; OLG Hamburg OLGZ 1984, 307, 310; OLG Köln BB 1982, 579; S/L/Seibt Rn. 25; MüKoAktG/Stein Rn. 42 f.; → § 241 Rn. 32). Bei komplexen Beschlüssen ist § 139 BGB anzuwenden, dh Gericht muss durch Auslegung ermitteln, ob innerer Zusammenhang zwischen Satzungsänderungen besteht (→ § 241 Rn. 33). Ist dies zu bejahen, sind alle zusammenhängenden Änderungen nichtig und nicht eintragungsfähig. Anderenfalls liegt Teilnichtigkeit vor, so dass Eintragung nur insoweit

abzulehnen ist. Str. ist jedoch, ob auch **Anfechtbarkeit** zu prüfen ist. Das wird in registergerichtl. Praxis, vor allem für die GmbH, zumindest dann verneint, wenn Anfechtungsfrist abgelaufen ist (→ § 243 Rn. 56 mwN). Nach zutr. Ansicht ist jedoch zwischen verschiedenen Fallgruppen zu differenzieren; namentl. sind solche Gesetzesverletzungen zu berücksichtigen, durch die Drittinteressen betroffen werden (→ § 243 Rn. 51 ff., bes. 56 mwN).

Bindungswirkung entfalten die rechtskräftige Feststellung der Nichtigkeit (§ 249 I) und die Nichtigerklärung des Beschlusses aufgrund Anfechtungsklage (§ 248 I 1); allgM, → § 243 Rn. 54. Bei Klageabweisung gibt es keine Bindungswirkung (MüKoAktG/Stein Rn. 43). Von Möglichkeit abweichender Sachentscheidung sollte aber nur zurückhaltend Gebrauch gemacht werden (→ § 243 Rn. 55). Zum Verfahren, wenn Eintragung bereits vorgenommen wurde, → Rn. 29. 15

c) Entscheidung. Wurde **keine Anfechtungs- oder Nichtigkeitsklage** erhoben (sonst: → Rn. 17), so hat Registerrichter ohne pflichtwidrige Verzögerung (→ § 243 Rn. 52) über Anmeldung zu entscheiden. Ist sie ordnungsgem. und Satzungsbeschluss fehlerfrei, so hat AG Anspruch auf Eintragung (→ § 38 Rn. 16). Eintragung ist dagegen abzulehnen, wenn keine ordnungsgem. Anmeldung (→ Rn. 13) vorliegt (allgM) oder gerichtl. Eintragungsverbot gem. § 16 II HGB erwirkt wurde (MüKoAktG/Stein Rn. 54 f.). Ablehnung wegen materieller Mängel ist von Entscheidung über den Umfang des materiellen Prüfungsrechts abhängig (→ Rn. 14). Auf Heilungsmöglichkeit nach § 242 I kommt es dabei nicht an (vgl. Lutter NJW 1969, 1873, 1876). Erfasst Mangel nur einen Teil der Satzungsänderung, so ist über Eintragung des mangelfreien Teils entspr. § 139 BGB zu entscheiden; iZw ist Eintragung insges. abzulehnen (RGZ 118, 218, 221; RGZ 140, 174, 177 betr. jew. Genossenschaft; OLG Hamburg AG 1970, 230, 231; MüKoAktG/Stein Rn. 55). Dagegen rechtfertigen es Mängel des übrigen Satzungsinhalts nicht, die als solche nicht zu beanstandende Anmeldung zurückzuweisen (BayObLG GmbHR 1997, 73). Bei **behebbaren Eintragungshindernissen** hat Gericht vor Ablehnung regelmäßig durch Zwischenverfügung (§ 26 S. 2 HRV) Abhilfe zu ermöglichen (OLG Hamm NJW 1963, 1554; KGJ 50, 1, 3). 16

Bei **rechtzeitig erhobener Anfechtungs- oder Nichtigkeitsklage** kann Registerrichter Eintragungsverfahren gem. § 21 I FamFG, § 381 FamFG aussetzen (→ § 243 Rn. 53). Entscheidung steht im pflichtgem. Ermessen; abzuwägen sind Erfolgsaussichten der Klage und Interesse der AG an baldiger Eintragung (allgM, vgl. MüKoAktG/C. Schäfer § 243 Rn. 135). Bei erfolgreicher Klage, also bei Feststellung der Nichtigkeit oder Nichtigerklärung des Beschlusses, ist Eintragung abzulehnen (→ Rn. 15), andernfalls aufgrund eigener Prüfung zu entscheiden. Hat Registergericht Verfahren nicht ausgesetzt und Eintragung verfügt, so ist Urteil einzutragen (→ Rn. 29). 17

d) Rechtsmittel. Gegen abl. Entscheidungen des Registerrichters ist Beschwerde nach §§ 58 ff. FamFG mit Monatsfrist des § 63 I FamFG statthaft. Beschwerdeberechtigt (§ 59 I FamFG) ist nur Antragsteller (MüKoFamFG/Krafka FamFG § 382 Rn. 17), also AG (str., → Rn. 4), vertreten durch Vorstand. Entscheidung des Beschwerdegerichts kann nach FGG-Reform 2008 nur noch mit zulassungsabhängiger Rechtsbeschwerde zum BGH (§ 133 GVG) angefochten werden (§§ 70 ff. FamFG), sofern Verletzung des Ges. gerügt wird. Gegen abl. Entscheidung des Rechtspflegers (→ Rn. 3 aE) ist Erinnerung gem. § 11 II 1 RPflG einzulegen. Gegen **Zwischenverfügungen** des Gerichts, die als solche nach § 58 I FamFG grds. nicht isoliert angreifbar sind, ist bei anhängigem Rechtsstreit gem. § 381 FamFG iVm § 21 II FamFG sofortige Beschwerde (§§ 567 ff. ZPO) statthaft (OLG München FGPrax 2011, 250; MüKoFamFG/ 18

Krafka FamFG § 381 Rn. 3, 10), während im Falle eines unvollständigen Antrags oder eines sonstigen durch den Antragsteller behebbaren Hindernisses die Beschwerde statthaft ist (§ 382 IV 2 FamFG iVm § 58 ff. FamFG; vgl. MüKo FamFG/Krafka FamFG § 382 Rn. 24; Sternal/Eickelberg FamFG § 382 Rn. 23). **Eintragung** selbst ist nicht rechtsmittelfähig (BGHZ 104, 61, 63 mwN = NJW 1988, 1840; OLG München AG 2023, 707, 711). Nicht rechtsmittelfähig ist ferner die **Eintragungsverfügung** des Richters oder Rechtspflegers (KGJ 41, A 102, 103 f.; OLG Hamburg KGJ 33, A 315, 318; OLG Stuttgart OLGR 40, 10; OLG Hamm AG 1980, 79, 80 [insoweit nicht in OLGZ 1979, 313]). Gegenteilige Ansicht, die Beschwerde zulässt (OLG Karlsruhe Rpfleger 1963, 204 f.; Baums, Eintragung und Löschung, 1981, 167 ff.; Baums BB 1981, 262, 264; MüKoAktG/Stein Rn. 62 f.; bei Bek. der Eintragungsverfügung auch OLG Stuttgart OLGZ 1970, 419, 420 f.), vermag nicht zu überzeugen. Bei **fehlerhafter Eintragung** kommt nur Amtslöschung in Betracht (→ Rn. 29). Um Heilung von Mängeln durch Eintragung auszuschließen (→ Rn. 27), ist ggf. Verfahren nach § 16 II HGB einzuleiten (→ Rn. 16).

19 **2. Eintragung. a) Verfahren.** Liegen Eintragungsvoraussetzungen vor (→ Rn. 13 f.), erlässt Registerrichter **Verfügung** an den Urkundsbeamten der Geschäftsstelle, die angemeldete Satzungsänderung einzutragen. Hat AG Zweigniederlassungen, so bestehen nach Neuordnung im Zuge des EHUG 2006 dennoch keine weiteren Eintragungspflichten, da für Zweigniederlassung kein eigenständiges HR mehr zu führen ist (→ HGB § 13 Rn. 4 ff.). Bei Sitzverlegung wird nur in das HR des neuen Satzungssitzes eingetragen (§ 45 II; → § 45 Rn. 5). Änderung wird nach § 43 Nr. 6 lit. f HRV in Spalte 6 der Abteilung B des HR eingetragen, und zwar unabhängig davon, in welcher Spalte die Angabe zuvor stand.

20 **b) Inhalt.** Ges. differenziert zwischen ausdr. und bezugnehmenden Eintragungen (zur Anmeldung → Rn. 6): Betr. Änderung **Angaben nach § 39** (Firma, Sitz, Unternehmensgegenstand, Höhe des Grundkapitals, Zeitdauer, Vertretungsbefugnis, genehmigtes Kapital), so ist Satzungsänderung ihrem Inhalt nach einzutragen. Wortlaut der neuen Satzungsbestimmung muss dafür nicht in das HR übernommen werden; ausreichend ist genaue Bezeichnung des Inhalts der Änderung, zB „Die Firma ist geändert in …"; „Das Grundkapital ist um … Euro erhöht". Bei **allen anderen Änderungen** genügt Eintragung der Satzungsänderung unter Bezugnahme auf die beim Gericht eingereichten Unterlagen, insbes. Niederschrift der HV (§ 130 I), wobei der Umfang der Satzungsänderungen erkennbar sein muss (OLG Düsseldorf NZG 2015, 202, 203). Einer Nennung des Beschlussgegenstandes bedarf es nach Ges. nicht (OLG Celle AG 1989, 209, 211). Zwar verlangt § 43 Nr. 6 lit. a HRV allg. Bezeichnung des Gegenstands der Änderung, es handelt sich jedoch nicht um eine Wirksamkeitsvoraussetzung (allgM; offenlassend OLG Düsseldorf NZG 2015, 202, 203).

21 Gem. § 382 II FamFG soll stets **Tag der Eintragung** angegeben werden; Datum ist wichtig im Hinblick auf § 181 III. Entgegen hM nicht erforderlich ist jedoch Angabe des Tags der Beschlussfassung. Weder AktG noch HRV bestimmen ein solches Erfordernis; Tag der Beschlussfassung ergibt sich iÜ aus der Niederschrift gem. § 130 (wie hier Grigoleit/Ehmann Rn. 9; S/L/Seibt Rn. 31; MüKoAktG/Stein Rn. 60; aA GK-AktG/Wiedemann Rn. 37; HCL/Ulmer/Casper GmbHG § 54 Rn. 24; Krafka RegisterR Rn. 1376).

22 **3. Bekanntmachung. a) Allgemeines.** Nach bislang geltender Rechtslage war Registergericht zur Bek. der Satzungsänderung nach § 10 HGB aF verpflichtet, die gem. § 10 I HGB aF in dem vom Gericht bestimmten elektronischen Medium erfolgte. Mit **DiRUG 2021** ist Bekanntmachungswesen aller-

dings komplett neu geordnet und Bek. als eigenständige Veröffentlichungsform aufgegeben (→ § 39 Rn. 7 ff.). Bekanntmachungsbegriff bleibt aber erhalten und wird mit neuem Inhalt in der Weise gefüllt, dass darunter künftig erstmalige Abrufbarkeit im HR verstanden wird (→ § 39 Rn. 9).

b) Verzicht auf Zusatzbekanntmachungen. § 181 II 2 aF nahm inhaltlich Bezug auf § 40 I aF; es ging nämlich um Bek. von Satzungsänderungen, wenn die betroffenen Bestimmungen ihrem Inhalt nach bekanntzumachen waren. § 40 aF ist jedoch durch EHUG 2006 aufgehoben worden (→ Rn. 1). Folgerichtig musste auch Parallelnorm für Satzungsänderungen wegfallen. 23

IV. Wirkung der Eintragung (§ 181 III)

1. Konstitutive Wirkung. Eintragung wirkt konstitutiv, dh erst mit Eintragung im HR wird Satzungsänderung wirksam (§ 181 III), und zwar sowohl im Verhältnis zu Dritten wie auch für das Innenrecht der Gesellschaft (BFHE 194, 354, 356). Zeitpunkt des Wirksamwerdens ist bestimmbar, weil Datum der Eintragung im HR zu vermerken ist (§ 382 II Hs. 1 FamFG; → Rn. 21). § 181 III erfasst materielle Satzungsbestimmungen (→ § 23 Rn. 3); formelle Satzungsbestimmungen (→ § 23 Rn. 4) nur ausnahmsweise (→ § 179 Rn. 5). Nach Eintragung kann Satzungsänderung nur durch erneute Satzungsänderung aufgehoben oder abgeändert werden (zur Rechtslage vor Eintragung → § 179 Rn. 40). Materielle Rückwirkung wird durch § 181 III nicht ausgeschlossen (→ § 179 Rn. 27 f.). 24

2. Rechtslage zwischen Beschlussfassung und Eintragung. Satzungsänderungsbeschluss ist vor Eintragung zwar nicht wirksam, hat aber schon rechtl. Bedeutung. Er ist möglicher Gegenstand der Anfechtungsklage (vgl. § 246 I) und verpflichtet Vorstand zur Anmeldung (→ Rn. 5). Auch ist Beschluss ggü. Aktionären verbindlich, die nach Beschlussfassung, aber vor Eintragung Aktien erwerben. Bildet Satzungsänderung Grundlage für entspr. Ausführungsbeschlüsse, so werden diese, soweit schon gefasst, erst mit Eintragung der Satzungsänderung wirksam (MüKoAktG/Stein Rn. 72); so Wahlen zum AR, wenn Mitgliedstellen erst durch Änderungsbeschluss geschaffen worden sind (→ § 95 Rn. 5; → § 97 Rn. 3). 25

3. Fehlerhafte Eintragung. a) Wirkung. aa) Allgemeines. § 181 III regelt nur Wirksamwerden der Satzungsänderung, bestimmt aber nicht, dass Mängel des Satzungsänderungsbeschlusses oder des Eintragungsverfahrens geheilt werden (unstr.). Grds. hat Eintragung keine heilende Wirkung für Mängel des Satzungsänderungsbeschlusses (Nichtigkeit, Unwirksamkeit oder Anfechtbarkeit, → Rn. 14); es bestehen jedoch Ausnahmen (→ Rn. 27). Zu Mängeln des Eintragungsverfahrens → Rn. 28. 26

bb) Mängel des Satzungsänderungsbeschlusses. Eintragung heilt gem. § 242 bestimmte **Nichtigkeitsgründe;** Beurkundungsmängel unmittelbar, Einberufungs- und Inhaltsmängel nach Ablauf einer Frist von drei Jahren (→ § 242 Rn. 3 ff.; Lieder DNotZ 2022, 252, 256; aA Säcker FS Stimpel, 1985, 867, 884, der § 242 nicht auf satzungsändernde HV-Beschlüsse anwenden will). Vorschrift bewirkt Heilung der Nichtigkeit iS einer Veränderung der materiellen Rechtslage (str.; → § 242 Rn. 7; sa BGHZ 99, 211, 216 f. = NJW 1987, 902); für die in § 242 II 1 genannten Nichtigkeitsgründe verbleibt trotzdem Möglichkeit der Amtslöschung nach § 398 FamFG (vgl. § 242 II 3; → § 242 Rn. 8). § 242 ist entspr. anwendbar auf **unwirksame Beschlüsse** (OLG Hamburg AG 1970, 230, 231; → § 242 Rn. 10). 27

28 **cc) Mängel des Eintragungsverfahrens.** Zu unterscheiden ist zwischen dem Fehlen der Anmeldung und ähnlichen Sachverhalten einerseits, unvollständiger oder formell fehlerhafter Anmeldung andererseits. Bei **Fehlen der Anmeldung** entfaltet Eintragung keine Wirkung (hM, vgl. RGZ 132, 22, 25 zur Genossenschaft; S/L/Seibt Rn. 40; MüKoAktG/Stein Rn. 88; aA Baums, Eintragung und Löschung, 1981, 133 ff.; diff. Lieder DNotZ 2022, 349, 359, der Wirkung der Anmeldung nur in Betracht zieht, wenn Beteiligte Anmeldung zurechenbar veranlasst haben); Gleiches gilt bei Rücknahme der Anmeldung. Fehlende Anmeldung kann nachgeholt werden (MüKoAktG/Stein Rn. 88). Trägt Registergericht etwas anderes als das Angemeldete ein, wird Satzungsänderung ebenfalls nicht wirksam (HCL/Ulmer/Casper GmbHG § 54 Rn. 34). Ist Eintragung nur teilw. richtig, so wird Beschluss teilw. wirksam, wenn Beschlussteil getrennt anmeldefähig und überdies anzunehmen ist, dass Teilwirksamkeit von AG gewollt (HCL/Ulmer/Casper GmbHG § 54 Rn. 35 mwN) und rechtl. möglich ist (RGZ 132, 22, 26). **Unvollständigkeit:** Eintragung macht satzungsändernden HV-Beschluss auch dann wirksam, wenn der nach § 181 I 2 vorgeschriebene Satzungswortlaut fehlt oder unrichtig ist; ferner, wenn Notarbescheinigung fehlt (MüKoAktG/Stein Rn. 91; HCL/Ulmer/Casper GmbHG § 54 Rn. 33). Fehlende Unterlagen können nachgefordert werden; § 14 HGB ist anwendbar (→ § 407 Rn. 9). Sind Vorgaben des § 181 II nicht eingehalten, ist Eintragung gem. § 383 III FamFG nicht anfechtbar; AG kann aber einen Berichtigungsantrag beim Registergericht stellen („Fassungsbeschwerde"; → § 39 Rn. 6; OLG Düsseldorf NZG 2015, 202). **Formmängel** der Anmeldung (§ 12 HGB), der Vollmacht zur Anmeldung oder der Bescheinigung nach § 12 I 4 HGB, 31 III BNotO berühren Wirksamkeit gleichwohl erfolgter Eintragung nicht (MüKoAktG/Stein Rn. 91; Baums, Eintragung und Löschung, 1981, 132).

29 **b) Löschung. aa) Allgemeines.** Fehlerhafte Eintragung der Satzungsänderung kann nicht ohne weiteres, sondern nur unter den einschr. Voraussetzungen der §§ 395, 398 FamFG gelöscht werden (→ Rn. 30 f.). Zuständig ist Registergericht, dagegen nicht mehr wie früher das vorgeordnete LG (Sternal/Eickelberg FamFG § 398 Rn. 19; → § 241 Rn. 25). Löschung erfolgt mit oder ohne Anregung (durch AG, Aktionäre oder Dritte, insbes. berufsständische Organe, vgl. § 380 FamFG) von Amts wegen. Schreibfehler und ähnliche offenbare Unrichtigkeiten können berichtigt werden (vgl. § 17 I HRV). Hat Gericht trotz erhobener Nichtigkeits- oder Anfechtungsklage Eintragungsverfahren nicht gem. § 21 I FamFG, § 381 FamFG ausgesetzt, sondern Satzungsänderung eingetragen, und erwächst stattgebendes Urteil in Rechtskraft, so wird Eintragung nicht gelöscht; vielmehr ist gem. § 248 I 3, § 249 I 1 das Urteil in das HR einzutragen (→ § 248 Rn. 11; → § 249 Rn. 18).

30 **bb) Löschung gemäß § 398 FamFG.** Gem. § 398 FamFG kann auch Satzungsänderung als nichtig gelöscht werden (unstr., s. MüKoFamFG/Krafka FamFG § 398 Rn. 3), wenn sie durch ihren Inhalt **zwingende Vorschriften des Ges.** verletzt und ihre Beseitigung im öffentl. Interesse erforderlich erscheint. Gesetzesverletzung ist nicht beschränkt auf AktG; es kommen alle ges. Vorschriften in Betracht, auch §§ 27 ff. MitbestG (→ § 241 Rn. 27). Satzungsbestimmung muss ihrem Inhalt nach gesetzwidrig sein; Verfahrensverstöße genügen mithin nicht (OLG München FGPrax 2010, 145, 146; OLG Hamm OLGZ 1979, 313, 317). Zum öffentl. Interesse → § 241 Rn. 19 f. Liegen Voraussetzungen vor, so hat Gericht Löschung vorzunehmen; ein Ermessenspielraum besteht entgegen hM nicht (MüKoAktG/Schäfer § 241 Rn. 80; Baums, Eintragung und Löschung, 1981, 116 f.; → § 38 Rn. 16). **Fassungsänderungen** durch AR (→ Rn. 11) werden von § 398 FamFG nur erfasst, wenn Gesetzesverstoß bereits dem zugrunde liegenden HV-Beschluss anhaftet (MüKoAktG/Stein Rn. 92).

cc) Löschung gemäß § 395 FamFG. § 398 FamFG ist lex specialis und verdrängt damit Grundregel des § 395 FamFG (unstr., vgl. MüKoFamFG/Krafka FamFG § 398 Rn. 6), jedoch nur so weit, wie Anwendungsbereich des § 398 FamFG reicht. § 395 FamFG ist also anwendbar bei Mängeln des Registerverfahrens (→ Rn. 28), jedoch nur bei Verstoß gegen wesentliche Verfahrenserfordernisse, zB bei fehlender Anmeldung (das Ganze ist str.; → § 241 Rn. 31). Heilungswirkung kommt der Eintragung insoweit nicht zu (vgl. § 242 II 3; → Rn. 27 f.). 31

Zweiter Abschnitt. Maßnahmen der Kapitalbeschaffung

Erster Unterabschnitt. Kapitalerhöhung gegen Einlagen

Voraussetzungen

182 (1) [1] **Eine Erhöhung des Grundkapitals gegen Einlagen kann nur mit einer Mehrheit beschlossen werden, die mindestens drei Viertel des bei der Beschlußfassung vertretenen Grundkapitals umfaßt.** [2] **Die Satzung kann eine andere Kapitalmehrheit, für die Ausgabe von Vorzugsaktien ohne Stimmrecht jedoch nur eine größere Kapitalmehrheit bestimmen.** [3] **Sie kann weitere Erfordernisse aufstellen.** [4] **Die Kapitalerhöhung kann nur durch Ausgabe neuer Aktien ausgeführt werden.** [5] **Bei Gesellschaften mit Stückaktien muß sich die Zahl der Aktien in demselben Verhältnis wie das Grundkapital erhöhen.**

(2) [1] **Sind mehrere Gattungen von stimmberechtigten Aktien vorhanden, so bedarf der Beschluß der Hauptversammlung zu seiner Wirksamkeit der Zustimmung der Aktionäre jeder Gattung.** [2] **Über die Zustimmung haben die Aktionäre jeder Gattung einen Sonderbeschluß zu fassen.** [3] **Für diesen gilt Absatz 1.**

(3) **Sollen die neuen Aktien für einen höheren Betrag als den geringsten Ausgabebetrag ausgegeben werden, so ist der Mindestbetrag, unter dem sie nicht ausgegeben werden sollen, im Beschluß über die Erhöhung des Grundkapitals festzusetzen.**

(4) [1] **Das Grundkapital soll nicht erhöht werden, solange ausstehende Einlagen auf das bisherige Grundkapital noch erlangt werden können.** [2] **Für Versicherungsgesellschaften kann die Satzung etwas anderes bestimmen.** [3] **Stehen Einlagen in verhältnismäßig unerheblichem Umfang aus, so hindert dies die Erhöhung des Grundkapitals nicht.**

Übersicht

I. Grundlagen

1 **1. Regelungsgegenstand und -zweck.** §§ 182 ff. regeln Kapitalerhöhung, mit der Eigenkapitalbasis der AG auch nach Gründungsakt noch erweitert werden kann (Überblick zu Finanzierungsmöglichkeiten bei MüKoAktG/Schürnbrand/Verse Vor § 182 Rn. 17 ff.; zur Entwicklung der AG-Finanzierung unter Geltung des AktG 1965 Habersack AG 2015, 613, 614 ff.; zu den Zielen der Kapitalerhöhung KK-AktG/Ekkenga Vor § 182 Rn. 38 ff.). Zentrale Funktion der AG als **Kapitalsammelstelle** wird hier also über das Gründungsstadium hinaus auf weitere Bestandsdauer der AG ausgedehnt. Da es damit auch hier um Kapitalaufbringung geht, haben Vorschriften engen Bezug zum Gründungsrecht. Ihre praktische Bedeutung ist aber höher, da AG nur einmal gegründet (und zwar idR umgewandelt) wird, aber sodann oft mehrfach ihr Kapital erhöht; zahlreiche Probleme des Gründungsrechts finden hier also gedankliche Fortsetzung mit größerer praktischer Tragweite. § 182 nennt **wesentliche Voraussetzungen** der Kapitalerhöhung gegen Einlagen. Norm betr. Mehrheitserfordernis (§ 182 I 1) und regelt, in welchen Grenzen Satzung andere Mehrheit sowie weitere Erfordernisse festsetzen kann (§ 182 I 2, 3). § 182 I 4 betr. nur Nennbetragsaktien und schließt Kapitalerhöhung durch Anheben des Nennbetrags aus; ihre Zulässigkeit war nach AktG 1937 str. (RegBegr. Kropff S. 292). § 182 I 5 bezieht sich nur auf Stückaktien und vermeidet überproportionale Beeinträchti-

gung der Altaktien. Vorschrift bestimmt weiter, dass Sonderbeschluss erforderlich ist, wenn mehrere Gattungen von stimmberechtigten Aktien bestehen, und regelt zT Inhalt des Erhöhungsbeschlusses (§ 182 III). Norm schließt ferner Kapitalerhöhung im Wege der Sollvorschrift aus, wenn Einlagen noch nicht vollständig geleistet worden sind (§ 182 IV 1), und bestimmt davon wiederum Ausnahmen (§ 182 IV 2, 3). § 182 wird ergänzt durch §§ 183–191 sowie durch § 179 I.

AktG kennt neben der Kapitalerhöhung gegen Einlagen **drei weitere Formen der Kapitalerhöhung:** bedingte Kapitalerhöhung (§§ 192 ff.), Kapitalerhöhung aus genehmigtem Kapital (§§ 202 ff.) und Kapitalerhöhung aus Gesellschaftsmitteln (§§ 207 ff.). Nur die beiden erstgenannten führen ebenfalls zu einem Mittelzufluss. Dagegen ändern sich bei Kapitalerhöhung aus Gesellschaftsmitteln nur die Bilanzpositionen gezeichnetes Kapital und Rücklagen (näher → § 207 Rn. 3). Begriff der Kapitalerhöhung gegen Einlagen ist teilw. irreführend, da auch bedingte Kapitalerhöhung und Kapitalerhöhung aus genehmigtem Kapital gegen Einlagen erfolgen; Kapitalerhöhung gegen Einlagen ist deshalb als reguläre Kapitalerhöhung zu kennzeichnen (MüKoAktG/Schürnbrand/Verse Vor § 182 Rn. 3). Reguläre Kapitalerhöhung und Erhöhung aus genehmigtem Kapital stehen gleichrangig nebeneinander; insbes. muss auf Schaffung genehmigten Kapitals nicht allein wegen Möglichkeit regulärer Erhöhung verzichtet werden (OLG Karlsruhe AG 2003, 444, 445; MüKoAktG/Schürnbrand/Verse Rn. 1). In der Praxis spielt reguläre Kapitalerhöhung nur in kleinen, nicht börsennotierten Gesellschaften eine Rolle. Börsennotierte Gesellschaften greifen eher auf genehmigtes Kapital zurück (→ § 202 Rn. 2). Zunehmende Tendenz der Stimmrechtsberater (→ § 134a Rn. 4), Ermächtigung zum Bezugsrechtsausschluss iRd genehmigten Kapitals nur noch in eng begrenztem Umfang zuzustimmen (→ § 203 Rn. 8), kann jedoch dazu führen, dass ordentliche Kapitalerhöhung wieder an Bedeutung gewinnt. 2

2. Verhältnis zu §§ 179–181. Kapitalerhöhung ist **Satzungsänderung** und bedarf eines Beschlusses der HV gem. § 179 I 1. Andere Regelung, etwa als Aufsichtsmaßnahme im Sanierungsfall, verstieße überdies gegen Art. 68 GesR-RL (EuGH Slg. 1996, I-1347, 1363, 1372 ff.). Erhöhtes Kapital bedingt wegen § 182 I 4 auch erhöhte Aktienanzahl. Angaben zur Kapitalziffer und zur Zahl der Aktien sind notwendige Satzungsbestandteile (§ 23 III Nr. 3, 4), die infolge der Kapitalerhöhung ebenfalls geändert werden müssen. §§ 179, 180, 181 sind anwendbar, soweit nicht §§ 182 ff. abw. Regelungen enthalten (MüKoAktG/Schürnbrand/Verse Rn. 2; → § 179 Rn. 35). Nicht anwendbar ist insbes. § 179 II, der von § 182 I 1, 2, 3 verdrängt wird. 3

3. Verfahren der Kapitalerhöhung. Ges. unterscheidet zwei Verfahrensabschnitte, den Kapitalerhöhungsbeschluss einerseits (§§ 182 ff.) und seine Durchführung andererseits (§§ 185 ff.). Erst mit Durchführung wird Satzungsänderung wirksam (§ 189). Aus dieser Zweiteilung folgt Kompetenzverteilung zwischen Organen der AG: Während HV Entscheidung über Aufnahme neuen Eigenkapitals trifft und dabei vorgeschaltete Finanzierungskonzeption des Vorstands ablehnen kann, obliegt Umsetzung des Kapitalerhöhungsbeschlusses der Verwaltung (§ 83 II, vgl. auch KK-AktG/Ekkenga Vor § 182 Rn. 58; MüKo-AktG/Schürnbrand/Verse Rn. 15; zur Finanzierung als Vorstandsaufgabe KK-AktG/Ekkenga Vor § 182 Rn. 59 ff.; Ekkenga/Parmentier AG-Finanzierung Kap. 2 Rn. 1 ff.). Im Einzelnen gilt nach **ges. Leitbild:** HV beschließt zunächst Kapitalerhöhung (§ 182); Beschluss ist zur Eintragung anzumelden (§ 184). Anschließend beginnt Zeichnung der neuen Aktien (§ 185), auf die ges. Mindestbetrag entspr. § 36 II, § 36a zu leisten ist (§ 188 II). Nach Leistung der Mindesteinlage ist Durchführung der Erhöhung des Grundkapitals zur Eintragung an- 4 zumelden (§ 188). Mit Eintragung wird Erhöhung des Grundkapitals wirksam (§ 189); nunmehr dürfen neue Aktien ausgegeben werden (§ 191).

5 Insbes. bei Publikumsgesellschaften weicht **Praxis** vom ges. Leitbild ab und schaltet Emissionsbank oder Emissionskonsortium ein, um Kapitalerhöhung einfacher und sicherer zum Abschluss zu bringen (**Fremdemission,** s. MüKoAktG/Schürnbrand/Verse Rn. 6; Einzelheiten zum Verfahren bei Ekkenga/Ekkenga/Jaspers AG-Finanzierung Kap. 4 Rn. 30 ff.; zum zeitlichen Ablauf vgl. S. Schulz NJW 2016, 1483). Im Fall des sog **„Hard Underwritings"** verpflichtet sich Emissionsbank ggü. AG in schuldrechtl. Übernahmevertrag bereits vor Kapitalerhöhungsbeschluss zur Zeichnung aller neuen Aktien (§ 185) und zu deren Unterbringung am Markt. Nach Kapitalerhöhungsbeschluss zeichnet Emissionsbank oder -konsortium alle neuen Aktien (§ 185) und leistet ges. Mindestbetrag (§ 188 II). Kapitalerhöhungsbeschluss und seine Durchführung werden zusammen zur Eintragung angemeldet (s. § 188 IV). Bei sog **„Back-Stop-Transaktionen"** garantiert Emissionsbank Platzierung nur für Teil der Aktien, bei sog **„Best-Efforts-Underwriting"** verpflichtet sie sich, bestmöglich für Unterbringung der Aktien zu sorgen (s. MüKoAktG/Schürnbrand/Verse Rn. 8). Rechte und Pflichten der Emissionsbank oder des Konsortiums sind im AktG nicht geregelt; Regelungsansätze bieten § 186 V und § 56 III (→ § 186 Rn. 44 ff. bzw. → § 56 Rn. 12 ff.). IÜ gelten allg. Vorschriften (Hopt FS Kellermann, 1991, 189 f., 191 f.) und Übernahmevertrag. Insbes. erhält Bank von AG Provision, deren Höhe idR vom Emissionsvolumen abhängt (KK-AktG/Ekkenga Rn. 151; zu den Provisionsarten KK-AktG/Ekkenga Vor § 182 Rn. 49); etwaigen Mehrerlös hat Emissionsbank an AG abzuführen (MüKoAktG/Schürnbrand/Verse Rn. 7). Ggü. den Zeichnern neuer Aktien kommt Haftung der Emissionsbank oder des Konsortiums und seiner Mitglieder aus §§ 9 ff. WpPG, aus § 280 I BGB, § 311 II BGB und aus § 826 BGB in Betracht (→ § 186 Rn. 51; vgl. ferner BGHZ 96, 231, 243 f. = NJW 1986, 837; Hopt, Die Verantwortlichkeit der Banken bei Emissionen, 1991, Rn. 82 ff.; Kuntz/Stegemann AG 2016, 837, 845 f.).

5a **4. Sondergestaltungen in Krisensituationen. a) Wirtschaftsstabilisierungsbeschleunigungsgesetz.** Im Zuge der Finanzkrise sind für Unternehmen des Finanzsektors spezielle Regelungen geschaffen worden, die dazu dienen, den Finanzmarkt zu stabilisieren. Im Zuge der **COVID-19-Pandemie** sind diese Ges. erweitert worden zu allg. Stabilisierungsgesetzen, was mit einer Umbenennung einherging. Aus Finanzmarktstabilisierungsfondsgesetz (FMStFG) ist Stabilisierungsfondsgesetz (StFG) geworden, aus Finanzmarktstabilisierungsbeschleunigungsgesetz (FMStBG) das Wirtschaftsstabilisierungsbeschleunigungsgesetz (WStBG). Regelungsmechanismen sind iÜ aber weitgehend identisch geblieben (s. Überblick bei Burgi/Habersack/J. Koch/Linnartz § 17). Ziel des Ges. ist es, für begrenzten Zeitraum notwendige Maßnahmen zur Stabilisierung der Volkswirtschaft und zur Sicherung von Arbeitsplätzen umzusetzen (FraktE BT-Drs. 19/18109, 25). Zur schnellen Umsetzung hat Gesetzgeber **auf bewährte Regelungen des FMStFG aF zurückgegriffen,** dessen Mechanismen auch auf Unternehmen der Realwirtschaft übertragen werden können (FraktE BT-Drs. 19/18109, 25). Neuregelung beschränkt sich weitgehend darauf, Transfer gesetzestechnisch umzusetzen und Instrumente des FMStBG zugleich an bes. Herausforderungen der COVID-19-Situation anzupassen (bes. Eilbedürftigkeit und Beschränkung von physischen Kontakten; FraktE BT-Drs. 19/18109, 26). Anträge nach § 20 I 1 StFG konnten bis zum 30.4.2022 gestellt und bis zum 30.6.2022 umgesetzt werden, § 26 I 1, 2 StFG. Im Zuge der **Energiekrise** hat Gesetzgeber zudem EnSiG erweitert. Neu eingeführter **§ 29 EnSiG** sieht Möglichkeit von Stabilisierungsmaßnahmen zugunsten von Unternehmen vor, die selbst oder durch verbundene Unternehmen iSd § 15 kritische Infrastrukturen iSd § 2 X BSIG im Sektor Energie betreiben (dazu ausf. Holle/Linnartz NJW 2023, 801, 802 ff.; sa Burgi/Habersack/J. Koch/Linnartz § 17 Rn. 49 ff.). Norm enthält in Abs. 2 umfangreichen Verweis auf Vorschriften des WStBG, was effektive und zeitsparende Umsetzung von Rekapitalisierungsmaßnahmen ermöglichen soll (RegBegr. BT-Drs. 20/2664, 22; Holle/Linnartz NJW 2023, 801, 804 f.; Kment NJW 2022, 2880, 2885; Helleberg/Lehrian UKuR 2022, 339). Im Anwendungsbereich des EnSiG tritt Bund an die Stelle des Fonds, § 29 V Nr. 1 EnSiG, allerdings kann sich Bund zur Umsetzung der KfW oder im Alleineigentum des Bundes stehender jur. Personen des Privatrechts bedienen, die dann wiederum an die Stelle des Bundes treten, § 29 VI 1, 2 EnSiG.

Neue Regelung unterscheidet hinsichtlich **Adressatenkreises** zwischen bisher 5b ausschließlich erfassten Finanzunternehmen (§§ 2 – 14d StFG) und Unternehmen der Realwirtschaft (§§ 15 – 28 StFG). **Finanzunternehmen** werden in § 2 I StFG definiert in Bezugnahme auf § 2 RestrukturierungsG und abgegrenzt von Kreditinstituten iSd § 5 I Nr. 2 KStG und Brückeninstituten nach § 5 I RestrukturierungsG. **Unternehmen der Realwirtschaft** werden in § 16 II StFG umschrieben als Wirtschaftsunternehmen, die nicht Unternehmen des Finanzsektors nach § 2 I 1 StFG und keine Kreditinstitute oder Brückeninstitute nach § 2 I 2 StFG sind und in letzten beiden Geschäftsjahren vor 1.1.2020 zwei der drei folgenden Kriterien erfüllen: (1) Bilanzsumme von mehr als 43 Mio. €, (2) mehr als 50 Mio. € Umsatzerlöse, (3) mehr als 249 AN im Jahresdurchschnitt.

Auch hinsichtlich **Fondsvermögen** wird differenziert und für erste Gruppe 5c Finanzmarktstabilisierungsfonds (FMS) beibehalten (§ 1 StFG mit Zweckbestimmung in § 2 StFG), für zweite Gruppe neuer Wirtschaftsstabilisierungsfonds (WSF) eingerichtet (§ 15 StFG, mit Zweckbestimmung in § 16 StFG). Beide Fonds sind nicht rechtsfähig (§§ 3, 17 StFG). **Zweck des FMS** ist es, Finanzmarkt zu stabilisieren durch Überwindung von Liquiditätsengpässen und durch Schaffung der Rahmenbedingungen für Stärkung der Eigenkapitalbasis von Unternehmen (§ 2 I StFG). **Zweck des WSF** ist es, Liquiditätsengpässe zu überwinden und Rahmenbedingungen für Stärkung der Kapitalbasis bei solchen Unternehmen der Realwirtschaft zu schaffen, deren Bestandsgefährdung erhebliche Auswirkungen auf die Wirtschaft, die technologische Souveränität, Versorgungssicherheit, kritische Infrastrukturen oder Arbeitsmarkt hätten (§ 16 I StFG). Mit Änderung vom 28.10.2022 wurde **Zweck erweitert;** WSF dient nunmehr auch dazu, die Folgen der Energiekrise abzufedern, § 16 IV StFG (zum gewandelten Funktionsverständnis des WSF vgl. Holle/Linnartz NJW 2023, 801, 805). Dazu wurden insbes. §§ 26a-g StFG neu eingeführt.

Gesellschaftsrechtl. Kern des Ges. ist es, FMS, WSF und im Fall der Stabilisie- 5d rung von Unternehmen, die kritische Infrastrukturen iSd § 2 X BSIG im Sektor Energie betreiben, gem § 29 EnSiG unmittelbar dem Bund (→ Rn. 5c) zu ermöglichen, sich auch an Rekapitalisierung zu beteiligen, etwa durch Erwerb von Anteilen gegen Leistung einer Einlage oder durch stille Beteiligungen (vgl. § 7 I, § 22 I StFG). Dazu wurden in § 7 WStBG ges. **Sonderregelungen zur Kapitalerhöhung** geschaffen, die Kapitalbeschaffung vereinfachen und die unabhängig davon gelten, ob Kapitalmaßnahmen im Einzelfall eilbedürftig sind (OLG Frankfurt AG 2015, 272 Rn. 22 – zur Vorgängerregelung in § 7 FMStBG aF; für Übertragung auf WStBG aber auch Nolden/Heusel/M. Goette DStR 2020, 800). Namentl. bei Kapitalerhöhung gegen Einlagen eröffnet § 7 I WStBG mit **Verweis auf § 16 IV WpÜG** Erleichterungen bei Einberufung der HV, etwa durch Verkürzung der Einberufungsfrist (zwei Wochen; dazu und zu unionsrechtl. Bedenken gegen diese Verkürzung → § 123 Rn. 12) und freie Wahl des Versammlungsortes etc. Regelungen gelten entspr., wenn Kapitalerhöhung neben dem Fonds/Bund (oder ausschließlich) von Aktionären oder Dritten gezeichnet werden kann oder Tagesordnung der HV neben Beschlussfassung über Kapitalerhöhung noch andere Gegenstände enthält (§ 7 I 2 WStBG). Über ggf. erforderliche Sonderbeschlüsse trifft WStBG keine Aussage, so dass es bei allg. Regeln bleibt (→ Rn. 18 ff.; Noack DB 2020, 1328, 1329; Nolden/Heusel/M. Goette DStR 2020, 800, 801 f.). Zu Sonderregeln für bedingtes Kapital → § 192 Rn. 7a, für genehmigtes Kapital → § 202 Rn. 5a, für flankierende Kapitalherabsetzung → § 202 Rn. 6a.

5e Für Erhöhung des Grundkapitals iRd Rekapitalisierung (§ 7 I, § 22 I StFG) bedarf es – abw. von § 182 I 1 – nur der **einfachen Mehrheit** (§ 7 II 1 WStBG). Abw. Satzungsbestimmungen sind unbeachtlich (§ 7 II 2 WStBG). Keine Erleichterungen sind dagegen für Stimmrechtskonsortien/Poolverträge vorgesehen, obwohl auch dadurch angestrebte Vereinfachung konterkariert werden kann. Erwägenswert ist, über Transmissionsriemen der Treupflicht Gesellschafter auch hier zu erleichterter Zustimmung anzuhalten (Nolden/Heusel/M. Goette DStR 2020, 800, 801). Für Ausschluss des Bezugsrechts (§ 186 III; → § 186 Rn. 20 ff.) bedarf es Zweidrittelmehrheit der abgegebenen Stimmen oder des vertretenen Grundkapitals. Einfache Mehrheit genügt, wenn Hälfte des Grundkapitals vertreten ist (§ 7 III WStBG; B/K/L/Lieder Rn. 18). **Bezugsrechtsausschluss** zugunsten des Fonds zum Zwecke der Übernahme von Aktien ist stets zulässig und angemessen (§ 7 III 4 WStBG), dh materiell-rechtl. Anforderungen des § 186 (→ § 186 Rn. 25 ff.) greifen nicht (BeckOGK/Servatius Rn. 11; Kuthe/Beck CB 2020, 325, 327: unwiderlegliche Vermutung der erforderlichen sachlichen Rechtfertigung; ebenso Lieder ZIP 2020, 837, 846). Das gilt nach § 7e S. 1 WStBG selbst dann, wenn Aktien aus der Kapitalmaßnahme auch oder ausschließlich durch Dritte gezeichnet werden. Erleichterte Mehrheitserfordernisse setzen sich hier fort. Abw. von § 186 III 2 bedarf Beschluss nur einer Mehrheit von mindestens zwei Dritteln der abgegebenen Stimmen oder des vertretenen Grundkapitals (§ 7 III 1 WStBG). Ist auf HV Hälfte des Grundkapitals vertreten, genügt einfache Mehrheit (§ 7 III 2 WStBG). Erleichterungen des Bezugsrechtsausschlusses verstoßen nicht gegen Art. 14 GG (vgl. LG München I WM 2012, 1543, 1546 ff.; B/K/L/Lieder Rn. 18; sa Voland NZG 2012, 694, 697 f.; eingehend Lieder ZIP 2020, 837, 846 f.). § 7 III 4 WStBG ist mit Art. 72 IV GesR-RL (früher Art. 33 IV Kapital-RL) konform (vgl. EuGH NZG 2017, 22 Rn. 40 ff. [zur Vorlagefrage des irischen High Courts]; Langenbucher ZGR 2010, 75, 95).

5f HV kann gem. § 7 IIIa WStBG beschließen, dass Fonds/Bund neue Aktien zu **geringerem Preis als Ausgabebetrag** beziehen kann, sofern Aktionären zuvor Aktien nach § 186 AktG zum Ausgabebetrag angeboten wurden. Um Bruch mit allg. Regeln in Grenzen zu halten, darf Ausgabebetrag jedoch auch hier 1 Euro nicht unterschreiten (ausf. KK-AktG/Ekkenga Rn. 135; Lieder ZIP 2020, 837, 847; aA MüKoAktG/Schürnbrand/Verse Vor § 182 Rn. 13). Dass Fonds/Bund die Aktien zu einem geringeren Preis als den Ausgabebetrag beziehen kann, ist kein Schaden (§ 7 IIIa 3 WStBG). § 7 IIIa 1 WStBG soll beihilferechtl. Vorgaben der Finanzkrisen-Mitteilung der EU-Kommission (K[2011] 8744, Ziff. 8) Rechnung tragen, in der vorgesehen ist, dass im Falle einer Rekapitalisierung in Form von Aktien der Staat die Aktien mit einem Abschlag beziehen soll (vgl. RegBegr. BT-Drs. 17/8343, 15; Brandi/Müller-Eising BB 2012, 466, 468); Regelung steht mit Art. 47 GesR-RL (früher Art. 8 Kapital-RL) im Einklang (vgl. EuGH NZG 2017, 22 Rn. 40 ff. [zur Vorlagefrage des irischen High Courts]; für Übertragung auf WStBG auch Lieder ZIP 2020, 837, 847). **Vorherige Leistung** durch Fonds/Bund kann Einlagepflicht zugeordnet werden (§ 7 IV 1 WStBG). Damit wird es ermöglicht, dass Fonds/Bund in Krisensituation ggf. auch sehr schnell unterstützen kann, selbst wenn Maßnahme noch nicht komplett abgeschlossen ist (Noack DB 2020, 1328, 1331). Dieser Zielsetzung entspr. es, Vorleistung auch beim genehmigten Kapital zuzulassen (Nolden/Heusel/M. Goette DStR 2020, 800, 802). Mit einer ähnlichen Stoßrichtung werden auch **Rechtsgrundsätze der verdeckten Sacheinlage** (§ 27 III) nach § 17 IV WStBG für Rechtsgeschäfte zwischen Fonds/Bund und AG suspendiert.

Beschluss der HV ist nach § 7c S. 1 WStBG – abw. von sonstigen Regeln – beim BAnz. einzureichen, ohne dass weiteres Vorgehen des BAnz. näher erläutert wird (Noack DB 2020, 1328, 1329). Anmeldung zum HR soll sodann – ebenfalls abw. von § 184 I 1 – unverzüglich (§ 121 I BGB) erfolgen. Weitere Besonderheit ist darin zu sehen, dass **Beschluss** nach § 7c S. 2 WStGB **wirksam wird** mit Veröffentlichung des zur Eintragung in das HR angemeldeten Beschlusses auf Internetseite der AG, spätestens aber mit Veröffentlichung im BAnz. (zur Rolle des Notars bei der Anmeldung vgl. Lieder ZIP 2020, 837, 849; Omlor/Dilek BB 2020, 1026, 1027). Dem liegt Befürchtung zugrunde, Gerichte könnten durch Corona-Pandemie arbeitsunfähig werden (FraktE BT-Drs. 19/18109, 31). Vor diesem Hintergrund verwundert, dass Regelung von Verweis in § 29 II EnSiG erfasst ist und deshalb auch unabhängig von Corona-Pandemie zur Anwendung gelangen kann. Normzweck ist aber zweifelhaft, da Kapitalerhöhungsbeschluss keiner konstitutiven Eintragung bedarf, sondern unmittelbar wirksam ist (→ § 184 Rn. 1). Dem Beschleunigungsanliegen des Ges. würde es widersprechen, wollte man gerade diese Anordnung nach hinten verschieben; es bleibt deshalb bei allg. Regel (Noack DB 2020, 1328, 1329). Bedeutung hat § 7c S. 2 WStBG dagegen bei genehmigtem Kapital (zu Sonderregeln nach WStBG → § 222 Rn. 5a), wo Wirksamkeit des Ermächtigungsbeschlusses tats. vorverlegt werden kann (Noack DB 2020, 1328, 1329 f.). Auch beim bedingten Kapital (zu Sonderregeln nach WStBG → § 192 Rn. 7a) wird nach § 7c S. 2 WStBG zeitl. Referenzpunkt der Eintragung nach § 197 für Ausgabe der Bezugsaktien nach vorne gezogen (Noack DB 2020, 1328, 1330). 5g

Bes. auffälliger Fremdkörper ist sodann § 7c S. 3 WStBG, wonach **Eintragung ins HR** weder für Beschluss noch für entspr. Kapitalmaßnahmen erforderlich ist. Letztgenannte Variante bedeutet, dass Kapitalerhöhung ohne Registereintragung ihrer Durchführung erfolgen kann. Das ist bedenklich, im Lichte klar zum Ausdruck gebrachten legislativen Willens (vgl. zur Entstehungsgeschichte Noack DB 2020, 1328, 1330) vom Rechtsanwender aber hinzunehmen (aA insofern Omlor/Dilek BB 2020, 1026, 1027 ff.; wie hier, aber mit deutlicher rechtspolit. Kritik Gehle FS Heidel, 2021, 457, 467 f.; Noack DB 2020, 1328, 1330 sowie Lieder ZIP 2020, 837, 848 m. Vorschlag, zumindest Merkmal der offensichtlichen Nichtigkeit aus § 7c S. 4 WStBG analog anzuwenden). Auch wenn Eintragung damit kein Wirksamkeitserfordernis ist, so muss sie doch vom Vorstand betrieben werden. Auf seine Anmeldung hin sind Erhöhungsbeschluss und ggf. Durchführung nach § 7c S. 4 WStBG vom Registergericht unverzüglich einzutragen, sofern sie **nicht offensichtlich nichtig** sind; Anfechtungsgründe bleiben damit von vornherein unbeachtlich (Noack DB 2020, 1328, 1330). Überdies enthält § 7c S. 5 WStBG weitere Modifikation des – ohnehin schon sehr gesellschaftsfreundlichen – § 246a II Nr. 3. IR dieser Abwägung soll Überwiegen des Vollzugsinteresses vermutet werden. Für AG kann es sinnvoll sein, derart erleichtertes **Freigabeverfahren** selbst dann anzustreben, wenn Beschluss bereits eingetragen wurde, um so Bestandswirkung des § 246a IV 2 zu erreichen (→ § 246a Rn. 4; Noack DB 2020, 1328, 1331). Berechtigte Interessen der Aktionäre werden nach § 7c S. 6 WStBG iVm § 246a IV stattdessen dadurch geschützt, dass sie Ersatzanspruch gegen AG haben, wenn sich Anfechtungsklage als unbegründet erweist. Wie bei § 246a IV 2 kann aber keine Naturalrestitution dergestalt verlangt werden, dass Beschluss rückgängig gemacht wird (→ § 246a Rn. 26). 5h

Aktionäre, die erforderliche Rekapitalisierung, insbes. durch ihre Stimmrechtsausübung oder durch Einlegung unbegründeter Rechtsmittel, **verzögern oder** 5i

vereiteln, um ungerechtfertigte Vorteile zu erlangen, sind schadensersatzpflichtig (§ 7 VII WStBG). Norm verstößt weder gegen Art. 14 GG noch gegen Art. 68 GesR-RL (vgl. EuGH NZG 2017, 22 Rn. 40 ff. [zur Vorlagefrage des irischen High Courts]; KK-AktG/Ekkenga Rn. 138; Langenbucher ZGR 2010, 75, 97 ff.). Ersatzpflicht verdrängt nicht sonstige Folgen des Treupflichtverstoßes, sondern tritt ergänzend hinzu (C. Schäfer ZHR 185 [2021], 226, 250 ff.). Zu weiteren Besonderheiten beim Einsatz genehmigten Kapitals → § 202 Rn. 5a. Zur Europarechtskonformität der Banken-Mitteilung der Kommission (ABl. 2013 C 216, 1), insbes. zur Vereinbarkeit mit Bestimmungen der Kapital-RL bzw. der konsolidierten GesR-RL, vgl. EuGH NZG 2016, 1071 Rn. 46 ff., 81 ff.; von Bonin/Olthoff EuZW 2016, 778 ff.

5j **b) Sanierungs- und Abwicklungsgesetz.** Eingriffe in Recht der Kapitalerhöhung und -herabsetzung brachte auch Sanierungs- und Abwicklungsges. (BGBl. 2014 I 2091) mit sich, das auf RL 2014/59/EU zurückgeht und am 1.1.2015 in Kraft getreten ist (Überblick bei KK-AktG/Ekkenga Rn. 139 ff.; Binder ZHR 179 [2015], 83 ff.; Engelbach/Friedrich WM 2015, 662 ff.; Hübner/Leunert ZIP 2015, 2259 ff.; grundlegende Kritik bei Philipp AG 2015, 77 ff.). Bundesanstalt für Finanzmarktstabilisierung kann als **Abwicklungsbehörde** (§ 3 SAG) für systemrelevante KI (§ 67 II SAG; dazu Engelbach/Friedrich WM 2015, 662, 664), die in ihrem Bestand gefährdet sind (§ 63 SAG; vgl. Hübner/Leunert ZIP 2015, 2259, 2261; Steck/Petrowsky DB 2015, 1391, 1393 ff.), nach § 89 Nr. 2, § 96 SAG qua Allgemeinverfügung (§ 137 SAG) Kapitalherabsetzung anordnen, ohne dass es Mitwirkung der HV und Verwaltung bedarf. Berücksichtigungsfähige Verbindlichkeiten iSd § 91 SAG (vgl. Hübner/Leunert ZIP 2015, 2259, 2262; Philipp AG 2015, 77, 79 f.) kann FMSA durch Anordnung gem. § 89 Nr. 1 SAG, §§ 90, 101 SAG in Instrumente des harten Kernkapitals umwandeln, was auf Debt-Equity-Swap (→ Rn. 32c) hinausläuft (dazu Hübner/Leunert ZIP 2015, 2259, 2262 ff.; Engelbach/Friedrich WM 2015, 662, 666 f.). Bei Verschlechterung der Finanzlage des KI kann Aufsichtsbehörde **Frühinterventionsmaßnahmen** nach §§ 36 ff. SAG ergreifen (dazu etwa Struckmann ZBB 2019, 26, 28 ff.). Um kurzfristige Kapitalerhöhung zu ermöglichen, kann Satzung des KI unter Voraussetzungen des § 36 V SAG Verkürzung der HV-Einberufungsfrist auf zehn Tage vorsehen (ausf. Struckmann BKR 2019, 393, 394 ff.). Einberufung der HV richtet sich nach § 36 VI SAG; für Durchführung der Kapitalerhöhung ist § 36 VII SAG zu beachten. Zum Zusammenspiel der RL 2014/59/EU mit Bestimmungen der früheren Kapital-RL, nun konsolidiert in der GesR-RL, vgl. Art. 84 III GesR-RL; Stiegler EuZW 2016, 921, 922.

II. Kapitalerhöhungsbeschluss (§ 182 I)

6 **1. Grundlagen.** Mit Kapitalerhöhungsbeschluss bekundet HV (Zuständigkeit nach § 119 I Nr. 7, § 179 I 1) nur **Willen zur Kapitalerhöhung** (S/L/Veil Rn. 10); zur Durchführung → Rn. 4. Beabsichtigter Kapitalerhöhungsbeschluss ist in Tagesordnung seinem vollen Wortlaut nach bekanntzumachen (§ 124 II). Bei Kapitalerhöhung mit Sacheinlagen sind weitergehende Angaben erforderlich (§ 183 I 2; → § 183 Rn. 8 ff.). Ist beabsichtigt, Bezugsrecht auszuschließen, so ist auch das in der Tagesordnung bekanntzumachen (§ 186 IV 1; → § 186 Rn. 22); ferner ist Bezugsrechtsausschluss zu begründen (§ 186 IV 2; → § 186 Rn. 23 f.). Kapitalerhöhung gegen Einlagen kann nur durch Ausgabe neuer Aktien ausgeführt werden (§ 182 I 4 und 5), also auch bei Nennbetragsaktien nicht durch Erhöhung der Nennbeträge (→ Rn. 1); zu Rechtsfolgen bei Verstoß gegen § 182 I 4 → Rn. 17. Beschluss bedarf keiner sachlichen Rechtfertigung (OLG

Düsseldorf AG 2019, 467, 471; MüKoAktG/Schürnbrand/Verse Rn. 29; Harnos, Gerichtliche Kontrolldichte, 2021, 613 [für Heranziehung des § 93 I 2]; zur parallelen Frage bei Kapitalherabsetzung → § 222 Rn. 14). Aktionären steht es grds. frei, an Kapitalerhöhung nicht teilzunehmen oder Beschluss nicht zuzustimmen, doch kann Zustimmungsverweigerung in Blockadesituationen treupflichtwidrig sein (BGHZ 129, 136, 142 ff. = NJW 1995, 1739 – Girmes; → § 53a Rn. 14, 22; KK-AktG/Ekkenga Rn. 16 ff., Vor § 182 Rn. 62; zu Zustimmungspflichten bei Kapitalherabsetzung → § 222 Rn. 15a).

2. Mehrheitserfordernis. a) Gesetz. § 182 I 1 regelt Mehrheitserfordernis nur unvollständig. Kapitalerhöhungsbeschluss bedarf neben der **Kapitalmehrheit** des § 182 I 1 nämlich auch der einfachen **Stimmenmehrheit** des § 133 I (unstr.; vgl. KK-AktG/Ekkenga Rn. 5 ff.; → § 179 Rn. 14). § 182 I 1 ist also weiteres Erfordernis iSd § 133 I Hs. 2. Kapitalmehrheit muss gem. § 182 I 1 drei Viertel des bei Beschlussfassung vertretenen Grundkapitals betragen. Für Berechnung der Kapitalmehrheit gelten die gleichen Grundsätze wie bei § 179 II 1: Bezugsgröße ist das Kapital, das bei Beschlussfassung mit ja oder nein gestimmt hat; unberücksichtigt bleiben Stimmenthaltungen und Kapital, das an Beschlussfassung nicht mitgewirkt hat oder nicht mitwirken durfte, zB stimmrechtslose Vorzugsaktien (→ § 179 Rn. 14 mN). Zur einfachen Stimmenmehrheit → § 133 Rn. 11 f., zum Abstimmungsverfahren und zur Bedeutung der zweifachen Mehrheit → § 179 Rn. 14. Bei Rekapitalisierung eines Finanzunternehmens iSd § 2 I StFG oder eines Unternehmens der Realwirtschaft iSd § 16 II StFG zur Überwindung von Liquiditätsengpässen oder zur Verstärkung der Kapitalbasis iSd § 2 I StFG oder § 16 I StFG (→ Rn. 5a ff.) und Debt-Equity-Swap kann ausnahmsweise einfache Mehrheit genügen (→ Rn. 5e, 32c). 7

b) Satzung. § 182 I 1 ist nachgiebiges Recht. Satzung kann andere Kapitalmehrheit bestimmen (§ 182 I 2), jedoch nicht auf einfache Stimmenmehrheit verzichten (→ Rn. 7); insoweit gilt § 133 I Hs. 2 (→ § 133 Rn. 15). Grds. kann Satzung **geringere oder größere Kapitalmehrheit** festsetzen. Umfang und Grenzen der Satzungsautonomie bestimmen sich nach den zu § 179 II 2 (→ § 179 Rn. 16 ff.) ausgeführten Grundsätzen: Erforderlich ist mindestens einfache Kapitalmehrheit (→ § 179 Rn. 19; KK-AktG/Ekkenga Rn. 6; MüKoAktG/Schürnbrand/Verse Rn. 26); Satzung kann auch Einstimmigkeit festsetzen (MüKoAktG/Schürnbrand/Verse Rn. 25; GK-AktG/Wiedemann Rn. 40), Kapitalerhöhung darf dadurch aber nicht faktisch ausgeschlossen werden (→ § 179 Rn. 23); Bezugsgröße zur Berechnung der Kapitalmehrheit kann anders bestimmt werden (→ § 179 Rn. 17). Gestaltungsfreiheit ist eingeschränkt für Kapitalerhöhungsbeschlüsse, die Ausgabe von **Vorzugsaktien ohne Stimmrecht** vorsehen; Satzung kann insoweit nur höhere als die in § 182 I 1 genannte Mehrheit festsetzen (§ 182 I 2); zum Aktionärsschutz als Regelungszweck s. RegBegr. Kropff S. 292; krit. KK-AktG/Ekkenga Rn. 7. Mehrheitsregelnde Satzungsklausel muss deutlich erkennen lassen, dass sie Kapitalerhöhungsbeschluss erfasst; Satzungsbestimmung, die allg. für Satzungsänderung andere Mehrheit bestimmt, reicht iZw nicht (str., → § 179 Rn. 18 mwN). 8

3. Weitere Erfordernisse. a) Gesetz. Wirksamkeit des Kapitalerhöhungsbeschlusses kann von weiteren ges. Erfordernissen abhängen: Bestehen mehrere **Aktiengattungen,** ist Sonderbeschluss jeder Gattung erforderlich (§ 182 II; → Rn. 18). Zur Frage, ob Kapitalerhöhungsbeschluss der Zustimmung bedarf, wenn Satzung Vinkulierungsklausel enthält oder nach Beschluss **vinkulierte Aktien** ausgegeben werden sollen → § 180 Rn. 7. 9

b) Satzung. Satzung kann gem. § 182 I 3 weitere Erfordernisse enthalten, dh solche, die nicht die Änderung der ges. bestimmten Kapitalmehrheit betreffen 10 (arg. § 182 I 2). Vorschrift entspr. § 179 II 3 (→ § 179 Rn. 22 f.). Wird **Quorum** eingeführt, muss sichergestellt werden, dass Kapitalerhöhung dadurch nicht faktisch ausgeschlossen ist (→ Rn. 8; → § 179 Rn. 23; MüKoAktG/Schürnbrand/Verse Rn. 26, 28; BeckOGK/Servatius Rn. 37; großzügiger KK-AktG/Ekkenga Rn. 8; MHdB AG/Scholz § 57 Rn. 17). Unter dem Gesichtspunkt der Durchführbarkeit problematisch, aber dennoch zulässig sind Satzungsklauseln, die Wirksamkeit der Kapitalerhöhung von **Zustimmung einzelner Aktionäre** abhängig machen; die mit dem Vetorecht verbundene Macht des Aktionärs kann mit Hilfe mitgliedschaftlicher Treupflicht begrenzt werden (→ Rn. 6; → § 53a Rn. 14; iErg auch MüKoAktG/Schürnbrand/Verse Rn. 28; MHdB AG/Scholz § 57 Rn. 17; gegen Zulässigkeit solcher Vorgaben KK-AktG/Ekkenga Rn. 9; BeckOGK/Servatius Rn. 38). Wegen Satzungsautonomie unzulässig sind jedoch Erfordernisse, die Wirksamkeit des Kapitalerhöhungsbeschlusses von **Zustimmung der Verwaltung oder Dritter** abhängig machen; dies gilt auch für Zustimmung durch HV anderer Konzerngesellschaften (hM – KK-AktG/Ekkenga Rn. 8; MüKoAktG/Schürnbrand/Verse Rn. 28; BeckOGK/Servatius Rn. 38; aA zu Konzerngesellschaften Hölters/Weber/Apfelbacher/Metzner Rn. 26).

11 **4. Inhalt. a) Allgemeines.** Zusammenfassende ges. Regelung gibt es nicht. § 182 III schreibt nur vor, dass bei **Überpariemission** Mindestbetrag festzusetzen ist, unter dem neue Aktien nicht ausgegeben werden dürfen (→ Rn. 22 ff.). Sollen **Sacheinlagen** erbracht werden, sind in § 183 I 1 genannte Angaben erforderlich (→ § 183 Rn. 9). § 186 III 1 bestimmt, dass **Bezugsrecht** nur im Kapitalerhöhungsbeschluss ausgeschlossen (→ § 186 Rn. 20), und § 186 V 1, dass Bezugsrecht nur im Erhöhungsbeschluss durch mittelbares Bezugsrecht ersetzt werden kann (→ § 186 Rn. 44 ff.). Ferner muss Beschluss **Betrag der Kapitalerhöhung** enthalten (→ Rn. 12). Darüber hinaus sind **alle wesentlichen Einzelheiten zu regeln** (allgM; vgl. KK-AktG/Ekkenga Rn. 26; MüKoAktG/Schürnbrand/Verse Rn. 42); zB Angaben zum Nennbetrag, zur Zahl von Stückaktien, zur Aktienart und zur Aktiengattung (→ Rn. 13). Beschluss kann weitere nicht ges. vorgeschriebene Regelungen enthalten (→ Rn. 14).

12 **b) Betrag der Kapitalerhöhung.** Kapitalerhöhung muss bei Anmeldung ihrer Durchführung (§ 188 I) auf bestimmten Betrag lauten (arg. § 23 III Nr. 3). Durchführung in mehreren Tranchen wird erörtert (Ekkenga/Ekkenga/Jaspers AG-Finanzierung Kap. 4 Rn. 84; Bücker NZG 2009, 1339 ff.), doch besteht dafür wegen entspr. Möglichkeit beim genehmigten Kapital (→ § 202 Rn. 20) kaum praktischer Bedarf; unverzichtbar wären jedenfalls entspr. Inhalt des HV-Beschlusses und Hinweis in Anmeldung (Bücker NZG 2009, 1339 ff.; Schüppen AG 2001, 125, 126; wohl mit Recht abl. KK-AktG/Ekkenga Rn. 29; Priester NZG 2010, 81, 85 f.: unzulässige Typenvermischung). Beschluss muss Betrag nicht selbst festsetzen; ausreichend ist Angabe von **Mindest- und Höchstbetrag** (allgM; vgl. RGZ 55, 65, 68; OLG Hamburg AG 2000, 326, 327; KG AG 2010, 497, 502; KK-AktG/Ekkenga Rn. 31; MüKoAktG/Schürnbrand/Verse Rn. 43; GK-AktG/Wiedemann Rn. 55; Seibt Konzern 2009, 261, 263 ff.) oder nur **Höchstbetrag** (RGZ 85, 205, 207 zur GmbH; LG Hamburg AG 1995, 92, 93; LG Hamburg AG 1999, 239 f.; MHdB AG/Scholz § 57 Rn. 27; Kossmann/Heinrich Konzern 2010, 27, 28), und zwar auch, wenn Bezug der Aktionäre gem. § 186 V durch Emissionsunternehmen vermittelt wird (→ § 186 Rn. 44 ff.; KK-AktG/Ekkenga Rn. 28; Seibt/Voigt AG 2009, 133, 135 f.; zweifelnd Habersack/Mülbert/Schlitt/Herfs Unternehmensfinanzierung Rn. 5.30, 5.59 ff.). Wird nur Mindestbetrag festgesetzt, ist Beschluss gem. § 241 Nr. 3 nichtig (KK-AktG/Ekkenga Rn. 31 f.; → Rn. 17). Wenn „Bis zu"-Kapitalerhöhung beschlossen werden soll, kann Höchstgrenze auch vom erzielbaren Bezugspreis (zB Durch-

schnittskurs minus Risikoabschlag) abhängig gemacht werden (KK-AktG/Ekkenga Rn. 29; MHdB AG/Scholz § 57 Rn. 27; Einzelheiten bei Seibt/Voigt AG 2009, 133, 136 f.; Seibt/Schulz CFL 2012, 313, 321). Festsetzung eines bestimmten Betrags kommt nur in Betracht, wenn bei Beschlussfassung Zeichnung aller neuen Aktien gewiss ist, zB bei Fremdemission (→ Rn. 5); bei Ungewissheit ist Angabe eines Mindest- und/oder Höchstbetrags zweckmäßig. Durchführung der Kapitalerhöhung wird nämlich nur eingetragen (§ 189), wenn Zeichnungsergebnis sich mit im Beschluss angegebenem Betrag deckt (RGZ 55, 65, 67 f.; MüKoAktG/Schürnbrand/Verse Rn. 43) bzw. in Bandbreite fällt. Lautet Beschluss auf bestimmte Summe, ist dies iZw bindend und nicht als Höchstbetrag auszulegen (KGJ 14, 19, 23 f.; KGJ 29, A 102, 103 [zur GmbH]; BeckOGK/Servatius Rn. 55). Setzt HV Mindest- und/oder Höchstbetrag fest, so gehört Angabe einer Durchführungsfrist zum unverzichtbaren Beschlussinhalt (→ Rn. 14).

c) Form, Art und Gattung der Aktien. aa) Nennbetragsaktien. Wenn 13
Satzung Nennbetragsaktien vorsieht (§ 23 III Nr. 4), sind auch junge Aktien notwendig Nennbetragsaktien, weil AG Nennbetrags- oder Stückaktien (§ 8 II, III) nur alternativ haben kann (→ § 8 Rn. 4; → § 23 Rn. 29; LG München AG 2015, 639, 640). Erhöhungsbeschluss muss insoweit nichts bestimmen. Im Beschluss festzulegen ist jedoch **Nennbetrag der neuen Aktien** (arg. § 23 III Nr. 4), sofern Satzung nicht auch ihren Nennbetrag schon mitregelt (KK-AktG/Ekkenga Rn. 34; MüKoAktG/Schürnbrand/Verse Rn. 52). Durchweg erforderlich ist Nennbetragsangabe, wenn Satzung Aktien mit verschiedenen Nennbeträgen vorsieht (MüKoAktG/Schürnbrand/Verse Rn. 52). Kapitalerhöhung durch Erhöhung der Nennbeträge ist gem. § 182 I 4 unzulässig (→ Rn. 17). Beschluss muss ferner festlegen, ob junge Aktien auf **Inhaber oder Namen** (§ 10 I, II) lauten (arg. § 23 III Nr. 5). Angabe ist auch hier nur entbehrlich, wenn Satzung Art der jungen Aktien mitregelt (MüKoAktG/Schürnbrand/Verse Rn. 54; MHdB AG/Scholz § 57 Rn. 28; aA KK-AktG/Ekkenga Rn. 36: Angabe auch ohne Satzungsregelung nicht erforderlich, wenn Festlegung beibehalten werden soll; sa BGHZ 181, 144 Rn. 23 = NZG 2009, 986); ggf. muss sie bei Wechsel der Aktienart geändert werden (KK-AktG/Ekkenga Rn. 36). Sind verschiedene **Aktiengattungen** (→ § 11 Rn. 7) vorhanden, muss Beschluss die jungen Aktien den Gattungen zuordnen, und zwar unter Angabe von Zahl und Nennbetrag (MHdB AG/Scholz § 57 Rn. 28; → § 23 Rn. 29). Wenn Erhöhungsbeschluss neue Gattung begründet, muss er auch gattungsbestimmende Rechte und Pflichten beschreiben (MüKoAktG/Schürnbrand/Verse Rn. 53). Wenn mehrere Gattungen neu begründet werden, sind Aktien überdies nach Zahl und Nennbetrag zuzuordnen.

bb) Stückaktien. Sieht Satzung Stückaktien vor (§ 23 III Nr. 4), so sind 13a
wegen Alternativität der Aktienformen (→ Rn. 13) auch junge Aktien notwendig Stückaktien. Der auf sie entfallende anteilige Betrag des Grundkapitals (§ 8 III 2) ist nicht in Beschluss aufzunehmen, weil er zur Beschreibung der Mitgliedschaft nichts beiträgt und sich aus Kapitalhöhe und Aktienanzahl von selbst ergibt (→ § 8 Rn. 17; → § 23 Rn. 18). Anzugeben ist wegen § 182 I 5 grds. **Zahl der jungen Aktien,** die sich in demselben **Verhältnis wie Grundkapital** erhöhen muss; indes ist Angabe nicht zwingend, wenn Zahl junger Aktien bestimmt werden kann, indem Kapitalerhöhungsbetrag durch rechnerischen Nennbetrag alter Aktien dividiert wird (BGHZ 181, 144 Rn. 23 = NZG 2009, 986 [zu § 193 III 2]; MHdB AG/Scholz § 57 Rn. 28). Norm soll gewährleisten, dass Beteiligungsquote der Altaktien bei Kapitalerhöhung nicht überproportional verschlechtert wird (RegBegr. BT-Drs. 13/9573, 17; BeckOGK/Servatius Rn. 62); → § 192 Rn. 25, → § 202 Rn. 13. Wegen Art und Gattung der Aktien gilt dasselbe wie bei Nennbetragsaktien (→ Rn. 13).

14 **d) Fristen und Termine.** Um ordentliche Kapitalerhöhung von genehmigtem Kapital abzugrenzen, muss Zeitraum für Durchführung der Kapitalerhöhung begrenzt sein (Marsch-Barner/Schäfer/Busch/Busch Rn. 44.11). HV kann Verwaltung im Kapitalerhöhungsbeschluss **Frist zur Durchführung** der Kapitalerhöhung setzen (allgM); ohne solche Bestimmung ist Kapitalerhöhung unverzüglich (§ 121 I 1 BGB) durchzuführen (RGZ 144, 138, 141 f.; KK-AktG/Ekkenga Rn. 30, 60; MüKoAktG/Schürnbrand/Verse Rn. 48; Kossmann/Heinrich Konzern 2010, 27, 29; aA Perwein AG 2013, 10 ff. für Kapitalerhöhungsbeschluss mit festem Erhöhungsbetrag; sa Perwein AG 2013, 630 ff. mit Vorschlag zur zeitlichen Streckung). Durchführungsfrist muss festgesetzt werden, wenn Beschluss Erhöhungsbetrag nicht konkret bestimmt (→ Rn. 12); denn sonst hätte Verwaltung Einfluss auf Umfang der Kapitalerhöhung (str., wie hier LG Hamburg AG 1995, 92, 93; KK-AktG/Ekkenga Rn. 30; MüKoAktG/Schürnbrand/Verse Rn. 45; BeckOGK/Servatius Rn. 58; aA MHdB AG/Scholz § 57 Rn. 27: Durchführungsfrist auch hier fakultativ, Vorstand ohne Frist zur unverzüglichen Durchführung verpflichtet). Als zulässig werden Fristen bis zu sechs Monaten angesehen (OLG München NZG 2009, 1274, 1275; MüKoAktG/Schürnbrand/Verse Rn. 45; S/L/Veil Rn. 17; Bücker NZG 2009, 1339, 1341; Priester FS Wiedemann, 2002, 1161, 1163; anders KK-AktG/Ekkenga Rn. 30: keine starre Höchstgrenze). Dabei sollte es grds. auch als Obergrenze bleiben, doch ist es jedenfalls erwägenswerte Gestaltungsvariante, Fristbeginn auf die Eintragung des Kapitalerhöhungsbeschlusses zu beziehen (MüKoAktG/Schürnbrand/Verse Rn. 45; S/L/Veil Rn. 17; Kossmann/Heinrich Konzern 2010, 27, 31 f.; sa Vaupel/Reers AG 2010, 93, 94). Darüber hinaus ist es zulässig, Sechsmonatsfrist um Verlängerungsklausel zu ergänzen, nach der sich Durchführungsfrist auf neun oder zehn Monate verlängert, wenn Beschluss durch Anfechtungs- und/oder Nichtigkeitsklage angegriffen ist (MüKoAktG/Schürnbrand/Verse Rn. 45; Bücker NZG 2009, 1339, 1341). Denkbar ist auch, Frist an Beendigung eines etwaigen Freigabeverfahrens zu knüpfen (MüKoAktG/Schürnbrand/Verse Rn. 45). HV kann ferner in § 185 I Nr. 4 vorgeschriebene **Verfallfrist** festsetzen (MHdB AG/Scholz § 57 Rn. 36). Nach hM kann auch Zeitpunkt festgelegt werden, zu dem der Teil der **Einlage fällig** wird, der nicht gem. § 188 II 1 (→ § 188 Rn. 5 ff.) vor Anmeldung nach § 188 I zu zahlen ist (so GK-AktG/Wiedemann Rn. 56; MHdB AG/Scholz § 57 Rn. 37; Ekkenga/Ekkenga/Jaspers AG-Finanzierung Kap. 4 Rn. 306). Das überzeugt jedoch nicht. Ist Kapitalerhöhung wirksam (§ 189), so fordert Vorstand gem. § 63 I 1 Restbetrag ein; Norm ist zwingend und abschließend (wie hier NK-AktR/Elser Rn. 27; MüKoAktG/Schürnbrand/Verse Rn. 74). Beschluss kann aber höheren Einzahlungsbetrag als ges. Mindestbetrag (§ 188 II 1, § 36 II, § 36a I) bestimmen (→ § 36a Rn. 2).

15 **e) Weiterer Inhalt.** Kapitalerhöhungsbeschluss kann ferner **Beginn der Gewinnberechtigung** vorziehen, und zwar jedenfalls auf Beginn des laufenden Geschäftsjahrs (MüKoAktG/Schürnbrand/Verse Rn. 65; MHdB AG/Scholz § 57 Rn. 34), nach richtiger Ansicht auch auf Beginn früherer Periode, solange noch nicht gem. § 174 beschlossen ist (str., → § 60 Rn. 9 f. mwN; Einschränkungen gelten beim genehmigten Kapital, → § 204 Rn. 4). Ohne entspr. Beschluss werden neue Aktien analog § 60 II 3 zeitanteilig am Gewinn beteiligt; § 217 I betr. nur Kapitalerhöhung aus Gesellschaftsmitteln und ist nicht anwendbar. Ggf. sind Bestimmungen über **Vinkulierung** der neuen Aktien erforderlich (→ § 180 Rn. 7). Möglich ist auch, dass Beschluss operative Vorgaben zur Beschlussausführung und/oder zur Durchführung der Kapitalerhöhung durch den Vorstand vorsieht (KK-AktG/Ekkenga Rn. 38). Zweckmäßig wird HV im Erhöhungsbeschluss AR zur **Fassungsänderung** gem. § 179 I 2 (→ § 179 Rn. 35) ermächtigen, da notwendige Satzungsbestimmungen (bes. nach § 23 III Nr. 3

und 4) unrichtig werden, sobald Kapitalerhöhung gem. § 189 Wirksamkeit erlangt. Wenn das nicht geschehen ist, hat HV Satzung durch Beschluss gem. § 179 anzupassen (MüKoAktG/Schürnbrand/Verse § 189 Rn. 6; aA KK-AktG/Ekkenga § 189 Rn. 8; Cahn AG 2001, 181, 184 f.: Anpassung durch die für Anmeldeverfahren nach § 188 zuständigen Organe).

5. Aufhebung und Änderung. Kapitalerhöhungsbeschluss kann bis zu seiner Eintragung (§ 184) **mit einfacher Mehrheit aufgehoben** werden (→ § 179 Rn. 40). Dies gilt nach zutr. hM auch im Zeitraum zwischen Eintragung des Beschlusses und Wirksamwerden der Kapitalerhöhung durch Eintragung der Durchführung (§ 189), da Kapitalerhöhungsbeschluss noch keine verbindlichen Rechtswirkungen begründet, die einen bes. Schutz der Zeichner rechtfertigen könnte (KK-AktG/Ekkenga Rn. 84; MüKoAktG/Schürnbrand/Verse Rn. 39; BeckOGK/Servatius Rn. 48; GK-AktG/Wiedemann Rn. 30; Marsch-Barner/Schäfer/Busch/Busch Rn. 44.20; aA Priester FS Wiedemann, 2002, 1161, 1166 f.: satzungsändernde Mehrheit). Beschließt HV vor Eintragung der Durchführung (§ 188 I) Auflösung (§ 262 I Nr. 2) oder Kapitalherabsetzung (§§ 222, 229), so ist damit iZw Erhöhungsbeschluss konkludent aufgehoben (→ Rn. 31). Dasselbe gilt für alle Beschlüsse, die Grundlagen der AG ändern, zB Verschmelzung gem. §§ 2 ff., 60 ff. UmwG (vgl. KK-AktG/Ekkenga Rn. 97; MüKoAktG/Schürnbrand/Verse Rn. 39; Lutter FS Schilling, 1973, 207, 210 f.). Nach ihrer Eintragung (§ 189) kann Kapitalerhöhung nur im Wege der Kapitalherabsetzung rückgängig gemacht werden (§§ 222 ff.). **Änderung** des Beschlusses ist bis zum Wirksamwerden der Kapitalerhöhung (§ 189) möglich (BGH ZIP 2008, 180 Rn. 6); Änderungsbeschluss unterliegt den Erfordernissen des ursprünglichen Erhöhungsbeschlusses (MüKoAktG/Schürnbrand/Verse Rn. 41; MHdB AG/Scholz § 57 Rn. 93). Aufhebungs- und Änderungsbeschlüsse können ggü. Zeichnern Schadensersatzpflicht entspr. § 122 BGB begründen (hM – vgl. nur KK-AktG/Ekkenga Rn. 83; Grigoleit/Rieder/Holzmann Rn. 15; Lutter FS Schilling, 1973, 207, 229; andere Konstruktion über § 280 BGB bei MüKoAktG/Schürnbrand/Verse Rn. 37, 39). 16

6. Fehlerhaftigkeit. Verstößt Kapitalerhöhungsbeschluss gegen Ges. oder Satzung, so finden Vorschriften über **Nichtigkeit** (§ 241) oder **Anfechtbarkeit** (§ 255 I, § 243) Anwendung. Anfechtungsklage kann bei Ausschluss des Bezugsrechts allerdings nach Neufassung des § 255 im Zuge des ZuFinG 2023 nicht mehr darauf gestützt werden, dass Ausgabekurs unangemessen niedrig ist (§ 255 II; → § 255 Rn. 7 f.). In sonstigen Fällen des Bezugsrechtsausschlusses (mit Ausn. der des § 186 III 4) besteht nach § 255 IV lediglich Anspruch auf Barausgleich (→ § 255 Rn. 25 ff.). **Einzelfragen:** Wenn Durchführungsfrist (→ Rn. 14) so großzügig bemessen ist, dass Grenze zum genehmigten Kapital überschritten wird, ist Beschluss nach § 241 Nr. 3 nichtig (KK-AktG/Ekkenga Rn. 32; MüKoAktG/Schürnbrand/Verse Rn. 49). Ist Frist nur zu lang, so kann Beschluss angefochten werden (RGZ 143, 20, 23 ff.; RGZ 144, 138, 143; KK-AktG/Ekkenga Rn. 60; MüKoAktG/Schürnbrand/Verse Rn. 49). Auch Verstoß gegen § 182 I 4 (→ Rn. 6) macht Beschluss anfechtbar, nicht nichtig (Hölters/Weber/Apfelbacher/Metzner Rn. 41; MüKoAktG/Schürnbrand/Verse Rn. 50; aA KK-AktG/Ekkenga Rn. 33, 113). Dasselbe gilt bei Verletzung des § 182 I 5 (→ Rn. 13a), weil nur mitgliedschaftliche im Unterschied zu öffentl. Interessen berührt werden (MüKoAktG/Schürnbrand/Verse Rn. 50; aA KK-AktG/Ekkenga Rn. 33). Zu Verstößen gegen § 182 III oder IV → Rn. 25, 29 f. 17

III. Sonderbeschluss (§ 182 II)

18 **1. Allgemeines.** Existieren zwei oder mehr Aktiengattungen (→ § 11 Rn. 7 f.), so wird Kapitalerhöhungsbeschluss nur wirksam (→ Rn. 21), wenn Aktionäre jeder Gattung (§ 182 II 1) in Form eines Sonderbeschlusses (§ 182 II 2) zustimmen; bloß **abw. Beginn der Gewinnbezugsberechtigung** infolge Kapitalerhöhung begründet nach zutr. Auffassung keine eigene Gattung (str., → § 11 Rn. 8 mwN). § 182 II gleicht § 179 III, setzt jedoch **keine Benachteiligung** einer Aktiengattung voraus (unstr.); wegen des Verhältnisses der Vorschriften zueinander → § 179 Rn. 42. Sonderbeschluss ist auch erforderlich, wenn Kapitalerhöhung einstimmig beschlossen oder Zustimmungserfordernissen Rechnung getragen wurde (MüKoAktG/Schürnbrand/Verse Rn. 30; sa RGZ 148, 175, 179 f.; → § 179 Rn. 45). Ausnahme besteht bei Einmann-AG (MüKoAktG/Schürnbrand/Verse Rn. 30) und in den Fällen der → Rn. 19. Außerdem ist teleologische Reduktion des § 182 II erwägenswert, wenn alle Aktionäre an der Abstimmung teilgenommen und Beschluss zugestimmt haben (KK-AktG/Ekkenga Rn. 20; BeckOGK/Servatius Rn. 43).

19 Bilden **Vorzugsaktien ohne Stimmrecht** (§§ 139 ff.) eine Gattung, so trifft § 182 II schon tatbestandlich nicht zu (→ § 141 Rn. 23). Es verbleibt bei abschließender Regelung des § 141 (KK-AktG/Ekkenga Rn. 22). Außerdem bedarf es keines Sonderbeschlusses der Stammaktionäre, wenn neben Stamm- und Vorzugsaktien keine weiteren Aktiengattungen bestehen (zum davon abzugrenzenden Sonderbeschluss nach § 141 III bei Ausgabe neuer Vorzugsaktien oder Aufhebung und Beschränkung des Vorzugs → § 141 Rn. 18 ff.). Bei diesen Grundsätzen verbleibt es auch dann, wenn Stimmrecht gem. § 140 II 1 entstanden sein sollte; denn damit tritt bei den Vorzugsaktien keine Gattungsänderung ein (hM, s. OLG Frankfurt DB 1993, 272, 273; KK-AktG/Ekkenga Rn. 22; MüKoAktG/Schürnbrand/Verse Rn. 34; Krauel/Weng AG 2003, 561, 562 f.; aA jetzt auch B/K/L/Lieder Rn. 38 in Abw. von 4. Aufl./Marsch-Barner Rn. 30).

20 **2. Verfahren; Mehrheitserfordernis.** Verfahren für Sonderbeschluss ist in § 138 geregelt (vgl. → § 138 Rn. 1 ff.; auch → § 179 Rn. 46). Sonderbeschluss kann vor oder nach Kapitalerhöhungsbeschluss gefasst werden, im letztgenannten Fall innerhalb eines angemessenen Zeitraums, der idR drei Monate beträgt (MüKoAktG/Schürnbrand/Verse Rn. 35; GK-AktG/Wiedemann Rn. 52). Sonderbeschluss unterliegt **zweifachem Mehrheitserfordernis.** Er bedarf gem. § 182 II 3 iVm § 182 I 1 einer **Kapitalmehrheit** von drei Vierteln und zusätzlich gem. § 138 S. 2 iVm § 133 I der einfachen **Stimmenmehrheit** (allgM, s. MüKoAktG/Schürnbrand/Verse Rn. 35). Satzung kann nach § 182 II 3 iVm § 182 I 2 für Sonderbeschluss andere Mehrheit oder weitere Erfordernisse festsetzen; auch andere als für Kapitalerhöhungsbeschluss selbst (MüKoAktG/Schürnbrand/Verse Rn. 35). Zum Gestaltungsspielraum → Rn. 8, 10. Bestimmt Satzung nur für Kapitalerhöhungsbeschluss von § 182 I 1 abw. Mehrheit sowie weitere Erfordernisse, gelten diese Bestimmungen iZw auch für Sonderbeschluss (B/K/L/Lieder Rn. 39).

21 **3. Rechtsfolgen.** Sonderbeschluss ist nicht Bestandteil des Kapitalerhöhungsbeschlusses, sondern **zusätzliches Wirksamkeitserfordernis** (RGZ 148, 175, 186 f.; B/K/L/Lieder Rn. 40). Sein Fehlen macht Erhöhungsbeschluss schwebend unwirksam, nicht nichtig oder anfechtbar (KK-AktG/Ekkenga Rn. 24). Gericht darf Erhöhungsbeschluss nicht eintragen, wird aber vor abl. Entscheidung durch Zwischenverfügung auf Mangel hinweisen und Beschlussfassung ermöglichen (→ § 181 Rn. 16 aE). Erfolgt Eintragung trotzdem, so kann Sonder-

beschluss nachgeholt werden (MüKoAktG/Schürnbrand/Verse Rn. 36). Ferner kommt Heilung entspr. § 242 II in Betracht (→ § 242 Rn. 10; B/K/L/Lieder Rn. 40; MüKoAktG/Schürnbrand/Verse Rn. 36). Sonderbeschluss, der Zustimmung verweigert, führt zur endgültigen Unwirksamkeit des Erhöhungsbeschlusses; Anmeldung nach § 184 ist zurückzuweisen. Gleiches gilt, wenn Sonderbeschluss nicht innerhalb angemessenen Zeitraums (→ Rn. 20) gefasst wird (B/K/L/Lieder Rn. 41; MüKoAktG/Schürnbrand/Verse Rn. 36; GK-AktG/Wiedemann Rn. 52). Wenn **Sonderbeschluss fehlerhaft** ist, finden nach § 138 S. 2 die §§ 241 ff. entspr. Anwendung; er ist also selbständiger Gegenstand einer Nichtigkeits- oder Anfechtungsklage (→ § 179 Rn. 48; KK-AktG/Ekkenga Rn. 23). Bei anfechtbarem Sonderbeschluss kann Registergericht Eintragung des Kapitalerhöhungsbeschlusses (§ 184) nach § 21 I FamFG, § 381 FamFG aussetzen (MüKoAktG/Schürnbrand/Verse Rn. 37).

IV. Festsetzung des Ausgabebetrags (§ 182 III)

1. Allgemeines. § 182 III betr. **Überpariemission.** Ges. verlangt Angabe des Mindestbetrags; Ausgabebetrag kann aber auch konkret bestimmt werden und bindet dann Verwaltung (allgM; vgl. RG JW 1929, 1745; B/K/L/Lieder Rn. 42; Kossmann/Heinrich Konzern 2010, 27, 28). Mindestbetrag kann auch mit Höchstbetrag verbunden werden (allgM; vgl. B/K/L/Lieder Rn. 42). These, wonach für Zeichner, an denen AG beteiligt ist, eine dem Produkt der Beteiligunsquotienten entsprechende Mehrleistung festzusetzen ist, ist abzulehnen (→ § 54 Rn. 5a). HV kann frei wählen, in welcher Art Ausgabebetrag festgesetzt wird. Zulässig ist auch bloße Festlegung eines Berechnungsverfahrens, das Ermittlung des Ausgabepreises ermöglicht, etwa anhand der Kursentwicklung innerhalb einer best. Referenzperiode (KK-AktG/Ekkenga Rn. 39). Unzulässig ist aber, Verwaltung ohne Angabe eines Mindestbetrags zur Überpariemission zu verpflichten; solcher Erhöhungsbeschluss ist nach § 255 I anfechtbar (RGZ 143, 20, 23 f.; RGZ 144, 138, 142 f.; Klette DB 1968, 2261, 2264). Wenn HV Ausgabebetrag nicht selbst konkret festsetzt, hat Verwaltung ihn zu bestimmen (→ Rn. 24). Überpariemission (s. § 9 II) ist bei Eigenemissionen die Regel, weil nur auf diese Weise tats. Aktienwert abgebildet und auf diese Weise Beteiligungsverwässerung der Altaktionäre verhindert werden kann (S/L/Veil Rn. 19; zu den Ausnahmen → Rn. 22a). Korporatives Agio wird in Bilanz als **Kapitalrücklage** ausgewiesen (§ 272 II Nr. 1 HGB; OLG München AG 2007, 292, 294). Zur Frage, was gilt, wenn Erhöhungsbeschluss Ausgabebetrag überhaupt nicht beziffert → Rn. 25. 22

Pari-Emission (s. § 9 I) ist Ausnahme (→ Rn. 22), kommt aber in der Praxis namentl. bei Fremdemissionen (→ Rn. 5) vor, um Platzierungsrisiko der Emissionsbank zu begrenzen (MüKoAktG/Schürnbrand/Verse Rn. 59). Überdies bedient sich Praxis schuldrechtl. Vereinbarungen über Erbringung zusätzlicher Barzahlungen durch Zeichner, um Beteiligungsverwässerung der Altaktionäre bei Pari-Emission zu verhindern (MüKoAktG/Schürnbrand/Verse Rn. 58 ff.; Baums FS Hommelhoff, 2012, 61, 74 ff.). Sofern derartige **schuldrechtl. Zuzahlungen** wirtschaftlich Gegenleistung für ausgegebene Aktien darstellen und erforderlich sind, um deren Wert zu decken, ist Zulässigkeit nicht zweifelsfrei (→ § 9 Rn. 10 ff.). Wird sie bejaht, unterliegt schuldrechtl. Agio nicht Regeln über korporatives Agio, namentl. weder Voreinzahlungspflicht des § 36a I noch Prüfung nach § 183 III (→ § 36a Rn. 2a; MüKoAktG/Schürnbrand/Verse Rn. 60; Stein/Fischer ZIP 2014, 1362, 1363 ff.; aA zu § 183 III aber C. Schäfer FS Stilz, 2014, 525, 527 ff.). Sehr umstr. ist bilanzieller Ausweis: Nach hier vertretener Auffassung sind schuldrechtl. Zuzahlungen zumindest dann der Kapitalrücklage nach § 272 II Nr. 1 HGB zuzuordnen, wenn sie im Zusammenhang mit der 22a

Ausgabe von Aktien erfolgen und zur angemessenen Wertdeckung erforderlich sind; nach Gegenauffassung ist Ausweis nach § 272 II Nr. 4 HGB möglich, was Auswirkungen auf Kapitalbindung nach § 150 III, IV hat (ausf. → § 9 Rn. 10 ff.).

23 **2. Bestimmung des Ausgabebetrags durch Hauptversammlung.** HV kann im Grundsatz Höhe des Ausgabebetrags frei bestimmen (allgM; vgl. MüKoAktG/Schürnbrand/Verse Rn. 65 f.; zu den maßgeblichen Bestimmungsfaktoren s. Schlitt/Ries FS Schwark, 2009, 241 ff.). Bes. niedriger Ausgabebetrag ist weder unzulässige Einlagenrückgewähr iSd § 57 I noch verdeckte Gewinnausschüttung (BFHE 114, 185, 187). **Einschränkung:** Ausgabe junger Aktien für weniger als geringsten Ausgabebetrag (§ 9 I), also Unterpariemission, ist verboten (OLG Hamburg AG 2000, 326, 327; zu Besonderheiten für Rekapitalisierung nach WStBG → Rn. 5a ff.). Verstoß begründet Nichtigkeit des Kapitalerhöhungsbeschlusses nach § 241 Nr. 3 (allgM). Ferner ist § 255 zu berücksichtigen, der nach Neufassung durch ZuFinG 2023 zwar keine Anfechtung des Kapitalerhöhungsbeschlusses mehr erlaubt (§ 255 II), aber bei **Ausschluss des Bezugsrechts** (§ 186 II) den ausgeschlossenen Aktionären zumindest Anspruch auf Barausgleich einräumt, wenn bei **Ausschluss des Bezugsrechts** (§ 186 III) Ausgabebetrag unangemessen niedrig ist (§ 255 IV – VII; → § 255 Rn. 25 ff.). HV kann somit bei Ausschluss des Bezugsrechts gem. § 186 III (zum mittelbaren Bezugsrecht gem. § 186 V s. § 255 II 2) nur angemessenen Ausgabebetrag festsetzen. Aktien dürfen mithin nicht unter Wert ausgegeben werden (→ § 255 Rn. 25 ff.; BGHZ 71, 40, 51 = NJW 1978, 1316; B/K/L/Lieder Rn. 43; MüKoAktG/Schürnbrand/Verse Rn. 65; Zöllner ZGR 1986, 288, 303). Schuldrechtl. Agio (→ Rn. 22a; ausf. → § 9 Rn. 10 ff.) ist iRd § 255 IV zugunsten der AG zu beachten (MüKoAktG/Schürnbrand/Verse Rn. 61; Baums FS Hommelhoff, 2012, 61, 81 f.; aA Becker NZG 2003, 510, 514). Ist Ausgabebetrag zu niedrig, kommt Vermögensausgleich im Spruchverfahren nicht in Betracht (LG Mannheim NZG 2007, 639 f.; MüKoAktG/Schürnbrand/Verse Rn. 65; BeckOGK/Servatius Rn. 67).

23a Ist Bezugsrecht nicht ausgeschlossen, greift zwar § 255 IV–VII nicht ein, doch kann Beschluss wegen sog **faktischen Bezugszwangs** gegen Treupflicht verstoßen, wenn Ausgabebetrag unangemessen niedrig ist und Aktionäre deshalb wirtschaftl. zur Ausübung des Bezugsrechts gezwungen sind, um übermäßige Verwässerung abzuwenden (Widerspruch zu § 54 I: keine Vermehrung der Beitragspflicht). Das wird insbes. der Fall sein, wenn sie sich auch über Bezugsrechtshandel sonst bewirkter Verwässerung nicht entziehen können. Im Lichte des § 255 IV, der Verwässerungsgefahr nur bei Bezugsrechtsausschluss Rechnung trägt, sind Anforderungen hoch anzusetzen; AG steht überdies Möglichkeit sachlicher Rechtfertigung offen (grdl. zum faktischen Bezugszwang Immenga, Die personalistische Kapitalgesellschaft, 1970, 238 ff.; sa OLG Düsseldorf AG 2019, 467, 471 f.; OLG Hamburg AG 2021, 568, 569 ff.; OLG Stuttgart NZG 2000, 156 [zur GmbH]; KK-AktG/Ekkenga Rn. 41; MüKoAktG/Schürnbrand/Verse Rn. 66; Kiefner/Seibel AG 2016, 301, 304 f.; Servatius FS Windbichler, 2020, 1093 ff.; Seibt/Voigt AG 2009, 133, 138 f.; krit. Tielmann FS E. Vetter, 2019, 819, 827 ff.). **Börsennotierung** schließt faktischen Bezugszwang zwar nicht generell aus (OLG Hamburg AG 2021, 568, 571; zust. Sickinger/Thelen AG 2021, 705 Rn. 3), doch wird es – jedenfalls bei Einrichtung funktionierenden Bezugsrechtshandels (keine Pflicht der AG – MHdB AG/Scholz § 57 Rn. 101) – Altaktionären oftmals möglich sein, Verwässerung anderweitig zu kompensieren, ohne zugleich Beteiligung aufgeben zu müssen (MüKoAktG/Schürnbrand/Verse Rn. 66; Sickinger/Thelen AG 2021, 705 Rn. 7 f.). Fehlende Funktionsfähigkeit des Bezugsrechtshandels ist von klagendem Aktionär zu beweisen (OLG Hamburg AG 2021, 568, 571). Erscheint danach (in seltenen Fällen) qua mitgliedschaftlicher Treupflicht der beschließenden Mehrheit Ausgabe der Aktien zum angemessenen Ausgabebetrag ausnahmsweise geboten, kann **Unternehmensbewertung** erforderlich sein (Servatius FS Windbichler, 2020, 1093, 1106 ff. in abgrenzender Klarstellung einer missverständlichen Wendung in OLG Stuttgart NZG 2000, 156, 159: „zur Ermittlung des angemessenen Wertes der Anteile und eines entsprechenden Ausgabekurses angehalten"). Bei börsennotierter AG kann im Lichte zunehmender Tendenz zur marktorientierten Bewertung nach in → § 305 Rn. 29 ff. dargestellten Grundsätzen zur Wertbestimmung auch Börsenkurs herangezogen werden, um aufwendige Unternehmensbewertung zu vermeiden. Alternativer Bezugspunkt des rechnerischen Börsenkurses nach Durchführung der Kapitalerhöhung (OLG Hamburg AG 2021, 568, 570 f.; zust. Kuthe/Zipperle/Reuters WM 2021, 1979, 1982) ist dagegen bedenklich, weil dadurch verwässernder Effekt der Maßnahme in die Bemessungsgrundlage einfließt (Sickinger/Thelen AG 2021, 705 Rn. 6). Zur Anwendung des § 93 I 2 bei faktischem Bezugszwang Harnos, Gerichtliche Kontrolldichte, 2021, 627 f. Spiegelbildlich kann bei unangemessen hohem Ausgabebetrag Fall des faktischen Bezugsrechtsausschlusses vorliegen (→ § 186 Rn. 43 f.).

3. Konkretisierung durch Verwaltung. Hat HV nur Mindestbetrag oder Mindest- und Höchstbetrag festgesetzt, so bestimmt Verwaltung in dadurch gezogenen Grenzen nach **pflichtgem. Ermessen** konkreten Ausgabebetrag; arg. § 188 II; § 36 II, § 36a I (OLG Frankfurt ZIP 2017, 1714, 1716: KK-AktG/Ekkenga Rn. 49 f.; MüKoAktG/Schürnbrand/Verse Rn. 70; Tielmann FS E. Vetter, 2019, 819, 822 f.); es gilt § 93 I 2 (S/L/Veil Rn. 23; Harnos, Gerichtliche Kontrolldichte, 2021, 625 f.). Zuständig ist Vorstand. HV kann aber Befugnis auch auf Vorstand und AR übertragen (ganz hM – vgl. RGZ 144, 138, 143 [„den Verwaltungsorganen"]; KK-AktG/Ekkenga Rn. 49; B/K/L/Lieder Rn. 44; MüKoAktG/Schürnbrand/Verse Rn. 69; aA BeckOGK/Servatius Rn. 68), nach umstr., aber zutr. Auffassung auch nur an AR (RGZ 144, 138, 143; B/K/L/Lieder Rn. 44; S/L/Veil Rn. 22; aA KK-AktG/Ekkenga Rn. 49; MüKoAktG/Schürnbrand/Verse Rn. 69). Wenn man Ausübungsermächtigung generell gestattet, lassen sich dem Ges. keine Hinweise auf bestimmte Ermächtigungsadressaten entnehmen. Konkreter Ausgabebetrag muss spätestens zu Beginn der Zeichnung feststehen (arg. § 185 I 3 Nr. 2). AG kann mit Zeichnern schuldrechtl. vereinbaren, dass den Ausgabebetrag übersteigende Zahlungen abgeführt werden, zB Veräußerungsgewinne bei Einschaltung einer Emissionsbank (KK-AktG/Ekkenga Rn. 57; zum schuldrechtl. Agio → Rn. 22a; → § 9 Rn. 10 ff.). Erweist sich Ausgabebetrag nachträglich als zu hoch, kann ihn Vorstand iR seiner Ermächtigung herabsetzen (B/K/L/Lieder Rn. 44; Priester FS Wiedemann, 2002, 1161, 1163). 24

4. Fehlender Ausgabebetrag. Fraglich ist Rechtslage, wenn Kapitalerhöhungsbeschluss überhaupt keinen Ausgabebetrag vorsieht. **Ältere Rspr. und Lit.** nehmen an, Verwaltung sei verpflichtet, junge Aktien zum Nennbetrag bzw. zum anteiligen Betrag des Grundkapitals (§ 8 III 3) auszugeben (RGZ 143, 20, 23; RGZ 144, 138, 142 f.; BGHZ 33, 175, 178 = NJW 1961, 26; Baumbach/Hueck Rn. 3; so auch noch Krafka RegisterR Rn. 1396). Auch wenn dieses Verständnis durch Systematik und Entstehungsgeschichte in der Tat nahegelegt wird, geht **heute hM** stattdessen doch davon aus, dass Verwaltung jedenfalls dann (iRd Möglichen) zur Überpariemission verpflichtet ist, wenn **Bezugsrecht ausgeschlossen** ist (§ 183 III, IV – vgl. etwa KK-AktG/Ekkenga Rn. 43; MüKoAktG/Schürnbrand/Verse Rn. 72; MHdB AG/Scholz § 57 Rn. 31). Andere Sichtweise wäre unvereinbar mit den berechtigten Interessen der ausgeschlossenen Aktionäre. Fraglich ist, ob Gleiches gilt, wenn Aktionären **Bezugsrecht** zusteht (§ 186 I, V). Verbreitete Auffassung hält hier an Pflicht zur Pariemission 25 fest (→ 14. Aufl. 2020, Rn. 25; B/K/L/Lieder Rn. 45; Grigoleit/Rieder/Holzmann Rn. 27; GK-AktG/Wiedemann Rn. 68 f.; MHdB AG/Scholz § 57 Rn. 31; Cahn ZHR 163 [1999], 554, 582 f.). Bessere Gründe sprechen indes dafür, dass Verwaltung auch hier berechtigt und verpflichtet ist, neue Aktien **über pari** auszugeben (KK-AktG/Ekkenga Rn. 43, 50; MüKoAktG/Schürnbrand/Verse Rn. 72; S/L/Veil Rn. 23; Baums FS Hommelhoff, 2012, 61, 67 f.; Hirte, Bezugsrechtsausschluss und Konzernbildung, 1986, 98; Klette DB 1968, 2203, 2207 und 2261 ff.). Ausgabe „zu Schleuderpreisen" entspr. üblicherweise nicht dem Willen der Aktionäre (KK-AktG/Ekkenga Rn. 43), zumal sie auf diese Weise auch Freiheit verlieren würden, Bezugsrecht nicht auszuüben (MüKoAktG/Schürnbrand/Verse Rn. 72). Gibt Verwaltung zu pari aus, obwohl Überpariemission zulässig und möglich wäre, so verletzt sie ihre Pflichten ggü. AG; Verwaltungsmitglieder können gem. §§ 93, 116 **schadensersatzpflichtig** sein (B/K/L/Lieder Rn. 45; Klette BB 1968, 1101, 1103 ff.); Anspruch kann auch von Aktionären für AG geltend gemacht werden, indem sie auf Leistung in das Gesellschaftsvermögen klagen (KK-AktG/Ekkenga Rn. 52). Zur Konstellation einer „Bis zu"-Kapitalerhöhung → Rn. 12.

V. Subsidiarität der Kapitalerhöhung (§ 182 IV)

26 **1. Grundsatz.** Grundkapital soll (→ Rn. 29 f.) nicht erhöht werden, solange dafür kein Bedürfnis besteht, weil ausstehende Einlagen auf bisheriges Grundkapital noch erlangt werden können (§ 182 IV 1; sa § 203 III). Zweck liegt darin, AG und ihre Aktionäre vor weitreichenden Folgen verfrühter Kapitalerhöhung (Kosten [→ Rn. 33 ff.], Beteiligungsverwässerung) zu schützen (MüKoAktG/Schürnbrand/Verse Rn. 76). Norm ist anwendbar bei Bar- wie Sacherhöhung (§ 183). Einlagen iSd § 182 IV 1 sind ebenfalls **Bar- und Sacheinlagen.** Unerheblich ist, welche Einlagenart aussteht und welche Einlagenart beabsichtigte Kapitalerhöhung vorsieht (KK-AktG/Ekkenga Rn. 72; MüKoAktG/Schürnbrand/Verse Rn. 78). Irrelevant ist auch, ob offene Einlagepflicht aus Gründung oder Kapitalerhöhung stammt. **Ausstehende Einlagen** sind idR die Geldeinlagen, die nicht schon vor Anmeldung zu zahlen sind (→ § 63 Rn. 2). Erfasst werden aber auch: Geld- und Sacheinlagen, die entgegen § 36 II, § 36a I (Mindestbetrag und bei Überpariemission das korporative Agio; schuldrechtl. Agio [→ Rn. 22a; → § 9 Rn. 10 ff.] bleibt außer Betracht, vgl. MüKoAktG/Schürnbrand/Verse Rn. 78) und § 36a II noch nicht geleistet sind (MüKoAktG/Schürnbrand/Verse Rn. 78; einschr. aber Marsch-Barner/Schäfer/Busch/Busch Rn. 44.3); sowie Ansprüche aus kaduzierten Aktien nach §§ 64, 65 (allgM). Ansprüche aus § 62 wegen unerlaubter Einlagenrückgewähr sind dem Einlageanspruch zwar funktional vergleichbar, doch erscheint es angesichts der Weite der Vermögensbindung nach § 57 aus Gründen der Rechtssicherheit vorzugswürdig, § 182 IV auf Einlageansprüche im technischen Sinne zu beschränken (str., wie hier KK-AktG/Ekkenga Rn. 72; MüKoAktG/Schürnbrand/Verse Rn. 78; BeckOGK/Servatius Rn. 74; Ekkenga/Ekkenga/Jaspers AG-Finanzierung Kap. 4 Rn. 86; aA noch → 14. Aufl. 2020, Rn. 26; Grigoleit/Rieder/Holzmann Rn. 28; S/L/Veil Rn. 36).

27 **Einlagen müssen erlangt werden können.** Versuch der Zwangsvollstreckung ist entbehrlich, wenn feststeht, dass sie zwecklos wäre (B/K/L/Lieder Rn. 50; MüKoAktG/Schürnbrand/Verse Rn. 80). Voraussetzung muss bei kaduzierten Aktien auch bei sämtlichen Vormännern vorliegen (→ § 65 Rn. 2 ff.). Sacheinlagen können nicht erlangt werden, wenn sie untergegangen sind und Ersatzanspruch nicht besteht oder ebenfalls nicht realisierbar ist (allgM). Ebenfalls können Einlagen auch dann nicht iSd § 182 IV 1 erlangt werden, wenn AG wegen fehlender Fälligkeit ihre sofortige Leistung nicht durchsetzen kann (inzw. ganz hM, vgl. B/K/L/Lieder Rn. 50; KK-AktG/Ekkenga Rn. 74; MüKoAktG/

Schürnbrand/Verse Rn. 80; BeckOGK/Servatius Rn. 75; S/L/Veil Rn. 37; Marsch-Barner/Schäfer/Busch/Busch Rn. 44.4; Ekkenga/Ekkenga/Jaspers AG-Finanzierung Kap. 4 Rn. 82; aA GK-AktG/Wiedemann Rn. 82). Dem ist zuzustimmen, weil Notwendigkeit der Kapitalerhöhung nur dann verneint werden kann, wenn anderweitige Beschaffung weiterer Mittel rechtl. und tats. möglich ist. Hat **AG eigene Aktien** wirksam erworben (→ § 71 Rn. 7 ff., 20 f.), steht ihr aus diesen Aktien kein Einlagenanspruch zu (§ 71b; → § 71b Rn. 3 f.). Teilw. wird § 182 IV dennoch entspr. angewandt, da AG eigene Aktien veräußern und damit Eigenmittel erwerben kann (BeckOGK/Servatius Rn. 74; S/L/Veil Rn. 38). Überzeugender erscheint Gegenauffassung, die Analogieschluss wegen fehlender Vergleichbarkeit des geregelten und ungeregelten Falls verneint (KK-AktG/Ekkenga Rn. 73; B/K/L/Lieder Rn. 51; MüKoAktG/Schürnbrand/Verse Rn. 79; GK-AktG/Wiedemann Rn. 85; Habersack/Mülbert/Schlitt/M. Arnold Unternehmensfinanzierung Rn. 8.70; Marsch-Barner/Schäfer/Busch/Busch Rn. 44.3; Ekkenga/Ekkenga/Jaspers AG-Finanzierung Kap. 4 Rn. 86). Wenn Erwerb eigener Aktien aus schutzwürdigen Motiven zugelassen wird, so kann Bestandskraft des Erwerbs auch nicht über § 182 IV analog ausgehebelt werden. Liegen dagegen Voraussetzungen des § 71 I, II zum Erwerb eigener Aktien nicht vor, ist Erwerb aber trotzdem wirksam (§ 71 IV). Rückgewähranspruch aus unzulässiger Zahlung des Erwerbspreises (§ 62; → § 71 Rn. 24) steht der Kapitalerhöhung entgegen.

2. Ausnahmen. § 182 IV 1 findet auf **Versicherungs-AG** keine Anwendung, wenn ihre Satzung etwas anderes bestimmt (§ 182 IV 2). Grund: Versicherungs-AG benötigt dem Grundkapital entspr. Vermögen idR nicht für Betriebszwecke, sondern als Risikoreserve (Zöllner AG 1985, 19; → § 68 Rn. 10). Entspr. Satzungsbestimmung kann zusammen mit Kapitalerhöhung beschlossen werden. Erforderlich ist aber ausdr. Beschluss gem. § 179; Kapitalerhöhungsbeschluss allein reicht nicht (MüKoAktG/Schürnbrand/Verse Rn. 84). Nicht anwendbar ist § 186 IV 2 auf Holding-AG, die keine Versicherungsgeschäfte betreibt (Hölters/Weber/Apfelbacher/Metzner Rn. 71). Kapitalerhöhung kann ferner auch dann durchgeführt werden, wenn Einlagen nur in **verhältnismäßig unerheblichem Umfang** ausstehen (§ 182 IV 3). Ausnahmeregelung gilt für Bar- und Sacheinlagen (unstr.) und für jede AG. Str. ist, ob Summe der ausstehenden Einlagen zur geplanten Kapitalerhöhung, zum satzungsmäßigen Grundkapital oder zur Summe der bisher auf das Grundkapital geleisteten Einlagen ins Verhältnis zu setzen ist (für das Erste KK-AktG/Ekkenga Rn. 75; MüKoAktG/Schürnbrand/Verse Rn. 82; BeckOGK/Servatius Rn. 76; Ekkenga/Ekkenga/Jaspers AG-Finanzierung Kap. 4 Rn. 59; für das Zweite B/K/L/Lieder Rn. 53; GK-AktG/Wiedemann Rn. 88; MHdB AG/Scholz § 57 Rn. 6; für das Dritte Grigoleit/Rieder/Holzmann Rn. 32; S/L/Veil Rn. 40). Abw. von → 14. Aufl. 2020, Rn. 28 ist nicht dritter, sondern erster Auffassung Vorzug zu geben, weil sie sich in Sinn und Zweck des § 182 IV 3 einfügt. Vorschrift soll klären, wann Altaktionären Kapitalerhöhung zuzumuten ist und wann Verwaltung auf Eintreibung noch ausstehender Einlagen verwiesen werden kann. Dafür ist **Umfang des geltend gemachten Finanzierungsbedarfs** von höherer Aussagekraft als geleistete Einlagen (MüKoAktG/Schürnbrand/Verse Rn. 82). Da Bezugsgrößen unterschiedlich bestimmt werden, besteht auch über Verhältnis von ausstehenden Einlagen zu diesen (variierenden) Referenzpunkten keine Einigkeit. Vertreter der zweiten und dritten Lösung nennen allerdings zT (obwohl auf unterschiedliche Referenzpunkte bezogen) trotzdem einheitliche Richtwerte, nämlich Grundkapital bis 250.000 Euro ca 5 %; bei höherem Grundkapital ca 1 % (MHdB AG/Scholz § 57 Rn. 6 bezogen auf Grundkapital; so S/L/Veil Rn. 40 bezogen auf geleistete Einlage). Von Vertretern der hier präferierten ersten Lösung werden 10 % des Betrags der Kapitalerhöhung 28 zugrunde gelegt (KK-AktG/Ekkenga Rn. 75; MüKoAktG/Schürnbrand/Verse Rn. 83). § 182 IV 1 ist weiterhin nicht anwendbar, wenn Kapitalerhöhung zur **Durchführung einer Verschmelzung** erfolgt (§ 69 I 1 Hs. 1 UmwG, § 78 S. 1 UmwG). Schließlich gilt § 182 IV 1 nicht bei Sonderformen der Kapitalerhöhung (vgl. § 193 I 3, § 202 II, III, § 207 II). Bei genehmigtem Kapital sollen jedoch die jungen Aktien gem. § 203 III 1 nicht ausgegeben werden (→ § 203 Rn. 62 ff.).

29 **3. Rechtsfolgen bei Verstoß.** § 182 IV 1 ist **Sollvorschrift.** Das hat zur Folge, dass Verstoß jedenfalls nicht zur Nichtigkeit des Kapitalerhöhungsbeschlusses führt (unstr.). HM leitet aus Charakter als Sollvorschrift überdies auch fehlende Anfechtbarkeit ab (KK-AktG/Ekkenga Rn. 78; B/K/L/Lieder Rn. 55; MüKoAktG/Schürnbrand/Verse Rn. 86; S/L/Veil Rn. 42; MHdB AG/Scholz § 57 Rn. 7), was aber in dieser Allgemeinheit nicht mehr der überwiegenden Behandlung von Sollvorschriften im Beschlussmängelrecht entspr. Hier geht (ältere) Rspr. im Hinblick auf Kontrollfunktion der Anfechtungsklage zumindest im Regelfall von Anfechtungsgrund aus, während starke Schrifttumsauffassung konkrete Normauslegung in den Vordergrund stellt (→ § 243 Rn. 6). Auch im Lichte solcher Auslegung erscheint Anfechtbarkeit bei § 182 IV in der Sache aber geboten, weil Interessen derjenigen Aktionäre beeinträchtigt werden, die Einlagen geleistet haben und nun zur neuerlichen Leistung veranlasst werden (wie hier deshalb Hölters/Weber/Apfelbacher/Metzner Rn. 75; KK-AktG/Noack/Zetzsche § 243 Rn. 141; MüKoAktG/Schürnbrand, 4. Aufl. 2016, Rn. 73; BeckOGK/Servatius Rn. 79).

30 IÜ hat Registergericht bei Verstoß gegen § 182 IV 1 **Eintragung** des Erhöhungsbeschlusses nach § 184 **abzulehnen** (MüKoAktG/Schürnbrand/Verse Rn. 87; Ekkenga/Ekkenga/Jaspers AG-Finanzierung Kap. 4 Rn. 87; → § 184 Rn. 6). Angaben nach § 184 II ermöglichen Registerkontrolle. Maßgeblich sind Verhältnisse im Entscheidungszeitpunkt. Nach Anmeldung geleistete Einlagen sind ebenso zu berücksichtigen wie Umstand, dass Einlagen nun nicht mehr zu erlangen sind (MüKoAktG/Schürnbrand/Verse Rn. 87). Ist Erhöhungsbeschluss entgegen § 182 IV 1 eingetragen und stellt sich danach Verstoß heraus, ist Eintragung der Durchführung (§§ 188, 189) abzulehnen (KK-AktG/Ekkenga Rn. 79; MüKoAktG/Schürnbrand/Verse Rn. 87; aA Marsch-Barner/Schäfer/Busch/Busch Rn. 44.4). Erfolgt Eintragung gleichwohl, ist Kapitalerhöhung wirksam (allgM). Eintragung kann nicht nach § 398 FamFG gelöscht werden (MüKoAktG/Schürnbrand/Verse Rn. 87; Ekkenga/Ekkenga/Jaspers AG-Finanzierung Kap. 4 Rn. 87).

VI. Auflösung und Insolvenz

31 **1. Liquidation.** Zu unterscheiden ist, ob Kapitalerhöhungsbeschluss vor oder nach Auflösung (§ 262) gefasst wird. **Vor Auflösung** gefasster, aber noch nicht durch Eintragung der Durchführung gem. § 189 wirksam gewordener Erhöhungsbeschluss wird iZw durch Auflösungsbeschluss konkludent aufgehoben, weil sich neue Aktien und entspr. Einlagen mit Abwicklungszweck nicht vertragen (MüKoAktG/J. Koch § 264 Rn. 29; B/K/L/Lieder Rn. 57; MüKoAktG/Schürnbrand/Verse Rn. 90; Lutter FS Schilling, 1973, 207, 210 f.). Gegenteil ist möglich, bedarf aber bes. Anhaltspunkte. Anders wegen § 192 IV auch bei bedingter Kapitalerhöhung (BGHZ 24, 279, 286 f. = NJW 1957, 1279; → § 192 Rn. 26 ff.). Auch **nach Auflösung** hat Abwicklungszweck entscheidende Bedeutung. Er steht Kapitalerhöhung aber nicht entgegen, wenn dadurch eingeworbene Mittel der Befriedigung der Gesellschaftsgläubiger dienen (BGHZ 24, 279, 286 f.; MüKoAktG/J. Koch § 264 Rn. 28; KK-AktG/Ekkenga Rn. 99). Dasselbe gilt, wenn Fortsetzung (§ 274) vorbereitet werden soll.

32 **2. Insolvenz.** Auch hier kommt es darauf an, ob Beschluss zur Erhöhung des Grundkapitals vor oder nach Auflösung gefasst wird, die gem. § 262 I Nr. 3 mit Eröffnung des Insolvenzverfahrens (§ 27 I InsO) eintritt. Für Beschlussfassung **vor Insolvenzeröffnung** gilt: Insolvenz hindert Durchführung der Kapitalerhöhung nicht. Sie wird also mit Eintragung gem. § 189 wirksam. Verwalter kann dann Einlagen einfordern (BGH NJW 1995, 460 zur GmbH; MüKoAktG/Schürnbrand/Verse Rn. 95; Götze ZIP 2002, 2204 ff.; aA noch RGZ 77, 152, 154 f. zur GmbH; OLG Hamm AG 1981, 53). Insolvenzverwalter kann Eintragung aber nicht betreiben, sondern für Anmeldung bleiben Vorstand und AR zuständig (→ § 264 Rn. 11a; BayObLG NZG 2004, 582, 583 [zur GmbH]; KG NZG 2000, 103, 104; B/K/L/Lieder Rn. 58; MüKoAktG/Schürnbrand/Verse Rn. 94; aA H.-F. Müller ZGR 2004, 842, 847). HV kann Zeichner also schützen, indem sie Vorstand im Erhöhungsbeschluss anweist (§ 83 II), bei Insolvenz Anmeldung zu unterlassen oder zurückzunehmen (BGH NJW 1995, 460). Wenn Verfahren weiter betrieben wird, muss HV Erhöhungsbeschluss aufheben, um Einlagepflichten der Aktionäre zu verhindern (BGH NJW 1995, 460; auch im Schrifttum hM, s. zB GK-AktG/Wiedemann Rn. 95; aA H.-F. Müller ZGR 2004, 842, 851 ff.). Soweit Eintragung des Erhöhungsbeschlusses für unzulässig erklärt werden soll (vgl. § 16 II HGB), sind Verfügungsantrag oder Klage gegen AG, nicht gegen Insolvenzverwalter zu richten (KG NZG 2000, 103, 104). Auch **nach Insolvenzeröffnung** kann Kapitalerhöhung gegen Einlagen beschlossen werden (BayObLG NZG 2004, 582, 583; OLG München AG 2018, 581, 584; LG Heidelberg ZIP 1988, 1257 f. [für früheren Zwangsvergleich]; im Schrifttum zunächst Lutter FS Schilling, 1973, 207, 212; seither hL, s. zB MüKoAktG/Schürnbrand/Verse Rn. 96; GK-AktG/Wiedemann Rn. 96 mwN). Anders noch ältere Praxis (RGZ 77, 152, 154 f.; RGZ 85, 205, 207; OLG Bremen NJW 1957, 1560 f. [alle zur GmbH]; OLG Hamm AG 1981, 53), die damit auf sinnvollen Sanierungsweg verzichtete und deshalb nicht überzeugen konnte. Nach OLG München AG 2018, 581, 584 schließt selbst eingeleitetes Insolvenzplanverfahren jedenfalls vor rechtskräftiger Planbestätigung Kapitalerhöhung nicht aus (zust. Schmittmann/Hippeli DZWiR 2018, 501, 507). Das kann Ziel des Insolvenzplans (insbes. Debt-Equity-Swap [→ Rn. 32c]) vereiteln, wenn Durchführung der Kapitalerhöhung nicht gesichert ist, und bleibt deshalb bedenklich (Sax NZI 2018, 541, 543 f.; Thole ZIP 2018, 1565, 1566 f.). Es spricht viel dafür, dass Kapitalerhöhung nach Vorlage des Insolvenzplans (§ 218 InsO) oder jedenfalls nach dessen Niederlegung (§ 234 InsO) gesperrt ist (für das Erste Thole ZIP 2018, 1565, 1567; für das Zweite wohl Sax NZI 2018, 541, 543).

32a **3. Insbesondere: Neuerwerb als Insolvenzmasse.** Gem. § 35 InsO umfasst Insolvenzmasse anders als früher nach § 1 KO auch Vermögen, das Schuldner während des Insolvenzverfahrens erlangt. Das trifft jedenfalls dem Wortlaut nach auch auf durch Kapitalerhöhung nach Verfahrenseröffnung gewonnene Mittel zu (→ Rn. 32). Gleichwohl ist Massezugehörigkeit str. (dafür B/K/L/Lieder Rn. 59; MüKoAktG/Schürnbrand/Verse Rn. 96; BeckOGK/Servatius Rn. 86; H. F. Müller ZGR 2004, 842, 843 f.; dagegen, nämlich für Insolvenzfreiheit speziell des aus Kapitalerhöhung folgenden Neuvermögens, NK-AktR/Elser Rn. 68; Braun/Uhlenbruck, Unternehmensinsolvenz, 1997, 89). Dazu ist zunächst festzuhalten, dass Kapitalerhöhung auch bei Insolvenzbeschlag rechtl. möglich bleibt. Nur wird sich niemand zur Mitwirkung bereit finden, wenn Mittel zur Befriedigung der Gläubiger statt zur Sanierung des Unternehmens verwandt werden.

32b **Liquidität und Sanierungsplan.** Wenn Kapitalerhöhung (auch iVm Kapitalherabsetzung gem. §§ 228, 229 III) noch als Sanierungsinstrument greifen soll (dafür offenbar RegBegr. BT-Drs. 12/2443, 211), müssen eingeworbene Mittel als Liquidität zur Verfügung stehen. Das ließe sich durch teleologische Reduktion des § 35 InsO erreichen (Pleister/Kindler ZIP 2010, 503, 509; zurückhaltend K. Schmidt AG 2006, 597, 604 f.), für die immerhin mangelnde Problemanschauung des Gesetzgebers geltend gemacht werden kann (RegBegr. BT-Drs. 12/2443, 122: kaum praktische Bedeutung „für Gesellschaften und jur. Personen"). Dennoch ist eine solche Reduktion zumindest nach mittlerweile geltender Rechtslage abzulehnen. Sie käme nur in Betracht, wenn Regelungsüberschuss hinsichtlich der Kapitalerhöhung nicht iRd Insolvenzplanverfahrens (§§ 217 ff. InsO) abgebaut werden kann, was aber spätestens seit Einführung des sog Debt-Equity-Swaps zu bejahen sein dürfte (→ Rn. 32c).

32c **4. Debt-Equity-Swap.** Besonderheiten gelten für Kapitalerhöhung in Gestalt eines sog Debt-Equity-Swap gem. § 225a II InsO im Rahmen eines Insolvenzplanverfahrens nach §§ 217 ff. InsO. Es handelt sich dabei um ein **Sanierungsinstrument,** das im Zuge des ESUG 2011 in das deutsche Recht eingeführt wurde (Überblick über das ESUG bei Landfermann WM 2012, 821 ff., 869 ff.; Simon/Merkelbach NZG 2012, 121 ff.; zu ersten praktischen Erfahrungen Schluck-Amend in VGR 20 GesR 2014, 151, 156 ff.; Übersicht zum Debt-Equity-Swap bei Uhlenbruck/Hirte InsO § 225a Rn. 18 ff.; K. Schmidt/Spliedt InsO § 225a Rn. 19 ff.). Debt-Equity-Swap bezeichnet eine Transaktion, bei der Forderung eines Gläubigers ggü. AG zugunsten einer entspr. Beteiligung an dieser erlischt mit der Folge, dass **Fremd- zu Eigenkapitalgebern** werden. Eines solchen Instruments bedarf es, um zu verhindern, dass Altgesellschafter von Sanierungsanstrengungen der Gläubiger profitieren. Vehikel dieser Transaktion ist Kapitalerhöhung, bei der Gläubiger ihre Forderungen, sofern noch werthaltig (Vollwertigkeitsgebot), als Sacheinlage einbringen (A. Arnold FS Hoffmann-Becking, 2013, 23, 30 ff.; zum Vollwertigkeitsgebot s. RegBegr. ESUG BT-Drs. 17/5712, 31 f.; zur Bemessung der Vollwertigkeit s. K. Schmidt/Spliedt InsO § 225a Rn. 22 ff.; A. Arnold FS Hoffmann-Becking, 2013, 29, 33 ff.; zum Ausschluss der Differenzhaftung nach § 254 IV InsO s. Kanzler/Mader GmbHR 2012, 992 ff.; zur Einbringung eines Gesellschafterdarlehens Habersack FS Kübler, 2015, 219, 220 ff.). Einbringung zum Nennwert – unabhängig von Werthaltigkeit – ist auch beim Debt-Equity-Swap ausgeschlossen (→ § 27 Rn. 17 mwN). Auf diese Weise wird Eigenkapitalquote verbessert und zugleich Liquidität geschaffen, da Belastungen durch Zinsen und Tilgung wegfallen. Bei Eigenkapitalverlusten wird meist flankierend nominelle Kapitalherabsetzung beschlossen (Schluck-Amend in VGR 20 GesR 2014, 151, 167 f.). **Rechte der Aktionäre** können dabei stark eingeschränkt werden, sofern diese gem. § 222 I Nr. 4 InsO in Insolvenzplan einbezogen werden. Sämtliche gesellschaftsrechtl. Beschlüsse, die zur Durchführung erforderlich sind (zB Kapitalherabsetzung, Kapitalerhöhung, Ausschluss des Bezugsrechts, Zulassung der Forderungen als Sacheinlagen, vgl. § 225a II 3 InsO; speziell zum Bezugsrechtsausschluss nach Kapitalherabsetzung auf Null → § 228 Rn. 2b; MüKoAktG/Oechsler § 228 Rn. 5d) können in **Insolvenzplan** aufgenommen werden, soweit sie gesellschaftsrechtl. zulässig sind (§ 225a III InsO; dazu AG Charlottenburg NZG 2015, 1326 ff.; Schluck-Amend in VGR 20 GesR 2014, 151, 166 f.; weitergehend Klausmann NZG 2015, 1300, 1303 f.; zum Begriff der Zulässigkeit vgl. Noack/Schneiders DB 2016, 1619 ff.). Dieser bedarf zwar ebenfalls einer Zustimmung der Anteilseigner, für die aber einfache Kapitalmehrheit genügt (§ 222 I Nr. 4 iVm §§ 238a, 244 III InsO – zu Einzelheiten des Abstimmungsverfahrens Simon/Merkelbach NZG 2012, 121, 122). Selbst diese Zustimmung der Aktionäre kann aufgrund des **Obstruktionsverbots** gem. § 245 I, III InsO fingiert werden, wenn Insolvenzplan angemessene Entschädigung für sie vorsieht oder Entschädigung nicht erforderlich ist, was in der Praxis zumeist der Fall sein wird (RegBegr. BT-Drs.

17/5712, 52, die insofern also von Wertbemessung auf Grundlage von Liquidationswerten auszugehen scheint – sa Simon/Merkelbach NZG 2012, 121, 124). Insolvenzplan kann damit uU auch gegen Willen der Altgesellschafter durchgesetzt werden. Minderheitenschutz erfolgt gem. § 251 InsO, wonach Bestätigung des Insolvenzplans auf Antrag versagt werden kann; wurde Insolvenzplan bestätigt, kann sofortige Beschwerde gem. § 253 InsO eingelegt werden (Schluck-Amend in VGR 20 GesR 2014, 151, 179 ff.). Insolvenzplan ersetzt gem. § 254 II 1 InsO Kapitalerhöhungsbeschluss; auf Beachtung der gesellschaftsrechtl. erforderlichen Ladungen, Bek. und sonstigen Maßnahmen zur Beschlussvorbereitung kann gem. § 254a II 2 InsO verzichtet werden; Insolvenzverwalter kann erforderliche Anmeldungen gem. § 254a II 3 InsO vornehmen.

VII. Kosten und Steuern

1. Kosten. a) Allgemeines. Kapitalerhöhungen verursachen idR hohe Kosten. Neben **Notarkosten** für Beurkundung und Anmeldung (dazu KK-AktG/Ekkenga Rn. 148 f.; Felix RNotZ 2018, 378 f. [GmbH]; zur Berücksichtigung des Agio bei Geschäftswertberechnung OLG München NZG 2018, 429 Rn. 11 [GmbH]) fallen Kosten für Registereintragung (→ Rn. 34 f.) sowie allg. **Verwaltungskosten** an, zB für Verbriefung neuer Aktien. Bei Fremdemission (→ Rn. 5) entstehen auch Kosten für Tätigkeit der Emissionsbank. Kostenschuldner ist AG, auch für Kosten der Eintragung (§ 22 Nr. 1 GNotKG). Bei Prospektpflicht treten Kosten für Prospekterstellung hinzu. Zu europarechtl. Vorgaben KK-AktG/Ekkenga Rn. 143 f. 33

b) Notarkosten. Notarkosten für **Beurkundung** des Kapitalerhöhungsbeschlusses richten sich nach KV 21100 GNotKG, der doppelte Gebühr (2,0 Verfahrensgebühr) vorsieht. Höhe der Gebühr bemisst sich gem. § 3 I GNotKG nach **Geschäftswert,** der sich wiederum nach dem Betrag richtet, um den Grundkapital erhöht werden soll (§ 105 I 1 Nr. 4 lit. a GNotKG), mindestens aber 30.000 Euro (§ 105 I 2 GNotKG) und höchstens 5. Mio. Euro beträgt (§ 108 V GNotKG). Agio ist bei Geschäftswertberechnung zu berücksichtigen (BGH *BeckRS 2023, 29212* Rn. 6 ff.; OLG München NZG 2018, 429 Rn. 11 [GmbH]; aA MüKoAktG/Schürnbrand/Verse Rn. 105 m. Fn. 291). Gleichzeitige Beurkundung der Satzungsänderung löst keine zusätzliche Gebühr aus, da Kapitalerhöhung und Satzungsänderung gegenstandsgleich sind (§ 109 II 1 Nr. 4 lit. b GNotKG). Notarkosten für **Anmeldungen zum HR** fallen deutlich geringer aus (ausf. Happ/Schmitz AktR 12.01 Rn. 38.11 ff.). Erfolgen Eintragung des Kapitalerhöhungsbeschlusses (§ 184) und Eintragung der Durchführung (§ 188) getrennt, bestimmt sich Geschäftswert der Eintragung des Erhöhungsbeschlusses nach § 105 I 1 Nr. 4 lit. a GNotKG. Nachfolgende Eintragung der Durchführung (§ 188) ist dagegen mangels Geldbetrags gem. § 105 IV Nr. 1 GNotKG (1 % des eingetragenen Grundkapitals, mindestens 30.000 Euro) zu behandeln. Werden wie durchweg beide Eintragungen verbunden (§ 188 IV), so handelt es sich um einen Eintragungsvorgang, dessen Geschäftswert sich gem. § 105 I 1 Nr. 4 lit. a GNotKG einheitlich nach Erhöhungsbetrag bestimmt (Korintenberg/Tiedtke GNotKG § 105 Rn. 26). 34

c) Registerkosten. Kosten für Eintragung der Kapitalerhöhung in das HR bestimmen sich nach § 58 I GNotKG iVm HRegGebV. Ihre Höhe bemisst sich insoweit allein nach **Geschäftsaufwand** der Handlung. Gebührentatbestand GV 2400 HRegGebV taxiert diesen für Kapitalerhöhung auf 270 Euro. Bei getrennter Eintragung von Erhöhungsbeschluss und Durchführung sind zwei Gebührentatbestände verwirklicht, bei verbundener Eintragung dagegen ein Gebührentatbestand (MüKoAktG/Schürnbrand/Verse Rn. 106). Hinzu kommt lediglich Ge- 34a bühr von 40 Euro nach GV 2501 HRegGebV (Eintragung der zweiten und jeder weiteren Tatsache aufgrund derselben Anmeldung). **Satzungsanpassung** mit Eintragung der Durchführung hat kostenrechtl. keine selbständige Bedeutung (arg. § 2 III Nr. 4 HRegGebV). Erfolgt Anpassung später (Zulässigkeit str., → § 188 Rn. 11), so ist sie nach § 105 II und IV Nr. 1 GNotKG gesondert gebührenpflichtig (KK-AktG/Ekkenga Rn. 145; Korintenberg/Tiedtke GNotKG § 105 Rn. 59 f.). Nehmen Anmelder Antrag zurück oder weist Gericht ihn zurück, gelten §§ 3 ff. HRegGebV (vgl. KK-AktG/Ekkenga Rn. 146 f.).

35 **2. Steuern.** Einlagen auf die neuen Aktien unterliegen nicht der **Körperschaftsteuer** (§ 8 I KStG iVm § 4 I 1, § 5 I 1 EStG), und zwar weder geringster Ausgabebetrag noch Mehrbetrag (MüKoAktG/Schürnbrand/Verse Rn. 103). Zu Veräußerungsgewinnen bei Einschaltung einer Emissionsbank (→ Rn. 24) s. Meilicke/Meilicke DB 1985, 457. Anfallende Kosten sind **Betriebsausgaben** iSd § 8 I KStG iVm § 4 IV EStG und können deshalb gewinnmindernd geltend gemacht werden (BFHE 191, 107, 110; S/L/Veil Rn. 48; Heinze ZIP 2011, 1848, 1849). Zur Bilanzierung Ekkenga/Thouet AG-Finanzierung Kap. 4 Rn. 412 ff.

Kapitalerhöhung mit Sacheinlagen; Rückzahlung von Einlagen

183 (1) [1]**Wird eine Sacheinlage (§ 27 Abs. 1 und 2) gemacht, so müssen ihr Gegenstand, die Person, von der die Gesellschaft den Gegenstand erwirbt, und der Nennbetrag, bei Stückaktien die Zahl der bei der Sacheinlage zu gewährenden Aktien im Beschluß über die Erhöhung des Grundkapitals festgesetzt werden.** [2]**Der Beschluß darf nur gefaßt werden, wenn die Einbringung von Sacheinlagen und die Festsetzungen nach Satz 1 ausdrücklich und ordnungsgemäß bekanntgemacht worden sind.**

(2) **§ 27 Abs. 3 und 4 gilt entsprechend.**

(3) [1]**Bei der Kapitalerhöhung mit Sacheinlagen hat eine Prüfung durch einen oder mehrere Prüfer stattzufinden.** [2]**§ 33 Abs. 3 bis 5, die §§ 34, 35 gelten sinngemäß.**

Übersicht

I. Regelungsgegenstand und -zweck

§ 183 betr. Kapitalerhöhung mit Sacheinlagen und bezweckt ebenso wie § 27 im Gründungsstadium **Schutz der Gläubiger und Aktionäre** vor unzureichender Kapitalaufbringung, die durch Sachgründung bes. gefährdet erscheint (BGH NJW 1992, 3167, 3169; → § 27 Rn. 1; einschränkend OLG München AG 2023, 707, 711; MüKoAktG/Schürnbrand/Verse Rn. 4: Aktionärsschutz nur Rechtsreflex). Norm ergänzt § 182, indem sie die wesentlichen Konditionen der Sacheinlage als weiteren Inhalt des Kapitalerhöhungsbeschlusses (§ 183 I 1) sowie entspr. Bek. in der Tagesordnung (§ 183 I 2) vorschreibt. Sie regelt ferner Rechtsfolgen, wenn Vorgaben nach § 183 I 1 nicht eingehalten werden (§ 183 II), und normiert Prüfung der Sacheinlage durch unabhängige Prüfer und Registergericht (§ 183 III). Ges. enthält für Sacherhöhung noch weitere Sondervorschriften; s. § 184 I 2, § 185 I 3 Nr. 3, § 188 III Nr. 2. Rechtstatsächlich stellt sich Sachkapitalerhöhung speziell im Transaktionskontext als signifikante Gestaltungsform dar (vgl. KK-AktG/Ekkenga Vor § 182 Rn. 39), die in der Vergangenheit aber hinter Bartransaktionen zurückblieb, was sich aus einer Vielzahl verfahrensrechtl. Erschwerungen ergab, deren wirtschaftlich bedeutsamste darin lag, dass uU Bewertung von zwei Objekten erforderlich war und bei Fehlern **scharfe Anfechtungssanktion des § 255 II aF** drohte (Einzelheiten bei Seibt/Schulz CFL 2012, 313 ff.). Mit Neufassung des § 255 im Zuge des ZuFinG 2023 verbindet sich Hoffnung, Sachkapitalerhöhung größere Relevanz zu geben (→ § 255 Rn. 2 ff.). Durch Einführung des Debt-Equity-Swap (→ § 182 Rn. 32c) hat Sachkapitalerhöhung namentl. auch als Sanierungsinstrument weiteren wichtigen Anwendungsbereich erhalten. Zusätzliche Relevanz hat sie durch mit UmRUG 2023 neu geschaffene Möglichkeit erhalten, in Umwandlungsfällen bare Zuzahlung gem. § 15 I UmwG nach § 72a UmwG durch Gewährung zusätzlicher Aktien zu ersetzen. Für die Schaffung dieser Aktien sieht § 72b UmwG bes. Form der Kapitalerhöhung gegen Sacheinlagen vor, bei der Anspruch auf Gewährung zusätzlicher Aktien Gegenstand der Einlage ist (zu Einzelheiten Drinhausen/Keinath BB 2022, 1923, 1926 ff.). 1

II. Grundlagen

1. Anwendungsbereich. a) Sacheinlage. Sacheinlage ist **jede Einlage, die nicht durch Einzahlung** des Ausgabebetrags zu erbringen ist (Legaldefinition des § 27 I 1; → § 27 Rn. 3). Sacheinlage ist auch sog fingierte Sacheinlage, dh Übernahme eines Vermögensgegenstands, für den eine Vergütung gewährt wird, die auf die Einlage eines Zeichners angerechnet werden soll (§ 27 I 2; → § 27 Rn. 7). Norm ist ferner anwendbar auf gemischte Sacheinlage (→ § 27 Rn. 8) und davon zu unterscheidende gemischte Einlage (→ § 36 Rn. 12). Sacheinlage können nur Vermögensgegenstände sein, deren wirtschaftlicher Wert feststellbar 2 ist (dazu iE → § 27 Rn. 13 ff.). Die im Gründungsrecht nicht begegnende Konstellation der Einbringung eigener Aktien stellt keine wirksame Sacheinlage dar, da der AG damit real kein neues Kapital zugeführt wird (vgl. auch bilanzielle Behandlung durch § 272 I a HGB; MüKoAktG/Schürnbrand/Verse Rn. 29; iErg auch KK-AktG/Ekkenga Rn. 48 mit abw. Begründung); dasselbe gilt für Verzicht auf Anspruch, eigene Aktien zurückzugewähren (BGH AG 2011, 876 Rn. 14; zust. MüKoAktG/Schürnbrand/Verse Rn. 29; Binder ZGR 2012, 757, 762 ff.; aA hinsichtlich des Verzichts KK-AktG/Ekkenga Rn. 50; Merkt/Mylich NZG 2012, 525, 526 f.: verdeckte Sacheinlage). Auch Anteile an einem in Mehrheitsbesitz der AG stehenden oder sonst von ihr abhängigen Unternehmen können als Sacheinlage eingebracht werden (→ § 27 Rn. 29 mwN).

3 **b) Sachübernahme.** § 183 erfasst nicht Sachübernahme (anders § 27; → § 27 Rn. 5). Sie ist jedenfalls dann gründungsspezifische Besonderheit (BGHZ 171, 113 Rn. 7 = NJW 2007, 3285; näher dazu Habersack FS Konzen, 2006, 179, 185 f., 190), wenn Vermögensgegenstände von Dritten stammen. Auch für reine Umsatzgeschäfte mit Aktionären gelten grds. nur §§ 52, 57. Etwas anderes gilt aber, wenn sie in sachlichem Zusammenhang mit Einlageleistung erbracht werden. In diesem Fall kann gemischte Sacheinlage (→ § 27 Rn. 8) mit der Folge vorliegen, dass § 183 I insges. zu beachten ist (BGHZ 173, 145 Rn. 18 = NJW 2007, 3425; BGHZ 175, 265 Rn. 14 = NZG 2008, 425; aA Martens AG 2007, 732, 733 ff.). Das ist allerdings richtigerweise nur für **unteilbare Leistungen** anzunehmen, wohingegen bei einer teilbaren Leistung jedenfalls bei der offenen Sacheinlage für das Sachübernahmeelement der durch § 57 gewährleistete Schutz genügt; §§ 183 ff. sind dagegen nur für das Sacheinlageelement zu beachten (BGHZ 191, 364 Rn. 49 = NZG 2012, 69 im Anschluss an BeckOGK/Servatius Rn. 10; sa Habersack FS Konzen, 2006, 179, 188 ff.; Habersack ZGR 2008, 48, 55 ff.). Abweichung vom Gründungsrecht (→ § 27 Rn. 8a) erklärt sich daraus, dass AG im Gründungsstadium aufgrund starken Gründereinflusses bes. Schutzes bedarf und deshalb nur dort Sachübernahme bes. Regeln unterworfen ist (§ 27 I 1). Länger existierende AG bedarf dieses bes. Schutzes nicht mehr (BGHZ 191, 364 Rn. 49; sa Habersack FS Konzen, 2006, 179, 185 f.).

3a Maßgeblich für Feststellung der Teilbarkeit ist nicht § 139 BGB oder obj. Betrachtung, sondern **Parteivereinbarung:** Parteien müssen Zusammenfassung zu einheitlicher Sacheinlage gewollt haben (BGHZ 191, 364 Rn. 49 f. = NZG 2012, 69; zust. MüKoAktG/Schürnbrand/Verse Rn. 16; Gottschalk GWR 2012, 121, 122 f.; ähnlich Maier-Reimer FS Hoffmann-Becking, 2013, 755, 761: Koppelungsabrede; aA MüKoAktG/Schürnbrand, 4. Aufl. 2016, Rn. 11: obj. Teilbarkeit). Folge ist, dass Parteien es in der Hand haben, durch Aufteilung der einzubringenden Sachwerte selbst darüber zu entscheiden, welche Werte sie der Publizität, Prüfung und Registerkontrolle unterwerfen (so zutr. Verse ZGR 2012, 875, 898). Die damit geschaffenen Umgehungsgefahren finden – wie auch bei sonstigen Umsatzgeschäften mit Aktionären – Korrektiv in Vorstandsverantwortlichkeit nach § 93 II, III Nr. 1. Zu den Rechtsfolgen einer verdeckten gemischten Sacheinlage → § 27 Rn. 41 f.

4 **2. Systematische Stellung. a) Verhältnis zur Bareinlage.** Kapitalerhöhung gegen Einlagen begründet **immer Pflicht zur Bareinlage.** § 183 erlaubt nur, Bareinlage durch Sacheinlage zu ersetzen, und zwar in Form eines Hilfsgeschäfts iSv Leistung an Erfüllungs Statt (§ 364 I BGB; sa MüKoAktG/Schürnbrand/Verse Rn. 17; aA KK-AktG/Ekkenga § 185 Rn. 112: Leistung erfüllungshalber); dadurch wird Bareinlagepflicht nicht beseitigt, sondern nur verdrängt (Lutter FS Stiefel, 1987, 505, 510; sa MüKoAktG/Schürnbrand/Verse Rn. 17; aA noch Henze, Die treuhänderische und haftungsrechtliche Stellung des Sacheinlegers, 1970, 116 ff.). Werden Voraussetzungen des § 183 nicht beachtet oder sind Sach-

einlagevereinbarungen (→ Rn. 6 ff.) fehlerhaft, so besteht nach Eintragung gem. § 188 II 3 Bareinlagepflicht (→ Rn. 7, 14).

b) Verhältnis zur Nachgründung gemäß § 52. Erfolgt innerhalb von zwei Jahren nach Eintragung der AG in das HR (§ 41 I 1) Kapitalerhöhung mit Sacheinlagen, die in ihrem Umfang ein Zehntel des Grundkapitals übersteigt, ist str., ob neben § 183 auch Nachgründungsvorschriften (§§ 52, 53) entspr. Anwendung finden. Sie sind ggü. §§ 182 ff. strenger: zwingende Kapitalmehrheit von drei Vierteln (§ 52 V 1, 3), Prüfungs- und Berichtspflicht des AR (§ 52 III) und weitergehende Informationsrechte der Aktionäre (§ 52 II); zu den Einzelheiten dieses Schutzgefälles s. J. Koch, Die Nachgründung, 2002, 187 ff. Mit hM und entgegen einem Teil des Schrifttums sind §§ 52, 53 entspr. anzuwenden (zum Meinungsstand → § 52 Rn. 11 mwN). Bemessung der 10 %-Vergütungsgrenze des § 52 I 1 richtet sich entspr. der Parallelwertung des § 67 UmwG nach erhöhtem Grundkapital sowie nach Nennbetrag der neu ausgegebenen Aktien bzw. auf Stückaktien entfallendem anteiligen Betrag des Grundkapitals (allgM; ausf. J. Koch, Die Nachgründung, 2002, 228 ff.; sa Holzapfel/Roschmann FS Bezzenberger, 2000, 163, 182; Krieger FS Claussen, 1997, 223, 228; Kubis AG 1993, 118, 122). Zweijahrefrist beginnt spätestens mit Abschluss des Zeichnungsvertrages. Wird AG hingegen schon durch vorausgegangenes bindendes Zeichnungsangebot oder vorausgehenden Abschluss eines wirksamen Einbringungsvertrages gebunden, so ist auf diesen Zeitpunkt abzustellen (Kubis AG 1993, 118, 123; sa J. Koch, Die Nachgründung, 2002, 236 f.). Für Beurteilung, ob Aktionär mit mehr als 10 % am Grundkapital beteiligt ist, genügt es nicht, wenn er erst durch Beteiligung an Kapitalerhöhung Schwellenwert überschreitet (MüKoAktG/Pentz § 52 Rn. 71; Marsch-Barner/Schäfer/Busch/Busch Rn. 44.24; aA S/L/Bayer § 52 Rn. 17). Werthaltigkeitsprüfung erstreckt sich darauf, ob tats. Ausgabewert der jungen Aktien dem Wert des eingebrachten Vermögensgegenstands entspr. (MüKoAktG/Pentz § 52 Rn. 71; J. Koch, Die Nachgründung, 2002, 240 f.; aA Kubis AG 1993, 118, 122; Marsch-Barner/Schäfer/Busch/Busch Rn. 44.24); einer weiteren Werthaltigkeitsprüfung nach § 183 III bedarf es dann nicht (J. Koch, Die Nachgründung, 2002, 239 f.) 5

3. Sacheinlagevereinbarungen. a) Allgemeines. Str. ist, ob neben Kapitalerhöhungsbeschluss Rechtsgeschäfte erforderlich sind, die der Einbringung der Sacheinlage dienen und zwischen Einleger und AG geschlossen werden (Sacheinlagevereinbarungen iSe **Einbringungsvertrags**). Solche Verträge sind verbreitet, um Modalitäten der Einbringung zu konkretisieren (zB Präzisierung des Einlagegegenstands, Einbringungsstichtag, Gewährleistungsregeln, ggf. dingliche Übertragungsgeschäfte, Bedingungen; zum üblichen Inhalt Happ/Herchen AktienR 12.02 Rn. 11.2). Ältere Auffassung bejaht auch ihre Notwendigkeit, wobei sie teilw. vom schuldrechtl., teilw. vom korporationsrechtl. Charakter des Vertrags ausgeht (für das Erste Hölters/Weber/Apfelbacher/Metzner Rn. 28; für das Zweite GK-AktG/Wiedemann Rn. 73). Heute hM hält gesonderten Einbringungsvertrag zu Recht für **fakultativ,** da sein Abschluss ges. nicht vorgesehen ist (Marsch-Barner/Schäfer/Busch/Busch Rn. 44.36; MHdB AG/Scholz § 57 Rn. 53; Kley RNotZ 2003, 17, 20 ff.; jetzt auch Wachter/Dürr Rn. 15). Obwohl auf Gesellschaftsvertrag – anders als bei Gründung (→ § 27 Rn. 4) – nicht zurückgegriffen werden kann, ist der letztgenannten Auffassung zuzustimmen. In einfach gelagerten Fällen der Sachkapitalerhöhung reicht Zeichnungsvertrag (→ § 185 Rn. 23 ff.) aus, um Pflichten des Inferenten zu bestimmen. Bei komplexen Vorgängen ist Einbringungsvertrag dagegen zweckmäßig. 6

Zuordnung als schuldrechtl. oder korporationsrechtl. Vertrag kann nicht mit letzter Sicherheit getroffen werden, weil diese Kategorien jenseits des Gründungskontextes nicht mit hinreichend konsentierten Inhalten umschrieben 6a werden. Korporationsrechtl. Einordnung wird damit begründet, dass Registergericht Einbringungsvertrag zur Werthaltigkeitskontrolle heranziehe und deshalb Inhalt obj. auszulegen sei (MüKoAktG/Schürnbrand/Verse Rn. 33; MHdB AG/Hoffmann-Becking § 4 Rn. 10). Schon das ist indes fragwürdig, weil bloße Einbeziehung in Wertkontrolle nach § 188 III Nr. 2 nicht bedeuten muss, dass individualvertragliche Basis wie bei Satzungsgrundlage durch Ziel der Kapitalaufbringung überlagert werden kann (→ § 185 Rn. 9). Gerade mit Blick auf rechtsfortbildenden Ausnahmecharakter einer solchen Konstruktion erscheint Basis des § 188 III Nr. 2 zu schwach, um solche Überlagerung zu begründen. Es bleibt deshalb bei allg. schuldrechtl. Regeln und damit bei **Auslegung nach Empfängerhorizont** (§§ 133, 157 BGB). Dass damit in seltenen Einzelfällen Zuverlässigkeit der Kapitalaufbringung gefährdet werden kann, gehört zu zahlreichen Unwägbarkeiten, die Sacheinlage innewohnen und durch fortdauernde Bareinlageverpflichtung bei mangelnder Wertdeckung hinreichend abgemildert werden (→ Rn. 4). Selbst bei anderer Sichtweise bliebe zweifelhaft, ob tats. jede Abweichung vom **rechtsgeschäftlichen Regelprogramm der §§ 104 ff. BGB** Qualifikation als korporationsrechtl. Vertrag begründen kann.

6b Einbringungsvertrag kann **formfrei** abgeschlossen werden, da § 185 I 1 mangels Regelungslücke nicht entspr. anwendbar ist und aus § 188 III Nr. 2 kein Formzwang resultiert (str., wie hier MüKoAktG/Schürnbrand/Verse Rn. 34; BeckOGK/Servatius § 188 Rn. 29; GK-AktG/Wiedemann Rn. 71; aA KK-AktG/Ekkenga § 185 Rn. 98; Hölters/Weber/Apfelbacher/Metzner Rn. 30; B/K/L/Lieder Rn. 9; MHdB AG/Scholz § 57 Rn. 57). Besondere Formerfordernisse können sich aber uU aus anderen Rechtsgründen ergeben (§§ 311b, 1365 BGB). Vertrag muss mindestens Festsetzungen nach § 183 I 1 enthalten. Er kann auch nach Kapitalerhöhungsbeschluss geschlossen werden. Damit wird ermöglicht, über Erhöhung zu beschließen, bevor Inferenten (etwa als Inhaber einzuliefernder Aktien) endgültig feststehen (GK-AktG/Wiedemann Rn. 71; MHdB AG/Scholz § 57 Rn. 56; aA Ekkenga/Ekkenga/Jaspers AG-Finanzierung Kap. 4 Rn. 135, 152: Inferent muss im Beschluss namentlich benannt sein). Wenn Vertrag vor Beschluss zustande kommt, steht er unter aufschiebender Bedingung (§ 158 I BGB), dass Kapitalerhöhung mit Sacheinlage beschlossen wird (LG Heidelberg DB 2001, 1607, 1609; MüKoAktG/Schürnbrand/Verse Rn. 32). Verträge sind der Anmeldung nach § 188 I beizufügen (s. § 188 III Nr. 2; → § 188 Rn. 14). Zur Erfüllung der Einlagepflicht sind **Verfügungsgeschäfte** notwendig (§§ 398 ff., 413 BGB; §§ 873, 925 BGB; §§ 929 ff. BGB); dabei sind bes. aktienrechtl. Erfordernisse zu beachten (→ § 188 Rn. 3).

7 **b) Unwirksamkeit und Leistungsstörungen.** Wenn Verpflichtungsgeschäft ungültig ist (zB §§ 134, 138 BGB), hat Einleger nach Eintragung der Durchführung (§§ 188, 189) auch unter der Geltung des § 183 II nF statt der Sacheinlage den Ausgabebetrag der Aktien (→ § 27 Rn. 3) aus den in → Rn. 4 genannten Gründen in **bar zu leisten** (allgM, s. zB OLG Hamburg AG 2010, 502, 506; Hölters/Weber/Apfelbacher/Metzner Rn. 31); so auch bei Formnichtigkeit gem. § 125 BGB (MüKoAktG/Schürnbrand/Verse Rn. 36; sa KK-AktG/Ekkenga § 185 Rn. 112). Rechtsfolge tritt nach Eintragung der Durchführung auch bei Leistungsstörungen ein (zB §§ 275 ff., 323 ff., 437 BGB), selbst dann, wenn Inferent nach allg. Regeln von seiner Leistungspflicht (zB nach § 326 BGB) frei würde (BGHZ 45, 338, 345 = NJW 1966, 1311; vgl. auch MüKoAktG/Schürnbrand/Verse Rn. 36: Vorrang des Grundsatzes realer Kapitalaufbringung). Bei Rückabwicklung steht AG bis zur Erfüllung der Bareinlagepflicht ein Zurückbehaltungsrecht zu. Zur Rechtslage vor Eintragung der Durchführung → § 188 Rn. 10.

III. Kapitalerhöhungsbeschluss (§ 183 I)

1. Allgemeines. § 183 I ergänzt § 182, dessen Voraussetzungen der Erhöhungsbeschluss ebenfalls erfüllen muss. Sacherhöhung ist idR mit **Bezugsrechtsausschluss** verbunden (vgl. MüKoAktG/Schürnbrand/Verse Rn. 39). Dann ist auch § 186 zu beachten: Bezugsrecht kann nur im Erhöhungsbeschluss ausgeschlossen werden (§ 186 III 1); Beschluss bedarf mindestens einer Dreiviertel-Kapitalmehrheit (§ 186 III 2); beabsichtigter Bezugsrechtsausschluss ist gem. § 124 I bekanntzumachen und zu begründen (§ 186 IV). Bezugsrechtsausschluss ist auch bei Sacherhöhung **rechtfertigungsbedürftig** (BGHZ 71, 40, 46 f. = NJW 1978, 1316; im Ansatz auch BGH NJW 1995, 2656 Ls. = AG 1995, 227, 228; → § 186 Rn. 25 ff., 34 ff.), und zwar einschließlich der Kapitalerhöhung zum Zwecke eines Unternehmenszusammenschlusses (str.; → § 186 Rn. 34). 8

2. Besonderer Inhalt. Im Kapitalerhöhungsbeschluss sind Gegenstand der Sacheinlage, Person des Einlegers und bei Nennbetragsaktien (§ 8 II) der Nennbetrag, bei Stückaktien (§ 8 III) die Zahl der Aktien festzusetzen, die im Austausch gewährt werden sollen (§ 183 I 1). Für Stückaktien gelten Ausführungen in → § 27 Rn. 9 mit der Maßgabe, dass für empfohlenen Beschlussinhalt (Fälle des → § 8 Rn. 19) **Erhöhungszeitpunkt** (§ 189) an die Stelle des Gründungszeitpunkts tritt. Angaben decken sich auch iÜ mit denen des § 27 I (→ § 27 Rn. 17); sie sind zudem Inhalt der Zeichnungsscheine (§ 185 I 3 Nr. 3). Angaben müssen so vollständig und genau sein, dass **Schutzzweck der Satzungspublizität** erreicht wird. Einleger kann auch Geschäftsbesorger sein, der öffentl. Übernahmeangebot abwickelt (zB Bank); ggf. ist Geschäftsbesorger auch im Erhöhungsbeschluss zu benennen. Zur Bezeichnung des Gegenstands → § 27 Rn. 10. Str. ist, ob über Anforderungen des § 183 I 1 hinaus auch der **Ausgabebetrag** (§ 9) festzusetzen ist. HM verneint dies zu Recht, weil weder Wortlaut noch systematische Erwägungen zur Angabe des Ausgabebetrags zwingen (vgl. BGHZ 71, 40, 50 f. = NJW 1978, 1316; B/K/L/Lieder Rn. 16; MüKoAktG/Schürnbrand/Verse Rn. 47; Ballerstedt FS Geßler, 1971, 69, 72, 74 ff.; Kropff FS Geßler, 1971, 111, 118 f.; Maier-Reimer FS Bezzenberger, 2000, 253, 260 ff. u 262 ff.; aA KK-AktG/Ekkenga Rn. 99; BeckOGK/Servatius Rn. 20; S/L/Veil Rn. 15; GK-AktG/Wiedemann Rn. 51). Ausf. zur Bilanzierung Marsch-Barner/Schäfer/Busch/Busch Rn. 44.29 ff. 9

3. Bekanntmachung. Geplante Einbringung von Sacheinlagen und Festsetzungen nach § 183 I 1 (→ Rn. 9) sind ausdr. und ordnungsgem. mit Tagesordnung der HV bekanntzumachen (§ 183 I 2); nicht erforderlich ist Hinweis darauf, dass Werthaltigkeitsprüfung nach § 183a entfallen soll (MüKoAktG/Schürnbrand/Verse Rn. 50; aA BeckOGK/Servatius Rn. 21, § 183a Rn. 29). Früher in § 183 I 2 enthaltener Hinweis auf § 124 I aF ist durch ARUG 2009 als entbehrlich gestrichen worden (RegBegr. BT-Drs. 16/11642, 36). Nachfolgeregelung: § 121 III. Norm hat Hinweis- und Warnfunktion. Wird sie missachtet, ist Kapitalerhöhungsbeschluss gem. § 255 I, III, § 243 I **anfechtbar** (MüKoAktG/Schürnbrand/Verse Rn. 50). HM nimmt überdies an, dass auch Registergericht Eintragung des Erhöhungsbeschlusses (§ 184; → § 184 Rn. 8) und ggf. auch Eintragung der Durchführung (§ 188; § 188 Rn. 22) abzulehnen hat (Hölters/Weber/Apfelbacher/Metzner Rn. 26; KK-AktG/Ekkenga Rn. 85). Diese Sichtweise dürfte indes nicht mehr mit Diskussionsstand des Beschlussmängelrechts übereinstimmen, wonach Vorschriften, die – wie § 183 I 2 – allein Aktionärsinteressen dienen, nach Ablauf der Anfechtungsfrist **Eintragung** nicht mehr hindern (→ § 243 Rn. 56; zutr. MüKoAktG/Schürnbrand/Verse Rn. 50). Bei 10

Vollversammlung (§ 121 VI) entfällt mit Bekanntmachungserfordernis des § 124 auch bes. Bek. nach § 183 I 2 (→ § 121 Rn. 23).

IV. Rechtsfolgen bei Verstößen gegen § 183 I (§ 183 II)

11 **1. Allgemeines.** Seit seiner Änderung durch ARUG 2009 (→ Rn. 10) sieht § 183 II nur noch entspr. Geltung des § 27 III, IV vor, der sich auf verdeckte Sacheinlage sowie Hin- und Herzahlen bezieht (→ § 27 Rn. 23 ff., 47 ff.). Norm greift anders als § 183 II aF zu kurz, weil sie Verstöße gegen § 183 I jedenfalls nicht mehr ausdr. erfasst. Diese sind nämlich dadurch gekennzeichnet, dass Sacheinlage gewollt ist (und nicht Aufspaltung des wirtschaftlich einheitlichen Sacheinlagevorgangs in nur scheinbare Leistung der geschuldeten Bareinlage unter Rückfluss eingenommener Geldmittel, → § 27 Rn. 26), aber die erforderlichen Festsetzungen im Kapitalerhöhungsbeschluss missglückt sind; vor allem deshalb, weil Einlagegegenstände unvollständig oder ohne hinreichende Trennschärfe bezeichnet werden (→ Rn. 9; → § 27 Rn. 12). Zunächst zu erläutern sind unmittelbar geregelte Sachverhalte (→ Rn. 12). Danach ist auf ungeregelte Fälle einzugehen (→ Rn. 13 ff.). Von unzutreffenden oder unzureichenden Angaben des Erhöhungsbeschlusses zum Gegenstand der Einlage sind trotz teilw. ähnlicher Rechtsfolgen Unterpariemission und Überbewertung von Sacheinlagen zu unterscheiden (→ Rn. 16 ff.).

12 **2. Verdeckte Sacheinlagen; Hin- und Herzahlen.** Entspr. Geltung des § 27 III, IV bezieht sich auf verdeckte Sacheinlagen sowie Hin- und Herzahlen. Beide Vorgänge sind nicht nur bei Gründung, sondern auch bei Kapitalerhöhung möglich. Soweit es um verdeckte Sacheinlagen geht, kann auf → § 27 Rn. 12 f., 23 ff. verwiesen werden. Danach gilt in Stichworten: Soweit nach § 183 I 1 erforderliche Angaben fehlen, ist Kapitalerhöhung zunächst auf korporationsrechtl. Ebene (Erhöhungsbeschluss) fehlerhaft, was Eintragungshindernis darstellt. Werden Beschluss und seine Durchführung doch eingetragen (§§ 184, 188, 189), so wird Kapitalerhöhung wirksam, und zwar wegen fortbestehender Geldeinlagepflicht (§ 27 III 1, 3 iVm § 183 II) als Barerhöhung (s. zB MüKoAktG/Schürnbrand/Verse Rn. 54; S/L/Veil Rn. 17). Ist Kapitalerhöhung wirksam geworden, so kann darauf gerichteter Beschluss auch nicht mehr angefochten werden. Nur bis dahin ist Verstoß gegen § 183 I 1 Anfechtungsgrund iSd § 243 I, § 255 I (heute unstr.). Auf schuldrechtl. Ebene (Einbringungsvertrag) mündet Sachleistung mit Eintragung der Durchführung (§§ 188, 189) in Anrechnungslösung ein (Differenzhaftung). Heilung ist vor wie nach Eintragung durch Beseitigung des dem Erhöhungsbeschluss anhaftenden Mangels möglich. Zum **Hin- und Herzahlen** gelten in → § 27 Rn. 47 ff. dargestellte Grundsätze, wobei Widersprüche der ges. Regelung zu europäisch vorgegebenen Kapitalaufbringungsregeln (→ § 27 Rn. 47) bei Kapitalerhöhung noch verschärft werden, da **Art. 69 GesR-RL** als Mindesteinzahlung (über Art. 48 I GesR-RL hinausgehend) auch noch Einzahlung des Agio zwingend vorschreibt. Auch diese Zahlung ist deshalb in richtlinienkonformer Auslegung von schuldbefreiender Wirkung des Hin- und Herzahlens ausgenommen (MüKoAktG/Schürnbrand/Verse Rn. 66; → § 27 Rn. 47). Sonderfall ist Kapitalerhöhung im **„Schütt-Aus-Hol-Zurück-Verfahren“**, die formal als wie Hin- und Herzahlung zu behandelnde Her- und Hinzahlung erscheinen kann. Dazu ist anerkannt, dass Verwendung der ausgeschütteten Dividende zur Bedienung der Einlageschuld alternativ den Regeln über die Sachkapitalerhöhung oder über die Kapitalerhöhung aus Gesellschaftsmitteln unterliegt (→ § 27 Rn. 27).

13 **3. Rechtsfolgen in anderen Fällen fehlender Satzungspublizität. a) Korporationsrechtliche Ebene.** Wenn von § 183 I 1 vorgeschriebene Sat-

zungspublizität fehlt, ohne dass deshalb verdeckte Sacheinlagen gegeben wären (unvollständige oder ungenaue Festsetzung des Einlagegegenstands im Erhöhungsbeschluss), greift § 183 II nicht ein. Das war allerdings auch nach früherem Recht so, weil § 183 II aF nicht Beschluss und daran anknüpfendes Registerverfahren, sondern nur Verträge über Sacheinlagen (Einbringungsverträge) und Ausführungsgeschäfte betraf. Lösung war deshalb schon früher allg. Grundsätzen zu entnehmen. Daraus ergab sich wie bei verdeckten Sacheinlagen (→ Rn. 12) und wie bei Gründungsmängeln (→ § 27 Rn. 12), dass auch missglückte Festsetzung einer Sacheinlage Eintragungshindernis und Anfechtungsgrund darstellt, beides aber wegfällt, wenn Kapitalerhöhung mit Eintragung ihrer Durchführung (§§ 188, 189) wirksam geworden ist. An diesen Grundsätzen könnte sich infolge der Änderung des § 183 durch ARUG 2009 (→ Rn. 10) nur dann etwas geändert haben, wenn korporationsrechtl. Folgen eines Verstoßes gegen § 183 I 1 in der Regelungsperspektive des Gesetzgebers gelegen hätten. Das ist aber nicht einmal bei verdeckten Sacheinlagen der Fall (→ Rn. 12). Deshalb und weil die dargestellten Grundsätze unverändert auch der Sache nach überzeugen, ist an früherer Rechtslage festzuhalten (S/L/Veil Rn. 16 f.; MüKoAktG/Schürnbrand/Verse Rn. 71 f.; Hoffmann-Becking GS M. Winter, 2011, 239, 240 f.).

b) Verträge über Sacheinlagen und Ausführungsgeschäfte. aa) Grundsatz. Von HV gewollte und trotz fehlender Satzungspublizität mit Eintragung ihrer Durchführung wirksam gewordene Kapitalerhöhung (→ Rn. 13) war trotz des auf Sacherhöhung gerichteten Regelungswillens nach früherem Recht kraft Ges. als Barerhöhung zu behandeln (BGHZ 33, 175, 178 = NJW 1961, 26; BGH NJW 1982, 2823, 2827). Schuldner der Bareinlage war vermeintlicher Sacheinleger. Das ist zum Schutz der Vermögensgrundlagen der AG auch nach geltendem Recht richtig (MüKoAktG/Schürnbrand/Verse Rn. 73 f.; Hoffman-Becking GS M. Winter, 2011, 239, 250). Weitergehend ist analog § 183 II aber auch § 27 III entspr. anzuwenden (sa Hoffmann-Becking GS M. Winter, 2011, 239, 248 f.). Diese Lösung ist für Gründungsrecht mittlerweile ganz überwiegend anerkannt (→ § 27 Rn. 12a) und muss deshalb auch für § 183 gelten, da § 183 II zu Recht auf Gleichlauf von Gründung und Kapitalerhöhung abzielt. Namentl. wird damit Anrechnungslösung des § 27 III 3, 4 auch bei fehlerhafter Festsetzung der offenen Sacheinlage iR einer Kapitalerhöhung anwendbar und auf diese Weise verhindert, dass offene Sacheinlagevereinbarung schlechter behandelt wird als verdeckte Sacheinlage (MüKoAktG/Schürnbrand/Verse Rn. 75; krit. KK-AktG/Ekkenga Rn. 108). 14

bb) Einzelfragen. Annahme einer Barerhöhung kraft Ges. (→ Rn. 14) wird von § 27 III 1, 3 gestützt, weil Zeichner danach ohne Rücksicht auf gewollte Sacheinlage Geldzahlung zu erbringen hat, soweit sich aus Anrechnungslösung keine Beschränkung des Verpflichtungsinhalts ergibt (→ § 27 Rn. 36, 38). Zahlungsanspruch unterliegt **obj. Sonderverjährung** analog § 54 IV 1, § 62 III 1, § 9 GmbHG, verjährt also in zehn Jahren ab Entstehung (→ Rn. 12 zum Errichtungsmangel). Das hat BGHZ 118, 83, 101 ff. = NJW 1992, 2222 für frühere Frist von fünf Jahren zwar abgelehnt, doch sollte damit Anwendung der alten Regelverjährung von 30 Jahren erreicht werden. Nach deren Abschaffung ist dargestellte Lösung geboten (MüKoAktG/Schürnbrand, 4. Aufl. 2016, Rn. 55). Auf abw. **Angaben im Zeichnungsschein** (§ 185 I 3 Nr. 3) kommt es in diesem Zusammenhang nicht an, weil Barerhöhung kraft Ges. vorliegt. Deshalb hilft auch keine Ausschlussklausel im Zeichnungsschein (allgM). Inferent kann sich vor Bareinlagepflicht also nur schützen, indem er Zeichnungsscheine erst unterschreibt, nachdem er sich von vollständigen, richtigen und hinreichend genauen Angaben im Erhöhungsbeschluss überzeugt hat. 15

15a Anders als nach altem Recht im Verhältnis des Inferenten zur AG und trotz ges. Bareinlagepflicht sind **Einbringungsverträge** und **Durchführungsgeschäfte** nach § 27 III 2 iVm analoger Anwendung des § 183 II **nicht unwirksam.** AG erwirbt also geleistete Sacheinlage und darf sie auch behalten (keine Leistungskondiktion gem. § 812 I 1 BGB; → § 27 Rn. 37). Damit ist Grundlage geschaffen für sog **Anrechnungslösung** gem. § 27 III 3, 4 iVm § 183 II analog. Analogie findet auch hier ihre Rechtfertigung darin, dass es nicht angehen kann, für Festsetzungsfehler an voller Bareinlagepflicht festzuhalten, nachdem sie bei verdeckter Sacheinlage als übermäßig entfallen ist (MüKoAktG/Schürnbrand/Verse Rn. 75; Hoffmann-Becking GS M. Winter, 2011, 239, 250 ff.). Der Eintragung der AG, die § 27 III 4 bei Gründung voraussetzt, entspr. bei Kapitalerhöhung die Eintragung ihrer Durchführung (§§ 188, 189). Isolierte Eintragung des Erhöhungsbeschlusses (§ 184) stellt nur Zwischenschritt dar und ist deshalb mit dem Gründungsabschluss nicht vergleichbar. Zur **Heilung** sagt § 183 nichts mehr. Bei § 27 ist es ebenso (→ § 27 Rn. 45 f.). Heilung ist deshalb hier wie dort zuzulassen (MüKoAktG/Schürnbrand/Verse Rn. 75; Hoffmann-Becking GS M. Winter, 2011, 239, 253 f.), wofür Satzungsänderung vor oder nach Eintragung der AG bzw. der Durchführung der Kapitalerhöhung erforderlich und, soweit es um fehlende oder unzureichende Festsetzungen geht, auch genügend ist.

V. Prüfung der Sacheinlage (§ 183 III)

16 **1. Durch unabhängige Prüfer. a) Allgemeines und Prüfungsgegenstand.** Jede Kapitalerhöhung mit Sacheinlagen unterliegt der Prüfung (§ 183 III 1), deren Maßstab aus § 183 III 2, § 34 I folgt, so dass gem. § 34 I Nr. 2 zu prüfen ist, ob Wert der Sacheinlagen den **geringsten Ausgabebetrag** der im Gegenzug gewährten Aktien erreicht (zu Besonderheiten der Wertbemessung bei sog Debt-Equity-Swap → § 27 Rn. 17; → § 182 Rn. 32c). Maßgeblich für geringsten Ausgabebetrag ist Legaldefinition des § 9 I (→ § 9 Rn. 2). Umstr. ist, ob Prüfung darüber hinaus auch auf höheren Ausgabebetrag zu erstrecken ist oder ob dieser Schutz allein über § 255 IV – VII erfolgt. Letztgenannte Auffassung wird damit begründet, dass Prüfung nur bezwecke, Verstoß gegen § 9 I auszuschließen, nicht aber Rechte der Altaktionäre zu sichern (Grigoleit/Rieder/Holzmann Rn. 29). Tats. ist diese Eingrenzung aber ebenso wie bei der Gründung (→ § 34 Rn. 3) mit **Art. 49 II GesR-RL** nicht zu vereinbaren, der gem. Art. 70 II UAbs. 2 GesR-RL auch bei Kapitalerhöhung zu beachten ist (s. iErg auch KK-AktG/Ekkenga Rn. 222 ff.; B/K/L/Lieder Rn. 27; MüKoAktG/Schürnbrand/Verse Rn. 84 [richtlinienkonforme Rechtsfortbildung]; BeckOGK/Servatius Rn. 43 f.; S/L/Veil Rn. 25 f.; GK-AktG/Wiedemann Rn. 82; Habersack/Verse EuropGesR § 6 Rn. 79; Bayer FS Ulmer, 2003, 21, 36 ff.; Priester FS Lutter, 2000, 617, 623 f.; Stein/Fischer ZIP 2014, 1362, 1363 ff.). Prüfung muss deshalb auch höheren Ausgabebetrag erfassen und soll damit nicht nur Kapitalaufbringung sichern, sondern auch „Quersubventionierung" des Sacheinlegers durch Altaktionäre verhindern (Habersack/Verse EuropGesR § 6 Rn. 79; Stein/Fischer ZIP 2014, 1362, 1364). Dagegen wird schuldrechtl. Agio (→ § 182 Rn. 22a) nicht der externen Prüfung zugrunde gelegt (Stein/Fischer ZIP 2014, 1362, 1368; aA C. Schäfer FS Stilz, 2014, 525, 527 ff.; ausf. → § 9 Rn. 10 ff.). Kontrolle erstreckt sich auch nicht auf die Frage, ob Sacheinlagewert den Anteilswert erreicht (allgM – vgl. KK-AktG/Ekkenga Rn. 226; MüKoAktG/Schürnbrand/Verse Rn. 85). Prüfer haften entspr. § 49 (iVm § 323 I–IV HGB; → § 49 Rn. 2 und 4) auf Schadensersatz, wenn sie gegen ihre Pflicht zur gewissenhaften und unparteiischen Prüfung verstoßen (→ § 49 Rn. 3 f.; KG BeckRS 2017, 155078 Rn. 17; KK-AktG/Ekkenga Rn. 251; MüKoAktG/

Schürnbrand/Verse Rn. 86). Ansprüche verjähren nach Maßgabe der §§ 195, 199 BGB (KK-AktG/Ekkenga; jetzt auch MüKoAktG/Schürnbrand/Verse Rn. 86 in Abw. von 4. Aufl. 2016 (Schürnbrand) Rn. 64: Verjährung in fünf Jahren entspr. § 51).

b) Prüfungsverfahren. Ges. schreibt Prüfung durch einen oder mehrere Prüfer vor (§ 183 III 1) und verweist zum Verfahren auf Vorschriften aus dem Recht der **Gründungsprüfung** (§ 33 III–V, §§ 34, 35), die sinngem. anzuwenden sind (§ 183 III 2): Prüfung hat vor Anmeldung zu erfolgen (s. § 184 I 2). Prüfer bestellt Registergericht des Satzungssitzes (→ § 33 Rn. 5), und zwar auf Antrag der AG, vertreten durch Vorstand (MüKoAktG/Schürnbrand/Verse Rn. 80). Früher obligatorische Anhörung der IHK ist als solche mit TransPuG 2002 entfallen (→ § 33 Rn. 7). Zu den Kosten der Prüferbestellung → Rn. 22. Prüfer müssen sachlich und persönlich (§ 33 IV, V; → § 33 Rn. 4 f.) geeignet sein. Prüfungsgegenstände bestimmen sich analog § 34 I. Aufgabe der Prüfer ist, den Wert des Einlagegegenstands sachverständig zu ermitteln (Heutz/Parameswaran ZIP 2011, 1650, 1652 ff.). Prüfer haben schriftlichen Prüfungsbericht anzufertigen (§ 34 II; → § 34 Rn. 6 f.), von dem jeweils ein Exemplar dem Gericht und dem Vorstand einzureichen ist (§ 34 III 1; → § 34 Rn. 7). Jedermann kann Bericht bei Gericht einsehen (§ 34 III 2; → § 34 Rn. 6). Prüfer können alle notwendigen Aufklärungen und Nachweise verlangen (§ 35 I; → § 35 Rn. 2 f.). Sind Prüfer und Vorstand verschiedener Meinung über Umfang des Rechts nach § 35 I, kann gerichtl. Entscheidung beantragt werden (§ 35 II; → § 35 Rn. 4 f.). Prüfer haben ferner Anspruch auf Auslagenersatz und Vergütung, die vom Gericht festgesetzt werden (§ 35 III; → § 35 Rn. 6 f.). 17

2. Durch das Registergericht. Registergericht muss (Eingriffsermächtigung, nicht Ermessenszuweisung, zum irreführenen Wortlaut → § 184 Rn. 6a) Eintragung ablehnen, wenn Wert der Sacheinlage nicht unwesentlich hinter Nennbetrag dafür zu gewährender Aktien nebst Agio zurückbleibt (str., → § 184 Rn. 6). Das war früher in § 183 III 3 ausgesprochen. Norm ist durch ARUG 2009 aufgehoben worden, ohne dass sich in der Sache etwas geändert hätte. Einschlägig ist jetzt wortgleiche Regelung in § 184 III 1. RegBegr. BT-Drs. 16/11642, 36 macht für Umstellung rechtssystematische Gründe geltend. 18

3. Rechtsfolgen. a) Bei unterbliebener Prüfung. Fand entgegen § 183 III keine Prüfung durch Prüfer und/oder Gericht statt, so hat dies keinen Einfluss auf den Kapitalerhöhungsbeschluss; vorbehaltlich anderer Mängel ist er wirksam (MüKoAktG/Schürnbrand/Verse Rn. 87). Wenn Kapitalerhöhung mit Sacheinlagen in das HR eingetragen wird, ist auch sie wirksam und kann nicht von Amts wegen gelöscht werden. Nach bislang hM zu § 183 kann auch Nachholung der Prüfung nicht erzwungen werden (NK-AktR/Elser Rn. 34), doch springt ins Auge, dass allgM zu § 34 diese Frage entgegengesetzt beurteilt (→ § 34 Rn. 7 mwN). Richtigerweise dürfte in beiden Fällen Nachholung verlangt werden, weil externe Prüfung Aktionären auch nach Eintragung noch wertvolle Informationen liefern kann (zutr. B/K/L/Lieder Rn. 29; MüKoAktG/Schürnbrand/Verse Rn. 87). 19

b) Bei Überbewertung von Sacheinlagen. aa) Allgemeines. Wenn Wert der Sacheinlage hinter dem geringsten Ausgabebetrag der jungen Aktien zurückbleibt, liegt Verstoß gegen § 9 I vor (Unterpariemission). Registergericht hat Eintragung abzulehnen (→ Rn. 18). **Unterpariemission** führt zur **Nichtigkeit** des Kapitalerhöhungsbeschlusses nach § 241 Nr. 3 Var. 2 (→ § 9 Rn. 7; KK-AktG/Ekkenga Rn. 107; B/K/L/Lieder Rn. 30; BeckOGK/Servatius Rn. 25; Henze, Die treuhänderische und haftungsrechtliche Stellung des Sacheinlegers, 1970, 123; aA Hölters/Weber/Apfelbacher/Metzner Rn. 46; MüKoAktG/ 20

Schürnbrand/Verse Rn. 89; GK-AktG/Wiedemann Rn. 68: Schutz über Differenzhaftung vorzugswürdig; gegen Nichtigkeit wohl auch obiter dictum BGHZ 29, 300, 307 = NJW 1959, 934). Angesichts überragender Bedeutung des § 9 I für System des Kapitalschutzes kann andere Sichtweise auch nicht mit pragmatischer Begründung gerechtfertigt werden, dass Gläubiger an Kapitalerhöhung ungeachtet realer Substanz stets interessiert seien (so aber MüKoAktG/Schürnbrand/Verse Rn. 89). Jedenfalls auf Neugläubiger trifft dies nicht zu; auch von persönlicher Solvenz abhängige Differenzhaftung kann Schutz realer Kapitalaufbringung nicht substituieren. Schwieriger stellt sich Beurteilung dar, wenn Wert der Sacheinlage zwar den geringsten Ausgabebetrag erreicht, aber im **groben Missverhältnis** zum Ausgabebetrag der im Gegenzug gewährten Aktien steht. Da gläubigerschützende Kapitalbindung insofern ohnehin schwächer ausgebildet ist (→ § 9 Rn. 8), kann hier auch bloße Anfechtbarkeit genügen (so auch die mittlerweile hM – vgl. Hölters/Weber/Apfelbacher/Metzner Rn. 46; MüKoAktG/Schürnbrand/Verse Rn. 89; BeckOGK/Servatius Rn. 25; strenger noch 14. Aufl,. 2020 Rn. 20). Registergericht hat in beiden Fällen Eintragung nach allg. Grundsätzen (→ § 184 Rn. 6) abzulehnen. Bei Bezugsrechtsausschluss (→ Rn. 8) besteht – jenseits der Fälle des § 186 III 4 – nach § 255 IV Anspruch auf Barausgleich, wenn Wert der Sacheinlage unangemessen niedrig festgesetzt wurde (→ § 255 Rn. 26 ff.; vgl. zu § 255 II aF BGHZ 71, 40, 50 f. = NJW 1978, 1316; MüKoAktG/Schürnbrand/Verse Rn. 90; aA BeckOGK/Servatius Rn. 26; Ekkenga/Ekkenga/Jaspers AG-Finanzierung Kap. 4 Rn. 215: Differenzhaftung). Wenn Aktionäre zum Bezug berechtigt sind, findet § 255 IV zwar keine Anwendung; bei Überbewertung kann aber gem. § 255 I Anfechtung wegen Verstoßes gegen mitgliedschaftliche Treubindungen oder gegen § 53a, uU auch nach § 243 II in Betracht kommen (MüKoAktG/Schürnbrand/Verse Rn. 90).

21 **bb) Differenzhaftung.** Einleger haftet **verschuldensunabhängig** auf Wertdifferenz in Geld, wenn Wert der Sacheinlage hinter dem geringsten Ausgabebetrag (§ 9 I) der dafür ausgegebenen Aktien zurückbleibt und Kapitalerhöhung nach § 189 durch **Eintragung** wirksam geworden ist (→ § 27 Rn. 21; speziell zur Sachkapitalerhöhung auch BGHZ 171, 293 Rn. 5 = AG 2007, 487 [Verschmelzung]; OLG Frankfurt AG 2010, 793, 794; LG München I ZIP 2013, 1664, 1670; KK-AktG/Ekkenga § 189 Rn. 14 ff.; MüKoAktG/Schürnbrand/Verse Rn. 91 ff., 98; BeckOGK/Servatius Rn. 66 ff.). Auch **korporatives Agio** (→ § 182 Rn. 22) wird nach Rspr. des BGH von Differenzhaftung erfasst (→ § 27 Rn. 21 mwN; zum schuldrechtl. Agio → § 9 Rn. 10 ff.). Maßgeblich ist Wertdifferenz zum Zeitpunkt der Anmeldung nach § 188; wird Gegenstand später überlassen, ist auf diesen Zeitpunkt abzustellen (MüKoAktG/Schürnbrand/Verse Rn. 95). Bei negativem Marktwert des Gegenstands kann Haftung die Höhe des Ausgabebetrags übersteigen (str., wie hier MüKoAktG/Schürnbrand/Verse Rn. 95; BeckOGK/Servatius Rn. 74; S/L/Veil Rn. 8; aA KK-AktG/Ekkenga § 189 Rn. 19). **Beweislast** obliegt der AG (OLG Düsseldorf AG 2011, 823, 824 f.; MüKoAktG/Schürnbrand/Verse Rn. 96). Differenzhaftung greift nicht ein, wenn Kapitalerhöhungsbeschluss nichtig oder nach erfolgter Anfechtungsklage (→ Rn. 20) für nichtig erklärt ist (§ 248 I 1). Haftung kann sich trotz Nichtigkeit auch aus einer entspr. Anwendung des § 277 III ergeben (str. → § 189 Rn. 6). Eintragung allein hat bei Bewertungsfehlern keine heilende Wirkung; wird jedoch Nichtigkeit nach § 242 II geheilt, lebt Differenzhaftung wieder auf. Schließlich kommt keine Differenzhaftung in Betracht, wenn unangemessen niedriger Ausgabebetrag festgesetzt wurde (MüKoAktG/Schürnbrand/Verse Rn. 94; BeckOGK/Servatius Rn. 76; aA C. Schäfer FS Stilz, 2014, 525, 530).

cc) Weitere Anspruchsgrundlagen. Außer Differenzhaftung kann sich AG auf Einbringungsvertrag (→ Rn. 6 ff.) stützen und Mängelgewährleistungsansprüche geltend machen, die auf Nacherfüllung oder Ausgleich in Geld gerichtet sind (MüKoAktG/Schürnbrand/Verse Rn. 102; Ekkenga/Ekkenga/Jaspers AG-Finanzierung Kap. 4 Rn. 404); denkbar sind auch Ansprüche aufgrund des Zeichnungsvertrags (eingehend hierzu KK-AktG/Ekkenga § 185 Rn. 118 f.; zum Zeichnungsvertrag → § 186 Rn. 23 ff.). Haftung entsp. § 46 kommt nicht in Betracht (MüKoAktG/Schürnbrand/Verse Rn. 103; KK-AktG/Ekkenga § 189 Rn. 25). AG kann Verwaltungsmitglieder gem. §§ 93, 116 auf Schadensersatz in Anspruch nehmen (MüKoAktG/Schürnbrand/Verse Rn. 104). 21a

VI. Kosten

Zu Kosten und Steuern einer Kapitalerhöhung → § 182 Rn. 33 ff. Bei Sacherhöhung fallen je nach Gegenstand der Sacheinlage weitere Kosten und Steuern an, zB Kosten der Prüferbestellung. Wegen Verweises in § 183 III 2 auf § 33 III 2, § 35 III 2 fällt bei gerichtlicher Bestellung doppelte Gebühr an, § 375 III Nr. 3 FamFG iVm KV 13500 GNotKG; Geschäftswert beträgt gem. § 67 I 1 Nr. 1 GNotKG 60.000 Euro (→ § 33 Rn. 7); Kostenschuldner ist AG gem. § 22 I GNotKG (MüKoAktG/Schürnbrand/Verse Rn. 105). Ferner fallen an Kosten der Prüfung, bei Grundstücken auch zusätzliche Notar- und Eintragungskosten sowie Grunderwerbsteuer. 22

Kapitalerhöhung mit Sacheinlagen ohne Prüfung

183a (1) [1]**Von einer Prüfung der Sacheinlage (§ 183 Abs. 3) kann unter den Voraussetzungen des § 33a abgesehen werden.** [2]**Wird hiervon Gebrauch gemacht, so gelten die folgenden Absätze.**

(2) [1]**Der Vorstand hat das Datum des Beschlusses über die Kapitalerhöhung sowie die Angaben nach § 37a Abs. 1 und 2 in den Gesellschaftsblättern bekannt zu machen.** [2]**Die Durchführung der Erhöhung des Grundkapitals darf nicht in das Handelsregister eingetragen werden vor Ablauf von vier Wochen seit der Bekanntmachung.**

(3) [1]**Liegen die Voraussetzungen des § 33a Abs. 2 vor, hat das Amtsgericht auf Antrag von Aktionären, die am Tag der Beschlussfassung über die Kapitalerhöhung gemeinsam fünf vom Hundert des Grundkapitals hielten und am Tag der Antragstellung noch halten, einen oder mehrere Prüfer zu bestellen.** [2]**Der Antrag kann bis zum Tag der Eintragung der Durchführung der Erhöhung des Grundkapitals (§ 189) gestellt werden.** [3]**Das Gericht hat vor der Entscheidung über den Antrag den Vorstand zu hören.** [4]**Gegen die Entscheidung ist die Beschwerde gegeben.**

(4) **Für das weitere Verfahren gelten § 33 Abs. 4 und 5, die §§ 34, 35 entsprechend.**

I. Regelungsgegenstand und -zweck

Norm regelt **vereinfachte Sachkapitalerhöhung,** und zwar im gedanklichen Anschluss an §§ 33a, 37a. Vereinfachung besteht im grds. Verzicht auf externe Prüfung der Sacheinlage, wenn Voraussetzungen einer vereinfachten Bewertung aufgrund klarer Anhaltspunkte gem. § 33a I gegeben sind (zum Normzweck → § 33a Rn. 1). Für Fälle des § 33a II trifft § 183a II, III bes. Regelung. Danach ist zwar nicht notwendig zur externen Prüfung zurückzukehren, wohl aber, wenn 1

5 % des Grundkapitals darauf gerichteten Antrag stellen und Gericht ihm stattgibt (Einzelheiten in → Rn. 6 f.). § 183a ist eingefügt durch ARUG 2009 und geht zurück auf früheren Art. 11, 31 II UAbs. 2 **Kapital-RL,** nun konsolidiert in Art. 50, 70 II UAbs. 2 GesR-RL.

2 Grds. **Verzicht auf externe Prüfung** der Sacheinlage ist nach Einführung des § 33a **folgerichtig,** weil sich unterschiedliche Behandlung von Sachgründung und Sachkapitalerhöhung nicht rechtfertigen ließe. Gerade bei der Sachkapitalerhöhung wird Attraktivität für die Praxis aber durch Sperrfrist des § 183a II 2 und Minderheitenrecht nach § 183a III gemindert (krit. deshalb KK-AktG/Ekkenga Rn. 4 f.; Drinhausen/Keinath BB 2009, 64 f.; Merkner/Decker NZG 2009, 887, 891). Zu verbleibenden Einsatzfeldern → Rn. 3.

II. Keine externe Prüfung der Sacheinlage (§ 183a I)

3 Nach § 183a I 1 kann von externer Prüfung abgesehen werden, wenn **Voraussetzungen des § 33a** erfüllt sind. Einlagegegenstände müssen also zum gewichteten Durchschnittspreis bewertete marktgängige Wertpapiere oder Geldmarktinstrumente sein (§ 33a I Nr. 1) oder auch andere Vermögensgegenstände, wenn sie zum fair value eingebracht werden, sofern sich dieser aus anderweitiger zeitnaher sachverständiger Bewertung ergibt (§ 33a I Nr. 2; Einzelheiten → § 33a Rn. 2 ff.). Gegenausnahme des § 33a I (→ § 33a Rn. 8 f.) gilt nur modifiziert, ist nämlich nur als Grund der antragsabhängigen gerichtl. Prüferbestellung nach § 183a III von Bedeutung (→ Rn. 6 f.). Liegen danach Voraussetzungen einer Sachkapitalerhöhung ohne externe Prüfung vor, so „kann“ dieser Weg beschritten werden. Es besteht also hier wie bei Sachgründung (→ § 33a Rn. 7) ein **Wahlrecht** (RegBegr. BT-Drs. 16/11642, 36: Erlaubnis; MüKoAktG/Schürnbrand/Verse Rn. 10; BeckOGK/Servatius Rn. 28). Trägerin des Rechts ist AG, zuständig für Ausübung Vorstand, der nach pflichtgem. Ermessen handeln und etwaige Vorgaben in Satzung oder Erhöhungsbeschluss beachten muss (MüKoAktG/Schürnbrand/Verse Rn. 10 f.; BeckOGK/Servatius Rn. 28). Abwahl der Vereinfachung ist naheliegend, wenn damit gerechnet werden kann, dass Registereintragung bei externer Prüfung schneller zu erreichen ist als bei Verzicht darauf, was angesichts der Registersperre des § 183a II und des zusätzlichen gerichtl. Entscheidungsverfahrens des § 183a III nicht fernliegt; vereinfachtes Verfahren kann aber für geschlossene AG mit wenigen Anteilseignern nützlich sein (vgl. KK-AktG/Ekkenga Rn. 4; MüKoAktG/Schürnbrand/Verse Rn. 7).

III. Publizität; Registersperre

4 Gem. § 183a II 1 ist Vorstand, der für AG vereinfachte Sachkapitalerhöhung gewählt hat (→ Rn. 3), verpflichtet, das **Datum** des Erhöhungsbeschlusses sowie die **Angaben nach § 37a I, II** in den Gesellschaftsblättern (§ 25) bekannt zu machen. Ausweislich des klaren Wortlauts muss Vorsitzender des AR – anders als bei der Registeranmeldung nach § 184 I, § 188 I – nicht mitwirken (vgl. MüKoAktG/Schürnbrand/Verse Rn. 14, der aber auf systematische Unstimmigkeiten hinweist; sa KK-AktG/Ekkenga Rn. 20; BeckOGK/Servatius Rn. 31). Vorstand muss inhaltlich erweiterte Registeranmeldung einschließlich der Versicherung wenigstens in den BAnz. einstellen. RegBegr. BT-Drs. 16/11642, 365 macht dafür geltend, dass Kenntnis der Aktionäre im Hinblick auf Antragsrecht nach § 183a III erforderlich ist, aber beim Erhöhungsbeschluss der HV nicht notwendig vermittelt wird (sa MüKoAktG/Schürnbrand/Verse Rn. 12). Das trifft zwar zu, hätte es aber erlaubt, auf bes. Bek. wenigstens dann zu verzichten, wenn bereits in HV offengelegt wird, dass von externer Prüfung abgesehen werden soll. Für teleologische Reduktion bleibt in diesem Fall im Hinblick auf § 399 I Nr. 4

kein Raum (MüKoAktG/Schürnbrand/Verse Rn. 13; sa KK-AktG/Ekkenga Rn. 20). Str. ist, ob alle Aktionäre auf die Bek. verzichten können (dafür Grigoleit/Rieder/Holzmann Rn. 7; Herrler/Reymann DNotZ 2009, 914, 933; Klasen BB 2008, 2694, 2698; dagegen KK-AktG/Ekkenga Rn. 20; MüKoAktG/Schürnbrand/Verse Rn. 13; BeckOGK/Servatius Rn. 31). Misst man der Bek. richtigerweise Informationsfunktion auch zum Schutz der Allgemeinheit (insbes. der Gläubiger) bei, spricht viel dafür, Verzichtsmöglichkeit zu verneinen.

§ 183a II 2 ordnet Registersperre an. **Sperrfrist:** Ablauf von vier Wochen seit 5
Bek. Gesperrt ist **Eintragung der Durchführung** (§ 189), nicht diejenige des Beschlusses (§ 184). Beschluss ist also auf Anmeldung einzutragen. Bek. ist dem Gericht in geeigneter Form nachzuweisen (RegBegr. BT-Drs. 16/11642, 36; sa KK-AktG/Ekkenga Rn. 23), etwa durch Beifügung eines Belegexemplars. Zweck der Registersperre: Aktionäre sollen Antrag nach § 183a III anbringen können, bevor Kapitalerhöhung gem. § 189 wirksam wird. Um dies sicherzustellen, ist § 183a II 2 erweiternd auszulegen, und zwar derart, dass auch Anmeldung der Durchführung erst nach Ablauf der Sperrfrist erfolgen darf (KK-AktG/Ekkenga Rn. 24; S/L/Veil Rn. 6; Bayer/Schmidt ZGR 2009, 805, 818; aA MüKoAktG/Schürnbrand/Verse Rn. 20). Da Registersperre ausschießlich Aktionärsinteressen dient, entfällt sie, wenn alle Aktionäre auf ihr Antragsrecht nach § 183a III verzichten (KK-AktG/Ekkenga Rn. 25, 30; MüKoAktG/Schürnbrand/Verse Rn. 19).

IV. Minderheitenschutz in den Fällen des § 33a II (§ 183a III)

Unter den Voraussetzungen des § 33a II (→ § 33a Rn. 8 f.) kann Amtsgericht 6
auf Antrag einer qualifizierten Aktionärsminderheit einen oder mehrere Prüfer bestellen (§ 183a III 1). Amtsgericht ist nicht als Registergericht tätig (RegBegr. BT-Drs. 16/11642, 36), sondern kraft bes. Zuständigkeitszuweisung. **Verfahrensart** wird nicht in § 183a III angeordnet, wohl aber in § 375 Nr. 3 FamFG. Danach handelt es sich um unternehmensrechtl. Verfahren iSd FamFG (KK-AktG/Ekkenga Rn. 26). Ob Voraussetzungen des § 37 II erfüllt sind, ist deshalb von Amts wegen zu klären (§ 26 FamFG). Geeignetes Vorbringen bleibt Sache der Antragsteller (Mitwirkungspflicht der Beteiligten, § 27 I FamFG). Beachtlich ist nur Vorbringen, das sich an § 33a II orientiert. Allg. Bewertungsrüge scheidet deshalb ebenso aus wie in den Fällen des § 33a I Nr. 2 die Behauptung, dass fair value von vornherein niedriger gewesen sei (KK-AktG/Ekkenga Rn. 28).

Qualifizierte Minderheit von 5 % des Grundkapitals muss am Tag der Be- 7
schlussfassung über die Kapitalerhöhung bestanden haben und am Tag der Antragstellung noch bestehen. Erfolgt Sacherhöhung unter Ausnutzung eines genehmigten Kapitals, ist gem. § 205 V 2, 3 statt auf Beschlussfassung der HV auf Entscheidung des Vorstands abzustellen (zust. MüKoAktG/Schürnbrand/Verse Rn. 24 m. Fn. 41). Antrag kann nach § 183a III 2 bis zum **Tag der Eintragung der Durchführung** (§ 189) gestellt werden. AG erfährt also uU erst nach Durchführung, ob Neubewertung beantragt wird. Das ist wenig sachgerecht und hätte sich durch Bestimmung einer festen Antragsfrist vermeiden lassen. Problem wird weiter dadurch verschärft, dass Art. 50 II UAbs. 5 GesR-RL Antrag bis zur tats. Einbringung der Vermögensgegenstände gestattet. Da nat. Recht als Mindestschutz über Richtlinienvorgabe hinausgehen kann, aber nicht dahinter zurückbleiben darf, wird man Antrag in richtlinienkonformer Auslegung des § 183a III 2 deshalb auch in diesem Fall noch zulassen müssen (MüKoAktG/Schürnbrand/Verse Rn. 26; ähnlich KK-AktG/Ekkenga Rn. 29). Gericht hat vor seiner Entscheidung den Vorstand zu hören (§ 183a III 3). Das versteht sich von selbst, wenn dem Antrag entsprochen werden soll, ist aber bei geplanter

Zurückweisung wenig einleuchtend und nach allg. Grundsätzen auch nicht geboten (strenger MüKoAktG/Schürnbrand/Verse Rn. 28). Notwendige Aufwendungen der Beteiligten sind von antragstellenden Aktionären zu tragen (KG NZG 2022, 1593 Rn. 11 ff.). **Rechtsmittel:** Beschwerde (§ 183a III 4), wobei es sich nach heute nahezu allgM nicht um sofortige Beschwerde iSd § 567 I ZPO handelt, sondern um Beschwerde nach §§ 58 ff. FamFG (KK-AktG/Ekkenga Rn. 33; MüKoAktG/Schürnbrand/Verse Rn. 28; BeckOGK/Servatius Rn. 44; jetzt auch Grigoleit/Rieder/Holzmann Rn. 9 Fn. 30). Auswirkungen bestehen bzgl. Frist (§ 569 I ZPO: Notfrist von zwei Wochen; § 63 I FamFG: Monatsfrist). Richtig ist Anwendung der §§ 58 ff. FamFG, da § 183a III unternehmensrechtl. Verfahren iSd § 375 Nr. 3 FamFG ist; Beschluss ist daher gem. § 402 I FamFG mit Beschwerde nach § 58 FamFG angreifbar (vgl. RegBegr. BT-Drs. 17/1720, 51 f.; eher irreführend insofern RegBegr. BT-Drs. 16/11642. 36, wonach Amtsgericht nicht als Registergericht tätig wird).

V. Weiteres Verfahren bei gerichtlicher Prüferbestellung (§ 183a IV)

8 Für weiteres Verfahren – gemeint ist: dessen Fortgang bei Erfolg des Antrags – verweist § 183a IV auf § 33 IV und V, §§ 34, 35. § 33 IV und V beschränkt gerichtl. Auswahlermessen bei Bestellung des oder der Bewertungsprüfer. §§ 34, 35 regeln deren Aufgaben und (in entspr. Anwendung) ihre Rechtsstellung ggü. AG und ihren Organen.

Anmeldung des Beschlusses

184 (1) [1]**Der Vorstand und der Vorsitzende des Aufsichtsrats haben den Beschluss über die Erhöhung des Grundkapitals zur Eintragung in das Handelsregister anzumelden.** [2]**In der Anmeldung ist anzugeben, welche Einlagen auf das bisherige Grundkapital noch nicht geleistet sind und warum sie nicht erlangt werden können.** [3]**Soll von einer Prüfung der Sacheinlage abgesehen werden und ist das Datum des Beschlusses der Kapitalerhöhung vorab bekannt gemacht worden (§ 183a Abs. 2), müssen die Anmeldenden in der Anmeldung nur noch versichern, dass ihnen seit der Bekanntmachung keine Umstände im Sinne von § 37a Abs. 2 bekannt geworden sind.**

(2) **Der Anmeldung sind der Bericht über die Prüfung von Sacheinlagen (§ 183 Abs. 3) oder die in § 37a Abs. 3 bezeichneten Anlagen beizufügen.**

(3) [1]**Das Gericht kann die Eintragung ablehnen, wenn der Wert der Sacheinlage nicht unwesentlich hinter dem geringsten Ausgabebetrag der dafür zu gewährenden Aktien zurückbleibt.** [2]**Wird von einer Prüfung der Sacheinlage nach § 183a Abs. 1 abgesehen, gilt § 38 Abs. 3 entsprechend.**

Übersicht

I. Regelungsgegenstand und -zweck

§ 184 betr. **Anmeldung des Kapitalerhöhungsbeschlusses** zur Eintragung in das HR. Kapitalerhöhung wird nicht schon mit dieser Eintragung, sondern erst wirksam, wenn auch Durchführung in das HR eingetragen ist (§ 189). Wie GmbH-Recht zeigt (§ 54 III, § 57 GmbHG), ist zweistufiges Verfahren nicht zwingend, soll AG aber Möglichkeit eröffnen, aufwendige Durchführung erst zu initiieren, wenn Registergericht Unbedenklichkeit attestiert hat (MüKoAktG/Schürnbrand/Verse Rn. 1). AG muss diesen Weg aber nicht gehen, sondern doppelt erforderliche Anmeldungen und Eintragungen können auch miteinander verbunden werden (§ 188 IV), wovon Praxis verbreitet Gebrauch macht, namentl. wenn Zeichnung von Emissionsbank übernommen wird (KK-AktG/Ekkenga Rn. 2; → § 188 Rn. 18). Getrennte Anmeldung bietet sich aber insbes. dann an, wenn Kapitalerhöhungsbeschluss angefochten wurde (KK-AktG/Ekkenga Rn. 2). Anders als Eintragung der Durchführung nach § 189 hat Eintragung des Kapitalerhöhungsbeschlusses nach § 184 keine konstitutive, sondern lediglich **deklaratorische Bedeutung** (KK-AktG/Ekkenga Rn. 37; irreführend deshalb die Verschiebung der Wirksamkeit nach § 7c S. 2 WStBG [→ § 182 Rn. 5g]). Anders als bei § 181 I 1 reicht Anmeldung durch Vorstand nicht aus; anmelden muss auch AR-Vorsitzender (§ 184 I 1; sa § 188 I), womit zugleich Grundlage für weitere haftungs- und sanktionsrechtl. Verantwortung geschaffen wird. Norm ist (unter Fortführung von § 184 I 1) insges. neu gefasst durch ARUG 2009. 1

II. Anmeldung des Erhöhungsbeschlusses (§ 184 I)

1. Allgemeines. Anzumelden ist Beschluss über Kapitalerhöhung (zur Rechtsnatur der Anmeldung → § 36 Rn. 2). Zuständiges Registergericht ist **Amtsgericht** des Gesellschaftssitzes (→ § 181 Rn. 3). Anmeldung muss elektronisch in öffentl. beglaubigter **Form** erfolgen (§ 12 I 1 HGB; s. dazu § 129 BGB, § 39a BeurkG; zur durch DiRUG 2021 neu geschaffenen Möglichkeit der Beglaubigung mittels Videokommunikation → § 36 Rn. 2; zur Auslandsbeglaubigung → § 23 Rn. 12). Anmelder bestimmen **Zeitpunkt** der Anmeldung nach pflichtgem. Ermessen. Zwar ist Kapitalerhöhung (vorbehaltlich anderweitiger Festsetzung, → § 182 Rn. 14) unverzüglich durchzuführen; dies setzt aber nicht alsbaldige Anmeldung des Erhöhungsbeschlusses voraus. Ohne Kapitalerhöhung zu verzögern, kann seine Anmeldung auch noch mit Anmeldung der Durchführung (§ 188 I) verbunden werden (§ 188 IV). Enthält Erhöhungsbeschuss allerdings bestimmten Termin (→ § 182 Rn. 14), so ist dieser verbindlich. Anmelder können Anmeldung bis zur Eintragung ohne Begr. zurücknehmen (vgl. BGH NJW 1959, 1323); ausreichend ist Rücknahme durch Vorstand oder AR-Vorsitzenden (MüKoAktG/Schürnbrand/Verse Rn. 24; Marsch-Barner/Schäfer/Busch/Busch Rn. 44.109; aA Wachter/Dürr Rn. 5); zur Anmeldepflicht → Rn. 3. Zur Abstimmung mit dem Registergericht S. Schulz NJW 2016, 1483, 1484 ff. 2

2. Inhalt. Anmeldung und Eintragung erfolgen gem. § 181 II (→ § 181 Rn. 6) unter **Bezugnahme** auf beigefügte Unterlagen, soweit sich nicht aus § 184 I weitergehende Anforderungen ergeben. Sie betr. nach § 184 I 2 zunächst **noch nicht geleistete Einlagen.** Anmelder haben insoweit in Übereinstim- 2a mung mit § 184 II aF anzugeben, welche Einlagen auf bisheriges Grundkapital noch nicht geleistet sind und warum sie nicht erlangt werden können. Zweck: gerichtl. Prüfung nach § 182 IV. Ggf. ist Negativerklärung erforderlich. Sonst müssen Angaben so genau sein, dass Gericht Prüfung nach § 182 IV vornehmen kann (→ § 182 Rn. 26 f.). Bei **Versicherungs-AG,** deren Satzung Bestimmung gem. § 182 IV 2 trifft, sind Angaben nicht erforderlich, weil Gericht insoweit nichts zu prüfen hat (allgM). Ist Durchführung eingetragen (§ 189), so wird ihre Wirksamkeit durch unrichtige oder fehlende Angaben nicht berührt (allgM). Falsche Angaben können aber Strafbarkeit nach § 399 I Nr. 4 begründen.

2b Über Bezugnahme hinaus verlangt ferner § 184 I 3 bei **vereinfachter Sachkapitalerhöhung** (→ § 183a Rn. 1) als Inhalt der Anmeldung **ergänzende Versicherung** der Anmelder, dass ihnen seit Bek. (nämlich gem. § 183a II 1, → § 183a Rn. 4) keine die bisherige Bewertung in Frage stellenden Umstände iSd § 37a II bekannt geworden sind. Wortlaut des § 184 I 3 ist insofern unvollständig, als Versicherung der Anmelder nur vorauszusetzen scheint, dass Datum des Erhöhungsbeschlusses bekanntgemacht worden ist. Gemeint ist aber Bek. des Datums sowie der Angaben nach § 37a I und II. Das folgt aus uneingeschränkter Bezugnahme des § 184 I 3 auf § 183a II und entspr. auch über den Wortlaut hinausgehender Begr. (RegBegr. BT-Drs. 16/11642, 37).

3 **3. Anmelder.** Anmeldung obliegt **Vorstand und Vorsitzendem des AR** gemeinsam (§ 184 I 1; anders § 181 I 1). Anmelder handeln **im Namen der AG,** nicht im eigenen Namen (str.; → § 181 Rn. 4), mit dem sie aber wegen § 399 I Nr. 4, § 184 II Anmeldung zeichnen (→ § 181 Rn. 4). Für Vorstand genügt Mitwirkung einer vertretungsberechtigten Mitgliederzahl (unstr.). Wegen strafrechtl. Verantwortlichkeit (s. § 399 I Nr. 4, § 184 II) scheitert Anmeldung durch Bevollmächtigte (GK-HGB/J. Koch § 12 Rn. 43 f.; MüKoAktG/Schürnbrand/Verse Rn. 10; Wachter ZNotP 2022, 213, 217). Zulässigkeit unechter Gesamtvertretung (§ 78 III) ist str., aber zu bejahen (KG JW 1938, 3121; GK-HGB/J. Koch/Harnos § 12 Rn. 56; KK-AktG/Ekkenga Rn. 11; MüKoAktG/Schürnbrand/Verse Rn. 10; S/L/Veil Rn. 4; MHdB AG/Scholz § 57 Rn. 88; aA BeckOGK/Servatius Rn. 15; GK-AktG/Wiedemann Rn. 11; Wachter ZNotP 2022, 213, 216). Verhinderter AR-Vorsitzender kann sich durch seinen Stellvertreter vertreten lassen (§ 107 I 3; sa RegBegr. Kropff S. 293; ausf. Wachter ZNotP 2022, 213 ff.). Anmelder können mit einheitlicher Erklärung anmelden, aber auch getrennte Erklärungen abgeben. § 184 I 1 begründet für Anmelder **keine öffentl.-rechtl. Pflicht.** Ggü. AG sind sie aber zur Anmeldung verpflichtet (dazu und zur Rechtslage bei fehlerhaftem Beschluss → § 181 Rn. 5; → § 36 Rn. 5). AG kann zuständige Organmitglieder zur Anmeldung zwingen (→ § 36 Rn. 5); sie wird ggü. Vorstand vom AR (§ 112) und ggü. AR-Vorsitzendem vom Vorstand vertreten (hM – MüKoAktG/Schürnbrand/Verse Rn. 13; S/L/Veil Rn. 5); Zwangsvollstreckung erfolgt nach § 888 ZPO (KK-AktG/Ekkenga Rn. 3; MüKoAktG/Schürnbrand/Verse Rn. 13). Unterlassene oder verspätete Anmeldung kann Schadensersatzpflicht (§§ 93, 116) und Abberufung (§ 84 IV, § 103 III) begründen (zu Sanktionen ausf. KK-AktG/Ekkenga Rn. 19).

4 **4. Beizufügende Unterlagen.** Der Anmeldung sind die Unterlagen beizufügen, die Gericht zur Prüfung der **Wirksamkeit des Kapitalerhöhungsbeschlusses** benötigt, also insbes. Niederschrift der HV (§ 130), die Satzungsänderung beschlossen hat, und ggf. Niederschrift über nach § 182 II erforderliche Sonderbeschlüsse. Deren Beifügung ist nur dann entbehrlich, wenn sie bereits eingereicht worden sind (s. dazu § 130 V und § 138 S. 2 iVm § 130 V). Unterlagen sind elektronisch und nach Inkrafttreten des DiRUG 2021 „in einem maschinenlesbaren und durchsuchbaren Datenformat" einzureichen (§ 12 II HGB) und unterliegen der Registerpublizität nach § 9 HGB. Zur Aufbewahrung → § 188 Rn. 19.

Beizufügen sind ferner Prüfungsbericht oder Anlagen gem. § 37a III (§ 184 II). **Prüfungsbericht** ist der nach § 183 III 1, 2 erforderliche Bericht über die Prüfung von Sacheinlagen. Haben Prüfer den Bericht gem. § 34 III 1 iVm § 183 III 3 bereits unmittelbar dem Gericht eingereicht, bedarf es nach zutr. Ansicht keiner zweiten Einreichung durch die Anmelder (KK-AktG/Ekkenga Rn. 15; BeckOGK/Servatius Rn. 10; → § 37 Rn. 12). Alternativ erforderliche Anlagen nach § 37a III setzen vereinfachte Sachkapitalerhöhung (→ § 183a Rn. 1) voraus (→ § 37a Rn. 6). 5

III. Registerkontrolle (§ 184 III)

1. Prüfung. Gericht prüft auch ohne ausdr. ges. Anordnung **ordnungsgem. Anmeldung** (→ § 181 Rn. 13), dh insbes. eigene örtl. und sachliche Zuständigkeit; Befugnis der als Anmelder auftretenden Personen; Form der Anmeldung; Vollständigkeit und Ordnungsmäßigkeit der beizufügenden Unterlagen (→ Rn. 2 ff.). Es prüft weiter **materielle Beschlusserfordernisse,** also ob Zustandekommen oder Inhalt des Kapitalerhöhungsbeschlusses gegen ges. Vorschriften verstoßen (→ § 181 Rn. 14); insbes., ob Beschluss wegen fehlender Sonderbeschlüsse (§ 182 II) unwirksam ist (→ § 182 Rn. 18 ff.); ob Nichtigkeitsgründe nach § 241 vorliegen; ob gegen § 182 IV verstoßen worden ist oder bei Sacherhöhung Wert der Sacheinlage nicht unwesentlich hinter geringstem Ausgabebetrag (§ 9 I) dafür zu gewährender Aktien zurückbleibt (§ 184 III 1 unter Fortführung des früheren § 183 III 3; → § 183 Rn. 18). Str. ist, ob Gericht auch **korporatives Agio** überprüft. Nach früher hM ist dies nicht der Fall, weil Norm nur Verbot der Unterpariemission durchsetzen solle (OLG Frankfurt AG 1976, 298, 303; KK-AktG/Ekkenga Rn. 28; BeckOGK/Servatius § 183 Rn. 60; S/L/Veil Rn. 11; Ekkenga/Ekkenga/Jaspers AG-Finanzierung Kap. 4 Rn. 243). Starke Gegenauffassung erstreckt Prüfung auf höheren Ausgabebetrag, da erweiterter Prüfungsmaßstab im öffentlichen Interesse liege und Anmeldende nach § 188 II, § 37 I 1, § 36a II 3 ohnehin erklären müssten, dass Wert der Sacheinlage dem Ausgabebetrag entspreche. Außerdem umfasse externe Prüfung auch Mehrbetrag (→ § 183 Rn. 16), was für gleichlaufenden Maßstab in § 184 III 1 streite (MüKoAktG/Schürnbrand/Verse Rn. 39 ff.; MHdB AG/Scholz § 57 Rn. 91; Verse ZGR 2012, 875, 881; offenlassend BGHZ 191, 364 Rn. 19 = NZG 2012, 69). Tats. sprechen systematische und teleologische Gesichtspunkte dafür, mit der letztgenannten Ansicht das Agio entgegen dem Wortlaut des § 184 III 1 Registerkontrolle zu unterziehen (sa → § 37a Rn. 3). 6

Gericht muss trotz Wortlauts („kann") sowohl Eintragung des Erhöhungsbeschlusses (§ 184) als auch Eintragung der Durchführung (§ 189) ablehnen, wenn Wertdifferenz nicht unwesentlich ist; **Ermessensspielraum besteht nicht** (→ § 38 Rn. 16; KK-AktG/Ekkenga Rn. 34; MüKoAktG/Schürnbrand/Verse Rn. 46). Allfälligen Bewertungsschwierigkeiten wird hinreichend dadurch Rechnung getragen, dass unerhebliche Wertabweichung Eintragung nicht hindert, was mit Blick auf diesen Regelungszweck einschränkend dahingehend zu verstehen ist, dass Eintragung erfolgen darf, wenn wegen allg. Bewertungsunsicherheiten zweifelhaft ist, ob Unterdeckung vorliegt. Steht – wenn auch unerhebliche – Unterdeckung fest, darf dagegen nicht eingetragen werden (MüKoAktG/Schürnbrand/Verse Rn. 32; MHdB AG/Scholz § 57 Rn. 91). Bei **vereinfachter Sachgründung** (→ § 183a Rn. 1) wird sonst erforderliche Wertprüfung gem. § 184 III 2 durch Prüfung ersetzt, ob Anmeldung der Sachkapitalerhöhung den formalen Erfordernissen des § 37a entspr. (→ § 38 Rn. 10a). Nur wenn Über- 6a bewertung offenkundig und erheblich ist, weist Gericht Anmeldung aus diesem Grund zurück (KG NZG 2016, 620 Rn. 8; sa → § 38 Rn. 10b).

6b **Anfechtungsgründe** hat Gericht nur zu berücksichtigen, wenn durch Gesetzesverletzung Drittinteressen betroffen werden, nicht aber, wenn Gesetzesverstoß nur Interessen der gegenwärtigen Aktionäre berührt (str.; → § 181 Rn. 14). Gericht ist an rechtskräftige Feststellung der Nichtigkeit (§ 249 I) und Nichtigkeit des Beschlusses aufgrund Anfechtungsklage (§ 248 I 1) gebunden (→ § 181 Rn. 15).

7 **2. Entscheidung und Rechtsmittel.** Registergerichtl. Entscheidung bestimmt sich nach den in → § 181 Rn. 16 f. dargelegten Grundsätzen. Gericht hat Eintragung auch bei Verstoß gegen § 182 IV abzulehnen (→ § 182 Rn. 30). Zu den gegen die Entscheidung möglichen Rechtsmitteln gilt → § 181 Rn. 18 mit der Maßgabe, dass Vorstand und AR-Vorsitzender als Anmelder Rechtsmittel für AG einzulegen haben (MüKoAktG/Schürnbrand/Verse Rn. 54).

IV. Eintragung und Bekanntmachung

8 Eingetragen wird entspr. der Anmeldung (→ Rn. 2) nur **Beschluss über Kapitalerhöhung,** nicht deren Durchführung (§ 188), erst recht nicht Erhöhung selbst (also nur Spalte 6, nicht Spalte 3 des HR). Neue Grundkapitalziffer und neue Mitgliedsrechte sind vielmehr gem. § 189 ges. Folgen der Eintragung nach § 188. Eintragung nach § 184 betr. also beschlussrechtl. Grundlagen der Kapitalerhöhung und bereitet sie in diesem Sinne vor (OLG Karlsruhe OLGZ 1986, 155, 157 f.). **Aufhebung** des Kapitalerhöhungsbeschlusses ist nach Eintragung mit einfacher Mehrheit möglich (str.; → § 182 Rn. 16). Eintragung heilt bestimmte Nichtigkeitsgründe unmittelbar (§ 242 I); andere nach Ablauf einer Dreijahresfrist (§ 242 II), → § 181 Rn. 27. Eintragung nach § 188 setzt diejenige nach § 184 voraus, kann aber mit ihr verbunden werden (§ 188 IV), was Praxis bei Fremdemissionen der Publikumsgesellschaften entspr. (→ § 182 Rn. 5). Zeichnung neuer Aktien (§ 185) kann vor jeder Eintragung, nach richtiger Ansicht sogar vor Beschlussfassung erfolgen, sobald deren Datum feststeht (str., → § 185 Rn. 6). Gegen fehlerhafte Eintragung ist Rechtsmittel nicht gegeben; es kommt nur Berichtigung (§ 17 HRV) und Löschung unter einschränkenden Voraussetzungen nach §§ 395, 398 FamFG in Betracht (→ § 181 Rn. 30). Wird Kapitalerhöhungsbeschluss nach Eintragung für nichtig erklärt (§ 248 I) oder seine Nichtigkeit festgestellt (§ 249 I), so hat Gericht Urteil einzutragen und bekanntzumachen (§ 248 I 3, 4; § 249 I 1). Eintragung des Erhöhungsbeschlusses ist gem. § 10 HGB elektronisch bekanntzumachen.

Zeichnung der neuen Aktien

185 (1) [1]**Die Zeichnung der neuen Aktien geschieht durch schriftliche Erklärung (Zeichnungsschein), aus der die Beteiligung nach der Zahl und bei Nennbetragsaktien dem Nennbetrag und, wenn mehrere Gattungen ausgegeben werden, der Gattung der Aktien hervorgehen muß.** [2]**Der Zeichnungsschein soll doppelt ausgestellt werden.** [3]**Er hat zu enthalten**

1. **den Tag, an dem die Erhöhung des Grundkapitals beschlossen worden ist;**
2. **den Ausgabebetrag der Aktien, den Betrag der festgesetzten Einzahlungen sowie den Umfang von Nebenverpflichtungen;**

3. die bei einer Kapitalerhöhung mit Sacheinlagen vorgesehenen Festsetzungen und, wenn mehrere Gattungen ausgegeben werden, den auf jede Aktiengattung entfallenden Betrag des Grundkapitals;
4. den Zeitpunkt, an dem die Zeichnung unverbindlich wird, wenn nicht bis dahin die Durchführung der Erhöhung des Grundkapitals eingetragen ist.

(2) **Zeichnungsscheine, die diese Angaben nicht vollständig oder die außer dem Vorbehalt in Absatz 1 Nr. 4 Beschränkungen der Verpflichtung des Zeichners enthalten, sind nichtig.**

(3) **Ist die Durchführung der Erhöhung des Grundkapitals eingetragen, so kann sich der Zeichner auf die Nichtigkeit oder Unverbindlichkeit des Zeichnungsscheins nicht berufen, wenn er auf Grund des Zeichnungsscheins als Aktionär Rechte ausgeübt oder Verpflichtungen erfüllt hat.**

(4) **Jede nicht im Zeichnungsschein enthaltene Beschränkung ist der Gesellschaft gegenüber unwirksam.**

Übersicht

I. Grundlagen

1. Regelungsgegenstand und -zweck. Kapitalerhöhungsbeschluss (§ 182) 1
bildet zwar Legitimationsgrundlage der damit verbundenen Strukturmaßnahme

und Satzungsänderung durch Willensbildung der HV (→ § 119 Rn. 1, 6), kann aber selbst keinen Kapitalzufluss herbeiführen. Dazu bedarf es der in § 185 geregelten **Zeichnung neuer Aktien,** mit der Durchführung der Kapitalerhöhung beginnt. § 185 regelt Inhalt und Form der Zeichnung (§ 185 I) sowie Rechtsfolgen, wenn ges. Vorgaben nicht beachtet werden (§ 185 II, III). Formelle Vorgaben sollen Zeichner vor Übereilung schützen und Transparenz des Vorgangs gewährleisten (MüKoAktG/Schürnbrand/Verse Rn. 3). § 185 IV bestimmt ferner, dass nicht im Zeichnungsschein enthaltene Beschränkungen ggü. der AG unwirksam sind. Zum Verfahren einer Kapitalerhöhung insgesamt → § 182 Rn. 4 f. Zur Frage, ob die Zeichnung von Aktien als Verstoß gegen das Insiderhandelsverbot erfasst sein kann, vgl. T. Becker ZGR 2020, 999 ff.

2 **2. Anwendungsbereich.** § 185 findet Anwendung bei **Bar- und Sacherhöhung;** bei Sacherhöhung wird Zeichnung also nicht durch Sacheinlagevereinbarung (→ § 183 Rn. 6 ff.) ersetzt. Zeichnung ist auch erforderlich, wenn ges. oder vertragliches Bezugsrecht (§ 186 I, § 187) besteht und deren Inhaber eine Bezugserklärung abgegeben haben (MüKoAktG/Schürnbrand/Verse Rn. 6). Norm findet gem. § 203 I 1 auch Anwendung, wenn Vorstand von einem genehmigten Kapital Gebrauch macht, dagegen nicht bei bedingter Kapitalerhöhung; insoweit gilt § 198 II 1. Sie ist ferner nicht anwendbar, wenn Kapitalerhöhung der Durchführung einer Verschmelzung dient (s. § 69 I 1 Hs. 1 UmwG). Beim mittelbaren Bezugsrecht (§ 186 V) ist nur KI Zeichner iSd § 185 (→ § 186 Rn. 50). Die späteren Aktionäre erwerben aufgrund Kaufvertrags, für den § 185 nicht gilt (→ § 186 Rn. 51). Zur Anwendbarkeit des § 185 auf den Vorvertrag zur Zeichnung von Aktien → Rn. 31.

3 **3. Dogmatische Grundlagen.** Zu unterscheiden ist zwischen Zeichnung, Zeichnungsschein und Zeichnungsvertrag (→ Rn. 4). Zeichnung ist auf Erwerb von jungen Aktien gerichtetes Angebot. Empfänger ist nur AG, nicht auch Allgemeinheit (so aber noch RGZ 79, 112, 114; RGZ 147, 257, 270 f.; wie hier B/K/L/Lieder Rn. 3; MüKoAktG/Schürnbrand/Verse Rn. 9; GK-AktG/Wiedemann Rn. 10). Das zugegangene Angebot bindet bis zu dem nach § 185 I 3 Nr. 4 anzugebenden Zeitpunkt, wenn Anbieter keine kürzere Frist bestimmt hat (→ Rn. 15). Schriftliche Verkörperung des Angebots ist Zeichnungsschein (s. § 185 I 1); er ist nur Beweisurkunde, kein Wertpapier (RGZ 85, 284, 286; MüKoAktG/Schürnbrand/Verse Rn. 11; GK-AktG/Wiedemann Rn. 14).

4 Mit Zeichnung und korrespondierender Willenserklärung der AG (Zuteilung) kommt Zeichnungsvertrag zustande, der **Doppelnatur** als korporationsrechtl. und schuldrechtl. Rechtsgeschäft hat (MüKoAktG/Schürnbrand/Verse Rn. 44; GK-AktG/Wiedemann Rn. 29 f.; sa RGZ 79, 174, 177). Er ist kein gegenseitiger Vertrag iSd §§ 320 ff. BGB (RGZ 79, 174, 177; RGZ 118, 269, 274; BGH NZG 2015, 1396 Rn. 13 [zur GmbH]; aA Hunecke, Zeichnungsvertrag, 2011, 184 ff.; Schleyer AG 1957, 145), sondern unvollkommen zweiseitig verpflichtender Vertrag (MüKoAktG/Schürnbrand/Verse Rn. 44; S/L/Veil Rn. 4; Lutter FS Schilling, 1973, 207, 217; teilw. aA GK-AktG/Wiedemann Rn. 18). Wegen der Einzelheiten → Rn. 23 ff.

II. Zeichnung (§ 185 I)

5 **1. Allgemeines.** Als Zeichner kommt nur in Frage, wer auch Gründer sein kann (allgM); zur **Gründerfähigkeit** → § 2 Rn. 5 ff. Aktien dürfen nicht von AG selbst (§ 56 I), einem von ihr abhängigen (§ 17) oder in ihrem Mehrheitsbesitz stehenden Unternehmen gezeichnet werden (§ 56 II). Verstoß begründet Haftung der Vorstandsmitglieder (§ 56 IV). Zeichner, der für Rechnung der AG erwirbt, unterliegt den bes. Rechtsfolgen des § 56 III (→ § 56 Rn. 14 ff.). **Stell-**

vertretung ist zulässig (allgM; vgl. RGZ 63, 96, 97 f.), auch mittelbare Stellvertretung (allgM; BGHZ 21, 378, 381 = NJW 1957, 19 zur GmbH). § 174 BGB ist nicht anwendbar (MüKoAktG/Schürnbrand/Verse Rn. 13). Vollmacht unterliegt trotz Schriftform der Zeichnung (§ 185 I) keiner Formvorschrift (§ 167 II BGB). Gleiches gilt für Genehmigung (§§ 184, 182 II BGB). Registergericht kann entspr. Nachweis iZw aber verlangen, wofür bei Zeichnung durch Banken wegen Haftung nach § 179 BGB idR kein Anlass bestehen wird (Marsch-Barner/Schäfer/Busch/Busch Rn. 44.96).

Zeitpunkt. Zeichnung setzt Eintragung des Erhöhungsbeschlusses (§ 184) 6 nicht voraus (arg. § 188 IV). Sie kann jedenfalls beginnen, nachdem HV Kapitalerhöhung beschlossen hat, und muss bis zur Anmeldung der Durchführung gem. § 188 abgeschlossen sein (s. § 188 III Nr. 1). Fraglich ist nur, ob Zeichnung auch möglich ist, wenn Kapitalerhöhungsbeschluss noch nicht vorliegt. Das wird vereinzelt verneint (Hölters/Weber/Apfelbacher/Metzner Rn. 10; vgl. ferner BeckOGK/Servatius Rn. 12: Zulässigkeit nur im Sanierungsfall), von ganz überwiegender Auffassung aber zu Recht bejaht (B/K/L/Lieder Rn. 13; MüKoAktG/Schürnbrand/Verse Rn. 36; Blaurock FS Rittner, 1991, 33, 36; Kley RNotZ 2003, 17, 30; von einer solchen Gestaltung abratend aber Marsch-Barner/Schäfer/Busch/Busch Rn. 44.97; sa KK-AktG/Ekkenga Rn. 35; Ekkenga/Ekkenga/Jaspers AG-Finanzierung Kap. 4 Rn. 295: Zeichnungsvorvertrag). Zwar verlangt § 185 I 3 Nr. 1 Angabe des Tages, an dem HV Kapitalerhöhung beschlossen hat (→ Rn. 12), jedoch sind schutzwerte Interessen, die vorheriger Zeichnung entgegenstehen, nicht erkennbar; Ges. sieht sie zudem für Sonderfall in § 235 I 2 ausdr. vor. Insoweit ist § 185 I 3 Nr. 1 teleologisch zu reduzieren. Aus Angabe nach § 185 I 3 Nr. 1 folgt allerdings, dass im Moment der Zeichnung wenigstens Tag der geplanten Beschlussfassung feststehen muss (MüKoAktG/Schürnbrand/Verse Rn. 36).

2. Form. a) Schriftform. Zeichnung bedarf gem. § 185 I 1 der Schriftform. 7 Notwendig ist schriftliche Fixierung des Inhalts sowie Unterzeichnung durch **eigenhändige Unterschrift** (§ 126 BGB); elektronische Form iSd § 126a BGB ist ausreichend (KK-AktG/Ekkenga Rn. 34). Durch zwingend erforderliche Schriftform kommt es im Bereich **elektronischer Aktien** zu sachlich nicht zu rechtfertigendem Medienbruch, den Gesetzgeber mangels entgegenstehender Regelungen aber wohl in Kauf nimmt (Casper ZHR 187 [2023], 5, 44 f.). Verstoß führt zur Nichtigkeit der Zeichnung (§ 125 S. 1 BGB); Formmangel kann aber geheilt werden (str.; → Rn. 21). Zeichner müssen nicht gesonderte Urkunden ausstellen; Zeichnung kann auch in sog **Zeichnungslisten** erklärt werden (MüKoAktG/Schürnbrand/Verse Rn. 14). Vom Formerfordernis des § 185 I 1 erfasst wird nur die Zeichnung, nicht auch die Vertragserklärung der AG (→ Rn. 23). Muster eines Zeichnungsscheins bei Happ/Herchen AktienR 12.01 lit. g und (zu § 186 V) 12.03 lit. e.

b) Doppelte Ausfertigung. Zeichnungsschein soll gem. § 185 I 2 doppelt 8 ausgestellt werden, was im Hinblick auf elektronische Einreichung nach § 12 II HGB nicht mehr zweckmäßig ist (MüKoAktG/Schürnbrand/Verse Rn. 15). Zweitschrift muss nicht zugleich mit Erstschrift erstellt werden (MüKoAktG/Schürnbrand/Verse Rn. 15), aber spätestens **bei Anmeldung der Durchführung** (§ 188 I) vorliegen (s. § 188 III Nr. 1). Stimmen beide Ausfertigungen nicht überein, so ist Inhalt der (einheitlichen) Erklärung durch Auslegung zu ermitteln (KK-AktG/Ekkenga Rn. 36; MüKoAktG/Schürnbrand/Verse Rn. 16; aA BeckOGK/Servatius Rn. 26: maßgeblich ist Urschrift). Für Anfechtung ist kein Raum (wie hier KK-AktG/Ekkenga Rn. 36; MüKoAktG/Schürnbrand/Verse Rn. 16). Wenn Auslegung nicht weiterhilft, kann Zeichnung scheitern (B/K/L/Lieder Rn. 6; MüKoAktG/Schürnbrand/Verse Rn. 16). Verstoß gegen

Sollvorschrift des § 185 I 2 berührt Wirksamkeit der Zeichnungserklärung nicht (allgM).

9 **3. Inhalt. a) Zur Unterscheidung individueller und allgemeiner Angaben.** Es ist zwischen individuellen Angaben einerseits (insbes. § 185 I 1) und allg. Angaben andererseits (§ 185 I 3) zu unterscheiden. **Individuelle Angaben** sind solche, deren Inhalt durch Zeichner bestimmt wird. Sie sind der (subj.) Auslegung gem. §§ 133, 157 BGB zugänglich (hM – vgl. nur Hölters/Weber/Apfelbacher/Metzner Rn. 19; KK-AktG/Ekkenga Rn. 41; MHdB AG/Scholz § 57 Rn. 169; aA MüKoAktG/Schürnbrand/Verse Rn. 18: obj. Auslegung nach Wirksamwerden). Damit soll insbes. ermöglicht werden, bei überzeichneten Emissionen bloß quotale Berücksichtigung (Repartierung) auf interessenadäquate Auslegung der Einverständniserklärung zu stützen (KK-AktG/Ekkenga Rn. 41). Auch sonst ist **subj. Auslegung** vorzugswürdig, da Zeichnung individualvertraglichen Charakter behält und Änderung des Inhalts durch Wirksamwerden nicht überzeugt. Wo allerdings subj. Auslegung Zuverlässigkeit der Kapitalaufbringung gefährdet, muss sich Inferent an obj. Verständnishorizont des Registergerichts festhalten lassen (so der zutr. Kern bei MüKoAktG/Schürnbrand/Verse Rn. 18). Als Auslegungshilfe kann insbes. **Text des Kapitalerhöhungsbeschlusses** herangezogen werden (RGZ 85, 284, 287 f.; RGZ 118, 269, 272 f.; KK-AktG/Ekkenga Rn. 41; MHdB AG/Scholz § 57 Rn. 169; Blaurock FS Rittner, 1991, 33, 38). Demgegenüber sind **allg. Angaben** des § 185 I 3 in jedem Zeichnungsschein inhaltlich gleich. Zeichner kann auf Inhalt insoweit keinen Einfluss nehmen. Fehlen Angaben oder sind sie unvollständig, kommt ergänzende Auslegung nicht in Betracht (S/L/Veil Rn. 14; GK-AktG/Wiedemann Rn. 17); Rechtsfolgen bestimmen sich nur nach § 185 II (→ Rn. 16). Auslegung im Lichte des Kapitalerhöhungsbeschlusses sollte allerdings auch hier zugelassen werden (zutr. MüKoAktG/Schürnbrand/Verse Rn. 18). Nicht erforderlich ist, dass Begriffe des § 185 I 3 im Zeichnungsschein genannt werden. So schadet Begriff Ausgabepreis nicht, wenn erkennbar Ausgabebetrag gemeint ist (LG Frankfurt AG 1992, 240).

10 **b) Individuelle Angaben. aa) Allgemeines.** § 185 I 1 regelt individuellen Inhalt nur unvollständig. Neben dort genannten Angaben (→ Rn. 11) ist im Zeichnungsschein auch **Person des Zeichners** so genau zu bezeichnen, dass er individualisiert werden kann (→ § 183 Rn. 9). Zudem ist **AG als Adressat** der Zeichnungserklärung zu benennen (RGZ 85, 284, 287; KK-AktG/Ekkenga Rn. 38). Bei **Sacherhöhung** ist individueller Inhalt des Zeichnungsscheins str. Teilw. wird gefordert, dass Sacheinleger die Sacheinlage als versprochene Leistung, den Ausgabebetrag der Aktien und den Wert der Sacheinlage in seine individuellen Angaben aufnimmt (GK-AktG/Wiedemann Rn. 27); teilw. wird nur Angabe des Einlagegegenstandes für erforderlich gehalten (BeckOGK/Servatius Rn. 28; S/L/Veil Rn. 12). Überzeugend erscheint es, auf diese Angaben in der individuellen Erklärung zu verzichten, weil sie zu allg. Angaben gehören, s. § 185 I 3 Nr. 2 und 3 (KK-AktG/Ekkenga Rn. 39; B/K/L/Lieder Rn. 8; MüKoAktG/Schürnbrand/Verse Rn. 24; Rn. 20; Grigoleit/Rieder/Holzmann Rn. 12), dürfen also schon deshalb im Zeichnungsschein nicht fehlen (s. zum Ausgabebetrag [§ 185 I 3 Nr. 2] Götze AG 2002, 76, 77 ff.).

11 **bb) Angaben gemäß § 185 I 1.** Im Zeichnungsschein ist gewünschte Beteiligung nach Zahl und ggf. Aktiengattung, bei Nennbetragsaktien (§ 8 II) auch nach Nennbetrag anzugeben (§ 185 I 1). Bei Stückaktien genügt Angabe der Aktienzahl, weil sie notwendig gleichen Umfang haben (§ 8 III 2; → § 8 Rn. 17; RegBegr. BT-Drs. 13/9573, 17). Mit Nennbetrag korrespondierender anteiliger Betrag des Grundkapitals (§ 8 III 3) ist also nicht angabepflichtig (→ § 23 Rn. 18;

→ § 182 Rn. 13a). Soweit Nennbetragsaktien bestehen, ist fraglich, ob § 185 I 1 auf Nennbetrag der einzelnen Aktie (MüKoAktG/Schürnbrand/Verse Rn. 20) oder auf Gesamtnennbetrag aller gewünschten Aktien abstellt (so KK-AktG/Ekkenga Rn. 37). Gemeint ist das Erste, weil sich Norm sonst bei Stückaktien nicht mit deren Zahl begnügen dürfte, sondern zusammenfassend für Nennbetrags- und Stückaktien Angabe der Beteiligung nach auf sie entfallendem Betrag des Grundkapitals zu fordern hätte (sa § 160 I Nr. 2; → § 160 Rn. 8). Es genügt jedoch, wenn Zahl der Aktien jeden Nennbetrags durch Auslegung (→ Rn. 9) bestimmt werden kann (RGZ 85, 284, 288; RGZ 118, 269, 272 f.; MüKoAktG/Schürnbrand/Verse Rn. 20; Blaurock FS Rittner, 1991, 33, 39). Auslegung entscheidet auch, wenn durch Kapitalerhöhung Aktien verschiedener Gattung (→ § 11 Rn. 7) geschaffen werden sollen. Wenn Auslegung scheitert, bleibt Zeichnungsschein nichtig (RGZ 118, 269, 272 f.). Zeichnung einer bestimmten Zahl von Aktien enthält idR auch Angebot, geringere Zahl zu übernehmen (allgM). Zeichner kann aber Gegenteiliges erklären (MüKoAktG/Schürnbrand/Verse Rn. 21).

c) Allgemeine Angaben (§ 185 I 3). aa) Nr. 1 und Nr. 2. Nr. 1 verlangt Angabe des Tags, an dem Erhöhung des Grundkapitals beschlossen worden ist, also Datum der Beschlussfassung (MüKoAktG/Schürnbrand/Verse Rn. 25; BeckOGK/Servatius Rn. 31), nicht Datum etwa erforderlichen nachträglichen Sonderbeschlusses (so aber noch v. Godin/Wilhelmi Rn. 8). Aus § 185 I 3 Nr. 1 folgt nicht, dass Zeichnungsschein erst nach Beschlussfassung ausgestellt werden kann (str.; → Rn. 6). Nach **Nr. 2** muss Zeichnungsschein Ausgabebetrag der Aktien (s. OLG Hamm BB 1982, 694; LG Frankfurt AG 1992, 240), Betrag der festgesetzten Einzahlungen sowie Umfang von Nebenverpflichtungen enthalten. Bei Fremdemission (→ § 182 Rn. 5) ist Betrag anzugeben, zu dem Emissionsbank neue Aktien bezieht (MüKoAktG/Schürnbrand/Verse Rn. 27). Zum Ausgabebetrag → § 182 Rn. 22 ff. Er ist konkret zu beziffern. Unzutr. Bezeichnung des Ausgabebetrags als Ausgabepreis schadet nicht, solange das Gemeinte klar bleibt (LG Frankfurt AG 1992, 240). Betrag der festgesetzten Einzahlungen ist der nach § 188 II iVm § 36 II vor Anmeldung der Durchführung (§ 188) einzuzahlende ges. Mindestbetrag oder (Regelfall) der höhere Ausgabebetrag (→ § 188 Rn. 5 ff.). Angabe ist nach wohl hM auch bei Sacherhöhung erforderlich, um Umfang einer etwaigen Differenzhaftung zu bestimmen, der dann aber auf geringsten Ausgabebetrag iSd § 9 I begrenzt werden kann (B/K/L/Lieder Rn. 10; MüKoAktG/Schürnbrand/Verse Rn. 26; Marsch-Barner/Schäfer/Busch/Busch Rn. 44.97; Götze AG 2002, 76, 79; aA Maier-Reimer FS Bezzenberger, 2000, 253, 260 f.); dasselbe gilt nach allgM für gemischte Einlage. Sofern neue Aktien Nebenverpflichtungen auferlegen (→ § 180 Rn. 2 f.), ist deren Umfang anzugeben. Erfasst werden nur Nebenverpflichtungen iSd § 55 (→ § 55 Rn. 3), nicht auch schuldrechtl. Nebenverpflichtungen (→ § 23 Rn. 45 ff.). 12

bb) Nr. 3. Nr. 3 Fall 1 betr. **Kapitalerhöhung mit Sacheinlagen** (§ 183). Festsetzungen nach § 183 I 1 sind zu wiederholen (allgM), also Gegenstand der Sacheinlage, Person, von der AG Gegenstand erwirbt, und bei Nennbetragsaktien (§ 8 II) der Nennbetrag, bei Stückaktien (§ 8 III) die Zahl der für die Sacheinlage zu gewährenden Aktien (→ § 183 Rn. 9). Bei gemischter Einlage (→ § 27 Rn. 8) sind diese Angaben auch in Zeichnungsschein der Barzeichner aufzunehmen (KK-AktG/Ekkenga Rn. 46; B/K/L/Lieder Rn. 11). Nr. 3 Fall 2 betr. Ausgabe mehrerer **Aktiengattungen** (→ § 11 Rn. 7). Anzugeben ist der Betrag des Grundkapitals, der auf Aktiengattung jeweils entfällt. 13

cc) Nr. 4. Gem. Nr. 4 muss Zeichnungsschein **Zeitpunkt** enthalten, in dem Zeichnung unverbindlich wird, wenn nicht bis dahin Durchführung der Kapital- 14 erhöhung eingetragen ist. Wie bei der Durchführungsfrist im HV-Beschluss (→ § 182 Rn. 14) werden Fristen von bis zu sechs Monaten als angemessen angesehen (vgl. Hölters/Weber/Apfelbacher/Metzner Rn. 23; BeckOGK/Servatius Rn. 38). Zeitpunkt muss für alle Zeichner gleich sein und so gewählt werden, dass unangemessen lange Bindung ausgeschlossen ist (aA KK-AktG/Ekkenga Rn. 47: keine Höchstbegrenzung unter Angemessenheitsaspekten). Er muss durch Angabe des Datums oder so genau angegeben werden, dass Endzeitpunkt **kalendermäßig bestimmbar** ist (allgM); zB „drei Monate nach dem Tag des Erhöhungsbeschlusses". Angabe ist weder Zeitbestimmung iSd § 163 BGB noch im eigentlichen Sinne auflösende Bedingung iSd § 158 II BGB (so aber OLG Düsseldorf AG 2010, 878, 879; MüKoAktG/Schürnbrand/Verse Rn. 32), sondern Verknüpfung auflösender Rechtsbedingung mit Zeitbestimmung (OLG Hamm AG 1981, 53; OLG Stuttgart FGPRax 2012, 216, 127; B/K/L/Lieder Rn. 12; MHdB AG/Scholz § 57 Rn. 170). Bei Nichteintragung innerhalb der Frist ist § 158 II BGB dennoch nach allgM anwendbar (für analoge Anwendung: BGHZ 140, 258, 261 = NJW 1999, 1252; BGH NJW 2011, 2675 Rn. 17; OLG Hamm AG 1981, 53; OLG Stuttgart FGPrax 2012, 216, 217; für direkte Anwendung: OLG Düsseldorf AG 2010, 878, 879; MüKoAktG/Schürnbrand/Verse Rn. 32). Rechte und Pflichten aus dem Zeichnungsvertrag gehen unter mit der Folge, dass bereicherungsrechtl. Rückabwicklung nach § 812 I 2, 1. Alt. BGB zu erfolgen hat, sofern nicht § 185 III eingreift (KK-AktG/Ekkenga Rn. 49; MüKoAktG/Schürnbrand/Verse Rn. 33; Marsch-Barner/Schäfer/Busch/Busch Rn. 44.97).

III. Fehlerhafte Zeichnung (§ 185 II und III)

15 **1. Inhaltsmängel. a) Tatbestand. § 185 II Fall 1** verweist auf § 185 I und erfasst sowohl individuelle (→ Rn. 10 f.) als auch allg. Angaben (→ Rn. 12 ff.); allgM, vgl. RGZ 85, 284, 287 f. Angaben sind **nicht vollständig,** wenn sie ganz oder teilw. fehlen oder inhaltlich den Anforderungen nicht genügen (MüKoAktG/Schürnbrand/Verse Rn. 66). Da individuelle Angaben der Auslegung zugänglich sind (→ Rn. 9), kommt bei ihnen Unvollständigkeit nur in Betracht, wenn mit Auslegung nicht geholfen werden kann. **§ 185 II Fall 2** betr. **Beschränkungen der Verpflichtung des Zeichners,** mit Ausnahme des zeitlichen Vorbehalts gem. § 185 I 3 Nr. 4. Beschränkungen iSd § 185 II müssen sich auf Inhalt des Zeichnungsvertrags beziehen; erfasst werden auch Befristungen und Bedingungen der eigenen Leistungspflicht (KK-AktG/Ekkenga Rn. 57; MüKoAktG/Schürnbrand/Verse Rn. 34, 67; sa RGZ 83, 256, 258 zur GmbH), nicht dagegen Vorbehalte, die sich auf Verpflichtungstatbestand, also Abschluss des Zeichnungsvertrags, beziehen (str., wie hier MüKoAktG/Schürnbrand/Verse Rn. 67; GK-AktG/Wiedemann Rn. 49; aA BeckOGK/Servatius Rn. 39; vgl. ferner KK-AktG/Ekkenga Rn. 31). Nicht unter die Vorschrift fällt es insbes., wenn Zeichner **Annahmefrist nach § 148 BGB** bestimmt (→ Rn. 22), da solche Frist Annahmefähigkeit des Zeichnungsangebots beschränkt, nicht Verpflichtungsinhalt (MüKoAktG/Schürnbrand/Verse Rn. 34; Lutter FS Schilling, 1973, 207, 217; aA KK-AktG/Ekkenga Rn. 30; BeckOGK/Servatius Rn. 39). In vergleichbarer Weise kann nach LG Franfurt AG 1999, 472 auch AG zugunsten der Zeichner Frist zum Widerruf gewähren (zust. B/K/L/Lieder Rn. 21; aA BeckOGK/Servatius Rn. 39), woraus sich allerdings Beweisprobleme ergeben können. Marsch-Barner/Schäfer/Busch/Busch Rn. 44.98 empfiehlt dem Registergericht deshalb, Eintragung bis Fristablauf zurückzustellen und Versicherung zu verlangen, dass AG kein Widerruf zugegangen ist.

b) Rechtsfolgen. Mangelhafter Zeichnungsschein ist nichtig (§ 185 II). Vorbehaltlich der Heilung gem. § 185 III (→ Rn. 17 f.) werden **keine Rechte und Pflichten** begründet. Zeichner kann geleistete Einlage nach § 812 I 1 Alt. 1 BGB zurückverlangen (KK-AktG/Ekkenga Rn. 53; Lieder DNotZ 2022, 349, 353 f.). Kapitalerhöhung ist nicht oder nicht vollständig durchgeführt. Registergericht hat Eintragung nach § 188 abzulehnen (KG OLGR 43, 316). Zuvor hat es aber durch Zwischenverfügung auf Mangel hinzuweisen und AG die Möglichkeit zu geben, den Mangel zu beseitigen, sofern Beseitigung möglich ist, was namentl. bei Unverbindlichkeit einer befristeten Zeichnung aufgrund Fristablaufs nicht der Fall ist (OLG Stuttgart FGPrax 2012, 216, 217). Bestimmt Kapitalerhöhungsbeschluss Erhöhungsbetrag konkret (→ § 182 Rn. 12), so kann **Fehlerbeseitigung** nur erfolgen, indem anstelle der nichtigen Zeichnungen gültige nachgereicht werden (B/K/L/Lieder Rn. 22; aA für § 185 I 3 Nr. 4 Ekkenga/Ekkenga/Jaspers AG-Finanzierung Kap. 4 Rn. 290: Heilung nur durch Einleitung neuen Anmeldeverfahrens). Bestimmt Erhöhungsbeschluss dagegen Mindest- und Höchstbetrag oder nur Höchstbetrag (→ § 182 Rn. 12), so kann Fehler auch dadurch beseitigt werden, dass Anmeldung, genauer angegebener Erhöhungsbetrag, geändert wird (MüKoAktG/Schürnbrand/Verse Rn. 68; Lieder DNotZ 2022, 349, 354). Trägt Gericht zu Unrecht ein, wird Kapitalerhöhung wirksam (MüKoAktG/Schürnbrand/Verse Rn. 69). Eintragung allein heilt Zeichnungsmangel aber noch nicht (vgl. § 185 III); liegen die übrigen Voraussetzungen des § 185 III nicht oder noch nicht vor, stehen betroffene Aktien nach hM der AG selbst zu (KK-AktG/Lutter, 2. Aufl. 1989, Rn. 17; NK-AktR/Rebmann Rn. 30; Grigoleit/Rieder/Holzmann Rn. 27 f.; zur Vereinbarkeit dieser Lösung mit § 56 I → § 56 Rn. 5). AG ist dann entspr. § 71c I, III verpflichtet, Aktien zu verwerten oder Ausfall im Wege der Kapitalherabsetzung durch Einziehung (§ 237) zu beseitigen (→ § 56 Rn. 6). Gegenauffassung, die ab Eintragung der Durchführung der Kapitalerhöhung Lehre vom fehlerhaften Organisationsakt zur Anwendung bringen will (grdl. Schürnbrand AG 2014, 73, 78; zust. KK-AktG/Ekkenga Rn. 67; B/K/L/Lieder Rn. 23 f.; MüKoAktG/Schürnbrand/Verse Rn. 70), hält Zeichner an Zeichnungsakt fest, was indes auch in Beschränkung auf bloß rückwirkende Bindung mit tatbestandlichen Grenzen des Heilungstatbestands nach § 185 III nur schwerlich in Einklang zu bringen ist. Allg. Wertungsüberlegungen können ges. Anordnungen nicht beiseite schieben. 16

c) Heilung. aa) Anwendungsbereich. § 185 III erfasst zwei Fehlerarten. Indem Norm auf **Nichtigkeit** abstellt, nimmt sie auf beide Fälle des § 185 II Bezug. Bei Unvollständigkeit ist auch unerheblich, ob es sich um allg. Angaben nach § 185 I 3 (unstr.) oder um individuelle Angaben (→ Rn. 10) handelt (GK-AktG/Wiedemann Rn. 55; MHdB AG/Scholz § 57 Rn. 179; aA RGZ 85, 284, 287 f.; RGZ 118, 269, 273). Jedoch kommt Heilung der Nichtigkeit wegen unvollständiger individueller Angaben kaum in Betracht, da sie voraussetzt, dass Inhalt des Zeichnungsscheins feststellbar ist, dh ausgelegt werden kann. Dann liegt aber bereits keine Nichtigkeit vor (→ Rn. 9). Soweit § 185 III auf **Unverbindlichkeit** abstellt, nimmt Norm Bezug auf § 185 I 3 Nr. 4 und erfasst den Fall, dass Eintragung erfolgt ist, obwohl im Zeichnungsschein angegebener Zeitpunkt verstrichen war (→ Rn. 14). Bei anderen Mängeln gibt es keine Heilung. 17

bb) Voraussetzungen. Heilung setzt erstens voraus, dass Durchführung der Kapitalerhöhung im HR eingetragen ist, und zweitens, dass Zeichner aufgrund des Zeichnungsscheins als Aktionär Rechte ausgeübt oder Verpflichtungen erfüllt hat (§ 185 III). Zur **Eintragung** s. §§ 188, 189. Wegen Registerkontrolle (→ § 188 Rn. 20 ff.) wird fehlerhafte Eintragung nur selten vorliegen. **Rechtsausübung** liegt vor, wenn Zeichner Aktienurkunde annimmt (KK-AktG/Ekkenga Rn. 63) bzw. globalverbriefte Aktien in sein Depot einbuchen lässt (Mü- 18

KoAktG/Schürnbrand/Verse Rn. 75); Dividende bezieht (unstr.); Bezugsrecht nach § 186 ausübt; nach Eintragung der Durchführung (§ 188) an HV teilnimmt (MüKoAktG/Schürnbrand/Verse Rn. 75); Antrag gem. § 122 auf Einberufung einer HV stellt; seine vermeintlichen Aktien auf Grund entspr. Satzungsklausel bei AG hinterlegt; Recht gem. § 175 II 2 ausübt oder Rechtsgeschäfte über die Aktien mit Dritten abschließt, zB sie veräußert oder verpfändet (MüKoAktG/Schürnbrand/Verse Rn. 75). Nicht ausreichend ist Anfrage an Vorstand außerhalb der HV (KK-AktG/Ekkenga Rn. 63).

19 Vermeintlicher Aktionär **erfüllt Verpflichtung,** wenn er nach Eintragung der Durchführung (§§ 188, 189) auf Resteinlage leistet (unstr., s. OLG Düsseldorf LZ 1916, 1059 f.); Leistungen auf schuldrechtl. Agio (→ § 9 Rn. 10 ff.; → § 182 Rn. 22a) reichen aber nicht aus (MüKoAktG/Schürnbrand/Verse Rn. 76; aA BeckOGK/Servatius Rn. 45). Str. ist, ob auch Leistung vor Eintragung, insbes. auf Mindesteinlage (→ § 188 Rn. 5), genügt (bejahend OLG Düsseldorf LZ 1916, 1059 f.; v. Godin/Wilhelmi Rn. 13; BeckOGK/Servatius Rn. 45). Frage ist zu verneinen, da Zeichner Verpflichtung als Aktionär erfüllt haben muss, er aber erst mit Eintragung Aktionär wird (→ § 189 Rn. 3). Andernfalls ginge zudem selbständige Bedeutung des Tatbestandsmerkmals „Eintragung der Durchführung" verloren; s. § 188 II iVm § 36 II (MüKoAktG/Schürnbrand/Verse Rn. 76; MHdB AG/Scholz § 57 Rn. 180). Ausreichend ist aber Erfüllung einer Nebenverpflichtung iSd § 55 (MüKoAktG/Schürnbrand/Verse Rn. 76), sofern sie aufgrund des Zeichnungsscheins erfolgt; es genügt nicht, wenn Zeichner aufgrund sonstigen Aktienbesitzes handelt. Kenntnis bzw. Unkenntnis des Aktionärs von der Nichtigkeit oder Unverbindlichkeit der Zeichnung sind für die Heilungswirkung unerheblich (MüKoAktG/Schürnbrand/Verse Rn. 74); AG kann Zeichner also nicht durch Aufklärung an Heilungshandlung hindern (KK-AktG/Ekkenga Rn. 63 f.).

20 **cc) Wirkung.** Heilung bewirkt nach § 185 III, dass sich Zeichner auf Nichtigkeit oder Unverbindlichkeit des Zeichnungsscheins nicht berufen kann. Ges. bringt damit zum Ausdruck, dass Zeichnungsschein und Zeichnungsvertrag **rückwirkend gültig** werden; auch AG kann sich auf Nichtigkeit bzw. Unverbindlichkeit nicht berufen (s. statt aller MüKoAktG/Schürnbrand/Verse Rn. 77). Zeichner wird bezogen auf Tag der Eintragung der Durchführung (§§ 188, 189) Aktionär, und zwar mit allen Rechten und Pflichten (unstr.). Problem eigener Aktien (→ Rn. 16 aE) stellt sich nicht mehr. Inhalt des Zeichnungsscheins ist nur insoweit maßgebend, wie er mit Ges. im Einklang steht. Gem. § 185 II Fall 2 unzulässige Beschränkungen bleiben unwirksam (MüKoAktG/Schürnbrand/Verse Rn. 77). Fehlende oder unvollständige Angaben werden auf der Grundlage des Kapitalerhöhungsbeschlusses ergänzt.

21 **2. Formverstoß.** Erfolgt Zeichnung, ohne dass **Schriftformerfordernis** nach § 185 I 1 (→ Rn. 7) beachtet wird, ist sie gem. § 125 S. 1 BGB **nichtig.** Nach hM bezieht sich § 185 III nach Wortlaut und Systematik nur auf Mangel iSd § 185 II und ist deshalb auf Formmangel zumindest nicht direkt anwendbar (statt vieler MüKoAktG/Schürnbrand/Verse Rn. 78). Während einige Schrifttumsvertreter bei diesem Ergebnis stehen bleiben (BeckOGK/Servatius Rn. 41; S/L/Veil Rn. 20), wird überwiegend für eine Korrektur dieses Ergebnisses über analoge Anwendung des § 185 III plädiert (KK-AktG/Ekkenga Rn. 55; B/K/L/Lieder Rn. 29; MüKoAktG/Schürnbrand/Verse Rn. 78 f.; Schürnbrand AG 2014, 73, 75 f.; NK-AktR/Rebmann Rn. 26; GK-AktG/Wiedemann Rn. 55; MHdB AG/Scholz § 57 Rn. 180); alternativ kann auch Einwand widersprüchlichen Verhaltens gem. § 242 BGB herangezogen werden (sa Grigoleit/Rieder/Holzmann Rn. 34). Grds. ist der Möglichkeit, auch Formmangel zu heilen, zuzustimmen, da Gedanke des venire contra factum proprium hier bes. naheliegt.

Aus Gründen der Rechtssicherheit spricht viel dafür, Heilung nicht an schwierig nachzuweisende Treuwidrigkeit im Einzelfall zu knüpfen, sondern an generalisierende Analogie zu § 185 III (vgl. Schürnbrand AG 2014, 73, 76), auch wenn nicht verkannt werden kann, dass Grenzen der Rechtsfortbildung damit stark strapaziert werden.

IV. Beschränkungen außerhalb des Zeichnungsscheins (§ 185 IV)

Beschränkungen der Pflicht zum Aktienerwerb (→ Rn. 4), die Zeichnungsschein nicht enthält, sind **AG ggü. unwirksam** (§ 185 IV; Bsp. bei KK-AktG/Ekkenga Rn. 74 ff.). Sie gelten als von Anfang an nicht getroffen. Wirksamkeit der Zeichnung iÜ wird aber nicht berührt (allgM). Zu Beschränkungen im Zeichnungsschein selbst s. § 185 II Fall 2 und → Rn. 15. Beschränkung ist im Zeichnungsschein nicht enthalten, wenn sie mündlich erklärt oder schriftlich außerhalb des Zeichnungsscheins festgelegt wurde. Beschränkung iSd § 185 IV liegt auch vor, wenn Annahmefrist gem. § 148 BGB gesetzt wurde (MüKoAktG/Schürnbrand/Verse Rn. 37). Fristsetzung muss also im Zeichnungsschein selbst erfolgen. Zu ihrer Zulässigkeit → Rn. 15. 22

V. Zeichnungsvertrag

1. Vertragsschluss. In der Praxis ist Zeichnung idR Angebot, Willenserklärung der AG idR Vertragsannahme, die gem. § 151 S. 1 BGB dem Zeichner ggü. nicht erklärt zu werden braucht (allgM; eingehend Hunecke, Zeichnungsvertrag, 2011, 114 ff.). AG wird durch Vorstand gem. § 78 vertreten (MüKoAktG/Schürnbrand/Verse Rn. 40). Zu beachten sind die der Zeichnung selbst gesetzten zeitlichen Schranken (→ Rn. 6). Zeichner ist nach § 145 BGB an sein Angebot gebunden. Bindung kann nach § 313 III 2 BGB entfallen, wenn AG insolvent wird und Zeichner die krit. Lage bei Abgabe der Erklärung nicht kannte (MüKoAktG/Schürnbrand/Verse Rn. 50). Wenn Vertragsangebot ausnahmsweise in Aufforderung der AG liegt, junge Aktien zu zeichnen, kommt Zeichnungsvertrag mit Zugang (§ 130 BGB) des Zeichnungsscheins bei AG zustande. IdR ist aber Zeichnungsschein selbst Vertragsangebot, das noch der Annahme bedarf. AG ist dann nicht verpflichtet, Zeichnung sofort anzunehmen; Frist des § 147 II BGB ist großzügig zu bemessen. IdR wird sich AG zunächst Überblick über den Zeichnungsumfang verschaffen und sodann entscheiden (Lutter FS Schilling, 1973, 207, 216). Nach früher hM soll Annahme erst nach Kapitalerhöhungsbeschluss erklärt werden können (GK-AktG/Wiedemann Rn. 36), was aber nicht überzeugt, weil AG gem. § 187 II auch dann geschützt ist, wenn sie Zeichnungsvertrag vor Kapitalerhöhungsbeschluss abschließt (→ § 187 Rn. 5 f.; MüKoAktG/Schürnbrand/Verse Rn. 43; vgl. ferner KK-AktG/Ekkenga Rn. 90: iZw Abschluss eines Vorvertrags [→ Rn. 31]). Nach Eintragung der Durchführung (§§ 188, 189) kann Zeichnungsvertrag nicht mehr abgeschlossen werden (MüKoAktG/Schürnbrand/Verse Rn. 43). 23

Vertrag unterliegt **keiner aktienrechtl. Formvorschrift** (unstr.); Schriftformerfordernis des § 185 I 1 (→ Rn. 7) erfasst nur Zeichnung, mit der Zeichner seinen Erwerbswillen bekundet, also idR das Angebot (→ Rn. 3 f.). Bei Sachkapitalerhöhung zu beachten sind aber allg. Formvorschriften für Verpflichtung des Zeichners, bes. § 311b I 1 BGB und § 15 IV 1 GmbHG (KK-AktG/Ekkenga Rn. 88 f.; Kley RNotZ 2003, 17, 29 f.; Mülbert AG 2003, 281, 282 ff.). Werden sie missachtet, ist Zeichnungsvertrag nach § 125 S. 1 BGB nichtig. Heilung ist gem. § 311 I 2 BGB und § 15 IV 2 GmbHG durch Einbringung der Einlagen möglich. Darüber hinaus ist Lehre vom fehlerhaften Beitritt anwendbar 23a

(→ Rn. 27 ff.; MüKoAktG/Schürnbrand/Verse Rn. 80, 82 ff.). Zu Folgen formwidriger Zeichnung → Rn. 21.

24 **2. Vertragspflichten.** Mit Zeichnungsvertrag verpflichtet sich AG, Zeichner im festgelegten Umfang Mitgliedsrechte zuzuteilen, wenn Kapitalerhöhung durchgeführt wird, dagegen idR nicht, Kapitalerhöhung durchzuführen (BGHZ 140, 258, 260 = NJW 1999, 1252; BGH NZG 2015, 1396 Rn. 29 f. [der aber im Einzelfall Pflicht einer GmbH zur Förderung der Durchführung bejaht]; KK-AktG/Ekkenga Rn. 125; MüKoAktG/Schürnbrand/Verse Rn. 46; Schürnbrand FS Stilz, 2014, 569, 571 f.; MHdB AG/Scholz § 57 Rn. 174; Lutter FS Schilling, 1973, 207, 217, 228 f.; in diesem Sinne wohl auch BFHE 134, 177, 180; aA Eimer, Zeichnungsverträge, 2008, 111 ff.; sa Hunecke, Zeichnungsvertrag, 2011, 179 ff.: Pflicht, Kapitalerhöhung weiter zu betreiben; zu etwaigen Ersatzpflichten sa → Rn. 30). Zeichner verpflichtet sich, Aktien im festgelegten Umfang anzunehmen und Mindesteinlage (→ § 188 Rn. 5 f.) zu zahlen bzw. Sacheinlage zu erbringen (→ § 188 Rn. 9); auch Nebenleistungspflichten iSd § 55 werden im Zeichnungsvertrag begründet (MüKoAktG/Schürnbrand/Verse Rn. 45; eingehend Eimer, Zeichnungsverträge, 2008, 83 ff.; Hunecke, Zeichnungsvertrag, 2011, 145 ff. mw Ausführungen zur Fälligkeit auf S. 210 ff.). Mit Zeichnungsvertrag wird Zeichner noch nicht Aktionär. Voraussetzung dafür ist Eintragung der Durchführung der Kapitalerhöhung (§ 189); erst mit ihr entsteht Mitgliedsrecht, und zwar kraft Ges. (vgl. RGZ 55, 65, 67; BGH NZG 2015, 1396 Rn. 13 [zur GmbH]). Bis dahin steht nicht nur Erwerb der Mitgliedschaft, sondern auch der Übernahmevertrag unter dem Vorbehalt des Wirksamwerdens der Kapitalerhöhung durch die Eintragung (BGHZ 140, 258, 260; BGH NZG 2015, 1396 Rn. 13 [zur GmbH]). Da AG aufgrund des Zeichnungsvertrags nicht zur Durchführung der Kapitalerhöhung verpflichtet ist, erwirbt Zeichner **kein Anwartschaftsrecht** auf künftige Mitgliedschaft (unstr., s. BFHE 145, 437, 439; BGH NZG 2015, 1396 Rn. 13 [zur GmbH]; KK-AktG/Ekkenga Rn. 125). § 103 InsO ist auf Zeichnungsvertrag nicht anwendbar (allgM zum früheren § 17 KO, s. RGZ 79, 174, 177). Zur Aktivierbarkeit der aus dem Vertrag folgenden Zahlungsansprüche vgl. BFHE 134, 177, 180; BFHE 143, 372, 374; BFHE 145, 437, 439.

25 **3. Überzeichnung. a) Auswahl der Zeichner.** Wurden mehr Aktien gezeichnet als AG aufgrund der Kapitalerhöhung ausgeben kann, muss sie entscheiden, in welchem Umfang Zeichner bei Zuteilung berücksichtigt werden. Zeichner, denen ges. (§ 186) oder vertragliches (§ 187) **Bezugsrecht** zusteht, sind in entspr. Zahl zu bedienen; AG ist zum Vertragsschluss verpflichtet (B/K/L/Lieder Rn. 36; BeckOGK/Servatius Rn. 10). Gegenauffassung, die davon für vertragliches Bezugsrecht Ausn. in Gestalt eines nützlichen Vertragsbruchs zulassen will (Schürnbrand FS Stilz, 2014, 569, 573 f.; zust. MüKoAktG/Schürnbrand/Verse Rn. 48: Ermessen des Vorstands), geht von geringerer Bindungswirkung vertraglicher Pflichten aus, was dem Rang der Privatautonomie innerhalb der Rechtsordnung aber nicht gerecht wird (→ § 93 Rn. 38). Zum Schutz des ges. Bezugsrechts → § 186 Rn. 17. IÜ ist AG grds. in **Zuteilung frei;** ggü. Aktionären ist aber Gleichbehandlungsgebot (§ 53a) zu beachten (B/K/L/Lieder Rn. 36; MüKoAktG/Schürnbrand/Verse Rn. 49; Ekkenga/Ekkenga/Jaspers AG-Finanzierung Kap. 4 Rn. 276; Hunecke, Zeichnungsvertrag, 2011, 285 f.; diff. BeckOGK/Servatius Rn. 10). Vorstand muss gem. § 83 II Weisungen der HV befolgen (Schürnbrand FS Stilz, 2014, 569, 574 f.). Üblicherweise werden nach Bedienung der Bezugsrechte verbleibende Aktien entspr. der nachgefragten Zahl zugeteilt (quotiert). Möglich ist aber auch, dass jeder Zeichner gleich bedient wird. Teilw. Annahme der Zeichnung in der einen oder der anderen Form ist möglich, da Zeichnung einer bestimmten Zahl von Aktien so auszulegen

ist, dass Zeichner auch geringere Zahl akzeptiert (→ Rn. 11 aE; s. ferner KK-AktG/Ekkenga Rn. 15).

b) Überschuss an Zeichnungsverträgen. Hat AG mehr Zeichnungsverträge abgeschlossen als Aktien ausgegeben werden können, so gilt: Zunächst sind Verträge mit Inhabern **ges. Bezugsrechte** (§ 186) zu bedienen (unstr.; arg. § 187 I); bezugsberechtigte Aktionäre haben aber keinen Anspruch auf bevorzugte Zuteilung, wenn sie zusätzliche Aktien beziehen wollen (→ § 187 Rn. 4; MüKoAktG/Schürnbrand/Verse Rn. 49). IÜ sind **nach Deckung des Erhöhungsbetrags** abgeschlossene Zeichnungsverträge nicht mehr wie früher nach § 306 BGB aF nichtig, sondern gem. § 311a I BGB gültig, ohne dass Erfüllungspflicht der AG entstände (§ 275 I BGB; BeckOGK/Servatius Rn. 15; → § 198 Rn. 5; aA Schürnbrand FS Stilz, 2014, 569, 579 f.: anfängliche Unmöglichkeit nur, wenn Zeichnungsvertrag nach Eintragung der Durchführung abgeschlossen wurde; ähnlich Hunecke, Zeichnungsvertrag, 2011, 286; dem folgend KK-AktG/Ekkenga Rn. 126). Zeichner, die wegen Überzeichnung nicht oder nicht im vollen Umfang an Kapitalerhöhung teilnehmen, werden insoweit auch dann nicht Aktionär, wenn Voraussetzungen des § 188 III Nr. 1 vorliegen oder Aktienurkunden ausgehändigt worden sind (B/K/L/Lieder Rn. 37). Sie können aber ggü. AG nach § 311a II BGB Anspruch auf Ersatz des Vertrauensschadens haben (MüKoAktG/Schürnbrand/Verse Rn. 59; Schürnbrand FS Stilz, 2014, 569, 582 f.; diff. KK-AktG/Ekkenga Rn. 128: Anspruch entspr. § 122 BGB, wenn Erhöhungsvolumen nachträglich herabgesetzt wurde, sonst cic; weitergehend Eimer, Zeichnungsverträge, 2008, 171 ff., 194 f.: Schadensersatzanspruch auf positives Interesse; gegen Ersatzansprüche offenbar Hunecke, Zeichnungsvertrag, 2011, 286 f.). AG kann ihrerseits aus § 93 Schaden vom Vorstand ersetzt verlangen (KK-AktG/Ekkenga Rn. 129). Übergangene Zeichner haben ferner Anspruch auf Rückzahlung der zu viel geleisteten Einlagen analog § 326 IV BGB, § 346 I BGB (B/K/L/Lieder Rn. 37; MüKoAktG/Schürnbrand/Verse Rn. 59; Schürnbrand FS Stilz, 2014, 569, 582). 26

4. Mängel. a) Fehlender oder unwirksamer Kapitalerhöhungsbeschluss. Fehlt Kapitalerhöhungsbeschluss, wird er aufgehoben (→ § 182 Rn. 16), ist er unwirksam (zB → § 182 Rn. 21), nichtig (§ 241) oder auf Anfechtungsklage für nichtig erklärt (§ 248), so sind **Zeichnungen und Zeichnungsverträge gem. § 158 II BGB unwirksam** (KK-AktG/Ekkenga Rn. 141; MüKoAktG/Schürnbrand/Verse Rn. 89). Registergericht darf weder Kapitalerhöhungsbeschluss (§ 184) noch Durchführung der Kapitalerhöhung (§§ 188, 189) eintragen. Zeichner werden nach traditioneller Auffassung auch dann nicht Aktionäre, wenn Eintragung zu Unrecht erfolgt ist, können aber entspr. § 277 II zur Leistung der Einlage verpflichtet sein (RGZ 143, 394, 399; RGZ 144, 138, 141; Schleyer AG 1957, 145, 146), wenn dies zur Erfüllung von Gesellschaftsverbindlichkeiten erforderlich ist, die nach Eintragung begründet worden sind. Nach mittlerweile hM, die sich insbes. auch im Beschlussmängelrecht weitgehend durchgesetzt hat, finden hingegen auch insofern **Grundsätze zur fehlerhaften Gesellschaft** Anwendung (B/K/L/Lieder Rn. 35; MüKoAktG/Schürnbrand/Verse Rn. 89; Grigoleit/Rieder/Holzmann Rn. 39; S/L/Veil Rn. 27; MHdB AG/Scholz § 57 Rn. 199; Marsch-Barner/Schäfer/Busch/Busch Rn. 44.117 ff.; eingehend Lieder DNotZ 2022, 349, 352 ff.), so dass namentl. bei der bes. praxisrelevanten Anfechtung des Kapitalerhöhungsbeschlusses Kassation des Beschlusses nur ex nunc wirkt (→ § 248 Rn. 7a). Rückabwicklung erfolgt dann nach Regeln der Einziehung von Aktien analog § 237 (B/K/L/Lieder Rn. 35). Um diese zu ermöglichen, wird zT vorgeschlagen, junge Aktien aus anfechtungsgefährdeter Kapitalerhöhung einer börsennotierten AG mit eigener Wertpapier-Kennnummer auszustatten (Marsch-Barner/Schäfer/Busch/Busch Rn. 44.119, 51.37). 27

28 **b) Fehlerhafter Zeichnungsvertrag.** Zu unterscheiden ist, ob Durchführung der Kapitalerhöhung gem. § 188 eingetragen ist oder noch nicht. **Bis zur Eintragung** finden auf Zeichnungsvertrag und ihn begründende Willenserklärungen allg. Vorschriften über fehlerhafte Rechtsgeschäfte Anwendung (zB §§ 104, 105 BGB; §§ 106, 114 BGB; §§ 117–120 BGB; § 123 BGB; § 134 BGB; § 138 BGB). Eintragung hat zu unterbleiben (eingehend KK-AktG/Ekkenga Rn. 133 ff.). **Nach Eintragung** können Parteien grds. (Ausnahmen → Rn. 29) aus Fehlerhaftigkeit keine Rechte herleiten. Zeichner wird mit Eintragung Aktionär mit allen Rechten und Pflichten. Willensmängel kann er nicht mehr geltend machen (RGZ 124, 279, 287 f.; RGZ 147, 257, 270 zur Genossenschaft; MüKoAktG/Schürnbrand/Verse Rn. 83). Dasselbe gilt für Formmangel der Übernahmeerklärung (BGH ZIP 2018, 25 Rn. 35). Deshalb empfiehlt sich, insoweit gerichtl. Eintragungsverbot nach § 16 II HGB zu erwirken. Einschränkung der allg. Vorschriften ergibt sich auch hier aus **Grundsätzen zur fehlerhaften Gesellschaft** (KK-AktG/Ekkenga Rn. 142 [Bestandsfestigkeit fehlerhafter Organisationsakte]; MüKoAktG/Schürnbrand/Verse Rn. 83; Schürnbrand AG 2014, 73, 76 ff.; S/L/Veil Rn. 24; GK-AktG/Wiedemann Rn. 64; Lieder DNotZ 2022, 349, 352 ff.; in der Begr. anders RGZ 142, 98, 103: Garantieerklärung ggü. der Allgemeinheit). Um Kapitalaufbringung nicht zu gefährden, hat Zeichner keinen Anspruch gegen AG auf Schadensersatz (RGZ 88, 187, 188 zur GmbH; MüKoAktG/Schürnbrand/Verse Rn. 88). Er kann aber verlangen, dass AG entgeltliche Übernahme der Aktien durch Dritte vermittelt, notfalls Kapital herabsetzt (MüKoAktG/Schürnbrand/Verse Rn. 88). Denkbar sind darüber hinaus Ansprüche gegen Vorstands- und AR-Mitglieder, die Zeichner zum Beitritt verleitet haben (MüKoAktG/Schürnbrand/Verse Rn. 88).

29 Erwerb der Mitgliedschaft trotz fehlender Vertragsgrundlage (→ Rn. 28) findet ausnahmsweise nicht statt, wenn Ges. **Schutz des Zeichners** höher einordnet als Schutz der Kapitalgrundlagen, zB bei geschäftsunfähigen (§§ 104, 105 BGB) oder beschränkt geschäftsfähigen (§ 106 BGB) Zeichnern (BGHZ 17, 160, 166 = NJW 1955, 1067 zur KG) und auch, wenn vermeintlicher Aktionär Zeichnung nicht veranlasst hat, zB bei fehlender, erzwungener oder gefälschter Zeichnung (RGZ 68, 344, 352; RGZ 147, 257, 271, jeweils zur Genossenschaft; OLG Köln ZIP 1986, 569, 672 zur GmbH; MüKoAktG/Schürnbrand/Verse Rn. 86; wohl auch GK-AktG/Wiedemann Rn. 66 aE). In diesem Fall wird Zeichner nicht Aktionär; auch ist Heilung nach § 185 III nicht möglich. Er kann seine Leistung nach § 812 I 1 Alt. 1 BGB zurückverlangen; § 57 greift nicht ein. Kapitalerhöhung ist aber wirksam; Mitgliedsrechte stehen der AG zu, die zur Verwertung verpflichtet ist (→ Rn. 16; MüKoAktG/Schürnbrand/Verse Rn. 87).

30 **c) Leistungsstörungen.** Auf Zeichnungsvertrag finden §§ 320 ff. BGB keine direkte Anwendung (B/K/L/Lieder Rn. 38; MüKoAktG/Schürnbrand/Verse Rn. 54 ff.; aA Hunecke, Zeichnungsvertrag, 2011, 248), da er unvollkommen zweiseitig verpflichtender Vertrag ist (str.; → Rn. 4). Entspr. Anwendung ist nur zT möglich. Vor Eintragung der Durchführung (§§ 188, 189) kann AG nach § 281 BGB oder § 286 BGB gegen Zeichner vorgehen, wenn er Mindesteinlage nicht leistet und auch weitere Voraussetzungen der Vorschriften erfüllt sind. Auch kann sie nach Maßgabe des § 323 I BGB vom Zeichnungsvertrag zurücktreten (MüKoAktG/Schürnbrand/Verse Rn. 62; MHdB AG/Scholz § 57 Rn. 181; aA KK-AktG/Ekkenga Rn. 115 f.: Schadensersatz nach § 281 IV, V BGB). Nach Eintragung kommen aber nur noch §§ 63 ff. zur Anwendung (B/K/L/Lieder Rn. 38; MüKoAktG/Schürnbrand/Verse Rn. 62; eingehend Hunecke, Zeichnungsvertrag, 2011, 233 ff., 241 ff.). Umgekehrt kann Zeichner gegen AG keine Rechte entspr. § 281 BGB geltend machen (OLG Schleswig AG 2003, 524, 525). Auch kann er sich nicht auf § 320 BGB berufen, weil Mindesteinlage

gem. § 188 II iVm § 36a I vor Anmeldung der Durchführung zu leisten ist. Unmöglichkeit oder Unvermögen (§§ 275 ff., 323 ff. BGB) kann wegen § 276 I 1 BGB (Beschaffungsrisiko) nur bei Sacherhöhung relevant sein. Auch dann bleibt Zeichner zwecks Kapitalaufbringung nach Eintragung zur Leistung der Einlage in Geld verpflichtet, selbst wenn er nach allg. Regeln von seiner Leistungspflicht frei würde (MüKoAktG/Schürnbrand/Verse Rn. 63; → § 183 Rn. 7; zur Haftung des Zeichners bei mangelhafter Sacheinlage → § 183 Rn. 21 f.). Ggü. Mitzeichnern wirkt Zeichnungserklärung aber nicht haftungsbegründend (BGH NJW 1992, 3167, 3170). Hat AG die Kapitalerhöhung nicht ordnungsgemäß durchgeführt, obwohl sie dazu ausnahmsweise verpflichtet war (→ Rn. 24), kann Zeichner gem. § 280 BGB Ersatz des negativen Interesses verlangen (BGH NZG 2015, 1396 Rn. 29 ff. [zur GmbH]). Zeichner kann dagegen keine Gewährleistungsansprüche geltend machen, wenn neue Aktien weniger wert sind als angenommen; insoweit ist er auf Prospekthaftung nach §§ 9 ff. WpPG verwiesen (MüKoAktG/Schürnbrand/Verse Rn. 61). Zu Kurs- oder Wertgarantien → § 56 Rn. 12 ff.

VI. Vorvertrag zur Zeichnung von Aktien; Vorbeteiligungsgesellschaft

Vom Zeichnungsvertrag zu unterscheiden ist Vorvertrag zur Zeichnung von Aktien, mit dem sich Anleger zur späteren Zeichnung verpflichtet (dazu KK-AktG/Ekkenga Rn. 100 ff.; MüKoAktG/Schürnbrand/Verse Rn. 51 ff.; Blaurock FS Rittner, 1991, 33 ff.; Hergeth/Eberl NZG 2003, 205 ff.; Leßmann DB 2006, 1256 ff.). Er unterliegt weitgehend den **Anforderungen des § 185,** so dass Inhalt des Kapitalerhöhungsbeschlusses im Wesentlichen feststehen muss (Blaurock FS Rittner, 1991, 33, 52 f.). Nach hM ist Vorvertrag entspr. § 185 I 1 schriftlich abzuschließen (Ekkenga/Ekkenga/Jaspers AG-Finanzierung Kap. 4 Rn. 304; Blaurock FS Rittner, 1991, 33, 43 ff.; Hergeth/Eberl NZG 2003, 205, 207; Leßmann DB 2006, 1256, 1257; sa RGZ 130, 73, 75). Indes bedarf nur Zeichnungsschein der Schriftform; Zeichnungsvertrag als solcher ist grds. formfrei (→ Rn. 7, 23a), was dafür spricht, auch beim Vorvertrag allein die WE des künftigen Zeichners unter Schriftformgebot zu stellen (so wohl auch MüKoAktG/Schürnbrand/Verse Rn. 53). Beteiligung muss nach Zahl und ggf. Aktiengattung, bei Nennbetragsaktien auch nach Nennbetrag bestimmbar sein (→ Rn. 11). Vorvertrag muss Angaben nach § 185 I 3 Nr. 2 und 3 enthalten (ebenso KK-AktG/Ekkenga Rn. 103; MüKoAktG/Schürnbrand/Verse Rn. 53; Hergeth/Eberl NZG 2003, 205, 207 f.). Seine **Laufzeit** ist entspr. § 185 I 3 Nr. 4 zu begrenzen (KK-AktG/Ekkenga Rn. 103; MüKoAktG/Schürnbrand/Verse Rn. 53; Blaurock FS Rittner, 1991, 33, 46 ff.; krit. Maidl NZG 2014, 1008, 1009 f.), und zwar namentl. auch dann, wenn noch nicht einmal Zeitpunkt des Erhöhungsbeschlusses feststeht (OLG Frankfurt NZG 2001, 758 f.; Hergeth/Eberl NZG 2003, 205, 208). Nicht angegeben werden muss Datum des Kapitalerhöhungsbeschlusses (s. § 185 I 3 Nr. 1). Vorvertrag bindet HV bei Beschlussfassung nicht; Zusicherung der AG im Vorvertrag ist nach § 187 II schwebend unwirksam (→ § 187 Rn. 5 f.). Einbringungsvertrag (→ § 183 Rn. 6 ff.) kann Vorvertrag sein, wenn sich Inferent im Vorfeld zur Zeichnung neuer Aktien verpflichtet (KK-AktG/Ekkenga Rn. 107; MüKoAktG/Schürnbrand/Verse § 183 Rn. 32; aA Hölters/Weber/Apfelbacher/Metzner Rn. 13). Fehlen erforderlicher Angaben führt zur Nichtigkeit des Vorvertrags analog § 185 II (→ Rn. 15 ff.; KK-AktG/Ekkenga Rn. 103; Leßmann DB 2006, 1256, 1258). Fehlt Schriftform, so greift § 125 BGB ein (→ Rn. 21). Bei Nichtigkeit gem. § 185 II kommt Heilung entspr. § 185 III in Betracht (Leßmann DB 2006, 1256, 1258 ff.; aA MüKoAktG/Schürnbrand/Verse Rn. 53). Denkbar ist auch 31

Heilung durch Abschluss des formgültigen Zeichnungsvertrags (MüKoAktG/Schürnbrand/Verse Rn. 53). Formfehler können (nur) nach Maßgabe des § 242 BGB überwunden werden (str.).

32 Verfolgen Anleger einen über Beteiligung an Kapitalerhöhung hinausgehenden Zweck, ist konkludente Gründung einer **Vorbeteiligungsgesellschaft** denkbar, die als GbR oder OHG organisiert ist und Vorschriften des allg. Personengesellschaftsrechts unterfällt (OLG Schleswig ZIP 2014, 1525, 1527 f. [zur GmbH]; KK-AktG/Ekkenga Rn. 158; Fallak/Huynh Cong NZG 2016, 1291 ff. [zur GmbH]; Lieder DStR 2014, 2464, 2465 ff.; Priester GWR 2014, 405, 407 f. [zur GmbH]). AG selbst wird nur in Ausnahmefällen der Vorbeteiligungsgesellschaft beitreten (Lieder DStR 2014, 2464, 2468 f.; zurückhaltend auch MüKoAktG/Schürnbrand, 4. Aufl. 2016, Rn. 33; weitergehend aber OLG Schleswig ZIP 2014, 1525, 1528; vgl. auch Eimer, Zeichnungsverträge, 2008, 185 ff.: Vorerhöhungsgesellschaft zwischen AG und einzelnen Zeichnern, die als stille Gesellschaft organisiert sei). Scheitert Kapitalerhöhung, kann Anleger bereits geleistete Einlagen und Aufwendungen nur nach Maßgabe der §§ 735 ff. BGB verlangen (OLG Schleswig ZIP 2014, 1525, 1527; KK-AktG/Ekkenga Rn. 158; Lieder DStR 2014, 2464, 2467).

Bezugsrecht

186 (1) [1]**Jedem Aktionär muß auf sein Verlangen ein seinem Anteil an dem bisherigen Grundkapital entsprechender Teil der neuen Aktien zugeteilt werden.** [2]**Für die Ausübung des Bezugsrechts ist eine Frist von mindestens zwei Wochen zu bestimmen.**

(2) [1]**Der Vorstand hat den Ausgabebetrag oder die Grundlagen für seine Festlegung und zugleich eine Bezugsfrist gemäß Absatz 1 in den Gesellschaftsblättern bekannt zu machen und gemäß § 67a zu übermitteln.** [2]**Sind nur die Grundlagen der Festlegung angegeben, so hat er spätestens drei Tage vor Ablauf der Bezugsfrist den Ausgabebetrag in den Gesellschaftsblättern und über ein elektronisches Informationsmedium bekannt zu machen.**

(3) [1]**Das Bezugsrecht kann ganz oder zum Teil nur im Beschluß über die Erhöhung des Grundkapitals ausgeschlossen werden.** [2]**In diesem Fall bedarf der Beschluß neben den in Gesetz oder Satzung für die Kapitalerhöhung aufgestellten Erfordernissen einer Mehrheit, die mindestens drei Viertel des bei der Beschlußfassung vertretenen Grundkapitals umfaßt.** [3]**Die Satzung kann eine größere Kapitalmehrheit und weitere Erfordernisse bestimmen.** [4]**Ein Ausschluß des Bezugsrechts ist insbesondere dann zulässig, wenn die Kapitalerhöhung gegen Bareinlagen zwanzig vom Hundert des Grundkapitals nicht übersteigt und der Ausgabebetrag den Börsenpreis nicht wesentlich unterschreitet.**

(4) [1]**Ein Beschluß, durch den das Bezugsrecht ganz oder zum Teil ausgeschlossen wird, darf nur gefaßt werden, wenn die Ausschließung ausdrücklich und ordnungsgemäß bekanntgemacht worden ist.** [2]**Der Vorstand hat der Hauptversammlung einen schriftlichen Bericht über den Grund für den teilweisen oder vollständigen Ausschluß des Bezugsrechts zugänglich zu machen; in dem Bericht ist der vorgeschlagene Ausgabebetrag zu begründen.**

(5) [1]**Als Ausschluß des Bezugsrechts ist es nicht anzusehen, wenn nach dem Beschluß die neuen Aktien von einem Kreditinstitut, einem Wertpapierinstitut oder einem nach § 53 Abs. 1 Satz 1 oder § 53b Abs. 1**

Satz 1 oder Abs. 7 des Gesetzes über das Kreditwesen tätigen Unternehmen mit der Verpflichtung übernommen werden sollen, sie den Aktionären zum Bezug anzubieten. [2]Der Vorstand hat dieses Bezugsangebot mit den Angaben gemäß Absatz 2 Satz 1 und einen endgültigen Ausgabebetrag gemäß Absatz 2 Satz 2 bekannt zu machen; gleiches gilt, wenn die neuen Aktien von einem anderen als einem Kreditinstitut, Wertpapierinstitut oder Unternehmen im Sinne des Satzes 1 mit der Verpflichtung übernommen werden sollen, sie den Aktionären zum Bezug anzubieten.

Übersicht

I. Grundlagen

1 **1. Regelungsgegenstand.** Norm gewährt Aktionären **subj. Recht,** bei Kapitalerhöhung junge Aktien in einem Umfang zu erhalten, der ihrer bisherigen Beteiligung am Grundkapital entspr. (Bezugsrecht; § 186 I 1), und bestimmt Formalien seiner Ausübung (§ 186 I 2, II). Sie bestimmt ferner, unter welchen Voraussetzungen ges. Bezugsrecht durch HV-Beschluss ausgeschlossen werden kann (§ 186 III, IV); ges. Bezugsrechtsauschluss: § 69 I 1 UmwG. Sonderfall zulässiger Ausschließung des Bezugsrechts durch HV, nämlich Ausgabe junger Aktien zu einem Betrag in der Nähe des Börsenpreises, ist in § 186 III 4 geregelt. § 186 V stellt klar, dass Fremdemission (→ § 182 Rn. 5) nicht als Bezugsrechtsausschluss bewertet wird, wenn Emissionsunternehmen verpflichtet ist, neue Aktien den Aktionären anzubieten (sog mittelbares Bezugsrecht). Zu steuerrechtl. Fragen Hölters/Weber/Apfelbacher/Metzner Rn. 110 ff.

2 **2. Regelungszweck.** § 186 bezweckt **Schutz der Aktionäre.** Bezugsrecht stellt sicher, dass Aktionäre ihre mitgliedschaftliche Stellung einschließlich ihrer vermögensmäßigen Bezüge pro rata halten können. Ohne ges. Bezugsrecht würde der Anteil des einzelnen Aktionärs am Grundkapital prozentual sinken und seine Stimmkraft entspr. reduziert werden (s. § 134 I 1). Ferner ergeben sich Verschlechterungen bei der Gewinn- und Liquidationsverteilung (§ 60 I, § 271 II); auch ist Verlust von Minderheitenrechten (vgl. zB § 93 IV 4; § 122 I 1; § 142 II, § 147 I, § 309 III) oder des steuerlichen Schachtelprivilegs (§ 9 Nr. 2a GewStG) möglich. Kapitalerhöhung kann ferner zur **Kursverwässerung** führen, zumal Ausgabepreis idR unter Börsenwert liegt (MüKoAktG/Schürnbrand/Verse Rn. 2; sa KK-AktG/Ekkenga Rn. 2; zum Verständnis von Verwässerungsrisiken als Prinzipal-Agent-Konflikt vgl. Langenbucher FS Henssler, 2023, 1031, 1034 ff.). Veräußert Aktionär Bezugsrecht, so erhält er dafür zumindest wirtschaftlichen Ausgleich (s. zum Ganzen Hirte, Bezugsrechtsausschluss und Konzernbildung, 1986, 7 ff.; Zöllner AG 2002, 585 ff.; zur Kritik an diesen Funktionen vgl. Marsch-Barner/Schäfer/Busch/Busch Rn. 44.43). Überdies erhält er die Möglichkeit, weiteres Kapital in „seine" Gesellschaft zu investieren (BGHZ 71, 40, 44 = NJW 1978, 1316). Hervorgehoben wird in jüngerer Zeit **Disziplinierungsfunktion** des Bezugsrechts im Verhältnis zwischen Aktionären und Vorstand, der Finanzierungsentscheidungen vor Eigentümern verantworten muss (MüKoAktG/Schürnbrand/Verse Rn. 3). Bedeutung des Bezugsrechts unterstreichen professionelle Stimmrechtsberater iSd § 134a I Nr. 3 (→ § 134a Rn. 4; → § 134d Rn. 1 ff.), die Kapitalerhöhung mit Bezugsrechtsausschluss idR nur bis Volumen von 10–20 % des Grundkapitals empfehlen (Hölters/Weber/Apfelbacher/Metzner Rn. 4; MüKoAktG/Schürnbrand/Verse Rn. 3; Rieckers DB 2019, 107, 114). **Dritte,** die keine Aktionäre sind (insbes. Inhaber von Wandelschuldverschreibungen und Genussscheinen), werden durch § 186 nicht geschützt (MüKoAktG/Schürnbrand/Verse § 182 Rn. 3).

3 **3. Anwendungsbereich.** § 186 betr. nur **Kapitalerhöhung gegen Einlagen** (§§ 182 ff.). Durch Verweis findet Norm aber auch beim genehmigten Kapital

Anwendung (§ 203 I 1). Bei Kapitalerhöhung aus Gesellschaftsmitteln stehen junge Aktien den Aktionären unmittelbar zu (§ 212). Bedingte Kapitalerhöhung kennt ges. Bezugsrecht nicht, da sie zweckgebunden ist (§ 192 II); jedoch besteht wegen § 221 IV mittelbares Bezugsrecht iRd § 192 II Nr. 1. Auch wenn AG von ihr selbst gehaltene eigene Aktien veräußert, findet § 186 Anwendung, was namentl. in Verweisung auf § 186 III und IV in § 71 I Nr. 8 S. 5 Hs. 1 zum Ausdr. kommt (ausf. → § 71 Rn. 19m; im Widerspruch dazu noch → 14. Aufl. 2020 Rn. 3). Bei Kapitalerhöhung zum Zwecke der Verschmelzung oder Spaltung ist § 186 nicht anwendbar (§ 69 I 1 Hs. 1 UmwG, § 142 I UmwG), da hier gerade Dritte in erweiterte oder aufnehmende Gesellschaft zugelassen werden sollen (Marsch-Barner/Schäfer/Busch/Busch Rn. 44.44).

II. Gesetzliches Bezugsrecht (§ 186 I)

1. Inhalt. § 186 I 1 begründet subj. Recht auf Teilhabe an Kapitalerhöhung. 4
Bezugsberechtigter (→ Rn. 8 ff.) hat, wenn er Bezugsrecht ausübt (→ Rn. 14) und wirksamen Zeichnungsschein (§ 185 I) einreicht, durchsetzbaren Anspruch gegen AG auf **Abschluss eines Zeichnungsvertrags** (→ § 185 Rn. 23 ff.) zu den im Kapitalerhöhungsbeschluss festgesetzten Bedingungen (→ § 182 Rn. 11 ff., 22 ff.). Bezugsrecht gewährt keinen Anspruch auf Zuteilung von Aktien zum geringsten Ausgabebetrag (RGZ 76, 138, 141). Problematisch ist Bezugsberechtigung, wenn **verschiedene Aktiengattungen** bestehen oder durch Kapitalerhöhung geschaffen werden (insbes. Stamm- und Vorzugsaktien, nach ZuFinG 2023 aber auch Mehrstimmrechtsaktien; vgl. zu möglichen Konstellationen Wolf/Schirrmacher NZG 2021, 914 ff.). Einigkeit besteht insofern, als AG nicht verpflichtet ist, Kapitalerhöhung durchzuführen, die bisheriges Gattungsverhältnis widerspiegelt: Wird bei schon bestehender Mehrzahl von Gattungen nur eine aufgestockt, haben beide Aktionärsgruppen gleichmäßigen Anspruch auf neue Aktien; wird neue Gattung geschaffen, haben alle bisherigen Aktionäre gleichmäßigen Anspruch darauf (allgM – vgl. MHdB AG/Scholz § 57 Rn. 104; Marsch-Barner/Schäfer/Busch/Busch Rn. 44.52). Das hat zur Folge, dass Inhaber von Stammaktien ggf. stimmrechtslose Vorzüge erhalten oder auch umgekehrt. Umstr. ist Rechtslage, wenn Gattungen der jungen Aktien denen der Altaktien entspr. Nach einer Auffassung soll – wie es Wortlaut nahelegt – auch in diesem Fall kein Anspruch auf Zuteilung solcher Aktienarten oder -gattungen bestehen, die den bisher gehaltenen entspr., sog **Mischbezugsrecht** (vgl. RGZ 68, 235, 240; KK-AktG/Ekkenga Rn. 15 f.; G. Hueck FS Nipperdey, Bd. I, 1965, 427, 430 ff.; Rittig NZG 2012, 1292; Wolf/Schirrmacher NZG 2021, 914, 915 ff.). Es entsteht danach also Bezugsrecht an einem entspr. Anteil jeder Gattung. Nach zunehmend vertretener Gegenauffassung besteht in dieser Situation sog **Gattungsbezugsrecht** in dem Sinne, dass sich Bezugsrecht zumindest bei verhältnismäßiger Aufstockung auf Bezugsrecht der bisher gehaltenen Aktiengattung beschränkt (Frey/Hirte DB 1989, 2265, 2266 f.; B/K/L/Lieder Rn. 12; MüKoAktG/Schürnbrand/Verse Rn. 50; GK-AktG/Wiedemann Rn. 69 f.; Groß AG 1993, 449, 453). Bei **überproportionaler Aufstockung** nur einer Gattung soll gemischtes Bezugsrecht für alle Gattungsaktionäre insoweit bestehen, als Aktienteil die verhältnismäßige Aufstockung übersteigt (Gattungsbezugsrecht mit Spitzenausgleich – vgl. B/K/L/Lieder Rn. 12; MüKoAktG/Schürnbrand/Verse Rn. 50; Frey/Hirte DB 1989, 2465, 2467). Letztgenannte verhältniswahrende Sichtweise erscheint gerade im Lichte des § 216 I vorzugswürdig, zumal sie verhindert, dass Vorzugsaktionäre auf Kosten der Stammaktionäre Machtzuwachs erhalten. Praxis muss unsicherer Rechtslage aber Rechnung tragen, wozu es sich empfiehlt, dass HV im Erhöhungsbeschluss unter den Voraussetzungen des § 186 III, IV festsetzt, dass Aktionäre nur zum Bezug

solcher Aktien berechtigt sind, die der von ihnen gehaltenen Gattung entspr. (→ Rn. 30). Durch diese verbreitete Vorgehensweise wird Bedeutung des Meinungsstreits für die Praxis relativiert.

5 **2. Umfang. a) Proportionale Beteiligung.** Bezugsberechtigter hat Anspruch auf Zuteilung so vieler neuer Aktien, wie es seinem Anteil an dem bisherigen Grundkapital entspr. (§ 186 I 1); genauer: Er ist mit dem Prozentsatz am Erhöhungsbetrag zu beteiligen, mit dem er am bisherigen Grundkapital beteiligt ist (Marsch-Barner/Schäfer/Busch/Busch Rn. 44.45). Vorgabe ist **Ausdruck des Gleichbehandlungsgebots** gem. § 53a, weist aber auch über diesen hinaus, weil Bezugsrecht selbst dann bestehen bleibt, wenn alle Aktionäre gleichmäßig ausgeschlossen werden sollen (MüKoAktG/Schürnbrand/Verse Rn. 1, 24). Bezugsberechtigung kann auch durch Satzung nicht verändert werden (§ 23 V). Entstehen Bruchteilsrechte (zu ihrer Vermeidung → Rn. 29), die als solche nicht ausgeübt werden können, kann Berechtigter sein Bruchteilsrecht veräußern, neue Bruchteilsrechte im erforderlichen Umfang hinzuerwerben oder mit anderen Bruchteilsberechtigten das Recht an einer Aktie nach Maßgabe des § 69 gemeinsam ausüben (KK-AktG/Ekkenga Rn. 11).

5a **b) Keine konzerndimensionalen Vorrechte.** Bezugsrecht des § 186 I bezieht sich nach Wortlaut und Sinn auf junge Aktien der AG, die ihr Kapital erhöht. Zusätzliche Vorrechte der Aktionäre beim **Börsengang der Tochtergesellschaft** gibt es nicht, und zwar weder als Bezugsrecht, wenn die zur Börseneinführung vorgesehenen Aktien aus einer Kapitalerhöhung der Tochter stammen, noch als Vorerwerbsrecht, wenn die Aktien aus dem Portfolio der Muttergesellschaft herrühren. Die solche Vorrechte propagierende Auffassung hat sich nicht durchgesetzt und kann auch nicht überzeugen, weil Zweck des ges. Bezugsrechts (→ Rn. 2) solche Erweiterung nicht nahelegt, so dass eine analoge Anwendung des § 186 ausscheidet (vgl. statt vieler KK-AktG/Ekkenga Rn. 30; MüKoAktG/Schürnbrand/Verse Rn. 38 – jew. mwN; aA Lutter AG 2000, 342, 343 ff. in Anknüpfung an Pellens ZfbF 1993, 892 ff.; Kiefner, Konzernumbildung und Börsengang der Tochter, 2005, 305 ff.; deutlich relativierend [keine Vorrechte bei zust. Beschluss der HV] Lutter AG 2001, 349, 350 ff.). Auch Treupflichten führen nicht zu Bezugs- oder Vorerwerbsrechten, weil Treupflichten der Gesellschaftsorgane zwar der AG, aber nicht ihren Mitgliedern Rechte geben und weil Treupflichten der AG ggü. den Mitgliedern nur als Schutzpflichten Bedeutung haben, also zusätzliche Teilhaberechte nicht zu begründen vermögen. Erst recht nicht begründbar ist angebliches Bezugsrecht der Aktionäre der herrschenden AG auf Geschäftsanteile der abhängigen GmbH, die im Zuge einer (sanierungsbedingten) Kapitalerhöhung geschaffen werden (LG Kassel AG 2002, 414, 415 f.; Kort AG 2002, 369, 370 ff.).

6 **3. Rechtsnatur; Übertragbarkeit.** Zu unterscheiden ist zwischen allg. Bezugsrecht einerseits und konkretem Bezugsanspruch andererseits. Während **allg. Bezugsrecht** untrennbarer Bestandteil der Mitgliedschaft ist und mithin nicht Gegenstand einer selbständigen Verfügung sein kann, entsteht **konkreter Bezugsanspruch,** dessen Grundlage allg. Bezugsrecht ist, nach hM mit Wirksamwerden des Kapitalerhöhungsbeschlusses (Hölters/Weber/Apfelbacher/Metzner Rn. 14; MüKoAktG/Schürnbrand/Verse Rn. 25). Das ist freilich der frühestmögliche Zeitpunkt. Während ältere und nicht überzeugende Mindermeinung auf Eintragung des Kapitalerhöhungsbeschlusses in das HR abgestellt hat (Baumbach/Hueck Rn. 3), will neuere Ansicht an Veröffentlichung des Bezugsangebots anknüpfen, womit rechtl. Verselbständigung und ex-Notierung zeitlich zusammenfielen (Butzke GS M. Winter, 2011, 59, 63 ff.; Wieneke GWR 2017, 239, 240). Das wird dem Ablauf komplexer Bezugsrechtsemissionen besser gerecht

und ist auch sonst erwägenswert. Praktische Probleme des früheren Entstehungszeitpunkts werden allerdings dadurch weitgehend vermieden, dass konkreter Bezugsanspruch unter der Bedingung tats. Durchführung der Kapitalerhöhung steht (→ § 185 Rn. 23; sa Marsch-Barner/Schäfer/Busch/Busch Rn. 44.47). Er ist selbständiges Recht, kann also übertragen (→ Rn. 7) und vererbt sowie gepfändet und verpfändet werden (s. nur KK-AktG/Ekkenga Rn. 18, 20).

Konkreter Bezugsanspruch wird grds. nach §§ 413, 398 BGB übertragen 7 (aA iS eines Rechtsfortbildungskonzepts Kallmeyer AG 1993, 249 f.: unübertragbar). Im mittlerweile eher seltenen Fall (→ § 10 Rn. 3 f., 12 ff.), dass Bezugsanspruch nur unter Vorlage des Dividendenscheins (Inhaberpapier, → § 58 Rn. 29) ausgeübt werden kann, sind nach hM §§ 929 ff. BGB maßgebend, weil Dividendenschein auch Bezugsanspruch verbrieft (MüKoAktG/Schürnbrand/Verse Rn. 27). Verfügungsbefugt ist Bezugsberechtigter (→ Rn. 8 ff.). Beschränkung der Verfügungsbefugnis nach § 68 II (Vinkulierung) ist möglich, sofern Erhöhungsbeschluss nicht freie Übertragung erlaubt; zustimmungsfrei ist Übertragung iZw auch, wenn zwar alte, nicht aber neue Aktien vinkuliert sind (KK-AktG/Ekkenga Rn. 22; MüKoAktG/Schürnbrand/Verse Rn. 29). IÜ darf Beschränkung nur unter den Voraussetzungen des § 186 III, IV erfolgen (B/K/L/Lieder Rn. 11; MHdB AG/Scholz § 57 Rn. 100). Im Regelfall der Girosammelverwahrung erfolgt Übertragung heute idR im Wege der bloßen Depotübertragung (Marsch-Barner/Schäfer/Busch/Busch Rn. 44.49; zur technischen Abwicklung Wieneke GWR 2017, 239, 240 f.). Ausübung des Bezugsanspruchs durch entspr. Erklärung (→ Rn. 14) hindert Übertragung nicht; vielmehr endet Übertragbarkeit erst mit Abschluss des Zeichnungsvertrags, weil damit Bezugsanspruch gem. § 362 I BGB erlischt (KK-AktG/Ekkenga Rn. 24; B/K/L/Lieder Rn. 11). Von da an kann sich Berechtigter nur schuldrechtl. (vgl. § 191; → § 191 Rn. 2) zur künftigen Übertragung der neuen Aktien verpflichten (vgl. Guntz AG 1958, 177 f.). Bezugsrecht ist **börsenfähig** (Einzelheiten zu Notierung und Wert bei MüKoAktG/Schürnbrand/Verse Rn. 31, 33); ges. Anspruch der Aktionäre auf Einrichtung eines Börsenhandels in Bezugsrechten besteht aber nicht (LG Hamburg AG 1999, 382; B/K/L/Lieder Rn. 9; MüKoAktG/Schürnbrand/Verse Rn. 32; Schlitt/Ries FS Schwark, 2009, 241, 258; Vaupel/Reers AG 2010, 93, 97; offenlassend OLG Hamburg AG 1999, 519, 520). Gegenteilige Auffassung wurde früher zT auf Macrotron-Rspr. des BGH gestützt, hat schon auf dieser Grundlage aber keinen Zuspruch gefunden und dürfte sich mit Aufgabe dieser Rspr. (→ § 119 Rn. 31 ff.) endgültig erledigt haben (vgl. Ekkenga/Ekkenga/Jaspers AG-Finanzierung Kap. 4 Rn. 167; für Pflicht zur Einrichtung des Börsenhandels nach Aufgabe der Macrotron-Rspr. weiterhin BeckOGK/Servatius Rn. 24, der allerdings auf hohe Hürden hinweist; iErg gleich Bader AG 2014, 472, 485 Fn. 71, der Pflicht zur Einrichtung des Börsenhandels auf faktischen Bezugsrechtsausschluss aufbaut [→ Rn. 43]; sa Marsch-Barner/Schäfer/Busch/Busch Rn. 44.69; dagegen Ekkenga/Ekkenga/Jaspers AG-Finanzierung Kap. 4 Rn. 170).

4. Bezugsberechtigte. a) Grundsatz: Aktionäre. Bezugsberechtigt ist nach 8 § 186 I 1, wer zum Zeitpunkt des Wirksamwerdens des Kapitalerhöhungsbeschlusses Aktionär ist (MüKoAktG/Schürnbrand/Verse Rn. 35). Auch Umkehrung gilt: Wer nicht Aktionär ist, hat kein ges. Bezugsrecht, auch nicht als Inhaber von Wandelschuldverschreibungen, soweit damit verknüpftes Recht auf Umtausch in oder Erwerb von Aktien (→ § 221 Rn. 4 ff.) nicht ausgeübt ist (dazu EuGH Slg. I 2008, 10169 Rn. 38 ff. = AG 2009, 283). Aktiengattung ist für ges. Bezugsrecht unerheblich (im Grundsatz unstr.). Auch Aktionäre mit Vorzugsaktien ohne Stimmrecht sind bezugsberechtigt; vgl. § 140 I (hM, vgl. Reckinger AG 1983, 216, 219; Wirth/M. Arnold ZGR 2002, 859, 864 f.; abw. GK-AktG/

Wiedemann Rn. 5b). Ihr Bezugsrecht kann auch nicht durch Satzung ausgeschlossen werden (MüKoAktG/Schürnbrand/Verse Rn. 49). Besteht an einer Aktie eine Rechtsgemeinschaft, steht den Berechtigten das Bezugsrecht gemeinsam zu (§ 69). Im Konzern ist die Muttergesellschaft nicht verpflichtet, bei einer Kapitalerhöhung der Tochter neue Aktien an ihre eigenen Aktionäre weiterzuleiten (OLG Hamburg AG 1981, 344, 348; MüKoAktG/Schürnbrand/Verse Rn. 38, 190; aA Martens ZHR 147 [1983], 377, 413; s. speziell zum Börsengang der Tochter auch schon → Rn. 5a).

9 **b) Einschränkungen.** AG hat kein Bezugsrecht an **eigenen Aktien** (§ 71b; → § 71b Rn. 4). Bezugsrecht besteht gem. § 71d S. 4 iVm § 71b auch nicht für Aktien, die von Dritten für Rechnung der AG gehalten werden (hM, s. B/K/L/Lieder Rn. 13; MüKoAktG/Schürnbrand/Verse Rn. 36; S/L/Veil Rn. 5). Insoweit kommt in beiden Fällen auch eine Veräußerung nicht in Betracht (GK-AktG/Wiedemann Rn. 65). Nach zutr. Ansicht hat gem. § 71d S. 2, 4 iVm § 71b ein abhängiges (§ 17) oder in Mehrheitsbesitz stehendes (§ 16) Unternehmen sowie ein Dritter, der für ein solches Unternehmen Aktien hält, ebenfalls kein ges. Bezugsrecht auf junge **Aktien der Obergesellschaft,** so dass folglich eine Veräußerung nicht möglich ist (B/K/L/Lieder Rn. 13; MüKoAktG/Schürnbrand/Verse Rn. 36). Demgegenüber soll nach aA ges. Bezugsrecht bestehen, das aber nach § 56 II nicht ausgeübt, sondern nur durch Verkauf verwertet werden darf (so KK-AktG/Ekkenga Rn. 29; MHdB AG/Rieckers § 15 Rn. 56; Busch AG 2005, 429, 430 ff.). Das mag aus praktischen Gründen erwägenswert sein, ist aber de lege lata kaum konstruierbar (zutr. Habersack/Mülbert/Schlitt/M. Arnold Unternehmensfinanzierung Rn. 9.71). Bei wechselseitig beteiligten Unternehmen kann ges. Bezugsrecht auf ein Viertel des Grundkapitals beschränkt sein (s. § 328). Ges. Bezugsrecht nach § 21 VII bzw. § 21 IV entfällt, wenn Unternehmen gegen Mitteilungspflicht nach § 20 I, IV bzw. § 21 I, II AktG oder § 33 I WpHG verstoßen hat (str., iE → § 20 Rn. 16; → § 21 Rn. 4). Haben Aktionäre kein ges. Bezugsrecht, erhöht sich das der anderen Aktionäre entspr. ihrer Beteiligung.

10 **c) Sonderfälle. aa) Nießbrauch.** Bezugsberechtigt ist der **Aktionär,** nicht der Nießbraucher, da Bezugsanspruch keine Nutzung iSd § 1030 I BGB, § 1068 II BGB, § 100 BGB darstellt (BGHZ 58, 316, 319 = NJW 1972, 1755 zur KG; OLG Bremen AG 1970, 335; KK-AktG/Ekkenga Rn. 31 mwN). Etwas anderes kann nur gelten, wenn man entgegen hier vertretener Auffassung mitgliedschaftsspaltenden Nießbrauch zulässt (→ § 134 Rn. 17a), doch sind auch unter Vertretern dieser Ansicht Konsequenzen für Bezugsrecht ungeklärt (s. dazu noch Ulmer/Habersack/Löbbe/Hüffer/Schürnbrand GmbHG, 2. Aufl. 2014, § 47 Rn. 53 mwN). Aktionär entscheidet allein, ob er Bezugsrecht ausübt oder veräußert; Zustimmung des Nießbrauchers ist trotz § 1071 II BGB nicht erforderlich (s. B/K/L/Lieder Rn. 14; MüKoAktG/Schürnbrand/Verse Rn. 40, mit zT abw. Begründungen). Wenn Aktionär zur Rechtsausübung Urkunden braucht (zB Aktie, Dividendenschein), die sich im Besitz oder Mitbesitz des Nießbrauchers befinden (s. § 1081 I 1, 2 BGB), sind sie ihm zugänglich zu machen (vertragliche Nebenpflicht). Übt Aktionär Bezugsrecht aus oder veräußert er seinen Anspruch, so erstreckt sich Nießbrauch nicht ipso iure auf neue Aktien bzw. Veräußerungserlös (OLG Bremen AG 1970, 335 für Veräußerungserlös; KK-AktG/Ekkenga Rn. 32; B/K/L/Lieder Rn. 14; MHdB AG/Scholz § 57 Rn. 99; Scharff, Der Nießbrauch an Aktien, 1982, 56; aA A. Teichmann ZGR 1972, 1, 20 für neue Aktien). Jedoch hat Nießbraucher vertraglichen **Anspruch auf Ausgleich** erlittenen Nachteils (MüKoAktG/Schürnbrand/Verse Rn. 41; GK-AktG/Wiedemann Rn. 74: Rechtsgedanke des § 1079 BGB; Scharff, Der Nießbrauch an Aktien, 1982, 56 f.; aA Guntz AG 1958, 177, 180). Ausgleich erfolgt,

indem Nießbrauch am Veräußerungserlös oder an jungen Aktien bestellt wird, jedoch nur in einem Umfang, der dem Verhältnis des Werts des Bezugsrechts zum Gesamtwert der neuen Aktien entspr. (s. BGH WM 1982, 1433 f. zur KG; zu den Einzelheiten vgl. MüKoAktG/Schürnbrand/Verse Rn. 41). Aktionär darf Bezugsrecht nicht verschenken oder verfallen lassen; sonst macht er sich schadensersatzpflichtig (B/K/L/Lieder Rn. 14; MüKoAktG/Schürnbrand/Verse Rn. 41).

bb) Pfandrecht. Auch wenn Aktien mit einem Pfandrecht gem. §§ 1273, 1293 BGB (auch Nutzungspfandrecht gem. § 1273 II BGB, § 1213 I BGB) belastet sind, ist **Aktionär** und nicht Pfandgläubiger bezugsberechtigt (unstr.). Aktionär entscheidet **ohne Zustimmung** des Pfandgläubigers, ob er Bezugsanspruch veräußert oder ausübt; § 1276 II BGB trifft Sachverhalt nicht. Hat Aktionär zur Ausübung des Bezugsrechts Urkunden vorzulegen, die sich im Besitz des Pfandgläubigers befinden (zB Aktie, Dividendenschein, s. § 1274 BGB iVm § 1205 BGB), kann er vom Pfandgläubiger verlangen, dass dieser Urkunden der AG selbst vorlegt (allgM); wegen § 1253 I BGB scheidet Übergabe an den Aktionär aus. Pfandrecht erstreckt sich auch nicht ipso iure auf neue Aktien bzw. Veräußerungserlös (KK-AktG/Ekkenga Rn. 33; B/K/L/Lieder Rn. 15; MüKoAktG/Schürnbrand/Verse Rn. 43). Vorbehaltlich abw. Vereinbarung ist Aktionär aber verpflichtet (vertragliche Nebenpflicht), Pfandrecht am Veräußerungserlös bzw. an einem dem Wertverhältnis entspr. Teil der neuen Aktien zu bestellen (KK-AktG/Ekkenga Rn. 33; MüKoAktG/Schürnbrand/Verse Rn. 43). Aktionär darf Bezugsanspruch nicht verschenken oder verfallen lassen (unstr.). 11

cc) Sicherungseigentum. Bezugsberechtigt ist **Sicherungseigentümer.** Bestehen keine abw. Sicherungsabreden, ist er zur Ausübung des Bezugsrechts verpflichtet, sofern ihm Sicherungsgeber die erforderlichen Mittel zur Verfügung stellt (unstr.). Neue Aktien werden vollständig Eigentum des Sicherungsnehmers (wohl aA B/K/L/Lieder Rn. 16; MHdB AG/Scholz § 57 Rn. 99), sind sodann aber entspr. schuldrechtl. Bindung an Sicherungsgeber auszukehren, sofern ihr Wert das Sicherungsvolumen übersteigt (KK-AktG/Ekkenga Rn. 34; stattdessen auf Wert des Bezugsrechts abstellend MüKoAktG/Schürnbrand/Verse Rn. 45; GK-AktG/Wiedemann Rn. 83). Erhält Sicherungsnehmer vom Sicherungsgeber keine Mittel zum Bezug, kann er wählen, ob er Bezugsanspruch veräußert oder mit eigenen Mitteln ausübt. Veräußerungerlös bzw. Wert der neuen Aktien abzüglich der eingesetzten Mittel ist dann mit der gesicherten Forderung zu verrechnen, soweit diese fällig war (str., vgl. MüKoAktG/Schürnbrand/Verse Rn. 45). Sicherungsgeber ist verpflichtet, dem Sicherungseigentümer die erforderlichen Urkunden (zB Dividendenschein) zur Verfügung zu stellen. Pflichtverstoß kann Schadensersatzanspruch begründen (Guntz AG 1958, 177, 180 f.). 12

dd) Sonstiges. Nacherbschaft (§ 2100 BGB). Bezugsanspruch ist keine Nutzung gem. § 100 BGB; er steht also dem Vorerben nicht persönlich zu, sondern gehört nach § 2111 I 1 Var. 1 BGB zum Nachlass (allgM, vgl. KG OLGR 44, 96 f.; KK-AktG/Ekkenga Rn. 38). Er ist vom Vorerben (s. § 2112 BGB) unter Beachtung seiner Pflicht zur ordnungsgem. Verwaltung (s. § 2130 I 1 BGB; § 2113 II BGB) auszuüben. Bezugspreis kann aus dem Nachlass entnommen werden (§ 2124 II 1 BGB). In diesem Fall (zur Rechtslage bei Verwendung eigener Mittel s. MüKoAktG/Schürnbrand/Verse Rn. 46) gehören neue Aktien kraft dinglicher Surrogation (§ 2111 I 1 Var. 3 BGB) zum Nachlass (KG OLGR 44, 96, 97; KK-AktG/Ekkenga Rn. 38). Entspr. gilt für Erlös bei Veräußerung der Aktien. **Depotbanken.** Aktionär ist bezugsberechtigt. Depotbank trifft Informationspflicht, die sich allg. aus Nr. 15 I AGB-WPGeschäfte ergibt, seit ARUG II für börsennotierte AG aber auch aus §§ 67a, 67b 13 folgt (→ Rn. 19). Depotbank darf ohne Anweisung des Aktionärs grds. nicht handeln (RGZ 111, 345, 348). Anders jedoch nach Nr. 15 I 2 AGB-WPGeschäfte: Verkauf bestens bei Fehlen anderer Weisung.

14 **5. Ausübung. a) Allgemeines.** Bezugsanspruch wird durch sog **Bezugserklärung** ausgeübt. Sie ist ggü. der AG abzugeben und unterliegt keiner Form. Mit ihr wird AG aufgefordert, Bezugsberechtigtem entweder ein Zeichnungsangebot zu unterbreiten oder die Informationen und Unterlagen zur Verfügung zu stellen, die dem Berechtigten die Abgabe einer Zeichnungserklärung nach § 185 I als Angebot ermöglichen (Regelfall, → § 185 Rn. 4). Zuteilung der Aktien erfolgt erst mit Abschluss des Zeichnungsvertrags. Bezugserklärung ist **geschäftsähnliche Handlung** (KK-AktG/Ekkenga Rn. 40; MüKoAktG/Schürnbrand/Verse Rn. 53). Sie verpflichtet den Bezugsberechtigten nicht zur Abgabe einer Zeichnungserklärung, weil die Formstrenge des § 185 andernfalls bedeutungslos wäre (so auch KK-AktG/Ekkenga Rn. 40; MüKoAktG/Schürnbrand/Verse Rn. 54; GK-AktG/Wiedemann Rn. 89). Bezugserklärung und Zeichnungserklärung (→ § 185 Rn. 5 ff.) können zugleich abgegeben werden, zB bei Abgabe eines Zeichnungsscheins. Bezugsbedingungen können gleichzeitige Abgabe vorsehen. **Legitimation** des Aktionärs ggü. AG erfolgt bei Inhaberaktien durch Vorlage der Aktienurkunde, bei Namensaktien genügt Eintrag im Aktienregister (§ 67 II). AG kann Vorlage eines Dividendenscheins verlangen, was nach § 186 II 1 bekanntzumachen ist (MüKoAktG/Schürnbrand/Verse Rn. 55; → Rn. 19).

15 **b) Ausübungsfrist. aa) Fristbestimmung.** Gem. § 186 I 2 ist Frist zu bestimmen, innerhalb derer Bezugsrecht auszuüben ist. Sie muss mindestens zwei Wochen betragen. Fristsetzung ist zwingend. Norm betr. nur Bezugserklärung. Bezugsbedingungen können Frist aber auf Zeichnungserklärung erstrecken. Frist kann in Satzung generell bestimmt werden (allgM); fehlt sie dort, wird HV idR Frist im Kapitalerhöhungsbeschluss setzen; andernfalls muss Vorstand Frist bestimmen. Sie ist gem. § 186 II bekanntzumachen (→ Rn. 19). Soll Frist Mindestdauer übersteigen, ist Zeitpunkt des § 185 I 3 Nr. 4 zu beachten. Sofern nichts anderes bestimmt ist, beginnt Frist mit ihrer Bekanntgabe nach § 186 II (vgl. § 10 HGB; → Rn. 19). Fristende berechnet sich nach § 187 I BGB, § 188 II BGB. Zur **Fristwahrung** ist Zugang der Bezugserklärung innerhalb der Frist erforderlich. Fehlt Fristbestimmung, gilt Zweiwochenfrist des § 186 I 2 nicht als ges. Frist; vielmehr können Aktionäre Bezugsrecht bis Anmeldung der Durchführung der Kapitalerhöhung (§ 188) ausüben (vgl. KK-AktG/Ekkenga Rn. 43; B/K/L/Lieder Rn. 20). Zur Fristbestimmung bei girosammelverwahrten Aktien Wieneke GWR 2017, 239, 241.

16 **bb) Rechtsfolgen bei Fristablauf; Verzicht.** Ausübungsfrist ist **Ausschlussfrist.** Nicht fristgerechte Ausübung führt zum Verlust des Bezugsanspruchs, ohne dass Nachbezugsrecht anderer Altaktionäre entsteht (allgM – s. nur MüKoAktG/Schürnbrand/Verse Rn. 56, 63; andere Gestaltung im Kapitalerhöhungsbeschluss ist allerdings möglich). Ohne pflichtwidrig zu handeln, kann AG über nicht bezogene Aktien frei verfügen (allgM), muss aber zu bestem Kurs abgeben (MüKoAktG/Schürnbrand/Verse Rn. 56, 63 f.). Zeichnen Aktionäre, die Bezugsanspruch nicht ausgeübt haben, trotzdem neue Aktien, stehen sie in der Zuteilung den Aktionären gleich, die über ihr ges. Bezugsrecht hinausgehende Zeichnungserklärungen abgegeben haben (→ § 185 Rn. 25; KK-AktG/Ekkenga Rn. 45). Vgl. aber auch Nr. 15 I AGB-WPGeschäfte, der Problem praktisch weitgehend entschärft (→ Rn. 13). Verzichtet Aktionär auf ges. Bezugsrecht, gilt das zum Fristablauf Gesagte (str., wie hier Hölters/Weber/Apfelbacher/Metzner Rn. 27 f.; auf den Willen der Verzichtenden abstellend MüKo-

AktG/Schürnbrand/Verse Rn. 64; Marsch-Barner/Schäfer/Busch/Busch Rn. 44.49). In der Praxis sichert sich Vorstand gegen Platzierungsrisiken oft über sog. **Back-Stop-Vereinbarungen,** in denen Investor zusagt, stehengelassene Bezugsaktien (rump shares) zum festgesetzten Bezugspreis zu übernehmen (vgl. dazu KK-AktG/Ekkenga Rn. 255; MüKoAktG/Schürnbrand/Verse Rn. 63; MHdB AG/Scholz Rn. 110; Gehling ZIP 2011, 1699; Schlitt/Schäfer CFL 410, 415 f.). OLG Köln hat an solche Vereinbarungen jedoch strenge Anforderungen im Hinblick auf § 53a formuliert (OLG Köln v. 15.11.2018 – 18 U 182/17 juris-Rn. 54 ff.: Ausschreibungs- und Angebotsverfahren). BGH konnte Frage iR eines Entlastungsbeschlusses offenlassen („jedenfalls kein eindeutiger Gesetzesverstoß"), hat aber doch Zweifel erkennen lassen (BGH NZG 2020, 1349 Rn. 32: „zweifelhaft"). Dass Vorstand auch bei Ausgabe nicht bezogener Aktien grds. an § 53a gebunden ist, hat jedoch auch BGH bestätigt (BGH NZG 2020, 1349 Rn. 32).

6. Verletzung des Bezugsrechts. Ges. Bezugsrecht ist verletzt, wenn Aktionär fristgerecht Bezugserklärung und wirksame Zeichnungserklärung abgegeben hat und AG mit ihm gleichwohl keinen Zeichnungsvertrag schließt. Dasselbe gilt, wenn AG Zeichner nicht ins Verzeichnis iSd § 188 III Nr. 1 aufnimmt oder den Zeichnungsschein nicht zur Eintragung ins HR einreicht (MüKoAktG/Schürnbrand/Verse Rn. 58). Keine Verletzung des Bezugsrechts liegt vor, wenn AG mehr Zeichnungsverträge schließt als neue Aktien ausgegeben werden können. Insoweit schützt § 187 I das ges. Bezugsrecht durch Vorbehalt (→ § 187 Rn. 3 f.). Ges. Bezugsrecht wird auch nicht verletzt, wenn es, gleich aus welchem Grund, nicht zur Eintragung der Durchführung der Kapitalerhöhung kommt (→ Rn. 6). Erfolgt **Eintragung** gem. § 188 trotz Verletzung des ges. Bezugsrechts, so ist Kapitalerhöhung wirksam. Übergangener Aktionär ist nicht an Kapitalerhöhung beteiligt. Aktionäre werden nur Personen, mit denen AG Zeichnungsverträge geschlossen hat, auch wenn ihr Bezugsrecht nachrangig war (unstr.). Berechtigter kann seinen Bezugsanspruch nur vor Eintragung (§§ 188, 189) durchsetzen. Er kann Bezugsanspruch ggü. AG einklagen (unstr.) und AG im Wege einstweiliger Verfügung (vgl. aber auch § 945 ZPO) Abschluss von Zeichnungsverträgen mit nachrangigen Zeichnern untersagen (ausf. KK-AktG/Ekkenga Rn. 46); ggf. muss er auch nach § 16 II HGB vorgehen (dazu GK-HGB/J. Koch/Harnos § 16 Rn. 33 ff.). 17

Nach Eintragung kann Aktionär AG nur auf **Schadensersatz** aus § 280 I und III BGB, § 283 BGB iVm § 31 BGB, nach hM auch aus § 823 II BGB iVm § 186 in Anspruch nehmen (vgl. KK-AktG/Ekkenga Rn. 47; B/K/L/Lieder Rn. 25). Naturalrestitution (§ 249 I BGB) ist möglich, wenn AG eigene Aktien hält und darüber nicht anderweitig verfügen muss (s. § 71 III 2; krit. Ziemons FS Seibert, 2019, 1173, 1175). Andernfalls (s. § 71 I) ist in Geld zu entschädigen (§ 251 I BGB). Schaden bestimmt sich nach den Kosten für die anderweitige Beschaffung der Aktien (KK-AktG/Ekkenga Rn. 47; krit. Ziemons FS Seibert, 2019, 1173, 1176 ff.). AG kann aus § 93 Rückgriff auf **Vorstandsmitglieder** nehmen, die Verletzung des Bezugsrechts in zu vertretender Weise verursacht haben (MüKoAktG/Schürnbrand/Verse Rn. 60). Umstr. ist, ob daneben auch noch eigenständige deliktische **Außenhaftung** der Organe möglich ist (allg. dazu → § 93 Rn. 134 ff.). Das wird zT ebenfalls auf Grundlage des § 823 II BGB bejaht (KK-AktG/Ekkenga Rn. 47; Ziemons FS Seibert, 2019, 1173, 1179 f.). Richtigerweise setzt Anerkennung einer Norm als Schutzgesetz aber auch voraus, dass damit verbundene Haftung im haftungsrechtl. Gesamtsystem tragbar erscheint (MüKoAktG/Schürnbrand/Verse Rn. 62). Daran fehlt es hier jedoch, weil Haftungssystem des Kapitalgesellschaftsrechts auf Sonderbeziehung zwischen Verband und Aktionär ausgerichtet ist. Es besteht kein Anlass, Organmitglieder 18 gerade im Zusammenhang mit Bezugsrecht für fahrlässig verursachte Vermögensschäden haften zu lassen (MüKoAktG/Schürnbrand/Verse Rn. 62).

III. Bekanntmachung (§ 186 II)

19 Pflicht zur Bek. nach § 186 II besteht nur, wenn Aktionäre unmittelbares Bezugsrecht haben. Beim mittelbaren Bezugsrecht (§ 186 V 1) ist § 186 V 2 einschlägig (→ Rn. 52). Bek. wird vom Vorstand verfügt. Sie muss **Ausgabebetrag** (s. § 185 I 3 Nr. 2) oder Grundlagen für seine Festlegung (→ Rn. 19a) enthalten. Bei teilw. Bezugsrechtsausschluss ist nur Ausgabebetrag bekanntzugeben, der für Aktien gilt, mit denen ges. Bezugsrecht verknüpft ist (aA KK-AktG/Ekkenga Rn. 52). Bekanntzumachen ist ferner nach § 186 I 2 bestimmte **Bezugsfrist** (→ Rn. 15). Gilt Frist zugleich für Zeichnungserklärung, so muss auch dies bekanntgemacht werden (GK-AktG/Wiedemann Rn. 100). Muss sich Aktionär durch Vorlage eines Dividendenscheins legitimieren (→ Rn. 14), ist dies bekanntzugeben. Gleiches gilt, wenn Bezugserklärung nur durch Vorlage eines ausgefüllten Zeichnungsscheins abgegeben werden kann (KK-AktG/Ekkenga Rn. 49). Über Wortlaut des § 186 II hinaus ist ferner bekanntzugeben, dass Kapitalerhöhung beschlossen wurde, auch sind Erhöhungsbetrag und Bezugsverhältnis anzugeben; andernfalls wäre Bek. unverständlich (MüKoAktG/Schürnbrand/Verse Rn. 67; MHdB AG/Scholz § 57 Rn. 112). Bek. erfolgt in den Gesellschaftsblättern (§ 25) und gilt unter Voraussetzungen des § 10 HGB als bewirkt. Bek. setzt nicht voraus, dass schon Kapitalerhöhungsbeschluss nach § 184 eingetragen ist (unstr.). Wenn sie vor Eintragung erfolgt, bedarf es auch keines Vorbehalts (MüKoAktG/Schürnbrand/Verse Rn. 66). Durch **ARUG II 2019** wurde Bekanntgabepflicht noch um **Weiterleitungspflicht gem. § 67a** erweitert, um Aktionärsinformation auch hier zu verbessern und Ausübung von Aktionärsrechten zu erleichtern (→ § 67a Rn. 1 ff.). Änderung tritt nach § 26j IV EGAktG in Kraft ab 3.9.2020 und ist auf HV anzuwenden, die nach diesem Datum einberufen wird.

19a Angabe des **Ausgabebetrags** kann zunächst entfallen, wenn **Grundlagen für seine Festlegung** bekanntgemacht werden (zur Formulierung KK-AktG/Ekkenga Rn. 56); Ausgabebetrag ist dann gem. § 186 II 2 bis spätestens drei Tage vor Ablauf der Bezugsfrist gesondert bekanntzumachen. Regelung erlaubt es, Ausgabebetrag der jungen Aktien auch dann im **Bookbuilding-Verfahren** zu ermitteln, wenn Aktionäre Bezugsrechte haben, was früher jedenfalls mit Wortlaut des § 186 II nicht zu vereinbaren war (NK-AktR/Rebmann Rn. 26; Groß ZHR 162 [1998], 313, 333; Schlitt/Ries FS Schwark, 2009, 241, 255; aA zum früheren Recht Ihrig/Wagner BB 2002, 789, 795; Einzelheiten zum Bookbuilding bei Ekkenga/Ekkenga/Jaspers AG-Finanzierung Kap. 4 Rn. 24 ff.). Regelung entlastet AG auch weitgehend vom Volatilitätsrisiko, weil Sicherheitsabschlag bei Bestimmung des Ausgabebetrags niedriger gewählt werden kann, wenn dieser erst drei Tage vor Fristablauf bekanntgemacht werden muss (RegBegr. BT-Drs. 14/8769, 23 f.; Schlitt/Seiler WM 2003, 2175, 2176). Insoweit ist rechtspolitische Stoßrichtung ähnlich wie bei § 186 III 4 (→ Rn. 39a ff.). Bek. des Ausgabebetrags drei Tage vor Fristablauf muss in Gesellschaftsblättern (§ 25) und zusätzlich über ein elektronisches Informationsmedium erfolgen (§ 186 II 2). Ob letztgenannte Vorgabe Sinn ergibt, nachdem schon Bek. in Gesellschaftsblättern zur Bek. im BAnz. führt (→ § 25 Rn. 1 ff.), kann man bezweifeln (zust. MüKoAktG/Schürnbrand/Verse Rn. 71). Jedenfalls anzuraten und genügend ist, dass AG Information auf eigener Website verbreitet. Ob bei bloßer Angabe der Festlegungsgrundlagen auch Preisspanne oder Höchstpreis anzugeben ist, wird unterschiedlich beurteilt (abl. B/K/L/Lieder Rn. 23; Krug BKR 2005, 302, 304; Schlitt/Schäfer CFL 2011, 410, 412). Praxis hat von § 186 II 2 augenscheinlich nur zurückhaltend Gebrauch gemacht, was auf hohe Anzahl von Sanierungskapitalerhöhungen zurückgeführt wird (Marsch-Barner/Schäfer/Busch/Busch Rn. 44.56).

IV. Ausschluss des Bezugsrechts (§ 186 III, IV)

1. Formelle Voraussetzungen. a) Bestandteil des Erhöhungsbeschlusses. Ges. gestattet ausnahmsweise unter den Voraussetzungen des § 186 III, IV auch Bezugsrechtsausschluss, was für AG dann von Interesse sein kann, wenn sie nicht nur Kapitalbeschaffung bezweckt, sondern Interesse daran hat, Kapitalerhöhung nur mit bestimmten Zeichnern durchzuführen. Ges. formuliert für Ausschluss lediglich formelle Voraussetzungen, doch hat Rspr. zusätzliche materielle Anforderungen entwickelt, die mittlerweile auch von Gesetzgeber mittelbar bestätigt worden sind (→ Rn. 25 ff.). Unter formellen Gesichtspunkten gilt: Bezugsrecht kann nur im Beschluss über Erhöhung des Grundkapitals ausgeschlossen werden (§ 186 III 1). Bezugsrechtsausschluss ist damit **untrennbarer Bestandteil des Kapitalerhöhungsbeschlusses.** Er fällt in Kompetenzbereich der HV. Bezugsrecht kann also nicht in Satzung, durch selbständigen HV-Beschluss oder durch Entscheidung des Vorstands und/oder des AR (anders beim genehmigten Kapital, s. § 203 II 1) ausgeschlossen werden (KK-AktG/Ekkenga Rn. 4, 127). Bezugsrechtsausschluss sollte ausdr. erfolgen; notwendig ist dies aber nicht (allgM). Konkludenter Bezugsrechtsausschluss liegt vor, wenn Erhöhungsbeschluss Personenkreis der Zeichner bestimmt (zB AN, Sacheinleger) oder Zuteilung den Organen ausdr. überlassen wird (vgl. KK-AktG/Ekkenga Rn. 128); bezeichnet Erhöhungsbeschluss einen Teil der Aktien als freie Spitze (→ Rn. 29), so liegt darin ein teilw. Bezugsrechtsausschluss (vgl. MüKoAktG/Schürnbrand/Verse Rn. 75). Vereinfachte Form des Bezugsrechtsausschlusses ist vorgesehen in **§ 7 III 4 WStBG** zur Überwindung von Liquiditätsengpässen oder Stärkung der Kapitalbasis bei Finanzunternehmen iSd § 2 I StFG oder Unternehmen der Realwirtschaft iSd § 16 II StFG oder, durch Verweis in § 29 II 1 Nr. 2 EnSiG, bei Unternehmen, die selbst oder durch verbundene Unternehmen iSd § 15 kritische Infrastrukturen iSd § 2 X BSIG im Sektor Energie betreiben, § 29 I 1 EnSiG (→ § 182 Rn. 5a ff. sowie Fett/Wieneke NZG 2009, 9, 10; Langenbucher ZGR 2010, 75, 94 ff.). 20

b) Mehrheitsanforderungen und weitere Erfordernisse. § 186 III 2 bestimmt eine notwendige **Kapitalmehrheit** von mindestens ¾ des bei Beschlussfassung vertretenen Grundkapitals, die neben den sonstigen Beschlusserfordernissen gegeben sein muss. Gem. § 186 III 3 kann Satzung für Bezugsrechtsausschluss nur eine größere Kapitalmehrheit als die in § 186 III 2 bestimmte festsetzen; insoweit wird § 182 I 2 eingeschränkt. Satzung kann für Erhöhungsbeschluss mit Bezugsrechtsausschluss weitere Erfordernisse bestimmen (zu den Gestaltungsmöglichkeiten → § 179 Rn. 23). Sind gem. § 182 II Sonderbeschlüsse erforderlich, gelten auch für sie Erfordernisse nach § 186 III 2, 3. Der nur auf § 182 I verweisende § 182 II 3 ist seinem Sinn und Zweck nach so zu lesen, dass immer die für HV-Beschluss bestehenden Anforderungen auch für Sonderbeschluss zu beachten sind (MüKoAktG/Schürnbrand/Verse Rn. 78). 21

c) Bekanntmachung. Kapitalerhöhung mit Bezugsrechtsausschluss darf nur beschlossen werden, wenn Ausschließung (genauer: Ausschließungsabsicht) ausdr. und ordnungsgem. bekanntgemacht worden ist (§ 186 IV 1). Ordnungsgem. Vorgehen ist Bek. in den Gesellschaftsblättern, also im BAnz. (→ § 25 Rn. 1 ff.), und zwar idR gleichzeitig mit Einberufung der HV sowie Bek. der Tagesordnung. Von § 186 IV 1 weiter verlangte ausdr. Bek. des geplanten Bezugsrechtsausschlusses ist gegeben, wenn Tagesordnung hinreichend deutlichen Hinweis 22 enthält. Begriff selbst muss nicht verwandt werden. Tatsache und Umfang des Bezugsrechtsausschlusses müssen aber klar sein (KK-AktG/Ekkenga Rn. 166 mit Bsp.). Nicht ausreichend ist Hinweis, dass „über das Bezugsrecht" beschlossen werden soll (MüKoAktG/Schürnbrand/Verse Rn. 79). Verstoß gegen § 186 IV 1 macht Erhöhungsbeschluss anfechtbar. Bei Vollversammlung (§ 121 VI) entfällt bes. Bek. nach § 186 IV 1. Publizität der geplanten Ausschließung wird also durch Einverständnis der Aktionäre ersetzt (→ § 121 Rn. 23).

23 **d) Bericht des Vorstands.** Vorstand hat HV schriftlichen Bericht zugänglich zu machen, der Grund für Ausschluss des Bezugsrechts darlegen und Begr. des vorgeschlagenen Ausgabebetrags enthalten muss (§ 186 IV 2). Vorschrift wurde durch 2. EG-KoordG v. 13.12.1978 (BGBl. 1978 I 1959) eingefügt und bezweckt insbes., HV **sachgerechte Entscheidung** zu ermöglichen (BGHZ 83, 319, 326 = NJW 1982, 2444; BGHZ 234, 19 Rn. 19 = NZG 2022, 1441; KK-AktG/Ekkenga Rn. 169). Bericht ist zudem Grundlage gerichtl. Prüfung im Anfechtungsprozess (BGHZ 83, 319, 326; MüKoAktG/Schürnbrand/Verse Rn. 80, 117). Er ist in angemessener Kürze auch erforderlich, wenn Gründe für Bezugsrechtsausschluss offenkundig sind, dagegen in Weiterentwicklung des § 121 VI nicht notwendig, wenn alle Aktionäre in einer Vollversammlung darauf verzichten (→ § 121 Rn. 23; Hoffmann-Becking ZIP 1995, 1, 7; zurückhaltend OLG München AG 1991, 210, 211). § 186 IV 2 verlangt in seiner Neufassung durch ARUG 2009 nur noch, dass Vorstand der HV seinen schriftlichen Bericht zugänglich macht. Seine Vorlage oder Vorlage einer Mehrfertigung ist danach genügend, aber nicht (mehr) erforderlich. Auch **elektronische Information,** etwa durch vorgehaltene Monitore, genügt (Ekkenga/Ekkenga/Jaspers AG-Finanzierung Kap. 4 Rn. 175). Nach wie vor ungeregelt sind **zeitliche Modalitäten** der Information. Unter Anknüpfung an bisherige, von § 175 II 1 aF ausgehende hM (vgl. Kort ZIP 2002, 685, 688; ähnlich LG Heidelberg ZIP 1988, 1257, 1258) ist zu verlangen, dass Bericht entspr. § 124a alsbald nach Einberufung zugänglich ist, wofür Information über Internetseite der AG genügt. Mittlerweile höchstrichterlich geklärt ist dagegen, dass es einer Bek. des wesentlichen Berichtsinhalts analog § 124 II 3 letzter Fall (Vertragsänderung) nicht bedarf (→ § 124 Rn. 15 mwN). Auch Mitteilung entspr. § 125 ist zwar nicht erforderlich (str., wie hier KK-AktG/Ekkenga Rn. 182; B/K/L/Lieder Rn. 33; Groß AG 2022, 693 Rn. 21; aA MüKoAktG/Schürnbrand/Verse Rn. 90), aber in der Praxis aus Vorsichtsgründen geboten (s. Ekkenga/Ekkenga/Jaspers AG-Finanzierung Kap. 4 Rn. 175). Weiterhin ungeklärt ist, ob Bericht entspr. § 175 II 1, 2 von Einberufung der HV an in den Geschäftsräumen auszulegen und jedem Aktionär – vorbehaltlich der Ausn. entspr. § 175 II 4 – auf Verlangen in Abschrift zu übersenden ist (offenlassend BGHZ 120, 141, 156 = NJW 1993, 400; BGHZ 234, 19 Rn. 21 = NZG 2022, 1441). Richtigerweise ist Frage zu bejahen, da Aktionär sonst keine rechtzeitige Kenntnis von Bericht erlangen kann (überzeugend Groß AG 2022, 693 Rn. 17 ff.; ebenso die hM – vgl. nur MüKoAktG/Schürnbrand Rn. 90). Zur Wahrung der **Schriftform** (§ 126 BGB) genügt Unterzeichnung durch Vorstandsmitglieder in vertretungsberechtigter Zahl (str., wie hier B/K/L/Lieder Rn. 33; MüKoAktG/Schürnbrand/Verse Rn. 88; sympathisierend Ekkenga/Ekkenga/Jaspers AG-Finanzierung Kap. 4 Rn. 174 [zweifelnd aber KK-AktG/Ekkenga Rn. 179]; aA BeckOGK/Servatius Rn. 37; vgl. ferner → § 293a Rn. 10). Nach § 126 III BGB, § 126a BGB ausreichend ist auch elektronische Form (KK-AktG/Ekkenga Rn. 178; MüKoAktG/Schürnbrand/Verse Rn. 88; → § 293a Rn. 10; aA BeckOGK/Servatius Rn. 37). Bei **Übernahmesachverhalten** gilt Sonderregelung in § 16 IV 7 WpÜG auch für Vorstandsbericht. Weil einerseits unverändert schriftliche Berichterstattung vorgeschrieben ist und andererseits Mitteilung entspr. § 125 ohnehin nicht zu erfolgen braucht, bezieht sich

Erleichterung durch § 16 IV 7 WpÜG auf Bek. vor HV. Abw. von § 124 II 3, letzter Fall (Vertragsänderung) genügt gem. § 16 IV 7 WpÜG bloße Hinweisbek., wenn Volltext auf Website gezeigt und seine Fundstelle in Hinweisbek. aufgenommen wird (→ § 124 Rn. 4).

Umfang des Berichts muss seiner Funktion (→ Rn. 23) entspr. Bericht hat somit umfassend und konkret Tatsachen zu enthalten, die für materielle Rechtfertigung des Bezugsrechtsausschlusses erforderlich sind (BGHZ 83, 319, 326 = NJW 1982, 2444; OLG Schleswig AG 2004, 155, 158; LG München I AG 2010, 47, 48; KK-AktG/Ekkenga Rn. 170 ff.; GK-AktG/Wiedemann Rn. 125 f.; Bayer ZHR 168 [2004], 132, 153; Bsp. bei Happ/Herchen AktienR 12.02 lit. b). Grenzen der Berichtspflicht ergeben sich allerdings aus Entscheidungsbefugnis der Verwaltung (→ Rn. 36) und aus analoger Anwendung des § 131 III (KK-AktG/Ekkenga Rn. 175 f.). Dabei ist auf abwägungsrelevante Interessen der Aktionäre einzugehen, uU auch darauf, ob das angestrebte Ziel mit milderen Mitteln erreicht werden kann (OLG München AG 1991, 210, 211). Nicht genügend ist es, Gründe des Bezugsrechtsausschlusses abstrakt zu umschreiben (OLG Hamm AG 1989, 31, 32 f.) oder Allgemeinplätze zu verwenden („Bezugsrechtsausschluss liegt im Interesse der Gesellschaft"); ebenso Kort ZIP 2002, 685, 688. Prüfungsbericht nach § 34 II, III iVm § 183 III kann Bericht nicht ersetzen (B/K/L/Lieder Rn. 34; aA Becker BB 1981, 394, 395). **Ausgabebetrag** (→ § 182 Rn. 22 ff.) ist unter Darlegung der Berechnungsgrundlagen und Bewertungskriterien zu begründen; bedeutsam wegen § 255 IV. Bloßer Hinweis auf allg. Bewertungsgrundsätze genügt nicht (Bayer ZHR 168 [2004], 132, 153); insbes. wegen § 255 IV ist Angabe eines angemessenen Mindestbetrags erforderlich (KK-AktG/Ekkenga Rn. 173). Auch auf schuldrechtl. Agio ist im Bericht einzugehen, sofern es erforderlich ist, um Wert der ausgegebenen Aktien zu decken (dazu und zur generellen Frage der Zulässigkeit → § 9 Rn. 10 ff.; sa KK-AktG/Ekkenga Rn. 173). Hat HV keinen Ausgabebetrag (→ § 182 Rn. 25) oder nur Mindest- und/oder Höchstbetrag (→ § 182 Rn. 22) festgesetzt, so ist dies zu begründen. Steht Zeichner schon fest, muss auch dieser benannt werden (Marsch-Barner/Schäfer/Busch/Busch Rn. 44.75). Wegen des Schriftformerfordernisses kann unzureichender Bericht nicht durch mündliche Erläuterung in HV nachgebessert werden (OLG München AG 1991, 210, 211; Lutter ZGR 1979, 401, 410; aA Becker BB 1981, 394, 396; ausf. Sethe AG 1994, 342, 356 ff.); Ausnahmen sind bei Bagatellen und offensichtlichen Unrichtigkeiten erwägenswert (KK-AktG/Ekkenga Rn. 177). 24

2. Materielle Voraussetzungen. a) Erfordernis sachlicher Rechtfertigung. § 186 III, IV nennt materielle Voraussetzungen für Bezugsrechtsausschluss nicht ausdr. RG hat deshalb in der Hibernia-Entscheidung materiellen Schutz der Aktionäre noch abgelehnt und stattdessen freies Ermessen der HV angenommen, das nur durch § 138 BGB, § 243 II und § 53a begrenzt werde (RGZ 68, 235, 243 ff.; relativierend schon RGZ 132, 149, 163 [Victoria]). BGH hat dagegen in grdl. Kali & Salz-Entscheidung festgestellt, dass Ausschluss des Bezugsrechts aufgrund **Schwere des Eingriffs in die Mitgliedschaft** (→ Rn. 2) sachlicher Rechtfertigung bedarf (BGHZ 71, 40, 43 ff. = NJW 1978, 1316). Auch wenn diese Rspr. seit jeher scharfer Kritik ausgesetzt ist (vgl. statt vieler MüKoAktG/Schürnbrand/Verse Rn. 93 ff., 97 ff.; Decher FS Grunewald, 2021, 163, 173 ff.; K.-S. Scholz FS Krieger, 2020, 865, 870 ff.), ist sie als stRspr weiterhin der praktischen Gestaltung zugrunde zu legen (sa MüKoAktG/Schürnbrand/Verse Rn. 100). Zweifel an ihrer Fortgeltung wurden namentl. durch Siemens/Nold-Urteil (BGHZ 136, 133 = NJW 1997, 2815) geschürt (vgl. etwa Goette ZGR 2012, 505, 511 f.), finden im Urteil aber nur schwache Basis (sa OLG Celle NZG 2001, 1140; OLG Frankfurt NZG 2004, 281, 284; MüKo- 25

AktG/Schürnbrand/Verse Rn. 96), zumal BGH in späteren Entscheidungen erneut auf Kali & Salz-Formel Bezug genommen hat (BGH NZG 2006, 229 Rn. 5; für Fortgeltung auch C. Schäfer ZHR 185 [2021], 226, 246 ff.). Auch Gesetzgeber hat Erfordernis sachlicher Rechtfertigung mit Einführung der Berichtspflicht (§ 186 IV 2) mittelbar bestätigt (s. BGHZ 83, 319, 325 f. = NJW 1982, 2444; zweifelnd MüKoAktG/Schürnbrand/Verse Rn. 97). Danach auch weiterhin anzunehmendes Erfordernis sachlicher Rechtfertigung ist dann erfüllt, wenn Bezugsrechtsausschluss einem Zweck dient, der im Interesse der AG liegt (→ Rn. 26), zur Erreichung des beabsichtigten Zwecks geeignet und überdies erforderlich (→ Rn. 27) sowie verhältnismäßig (→ Rn. 28) ist (BGHZ 71, 40, 46; BGHZ 83, 319, 321; BGHZ 120, 141, 145 f. = NJW 1993, 400; BGHZ 125, 239, 241 = NJW 1994, 1410; sa KK-AktG/Ekkenga Rn. 75: Schrankentrias). Sachlicher Rechtfertigung bedarf es nur dann nicht, wenn alle betroffenen Aktionäre dem Ausschluss des Bezugsrechts zustimmen (KK-AktG/Ekkenga Rn. 65; Lutter/U. H. Schneider ZGR 1975, 182, 198).

26 **b) Konkretisierung. aa) Gesellschaftsinteresse.** Bezugsrechtsausschluss liegt im Interesse der Gesellschaft, wenn er dazu dient, iRd Unternehmensgegenstands (§ 23 III Nr. 2) den Gesellschaftszweck (→ § 23 Rn. 22) zu fördern (KK-AktG/Ekkenga Rn. 77; MüKoAktG/Schürnbrand/Verse Rn. 102; teilw. aA Hirte, Bezugsrechtsausschluss und Konzernbildung, 1986, 27 ff.; gegen Hirte wiederum Schockenhoff, Gesellschaftsinteresse und Gleichbehandlung beim Bezugsrechtsausschluss, 1988, 23 ff.). Überragende Interessen der AG müssen nicht berührt sein; in Frage kommt jedes Interesse (sa BGHZ 71, 40, 50 = NJW 1978, 1316; MüKoAktG/Schürnbrand/Verse Rn. 102; Lutter ZGR 1979, 401, 403; Semler BB 1983, 1566, 1568). Konzerninteresse genügt nicht (MüKoAktG/Schürnbrand/Verse Rn. 104; Hirte, Bezugsrechtsausschluss und Konzernbildung, 1986, 47 ff.; aA Martens FS Rob. Fischer, 1979, 437, 449 f. für Vertragskonzern; sa auch Martens GmbHR 1984, 265, 268), erst recht nicht persönliches Interesse einzelner Aktionäre oder Verwaltungsmitglieder (KK-AktG/Ekkenga Rn. 78 f.).

27 **bb) Geeignetheit und Erforderlichkeit.** Bezugsrechtsausschluss ist **geeignet,** wenn angestrebter Zweck mit ihm erreicht werden kann (GK-AktG/Wiedemann Rn. 144; krit. aber MüKoAktG/Schürnbrand/Verse Rn. 106: nur klarstellende Bedeutung neben Gesellschaftsinteresse; so auch KK-AktG/Ekkenga Rn. 83). **Erforderlich** ist er, wenn Entscheidungsalternative nicht besteht oder Bezugsrechtsausschluss unter mehreren Möglichkeiten den Zweck am besten zu fördern vermag (vgl. BGHZ 83, 319, 321 = NJW 1982, 2444; BGHZ 125, 239, 244 = NJW 1994, 1410 mit Zusammenstellung ähnlicher Konkretisierungen). Entscheidend ist, ob schonenderes Mittel besteht, das dem Interesse der AG ebenso dient (KK-AktG/Ekkenga Rn. 84; MüKoAktG/Schürnbrand/Verse Rn. 107; GK-AktG/Wiedemann Rn. 144 f.). Dabei ist insbes. zu prüfen, ob Zweck nicht auch durch Kapitalerhöhung mit ges. Bezugsrecht verfolgt werden kann (MüKoAktG/Schürnbrand/Verse Rn. 107). Bsp. bei KK-AktG/Ekkenga Rn. 85 f.

28 **cc) Verhältnismäßigkeit.** Bezugsrechtsausschluss ist verhältnismäßig, wenn Gesellschaftsinteresse (→ Rn. 26) höher zu bewerten ist als Interesse der Aktionäre am Erhalt ihrer Rechtsposition (BGHZ 71, 40, 46 = NJW 1978, 1316; BGHZ 83, 319, 321 = NJW 1982, 2444). Rspr. stellt dabei auf alle Aktionäre ab (BGHZ 71, 40, 44; BGHZ 125, 239, 246 = NJW 1994, 1410; krit. MüKoAktG/Schürnbrand/Verse Rn. 110: nur dissentierende Aktionäre; so wohl auch KK-AktG/Ekkenga Rn. 89). Im Grundsatz gilt: Je schwerer Eingriff in Rechte der Aktionäre wiegt (→ Rn. 2), desto gewichtiger muss Interesse der Gesellschaft am Ausschluss des Bezugsrechts sein. Auf Aktionärsseite sind insbes. Kursverwässerung

und Beeinträchtigung der Stimmkraft, zB bei Verlust einer Sperrminorität, zu berücksichtigen (MüKoAktG/Schürnbrand/Verse Rn. 108, 111; GK-AktG/Wiedemann Rn. 147). Bei Abwägung ist auch zu prüfen, ob iSd Erforderlichkeit nur zweitbeste Lösung erhebliche Nachteile der Aktionäre vermeidet und deshalb vorzugswürdig ist (MüKoAktG/Schürnbrand/Verse Rn. 112; zurückhaltend aber KK-AktG/Ekkenga Rn. 88), ferner, ob Nachteile der Aktionäre durch begleitende Maßnahmen ausgeglichen werden können, zB: Sachkapitalerhöhung wird mit Barkapitalerhöhung verbunden, an der Sacheinleger nicht teilnimmt (KK-AktG/Ekkenga Rn. 88).

c) Einzelfälle. aa) Barkapitalerhöhung. Teilw. Bezugsrechtsausschluss wird allg. für zulässig erachtet, wenn er dazu dient, **freie Spitzen** möglichst zu vermeiden (vgl. Hirte, Bezugsrechtsausschluss und Konzernbildung, 1986, 62 f.; BGHZ 83, 319, 323 = NJW 1982, 2444; OLG Frankfurt AG 1986, 233, 234). Erforderlichkeit (→ Rn. 27) ist jedoch nur gegeben, wenn Erhöhungsbetrag nicht so gewählt werden kann, dass praktikable Bezugsverhältnisse gegeben sind (Marsch-Barner/Schäfer/Busch/Busch Rn. 44.81; aA KK-AktG/Ekkenga Rn. 95: Ersatzbezugsrecht auf überschüssige Anteile). Bezugsverhältnisse im niedrigen zweistelligen Bereich sind hoher Spitze vorzuziehen (MüKoAktG/Schürnbrand/Verse Rn. 120; zust. Groß AG 2021, 103 Rn. 16). Vorstoß, Bezugsrechtsausschluss bei mathematisch zwingender Spitze aufgrund teilerfremder Grundkapital- und Erhöhungsvolumenziffer durch **Ab- oder Aufrunden** des Erhöhungsvolumens zu vermeiden (vgl. den Vorschlag von Groß AG 2021, 103 Rn. 22 f., zust. Herfs/Goj AG 2021, 289 Rn. 25 f.), überzeugt aus pragmatischen Gründen, ist dogmatisch aber nicht problemlos zu konstruieren, weil damit letzte bezugsberechtigte Aktien doch leer ausgehen. Dem kann zwar entgegengehalten werden, dass sie nicht die notwendige bezugsberechtigende Aktienanzahl erreichen und Ges. ein Äquivalent zu § 213 nicht vorsieht, doch liegt auch bei faktisch nicht bedienbarem Teilrecht technisch teilweiser Bezugsrechtsausschluss vor bzw. bei Abrunden jedenfalls faktischer Bezugsrechtsausschluss nahe. **Aus Gründen rechtssicherer Gestaltung** sollten Entscheidungsträger deshalb nicht auf gerichtl. noch nicht bestätigte Ausnahmeregelung für schwer einzugrenzende Kategorie „minimaler Verwässerung" vertrauen, sondern sich um anderweitige gestalterische Vermeidung von leer ausgehenden und daher vom Bezugsrecht auszuschließenden Aktien bemühen. Hier bietet sich Übertragung von Aktien auf AG oder Verzichtserklärung von Aktionären an (darauf hinweisend auch Herfs/Goj AG 2021, 289 Rn. 29 f.). Ausgabe von **Belegschaftsaktien** (auch an AN verbundener Unternehmen) kann Bezugsrechtsausschluss rechtfertigen (vgl. BGHZ 83, 319, 323; ferner BGHZ 144, 290, 292 = NJW 2000, 2356). Zweckbestimmung trägt aber Rechtfertigung nicht in sich (so jedoch Timm DB 1982, 211 Fn. 9; Hirte, Bezugsrechtsausschluss und Konzernbildung, 1986, 61; wohl auch GK-AktG/Wiedemann Rn. 156: Vorrang des sozialpolitischen Auftrags; wie hier KK-AktG/Ekkenga Rn. 96; B/K/L/Lieder Rn. 56). Erforderlich ist, dass Ausgabe von Belegschaftsaktien im Interesse der AG liegt, zB um Bindung der AN zu erreichen; jedoch sind hieran wegen vom Gesetzgeber anerkannter Förderungswürdigkeit (→ § 71 Rn. 12) nur geringe Anforderungen zu stellen (MüKoAktG/Schürnbrand/Verse Rn. 121). 29

Wandelungs- und Optionsrechte aus Schuldverschreibungen gem. § 221 können, müssen aber nicht aus bedingtem Kapital bedient werden (s. § 192 II Nr. 1). Aktien können auch durch Kapitalerhöhung gegen Einlagen (§ 182) geschaffen werden (BGHZ 83, 319, 323 = NJW 1982, 2444; LG Frankfurt AG 1984, 296, 299; MHdB AG/Scholz § 64 Rn. 44). Sachlicher Rechtfertigung bedarf auf Aktien bezogener Ausschluss des Bezugsrechts nicht, weil Prüfung schon bei Ausschluss des Bezugsrechts nach § 221 IV (→ § 221 30

Rn. 42 ff.) stattgefunden hat; jedoch müssen Aktien zur Bedienung erforderlich sein (MüKoAktG/Schürnbrand/Verse Rn. 122). Bestehen mehrere **Aktiengattungen** (§ 11) und sieht Kapitalerhöhung ebenfalls Ausgabe mehrerer Aktiengattungen vor, so ist str., ob Aktionäre nur Anspruch auf Gattung der bisher gehaltenen Aktien haben oder auf Aktien jeder Gattung (→ Rn. 4). Um solche in der Praxis oft unerwünschte Vermischung beider Gattungen zu vermeiden, kann es sich aus Sicht der Praxis anbieten, Bezugsrecht hinsichtlich der anderen Gattung auszuschließen (sog **gekreuzter Bezugsrechtsausschluss**). Geht man entgegen hier vertretener Auffassung nicht schon davon aus, dass ohnehin nur Gattungsbezugsrecht besteht (→ Rn. 4), so ist ein solcher gekreuzter Bezugsrechtsausschluss doch auch nach der Gegenauffassung vom Mischbezugsrecht jedenfalls dann sachlich gerechtfertigt, wenn Verhältnisse der Gattungen zueinander gewahrt bleiben (§ 216 I; MüKoAktG/Schürnbrand/Verse Rn. 123; Marsch-Barner/Schäfer/Busch/Busch Rn. 44.83; Rittig NZG 2012, 1292, 1293 ff.; Wolf/Schirrmacher NZG 2021, 914, 918 f.; grds. auch KK-AktG/Ekkenga Rn. 97 f.; enger wohl LG Tübingen AG 1991, 406, 407 f.). Insofern genügt verhältniswahrendes Angebot. Verhältniswahrende Durchführung ist nicht erforderlich, so dass auch Höchstbetragskapitalerhöhung erfolgen darf (Rittig NZG 2012, 1292, 1295 f.).

31 Bezugsrechtsausschluss kann durch **Sanierungszweck** gerechtfertigt sein; zB, wenn potenzieller Geldgeber sein Engagement von einer Mehrheitsbeteiligung abhängig macht und sich Zusammenarbeit mit diesem Investor für AG als alternativlos erweist (vgl. BGHZ 83, 319, 323 = NJW 1982, 2444; LG Heidelberg ZIP 1988, 1257, 1258; MüKoAktG/Schürnbrand/Verse Rn. 125; Marsch-Barner/Schäfer/Busch/Busch Rn. 44.83; grds. auch KK-AktG/Ekkenga Rn. 101, der aber verstärkte richterliche Kontrolle fordert; zur Sondersituation eines Bezugsrechtsausschlusses nach vorheriger Kapitalherabsetzung auf Null → § 228 Rn. 2a). Der Ausschluss ist dagegen nicht gerechtfertigt, wenn er zunächst zur Eingliederungsmehrheit (§ 320 I) führen und Kapitalausstattung erst nach Aktienerwerb durch Hauptgesellschaft (§ 320a) erfolgen soll (LG München I WM 1995, 715, 717). **Börseneinführung** vermag Bezugsrechtsausschluss zu rechtfertigen, wenn erforderliche Aktienzahl (§ 9 BörsZulV) nur so zur Verfügung gestellt werden kann und AG sachliche, die Interessen der Altaktionäre überwiegende Gründe für Börsennotierung (zB langfristige Erschließung des Kapitalmarkts) hat (KK-AktG/Ekkenga Rn. 106 ff.; MüKoAktG/Schürnbrand/Verse Rn. 124; GK-AktG/Wiedemann Rn. 159 [dieser jedoch zugleich für Austrittsrecht und Barabfindung; abzulehnen]; Marsch-Barner/Schäfer/Busch/Busch Rn. 44.82; MHdB AG/Scholz § 57 Rn. 119f; aA Hirte, Bezugsrechtsausschluss und Konzernbildung, 1986, 66). Gleiche Erwägungen gelten für **Auslandsplatzierung.** Einführung an ausländischer Börse liegt bei größerer AG in deren sachlichem Interesse (BGHZ 125, 239, 242 f. = NJW 1994, 1410; MüKoAktG/Schürnbrand/Verse Rn. 124; GK-AktG/Wiedemann Rn. 160; Bungert WM 1995, 1, 2 ff.; Lutter JZ 1994, 914 f.; sa LG München I AG 1991, 73, 74 für Optionsanleihen, die im Ausland platziert werden sollen). Weiterhin ist Ausschluss des Bezugsrechts zulässig, um Mehrzuteilungsoption (sog Greenshoe) und damit auch Möglichkeit zur Kursstabilisierung zu eröffnen (BGH AG 2009, 446 Rn. 7 zum genehmigten Kapital). **Kooperation mit anderem Unternehmen** kann Bezugsrechtsausschluss erfordern, wenn Zusammenwirken dem Gesellschaftsinteresse dient und Partner Beteiligung verlangt (BGHZ 83, 319, 323 = NJW 1982, 2444; MüKoAktG/Schürnbrand/Verse Rn. 125; MHdB AG/Scholz § 57 Rn. 119e; Martens FS Rob Fischer, 1979, 437, 448; Priester DB 1980, 1925, 1929; Timm DB 1982, 211, 212 f.; sa KK-AktG/Ekkenga Rn. 101 mit Forderung nach verstärkter richterlicher Kontrolle der Entscheidung). Zur Ausgabe von Stock Options an Führungskräfte → § 221 Rn. 42.

Str. sind Fälle, in denen Bezugsrechtsausschluss als **Abwehrmaßnahme** eingesetzt werden soll, indem Beteiligungsquote unerwünschter Aktionäre abgesenkt wird. Von gesichertem Diskussionsstand kann Praxis nicht ausgehen. Im Einzelnen sollte unterschieden werden, ob mit Kapitalerhöhung unter Bezugsrechtsausschluss feindliches unternehmerisches Verhalten (zB Begr. von Abhängigkeit, Konzernierung, Vernichtung der Gesellschaft) abgewehrt werden soll oder ob sie nur zur Abwehr aus sonstigen Gründen unerwünschter Aktionäre dient (zB Überfremdungsschutz). In der ersten Fallgruppe kann Bezugsrechtsausschluss zulässig sein (OLG Jena 16.12.2015 – 2 U 586/14, 32, nv; MüKoAktG/Schürnbrand/Verse Rn. 127; GK-AktG/Wiedemann Rn. 161; Martens FS Rob Fischer, 1979, 437, 452; Martens FS Steindorff, 1990, 151, 160; nur für den Fall der Vernichtung: BGHZ 33, 175, 186 = NJW 1961, 26; Füchsel BB 1972, 1533, 1538; nur für den Fall der Abhängigkeit und Konzernierung: Lutter/Timm NJW 1982, 409, 415; insgesamt krit. KK-AktG/Ekkenga Rn. 103 ff.; Hirte, Bezugsrechtsausschluss und Konzernbildung, 1986, 50 ff.; gegen BGHZ 33, 175 auch Mestmäcker BB 1961, 945). Dagegen dürfte sich für Fall der Vernichtung auch nicht überzeugend einwenden lassen, dass Kontrolle noch später iR eines Auflösungsbeschlusses erfolgen kann (vgl. BGHZ 103, 184, 190 ff. = NJW 1988, 1579); denn solcher Beschluss ist für das angestrebte wirtschaftliche Ergebnis nicht unbedingt erforderlich. In der zweiten Fallgruppe (bloßer Überfremdungsschutz) besteht dagegen kein hinreichendes Interesse am Fortbestand der bisherigen Beteiligungsstruktur (KK-AktG/Ekkenga Rn. 99; MüKoAktG/Schürnbrand/Verse Rn. 128; Priester DB 1980, 1925, 1929; aA GK-AktG/Wiedemann Rn. 162 ff.). 32

Auch die Möglichkeit, einen hohen Ausgabekurs zu erzielen, kann (namentl. in Sanierungssituationen – BGH NJW 1982, 2444, 2446 [insoweit nicht in BGHZ 83, 319]) Bezugsrechtsausschluss rechtfertigen, allerdings nur dann, wenn konkrete Anhaltspunkte dafür bestehen, dass dieser Kurs bei Aktionären nicht zu erzielen war (BGHZ 219, 215 Rn. 57 = NJW 2018, 2796; B/K/L/Lieder Rn. 59; MüKoAktG/Schürnbrand/Verse Rn. 1). Kein Rechtfertigungsgrund ist **vermutete fehlende Übernahmebereitschaft** der Altaktionäre (OLG Celle AG 2002, 292; KK-AktG/Ekkenga Rn. 108; MüKoAktG/Schürnbrand/Verse Rn. 126) sowie **schwierige Kapitalmarktsituation** (Hölters/Weber/Apfelbacher/Metzner Rn. 67; aA wohl Timm DB 1982, 211, 215). 33

bb) Sachkapitalerhöhung. Kapitalerhöhung mit Sacheinlage ist regelmäßig mit Bezugsrechtsausschluss verbunden (→ § 183 Rn. 8). Bloße Tatsache der Sacheinlage rechtfertigt Ausschluss aber noch nicht; vielmehr muss AG hinreichendes Interesse am Erwerb des Einlagegegenstands haben (BGHZ 71, 40, 46 = NJW 1978, 1316; Bayer FS Westermann, 2008, 787, 789; großzügiger wohl KK-AktG/Ekkenga Rn. 109). Erforderlichkeit ist nur gegeben, wenn Gegenstand nicht unter Einsatz von Barmitteln (Barkapitalerhöhung) durch einfachen Kaufvertrag zu vergleichbaren Konditionen erworben werden kann (KK-AktG/Ekkenga Rn. 111; MüKoAktG/Schürnbrand/Verse Rn. 130). Ist Sacheinleger bereits Aktionär, muss zur Wahrung der Verhältnismäßigkeit (→ Rn. 28) gemischte Kapitalerhöhung erwogen werden (OLG Jena AG 2007, 31, 34; Lutter ZGR 1979, 401, 406 f.; Schockenhoff, Gesellschaftsinteresse und Gleichbehandlung, 1988, 65 ff.; dagegen KK-AktG/Ekkenga Rn. 109 ff., der für flexiblere Lösung plädiert). Keine Besonderheiten gelten nach hM, wenn Gegenstand der Sacheinlage **ein Unternehmen oder eine Beteiligung** ist (dazu außer BGHZ 71, 40, 46 noch LG Aachen AG 1995, 45 f.; vgl. ferner MüKoAktG/Schürnbrand/Verse Rn. 134; Hirte, Bezugsrechtsausschluss und Konzernbildung, 1986, 70 f.; aA Timm ZGR 1987, 403, 428; auflockernd KK-AktG/Ekkenga Rn. 112 f.; MHdB AG/Scholz § 57 Rn. 122). Bezugsrechtsausschluss muss auch 34 insoweit im Interesse der AG erforderlich sein. **Art. 72 GesR-RL** (früher Art. 33 Kapital-RL) steht bisheriger Praxis nach EuGH Slg. 1996, I-6017, 6034 ff. = NJW 1997, 721 (Siemens/Nold) nicht entgegen (auch im deutschen Recht hM, s. Bayer FS Westermann, 2008, 787, 789 mwN in Fn. 11; Goette ZGR 2012, 505, 510).

35 **Umwandlung von Schulden in Kapital** (Debt-Equity-Swap) ist zwingend Sacherhöhung (zum Sonderfall des insolvenzrechtl. Debt-Equity-Swap → § 182 Rn. 32c; zum vollständigen Bezugsrechtsausschluss nach vorangegangener Kapitalherabsetzung auf Null → § 228 Rn. 2a ff.). Bezugsrechtsausschluss ist dafür nicht erforderlich, wenn die zur Tilgung notwendigen Mittel auch durch Barerhöhung ohne Bezugsrechtsausschluss beschafft werden können (MüKoAktG/Schürnbrand/Verse Rn. 133; Füchsel BB 1972, 1533, 1538). Daran fehlt es jedoch, wenn Umwandlung zu Sanierungszwecken erfolgt und nur Gläubiger bereit ist, durch Einbringung seiner Forderung den Sanierungsbeitrag zu leisten. Bezugsrechtsausschluss ist dann gerechtfertigt (Marsch-Barner/Schäfer/Busch/Busch Rn. 44.83; Hirte, Bezugsrechtsausschluss und Konzernbildung, 1986, 75; wohl weitergehend OLG Köln ZIP 2014, 263, 266: Bezugsrechtsausschluss gerechtfertigt, wenn sich Gläubiger ohne Einräumung einer Mehrheitsbeteiligung von 95 % nicht engagieren will; krit. dazu Florstedt ZIP 2014, 1513, 1515). Wenn Prämisse nicht gesichert erscheint, liegt es nahe, Bar- und Sacherhöhung zu kombinieren (Darstellung bei Löbbe GS M. Winter, 2011, 425, 445 ff.; zurückhaltend KK-AktG/Ekkenga Rn. 116): In erster Linie wird Barkapitalerhöhung mit Bezugsrecht der Aktionäre beschlossen; in zweiter Linie Sachkapitalerhöhung unter Bezugsrechtsausschluss, soweit die zur Sanierung erforderlichen Mittel von Altaktionären nicht bar aufgebracht worden sind. Auf diese Weise behalten sie die Chance, ihre Beteiligungsquote aufrechtzuerhalten. Soweit diese Chance nicht genutzt wird, ergibt sich von selbst, dass Bezugsrechtsausschluss in anschließender Sacherhöhung erforderlich und angemessen ist (Löbbe GS M. Winter, 2011, 425, 447; sa Burg/Marx CFL 2010, 364 ff.). Erwägenswert ist ferner Beweislastumkehr zugunsten der AG dahingehend, dass dissentierende Aktionäre Bereitschaft zur Bezugsrechtsausübung beweisen müssen. Gelingt der Beweis nicht, gilt Bezugsrechtsausschluss als verhältnismäßig (vgl. KK-AktG/Ekkenga Rn. 117). Nach früherer Rechtslage verbleibendes Risiko einer Anfechtung analog § 255 II aF ist durch Neuordnung der Vorschrift im Zuge des ZuFinG 2023 ausgeräumt worden (→ § 255 Rn. 2 ff.)..

36 **d) Gerichtliche Kontrolle. aa) Umfang.** Nach Rspr. genügt, dass „die an der Entscheidung beteiligten Organe nach dem tats. Bild, wie es sich zur Zeit der Beschlussfassung darbot, aufgrund sorgfältiger, von gesellschaftsfremden Erwägungen freier Abwägung davon ausgehen durften", der Bezugsrechtsausschluss sei gerechtfertigt (BGHZ 71, 40, 50 = NJW 1978, 1316; ähnlich OLG Braunschweig AG 1999, 84, 86; OLG Köln ZIP 2014, 263, 266; OLG Stuttgart AG 1998, 529, 531). Insoweit wird auch von einem **Kernbereich unternehmerischen Beurteilungsermessens** gesprochen (KK-AktG/Ekkenga Rn. 70 f.; MüKoAktG/Schürnbrand/Verse Rn. 113; Lutter ZGR 1979, 401, 405). Welche konkreten Ableitungen sich daraus für **gerichtl. Kontrolldichte** ergeben, ist noch nicht abschließend geklärt. Weite Teile der Lit. wenden BJR (§ 93 I 2) an (grdl. Paefgen, Unternehmerische Entscheidungen, 2002, 171 ff.; zust. LG Kiel NJOZ 20, 1330, 1332; Hölters/Weber/Apfelbacher/Metzner Rn. 65; MüKoAktG/Schürnbrand/Verse Rn. 113 ff.; Harnos, Gerichtliche Kontrolldichte, 2021, 618 ff.), während sich andere für „Plausibilitätskontrolle" (OLG Braunschweig AG 1999, 84, 86; OLG Stuttgart AG 1998, 529, 531) oder „Beurteilungsermessen" aussprechen (KK-AktG/Ekkenga Rn. 70; ähnlich auch noch → 14. Aufl. 2020, Rn. 36), ohne dass in solcher Begrifflichkeit auch klar kon-

turierter Überprüfungsmaßstab angelegt wäre (krit. auch MüKoAktG/Schürnbrand/Verse Rn. 114).

Richtig ist, dass BJR als organübergreifende Regel aufzufassen ist, die unter best. Voraussetzungen auch für HV Geltung beanspruchen kann (MüKoAktG/Schürnbrand/Verse Rn. 114; Harnos, Gerichtliche Kontrolldichte, 2021, 618 f.; Paefgen/Wallisch FS Krieger, 2020, 675 ff., 688 ff.). Dazu gehört aber auch, dass **Entscheidung allein am Gesellschaftsinteresse orientiert** ist. Wird Entscheidung dagegen auch von anderen ges. Voraussetzungen determiniert, ist umfassende Entscheidungsfreiheit, die § 93 I 2 postuliert, nicht gegeben, so dass nicht BJR, sondern damit eng verwandte Grundsätze der **Pflichtaufgaben mit Beurteilungsspielraum** eingreifen (ausf. → § 93 Rn. 29). Auch bei ihnen kommt es auf unbefangene Entscheidung auf angemessener Informationsgrundlage an, doch ist Inhalt der Entscheidung daraufhin zu untersuchen, ob ges. Vorgaben in Ermessensausübung hinreichend eingeflossen sind (→ § 93 Rn. 29). Damit hängt Zuordnung zur BJR namentl. davon ab, ob Bezugsrechtsausschluss allein am Gesellschaftsinteresse ausgerichtet wird oder darüber hinaus auch **sachl. Rechtfertigung** erfordert (→ Rn. 25 ff.). Beim ersten Verständnis ist BJR anwendbar (konsequent in diesem Sinne deshalb MüKoAktG/Schürnbrand/Verse Rn. 114; Harnos, Gerichtliche Kontrolldichte, 2021, 618 f.; Paefgen/Wallisch FS Krieger, 2020, 675, 688 ff.). Lehnt man diese Ansicht mit hier zugrunde gelegter hM ab (→ Rn. 25), gelten Grundsätze für Pflichtaufgaben. Zwar wird auch sachliche Rechtfertigung allein am Gesellschaftsinteresse vermessen (→ Rn. 26), für dessen Definition großzügiger Maßstab der BJR angelegt werden darf. Spätestens Prüfung der Eignung, Erforderlichkeit und Verhältnismäßigkeit verlangen aber genauere gerichtl. Kontrolle, der weiter Maßstab des § 93 I 2 („in völlig unverantwortlicher Weise falsch beurteilt" → § 93 Rn. 51 f.) nicht gerecht wird. 36a

bb) Grundlage der Prüfung. Für die auch bei Pflichtaufgaben erforderliche **Informationsgrundlage** (→ § 93 Rn. 42 ff.) wird idR durch Vorstandsbericht geschaffen (s. § 186 IV 2; → Rn. 23 f.; MüKoAktG/Schürnbrand/Verse Rn. 117). AG kann im Anfechtungsprozess nur dort enthaltene Tatsachen und Gründe zur Rechtfertigung des Bezugsrechtsausschlusses vortragen und auch vertiefen (OLG Celle AG 2002, 292). Trägt AG weitere Gründe vor, so zeigt dies die Unvollständigkeit des Berichts und Beschluss ist bereits deshalb anfechtbar (Lutter ZGR 1979, 401, 415). Zur Vollständigkeit der **Tatsachenbasis** gehört aber nicht, dass relevante Einzeltatsachen mit „buchhalterischer" Genauigkeit aufgezeigt werden (vgl. KK-AktG/Ekkenga Rn. 72; Martens ZIP 1994, 669, 670). Größere Hürde ist **Interessenkonflikt,** der grds. ebenfalls wie bei § 93 I 2 (→ § 93 Rn. 55 ff.) zu bestimmen ist, was bei HV als potenzieller Massenveranstaltung aber größere Schwierigkeiten aufwerfen kann (an diesem Maßstab wohl zu großzügig BGHZ 71, 40, 49 f. = NJW 1978, 1316; krit. deshalb MüKoAktG/Schürnbrand/Verse Rn. 115; Harnos, Gerichtliche Kontrolldichte, 2021, 620 Fn. 49). Gericht wird Kontrolldichte an Realstruktur der AG und konkretem Konfliktgrad auszurichten haben (Einzelheiten bei Harnos, Gerichtliche Kontrolldichte, 2021, 619 ff.; iErg ebenso MüKoAktG/Schürnbrand/Verse Rn. 116). 36b

Für weitere **Inhaltskontrolle** gilt: Sind bei Feststellung der Sachvoraussetzungen Wertungen oder Prognosen erforderlich, kann Gericht nur prüfen, ob Organe von zutr. und vollständigen Tatsachen ausgegangen (so auch Hirte, Bezugsrechtsausschluss und Konzernbildung, 1986, 225), keine gesellschaftsfremden Erwägungen eingeflossen (sa BGHZ 71, 40, 50) und alle wesentlichen Gesichtspunkte erfasst sind (vgl. auch MüKoAktG/Schürnbrand/Verse Rn. 115 m. Fn. 357). Konkreter Zweck des Bezugsrechtsausschlusses muss nachvollziehbar sein; nicht dagegen, wie Gesellschaftsorgane ihn iE verfolgen wollen. Insoweit 37 liegt Entscheidung allein bei ihnen (BGHZ 125, 239, 247 ff. = NJW 1994, 1410 für Auslandsplazierung; Martens ZIP 1994, 669, 670; noch aA OLG Frankfurt AG 1993, 281, 282 f. als Vorinstanz). Schwerpunkt der gerichtl. Prüfung muss auf Verhältnismäßigkeit liegen (→ Rn. 36b). Gerichtl. Kontrolle bezieht sich auf den **Zeitpunkt** der Beschlussfassung (ex ante); nachträglich bekanntgewordene Umstände sind also nicht zu berücksichtigen (allgM, vgl. BGHZ 71, 40, 50; BGHZ 83, 319, 320 f. = NJW 1982, 2444). Zu Bewertungsfragen Bayer FS Westermann, 2008, 787, 791 ff.

38 **cc) Darlegungs- und Beweislast.** Verteilung der Darlegungs- und Beweislast ist umstr. BGHZ 71, 40, 48 f. = NJW 1978, 1316 wurde zunächst allg. so verstanden, dass Darlegungs- und Beweislast **aufzuspalten** sei: Anfechtungskläger habe sachlich-rechtl. Mangel zu beweisen; AG habe die für den Bezugsrechtsausschluss rechtfertigenden Gründe darzulegen (sa LG Landshut AG 1991, 71, 73; Zweifel an dieser Lesart bei Hüffer FS Fleck, 1988, 151, 166). Spätere Judikate (namentl. BGHZ 86, 23, 29 = NJW 1983, 687; BGH NJW-RR 1986, 60) schienen dagegen darauf hinzudeuten, dass BGHZ 71, 40, 48 f. so zu verstehen sei, dass Kläger Darlegungs- und Beweislast trage; AG müsse jedoch substanziiert bestreiten, um der Geständnisfiktion des § 138 III ZPO zu entgehen (so auch OLG Frankfurt AG 1976, 298, 301 f.; ähnlich Füchsel BB 1972, 1533, 1537). In neuerer Entscheidung hat BGH ursprüngliche Lesart bestätigt, zugleich aber offengelassen, ob daran festzuhalten sei; jedenfalls für gegen **Verwaltungsbeschlüsse** gerichtete Feststellungsklage iR einer Ausübung genehmigten Kapitals liege Beweislast bei AG (BGHZ 219, 215 Rn. 47 = NJW 2018, 2796; BGH NZG 2023, 1068 Rn. 32). Richtigerweise sollte diese Verteilung generelle Gültigkeit beanspruchen, da sie allein allg. Regeln der Beweislastverteilung entspr. (sa → § 53a Rn. 8). Sachliche Rechtfertigung ist (ungeschriebene) positive Voraussetzung des Bezugsrechtsausschlusses und damit **von der Gesellschaft darzulegen und zu beweisen** (so namentl. Lutter ZGR 1979, 401, 412 ff.; sa MüKoAktG/C. Schäfer § 243 Rn. 140; B/K/L/Lieder Rn. 66; MüKoAktG/Schürnbrand/Verse Rn. 118; Hirte, Bezugsrechtsausschluss und Konzernbildung, 1986, 221; Hüffer FS Fleck, 1988, 151, 166 f.; v. Selle NZG 2023, 1199, 1201 f.). AG trägt damit Risiko eines „non liquet".

39 **3. Teilausschluss.** Nach § 186 III 1 ist auch teilw. Ausschluss des Bezugsrechts möglich. Gemeint ist damit, dass bestimmter Erhöhungsbetrag dem Bezugsrecht entzogen werden kann, zB freie Spitzen (→ Rn. 29). Nicht zugelassen wird dagegen, dass nur bestimmte Aktionäre oder Aktionärsgruppen vom Bezugsrecht ausgeschlossen werden, zB Inhaber einer bestimmten Aktiengattung oder ausländische Anteilseigner. Derartige Gestaltungen sind unter dem **Blickwinkel des § 53a** zu prüfen und bedürfen einer Rechtfertigung (hM, vgl. BGHZ 33, 175, 186 = NJW 1961, 26; OLG München AG 2012, 802, 803; KK-AktG/Ekkenga Rn. 120; MüKoAktG/Schürnbrand/Verse Rn. 157; Goette ZGR 2012, 505, 514 ff.; Henn AG 1985, 240, 244 f.; aA noch RGZ 118, 67, 71). Bsp.: Ausgabe neuer Gattungsaktien nur an entspr. Inhaber von Altaktien (→ Rn. 30; Trölitzsch DB 1993, 1457 ff.; zust. B/K/L/Lieder Rn. 67); Ausschluss ausländischer Aktionäre, um Prospektpflicht im Ausland zu vermeiden (KK-AktG/Ekkenga Rn. 120; Hölters/Weber/Apfelbacher/Metzner Rn. 48; Kuntz/Stegemann ZIP 2016, 2341, 2342).

39a **4. Vereinfachter Bezugsrechtsausschluss (§ 186 III 4). a) Allgemeines.** Nach § 186 III 4 ist Bezugsrechtsausschluss insbes. zulässig, wenn Barkapitalerhöhung 20 % des Grundkapitals nicht übersteigt und Ausgabebetrag den Börsenpreis nicht wesentlich unterschreitet Regelung wurde eingefügt durch Ges. für kleine Aktiengesellschaften und zur Deregulierung des Aktienrechts v. 2.8.1994

(BGBl. 1994 I 1961), war damals aber noch auf 10 % beschränkt. Erst mit ZuFinG 2023 ist Kapitalgrenze auf 20 % erhöht worden. Nach ursprünglicher Fraktionsbegr. BT-Drs. 12/6721, 10 soll mit vereinfachtem Bezugsrechtsausschluss **Unternehmensfinanzierung durch Eigenkapitalaufnahme erleichtert** werden. Zugleich soll für Praxis Rechtssicherheit geschaffen werden, unter welchen Voraussetzungen Bezugsrechtsausschluss zulässig ist und damit für Barkapitalerhöhung gewährleistet werden, dass deutsche Publikumsgesellschaften auf flexible Weise und ohne Wettbewerbsnachteile bei den Kosten der Eigenkapitalbeschaffung ihre Unternehmen finanzieren können, ohne zugleich schutzwürdige Belange der Aktionäre zu beeinträchtigen (RAusschuss BT-Drs. 12/7848, 9; Goette ZGR 2012, 505, 512; Seibt CFL 2011, 74 f.).

Aktienquotenverwässerung wurde – in legislativer Ursprungsfassung – unter den Voraussetzungen des § 186 III 4 für hinnehmbar gehalten, da Altaktionären mit Blick auf börsennahen Ausgabepreis und verhältnismäßig geringes Volumen **Nachkauf über Börse möglich** und zumutbar erscheine (Fraktionsbegr. BT-Drs. 12/6721, 10). Ursprünglicher Hinweis auf geringes Volumen ist nicht mehr gleichermaßen zutreffend, seit ZuFinG 2023 Höhe vereinfachten Bezugsrechtsausschlusses auf 20 % aufgestockt hat. Änderung ist trotzdem zu begrüßen, da sie unternehmerische Flexibilität erhöht, die gerade auf zeitl. Ebene von großer Bedeutung ist, da im Fall des Bezugsrechtsausschlusses mindestens zweiwöchige Frist zur Ausübung des Bezugsrechts nach § 186 I 2 wegfällt (zust. etwa Kuthe BB 2023, 1603 f.). Frist ist gerade bei Beteiligung ausländischer Kapitalgeber oft hinderlich, da diese oftmals auf sofortige Zusagen bestehen (RegBegr. BT-Drs. 20/8292, 114). Bes. hilfreich ist insofern auch Zusammenspiel mit gleichlaufender **Befreiung von Prospektpflicht** für Kapitalerhöhungen bis zu 20 % gem. Art. 1 V lit. a) ProspektVO für AG, deren Aktien am regulierten Markt notiert sind. **39b**

Bezugnahme der RegBegr. (BT-Drs. 20/7282, 114 f.) auf bes. Bedeutung bei **Start-Ups** ist dagegen zweifelhaft, weil Regelung nur für börsennotierte Unternehmen gilt, die zumeist keine Wachstumsunternehmen iSd herkömmlichen Start-Up-Verständnisses sind (DAV-HRA NZG 2023, 738 Rn. 54). Inwieweit börsennotierte Unternehmen Erleichterung nutzen können, wird auch davon abhängen, inwiefern **Stimmrechtsberater und institutionelle Investoren** ihre bisherige Zurückhaltung ggü. Ausschluss des Bezugsrechts, namentl. iVm genehmigtem Kapital, aufgeben (→ § 202 Rn. 23). **39c**

Anwendung findet § 186 III 4 insbes. beim **genehmigten Kapital** (Marsch-Barner/Schäfer/Busch/Busch Rn. 44.86). Flankiert wird Vorschrift durch Art. 1 V UAbs. 1 lit. a Prospekt-VO, der Zulassung der neuen Aktien von Prospektpflicht befreit (Seibt CFL 2011, 74, 75 zur Vorgängervorschrift des § 4 II Nr. 1 WpPG aF). Praktische Bedeutung des Instruments ist hoch (Seibt CFL 2011, 74, 75). Im Schrifttum ist Vorschrift in ihrer grds. Stoßrichtung zwar positiv aufgenommen worden (zB Schwark FS Claussen, 1997, 357 ff.; Seibt CFL 2011, 74 f.), speziell in der Detailgestaltung aber auch auf nachdrückliche Kritik gestoßen (Zöllner AG 1994, 336, 340 ff.; Zöllner AG 2002, 585, 591 f.). Im Prinzip ist Ziel der Gesetzesreform von 1994 (→ Rn. 1) – in präzisierter Form: möglichste Vermeidung eines Sicherheitsabschlags im Ausgabebetrag junger Aktien durch kurzfristige Abwicklung der Kapitalmaßnahme (dazu Heinsius FS Kellermann, 1991, 115, 124 ff., 128 f.; Marsch-Barner AG 1994, 532 f.; Seibt CFL 2011, 74 f.) – zwar zu billigen, doch hat Regelung den falschen Standort, weil die gewollte kurzfristige Abwicklung der Kapitalmaßnahme ohnehin nur durch genehmigtes Kapital zu schaffen ist (Zöllner AG 1994, 336, 341; sa Heinsius FS Kellermann, 1991, 115 f.; Schlitt/Schäfer AG 2005, 67). IRd § 203 (→ § 203Rn. 16 f.) wäre es wohl eher sachgerecht gewesen an die Vorstandsentscheidung anzuknüpfen. **39d**

39e Anlehnung an Börsenkurs liegt in der Fließrichtung neuerer Ansätze zur **marktorientierten Bewertung** (→ § 305 Rn. 29 ff.) und ist im Grundsatz zu begrüßen. Hochproblematisch ist dagegen, dass mit Neugestaltung des § 255 im Zuge des ZuFinG 2023 jede Form des Verwässerungsschutzes abgeschnitten wird, und zwar selbst in solchen Fällen, in denen – namentl. am Maßstab des § 255 V 3 (→ § 255 Rn. 47 ff.) – Börsenkurs Unternehmenswert nicht angemessen widerspiegelt. Dass Aktionäre etwa in Fällen nachweislicher **Marktmanipulation** auf marktorientierte Bewertung verwiesen werden können, ist unter keinem Gesichtspunkt zu rechtfertigen und wird durch Zukaufsmöglichkeit keinesfalls ausgeglichen (ausf. noch → § 255 Rn. 9 ff.). Praktisch wird Problem dadurch entschärft, dass vereinfachter Bezugsrechtsausschluss bei ordentlicher Kapitalerhöhung kaum vorkommt, sondern fast ausschließlich mit verbundenem Kapital kombiniert wird. Das befreit Gesetzgeber aber nicht von Aufgabe, auch für diese Konstellation sachgerechte Lösung parat zu halten; das ist hier deutlich misslungen.

39f **b) Voraussetzungen.** Für Zulässigkeit des Bezugsrechtsausschlusses nach § 186 III 4 (zur Geltung der Norm iRd § 221 → § 221 Rn. 43a) müssen vier Voraussetzungen verwirklicht sein. (1.) Es muss sich um **Barkapitalerhöhung** handeln (dazu OLG München NJW 1995, 1972 Ls. = AG 1995, 231; AusschussB BT-Drs. 12/7848, 9; Schlitt/Schäfer AG 2005, 67, 68; krit. Ihrig FG Happ, 2006, 109, 111 f.). Sacherhöhung ist gleichzeitig zulässig, aber nicht nach § 186 III 4 zu beurteilen (Lutter AG 1994, 429, 441; Groß DB 1994, 2431, 2432). (2.) **Kapitalgrenze** von 20 % ist einzuhalten. Maßgeblich ist grds. Kapitalziffer der Satzung, wie sie bei Beschlussfassung über Bezugsrechtsausschluss besteht (MüKoAktG/Schürnbrand/Verse Rn. 139). Wenn Bezugsaktien ausgegeben sind, ist auf dadurch erhöhtes Grundkapital (§ 200) abzustellen (Trapp AG 1997, 115, 116; → § 200 Rn. 3). Erhöhungsbetrag darf 20 % erreichen, aber nicht überschreiten. Unzulässig ist deshalb Vorratsbeschluss, nach dem Vorstand ermächtigt sein soll, von einem die Kapitalgrenze weit übersteigenden genehmigten Kapital Gebrauch zu machen, sofern nur einzelne Erhöhungstranche 20 % nicht übersteigt (Stufenermächtigung; ausf. → § 203 Rn. 42). (3.) Die Aktien müssen einen Börsenpreis haben, also zum **Handel im regulierten Markt** (§§ 32 ff. BörsG) oder (anders als nach § 3 II) zum **Freiverkehr** (§ 48 BörsG) zugelassen sein (KK-AktG/Ekkenga Rn. 147; MüKoAktG/Schürnbrand/Verse Rn. 137; Schlitt/Schäfer AG 2005, 67, 68; Scholz DB 2018, 2352, 2355), und zwar Aktien der Gattung, um deren Ausgabe es geht (Lutter AG 1994, 429, 441 f.). Dass **Auslandsnotierung** genügt, kann nicht mit bloßem Umkehrschluss aus § 121 V 2 begründet werden. Zu verlangen ist grds. Notierung im Inland in inländischer Währung. Ausnahme: Notierung im geregelten Markt in EU/EWR-Staat (MüKoAktG/Schürnbrand/Verse Rn. 137; Ihrig FG Happ, 2006, 109, 117; Schlitt/Schäfer AG 2005, 67, 68; sa Habersack/Mülbert/Schlitt/Krause Unternehmensfinanzierung Rn. 6.33; weitergehend KK-AktG/Ekkenga Rn. 147; B/K/L/Lieder Rn. 46; MHdB AG/Scholz § 57 Rn. 127; Ekkenga/Stöber AG-Finanzierung Kap. 5 Rn. 112). (4.)

39g Umstr. ist, ob junge Aktien **breit an der Börse platziert** werden müssen (dafür MüKoAktG/Bayer § 203 Rn. 78; KK-AktG/Ekkenga Rn. 156 f.; GK-AktG/Wiedemann Rn. 150; dagegen Hölters/Weber/Apfelbacher/Metzner Rn. 82; MüKoAktG/Schürnbrand/Verse Rn. 146; MHdB AG/Scholz § 57 Rn. 129; Habersack AG 2015, 613, 617 f.; Oetker FS Pannen, 2017, 773, 784; Priester FS E. Vetter, 2019, 587, 592; Marsch-Barner/Schäfer/Busch/Busch Rn. 44.90). Wortlaut des § 186 III 4 setzt dies nicht voraus und auch der hinter erleichtertem Bezugsrechtsausschluss stehende Leitgedanke, dass Aktionären Nachkauf über Börse möglich und zumutbar sein muss (→ Rn. 39b), rechtfertigt solche ungeschriebene Voraussetzung nicht. Vielmehr ist es grds. ausreichend, wenn Aktionäre Altaktien zukaufen können, um ihren Anteil zu sichern. Deshalb ist es auch zulässig, Neuaktien einzelnem Investor zu überlassen, soweit HV-Beschluss nichts Gegenteiliges vorschreibt und § 53a (→ Rn. 39j) sowie die in → Rn. 39l dargestellten Grenzen beachtet werden.

(5.) Ausgabebetrag der jungen Aktien (§ 182 III; → § 182 Rn. 22 ff.; bei Fremdemissionen [→ § 182 Rn. 5] ist aber der am Markt erzielte Platzierungspreis maßgeblich, vgl. MüKoAktG/Schürnbrand/Verse Rn. 141 mwN) darf Börsenpreis nicht wesentlich unterschreiten. Das ist allenfalls scheinbar klar. Zweifelhaft ist zunächst, ob Börsenpreis **Durchschnittsbetrag oder Stichtagskurs** ist. Für Durchschnittsbetrachtung spricht, dass sie den „wahren Wert" des Anteils zuverlässiger widerzuspiegeln scheint als ein Stichtagskurs, der zufälligen oder gar manipulierten Kursausschlägen ausgesetzt sein kann (für Durchschnittskurs deshalb Grigoleit/Rieder/Holzmann Rn. 73; Hasselbach/Jakobs AG 2014, 217, 220 f.). Auf der anderen Seite kann Durchschnittsbetrachtung aber auch dazu führen, dass Platzierungspreis bei sinkendem Aktienkurs über tats. Börsenkurs liegt und damit **Platzierungserfolg gefährdet** wird. Steigt umgekehrt der Aktienkurs in der Referenzperiode, wird größtmögliche Kapitalschöpfung, obwohl erzielbar, nicht erreicht (Happ/Groß AktienR 12.07 Rn. 13.1). Aus diesem Grund werden von Gegenauffassung feste Stichtagskurse präferiert, die von Einladung zur HV (so zB BeckOGK/Servatius Rn. 66) bis zur letzten Verwaltungsentscheidung (so zB MüKoAktG/Bayer § 204 Rn. 19; sa MüKoAktG/Schürnbrand/Verse Rn. 142; Wentz ZIP 2022, 2592, 2596 ff.: Stichtag unmittelbar vor Zeichnung) reichen (Überblick über Meinungsstand bei Stelmaszczyk, Barkapitalemission, 2013, 290 ff.; v. Oppen/Menhart/Holst WM 2011, 1835, 1838 f.). Zumindest erstgenannte Auffassung verlagert schon bei regulärer Kapitalerhöhung Preisfestlegung zu weit nach vorn und wird damit Regelungszweck nicht gerecht (ausf. Ihrig FG Happ, 2006, 109, 117 ff.); bei genehmigtem Kapital ist sie gänzlich unpraktikabel. Im neueren Schrifttum setzt sich zunehmend **flexiblere Betrachtungsweise** durch, die Preisfestsetzung nicht an festen Referenzzeitpunkt knüpft, sondern Vorstand nach Maßgabe seiner Sorgfaltspflicht dazu anhält, bestmögliche Platzierung zu niedrigen Kapitalaufnahmekosten und hoher Transaktionssicherheit anzustreben (s. etwa B/K/L/Lieder Rn. 47; Marsch-Barner/Schäfer/Busch/Busch Rn. 44.89; MHdB AG/Scholz § 57 Rn. 127; Stelmaszczyk, Barkapitalemission, 2013, 293 ff.; v. Oppen/Menhart/Holst WM 2011, 1835, 1838 ff.; Schlitt/Schäfer AG 2005, 67, 71; Seibt CFL 2011, 74, 79 f.). Danach darf zur Sicherung des Platzierungserfolgs grds. auf Stichtag abgestellt werden, der nach zeitlicher Abfolge unter Transaktionsgesichtspunkten nur Tag der **Preisfestlegung durch Vorstand** sein kann (Marsch-Barner/Schäfer/Busch/Busch Rn. 44.88; v. Oppen/Menhart/Holst WM 2011, 1835, 1839; ausf. Seibt CFL 2011, 74, 80 mit weiteren technischen Einzelheiten zur genauen Zeitpunktbestimmung). Nur in Ausnahmefällen ist dagegen Durchschnittskurs über längeren Referenzzeitraum heranzuziehen, wenn dies angesichts ungewöhnlicher Volatilität oder Hinweisen auf Manipulation geboten erscheint (KK-AktG/Ekkenga Rn. 160; MüKoAktG/Schürnbrand/Verse Rn. 142; v. Oppen/Menhart/Holst WM 2011, 1835, 1840). Bei Mehrfachnotierung ist auf liquidesten Handelsplatz abzustellen (idR XETRA), also kein Durchschnitt zu bilden (hM – KK-AktG/Ekkenga Rn. 159; Groß ZHR 162 [1998], 318, 337 f.; Ihrig FG Happ, 2006, 109, 121). 39h

Wann **Unterschreitung nur unwesentlich** ist, erscheint gleichfalls nicht voll geklärt. Nach AusschussB BT-Drs. 12/7848, 9 soll Obergrenze bei 5 % liegen, während 3 % den Regelabschlag bilden (sa OLG Jena 16.12.2015 – 2 U 586/14, 21 f., nv; Ihrig FG Happ, 2006, 109, 121 f.; Marsch-Barner AG 1994, 532, 537; Martens ZIP 1992, 1677, 1687; krit. Zöllner AG 2002, 585, 592). 39i

Nach Lutter AG 1994, 429, 442 sind 3 % die Höchstgrenze. Praxisüblich ist **Abschlag von 3– 5 %.** Nach anderer Auffassung ist starre Grenze nicht zu formulieren, da es in der Sache darum gehe, Volatilitätsrisiko zu beziffern, das nach Wert und Marktlage differieren könne (Habersack/Mülbert/Schlitt/Krause Unternehmensfinanzierung Rn. 6.32a; Schlitt/Schäfer AG 2005, 67, 70; Schwark FS Claussen, 1997, 357, 372 f.). Orientiert man sich mit hier vertretener Auffassung nicht an Durchschnitts-, sondern an Stichtagskursen, ist dieses Volatilitätsrisiko aber deutlich reduziert, so dass derzeitiger Regelabschlag hinreichend sein sollte (MüKoAktG/Schürnbrand/Verse Rn. 143; Marsch-Barner/Schäfer/Busch/Busch Rn. 44.89), in vielen Fällen gar noch überzogen erscheint (vgl. Seibt CFL 2011, 74, 79: Abschlagdaumenregel „gehört überwunden"; gegen starre Grenzen auch KK-AktG/Ekkenga Rn. 162). Ob Abschlag auch zulässig ist, wenn nach Kapitalerhöhung **Kursanstieg** zu erwarten ist, kann nicht pauschal beantwortet werden. Frage kann im Einzelfall bejaht werden, wenn AG sachliches Interesse daran hat, Investoren einen bes. Kaufanreiz zu geben (Habersack AG 2015, 613, 617 f.; für Verringerung des Abschlags aber KK-AktG/Ekkenga Rn. 162; vgl. zudem die Grenzen in → Rn. 39l). Weitere Probleme entstehen beim genehmigten Kapital (→ § 203 Rn. 16 ff.).

39j **c) Rechtsfolgen. aa) Hauptversammlungsbeschlüsse.** Gem. § 186 III 4 ist Bezugsrechtsausschluss unter den genannten Voraussetzungen (→ Rn. 39f ff.) „zulässig", also sachlich gerechtfertigt (→ Rn. 25, 39l). Ob darin widerlegliche oder unwiderlegliche Vermutung liegt, ist umstr. (für das Erste etwa OLG Nürnberg AG 2021, 721, 724; B/K/L/Lieder Rn. 48; für das Zweite S/L/Veil Rn. 44; Seibt CFL 2011, 74, 82), wobei zT allerdings nicht hinreichend trennscharf nach Gegenstand der Vermutung differenziert wird. Richtig ist, dass aus Gründen der Rechtssicherheit sachliche Rechtfertigung **unwiderleglich vermutet** wird, damit aber Kontrolle anhand anderer Maßstäbe nicht ausgeschlossen ist (wie hier MüKoAktG/Schürnbrand/Verse Rn. 153). Möglich bleibt etwa Anfechtung wegen **Verletzung des Gleichbehandlungsgrundsatzes** nach § 53a (BGHZ 219, 215 Rn. 37, 42 ff. = NJW 2018, 2796; Schilha/Guntermann AG 2018, 883, 886; aA Kindler FS E. Vetter, 2019, 307, 311 f.). Auch Fälle des Rechtsmissbrauchs oder der Treuwidrigkeit können Anfechtung begründen (MüKoAktG/Schürnbrand/Verse Rn. 153); schließlich ist in Einzelfällen auch teleologische Reduktion der Vorschrift denkbar (→ Rn. 39l). Beanstandung wegen unangemessen niedrigen Ausgabebetrags ist dagegen nicht zulässig, und zwar auch dann nicht, wenn Börsenkurs Wert des Unternehmens am Maßstab des § 255 V 3 (→ § 255 Rn. 47 ff.) nicht widerspiegelt (krit. → § 255 Rn. 9 ff.). Dagegen kann Neuordnung aus im Zuge des ZuFinG 2023 nicht gefolgert werden, dass auch bei sonstigen Verstößen gegen § 186 III 4 jeder Rechtsschutz verweigert würde (→ § 255 Rn. 12; ebenso schon zu § 255 aF OLG Nürnberg NZG 2018, 500 Rn. 77).

39k **bb) Bericht des Vorstands.** Nach unverändert fortgeltender Vorschrift des § 186 IV 2 ist Vorstandsbericht zum Bezugsrechtsausschluss (→ Rn. 23 f., 37) auch im Fall des § 186 III 4 **unverzichtbar,** doch ist Berichtspflicht insofern wegen der vorgegebenen Abwägung des Gesetzgebers reduziert. **Inhaltliche Anforderungen** ergeben sich aus dargestellten Zulässigkeitsvoraussetzungen (→ Rn. 39f ff.). Gesetzesmaterialien zeigen Tendenz, ausgedünnten Vorstandsbericht genügen zu lassen (Fraktionsbegr. BT-Drs. 12/6721, 10; AusschussB BT-Drs. 12/7848, 9; sa Marsch-Barner AG 1994, 532, 538). Unverzichtbar ist Darlegung, dass Bezugsrechtsausschluss dem Interesse der Gesellschaft an optimalen Erlösen dient (zust. LG München I AG 1996, 138, 139; aA KK-AktG/Ekkenga Rn. 186 f.: Darlegung und Erläuterung der Voraussetzungen des § 186 III 4 ausreichend; großzügiger auch BeckOGK/Servatius Rn. 67). Nur formelhafte Wendungen genügen nicht (Lutter AG 1994, 429, 443; aA Claussen WM 1996, 609, 613 f.; Hoffmann-Becking ZIP 1995, 1, 9; Schwark FS Claussen, 1997, 357, 367 ff.; Trapp AG 1997, 115, 120). Je weiter sich die konkreten Verhältnisse vom Leitbild der ges. Regelung (→ Rn. 39a ff.) entfernen, desto gründlicher wird zu berichten sein. Von den einzelnen Tatbestandsmerkmalen des § 186 III 4 sind vor allem Kapitalgrenze (→ Rn. 39h) und Börsenpreis sowie Ausgabebetrag (→ Rn. 39i) begründungsrelevant; zutr. dazu Lutter AG 1994, 429, 443.

d) Teleologische Reduktion des § 186 III 4. In folgenden Fällen erweist sich Anwendung des § 186 III 4 als problematisch: Kurzfristig hintereinandergeschalteter vereinfachter Bezugsrechtsausschluss; mangelnde Aussagefähigkeit der Börsenkurse bei marktengen Papieren; Bezugsrechtsausschluss zu Lasten von Aktionären mit einflussgewährenden Beteiligungsquoten (5 %, 10 % usw); namentl. bei Letztgenannten: mangelnde oder nur zu deutlich steigenden Kursen realisierbare Zukaufsmöglichkeiten (vgl. Claussen WM 1996, 609, 614 f.; Lutter AG 1994, 429, 441 ff.; Oetker FS Pannen, 2017, 773, 778 ff.; Schwark FS Claussen, 1997, 357, 373 f.). Rspr. und Schrifttum diskutieren mehrere Lösungswege, namentl. Anerkennung ungeschriebener Voraussetzungen des § 186 III 4, teleologische Reduktion der Norm und buchstabengetreue Anwendung der Ausnahmeregelung unter Berücksichtigung der allg. Missbrauchsschranken (für das Erste OLG München NZG 2006, 784, 787; MüKoAktG/Bayer § 203 Rn. 75 ff.; BeckOGK/Wamser § 203 Rn. 94; Lutter AG 1994, 429, 441 ff.; für das Zweite MüKoAktG/Schürnbrand/Verse Rn. 144 f.; Kindler FS E. Vetter, 2019, 307, 311; Oetker FS Pannen, 2017, 773, 778 ff.; so auch Priester FS E. Vetter, 2019, 587, 594 zur Wahrung von relevanten Quoten bei Paketaktionären; für das Dritte Hölters/Weber/Apfelbacher/Metzner Rn. 80; MHdB AG/Scholz § 57 Rn. 126, 129; Ekkenga/Stöber AG-Finanzierung Kap. 5 Rn. 120; Decher ZGR 2019, 1122, 1144 ff.; Hoffmann-Becking ZIP 1995, 1, 10; Ihrig FG Happ, 2006, 109, 115 f.; Kocher/v. Falkenhausen ZIP 2018, 1949, 1950 f.; Schilha/Guntermann AG 2018, 883, 886 f.; Schlitt/Schäfer AG 2005, 67 f.; offengelassen in BGHZ 219, 215 Rn. 39 ff. = NJW 2018, 2796). Angesichts des klaren Wortlauts und der gesetzgeberischen Zielsetzung, anfechtungsresistente Kapitalerhöhungen mit vereinfachtem Bezugsrechtsausschluss zu ermöglichen (→ Rn. 39a ff.), erscheint die erstgenannte Lösung methodisch bedenklich. Das gilt insbes. seit Gesetzgeber im Zuge des ZuFinG 2023 selbst in Fällen von Marktmanipulation, fehlerhaften Ad-hoc-Mitteilungen und Marktilliquidität den vom Bezugsrecht ausgeschlossenen Aktionären jeglichen Rechtsschutz versagt (krit. → § 255 Rn. 9 ff.). Vor dem Hintergrund dieser sehr problematischen Gesetzgebung wird man selbst **teleologische Reduktion** des § 186 III 4 nur noch zurückhaltend annehmen dürfen. Sie kommt in solchen Fällen in Betracht, in denen die tats. Annahmen fehlen, von denen der Gesetzgeber bei der Formulierung der Regelung ausgegangen ist; solchen Ausnahmekonstellationen ist weiterhin durch **Gebot sachlicher Rechtfertigung** (→ Rn. 25 ff.) Rechnung zu tragen (ausf. insbes. zu Beweislastfragen Oetker FS Pannen, 2017, 773, 782 ff.). 39l

5. Weiteres Vorgehen bei wirksamem Bezugsrechtsausschluss. a) Auswahl der Zeichner. Vorstand schließt Zeichnungsverträge für die AG. Bei der Auswahl der Zeichner muss er **Vorgaben der HV** beachten. Solche Vorgaben können sich aus Zweck des Bezugsrechtsausschlusses ergeben, indem dieser den Kreis potenzieller Zeichner konkludent eingrenzt (zB Bedienung der Inhaber von Wandelschuldverschreibungen [→ Rn. 30] oder der AN bei Ausgabe von Belegschaftsaktien [→ Rn. 29]). Lässt Beschluss noch Spielraum, ist Vorstand **grds. in seiner Entscheidung frei** (sa RGZ 119, 248, 254; KK-AktG/Ekkenga Rn. 133, § 185 Rn. 11). Zu beachten ist aber, dass Aktionäre vor Dritten zu 40 bedienen sind (MüKoAktG/Schürnbrand/Verse Rn. 163) und Anspruch auf Gleichbehandlung (§ 53a) haben (ausf. BGHZ 219, 215 Rn. 41 ff. = NJW 2018, 2796; KK-AktG/Ekkenga § 185 Rn. 13; MüKoAktG/Schürnbrand/Verse Rn. 163; Kocher/v. Falkenhausen ZIP 2018, 1949, 1952 ff.; Scholz DB 2018, 2352, 2357 f.; aA noch RGZ 118, 67, 71; krit. auch Kindler FS E. Vetter, 2019, 307, 314 f.). Für Rechtfertigung der Ungleichbehandlung gelten allg. Grundsätze (so wohl auch Scholz DB 2018, 2352, 2358 f.; großzügiger aber Kocher/v. Falkenhausen ZIP 2018, 1949, 1951; Rieckers DB 2019, 107, 115). Konnte Zweck des Bezugsrechtsausschlusses nicht verwirklicht werden (Bsp.: Ausgabe von Belegschaftsaktien scheitert an mangelnder Akzeptanz), so hat Vorstand iRd Möglichen wieder Vorgaben des § 186 I, II zu beachten (MüKoAktG/Schürnbrand/ Verse Rn. 163; GK-AktG/Wiedemann Rn. 187; diff. KK-AktG/Ekkenga § 185 Rn. 21). Einem aktienrechtl. Neutralitätsgebot unterliegt er nicht (→ § 76 Rn. 117 ff.; aA KK-AktG/Ekkenga § 185 Rn. 12; für Anwendung der zivilrechtl. Diskriminierungsverbote nach §§ 19 ff. AGG MüKoBGB/Thüsing AGG § 19 Rn. 96).

41 **b) Ausgabebetrag.** HV hat bei Festsetzung des Ausgabebetrags **Vorgabe des § 255 IV** zu berücksichtigen (→ § 182 Rn. 23 f.). Das gilt auch bei Ausgabe von Belegschaftsaktien (→ Rn. 29), jedoch können insoweit sozialpolitische Erwägungen berücksichtigt werden (sa § 19a EStG 2002). Hat HV nur Mindestbetrag oder Mindest- und Höchstbetrag (→ § 182 Rn. 22) oder keinen Ausgabebetrag festgesetzt, so muss Vorstand innerhalb vorgegebenen Grenzen höchstmöglichen Ausgabekurs bestimmen (→ § 182 Rn. 24 f.). Ausgabekurs ist im Bericht des Vorstands zu begründen (s. § 186 IV 2; → Rn. 24).

42 **6. Beschlussmängel.** Beschluss über Bezugsrechtsausschluss kann unwirksam, nichtig oder anfechtbar sein. Unwirksam ist er, wenn Bezugsrecht gesondert, also nicht im Kapitalerhöhungsbeschluss (§ 186 III 1), ausgeschlossen wurde. Bezugsrechtsausschluss kann sittenwidrig sein und ist dann gem. § 241 Nr. 4 nichtig (vgl. RGZ 107, 72, 74; Quack ZGR 1983, 257, 266); daneben ist auch Nichtigkeit gem. § 241 Nr. 3 denkbar (MüKoAktG/Schürnbrand/Verse Rn. 164; G. Hueck FS Nipperdey, Bd. I, 1965, 427, 447 f.). **Regelmäßig** ist fehlerhafter Bezugsrechtsausschluss aber **nur anfechtbar,** so zB nach § 243 I, wenn er nicht ausdr. und ordnungsgem. bekanntgemacht wurde (§ 186 IV 1). Ferner, wenn Bericht des Vorstands nicht oder nicht ordnungsgem. vorlag oder nicht den inhaltlichen Anforderungen des § 186 IV 2 entsprach; in diesem Fall ist es nach richtiger Ansicht unerheblich, ob Verstoß für Bezugsrechtsausschluss ursächlich war (→ § 243 Rn. 13, 45 ff.; KK-AktG/Ekkenga Rn. 136; MHdB AG/Scholz § 57 Rn. 135, 144; aA OLG München AG 1991, 210, 211; Bischoff BB 1987, 1055, 1060; vgl. auch BGHZ 107, 296, 306 ff. = NJW 1989, 2689). Fehlerhafter Bericht kann auch nicht durch ergänzende mündliche Erl. in HV geheilt werden (→ Rn. 24). Bezugsrechtsausschluss ist ferner nach § 243 I anfechtbar, wenn seine materiellen Voraussetzungen (→ Rn. 25 ff., 36) nicht vorliegen, nach Neuordnung des § 255 im Zuge des ZuFinG 2023 allerdings nicht mehr bei unangemessen niedrigem Ausgabebetrag (→ § 255 Rn. 2 ff.). Bei Fehlerhaftigkeit des Bezugsrechtsausschlusses ist – wie in anderen Fällen komplexer Beschlüsse (→ § 241 Rn. 33) – § 139 BGB anzuwenden, so dass iZw gesamter Erhöhungsbeschluss nichtig oder anfechtbar ist (KK-AktG/Ekkenga Rn. 127, 140; MüKoAktG/Schürnbrand/Verse Rn. 165; MHdB AG/Scholz § 57 Rn. 145; gegen Anwendbarkeit des § 139 BGB Grigoleit/Rieder/Holzmann Rn. 81; Groß AG 1991, 201, 203 f.). In Ausnahmefällen ist aber Teilanfechtung des Bezugsrechtsausschlusses denkbar (MüKoAktG/Schürnbrand/Verse Rn. 165; Ekkenga/Ekkenga/Jaspers AG-Finanzierung Kap. 4 Rn. 207; aA LG Braunschweig AG 1993, 194 f.; LG München I AG 1996, 138, 140; 1993, 195; Marsch-Barner/Schäfer/

Busch/Busch Rn. 44.94; Groß AG 1991, 201, 204); Beweislast für Trennbarkeit des Beschlusses liegt beim Kläger (dazu und zu weiteren prozessualen Problemen KK-AktG/Ekkenga Rn. 140 f.).

7. Faktischer Bezugsrechtsausschluss. Ausübung des ges. Bezugsrechts (§ 186 I, II) kann durch Festsetzungen im Kapitalerhöhungsbeschluss oder Ausführungsmaßnahmen der Verwaltung derart erschwert sein, dass Bezugsrecht **faktisch ausgeschlossen** wird: Ausgabebetrag übersteigt Wert der neuen Aktien; geringste Ausgabebeträge (§ 9 I) werden ungewöhnlich hoch angesetzt; Bezug ist von Übernahme bes. Pflichten abhängig; ausländische Aktionäre werden trotz Bezugserklärung nicht bedient (zu Fallgruppen vgl. KK-AktG/Ekkenga Rn. 122; MüKoAktG/Schürnbrand/Verse Rn. 159 ff.; Kuntz/Stegemann ZIP 2016, 2341, 2342 ff.). Nach hM sind auch solche Gestaltungen – die als Umgehungstatbestände einzuordnen sind (ausf. Maier, Faktischer Bezugsrechtsausschluss, 2014, 83 ff.) – nur zulässig, wenn formelle und materielle Voraussetzungen des Bezugsrechtsausschlusses vorliegen (MüKoAktG/Schürnbrand/Verse Rn. 158; Kuntz/Stegemann ZIP 2016, 2341, 2344 f.; Seibt/Voigt AG 2009, 133, 138; sa OLG Düsseldorf AG 2017, 900, 903). Anderenfalls soll Erhöhungsbeschluss anfechtbar sein; sachliche Notwendigkeit der Bezugsrecht erschwerenden Gestaltung ist danach iRd Erforderlichkeit zu prüfen. Auch wenn diese Behandlung ganz hM entspr., bleiben Einzelheiten unklar. So soll fehlende Bezugsrechtsinformation an Anteilseigner im Ausland kein Fall des faktischen Bezugsrechts sein (zutr. Krause ZHR 181 [2017], 641, 648 f. mwN). Verhindert AG aber Bezugsrechtsausübung durch **ausländische Aktionäre,** etwa indem sie deren Bezugserklärungen zurückweist, müssen formelle Vorgaben des § 186 III 1, 2 erfüllt sein und der Beschluss bedarf sachlicher Rechtfertigung (vgl. Hölters/Weber/Apfelbacher/Metzner Rn. 49; Kuntz/Stegemann ZIP 2016, 2341, 2342 f.). Auch sind Vorgaben des § 186 IV zu beachten (MüKoAktG/Schürnbrand/Verse Rn. 158; zur praktischen Umsetzung KK-AktG/Ekkenga Rn. 188; Kuntz/Stegemann ZIP 2016, 2341, 2344 ff.). Bei faktischem Bezugsrechtsausschluss durch Ausführungsmaßnahmen der Verwaltung kommen Unterlassungs- und Feststellungsklagen betroffener Aktionäre in Betracht (→ § 203 Rn. 55 ff.; Kuntz/Stegemann ZIP 2016, 2341, 2348 ff.). 43

Bei **unangemessen hohem Ausgabebetrag** ist fraglich, hinter welchem konkreten Wert (Börsenwert, innerer Wert, Stichtags- oder Durchschnittswert) Ausgabebetrag im Regelfall zurückbleiben soll, welcher Zeitpunkt für die Bestimmung der Angemessenheit maßgeblich ist und unter welchen Voraussetzungen Ausnahmen zuzulassen sind, für die im Einzelfall praktisches Bedürfnis bestehen kann (vgl. dazu KK-AktG/Ekkenga Rn. 123 f.; Hölters/Weber/Apfelbacher/Metzner Rn. 41 ff.; Kocher/Feigen CFL 2013, 116, 118 ff.; Kuntz/Stegemann ZIP 2016, 2341, 2345; für Alternativkonzept über Treupflicht MüKoAktG/Schürnbrand/Verse Rn. 160 ff.; MHdB AG/Scholz § 57 Rn. 141; Gehling ZIP 2011, 1699, 1700 f.; Tielmann FS E. Vetter, 2019, 819, 824 ff.; zur Treupflicht sa Maier, Faktischer Bezugsrechtsausschluss, 2014, 101 ff.). Hinsichtlich Referenzgröße sollte jedenfalls **Börsenkurs** im Regelfall nicht überschritten werden (Marsch-Barner/Schäfer/Busch/Busch Rn. 44.93), sofern dessen Aussagekraft nicht ausnahmsweise durch aktuelles Unternehmensbewertung nach anerkanntem Bewertungsverfahren widerlegt wird (Hölters/Weber/Apfelbacher/Metzner Rn. 42; Kocher/Feigen CFL 2013, 116, 121). Zugrundelegung eines Durchschnittskurses über längeren Zeitraum erscheint insofern gerechtfertigt (Einzelheiten: Kocher/Feigen CFL 2013, 116, 120 f.). Deutlich überzogen erscheint dagegen im Schrifttum genannte „Bagatellgrenze" von 30 %, um die der Bezugspreis den anwendbaren Referenzwert übersteigen dürfe (so in der Tat Kocher/Feigen CFL 2013, 116, 121; wie hier Marsch-Barner/Schäfer/Busch/Busch Rn. 44.93 m. Fn. 392). Entscheidend ist **Zeitpunkt der Beschlussfas-** 43a

sung, nicht der Preisfestsetzung (Kuntz/Stegemann ZIP 2016, 2341, 2345; aA Hölters/Weber/Apfelbacher/Metzner Rn. 43). Einzelheiten bedürfen aber noch weiterer Klärung; bis auf Weiteres empfiehlt sich für Praxis, formelle und materielle Voraussetzungen des Bezugsrechtsausschlusses zu erfüllen (ausf. hierzu Kuntz/Stegemann ZIP 2016, 2341, 2344 f.). Im Rahmen sachlicher Rechtfertigung sind insbes. Finanzierungsinteressen der AG sowie der Umstand zu beachten, dass Aktionäre, die Bezugsrecht nicht ausüben, wirtschaftlich dennoch an Kapitalzuführung partizipieren (vgl. KK-AktG/Ekkenga Rn. 123 f.; Hölters/Weber/Apfelbacher/Metzner Rn. 44 f.; MHdB AG/Scholz § 57 Rn. 141). Zur Intensität richterlichen Kontrolle Harnos, Gerichtliche Kontrolldichte, 2021, 625 f. Zum gegenläufigen Fall eines **faktischen Bezugszwangs** aufgrund unangemessen niedrigen Bezugspreises → § 182 Rn. 23a.

V. Mittelbares Bezugsrecht (§ 186 V)

44 **1. Bedeutung.** Mittelbares Bezugsrecht ist Regelfall der Praxis. AG nimmt abw. vom ges. Leitbild Emission neuer Aktien nicht selbst vor, sondern schaltet Emissionsunternehmen (→ Rn. 46) oder Emissionskonsortium ein, das gesamten Erhöhungsbetrag mit der Verpflichtung zeichnet, Aktien den Aktionären entspr. § 186 I 1 anzubieten. Da nur Emissionsunternehmen Aktien übernimmt, liegt an sich Ausschluss des ges. Bezugsrechts vor; Begr. eines abgeleiteten, vertraglichen Bezugsrechts vermag daran grds. nichts zu ändern. § 186 V 1 fingiert aber, dass in einer solchen Gestaltung kein Ausschluss des Bezugsrechts liegt, wenn die in § 186 V 1 genannten Voraussetzungen erfüllt sind. **Fiktion** bewirkt, dass formelle und materielle Voraussetzungen des Bezugsrechtsausschlusses (§ 186 III, IV; → Rn. 20 ff.) nicht beachtet werden müssen. Fiktion ist unbedenklich, weil durch Aufsicht nach § 6 KWG mittelbares Bezugsrecht für Aktionär ebenso sicher ist wie unmittelbares (RegBegr. Kropff S. 295 f.).

45 **2. Voraussetzungen. a) Festsetzung im Erhöhungsbeschluss.** Mittelbares Bezugsrecht ist bereits im Kapitalerhöhungsbeschluss („nach dem Beschluss") festzusetzen (OLG Hamburg AG 2000, 326, 328; MüKoAktG/Schürnbrand/Verse Rn. 170; Marsch-Barner/Schäfer/Busch/Busch Rn. 44.58); anderenfalls unterliegt es den Voraussetzungen des § 186 III, IV (→ Rn. 44). Entscheidungskompetenz liegt mithin ausschließlich bei HV (aA für genehmigtes Kapital KK-AktG/Ekkenga Rn. 195); Auswahl der Emissionsbank kann aber Vorstand überlassen bleiben (MüKoAktG/Schürnbrand/Verse Rn. 170). Zum Beschlussinhalt → Rn. 49. Mittelbares Bezugsrecht kann auch nur einen Teil der Kapitalerhöhung erfassen, und zwar sowohl in Kombination mit Bezugsrechtsausschluss (Schlitt/Seiler WM 2003, 2175, 2178 f.) wie mit ges. Bezugsrecht. Letztgenannte Gestaltung bietet sich insbes. an, wenn AG wenige Großaktionäre hat und Aktien sich sonst im Streubesitz befinden; Großaktionäre erhalten ges. Bezugsrecht, Kleinaktionäre mittelbares Bezugsrecht (ausf. KK-AktG/Ekkenga Rn. 197). Wird Vorgabe des § 186 I 1 beachtet, liegt kein Bezugsrechtsausschluss vor (MüKoAktG/Schürnbrand/Verse Rn. 167).

46 **b) Emissionsunternehmen.** Wer Mittler der Aktien sein kann, ist in § 186 V 1 umschrieben. Neufassung durch Art. 4 Nr. 13 Begleitges. zum Ges. zur Umsetzung von EG-Richtlinien stellt dem KI (§ 1 I KWG, § 2 I KWG) die nach § 53 I 1 KWG oder nach § 53b I 1, VII KWG tätigen Unternehmen gleich, weil auch sie Emissionsgeschäft (§ 1 I 2 Nr. 10, XI KWG) betreiben dürfen (RegBegr. BT-Drs. 13/7143, 33); im Folgenden zusammenfassend: Emissionsunternehmen. 2022 wurde Vorschrift auf Wertpapierinstitute (§ 2 I WpIG; → § 70 Rn. 2) erweitert. Andere Institute oder Unternehmen (vgl. bes. § 1 Ia, III KWG) sind nicht einbezogen (Marsch-Barner/Schäfer/Busch/Busch Rn. 44.59;

aA LG Düsseldorf AG 1999, 134; zur ebenfalls nicht erfassten Übernahme durch Großaktionär in Sanierungssituation Marsch-Barner/Schäfer/Busch/Busch Rn. 44.60). Mehrere KI oder gleichgestellte Unternehmen können unverbunden oder als **Konsortium** handeln. Wenn Emission von Konsortien übernommen wird, muss jeder Konsorte Emissionsunternehmen sein. Sollen anstelle eines KI einzelne Aktionäre oder Dritte tätig werden, ist Beschluss anfechtbar (OLG Koblenz NZG 1998, 552, 553), wenn er nicht schon bei gleichzeitiger ausdr. Gewährung des ges. Bezugsrechts wegen Perplexität nach allg. Grundsätzen der Rechtsgeschäftslehre unwirksam sein sollte (→ § 241 Rn. 17).

c) Verpflichtung zum Angebot. Emissionsunternehmen muss sich verpflichten, neue Aktien den Aktionären zum Bezug anzubieten (s. § 186 V 1). 47
Verpflichtung wird durch Vertrag mit AG, vertreten durch Vorstand, begründet; es handelt sich um Geschäftsbesorgungsvertrag iSd § 675 BGB (KK-AktG/Ekkenga Rn. 206). Pflicht zum Angebot muss als **Vertrag zugunsten Dritter** (§ 328 BGB) ausgestaltet sein (BGHZ 114, 203, 208 = NJW 1991, 2764; BGHZ 118, 83, 96 = NJW 1992, 2222; BGHZ 122, 180, 186 = NJW 1993, 1983; zum Vertragsinhalt ausf. Kuntz/Stegemann AG 2016, 837, 838 f.). Aktionäre erhalten also unmittelbaren Bezugsanspruch gegen Emissionsunternehmen. Anderenfalls wäre mittelbares Bezugsrecht dem ges. Bezugsrecht nicht gleichwertig und unterläge den Voraussetzungen des § 186 III, IV (allgM, s. OLG Düsseldorf AG 1984, 188, 190). Verpflichtung muss alle neuen Aktien erfassen, für die kein Direktbezug vorgesehen ist (→ Rn. 45), und so ausgestaltet sein, dass jeder Aktionär neue Aktien entspr. seinem ges. Bezugsrecht (§ 186 I 1) erwerben kann (unstr.). Daher wird § 334 BGB konkludent abbedungen (MüKoAktG/Schürnbrand/Verse Rn. 175; aA KK-AktG/Ekkenga Rn. 213: vertragliche Klarstellung erforderlich). Aktien müssen ferner unverzüglich angeboten werden (unstr.); ist zeitliche Verzögerung nicht durch den Abwicklungsmodus bedingt, handelt es sich um teilw. Bezugsrechtsausschluss, der § 186 III, IV unterliegt. Vertragsinhalt wird iÜ bestimmt durch Vorgaben des Kapitalerhöhungsbeschlusses. Emissionsunternehmen erhält für seine Tätigkeit angemessene Vergütung. Ihrer Bezahlung durch AG steht jedoch § 54 II entgegen (iErg auch KK-AktG/Ekkenga Rn. 227; aA B/K/L/Lieder Rn. 81), dem Emissionsunternehmen wegen Erwerbs der Aktionärseigenschaft ungeachtet seiner (fremdnützigen) Treuhandfunktion unterliegt. Eigene Vergütung darf deshalb Ausgabebetrag nicht verkürzen. Zulässig ist jedoch, Vergütung durch die Bezieher der jungen Aktien zu Lasten des Aufgeldes zu gewähren (OLG Stuttgart AG 2013, 604, 609 f.; MüKoAktG/Schürnbrand/Verse Rn. 177). Vertrag zwischen AG und Emissionsunternehmen muss spätestens gleichzeitig mit Abschluss der Zeichnungsverträge geschlossen werden. Vertragsschluss vor Kapitalerhöhungsbeschluss ist möglich und üblich (→ § 182 Rn. 5).

Vertrag muss ferner **Bezugskurs** festlegen, den Aktionäre an Emissionsunternehmen zu zahlen haben. 48
Enthält Kapitalerhöhungsbeschluss Vorgabe, ist Vorstand gebunden; sonst bestimmt er die Höhe (→ Rn. 41). Bezugskurs kann über dem vom Emissionsunternehmen an die AG zu zahlenden Ausgabebetrag (→ § 182 Rn. 22 ff.) liegen; str. ist insoweit der Gestaltungsspielraum. Nach einer Ansicht muss Differenz auf angemessenes Entgelt für Dienstleistung des Emissionsunternehmens beschränkt sein (Immenga FS Beusch, 1993, 413, 419 ff.; Schippel FS Steindorff, 1990, 249, 254 ff.). Dafür besteht jedoch kein Grund; nach zutr. Ansicht kann Aufgeld höher liegen. Jedoch muss Emissionsunternehmen verpflichtet sein, den über das angemessene Entgelt hinausgehenden Betrag an AG abzuführen (OLG Stuttgart AG 2013, 604, 610; B/K/L/Lieder Rn. 78; MHdB AG/Scholz § 57 Rn. 146; Wiedemann WM 1979, 990, 991). Dieser Betrag ist als Kapitalrücklage auszuweisen (§ 272 II Nr. 1 HGB; vgl. Marsch-Barner/Schäfer/Busch/Busch Rn. 44.64).

49 **3. Inhalt des Erhöhungsbeschlusses.** Mittelbares Bezugsrecht gem. § 186 V besteht nur, wenn im Erhöhungsbeschluss selbst festgesetzt ist, dass neue Aktien von Emissionsunternehmen mit der Verpflichtung übernommen werden sollen, sie den Aktionären zum Bezug anzubieten (§ 186 V 1). Verpflichtung zum Bezugsangebot muss nicht ausdr. festgeschrieben werden, sondern es reicht aus, wenn Beschluss vorsieht, dass Bezugsangebot an Aktionäre erfolgen muss, bevor Emissionsunternehmen Aktien zeichnet und übertragen erhält (OLG Düsseldorf AG 2019, 467, 470 f.). Emissionsunternehmen ist üblicherweise vor Beschlussfassung bekannt (→ § 182 Rn. 5), kann also im Beschluss namentlich genannt werden. Notwendig ist das nicht (KK-AktG/Ekkenga Rn. 199). Wird Emissionsunternehmen nicht bezeichnet, obliegt Auswahl dem Vorstand (MüKoAktG/Schürnbrand/Verse Rn. 170). HV kann im Erhöhungsbeschluss Ausgabebetrag (→ § 182 Rn. 22) und Bezugskurs (→ Rn. 48) festsetzen (KK-AktG/Ekkenga Rn. 203; MüKoAktG/Schürnbrand/Verse Rn. 176). Auch „Bis zu"-Erhöhung kann qua mittelbaren Bezugsrechts durchgeführt werden (OLG Stuttgart AG 2013, 604, 610; B/K/L/Lieder Rn. 75; S/L/Veil Rn. 45). Fehlt Festsetzung, so erfolgt sie durch Vorstand (→ § 182 Rn. 24 f.; OLG Stuttgart AG 2013, 604, 611; Schlitt/Seiler WM 2003, 2175, 2177).

50 **4. Durchführung. a) Kapitalerhöhung.** Nur Emissionsunternehmen ist **Zeichner** der neuen Aktien iSd § 185, also auch Schuldner der Einlagen (OLG Stuttgart AG 2013, 604, 610). Wenn jedoch aus seiner Zahlung des Erhöhungsbetrags absprachegem. der von Altaktionären zu entrichtende Bezugspreis finanziert wird, liegt keine Einlagenleistung vor, weil der AG iErg nichts verbleibt; Emissionsunternehmen muss noch einmal zahlen (BGHZ 122, 180, 186 f. = NJW 1993, 1983; Assmann/Sethe ZHR 158 [1994], 646, 653 ff., 658 ff.). Bei Konsortium erfolgte Zeichnung früher durch Konsortialführer, während heute Beteiligungsquoten der Konsorten im Zeichnungsschein offen gelegt werden, um gesamtschuldnerische Haftung zu vermeiden (Marsch-Barner/Schäfer/Busch/Busch Rn. 44.64; s. ferner BGH AG 1992, 312, 315; KK-AktG/Ekkenga Rn. 221, § 185 Rn. 92). Liegen Voraussetzungen des § 188 vor, kann nach Zeichnung Durchführung der Kapitalerhöhung eingetragen werden. Höhe der Mindesteinzahlungen gem. § 188 II bestimmt sich nach dem Ausgabebetrag, nicht dem Bezugskurs (B/K/L/Lieder Rn. 80; MHdB AG/Scholz § 57 Rn. 149; aA Immenga FS Beusch, 1993, 413, 420 f.). Mit Eintragung wird Kapitalerhöhung wirksam (§ 189). Emissionsunternehmen erwirbt neue Mitgliedsrechte, wird also mit allen Rechten (auch Stimmrechten) und Pflichten Aktionär, sofern es die Aktien für eigene Rechnung übernommen hat (§ 56 III 3; vgl. dazu KK-AktG/Ekkenga Rn. 233; iErg ähnlich MüKoAktG/Schürnbrand/Verse Rn. 178, der stets Übernahme auf eigene Rechnung annimmt). Stimmausübung wird im Übernahmevertrag jedoch oft verboten (Hölters/Weber/Apfelbacher/Metzner Rn. 105; MüKoAktG/Schürnbrand/Verse Rn. 178). Mitgliedschaftliche Position geht erst verloren, wenn Aktien iRd mittelbaren Bezugsrechts an die Altaktionäre weiterveräußert werden.

51 **b) Behandlung des mittelbaren Bezugsrechts. aa) Rechtsverhältnis zwischen Emissionsunternehmen und Aktionär.** Vertrag mit AG verpflichtet Emissionsunternehmen, neue Aktien den Aktionären anzubieten. Aktionäre haben gem. § 328 I BGB (→ Rn. 47) klagbaren **Anspruch auf Abgabe des Angebots zum Abschluss eines Kaufvertrags über junge Aktien,** sobald Durchführung der Kapitalerhöhung gem. § 189 eingetragen ist (MüKoAktG/Schürnbrand/Verse Rn. 175); Eintragung ist aufschiebende Bedingung (§ 158 I BGB). Angebot ist nach § 145 BGB bindend. Es wird spätestens mit Bek. nach § 186 V 2 wirksam (MüKoAktG/Schürnbrand/Verse Rn. 182; → Rn. 52). Aktionäre erklären Annahme ggü. Emissionsunternehmen. Bezugsbedingungen

können vorsehen, dass Aktionär Annahme schriftlich erklären sowie seine Berechtigung nachweisen muss, zB durch Vorlage eines Gewinnanteilscheins. Annahme ist fristgebunden (s. § 186 V 2; → Rn. 52); wird sie zu spät erklärt, so gilt sie gem. § 150 I BGB als neues Angebot, für das mittelbares Bezugsrecht nicht mehr gilt (KK-AktG/Ekkenga Rn. 249). Mit wirksamer Annahmeerklärung kommt zwischen Emissionsunternehmen und Aktionär **Kaufvertrag** zustande; für seine Erfüllung gelten allg. Regeln (§§ 433 ff., 362 BGB). Bezugskurs bezeichnet mithin Kaufpreisforderung, nicht Einlageschuld; §§ 54, 63 ff. finden folglich keine Anwendung. **Schadensersatz:** Ist für Emission Prospekt veröffentlicht worden, kommt Prospekthaftung in Betracht. Da es sich bei Aktien notwendigerweise um verbriefte Wertpapiere handelt (→ § 10 Rn. 3), richten sich Prospektpflicht und -haftung nicht nach VermAnlG (§ 1 II VermAnlG), sondern nach Prospekt-VO. Prospektpflicht entsteht dann unter Voraussetzungen des Art. 3 Prospekt-VO und kann bei Verstoß korrespondierende Haftung nach § 9 WpPG (bei Prospekten, die Zulassung zum Börsenhandel eröffnen) oder nach § 10 WpPG (keine Zulassung zum Börsenhandel) auslösen. Ansprüche aus § 280 I BGB sollen nach hM nicht bestehen, da Vertrag zwischen AG und Emissionsunternehmen kein Schuldverhältnis zwischen Bank und Aktionär iSd § 241 II BGB, § 311 II BGB begründe (OLG Düsseldorf AG 1984, 188, 190; KK-AktG/Ekkenga Rn. 252; B/K/L/Lieder Rn. 83; MüKoAktG/Schürnbrand/Verse Rn. 185). Das ist indes nicht zweifelsfrei und bedarf weiterer Diskussion (zu schuldrechtl. Sekundäransprüchen der Aktionäre gegen das Emissionsunternehmen vgl. etwa Kuntz/Stegemann AG 2016, 837, 845 f.); Deckungsverhältnis zwischen AG und Emissionsunternehmen kann Informationspflichten der Bank ggü. Aktionären begründen (zurückhaltend Kuntz/Stegemann AG 2016, 837, 844 f.).

bb) Bekanntmachung; Frist. Durch Vorstand handelnde AG (nicht Emissionsunternehmen) hat gem. § 186 V 2 Bezugsangebot des Emissionsunternehmens bekanntzumachen; sie handelt als Botin der Bank (Kuntz/Stegemann AG 2016, 837, 839 f.; aA Ekkenga/Ekkenga/Jaspers AG-Finanzierung Kap. 4 Rn. 268: Stellvertretung). Im Zeitpunkt der Bekanntmachung muss Kapitalerhöhungsbeschluss gefasst sein und Vertrag zwischen AG und Emissionsunternehmen geschlossen sein; es bedarf aber – abw. von früherer Praxis – noch keiner Zeichnung, Anmeldung und Durchführungseintrag, sondern es genügt, wenn Bezugsangebot unter entspr. aufschiebende Bedingung gestellt wird (zu Einzelheiten Marsch-Barner/Schäfer/Busch/Busch Rn. 44.62). IÜ ist zu unterscheiden, ob Bezugskurs (→ Rn. 48) von vornherein in Bek. aufgenommen oder von Möglichkeit Gebrauch gemacht wird, zunächst nur Grundlagen für seine Ermittlung bekanntzumachen (Bookbuilding, → Rn. 19a). **Im ersten Fall** bedarf es der Angabe des für die Aktien zu leistenden Entgelts (des Bezugskurses, → Rn. 48) und einer für Annahme des Angebots gesetzten Frist, die nach § 186 I 2 (→ Rn. 15) mindestens zwei Wochen betragen muss (Hölters/Weber/Apfelbacher/Metzner Rn. 103; MüKoAktG/Schürnbrand/Verse Rn. 183; aA OLG Karlsruhe AG 2002, 91; KK-AktG/Ekkenga Rn. 249; B/K/L/Lieder Rn. 84: fakultative Fristsetzung). Wurde keine Frist gesetzt, können Aktionäre Bezugsrecht mit Blick auf § 147 II BGB solange ausüben, wie Emissionsbank über noch nicht platzierte neue Aktien verfügt (MüKoAktG/Schürnbrand/Verse Rn. 183). Fristsetzung ist in den Gesellschaftsblättern (§ 25) bekanntzumachen. Darüber hinaus sind alle Bezugsbedingungen aufzunehmen, die Inhalt des Angebots bestimmen, zB Bezeichnung des Emissionsunternehmens, Bezugsverhältnis, geforderte Legitimation (MüKoAktG/Schürnbrand/Verse Rn. 184). Kosten der Bek. hat AG zu tragen (MüKoAktG/Schürnbrand/Verse Rn. 184). Insoweit genügt Bek. in den Gesellschaftsblättern (§ 25), ist Zusatzinformation auf eigener Website 52 der AG also entbehrlich. **Im zweiten Fall** (und nur dann; hinter dem „und" in § 186 V 2 Hs. 1 ist „ggf." zu lesen) ist Angabe des Entgelts (des Bezugskurses) in einer zweiten Bek. spätestens drei Tage (Kalendertage, nicht Werk- oder Handelstage; s. Schlitt/Ries FS Schwark, 2009, 241, 254; Schlitt/Seiler WM 2003, 2175, 2181) vor Ablauf der Annahmefrist nachzuholen (§ 186 II 2 iVm V 2 Hs. 1). Norm spricht zwar wie § 186 II von Ausgabebetrag, doch ist dabei übersehen, dass Bezugskurs höher zu liegen pflegt, was Redaktionsfehler darstellt (zutr. KK-AktG/Ekkenga Rn. 245; NK-AktR/Rebmann Rn. 92 Fn. 291). In diesem Fall (und nur in ihm) bedarf es auch der Zusatzveröffentlichung auf eigener Website der AG (→ Rn. 19a).

53 **cc) Nichtausgeübte Bezugsrechte.** Mittelbare Bezugsrechte, die von den Aktionären nicht ausgeübt werden, wachsen nicht den anderen Aktionären zu. Emissionsunternehmen ist regelmäßig aufgrund Vereinbarung mit AG verpflichtet, Aktien bestmöglich zu verwerten (BGH NJW 1995, 2486); Bezugskurs kann überschritten, aber nicht unterschritten werden; anderenfalls ist neuerliches Angebot an bezugsberechtigte Aktionäre erforderlich (Schlitt/Seiler WM 2003, 2175, 2183; Seibt/Voigt AG 2009, 133, 138; zweifelnd hinsichtlich Unterschreitungsverbot Marsch-Barner/Schäfer/Busch/Busch Rn. 44.71). Überschreitungsbedingter Unterschiedsbetrag zum Ausgabekurs minus Vergütungsanteil ist gem. § 675 I BGB, § 667 BGB an AG abzuführen (BGH NJW 1995, 2486; KK-AktG/Ekkenga Rn. 225). Auswahl der Interessenten unterliegt gleichen Prinzipien wie bei nichtausgeübten ges. Bezugsrechten. Aktionäre sind gleich zu behandeln (→ § 185 Rn. 25; Schlitt/Seiler WM 2003, 2175, 2183); abw. Vereinbarungen zwischen AG und Emissionsunternehmen sind unwirksam und können Schadensersatzpflicht auslösen (KK-AktG/Ekkenga Rn. 255). Alternativ zu einer solchen Verwertung auf Rechnung der AG kann sich Unternehmen im Übernahmevertrag auch selbst dazu verpflichten, nicht bezogene Aktien fest zu übernehmen (hard underwriting – s. dazu Marsch-Barner/Schäfer/Busch/Busch Rn. 44.61).

54 **5. Übertragbarkeit.** Aktionär kann seinen schuldrechtl. **Anspruch auf Abgabe eines Angebots** (→ Rn. 51) übertragen (§§ 413, 398 BGB), verpfänden und vererben; Anspruch kann auch gepfändet werden (statt aller KK-AktG/Ekkenga Rn. 261). Gleiches gilt iZw auch für die aus dem **erklärten Angebot** erlangte Rechtsposition (s. § 145 BGB), weil es nur um schuldrechtl. Beziehungen geht (vgl. RGZ 111, 46, 47; MüKoAktG/Schürnbrand/Verse Rn. 187). Werden vinkulierte Aktien ausgegeben, ist Zustimmung der AG entspr. § 68 II erforderlich (MüKoAktG/Schürnbrand/Verse Rn. 187; BeckOGK/Servatius Rn. 79). Sehen Bezugsbedingungen Vorlage eines Gewinnanteilscheins vor, dient er nur der Legitimation. Der von der AG ausgestellte Gewinnanteilschein ist ggü. Emissionsunternehmen kein Inhaberpapier nach § 793 BGB; §§ 929 ff. BGB sind folglich nicht anwendbar.

55 **6. Nicht von § 186 V 1 erfasste Gestaltungen.** Mittelbares Bezugsrecht iSd § 186 V 1 setzt voraus, dass Emissionsunternehmen (→ Rn. 46) neue Aktien übernimmt und Aktionären zum Bezug anbietet. Ist Übernehmer und späterer Anbieter der Aktien kein Emissionsunternehmen oder ist bei Emissionskonsortium auch nur ein Konsorte kein Emissionsunternehmen (→ Rn. 46 aE), so liegt **Ausschluss des Bezugsrechts** vor; formelle (→ Rn. 20 ff.) und materielle (→ Rn. 25 ff.) Voraussetzungen des § 186 III, IV müssen beachtet werden (OLG Düsseldorf AG 2001, 51, 53; einschr. KK-AktG/Ekkenga Rn. 266 f.: keine Anwendung des § 186 IV). Sachliche Rechtfertigung ist abhängig von Gründen für Auswahl eines anderen Unternehmens (zB Kostengründe, Erschließung interessanter Kapitalmärkte) sowie der Bonität und Seriosität des Mittlers (KK-AktG/

Ekkenga Rn. 267; MüKoAktG/Schürnbrand/Verse Rn. 188). Von Bedeutung ist ferner, ob die zwischen AG und Übernehmer begründete Verpflichtung den Voraussetzungen des § 186 V 1 entspr. ausgestaltet ist (→ Rn. 47), ob also Aktionäre insbes. einen unmittelbaren Anspruch gem. § 328 BGB auf Abgabe eines Angebots haben. § 186 V 2 Hs. 2 bestimmt, dass durch Vorstand vertretene AG auch bei diesem mittelbaren Bezugsrecht das Bezugsangebot unter Angabe des Bezugskurses und einer für die Annahme gesetzten Frist in den Gesellschaftsblättern bekanntzugeben hat (→ Rn. 52). Übernehmer ist zur Verwertung nicht bezogener Aktien entspr. den Ausführungen in → Rn. 53 verpflichtet. Denkbar sind auch Gestaltungen, in denen ges. Bezugsrecht bestehen bleibt, Aktionäre aber in Bezugserklärung Emissionsunternehmen bevollmächtigen, in deren Namen neue Aktien zu zeichnen (Hölters/Weber/Apfelbacher/Metzner Rn. 91; MüKoAktG/Schürnbrand/Verse Rn. 189). Zur Bedeutung des mittelbaren Bezugsrechts iRd § 255 IV → § 255 Rn. 24.

7. Verhältnis zur verdeckten Sacheinlage. Wenn Bank lediglich mittelbares 55a
Bezugsrecht nach § 186 V ausübt, könnte nach herkömmlicher tatbestandl. Umschreibung auch verdeckte Sacheinlage bejaht werden, wenn Mittel aus Kapitalerhöhung benutzt werden, um Forderungen des Emissionsunternehmens zu tilgen. Dennoch soll § 27 III hier unter bestimmten Voraussetzungen nicht zur Anwendung gelangen, da Bank mit Gesellschaftsbeteiligung **kein wirtschaftliches Eigeninteresse** verfolgt, sondern lediglich als treuhänderische Abwicklungsstelle fungiert (BGHZ 118, 83, 95 ff. = NJW 1992, 222, 225; krit. KK-AktG/Ekkenga Rn. 231). BGH beschränkt diese Privilegierung aber nur auf solche Fälle, in denen Emissionsunternehmen Abwicklungsfunktion wahrnimmt, wozu auch Verwertung nichtbezogener Aktien fällt, nicht aber Wahrnehmung der Rechte aus den Aktien oder Erwerb im Wege des Selbsteintritts (BGHZ 118, 83, 95 ff.; BeckOGK/Katzenstein § 27 Rn. 166; Einzelheiten bei Marsch-Barner/Schäfer/Busch/Busch Rn. 44.66 f.). Rspr. beansprucht auch nach Änderung des § 27 III durch ARUG (→ § 27 Rn. 1, 23) Geltung (vgl. S. Klein AG 2017, 415, 417 f.).

VI. Bezugsrechtsausschluss im Konzern

Bei Kapitalerhöhung der durch Ausgliederung entstandenen Tochtergesell- 56
schaft kann Zustimmung der Aktionäre der Muttergesellschaft ausnahmsweise nach Holzmüller/Gelatine-Grundsätzen erforderlich sein (str.; s. BGHZ 83, 122, 139 f. = NJW 1982, 1703; → § 119 Rn. 16 ff.); Zustimmungserfordernis betr. aber nur Binnenorganisation der Muttergesellschaft: Wurde Zustimmungsbeschluss nicht gefasst, hat dies keine Auswirkungen auf Wirksamkeit des Erhöhungsbeschlusses der Tochter (KK-AktG/Ekkenga Rn. 132). Ist Zustimmung erforderlich und soll Bezugsrecht der Aktionäre der Tochter ausgeschlossen werden, muss **Zustimmungsbeschluss** der HV der Muttergesellschaft den Erfordernissen eines Bezugsrechtsausschlusses (§ 186 III, IV) genügen (BGHZ 83, 122 143 f.; MüKoAktG/Schürnbrand/Verse Rn. 190; Timm AG 1980, 172, 182 f.; Hirte, Bezugsrechtsausschluss und Konzernbildung, 1986, 184 f.; abw. Martens ZHR 147 [1983], 377, 412 f.; Heinsius ZGR 1984, 383, 403 f.). Dies gilt nur dann nicht, wenn Bezugsrecht ausgeschlossen wird, um Aktionäre der Muttergesellschaft entspr. ihrem Beteiligungsverhältnis an Kapitalerhöhung zu beteiligen (BGHZ 83, 122, 143 f.; MüKoAktG/Schürnbrand/Verse Rn. 190; aA Timm AG 1980, 172, 183 f.; Hirte, Bezugsrechtsausschluss und Konzernbildung, 1986, 186 f.). Sachlich zu rechtfertigen ist auch Entscheidung, Aktien nicht den Aktionären der Muttergesellschaft zuzuteilen; Prüfungsmaßstab ist Interesse der Tochtergesellschaft (MüKoAktG/Schürnbrand/Verse Rn. 191). Wird ges. Be-

zugsrecht der Muttergesellschaft nicht ausgeschlossen, bedarf Zustimmungsbeschluss keiner sachlichen Rechtfertigung (KK-AktG/Ekkenga Rn. 132).

Zusicherung von Rechten auf den Bezug neuer Aktien

187 (1) **Rechte auf den Bezug neuer Aktien können nur unter Vorbehalt des Bezugsrechts der Aktionäre zugesichert werden.**

(2) **Zusicherungen vor dem Beschluß über die Erhöhung des Grundkapitals sind der Gesellschaft gegenüber unwirksam.**

I. Regelungsgegenstand und -zweck

1 § 187 setzt voraus, dass Bezugsrechte durch Rechtsgeschäft zugesichert werden können (→ Rn. 2, 6), und begründet Vorrang des ges. Bezugsrechts (→ Rn. 6). Norm bezweckt **Schutz des ges. Bezugsrechts** und soll ferner (§ 187 II) Entscheidungsfreiheit der HV über Kapitalerhöhung und Bezugsrechtsausschluss wahren, indem sie Zusicherung vor Erhöhungsbeschluss für unwirksam erklärt (sa MüKoAktG/Schürnbrand/Verse Rn. 2). § 187 findet bei Erhöhung des Grundkapitals durch genehmigtes Kapital entspr. Anwendung (§ 203 I); bei bedingter Kapitalerhöhung ist nur § 187 II anwendbar (§ 193 I 3). Ausdr. ausgeschlossen wird Anwendbarkeit des § 187 I bei Kapitalerhöhung zur Durchführung einer Verschmelzung (§ 69 I 1 Hs. 1 UmwG). Zusicherungen iSd § 187 werden rechtstatsächlich in neuerer Zeit namentl. im Zusammenhang mit sog Business Combination Agreements eingesetzt, die dazu dienen, Unternehmenszusammenschlüsse unter Einsatz von Aktien durch schuldrechtl. Vereinbarungen vorzubereiten (→ § 76 Rn. 124 ff.; → § 291 Rn. 14; sa Kiem AG 2009, 301 ff.; speziell zum Zusammenhang mit § 187 BeckOGK/Servatius Rn. 20 ff.). Zu den juristischen Folgen des § 187 im Rahmen von Share for Share-Transaktionen v. Falkenhausen/Bruckner AG 2009, 732 ff.; → § 203 Rn. 25.

II. Zusicherung

2 Zusicherung ist **jeder rechtsgeschäftliche Tatbestand, aus dem Bezugsrecht folgt,** gleichgültig, ob vertraglicher Art (zB Vorvertrag zur Zeichnung, → § 185 Rn. 31) oder korporationsrechtl. Natur (Satzungsregelung); → Rn. 6. Schutzzweck der Norm gebietet darüber hinaus, auch Zeichnungsvertrag zu erfassen, der vor Berücksichtigung der ges. Bezugsrechte abgeschlossen wurde (MüKoAktG/Schürnbrand/Verse Rn. 6; BeckOGK/Servatius Rn. 6). Verbot gilt auch bei Kapitalerhöhung unter Einschaltung eines Emissionsunternehmens, sofern dieses nicht allein zum Bezug verpflichtet ist, sondern auch AG eine entspr. Zuteilungspflicht übernimmt (Einzelheiten bei BeckOGK/Servatius Rn. 8 f.). § 187 gilt dagegen nicht für Bezugsrechte, die aus Schuldverschreibungen gem. § 221 erwachsen (KK-AktG/Ekkenga Rn. 5). Norm ist aber entspr. § 221 IV 2 analog anwendbar, soweit es um Bezug der Anleihen oder Genussrechte selbst geht (→ § 221 Rn. 46). Keine Zusicherung ist Begr. einseitiger Bezugspflichten (Hölters/Weber/Apfelbacher/Metzner Rn. 4) oder reiner Absichtserklärungen (memorandum of understanding – BeckOGK/Servatius Rn. 6). Begünstigter kann jeder potenzielle Zeichner sein (→ § 185 Rn. 5); Aktionäre aber nur, soweit ihr ges. Bezugsrecht (§ 186) überschritten wird.

III. Vorrang des gesetzlichen Bezugsrechts

3 **1. Bedeutung und Anwendungsbereich.** § 187 I begründet Vorrang des ges. Bezugsrechts. AG hat ges. Bezugsrechte zuerst zu erfüllen; zugesicherte

Bezugsrechte können nur mit den danach verbleibenden Aktien bedient werden. § 187 I schützt nur ges. Bezugsrechte gem. § 186, nicht auch weitergehende, insbes. vertragliche Bezugsrechte der Aktionäre (→ Rn. 6). AG schuldet mangels Verpflichtung weder Aktien noch Schadensersatz (MüKoAktG/Schürnbrand/Verse Rn. 11). Denkbar ist aber Vertrauenshaftung der Verwaltung oder sonstiger Dritter (KK-AktG/Ekkenga Rn. 18; MüKoAktG/Schürnbrand/Verse Rn. 11). Kein Vorrang besteht, wenn ges. Bezugsrecht nach § 186 III, IV ausgeschlossen ist (KK-AktG/Ekkenga Rn. 12). Das hat zur Folge, dass etwa im Zuge eines Business Combination Agreements (→ § 76 Rn. 124 ff.) Zusicherung erfolgen kann, wenn HV genehmigtes Kapital unter Bezugsrechtsausschluss beschlossen hat und Vorstand über Ausnutzung beschlossen hat; ist Vorstand hingegen nur zum Ausschluss ermächtigt, ist § 187 I zu beachten, bis er diese Entscheidung getroffen hat. Erfolgte Bezugsrechtsausschluss aber wegen Aktienausgabe an AN und scheitert geplante Ausgabe, ist ges. Bezugsrecht wieder vorrangig zu bedienen (Grigoleit/Rieder/Holzmann Rn. 4; aA KK-AktG/Ekkenga Rn. 12: Interessenkonflikt erübrigt sich von selbst).

2. Vorbehalt. Nach einer Ansicht begründet Norm Pflicht des Vorstands, bei 4
Zusicherung den Vorbehalt des § 187 I ausdr. oder zumindest konkludent zu erklären; Pflichtverstoß soll zur Nichtigkeit (§ 134 BGB) der Zusicherung führen (BeckOGK/Servatius Rn. 15; GK-AktG/Wiedemann Rn. 14 f.). Nach hM steht Zusicherung aber **kraft Ges. unter Vorbehalt** des § 187 I und bedarf somit keiner zusätzlichen Erklärung (KK-AktG/Ekkenga Rn. 14; B/K/L/Lieder Rn. 5; MüKoAktG/Schürnbrand/Verse Rn. 9; MHdB AG/Scholz § 57 Rn. 158). Dieser Ansicht ist zu folgen. Sie schützt ges. Bezugsrecht, ohne Interessen der AG und der Inhaber zugesicherter Bezugsrechte zu vernachlässigen. Werden nämlich ges. Bezugsrechte nicht oder nur teilw. ausgeübt, so kann AG zugesicherte Bezugsrechte bedienen, während Ansprüche nach der ersten Ansicht wegen der Nichtigkeitsfolge nicht beständen. Für die Praxis ist Aufnahme eines solchen Vorbehalts dennoch empfehlenswert, um Vertrauenshaftung (→ Rn. 3) zu vermeiden (B/K/L/Lieder Rn. 5; MüKoAktG/Schürnbrand/Verse Rn. 11).

IV. Zusicherung vor Erhöhungsbeschluss

1. Schwebende Unwirksamkeit. § 187 II setzt voraus, dass Rechte auf 5
Bezug junger Aktien durch Rechtsgeschäft begründet werden, bevor HV über Kapitalerhöhung beschlossen hat. Das ist zulässig. Vertrag ist nicht endgültig unwirksam, sondern steht unter **Vorbehalt des Zustandekommens des Kapitalerhöhungsbeschlusses** und ist bis dahin schwebend unwirksam (KK-AktG/Ekkenga Rn. 21; B/K/L/Lieder Rn. 7; MüKoAktG/Schürnbrand/Verse Rn. 15; Grigoleit/Rieder/Holzmann Rn. 7; S/L/Veil Rn. 9; aA BeckOGK/Servatius Rn. 12 f.; GK-AktG/Wiedemann Rn. 10); Bedingungsklausel ist insoweit nicht erforderlich (KK-AktG/Ekkenga § 185 Rn. 101). AG ist aber nicht verpflichtet, Grundkapital zu erhöhen oder ges. Bezugsrecht nach §§ 186 III, IV auszuschließen; sie ist auch nicht gehindert, anderweitig über neue Aktien zu disponieren (MHdB AG/Scholz § 57 Rn. 159). Wird Kapital tats. erhöht, greift zunächst Vorrang der ges. Bezugsrechte gem. § 187 I, bevor vertraglich zugesicherte Bezugsrechte bedient werden (→ Rn. 3 f.). Wird zugesichertes Bezugsrecht nicht bedient, weil Kapitalerhöhung nicht erfolgt, verhindert § 187 II ferner, dass AG auf Schadensersatz in Anspruch genommen werden kann (KK-AktG/Ekkenga Rn. 23; MüKoAktG/Schürnbrand/Verse Rn. 16; aA v. Godin/Wilhelmi Rn. 3). Damit sind sowohl **Entschließungsfreiheit der HV** als auch Bezugsrecht der Aktionäre hinreichend geschützt, so

dass Normzweck (→ Rn. 1) es nicht erzwingt, Gestaltungsmacht des Vorstands noch weitergehend einzuschränken. Nicht ausgeschlossen sind jedoch **Schadensersatzansprüche gegen Vorstandsmitglieder** persönlich (Vertrauenshaftung gem. § 280 I BGB, § 311 III BGB, 241 II BGB), weshalb es empfehlenswert ist, klar formulierten Vorbehalt in Zusicherungen aufzunehmen (B/K/L/Lieder Rn. 7; MüKoAktG/Schürnbrand/Verse Rn. 16; sa RGZ 106, 68, 73 f.). In Einmann-AG oder personalistisch geprägter AG findet § 187 II qua teleologischer Reduktion keine Anwendung, wenn alle Aktionäre mit der Zusicherung einverstanden sind (B/K/L/Lieder Rn. 7; BeckOGK/Servatius Rn. 14; S/L/Veil Rn. 10).

6 **2. Begründung und Rechtsfolgen zugesicherter Bezugsrechte.** Vertragliche Bezugsrechte sind auf Abschluss von Zeichnungsverträgen gerichtet. Sie entspringen also aus Vorvertrag, bei dessen Abschluss AG durch ihren Vorstand vertreten wird (→ § 185 Rn. 31; KK-AktG/Ekkenga § 185 Rn. 102; B/K/L/Lieder Rn. 8). Bezugsrechte können auch aus Satzung folgen (→ Rn. 2). Sie wirken unmittelbar, wenn Aktionäre begünstigt sind; ggü. Dritten bedürfen sie vertraglicher Umsetzung durch Vorstand (KK-AktG/Ekkenga Rn. 10). Zugesicherte Bezugsrechte begründen **keinen Anspruch auf Durchführung** einer beschlossenen Kapitalerhöhung, sondern bleiben wirkungslos, wenn Durchführung nicht gem. §§ 188, 189 eingetragen wird. Es besteht dann auch kein Schadensersatzanspruch. Nach Eintragung wird Zusicherung wirksam (→ Rn. 5), so dass anderweitige Verletzung des vertraglichen Bezugsrechts, zB durch Aktienausgabe an Dritte, Anspruch auf Ersatz des Vertrauensschadens begründen kann (KK-AktG/Ekkenga Rn. 23). Zugesicherte Bezugsrechte vermögen Bezugsrechtsauschluss nach § 186 III nicht sachlich zu rechtfertigen (→ § 186 Rn. 26). Zugesicherte Bezugsrechte sind vererbbar, auch kann über sie verfügt werden. Übertragung erfolgt nach §§ 413, 398 BGB; § 399 BGB ist anwendbar.

Anmeldung und Eintragung der Durchführung

188

(1) **Der Vorstand und der Vorsitzende des Aufsichtsrats haben die Durchführung der Erhöhung des Grundkapitals zur Eintragung in das Handelsregister anzumelden.**

(2) [1] **Für die Anmeldung gelten sinngemäß § 36 Abs. 2, § 36a und § 37 Abs. 1.** [2] **Durch Gutschrift auf ein Konto des Vorstands kann die Einzahlung nicht geleistet werden.**

(3) **Der Anmeldung sind beizufügen**

1. **die Zweitschriften der Zeichnungsscheine und ein vom Vorstand unterschriebenes Verzeichnis der Zeichner, das die auf jeden entfallenden Aktien und die auf sie geleisteten Einzahlungen angibt;**
2. **bei einer Kapitalerhöhung mit Sacheinlagen die Verträge, die den Festsetzungen nach § 183 zugrunde liegen oder zu ihrer Ausführung geschlossen worden sind;**
3. **eine Berechnung der Kosten, die für die Gesellschaft durch die Ausgabe der neuen Aktien entstehen werden.**

(4) **Anmeldung und Eintragung der Durchführung der Erhöhung des Grundkapitals können mit Anmeldung und Eintragung des Beschlusses über die Erhöhung verbunden werden.**

Übersicht

I. Regelungsgegenstand und -zweck

§ 188 regelt Anmeldung und Eintragung der Durchführung der Kapitalerhöhung. Norm bezweckt **reale Aufbringung erhöhten Kapitals,** soll also unseriöse Kapitalerhöhungen vermeiden. Dem dienen entspr. Anwendung von Gründungsvorschriften (§ 188 II) und Pflicht zur Beifügung von Unterlagen, die dem Gericht Sachprüfung erlauben (§ 188 III). Eintragung wirkt konstitutiv (§ 189). Verfahren nach § 188 ist von Anmeldung und Eintragung des Kapitalerhöhungsbeschlusses nach § 184 zu unterscheiden; damit wird Kapitalerhöhung lediglich vorbereitet (OLG Karlsruhe OLGZ 1986, 155, 157 f.). Beide Verfahren können allerdings miteinander verbunden werden (§ 188 IV). Selbständige Bedeutung haben auch Anmeldung und Eintragung der Satzungsänderung nach § 181 (→ Rn. 11). § 188 ist bei Kapitalerhöhung durch genehmigtes Kapital grds. (Ausnahme → § 204 Rn. 16) entspr. anwendbar (§ 203 I 1). 1

II. Anmeldung (§ 188 I)

Anmeldung (→ § 36 Rn. 2) ist Antrag auf Eintragung der Durchführung der Kapitalerhöhung. Zur Entscheidung berufen ist für Satzungssitz (§ 14) nach § 1 HRV zuständiges **Amtsgericht** (→ § 181 Rn. 3). Anmeldung muss **elektronisch in öffentl. beglaubigter Form** erfolgen (§ 12 I 1 HGB), s. dazu § 129 BGB, § 39a BeurkG; zur durch DiRUG 2021 neu geschaffenen Möglichkeit der Beglaubigung mittels Videokommunikation → § 36 Rn. 2; zur Auslandsbeglaubigung → § 23 Rn. 12. Überstücke müssen auch dann nicht beigefügt werden, wenn Zweigniederlassungen bestehen, da für Zweigniederlassung kein gesondertes Register mehr geführt wird (→ § 181 Rn. 19). Anmeldung obliegt **Vorstand und Vorsitzendem des AR** gemeinsam; bei Kapitalerhöhung in Insolvenz (→ § 182 Rn. 32 aE) muss Insolvenzverwalter mitwirken (ausf. KK-AktG/Ekkenga Rn. 7). Es gelten Ausführungen zu § 184 I (→ § 184 Rn. 3). Anmelder 2 handeln also **im Namen der AG,** nicht im eigenen Namen (str.; → § 181 Rn. 4). Bis zum Vollzug der Eintragung kann Anmeldung ohne Angabe von Gründen zurückgenommen werden (unstr.); öffentl.-rechtl. Pflicht zur Anmeldung besteht nicht (→ § 36 Rn. 5). Anmelder sind aber ggü. AG zur Anmeldung verpflichtet, sobald ihre Voraussetzungen vorliegen (→ § 181 Rn. 5; → § 36 Rn. 5), nicht auch ggü. Aktionären oder Zeichnern persönlich (KK-AktG/Ekkenga Rn. 8). Zu ihrer strafrechtl. Verantwortlichkeit s. § 399 I Nr. 4. Zu den Kosten der Eintragung → § 182 Rn. 34. Zur Abstimmung mit dem Registergericht S. Schulz NJW 2016, 1483, 1484 ff.

III. Inhalt und Voraussetzungen der Anmeldung (§ 188 II)

3 **1. Inhalt.** Anmeldung nimmt Bezug auf Kapitalerhöhungsbeschluss und gibt an, dass und in welcher Höhe er durchgeführt ist. Bei **Kapitalerhöhung durch Bareinlagen** ist gem. § 37 I iVm § 188 II 1 weiter zu erklären, dass auf jede Aktie eingeforderter Betrag ordnungsgem. eingezahlt ist und endgültig zur freien Verfügung des Vorstands steht (→ Rn. 5; zur Ausn. von § 188 II 1 bei Einlagenleistung auf SPACs-Treuhandkonto [s. § 45 III BörsG] → § 23 Rn. 58). Anders als im Gründungsrecht (→ § 37 Rn. 3) entfällt für jeden Zeichner gesonderte Angabe des Ausgabebetrags und des darauf eingezahlten Betrags, wenn Angaben in Zeichnungsliste nach § 188 III Nr. 1 (→ Rn. 13) aufgenommen werden (B/K/L/Lieder Rn. 16). Weiter ist nachzuweisen, dass eingezahlter Betrag zur freien Verfügung des Vorstands steht (§ 37 I 2). Regelmäßig wird Nachweis durch schriftliche Bankbestätigung geführt werden können (§ 37 I 3; → § 37 Rn. 3, 3a). Bank haftet für Richtigkeit der Bestätigung, soweit deren Inhalt reicht (§ 37 I 4; → § 37 Rn. 5 mN; vgl. namentl. BGHZ 113, 335, 355 = NJW 1991, 1754; BGHZ 119, 177, 180 f. = NJW 1992, 3300). Von Einlage gezahlte Steuern und Gebühren sind nach Art und Höhe der Beträge nachzuweisen (§ 37 I 5; → § 37 Rn. 3). Bei **Kapitalerhöhung durch Sacheinlagen** ist zu erklären, dass Wert der Sacheinlage gem. § 36a II 3 dem geringsten Ausgabebetrag, bei Überpariemission auch dem Mehrbetrag entspr. (→ § 37 Rn. 4); ferner, ob Leistung vor oder nach Anmeldung vereinbart wurde (→ § 36a Rn. 4). Im ersten Fall haben Anmelder zu erklären, dass Sacheinlage zur freien Verfügung des Vorstands steht. Sonst ist vereinbarter Leistungszeitpunkt zu nennen. Unrichtige oder unvollständige Angaben können Strafbarkeit nach § 399 I Nr. 4 und Haftung nach §§ 93, 116 sowie § 823 II BGB iVm § 399 I Nr. 4 (BGHZ 96, 231, 243 = NJW 1986, 837) begründen. Im Sonderfall des „Schütt-Aus-Hol-Zurück-Verfahrens" kann alternativ analog § 210 verfahren werden (→ § 183 Rn. 3, 12; BGHZ 135, 381, 384 ff. = NJW 1997, 2514).

4 **2. Vollständige Zeichnung des Erhöhungsbetrags.** Im Kapitalerhöhungsbeschluss konkret festgesetzter Erhöhungsbetrag muss vollständig gezeichnet sein (§ 185). Wurde im Erhöhungsbeschluss wie üblich lediglich Mindest- und/oder Höchstbetrag festgesetzt, muss Betrag gezeichnet sein, der iRd jeweiligen Vorgabe liegt. Wird aber Höchstbetrag überschritten, kann Kapitalerhöhung durchgeführt werden, wenn sich aus Anmeldung ergibt, an welche Zeichner neue Aktien zugeteilt werden (str., wie hier MüKoAktG/Schürnbrand/Verse Rn. 18; so wohl auch KK-AktG/Ekkenga Rn. 14; aA Hölters/Weber/Apfelbacher/Metzner Rn. 6; zu Folgen der Überzeichnung → § 185 Rn. 26). Nur **wirksame Zeichnungen** (→ § 185 Rn. 15 ff.) sind zu berücksichtigen. Ferner darf Frist nach § 185 I 3 Nr. 4 nicht verstrichen sein.

5 **3. Leistung der Einlage. a) Bareinlage.** Bei Barkapitalerhöhung ist gem. § 36a I iVm § 188 II 1 auf jede Aktie **mindestens ein Viertel des geringsten Ausgabebetrags** und bei Überpariemission außerdem der Mehrbetrag einzuzah-

len (s. § 36a; → § 36a Rn. 2; zur Erstreckung auf schuldrechtl. Agio [→ § 9 Rn. 10 ff.] vgl. → § 36a Rn. 2a). Viertel des Ausgangsbetrags ist anhand des Aufstockungsbetrags zu bemessen; es genügt nicht, wenn Einzahlung auf das ursprüngliche Grundkapital Betrag erreicht, der mindestens ein Viertel des durch Aufstockung erhöhten Grundkapitals ausmacht (OLG Köln FGPrax 2012, 261, 262). Erhöhungsbeschluss kann höheren Mindestbetrag festsetzen (→ § 182 Rn. 14). Bei Einmann-AG bestehen keine Besonderheiten mehr, seitdem § 36 II 2 (Sicherungspflicht) durch MoMiG 2008 aufgehoben worden ist (→ § 36 Rn. 13). Nach § 36 II iVm § 188 II 1 bewirkt Leistung auf die Einlage nur dann Erfüllung, wenn eingeforderter Betrag **ordnungsgem. eingezahlt** worden ist (§ 54 III) und, soweit er nicht bereits zur Bezahlung bei der Kapitalerhöhung angefallener Steuern und Gebühren verwandt wurde, endgültig zur freien Verfügung des Vorstands steht (§ 36 II; → § 36 Rn. 6 ff.). Zur Rechtslage bei mittelbarem Bezugsrecht → § 186 Rn. 50. Mindesteinlage kann nur durch Barzahlung oder Gutschrift auf Gesellschaftskonto ordnungsgem. geleistet werden (§ 54 III 1; → § 54 Rn. 13 bzw. 14 ff.). KI oder gleichgestelltes Unternehmen kann selbst Aktionär sein (str.; → § 54 Rn. 17). Gutschrift auf Vorstandskonto wird durch § 188 II 2 ausgeschlossen, weil AG als jur. Person zur Verfügung steht (→ § 54 Rn. 19).

Eingeforderter und eingezahlter Betrag (Mindesteinlage) muss nach **Wortlaut der § 36 II, § 188 II 1** bis zum **Zeitpunkt der Anmeldung** vorhanden sein und zur freien Verfügung des Vorstands stehen (so auch noch BGHZ 119, 177, 187 f. = NJW 1992, 3300; aA Schippel FS Steindorff, 1990, 249, 252 f.: Zeitpunkt der Eintragung). Rspr. hat sich von diesem Konzept getrennt. Danach muss Einlageleistung bei Anmeldung nicht mehr vorhanden sein, auch nicht iS wertgleicher Deckung (→ § 36 Rn. 11). BGHZ 150, 197, 198 f. = NJW 2002, 1716 hat auf wertgleiche Deckung verzichtet und damit BGHZ 119, 177, 187 f. aufgegeben, soweit es um Kapitalerhöhung geht (sa BGH NZG 2002, 524, 526; ZIP 2005, 2012, 2014; Henze BB 2002, 595, 596); bei dieser bedürfe es nämlich keiner bes. Maßnahmen, um Kapitalaufbringung zu gewährleisten. Jetzige Rspr. folgt bes. von Priester ZIP 1994, 599, 602 eingeschlagener Linie. Sie läuft auf **teleologische Reduktion** der § 36 II, § 188 II 1 (§ 57 II 1 GmbHG) hinaus (BGHZ 150, 197, 201), die im Schrifttum verbreitet auf Zustimmung gestoßen ist (Hölters/Weber/Apfelbacher/Metzner Rn. 13 f.; Hallweger DStR 2002, 2131, 2133 ff.; Kamanabrou NZG 2002, 702, 705 f.; G. H. Roth ZHR 167 [2003], 89, 98 ff.; krit. aber Hüffer ZGR 1993, 474, 482 f.: Abbau effizienten Gläubigerschutzes; für Deckung des Erhöhungsbetrags durch Reinvermögen Ihrig, Die endgültige freie Verfügung, 1991, 303 ff.). Vorstand hat danach nur noch zu **versichern,** dass Betrag zu seiner freien Verfügung für Zwecke der AG eingezahlt und nicht an Inferenten zurückgeflossen ist (BGHZ 150, 197, 201; MüKoAktG/Schürnbrand/Verse Rn. 24). Voraussetzung ist jedoch, dass auf Einlageforderung bezahlt wird, die schon entstanden ist, was nur nach vorgängiger Beschlussfassung zutr. (BGHZ 145, 150, 154 f. = NJW 2001, 67, 69). Davon zu unterscheiden ist sanierungsbedingte Voreinzahlung auf künftige Bareinlage (→ Rn. 7 f.). Auch bei **freiwilligen Mehrleistungen** kommt es nach heute hM auf Zeitpunkt der Anmeldung und nicht auf den der Eintragung an. Das gilt im Hinblick auf Unterbilanzhaftung der Gesellschafter schon für Gründung (BGHZ 105, 300, 303 = NJW 1989, 710; → § 36a Rn. 3) und kann für Kapitalerhöhung nicht anders sein (vgl. aber noch BGHZ 51, 157, 159 f. = NJW 1969, 840), weil AG als jur. Person mit rechtl. gesicherter Vermögensbasis gem. § 41 I 1 entstanden ist (sa K. Schmidt AG 1986, 106, 115). IÜ wird Restbetrag fällig, wenn Vorstand zur Zahlung auffordert (§ 63 I 1). HV kann Termin zur Fälligkeit nicht im Erhöhungsbeschluss bestimmen (str.; → § 182 Rn. 14). 6

6a Bei **Kapitalerhöhung im Cash Pool** ist seit ARUG 2009 an § 27 IV anzuknüpfen, der gem. § 183 II auch bei Kapitalerhöhung gilt (Hölters/Weber/Apfelbacher/Metzner Rn. 16). Soweit Privilegierungsvoraussetzungen des § 27 IV vorliegen, der konzerngebundenen Gesellschaft also aus Glattstellung des Einlagekontos gegen das herrschende Unternehmen ein vollwertiger und liquider Rückgewähranspruch erwächst und das Hin- und Herzahlen in der Anmeldung offengelegt wird (→ § 27 Rn. 48 ff.), wirkt Zahlung des herrschenden Unternehmens trotz Mittelrückflusses von Einlage- auf Zielkonto nunmehr schuldbefreiend. Sofern die genannten Voraussetzungen nicht erfüllt sind, verbleibt es jedoch bei allg. Grundsätzen, nach denen freie Verfügung wegen Rückflusses der Einlage an Inferenten nicht gegeben ist (OLG Hamm GmbHR 1997, 213, 214; OLG Köln GmbHR 2000, 720 Ls.; MüKoAktG/Schürnbrand/Verse Rn. 27; → § 183 Rn. 21). Auch Abwicklung über **Sonderkonto Kapitalerhöhung,** das zunächst nicht in Cash Pool einbezogen ist, weshalb Vorstand entscheiden kann, ob er eingelegte Mittel in zentrale Verwaltung geben will, hat keine Tilgungswirkung, wenn Mittel tats. zeitnah und in planmäßigem. Zusammenwirken der Beteiligten in Cash Pool einbezogen werden (BGHZ 166, 8 Rn. 12 ff. = NJW 2006, 1736; Schmelz NZG 2006, 456, 457 f.).

7 **b) Voreinzahlungen auf künftige Bareinlagepflicht.** Str. ist, ob Leistung auf beabsichtigte, also noch nicht beschlossene, Barkapitalerhöhung schuldbefreiend wirken kann, wenn **Voreinzahlung zu Sanierungszwecken** erforderlich ist. Um AG Krisenbewältigung zu ermöglichen, wird entgegen allg. Grundsätzen schuldtilgende Wirkung von Voreinzahlungen in diesem Fall unter einschränkenden Voraussetzungen (→ Rn. 8) bejaht (grdl. Lutter/Hommelhoff/Timm BB 1980, 737, 745 ff.; s. ferner OLG Düsseldorf ZIP 1981, 847 f.; WM 1981, 960, 963; OLG Hamm WM 1987, 17 f.; GmbHR 1991, 198, 199; OLG Stuttgart ZIP 1994, 1532, 1534 f. [durchweg zur GmbH]; KK-AktG/Ekkenga Rn. 25 ff.; MüKoAktG/Schürnbrand/Verse Rn. 31 ff.; MHdB AG/Scholz § 57 Rn. 159; Lamb, Die „Vorfinanzierung" von Kapitalerhöhungen, 1991, 48 ff.; Henze ZHR 154 [1990], 105, 124 ff.; Kort DStR 2002, 1223, 1224 ff.; K. Schmidt ZGR 1982, 519, 528 ff.; Priester FS Fleck, 1988, 231, 237 ff.; Wicke DStR 2016, 1115 ff.). Nach aA ist Ausnahme abzulehnen (LG Düsseldorf WM 1986, 792; Frey, Einlagen in Kapitalgesellschaften, 1990, 192 f.; Wiedemann ZIP 1991, 1257, 1266 f.). Teilw. wird mit Verweis auf Lockerung des Prinzips realer Kapitalaufbringung dafür plädiert, Voreinzahlungen ohne Einschränkungen zuzulassen (vgl. Schall, Kapitalgesellschaftsrechtlicher Gläubigerschutz, 2009, 142 f.; de lege ferenda krit. auch Bayer in VGR 18 GesR 2012, 25, 43 ff.). BGH hat Festlegung jedenfalls zunächst vermieden (s. BGH NJW 1982, 2823, 2827; BGHZ 96, 231, 242 = NJW 1986, 837; BGHZ 118, 83, 89 ff. = NJW 1992, 2222; BGH NJW 1995, 460, 461; BGHZ 145, 150, 154 = NJW 2001, 67, 68; sa OLG Düsseldorf AG 1991, 149, 153). Nach seinem Urteil von 2006 kommt schuldbefreiende Voreinzahlung „allenfalls" als ultima ratio in Betracht (BGHZ 168, 201 Rn. 15 ff. = NJW 2007, 515 zur GmbH). Auch darin wird man noch keine endgültige Anerkennung finden können (aA BeckOGK/Servatius Rn. 56; S/L/Veil Rn. 15), zumal tats. Voraussetzungen einer Schuldbefreiung nach dem Entscheidungssachverhalt gerade nicht gegeben waren (BGHZ 168, 201 Rn. 22 ff.). Gesetzgeber hat in § 7 IV 1 WStBG eine Bereichsausnahme zugelassen zur Überwindung von Liquiditätsengpässen oder zur Verstärkung der Kapitalbasis iSd § 2 I StFG oder § 16 I StFG bei Finanzunternehmen iSd § 2 I StFG, bei Unternehmen der Realwirtschaft iSd § 16 II StFG und über Verweis in § 29 II 1 Nr. 2 EnSiG bei Unternehmen, die selbst oder durch verbundene Unternehmen iSd § 15 kritische Infrastrukturen iSd § 2 X BSIG im Sektor Energie betreiben, § 29 I 1 EnSiG (KK-AktG/Ekkenga Rn. 30; → § 182 Rn. 5a ff.).

Stellungnahme. Prinzip der Kapitalaufbringung überlagert Grundsatz, dass Leistungen vor Fälligkeit und auch auf künftige Schuld erbracht werden können (vgl. BGHZ 85, 315, 318 = NJW 1983, 563). Als Regel gilt deshalb, dass Voreinzahlungen nicht schuldbefreiend wirken (BGHZ 158, 283, 284 f. mwN = NJW 2004, 2592; BGHZ 168, 201 Rn. 14 = NJW 2007, 515; BGH NZG 2008, 512 Rn. 14). Sonderregelung für Finanzunternehmen iSd § 2 I StFG oder Unternehmen der Realwirtschaft iSd § 16 II StFG (→ § 182 Rn. 5a ff.) sind nicht verallgemeinerungsfähig (MüKoAktG/Schürnbrand/Verse Rn. 34; Schuster ZGR 2010, 325, 335). Sie zeigt jedoch, dass Voreinzahlungen notwendig sein können, um **Sanierung** zu erreichen (vgl. Schuster ZGR 2010, 325, 336: Modellcharakter); auch vom Ges. gewünschte Krisenbewältigung (§ 92, § 321 II) setzt Liquiditätszufluss voraus, der vielfach nur durch Kapitalerhöhung erreichbar ist, die aber wegen kurzer Frist des § 15a I InsO scheitern kann, so dass Insolvenzverfahren unumgänglich wird. Für diesen Fall (nicht auch sonst, s. BGHZ 145, 150, 154 f. = NJW 2001, 67, 69; OLG Celle ZIP 2010, 2298, 2299) ist **ausnahmsweise Voreinzahlung** zuzulassen. Es muss aber sichergestellt sein, dass Kapitalaufbringung gewährleistet ist und Grenze zur verdeckten Sacheinlage nicht verschwimmt. Vorleistung kann deshalb nur zugelassen werden, wenn sie zur Krisenbewältigung notwendig (BGHZ 118, 83, 90 = NJW 1992, 2222; BGH DStR 1996, 1416, 1417; Karollus DStR 1995, 1065, 1066 f.; Lutter/Hommelhoff/Timm BB 1980, 737, 745; Henze ZHR 154 [1990], 105, 125 f.; Kort DStR 2002, 1223, 1225; weitergehend MüKoAktG/Schürnbrand/Verse Rn. 39; Lamb, Die „Vorfinanzierung" von Kapitalerhöhungen, 1991, 48 ff., 140; Ulmer FS Westermann, 2008, 1567, 1576 ff.; Wicke DStR 2016, 1115, 1117) und geeignet ist, Mittel entspr. § 36 II geleistet worden sind (vgl. BGH ZIP 2016, 615 Rn. 17), Kapitalerhöhung zum Zeitpunkt der Zahlung konkret geplant war und anschließend „mit aller gebotenen Beschleunigung" beschlossen und durchgeführt wird (→ § 182 Rn. 32 ff.); Beschlussfassung mehr als drei Monate nach Voreinzahlung ist zu spät (BGH NJW 1995, 460, 461; dort auch das wörtliche Zitat; sa BGHZ 168, 201 Rn. 20, 27). Ferner muss Zahlung als Vorleistung auf Kapitalerhöhung gekennzeichnet werden (OLG Celle ZIP 2010, 2298, 2299; MüKoAktG/Schürbrand/Verse Rn. 37; Karollus DStR 1995, 1065, 1068; aA Kort DStR 2002, 1223, 1226 f.). Sie ist auch im Erhöhungsbeschluss und iRd Erklärung nach § 37 I iVm § 188 II (→ Rn. 3) offenzulegen (OLG München NZG 1999, 84 f.). Nachrangerklärung (dafür LG Düsseldorf WM 1986, 792, 794 f.; Priester FS Fleck, 1988, 231, 242 f.) ist dagegen entbehrlich, weil Voreinzahlung schon ihrem Zweck nach wie Einlage zu behandeln ist. Nach Aufgabe des Grundsatzes wertgleicher Deckung (→ Rn. 6) ist unerheblich, ob Einlage bei Abschluss des Zeichnungsvertrags wertmäßig noch im Gesellschaftsvermögen vorhanden ist (MüKoAktG/Schürnbrand/Verse Rn. 38; BeckOGK/Servatius Rn. 61). Sind vorgenannte Voraussetzungen nicht erfüllt, hat Leistender Bereicherungsanspruch, der nach allg. Grundsätzen als (verdeckte) Sacheinlage eingebracht werden kann (BGH ZIP 2016, 615 Rn. 26; KK-AktG/Ekkenga Rn. 29; Wicke DStR 2016, 1115, 1117). 8

c) Sacheinlage. Bei Kapitalerhöhung mit Sacheinlagen (§ 183) wird Leistungspflicht durch § 36a II iVm § 188 II 1 bestimmt. Verständnis des § 36a II 1, 2 ist hinsichtlich des Leistungszeitpunkts str. (→ § 36a Rn. 4). Nach zutr. Ansicht ist gem. § 36a II 1 grds. die Sacheinlage vor Anmeldung zu leisten; jedoch greift in der Praxis überwiegend der **Ausnahmetatbestand des § 36a II 2,** der Leistung innerhalb einer Frist von fünf Jahren vorsieht, wenn Sacheinlageverpflichtung durch dingliches Rechtsgeschäft zu bewirken ist. Zur Art und Weise der Leistung → § 36a Rn. 5. Anmeldevoraussetzung ist gem. § 36a II 3, § 37 I 1 iVm § 188 II 1 ferner, dass Wert der Sacheinlage dem geringsten Ausgabebetrag 9 und bei Überpariemission auch dem Mehrbetrag entspr. (→ § 36a Rn. 5); so auch § 184 III 3 (→ § 183 Rn. 18; → § 184 Rn. 6). Eine das Agio umfassende ges. Differenzhaftung ist daraus nicht herzuleiten (str.; → § 183 Rn. 21). Zur Vorleistung auf Sacheinlage gilt das in → Rn. 8 Gesagte (vgl. ferner MüKoAktG/Schürnbrand/Verse Rn. 40).

10 **d) Exkurs: Sicherung der vor Anmeldung zu leistenden Einlage.** Zeichner haben Interesse, Rückgewähr von ihnen geleisteter Einlagen für den Fall zu sichern, dass Kapitalerhöhung scheitert. Sie scheitert zB, wenn HV Erhöhungsbeschluss vor Eintragung aufhebt (→ § 182 Rn. 16), wenn Zeichnungen nicht in Höhe des notwendigen Betrags oder nicht innerhalb der Frist des § 185 I 3 Nr. 4 (→ § 185 Rn. 14) vorliegen, wenn AG sich auflöst oder insolvent wird (→ § 182 Rn. 31 ff.). Zeichner haben in solchen Fällen gem. § 812 I 2 BGB Anspruch auf Rückgewähr ihrer vor Anmeldung geleisteten Einlagen, der jedoch bei Insolvenz der AG nur zur Befriedigung aus der Masse führt (§ 38 InsO; sa KK-AktG/Ekkenga § 185 Rn. 161). Neben Bestellung dinglicher Sicherheiten durch AG (Frey, Einlagen in Kapitalgesellschaften, 1990, 11 f.) kommt bei **Bareinlage** Zahlung auf Notaranderkonto in Betracht. Zeichner können dabei vorgeben, dass Mittel erst mit Anmeldung der Durchführung für Vorstand freigegeben werden (ausf. KK-AktG/Ekkenga Rn. 19, 23, § 185 Rn. 165). Bei **Sacheinlage** können sich Zeichner sichern, indem sie nur bedingt übereignen (§ 929 BGB; gem. § 925 II BGB nicht bei Grundstücken) oder abtreten (§ 398 BGB). Aufschiebende Bedingung ist Anmeldung des § 188, auflösende Bedingung Scheitern der Kapitalerhöhung. Mit Ausfall bzw. Eintritt der Bedingung sind Zeichner gem. § 47 InsO zur Aussonderung berechtigt. Zum Ganzen KK-AktG/Ekkenga Rn. 164.

11 **4. Anmeldung der Satzungsänderung.** Mit Eintragung der Durchführung der Kapitalerhöhung wird diese wirksam (§ 189) und damit Satzung zumindest hinsichtlich des Inhalts nach § 23 III Nr. 3, 4 unrichtig. Um Satzung zu berichtigen, ist formelle Satzungsänderung nach §§ 179–181 erforderlich (unstr.); § 179 I 2 ist anwendbar (→ § 179 Rn. 11). Es ist str., ob Änderung des Satzungstextes nach § 181 zugleich mit Durchführung der Kapitalerhöhung nach § 188 anzumelden ist. Teilw. wird ihre Verbindung nur für zulässig, nicht aber für erforderlich gehalten (so etwa Wachter/Dürr Rn. 17; KK-AktG/Ekkenga Rn. 61 [anders aber augenscheinlich KK-AktG/Ekkenga § 184 Rn. 4]). Nach zutr. Ansicht ist Anmeldung der Änderung des Satzungstextes jedoch zwingend mit Anmeldung der Durchführung zu verbinden (MüKoAktG/Schürnbrand/Verse Rn. 15; Happ/Herchen AktR 12.01 Rn. 32.1; MHdB AG/Scholz § 57 Rn. 188). Noch nicht zur Eintragung angemeldeter Kapitalerhöhungsbeschluss (§ 184) ist spätestens mit Durchführung der Kapitalerhöhung anzumelden (§ 188 IV).

IV. Beizufügende Unterlagen (§ 188 III)

12 **1. Allgemeines.** § 188 III nennt Unterlagen, die der Anmeldung beizufügen sind; Auflistung ist aber nicht vollständig (BayObLG AG 2002, 397, 398; 2002, 510; → Rn. 17). Beizufügen ist jeweils nur ein Exemplar, auch bei Zweigniederlassungen (→ Rn. 2); zur elektronischen Einreichung → § 81 Rn. 7. Auch nach § 37 I 3 iVm § 188 II 1 beizufügende Bankbestätigung ist nur einfach vorzulegen (B/K/L/Lieder Rn. 24). Zur Aufbewahrung → Rn. 19. Inhaltlich unrichtige Unterlagen könnten Straftatbestand des § 399 I Nr. 4 erfüllen.

13 **2. § 188 III. a) Nr. 1.** Der Anmeldung beizufügen sind alle **Zweitschriften der Zeichnungsscheine** (→ § 185 Rn. 8); ferner **Verzeichnis der Zeichner.**

In ihm sind alle Zeichner namentlich zu benennen. Anzugeben ist ferner, wieviele Aktien jeder gezeichnet und, bei Bareinlagen, welche Zahlungen er geleistet hat. Verzeichnis kann auch Ausgabebetrag enthalten; seine Angabe einschließlich derjenigen des eingezahlten Betrags ist dann in Anmeldung nicht nochmals erforderlich (str., → Rn. 3). Verzeichnis muss auch evtl. geleistete Sacheinlage ausweisen (KK-AktG/Ekkenga Rn. 55; MüKoAktG/Schürnbrand/Verse Rn. 51). Alle Angaben bedürfen individueller Zuordnung, da Verzeichnis Registergericht Prüfung der Anmeldungsvoraussetzungen gem. § 36a iVm § 188 II 1 ermöglichen soll. Verzeichnis ist vom Vorstand zu unterschreiben; ausreichend ist Mitwirkung von Vorstandsmitgliedern in vertretungsberechtigter Zahl. Wegen § 399 I Nr. 4 unterschreiben sie mit eigenem Namen (MüKo-AktG/Schürnbrand/Verse Rn. 52); öffentl. Beglaubigung der Unterschriften bedarf es nicht.

b) Nr. 2. Vorschrift betr. nur Kapitalerhöhung mit Sacheinlagen (§ 183). Beizufügen sind alle Verträge, die Festsetzungen nach § 183 zugrunde liegen oder zu ihrer Ausführung geschlossen worden sind. Also **schuldrechtl. Sacheinlagevereinbarungen,** die grds. keiner Form unterliegen (str.,→ § 183 Rn. 6b); ferner **Erfüllungsvereinbarungen,** sofern sie in diesem Zeitpunkt bereits geschlossen sind (→ Rn. 9). Für letztere besteht generelles Formerfordernis nicht (KK-AktG/Ekkenga Rn. 58), kann sich aber im Einzelfall aus allg. Vorschriften ergeben (zB § 925 BGB). 14

c) Nr. 3. Gefordert ist Berechnung der Kosten, die AG durch Ausgabe neuer Aktien entstehen werden. Kostenschuldnerin ist AG (→ § 182 Rn. 33 f.). Gemeint ist entgegen zu engem Wortlaut umfassende **Zusammenstellung der Kosten der Kapitalerhöhung.** Sie nimmt an Publizität des HR (§ 9 I HGB) teil, dient also der Information des Rechtsverkehrs (Heinze ZIP 2011, 1848, 1850). Erfasst werden zB Notarkosten für Fertigung der Sitzungsniederschrift gem. § 130 (→ § 130 Rn. 14); bei Sacheinlagen Kosten der Prüferbestellung (→ § 183 Rn. 22) und der Prüfer (→ § 183 Rn. 17 aE); Notarkosten der HR-Anmeldung; Eintragungskosten (→ § 182 Rn. 34, 34a; dort auch zum Fall des § 188 IV); Druckkosten für Aktienurkunden; Kosten der Börseneinführung; ggf. Kosten für Tätigkeit der Emissionsbank (→ § 182 Rn. 33); Beratungshonorare (ausf. KK-AktG/Ekkenga Rn. 59). Schätzung ist zulässig, aber auch erforderlich, wenn Höhe einer Position noch nicht feststeht. Belege müssen nicht beigefügt werden (unstr.). Angemessenheitskontrolle durch Registergericht findet nicht statt (MüKoAktG/Schürnbrand/Verse Rn. 55; aA KK-AktG/Ekkenga Rn. 72; Heinze ZIP 2011, 1848, 1850). 15

d) Entbehrlich: Genehmigungsurkunde. Seit Aufhebung des § 188 III Nr. 4 durch Art. 1 Nr. 28a ARUG (→ Rn. 6a) ist Genehmigungsurkunde auch dann nicht mehr beizufügen, wenn Kapitalmaßnahme staatlicher Genehmigung bedarf (→ § 181 Rn. 10). Um ein Wirksamkeitserfordernis handelt es sich dabei ohnehin nicht. 16

3. Sonstiges. Haben Zeichner Mindestbareinlage auf Gesellschaftskonto eingezahlt, kann erforderlicher Nachweis der Einzahlung gem. § 188 II iVm § 37 I 3 durch **schriftliche Bankbestätigung** geführt werden (→ Rn. 3). Da zwingend mit Anmeldung der Durchführung der Kapitalerhöhung Anmeldung der Änderung des Satzungstextes erforderlich ist (str., → Rn. 11), ist ferner **vollständiger Wortlaut der Satzung** (§ 181 I 2 Hs. 1) einschließlich notarieller Bescheinigung nach § 181 I 2 Hs. 2 beizufügen. 17

V. Verbindung der Anmeldungen (§ 188 IV)

18 Anmeldung und Eintragung der Durchführung der Kapitalerhöhung (§ 188) und des Kapitalerhöhungsbeschlusses (§ 184) können miteinander verbunden werden (§ 188 IV). **Verbindung der Anmeldungen** ist überwiegende Praxis; sie empfiehlt sich schon aus Kostengründen (→ § 182 Rn. 34a). Anmeldungen können in einer Urkunde enthalten sein. Die für jede Anmeldung geltenden Voraussetzungen sind zu beachten. Anmelder entscheiden über Verbindung nach pflichtgem. Ermessen, sofern Kapitalerhöhungsbeschluss nicht Vorgaben enthält. Wenn sie sichergehen wollen, dass Kostenvorteil verbundener Anmeldungen nicht verloren geht, müssen sie gesondert beantragen, dass Erhöhungsbeschluss nicht ohne seine Durchführung eingetragen werden darf (KK-AktG/Ekkenga Rn. 62; aA MüKoAktG/Schürnbrand/Verse Rn. 56). Mit Anmeldung der Durchführung der Kapitalerhöhung ist auch Änderung des Satzungstextes anzumelden (str., → Rn. 11). Gericht kann Eintragungen auch dann miteinander verbinden, wenn Anmeldungen getrennt erfolgt sind.

VI. Aufbewahrung der Unterlagen

19 Anders als nach § 188 V aF gibt es nach dessen Aufhebung durch EHUG 2006 **keine aktienrechtl. Aufbewahrungsvorschrift** mehr. Frühere Regelung in § 188 V war auf Registerführung und Papierform zugeschnitten und passt deshalb nicht für elektronische Registerführung. Aufbewahrung richtet sich nunmehr nach näherer Bestimmung der Bundesländer (VO) iVm § 8a II HGB.

VII. Registerkontrolle

20 **1. Prüfung.** Anders als im Gründungsrecht (§ 38 I) schreibt Ges. bei Kapitalerhöhung registergerichtl. Prüfung nicht ausdr. vor. Trotzdem ist anerkannt, dass Gericht Anmeldung in formeller und materieller Hinsicht zu prüfen hat (→ § 181 Rn. 12; → § 184 Rn. 6). Ausreichend ist Prüfung auf Plausibilität; genauere Prüfung nur erforderlich, wenn Anlass zu Zweifeln besteht (str., → § 181 Rn. 12; aA KK-AktG/Ekkenga Rn. 65: Vollprüfung bei Rechtskontrolle, Plausibilitätsprüfung bei wirtschaftlicher Einschätzung). Formelle Prüfung betr. **ordnungsgem. Anmeldung,** insbes. eigene örtl. und sachliche Zuständigkeit; Befugnis der als Anmelder auftretenden Personen; Form und Inhalt der Anmeldung (→ Rn. 2 f.); Vollständigkeit und Ordnungsmäßigkeit der beizufügenden Unterlagen (→ Rn. 12 ff.). In materieller Hinsicht prüft Gericht, ob **gesamter Vorgang der Kapitalerhöhung** mit Ges. und Satzung vereinbar ist (BGH AG 2016, 720; BayObLG AG 2002, 397, 398; 2002, 510); insbes. vollständige und wirksame Zeichnung (→ § 185 Rn. 15) des Erhöhungsbetrags, insoweit auch Verstoß gegen § 56 I, II, nicht aber gegen § 56 III (str., wie hier MüKoAktG/Schürnbrand/Verse Rn. 61). Ebenso ist Verstoß gegen § 182 IV vom Gericht zu prüfen (→ § 182 Rn. 30). Bei Barerhöhung ist Leistung der Mindesteinlage (→ Rn. 5) Prüfungsgegenstand, wobei Plausibilitätsprüfung ausreicht; insbes. kann sich Gericht auf etwaige Bankbestätigung verlassen (BGH AG 2016, 720 f.; → § 37 Rn. 3 f.). Umstr. ist, ob Gericht auch Aufpreisvereinbarungen in die Kontrolle miteinbeziehen darf. Das ist für korporatives Agio unproblematisch zu bejahen, dagegen umstr., wenn es sich lediglich um schuldrechtl. Agio handelt. Nach herrschender, aber mit gewichtigen Argumenten bestrittener Meinung fällt es nicht schon unter § 188 III, doch darf Registergericht Vorlage ausnahmsweise verlangen, um Gesetzmäßigkeit der Kapitalerhöhung zu prüfen (→ § 36a Rn. 2a mwN).

Bei **Kapitalerhöhung mit Sacheinlagen** prüft Gericht Voraussetzung des § 183 III 3, also, ob Wert der Sacheinlagen nicht unwesentlich hinter dem geringsten Ausgabebetrag nebst Agio dafür zu gewährender Aktien zurückbleibt (→ § 183 Rn. 18; → § 184 Rn. 6). Prüfung erfolgt auch, wenn sie bereits iRd Anmeldung und Eintragung des Kapitalerhöhungsbeschlusses vorgenommen wurde; an früheres Ergebnis ist Gericht nicht gebunden (KK-AktG/Ekkenga Rn. 69; MüKoAktG/Schürnbrand/Verse Rn. 60). Geprüft wird auch Wertgleichheit mit evtl. höherem Ausgabebetrag (str., vgl. MüKoAktG/Schürnbrand/Verse Rn. 62; → § 184 Rn. 6). Bereits angemeldeter und eingetragener **Kapitalerhöhungsbeschluss** (zu seiner Prüfung → § 184 Rn. 6) ist nochmals zu prüfen (MüKoAktG/Schürnbrand/Verse Rn. 57, 60), auch im Hinblick auf verdeckte Sacheinlage (aA LG Koblenz WM 1991, 1507, 1511), die ungeachtet der (erst an Eintragung anknüpfenden) Anrechnungslösung Durchführungsmangel ist (→ § 27 Rn. 12; → § 183 Rn. 12; → § 205 Rn. 7). Kommt Gericht nunmehr zum Ergebnis, dass Kapitalerhöhungsbeschluss nicht hätte eingetragen werden dürfen, so kann es jetzt Eintragung der Durchführung ablehnen (MüKoAktG/Schürnbrand/Verse Rn. 60). Anderes gilt nur, wenn Nichtigkeitsgrund nach § 241 Nr. 2 vorgelegen hat; Fehler ist dann gem. § 242 I durch Eintragung geheilt. 21

2. Entscheidung und Rechtsmittel. Registergerichtl. Entscheidung bestimmt sich zunächst nach den in → § 181 Rn. 16 f. dargelegten Grundsätzen. Eintragung der Durchführung kann nur verfügt werden, wenn Kapitalerhöhungsbeschluss eingetragen ist (§ 184) oder gleichzeitig mit Durchführung der Kapitalerhöhung eingetragen wird (§ 188 IV). Eintragung des Beschlusses kann im Freigabeverfahren (§ 246a) durchgesetzt werden. Verfügt Registerrichter Eintragung (§ 17 Nr. 1 lit. b RPflG), so trägt Urkundsbeamter in Abteilung B Durchführung der Kapitalerhöhung und Satzungsänderung in Spalte 6 und geändertes Grundkapital in Sp. 3 ein (§ 43 Nr. 3, Nr. 6 lit. f HRV). Bei Verbindung nach § 188 IV wird in Spalte 6 zuvor Kapitalerhöhungsbeschluss eingetragen. Zu den **Rechtsmitteln** → § 181 Rn. 18; dortige Ausführungen gelten mit der Maßgabe, dass Vorstand und AR-Vorsitzender als Anmelder Rechtsmittel für AG einzulegen haben (MüKoAktG/Schürnbrand/Verse Rn. 64). 22

Wirksamwerden der Kapitalerhöhung

189 Mit der Eintragung der Durchführung der Erhöhung des Grundkapitals ist das Grundkapital erhöht.

I. Regelungsgegenstand und -zweck

§ 189 ergänzt § 188 und regelt **Rechtsfolge der Eintragung** der Durchführung der Kapitalerhöhung, nämlich deren Wirksamwerden. Norm dient Rechtssicherheit und Gläubigerschutz (MüKoAktG/Schürnbrand/Verse Rn. 1). Sie gilt für Kapitalerhöhung durch genehmigtes Kapital sinngem. (§ 203 I 1). Abw. Regeln gelten hingegen für Kapitalerhöhung aus Gesellschaftsmitteln (§ 211 I) und bedingte Kapitalerhöhung (§ 200). 1

II. Rechtsfolgen der Eintragung

Eintragung der Durchführung der Kapitalerhöhung (§ 188) wirkt **konstitutiv;** erst mit ihr ist **Grundkapital erhöht** (§ 189). AG hat neue Grundkapitalziffer, die als gezeichnetes Kapital zu passivieren ist (§ 266 III A I HGB). Nur bei Verbindung vereinfachter Kapitalherabsetzung mit Kapitalerhöhung erlaubt 2

§ 235 I 1 eine das Stichtagsprinzip durchbrechende rückwirkende Bilanzdarstellung (→ § 235 Rn. 2 ff.). Zur Bilanzierung, wenn sich Vorgang der Kapitalerhöhung über Bewertungsstichtag hinzieht, s. BFHE 134, 177, 179 f.; BFHE 143, 372, 374; BFHE 145, 437, 439; ADS HGB § 272 Rn. 19; Döllerer ZGR 1983, 407, 418. Anpassung des Satzungstextes (§ 23 III Nr. 3, 4) erfolgt durch formelle Satzungsänderung (→ § 188 Rn. 11).

3 Eintragung führt zur **Entstehung der Mitgliedsrechte.** Zeichner werden Aktionäre mit allen Rechten und Pflichten. Ist Zeichnung unwirksam, so stehen auf sie entfallende Aktien der AG selbst zu (→ § 185 Rn. 16). Verbriefung des Anteilsrechts durch Aktienurkunde oder Zwischenschein ist zu seiner Entstehung weder erforderlich noch ausreichend (unstr.). Aktionäre haben mit Eintragung Anspruch auf Verbriefung (→ § 10 Rn. 12 ff.); werden Urkunden vorher ausgegeben, sind sie nichtig (§ 191 S. 2; → § 191 Rn. 3 f.). Bis zur Ausgabe von Aktien oder Zwischenscheinen (→ § 8 Rn. 28) ist Mitgliedsrecht gem. §§ 398, 413 BGB übertragbar (BGH AG 1977, 295, 296); Schriftform ist nicht erforderlich, aber zwecks Legitimation (§ 410 BGB) zu empfehlen. Verkehrsfähigkeit kann nur nach § 68 II oder V eingeschränkt werden.

III. Mängel der Kapitalerhöhung

4 **1. Wirkung der Eintragung.** Eintragung der Durchführung hat grds. **keine heilende Wirkung;** § 189 bestimmt nur, wann fehlerfreie Kapitalerhöhung wirksam wird (allgM). Eintragung führt insbes. dann nicht zur Erhöhung des Kapitals, wenn **Erhöhungsbeschluss** fehlt oder durchgeführte Kapitalerhöhung nicht mit seinem Inhalt übereinstimmt, weil zB fester Erhöhungsbetrag nicht erreicht wurde (RGZ 85, 205, 206 ff. zur GmbH; MüKoAktG/Schürnbrand/Verse Rn. 19). Eintragung allein heilt auch nicht, wenn Erhöhungsbeschluss nichtig (RGZ 144, 138, 141; s. aber KK-AktG/Ekkenga Rn. 4: vorläufige Bestandssicherung kraft Eintragung) oder unwirksam ist, weil Sonderbeschluss (s. § 182 II) fehlt oder nicht gültig ist (MüKoAktG/Schürnbrand/Verse Rn. 20 ff.). Nichtigkeit kann jedoch gem. § 242 geheilt werden (Lieder DNotZ 2022, 252, 256); Frist wird schon mit Eintragung des Erhöhungsbeschlusses (§ 184) in Gang gesetzt. Kapital wird auch dann nicht erhöht, wenn Durchführung eingetragen wurde, obwohl Anmeldung der dazu Befugten (→ § 188 Rn. 2) fehlte oder zurückgenommen wurde (Hölters/Weber/Apfelbacher/Metzner Rn. 4). Anders, wenn Anmeldung nur mangelhaft war (MüKoAktG/Schürnbrand/Verse Rn. 18). Insbes. wird Wirksamkeit der Kapitalerhöhung durch unrichtige Erklärungen (KG DJZ 1903, 33; KK-AktG/Ekkenga Rn. 5) oder unrichtige Bankbestätigung (OLG Karlsruhe OLGZ 1986, 155, 157 f.; Lutter/Friedewald ZIP 1986, 691, 694) nicht berührt. Fehlende Anmeldung kann nachgeholt werden (KGJ 28, A 228, 239).

5 Kapitalerhöhungsbeschluss (§ 182) ist grds. auch dann **noch anfechtbar,** wenn Durchführung eingetragen ist (RGZ 124, 279, 288 f.; B/K/L/Lieder Rn. 4). Nur Verstoß gegen § 183 I 1 wird durch Eintragung der Durchführung geheilt (§ 183 II 2; → § 183 Rn. 13). Durchgeführte Kapitalerhöhung ist jedoch auch bei erfolgreicher Anfechtung nach den für fehlerhafte Gesellschaft geltenden Grundsätzen zu behandeln (→ § 248 Rn. 7a). **Fehlerhafte Zeichnungsverträge** hindern Wirksamkeit der durchgeführten und eingetragenen Kapitalerhöhung nicht (zu den Rechtsfolgen iE → § 185 Rn. 28 f.). Eintragung ist ua Voraussetzung, um fehlerhafte Zeichnungsverträge nach § 185 III zu heilen (→ § 185 Rn. 17 ff.). Verstoß gegen § 188 II iVm § 36 II, § 36a I **(Mindesteinlage)** hindert Wirksamwerden der Kapitalerhöhung mit Eintragung ebenfalls nicht (KG DJZ 1903, 33; MüKoAktG/Schürnbrand/Verse Rn. 31; Lutter/Friedewald ZIP 1986, 691, 694). Ist **Sacheinlage überbewertet,** so gilt: Bleibt Wert der Sach-

einlage nicht unwesentlich hinter geringstem Ausgabebetrag dafür zu gewährender Aktien zurück (§ 183 III 3) oder erreicht Wert der Sacheinlage zwar geringsten Ausgabebetrag, besteht aber grobes Missverhältnis zum Ausgabebetrag der dafür zu gewährenden Aktien, so ist Kapitalerhöhungsbeschluss nichtig (→ § 183 Rn. 20) und Eintragung der Durchführung deshalb ohne Wirkung (→ Rn. 4; aA KK-AktG/Ekkenga Rn. 19: Differenzhaftung). Bleibt Wert der Sacheinlage hinter Ausgabebetrag zurück, ohne dass grobes Missverhältnis vorliegt, wird Kapitalerhöhung mit Eintragung wirksam; Sacheinleger trifft aber Differenzhaftung (→ § 183 Rn. 21). **Sonstige Mängel** lassen Rechtsfolgen der Eintragung unberührt, zB Verstoß gegen § 182 IV, fehlende formelle Satzungsänderung (→ § 188 Rn. 11) oder fehlende vorhergehende Eintragung des Kapitalerhöhungsbeschlusses (§ 184).

2. Rechtsfolgen bei unwirksamer Kapitalerhöhung. a) Rechtsstellung des Zeichners. Ist Kapitalerhöhung nichtig oder unwirksam, entstehen grds. (Ausnahme → § 248 Rn. 7a) **keine neuen Mitgliedsrechte.** Zeichner werden auch dann nicht Aktionäre, wenn Aktienurkunden ausgegeben wurden (MüKoAktG/Schürnbrand/Verse Rn. 32; Schleyer AG 1957, 145, 146; aA Schlegelberger/Quassowski AktG 1937 § 158 Rn. 5). Solche Urkunden verbriefen keine Mitgliedschaft und sind aus dem Verkehr zu ziehen; gutgl. Erwerb kommt mangels Erwerbsobjekts nicht in Betracht (MüKoAktG/Schürnbrand/Verse Rn. 32). Zeichner können aber entspr. § 277 III (→ § 277 Rn. 5) zur Einlageleistung verpflichtet sein (RGZ 120, 363, 369 f.; RGZ 143, 394, 399; RGZ 144, 138, 141; RG JW 1933, 1015 Nr. 5; Hölters/Weber/Apfelbacher/Metzner Rn. 13; KK-AktG/Ekkenga Rn. 57; MüKoAktG/J. Koch § 277 Rn. 10; Grigoleit/Rieder/Holzmann Rn. 10; BeckOGK/Servatius Rn. 6; aA GK-AktG/Mock § 9 Rn. 78; MüKoAktG/Schürnbrand/Verse Rn. 32 mit zweifelhafter Aussage, dass bei zunehmender Schwere der Mängel Gläubigerschutz Interessen der Zeichner nicht überwiege). Haftung erstreckt sich auch auf Dritte als scheinbare Erwerber (RG JW 1933, 1015, 1016; aA MüKoAktG/Schürnbrand/Verse Rn. 32), es sei denn, sie hätten gutgl. Erfüllung vermeintlicher Einlageschuld angenommen. Zur Schadensersatzpflicht der Ausgeber → § 191 Rn. 7. 6

b) Löschung. Gem. § 398 FamFG kann HV-Beschluss von Amts wegen gelöscht werden, wenn sein Inhalt zwingende Vorschriften verletzt und seine Beseitigung im öffentl. Interesse erforderlich erscheint. Auf nichtigen oder fehlerhaften Kapitalerhöhungsbeschluss ist § 398 FamFG unmittelbar anwendbar (OLG Karlsruhe OLGZ 1986, 155, 157 f.; Lutter/Friedewald ZIP 1986, 691, 693), auf Eintragung der Durchführung der Kapitalerhöhung analog (OLG Frankfurt FGPrax 2002, 35, 36; OLG Karlsruhe OLGZ 1986, 155, 157 f.; NK-AktR/Elser Rn. 14; MüKoFamFG/Krafka FamFG § 398 Rn. 4; Lutter/Friedewald ZIP 1986, 691, 693; aA noch v. Godin/Wilhelmi § 188 Anm. 7). Liegen Voraussetzungen vor, so hat Gericht Eintragung zu löschen; Ermessenspielraum besteht entgegen hM nicht (→ § 181 Rn. 30). § 398 FamFG verdrängt als Spezialnorm Grundregeln des § 395 FamFG (OLG Frankfurt FGPrax 2002, 35, 36; OLG Hamm OLGZ 1979, 313, 316 f.; OLG Karlsruhe OLGZ 1986, 155, 159; MüKoAktG/Schürnbrand/Verse Rn. 33; Lutter/Friedewald ZIP 1986, 691, 692 f.), nach zutr. Ansicht jedoch nur soweit, wie Anwendungsbereich des § 398 FamFG reicht (vgl. RGZ 85, 205, 208; KGJ 28, A 228, 231; MüKoFamFG/Krafka FamFG § 398 Rn. 6; MüKoAktG/Schürnbrand/Verse Rn. 33; aA OLG Karlsruhe OLGZ 1986, 155, 159; Sternal/Eickelberg FamFG § 398 Rn. 4), nämlich nicht beim Fehlen einer wesentlichen Eintragungsvoraussetzung (zB fehlende Anmeldung oder Anmeldung durch Unbefugte); → § 241 Rn. 31. 7

7a **c) Auswirkungen auf nachfolgende Kapitalmaßnahmen.** Umstr. ist, wie sich unwirksamer Kapitalerhöhungsbeschluss auf nachfolgende Kapitalmaßnahme auswirkt, die auf urspr. Beschluss aufbaut. Frage stellt sich insbes. bei Beschlüssen, die Ausgangs- und Endziffer des Grundkapitals nennen (Beispiele bei Klaaßen/van Lier NZG 2014, 1250; Trendelenburg NZG 2003, 860, 861). Teilw. wird in solchen Fällen Nichtigkeit des nachfolgenden Beschlusses wegen Perplexität angenommen (so Trendelenburg NZG 2003, 860, 861 f.), doch kann **Auslegung** ergeben, dass nachfolgender Beschluss nicht von Wirksamkeit des urspr. Beschlusses abhängen soll, was namentl. bei Barkapitalerhöhung ohne Bezugsrechtsausschluss und Sachkapitalerhöhung in Betracht kommt (vgl. Henssler/Strohn/Hermanns Rn. 4; MüKoAktG/Schürnbrand/Verse Rn. 34; Klaaßen/van Lier NZG 2014, 1250, 1252; s. ferner Zöllner FS Hadding, 2004, 725, 727: teleologische Reduktion). Sollen aber Beteiligungsverhältnisse neu geordnet werden, ist grds. davon auszugehen, dass erster Beschluss **Geschäftsgrundlage** des nachfolgenden Beschlusses ist, so dass § 313 BGB zur Anwendung kommt (grundlegend Zöllner FS Hadding, 2004, 725, 729 ff.; dem folgend KK-AktG/Ekkenga § 182 Rn. 91; MüKoAktG/Schürnbrand/Verse Rn. 34; BeckOGK/Servatius Rn. 12; sa Klaaßen/van Lier NZG 2014, 1250, 1252: Auslegung des nachfolgenden Beschlusses).

IV. Entwertung von Ansprüchen Dritter

8 Wenn Ausgabekurs neuer Aktien unter Wert der Altaktien liegt, führt Kursverwässerung (→ § 186 Rn. 2) zur Entwertung von Ansprüchen, die auf Kapitalbeteiligung gerichtet sind (zB Wandelschuldverschreibungen gem. § 221 I 1, Genussrechte, Abfindungsvereinbarung nach § 305 II Nr. 1, 2). Ferner kann Kapitalerhöhung mittelbar Senkung der Dividende nach sich ziehen und damit dividendensatzabhängige Ansprüche (zB partiarische Verträge, Genussrechte, Gewinnschuldverschreibung gem. § 221 I 1, Vergütung von Verwaltungsmitgliedern, Ausgleichsvereinbarungen gem. § 304 II 2, 3) entwerten. **Rechtsgeschäfte können** für diese Fälle **Ausgleich ausschließen oder vorsehen** (unstr.); letztgenannte Gestaltung wird regelmäßig bei Wandel- und Optionsanleihen durch Ermäßigung des Wandelungs- bzw. Optionspreises oder Einräumung eines Bezugsrechts ermöglicht (Zöllner ZGR 1986, 288, 296).

9 **Fehlt Vereinbarung,** so ist str., ob und wie Vertragsanpassung zu erfolgen hat. Vielfach wird bei dividendensatzabhängigen Ansprüchen Analogie zu § 216 III befürwortet (M. Arnold/Gärtner AG 2013, 415 ff.; Köhler AG 1984, 197, 199; Koppensteiner ZHR 139 [1975], 191, 197 ff.). Teilw. wird diese Lösung auch übertragen auf Ansprüche, die auf Kapitalbeteiligung gerichtet sind (→ § 221 Rn. 63 mN). Analogie zu § 216 III vermag jedoch als pauschale Einheitslösung nicht zu überzeugen (zur fehlenden Verallgemeinerungsfähigkeit des § 216 III LG Lübeck NZG 2023, 266 Rn. 56 ff.; Hüffer FS Bezzenberger, 2000, 191 ff.; J. Koch AG 2017, 6, 9 ff.; → § 216 Rn. 19 mwN). Lösung kann nur nach für **ergänzende Vertragsauslegung** oder **Störung der Geschäftsgrundlage (§ 313 BGB)** geltenden Grundsätzen gewonnen werden (näher → § 216 Rn. 19 mwN; sa MüKoAktG/Schürnbrand/Verse Rn. 13).

190 *(aufgehoben)*

1 § 190 betraf Bek. der Eintragung der Durchführung der Kapitalerhöhung (§ 188) unter Ergänzung des § 10 HGB. Aufgehoben durch EHUG 2006.

Verbotene Ausgabe von Aktien und Zwischenscheinen

191 **[1] Vor der Eintragung der Durchführung der Erhöhung des Grundkapitals können die neuen Anteilsrechte nicht übertragen, neue Aktien und Zwischenscheine nicht ausgegeben werden. [2] Die vorher ausgegebenen neuen Aktien und Zwischenscheine sind nichtig. [3] Für den Schaden aus der Ausgabe sind die Ausgeber den Inhabern als Gesamtschuldner verantwortlich.**

I. Regelungsgegenstand und -zweck

§ 191 S. 1 enthält zwei Verbote. (1.): Vor Eintragung der Durchführung der Kapitalerhöhung (§ 188) dürfen neue Anteilsrechte nicht übertragen werden. (2.): Neue Aktien und Zwischenscheine dürfen nicht ausgegeben werden. Trotzdem ausgegebene Aktien und Zwischenscheine sind nichtig (§ 191 S. 2); ferner besteht Schadensersatzanspruch gegen die Ausgeber (§ 191 S. 3). **Verfügungsverbot** bezweckt Überschaubarkeit des beteiligten Personenkreises bis zum Wirksamwerden der Kapitalmaßnahme (MüKoAktG/Schürnbrand/Verse Rn. 1); **Ausgabeverbot** schützt Aktienerwerber vor Schwindelemissionen (BGH AG 1988, 76, 78). Norm entspr. Gründungsvorschrift des § 41 IV. § 191 findet kraft Verweisung auch bei genehmigtem Kapital Anwendung (§ 203 I 1). Für bedingte Kapitalerhöhung und für Kapitalerhöhung aus Gesellschaftsmitteln gelten Sonderregeln (§§ 197, 219). 1

II. Verfügungsverbot (§ 191 S. 1 Fall 1)

Aus Normzweck (→ Rn. 1) folgt, dass § 191 S. 1 Fall 1 über Wortlaut hinaus **alle Verfügungen über das Anteilsrecht** erfasst, die vor Eintragung der Durchführung der Kapitalerhöhung (§ 188) vorgenommen werden (KK-AktG/Ekkenga Rn. 4; MüKoAktG/Schürnbrand/Verse Rn. 5), zB Verpfändungen. Das soll nach bisher ganz hM auch dann gelten, wenn unter aufschiebender Bedingung späterer Eintragung verfügt wird (→ 14. Aufl. 2020, Rn. 2; KK-AktG/Ekkenga Rn. 3; GK-AktG/Wiedemann Rn. 3). Zu Parallelvorschrift des § 41 IV hat sich dagegen zu Recht Erkenntnis durchgesetzt, dass auch solche **Vorausverfügungen** zulässig sind (→ § 41 Rn. 30). Dem ist auch für § 191 zuzustimmen, da Normzweck, Beteiligungsverhältnisse überschaubar zu halten (→ Rn. 1), auch dann gewahrt bleibt, wenn Verfügung erst mit Eintragung wirksam wird (MüKoAktG/Schürnbrand/Verse Rn. 6). Verboten sind nur Verfügungsgeschäfte. **Verpflichtungsgeschäfte** sind aber gem. § 275 I BGB iVm § 191 S. 1 Fall 1 vor Eintragung nicht erfüllbar. IZw sind sie jedoch so auszulegen, dass Leistung erst nach Eintragung vereinbart ist (MüKoAktG/Schürnbrand/Verse Rn. 7; Guntz AG 1958, 177). Mangelnde Übertragbarkeit schließt auch Pfändung gem. §§ 851 I, 857 I ZPO aus (MüKoAktG/Schürnbrand/Verse Rn. 5). Verstoß führt zur Unwirksamkeit der Verfügung ggü. jedermann und nicht nur ggü. AG. Eintragung nach § 188 bewirkt keine Heilung. Fehlgeschlagene Verfügung ist also neu vorzunehmen. Unberührt bleibt Vererbbarkeit der durch Zeichnung erlangten Rechtsposition (MüKoAktG/Schürnbrand/Verse Rn. 5). 2

III. Verbot der Ausgabe von Aktien und Zwischenscheinen

1. Tatbestand (§ 191 S. 1 Fall 2). § 191 S. 1 Fall 2 verbietet Ausgabe neuer Aktien und Zwischenscheine (zum Begriff s. § 8 IV; → § 8 Rn. 28) vor Eintragung der Durchführung der Kapitalerhöhung nach § 188. **Ausgabe** liegt vor, wenn Urkunden durch Handlungen oder Unterlassungen der Verantwortungs- 3 träger der AG in den Verkehr gelangen (BGH AG 1977, 295, 296; OLG Frankfurt AG 1976, 77, 78). Ausreichend ist auch Aushändigung an Dritten (zB Depotbank). Keine Ausgabe ist Diebstahl ordnungsgem. gesicherter Urkunden (MüKoAktG/Schürnbrand/Verse Rn. 8). Norm verbietet nur Ausgabe selbst, nicht aber Vorbereitungshandlungen, wie zB Herstellung der Urkunden (BGH AG 1977, 295, 296), deren Unterzeichnung (MüKoAktG/Schürnbrand/Verse Rn. 8), erst recht nicht Festlegung der künftigen Stückelung (LG Mannheim BB 1953, 128). Verstoß ist für Verwaltungsmitglieder strafbewehrt (§ 405 I Nr. 2).

4 **2. Nichtigkeitsfolge (§ 191 S. 2).** Entgegen § 191 S. 1 Fall 2 ausgegebene Aktien oder Zwischenscheine sind nichtig (§ 191 S. 2). Mithin erfolgt **keine gültige wertpapierrechtl. Verbriefung** des Anteilsrechts. Gutgl. Erwerb durch Übertragung der Urkunden ist deshalb nicht möglich, auch nicht nach Eintragung (unstr.). Nichtigkeit wird nicht durch Eintragung nach §§ 188, 189 geheilt (BGH AG 1988, 76, 78; OLG Frankfurt AG 2006, 798, 799). Urkunden müssen aber nicht neu ausgestellt werden (vgl. BGH AG 1977, 295, 296; OLG Frankfurt AG 1976, 77, 78). Möglich ist Abschluss neuen Begebungsvertrags zwischen AG und Rechtsinhaber unter Rückgriff auf vorhandene Urkunden; bes. Kundmachung ist nicht erforderlich, aber ratsam (MüKoAktG/Schürnbrand/Verse Rn. 9). Manche lassen daneben einseitige Gültigerklärung durch AG genügen (OLG Frankfurt AG 1976, 77, 78), aber zu Unrecht; Mitwirkung des Rechtsinhabers ist unverzichtbar (KK-AktG/Ekkenga Rn. 9). Unverbrieftes Recht kann nach §§ 398, 413 BGB übertragen werden.

5 **3. Haftung der Ausgeber (§ 191 S. 3).** § 191 S. 3 begründet Schadensersatzanspruch der Inhaber nichtiger Aktien und Zwischenscheine ggü. den Ausgebern. Schutz der Inhaber ist erforderlich, da sie Nichtigkeit der Urkunden nicht erkennen können und gutgl. Erwerb ausscheidet (→ Rn. 4). Nichtigkeit muss aus verbotener Ausgabe nach § 191 S. 1 Fall 2, S. 2 folgen. **Inhaber** ist nicht Besitzer (§ 854 BGB), sondern hypothetisch Berechtigter, also derjenige, der zum Zeitpunkt der Geltendmachung aus der Urkunde bei ihrer Gültigkeit berechtigt wäre (MüKoAktG/Schürnbrand/Verse Rn. 11). Schadensersatzpflichtig sind **Ausgeber** persönlich (nicht AG), mehrere Ausgeber als Gesamtschuldner nach §§ 421 ff. BGB (§ 191 S. 3). Ausgeber sind für AG selbständig und verantwortlich Handelnde, bes. Vorstandsmitglieder (s. BGH AG 1977, 295, 296; OLG Frankfurt AG 1976, 77, 78), uU auch Prokuristen (MüKoAktG/Schürnbrand, 4. Aufl. 2016, Rn. 9). Keine Ausgeber sind Mitarbeiter, die Urkunden nur auf Weisung des Vorgesetzten ausgeben.

6 § 191 S. 3 begründet **Haftung ohne Verschulden** (OLG Frankfurt AG 1976, 77, 78; MüKoAktG/Schürnbrand/Verse Rn. 12; → § 8 Rn. 7; offengelassen von BGH AG 1977, 295, 296). Inhaber haben Anspruch auf Ersatz des **Schadens,** den sie erlitten haben, weil sie auf Gültigkeit der Urkunden vertrauten; erfasst wird auch entgangener Gewinn (KK-AktG/Ekkenga Rn. 13; S/L/Veil Rn. 7). Schaden kann aber ganz oder teilw. wegfallen, weil Mitgliedsrecht unabhängig von Verbriefung entsteht (→ § 189 Rn. 3) und Zweiterwerber aus Kaufvertrag weiterhin Anspruch auf Aushändigung der Urkunden hat (BGH AG 1977, 295, 296). Anspruch scheidet entspr. § 122 II BGB aus, wenn Inhaber verbotene Ausgabe kannte oder kennen musste (KK-AktG/Ekkenga Rn. 13; BeckOGK/Servatius Rn. 17). Anspruchskonkurrenz kann mit § 823 II BGB jeweils iVm Schutzgesetzen der § 405 I Nr. 2, § 191 S. 1 bestehen; dann können über § 830 II BGB auch Anstifter und Gehilfen in Anspruch genommen werden (MüKoAktG/Schürnbrand/Verse Rn. 13).

IV. Ausgabe aufgrund nichtigen Erhöhungsbeschlusses

Werden Aktien aufgrund nichtigen oder unwirksamen Kapitalerhöhungsbeschlusses ausgegeben, sind Urkunden entspr. § 191 S. 1, 2 unheilbar nichtig, verbriefen also keine Mitgliedschaft (Hölters/Weber/Apfelbacher/Metzner Rn. 9; aA KK-AktG/Ekkenga Rn. 9); zur Sonderlage bei Anfechtung → § 248 Rn. 7a. Haftung richtet sich nach allg. Grundsätzen, insbes. nach § 241 II BGB, § 280 I BGB, § 311 II BGB und § 826 BGB. Für verschuldensunabhängige Haftung analog § 191 S. 3 bleibt kein Raum, weil vorzeitige Ausgabe und Ausgabe ohne gültige Beschlussgrundlage nicht vergleichbar sind (so auch KK-AktG/Ekkenga Rn. 16 ff.; MüKoAktG/Schürnbrand/Verse Rn. 14; Zöllner AG 1993, 68, 76 f.; Zöllner/Winter ZHR 158 [1994], 59, 76; aA Schleyer AG 1957, 145, 148). 7

Zweiter Unterabschnitt. Bedingte Kapitalerhöhung

Voraussetzungen

192 (1) **Die Hauptversammlung kann eine Erhöhung des Grundkapitals beschließen, die nur so weit durchgeführt werden soll, wie von einem Umtausch- oder Bezugsrecht Gebrauch gemacht wird, das die Gesellschaft hat oder auf die neuen Aktien (Bezugsaktien) einräumt (bedingte Kapitalerhöhung).**

(2) **Die bedingte Kapitalerhöhung soll nur zu folgenden Zwecken beschlossen werden:**

1. zur Gewährung von Umtausch- oder Bezugsrechten auf Grund von Wandelschuldverschreibungen;

2. zur Vorbereitung des Zusammenschlusses mehrerer Unternehmen;

3. zur Gewährung von Bezugsrechten an Arbeitnehmer und Mitglieder der Geschäftsführung der Gesellschaft oder eines verbundenen Unternehmens im Wege des Zustimmungs- oder Ermächtigungsbeschlusses.

(3) [1]**Der Nennbetrag des bedingten Kapitals darf sechzig vom Hundert und der Nennbetrag des nach**

1. Absatz 2 Nummer 1 beschlossenen Kapitals die Hälfte,

2. Absatz 2 Nummer 3 beschlossenen Kapitals zwanzig vom Hundert

des Grundkapitals, das zur Zeit der Beschlussfassung über die bedingte Kapitalerhöhung vorhanden ist, nicht übersteigen. [2]**§ 182 Abs. 1 Satz 5 gilt sinngemäß.** [3]**Satz 1 gilt nicht für eine bedingte Kapitalerhöhung nach Absatz 2 Nummer 1, die nur zu dem Zweck beschlossen wird, der Gesellschaft einen Umtausch zu ermöglichen, zu dem sie für den Fall ihrer drohenden Zahlungsunfähigkeit oder zum Zweck der Abwendung einer Überschuldung berechtigt ist.** [4]**Ist die Gesellschaft ein Institut im Sinne des § 1 Absatz 1b des Kreditwesengesetzes, gilt Satz 1 ferner nicht für eine bedingte Kapitalerhöhung nach Absatz 2 Nummer 1, die zu dem Zweck beschlossen wird, der Gesellschaft einen Umtausch zur Erfüllung bankaufsichtsrechtlicher oder zum Zweck der Restrukturierung oder Abwicklung erlassener Anforderungen zu ermöglichen.** [5]**Eine Anrechnung von bedingtem Kapital, auf das Satz 3 oder Satz 4 Anwendung findet, auf sonstiges bedingtes Kapital erfolgt nicht.**

(4) **Ein Beschluß der Hauptversammlung, der dem Beschluß über die bedingte Kapitalerhöhung entgegensteht, ist nichtig.**

(5) **Die folgenden Vorschriften über das Bezugsrecht gelten sinngemäß für das Umtauschrecht.**

Übersicht

I. Regelungsgegenstand und -zweck

1 § 192 ermöglicht im Anschluss an § 159 AktG 1937 **bedarfsabhängige Kapitalbeschaffung** (§ 192 I), wenn auch nur für bestimmte Zwecke (§ 192 II) und unter quantitativen Beschränkungen (§ 192 III). In der Praxis steht Herstellung der Effizienz und Praxistauglichkeit hybrider Finanzierungsformen wie Wandel- und Optionsanleihen im Vordergrund (Fleischer/Maas AG 2020, 761 Rn. 22). In § 192 IV und V geht es um Folgefragen (Schutz der Begünstigten vor späterer Beschlussfassung der HV bzw. Gleichbehandlung von Bezugs- und Umtauschrechten). Einzelheiten sind in §§ 193–201 geregelt. Durch Aktienrechtsnovelle 2016 wurde § 192 I, II Nr. 1 geändert (dazu → Rn. 9) und § 192 III 3–5 eingefügt (dazu → Rn. 24a). Durch ZuFinG 2023 wurde § 192 III 1 neu gefasst (→ Rn. 23a f.).

II. Bedingte Kapitalerhöhung (§ 192 I)

1. Begriff und Bedeutung. § 192 I definiert bedingte Kapitalerhöhung und Bezugsaktien. Bedingte Kapitalerhöhung ist dadurch gekennzeichnet, dass sie nur insoweit durchgeführt wird, als von Umtausch- oder Bezugsrechten auf die neuen Aktien Gebrauch gemacht wird. Bedingung liegt in **Ausübung des Umtausch- oder Bezugsrechts,** bezieht sich also auf Durchführung der Kapitalerhöhung, nicht auf ihr zugrunde liegenden Beschluss. Dieser fixiert Höchstbetrag der Kapitalmaßnahme, ohne deshalb selbst bedingt zu sein. Ausübung der Umtausch- oder Bezugsrechte ist nach Umfang und Zeitpunkt ungewiss, weil Wandlungsrecht in Fällen des § 192 II Nr. 1 und 3 von Wandlungserklärung des Berechtigten bzw. vom Eintritt des Wandlungsereignisses (bedingte Pflichtwandelanleihe, → Rn. 9) abhängt und in Fällen des § 192 II Nr. 2 unklar ist, ob und in welcher Höhe Kapital anlässlich Unternehmenszusammenschlusses benötigt wird. Für Kapitalerhöhung benötigte Aktien können zwar auch durch reguläre Erhöhung (§§ 182 ff.) oder genehmigtes Kapital (§§ 202 ff.) bereitgestellt werden, doch lässt sich damit der Bedarfsabhängigkeit schlecht Rechnung tragen. Erfüllung der Umtausch- oder Bezugsrechte durch Zeichnung eigener Aktien ist nach § 56 ausgeschlossen, durch Erwerb eigener Aktien nach § 71 nur beschränkt möglich und wenig attraktiv, weil Kaufpreisverpflichtung finanzielle Mittel bindet (→ Rn. 15). 2

Bezugsaktien sind nach § 192 I die neuen Aktien, auf die sich **Umtausch- oder Bezugsrecht** richtet. Umtauschrecht liegt vor, wenn Gläubiger oder AG berechtigt sind, Zahlungsanspruch durch Ausübung einer Ersetzungsbefugnis in Anspruch auf Aktien umzuwandeln (→ § 221 Rn. 4 f.). Bezugsrecht ist gegeben, wenn Recht zum Erwerb junger Aktien zum Zahlungsanspruch hinzutritt (→ § 221 Rn. 6 f.); es steht auch nach Neufassung des § 192 I, II Nr. 1 im Zuge der Aktienrechtsnovelle 2016 weiterhin nur Aktionären, nicht AG zu (RegBegr. BT-Drs. 18/4349, 28). Für §§ 193 ff. ist Unterscheidung von Umtausch- und Bezugsrechten wegen § 192 V (→ Rn. 29) allerdings praktisch bedeutungslos. Umtausch- oder Bezugsrechte werden nicht schon durch Kapitalerhöhungsbeschluss begründet, sondern entstehen durch bes. Rechtsgeschäft zwischen AG und (späteren) Berechtigten (str.; → § 197 Rn. 5; → § 198 Rn. 5). Für Aktionäre gibt es bei bedingter Kapitalerhöhung **kein ges. Bezugsrecht,** weil damit ihr Zweck verfehlt würde (BGH AG 2006, 246, 247). Aktionärsinteressen werden durch zwingende qualifizierte Kapitalmehrheit nach § 193 I, durch bes. Beschlussinhalt nach § 193 II, durch Zweckbindung (§ 192 II) und bei Schuldverschreibungen oder Genussrechten auch durch Bezugsrecht nach § 221 IV geschützt. **Rechtstatsächlich** liegt Schwerpunkt des bedingten Kapitals in Einräumung von Umtausch- und Bezugsrechten für Gläubiger von Wandelschuldverschreibungen oder Aktienoptionen; gerade letztgenannte Gestaltung hat seit Ende der 1990er Jahre zu einer Renaissance des bedingten Kapitals geführt (Marsch-Barner/Schäfer/Busch/Busch Rn. 46.3 f.). 3

2. Grundzüge des Verfahrens. Erforderlich ist HV-Beschluss über bedingte Kapitalerhöhung (§§ 192–194). Beschluss selbst ist unbedingt (→ Rn. 2). Er bedarf der qualifizierten Kapitalmehrheit des § 193 I und muss bes. Inhalt des § 193 II haben. Beschluss ist zur Eintragung in das HR anzumelden (§ 195). Nach Eintragung können Bezugs- und Umtauschrechte wirksam begründet werden; zuvor eingeräumte Rechte werden mit Eintragung als aufschiebender Bedingung wirksam (§ 197 S. 2). Bezugs- oder Umtauschrecht (§ 192 V) wird durch Bezugserklärung ausgeübt (§ 198). Sie und korrespondierende Willenserklärung der AG begründen Zeichnungsvertrag, der durch Ausgabe der Bezugs- 4 aktien erfüllt wird. Ausgabe darf nur unter Voraussetzungen des § 199 erfolgen; dabei muss namentl. Kapitalaufbringung gewährleistet sein. Mit Ausgabe der Bezugsaktien erhöht sich Grundkapital um ihren jeweiligen Gesamtnennbetrag (§ 8 II) oder bei Stückaktien um auf sie entfallenden jeweiligen anteiligen Betrag des Grundkapitals (§ 8 III 3); AG hat also mit jeder Ausgabe neue Kapitalziffer (§ 200). Auch Ausgabe ist zur Eintragung anzumelden (§ 201); Eintragung der Ausgabe hat nur deklaratorische Bedeutung. Zum Ablauf auch Ekkenga/Jaspers AG-Finanzierung Kap. 6 Rn. 16.

5 **3. Verhältnis zur Satzungsänderung.** Weil sich Grundkapital mit Ausgabe der Bezugsaktien erhöht (§ 200), führt Ausgabe zur Änderung der Satzung außerhalb der Urkunde; ihr Wortlaut wird unrichtig. Spätestens mit Ablauf der Bezugsfrist, ggf. früher mit Ausübung aller Umtausch- oder Bezugsrechte wird Berichtigung des Satzungswortlauts (§ 23 III Nr. 3, 4) erforderlich, die ihrerseits Satzungsänderung ist; §§ 179–181 finden Anwendung. Zulässig und empfehlenswert ist Ermächtigung des AR zur Fassungsänderung gem. § 179 I 2 (→ § 179 Rn. 11 f.; KK-AktG/Drygala/Staake Rn. 11; Ekkenga/Jaspers AG-Finanzierung Kap. 6 Rn. 151). Von Satzungsberichtigung zu unterscheiden ist Aufnahme des bedingten Kapitals in Satzungsurkunde. Das ist üblich, aber nicht notwendig (str., wie hier BeckOGK/Rieckers Rn. 20; MHdB AG/Scholz § 58 Rn. 58; aA KK-AktG/Drygala/Staake Rn. 10; MüKoAktG/Fuchs Rn. 21; Krafka RegisterR Rn. 1502). Weil Aufnahme Änderung des Satzungstextes ist, unterliegt auch sie den §§ 179–181.

6 **4. Verhältnis zur Kapitalerhöhung gegen Einlagen.** § 182 II, § 187 II sind anzuwenden, weil § 193 I 3 auf sie verweist. IÜ ist nicht auf §§ 182 ff. zurückzugreifen, weil sie auf bedingte Kapitalerhöhung nicht passen. Aus § 182 II iVm § 193 I 3 folgt, dass Beschluss über bedingte Kapitalerhöhung bei Existenz mehrerer Gattungen stimmberechtigter Aktien (→ § 182 Rn. 18 f.) nur wirksam wird, wenn auch zust. Sonderbeschlüsse jeder Gattung vorliegen. Aus § 187 II iVm § 193 I 3 ergibt sich, dass Zusicherungen vor Beschlussfassung AG nicht binden. HV muss Erhöhungsbeschluss also nicht fassen; es entsteht dann auch keine Schadensersatzpflicht der AG (→ § 187 Rn. 5; → § 193 Rn. 3). Dagegen kann Bezugsrecht vor Beschlussfassung mit der Folge begründet werden, dass es erst mit Eintragung wirksam wird (→ § 193 Rn. 3; → § 197 Rn. 5). IÜ sind §§ 182 ff. deshalb unpassend, weil sich Kapitalerhöhungsformen aus den in → Rn. 4 angesprochenen Gründen wesentlich unterscheiden. Namentl. gibt es für reguläre Kapitalerhöhung kennzeichnende Abfolge Vollzeichnung, Eintragung der Durchführung mit konstitutiver Wirkung (§ 189) und Ausgabe der Aktien nach dieser Eintragung (§ 191) bei bedingter Kapitalerhöhung nicht, weil sie iRd beschlossenen Höchstbetrags bedarfsabhängig erfolgt.

7 **5. Beschlusserfordernis.** Gem. § 192 I setzt bedingte Kapitalerhöhung HV-Beschluss voraus. Seine Erfordernisse sind in § 193 und für Sacheinlagen überdies in § 194 geregelt. Erhöhungsbeschluss führt mit Ausgabe der Bezugsaktien zur Satzungsänderung (→ Rn. 5); Beschlussvorlage ist deshalb ihrem vollständigen Inhalt nach bekanntzumachen (§ 124 II 3). Einzelheiten zum Beschlussinhalt: → § 193 Rn. 4 ff. Zur Aufhebung und Änderung → Rn. 26 ff. Ob bedingte Kapitalerhöhung stets des Beschlusses bedarf oder schon in **Gründungssatzung** enthalten sein kann, ist str. Nach hM ergibt Umkehrschluss aus § 202 I 1 und II Unzulässigkeit des bedingten Kapitals in der Gründungssatzung (MüKoAktG/Fuchs Rn. 22; KK-AktG/Drygala/Staake Rn. 18; B/K/L/Lieder Rn. 12; BeckOGK/Rieckers Rn. 20; S/L/Veil Rn. 6; Maier-Reimer ZHR 164 [2000], 563, 582). Von Gegenauffassung wird dies unter Hinweis auf praktische Bedürfnisse bestritten, da es sinnvoll sein könne, schon im Gründungsstadium Zugang zu

Fremdkapital in Gestalt von Wandel- und Optionsanleihen zu erhalten (GK-AktG/Frey Rn. 24; Grigoleit/Rieder/Holzmann Rn. 10; Marsch-Barner/Schäfer/Busch/Busch Rn. 46.14; MHdB AG/Scholz § 58 Rn. 25). Dass entspr. Gestaltungswünsche in der Praxis auftreten können, soll nicht bestritten werden, doch fällt teleologischer Befund nicht eindeutig genug aus, um Abweichung von klarem Wortlaut des § 192 I zu rechtfertigen, zumal dieser durch systematischen Vergleich zu § 202 I 1, II zusätzlich bekräftigt wird. § 182 IV hindert Beschlussfassung über bedingtes Kapital nicht (MüKoAktG/Fuchs Rn. 4).

6. Sonderfall: Bedingtes Kapital nach WStBG. Sonderregeln gelten für **Rekapitalisierung von Unternehmen** des Finanzsektors (§ 2 I StFG) oder der Realwirtschaft unter Bedingungen des §§ 16, 20 StFG sowie für Unternehmen, die selbst oder durch verbundene Unternehmen iSd § 15 kritische Infrastrukturen iSd § 2 X BSIG im Sektor Energie betreiben, § 29 I, II 1 Nr. 2 EnSiG. Wie bei regulärer Kapitalerhöhung (→ § 182 Rn. 5a ff.) geht es auch hier darum, Schaffung bedingten Kapitals bei dringendem Rekapitalisierungsbedarf in verschlankter Form zu gestatten. Zu diesem Zweck erweitert § 7a I 1 WStBG die in § 192 II genannten zulässigen Zwecke einer bedingten Kapitalerhöhung um Gewährung von Umtausch- oder Bezugsrechten an FSF, WSF oder Bund als stillen Gesellschafter. § 7a I 2 WStBG lässt einfache Mehrheit genügen. Abw. von § 192 III 1 ist Nennbetrag des bedingten Kapitals gem. § 7a I 3 WStBG nicht auf die Hälfte des Grundkapitals beschränkt; auch Anrechnung auf sonstige bedingte Kapitalien erfolgt nicht. § 7a I 7 WStBG verweist für beschlussfassende HV auf Erleichterungen des § 7 WStBG (→ § 182 Rn. 5a ff.). Zu weiteren Einzelheiten Langenbucher ZGR 2010, 75, 89 ff. 7a

III. Zwecke der bedingten Kapitalerhöhung (§ 192 II)

1. Abschließende Aufzählung. Zulässige Zwecke bedingter Kapitalerhöhung sind in § 192 II genannt. Regelung ist trotz Wortlauts („soll") grds. abschließend, namentl. weil bedingte Kapitalerhöhung wie Bezugsrechtsausschluss wirkt, ohne dass dafür Voraussetzungen des § 186 III, IV einzuhalten wären. Zu anderen Zwecken darf bedingte Kapitalerhöhung vorbehaltlich analoger Anwendung deshalb nicht erfolgen (hM, s. KK-AktG/Drygala/Staake Rn. 58 f.; MHdB AG/Scholz § 58 Rn. 16); Analogie kann im Einzelfall gerechtfertigt sein, wenn der betreffende Zweck einem der in § 192 II aufgeführten Zwecke ähnlich ist (→ Rn. 12; OLG Stuttgart ZIP 2002, 1807, 1808; GK-AktG/Frey Rn. 49; MüKoAktG/Fuchs Rn. 37 f.; Marsch-Barner/Schäfer/Busch/Busch Rn. 46.5). Verfolgung anderer als zugelassener Zwecke macht Beschluss gem. § 243 I anfechtbar (hM, s. nur MüKoAktG/Fuchs Rn. 41; BeckOGK/Rieckers Rn. 28; aA KK-AktG/Drygala/Staake Rn. 62: Nichtigkeit nach § 241 Nr. 3). Wird nicht oder nicht fristgerecht angefochten, behält Registergericht aus §§ 192 II, 195 I folgende Prüfungskompetenz und hat Eintragung weiterhin abzulehnen (MüKoAktG/Fuchs Rn. 41). Wenn Eintragung gleichwohl erfolgt, kann sie allerdings nicht nach § 398 FamFG gelöscht werden, da hierfür Anfechtbarkeit allein nicht ausreicht (MüKoFamFG/Krafka FamFG § 398 Rn. 8; BeckOGK/Rieckers Rn. 28). In diesem Fall ist Ausführungspflicht des Vorstands grds. zu bejahen (→ § 243 Rn. 50). Zur ges. Ausdehnung des Anwendungsbereichs nach § 7a I 1 WStBG für Finanzunternehmen iSd § 2 I StFG, Unternehmen der Realwirtschaft iSd § 16 II StFG oder Unternehmen, die selbst oder durch verbundene Unternehmen iSd § 15 kritische Infrastrukturen iSd § 2 X BSIG im Sektor Energie betreiben, § 29 I, II 1 Nr. 2 EnSiG → Rn. 7a. 8

2. Bedienung von Wandelschuldverschreibungen. a) Kreis der Begünstigten. aa) Inhaber von Gläubigerrechten im Sinne des § 221. Zulässiger 9

Zweck bedingter Kapitalerhöhung ist gem. § 192 II Nr. 1, **AG oder Gläubigern von Wandelschuldverschreibungen** Umtausch- oder Bezugsrechte zu gewähren. Norm meint: Soweit mit Gläubigerrechten nach § 221 Umtausch- oder Bezugsrechte verbunden sind, kann bedingte Kapitalerhöhung erfolgen, um solche Rechte zu bedienen. Wandelanleihen (ieS, → § 221 Rn. 4) und Optionsanleihen (→ § 221 Rn. 6) fallen ohne weiteres unter § 192 II Nr. 1. Das gilt ausweislich des im Zuge der Aktienrechtsnovelle 2016 erweiterten Wortlauts auch dann, wenn AG zum Umtausch berechtigt ist und Aktionär insofern spiegelbildliche Umtauschpflicht trifft – sog **umgekehrte Wandelanleihe** (zu Erscheinungsformen → § 221 Rn. 5b; zur „Klarstellung“ durch Aktienrechtsnovelle 2016 RegBegr. BT-Drs. 18/4349, 28; Götze/Nartowska NZG 2015, 298, 304; Schüppen/Tretter WPg 2015, 643, 647 f.; zur aufsichtsrechtl. Behandlung Apfelbacher/Kopp CFL 2011, 21 ff.; Gleske/Ströbele CFL 2012, 49 ff.). Alternativ ist auch Unterlegung durch genehmigtes Kapital möglich, was allerdings Nachteil der Befristung nach § 202 mit sich bringt (→ § 221 Rn. 59; sa BeckOGK/Seiler § 221 Rn. 77).

9a Ist Wandlungspflicht des Gläubigers nicht an Erklärung der AG geknüpft, sondern entsteht sie zwingend zum Ende der Laufzeit (**Pflichtwandelanleihe** – mandatory convertible bonds; dazu Bader AG 2014, 472, 478 ff.) oder bei Eintritt eines genau definierten Ereignisses (**bedingte Pflichtwandelanleihe** – contingent convertible bonds – CoCo-Bonds; s. dazuNodoushani ZBB 2011, 143 ff.; Bader AG 2014, 472, 480 ff.), liegt nach Wortlauterweiterung im Zuge der Aktienrechtsnovelle 2016 und Beschlussempfehlung des Rechtsausschusses auch ein Fall des § 192 II Nr. 1 vor (AusschussB BT-Drs. 18/6681, 12; KK-AktG/Drygala/Staake Rn. 30; Hölters/Weber/Apfelbacher/Metzner Rn. 25, 25b; BeckOGK/Rieckers Rn. 35 ff.; Marsch-Barner/Schäfer/Groß Rn. 53.8c; Florstedt ZHR 180 [2016], 152, 173 f.; Haag/Peters WM 2015, 2303, 2304 ff.; Nodoushani WM 2016, 589, 591 f.; Paschos/Goslar NJW 2016, 359, 360 f.; zweifelnd aber Götze/Nartowska NZG 2015, 298, 304; Söhner ZIP 2016, 151, 155). Dasselbe gilt für sog **Anleihe mit Tilgungswahlrecht des Emittenten** (MüKoAktG/Habersack § 221 Rn. 52a; Marsch-Barner/Schäfer/Groß Rn. 53.9; Ekkenga/Jaspers AG-Finanzierung Kap. 6 Rn. 24; → § 221 Rn. 5b). Erforderlich ist nach derzeit noch hM allerdings, dass stets auch Rückzahlungsanspruch des Gläubigers zumindest unter bestimmten Voraussetzungen vorgesehen sein muss (BeckOGK/Rieckers Rn. 36; Marsch-Barner/Schäfer/Busch/Busch Rn. 46.7; Schlitt/Seiler/Singhof AG 2003, 254, 266), was zwar in der Sache kaum überzeugt (zutr. Kritik bei Apfelbacher/Kopp CFL 2011, 21, 29 f.), zur Abgrenzung von verbrieftem Terminkaufvertrag der Praxis aber weiterhin zu empfehlen ist (Hölters/Weber/Apfelbacher/Metzner Rn. 25). Es ist ferner nicht erforderlich, dass neben Wandlungspflicht ausdr. auch Wandlungsrecht des Gläubigers vorgesehen ist (BeckOGK/Rieckers Rn. 36; für Analogie Bou Sleiman, Contingent Convertible Bonds, 2015, Rn. 262 ff.; aA MHdB AG/Scholz § 58 Rn. 7 mit Fn. 7).

9b **Konkrete Ausgestaltung** bleibt auch bei umgekehrter Wandelanleihe im Wesentlichen den Parteien überlassen, die dabei aber speziell im Finanzsektor aufsichtsrechtl. Vorgaben beachten müssen, um zentrales Ziel zu erreichen, **Voraussetzungen angemessener Eigenkapitalausstattung** gem. Art. 92 CRR zu erfüllen (vgl. etwa Haag/Peters WM 2015, 2303, 2304 ff.; ausf. dazu Musteranleihebedingungen des Bundesverbands deutscher Banken e. V. – abrufbar über Homepage des Bankenverbandes). Problematisch kann insofern sein, dass für Anerkennung als zusätzliches Kernkapital Anleihebedingungen vorsehen müssen, dass Kapitalinstrument bei Eintritt des Auslöseereignisses in ein Instrument des harten Kernkapitals umgewandelt werden „muss“ (Art. 52 I lit. n CRR). Berücksichtigt man indes, dass Art. 54 V lit. c CRR das betroffene

Institut zur unverzüglichen Vornahme der Wandlung verpflichtet, wird man es auch nach diesen Vorgaben genügen lassen, wenn AG Wandlungsrecht erhält und aufsichtsrechtl. zur Ausübung dieses Rechts angehalten werden kann (Haag/Peters WM 2015, 2303, 2304 ff.).

Wandlungsereignis (Trigger Event) kann grds. frei formuliert werden, muss speziell im Finanzbereich aber aufsichtsrechtl. Vorgaben genügen (→ Rn. 9b; Bsp. bei Hopt/Seibt/Fest SVR § 221 AktG Rn. 185 ff.; Bou Sleiman, Contingent Convertible Bonds, 2015, Rn. 52 ff.; Florstedt ZHR 180 [2016], 152, 169). Wenn **Kreditinstitute** umgekehrte Wandelanleihe begeben (Regelfall, → § 221 Rn. 5b), ist Auslöser daher zumeist das Unterschreiten einer bestimmten Kernkapitalquote (Nodoushani WM 2016, 589, 590). Auch Intervention der Bankenaufsicht kann Wandlungsereignis sein, ohne dass dadurch Leitungsmacht des Vorstands (→ § 76 Rn. 10 ff.) beeinträchtigt wäre, da Bankenaufsicht nur auf das „Wann", nicht auf das „Ob" der Umwandlung Einfluss hätte. Zulässig soll es auch sein, mehrere Auslöseereignisse zu kombinieren (Hopt/Seibt/Fest SVR § 221 AktG Rn. 186; Pflock, Europäische Bankenregulierung, 2014, 341). 9c

Bei umgekehrter Wandelanleihe wird Wandlung **von Vorstand erklärt** (Rechtsnatur: facultas alternativa; vgl. KK-AktG/Florstedt § 221 Rn. 275; Wehrhahn GWR 2016, 133, 135). Macht er von diesem Recht Gebrauch, muss schon bei Anleihebegebung gewährleistet werden, dass Anleihegläubiger sich nicht durch Verweigerung der **Zeichnung** entzieht. Das kann etwa durch unwiderrufliche Bevollmächtigung der Zahlstelle geschehen (ausf. Nodoushani ZBB 2011, 143, 147; Singhof FS Hoffmann-Becking, 2013, 1163, 1166 f.). Nach Eintritt der **Insolvenz** ist Wandlung durch Insolvenzverwalter möglich (Möhlenkamp/Harder ZIP 2016, 1093, 1096; zust. Florstedt ZHR 180 [2016], 152, 172). Vorzeitige Kündigung der Anleger nach § 314 BGB aufgrund krisenhafter Entwicklung muss nach Sinn und Zweck des Instruments ausgeschlossen sein (Möhlenkamp/Harder ZIP 2016, 1093, 1096). Unter den Voraussetzungen des § 89 Nr. 1 SAG (→ § 182 Rn. 5k) kann auch zuständige Aufsichtsbehörde selbst die Wandlung anordnen. Zur steuerlichen Behandlung vgl. Niedling RdF 2016, 49 ff.; Nodoushani WM 2016, 589, 593. 9d

Wandel- und Optionsanleihen werden entspr. ausgestaltete **Gewinnschuldverschreibungen** durch § 221 I 1 gleichgestellt, so dass auch für § 192 II Nr. 1 nichts anderes gelten kann (MüKoAktG/Fuchs Rn. 44; B/K/L/Lieder Rn. 8). Solche Anleihen können auch ausgegeben werden, um bedingtes Kapital zur Bedienung von Stock Options für Führungskräfte bereitzustellen (OLG Braunschweig AG 1999, 84; OLG Stuttgart AG 1998, 529; LG Braunschweig AG 1998, 289, 290; LG Frankfurt AG 1997, 185; LG Stuttgart AG 1998, 41, 43; Baums FS Claussen, 1997, 3, 36 f.; Hüffer ZHR 161 [1997], 214, 222), und zwar auch, nachdem § 192 II Nr. 3 dafür den unmittelbaren Weg eröffnet (RegBegr. BT-Drs. 13/9712, 23; Casper WM 1999, 363; Weiß WM 1999, 353, 354; aA MüKoAktG/Fuchs Rn. 46). Erfasst werden des Weiteren Genussrechte (→ § 221 Rn. 22 ff.), wenn sie ihren Inhabern ein Umtausch- oder Bezugsrecht gewähren – sog **Wandel- oder Optionsgenussrechte** (MüKoAktG/Fuchs Rn. 47; MHdB AG/Scholz § 58 Rn. 9; Marsch-Barner/Schäfer/Busch/Busch Rn. 46.6; Werner ZHR 149 [1985], 236, 245). Das ergibt sich aus § 221 III und rechtfertigt sich aus auch insoweit bestehendem Bezugsrecht nach § 221 IV. Über § 192 II Nr. 1 kann bedingtes Kapital auch für sog **Huckepack-Emissionen** geschaffen werden, bei denen Ausgabe von Aktien mit Recht zum Bezug weiterer Aktien verbunden ist. Sie werden nach heute hM von § 221 erfasst (→ § 221 Rn. 76), so dass auch § 192 II Nr. 1 auf sie zu erstrecken ist (sa MüKoAktG/Fuchs Rn. 53; B/K/L/Lieder Rn. 12; Ekkenga/Jaspers AG-Finanzierung Kap. 6 Rn. 28; Martens AG 1989, 69, 70 ff.). Nicht unter §§ 221, 192 fallen dagegen Umtauschanleihen (exchangeable bonds), die auf Aktien einer anderen Gesell- 10 schaft gerichtet sind (Hölters/Weber/Apfelbacher/Metzner Rn. 27; für analoge Anwendung aber Broichhausen, Zusammengesetzte Finanzierungsinstrumente der AG, 2010, 265 ff.). Lässt man sog **naked warrants** auch außerhalb § 192 II Nr. 3 zu (str.), ist § 192 II Nr. 1 auch darauf zu erstrecken (→ § 221 Rn. 75).

11 **bb) Warrant-Anleihen.** Warrant-Anleihen dienen der **Konzernfinanzierung** und sind im Ansatz dadurch gekennzeichnet, dass nicht AG selbst, sondern ihre ausländische Tochtergesellschaft Emittentin der Anleihe ist. Umtausch- oder Bezugsrechte richten sich aber auf Aktien der (Mutter-)Gesellschaft (→ § 221 Rn. 70). Reiz dieser Gestaltung liegt darin, dass uU Kapitalertragsteuer gem. § 43 I Nr. 2 EStG vermieden werden kann, was für ausländische Zeichner vorteilhaft sein kann (näher Marsch-Barner/Schäfer/Busch/Busch Rn. 46.6). Bei älteren Anleihen hat sich Tochtergesellschaft selbst zur Erfüllung verpflichtet; Muttergesellschaft hat aber Anleihe und Bezugsrecht garantiert. Üblich ist heute, dass Muttergesellschaft Anleihe garantiert und sich selbst zur Erfüllung des Bezugsrechts verpflichtet (Hölters/Weber/Apfelbacher/Metzner Rn. 26; MHdB AG/Scholz § 64 Rn. 62; Silcher FS Geßler, 1971, 185 ff.). Deshalb fragt sich, ob bedingtes Kapital nach §§ 192 ff. bereitgestellt werden kann, obwohl es sich nicht um eigene Wandelschuldverschreibungen der Gesellschaft handelt. Das ist bei Inlandssitz der Muttergesellschaft nach deutschem Recht zu beurteilen (Maßgeblichkeit des Gesellschaftsstatuts, → § 1 Rn. 34 ff.). § 192 II Nr. 1 geht aber davon aus, dass bedingtes Kapital zur Bedienung eigener, nicht fremder Wandelschuldverschreibungen geschaffen wird (vgl. KK-AktG/Drygala/Staake Rn. 78). Damit zeigt sich, dass Bedienung von Warrant-Anleihen der Auslandstochter ein Analogieproblem darstellt.

12 Analogie ist möglich und setzt nach zutr. hM voraus, dass **Warrant-Anleihe mit eigener Anleiheemission vergleichbar** ist (vgl. zum Folgenden mit Unterschieden im Detail OLG Stuttgart ZIP 2002, 1807, 1808; Hölters/Weber/Apfelbacher/Metzner Rn. 26; GK-AktG/Frey Rn. 75; MüKoAktG/Fuchs Rn. 54 f.; Marsch-Barner/Schäfer/Busch/Busch Rn. 46.6; deutlich großzügiger Broichhausen, Zusammengesetzte Finanzierungsinstrumente der Aktiengesellschaft, 2010, 270 ff.): Bestehen eines Konzernverhältnisses nach § 18 (insoweit aA B/K/L/Lieder Rn. 11); eigenes Finanzierungsinteresse der Muttergesellschaft oder anderer Konzernunternehmen; HV-Beschluss der Muttergesellschaft über Garantie und Ausgabe entspr. § 221 I; Begr. eines Bezugsrechts für Aktionäre der Muttergesellschaft auf die Anleihe entspr. § 221 IV, § 186 I bzw. Bezugsrechtsausschluss entspr. § 221 IV, § 186 III, IV. Alternative eines genehmigten Kapitals (§§ 202 ff.) kann zwar theoretisch verwandt werden, trägt aber der Bedarfsabhängigkeit nicht Rechnung und scheitert bei langlaufenden Bezugsrechten an Fünfjahresfrist des § 202 I 1.

13 **b) Ausgabe- und Erhöhungsbeschluss.** Beschluss über bedingte Kapitalerhöhung (§ 192 I) und Beschluss über Ausgabe von Wandelschuldverschreibungen oder gem. → Rn. 9 gleichstehenden Rechten (§ 221 I und III) sind nicht identisch. Beschlussanträge können aber **verbunden und einheitlich zur Abstimmung** gestellt werden (BGH AG 2006, 246, 247). Wird anders verfahren, so ist zu unterscheiden: Vorgängige Ausgabe von Wandelanleihen oder Genussrechten mit Bezugsrecht ist ungeachtet § 187 II iVm § 193 I 3 wirksam, verpflichtet HV aber nicht, auch bedingte Kapitalerhöhung zu beschließen (→ Rn. 6; ebenso Hölters/Weber/Apfelbacher/Metzner Rn. 34). Wirksamkeit hängt nicht einmal davon ab, dass Beschluss der HV nach § 221 vorliegt (Frage des Innenverhältnisses, → § 221 Rn. 52). Vorgängige Beschlussfassung nach § 192 I ist gleichfalls möglich, weil § 192 II Nr. 1 zwar Zweckbindung vorsieht, damit aber nicht zeitliche Abfolge festlegt. Wegen Zweckbindung ist aber nur Erhöhungsbeschluss zulässig, der Gewährung von Umtausch- oder Bezugsrechten

an künftige Gläubiger vorsieht, was im Wege aufschiebender Bedingung des Beschlusses oder durch Anweisung im Beschluss erfolgen kann, Anmeldung (§ 195) erst nach Begr. zu bedienender Rechte vorzunehmen (→ § 179 Rn. 26; KK-AktG/Drygala/Staake Rn. 84; Hölters/Weber/Apfelbacher/Metzner Rn. 33). Diskussion um **Erfordernis sachlicher Rechtfertigung** (→ Rn. 18) wird hier nicht geführt, da Aktionären nach § 221 IV ges. Bezugsrecht zusteht, das nur nach Maßgabe des § 186 III, IV ausgeschlossen werden kann (KK-AktG/Drygala/Staake Rn. 45).

3. Unternehmenszusammenschluss. Bedingte Kapitalerhöhung ist ferner zulässig, um Unternehmenszusammenschluss vorzubereiten (§ 192 II Nr. 2). Unternehmensbegriff wird rechtsformneutral verwandt; erfasst werden also neben AG zB GmbH, Personengesellschaften, Einzelkaufleute. Zusammenschluss ist jede Verbindung ohne Rücksicht darauf, ob rechtl. Selbständigkeit der Unternehmen verlorengeht oder erhalten bleibt, sofern Aktien zur Durchführung benötigt werden. Hierher gehört Abschluss eines Beherrschungs- und/oder Gewinnabführungsvertrags oder Mehrheitseingliederung; s. § 305 II Nr. 1, 2, § 320b. Auch Erwerb fremder Anteile gegen eigene Aktien ist hierher zu rechnen (Hölters/Weber/Apfelbacher/Metzner Rn. 41; MHdB AG/Scholz § 58 Rn. 10). Verschmelzung durch Neugründung (§ 2 Nr. 2 UmwG, §§ 36 ff., 73 ff. UmwG) scheidet dagegen aus, weil Aktien durch Neugründung entstehen. Vorbereitung durch bedingte Kapitalerhöhung kann also nicht erforderlich sein (KK-AktG/Drygala/Staake Rn. 93 Fn. 123). Diskussion um **Erfordernis sachlicher Rechtfertigung** (→ Rn. 18) wird hier nicht in gleicher Weise geführt wie bei Nr. 3, da Minderheitenschutz – je nach Zusammenschlussform – zT durch andere Mechanismen gewährleistet wird (zB §§ 304 f.); wo das nicht der Fall ist, kann entspr. Anwendung des § 186 III, IV erwogen werden (BeckOGK/Rieckers Rn. 18), doch dürfte es ges. Systematik, die davon ausgeht, dass bedingtes Kapital Rechtfertigung in sich trägt, eher entsprechen, Missbrauchskontrolle als ausreichend anzusehen (KK-AktG/Drygala/Staake Rn. 46). Aus § 193 II Nr. 2 folgt, dass sich Zusammenschlussvorhaben auf **bestimmtes Unternehmen** beziehen muss; denn sonst können Bezugsberechtigte nicht in der erforderlichen Weise (→ § 193 Rn. 5) konkret bezeichnet werden. Gerade aus diesem Grund wird in der Praxis von dieser Gestaltung aber nur **zurückhaltend Gebrauch** gemacht. Komplexe Transaktion wie Unternehmenszusammenschluss soll nicht mit Durchführung einer Publikums-HV belastet werden, bei der konkrete Transaktion schon im Zeitpunkt der Schaffung des bedingten Kapitals feststehen und offengelegt werden muss unter Einschließung eines Sachkapitalerhöhungsgutachtens; **genehmigtes Kapital,** das für diese Zwecke ebenso genutzt werden kann, erweist sich insofern als flexibler (DAV-HRA NZG 2023, 738 Rn. 57; Kuthe BB 2023, 1603, 1604; v. der Linden/Schäfer DB 2023, 1077, 1079). 14

4. Bezugsrechte für Arbeitnehmer und Geschäftsführungsmitglieder (Stock Options). a) Grundlagen. Gem. § 192 II Nr. 3 kann bedingte Kapitalerhöhung auch vorgenommen werden, um Bezugsrechte (Stock Options) den AN oder den Mitgliedern der Geschäftsführung (→ Rn. 19 ff.) zu gewähren. Ziel einer solchen Gestaltung ist es, **Mitarbeitermotivation** zu erhöhen, indem sie unmittelbar am Erfolg des Unternehmens wie die Aktionäre partizipieren können. Bes. Bedeutung hat diese Gestaltung für Start-Up-Unternehmen, die oft nicht in der Lage sind, konkurrenzfähige Gehälter zu zahlen, und deshalb auf alternative Entlohnungsmöglichkeiten angewiesen sind; insbes. auf sie zielt deshalb Erhöhung des Mindestbetrags in § 192 III 1 durch ZuFinG 2023 ab (→ Rn. 23a f.). Ob sie auch in der Praxis genutzt wird, ist allerdings zweifelhaft, da sich lange Wartezeit verbreitet als abschreckend erweist (→ § 193 Rn. 9b). Weitere Vorzüge solcher Bezugsrechte werden darin gesehen, dass zugleich sog 15

Principal-Agent-Konflikt entschärft und das Unternehmen im internationalen Wettbewerb um qualifiziertes (Leitungs-)Personal gestärkt wird, dem es auf dieser Grundlage bes. attraktive Vergütungsmodell anbieten kann (zu den Vorteilen Marsch-Barner/Schäfer/Holzborn/Schultes-Schnitzlein Rn. 55.7; zur Kritik aber noch unten → Rn. 17). Bis zur Gesetzesänderung durch KonTraG 1998 war solche Form der Gewinnbeteiligung im Ges. nur für Arbeitnehmer vorgesehen, und zwar in der Weise, dass diese zum Erwerb der Gewinnbeteiligung im Gegenzug eine Geldforderung als Sacheinlage einbringen mussten; Praxis behalf sich über Umweg von Wandel- oder Optionsanleihen, die allerdings ebenfalls umweghaft mit Anleihe verbunden werden mussten, da Ausgabe nackter Optionen als unzulässig angesehen wurde (S/L/Veil Rn. 18; Marsch-Barner/Schäfer/Holzborn/Schultes-Schnitzlein Rn. 55.6). Nach jetziger Rechtslage können Stock Options dagegen sowohl für Arbeitnehmer als auch für Vorstände und leitende Angestellte Vergütungsbestandteil sein, ohne dass andere Form erfolgsabhängiger Vergütung zwischengeschaltet werden müsste. Früher praktizierte alternative Gestaltungen werden dadurch allerdings nicht zwingend ausgeschlossen (→ Rn. 9, 19). Als weitere Gestaltungsoption kann Bedienung von Stock Options auch gem. **§ 71 I Nr. 8** (→ § 71 Rn. 19g) aus zurückgekauften eigenen Aktien erfolgen, was den Vorteil hat, dass dabei entstehende Kosten als Aufwand steuerlich geltend gemacht werden können. Bedingte Kapitalerhöhung hat jedoch den Vorzug, dass AG keinen Kaufpreis zu bezahlen braucht (Marsch-Barner/Schäfer/Holzborn/Schultes-Schnitzlein Rn. 55.14).

16 Unmittelbare Bedeutung der Norm liegt darin, Gewährung von Stock Options als Zweck bedingter Kapitalerhöhung zuzulassen, und zwar unter Ausschluss des Bezugsrechts der Aktionäre (→ Rn. 3; LG Stuttgart AG 2001, 152, 153; RegBegr. BT-Drs. 13/9712, 24); § 186 III und IV, § 221 IV 2 sind nicht, auch nicht analog, anzuwenden. Bedeutung reicht aber darüber hinaus. Hervorzuheben ist: (1.) § 192 II Nr. 3 enthält zusammen mit § 193 II Nr. 4 **ges. Anerkennung von Stock Options** als bes. erfolgsorientierte Vergütungsform für AN und (verkürzt, → Rn. 19 f.) Vorstandsmitglieder. (2.) IE werden in § 192 II Nr. 3 Optionen ohne Anleihe („naked warrants") anerkannt, wobei allerdings hoch umstr. ist, ob sich Anerkennung auf geregelten Sonderfall beschränkt oder verallgemeinerungsfähig ist (→ § 221 Rn. 75). (3.) HV-Beschluss muss nicht Zustimmungs-, sondern kann auch Ermächtigungsbeschluss sein. Das ist keine technische Marginalie, sondern entkoppelt HV-Beschluss und Entscheidung über Auflegung des Optionsprogramms und schafft damit sinnvolle Handlungsfreiheit (→ Rn. 22; Lutter ZIP 1997, 1, 9).

17 **Rechtspolitische Würdigung** des § 192 II Nr. 3 ist seit jeher stark umstr. und im Zeitverlauf immer wieder Schwankungen unterworfen (krit. Überblick bei MüKoAktG/Fuchs Rn. 68 ff.). Regelung ist zumindest insofern zu begrüßen, als sie für Einführung betriebs- und volkswirtschaftlich sinnvoller Stock Options verlässliche und praktikable Basis schafft; wenig eleganter Umweg über Finanzierungsinstrumente (§ 192 II Nr. 1) ist entbehrlich geworden (positive Würdigung zB bei Hüffer ZHR 161 [1997], 214, 237 ff.). Das gilt nicht nur für im Vordergrund der Diskussion stehende Vorstandsmitglieder, sondern auch, soweit Stock Options als erfolgsorientierte Entlohnungsbestandteile im AN-Bereich eingesetzt werden; bisherige praktisch nicht genutzte Sachkapitalerhöhung ist insoweit (→ Rn. 19) überflüssig geworden. Vergütung, die nicht unmittelbar erfolgsbelastend wirkt, könnte sich in noch breiterem Umfang als sinnvoll und technisch problemlos erweisen. Weil Stock Options zum Instrumentarium des **Shareholder Value-Konzepts** gehören, nehmen sie allerdings auch an dessen Vorzügen und Problemen unmittelbar teil (→ § 76 Rn. 63 ff.). Insbes. wird einseitige Ausrichtung des Unternehmenserfolgs am Aktionärsinteresse unter Ausblendung anderer Stakeholder, namentl. AN, kritisiert. Da Stock Options überdies oft erheblich zur Gesamtvergütung des Vorstands beitragen, werden sie auch in generelle Kritik an überhöhten Vorstandsgehältern einbezogen und sind wie diese nahezu durchgängig Gegenstand rechtspolitischer Diskussion (dazu MüKoAktG/Fuchs Rn. 71 ff.).

Dass **Bezugsrecht der Aktionäre kraft Ges. ausgeschlossen** ist (anders nach § 186 III, § 192 II Nr. 1, § 221 IV 2), wird unterschiedlich gewürdigt (zust. Weiß, Aktienoptionspläne, 1999, 226 ff.; krit. MüKoAktG/Fuchs Rn. 31 ff.; Lutter ZIP 1997, 1, 7 ff.). Ursprünglich im Lichte des Art. 33 Kapital-RL (jetzt Art. 72 GesR-RL) diskutierte Frage nach der Konformität mit Unionsrecht wird heute unter Verweis auf Art. 84 I GesR-RL (früher Art. 45 I Kapital-RL) ganz überwiegend bejaht (statt aller BeckOGK/Rieckers Rn. 61 ff.; aA noch Lutter ZIP 1997, 1, 8). Als weiterhin problematisch wird dagegen zT angesehen, dass **Erfordernis sachlicher Rechtfertigung** wegfällt (→ § 186 Rn. 25 ff.; OLG Stuttgart AG 2001, 540 f.) und Aktionäre deshalb uU erhebliche Verringerung ihrer Beteiligungsquote und Verwässerung ihrer Vermögensrechte hinnehmen müssen. Um diese Folge zu vermeiden, ist im Schrifttum angeregt worden, auf der Grundlage des § 221 IV iVm § 186 III, IV an diesem Erfordernis festzuhalten (MüKoAktG/Fuchs Rn. 31, 35). HM lehnt diese Lösung aber zu Recht ab, da § 192 II Nr. 3 gesetzgeberische Wertung zugrunde liegt, dass HV-Beschluss **Rechtfertigung in sich** trägt (OLG Stuttgart AG 2001, 540 f.; S/L/Veil Rn. 20; Weiß WM 1999, 353, 359 f.). Auswüchsen wie ungehemmtem Repricing (nachträgliche Abänderung der Optionsbedingungen zugunsten von Vorstandsmitgliedern [→ § 193 Rn. 7]) lässt sich mit Missbrauchsprüfung im Einzelfall begegnen (Casper DStR 2004, 1391, 1393; G.8 DCGK empfiehlt ohnehin Ausschluss – sa Marsch-Barner/Schäfer/Holzborn/Schultes-Schnitzlein Rn. 55.51 ff.). Insges. gibt ges. Lösung also auch unter dem Blickwinkel des Bezugsrechtsausschlusses keinen Anlass zur Kritik. 18

b) Begünstigter Personenkreis. aa) Arbeitnehmer und Vorstandsmitglieder der AG. Bedingtes Kapital kann gem. § 192 II Nr. 3 zunächst geschaffen werden, um AN der Gesellschaft Stock Options zu gewähren. Dazu gehören alle Personen, die zur AG in einem gegenwärtigen Arbeitsverhältnis stehen (zu arbeitsrechtl. Schranken für Stichtagsregelungen Sura/Mosch NJW-Spezial 2014, 434 f.); hierarchische Abstufung ist nicht vorgesehen (RegBegr. BT-Drs. 13/9712, 24). Ehemalige AN (Betriebsrentner) scheiden aus, wie Vergleich mit § 71 I Nr. 2 ergibt; dort erst durch 2. FinanzmarktförderungsG v. 26.7.1994 (BGBl. 1994 I 1749) geschaffene Erweiterung findet sich in § 192 II Nr. 3 nicht. Berücksichtigung von Betriebsrentnern würde sich auch mit spezifischer Erfolgsbezogenheit von Stock Options nicht vertragen. Richtig ist allerdings, von § 194 III nach wie vor vorausgesetztes Altverfahren der Umwandlung von Zahlungsansprüchen aus Gewinnbeteiligung in Belegschaftsaktien (Sachkapitalerhöhung, → Rn. 17) insoweit zuzulassen. Mitglieder der Geschäftsführung der Gesellschaft sind allein Mitglieder ihres Vorstands iSd §§ 76 ff., 94. Unbestimmte Gesetzesfassung ist nur wegen vergleichbarer Funktionen in Tochtergesellschaften gewählt worden (→ Rn. 20). Weil Zugehörigkeit zur Geschäftsführung verlangt wird, scheiden Mitglieder des AR zwar bei Aktienoptionsprogrammen aus (→ Rn. 21), doch dürfen sie iR von Optionsanleihen berücksichtigt werden (LG München I AG 2001, 376, 377). HV muss darüber aber abschließend selbst entscheiden, darf namentl. kein Ausübungsermessen des Vorstands begründen (OLG München AG 2003, 164 f.). 19

bb) Arbeitnehmer und Geschäftsführungsmitglieder verbundener Unternehmen. § 192 II Nr. 3 lässt Aktienoptionsprogramme zugunsten der AN und der Mitglieder der Geschäftsführung eines verbundenen Unternehmens (§ 15) zu. AN-Begriff ist wie bei AG selbst auszulegen (→ Rn. 19). Wird ver- 20 bundenes Unternehmen veräußert, so gehen Verpflichtungen aus Optionszusage nicht gem. § 613a BGB auf Erwerber über, weil sie nicht verbundenes, sondern die Zusage erteilendes herrschendes Unternehmen treffen und somit nicht im Arbeitsverhältnis wurzeln (BAGE 104, 324, 331 ff.; s. dazu Annuss/Lembke BB 2003, 2230 f. mwN); Zusage bindet also auch weiterhin bisherige Obergesellschaft. Mitglieder der Geschäftsführung sind je nach Rechtsform Vorstände (§§ 76 ff., 94) oder Geschäftsführer (§§ 35 ff. GmbHG), dagegen nicht Mitglieder von Beiräten oder Verwaltungsräten, mögen sie auch nach Satzung ganz oder teilw. geschäftsführende Funktionen haben. Das folgt aus Wortlaut des § 192 II Nr. 3 und vermeidet Abgrenzungsschwierigkeiten, die sonst nicht zu bewältigen wären. Zulässig ist nur, dass AG ihre Aktien für Optionsprogramme einsetzt, an denen auch AN und Geschäftsführungsmitglieder mit ihr verbundener Unternehmen teilnehmen können, nicht auch gegenläufig, dass Aktien verbundener Unternehmen für Optionen von AN oder Vorstandsmitgliedern der Obergesellschaft geschaffen werden (RegBegr. BT-Drs. 13/9712, 24). Doppelbezüge sind nicht nur bei Vorstandsmitgliedern (Doppelmandate), sondern auch sonst (Direktoren oder Prokuristen der Obergesellschaft mit Geschäftsführungsämtern bei nachgeordneten Gesellschaften) zu vermeiden (zum ersten Fall RegBegr. BT-Drs. 13/ 9712, 23). Insoweit ist das „oder" in § 192 II Nr. 3 als Alternative zu lesen, so dass dagegen verstoßender HV-Beschluss anfechtbar ist (§ 243 I). Unproblematisch ist Einbeziehung verbundener Unternehmen nur, wenn bei ihnen außenstehende Gesellschafter nicht vorhanden sind oder wenn Beherrschungsvertrag besteht (RegBegr. BT-Drs. 13/9712, 24); Gleiches sollte bei isoliertem Gewinnabführungsvertrag gelten (vgl. Ihrig/Wandt/Wittgens ZIP-Beil. 40/2012, 18). Jenseits dieser Grenzen, namentl. also im vertragslosen (faktischen) Konzern (§§ 311 ff.), sind Vergütungskonzepte, nach denen sich Aktienoptionen oder auch andere Vergütungsbestandteile nicht nach tochterspezifischen Erfolgszielen, sondern nach Wertentwicklung der **Aktien der Obergesellschaft** bestimmen sollen, der Sache nach problematisch und rechtl. jedenfalls zweifelhaft (→ § 87 Rn. 33 f.). Auf virtuelle Beteiligungen in Form von Stock Appreciation Rights oder Phantom Stocks findet § 192 II Nr. 3 keine Anwendung (→ § 87 Rn. 42).

21 **cc) Stock Options und Aufsichtsratsmitglieder.** Bedingte Kapitalerhöhung darf nicht erfolgen, um Bezugsrechte AR-Mitgliedern der Gesellschaft oder mit ihr verbundener Unternehmen zu gewähren; denn sie gehören nicht zur Geschäftsführung (BGHZ 158, 122, 125 ff. = NJW 2004, 1109 – Mobilcom). Unbedenklich sind allerdings Stock Options für Vorstandsmitglieder, die im Tochterbereich AR-Funktionen wahrnehmen (Konzernmandate). Weitergehende Regelung des RefE KonTraG, der noch von Organmitgliedern sprach (Text zB: AG 1997, August-Sonderheft S. 8), ist nicht Ges. geworden. Da auch § 71 I 1 Nr. 8 S. 5 auf § 192 II Nr. 4, § 192 II Nr. 3 verweist, können AR-Mitgliedern auch keine Aktienoptionen gewährt werden, die durch **eigene Aktien** bedient werden (→ § 71 Rn. 19h). Schließlich folgt aus § 221 IV 2 iVm § 192 II Nr. 3, § 193 II Nr. 4, dass AR-Mitglieder auch nicht über **Wandelschuldverschreibungen** mit Bezugsrechten am Unternehmenserfolg beteiligt werden können (vgl. B/K/L/Lieder Rn. 25; MüKoAktG/Habersack § 113 Rn. 24 im Anschluss an RegBegr. UMAG BT-Drs. 15/5092, 25; krit. bereits BGHZ 158, 122, 129). Krit. Haltung des BGH scheint sich auch auf schuldrechtl. Konstruktionen, namentl. durch sog **Phantom Stocks** (→ § 87 Rn. 42), zu beziehen (→ § 113 Rn. 15 mit krit. Würdigung).

22 **c) Zustimmungs- oder Ermächtigungsbeschluss.** § 192 II Nr. 3 spricht von Gewährung von Bezugsrechten im Wege des Zustimmungs- oder Ermächtigungsbeschlusses. Formulierung ist, soweit es um Zustimmungsbeschluss geht, nicht gelungen, weil bedingte Kapitalerhöhung durch HV-Beschluss erfolgt

(§ 192 I) und nicht, wie zB Ausgabe von Wandelschuldverschreibungen, eine Geschäftsführungsmaßnahme (§ 77) darstellt, die lediglich der Billigung bedarf (§ 221 I). Gemeint ist, dass HV Vorstand ausführungspflichtig machen kann (Regelfall des § 83 II), bedingte Kapitalerhöhung aber auch dann zulässig ist, wenn HV Durchführung des Aktienoptionsprogramms pflichtgem. Ermessen des Vorstands überantwortet (Ermächtigung; sa KK-AktG/Drygala/Staake Rn. 128 f.). Das Zweite war im RefE (→ Rn. 21) zunächst nicht vorgesehen, geht auf (anders formulierte) Anregung von Lutter AG 1997, August-Sonderheft S. 52, 57 zurück und ist in der Sache richtig, weil Verpflichtung des Vorstands nur zeitnah zur HV erfüllt werden könnte und damit nötige Handlungsfreiheit nicht bestände (→ Rn. 16). Vorstand kann nicht nur über Zeitpunkt entscheiden, sondern von Durchführung des Programms ganz absehen (Seibert in Pellens, Unternehmenswertorientierte Entlohnungssysteme, 1998, 31, 48).

IV. Schranken der bedingten Kapitalerhöhung (§ 192 III)

1. Höchstbeträge. a) Grundsatz. Nennbetrag des bedingten Kapitals darf nach § 192 III 1 best. Höchstgrenzen nicht übersteigen. Ursprüngliche Einführung geht auf Beschlussempfehlung des Rechtsausschusses zum **KonTraG 1998** zurück (AusschussB BT-Drs. 13/10038, 9) und soll **Verwässerungseffekt** für Altaktionäre begrenzen (AusschussB BT-Drs. 13/10038, 26), der mit Verbreiterung der Kapitalbasis notwendig verbunden ist (→ Rn. 3: kein ges. Bezugsrecht). Neben Schutz der Altaktionäre dient Vorschrift aber auch öffentl. Interesse an überschaubaren Kapitalverhältnissen (KK-AktG/Drygala/Staake Rn. 153 mwN). 23

Mit **ZuFinG 2023** sind Normstruktur und Grenzen für Bezugsrecht in den Fällen des § 192 II Nr. 2 und 3 erhöht worden. Normstruktur ist eigenwillig, weil nicht schlicht zwischen drei Formen unterschieden wird, sondern bedingtes Kapital nach Nr. 2 als augenscheinlicher Normalfall auf 60 % des Nennbetrags festgelegt wird, während dann in zwei gesonderten Nummern für die Nr. 1 und 3 Ausn. formuliert werden (Nr. 1: 50 %, Nr. 2: 20 %). Tats. ist Struktur aber durchaus sinnvoll, weil damit zwischen **allgemeinem und verwendungsspezifischem Höchstbetrag** unterschieden wird. Diese Differenzierung gilt nicht nur für einzelne bedingte Kapitalerhöhungen, sondern für gesamtes bedingtes Kapital, und zwar auch unter Berücksichtigung früherer (→ Rn. 24) oder zu anderen Zwecken dienender bedingter Kapitalerhöhungen (KK-AktG/Drygala/Staake Rn. 151 f.): Grenze von 60 % darf nie überschritten werden, zum Zweck des Zusammenschlusses mit anderem Unternehmen aber ausgeschöpft werden. Für Gewährung von Umtausch- oder Bezugsrechten aufgrund von Wandelschuldverschreibungen wird die Grenze bei 50 % gezogen; gemeinsam mit anderen bedingten Kapitalia dürfen auch hier 60 % nicht überschritten werden. Gleiches gilt für Gewährung von Bezugsrechten an AN und Geschäftsführung: Für den speziellen Zweck wird eine Grenze von 20 % gezogen; gemeinsam mit anderen bedingten Kapitalia dürfen wiederum 60 % nicht überschritten werden. Werden darüber hinaus noch Aktien zur Bedienung von Bezugsrechten benötigt, muss von Möglichkeit des Rückerwerbs nach § 71 Nr. 8 Gebrauch gemacht werden (→ § 71 Rn. 19g). Für Berechnung der 10 %-Grenze sind allg. Grundsätze (→ Rn. 23) maßgeblich (Ihrig/Wagner NZG 2002, 657, 663). Sofern neben bedingtem Kapital Ermächtigungsbeschluss nach § 71 I Nr. 8 besteht und beide der Bedienung von Bezugsrechten dienen, muss wechselseitige Anrechnung stattfinden (GK-AktG/Frey Rn. 140; BeckOGK/Rieckers Rn. 101; Marsch-Barner/Schäfer/Busch/Busch Rn. 46.18; Knoll ZIP 2002, 1382, 1383 f.; aA Mutter ZIP 2002, 295, 296 f.). 23a

Rechtspolitische Stoßrichtung der Volumenserhöhung im Zuge des ZuFinG ist für die beiden erfassten Konstellationen (→ Rn. 23a) gesondert zu 23b würdigen: Bei § 192 II Nr. 1 geht es darum, AG höhere Flexibilität bei Zusammenschluss mit anderen Gesellschaften zu geben (RegBegr. BT-Drs. 20/8292, 115). Rechtspolit. Kritik wendet sich nicht gegen diese Ausdehnung, sondern gegen ihre Begrenzung auf bedingtes Kapital, da in der Praxis für Zusammenschluss **idR genehmigtes Kapital** verwendet wird (→ Rn. 14). Zweite Erleichterung soll insbes. **Start-Up-Unternehmen** helfen, die auf alternative Entlohnungsmöglichkeiten bes. angewiesen sind (→ Rn. 15). Lockerung ist grds. zu begrüßen, insbes. in Gesamtschau mit flankierenden steuerrechtl. Vergünstigungen (vgl. dazu Lay/Neubauer/Schäfer AG 2023, R 156 ff.). Davon hält sie aber möglicherweise andere Voraussetzung ab, die durch ZuFinG nicht berührt wurde, nämlich **abschreckend lange Wartezeit** bis zur Ausübung der Option nach § 193 Abs. 2 Nr. 4 AktG (ausf. → § 193 Rn. 9b). Zweite Hürde kann restriktive Haltung der Investoren und Stimmrechtsberater sein (v. der Linden/Schäfer DB 2023, 1077, 1079), die aber speziell bei Start-Ups oft keine maßgebliche Bedeutung haben werden.

24 Maßgeblich für Bemessung der Volumensgrenzen ist **Nennbetrag,** also zunächst der im Erhöhungsbeschluss bezifferte Erhöhungsbetrag (→ § 193 Rn. 4). Zu berücksichtigen sind aber auch Nennbeträge aus früheren bedingten Kapitalerhöhungen, soweit noch nicht ausgeschöpft (OLG München AG 2012, 44; MüKoAktG/Fuchs Rn. 146). Auf der anderen Seite ist wirksam gewordenes Grundkapital als **Referenzgröße** zu erfassen. Insoweit gilt: Kapitalerhöhungen gegen Einlagen (§ 182) oder genehmigtes Kapital (§ 202) sind erst wirksam, wenn Durchführung eingetragen ist (§§ 189, 203 I). Weil § 192 III 1 auf „Zeit der Beschlussfassung" abstellt, hilft es nach hM nicht, Beschluss über bedingte Erhöhung unter aufschiebende Bedingung zu stellen, dass Beschluss über Kapitalerhöhung gegen Einlagen in HR eingetragen wird (GK-AktG/Frey Rn. 138; MüKoAktG/Fuchs Rn. 146; MHdB AG/Scholz § 58 Rn. 23; Müller-Eising/Heinrich ZIP 2010, 2390, 2393 f.). Sachlich überzeugt Ergebnis allerdings nur wenig, zumal Lösung beim genehmigten Kapital entgegengesetzt ausfällt (→ § 202 Rn. 14; MHdB AG/Scholz § 58 Rn. 23). Bedingtes Kapital wandelt sich durch Aktienausgabe in Grundkapital um (§ 200). Ordentliche Kapitalherabsetzung (§ 222) wird erst mit Eintragung wirksam (§ 224). Maßgebend für Höhe des Nennbetrags und der Grundkapitalziffer ist aber Zeitpunkt der Beschlussfassung über bedingte Kapitalerhöhung. § 192 III 1 ist deshalb nicht verletzt, wenn bedingte Erhöhung und (später ohnehin mögliche) Herabsetzung in einer HV beschlossen werden (Weiler NZG 2009, 46, 47 f.). Verstoß gegen § 192 III 1 führt insges. zur Nichtigkeit des Kapitalerhöhungsbeschlusses gem. § 241 Nr. 3 (OLG München AG 2012, 44, 45; GK-AktG/Frey Rn. 143; MüKoAktG/Fuchs Rn. 153). Registerrichter muss Eintragung ablehnen. Heilung nach § 242 II möglich; erst mit ihr werden ausgegebene Aktien wirksam.

24a **b) Ausnahmen für Sanierungssituationen und KI.** Ausnahmen von Höchstbeträgen sind bei bedingter Kapitalerhöhung nach § 192 II Nr. 1 in § 192 III 3–5 vorgesehen, wenn AG Umtausch umgekehrter Wandelanleihen gestattet werden soll (→ Rn. 9). So sieht § 192 III 3 für **Sanierungssituationen** vor, dass sanierungsfeindliche Höchstgrenze des § 192 III 1 im allg. Interesse durchbrochen werden kann, wenn Umtausch Abwendung drohender Zahlungsunfähigkeit oder Überschuldung dient. In dieser Situation wird verstärkte Verwässerung (→ Rn. 23) hingenommen, um völliger Entwertung durch Insolvenzverfahren vorzubeugen (Möhlenkamp/Harder ZIP 2016, 1093, 194). Regelung wurde im Zuge der Aktienrechtsnovelle 2016 eingeführt und ist zu begrüßen, weil sie Unternehmenssanierungen erleichtert (Götze/Nartowska NZG 2015, 298, 304; Schüppen/Tretter WPg 2015, 643, 648; vgl. auch RegBegr. BT-Drs. 18/4349, 28; krit. aber Bader AG 2014, 472, 482 Fn. 51, der im Hinblick auf den eingeschr. zeitlichen Anwendungsbereich bemängelt, dass Einsatz von bedingten Pflichtwandelanleihen [→ Rn. 9] im Vorfeld der Krise unmöglich wird). **Drohende Zahlungsunfähigkeit** besteht nach Maßstab des § 18 II InsO dann, wenn Schuldner voraussichtlich nicht in der Lage sein wird, bestehende Zahlungspflichten im Zeitpunkt der Fälligkeit zu erfüllen (→ § 92 Rn. 26, 34; sa Ihrig/Wandt BB 2016, 6, 15). Die bei § 18 II InsO bestehende Unsicherheit hinsichtlich des Prognosezeitraums (vgl. MüKoInsO/Drukarczyk InsO § 18 Rn. 59 ff.) wird damit auf § 192 III 3 übertragen. Damit verbundene Rechtsunsicherheit wird man allerdings nicht dadurch abwenden können, dass es Vorstand selbst überlassen wird, die Bedingungen bis zur Grenze des Rechtsmissbrauchs frei festzusetzen (so aber Florstedt ZHR 180 [2016], 152, 186). Reichweite des bezweckten Drittschutzes (→ Rn. 23) kann nicht von seiner Entscheidung abhängen. Begriff der **Überschuldung** ist nach § 19 II InsO zu bestimmen (ausf. → § 92 Rn. 36 ff.). Formulierung „zum Zwecke der Abwendung" soll ausdrücken, dass Überschuldung noch nicht eingetreten oder festgestellt sein muss (RegBegr. BT-Drs. 18/4349, 28). Wie konkret sie sich im Einzelfall abzuzeichen hat, ist unter Berücksichtigung der individuellen wirtschaftlichen Verhältnisse, der notwendigen Umsetzungszeit und des Sanierungskonzepts zu bestimmen (Götze/Nartowska NZG 2015, 298, 304 f.; Ihrig/Wandt BB 2016, 6, 15 f.; sa KK-AktG/Florstedt § 221 Rn. 305; BeckOGK/Rieckers Rn. 95).

Weitere Ausnahme, die duch Aktienrechtsnovelle 2016 geschaffen wurde, gilt gem. § 192 III 4 für **KI,** die umgekehrte Wandelanleihe begeben wollen, um **aufsichtsrechtl. Kapitalisierungsvorgaben** zu genügen (RegBegr. BT-Drs. 18/4349, 27 f.; krit. Bader AG 2014, 472, 482 Fn. 51, der Anwendungsbereich für zu eng hält; für enge Auslegung aber BeckOGK/Rieckers Rn. 99; Ihrig/Wandt BB 2016, 6, 16; für Erstreckung des § 192 III 4 auf Versicherungsunternehmen Florstedt ZHR 180 [2016], 152, 185; Habersack AG 2015, 613, 620; gegen Analogiefähigkeit Söhner ZIP 2016, 151, 154). Sie müssen Grenze des § 192 III 1 also auch dann nicht beachten, wenn in § 192 III 3 beschriebene Krisensituation nicht vorliegt. Das privilegierte Kapital wird gem. § 192 III 5 AktG nicht auf ges. Höchstgrenze für etwaige andere bedingte Kapitalia angerechnet (Schüppen/Tretter WPg 2015, 643, 648). Ausnahme von 50 %-Grenze gilt nur, wenn bedingtes Kapital ausschließlich den in § 192 III 3 und 4 genannten Zwecken dient (hM, s. KK-AktG/Drygala/Staake Rn. 170; BeckOGK/Rieckers Rn. 96, 99). Steht Wandlungsrecht auch Gläubigern zu, greifen Sonderregelungen in § 192 III 3–5 nach hM nicht zu ihren Gunsten ein (B/K/L/Lieder Rn. 32; BeckOGK/Rieckers Rn. 96, 99; Marsch-Barner/Schäfer/Busch/Busch Rn. 46.18; Ihrig/Wandt BB 2016, 6, 16; Söhner ZIP 2016, 151, 154; aA zu § 192 III 4 KK-AktG/Florstedt § 221 Rn. 306); AG bleibt aber privilegiert (zutr. Hopt/Seibt/Fest SVR § 221 AktG Rn. 147; zu Gestaltungsoptionen ausf. BeckOGK/Rieckers Rn. 96, 99). Priviligierung ist ferner über Wortlaut hinaus auf (ggf. bedingte) Pflichtwandelanleihen anwendbar, wenn Wandlungsereignis dem Maßstab des § 192 III 3, 4 entspr. (vgl. Wehrhahn GWR 2016, 133, 135; sa B/K/L/Lieder Rn. 33). Für **Rekapitalisierungsmaßnahmen nach WStBG** (→ § 182 Rn. 5a ff.) sieht § 7a I 3 WStBG Durchbrechung sowohl der 50 %- als auch der 10 %-Grenze vor (vgl. dazu Langenbucher ZGR 2010, 75, 89 ff.). 24b

2. Keine überproportionale Beeinträchtigung alter Stückaktien. Gem. § 182 I 5 iVm § 192 III 2 darf bei Gesellschaften, die sich für Stückaktien (§ 8 III) entschieden haben, Beteiligungsquote der Altaktien auch durch bedingtes Kapital nicht überproportional verschlechtert werden. Bezugsaktien müssen deshalb so gestückelt sein, dass nach ihrer vollständigen Ausgabe (§ 199) Erhöhung der Aktienzahl der Erhöhung des Grundkapitals entspr. 25

V. Nichtigkeit entgegenstehender Hauptversammlungsbeschlüsse (§ 192 IV)

26 **1. Regelungszweck und Anwendungsbereich.** Nichtigkeitsfolge des § 192 IV dient **Schutz der zum Bezug oder Umtausch Berechtigten.** Ihr Anspruch auf Aktienausgabe soll nicht entwertet werden. Weil dieser Anspruch gem. § 197 S. 2 frühestens mit Eintragung des Beschlusses (§ 195) entsteht, können vor Eintragung entgegenstehende Beschlüsse gefasst werden (allgM). Sie sind auch nach Eintragung gültig, wenn Berechtigte im Zeitpunkt der zweiten Beschlussfassung fehlen oder sämtlich auf ihren Schutz verzichten (GK-AktG/Frey Rn. 149 f.; MüKoAktG/Fuchs Rn. 157). Berechtigte fehlen namentl., wenn Beschluss noch nicht umgesetzt wurde, etwa bei bloßer Ermächtigung zur Gewährung von Bezugsrechten gem. § 192 II Nr. 3 (→ Rn. 22), ferner wenn Unternehmenszusammenschluss endgültig gescheitert ist oder bei Fristablauf oder Bedingungsausfall, wenn Rechte entspr. eingeschränkt sind (MHdB AG/Scholz § 58 Rn. 62).

27 **2. Entgegenstehende Beschlüsse.** Beschluss steht bedingter Kapitalerhöhung entgegen und ist deshalb nichtig, wenn er Durchsetzung von Umtausch- oder Bezugsrechten erschwert. Erfasst wird insbes. Beschluss, der eingetragenen Erhöhungsbeschluss aufhebt oder Erhöhungsbetrag herabsetzt. Beschluss steht bedingter Kapitalerhöhung aber nicht entgegen, wenn er nur Wert des Bezugs- oder Umtauschrechts mindert, wie zB weiterer Kapitalerhöhungsbeschluss (GK-AktG/Frey Rn. 160; MüKoAktG/Fuchs Rn. 159). Das gilt nach hM auch, wenn durch Beschluss Aktienkurs unter Bezugskurs sinkt und dadurch Umtausch- oder Bezugsrecht faktisch beseitigt wird. Verwässerung der Bezugsrechte durch weitere Kapitalerhöhung kann Vertragsanpassung erfordern, deren Einzelheiten sich vor allem aus Anleihebedingungen ergeben (KK-AktG/Drygala/Staake Rn. 194; MHdB AG/Scholz § 58 Rn. 63; → § 189 Rn. 8 f.; → § 221 Rn. 61 ff.). Bedingtes Kapital hindert weder Auflösung (§ 262) noch Verschmelzung oder Umwandlung (KK-AktG/Drygala/Staake Rn. 196 ff., 209 f.; zur Auflösung sa BGHZ 24, 279, 286 = NJW 1957, 1279) oder Eingliederung (Martens AG 1992, 209, 210). Jedoch hat bei Verschmelzung neue bzw. übernehmende Gesellschaft vergleichbare Rechtspositionen zu schaffen.

28 **3. Rechtsfolgen.** Entgegenstehender Beschluss ist nichtig (§ 192 IV). Registerrichter darf ihn nicht eintragen. Erfolgt Eintragung gleichwohl, so wird Nichtigkeit nicht geheilt, auch nicht entspr. § 242 (→ § 242 Rn. 6; GK-AktG/Frey Rn. 162; MüKoAktG/Fuchs Rn. 168).

VI. Entsprechende Anwendung der Vorschriften über das Bezugsrecht (§ 192 V)

29 §§ 193–201 betr. durchgängig (Ausnahme: § 199 II) **Bezugsrecht,** nicht Umtauschrecht. Damit ist nur sprachliche Vereinfachung bezweckt, weshalb Normen gem. § 192 V sinngem. gelten. Nicht anzuwenden sind Sonderregeln für Sacheinlagen (§ 194 I 2).

VII. Kosten

30 Es fallen an: **Notarkosten** für Beurkundung des HV-Beschlusses und dessen Anmeldung; allg. **Verwaltungskosten,** zB für Druck neuer Aktienurkunden; Kosten für Registereintragungen, und zwar sowohl für Eintragung des Erhöhungsbeschlusses (§ 195) als auch für Eintragung der Ausgabe von Bezugsaktien

(§ 201). **Eintragungsgebühren:** Gebühr für Eintragung des Erhöhungsbeschlusses bestimmt sich gem. § 58 I GNotKG nach GV 2400 HRegGebV; Geschäftswert: § 105 I 1 Nr. 4 lit. a GNotKG. Gebühr für Eintragung der Ausgabe von Bezugsaktien (§ 201) ist KV 2500 GNotKG zu entnehmen. Geschäftswert richtet sich insoweit mangels bestimmten Geldbetrags nach § 105 IV Nr. 1 GNotKG. Überholt ist frühere Praxis, Geschäftswert aus Nennbetrag der im Vorjahr ausgegebenen Bezugsaktien abzuleiten (OLG Köln Rpfleger 1966, 25 f.).

Erfordernisse des Beschlusses

193 (1) [1] **Der Beschluß über die bedingte Kapitalerhöhung bedarf einer Mehrheit, die mindestens drei Viertel des bei der Beschlußfassung vertretenen Grundkapitals umfaßt.** [2] **Die Satzung kann eine größere Kapitalmehrheit und weitere Erfordernisse bestimmen.** [3] **§ 182 Abs. 2 und § 187 Abs. 2 gelten.**

(2) **Im Beschluß müssen auch festgestellt werden**

1. **der Zweck der bedingten Kapitalerhöhung;**
2. **der Kreis der Bezugsberechtigten;**
3. **der Ausgabebetrag oder die Grundlagen, nach denen dieser Betrag errechnet wird; bei einer bedingten Kapitalerhöhung für die Zwecke des § 192 Abs. 2 Nr. 1 genügt es, wenn in dem Beschluss oder in dem damit verbundenen Beschluss nach § 221 der Mindestausgabebetrag oder die Grundlagen für die Festlegung des Ausgabebetrags oder des Mindestausgabebetrags bestimmt werden; sowie**
4. **bei Beschlüssen nach § 192 Abs. 2 Nr. 3 auch die Aufteilung der Bezugsrechte auf Mitglieder der Geschäftsführungen und Arbeitnehmer, Erfolgsziele, Erwerbs- und Ausübungszeiträume und Wartezeit für die erstmalige Ausübung (mindestens vier Jahre).**

Übersicht

I. Regelungsgegenstand und -zweck

Norm nennt Beschlusserfordernisse und ergänzt damit § 192. Sie bestimmt 1
erforderliche Mehrheit (§ 193 I 1), die jedoch gem. § 193 I 2 erhöht werden kann, sowie Notwendigkeit von Sonderbeschlüssen, wenn mehrere Aktiengattungen vorhanden sind (§ 193 I 3 iVm § 182 II). Norm nennt ferner bes. Beschlussinhalt (§ 193 II). Schließlich stellt sie klar, dass HV durch Ausgabe von Wandelanleihen nicht verpflichtet wird, bedingtes Kapital zu schaffen (§ 193 I 3 iVm § 187 II).

II. Formelle Beschlusserfordernisse

2 Von § 192 I vorausgesetzter HV-Beschluss bedarf einer Mehrheit von drei Vierteln des vertretenen Grundkapitals (§ 193 I 1). Norm bestimmt insoweit nur **Kapitalmehrheit;** zusätzlich ist einfache **Stimmenmehrheit** nach § 133 I erforderlich (→ § 182 Rn. 7). Satzung kann größere Kapitalmehrheit sowie weitere Erfordernisse bestimmen (§ 193 I 2). Norm weicht insoweit von § 182 I 2, 3 ab, als dieser auch geringere Kapitalmehrheit zulässt; ansonsten kann auf Ausführungen dort verwiesen werden (→ § 182 Rn. 8). Dass § 193 I 2 nur höhere Kapitalmehrheit zulässt, steht nicht im Wertungswiderspruch zu § 221 I 3 (so aber Lehmann AG 1983, 113, 115; wie hier MüKoAktG/Fuchs Rn. 3). Einschränkung der Satzungsautonomie ist vielmehr wegen notwendigen Bezugsrechtsausschlusses bei bedingter Kapitalerhöhung (→ § 192 Rn. 3) gerechtfertigt. Sind **mehrere Aktiengattungen** (→ § 11 Rn. 7) vorhanden, wird Erhöhungsbeschluss nur wirksam, wenn Aktionäre jeder Gattung durch Sonderbeschluss zustimmen (§ 193 I 3 iVm § 182 II). Es gelten Ausführungen zu § 182 II (→ § 182 Rn. 18 ff.). § 182 IV ist nicht anwendbar (→ § 192 Rn. 7).

III. Bedeutung des § 193 I 3 iVm § 187 II

3 Wortlaut des § 187 II ist missverständlich. Bezugsrechte können bereits vor Beschlussfassung begründet werden; sie sind dann auch nicht unwirksam. Zweck der Vorschrift fordert Unwirksamkeit als Rechtsfolge nicht (→ § 187 Rn. 5). Aus § 193 I 3 iVm § 187 II folgt nur, dass Zusicherungen des Vorstands **keine Verpflichtung der HV** begründen, bedingte Kapitalerhöhung zu beschließen, und ferner, dass AG keinen Schadensersatz leisten muss, wenn Erhöhungsbeschluss nicht gefasst wird (GK-AktG/Frey Rn. 13; MHdB AG/Scholz § 58 Rn. 60). Auch sind vor Erhöhungsbeschluss ausgegebene Wandelanleihen nicht nach § 139 BGB nichtig.

IV. Inhalt des Erhöhungsbeschlusses

4 **1. Allgemeiner Inhalt.** Beschluss muss zunächst erkennen lassen, dass bedingte Kapitalerhöhung gewollt ist. Deshalb muss er Vorstand anweisen, Umtausch- oder Bezugsrechte an gem. § 193 II Nr. 2 festgesetzten Personenkreis zu gewähren (MüKoAktG/Fuchs Rn. 7). Festzusetzen ist ferner Erhöhungsbetrag; er ist wegen seiner Bedingtheit Höchstbetrag (MüKoAktG/Fuchs Rn. 7). Zulässigkeit eines **Mindestbetrags** ist umstr., nach zutr. Auffassung aber zu bejahen, da ges. Vorgabe nicht entgegensteht und Praxis damit sinnvolle Gestaltung eröffnet werden kann, um etwa Ausgabe von Bezugsrechten zu verweigern, solange nicht bestimmte Mindestzahl ausgeübt wurde (KK-AktG/Drygala/Staake Rn. 24, § 192 Rn. 40; BeckOGK/Rieckers Rn. 8; MHdB AG/Scholz § 58 Rn. 30; aA MüKoAktG/Fuchs Rn. 7). Zudem sind bei Nennbetragsaktien (§ 8 II) der Nennbetrag, bei Stückaktien (§ 8 III) deren Zahl festzulegen. Angabe der Zahl junger Aktien ist jedoch entbehrlich, wenn sie sich bestimmen lässt, indem Kapitalerhöhungsbetrag durch rechnerischen Nennbetrag der alten Aktien dividiert wird (BGHZ 181, 144 Rn. 23 = NZG 2009, 986; BeckOGK/Rieckers Rn. 8; MHdB AG/Scholz § 58 Rn. 31; → § 182 Rn. 13a; aA MüKoAktG/Fuchs Rn. 7). Anzugeben sind ferner Art und Gattung der Aktien, sofern sie nicht schon aus Satzung folgen (BGHZ 181, 144 Rn. 23; → § 182 Rn. 13 f.). Bei Sacherhöhung ist inhaltliche Vorgabe des § 194 I 1 zu beachten (→ § 194 Rn. 6). **Fakultativ** kann Erhöhungsbeschluss Bezugs- und Umtauschrechte inhaltlich ausgestalten; insbes. empfiehlt sich, Ausübung der Rechte zu befristen, zB durch Angabe eines frühesten und/oder spätesten Zeitpunkts; möglich ist aber

auch, Rechte unter eine Bedingung (§ 158 BGB) zu stellen (BGHZ 24, 279, 289 = NJW 1957, 1279; MüKoAktG/Fuchs Rn. 8). Zweckmäßig ist, AR gem. § 179 I 2 zu ermächtigen, Fassung der Satzung entspr. der durchgeführten Erhöhung zu ändern und, soweit gewünscht, bedingtes Kapital in Satzung aufzunehmen (→ § 192 Rn. 5). IdR empfehlenswert ist auch Festlegung einer von § 60 II 3 abweichenden Dividendenberechtigung (Einzelheiten bei BeckOGK/Rieckers Rn. 9; sa Ekkenga/Jaspers AG-Finanzierung Kap. 6 Rn. 148). Üblich ist, Vorstand ausdr. zu ermächtigen, weitere Einzelheiten festzusetzen; das hat aber nur deklaratorische Bedeutung.

2. Besonderer Inhalt (§ 193 II). a) Bei allen Beschlüssen. Angaben nach 5 § 193 II sind zwingend erforderlich. Erhöhungsbeschluss muss nach Nr. 1 **Zweck der bedingten Kapitalerhöhung** nennen. Welche Zwecke zulässig sind, ergibt sich abschließend aus § 192 II (→ § 192 Rn. 8 ff.). Konkrete Angabe ist erforderlich. Im Fall des § 192 II Nr. 1 genügt aber Bezugnahme auf Zustimmungs- oder Ermächtigungsbeschluss nach § 221 (s. B/K/L/Lieder Rn. 5); im Falle des § 192 II Nr. 2 ist Unternehmen zu nennen (Firma, Sitz, Rechtsform) sowie Art des Zusammenschlusses anzugeben (MüKoAktG/Fuchs Rn. 10). **Kreis der Bezugsberechtigten** ist gem. § 193 II Nr. 2 festzustellen (Grund für geringe praktische Bedeutung des bedingten Kapitals → § 192 Rn. 14). Bezugsberechtigte müssen eindeutig bestimmbar sein, aber nicht notwendig namentlich genannt werden. Ausreichend ist zB: genaue Bezeichnung der Schuldverschreibungen, deren Inhaber Bezugs- oder Umtauschrechte wahrnehmen können; Bezeichnung des Unternehmens, dessen Gesellschafter Bezugsrechte erhalten (Angabe wie zu § 193 II Nr. 1); Hinweis, dass Bezugsrecht den gewinnbeteiligten AN zusteht. Festsetzung begründet noch kein Bezugs- oder Umtauschrecht der bezeichneten Personen, sondern bindet nur Vorstand im Innenverhältnis bei Durchführung der Erhöhung (→ § 197 Rn. 5).

Gem. § 193 II Nr. 3 müssen schließlich **Ausgabebetrag der Bezugsaktien** 6 oder Grundlagen festgesetzt werden, nach denen dieser Betrag errechnet wird. Auf diese Weise sollen Aktionäre vor übermäßiger Verwässerung ihres Bezugsrechts geschützt werden (B/K/L/Lieder Rn. 7). Ausgabebetrag (→ § 182 Rn. 22 ff.) kann dem Nennbetrag, bei Stückaktien dem anteiligen Betrag des Grundkapitals (§ 9 I) entspr. oder ihn übersteigen (§ 9 II), nicht jedoch unterschreiten (§ 9 I). Bei Umtauschrechten ist anzugeben, in welchem Verhältnis Schuldverschreibungen in Aktien getauscht werden; ggf. sind Zuzahlungen festzusetzen (MüKoAktG/Fuchs Rn. 12; MHdB AG/Scholz § 58 Rn. 35). Werden Wandelanleihen unter pari ausgegeben, ist bei Aktienausgabe § 199 II zu beachten (→ § 199 Rn. 10 ff.). Bei Bezugsrechten ist betragsmäßige Angabe möglich; Bezugsverhältnis ist aber auch hier anzugeben (MHdB AG/Scholz § 58 Rn. 35).

Alternativ reicht es bei Umtausch- und Bezugsrechten aus, **Berechnungsgrundlagen für Ausgabekurs** festzusetzen. Bei Unternehmenszusammen- 6a schlüssen (→ § 192 Rn. 14) kann also Umtauschverhältnis angegeben werden. Zulässig ist auch, Ausgabekurs nach Börsenkurs zu einem bestimmten Stichtag zu berechnen oder durch Sachverständige nach bestimmten Vorgaben errechnen zu lassen. Ausgabebetrag bestimmt sich nach in → § 182 Rn. 22 dargelegten Grundsätzen. **Besonderheiten:** Bedingte Kapitalerhöhung geht einher mit Bezugsrechtsausschluss, so dass Ausgabebetrag an § 255 IV zu messen ist. Er darf also nicht unangemessen niedrig sein (→ § 255 Rn. 26 ff.). Nur bei AN-Aktien kann Ausgabekurs im angemessenen Rahmen unter Wert angesetzt werden; arg. § 204 III (großzügiger KK-AktG/Drygala/Staake Rn. 68). Bei Schuldverschreibungen ist zu berücksichtigen, ob Bezugsrecht ausgeschlossen war oder nicht (§ 221 IV). Im zweiten Fall kann Ausgabekurs so festgesetzt werden, als ob Bezugsrecht bei Kapitalerhöhung bestände (MüKoAktG/Fuchs Rn. 17).

6b Nach verbreiteter Praxis enthält HV-Beschluss weder Ausgabebetrag noch Angaben, die aus sich heraus seine Berechnung erlauben. Vielmehr wird **Mindestausgabekurs** angegeben, idR als Prozentsatz (80 %) eines bestimmten durchschnittlichen Börsenkurses (Schlitt/Schäfer CFL 2010, 252 f.; Bsp. bei Spiering/Grabbe AG 2004, 91, 92 Fn. 6). Zulässigkeit dieser Praxis wird durch § 193 II Nr. 3 Hs. 2 ausdr. klargestellt und war schon bisher zu bejahen, weil sonst mit Ermächtigung des Vorstands nach § 221 II geschaffener Spielraum durch Vorabbestimmung des Ausgabebetrags im zentralen Punkt doch nicht bestände (BGHZ 181, 144 Rn. 12 ff. = NZG 2009, 986).

7 **b) Ergänzende Festsetzungen bei Beschlüssen nach § 192 II Nr. 3.** Wenn bedingtes Kapital zur Gewährung von Bezugsrechten (→ § 192 Rn. 15 ff.) dient (nicht auch: zur Beschaffung von Restricted Shares, → § 87 Rn. 43), muss Beschluss über bedingte Kapitalerhöhung zunächst allg. Inhalt von Erhöhungsbeschlüssen haben (→ Rn. 4), sodann bes. Inhalt nach § 193 II Nr. 1–3 (→ Rn. 5 f.), schließlich den Inhalt, den § 193 II Nr. 4 ergänzend vorschreibt. Aus § 193 II Nr. 3 folgt, dass Ausübungspreis nicht ohne HV-Beschluss durch sog **Repricing** (→ § 192 Rn. 18) gesenkt werden kann; auch Verwaltungsermächtigung zum Repricing im Ursprungsbeschluss ist unzulässig (BeckOGK/Rieckers Rn. 22; Marsch-Barner/Schäfer/Busch/Busch Rn. 46.27; Marsch-Barner/Schäfer/Holzborn/Schultes-Schnitzlein Rn. 55.51 ff.; Ackermann/Suchan BB 2002, 1497, 1498 ff.; Semmer, Repricing, 2005, 129 ff.; großzügiger KK-AktG/Drygala/Staake Rn. 73). Auch Festsetzungen nach § 193 II Nr. 4 sind zwingend erforderlich. Durch KonTraG 1998 eingefügte Regelung nennt Eckpunkte von Aktienoptionsprogrammen, ist aber in erster Linie **Kompetenznorm,** indem sie Zuständigkeit der HV für inhaltliche Ausgestaltung begründet, die nach allg. Grundsätzen teils beim AR (Stock Options für Vorstandsmitglieder), teils beim Vorstand (Stock Options für AN) liegen würde. Hinweis in RegBegr. BT-Drs. 13/9712, 23 auf angebliche Befangenheit begünstigter Organe trifft nicht mehr zu, nachdem Stock Options für AR-Mitglieder ausgeschlossen worden sind (→ § 192 Rn. 21; s. Hüffer ZHR 161 [1997], 214, 241; DAV-HRA ZIP 1997, 163, 173 Nr. 117). Gleichwohl trifft § 193 II Nr. 4 schon deshalb das Richtige, weil Aktionäre von Kapitalverwässerung betroffen werden (Seibert in Pellens, Unternehmenswertorientierte Entlohnungssysteme, 1998, 31, 40; zu weiteren Gesichtspunkten Hüffer ZHR 161 [1997], 214, 241). Ergänzend empfiehlt G.8 DCGK, nachträgliche Änderung der Erfolgsziele auszuschließen. Ebenfalls bedenklich erscheint, Risiko aus Stock Options durch entspr. **Hedging** zu minimieren (vgl. dazu GK-AktG/Kort § 87 Rn. 241 ff.; BeckOGK/Rieckers Rn. 23).

8 Aufzählung des § 193 II Nr. 4 ist nicht beispielhaft, sondern **enumerativ** in dem Sinne, dass HV-Beschluss weitere Einzelheiten zwar enthalten kann, aber nicht muss. Noch im RefE (zB AG 1997, August-Sonderheft S. 8) enthaltene Generalklausel („alle weiteren wesentlichen Bedingungen des Bezugsrechts") ist zu Recht wegen damit begründeten kaum beherrschbaren Anfechtungsrisikos zugunsten konkreter und abschließender Formulierung aufgegeben worden (s. dazu Hüffer ZHR 161 [1997], 214, 241; Kohler ZHR 161 [1997], 246, 267; Weiß WM 1999, 353, 357; früher schon Martens AG 1996, 337, 349). Weil Regelung im Beschluss zu treffen ist, müssen Vorstand und AR gem. § 124 III 1 entspr. detaillierten Beschlussvorschlag machen; ohne solchen Vorschlag wäre HV auch idR sachlich überfordert. Vorschlag nach § 124 III 1 ist aber auch genügend (OLG Stuttgart AG 2001, 540, 541). Norm ist sinngem. anwendbar, wenn sich Stock Options mit Wandelschuldverschreibungen verknüpfen (§ 221 IV 2; → § 221 Rn. 46a, 46b).

9 Zu Einzelheiten gilt: Erforderlich ist **gruppenmäßige Aufteilung** der Bezugsrechte. Als vier Gruppen zu nennen sind (soweit tats. bezugsberechtigt):

(1) Vorstandsmitglieder der AG, (2) Geschäftsführungsmitglieder verbundener Unternehmen, (3) AN der AG und (4) AN der mit ihr verbundenen Unternehmen (RegBegr. BT-Drs. 13/9712, 23; KK-AktG/Drygala/Staake Rn. 86 ff.; teilw. aA OLG Koblenz AG 2003, 453 f.). Weitere Untergruppen sind möglich. Nicht zu nennen sind einzelne Personen und für sie vorgesehene Bezugsrechte (Lutter AG 1997, August-Sonderheft S. 52, 57). Unterfallen einzelne Berechtigte zwei Gruppen (AN der Ober- und Geschäftsführungsmitglieder der Untergesellschaft), sollten durch Regelung in HV-Beschluss doppelte Bezüge vermieden werden (Marsch-Barner/Schäfer/Holzborn/Schultes-Schnitzlein Rn. 55.28). Aufteilung unter Gruppen kann – nach Ermessen der HV – etwa durch Prozentsätze erfolgen (BeckOGK/Rieckers Rn. 27).

Anzugeben sind weiter **Erfolgsziele.** Das ist für Vorstandsmitglieder und andere Führungskräfte sinnvoll, nicht aber unbedingt für Mitarbeiteraktienprogramme, was in der Praxis für sie zT von Nutzung des bedingten Kapitals abschreckt (Stellungnahme DAI RegE ZuFinG, 2023, 19 f. – abrufbar über DAI-Homepage: Verbleib im Unternehmen sollte ausreichend sein). Zumindest inhaltliche Differenzierung nach **Gruppen von Bezugsberechtigten** (→ Rn. 9) ist aber zulässig (KK-AktG/Drygala/Staake Rn. 104 f.). Verknüpfung von Erfolgszielen und Bezugsrecht kann rechtl. (Bedingung) oder auch wirtschaftlich (Preisgestaltung) erfolgen (dazu v. Einem/Götze AG 2002, 72, 75 f.). Regelfall des Erfolgsziels ist **absolutes oder relatives Kursziel** (BeckOGK/Rieckers Rn. 31). Begriff des Erfolgsziels, der auf Beschlussempfehlung des Rechtsausschusses zurückgeht (AusschussB BT-Drs. 13/10038, 9, 26), ist aber bewusst derart weit gefasst, dass er auch **andere Ziele** abdeckt (Seibert in Pellens, Unternehmenswertorientierte Entlohnungssysteme, 1998, 31, 45 f.), etwa Eigenkapital- oder Gesamtrendite, Discounted Cash Flow (DCF), Economic Value Added (EVA), Gewinn pro Aktie (KK-AktG/Drygala/Staake Rn. 101), aber auch Überschreiten bestimmter Leistungskennzahlen vergleichbarer Unternehmen (sa LG München I AG 2001, 376, 377: Börseneinführung als Erfolgsziel). HV hat insofern breites Ermessen (KK-AktG/Drygala/Staake Rn. 96). Nach § 193 II Nr. 4 genügt Anknüpfung an Börsenkurs ohne zusätzlichen Erfolgsmaßstab, was mit Blick auf Windfall Profits im Einzelfall problematisch sein kann, aber grds. zulässig bleibt (OLG Stuttgart AG 1998, 529, 532; AG 2001, 540, 541). Sog Benchmarking (zB Branchenindex) ist vielfach vorzugswürdig (KK-AktG/Drygala/Staake Rn. 99; Baums FS Claussen, 1997, 3, 12 ff.); ggf. gehört es in den Beschluss (Seibert in Pellens, Unternehmenswertorientierte Entlohnungssysteme, 1998, 31, 44 f.). Zumindest problematisch ist, sogar begrenzten Misserfolg (relativ günstiges Abschneiden trotz Kursverlustes in fallenden Märkten) als taugliches Erfolgsziel anzuerkennen (so aber OLG Koblenz NZG 2003, 182, 183; wie hier krit. BeckOGK/Rieckers Rn. 32). 9a

Weiterhin festzusetzender **Erwerbszeitraum** umschreibt Zeitraum, in dem Optionen ausgegeben werden dürfen (vesting period), und dient damit zugleich Schutz vor Insiderdelikten und Synchronisation im Hinblick auf Dividendenberechtigung (Marsch-Barner/Schäfer/Holzborn/Schultes-Schnitzlein Rn. 55.39). Erwerbszeitraum kann kalendermäßig fixiert, aber auch variabel in der Weise gestaltet werden, dass er an bestimmtes Ereignis geknüpft wird (Marsch-Barner/Schäfer/Holzborn/Schultes-Schnitzlein Rn. 55.39). Ebenfalls anzugebender **Ausübungszeitraum** bezeichnet Zeiträume, zu denen Optionen eingetauscht werden dürfen (trading window), wobei auch insofern insiderrechtl. Aspekte in Rechnung zu stellen sind (Marsch-Barner/Schäfer/Busch/Busch Rn. 46.31); hier empfiehlt sich, Datum zeitlich von Veröffentlichung von Unternehmenszahlen zu trennen, um Einfluss durch kurzfristige Effekte auszuschließen (Marsch-Barner/Schäfer/Holzborn/Schultes-Schnitzlein Rn. 55.40; Hoffmann-Becking NZG 1999, 797, 804: „Wunderkerzen-Effekt"). Schließlich gehört auch 9b

Wartezeit zum notwendigen Beschlussinhalt, also Zeit zwischen Begr. des Bezugsrechts und erstmaliger Ausübungsmöglichkeit, ggf. nach Tranchen getrennt (RegBegr. BT-Drs. 13/9712, 24). Sie darf nach Klammerzusatz in § 193 II Nr. 4 nicht kürzer als vier Jahre sein. Frühere Zweijahresfrist ist durch Art. 1 Nr. 7 VorstAG v. 31.7.2009 (BGBl. 2009 I 2509) verlängert worden. Änderung ist im Zusammenhang zu sehen mit **Nachhaltigkeitspostulat,** das § 87 I 2 (→ § 87 Rn. 25 ff.) für börsennotierte Gesellschaften aufstellt, und soll langfristiges Unternehmenswohl in das Zentrum variabler Vergütung rücken (Fraktionsbegr. BT-Drs. 16/12278, 5). Lange Frist wird in jüngerer Zeit verbreitet als **Wettbewerbsnachteil** im Kampf um Talente empfunden, und zwar namentl. für junge Wachstumsunternehmen, die in bes. Maße auf aktienbasierte Formen der Mitarbeiterbeteiligung angewiesen sind (Kuthe BB 2023, 1603, 1604; Lay/Neubauer/Schäfer AG 2023 R 156, 158 m. weiteren Ausführungen zu den wohl noch wichtigeren steuerrechtl. Rahmenbedingungen; s. dazu auch Harnos AG 2023, 873 Rn. 21 ff.). Überdies kann lange Wartezeit zu Zielkonflikten führen, wenn für Vorstandsmitglieder – wie häufig (vgl. Empfehlung B.3 DCGK) – Bestellungsdauer von höchstens fünf Jahren (§ 84 I 1) unterschritten wird. Erstreckung der Vierjahresfrist auf Phantom Stocks (→ § 87 Rn. 42) und andere schuldrechtl. Nachbildungen ist auch im Lichte des § 87 I 2 nicht ohne weiteres geboten (BeckOGK/Rieckers Rn. 38; Jaeger/Balke ZIP 2010, 1471, 1478; Hohenstatt ZIP 2009, 1349, 1356; strenger KK-AktG/Drygala/Staake Rn. 120 f.; Fleischer NZG 2009, 801, 803), sondern Frist ist lediglich Anhaltspunkt für Gestaltung (vgl. auch Fraktionsbegr. BT-Drs. 16/12278, 5 „Auslegungshilfe"). Fehlanreize können auch auf anderen Wegen vermieden werden, etwa über sonstige Parameter eines virtuellen Aktienprogramms (insbes. Erfolgsziele). **Zeitliche Obergrenze** ist in § 193 II Nr. 4 nicht vorgesehen, kann sich aber aus § 624 BGB ergeben, wenn (namentl. iVm Verfallklauseln – vgl. dazu KK-AktG/Drygala/Staake Rn. 128 f.) Kündigungsmöglichkeit von AN übermäßig eingeschränkt wird (BAG AG 2008, 852, 855; BeckOGK/Rieckers Rn. 39 mit zutr. Ergänzung: keine starre Grenze; aA KK-AktG/Drygala/Staake Rn. 118 f., 129). Weitergehende **Haltefrist** für erworbene Aktien ist zulässig, kann aber nicht auf Wartefrist angerechnet werden (KK-AktG/Drygala/Staake Rn. 125). Zur Ausn. von der Ausübungsfrist gem. § 193 II Nr. 4 bei SPACs s. § 47a II BörsG und → § 23 Rn. 59.

V. Fehlerhafter Erhöhungsbeschluss

10 Es gelten allg. Vorschriften über **Nichtigkeit und Anfechtbarkeit** (§ 255 I, III), wobei Einwand unangemessen niedrigen Ausgabebetrags mit Neuordnung des § 255 durch ZuFinG 2023 keine Anfechtung mehr begründen kann (→ § 255 Rn. 2 ff.). Erhöhungsbeschluss ist nach § 241 Nr. 3 nichtig, wenn Anweisung an den Vorstand fehlt, Bezugs- und Umtauschrechte einzuräumen (KK-AktG/Drygala/Staake Rn. 133). Nichtigkeit tritt ferner ein, wenn Festsetzungen nach **§ 193 II Nr. 1–3** fehlen. Norm dient insoweit öffentl. Interesse, weil sie Missbrauch der bedingten Kapitalerhöhung verhindern soll (KK-AktG/Drygala/Staake Rn. 132; BeckOGK/Rieckers Rn. 43; Grigoleit/Rieder/Holzmann Rn. 24; aA GK-AktG/Frey Rn. 77; B/K/L/Lieder Rn. 16). Heilung nach § 242 II ist möglich. Andere Gesetzes- oder Satzungsverstöße können im Wege der Anfechtungsklage geltend gemacht werden. Bloßer Anfechtungsgrund ist namentl. Verletzung des **§ 193 II Nr. 4** (BeckOGK/Rieckers Rn. 43; Grigoleit/Rieder/Holzmann Rn. 25; MHdB AG/Scholz § 58 Rn. 43; aA KK-AktG/Drygala/Staake Rn. 137 ff.; Hölters/Weber/Apfelbacher/Metzner Rn. 37; S/L/Veil Rn. 17: Nichtigkeit). Vorschrift verfolgt kein Schutzanliegen, das demjenigen von § 193 II Nr. 1–3 vergleichbar wäre, sondern betr. Kompetenzunterschrei-

tung durch HV (→ Rn. 7); dabei geht es weder um öffentl. Interesse noch um Wesen der AG (§ 241 Nr. 3).

Bedingte Kapitalerhöhung mit Sacheinlagen; Rückzahlung von Einlagen

194 (1) [1] **Wird eine Sacheinlage gemacht, so müssen ihr Gegenstand, die Person, von der die Gesellschaft den Gegenstand erwirbt, und der Nennbetrag, bei Stückaktien die Zahl der bei der Sacheinlage zu gewährenden Aktien im Beschluß über die bedingte Kapitalerhöhung festgesetzt werden.** [2] **Als Sacheinlage gilt nicht der Umtausch von Schuldverschreibungen gegen Bezugsaktien.** [3] **Der Beschluß darf nur gefaßt werden, wenn die Einbringung von Sacheinlagen ausdrücklich und ordnungsgemäß bekanntgemacht worden ist.**

(2) **§ 27 Abs. 3 und 4 gilt entsprechend; an die Stelle des Zeitpunkts der Anmeldung nach § 27 Abs. 3 Satz 3 und der Eintragung nach § 27 Abs. 3 Satz 4 tritt jeweils der Zeitpunkt der Ausgabe der Bezugsaktien.**

(3) **Die Absätze 1 und 2 gelten nicht für die Einlage von Geldforderungen, die Arbeitnehmern der Gesellschaft aus einer ihnen von der Gesellschaft eingeräumten Gewinnbeteiligung zustehen.**

(4) [1] **Bei der Kapitalerhöhung mit Sacheinlagen hat eine Prüfung durch einen oder mehrere Prüfer stattzufinden.** [2] **§ 33 Abs. 3 bis 5, die §§ 34, 35 gelten sinngemäß.**

(5) **§ 183a gilt entsprechend.**

Übersicht

I. Grundlagen

1. Regelungsgegenstand und -zweck. Norm betr. bedingte Kapitalerhöhung mit Sacheinlagen und bezweckt **effektive Kapitalaufbringung.** § 194 entspr. im Wesentlichen § 183; davon abw. nimmt § 194 aber bestimmte Sacheinlagen ganz oder teilw. von sonst geltenden Anforderungen aus (§ 194 I 2, III). Weiterer Unterschied: Wurden nach § 183 I 1, § 194 I 1 erforderliche Angaben nicht festgesetzt, wird bedingte Kapitalerhöhung mit Ausgabe der Bezugsaktien gültig (§ 194 II 2, § 200). Ausgabe tritt an die Stelle der Durchführung (§ 183 II 2, § 189) bei regulärer Kapitalerhöhung. § 194 I 2 wurde durch Aktienrechtsnovelle 2016 geändert (dazu → Rn. 4, 4a). 1

2 **2. Verhältnis zur Barerhöhung.** Bedingte Kapitalerhöhung begründet immer Pflicht zur Bareinlage. § 194 gestattet nur, unter dort genannten Voraussetzungen Bareinlage durch Sacheinlage zu ersetzen, und zwar in Form eines Hilfsgeschäfts iSv Leistung an Erfüllungs Statt (§ 364 I BGB). Werden Vorgaben des § 194 nicht beachtet oder sind Sacheinlagevereinbarungen fehlerhaft, lebt Bareinlagepflicht nach Wirksamwerden der bedingten Kapitalerhöhung (§ 200) wieder auf (BeckOGK/Rieckers Rn. 1).

II. Anwendungsbereich

3 **1. Mögliche Sacheinlagen.** Soweit von bedingter Kapitalerhöhung Gebrauch gemacht wird, ist sie (auch wegen § 194 I 2 und III) idR Bar-, nicht Sacherhöhung. Hauptfall des § 194 ist bedingte Kapitalerhöhung zum Zweck des **Unternehmenszusammenschlusses** (§ 192 II Nr. 2), die immer Sacherhöhung ist. Sacheinlagen sind hier Unternehmen selbst oder daran bestehende Beteiligungen. Bereits aus § 193 II Nr. 1 und 2 folgt, dass einzubringendes Unternehmen individualisiert sein muss (→ § 193 Rn. 5). **Optionsanleihen** sehen regelmäßig keine Sacheinlage vor; üblicherweise, wenngleich nicht notwendig, werden Bezugsaktien gegen Geld erworben. Wenn Optionsberechtigte ausnahmsweise Sachleistung erbringen sollen, ist § 194 jedoch anwendbar (B/K/L/Lieder Rn. 5).

4 **2. Wandelanleihen (§ 194 I 2).** Umtausch von Schuldverschreibungen gegen Bezugsaktien aufgrund einer Wandelanleihe (§ 192 II Nr. 1; → § 192 Rn. 9) unterliegt nicht den für Sacheinlagen geltenden Regeln (§ 194 I 2). Daraus folgt insbes., dass für die Schuldverschreibung erbrachte Barzahlung als vollständige Einlage anerkannt wird (Gedanke der Voreinzahlung), ohne dass es auf eine Beurteilung der **Werthaltigkeit der Gläubigerforderung** im Zeitpunkt der Ausübung des Wandlungsrechts ankäme (Schnorbus/Trapp ZGR 2010, 1023, 1029; zur dogmatischen Einordnung s. MüKoAktG/Fuchs Rn. 6); dies gilt auch, wenn Wandelanleihe auf **Fremdwährung** lautet (BeckOGK/Rieckers Rn. 11; zurückhaltend aber Hölters/Weber/Apfelbacher/Metzner Rn. 13; zur Erfüllung der Einlagepflicht durch Zahlung mit Auslandswährung → § 54 Rn. 16) und wenn Wandelanleihe unter **ausländischem Recht** begeben wird (Hölters/Weber/Apfelbacher/Metzner Rn. 14; BeckOGK/Rieckers Rn. 11). Aus dem Grundgedanken des § 194 I 2 folgt zugleich, dass Ausnahme nicht gilt bei **Schuldverschreibung gegen Sachleistung;** anderenfalls könnten Sacheinlagevorschriften ohne weiteres durch Ausgabe kurzfristiger Wandelanleihen umgangen werden (sa OLG München AG 2013, 811, 812; KK-AktG/Drygala/Staake Rn. 14; KK-AktG/Florstedt § 221 Rn. 393; Schnorbus/Trapp ZGR 2010, 1023, 1029; zum Sonderfall eines Rückkaufs einer Wandelschuldverschreibung durch Emission neuer Wandelschuldverschreibungen Drinhausen/Keinath BB 2011, 1736 ff.; Kopp/Metzner AG 2012, 856 ff.). Anwendung des § 194 I 2 ist aber erwägenswert, wenn Sachwandelanleihe gegen Kreditforderungen gegen AG ausgegeben wird und Wert der Kreditforderung dem Wert der Anleihe entspricht (Herfs/Leyendecker AG 2018, 213, 215). Ausweislich des im Zuge der Aktienrechtsnovelle 2016 geänderten Wortlauts greift Ausnahme von Wertkontrolle ferner ein, wenn AG **umgekehrte Wandelanleihen** (→ § 192 Rn. 9) emittiert hat (RegBegr. BT-Drs. 18/4349, 28; Schmidt-Bendun DB 2015, 419, 422), und zwar auch, wenn sie durch Nachrangabrede ergänzt werden oder Verlustbeteiligung vorsehen (Hopt/Seibt/Fest SVR § 221 AktG Rn. 125, 152; Marsch-Barner/Schäfer/Groß Rn. 53.8d; Florstedt ZHR 180 [2016], 152, 183 ff.; → Rn. 4b; dort auch zu ähnlich gelagerter Frage bei Wandelgenussrechten mit Verlustbeteiligung).

In § 194 I 2 enthaltene Ausnahme von Wertkontrolle **lässt sich aber nicht verallgemeinern,** sondern greift nur, wenn Gesetzgeber durch explizite ges. Anordnung zum Ausdruck gebracht hat, dass er Abstriche bei der realen Kapitalaufbringung hinnimmt, um Funktionsbedingungen anderer erwünschter Rechtsinstitute zu verbessern (zB Debt-Equity-Swap unter Verzicht auf Differenzhaftung, → § 182 Rn. 32c). Analoge Anwendung ist aber dann geboten, wenn Wandelanleihen ausnahmsweise mit genehmigtem Kapital unterlegt werden, da § 194 I 2 an Eigenheit der Wandelanleihe anknüpft (Gedanke der Voreinzahlung), nicht an Eigenheit des bedingten Kapitals (GK-AktG/Hirte § 205 Rn. 9; BeckOGK/Seiler § 221 Rn. 83; Marsch-Barner/Schäfer/Groß Rn. 53.60; Holland/Goslar NZG 2006, 892, 895; aA MüKoAktG/Habersack § 221 Rn. 230). Auch auf **Anleihen einer Finanzierungstochter,** die zum Umtausch in Aktien der Obergesellschaft berechtigen, kann § 194 I 2 analog angewandt werden, wenn darlehensweise Abführung des Emissionserlöses an Obergesellschaft und Abtretung des der Finanzierungstochter zustehenden Rückzahlungsanspruchs an Anleihegläubiger wirtschaftlich verkoppelt werden (hM, ausf. Broichhausen, Zusammengesetzte Finanzierungsinstrumente der Aktiengesellschaft, 2010, 240 ff., 244 ff.; dagegen für Konzernprivileg zB BeckOGK/Rieckers Rn. 10). § 194 I 2 ist auch dann entspr. anzuwenden, wenn AG **Wandelanleihen mit Tilgungswahlrecht des Emittenten, Pflichtwandelanleihen oder bedingte Pflichtwandelanleihen** (→ § 192 Rn. 9; → § 221 Rn. 5b) emittiert hat (vgl. Apfelbacher/Kopp CFL 2011, 21, 28; Bader AG 2014, 472, 482 f.; Singhof FS Hoffmann-Becking, 2013, 1163, 1175 ff.; für Pflichtwandelanleihe einschr. aber die noch hM, vgl. Hölters/Weber/Apfelbacher/Metzner Rn. 10; BeckOGK/Rieckers Rn. 5; BeckOGK/Seiler § 221 Rn. 162; MHdB AG/Scholz § 58 Rn. 51: Wertkontrolle entfalle nur, wenn Rückzahlungsanspruch für bestimmte Fälle vorgesehen sei; dagegen bereits → § 192 Rn. 9; krit. zur Gleichstellung traditioneller Wandelanleihen mit Sondergestaltungen MüKoAktG/Fuchs Rn. 5a, 13a). 4a

Auf **Genussscheine mit Umtauschrecht** ist § 194 I 2 jedenfalls dann anwendbar, wenn sie keine Verlustbeteiligung vorsehen (allgM). Ob das auch bei Verlustbeteiligung gilt (vgl. zB § 214 I 1 Nr. 4, II 1 Nr. 1 VAG; zu § 10 V Nr. 1 KWG aF vgl. Mülbert FS Hüffer, 2010, 679 ff.), ist umstr. (ähnlich bei Vereinbarung eines Nachrangs – s. Singhof FS Hoffmann-Becking, 2013, 1163, 1177 ff.). ZT wird diese Frage verneint, da Rückzahlungsanspruch in diesem Fall durch Verlustbeteiligung in Bestand und Höhe gefährdet sei (KK-AktG/Lutter, 2. Aufl. 1989, Rn. 7). Nach inzw. hM kommt es auf Werthaltigkeit indes nicht an, da § 194 I 2 darauf gerade verzichtet und Wertverlust in Kauf nimmt, wenn werthaltige Einzahlung erfolgt ist (KK-AktG/Drygala/Staake Rn. 24; KK-AktG/Florstedt § 221 Rn. 390; MüKoAktG/Habersack § 221 Rn. 244; Hölters/Weber/Apfelbacher/Metzner Rn. 11; BeckOGK/Rieckers Rn. 13; Marsch-Barner/Schäfer/Busch Rn. 46.41; Ekkenga/Jaspers AG-Finanzierung Kap. 6 Rn. 137; Böhringer/Mihm/Schaffelhuber/Seiler RdF 2011, 48, 50 f.; Gleske/Ströbele CFL 2012, 49, 56; grds. auch Singhof FS Hoffmann-Becking, 2013, 1163, 1177 ff. mit Ausnahme für bereits eingetretene Verlustbeteiligung; ähnlich MüKoAktG/Fuchs Rn. 13). Dem ist zu folgen, zumal auch nur auf diese Weise aufsichtsrechtl. Anforderungen nach § 214 I 1 Nr. 4 VAG, § 216 I VAG erfüllt werden können; gerade mit Aktienrechtsnovelle 2016 wollte Gesetzgeber insofern Kongruenz aufsichtsrechtl. und aktienrechtl. Vorgaben herstellen (→ § 192 Rn. 9 ff.). Entspr. gilt für nachrangige Finanzierungsinstrumente, da Aufsichtsrecht auch solche Nachrangabrede in Art. 52 I lit. d CRR vorschreibt (BeckOGK/Rieckers Rn. 14; MHdB AG/Scholz § 58 Rn. 49; Bader AG 2014, 472, 482 f.; Haag/Peters WM 2015, 2303, 2308; Florstedt ZHR 180 [2016], 152, 183 f.; Singhof FS Hoffmann-Becking, 2013, 1163, 1177 ff.). 4b

5 **3. Arbeitnehmeraktien (§ 194 III).** Norm knüpft an § 192 II Nr. 3 an und setzt voraus, dass AN-Aktien nach wie vor gegen Forderungen aus Gewinnbeteiligung gewährt werden dürfen (→ § 192 Rn. 17, 19). Es liegt dann bedingte Sacherhöhung vor, weil AN Forderungen einlegen statt zu bezahlen. § 194 III bestimmt aber, dass § 194 I, II keine Anwendung finden. Damit ist bezweckt, Ausgabe von Bezugsaktien an AN zu erleichtern (RegBegr. Kropff S. 300), weil Festsetzungen nach § 194 I 1 wegen Vielzahl niedriger Forderungen unpraktikabel sind (KK-AktG/Drygala/Staake Rn. 32). Zudem sollen Festsetzungen deshalb nicht erforderlich sein, weil Wert der Einlage genau feststeht (RegBegr. Kropff S. 300); Begr. bleibt fragwürdig, da dann auch auf Prüfung nach § 194 IV hätte verzichtet werden können (zust. KK-AktG/Drygala/Staake Rn. 32). § 194 III belässt es aber bei Anwendbarkeit des § 194 IV (MüKoAktG/Fuchs Rn. 15; MHdB AG/Scholz § 58 Rn. 52). Den AN der Gesellschaft stehen analog § 192 II Nr. 3 AN mit ihr verbundener Unternehmen gleich (MüKoAktG/Fuchs Rn. 17).

III. Kapitalerhöhungsbeschluss

6 **1. Weiterer Inhalt (§ 194 I 1).** Beschluss über bedingte Kapitalerhöhung mit Sacheinlagen muss allg. Inhalt und bes. Inhalt nach § 193 II haben (→ § 193 Rn. 4 ff.). Er muss überdies **Gegenstand** der Sacheinlage, **Person** des Einlegers und bei Nennbetragsaktien (§ 8 II) Nennbetrag, bei Stückaktien (§ 8 III) Zahl der Aktien festsetzen, die für Sacheinlage gewährt werden (§ 194 I 1). Norm entspr. § 183 I 1 (Einzelheiten → § 183 Rn. 9). Besonderheit gilt, wenn Sacheinleger nicht namentl. feststehen, wie zB bei Übernahme einer AG durch Aufkauf ihrer Inhaberaktien. Dann genügen wie bei § 193 II Nr. 2 (→ § 193 Rn. 5) Angaben, nach denen Einleger eindeutig bestimmbar sind (MüKoAktG/Fuchs Rn. 18). Wert der Sacheinlage ist nicht zwingend festzusetzen (str.; → § 183 Rn. 9; zu § 194 I 1 inzw. hM, s. KK-AktG/Drygala/Staake Rn. 39; BeckOGK/Rieckers Rn. 20; Marsch-Barner/Schäfer/Busch/Busch Rn. 46.39). Wie sich schon aus Zusammenhang mit § 183 I 1 ergibt, geht § 194 I 1 davon aus, dass die wesentlichen Entscheidungen von HV getroffen werden. Bei Ausgabe von Wandelanleihen (§ 192 II Nr. 1) entspr. das zwar dem Grundfall des § 221 I, doch kommt insoweit auch **Ermächtigung des Vorstands** nach § 221 II in Betracht. Auch insoweit sollte nach Vorbild des § 205 Ausgabe von Wandelanleihen gegen Sacheinlage möglich sein (Schnorbus/Trapp ZGR 2010, 1023, 1030, 1039). Anforderungen des § 194 I 1 schon im Beschluss der HV zu erfüllen, bereitet dann allerdings Schwierigkeiten, weshalb Lockerung des Beschlussinhalts analog § 193 II Nr. 3 Hs. 2 (→ § 193 Rn. 6b) unter analoger Anwendung des § 205 II 1 anzunehmen ist (OLG München AG 2013, 811; Schnorbus/Trapp ZGR 2010, 1023, 1033 ff., 1038 ff.; zust. Marsch-Barner/Schäfer/Busch/Busch Rn. 46.39; Drinhausen/Keinath BB 2011, 1736, 1740 f.).

7 **2. Bekanntmachung (§ 194 I 3).** Beabsichtigte Einbringung von Sacheinlagen ist ausdr. und ordnungsgem. mit Tagesordnung der HV bekanntzumachen (§ 194 I 3). Entgegen § 183 I 2 (→ § 183 Rn. 10) erwähnt § 194 I 3 Festsetzungen nach § 194 I 1 nicht. Grund für Abweichung ist nicht ersichtlich, so dass von Redaktionsversehen auszugehen ist. Festsetzungen nach § 194 I 1 sind deshalb ebenfalls bekanntzumachen (GK-AktG/Frey Rn. 98; MüKoAktG/Fuchs Rn. 19). Verstoß gegen § 194 I 3 macht Erhöhungsbeschluss anfechtbar.

IV. Verdeckte Scheinlagen; Hin- und Herzahlen

8 Geltende Fassung des § 194 II geht auf Art. 1 Nr. 30c Ges. v. 30.7.2009 (BGBl. 2009 I 2479) zurück. Sie entspricht. Beschlussempfehlung des Rechts-

ausschusses (AusschussB BT-Drs. 16/13098, 40), die ihrerseits durch geänderte Regelung in § 27 III, IV veranlasst ist. Ähnlich: §§ 183 II, 205 III (→ § 183 Rn. 15a bzw. → § 305 Rn. 7). Wie dort geht es auch in § 194 II darum, verdeckte Sacheinlagen bei **Gründung und Kapitalerhöhung gleichzubehandeln** (zum Tatbestand → § 27 Rn. 25 ff.). Auch Rechtsfolgen bestimmen sich analog § 27 III, dies allerdings mit der Abweichung, dass es für Differenzhaftung nicht auf Zeitpunkt der Anmeldung bzw. Eintragung ankommt (§ 27 III 3, 4), sondern (einheitlich) auf **Zeitpunkt der Ausgabe** der Bezugsaktien (§ 194 II Hs. 2). Auf das HR kann nicht abgestellt werden, weil Kapital unterjährig mit Ausgabe der Bezugsaktien erhöht wird (→ § 200 Rn. 3), was Eintragung nach Ablauf des Geschäftsjahrs nur verlautbart (→ § 201 Rn. 2). Auf fortbestehende Geldeinlagepflicht ist danach der Wert anzurechnen, den Sacheinlage bei Ausgabe dafür gewährter Bezugsaktien hat, wobei auch Anrechnung erst im Moment der Ausgabe erfolgt (zum Sonderfall, dass Forderungen aus Wandelschuldverschreibung als Sacheinlage eingebracht werden → Rn. 9). Anmeldung nach § 201 kann nicht wegen verdeckter Sacheinlage zurückgewiesen werden, weil Ausgabe auch bei Wertproblemen wirksam ist (→ § 199 Rn. 8). Strafbarkeit entfällt mangels Tatbestands. Ges. verlässt sich auf Beweislast nach § 27 III 5 (AusschussB BT-Drs. 16/13098, 40; s. aber → § 27 Rn. 38, 44).

Gem. § 194 II Hs. 1 ist auch **§ 27 IV** entspr. anzuwenden. **Privilegierungswirkung** (→ § 27 Rn. 47 ff.) tritt also auch dann ein, wenn auf Bezugsaktien geleistete Geldeinlagen absprachegem. an Aktionäre zurückfließen, wenn für AG daraus vollwertiger und liquider Rückgewähranspruch erwächst (→ § 27 Rn. 47 ff.). Gleichbehandlung von Kapitalerhöhung und Gründung ist auch insoweit (→ Rn. 8) einleuchtend, doch werden einschlägige Fälle wegen Zweckbeschränkung in § 192 II (→ § 192 Rn. 8 ff.) eher selten sein. 8a

V. Prüfung der Sacheinlage (§ 194 IV)

Gem. § 194 IV hat Prüfung durch unabhängige Prüfer zu erfolgen; Prüfung durch Registergericht ist in § 195 III 1 vorgesehen (→ § 195 Rn. 9). § 194 IV entspr. wörtlich § 183 III (Einzelheiten in → § 183 Rn. 16 ff.). Wie § 183 III 2 verweist auch § 194 IV 2 ua voll auf § 34 (→ § 183 Rn. 17). Prüfung bezieht sich gem. § 194 IV 2 iVm § 34 I Nr. 2 auf Belegung des geringsten Ausgabebetrags (Marsch-Barner/Schäfer/Busch/Busch Rn. 46.40). Probleme können allerdings auch hier entstehen, wenn Vorstand gem. § 221 II nur **ermächtigt** wird, Wandelschuldverschreibung gegen Sacheinlage auszugeben. In diesem Fall hat Prüfung erst zu erfolgen, wenn Wandelschuldverschreibung tats. ausgegeben wird (Hölters/Weber/Apfelbacher/Metzner Rn. 15; Drinhausen/Keinath BB 2011, 1736, 1741; Schnorbus/Trapp ZGR 2010, 1023, 1032 f.; Schwartzkopff/Hoppe NZG 2014, 378, 379). Einhaltung der Sacheinlagevorschriften ist von Vorstand sicherzustellen (Hölters/Weber/Apfelbacher/Metzner Rn. 15; B/K/L/Lieder Rn. 7, 15; für externe Prüfung entspr. § 194 IV aber MüKoAktG/Habersack § 221 Rn. 231; Juretzek DStR 2014, 431, 432 f.; Schnorbus/Trapp ZGR 2010, 1023, 1041 ff.; so wohl auch OLG München AG 2013, 811, 812; für entspr. Anwendung des § 205 V KK-AktG/Drygala/Staake Rn. 62; BeckOGK/Rieckers Rn. 29; Drinhausen/Keinath BB 2011, 1736, 1740 f.). Wird Forderung aus **Wandelschuldverschreibung als Sacheinlage** eingebracht, um sie gegen neue Wandelschuldverschreibung auszutauschen (zu dieser Konstellation Kopp/Metzner AG 2012, 856 ff.), ist fraglich, auf welchen Zeitpunkt Werthaltigkeitsprüfung zu beziehen ist. Im Lichte des Rechtsgedankens aus § 194 I 2 (Gedanke der Voreinzahlung, → Rn. 4) spricht viel dafür, auf Zeitpunkt der ursprünglichen Leistungserbringung abzustellen (Kopp/Metzner AG 2012, 856, 864 mit Fn. 55; Schwartzkopff/Hoppe NZG 2014, 378, 379; sa Herfs/Leyendecker AG 2018, 9

213, 217 [zur Differenzhaftung bei Sachwandelanleihe, die gegen Kreditforderung gegen AG ausgegeben wird]). Schrifttum stellt teilw. auf Ausgabe der Schuldverschreibungen ab (so KK-AktG/Drygala/Staake Rn. 62; BeckOGK/Rieckers Rn. 29; Juretzek DStR 2014, 431, 433), was in der Praxis zu gleichen Ergebnissen führt, weil Schuldverschreibungen idR Zug um Zug gegen Einlagenleistung ausgegeben werden. Stellt man auf Zeitpunkt der Leistungserbringung ab, so läge es in der Konsequenz dieses Ansatzes, auch für Differenzhaftung bei verdeckter Sacheinlage diesen Zeitpunkt zugrunde zu legen (Kopp/Metzner AG 2012, 856, 864 mit Fn. 55; für Zeitpunkt der Ausgabe der Schuldverschreibungen konsequent BeckOGK/Rieckers Rn. 29). Das setzt zwar teleologische Reduktion des § 194 II Hs. 2 voraus, die aber unter Hinweis auf außergewöhnlichen Sacheinlagegegenstand Wandelschuldverschreibung bejaht werden könnte. Frage ist noch nicht ausdiskutiert.

VI. Vereinfachte Sachkapitalerhöhung

10 Auch bedingte Kapitalerhöhung gegen Sacheinlagen kann vereinfacht durchgeführt werden, nämlich unter Verzicht auf externe Prüfung der Sacheinlage (→ § 183a Rn. 1), wie sie § 194 IV grds. vorschreibt. Für diesen Fall ordnet § 194 V die entspr. Anwendung des § 183a an, der seinerseits an §§ 33a, 37a anschließt. Namentl. bestehen auch hier die Registersperre (§ 183a II) und unter den Voraussetzungen des § 33a II das Antragsrecht einer qualifizierten Aktionärsminderheit.

Anmeldung des Beschlusses

195 (1) [1] **Der Vorstand und der Vorsitzende des Aufsichtsrats haben den Beschluß über die bedingte Kapitalerhöhung zur Eintragung in das Handelsregister anzumelden.** [2] **§ 184 Abs. 1 Satz 3 gilt entsprechend.**

(2) **Der Anmeldung sind beizufügen**

1. **bei einer bedingten Kapitalerhöhung mit Sacheinlagen die Verträge, die den Festsetzungen nach § 194 zugrunde liegen oder zu ihrer Ausführung geschlossen worden sind, und der Bericht über die Prüfung von Sacheinlagen (§ 194 Abs. 4) oder die in § 37a Abs. 3 bezeichneten Anlagen;**
2. **eine Berechnung der Kosten, die für die Gesellschaft durch die Ausgabe der Bezugsaktien entstehen werden.**

(3) [1] **Das Gericht kann die Eintragung ablehnen, wenn der Wert der Sacheinlage nicht unwesentlich hinter dem geringsten Ausgabebetrag der dafür zu gewährenden Aktien zurückbleibt.** [2] **Wird von einer Prüfung der Sacheinlage nach § 183a Abs. 1 abgesehen, gilt § 38 Abs. 3 entsprechend.**

Übersicht

I. Regelungsgegenstand und -zweck

§ 195 betr. **Anmeldung des Beschlusses über bedingte Kapitalerhöhung** zur Eintragung in das HR. Norm bestimmt anmeldepflichtige Personen (§ 195 I) und beizufügende Unterlagen (§ 195 II). Anmeldung des Kapitalerhöhungsbeschlusses ist zu unterscheiden von: (1.) Anmeldung der Ausgabe von Bezugsaktien nach § 201. Anders als bei regulärer Kapitalerhöhung (§ 188 IV) ist Verbindung beider Anmeldungen nicht möglich; arg. § 197 S. 1. (2.) Anmeldung der Satzungsänderung bzgl. § 23 III Nr. 3, 4 (→ § 192 Rn. 5); sie bestimmt sich nach § 181. Satzungstext wird insoweit erst mit Ausgabe der Bezugsaktien unrichtig (s. § 200), so dass auch Anmeldung der Änderung nicht mit Anmeldung nach § 195 verbunden werden kann (str., wie hier BeckOGK/Rieckers Rn. 2; MHdB AG/Scholz § 58 Rn. 58; aA KK-AktG/Drygala/Staake § 192 Rn. 10 und MüKoAktG/Fuchs § 192 Rn. 21, die aber Aufnahme bedingten Kapitals in Satzungstext für notwendig halten [→ § 192 Rn. 5]). (3.) Anmeldung, die erforderlich ist, wenn Bestehen des bedingten Kapitals in den Satzungstext aufgenommen werden soll. Sie bestimmt sich nach § 181 und kann mit Anmeldung nach § 195 verbunden werden (MHdB AG/Scholz § 58 Rn. 58). 1

II. Anmeldung des Erhöhungsbeschlusses (§ 195 I und II)

1. Zuständigkeit und Formalien; Inhalt. Anzumelden ist Kapitalerhöhungsbeschluss. Zuständig ist **Amtsgericht** des Satzungssitzes (§ 181 Rn. 3). Anmeldung muss elektronisch in öffentl. beglaubigter **Form** erfolgen (§ 12 I 1 HGB, § 129a BGB, § 39a BeurkG; zur durch DiRUG 2021 neu geschaffenen Möglichkeit der Beglaubigung mittels Videokommunikation → § 36 Rn. 2; zur Auslandsbeglaubigung → § 23 Rn. 12). Inhaltlich genügt Bezugnahme auf beigefügte Unterlagen, soweit sich aus § 195 I nichts anderes ergibt. Da § 195 I 2 auf § 184 I 3 verweist, kann vereinfachtes Eintragungsverfahren durchgeführt werden (→ § 184 Rn. 2b; zur Rechtslage vor Aktienrechtsnovelle 2016 → 11. Aufl. 2014, Rn. 2). Beschluss muss, sofern er nicht selbst Abweichendes bestimmt, unverzüglich angemeldet werden (B/K/L/Lieder Rn. 2). Anmeldung kann bis zur Eintragung ohne Begr. zurückgenommen werden (BGH NJW 1959, 1323). Zu den **Kosten** der Eintragung → § 192 Rn. 30. 2

2. Anmelder. Anmeldung obliegt **Vorstand und Vorsitzendem des AR** gemeinsam (§ 195 I; anders § 201 I). Anmelder handeln **im Namen der AG,** nicht im eigenen Namen (str.; → § 181 Rn. 4). Mit eigenem Namen unterschreiben sie aber wegen § 399 I Nr. 4, § 188 II iVm § 37 I die Anmeldung (BeckOGK/Rieckers Rn. 8). Öffentl-rechtl. Pflicht zur Anmeldung besteht nicht. Anmelder sind aber ggü. AG zur Anmeldung verpflichtet (→ § 184 Rn. 3; → § 181 Rn. 5; → § 36 Rn. 5). Zur Anmeldung durch Bevollmächtigte sowie weiteren Einzelheiten → § 184 Rn. 3. Zur strafrechtl. Verantwortlichkeit der Anmelder s. § 399 I Nr. 4. 3

4 **3. Beizufügende Unterlagen. a) Allgemeines.** § 195 II bestimmt Unterlagen, die Anmeldung beizufügen sind. Ausreichend ist jew. ein Exemplar, auch bei Zweigniederlassungen. Wegfall früherer Klarstellung „für Gericht des Gesellschaftssitzes" durch EHUG 2006 bedeutet wie in §§ 81, 188, 201, 266 keine sachliche Änderung; s. dazu und zur elektronischen Einreichung → § 81 Rn. 7. Über in § 195 II genannte Unterlagen hinaus sind **Niederschrift** über HV, in der bedingtes Kapital beschlossen wurde, sowie Niederschriften etwaiger Sonderbeschlüsse einzureichen (MHdB AG/Scholz § 58 Rn. 56). Wenn Bestehen des bedingten Kapitals in Satzungstext aufgenommen und Anmeldung der Satzungsänderung mit derjenigen nach § 195 verbunden werden soll (→ Rn. 1), ist gem. § 181 I 2 auch Neufassung der Satzungsurkunde beizufügen. Zur Rechtsfolge bei fehlenden Unterlagen → Rn. 9.

5 **b) Unterlagen bei Sacheinlagen.** § 195 II Nr. 1 betr. nur bedingte Kapitalerhöhung mit Sacheinlagen (§ 194). Dabei ist zwischen regulärer und vereinfachter Sachkapitalerhöhung zu unterscheiden. Im ersten Fall sind alle Verträge beizufügen, die den Festsetzungen nach § 194 zugrunde liegen oder zu ihrer Ausführung geschlossen worden sind (→ § 188 Rn. 14). Ferner ist **Prüfungsbericht** (§ 194 IV) beizufügen (→ § 184 Rn. 4). Aus 195 II Nr. 1 folgt nicht, dass Sacheinlagevereinbarungen bereits bei Anmeldung des Erhöhungsbeschlusses vollständig vorliegen müssen; restliche Unterlagen sind dann der Anmeldung nach § 201 II beizufügen (MüKoAktG/Fuchs Rn. 13). Im zweiten Fall (vereinfachtes Verfahren) ist erforderlich und genügend, dass die in § 37a III bezeichneten Anlagen der Anmeldung beigefügt werden. Das sind die Bewertungsunterlagen (→ § 37a Rn. 6; → § 184 Rn. 5).

6 **c) Berechnung der Kosten.** Beizufügen ist nach § 195 II Nr. 2 Berechnung der Kosten, die der AG durch Ausgabe der Bezugsaktien entstehen werden. Gemeint ist umfassende **Zusammenstellung der Kosten der Kapitalerhöhung,** zB Gerichts- und Notargebühren, Steuern, Druckkosten (→ § 188 Rn. 15). Nicht erfasst werden Kosten für Ausgabe der Schuldverschreibungen iRd § 221 (→ § 221 Rn. 3 ff.) oder des Unternehmenszusammenschlusses (GK-AktG/Frey Rn. 34). Steht Höhe einer Position noch nicht fest, ist sie zu schätzen. Belege müssen nicht beigefügt werden.

7 **d) Entbehrlich: Genehmigungsurkunde.** Genehmigungsurkunde ist der Anmeldung auch dann nicht mehr beizufügen, wenn Kapitalerhöhung staatlicher Genehmigung bedarf. Früheres Vorlegungserfordernis ist abgeschafft durch Art. 1 Nr. 31a ARUG (→ Rn. 2). Zweck ist Bürokratieabbau.

III. Eintragung des Erhöhungsbeschlusses (noch: § 195 I)

8 **1. Bedeutung.** Eintragung des Kapitalerhöhungsbeschlusses ist unverzichtbare **Voraussetzung für Ausgabe von Bezugsaktien** (s. § 197 S. 1, 3). Bedingte Kapitalerhöhung wird jedoch erst mit Ausgabe der Bezugsaktien wirksam (§ 200). Eintragung gem. § 195 wirkt deshalb nur insoweit konstitutiv, als bereits vorher begründete Bezugsrechte mit Eintragung entstehen (§ 197 S. 2; → § 197 Rn. 5). Eintragung schützt überdies Bestand bedingter Kapitalerhöhung, da nunmehr ihr entgegenstehende Beschlüsse nichtig sind (§ 192 IV; → § 192 Rn. 26).

9 **2. Registerkontrolle.** Gericht hat Anmeldung des Beschlusses über bedingte Kapitalerhöhung in formeller und materieller Hinsicht zu prüfen (→ § 188 Rn. 20). Gericht prüft auf Plausibilität; genauer nur, wenn Anlass zu Zweifeln besteht (str.; → § 181 Rn. 12). Formelle Prüfung betr. **ordnungsgem. Anmeldung,** also insbes. Anmeldevoraussetzungen (→ Rn. 2 f.) sowie Vollständigkeit der nach § 195 II beizufügenden Unterlagen (→ Rn. 4 ff.; → § 188 Rn. 20).

Gericht prüft in materieller Hinsicht, ob ges. und satzungsmäßige **Voraussetzungen der bedingten Kapitalerhöhung** vorliegen. Gericht hat Eintragung abzulehnen, wenn Beschluss wegen fehlender Sonderbeschlüsse (→ § 193 Rn. 2) unwirksam (→ § 182 Rn. 21) oder nach § 241 nichtig ist, zB weil Festsetzungen nach § 193 II fehlen (→ § 193 Rn. 7) oder Beschluss gegen § 192 III verstößt (→ § 192 Rn. 23 ff.; OLG München AG 2012, 44 f.). Eintragung ist ferner abzulehnen, wenn andere als die in § 192 II genannten Zwecke verfolgt werden (Krafka RegisterR Rn. 1508). Liegen Anfechtungsgründe vor, so hat Gericht sie nur dann zu berücksichtigen, wenn dadurch Drittinteressen betroffen werden (str.; → § 181 Rn. 14). Bei bedingter Kapitalerhöhung mit **Sacheinlagen** (§ 194) hat Gericht auch Voraussetzungen des § 194 IV 2 zu prüfen (→ § 188 Rn. 21). Im Gegensatz zur regulären Kapitalerhöhung erfolgt hier Prüfung grds. nur iRd Anmeldung nach § 195 (→ § 201 Rn. 7). Erfolgt bedingte Kapitalerhöhung gegen Sacheinlagen, um damit Ermächtigung des Vorstands zur Ausgabe einer Wandelschuldverschreibung gem. § 221 II zu flankieren, muss auch hier beachtet werden, dass registergerichtl. Prüfung des Beschlusses noch nicht erfolgen kann, sondern erst in dem Zeitpunkt, in dem Vorstand von Ermächtigung Gebrauch macht, also spätestens bei Anmeldung der Ausgabe von Bezugsaktien gem. § 201; Eintragungshindernis folgt daraus aber nicht (OLG München AG 2013, 811, 812; → § 194 Rn. 6, 9; gegen registerrechtl. Prüfung aber B/K/L/Lieder Rn. 10; Herfs/Leyendecker AG 2018, 213, 216). Registergerichtl. Entscheidung bestimmt sich nach den in → § 181 Rn. 16 f. dargelegten Grundsätzen. Wegen der **Rechtsmittel** → § 181 Rn. 18. Es gelten allg. Grundsätze, so dass Bevollmächtigung genügt; gemeinsames Handeln von AR und Vorstand ist nicht erforderlich (GK-AktG/Frey Rn. 46; MüKoAktG/Fuchs Rn. 23; BeckOGK/Rieckers Rn. 21).

3. Eintragungsinhalt. Liegen Eintragungsvoraussetzungen vor (→ Rn. 9), verfügt Registerrichter, Beschluss über bedingte Kapitalerhöhung einzutragen. Eintragung erfolgt gem. § 43 Nr. 3 S. 2, Nr. 6 f., Nr. 7 HRV in Spalte 6. Inhalt der Eintragung kann lauten: „Die HV vom … hat die bedingte Erhöhung des Grundkapitals um einen Betrag von bis zu … Euro zur Bedienung von Optionsrechten aus der Wandelschuldverschreibung 2007 I beschlossen“ (Krafka RegisterR Rn. 1510). In Sp. 3 darf noch nichts eingetragen werden, da Erhöhung erst mit Ausgabe der Aktien wirksam wird (§ 200). Zur Bek. der Eintragung s. § 196. 10

IV. Aufbewahrung der Unterlagen

Anders als nach § 195 III aF gibt es nach dessen Aufhebung durch EHUG 2006 **keine aktienrechtl. Aufbewahrungsvorschrift** mehr. Frühere Regelung in § 195 III war auf Registerführung in Papierform zugeschnitten und passt deshalb nicht für elektronische Registerführung. Aufbewahrung richtet sich nach näherer Bestimmung der Bundesländer (VO) iVm § 8a II HGB. 11

V. Prüfung (§ 195 III)

§ 195 III stimmt wörtlich mit § 184 III überein. Wie dort ist Regelung aus rechtssystematischen Gründen umgesetzt worden (RegBegr. BT-Drs. 16/11642, 38). Gemeint ist in § 195 III 1 gerichtl. Prüfung, die Verbot der **Unterpariemission** (§ 9 I) durchsetzen soll. Bei **vereinfachter Sachkapitalerhöhung** (→ § 183a Rn. 1) findet gem. § 195 III 2 die nur formale Prüfung des § 38 III statt (→ § 38 Rn. 10a), sofern Überbewertung nicht offenkundig und erheblich ist (→ § 38 Rn. 10a, 10b). 12

196 *(aufgehoben)*

1 Norm **war § 190 nachgebildet** und ergänzte wie diese Vorschrift § 10 HGB um weiteren bekanntzumachenden Inhalt. Aufgehoben wie §§ 40, 45 III aF, § 190, und zwar durch EHUG 2006 (→ § 40 Rn. 1; → § 190 Rn. 1).

Verbotene Aktienausgabe

197 **[1] Vor der Eintragung des Beschlusses über die bedingte Kapitalerhöhung können die Bezugsaktien nicht ausgegeben werden. [2] Ein Anspruch des Bezugsberechtigten entsteht vor diesem Zeitpunkt nicht. [3] Die vorher ausgegebenen Bezugsaktien sind nichtig. [4] Für den Schaden aus der Ausgabe sind die Ausgeber den Inhabern als Gesamtschuldner verantwortlich.**

I. Regelungsgegenstand und -zweck

1 § 197 bezweckt **Schutz vor Schwindelemissionen.** Norm verbietet deshalb, Bezugsaktien vor Eintragung (§ 195) des Beschlusses über bedingte Kapitalerhöhung auszugeben (§ 197 S. 1), und ordnet bei Verstoß an, dass aus Aktienurkunden Rechte nicht entstehen (§ 197 S. 3), ferner, dass Ausgeber den Aktieninhabern schadensersatzpflichtig sind (§ 197 S. 4). Sie bestimmt weiter, wann Bezugsrecht frühestens entstehen kann (§ 197 S. 2). Norm ist den § 41 IV, § 191 nachgebildet.

II. Verbot der Aktienausgabe

2 **1. Tatbestand.** § 197 S. 1 verbietet Ausgabe neuer Aktien vor Eintragung des Erhöhungsbeschlusses gem. § 195. **Ausgabe** liegt vor, wenn Urkunden durch Handlungen oder Unterlassungen der Verantwortungsträger der AG in den Verkehr gelangen. Zu Einzelheiten → § 191 Rn. 3, 5. Verstoß ist für Verwaltungsmitglieder OWi (§ 405 I Nr. 2). Eintragung des Erhöhungsbeschlusses ist wesentliche, nicht aber einzige Voraussetzung für Aktienausgabe. Bezugsrechte müssen ausgeübt sein (→ § 198 Rn. 2), ferner ist § 199 I zu beachten.

3 **2. Nichtigkeit der ausgegebenen Aktien (§ 197 S. 3).** Bezugsaktien, die entgegen § 197 S. 1 vor Eintragung des Erhöhungsbeschlusses ausgegeben wurden, sind nichtig (§ 197 S. 3). Die Mitgliedschaft entsteht nicht; bei Ausgabe von Aktienurkunden liegt **keine gültige wertpapierrechtl. Verbriefung** vor (KK-AktG/Drygala/Staake Rn. 13 f.; s. § 191 S. 2; → § 191 Rn. 4). Nachträgliche Eintragung nach § 195 bewirkt keine Heilung (MüKoAktG/Fuchs Rn. 9; sa BGH AG 1988, 76, 78). Gutgl. Erwerb durch Übertragung der Urkunden ist zu keinem Zeitpunkt möglich (unstr.). Vorhandene Urkunden können weiter genutzt werden; AG muss dann mit Berechtigtem neuen Begebungsvertrag schließen; einseitige Gültigerklärung durch AG ist nicht möglich (hM; → § 191 Rn. 4 mwN).

4 **3. Haftung der Ausgeber (§ 197 S. 4).** Inhaber nichtiger Bezugsaktien haben ggü. Ausgebern Anspruch auf Schadensersatz (§ 197 S. 4). Vorschrift ist wortgleich mit § 191 S. 3 (→ § 191 Rn. 5 f.).

III. Anspruch des Bezugsberechtigten (§ 197 S. 2)

5 Anspruch des Bezugsberechtigten entsteht vor Eintragung des Beschlusses über bedingte Kapitalerhöhung (§ 195) nicht (§ 197 S. 2). Entgegen missver-

ständlichem Wortlaut des § 197 S. 2 folgt Bezugsrecht nicht aus dem eingetragenen Kapitalerhöhungsbeschluss selbst, sondern es wird durch Rechtsgeschäft zwischen AG und Bezugsberechtigten begründet (→ § 198 Rn. 5; MüKoAktG/Fuchs Rn. 18; MHdB AG/Scholz § 58 Rn. 59). § 197 S. 2 setzt also nur **zeitliche Schranke,** vor der Bezugsrecht nicht entstehen kann (KK-AktG/Drygala/Staake Rn. 38). Insoweit gilt: Wird Rechtsgeschäft nach Eintragung geschlossen, entsteht Bezugsrecht nach allg. vertragsrechtl. Grundsätzen. Wird Rechtsgeschäft vor Eintragung geschlossen, ist Bezugsrecht durch diese aufschiebend bedingt und entsteht erst mit ihr (MüKoAktG/Fuchs Rn. 20; KK-AktG/Drygala/Staake Rn. 39; MHdB AG/Scholz § 58 Rn. 60; aA Mülbert FS Marsch-Barner, 2018, 359, 366). Wird Rechtsgeschäft bereits vor dem Kapitalerhöhungsbeschluss geschlossen, steht es gem. § 193 I 3 iVm § 187 II unter Vorbehalt des Erhöhungsbeschlusses und der aufschiebenden Bedingung seiner Eintragung (str.; → § 193 Rn. 3; → § 187 Rn. 5).

Bezugserklärung

198 (1) [1]**Das Bezugsrecht wird durch schriftliche Erklärung ausgeübt.** [2]**Die Erklärung (Bezugserklärung) soll doppelt ausgestellt werden.** [3]**Sie hat die Beteiligung nach der Zahl und bei Nennbetragsaktien dem Nennbetrag und, wenn mehrere Gattungen ausgegeben werden, der Gattung der Aktien, die Feststellungen nach § 193 Abs. 2, die nach § 194 bei der Einbringung von Sacheinlagen vorgesehenen Festsetzungen sowie den Tag anzugeben, an dem der Beschluß über die bedingte Kapitalerhöhung gefaßt worden ist.**

(2) [1]**Die Bezugserklärung hat die gleiche Wirkung wie eine Zeichnungserklärung.** [2]**Bezugserklärungen, deren Inhalt nicht dem Absatz 1 entspricht oder die Beschränkungen der Verpflichtung des Erklärenden enthalten, sind nichtig.**

(3) **Werden Bezugsaktien ungeachtet der Nichtigkeit einer Bezugserklärung ausgegeben, so kann sich der Erklärende auf die Nichtigkeit nicht berufen, wenn er auf Grund der Bezugserklärung als Aktionär Rechte ausgeübt oder Verpflichtungen erfüllt hat.**

(4) **Jede nicht in der Bezugserklärung enthaltene Beschränkung ist der Gesellschaft gegenüber unwirksam.**

Übersicht

I. Grundlagen

1 **1. Regelungsgegenstand und -zweck.** § 198 ist § 185 nachgebildet und betr. **Ausübung des Bezugsrechts** durch Bezugserklärung. Norm bestimmt deren Form (§ 198 I 1, 2), Inhalt (§ 198 I 3) und Rechtsfolgen (§ 198 II 1). Sie regelt ferner, welche Folgen eintreten, wenn Vorgaben nicht beachtet werden (§ 198 II 2, III), und bestimmt, dass nicht in Bezugserklärung enthaltene Beschränkungen ggü. AG unwirksam sind (§ 198 IV).

2 **2. Bezugsrecht, Bezugserklärung, Zeichnungsvertrag. Bezugsrecht** gewährt Anspruch gegen AG auf Abschluss eines Zeichnungsvertrags; es wird durch Rechtsgeschäft begründet (→ Rn. 5). Aufgrund **Bezugserklärung** und korrespondierender Willenserklärung der AG kommt zwischen Berechtigtem und AG Zeichnungsvertrag (→ § 185 Rn. 4, 23 ff.) zustande. Bezugserklärung ist idR Angebot; Willenserklärung der AG Vertragsannahme (→ § 185 Rn. 23; andere Konstruktion bei GK-AktG/Frey Rn. 10). In der Praxis wird Bezugserklärung aufgrund Aktienoptionsplänen und Wandelschuldverschreibungen bei Optionsstelle (idR Emissionsbank) als unmittelbarem Globalzeichner zentralisiert (Marsch-Barner/Schäfer/Busch/Busch Rn. 46.53; Happ/Groß AktienR 12.05 Rn. 14.2; Singhof FS Hoffmann-Becking, 2013, 1163, 1168 ff. mit weiteren Einzelheiten zur näheren Ablaufgestaltung). Bei Optionsanleihen sind Bezugsbedingungen idR derart eindeutig, dass sie schon als befristetes Angebot ausgelegt werden können; dann liegt in Bezugserklärung die Annahme (MüKoAktG/Fuchs Rn. 4; BeckOGK/Rieckers Rn. 5). Bezugserklärung entspr. damit dem Zeichnungsschein bei regulärer Kapitalerhöhung (§ 185; → § 185 Rn. 3 f.), nicht aber der Bezugserklärung nach § 186 I (→ § 186 Rn. 14). Mit **Zeichnungsvertrag** verpflichtet sich AG, dem Berechtigten Mitgliedsrechte im begründeten Umfang zuzuteilen; Berechtigter verpflichtet sich zur Leistung des Gegenwerts (→ Rn. 15).

3 **3. Umtauschrecht.** Ausführungen zum Bezugsrecht gelten entspr. für Umtauschrecht (§ 192 V). Auch Wandelungserklärung ist auf Abschluss eines Zeichnungsvertrags gerichtete Willenserklärung. Wegen zumeist eindeutiger Anleihebedingungen wird sie idR Vertragsannahme sein (BeckOGK/Rieckers Rn. 7).

II. Bezugsrecht (§ 198 I)

4 **1. Inhalt.** Bezugsrecht begründet Anspruch gegen AG auf **Abschluss eines Zeichnungsvertrags,** der AG verpflichtet, Mitgliedsrechte im vereinbarten Umfang zuzuteilen (KK-AktG/Drygala/Staake § 197 Rn. 41). Bezugsrecht iSd § 198 entspr. damit inhaltlich dem ges. Bezugsrecht nach § 186 I (→ § 186 Rn. 4) und der Zusicherung nach § 187 (→ § 187 Rn. 2). Inhaber von Bezugsrechten dürfen nur Personen sein, die dem im Kapitalerhöhungsbeschluss (§ 193 II Nr. 2) ausgewiesenen Personenkreis angehören. Aktionären steht bei bedingter Kapitalerhöhung kein ges. Bezugsrecht zu. Näherer Inhalt des Bezugsrechts wird durch Kapitalerhöhungsbeschluss bestimmt. Bezugsrecht kann auch bedingt oder befristet sein (→ § 193 Rn. 4). Es begründet keine Anwartschaft (KK-AktG/Drygala/Staake § 197 Rn. 43).

2. Begründung. Bezugsrecht wird nach zutr. Ansicht (zum Meinungsstand → § 197 Rn. 5) durch Vertrag zwischen AG und Bezugsberechtigtem (→ Rn. 4) begründet. Vertrag kann auch Bestandteil eines umfassenderen Regelungswerks sein (Unternehmensübernahmevertrag). AG wird durch Vorstand vertreten (§ 78). Er ist im Innenverhältnis an Vorgaben des Kapitalerhöhungsbeschlusses gebunden, insbes. darf er nur mit dort benanntem Personenkreis (§ 193 II Nr. 2) abschließen. Weicht Vorstand von Vorgaben ab, so ist wegen § 78 abw. Vereinbarung grds. wirksam. Vertragspartner können sich aber wegen §§ 195, 196, § 9 HGB über Erhöhungsbeschluss informieren, so dass sich wegen Missbrauchs der Vertretungsmacht ausnahmsweise etwas anderes ergeben kann (sa KK-AktG/Drygala/Staake § 197 Rn. 46). Wenn Vorstand mehr Bezugsrechte begründet als aus dem bedingten Kapital bedient werden können, begründen nach Erreichung der Kapitalziffer abgeschlossenen Bezugsverträge gem. § 275 I I BGB keine Erfüllungspflicht (→ § 185 Rn. 26). Wird Vertrag vor Eintragung des Erhöhungsbeschlusses geschlossen, steht er unter der aufschiebenden Bedingung der Eintragung; wird er zudem vor dem Beschluss über die bedingte Kapitalerhöhung geschlossen, so steht er auch unter dem Vorbehalt der Beschlussfassung (→ § 197 Rn. 5). 5

3. Verfügungen. Bezugsrechte sind grds. gem. §§ 398, 413 BGB übertragbar. Übertragbarkeit kann aber nach § 399 BGB eingeschränkt oder ausgeschlossen sein, was bei Kapitalerhöhung zwecks Gewährung von Bezugsrechten an AN (§ 192 II Nr. 3) idR der Fall ist. Sind Bezugsrechte in Inhaberschuldverschreibungen (§ 793 I 1 BGB) verbrieft (→ § 221 Rn. 6 f.), können sie nach sachenrechtl. Vorschriften übertragen werden (§§ 929 ff. BGB). Bezugsrechte sind ferner vererbbar; sie können auch verpfändet und gepfändet werden. Pfandrecht an Aktien erstreckt sich nicht auf Bezugsrecht. 6

III. Bezugserklärung (§ 198 I und II)

1. Allgemeines. Bezugserklärung ist Willenserklärung, weil auf Abschluss eines Vertrags gerichtet (→ Rn. 2); Vorschriften des BGB sind grds. anwendbar. Dies gilt uneingeschränkt bis zur Entstehung des Mitgliedsrechts (→ § 200 Rn. 3), danach finden Vorschriften über fehlerhafte Rechtsgeschäfte nur noch ausnahmsweise Anwendung (→ Rn. 15). Bezugserklärung ist vom Bezugsberechtigten abzugeben; Stellvertretung (§§ 164 ff. BGB) ist zulässig. Berechtigt Optionsanleihe zum Bezug mehrerer Aktien, kann Recht auch teilw. ausgeübt werden, sofern nichts anderes vereinbart ist oder sich aus dem Zweck der Kapitalerhöhung ergibt, zB beim Unternehmenszusammenschluss (B/K/L/Lieder Rn. 4; BeckOGK/Rieckers Rn. 22). Wandelanleihen können nur vollständig ausgeübt werden, da Urkunde der AG auszuhändigen ist (B/K/L/Lieder Rn. 4). 7

2. Form. Bezugserklärung unterliegt der **Schriftform** (§ 198 I 1). Notwendig ist also schriftliche Fixierung des Inhalts sowie Unterzeichnung durch eigenhändige Unterschrift (§ 126 BGB). Wie bei § 185 ist elektronische Form (§ 126a BGB) ausreichend (→ § 185 Rn. 7; KK-AktG/Drygala/Staake Rn. 22; BeckOGK/Rieckers Rn. 9; aA MüKoAktG/Fuchs Rn. 6). Verstoß führt zur Nichtigkeit der Bezugserklärung (§ 125 S. 1 BGB); Formmangel kann aber geheilt werden (→ Rn. 13). Formerfordernis gilt nur für Bezugserklärung, nicht auch für korrespondierende Willenserklärung der AG (→ Rn. 2) oder Zeichnungsvertrag. Schriftform macht Bezugserklärung nicht zu einer Urkunde von rechtsbegründender Bedeutung. Sie ist nur beweisende Urkunde (→ § 185 Rn. 3). Bezugserklärung soll gem. § 198 I 2 **doppelt ausgefertigt** werden, was im Hinblick auf § 10 II nicht mehr zweckmäßig ist (→ § 185 Rn. 8; gegen Anwendnung des § 198 I 2 deshalb KK-AktG/Drygala/Staake Rn. 25 f.). Zweitschriften sind der 8

Anmeldung der Ausgabe von Bezugsaktien beizufügen (s. § 201 II 1; → § 201 Rn. 4). IÜ gelten die Ausführungen zur Zweitschrift des Zeichnungsscheins entspr. (→ § 185 Rn. 8).

9 **3. Inhalt.** Bezugserklärung muss gem. § 198 I 3 enthalten: (1.) **Beschreibung** der gewünschten Beteiligung nach Zahl und ggf. Aktiengattung, bei Nennbetragsaktien (§ 8 II) auch nach Nennbetrag (individueller Inhalt). Das entspr. § 185 I 1. (2.) **Feststellungen nach § 193 II Nr. 1–3,** also Zweck der bedingten Kapitalerhöhung, Kreis der Bezugsberechtigten und Ausgabebetrag bzw. Grundlagen, nach denen dieser errechnet wird (→ § 193 Rn. 5 f.), dagegen nicht Feststellungen nach **§ 193 II Nr. 4** (→ § 193 Rn. 7 ff.). Letztgenanntes Verständnis entspräche zwar dem Wortlaut der Norm, ergibt aber iRd Bezugserklärung keinen vernünftigen Sinn, so dass teleologische Reduktion zwecks Anpassung an frühere Gesetzeslage (→ § 193 Rn. 1) angezeigt ist (hM, s. nur BeckOGK/Rieckers Rn. 13; Vogel BB 2000, 937, 940). (3.) Sofern Sacheinlagen eingebracht werden, **Festsetzungen nach § 194 I 1,** also Gegenstand der Sacheinlage, Person des Einlegers und Nennbetrag oder bei Stückaktien Zahl der Aktien, die im Austausch gewährt werden (→ § 194 Rn. 6). (4.) **Datum der Beschlussfassung** über bedingte Kapitalerhöhung (sa § 185 I 3 Nr. 1; → § 185 Rn. 12); Datum später gefasster Sonderbeschlüsse (§ 193 I 3 iVm 182 II) ist wie bei § 185 I 3 Nr. 1 nicht erforderlich (→ § 185 Rn. 12; KK-AktG/Drygala/Staake Rn. 37; BeckOGK/Rieckers Rn. 16; aA MüKoAktG/Fuchs Rn. 17). Zu den Rechtsfolgen bei Verstoß gegen § 198 I 3 → Rn. 11 f. Sind Nebenverpflichtungen festgesetzt (§ 55), so sind auch sie in Bezugserklärung aufzunehmen; nur dann werden sie nämlich vom Bezugsberechtigten wirksam übernommen (MüKoAktG/Fuchs Rn. 15; aA Happ/Groß AktienR 12.04 Rn. 32.2). Fehlende Angabe führt aber nicht zur Nichtigkeit der Bezugserklärung gem. § 198 II 2, weil Angabe nicht zu ihrem notwendigen Inhalt gehört (s. Ekkenga/Jaspers AG-Finanzierung Kap. 6 Rn. 236; anders beim Zeichnungsschein [§ 185 I 3 Nr. 2]). Schließlich ist zwar nicht notwendig, aber zweckmäßig, die Schuldverschreibungen zu bezeichnen, aus denen Bezugsrecht ausgeübt wird.

10 **4. Bindende Wirkung.** Bezugserklärung wirkt gem. § 198 II 1 wie Zeichnungserklärung. Damit ist gemeint, dass auch sie den Erklärenden bindet. Anders als Zeichnungserklärung, die unter der zeitlichen Vorgabe des § 185 I 3 Nr. 4 steht, bindet die Bezugserklärung jedoch endgültig.

IV. Fehlerhafte Bezugserklärung (§ 198 II und III)

11 **1. Inhaltsmängel. a) Tatbestand und Rechtsfolge.** Bezugserklärung ist nichtig, wenn ihr Inhalt nicht den Vorgaben des § 198 I 3 entspr. (§ 198 II). Tatbestand ist erfüllt, wenn Angaben ganz oder teilw. fehlen, ferner, wenn sie inhaltlich nicht den Anforderungen des § 198 I 3 genügen. Bezugserklärung ist ferner nichtig, wenn in ihr die Verpflichtungen des Erklärenden beschränkt werden. Erfasst werden alle Beschränkungen, auch Befristung, wie sie in § 185 I 3 Nr. 4 für Zeichnungsschein vorgesehen ist (B/K/L/Lieder Rn. 4). Nichtigkeit bedeutet, dass aus Bezugserklärung keine Rechte und Pflichten folgen.

12 **b) Heilung.** Nichtigkeit der Bezugserklärung wird geheilt, wenn an betroffenen Aktionär Bezugsaktien ausgegeben worden sind und er aufgrund der Bezugserklärung als Aktionär Rechte ausgeübt oder Verpflichtungen erfüllt hat (§ 198 III). Norm erfasst ihrem Wortlaut nach **nur Nichtigkeitsgründe nach § 198 II 2** (→ Rn. 11), wird aber von hM zumindest auch auf Formnichtigkeit analog angewandt (→ Rn. 13). Zum Begriff der Aktienausgabe → § 199 Rn. 2 f.

Zu den Voraussetzungen, unter denen vermeintlicher Aktionär Rechte ausübt oder Verpflichtungen erfüllt, → § 185 Rn. 18f. Nach einer Ansicht soll, ebenso wie bei § 185 III (→ § 185 Rn. 18), vermeintlicher Aktionär bereits mit Annahme der Aktienurkunde Aktionärsrechte ausüben, so dass Heilung regelmäßig mit Aktienausgabe erfolgen würde (vgl. GK-AktG/Frey Rn. 51; KK-AktG/Drygala/Staake Rn. 63f.). Ergebnis überzeugt jedoch nicht (ebenso MüKoAktG/Fuchs Rn. 37; BeckOGK/Rieckers Rn. 32; MHdB AG/Scholz § 58 Rn. 76): Zum einen, weil Ges. dann tautologisch wäre (so iErg auch KK-AktG/Drygala/Staake Rn. 64); zum anderen, weil Bezugsberechtigter Aktien nicht als Aktionär annimmt, sondern mit Annahme erst Aktionär wird (→ § 185 Rn. 19). Sachlage bei § 185 III ist anders, da Mitgliedschaft dort bereits unverbrieft mit Eintragung der Durchführung entsteht (→ § 189 Rn. 3). Andere Beurteilung ist denkbar, wenn man Eintragung in das Aktienregister als hinreichenden Ausgabeakt ansieht (→ § 199 Rn. 2). Heilung bedeutet, dass Bezugserklärung und damit Zeichnungsvertrag **rückwirkend wirksam** werden. Weder AG noch Erklärender können sich dann auf Nichtigkeit berufen (→ § 185 Rn. 20). Heilung bewirkt dagegen nicht, dass in Bezugserklärung entgegen § 198 II 2 enthaltene Beschränkungen nunmehr wirksam werden; sie gelten vielmehr der AG ggü. als nicht geschrieben (GK-AktG/Frey Rn. 55; KK-AktG/Drygala/Staake Rn. 66).

2. Sonstige Fehler. Fehlende Schriftform führt nach § 125 BGB ebenfalls 13
zur Nichtigkeit. Wie iRd § 185 III (→ § 185 Rn. 21) ist auch hier § 198 III entspr. anwendbar (hM, s. GK-AktG/Frey Rn. 39; BeckOGK/Rieckers Rn. 30; für direkte Anwendung wohl KK-AktG/Drygala/Staake Rn. 65). Zu weiteren Fehlern → Rn. 15.

V. Beschränkungen außerhalb der Bezugserklärung (§ 198 IV)

Jede nicht in Bezugserklärung enthaltene Beschränkung der Pflichten des 14
Bezugsberechtigten ist **AG ggü. unwirksam** (§ 198 IV). Beschränkungen gelten als von Anfang an nicht getroffen, berühren aber Wirksamkeit der Bezugserklärung und des Zeichnungsvertrags ansonsten nicht (MüKoAktG/Fuchs Rn. 42). Beschränkungen (zum Begriff → § 185 Rn. 22, 15) sind in Bezugserklärung nicht enthalten, wenn sie nur mündlich erklärt oder schriftlich außerhalb der Bezugserklärung fixiert werden. § 198 IV ergänzt § 198 II 2, nach dem auch Beschränkungen in Bezugserklärung nichtig sind (→ Rn. 11).

VI. Zeichnungsvertrag

Zeichnungsvertrag verpflichtet AG, Berechtigtem Mitgliedsrechte in begrün- 15
detem Umfang zuzuteilen, sowie den Berechtigten, Gegenwert zu leisten (→ § 199 Rn. 7). Zu seiner Rechtsnatur → § 185 Rn. 4. Er kommt zwischen Bezugsberechtigtem und AG durch **Bezugserklärung und korrespondierende Willenserklärung** der AG zustande (→ Rn. 2; → § 185 Rn. 23). Ist Bezugserklärung Angebot, muss AG unverzüglich Annahme erklären (anders insoweit die Rechtslage bei regulärer Kapitalerhöhung: großzügige Annahmefrist, → § 185 Rn. 23). Zeichnungsvertrag unterliegt keiner Formvorschrift; Schriftformerfordernis des § 198 I 1 erfasst nur Bezugserklärung. Erfüllbarkeit des Zeichnungsvertrags ist durch bedingtes Kapital gesichert. Vorbehaltlich anderweitiger Vereinbarung ist AG gem. § 271 I BGB zur **sofortigen Erfüllung** verpflichtet (MüKoAktG/Fuchs Rn. 27). Zur Erfüllung selbst → § 199 Rn. 2ff. Ist Zeichnungsvertrag fehlerhaft, so finden auf ihn und ihm zugrunde liegende Willenserklärungen bis zum Wirksamwerden der bedingten Kapitalerhöhung (§ 200) die Vorschriften über fehlerhafte Rechtsgeschäfte Anwendung; später können Parteien grds. aus Fehlerhaftigkeit keine Rechte herleiten, es sei denn, Erklärender

ist geschäftsunfähig (§§ 104, 105 BGB), beschränkt geschäftsfähig (§ 106 BGB) oder hat Bezugserklärung nicht zurechenbar veranlasst (→ § 185 Rn. 28 f.).

Ausgabe der Bezugsaktien

199 (1) **Der Vorstand darf die Bezugsaktien nur in Erfüllung des im Beschluß über die bedingte Kapitalerhöhung festgesetzten Zwecks und nicht vor der vollen Leistung des Gegenwerts ausgeben, der sich aus dem Beschluß ergibt.**

(2) [1]**Der Vorstand darf Bezugsaktien gegen Wandelschuldverschreibungen nur ausgeben, wenn der Unterschied zwischen dem Ausgabebetrag der zum Umtausch eingereichten Schuldverschreibungen und dem höheren geringsten Ausgabebetrag der für sie zu gewährenden Bezugsaktien aus einer anderen Gewinnrücklage, soweit sie zu diesem Zweck verwandt werden kann, oder durch Zuzahlung des Umtauschberechtigten gedeckt ist.** [2]**Dies gilt nicht, wenn der Gesamtbetrag, zu dem die Schuldverschreibungen ausgegeben sind, den geringsten Ausgabebetrag der Bezugsaktien insgesamt erreicht oder übersteigt.**

Übersicht

I. Regelungsgegenstand und -zweck

1 Norm nennt Voraussetzungen für Ausgabe der neuen Aktien und gilt sowohl für Bezugs- wie für Umtauschrechte. Zweckbindung dient dem **Schutz der Aktionäre,** der wegen Bezugsrechtsausschlusses (→ § 192 Rn. 3) erforderlich ist. Bezweckt ist weiter **Sicherung der Kapitalaufbringung.** § 199 I bestimmt deshalb, dass Ausgabe neuer Aktien nur zur Erfüllung des Zwecks der bedingten Kapitalerhöhung und nur bei voller Leistung des Gegenwerts erfolgen darf. § 199 II findet nur auf Umtauschrechte Anwendung und betr. Sonderfall des Verbots der Unterpariemission nach § 9 I.

II. Aktienausgabe (§ 199 I)

2 **1. Begriff und Rechtsnatur.** Ausgabe hat rechtsbegründende Wirkung (s. § 200), wobei Aktein und Zwischenscheine gleich behandelt werden (zum Begriff Zwischenschein → § 8 Rn. 28). Insoweit versteht Ges. unter Ausgabe nicht nur gegenständliche Übergabe der Aktienurkunde oder gar nur irgendwie

geartete Zuteilung der Anteilsrechte. Vielmehr ist mit Ausgabe der rechtl. Tatbestand gemeint, der **Mitgliedsrecht** (→ § 10 Rn. 2 ff.) und damit korrespondierende Verpflichtungen der AG entstehen lässt (BeckOGK/Rieckers Rn. 4). Ausgabe ist damit nach außen sichtbares Zeichen der durchgeführten Kapitalerhöhung. Nach bislang hM ist **Verbriefung** des Mitgliedsrechts zwingend; unverkörperte Aktien können demnach nicht ausgegeben werden (statt aller MüKoAktG/Fuchs Rn. 4 f.; zu den sog Wertpapiertheorien MüKoBGB/Habersack BGB Vor § 793 Rn. 24 ff.). Globalurkunde genügt jedoch (→ § 10 Rn. 13), wobei Praxis, soweit Ausübung des Bezugsrechts unsicher ist, „Bis zu"-Globalurkunden verwendet (Einzelheiten bei Marsch-Barner/Schäfer/Busch/Busch Rn. 46.55; Singhof FS Hoffmann-Becking, 2013, 1163, 1164 f.). Mit Verbriefungserfordernis weicht bedingte Kapitalerhöhung vom allg. Grundsatz ab, nach dem Mitgliedschaft unverkörpert entstehen kann (→ § 10 Rn. 2; → § 189 Rn. 3; → § 203 Rn. 30). Ob diese Abweichung erforderlich ist, namentl. weil bedingte Kapitalerhöhung mit Ausgabe wirksam wird und nicht wie sonst mit Eintragung in das HR (s. § 41 I, §§ 189, 203), erscheint fraglich: Es spricht viel dafür, bei Namensaktien die **Eintragung in das Aktienregister** (→ § 67 Rn. 6 ff.) als hinreichenden Publizitätsakt genügen zu lassen, so dass unverbriefte Mitgliedschaft auch bei bedingter Kapitalerhöhung entstehen kann (KK-AktG/Drygala/Staake Rn. 13 f.; Staake AG 2017, 188, 191 f.). Dennoch dürfte Verbriefung Regelfall in der Praxis sein. Wegen § 10 I 2 ist sie jedenfalls bei Inhaberaktien zwingend (KK-AktG/Drygala/Staake Rn. 14).

2. Einzelheiten zum rechtsgeschäftlichen Tatbestand. Nach heute hM entsteht Mitgliedsrecht durch Ausstellung der Urkunde und idR nachfolgenden Abschluss eines Begebungsvertrags; bei fehlender oder nichtiger Begebung kommt Rechtsscheinsprinzip zur Anwendung (MüKoBGB/Habersack BGB Vor § 793 Rn. 29 ff.). Vorstand hat Aktienurkunde zu unterzeichnen, er handelt in vertretungsberechtigter Zahl (→ § 13 Rn. 6). Ausreichend ist vervielfältigte Unterschrift (§ 13 S. 1). Dabei genügt Unterschrift des Vorstands, der zur Zeit des Drucks der Aktien amtiert, und zwar auch, wenn bei Übergabe neuer Vorstand im Amt ist (MHdB AG/Scholz § 58 Rn. 79). Nachfolgender **Begebungsvertrag** hat schuldrechtl. und sachenrechtl. Charakter; er ist Kausalabrede und zugleich auf Übereignung der Aktienurkunde gerichtet (heute ganz hM, s. nur MüKoBGB/Habersack BGB Vor § 793 Rn. 26; BeckOGK/Rieckers Rn. 4). Zuständig ist, wie sich aus § 199 I, II ergibt, auch hierfür Vorstand. Normen haben aber nur klarstellende Bedeutung, da Aktienausgabe Ausführungsmaßnahme iSd § 83 II ist. Vorstand muss nicht persönlich handeln. Aufseiten des Bezugsberechtigten kann Bevollmächtigter mitwirken (zB Depotbank). Dies gilt auch für Ausgabe von **Zwischenscheinen,** die ebenfalls Wertpapiere sind (→ § 10 Rn. 10). 3

Hält man **Eintragung in das Aktienregister** für hinreichenden Publizitätsakt (→ Rn. 2), sind Ausgabe der Aktienurkunden und Abschluss eines Begebungsvertrags nicht erforderlich. Vielmehr erfolgt Ausgabe durch **einseitigen Akt** des Vorstands, der auf wirksamem Zeichnungsvertrag beruhen muss (→ Rn. 5). Registereintragung hat konstitutive Wirkung und lässt unverbriefte Mitgliedschaft entstehen; später ausgegebene Aktienurkunden sind bloß deklaratorische Wertpapiere (Staake AG 2017, 188, 191 f.). 4

III. Voraussetzungen der Ausgabe der Bezugsaktien (noch: § 199 I)

1. Allgemeines. § 199 I nennt Voraussetzungen für Ausgabe der Bezugsaktien nur unvollständig. Gem. § 197 S. 1 dürfen Aktien nicht vor **Eintragung des Beschlusses** über bedingte Kapitalerhöhung (§ 195) ausgegeben werden 5

(§ 197 S. 3; → § 197 Rn. 3). Erforderlich ist ferner wirksamer **Zeichnungsvertrag,** also auch ordnungsgem. Bezugserklärung (→ § 198 Rn. 8 f.). Erst Zeichnungsvertrag begründet Anspruch des Bezugsberechtigten auf Ausgabe der Aktien. Anspruch kann gem. §§ 883, 888, 894, 897 ZPO zwangsweise durchgesetzt werden (BeckOGK/Rieckers Rn. 1).

6 **2. Zweckerfüllung.** Bezugsaktien dürfen nur in Erfüllung des im Beschluss über bedingte Kapitalerhöhung festgesetzten Zwecks ausgegeben werden (§ 199 I). Festsetzung des Zwecks im Erhöhungsbeschluss ist notwendiger Beschlussinhalt (§ 193 II Nr. 1; → § 193 Rn. 5). Maßgebend ist nur **im konkreten Beschluss festgesetzter Zweck.** Er kann also nicht durch anderen, ebenfalls zulässigen Zweck ersetzt werden (unstr.). Zu den zulässigen Zwecken s. § 192 II; → § 192 Rn. 8 ff. Aus Erfordernis folgt mittelbar, dass Bezugsaktien auch nur an im Beschluss festgesetzten Personenkreis (§ 193 II Nr. 2) ausgegeben werden dürfen (MüKoAktG/Fuchs Rn. 7; BeckOGK/Rieckers Rn. 7).

7 **3. Leistung des Gegenwerts.** Erforderlich ist weiterhin volle Leistung des Gegenwerts (§ 199 I). Gemeint ist **Leistung der Einlage,** nicht auch Leistung auf evtl. bestehende Nebenverpflichtung gem. § 55. Begriff trägt Besonderheiten bei Wandelanleihen (→ § 192 Rn. 9) und Unternehmenszusammenschlüssen (→ § 192 Rn. 14) Rechnung. Norm erlaubt Leistung Zug um Zug (GK-AktG/Frey Rn. 33; MüKoAktG/Fuchs Rn. 11), idR wird aber Bezugsberechtigter vorleisten. Sie schließt Leistung der Sacheinlage innerhalb der Frist des § 36a II (sa § 188 II) aus. Gegenwert muss **vollständig** erbracht worden sein (MHdB AG/Scholz § 58 Rn. 83; Broichhausen, Zusammengesetzte Finanzierungsinstrumente der Aktiengesellschaft, 2010, 242). Nur Leistung der Mindesteinlage, wie bei Kapitalerhöhung gegen Einlagen (→ § 188 Rn. 5), reicht also nicht. Im Einzelnen gilt: Geldeinlage ist in voller Höhe einschließlich Aufgeld einzuzahlen; § 188 II 2, § 54 II und III, § 36 II sind entspr. anwendbar (MüKoAktG/Fuchs Rn. 14; KK-AktG/Drygala/Staake Rn. 27; MHdB AG/Scholz § 58 Rn. 83; aA GK-AktG/Frey Rn. 36 f.). Sacheinlagen sind nur geleistet, wenn Verfügungsgeschäft abgeschlossen ist. Bei Grundstücksübertragung sind somit Auflassung und Eintragung erforderlich (§§ 873, 925 BGB). AN müssen AG ihre Forderung aus Gewinnbeteiligung abgetreten (§ 398 BGB) oder erlassen (§ 397 BGB) haben. Unternehmenszusammenschluss durch Verschmelzung muss in das HR eingetragen sein (§ 20 I Nr. 1 UmwG). Bei Umtauschrecht ist Wandelanleihe auszuhändigen und ggf. erforderliche Zuzahlung zu leisten. § 199 I ist zwingend (MHdB AG/Scholz § 58 Rn. 83).

IV. Unzulässige Aktienausgabe (noch: § 199 I)

8 Erfolgt Aktienausgabe, obwohl ges. Voraussetzungen nicht vorliegen, so ist zu unterscheiden: Bezugsaktien sind gem. § 197 S. 3 nichtig, wenn Vorstand sie **vor Eintragung des Beschlusses** über bedingte Kapitalerhöhung (§ 195) ausgibt. Hat Vorstand Aktienurkunden ausgegeben, verbriefen sie kein Mitgliedsrecht (→ § 197 Rn. 3); bei Eintragung ins Aktienregister ist aber unwiderlegliche Vermutung des § 67 II zu beachten (→ § 67 Rn. 25 ff.). Gleiches gilt für Aktien, die Vorstand über Betrag des bedingten Kapitals hinaus ausgibt (MüKoAktG/Fuchs Rn. 34). Wirksam sind indes Bezugsaktien, die unter **Missachtung der Voraussetzungen des § 199 I** ausgegeben worden sind, also zu anderem als im Erhöhungsbeschluss festgesetztem Zweck oder vor voller Leistung des Gegenwerts (GK-AktG/Frey Rn. 68; MüKoAktG/Fuchs Rn. 32). Ebenso berührt Ausgabe an nicht bezugsberechtigte Personen (§ 193 II Nr. 2; → § 193 Rn. 5) Gültigkeit nicht, weil § 199 I nur rechtl. Dürfen des Vorstands (Geschäftsführungsbefugnis), nicht aber sein rechtl. Können (Vertretungsmacht) beschränkt (GK-AktG/Frey

Rn. 68; MüKoAktG/Fuchs Rn. 32). Aktionär bleibt zur Leistung eines noch nicht erbrachten Gegenwerts verpflichtet.

Gibt Vorstand Aktien entgegen § 199 I aus, so handelt er pflichtwidrig. AG hat gem. § 93 II, III Nr. 9 **Anspruch auf Schadensersatz.** Ferner kommt Haftung der AR-Mitglieder nach § 116 in Betracht. Bezugsberechtigte können gegen AG Anspruch auf Schadensersatz nach § 280 I und III, § 283 BGB haben, wenn Ausgabe von Bezugsaktien ihnen ggü. unmöglich wird, weil Vorstand Aktien an Dritte ausgegeben hat und HV keine neue Kapitalerhöhung beschließt (B/K/L/Lieder Rn. 13). Altaktionäre haben gegen Vorstand keine vertraglichen Ansprüche. Zur Konstruktion eines Deliktanspruchs vgl. KK-AktG/Drygala/Staake Rn. 70. 9

V. Besondere Voraussetzungen bei Umtauschrechten (§ 199 II)

1. Bedeutung und Anwendungsbereich des § 199 II. Norm setzt voraus, dass Anleihen in Aktien umgetauscht werden, gilt also insbes. für Wandelanleihen. Geregelt wird Sonderfall der Unterpariemission, nämlich Erwerb der Bezugsaktien gegen Hergabe von Anleihen, wenn deren tats. Ausgabebetrag (→ Rn. 11) unter geringstem Ausgabebetrag der Bezugsaktien liegt. Maßgeblich ist Legaldefinition des § 9 I, nach der es entweder auf Nennbetrag (§ 8 II) oder auf ihm entspr. Anteil des Grundkapitals ankommt (§ 8 III). **Bsp.:** Geringster Ausgabebetrag der Bezugsaktie liegt bei 100 Euro, Anleihe kann aber für 95 Euro erworben werden; dann muss Differenzbetrag bei Ausgabe der Bezugsaktien aufgebracht sein (→ Rn. 11 f.). Unerheblich ist, welchen Nennbetrag Anleihe hat. § 199 II gilt also auch dann, wenn für 95 Euro ein auf 100 Euro lautendes Anleihestück erworben werden kann, nicht dagegen, wenn auf 100 Euro lautende Anleihe zwar zum Bezug von zwei Aktien mit geringstem Ausgabebetrag von je 75 Euro berechtigt, sie aber tats. für 150 Euro oder mehr ausgegeben worden ist. Analog anwendbar ist § 199 II auf AN-Wandelgenussscheine, die unter pari emittiert worden sind (KK-AktG/Drygala/Staake Rn. 36). Umstr. ist, ob dies auch für Wandelgenussscheine mit Verlustbeteiligung gilt (dafür KK-AktG/Drygala/Staake Rn. 36; GK-AktG/Frey Rn. 42; BeckOGK/Rieckers Rn. 15; so auch für Anleihen mit Verlustbeteiligung MHdB AG/Scholz § 58 Rn. 85; dagegen die bislang hM; vgl. Grigoleit/Rieder/Holzmann Rn. 9; B/K/L/Lieder Rn. 8; diff. MüKoAktG/Fuchs Rn. 17). Da § 199 II an § 194 I 2 anknüpft (sa MüKoAktG/Fuchs Rn. 17) und dort nach hier vertretener Auffassung analoge Anwendung zu bejahen ist (→ § 194 Rn. 4b), muss dieses Ergebnis auch für § 199 II gelten. 10

2. Regelungsgehalt des § 199 II 1. Differenz zwischen Ausgabebetrag der zum Umtausch eingereichten Schuldverschreibungen und höherem geringsten Ausgabebetrag für sie zu gewährender Bezugsaktien (→ Rn. 10) muss aus einer anderen Gewinnrücklage oder durch Zuzahlung gedeckt sein (§ 199 II 1). **Ausgabebetrag** der Wandelanleihe ist darauf von dem konkret Berechtigten tats. geleisteter, nicht (höherer) festgesetzter Betrag. Die einem Berechtigten eingeräumten Vorteile (Skonti, Provisionen, Rückvergütungen usw.) sind mithin zu berücksichtigen, nicht aber Kosten, Steuern etc. (MüKoAktG/Fuchs Rn. 20; MHdB AG/Scholz § 58 Rn. 86); nicht berücksichtigt wird insbes. Vergütung des KI bei Fremdemission (S. Klein AG 2017, 415, 419 ff.). Zum Ausgabebetrag der Bezugsaktie → § 193 Rn. 4. Errechneter Differenzbetrag kann aber bereits ganz oder teilw. durch **Abschreibung** entfallen sein. Sie kann planmäßig nach § 250 III 2 HGB oder im betr. Geschäftsjahr zum vollen Betrag erfolgen (ADS § 250 HGB Rn. 84 ff.; KK-AktG/Drygala/Staake Rn. 53). 11

12 Differenzbetrag ist alternativ aus anderer Gewinnrücklage oder durch Zuzahlung zu decken. **Andere Gewinnrücklagen** sind nur solche iSd § 266 III A III Nr. 4 HGB, also nicht Kapitalrücklage, ges. oder satzungsmäßige Rücklagen sowie Rücklagen für eigene Anteile. Andere Gewinnrücklage muss ferner zu diesem Zweck verwandt werden können; sie darf also nicht anderweitig gebunden sein. Deckung aus Gewinnvortrag (→ § 58 Rn. 24) ist ebenfalls zulässig (B/K/L/Liederr Rn. 10; darin aA MüKoAktG/Fuchs Rn. 24), nicht aber aus Bilanzgewinn (KK-AktG/Drygala/Staake Rn. 48; MHdB AG/Scholz § 58 Rn. 89). Deckung für Verwendung von Gesellschaftsmitteln erfolgt durch Umbuchung auf Passivseite (MHdB AG/Scholz § 58 Rn. 89). Für **Zuzahlung des Umtauschberechtigten** gilt § 199 I entspr. (→ Rn. 7), sie muss also vor oder bei Ausgabe unter Beachtung der § 188 II 2, § 54 II, III, § 36 II eingezahlt sein (MüKoAktG/Fuchs Rn. 21).

13 **3. Ausnahme nach § 199 II 2.** Deckungserfordernis nach § 199 II 1 besteht nicht, wenn Gesamtbetrag, zu dem Schuldverschreibungen ausgegeben sind, geringsten Ausgabebetrag der Bezugsaktien insges. erreicht oder übersteigt (§ 199 II 2). Maßgeblich ist entweder Gesamtnennbetrag (§ 8 II) oder Produkt aus anteiligen Beträgen und Aktienzahl (§ 8 III). Norm setzt voraus, dass Bezugsaktien teilw. über und teilw. unter pari ausgegeben werden und begnügt sich mit **Gesamtdeckung.** Maßgeblich ist Durchschnitt geplanter, nicht schon vereinnahmter Ausgabebeträge (näher MüKoAktG/Fuchs Rn. 30).

14 **4. Rechtsfolgen bei Verstoß.** Wenn Voraussetzungen des § 199 II nicht vorliegen, **darf Vorstand Bezugsaktien nicht ausgeben.** Gleichwohl ausgegebene Bezugsaktien lassen Mitgliedsrechte jedoch entstehen (allgM). Umtauschberechtigter, der nunmehr Aktionär ist, bleibt gem. § 54 zur Nachzahlung verpflichtet (Hölters/Weber/Apfelbacher/Metzner Rn. 22). Erwirbt Dritter betroffene Inhaberaktie, haftet er nicht, wenn er im Hinblick auf die Einlageleistung gutgl. war (vgl. RGZ 144, 138, 145; Hölters/Weber/Apfelbacher/Metzner Rn. 22; w. Nachw. → § 10 Rn. 8). Vorstandsmitglieder haften nach § 93 auf Differenzbetrag, und zwar nach § 93 III Nr. 9, wenn Zuzahlung durch Umtauschberechtigten nicht geleistet wurde, und nach § 93 II, wenn Deckung durch Gewinnrücklage fehlte (GK-AktG/Frey Rn. 72). AR-Mitglieder können nach § 116 schadensersatzpflichtig sein.

Wirksamwerden der bedingten Kapitalerhöhung

200 **Mit der Ausgabe der Bezugsaktien ist das Grundkapital erhöht.**

I. Regelungsgegenstand und -zweck

1 § 200 bestimmt **Zeitpunkt,** in dem bedingte Kapitalerhöhung wirksam wird. Maßgebend ist Ausgabe der einzelnen Bezugsaktien entspr. fallweiser Ausübung der Bezugsrechte. Betrag des Grundkapitals erhöht sich also anders als zB nach § 189 in Einzelschritten außerhalb der Satzung und außerhalb des HR. Spätere Eintragung der Ausgabe hat nur deklaratorische Bedeutung.

II. Begriff der Ausgabe

2 Ausgabe ist rechtl. Tatbestand, der Mitgliedsrecht und damit korrespondierende Pflichten entstehen lässt (→ § 199 Rn. 2). Erforderlich sind dafür grds. Ausstellung der Aktienurkunde und Begebungsvertrag (→ § 199 Rn. 3); bei Namensaktien reicht Eintragung in das Aktienregister aus (→ § 199 Rn. 4). Ausgabe

von Zwischenscheinen steht der Ausgabe von Aktienurkunden gleich (→ § 199 Rn. 2 f.).

III. Rechtsfolgen der Ausgabe

Mit Ausgabe der Bezugsaktien ist Grundkapital (s. § 23 III Nr. 3; → § 23 Rn. 28) erhöht (§ 200). Ausgabe wirkt mithin konstitutiv. **Bezugsberechtigte werden Aktionäre** mit allen Rechten und Pflichten. AG hat mit jeder einzelnen Aktienausgabe neue Grundkapitalziffer, was beim Zusammentreffen mit Kapitalerhöhung aus Gesellschaftsmitteln Schwierigkeiten machen kann (→ § 207 Rn. 12a). Jeweilige Grundkapitalziffer hat AG in ihren Büchern (nicht: im Aktienregister des § 67; → § 67 Rn. 6) ständig neu zu vermerken (MüKoAktG/Fuchs Rn. 9; MHdB AG/Scholz § 58 Rn. 93). Zugleich ist Betrag des bedingten Kapitals in den Büchern entspr. zu kürzen. Bilanzvermerk des § 152 I 3 (→ § 152 Rn. 4) kann nur jährlich bei Aufstellung des Jahresabschlusses angepasst werden (Hölters/Weber/Apfelbacher/Metzner Rn. 14). Bei Umtauschrechten ist weiterhin Anleihebetrag entspr. herabzusetzen (MHdB AG/Scholz § 58 Rn. 93). Außerhalb des Aktienrechts kann Bezug weitere kapitalmarktrechtl. Folgen auf Grundlage des § 41 WpHG auslösen, wonach jeder Inlandsemittent Veränderungen von Stimmrechten am Ende eines jeden Kalendermonats zu veröffentlichen, der BaFin mitzuteilen und dem Unternehmensregister zu übermitteln hat (B/K/L/Lieder Rn. 3; Marsch-Barner/Schäfer/Busch/Busch Rn. 46.58). 3

IV. Fehlerhafte Ausgabe

Fehlt **Beschluss** über bedingte Kapitalerhöhung, ist er nichtig, erfolgreich angefochten oder unwirksam, weil Sonderbeschluss (§ 193 I 3 iVm § 182 II) nicht oder nicht gültig gefasst wurde, so entsteht durch Aktienausgabe keine Mitgliedschaft. Mangels Gegenstands ist auch gutgl. Erwerb ausgeschlossen (MüKoAktG/Fuchs Rn. 20; BeckOGK/Rieckers Rn. 15). Nach Eintragung der fehlerhaften Aktienausgabe (§ 201) kommt aber Haftung der Scheinaktionäre entspr. § 277 III in Betracht (vgl. KK-AktG/Drygala/Staake Rn. 45; Hölters/Weber/Apfelbacher/Metzner Rn. 5; BeckOGK/Rieckers Rn. 20; aA S/L/Veil Rn. 3; MHdB AG/Scholz § 58 Rn. 94: fehlerhafte Gesellschaft). Wenn Aktien ausgegeben werden, obwohl **Bezugserklärung** nach § 198 II 2 nichtig ist, ist Heilung nach § 198 III möglich (abw. hM: Heilung allein durch Ausgabe, → § 198 Rn. 12). Sonstige Mängel des **Zeichnungsvertrags** hindern Wirksamwerden der Kapitalerhöhung und damit Entstehen des Mitgliedsrechts grds. nicht (→ § 198 Rn. 15). Für Mängel der **Aktienausgabe** gelten allg. Grundsätze (s. MüKoAktG/Fuchs Rn. 17; KK-AktG/Drygala/Staake Rn. 33 ff.). Fehlender oder nichtiger Begebungsvertrag kann durch Anwendung des Rechtsscheinsprinzips überwunden werden (MüKoBGB/Habersack BGB Vor § 793 Rn. 29 ff.; → § 199 Rn. 3). Ist Mitgliedschaft nicht entstanden, so hat AG gleichwohl ausgegebene Aktienurkunden gem. §§ 985, 812 BGB herauszuverlangen. Wenn gutgl. Erwerb der Aktien möglich ist, ist zudem entspr. § 72 ein Aufgebotsverfahren durchzuführen (BeckOGK/Rieckers Rn. 19). 4

Anmeldung der Ausgabe von Bezugsaktien

201 (1) **Der Vorstand meldet ausgegebene Bezugsaktien zur Eintragung in das Handelsregister mindestens einmal jährlich bis spätestens zum Ende des auf den Ablauf des Geschäftsjahrs folgenden Kalendermonats an.**

(2) [1]**Der Anmeldung sind die Zweitschriften der Bezugserklärungen und ein vom Vorstand unterschriebenes Verzeichnis der Personen, die das Bezugsrecht ausgeübt haben, beizufügen.** [2]**Das Verzeichnis hat die auf jeden Aktionär entfallenden Aktien und die auf sie gemachten Einlagen anzugeben.**

(3) **In der Anmeldung hat der Vorstand zu erklären, daß die Bezugsaktien nur in Erfüllung des im Beschluß über die bedingte Kapitalerhöhung festgesetzten Zwecks und nicht vor der vollen Leistung des Gegenwerts ausgegeben worden sind, der sich aus dem Beschluß ergibt.**

I. Grundlagen

1 **1. Regelungsgegenstand und -zweck.** § 201 betr. **Anmeldung der Ausgabe** von Bezugsaktien. Norm bestimmt, dass Anmeldung innerhalb eines Monats nach Ablauf des Geschäftsjahrs für das gesamte Geschäftsjahr zu erfolgen hat (§ 201 I), und welche Unterlagen (§ 201 II) bzw. Erklärungen (§ 201 III) der Anmeldung beizufügen sind.

2 **2. Bedeutung der Eintragung.** Eintragung hat nur **deklaratorischen Charakter.** Bedingte Kapitalerhöhung wird mit Ausgabe der Bezugsaktien wirksam (§ 200; → § 200 Rn. 3). Anders bei regulärer Kapitalerhöhung, bei der Eintragung der Durchführung konstitutiv wirkt (§ 189; → § 189 Rn. 2). Regelungsunterschied hat praktische Gründe. Bei bedingter Kapitalerhöhung werden Bezugsrechte unregelmäßig ausgeübt, so dass Anmeldung der einzelnen Aktienausgabe unpraktikabel wäre.

II. Anmeldung der Aktienausgabe

3 **1. Formalien.** Gem. § 201 I sind ausgegebene Bezugsaktien mindestens einmal jährlich in das HR anzumelden. Dabei sind Zahl und Nennbetrag der ausgegebenen Aktien, bei Stückaktien (§ 8 III) nur deren Zahl, mitzuteilen. Anmeldung muss innerhalb eines Monats nach Ablauf des Geschäftsjahres erfolgen. Nach Änderungen durch die Aktienrechtsnovelle 2016 ist unterjährige Anmeldung der einzelnen Aktienausgaben zulässig, was im Hinblick auf HR-Publizität zu begrüßen ist (vgl. RegBegr. BT-Drs. 18/4349, 29; Götze/Nartowska NZG 2015, 298, 304; zum früheren Meinungsstand → 11. Aufl. 2014, Rn. 3). Entscheidung über Anmeldezeitpunkt steht nunmehr im pflichtgemäßen Ermessen des Vorstands (Ihrig/Wandt BB 2016, 6, 16 f.). Zuständig für Entgegennahme der Anmeldung und für Eintragung ist **Amtsgericht** des Satzungssitzes (→ § 181 Rn. 3). Nach § 201 II beizufügende Unterlagen sind Registergericht auch bei Vorhandensein von Zweigniederlassungen nur in einem Exemplar vorzulegen (→ Rn. 4). Anmeldung obliegt wie bei § 181 I allein **Vorstand** (§ 201 I). Norm weicht damit von § 195 I, § 188 I, § 184 I ab, nach denen AR-Vorsitzender mitwirken muss. Wie bei § 181 I ist erforderlich und genügend, dass Vorstandsmitglieder in vertretungsberechtigter Zahl handeln (MüKoAktG/Fuchs Rn. 7). Vorstandsmitglieder handeln im Namen der AG, zeichnen aber nicht mit Firma, sondern mit eigenem Namen (→ § 181 Rn. 4). Vorstand ist öffentl.-rechtl. zur Anmeldung verpflichtet; nach Ablauf der Monatsfrist ist sie gem. § 14 HGB erzwingbar. § 407 II steht dem nicht entgegen, da Kapitalerhöhung bereits vollzogen ist. Falsche oder unvollständige Anmeldung ist nach § 399 I Nr. 4 strafbar.

4 **2. Nach § 201 II beizufügende Unterlagen.** Der Anmeldung beizufügen sind **Zweitschriften der Bezugserklärungen** (s. § 198 I 2; → § 198 Rn. 8) sowie **Verzeichnis der Personen,** die Bezugs- oder Umtauschrecht ausgeübt

haben. Im Verzeichnis sind alle Personen namentlich und unter Angabe auf sie entfallender Stückzahl zu benennen (s. § 188 III Nr. 1; → § 188 Rn. 13). Sammelbezugserklärung der Optionsstelle genügt (Marsch-Barner/Schäfer/Busch/Busch Rn. 46.59). Ferner sind Einlagen anzugeben, also geleistete Barzahlungen oder Sacheinlagen; bei Umtauschrechten Zahl und Nennbetrag der eingereichten Urkunden. Angaben bedürfen individueller Zuordnung. Verzeichnis ist vom Vorstand zu unterschreiben. Es dient Registergericht zur Prüfung der Voraussetzungen des § 199. Unterlagen sind nur in einem Exemplar beizufügen, auch bei Zweigniederlassungen. Wegfall früherer Klarstellung „für Gericht des Gesellschaftssitzes" durch EHUG 2006 bedeutet wie in §§ 81, 188, 195, 266 keine sachliche Änderung (dazu und zur elektronischen Einreichung → § 81 Rn. 7).

3. Sonstige beizufügende Unterlagen. Konnten bei **Sacherhöhung** Unterlagen nach § 195 II Nr. 1 nicht bereits bei Anmeldung des Erhöhungsbeschlusses beigefügt werden (→ § 195 Rn. 5), so ist dies nunmehr nachzuholen (BeckOGK/Rieckers Rn. 15). Vollständiger Wortlaut der **Satzung** (vgl. § 181 I 2; → § 195 Rn. 1) mit nunmehr richtiger Grundkapitalziffer und entspr. Angaben zur Aktienaufteilung (s. § 23 III Nr. 3, 4) muss nicht beigefügt werden (MHdB AG/Scholz § 58 Rn. 98). Dafür erforderliche Satzungsänderung nach §§ 179 ff. ist nämlich erst mit Ablauf der Bezugsfrist oder mit Ausübung aller Bezugsrechte vorzunehmen und auch erst dann anzumelden. Dazu kann AG entspr. § 181 I 2, § 407 I mit Zwangsgeld angehalten werden (KK-AktG/Drygala/Staake Rn. 19). 5

4. Erklärung nach § 201 III. Vorstand hat in Anmeldung zu erklären, dass Bezugsaktien nur in Erfüllung des im Beschluss über bedingte Kapitalerhöhung festgesetzten Zwecks und nicht vor voller Leistung des Gegenwerts ausgegeben worden sind, der sich aus Beschluss ergibt (§ 201 III). Damit soll sichergestellt werden, dass Vorstand **Voraussetzungen für Ausgabe** von Bezugsaktien (→ § 199 Rn. 5 ff.) einhält. Anmeldung und Erklärung müssen nicht in einer Urkunde erfolgen. Vielmehr ist genügend und erforderlich, dass Erklärung **in der Form der Anmeldung** von den Anmeldern abgegeben wird (MüKoAktG/Fuchs Rn. 16). Falsche oder unvollständige Versicherung ist nach § 399 I Nr. 4 strafbewehrt. Fehlt Versicherung oder ist sie unvollständig, so kann Registergericht Vorstand nach § 14 HGB anhalten, Versicherung abzugeben oder zu ergänzen. Wenn bei Aktienausgabe Voraussetzungen des § 199 I nicht beachtet wurden, hat Vorstand das iE darzulegen (MüKoAktG/Fuchs Rn. 17; BeckOGK/Rieckers Rn. 16). 6

III. Eintragungsverfahren

1. Registerkontrolle. Registerrichter (§ 17 Nr. 1 lit. b RPflG) hat Anmeldung in formeller und materieller Hinsicht zu prüfen (→ § 181 Rn. 12). **Formelle Prüfung** betr. ordnungsgem. Anmeldung (→ § 181 Rn. 13). **Materielle Prüfung** betr. im wesentlichen Voraussetzungen des § 199. Ggf. hat Gericht nachträglich vorgelegte Sacheinlagevereinbarungen zu prüfen (→ Rn. 5). Beschluss über bedingte Kapitalerhöhung wurde bereits iRd Anmeldung und Eintragung nach § 195 geprüft (→ § 195 Rn. 9); nochmalige Prüfung ist nicht vorzunehmen. Ist Anmeldung ordnungsgem., verfügt Registerrichter Eintragung. Vorstand hat fehlerhafte oder unvollständige Anmeldung nachzubessern und kann dazu nach § 14 HGB angehalten werden. Registergericht hat Eintragung auch dann zu verfügen, wenn Bezugsaktien entgegen § 199 ausgegeben wurden (→ Rn. 6 aE; GK-AktG/Frey Rn. 33; MüKoAktG/Fuchs Rn. 19), da Kapitalerhöhung wirksam ist (→ § 199 Rn. 8). Enthalten nachträglich vorgelegte Sacheinlagevereinbarungen Mängel, ist Kapitalerhöhung als Barerhöhung vollzogen. Aktionäre müssen also Bareinlage erbringen (→ § 194 Rn. 8). Verzeichnis nach 7

§ 201 II und Versicherung nach § 201 III sind dann zu ergänzen. Auch dazu kann Gericht Vorstand nach § 14 HGB anhalten (s. BeckOGK/Rieckers Rn. 19).

8 **2. Eintragung und Bekanntmachung.** Ergeben sich keine Beanstandungen, verfügt Gericht Eintragung. Sie erfolgt gem. § 43 Nr. 3, 6f, 7 HRV. In Abteilung B, Sp. 3 ist neuer Grundkapitalbetrag und in Sp. 6 Summe des Betrags der ausgegebenen Bezugsaktien unter Hinweis auf Beschluss über bedingte Kapitalerhöhung einzutragen (Krafka RegisterR Rn. 1520 f.; sa MüKoAktG/Fuchs Rn. 20; MHdB AG/Scholz § 58 Rn. 97). Inhalt der Eintragung ist nach § 10 HGB elektronisch bekanntzumachen. Kosten: § 58 I GNotKG iVm GV 2500 HRegGebV (→ § 192 Rn. 30).

IV. Aufbewahrung der Unterlagen

9 Frühere Regelung in § 201 IV ist aufgehoben durch EHUG 2006. Aufbewahrung richtet sich nunmehr nach näherer Bestimmung der Bundesländer (VO) iVm § 8a II HGB (→ § 195 Rn. 11).

Dritter Unterabschnitt. Genehmigtes Kapital

Voraussetzungen

202 (1) [1]**Die Satzung kann den Vorstand für höchstens fünf Jahre nach Eintragung der Gesellschaft ermächtigen, das Grundkapital bis zu einem bestimmten Nennbetrag (genehmigtes Kapital) durch Ausgabe neuer Aktien gegen Einlagen zu erhöhen.** [2]**Die Ausgabe von Mehrstimmrechtsaktien kann nicht vorgesehen werden.**

(2) [1]**Die Ermächtigung kann auch durch Satzungsänderung für höchstens fünf Jahre nach Eintragung der Satzungsänderung erteilt werden.** [2]**Der Beschluß der Hauptversammlung bedarf einer Mehrheit, die mindestens drei Viertel des bei der Beschlußfassung vertretenen Grundkapitals umfaßt.** [3]**Die Satzung kann eine größere Kapitalmehrheit und weitere Erfordernisse bestimmen.** [4]**§ 182 Abs. 2 gilt.**

(3) [1]**Der Nennbetrag des genehmigten Kapitals darf die Hälfte des Grundkapitals, das zur Zeit der Ermächtigung vorhanden ist, nicht übersteigen.** [2]**Die neuen Aktien sollen nur mit Zustimmung des Aufsichtsrats ausgegeben werden.** [3]**§ 182 Abs. 1 Satz 5 gilt sinngemäß.**

(4) **Die Satzung kann auch vorsehen, daß die neuen Aktien an Arbeitnehmer der Gesellschaft ausgegeben werden.**

Übersicht

I. Grundlagen

1 **1. Regelungsgegenstand und -zweck.** § 202 betr. genehmigtes Kapital (eingeführt durch § 169 AktG 1937) und bezweckt **Erleichterung der Kapitalbeschaffung** sowie Ausgleich für Unzulässigkeit von **Vorratsaktien** (→ § 56 Rn. 1, 7 ff.), mit denen teilw. gleichwertige Ergebnisse erzielt werden könnten. Diesen Zielen dient Stärkung der Vorstandskompetenz, die Ges. aber nicht selbst vornimmt, sondern dem Satzungsgeber überlässt (§ 202 I 1 und II). Über Verlagerung der Entscheidungszuständigkeit von HV (§ 119 I Nr. 7) auf Vorstand (Ermächtigung) entscheidet Satzungsgeber autonom – insoweit liegt Abweichung iSd § 23 V 1 vor –, wenngleich nicht schrankenlos. Zu beachten sind Fünfjahresfrist (§ 202 I 1 und II) und Kapitalgrenze (§ 202 III). 1965 angefügter § 202 IV (AusschussB Kropff S. 304) dient der Erleichterung der Ausgabe von Belegschaftsaktien (→ Rn. 23 ff.).

2 **2. Genehmigtes Kapital: Allgemeines. a) Inhalt und Bedeutung.** § 202 I 1 umschreibt genehmigtes Kapital als Ermächtigung des Vorstands, Grundkapital bis zu bestimmtem Betrag durch Ausgabe neuer Aktien gegen Einlagen zu erhöhen (§ 202 I 1). HV beschließt Kapitalerhöhung somit nicht unmittelbar, sondern schafft nur rechtl. Grundlage für Vorstandshandeln (→ Rn. 20). Vorstand soll im bestmöglichen Zeitpunkt **schnell und flexibel** neues Eigenkapital beschaffen können. Zum zeitlichen Ablauf der Durchführung einer Kapitalerhöhung aus genehmigtem Kapital s. Heinsius FS Kellermann, 1990, 115, 118 f. Bedürfnis besteht, weil reguläre Kapitalerhöhung zu langwierig und schwerfällig ist (→ § 182 Rn. 4 f.) und Vorratsaktien unzulässig sind (→ Rn. 1). Da genehmigtes Kapital zudem in Tranchen ausgegeben werden kann (→ Rn. 20), ist es bes. praktikabel. Genehmigtes Kapital kann auch zu Zwecken beschlossen werden, die bedingte Kapitalerhöhung gem. § 192 II rechtfertigen (MüKoAktG/Bayer Rn. 1). Das kann aus praktischer Sicht insbes. vor dem Hintergrund interessant sein, dass für bedingte Kapitalerhöhung nach § 193 II Nr. 2 Kreis der Bezugsberechtigten bereits im Erhöhungsbeschluss genannt sein muss, was namentl. bei Zusammenschlussvorhaben zur Folge hat, dass konkretes

Zielunternehmen bereits feststehen und öffentl. benannt werden muss (→ § 193 Rn. 14). Nicht möglich ist es nach dem durch das ZuFinG 2023 neu eingeführten § 202 I 2 allerdings, iRd genehmigten Kapitals **Mehrstimmrechtsaktien** auszugeben; da diese Entscheidung bes. weitreichende Machtverschiebung innerhalb des Aktionariats zur Folge hat, soll sie HV vorbehalten bleiben (RegBegr. BT-Drs. 20/8292, 110; sa → § 135a Rn. 1 ff., 7). **Rechtstatsächlicher Befund** bestätigt Vorzüge des genehmigten Kapitals, das speziell bei börsennotierter AG ordentliche Kapitalerhöhung weitgehend verdrängt hat (Hölters/Weber/Apfelbacher/Metzner Rn. 26; sa Fleischer/Maas AG 2020, 761 Rn. 20 f.). Bes. Relevanz kommt ihm insbes. im Bereich der Akquisitionspraxis zu, wo seine hohe Flexibilität es gestattet, Aktien in einem schlanken Verfahren als Akquisitionswährung zu schaffen und auf diese Weise unternehmerische Chancen schnell und flexibel zu ergreifen (Hölters/Weber/Apfelbacher/Metzner Rn. 26; BeckOGK/Wamser Rn. 4). Genehmigtes Kapital wird auch im Zusammenhang mit sog „scrip dividend" eingesetzt (→ § 58 Rn. 33a). Zum spezifisch kapitalmarktrechtl. Anwendungsfeldes des sog „Greenshoes" vgl. Marsch-Barner/Schäfer/Busch/Busch Rn. 45.49; zum Sonderproblem des „Refreshing the Shoe" s. Busch FS Hoffmann-Becking, 2013, 211 ff.

3 **b) Verfahren.** Genehmigtes Kapital kann schon Inhalt der Gründungssatzung sein (§ 202 I 1), aber auch durch Satzungsänderung beschlossen werden (§ 202 II 1). Im zweiten Fall ist Änderungsbeschluss zur Eintragung anzumelden (§ 181 I); er wird erst mit Eintragung wirksam (§ 181 III). Nunmehr kann Vorstand beschließen, neue Aktien auszugeben; dazu soll Zustimmung des AR eingeholt werden (§ 202 III 2). IdR entscheidet Vorstand zudem über Inhalt der Aktienrechte und über Bedingungen der Aktienausgabe (§ 204 I), wofür er der Zustimmung des AR bedarf (§ 204 I 2). **Weitere Durchführung** wie bei regulärer Kapitalerhöhung (s. § 203 I 1; → § 182 Rn. 4): Neue Aktien sind zu zeichnen (§ 185). Danach hat Zeichner ges. Mindesteinlage zu leisten (§ 188 II). Anschließend ist Durchführung der Kapitalerhöhung zur Eintragung anzumelden (§ 188; § 203 III 4). Mit Eintragung wird Erhöhung des Grundkapitals wirksam (§ 189); die neuen Mitgliedsrechte entstehen. Erst danach dürfen neue Aktienurkunden ausgegeben werden (§ 191). Durchführung der Kapitalerhöhung nach dem ges. Leitbild ist in der Praxis jedoch unüblich. Ebenso wie bei regulärer Kapitalerhöhung werden neue Aktien idR zunächst von **Emissionsbank** oder -konsortium übernommen, die Aktien Bezugsberechtigten anbieten (→ § 182 Rn. 5).

4 **c) Abgrenzungen.** Bildung genehmigten Kapitals gem. § 202 II 1 ist **Satzungsänderung,** die den Voraussetzungen der §§ 179–181 unterliegt, sofern nicht §§ 202 ff. speziellere Vorgaben enthalten. Entscheidungen des Vorstands über Ausübung des genehmigten Kapitals, seinen Umfang und Einzelheiten der Ausgabe sind **Maßnahmen der Geschäftsführung** und unterliegen den Vorgaben des § 77. Mit Eintragung der Durchführung wird Grundkapital erhöht (§ 203 I 1 iVm § 189) und Satzung hinsichtlich des Inhalts nach § 23 III Nr. 3, 4 falsch. Erforderliche **Berichtigung** ist **erneute Satzungsänderung** und von Bildung genehmigten Kapitals zu unterscheiden. Sie unterliegt ausschließlich den §§ 179–181. Da es sich um formelle Satzungsänderung handelt, ist es ratsam, Befugnis dazu dem AR zu übertragen (§ 179 I 2).

5 **d) Genehmigtes Kapital I und II.** In der Praxis hat sich zulässige Übung herausgebildet, zwei (oder auch mehr) Ermächtigungen in die Satzung aufzunehmen; sog genehmigtes Kapital I und II. Sie werden als getrennte Tagesordnungspunkte der HV behandelt und inhaltlich unterschiedlich ausgestaltet. Während genehmigtes Kapital I ohne weitere Besonderheiten zur Barerhöhung mit ges.

Bezugsrecht ermächtigt (allenfalls ist Bezugsrecht für Spitzenbeträge ausgeschlossen), ermächtigt genehmigtes Kapital II zum **Ausschluss des Bezugsrechts** und ggf. zur Sacherhöhung. Praxis bezweckt mit dieser Gestaltung, das mit Bezugsrechtsausschluss (ggf. Sacherhöhung) versehene und deshalb anfechtungsgefährdete genehmigte Kapital II in der Fehlerfolge vom genehmigten Kapital I zu trennen (MüKoAktG/Bayer Rn. 2; Heinsius FS Kellermann, 1990, 115 f.). § 202 III 1 ist zu beachten; Summe der in den Ermächtigungen bestimmten geringsten Ausgabebeträge (§ 9 I) darf also die Hälfte des Grundkapitals nicht übersteigen (GK-AktG/Hirte Rn. 153; → Rn. 13). **Praktische Bedeutung** des genehmigten Kapitals II ist infolge § 186 III 4 (→ § 186 Rn. 1, 39a ff.) und infolge gesenkter Anfechtungsrisiken aufgrund der Siemens/Nold-Entscheidung des BGH (→ § 203 Rn. 13) gemindert, so dass Praxis in neuerer Zeit wieder stärker dazu tendiert, einheitliches genehmigtes Kapital zu schaffen (MüKoAktG/Bayer Rn. 78; BeckOGK/Wamser Rn. 9).

e) Sonderfall: Genehmigtes Kapital nach WStBG. Sonderregeln gelten für **Rekapitalisierung von Unternehmen** des Finanzsektors iSd § 2 I StFG, der Realwirtschaft iSd § 16 II StFG sowie für Unternehmen, die selbst oder durch verbundene Unternehmen iSd § 15 kritische Infrastrukturen iSd § 2 X BSIG im Sektor Energie betreiben, § 29 I, II 1 Nr. 2 EnSiG. Wie bei regulärer Kapitalerhöhung (→ § 182 Rn. 5a ff.) geht es auch hier darum, Schaffung genehmigten Kapitals bei dringendem Rekapitalisierungsbedarf in verschlankter Form zu gestatten. Zu diesem Zweck verweist § 7b I 1 WStBG auf Erleichterungen des § 7 WStBG (→ § 182 Rn. 5a ff.) und gestattet HV-Beschluss mit einfacher Mehrheit. Abw. Satzungsbestimmungen sind nach § 7b I 2 WStBG unbeachtlich. Abw. von § 202 III 1 ist Nennbetrag des genehmigten Kapitals nicht auf die Hälfte des Grundkapitals beschränkt; auch Anrechnung auf sonstige genehmigte Kapitalien erfolgt nicht (§ 7b I 3 WStBG). IÜ verweist § 7b I 4 WStBG auf sonstige Erleichterungen des § 7 WStBG (→ § 182 Rn. 5a ff.). Für **Bezugsrechtsausschluss** gelten gem. § 7b II WStBG Erleichterungen des § 7 III WStBG entspr. (→ § 182 Rn. 5e). Für Ausgabe der neuen Aktien gilt gem. § 7b III WStBG, § 5 WStBG entspr. Nach § 5 I WStBG entscheidet Vorstand über Inhalt der Aktienrechte und Bedingungen der Aktienausgabe; insbes. kann er auch bestimmen, dass neue Aktien mit Gewinnvorzug und bei Verteilung des Gesellschaftsvermögens mit Vorrang ausgestattet sind (zu weiteren Einzelheiten MüKoAktG/Bayer Rn. 127). Dagegen ist nach § 3 I FMStBG aF bis März 2012 geltendes ges. genehmigtes Kapital abgeschafft (dazu noch ausf. MüKoAktG/Bayer, 3. Aufl. 2011, Rn. 126 ff.). 5a

II. Ermächtigung des Vorstands (§ 202 I–III)

1. Allgemeines. Genehmigtes Kapital ermächtigt Vorstand zur Erhöhung des Grundkapitals durch Ausgabe junger Aktien gegen Einlage, ohne dass es weiterer Mitwirkung der HV bedarf. Vorstand kann nur aufgrund einer Ermächtigung handeln, da Kapitalerhöhung Grundlagengeschäft ist und damit in Zuständigkeitsbereich der HV fällt (s. § 119 I Nr. 7). HV-Beschluss darf Vorstand nicht zur Durchführung der Erhöhung anweisen; denn Ermächtigung heißt, dass Vorstand anstelle der HV entscheidet (MüKoAktG/Bayer Rn. 34; BeckOGK/Wamser Rn. 5). Wenn HV Vorstand binden will, muss sie selbst reguläre Kapitalerhöhung durchführen. Genehmigtes Kapital ermächtigt Vorstand nur zur **regulären Kapitalerhöhung** (vgl. § 203 I). Er ist also nicht zu bedingter Kapitalerhöhung oder Kapitalerhöhung aus Gesellschaftsmitteln berechtigt (MüKoAktG/Bayer Rn. 33; MHdB AG/Scholz § 59 Rn. 13). Genehmigtes Kapital ist noch kein Grundkapital; erst wenn Vorstand Ermächtigung ausgeübt hat sowie Beschluss 6 durchgeführt und eingetragen ist (§ 203 I iVm §§ 188, 189), erhöht sich Grundkapital. Genehmigtes Kapital ist im Anh. anzugeben (§ 160 I Nr. 4; → § 160 Rn. 11) und in das HR einzutragen (§ 39 II, § 181).

7 **2. Notwendiger Bestandteil der Satzung. a) Gründungssatzung.** Gründungssatzung kann bereits genehmigtes Kapital vorsehen (§ 202 I 1). Als **fakultative materielle Satzungsbestimmung** unterliegt entspr. Regelung den Anforderungen des § 23 (→ § 23 Rn. 6 ff.). Gem. § 39 II ist genehmigtes Kapital in das HR einzutragen (→ § 39 Rn. 3). Mindestnennbetrag des Grundkapitals (§ 7) muss ohne Hinzurechnung des genehmigten Kapitals gegeben sein (MüKoAktG/Bayer Rn. 38).

8 **b) Satzungsänderung. aa) Grundlagen.** Wenn genehmigtes Kapital durch Satzungsänderung geschaffen wird (§ 202 II 1), gelten dafür **§§ 179–181** unmittelbar, sofern sich nicht aus §§ 202 ff. etwas anderes ergibt. Mithin bedarf es eines Beschlusses der HV (§ 179 I 1). Bloße Fassungsänderung iSd § 179 I 2 liegt nicht vor. § 179 II, der Mehrheit und weitere Erfordernisse bestimmt, wird durch § 202 II 2, 3 verdrängt (→ Rn. 9 f.). Sind mehrere Aktiengattungen vorhanden, so findet statt § 179 III Vorschrift des § 202 II 4 iVm § 182 II Anwendung (→ § 179 Rn. 42). Satzungsänderung ist gem. § 181 I zur Eintragung anzumelden (→ § 181 Rn. 2 ff.) sowie gem. § 181 II iVm § 39 II ihrem Inhalt nach einzutragen und bekanntzumachen (→ § 181 Rn. 20, 22); Bezugnahme auf eingereichte Urkunden genügt also nicht. Der Anmeldung ist gem. § 181 I 2 vollständiger Satzungswortlaut beizufügen (MüKoAktG/Bayer Rn. 50; GK-AktG/Hirte Rn. 113). Erst mit Eintragung wird Ermächtigung wirksam (§ 181 III; → § 181 Rn. 24 ff.). Anmeldung und Eintragung der Ermächtigung und Anmeldung und Eintragung der Durchführung können nicht miteinander verbunden werden (str.; → § 203 Rn. 27). Genehmigtes Kapital darf nur beschlossen werden, wenn entspr. Satzungsänderung ihrem vollständigen Inhalt nach (§ 124 II 3 Fall 1) in der Tagesordnung rechtzeitig (§ 123) bekanntgemacht worden ist. Ermächtigungsbeschluss ist nach § 243 I anfechtbar, und zwar namentl. auch wegen Verstoßes der HV-Mehrheit gegen gesellschaftsrechtl. Treupflicht (→ § 53a Rn. 20 ff.), was aber stets voraussetzt, dass Aktionäre die den Vorwurf der Treuwidrigkeit begründenden Umstände kennen (BGH NZG 2020, 1349 Rn. 34).

9 **bb) Mehrheit.** Beschluss bedarf einer Mehrheit von drei Vierteln des bei der Beschlussfassung vertretenen Grundkapitals (§ 202 II 2). Norm bestimmt nur **Kapitalmehrheit.** Zusätzlich ist einfache **Stimmenmehrheit** nach § 133 I notwendig (→ § 182 Rn. 7); § 202 II 2 ist also weiteres Erfordernis iSd § 133 I Hs. 2. Kapitalmehrheit wird nach gleichen Grundsätzen wie bei § 179 II 1 berechnet: Bezugsgröße ist das Kapital, das bei Beschlussfassung mit ja oder nein gestimmt hat; unberücksichtigt bleiben Stimmenthaltungen und Kapital, das an Beschlussfassung nicht mitgewirkt hat oder nicht mitwirken durfte, zB stimmrechtslose Vorzugsaktien (→ § 179 Rn. 14 mN). Satzung kann **größere Kapitalmehrheit** bestimmen (§ 202 II 3), nicht aber geringere Kapitalmehrheit (anders § 182 I 2). Mehrheitsregelnde Satzungsklausel muss deutlich erkennen lassen, dass sie auch Beschluss über genehmigtes Kapital meint; Satzungsbestimmung, die allg. für Satzungsänderung andere Mehrheit bestimmt, reicht iZw nicht (aA die hM – vgl. etwa KK-AktG/Kuntz Rn. 35 – zum wesentlich ausdifferenzierten Meinungsstand zur generellen Frage vgl. aber → § 179 Rn. 18; → § 182 Rn. 8).

10 **cc) Weitere Erfordernisse.** Wenn **mehrere Aktiengattungen** (→ § 11 Rn. 7) vorhanden sind, wird Erhöhungsbeschluss nur wirksam, wenn Aktionäre jeder Gattung durch Sonderbeschluss (§ 138) zustimmen. Norm verdrängt § 179 III, der abw. von § 182 II nur dann Zustimmungsbeschluss fordert, wenn Kapital-

erhöhung Gattungsaktionäre benachteiligt (→ § 182 Rn. 18). Einzelheiten in → § 141 Rn. 23; → § 182 Rn. 18 ff. Ferner kann **Satzung** nicht nur größere Kapitalmehrheit (→ Rn. 9), sondern auch weitere Erfordernisse bestimmen (s. § 202 II 3). Vorschrift entspr. § 179 II 3 (→ § 179 Rn. 22 f.).

3. Inhalt der Ermächtigung. a) Zwingender Inhalt. aa) Frist. Vorstand darf nur für **höchstens fünf Jahre** ermächtigt werden, das Grundkapital zu erhöhen (§ 202 I 1, II 1). Ermächtigungsbeschluss muss deshalb ausdr. Dauer der Ermächtigung angeben, und zwar durch konkretes Datum („bis 31.3.2027") oder durch Bezeichnung seiner Berechnungsgrundlagen (zB „von der Eintragung an für 3 Jahre"). Wiederholung des Gesetzeswortlauts oder Verweisung auf § 202 genügt nicht (OLG Celle AG 1962, 347 f.); fehlt Fristsetzung, kann auch nicht im Wege der Auslegung auf ges. Frist zurückgegriffen werden (LG Mannheim BB 1957, 689 f.). Frist berechnet sich von Eintragung der Gründungssatzung (§ 41 I 1 und §§ 37 ff.) bzw. von Eintragung der Satzungsänderung an (§ 181). Sie wird nur gewahrt, wenn Kapitalerhöhung vor Fristende durchgeführt und in das HR eingetragen ist (→ Rn. 3; → § 203 Rn. 26 ff.). Eintragungsverfahren ist, wenn HV nichts anderes beschlossen hat, unverzüglich zu betreiben (§ 121 I 1 BGB) und darf auch mit Beschluss der HV allenfalls nach für befristete oder bedingte Satzungsänderungen geltenden Grundsätzen hinausgezögert werden (→ § 179 Rn. 25 f.; s. dazu Rottnauer BB 1999, 330, 333 f.). Enthält Ermächtigungsbeschluss keine oder zu lange Frist, so ist er **gem. § 241 Nr. 3 nichtig** (MüKoAktG/Bayer Rn. 58; MHdB AG/Scholz § 59 Rn. 25; sa OLG Celle AG 1962, 347 f.: unwirksam; LG Mannheim BB 1957, 689 f.: gesetzwidrig). Heilung gem. § 242 II ist nicht möglich, wenn Angaben gänzlich fehlen, da Beschluss nicht allein fehlerhaft, sondern in einer Weise unvollständig ist, dass Wille der beschließenden Aktionäre nicht ermittelt werden kann (GK-AktG/Hirte Rn. 134; KK-AktG/Kuntz Rn. 65). Wurde dagegen nur ges. Höchstfrist überschritten, kann Heilung zugelassen werden und an Stelle unzulässiger Frist ges. Frist gesetzt werden (MHdB AG/Scholz § 59 Rn. 25). Keine Heilungswirkung hat (fälschliche) Eintragung der Durchführung (→ Rn. 19). Ist Ermächtigung in der Gründungssatzung fehlerhaft, greift § 23 V 1 ein; Heilung ist analog § 242 II möglich (→ § 23 Rn. 43). Vor Eintragung können Gründer, nach Eintragung kann HV Beschlussfehler korrigieren (Einzelheiten zu Fehlerfolgen bei KK-AktG/Kuntz Rn. 54 ff.). 11

bb) Nennbetrag. Ermächtigung muss bestimmten Nennbetrag enthalten, bis zu dem Vorstand Grundkapital erhöhen darf (§ 202 I 1, II 1). Nennbetrag ist **konkret zu beziffern** (MüKoAktG/Bayer Rn. 64). Fehlt bestimmter Nennbetrag, so ist HV-Beschluss **gem. § 241 Nr. 3 nichtig** (GK-AktG/Hirte Rn. 133, 154; MHdB AG/Scholz § 59 Rn. 14). Nichtigkeit kann nach zutr. Ansicht nicht gem. § 242 II geheilt werden, weil inhaltliche Bestimmtheit fehlt (→ Rn. 11 – heute allgM, statt vieler MüKoAktG/Bayer Rn. 64; GK-AktG/Hirte Rn. 134). 12

Kapitalgrenze. Nennbetrag des genehmigten Kapitals darf **Hälfte des Grundkapitals** nicht übersteigen, das zur Zeit der Ermächtigung vorhanden ist (§ 202 III 1). **Nennbetrag** ist im Ermächtigungsbeschluss bezifferter Betrag. Daneben kann auch zuvor beschlossenes genehmigtes Kapital zu berücksichtigen sein, und zwar dann und insoweit, als es vom Vorstand noch nicht zur Kapitalerhöhung ausgenutzt wurde (MüKoAktG/Bayer Rn. 69; MHdB AG/Scholz § 59 Rn. 16). **Grundkapital** (§ 6) ist zunächst der im HR eingetragene Betrag. Damit wird auch Erhöhung des Grundkapitals durch reguläre Kapitalerhöhung (§ 182), durch genehmigtes Kapital und durch Kapitalerhöhung aus Gesellschaftsmitteln (§ 207) im jeweiligen Zeitpunkt des Wirksamwerdens erfasst. Ebenfalls wird ordentliche Kapitalherabsetzung (§ 222) abgedeckt, die mit Registereintra- 13 gung Grundkapitalziffer verändert (§ 224). Darüber hinaus ist bedingtes Kapital (das neben einem genehmigten Kapital bestehen kann) insoweit zu berücksichtigen, als es durch Ausgabe der Aktien nach § 200 wirksam geworden ist. IÜ, also vor Ausgabe von Bezugsaktien, können bedingtes und genehmigtes Kapital in jew. für sie geltenden Grenzen (§ 192 III, § 202 III) nebeneinander bestehen (BGH AG 2006, 246, 247). Bei Ermächtigung zur Ausgabe von **Vorzugsaktien ohne Stimmrecht** ist neben Höchstgrenze des § 202 III 1 auch die des § 139 II zu beachten (sa MüKoAktG/Bayer Rn. 67). Schließlich muss genehmigtes Kapital bei Ausgabe von **Stückaktien** so zerlegt werden, dass sich Aktienzahl in demselben Verhältnis erhöht wie Grundkapital (§ 182 I 5 iVm § 202 III 3). Vorschrift soll vermeiden, dass Beteiligungsquote der Altaktien überproportional verschlechtert wird (→ § 182 Rn. 13a; → § 192 Rn. 25).

14 **Maßgebender Zeitpunkt** für Bestimmung des Nennbetrags und des Grundkapitals ist **Wirksamwerden der Ermächtigung,** also gem. § 41 I 1, § 181 III die Eintragung der Gründungssatzung oder der Satzungsänderung in das HR (MüKoAktG/Bayer Rn. 66; GK-AktG/Hirte Rn. 148). Wird zeitgleich mit genehmigtem Kapital (durchgeführte) Änderung des Grundkapitals eingetragen, so ist auch dies iRd § 202 III 1 zu berücksichtigen (MüKoAktG/Bayer Rn. 66; Ihrig/Wagner NZG 2002, 657, 658). Wenn Ermächtigungsbeschluss gegen Vorgabe des § 202 III 1 verstößt, ist er **nach § 241 Nr. 3 nichtig** (allgM). **Heilung** ist nach § 242 II möglich. Es gilt dann jedoch nicht im Beschluss festgesetzter Nennbetrag, sondern nach § 202 III 1 zulässiger Höchstbetrag (allgM). Entspr. gilt für Ermächtigungsbestimmung in Gründungssatzung.

15 **b) Weiterer Inhalt. aa) Überblick.** Auch beim genehmigten Kapital ist Sacherhöhung möglich. Vorstand darf junge Aktien aber nur gegen **Sacheinlage** ausgegeben, wenn Ermächtigung das vorsieht (§ 205 I; → § 205 Rn. 3). Ferner kann HV Bezugsrecht der Aktionäre ausschließen (→ § 203 Rn. 8 ff.) oder Vorstand ermächtigen, über **Bezugsrechtsausschluss** zu entscheiden (→ § 203 Rn. 33 ff.). Beides ist ebenfalls in der Ermächtigung festzusetzen (s. § 203 I iVm § 186 III 1, § 203 II). Gleiches gilt, wenn Vorstand ermächtigt werden soll, **Vorzugsaktien ohne Stimmrecht** auszugeben, die bereits vorhandenen Vorzugsaktien vorgehen oder gleichstehen (§ 204 II; → § 204 Rn. 10 f.). Nicht geboten, aber zweckmäßig ist schließlich Ermächtigung des AR zur Fassungsänderung (§ 179 I 2) nach Eintragung der Durchführung der Kapitalerhöhung (§ 203 I iVm § 189).

16 **bb) Inhalt der Aktienrechte und Bedingungen der Aktienausgabe.** HV ist berechtigt, aber nicht verpflichtet, in Ermächtigung weitere Bestimmungen über Inhalt der Aktienrechte und Bedingungen der Aktienausgabe zu treffen (arg. § 204 I 1; s. KG AG 1996, 421, 423; vgl. zum Folgenden MüKoAktG/Bayer Rn. 77; MHdB AG/Scholz § 59 Rn. 22 ff.). HV kann **geringsten Ausgabebetrag** der neuen Aktien (§ 9 I) und **Aktiengattung** (§ 11) festlegen sowie bestimmen, ob **Inhaber- oder Namensaktien** (§ 10) ausgegeben werden. Ferner kann in Ermächtigung **höherer Ausgabebetrag** festlegt werden. HV kann Ausgabebetrag iRd § 9 I, § 255 IV frei bestimmen (zu § 255 IV → § 255 Rn. 25 ff.; ferner → § 182 Rn. 23 f.). Möglich ist auch Angabe eines Mindestbetrags, ggf. kombiniert mit Höchstbetrag (→ § 182 Rn. 22), aber auch Verzicht auf jede Vorgabe (BGHZ 136, 133, 141 = NJW 1997, 2815; BGHZ 181, 144 Rn. 16 = NZG 2009, 986; KK-AktG/Kuntz Rn. 89). HV kann Ermächtigung beschränken und Vorstand Kapitalerhöhung nur zu bestimmten Zwecken (zB Unternehmensübernahme) erlauben. HV kann Vorstand aber nicht zu einer bedingten Kapitalerhöhung iSd §§ 192 ff. ermächtigen (unstr.). Soweit Ermächtigung Inhalt der Aktienrechte und Bedingungen der Aktienausgabe nicht festsetzt, entscheidet Vorstand mit Zustimmung des AR (→ § 204 Rn. 2 f., 6).

4. Wegfall der Ermächtigung durch Fristablauf. Ermächtigung endet mit Ablauf der nach § 202 I 1, II 1 zu bestimmenden Frist (→ Rn. 11). Wenn Frist durch Angabe eines Datums bestimmt ist, endet Ermächtigung mit Ablauf des genannten Tages. Ist Frist nur berechenbar und – wie üblich – mit dem Tag der Eintragung gekoppelt, so wird bei Fristbestimmung gem. § 187 I BGB Tag der Eintragung nicht mitgerechnet; Fristende bestimmt sich nach § 188 II BGB. Frist ist nur gewahrt, wenn bis zum Fristablauf **Durchführung** der Kapitalerhöhung (§ 203 I iVm § 189) eingetragen ist; Ausgabe der neuen Aktien kann auch nach Fristablauf erfolgen (MüKoAktG/Bayer Rn. 62; GK-AktG/Hirte Rn. 146). Zu den Rechtsfolgen, wenn Vorstand nach Fristablauf Kapitalerhöhung durchführt, → Rn. 19. 17

5. Aufhebung, Änderung und Beendigung der Ermächtigung. Wenn genehmigtes Kapital im HR eingetragen ist, kann Ermächtigung durch bloße Satzungsänderung gem. §§ 179 ff., also ohne Einhaltung des § 182 II iVm § 202 II 4, aufgehoben werden (MüKoAktG/Bayer Rn. 47; Gotthardt/Krengel AG 2017, 222, 227 ff.), weil es nicht um Kapitalveränderung, sondern um Rückverlagerung der Kompetenz von Vorstand auf HV geht. Vor Eintragung genügt Aufhebung der Ermächtigung durch einfachen Gegenbeschluss, weil Satzungsänderung noch nicht wirksam ist (→ § 179 Rn. 40; MüKoAktG/Bayer Rn. 47). Str. ist, ob diese Grundsätze auch für bloße **Änderung** der Ermächtigung gelten. Teilw. wird verlangt, dass für Änderung nach Eintragung §§ 202 ff. beachtet werden müssen (Grigoleit/Rieder/Holzmann Rn. 12; S/L/Veil Rn. 13). Die hA hält dem zu Recht entgegen, dass dann für Teilaufhebung strengere Regeln gelten würden als für vollständige Aufhebung. Wie Änderungen zu behandeln sind, ist innerhalb der hA umstritten. Manche differenzierеren zwischen qualitativen (dann: Beschlussfassung nach § 202 II-IV) und quantitativen (dann: einfacher Gegenbeschluss vor Eintragung, satzungsändernder Beschluss gem. §§ 179 ff. nach Eintragung) Änderungen (so MüKoAktG/Bayer Rn. 48; Hölters/Weber/Apfelbacher/Metzner Rn. 39 Fn. 57; → 14. Aufl. 2020, Rn. 18). Andere wollen § 202 II-IV nur anwenden, wenn Vorstandskompetenzen **erweitert** werden; bei **Einschränkungen** sollen allg. Regelungen gelten (so KK-AktG/Kuntz Rn. 39; MHdB AG/Scholz § 59 Rn. 12; in diese Richtung auch Bürgers/Körber/Marsch-Barner Rn. 9; BeckOGK/Wamser Rn. 36 f.). IErg dürften beide Auffassungen übereinstimmen, unter teleologischen und praktischen Gesichtspunkten erscheint die Unterscheidung zwischen erweiternden und einschränkenden Änderungen vorzugswürdig. Änderung kann zB Nennbetrag oder Ermächtigungsdauer betr. Frist kann iRd Höchstfrist auch verlängert werden (OLG Hamm WM 1985, 197, 198; MüKoAktG/Bayer Rn. 63). 18

6. Fehlende oder fehlerhafte Ermächtigung. Fehlt Ermächtigung, ist sie wirksam angefochten (§§ 246, 248) oder durch Zeitablauf erloschen, kann Vorstand Kapitalerhöhung nicht durchführen. Vom Vorstand gleichwohl geschlossene Zeichnungsverträge sind gem. § 275 I BGB, § 311a I BGB nicht erfüllungspflichtig (Lieder DNotZ 2022, 349, 364 f.). Registerrichter darf Eintragung gem. § 203 I iVm § 189 nicht vornehmen. Wenn Eintragung dennoch erfolgt, greifen nach heute ganz hM **Grundsätze der fehlerhaften Gesellschaft** ein mit der Folge, dass durchgeführte Kapitalerhöhung als vorläufig wirksam zu behandeln ist und Mängel nur mit Wirkung ex nunc beachtlich sind (KK-AktG/Kuntz Rn. 212 ff.; S/L/Veil Rn. 25; MHdB AG/Scholz § 59 Rn. 75; → § 185 Rn. 27 zu Parallelen bei der regulären Kapitalerhöhung; zur früher vertretenen Gegenaufassung s. noch KK-AktG/Lutter, 2. Aufl. 1989 Rn. 22). Gänzlich unberührt bleibt Wirksamkeit der einmal eingetragenen Kapitalerhöhung, wenn Vorstand die ihm durch Ermächtigung eingeräumten **Gestaltungsgrenzen überschreitet** (→ § 204 Rn. 8 f.). Auch in diesem Fall handelt Vorstand zwar pflichtwidrig, aber 19 doch wirksam. Verwaltungsmitglieder machen sich in beiden Konstellationen gem. § 93 II, § 116 AG ggü. schadensersatzpflichtig. Muss Kapitalerhöhung wegen fehlenden oder angefochtenen Ermächtigungsbeschlusses abgewickelt werden, können Zeichner darüber hinaus auch gegen AG gem. § 311a II BGB Anspruch auf Schadensersatz oder Aufwendungsersatz haben. Weiß Vorstand, dass Ermächtigung fehlt oder anfechtbar ist, und führt er Kapitalerhöhung durch, können ihn Zeichner wegen Vertrauenshaftung gem. § 280 I BGB, § 311 III BGB in Anspruch nehmen.

III. Ausübung der Ermächtigung durch den Vorstand (noch: § 202 III)

20 **1. Entscheidung des Vorstands.** Vorstand entscheidet aufgrund genehmigten Kapitals über Ausgabe neuer Aktien und damit über Durchführung der Kapitalerhöhung. Entscheidung ist **Maßnahme der Geschäftsführung** gem. § 77 (MüKoAktG/Bayer Rn. 86). Für Beschlussfassung gelten allg. Regeln. Beim mehrgliedrigen Vorstand bedarf es also einstimmigen Beschlusses (→ § 77 Rn. 6), sofern Satzung oder Geschäftsordnung nichts anderes vorsehen (→ § 77 Rn. 9 ff.). Vorstand entscheidet nach pflichtgem. Ermessen. Beschluss ist weder eintragungsbedürftig noch -fähig (MüKoAktG/Bayer Rn. 89). Entscheidung über Ausgabe neuer Aktien bedeutet: Vorstand bestimmt, ob und wann Grundkapital erhöht wird; HV kann ihn nicht binden. Ferner bestimmt er innerhalb des von HV vorgegebenen Höchstbetrags auch, in welcher Höhe Grundkapital erhöht werden soll. Er ist berechtigt, genehmigtes Kapital in mehreren Tranchen auszuüben (unstr., s. zB Freitag AG 2009, 473, 474, der sich aber grds. gegen davon zu unterscheidende Aufspaltung einzelner Tranchen ausspricht). Entscheidung soll nur mit Zustimmung des AR getroffen werden (§ 202 III 2). Zur **Publizitätspflicht** nach Art. 17 I MAR vor Zustimmung des AR → § 170 Rn. 3.

21 **2. Zustimmung des Aufsichtsrats.** Neue Aktien sollen nur mit Zustimmung des AR ausgegeben werden (§ 202 III 2). Ausgabe bedeutet nicht tats. Übergabe der Aktienurkunden (vgl. § 191), sondern entspr. Beschluss des Vorstands (→ Rn. 20) und seine Durchführung (MüKoAktG/Bayer Rn. 91; GK-AktG/Hirte Rn. 167). AR entscheidet über Zustimmung durch Beschluss. Zuständigkeit kann auf AR-Ausschuss übertragen werden; arg. § 107 III 7 (MHdB AG/Scholz § 59 Rn. 44). Zustimmung ist einzelfallbezogen. Allg. Zustimmung für alle oder Vielzahl künftiger Ausgaben ist also nicht möglich; wird genehmigtes Kapital in Tranchen ausgegeben, ist sie für jede einzelne Tranche erforderlich (MüKoAktG/Bayer Rn. 92; S/L/Veil Rn. 22).

22 **Fehlende Zustimmung** des AR zur Ausgabe neuer Aktien **berührt Wirksamkeit der Kapitalerhöhung nicht** (GK-AktG/Hirte Rn. 252; Freitag AG 2009, 473, 476). Mit Eintragung ihrer Durchführung entstehen die neuen Mitgliedsrechte (→ § 203 Rn. 30). Registerrichter hat aber bei fehlender Zustimmung Eintragung der Durchführung abzulehnen (MüKoAktG/Bayer Rn. 94). Jedoch kann er, sofern keine anderweitigen Hinweise vorhanden sind, aufgrund der Mitwirkung des AR-Vorsitzenden bei der Anmeldung (§ 203 I 1 iVm § 188 I) idR davon ausgehen, dass AR zugestimmt hat (allgM, s. MüKoAktG/Bayer Rn. 94).

IV. Arbeitnehmeraktien (§ 202 IV)

23 **1. Regelungszweck.** Satzung kann vorsehen, dass neue Aktien an AN der Gesellschaft ausgegeben werden (§ 202 IV). Vorschrift bezweckt **Erleichterung der Ausgabe** von Belegschaftsaktien. Auch ohne bes. Regelung könnte HV im

Ermächtigungsbeschluss ges. Bezugsrecht der Aktionäre ausschließen oder Vorstand zum Bezugsrechtsausschluss ermächtigen (s. § 203 I, II 1; → Rn. 15), um damit Ausgabe von Aktien an AN zu ermöglichen. Erforderlich wäre dann aber materielle Rechtfertigung des Bezugsrechtsausschlusses (→ Rn. 27). Mit Einfügung des § 202 IV hat Gesetzgeber Ausgabe von AN-Aktien als materiell gerechtfertigt anerkannt, so dass konkrete Interessenabwägung nicht mehr erforderlich ist. Ausgabe von AN-Aktien wird beim genehmigten Kapital weiter gefördert durch § 203 IV, § 204 III, § 205 IV. Bedingte Kapitalerhöhung enthält mit § 192 II Nr. 3, § 194 III dem § 202 IV vergleichbare Vorschriften (→ § 192 Rn. 17, 19; → § 194 Rn. 5). Für reguläre Kapitalerhöhung gibt es keine entspr. Norm (zur Rechtslage → § 186 Rn. 29).

2. Voraussetzungen. a) Arbeitnehmerbegriff. Unmittelbare Anwendung der Norm setzt voraus, dass es sich um AN der kapitalerhöhenden Gesellschaft handelt. § 202 IV ist aber entspr. anwendbar auf **AN von verbundenen Unternehmen** (MüKoAktG/Bayer Rn. 104; S/L/Veil Rn. 28; BeckOGK/Wamser Rn. 110). Analogie rechtfertigt sich aus § 71 I Nr. 2 (→ § 71 Rn. 12) und aus § 192 II Nr. 3 (→ § 192 Rn. 20). 24

b) Begünstigung der Arbeitnehmer als Satzungsinhalt. § 202 IV meint, dass HV ges. Bezugsrecht der Aktionäre zum Zwecke der Ausgabe der neuen Aktien an AN ausschließen kann, wenn sie genehmigtes Kapital schafft (vgl. KK-AktG/Kuntz Rn. 195 ff.; MHdB AG/Scholz § 59 Rn. 77). Bezugsrechtsausschluss ist wegen § 203 I iVm § 186 III 1 **zwingender Inhalt der Ermächtigung** (insoweit aA KK-AktG/Kuntz Rn. 196), so dass Ausgabe von AN-Aktien stets bestimmtes genehmigtes Kapital betr. Unerheblich ist, ob solche Ermächtigung bereits in Gründungssatzung enthalten ist oder im Wege der Satzungsänderung eingefügt wird. Entgegen dem unscharfen Wortlaut ermöglicht § 202 IV damit aber keine Satzungsbestimmung, die allg. und unabhängig von einer Ermächtigung Ausgabe junger Aktien an AN vorsieht (str., wie hier MüKoAktG/Bayer Rn. 99; Hölters/Weber/Apfelbacher/Metzner Rn. 75; KK-AktG/Kuntz Rn. 196; aA GK-AktG/Hirte Rn. 174; Ekkenga/Stöber AG-Finanzierung Kap. 5 Rn. 66; Leuering/Rubner NJW-Spezial 2015, 143; wohl auch Knepper ZGR 1985, 419, 433). 25

3. Rechtsfolgen. Regelung nach § 202 IV kann vorsehen, dass Vorstand neue Aktien ganz oder teilw. an AN der Gesellschaft auszugeben hat. Sie kann aber auch bestimmen, dass Vorstand nur berechtigt ist, neue Aktien ganz oder teilw. an AN der Gesellschaft auszugeben. In beiden Fällen ist Vorstand nicht zur Durchführung der Kapitalerhöhung verpflichtet. Entspr. Satzungsbestimmungen begründen auch kein Bezugsrecht der AN. Vielmehr gilt: Im ersten Fall ist Ausschluss des Bezugsrechts der Aktionäre zwingend. Wenn Vorstand genehmigtes Kapital ganz oder teilw. ausnutzt, muss er neue Aktien entspr. dem Ermächtigungszweck (und der Nachfrage) an AN ausgeben. Im zweiten Fall – bloße Berechtigung – hat Vorstand selbst über die Möglichkeit zu entscheiden, junge Aktien an AN (→ Rn. 24) zu geben (→ Rn. 27). Vorstand ist nur dann zur Ausgabe der Aktien an AN berechtigt, wenn Ermächtigung Inhalt des § 202 IV aufweist; allg. Ermächtigung zum Ausschluss des Bezugsrechts reicht nicht aus (str., wie hier MüKoAktG/Bayer Rn. 101; KK-AktG/Lutter Rn. 27; BeckOGK/Wamser Rn. 107; aA GK-AktG/Hirte Rn. 178; MHdB AG/Scholz § 59 Rn. 78; Ekkenga/Stöber AG-Finanzierung Kap. 5 Rn. 67; Knepper ZGR 1985, 419, 433). AN können aber wie andere Dritte Aktien zeichnen (MüKoAktG/Bayer Rn. 101). 26

4. Beschlussverfahren. Ausgabe neuer Aktien an AN kann in Gründungssatzung vorgesehen sein, aber auch auf satzungsänderndem Beschluss beruhen 27

(→ Rn. 8 ff.). Im ersten Fall ergeben sich keine Besonderheiten; notwendige Einstimmigkeit bei Satzungsfeststellung macht Schutz der Aktionäre entbehrlich. Im zweiten Fall sind zunächst allg. Beschlussvoraussetzungen zu beachten. Ferner sind gem. § 186 iVm § 203 I 1 **formelle Voraussetzungen des Bezugsrechtsausschlusses** einzuhalten (→ § 203 Rn. 10). Bes. materieller Rechtfertigung (→ § 186 Rn. 25) bedarf es nicht; sie folgt aus § 202 IV selbst (MüKoAktG/Bayer Rn. 102; S/L/Veil Rn. 28; MHdB AG/Scholz § 59 Rn. 77). Dabei erlaubt § 202 IV auch, günstigen Ausgabekurs festzusetzen (MüKoAktG/Bayer Rn. 103; S/L/Veil Rn. 29; MHdB AG/Scholz § 59 Rn. 79); er darf jedoch nicht unangemessen niedrig sein (§ 255 IV; → Rn. 16; wie hier etwa Hölters/Weber/Apfelbacher/Metzner Rn. 82; einschr. aber MüKoAktG/Bayer Rn. 103; BeckOGK/Wamser Rn. 105). Zudem rechtfertigt § 202 IV Bezugsrechtsausschluss nur, wenn sich Ausgabe von Belegschaftsaktien **in angemessenen Grenzen** hält (KK-AktG/Kuntz Rn. 202; MHdB AG/Scholz § 59 Rn. 36, 77). Als Anhaltspunkt kann Freibetrag des § 3 Nr. 39 EStG dienen (MüKoAktG/Bayer Rn. 102; S/L/Veil Rn. 29; großzügiger KK-AktG/Kuntz Rn. 202 ff.: bloße Missbrauchsprüfung). Trotz sachlicher Rechtfertigung hat Vorstand schriftlichen Bericht nach § 203 I 1 iVm § 186 IV 2 und § 203 II 2 vorzulegen (MüKoAktG/Bayer Rn. 102).

28 **5. Weitere Besonderheiten.** Bei Ausgabe von Aktien an AN der Gesellschaft iRd genehmigten Kapitals gelten neben § 202 IV weitere Besonderheiten. Abw. von § 203 III 1 dürfen Aktien an AN der Gesellschaft auch ausgegeben werden, wenn Einlagen auf bisheriges Grundkapital noch ausstehen (§ 203 IV). Damit entfallen auch entspr. Angaben bei erster Anmeldung (→ § 203 Rn. 66). Ferner kann Einlage gem. § 204 III unter bestimmten Voraussetzungen aus einem Teil des Jahresüberschusses gedeckt und damit der Sache nach Kapitalerhöhung aus Gesellschaftsmitteln durchgeführt werden (→ § 204 Rn. 12 ff.). Häufig enthalten Zeichnungsverträge (→ § 203 Rn. 3) Regelungen über Sperrzeiten für Veräußerung von Aktien und Folgen des Ausscheidens des AN (Leuering/Rubner NJW-Spezial 2015, 143, 144).

29 **6. Vom gesetzlichen Leitbild abweichende Praxis.** Praxis weicht bei Ausgabe von Belegschaftsaktien unter Verwendung genehmigten Kapitals vom ges. Leitbild ab und geht wie folgt vor: Neue Aktien werden **zum Börsenkurs von Emissionsbank gezeichnet,** die sodann Aktien zum gleichen Kurs an ausgebende AG veräußert. Nun erst bietet AG Aktien zu einem unter dem Kaufpreis liegenden Kurs ihren AN an. Erwerb eigener Aktien ist wegen § 71 I Nr. 2 zulässig. Im Schrifttum wird zwar teilw. Spannungsverhältnis mit § 53a behauptet, der auch für § 71 I Nr. 2 gilt (Leuering/Rubner NJW-Spezial 2015, 143, 144; sa MüKoAktG/Oechsler § 71 Rn. 148; zum Gleichbehandlungsgrundsatz und Erwerb eigener Aktien → § 71 Rn. 19j), doch stellt Rückerwerb von Emissionsbank ohne Andienung der Altaktionäre, um neue Aktien AN anzubieten, keine willkürliche Ungleichbehandlung dar. § 202 IV, § 203 IV, § 204 III, § 205 IV bringen zum Ausdruck, dass Ausgabe der Aktien an AN bevorzugt behandelt wird, was Abweichung von § 53a rechtfertigt. Gestaltung wird gewählt, um AG das volle **Agio** zufließen zu lassen. Differenz zwischen Erwerbsaufwendungen und vergünstigtem Verkaufspreis kann als **Betriebsausgabe** steuerlich geltend gemacht werden (MüKoAktG/Bayer Rn. 107; MHdB AG/Scholz § 59 Rn. 83; Knepper ZGR 1985, 419, 434). Problematisch ist bei dieser Gestaltung, ob Begünstigung der AN auf schuldrechtl. Ebene sich nicht aktienrecht. als verkürzte Kapitalaufbringung darstellt (sa Tollkühn NZG 2004, 594, 595 f.; Hölters/Weber/Apfelbacher/Metzner Rn. 84), so dass zT von dieser Gestaltung abgeraten wird (MHdB AG/Scholz § 59 Rn. 83). Ausnahmeregelung des § 203 IV greift bei dieser Kombinationslösung nicht ein (MHdB AG/Scholz § 59 Rn. 83).

V. Kosten

Beurkundung des HV-Beschlusses und dessen Anmeldung zum HR verursachen **Notarkosten** (ausf. KK-AktG/Kuntz Rn. 247 ff.). Wird genehmigtes Kapital genutzt und Kapitalerhöhung durchgeführt, entstehen allg. **Verwaltungskosten,** zB für Druck neuer Aktienurkunden. 30

Ferner entstehen Kosten für **Registereintragungen.** Dabei ist zwischen **Ermächtigung des Vorstands** und Durchführung der Kapitalerhöhung zu unterscheiden (zur Durchführung → Rn. 32). Ist Ermächtigung bereits in Gründungssatzung enthalten, so verbleibt es bei Gebühren für Ersteintragung (→ § 38 Rn. 18). Gesondert gebührenpflichtig ist dagegen **Eintragung des satzungsändernden Beschlusses,** der Vorstand zur Kapitalerhöhung ermächtigt. Gebührenpflicht ergibt sich aus § 58 I GNotKG, Gebührenhöhe aus GV 2400 HRegGebV. Geschäftswert: § 105 IV Nr. 1 GNotKG (→ § 38 Rn. 18). 31

Spätere **Eintragung der Durchführung** (§ 203 I iVm §§ 188, 189) ist nach § 105 IV Nr. 1 GNotKG zu behandeln; es handelt sich also um Eintragung ohne bestimmten Geldbetrag (Ausschussbegr. BT-Drs. 13/6408, 9; so bereits zu § 26 KostO aF OLG Düsseldorf NJW 1970, 1375, 1376; OLG Hamburg MDR 1971, 1020 f.; OLG Zweibrücken Rpfleger 1976, 334 f.; OLG Zweibrücken Rpfleger 1972, 185 f.; Rohs Rpfleger 1966, 26; überholt [Eintragung mit bestimmtem Geldbetrag] BayObLGZ 1973, 259, 261 f.; OLG Celle Rpfleger 1985, 510; OLG Köln Rpfleger 1983, 505 f.). Wird zugleich mit Durchführung entspr. Satzungsanpassung eingetragen, so ist dies kostenrechtl. nicht gesondert zu bewerten (BayObLG AG 1978, 295; → § 182 Rn. 34a). 32

Fristverlängerung bei unverändertem Nennbetrag ist gem. § 105 I 1 Nr. 4 lit. a Hs. 2 GNotKG dem Wortlaut nach als Eintragung mit bestimmtem Geldbetrag zu behandeln; Gebühr gem. § 58 I GNotKG iVm GV 2400 HRegGebV. So auch früher überwiegende Praxis (BayObLGZ 1990, 12, 14 f.; KG WM 1975, 108, 109; aA [Eintragung mit unbestimmtem Geldbetrag] OLG Hamm WM 1985, 197, 198 f.). Weil kapitalbezogene Eintragungsgebühren unionsrechtl. unzulässig sind, kann folgerichtig auch das nicht mehr aufrechterhalten werden; maßgeblich ist tats. Aufwand (→ Rn. 31). 33

Ausgabe der neuen Aktien

203 (1) [1] **Für die Ausgabe der neuen Aktien gelten sinngemäß, soweit sich aus den folgenden Vorschriften nichts anderes ergibt, §§ 185 bis 191 über die Kapitalerhöhung gegen Einlagen.** [2] **An die Stelle des Beschlusses über die Erhöhung des Grundkapitals tritt die Ermächtigung der Satzung zur Ausgabe neuer Aktien.**

(2) [1] **Die Ermächtigung kann vorsehen, daß der Vorstand über den Ausschluß des Bezugsrechts entscheidet.** [2] **Wird eine Ermächtigung, die dies vorsieht, durch Satzungsänderung erteilt, so gilt § 186 Abs. 4 sinngemäß.**

(3) [1] **Die neuen Aktien sollen nicht ausgegeben werden, solange ausstehende Einlagen auf das bisherige Grundkapital noch erlangt werden können.** [2] **Für Versicherungsgesellschaften kann die Satzung etwas anderes bestimmen.** [3] **Stehen Einlagen in verhältnismäßig unerheblichem Umfang aus, so hindert dies die Ausgabe der neuen Aktien nicht.** [4] **In der ersten Anmeldung der Durchführung der Erhöhung des Grundkapitals ist anzugeben, welche Einlagen auf das bisherige Grundkapital noch nicht geleistet sind und warum sie nicht erlangt werden können.**

(4) **Absatz 3 Satz 1 und 4 gilt nicht, wenn die Aktien an Arbeitnehmer der Gesellschaft ausgegeben werden.**

Übersicht

I. Regelungsgegenstand und -zweck

1 Vorschrift des § 203 setzt voraus, dass Vorstand von seiner Ermächtigung zur Kapitalerhöhung Gebrauch macht, und betr. deren Durchführung. Dabei bezweckt § 203 I im Wesentlichen, **Ausgabe neuer Aktien erst nach Eintragung** der Durchführung der Kapitalerhöhung und damit nach Registerkontrolle zuzulassen (§§ 188, 189, 191 iVm § 203 I 1). Genehmigtes Kapital kann also nicht nach Vorbild des § 200 durch sukzessive Ausgabe der Bezugsaktien ausgeschöpft werden. Demgegenüber soll § 203 II sicherstellen, dass Ermächtigung

des Vorstands zum Bezugsrechtsausschluss nicht schon (wie nach § 170 I AktG 1937) als Folge genehmigten Kapitals eintritt, sondern bes. Regelung durch Satzung oder HV-Beschluss bedarf (RegBegr. Kropff S. 305). Ferner bezweckt § 203 III wie § 182 IV (→ § 182 Rn. 26), weiteres Kapital nicht ohne entspr. Bedürfnis zu beschaffen. Norm trägt aber dem gestreckten zeitlichen Rahmen Rechnung, indem sie statt auf Erhöhungsbeschluss auf Aktienausgabe abhebt. Schließlich dient § 203 IV dazu, Ausgabe von Belegschaftsaktien zu erleichtern.

II. Verweis auf §§ 185–191 (§ 203 I)

1. Grundlagen. Ausgabe neuer Aktien aufgrund genehmigten Kapitals erfolgt entspr. §§ 185–191 (§ 203 I 1). Verweis gilt jedoch nur, soweit sich aus §§ 203 ff. nichts anderes ergibt. § 203 I 2 stellt klar, dass dort, wo §§ 185–191 auf den Erhöhungsbeschluss abstellen, stattdessen die Ermächtigung der Satzung maßgeblich ist, so bei § 185 I 3 Nr. 1, § 186 III 1, § 187 I. Da Ermächtigung erst mit Eintragung in das HR wirksam wird (§ 41 I, § 181 III), ist auf diesen Tag abzustellen (MüKoAktG/Bayer Rn. 9). Aus § 203 I 2 folgt auch, dass Kapitalerhöhung nicht vor Eintragung der Ermächtigung durchgeführt werden kann. 2

2. Zeichnung der neuen Aktien (§ 185). a) Zeichnung und Zeichnungsvertrag. Zeichnung der neuen Aktien erfolgt durch schriftliche Erklärung; sog **Zeichnungsschein** (§ 203 I 1 iVm § 185). Er ist auf Vertragsschluss gerichtete und bis zum Zeitpunkt nach § 185 I 3 Nr. 4 bindende, empfangsbedürftige **Willenserklärung** (→ § 185 Rn. 3), idR Angebot. Mit korrespondierender formfreier Willenserklärung der AG kommt zwischen Zeichner und AG Zeichnungsvertrag zustande, mit dem sich AG verpflichtet, Zeichner im festgelegten Umfang Mitgliedsrechte zuzuteilen. Zeichner verpflichtet sich, Aktien im festgelegten Umfang anzunehmen (→ § 185 Rn. 3 f., 24). Mit Zeichnungsvertrag wird Zeichner noch nicht Aktionär; vielmehr muss Durchführung der Kapitalerhöhung erst eingetragen sein (→ Rn. 29). Einzelheiten zum Zeichnungsvertrag → § 185 Rn. 23 ff. 3

b) Inhalt und Form des Zeichnungsscheins. Angaben im Zeichnungsschein sind sowohl individueller als auch allg. Natur (→ § 185 Rn. 9). Gem. § 185 I 1 ist gewünschte **Beteiligung nach Zahl, ggf. Nennbetrag und Aktiengattung** anzugeben; darüber hinaus ist Person des Zeichners so zu benennen, dass er individualisiert werden kann (→ § 185 Rn. 10 f.). Daneben können weitere Angaben erforderlich sein, zB zur Aktienart (→ § 185 Rn. 10). § 185 I 3 schreibt allg. Angaben vor. Wegen § 203 I 2 (→ Rn. 2) ist bei **§ 185 I 3 Nr. 1** auf die **Ermächtigung der Satzung** abzustellen. Anzugeben ist Tag, an dem AG (§ 202 I 1) bzw. Satzungsänderung (§ 202 II 1) in das HR eingetragen wurde; denn erst damit wird genehmigtes Kapital gem. § 41 I bzw. § 181 III wirksam (BayObLG AG 2002, 397, 398; MüKoAktG/Bayer Rn. 13; GK-AktG/Hirte Rn. 13; aA Krafka RegisterR Rn. 1484: Tag der Satzungsfeststellung bzw. des HV-Beschlusses). Daneben ist wesentlicher Inhalt der Ermächtigung anzugeben. 4

Nach **§ 185 I 3 Nr. 2** muss Zeichnungsschein **Ausgabebetrag** der Aktien, Betrag der festgesetzten **Einzahlungen** sowie Umfang von **Nebenverpflichtungen** enthalten (→ § 185 Rn. 12). Wird genehmigtes Kapital nur teilw. genutzt, so sind nur für jeweilige Tranche erforderliche Angaben zu machen. **§ 185 I 3 Nr. 3** betr. zunächst **Kapitalerhöhung mit Sacheinlagen** und fordert insoweit Aufnahme der Festsetzungen nach § 205 II 1 (→ § 185 Rn. 13). Angaben sind gem. § 205 I 1 aE zudem in Zeichnungsschein aufzunehmen, wenn sie vom Vorstand festgesetzt wurden (dazu und zu dem Verhältnis der beiden Vorschriften → § 205 Rn. 4). Daneben betr. Nr. 3 Ausgabe **mehrerer Aktiengattungen** 5

(→ § 11 Rn. 7) und fordert für diesen Fall Angabe der Gesamtnennbeträge einer jeden Aktiengattung. Beide Angaben sind nur erforderlich, wenn in entspr. Tranche Sacheinlagen erbracht oder mehrere Aktiengattungen ausgegeben werden (MüKoAktG/Bayer Rn. 14; MHdB AG/Scholz § 59 Rn. 67). Ferner ist nach **§ 185 I 3 Nr. 4 Zeitpunkt** anzugeben, an dem Zeichnung unverbindlich wird, wenn nicht bis dahin Durchführung der Kapitalerhöhung eingetragen ist (→ § 185 Rn. 14). Zeitpunkt kann bereits durch HV in Ermächtigung festgelegt werden; fehlt sie dort, bestimmt ihn Vorstand mit Zustimmung des AR (→ § 204 Rn. 2 ff.).

6 Zeichnung bedarf gem. § 185 I 1 der **Schriftform** (→ § 185 Rn. 7). Fehlt sie, ist Zeichnung nach § 125 BGB nichtig (dazu und zur möglichen Heilung → § 185 Rn. 21). Zeichnungsschein soll nach § 185 I 2 **doppelt** ausgestellt werden (→ § 185 Rn. 8). Zeichnungsscheine sind nichtig, wenn sie Angaben nach § 185 I nicht, nicht vollständig oder außer dem Vorbehalt des § 185 I 3 Nr. 4 Beschränkungen der Verpflichtung enthalten (§ 185 II; → § 185 Rn. 15 ff.). Heilung ist unter Voraussetzungen des § 185 III möglich (→ § 185 Rn. 17). Nicht im Zeichnungsschein enthaltene Beschränkungen sind AG ggü. unwirksam (§ 185 IV; → § 185 Rn. 22).

7 **3. Bezugsrecht der Aktionäre (§ 186). a) Gesetzliches Bezugsrecht.** Jedem Aktionär muss auf sein Verlangen ein seinem Anteil am bisherigen Grundkapital entspr. Teil der neuen Aktien zugeteilt werden (§ 203 I 1 iVm § 186 I; → § 203 Rn. 4 f.; zur Bezugsberechtigung → § 186 Rn. 8 ff.). Vom Bezugsrecht ist **konkreter Bezugsanspruch** zu unterscheiden, der anders als Bezugsrecht übertragbar ist (→ § 186 Rn. 6 f.). Konkreter Bezugsanspruch entsteht frühestens, wenn Vorstand beschließt, Kapitalerhöhung durchzuführen und, sofern nach § 204 I 2 erforderlich, AR dem Aktieninhalt und Bedingungen der Aktienausgabe zugestimmt hat (KK-AktG/Kuntz Rn. 29; vgl. iÜ Butzke GS M. Winter, 2011, 59, 73; → § 186 Rn. 6). Zustimmung des AR nach § 202 III 2 ist für Entstehung des Bezugsanspruchs nur dann erforderlich, wenn Vorstand entspr. verfährt (KK-AktG/Kuntz Rn. 29). Für Ausübung des Bezugsrechts ist Frist von mindestens zwei Wochen zu bestimmen (§ 186 I 2; → § 186 Rn. 15). Vorstand hat Ausgabebetrag und Ausübungsfrist in den Gesellschaftsblättern (§ 25) bekanntzumachen (§ 186 II; → § 186 Rn. 19). Zur Ausübung des Bezugsrechts → § 186 Rn. 14.

8 **b) Ausschluss des Bezugsrechts in der Ermächtigung. aa) Überblick.** Gem. § 203 I 1 iVm § 186 III, IV kann Bezugsrecht ganz oder teilw. ausgeschlossen werden. Gemeint ist, dass **Gründer** (§ 202 I 1) bzw. **HV** (§ 202 II 1) ges. Bezugsrecht der Aktionäre bereits in Ermächtigung verbindlich ausschließen können. Vorstand verbleibt damit zwar Entscheidung, ob und in welchem Umfang genehmigtes Kapital ausgeübt wird; übt er es jedoch aus, ist Bezugsrecht der Aktionäre zwingend ausgeschlossen. Durch Satzungsänderung kann auch **HV** entspr. Bezugsrechtsausschluss beschließen. Davon abw. erlaubt § 203 II 1 den Gründern bzw. der HV auch, den **Vorstand** im Beschluss über das genehmigte Kapital zu ermächtigen, das Bezugsrecht mit Zustimmung des AR (§ 204 I 2) auszuschließen (→ Rn. 33 ff.). In der Praxis stehen namentl. Stimmrechtsberater (→ § 134a Rn. 4; → § 134d Rn. 1 ff.) Bezugsrechtsausschluss skeptisch ggü. und erteilen positive Abschlussempfehlung nur, wenn Ausschluss auf verhältnismäßig geringen Anteil des Grundkapitals (ISS im Jahr 2023 etwa: 10 %) beschränkt ist (v. der Linden/Schäfer DB 2023, 1077, 1079).

9 **bb) Gründungssatzung.** Gründer können genehmigtes Kapital bereits in Gründungssatzung vereinbaren (§ 202 I 1) und dort Bezugsrecht ausschließen. Dann bleibt § 186 III, IV schon deshalb außer Anwendung, weil dort an Erhö-

hungsbeschluss angeknüpft wird, der in Gründungssatzung keine sachliche Entsprechung findet. § 186 ist geprägt von dem Gedanken der Mehrheitsentscheidung. Im Fall des § 202 I 1 ist Bezugsrechtsausschluss dagegen in Abschluss des Gesellschaftsvertrags einbezogen, der inhaltlich **übereinstimmende Willenserklärungen der Gründer** voraussetzt (→ § 23 Rn. 7). Einstimmige Willensbildung lässt auch Notwendigkeit einer sachlichen Rechtfertigung des Bezugsrechtsausschlusses entfallen (→ § 186 Rn. 25).

cc) Ermächtigungsbeschluss. (1) Allgemeine Grundsätze. Wenn genehmigtes Kapital durch Ermächtigungsbeschluss der HV geschaffen wird, liegt **Satzungsänderung** vor (§ 202 II 1), für die gem. § 203 I 1 auch § 186 III, IV sinngem. gilt. Bezugsrechtsausschluss ist also notwendig Bestandteil des Ermächtigungsbeschlusses (§ 186 III 1; → § 186 Rn. 20), der neben Erfordernissen nach § 202 II 2–4 einer Mehrheit von drei Vierteln des bei der Beschlussfassung vertretenen Grundkapitals bedarf (§ 186 III 2; → § 186 Rn. 21). Satzung kann nur größere Kapitalmehrheit sowie weitere Erfordernisse bestimmen (§ 186 III 3; → § 186 Rn. 21). Regelung entspr. insoweit § 202 II 2, 3 und hat nur Bedeutung, wenn Satzung für Ausschluss des Bezugsrechts bes. Bestimmungen enthält (sa MüKoAktG/Bayer Rn. 87). Ferner darf Beschluss nur gefasst werden, wenn beabsichtigter Ausschluss des Bezugsrechts ausdr. und ordnungsgem. (§ 124 I) bekanntgemacht worden ist (§ 186 IV 1; → § 186 Rn. 22). 10

(2) Materielle Rechtfertigung. Unzählige Streitigkeiten im Bereich des genehmigten Kapitals drehen sich um die Frage, unter welchen Voraussetzungen Bezugsrechtsausschluss – jenseits der Fälle des § 186 III 4 – **gerechtfertigt** ist (zum grds. Rechtfertigungserfordernis → § 186 Rn. 25 ff.). Streit hat auch in Rspr. des BGH Niederschlag gefunden, die von sehr liberaler Haltung (Hibernia – RGZ 68, 235, 245 f. [reguläre Kapitalerhöhung]) zu sehr strenger (Holzmann → Rn. 12) schwenkte, um nach neuerlicher Kehrtwende (Siemens/Nold → Rn. 13) rechtl. Anforderungen schrittweise wieder abzusenken (aus jüngerer Vergangenheit BGH NZG 2023, 1968 Rn. 12 ff.; ausf. und anschaulich Lieder/Müller in Fleischer/Thiessen, Gesellschaftsrechts-Geschichten, 2018, 285 ff.; zur rechtl. Würdigung → Rn. 22 f.). Hinsichtlich rechtl. **Ausgangssituation** ist zwischen den zwei in § 203 I 1 (iVm § 186 III 1) und II vorgesehenen Konstellationen zu unterscheiden, dass HV entweder selbst über Bezugsrechtsausschluss entscheidet (dazu im Folgenden) oder Entscheidung Vorstand überlässt (→ Rn. 33 ff.; zu weitgehend übereinstimmenden inhaltlichen Anforderungen s. aber noch → Rn. 38). 11

Für erstgenannte Konstellation wurde noch in **Holzmann-Entscheidung** des BGH verlangt, dass Ausschluss durch sachliche Gründe im Interesse der AG gerechtfertigt sei. Diese Prüfung schließe – entspr. allg. Grds. zur regulären Kapitalerhöhung (→ § 186 Rn. 25 ff.) – die Abwägung der Interessen und die Verhältnismäßigkeit von Mittel und Zweck ein (BGHZ 125, 239, 241 = NJW 1994, 1410). Weil sich entspr. hoch geschraubte Anforderungen auch auf vorangehenden Vorstandsbericht erstreckten (→ Rn. 19 ff.), löste Rspr. Flut von Anfechtungsklagen wegen vermeintlicher Berichtsfehler aus (Marsch-Barner/Schäfer/Busch, 4. Aufl. 2018, Rn. 43.24). 12

Wohl auch angesichts dieser Klageflut hat BGH Anforderungen der Holzmann-Entscheidung in späterer **Siemens/Nold-Entscheidung** deutlich abgesenkt (vgl. zum Folgenden BGHZ 136, 133, 136 ff. = NJW 1997, 2815; bekräftigend BGH NZG 2023, 1068, 18 ff.). Bislang formulierte Anforderungen machten genehmigtes Kapital zu streng und nicht praktikabel, weil sie dem Institut die Flexibilität nähmen, die es dem Vorstand gerade geben solle. Auch könnten namentl. Berichtsanforderungen dazu führen, dass geheimhaltungsbedürftige Vorgänge vorzeitig offengelegt werden müssten und dadurch Transaktionen 13 gefährdet würden. Deshalb genüge es für Ermächtigungsbeschluss, dass **Kapitalmaßnahme mit Bezugsrechtsausschluss im Gesellschaftsinteresse** liege (bestätigt von BGH AG 2006, 246; NZG 2023, 1068 Rn. 12 ff.). Rechtfertigung beschränkt sich damit auf die erste bei regulärer Kapitalerhöhung zu beachtende Prüfungsstufe (→ § 186 Rn. 26). Nicht erforderlich ist dagegen, dass schon im Zeitpunkt des Ermächtigungsbeschlusses Eignung, Erforderlichkeit und Verhältnismäßigkeit (→ § 186 Rn. 27 f.) feststehen. Entspr. notwendige konkrete Prüfung kann nicht vorgenommen werden, weil gerade genügen soll, dass verfolgtes Vorhaben der HV in **generell-abstrakter Umschreibung** zur Kenntnis gebracht wird (BGHZ 136, 133, 139 f.; für sachliche Rechtfertigung dagegen Bayer ZHR 168 [2004], 132, 150 ff.).

14 Inwiefern HV-Beschluss am Maßstab sachlicher Rechtfertigung zu messen ist, hängt davon ab, wie weit Vorstand HV über Grund des Bezugsrechtsausschlusses informiert hat. Nur wenn Vorstand bei Beschlussfassung über genehmigtes Kapital schon **konkrete Pläne** für Verwendung hat und kein Geheimhaltungsbedürfnis besteht (→ Rn. 20), ist er verpflichtet, HV über Verwendungszweck zu informieren (OLG Nürnberg AG 2021, 721, 725; ausf. zum Vorstandsbericht → Rn. 19 ff.). Nur soweit dies geschieht, muss Ausschluss des Bezugsrechts nach den bekanntgemachten Tatsachen im Gesellschaftsinteresse liegen (BGHZ 136, 133, 139 = NJW 1997, 2815). Frühzeitige Information mag gewisse Entlastung des Vorstands bringen, doch bleibt es dabei, dass Ausschluss des Bezugsrechts später nach den Verhältnissen im Zeitpunkt der Vorstandsentscheidung zu prüfen ist (→ Rn. 35).

15 Hat Vorstand **keine konkreten Pläne,** so steht dies Rechtfertigung des Bezugsrechtsausschlusses nicht zwingend entgegen. HV kann Bezugsrecht also auch dann ausschließen, wenn ihr bei Beschlussfassung außer abstrakt umschriebenem Vorhaben keine weiteren Tatsachen bekannt sind. In diesem Fall hat sie Prüfung an abstrakt umschriebenen Umständen auszurichten (BGHZ 136, 133, 138 = NJW 1997, 2815). Es ist in diesem Fall Pflicht des Vorstands, iR seines unternehmerischen Ermessens zu prüfen, ob der allein ihm bekannte vollständige Sachverhalt Durchführung des Beschlusses, der Ausschluss des Bezugsrechts umfasst, am Maßstab des Gesellschaftsinteresses rechtfertigt (BGHZ 136, 133, 138). Rechtl. Prüfung verlagert sich damit im Wesentlichen auf Ausübung der Ermächtigung durch Vorstand (→ Rn. 33 ff.).

16 **(3) Vereinfachter Bezugsrechtsausschluss.** Anwendbar ist **auch § 186 III 4** (→ § 186 Rn. 39a ff.). Maßgeblich für Berechnung des Maximalvolumens ist prozentuales Verhältnis des Gesamtnennbetrags der neuen Aktien zum gesamten Grundkapital, auch wenn nur Teil der Aktien börsennotiert ist; auch die auf neue Aktien zu leistende Einlage bleibt außer Betracht (Schlitt/Schäfer AG 2005, 67, 68 f.). Problematisch ist Festlegung des Zeitraums zur Bestimmung der Obergrenze. Grds. entscheidend ist die bei Eintragung des genehmigten Kapitals in das HR bestehende Kapitalziffer (Ihrig/Wagner NZG 2002, 657, 660; Reichert/Harbarth ZIP 2001, 1441, 1443).

17 Umstr. ist, wie sich **Kapitalveränderungen** bis zur Ausübung der Ermächtigung auswirken. Nach zutr. Auffassung darf 20 %-Kapitalgrenze weder im Zeitpunkt der Eintragung der satzungsändernden Ermächtigung noch bei Ausübung der Ermächtigung überschritten werden. Das hat zur Folge, dass Vorstand bei Verringerung des Kapitals bis zur Ausübung der Ermächtigung Kapitalerhöhung mit erleichtertem Bezugsrechtsausschluss nur bis zur Höhe von **20 % des gegenwärtigen Kapitals** durchführen darf; zwischenzeitliche Kapitalerhöhungen sind aber nicht zu berücksichtigen (vgl. S/L/Veil Rn. 10; Habersack/Mülbert/Schlitt/Krause Unternehmensfinanzierung Rn. 6.56; Ihrig/Wagner NZG 2002, 657, 660; aA Marsch-Barner/Schäfer/Busch/Busch Rn. 45.22: Kapitaländerung

nach oben und unten zu berücksichtigen). Gegenauffassung lässt zwischenzeitliche Kapitalveränderungen außer Betracht und stellt zT allein auf Zeitpunkt der Ausübung ab (so MHdB AG/Scholz § 59 Rn. 34; Ekkenga/Stöber AG-Finanzierung Kap. 5 Rn. 114; Stelmaszczyk, Barkapitalemission, 2013, 276 f.; Schlitt/Schäfer AG 2005, 67, 69; Seibt CFL 2011, 74, 78; sa Marsch-Barner/Schäfer/Busch/Busch Rn. 45.22), zT nur auf Zeitpunkt der HR-Eintragung (so Grigoleit/Rieder/Holzmann Rn. 22; Groß DB 1994, 2431, 2432; Marsch-Barner AG 1994, 532, 534). Allein auf Zeitpunkt der Ausübung darf jedoch nicht abgestellt werden, weil genehmigtes Kapital seine Legitimationsgrundlage in HV-Beschluss findet, der deshalb Volumen abschließend festlegen muss. Auch Zeitpunkt der HR-Eintragung kann nicht ausschließlich entscheidend sein, da Hypothese der Zukaufsmöglichkeit (→ § 186 Rn. 39b) bei Kapitalverringerung zur Anpassung zwingt (Marsch-Barner/Schäfer/Busch, 4. Aufl. 2018, Rn. 43.22).

Stufenermächtigung, nach der Vorstand ermächtigt sein soll, von einem die Kapitalgrenze weit übersteigenden genehmigten Kapital Gebrauch zu machen, sofern nur einzelne Erhöhungstranche 20 % nicht übersteigt, ist von § 186 III 4 nicht gedeckt (→ Rn. 42). Dasselbe gilt für Mehrheit genehmigter Kapitalien (Ihrig/Wagner NZG 2002, 657, 661 f.). Ungeklärt ist, ob Ermächtigungsbeschluss wegen denkbaren Kursverfalls auch Untergrenze fixieren, also Mindestausgabepreis festlegen muss (s. dazu Claussen WM 1996, 609, 612 f.). 18

dd) Vorstandsbericht. Gem. **§ 186 IV 2** hat Vorstand der HV schriftlich über Grund des Bezugsrechtsausschlusses zu berichten und dabei auch Ausgabebetrag zu begründen, wenn dieser im Beschluss festgesetzt werden soll (→ § 202 Rn. 16). Inhaltliche Anforderungen an Vorstandsbericht folgen aus seiner Aufgabe, sachgerechte Entscheidung der HV zu ermöglichen (→ § 186 Rn. 23 f.), und hängen deshalb weitgehend von den Anforderungen ab, die an Rechtfertigung des Bezugsrechtsausschlusses zu stellen sind. Deren deutliche Absenkung in Siemens/Nold-Entscheidung (→ Rn. 13) zieht deshalb auch erhebliche **Verschlankung der Berichtspflicht** nach sich. Aufgegeben wurde damit früherer Berichtsstandard der Holzmann-Entscheidung, wonach Erläuterungen so konkret sein mussten, dass Aktionäre die Erforderlichkeit des Ausschlusses beurteilen konnten (BGHZ 83, 319, 325 = NJW 1982, 2444). 19

Ausgehend vom materiell-rechtl. Erfordernis für Bezugsrechtsausschluss durch HV genügt es nunmehr schon, wenn Vorstandsbericht entsprechend **generell-abstrakte Umschreibung** (→ Rn. 13) bietet, also zB in Anlehnung an BGHZ 136, 133, 314 = NJW 1997, 2815: Erwerb von Beteiligungen gegen Überlassung von Aktien in geeigneten Einzelfällen. Maßgeblich für Berichtspflicht im Einzelfall ist **konkretes Planungsstadium.** Wenn Vorstand schon konkrete Pläne zum Einsatz des genehmigten Kapitals hat, muss er diese grds. offenlegen (BGHZ 136, 133, 138; B/K/L/Lieder Rn. 20; ausf. Cahn ZHR 163 [1999], 554, 559 ff.). Auch dann bleibt Verzicht auf konkrete Darstellung aber zulässig, wenn Anhaltspunkte für Notwendigkeit des Bezugsrechtsausschlusses zwar schon bestehen, aber nach unternehmerischem Ermessen des Vorstands noch **geheimhaltungsbedürftig** sind und deshalb nicht bekanntgemacht werden sollen (BGHZ 136, 133, 138; Bungert NJW 1998, 488, 490). 20

Als generell-abstrakte Umschreibung muss es bei sinngem. Anwendung des § 186 III 4 auch ausreichen, wenn **Finanzierungsinteresse** in allg. Weise dargelegt wird (großzügig OLG Nürnberg NZG 2018, 500 Rn. 81 ff.; zurückhaltender Kocher BB 2018, 788). Nicht genügend ist allerdings bei Kapitalmaßnahme, die knapp die Hälfte des bestehenden Grundkapitals ausmacht, formularartiger Hinweis auf ihrerseits unnötig im Dunkeln bleibende strategische Neuorientierung (OLG München AG 2003, 451, 452; LG München I AG 2001, 319, 320). Unsubstanziierter Hinweis dieser Art dokumentiert nämlich nicht einmal poten- 21 zielles Gesellschaftsinteresse am Bezugsrechtsausschluss und deshalb auch nicht Notwendigkeit entspr. Vorstandsermächtigung (darauf abhebend Natterer ZIP 2002, 1672, 1677). Pauschale Verallgemeinerung dieses Grundsatzes, wonach Umfang der Berichtspflicht generell mit **Volumen des genehmigten Kapitals** wächst, ist jedoch abzulehnen; auch § 186 III 4 lässt sich keine andere gesetzgeberische Wertung entnehmen (BGH AG 2006, 426 Rn. 5; NZG 2023, 1068 Rn. 35).

22 **ee) Würdigung.** BGHZ 136, 133 = NJW 1997, 2815 enthält im Vergleich mit BGHZ 71, 40 = NJW 1978, 1316 deutlichen **Rückbau treupflichtgesteuerten Aktienrechts** (strikt abl. deshalb Lutter JZ 1998, 50 ff.). Das bleibt problematisch und kann nicht allein mit dem Ziel gerechtfertigt werden, missbräuchlichen oder unvernünftigen Anfechtungsklagen den Boden zu entziehen (Volhard AG 1998, 397, 402 ff.: Quittung). Das ist zwar grds. legitimes Anliegen, weil solche Klagen ihrerseits geeignet sind, treupflichtgesteuertem Aktienrecht die Funktionsgrundlagen zu nehmen, aber Ansatzpunkt kann hier nicht in Rückbau von Aktionärsrechten ansetzen, sondern muss durch Reform des Beschlussmängelrechts erreicht werden (→ § 245 Rn. 22 ff.). Auch mehr oder minder allg. Liberalisierungsbestrebungen können nicht Aufgabe der Rspr. sein.

23 Dennoch ist Rspr. in der Sache zu begrüßen, weil übermäßige rechtl. Kontrolle Unternehmensfinanzierung für deutsche AG übermäßig erschweren und deshalb Wettbewerbsnachteil begründen würde. Sie ist aber auch rechtl. zutr., weil durch Auflockerung der Kontrolle des Ursprungsbeschlusses letztlich nur **Funktionsbedingungen** des genehmigten Kapitals sichergestellt werden, dessen Grundanliegen, flexible situationsbedingte Finanzierung zu ermöglichen, konterkariert würde, wenn HV schon Ausgabebedingungen festlegen würde (BGH NZG 2023, 1068 Rn. 18 ff.). Trotzdem darf nicht übersehen werden, dass darin erheblicher **Vertrauensvorschuss** zugunsten des Vorstands liegt, auf den sich gebotene Prüfung verlagert (BGHZ 136, 133, 139 ff. = NJW 1997, 2815; Henze ZHR 167 [2003], 1, 3 und 7; → Rn. 33 ff.). Wahrung der mitgliedschaftlichen Belange wird treuhandähnlich der Verwaltung überantwortet, die letztlich über Kapitalerhöhung entscheidet (Kindler ZGR 1998, 35, 52; tendenziell ähnlich Bungert NZG 1998, 488 ff.). Ob rechtl. **Kontrolle des Verwaltungshandelns** in dieser Situation hinreichend gewährleistet ist, darf im derzeitigen System (→ Rn. 55 ff.) bezweifelt werden. Weiterer Ausbau obliegt aber nicht Rspr., sondern Gesetzgebung. Entspr. Ansätze im Gesetzgebungsverfahren zum ZuFinG sind mit zT bedenklichen systematischen Argumenten von Praxis verhindert worden (→ § 255 Rn. 18), um damit aber in der Sache durchaus legitimes Anliegen zu verfolgen: Erhaltung der unternehmerischen Wettbewerbsfähigkeit auch im Hinblick auf rechtl. Rahmenbedingungen.

24 **c) Mittelbares Bezugsrecht.** Sieht Ermächtigung vor, dass neue Aktien von KI mit der Verpflichtung übernommen werden, sie den Aktionären zum Bezug anzubieten (mittelbares Bezugsrecht), so ist dies **nicht als Ausschluss des Bezugsrechts anzusehen** (§ 186 V iVm § 203 I 1). Weder formelle noch materielle Voraussetzungen des Bezugsrechtsausschlusses sind zu beachten (→ § 186 Rn. 44). Zu Voraussetzungen und Inhalt der Ermächtigung sowie zur Durchführung des mittelbaren Bezugsrechts → § 186 Rn. 45 ff.

25 **4. Zugesicherte Bezugsrechte (§ 187).** Rechte auf Bezug neuer Aktien können nach § 203 I 1 iVm § 187 I nur unter Vorbehalt des ges. Bezugsrechts der Aktionäre zugesichert werden. Zur Zusicherung → § 187 Rn. 2. Aus § 187 I folgt, dass Zusicherung **kraft Ges. unter dem Vorbehalt des ges. Bezugsrechts** der Aktionäre steht (str., → § 187 Rn. 4). Schließt bereits Ermächtigungsbeschluss ges. Bezugsrecht aus, kann Bezug von Aktien ohne Beachtung des

§ 187 I zugesichert werden. Str. ist allerdings, bis wann die Bindung des § 187 I andauert. Nach zT vertretener Auffassung endet sie mit Eintragung des Ermächtigungsbeschlusses (→ § 202 Rn. 8; sa KK-AktG/Lutter, 2. Aufl. 1989, Rn. 50), was allerdings nicht unproblematisch ist, da Vorstand noch entscheiden muss, ob er von Ermächtigung Gebrauch macht und auch zu diesem Zeitpunkt Bezugsrechtsausschluss noch gerechtfertigt sein muss (MüKoAktG/Bayer Rn. 19; zust. KK-AktG/Kuntz Rn. 105; BeckOGK/Wamser Rn. 29), weshalb es eher überzeugt, auf Vorstandsbeschluss über Ausnutzung der Genehmigung abzustellen. Ist Vorstand hingegen nur ermächtigt, Bezugsrecht auszuschließen, so stehen Zusicherungen unter ges. Vorbehalt des § 187 I (MüKoAktG/Bayer Rn. 20; KK-AktG/Kuntz Rn. 105; B/K/L/Lieder Rn. 21; S/L/Veil Rn. 12; BeckOGK/Wamser Rn. 29; Kiem AG 2009, 301, 310; aA Marsch-Barner/Schäfer/Busch/Busch Rn. 45.30; v. Falkenhausen/Bruckner AG 2009, 732, 734). Spätestens, wenn Vorstand diese Entscheidung getroffen hat, steht § 187 I einer vertraglichen Zusicherung aber nicht mehr entgegen (insofern zutr. v. Falkenhausen/Bruckner AG 2009, 732, 734; zust. S/L/Veil Rn. 13). Gem. § 187 II iVm § 203 I 2 sind Zusicherungen vor Eintragung des genehmigten Kapitals der AG ggü. unwirksam. Gemeint ist (str., → § 187 Rn. 5): Zusicherungen sind vorher zwar zulässig, stehen aber kraft Ges. unter dem Vorbehalt, dass AG durch sie nicht verpflichtet wird, Grundkapital zu erhöhen oder ges. Bezugsrecht auszuschließen (KK-AktG/Kuntz Rn. 102).

5. Anmeldung und Eintragung der Durchführung (§ 188). a) Anmeldung. Vorstand und AR-Vorsitzender haben gemeinsam zur Eintragung in das HR anzumelden, dass Kapitalerhöhung durchgeführt ist (§ 203 I 1 iVm § 188 I; → § 188 Rn. 2 f.). Wenn neue Aktien nicht an AN ausgegeben werden, ist zusätzlich in der ersten Anmeldung auch anzugeben, welche Einlagen auf bisheriges Grundkapital noch nicht geleistet sind und warum sie nicht erlangt werden können (§ 203 III 4, IV; → Rn. 62 f.); unrichtige Erklärung ist strafbar (§ 399 I Nr. 4). Anmeldung darf erst erfolgen, wenn Erhöhungsbetrag vollständig gezeichnet ist (→ § 188 Rn. 4). Ferner muss auf jede Aktie, soweit nicht Sacheinlagen vereinbart sind, eingeforderter Betrag ordnungsgem. eingezahlt sein und endgültig zur freien Verfügung stehen (§ 203 I 1 iVm § 188 II, § 36 II). Eingeforderter Betrag muss mindestens ein Viertel des geringsten Ausgabebetrags (§ 9 I) und ggf. Agio umfassen (§ 203 I 1 iVm § 188 II, § 36a I; → § 188 Rn. 5 f.). Mindesteinzahlungen sind nicht zu leisten, wenn Belegschaftsaktien unter den Voraussetzungen des § 204 III ausgegeben werden (→ § 204 Rn. 12 ff.). Bei Sacherhöhung ist nach § 203 I 1 iVm § 188 II Vorschrift des § 36a II zu beachten (→ § 36a Rn. 4 f.; → § 188 Rn. 9). 26

Auch die **in § 188 III genannten Schriftstücke** sind der Anmeldung beizufügen (→ § 188 Rn. 12 ff.). Zusätzlich muss berichtigter und vollständiger Wortlaut der Satzung beiliegen (→ § 188 Rn. 11; MüKoAktG/Bayer Rn. 28; B/K/L/Lieder Rn. 25; MHdB AG/Scholz § 59 Rn. 70; aA GK-AktG/Hirte Rn. 38), da mit Eintragung der Durchführung Satzungsinhalt nach § 23 III Nr. 3, 4 unrichtig wird (→ § 202 Rn. 8). Zweckmäßig ist, Zustimmungserklärungen des AR (§ 202 III 2, § 204 I 2, § 205 II 1) beizufügen (Marsch-Barner/Schäfer/Busch/Busch Rn. 45.41; MHdB AG/Scholz § 59 Rn. 72). § 203 I 1 verweist auch auf § 188 IV. Daraus darf nicht iVm § 203 I 2 gefolgert werden, dass Anmeldung und Eintragung der Ermächtigung einerseits sowie Anmeldung und Eintragung der Durchführung andererseits miteinander verbunden werden könnten. Vorstand kann nämlich nur aufgrund wirksamer Ermächtigung Ausgabe neuer Aktien beschließen; dazu ist gem. § 181 III ihre (vorherige) Eintragung in das HR nötig (→ § 202 Rn. 8). § 188 IV ist also nicht anwendbar (so auch Hölters/Weber/Apfelbacher/Metzner Rn. 31; GK-AktG/Hirte Rn. 35). 27

28 **b) Registerkontrolle.** Registerrichter hat Anmeldung der Durchführung **in formeller und materieller Hinsicht** zu prüfen (unstr.; → § 188 Rn. 20 f.). Beim genehmigten Kapital hat Registerrichter insbes. auch zu prüfen, ob Vorstand noch ermächtigt ist (Frist) und sich mit seiner Entscheidung iRd Ermächtigung gehalten hat (Höchstbetrag). Prüfungsgegenstand ist ferner Zustimmung des AR zur Ausgabe neuer Aktien nach § 202 III 2 (unstr.) und auch seine Zustimmung nach § 205 II 2 (MüKoAktG/Bayer Rn. 29; → § 205 Rn. 9). Zur str. Frage, ob Registerrichter Zustimmung des AR nach § 204 I 2 prüfen muss → § 204 Rn. 8 f. Da AR-Vorsitzender mit anzumelden hat (§ 188 I), kann Registerrichter regelmäßig vom Vorliegen der verschiedenen Zustimmungen ausgehen. Er hat ferner zu prüfen, ob Vorstand Vorgaben der Ermächtigung über Inhalt der Aktien und Bedingungen der Aktienausgabe (§ 204 I 1; → § 204 Rn. 9) eingehalten hat. Bei Ausgabe der Aktien gegen Sacheinlagen hat Gericht auch zu prüfen, ob Wert der Sacheinlage wesentlich hinter geringstem Ausgabebetrag (§ 9 I) der dafür zu gewährenden Aktien zurückbleibt (§ 205 VII 1; → § 205 Rn. 10). Zur Entscheidung des Registerrichters und den dagegen möglichen Rechtsmitteln → § 188 Rn. 22.

29 **c) Eintragung.** Durchgeführte Kapitalerhöhung aus genehmigtem Kapital wird in Abteilung B des HR eingetragen, Satzungsänderung in Spalte 6 und geändertes Grundkapital in Spalte 3 (§ 43 Nr. 3, Nr. 6 lit. f, Nr. 7 HRV); s. dazu Krafka RegisterR Rn. 1494 ff. Ist Kapitalerhöhung bis zum Höchstbetrag durchgeführt, wird Ermächtigung als gegenstandslos gerötet (§ 16 I 2 HRV).

30 **6. Wirksamwerden der Kapitalerhöhung (§ 189).** Mit Eintragung der Durchführung ist Grundkapital erhöht (§ 189 iVm § 203 I 1). Eintragung wirkt **konstitutiv.** AG hat mit Eintragung neue Grundkapitalziffer; Zeichner werden mit Eintragung ipso iure Aktionäre (→ § 189 Rn. 2 f.). Zur Korrektur des Satzungstextes → § 202 Rn. 4.

31 **7. Kein gesondertes Bekanntmachungserfordernis.** Bis zur Streichung des § 190 mit EHUG 2006 war neben herkömmlicher Bek. nach § 10 HGB gem. § 190 gesonderte Bek. von Zusatzinformationen erforderlich (→ § 190 Rn. 1). Nach § 2006 genügte herkömmliche Bek. nach § 10 HGB. Durch Neuordnung des Bekanntmachungswesens durch **DiRUG 2021** mit Wirkung vom 1.8.2022 (→ § 39 Rn. 7 ff.) ist unter Bek. ohnehin nur noch erstmalige Abrufbarkeit der Eintragung im HR zu verstehen; Bek. selbst wird als eigenständiges Publikationsmedium aufgegeben (→ § 39 Rn. 8 f.).

32 **8. Verbotene Ausgabe von Aktien (§ 191).** Verbote des § 191 gelten beim genehmigten Kapital sinngem. (s. § 203 I 1). Erstens können vor Eintragung der Durchführung der Kapitalerhöhung neue Anteilsrechte nicht übertragen werden: **Verfügungsverbot** (→ § 191 Rn. 2). Zweitens ist Ausgabe von Aktienurkunden und Zwischenscheinen vor Eintragung der Durchführung der Kapitalerhöhung unzulässig: **Ausgabeverbot** (→ § 191 Rn. 3). Norm ordnet bei Verstoß Nichtigkeitsfolge an (§ 191 S. 3). Es gibt also keine gültige wertpapierrechtl. Verbriefung des Anteilsrechts (→ § 191 Rn. 4). Zudem haften Ausgeber den Inhabern der nichtigen Papiere auf Schadensersatz (§ 191 S. 4; → § 191 Rn. 5 f.).

III. Ermächtigung des Vorstands zum Ausschluss des Bezugsrechts (§ 203 II)

33 **1. Grundlagen.** Gem. § 186 III, IV iVm § 203 I 1 kann HV (bzw. können Gründer) bereits in Ermächtigung Bezugsrecht der Aktionäre verbindlich ausschließen (→ Rn. 8 ff.). Überdies eröffnet § 203 II die Möglichkeit, Vorstand zu ermächtigen, ges. Bezugsrecht der Aktionäre **durch eigene Entscheidung** aus-

zuschließen. Erforderlich ist, dass Beschluss über das genehmigte Kapital dem Vorstand diese Befugnis ausdr. gibt. Andernfalls verbleibt es beim ges. Bezugsrecht (→ Rn. 1; OLG Stuttgart AG 2001, 200; S/L/Veil Rn. 21). Ermächtigung des Vorstands zum Ausschluss des Bezugsrechts kann auch nur für einen Teil des genehmigten Kapitals gelten. Unzulässig ist separate Erteilung der Ausschlussermächtigung (Ekkenga/Stöber AG-Finanzierung Kap. 5 Rn. 59). Schwierigkeiten bereitet Frage, wie Aktionäre vor einem unzulässigen Eingriff in ihr ges. Bezugsrecht geschützt werden können (→ Rn. 37 ff., 55 ff.). In der Praxis ist Ausschlussermächtigung zumindest bei börsennotierter AG **am häufigsten anzutreffende Variante** des genehmigten Kapitals (Niggemann/Wansleben AG 2013, 269, 270).

2. Gründungssatzung. Keine Besonderheiten gelten, wenn Vorstand schon in der Gründungssatzung nicht nur zur Erhöhung des Kapitals, sondern auch zum Ausschluss des Bezugsrechts ermächtigt wird (§ 202 I 1). Es verbleibt bei gewöhnlichen Voraussetzungen der Satzungsfeststellung, insbes. bei Erfordernis inhaltlich übereinstimmender Willenserklärungen der Gründer (→ § 23 Rn. 8). Weil sie alle ihr Einverständnis erklären müssen, ist ihr zusätzlicher Schutz nicht erforderlich (→ § 186 Rn. 25). 34

3. Ermächtigungsbeschluss. a) Überblick. § 186 IV gilt gem. § 203 II 2 auch dann sinngem., wenn HV Bezugsrecht nicht selbst ausschließt, sondern Vorstand dazu ermächtigt, was § 203 II 1 erlaubt. Danach sind bei Beschlussfassung bes. **formelle Voraussetzungen** zu beachten, insbes. Pflicht zur Bek. der Ermächtigung (§ 186 IV 1; → Rn. 36) und zur Vorlage eines **Vorstandsberichts** (§ 186 IV 2; → Rn. 43 ff.). IÜ bedarf Beschluss neben einer Stimmenmehrheit nach § 202 II 2, 3 einer Kapitalmehrheit, die mindestens ¾ des bei der Beschlussfassung vertretenen Grundkapitals umfasst, sofern Satzung nicht eine größere Kapitalmehrheit und weitere Erfordernisse bestimmt (→ § 202 Rn. 9). § 203 II 2 verweist nicht auch auf § 186 III, so dass es bei § 202 II 2 und 3 verbleibt; Regelungen stimmen inhaltlich überein (s. dazu OLG Nürnberg NZG 2018, 500 Rn. 60; AG 2021, 721, 724; RegBegr. Kropff S. 305). 35

b) Bekanntmachung. Vorstand darf nur zum Bezugsrechtsausschluss ermächtigt werden, wenn diese Absicht ausdr. und ordnungsgem. (§ 124 I) bekanntgemacht worden ist (§ 186 IV 1 iVm § 203 II 2). Verweis des § 186 IV 1 auf § 124 I stellt klar, dass Bek. in den Gesellschaftsblättern (→ § 25 Rn. 1 ff.) und idR gleichzeitig mit Einberufung der HV und Bek. der Tagesordnung zu erfolgen hat; Einzelheiten in → § 186 Rn. 22. § 203 II 2 wurde durch AktG 1965 eingefügt; davor war Bek. nicht erforderlich (so noch BGHZ 33, 175, 180 = NJW 1961, 26). 36

c) Materielle Voraussetzungen. aa) Regulärer Bezugsrechtsausschluss. Jenseits der Fälle des § 186 III 4 (→ Rn. 41 f.) muss Bezugsrechtsausschluss durch Vorstand grds. ebenso sachlich gerechtfertigt sein wie bei Bezugsrechtsausschluss durch HV. Nach **früherer Rspr.** sollte es dafür – ebenso wie für Bezugsrechtsausschluss durch HV selbst (→ Rn. 11 f.) – erforderlich sein, dass **konkrete Anhaltspunkte** vorliegen, nach denen Kapitalerhöhung zu einem Zweck erforderlich werden könnte, der mit Ausschluss des Bezugsrechts verbunden ist und sachliche Rechtfertigung nicht von vornherein ausschließt. „Insofern" – und nicht weitergehend – bedurfte HV-Beschluss sachlicher Rechtfertigung (s. BGHZ 83, 319, 322 = NJW 1982, 2444). Mit konkreten Anhaltspunkten war gemeint, dass sich zum Zeitpunkt des HV-Beschlusses bestimmte und von Geschäftsführung tats. beabsichtigte Vorhaben abzeichnen, die sich möglicherweise nur unter Ausschluss des Bezugsrechts realisieren lassen; Bsp.: Ziel ist Erwerb eines Unternehmens, Objekt und nähere Einzelheiten sind offen; Ausgabe junger 37

Aktien im Ausland, um sie dort an der Börse einzuführen (BGHZ 83, 319, 324 f.; sa BGHZ 125, 239 = NJW 1994, 1410; → § 186 Rn. 31; → Rn. 12). Lagen dagegen **keine konkreten Anhaltspunkte** für Notwendigkeit eines Bezugsrechtsausschlusses vor, so war Ermächtigung nach § 203 II 1 nach früherer Rspr. nicht zulässig (BGHZ 83, 319, 325).

38 **Nach heutigem Stand** sind solche konkreten Anhaltspunkte im Zeitpunkt des HV-Beschlusses nicht zwingend erforderlich (BGHZ 136, 133, 136 ff. = NJW 1997, 2815). BGH hat diese Grundsätze in grdl. Siemens/Nold-Entscheidung zwar nicht für Vorstandsermächtigung zum Ausschluss, sondern für eigenständigen Bezugsrechtsausschluss durch HV formuliert (→ Rn. 13), dabei aber bereits zum Ausdruck gebracht, dass für erstgenannte Konstellation gleiche Maßstäbe gelten sollen (BGHZ 136, 133, 136 f., 139). Spätere Entscheidungen haben diese **Parallelität der zwei Ausschlusskonstellationen** in §§ 203 I 1 (iVm § 186 III 1), II bestätigt (s. insbes. BGH NZG 2023, 1038 Rn. 13).

39 Deshalb gilt auch hier, dass sich inhaltliche Prüfung des HV-Beschlusses danach richtet, inwieweit ihr – abhängig von konkretem Planungsstadium und Geheimhaltungsbedürfnis – Zweck der Kapitalerhöhung mit Bezugsrechtsausschluss schon bekannt war: Wenn Vorstand konkrete Pläne hat und **kein Geheimhaltungsbedürfnis** (s. dazu → Rn. 20) besteht, muss er darüber berichten und HV Bezugsrechtsausschluss an diesen Gründen messen (zum Vorstandsbericht → Rn. 43 ff.). Liegen Voraussetzungen nicht vor, genügt **generell-abstrakte Umschreibung** und nur auf diese bezieht sich Prüfung der sachlichen Rechtfertigung durch HV (ausf. → Rn. 20). In diesem Fall hat HV lediglich zu prüfen, ob vorgeschlagene Maßnahme bei abstrakter Beurteilung im Interesse der AG liegt (speziell für Ermächtigung zum Bezugsrechtsausschluss auch BGH NZG 2023, 1068 Rn. 14). Vorstand kann sich auch dann ermächtigen lassen, Bezugsrecht auszuschließen, wenn Anhaltspunkte für spätere Rechtfertigung tats. nicht bestehen. Damit ist sog **Vorratsermächtigung** iErg zulässig (sa BGHZ 136, 133, 138 = NJW 1997, 2815: Grenzziehung nicht praktikabel). Ausschluss wird damit – was zulässig ist – uneingeschränkt in pflichtgem. **Ermessen des Vorstands** gestellt (BGHZ 136, 133, 139; BGH NZG 2023, 1068 Rn. 15 ff. in ausf. Auseinandersetzung mit krit. Stimmen in Lit. – vgl. statt vieler KK-AktG/Kuntz Rn. 131, 49 ff.). Rechtl. Prüfung verlagert sich damit auch hier (s. schon → Rn. 15) im Wesentlichen auf Ausübung der Ermächtigung durch Vorstand (→ Rn. 49 ff.).

40 Für konkrete **inhaltliche Gestaltung** hat dies zur Folge, dass Ermächtigung zum Bezugsrechtsausschluss keiner abschließenden Aufführung der mit einer Ausschließung des Bezugsrechts verfolgten Zwecke bedarf, sondern es genügt eine **beispielhafte Aufzählung** von Ausschlussfällen. Von praktischer Bedeutung ist dabei, dass es ausreicht, wenn Aufzählung in einem der HV nach §§ 203 II 2, 186 IV 2 zugänglich zu machenden **Vorstandsbericht** (→ Rn. 43 ff.) erfolgt ist (BGH NZG 2023, 1068 Rn. 12). HV-Beschluss selbst kann sich danach in einem Satz erschöpfen (Heusel AG 2023, 689 Rn. 9: „Vorstand ist ermächtigt, mit Zustimmung des AR das Bezugsrecht der Aktionäre auszuschließen."). Ermächtigung muss aber nicht derart weit gefasst sein, sondern kann auch **konkrete Grenzen** bestimmen (BGH AG 2007, 863, 864; NZG 2023, 1038 Rn. 15). In Lit. ist zu Recht angemerkt worden, dass Erfordernis beispielhafter Aufzählung in gewissem Widerspruch zum uneingeschränkten Vorstandsermessen (→ Rn. 39) steht (Waclawik ZIP 2023, 2450, 2454). Aus Gründen kautelarjur. Vorsicht sollte auf solche Aufzählung dennoch nicht verzichtet werden. Inhaltliche Hürde wird sich daraus nicht ergeben; sie wird eher in Zustimmungsbereitschaft auf Aktionärsseite zu finden sein, weil sich ablehnende Haltung von Stimmrechtsberatern und institutionellen Investoren ggü. genehmigtem Kapital (→ § 203 Rn. 8) noch verstärken

wird, je mehr es Charakter des „Blankoschecks" annimmt (Waclawik ZIP 2023, 2450, 2456).

bb) Erleichterter Bezugsrechtsausschluss. Probleme bereitet **Anwendung des § 186 III 4.** Sinngem. Geltung ist zwar in § 203 II anders als in § 203 I 1 (→ Rn. 16) nicht angeordnet, doch ist insoweit von **planwidriger Lücke** auszugehen. Erleichterter Bezugsrechtsausschluss zielt nämlich geradezu auf genehmigtes Kapital (→ § 186 Rn. 39d), bei dem wiederum Ausschluss durch Vorstandsentscheidung gängig ist (für Anwendung des § 186 III 4 deshalb auch die ganz hM, s. nur OLG München AG 1996, 518; MüKoAktG/Bayer Rn. 93, 164; MHdB AG/Scholz § 59 Rn. 34; offengelassen in OLG Nürnberg AG 2021, 721, 726). Daraus folgt, dass Vorstand, der selbständig über Bezugsrechtsausschluss zu entscheiden hat, unter den Voraussetzungen des § 186 III 4 von sachlicher Rechtfertigung ausgehen darf. 41

Sehr umstr. ist allerdings, ob durch HV auch **Stufenermächtigung** in der Weise formuliert werden darf, dass Vorstand ermächtigt sein soll, von einem die Kapitalgrenze weit übersteigenden genehmigten Kapital Gebrauch zu machen, sofern nur einzelne Erhöhungstranche 20 % nicht übersteigt. Solche Gestaltung ist **von § 186 III 4 nicht gedeckt** (OLG München AG 1996, 518; MüKoAktG/Bayer Rn. 162 ff.; KK-AktG/Kuntz Rn. 140; BeckOGK/Wamser Rn. 93; MHdB AG/Scholz § 59 Rn. 34; Habersack/Mülbert/Schlitt/Krause Unternehmensfinanzierung Rn. 6.57; Ihrig/Wagner NZG 2002, 657, 661; aA GK-AktG/Hirte Rn. 115; Ekkenga/Stöber AG-Finanzierung Kap. 5 Rn. 63; Stelmaszczyk, Barkapitalemission, 2013, 280 ff.; Schlitt/Schäfer AG 2005, 67, 69; Schwark FS Claussen, 1997, 357, 377 f.; Trapp AG 1997, 115, 116 f.). Dagegen erhobener Einwand, dass HV auch selbst mehrere Kapitalerhöhungen mit erleichtertem Bezugsrecht vornehmen könne, ist nicht zwingend, da im Fall regulärer Kapitalerhöhungen das Erfordernis, HV durchzuführen, beschränkende Wirkung hat (KK-AktG/Kuntz Rn. 140). Volumengrenze des § 186 III 4 wird deshalb so verstanden, dass nicht allein das Emissionsvolumen, sondern schon die **Beschlusskompetenz der HV begrenzt** werde (OLG München AG 1996, 518; Martens ZIP 1994, 669, 678). Vorstand darf deshalb auch nicht aus eigener Initiative mehrere Kapitalerhöhungen mit erleichtertem Bezugsrechtsausschluss hintereinander durchführen (aA OLG Nürnberg AG 2016, 721, 726). Einwand, dass sich diese Sichtweise durch neuere Rspr. (→ Rn. 37 ff.) erledigt habe (so OLG Nürnberg AG 2016, 406 Rn. 78; AG 2021, 721, 726), ist zweifelhaft, da BGH sich zu solcher Gestaltung nicht geäußert hat (zweifelnd auch MüKoAktG/Bayer Rn. 164 Fn. 445; Goslar EWiR 2018, 327, 328). Praxis sollte deshalb davon ausgehen, dass vereinfachter Bezugsrechtsausschluss iRd genehmigten Kapitals jew. neuerlichen HV-Beschluss erforderlich macht (so schon Ihrig/Wagner NZG 2002, 657, 661). 42

d) Vorstandsbericht. aa) Erfordernis. Auch bei bloßer Ermächtigung zum Bezugsrechtsausschluss ist Vorstandsbericht nach § 186 IV 2 zu erstatten, weil § 203 II 2 auf Norm verweist. Das entspr. hM (BGHZ 83, 319, 325 f. = NJW 1982, 2444; MüKoAktG/Bayer Rn. 88; B/K/L/Lieder Rn. 33) und wird auch durch BGHZ 136, 133, 136 ff. = NJW 1997, 2815 nicht grds. in Frage gestellt, weil Ermächtigungsinhalt der HV immerhin allg. und in generell-abstrakter Form bekanntgemacht werden muss (insoweit wie hier Kindler ZGR 1998, 35, 63). Mindermeinung verneint Berichtspflicht überhaupt, weil § 186 IV 2 erst durch 2. EG-KoordG von 1978 (→ § 186 Rn. 23) eingefügt wurde, also **von Verweisung ursprünglich nicht umfasst** war (so zB Kindler ZHR 158 [1994], 339, 363 f.; Kindler ZGR 1998, 35, 63 mwN in Fn. 181). Dem ist zwar nicht zu folgen, weil Berichtsnotwendigkeit von inhaltlichen Anforderungen geprägt wird, denen HV-Beschluss Rechnung zu tragen hat. Insoweit von BGHZ 136, 133 43 vollzogener Konzeptionswechsel (→ Rn. 11 ff.) dünnt jedoch Berichtsanforderungen aus und führt deshalb iErg zur **Annäherung an Mindermeinung.** Bericht gehört grds. zu formellen Voraussetzungen, die schon im Vorfeld der Beschlussfassung zu beachten sind (→ Rn. 35 f.). Sein Inhalt leitet sich aber aus materiellen Anforderungen an HV-Beschluss ab (→ Rn. 36 ff.).

44 **bb) Inhalt.** Für **Inhalt** des Vorstandsberichts gelten weitgehend die in → Rn. 19 ff. dargelegten Grundsätze. Berichtsinhalt orientiert sich an konkretem Planungsstadium und Geheimhaltungsbedürfnis. Bestehen keine konkreten Pläne oder sollen sie nicht offengelegt werden, genügt danach auch hier **generell-abstrakte Umschreibung** des Vorhabens (sa Hölters/Weber/Apfelbacher/Metzner Rn. 16 ff., 21 ff.; B/K/L/Lieder Rn. 33): HV muss aus ihr neben dem Vorhaben selbst nur noch ersehen können, dass und warum Ermächtigung zum Bezugsrechtsausschluss im Gesellschaftsinteresse liegt (**Bsp:** BGHZ 144, 290, 295 = NJW 2000, 2356; OLG Nürnberg AG 1999, 381 f.; NZG 2018, 500 Rn. 81 ff.; OLG Schleswig AG 2004, 155, 157; AG 2005, 48, 50 f.; OLG München AG 2015, 677, 679). Als Grund hat BGH auch pauschales Interesse der AG an uneingeschränkter Ermächtigung der Verwaltung anerkannt (BGH NZG 2023, 1068 Rn. 19). Für Praxis überholt ist frühere Rspr., nach der allg. Formulierungen und abstrakte Auflistung von Rechtfertigungsgründen ohne tats. Bezug gerade nicht genügen sollten (so noch BGHZ 83, 319, 326 f. = NJW 1982, 2444). Vielmehr hat BGH ausdr. klargestellt, dass **beispielhafte Aufzählung** von Ausschlussfällen genügt (BGH NZG 2023, 1068 Rn. 12). Es ist also nicht erforderlich, dass sämtliche denkbaren Gründe für Ausschluss des Bezugsrechts abschließend benannt werden (BGH NZG 2023, 1068 Rn. 12; zur inhaltlichen Gestaltung vgl. Kuthe AG 2023, R 212, 213). Strengere Anforderungen gelten auch nicht bei Zuteilung an Großaktionär (so aber Priester AG 2022, 117 Rn. 20 ff.), weil es AG nicht aufgrund Aktionärsstruktur verwehrt sein soll, günstige, kurzfristige Finanzierungsmöglichkeiten flexibel zu nutzen (BGH NZG 2023, 1068 Rn. 34).

45 Den so formulierten Erfordernissen lässt sich durch **formale Umschreibungen** Rechnung tragen (sa Kuthe AG 2023, R 212, 213: Vorstandsberichte mit „copy/paste" austauschbar), so dass Vorratsermächtigung iErg zulässig ist. Verbreitet noch empfohlene umfassende Darstellung aus Gründen kautelarjur. Vorsicht (→ 17. Aufl. 2023, Rn. 26; Lingen AG 2021, R 280, 828) wird nach Festlegung des BGH (→ Rn. 44) nicht mehr geboten sein. Anfechtungsklage wird im Lichte derart reduzierter Anforderungen idR nicht mehr eingesetzt werden können, um Erfordernis sachlicher Rechtfertigung zu überprüfen (Lieder NZG 2023, 1072, 1073); Kontrolle verschiebt sich auf Sanktionen bei fehlerhafter Ausübung durch Vorstand (→ Rn. 55 ff.). § 186 IV 2 verlangt auch, im Bericht vorgeschlagenen **Ausgabebetrag** zu begründen. Das kommt allerdings nur in Betracht, ist dann aber auch erforderlich, wenn HV (und nicht Vorstand) Ausgabebetrag festsetzen soll (OLG Frankfurt AG 1986, 233, 234; LG Frankfurt AG 1984, 296, 299; LG München I AG 1993, 195 196; MüKoAktG/Bayer Rn. 152). Zum Zeitpunkt sowie zur Art und Weise der Berichtsvorlage → § 186 Rn. 23.

46 **e) Fristbeschränkung.** Ermächtigung nach § 203 II 1 ist Bestandteil des genehmigten Kapitals (→ Rn. 33), für das gem. §§ 202 I 1, II 1 Frist von höchstens fünf Jahren zu bestimmen ist (→ § 202 Rn. 11). Frist gilt wegen notwendiger Verbindung regelmäßig auch für Ermächtigung. Zulässig ist jedoch auch, für sie **kürzere** Frist zu setzen (Simon AG 1985, 237, 238). Str. ist, ob solche kürzere Frist gesetzt werden muss, wenn feststeht, dass der den Bezugsrechtsausschluss sachlich rechtfertigende Grund nur für einen kürzeren Zeitraum besteht (zB Unternehmenserwerb, der in zwölf Monaten abgewickelt oder endgültig geschei-

tert ist). Dies wird zT vertreten; andernfalls sei HV-Beschluss rechtswidrig und damit anfechtbar (KK-AktG/Kuntz Rn. 135; Simon AG 1985, 237, 238). Ansicht ist abzulehnen (so auch GK-AktG/Hirte Rn. 59 ff.; MHdB AG/Scholz § 59 Rn. 38). Ges. gibt dafür nichts her und zusätzlicher Schutz der Aktionäre ist nicht erforderlich, da Vorstand Bezugsrecht nur nach Maßgabe der im Vorstandsbericht enthaltenen Gründe ausschließen kann.

f) Beschlussmängel. HV-Beschluss kann nichtig oder anfechtbar sein. Nichtigkeitsgründe (§ 241) werden nur ausnahmsweise vorliegen (→ § 186 Rn. 42). **Anfechtbar** ist Beschluss, wenn er nicht ausdr. und ordnungsgem. bekanntgemacht wurde (§ 186 IV 1 iVm § 203 II 2); ferner, wenn Vorstandsbericht (§ 186 IV 2 iVm § 203 II 2) inhaltlich unvollständig, nicht formgerecht erstattet oder nicht ordnungsgem. bekanntgemacht worden ist (→ § 186 Rn. 42; ausf. MüKoAktG/Bayer Rn. 168 ff.; MHdB AG/Scholz § 59 Rn. 39; Lutter ZGR 1979, 409 ff.). Derartige **Berichtsfehler,** die lange Zeit im Zentrum der Beschlussmängelklagen standen, haben durch Siemens/Nold-Rspr. (→ Rn. 13 ff.) aber deutlich an Relevanz verloren (MüKoAktG/Bayer Rn. 168). Liegt fehlerhafter Bericht dennoch vor, kann er nicht durch ergänzende Erl. in HV geheilt werden (str.; → § 186 Rn. 24). Auch Anfechtung gem. § 243 I wegen Inhaltsmangels (vgl. noch BGHZ 83, 319, 327 = NJW 1982, 2444; zur fehlenden sachlichen Rechtfertigung → § 243 Rn. 24 f.) hat durch Wende der Rspr. (→ Rn. 11 ff., 37 ff.) erheblich an Bedeutung eingebüßt (→ Rn. 11 ff.; Cahn ZHR 163 [1999], 554, 569 ff.; Cahn ZHR 164 [2000], 113, 116; s. zu anderen Rechtsschutzmöglichkeiten → Rn. 55 ff.). Schließlich wird auch Ausgleichsanspruch nach § 255 IV – VII nur in Ausnahmefällen in Betracht kommen, da HV idR keine Festlegungen zum Ausgabekurs der Aktien trifft (MüKoAktG/Bayer Rn. 168; Hölters/Weber/Apfelbacher/Metzner Rn. 45). 47

Wenn HV genehmigtes Kapital schafft und Vorstand insoweit zum Ausschluss des Bezugsrechts ermächtigt, fragt sich, ob **Teilanfechtung** des Bezugsrechtsausschlusses mit der Folge möglich ist, dass genehmigtes Kapital mit ges. Bezugsrecht der Aktionäre bestehen bleibt. Das wurde in der Vergangenheit zT pauschal verneint (LG Bochum AG 1991, 213), doch hat sich mittlerweile **differenzierende Ansicht** durchgesetzt, die in Anwendung allg. Grundsätze zu folgenden Ergebnissen gelangt: Teilanfechtung ist grds. **nur bei komplexen Beschlüssen** möglich und bestimmt sich nach § 139 BGB (→ § 241 Rn. 33; OLG München AG 1993, 283, 284; OLG Nürnberg AG 2021, 721, 723). Hat HV mit Ermächtigung nach § 203 II 1 bezweckt, Befugnisse des Vorstands iRd genehmigten Kapitals zu erweitern, behält genehmigtes Kapital mit ges. Bezugsrecht **eigenständige Bedeutung,** so dass Teilanfechtung zuzulassen ist (BGHZ 205, 319 Rn. 29 ff. = NZG 2015, 867; BGH NZG 2023, 1068 Rn. 37 f.; OLG München AG 2015, 677, 678; OLG Nürnberg NZG 2018, 500 Rn. 29; AG 2021, 721, 723; MHdB AG/Scholz § 59 Rn. 40; sa schon BGH NJW 1982, 2444, 2446 [insoweit nicht in BGHZ 83, 319]). Das wird häufig bei Ermächtigung zum Bezugsrechtsausschluss der Fall sein (OLG Nürnberg NZG 2018, 500 Rn. 29; MüKoAktG/Bayer Rn. 169). Kautelarjur. ist zu empfehlen, Vorstandsermächtigung ausdr. auch auf Erhöhungen mit Bezugsrecht zu erstrecken, da damit klargestellt ist, dass kein zwingender Konnex besteht (vgl. BGH NZG 2023, 1068 Rn. 38). Kann dagegen genehmigtes Kapital wegen **Zweckbindung** nur mit gleichzeitigem Ausschluss des Bezugsrechts durchgeführt werden, so ist Teilanfechtung ausgeschlossen (OLG Nürnberg AG 2021, 721, 723; Simon AG 1985, 237, 239). Sachlage ist somit anders als bei regulärer Kapitalerhöhung, bei der Teilanfechtung überhaupt nicht in Betracht kommt (→ § 186 Rn. 42). 48

4. Ausübung der Ermächtigung durch den Vorstand. a) Grundlagen. 49
Vorstand entscheidet iRd Ermächtigung nach § 203 II 1 über Ausschluss des ges.

Bezugsrechts. Entscheidung ist **Maßnahme der Geschäftsführung** gem. § 77, mit der Vorstand jedoch nicht originäres, sondern von HV abgeleitetes Ermessen ausübt (Kindler ZGR 1998, 35, 52). Mehrgliedriger Vorstand entscheidet durch einstimmigen Beschluss (→ § 77 Rn. 6), sofern Satzung oder Geschäftsordnung nichts anderes vorsehen (→ § 77 Rn. 9 ff.). Vorstand hat bei Beschlussfassung formelle und materielle Voraussetzungen des Bezugsrechtsausschlusses zu beachten (→ Rn. 50 ff.). Beschluss wird nicht in das HR eingetragen; es erfolgt auch keine Bek. Inhaltlich hat Vorstand – sofern Ermächtigungsbeschluss keine Einschränkungen vorsieht – weites Gestaltungsermessen, etwa hinsichtlich Umfangs der Kapitalerhöhung (iRd Ermächtigungsbeschlusses), Inhalt der Aktienrechte und Bedingungen der Ausgabe (§ 204 I), Stückelung, Ausgabebetrag (iRd § 255 IV) etc (Einzelheiten bei Marsch-Barner/Schäfer/Busch/Busch Rn. 45.30). Ob er sich auf § 93 I 2 berufen darf, ist zweifelhaft, weil Aktionärsschutz iRd Beschlusskontrolle ohnehin eingeschränkt ist (→ Rn. 11 ff.) und weitere Absenkung gerichtl. Kontrolldichte Aktionärsinteressen über Gebühr beeinträchtigen könnte (ausf. im Hinblick auf Interessenkonflikte der Verwaltungsorgane Harnos, Gerichtliche Kontrolldichte, 2021, 622 ff.; iErg auch KK-AktG/Kuntz Rn. 143 ff.; für Anwendung des § 93 I 2 aber OLG Nürnberg NZG 2018, 500 Rn. 67 ff.; AG 2021, 721, 725; S/L/Veil Rn. 30; Decher ZGR 2019, 1122, 1147 ff.; unklar Ekkenga/Stöber AG-Finanzierung Kap. 5 Rn. 77; zur Anwendung des § 93 I 2 auf Bezugsrechtsausschluss im Rahmen regulärer Kapitalerhöhung → § 186 Rn. 36 ff.).

50 **b) Formelle Voraussetzungen.** Ausschluss des Bezugsrechts durch Vorstand setzt gültige und wirksame (Registereintragung) Ermächtigung nach § 203 II 1 voraus. Anfechtungsgründe sind nach Ablauf der Monatsfrist (§ 246 I) nicht mehr als solche zu beachten, können aber in die Interessenabwägung des Vorstands einfließen (B/K/L/Lieder Rn. 37; Quack ZGR 1983, 257, 266 f.; Semler BB 1983, 1566, 1568 f.).

51 **c) Materielle Voraussetzungen.** Ausschluss des Bezugsrechts durch Vorstand bedarf **sachlicher Rechtfertigung,** ist also nur zulässig, wenn er einem Zweck dient, der im Interesse der AG liegt, dafür geeignet und überdies erforderlich sowie verhältnismäßig ist (vgl. dazu etwa BGH NZG 2023, 1068 Rn. 23 f.; OLG Nürnberg AG 2021, 721, 725). Dieser Grundsatz ist auch nach BGHZ 136, 133 = NJW 1997, 2815 gültig geblieben (ebenso LG Darmstadt NJW-RR 1999, 1122, 1123; vgl. aus der früheren Rspr. namentl. BGHZ 83, 319, 321 = NJW 1982, 2444). Vorstandsprüfung, die auch **Angemessenheit iSd § 255 IV** umfassen muss (BGH AG 2009, 446; Bezzenberger AG 2010, 765, 773), hat nach weitgehender Aufgabe früherer Anforderungen an Ermächtigungsbeschluss (→ Rn. 11 ff.) noch an Bedeutung gewonnen. Maßgeblich ist Zeitpunkt der Vorstandsentscheidung. Vorstand kann sich also nicht allein auf Gesellschaftsinteresse berufen, das bei seiner Ermächtigung bestand. An Ermächtigung ist Vorstand aber insoweit gebunden, als er nur iR ihrer (nach BGHZ 136, 133, 138 ff.: abstrakten) Zweckvorgaben (→ Rn. 37 ff.) Bezugsrecht ausschließen darf. Verspricht Vorstand im Bericht (→ Rn. 43 ff.) oder im Zusammenhang mit HV, dass er Ermächtigung zum Bezugsrechtsausschluss eingeschränkt ausüben wird, ist er bei Ausübung daran gebunden (Marsch-Barner ZHR 178 [2014], 629, 635 ff.). Erfolgte HV-Beschluss nur auf Grundlage **beispielhafter Aufzählung** (→ Rn. 44 ff.), muss Vorstand sich entweder iR dieser Beschlussgegenstände halten oder ein die jew. Maßnahme legitimierendes Gesellschaftsinteresse unabhängig von beispielhaft aufgeführten Ausschlussfällen darlegen (BGH NZG 2023, 1068 Rn. 31). Unklarheiten in solchem „Analogfall" gehen zu seinen Lasten, so dass er bei Zweifeln von Ausübung absehen muss und Ermächtigung insofern ins Leere geht (BGH AG 2007, 863, 864; NZG 2023, 1068 Rn. 32). Zu

empfehlen ist deshalb möglichst breite Aufzählung (Kuthe AG 2023, R 212, 213 unter bes. Betonung des Kursänderungsrisikos). In jedem Fall muss beispielhafter (nicht abschließender) Charakter klar zum Ausdruck kommen (Heusel AG 2023, 691 Rn. 9). Soweit Bezugsrechtsausschluss auf § 186 III 4 gestützt wird (→ § 186 Rn. 39a ff.), muss Vorstand prüfen, ob vorausgesetztes Finanzierungsinteresse der AG und tatbestandliche Voraussetzungen der Vorschrift noch bei Inanspruchnahme des genehmigten Kapitals gegeben sind.

d) Keine Pflicht zur Erstattung eines Vorabberichts. Lange Zeit war str., 52 ob Vorstand vor Durchführung der Kapitalerhöhung Aktionäre schriftlich über Bezugsrechtsausschluss und dessen Gründe zu unterrichten hat. Für die Praxis ist diese Frage mit BGHZ 164, 241, 244 ff. = NJW 2006, 371 (Mangusta/Commerzbank I) dahingehend geklärt, dass es eines solchen **Vorabberichts nicht bedarf,** da anderenfalls dem Vorstand die Flexibilität genommen würde, die das genehmigte Kapital ihm gerade einräumen soll (nachfolgend OLG Frankfurt AG 2011, 713, 714; OLG Nürnberg AG 2021, 721, 725; B/K/L/Lieder Rn. 37). Stattdessen soll Vorstand lediglich die Pflicht treffen, HV im Anschluss an Ausnutzung der Ermächtigung iErg über sein Vorgehen zu unterrichten und ihr „Rede und Antwort" zu stehen (BGHZ 136, 133, 140 = NJW 1997, 2815; → Rn. 53). Während Praxis sich an dieser höchstricherlichen Vorgabe orientieren muss, wird sie im Schrifttum zT doch weiterhin in Frage gestellt (namentl. von MüKoAktG/Bayer Rn. 155 ff.; sa bereits GK-AktG/Hirte Rn. 84 ff.; Tettinger, Materielle Anforderungen an den Bezugsrechtsausschluss, 2003, 134 ff.). Heute hM ist indes zuzustimmen. **Nur nachträgliche Information** der HV ist konsequent, wenn man Siemens/Nold-Urteil (→ Rn. 13) als Fortbildung der §§ 202 ff. ggü. §§ 182 ff. auffasst, die genehmigtem Kapital den Rang eines eigenständigen Rechtsinstituts zuerkennt (→ Rn. 22 f.; BGHZ 164, 241, 245). Dabei gehört es zur eigenständigen Bedeutung des genehmigten Kapitals ggü. der regulären Erhöhung, dass Wahrung der mitgliedschaftlichen Belange „treuhandähnlicher Verwaltung" (Kindler ZGR 1998, 35, 52) durch Vorstand und AR überantwortet wird. Darin liegt prozedurales Seitenstück zum Rückbau der beim Bezugsrechtsausschluss zu beachtenden materiellen Erfordernisse. Gerade dieser Rückbau ginge im Wesentlichen ins Leere, wenn auf Informationsebene alles beim Alten bliebe. Vorabberichterstattung steht dem Vorstand deshalb zwar frei, er ist dazu aber nicht verpflichtet.

e) Verbleibende Schutzmechanismen, insbes. Nachbericht. BGHZ 164, 53 241, 245 ff. = NJW 2006, 371 verzichtet zwar auf Vorabbericht. Parallelentscheidung BGHZ 164, 249, 253 ff. = NJW 2006, 372 gewährt jedoch – anders als noch OLG Frankfurt NZG 2003, 331 – Rechtsschutz durch **allg. Feststellungsklage** (§ 256 ZPO). Aktionär kann danach auf Feststellung der Nichtigkeit des rechtswidrigen Vorstandsbeschlusses klagen; insbes. soll Feststellungsinteresse auch durch Eintragung gem. §§ 189, 203 I nicht entfallen (Einzelheiten in → Rn. 57 f.). Weitergehender Schutz erfolgt über Pflicht zur Erstattung eines **Nachberichts,** wobei aber Einzelheiten der Berichterstattung und der Folgen etwaiger Informationsmängel noch nicht abschließend geklärt sind. Nach zutr. Auffassung ist aktive Berichterstattung erforderlich, also nicht nur Bericht auf Nachfrage (OLG Frankfurt AG 2011, 713, 714). Nachbericht kann nach ganz hM auch **mündlich** erstattet werden (MüKoAktG/Bayer Rn. 153; Hölters/Weber/Apfelbacher/Metzner Rn. 48; MHdB AG/Scholz § 59 Rn. 63; Lingen AG 2021, R 280, 282; Niggemann/Wansleben AG 2013, 269, 273; aA OLG Nürnberg AG 2021, 721, 725; S/L/Veil Rn. 27, 31a; diff. nach Komplexität Kossmann NZG 2012, 1129, 1132 ff.; offenlassend OLG Frankfurt AG 2011, 713, 714), doch ist Frage nicht höchstrichterlich entschieden, so dass Praxis bis zu weiterer Klärung schriftliche Berichterstattung anzuraten ist (Klie DStR 2013,

530, 531). Weitere Auskünfte können iRd § 131 verlangt werden. Berichterstattung bedarf aber keines bes. Tagesordnungspunkts, sondern kann auch im Rahmen des Berichts über abgelaufenes Geschäftsjahr erfolgen (Marsch-Barner/Schäfer/Busch/Busch Rn. 45.43; Born ZIP 2011, 1793, 1795 f.). Inhaltlich muss Bericht über bloße Anhangsangaben (§ 160 I Nr. 3) hinausgehen (MüKoAktG/Bayer Rn. 153; MHdB AG/Scholz § 59 Rn. 63; Klie DStR 2013, 530, 531; Niggemann/Wansleben AG 2013, 269, 273 f.; aA Born ZIP 2011, 1793, 1795 f.). Berichtsintensität hängt davon ab, wie detailliert im Vorfeld berichtet wurde. Je mehr sich Vorstand auf generell-abstrakte Umschreibung oder beispielhafte Aufzählung beschränkt (→ Rn. 44), desto ausführlicher muss er Entscheidung im Nachbericht begründen (Heusel AG 2023, 689 Rn. 13). **Gewichtige Informationsmängel** können Entlastungsbeschluss (§ 120; → § 120 Rn. 12) anfechtbar machen (OLG Frankfurt AG 2011, 713, 714), infizieren aber nicht nachfolgende, auf Einräumung neuer genehmigter Kapitalia gerichtete HV-Beschlüsse; denn zu ihnen hat nachgelagerte Berichterstattung keinen Bezug und auch im Ges. findet ein solches „Durchschlagen" früherer Mängel keine Grundlage (Born ZIP 2011, 1793, 1798 f.; Klie DStR 2013, 530, 533 f.; Niggemann/Wansleben AG 2013, 269, 276 ff.; aA OLG Frankfurt AG 2011, 713, 716 f.). Zu weiteren Sanktionsmöglichkeiten Klie DStR 2013, 530, 531 f.

54 Im Schrifttum ist darüber hinaus angeregt worden, nach dem Rechtsgedanken des § 246 I **Monatsfrist** in dem Sinne anzunehmen, dass vor Fristablauf Kapitalerhöhung nicht durchgeführt werden darf (Hirte, Bezugsrechtsausschluss und Konzernbildung, 1986, 122). Ohne ges. Grundlage bleibt diese Lösung aber zweifelhaft (sa KK-AktG/Kuntz Rn. 160). Auch **angemessene kürzere Frist** muss reichen, wenn sonst bezweckte flexible und schnelle Kapitalbeschaffung vereitelt würde (offenlassend BGHZ 136, 133, 140 f. = NJW 1997, 2815). Wenn insoweit Unterlassungsansprüche (→ Rn. 55 f.) nicht mehr durchsetzbar sind, muss es nach Regelungszweck der §§ 202 ff. bei Schadensersatz verbleiben, sofern Bezugsrecht verletzt worden ist. Auch dafür kann Vorstandsbericht Informationsgrundlage bieten.

55 **f) Rechtswidriger Bezugsrechtsausschluss. aa) Rechtsschutzbedürfnis.** Rechtsschutz der Aktionäre gegen sachlich nicht gerechtfertigten Ausschluss des Bezugsrechts ist unverzichtbar. Das gilt gleichermaßen, wenn Grenzen der Ermächtigung überschritten sind, Ausschluss unverhältnismäßig oder Ausgabebetrag nicht angemessen ist. Erweist sich Bezugsrechtsausschluss erst im Lichte **anschließender Zuteilungspraxis** als unzulässig (zB wegen Verstoßes gegen § 53a), kann Beschluss dennoch nichtig sein, wenn AG nicht darlegen kann, dass solches Vorgehen im Beschluss nicht angelegt war (BGHZ 219, 215 Rn. 49 ff. = NJW 2018, 2796). Schließlich kann Rechtsschutz nach nachstehenden Grundsätzen (→ Rn. 56 ff.) auch dann erforderlich sein, wenn Vorstand Bezugsrecht der Aktionäre **faktisch ausschließt** (vgl. Kuntz/Stegemann ZIP 2016, 2341, 2348 ff.; zum faktischen Bezugsrechtsausschluss → § 186 Rn. 43 f.). In all diesen Situationen kann Rechtsschutz über §§ 241 ff. nicht geleistet werden, wenn sich erst Verwaltungsmaßnahme als rechtswidrig darstellt; auch analoge Anwendung ist in dieser Situation ausgeschlossen (BGHZ 164, 249, 252 = NJW 2006, 374).

56 **bb) Unterlassungsklage.** Als Rechtsschutzmittel kommt zunächst Unterlassungsklage in Betracht (BGHZ 136, 133, 141 = NJW 1997, 2815; sa BGH NZG 2019, 937 Rn. 12 ff.; NZG 2023, 1068 Rn. 24 f.). Aktionär muss sie ohne unangemessene Verzögerung erheben (BGH NZG 2019, 937 Rn. 16 ff.; → Rn. 58 zur Feststellungsklage). Sie ist aber **nur vor Durchführung** der Kapitalerhöhung möglich und wird deshalb aus zeitlichen Gründen vielfach keinen Schutz gewähren. Das legt Gedanken an **einstweilige Verfügung** nahe, doch wird auch dieser Rechtsbehelf meist daran scheitern, dass Aktionäre über

Vorstandspläne nicht informiert sind, da Vorabbericht nicht zu geben ist (→ Rn. 52). Selbst wenn sie nötige Informationen haben, wird sich Haftungsrisiko nach § 945 ZPO oftmals abschreckend auswirken (Cahn ZHR 164 [2000], 113, 118; für nur modifizierte Geltung KK-AktG/Kuntz Rn. 198).

cc) Feststellungsklage. Neben Unterlassungsklage ist in den ihr gezogenen Grenzen auch Feststellungsklage gem. § 256 ZPO statthaft, weil vom Vorstand generell erwartet werden kann, dass er sich allein aufgrund eines feststellenden Urteils rechtmäßig verhält (BGHZ 136, 133, 141 = NJW 1997, 2815; BGH NZG 2023, 1068 Rn. 24; OLG Frankfurt AG 2013, 132, 135; KK-AktG/Kuntz Rn. 200 ff.). Insbes. **nach Durchführung** (→ § 202 Rn. 20 ff.; → Rn. 14 ff.) kommt nur noch diese Klageart in Betracht, da nach Eintragung Wirksamkeit der durchgeführten Kapitalerhöhung unberührt bleibt (BGHZ 219, 215 Rn. 18 = NJW 2018, 2796; krit. KK-AktG/Kuntz Rn. 203 f., 185 ff.; Schürnbrand ZHR 171 [2007], 731, 739 ff.). Feststellungsklage muss auch in diesem Stadium zur Vermeidung von Schutzdefiziten eröffnet sein (BGHZ 164, 249, 253 ff. = NJW 2006, 374; BGHZ 219, 215 Rn. 17 ff.; Goette in VGR 10 GesR 2005, 1, 14 ff.; Lutter JZ 2007, 371 ff.; wenig verständlich dazu OLG Frankfurt AG 2011, 631, 633). Sie dient hier **ähnlich einer Fortsetzungsfeststellungklage** dem andauernden rechtl. Interesse der Aktionäre, Rechtswidrigkeit der Verwaltungsmaßnahme zu klären, und zwar im Hinblick auf Ersatzpflicht der AG, aber auch im Hinblick auf künftige Entlastungsbeschlüsse sowie Wiederwahl von AR-Mitgliedern (sa BGHZ 219, 215 Rn. 30; Goette ZGR 2008, 436, 438; teilw. krit. Krämer/Kiefner ZIP 2006, 301, 303 ff.). Etwaigen Missbräuchen (→ § 245 Rn. 22 ff.) ist auch hier zu begegnen. 57

Klage ist gegen AG zu richten (BGHZ 136, 133, 141 = NJW1997, 2815; zum Feststellungsinteresse → § 108 Rn. 30). § 246 I ist auf Feststellungsklage nicht analog anzuwenden, sondern es gilt **Verwirkungsgedanke:** Aktionär muss Klage ohne unangemessene Verzögerung mit ihm zumutbarer Beschleunigung erheben (BGHZ 219, 215 Rn. 26 ff. = NJW 2018, 2796; BGH NZG 2019, 937 Rn. 15; KK-AktG/Kuntz Rn. 205 ff.; Schilha/Guntermann AG 2018, 883, 885 f.; für Analogie Kubis DStR 2006, 188, 192; Wilsing ZGR 2006, 722, 744 f.). Solcher Vorwurf scheidet aus, solange er Nichtigkeit noch nicht kennt oder tats. Fragen nicht hinreichend geklärt sind (BGH NZG 2019, 937 Rn. 15). Offengelassen hat BGHZ 219, 215 Rn. 26 die Frage, ob Monatsfrist im Anschluss an Nachberichterstattung entspr. herangezogen werden kann (dafür KK-AktG/Kuntz Rn. 208; Decher ZGR 2019, 1122, 1129; Fleischer DB 2013, 217, 222; vgl. auch OLG Frankfurt AG 2011, 631, 633 ff.; zurückhaltend Schilha/Guntermann AG 2018, 883, 885). Bei Streitwertfestsetzung ist analoge Anwendung des **§ 247** (ausnahmsweise) gut vertretbar (KK-AktG/Kuntz Rn. 213; Cahn ZHR 164 [2000], 113, 117 ff.). 58

dd) Schadensersatz. Als weiterer Rechtsbehelf kann – ggfs. auch erst nach vorangehender Feststellungsklage (→ Rn. 57 f.) – Schadensersatzklage erhoben werden, und zwar zunächst **gegen AG** wegen Verletzung des ges. Bezugsrechts (BGHZ 164, 249, 254 = NJW 2006, 374; BGH NZG 2023, 1068 Rn. 24 f.). Sie kann ggü. AG wegen Bestehens einer schuldrechtl. Sonderverbindung auf §§ 280 I 1, III, 283 BGB gestützt werden (ausf. Cahn ZHR 164 [2000], 113, 118 ff.; zu Anforderungen an Schadensdarlegung BGH NZG 2019, 937 Rn. 25 ff.). Auf Bestehen weiterer Ersatzansprüche aus § 823 I BGB oder § 823 II BGB iVm § 186 I 1 kommt es hier meist nicht an (ausf. Cahn ZHR 164 [2000], 113, 129 ff.). Als **Rechtsfolge** scheidet Naturalrestitution nach § 249 I BGB nach Eintragung aber aus (B/K/L/Lieder Rn. 48; Ziemons FS Seibert, 2019, 1173, 1175; aA Schürnbrand ZHR [2007], 731, 742; Ausn. ggf. bei vorsätzlicher sittenwidriger Schädigung – vgl. B/K/L/Lieder Rn. 48; Cahn 59

ZHR 164 [2000], 113, 143; Ziemons FS Seibert, 2019, 1173, 1181). AG kann **Vorstand und AR** gem. § 93 II, § 116 S. 1 in Regress nehmen (sa BGHZ 136, 133, 140 f. = NJW 1997, 2815; BGH NZG 2023, 1068 Rn. 25). **Direktansprüche der Aktionäre gegen Vorstand** können sich aus § 823 I BGB iVm Mitgliedschaft als sonstigem Recht ergeben (Cahn ZHR 164 [2000], 113, 133 ff.)

60 **ee) Sonstige Rechtsbehelfe.** Daneben kann HV Vorstand und AR Entlastung versagen, AR-Mitglieder abberufen (§ 103) oder Geltendmachung von Ersatzansprüchen nach § 147 beschließen (BGHZ 164, 249, 254 = NJW 2006, 374; BGH NZG 2023, 1068 Rn. 25). In der Gesamtschau erweist sich Sanktionssystem damit als zwar vielgestaltig, doch auch als relativ **voraussetzungs- und hürdenreich,** so dass Sanktionen idR nur bei groben und offensichtlichen Pflichtverstößen zu erwarten sind (Cahn ZHR 164 [2000], 113, 153 m. Einschränkung: muss kein Unglück sein; ohne diese Einschränkung: Waclawik ZIP 2023, 2450, 2456). Ansatz im RefE ZuFinG 2023, Sanktionssystem durch Barausgleichsanspruch zu ergänzen, hat im Ges. – nach vorangehender Neupositionierung im RegE – keinen Niederschlag gefunden (ausf. → § 255 Rn. 18).

61 **5. Nachträgliche Ermächtigung.** HV kann iR eines bestehenden genehmigten Kapitals Vorstand nachträglich ermächtigen, ges. Bezugsrecht der Aktionäre auszuschließen. Beschluss ist **Satzungsänderung** und nur unter Beachtung der § 202 II 2–4; § 203 II 1; § 186 III 2, 3, IV zulässig (B/K/L/Lieder Rn. 33).

IV. Keine Durchführung bei ausstehenden Einlagen (§ 203 III)

62 **1. Grundsatz.** Neue Aktien sollen nicht ausgegeben werden, solange ausstehende Einlagen auf bisheriges Grundkapital noch erlangt werden können (§ 203 III 1; sa § 182 IV 1). Norm stellt sicher, dass Kapitalerhöhung nur durchgeführt wird, wenn Bedürfnis dafür besteht (→ Rn. 1). Mit Ausgabe neuer Aktien ist **Durchführung der Kapitalerhöhung** gemeint, insbes. Abschluss der Zeichnungsverträge, nicht aber Schaffung genehmigten Kapitals (MüKoAktG/Bayer Rn. 176). Unerheblich ist, ob Bar- oder Sacherhöhung vorgenommen wird, ferner, ob ausstehende Einlage Bar- oder Sacheinlage ist. Sie kann sowohl aus Gründung wie aus Kapitalerhöhung stammen. IdR sind es die Geldeinlagen, die nicht schon vor Anmeldung zu zahlen sind (→ § 63 Rn. 2). Erfasst werden aber auch Einlagen, die entgegen § 36 II, § 36a I, § 36a II noch nicht geleistet sind, Ansprüche aus § 62 wegen unerlaubter Rückgewähr sowie Ansprüche aus kaduzierten Aktien nach §§ 65, 64. Berücksichtigt werden sie nur, wenn sie erlangt werden können (→ § 182 Rn. 27). Maßgeblich ist Zeitpunkt der ersten Anmeldung. Wird genehmigtes Kapital in mehreren Tranchen ausgegeben, ist es also unerheblich, wenn Einlagen auf bereits früher ausgegebene Mitgliedsrechte derselben Ermächtigung noch nicht geleistet sind (MüKoAktG/Bayer Rn. 179; GK-AktG/Hirte Rn. 160).

63 **2. Ausnahmen.** § 203 III 1 findet auf **Versicherungs-AG** keine Anwendung, wenn ihre Satzung etwas anderes bestimmt (§ 203 III 2). Vorschrift berücksichtigt, dass Versicherungs-AG idR dem Grundkapital entspr. Vermögen nicht für Betriebszwecke, sondern zur Risikovorsorge benötigt (→ § 182 Rn. 28). Kapitalerhöhung kann entgegen § 203 III 1 auch dann durchgeführt werden, wenn Einlagen nur in **verhältnismäßig unerheblichem Umfang** ausstehen (§ 203 III 3). Norm stimmt wörtlich mit § 182 IV 3 überein (zu seiner str. Auslegung → § 182 Rn. 28). Weitere Ausnahme gilt gem. § 204 IV für AN-Aktien (→ Rn. 66).

64 **3. Rechtsfolgen bei Verstoß.** Aktionärsklage auf Unterlassung der Kapitalerhöhung ist nicht gegeben. Jedoch hat Registergericht **Eintragung** der Durch-

führung nach § 203 I 1 iVm § 188 **abzulehnen** (MüKoAktG/Bayer Rn. 183). Kapitalerhöhung wird dann nicht wirksam. Angaben nach § 203 III 4 (→ Rn. 65) ermöglichen Registerkontrolle. Gericht legt bei Entscheidung Sachlage zum Zeitpunkt seiner Prüfung zugrunde. Nach Anmeldung geleistete Einlagen sind ebenso zu berücksichtigen wie Umstand, dass Einlagen nun nicht mehr zu erlangen sind. Ist Durchführung entgegen § 203 III 1 eingetragen und stellt sich später Verstoß heraus, ist Kapitalerhöhung wirksam. Eintragung kann nicht nach § 398 FamFG gelöscht werden (BeckOGK/Wamser Rn. 130).

4. Angabe der nicht erlangten Einlagen. In der ersten Anmeldung der Durchführung der Erhöhung des Grundkapitals ist anzugeben, welche Einlagen auf bisheriges Grundkapital noch nicht geleistet sind und warum sie nicht erlangt werden können (§ 203 III 4). Norm ergänzt Inhalt der Anmeldung, steht also systematisch im Zusammenhang mit § 203 I 1. Mit erster Anmeldung wird Ausgabe neuer Aktien in Tranchen vorausgesetzt; Norm stellt insoweit klar, dass Angabe nur erforderlich ist, wenn erste Tranche eines genehmigten Kapitals angemeldet wird. Sie entfällt bei Ausgabe von AN-Aktien (§ 204 IV). 65

V. Arbeitnehmeraktien (§ 203 IV)

§ 203 III 1, 4 gilt nicht, wenn Aktien an AN der Gesellschaft ausgegeben werden (§ 203 IV). Neue Aktien können also auch **bei ausstehenden Einlagen** ausgegeben werden, weil nicht Kapitalbeschaffung, sondern Beteiligung der AN im Vordergrund steht; folgerichtig sind dann Angaben über nicht erlangte Einlagen entbehrlich. Norm bezweckt, Ausgabe von Belegschaftsaktien zu erleichtern (RegBegr. Kropff S. 305). Sie findet entspr. Anwendung, wenn Aktien an AN verbundener Unternehmen ausgegeben werden (KK-AktG/Kuntz Rn. 254; → § 202 Rn. 24). 66

Bedingungen der Aktienausgabe

204 (1) [1] **Über den Inhalt der Aktienrechte und die Bedingungen der Aktienausgabe entscheidet der Vorstand, soweit die Ermächtigung keine Bestimmungen enthält.** [2] **Die Entscheidung des Vorstands bedarf der Zustimmung des Aufsichtsrats; gleiches gilt für die Entscheidung des Vorstands nach § 203 Abs. 2 über den Ausschluß des Bezugsrechts.**

(2) **Sind Vorzugsaktien ohne Stimmrecht vorhanden, so können Vorzugsaktien, die bei der Verteilung des Gewinns oder des Gesellschaftsvermögens ihnen vorgehen oder gleichstehen, nur ausgegeben werden, wenn die Ermächtigung es vorsieht.**

(3) [1] **Weist ein Jahresabschluß, der mit einem uneingeschränkten Bestätigungsvermerk versehen ist, einen Jahresüberschuß aus, so können Aktien an Arbeitnehmer der Gesellschaft auch in der Weise ausgegeben werden, daß die auf sie zu leistende Einlage aus dem Teil des Jahresüberschusses gedeckt wird, den nach § 58 Abs. 2 Vorstand und Aufsichtsrat in andere Gewinnrücklagen einstellen könnten.** [2] **Für die Ausgabe der neuen Aktien gelten die Vorschriften über eine Kapitalerhöhung gegen Bareinlagen, ausgenommen § 188 Abs. 2.** [3] **Der Anmeldung der Durchführung der Erhöhung des Grundkapitals ist außerdem der festgestellte Jahresabschluß mit Bestätigungsvermerk beizufügen.** [4] **Die Anmeldenden haben ferner die Erklärung nach § 210 Abs. 1 Satz 2 abzugeben.**

Übersicht

I. Regelungsgegenstand und -zweck

1 § 204 betr. Inhalt der Aktienrechte und Bedingungen der Aktienausgabe und verteilt insbes. **Festsetzungs- und Kontrollbefugnisse** zwischen Vorstand, AR und HV. Norm schreibt vor, dass Vorstand Aktieninhalt und Ausgabebedingungen festlegt, sofern Ermächtigung keine Bestimmungen enthält (§ 204 I 1). Festsetzungen des Vorstands werden nur wirksam, wenn AR ihnen zustimmt (§ 204 I 2 Hs. 1). Zustimmung des AR ist auch erforderlich, wenn Vorstand Bezugsrecht der Aktionäre aufgrund einer Ermächtigung nach § 203 II ausschließt (§ 204 I 2 Hs. 2). Vorzugsaktien kann Vorstand nur unter Beachtung des § 204 II ausgeben. § 204 III betr. Ausgabe von Belegschaftsaktien. Um sie zu erleichtern, kann Einlage uU aus Jahresüberschuss entnommen werden, so dass es sich letztlich um Kapitalerhöhung aus Gesellschaftsmitteln handelt.

II. Aktieninhalt und Aktienausgabe (§ 204 I)

2 **1. Entscheidung des Vorstands. a) Grundlagen.** Gem. § 204 I 1 entscheidet Vorstand über Inhalt der Aktienrechte und Bedingungen der Aktienausgabe, soweit Ermächtigung keine Bestimmungen enthält. Kompetenz des Vorstands steht mithin unter Vorbehalt, dass Gründer (§ 202 I 1) oder HV (§ 202 II 1) ihrerseits keine Regelung in der Ermächtigung getroffen haben. Seine Entscheidung bedarf gem. § 204 I 2 der Zustimmung des AR (→ Rn. 6). Entscheidung nach § 204 I 1 ist von Vorstandsbeschluss zu unterscheiden, ob und in welchem Umfang genehmigtes Kapital ausgeübt wird (→ § 202 Rn. 20). Sie ist Maßnahme der Geschäftsführung gem. § 77 (S/L/Veil Rn. 5).

3 **Anforderungen.** Vorstand hat nicht nur Vorgaben der Ermächtigung zu beachten, sondern auch Bestimmungen des Ges. oder der Satzung, sofern sie nur verbindliche Regelungen oder Vorgaben zum Aktieninhalt oder zur Aktienausgabe enthalten, zB §§ 8, 9, § 101 II, § 139 II, § 188 II, § 241 (sa KK-AktG/Kuntz Rn. 11). Er darf ferner Bezugsrecht der Aktionäre nur ausschließen, wenn Ermächtigung das vorsieht (§ 203 II); Gleiches gilt für Ausgabe von Aktien gegen Sacheinlagen (§ 205 I) und in bestimmten Fällen für Ausgabe von Vorzugsaktien

(§ 204 II; → Rn. 10 f.). Enthält Satzung Vorgaben zu Mitgliedsrechten (zB: nur Namensaktien → § 23 Rn. 30), so sind sie zu beachten. IÜ hat Vorstand nach pflichtgem. Ermessen zu entscheiden; er darf insbes. nicht zum Schaden der AG handeln und sich nicht von sachfremden Gesichtspunkten leiten lassen (vgl. BGHZ 21, 354, 357 = NJW 1956, 1753). Er hat zudem Gleichbehandlungsgebot (§ 53a) zu beachten (ausf. dazu BGHZ 219, 215 Rn. 44 ff. = NJW 2018, 2796). § 93 ist anwendbar (BGHZ 21, 354, 357). Entscheidung des Vorstands wird nicht in das HR eingetragen und auch nicht bekannt gemacht.

b) Inhalt der Aktienrechte. Zum Inhalt der Aktienrechte gehören etwa (bei Nennbetragsaktien) die Festlegung des Nennbetrags der neuen Aktien, die Aktienart, dh Inhaber- oder Namensaktien (§ 10 I) und die Aktiengattung, einschließlich der Stimmrechtsausstattung gem. § 134 (Stamm- oder Vorzugsaktien; vgl. BGHZ 33, 175, 188 = NJW 1961, 26; MüKoAktG/Bayer Rn. 9). Auswahl zwischen Nennbetrags- oder Stückaktien kann Vorstand gegen nicht überlassen werden, da diese Festlegung nach § 23 III Nr. 4 in Satzung einheitlich für alle Anteile zu treffen ist (MüKoAktG/Bayer Rn. 8; GK-AktG/Hirte Rn. 14; KK-AktG/Kuntz § 202 Rn. 100; Ekkenga/Stöber AG-Finanzierung Kap. 5 Rn. 56; aA noch → 14. Aufl. 2020, Rn. 4; Grigoleit/Rieder/Holzmann Rn. 5; S/L/Veil Rn. 6). Vorstand kann insbes. auch Zeitpunkt der Gewinnberechtigung festlegen; insoweit verdrängt § 204 I 1 den § 60 III (MüKoAktG/Bayer § 60 Rn. 29; Henssler/Glindemann ZIP 2012, 949, 957). Umstr. ist, ob auch **rückwirkende Gewinnbeteiligung** für abgelaufenes Geschäftsjahr möglich ist. Das ist nach hier vertretener Grundposition (→ § 60 Rn. 10 mwN) auch beim genehmigten Kapital zumindest dann zu bejahen, wenn Bezugsrecht der Altaktionäre (§ 186 I) unangetastet bleibt (sa GK-AktG/Hirte Rn. 9; S/L/Veil Rn. 6; Henssler/Glindemann ZIP 2012, 949, 956; Singhof FS Hoffmann-Becking, 2013, 1163, 1180 f.). Auch unter den grds. Befürwortern einer solchen Gestaltung ist aber str., ob dasselbe auch dann gilt, wenn Bezugsrecht ausgeschlossen wird (dafür Hölters/Weber/Apfelbacher/Metzner Rn. 5; B/K/L/Lieder Rn. 6; MüKoAktG/Schürnbrand/Verse § 182 Rn. 75; Marsch-Barner/Schäfer/Busch/Busch Rn. 45.31; Groß FS Hoffmann-Becking, 2013, 395 ff., 407 ff.; Henssler/Glindemann ZIP 2012, 949, 957 f.; Seibt CFL 2011, 74, 78 f.; Singhof FS Hoffmann-Becking, 2013, 1163, 1180 ff.; dagegen MüKoAktG/Bayer Rn. 10; NK-AktR/Groß/T. Fischer Rn. 12; GK-AktG/Hirte Rn. 9; KK-AktG/Kuntz Rn. 26 ff.; Grigoleit/Rieder/Holzmann Rn. 6; S/L/Veil Rn. 6). Ablehnender Auffassung ist darin beizupflichten, dass mitgliedschaftliches Dividendenrecht der alten Aktien angesichts des Rückbaus materieller Beschlusskontrolle beim genehmigten Kapital durch Rspr. (→ § 203 Rn. 11 ff., 33 ff.) nicht umfassend gewährleistet erscheint. Dennoch ist iErg der Gegenauffassung zuzustimmen, da bei hier vertretenem weiten Verständnis des § 60 III (→ § 60 Rn. 9 f.) eine solche Einschränkung im Ges. keine Grundlage mehr findet und deshalb nur über teleologische Reduktion konstruiert werden könnte. Da Aktionär aber auch nach neuerer Rechtslage nicht schutzlos gestellt, sondern etwa durch Schadensersatzansprüche weiter geschützt ist (vgl. dazu Henssler/Glindemann ZIP 2012, 949, 957 f.), fällt teleologischer Befund nicht derart zweifelsfrei aus, wie es für Reduktion erforderlich wäre. Auch bei diesem weiten Verständnis kann rückwirkende Gewinnbeteiligung allerdings nur eingeräumt werden, solange HV noch nicht gem. § 174 über Verteilung des Bilanzgewinns beschlossen hat (GK-AktG/Hirte Rn. 9; S/L/Veil Rn. 6; → § 60 Rn. 10; → § 11 Rn. 8). 4

c) Bedingungen der Aktienausgabe. Zu Bedingungen der Ausgabe zählen insbes. Ausgabezeitpunkt und Fälligkeit der Einlageverpflichtung (§ 203 I 1, § 188 II iVm § 36 II, § 36a), aber auch Höhe des **Ausgabebetrags** (BGHZ 21, 354, 357 = NJW 1956, 1753). Vorstand hat insoweit die Grundsätze zu beachten, 5 die auch für HV gelten: Er kann Ausgabebetrag unter Beachtung der Untergrenze des § 9 I (→ § 182 Rn. 23 f.) frei bestimmen, wenn Bezugsrecht nicht ausgeschlossen ist oder mittelbares Bezugsrecht besteht. Sonst hat Vorstand neben § 9 I auch § 255 IV – VII zu berücksichtigen (BGHZ 136, 133, 141 = NJW 1997, 2815; BGH AG 2009, 446 f.; OLG München AG 2008, 33, 36; MüKoAktG/Bayer Rn. 14 ff.). Ausgabebetrag ist dann angemessen, dh wertbezogen festzusetzen (→ § 186 Rn. 24; → § 255 Rn. 5 ff.). Das wird **idR höchstmöglicher Ausgabekurs** sein (GK-AktG/Hirte Rn. 11; aA KK-AktG/Kuntz Rn. 35, 39). Bei börsennotierter AG ist er nach bisherigem Verständnis anhand des aktuellen Börsenkurses zu ermitteln (KK-AktG/Kuntz Rn. 41; Cahn ZHR 163 [1999], 554, 584). Fraglich ist allerdings, ob Fortgeltung bisheriger Praxis nicht durch Neufassung des auch für das genehmigte Kapital in Bezug genommenen § 255 im Zuge des **ZuFinG 2023,** namentl. der Sonderregelung zur Beachtung des Börsenkurses (§ 255 V), in Frage gestellt wird. Frage ist noch nicht umfassend diskutiert. Vorstand sollte sich vorsorglich an dort enthaltenen Vorgaben orientieren, was namentl. durch im RegE noch nachträglich eingefügten § 255 V 5 erleichtert sein dürfte (→ § 255 Rn. 54). Bei nicht börsennotierter AG ist sachverständig ermittelter Unternehmenswert maßgeblich, wofür es allerdings nicht zwingend klassischer Unternehmensbewertung bedarf (→ § 255 Rn. 29); Ermittlung im **Bookbuilding-Verfahren** ist, sofern ordnungsgem. durchgeführt, ebenfalls nicht zu beanstanden (MüKoAktG/Bayer Rn. 15 f.). Nach BGH AG 2009, 446 f. ist auch Kursstabilisierung in Gestalt eines sog **Greenshoe** unter diesem Gesichtspunkt unbedenklich (sa KG NZG 2008, 29, 30 f. unter Aufgabe von KG AG 2002, 243, 244; MüKoAktG/Bayer Rn. 21; GK-AktG/Hirte § 203 Rn. 93f; S/L/Schwab § 255 Rn. 8). Vorstand kann Bezugsrecht nur ausschließen, wenn Ermächtigung dies ausdr. vorsieht (§ 203 II 1). Dagegen ist mittelbares Bezugsrecht nicht als Bezugsrechtsausschluss anzusehen (§ 203 I 1 iVm § 186 V), so dass Vorstand über solche Durchführung ohne ausdr. Ermächtigung entscheiden kann (KK-AktG/Kuntz Rn. 29). Zur Ausgabe neuer Aktien gegen Sacheinlagen s. § 205 I.

6 **2. Zustimmung des Aufsichtsrats. a) Aktieninhalt und Ausgabebedingungen.** Entscheidung des Vorstands über Inhalt der Aktienrechte und Bedingungen der Aktienausgabe bedarf der Zustimmung des AR (§ 204 I 2 Hs. 1). Zustimmung ist **Wirksamkeitserfordernis** (MüKoAktG/Bayer Rn. 25; GK-AktG/Hirte Rn. 15). AR entscheidet durch Beschluss (§ 108 I). Er kann Zustimmungsentscheidung auf Ausschuss übertragen (s. § 107 III 7). Zustimmung gem. § 204 I 2 ist zu unterscheiden von Zustimmung zur Aktienausgabe nach § 202 III 2. Letztgenannte Zustimmung „soll" erfolgen, ist also kein Wirksamkeitserfordernis (→ § 202 Rn. 22).

7 **b) Bezugsrechtsausschluss.** Schließt Vorstand aufgrund einer Ermächtigung nach § 203 II Bezugsrecht der Aktionäre aus, so bedarf auch diese Entscheidung der Zustimmung des AR (§ 204 I 2 Hs. 2). Erst mit ihr wird Bezugsrechtsausschluss wirksam (MHdB AG/Scholz § 59 Rn. 64). Auch insoweit kann anstelle des Gesamtorgans ein Ausschuss tätig werden (arg. § 107 III 7).

8 **3. Rechtsfolgen bei Verstoß.** Vorstandsbeschluss ist ungültig oder unwirksam, wenn er unter Missachtung des § 77 oder der Geschäftsordnung getroffen wurde, wenn er gegen Vorgaben der HV, des Ges. oder der Satzung verstößt oder wenn Zustimmung des AR (→ Rn. 6) fehlt; Vorstand darf Kapitalerhöhung dann nicht durchführen (MüKoAktG/Bayer Rn. 26 ff.; MHdB AG/Scholz § 59 Rn. 75; Klette BB 1968, 1101 f.). Führt er sie trotzdem durch, sind **Maßnahmen im Außenverhältnis,** insbes. Zeichnungsverträge, **wirksam,** da fehlerhafte Geschäftsführung nicht auf Außenverhältnis durchschlägt (S/L/Veil Rn. 13;

Klette BB 1968, 1101, 1102; Lieder DNotZ 2022, 349, 366 mit Hinweis, dass mangels Organisationsakts auch Lehre von fehlerhafter Gesellschaft keine Anwendung findet; aA GK-AktG/Hirte Rn. 20 f.; für schwebende Unwirksamkeit KK-AktG/Kuntz Rn. 57, § 203 Rn. 192; offenlassend MüKoAktG/Bayer Rn. 29).

Problematisch ist, ob **Registergericht** in diesen Fällen Durchführung der Kapitalerhöhung (§§ 188, 189) einzutragen (so KK-AktG/Lutter, 2. Aufl. 1989, Rn. 24 f. für den Fall, dass Zustimmung des AR fehlt) oder Eintragung abzulehnen hat (so Hölters/Weber/Apfelbacher/Metzner § 203 Rn. 55; Krafka RegisterR Rn. 1492; MHdB AG/Scholz § 59 Rn. 75). Vermittelnde Auffassung unterscheidet danach, ob Fehler ausschließlich die Interessen der Aktionäre in ihrem Verhältnis zueinander oder zur AG berühren oder ob Fehler Interessen künftiger Aktionäre oder der öffentl. Ordnung des Aktienwesens mitberühren. Nur im ersten Fall (zB formelle Beschlussmängel; zu niedriger Ausgabebetrag; Verstoß gegen Vorgaben in der Ermächtigung) habe Gericht Eintragung vorzunehmen (Grigoleit/Rieder/Holzmann Rn. 10; ähnlich GK-AktG/Hirte Rn. 20). Damit werden letztlich die zur registerrechtl. Behandlung von Beschlussmängeln entwickelten Grundsätze (→ § 243 Rn. 56) auf Durchführung der Kapitalerhöhung übertragen, was aber insofern zweifelhaft ist, als dort getroffene Differenzierung ihre Rechtfertigung in Monatsfrist des § 246 I findet, die Rechtsfrieden zwischen AG und Aktionären herstellen soll. Für Durchführung der Kapitalerhöhung fehlt es an solcher Vorschrift, so dass Voraussetzung für Wertungstransfer fehlt und es bei uneingeschränkter Legalitätskontrolle des Registergerichts verbleiben sollte. Wird trotz Rechtsverstoßes eingetragen, wird Kapitalerhöhung wirksam (§ 203 I 1 iVm § 189; hM, s. BGHZ 164, 249, 257 = NJW 2006, 374; MüKoAktG/Bayer § 203 Rn. 32 f.; für Anwendung der Lehre von fehlerhaften Strukturentscheidungen aber KK-AktG/Kuntz § 203 Rn. 183 ff.). Getroffene Festsetzungen gelten trotz fehlerhaften Zustandekommens. AG kann Verwaltungsmitglieder bei zu niedrigem Ausgabekurs oder anderweitig pflichtwidrigem Handeln aus §§ 93, 116 in Anspruch nehmen (MüKoAktG/Bayer Rn. 26; GK-AktG/Hirte Rn. 21; Ekkenga AG 2001, 567, 576). Aktionäre hingegen können, sofern nicht § 826 BGB eingreift, ihren Verwässerungsschaden nicht geltend machen (ausf. Klette BB 1968, 1101, 1103 ff.; KK-AktG/Lutter, 2. Aufl. 1989, Rn. 31; aA KK-AktG/Kuntz Rn. 58 iVm § 203 Rn. 215 ff.). 9

III. Ausgabe von Vorzugsaktien (§ 204 II)

Wenn AG noch keine Vorzugsaktien hat, kann Vorstand ohne weiteres zu ihrer Ausgabe ermächtigt werden (OLG Schleswig AG 2005, 48, 49). Sonst ist § 204 II zu beachten. Danach gilt: Sind Vorzugsaktien ohne Stimmrecht (§ 139) vorhanden, so kann Vorstand neue Vorzugsaktien, die bei Verteilung des Gewinns oder des Gesellschaftsvermögens bereits bestehenden Vorzugsaktien vorgehen oder gleichstehen, nur ausgeben, wenn Ermächtigung dies vorsieht (§ 204 II). Norm schützt vor **Umgehung des § 141 II 1,** die sonst möglich wäre, weil Vorstand anstelle der HV über Aktieninhalt entscheidet (MüKoAktG/Bayer Rn. 32). Indem § 204 II bes. Inhalt der Ermächtigung bestimmt, wird Ermächtigungsbeschluss zu einem Beschluss über die Ausgabe von Vorzugsaktien iSd § 141 II 1 und bedarf folglich der Zustimmung der Vorzugsaktionäre (→ § 141 Rn. 13). 10

§ 204 II ist nur anwendbar, wenn **stimmrechtslose Vorzugsaktien** bestehen. Auf andere Vorzugsaktien (→ § 139 Rn. 4) ist Norm nicht anwendbar (GK-AktG/Hirte Rn. 26; MHdB AG/Scholz § 59 Rn. 50). Ihr Schutz wird durch § 202 II 4 iVm § 182 II sichergestellt. Vorgabe in Ermächtigung nach § 204 II ist nur erforderlich, wenn Vorstand weitere gleichberechtigte oder bevorrechtigte Vorzugsaktien ausgibt, dagegen entbehrlich, wenn Vorstand erstmalig Vorzugs- 11 aktien oder nachrangige Vorzugsaktien ausgibt. § 204 II greift weiter nicht ein, wenn genehmigtes Kapital bereits in Gründungssatzung enthalten war (§ 202 I 1) oder stimmrechtslose Vorzugsaktien erst nach Schaffung des genehmigten Kapitals ausgegeben worden sind, sofern nicht Bezugsrecht der Vorzugsaktionäre ausgeschlossen ist (MHdB AG/Scholz § 59 Rn. 50). In diesen Fällen stehen stimmrechtslose Vorzugsaktien unter entspr. Vorbehalt (sa § 141 II 2). Bei Verstoß gegen § 204 II darf Registerrichter Durchführung der Kapitalerhöhung nicht eintragen. Erfolgt Eintragung trotzdem, so entsteht kein Mitgliedsrecht. Ausgegebene Aktienurkunden können ein solches nicht verbriefen; Heilung entspr. § 242 II findet nicht statt (MüKoAktG/Bayer Rn. 38).

IV. Arbeitnehmeraktien (§ 204 III)

12 **1. Grundlagen.** § 204 III betr. Ausgabe der Aktien an AN der AG oder verbundener Unternehmen (→ § 202 Rn. 24). Vorstand kann mit Zustimmung des AR (§ 204 I) bestimmen, dass von AN zu leistende **Einlage** statt durch Leistung eigener Mittel aus einem **Teil des Jahresüberschusses** gedeckt wird. AG erhält dann kein neues Kapital, sondern wandelt freies in gebundenes Gesellschaftsvermögen um (vgl. aber Leuering/Rubner NJW-Spezial 2015, 143, 144, die auf Möglichkeit hinweisen, dass AN schuldrechtl. Agio zu leisten haben). Damit handelt es sich der Sache nach um Kapitalerhöhung aus Gesellschaftsmitteln (MüKoAktG/Bayer Rn. 39; MHdB AG/Scholz § 59 Rn. 80). §§ 207–220 finden jedoch keine Anwendung. § 204 III 2 verweist vielmehr auf Vorschriften über reguläre Kapitalerhöhung gegen Bareinlage. Wirtschaftlich handelt es sich um bes. Art der Gewinnbeteiligung (GK-AktG/Hirte Rn. 29), bei der die Auszahlung des Gewinnanteils gegen die Einlagenschuld „verrechnet“ wird.

13 **2. Voraussetzungen. a) Arbeitnehmer.** Unmittelbare Anwendung des § 204 III setzt voraus, dass neue Aktien an AN **der Gesellschaft** ausgegeben werden. Begünstigt sind Personen, die zum Zeitpunkt der Kapitalerhöhung mit AG durch Dienstverhältnis verbunden sind, auch leitende Angestellte und Prokuristen, nicht aber Verwaltungsmitglieder und Betriebsrentner (MüKoAktG/Bayer Rn. 42). Fraglich ist, ob Norm auf AN **verbundener Unternehmen** entspr. Anwendung finden kann. Das ist wegen § 71 I Nr. 2 (→ § 71 Rn. 12) und wegen § 192 II Nr. 3 (→ § 192 Rn. 20) zu bejahen (→ § 202 Rn. 24; wie hier Hölters/Weber/Apfelbacher/Metzner Rn. 22; aA KK-AktG/Kuntz Rn. 79; offenlassend MüKoAktG/Bayer Rn. 42).

14 **b) Ermächtigung des Vorstands.** HV-Beschluss über genehmigtes Kapital oder Gründungssatzung müssen gem. § 202 IV (→ § 202 Rn. 26) vorsehen, dass neue Aktien an AN ausgegeben werden können (GK-AktG/Hirte Rn. 30; MHdB AG/Scholz § 59 Rn. 80). Entbehrlich ist dagegen zusätzliche Bestimmung, dass von AN zu leistende Einlage aus einem Teil des Jahresüberschusses gedeckt werden kann (KK-AktG/Kuntz Rn. 78; MHdB AG/Scholz § 59 Rn. 80; aA GK-AktG/Hirte Rn. 30).

15 **c) Jahresüberschuss.** Leistung von Einlagen aus Jahresüberschuss kann nur durch Umbuchung zuvor gebildeter Sonderrücklage erfolgen (MüKoAktG/Bayer Rn. 43). Das setzt voraus: Jahresabschluss mit Sonderrücklage muss uneingeschränkt testiert sein (§ 322 I HGB). Er muss Jahresüberschuss (→ § 58 Rn. 3) ausweisen. Vorstand und AR müssen gem. § 58 II (→ § 58 Rn. 9 ff.) berechtigt sein, über den für Sonderrücklage erforderlichen Betrag stattdessen auch zugunsten anderer Gewinnrücklagen zu verfügen. Deshalb muss Zuständigkeit für Feststellung des Jahresabschlusses bei ihnen (§ 172) und nicht bei HV (§ 173) liegen (vgl. MüKoAktG/Bayer Rn. 43; MHdB AG/Scholz § 59 Rn. 80). Erforderli-

cher Betrag darf Hälfte des Jahresüberschusses (§ 58 II 1) oder eines höheren Satzungsbetrags (§ 58 II 2) nicht übersteigen; § 58 II 3 ist nicht anzuwenden. Jahresüberschuss muss noch als solcher verfügbar sein. Deshalb scheidet § 204 III aus, wenn Verwaltung andere Rücklagen dotiert und Jahresabschluss schon festgestellt hat. Schließlich darf erforderlicher Betrag nicht durch zwischenzeitliche Verluste aufgezehrt sein; arg. § 204 III 4 iVm § 210 I 2 (MüKoAktG/Bayer Rn. 43; GK-AktG/Hirte Rn. 32).

3. Durchführung. a) Verweis auf reguläre Kapitalerhöhung. Ausgabe neuer Aktien bestimmt sich gem. § 204 III 2 nach Vorschriften über Kapitalerhöhung mit Bareinlage (§§ 185–191), ausgenommen § 188 II, weil Einlage durch Umbuchung erbracht wird (→ Rn. 15). Regelungsgehalt des § 204 III 2 entspr. grds. dem des § 203 I 1 (→ § 203 Rn. 2 ff.). **Besonderheiten:** AN haben neue Aktien gem. § 185 zu zeichnen. Wegen § 185 IV ist im Zeichnungsschein zu vermerken, dass Einlage gem. § 204 III aus Jahresüberschuss erbracht wird; anderenfalls ist Zeichner zur Einlageleistung verpflichtet (KK-AktG/Kuntz Rn. 85). Mitgliedsrechte sind mit ihrer Entstehung voll eingezahlt, so dass auch Inhaberaktien ausgegeben werden können (MüKoAktG/Bayer Rn. 45). § 188 III wird durch § 204 III 3 ergänzt: Bei Anmeldung der Durchführung der Kapitalerhöhung ist festgestellter Jahresabschluss mit Bestätigungsvermerk beizufügen. Dagegen ist § 188 III Nr. 2 nicht anwendbar, da Kapitalerhöhung als Barerhöhung gilt (MüKoAktG/Bayer Rn. 46). 16

b) Erklärung nach § 210 I 2. Anmelder haben Erklärung nach § 210 I 2 abzugeben (§ 204 III 4). Sie haben also dem Gericht ggü. zu erklären, dass nach ihrer Kenntnis seit Bilanzstichtag bis zum Tag der Anmeldung **keine Vermögensminderung** eingetreten ist, die der Kapitalerhöhung entgegenstände, wenn sie am Tag der Anmeldung beschlossen worden wäre. Erklärung ersetzt sonst nach § 188 II iVm § 37 I abzugebende Erklärungen. Ges. will sicherstellen, dass in Kapital umzuwandelndes Vermögen auch tats. verfügbar ist. Vermögensminderung steht Kapitalerhöhung entgegen, wenn dafür vorgesehener Teil des Jahresüberschusses zu ihrer Deckung ganz oder teilw. benötigt wird. Das ist nicht der Fall, wenn Vermögensminderung durch Verwendung anderer Rücklagen ausgeglichen werden kann (MüKoAktG/Bayer Rn. 47). Wahrheitswidrige Erklärung ist strafbar (§ 399 II). 17

4. Registerkontrolle. Registerrichter hat neben allg. Voraussetzungen der Kapitalerhöhung (→ § 203 Rn. 28) auch die Bes. des § 204 III zu prüfen (MüKoAktG/Bayer Rn. 48). Prüfung wird dadurch ermöglicht, dass der Anmeldung Jahresabschluss und Erklärung nach § 210 I 2 beizufügen sind (§ 204 III 3, 4). Wegen des Bestätigungsvermerks kann Registerrichter von der Richtigkeit des Jahresabschlusses ausgehen (sa § 210 III). Er hat Eintragung der Durchführung abzulehnen, wenn Jahresabschluss oder Erklärung fehlen, unrichtig oder unvollständig sind; ferner, wenn Erklärung Einschränkungen enthält (KK-AktG/Kuntz Rn. 89; MHdB AG/Scholz § 59 Rn. 81). 18

Ausgabe gegen Sacheinlagen; Rückzahlung von Einlagen

205 (1) **Gegen Sacheinlagen dürfen Aktien nur ausgegeben werden, wenn die Ermächtigung es vorsieht.**

(2) [1]**Der Gegenstand der Sacheinlage, die Person, von der die Gesellschaft den Gegenstand erwirbt, und der Nennbetrag, bei Stückaktien die Zahl der bei der Sacheinlage zu gewährenden Aktien sind, wenn sie nicht in der Ermächtigung festgesetzt sind, vom Vorstand festzusetzen und in**

den Zeichnungsschein aufzunehmen. [2]**Der Vorstand soll die Entscheidung nur mit Zustimmung des Aufsichtsrats treffen.**

(3) **§ 27 Abs. 3 und 4 gilt entsprechend.**

(4) **Die Absätze 2 und 3 gelten nicht für die Einlage von Geldforderungen, die Arbeitnehmern der Gesellschaft aus einer ihnen von der Gesellschaft eingeräumten Gewinnbeteiligung zustehen.**

(5) [1]**Bei Ausgabe der Aktien gegen Sacheinlagen hat eine Prüfung durch einen oder mehrere Prüfer stattzufinden; § 33 Abs. 3 bis 5, die §§ 34, 35 gelten sinngemäß.** [2]**§ 183a ist entsprechend anzuwenden.** [3]**Anstelle des Datums des Beschlusses über die Kapitalerhöhung hat der Vorstand seine Entscheidung über die Ausgabe neuer Aktien gegen Sacheinlagen sowie die Angaben nach § 37a Abs. 1 und 2 in den Gesellschaftsblättern bekannt zu machen.**

(6) **Soweit eine Prüfung der Sacheinlage nicht stattfindet, gilt für die Anmeldung der Durchführung der Kapitalerhöhung zur Eintragung in das Handelsregister (§ 203 Abs. 1 Satz 1, § 188) auch § 184 Abs. 1 Satz 3 und Abs. 2 entsprechend.**

(7) [1]**Das Gericht kann die Eintragung ablehnen, wenn der Wert der Sacheinlage nicht unwesentlich hinter dem geringsten Ausgabebetrag der dafür zu gewährenden Aktien zurückbleibt.** [2]**Wird von einer Prüfung der Sacheinlage nach § 183a Abs. 1 abgesehen, gilt § 38 Abs. 3 entsprechend.**

I. Grundlagen

1 **1. Regelungsgegenstand und -zweck.** § 205 ist § 183 nachgebildet und wird durch § 206 ergänzt. Norm nennt Voraussetzungen, um Aktien aus genehmigtem Kapital gegen Sacheinlagen ausgeben zu können. Nur wenn sie vorliegen, kann an sich bestehende Bareinlagepflicht durch Hilfsgeschäft (§ 364 BGB) in Sacheinlagepflicht umgewandelt werden. Norm bezweckt **effektive Kapitalaufbringung.** Hilfsgeschäft setzt zunächst voraus, dass Satzung (§ 202 I 1, II 1) zur Ausgabe von Aktien gegen Sacheinlagen ermächtigt (§ 205 I). Ferner müssen Festsetzungen nach § 205 II getroffen werden. Sie können bereits in Ermächtigung enthalten sein; fehlen sie dort, so hat Vorstand Festsetzungen nachzuholen und in Zeichnungsschein aufzunehmen (§ 205 II). § 205 III schreibt Prüfung der Sacheinlagen durch unabhängige Prüfer sowie Registergericht vor. § 205 IV regelt Rechtsfolgen, wenn Vorgaben des § 205 II nicht beachtet werden. § 205 V schränkt Anwendungsbereich des § 205 II, III bei Ausgabe von Belegschaftsaktien ein. Neben § 205 bleibt § 52 anwendbar (hM, vgl. nur S/L/Veil Rn. 3).

2 **2. Anwendungsbereich.** Sacheinlage ist **jede Einlage, die nicht durch Einzahlung** des Ausgabebetrags zu erbringen ist (Legaldefinition des § 27 I 1; → § 27 Rn. 3) sowie sog fingierte Sacheinlage (dazu § 27 I 2; → § 27 Rn. 7). Norm ist auch anwendbar auf gemischte Sacheinlage (→ § 27 Rn. 8) und davon zu unterscheidende gemischte Einlage (→ § 36 Rn. 12). Sacheinlage können nur Vermögensgegenstände sein, deren wirtschaftlicher Wert feststellbar ist (dazu iE → § 27 Rn. 13 ff.). § 205 erfasst anders als § 27 (→ § 27 Rn. 5 f.) **nicht Sachübernahme;** sie ist gründungsspezifische Besonderheit (unstr., s. MüKoAktG/Bayer Rn. 6). **Verdeckte Sacheinlage** (→ § 27 Rn. 23 ff.) ist entspr. den bei Gründung geltenden Regeln zu behandeln (§ 27 III iVm § 205 III). Es kommt also zwar nicht zur Erfüllung, aber zur Anrechnung des eingebrachten Ver-

mögenswerts auf die fortdauernde Geldeinlagepflicht, was auf Differenzhaftung hinausläuft (→ Rn. 7).

II. Inhalt der Ermächtigung

Vorstand darf Aktien gegen Sacheinlagen nur ausgeben, wenn Ermächtigung dies ausdr. vorsieht (§ 205 I). Zulässig ist, dass **Sacherhöhung allg. gestattet** wird (MüKoAktG/Bayer Rn. 10; GK-AktG/Hirte Rn. 7); sie kann sich auch auf Erhöhung im Wege des **„Schütt-Aus-Hol-Zurück-Verfahrens"** (→ § 183 Rn. 12) beziehen (MüKoAktG/Bayer Rn. 11; Krause ZHR 181 [2017], 641, 651 ff.). Beschränkungen sind erlaubt, so zB auf eine bestimmte Sacheinlage oder auf einen Teilbetrag des nach § 202 I 1 anzugebenden Höchstbetrags (MüKoAktG/Bayer Rn. 10; MHdB AG/Scholz § 59 Rn. 53). Möglich ist auch, dass Aktien nur gegen Sacheinlagen ausgegeben werden dürfen. Vorstand muss solche Vorgaben beachten (KK-AktG/Kuntz Rn. 36; van Venrooy AG 1981, 205, 209 f.). IRd Vorgaben entscheidet Vorstand gem. §§ 77, 93 I nach pflichtgem. Ermessen, ob Sacherhöhung durchgeführt wird (sa Hölters/Weber/Apfelbacher/Metzner Rn. 7; S/L/Veil Rn. 4; gegen Anwendung der §§ 77, 93 I aber KK-AktG/Kuntz Rn. 38 iVm § 202 Rn. 135 ff.). Führt Vorstand Sacherhöhung ohne Ermächtigung durch oder handelt er entgegen einer Beschränkung, so gilt § 205 IV entspr.: Sacheinlagevereinbarungen sind also unwirksam (§ 205 IV 1) und Registerrichter hat Eintragung abzulehnen (MHdB AG/Scholz § 59 Rn. 55). Erfolgt Eintragung trotzdem, sind Mitgliedsrechte wirksam entstanden (§ 205 IV 3); Zeichner sind aber nach zutr. hM gem. § 205 IV 4 zur Bareinlage verpflichtet. 3

III. Notwendige Festsetzungen

1. Formalien. Angaben des § 205 II 1 können schon Inhalt der Ermächtigung sein (§ 202 I 1, II 1). Sie müssen in der Satzung festgesetzt werden, wenn Verträge über Sacheinlagen bereits vor Eintragung der AG (§ 41 I) geschlossen werden (§ 206 S. 1; → § 206 Rn. 2). Sonst steht es Gründern bzw. HV frei, Festsetzungen ganz oder teilw. zu treffen (MüKoAktG/Bayer Rn. 14). Enthält Ermächtigung Festsetzungen nicht, obwohl Sacherhöhung vorgesehen ist, so obliegen sie dem Vorstand. Festsetzungen sind dann zwingend auch in den Zeichnungsschein aufzunehmen (§ 205 II 1 aE). 4

Festsetzung durch Vorstand ist Maßnahme der Geschäftsführung (Hölters/Weber/Apfelbacher/Metzner Rn. 9; relativierend KK-AktG/Kuntz Rn. 92). Er soll sie nur mit **Zustimmung des AR** treffen (§ 205 II 2). Fehlende Zustimmung berührt aber Wirksamkeit sonst fehlerfreier Festsetzung nicht (MüKoAktG/Bayer Rn. 15). Vorstand handelt ggf. im Innenverhältnis pflichtwidrig; ebenso, wenn er trotz verweigerter Zustimmung Sacherhöhung durchführt. Str. ist, ob Festsetzung in allen Zeichnungsscheinen, also auch von evtl. Bareinlegern, notwendig ist oder im Zeichnungsschein des Sacheinlegers ausreicht. Festsetzung im Zeichnungsschein des Sacheinlegers genügt, da § 205 II 1 Hs. 2 – anders als § 185 I 3 Nr. 3 – nicht dem Schutz möglicher anderer Zeichner dient, sondern allein die Rechtsbeziehung zwischen AG und konkreter Sacheinlage offenlegen soll (heute hM, s. MüKoAktG/Bayer Rn. 18 f.; S/L/Veil Rn. 7; BeckOGK/Wamser § 203 Rn. 21; aA die früher hM, s. GK-AktG/Hirte Rn. 13; KK-AktG/Kuntz Rn. 106 f.). 5

2. Erforderliche Angaben. Durch Ermächtigung oder Vorstandsbeschluss müssen festgesetzt werden: Gegenstand der Sacheinlage, Person des Einlegers und bei Nennbetragsaktien (§ 8 II) der Nennbetrag, bei Stückaktien (§ 8 III) die Zahl der Aktien, die für Sacheinlage gewährt werden. Norm entspr. § 183 I 1, 6

§ 194 I 1 (→ § 183 Rn. 9; → § 194 Rn. 6). Pflicht zur Festsetzung besteht nicht, wenn Geldforderungen Sacheinlage sind, die AN aus von Gesellschaft eingeräumter Gewinnbeteiligung zustehen (§ 205 IV; → Rn. 9 f.). Zu den Rechtsfolgen, wenn Festsetzungen fehlen, unvollständig oder fehlerhaft sind, s. § 205 III (→ Rn. 7 f.).

IV. Verdeckte Sacheinlagen; Hin- und Herzahlen

7 § 205 III beruht auf ARUG 2009 und erstreckt entspr. der Beschlussempfehlung des Rechtsausschusses (AusschussB BT-Drs. 16/13098, 41) mit dem ARUG eingeführte Regelung der verdeckten Sacheinlage (§ 27 III) sowie des Hin- und Herzahlens (§ 27 IV) auf junge Aktien aus genehmigtem Kapital. Aus entspr. Geltung des § 27 III folgt zunächst, dass **Tatbestand** der verdeckten Sacheinlage ebenso zu bestimmen ist wie im Gründungsrecht. Es muss sich also um von den Beteiligten verabredete Aufspaltung des wirtschaftlich einheitlichen Sacheinlagevorgangs in nur scheinbare Leistung der Bareinlage und deren Rückfluss an Inferenten handeln (→ § 27 Rn. 26 ff.). Auf der **Rechtsfolgenseite** ist zu unterscheiden, ob Registergericht Durchführung eingetragen hat oder nicht (§ 188 iVm § 203 I). Verdeckte Sacheinlage ist **Durchführungsmangel,** Eintragung deshalb abzulehnen (→ § 27 Rn. 12), so dass Kapitalerhöhung unwirksam bleibt. Ist aber eingetragen worden, so kommt es im Zeitpunkt der Eintragung zur **Anrechnung** des zugeführten Vermögenswerts auf die bis dahin geschuldete Geldeinlage (§ 27 III; → § 27 Rn. 35 ff.). **Eigene Aktien** verschaffen der AG keinen Vermögenszufluss und scheiden deshalb als taugliche Einlagegegenstände ganz aus (vgl. BGH AG 2011, 876 Rn. 13 ff.; → § 183 Rn. 2 mwN).

8 Entspr. Geltung des **§ 27 IV** führt dazu, dass **Privilegierungswirkung** auch eintritt, wenn Einlagen auf die aus genehmigtem Kapital geschaffenen Aktien vereinbarungsgem. an Aktionäre zurückfließen, sofern dem ein vollwertiger und liquider Rückgewähranspruch der AG entspr. (→ § 27 Rn. 47 ff.). Unter dieser Voraussetzung kommt namentl. auch in Betracht, dass Einlagen über Cash Pool abgewickelt werden, den herrschender Aktionär verwaltet.

V. Arbeitnehmeraktien

9 § 205 IV bezweckt, Ausgabe von Aktien an AN zu erleichtern (RegBegr. Kropff S. 308). Praktische Bedeutung ist gering; es überwiegen mit bedingtem Kapital unterlegte Aktienoptionspläne bzw. Einsatz eigener Aktien (Marsch-Barner/Schäfer/Busch/Busch Rn. 45.50). Unmittelbare Anwendung der Norm setzt voraus, dass es sich um AN der Gesellschaft handelt; § 205 IV ist aber auf AN verbundener Unternehmen analog anwendbar (→ § 202 Rn. 24; → § 204 Rn. 13; wie hier MüKoAktG/Bayer Rn. 72; GK-AktG/Hirte Rn. 25; KK-AktG/Kuntz Rn. 157; S/L/Veil Rn. 12; aA KK-AktG/Lutter, 2. Aufl. 1989, Rn. 20). Ausgabe von Belegschaftsaktien ist Sacherhöhung, wenn AN ihre Forderungen aus Gewinnbeteiligung einbringen (→ § 27 Rn. 26). Davon geht auch § 205 IV aus. Norm sieht aber vor, dass § 205 II (Festsetzungen) nicht gilt, da dies bei Vielzahl kleiner Forderungen unpraktikabel wäre (MüKoAktG/Bayer Rn. 73). Auch § 205 III (Anwendung der Regeln zur verdeckten Sacheinlage/zum Hin- und Herzahlen) soll nach Wortlaut nicht anzuwenden sein. Nach MüKoAktG/Bayer Rn. 74 handelt es sich dabei um Redaktionsversehen, da anderenfalls Arbeitnehmer nicht privilegiert, sondern schlechtergestellt würden (zust. auch Grigoleit/Rieder/Holzmann Rn. 18; S/L/Veil Rn. 12a). Das ist nicht zweifelsfrei, da Regelung auch so verstanden werden kann, dass Grundsätze der verdeckten Sacheinlage gar nicht zur Anwendung gelangen sollen. Dieser Lesart steht jedoch entgegen, dass sich fehlende Erfüllungswirkung nach hM

schon aus § 36 II ergibt (→ § 27 Rn. 36), so dass AN in der Tat nur privilegierende Wirkung abgeschnitten wäre. Das spricht gegen Anwendung des § 205 III. Einlagefähig ist **konkreter Anspruch auf Geldleistung** aus Gewinnbeteiligung, nicht schon das Recht auf Gewinnbeteiligung. Unerheblich ist Rechtsgrund (Arbeitsvertrag, Genussschein). Als Gewinnbeteiligung gilt auch Umsatzbeteiligung, Gratifikation oder Leistungsprämie. Liegen Voraussetzungen vor, so verzichtet Ges. nur auf förmliche Festsetzung nach § 205 II. Genehmigtes Kapital muss also auch in diesem Fall Vorstand zur Ausgabe von Aktien gegen Sacheinlage ermächtigen (KK-AktG/Kuntz Rn. 155; sa § 202 IV; → § 202 Rn. 25). Auch Prüfung der Einlageforderung ist erforderlich. Das folgt nunmehr aus § 205 V, da auch § 205 IV Sacheinlage zugrunde liegt (s. MüKoAktG/Bayer Rn. 75; BeckOGK/Wamser Rn. 25). Zwischen AG und AN muss ferner Vereinbarung getroffen werden, dass Einlage durch Einbringung (Erlass [§ 397 BGB], Aufrechnung [§§ 387 ff. BGB]) der Geldforderung erbracht werden soll. Fehlt sie und wird Kapitalerhöhung eingetragen, so ist Mitgliedsrecht wirksam entstanden, AN aber zur Bareinlage verpflichtet. Aufrechnung scheitert dann an § 66 I 2 (→ § 66 Rn. 5).

VI. Wertprüfung von Sacheinlagen

Durch Art. 1 Nr. 32c ARUG (→ Rn. 7) angefügte § 205 V–VII beziehen sich **10**
auf Wertprüfung von Sacheinlagen einschließlich des **vereinfachten Erhöhungsverfahrens** (→ § 183a Rn. 1). Sacherhöhung ist grds. gem. § 205 V 1 durch externe Prüfer zu prüfen, wobei wie nach § 183 II 2, § 194 IV 2 die § 33 III–V, § 35 sinngem. gelten (→ § 183 Rn. 17). Bestellung des Prüfers obliegt dem Registergericht (§ 33 III 2; → § 33 Rn. 7). Beschwerde (§ 33 III 3) steht Aktionären mangels unmittelbarer Rechtsbeeinträchtigung nicht zu (OLG Frankfurt AG 2009, 550, 551). Von externer Wertprüfung kann auch beim genehmigten Kapital abgesehen werden, und zwar in sinngem. Anwendung des § 183a I, der nach § 205 V 2 auch iÜ heranzuziehen ist. Dabei gilt § 183a II mit der Maßgabe, dass anstelle des Datums des Erhöhungsbeschlusses dasjenige der Vorstandsentscheidung bekanntzumachen ist (§ 205 V 3). In diesen Fällen ist Anmeldung der Durchführung (§ 188) um Versicherung nach § 184 I 3 zu ergänzen; auch sind Dokumente nach § 37a III beizufügen (§ 205 VI). Schließlich unterliegen Sacheinlagen auch gerichtl. Prüfung, und zwar entweder zur Wahrung des § 9 I (§ 205 VII 1) oder im vereinfachten Verfahren der Formalprüfung des § 38 III (§ 205 VII 2). Beides entspr. wie § 195 V 3 wörtlich § 184 III (→ § 184 Rn. 6).

Verträge über Sacheinlagen vor Eintragung der Gesellschaft

206 **[1] Sind vor Eintragung der Gesellschaft Verträge geschlossen worden, nach denen auf das genehmigte Kapital eine Sacheinlage zu leisten ist, so muß die Satzung die Festsetzungen enthalten, die für eine Ausgabe gegen Sacheinlagen vorgeschrieben sind. [2] Dabei gelten sinngemäß § 27 Abs. 3 und 5, die §§ 32 bis 35, 37 Abs. 4 Nr. 2, 4 und 5, die §§ 37a, 38 Abs. 2 und 3 sowie § 49 über die Gründung der Gesellschaft. [3] An die Stelle der Gründer tritt der Vorstand und an die Stelle der Anmeldung und Eintragung der Gesellschaft die Anmeldung und Eintragung der Durchführung der Erhöhung des Grundkapitals.**

I. Regelungsgegenstand und -zweck

1 Norm betr. Ausgabe neuer Aktien gegen Sacheinlagen (nicht auch: Sachübernahmen, für die § 27 unmittelbar gilt) und ergänzt § 205 für Sonderfall, dass bereits vor Eintragung der AG Verträge geschlossen worden sind, die Sacheinlagen iR eines genehmigten Kapitals vorsehen. Norm bezweckt **Umgehungsschutz** (MüKoAktG/Bayer Rn. 1) und fordert deshalb, dass Festsetzungen nach § 205 II 1 in Satzung enthalten sind (§ 206 S. 1). Ferner werden ausgewählte Gründungsvorschriften für anwendbar erklärt (§ 206 S. 2 und 3). Praktische Bedeutung erlangt § 206 zB, wenn Personengesellschaft in AG umgewandelt wird und beteiligte stille Gesellschafter mit ihrer Einlage später als Aktionäre beteiligt sein sollen (s. Semler FS Werner, 1985, 855, 865 ff.). Norm ist geändert durch ARUG 2009; → Rn. 7.

II. Festsetzung in der Satzung

2 Wenn schon vor Eintragung der AG Verträge geschlossen worden sind, nach denen auf genehmigtes Kapital eine Sacheinlage zu leisten ist, muss Satzung Festsetzungen nach § 205 II 1 enthalten (§ 206 S. 1). Erfasst werden **alle Verträge** zwischen in Gründung befindlicher AG und Gründern oder Dritten, die sich auf Einbringung einer Sacheinlage beziehen (MüKoAktG/Bayer Rn. 4; GK-AktG/Hirte Rn. 6). Unerheblich ist, ob es sich um schuldrechtl. oder verfügende Verträge handelt und in welcher Form sie geschlossen sind (MüKoAktG/Bayer Rn. 4). Norm setzt voraus, dass Gründungssatzung Ermächtigung nach § 202 I 1 enthält, die Sacherhöhung nach § 205 I vorsieht (GK-AktG/Hirte Rn. 7). In § 205 II I genannte Gegenstände sind zwingend in Gründungssatzung (genauer: Ermächtigung nach § 202 I 1) aufzunehmen. Festzusetzen sind also Gegenstand der Sacheinlage, Person des Einlegers und bei Nennbetragsaktien der Nennbetrag, bei Stückaktien die Zahl der Aktien, die für Sacheinlage gewährt werden (→ § 183 Rn. 9). Fehlen Angaben, so kann Vorstand entspr. Festsetzungen nicht selbst treffen. Vielmehr liegt **Gründungsmangel** vor, wobei allerdings str. ist, ob dieser dazu führt, dass Gericht Eintragung nach § 38 I ablehnen muss. Im Schrifttum wird das verbreitet verneint, da es genüge, Festsetzungen erst dann zu prüfen, wenn Durchführung angemeldet wird (MüKoAktG/Bayer Rn. 7; GK-AktG/Hirte Rn. 9; S/L/Veil Rn. 4). Vorzugswürdig erscheint es aber, mit Gegenauffassung davon auszugehen, dass Gericht bei Gründungsmangel Eintragung nach § 38 I ablehnen muss (KK-AktG/Kuntz Rn. 12; B/K/L/Lieder Rn. 3; Grigoleit/Rieder/Holzmann Rn. 13; BeckOGK/Wamser Rn. 14). Auch wenn Registergericht noch die Möglichkeit späterer Intervention verbleibt, ist es doch bedenklich, wenn es durch Eintragung sehenden Auges gesetzeswidrige Satzungsbestimmung zu bestätigen scheint (zu möglichen praktischen Folgen BeckOGK/Wamser Rn. 14). Die weiteren Rechtsfolgen ergeben sich aus § 206 S. 2 iVm § 27 III (→ Rn. 4).

III. Verweis auf Gründungsvorschriften

3 **1. Grundlagen.** § 206 S. 2 verweist auf ausgewählte Vorschriften der **Sachgründung.** Sie betr. Rechtsfolgen fehlender oder fehlerhafter Festsetzungen und ordnungsgem. Durchführung der Sacherhöhung. Gründungsvorschriften werden ihrerseits durch § 206 S. 3 modifiziert: An die Stelle der Gründer tritt durchgehend der Vorstand und an die Stelle der Anmeldung und Eintragung der Gesellschaft diejenige der Durchführung der Erhöhung des Grundkapitals. Verweis der auf § 173 AktG 1937 zurückgehenden Norm wirkt heute unglücklich, da Vorschriften über genehmigtes Kapital ähnliche Regelungsgehalte aufweisen,

s. im Vergleich § 27 III und § 205 III, §§ 33–35 und § 205 V 1 sowie § 38 II und § 205 VII 1.

2. Einzelheiten. Wenn Gründungssatzung Festsetzungen nicht enthält oder Festsetzungen unvollständig oder unrichtig sind und AG gleichwohl eingetragen wird, gilt gem. **§ 27 III** idF durch ARUG 2009 Anrechnungslösung; frühere Unwirksamkeit ist entfallen (zutr. KK-AktG/Kuntz Rn. 24; aA hinsichtlich der Unwirksamkeit MüKoAktG/Bayer Rn. 8). Sacheinleger unterliegt nur noch einer Differenzhaftung (Hölters/Weber/Apfelbacher/Metzner Rn. 7). Einzelheiten: → § 27 Rn. 23 ff. Heilung durch Satzungsänderung ist nach Neufassung des § 27 IV durch Art. 1 Nr. 1 ARUG möglich, sofern Sacheinlage werthaltig ist oder Wertdifferenz durch Zahlung ausgeglichen wird (→ § 27 Rn. 46; sa KK-AktG/Kuntz Rn. 22: aA MüKoAktG/Bayer Rn. 6). Verweis auf **§ 27 V** bewirkt, dass wirksame Festsetzungen und gegenstandslos gewordene Regelung nur unter Beachtung der in § 26 IV, V enthaltenen Fristen geändert bzw. beseitigt werden können (→ § 27 Rn. 36). 4

Übt Vorstand die Ermächtigung zur Kapitalerhöhung ganz oder teilw. aus, so hat er nach § 206 S. 2 iVm **§ 32** einen dem Gründungsbericht entspr. Bericht anzufertigen. Im Bericht ist insbes. die Angemessenheit der Leistungen für die Sacheinlage unter Beachtung des § 33 II 2 Nr. 1–3 darzulegen (→ § 33 Rn. 4 f.). Beabsichtigte Sacherhöhung ist vorbehaltlich des § 33a entspr. **§ 33** zu prüfen. Prüfer sind die Mitglieder des AR (s. § 33 I) sowie externe Prüfer (s. § 33 II Nr. 4), die Anforderungen des § 33 IV, V genügen müssen (→ § 33 Rn. 6 f.). Nach § 33 I müssten auch Mitglieder des Vorstands prüfen, doch erscheint dieses Verständnis nicht sachgerecht, weil sie bereits Bericht entspr. § 32 vorzulegen haben. Es ist deshalb teleologische Reduktion vorzunehmen, für die Verweisung des § 206 S. 2 auf nur entspr. Anwendung auch hinreichend Raum lässt (MüKoAktG/Bayer Rn. 11; GK-AktG/Hirte Rn. 12; KK-AktG/Kuntz Rn. 15; B/K/L/Lieder Rn. 7; S/L/Veil Rn. 6; BeckOGK/Wamser Rn. 18; aA Heidel/Groß/Fischer Rn. 12). Prüfung hat sich entspr. **§ 34 I** insbes. darauf zu erstrecken, ob Festsetzungen richtig und vollständig sind und ob Wert der Sacheinlagen geringsten Ausgabebetrag (§ 9 I) dafür zu gewährender Nennbetrags- oder Stückaktien erreicht (→ § 34 Rn. 3). Darüber ist schriftlicher Bericht anzufertigen, in dem neben den genannten Punkten auch die Sacheinlage zu beschreiben und die Wertermittlungsmethode anzugeben ist (§ 34 II; → § 34 Rn. 4 f.). Nur Bericht der externen Prüfer ist bei Gericht einzureichen und kann dort von jedermann eingesehen werden (§ 34 III; → § 34 Rn. 6 f.). 5

Ferner ist bei externer Prüfung **§ 35** entspr. anwendbar: Prüfer können vom Vorstand alle zur Prüfung erforderlichen Aufklärungen und Nachweise verlangen (§ 35 I; → § 35 Rn. 2 f.); besteht Streit über ihren Umfang, entscheidet Gericht (§ 35 II; → § 35 Rn. 4 f.), das auch Vergütung und Auslagenersatz der Prüfer festsetzt (§ 35 III; → § 35 Rn. 6), die AG schuldet (→ § 35 Rn. 7). § 206 S. 2 verweist nicht auf § 36. Anmeldung der Durchführung der Kapitalerhöhung bestimmt sich somit nach § 203 I 1 iVm § 188 I. Es genügt mithin, wenn Vorstand in vertretungsberechtigter Zahl und Vorsitzender des AR gemeinsam anmelden (→ § 203 Rn. 26). Der Anmeldung sind Unterlagen entspr. **§ 37 IV Nr. 2, 4 und 5** beizufügen. Das sind alle Verträge, die den Festsetzungen zugrundeliegen oder zu ihrer Ausführung geschlossen worden sind (Nr. 2), Bericht des Vorstands entspr. § 33, Bericht des Vorstands, des AR und der externen Prüfer nach § 34 nebst urkundlichen Unterlagen. Verweis auf **§ 38 II** stellt klar, dass Registerrichter Eintragung der Durchführung unter dort genannten Voraussetzungen (→ § 38 Rn. 11 f.) ablehnen kann (s. RegBegr. Kropff S. 309). Externe Prüfer sind entspr. **§ 49** iVm § 323 I–IV HGB für Richtigkeit ihrer Prüfung verantwortlich (→ § 49 Rn. 2 und 4). 6

7 In den Fällen des **§ 33a,** also bei Annahme von Sacheinlagen im **vereinfachten Verfahren** (→ § 183a Rn. 1), sind §§ 37a, 38 III entspr. anzuwenden. An die Stelle der externen Prüfung, die nach § 33a entfällt, treten erweiterter Anmeldungsinhalt nach § 37a I, II und Beifügung zusätzlicher Dokumente nach § 37a III. Materielle Werthaltigkeitsprüfung des Gerichts wird durch Formalprüfung nach § 38 III 1 ersetzt, es sei denn, dass erhebliche Überbewertung evident ist (§ 38 III 2).

IV. Nachgründung

8 Greift § 206 ein, so findet daneben § 52 keine Anwendung (GK-AktG/Hirte Rn. 15); anders bei § 205 (→ § 205 Rn. 1 aE). Wegen des Verweises auf die Gründungsvorschriften (§ 206 S. 2) besteht dafür kein Bedürfnis. Zur Bedeutung des § 52, wenn Sacheinlage unter den Voraussetzungen des § 206 scheitert, s. GK-AktG/Hirte Rn. 15.

Vierter Unterabschnitt. Kapitalerhöhung aus Gesellschaftsmitteln

Voraussetzungen

207 (1) **Die Hauptversammlung kann eine Erhöhung des Grundkapitals durch Umwandlung der Kapitalrücklage und von Gewinnrücklagen in Grundkapital beschließen.**

(2) [1] **Für den Beschluß und für die Anmeldung des Beschlusses gelten § 182 Abs. 1, § 184 Abs. 1 sinngemäß.** [2] **Gesellschaften mit Stückaktien können ihr Grundkapital auch ohne Ausgabe neuer Aktien erhöhen; der Beschluß über die Kapitalerhöhung muß die Art der Erhöhung angeben.**

(3) **Dem Beschluß ist eine Bilanz zugrunde zu legen.**

Übersicht

I. Grundlagen

1. Regelungsgegenstand und -zweck. § 207 regelt Kapitalerhöhung aus Gesellschaftsmitteln als **eigenständige Form der Kapitalerhöhung** und stellt klar, dass sie **durch einheitlichen Vorgang** erfolgt, nämlich durch Umwandlung von Rücklagen in Grundkapital (§ 207 I). Norm korrigiert damit Fehlentwicklung der Rspr., die Kapitalerhöhung aus Gesellschaftsmitteln künstlich in zwei Maßnahmen zerlegte (→ Rn. 2). Vorschrift bestimmt überwiegend Beschlussvoraussetzungen; lediglich mit Verweis des § 207 II auf 184 I betr. sie Anmeldung des Beschlusses (sa § 210). 1

2. Kapitalerhöhung aus Gesellschaftsmitteln: Allgemeines. a) Rechtsentwicklung. Kapitalerhöhung aus Gesellschaftsmitteln wurde erstmals im KapErhG v. 23.12.1959 (BGBl. 1959 I 789) bes. geregelt. Rspr. verstand sie bis dahin als Form der regulären Kapitalerhöhung (s. RGZ 107, 161, 168; BGHZ 15, 391, 392 f. = NJW 1955, 222; BFHE 65, 437, 443 ff. = NJW 1958, 280) und zerlegte sie dementspr. in zwei Maßnahmen, nämlich Auskehrung thesaurierten Gewinns an die Aktionäre und anschließende Wiedereinziehung als Einlage auf die neuen Aktien, wobei effektive Zahlungsvorgänge durch Verrechnung vermieden wurden (sog **Theorie der Doppelmaßnahme**). Damit verbundene Nachteile führten bereits früh zur Kritik (zB v. Godin AcP 145 [1939], 69 ff.: einheitliche Betrachtung der Maßnahme [sog **Einheitstheorie**]). Sie wurde vom Gesetzgeber 1959 aufgegriffen. Mit Aktienrechtsreform 1965 wurde Kapitalerhöhung aus Gesellschaftsmitteln erstmals im AktG geregelt (s. § 33 I EGAktG), wobei überwiegend Regelungsgehalt des für GmbH bis 1994 fortgeltenden KapErhG übernommen wurde, so dass auf dessen Erl. noch zurückgegriffen werden kann. Einschlägig für GmbH sind seit 1.1.1995 §§ 57c ff. GmbHG. Heutige praktische Bedeutung der Kapitalerhöhung aus Gesellschaftsmitteln ist schon aufgrund ihrer vielfältigen Funktionen (→ Rn. 4) hoch (Hölters/Weber/Simons Rn. 11). 2

b) Rechtlicher Charakter. Kapitalerhöhung aus Gesellschaftsmitteln ist **echte Kapitalerhöhung** (MüKoAktG/M. Arnold Rn. 1; KK-AktG/Zetzsche Rn. 20), nicht nur Eigenkapitalumschichtung oder Kapitalberichtigung (so noch LG Bonn AG 1970, 18, 19; Priester GmbHR 1980, 236, 239). Ebenso wie bei regulärer Kapitalerhöhung, genehmigtem oder bedingtem Kapital wird nämlich Vermögen für Grundkapital geltenden Bindungen unterstellt. Zudem entstehen neue Mitgliedsrechte. Kapitalerhöhung aus Gesellschaftsmitteln ist jedoch, auch wenn Überschrift des zweiten Abschnitts etwas anderes zum Ausdruck bringt, **keine Maßnahme der Kapitalbeschaffung** in dem Sinne, dass AG neue Mittel zuflössen. Lediglich bereits vorhandenes Gesellschaftsvermögen wird in sog Haftkapital umgewandelt. Dies erfolgt durch Umbuchung iRd Bilanzpostens Eigenkapital (§ 266 III A HGB) von II oder III nach I, so dass letztlich bilanzieller Passivtausch vollzogen wird. 3

c) Gründe ihrer Durchführung. Kapitalerhöhung aus Gesellschaftsmitteln führt AG zwar keine neuen Mittel zu (→ Rn. 3). Sie bewirkt aber **wirtschaftliche Stärkung,** da Grundkapital strenger gebunden ist als Kapitalrücklage oder Gewinnrücklagen. Maßnahme kann auch der **Dividendenpolitik** dienen, weil durch Erhöhung des dividendenberechtigten Kapitals prozentual die Dividende sinkt (sa LAG Frankfurt ZIP 2017, 1855, 1857 f.). Sie kann ferner zur Marktpflege eingesetzt werden, da sie Zahl der Aktien vermehrt, was zu Kurssenkung führt und Marktgängigkeit der Aktie erhöht (zu kapitalmarktrechtl. Folgepflichten im Lichte des Insiderrechts s. Marsch-Barner/Schäfer/Busch/Busch 4

Rn. 47.1). Ziel der Maßnahme kann aber auch Zuwendung an Aktionäre ohne Einsatz von Liquidität sein; sog stock dividend (→ § 208 Rn. 5 aE; zur sog „scrip dividend" → § 58 Rn. 33a). S. zu den Gründen einer Kapitalerhöhung aus Gesellschaftsmitteln zB GK-AktG/Hirte Rn. 35 ff.; Marsch-Barner/Schäfer/Busch/Busch Rn. 47.1; Ekkenga/Jaspers AG-Finanzierung Kap. 7 Rn. 2 ff.

5 **d) Verfahren.** Erforderlich ist zunächst HV-Beschluss (§ 207 I), für den Erfordernisse des § 182 I 1, 2 und 3 gelten (§ 207 II); zu beachten ist ferner § 207 III. Beschluss ist sodann gem. § 207 II iVm § 184 I durch Vorstand und AR-Vorsitzenden innerhalb einer Achtmonatsfrist (§ 209 I, II 2) zur Eintragung in das HR anzumelden. § 210 bestimmt für Anmeldung erforderliche Anlagen und notwendige Erklärungen. Mit Eintragung wird Kapitalerhöhung wirksam (§ 211). Anschließend können neue Aktien ausgegeben werden. Weitere Durchführungsmaßnahmen (zB Zeichnung) fallen nicht an.

6 **e) Keine Verbindung mit anderen Kapitalmaßnahmen.** Nach ganz hM können Kapitalerhöhung aus Gesellschaftsmitteln und reguläre Kapitalerhöhung **nicht in einem einheitlichen Beschluss** derart verbunden werden, dass Erhöhungsbetrag teils aus Umwandlung von Kapitalrücklage oder Gewinnrücklagen und teils aus Einlagen aufgebracht werden soll (MüKoAktG/M. Arnold Rn. 35; Marsch-Barner/Schäfer/Busch/Busch Rn. 47.2; MHdB AG/Scholz § 60 Rn. 5; KK-AktG/Zetzsche Rn. 111 f.; Börner DB 1988, 1254 f.; Fett/Spiering NZG 2002, 358, 367 f.; Geßler DNotZ 1960, 619, 627 f.; aA GK-AktG/Hirte Rn. 145 ff.; zu anderen Tendenzen bei der GmbH sa OLG Düsseldorf NJW 1986, 2060; LG München Rpfleger 1983, 157 f.). Dieser abl. Haltung ist beizupflichten. Wegen unterschiedlicher ges. Ausgestaltung beider Erhöhungsformen kann kombinierte Kapitalerhöhung nicht ohne Verletzung zwingender Vorschriften der einen oder anderen Erhöhungsart durchgeführt werden (sa RegBegr. Kropff S. 309). Auch aus BGHZ 135, 381, 384 ff. = NJW 1997, 2514 (→ § 183 Rn. 3) folgt nichts anderes, weil Urteil nur unangemessene Rechtsfolgen verdeckter Sachkapitalerhöhung vermeiden will. Ergebnis gilt für alle Kapitalerhöhungsarten. Unzulässig ist also auch genehmigtes Kapital aus Gesellschaftsmitteln (RegBegr. Kropff S. 309; MüKoAktG/M. Arnold Rn. 36; Hölters/Weber/Simons Rn. 34).

7 Grds. keine Bedenken bestehen dagegen, wenn in einer HV über Kapitalerhöhung aus Gesellschaftsmitteln und reguläre Kapitalerhöhung (bzw. genehmigtes oder bedingtes Kapital) zeitlich aufeinanderfolgende **getrennte Beschlüsse** unter Beachtung der jeweiligen ges. Voraussetzungen gefasst werden (MüKoAktG/M. Arnold Rn. 37; GK-AktG/Hirte Rn. 148; Fett/Spiering NZG 2002, 358, 368; sa RegBegr. Kropff S. 309). Da Kapitalerhöhungsformen sich wechselseitig beeinflussen, ist Verwaltung bei Durchführung an Beschlussreihenfolge oder entspr. Vorgabe der HV gebunden. IdR wird zunächst Kapitalerhöhung aus Gesellschaftsmitteln durchgeführt werden, um sie nur alten Aktionären zugute kommen zu lassen. Unbedenklich ist aber auch, dass Kapitalerhöhung aus Gesellschaftsmitteln nachfolgt. Zwar darf auf Aktionäre kein Zwang ausgeübt werden, sich an regulärer Kapitalerhöhung zu beteiligen (MüKoAktG/M. Arnold Rn. 38). Solcher Zwang besteht aber nicht deshalb, weil Aktionäre sonst nicht voll an Kapitalerhöhung aus Gesellschaftsmitteln teilhaben. Sie können sich daraus folgende Chance beim Verkauf ihrer Bezugsrechte mitvergüten lassen (MüKoAktG/M. Arnold Rn. 39; Ekkenga/Jaspers AG-Finanzierung Kap. 7 Rn. 13; aA Börner DB 1988, 1254, 1256 f.). Zulässig ist auch Anweisung der HV an Vorstand (unechte Bedingung, → § 179 Rn. 26), Kapitalerhöhung aus Gesellschaftsmitteln nur dann zur Eintragung anzumelden, wenn Aktien aus regulärer Kapitalerhöhung vollständig gezeichnet sind (MüKoAktG/M. Arnold Rn. 38; GK-

AktG/Hirte Rn. 149). Unter genannten Voraussetzungen ist auch Verbindung mit ordentlicher, nicht aber mit vereinfachter Kapitalherabsetzung möglich.

II. Erhöhungsbeschluss

1. Grundlagen (§ 207 I). § 207 I stellt klar, dass Kapitalerhöhung aus Gesellschaftsmitteln durch **einheitlichen Vorgang,** nämlich durch Umwandlung von Rücklagen in Grundkapital, erfolgt und nicht auf einer Doppelmaßnahme (→ Rn. 2) beruht. Zuständig ist nur HV. HV-Beschluss ist auf **Satzungsänderung** gerichtet (s. § 23 III Nr. 3), so dass grds. §§ 179 ff. Anwendung finden (MüKoAktG/M. Arnold Rn. 5; GK-AktG/Hirte Rn. 100). Etwas anderes gilt nur, soweit §§ 207 ff. abw. Vorgaben enthalten, so § 207 II, der auf Vorschriften über reguläre Kapitalerhöhung (§§ 182, 184) verweist. Verweisung ist sachgerecht, da Kapitalerhöhung aus Gesellschaftsmitteln echte Kapitalerhöhung ist (GK-AktG/Hirte Rn. 102). Beabsichtigter Erhöhungsbeschluss ist seinem vollständigen Inhalt nach mit Tagesordnung der HV bekanntzumachen (§ 124 II 3, III). 8

2. Verweis auf § 182 (§ 207 II). a) Bedeutung. § 207 II betr. Erfordernisse und Anmeldung (→ Rn. 19) des Kapitalerhöhungsbeschlusses. Für Erfordernisse verweist § 207 II 1 auf § 182 I. Sinngem. Geltung des § 182 I bedeutet: Mehrheitserfordernisse und weitere Erfordernisse des Beschlusses bestimmen sich nach § 182 I 1, 2 (Hs. 1) und 3 (→ Rn. 10). Außer Anwendung bleibt § 182 I 2 Hs. 2. Insoweit ist nichts zu beschließen, weil sich aus § 216 I ergibt, ob und in welchem Umfang Vorzugsaktien entstehen (MüKoAktG/M. Arnold Rn. 5; KK-AktG/Zetzsche Rn. 47; aA MHdB AG/Scholz § 60 Rn. 74). Art der Kapitalerhöhung bestimmt sich bei Gesellschaften mit Nennbetragsaktien (§ 8 II) nach § 182 I 4; erforderlich ist also grds. Ausgabe neuer Aktien (→ Rn. 11). Bei Gesellschaften mit Stückaktien (§ 8 III) folgt aus § 207 II 2, dass Kapitalerhöhung mit oder ohne Ausgabe neuer Aktien vorgenommen werden kann (→ Rn. 11a). Zahl der Stückaktien darf sich jedoch nur in demselben Verhältnis erhöhen wie Grundkapital, um überproportionale Berücksichtigung der Altaktien zu vermeiden (§ 182 I 5; → Rn. 13a). Solche Gefahr besteht allerdings gem. § 212 ohnehin nicht. Verweisung auf § 182 I 5 ist deshalb überflüssig, aber unschädlich (zust. KK-AktG/Zetzsche Rn. 46 m. Fn. 66). 9

b) Beschlussmehrheit und weitere Erfordernisse. Erhöhungsbeschluss bedarf gem. § 182 I 1 iVm § 207 II einer Mehrheit, die mindestens ¾ des bei Beschlussfassung vertretenen Grundkapitals umfasst. Verweis betr. nur **Kapitalmehrheit** (zu ihrer Berechnung → § 182 Rn. 7); zusätzlich ist einfache Stimmenmehrheit nach § 133 I erforderlich (→ § 182 Rn. 7). Satzung kann andere (geringere oder höhere) Kapitalmehrheit bestimmen (§ 182 I 2 iVm § 207 II). Zu Gestaltungsgrenzen → § 182 Rn. 8. Beschränkung für Vorzugsaktien gilt hier nicht (→ Rn. 9). Satzung kann auch **weitere Erfordernisse** vorsehen (→ Rn. 9; → § 179 Rn. 22 f.). Wenn Satzung für Satzungsänderung jeder Art andere Kapitalmehrheit oder weitere Erfordernisse vorschreibt, gelten diese auch für Beschluss über Kapitalerhöhung aus Gesellschaftsmitteln (MüKoAktG/M. Arnold Rn. 14; GK-AktG/Hirte Rn. 109 ff.; KK-AktG/Zetzsche Rn. 53). Gleiches gilt, wenn Satzung entspr. Regeln nur für Kapitalerhöhungen enthält und insoweit keine weitere Unterscheidung trifft (KK-AktG/Zetzsche Rn. 53; aA Witt AG 2000, 345, 351). 10

c) Erhöhungsart. Bei Gesellschaften mit **Nennbetragsaktien** (§ 8 II) muss Kapitalerhöhung aus Gesellschaftsmitteln grds. durch Ausgabe neuer Aktien durchgeführt werden (§ 182 I 4 iVm § 207 II). Ausnahmen: (1.) Bei **teileinge-** 11

zahlten Aktien ist Kapitalerhöhung durch Erhöhung des Nennbetrags der Aktien durchzuführen (§ 215 II 2). (2.) Bestehen neben teileingezahlten auch volleingezahlte Aktien, so gibt Ges. der HV Wahlrecht, ob sie auch insoweit Nennbetrag erhöhen oder stattdessen neue Aktien ausgeben will (§ 215 II 3). Sind Ausnahmen nicht einschlägig, so ist Erhöhung des Nennbetrags ausgeschlossen (vgl. RegBegr. Kropff S. 292). Dagegen verstoßender Erhöhungsbeschluss ist anfechtbar (MüKoAktG/M. Arnold Rn. 21).

11a Bei Gesellschaften mit **Stückaktien** (§ 8 III) kann Kapitalerhöhung aus Gesellschaftsmitteln auch ohne Ausgabe neuer Aktien erfolgen (§ 207 II 2 Hs. 1), also durch bloße rechnerische Anteilsaufstockung (LG Heidelberg AG 2002, 563; AG Heidelberg AG 2002, 527, 528; Fett/Spiering NZG 2002, 358, 363). Ausgabe neuer Aktien ist verzichtbar, weil Beteiligungsquote unverändert bleibt und sich auf Stückaktie entfallender anteiliger Betrag des Grundkapitals mit seiner Anhebung automatisch erhöht (RegBegr. BT-Drs. 13/9573, 17 mw Ausführungen zum praktischen Kontext der Euro-Umstellung [→ § 6 Rn. 1] auf S. 18). Weil nunmehr zwei Verfahren zur Auswahl stehen, muss Beschluss auch angeben, welches für Kapitalerhöhung gelten soll (§ 207 II 2 Hs. 2). Wenn Angabe fehlt, ist Beschluss unvollständig (→ § 241 Rn. 6) und daher unwirksam (str., für § 215 II 3 Hs. 2 → § 215 Rn. 5).

12 **3. Beschlussinhalt. a) Mindestinhalt.** Anzugeben ist zunächst **Erhöhungsbetrag,** und zwar genau. Höchstbetrag uä ist unzulässig. Sonderproblem bildet Zusammentreffen von Kapitalerhöhung aus Gesellschaftsmitteln mit Ausgabe von Bezugsaktien aus bedingtem Kapital. Erhöhung des Grundkapitals außerhalb des HR (§ 200) führt nämlich dazu, dass exakter Bedarf für Erhöhung aus Gesellschaftsmitteln dann nicht feststeht, wenn Erhöhungsbetrag als Anteil des vorhandenen Grundkapitals ausgedrückt wird, etwa zwecks Herabsetzung des Börsenkurses (Aktiensplit im wirtschaftlichen Sinne; s. Hüffer FS Lüer, 2008, 395, 396 f.). Lösung besteht nicht in Angabe von Mindest- und Höchstbetrag (anders GK-AktG/Hirte Rn. 119). Genügend ist jedoch **Bestimmbarkeit** im Zeitpunkt der Beschlussfassung (Erhöhung um die Hälfte oder auf das Doppelte des Kapitals), sofern Bezifferung (notwendig gem. § 23 III Nr. 3) im Zeitpunkt der Eintragung nach § 211 feststeht, wobei Berechenbarkeit genügt (OLG Karlsruhe AG 2007, 284, 285 f.; MüKoAktG/M. Arnold Rn. 17; B/K/L/ Lieder Rn. 5; Hüffer FS Lüer, 2008, 395, 400 ff.). Weil deren Inhalt durch Anmeldung bestimmt wird, muss diese genaue Angabe des errechneten Erhöhungsbetrags enthalten. Dafür genügt Beschlussfassung des AR nach § 179 I 2 (→ § 179 Rn. 11 f.). Zwischen Anmeldung und Eintragung muss Ausgabe von Bezugsaktien unterbleiben, was durch eintragungsnahe Aktualisierung der Anmeldung erleichtert werden kann.

12a Erhöhungsbetrag ist so festzusetzen, dass seine **vollständige Verteilung** auf bisherige Aktien unter Wahrung des § 8 möglich ist (MüKoAktG/M. Arnold Rn. 16). Zweckmäßig ist Höhe, die zu handhabbarem Kapitalerhöhungsverhältnis führt (s. Than WM Sonderheft 1991, 54, 56), andernfalls entstehen Teilrechte (§ 213). Sie können auch dadurch vermieden werden, dass AG durch vorgängige Maßnahmen (soweit erforderlich: getrennte Beschlussfassung, → Rn. 6 f.) Grundkapital begradigt (s. dazu Than WM Sonderheft 1991, 54, 56 ff.; KK-AktG/ Lutter Rn. 11). Wenn teileingezahlte Aktien bestehen, die nach § 215 II 2 nur durch Erhöhung des Nennbetrags an Kapitalerhöhung teilnehmen können (→ Rn. 11), ist Erhöhungsbetrag unter Beachtung des § 8 so zu bestimmen, dass keine freien Spitzen verbleiben (§ 215 II 4; → § 215 Rn. 6). Anzugeben ist ferner, dass **Erhöhung durch Umwandlung** von Kapitalrücklage oder Gewinnrücklagen erfolgen soll. Beschluss muss auch festlegen, welche **konkrete Rücklage** umgewandelt werden soll (MüKoAktG/M. Arnold Rn. 20; MHdB AG/

Scholz § 60 Rn. 13). Sie muss in entspr. Höhe verfügbar sein (§ 208 I 2; → § 208 Rn. 6). Verteilung des Erhöhungsbetrags auf mehrere Rücklagenpositionen ist zulässig. Erhöhungsbeschluss muss weiter angeben, auf welcher **Bilanz** er beruht (§ 207 III); das kann letzte Jahresbilanz (§ 209 I) oder bes. Erhöhungsbilanz (§ 209 II) sein.

b) Weiterer Inhalt. Soweit HV bei Nennbetragsaktien (§ 8 II) **Wahlrecht** 13
zwischen Ausgabe neuer Aktien und Erhöhung des Nennbetrags alter Aktien hat (→ Rn. 11), muss Festsetzung im Erhöhungsbeschluss erfolgen; sonst bleibt er unwirksam (str., → § 215 Rn. 5). Dasselbe gilt bei Stückaktien (§ 8 III) im Hinblick auf § 207 II 2 Hs. 2 (→ Rn. 11a). HV kann im Erhöhungsbeschluss bestimmen, dass neue Aktien bereits am **Gewinn des letzten Geschäftsjahrs** teilnehmen, das vor Beschlussfassung abgelaufen ist (§ 217 II 1). Inhalt der neuen Aktien wird durch § 216 I bestimmt. HV-Beschluss kann insoweit aber klarstellende Regeln enthalten. Möglich ist bei Nennbetragsaktien (§ 8 II) überdies Festsetzung des Nennbetrags der neuen Aktien unter Beachtung des § 8 II und entspr. Satzungsregeln (MHdB AG/Scholz § 60 Rn. 16).

4. Beschlussvoraussetzungen. Kapitalerhöhung aus Gesellschaftsmitteln 14
kann ohne Rücksicht darauf beschlossen werden, ob schon Jahresabschluss für das letzte vor Beschlussfassung abgelaufene Geschäftsjahr festgestellt ist. Früher in § 207 III enthaltene Regelung dieses Inhalts ist aufgehoben durch TransPuG 2002. Gesetzgeber folgt damit einer Empfehlung der Corporate Governance-Kommission (s. Baums Bericht, 2001, Rn. 233). Darin liegt sinnvolle Deregulierung, die AG größere zeitliche Flexibilität gibt. Zugrunde zu legende Bilanz muss in diesem Fall nicht letzte Jahresbilanz sein, sondern kann auch bes. Erhöhungsbilanz sein (§ 209 I, II; vgl. RegBegr. BT-Drs. 14/8769, 24). ZT wird aus dieser Deregulierungsabsicht geschlossen, dass es zulässig sei, ausschließlich Erhöhungsbilanz zugrunde zu legen, was es auch **neu gegründeter AG** ermöglichen würde, Kapital aus Gesellschaftsmitteln zu erhöhen (ausf. Klett/Bonn AG 2020, 658 ff.; sa Grigoleit/Rieder/Holzmann Rn. 13). Ganz hM hält dagegen **beide Bilanzen** für erforderlich (MüKoAktG/M. Arnold Rn. 33 [unter Aufgabe der in Voraufl. vertretenen Auffassung]; BeckOGK/Fock/Wüsthoff § 208 Rn. 15, § 209 Rn. 19; KK-AktG/Kuntz § 208 Rn. 32; B/K/L/Lieder Rn. 4; Hölters/Weber/Simons Rn. 35). Gegenauffassung ist zwar zuzugeben, dass teleologische Sinnhaftigkeit dieser Doppelung keineswegs selbstverständlich ist, wenn man Erhöhungsbilanz nicht als „Bilanz minderen Rechts" auffassen will (Klett/Bonn AG 2020, 658 Rn. 18). Berücksichtigt man indes, dass Wille zur Doppelung gleich in zwei Vorschriften zum Ausdruck kommt, § 208 I 1 („auch") und § 210 I 1 („außerdem"), wäre doppelte Reduktion erforderlich, für die teleologischer Befund nicht hinreichend belastbar erscheint. Anliegen muss deshalb **rechtspolit. Forderung** de lege ferenda bleiben (s. dazu Klett/Bonn AG 2020, 658 Rn. 29 ff.).

Dem Kapitalerhöhungsbeschluss ist eine **Bilanz** zugrunde zu legen (§ 207 III). 15
Das geschieht durch ihre konkrete Bezeichnung im Beschluss (→ Rn. 12a). Einzelheiten über Anforderungen an die Bilanz regelt § 209 (→ § 209 Rn. 2 ff., 6 ff.). Es kann sich um letzte Jahresbilanz (§ 209 I) oder um bes. Erhöhungsbilanz (§ 209 II) handeln. Verstoß gegen § 207 III begründet Nichtigkeit des Erhöhungsbeschlusses (→ Rn. 17).

5. Beschlussschranken. Kapitalerhöhung aus Gesellschaftsmitteln ist **nach** 16
Auflösung (§ 262) unzulässig (→ § 264 Rn. 16). Bereits beschlossene Erhöhung darf nicht weiter betrieben werden (GK-AktG/Hirte Rn. 155; B/K/L/Lieder Rn. 17). Da Kapitalerhöhung aus Gesellschaftsmitteln in diesem Stadium nur

Kosten verursacht, steht sie dem Liquidationszweck (§ 271) entgegen. Registerrichter hat in beiden Fällen Eintragung des Erhöhungsbeschlusses abzulehnen.

17 **6. Beschlussmängel.** Verstößt Kapitalerhöhungsbeschluss gegen Ges. oder Satzung, so ist er nichtig (§ 241) oder anfechtbar (§ 243). Genügt Erhöhungsbeschluss nicht dem Mindestinhalt (→ Rn. 12), ist er idR nichtig, doch ist § 241 nicht pauschal anzuwenden, sondern es ist im Einzelfall zu prüfen, ob Nichtigkeitsvoraussetzungen erfüllt sind (zutr. Hölters/Weber/Simons Rn. 46). Insbes. ist Nichtigkeit gem. § 241 Nr. 3 anzunehmen bei Verstoß gegen § 207 III. Norm bezweckt zum Schutz der Gesellschaftsgläubiger, dass sich Gesellschaftsorgane darüber vergewissern, ob sich Erhöhungsbetrag auch tats. im Vermögen der AG befindet. Sie dient deshalb dem öffentl. Interesse (BayObLG AG 2002, 397, 398; LG Duisburg BB 1989, 257); zu einem Fall bloßer Anfechtbarkeit → Rn. 11. Liegt Nichtigkeitsgrund vor, so darf Registerrichter Kapitalerhöhungsbeschluss nicht eintragen (→ § 210 Rn. 7).

18 **7. Aufhebung und Änderung.** Bis zu seiner Eintragung kann Kapitalerhöhungsbeschluss geändert oder aufgehoben werden. Änderungsbeschluss unterliegt nach allg. Auffassung den Mehrheitsvoraussetzungen des Kapitalerhöhungsbeschlusses. Str. ist, ob das auch für Aufhebungsbeschluss gilt (so Hölters/Weber/Simons Rn. 33: „actus contrarius“) oder ob insofern einfache Mehrheit genügt (dafür B/K/L/Lieder Rn. 13; KK-AktG/Zetzsche Rn. 55). Letztgenannter Auffassung ist zuzustimmen, weil bis zu diesem Zeitpunkt noch kein satzungsändernder Beschluss vorlag, so dass AG nur zur bisherigen Satzung zurückkehrt, die schon von Aktionären gebilligt wurde (→ § 179 Rn. 40 mwN; → § 182 Rn. 16). Nach Eintragung kann Kapitalerhöhung nur durch ordentliche Kapitalherabsetzung (§ 222) rückgängig gemacht werden.

III. Anmeldeberechtigte Personen (§ 184 I iVm § 207 II)

19 **Vorstand und AR-Vorsitzender** haben Erhöhungsbeschluss **im Namen der AG** (→ § 184 Rn. 3) zur Eintragung in das HR anzumelden (§ 184 I iVm § 207 II 1); → § 210 Rn. 2 ff. Für Vorstand genügt Mitwirkung einer vertretungsberechtigten Zahl von Mitgliedern (GK-AktG/Hirte § 210 Rn. 9). Wegen strafrechtl. Verantwortlichkeit (s. § 399 II iVm § 210 I 2) der Anmelder ist Anmeldung durch Bevollmächtigte (auch Prokuristen) abw. von § 12 II HGB nicht ausreichend (MüKoAktG/M. Arnold Rn. 27 mwN). Dies gilt auch, wenn Verwaltungsmitglieder Erklärung nach § 210 I 2 bereits persönlich abgegeben haben (RegBegr. Kropff S. 312 iVm AusschussB BT-Drs. 3/1409, 3 aE; Geßler DNotZ 1960, 619, 631 f.; aA OLG Köln NJW 1987, 135 zur GmbH; Ammon DStR 1993, 1025, 1028; Hölters/Weber/Simons Rn. 38). Anmeldung kann von Dritten aber eingereicht werden (→ § 36 Rn. 4), wenn zugleich Erklärung nach § 210 I 2 vorgelegt wird (zust. MüKoAktG/M. Arnold Rn. 27). Unechte Gesamtvertretung (§ 78 III) ist zulässig (KG JW 1938, 3121; B/K/L/Lieder § 210 Rn. 2; KK-AktG/Zetzsche § 210 Rn. 10; aA MüKoAktG/M. Arnold Rn. 27; Geßler DNotZ 1960, 619, 631 f.). AR-Vorsitzender kann sich gem. § 107 I 3 vertreten lassen. § 184 I 2 gilt bei Kapitalerhöhung aus Gesellschaftsmitteln nicht, weil Einlagen nicht geleistet werden (KK-AktG/Zetzsche Rn. 49). § 182 II ist schon mangels Bezugnahme nicht anwendbar.

IV. Kosten

20 **Notargebühren** für Beurkundung des Kapitalerhöhungsbeschlusses bestimmen sich nach KV 21100 GNotKG (→ § 30 Rn. 3); Geschäftswert ist Erhöhungsbetrag (§ 108 I 2 GNotKG, § 105 I Nr. 4 lit. a GNotKG). Weitere Notar-

gebühren fallen für Beglaubigung der Anmeldung an (KV 21201 Nr. 5 GNotKG). Gebühren für notarielle Bescheinigung nach § 181 I 1 sind durch Gebühr für Beurkundung des Beschlusses abgegolten (KV Vorb. 2.1 II Nr. 4 GNotKG). **Registergericht** erhebt für Eintragung des Erhöhungsbeschlusses einfache Gebühr nach § 58 I GNotKG. Sie ist nach GV 2400 HRegGebV zu bestimmen. Frühere Eintragungsgebühren nach Geschäftswert sind abgeschafft (→ § 38 Rn. 18; → § 182 Rn. 34, 34a).

Umwandlungsfähigkeit von Kapital- und Gewinnrücklagen

208 (1) [1]**Die Kapitalrücklage und die Gewinnrücklagen, die in Grundkapital umgewandelt werden sollen, müssen in der letzten Jahresbilanz und, wenn dem Beschluß eine andere Bilanz zugrunde gelegt wird, auch in dieser Bilanz unter „Kapitalrücklage" oder „Gewinnrücklagen" oder im letzten Beschluß über die Verwendung des Jahresüberschusses oder des Bilanzgewinns als Zuführung zu diesen Rücklagen ausgewiesen sein.** [2]**Vorbehaltlich des Absatzes 2 können andere Gewinnrücklagen und deren Zuführungen in voller Höhe, die Kapitalrücklage und die gesetzliche Rücklage sowie deren Zuführungen nur, soweit sie zusammen den zehnten oder den in der Satzung bestimmten höheren Teil des bisherigen Grundkapitals übersteigen, in Grundkapital umgewandelt werden.**

(2) [1]**Die Kapitalrücklage und die Gewinnrücklagen sowie deren Zuführungen können nicht umgewandelt werden, soweit in der zugrunde gelegten Bilanz ein Verlust einschließlich eines Verlustvortrags ausgewiesen ist.** [2]**Gewinnrücklagen und deren Zuführungen, die für einen bestimmten Zweck bestimmt sind, dürfen nur umgewandelt werden, soweit dies mit ihrer Zweckbestimmung vereinbar ist.**

Übersicht

I. Regelungsgegenstand und -zweck

§ 208 bestimmt, welche Rücklagen in Grundkapital umgewandelt werden 1
können, und nennt dafür notwendige Voraussetzungen. Norm ergänzt § 207 I und bezweckt **Aufbringung des Grundkapitals** durch Umbuchung von Passivposten, die **frühere Vermögensbildung** zum Ausdruck bringen (Hölters/Weber/Simons Rn. 1). Daneben dient § 208 II 2, der Umwandlung von Gewinnrücklagen und deren Zuführungen nur innerhalb ihrer Zweckbestimmung zulässt, dem Gesellschaftsinteresse an zweckmäßiger und interessegerechter Mittelverwendung (sa Hölters/Weber/Simons Rn. 2). HV soll nämlich von Vor-

stand und AR iRd Feststellung des Jahresabschlusses (§ 172) nach § 58 II gebildete zweckbestimmte andere Gewinnrücklagen nicht den für sie vorgesehenen Zwecken entziehen können. Parallelnorm: § 57d GmbHG.

II. Umwandlungsfähiges Vermögen (§ 208 I 1)

2 **1. Grundlagen.** Umwandlungsfähig sind zunächst **Kapitalrücklage und Gewinnrücklagen** (§ 208 I 1; sa § 207 I). Verwiesen wird damit auf Bilanzposten des § 266 III A II, III Nr. 1–4 HGB. Sollen sie umgewandelt werden, so müssen sie nach § 208 I 1 in der letzten Jahresbilanz (§ 209 I) ausgewiesen und, wenn dem Beschluss nicht die letzte Jahresbilanz zugrunde liegt (§ 207 III, § 209 II), zusätzlich an gleicher Stelle in bes. Erhöhungsbilanz enthalten sein (hM, s. MüKoAktG/M. Arnold Rn. 3 f.); bei Unterschieden gilt niedrigerer Betrag (Hölters/Weber/Simons Rn. 3). Umwandlungsfähig sind ferner **Jahresüberschuss und Bilanzgewinn,** soweit es sich um Zuführungen zu Kapital- oder Gewinnrücklagen handelt (ausf. → Rn. 5). § 208 I 1 ist abschließend. **Stille Rücklagen** sind als solche nicht umwandlungsfähig. Sie können aber unter Beachtung des Realisationsprinzips aufgelöst, in Gewinnrücklagen eingestellt und damit umwandlungsfähig werden (Hölters/Weber/Simons Rn. 5; KK-AktG/Zetzsche Rn. 16; MHdB AG/Scholz § 60 Rn. 40). Nicht umwandlungsfähig sind Beträge, die einer **Ausschüttungssperre nach § 268 VIII HGB** unterliegen (→ § 58 Rn. 27). ZT geforderte Anerkennung ihrer Umwandlungsfähigkeit (Kropff FS Hüffer, 2010, 539, 544) würde mit Blick auf unsichere Werthaltigkeit der entspr. Vermögensgegenstände strengen Vorgaben der Kapitalaufbringung nicht gerecht (KK-AktG/Zetzsche Rn. 67; GK-HGB/Meyer § 268 Rn. 32; Link, Die Ausschüttungssperre des § 268 Abs. 8 HGB, 2014, 183 ff.; Mylich ZHR 181 [2017], 87, 103 f.).

3 **2. Kapitalrücklage.** Kapitalrücklage ist Bilanzposten des § 266 III A II HGB. Dort sind in § 272 II HGB genannte Beträge auszuweisen, insbes. Agio und Zahlungen auf Wandelschuldverschreibungen (→ § 150 Rn. 2 f.). Kapitalrücklage muss in entspr. Höhe in der letzten Jahresbilanz ausgewiesen sein und, wenn dem Beschluss nicht die letzte Jahresbilanz zugrunde liegt (§ 207 III, § 209 II), auch in bes. Erhöhungsbilanz (§ 208 I 1). Sie ist der Höhe nach nur beschränkt umwandelbar, nämlich nur, soweit sie zusammen mit ges. Rücklage (§ 266 III A III Nr. 1 HGB; → § 150 Rn. 4) den zehnten oder den durch Satzung bestimmten höheren Teil des bisherigen Grundkapitals übersteigt (§ 208 I 2; → Rn. 6).

4 **3. Gewinnrücklagen.** Begriff verweist auf Bilanzposten des § 266 III A III HGB. Dort werden aus dem Ergebnis gebildete Beträge ausgewiesen (s. § 272 III, IV HGB). § 266 III A III HGB unterscheidet zwischen ges. Rücklage (Nr. 1), Rücklage für eigene Anteile (Nr. 2), satzungsmäßiger Rücklage (Nr. 3) und anderen Gewinnrücklagen (Nr. 4). Obwohl vom Wortlaut des § 208 I 1 erfasst, galt auch vor dem BilMoG noch zulässige **Rücklage für eigene Anteile** aufgrund ihrer Zweckbindung (§ 208 II 2) als nicht umwandlungsfähig (GK-AktG/Hirte Rn. 40). Nach Abschaffung dieses Rücklagentyps (→ § 71 Rn. 21a, 25 ff.) gilt dieser Grundsatz nur für vor Novellierung gebildete Rücklage. Fehlende Umwandlungsfähigkeit wegen Zweckbindung gilt aber auch weiterhin hinsichtlich Rücklagen für Anteile an herrschendem Unternehmen iSd § 266 III A III Nr. 2 HGB (vgl. KK-AktG/Zetzsche Rn. 14; MüKoGmbHG/Lieder § 57d Rn. 28 ff.). Auch Gewinnrücklagen müssen in umzuwandelnder Höhe in der letzten Jahresbilanz ausgewiesen sein und, wenn dem Beschluss nicht die letzte Jahresbilanz zugrunde liegt (§ 207 III, § 209 II), zusätzlich in bes. Erhöhungsbilanz (§ 208 I 1). Zur umwandlungsfähigen Höhe s. § 208 I 2 (→ Rn. 6).

4. Zuführungen aus Jahresüberschuss oder Bilanzgewinn. Jahresüberschuss und Bilanzgewinn können nach § 208 I 1 letzter Satzteil unmittelbar in Grundkapital umgewandelt werden, sofern zur Umwandlung vorgesehener Teil des Jahresüberschusses oder des Bilanzgewinns im letzten Beschluss über Verwendung des Jahresüberschusses (§ 58 I, § 173) bzw. im letzten Beschluss über Verwendung des Bilanzgewinns (§ 58 III, § 174 II Nr. 3) als Zuführung zur Kapitalrücklage oder zu den Gewinnrücklagen ausgewiesen ist. Jahresüberschuss ist in GuV als Posten 20 bzw. 19 ausgewiesen (§ 275 HGB). Bilanzgewinn errechnet sich aus Jahresüberschuss, indem gem. § 158 I Gewinnvortrag (→ § 58 Rn. 24) und Entnahmen aus Gewinnrücklagen addiert, Verlustvortrag (→ § 158 Rn. 2) sowie Einstellungen in Gewinnrücklagen subtrahiert werden (→ § 158 Rn. 6). IE sind Zuführungen aus Jahresüberschuss bzw. Bilanzgewinn potenzielle Gewinnrücklagen, die nur noch nicht als solche in Bilanz ausgewiesen sind (KK-AktG/Zetzsche Rn. 10, 19 f.: „künftige Rücklagen", nämlich in der Bilanz des nächsten Geschäftsjahrs; Einzelheiten bei BeckOGK/Fock/Wüsthoff Rn. 10 ff.). Liegt dem Erhöhungsbeschluss bes. Erhöhungsbilanz zugrunde (§ 209 II), so muss Zuweisung zu dem entspr. Bilanzposten bereits vollzogen sein. Regelung ermöglicht, nach Dotierung der Gewinnrücklagen junge Aktien aus Gesellschaftsmitteln auszugeben, statt eine (Bar-)Dividende zu zahlen (KK-AktG/Zetzsche Rn. 23; Krause ZHR 181 [2017], 641, 644 f.; sog stock dividend; zur scrip dividend → § 58 Rn. 33a). 5

III. Grenzen der Umwandlungsfähigkeit (§ 208 I 2)

§ 208 I 2 bestimmt, in welcher Höhe Umwandlung in Grundkapital erfolgen kann. **Andere Gewinnrücklagen** (§ 266 III A III Nr. 4 HGB) und entspr. Zuführungen können in voller Höhe in Grundkapital umgewandelt werden. Gleiches gilt für **satzungsmäßige Rücklagen** nach § 266 III A III Nr. 3 HGB (KK-AktG/Zetzsche Rn. 38) unter Vorbehalt bes. Zweckbindung (→ Rn. 8 f.). Dagegen können **Kapitalrücklage** (§ 266 III A II HGB) und **ges. Rücklage** (§ 266 III A III Nr. 1 HGB, § 150 I) sowie deren Zuführungen nur in Grundkapital umgewandelt werden, soweit sie zusammen den zehnten oder den in der Satzung bestimmten höheren Teil des bisherigen Grundkapitals übersteigen (so neben § 208 I 2 auch § 150 IV 1 Nr. 3 [→ § 150 Rn. 12]). Kapitalrücklage und ges. Rücklage müssen also zusammen in einer Höhe bestehen bleiben, die mindestens 10 % des Grundkapitals oder des höheren Satzungsbetrags ausmacht. Satzungsklausel, die ges. Mindestbetrag anhebt, kann durch Satzungsänderung aufgehoben werden, um zusätzliches umwandlungsfähiges Vermögen zu schaffen. Nach hM können Beschlussfassung für Satzungsänderung und Kapitalerhöhung ebenso wie Eintragung gemeinsam durchgeführt werden (→ Rn. 9). 6

IV. Umwandlungsschranken (§ 208 II)

1. Verlust oder Verlustvortrag. Soweit in zugrunde gelegter Bilanz ein Verlust einschließlich eines Verlustvortrags (→ § 158 Rn. 2) ausgewiesen ist (Bilanzposten des § 266 III A IV, V HGB), können Kapitalrücklage und Gewinnrücklagen sowie entspr. Zuführungen (→ Rn. 5) nicht in Grundkapital umgewandelt werden. Das stellt § 208 II 1 klar (ebenso GK-AktG/Hirte Rn. 22; Hölters/Weber/Simons Rn. 17), folgt aber auch schon aus dem Wesen der Kapitalerhöhung, da in Höhe der Verlustposten kein reales Vermögen zur Verfügung steht, um Grundkapital aufzustocken (→ Rn. 1). Klarstellung ist erforderlich, weil § 208 I nur auf formelles Vorhandensein entspr. Bilanzposten abstellt und kein Zwang besteht, Rücklagen zur Deckung eines Verlustes aufzulösen. Umwandlungsfähige Posten sind um ausgewiesenen Verlust bzw. Verlustvortrag (→ § 158 7

Rn. 2) zu kürzen. Vorherige Verrechnung mit anderen, nicht umwandlungsfähigen Rücklagen ist unzulässig (MüKoAktG/M. Arnold Rn. 32; GK-AktG/Hirte Rn. 22; Hölters/Weber/Simons Rn. 17). Nur verbleibender Betrag kann in Grundkapital umgewandelt werden.

8 **2. Zweckbestimmte Gewinnrücklagen.** Gewinnrücklagen und entspr. Zuführungen, die für einen bestimmten Zweck vorgesehen sind, dürfen nur umgewandelt werden, soweit dies mit ihrer Zweckbestimmung vereinbar ist (§ 208 II 2; → Rn. 1). Norm erfasst sowohl satzungsmäßige Rücklagen wie andere Gewinnrücklagen gem. § 266 III A III Nr. 3, 4 HGB. Ob Umwandlung mit Zweckbestimmung vereinbar ist, bestimmt sich nach Aktivierungsfähigkeit der Aufwendungen, für die bilanzielle Vorsorge getroffen ist. Können Mittel für aktivierungsfähige Aufwendungen (zB Werkerhaltungs-, Werkerneuerungs- oder Werkerweiterungsrücklagen; Rücklagen für Rationalisierung) verwendet werden, so steht ihre Zweckbindung einer Umwandlung nicht entgegen. Umwandlung ist aber ausgeschlossen, wenn Aufwendungen vermögensmindernd sind (zB Rücklagen für soziale Zwecke, Werbemaßnahmen, Dividendenergänzungsrücklagen); vgl. MüKoAktG/M. Arnold Rn. 35; KK-AktG/Zetzsche Rn. 56, 61; RegBegr. zu § 2 KapErhG, BT-Drs. 3/416, 10.

9 **Welche Zweckbestimmung** vorliegt, bestimmt sich bei satzungsmäßigen Rücklagen nach der Satzung. Für andere Gewinnrücklagen entscheidet über Zweckbestimmung entweder HV oder Verwaltung, je nachdem, wer Rücklage gebildet hat (s. § 58 II, III). Zweckbestimmung muss nicht unmittelbar aus Bilanz ersichtlich sein (so auch MüKoAktG/M. Arnold Rn. 34; GK-AktG/Hirte Rn. 45; MHdB AG/Scholz § 60 Rn. 47; Forster/Müller AG 1960, 55, 56 f.; aA KK-AktG/Lutter Rn. 19; v. Burchard BB 1961, 1186, 1187). Es spricht nichts dagegen, zum Verständnis auch auf HV-Beschlüsse sowie Erklärungen der Verwaltung zurückzugreifen. Zweckbestimmung kann auch geändert werden (KK-AktG/Zetzsche Rn. 62 ff.). Bei einer satzungsmäßigen Rücklage bedarf es aber eines satzungsändernden Beschlusses, der gem. § 181 III grds. erst mit Eintragung in das HR wirksam wird, was zur Folge hätte, dass Kapitalerhöhung aus Gesellschaftsmitteln und Zweckänderung nicht in einer HV beschlossen werden könnten (so in der Tat BeckOGK/Fock/Wüsthoff Rn. 23; Grigoleit/Rieder/Holzmann Rn. 6). Zur Parallelvorschrift in § 57d GmbHG geht mittlerweile allerdings allgM von der Möglichkeit kombinierter Beschlussfassung aus (MüKoGmbHG/Lieder § 57d Rn. 27 mwN). Dem ist auch für Aktienrecht mit der nunmehr wohl auch hier hM zuzustimmen, nachdem durch Neufassung des § 208 vorheriger formeller Ausweis als Rücklage nicht mehr erforderlich ist (ausf. GK-AktG/Hirte Rn. 20; zust. MüKoAktG/M. Arnold Rn. 25; Hölters/Weber/Simons Rn. 20; KK-AktG/Zetzsche Rn. 63). Ebenfalls durch anderweitige Zweckbestimmung von Einbeziehung ausgeschlossen ist Rücklage nach § 272 V 1 HGB, sofern entspr. Beträge noch nicht vereinnahmt worden sind (Mylich ZHR 181 [2017], 87, 104; einschränkend KK-AktG/Zetzsche Rn. 68).

10 **3. Sonderrücklage bei Wandelanleihen. Nicht umwandlungsfähig** ist Sonderrücklage, die zur Deckung einer Differenz zwischen Ausgabebetrag der Wandelanleihe und höherem Gesamtnennbetrag der für sie zu gewährenden Bezugsaktien nach § 218 S. 2 gebildet worden ist (MHdB AG/Scholz § 60 Rn. 48). Gleiches gilt für eine zur Differenzdeckung bei Wandelanleihen nach § 199 II gebildete Gewinnrücklage (KK-AktG/Zetzsche Rn. 66). Umwandlungsverbot folgt aus ges. Zweckbindung.

V. Rechtsfolgen bei Verstoß

§ 208 I 1, 2 und II 1 sind zwingend („können nicht", „müssen"). Wegen gläubigerschützenden Charakters dieser Normen (→ Rn. 1) führt Verstoß gem. § 241 Nr. 3 zur **Nichtigkeit** des Kapitalerhöhungsbeschlusses (MüKoAktG/M. Arnold Rn. 37; GK-AktG/Hirte Rn. 51 ff.). Registerrichter darf ihn nicht eintragen. Trägt er trotzdem ein, so ist Heilung unter den Voraussetzungen des § 242 II möglich (KK-AktG/Zetzsche Rn. 71). Demgegenüber hat **§ 208 II 2** im Wesentlichen gesellschaftsinterne Bedeutung (→ Rn. 1) und spricht zudem nur von „dürfen". Verstoß macht Erhöhungsbeschluss deshalb nur **anfechtbar** (unstr.). Ob Registergericht auch insofern Eintragung abzulehnen hat, wenn es Gesetzesverstoß erkennt, hängt nach allg. Grundsätzen davon ab, ob Regelung zumindest auch Interessen der Allgemeinheit, der Gläubiger oder künftiger Aktionäre dient (→ § 243 Rn. 51 ff., Rn. 56). Eine solche Ausrichtung wird man auch bei § 208 II 2 nicht gänzlich verneinen können, da auch ges. vorgesehene Zweckbestimmungen von § 208 II 2 geschützt sind (MüKoAktG/M. Arnold Rn. 39), so dass mit hM anzunehmen ist, dass Registergericht auch insofern Eintragung zu prüfen und ggf. abzulehnen hat, wenn es entspr. Verstoß gegen zwingendes Gesetzesrecht erkennt (hM – s. MüKoAktG/M. Arnold Rn. 39; BeckOGK/Fock/Wüsthoff Rn. 34; GK-AktG/Hirte Rn. 56; S/L/Veil Rn. 10; aA KK-AktG/Zetzsche Rn. 75 ff.; Marsch-Barner/Schäfer/Busch/Busch Rn. 47.25; MHdB AG/Scholz § 60 Rn. 53). Daneben ist **Aussetzung nach §§ 381, 21 I FamFG** möglich, wenn Anfechtungsklage erhoben ist, doch besteht insofern kein Zwang, sondern Ermessen des Registergerichts (→ § 243 Rn. 52). 11

Zugrunde gelegte Bilanz

209 (1) **Dem Beschluß kann die letzte Jahresbilanz zugrunde gelegt werden, wenn die Jahresbilanz geprüft und die festgestellte Jahresbilanz mit dem uneingeschränkten Bestätigungsvermerk des Abschlußprüfers versehen ist und wenn ihr Stichtag höchstens acht Monate vor der Anmeldung des Beschlusses zur Eintragung in das Handelsregister liegt.**

(2) [1] **Wird dem Beschluß nicht die letzte Jahresbilanz zugrunde gelegt, so muß die Bilanz §§ 150, 152 dieses Gesetzes, §§ 242 bis 256a, 264 bis 274a des Handelsgesetzbuchs entsprechen.** [2] **Der Stichtag der Bilanz darf höchstens acht Monate vor der Anmeldung des Beschlusses zur Eintragung in das Handelsregister liegen.**

(3) [1] **Die Bilanz muß durch einen Abschlußprüfer darauf geprüft werden, ob sie §§ 150, 152 dieses Gesetzes, §§ 242 bis 256a, 264 bis 274a des Handelsgesetzbuchs entspricht.** [2] **Sie muß mit einem uneingeschränkten Bestätigungsvermerk versehen sein.**

(4) [1] **Wenn die Hauptversammlung keinen anderen Prüfer wählt, gilt der Prüfer als gewählt, der für die Prüfung des letzten Jahresabschlusses von der Hauptversammlung gewählt oder vom Gericht bestellt worden ist.** [2] **Soweit sich aus der Besonderheit des Prüfungsauftrags nichts anderes ergibt, sind auf die Prüfung § 318 Abs. 1 Satz 3 und 4, § 319 Abs. 1 bis 4, § 319b Abs. 1, § 320 Abs. 1, 2, §§ 321, 322 Abs. 7 und § 323 des Handelsgesetzbuchs sowie bei einer Gesellschaft, die Unternehmen von öffentlichem Interesse nach § 316a Satz 2 des Handelsgesetzbuchs ist, auch Artikel 5 Absatz 1 der Verordnung (EU) Nr. 537/2014 entsprechend anzuwenden.**

(5) [1] **Soweit sich aus der Besonderheit des Prüfungsauftrags nichts anderes ergibt, ist auf die Prüfung der Bilanz von Versicherungsgesellschaften § 341k des Handelsgesetzbuchs anzuwenden.**

(6) **Im Fall der Absätze 2 bis 5 gilt für das Zugänglichmachen der Bilanz und für die Erteilung von Abschriften § 175 Abs. 2 sinngemäß.**

Übersicht

I. Regelungsgegenstand und -zweck

1 § 209 betr. bilanzielle Grundlagen der Kapitalerhöhung aus Gesellschaftsmitteln und unterscheidet insoweit zwischen der **letzten Jahresbilanz** (§ 209 I; Regelfall) und speziell zum Zweck der Kapitalerhöhung aufgestellter **Erhöhungsbilanz** (§ 209 II–VI; Ausnahmefall). Norm dient, mit Ausnahme des § 209 VI, dem **Gläubigerschutz.** Sie will sicherstellen, dass zur Erhöhung des Grundkapitals vorgesehenes Gesellschaftsvermögen auch tats. vorhanden ist. Parallelnormen: §§ 57e ff. GmbHG.

II. Letzte Jahresbilanz (§ 209 I)

2 **1. Überblick.** Es ist üblich und zur Vermeidung von Aufwand und Kosten auch zweckmäßig, dem Erhöhungsbeschluss nicht Sonderbilanz (→ Rn. 6 ff.), sondern letzte Jahresbilanz zugrunde zu legen. Aufstellung und Prüfung der Erhöhungsbilanz verursacht erheblichen Aufwand, während ihre Verwendung kaum Vorteile bringt (MüKoAktG/M. Arnold Rn. 26). Jahresbilanz ist nach allg. Vorschriften aufzustellen und muss überdies im Zeitpunkt der Beschlussfassung den Anforderungen des § 209 I genügen. Für **Auslegung und Abschriften** gilt § 175 II (→ § 175 Rn. 5 ff.) unmittelbar, wenn wie idR ordentliche HV (→ § 175 Rn. 1) über Kapitalerhöhung beschließt. Weil sich § 209 VI nur auf bes. Erhöhungsbilanz bezieht, besteht Regelungslücke für den Fall, dass andere HV auf der Basis der letzten Jahresbilanz beschließen soll. Sie ist durch analoge Anwendung des § 175 II (MüKoAktG/M. Arnold Rn. 24; BeckOGK/Fock/Wüsthoff Rn. 16) oder der § 175 II, § 209 VI (MHdB AG/Scholz § 60 Rn. 31) zu schließen. Dabei genügt es, dass Bilanz (nicht auch die weiteren Vorlagen des § 175 II) ausgelegt bzw. abschriftlich bekannt gegeben wird.

3 **2. Prüfung.** Letzte Jahresbilanz muss gem. §§ 316 ff. HGB geprüft worden sein; nicht aber nach § 209 III-V, der nur bes. Erhöhungsbilanz (§ 209 II) betr.

Prüfungsgegenstand und -umfang ergeben sich aus § 317 I 1 und 2 HGB. Jahresbilanz muss danach den §§ 242 ff. HGB, §§ 150 ff. entspr. Danach erforderliche allg. Prüfung des Jahresabschlusses umfasst auch Frage, ob Beträge zu Recht als Kapitalrücklage oder Gewinnrücklagen ausgewiesen sind, nicht aber Frage, ob Rücklagen nach § 208 umwandlungsfähig sind (MüKoAktG/M. Arnold Rn. 9). Wird geprüfte Bilanz geändert (→ § 172 Rn. 9 f.; → § 173 Rn. 7), so ist gem. § 316 III HGB erneute Prüfung erforderlich. Besonderheiten gelten für **kleine Aktiengesellschaften** iSd § 267 I HGB und Kleinstkapitalgesellschaften iSd § 267a HGB, da sie nach § 316 I 1 HGB nicht prüfungspflichtig sind, ihre Jahresbilanz also ohne Prüfung festgestellt werden kann. Wenn solche AG ihr Grundkapital auf der Basis der letzten Jahresbilanz aus Gesellschaftsmitteln erhöhen will, muss gem. § 209 I bes. Prüfung stattfinden (MüKoAktG/M. Arnold Rn. 10; GK-AktG/Hirte Rn. 18). HV (§ 318 I 1 HGB) wird zu diesem Zweck einen Abschlussprüfer (§ 319 I 1 HGB) wählen (MHdB AG/Scholz § 60 Rn. 29). Fraglich ist, ob auch zu diesem Zweck verkürzte Bilanz zugrunde gelegt werden kann, obwohl diese die einzelnen Gewinnrücklagen nicht aufschlüsselt (vgl. § 266 I 3, 4 HGB). ZT wird dies bejaht, da gewünschter Vereinfachungseffekt sonst konterkariert würde (s. zB MüKoAktG/M. Arnold Rn. 7; BeckOGK/Fock/Wüsthoff Rn. 5; GK-AktG/Hirte Rn. 14; Hölters/Weber/Simons Rn. 3). Gegenauffassung schließt zu Recht aus § 208 I, der selbst für bes. Erhöhungsbeschluss gesonderten **Rücklagenausweis** verlangt, dass auch Jahresbilanz diesen Anforderungen genügen muss (B/K/L/ Lieder Rn. 2; Marsch-Barner/Schäfer/Busch/Busch Rn. 47.7; KK-AktG/Zetzsche Rn. 12 ff.; Ekkenga/Jaspers AG-Finanzierung Kap. 7 Rn. 50). Dass damit Vereinfachungseffekt konterkariert wird, steht dieser Deutung nicht entgegen, da Erschwernis nur in Sondersituation der Kapitalerhöhung aus Gesellschaftsmitteln gilt, wo dies aus übergeordneten Gründen in Kauf genommen werden muss; ähnliche Folgen ergeben sich etwa auch aus § 131 I 3 (→ § 131 Rn. 39). In anderer Lesart wäre Identifizierung umwandlungsfähiger Rücklagen, insbes. bei Kleinstgesellschaften iSd § 267a HGB übermäßig erschwert. Erleichterungen des § 266 I 3 und 4 HGB gelten hier also nicht. Prüfung kann bei kleinen Aktiengesellschaften auch nach Feststellung der Bilanz erfolgen.

3. Bestätigungsvermerk und Feststellung. Bilanz muss mit uneinge- 4
schränktem Bestätigungsvermerk (§ 322 I HGB) versehen sein (§ 209 I). Wird Jahresbilanz geändert, so ist erneut uneingeschränkter Bestätigungsvermerk erforderlich (→ Rn. 3). Jahresbilanz muss ferner festgestellt sein (s. § 209 I). Feststellung erfolgt durch Billigung des AR (→ § 172 Rn. 3 f.) oder Beschluss der HV (→ § 173 Rn. 3 f.).

4. Frist. Stichtag der Bilanz darf gem. § 209 I **höchstens acht Monate** vor 5
der Anmeldung des Beschlusses zur Eintragung in das HR liegen. **Bilanzstichtag** ist letzter Tag des Geschäftsjahrs. Unerheblich ist Datum, an dem Jahresabschluss festgestellt (§§ 172 f.) oder unterzeichnet wird (§ 245 HGB). Fristberechnung erfolgt nach §§ 186 ff. BGB. Frist ist gewahrt, wenn innerhalb von acht Monaten Erhöhungsbeschluss angemeldet ist. Maßgeblich ist **Eingang der Anmeldung** beim Registergericht. Dagegen kommt es auf Zeitpunkt der Eintragung nicht an. HV ist so zu terminieren, dass für Anmeldung des Erhöhungsbeschlusses genügend Zeit verbleibt. Fristüberschreitung führt zur Zurückweisung der Anmeldung (MüKoAktG/M. Arnold Rn. 22). Umstr. ist rechtl. Beurteilung, wenn zur Anmeldung eingereichte Unterlagen **fehlerhaft oder unvollständig** sind. ZT wird in diesem Fall Verfristung angenommen (→ 14. Aufl. 2020, § 210 Rn. 8; MüKoAktG/M. Arnold Rn. 21; GK-AktG/Hirte Rn. 28). Heute zu Recht hM hält dagegen eine (namentl. auf Zwischenverfügung erfolgte) kurzfristige Nachbesserung für unschädlich; sie ändert an dem ursprünglich fristgemäßen Einrei-

chungszeitpunkt also nichts (überzeugend Hölters/Weber/Simons Rn. 7 und § 210 Rn. 13; sa MHdB AG/Scholz § 60 Rn. 30; KK-AktG/Zetzsche Rn. 24). Andere Sichtweise würde Schutzzweck des Gesetzes formalistisch überdehnen.

III. Besondere Erhöhungsbilanz (§ 209 II–VI)

6 **1. Allgemeines.** Dem Kapitalerhöhungsbeschluss kann anstelle der letzten Jahresbilanz auch bes. Erhöhungsbilanz zugrunde gelegt werden (§ 209 II 1). Sonderbilanz ist veranlasst, wenn letzte Jahresbilanz wegen Fristüberschreitung (→ Rn. 5) nicht mehr genutzt werden kann und es nicht zweckmäßig ist, bis zur nächsten ordentlichen HV zuzuwarten. Sonderbilanz ist **aus letzter Jahresbilanz zu entwickeln** (GK-AktG/Hirte Rn. 35). Sie ist vom Vorstand aufzustellen (MHdB AG/Scholz § 60 Rn. 33). Damit Kapital- und Gewinnrücklagen in Grundkapital umgewandelt werden können, müssen sie sowohl in bes. Erhöhungsbilanz wie auch in letzter Jahresbilanz ausgewiesen sein (→ § 208 Rn. 2). Weichen Beträge in den Bilanzen voneinander ab, so ist nur der jeweils niedrigere Wert umwandlungsfähig (KK-AktG/Zetzsche Rn. 36). Ob Umwandlung wegen eines Verlustes einschließlich eines Verlustvortrags (→ § 158 Rn. 2) scheitert (§ 208 II 1), bestimmt sich hingegen nur nach bes. Erhöhungsbilanz (KK-AktG/Zetzsche Rn. 36).

7 **2. Voraussetzungen. a) Voraussetzungen des § 209 II 1.** Bes. Erhöhungsbilanz muss gleiche Anforderungen erfüllen wie Jahresbilanz. § 209 II 1 verweist insoweit auf §§ 150, 152 und §§ 242–256, 264–274 HGB. Frühere Bezugnahme auf §§ 279–283 HGB ist wegen deren Aufhebung gestrichen durch Art. 5 Nr. 12 BilMoG v. 25.5.2009 (BGBl. 2009 I 1102). Erhöhungsbilanz hat Posten Bilanzgewinn/Bilanzverlust zu enthalten (KK-AktG/Zetzsche Rn. 37; MHdB AG/Scholz § 60 Rn. 33). Nicht erforderlich sind GuV (§§ 275 ff. HGB), Anhang, Lagebericht und Vorschlag für die Gewinnverwendung. Bes. Erhöhungsbilanz baut auf letzter Jahresbilanz auf (→ Rn. 6). Abschreibungen sind entspr. dem Zeitablauf (Stichtag der bes. Erhöhungsbilanz) nur teilw. anzusetzen; gleiches gilt für Rücklagen und Rückstellungen (GK-AktG/Hirte Rn. 35). Zur geringen praktischen Relevanz → Rn. 2.

8 **b) Frist.** Stichtag der Bilanz darf **höchstens acht Monate** vor Anmeldung des Beschlusses zur Eintragung in das HR liegen (§ 209 II 2). Es gelten zu § 209 I entwickelte Grundsätze (→ Rn. 5).

9 **c) Prüfung durch Abschlussprüfer.** Bes. Erhöhungsbilanz ist darauf zu prüfen, ob sie den Voraussetzungen des § 209 II 1 entspr. (§ 209 III 1). Prüfung erfolgt durch Abschlussprüfer, den HV wählen kann, aber wegen **Fiktion** des § 209 IV 1 (letzter Abschlussprüfer) nicht wählen muss. Fiktion soll vermeiden, dass HV nur für Wahl des Abschlussprüfers einberufen werden muss. Bei Wahl sind § 318 I HGB, § 319 I–IV HGB, § 319b I HGB zu beachten (§ 209 IV 2). Wählbar sind nur **Wirtschaftsprüfer und Wirtschaftsprüfungsgesellschaften** (§ 319 I HGB), und zwar auch bei Prüfung kleiner AG iSd § 267 I HGB und Kleinst-AG iSd § 267a HGB (MHdB AG/Scholz § 60 Rn. 34). Früher vertretene gegenteilige Meinung, die auch Prüfung durch Buchprüfer und Buchprüfungsgesellschaften für zulässig hielt (s. KK-AktG/Lutter, 2. Aufl. 1993, Rn. 13), kann nicht mit § 319 I 2 HGB begründet werden, da Norm nur (mittelgroße) GmbH betr. (zust. B/K/L/Lieder Rn. 10; KK-AktG/Zetzsche Rn. 43; Fett/Spiering NZG 2002, 358, 361). Ausschlussgründe der § 319 I–IV HGB, § 319b HGB dürfen nicht vorliegen. Mit der bislang ebenfalls in Verweisung einbezogenen Vorschrift des § 319a HGB aF wurden von Abschlussprüfer-VO eingeräumte Mitgliedstaatenwahlrechte ausgeübt. Im Nachgang des

Wirecard-Skandals 2020 wurde die Regelung durch FISG 2021 aufgehoben, was redaktionelle Anpassung in § 209 IV erforderlich machte. Abschlussprüfer soll entspr. § 318 I 3 HGB vor Stichtag der Sonderbilanz gewählt werden. Von Wahl des Abschlussprüfers zu unterscheiden ist Erteilung des Prüfungsauftrags. Durch Verweis des § 209 IV 2 auf § 318 I 4 HGB ist heute klargestellt, dass sie wie in § 111 II 3 (→ § 111 Rn. 42 ff.) durch AR erfolgt (Hölters/Weber/Simons Rn. 16; KK-AktG/Zetzsche Rn. 44; aA noch → 14. Aufl. 2020, Rn. 9 mit vorsorglicher Empfehlung, Auftrag durch Vorstand und AR erteilen zu lassen). Für Prüfung gelten § 320 I, II HGB (Vorlagepflicht, Auskunftsrecht) und §§ 321, 322 VII HGB (Prüfungsbericht, Bestätigungsvermerk) entspr. (s. § 209 IV 2). Verantwortlichkeit der Abschlussprüfer bestimmt sich nach § 323 HGB (s. § 209 IV 2; ferner → § 49 Rn. 2 und 4). Durch FISG 2021 wurde Regelung ergänzt, dass für Unternehmen von öffentl. Interesse iSd § 316a S. 2 HGB (→ § 100 Rn. 23) überdies Verbot der Erbringung von Nichtprüfungsleistungen nach Art. 5 I Abschlussprüfer-VO gilt. Damit wird klargestellt, dass dieses Verbot auch für Prüfer einer Sonderbilanz Geltung beansprucht, der nicht zugleich Abschlussprüfer der AG ist. Für Versicherungsgesellschaften gilt Sondervorschrift des § 209 V (→ Rn. 12).

d) Bestätigungsvermerk. Bes Erhöhungsbilanz muss mit uneingeschränktem Bestätigungsvermerk versehen sein (§ 209 III 2). § 322 I HGB kann keine Anwendung finden, da Prüfung sich nur darauf erstreckt, dass Erhöhungsbilanz den §§ 150, 152 und §§ 242–256, 264–274 HGB entspr. Vermerk ist stattdessen an § 209 III zu orientieren (MüKoAktG/M. Arnold Rn. 36). Entspr. Erhöhungsbilanz nicht den Vorschriften, so ist Bestätigungsvermerk einzuschränken oder zu versagen; Kapitalerhöhung kann auf dieser Basis nicht durchgeführt werden. Abschlussprüfer haben Bestätigungsvermerk entspr. § 322 VII HGB unter Angabe von Ort und Tag zu unterzeichnen (s. § 209 IV 2). Wird bes. Erhöhungsbilanz geändert, muss sie erneut geprüft und mit uneingeschränktem Bestätigungsvermerk versehen werden (GK-AktG/Hirte Rn. 44; MHdB AG/Scholz § 60 Rn. 34). § 209 V enthält Sondervorschrift für Versicherungsgesellschaften (→ Rn. 12). 10

e) Feststellung (Billigung). Fraglich erscheint, ob bes. Erhöhungsbilanz der Feststellung nach § 172 oder § 173 bedarf. Für GmbH ist Frage str.; Feststellung iSv (auch konkludent durch Erhöhungsbeschluss möglicher) Billigung wird insoweit überwiegend gefordert. Für AG ist zwischen Prüfung, Feststellung und Billigung zu unterscheiden. **Prüfung.** Dass bilanzielle Grundlagen einer Kapitalerhöhung aus Gesellschaftsmitteln am AR vorbei geschaffen werden, ist ernsthaft nicht vorstellbar. Er ist zur Prüfung aber nicht nur berechtigt, sondern auch verpflichtet. Wenn man dafür nicht auf § 171 I analog zurückgreifen will, ist Ergebnis aus § 111 I abzuleiten (→ § 111 Rn. 5; → § 171 Rn. 1; S/L/Veil Rn. 12; BeckOGK/Fock/Wüsthoff Rn. 22). Verzichtbar ist formalisierter Prüfungsbericht des § 171 II, III. Prüfungsergebnis wird durch Beschlussvorschlag des § 124 III 1 bekanntgegeben (zust. KK-AktG/Zetzsche Rn. 50). **Feststellung.** Sie ist als bes. Rechtsgeschäft funktionslos, weil HV über Kapitalerhöhung ohnehin beschließen muss. **Billigung** ist dagegen nicht entbehrlich, weil Erhöhungsbilanz umwandlungsfähige Rücklagen mitbestimmt (→ Rn. 6), kann aber ohne weiteres im Erhöhungsbeschluss gefunden werden (BeckOGK/Fock/Wüsthoff Rn. 22; GK-AktG/Hirte Rn. 37; Grigoleit/Rieder/Holzmann Rn. 16; KK-AktG/Zetzsche Rn. 50; aA Hölters/Weber/Simons Rn. 20; MHdB AG/Scholz § 60 Rn. 37). 11

3. Versicherungsgesellschaften. Für Versicherungsgesellschaften gilt Sonderregelung des § 209 V. Für sie wurde bislang in § 209 V 1 Hs. 1 festgestellt, 12 dass Abschlussprüfer abw. von § 209 IV vom AR bestimmt wird. Mit FISG 2021 wurde Regelung gestrichen und damit **Gleichlauf zur Aufhebung des § 341k II HGB aF** erzielt. Auch für Wahl des Prüfers bei Versicherungsgesellschaften gilt damit künftig § 209 IV 1, wonach Prüfer **grds. von HV bestimmt** wird (→ Rn. 9). Damit gilt auch hier der Prüfer als bestimmt, der den letzten Jahresabschluss geprüft hat (→ Rn. 9). Zur Auftragserteilung → Rn. 9. Maßgeblich für Prüfung ist § 341k HGB. § 341k I HGB verweist im Wesentlichen auf §§ 316–324 HGB.

13 **4. Sinngemäße Geltung des § 175 II.** Bes. Erhöhungsbilanz ist Aktionären entspr. § 175 II bekanntzugeben (§ 209 VI). Sie ist von Einberufung der HV an zugänglich zu machen, und zwar, soweit § 124a eingreift, über **Internetseite** der AG, sonst durch **Auslegung** in ihren Geschäftsräumen; → § 175 Rn. 7. Das durch das ARUG 2009 eingeführte „Zugänglichmachen" deckt beide Varianten ab. Bes. Erhöhungsbilanz enthält keine GuV, keinen Anhang oder Lagebericht, so dass insoweit keine Vorlagepflicht besteht. Ausgelegte Erhöhungsbilanz muss noch nicht geprüft und testiert sein (GK-AktG/Hirte Rn. 47; MHdB AG/Scholz § 60 Rn. 36). Ratsam ist jedoch, Bilanz erst auszulegen, wenn diese Erfordernisse vorliegen, da Kapitalerhöhungsbeschluss anfechtbar ist, wenn ausgelegte Bilanz nicht mit später in HV vorgelegter Bilanz übereinstimmt (KK-AktG/Zetzsche Rn. 57 f.). Zum Ort der Auslegung → § 175 Rn. 6. Einberufungsfrist und damit Auslegungsfrist beträgt mindestens einen Monat (zur Fristberechnung s. § 123 I; → § 123 Rn. 2 f.). Bestimmt Satzung längere Frist, so gilt diese (BeckOGK/Fock/Wüsthoff Rn. 27). AG kann Nachweis der Aktionärseigenschaft verlangen (→ § 175 Rn. 6). Aktionär kann Einsichtsrecht auch durch Bevollmächtigten ausüben. Er kann für Einzelfall auch auf Auslage verzichten; gänzlich verzichtbar ist Auslage aber nur, wenn alle Aktionäre damit einverstanden sind (s. GK-AktG/Hirte Rn. 49). Aktionär ist auf Verlangen **Abschrift der bes. Erhöhungsbilanz** zu erteilen (§ 175 II 2) und ggf. zuzusenden (→ § 175 Rn. 7).

IV. Rechtsfolgen bei Verstoß

14 Dem Kapitalerhöhungsbeschluss letzte Jahresbilanz (§ 209 I) oder bes. Erhöhungsbilanz (§ 209 II) zugrunde zu legen, dient **Schutz der Gesellschaftsgläubiger** (→ Rn. 1). Kapitalerhöhungsbeschluss ist deshalb nach § 241 Nr. 3 **nichtig,** wenn ihm nicht geprüfte, nicht festgestellte oder nicht mit uneingeschränktem Bestätigungsvermerk versehene Bilanz zugrunde liegt (allgM). Registerrichter darf Beschluss nicht eintragen. Gleichwohl eingetragener Beschluss kann nach § 242 II geheilt werden. Verstoß gegen Bekanntgabepflicht aus § 175 II (direkt oder über § 209 VI) begründet **Anfechtbarkeit** des Kapitalerhöhungsbeschlusses (Hölters/Weber/Simons Rn. 27). Sowohl Auslage in den Geschäftsräumen wie Erteilung einer Abschrift kann vor Beschlussfassung gem. § 407 I durch Ordnungsgeld erzwungen werden (Hölters/Weber/Simons Rn. 27). Nichteinhaltung der **Achtmonatsfrist** (§ 209 I, II) betr. nicht Beschlussinhalt, sondern ist **formelles Eintragungshindernis** (s. § 210 II). Registerrichter hat bei Fristüberschreitung (→ § 210 Rn. 8) Eintragung abzulehnen. Trägt er dennoch ein, so wird Kapitalerhöhung damit (§ 211 I) wirksam (GK-AktG/Hirte Rn. 54; MHdB AG/Scholz § 60 Rn. 38). Amtslöschung nach § 395 FamFG kommt nicht in Betracht. Etwas anderes gilt, wenn schon Beschlussfassung in einem Zeitpunkt erfolgt, in dem Frist bereits abgelaufen war. Hier wird tats. schon durch Beschluss selbst Gläubigerschutz missachtet, so dass Nichtigkeit eintritt (Hölters/Weber/Simons Rn. 26; KK-AktG/Zetzsche Rn. 31; aA MHdB AG/Scholz § 60 Rn. 23, 38: Anfechtbarkeit).

Anmeldung und Eintragung des Beschlusses

210 (1) [1]**Der Anmeldung des Beschlusses zur Eintragung in das Handelsregister ist die der Kapitalerhöhung zugrunde gelegte Bilanz mit Bestätigungsvermerk, im Fall des § 209 Abs. 2 bis 6 außerdem die letzte Jahresbilanz, sofern sie noch nicht nach § 325 Abs. 1 des Handelsgesetzbuchs eingereicht ist, beizufügen.** [2]**Die Anmeldenden haben dem Gericht gegenüber zu erklären, daß nach ihrer Kenntnis seit dem Stichtag der zugrunde gelegten Bilanz bis zum Tag der Anmeldung keine Vermögensminderung eingetreten ist, die der Kapitalerhöhung entgegenstünde, wenn sie am Tag der Anmeldung beschlossen worden wäre.**

(2) **Das Gericht darf den Beschluß nur eintragen, wenn die der Kapitalerhöhung zugrunde gelegte Bilanz auf einen höchstens acht Monate vor der Anmeldung liegenden Stichtag aufgestellt und eine Erklärung nach Absatz 1 Satz 2 abgegeben worden ist.**

(3) **Das Gericht braucht nicht zu prüfen, ob die Bilanzen den gesetzlichen Vorschriften entsprechen.**

(4) **Bei der Eintragung des Beschlusses ist anzugeben, daß es sich um eine Kapitalerhöhung aus Gesellschaftsmitteln handelt.**

Übersicht

I. Regelungsgegenstand und -zweck

§ 210 regelt **Anmeldung und Eintragung** des Beschlusses über Kapitalerhöhung aus Gesellschaftsmitteln und bezweckt vor allem, **bilanzielle Deckung des erhöhten Grundkapitals** durch umwandelbare Rücklagen sicherzustellen. Norm wird zum einen ergänzt durch § 184 I iVm § 207 II, der anmeldepflichtige Personen bestimmt, zum anderen durch § 211, der Rechtsfolge der Eintragung (Wirksamwerden der Kapitalerhöhung) regelt. 1

II. Anmeldung (§ 210 I)

1. Grundlagen. Zur Eintragung anzumelden ist Beschluss der HV, Grundkapital durch Umwandlung von Rücklagen zu erhöhen (§ 207 I). Muster bei Happ/Herchen AktienR 12.08 lit. c. Örtl. Zuständigkeit bestimmt sich nach § 1 HRV iVm § 14 (→ § 181 Rn. 3). Beim Sitzgericht ist auch dann ohne Überstücke (Aufhebung des § 13c HGB) anzumelden, wenn Zweigniederlassungen 2 bestehen (§ 13 I 2 HGB). Anmeldung muss gem. § 12 I HGB elektronisch in öffentl. beglaubigter Form erfolgen (s. dazu § 129 BGB, § 39a BeurkG; zur durch DiRUG 2021 neu geschaffenen Möglichkeit der Beglaubigung mittels Videokommunikation → § 36 Rn. 2; zur Auslandsbeglaubigung → § 23 Rn. 12). Sie obliegt **Vorstand und Vorsitzendem des AR** gemeinsam (§ 184 I iVm § 207 II 1; → § 207 Rn. 19). Anmelder handeln im Namen der AG, nicht im eigenen Namen. Mit eigenem Namen ist aber wegen § 399 II Anmeldung zu zeichnen. Anmeldung kann von anmeldepflichtigen Personen in einer einheitlichen, aber auch in getrennten Erklärungen abgegeben werden. Sie ist grds. unverzüglich (§ 121 I 1 BGB) durchzuführen. Zeitliche Höchstgrenze wird durch Achtmonatsfrist des § 209 I, II 2 gezogen. Zwangsgeldverfahren steht aufgrund konstitutiven Charakters der Eintragung nicht zur Verfügung (§ 407 II; zur Begründung → § 407 Rn. 10). Ggü. AG sind Vorstand und AR-Vorsitzender zur Anmeldung verpflichtet (→ § 181 Rn. 5; → § 36 Rn. 5).

3 **2. Beizufügende Unterlagen.** Grundlage der Anmeldung ist Erhöhungsbeschluss, dessen Niederschrift deshalb nebst Anlagen zum Registergericht einzureichen ist. Erforderlich ist elektronische Einreichung (§ 12 II 1 HGB), die überdies nach Inkrafttreten des DiRUG 2021 in einem maschinenlesbaren und durchsuchbaren Datenformat zu erfolgen hat. Da Kapitalerhöhungsbeschluss Dreiviertelmehrheit voraussetzt (§ 207 II 1 iVm § 182 I 1), ist er auch bei nicht börsennotierter AG gem. § 130 I 1, 3 notariell zu beurkunden und gem. § 130 V vom Vorstand als öffentl. beglaubigte Abschrift zum HR einzureichen, wobei Einreichung gem. § 12 II 2 Hs. 2 HGB in Gestalt eines einfachen elektronischen Zeugnisses gem. § 39a BeurkG erfolgt (s. GK-HGB/J. Koch/Harnos § 12 Rn. 25 ff., 71 ff., 78). Liegt dem Erhöhungsbeschluss **letzte Jahresbilanz** zugrunde (s. § 207 III, § 209 I), so ist diese mit Bestätigungsvermerk beizufügen (§ 210 I 1). Wenn Erhöhungsbeschluss dagegen bes. Erhöhungsbilanz zugrunde liegt (§ 207 III; § 209 II–VI), sind sie und zusätzlich letzte Jahresbilanz beizufügen (§ 210 I 1). Ist letzte Jahresbilanz gem. § 325 HGB bereits eingereicht, so ist erneute Vorlage verzichtbar, und zwar in beiden Fällen. Das wird jetzt durch Hinweis auf § 325 HGB in § 210 I 1 eigens klargestellt, weil nicht mehr beim Gericht, sondern beim Betreiber des BAnz. einzureichen ist (RegBegr. BT-Drs. 16/960, 66). Anmeldung ist ferner **Neufassung des Satzungstextes** nebst Notarbescheinigung gem. § 181 I 2 (→ § 182 Rn. 8) beizufügen, weil mit Eintragung Grundkapital erhöht (§ 211 I) und damit Satzungstext unrichtig wird.

4 **3. Erklärung nach § 210 I 2.** Anmelder haben ggü. Registergericht zu erklären, dass nach ihrer Kenntnis seit Stichtag der zugrunde gelegten Bilanz (§ 207 III, § 208) bis zum Tag der Anmeldung **keine Vermögensminderung** eingetreten ist, die der Kapitalerhöhung entgegenstünde, wenn sie am Tag der Anmeldung beschlossen worden wäre (§ 210 I 2). Erklärung soll gewährleisten, dass in Bilanz ausgewiesener, zur Umwandlung bestimmter Betrag im Zeitpunkt der Anmeldung tats. im Gesellschaftsvermögen vorhanden ist (GK-AktG/Hirte Rn. 24). Nicht ausreichend ist Versicherung, dass keine vermögensmindernden Umstände bekannt sind. Anmelder müssen sich vielmehr darum bemühen, auf Grundlage angemessener Informationen zu ermitteln, ob zwischen Bilanzstichtag und Tag der Anmeldung Fehlbeträge entstanden sind, die der Umwandlung von Rücklagen in Kapital entgegenstehen (GK-AktG/Hirte Rn. 24; KK-AktG/Zetzsche Rn. 21). So liegt es, wenn zur Umwandlung vorgesehene Rücklagen ganz oder teilw. zur Verlustdeckung benötigt werden; nicht aber, wenn Verlust bereits durch andere Rücklagen gedeckt ist. Erklärung kann in Anmeldung oder in gesonderter Urkunde (§ 12 I HGB) abgegeben werden (→ § 207 Rn. 19). Wahrheitswidrige Erklärung begründet Strafbarkeit nach § 399 II und Schadensersatzanspruch der AG nach § 93 II, § 116 S. 1. Anmelder haften ferner Gesell-

schaftsgläubigern gem. § 823 II BGB; § 210 I 2 ist nach hM Schutzgesetz (Hölters/Weber/Simons Rn. 6; KK-AktG/Zetzsche Rn. 21).

III. Registerkontrolle (§ 210 II und III)

1. Prüfungsumfang. a) Grundsatz. Registerrichter (§ 17 Nr. 1 lit. b RPflG) hat Anmeldung in formeller und materieller Hinsicht zu prüfen (allgM; → § 181 Rn. 12). Es gilt Amtsermittlungsgrundsatz (§ 26 FamFG). **Formelle Prüfung** betr. ordnungsgem. Anmeldung (→ Rn. 2), insbes. Zuständigkeit, Form, Legitimation der Anmelder, Vollständigkeit der Unterlagen und Vorliegen eines berichtigten Satzungstextes (→ Rn. 3). Für Erklärung nach § 210 I 2 und Einhaltung der Achtmonatsfrist des § 209 I, II 2 ergibt sich Prüfungspflicht ausdr. aus § 210 II. **Materielle Prüfung** betr. Frage, ob ges. und satzungsmäßige Voraussetzungen der Kapitalerhöhung aus Gesellschaftsmitteln eingehalten worden sind, zB Zustandekommen und Inhalt des Erhöhungsbeschlusses. Plausibilität des Angemeldeten genügt. Genauere Prüfung nur, wenn Zweifel an Richtigkeit der Anmeldung oder der Unterlagen bestehen. 5

b) Bilanz. Registerrichter prüft auch, ob dem Erhöhungsbeschluss zugrunde gelegte Bilanz Anforderungen des § 209 genügt, sie also geprüft und uneingeschränkt testiert ist. Zur Achtmonatsfrist → Rn. 8. Er prüft ferner, ob zur Umwandlung vorgesehene Kapital- oder Gewinnrücklage gem. § 208 umwandlungsfähig ist. Dazu gehört auch Prüfung, ob Gewinnrücklagen oder deren Zuführungen die Umwandlung hindernder Zweckbindung nach § 208 II 2 unterliegen (→ § 208 Rn. 11 mN). Gericht braucht ferner nicht zu prüfen, ob Bilanzen den ges. Vorschriften entspr. (§ 210 III). Gemeint ist Prüfung, ob Bilanz inhaltlich richtig ist und den Bilanzierungs-, Gliederungs- und Bewertungsgrundsätzen genügt. Gericht darf sich insoweit auf Richtigkeit des uneingeschränkten Bestätigungsvermerks der Abschlussprüfer verlassen (s. § 209 I, III). Bestehen trotzdem begründete Zweifel an der Richtigkeit, so ist Gericht an Prüfung, auch durch sachverständige Dritte, jedoch nicht gehindert (OLG Hamm AG 2008, 713, 716; MüKoAktG/M. Arnold Rn. 23; KK-AktG/Zetzsche Rn. 36). 6

2. Entscheidung. Eintragung ist abzulehnen, wenn keine ordnungsgem. Anmeldung vorliegt oder Erhöhungsbeschluss nichtig ist. Ist er lediglich anfechtbar, aber keine Anfechtungsklage erhoben, so hat Registerrichter nach zutr., aber str. Ansicht Eintragung vorzunehmen, wenn durch Beschlussmangel ausschließlich Interessen der gegenwärtigen Aktionäre berührt werden (→ § 181 Rn. 16 iVm → § 181 Rn. 14; → § 243 Rn. 56; str. zu § 208 II 2, → § 208 Rn. 11; grundlegend andere Konzeption bei Hölters/Weber/Simons Rn. 15). Sie ist abzulehnen, wenn Drittinteressen mitbetroffen sind. Bei erhobener Anfechtungsklage entscheidet Registerrichter unter Abwägung der Erfolgsaussichten der Klage und des Interesses der AG an baldiger Eintragung über Aussetzung nach §§ 381, 21 I FamFG (→ § 181 Rn. 17). Achtmonatsfrist des § 209 I, II 2 ist bei Ermessensausübung nicht zu berücksichtigen (MüKoAktG/M. Arnold Rn. 30; aA noch KK-AktG/Lutter Rn. 14); denn sie betr. nur Zeitraum zwischen dem Stichtag der Bilanz und der Anmeldung, nicht aber der Eintragung des Erhöhungsbeschlusses (→ § 209 Rn. 5). Bei behebbaren Eintragungshindernissen hat Gericht vor Ablehnung regelmäßig durch Zwischenverfügung Abhilfe zu ermöglichen. 7

§ 210 II stellt klar, dass Erhöhungsbeschluss nur eingetragen werden darf, wenn: der Kapitalerhöhung zugrunde gelegte Bilanz auf höchstens acht Monate vor Anmeldung liegenden **Stichtag** aufgestellt ist. Norm knüpft an Vorgaben des § 209 I, II 2 an. Eintragung ist auch abzulehnen, wenn Frist nur kurz überschritten wird (OLG Frankfurt OLGZ 1981, 412, 413 f.; LG Essen BB 1982, 1901; jeweils zu § 7 KapErhG [aufgehoben durch Art. 5 UmwBerG 1994]; 8

MHdB AG/Scholz § 60 Rn. 30). Waren für Anmeldung eingereichte **Unterlagen fehlerhaft oder unvollständig,** hat Gericht nach § 382 IV FamFG Antragstellern qua Zwischenverfügung Beseitigung aufzugeben. Wird Fehler daraufhin behoben, ist Nachbesserung für mit Anmeldezeitpunkt fixierte Achtmonatsfrist unschädlich (str. → § 209 Rn. 5). Ferner ist für Eintragung erforderlich, dass Anmeldende erklärt haben, dass zwischen Stichtag der Bilanz und Tag der Anmeldung **keine** der Kapitalerhöhung entgegenstehende **Vermögensminderung** eingetreten ist (s. § 210 I 2). Auch diese Erklärung kann nicht nach § 14 HGB erzwungen werden, da Pflicht zur Anmeldung nicht mit Zwangsgeld bewehrt ist (→ Rn. 2).

9 **3. Rechtsmittel.** Wenn Anmeldung zurückgewiesen wird, ist Beschwerde mit Monatsfrist des § 63 FamFG gegeben (→ § 181 Rn. 18). Beschwerdeberechtigt (§ 59 II FamFG) ist AG als Antragstellerin (vgl. BGHZ 105, 324, 327 f. = NJW 1989, 295 zur GmbH; → § 181 Rn. 4), nicht jedoch der einzelne Aktionär (KK-AktG/Lutter Rn. 16; Baums, Eintragung und Löschung von Gesellschafterbeschlüssen, 1981, 176).

IV. Eintragung und Bekanntmachung (§ 210 IV)

10 **1. Eintragung.** In Abteilung B des HR, Spalte 3 wird geändertes Grundkapital eingetragen, in Spalte 6 Satzungsänderung einschließlich des Datums der Beschlussfassung. In Spalte 6 ist ferner anzugeben, dass es sich um **Kapitalerhöhung aus Gesellschaftsmitteln** handelt (§ 210 IV). Verstoß dagegen bleibt nach hM ohne Rechtsfolgen. Kapitalerhöhung wird wirksam (§ 211 I) und Eintragung ist nach § 17 I HRV zu berichtigen (LG Essen BB 1982, 1821 zu § 7 KapErhG [aufgehoben durch Art. 5 UmwBerG 1994]; GK-AktG/Hirte Rn. 38; KK-AktG/Lutter Rn. 17; MHdB AG/Scholz § 60 Rn. 57 aE). IÜ gilt bei **fehlerhafter Eintragung:** Ist Erhöhungsbeschluss nichtig, so heilt Eintragung nur bei Formmängeln (§ 242 I). Bei anderen Mängeln tritt Heilungswirkung erst nach Ablauf von drei Jahren ein (§ 242 II). Ist Anmeldungsverfahren fehlerhaft, so entfaltet Eintragung nur dann keine Wirkung, wenn Anmeldung überhaupt fehlt oder von nicht vertretungsberechtigten Personen vorgenommen wurde (→ § 181 Rn. 27 f.). Gericht kann nur in diesen Fällen nach § 395 FamFG Eintragung von Amts wegen löschen (aA GK-AktG/Hirte Rn. 47). Verstoß gegen § 210 II berührt Wirksamkeit der Eintragung nicht (unstr.); sie kann auch nicht nach § 395 FamFG oder § 398 FamFG von Amts wegen gelöscht werden (MüKoAktG/M. Arnold Rn. 33; GK-AktG/Hirte Rn. 48; Hölters/Weber/Simons Rn. 23).

11 **2. Bekanntmachung.** Bis zum Inkrafttreten des DiRUG 2021 bedurfte es überdies weiterer elektronischer Bek. nach § 10 HGB aF. Durch Neuordnung des Bekanntmachungswesens durch **DiRUG 2021** (→ § 39 Rn. 7 ff.) ist unter Bek. nunmehr aber nur noch erstmalige Abrufbarkeit der Eintragung im HR zu verstehen; Bek. selbst wird als eigenständiges Publikationsmedium aufgegeben (→ § 39 Rn. 8 f.).

V. Aufbewahrung der Unterlagen

12 Anders als nach § 210 V aF (bis 2006) gibt es nach dessen Aufhebung durch EHUG 2006 **keine aktienrechtl. Aufbewahrungsvorschrift** mehr. Frühere Regelung in § 210 V war auf Registerführung in Papierform zugeschnitten und passt deshalb nicht für elektronische Registerführung. Entspr. Änderungen sind in § 188 V, § 195 III, § 201 IV vorgenommen worden. Aufbewahrung richtet sich nach näherer Bestimmung der Bundesländer (VO) iVm § 8a II HGB.

Wirksamwerden der Kapitalerhöhung

211 (1) **Mit der Eintragung des Beschlusses über die Erhöhung des Grundkapitals ist das Grundkapital erhöht.**

(2) *(aufgehoben)*

I. Regelungsgegenstand und -zweck

Norm bestimmt nach Vorbild des § 181 III, dass Kapitalerhöhung erst mit Eintragung des Erhöhungsbeschlusses in das HR wirksam wird (§ 211 I). Dadurch werden **Registerkontrolle und Publizität** gewährleistet (KK-AktG/Zetzsche Rn. 2). Besonderheit besteht hier darin, dass Kapitalerhöhung aus Gesellschaftsmitteln – anders als die gegen Einlagen – nicht in zwei Schritten, sondern in einem, der rechtswirksamen Beschlussfassung, durchgeführt wird (→ Rn. 2; sa Hölters/Weber/Simons Rn. 1). Parallelnormen: § 54 III GmbHG, § 57c IV GmbHG. 1

II. Rechtsfolgen der Eintragung

Eintragung des Beschlusses über Erhöhung des Grundkapitals in das HR wirkt **konstitutiv.** Mit ihr ist Grundkapital erhöht (§ 211 I); entspr. Betrag hat AG nunmehr als gezeichnetes Kapital zu passivieren (§ 266 III A I HGB). Rechtsfolge der Eintragung entspr. damit der Grundregel des § 181 III. Eintragung genügt, weil Kapitalerhöhung aus Gesellschaftsmitteln keiner Ausführungshandlungen bedarf (→ § 207 Rn. 5). Zu den Rechtsfolgen fehlerhafter Eintragung (→ § 210 Rn. 10). 2

Mit Eintragung entstehen die **neuen Mitgliedsrechte.** Inhaber werden Aktionäre entspr. ihrem Verhältnis am bisherigen Grundkapital (§ 212). Wertpapierrechtl. Verbriefung des Anteilsrechts ist für seine Entstehung weder erforderlich noch ausreichend. Neue Aktien und Zwischenscheine dürfen vor Eintragung des Erhöhungsbeschlusses nicht ausgegeben werden (§ 219). Erst nach Eintragung werden Aktionäre aufgefordert, neue Aktien abzuholen (§ 214 I 1). Bis zur Ausgabe der Aktienurkunden sind neue Mitgliedsrechte gem. §§ 398, 413 BGB übertragbar (→ § 189 Rn. 3). 3

III. Keine Einlagepflicht

Nach § 211 II aF galten neue Aktien als volleingezahlt. Norm ist durch UmwBerG 1994 als systemfremd und überflüssig aufgehoben worden (Begr. BT-Drs. 12/6699, 176, 177). Auch § 57i GmbHG enthält keine § 211 II aF entspr. Regelung. Fiktion war verfehlt, weil Kapitalerhöhung aus Gesellschaftsmitteln keine Maßnahme der Kapitalbeschaffung ist (→ § 207 Rn. 3), Einlagen auf neue Aktien also nicht geschuldet werden. Für teileingezahlte Aktien verbleibt es bei Sonderregelungen der § 215 II, § 216 II (→ Rn. 3 ff. bzw. → Rn. 6 ff.). 4

Unterbilanz. Weil Einlagen nicht geschuldet werden, können Aktionäre auch dann nicht in Anspruch genommen werden, wenn sich nachträglich herausstellt, dass in der Bilanz ausgewiesene Kapitalrücklage oder Gewinnrücklagen nicht oder nicht voll durch Aktiva gedeckt waren, sei es wegen unrichtiger Bilanz, sei es wegen nach dem Bilanzstichtag aufgetretener Verluste; Unterbilanzhaftung gibt es mithin nicht (so mit ausf. und überzeugender Begr. öOGH GesRZ 2011, 115, 116 ff. [zur GmbH]; GK-AktG/Hirte Rn. 12; KK-AktG/Zetzsche Rn. 29; MHdB AG/Scholz § 60 Rn. 56; Korsten AG 2006, 321, 326 f.; sa BGHZ 171, 293 Rn. 12 = AG 2007, 487 [zur Verschmelzung]: Einlagepflichten werden nicht durch HV-Beschluss, sondern Übernahmeerklärung begründet; aA Koppensteiner wbl 2015, 1, 3 ff.; Priester GmbHR 1980, 236, 238 f., jeweils zur GmbH). 5

AG kann aber Abschlussprüfer (§ 323 HGB; vgl. dazu → § 49 Rn. 2 und 4) oder Anmelder (→ § 207 Rn. 19) auf Schadensersatz in Anspruch nehmen (KK-AktG/Zetzsche Rn. 30). Wenn sich Unterbilanz so nicht ausgleichen lässt, zB mangels Werthaltigkeit der Ansprüche, gelten allg. Grundsätze (MHdB AG/Scholz § 60 Rn. 56), dh Kapitalherabsetzung (bes. gem. §§ 229 ff.), aber alternativ auch Stehenlassen künftiger Jahresüberschüsse bis zum Ausgleich (ganz hM; s. MüKoAktG/M. Arnold Rn. 10; B/K/L/Lieder Rn. 6; Grigoleit/Rieder/Holzmann Rn. 5; Hölters/Weber/Simons Rn. 8; S/L/Veil Rn. 4; KK-AktG/Zetzsche Rn. 37 ff.; aA GK-AktG/Hirte Rn. 14; KK-AktG/Lutter, 2. Aufl. 1993, Rn. 8: generelle Pflicht zur Kapitalherabsetzung).

6 **Nennbetragserhöhung.** Aktionäre schulden auch insoweit keine Einlagen, als Kapitalerhöhung nicht durch Ausgabe neuer Aktien, sondern abw. vom Grundsatz des § 182 I 4 iVm § 207 II (→ § 207 Rn. 11) gem. § 215 II 2 Fall 2 durch Erhöhung des Nennbetrags ausgeführt wird. Das gilt jedoch nur für Erhöhungsbetrag. Vor Kapitalerhöhung ausstehende Einlagen werden also weiter geschuldet (KK-AktG/Zetzsche Rn. 40; Geßler BB 1960, 6, 8).

Aus der Kapitalerhöhung Berechtigte

212 **[1] Neue Aktien stehen den Aktionären im Verhältnis ihrer Anteile am bisherigen Grundkapital zu. [2] Ein entgegenstehender Beschluß der Hauptversammlung ist nichtig.**

I. Regelungsgegenstand und -zweck

1 § 212 betr. **Zuordnung neuer Aktien** und geht davon aus, dass Mitgliedschaft der Aktionäre umgewandelte Rücklage bereits zuvor anteilig umfasste. Parallelnorm: § 57j GmbHG. § 200 RegE zum AktG 1965 bestimmte zunächst, dass Aktien aus einer Kapitalerhöhung aus Gesellschaftsmitteln auch AN der AG zugewiesen werden können. Auch wegen verfassungsrechtl. Bedenken (Art. 14 GG) wurde dieser Teil des Entwurfs gestrichen und als Kompromiss § 202 IV eingefügt (AusschussB Kropff S. 306 f.).

II. Zuordnung der neuen Aktien

2 Soweit neue Aktien ausgegeben werden (notwendig bei Nennbetragsaktien, fakultativ bei Stückaktien; s. § 207 II; → § 207 Rn. 11, 11a), entstehen sie gem. § 212 S. 1 in der Person des Aktionärs ohne Rücksicht auf Wissen und Wollen (unstr., vgl. MHdB AG/Scholz § 60 Rn. 58), und zwar mit Eintragung der Kapitalerhöhung (s. § 211 I). § 212 S. 1 begründet also kein Bezugsrecht, weshalb darauf auch nicht verzichtet werden kann (KK-AktG/Zetzsche Rn. 6, 13; aA Steiner DB 2001, 585, 586). Einer irgendwie gearteten Durchführung (zB Bezugserklärung, Zeichnung) bedarf es nicht. Das Gleiche gilt für Teilrechte (§ 213); sie können jedoch nur gem. § 213 II ausgeübt werden. Berechtigt sind im Zeitpunkt der Eintragung vorhandene Aktionäre. Hält AG eigene Aktien, so nimmt sie mit ihnen an Erhöhung teil (§ 215 I) und erwirbt neue Aktien ebenfalls unmittelbar (KK-AktG/Zetzsche Rn. 9). Wenn an Altaktien Rechte Dritter bestehen (Pfandrecht, Nießbrauch, Nacherbfolge), erstrecken sie sich unmittelbar auf neue Aktien (MüKoAktG/M. Arnold Rn. 6; GK-AktG/Hirte Rn. 12; KK-AktG/Zetzsche Rn. 10). Umfang, in dem Berechtigte an Kapitalerhöhung teilnehmen, bestimmt sich ebenfalls nach § 212 S. 1. Danach stehen neue Aktien den Aktionären im Verhältnis ihrer Anteile am bisherigen Grundkapital zu, was § 53a entspr.

III. Zwingende Geltung

§ 212 S. 1 ist zwingend. **Entgegenstehender HV-Beschluss ist nichtig** (§ 212 S 2). HV hat keinen Gestaltungsspielraum. Abw. Zuteilung ist auch dann nichtig, wenn solchem Beschluss betroffene oder sogar alle Aktionäre zugestimmt haben (OLG Dresden AG 2001, 532; MüKoAktG/M. Arnold Rn. 11; GK-AktG/Hirte Rn. 15; KK-AktG/Zetzsche Rn. 13), und zwar auch, wenn es sich lediglich um kleine Abweichung ohne Veränderung der Gesellschaftsstruktur handelt (OLG Dresden AG 2001, 532; MHdB AG/Scholz § 60 Rn. 59; Priester GmbHR 1980, 236, 239 f.; zweifelnd GK-AktG/Hirte Rn. 15; aA LG Mannheim BB 1961, 303 zur Vermeidung freier Spitzen bei GmbH; Simon GmbHR 1961, 179 f.; Steiner DB 2001, 585 f.). § 212 S. 2 erfasst auch **mittelbare Beeinträchtigungen.** So können Aktionäre im Erhöhungsbeschluss nicht verpflichtet werden, neues Mitgliedsrecht nach seiner Entstehung zu übertragen (MHdB AG/Scholz § 60 Rn. 59). Verstoß gegen § 212 S. 1 liegt auch vor, wenn Teilnahme an Kapitalerhöhung von Bedingungen oder anderen Erschwernissen abhängig gemacht wird (GK-AktG/Hirte Rn. 16; MHdB AG/Scholz § 60 Rn. 59). Insbes. kann Zuteilung neuer Aktien nicht von vorheriger Teilnahme an regulärer Kapitalerhöhung abhängig gemacht werden (unstr.; → § 207 Rn. 6). 3

IV. Rechtsfolgen eines Verstoßes für den Kapitalerhöhungsbeschluss

Ob § 212 S. 2 zur Nichtigkeit des gesamten Kapitalerhöhungsbeschlusses führt oder nur abw. Zuteilung erfasst und Verteilung sich sodann nach § 212 S. 1 bestimmt, beurteilt hM (s. zB Fett/Spiering NZG 2002, 358, 359) nach **§ 139 BGB.** Bestehen durch Auslegung nicht ausräumbare Zweifel, ob Kapitalerhöhung auch ohne abw. Zuteilung beschlossen worden wäre, so ist Erhöhungsbeschluss insgesamt nichtig (MüKoAktG/M. Arnold Rn. 15; KK-AktG/Zetzsche Rn. 22 ff.; Priester GmbHR 1980, 236, 239). Geringfügige Abweichung kann Annahme rechtfertigen, dass Kapitalerhöhung auch ohne sie beschlossen worden wäre (MüKoAktG/M. Arnold Rn. 15; KK-AktG/Zetzsche Rn. 23). Registerrichter darf ganz oder teilw. nichtigen Erhöhungsbeschluss nicht eintragen. Trägt er trotzdem ein, so bleibt insges. nichtiger Beschluss ohne Rechtsfolgen. Heilung nach § 242 II ist nicht möglich (→ § 242 Rn. 6; aA KK-AktG/Zetzsche Rn. 26). Anders, wenn Nichtigkeit nur Zuteilung erfasst. Kapitalerhöhung wird dann gem. § 211 I wirksam. An die Stelle der nichtigen Zuteilung tritt § 212 S. 1 (KK-AktG/Zetzsche Rn. 27). 4

Teilrechte

213 (1) **Führt die Kapitalerhöhung dazu, daß auf einen Anteil am bisherigen Grundkapital nur ein Teil einer neuen Aktie entfällt, so ist dieses Teilrecht selbständig veräußerlich und vererblich.**

(2) **Die Rechte aus einer neuen Aktie einschließlich des Anspruchs auf Ausstellung einer Aktienurkunde können nur ausgeübt werden, wenn Teilrechte, die zusammen eine volle Aktie ergeben, in einer Hand vereinigt sind oder wenn sich mehrere Berechtigte, deren Teilrechte zusammen eine volle Aktie ergeben, zur Ausübung der Rechte zusammenschließen.**

I. Regelungsgegenstand und -zweck

1 Norm betr. **Teilrechte.** Sie entstehen, weil § 212 quotale Zuordnung der neuen Aktien zwingend vorgibt und es nicht immer möglich ist, Erhöhungsbetrag und Aktiennennbetrag (§ 8 II) oder anteiligen Kapitalbetrag (§ 8 III) so zu wählen, dass nur ganze Aktien neu entstehen (zur Vermeidung von Teilrechten s. Than WM Sonderheft 1991, 54, 56 ff.). § 213 I begründet Verkehrsfähigkeit der Teilrechte. Durch § 213 II wird Druck zur Bildung voller Mitgliedsrechte ausgeübt. Str. ist, ob Aktionäre **Anspruch** darauf haben, dass HV Erhöhungsbetrag oder Stückelung der neuen Aktien so wählt, dass nicht mehr Teilrechte als notwendig entstehen. Mittlerweile hM verneint diese Frage zu Recht (MüKo-AktG/M. Arnold § 207 Rn. 16; BeckOGK/Fock/Wüsthoff § 207 Rn. 13; Hölters/Weber/Simons Rn. 4; B/K/L/Stadler Rn. 3; Marsch-Barner/Schäfer/Busch/Busch Rn. 47.31; MHdB AG/Scholz § 60 Rn. 64; jetzt auch Grigoleit/Rieder/Holzmann Rn. 1; aA GK-AktG/Hirte § 207 Rn. 113; Hölters/Weber/Solveen § 8 Rn. 12). § 213 erkennt Schaffung von Teilrechten grds. an und verhindert damit auch, dass Aktionärsinteressen über Gebühr beeinträchtigt werden, so dass für Anwendung der Treupflicht jenseits evidenter Missbrauchsfälle kein Raum bleibt. Aus Praktikabilitätsgründen sollten krumme Zahlenverhältnisse aber idR vermieden werden; auch AG selbst wird daran angesichts des mit Teilrechten verbundenen administrativen Aufwands ein Interesse haben (Marsch-Barner/Schäfer/Busch/Busch Rn. 47.31). Parallelnorm: § 57k GmbHG.

II. Entstehung und Rechtsnatur

2 Teilrechte sind Mitgliedsrechte und entstehen mit Wirksamwerden der Kapitalerhöhung (§ 211 I) ipso iure in der Person des berechtigten Aktionärs (§ 212; → § 212 Rn. 2). Höhe des Teilrechts bestimmt sich nach der zwingenden Zuteilungsregel des § 212 S. 1. Teilrechte sind **selbständiger Teil eines Mitgliedsrechts** (GK-AktG/Hirte Rn. 7; KK-AktG/Zetzsche Rn. 9). Inhaltlich gewähren sie vorbehaltlich der Ausübungsschranke des § 213 II (→ Rn. 4) die gleichen Rechte wie volle Aktien. Sie unterscheiden sich von ihnen also nur quantitativ. Anders als volle Mitgliedsrechte können Teilrechte nicht verbrieft werden.

III. Übertragbarkeit

3 Teilrechte sind selbständig veräußerlich (§ 213 I). Übertragung erfolgt formlos nach §§ 398, 413 BGB (BeckOGK/Fock/Wüsthoff Rn. 4; sa RGZ 86, 154, 155). Gutgl. Erwerb ist nicht möglich. Veräußerlichkeit erlaubt Handel mit Teilrechten, um sie so zu vollen Rechten zusammenzufassen. Übertragbarkeit kann nur entspr. § 68 II eingeschränkt werden (BeckOGK/Fock/Wüsthoff Rn. 4; GK-AktG/Hirte Rn. 11). Erhalten Aktionäre Teilrechte auf Grund vinkulierter Namensaktien, so gilt beschränkte Übertragbarkeit auch für Teilrechte; arg. § 216 (GK-AktG/Hirte Rn. 11). Teilrechte sind ferner vererblich (§ 213 I). Sie können zudem gepfändet, verpfändet oder anderweitig belastet werden (KK-AktG/Zetzsche Rn. 9; MHdB AG/Scholz § 60 Rn. 62).

IV. Ausübung von Mitgliedsrechten

4 Teilrechte unterliegen der **Ausübungssperre** des § 213 II. Mitgliedsrechte, die nicht ausgeübt werden können, sind zB Stimmrecht, Dividendenanspruch, Bezugsrecht bei späterer Kapitalerhöhung (Ausnahme → Rn. 5), Auskunftsrecht oder der in § 213 II ausdr. genannte Anspruch auf Verbriefung. § 213 II gibt zwei Wege vor, um Ausübungssperre zu überwinden: (1.) Aktionär erwirbt („in

einer Hand“) so viele Teilrechte, dass sie zusammen eine volle Aktie ergeben. (2.) Mehrere Aktionäre, deren Teilrechte zusammen eine volle Aktie ergeben, schließen sich zur Ausübung ihrer Rechte zusammen. Es entsteht dann GbR (§ 705 BGB) zwecks Ausübung von Mitgliedsrechten (Hölters/Weber/Simons Rn. 8). Auf sie soll nach älterer Ansicht § 69 I, III Anwendung finden (Baumbach/Hueck Rn. 3; KK-AktG/Lutter, 2. Aufl. 1993 Rn. 5), was nicht überzeugt, da GbR als rechtsfähige Wirkungseinheit selbst Zuordnungssubjekt ist (→ § 69 Rn. 3; zust. MüKoAktG/M. Arnold Rn. 22; GK-AktG/Hirte Rn. 21; KK-AktG/Zetzsche Rn. 14).

V. Weitere Kapitalerhöhung aus Gesellschaftsmitteln

Bestehen Teilrechte und erfolgt nunmehr weitere Kapitalerhöhung aus Gesellschaftsmitteln, so entstehen wegen §§ 211, 212 und entgegen § 213 II (→ Rn. 4) unmittelbar in der Person des Teilberechtigten wiederum neue selbständige Teilrechte (KK-AktG/Zetzsche Rn. 14). 5

Aufforderung an die Aktionäre

214 **(1) [1] Nach der Eintragung des Beschlusses über die Erhöhung des Grundkapitals durch Ausgabe neuer Aktien hat der Vorstand unverzüglich die Aktionäre aufzufordern, die neuen Aktien abzuholen. [2] Die Aufforderung ist in den Gesellschaftsblättern bekanntzumachen und gemäß § 67a zu übermitteln. [3] In der Bekanntmachung ist anzugeben,**

1. um welchen Betrag das Grundkapital erhöht worden ist,
2. in welchem Verhältnis auf die alten Aktien neue Aktien entfallen.

[4] In der Bekanntmachung ist ferner darauf hinzuweisen, daß die Gesellschaft berechtigt ist, Aktien, die nicht innerhalb eines Jahres seit der Bekanntmachung der Aufforderung abgeholt werden, nach dreimaliger Androhung für Rechnung der Beteiligten zu verkaufen.

(2) [1] Nach Ablauf eines Jahres seit der Bekanntmachung der Aufforderung hat die Gesellschaft den Verkauf der nicht abgeholten Aktien anzudrohen. [2] Die Androhung ist dreimal in Abständen von mindestens einem Monat in den Gesellschaftsblättern bekanntzumachen. [3] Die letzte Bekanntmachung muß vor dem Ablauf von achtzehn Monaten seit der Bekanntmachung der Aufforderung ergehen.

(3) [1] Nach Ablauf eines Jahres seit der letzten Bekanntmachung der Androhung hat die Gesellschaft die nicht abgeholten Aktien für Rechnung der Beteiligten zum Börsenpreis und beim Fehlen eines Börsenpreises durch öffentliche Versteigerung zu verkaufen. [2] § 226 Abs. 3 Satz 2 bis 6 gilt sinngemäß.

(4) [1] Die Absätze 1 bis 3 gelten sinngemäß für Gesellschaften, die keine Aktienurkunden ausgegeben haben. [2] Die Gesellschaften haben die Aktionäre aufzufordern, sich die neuen Aktien zuteilen zu lassen.

Übersicht

I. Regelungsgegenstand und -zweck

1 § 214 betr. **Ausgabe der Aktienurkunden.** Norm regelt Ausgabeverfahren (§ 214 I) sowie Rechtsfolgen (Verkauf durch AG), wenn Berechtigte Aktien nicht abholen (§ 214 II, III). Mitgliedsrechte entstehen aber schon durch Eintragung des Erhöhungsbeschlusses (→ § 211 Rn. 3). Mit Ausgabe der Urkunden wird Kapitalerhöhungsverfahren beendet. Vorstand ist zur Aktienausgabe nicht nur berechtigt, sondern auch verpflichtet (→ Rn. 3). Normzweck ist allerdings unklar. HM sieht ihn darin, **Klarheit über Aktionärsstruktur** zu schaffen (MüKoAktG/M. Arnold Rn. 2; BeckOGK/Fock/Wüsthoff Rn. 1.1; Hölters/Weber/Simons Rn. 1), während andere auf Interesse des Rechtsverkehrs abstellen (KK-AktG/Lutter, 2. Aufl. 1993, Rn. 6). Unüberbrückbarer Gegensatz zwischen diesen Positionen ist aber nicht zu erkennen (sa MüKoAktG/M. Arnold Rn. 2 aE: „Summe der genannten Vorteile"). Für den Fall, dass AG Mitgliedsrechte nicht verbrieft, gilt § 214 I–III sinngem. (§ 214 IV). Verweisungszweck ist unklar (→ Rn. 11). Zentrales Problem des § 214 liegt darin, dass er von Abholung realer Stücke ausgeht, die aufgrund fortschreitender **Dematerialisierung des Wertpapierrechts** zunehmend an Bedeutung verlieren (→ § 10 Rn. 2 ff., 12 ff.). Deshalb ist Vorschrift in Grundkonzeption der § 214 I–III weithin der Praxis entrückt (KK-AktG/Zetzsche Rn. 3). Auch über § 214 IV wird Problem dem Wortlaut nach nicht gelöst, weil idR auch im Falle der Girosammelverwahrung Aktienurkunde in Form einer Globalurkunde ausgegeben wird (MüKoAktG/M. Arnold Rn. 38; Hölters/Weber/Simons Rn. 3; KK-AktG/Zetzsche Rn. 4, 58; sa noch → Rn. 11). Für Fälle der Girosammelverwahrung ist demnach **zeitgemäße Modifikation** der § 214 I–III erforderlich (KK-AktG/Zetzsche Rn. 4, 6 f.).

II. Aufforderung zur Abholung neuer Aktien (§ 214 I)

2 **1. Ausgabe neuer Aktien als Voraussetzung.** Pflicht des Vorstands zur Aufforderung der Aktionäre setzt voraus, dass Kapitalerhöhung aus Gesellschaftsmitteln durch Ausgabe neuer Aktien erfolgt. Anwendungsbereich des § 207 bezieht sich auf Nennbetragsaktien (§ 182 I 4 iVm § 207 II 1) und auf Stückaktien, sofern HV nicht gebotene, aber zulässige Ausgabe neuer Stückaktien beschlossen hat (§ 207 II 2 Hs. 2; → § 207 Rn. 11a). Bei teileingezahlten Aktien ist noch Sonderregelung des § 215 II 2 und 3 zu beachten (→ § 215 Rn. 4 f.).

3 **2. Pflicht des Vorstands.** Für die gesetzgeberische Grundkonzeption realer Einzelverbriefung (→ Rn. 1) wird Vorstand durch § 214 I verpflichtet, unverzüglich (§ 121 I 1 BGB) nach Eintragung des Erhöhungsbeschlusses (§ 211 I) Aktionäre aufzufordern, neue Aktien abzuholen. Verstoß kann Vorstandsmitglieder gem. § 93 II schadensersatzpflichtig machen. Registerrichter kann Vorstand zur Erfüllung der Pflicht durch Zwangsgeld anhalten (§ 407 I). Vorstand ist auch gehalten, alle erforderlichen Maßnahmen zur Aktienausgabe zu treffen, insbes. Herstellung und Ausfertigung der Aktienurkunden zu veranlassen. Diese Ver-

anlassung kann und sollte bereits vor Eintragung erfolgen (GK-AktG/Hirte Rn. 9; Stein WM 1960, 242, 244); Ausgabe ist jedoch bis dahin verboten (§ 219).

3. Form und Inhalt. Aufforderung an Aktionäre, neue Aktien abzuholen, ist in den Gesellschaftsblättern (§ 25: mindestens BAnz) bekanntzumachen (§ 214 I 2). Einmalige Bek. reicht (MüKoAktG/M. Arnold Rn. 7); anders bei Verkaufsandrohung, → Rn. 8. Bek. muss enthalten (s. Muster bei Happ/Herchen AktienR 12.08 lit. d): **(1.) Aufforderung** an alle Aktionäre, die neuen Aktienurkunden abzuholen, einschließlich der Angabe von Ort, Zeit und erforderlicher Legitimation (zB Gewinnanteilschein). Abholungsort können Geschäftsräume der AG sein. Bei Publikumsgesellschaften wird Aktienausgabe regelmäßig Bankenkonsortium übertragen. Technische Abwicklung obliegt dann den Konsorten (MHdB AG/Scholz § 60 Rn. 96). Für Aktionäre, die Aktien in Streifband- oder Girosammelverwahrung gegeben haben, kann AG mit den Depotbanken Vereinbarungen über die Ausgabe treffen (zu Einzelheiten KK-AktG/Zetzsche Rn. 34 f.). Bek. muss dann entspr. Hinweis enthalten. Durch **ARUG II 2019** wurde Bekanntgabepflicht um **Weiterleitungspflicht gem. § 67a** erweitert, um Aktionärsinformation – beschränkt auf börsennot. AG – auch hier zu verbessern und Ausübung von Aktionärsrechten zu erleichtern (→ § 67a Rn. 1 ff.; zur Anwendung auf § 214 s. KK-AktG/Zetzsche Rn. 23 ff., 36 ff.). 4

Bek. muss weiter enthalten: **(2.) Betrag,** um den Grundkapital erhöht worden ist (§ 214 I 3 Nr. 1); → § 207 Rn. 12. **(3.) Verhältnis,** in welchem auf **alte Aktien neue Aktien** entfallen (§ 214 I 3 Nr. 2). Dafür sind bisheriges Grundkapital und Erhöhungsbetrag in Beziehung zu setzen. Grundkapital ist im Zeitpunkt der Eintragung (§ 211 I) aus Sp. 3 des Registerblatts ablesbare Kapitalziffer. Deshalb muss Durchführung einer regulären Kapitalerhöhung vorher in das HR eingetragen werden, wenn junge Aktien an Kapitalerhöhung aus Gesellschaftsmitteln teilnehmen sollen. Bei bedingter Kapitalerhöhung (§§ 192 ff.) ist eingetragene Kapitalziffer in Höhe des geringsten Ausgabebetrags (§ 9 I) der emittierten Aktien, die noch nicht nach § 201 eingetragen sind, vorab zu berichtigen, da sich in diesem Fall Grundkapital außerhalb des HR, nämlich mit Ausgabe der Aktienurkunden, erhöht (→ § 201 Rn. 3). **(4.) Hinweis,** dass AG berechtigt ist, Aktien, die nicht innerhalb eines Jahres seit Bek. der Aufforderung abgeholt werden, nach dreimaliger Androhung für Rechnung der Beteiligten zu verkaufen (§ 214 I 4). 5

4. Durchführung. Abholung der Aktien setzt zunächst **Ausstellung der Urkunde** voraus, die vom Vorstand zu unterzeichnen ist; er handelt durch vertretungsberechtigte Zahl seiner Mitglieder (→ § 13 Rn. 6). Ausreichend ist vervielfältigte Unterschrift (s. § 13 S. 1). Urkunde kann bereits vor Eintragung des Erhöhungsbeschlusses ausgestellt werden. Aushändigung als eigentliche Aktienausgabe darf dagegen erst nach der Eintragung erfolgen (§ 219). Abholung ist entspr. zu terminieren. Mit Abholung ist **Begebungsvertrag** gemeint, der schuldrechtl. und sachenrechtl. Charakter hat: Er ist Kausalabrede und zugleich auf Übereignung der Aktienurkunde gerichtet (vgl. MüKoBGB/Habersack BGB Vor § 793 Rn. 26; → § 199 Rn. 3). Aktionäre haben ihre Berechtigung nachzuweisen (zB Vorlage des Gewinnanteilscheins). Sie können sich durch Bevollmächtigte vertreten lassen (BeckOGK/Fock/Wüsthoff Rn. 4). Besteht Depotvertrag, sind Banken idR zur Abholung berechtigt und verpflichtet (MüKo-AktG/M. Arnold Rn. 15). Auch im Fall der Girosammelverwahrung in Gestalt einer Globalurkunde ist „Abholung" erforderlich, wenngleich diese hier bloß in Umbuchungsvorgang besteht, um wertpapierrechtl. Übertragung des Anteils an „neuer" Globalaktie zu bewirken (Hölters/Weber/Simons Rn. 3; KK-AktG/Zetzsche Rn. 7). 6

III. Verkauf nicht abgeholter Aktien (§ 214 II und III)

7 **1. Grundlagen.** Nicht abgeholte Aktien sind unter Beachtung der Vorgaben des § 214 II und III von AG zu verkaufen. Zuständig ist **Vorstand** (§ 76 I, § 78 I). Er ist zum Verkauf verpflichtet, hat also auch notwendige Verkaufsvoraussetzungen herbeizuführen, insbes. dreimalige Androhung des Verkaufs vorzunehmen (GK-AktG/Hirte Rn. 26; Hölters/Weber/Simons Rn. 13; MHdB AG/Scholz § 60 Rn. 99). Dagegen vorgebrachter Einwand, Pflicht gelte nicht, wenn sie Gesellschaftsinteresse zuwiderlaufe (KK-AktG/Zetzsche Rn. 42), ist bedenklich, da Wortlaut eindeutig ist und Gesetzgeber damit über Auflösung etwaiger Pflichtenkollision schon entschieden hat. Anderes Verständnis würde Gesetzesbefolgung zu weitgehend in Belieben des Normadressaten stellen (den Ansatz der Pflichtenkollision dagegen generalisierend KK-AktG/Zetzsche Rn. 42: „wie bei jeder aktienrechtlichen Pflicht“). Androhung und Verkauf können aber nicht im Zwangsgeldverfahren durchgesetzt werden, weil § 407 I nur § 214 I nennt (krit. GK-AktG/Hirte Rn. 26; dagegen aber KK-AktG/Zetzsche Rn. 41). Verkauf erfolgt für Rechnung der Beteiligten (§ 214 III 1).

8 **2. Androhung.** AG kann Aktien nur verkaufen, wenn Aktionäre sie trotz **ordnungsgem. Aufforderung** (§ 214 I) nicht abgeholt haben (MüKoAktG/M. Arnold Rn. 20 f.; GK-AktG/Hirte Rn. 27). Insbes. muss Aufforderung Hinweis des § 214 I 4 enthalten (→ Rn. 5). Ferner hat AG **Verkauf nicht abgeholter Aktien anzudrohen** (§ 214 II). Androhung darf erst nach Ablauf eines Jahres seit Bek. der Aufforderung erfolgen (§ 214 II 1). Sie ist in den Gesellschaftsblättern (§ 25: BAnz) wenigstens dreimal bekanntzumachen; dabei ist zwischen den einzelnen Androhungen zeitlicher Abstand von mindestens einem Monat einzuhalten (§ 214 II 2). Dritte und letzte Aufforderung muss aber vor Ablauf von achtzehn Monaten seit Bek. der Aufforderung nach § 214 I ergehen (§ 214 II 3). Für die drei Androhungen verbleibt damit nur Zeitraum von sechs Monaten nach Ablauf der Jahresfrist. Bezweckt ist mit dieser umfassenden Regelung, dass möglichst jeder betroffene Aktionär Kenntnis von der Zuteilung und vom drohenden Verkauf erhält. Muster einer Androhung bei Happ/Herchen AktienR 12.08 lit. e. Schließlich ist **Jahresfrist** einzuhalten; Verkauf darf erst erfolgen, wenn seit dritter und letzter Bek. der Androhung ein Jahr abgelaufen ist (§ 214 III 1). Voraussetzungen sind zwingend. Werden alle Fristen addiert, kann Verkauf frühestens nach dem 26. Monat seit Bek. der Aufforderung zur Abholung beginnen. Fristen beginnen jeweils mit Erscheinen des Gesellschaftsblatts (→ § 25 Rn. 4).

9 **3. Durchführung.** AG verkauft nicht abgeholte Aktien **für Rechnung der Beteiligten** (§ 214 III 1). AG verkauft im eigenen Namen, handelt also als mittelbarer Stellvertreter für betroffene Aktionäre (Hölters/Weber/Simons Rn. 13). § 214 III 1 schreibt zwingend vor: Besteht Börsenpreis, so sind Aktien zu diesem zu verkaufen. Aktien ohne Börsennotierung sind öffentl. zu versteigern. Zur öffentl. Versteigerung s. § 383 III 1 BGB. **§ 226 III 2–6** gilt sinngem. (§ 214 III 2). Seine Verfahrensregelungen gelten, soweit passend, für beide Arten des Verkaufs (wie hier Grigoleit/Rieder/Holzmann Rn. 12; B/K/L/Stadler Rn. 11; MHdB AG/Scholz § 60 Rn. 99; aA [nur für Versteigerung] Hölters/Weber/Simons Rn. 13; weiter diff. GK-AktG/Hirte Rn. 38). Zu den Modalitäten → § 226 Rn. 16. Mit Veräußerung der Aktie verliert berechtigter Aktionär sein Mitgliedsrecht. Nicht er, sondern AG (mittelbare Vertretung) ist Gläubiger der Kaufpreisforderung (MüKoAktG/M. Arnold Rn. 31; KK-AktG/Zetzsche Rn. 55). Aktionär hat aber Anspruch auf Auszahlung des Erlöses entspr. § 667 BGB, der gem. §§ 195, 199 I BGB verjährt.

4. Fehlerhaftes Verfahren. Verkauf nicht abgeholter Aktien durch AG ist unzulässig, wenn Verkaufsvoraussetzungen (→ Rn. 8) oder Regeln über Art und Weise des Verkaufs (→ Rn. 9) nicht eingehalten worden sind. Ob Mitgliedsrecht durch (unzulässige) Veräußerung wirksam auf Dritten übertragen und damit dem Aktionär entzogen wird, bestimmt sich nach allg. Grundsätzen, also den Vorschriften über **gutgl. Erwerb** (§§ 932 ff. BGB; bei Namensaktien: Art. 16 WG iVm § 68 I 2 [→ Rn. 7, 9]). Aktionär kann bei wirksamer Übertragung auf Dritte gegen AG Ansprüche aus § 816 I 1 BGB und uU aus §§ 823 I, 31 BGB geltend machen (s. MüKoAktG/M. Arnold Rn. 33; S/L/Veil Rn. 10). 10

IV. Nicht verbriefte Aktien (§ 214 IV)

Wenn AG keine Aktienurkunden ausgegeben hat, gilt § 214 I–III sinngem. (§ 214 IV 1). Anwendungsbereich der Norm wird allerdings dadurch stark eingeschränkt, dass sie nach Wortlaut nicht einschlägig ist, wenn AG Globalurkunde ausgegeben hat (→ Rn. 1). Dass AG weder selbst noch auf Verlangen eines Aktionärs zumindest Globalurkunde ausgibt, kommt allerdings zumindest bei börsennotierter AG nicht vor, da erst (Global-)Verbriefung Voraussetzung für Börsenhandel schafft (Hölters/Weber/Simons Rn. 3). Liegt Fall fehlender Urkundenausgabe vor, hat AG Aktionäre aufzufordern, sich die neuen Aktien zuteilen zu lassen (§ 214 IV 2). Zuteilung tritt an die Stelle der Abholung (vgl. § 214 I). **Regelungsgehalt** des § 214 IV ist **unklar.** Mitgliedsrechte entstehen mit Eintragung des Kapitalerhöhungsbeschlusses (→ § 211 Rn. 3), so dass für Zuteilung als rechtsbegründenden Akt kein Raum ist (MüKoAktG/M. Arnold Rn. 39; GK-AktG/Hirte Rn. 49). Sie kann also nur klarstellende Bedeutung haben, um so Erwerb des Mitgliedsrechts nach außen hin kenntlich zu machen (KK-AktG/Zetzsche Rn. 60). Mit Recht wird Regelungsgehalt des § 214 IV kritisiert. Unklarheit der Norm hat aber nicht zur Folge, dass sie keinerlei rechtl. Bedeutung hat. 11

Vielmehr gilt: Aus **Verweis auf § 214 I–III** folgt, dass AG nach Eintragung des Erhöhungsbeschlusses verpflichtet ist, Aktionäre aufzufordern, sich die neuen Aktien zuteilen zu lassen (→ Rn. 3 ff.). In den Gesellschaftsblättern (§ 25) bekanntzumachende Aufforderung muss Inhalt des § 214 I 2–4 aufweisen, also auch Verkauf androhen. Aufgrund der Aufforderung haben Aktionäre Zuteilung zu verlangen; sie erfolgt durch schriftliche Bestätigung der AG (MüKoAktG/M. Arnold Rn. 39). Nicht zugeteilte Aktien werden entspr. § 214 III verkauft (GK-AktG/Hirte Rn. 51; MHdB AG/Scholz § 60 Rn. 100; Hölters/Weber/Simons Rn. 15). AG ist zum Verkauf verpflichtet (Hölters/Weber/Simons Rn. 15; MHdB AG/Scholz § 60 Rn. 100; aA KK-AktG/Lutter, 2. Aufl. 1993, Rn. 24: Ermessen; ähnl. KK-AktG/Zetzsche Rn. 42, 65: Pflichtenkollision – vgl. dazu schon → Rn. 7). Voraussetzung ist auch hier dreimalige form- und fristgerechte Androhung nach § 214 II (→ Rn. 8). Verkauf kommt, da Börsenpreis nicht vorliegen kann, nach § 214 III nur durch öffentl. Versteigerung in Betracht (→ Rn. 9). Verfahren nach § 226 III 2–6 ist einzuhalten. Übertragung des Mitgliedsrechts nach §§ 398, 413 BGB. AG ist entspr. § 185 BGB verfügungsbefugt (KK-AktG/Lutter, 2 Aufl. 1993, Rn. 23), aber nur, wenn alle Voraussetzungen eingehalten sind. Ist dies nicht der Fall, kommt gutgl. Erwerb mangels Verbriefung nicht in Betracht. Aktionär bleibt dann Inhaber des Mitgliedsrechts. 12

V. Teilrechte

Für Teilrechte (§ 213 S. 2) gilt mangels bes. Regelung **§ 214 analog** (Grigoleit/Rieder/Holzmann Rn. 17; B/K/L/Stadler Rn. 17; KK-AktG/Zetzsche Rn. 67; MHdB AG/Scholz § 60 Rn. 101; aA [unmittelbare Anwendung] Mü- 13

KoAktG/M. Arnold Rn. 34; GK-AktG/Hirte Rn. 54 – iE führt unterschiedlicher Ansatz nicht zu Abweichungen). Aktionäre sind bei verbriefter Mitgliedschaft verpflichtet, Teilrechte durch Handel zu vollen Aktien zu vereinen oder sich zur gemeinschaftlichen Ausübung zusammenzuschließen (s. § 213 II). Erfolgt innerhalb der Fristen des § 214 II, III ein Zusammenschluss nicht, so ist AG entspr. § 214 III berechtigt und verpflichtet, die auf Teilrechte entfallenden Aktienrechte zu verkaufen. Erlös steht betroffenen Aktionären entspr. ihren Teilrechten zu. Bei unverbrieften Mitgliedsrechten tritt gem. § 214 IV Zuteilung an die Stelle der Abholung. Zuteilung kommt nur in Betracht, wenn volle Aktienrechte entstanden sind (KK-AktG/Zetzsche Rn. 69; MHdB AG/Scholz § 60 Rn. 101).

Eigene Aktien. Teileingezahlte Aktien

215 (1) **Eigene Aktien nehmen an der Erhöhung des Grundkapitals teil.**

(2) [1] **Teileingezahlte Aktien nehmen entsprechend ihrem Anteil am Grundkapital an der Erhöhung des Grundkapitals teil.** [2] **Bei ihnen kann die Kapitalerhöhung nicht durch Ausgabe neuer Aktien ausgeführt werden, bei Nennbetragsaktien wird deren Nennbetrag erhöht.** [3] **Sind neben teileingezahlten Aktien volleingezahlte Aktien vorhanden, so kann bei volleingezahlten Nennbetragsaktien die Kapitalerhöhung durch Erhöhung des Nennbetrags der Aktien und durch Ausgabe neuer Aktien ausgeführt werden; der Beschluß über die Erhöhung des Grundkapitals muß die Art der Erhöhung angeben.** [4] **Soweit die Kapitalerhöhung durch Erhöhung des Nennbetrags der Aktien ausgeführt wird, ist sie so zu bemessen, daß durch sie auf keine Aktie Beträge entfallen, die durch eine Erhöhung des Nennbetrags der Aktien nicht gedeckt werden können.**

I. Regelungsgegenstand und -zweck

1 Norm regelt zwei nicht zusammengehörende Fragen. Sie bestimmt zum einen, dass **eigene Aktien** an der Kapitalerhöhung teilnehmen (§ 215 I). Zum anderen betr. sie **teileingezahlte Aktien** (§ 215 II) und stellt zunächst klar, dass auch sie entspr. ihrem Nennbetrag an der Kapitalerhöhung teilnehmen (§ 215 II 1), die jedoch nur durch Erhöhung des Nennbetrags ausgeführt werden kann (§ 215 II 2 –4). Das weicht von § 182 I 4 iVm § 207 II ab und bezweckt Gläubigerschutz. Norm ging auf § 12 KapErhG zurück (aufgehoben durch Art. 5 UmwBerG 1994). Parallelnorm: § 57l GmbHG.

II. Eigene Aktien

2 Auch sie nehmen an Kapitalerhöhung aus Gesellschaftsmitteln teil (§ 215 I). AG erhält für eigene Aktien also neue, eigene Mitgliedsrechte, so dass sich Beteiligungsverhältnisse nicht ändern. Erst recht nehmen Aktien, die Dritter für Rechnung der AG hält, an Kapitalerhöhung teil (MüKoAktG/M. Arnold Rn. 5). Bei den anderen Formen der Kapitalerhöhung darf AG dagegen keine eigenen Aktien zeichnen (§ 56 I; → § 56 Rn. 3). Ohne sachliche Bedeutung ist Frage nach dem Verhältnis des § 215 I zur Vorschrift des § 71b, nach der AG aus eigenen Aktien keine Rechte zustehen. Teilw. wird § 215 I klarstellende Bedeutung zugesprochen (GK-AktG/Hirte Rn. 9; S/L/Veil Rn. 3; KK-AktG/Zetzsche Rn. 3), nach aA durchbricht er § 71b (so iE MüKoAktG/M. Arnold Rn. 4;

KK-AktG/Lutter, 2. Aufl. 1993, Rn. 2). Richtig ist das Erste, weil es um Neustrukturierung der Mitgliedschaft und nicht um Ausübung daraus folgender Einzelrechte geht.

III. Teileingezahlte Aktien

1. Teilnahme an der Kapitalerhöhung. § 215 II 1 stellt klar, dass teileingezahlte Aktien an Kapitalerhöhung teilnehmen, und zwar entspr. ihrem Anteil am Grundkapital. Sowohl bei Nennbetragsaktien (§ 8 II) als auch bei Stückaktien (§ 8 III) bestimmt sich Umfang der Teilnahme nach Beteiligungsquote, nicht nach geleisteten Einlagen. Das entspr. allg. Grundsätzen, da Aktionär auch bei teilw. Einzahlung Inhaber der vollen Mitgliedschaft ist (s. aber auch § 60 II, § 134 II 1). Andere Regelung wäre nicht sachgerecht, da sie Beteiligungsquote verändern würde (s. GK-AktG/Hirte Rn. 11; KK-AktG/Zetzsche Rn. 8). Aus § 215 II folgt ferner, dass § 182 IV 1 bei Kapitalerhöhung aus Gesellschaftsmitteln nicht gilt. Weil sie ohnehin keine Maßnahme der Kapitalbeschaffung ist (→ § 207 Rn. 3), kommt es nicht darauf an, ob entspr. Bedarf besteht (→ § 182 Rn. 26). 3

2. Ausführung der Kapitalerhöhung. Wenn nur teileingezahlte Aktien vorhanden sind, ist Ausgabe neuer Aktien abw. von § 182 I 4 iVm § 207 II 1 durch § 215 II 2 Hs. 1 verboten. Im Einzelnen ist zu unterscheiden: Bei **Stückaktien** (§ 8 III) bleibt Beteiligungsquote notwendig unverändert. Anteiliger Betrag des Grundkapitals (§ 8 III 3) erhöht sich automatisch, hat aber für Mitgliedschaft keine Bedeutung (→ § 8 Rn. 17). Deshalb besteht nach Eintragung des Erhöhungsbeschlusses (§ 211) kein weiterer Ausführungsbedarf. Möglich ist Aktiensplit durch satzungsändernden Beschluss (→ § 8 Rn. 27); darin liegt bloße Neustückelung, keine (nach § 215 II 2 Hs. 1 etwa unzulässige) Ausgabe neuer Aktien (LG Heidelberg AG 2002, 563; AG Heidelberg AG 2002, 527, 528). Bei **Nennbetragsaktien** (§ 8 II) würde Ausgabeverbot ohne Veränderung der Aktiennennbeträge dazu führen, dass deren Gesamtbetrag die erhöhte Kapitalziffer nicht mehr erreicht. Deshalb schreibt § 215 II Hs. 2 insoweit Nennbetragserhöhung vor. Sie bewirkt, dass Inhabern teileingezahlter Aktien erhöhtes Stimmrecht (§ 134 II) und erhöhter Gewinnanspruch (§ 60) zustehen. Soweit sich ihre Rechte nach der geleisteten Einlage bestimmen, bestehen sie jedoch nur in Höhe der geleisteten Einlage und des verhältnismäßigen Erhöhungsbetrags; maßgeblich ist Vomhundertsatz, um den Grundkapital angehoben worden ist (§ 216 II 1; → § 216 Rn. 7 f.). Pflicht zur Zahlung der Resteinlage bleibt bestehen (→ § 211 Rn. 6). § 215 II 2 ist zwingend (MüKoAktG/M. Arnold Rn. 11; KK-AktG/Zetzsche Rn. 17). Abw. Festsetzung im Erhöhungsbeschluss führt wegen bezweckten Gläubigerschutzes (→ Rn. 1) zu seiner Nichtigkeit nach § 241 Nr. 3. Weiterer Ausführungsbedarf besteht nicht, wenn Mitgliedschaft noch nicht verbrieft ist. Ist sie verbrieft, so verkörpert äußerlich fehlerhaft gewordene Urkunde das im Nennbetrag erhöhte Mitgliedsrecht (KK-AktG/Lutter, 2. Aufl. 1993, § 214 Rn. 5). Abstempelung oder Urkundenaustausch sind zulässig, können aber nicht erzwungen werden. § 214 III betr. neue Aktien und ist deshalb nicht anwendbar. Kraftloserklärung scheitert an § 73 I 2. Aktiensplit kann auch bei Nennbetragsaktien sinnvoll sein. Er unterliegt denselben Regeln wie bei Stückaktien. 4

3. Voll- und teileingezahlte Aktien. Wenn neben teileingezahlten auch volleingezahlte Aktien vorhanden sind, gibt § 215 II 3 Hs. 1 für **Nennbetragsaktien** (nur für diese) ein **Wahlrecht:** Bei volleingezahlten Aktien kann Kapitalerhöhung durch Ausgabe neuer Aktien (so Grundsatz des § 182 I 4 iVm § 207 II) oder durch Erhöhung des Nennbetrags der bisherigen Aktien ausgeführt 5 werden. HV entscheidet nach freiem Ermessen (MüKoAktG/M. Arnold Rn. 12). Wahlrecht erfasst aber nur die volleingezahlten Aktien (MüKoAktG/M. Arnold Rn. 12; MHdB AG/Scholz § 60 Rn. 67), nicht auch die teileingezahlten. Für sie bleibt es bei Anhebung der Nennbeträge (§ 215 II 2). Erhöhungsbeschluss muss angeben, in welcher Art volleingezahlte Aktien an Erhöhung teilnehmen (§ 215 II 3 Hs. 2). Fehlt Vorgabe, ist str., ob Beschluss nur anfechtbar oder nichtig ist (für das Erste GK-AktG/Hirte Rn. 53; KK-AktG/Zetzsche Rn. 22; für das Zweite MüKoAktG/M. Arnold Rn. 14; BeckOGK/Fock/Wüsthoff Rn. 9; MHdB AG/Scholz § 60 Rn. 22; Schippel DNotZ 1960, 353, 368). Nach richtiger Ansicht ist Beschluss unwirksam, weil unvollständig. Fehlende Vorgabe kann auch nicht vom Vorstand nachgeholt werden (so aber KK-AktG/Lutter, 2. Aufl. 1993, Rn. 12), da § 215 II 3 Hs. 2 Festsetzung im Erhöhungsbeschluss, also durch HV, verlangt.

6 **4. Vermeidung von Spitzen bei Nennbetragserhöhung.** Wird Kapitalerhöhung durch Erhöhung des Nennbetrags der Aktien ausgeführt (→ Rn. 4 f.), dann ist Erhöhungsbetrag so zu bemessen, dass auf keine Aktie Beträge entfallen, die nicht durch eine Erhöhung des Nennbetrags der Aktien gedeckt werden können (§ 215 II 4). Es soll also keine freien Spitzen geben. § 215 II 4 erschwert damit Kapitalerhöhung aus Gesellschaftsmitteln, weil zudem § 212 S. 1 zwingend vorgibt, dass Aktionäre bei Kapitalerhöhung entspr. ihrer bisherigen Beteiligungsquote berücksichtigt werden. Verstoß gegen § 215 II 4 führt zur Nichtigkeit des Erhöhungsbeschlusses (MüKoAktG/M. Arnold Rn. 17; KK-AktG/Zetzsche Rn. 25). Nichtigkeit folgt nicht aus § 241 Nr. 3, sondern ergibt sich daraus, dass Verstoß gegen § 215 II 4 immer auch Verstoß gegen § 212 S. 1 bedeutet, weil freie Spitzen verteilt werden müssen (BeckOGK/Fock/Wüsthoff Rn. 11; Grigoleit/Rieder/Holzmann Rn. 8; B/K/L/Stadler Rn. 14; KK-AktG/Zetzsche Rn. 25; aA GK-AktG/Hirte Rn. 34; Hölters/Weber/Simons Rn. 13; s. ferner → § 241 Rn. 7).

Wahrung der Rechte der Aktionäre und Dritter

216

(1) **Das Verhältnis der mit den Aktien verbundenen Rechte zueinander wird durch die Kapitalerhöhung nicht berührt.**

(2) [1] **Soweit sich einzelne Rechte teileingezahlter Aktien, insbesondere die Beteiligung am Gewinn oder das Stimmrecht, nach der auf die Aktie geleisteten Einlage bestimmen, stehen diese Rechte den Aktionären bis zur Leistung der noch ausstehenden Einlagen nur nach der Höhe der geleisteten Einlage, erhöht um den auf den Nennbetrag des Grundkapitals berechneten Hundertsatz der Erhöhung des Grundkapitals zu.** [2] **Werden weitere Einzahlungen geleistet, so erweitern sich diese Rechte entsprechend.** [3] **Im Fall des § 271 Abs. 3 gelten die Erhöhungsbeträge als voll eingezahlt.**

(3) [1] **Der wirtschaftliche Inhalt vertraglicher Beziehungen der Gesellschaft zu Dritten, die von der Gewinnausschüttung der Gesellschaft, dem Nennbetrag oder Wert ihrer Aktien oder ihres Grundkapitals oder sonst von den bisherigen Kapital- oder Gewinnverhältnissen abhängen, wird durch die Kapitalerhöhung nicht berührt.** [2] **Gleiches gilt für Nebenverpflichtungen der Aktionäre.**

Übersicht

I. Regelungsgegenstand und -zweck

1 Während § 212 S. 1 bisherige Beteiligungsverhältnisse festschreibt, betr. § 216 aus der Mitgliedschaft folgende **Einzelrechte.** Sie sollen trotz der Kapitalerhöhung aus Gesellschaftsmitteln **relativ unverändert** bleiben (§ 216 I). Diesem Ziel dient auch Sonderregelung des § 216 II, der für Rechte aus teileingezahlten Aktien Berechnungsbasis proportional erhöht. Demgegenüber betr. § 216 III 1 Rechtsverhältnisse zwischen AG und Dritten. Auch insoweit gilt, dass Kapitalerhöhung aus Gesellschaftsmitteln wirtschaftlichen Inhalt der Rechtsbeziehungen nicht verändern darf, insbes. nicht durch Kürzung des Dividendensatzes, aber auch nicht durch Zurücksetzung hinter die Aktionäre bei gleich bleibendem oder steigendem Dividendensatz (nicht eindeutig BGHZ 119, 305, 323 = NJW 1993, 57; → Rn. 10). Norm ging auf § 13 KapErhG zurück (aufgehoben durch Art. 5 UmwBerG 1994), der seinerseits an § 54 I 1. DVO zur DividendenabgabeVO v. 18.8.1941 (RGBl. 1941 I 493) anknüpfte; genauer zur Entstehungsgeschichte Hüffer FS Bezzenberger, 2000, 191, 193 ff. Parallelnorm: § 57m GmbHG.

II. Verhältnis der Mitgliedsrechte zueinander (§ 216 I)

2 **1. Regelungsgehalt des § 216 I. a) Grundlagen.** Norm bestimmt, dass das Verhältnis der mit den Aktien verbundenen Rechte zueinander durch die Kapitalerhöhung nicht berührt wird. Vorschrift erfasst alle Aktien, auch teileingezahlte, für die zusätzlich Sonderregel des § 216 II gilt. Sie betr. nicht nur Rechte, sondern auch Pflichten der Aktionäre. Zur Behandlung von Nebenverpflichtungen (§ 55) s. § 216 III 2 und → Rn. 17. **Fortbestand des bisherigen Verhältnisses** wird im Grundsatz dadurch erreicht, dass Aktionäre junge Aktien erhalten, die ebenso ausgestattet sind wie alte Aktien; zu Ausnahmen → Rn. 3. § 216 I erlaubt nicht, dass an Aktionäre eine andere als die von ihnen gehaltene Aktiengattung ausgegeben wird (hM, s. MüKoAktG/M. Arnold Rn. 5; B/K/L/Stadler Rn. 2; KK-AktG/Zetzsche Rn. 7; aA MHdB AG/Scholz § 60 Rn. 74; Marsch-

Barner/Schäfer/Busch/Busch Rn. 47.38). Im Einzelnen gilt: Sind alle alten Aktien inhaltlich gleich ausgestattet, entstehen ebensolche jungen Aktien. Wegen § 212 S. 1 bleiben Mitgliedsrechte relativ unverändert (KK-AktG/Zetzsche Rn. 6; MHdB AG/Scholz § 60 Rn. 75). Verschiedene Aktiengattungen (s. § 11) werden proportional erhöht, so dass ihr Verhältnis zueinander vor und nach der Kapitalerhöhung gleich bleibt. Aktionäre erhalten im Verhältnis ihrer bisherigen Beteiligung jeweils Aktien ihrer Gattung (MüKoAktG/M. Arnold Rn. 8; MHdB AG/Scholz § 60 Rn. 76; Geßler DNotZ 1960, 619, 635). Stammaktionäre erhalten also Stämme, Vorzugsaktionäre Vorzüge.

3 **b) Besonderheiten, vor allem bei kapitalbezogenen Gewinnvorrechten.** Bestehen mehrere Aktiengattungen, so kann § 216 I zur inhaltlichen Änderung der aus ihnen folgenden Rechte führen, nämlich dann, wenn sich Rechte nicht nur nach dem Verhältnis der geringsten Ausgabebeträge (§ 9 I) der Aktien zueinander, sondern auch nach einer durch die Kapitalerhöhung geänderten Größe (zB Grundkapitalziffer, Gesamtnennbetrag oder bei Stückaktien [§ 8 III] Gesamtzahl einer Gattung) bestimmen. Bsp. dafür sind Vorzugsaktien, die Gewinnvorrecht (Vorabdividende) gewähren. § 216 I bedeutet einerseits (→ Rn. 2), dass Vorzugsaktionäre wiederum Vorzugsaktien mit Gewinnvorrecht erhalten. Andererseits besagt § 216 I, dass sich Rechtsstellung der Gattungsaktionäre nicht verändern darf. Eben diese Folge träte ein, wenn Vorzugsaktien mit Gewinnvorrecht in gleicher prozentualer Höhe ausgegeben würden, da sich dann Gesamtbetrag der Vorabdividende erhöhte und damit zugleich Gewinnanspruch der Stammaktionäre schmälerte. Deshalb ist Gewinnvorrecht auf alte und neue Vorzugsaktien so zu verteilen, dass **Betrag der Vorabdividende unverändert** bleibt (hM, OLG Stuttgart AG 1993, 94 f.; MüKoAktG/M. Arnold Rn. 13 f.; GK-AktG/Hirte Rn. 22; KK-AktG/Zetzsche Rn. 18 ff.; Geßler DNotZ 1960, 619, 635 f.; aA MHdB AG/Scholz § 60 Rn. 78). Bsp.: Ausgegeben sind Nennbetragsaktien. Grundkapital in Höhe von 50.000 Euro teilt sich auf in Stammaktien und Vorzugsaktien, wobei auf letztgenannte Gruppe Gesamtnennbetrag von 15.000 Euro entfällt. Vorabdividende beträgt 10 % ihres Nennbetrags, also insgesamt 1.500 Euro. Nach Kapitalerhöhung aus Gesellschaftsmitteln im Verhältnis 1:1 wäre ohne weitere Anpassung Gesamtbetrag auf 3.000 Euro erhöht. Vorabdividende ist deshalb einheitlich für alle Vorzugsaktien auf 5 % zu kürzen. Für vergleichbare andere Rechte gelten entspr. Grundsätze (GK-AktG/Hirte Rn. 23; MHdB AG/Scholz § 60 Rn. 79). Bei stimmrechtslosen Vorzugsaktien besteht in solchen Fällen nicht das Zustimmungserfordernis des § 141 I (→ § 141 Rn. 7).

4 **c) Anpassung kraft Gesetzes.** Rechtsfolge des § 216 I tritt kraft Ges. ein; mit Wirksamwerden der Kapitalerhöhung (§ 211 I) entstehen Aktien mit entspr. Rechten und Pflichten. Grundsatz gilt auch für Anpassungen der in → Rn. 3 beschriebenen Art (GK-AktG/Hirte Rn. 26; KK-AktG/Zetzsche Rn. 23 f.; MHdB AG/Scholz § 60 Rn. 81; aA noch Geßler BB 1960, 6, 10: entspr. Festsetzungen im Kapitalerhöhungsbeschluss erforderlich). Es kann allerdings notwendig sein, Satzungstext den neuen Rechtsinhalten anzupassen. Darin liegt jedoch nur **formelle Satzungsänderung,** die im Kapitalerhöhungsbeschluss enthalten sein, aber auch gem. § 179 I 2 dem AR übertragen werden kann (wie hier GK-AktG/Hirte Rn. 28 f.; Hölters/Weber/Simons Rn. 6; S/L/Veil Rn. 5; differenzierend KK-AktG/Zetzsche Rn. 25 ff.). Vollständiger, mit Bestätigung des Notars versehener Satzungswortlaut (§ 181 III 1) ist dann der Anmeldung des Kapitalerhöhungsbeschlusses beizufügen.

5 **2. Kein Sonderstatus von Mehrstimmrechtsaktien.** Soweit Grundsatz relativ unveränderter Mitgliedsrechte (→ Rn. 2) Ausgabe von Mehrstimmrechts-

aktien oder Erhöhung ihres Stimmrechts erforderte, bedurfte es dafür nach § 216 I 2 aF keiner Zulassung nach § 12 II 2 aF. Nachdem § 12 II 2 gestrichen wurde (→ § 12 Rn. 7), hatte Vorschrift ihren Bezugspunkt verloren, so dass Gesetzgeber auch sie durch MoMiG 2008 aufgehoben hat, zumal Übergangsfrist des § 5 I 1 EGAktG am 1.6.2003 abgelaufen war (RegBegr. BT-Drs. 16/6140, 52). Gänzlich ungelöst blieb dabei aber Frage, wie mit weiterhin aufgrund Fortsetzungsbeschlusses (→ § 12 Rn. 12) fortbestehenden Mehrstimmrechtsaktien umzugehen war. Noch deutlich dringlicher stellt sich Frage, nachdem Mehrstimmrechte durch Änderung des ZuFinG 2023 wieder zugelassen wurden (→ § 12 Rn. 7 ff.). ZT wird aus Streichung der Schluss gezogen, dass auch bei fortgeltenden (oder seit 2023 auch: neu geschaffenen) Mehrstimmrechten Kapitalerhöhung aus Gesellschaftsmitteln nicht zur Entstehung oder besseren Ausstattung von Mehrstimmrechtsaktien führen soll (S/L/Veil Rn. 7). Überzeugender erscheint allerdings Gegenauffassung, die insofern von unvollständiger Problemanschauung des Gesetzgebers ausgeht und deshalb allg. geltende Regel des § 216 I auch auf Mehrstimmrechtsaktien anwendet (MüKoAktG/M. Arnold Rn. 11; BeckOGK/Fock/Wüsthoff Rn. 10; Hölters/Weber/Simons Rn. 7; B/K/L/Stadler Rn. 8; KK-AktG/Zetzsche Rn. 14 ff.; Marsch-Barner/Schäfer/Busch/Busch Rn. 47.39).

III. Teileingezahlte Aktien (§ 216 II)

1. Grundlagen. § 216 II ist anwendbar, wenn sich bei teileingezahlten Aktien (s. § 215 II) einzelne Rechte nach der auf die Aktie geleisteten Einlage bestimmen. Norm nennt beispielhaft Gewinnverwendung und Stimmrecht (→ Rn. 7 f.). Rechtsfolge des § 216 II 1 ist, dass sich bestehendes Recht um den **Prozentsatz** erhöht, um den sich auch das Grundkapital erhöht hat. Damit ist bezweckt, Verschiebung der Rechte im Verhältnis zueinander zu verhindern. Anpassung erfolgt kraft Ges. mit Wirksamwerden der Kapitalerhöhung nach § 211 I (MüKoAktG/M. Arnold Rn. 26). Werden **weitere Einzahlungen** auf die Einlage geleistet, so erweitern sich die Rechte entspr. (§ 216 II 2). Damit ist gemeint, dass Mitgliedsrechte sich nicht nur in Höhe des Einzahlungsbetrags erweitern, sondern zusätzlich in Höhe des Prozentsatzes, um den sich das Grundkapital erhöht hat (MüKoAktG/M. Arnold Rn. 24). Damit wird sichergestellt, dass Einzahlung den gleichen Rechtszuwachs bringt wie vor der Kapitalerhöhung. 6

2. Einlagenabhängige Rechte. a) Gewinnverteilung. § 216 II 1 ist nur anwendbar, soweit sich Dividendenrecht nicht nach Anteilen am Grundkapital (§ 60 I), sondern nach geleisteten Einlagen bestimmt. So liegt es gem. § 60 II (→ § 60 Rn. 3), wenn nicht auf alle Aktien in demselben Verhältnis Einlagen geleistet worden sind; ferner gem. § 60 III (→ § 60 Rn. 6 f.), wenn Satzung Gewinnverteilung nach Verhältnis der geleisteten Einlagen vorsieht. So liegt es dagegen nicht bei verhältnismäßig übereinstimmenden Teileinzahlungen (→ § 60 Rn. 2). Im ersten Anwendungsfall (§ 60 II) errechnet sich Vorabdividende von 4 % (→ § 60 Rn. 4) nach Kapitalerhöhung aus Gesellschaftsmitteln aus geleisteter Einlage, erhöht um Prozentsatz, um den auch Grundkapital erhöht wurde (vgl. GK-AktG/Hirte Rn. 35 f.; sa MüKoAktG/M. Arnold Rn. 35 f.). **Bsp.:** Grundkapital beträgt 100.000 Euro; es bestehen Aktien mit einem Nennbetrag von 100 Euro. Ist auf Aktie Mindestbetrag von 25 Euro eingezahlt, beträgt Vorabdividende bei Vorausverzinsung von 4 % 1 Euro. Volleingezahlte Aktie erhält dagegen 4 Euro. Nach Kapitalerhöhung aus Gesellschaftsmitteln um 50 % beträgt Vorabdividende der teileingezahlten Aktie 1,50 Euro (nicht 3 Euro, berechnet: 4 % aus 75 Euro [= 25 Euro zuzügl. 50 Euro]), die der volleingezahlten Aktie 6 Euro (Nennbetrag 150 Euro). Es verbleibt damit beim Verhältnis 1:4. Andern- 7 falls ergäbe sich Verhältnis von 1:2. Im zweiten Anwendungsfall, bei dem Satzung Gewinnbeteiligung nach Verhältnis der geleisteten Einlagen vorsieht (§ 60 III), gelten diese Grundsätze entspr. (GK-AktG/Hirte Rn. 41). Sind Stückaktien ausgegeben, kommt es anstelle des Nennbetrags auf anteiligen Kapitalbetrag an (§ 8 III 3).

8 **b) Stimmrecht.** § 216 II 1 setzt auch für Stimmrecht voraus, dass es auf die geleisteten Einlagen ankommt. Wenn Grundsatz des § 134 II 1 gilt, nach dem Stimmrecht erst mit vollständiger Einlageleistung beginnt (→ § 134 Rn. 2, 16), findet § 216 II 1 keine Anwendung; denn auch nach Kapitalerhöhung handelt es sich um teileingezahlte Aktien ohne Stimmrecht (MüKoAktG/M. Arnold Rn. 27; GK-AktG/Hirte Rn. 41). Anwendbar ist § 216 II dagegen, wenn noch auf keine Aktie Einlage vollständig geleistet ist (§ 134 II 4; → § 134 Rn. 18) oder wenn Satzung abw. von § 134 II 1 bestimmt, dass Stimmrecht bereits mit Leistung der ges. oder satzungsmäßigen Mindesteinlage beginnt (§ 134 II 2; → § 134 Rn. 19). In diesen Fällen gewährt Leistung der Mindesteinlage eine Stimme; bei höheren Einlagen richtet sich das Stimmverhältnis nach der Höhe der geleisteten Einlage (§ 134 II 3; → § 134 Rn. 18 f.). Wird nunmehr Kapitalerhöhung aus Gesellschaftsmitteln durchgeführt, erhöht sich bereits vorhandenes Stimmrecht um Prozentsatz, um den auch Grundkapital erhöht wurde. **Bsp.:** Es bestehen Aktien mit Nennbetrag oder Stückaktien mit einem anteiligen Kapitalbetrag (§ 8 III 3) von 100 Euro. Sind auf eine Aktie 50 Euro eingezahlt, so gewährt sie nach § 134 II zwei Stimmen; voll eingezahlte Aktie dagegen vier Stimmen (Verhältnis 1:2). Erfolgt nunmehr Kapitalerhöhung aus Gesellschaftsmitteln um 100 %, so erhöht sich gem. § 215 II der Nennbetrag, bei Stückaktien der anteilige Kapitalbetrag der teileingezahlten Aktie auf 200 Euro; zur voll eingezahlten Aktie tritt weitere voll stimmberechtigte Aktie hinzu. Stimmrecht der teileingezahlten Aktie erhöht sich gem. § 216 II 1 um 100 % auf vier (statt sechs) Stimmen. Stimmverhältnis beträgt wiederum 1:2, ohne § 216 II 1 dagegen 6:8. Leistet Aktionär auf teileingezahlte Aktie weitere 25 Euro (ursprünglich ein Stimmrecht), so folgt aus § 216 II 2 (→ Rn. 6), dass sich Stimmrecht um Prozentsatz der Grundkapitalerhöhung (100 %) erhöht; Stimmzuwachs: zwei Stimmen. Neues Stimmverhältnis 6:8. Ohne Kapitalerhöhung betrüge es nunmehr 3:4. Stimmkraft bleibt also proportional gewahrt (sa Marsch-Barner/Schäfer/Busch/Busch Rn. 47.36).

9 **3. Geltung des § 271 III.** Nach § 271 III sind bei Auflösung der AG für den Fall, dass nicht auf alle Aktien die Einlagen in demselben Verhältnis geleistet worden sind, zunächst geleistete Einlagen zu erstatten und verbleibender Überschuss nach Anteilen am Grundkapital zu verteilen (→ § 271 Rn. 7). § 216 II 3 stellt klar, dass es dabei auch im Fall einer Kapitalerhöhung aus Gesellschaftsmitteln bleibt. **Erhöhungsbetrag** ist also wie geleistete Einlage zu behandeln und **vorweg zu erstatten;** anschließend ist Überschuss nach Verhältnis der Anteile am Grundkapital zu verteilen (GK-AktG/Hirte Rn. 53 f.; Marsch-Barner/Schäfer/Busch/Busch Rn. 47.37).

IV. Rechtsbeziehungen zu Dritten (§ 216 III 1)

10 **1. Grundlagen.** § 216 III 1 betr. Rechtsbeziehungen zwischen AG und Dritten, die kapital- oder gewinnabhängige Leistungspflichten zum Inhalt haben (ausf. J. Koch AG 2017, 6 f.). **Dritter** kann jeder sein, auch Aktionär oder Verwaltungsmitglied. Entscheidend ist dann, dass neben der Mitgliedschaft eine rechtsgeschäftlich begründete Beziehung zur AG besteht (MüKoAktG/M. Arnold Rn. 47; GK-AktG/Hirte Rn. 59). Andere Partei ist kapitalerhöhende AG. Unerheblich ist, ob AG Schuldner oder Gläubiger einer Leistungspflicht iSd

§ 216 III ist. Erfasst werden insbes. Gewinnbeteiligungen, Genussrechte (aber nicht mit der Folge einer Wiederauffüllung nach Herabsetzung des Genusskapitals, s. BGHZ 119, 305, 322 f. = NJW 1993, 57; ausf. zu Genussrechten M. Arnold/Gärtner AG 2013, 414, 415 ff.) sowie Gewinn- und Wandelschuldverschreibungen. Rechtsbeziehung muss zum Zeitpunkt des Wirksamwerdens der Kapitalerhöhung bestehen. **Schutzumfang:** Geschützt werden Dritte zunächst vor Schmälerung ihres Vermögens durch Kürzung des Dividendensatzes als Folge nomineller Kapitalerhöhung (Hüffer FS Bezzenberger, 2000, 191, 192). Über Regelungsabsicht des Gesetzgebers von 1941 (→ Rn. 1 aE) hinausgehend, ist aber auch Schutz Dritter vor bloßer Verwässerung des Dividendensatzes anzuerkennen, die bei unverändertem Satz daraus folgt, dass Aktionäre wegen erhöhter Aktienanzahl mehr bekommen, während sich Bemessungsgrundlage und damit auch Volumen bei Drittberechtigten nicht erhöhen (Hüffer FS Bezzenberger, 2000, 191, 197 ff.).

§ 216 III 1 führt zu einer **Anpassung der Leistungspflicht kraft Ges.** mit 11
Wirksamwerden der Kapitalerhöhung (§ 211 I), wirkt also wie § 212 S. 1 unmittelbar rechtsgestaltend, so dass es einer Vertragsänderung durch die Parteien nicht bedarf (MüKoAktG/M. Arnold Rn. 42; Hölters/Weber/Simons Rn. 13; KK-AktG/Zetzsche Rn. 52; Zöllner ZGR 1986, 288, 290; aA Koppensteiner ZHR 139 [1975], 191, 196: Auslegungsregel). Streit der Parteien über neuen Vertragsinhalt ist als Feststellungsklage zu führen, sofern nicht unmittelbar auf Leistung geklagt werden kann. § 216 III 1 ist in dem Sinne zwingend, dass er nicht durch Satzung abbedungen werden kann (unstr.). Möglich ist aber abw. Vereinbarung zwischen AG und Dritten (MüKoAktG/M. Arnold Rn. 44; BeckOGK/Fock/Wüsthoff Rn. 21; Köhler AG 1984, 197 f.). Werden durch § 216 III 1 gestaltete Verträge verlängert, so ist im Zweifel davon auszugehen, dass ges. angepasster Vertragsinhalt weiter gelten soll (MHdB AG/Scholz § 60 Rn. 88).

2. Besondere Rechtsbeziehungen. a) Tantiemen. Wenn Vorstandsmit- 12
gliedern, AR-Mitgliedern oder leitenden Angestellten Gewinnbeteiligung gewährt wird, die in **Anteil am Jahresgewinn** besteht, findet § 216 III 1 keine Anwendung, da Jahresgewinn durch Kapitalerhöhung nicht beeinflusst wird. Für **AR-Mitglieder** war Rechtslage bislang zweifelhaft im Lichte des § 113 III aF, der Aktionären im Fall dividendenabhängiger AR-Vergütung 4 %-Vorabdividende vorsah (→ 13. Aufl. 2018, Rn. 12). Nach ersatzloser Streichung dieser Vorgabe durch ARUG II 2019 haben sich daraus ergebende Rechtsfragen aber erledigt.

§ 216 III 1 findet aber Anwendung, wenn zwischen Vorstandsmitgliedern, 13
AR-Mitgliedern oder leitenden Angestellten und AG **Gewinnbeteiligung** vereinbart ist, die sich **nach der Höhe der Dividende** berechnet (Bsp.: 5.000 Euro für jedes Prozent). Das ist zulässig (→ § 113 Rn. 11). Ges. Vertragsanpassung (insoweit nicht: ergänzende Vertragsauslegung, s. aber LAG Nürnberg NZG 2004, 1160, 1161) ist geboten, weil Kapitalerhöhung aus Gesellschaftsmitteln nicht zur Ertragssteigerung führt. Vielmehr ist Gewinn auf erhöhtes Grundkapital zu verteilen, was iS einer modellhaften Annahme zur Verringerung des Dividendensatzes je Aktie führt. § 216 III 1 bewirkt, dass Gewinnbeteiligung absolut betrachtet gleich bleibt, indem auf jedes Prozent ein entspr. höherer Betrag zu zahlen ist. **Bsp.:** wie oben. Erfolgt Kapitalerhöhung im Verhältnis 1:1, sind nunmehr für jedes Prozent 10.000 Euro zu zahlen. Anpassung bezieht sich auf den Zeitpunkt des Wirksamwerdens der Kapitalerhöhung (§ 211 I) und gilt für die Dauer des laufenden Vertrags, bei Vorstandsmitgliedern also höchstens für fünf Jahre (§ 84 I 1). Weil Tantiemegläubiger auch vor bloßer Verwässerung geschützt werden sollen (→ Rn. 1, 10), ist unerheblich, ob Dividende zukünftig

auch tats. sinkt (Than WM Sonderheft 1991, 54, 60). Nach Wirksamwerden der Kapitalerhöhung abgeschlossene Verträge werden von § 216 III 1 nicht erfasst. Bei ihnen ist davon auszugehen, dass Veränderung berücksichtigt wurde (GK-AktG/Hirte Rn. 72).

14 **b) Rechte im Sinne des § 221.** Kapitalerhöhung aus Gesellschaftsmitteln berührt wirtschaftlichen Inhalt von **Wandel- und Optionsanleihen** (Wandelschuldverschreibungen). Sie berechtigen ihre Inhaber zum Erwerb einer bestimmten Anzahl Aktien (→ § 221 Rn. 3 ff.). Kapitalerhöhung führt zur Entstehung weiterer Mitgliedsrechte, so dass unverändertes Erwerbsrecht geringere Beteiligungsquote verschaffen würde. Anleihebedingungen werden durch § 216 III 1 entspr. angepasst. Sie berechtigen dann zum Erwerb weiterer Aktien, ohne dass Bezugspreis (bezogen auf Gesamtzahl der Aktien) oder Anleihebetrag sich erhöht (MüKoAktG/M. Arnold Rn. 58; Marsch-Barner/Schäfer/Busch/Busch Rn. 47.44; Than WM Sonderheft 1991, 54, 58). So berechtigt Optionsanleihe nach einer Kapitalerhöhung im Verhältnis 1:1 zum Bezug der doppelten Anzahl von Aktien. Erfüllung der Rechte aus Wandelschuldverschreibungen ist regelmäßig durch bedingtes Kapital gesichert (s. § 192 II Nr. 1). Damit solche Rechte auch nach Kapitalerhöhung aus Gesellschaftsmitteln erfüllt werden können, bestimmt § 218 S. 1 (→ § 218 Rn. 2 f.), dass sich bedingtes Kapital im gleichen Verhältnis wie Grundkapital erhöht. Ergänzend sieht § 218 S. 2 vor, dass zur Deckung des Unterschieds zwischen Ausgabebetrag der Wandelanleihe und geringstem Ausgabebetrag, den Bezugsaktien insges. haben, eine Sonderrücklage zu bilden ist (→ § 218 Rn. 4 ff.). **Gewinnschuldverschreibungen** verzinsen sich üblicherweise nach der Höhe des Dividendensatzes. Dann bewirkt § 216 III 1 eine Anpassung der Anleihebedingungen. Verzinsung ist um Kapitalerhöhungsfaktor anzuheben (Bsp.: Kapitalerhöhung im Verhältnis 2:1 erhöht Verzinsung um 50 %). Gleiches gilt für **Genussrechte,** sofern ihre Rechte auf den Dividendensatz bezogen sind (KK-AktG/Zetzsche Rn. 67 f.).

15 **c) Sonstiges.** § 216 III 1 erfasst auch Ausgleichszahlung nach § 304, sofern sie sich nach Dividende berechnet (→ § 304 Rn. 19; Hölters/Weber/Simons Rn. 20). Ferner werden partiarische Verträge durch § 216 III 1 angepasst. Hierhin gehören zB stille Beteiligungen oder dividendenabhängige Entgeltsvereinbarungen in Kredit- und Lieferverträgen, bei denen jew. die wirtschaftliche Stellung des Dritten an das Wohlergehen der Aktionäre anknüpft (vgl. auch J. Koch AG 2017, 6).

16 **3. Rechtsbeziehungen zwischen Aktionären und Dritten.** Kapitalerhöhung aus Gesellschaftsmitteln kann wirtschaftlichen Inhalt vertraglicher Beziehungen zwischen Aktionären und Dritten berühren. Auf diesen Fall ist **§ 216 III 1 unanwendbar** (unstr.), weil er voraussetzt, dass AG an Rechtsbeziehung beteiligt ist (→ Rn. 10). Wenn Parteien insoweit keine ausdr. Vereinbarungen getroffen haben, ist Vertragsauslegung (§§ 133, 157 BGB) maßgeblich (MüKoAktG/M. Arnold Rn. 70; KK-AktG/Zetzsche Rn. 69 f.). Kann Parteiwille nicht festgestellt werden, so ist Vertragsanpassung gem. §§ 313, 242 BGB möglich (Hölters/Weber/Simons Rn. 23). Soweit an Altaktien dingliche Rechte (Pfandrecht, Nießbrauch) oder bes. Rechtsbeziehungen (Treuhand, Nacherbschaft) bestehen, erstrecken sich entspr. Rechte automatisch auf die neuen Aktien (MüKoAktG/M. Arnold Rn. 71; KK-AktG/Zetzsche Rn. 71; Geßler DNotZ 1960, 619, 639; A. Teichmann ZGR 1972, 1, 16 ff. zum Nießbrauch; aA Kerbusch GmbHR 1990, 156; offengelassen von BGHZ 58, 316, 319 = NJW 1972, 1755 für Nießbrauch am Kommanditanteil).

V. Nebenverpflichtungen der Aktionäre (§ 216 III 2)

Keine Vermehrung durch Kapitalerhöhung. Nebenverpflichtungen der Aktionäre (§ 55) werden in ihrem wirtschaftlichen Inhalt durch Kapitalerhöhung nicht berührt (§ 216 III 2). Norm ist erforderlich, weil neue Aktien grds. gleiche Pflichten begründen wie alte (→ Rn. 2). Vermehrung der Nebenverpflichtungen wäre jedoch mit Zweck der Kapitalerhöhung aus Gesellschaftsmitteln nicht vereinbar. § 216 III 2 sieht deshalb vor, dass sich Gesamtumfang der Nebenverpflichtungen des einzelnen Aktionärs anteilig auf seine alten und neuen Aktien verteilt (MüKoAktG/M. Arnold Rn. 73; BeckOGK/Fock/Wüsthoff Rn. 31; im Prinzip auch GK-AktG/Hirte Rn. 83, der aber abw. Beschlussinhalt für möglich hält). Aus diesem Grund ist auch Zustimmung nach § 180 I nicht erforderlich (→ § 180 Rn. 4). 17

VI. Rechtsfolgen bei Verstoß

Schweigt Erhöhungsbeschluss zu den Anpassungen nach § 216, so liegt darin wegen unmittelbarer Rechtswirkung der Norm kein Mangel. Regelt Erhöhungsbeschluss Anpassung abw. von § 216, ist er **anfechtbar** (MüKoAktG/M. Arnold Rn. 19). Regelungen im Erhöhungsbeschluss, die Rechtsbeziehung der AG zu Dritten betreffen (§ 216 III 1), haben lediglich deklaratorische Bedeutung. Weichen sie von der Vorgabe des § 216 III für den Dritten nachteilig ab, so sind sie als Rechtsgeschäft zu Lasten Dritter ungültig. 18

VII. Entsprechende Anwendung des § 216 III 1?

§ 216 III 1 betr. unmittelbar nur Kapitalerhöhung aus Gesellschaftsmitteln (BAG NJW 2018, 3601 Rn. 16). Vielfach wird vertreten, dass § 216 III 1 entspr. Anwendung bei anderen Kapitalerhöhungsformen (reguläre Kapitalerhöhung; genehmigtes Kapital und bedingtes Kapital) findet, wenn diese zu einer **Verwässerung der Rechte** aus vertraglichen Beziehungen zwischen AG und Dritten führen; sog „Kapitalerhöhung unter Wert" (so MüKoAktG/M. Arnold Rn. 46; GK-AktG/Hirte Rn. 63; M. Arnold/Gärtner AG 2013, 414 ff.; Koppensteiner ZHR 139 [1975], 191, 197 ff.; Köhler AG 1984, 197, 199 f.; für GmbH auch MüKoGmbHG/Lieder § 55 Rn. 165; offenlassend OLG Stuttgart AG 1995, 329, 332). HM ist dem zu Recht nicht gefolgt, da schon planwidrige Regelungslücke nicht erkennbar ist (ausf. BAG NJW 2018, 3601 Rn. 24 ff. im Anschluss an Hüffer FS Bezzenberger, 2000, 191, 193 ff.; J. Koch AG 2017, 6 ff.; zust. LG Lübeck NZG 2023, 266 Rn. 57; MüKoAktG/Schürbrand/Verse § 189 Rn. 11 ff.; Lutter/Hommelhoff/Bayer GmbHG § 55 Rn. 47; Mentzel/Sura NZG 2019, 176 ff.; Stenzel DStR 2019, 287, 289 ff.). Auch in der Sache ist Analogie als pauschale Einheitslösung abzulehnen, weil sie unterschiedliche Vertragsverhältnisse nicht berücksichtigt und auf Rechtsfolgenseite (Anpassung kraft Ges.) unflexibel ist. Insbes. damit einhergehendes Erfordernis einer Unternehmensbewertung führt dazu, dass die für einen Analogieschluss erforderliche Vergleichbarkeit mit Mechanismus des § 216 III, der auf Grundlage einer reinen Rechenoperation angewandt werden kann, verneint werden muss (BAG NJW 2018, 3601 Rn. 25, 34 ff.; LG Lübeck NZG 2023, 266 Rn. 57 f.; J. Koch AG 2017, 6, 12 ff.). Näher liegt vielfach Lösung über **Vertragsauslegung** oder zur **Störung der Geschäftsgrundlage (§ 313 BGB)** geltende Grundsätze, die sich insbes. auf der Rechtsfolgenseite als flexibler und sachgerechter erweisen und der bewussten Beschränkung des § 216 III auf eng begrenzte Fallgruppe Rechnung tragen (ausf. J. Koch AG 2017, 6 ff.; sa BAG NJW 2018, 3601 Rn. 17 ff.; LAG Frankfurt ZIP 2017, 1855, 1857; Grigoleit/Rieder/Holzmann Rn. 10; MüKo- 19

AktG/Schürbrand/Verse § 189 Rn. 11 ff.; Hölters/Weber/Simons Rn. 22; S/L/Veil Rn. 14; KK-AktG/Zetzsche Rn. 75 ff.; Marsch-Barner/Schäfer/Busch/Busch Rn. 44.120 f.; Hüffer FS Bezzenberger, 2000, 191, 201 ff.; Schürnbrand ZHR 173 [2009], 689, 691; Zöllner ZGR 1986, 288 ff., 304 f.; auch solche Korrekturen abl. B/K/L/Stadler Rn. 22). Solche Lösung lässt auch Raum für angemessene dem Vertragsinhalt entspr. Differenzierungen. Stets ist bei jeder Anpassung zu berücksichtigen, dass Parteien sich bewusst gegen enge wirtschaftliche Gleichbehandlung des Dritten mit den Aktionären der AG entschieden haben (BAG NJW 2018, 3601 Rn. 35; anderes Verständnis bei Zöllner ZGR 1986, 288, 304 ff.), sondern durch Anknüpfung an Dividendenauszahlung unschärferen Parameter zugrunde gelegt haben, was sich namentl. im Alternativszenario zur Gewinnausschüttung, der Gewinnthesaurierung, manifestiert (BAG NJW 2018, 3601 Rn. 35; J. Koch AG 2017, 6, 8; zust. MüKoAktG/Schürbrand/Verse § 189 Rn. 13). Nur bei erheblichen Verwässerungseffekten kann Korrektur daher geboten sein (BAG NJW 2018, 3601 Rn. 47; J. Koch AG 2017, 6, 15 f.; zur vertraglichen Gestaltung Stenzel DStR 2019, 287, 290 ff.). Ferner kann Pflicht der AG zur Wiederauffüllung von Genussrechten, die durch **Kapitalherabsetzung** entwertet worden sind, nicht auf den Rechtsgedanken des § 216 III gestützt werden (BGHZ 119, 305, 322 f. = NJW 1993, 57; → § 224 Rn. 11). Umgekehrt kann § 216 III nicht zu Lasten der Genussrechteinhaber entspr. angewendet werden, etwa wenn Einzahlung des SoFFin in Kapitalrücklage der AG sich positiv auf Rückzahlungsansprüche der Inhaber auswirkt (OLG München AG 2014, 164, 167; 2015, 795, Rn. 46 ff.; aA MüKoAktG/M. Arnold Rn. 65a; M. Arnold/Gärtner AG 2013, 414, 423 f.). Auch hier ist Lösung auf vertraglicher Grundlage zu suchen. Zur Anwendung des § 216 III und des § 313 BGB auf Angebotspreis bei Übernahmeangebot Habersack FS Marsch-Barner, 2018, 203, 205 ff.

Beginn der Gewinnbeteiligung

217 (1) **Neue Aktien nehmen, wenn nichts anderes bestimmt ist, am Gewinn des ganzen Geschäftsjahrs teil, in dem die Erhöhung des Grundkapitals beschlossen worden ist.**

(2) [1] **Im Beschluß über die Erhöhung des Grundkapitals kann bestimmt werden, daß die neuen Aktien bereits am Gewinn des letzten vor der Beschlußfassung über die Kapitalerhöhung abgelaufenen Geschäftsjahrs teilnehmen.** [2] **In diesem Fall ist die Erhöhung des Grundkapitals zu beschließen, bevor über die Verwendung des Bilanzgewinns des letzten vor der Beschlußfassung abgelaufenen Geschäftsjahrs Beschluß gefaßt ist.** [3] **Der Beschluß über die Verwendung des Bilanzgewinns des letzten vor der Beschlußfassung über die Kapitalerhöhung abgelaufenen Geschäftsjahrs wird erst wirksam, wenn das Grundkapital erhöht ist.** [4] **Der Beschluß über die Erhöhung des Grundkapitals und der Beschluß über die Verwendung des Bilanzgewinns des letzten vor der Beschlußfassung über die Kapitalerhöhung abgelaufenen Geschäftsjahrs sind nichtig, wenn der Beschluß über die Kapitalerhöhung nicht binnen drei Monaten nach der Beschlußfassung in das Handelsregister eingetragen worden ist.** [5] **Der Lauf der Frist ist gehemmt, solange eine Anfechtungs- oder Nichtigkeitsklage rechtshängig ist.**

I. Regelungsgegenstand und -zweck

§ 217 betr. **Zeitpunkt** der Dividendenberechtigung. § 217 I enthält dispositive Regel. Entscheidet sich HV für rückwirkende Gewinnbeteiligung, ist zwingend § 217 II zu beachten. Danach muss Beschluss über Kapitalerhöhung dem über Gewinnverwendung vorausgehen, weil sonst entspr. Zahlungsansprüche zugunsten der Inhaber der Altaktien bereits entstanden sind (→ § 58 Rn. 28 ff.). Norm basierte auf § 14 KapErhG (aufgehoben durch Art. 5 UmwBerG 1994). Parallelnorm: § 57n GmbHG. 1

II. Gesetzliche Regel

Soweit neue Aktien ausgegeben werden und nichts anderes bestimmt ist, 2 nehmen neue Aktien am **Gewinn des ganzen Geschäftsjahrs** teil, in dem Erhöhung des Grundkapitals beschlossen worden ist (§ 217 I). Norm stellt auf Tag der Beschlussfassung ab; unerheblich ist, wann Eintragung in das HR erfolgt (unstr.). Soweit Kapitalerhöhung aus Gesellschaftsmitteln ohne Ausgabe neuer Aktien vorgenommen wird, verbleibt es bei bisheriger Gewinnberechtigung.

III. Anderweitige Festsetzung

1. Allgemeines. Regel des § 217 I ist dispositiv. HV kann Gewinnberechti- 3 gung im Kapitalerhöhungsbeschluss anderweitig festsetzen. Beschließt HV rückwirkende Gewinnbeteiligung, so ist zwingend § 217 II zu beachten (→ Rn. 4 ff.). Gewinnbeteiligung kann aber auch auf späteren Zeitpunkt verschoben werden (GK-AktG/Hirte Rn. 31; S/L/Veil Rn. 2), zB Tag der Eintragung des Erhöhungsbeschlusses (s. § 211 I) oder Beginn des nächsten Geschäftsjahrs. Spätere Gewinnbeteiligung nur ausnahmsweise zweckmäßig. HV-Beschluss muss Gleichbehandlungsgebot (§ 53a) genügen. Dagegen folgt für ihn nichts aus der ges. Anpassung der Mitgliedsrechte durch § 216 I 1 (S/L/Veil Rn. 2; aA MüKo-AktG/M. Arnold Rn. 8; GK-AktG/Hirte Rn. 33). Große praktische Relevanz wird solchen Gestaltungen aber eher selten zukommen (B/K/L/Stadler Rn. 5; zu möglichen Anwendungsfällen s. etwa GK-AktG/Hirte Rn. 31; S/L/Veil Rn. 2: „Aktionäre wollen neue Aktien veräußern, Gewinn aber noch nicht teilen").

2. Rückwirkende Gewinnberechtigung. a) Voraussetzungen. HV kann 4 im Kapitalerhöhungsbeschluss bestimmen, dass neue Aktien bereits am Gewinn des letzten vor der Beschlussfassung über die Kapitalerhöhung abgelaufenen Geschäftsjahrs teilnehmen (§ 217 II 1). Solche Gestaltung kann namentl. sinnvoll sein, um ausstattungsidentische Gestaltung aller Aktien zu erreichen (sa Hölters/Weber/Simons Rn. 4; zu den Vorteilen → § 60 Rn. 10). Voraussetzung für solchen Beschluss ist, dass er **HV-Beschluss über Verwendung des Bilanzgewinns** (§ 174) des letzten vor Beschlussfassung abgelaufenen Geschäftsjahrs vorangeht (§ 217 II 2; → Rn. 1). Zeitliche Reihenfolge ist zwingend. Bei Beschlussfassung in derselben HV ist Tagesordnung entspr. zu gestalten. Beschluss über Verwendung des Bilanzgewinns liegt auch vor, wenn HV beschlossen hat, Bilanzgewinn des letzten Geschäftsjahrs auf neues Geschäftsjahr vorzutragen (GK-AktG/Hirte Rn. 20; S/L/Veil Rn. 3; KK-AktG/Zetzsche Rn. 7). Vorhandener Beschluss über die Gewinnverwendung kann nicht aufgehoben oder geändert werden (MHdB AG/Scholz § 60 Rn. 72). Verstoß gegen § 217 II 2 führt iZw nur zur Teilnichtigkeit des Kapitalerhöhungsbeschlusses (unstr.). Gewinnverwendungsbeschluss hat Dividendenzahlung an neue Mitgliedsrechte zu berücksichtigen, die jedoch erst mit Eintragung des Kapitalerhöhungsbeschlusses entstehen (→ § 211 Rn. 2 f.). Deshalb bestimmt § 217 II 3, dass auch Gewinnverwendungsbeschluss erst wirksam wird, wenn Grundkapital mit Eintragung des Kapitalerhöhungsbeschlusses erhöht ist.

5 **b) Wirksamwerden.** Kapitalerhöhungsbeschluss muss **binnen drei Monaten** nach Beschlussfassung in das HR eingetragen worden sein; andernfalls sind er und der Beschluss über die Verwendung des Bilanzgewinns des letzten vor der Beschlussfassung abgelaufenen Geschäftsjahrs nichtig (§ 217 II 4, § 241). Der Sache nach handelt es sich um Fall von Unwirksamkeit (→ § 241 Rn. 7). Norm will Klarheit darüber schaffen, ob Gewinnverwendungsbeschluss wirksam wird oder nicht (s. § 217 II 3; → Rn. 4). Das ist geboten, weil Gewinnverwendungsbeschluss Mitgliedsrechte berücksichtigt, die erst mit Eintragung des Kapitalerhöhungsbeschlusses entstehen werden (→ § 211 Rn. 2 f.). Entscheidender Zeitpunkt ist **Eintragung des Kapitalerhöhungsbeschlusses.** Unerheblich ist seine Anmeldung zur Eintragung (unstr.). Das ist misslich, weil AG nach erfolgter Anmeldung auf den Gang des Eintragungsverfahrens keinen Einfluss hat. Kapitalerhöhungsbeschluss sollte deshalb alsbald nach HV zur Eintragung angemeldet werden.

6 Berechnung der Dreimonatsfrist erfolgt nach § 187 I BGB, § 188 BGB. Frist ist gehemmt, solange gegen die Kapitalerhöhung gerichtete **Anfechtungs- oder Nichtigkeitsklage** rechtshängig ist (§ 217 II 5). Rechtswirkungen der Hemmung bestimmen sich nach § 209 BGB: Zeitraum der Rechtshängigkeit wird nicht mitgerechnet. Bereits begonnene Frist läuft also fort. Wird Frist überschritten, so darf Registerrichter (nichtigen) Erhöhungsbeschluss nicht eintragen (MüKoAktG/M. Arnold Rn. 20); trägt er trotzdem ein, ist **Heilung** nach § 242 III (→ § 242 Rn. 9) möglich. Treten Rechtswirkungen des § 217 II 4 ein, so hat HV erneut über Gewinnverwendung für das letzte Geschäftsjahr zu beschließen (KK-AktG/Zetzsche Rn. 12). Im neuen Gewinnverwendungsbeschluss sind insbes. für gescheiterte Kapitalerhöhung bereitgestellte Mittel zu berücksichtigen.

Bedingtes Kapital

218 **[1] Bedingtes Kapital erhöht sich im gleichen Verhältnis wie das Grundkapital. [2] Ist das bedingte Kapital zur Gewährung von Umtauschrechten an Gläubiger von Wandelschuldverschreibungen beschlossen worden, so ist zur Deckung des Unterschieds zwischen dem Ausgabebetrag der Schuldverschreibungen und dem höheren geringsten Ausgabebetrag der für sie zu gewährenden Bezugsaktien insgesamt eine Sonderrücklage zu bilden, soweit nicht Zuzahlungen der Umtauschberechtigten vereinbart sind.**

I. Regelungsgegenstand und -zweck

1 § 218 S. 1 bestimmt, dass sich bedingtes Kapital (§ 192) infolge der Kapitalerhöhung aus Gesellschaftsmitteln ebenfalls kraft Ges. erhöht. Damit soll **Erfüllbarkeit von Umtausch- oder Bezugsrechten** sichergestellt werden, wie sie bedingtem Kapital zugrunde liegen (→ § 192 Rn. 2). Solche Vorsorge ist wiederum geboten, weil sich aus § 216 III 1 (→ § 216 Rn. 14) das Recht zum Erwerb von zusätzlichen Aktien bis zur Herstellung des ursprünglichen Beteiligungsverhältnisses ergibt. Dagegen will § 218 S. 2 **Unterpariemission** verhindern, die bei Ausgabe von Wandelschuldverschreibungen deshalb drohen kann, weil wegen § 216 III 1 der Gesamtnennbetrag aus den Anleihen zu gewährender Aktien nach Kapitalerhöhung höher ist als eingezahlter Gesamtnennbetrag. Ob dieser Fall eintritt, hängt im Wesentlichen vom vorgesehenen Umtauschverhältnis ab

(→ Rn. 5). Norm geht auf den durch BiRiLiG v. 16.12.1985 (BGBl. 1985 I 2355) aufgehobenen § 15 KapErhG zurück.

II. Erhöhung des bedingten Kapitals (§ 218 S. 1)

Bedingtes Kapital (§ 192) erhöht sich **kraft Ges.** infolge der Kapitalerhöhung; 2 entspr. Festsetzung im Kapitalerhöhungsbeschluss ist nicht erforderlich (MHdB AG/Scholz § 60 Rn. 92). Es erhöht sich im gleichen Verhältnis (gleicher Prozentsatz) wie Grundkapital (§ 218 S. 1). Berücksichtigt wird nur bedingtes Kapital, das zum Zeitpunkt des Wirksamwerdens der Kapitalerhöhung (§ 211 I) besteht. Bereits ausgeübte Umtausch- oder Bezugsrechte kürzen also ursprünglich beschlossenes bedingtes Kapital (vgl. GK-AktG/Hirte Rn. 7; Hölters/Weber/Simons Rn. 3). Etwa entstehende Teilrechte sind gem. § 213 zu behandeln (ausf. KK-AktG/Zetzsche Rn. 7).

Anpassung des bedingten Kapitals kraft Ges. führt dazu, dass mit Wirksamwer- 3 den der Kapitalerhöhung (§ 211 I) **Satzungstext und HR unrichtig** werden. Beides ist zu berichtigen. Berichtigung des HR kann nicht von Amts wegen vorgenommen werden, da Voraussetzungen der § 395 FamFG nicht vorliegen (s. MüKoAktG/M. Arnold Rn. 9; Hölters/Weber/Simons Rn. 4). Vielmehr ist Berichtigungsantrag unter Beachtung des § 12 HGB zugleich mit Anmeldung des Beschlusses über Kapitalerhöhung aus Gesellschaftsmitteln (§ 210) zu stellen (MüKoAktG/M. Arnold Rn. 10; aA Hölters/Weber/Simons Rn. 4). Insoweit genügt es, wenn Vorstand in vertretungsberechtigter Zahl handelt; Mitwirkung des AR-Vorsitzenden ist nicht erforderlich; Berichtigung kann nach § 14 HGB iVm §§ 388 ff. FamFG erzwungen werden (MüKoAktG/M. Arnold Rn. 10; KK-AktG/Zetzsche Rn. 9). Neuer Satzungstext ist bei Anmeldung des Erhöhungsbeschlusses beizufügen (→ § 210 Rn. 3).

III. Bildung einer Sonderrücklage (§ 218 S. 2)

Wenn bedingtes Kapital beschlossen worden ist, um Gläubigern von Wandel- 4 schuldverschreibungen Umtausch- oder Bezugsrechte zu gewähren (§ 192 II Nr. 1), kann AG verpflichtet sein, Sonderrücklage zu bilden (→ Rn. 5). Begriff der Wandelschuldverschreibung ist unscharf. § 221 I 1 und § 192 II Nr. 1 verwenden ihn als Oberbegriff für Wandelanleihen und Optionsanleihen. Wortlaut des § 218 S. 2 („für sie") erfasst unmittelbar zwar nur Wandelanleihe. Schutzzweck der Norm (→ Rn. 1) gebietet aber, sie auch auf andere Anleihen anzuwenden, sofern sie ein Umtauschrecht gewähren. Zur entspr. Anwendung auf Optionsanleihen → Rn. 7. Praktische Bedeutung der Regelung ist gering (Hölters/Weber/Simons Rn. 1).

AG ist verpflichtet, Sonderrücklage zu bilden, wenn Ausgabe der Bezugsaktien 5 **Unterpariemission** darstellt, weil insges. auf sie entfallender geringster Ausgabebetrag höher ist als Ausgabebetrag der Schuldverschreibungen; Sonderrücklage soll in diesem Fall Kapitalgrundlagen sichern. Danach maßgeblicher Gesamtnennbetrag (§ 8 II) oder maßgebliches Produkt aus anteiligen Beträgen und Aktienzahl (§ 8 III) ist mit Betrag zu vergleichen, zu dem Schuldverschreibungen tats. (→ § 199 Rn. 10 f.) ausgegeben worden sind oder werden sollen. Ergibt sich Differenz zu Lasten der Aktien und ist sie gerade durch Kapitalerhöhung aus Gesellschaftsmitteln verursacht (MHdB AG/Scholz § 60 Rn. 93), so greift § 218 S. 2 ein. Vorausgesetzt ist also, dass wegen § 216 III 1 (→ Rn. 14) das betragsmäßige Volumen der Bezugsaktien höher liegt als dasjenige der dafür hinzugebenden Schuldverschreibungen. **Bsp.:** Gläubiger sollen für Anleihe, die pari zu 100 Euro pro Stück ausgegeben wurde, eine Aktie zum geringsten Ausgabebetrag von 100 Euro erhalten. Nach Kapitalerhöhung 1:1 beträgt Umtauschverhältnis nur noch 0,5:1, so dass auf die Aktie nur eine Leistung im Wert von 50 Euro entfällt. Bsp. zeigt, dass Bildung einer Sonderrücklage bei üblichen Umtauschbedingungen nicht veranlasst ist. Sie ist namentl. dann nicht geboten, wenn geringster Ausgabebetrag der Bezugsaktien insges. trotz Vertragsanpassung gem. § 216 III 1 betragsmäßiges Volumen der Anleihe deckt (MüKoAktG/M. Arnold Rn. 12; BeckOGK/Fock/Wüsthoff Rn. 4).

6 Ges. enthält keine Aussage, zu welchem **Zeitpunkt** Sonderrücklage zu bilden ist. In Betracht kommen die Bilanz, die der Kapitalerhöhung zugrunde liegt (§ 207 III), und Buchung im Zeitpunkt der Beschlussfassung mit Ausweis in Bilanz des nächsten Jahresabschlusses. Überzeugend ist zweitgenannte Lösung, weil sie Erleichterungszweck des § 209 I entspr. (vgl. MüKoAktG/M. Arnold Rn. 19; GK-AktG/Hirte Rn. 23; MHdB AG/Scholz § 60 Rn. 93). Ist Sonderrücklage zu bilden, so dürfen freie Rücklagen in entspr. Höhe nicht in Grundkapital umgewandelt werden. Sonderrücklage ist schließlich nicht zu bilden, wenn Umtauschberechtigte zu Zuzahlungen verpflichtet sind, die den Differenzbetrag ausgleichen (§ 218 S. 2 aE).

IV. Bildung einer Sonderrücklage für Optionsanleihen

7 § 218 S. 2 findet nur Anwendung auf Anleihen, die ein Umtauschrecht gewähren (→ Rn. 4). Kapitalerhöhung aus Gesellschaftsmitteln kann aber wegen § 216 III 1 dazu führen, dass auf Bezugsaktien vereinbarungsgem zu zahlender Betrag unter Gesamtnennbetrag der nunmehr zu gewährenden Bezugsaktien liegt (ausf. KK-AktG/Zetzsche Rn. 20). In diesem Fall droht ebenfalls nach § 9 I verbotene Unterpariemission. Schutzzweck des § 218 S. 2 (→ Rn. 1) gebietet seine entspr. Anwendung: AG ist in diesem Fall verpflichtet, Sonderrücklage zu bilden (MüKoAktG/M. Arnold Rn. 25; BeckOGK/Fock/Wüsthoff Rn. 8).

V. Genehmigtes Kapital

8 § 218 gilt nicht für genehmigtes Kapital. Kapitalerhöhung aus Gesellschaftsmitteln berührt genehmigtes Kapital nicht, es **bleibt in vorhandener Höhe bestehen** (allgM). HV kann aber im Zuge der Kapitalerhöhung aus Gesellschaftsmitteln durch satzungsändernden Beschluss auch genehmigtes Kapital erhöhen, um anderenfalls eintretenden Verwässerungseffekt auszugleichen (s. dazu MüKo-AktG/M. Arnold Rn. 28). Mit Wirksamwerden der Kapitalerhöhung (§ 211 I: Eintragung im HR) ergibt sich für genehmigtes Kapital neuer Höchstbetrag (s. § 202 III). Sollen beide Erhöhungen in einer HV beschlossen werden, ist sicherzustellen, dass zunächst Kapitalerhöhung aus Gesellschaftsmitteln eingetragen wird.

Verbotene Ausgabe von Aktien und Zwischenscheinen

219 Vor der Eintragung des Beschlusses über die Erhöhung des Grundkapitals in das Handelsregister dürfen neue Aktien und Zwischenscheine nicht ausgegeben werden.

I. Regelungsgegenstand und -zweck

1 § 219 verbietet Ausgabe von neuen Aktien und Zwischenscheinen vor Eintragung des Erhöhungsbeschlusses. Norm bezweckt, Aktienerwerber **vor Schwindelemissionen zu schützen.** Regelungsvorbild war § 16 KapErhG (aufgehoben durch Art. 5 UmwBerG 1994). Für andere Formen der Kapitalerhöhung gilt Entspr. (s. §§ 191, 197, 203 I 1).

II. Verbotene Ausgabe

2 Gem. § 219 dürfen Aktienurkunden und Zwischenscheine (→ § 8 Rn. 28), die Mitgliedsrechte aus der Kapitalerhöhung zum Gegenstand haben, nicht vor Eintragung des Beschlusses über die Erhöhung des Grundkapitals in das HR (→ § 210 Rn. 10) ausgegeben werden. § 219 nimmt Bezug auf die Eintragung, weil mit ihr Mitgliedsrechte entstehen (§ 211 I; → § 211 Rn. 2 f.). **Vor Eintragung ausgegebene Aktienurkunden** können mithin (zunächst) kein Mitgliedsrecht verbriefen (MüKoAktG/M. Arnold Rn. 6; S/L/Veil Rn. 3). **Nachfolgende Eintragung** hat nach hM heilende Wirkung, so dass Aktienurkunden das dann entstandene Mitgliedsrecht verbriefen (BeckOGK/Fock/Wüsthoff Rn. 2). Im Vergleich zu §§ 191, 197, 203 I 1 unterschiedliche Rechtsfolge wird, abgesehen vom Wortlaut („dürfen"), damit begründet, dass bei Kapitalerhöhung aus Gesellschaftsmitteln der Gegenwert der Aktien sich bereits im Gesellschaftsvermögen befindet (B/K/L/Stadler Rn. 3). Ansicht überzeugt iE, weil nachträgliche Eintragung als Rechtsbedingung des Begebungsvertrags aufgefasst werden kann.

III. Übertragung der Mitgliedsrechte vor Eintragung

3 § 219 verbietet nicht, (künftiges) Mitgliedsrecht vor Eintragung zu übertragen (so aber § 191 S. 1, § 203 I 1). Grds. gilt, dass bestimmbare künftige Rechte übertragbar sind. Das ist auch für Mitgliedsrechte aus Kapitalerhöhung aus Gesellschaftsmitteln richtig (Hölters/Weber/Simons Rn. 3; MHdB AG/Scholz § 60 Rn. 94). Ihre Bestimmbarkeit wird durch Bezugnahme auf beabsichtigten oder erfolgten Erhöhungsbeschluss hergestellt. Übertragung des künftigen, unverbrieften Mitgliedsrechts erfolgt **nach §§ 398, 413 BGB.** Mit Eintragung des Erhöhungsbeschlusses entsteht Mitgliedsrecht ohne Durchgangserwerb in der Person des Erwerbers (Hölters/Weber/Simons Rn. 3; KK-AktG/Zetzsche Rn. 19). Gutgl. Erwerb scheidet aus.

IV. Schadensersatz bei Verstoß gegen § 219

4 Norm enthält anders als § 191 S. 3 (auch iVm § 203 I 1), § 197 S. 4 keine Anspruchsgrundlage, nach der Aktienausgeber (idR Vorstandsmitglieder, → § 191 Rn. 5) den Inhabern für Schäden aus vorzeitiger Aktienausgabe haften würden. Da Rechtsfolgen auch unterschiedlich sind (bei § 219 keine Nichtigkeit, sondern nur Unwirksamkeit → Rn. 2), ist auch Analogie zu § 191 S. 3, § 197 S. 4, § 203 I ausgeschlossen (MüKoAktG/M. Arnold Rn. 12; Hölters/Weber/Simons Rn. 8; S/L/Veil Rn. 5). Schadensersatzpflicht kann aber uU aus § 823 II BGB iVm § 219 oder § 405 I Nr. 2 hergeleitet werden (BeckOGK/Fock/Wüsthoff Rn. 5; S/L/Veil Rn. 5). Anspruch besteht nur gegen handelnde Personen, nicht gegen AG selbst (GK-AktG/Hirte Rn. 10; Hölters/Weber/Simons Rn. 8; aA KK-AktG/Zetzsche Rn. 21; S/L/Veil Rn. 5).

Wertansätze

220 [1] **Als Anschaffungskosten der vor der Erhöhung des Grundkapitals erworbenen Aktien und der auf sie entfallenen neuen Aktien gelten die Beträge, die sich für die einzelnen Aktien ergeben, wenn die Anschaffungskosten der vor der Erhöhung des Grundkapitals erworbenen Aktien auf diese und auf die auf sie entfallenen neuen Aktien nach**

dem Verhältnis der Anteile am Grundkapital verteilt werden. [2]Der Zuwachs an Aktien ist nicht als Zugang auszuweisen.

I. Regelungsgegenstand und -zweck

1 Norm regelt **bilanzielle Behandlung** der durch Kapitalerhöhung aus Gesellschaftsmitteln neu entstandenen Mitgliedsrechte. Normadressat ist nicht kapitalerhöhende AG, sondern Aktieninhaber, der Aktien im **Betriebsvermögen** hält und nach § 242 I HGB zur Aufstellung eines Jahresabschlusses verpflichtet ist (sa BeckOGK/Fock/Wüsthoff Rn. 1). Norm ergänzt Bewertungsvorschriften der §§ 252 ff. HGB. Sie bewertet Zugang der neuen Aktien vermögensneutral und ergänzt damit gleichartige Steuervorschriften. Bestimmung ging auf § 17 KapErhG zurück (aufgehoben durch Art. 5 UmwBerG 1994).

II. Anschaffungskosten (§ 220 S. 1)

2 Aktien, die zum Betriebsvermögen eines bilanzpflichtigen Kaufmanns gehören (→ Rn. 1), sind in der Bilanz als Anlagevermögen (§ 266 II A HGB) zu aktivieren und mit Anschaffungskosten anzusetzen (§ 253 I 1 HGB, § 255 I HGB). Neue Aktien sind gem. § 220 S. 1 zu bilanzieren, indem Anschaffungskosten der alten Aktien **verhältnismäßig auf alte und neue Aktien verteilt** werden, wobei sich das Verhältnis nach den Anteilen bestimmt, die alte und neue Aktien am Grundkapital haben. Zu verteilen ist Betrag, den Bilanz ausweist. Sind also tats. Anschaffungskosten durch außerplanmäßige Abschreibungen gemindert (§ 253 II 3, III HGB, § 254 HGB), so ist dieser Wert anzusetzen (GK-AktG/Hirte Rn. 11 f.). Wenn alte Aktien mit unterschiedlichen Anschaffungskosten bilanziert worden sind, werden neue Aktien anteilig umgelegt (unstr.). Kapitalerhöhung aus Gesellschaftsmitteln erhöht damit iE das Bilanzvermögen nicht.

III. Teilrechte

3 § 220 sagt nichts zu Teilrechten (→ § 213 Rn. 2). Grds. gelten Darlegungen zu Vollrechten entspr. (→ Rn. 2): Anschaffungskosten für Altaktien sind auf neue Vollrechte und Teilrechte verhältnismäßig zu verteilen (GK-AktG/Hirte Rn. 13 f.; Geßler WM-Beil. 1/1960, 11, 22). **Bsp.:** Aktionär hat zum Erwerb von fünf Altaktien 1500 Euro aufgewandt. Nach Kapitalerhöhung im Verhältnis 2:1 erhält er zwei neue Vollrechte und ein Teilrecht zu ½. Anschaffungskosten sind auf siebeneinhalb zu verteilen. Bilanzwert des Teilrechts: 100 Euro. Verkauft Aktionär Teilrecht zum Preis von 180 Euro, sinkt Bilanzwert um 100 Euro auf 1400 Euro; Mehrbetrag von 80 Euro ist als Gewinn (außerordentlicher Ertrag) zu verbuchen (bzw. als Verlust, wenn Verkaufspreis unter Buchwert liegt). Kauft Aktionär jedoch weiteres Teilrecht von ½ zum Preis von 180 Euro hinzu (s. § 213 II), betragen Anschaffungskosten für die achte Aktie 280 Euro (so iE auch MüKoAktG/M. Arnold Rn. 11; GK-AktG/Hirte Rn. 14).

IV. Kein Ausweis als Zugang (§ 220 S. 2)

4 Neue Aktien sind nicht als Zugang auszuweisen (§ 220 S. 2). Grds. ist nach § 284 III HGB Entwicklung des Anlagevermögens und damit auch der Finanzanlagen (s. § 266 II A. III HGB) im Anhang darzustellen, sind neu erworbene Aktien also dort aufzuführen. Für neue Aktien aus einer Kapitalerhöhung aus Gesellschaftsmitteln sieht § 220 S. 2 davon ab. Das ist klarstellend und deshalb sachgerecht, weil bisherige Beteiligung nur neu strukturiert, aber nicht vermehrt wird.

V. Kapitalerhöhung ohne Ausgabe neuer Aktien

5 § 220 setzt voraus, dass Kapitalerhöhung durch Ausgabe neuer Aktien erfolgt. Das ist gem. § 182 I 4 iVm § 207 II 1 der Regelfall bei Nennbetragsaktien (Ausnahmen: § 215 II 2 und 3; → § 215 Rn. 4 f.) und bildet eine Variante bei Stückaktien; daneben lässt § 207 II 2 für sie bloße Kapitalerhöhung zu (→ § 207 Rn. 11, 11a). Soweit es danach nicht zur Ausgabe neuer Aktien kommt (§ 207 II 1, § 215 II 2 und 3), ergibt sich von selbst, dass bisherige von Anschaffungskosten ausgehende Aktivierung beizubehalten ist (KK-AktG/Zetzsche Rn. 3). Mangels Zuwachses geht § 220 S. 2 ins Leere.

Fünfter Unterabschnitt. Wandelschuldverschreibungen. Gewinnschuldverschreibungen

Wandel- und Gewinnschuldverschreibungen

221 (1) [1] **Schuldverschreibungen, bei denen den Gläubigern oder der Gesellschaft ein Umtausch- oder Bezugsrecht auf Aktien eingeräumt wird (Wandelschuldverschreibungen), und Schuldverschreibungen, bei denen die Rechte der Gläubiger mit Gewinnanteilen von Aktionären in Verbindung gebracht werden (Gewinnschuldverschreibungen), dürfen nur auf Grund eines Beschlusses der Hauptversammlung ausgegeben werden.** [2] **Der Beschluß bedarf einer Mehrheit, die mindestens drei Viertel des bei der Beschlußfassung vertretenen Grundkapitals umfaßt.** [3] **Die Satzung kann eine andere Kapitalmehrheit und weitere Erfordernisse bestimmen.** [4] **§ 182 Abs. 2 gilt.**

(2) [1] **Eine Ermächtigung des Vorstandes zur Ausgabe von Wandelschuldverschreibungen kann höchstens für fünf Jahre erteilt werden.** [2] **Der Vorstand und der Vorsitzende des Aufsichtsrats haben den Beschluß über die Ausgabe der Wandelschuldverschreibungen sowie eine Erklärung über deren Ausgabe beim Handelsregister zu hinterlegen.** [3] **Ein Hinweis auf den Beschluß und die Erklärung ist in den Gesellschaftsblättern bekanntzumachen.**

(3) **Absatz 1 gilt sinngemäß für die Gewährung von Genußrechten.**

(4) [1] **Auf Wandelschuldverschreibungen, Gewinnschuldverschreibungen und Genußrechte haben die Aktionäre ein Bezugsrecht.** [2] **Die §§ 186 und 193 Abs. 2 Nr. 4 gelten sinngemäß.**

Übersicht

I. Grundlagen

1. Regelungsgegenstand und -zweck. § 221 betr. Ausgabe von Wandel- und Gewinnschuldverschreibungen (§ 221 I 1) sowie Gewährung von Genussrechten (§ 221 III). Während die in §§ 182–220 geregelten Instrumente der Eigenkapitalfinanzierung dienen, ist den in § 221 genannten Instrumenten gemein, dass sie im Kern (Schuldverschreibung) nur auf schuldrechtl. Kapitalüberlassung zwischen AG und Drittem ausgerichtet sind, und damit zunächst auf Fremdkapitalfinanzierung. Die daraus resultierenden Rechte des Dritten auf Verzinsung und Rückzahlung werden aber (abhängig von Ausgestaltung iE) mit mitgliedschaftlichen Rechten verknüpft und können auch durch diese Rechte ersetzt werden. Damit handelt es sich um **Mischform zwischen Fremd- und Eigenkapitalfinanzierung** (verbreitete Bezeichnungen sind: hybride oder mezzanine Finanzierungsinstrumente bzw. equity linked notes). Da neue mitgliedschaftliche oder mitgliedschaftsähnliche Rechte begründet und damit bisherige mitgliedschaftliche Rechte verwässert werden können, bedarf ihre Begr. trotz schuldrechtl. Kerns der Mitwirkung der Aktionäre durch zustimmenden HV-Beschluss (§ 221 I 1, III). Bezweckt ist **Schutz der Aktionäre** vor Eingriffen in die mitgliedschaftliche und vermögensmäßige Struktur der Gesellschaft, die durch den Inhalt der Rechtsgeschäfte (Anspruch auf Mitgliedsrechte, gewinnabhängige Verzinsung) bedingt sind (KK-AktG/Florstedt Rn. 3 ff.; MüKoAktG/Habersack Rn. 2). Geregelt sind ferner Beschlusserfordernisse (§ 221 I 2–4, III; → Rn. 9 ff., 36), Besonderheiten bei Ausgabe von Wandelschuldverschreibungen (§ 221 II; → Rn. 13, 20 f.) und schließlich Bezugsrecht der Aktionäre auf Wandel- und Gewinnschuldverschreibungen sowie auf Genussrechte (§ 221 IV; → Rn. 38 ff.). Bei inhaltsgleichen Schuldverschreibungen aus Gesamtemissionen sind Regelungen des SchVG zu beachten, dessen Anwendbarkeit Verbriefung voraussetzt (BGHZ 218, 183 Rn. 15 ff. = NJW 2018, 2193; OLG Stuttgart AG 2019, 51, 52). Regelung des § 221 wurde zT überlagert durch § 8 I WStBG, der vorsieht, dass Vorstand bis zum 30.6.2022 ermächtigt wurde, mit Zustimmung des AR Genussrechte und Schuldverschreibungen mit qualifiziertem Nachrang an Fonds auszugeben (zu weiteren Einzelheiten Lieder ZIP 2020, 837, 849 f.). Beantragt ein Unternehmen, das selbst oder durch verbundene Unternehmen iSd § 15 kritische Infrastrukturen iSd § 2 X BSIG im Sektor Energie betreibt, gem. § 29 I 1 EnSiG Stabilisierungsmaßnahmen beim Bund, gilt § 8 I WStBG mit der Maßgabe, dass Stichtagsregelung nicht anzuwenden ist, § 29 II 1 Nr. 5 lit. a) EnSiG. 1

2. Wirtschaftliche Bedeutung. Zumindest in ihrer traditionellen Ausgestaltung (zu Abweichungen → Rn. 5b) dienen die § 221 unterworfenen Instrumente der **Fremdkapitalbeschaffung,** die ggü. herkömmlicher Finanzierung durch 2

Anleihe ohne hybrides Element oder Darlehensfinanzierung den Vorteil hat, dass Nominalverzinsung aufgrund zusätzlichen Anreizes in Gestalt von Mitgliedschaftsrechten unterhalb des üblichen Marktniveaus angesetzt werden kann (Hölters/Weber/Haberstock/Greitemann Rn. 3; GK-AktG/Hirte Rn. 88; Bader AG 2014, 472, 474). Daneben können Instrumente des § 221 auch weiterhin zur Verwendung von **Stock Options** eingesetzt werden, wenngleich sie aufgrund Gestaltungsalternativen dazu nicht mehr zwingend benötigt werden (→ Rn. 18). Weil es um Beschaffung von Fremdkapital geht, unterscheiden sich Maßnahmen nach § 221 grundlegend von den anderen im dritten Abschnitt geregelten Kapitalmaßnahmen. Allerdings können Wandelschuldverschreibungen wegen der gewährten Umtausch- oder Bezugsrechte auch zur **Erhöhung des Eigenkapitals** führen. Bei Genussrechten versucht Praxis, sie inhaltlich so auszugestalten, dass Genussrechtskapital wie Eigenkapital zur Verfügung steht (→ Rn. 31 ff.). Insbes. Optionsanleihen (= Wandelschuldverschreibungen mit Bezugsrecht, → Rn. 6 f.) und Genussrechte haben sich zu beliebten Finanzierungsinstrumenten entwickelt. Wenig Nachfrage finden dagegen Gewinnschuldverschreibungen (→ Rn. 8; KK-AktG/Florstedt Rn. 91 ff., 684; GK-AktG/Hirte Rn. 353). Das Gleiche galt lange Zeit für Wandelanleihen (→ Rn. 4 f.; KK-AktG/Florstedt Rn. 47 f.), die jedoch im Gefolge der Finanzkrise 2007/08 in Gestalt von umgekehrten Wandelanleihen, Pflichtwandelanleihen und bedingten Pflichtwandelanleihen (→ Rn. 5b; → § 192 Rn. 9) wieder verstärkten Zuspruch erhalten haben und auch für **Unternehmenssanierungen** eingesetzt werden (näher Bader AG 2014, 472, 478 ff.; Gleske/Ströbele CFL 2012, 49, 50 ff.; Nodoushani ZBB 2011, 143 ff.; Schanz BKR 2011, 410 ff.; statistische Angaben bei KK-AktG/Florstedt Rn. 49 f., 66; ferner → § 192 Rn. 24a); wegen regulatorischen Eigenkapitalvorgaben erfreuen sie sich namentl. in der Finanzbranche zunehmender Beliebtheit (→ Rn. 5b; KK-AktG/Florstedt Rn. 24, 52 ff., 65). Zur geschichtlichen Entwicklung s. KK-AktG/Florstedt Rn. 33 ff.; Schumann, Optionsanleihen, 1990, 6 ff.; rechtsvergleichender Überblick bei GK-AktG/Hirte Rn. 41 ff.

II. Voraussetzungen für die Ausgabe von Schuldverschreibungen (§ 221 I und II)

3 **1. Anwendungsbereich. a) Überblick.** § 221 I verwendet Begriff der Schuldverschreibung im allg. zivilrechtl. Sinne. Unerheblich ist, ob sie wie idR auf Inhaber oder ausnahmsweise an Order lauten. § 793 I BGB umschreibt Inhaberschuldverschreibung als Urkunde, in der Aussteller dem Inhaber eine Leistung verspricht (dazu näher MüKoBGB/Habersack BGB § 793 Rn. 5 ff.). § 221 I erfasst nach seinem Wortlaut nur Wandel- und Gewinnschuldverschreibungen, die nach Erlass des eWpG auch als elektronische Wertpapiere emittiert werden können (Casper AG 2022, 714 Rn. 30). Ges. definiert Wandelschuldverschreibungen als Schuldverschreibungen, die entweder Umtausch- oder Bezugsrecht auf Aktien begründen. Terminologie ist unscharf (s. Schumann, Optionsanleihen, 1990, 15 f.). Nach heutigem Sprachgebrauch (sa § 272 II Nr. 2 HGB) sind Wandelschuldverschreibungen (besser: **Wandelanleihen**) nur solche, die ein Umtauschrecht gewähren. Schuldverschreibungen, die ein Bezugsrecht gewähren, werden dagegen als Optionsschuldverschreibungen oder **Optionsanleihen** bezeichnet (vgl. nur MüKoAktG/Habersack Rn. 24, 29 ff.; Schanz BKR 2011, 410 ff.). Schuldverschreibungen, die kein Umtausch- oder Bezugsrecht einräumen (sog Industrieobligationen), werden von § 221 I nicht erfasst. Sie können vom Vorstand ohne Zustimmung der HV nach Maßgabe der §§ 793 ff. BGB ausgegeben werden (GK-AktG/Hirte Rn. 16).

b) Wandelanleihen. aa) Traditionelle Ausgestaltung. Wandelanleihen sind Schuldverschreibungen, die dem Gläubiger das Recht gewähren, seinen Anspruch auf Rückzahlung des Nennbetrags gegen bestimmte Zahl **Aktien einzutauschen** (§ 221 I 1 Fall 1: Umtauschrecht auf Aktien), wobei Wandlungspreis idR über Börsenpreis der Aktie liegt (Bader AG 2014, 472, 473). Reiz für Gläubiger liegt darin, neben sicherem Verzinsungs- und Rückzahlungsanspruch (downward protection) auch spekulative Chance zu haben, an Kursgewinnen zu partizipieren (KK-AktG/Florstedt Rn. 60 ff.; GK-AktG/Hirte Rn. 85 ff.; zu Beweggründen sog Arbitrageure, die Wert der Option durch sog Deltahedging monetisieren wollen, vgl. Bader AG 2014, 472, 475 ff.). Diese Chance erkauft er sich durch Verzinsung unterhalb des Marktzinses, was Gestaltung für AG reizvoll macht (→ Rn. 2). Umtauschrecht ist weder Tauschvertrag iSd § 480 BGB noch Wahlschuld iSd § 262 BGB, sondern begründet nach zu Recht ganz hM eine **Ersetzungsbefugnis** (facultas alternativa; vgl. statt aller S/L/Merkt Rn. 30; Habersack FS Nobbe, 2009, 539, 547 f.). 4

Ersetzungsbefugnis gibt Berechtigtem **Wahl- und Gestaltungsrecht,** das Gläubigerrecht des Anleiheinhabers in Aktionärsstellung umzuwandeln. Es wird durch einseitige empfangsbedürftige Willenserklärung (§ 130 BGB) ausgeübt. Damit entsteht Mitgliedschaft aber noch nicht. Begründet wird zunächst nur Umtauschrecht, das Anspruch auf Abschluss eines Zeichnungsvertrags gewährt und seinerseits durch Umtauscherklärung des Aktionärs ausgeübt werden muss (→ § 192 Rn. 9, 29; → § 198 Rn. 2 f.). Gestaltungserklärung enthält zugleich Umtauscherklärung (zutr. MüKoAktG/Habersack Rn. 225); wegen zumeist eindeutiger Anleihebedingungen wird Umtauscherklärung zudem idR als Annahme des Zeichnungsvertrags ausgelegt werden können (→ § 198 Rn. 3). Bis zur Entstehung des Mitgliedsrechts ist Inhaber nur Gläubiger, danach nur Aktionär. Ist Umtauschrecht wie üblich durch bedingtes Kapital gesichert, so entsteht Mitgliedsrecht gem. § 200 mit Ausgabe der Aktie (→ Rn. 57). Wandelanleihe wird damit aber nicht zu Mischform zwischen regulären Obligationen und Mitgliedsrechten, so dass Vorwirkungen nicht entstehen (MüKoAktG/Habersack Rn. 28; GK-AktG/Hirte Rn. 77; aA zB Meilicke DB 1963, 500, 501). 5

Ausnahme von Anwendung des § 221 ist – obwohl vom Wortlaut erfasst – dann anzunehmen, wenn die zur Bedienung der neuen Wandelschuldverschreibung erforderlichen Aktien **nicht neu geschaffen** werden müssen, sondern AG ihre Verpflichtung zur Lieferung der Aktien durch eine Vereinbarung mit einem Dritten absichert, der sich im Besitz der Aktien befindet (OLG Frankfurt AG 2013, 132, 135 [Dritter war hier Finanzmarktstabilisierungsfonds; ausf. zu dieser Transaktion Trapp/Schlitt/Becker AG 2012, 57 ff.]; MüKoAktG/Habersack Rn. 24a; Marsch-Barner/Schäfer/Groß Rn. 53.15 ff.; ausf. schon Busch AG 1999, 58, 62 ff.). In diesem Fall drohen weder Stimmrechts- noch Wertverwässerung, so dass Schutzzweck des § 221 nicht berührt ist. Soll Anleihe mit eigenen Aktien bedient werden (→ Rn. 59), ist umstr., ob Vorgaben des § 221 I einzuhalten sind (dafür Hopt/Seibt/Fest SVR § 221 AktG Rn. 29 f.; MüKoAktG/Habersack Rn. 24a, 52a; Hölters/Weber/Haberstock/Greitemann Rn. 12; dagegen KK-AktG/Florstedt Rn. 188; BeckOGK/Seiler Rn. 63; MHdB AG/Scholz § 64 Rn. 57; Broichhausen NZG 2012, 86 ff.). Frage ist zu verneinen, weil ausreichender Aktionärsschutz über die für § 71 I Nr. 8 geltenden Grundsätze (→ § 71 Rn. 19j) erreicht werden kann. 5a

bb) Sondergestaltungen. Nach Wortlauterweiterung im Zuge der Aktienrechtsnovelle 2016 sind sog **umgekehrte Wandelanleihen,** bei denen Umtauschrecht nicht dem Gläubiger zusteht, sondern **AG zum Umtausch berechtigt** ist und Aktionär spiegelbildliche Umtauschpflicht trifft, von § 221 I eindeutig erfasst (RegBegr. BT-Drs. 18/4349, 29; → § 192 Rn. 9; zur Ausnahme von 5b

Wertkontrolle nach § 194 I 2 → § 194 Rn. 4a). Vorteil umgekehrter Wandelanleihen wird darin gesehen, dass Debt-Equity-Swap (zum Begriff → § 182 Rn. 32c [dort in insolvenzrechtl. Ausprägung des § 225a InsO]) gleichermaßen auf Vorrat angelegt und im Notfall geräusch- und problemlos vollzogen werden kann (so noch RegE BT-Drs. 17/8989, 17; berechtigte Zweifel an Geräuschlosigkeit bei Drygala WM 2011, 1637, 1638; zu weiteren Vorteilen s. KK-AktG/Florstedt Rn. 281 ff.; GK-AktG/Hirte Rn. 90). Insbes. Kredit- und Finanzdienstleistungsinstituten kann damit ermöglicht werden, **Krisensituationen** abzuwenden und dabei Eigenkapitalausstattung noch zu verbessern, um Voraussetzungen angemessener Eigenkapitalausstattung gem. Art. 92 CRR zu erfüllen (aufsichtsrechtl. Einzelheiten bei KK-AktG/Florstedt Rn. 395 ff.). Im Krisenfall soll nicht Steuerzahler, sondern Fremdkapitalgeber Verluste tragen, der sich dieses Risiko mit entspr. hoher Verzinsung bezahlen lässt (Haag/Peters WM 2015, 2303, 2304). Als Sondergestaltungen sind auch – mit zT nicht trennscharfer Terminologie – Anleihe mit **Tilgungswahlrecht** des Emittenten (MüKoAktG/Habersack Rn. 52a; sa Bader AG 2014, 472, 477 f.: Aktienrückzahlungsoption) sowie **Pflichtwandelanleihen** (mandatory convertible bonds) oder **bedingte Pflichtwandelanleihen** (contingent convertible bonds) anerkannt (dazu und zur aufsichtsrechtl. Behandlung → § 192 Rn. 9 mwN; zur Ausnahme von Wertkontrolle → § 194 Rn. 4a; zur Typenvielfalt sa Florstedt ZHR 180 [2016], 152, 166 f.). Denkbar ist auch, dass Wandelanleihe nicht auf Lieferung von Aktien, sondern auf **Barausgleich** gerichtet ist (Bader AG 2014, 472, 476 f.; s. aber Hopt/Seibt/Fest SVR § 221 AktG Rn. 26: keine Wandelanleihe; zweifelnd auch B/K/L/Stadler Rn. 27b). Wenn solche Anleihen emittiert werden, muss nach Schutzzweck (→ Rn. 1 f.) auch § 221 I Anwendung finden, da Aktionärsrechte dadurch nicht weniger beeinträchtigt werden als durch traditionelle Wandelanleihen (OLG Frankfurt AG 2013, 132, 135; MüKoAktG/Habersack Rn. 52, 52a; Habersack FS Nobbe, 2009, 539, 550; Marsch-Barner/Schäfer/Groß Rn. 53.7). Ebenso von § 221 I erfasst sind sog **Going-Public-Anleihen,** die sowohl als Wandel- oder Optionsanleihen (→ Rn. 6) ausgestaltet sein können. Sie zeichen sich dadurch aus, dass kein unbedingtes Wandlungs- oder Optionsrecht besteht, sondern es unter aufschiebender Bedingung künftigen Börsengangs steht (s. dazu GK-AktG/Hirte Rn. 89; Marsch-Barner/Schäfer/Groß Rn. 53.10).

6 **c) Optionsanleihen.** Optionsanleihen sind ebenfalls Schuldverschreibungen (idR Inhaberpapiere), die von AG zur Kapitalbeschaffung ausgegeben werden und dem Kapitalgeber das Recht auf Rückzahlung des Nennbetrags nach Ablauf der Laufzeit sowie ein Recht auf Verzinsung verbriefen. Zusätzlich erhält er das Recht (Option; warrant), innerhalb eines bestimmten Zeitraums zu einem festgelegten Entgelt eine bestimmte Zahl von **Aktien zu erwerben** (KK-AktG/Florstedt Rn. 67; MüKoAktG/Habersack Rn. 31). Anreizstruktur ist daher ähnlich wie bei Wandelanleihe (fester Zins + Spekulationsmöglichkeit, → Rn. 5), doch tritt Optionsrecht nicht an die Stelle des Rückzahlungsganspruchs, sondern neben ihn. Bezugs- bzw. Optionsrecht wird idR in bes. Optionsscheinen verbrieft, die zunächst mit der Optionsanleihe fest verbunden sind, von einem bestimmten Zeitpunkt an aber von ihr getrennt und als selbständiges Wertpapier gehandelt werden können (→ Rn. 55). Vor Trennung werden Optionsanleihen als volle Stücke, danach als leere Stücke bezeichnet. Üblicherweise berechtigt Option zum Erwerb von Stammaktien, denkbar ist aber auch Recht zum Bezug bes. Aktiengattungen, zB stimmrechtsloser Vorzugsaktien (MHdB AG/Scholz § 64 Rn. 8). Wie bei Wandelanleihen dürfte es nach Wortlauterweiterung im Zuge der Aktienrechtsnovelle 2016 (→ Rn. 5b) möglich sein, umgekehrte Optionsanleihen auszugeben (Hopt/Seibt/Fest SVR § 221 AktG Rn. 206; GK-AktG/Hirte Rn. 298). Rechtsverhältnis aus Optionsanleihen ist regelmäßig näher

in Anleihebedingungen ausgestaltet (ausf. Hopt/Seibt/Fest SVR § 221 AktG Rn. 209 ff.; KK-AktG/Florstedt Rn. 466 ff.; Schumann, Optionsanleihen, 1990, 51 ff.).

Vertragsschluss. Bezugs- bzw. Optionsrecht gewährt grds. Anspruch gegen AG auf Abschluss eines Zeichnungsvertrags, der durch Bezugserklärung und korrespondierende Willenserklärung der AG zustande kommt (→ § 198 Rn. 2). Regelmäßig sind aber Anleihebedingungen derart bestimmt, dass sie als befristetes Angebot ausgelegt werden können. Dann liegt in Ausübung der Option Annahme des Zeichnungsvertrags (KK-AktG/Florstedt Rn. 458; MüKoAktG/Habersack Rn. 223; Schumann, Optionsanleihen, 1990, 21 f.; abw. Hopt/Seibt/Fest SVR § 221 AktG Rn. 207 f.; Martens FS Stimpel, 1985, 621 [Fn. 4]: Gestaltungsrecht). Optionsanleihen haben sich zu einem beliebten **Finanzierungsinstrument** entwickelt (s. Schumann, Optionsanleihen, 1990, 12 ff.). Dem Anleger wird durch feste Verzinsung eine rechenbare Rendite geboten, überdies gibt Optionsrecht Möglichkeit zu Spekulationsgewinnen, die eintreten, wenn Aktienkurs steigt. Dann kann entweder durch Ausübung des Optionsrechts kostengünstig Aktie erworben oder Optionsschein veräußert werden, dessen Kurs überproportional (Hebelwirkung) steigen wird. AG kann wegen des spekulativen Aspekts einen unter sonstigen Marktbedingungen liegenden Zinssatz wählen und damit günstiges Fremdkapital erhalten (zum wirtschaftlichen Hintergrund s. KK-AktG/Florstedt Rn. 71 f.; GK-AktG/Hirte Rn. 85 ff.; Schumann, Optionsanleihen, 1990, 44 ff.). Zur geschichtlichen Entwicklung und Statistik KK-AktG/Florstedt Rn. 69 f., 73. 7

d) Gewinnschuldverschreibungen. Gewinnschuldverschreibungen sind Anleihen, die zusätzlich zum Rückzahlungsanspruch Rechte verbriefen, die mit Gewinnanteilen von Aktionären in Verbindung gebracht werden (§ 221 I 1 Fall 3). Hauptfall ist, dass Höhe der Verzinsung des Nennbetrags sich nach **Höhe des Dividendensatzes** der emittierenden AG bemisst. § 221 I 1 ist aber auch anwendbar, wenn Dividendensatz einer anderen AG Berechnungsgrundlage ist (zB der Konzernobergesellschaft) oder Gewinnanteile mehrerer Gesellschaften (zB Konzerndurchschnittsgewinn) als Maßstab zugrunde gelegt werden, sofern emittierende AG zu ihnen gehört (so im Fall RGZ 118, 152, 155; zutr. MüKoAktG/Habersack Rn. 56; MHdB AG/Scholz § 64 Rn. 66). Zulässig ist auch Gewinnschuldverschreibung mit Zusatzverzinsung: Gläubiger erhält feste Verzinsung und von der Dividende abhängige Zusatzzahlung. Gewinnschuldverschreibungen können mit Umtauschrecht oder Bezugsrecht kombiniert werden. Sie begründen partiarisches Rechtsverhältnis und stehen wirtschaftlich der Vorzugsaktie nahe, nicht aber rechtl., da sie rein schuldrechtl., nicht korporationsrechtl. Natur sind (sa RGZ 118, 152, 155). § 221 I 1 ist entspr. anwendbar, wenn Höhe der Verzinsung an Bilanzgewinn oder Jahresüberschuss anknüpft (Hopt/Seibt/Fest SVR § 221 AktG Rn. 317; MüKoAktG/Habersack Rn. 55). Einzelheiten zu Anleihebedingungen bei Hopt/Seibt/Fest SVR § 221 AktG Rn. 313 ff. Zur geringen praktischen Bedeutung → Rn. 2. 8

2. Formelle Voraussetzungen. a) Beschluss der Hauptversammlung. Wandel- und Optionsanleihen sowie Gewinnschuldverschreibungen (→ Rn. 4–8) dürfen gem. § 221 I 1 nur aufgrund eines HV-Beschlusses ausgegeben werden (§ 119 I Nr. 7; aA KK-AktG/Florstedt Rn. 26: ges. festgeschriebener Fall des § 119 II; ähnlich Hopt/Seibt/Fest SVR § 221 AktG Rn. 487, 494; B/K/L/Stadler Rn. 1). HV-Beschluss ist nicht auf Satzungsänderung gerichtet (MüKoAktG/Habersack Rn. 132), sondern enthält Billigung einer Geschäftsführungsmaßnahme (KK-AktG/Florstedt Rn. 178). Für Rechtswirkungen des Beschlusses ist zu unterscheiden: Beschluss kann bloße **Ermächtigung** des Vorstands zum Inhalt haben (sa § 221 II 1; → Rn. 13). Vorstand entscheidet dann nach pflicht- 9 gem. Ermessen, ob er davon Gebrauch macht (unstr.). Praxis tendiert derzeit zu weit gefassten Ermächtigungen ohne nähere Einschränkungen (Marsch-Barner/Schäfer/Groß Rn. 53.37; Schlitt/Schäfer CFL 2010, 252, 253). HV kann aber auch – was selten vorkommt – **Verpflichtung** des Vorstands begründen (GK-AktG/Hirte Rn. 106; Marsch-Barner/Schäfer/Groß Rn. 53.31; HV-HdB/Heusel § 23 Rn. 32; Seibt CFL 2010, 165, 167; Georgakopoulos ZHR 120 [1957], 84, 146; diff. MüKoAktG/Habersack Rn. 133 ff.; vgl. ferner Hopt/Seibt/Fest SVR § 221 AktG Rn. 494; KK-AktG/Florstedt Rn. 184: kein Initiativrecht der HV). Das folgt aus § 119 I Nr. 7, der durch § 221 nicht verdrängt, sondern konkretisiert wird (darin aA MüKoAktG/Habersack Rn. 134). Ob HV Verpflichtung ausgesprochen hat und mit welchem Inhalt, ist Auslegungsfrage. Bindung liegt umso näher, je konkreter Vorhaben beschrieben ist (KK-AktG/Florstedt Rn. 180; MüKoAktG/Habersack Rn. 133, 135; aA Hopt/Seibt/Fest SVR § 221 AktG Rn. 540). Auch dann besteht aber nicht unbedingt Ausführungspflicht gem. § 83 II. Sie kann vielmehr wie auch sonst bei wesentlichem Wandel der Verhältnisse entfallen (zutr. KK-AktG/Florstedt Rn. 181 f.; GK-AktG/Hirte Rn. 106). Von solchen Ausnahmen abgesehen, handelt Vorstand aber pflichtwidrig, wenn er Ausgabe unterlässt. Gibt Vorstand umgekehrt Anleihen ohne erforderlichen HV-Beschluss aus, sind sie gleichwohl im Außenverhältnis rechtswirksam (→ Rn. 52).

10 **b) Beschlussinhalt. aa) Allgemeines.** Ges. enthält keine ausdr. Vorgaben. **Notwendiger Inhalt:** Anzugeben ist zunächst Art der Anleihe (Wandelanleihe, Optionsanleihe oder Gewinnschuldverschreibung). Ferner muss Beschluss erkennen lassen, ob Vorstand zur Durchführung des Beschlusses verpflichtet oder nur ermächtigt ist (→ Rn. 9). Im zweiten Fall ist Ermächtigung zu befristen (§ 221 II 1; → Rn. 13). Schutzzweck der Norm (→ Rn. 1) verlangt, dass Gesamtnennbetrag der auszugebenden Anleihe festgesetzt wird (MüKoAktG/Habersack Rn. 155; Hüffer ZHR 161 [1997], 214, 225; Seibt CFL 2010, 165, 167); möglich ist Angabe eines Höchstbetrags (Hopt/Seibt/Fest SVR § 221 AktG Rn. 511). Bei Gewinnschuldverschreibungen muss Gewinnabhängigkeit der Verzinsung präzisiert werden (→ Rn. 8). **Fakultativer Inhalt:** HV kann Bezugsrecht der Aktionäre (§ 221 IV 1) ausschließen. Schließt sie es aus, so muss dies Beschlussinhalt werden (s. § 186 III 1 iVm § 221 IV 2; str.; → Rn. 40). HV ist berechtigt, konkreten Inhalt der Anleihen, auch Anleihebedingungen, für Vorstand bindend festzusetzen (unstr.). Soweit solche Angaben fehlen, kann und muss Vorstand gem. § 83 II Ergänzungen vornehmen. Üblich, aber nicht notwendig ist, Vorstand dazu im Beschluss zu ermächtigen. Weitere fakultative Inhalte bei Hopt/Seibt/Fest SVR § 221 AktG Rn. 515; Mustertext eines Beschlusses mit Erläuterungen bei Hopt/Seibt/Seibt SVR Anh. A; Seibt CFL 2010, 165, 169 ff. Wird Beschluss über Schuldverschreibung mit Beschluss über bedingtes Kapital verbunden (praktischer Regelfall), sind auch die dazu geltenden Beschlussvorgaben zu beachten (Marsch-Barner/Schäfer/Groß Rn. 53.35).

11 **bb) Besonderheiten bei Wandel- und Optionsanleihen.** HV ist berechtigt, Optionspreis bzw. Umtauschverhältnis festzusetzen. Optionspreis bestimmt sich nach den Kriterien, die auch für den Ausgabebetrag neuer Aktien iR regulärer Kapitalerhöhung maßgebend sind. Geringster Ausgabebetrag (§ 9 I) darf also nicht unterschritten werden; ist Bezugsrecht ausgeschlossen, darf er wegen § 255 IV nicht unangemessen niedrig sein (→ § 182 Rn. 22 f.). Beim Umtauschverhältnis muss Ausgabebetrag der Wandelanleihe nicht unbedingt den Aktiennennbetrag erreichen; insoweit sorgt § 199 II für notwendigen Ausgleich (→ § 199 Rn. 10 ff.). Weitere Angaben zum **Umtauschverhältnis** sind bei Ermächtigungsbeschluss nicht erforderlich, wohl aber bei Zustimmungsbeschluss (MüKoAktG/Habersack Rn. 140, 155; Marsch-Barner/Schäfer/Groß

Rn. 53.36); in der Praxis ist Frage von geringer Bedeutung, da wegen regelmäßiger Verknüpfung mit bedingter Kapitalerhöhung (→ Rn. 10) auf Angaben gem. § 193 II Nr. 3 verwiesen werden kann (Marsch-Barner/Schäfer/Groß Rn. 53.36). Beschluss kann Ausgabebetrag der Anleihe, ihre Laufzeit sowie Höhe der Zinsen festlegen. HV kann im Beschluss **Anleihebedingungen** auch vollständig ausgestalten. Bedingungen sind nicht standardisiert; typischerweise enthalten sie: Klarstellung, ob es sich um Inhaber- oder Orderschuldverschreibungen handelt; Fälligkeit des Kapitals; Kündigungsrechte; Einzelheiten zur Verzinsung; Ausgestaltung des Umtausch- und Bezugsrechts; bei Wandelanleihen auch Höhe von Zuzahlungen; Bestimmungen über Art und Gattung der zu gewährenden Aktien; Beginn der Dividendenzahlung nach Ausgabe der Bezugsaktien; Bestimmungen über die Rechtsfolgen bei Eingriffen in das Umtausch- oder Bezugsrecht (→ Rn. 62); Bestimmungen über Zins- und Legitimationsscheine; Regelungen zur Börsennotierung; Art und Weise von Bek. der AG bzgl. der Anleihe; Gerichtsstand (ausf. zu Optionsanleihebedingungen Schumann, Optionsanleihen, 1990, 51 ff.).

cc) Besonderheiten bei Gewinnschuldverschreibungen. Beschluss muss Gewinnabhängigkeit des Zinsanspruchs konkretisieren. Verzinsung kann sich ausschließlich an der Dividende orientieren (zB pro 1 Euro Dividende 1 % Zins). Üblich sind jedoch (niedriger) Festzins und variabler Zusatzzins, der dividendengebunden ist. Anleihegläubigern kann auch bestimmter Teil des an die Aktionäre ausgeschütteten Dividendenbetrags versprochen werden. Möglich ist ferner, den Dividendensatz zB auf Konzernergebnis zu beziehen (→ Rn. 8). HV ist berechtigt, Nennbetrag der Anleihe sowie ihren Ausgabebetrag festzusetzen. Sie kann schließlich **Anleihebedingungen** insgesamt oder teilw. ausgestalten, zB Laufzeit, Kündigungsmöglichkeiten, Fälligkeit der Verzinsung (→ Rn. 11). 12

dd) Ermächtigung des Vorstands. HV kann Vorstand zur Ausgabe von Wandelanleihen, Optionsanleihen und Gewinnschuldverschreibungen ermächtigen, was praktischem Regelfall entspr. (Hopt/Seibt/Fest SVR § 221 AktG Rn. 527). Ausgabe der Anleihe steht dann in seinem Ermessen (MHdB AG/Scholz § 64 Rn. 17, 25). Für Wandel- und Optionsanleihen folgt dies unmittelbar aus § 221 II 1; für Gewinnschuldverschreibungen aus allg. Grundsätzen. § 221 II 1 bestimmt, dass solche Ermächtigung nur für höchstens fünf Jahre erteilt werden kann; diese Frist entspr. auch praktischem Regelfall (Seibt CFL 2010, 165, 167). Ausdr. Regelung erfasst nur Wandel- und Optionsanleihen. Für Gewinnschuldverschreibungen kann aber nichts anderes gelten. Wegen § 221 II 1 hat HV **im Beschluss Frist konkret zu bestimmen;** Verweis auf § 221 II 1 oder Formulierung wie „höchstens fünf Jahre" genügen nicht. Frist beginnt mit Beschlussfassung. Fehlt Fristbestimmung oder wird ges. Höchstfrist überschritten, so ist Beschluss nach § 241 Nr. 3 nichtig (KK-AktG/Florstedt Rn. 217 f.; MüKoAktG/Habersack Rn. 158; zweifelnd aber GK-AktG/Hirte Rn. 108). HV kann im Beschluss Ermächtigung näher ausgestalten, zB Vorbehalt aufnehmen, dass Vorstand Anleihe nur mit Zustimmung des AR ausgeben darf (Marsch-Barner/Schäfer/Groß Rn. 53.38; einschr. Hopt/Seibt/Fest SVR § 221 AktG Rn. 560; sa KK-AktG/Florstedt Rn. 210). Wird Vorstand dazu ermächtigt, Wandelschuldverschreibung auch **unter Ausschluss des Bezugsrechts gegen Sacheinlagen** auszugeben (zur Zulässigkeit Schnorbus/Trapp ZGR 2010, 1023 ff.), ist zu beachten, dass § 221 II und § 194 II nicht hinreichend aufeinander abgestimmt sind, was zT zu Abweichungen von ges. Regelung zwingt (→ § 194 Rn. 6, 9). 13

c) Mehrheit. aa) Gesetz. § 221 I 2 regelt Mehrheitserfordernis nur unvollständig. Ausgabe der Anleihen bedarf neben der **Kapitalmehrheit** des § 221 I 2 14 auch einfacher **Stimmenmehrheit** nach § 133 I; Norm ist also weiteres Erfordernis iSd § 133 I Hs. 2 (→ § 133 Rn. 13). Kapitalmehrheit muss gem. § 221 I 2 drei Viertel des bei Beschlussfassung vertretenen Grundkapitals betragen. Für Berechnung der Kapitalmehrheit gelten die gleichen Grundsätze wie bei § 179 II 1: Bezugsgröße ist das Kapital, das bei Beschlussfassung mit ja oder nein gestimmt hat; unberücksichtigt bleiben Stimmenthaltungen und Kapital, das an Beschlussfassung nicht mitgewirkt hat oder nicht mitwirken durfte, zB stimmrechtslose Vorzugsaktien (→ § 179 Rn. 14 mN). Zur einfachen Stimmenmehrheit → § 133 Rn. 12. Zum Abstimmungsverfahren und zur Bedeutung der zweifachen Mehrheit → § 179 Rn. 14.

15 **bb) Satzung.** § 221 I 2 ist nachgiebiges Recht. Satzung kann andere Kapitalmehrheit bestimmen (§ 221 I 3). Norm regelt aber nicht Abänderung des Erfordernisses der einfachen Stimmenmehrheit, insoweit gilt § 133 I Hs. 2 (→ § 133 Rn. 15). Grds. kann Satzung sowohl **geringere wie auch größere Kapitalmehrheit** festsetzen. Grenzen der Satzungsautonomie bestimmen sich nach den zu § 179 II 2 ausgeführten Grundsätzen (→ § 179 Rn. 16 ff.). Mehrheitsregelnde Satzungsklausel muss deutlich erkennen lassen, dass sie Beschlüsse nach § 221 I erfasst. Satzungsbestimmung, die für reguläre Kapitalerhöhung andere Mehrheit bestimmt, ist deshalb grds. nicht anwendbar; etwas anderes gilt, wenn sich der Satzung konkrete obj. Anhaltspunkte entnehmen lassen (MüKo-AktG/Habersack Rn. 144; GK-AktG/Hirte Rn. 112; → § 179 Rn. 18).

16 **d) Sonstige Erfordernisse. aa) Gesetz.** Nach § 221 I 4 gilt § 182 II. Bestehen mehrere Aktiengattungen (s. § 11), wird HV-Beschluss also nur wirksam, wenn Aktionäre einer jeden Gattung in Form eines Sonderbeschlusses (§ 138) zustimmen (→ § 182 Rn. 18 ff.). Ferner ist beabsichtigter HV-Beschluss gem. § 124 seinem wesentlichen Inhalt nach in Tagesordnung der HV bekanntzumachen. Nicht notwendig ist Bek. des vollständigen Inhalts der Unterlagen; § 124 II 3 findet keine Anwendung, da HV-Beschluss nicht Satzungsänderung ist (KK-AktG/Florstedt Rn. 201).

17 **bb) Satzung.** Satzung kann neben anderer Kapitalmehrheit (→ Rn. 15) auch **weitere Erfordernisse** bestimmen (§ 221 I 3). Zur möglichen Ausgestaltung → § 179 Rn. 22 f. Satzung muss erkennen lassen, dass Erfordernis für HV-Beschluss nach § 221 gilt. Allg. Bestimmung für reguläre Kapitalerhöhung erfüllt diese Voraussetzung ohne zusätzliche Auslegungsmomente nicht.

18 **3. Keine inhaltlichen Beschränkungen.** HV ist in ihrer Entscheidung über Ausgabe von Wandelschuldverschreibungen an keine inhaltlichen Beschränkungen gebunden. Sie handelt also nach Ermessen. Erforderlich ist nur, dass Begr. von Gläubigerrechten mit Umtausch- oder Bezugsrecht gewollt ist (→ Rn. 2: Fremdkapitalbeschaffung). Wer Gläubiger wird, bleibt gleich, ebenso, ob Finanzierungsaspekt oder Begr. von Umtausch- oder Bezugsrechten im Vordergrund steht (zust. GK-AktG/Hirte Rn. 115). Daher können Schuldverschreibungen auch eingesetzt werden, um gem. § 192 II Nr. 1 (→ Rn. 9) bedingtes Kapital zur Bedienung von Stock Options für Vorstandsmitglieder und AN bereitzustellen (unstr., s. OLG Braunschweig AG 1999, 84; OLG Stuttgart AG 1998, 529 f. mwN), und zwar auch, nachdem § 192 II Nr. 3 dafür den direkten Weg eröffnet hat (→ § 192 Rn. 15 ff.). Soweit wie zwangsläufig bei Stock Options Bezugsrecht (§ 221 IV) ausgeschlossen sein soll, muss dieser Ausschluss allerdings im Gesellschaftsinteresse liegen sowie zielführend und verhältnismäßig sein; das ist bei Stock Options idR zu bejahen (→ Rn. 42).

19 **4. Fehlerhafter Hauptversammlungsbeschluss.** HV-Beschluss unterliegt allg. Vorschriften über Nichtigkeit und Anfechtbarkeit (§§ 241 ff.). Heilung der

Nichtigkeit nach § 242 scheidet aber mangels Eintragung in das HR (→ Rn. 20) aus (GK-AktG/Hirte Rn. 117). Fehlerhaftigkeit des Beschlusses berührt Wirksamkeit ansonsten ordnungsgem. ausgegebener Schuldverschreibungen nicht (→ Rn. 52).

III. Hinterlegung und Bekanntmachung des Beschlusses (noch: § 221 II)

1. Hinterlegung beim Handelsregister. Vorstand und AR-Vorsitzender haben HV-Beschluss über Ausgabe der Wandelschuldverschreibungen sowie eine Erklärung über deren Ausgabe beim HR zu hinterlegen (§ 221 II 2). Vorschrift wurde durch 2. EG-KoordG von 1978 eingefügt (BGBl. 1978 I 1959) und dient der Publizität (BT-Drs. 8/1678, 19). Sie betr. Beschluss über Ausgabe von Wandelschuldverschreibungen, also Wandel- und Optionsanleihen (→ Rn. 3), entgegen dem Wortlaut aber auch Beschluss über Ausgabe von Gewinnschuldverschreibungen und Genussrechten, da für sachliche Differenzierung im Hinblick auf gebotenen Aktionärsschutz keine Unterschiede bestehen (MüKoAktG/Habersack Rn. 149; GK-AktG/Hirte Rn. 30). Auch Zustimmungsbeschlüsse nach § 221 I müssen entgegen systematischer Stellung aus teleologischen Gründen erfasst sein (MüKoAktG/Habersack Rn. 148; B/K/L/Stadler Rn. 41). Zuständig ist Amtsgericht des Satzungssitzes. Hinterlegung obliegt **Vorstand und Vorsitzendem des AR** gemeinsam. Vorstand muss in vertretungsberechtigter Zahl handeln; unechte Gesamtvertretung (§ 78 III; → § 78 Rn. 16 f.) reicht aus, wenn in der Satzung zugelassen (vgl. KK-AktG/Florstedt Rn. 214; MHdB AG/Scholz § 64 Rn. 29). Zu hinterlegen ist HV-Beschluss in Ausfertigung oder in notariell beglaubigter Abschrift. Ferner ist Erklärung über die Ausgabe erforderlich; für sie genügt private Schriftform gem. § 126 BGB (MHdB AG/Scholz § 64 Rn. 29). Sie kann nicht durch Bevollmächtigte abgegeben werden (MHdB AG/Scholz § 64 Rn. 29). Ges. fordert nur Hinterlegung; Anmeldung und Eintragung sind weder erforderlich (BT-Drs. 8/1678, 19) noch möglich (vgl. B/K/L/Stadler Rn. 41). 20

2. Bekanntmachung. Hinweis auf den Beschluss und die Erklärung ist in den Gesellschaftsblättern bekanntzumachen (§ 221 II 3). Gem. § 25 bedeutet dies Bek. im BAnz. (→ § 25 Rn. 1 ff.). Vorschrift wurde 1978 zusammen mit § 221 II 2 eingefügt und dient ebenfalls der Publizität (→ Rn. 20). 21

IV. Genussrechte (§ 221 III)

1. Allgemeines. Nach § 221 III gilt § 221 I auch für Genussrechte, die auf das 19. Jahrhundert zurückgehen. Aktionäre erhielten Genussrechte, um sie unabhängig vom Mitgliedsrecht am Gewinn zu beteiligen. Bedürfnis dafür bestand, solange Gesellschaften wie zB in manchen Fällen bei Eisenbahn-AG nur befristete Konzession mit der Maßgabe erhielten, dass nach Ablauf der Konzessionsdauer Betriebsanlagen unentgeltlich dem Staat zufielen. Solche sog **Heimfallrechte** schlossen es aus, die Einlagen iRd Abwicklung zu erstatten. Deshalb wurden sie schon während der Konzessionsdauer gegen Einziehung des Mitgliedsrechts erstattet. Durch Genussrechte wurde weitere Beteiligung am Gewinn sichergestellt (s. näher MüKoAktG/Habersack Rn. 15 ff.; GK-AktG/Hirte Rn. 342 ff.; Frantzen, Genussscheine, 1993, 44 ff.; Luttermann, Unternehmen, Kapital und Genussrechte, 1998, 39 ff., 49 ff.). Ges. geregelt wurden Genussrechte erstmals 1937; die § 174 III, IV, § 128 II Nr. 5 AktG 1937 entsprachen im Wesentlichen den § 221 III, IV, § 160 III Nr. 6. Ihre wirtschaftliche Bedeutung blieb zunächst gering (ausf. Darstellung bei Frantzen, Genussscheine, 1993, 64 ff.). Seit Beginn der 1980er Jahre sind Genussrechte als Instrument der Mitarbeiterbeteiligung, vor 22 allem jedoch als Finanzierungsmittel populär (KK-AktG/Florstedt Rn. 80 ff.; Frantzen, Genussscheine, 1993, 76 ff., 81 ff.). Zu den Erscheinungsformen Hopt/Seibt/Fest SVR § 221 AktG Rn. 330 ff.; KK-AktG/Florstedt Rn. 554 ff. 1997 wurden 257 Emissionen im Volumen von rund 30 Mrd. DM an der Börse gehandelt (Zahlen nach Luttermann, Unternehmen, Kapital und Genussrechte, 1998, 77); für 2012 wurden 633 aktive Gattungen verzeichnet (Sethe WM 2012, 577 Fn. 3; ausf. Angaben bei KK-AktG/Florstedt Rn. 89; GK-AktG/Hirte Rn. 347 ff.). Mangelnde ges. Ausgestaltung führt zu Streitfragen. Dabei steht im Vordergrund, ob Genussrechte mit Eigenkapitalcharakter bei AG zulässig sind (→ Rn. 31 ff.) und wie Inhaber vor Eingriffen in die Rechtsposition geschützt werden können (→ Rn. 65 ff.). Zu prospektrechtl. Problemen Schroeter WM 2014, 1163 ff. Zu Genussrechten in Insolvenz des Schuldners OLG Schleswig AG 2017, 589 ff.; Bork ZIP 2014, 997 ff.; Bitter/Rauhut ZIP 2014, 1005 ff.; Cranshaw ZInsO 2015, 649, 657 ff.; Mock NZI 2014, 102 ff.

23 **2. Begriff und Rechtsnatur. a) Grundlagen.** AktG erwähnt Begriff des Genussrechts (§ 160 III Nr. 6; § 221 III, IV), definiert ihn aber nicht. Gesetzgeber des AktG 1937 hat auf umfassende Regelung des Genussrechts verzichtet, um auf Praxis nicht hemmend zu wirken (vgl. Schubert/Hommelhoff [Hrsg.], Aktienrechtsreform am Ende der Weimarer Republik, 1987, 929). Auch zahlreiche andere Vorschriften treffen Regelungen zu Genussrechten, ohne sie näher zu definieren (zB § 214 I 1 Nr. 4, II VAG, § 20 I Nr. 1; § 43 I Nr. 1a, 2 EStG, § 8 III 2 KStG; weitere Aufzählung bei MüKoAktG/Habersack Rn. 61). Tats. ist einheitliche Begriffsbestimmung auch nicht möglich, da bei der inhaltlichen Ausfüllung auf den **jeweiligen Normzweck** abzustellen ist (so auch, im methodischen Ansatz übereinstimmend, wenngleich mit unterschiedlichen Folgerungen [→ Rn. 25, 25a] Gehling WM 1992, 1093, 1095; Lutter ZGR 1993, 291, 307; Sethe AG 1993, 293, 298 f.; aA Luttermann, Unternehmen, Kapital und Genussrechte, 1998, 290 ff.).

24 **b) Begriff. aa) Ausgangspunkt.** Gebotene Auslegung unter Orientierung am Normzweck (→ Rn. 23) führt insofern in ein Dilemma, als der Normzweck seinerseits nur wenig greifbar ist. Gewollt ist Schutz der Aktionäre vor wesentlicher Beeinträchtigung ihrer Rechte. Weil aber Gesetzgeber auf jede Präzisierung des Genussrechts bewusst verzichtet hat, ist auch diese Beeinträchtigung nicht so zu erfassen, dass sie für die Bildung eines subsumtionsfähigen Begriffs nutzbar gemacht werden könnte. Rechtsanwendung kann deshalb, soweit es um § 221 geht, nur vorankommen, wenn die **einzelnen Rechtsfolgen** (Beschlusserfordernis nach § 221 I, III; Bezugsrecht nach § 221 IV) zur vorausgesetzten Beeinträchtigung in Bezug gesetzt werden. Das ist die zutr. gedankliche Grundlage von BGHZ 120, 141, 145 ff. = NJW 1993, 400. Daraus ergibt sich zunächst, dass zwischen Genussrechten mit aktienähnlichem Inhalt (→ Rn. 25) und solchen mit anderem Gefährdungspotenzial (→ Rn. 25a, 25b) zu unterscheiden ist.

25 **bb) Genussrechte mit aktienähnlichem Inhalt.** Genussrechte liegen jedenfalls dann mit der Folge uneingeschränkter Anwendung des § 221 vor (Beschlusserfordernis; Bezugsrecht), wenn Berechtigter **vermögensrechtl. Ansprüche** gegen AG hat, die nach ihrem Inhalt typische Gesellschafterrechte sind (unstr., vgl. zB MüKoAktG/Habersack Rn. 65; MHdB AG/Scholz § 64 Rn. 69). Solche Rechte sind insbes. Teilhabe am Gewinn und am Liquidationserlös. Dabei ist nicht erforderlich, dass Genussrecht vermögensmäßig wie Aktie ausgestaltet ist. Vielmehr genügt, dass seine Verzinsung vom Gewinn, zB der Dividende, abhängt, mag auch daneben ein Festzins vereinbart sein (Baums FS Horn, 2006, 249, 264). Typische Gesellschafterrechte sind auch solche, die andere vermögenswerte Leistungen zum Inhalt haben, zB das Recht, Einrichtungen der AG

zu benutzen (MüKoAktG/Habersack Rn. 65, 118; GK-AktG/Hirte Rn. 329; MHdB AG/Scholz § 64 Rn. 69; Gehling WM 1992, 1093, 1094; aA KK-AktG/Florstedt Rn. 529). Im älteren Schrifttum wurde als weitere Voraussetzung noch massenweise Begebung genannt (Ernst AG 1967, 77), doch kommt es darauf nach heute einhelliger Auffassung nicht an (so implizit BGHZ 120, 141 = NJW 1993, 400; sa MüKoAktG/Habersack Rn. 66; GK-AktG/Hirte Rn. 333). Ebenfalls nicht ges. vorgegeben ist **Erfordernis eines Rückzahlungsanspruchs.** Genussrecht muss also anders als in den Fällen des § 221 I, II nicht zwingend mit Anleihe verbunden sein. Auch wenn es rückzahlbar ist, kann Rückzahlungsanspruch herabgesetzt werden, wenn Genussscheininhaber auch am **Verlust teilnehmen** (vgl. dazu MüKoAktG/Habersack Rn. 101 ff.; Frantzen, Genussscheine, 1993, 122 ff.; zum früheren aufsichtsrechtl. Hintergrund solcher Gestaltungen → Rn. 30). Verlustteilnahme kann auch durch Nachrangabrede erreicht werden (MüKoAktG/Habersack Rn. 111). Alternativ zur Rückzahlung können Genussrechtsbedingungen auch vorsehen, dass Genusskapital nach Ablauf einer bestimmten Laufzeit in einfache Schuldverschreibungen oder Aktien gewandelt werden (Frantzen, Genussscheine, 1993, 160 ff.). Virtuelle Beteiligungsformen wie Stock Appreciation Rights oder Phantom Stocks lassen sich nicht unter § 221 III fassen (→ § 87 Rn. 42).

cc) Genussrechte mit anderem aktienrechtlich relevanten Gefährdungspotenzial. Neben den in → Rn. 25 erörterten Gestaltungen **gewinnorientierter Verzinsung** finden sich in der Praxis auch (davon zu unterscheidende) Fälle einer rein **gewinnabhängigen Verzinsung.** Damit ist Festzins gemeint, der entfällt, soweit zB Bilanzverlust besteht oder durch Zinszahlung entstehen würde. BGHZ 120, 141, 145 ff. = NJW 1993, 400 hat auch in dieser Gestaltung ein Genussrecht gefunden, es also beim Beschlusserfordernis nach § 221 I, III belassen, und lediglich sachliche Rechtfertigung des Bezugsrechtsausschlusses für entbehrlich gehalten (→ Rn. 43); so bereits OLG Bremen AG 1992, 268 (Vorinstanz); OLG Düsseldorf AG 1991, 438 (inzidenter). Im Schrifttum war Frage zuvor umstr., doch ist BGH auf diese Diskussion nicht näher eingegangen (wie BGH Hopt/Seibt/Fest SVR § 221 AktG Rn. 397; MüKoAktG/Habersack Rn. 100; Sethe AG 1993, 293, 298 f.; aA KK-AktG/Florstedt Rn. 527, 544; Gehling WM 1992, 1093, 1094 f.; Krecek/Röhricht ZIP 2010, 413, 415 ff.; Lutter ZGR 1993, 291, 303 ff.). Nach abl. Ansicht soll es sich ungeachtet der Bezeichnung um Obligationen, nicht um Genussrechte iSd § 221 III handeln, wobei die Begründungen divergieren; meist wird geltend gemacht, dass Berechtigter nur an Risiken, nicht an Chancen der Aktionäre beteiligt sei. 25a

Stellungnahme. Entscheidung des BGH ist beizupflichten. Kritik verengt den Begriff des Genussrechts auf den Typus von Rechten mit aktienähnlichem Inhalt (→ Rn. 25) und übersieht dabei, dass vom Ges. bezweckter Schutz der Aktionäre auch bei solchen Genussrechten („Scheinobligationen“) veranlasst ist, die den Berechtigten prima facie schlechter stellen als einen Kreditgeber. Denn dieser Malus wird sich in Zinshöhe, Mitspracherechten oder anderen Zusagen niederschlagen. Gerade weil das materiell schlecht zu greifen ist, schützt § 221 III Aktionärsinteressen durch Mitwirkungskompetenz der HV. 25b

c) Schuldrechtlicher Charakter. Genussrechte gleich welchen Typs sind schuldrechtl., nicht korporationsrechtl. Natur; sie begründen mithin keine Mitgliedschaft (RGZ 83, 295, 298; BGH AG 1959, 138, 139; BGHZ 119, 305, 309 f. = NJW 1993, 57; BGHZ 120, 141, 146 f. = NJW 1993, 400; BGHZ 156, 38, 43 = NJW 2003, 3412; MüKoAktG/Habersack Rn. 64; Frantzen, Genussscheine, 1993, 9 ff.). Die Genussberechtigten haben folglich auch **keine Verwaltungsrechte,** insbes. kein Stimmrecht (unstr., s. BGHZ 119, 305, 316) und keine Anfechtungsbefugnis (ganz hM, s. BGHZ 119, 305, 316 f.; Hopt/Seibt/ 26

Fest SVR § 221 AktG Rn. 463 ff.; teilw. aA Hirte ZIP 1988, 477, 489; Vollmer/Lorch ZBB 1992, 44, 49 f.). Solche in die Willensbildung der AG eingreifenden Rechte können ihnen auch nicht durch Vertrag (→ Rn. 27) eingeräumt werden (Baums FS Horn, 2006, 249, 264). Als zulässig wird es nur angesehen, Informationsrechte (Teilnahme an HV ohne Rede- und Antragsrecht, Einsichtnahme in den Jahresabschluss usw) vertraglich zu vereinbaren (KK-AktG/Florstedt Rn. 538; MüKoAktG/Habersack Rn. 119 ff.; Lutter ZGR 1993, 291, 295; offenlassend BGHZ 119, 305, 317). Das ist richtig, aber nicht nach § 307 BGB geboten und bei Massenemissionen eher problematisch. Aus schuldrechtl. Charakter der Genussrechte folgt zugleich, dass Genussrechtsinhaber bzgl. vermögensrechtl. Ansprüchen (→ Rn. 25a) nicht denselben Einschränkungen unterliegen wie Aktionäre iRd Verwendung des Bilanzgewinns nach §§ 58, 174 (vgl. im Zusammenhang mit Wiederauffüllungsklauseln [→ Rn. 30] OLG München AG 2015, 576, 577; Casper ZIP 2015, 201, 206 f.; aA Habersack NZG 2014, 1041, 1044 f.).

27 **d) Dauerschuldverhältnis eigener Art.** Nach hM ist auf Begr. von Genussrechten gerichtetes Rechtsgeschäft Vertrag sui generis, der Dauerschuldverhältnis entstehen lässt (BGHZ 119, 305, 330 mwN = NJW 1993, 57; BGH NZG 2016, 983 Rn. 11). Str. ist das für Genussrechte mit Verlustteilnahme. Insoweit nimmt beachtliche Mindermeinung **stille Gesellschaft** (§§ 230 ff. HGB) an (MüKoAktG/Habersack Rn. 88 ff.; Habersack ZHR 155 [1991], 394; aA jedoch BGHZ 156, 38, 42 ff. = NJW 2003, 3412; Frantzen, Genussscheine, 1993, 15 ff., 22; Göhrum, Einsatzmöglichkeiten von Genussrechten, 1992, 45 ff.; Stöber NZG 2017, 1401, 1404). Diese und auch andere Deutungsversuche bergen Gefahr vorzeitiger Verengung, ohne für Begr. sachgerechter Ergebnisse notwendig zu sein (ähnlich Kallrath, Die Inhaltskontrolle der Wertpapierbedingungen, 1994, 29 ff.). Wesentlich und zutr. ist aber Folgerung des BGH, dass Genussberechtigten aus vertraglichem Dauerschuldverhältnis Ersatzansprüche gegen AG (§ 280 I BGB iVm § 31 BGB) erwachsen können, soweit Genusskapital infolge schlechterdings unvertretbaren Vorstandshandelns verlorengeht (BGHZ 119, 305, 330 ff.; ausf. → Rn. 65a). Ebenfalls aus Dauerschuldcharakter hergeleitet hat BGH **Rechenschaftsanspruch des Genussscheininhabers,** da es im Wesen eines solchen Rechtsverhältnisses liege, dass Berechtigter in entschuldbarer Weise über Bestehen und Umfang seines Rechts im Ungewissen sei, während Verpflichteter in der Lage sei, unschwer solche Auskünfte erteilen zu können (Rechtsgrundlage: §§ 666, 681, 687 II BGB iVm § 242 BGB). Genussscheininhaber könne daher nach allg. Grundsätzen Rechenschaftslegung verlangen, soweit er sie zur Plausibilisierung seines Anspruchs benötige (BGH NZG 2016, 983 Rn. 11 ff.). Derart anerkannten Informationsanspruch hat BGH allerdings in seinem Umfang stark eingeschränkt (vgl. Florstedt ZIP 2017, 49, 52 ff.; Pöschke DB 2016, 2219 ff.). Insbes. verbreitete Beschränkung des Zahlungsanspruchs bei anderweitig eintretendem „Bilanzverlust“ berechtigt allein dazu, dass Emittentin den Genussrechtsinhabern den handelsrechtl. Jahresabschluss zur Verfügung stellen muss, nicht aber zu Recht auf Einsichtnahme in Buchführung oder auf Einzelerläuterung von Rechnungspositionen (BGH NZG 2016, 983 Rn. 14 ff.; zust. Stöber NZG 2017, 1401, 1405 f.). Rückausnahme gilt, wenn begründeter Verdacht besteht, dass Zinsanspruch durch unzulässige Rücklagenbildung oder sonst rechtsmissbräuchliches Verhalten gezielt vereitelt werden soll (BGH NZG 2016, 983 Rn. 18 f.; Stöber NZG 2017, 1401, 1406; zu den anlegerschützenden Kontrollinstrumenten ausf. Florstedt ZIP 2017, 49, 55 ff.; zu den Grenzen der Rücklagenbildung → Rn. 65).

28 **e) Verbriefung.** Genussrechte können in Genussscheinen verbrieft werden, doch liegt darin keine Voraussetzung ihrer Wirksamkeit (BGHZ 218, 183 Rn. 15

= NJW 2018, 2193). Genussscheine können als Inhaber-, Order- oder Namenspapiere ausgestaltet werden, aber auch nur Beweisurkunden sein (MüKoAktG/Habersack Rn. 204; GK-AktG/Hirte Rn. 396; Pougin FS Oppenhoff, 1985, 275, 278; sa RGZ 117, 379).

3. Inhaltliche Ausgestaltung. a) Allgemeines. Genussrechtsbedingungen werden nur ausnahmsweise zwischen den Vertragsparteien ausgehandelt; überwiegend, insbes. bei Ausgabe zu Finanzierungszwecken, bestimmt AG Vertragsinhalt. Es gelten dann der **AGB-Kontrolle** entspr. zivilrechtl. Schranken (→ Rn. 35 ff.). Nähere Ausgestaltung des Genussrechts ist davon abhängig, welches Recht Genussrechtsinhaber gewährt wird. Im Einzelnen können geregelt werden: Laufzeit; Kündigung; wertpapierrechtl. Gestaltung; Auskunftsrecht des Genussrechtsinhabers. Gewähren Genussrechte ein Gewinnrecht, sind dessen Modalitäten, bes. Fälligkeit des Gewinnanspruchs, regelungsbedürftig (zu Einzelheiten s. BeckOGK/Seiler Rn. 36 ff.; Habersack/Mülbert/Schlitt/Wöckener/Becker Unternehmensfinanzierung Rn. 13.13 ff.). Bei unklarer Regelung muss **obj. Auslegung** erfolgen; auf individuelle Besonderheiten des Inhabers ist keine Rücksicht zu nehmen (KK-AktG/Florstedt Rn. 104); verbleibende Zweifel gehen nach § 305c II BGB zu Lasten des Verwenders (OLG München AG 2012, 339, 340 f.; 2014, 164, 165 f.; 2015, 576, 578 f.; 2015, 795, 796 f.; 2018, 331, 332; MüKoAktG/Habersack Rn. 258; Sethe WM 2012, 577, 580 f.; sa Bitter ZIP 2015, 345, 348 ff. [zum Rangrücktritt]; krit. Schmidberger BKR 2015, 274, 278). Da ges. Regelung fehlt und Klausel unterschiedlicher Emittenten divergieren können, lässt sich **kein Leitbild** für Genussscheine erkennen (OLG München AG 2015, 576, 578; Casper ZIP 2015, 201, 209). Verwenden Genussrechtsbedingungen aber **Rechtsbegriffe** und nehmen sie dabei erkennbar auf ges. Regelung Bezug, sind sie idR entspr. ihrer juristischen Fachbedeutung auszulegen (BGH NZG 2014, 661 Rn. 24 ff.; OLG München AG 2012, 339, 340; 2014, 164, 165; 2015, 795, 797 f.; Schmidberger BKR 2015, 274, 277 f.; relativierend im Fall der Wiederauffüllungsklauseln Casper ZIP 2015, 201, 207). Ausf. Abdruck von Genussrechtsbedingungen bei Frantzen, Genussscheine, 1993, 295 ff. 29

Werden **Genussrechte zur Kapitalbeschaffung** ausgegeben, so sind weiterhin zu regeln: Rückzahlungsmodalitäten; Vereinbarung einer Nachzahlungspflicht; Beteiligung am Verlust (zu Gestaltungsmöglichkeiten S/L/Merkt Rn. 71); Berechtigung der AG zur Herabsetzung des Genusskapitals, wenn Grundkapital herabgesetzt wird (auch als AGB, s. OLG Düsseldorf AG 1991, 438 f.); Wiederauffüllung des Genusskapitals, wenn Emittent nach Verlustjahr erneut Gewinn erwirtschaftet (Bsp. zu praktischen Gestaltungsformen bei Casper ZIP 2015, 201, 202; zur Auslegung solcher Klauseln OLG München AG 2015, 576 ff.; Casper ZIP 2015, 201, 207 ff.); Rechte in der Liquidation (wegen § 8 III 2 KStG idR nachrangiger Abfindungsanspruch, s. MHdB AG/Scholz § 64 Rn. 77). Soll Genussrechtskapital als **haftendes Eigenkapital** für KI oder Eigenmittel für Versicherungsunternehmen zur Verfügung stehen, sind inhaltliche Vorgaben des Art. 63 CRR bzw. § 214 I 1 Nr. 4, II VAG zu beachten (dazu MüKoAktG/Habersack Rn. 82). Insbes. bedarf es hier gem. Art. 63 lit. d CRR bzw. § 214 I 1 Nr. 4, II 1 Nr. 2 VAG einer **Nachrangabrede** (ausf. S/L/Merkt Rn. 68). Bei kleinen Versicherungsgesellschaften iSd § 211 I VAG ist darüber hinaus gem. § 214 I 1 Nr. 4, II 1 Nr. 1 VAG **Verlustbeteiligung** erforderlich (Hopt/Seibt/Fest SVR § 221 AktG Rn. 423). Entspr. Vorgabe galt bis 31.12.2013 nach § 10 V 1 Nr. 1 KWG aF auch für KI; der seit 1.1.2014 maßgebliche Art. 63 CRR setzt Verlustbeteiligung nicht voraus, um Genusskapital aufsichtsrechtl. als Ergänzungskapital zu qualifizieren (Hopt/Seibt/Fest SVR § 221 AktG Rn. 422; KK-AktG/Florstedt Rn. 562; MüKoAktG/Habersack Rn. 101; Verse/Wiersch NZG 2014, 5, 11; zur Einordnung des Genuss- 30 kapitals als zusätzliches Kernkapital iSd Art. 51 CRR vgl. BeckOGK/Seiler Rn. 43 Fn. 138; Maerker/Ashrafnia DB 2014, 2210, 2212). Zum Verhältnis zwischen aufsichtsrechtl. Kapitalvorgaben und Haftung der Emittenten → Rn. 65a.

31 **b) Zulässigkeit von Genussrechten mit Eigenkapitalcharakter. aa) Problemaufriss.** Str. ist Zulässigkeit von Genussrechten, bei denen Genusskapital eigenkapitalähnlich (→ Rn. 33) ausgestaltet ist. Dabei geht es (1.) um die Frage, ob Genussscheine, die aufgrund ihrer schuldrechtl. Ausgestaltung (→ Rn. 26 f.) eine **Ähnlichkeit mit Vorzugsaktien** haben, mit §§ 139 ff. vereinbar sind. Wird von Sperrwirkung der §§ 139 ff. ausgegangen, stellt sich (2.) die Frage, wo Grenze zwischen zulässiger und unzulässiger rechtl. Gestaltung verläuft. Gesellschaften bezwecken mit Ausgabe solcher Genussscheine, (wirtschaftliches) Eigenkapital zu beschaffen, ohne im Gegenzug mitgliedschaftliche Rechte zu begründen. Zudem kommen steuerliche Gesichtspunkte zum Tragen. Vorteile ggü. Vorzugsaktien ergeben sich aber nur, wenn Ausschüttungen auf Genussrechte als Betriebsausgaben anerkannt werden. Insoweit sind Vorgaben des § 8 III 2 KStG zu beachten, dh insbes., dass keine Beteiligung am Liquidationserlös vorgesehen werden darf.

32 **bb) Meinungsstand.** In der **Rspr.** konnte Zulässigkeitsfrage bisher offengelassen werden (vgl. BGHZ 119, 305, 311 f. = NJW 1993, 57; OLG Bremen AG 1992, 268). Vom BGH praktizierte AGB-Kontrolle (→ Rn. 35 ff.) belegt aber, dass er nicht von grds. Sperrwirkung der §§ 139 ff. ausgeht (→ Rn. 34); insbes. „aktienähnliche" Ausgestaltung wird für zulässig gehalten (BGHZ 119, 305, 310), was mit dem Gedanken eines „numerus clausus" der Eigenkapitaltitel nicht in Einklang zu bringen ist (für generelle Zulässigkeit wohl auch OLG Düsseldorf AG 1991, 438, 441). Streit behält daher letztlich nur noch für „aktiengleiche" Ausgestaltung Bedeutung, die in der Praxis indes kaum vorkommt (MüKoAktG/Habersack Rn. 127; S/L/Merkt Rn. 93). Meinungsstand im **Schrifttum** ist aufgrund weiterer Ausdifferenzierung, namentl. von aktiengleichen und aktienähnlichen Gestaltungen, unübersichtlich (für generelle Zulässigkeit: Hopt/Seibt/Fest SVR § 221 AktG Rn. 399 ff.; KK-AktG/Florstedt Rn. 542; Hölters/Weber/Haberstock/Greitemann Rn. 43; Grigoleit/Rieder/Holzmann Rn. 29; Baums FS Adams, 2013, 141, 143 f.; Claussen AG 1985, 77, 78 f.; Hammen DB 1988, 2549, 2553; Hennerkes/May DB 1988, 537, 541; Kallrath, Die Inhaltskontrolle der Wertpapierbedingungen, 1994, 19 ff.; U. H. Schneider FS Goerdeler, 1987, 511, 513 f.; Sethe AG 1993, 293, 307; Vollmer/Lorch ZBB 1992, 44, 45 f.; für grds. Unzulässigkeit aktienähnlicher Gestaltungen [aktienrechtl. numerus clausus für Eigenkapitalbeschaffung] GK-AktG/Hirte Rn. 360 ff.; Hirte ZIP 1988, 477, 484 f.; für Zulässigkeit aktienähnlicher und Unzulässigkeit aktiengleicher Gestaltung: MüKoAktG/Habersack Rn. 123 ff., 127 f.; Hirte ZHR 155 [1991], 378, 385 f.; Reuter Gutachten B für den 55. DJT, 1984, 25; F. A. Schäfer WM 1991, 1941, 1943). Diskutiert wird auch, ob auf Genussrechte mit Eigenkapitalcharakter § 139 II analog anzuwenden ist (bejahend Hennerkes/May DB 1988, 537, 541; vgl. auch Hirte ZIP 1988, 477, 482; Habersack ZHR 155 [1991], 378, 388). OLG Bremen AG 1992, 268 hat diese Frage offengelassen.

33 Soweit von Unzulässigkeit ausgegangen wird, besteht Uneinigkeit, unter welchen Voraussetzungen **Sperrwirkung der §§ 139 ff.** eingreift. BGHZ 119, 305, 311 f. = NJW 1993, 57 verneint Sperrwirkung jedenfalls dann, wenn Genussrechte nach Ablauf von 20 Jahren kündbar sind und der Ausgabebetrag in der Liquidation den Ansprüchen der Aktionäre nach § 271 vorgeht. IÜ wird zT davon ausgegangen, dass Genussrechte nach Inhalt und Funktion der Vorzugsaktie gleichstehen, wenn sie eine ausschließlich dividendenabhängige Teilhabe am Gewinn gewähren, Rückzahlung der Geldleistung ausgeschlossen und eine

Beteiligung am Liquidationserlös vorgesehen ist (vgl. Reuter Gutachten B für den 55. DJT, 1984, 25 f.; MHdB AG/Scholz § 64 Rn. 79; F. A. Schäfer WM 1991, 1941, 1943; sa OLG Bremen AG 1992, 268). Folgt man dieser Ansicht, so ist Problem wegen § 8 III 2 KStG (→ Rn. 31) eher theoretischer Natur. Überhaupt soll Eigenkapitalcharakter von Genussrechten nach dieser Ansicht dadurch vermieden werden können, dass Genussrechtsinhaber ggü. den Vorzugsaktionären besser gestellt werden (so MHdB AG/Scholz § 64 Rn. 79), zB durch Vereinbarung einer, wenn auch nachrangigen, Gläubigerposition (OLG Bremen AG 1992, 268; Reuter FS Stimpel, 1985, 645, 654 f.) oder einer nur bedingt gewinnabhängigen Mindestverzinsung (OLG Bremen AG 1992, 268; Reuter AG 1985, 104, 105 f.; MHdB AG/Scholz § 64 Rn. 79; teilw. abw. Vollmer ZGR 1983, 445, 452). Nach anderer Ansicht greift Sperrwirkung der §§ 139 ff. früher, nämlich schon dann ein, wenn durch Ausgestaltung der Genussrechtsbedingungen Genusskapital vor Fremdkapital von Verlusten getroffen und als Haftungsmasse zumindest nicht nach freier Entscheidung entzogen werden kann (Habersack ZHR 155 [1991], 378, 382; Hirte ZIP 1988, 477, 478; dagegen OLG Düsseldorf AG 1991, 438, 439), wobei für letztgenannte Voraussetzung ausreichen soll, dass Genusskapital zumindest für längeren Zeitraum nicht gekündigt werden kann (Hirte ZIP 1988, 477, 478; dagegen OLG Bremen AG 1992, 268). Nur gewinnunabhängige Mindestverzinsung schließt nach dieser Ansicht Ähnlichkeit mit Eigenkapital aus.

cc) Stellungnahme. Aufgrund der inhaltlichen Gestaltungsfreiheit der Vertragsparteien sind **Genussrechte mit Eigenkapitalcharakter zulässig.** Einschränkung der Vertragsfreiheit kann nicht mit Sperrwirkung der §§ 139 ff. begründet werden, insbes. nicht iVm § 23 V, der lediglich Satzungsautonomie beschränkt und somit nur korporationsrechtl. Bestimmungen erfasst (sa U. H. Schneider FS Goerdeler, 1987, 511, 513 f.). Generelles Verbot könnte sich also nur aus § 134 BGB ergeben (so auch Hammen DB 1988, 2549, 2550). Jedoch ist Auslegung der §§ 139 ff. als Verbotsgesetz iSd § 134 BGB ein Bsp. übertriebenen institutionellen Rechtsdenkens und somit nicht überzeugend begründbar. Gesetzgeber verzichtete bewusst auf Ausgestaltung des Genussrechts (→ Rn. 22), obwohl bekannt war, dass sie auch zur Kapitalbeschaffung eingesetzt werden (vgl. Hammen DB 1988, 2549, 2553 f.; sa RGZ 49, 10, 11 ff.). Argument, dass zwischen haftendem Kapital und Mitgliedsrechten ein notwendiger Zusammenhang besteht (so Hirte ZIP 1988, 477, 480), überzeugt gleichfalls nicht. Verbot ist rechtspolitisch auch nicht notwendig. Aktionärsrechte werden durch Genussrechte mit Eigenkapitalcharakter nicht stärker als durch gewöhnliche Genussrechte berührt; Aktionäre sind durch § 221 III hinreichend geschützt. Schutz der Genussrechtsinhaber kann auf anderem Wege, insbes. durch Inhaltskontrolle der Genussrechtsbedingungen, ausreichend gewährleistet werden (→ Rn. 35 ff.). 34

c) Inhaltskontrolle. Allg. Vorschriften wie §§ 134, 138 BGB sind immer anwendbar. Handelt es sich, wie üblich, um vorformulierte Genussrechtsbedingungen, die für eine Vielzahl von Verträgen verwendet werden, so finden nach zutr. hM **§§ 305 ff. BGB Anwendung** (so BGHZ 119, 305, 312 ff. = NJW 1993, 57; BGH NZG 2014, 661 Rn. 24 ff.; BGHZ 218, 183 Rn. 28 = NJW 2018, 2193; OLG Düsseldorf AG 2021, 758, 760; KK-AktG/Florstedt Rn. 106 ff.; MüKoAktG/Habersack Rn. 255; sa BT-Drs. 7/3919, 18). Insbes. ist **§ 310 IV 1 BGB nicht einschlägig,** da es nicht um Einräumung gesellschaftsrechtl. Mitgliedschaftsrechte geht, sondern um schuldrechtl. Ansprüche auf gesellschaftsrechtl. Vermögensrechte (BGHZ 119, 305, 312; BGHZ 218, 183 Rn. 28; OLG Düsseldorf AG 2021, 758, 760; KK-AktG/Florstedt Rn. 108; GK-AktG/Hirte Rn. 399; Bitter ZIP 2015, 345, 348; aA Vollmer/Lorch ZBB 35

1992, 44, 48). AGB-Recht ist auch bei **Fremdemissionen** zu beachten, wenn Emittent und Emissionskonsortium Genussrechtsbedingungen zwar ausgehandelt haben, Anleger aber Inhalt der Bedingungen nicht beeinflussen konnten (OLG Frankfurt NZG 2016, 1027 Rn. 43; OLG München AG 2012, 339, 341 f.; 2014, 164, 166 [jeweils zu § 305c II BGB]; MüKoAktG/Habersack Rn. 255; Dangelmayer, Schutz von Genussrechtsinhabern, 2013, 103; sa BGHZ 163, 311, 316 = NJW 2005, 2917).

35a **Umfang der Kontrolle** ist nicht einfach zu bestimmen. Abgrenzungsschwierigkeiten ergeben sich schon aus **§ 307 III 1 BGB,** der Leistungs- und Preisbestimmungen der Inhaltskontrolle entzieht und sie nur einer Transparenzkontrolle unterwirft (zur Transparenzkontrolle nach § 307 I 2 BGB BGHZ 218, 183 Rn. 33 ff. = NJW 2018, 2193 [zur Nachrangabrede]; zum Transparenzgebot des § 3 SchVG Ekkenga/Schmidtbleicher AG-Finanzierung Kap. 12 Rn. 297 ff.; Schroeter ZGR 2015, 769 ff.). Vorstellung, dass in Ermangelung ges. Regelung „alle Regelungen in den Genussrechtsbedingungen der Leistungsbeschreibung dienen" (B/K/L/Stadler Rn. 96; ähnlich restriktiv Assmann WM 2005, 1053, 1058 ff.), verkennt Bedeutung des § 307 III BGB bei atypischen Vertragsgestaltungen. § 307 III 1 BGB nimmt auch hier nur solche Regelungen von Inhaltskontrolle aus, die zum **engsten Kern der Leistungszusage** gehören und deshalb entspr. allg. Kontrollmechanismen von Markt und Wettbewerb der Abschlussentscheidung des Kunden überlassen werden können (ausf. Stoffels, Gesetzlich nicht geregelte Schuldverträge, 2001, 390 ff.; sa Bitter ZIP 2015, 345, 350 ff.). Dazu sind bei Genussrechten zu zählen: Verpflichtung des Aktionärs zur Kapitalüberlassung, Verknüpfung mit mitgliedschaftlichen Vermögensrechten, Laufzeit, Bestehen eines Rückzahlungsanspruchs, aber auch Verlustteilnahme und Nachrangabrede (ausf. zur Verlustteilnahme BGHZ 119, 305, 314 f. = NJW 1993, 57; BGH NZG 2014, 661 Rn. 29; OLG Frankfurt NZG 2016, 1027 Rn. 47; Sethe WM 2012, 577, 583 f. mit weiteren Erläuterungen zur insofern vorzunehmenden Transparenzkontrolle in WM 2012, 577, 580 ff.; sa GK-AktG/Hirte Rn. 400; zur Nachrangabrede BGHZ 218, 183 Rn. 31; MüKoAktG/Habersack Rn. 259; BeckOGK/Seiler Rn. 183; aA Bitter ZIP 2015, 345, 351). Das gilt auch für Bestimmung, was unter Bilanzverlust zu verstehen ist (OLG Düsseldorf AG 2021, 758, 762 mw Ausführungen zum ges. Begriffsverständnis auf S. 760 f. und zum überraschenden Charakter [§ 305c II BGB] auf S. 762; OLG Frankfurt NZG 2016, 1027 Rn. 47 mw Ausführungen zum überraschenden Charakter bei Einbeziehung von Verlustvorträgen in Rn. 48 ff.; krit. dazu Becker NZG 2016, 1021 ff.). Der Inhaltskontrolle unterworfen sind dagegen Informations- und Kontrollrechte, Kündigungsvorgaben sowie Klauseln, die Modalitäten der Verlustbeteiligung regeln (ausf. zum letzten Punkt OLG Köln v. 25.9.2012 – 15 U 101/10 juris-Rn. 82 ff. = BeckRS 2012, 24567 [insoweit nicht in NZG 2014, 227]; OLG München AG 2012, 339, 340 ff.; 2014, 164, 166; Casper ZIP 2015, 201, 208 f.; Kinzl/Schmidberger WM 2016, 2160, 2162; Sethe WM 2012, 577, 583; so auch zur Art und Weise der Herabsetzung des Genusskapitals iRd Verlustbeteiligung BGH NZG 2014, 661 Rn. 29).

35b Als **Maßstab der Inhaltskontrolle** können iRd § 307 II BGB §§ 139 ff. nicht herangezogen werden. Vielmehr ist auf den Vertragstyp abzuheben, der jeweiliger Genussrechtsvereinbarung am nächsten kommt (zu den Einzelheiten vgl. Masuch, Anleihebedingungen und AGB-Gesetz, 2001, 179 ff.). Zulässig ist jedenfalls Vereinbarung, die AG berechtigt, Genusskapital herabzusetzen, wenn Grundkapital ebenfalls herabgesetzt wird (eingehend BGHZ 119, 305, 312 ff.; BGH AG 2006, 937). IdR nicht zu beanstanden sind auch Klauseln, die Verlustbeteiligung durch Minderung des Rückzahlungsanspruchs vorsehen, wenn Grundkapital herabgesetzt oder Bilanzverlust bzw. Jahresfehlbetrag ausgewiesen wird (zur Auslegung und Inhaltskontrolle solcher Klauseln OLG München AG 2012, 339, 340 ff.; 2014, 164, 165 ff.; 2015, 795, 796 ff.).

4. Ausgabe nur aufgrund eines Beschlusses der Hauptversammlung. § 221 I gilt für Gewährung von Genussrechten sinngem. (§ 221 III). Gemeint ist zunächst, dass Genussrechte nur aufgrund eines HV-Beschlusses ausgegeben werden dürfen (§ 221 I 1). Beschluss kann in der Zustimmung zum Bezugsrechtsausschluss gefunden werden (BGH NJW 1993, 400, 401 [Bremer Bankverein; insoweit nicht in BGHZ 120, 141]). Beschluss begründet Genussrecht nicht, sondern ermächtigt Vorstand, Genussrechte mit Erwerbern rechtsgeschäftlich zu begründen (MHdB AG/Scholz § 64 Rn. 80; sa RGZ 132, 199, 206). HV-Beschluss muss ferner den Voraussetzungen des § 221 I genügen, also mit einer Kapitalmehrheit von mindestens ¾ (§ 221 I 2) gefasst worden sein (→ Rn. 14) bzw. den satzungsmäßigen Bestimmungen entspr. (§ 221 I 3; → Rn. 15). Zudem kann nach § 221 I 4 iVm § 182 II Sonderbeschluss erforderlich werden (→ Rn. 16). Daneben bedarf HV-Beschluss gem. § 133 I einfacher Stimmenmehrheit (→ Rn. 14). § 221 III verweist nicht auf **§ 221 II.** Vorschrift findet aber entspr. Anwendung (OLG München AG 1994, 372, 373; MüKoAktG/Habersack Rn. 149; GK-AktG/Hirte Rn. 383; MHdB AG/Scholz § 64 Rn. 80; Groß AG 1991, 201, 202). HV kann danach Vorstand zur Ausgabe von Genussrechten nur für höchstens fünf Jahre ermächtigen (§ 221 II 1). HV-Beschluss sowie Erklärung über die Ausgabe der Genussrechte sind beim HR zu hinterlegen (§ 221 II 2; → Rn. 20). Auch ist ein entspr. Hinweis in den Gesellschaftsblättern bekanntzumachen (§ 221 II 3; → Rn. 21). Aktionären steht gem. § 221 IV ges. Bezugsrecht auf Genussrechte zu (→ Rn. 38 ff.). 36

5. Änderung und Aufhebung. Genussrechtsbedingungen können wegen ihrer vertraglichen Natur nur durch Änderungsvertrag zwischen AG und Genussrechtsinhaber geändert werden (RGZ 117, 379, 384 f.; RGZ 132, 199, 205 f.; BGHZ 119, 305, 315 f. = NJW 1993, 57; zur erforderlichen Gleichbehandlung nach § 4 SchVG s. Langenbucher/Bliesener/Spindler/Bliesener/Schneider Kap. 17 SchVG § 4 Rn. 1 ff.). Änderung durch HV-Beschluss ist aber möglich, wenn entspr. **Änderungsvorbehalt** Teil der rechtsgeschäftlichen Abrede mit dem Erwerber geworden ist (RGZ 132, 199, 205 f.; BGHZ 119, 305; GK-AktG/Hirte Rn. 420). Darüber hinaus kann Änderung auf Grundlage des **§ 5 I 1 SchVG** erfolgen, der auch für Genussrechte gilt (MüKoBGB/Habersack BGB § 793 Rn. 49; GK-AktG/Hirte Rn. 424 ff.; Habersack/Mülbert/Schlitt/Wöckener/Becker Unternehmensfinanzierung Rn. 13.36; Marsch-Barner/Schäfer/Groß Rn. 54.3b). Voraussetzung ist allerdings, dass Anleihebedingungen sog Opt-In-Klausel enthält (Schlitt/Schäfer CFL 2010, 252, 255 f.; Simon CFL 2010, 159 f.; zur Anwendbarkeit des SchVG 2009 auf Altfälle s. OLG Frankfurt AG 2012, 373 ff.). Enthält rechtsgeschäftliche Abrede Änderungsvorbehalt, muss § 5 I SchVG daneben aber nicht beachtet werden (GK-AktG/Hirte Rn. 420 unter Aufgabe von ZIP 1991, 1461, 1467). Änderungsvertrag ist ebenso erforderlich für Aufhebung von Genussrechten (weitergehend für aktienähnliche Genussrechte wohl Vollmer/Lorch ZBB 1992, 44, 46 f.). Genussscheinbedingungen können vorsehen, dass AG Genussrecht gegen Zahlung eines bestimmten Geldbetrags ablösen kann. 37

V. Bezugsrecht der Aktionäre (§ 221 IV)

1. Gesetzliches Bezugsrecht. Auf Wandel- und Optionsanleihen (→ Rn. 4 ff.), Gewinnschuldverschreibungen (→ Rn. 8) und Genussrechte (→ Rn. 23 ff.), nicht auch auf Zulassung als stiller Gesellschafter (BGHZ 156, 38, 42 ff. = NJW 2003, 3412; KG AG 2003, 99, 100), haben Aktionäre ein Bezugs- 38 recht (§ 221 IV 1). Bezweckt ist, sie gegen Beeinträchtigungen ihrer Rechte zu schützen (MüKoAktG/Habersack Rn. 162; → § 186 Rn. 4 ff.; zur praktischen Ausgestaltung Bader AG 2014, 472, 484 f.). Entstehung des auch hier vom Bezugsrecht zu unterscheidenden **konkreten Bezugsanspruchs** ist zum einen davon abhängig, welches Recht gewährt werden soll, zum anderen davon, ob Vorstand zur Ausgabe verpflichtet oder lediglich ermächtigt ist (→ Rn. 9, 13). Ist Vorstand zur Ausgabe verpflichtet, so entsteht Bezugsanspruch der Aktionäre frühestens mit entspr. HV-Beschluss (s. iÜ Butzke GS M. Winter, 2011, 59, 75 f.; → § 186 Rn. 6; → § 203 Rn. 7). Ist Vorstand zur Ausgabe lediglich ermächtigt, so ist ferner sein Beschluss erforderlich, Rechte zu gewähren (Hopt/Seibt/Fest SVR § 221 AktG Rn. 575). Bezugsberechtigt sind **nur Aktionäre** (zu Einschränkungen und Sonderfällen → § 186 Rn. 9 ff.), nicht auch Inhaber zuvor ausgegebener Wandel- oder Gewinnschuldverschreibungen oder Genussberechtigte; Mitgliedschaft muss im Zeitpunkt der Beschlussfassung bestehen (KK-AktG/Florstedt Rn. 225 f.). Unerheblich ist, um welche Aktiengattung es sich handelt (→ § 186 Rn. 8). Aus eigenen Aktien steht AG kein Bezugsrecht zu (§ 71b).

39 **2. Ausschluss des Bezugsrechts. a) Allgemeines.** Bezugsrecht der Aktionäre kann ganz oder teilw. ausgeschlossen werden (§ 186 III iVm § 221 IV 2). Ges. geht davon aus, dass HV selbst über den Bezugsrechtsausschluss entscheidet, und zwar unabhängig davon, ob sie den Vorstand zur Ausgabe eines Rechts verpflichtet (→ Rn. 9) oder nur ermächtigt (→ Rn. 13). Im zweiten Fall ist es jedoch analog § 203 II 1 auch zulässig, dass HV **Ermächtigung des Vorstands** zum Bezugsrechtsausschluss beschließt (BGH AG 2006, 246, 247; AG 2007, 863 Rn. 2; BGHZ 181, 144 Rn. 14 = NZG 2009, 986; BGHZ 234, 19 Rn. 10 = NZG 2022, 1441; OLG München AG 1994, 372, 373; MüKoAktG/Habersack Rn. 171, 173; MHdB AG/Scholz § 64 Rn. 32; Marsch-Barner/Schäfer/Groß Rn. 53.49: in der Praxis eher selten). Solcher Ermächtigungsbeschluss bedarf keiner sachlichen Rechtfertigung; maßgeblich sind vielmehr die zum genehmigten Kapital geltenden Grundsätze (BGH AG 2007, 863 Rn. 3 f.). Nach dem großzügigen Maßstab der Siemens/Nold-Rspr. (BGHZ 136, 133 = NJW 1997, 2815) genügt es danach für Rechtmäßigkeit des Ermächtigungsbeschlusses, dass Ausgabe der Wandelschuldverschreibungen generell-abstrakt im Gesellschaftsinteresse liegt (→ § 203 Rn. 11 ff., 33 ff.; BGH AG 2007, 863 Rn. 4; sa KK-AktG/Florstedt Rn. 254; Marsch-Barner/Schäfer/Groß Rn. 53.50 ff.).

40 **b) Formelle Voraussetzungen.** § 221 IV 2 erklärt § 186 insges. für sinngem. anwendbar; formelle Voraussetzungen des § 186 III, IV sind somit zu beachten. Gem. § 186 III 1 iVm § 221 IV 2 muss deshalb der Bezugsrechtsausschluss oder die entspr. Ermächtigung des Vorstands **Bestandteil des Beschlusses gem. § 221 I 1** sein (OLG Schleswig AG 2003, 48, 49; MüKoAktG/Habersack Rn. 173; aA Groß AG 1991, 201, 204 f. für Optionsanleihen). Danach notwendige Beschlusseinheit fehlt auch dann, wenn Zweck des Bezugsrechtsausschlusses nachträglich geändert wird (OLG Schleswig AG 2003, 48, 49); denn damit verändert sich das konkrete Gesellschaftsinteresse, über das HV bei Ausschluss des Bezugsrechts zu befinden hat. Beschluss bedarf zusätzlich zu in Ges. oder Satzung nach § 221 I 2, 3 und III bestehenden Erfordernissen einer Kapitalmehrheit, die mindestens ¾ des bei Beschlussfassung vertretenen Grundkapitals umfasst (§ 186 III 2 iVm § 221 IV 2). Satzung kann insoweit nur eine größere Kapitalmehrheit sowie weitere Erfordernisse bestimmen (§ 186 III 3 iVm § 221 IV 2). Ausschluss des Bezugsrechts darf ferner nur beschlossen werden, wenn Ausschließungsabsicht ausdr. und ordnungsgem. (§ 124 I) bekanntgemacht worden ist (§ 186 IV 1 [→ § 186 Rn. 22] iVm § 221 IV 2).

Vorstand hat HV **Bericht über Grund des Bezugsrechtsausschlusses** vorzulegen (§ 186 IV 2 iVm § 221 IV 2), damit sie sachgerecht entscheiden kann (→ § 186 Rn. 23). Wenn Ausgabe von Wandel- oder Optionsanleihen beabsichtigt ist, muss Bericht umfassend und konkret die Tatsachen mitteilen, die für materielle Rechtfertigung des Bezugsrechtsausschlusses entscheidend sind, ferner Wertungen und Abwägungen des Vorstands enthalten (OLG Frankfurt AG 1992, 271; OLG München AG 1991, 210, 211; 1994, 372, 374; ZIP 2009, 718, 721; KK-AktG/Florstedt Rn. 264 ff.; MüKoAktG/Habersack Rn. 176 ff.; → § 186 Rn. 23 f.). Ob Gleiches auch für Genussrechte und Gewinnschuldverschreibungen gilt, ist davon abhängig, welche materiellen Anforderungen bei ihnen an Bezugsrechtsausschluss zu stellen sind (→ Rn. 43). Nach LG Bremen AG 1992, 37 reicht es bei Genussrechten aus, wenn im Bericht „das Ziel der Ausgabe und der Rahmen für die Festsetzung des Ausgabekurses abgesteckt" werden (sa OLG Bremen AG 1992, 268, 270). Bericht hat ferner vorgeschlagenen **Ausgabebetrag zu begründen** (§ 221 IV 2 iVm § 186 IV 2 Hs. 2). Deshalb sind die wesentlichen Konditionen darzulegen, zu denen Wandel- und Optionsanleihen sowie Gewinnschuldverschreibungen und Genussrechte ausgegeben werden sollen. Ist lediglich **Ermächtigungsbeschluss** vorgesehen, so gilt ebenso wie beim genehmigten Kapital (→ § 203 Rn. 43 ff.), dass Bericht dazu nur Angaben enthalten muss, wenn Ermächtigungsbeschluss Ausgabekonditionen regelt (Marsch-Barner/Schäfer/Groß Rn. 53.50; vgl. auch OLG München AG 2015, 677, 679; LG Bremen AG 1992, 37). Wenn Stock Options für Vorstandsmitglieder gem. § 192 II Nr. 1 (→ § 192 Rn. 9, 15) ausgegeben werden sollen, hat sich Bericht darauf zu erstrecken, warum Programm in seiner konkreten Ausformung die angestrebte Steigerung des Unternehmenswerts erwarten lässt (Baums FS Claussen, 1997, 3, 42; Hüffer ZHR 161 [1997], 214, 229 f.). Seit Änderung des § 186 IV 2 im Zuge des ARUG muss Bericht nicht während der HV ausliegen; ausreichend ist elektronische Information (→ § 186 Rn. 23; Hopt/Seibt/Fest SVR § 221 AktG Rn. 702; aA BeckOGK/Seiler Rn. 93). Darüber hinaus ist Bericht entspr. § 175 II 1, 2 von Einberufung der HV an in den Geschäftsräumen auszulegen und jedem Aktionär – vorbehaltlich der Ausnahme entspr. § 175 II 4 – auf Verlangen in Abschrift zu übersenden (str., → § 186 Rn. 23). Das gilt auch bei Ausgabe von Genussrechten (str., Hopt/Seibt/Fest SVR § 221 AktG Rn. 705; KK-AktG/Florstedt Rn. 268; aA OLG Bremen AG 1992, 268, 270; zweifelnd auch MüKoAktG/Habersack Rn. 181 Fn. 526; offenlassend BGHZ 120, 141, 156 = NJW 1993, 400; BGHZ 234, 19 Rn. 21 = NZG 2022, 1441). Bek. des wesentlichen Berichtsinhalts analog § 124 II 3, letzter Fall (Vertragsänderung) ist nicht erforderlich (→ § 124 Rn. 15 mwN; aA im Kontext des § 221 aber noch KK-AktG/Florstedt Rn. 268; MüKoAktG/Habersack Rn. 181; BeckOGK/Seiler Rn. 93). Ist Bericht auf Internetseiten der AG zugänglich, muss er entspr. § 175 II 4 weder ausgelegt noch übersendet werden (→ § 186 Rn. 23). **41**

c) Materielle Voraussetzungen. Frage, ob Bezugsrechtsausschluss wie bei Kapitalerhöhung sachlicher Rechtfertigung bedarf (→ § 186 Rn. 25 ff.), kann nicht einheitlich beantwortet werden. Zu unterscheiden ist vielmehr zwischen Wandel- und Optionsanleihen einerseits sowie Gewinnschuldverschreibungen und Genussrechten andererseits. Beim Ausschluss des Bezugsrechts iRd Ausgabe von **Wandel- und Optionsanleihen** ist sachliche Rechtfertigung ebenso erforderlich wie bei Kapitalerhöhung, weil diese Anleihen auch Recht zum Erwerb von Mitgliedsrechten gewähren (→ Rn. 4, 6) und damit, wenn auch nur mittelbar, in gleicher Art und Weise in die bestehenden Aktionärsrechte eingreifen können wie junge Aktien (unstr., s. OLG München AG 1991, 210, 211; ZIP 2009, 718, 720 f.; KK-AktG/Florstedt Rn. 237, 239; MüKoAktG/Habersack Rn. 185). Bei Ausgabe umgekehrter Wandelanleihen (→ § 192 Rn. 9; **42**

→ Rn. 5b) wird sachliche Rechtfertigung idR anzunehmen sein, weil zumeist nur institutionelle Investoren dazu in der Lage sein werden, mit diesem Instrument bezweckte Verlustabsorption zu tragen und zu steuern (sa RegBegr. BT-Drs. 18/4349, 29; ausf. Bou Sleiman, Contingent Convertible Bonds, 2015, Rn. 224 ff.; Florstedt ZHR 180 [2016], 152, 174 ff.; Nodoushani WM 2016, 589, 593); Grundsätze gelten auch bei Vorstandsermächtigung nach § 221 II (vgl. Florstedt ZHR 180 [2016], 152, 178 ff.). Bei Ausgabe von **Stock Options** gem. § 192 II Nr. 1 (→ § 192 Rn. 9, 15) ist Gesellschaftsinteresse (→ § 186 Rn. 26) zu bejahen (Motivation und Bindung der Begünstigten), desgleichen Eignung, Erforderlichkeit und Verhältnismäßigkeit (→ § 186 Rn. 27 f.), wenn Zielsetzung erreicht werden kann (nur eingeschränkt prüfbar [→ § 186 Rn. 36 ff.]) und Emissionsvolumen keine unnötige Verwässerung befürchten lässt (OLG Braunschweig AG 1999, 84, 86 ff.; OLG Stuttgart AG 1998, 529, 530 ff.; LG Frankfurt AG 1997, 185, 186 f.; LG Stuttgart AG 1998, 41, 43; Hüffer ZHR 161 [1997], 214, 227 ff.; teilw. weitergehende Anforderungen bei Baums FS Claussen, 1997, 3, 40 ff.; aA LG Braunschweig AG 1998, 289, 293 f.).

43 Bei **Genussrechten,** insbes. solchen, die gegen Zahlung ausgegeben werden, ist Erfordernis sachlicher Rechtfertigung im erwähnten Umfang str. Es wird zT bejaht (jedenfalls im Ansatz KK-AktG/Florstedt Rn. 241 ff.; vgl. ferner Vollmer/Lorch DB 1991, 1313, 1316 f.; Wünsch FS Strasser, 1983, 871, 885 f.), zT aber auch deshalb verneint, weil wegen des Inhalts der Genussrechte (→ Rn. 25 f.) Eingriff in mitgliedschaftliche Stellung der Aktionäre (insbes. Stimmrecht) ausscheidet (LG Bremen AG 1992, 37 f.; Hirte ZIP 1988, 477, 486). Richtig ist, dass Ausschluss des Bezugsrechts bei Genussrechten nicht mit gleicher Intensität in Rechte der Aktionäre eingreift wie bei Ausgabe neuer Aktien oder Wandel- und Optionsanleihen. Je nach Ausgestaltung des Genussrechts können aber Aktionärsrechte betroffen sein (zB gewinnorientierte Verzinsung [→ Rn. 25 f.], Beteiligung am Liquidationserlös). Ob und in welchem Umfang sachliche Rechtfertigung erforderlich ist, hängt deshalb vom jeweiligen Inhalt des Genussrechts ab (BGHZ 120, 141, 146 ff. = NJW 1993, 400; ähnlich OLG Bremen AG 1992, 268, 269 f.; MüKoAktG/Habersack Rn. 186 f.; MHdB AG/Scholz § 64 Rn. 82). Enthält Genussrecht auch Umtausch- oder Bezugsrecht auf Aktien, so ist sachliche Rechtfertigung geboten. Für **Gewinnschuldverschreibungen** gilt Entspr. Bezugsrechtsausschluss darf in keinem Fall gegen § 53a verstoßen (BGHZ 120, 141, 150 ff. unter zutr. Verneinung für den Einzelfall; OLG Bremen AG 1992, 268, 269; MüKoAktG/Habersack Rn. 186 f.).

43a **Ausgabebetrag in der Nähe des Börsenpreises.** Soweit nach vorstehenden Grundsätzen (→ Rn. 42 f.) sachliche Rechtfertigung erforderlich ist, fragt sich, ob iRd § 221 IV auch § 186 III 4 zur Anwendung kommt, ob also Bezugsrechtsausschluss unter dort genannten Voraussetzungen (→ § 186 Rn. 39a ff.) kraft Ges. gerechtfertigt sein kann. Weil § 221 IV 2 sinngem. Geltung des § 186 uneingeschränkt anordnet, ist Anwendung des § 186 III 4 im Ansatz zu bejahen (heute allgM – s. statt vieler OLG München NZG 2006, 784, 785 f.; MüKoAktG/Habersack Rn. 190; S/L/Merkt Rn. 108; Singhof ZHR 170 [2006], 673, 675 ff.). Umstr. ist aber, ob seine Voraussetzungen überhaupt gegeben sein können. Früher verbreitete Auffassung hat das verneint, da es dafür eines Börsenkurses für „gleiche Rechte“ bedürfe, die überdies am Markt jederzeit zugekauft werden könnten (GK-AktG/Hirte Rn. 146; Klawitter AG 2005, 792, 796 ff.; Lutter AG 1994, 429, 445; sa AusschussB BT-Drs. 12/7848, 17). Heute ganz hM, die sich auch in der Praxis etabliert hat (BeckOGK/Seiler Rn. 97), hält Anwendung des § 186 III 4 hingegen für zulässig, sofern Konditionen der Anleihe nur so ausgestaltet werden, dass Wert eines **hypothetischen Bezugsrechts** auf die Aktie gegen Null tendiert und Aktionäre die Möglichkeit haben, durch Zukauf von Aktien oder Anleihen über Börse ihre Beteiligung aufrechtzuerhalten (zB OLG München NZG 2006, 784, 787 f.; KK-AktG/Florstedt Rn. 259 ff.; MüKoAktG/Habersack Rn. 190 f.; S/L/Merkt Rn. 108; BeckOGK/Seiler Rn. 96 ff.; Marsch-Barner/Schäfer/Groß Rn. 53.54 ff.; Schlitt/Seiler/Singhof AG 2003, 254, 259 f.; Singhof ZHR 170 [2006], 673, 687 ff.; weitergehend Bader AG 2014, 472, 487 f., der Platzierung zum Marktpreis im Wege des Bookbuilding-Verfahrens für ausreichend hält). HM ist zuzustimmen, da nach Normzweck des § 186 III 4 auch hier Ausschluss des Bezugsrechts geboten ist und zugleich im Rahmen einer verweisungsbedingt nur „entspr. Anwendung" auch hinreichende Flexibilität in der Gesetzesanwendung besteht, um von Wortlaut des § 186 III 4 abweichen zu können (zutr. Marsch-Barner/Schäfer/Groß Rn. 53.56). Zur Berechnung des hypothetischen Marktpreises greift Praxis zT auf sog Fairness Opinion einer Investmentbank zurück, wobei Tendenz aber rückläufig zu sein scheint (Habersack/Mülbert/Schlitt/Schlitt Unternehmensfinanzierung Rn. 11.50; für Bookbuilding KK-AktG/Florstedt Rn. 261; Schlitt/Schäfer CFL 2010, 252, 253). Rechtl. Pflicht besteht zu einem solchen Vorgehen jedenfalls nicht (Hopt/Seibt/Fest SVR § 221 AktG Rn. 678; MüKoAktG/Habersack Rn. 191; Schlitt/Schäfer CFL 2010, 252, 253). Weitere Einzelheiten insbes. bei BeckOGK/Seiler Rn. 103 ff. Zum erleichterten Bezugsrechtsausschluss bei umgekehrten Wandelschuldverschreibungen Florstedt ZHR 180 (2016), 152, 180 f.

d) Fehlerhafter Bezugsrechtsausschluss. Ob Bezugsrechtsausschluss sachlich gerechtfertigt ist, unterliegt **eingeschränkter richterlicher Prüfung** (→ § 186 Rn. 36 ff.; sa LG Bremen AG 1992, 37 f.). Genügt **Vorstandsbericht** nicht den in Rn. 41 dargelegten Anforderungen, so liegt Anfechtungsgrund vor; Nachbesserung durch mündliche Erl. in HV ist wegen Schriftformerfordernisses nicht möglich (LG Frankfurt WM 1990, 1745, 1747 f.; Hopt/Seibt/Fest SVR § 221 AktG Rn. 716). Fraglich ist, ob Bezugsrechtsausschluss getrennt vom Beschluss nach § 221 I, II anfechtbar ist. **Teilanfechtung** scheidet dann aus, wenn Vorstand die Ausgabe nach der Beschlusslage entweder unter Bezugsrechtsausschluss vorzunehmen oder das Ganze zu lassen hat. So zunächst bei einheitlicher Beschlussfassung (MüKoAktG/Habersack Rn. 195), die Sachlage führt, die regulärer Kapitalerhöhung vergleichbar ist (→ § 186 Rn. 42); ferner auch dann, wenn sich Ermächtigung auf Emission, aber nicht auf Ausschluss des Bezugsrechts bezieht (richtig LG Braunschweig AG 1993, 194). Ist Vorstand dagegen lediglich zum Ausschluss des Bezugsrechts ermächtigt, so kommt Teilanfechtung in Betracht. Frage bestimmt sich nach allg. Grundsätzen, abzustellen ist insbes. auf § 139 BGB (→ § 241 Rn. 33; → § 243 Rn. 4). Es gelten insoweit die gleichen Erwägungen wie bei Ermächtigung zum Bezugsrechtsausschluss iRd genehmigten Kapitals (→ § 203 Rn. 48; iE ebenso OLG München AG 1991, 210, 212; 1994, 372, 374 f.; 2015, 677, 678; LG Frankfurt WM 1990, 1745, 1748; KK-AktG/Florstedt Rn. 270; Hirte WM 1994, 321, 328). Teilanfechtung ist also möglich, wenn HV Befugnisse des Vorstands mit seiner Ermächtigung zum Bezugsrechtsausschluss lediglich erweitern wollte, nicht aber, wenn Anleihen oder Genussrechte nur mit gleichzeitigem Ausschluss des Bezugsrechts ausgegeben werden können (zB Erschließung ausländischer Kapitalmärkte). 44

3. Mittelbares Bezugsrecht. § 221 IV 2 verweist auch auf § 186 V. Nicht als Ausschluss des Bezugsrechts ist es also anzusehen (Fiktion, → § 186 Rn. 44), wenn nach dem Ausgabebeschluss (§ 221 I 1) die Wandelanleihen, Optionsanleihen, Gewinnschuldverschreibungen oder Genussrechte von einem KI mit der Verpflichtung übernommen werden sollen, sie den Aktionären zum Bezug anzubieten (§ 186 V 1). Formelle und materielle Voraussetzungen des Bezugsrechtsausschlusses müssen dann nicht beachtet werden (→ § 186 Rn. 44). Mittelbares Bezugsrecht muss bei Zustimmungsbeschluss für konkretes Emissionsvor- 45 haben bereits **im Ausgabebeschluss** festgesetzt sein (→ § 186 Rn. 45), während bei Ermächtigungsbeschluss Festlegung dem Vorstand überlassen werden kann (MüKoAktG/Habersack Rn. 198; BeckOGK/Seiler Rn. 77 ff.; Marsch-Barner/Schäfer/Groß Rn. 53.58). Als Mittler kann ein KI iSd § 1 I KWG oder ein gleichgestelltes Emissionsunternehmen auftreten (→ § 186 Rn. 46). Zwischen AG und KI oder Emissionsunternehmen begründete Verpflichtung, Rechte den Aktionären anzubieten, ist als Vertrag zugunsten Dritter auszugestalten; Aktionäre erhalten so unmittelbaren Bezugsanspruch (→ § 186 Rn. 47). Zum Inhalt des Ausgabebeschlusses und zur Durchführung des mittelbaren Bezugsrechts gelten Erl. zu § 186 V entspr. (→ § 186 Rn. 49 ff.); zur Bedeutung des § 186 V 2 Hs. 2 → § 186 Rn. 55. Die für Emissionsunternehmen geltenden Erleichterungen hinsichtlich § 27 III (→ § 186 Rn. 55a) gelten entsprechend (S. Klein AG 2017, 415, 418 f.).

46 **4. Schutz des gesetzlichen Bezugsrechts.** § 221 IV 2 verweist nur auf § 186. Es besteht aber Einigkeit, dass Schutz des ges. Bezugsrechts entspr. Anwendung des § 187 erfordert (MüKoAktG/Habersack Rn. 168; BeckOGK/Servatius § 187 Rn. 10; MHdB AG/Scholz § 64 Rn. 40). Vorstand kann mithin gem. § 187 I Rechte auf den Bezug von Anleihen oder Genussrechten nur unter **Vorbehalt des Bezugsrechts** der Aktionäre zusichern (str.; → § 187 Rn. 3 f.). Zusicherungen vor Ausgabebeschluss gem. § 221 I 1 stehen nach § 187 II unter dem Vorbehalt, dass aus solchen Zusicherungen AG nicht verpflichtet ist, notwendige Beschlüsse zur Schaffung der zugesicherten Rechte zu fassen (→ § 187 Rn. 5). Zu den Rechtsfolgen → § 187 Rn. 6.

46a **5. Stock Options als Sonderfall (§ 193 II Nr. 4).** UMAG 2005 hat in § 221 IV 2 neben § 186 auch § 193 II Nr. 4 für sinngem. anwendbar erklärt. Damit soll erreicht werden, dass Mindeststandard, den § 193 II Nr. 4 für vergütungshalber gewährte sog „naked warrants" (→ Rn. 75) aufstellt, nämlich **Befassung der HV mit Eckpunkten** von Optionsprogrammen (→ § 193 Rn. 7 ff.), auch dann zu beachten ist, wenn solche Programme an Wandelschuldverschreibungen oder ähnliche Finanzinstrumente geknüpft werden (RegBegr. BT-Drs. 15/5092, 25). Das ist angemessen.

46b Ferner soll Verweisung auf § 193 II Nr. 4 auch bedeuten, dass **AR-Mitglieder** als Bezugsberechtigte eines Aktienoptionsprogramms auch dann ausscheiden, wenn sich die Optionen mit Wandelschuldverschreibungen verknüpfen (RegBegr. BT-Drs. 15/5092, 25). Das erschließt sich aus dem Wortlaut allenfalls mühsam (krit. DAV-HRA NZG 2005, 388, 392), soll aber daraus folgen, dass § 193 II Nr. 4 auch Kreis der möglichen Bezugsberechtigten umschreibt (RegBegr. BT-Drs. 15/5092, 25), was allerdings eher für § 192 II Nr. 3 zutrifft (→ § 192 Rn. 21). Problematisch ist grds. negative Einstellung des Gesetzgebers zu Stock Options für AR-Mitglieder, eher nahe liegend dagegen auch hier Gleichbehandlung solcher Optionen mit und ohne Anbindung an Finanzierungsinstrumente. Praxis wird Norm trotz ihrer Unklarheit iSd RegBegr. auslegen.

VI. Durchführung des Hauptversammlungsbeschlusses

47 **1. Allgemeines.** HV-Beschluss legitimiert Vorstand, Wandelanleihen, Optionsanleihen und Gewinnschuldverschreibungen auszugeben oder Genussrechte zu gewähren; Mustertexte der Verwaltungsbeschlüsse mit Erläuterungen bei Hopt/Seibt/Seibt SVR Anh. B. Rechte werden aber erst durch **Rechtsgeschäft zwischen AG und Dritten** begründet (KK-AktG/Florstedt Rn. 97). Üblich ist Verbriefung in Inhaberschuldverschreibungen (§ 793 BGB). Auch Genussrechte werden entspr. ihrer schuldrechtlichen Natur (→ Rn. 26) durch Vertrag zwischen AG und Dritten vereinbart (vgl. RGZ 132, 199, 206; MüKoAktG/Habersack

Rn. 199). Sie werden idR in Genussscheinen verbrieft, üblicherweise ebenfalls als Inhaberpapier. AG wird in allen Fällen vom Vorstand vertreten (§ 78), dem Durchführung des HV-Beschlusses insgesamt obliegt (§§ 77, 83 II). Wenn Vorstand durch HV-Beschluss zur Ausgabe der Rechte verpflichtet ist, hat er Beschluss mangels anderweitiger Vorgabe unverzüglich (§ 121 I 1 BGB) umzusetzen (Hopt/Seibt/Fest SVR § 221 AktG Rn. 518; aA KK-AktG/Florstedt Rn. 185: Durchführung innerhalb von drei Monaten). Ist Vorstand zur Ausgabe nur ermächtigt (§ 221 II 1; → Rn. 13), so steht sie in seinem pflichtgem. Ermessen (KK-AktG/Florstedt Rn. 215; MHdB AG/Scholz § 64 Rn. 17, 25). AG kann Rechte selbst ausgeben. Üblich ist aber Fremdemission (→ § 186 Rn. 44 ff.) durch KI oder Bankenkonsortium, das entweder Rechte selbst übernimmt und sie dann freihändig verkauft oder iR eines mittelbaren Bezugsrechts nach Anweisung der AG tätig wird.

2. Verbriefung der Rechte. Rechtl. Tatbestand, der Rechte und Pflichten 48
aus Wandel- oder Optionsanleihen und Gewinnschuldverschreibungen als Inhaberschuldverschreibungen (§ 793 BGB) verbrieft entstehen lässt, ist Gegenstand der Wertpapierrechtstheorien (dazu MüKoBGB/Habersack BGB Vor § 793 Rn. 24 ff.). Vorstand hat Schuldverschreibungsurkunde für AG zu unterzeichnen; dafür reicht Handeln in vertretungsberechtigter Zahl. Zur Unterzeichnung genügt im Wege mechanischer Vervielfältigung hergestellte Namensunterschrift (§ 793 II BGB). Unterschrift des Vorstands, der bei Druck der Urkunden amtiert, genügt auch dann, wenn bei Übergabe neuer Vorstand im Amt ist (Kümpel FS Werner, 1984, 449, 467 f.). Nachfolgender **Begebungsvertrag** ist sachenrechtl. Natur und auf Übereignung der Schuldverschreibungsurkunde gerichtet. Zuständig ist auch insoweit Vorstand, der aber nicht persönlich handeln muss. Bei **Wandelanleihe** werden Zahlungsanspruch und Umtauschrecht notwendig in einer Urkunde verbrieft (MüKoAktG/Habersack Rn. 203). Verbriefung der **Optionsanleihe** ist von ihrer Ausgestaltung abhängig. Soll Bezugsrecht nur zusammen mit der Schuldverschreibung ausgeübt werden können (unselbständiges Bezugsrecht), so werden Zahlungsanspruch und Bezugsrecht ebenfalls untrennbar in einer Urkunde verbrieft. Optionsrecht kann aber auch als selbständiges Recht ausgestaltet sein (→ Rn. 55) und wird dann mit der Urkunde über die Forderung so verbunden, dass der Optionsschein von ihr abgetrennt werden kann (vgl. Hopt/Seibt/Fest SVR § 221 AktG Rn. 212). Zur wertpapierrechtl. Verbriefung von Genussrechten → Rn. 28; iÜ gelten Ausführungen entspr.

3. Erwerber. Soweit **Bezugsrecht** der Aktionäre (→ Rn. 38) nicht aus- 49
geschlossen ist (→ Rn. 39 ff.), haben sie Anspruch auf Vornahme der erforderlichen Rechtsgeschäfte (→ Rn. 47 f.). Hält AG eigene Aktien, so stehen ihr daraus keine Bezugsrechte zu (§ 71b). Sie wachsen den anderen Aktionären anteilig zu. Wenn **Bezugsrecht ausgeschlossen** ist, muss Vorstand Vorgaben des HV-Beschlusses beachten. Bezugsrechtsausschluss begrenzt durchweg den Kreis potenzieller Vertragspartner. Besteht Spielraum, so ist Vorstand grds. in seiner Entscheidung frei. Vertragspartner kann dann jeder sein, auch Verwaltungsmitglieder oder Aktionäre. Aktionäre sind aber bevorzugt zu bedienen (→ § 186 Rn. 40) und haben Anspruch auf Gleichbehandlung (§ 53a). AG selbst kann wegen Identität des Rechtssubjekts Anleihen oder Genussrechte nicht originär erwerben (Hopt/Seibt/Fest SVR § 221 AktG Rn. 784; MüKoAktG/Habersack Rn. 205); zum derivativen Erwerb → Rn. 54. Möglich ist aber, dass abhängiges Unternehmen Anleihen und Genussrechte der herrschenden AG erwirbt (KK-AktG/Florstedt Rn. 329).

**4. Inhaltliche Ausgestaltung der Rechte; Änderung der Bedingungen 50
(insbes. Repricing).** Wenn Beschluss der HV hinsichtlich der Anleihe- oder

Genussrechtsbedingungen Vorgaben enthält, sind sie für Vorstand verbindlich (→ Rn. 10 f.). Fehlen sie oder sind sie unvollständig, hat Vorstand Bedingungen nach eigenem Ermessen festzulegen bzw. zu ergänzen (Hopt/Seibt/Fest SVR § 221 AktG Rn. 515, 541). Zur inhaltlichen Ausgestaltung → Rn. 10 ff., 29 ff. In Fällen des § 221 II darf Vorstand auch ohne bes. Ermächtigung der HV Bedingungen **nachträglich ändern,** solange Grenzen des Beschlusses nicht überschritten werden (MüKoAktG/Habersack Rn. 269; Hopt/Seibt/Fest SVR § 221 AktG Rn. 544 [Annexkompetenz]; für Genussrechte einschr. Baums FS Adams, 2013, 141, 146); im Außenverhältnis setzt Änderung Einverständnis der Inhaber oder wirksamen Änderungsvorbehalt voraus (vgl. § 308 Nr. 4 BGB; KK-AktG/Florstedt Rn. 116, 578), wobei Ausübung des Änderungsrechts Kontrolle nach §§ 315 ff. BGB unterliegt (KK-AktG/Florstedt Rn. 125, 333; Marsch-Barner/Schäfer/Groß Rn. 53.11). Zur Änderung durch Mehrheitsbeschluss der Anleihegläubiger nach § 5 SchVG vgl. Hopt/Seibt/Thole SVR § 5 SchVG Rn. 6 ff. Ist SchVG nicht anwendbar (→ Rn. 1), unterliegen Bedingungen, die Änderung durch Mehrheitsbeschluss der Inhaber ermöglichen, Inhaltskontrolle nach §§ 307 ff. BGB (vgl. BGH NZG 2020, 419 Rn. 21 ff.).

50a Bei Wandelanleihen erfasst Änderungsbefugnis namentl. **Herabsetzung des Wandlungspreises** (sog echtes Repricing), die sich insbes. dann anbietet, wenn AG für Inhaber Anreize zur Wandlung schaffen will, um Zinsbelastung zu verringern oder Pflicht zur Rückzahlung zu vermeiden (zur Zulässigkeit und wirtschaftlichen Motiven ausf. Wieneke WM 2017, 698 f., 701 ff.; anders ist Repricing bei Stock Options zu beurteilen, → § 193 Rn. 7). Um Spannungen mit Bezugsrecht der Aktionäre zu vermeiden, darf Wandlungspreis nur so weit herabgesetzt werden, wie Anleiheinhaber für Verlust der Zinszahlungen und Rückzahlungsanspruchs kompensiert werden müssen, weil Verwässerung der Anteile in einem solchen Fall nicht droht (vgl. Wieneke WM 2017, 698, 704; großzügiger MüKoAktG/Habersack Rn. 269: Aktionäre hätten sich auf Unwägbarkeiten eingelassen; ähnlich Wilk/Schlee ZIP 2016, 2041, 2045). Wurden Wandelanleihen unter vereinfachtem Bezugsrechtsausschluss analog § 186 III 4 (→ Rn. 43a) ausgegeben, ist Herabsetzung nach hM nur zulässig, wenn neuer Wandlungspreis den hypothetischen Marktpreis nicht wesentlich unterschreitet (vgl. BeckOGK/Seiler Rn. 171; MHdB AG/Scholz § 64 Rn. 22; Schlitt/Schäfer CFL 2010, 252, 258; Seibt CL 2010, 165, 175). Dies erscheint überzogen, wenn Herabsetzung dem Finanzierungsinteresse der Gesellschaft dient und wirtschaftlich als Kompensation für Anleiheinhaber ausgestaltet ist (Wieneke WM 2017, 698, 704; sa Wilk/Schlee ZIP 2016, 2041, 2048), bedarf aber weiterer Diskussion.

51 Die in → Rn. 50a skizzierten Grundsätze sind auch zu beachten, wenn Vorstand Anleger durch **Sonderzahlungen** zur Wandlung bewegen will, weil solche Leistungen faktisch wie Änderung der Anleihebedingungen wirken (BeckOGK/Seiler Rn. 171; Habersack/Mülbert/Schlitt/Schlitt Unternehmensfinanzierung Rn. 11.90; Schlitt/Schäfer CFL 2010, 252, 258; einschr. Wilk/Schlee ZIP 2016, 2041, 2043 ff.). IdR stehen Sonderzahlungen mit § 71a und § 57 im Einklang (ausf. Wieneke WM 2017, 698, 704 ff.; Wilk/Schlee ZIP 2016, 2041, 2042, 2048 f.; Habersack/Mülbert/Schlitt/Schlitt Unternehmensfinanzierung Rn. 11.90a; zurückhaltend aber Schlitt/Schäfer CFL 2010, 252, 258); Vorstand muss jedoch kapitalmarktrechtl. Gleichbehandlungsgebot einhalten (§ 48 I Nr. 1 WpHG; vgl. MHdB AG/Scholz § 64 Rn. 22; Seibt CFL 2010, 165, 175; Wilk/Schlee ZIP 2016, 2041, 2042).

52 **5. Ausgabe ohne Beschluss der Hauptversammlung.** Gibt Vorstand Wandelanleihen, Optionsanleihen, Gewinnschuldverschreibungen oder Genussrechte aus, ohne dass HV-Beschluss nach § 221 I, II 1 vorliegt, so **berührt dies die**

Wirksamkeit der Rechte nicht. Sie sind gültig und verpflichten AG (OLG Frankfurt AG 2013, 132, 133 f.; KK-AktG/Florstedt Rn. 202, 327; Habersack FS Nobbe, 2009, 539, 540; Hüffer ZHR 161 [1997], 214, 224 f.). § 221 I betr. nur das Innenverhältnis, beschränkt mithin die Geschäftsführungsbefugnis des Vorstands (§ 77), nicht aber seine Vertretungsmacht (§ 78); dies gilt auch für nachträgliche Änderung der Anleihebedingungen (→ Rn. 50 ff.). Vorstand handelt aber pflichtwidrig und macht sich nach § 93 schadensersatzpflichtig; daneben haftet evtl. AR wegen Verletzung seiner Aufsichtspflicht nach § 116 (GK-AktG/Hirte Rn. 103). HV kann in Ausgabe nicht nachträglich einwilligen; arg. § 93 IV 3 (KK-AktG/Florstedt Rn. 203).

VII. Übertragung der Rechtspositionen

1. Übertragbarkeit. Wandelanleihen, Optionsanleihen, Gewinnschuldverschreibungen und Genussrechte sind übertragbar. Form der Übertragung bestimmt sich danach, ob und in welcher Art Rechtsposition verbrieft ist. In allen Fällen kann sie durch Abtretung nach §§ 398, 413 BGB erfolgen. Bei Inhaberpapieren kann (und sollte) sie nach **sachenrechtl. Grundsätzen** (§§ 929 ff. BGB) durchgeführt werden. Zu Order- und Rektapapieren s. MüKoBGB/Habersack BGB Vor § 793 Rn. 17 f. Zur Übertragung eines selbständigen Optionsrechts → Rn. 55. Sind Genussrechte, die bestimmten Geldanspruch verbriefen, oder Wandel- und Gewinnschuldverschreibungen als Inhaberpapier ausgestaltet, können sie unter den weiteren Voraussetzungen des BörsG zur Börse zugelassen werden, und zwar zum Handel im regulierten Markt (§§ 32 ff. BörsG) oder zum Freiverkehr (§ 48 BörsG). 53

2. Erwerb durch ausgebende AG. AG kann von ihr ausgestellte Wandelanleihen, Optionsanleihen oder Gewinnschuldverschreibungen derivativ erwerben. Verbot des § 71 betr. nur Erwerb eigener Aktien, ist also nicht einschlägig. Sinn und Zweck des § 71, nämlich Kapitalschutz und Kompetenzabgrenzung (→ § 71 Rn. 1), gebieten auch keine Analogie (MüKoAktG/Habersack Rn. 205; S/L/Merkt Rn. 114; Kopp/Metzner AG 2012, 856, 857; Wieneke WM 2013, 1540, 1541 ff.; aA GK-AktG/Hirte Rn. 136 ff.). Entspr. Rückerwerbsklauseln in Anleihebedingungen haben daher nur klarstellenden Charakter (Wieneke WM 2013, 1540, 1542 mit Bsp. in Fn. 14). Selektivem Rückkauf (negotiated deal) steht § 4 SchVG nicht entgegen, da es nicht um Änderung der Anleihebedingungen geht (Wieneke WM 2013, 1540, 1542). Auch kapitalmarktrechtl. Regeln des WpÜG, des WpHG oder der MAR sind idR nicht einschlägig; uU kann Rückerwerb aber ad-hoc-pflichtige Insiderinformation sein (ausf. Hopt/Seibt/Fest SVR § 221 AktG Rn. 796 ff.; Kopp/Metzner AG 2012, 856, 858 f.; Wieneke WM 2013, 1540, 1543 f.). Einschränkungen ergeben sich in erster Linie aber erst im Gefolge des Rückerwerbs: So kann AG aus eigenen **Wandel- oder Optionsanleihen** wegen § 56 I Umtausch- oder Bezugsrechte nicht ausüben; Gleiches gilt wegen § 56 II für abhängige oder in Mehrheitsbesitz stehende Unternehmen, die Anleihen der sie beherrschenden AG halten (KK-AktG/Florstedt Rn. 330; MüKoAktG/Habersack Rn. 208; Wieneke WM 2013, 1540, 1545 f.). Erst mit Wiederveräußerung leben Rechte wieder auf (BeckOGK/Seiler Rn. 143). AG kann grds. auch eigene **Genussrechte** erwerben; insoweit greift Verbot des § 71 nicht ein (unstr., s. zB KK-AktG/Florstedt Rn. 636). Aufsichtsrechtl. Erwerbsverbot ergibt sich aber für KI und Versicherungsunternehmen aus Art. 63 lit. j CRR bzw. § 214 II 1 Nr. 4, II 5 VAG (Hopt/Seibt/Fest SVR § 221 AktG Rn. 789 ff.; S/L/Merkt Rn. 114). Weitere Ausnahmen gelten für KI und Versicherungsunternehmen nicht, insbes. können Rechtsgedanken des § 71 nicht übertragen werden (KK-AktG/Florstedt Rn. 636; Aha AG 1992, 218, 225 f.). 54

Aus eigenen verbrieften Genussrechten stehen AG keine Ansprüche zu (KK-AktG/Florstedt Rn. 638; Aha AG 1992, 218, 226). Unverbriefte Genussrechte erlöschen ohnehin durch Konfusion (statt aller S/L/Merkt Rn. 114).

55 **3. Handel in Optionsscheinen.** Optionsrecht kann von Optionsanleihe getrennt übertragen werden (→ Rn. 6). Übertragung kann immer nach §§ 398, 413 BGB erfolgen. Ist Optionsrecht als Inhaberpapier verbrieft, ist auch seine Übertragung nach sachenrechtl. Grundsätzen (§§ 929 ff. BGB) möglich. In diesem Fall können Optionsscheine unter den Voraussetzungen der §§ 32 ff. BörsG zum Handel an der Börse zugelassen werden. Handel in abgetrennten Optionsscheinen wurde von früherer Rspr. als Kassa- und nicht als Termingeschäft angesehen, während Handel in selbständigen Optionsscheinen als Börsentermingeschäft qualifiziert wurde (Überblick bei GK-AktG/Hirte Rn. 19). Gesetzgeber hat diese Unterscheidung beseitigt und behandelt nunmehr alle Optionsscheine als Finanztermingeschäfte, vgl. § 99 S. 2 WpHG (GK-AktG/Hirte Rn. 19). Sie unterfallen den allg. Informationspflichten der §§ 63 ff. WpHG (GK-AktG/Hirte Rn. 19; S/L/Merkt Rn. 113).

VIII. Begründung der Mitgliedsrechte

56 **1. Einführung.** Wandel- und Optionsanleihen begründen Mitgliedsrechte nicht selbst, sondern enthalten **schuldrechtl. Anspruch** auf Erwerb von Mitgliedsrechten. Wandelanleihen geben Gläubiger die Ersetzungsbefugnis, unter Aufgabe seines Gläubigerrechts Aktionär zu werden, ggf. gegen eine zusätzliche Leistung (→ Rn. 4 f.). Optionsanleihen gewähren das Recht, innerhalb eines bestimmten Zeitraums zu einem festgelegten Entgelt eine bestimmte Zahl von Aktien zu erwerben (→ Rn. 6). Auch Gewinnschuldverschreibungen und Genussrechte können mit Umtausch- oder Bezugsrechten verbunden werden. Umtausch- oder Bezugsrecht ist nur mittelbar auf Erwerb des Mitgliedsrechts gerichtet. Unmittelbar gewährt es lediglich einen Anspruch gegen die AG auf **Abschluss eines Zeichnungsvertrags** zu den festgelegten Konditionen, aufgrund dessen AG sich verpflichtet, dem Anleihegläubiger Mitgliedsrechte im vorgesehenen Umfang zuzuteilen (→ § 185 Rn. 4; → § 198 Rn. 2). Zur Ausübung des Umtauschrechts bei umgekehrten Wandelanleihen → § 192 Rn. 9d.

57 **2. Ausübung der Umtausch- oder Bezugsrechte.** Es ist zu unterscheiden, ob Bezugs- oder Umtauschrechte durch bedingtes Kapital, durch reguläre Kapitalerhöhung oder durch genehmigtes Kapital gesichert sind (→ Rn. 59 f.). Wenn Mitgliedsrechte durch **bedingtes Kapital** zur Verfügung gestellt werden, wird Bezugsrecht durch Bezugserklärung ausgeübt (§ 198 I; → § 198 Rn. 7 ff.). Durch sie und korrespondierende Willenserklärung der AG kommt Zeichnungsvertrag zustande; Bezugserklärung ist idR Angebot (→ § 198 Rn. 2). Erst mit Zeichnungsvertrag verpflichtet sich AG, an Bezugsberechtigten Aktien auszugeben (→ § 198 Rn. 2). Aktien dürfen jedoch nicht vor der vollen Leistung des Gegenwerts ausgegeben werden (→ § 199 Rn. 7). Anleihegläubiger muss also in den Anleihebedingungen festgesetzte Einlage entspr. § 188 II 2; § 54 II, III, § 36 II einzahlen. Bei Umtauschrechten sind der AG Wandelanleihen auszuhändigen und ggf. vereinbarte Zuzahlungen zu leisten; § 199 II ist zu beachten. Vorschriften über Sacheinlagen sind gem. § 194 I 2 nicht anwendbar (→ § 194 Rn. 4). Mit Ausgabe der Bezugsaktien ist Grundkapital erhöht und Anleihegläubiger Aktionär (→ § 200 Rn. 3). Nachfolgende Eintragung nach § 201 hat nur deklaratorischen Charakter (→ § 201 Rn. 2). Mit Ausgabe der Aktien erlischt Rechtsverhältnis aus Wandelanleihe. Demgegenüber bleibt Zahlungspflicht bei Optionsanleihe bestehen.

Werden Aktien durch **reguläre Kapitalerhöhung** (§ 182) geschaffen oder aufgrund **genehmigten Kapitals** ausgegeben (§ 203 I 1), so wird Bezugs- oder Umtauschrecht durch Zeichnung ausgeübt (§ 185). Zum Inhalt und zur Form des Zeichnungsscheins → § 185 Rn. 5 ff. Zeichnung ist auf Vertragsschluss gerichtete Willenserklärung (→ § 185 Rn. 3) und führt zum Abschluss des Zeichnungsvertrags, mit dem sich AG verpflichtet, Mitgliedsrechte im vereinbarten Umfang zuzuteilen (→ § 185 Rn. 4, 24). Nach Abschluss der Zeichnung und Leistung der Einlage (s. § 188 II) wird durchgeführte Kapitalerhöhung zur Eintragung in das HR angemeldet (§ 188 I). Mit Eintragung wird Kapitalerhöhung wirksam. Erst jetzt entstehen die neuen Mitgliedsrechte (→ § 189 Rn. 2 f.). 58

3. Sicherstellung der Erfüllbarkeit. a) Überblick. AG muss Umtausch- oder Bezugsrechte erfüllen können, also genügend Aktien bereithalten. Darauf zugeschnitten und zweckmäßig ist bedingte Kapitalerhöhung (→ Rn. 60), doch ist AG darauf nicht beschränkt (s. Hopt/Seibt/Fest SVR § 221 AktG Rn. 221: Ermessen). Sie kann Mitgliedsrechte theoretisch auch durch reguläre Kapitalerhöhung gem. § 182 (wohl nur unter Einschaltung eines Treuhänders möglich, s. MüKoAktG/Habersack Rn. 220 f.; MHdB AG/Scholz § 64 Rn. 44; skeptisch KK-AktG/Florstedt Rn. 309) oder schon eher praktikabel durch genehmigtes Kapital gem. § 202 (BGHZ 83, 319, 323 = NJW 1982, 2444; Hopt/Seibt/Fest SVR § 221 AktG Rn. 98 ff.; MüKoAktG/Habersack Rn. 219; GK-AktG/Hirte Rn. 166 f.) zur Verfügung stellen; im zweiten Fall gilt § 194 I 2 analog (→ § 194 Rn. 4a). In beiden Fällen ist Ausschluss des Bezugsrechts (§§ 186, 203 I 1) erforderlich, um Umtausch- und Bezugsrechte bedienen zu können. Zur sachlichen Rechtfertigung → § 186 Rn. 30. Zweckmäßig ist idR weder der eine noch der andere Weg (so auch Hopt/Seibt/Fest SVR § 221 AktG Rn. 101 ff., 111; Marsch-Barner/Schäfer/Groß Rn. 53.60). AG kann ferner ihre Verpflichtung aus den Wandelschuldverschreibungen aus eigenen Beständen erfüllen (s. GK-AktG/Hirte Rn. 162), wobei Vorgaben des § 221 nicht erfüllt werden müssen (str., → Rn. 5a). Bedienung von Umtausch- oder Bezugsrechten ist auch zulässiger Erwerbszweck für Beschluss nach § 71 I Nr. 8 (→ § 71 Rn. 19g; KK-AktG/Florstedt Rn. 310; Schlitt/Seiler/Singhof AG 2003, 254, 256 f.; Wiechers DB 2003, 595, 597 ff.). 59

b) Bedingtes Kapital. HV-Beschluss zur Schaffung bedingten Kapitals (§ 192 I, § 193) ist vom Beschluss über Ausgabe von Schuldverschreibungen (§ 221 I 1) oder zur entspr. Ermächtigung des Vorstands (§ 221 II 1) zu unterscheiden. Zweckmäßig ist, Beschlüsse nach §§ 192, 193 und nach § 221 I 1 oder II 1 in einer HV zu fassen (zum Ermächtigungsbeschluss → § 194 Rn. 6). Beschluss über bedingte Kapitalerhöhung kann aber dem anderen Beschluss auch vorgehen oder nachfolgen (Hopt/Seibt/Fest SVR § 221 AktG Rn. 86; MüKoAktG/Habersack Rn. 218). Beschließt HV zunächst nur Ausgabe der Wandelschuldverschreibungen, ist Vorstand an Durchführung des Beschlusses nicht durch § 187 II iVm § 193 I 3 gehindert (→ § 193 Rn. 3). Umtausch- oder Bezugsberechtigte erwerben jedoch erst mit Eintragung des Beschlusses über bedingte Kapitalerhöhung gesicherte Rechtsposition (→ § 197 Rn. 5). Bedingte Kapitalerhöhung kennt kein ges. Bezugsrecht der Aktionäre (→ § 192 Rn. 3); Bezugsrechtsausschluss ist mithin nicht erforderlich. Beschluss über bedingte Kapitalerhöhung ist in das HR einzutragen (§ 195). Umtausch- und Bezugsrechte werden durch § 192 IV geschützt: HV-Beschlüsse, die dem Beschluss über bedingte Kapitalerhöhung entgegenstehen, sind nichtig. Wandelschuldverschreibung kann auch, wenn Ermächtigung es vorsieht, statt gegen Bar- **gegen Sachleistung** erworben werden, etwa gegen Unternehmensbeteiligung. Auch dann kann bedingtes Kapital genutzt werden, doch lässt sich Anforderungen des § 194 schlecht Rechnung tragen, weil es danach auf Zeitpunkt des HV-Beschlusses ankommt. Zutr. Lösung liegt darin, 60 zeitlich getrennte Erfüllung der für Sacheinlagen geltenden Kautel zuzulassen, und zwar unter analoger Anwendung des § 205 (ausf. → § 194 Rn. 4, 6, 9 mwN).

60a **4. Barleistungs- und Barzahlungsklauseln.** Wandelanleihebedingungen sehen gelegentlich vor, dass Emittent nach Ausübung des Wandlungsrechts **Geldbetrag statt Aktien** leisten darf (BeckOGK/Seiler Rn. 154; Habersack/Mülbert/Schlitt/Schlitt Unternehmensfinanzierung Rn. 11.60). Schrifttum unterscheidet zwischen Barleistungsklauseln für den Fall, dass Emittent an Lieferung von Aktien rechtl. gehindert ist (§ 275 BGB), und Barzahlungsklauseln, die Ausübung der Ersetzungsbefugnis in Ermessen des Emittenten stellen (Bsp. aus der Praxis bei Mülbert FS Marsch-Barner, 2018, 359, 360 f.; sa Schlitt/Schäfer CFL 2010, 252, 254 f.; Seibt CFL 2010, 165, 170). Beide Gestaltungen sind keine Preis- oder Leistungsbestimmungen iSd § 307 III BGB, unterliegen deshalb AGB-Inhaltskontrolle nach §§ 307 ff. BGB und sind als **Änderungsvorbehalte** wegen § 308 Nr. 4 BGB problematisch (Mülbert FS Marsch-Barner, 2018, 359, 362 ff.). **Barleistungsklauseln** pauschalieren Schadensersatzanspruch des Gläubigers aus § 280 I, III BGB, § 283 BGB und sind AGB-rechtl. unbedenklich, wenn sich Zahlungshöhe am Aktienwert bzw. Börsenkurs orientiert (ausf. Mülbert FS Marsch-Barner, 2018, 359, 365 ff.). **Barzahlungsklauseln** sind idR nach § 308 Nr. 4 BGB unwirksam, weil Anleihegläubiger wegen Ermessens des Emittenten nicht erkennen können, wann Leistungsänderung möglich ist (s. Mülbert FS Marsch-Barner, 2018, 359, 368 ff., der Ausnahme für den Fall erwägt, dass Barzahlung bei Vorliegen eines Übernahmeangebots statthaft ist und AR der Ausübung der Ersetzungsbefugnis nach § 33 I 2 Var. 3 WpÜG zustimmt).

IX. Eingriffe in die Rechtsposition

61 **1. Wandel- und Optionsanleihen. a) Problemstellung.** AG kann durch zulässige Maßnahmen das Umtausch- oder Bezugsrecht der Anleihegläubiger beeinträchtigen oder stärken. Beeinträchtigung kann insbes. durch Kapitalerhöhung oder durch Ausgabe weiterer Wandel- oder Optionsanleihen erfolgen. Problem liegt in der **Verwässerung** der erworbenen Rechte (MüKoAktG/Habersack Rn. 271; MHdB AG/Scholz § 64 Rn. 46); es wird Geschäftsgrundlage berührt, die für die Bestimmung des Optionspreises und des Ausgabekurses der Aktien von Bedeutung war. Spiegelbildlich kann Kapitalherabsetzung zu einer Stärkung der Rechtsposition führen. In diesen Fällen stellt sich Frage, ob Rechtsposition der Anleihegläubiger den neuen Gegebenheiten anzupassen ist (zu weiteren Konstellationen und Schutzinstrumenten Florstedt ZHR 180 [2016], 152, 188 f.). Sorgfaltswidrige Geschäftsführungsmaßnahmen sind entspr. dem in → Rn. 65a Gesagten zu behandeln (krit. KK-AktG/Florstedt Rn. 335 ff., der eingeschränkten ges. Schutz befürwortet). Zu Konzernsachverhaten → Rn. 68 ff.; KK-AktG/Florstedt Rn. 379 ff.

62 **b) Anpassungsklauseln in den Anleihebedingungen.** Anleihebedingungen enthalten üblicherweise Regelungen, die Anleihegläubiger gegen Verwässerung ihrer Ansprüche durch Kapitalerhöhung oder Ausgabe neuer Wandelschuldverschreibungen schützen (anti dilution protection – s. BeckOGK/Seiler Rn. 164; Habersack/Mülbert/Schlitt/Schlitt Unternehmensfinanzierung Rn. 11.67 f.; Zöllner ZGR 1986, 288, 296 mit Bsp. aus der Praxis). Dagegen fehlt regelmäßig eine entspr. Regelung für Kapitalherabsetzungen. Vertragliche Vereinbarungen sind zulässig und gehen § 216 III vor, weil diese Vorschrift dispositiv ist (→ § 216 Rn. 11) und auch nur sehr eingeschränkt als Maßstab einer Inhaltskontrolle taugt, soweit dafür überhaupt Raum bleibt (→ Rn. 63). IdR sehen sie bei Beeinträchtigung vor, dass Wandlungs- bzw. Optionspreis ermäßigt wird, sofern nicht Aus-

gleich durch Einräumung entspr. Bezugsrechte stattfindet (KK-AktG/Florstedt Rn. 363 ff.; MüKoAktG/Habersack Rn. 299; Kallrath, Die Inhaltskontrolle der Wertpapierbedingungen, 1994, 173 ff.). Zwar könnte Bezugsrecht trotz § 187 II unmittelbar in Anleihebedingungen vereinbart werden; es stünde aber unter dem Vorbehalt des (zumindest teilw.) Bezugsrechtsausschlusses durch die HV und würde bei dessen Scheitern nur, aber immerhin einen Anspruch auf Schadensersatz begründen (KK-AktG/Florstedt Rn. 358; MüKoAktG/Habersack Rn. 294). Unzulässig ist Verpflichtung der AG, zum Schutz der Anleihegläubiger keine Kapitalerhöhung durchzuführen; möglich ist dagegen schuldrechtl. Verzicht auf weitere Ausgabe von Wandelanleihen (KK-AktG/Florstedt Rn. 357).

c) Gesetzliche Regelungen. Ges. sieht Anpassung nur bei Kapitalerhöhung 63 aus Gesellschaftsmitteln vor (s. § 216 III; → § 216 Rn. 14, 19). IÜ ist str., ob und wie Vertragsanpassung zu erfolgen hat. Vielfach befürwortete Anpassung auf ges. Grundlage durch analoge Anwendung des § 216 III ist als Einheitslösung abzulehnen (ausf. mwN → § 216 Rn. 19). Methodisch zutr. ist deshalb, Lösung nach den für **ergänzende Vertragsauslegung** oder **Störung der Geschäftsgrundlage (§ 313 BGB)** geltenden Grundsätzen zu gewinnen (KK-AktG/Florstedt Rn. 149 f.; MüKoAktG/Habersack Rn. 291; Grigoleit/Rieder/Holzmann Rn. 58; Marsch-Barner/Schäfer/Groß Rn. 54.18; MHdB AG/Scholz § 64 Rn. 46; Zöllner ZGR 1986, 288, 304 f.). Für Anpassung bleibt danach nur Raum, wenn Anleihebedingungen Anlegerschutz in nicht mehr interpretationsfähiger Weise ausschließen (sa KK-AktG/Florstedt Rn. 345). Auch bei Kapitalherabsetzung ist Lösung durch ergänzende Vertragsauslegung zu suchen (→ § 224 Rn. 11 f.).

2. Gewinnschuldverschreibungen. Rechte aus Gewinnschuldverschreibun- 64 gen werden beeinträchtigt, wenn kein Gewinn ausgeschüttet wird oder AG Maßnahmen durchführt, die zu einer Verringerung des Gewinns führen. Probleme entspr. denen bei Genussrechten, die Teilhabe am Gewinn gewähren. Es kann deshalb auf Erl. zum Genussrecht verwiesen werden (→ Rn. 65 ff.).

3. Genussrechte. a) Gewinnbezogene Beeinträchtigungen. Anders als 65 festverzinsliche Anleihen können Genussrechte schon bei **Feststellung der maßgeblichen Gewinngröße** (→ Rn. 25) oder durch Verwendungsbeschlüsse beeinträchtigt werden. Schutz der Genussberechtigten durch Anfechtung nach §§ 243, 254 scheidet aus, weil sie dazu als nur schuldrechtl. Beteiligte nicht befugt sind (→ Rn. 26). Daraus folgt indessen nicht, dass sie rechtlos gestellt werden dürften. Systemkonforme Lösung (Erfüllungsanspruch) liegt bei gänzlicher Unterlassung der erforderlichen Maßnahmen zunächst in Anspruch auf **Vornahme,** dh auf Berechnung des gewinnorientierten/-abhängigen Anspruchs, was Feststellung des Jahresüberschusses und Bilanzgewinns voraussetzt sowie ggf. Gewinnverwendungsbeschluss; Vollstreckung kann nach § 888 ZPO erfolgen (KK-AktG/Florstedt Rn. 601; MüKoAktG/Habersack Rn. 281). Klage kann nach hM aber auch unmittelbar auf Zahlung gerichtet sein (ggf. auch in Gestalt einer Stufenklage, verbunden mit Anspruch auf Informationserteilung); Festsetzung erfolgt dann durch Gericht analog § 315 III 2 BGB (MüKoAktG/Habersack Rn. 281; Habersack/Mülbert/Schlitt/Wöckener/Becker Unternehmensfinanzierung Rn. 13.38; aA KK-AktG/Florstedt Rn. 142: Unzulässigkeit der Zahlungsklage bei Beurteilungs- und Ermessensspielräumen der AG). Bei bloß **fehlerhafter Gewinnermittlung** ist ebenfalls unmittelbarer Zahlungsanspruch gegeben, der als Erfüllungsanspruch von Verschulden unabhängig ist (BGH NJW 2021, 234 Rn. 26; MüKoAktG/Habersack Rn. 282; Habersack/Mülbert/Schlitt/Wöckener/Becker Unternehmensfinanzierung Rn. 13.39). Darlegungs- und Beweislast für Billigkeit von ihr getroffener Gewinnbestimmung liegt bei der

AG, weil sie Bestimmungsrecht für sich in Anspruch nimmt (zust. GK-AktG/Hirte Rn. 418). Schwieriger ist Rechtslage, wenn **Gestaltungsspielräume** der AG gegeben sind, was namentl. dann der Fall ist, wenn Anspruch an Bilanzgewinn oder Dividende geknüpft wird. In diesem Fall kann Genussrechtsinhaber nur dann klagen, wenn auch Aktionär Unrichtigkeit des Jahresabschlusses nach §§ 256, 257 geltend machen könnte (BGH NZG 2016, 983 Rn. 17; NJW 2021, 234 Rn. 26; MüKoAktG/Habersack Rn. 282; Habersack/Mülbert/Schlitt/Wöckener/Becker Unternehmensfinanzierung Rn. 13.40); aus ähnlichen Erwägungen ist bei **fehlerhafter Rücklagenbildung** Maßstab des § 254 anzulegen (BGH NZG 2016, 983 Rn. 17; MüKoAktG/Habersack Rn. 283; GK-AktG/Hirte Rn. 417; Habersack/Mülbert/Schlitt/Wöckener/Becker Unternehmensfinanzierung Rn. 13.41). Flankierend können in diesen Fällen auch Schadensersatzansprüche aus § 280 I BGB hinzutreten (GK-AktG/Hirte Rn. 417); zudem sind allg. zivilrechtl. Schädigungs- und Missbrauchsverbote zu beachten (Florstedt ZIP 2017, 49, 57). Befüllt Emittentin den **Sonderposten nach § 340g HGB** über ges. Minimum hinaus und entfallen dadurch Ansprüche der Genussrechteinhaber, liegt darin kein Pflichtverstoß der Emittentin (s. dazu OLG Düsseldorf AG 2021, 758, 764 f.; LG Düsseldorf BKR 2019, 306; Fest WM 2019, 1093, 1098 ff.; Merkt BKR 2019, 261, 265 ff.; Mülbert/Sajnovits WM 2017, 1725 ff.; aA Schmidberger BKR 2017, 309, 311 ff.; zum Parallelproblem bei stiller Beteiligung OLG Schleswig BKR 2019, 450 Rn. 5 ff. mAnm Sajnovits BKR 2019, 454 ff.).

65a Auch jenseits der Gewinnermittlung kann wirtschaftlicher Wert der Genussrechte mittelbar durch **Sorgfaltsverstöße der Geschäftsführung** beeinträchtigt werden. RGZ 105, 236, 240 f. hat insoweit Haftung der AG verneint. Für den Ausnahmefall satzungswidriger oder kaufmännisch schlechthin unseriöser Geschäfte (qualifizierter Pflichtverstoß) ist aber Anspruch aus § 280 I BGB iVm § 31 BGB zu bejahen (BGHZ 119, 305, 330 ff. = NJW 1993, 57; BGH NZG 2014, 661 Rn. 22, 35 ff.; MüKoAktG/Habersack Rn. 272 f.; Habersack ZHR 155 [1991], 378, 390 ff.; → Rn. 27; krit. etwa KK-AktG/Florstedt Rn. 136 ff., 581 ff. und Florstedt ZIP 2017, 49, 55 f., der für ges. Mindestschutz nach §§ 226, 242, 826 BGB plädiert; eher atypischer Sonderfall in OLG Bremen NZG 2021, 1366 ff.: Untergang der Genussrechte durch grenzüberschreitende Verschmelzung; vgl. dazu auch OLG Brandenburg AG 2023, 547 ff.). Anspruch ist auf Wiederauffüllung des Rückzahlungsanspruchs (§ 249 BGB) gerichtet. Erfolgt Wiederauffüllung nicht bis Ablauf der Laufzeit der Genussrechte, schuldet AG gem. § 251 BGB Geldersatz (BGH NZG 2014, 661 Rn. 44; KK-AktG/Florstedt Rn. 597; MüKoAktG/Habersack Rn. 278). Als problematisch hat sich insofern gerade im Lichte der Finanzmarktkrise allerdings Verhältnis dieser Grundsätze zur **Verlustbeteiligung des Genusskapitals** nach § 10 V Nr. 1 KWG aF erwiesen (zur Rechtslage nach Art. 63 CRR → Rn. 30). Nach früher hM sollen Klauseln zur Verlustbeteiligung in diesem Fall einschr. dahin ausgelegt werden, dass Klöckner-Grundsätze gewahrt bleiben (Habersack AG 2009, 801, 806 f.; GK-AktG/Hirte Rn. 400). Dem hielt starke Gegenauffassung entgegen, dass Verlustbeteiligung nicht auf pflichtgem. Geschäftsführungsmaßnahmen beschränkt werden könne, da anderenfalls aufsichtsrechtl. Vorgaben des § 10 V KWG aF unterlaufen würden; außerdem sperre § 10 V 1 Nr. 1 KWG aF Schadensersatzansprüche der Genussscheininhaber wegen sorgfaltswidriger Geschäftsführung (OLG Köln NZG 2014, 227, 228 f.; Becker NZG 2012, 1089 ff.; Becker NZG 2014, 171, 173 ff.; Bracht WM 2012, 585 ff.; Busch AG 1993, 163, 167; Kokemoor WM 2009, 1637, 1642; Mülbert FS Hüffer, 2010, 679 ff., 687 ff., 695 ff.).

65b Letztgenannter Auffassung ist darin zuzustimmen, dass einschränkende Auslegung der Genussscheinbedingungen mit Blick auf klaren Wortlaut des § 158 I 1 Nr. 5 nicht möglich ist (vgl. BGH NZG 2014, 661 Rn. 23 ff.; Hennrichs/

Wilbrink NZG 2014, 1168, 1169; zur Auslegung → Rn. 29). Doch erscheint es zu weitgehend, **Sperrwirkung** des § 10 V KWG aF für Schadensersatzansprüche nach Klöckner-Grundsätzen anzunehmen. Gegen eine solche Sperrwirkung hat sich BGH bzgl. ergänzender Anpassung von Genussscheinbedingungen ausgesprochen (BGHZ 197, 284 Rn. 46 ff. = NZG 2013, 987; sa Ehmann AG 2013, 751, 753 ff., 756; dazu → Rn. 68b, 68c). In einer neueren Entscheidung hat er zutr. darauf hingewiesen, dass Sperrwirkung zur einseitigen Risikoverlagerung zu Lasten der Kapitalgeber führte und deshalb abzulehnen ist (BGH NZG 2014, 661 Rn. 35 ff.; sa BGH NZG 2019, 105 Rn. 98; Hennrichs/Wilbrink NZG 2014, 1168, 1169; sa Ekkenga/Fischer AG-Finanzierung Kap. 11 Rn. 162; Dangelmayer, Schutz von Genussrechtsinhabern, 2013, 144 ff.; Verse/Wiersch NZG 2014, 5, 11). Außerdem lässt sich ein in Genussscheinbedingungen enthaltener Verweis auf § 10 V KWG aF nicht als konkludenter Haftungsausschluss auslegen (BGH NZG 2014, 661 Rn. 37; Hennrichs/Wilbrink NZG 2014, 1168, 1169 f.). Indes ist Ausnahmecharakter der Klöckner-Grundsätze zu beachten und entspr. qualifizierter Sorgfaltsverstoß nur zurückhaltend anzuerkennen (Bracht WM 2012, 585 ff.; so wohl auch BGH NZG 2014, 661 Rn. 47). Ist Rückzahlungsanspruch der Genussscheininhaber nach § 10 V 1 Nr. 2 KWG aF nachrangig, erstreckt sich Nachrangigkeit auch auf Schadensersatzanspruch wegen qualifizierter Pflichtverstöße (BGH NZG 2014, 661 Rn. 40; MüKoAktG/Habersack Rn. 279). Schadensersatzansprüche in diesem Sinne können auch durch Haftung nach §§ 97, 98 WpHG begründet werden (BGH NZG 2019, 105 Rn. 97 ff. zu §§ 37b, 37c WpHG aF). Grundsätze gelten auch für Haftung von Versicherungsgesellschaften, die Genussscheine iSd § 214 I 1 Nr. 4, II VAG ausgegeben haben (vgl. Hopt/Seibt/Fest SVR § 221 AktG Rn. 473; MüKoAktG/Habersack Rn. 274). Der seit 1.1.2014 für KI geltende Art. 63 CRR schreibt keine Verlustbeteiligung vor (→ Rn. 30), so dass Frage nach Sperrwirkung in Zukunft nicht auftreten wird (vgl. MüKoAktG/Habersack Rn. 274; Maerker/Ashrafnia DB 2014, 2210, 2212).

b) Schutz vor Verwässerung. aa) Verwässerung durch Kapitalmaßnahmen. Regelungen in **Genussrechtsbedingungen** über die Rechtsfolgen bei Verwässerung der Rechtsposition des Genussrechtsinhabers durch Kapitalerhöhung uä sind grds. zulässig und gehen ges. Bestimmungen vor (→ Rn. 62). Genussrechtsbedingungen können Bezugsrechte für junge Aktien aus effektiver Kapitalerhöhung oder für weitere Genussscheine vorsehen, allerdings nur unter dem Vorbehalt eines HV-Beschlusses und des Bezugsrechts der Aktionäre (§ 221 IV), ferner Barabfindung, wenn Bezugsrechte nicht zustande kommen (s. dazu MüKoAktG/Habersack Rn. 306 ff.; Frantzen, Genussscheine, 1993, 263 ff.; Sethe AG 1993, 351, 363 f.). Sie können auch Anpassungsregeln enthalten, müssen es aber dann nicht, wenn Verwässerung durch Bezugsrechte vermieden wird (KK-AktG/Florstedt Rn. 624). 66

Probleme entstehen, wenn Genussrechtsbedingungen Verwässerungsfolgen nicht oder nicht vollständig adressieren. Für diesen Fall regelt Ges. Folgen der Verwässerung der Rechtsposition nur teilw. Ausdr. Regelung besteht nur für den Fall der **Kapitalerhöhung aus Gesellschaftsmitteln.** Dazu bestimmt § 216 III, dass Genussrecht den veränderten Umständen anzupassen ist (→ § 216 Rn. 14). Jenseits dieses speziellen Falls sieht Ges. keinen Verwässerungsschutz, namentl. auch nicht in Gestaltung von Bezugsrechten auf neue Genussscheine vor (LG Lübeck NZG 2023, 266 Rn. 52 f.; MüKoAktG/Habersack Rn. 308). HV kann auch nicht zur Schaffung solcher Bezugsrechte verpflichtet sein, da sich aus § 221 III ergibt, dass Genussrechte nur ausgegeben werden sollen, wenn HV dies mit qualifizierter Mehrheit entscheidet (LG Lübeck NZG 2023, 266 Rn. 51, 84 ff.). **Analogie zu § 216 III** ist als pauschale Einheitslösung abzulehnen 67

(→ § 216 Rn. 19; zust. speziell für Genussrechte LG Lübeck NZG 2023, 266 Rn. 55 ff.). Stattdessen ist Lösung wie bei Wandel- und Optionsanleihen (→ Rn. 63) über **ergänzende Vertragsauslegung** oder **Störung der Geschäftsgrundlage (§ 313 BGB)** zu suchen (→ § 216 Rn. 19; sa LG Lübeck NZG 2023, 266 Rn. 86).

68 **bb) Konzernrechtliche Fragen.** Genussrechte können auch durch Konzernsachverhalte beeinträchtigt werden. Auf gesicherten Meinungsstand kann Praxis dabei allenfalls teilw. zurückgreifen. Manches ist (→ Rn. 63, 67) mehr Denkmodell als ges. fundierte Lösung. Soweit **Emittentin als herrschendes Unternehmen** fungiert, werden Genussrechte vor allem durch übermäßige Rücklagenbildung in Tochtergesellschaften betroffen. Für ges. Ausgleichsansprüche gibt das geltende Recht weder Raum noch Grundlage, zumal selbst Aktionäre einen ges. Schutz nicht erfahren (str.; → § 58 Rn. 16 ff.; aA Hirte ZIP 1988, 477, 487 f.: Anpassung analog § 216 III; hierzu zurückhaltend U. H. Schneider FS Goerdeler, 1987, 511, 522 ff.). Denkbar sind Ansprüche aus § 280 I BGB (Verletzung des Genussrechtsverhältnisses, vgl. Renner/Engel ZIP 2013, 2436, 2443) oder aus § 826 BGB (MHdB AG/Scholz § 64 Rn. 86). ZT wird Sonderkündigungsrecht der Genussscheinsinhaber nach § 313 III 2 BGB erwogen (Renner/Engel ZIP 2013, 2436, 2443). Vertragliche Regelungen sind möglich; insbes. kann an Konzernergebnis statt an Gewinn des herrschenden Unternehmens angeknüpft werden. Zur Behandlung von Options- und Wandelrechten beim Squeeze-Out → § 327b Rn. 3 mwN.

68a Wenn **Emittentin abhängiges Unternehmen** wird, ist weiter zu unterscheiden: (1.) Bei bloßer Abhängigkeit oder im faktischen Konzern (§§ 311 ff.) gibt es keine bes. Ansprüche der Genussberechtigten. Vielmehr belassen es §§ 311 ff. beim Schutz der AG (hM, s. KK-AktG/Florstedt Rn. 632; MüKoAktG/Habersack Rn. 321; MHdB AG/Scholz § 64 Rn. 87; aA Renner/Engel ZIP 2013, 2436, 2442: Sonderkündigungsrecht nach § 313 III 2 BGB in Anlehnung an BGHZ 197, 284 = NZG 2013, 987 [→ Rn. 68c]). (2.) Bei Eingliederung wird von manchen wegen struktureller Ähnlichkeit mit der Verschmelzung § 23 UmwG analog angewandt (MüKoAktG/Habersack Rn. 317; Ekkenga/Fischer AG-Finanzierung Kap. 11 Rn. 176; Frantzen, Genussscheine, 1993, 276; Schürnbrand ZHR 173 [2009], 689, 706), was im Hinblick auf §§ 319 IV, 322 fragwürdig bleibt (sa Martens AG 1992, 209, 211). Näher liegt es, Mithaftung der Hauptgesellschaft für Genussverpflichtung der Tochter (§ 322) durch Abfindungsanspruch der Genussberechtigten analog § 320b zu ergänzen und es dabei zu belassen (noch anders KK-AktG/Florstedt Rn. 631: Lösungsrecht nach § 313 III 1 BGB und Mithaftung der Obergesellschaft wegen § 322).

68b (3.) Wird Emittentin durch **Beherrschungs- und Gewinnabführungsvertrag** zum Konzernunternehmen, so wird Rechtsstellung der Genussberechtigten zumindest mittelbar beeinträchtigt, da für Genussrecht idR maßgebliche Bezugsgröße des Bilanzgewinns durch Gewinnabführungspflicht ausgehöhlt wird und überdies Möglichkeit nachteiliger Weisungen gem. § 308 I Risikolage der Genussscheininhaber weiter verschlechtert (BGHZ 197, 284 Rn. 22 f. = NZG 2013, 987). Lösung kann nicht über teleologische Reduktion des § 308 erfolgen, da Vereinbarung zwischen AG und Kapitalgebern nicht ges. Regelfolge verdrängen kann (BGHZ 197, 284 Rn. 31; sa schon OLG Frankfurt AG 2012, 217, 218 [ebenso im Parallelverfahren ZIP 2012, 524]; Casper ZIP 2012, 497, 500 f.). Auch Bemessung der Genussrechte anhand Bilanzergebnisses des herrschenden Unternehmens ist abzulehnen, da damit im wirtschaftlichen Ergebnis Vertragspartner ausgewechselt würde (BGHZ 197, 284 Rn. 32; OLG Frankfurt AG 2012, 217, 218 f.; Casper ZIP 2012, 497, 501; aA noch U. H. Schneider FS Goerdeler, 1987, 511, 526). Ferner kommt **Schadensersatzanspruch** gegen Emittentin aus

§ 280 I BGB nicht in Betracht, da Abschluss eines Beherrschungs- und Gewinnabführungsvertrags nicht pflichtwidrig ist (BGHZ 197, 284 Rn. 35; Renner/Engel ZIP 2013, 2436, 2440; Verse/Wiersch NZG 2014, 5, 7; aA Grigoleit/Rieder/Holzmann Rn. 70). Ebenfalls erwogen wird Kündigungs- und Austrittsrecht mit Abfindungsfolge gem. **§ 305** analog (B/K/L/Schenk § 304 Rn. 14; U. H. Schneider FS Goerdeler, 1987, 511, 526 f.). BGH ist dem zu Recht nicht gefolgt, da damit Ausgleich für Verlust der Mitverwaltungsrechte gegeben wird, während hier ausschließlich Vermögensrechte betr. sind (BGHZ 197, 284 Rn. 36; Casper ZIP 2012, 497, 503).

Schutz soll stattdessen nach BGHZ 197, 284 Rn. 24 ff. (= NZG 2013, 987) **68c** über **§ 313 BGB** (Störung der Geschäftsgrundlage) erfolgen (zust. KK-AktG/Florstedt Rn. 634; Ekkenga/Fischer AG-Finanzierung Kap. 11 Rn. 175; Ehmann AG 2013, 751 ff.; Renner/Engel ZIP 2013, 2436, 2440 ff.; Verse/Wiersch NZG 2014, 5, 7 f.; so auch schon KK-AktG/Koppensteiner § 304 Rn. 18; Frantzen, Genussscheine, 1993, 282 ff., 285; Pluskat/Wiegand DB 2012, 1081, 1082 f.; Prosser, Anlegerschutz bei Genussscheinen, 2001, 154 ff.; U. H. Schneider FS Goerdeler, 1987, 511, 527; Sethe AG 1993, 351, 366 Fn. 359; krit. aber MüKoAktG/Habersack Rn. 320a; Maerker/Wagner DB 2013, 2549, 2552). Anpassung erfolgt in **Anlehnung an § 304 II 1** in der Weise, dass jedenfalls in den Fällen, in denen bei Abschluss des Beherrschungs- und Gewinnabführungsvertrages davon auszugehen ist, dass abhängige AG ohne Vertrag genügend Gewinn ausgewiesen hätte, um Genussrechte bedienen zu können, sie dies auch nach Abschluss des Vertrags tun muss, ohne dass es auf fiktive Gewinne oder Verluste ankommt; auch Rückzahlungsanspruch darf nicht gekürzt werden (BGHZ 197, 284 Rn. 28; Einzelheiten bei Verse/Wiersch NZG 2014, 5, 8 ff.). Prinzip der Vollausschüttung (→ § 304 Rn. 11) gilt allerdings nicht (Verse/Wiersch NZG 2014, 5, 9 f.). Reicht prognostizierter Gewinn für vollständige Bedienung der Genussrechte nicht aus, werden Ausschüttungen entspr. gemindert; Rückzahlungsanspruch bleibt aber erhalten. Wird Verlust prognostiziert, fallen Ausschüttungen aus (MHdB AG/Scholz § 64 Rn. 91; Verse/Wiersch NZG 2014, 5, 10). Ob bei Verlustprognose auch Rückzahlungsanspruch herabgesetzt wird, ist umstr. und bedarf weiterer Diskussion (dafür obiter dictum OLG Frankfurt AG 2012, 217, 219; MHdB AG/Scholz § 64 Rn. 91; krit. Verse/Wiersch NZG 2014, 5, 10 m. Fn. 58). Verbreitete Auffassung, wonach Ausgleichszahlung von herrschendem Unternehmen **analog § 304 II** vorzunehmen ist (OLG Frankfurt AG 2012, 217, 219; MüKoAktG/Habersack Rn. 320a; B/K/L/Stadler Rn. 138; Schürnbrand ZHR 173 [2009], 689, 707), stimmt mit BGH-Lösung bzgl. Zahlungshöhe überein, wenn ohne Vertragsschluss mit Bedienung der Genussrechte gerechnet werden konnte (BGHZ 197, 284 Rn. 36 ff.; sa Verse/Wiersch NZG 2014, 5, 7), wobei allerdings Anspruch nach BGH nicht gegen Mutter, sondern gegen Tochter gerichtet ist (sa MüKoAktG/Habersack Rn. 320a; Ehmann AG 2013, 751, 753; zu vollstreckungsrechtl. Unterschieden Verse/Wiersch NZG 2014, 5, 7 Fn. 20). **Einschränkungen** der BGH-Rspr. in Genussscheinbedingungen unterliegen AGB-Kontrolle am Maßstab der §§ 307 ff. BGB (→ Rn. 35 ff.); namentl. kann Anknüpfung an Bilanzergebnis der herrschenden Gesellschaft an § 309 Nr. 10 BGB scheitern (BGHZ 197, 284 Rn. 32; MHdB AG/Scholz § 64 Rn. 95; Dangelmayer BKR 2014, 121, 122; Verse/Wiersch NZG 2014, 5, 11 f.; sa Maerker/Wagner DB 2013, 2549, 2552 f.). Zu aufsichtsrechtl. Folgen der Anpassung Dangelmayer BKR 2014, 121, 122; Maerker/Wagner DB 2013, 2549, 2552; Verse/Wiersch NZG 2014, 5, 11.

Bei **isoliertem Gewinnabführungsvertrag** werden Genussscheinbedingungen **68d** abw. von BGH-Lösung (→ Rn. 68c) nicht am Maßstab des prognostizierten Gewinns abhängiger AG angepasst. Vielmehr sind Genussrechte so zu bedienen, als ob Gewinnabführungsvertrag nicht bestünde; abzustellen ist also auf **fiktiven**

Bilanzgewinn oder -verlust (MüKoAktG/Habersack Rn. 320b; MHdB AG/Scholz § 64 Rn. 93; Renner/Engel ZIP 2013, 2436, 2442; Verse/Wiersch NZG 2014, 5, 8 mit Fn. 33).

68e **cc) Umwandlungsrechtliche Fragen.** Ähnliche Probleme wie in konzernrechtl. Gestaltungen können sich bei umwandlungsrechtl. Vorgängen ergeben, wenn AG es entgegen Zusage in Anleihebedingungen

X. Auflösung, Verschmelzung, Umwandlung

69 Bei Auflösung (§ 262) bleiben **Umtausch- und Optionsrechte** bestehen und können bis zum Schluss der Abwicklung ausgeübt werden (BGHZ 24, 279, 286 = NJW 1957, 1279; MHdB AG/Scholz § 64 Rn. 48). Bei Verschmelzung durch Aufnahme oder Neugründung hat übernehmende bzw. neugegründete Gesellschaft Anleihegläubigern gleichwertige Rechte zu gewähren (§§ 23, 36 I 1 UmwG; ausf. dazu Driver BB 2014, 195, 197 ff.). Für übertragende Umwandlung (Formwechsel) gilt § 23 gem. § 204 UmwG entspr. Für **Gewinnschuldverschreibungen** gelten Ausführungen entspr., desgleichen für **Genussrechte** (so auch KK-AktG/Florstedt Rn. 629 f.; MüKoAktG/Habersack Rn. 314, 316; MHdB AG/Scholz § 64 Rn. 67, 83).

XI. Analoge Anwendung des § 221

70 **1. Umtausch- und Bezugsrechte für Anleihen anderer Unternehmen. a) Problemaufriss.** § 221 betr. nur den Fall, dass Wandel- oder Optionsanleihen Recht zum Bezug von Aktien der emittierenden Gesellschaft einräumen. Zulässig ist aber auch, Umtausch- oder Bezugsrechte auf Aktien anderer Gesellschaften zu gewähren. § 221 findet dann keine Anwendung bei der AG, die solche Anleihen ausgibt; Ausgabe ist Geschäftsführungsmaßnahme und steht in alleiniger Kompetenz des Vorstands (OLG Frankfurt AG 2013, 132; Hopt/Seibt/Fest SVR § 221 AktG Rn. 31 f.; KK-AktG/Florstedt Rn. 290, 481; Schumann, Optionsanleihen, 1990, 161 ff.). Entspr. Anwendung des § 221 ist nicht geboten, da Aktionäre der ausgebenden Gesellschaft insoweit nicht schutzbedürftig sind. Erfüllbarkeit der Anleihe kann durch Erwerb der versprochenen Aktien sichergestellt werden, sofern dem nicht §§ 56, 71d entgegenstehen. Zu dem ähnlich gelagerten Fall, dass AG ihre Verpflichtung zur Lieferung der Aktien durch eine Vereinbarung mit einem Dritten absichert, der sich im Besitz der Aktien befindet, → Rn. 5a.

71 Gestaltungen dieser Art finden sich insbes. bei **Optionsanleihen ausländischer Tochtergesellschaften,** die zum Bezug von Aktien der deutschen Muttergesellschaft berechtigen (Warrant-Anleihen). Bei älteren Anleihen hat Muttergesellschaft Anleihebetrag und Bezugsrecht garantiert; bei neueren Anleihen garantiert Muttergesellschaft nur noch die Anleihe und gewährt dem Gläubiger das Bezugsrecht unmittelbar (→ § 192 Rn. 10 ff.); das getrennt verbriefte Optionsrecht wird der Anleihe beigefügt. Aufspaltung erfolgt im Wesentlichen aus finanztechnischen und steuerlichen Gründen (ausf. Habersack/Mülbert/Schlitt/Mihm Unternehmensfinanzierung Rn. 14.42 ff.; Broichhausen, Zusammengesetzte Finanzierungsinstrumente der AG, 2010, 67 ff.; Schumann, Optionsanleihen, 1990, 95 ff.; Schlitt/Schäfer CFL 2010, 252, 253 f.). In beiden Fällen ist Beschluss der HV der Muttergesellschaft entspr. § 221 I erforderlich (str., → Rn. 72). Diskutiert wird, ob Garantie oder Ausgabe des Bezugsrechts durch Muttergesellschaft nur zulässig ist, wenn zwischen den beteiligten Gesellschaften ein Konzernverhältnis besteht und sie selbst ein mittelbares oder unmittelbares Finanzierungsinteresse hat (vgl. Martens FS Stimpel, 1985, 621, 628 f.). Darauf kommt es jedoch für § 221 nicht an. Norm bezweckt Schutz der Aktionäre und

ist deshalb immer anwendbar, wenn Umtausch- oder Bezugsrechte begründet werden sollen (sa B/K/L/Stadler Rn. 11).

b) Reichweite der Analogie. aa) Beschlusserfordernis. Tochtergesellschaft begibt Anleihe nach ihrem Heimatrecht (Gesellschaftsstatut, → § 1 Rn. 34 ff.). Garantiert Muttergesellschaft mit Sitz in Deutschland Bezugsrecht oder stellt sie selbst verbriefte Bezugsrechte aus, so ist darauf deutsches Recht anwendbar (→ § 192 Rn. 10). Muttergesellschaft darf deshalb Bezugsrecht nur garantieren oder ausgeben, wenn HV zuvor Beschluss **entspr. § 221 I 1** gefasst hat (KK-AktG/Florstedt Rn. 208, 482; MüKoAktG/Habersack Rn. 47; MHdB AG/Scholz § 64 Rn. 64; Hemmerling, Optionsschuldverschreibungen, 1991, 110 ff.; Schumann, Optionsanleihen, 1990, 159 ff.; Lutter AG 1972, 125, 127 ff.; aA noch Silcher FS Geßler, 1971, 185, 190; Schaub AG 1972, 340, 342; Hoffmann AG 1973, 47, 53). Schutzzweck des § 221 (→ Rn. 1) gebietet analoge Anwendung. Entspr. anwendbar ist ferner § 221 I 2, 3, 4 und auch II. Gibt Vorstand Bezugsrechte bzw. Bezugsgarantien ohne HV-Beschluss aus, so sind sie zwar wirksam; Verwaltung handelt aber pflichtwidrig und macht sich nach §§ 93, 116 schadensersatzpflichtig. 72

bb) Bezugsrecht. Schutz der Aktionäre der Muttergesellschaft erfordert entspr. Anwendung auch des § 221 IV. § 221 IV 1 kann dadurch entsprochen werden, dass Tochtergesellschaft Aktionären der Muttergesellschaft vertraglich das **Bezugsrecht auf die Anleihe** einräumt. Sonst (Regelfall) muss Muttergesellschaft Ausgabe oder Garantie des Bezugsrechts unter Beachtung der Voraussetzungen des **Bezugsrechtsausschlusses** (§ 186 III, IV iVm § 221 IV 2) beschließen (heute geklärt, s. KK-AktG/Florstedt Rn. 291, 482; MüKoAktG/Habersack Rn. 47; MHdB AG/Scholz § 64 Rn. 65). Neben den formellen Voraussetzungen des § 186 III, IV bedarf ein solcher Beschluss auch der materiellen Rechtfertigung. Dabei sind konkrete Interessen der Muttergesellschaft an der Platzierung gegen die Nachteile der Aktionäre abzuwägen (MHdB AG/Scholz § 64 Rn. 65). Eine Ausnahme von Voraussetzungen des Bezugsrechtsausschlusses kann nicht schon dann zugelassen werden, wenn in der Anleihe angemessener Optionspreis festgesetzt wurde (Hopt/Seibt/Fest SVR § 221 AktG Rn. 47; großzügiger Silcher FS Geßler, 1971, 185, 191). Zwar wirkt angemessener Optionspreis der Vermögensverwässerung entgegen; nicht ausgeschlossen sind jedoch gleichfalls relevante Veränderungen in der mitgliedschaftlichen Struktur. 73

c) Sicherung der Bezugsrechte. Nach zutr. Ansicht können von Muttergesellschaft ausgegebene oder garantierte Bezugsrechte durch **bedingtes Kapital** entspr. § 192 II Nr. 1 gesichert werden, wenn Konzernfinanzierungsinteresse besteht (str., → § 192 Rn. 11 f.; ohne den Vorbehalt MüKoAktG/Habersack Rn. 48; MHdB AG/Scholz § 64 Rn. 65). Möglich ist auch, dafür genehmigtes Kapital zu beschließen: HV hat dann Vorstand anzuweisen, genehmigtes Kapital zu verwenden, um Anleihe der Tochtergesellschaft zu bedienen. Genehmigtes Kapital ist idR aber nicht praktikabel; § 202 II setzt für die Praxis zu kurze und nicht zu überwindende zeitliche Schranke von fünf Jahren. 74

2. Optionsrechte ohne Anleihe (naked warrants; covered warrants). 75
Fraglich ist, ob und unter welchen Voraussetzungen AG unabhängig vom nicht verallgemeinerungsfähigen Sonderfall des § 192 II Nr. 3 (→ § 192 Rn. 16, 17 aE) Optionsrechte ausgeben kann, ohne sie mit einer Anleihe zu verbinden („naked warrants"). Solche Optionsrechte sind früher vereinzelt ausgegeben worden (Fuchs AG 1995, 433 f.), doch ist ihre Zulässigkeit in Zweifel gezogen worden (OLG Stuttgart ZIP 2002, 1807, 1808 f.; KK-AktG/Florstedt Rn. 496; GK-AktG/Frey § 192 Rn. 65 ff.), was dazu geführt hat, dass Praxis von Ausgabe in neuerer Zeit gänzlich absieht. Daran hat nichts geändert, dass im neueren

Schrifttum klare **Tendenz zur Anerkennung** solcher Optionsrechte zu beobachten ist (KK-AktG/Drygala/Staake § 192 Rn. 75; MüKoAktG/Habersack Rn. 37; GK-AktG/Hirte Rn. 298 ff.; BeckOGK/Rieckers § 192 Rn. 39; BeckOGK/Seiler Rn. 44; B/K/L/Stadler Rn. 17; Hopt/Seibt/Fest SVR § 221 AktG Rn. 238 ff. Dierks, Selbständige Aktienoptionsscheine, 2000, 93 ff.; Fuchs AG 1995, 433, 439 ff. und 443 ff.). Auch wenn Ausgabe von naked warrants de lege lata im Hinblick auf fehlende ges. Grundlage und Schutzanliegen des § 187 nicht unproblematisch ist (Rosener FS Bezzenberger, 2000, 745, 751), sprechen doch gerade unter teleologischen Gesichtspunkten die besseren Gründe dafür, mit neuerer Auffassung ihre Zulässigkeit zu bejahen. Wenn es unbedenklich ist, dass Optionsrecht im Rahmen einer Optionsanleihe kreiert und sodann von der Anleihe losgelöst gehandelt werden kann, ist nicht ersichtlich, warum seine isolierte Schaffung derart gefährlich sein soll, dass es auch unter Beachtung der in § 221 aufgeführten Kautelen nicht zugelassen werden kann (überzeugend MüKoAktG/Habersack Rn. 37; GK-AktG/Hirte Rn. 307). Bejaht man demnach Zulässigkeit, müssen Vorgaben des § 221 beachtet werden; Absicherung durch bedingtes Kapital ist dann analog § 192 II Nr. 1 ebenfalls zu gestatten (Hopt/Seibt/Fest SVR § 221 AktG Rn. 259 ff.; MüKoAktG/Habersack Rn. 216; Habersack FS Nobbe, 2009, 539, 560; GK-AktG/Hirte Rn. 313). Für die **Praxis** sind Ergebnisse aber namentl. in Ermangelung jeder gerichtl. Bestätigung derzeit noch nicht hinreichend abgesichert. Neuerdings lassen sich § 47a I BörsG, wonach selbständige Aktienoptionen bei SPACs ausdr. zulässig sind (→ § 23 Rn. 59), und Gesetzesmaterialien zum ZuFinG für generelle Gesetzeskonformität der naked warrants anführen (vgl. RegBegr. BT-Drs. 20/8292, 104, die von Klarstellung spricht). Trotzdem wäre Klarstellung durch Gesetzgeber wünschenswert, um Rechtssicherheit zu schaffen (vgl. DAV-HRA NZG 2023, 738 Rn. 34).

75a Ebenfalls ungeklärt ist Behandlung von sog „covered warrants“, die nicht mit einer Anleihe verbunden sind und Inhaber das Recht einräumen, bereits **bestehende Aktien** des Emittenten zu beziehen. Während ihre Zulässigkeit – anders als bei naked warrants (→ Rn. 75) – allg. anerkannt ist (s. nur Hopt/Seibt/Fest SVR § 221 AktG Rn. 267; KK-AktG/Florstedt Rn. 463, 498), ist umstr., ob bei Ausgabe Vorgaben des § 221 beachtet werden müssen. Wie bei Wandelanleihen, die mit eigenen Anteilen bedient werden (→ Rn. 5a, 59 aE), ist diese Frage zu verneinen, weil §§ 71 ff. ausreichenden Schutz bieten (wie hier KK-AktG/Florstedt Rn. 463, 498; Habersack/Mülbert/Schlitt/Apfelbacher/Kopp Unternehmensfinanzierung Rn. 27.80; MHdB AG/Scholz § 64 Rn. 57; aA Hopt/Seibt/Fest SVR § 221 AktG Rn. 270; MüKoAktG/Habersack Rn. 36).

76 **3. Aktien, die Optionsrechte gewähren.** Diskutiert werden schließlich Aktien, die das Recht zum Bezug weiterer Aktien gewähren (**„Huckepack“-Emissionen,** s. Martens AG 1989, 69, 71 ff.). Wirtschaftlich wird damit bezweckt, möglichst hohen Ausgabekurs der das Optionsrecht gewährenden Aktien zu erzielen. Zulässigkeit solcher Verknüpfung wird heute zu Recht bejaht (MüKoAktG/Habersack Rn. 39; GK-AktG/Hirte Rn. 318 ff.; aA KK-AktG/Florstedt Rn. 465, 499). Eines zusätzlichen Beschlusses der HV nach § 221 I 1 bedarf es indes nicht (so auch GK-AktG/Frey § 192 Rn. 81; BeckOGK/Rieckers § 192 Rn. 40; MHdB AG/Scholz § 64 Rn. 53; aA Hopt/Seibt/Fest SVR § 221 AktG Rn. 283; GK-AktG/Hirte Rn. 320; Habersack FS Nobbe, 2009, 539, 562). Notwendiger Kapitalerhöhungsbeschluss (§§ 182, 202) entspr. in den Anforderungen Beschluss nach § 221 I 1, so dass weiterer Beschluss reine Formalie ohne zusätzliche Schutzbedeutung wäre. Entspr. § 192 II Nr. 1 können auch diese Optionsrechte durch bedingtes Kapital gesichert werden (→ § 192 Rn. 9 mwN).

Nicht unter § 221 I fallen die sog **Wandelaktien** (Einzelheiten bei KK-AktG/Florstedt Rn. 292 f.; Hopt/Seibt/Fest SVR § 221 AktG Rn. 200 f.).

Dritter Abschnitt. Maßnahmen der Kapitalherabsetzung

Erster Unterabschnitt. Ordentliche Kapitalherabsetzung

Voraussetzungen

222 (1) [1] **Eine Herabsetzung des Grundkapitals kann nur mit einer Mehrheit beschlossen werden, die mindestens drei Viertel des bei der Beschlußfassung vertretenen Grundkapitals umfaßt.** [2] **Die Satzung kann eine größere Kapitalmehrheit und weitere Erfordernisse bestimmen.**

(2) [1] **Sind mehrere Gattungen von stimmberechtigten Aktien vorhanden, so bedarf der Beschluß der Hauptversammlung zu seiner Wirksamkeit der Zustimmung der Aktionäre jeder Gattung.** [2] **Über die Zustimmung haben die Aktionäre jeder Gattung einen Sonderbeschluß zu fassen.** [3] **Für diesen gilt Absatz 1.**

(3) **In dem Beschluß ist festzusetzen, zu welchem Zweck die Herabsetzung stattfindet, namentlich ob Teile des Grundkapitals zurückgezahlt werden sollen.**

(4) [1] **Die Herabsetzung des Grundkapitals erfordert bei Gesellschaften mit Nennbetragsaktien die Herabsetzung des Nennbetrags der Aktien.** [2] **Soweit der auf die einzelne Aktie entfallende anteilige Betrag des herabgesetzten Grundkapitals den Mindestbetrag nach § 8 Abs. 2 Satz 1 oder Abs. 3 Satz 3 unterschreiten würde, erfolgt die Herabsetzung durch Zusammenlegung der Aktien.** [3] **Der Beschluß muß die Art der Herabsetzung angeben.**

Übersicht

I. Grundlagen

1 **1. Regelungsgegenstand und -zweck.** § 222 betr. **Basiserfordernisse** der ordentlichen Kapitalherabsetzung, nämlich HV-Beschluss und dafür bestehende Mehrheits-, Zustimmungs- und Inhaltserfordernisse (§ 222 I–III) sowie **Anpassung von Nennbetragsaktien** an herabgesetztes Grundkapital unter Vorrang der Nennbetragsherabsetzung, schließlich **Wahrung der Mindestkapitalbeträge** für Nennbetrags- und Stückaktien (§ 222 IV). Vorgaben sind notwendig, weil Kapitalherabsetzung teilw. Auflösungsfolgen vorwegnimmt; namentl. kann sie Vermögen freisetzen (s. § 222 III). Vor damit verbundenen Gefahren und auch vor Verlust von Mitgliedsrechten sollen die Beteiligten geschützt werden. § 222 findet kraft Verweisung Anwendung bei Kapitalherabsetzung durch Einziehung von Aktien (§ 237 II 1) und teilw. auch bei vereinfachter Kapitalherabsetzung (§ 229 III).

2 **2. Kapitalherabsetzung im Überblick. a) Erscheinungsformen.** AktG kennt außer **ordentlicher Kapitalherabsetzung** noch zwei weitere Formen, nämlich vereinfachte Kapitalherabsetzung (§ 229) und Kapitalherabsetzung durch Einziehung von Aktien (§ 237). Regelung ist abschließend. Zur Unterscheidung: **Vereinfachte Kapitalherabsetzung** ist nur zu Sanierungszwecken zulässig (s. § 229 I), ordentliche Kapitalherabsetzung dagegen zu jedem Zweck (s. § 222 III), auch zur Sanierung (→ Rn. 20). Daraus resultiert unterschiedliche Ausgestaltung des Gläubigerschutzes (Befriedigung und Sicherheitsleistung nach § 225 einerseits, Verbot bzw. Beschränkung der Gewinnausschüttung nach § 233 andererseits) und infolgedessen unkomplizierte Abwicklung der vereinfachten Kapitalherabsetzung. **Kapitalherabsetzung durch Einziehung** von Aktien ist dadurch gekennzeichnet, dass sie Mitgliedsrechte vernichtet und dabei Aktionäre ungleich behandelt. Kapitalherabsetzung ist Form, aber nicht notwendig Zweck des Verfahrens.

3 **b) Rechtliche und wirtschaftliche Bedeutung.** Durch Verringerung des Grundkapitals (§ 266 III A I HGB) entsteht **Buchertrag,** der als „Ertrag aus der Kapitalherabsetzung" in GuV auszuweisen ist (§ 240). Buchertrag ist zweckgerichtet zu verwenden (§ 222 III; → Rn. 20). IdR erfolgt Kapitalherabsetzung, um Unterbilanz zu beseitigen; sie dient also der Sanierung der AG, so dass idR vereinfachte Kapitalherabsetzung durchgeführt werden kann. **Haftungsgrundlage der AG** wird verringert. In Höhe des Herabsetzungsbetrags wird Vermögen nämlich von Kapitalbindungsvorschriften (s. §§ 57, 62, 71 ff.) freigestellt. Damit wird anderer Schutz der Gesellschaftsgläubiger erforderlich (vgl. §§ 225, 230, 233, 237 II). Kapitalherabsetzung berührt zudem **Interessen der Aktionäre.** Mitgliedsrechte werden unmittelbar betroffen, weil Summe der geringsten Ausgabebeträge aller Aktien (§ 9 I) der Grundkapitalziffer entspr. muss (§ 1 II). In welcher Form Eingriff erfolgt (bei Nennbetragsaktien Herabsetzung ihres Nennbetrags; Zusammenlegung von Nennbetrags- oder Stückaktien [§ 222 IV, § 229 III]; Einziehung [§ 237 I 1]), hängt vom jeweiligen Verfahren ab. In Erscheinungsform der **ordentlichen Kapitalherabsetzung** wird üblicherweise Rückzahlung des Buchertrags an die Aktionäre (§ 222 III) oder Befreiung von Einlage-

verbindlichkeiten bezweckt (Wieneke/Schulze de la Cruz WM 2020, 1720). Darüber hinaus begegnet in der Praxis auch die Konstellation, dass hohe gebundene Rücklagen zu einem späteren Zeitpunkt an Aktionäre ausgezahlt werden sollen und durch Kombination aus Kapitalerhöhung aus Gesellschaftsmitteln mit anschließender Kapitalherabsetzung von Bindungen des § 150 III, IV befreit werden (Wieneke/Schulze de la Cruz WM 2020, 1720).

c) Verbindung mit anderen Kapitalmaßnahmen. aa) Kapitalerhöhung. 4
Kapitalherabsetzung und Kapitalerhöhung können in einer HV als Paket beschlossen werden. Zulässigkeit der Verbindung beider Kapitalmaßnahmen ergibt sich aus §§ 228, 235; nach § 228 sind beide Maßnahmen zwingend zu verbinden, wenn durch Kapitalherabsetzung Mindestnennbetrag des Grundkapitals (§ 7) unterschritten wird. Verbindung ist **in Sanierungsfällen** regelmäßig erforderlich. Sie ändert grds. nichts an Beschlussvoraussetzungen, an Art und Weise der Durchführung oder an Anmelde- und Eintragungsvoraussetzungen; es gelten die jeweiligen Kapitalherabsetzungs- und Kapitalerhöhungsvorschriften. Sondervorschriften sind §§ 228, 235. Werden beide Beschlüsse gleichzeitig zur Eintragung in das HR angemeldet (sa § 228 II 3), wird zunächst nur die Kapitalherabsetzung wirksam (§ 224), da Wirksamkeit der regulären Kapitalerhöhung neben Eintragung des Beschlusses (§ 184) auch Eintragung der Durchführung voraussetzt (§ 189). Ist beabsichtigt, beide Maßnahmen zeitgleich wirksam werden zu lassen, so sind alle drei Anmeldungen und Eintragungen miteinander zu verbinden. Davon hat Registerrichter bei gleichzeitiger Anmeldung auszugehen; er ist daran gebunden (→ § 227 Rn. 9; KG JW 1932, 1018, 1019; KK-AktG/Ekkenga Rn. 21).

bb) Freiwillige Zuzahlungen. Zuzahlungen der Aktionäre können in Sanie- 5
rungsfällen eine **Alternative zur Mittelzuführung durch Kapitalerhöhung** (→ Rn. 4) bieten. Sie müssen aber freiwillig erfolgen (allgM – s. nur GK-AktG/Sethe Rn. 14); unzulässig ist nämlich, über Einlage hinausgehende Leistungen (Nachschüsse) zu erzwingen (→ § 54 Rn. 5, 9). Kapitalherabsetzungsbeschluss kann Aktionären aber erlauben, durch Zuzahlungen eine Herabsetzung des Grundkapitals abzuwenden (vgl. dazu KK-AktG/Ekkenga Rn. 25; MüKoAktG/Oechsler Rn. 28 f.; GK-AktG/Sethe Vor § 222 Rn. 13 ff.; skeptisch noch KK-AktG/Lutter, 2. Aufl. 1993, Rn. 33). Leistung der Zuzahlungen stellt dann auflösende Bedingung für Herabsetzungsbeschluss dar (MüKoAktG/Oechsler Rn. 29; GK-AktG/Sethe Rn. 13). Erforderlich ist aber, dass Wahlrecht allen Aktionären in gleicher Weise angeboten wird (§ 53a). Überdies soll zuzahlenden Aktionären nach hM nicht mehr an Vorteilen angeboten werden, als der Zuzahlung entspr. (RGZ 80, 81, 85 f.; MüKoAktG/Oechsler Rn. 29; MHdB AG/Scholz § 61 Rn. 14). Anderenfalls würde der Beschluss wirtschaftlichen Zwang auf den Aktionär ausüben und sei deshalb nicht nur anfechtbar, sondern gem. § 241 Nr. 3 nichtig (allg. → § 54 Rn. 9). Tragweite dieser letztgenannten Einschränkung ist aber nicht abschließend geklärt, da es durchaus sinnvoll sein kann, wenn AG in einer Krise Aktionären einen Anreiz bieten kann, sich finanziell erneut in AG zu engagieren, zumal damit Kosten einer Neuemission vermieden werden können (KK-AktG/Ekkenga Rn. 25; MüKoAktG/Oechsler Rn. 29; GK-AktG/Sethe Vor § 222 Rn. 16 f.). Vor diesem Hintergrund ist es zumindest als zulässig anzusehen, wenn zahlungswilligen Aktionären ein besseres Zusammenlegungsverhältnis angeboten wird als den anderen (sa B/K/L/Becker Rn. 18; MüKoAktG/Oechsler Rn. 29; GK-AktG/Sethe Rn. 16).

d) Verhältnis zu §§ 179–181. Kapitalherabsetzung (ordentliche, vereinfachte, 6
Einziehung von Aktien) ist wegen § 23 III Nr. 3, 4 immer auch **Satzungsänderung** (KK-AktG/Ekkenga § 222 Rn. 2). Gesetzgeber hat Kapitalherabset-

zung in §§ 222 ff. bes. ausgestaltet, weil sie immer die Interessen der Aktionäre berührt; ferner weil Interessen der Gesellschaftsgläubiger bes. betroffen sind (→ Rn. 3). §§ 179–181 gelten subsidiär (KK-AktG/Ekkenga § 222 Rn. 2). Mit wirksam gewordener Kapitalherabsetzung (§§ 224, 229 III, § 238) ist Satzungstext unrichtig. Berichtigung erfolgt durch formelle Satzungsänderung. Sie ist vom Kapitalherabsetzungsbeschluss zu unterscheiden und bestimmt sich ausschließlich nach §§ 179–181 (Happ/Stucken AktienR 14.01 Rn. 9.1; Terbrack RNotZ 2003, 89, 91; anders jedoch hM zur GmbH, s. HCL/Casper GmbHG § 58 Rn. 31 mwN). Gem. § 179 I 2 kann sie vom AR beschlossen werden. Zu Besonderheiten bei Restrukturierungsmaßnahmen nach WStGB oder SAG → § 182 Rn. 5a ff., 5k.

6a **e) Überlagerung durch § 7 VI WStBG.** Überlagert werden Regeln zur Kapitalherabsetzung durch § 7 VI WStBG, wonach für Finanzunternehmen iSd § 2 I StFG, Unternehmen der Realwirtschaft iSd § 16 II StFG sowie für Unternehmen, die selbst oder durch verbundene Unternehmen iSd § 15 kritische Infrastrukturen iSd § 2 X BSIG im Sektor Energie betreiben, § 29 I, II 1 Nr. 2 EnSiG, Herabsetzung des Grundkapitals im Zusammenhang mit einer Rekapitalisierung nach §§ 7, 22 StFG oder einer Stabilisierungsmaßnahme nach § 29 I EnSiG (→ § 182 Rn. 5a ff.) mit einer **Mehrheit** nach § 7 III 1 oder 2 WStBG beschlossen werden kann (→ § 182 Rn. 5e). § 7 VI 4 WStBG schließt Gläubigerrecht auf Sicherheitsleistung nach § 225 aus, wenn Betrag des Grundkapitals vor Kapitalherabsetzung mindestens wieder erreicht wird durch Kapitalerhöhung, die zugleich mit Herabsetzung beschlossen wurde. Gleiches gilt nach § 7 VI 5 WStBG, wenn keine Kapitalerhöhung beschlossen wird, aber in dem Beschluss über die Kapitalherabsetzung festgelegt wird, dass Unterschiedsbetrag des Grundkapitals vor Kapitalherabsetzung abzüglich Grundkapital nach Kapitalherabsetzung in Kapitalrücklage einzustellen ist. Im letztgenannten Fall dürfen Beträge, die aus Auflösung der Kapitalrücklage und aus der Kapitalherabsetzung gewonnen werden, nach § 7 VI 6 WStBG nicht zu Zahlungen an Aktionäre und nicht dazu verwandt werden, Aktionäre von Verpflichtung zur Einlagenleistung zu befreien.

7 **3. Verfahren der ordentlichen Kapitalherabsetzung.** HV beschließt zunächst Herabsetzung des Grundkapitals (§ 222). Beschluss ist vom Vorstand und AR-Vorsitzenden zur Eintragung in das HR anzumelden (§ 223). Verläuft registergerichtl. Verfahren (Prüfung) ohne Beanstandung, so wird Kapitalherabsetzungsbeschluss eingetragen und damit wirksam (§ 224). Registergericht macht Eintragung bekannt. Bek. muss Gläubiger der AG auf ihr Recht hinweisen, Sicherheit zu verlangen (§ 225 I 2). Soweit Durchführungsmaßnahmen erforderlich sind, hat Vorstand diese vorzunehmen. Auch erfolgte Durchführung ist vom Vorstand zur Eintragung anzumelden (§ 227 I). Ihre Eintragung hat nur deklaratorische Bedeutung. Anmeldung und Eintragung des Kapitalherabsetzungsbeschlusses können mit Anmeldung und Eintragung der Durchführung verbunden werden (§ 227 II).

II. Kapitalherabsetzungsbeschluss (§ 222 I)

8 **1. Formelle Voraussetzungen. a) Allgemeines.** Zuständig ist HV, und zwar ausschließlich, da ordentliche Kapitalherabsetzung wegen § 23 III Nr. 3, 4 Satzungsänderung ist (KGJ 14 A 19, 25; KK-AktG/Ekkenga Rn. 2; MüKo-AktG/Oechsler Rn. 9; MHdB AG/Scholz § 61 Rn. 21). Vorstand kann nicht ermächtigt werden, Kapitalherabsetzung vorzunehmen. Beschlussvorschlag ist gem. § 124 II 3 bei Einberufung der HV in der Tagesordnung dem vollständigen Inhalt nach bekanntzumachen (→ § 124 Rn. 9; GK-AktG/Sethe Rn. 12). Damit werden alle wesentlichen Einzelheiten (Höhe, Zweck und Art der Herabsetzung,

→ Rn. 12 f.) bekannt, auch Vorgaben der HV hinsichtlich der Durchführung (vgl. GK-AktG/Sethe Rn. 12; teilw. aA OLG Hamburg HRR 1928 Nr. 1214). Wenn Einlagen noch ausstehen, kann Herabsetzungsbeschluss dem Wortlaut des § 136 I 1 Fall 2 unterfallen. Wegen gleicher Betroffenheit aller Aktionäre greift Stimmverbot dennoch nicht ein (→ § 136 Rn. 22).

b) Mehrheitserfordernisse. aa) Gesetz. § 222 I 1 regelt nur für Kapital- 9
herabsetzungsbeschluss erforderliche **Kapitalmehrheit.** Sie ist weiteres Erfordernis iSd § 133 I Hs. 2 (→ § 133 Rn. 13). Daneben muss nach § 133 I auch **einfache Stimmenmehrheit** vorliegen. Kapitalmehrheit muss drei Viertel des bei Beschlussfassung vertretenen Grundkapitals betragen (§ 222 I 1). Berechnung bestimmt sich nach zu § 179 II 1 dargelegten Grundsätzen: Bezugsgröße ist das Kapital, das bei Beschlussfassung mit ja oder nein gestimmt hat; unberücksichtigt bleiben Stimmenthaltungen und Kapital, das an Beschlussfassung nicht mitgewirkt hat oder nicht mitwirken durfte, zB stimmrechtslose Vorzugsaktien (→ § 179 Rn. 14 mN). Zur einfachen Stimmenmehrheit → § 133 Rn. 12.

bb) Satzung. § 222 I 1 ist halbzwingend. Satzung kann **größere Kapital-** 10
mehrheit festsetzen, auch Einstimmigkeit verlangen, soweit Kapitalherabsetzung damit nicht faktisch ausgeschlossen wird (→ § 179 Rn. 23). Zulässigkeit nur einer größeren Kapitalmehrheit bezweckt Schutz der Aktionäre (→ Rn. 3). Mehrheitsregelnde Satzungsklausel muss deutlich erkennen lassen, dass sie Kapitalherabsetzungsbeschluss erfasst. Satzungsbestimmung, die allg. für Satzungsänderung andere Mehrheit bestimmt, reicht iZw nicht (→ § 179 Rn. 18; ebenso MüKoAktG/Oechsler Rn. 16; aA wohl KK-AktG/Lutter Rn. 3).

c) Weitere Erfordernisse. Wirksamkeit des Kapitalherabsetzungsbeschlusses 11
kann von weiteren Erfordernissen abhängen; gemeint sind andere als Mehrheitserfordernisse, zB Beschlussfassung in zweiter HV. Sie können sich aus Ges. oder Satzung (§ 222 I 2) ergeben. Ges. bestimmt weiteres Erfordernis, wenn mehrere **Aktiengattungen** bestehen; dann ist Sonderbeschluss jeder Gattung erforderlich (§ 222 II; → Rn. 18). Zu statutarischen Erfordernissen → § 179 Rn. 22 f.

d) Inhalt des Beschlusses. Anzugeben ist Betrag, um den Grundkapital 12
herabgesetzt werden soll. **Herabsetzungsbetrag** ist grds. konkret zu beziffern; es empfiehlt sich zudem Angabe der alten und neuen Grundkapitalziffer. **Bsp.:** „Grundkapital von 10 Mio. Euro wird um 3 Mio. Euro auf 7 Mio. Euro herabgesetzt". Unzulässig ist, Herabsetzungsbetrag ganz in Ermessen des Vorstands zu stellen, weil sich HV damit ihrer Zuständigkeit begeben würde; solcher Beschluss ist nach § 241 Nr. 3 nichtig (vgl. RGZ 26, 132, 134; KK-AktG/Ekkenga Rn. 13; HCL/Casper GmbHG § 58 Rn. 27). Zulässig ist aber Angabe eines **Höchstbetrags,** wenn HV der Verwaltung so konkrete Vorgaben macht, dass Herabsetzungsbetrag zwar unbestimmt, aber bestimmbar ist; Verwaltung darf kein eigenes Ermessen eingeräumt werden (KGJ 16, A 14, 22; MüKoAktG/Oechsler Rn. 20; MHdB AG/Scholz § 61 Rn. 27). Bestimmbarkeit ist zB gegeben, wenn Herabsetzungsbetrag aus künftiger Unterbilanz folgen soll. Beschluss muss zudem zeitliches Limit setzen. **Mindestnennbetrag** des Grundkapitals (§ 7) darf grds. nicht unterschritten werden. Ausnahme ist nur unter den Voraussetzungen des § 228 möglich, wenn Kapitalherabsetzung mit Barkapitalerhöhung verbunden wird.

Im Beschluss ist ferner **Zweck der Herabsetzung** festzusetzen (§ 222 III). 13
Zu den möglichen Zwecken → Rn. 20. Zweck ist konkret zu bezeichnen; allg. Umschreibung („Anpassung an wirtschaftliche Verhältnisse") reicht nicht (KG JFG 10, 112, 113 f.; MüKoAktG/Oechsler Rn. 39; MHdB AG/Scholz § 61 Rn. 29), auch nicht „Rückstellungen" (gemeint waren: Rücklagen), wenn Zahlung von Dividende gewollt ist (aA RGZ 103, 367, 370). Angabe bezweckt

einerseits Information der Gläubiger über Stand der AG, andererseits Schutz der Aktionäre (KG JFG 10, 115 f.; KK-AktG/Ekkenga Rn. 33). Beschluss muss zudem **Art der Herabsetzung** angeben (§ 222 IV 3), also bestimmen, ob Grundkapital durch Herabsetzung von Nennbeträgen (§ 222 IV 1) oder durch Zusammenlegung von Aktien (§ 222 IV 2) oder auf beiden Wegen herabgesetzt wird (→ Rn. 21 ff.). **Fakultativ** kann HV im Beschluss Einzelheiten der Durchführung der Kapitalherabsetzung bestimmen, zB Umtausch oder Berichtigung der Aktienurkunden, Vernichtung der alten Aktienurkunden, Fristen (unstr.). Festsetzungen binden Vorstand. Fehlen sie, so entscheidet Vorstand selbst (RGZ 80, 81, 84; MHdB AG/Scholz § 61 Rn. 31; Happ/Stucken AktienR 14.01 Rn. 8.1). Durchführungsermächtigung ist üblich, aber nicht nötig. Nicht notwendig, aber zweckmäßig ist bei Nennbetragsherabsetzung Bezifferung des Betrags pro Aktie, bei Zusammenlegung Angabe des Verhältnisses, in dem Aktien zusammengelegt werden sollen (Marsch-Barner/Schäfer/Busch/Busch Rn. 49.9).

14 **2. Materielle Voraussetzungen.** Nach zutr. hM besteht **kein Erfordernis sachlicher Rechtfertigung** (BGHZ 138, 71, 76 f. = NJW 1998, 2054 – Sachsenmilch; OLG Frankfurt NZG 2021, 875 Rn. 26; KG AG 2021, 597, 603; OLG Schleswig AG 2004, 155, 156 f.; Marsch-Barner/Schäfer/Busch/Busch Rn. 49.11; KK-AktG/Ekkenga Rn. 69; MüKoAktG/Oechsler Rn. 25; MHdB AG/Scholz § 61 Rn. 15; aA M. Müller FS Heidel, 2021, 281 ff.; sa noch KK-AktG/Lutter, 2. Aufl. 1993, Rn. 44 ff., 48). Durch bloße Herabsetzung des Nennbetrags (§ 222 IV 1) wird schon nicht in Mitgliedschaft der Aktionäre eingegriffen (BGHZ 138, 71, 75 f.; → Rn. 22). Wo schwerwiegender Eingriff in Mitgliedsrecht möglich ist, nämlich bei Zusammenlegung von Aktien (§ 222 IV 2), die zu einem Verlust der Spitzen führen kann, sind Aktionäre durch Subsidiarität dieser Art der Herabsetzung (→ Rn. 21b) geschützt; spezielle Regelung steht materieller Beschlusskontrolle entgegen (BGHZ 138, 71, 76 f.; ähnlich MHdB AG/Scholz § 61 Rn. 15; für Lösung über § 93 I 2 Harnos, Gerichtliche Kontrolldichte, 2021, 633 ff.; eingehend → § 243 Rn. 27 f.). Auch aus Einführung der §§ 327a ff. kann kein anderer Schluss gezogen werden (so aber M. Müller FS Heidel, 2021, 281, 286 ff.), da weder Spezialitätsverhältnis vorliegt noch teleologische Rückschlüsse hinreichend belastbar sind, um daraus Korrektur der höchstrichterlichen Entscheidung abzuleiten (s. aber auch M. Müller FS Heidel, 2021, 281, 294: Sachsenmilch überzeugte „schon von Beginn an" nicht; ähnlich Oechsler AG 2023, 604 Rn. 1 ff. unter Gesichtspunkt der Typenaufweichung und -vermischung). **Sonderfall** ist isolierte vereinfachte Kapitalherabsetzung (→ Rn. 24 aE), die Überschuldung nicht vollständig beseitigen kann; insoweit muss gerechtfertigt werden, warum nicht zugleich Kapitalerhöhung erfolgt, damit nicht iE Bezugsrecht der ganz oder teilw. aus ihrer Mitgliedschaft verdrängten Aktionäre verloren geht, soweit sanierende Kapitalerhöhung unter Mitwirkung der Aktionäre auch wirtschaftlich realistisch ist (wegen dieser Einschränkung offenlassend BGHZ 138, 71, 77 f.; sa LG Dresden AG 1996, 36 und als Vorinstanz dazu AG Dresden AG 1995, 192; wie hier MHdB AG/Scholz § 61 Rn. 15; Krieger ZGR 2000, 885, 891 ff.; Geißler NZG 2000, 719, 724; krit. Wirth DB 1996, 867, 871 f.).

15 Kapitalherabsetzungsbeschluss darf nicht willkürlich sein, also nicht gegen **Gebot der Gleichbehandlung** (§ 53a) verstoßen; Kapitalherabsetzung muss alle Aktionäre (verhältnismäßig) gleich treffen, sofern Abweichung nicht im Einzelfall durch Zustimmung des betroffenen Aktionärs gedeckt ist. Insbes. kann Ungleichbehandlung nicht durch Satzungsbestimmung gerechtfertigt werden (Marsch-Barner/Schäfer/Busch/Busch Rn. 49.14; aA GK-AktG/Sethe Rn. 31), zB der Art, dass Vorzugsaktien verschont bleiben oder durch die letzte Kapitalerhöhung

ausgegebenen Aktien zuerst erfasst werden. Unvereinbar mit Gleichbehandlungsgebot ist im Lichte des § 237 I 2 auch, dass Kapitalherabsetzung durch Vernichtung einzelner Mitgliedsrechte durchgeführt wird, die durch Los bestimmt werden (ebenso B/K/L/Becker Rn. 16; Grigoleit/Rieder Rn. 23; MüKoAktG/Oechsler Rn. 26; Marsch-Barner/Schäfer/Busch/Busch Rn. 49.14; aA GK-AktG/Sethe Rn. 33; diff. MHdB AG/Scholz § 61 Rn. 18).

3. Zustimmungspflichten. Wird erforderliche Mehrheit (→ Rn. 9 f.) nicht erreicht, kann **positive Stimmpflicht** dissentierender Aktionäre nach Grundsätzen der Girmes-Entscheidung des BGH (BGHZ 129, 136 = NJW 1995, 1739; → § 53a Rn. 14, 21 ff.) in Ausnahmefällen, namentl. in **Sanierungssituationen,** anzunehmen sein. Sie ist insbes. aufgrund mitgliedschaftlicher Treupflicht (→ § 53a Rn. 13 ff.; für Treupflichtansatz auch S/L/Veil Rn. 15; C. Schäfer FS Hommelhoff, 2012, 939, 944 ff.; Seibt ZIP 2014, 1909 ff.; ausf. S. Schneider, Stimmpflichten, 2014, 229 ff.) zu bejahen, wenn bei Scheitern der Sanierungsmaßnahme der Zusammenbruch der AG unvermeidlich und im Falle des Zusammenbruchs die Stellung des einzelnen Aktionärs ungünstiger als bei Veräußerung der Aktien ist, Durchführung der Sanierungsmaßnahme die Verfolgung des Gesellschaftszwecks nach objektiver Einschätzung nachhaltig sicherstellt und keine schonendere Sanierung möglich ist (BGHZ 129, 136, 153; OLG München AG 2014, 546, 547 f.; sa Hölters/Weber/Haberstock/Greitemann Rn. 27; S/L/Veil Rn. 15; C. Schäfer FS Hommelhoff, 2012, 939, 949 ff.; Seibt ZIP 2014, 1909, 1912 ff.; ausf. S. Schneider, Stimmpflichten, 2014, 244 ff., 283 ff.). Dies setzt voraus, dass AG **schlüssiges Sanierungskonzept** vorlegt, das nachhaltige Verbesserung der wirtschaftlichen Lage der AG als möglich erscheinen lässt. Seit Girmes-Entscheidung haben sich rechtl. Rahmenbedingungen dabei allerdings insofern verschoben, als Insolvenzrecht sich vom Abwicklungsrecht zum Restrukturierungsrecht gewandelt hat, so dass auch Insolvenz nicht mehr zwingend stets als Worst-Case-Szenario anzusehen sein muss. Entscheidend sind letztlich aber Umstände des Einzelfalls (dazu C. Schäfer FS Hommelhoff, 2012, 939, 952; Seibt ZIP 2014, 1909, 1913). Bloße Verbindung der Kapitalherabsetzung mit Kapitalerhöhung ist jedenfalls dann nicht ausreichend, wenn vergleichbare Kapitalmaßnahme in Vergangenheit nicht zur wirkungsvollen Sanierung beigetragen hat (OLG München AG 2014, 546, 548; zust. Seibt ZIP 2014, 1909, 1913; sa BeckOGK/Marsch-Barner/Maul Rn. 30). Aktionär ist auch dann nicht zur positiven Stimmabgabe verpflichtet, wenn **alternatives Sanierungskonzept** vorliegt, das bei ähnlicher Erfolgswahrscheinlichkeit geringere Eingriffsintensität aufweist (Seibt ZIP 2014, 1909, 1914). Unklar ist, ob Sanierungsmaßnahme durch einfache Stimmenmehrheit getragen werden muss. Rspr. und hLit scheinen diese Frage zu bejahen (BGHZ 129, 136, 152; OLG München AG 2014, 546, 547; LG Saarbrücken BeckRS 2011, 12852; Hölters/Weber/Haberstock/Greitemann Rn. 27; MüKoAktG/Oechsler Rn. 27; S/L/Veil Rn. 15; Merkt FS Bergmann, 2018, 509, 525 f.), doch ist nicht ersichtlich, wieso Zustimmungspflicht vom Mehrheitserfordernis abhängig sein soll, wenn positive Stimmpflicht gerade Erreichung der Mehrheit ermöglichen soll. Außerdem kann Aktionär im Zeitpunkt der Beschlussfassung nicht erkennen, ob einfache Stimmenmehrheit erreicht wird (so zutr. MüKoAktG/Schürnbrand/Verse § 182 Rn. 12; Reichert NZG 2018, 134 ff.; S. Schneider, Stimmpflichten, 2014, 256 f.; C. Schäfer FS Hommelhoff, 2012, 939, 952 ff.; C. Schäfer ZHR 185 [2021], 226, 257 ff.; Seibt ZIP 2014, 1909, 1914: Mehrheit als „bloßer Plausibilisierungsfaktor"). AG muss darlegen und beweisen, dass Voraussetzungen der positiven Stimmpflicht vorliegen (Seibt ZIP 2014, 1909, 1913). Treuwidrig abgegebene Stimmen sind nichtig (→ § 53a Rn. 30) und bei Abstimmung nicht mitzuzählen (→ § 130 Rn. 22 ff.; zu Prüfungspflichten des HV-Leiters speziell in 15a

Sanierungssituation vgl. C. Schäfer FS Hommelhoff, 2012, 939, 955 ff.; Seibt ZIP 2014, 1909, 1915); Zustimmungsverweigerung kann Schadensersatzansprüche der AG (§ 280 I BGB) und der Mitaktionäre nach sich ziehen (→ § 53a Rn. 27 ff.; BeckOGK/Marsch-Barner/Maul Rn. 30; Seibt ZIP 2014, 1909, 1915 f.). Zu eigener Beteiligung ist Aktionär keinesfalls verpflichtet (MüKoAktG/Schürnbrand/Verse § 182 Rn. 13).

16 **4. Aufhebung und Änderung.** Kapitalherabsetzungsbeschluss kann bis zum Wirksamwerden der Kapitalherabsetzung (§ 224) nur durch HV-Beschluss geändert werden, der den Voraussetzungen der §§ 222 ff. unterliegt (KK-AktG/Ekkenga Rn. 26; MHdB AG/Scholz § 61 Rn. 45; Happ/Stucken AktienR 14.01 Rn. 10.3), insbes. von qualifizierter Mehrheit getragen wird. Etwas anderes gilt aber für Beschluss, der lediglich zur Aufhebung des Kapitalherabsetzungsbeschlusses führt, weil bis zu diesem Zeitpunkt noch kein satzungsändernder Beschluss vorlag. AG kehrt damit nur zur bisherigen Satzung zurück, die schon von Aktionären gebilligt wurde (ausf. → § 179 Rn. 40 mwN; → § 182 Rn. 16; wie hier B/K/L/Becker Rn. 17; MüKoAktG/Oechsler Rn. 28; GK-AktG/Sethe Rn. 69; Marsch-Barner/Schäfer/Busch/Busch Rn. 49.17; MHdB AG/Scholz § 61 Rn. 45; aA Henssler/Strohn/Galla Rn. 9; S/L/Veil Rn. 22; Happ/Stucken AktienR 14.01 Rn. 10.2). Nach Eintragung und damit gem. § 224 nach Wirksamwerden der Kapitalherabsetzung kann sie nur noch durch förmliche Kapitalerhöhung ungeschehen gemacht werden.

17 **5. Fehlerhafter Beschluss.** Wenn Sonderbeschluss der Gattungsaktionäre fehlt (§ 222 II), ist Beschluss unwirksam (→ Rn. 19). Andere Fehler führen zur Nichtigkeit (§§ 241 f.) oder Anfechtbarkeit (§ 243). Wird **Mindestnennbetrag des Grundkapitals** (§ 7) unterschritten, so ist Beschluss nach § 241 Nr. 3 nichtig (KK-AktG/Lutter, 2. Aufl. 1993, Rn. 34; MHdB AG/Scholz § 61 Rn. 33), sofern nicht Voraussetzungen des § 228 vorliegen. Verstoß gegen § 8 II 1 macht Beschluss ebenfalls nichtig, nicht aber Verstoß gegen § 8 II 4 (BGH AG 1992, 27). Fehlt Angabe des **Zwecks der Kapitalherabsetzung** (§ 222 III), so ist Beschluss nach § 243 I anfechtbar (KG JFG 10, 112, 115 f.; BeckOGK/Marsch-Barner/Maul Rn. 33; MHdB AG/Scholz § 61 Rn. 33). Wenn jedoch nicht angefochten und Beschluss eingetragen wird, ist Kapital gültig herabgesetzt; nur HV kann über Buchertrag verfügen. Bis zu ihrer Entscheidung ist er Sonderkonto gutzuschreiben und entspr. § 232 in Kapitalrücklage (§ 266 III A II HGB) einzustellen (vgl. BGHZ 119, 305, 324 ff. = NJW 1993, 57; S/L/Veil Rn. 28). Anfechtbar ist Beschluss auch, wenn angegebener Zweck nicht erreichbar ist (hM, s. LG Hannover AG 1995, 285 f.; Marsch-Barner/Schäfer/Busch/Busch Rn. 49.18). Fehlt im Beschluss Angabe der Art der Kapitalherabsetzung (§ 222 IV 3), so ist er gleichfalls nur anfechtbar, weil Gläubigerinteressen nicht berührt sind (hM – MüKoAktG/Oechsler Rn. 52; MHdB AG/Scholz § 61 Rn. 33). Zudem ist Beschluss durchführbar, da § 222 IV 1 das Verhältnis beider Arten zueinander zwingend vorgibt (→ Rn. 21b). Anfechtbar ist Beschluss auch bei Verstoß gegen § 53a (→ Rn. 15) und das Subsidiaritätsprinzip (§ 222 IV 2). Ist Beschluss angegriffen, kommt Eintragung und Wirksamkeit nach § 246a in Betracht.

III. Sonderbeschluss (§ 222 II)

18 Bestehen zwei oder mehr **Aktiengattungen** (→ § 11 Rn. 7), so wird Kapitalherabsetzungsbeschluss nur wirksam, wenn Aktionäre jeder Gattung in Form eines Sonderbeschlusses (§ 138) zustimmen (§ 222 II 1, 2). Wortlaut des § 222 II ist identisch mit § 182 II (→ § 182 Rn. 18 ff.). Sonderbeschluss ist nicht davon abhängig, dass Aktiengattung durch Beschluss benachteiligt wird (unstr.). Er ist

auch notwendig, wenn Kapitalherabsetzung einstimmig beschlossen wurde (RGZ 148, 175, 178 ff.; KG KGJ 35 A 162, 164; KK-AktG/Ekkenga Rn. 27; aA KG JW 1934, 174; zweifelnd Werner AG 1971, 69, 74 Fn. 34), dagegen nicht, wenn **Vorzugsaktien ohne Stimmrecht** (§§ 139 ff.) eine Gattung bilden. § 222 II trifft nach Neufassung (→ Rn. 1) schon tatbestandlich nicht mehr zu (→ § 141 Rn. 9, 23; → § 182 Rn. 19; Krauel/Weng AG 2003, 561, 563; sa LG Stuttgart NZG 2021, 1227 Rn. 37 ff., wo Frage nach richtlinienkonformer Korrektur nach Art. 74 GesR-RL allerdings offengelassen wird). Begr. desselben Ergebnisses aus Spezialität des § 141 (s. noch OLG Frankfurt DB 1993, 272 f.; LG Frankfurt AG 1991, 405, 406) ist überflüssig geworden. Sonderbeschluss unterliegt **zweifachem Mehrheitserfordernis,** zum einen der Kapitalmehrheit von drei Vierteln des bei Beschlussfassung vertretenen Grundkapitals (§ 222 II 3 iVm § 222 I 1), zum anderen der einfachen Stimmenmehrheit (§ 138 S. 2 iVm § 133 I). Satzung kann nach § 222 II 3 iVm § 222 I 2 für Sonderbeschluss höhere Mehrheit oder weitere Erfordernisse festsetzen; auch andere als für Kapitalherabsetzungsbeschluss selbst. Bestimmt Satzung nur für Kapitalherabsetzungsbeschluss eine von § 222 I 1 abw. Mehrheit sowie weitere Erfordernisse, gelten diese Bestimmungen iZw auch für Sonderbeschluss.

Sonderbeschluss ist **zusätzliches Wirksamkeitserfordernis.** Fehlt er, ist Er- 19
höhungsbeschluss schwebend unwirksam, nicht aber nichtig oder anfechtbar (RGZ 148, 175, 186 f.; GK-AktG/Sethe Rn. 39). Gericht darf Kapitalherabsetzungsbeschluss nicht eintragen (→ § 223 Rn. 5 f.). Erfolgt Eintragung trotzdem, kann Sonderbeschluss nachgeholt werden. Andernfalls kommt Heilung entspr. § 242 II in Betracht (→ § 242 Rn. 10). Sonderbeschluss, der Zustimmung verweigert, führt zur endgültigen Unwirksamkeit des Erhöhungsbeschlusses; Anmeldung nach § 223 ist zurückzuweisen. Ist Sonderbeschluss **fehlerhaft,** finden nach § 138 S. 2 die §§ 241 ff. entspr. Anwendung; er ist also selbständiger Gegenstand einer Nichtigkeits- oder Anfechtungsklage (→ § 179 Rn. 48). Zu ähnlicher Situation bei Entsendungsrecht → § 101 Rn. 10.

IV. Zweck der Kapitalherabsetzung (§ 222 III)

Kapitalherabsetzung muss **bestimmtem Zweck** dienen; er ist im Herabset- 20
zungsbeschluss anzugeben (§ 222 III; → Rn. 13) und bindet Vorstand hinsichtlich Verwendung des Buchertrags (→ Rn. 3). Jeder Zweck ist zulässig, zB Rückzahlung an Aktionäre (s. § 222 III), und zwar einschließlich einer Sachausschüttung, zB in Form von Aktien zuvor abgespaltener Gesellschaft („Löwenbräu", ausf. dazu noch KK-AktG/Lutter, 2. Aufl. 1993, § 225 Rn. 48 ff.; sa MüKoAktG/Oechsler Rn. 3, 37), Befreiung der Aktionäre von Verpflichtung zur Leistung von Einlagen (s. § 225 II 2), Einstellung in Rücklagen, Abrundung des Grundkapitals (KG JW 26, 2930, 2931) oder Beseitigung einer Unterbilanz. **Rückzahlung** an Aktionäre ist keine verbotene Einlagenrückgewähr iSd § 57 I 1 oder III (→ § 57 Rn. 6; KK-AktG/Lutter, 2. Aufl. 1993, § 224 Rn. 16 f. sowie § 225 Rn. 43). **Befreiung** von Einlageverbindlichkeit erfolgt nicht schon durch Beschluss, sondern durch zusätzlichen Erlassvertrag (§ 397 BGB) zwischen AG und Aktionär (MüKoAktG/Oechsler Rn. 37). Buchertrag kann auch dann zur **Rücklagenbildung** oder Auszahlung an Aktionäre verwandt werden, wenn Verlustvortrag (→ § 158 Rn. 2) vorhanden ist. Mehrere Zwecke können zugleich verfolgt werden (BeckOGK/Marsch-Barner/Maul Rn. 38; MHdB AG/Scholz § 61 Rn. 29). **Prioritätenliste** ist möglich; HV kann also angeben, wie mit etwaigem Restbetrag (zB Überschuss des Herabsetzungsbetrags ggü. Verlusten) zu verfahren ist.

V. Arten der Kapitalherabsetzung (§ 222 IV)

21 **1. Grundlagen.** § 222 IV betr. Verhältnis zwischen angestrebter Grundkapitalziffer und Aktien. Geregelt ist (1.), ob Aktien an herabgesetztes Grundkapital angepasst werden müssen; (2.) soweit das der Fall ist, wie Anpassung zu erfolgen hat; (3.) wie sich Anpassung der Aktie zu den bei Stückelung des Grundkapitals bestehenden Grenzen verhält (Mindestbetrag). Um die beiden ersten Punkte geht es in § 222 IV 1, um den dritten in § 222 IV 2. Schließlich betr. § 222 IV 3 notwendigen Inhalt des HV-Beschlusses.

21a **2. Anpassungsnotwendigkeit nur bei Nennbetragsaktien.** § 222 IV 1 erfasst nur Nennbetragsaktien (§ 8 II). Bei ihnen ist Anpassung der Mitgliedsrechte notwendig, weil sonst Summe ihrer Nennbeträge (§ 8 II 1) nicht mehr der Kapitalziffer entspräche (§§ 1 II, 6). Dagegen ist Anpassung der Stückaktien (§ 8 III) an geänderte Kapitalziffer weder möglich noch erforderlich (RegBegr. BT-Drs. 13/9573, 18), weil sie ohnehin keine Nennbeträge haben (§ 8 III 1). § 222 IV 1 bringt das mittelbar zum Ausdruck, indem sich Regelung auf Nennbetragsaktien beschränkt. Also geht es bei Stückaktien nur um geringsten anteiligen Betrag des Grundkapitals (→ Rn. 22).

21b **3. Anpassungsarten.** § 222 IV kennt als Anpassungsarten für Nennbetragsaktien **Herabsetzung des Nennbetrags** (§ 222 IV 1) und Zusammenlegung von Aktien (§ 222 IV 2). Zusammenlegung ist subsidiär, darf also nur erfolgen, wenn Mindestnennbetrag der Aktie (§ 8 II 1) durch Anpassung unterschritten würde (BGHZ 138, 71, 76 f. = NJW 1998, 2054 – Sachsenmilch; BGHZ 142, 167, 170 = NJW 1999, 3197 – Hilgers). Auch § 8 II 4 muss eingehalten werden. Weitere Anpassungsarten gibt es nicht. Vorrang der Nennbetragsherabsetzung vor der Zusammenlegung ist unabhängig von Art (§ 10 I), Gattung (§ 11) oder Verbriefung der Aktien. Art der Anpassung (§ 222 IV 3: der Herabsetzung) muss Inhalt des HV-Beschlusses sein; Delegation auf Verwaltung ist unzulässig. Herabsetzung des Nennbetrags berührt Mitgliedsrecht als solches nicht; auch absolute Zahl der Mitgliedsstellen bleibt unverändert. Beachtung des Gleichbehandlungsgebots (→ Rn. 15) stellt sicher, dass auch Beteiligungsstruktur unverändert bleibt. Wird Kapitalherabsetzung wirksam (§ 224), so weisen Aktienurkunden **unrichtigen Nennbetrag** aus. Sie sind zu berichtigen oder durch neue Urkunden zu ersetzen. Wenn Aktionäre unrichtige Aktien trotz Aufforderung nicht einreichen, können Urkunden nach §§ 73, 64 II für kraftlos erklärt werden; § 226 gilt hier nicht (→ § 226 Rn. 2; → § 73 Rn. 2).

22 **4. Wahrung der Mindestbeträge.** Durch Herabsetzung des Grundkapitals darf bei Nennbetragsaktien Mindestnennbetrag (§ 8 II 1), bei Stückaktien auf das Stück entfallender anteiliger Betrag des Grundkapitals (§ 8 III 3) nicht unterschritten werden. Mindestbetragsgrenzen sind also bei beiden Aktienformen einzuhalten (RegBegr. BT-Drs. 13/9573, 18). Herabsetzung des Kapitals erfolgt deshalb durch **Zusammenlegung der Aktien** (§ 222 IV 2), soweit es sonst zur Unterschreitung der Beträge käme. Zusammenlegung erfolgt, indem bisherige Aktien zu einer geringeren Zahl neuer Aktien zusammengefasst werden. Mitgliedsrechte werden dabei nicht vernichtet; aber ihre rechtl. Selbständigkeit geht verloren. Bei Nennbetragsaktien ist Zusammenlegung ggü. der Herabsetzung subsidiär (→ Rn. 21b); möglich und geboten ist Verbindung beider Maßnahmen, soweit Herabsetzung der Nennbeträge nicht ausreicht, um neue Kapitalziffer zu erreichen. Bei Stückaktien kommt nur Zusammenlegung in Betracht. Wenn § 222 IV 3 auch insoweit Art der Herabsetzung als Beschlussinhalt vorschreibt, verbleibt als Sinn Information der Aktionäre über Eingriff in ihre Aktienbestände.

Beteiligungsstruktur bleibt durch Zusammenlegung unverändert, sofern sich keine **Spitzen** bilden. Das sind Teilrechte, die Aktionäre gegen Zuzahlung zu ergänzen oder unter Verzicht auf Mitgliedschaft zu veräußern haben (zu den sich aus Spitzen ergebenden Bruchteilsrechten → § 224 Rn. 6); betroffen sind insbes. Kleinaktionäre bei hohen Umtauschverhältnissen (vgl. RGZ 111, 26, 29). Bildung von Spitzen ist daher möglichst zu vermeiden (MüKoAktG/Oechsler Rn. 44; MHdB AG/Scholz § 61 Rn. 7). Zusammenlegung ist deshalb nur zulässig, soweit Herabsetzung nicht erfolgen kann (→ Rn. 21b). Dies gilt auch, wenn bei einer Zusammenlegung Spitzen vermieden werden können. Angesichts des klaren Wortlauts ist kein Raum für entspr. teleologische Reduktion (B/K/L/Becker Rn. 26; aA MüKoAktG/Oechsler Rn. 45; GK-AktG/Sethe Rn. 54). Spitzen können etwa durch vorangehende Kapitalerhöhung (§§ 182 ff.) oder Einziehung eigener Aktien (§§ 71, 237) vermieden werden. **Bsp.** für Nennbetragsaktien: AG hat gem. § 8 II Aktien zum Nennbetrag von zwei Euro ausgegeben und beabsichtigt Kapitalherabsetzung im Verhältnis 4:1. Dann sind Aktien erst auf Mindestnennbetrag von einem Euro herabzusetzen, danach im Verhältnis 2:1 zusammenzulegen. Wenn Spitzen verbleiben, muss geringstmöglicher Betrag gewählt werden, damit Aktionäre möglichst viele selbständige Aktien erhalten (BGHZ 142, 167, 170 f. = NJW 1999, 3197 – Hilgers; zust. Anm. Rottnauer NZG 1999, 1159 f.; zu möglichen Vermeidungsstrategien KK-AktG/Ekkenga Rn. 47 ff.). 23

VI. Kapitalherabsetzung und Auflösung

Zulässigkeit der Kapitalherabsetzung im Stadium der Auflösung (§ 262) wird heute jedenfalls im Grundsatz allg. bejaht (→ § 264 Rn. 16; BeckOGK/Bachmann § 264 Rn. 40; KK-AktG/Ekkenga Rn. 70; GK-AktG/Sethe Rn. 75; MHdB AG/Scholz § 61 Rn. 19; sa OLG Frankfurt OLGZ 1974, 129, 130 f. = NJW 1974, 463 zur GmbH;). Bedenken ergeben sich insbes. wegen § 272, sind jedoch überwindbar, indem Norm neben § 225 beachtet wird (GK-AktG/Sethe Rn. 75; MHdB AG/Scholz § 61 Rn. 19; Terbrack RNotZ 2003, 89, 91). Darüber hinaus wird man zu verlangen haben, dass Herabsetzung iSd § 264 III auch **mit Abwicklungszweck vereinbar** sein muss (so die berechtigte Einschränkung von BeckOGK/Bachmann § 264 Rn. 41; KK-AktG/Ekkenga Rn. 70; KK-AktG/Winnen § 264 Rn. 27), was ggf. auch im Wege der Anfechtungsklage nach § 243 überprüft werden kann (BeckOGK/Bachmann § 264 Rn. 41). Vereinbarkeit mit Abwicklungszweck wird insbes. dann zu bejahen sein, wenn neben § 272 auch § 225 beachtet wird oder vereinfachte Kapitalherabsetzung zu Sanierungszwecken vorgenommen wird (KK-AktG/Winnen § 264 Rn. 27). Kapitalherabsetzung bei **Insolvenz** ist zuzulassen, wenn sie iVm Kapitalerhöhung (→ § 182 Rn. 32 ff.) zur Sanierung der Gesellschaft führen soll (GK-AktG/Sethe Rn. 76), ferner, wenn sie zwar isoliert erfolgt, aber Buchsanierung (→ § 229 Rn. 2) bezweckt (vereinfachte Kapitalherabsetzung; s. BGHZ 138, 71, 78 ff. = NJW 1998, 2054 – Sachsenmilch und als Vorinstanzen OLG Dresden AG 1996, 565, 566; LG Dresden ZIP 1995, 1596, 1598; MüKoAktG/Oechsler § 229 Rn. 31; Terbrack RNotZ 2003, 89, 91; Wirth DB 1996, 867, 870). 24

Anmeldung des Beschlusses

223 **Der Vorstand und der Vorsitzende des Aufsichtsrats haben den Beschluß über die Herabsetzung des Grundkapitals zur Eintragung in das Handelsregister anzumelden.**

I. Regelungsgegenstand und -zweck

1 § 223 betr. Anmeldung des Kapitalherabsetzungsbeschlusses zur Eintragung in das HR. Mit Eintragung wird Kapitalherabsetzung wirksam (§ 224). Bezweckt ist vorgeschaltete **Registerkontrolle** (→ Rn. 5). Von Anmeldung und Eintragung des Beschlusses sind Anmeldung und Eintragung der Durchführung (§ 227 I) zu unterscheiden. Beide Anmeldungen und Eintragungen können miteinander verbunden werden (§ 227 II; → § 227 Rn. 8). Davon weiterhin zu unterscheiden sind Anmeldung und Eintragung der formellen Satzungsänderung, die mit Wirksamwerden der Kapitalherabsetzung wegen § 23 III Nr. 3, 4 notwendig wird (→ § 222 Rn. 6). Sie ist mit Anmeldung nach § 223 zu verbinden, weil konstitutive Wirkung der Beschlusseintragung Vorlage einer berichtigten Satzung erfordert (so auch MüKoAktG/Oechsler Rn. 1; GK-AktG/Sethe Rn. 1).

II. Anmeldung des Herabsetzungsbeschlusses

2 **1. Allgemeines.** Zuständig ist gem. § 14 iVm §§ 376 f. FamFG **Amtsgericht** des Satzungssitzes, in dessen Bezirk ein Landgericht seinen Sitz hat, und zwar für gesamten Bezirk dieses LG (Zweck: Konzentration der Verfahren. Abweichungsmöglichkeit der Länder nach § 376 II FamFG; Übersicht hierzu bei Sternal/Eickelberg FamFG § 376 Rn. 11 ff.). Für Zweigniederlassung ist nach § 13 I HGB gesonderte Anmeldung am Niederlassungssitz nicht erforderlich (→ HGB § 13 Rn. 1 ff.). Anmeldung muss elektronisch in **öffentl. beglaubigter Form** erfolgen. Muster bei Happ/Stucken AktienR 14.01 lit. c. Enthält Beschluss zum **Zeitpunkt** der Anmeldung keine Vorgaben, und sei es nur mittelbar durch Angabe eines Höchstbetrags (→ § 222 Rn. 12), haben Anmelder Kapitalherabsetzungsbeschluss unverzüglich (§ 121 I 1 BGB) anzumelden (so zur Durchführung BGH AG 1992, 27, 28); für Anmeldung des Beschlusses kann nichts anderes gelten. Eintragungsfähig ist er nur, wenn Herabsetzungsbetrag konkret bestimmt ist (vgl. OLG München ZIP 2011, 2062 zur GmbH). Wenn HV lediglich Höchstbetrag vorgegeben hat (→ § 222 Rn. 12), muss Vorstand Herabsetzungsbetrag vor Anmeldung beziffern (Marsch-Barner/Schäfer/Busch/Busch Rn. 49.20; MüKoAktG/Oechsler Rn. 9; → § 224 Rn. 8).

3 **2. Anmelder.** Anmelder sind gem. § 223 **Vorstand und AR-Vorsitzender** gemeinsam (anders § 227 I zur Durchführung). Sie handeln **im Namen der AG,** nicht im eigenen Namen (→ § 181 Rn. 4). Für Vorstand genügt Mitwirkung einer vertretungsberechtigten Zahl seiner Mitglieder (unstr.; sa KG KGJ 41 A 134, 135). Unechte Gesamtvertretung (§ 78 III) ist zulässig (KG JW 1938, 3121). Prokurist kann aber nicht aufgrund Prokura Anmeldung vornehmen. Zulässig ist (anders als bei Kapitalerhöhung) bes. Bevollmächtigung Dritter (auch des Prokuristen) unter Beachtung der Formvorschrift des § 12 HGB, da keine strafrechtl. erheblichen Angaben zu machen sind (MüKoAktG/Oechsler Rn. 2; Terbrack RNotZ 2003, 89, 96). Verhinderter AR-Vorsitzender kann sich durch seinen Stellvertreter vertreten lassen (§ 107 I 3; sa RegBegr. Kropff S. 317). Anmelder können mit einheitlicher Erklärung anmelden, aber auch getrennte Erklärungen abgeben (MüKoAktG/Oechsler Rn. 2). Anmeldung kann nicht im Zwangsgeldverfahren durchgesetzt werden (§ 407 II). Ggü. AG sind Anmelder zur Anmeldung verpflichtet; dazu und zur Rechtslage bei fehlerhaftem Beschluss → § 181 Rn. 5; → § 36 Rn. 5. Unterlassene oder verspätete Anmeldung (→ Rn. 2) kann Schadensersatzpflicht (§§ 93, 116) und Abberufung (§ 84 IV, § 103 III) begründen. Anmelder können Anmeldung bis zur Eintragung ohne Begr. zurücknehmen (vgl. BGH NJW 1959, 1323; KK-AktG/Ekkenga Rn. 7).

Sie haben Anmeldung zurückzunehmen, wenn HV Beschluss aufhebt (→ § 222 Rn. 16).

3. Beizufügende Unterlagen. Aus Prüfungspflicht des Registerrichters (→ Rn. 5) folgt, dass Anmelder alle zur Prüfung des Herabsetzungsbeschlusses erforderlichen Unterlagen einzureichen haben. Notwendig ist insbes. notarielle Niederschrift der HV (§ 130), die Kapitalherabsetzung beschlossen hat, sowie ggf. Niederschrift über Sonderbeschlüsse nach § 222 II (MüKoAktG/Oechsler Rn. 5; MHdB AG/Scholz § 61 Rn. 35). Liegen Unterlagen dem Gericht bereits vor (s. § 130 V und § 138 S. 2), so kann auf erneute Beifügung verzichtet werden. Auch wenn Kapitalherabsetzung einer staatlichen Genehmigung bedarf, muss Genehmigungsurkunde nicht beigefügt werden. Das ergibt sich aus Wegfall des § 188 III Nr. 4 aF (→ § 188 Rn. 16). Unterlagen sind in Urschrift, Ausfertigung oder öffentl. beglaubigter Abschrift einzureichen. Frühere gerichtl. Pflicht zur Aufbewahrung ist mit Umstellung auf elektronisches HR entfallen (GK-AktG/Sethe Rn. 13). Anmeldung der Kapitalherabsetzung ist mit Anmeldung der formellen Satzungsänderung zu verbinden (→ Rn. 1), so dass ihr wegen § 181 I 2 auch Neufassung des Satzungswortlauts mit Notarbescheinigung beizuliegen hat. 4

III. Registerkontrolle

Gericht prüft zunächst ordnungsgem. Anmeldung (→ § 181 Rn. 13), insbes. eigene örtl. und sachliche Zuständigkeit, Befugnis der als Anmelder auftretenden Personen, Form der Anmeldung, Vollständigkeit und Ordnungsgemäßheit der beizufügenden Unterlagen. Gericht prüft weiter, ob Zustandekommen oder Inhalt des Herabsetzungsbeschlusses gegen Ges. oder Satzung verstößt (→ § 181 Rn. 14). Prüfungsgegenstände sind namentl.: Mehrheitserfordernisse, Notwendigkeit und Vorliegen von Sonderbeschlüssen (§ 222 II), Bestimmtheit des Herabsetzungsbetrags (→ Rn. 2), Bestehen von Nichtigkeitsgründen (→ § 222 Rn. 17). Anfechtungsgründe hat Gericht zu berücksichtigen, wenn durch Gesetzesverletzung Drittinteressen betroffen werden, nicht aber, wenn Gesetzesverstoß nur Interessen der gegenwärtigen Aktionäre berührt (str.; → § 181 Rn. 14; → § 243 Rn. 51 ff.; Marsch-Barner/Schäfer/Busch/Busch Rn. 49.23 ff.). Gericht ist an rechtskräftige Feststellung der Nichtigkeit und Nichtigkeit des Beschlusses aufgrund Anfechtungsklage gebunden (→ § 181 Rn. 15). Entscheidung des Registergerichts bestimmt sich nach den in → § 181 Rn. 16 f. dargelegten Grundsätzen. Zu Rechtsmitteln gelten Ausführungen zu → § 181 Rn. 18 mit der Maßgabe, dass Vorstand und AR-Vorsitzender als Anmelder Rechtsmittel für die AG einzulegen haben. 5

IV. Eintragung und Bekanntmachung

Eintragung des Kapitalherabsetzungsbeschlusses erfolgt gem. § 43 Nr. 3, Nr. 6 lit f., Nr. 7 HRV in Sp. 6, und zwar unter Bezugnahme auf eingereichte Niederschrift (§ 181 II; → Rn. 4). In Sp. 3 ist alte Grundkapitalziffer zu röten und neue Ziffer einzutragen (§ 39 I 1 iVm § 181 II). Damit ist Grundkapital herabgesetzt (§ 224). Eintragung heilt bestimmte Nichtigkeitsgründe unmittelbar (§ 242 I), andere erst nach Ablauf einer Frist von drei Jahren (§ 242 II). Gegen fehlerhafte Eintragung steht Rechtsmittel nicht zur Verfügung; möglich ist nur Berichtigung von offenbaren Unrichtigkeiten nach § 17 I HRV und Löschung nach §§ 395, 398 FamFG (→ § 181 Rn. 29 ff.). Eintragung des Herabsetzungsbeschlusses war bislang gem. § 10 HGB aF elektronisch bekanntzumachen. Änderung ist insofern allerdings mit Neuordnung des Bekanntmachungswesens durch **DiRUG 2021** (→ § 39 Rn. 7 ff.) eingetreten, weil danach unter Bek. ohnehin nur noch erstmalige Abrufbarkeit der Eintragung im HR zu verstehen ist; Bek. selbst wird als 6 eigenständiges Publikationsmedium aufgegeben (→ § 39 Rn. 8 f.). Bek. muss darauf hinweisen, dass Gesellschaftsgläubigern ein Recht auf Sicherheitsleistung zusteht (§ 225 I 2; → § 225 Rn. 14). Künftig wird dies durch gesonderte Registerbekanntmachung (→ § 39 Rn. 10) geschehen (→ § 225 Rn. 14).

V. Kosten

7 Gebühren für **Registereintragung** bestimmen sich nach GV 2400 HRegGebV. Zu den Kosten bei Anmeldung und Eintragung der Durchführung → § 227 Rn. 10.

Wirksamwerden der Kapitalherabsetzung

224 **Mit der Eintragung des Beschlusses über die Herabsetzung des Grundkapitals ist das Grundkapital herabgesetzt.**

Übersicht

I. Regelungsgegenstand und -zweck

1 § 224 bestimmt **Rechtsfolge der Eintragung** des Herabsetzungsbeschlusses und dient der **Rechtssicherheit,** indem Kapitalherabsetzung erst mit Abschluss des Registerverfahrens wirksam wird. Eintragung wirkt mithin **konstitutiv** (→ Rn. 2 ff.). Anders Eintragung der Durchführung (§ 227); sie hat lediglich deklaratorischen Charakter. Umgekehrt verhält es sich bei regulärer Kapitalerhöhung; dort ist Eintragung des Erhöhungsbeschlusses deklaratorisch (→ § 184 Rn. 1) und Eintragung der Durchführung konstitutiv (→ § 189 Rn. 1). Das erklärt sich aus Verschiedenheit der Sachlage. Sicherung der Kapitalaufbringung lässt Wirksamwerden der Kapitalerhöhung mit Beschlusseintragung nicht zu; derartige Zwänge bestehen bei Kapitalherabsetzung nicht (MüKoAktG/Oechsler Rn. 1). Hier kann allg. Grundsatz gelten, dass Satzungsänderung mit Eintragung wirksam wird (s. § 181 III).

II. Konstitutive Wirkung der Eintragung

2 **1. Grundkapital und Buchertrag.** Mit Eintragung des Beschlusses über Herabsetzung des Grundkapitals hat AG **neue Grundkapitalziffer.** Sie ist nunmehr maßgebend, wenn auf Höhe des Grundkapitals abzustellen ist (zB § 93 IV 3; § 95; § 150 II, III; § 179 II; § 182 I; § 192 III; § 202 III 1). Zugleich entsteht Buchertrag (→ § 222 Rn. 3). **Buchungspflichten:** Neue Grundkapitalziffer und Buchertrag sind unverzüglich (nicht erst zum nächsten Bilanzstichtag) auf jeweiligen Konten zu verbuchen (RGZ 101, 199, 201; BeckOGK/Marsch-Barner/Maul Rn. 17; MüKoAktG/Oechsler Rn. 13). Bei Buchung ist Zweckbindung

zu beachten; sie ist für Verwaltung verbindlich (s. § 222 III). Soll Buchertrag zur Rückzahlung an Aktionäre oder zur Erfüllung offener Einlagepflichten dienen (→ § 222 Rn. 20), so ist Betrag als gesonderte Verbindlichkeit ggü. Aktionären zu verbuchen bzw. – sofern Auszahlungsbedingungen des § 225 II nicht erfüllt sind – als Rückstellungen für ungewisse Verbindlichkeiten (Einzelheiten bei KK-AktG/Ekkenga Rn. 4). **Bilanz und GuV:** Neue Kapitalziffer und Buchertrag sind im nächstfolgenden Jahresabschluss zu zeigen. In GuV ist Ertrag als solcher aus Kapitalherabsetzung gesondert auszuweisen (§ 240; → § 240 Rn. 3).

Nach Eintragung kann Kapitalherabsetzung rechtl. nicht und wirtschaftlich nur 3 durch **förmliche Kapitalerhöhung** ungeschehen gemacht werden (→ § 222 Rn. 16 aE). Für **Verwendung nicht ausgeschöpften Buchertrags** gilt: Ergibt sich nach Eintragung, dass Kapitalherabsetzung zum Verlustausgleich nicht oder nur teilw. erforderlich war (insbes.: Rückstellungen für drohende Verluste [§ 249 I 1 HGB] erweisen sich später als überhöht), so ist nicht ausgeschöpfter Buchertrag in direkter oder analoger Anwendung des § 232 in Kapitalrücklage (§ 266 III A II HGB) einzustellen (BGHZ 119, 305, 322 f. = NJW 1993, 57). Fehlt insoweit Zweckbindung, so entscheidet HV über Verwendung (→ § 222 Rn. 17). Wenn beabsichtigt ist, Betrag dem Grundkapital zuzuführen, sollte Kapitalerhöhung aus Gesellschaftsmitteln (§ 207) gewählt werden. Reguläre Kapitalerhöhung setzt hingegen Auszahlung der Beträge an Aktionäre oder Sacherhöhung voraus; in beiden Fällen sind Aktionäre zur Mitwirkung an Kapitalerhöhung nur berechtigt, nicht verpflichtet (→ § 186 Rn. 1). Dagegen ist **Änderung des Zwecks der Herabsetzung** (§ 222 III) auch nach Eintragung möglich; erforderlich ist HV-Beschluss unter Beachtung der Voraussetzungen der §§ 222 ff., der in HR einzutragen ist (KK-AktG/Ekkenga Rn. 12; MHdB AG/Scholz § 61 Rn. 46). Ausnahmsweise werden der Zweckänderung alle Aktionäre zustimmen müssen, nämlich dann, wenn zunächst Rückzahlung freiwerdender Mittel bezweckt war, da Aktionäre dann mit Eintragung Rückzahlungsanspruch (→ Rn. 7) erworben haben (MHdB AG/Scholz § 61 Rn. 46).

2. Mitgliedsrechte. Erfolgt Kapitalherabsetzung durch **Herabsetzung der 4 Aktiennennbeträge** (§ 222 IV 1), so haben Mitgliedsrechte mit Eintragung des Beschlusses neuen herabgesetzten Nennbetrag, nach dem sich Stimmrecht, Bezugsrecht, Gewinnanspruch usw. bestimmen. Das gilt auch, wenn Aktienurkunden ausgegeben sind und noch auf alten Nennbetrag lauten. Auch sie verbriefen Mitgliedsrecht nur mit neuem Nennbetrag und legitimieren zur Ausübung des Mitgliedsrechts nur im entspr. Umfang (MüKoAktG/Oechsler Rn. 16; MHdB AG/Scholz § 61 Rn. 42; Siebel NJW 1952, 330). Urkunden sind also unrichtig und deshalb zu berichtigen oder auszutauschen.

Gleiches gilt auch, wenn Kapitalherabsetzung durch **Zusammenlegung von 5 Aktien** (§ 222 IV 2) erfolgt. Zwar müssen hier Mitgliedsrechte bestimmt werden, durch deren Zusammenlegung das neue Mitgliedsrecht entsteht (→ § 226 Rn. 3 f.). Einzelbefugnisse aus der Mitgliedschaft können aber schon vorher ausgeübt werden (BGH AG 1992, 27, 28). Alte Aktienurkunden verbriefen anteiliges Mitgliedsrecht und legitimieren zur Rechtsausübung, auch zur Stimmabgabe, nicht nur zum Umtausch oder zur Abstempelung (hM, s. BGH AG 1992, 27, 28). Bis Umtausch oder Abstempelung ist zur Legitimation je nach Zusammenlegungsverhältnis entspr. Anzahl von Urkunden vorzulegen. **Bsp.:** Verhältnis 5:3; zur Ausübung von drei Mitgliedsrechten sind fünf Aktienurkunden vorzulegen. Praktische Bedeutung ist mittlerweile gering, da Einzelverbriefung zunehmend an Relevanz verliert (→ § 10 Rn. 3a, 12 ff.; sa KK-AktG/Ekkenga Rn. 17).

Probleme ergeben sich, wenn bei Herabsetzung durch Zusammenlegung von 6 Aktien **Spitzen** entstehen (→ § 222 Rn. 23), die zu **Bruchteilsrechten** führen.

Bsp: Zusammenlegungsverhältnis 5:3, Aktionär hat aber nur zwei Aktien. Fraglich ist, ob bis zur Zusammenlegung (→ § 226 Rn. 3 f.) auch aus Bruchteilsrechten Befugnisse wie **Stimmrecht** hergeleitet werden können. Das wird von hM bejaht, was zu Bruchteilsstimmrecht führt (OLG Hamburg AG 1991, 242, 243; BeckOGK/Marsch-Barner/Maul Rn. 8; GK-AktG/Sethe Rn. 12; S/L/Veil Rn. 5; Butzke HV E 16; MHdB AG/Scholz § 61 Rn. 43; Siebel NJW 1952, 330, 331; für Restgesellschaft zust., iÜ offenlassend BGH AG 1992, 27, 29), von Mindermeinung wegen Unteilbarkeit des Stimmrechts verneint (KK-AktG/Ekkenga Rn. 19, der sich für eine analoge Anwendung des § 213 Abs. 2 AktG ausspricht; MüKoAktG/Oechsler § 226 Rn. 11). Der hM ist beizutreten; auch wer eine Spitze hält, ist Mitglied und hat deshalb seiner Quote entspr. Stimmrecht. Mitgliedsrechte sind auch weiterhin **übertragbar.** Aktienurkunden verbriefen aber nur anteiliges Mitgliedsrecht. Soweit es durch Zusammenlegung erloschen ist, kann auch gutgl. Erwerb nicht stattfinden (BGH AG 1992, 27, 29; MüKoAktG/Oechsler Rn. 17, 19; GK-AktG/Sethe Rn. 14).

7 **3. Sonstige Rechtsfolgen.** Wenn Zweck der Kapitalherabsetzung **Rückzahlung** der Mittel an Aktionäre ist (s. § 222 III), entsteht mit Eintragung des Herabsetzungsbeschlusses befristeter und bedingter Zahlungsanspruch der Aktionäre gegen AG (KK-AktG/Ekkenga Rn. 21; ähnlich MHdB AG/Scholz § 61 Rn. 40). Er ist befristet durch Ablauf des Sperrhalbjahres und bedingt durch Befriedigung bzw. Sicherstellung der Gesellschaftsgläubiger (s. § 225 II 1). Weiterer Beschluss ist zur Auszahlung nicht erforderlich (HCL/Casper GmbHG § 58 Rn. 7, 62). Ist **Erlass der Resteinlage** bezweckt, so entsteht Anspruch auf Abschluss eines Erlassvertrags gem. § 397 BGB (str.; → § 222 Rn. 20). Seine Wirksamkeit steht unter der Voraussetzung des § 225 II 2 (→ § 225 Rn. 16). Sofern Kapitalherabsetzung durch **freiwillige Zuzahlungen** der Aktionäre abgewendet werden kann (→ § 222 Rn. 5), endet Abwendungsrecht nach zutr. Ansicht spätestens mit Eintragung (MüKoAktG/Oechsler Rn. 2). Bis dahin muss also gezahlt sein.

8 **4. Keine Ausnahmen.** § 224 ist zwingend. Zeitpunkt des Wirksamwerdens der Kapitalherabsetzung kann also (vorbehaltlich § 234) nicht auf Datum vor Eintragung gelegt werden (MHdB AG/Scholz § 61 Rn. 39). Zeitpunkt kann nach zutr. Ansicht auch nicht nach der Eintragung liegen (MüKoAktG/Oechsler Rn. 2); Ausnahme: § 238 S. 1; → § 238 Rn. 2 f. Gegenteiliger Ansicht (KGJ 28 A 216, 224), die Eintragung eines bedingten Herabsetzungsbeschlusses ebenso wie Eintragung eines Höchstbetrags zulässt, ist nicht zu folgen. Regelungen, von denen nicht feststeht, ob sie wirksam werden oder welchen Inhalt sie haben, gehören nämlich nicht in das HR (→ § 179 Rn. 26).

III. Fehlerhafte Kapitalherabsetzung und Eintragung

9 Formale oder inhaltliche **Mängel des Anmeldeverfahrens** berühren Rechtsfolgen der Eintragung nicht. Anders nur, wenn Kapitalherabsetzungsbeschluss ohne Anmeldung der dazu Befugten (→ § 223 Rn. 3) oder nach Rücknahme der Anmeldung eingetragen wurde; dieser Fehler kann allerdings durch nachträgliche Anmeldung geheilt werden (s. KGJ 28 A 228, 239). Eintragung zeitigt keine Rechtsfolge, wenn **Kapitalherabsetzungsbeschluss fehlt, nichtig** (s. RGZ 144, 138, 141) **oder unwirksam** ist, weil Sonderbeschluss (§ 222 II) fehlt oder seinerseits nichtig ist. Nichtigkeit kann gem. § 242 geheilt werden. Eintragung hat keine Wirkung auf **Anfechtbarkeit** des Kapitalherabsetzungsbeschlusses. Sonstige Mängel lassen Rechtsfolgen der Eintragung unberührt, zB fehlende formelle Satzungsänderung. Zu Rechtsfolgen bei unwirksamer Kapitalerhöhung → § 189 Rn. 6 f.

IV. Wirkung auf Rechte und Pflichten Dritter

1. Problemaufriss. Kapitalherabsetzung kann Inhalt vertraglicher Beziehungen der AG zu Dritten (→ § 216 Rn. 10) verändern, nämlich dann, wenn Rechtsverhältnis Anspruch auf **Kapitalbeteiligung** einräumt, wie zB bei Wandel- und Optionsanleihen gem. § 221 I 1 (→ § 221 Rn. 4 ff.) oder bei Abfindungsvereinbarungen nach § 305 II Nr. 1, 2. Kapitalherabsetzung bewirkt, dass Anspruchsberechtigter nunmehr verhältnismäßig größere Beteiligung am Grundkapital erhält. **Bsp.:** Kapitalherabsetzung im Verhältnis 2:1 verdoppelt prozentuale Beteiligung. Entspr. gilt, wenn Ansprüche **dividendensatzabhängig** ausgestaltet sind. Kapitalherabsetzung kann mittelbar höhere Dividende nach sich ziehen und damit Gläubiger zB aus partiarischen Verträgen, Genussrechten, Gewinnschuldverschreibungen gem. § 221 I 1, Tantieme- oder Ausgleichsvereinbarungen gem. § 304 II 2, 3 begünstigen. Schließlich können Rechte Dritter unmittelbar vom Grundkapital abhängen. **Bsp.:** Vereinbarung einer Dividendengarantie, die sich nach Prozentsatz vom Grundkapital bemisst (s. RGZ 147, 42 ff.). Bei solchen Rechtsverhältnissen fragt sich, ob nach Kapitalherabsetzung Vertragsanpassung mit dem Ziel erforderlich ist, wirtschaftlichen Inhalt der Ansprüche unverändert zu lassen. Vgl. zum gleichgelagerten Problem bei Kapitalerhöhung → § 189 Rn. 8 f.; Problem ist wie dort zu lösen. 10

2. Lösung. Lösung ist zunächst aus dem Inhalt des Rechtsgeschäfts zu suchen; es kann für den Fall einer Kapitalherabsetzung Vertragsanpassung vorsehen oder ausschließen (unstr.; KK-AktG/Ekkenga Rn. 24; MüKoAktG/Oechsler Rn. 21). **Genussrechtsbedingungen** können auch in Form von AGB bestimmen (→ § 221 Rn. 35 ff.), dass Genussrechtskapital im Falle einer Kapitalherabsetzung zu Sanierungszwecken im gleichen Verhältnis wie Grundkapital herabgesetzt werden kann (BGHZ 119, 305, 312 ff. = NJW 1993, 57; aA Hirte ZIP 1991, 1461, 1467; zur Gestaltung solcher Bedingungen s. Marsch-Barner/Schäfer/Busch/Busch Rn. 49.29 ff.). Das kann auch zum Verlust des gesamten Genussrechtskapitals führen, nämlich dann, wenn Grundkapital auf Null herabgesetzt wird (BGHZ 119, 305, 318 ff.). Stellt sich später heraus, dass zu Sanierungszwecken beschlossene Kapitalherabsetzung im vorgenommenen Umfang nicht erforderlich war (zB angenommene Verluste realisieren sich nicht), so ist AG nicht analog § 216 III, § 23 UmwG verpflichtet, Genussrechtskapital anteilig im Verhältnis der aufgelösten zu tats. vorgenommenen Rückstellungen wieder aufzufüllen (BGHZ 119, 305, 322 f.; aA Hirte ZIP 1991, 1461, 1465; Vollmer/Lorch ZBB 1992, 44, 49; diff. zwischen aktien- und obligationenähnlichen Genussrechten MüKoAktG/Oechsler Rn. 23 f.; GK-AktG/Sethe Rn. 22 f.; ausf. zur fehlenden Verallgemeinerungsfähigkeit des § 216 III LG Lübeck NZG 2023, 266 Rn. 56 ff.; Hüffer FS Bezzenberger, 2000, 191 ff.; J. Koch AG 2017, 6, 9 ff.; → § 216 Rn. 19 mwN; aA für den Spezialfall staatlicher Rettungsmaßnahmen auch M. Arnold/Gärtner AG 2013, 414 ff.). Ergänzende Vertragsauslegung kann jedoch Anspruch auf anteilige Ausgleichszahlung ergeben (BGHZ 119, 305, 324 ff.); denkbar sind zudem Schadensersatzansprüche der Genussrechtsinhaber aus § 280 I BGB nach Klöckner-Grundsätzen (BGHZ 119, 305, 327 ff.; → § 221 Rn. 65a mwN). 11

Enthält Rechtsgeschäft keine Regelung, so ist durch **ergänzende Vertragsauslegung** (§§ 133, 157 BGB) zu ermitteln, was gelten soll (RGZ 147, 42, 48; BGHZ 119, 305, 324 ff. = NJW 1993, 57; MHdB AG/Scholz § 61 Rn. 44). Wenn **Dividendengarantie** vereinbart ist, wird ergänzende Vertragsauslegung idR zu dem Ergebnis führen, dass nach Kapitalherabsetzung aus Sanierungsgründen Berechnung weiterhin von alter Grundkapitalziffer auszugehen hat; denn 12

Vereinbarung dient dazu, Verlustfolgen aufzufangen (RGZ 147, 42, 48; Marsch-Barner/Schäfer/Busch/Busch Rn. 49.30). Anderes gilt, wenn durch Kapitalherabsetzung frei werdende Mittel zur Rückzahlung an Aktionäre verwandt werden sollen (BeckOGK/Marsch-Barner/Maul Rn. 13). Führt Auslegung zu keinem Ergebnis, verbietet sich pauschale Einheitslösung über Analogie zu § 216 III, § 23 UmwG (ausf. → § 216 Rn. 19 mwN; aA im Kontext des § 224 KK-AktG/Ekkenga Rn. 28).

Gläubigerschutz

225 (1) [1] **Den Gläubigern, deren Forderungen begründet worden sind, bevor die Eintragung des Beschlusses bekanntgemacht worden ist, ist, wenn sie sich binnen sechs Monaten nach der Bekanntmachung zu diesem Zweck melden, Sicherheit zu leisten, soweit sie nicht Befriedigung verlangen können.** [2] **Die Gläubiger sind in einer Bekanntmachung zu der Eintragung auf dieses Recht hinzuweisen.** [3] **Das Recht, Sicherheitsleistung zu verlangen, steht Gläubigern nicht zu, die im Fall des Insolvenzverfahrens ein Recht auf vorzugsweise Befriedigung aus einer Deckungsmasse haben, die nach gesetzlicher Vorschrift zu ihrem Schutz errichtet und staatlich überwacht ist.**

(2) [1] **Zahlungen an die Aktionäre dürfen auf Grund der Herabsetzung des Grundkapitals erst geleistet werden, nachdem seit der Bekanntmachung der Eintragung sechs Monate verstrichen sind und nachdem den Gläubigern, die sich rechtzeitig gemeldet haben, Befriedigung oder Sicherheit gewährt worden ist.** [2] **Auch eine Befreiung der Aktionäre von der Verpflichtung zur Leistung von Einlagen wird nicht vor dem bezeichneten Zeitpunkt und nicht vor Befriedigung oder Sicherstellung der Gläubiger wirksam, die sich rechtzeitig gemeldet haben.**

(3) **Das Recht der Gläubiger, Sicherheitsleistung zu verlangen, ist unabhängig davon, ob Zahlungen an die Aktionäre auf Grund der Herabsetzung des Grundkapitals geleistet werden.**

Übersicht

I. Regelungsgegenstand und -zweck

§ 225 betr. **Schutz der Gesellschaftsgläubiger.** Sie zu schützen, ist insbes. erforderlich, wenn Buchertrag an Aktionäre zurückgezahlt oder ausstehende Einlagen erlassen werden sollen (§ 222 III, § 225 II 2). Norm gibt Gläubigern unter näher geregelten Voraussetzungen Anspruch auf Sicherheitsleistung (§ 225 I, III). Sie ordnet ferner an, dass Rückzahlung an Aktionäre erst nach Ablauf einer Sperrfrist und nach Befriedigung der Gläubiger oder Leistung einer Sicherheit erfolgen darf (§ 225 II). § 225 ist in dem Sinne zwingend, dass er durch Satzung nicht abbedungen werden kann, doch ist jedenfalls individualvertraglicher Verzicht des Gläubigers im Voraus unbedenklich (Wieneke/Schulze de la Cruz WM 2020, 1720, 1722 ff.); formularvertraglicher Verzicht wirft nach strengen Maßstäben der Rspr. sowohl auf der Ebene des § 305c I BGB als auch iRd Inhaltskontrolle nach § 307 BGB größere Probleme auf (für eher großzügige Gestattung Wieneke/Schulze de la Cruz WM 2020, 1720, 1724 ff.). § 225 findet entspr. Anwendung bei Kapitalherabsetzung durch Einziehung von Aktien (§ 237 II). Bei vereinfachter Kapitalherabsetzung (§ 229) wird Schutz der Gläubiger durch §§ 230–233 gewährleistet. Dem § 225 vergleichbare Vorschriften bestehen bei Abwicklung (§ 272), Beendigung eines Beherrschungs- oder Gewinnabführungsvertrags (§ 303), Eingliederung (§ 321) und Verschmelzung (§ 22 UmwG). 1

II. Anspruch auf Sicherheitsleistung (§ 225 I)

1. Voraussetzungen. a) Forderung gegen AG. aa) Begriff. Gläubiger haben klagbaren Anspruch gegen AG auf Sicherheitsleistung wegen der Forderungen, die vor Bek. der Eintragung des Kapitalherabsetzungsbeschlusses begründet worden sind. Forderungen sind **schuldrechtl. Ansprüche jeder Art,** unerheblich, ob durch Vertrag oder Ges. (zB GoA, §§ 812 ff., 823 ff. BGB) begründet (MüKoAktG/Oechsler Rn. 5; MHdB AG/Scholz § 61 Rn. 50). Erfasst werden neben Geldforderungen auch Ansprüche auf Unterlassung oder Eigentumsverschaffung, ferner Dividendenzahlungsansprüche von Aktionären sowie Forderungen aus Dauerschuldverhältnissen (→ Rn. 4). Keine Forderungen iSd § 225 sind dingliche Rechte, zB Nießbrauch. 2

bb) Maßgebender Entstehungszeitpunkt. Forderung muss vor Bek. **der Eintragung** des Kapitalherabsetzungsbeschlusses (nicht: vor Beschlussfassung) begründet worden sein. Zur Bek. der Eintragung → § 223 Rn. 6; zur inhaltlichen Neuausfüllung des Bekanntmachungsbegriffs durch DiRUG 2021 → § 39 Rn. 7 ff. Stichtag bestimmt sich nach § 10 HGB. Erfasst werden mithin auch Forderungen, die erst nach Beschlussfassung oder gar nach Beschlusseintragung begründet worden sind. § 15 II HGB ist nicht anwendbar. Forderung ist begründet, wenn **Rechtsgrund gelegt** ist. Dies ist bei vertraglichen Ansprüchen idR mit Vertragsschluss der Fall. Auf Fälligkeit kommt es nicht an. Befristung oder auflösende Bedingung schaden nicht (unstr.). Gleiches gilt auch für aufschiebende Bedingung (MüKoAktG/Oechsler Rn. 8; MHdB AG/Scholz § 61 Rn. 50). Aus diesem Grund wird auch eine unverfallbare Anwartschaft nach § 1 BetrAVG erfasst (→ Rn. 10; BAGE 83, 356, 363 = NJW 1997, 1526 Ls.; Wiedemann/Küpper FS Pleyer, 1986, 445, 451; aA KK-AktG/Ekkenga Rn. 37, der Betriebsrentenansprüche schon aus dem Tatbestand des § 225 I 1 ausnehmen will). Bei unter Potestativbedingung stehenden Forderungen besteht kein Schutzbedürfnis, da Gläubiger die aus Kapitalherabsetzung entstehenden Nachteile selbst abwenden kann. Zudem schützt Wortlaut nur (ggf. bedingte) Forderungen, nicht jedoch bloße Handlungsoptionen (BeckOGK/Marsch-Barner/Maul Rn. 7; aA MüKoAktG/Oechsler Rn. 8). Zu Dauerschuldverhältnissen → Rn. 4. Für ges. Schuld- 3 verhältnisse (zB §§ 677, 812, 823 BGB) gilt, dass alle Entstehungstatsachen vor dem Stichtag vorliegen müssen. Bei unerlaubter Handlung muss schadensbegründendes Ereignis eingetreten sein; unerheblich bleibt, ob Schadenshöhe bereits konkretisiert ist (KK-AktG/Ekkenga Rn. 12).

4 **Dauerschuldverhältnisse** sind nach gleichen Grundsätzen (→ Rn. 3) zu beurteilen. Entscheidend ist mithin Zeitpunkt des Vertragsschlusses, nicht der Fälligkeit. Auch zukünftige Einzelansprüche aus Dauerschuldverhältnis sind mit Vertragsschluss begründet. Berücksichtigt werden sie aber nur, wenn sie konkretisiert sind, dh ohne weiteres Zutun der Parteien in vorbestimmter Höhe entstehen wie fortlaufende Mietzinszahlung; nicht dagegen, wenn sie noch ungewisse Zahlungspflicht betreffen, zB offen gestaltete Abnahmepflicht bei Bierlieferungsvertrag (so KK-AktG/Lutter, 2. Aufl. 1993, Rn. 13; MHdB AG/Scholz § 61 Rn. 50; aA KK-AktG/Ekkenga Rn. 29: fehlende Selbsthilfemöglichkeit aufgrund tats. Umstände). Problem einer Endloshaftung: Interesse der AG an angemessener Begrenzung der Sicherheitsleistung muss Rechnung getragen werden. Nach BGH NJW 1996, 1539, 1540 ist künftig fällig werdender Gesamtbetrag zumindest Obergrenze, hinter der im Einzelfall konkret zu bestimmendes Sicherungsinteresse aber zurückbleiben kann. Entspr. den zu § 303 entwickelten Grundsätzen (→ § 303 Rn. 3 mwN) ist Sicherungsanspruch durch analoge Anwendung des § 137 I HGB zeitlich zu begrenzen (so zu § 225 auch BeckOGK/Marsch-Barner/Maul Rn. 21; S/L/Veil Rn. 8). Fünf-Jahre-Grenze bildet auch hier aber nur Höchstgrenze. Kann frühere Kündigungsmöglichkeit dargelegt werden, ist Sicherungsinteresse entspr. zu begrenzen (→ § 303 Rn. 3; zu § 225 auch BeckOGK/Marsch-Barner/Maul Rn. 21; sa MüKoAktG/Oechsler Rn. 10).

5 **cc) Bestrittene Forderungen.** Schutzzweck des § 225 gebietet grds., auch bestrittene Forderungen **sicherzustellen.** Ausnahme gilt, wenn Forderung offensichtlich unbegründet ist oder wenn Vorstand nach sorgfältiger Prüfung zu dem Ergebnis kommt, dass sie nicht oder nur teilw. besteht (BeckOGK/Marsch-Barner/Maul Rn. 10; vgl. auch HCL/Casper GmbHG § 58 Rn. 51). Zu weitgehend wäre Annahme pflichtgem. Ermessens (so MHdB AG/Scholz § 61 Rn. 55; für Einzelfallabwägung auch MüKoAktG/Oechsler Rn. 12). Liegt Begründetheit nicht auf der Hand, kann sie aber auch nicht ganz ausgeschlossen werden, ist fraglich, wie sich die Erfassung bestrittener Forderungen zu grds. Vorrang der Erfüllung nach § 225 I 1 (→ Rn. 9) verhält. Richtigerweise wird man davon auszugehen haben, dass in diesen Fällen nur Anspruch des Gläubigers auf Sicherheitsleistung besteht; Kapitalherabsetzung kann nicht dazu zwingen, umstr. Forderungen trotz rechtl. Zweifel zu erfüllen. Lehnt AG Erfüllung deshalb ab, kann sie Gläubiger nicht auf diesen einfacheren Weg verweisen (→ Rn. 9), so dass in diesem Fall Sicherungsinteresse des Gläubigers durch Sicherheitsleistung zu wahren ist (iE auch GK-AktG/Sethe Rn. 25). Unterlässt Vorstand Sicherheitsleistung, so kann Gläubiger seinen behaupteten Anspruch auf Sicherheitsleistung gerichtl. klären lassen (→ Rn. 12; sa KGJ 34 A 172, 173 f.). Vorstand handelt insoweit auf eigene Gefahr, weil § 225 Schutzgesetz ist (→ Rn. 18).

6 **b) Meldung der Gläubiger.** Gläubiger müssen sich binnen sechs Monaten nach Bek. der Eintragung des Herabsetzungsbeschlusses mit Begehren auf Sicherheitsleistung bei AG melden (§ 225 I 1; zur inhaltlichen Neuausfüllung des Bekanntmachungsbegriffs durch DiRUG 2021 → § 39 Rn. 7 ff). Frist ist **materiell-rechtl. Ausschlussfrist.** Anspruch auf Sicherheitsleistung geht also auch dann verloren, wenn Gläubiger keine Kenntnis von Kapitalherabsetzung oder Fristlauf hatte oder Frist nicht einhalten konnte (GK-AktG/Sethe Rn. 26). Meldung bedeutet: Gläubiger müssen ggü. AG deutlich machen, dass und in welcher Höhe sie Sicherheit begehren. Bes. Form ist nicht vorgeschrieben, indes ist

Schriftform aus Beweisgründen zu empfehlen. Anmeldung ist geschäftsähnliche Handlung (GK-AktG/Sethe Rn. 28). Adressat ist AG, nicht Registergericht. § 78 II 2 ist entspr. anwendbar.

Halbjahresfrist berechnet sich nach **§§ 187 ff. BGB.** Fristbeginn richtet sich 7 nach § 10 I HGB. Fristende richtet sich nach § 188 II BGB. Analog § 130 I BGB genügt rechtzeitiger Zugang. Fristlauf kann nicht gehemmt oder unterbrochen werden. Meldung vor Fristbeginn ist unschädlich; Anspruch auf Sicherheitsleistung beginnt aber erst mit Bek. (Marsch-Barner/Schäfer/Busch/Busch Rn. 49.40; MHdB AG/Scholz § 61 Rn. 56). Verspätete Meldung lässt Anspruch auf Sicherheitsleistung entfallen; Forderung bleibt aber weiterhin bestehen. Kapitalherabsetzungsbeschluss kann ges. Frist verlängern (MüKoAktG/Oechsler Rn. 16; MHdB AG/Scholz § 61 Rn. 56), nicht aber verkürzen (unstr.). Verkürzungsbeschluss wäre nichtig gem. § 241 Nr. 3. Frist läuft auch, wenn Hinweis nach § 225 I 2 unterblieben ist (Marsch-Barner/Schäfer/Busch/Busch Rn. 49.39; MHdB AG/Scholz § 61 Rn. 56); Fehler des Registergerichts kann AG nicht zugerechnet werden. In Betracht kommen aber Ansprüche des geschädigten Gläubigers wegen Amtspflichtverletzung (→ Rn. 14).

c) Keine weiteren Voraussetzungen. Weitere Voraussetzungen bestehen 8 nicht. Zunächst kommt es nicht auf Zweck der Kapitalherabsetzung an; Sicherheit ist also auch dann zu leisten, wenn keine Rückzahlung an Aktionäre bezweckt ist (s. § 225 III; → Rn. 17). **Unerheblich** ist ferner, ob Erfüllbarkeit der Forderung **konkret gefährdet** ist. Unbeachtlich bleibt also Einwand der AG, dass Gefährdung der Forderung im konkreten Fall gerade ihrer Kapitalherabsetzung nicht eintritt (KK-AktG/Ekkenga Rn. 45). Deshalb besteht Anspruch auf Sicherheitsleistung auch, wenn Kapitalherabsetzung mit einer Kapitalerhöhung verbunden wird.

2. Ausnahmen. a) Befriedigungsrecht. Können Gläubiger Erfüllung for- 9 dern, so entfällt Anspruch auf Sicherheitsleistung (§ 225 I 1), da sie sich durch Befriedigungsverlangen selbst schützen können. Bis zur Erfüllung ist ihr Schutz durch Rückzahlungsverbot des § 225 II ausreichend gewährleistet. Anders als nach § 58 I Nr. 2 GmbHG besteht für AG also kein Wahlrecht, ob sie Gläubiger befriedigen oder ihnen Sicherheit leisten will (MüKoGmbHG/J. Vetter § 58 Rn. 108). Ob Erfüllung verlangt werden kann, bestimmt sich nach Inhalt des konkreten Schuldverhältnisses. Maßgeblich ist nach Normzweck insbes. **Fälligkeit** (§ 271 BGB), wenngleich der Wortlaut von § 225 I 1 Hs. 2 „Befriedigung verlangen kann“ insofern nicht eindeutig ist (sa GK-AktG/Sethe Rn. 38 ff.). Gläubiger kann insbes. auch Befriedigung verlangen, wenn seinem Anspruch berechtigte Einrede (zB § 320 BGB) entgegensteht, denn dann liegt es an ihm, deren Grund, etwa durch Leistung Zug-um-Zug, zu beseitigen (BeckOGK/Marsch-Barner/Maul Rn. 16; GK-AktG/Sethe Rn. 39). Wenn Forderung während der Ausschlussfrist fällig wird, hat Gläubiger bis zum Fälligkeitszeitpunkt Anspruch auf Sicherheitsleistung. Danach entfällt Anspruch, und zwar auch dann, wenn Gläubiger sich vor Fälligkeit zwecks Sicherheitsleistung bei AG gemeldet hat, aber Sicherheit noch nicht bestellt ist (MHdB AG/Scholz § 61 Rn. 51). Bereits geleistete Sicherheit kann aber nicht schon zurückgefordert werden, wenn nachträglich Fälligkeit eintritt, sondern erst mit Erfüllung der gesicherten Forderung (MHdB AG/Scholz § 61 Rn. 51).

b) Vorzugsweise Befriedigung bei Insolvenz. Keine Sicherheit ist zu leis- 10 ten für Gläubiger, die im Fall der Insolvenz ein Recht auf vorzugsweise Befriedigung aus einer Deckungsmasse haben, die nach ges. Vorschriften zu ihrem Schutz errichtet und staatlich überwacht ist (§ 225 I 3). Dazu zählen **Pfandbriefgläubiger** (§§ 1, 30 PfandBG) sowie Versicherungsnehmer ggü. ihren **Versicherungs-**

gesellschaften (§§ 125, 128, 315 VAG). Darüber hinaus ist § 225 I 3 auch auf Ansprüche aus laufender betrieblicher Altersversorgung sowie auf unverfallbare Anwartschaften aus betrieblicher Altersversorgung nach § 1 BetrAVG (→ Rn. 3) analog anzuwenden, soweit diese Ansprüche der Insolvenzsicherung nach § 7 BetrAVG unterliegen (heute ganz hM – vgl. BAGE 83, 356, 367 ff. = NJW 1997, 1526 Ls.; OLG Zweibrücken AG 2004, 568, 569; BeckOGK/Marsch-Barner/Maul Rn. 18; MHdB AG/Scholz § 61 Rn. 52).

11 **c) Bestehende Sicherheit.** Ist Forderung bereits nach §§ 232 ff. BGB gesichert, kann Gläubiger aufgrund der Kapitalherabsetzung nicht nochmals Sicherung nach §§ 232 ff. BGB beanspruchen (allgM, s. KK-AktG/Ekkenga Rn. 52; BeckOGK/Marsch-Barner/Maul Rn. 19; Rittner FS Oppenhoff, 1985, 317, 322, 324 ff.). Das gilt nach hM auch dann, wenn Forderung voll gesichert ist, Sicherheit aber nicht den Anforderungen der §§ 232 ff. BGB genügt (BeckOGK/Marsch-Barner/Maul Rn. 19; Grigoleit/Rieder Rn. 19; aA Rittner FS Oppenhoff, 1985, 317, 326 ff.). Umstr. ist, ob in diesem Fall Anspruch auf Bestellung neuer, den §§ 232 ff. BGB genügender Sicherheit anzuerkennen ist, wenn Gläubiger im Gegenzug alte Sicherheit zurückgibt (dafür KK-AktG/Ekkenga Rn. 52; GK-AktG/Sethe Rn. 49; aA B/K/L/Becker Rn. 15; MüKoAktG/Oechsler Rn. 26; Marsch-Barner/Schäfer/Busch/Busch Rn. 49.37; MHdB AG/Scholz § 61 Rn. 54). Richtigerweise ist ein solcher Anspruch anzuerkennen, da nicht ersichtlich ist, warum Gläubiger, der sich schon im Vorfeld um Sicherung bemüht hat, schlechter stehen soll als derjenige, der bislang gänzlich ungesichert war. Da Insolvenzrisiko durch Kapitalherabsetzung zT erheblich gesteigert wird, kann dem auch nicht Vorwurf unzulässiger Rechtsausübung entgegengehalten werden (so aber Marsch-Barner/Schäfer/Busch/Busch Rn. 49.37; zutr. dagegen GK-AktG/Sethe Rn. 49).

12 **3. Rechtsfolgen.** Gläubiger haben **Anspruch gegen AG auf Sicherheitsleistung,** wenn Voraussetzungen (→ Rn. 2 ff.) vorliegen und keine Ausnahme eingreift (→ Rn. 9 ff.). Schuldner ist AG. Anspruch ist **klagbar** (GK-AktG/Sethe Rn. 53; MHdB AG/Scholz § 61 Rn. 55; sa KG KGJ 34 A 172, 173 f.). Forderung ist wertmäßig voll zu sichern. Bei befristeten oder bedingten Forderungen kann nach Lage des Einzelfalls angemessener Bewertungsabschlag veranlasst sein (HCL/Casper GmbHG § 58 Rn. 50). Zu bestrittenen Forderungen → Rn. 5. Gläubiger können auf Sicherheitsleistung verzichten. Ist Forderung erfüllbar (s. § 271 II BGB), bestehen keine Bedenken, wenn AG Gläubiger befriedigt, statt ihm Sicherheit zu leisten (MüKoAktG/Oechsler Rn. 30a).

13 **Art und Weise der Sicherheitsleistung** richtet sich nach §§ 232 ff. BGB (unstr., eingehend begründet von Rittner FS Oppenhoff, 1985, 317, 319 ff.). Grds. ist also eine der in § 232 I BGB genannten **Realsicherheiten** zu leisten (Hinterlegung, Hypothek usw.), innerhalb derer die Gesellschaft ein Wahlrecht hat. Kann solche Sicherheit nicht erbracht werden, ist ausnahmsweise Bürgschaft eines Dritten zulässig (§ 232 II BGB, § 239 BGB), der aber auf Einrede der Vorausklage verzichten muss (§ 239 II BGB). Krit. zum Realkautionsprinzip Ekkenga Konzern 2007, 413, 416.

III. Hinweis in der Registerbekanntmachung

14 § 225 I 2 aF sah bislang vor, dass in Bek. der Eintragung auf Recht, Sicherheitsleistung zu verlangen, hinzuweisen ist. Durch **DiRUG 2021** ist § 225 I 2 neu gefasst worden, um Vorschrift an neu geordnetes Bekanntmachungswesen gem. § 10 HGB und §§ 27, 33 HRV nF anzupassen und Gläubigerschutz auf unverändertem Niveau zu gewährleisten. Da es eigenständige Bek. als regelmäßiges Eintragungspendant nicht mehr gibt, sondern darunter grds. allein erstmalige

Abrufbarkeit der Eintragung verstanden wird (→ § 39 Rn. 9), können damit nicht ohne weiteres eigenständige Inhalte verbunden werden. Vielmehr bedarf es dazu gesonderter Bek., für die im neu gefassten Registerwesen Format der **Registerbekanntmachung** vorgesehen ist (→ § 39 Rn. 10). An dieses Format wird in § 225 I 2 nF angeknüpft. Darin können neben Hinweis auchVoraussetzungen des Anspruchs umrissen (Frist, maßgebender Zeitpunkt für Entstehung der Forderung) und Klarstellung erfolgen, dass Meldung bei AG (nicht Registergericht) erforderlich ist (s. KK-AktG/Ekkenga Rn. 44; BeckOGK/Marsch-Barner/Maul Rn. 22). Halbjahresfrist des § 226 I 1 läuft auch, wenn Hinweis unterbleibt (→ Rn. 7). Geschädigte Gläubiger können Ansprüche aus Amtshaftung (Art. 34 GG, § 839 BGB) haben (Marsch-Barner/Schäfer/Busch/Busch Rn. 49.39). Hinweis ist ohne Bedeutung für das Wirksamwerden der Kapitalherabsetzung.

IV. Sperrfrist (§ 225 II)

1. Zahlungsverbot. Recht der Gläubiger auf Befriedigung oder Sicherheitsleistung darf nicht beeinträchtigt werden, indem AG Buchertrag aus Kapitalherabsetzung zu Zahlungen an ihre Aktionäre nutzt (MüKoAktG/Oechsler Rn. 31 f.; MHdB AG/Scholz § 61 Rn. 57). Zahlungen dürfen deshalb gem. § 225 II 1 erst geleistet werden, wenn (1.) seit Bek. der Eintragung **sechs Monate verstrichen** sind (zur Fristberechnung → Rn. 7) und (2.) den Gläubigern, die sich rechtzeitig gemeldet haben, **Befriedigung oder Sicherung gewährt** worden ist. Vorrang der Erfüllung nach § 225 I 1 (→ Rn. 9) gilt auch hier. Verbot erfasst nur **Zahlungen aufgrund der Herabsetzung** des Grundkapitals, also nur Mittel, die ohne Kapitalherabsetzung nicht verfügbar geworden wären. Erfasst werden insbes. Rückzahlungen unmittelbar aus dem Buchertrag, aber auch Zahlungen aus Rücklagen, die aus Mitteln der Kapitalherabsetzung gebildet worden sind (KK-AktG/Ekkenga Rn. 60). Auch Zahlung einer Dividende ist verboten, soweit sie wegen Beseitigung einer Unterbilanz erst durch Kapitalherabsetzung ermöglicht wird (Marsch-Barner/Schäfer/Busch/Busch Rn. 49.42; MHdB AG/Scholz § 61 Rn. 57), nicht aber, wenn Dividende aus Bilanzgewinn nach Maßgabe der letzten Jahresbilanz gezahlt wird (GK-AktG/Sethe Rn. 65). Zahlung ist über Wortsinn hinaus auch Sachleistung (zB Aktien der abgespaltenen Tochter, wenn Kapitalherabsetzung zur Realteilung [→ § 222 Rn. 20] eingesetzt wird; vgl. Marsch-Barner/Schäfer/Busch/Busch Rn. 49.42). Verwaltungsmitglieder haften bei vorzeitiger Auszahlung gem. § 93 III, § 116. Aktionär muss empfangene Leistung an AG nach § 62 zurückgewähren. Gläubiger haben klagbaren Anspruch auf Unterlassung der Auszahlungen (KK-AktG/Ekkenga Rn. 62) und können Verwaltungsmitglieder auf Schadensersatz in Anspruch nehmen (→ Rn. 18). 15

2. Kein wirksamer Erlassvertrag. Soll Kapitalherabsetzung Aktionäre von ihrer Einlagepflicht befreien, so wird dazu notwendiger Erlassvertrag (§ 397 BGB [→ § 222 Rn. 20; → § 224 Rn. 7]) erst wirksam, wenn (1.) Sechsmonatsfrist (→ Rn. 15) abgelaufen und (2.) Befriedigung oder Sicherstellung der Gläubiger erfolgt ist, die sich rechtzeitig gemeldet haben (§ 225 II 1). Norm enthält kein Verbot (anders § 225 II 1), sondern bestimmt **Wirksamkeitsvoraussetzungen** (MHdB AG/Scholz § 61 Rn. 59). Bereits geschlossener Erlassvertrag ist bis zu ihrem Eintritt schwebend unwirksam (Marsch-Barner/Schäfer/Busch/Busch Rn. 49.43). Bis zu seiner Wirksamkeit gilt Befreiungsverbot des § 66 I 1. Einforderung der Einlagen richtet sich nach den bei Auflösung der AG geltenden Grundsätzen (allgM). Aktionäre sind also gleichmäßig zu belasten und nur insoweit, wie es zur Befriedigung oder Sicherstellung der Gläubiger erforderlich ist, 16 die sich fristgerecht gemeldet haben; Forderungen anderer Gläubiger bleiben außer Betracht.

V. Anspruch auf Sicherheitsleistung auch ohne konkrete Gefährdungslage (§ 225 III)

17 Anspruch auf Bestellung einer Sicherheit (→ Rn. 2 ff.) besteht unabhängig davon, ob Zahlungen an Aktionäre aufgrund der Kapitalherabsetzung geleistet werden (§ 225 III). **Zweck der Kapitalherabsetzung** ist also für Gläubigerschutz **unbeachtlich.** Sicherheit ist insbes. auch zu leisten, wenn Kapitalherabsetzung zu Sanierungszwecken durchgeführt und deshalb mit Kapitalerhöhung verbunden wird (KK-AktG/Ekkenga Rn. 80). Will AG in diesem Fall Sicherheitsleistung vermeiden, so muss sie vereinfachte Kapitalherabsetzung nach §§ 229 ff. wählen (MüKoAktG/Oechsler Rn. 22).

VI. Schutzgesetzcharakter

18 § 225 I 1, II 1 ist Schutzgesetz iSd **§ 823 II BGB** (Marsch-Barner/Schäfer/Busch/Busch Rn. 49.43; MüKoAktG/Oechsler Rn. 30, 30b). Kommt Verwaltung berechtigtem Sicherheitsverlangen (§ 225 I 1) nicht nach oder erfolgen trotz bestehenden Verbots Zahlungen an Aktionäre (§ 225 II 1), so haften Verwaltungsmitglieder den Gesellschaftsgläubigern unmittelbar auf Schadensersatz. AG haftet nach § 31 BGB und kann Verwaltungsmitglieder gem. §§ 93, 116 in Regress nehmen.

Kraftloserklärung von Aktien

226 (1) [1] **Sollen zur Durchführung der Herabsetzung des Grundkapitals Aktien durch Umtausch, Abstempelung oder durch ein ähnliches Verfahren zusammengelegt werden, so kann die Gesellschaft die Aktien für kraftlos erklären, die trotz Aufforderung nicht bei ihr eingereicht worden sind.** [2] **Gleiches gilt für eingereichte Aktien, welche die zum Ersatz durch neue Aktien nötige Zahl nicht erreichen und der Gesellschaft nicht zur Verwertung für Rechnung der Beteiligten zur Verfügung gestellt sind.**

(2) [1] **Die Aufforderung, die Aktien einzureichen, hat die Kraftloserklärung anzudrohen.** [2] **Die Kraftloserklärung kann nur erfolgen, wenn die Aufforderung in der in § 64 Abs. 2 für die Nachfrist vorgeschriebenen Weise bekanntgemacht worden ist.** [3] **Die Kraftloserklärung geschieht durch Bekanntmachung in den Gesellschaftsblättern.** [4] **In der Bekanntmachung sind die für kraftlos erklärten Aktien so zu bezeichnen, daß sich aus der Bekanntmachung ohne weiteres ergibt, ob eine Aktie für kraftlos erklärt ist.**

(3) [1] **Die neuen Aktien, die an Stelle der für kraftlos erklärten Aktien auszugeben sind, hat die Gesellschaft unverzüglich für Rechnung der Beteiligten zum Börsenpreis und beim Fehlen eines Börsenpreises durch öffentliche Versteigerung zu verkaufen.** [2] **Ist von der Versteigerung am Sitz der Gesellschaft kein angemessener Erfolg zu erwarten, so sind die Aktien an einem geeigneten Ort zu verkaufen.** [3] **Zeit, Ort und Gegenstand der Versteigerung sind öffentlich bekanntzumachen.** [4] **Die Beteiligten sind besonders zu benachrichtigen; die Benachrichtigung kann unterbleiben, wenn sie untunlich ist.** [5] **Bekanntmachung und Benachrichtigung müssen mindestens zwei Wochen vor der Versteigerung er-**

gehen. [6]Der Erlös ist den Beteiligten auszuzahlen oder, wenn ein Recht zur Hinterlegung besteht, zu hinterlegen.

Übersicht

I. Grundlagen

1. Regelungsgegenstand und -zweck. § 226 betr. Kraftloserklärung von Aktien, setzt Kapitalherabsetzung durch **Zusammenlegung** (→ Rn. 2) voraus und will verhindern, dass Zusammenlegung der Aktien mangels **Mitwirkung der Aktionäre** nicht wie vorgesehen beendet werden kann (BGH AG 1992, 27, 28). § 226 nennt für Kraftloserklärung erforderliche Voraussetzungen (§ 226 I, II) und regelt ferner, wie mit den neuen Aktien zu verfahren ist, die an die Stelle der kraftlosen Papiere getreten sind (§ 226 III). 1

2. Anwendungsbereich. § 226 setzt voraus, dass Grundkapital durch **Zusammenlegung von Aktien** gem. § 222 IV 2 (→ § 222 Rn. 21b, 23) herabgesetzt wurde (so im Fall BGH AG 1992, 27; KK-AktG/Ekkenga Rn. 8). Bei Herabsetzung des Nennbetrags der Aktien (§ 222 IV 1) findet Norm dagegen keine Anwendung (MHdB AG/Scholz § 61 Rn. 62). In diesem Fall weisen Aktienurkunden mit Wirksamwerden der Kapitalherabsetzung (§ 224) zu hohen Nennbetrag aus und sind zu berichtigen oder durch neue Aktienurkunden zu ersetzen. Unrichtige Aktienurkunden, die AG trotz Aufforderung nicht zum Umtausch oder zur Berichtigung vorgelegt werden, kann sie nur mit Genehmigung des Registergerichts nach § 73 für kraftlos erklären (unstr., vgl. zB KK-AktG/Ekkenga Rn. 8). IRd Kapitalherabsetzung durch Einziehung von Aktien (§§ 237 ff.) findet § 226 keine Anwendung (→ § 238 Rn. 5). Weder § 226 noch § 73 finden Anwendung, wenn wegen Vereinigung von Mitgliedsrechten, die nicht zur Herabsetzung des Grundkapitals führt, Bedürfnis nach Kraftloserklärung besteht. Sie ist vielmehr nur möglich, wenn betroffene Aktionäre iSd § 180 zustimmen (→ § 180 Rn. 8; Zöllner AG 1985, 19, 21) oder schon Gründungssatzung entspr. Regelung enthält (KK-AktG/Ekkenga Rn. 11). Kraft Verweisung gilt § 226 sinngem. bei vereinfachter Kapitalherabsetzung (§ 229 III), ferner bei Verschmelzung unter Zusammenlegung von Aktien der übertragenden AG (§ 72 UmwG mit weiterer Differenzierung); → § 73 Rn. 1. 2

3. Maßnahmen der Zusammenlegung. Zuständig ist Vorstand (§ 83 II). Enthält Kapitalherabsetzungsbeschluss Vorgaben zur Durchführung (→ § 222 Rn. 13), so sind sie bindend; fehlen sie oder sind sie unvollständig, so entscheidet 3

Vorstand nach pflichtgem. Ermessen (RGZ 80, 81, 83 f.; KK-AktG/Ekkenga Rn. 19; MHdB AG/Scholz § 61 Rn. 65). Vorstand hat Beschluss grds. unverzüglich (§ 121 I 1 BGB) auszuführen (BGH AG 1992, 27, 28; KK-AktG/Ekkenga Rn. 9; MHdB AG/Scholz § 61 Rn. 65). Im Einzelfall (zB Restgesellschaft) kann Ausnahme zulässig und geboten sein (BGH AG 1992, 27, 28). Zusammenlegung beginnt mit **Aufforderung an die Aktionäre,** die alten Aktienurkunden einzureichen (s. § 226 II 1). Kommen alle Aktionäre der Aufforderung nach und bestimmen sie, sofern erforderlich, dass eingereichte Aktien, die nicht die zum Ersatz durch neue Aktien nötige Zahl erreichen, der AG zur Verwertung zur Verfügung gestellt sind (→ Rn. 8), kann Verfahren beendet werden, ohne dass Kraftloserklärung nach § 226 erforderlich wird.

4 Zusammenlegung erfolgt durch **Entscheidung des Vorstands,** dass von ihm bestimmte Aktien zu einem einheitlichen Mitgliedsrecht vereinigt werden (KK-AktG/Lutter, 2. Aufl. 1993, Rn. 7; MHdB AG/Scholz § 61 Rn. 65). Erst Vorstandsentscheidung ermöglicht eindeutige Zuordnung, welche Mitgliedsrechte zusammengelegt sind. Vorstand ist kraft ges. Sonderzuweisung zur Entscheidung befugt; Entscheidung ist keine reguläre Geschäftsführungsmaßnahme. Zusammenlegungsentscheidung ist **einseitiges Rechtsgeschäft** und erfolgt nach zutr. Ansicht durch nicht empfangsbedürftige Willenserklärung (MüKoAktG/Oechsler Rn. 5; Bork FS Claussen, 1997, 49, 52). Sie wird durch bloße Kundgabe (zB Berichtigung, Verwertung, Aktenvermerk, Eintragung im Beschlussbuch) wirksam. Entscheidung des Vorstands ist ohne Rücksicht darauf notwendig, ob Mitgliedsrechte verbrieft sind oder nicht (MüKoAktG/Oechsler Rn. 4; MHdB AG/Scholz § 61 Rn. 74; aA KK-AktG/Ekkenga Rn. 10).

5 Nach Kundgabe der Vorstandsentscheidung werden alte Urkunden berichtigt oder durch neue ersetzt. Andere Verfahren als **Berichtigung oder Ersatz** sind zulässig, sofern sie gleichen Zweck erreichen und für Rechtsklarheit sorgen. Durch Zusammenlegung entwertete Aktienurkunden werden von AG einbehalten und vernichtet. Einer Kraftloserklärung bedarf es nicht. Ist Anspruch auf Einzelverbriefung ausgeschlossen (§ 10 V) und stattdessen eine Globalurkunde ausgestellt, muss diese berichtigt oder umgetauscht werden. In den Bankdepots der Aktionäre muss die Depotgutschrift entspr. korrigiert werden. Sind Mitgliedsrechte nicht verbrieft, müssen sie lediglich zusammengelegt werden, wobei Aktionäre in Kenntnis zu setzen sind, welchen Nennbetrag Mitgliedsrechte nunmehr haben oder bei Stückaktien, welcher Kapitalbetrag (§ 8 III 3) jetzt auf sie entfällt (BeckOGK/Marsch-Barner/Maul Rn. 7 f.; S/L/Veil Rn. 4). Keine Besonderheiten gelten grds., wenn Aktionär Aktien einreicht, deren Zahl nicht mit Zusammenlegungsverhältnis korrespondiert, und deshalb Zusammenlegung mit anderen fremden Mitgliedsrechten erforderlich wird. Auch hier hat Vorstand Zusammenlegung vorzunehmen; er kann **Bruchteilsrechte** nicht selbständig verwerten (KK-AktG/Ekkenga Rn. 17). Vorstand hat aber aus Zusammenlegung entstandene ganze Aktie für Rechnung der am Mitgliedsrecht beteiligten Aktionäre zu verwerten. Solche Aktien stehen im **Miteigentum** der beteiligten Aktionäre, und zwar zu ideellen Bruchteilen im Verhältnis ihrer eingebrachten Bruchteilsrechte. Die von ihnen gebildete Gemeinschaft gem. §§ 741 ff. BGB ist durch Teilung des Erlöses auseinanderzusetzen (KK-AktG/Ekkenga Rn. 16; MüKoAktG/Oechsler Rn. 13), sofern nicht beteiligte Aktionäre etwas anderes wollen. Verwertung erfolgt durch freihändigen Verkauf; § 226 III gilt hier nicht (MHdB AG/Scholz § 61 Rn. 69).

6 Aktionäre haben ab Wirksamwerden der Kapitalherabsetzung (§ 224) **klagbaren Anspruch gegen AG auf Zusammenlegung,** da Verkehrsfähigkeit der Aktien leidet, wenn nach Kapitalherabsetzung noch unklar ist, welche Aktien für kraftlos erklärt werden. (MüKoAktG/Oechsler Rn. 7; MHdB AG/Scholz § 61 Rn. 65). Sie haben ferner Anspruch auf Aushändigung der neuen oder berichtig-

ten Aktienurkunden sowie auf Auszahlung des Erlöses von entwerteten Aktien nach § 226 III (KK-AktG/Ekkenga Rn. 20). Zur rechtl. Stellung der Mitgliedsrechte zwischen Wirksamwerden der Kapitalherabsetzung und Abschluss des Zusammenlegungsverfahrens → § 224 Rn. 4 ff.

II. Kraftloserklärung von Aktien (§ 226 I, II)

1. Voraussetzungen. a) Allgemeines. Kraftloserklärung von Aktien kommt nur in Betracht, wenn Kapitalherabsetzung durch **Zusammenlegung von Aktien** (s. § 222 IV 2) erfolgen soll (→ Rn. 2) und stellt sich dann als ein Teilbereich dieser Art der Durchführung dar. Kapitalherabsetzung muss ferner wirksam (§ 224) geworden sein. Kraftloserklärung beseitigt nicht Mitgliedschaft, sondern bedeutet, dass Aktienurkunde das Mitgliedsrecht nicht mehr verbrieft (→ Rn. 12). Sie kommt daher nur in Betracht, wenn Aktienurkunden ausgegeben sind, nicht bei unverbrieften Mitgliedsrechten (KK-AktG/Ekkenga Rn. 21). **§ 226 ist zwingend.** Satzung kann Kraftloserklärung weder erleichtern noch verbieten. Sie kann Verfahren auch nicht durch zusätzliche Voraussetzungen erschweren (hM – s. nur BeckOGK/Marsch-Barner/Maul Rn. 11 mwN; wohl auch KK-AktG/Ekkenga Rn. 26 aA KK-AktG/Lutter, 2. Aufl. 1993, Rn. 18); § 226 ist abschließend. Aktionäre können auf Einhaltung der Norm verzichten. Satzung oder HV-Beschluss kann kein anderes Druckmittel festsetzen wie zB entschädigungslose Einziehung oder Entziehung des Dividenden- oder Stimmrechts (RGZ 37, 131 f.; RGZ 38, 95, 99). 7

b) Sachliche Voraussetzungen. Nur in zwei Fällen können Aktienurkunden für kraftlos erklärt werden: (1.) **Nichteinreichung trotz Aufforderung** innerhalb bestimmter Frist (§ 226 I 1). Unerheblich ist, warum Einreichung unterblieben ist, ferner, ob nicht eingereichte Aktien ausreichen, um aus ihnen neues Aktienrecht zu bilden. Zur Aufforderung s. § 226 II und → Rn. 9. (2.) **Zahl der eingereichten Aktienurkunden ist zu gering,** um sie durch neue Aktien zu ersetzen, und es wird auch **keine Verwertungsbefugnis** der AG begründet (§ 226 I 2). **Bsp.:** Kapitalherabsetzung durch Zusammenlegung 5:2 setzt voraus, dass Aktionär mindestens fünf oder durch fünf teilbare Zahl von alten Aktien besitzt, um ein ganzes neues Mitgliedsrecht zu erhalten. Bestehen aber Bruchteilsrechte, geht Ges. davon aus, dass Aktionäre sie der AG zur Verwertung zur Verfügung stellen, Vorstand also Bruchteilsrechte zusammenlegen darf und somit neues Mitgliedsrecht entstehen kann, das für Rechnung der Beteiligten zu verwerten ist (→ Rn. 5). In diesem Fall gilt § 226 III nicht (unstr.; MHdB AG/Scholz § 61 Rn. 69). Nur wenn Aktionär Bruchteilsrechte verbriefende Aktien einreicht, ohne sie der AG zur Verwertung zu überlassen, liegen Voraussetzungen des § 226 I 2 vor und ist Kraftloserklärung erforderlich. Durch Einreichung wird Verwertungsbefugnis konkludent begründet, wenn dem nicht ausdr. Erklärung oder bes. Umstände entgegenstehen (Marsch-Barner/Schäfer/Busch/Busch Rn. 49.47). 8

c) Formelle Voraussetzungen. Kraftloserklärung ist nur nach **Aufforderung** zulässig, Aktienurkunden einzureichen (s. § 226 I 1). Aufforderung muss zudem **Frist** zur Einreichung setzen (s. MHdB AG/Scholz § 61 Rn. 71) und **Androhung** enthalten, dass nicht fristgerecht eingereichte Aktien für kraftlos erklärt werden können (§ 226 II 1). Frist wird vom Vorstand unter Berücksichtigung des § 64 II bestimmt, sofern nicht Kapitalherabsetzungsbeschluss Vorgabe enthält (→ § 222 Rn. 13). Androhung muss eindeutig erkennen lassen, dass Aktien für kraftlos erklärt werden, die nicht innerhalb der gesetzten Frist zur Zusammenlegung oder Verwertung eingereicht werden. Nicht ausreichend ist Hinweis, dass sonst nach Ges. verfahren werde. 9

10 Kraftloserklärung setzt weiter voraus, dass Aufforderung einschließlich der Androhung der Kraftloserklärung in der in § 64 II (→ Rn. 5) für die **Nachfrist vorgeschriebenen Weise bekanntgemacht** worden ist (§ 226 II 2). Aufforderung ist also dreimal in den Gesellschaftsblättern (§ 25) bekanntzumachen (§ 64 II 1), wobei die erste Bek. mindestens drei Monate und die letzte Bek. mindestens einen Monat vor Fristablauf erfolgen muss (§ 64 II 2). Zwischen den Bek. muss ein Zeitraum von mindestens drei Wochen liegen (§ 64 II 3). Für vinkulierte Namensaktien gilt Sonderregel des § 64 II 4 (MHdB AG/Scholz § 61 Rn. 71), nach der einmalige Einzelaufforderung mit Monatsfrist genügt.

11 **2. Kraftloserklärung. a) Form und Rechtsnatur.** Kraftloserklärung ist **einseitiges Rechtsgeschäft,** das durch nicht empfangsbedürftige Willenserklärung vorgenommen wird (Hölters/Weber/Haberstock/Greitemann Rn. 8; BeckOGK/Marsch-Barner/Maul Rn. 6; S/L/Veil Rn. 4). Erklärung wird aber erst mit Bek. in den Gesellschaftsblättern wirksam (§ 226 II 3). Einmalige Bek. genügt. In Bek. sind für kraftlos erklärte Aktien so genau zu bezeichnen, dass sich allein aus ihr ergibt, ob eine Aktie für kraftlos erklärt ist (§ 226 II 4). Ausreichend ist zB Angabe der Seriennummer. Schriftliche Mitteilung an Aktionäre ist weder erforderlich noch genügend (KK-AktG/Ekkenga Rn. 23). Bek. ist auch bei vinkulierten Namensaktien erforderlich. Zuständig ist Vorstand. Trotz des Wortlauts „kann" besteht die Pflicht, von § 226 I erfasste Aktien für kraftlos zu erklären. Kraftloserklärung nach § 226 steht einer Kraftloserklärung im Aufgebotsverfahren nach § 72 nicht entgegen (§ 72 III; → § 72 Rn. 7).

12 **b) Rechtsfolgen.** Kraftloserklärung bewirkt **Ende der wertpapiermäßigen Verbriefung** des iÜ fortbestehenden Mitgliedsrechts (MüKoAktG/Oechsler Rn. 17; MHdB AG/Scholz § 61 Rn. 71; Bork FS Claussen, 1997, 49, 52). Gutgl. Erwerb ist mangels Verbriefung nicht mehr möglich (unstr., vgl. zB MüKoAktG/Oechsler Rn. 17; sa BGH AG 1992, 27, 28). Kraftloserklärung ermöglicht AG, neue Aktienurkunden auszugeben, die zusammengelegtes Mitgliedsrecht verbriefen; dazu ist AG auch verpflichtet. Bis dahin kann Aktionär über seine fortbestehende Mitgliedschaft gem. §§ 398 ff., 413 BGB verfügen. In der Kraftloserklärung liegt nicht zugleich die Zusammenlegungsentscheidung; insoweit gelten allg. Grundsätze (→ Rn. 4).

13 **Nach Zusammenlegung** steht neues Aktienrecht den beteiligten Aktionären zu, ggf. in Miteigentum, wenn zum Ersatz durch neue Aktien erforderliche Zahl nicht erreicht wird (→ Rn. 5); es handelt sich nicht um eigene Aktien der AG (KK-AktG/Ekkenga Rn. 29; MüKoAktG/Oechsler Rn. 22). AG ist verpflichtet, neues Mitgliedsrecht nach § 226 III zu verwerten (teilw. abw. [Bestellung eines Pflegers für unbekannte Aktionäre] Bork FS Claussen, 1997, 49, 58 ff.). Im Zeitraum zwischen Kraftloserklärung und Verwertung ruhen im Wesentlichen die einzelnen Mitgliedsrechte; Vermögensrechte übt AG für Aktionäre aus (B/K/L/Becker Rn. 10; MHdB AG/Scholz § 61 Rn. 73; BeckOGK/Marsch-Barner/Maul Rn. 18; aA GK-AktG/Sethe Rn. 26); zur Rechtslage, wenn noch keine Kraftloserklärung erfolgt ist, → § 224 Rn. 4 ff. Auch nach Kraftloserklärung kann Aktionär Übertragung der neuen Aktie gegen Hingabe seiner für kraftlos erklärten Aktien beanspruchen, wenn er für Zuteilung erforderliche Aktienzahl erworben und AG die neuen Aktien noch nicht anderweitig verwertet hat (RGZ 37, 131, 133; MHdB AG/Scholz § 61 Rn. 72).

III. Verwertung (§ 226 III)

14 **1. Allgemeines.** AG ist zur Zusammenlegung der Mitgliedsrechte verpflichtet, ebenso zur Ausstellung neuer Aktienurkunden und zur Verwertung der Mitgliedsrechte nach § 226 III. Sie muss diesen Pflichten unverzüglich (§ 121 I 1

BGB) nachkommen (BGH AG 1992, 27, 28). Verspätete Verwertung kann Haftung der AG aus § 823 II BGB, § 31 BGB begründen (ggf. auch aus ges. Schuldverhältnis, → Rn. 15). § 226 III ist Schutzgesetz iSd § 823 II BGB zugunsten der Aktionäre (KK-AktG/Ekkenga Rn. 36). Haftung kommt insbes. in Betracht, wenn Verzögerung zu Kursverlusten führt. AG kann ggf. Verwaltungsmitglieder nach §§ 93, 116 in Regress nehmen. Übertragung der Aktien iRd Verwertung erfolgt nach allg. Vorschriften. § 226 III gilt nicht für Aktien, die Berechtigter der AG freiwillig zur Verwertung überlassen hat (vgl. § 226 I 2). Diese kann AG freihändig veräußern, aber auch nach § 226 verfahren (KK-AktG/Ekkenga Rn. 28). § 226 III entspr. § 65 III (→ Rn. 8 ff.).

Ein **Bezugsrecht an Teilrechten anderer Aktionäre** und damit iErg ein solches an den neu ausgegebenen Aktien steht einzelnen Aktionären nicht zu (GK-AktG/Sethe Rn. 44; aA MüKoAktG/Oechsler Rn. 32 ff.). Gesetz sieht entspr. Recht nicht vor. Bezugsrecht würde nicht zur Möglichkeit der Beibehaltung der Beteiligung pro rata führen, sondern zu einer Vergrößerung. Da naturgemäß weniger Teilrechte als Vollrechte vorhanden sind, ginge ein solches Bezugsrecht zu Lasten anderer Teilrechtsinhaber, worin Verstoß gegen Gleichbehandlungsgebot gem. § 53a läge. Auch ges. Bezugsrecht (§ 186 I 1) gewährt nur pro rata Ausgleich, der regelmäßig zu Teilrechten führt (→ § 186 Rn. 5; MüKo-AktG/Schürnbrand/Verse § 186 Rn. 23). Aktionäre sind durch das in § 222 IV 2 verankerte Subsidiaritätsprinzip ausreichend geschützt (→ § 222 Rn. 14, 21b). Zudem besteht Möglichkeit des Erwerbs der neuen Aktie, wenn übrige Beteiligte zustimmen (GK-AktG/Sethe Rn. 44). 14a

2. Durchführung. Neue Aktien hat AG unverzüglich (→ Rn. 14) für Rechnung der Beteiligten zum Börsenpreis und beim Fehlen eines Börsenpreises durch öffentl. Versteigerung zu verkaufen (§ 226 III 1). Mit der Verwertung geht Mitgliedschaft auf Erwerber der neuen Aktien über, der Erlös ist an die bisherigen Aktionäre auszuzahlen. Andere Art der Verwertung ist unzulässig, es sei denn, alle betroffenen Aktionäre stimmen zu (KK-AktG/Ekkenga Rn. 27; sa → Rn. 14a). Für unverwertbare Spitzen (→ § 222 Rn. 23) ist Barabfindung zu leisten. AG wird iR eines auftragsähnlichen ges. Schuldverhältnisses für den Aktionär tätig; §§ 662 ff. BGB sind anwendbar (KK-AktG/Lutter, 2. Aufl. 1993, Rn. 25). AG kann gem. § 670 BGB Aufwendungsersatz verlangen, ist aber auch zur Rechnungslegung verpflichtet (KK-AktG/Ekkenga Rn. 27; MHdB AG/Scholz § 61 Rn. 73). Zuständig für Verwertung ist Vorstand. Insolvenz berührt Verwertungspflicht nicht (KK-AktG/Ekkenga Rn. 34). Versteigerung erfolgt am Sitz der Gesellschaft; nur wenn dort kein angemessener Erfolg zu erwarten ist, können Aktien an einem anderen geeigneten Ort verkauft werden (§ 226 III 2). 15

Zeit, Ort und Gegenstand der Versteigerung sind öffentl. bekanntzumachen (§ 226 III 3). Verfahrensbeteiligte, also von Kraftloserklärung betroffenen Aktionäre, sind bes. zu benachrichtigen; Benachrichtigung kann unterbleiben, wenn untunlich (§ 226 III 4). Bek. und Benachrichtigung müssen mindestens zwei Wochen vor Versteigerung erfolgen (§ 226 III 5). Für Benachrichtigung ist keine bes. Form vorgesehen. Bek. soll es Beteiligten ermöglichen, ihre Interessen zu wahren. AG ist verpflichtet, **Erlös** an die Beteiligten auszuzahlen, bei Miteigentum an einer Aktie (→ Rn. 5) im Verhältnis der Bruchteilsrechte. AG kann Zahlung von Legitimation abhängig machen, zB von Vorlage der alten, für kraftlos erklärten Aktienurkunde (MüKoAktG/Oechsler Rn. 30; MHdB AG/Scholz § 61 Rn. 73). Besteht Recht zur **Hinterlegung** (§ 372 BGB: Aktionär unbekannt, Aufenthalt unbekannt, Annahmeverzug), so hat AG Erlös zu hinterlegen (§ 226 III 6). AG kann, muss aber nicht auf Recht zur Rücknahme verzichten (§ 376 II Nr. 1 BGB; so zutr. KK-AktG/Ekkenga Rn. 33; MüKoAktG/Oechsler Rn. 30a; GK-AktG/Sethe Rn. 46; MHdB AG/Scholz § 61 Rn. 73; Scho- 16 ckenhoff/Mann NZG 2014, 561, 562; aA wohl noch KK-AktG/Lutter, 2. Aufl. 1993, Rn. 25; offenlassend OLG Karlsruhe NZG 2014, 578, 579; LG Heidelberg NZG 2014, 579, 580). Hinterlegung mit Rücknahmeverzicht hat Erfüllungswirkung; AG wird gem. § 378 BGB von Pflicht zur Auszahlung des Erlöses befreit (Schockenhoff/Mann NZG 2014, 561, 563). Hat AG auf Rücknahmerecht nicht verzichtet, kann sie Hinterlegung widerrufen und öffentlich-rechtl. Anspruch auf Herausgabe des Erlöses gegen Hinterlegungsstelle geltend machen; Anspruch der Aktionäre gegen AG auf Auskehrung des Erlöses steht dem nicht entgegen (OLG Karlsruhe NZG 2014, 578, 579; LG Heidelberg NZG 2014, 579, 580; BeckOGK/Marsch-Barner/Maul Rn. 23; MüKoAktG/Oechsler Rn. 30a; Schockenhoff/Mann NZG 2014, 561, 562 f.). Bei Auskehrung des Erlöses sind Gläubigerschutzvorschriften nicht zu beachten (auch nicht Sperrfrist des § 225 II 1), da es sich nicht um gebundenes Vermögen handelt (KK-AktG/Lutter, 2. Aufl. 1993, Rn. 25).

IV. Fehlerhafte Kraftloserklärung

17 Kraftloserklärung ist unwirksam, wenn **wesentliche Voraussetzungen** nicht erfüllt sind, zB Kapitalherabsetzungsbeschluss nichtig oder unwirksam ist, ferner, wenn gegen **wesentliche Verfahrensvorschriften** des § 226 II verstoßen wurde, zB Androhung nach § 226 II 1 oder Bek. nach § 226 II 2 unterblieben sind (MHdB AG/Scholz § 61 Rn. 72). Fälschlich für kraftlos erklärte **Aktien verbriefen weiterhin das Mitgliedsrecht.** Betroffene Aktionäre können darauf gerichtete Feststellungsklage erheben, auf Unterlassung der Verwertung klagen (RGZ 27, 50, 51 f.; KK-AktG/Ekkenga Rn. 35) oder entspr. einstw. Verfügung erwirken. Hat AG neue Aktienurkunden ausgegeben, so verbriefen diese keine Rechte; gutgl. Erwerb ist wegen nur deklaratorischen Charakters der Urkunden nicht möglich (vgl. BGH AG 1992, 27, 28; RGZ 54, 389, 395 zur GmbH; KK-AktG/Ekkenga Rn. 35; MHdB AG/Scholz § 61 Rn. 72; aA RGZ 27, 50, 52). Ausgeber sind gutgl. Dritten entspr. § 8 I 3, § 10 IV 2, § 41 IV 3, § 191 S. 3 schadensersatzpflichtig; AG haftet unter zusätzlichen Voraussetzungen des § 31 BGB (KK-AktG/Ekkenga Rn. 36).

Anmeldung der Durchführung

227 (1) **Der Vorstand hat die Durchführung der Herabsetzung des Grundkapitals zur Eintragung in das Handelsregister anzumelden.**

(2) **Anmeldung und Eintragung der Durchführung der Herabsetzung des Grundkapitals können mit Anmeldung und Eintragung des Beschlusses über die Herabsetzung verbunden werden.**

I. Regelungsgegenstand und -zweck

1 § 227 betr. Anmeldung der Durchführung der Kapitalherabsetzung zur Eintragung in das HR und bestimmt die Anmelder (§ 227 I). Eintragung hat nur **deklaratorischen Charakter;** anders Eintragung des Kapitalherabsetzungsbeschlusses (→ § 224 Rn. 2 ff.). Weiterer Unterschied betr. die **Anmelder;** Herabsetzungsbeschluss ist vom Vorstand gemeinsam mit AR-Vorsitzendem anzumelden (§ 223), Durchführung dagegen nur vom Vorstand. Beide Anmeldeverfahren sind voneinander zu unterscheiden, können aber miteinander verbunden werden (§ 227 II). Neben sie tritt noch Anmeldung und Eintragung der formellen Satzungsänderung (→ § 222 Rn. 6).

II. Begriff der Durchführung

Kapitalherabsetzung ist durchgeführt, wenn Höhe des neuen Grundkapitals und Summe der geringsten Ausgabebeträge (§ 9 I) einander angepasst sind (ausf. GK-AktG/Sethe Rn. 3 ff. mwN). Kapitalherabsetzung durch **Änderung der Aktiennennbeträge** (§ 222 IV 1) bedarf keiner Durchführung (KK-AktG/Ekkenga Rn. 3). Bei dieser Herabsetzungsart gilt mit Eintragung des Herabsetzungsbeschlusses (§ 224) der neue Nennbetrag (→ § 224 Rn. 4). Bei Kapitalherabsetzung durch **Zusammenlegung von Aktien** (§ 222 IV 2) sind dagegen Durchführungsmaßnahmen notwendig, und zwar idR die Zusammenlegungsentscheidung einschließlich der Vorbereitungshandlungen (→ § 226 Rn. 4) sowie ggf. Kraftloserklärung alter Aktien nach § 226. Erst mit Beendigung beider Maßnahmen ist Durchführung erfolgt; Kraftloserklärung allein genügt nicht (GK-AktG/Sethe Rn. 3). 2

Keine Maßnahme der Durchführung ist bei beiden Arten der Herabsetzung die Ausgabe neuer oder die Berichtigung alter Aktienurkunden (KGJ 34 A 145, 148; GK-AktG/Sethe Rn. 5; MüKoAktG/Oechsler Rn. 3; aA Kralik DJ 1941, 245, 249). Nicht zur Durchführung zählt ferner Verwertung der neuen Aktien gem. § 226 III (GK-AktG/Sethe Rn. 4). Dahin gehören auch nicht Maßnahmen, die zur Erfüllung des Zwecks der Kapitalherabsetzung (s. § 222 III) notwendig sind, zB Rückzahlung an Aktionäre. Ebenso wenig Beachtung der Gläubigerschutzvorschrift des § 225, also Ablauf des Sperrfrist des § 225 II 1 oder Sicherstellung oder Befriedigung der Gesellschaftsgläubiger (KGJ 34 A 145, 148; GK-AktG/Sethe Rn. 4), schließlich auch nicht Vornahme der durch das Wirksamwerden der Kapitalherabsetzung erforderlichen Buchungen (KK-AktG/Ekkenga Rn. 4). 3

III. Anmeldung der Durchführung

1. Allgemeines. Zuständig zur Entgegennahme der Anmeldung und zur Eintragung ist Amtsgericht des Satzungssitzes (→ § 181 Rn. 3, § 14). Anmeldung muss elektronisch in öffentl. beglaubigter Form erfolgen (§ 12 I HGB); vgl. dazu § 129 BGB, § 39a BeurkG; zur durch DiRUG 2021 neu geschaffenen Möglichkeit der Beglaubigung mittels Videokommunikation → § 36 Rn. 2; zur Auslandsbeglaubigung → § 23 Rn. 12. Ihr sind keine Unterlagen beizufügen. Anmelder haben unverzüglich (§ 121 I 1 BGB) nach Durchführung anzumelden (BeckOGK/Marsch-Barner/Maul Rn. 5). Vgl. iÜ → § 223 Rn. 2. 4

2. Anmelder. Anmeldung obliegt nur **Vorstand** (§ 227), nicht auch AR-Vorsitzendem wie bei § 223. Vorstand handelt **im Namen der AG,** nicht im eigenen Namen (→ § 181 Rn. 4). Ausreichend ist Mitwirkung von Vorstandsmitgliedern in vertretungsberechtigter Zahl (unstr.; sa KG KGJ 41 A 134, 135). Unechte Gesamtvertretung (§ 78 III) ist zulässig (KG JW 1938, 3121; KK-AktG/Ekkenga Rn. 5), ebenso Anmeldung durch bevollmächtigte Dritte (auch des Prokuristen) unter Beachtung der Formvorschrift des § 12 II 1 HGB (→ § 223 Rn. 3). Sobald Kapitalherabsetzung durchgeführt ist, ist Vorstand auch zur Anmeldung verpflichtet. Anmeldung kann nach § 14 HGB durch Zwangsgeld erzwungen werden (§ 407 I 1 Hs. 2, II 1). Unterlassene oder verspätete Anmeldung kann Schadensersatzpflicht (§§ 93, 116) und Abberufung (§ 84 IV, § 103 III) begründen; § 227 ist aber kein Schutzgesetz iSd § 823 II BGB. 5

IV. Registerkontrolle

6 Gericht ist zur formellen und materiellen Prüfung der Anmeldung berechtigt und verpflichtet (unstr.). Materielle Prüfung betr. Frage, ob **Kapitalherabsetzung ordnungsgem. durchgeführt** wurde (KG JW 1926, 2930; KK-AktG/Ekkenga Rn. 6; MHdB AG/Scholz § 61 Rn. 78). Prüfung auf Plausibilität genügt; genauere Prüfung ist nur erforderlich, wenn Anlass zu Zweifeln besteht (→ § 181 Rn. 12). Dann sind zur Prüfung erforderliche Unterlagen auf Verlangen des Gerichts zur Verfügung zu stellen. Es gilt Amtsermittlungsgrundsatz (§ 26 FamFG). Prüfung betr. Maßnahmen der Durchführung (→ Rn. 2), ferner, ob § 8 I–IV beachtet ist und Summe aller Nennbeträge oder bei Stückaktien der anteiligen Kapitalbeträge (§ 8 III 3) herabgesetztem Grundkapital entspr. (KG JW 1926, 2930, 2932; GK-AktG/Sethe Rn. 7). Maßnahmen, die nicht zur Durchführung gehören (→ Rn. 3), unterliegen nicht der Prüfung (unstr.). Herabsetzungsbeschluss unterlag Prüfung bei Eintragung iRd Anmeldung nach § 223; nochmalige Prüfung ist nicht vorzunehmen.

V. Eintragung

7 Liegen Eintragungsvoraussetzungen vor, so erfolgt Eintragung der Durchführung gem. § 43 Nr. 6 lit. a HRV in Spalte 6 wie folgt: „Die am … beschlossene Herabsetzung des Grundkapitals ist durchgeführt". Eintragung hat nur deklaratorische Bedeutung. Ihr Inhalt ist gem. § 10 HGB elektronisch bekanntzumachen (ausf. zur registerrechtl. Behandlung Krafka RegisterR Rn. 1525 ff.).

VI. Verbindung mit Anmeldung des Herabsetzungsbeschlusses

8 Zulässig ist, Anmeldung und Eintragung der Durchführung der Kapitalherabsetzung mit Anmeldung und Eintragung des zugrunde liegenden Beschlusses zu verbinden (§ 227 II). Verbindung ist jedoch nur möglich, wenn Kapitalherabsetzung durch Herabsetzung der Aktiennennbeträge (s. § 222 IV 1) erfolgt, also **nicht bei Herabsetzung durch Zusammenlegung** von Aktien (s. § 222 IV 2), weil erforderliche Maßnahmen (Vorstandsentscheidung; Kraftloserklärung) Wirksamkeit der Kapitalherabsetzung voraussetzen, mithin gem. § 224 Eintragung des Herabsetzungsbeschlusses erfordern (KK-AktG/Ekkenga Rn. 7; MHdB AG/Scholz § 61 Rn. 77). Ungeachtet der Antragsverbindung gelten für jeweiliges Verfahren bestehende Voraussetzungen. Trotz Verbindung handelt es sich nicht um einheitlichen Antrag (ebenso BeckOGK/Marsch-Barner/Maul Rn. 2; MüKoAktG/Oechsler Rn. 7; S/L/Veil Rn. 7; aA KK-AktG/Ekkenga Rn. 7; GK-AktG/Sethe Rn. 9). Registerrichter kann vielmehr über beide Anträge getrennt entscheiden und zunächst nur Kapitalherabsetzungsbeschluss eintragen (aA KK-AktG/Ekkenga Rn. 7). Wollen Anmelder getrennte Eintragung ausschließen, ist dies gesondert zu beantragen (→ § 188 Rn. 18).

VII. Verbindung von Kapitalherabsetzung und -erhöhung

9 Kapitalherabsetzung und Kapitalerhöhung können miteinander verbunden werden (→ § 222 Rn. 4). Sollen beide Kapitalmaßnahmen nur zusammen wirksam werden, so sind folgende **drei Eintragungen gleichzeitig** vorzunehmen: (1.) Eintragung des Kapitalherabsetzungsbeschlusses (§§ 223, 224), (2.) Eintragung des Kapitalerhöhungsbeschlusses (§ 184) und (3.) Eintragung der Durchführung der Kapitalerhöhung (§§ 188, 189). Nur dann ist sichergestellt, dass beide Kapitalmaßnahmen zugleich wirksam werden. Anmelder haben gleichzeitige Eintragung zu beantragen; solcher Antrag liegt aber idR vor, wenn alle drei

Anmeldungen zugleich erfolgen („einheitlicher Vorgang"), ohne dass es einer ausdr. Erklärung bedarf. Registerrichter darf dann nicht ohne entspr. Erklärung der Anmelder getrennt eintragen (KG JW 1930, 2718 f.; KK-AktG/Ekkenga Rn. 8).

VIII. Kosten des Registerverfahrens

Eintragungsgebühren für **isolierte Durchführung** sind mangels ausdr. Regelung entspr. GV 2400 HRegGebV (Durchführung der Kapitalerhöhung) zu erheben; dass auch bei Kapitalherabsetzung Durchführung eintragungspflichtig ist, hat Gesetzgeber offenbar übersehen. Geschäftswert: § 105 IV Nr. 1 GNotKG (→ § 38 Rn. 18). Werden beide **Eintragungen verbunden,** so verbleibt es bei einer Gebühr nach GV 2400 HRegGebV; zur isolierten Eintragung des Herabsetzungsbeschlusses → § 223 Rn. 7. 10

Herabsetzung unter den Mindestnennbetrag

228 (1) **Das Grundkapital kann unter den in § 7 bestimmten Mindestnennbetrag herabgesetzt werden, wenn dieser durch eine Kapitalerhöhung wieder erreicht wird, die zugleich mit der Kapitalherabsetzung beschlossen ist und bei der Sacheinlagen nicht festgesetzt sind.**

(2) [1] **Die Beschlüsse sind nichtig, wenn sie und die Durchführung der Erhöhung nicht binnen sechs Monaten nach der Beschlußfassung in das Handelsregister eingetragen worden sind.** [2] **Der Lauf der Frist ist gehemmt, solange eine Anfechtungs- oder Nichtigkeitsklage rechtshängig ist.** [3] **Die Beschlüsse und die Durchführung der Erhöhung des Grundkapitals sollen nur zusammen in das Handelsregister eingetragen werden.**

Übersicht

I. Regelungsgegenstand und -zweck

§ 228 bestimmt **Ausnahme von § 7,** der grds. auch bei Kapitalherabsetzung zu beachten ist (→ § 222 Rn. 12). Mindestnennbetrag des Grundkapitals kann ausnahmsweise unterschritten werden, wenn er durch zugleich beschlossene Barkapitalerhöhung wieder erreicht wird (§ 228 I). Ausnahmecharakter der Norm wird durch § 228 II unterstrichen, der bes. Verfahrensvorschriften aufstellt. Eintragungsfristen und Sollvorschrift des § 228 II 4 verhindern, dass gegen § 7 verstoßender Zustand langfristig erhalten bleibt. Norm will **Sanierung erleichtern** (GK-AktG/Sethe Rn. 4). Kapitalherabsetzung unter Mindestnennbetrag erlaubt, Unterbilanz in voller Höhe zu beseitigen. Anwendungsbereich beschränkt sich 1 aber nicht auf Sanierungsfälle (GK-AktG/Sethe Rn. 4). § 228 gilt kraft Verweisung auch für vereinfachte Kapitalherabsetzung (§ 229 III).

II. Unterschreiten des Mindestnennbetrags

2 **1. Voraussetzungen der Zulässigkeit.** Zugleich mit Kapitalherabsetzung muss **Kapitalerhöhung** beschlossen werden, mit der Mindestnennbetrag wieder erreicht oder überschritten wird. Zwei selbständige Beschlüsse genügen, sofern in derselben HV gefasst (MüKoAktG/Oechsler Rn. 4; MHdB AG/Scholz § 61 Rn. 11). Kapitalerhöhungsbetrag muss so bemessen sein, dass Mindestnennbetrag des Grundkapitals nach § 7 (nicht alte Grundkapitalziffer) wieder erreicht wird. Ferner muss Kapitalerhöhung unbedingt, unbefristet und eine solche gegen Einlagen sein. Dafür kommt nur reguläre Kapitalerhöhung (§ 182) in Betracht. Genehmigtes Kapital (§ 202), bedingte Kapitalerhöhung (§ 192) oder Kapitalerhöhung aus Gesellschaftsmitteln (§ 207) genügen nicht (KK-AktG/Ekkenga Rn. 18; MHdB AG/Scholz § 61 Rn. 11). Dagegen muss vor Erhöhung **kein Restkapital** übrig bleiben; bisheriges Grundkapital kann also auf Null herabgesetzt werden (BGHZ 119, 305, 319 f. = NJW 1993, 57; BGHZ 142, 167, 169 f. = NJW 1999, 3197 – Hilgers; OLG München AG 2010, 715, 717; LG Koblenz AG 1996, 282; LG Kiel ZIP 2013, 823 zur GmbH).

2a Bei Kapitalerhöhung steht Aktionären **Bezugsrecht** zu (§ 186 I 1), wobei möglichst vielen Aktionären Verbleib in der Gesellschaft ermöglicht werden soll. Kapitalherabsetzung auf Null darf nicht rechtsmissbräuchlich erfolgen, etwa um Gesellschafter aus AG zu drängen (LG Kiel ZIP 2013, 823 zur GmbH). So müssen neue Aktien grds. zum Mindestnennbetrag ausgegeben werden, um entstehende Spitzen so gering wie möglich zu halten. Dies folgt aus Treupflicht des Mehrheitsaktionärs ggü. Minderheitsaktionär (BGHZ 142, 167, 170 f. = NJW 1999, 3197 – Hilgers; → § 222 Rn. 23). Für Bezugsrechtsausschluss gelten grds. allg. Anforderungen (§ 186 III–V; → § 186 Rn. 20 ff.). An **vollständigen Bezugsrechtsausschluss** nach Kapitalherabsetzung auf Null sind bes. strenge Anforderungen zu stellen, um entschädigungsloses Ausscheiden aus AG zu vermeiden, was Ges. durch Kombination von Kapitalherabsetzung und Kapitalerhöhung gerade vermeiden will (MüKoAktG/Oechsler Rn. 5; Krieger ZGR 2000, 885, 899 f.; Reger/Stenzel NZG 2009, 1210, 1211). Nur wenn sich Zusammenarbeit mit bestimmtem Investor in Krisensituation ausnahmsweise als alternativlos erweist, kommt auch vollständiger Bezugsrechtsauschluss als ultima ratio in Betracht (GK-AktG/Sethe Rn. 11; → § 186 Rn. 35; sa KK-AktG/Ekkenga Rn. 9 mit Einschränkung, dass untergehende Anteile wertlos geworden sind und Sanierungskonzept Aussicht auf Erfolg verspricht). Allerdings kann sich ein Gesellschafter nach Treu und Glauben nicht auf Verletzung seines Bezugsrechts berufen, wenn er im Vorfeld der Kapitalerhöhung deutlich gemacht hat, keinen Anteil übernehmen zu wollen (LG Kiel ZIP 2013, 823, 826 zur GmbH).

2b Im Gefolge des ESUG 2011 macht Praxis von der problematischen (→ Rn. 2a) Möglichkeit des vollständigen Bezugsrechtsausschlusses allerdings verstärkt Gebrauch. § 225a II InsO sieht für das **Insolvenzplanverfahren** den „Ausschluss von Bezugsrechten“ vor, wobei Gesetzesmaterialien zum ESUG zumindest für den Fall des Debt-Equity-Swap (§ 225a II InsO; → § 182 Rn. 32c) ausdr. auch die Möglichkeit eines vollständigen Bezugsrechtsausschlusses nennen (RegBegr. BT-Drs. 17/5712, 31). Die hM im Insolvenzrecht begrüßt dies (Decher/Voland ZIP 2013, 103, 106 mwN; Gehrlein NZI 2012, 257, 260; Landfermann WM 2012, 821, 828; krit. dagegen Simon/Merkelbach NZG 2012, 121, 125 f.; K. Schmidt ZIP 2012, 2085, 2088). Geht man von grds. Zulässigkeit aus, schließt sich Frage nach der Entschädigung ausscheidender Aktionäre an. Im Insolvenzrecht wird auch dies verbreitet abgelehnt (Decher/Voland ZIP 2013, 103, 106 mwN), was aus gesellschaftsrechtl. Sicht im Lichte des Art. 14 GG indes bedenklich erscheint. In jedem Fall sollte stets auch Barerhöhung mit Bezugsrecht erwogen werden, um Schutz der Altaktionäre nicht vorschnell preiszugeben (→ § 186 Rn. 35).

Bei börsennotierter AG führt Kapitalherabsetzung auf Null zum **Wegfall der Börsenzulassung,** da neu geschaffene Aktien separater Zulassung gem. § 69 BörsZulV bedürfen (MüKoAktG/Oechsler Rn. 5a; Sethe ZIP 2010, 1825, 1828). Bislang str. Frage, ob es in diesem Fall eines Pflichtangebots nach **Macrotron**-Grundsätzen (→ § 119 Rn. 33) bedarf, hat sich mit Aufgabe dieser Rspr. (→ § 119 Rn. 34 ff.) erledigt (schon bislang abl. die hM – vgl. GK-AktG/Sethe Vor § 222 Rn. 70; Sethe ZIP 2010, 1825, 1831; Thomas, Delisting und Aktienrecht, 2009, 492 f.; Reger/Stenzel NZG 2009, 1210, 1213). 2c

Es darf sich nicht um Kapitalerhöhung mit Sacheinlage handeln (zum Begriff → § 183 Rn. 2 f.); **nur Barerhöhung,** also Geldeinlage, ist erlaubt, um Liquiditätszufluss sicherzustellen und Bewertungsprobleme zu vermeiden. Beschränkung gilt aber nach hM nur so weit, wie das zur Erreichung des Mindestnennbetrags erforderlich ist; darüber hinaus kann im Erhöhungsbeschluss auch Sacheinlage festgesetzt werden (KK-AktG/Ekkenga Rn. 17; MHdB AG/Scholz § 61 Rn. 11). Zur gemischten Sacheinlage → § 27 Rn. 8; zur gemischten Einlage → § 36 Rn. 12. 3

2. Rechtsfolgen bei Verstoß. Verstoß gegen § 228 I begründet zugleich Verstoß gegen § 7 und macht Kapitalherabsetzungsbeschluss nach § 241 Nr. 3 **nichtig** (KK-AktG/Ekkenga Rn. 28). Registerrichter darf Beschluss nicht eintragen. Trägt er trotzdem ein, ist Heilung nach § 242 II möglich (KK-AktG/Ekkenga Rn. 28). Nichtigkeit des Herabsetzungsbeschlusses begründet wegen § 139 BGB im absoluten Regelfall auch Nichtigkeit des Kapitalerhöhungsbeschlusses (sa § 228 I: „zugleich" – wie hier OLG München AG 2014, 546, 548; KK-AktG/Ekkenga Rn. 28; GK-AktG/Sethe Rn. 13; S/L/Veil Rn. 3; aA Henssler/Strohn/Galla Rn. 3; MüKoAktG/Oechsler Rn. 9; BeckOGK/Marsch-Barner/Maul Rn. 8). Ergebnis folgt zudem aus § 228 II 1, der auf Eintragung des wirksamen Herabsetzungsbeschlusses abstellt; Heilung ist nämlich innerhalb der Halbjahresfrist nicht möglich (§ 242 II). Mit Heilung des Herabsetzungsbeschlusses wird auch Kapitalerhöhungsbeschluss geheilt (KK-AktG/Ekkenga Rn. 28). Bis zu diesem Zeitpunkt muss Registerrichter Löschung nach §§ 395, 398 FamFG von Amts wegen vornehmen. § 139 BGB ist entspr. anwendbar, wenn Kapitalherabsetzungsbeschluss nach § 248 für nichtig erklärt wird (OLG München AG 2014, 546, 548). Gem. § 242 III iVm § 242 II 3 bleibt Amtsauflösung gem. § 398 FamFG auch nach Heilung möglich. 4

III. Eintragungsverfahren

1. Eintragungsfrist. Kapitalherabsetzungsbeschluss und Kapitalerhöhungsbeschluss sind nach Wortlaut des § 228 II 1 **nichtig,** wenn sie und Durchführung der Erhöhung nicht binnen sechs Monaten nach Beschlussfassung in das HR eingetragen worden sind. Der Sache nach geht es um endgültige **Unwirksamkeit** (→ § 241 Rn. 7). Erfolgt auch nur eine der drei Eintragungen (§§ 224, 184, 188) nicht rechtzeitig, so sind beide Beschlüsse nichtig oder unwirksam. Auch auf den Beschlüssen beruhende Durchführungsmaßnahmen haben keinen Bestand (S/L/Veil Rn. 4; KK-AktG/Ekkenga Rn. 25: Anwendung der Grundsätze zur Rückabwicklung gescheiterter Kapitalmaßnahmen); Einlageleistungen können nach §§ 812 ff. BGB zurückverlangt werden. Ohne Belang ist Eintragung der Durchführung der Kapitalherabsetzung nach § 227, weil sie nur deklaratorische Bedeutung hat (→ § 227 Rn. 1). Sechsmonatsfrist beginnt mit Tag der Beschluss- 5 fassung, also Tag der HV. Für Fristberechnung gelten § 187 I BGB, § 188 BGB. Frist wird **nur durch Eintragung** gewahrt; rechtzeitige Anmeldung reicht nicht (unstr.). Wird Frist durch Verschulden des Registerrichters nicht eingehalten, kommen Ansprüche aus Amtspflichtverletzung (Art. 34 GG, § 839 BGB) in Betracht. Nach Ablauf der Frist darf Registerrichter keine Eintragungen mehr vornehmen. Trägt er trotzdem ein, ist Heilung gem. § 242 III entspr. § 242 II möglich.

6 **2. Fristhemmung.** Sechsmonatsfrist ist gehemmt, solange gegen Erhöhung oder Herabsetzung des Kapitals gerichtete **Anfechtungs- oder Nichtigkeitsklage** (§§ 248, 249) rechtshängig ist (§ 228 II 2). Frühere Hemmung durch staatliches Genehmigungsverfahren ist durch Art. 1 Nr. 34b ARUG v. 30.7.2009 (BGBl. 2009 I 2479) wie in § 217 II 5 beseitigt worden (→ § 217 Rn. 6). Rechtswirkungen der Hemmung bestimmen sich nach § 209 BGB: Zeitraum der Rechtshängigkeit wird nicht mitgerechnet. Bereits begonnene Frist läuft also nach Wegfall der Rechtshängigkeit fort. Wird sie überschritten, so darf Registerrichter (nichtigen) Erhöhungsbeschluss nicht eintragen; trägt er trotzdem ein, ist Heilung nach § 242 möglich.

7 **3. Gleichzeitige Eintragung.** Beschlüsse und Durchführung der Erhöhung des Grundkapitals sollen nur zusammen in das HR eingetragen werden (§ 228 II 3). Verstoß berührt Wirksamkeit nicht (KK-AktG/Ekkenga Rn. 27; MHdB AG/Scholz § 61 Rn. 13). Werden alle drei Anmeldungen zugleich vorgenommen, so besteht Antragsbindung, die nur gleichzeitige Eintragung zulässt. Liegen nicht alle drei Anmeldungen vor oder sind sie ganz oder teilw. nicht ordnungsgem., so hat Registerrichter nach Zwischenverfügung Eintragung wegen § 228 II 2 abzulehnen (KK-AktG/Ekkenga Rn. 27). Norm will vermeiden, dass Eintragungen vorgenommen werden, die wegen § 228 II 1 keinen Bestand haben können (KK-AktG/Ekkenga Rn. 27). Auch soll HR nicht einmal kurzfristig einen gem. § 7 ungenügenden Mindestnennbetrag ausweisen.

IV. Geltung der allgemeinen Vorschriften

8 § 228 ergänzt allg. Vorschriften, die iÜ fortgelten: Kapitalherabsetzungsbeschluss bestimmt sich nach §§ 222 ff.; anwendbar ist auch Gläubigerschutzvorschrift des § 225; Kapitalerhöhungsbeschluss richtet sich nach §§ 182 ff. (speziell zum Bezugsrechtsausschluss → Rn. 2a). Anmeldungs- und Eintragungsverfahren bestimmen sich nach den jew. einschlägigen Vorschriften, also §§ 223, 227 einerseits, §§ 184, 188 andererseits. § 228 ist zusätzlich zu beachten.

Zweiter Unterabschnitt. Vereinfachte Kapitalherabsetzung

Voraussetzungen

229 (1) [1] **Eine Herabsetzung des Grundkapitals, die dazu dienen soll, Wertminderungen auszugleichen, sonstige Verluste zu decken oder Beträge in die Kapitalrücklage einzustellen, kann in vereinfachter Form vorgenommen werden.** [2] **Im Beschluß ist festzusetzen, daß die Herabsetzung zu diesen Zwecken stattfindet.**

(2) [1] **Die vereinfachte Kapitalherabsetzung ist nur zulässig, nachdem der Teil der gesetzlichen Rücklage und der Kapitalrücklage, um den diese zusammen über zehn vom Hundert des nach der Herabsetzung verbleibenden Grundkapitals hinausgehen, sowie die Gewinnrücklagen vorweg aufgelöst sind.** [2] **Sie ist nicht zulässig, solange ein Gewinnvortrag vorhanden ist.**

(3) **§ 222 Abs. 1, 2 und 4, §§ 223, 224, 226 bis 228 über die ordentliche Kapitalherabsetzung gelten sinngemäß.**

Übersicht

I. Grundlagen

1. Regelungsgegenstand und -zweck. § 229 bestimmt Voraussetzungen der vereinfachten Kapitalherabsetzung. Abw. von ordentlicher Kapitalherabsetzung ist sie lediglich zu **Sanierungszwecken** zulässig (s. § 229 I; → § 222 Rn. 2, 20) und das auch nur, soweit nicht durch Auflösung von Rücklagen oder Verwendung eines Gewinnvortrags (→ § 58 Rn. 24) geholfen werden kann (§ 229 II). IÜ verweist Norm auf Vorschriften der ordentlichen Kapitalherabsetzung; sie klammert vom Verweis lediglich § 222 III und § 225 aus (§ 229 III), weil Zweck der Kapitalherabsetzung bereits durch § 229 I bestimmt wird und Gläubigerschutz in §§ 230, 232, 233 anders geregelt ist als in § 225. Sanierungszweck bedingt, dass vereinfachte Kapitalherabsetzung idR mit Kapitalerhöhung verbunden wird, um der Gesellschaft neue Mittel zuzuführen. 1

Vereinfachte Kapitalherabsetzung bezweckt und bewirkt **bloße Buchsanierung,** also Beseitigung einer Unterbilanz (GK-AktG/Sethe Rn. 6; K. Schmidt ZGR 1982, 519, 520). Für Buchsanierung steht zwar auch das Verfahren der §§ 222 ff. zur Verfügung. Es kann jedoch durchweg nicht genutzt werden, weil noch vorhandene Mittel nicht mehr ausreichen, um Gläubiger zu befriedigen oder ihnen Sicherheit zu leisten (s. § 225). Zudem ist solcher Gläubigerschutz bei sanierender Kapitalherabsetzung entbehrlich. Gläubiger werden nicht durch die Kapitalherabsetzung als solche gefährdet, sondern durch die bereits entstandenen Verluste. Weil Vermögen nicht durch Rückfluss an Aktionäre entzogen wird, ist abgeschwächter Gläubigerschutz sachgerecht. Trotz eigenständiger Ausgestaltung ist vereinfachte Kapitalherabsetzung letztlich nur eine abgewandelte ordentliche 2

Kapitalherabsetzung (vgl. § 229 III); auf Erl. in → § 222 Rn. 2–5 kann deshalb verwiesen werden. Zur Geschichte MüKoAktG/Oechsler Rn. 2.

3 **2. Abgeschwächter Gläubigerschutz.** „Vereinfacht" ist Kapitalherabsetzung ggü. ordentlichem Verfahren im Wesentlichen deshalb, weil Gläubigerschutzvorschrift des **§ 225 keine Anwendung** findet (s. § 229 III). Stattdessen gilt: Auszahlung der durch Kapitalherabsetzung frei gewordenen Mittel an Aktionäre ist verboten, ebenso Erlass der Einlagepflicht (§ 230 S. 1), und zwar auch dann, wenn sich später ergibt, dass Kapitalherabsetzung im vorgenommenen Umfang nicht erforderlich war. Unterschiedsbetrag ist in Kapitalrücklage einzustellen (§ 232). Norm ergänzt Verbot des § 230 (BGHZ 119, 305, 321 f. = NJW 1993, 57), das sonst teilw. umgangen werden könnte. Dem Schutz der Gesellschaftsgläubiger dienen weiterhin die Einschränkungen, denen Gewinnverteilung nach § 233 unterliegt. Sie tragen dem Umstand Rechnung, dass ohne Kapitalherabsetzung ausschüttungsfähiger Gewinn zumindest nicht in dieser Höhe entstanden wäre.

4 **3. Mit Kapitalerhöhung verbundene vereinfachte Kapitalherabsetzung.** Vereinfachte Kapitalherabsetzung wird idR mit einer regulären Kapitalerhöhung (§ 182) verbunden, um so Vorteile der §§ 234, 235 auszuschöpfen. Verfahren verläuft wie folgt: Zunächst ist für **neue Bareinlagen** zu sorgen (§ 235 I 2 und 3). Deshalb sind neue Aktien zu zeichnen, ohne dass Sacheinlagen festgesetzt werden. Nach der Zeichnung (§ 185) ist auf jede Aktie ges. Mindestbetrag gem. § 36 II, § 36a iVm § 188 II einzuzahlen (§ 235 I 2). Einzahlung ist später nachzuweisen (§ 235 I 3); Ausstellung einer Bankbestätigung (§ 37 I 3 iVm § 188 II) deshalb ratsam. Erst jetzt kann **HV** stattfinden (bei Einberufung ist § 124 II zu beachten) und über vereinfachte Kapitalherabsetzung, reguläre Kapitalerhöhung, Feststellung des Jahresabschlusses sowie über ergänzende Satzungsänderung (auch möglich durch AR nach § 179 I 2) beschließen (s. § 182, § 229, § 234 II, § 235 I 1).

5 Kapitalherabsetzungsbeschluss, Kapitalerhöhungsbeschluss sowie Durchführung der Kapitalerhöhung sind gleichzeitig und vom Vorstand und AR-Vorsitzenden gemeinsam innerhalb von drei Monaten **zur Eintragung** in das HR **anzumelden** (s. § 235 II; § 223 iVm § 229; §§ 184, 188). Etwa erforderliche staatliche Genehmigung (→ § 223 Rn. 4) ist urkundlich nachzuweisen. Wenn registergerichtl. Prüfung ohne Beanstandung verläuft, werden Kapitalherabsetzungsbeschluss, Kapitalerhöhungsbeschluss und Durchführung der Kapitalerhöhung in das HR eingetragen. Vereinfachte Kapitalherabsetzung und reguläre Kapitalerhöhung werden **mit Eintragung wirksam** (§ 224 iVm § 229 III; § 189); im Jahresabschluss für das letzte vor der Beschlussfassung abgelaufene Geschäftsjahr werden Grundkapital und Rücklagen bereits in neuer Höhe ausgewiesen (s. § 234 I, § 235 I). Registergericht macht Eintragungen bekannt. Soweit Durchführungsmaßnahmen erforderlich sind, hat Vorstand diese vorzunehmen (zB Zusammenlegung von Aktien, Kraftloserklärung). Durchführung der Kapitalherabsetzung ist sodann vom Vorstand zur Eintragung in das HR anzumelden (§ 227 I iVm § 229 III). Ihre Eintragung hat lediglich deklaratorische Bedeutung; auch sie ist bekanntzumachen (→ § 227 Rn. 1, 7).

II. Voraussetzungen

6 **1. Zulässige Zwecke (§ 229 I). a) Allgemeines.** Grundkapital kann im Wege des vereinfachten Verfahrens nur zu den in § 229 I 1 genannten Zwecken herabgesetzt werden, nämlich um Wertminderungen auszugleichen, sonstige Verluste zu decken (→ Rn. 7 f.) oder um Beträge in die Kapitalrücklage einzustellen (→ Rn. 9). Zwecke können **auch nebeneinander** verfolgt werden (MüKo-

AktG/Oechsler Rn. 13; MHdB AG/Scholz § 62 Rn. 7); bes. Beschlussvoraussetzungen müssen dann für jeden Zweck vorliegen. Zudem muss HV im Beschluss bestimmt oder zumindest bestimmbar festsetzen, welcher Teil des Herabsetzungsbetrags auf den einen oder den anderen Zweck entfallen soll (Terbrack RNotZ 2003, 89, 100 f.). Aufteilung kann nicht Vorstand übertragen oder überlassen werden (str., → Rn. 10). Andere als in § 229 I 1 genannte Zwecke dürfen nicht verfolgt werden, auch nicht iVm einem zulässigen Zweck. Sollen andere Zwecke verfolgt werden, so ist stets ordentliche Kapitalherabsetzung vorzunehmen (§ 222 III; → § 222 Rn. 20).

b) Verlustdeckung. § 229 I 1 spricht von „Wertminderungen" und „sonstigen Verlusten". Das Erste ist Beispiel, das Zweite Oberbegriff. Im Einzelnen gilt: Es ist **unerheblich,** auf welchen Ursachen der Verlust beruht (MüKoAktG/Oechsler Rn. 21; Geißler NZG 2000, 719, 721); zB auf Wertminderung von Gegenständen des Anlage- oder Umlaufvermögens, auf Zahlungsunfähigkeit eines Schuldners oder Inanspruchnahme aus einer Bürgschaft. Auch eine **Unterbilanz** (Aktiva minus Verbindlichkeiten minus Rückstellungen decken Eigenkapital nicht mehr; teilw. abw. Wirth DB 1996, 867, 869) muss nicht vorliegen. Verwendung untechnischer Begriffe bedeutet weiter, dass Verlust nicht durch eine bes. Bilanz festzustellen ist (unstr.; s. Hirte FS Claussen, 1997, 115, 118; Lutter/Hommelhoff/Timm BB 1980, 737, 740). Erforderlich ist jedoch bilanzieller Verlust in dem Sinne, dass er sich nach den für die Jahresbilanz geltenden Grundsätzen ergibt (unstr.). Ausreichend ist Zwischenbilanz, die Vorstand in seiner Verantwortung aufgestellt hat. 7

Bilanzieller Verlust muss im **Zeitpunkt der Beschlussfassung** tats. bestehen. Wegen § 249 I HGB und § 18 InsO werden davon auch drohende Verluste erfasst; Verlusterwartungen müssen sich also noch nicht realisiert haben (BGHZ 119, 305, 321 = NJW 1993, 57; MüKoAktG/Oechsler Rn. 20; MHdB AG/Scholz § 62 Rn. 27). Verlust muss keine bestimmte Höhe erreicht haben, jedoch muss er so beschaffen, insbes. **nachhaltig** sein, dass nach kaufmännischen Grundsätzen eine dauernde Herabsetzung des Grundkapitals angezeigt ist (OLG Frankfurt AG 1989, 207, 208; LG Hamburg AG 2006, 512; Marsch-Barner/Schäfer/Busch/Busch Rn. 50.7). Entscheidend ist dafür, wie auch § 232 zeigt, **gewissenhafte Prognose** (OLG Frankfurt AG 1989, 207, 208), nicht nachträgliche, auf tats. Entwicklung der Folgezeit gestützte Beurteilung. Wenn kein oder kein iSd § 229 genügender Verlust vorliegt, ist Beschluss anfechtbar (→ Rn. 23). 8

c) Einstellung in Kapitalrücklage. Vereinfachte Kapitalherabsetzung kann auch dazu dienen, Beträge in Kapitalrücklage einzustellen (§ 229 I 1). Gemeint ist Bilanzposten des § 266 III A II HGB (→ § 150 Rn. 2). Kapitalherabsetzung ist dann der Sache nach Umbuchung auf der Passivseite. Sie dient der **Vorsorge vor Verlusten** (Marsch-Barner/Schäfer/Busch/Busch Rn. 50.11; GK-AktG/Sethe Rn. 27). Nicht erforderlich ist also, dass Verluste schon bestehen oder konkret erwartet werden (MHdB AG/Scholz § 62 Rn. 9; Geißler NZG 2000, 719, 721). Rücklagenbildung ist nur **in den Grenzen des § 231** zulässig, nämlich bis Summe aus ges. Rücklage und Kapitalrücklage (→ § 150 Rn. 3) 10 % des herabgesetzten Grundkapitals erreicht (genauer → § 231 Rn. 3 ff.). 9

d) Festsetzung des Zwecks im Beschluss. HV-Beschluss muss festsetzen, dass Kapitalherabsetzung zu den Zwecken des § 229 I 1 stattfindet (§ 229 I 2). Gemeint ist, dass HV-Beschluss den tats. verfolgten Zweck angeben und dieser mit § 229 I 1 vereinbar sein muss. Angabe des Zwecks muss ausdr. **und konkret** erfolgen. Dafür reicht Begriff „vereinfachte Kapitalherabsetzung" ebenso wenig wie Formulierung „Anpassung an geänderte Vermögenslage" (KK-AktG/Ekkenga/Schirrmacher Rn. 13). Ges. Formulierungen sind zumindest zu wiederholen 10 (vgl. Happ/Stucken AktienR 14.02 Rn. 5.1). Wird nicht nur ein Zweck verfolgt (→ Rn. 6), so sind alle verfolgten Zwecke festzusetzen (unstr.). Nach zutr. Ansicht ist dann Herabsetzungsbetrag auf die festgesetzten Zwecke zu verteilen (GK-AktG/Sethe Rn. 31; Happ/Stucken AktienR 14.02 Rn. 5.2). Aus § 229 I 2 folgt weiter, dass Zweck nur von HV bestimmt werden kann; Delegation an Vorstand ist unzulässig (KK-AktG/Ekkenga/Schirrmacher Rn. 15; MüKoAktG/Oechsler Rn. 13). Festgesetzter Zweck bindet Verwaltung; sie darf Herabsetzungsbetrag nur entspr. verwenden (s. § 230 S. 2, 3). Auf Beschluss der Gesellschafterversammlung gem. § 58a GmbHG ist § 229 I 2 entspr. anzuwenden (hM, s. OLG Hamm FGPrax 2011, 100, 101 mwN).

11 **2. Erschöpfung anderer die Mindestreserve übersteigender Eigenkapitalposten (§ 229 II). a) Allgemeines.** Vereinfachte Kapitalherabsetzung soll nur durchgeführt werden, wenn sie zum angestrebten Zweck erforderlich ist. Deshalb bestimmt § 229 II 1, dass zuvor ges. Rücklage, Kapitalrücklage und Gewinnrücklagen zumindest teilw. aufzulösen sind und dadurch verfügbar werdende Mittel eingesetzt werden. Entspr. ist gem. § 229 II 2 mit Gewinnvortrag (→ § 58 Rn. 24) zu verfahren. Im Interesse der Aktionäre, aber auch zum Schutz der Gesellschaftsgläubiger soll damit Missbrauch der vereinfachten Kapitalherabsetzung verhindert werden (GK-AktG/Sethe Rn. 33; MüKoAktG/Oechsler Rn. 32). Vereinfachte Kapitalherabsetzung zur **Verlustdeckung** ist also nur zulässig, wenn nach notwendigen Maßnahmen gem. § 229 II noch ein Verlust zu decken ist. Kapitalherabsetzung zur **Dotierung der Kapitalrücklage** scheidet aus, wenn Mittel durch Auflösung anderer Gewinnrücklagen freigesetzt werden können (→ § 231 Rn. 3). Nicht auflösungspflichtig sind stille Reserven und Rückstellungen gem. § 266 III B HGB (vgl. OLG Frankfurt AG 1989, 207, 208; KK-AktG/Ekkenga/Schirrmacher Rn. 7; MHdB AG/Scholz § 62 Rn. 11). Auch eigene Aktien braucht AG vor einer Kapitalherabsetzung nicht einzuziehen oder zu veräußern (MHdB AG/Scholz § 62 Rn. 11).

12 § 229 II ist **zwingend.** Verstoß macht Beschluss anfechtbar, nicht nichtig (→ Rn. 23). Registerrichter hat iRd Anmeldung des Kapitalherabsetzungsbeschlusses zu prüfen, ob Voraussetzungen des § 229 II eingehalten sind (→ Rn. 20). Auflösung der Rücklagen erfolgt grds. durch entspr. **Umbuchungen.** Etwas anderes gilt nur, wenn ihre Auflösung der HV vorbehalten ist (zB satzungsmäßige Rücklagen, Gewinnvortrag); dann ist entspr. HV-Beschluss erforderlich, der in gleicher HV vor dem Beschluss über die vereinfachte Kapitalherabsetzung gefasst werden kann und muss (Marsch-Barner/Schäfer/Busch/Busch Rn. 50.10; MHdB AG/Scholz § 62 Rn. 13). Die durch Auflösung von Rücklagen gewonnenen Beträge dürfen nur zweckgerichtet verwandt werden (s. § 230 S. 2, 3).

13 **b) Gesetzliche Rücklage und Kapitalrücklage.** Ges. Rücklage und Kapitalrücklage (gemeint sind Bilanzposten gem. § 266 III A II und III Nr. 1 HGB) sind nicht in voller Höhe aufzulösen. Sie dürfen vielmehr entspr. § 150 II (→ § 150 Rn. 6) in einer Höhe bestehen bleiben, die **10 % des Grundkapitals** beträgt, das **nach beabsichtigter Kapitalherabsetzung** bestehen wird (s. § 229 II 1). Für Berechnung ist somit beabsichtigte Kapitalherabsetzung als bereits durchgeführt zu unterstellen; unberücksichtigt bleibt dagegen evtl. mit Kapitalherabsetzung verbundene Kapitalerhöhung (MüKoAktG/Oechsler Rn. 36). Wenn beabsichtigt ist, Mindestnennbetrag des Grundkapitals (§ 7) zu unterschreiten (vgl. § 228), ist nach zutr. Ansicht entspr. § 231 S. 2 von dem in § 7 bestimmten ges. Mindestnennbetrag auszugehen (GK-AktG/Sethe Rn. 36; MHdB AG/Scholz § 62 Rn. 10), nicht aber von der den Mindestnennbetrag unterschreitenden Grundkapitalziffer. Dass Gesetzgeber Sachverhalte in § 229 II, § 231 S. 2 unterschiedlich regeln wollte, ist nicht erkennbar. Auflösung der ges.

Rücklage und der Kapitalrücklage nach § 229 II ist nicht an Voraussetzungen des § 150 IV gebunden; es braucht also kein förmlich festgestellter Jahresabschluss vorzuliegen, der Verlustvortrag oder Jahresfehlbetrag ausweist (MHdB AG/Scholz § 62 Rn. 12; Lutter/Hommelhoff/Timm BB 1980, 737, 740 f.).

c) Gewinnrücklagen. Sie müssen nach Wortlaut des § 229 II 1 vorweg in ganzer Höhe aufgelöst werden. Offenkundig handelt es sich dabei um ein **Redaktionsversehen,** weil nicht alle Gewinnrücklagen iSd Bilanzpostens des § 266 III A III HGB erfasst werden. So gilt für ges. Rücklage (Nr. 1), die nur begrenzt aufzulösen ist, Sonderregelung (→ Rn. 13). Wegen § 272 IV 4 HGB ist ferner davon auszugehen, dass auch Rücklage für eigene Anteile (Nr. 2; → § 71 Rn. 21) nicht aufzulösen ist (so auch MHdB AG/Scholz § 62 Rn. 11). Eindeutig erfasst werden dagegen die sog anderen Gewinnrücklagen (Nr. 4). Wegen § 231 S. 1 ist fraglich, ob auch satzungsmäßige Rücklagen (Nr. 3) aufzulösen sind. Frage ist zu bejahen (Marsch-Barner/Schäfer/Busch/Busch Rn. 50.9; MHdB AG/Scholz § 62 Rn. 11), weil Änderung des § 229 II durch BiRiLiG, der Begriff der Gewinnrücklage einführte, nur Anpassung an neue Terminologie bezweckte, nicht aber Änderung der materiellen Rechtslage. Nach § 229 aF waren aber auch satzungmäßige Rücklagen aufzulösen. 14

d) Gewinnvortrag. Vereinfachte Kapitalherabsetzung ist ferner nicht zulässig, solange ein Gewinnvortrag (→ § 58 Rn. 24) vorhanden ist; gemeint ist Bilanzposten gem. § 266 III A IV HGB. Entspr. Verwendungsbeschluss der HV muss vorangehen (→ Rn. 12). 15

3. Herabsetzungsbetrag. Im Fall der **Verlustdeckung** ist Herabsetzungsbetrag dazu erforderlicher Betrag, wie er nach Auflösung der Rücklagen und Berücksichtigung eines Gewinnvortrags (s. § 229 II) noch besteht (vgl. KK-AktG/Lutter, 2. Aufl. 1993, Rn. 16). Exakte Bezifferung der Verlusthöhe ist schwierig (vgl. §§ 249, 252 I Nr. 3 HGB). Wie auch aus § 232 folgt, ist jedoch nicht jeder Beschluss fehlerhaft und deshalb anfechtbar, wenn sich im Nachhinein Herabsetzungsbetrag als überhöht erweist (→ Rn. 23). Entscheidend ist, dass angenommener Verlust nach kaufmännischen Grundsätzen zum Zeitpunkt der Beschlussfassung vertretbar ermittelt wird (→ Rn. 8). Stellt sich später heraus, dass Vermögenslage der AG günstiger ist als angenommen werden durfte, so ist Unterschiedsbetrag in Kapitalrücklage einzustellen (§ 232; s. BGHZ 119, 305, 321 f. = NJW 1993, 57). Dient vereinfachte Kapitalherabsetzung dazu, Beträge in **Kapitalrücklage** einzustellen, so wird Herabsetzungsbetrag durch § 231 in der Höhe begrenzt. § 231 ist echte Beschlussvoraussetzung und ergänzt § 229 (ADS § 231 Rn. 2; MHdB AG/Scholz § 62 Rn. 15). Herabsetzungsbetrag ist so festzusetzen, dass nach wirksam gewordener Kapitalherabsetzung ges. Rücklage und um Herabsetzungsbetrag gewachsene Kapitalrücklage zusammen 10 % des Grundkapitals nicht übersteigen (zu den Einzelheiten → § 231 Rn. 3 ff.). **Mindestnennbetrag** des Grundkapitals (§ 7) darf nicht unterschritten werden, es sei denn, vereinfachte Kapitalherabsetzung wird mit regulärer Kapitalerhöhung unter den in § 228 genannten Voraussetzungen verbunden (§ 229 III; → Rn. 22). 16

III. Verweis auf die Vorschriften über die ordentliche Kapitalherabsetzung (§ 229 III)

1. Allgemeines. Gem. § 229 III gelten Vorschriften über die ordentliche Kapitalherabsetzung für die vereinfachte Kapitalherabsetzung sinngem., aber mit zwei Ausnahmen: (1.) Nicht verwiesen wird auf § 222 III. Insoweit ist § 229 I einschlägig, der vereinfachte Kapitalherabsetzung nur zur Verlustdeckung und zur Erhöhung der Kapitalrücklage zulässt und zugleich bestimmt, dass Zweck im 17

Herabsetzungsbeschluss festzusetzen ist. (2.) Auch § 225 ist vom Verweis ausgenommen. Gläubigerschutz wird durch §§ 229 II, 230 ff., insbes. § 233, gewährleistet (→ Rn. 2 f.).

18 **2. Beschlussvoraussetzungen.** § 222 I ist sinngem. anwendbar (§ 229 III). Vereinfachte Kapitalherabsetzung ist Satzungsänderung und von HV zu beschließen (→ § 222 Rn. 8). Beschluss bedarf einer **Kapitalmehrheit** von drei Vierteln des bei Beschlussfassung vertretenen Grundkapitals sowie einfacher Stimmenmehrheit (→ § 222 Rn. 9). Satzung kann Anforderungen verschärfen (→ § 222 Rn. 10 f.). **Beschlussinhalt** muss zunächst erkennen lassen, dass es sich um vereinfachte Kapitalherabsetzung handelt (MüKoAktG/Oechsler Rn. 17; MHdB AG/Scholz § 62 Rn. 19; Krafka RegisterR Rn. 1552). HV entscheidet über Form der Kapitalherabsetzung, da wesentlicher Bestandteil der Satzungsänderung; Delegation auf Verwaltung ist unzulässig (KK-AktG/Ekkenga/Schirrmacher Rn. 19). Fehlt Festsetzung, so hat Vorstand von ordentlicher Kapitalherabsetzung auszugehen, also insbes. § 225 zu beachten (GK-AktG/Sethe Rn. 30). Beschluss muss mit der vereinfachten Kapitalherabsetzung verfolgten Zweck angeben (§ 229 I 2; → Rn. 10). Zur Höhe des Herabsetzungsbetrags → Rn. 16. Zu weiteren Einzelheiten → § 222 Rn. 12 f.

19 Bei vereinfachter Kapitalherabsetzung kann gem. § 222 II iVm § 229 III **Sonderbeschluss der Gattungsaktionäre** erforderlich werden (→ § 222 Rn. 18 f.). Grundkapital kann nur herabgesetzt werden durch Herabsetzung des Nennbetrags der Aktien oder, wenn das nicht möglich ist, durch Zusammenlegung der Aktien (§ 222 IV 1 und 2 iVm § 229 III). **Art der Herabsetzung** ist im Beschluss anzugeben (§ 222 IV 3 iVm § 229 III). Eine andere Art der vereinfachten Kapitalherabsetzung ist unzulässig; insbes. kann sie nicht durch Einziehung von Aktien erfolgen (vgl. MHdB AG/Scholz § 62 Rn. 3).

20 **3. Ausführung und Durchführung.** Kapitalherabsetzungsbeschluss ist zur Eintragung in das HR beim Gericht des Satzungssitzes anzumelden (§ 223 iVm § 229 III) und unterliegt der **Prüfung durch Registergericht.** Soll vereinfachte Kapitalherabsetzung der Deckung von Verlusten dienen, so hat Registerrichter auch zu prüfen, ob Verlust in Höhe des Herabsetzungsbetrages vertretbarer kaufmännischer Prognose entspr. (GK-AktG/Sethe Rn. 57). Wenn Beträge in Kapitalrücklage eingestellt werden sollen, ist zu prüfen, ob Herabsetzungsbetrag iRd Vorgabe des § 231 liegt (GK-AktG/Sethe Rn. 57). Registerrichter prüft ferner, ob § 229 II beachtet wurde. Dazu kann auf letzte Jahresbilanz zurückgegriffen werden. Erlaubt sie keine Rückschlüsse oder bestehen Zweifel, so kann Registerrichter von den Anmeldern weitere Unterlagen (zB Zwischenbilanz) oder Auskunft verlangen (Marsch-Barner/Schäfer/Busch/Busch Rn. 50.16). Bei Verstoß gegen § 229 II hat er Eintragung abzulehnen, da Norm auch Interessen Dritter (Gläubiger) schützt. Vereinfachte Kapitalherabsetzung wird mit **Eintragung** in HR wirksam (§ 224 iVm § 229 III). Einer gesonderten Registerbekanntmachung (→ § 39 Rn. 10) mit Hinweis an Gesellschaftsgläubiger nach § 225 I 2 (→ § 225 Rn. 14) bedarf es nicht, weil sie keinen Anspruch auf Sicherheitsleistung haben (→ Rn. 3).

21 Keine Besonderheiten gelten für die **Durchführung der vereinfachten Kapitalherabsetzung.** Herabsetzung der Aktiennennbeträge oder Zusammenlegung der Aktien (→ Rn. 19) veranlassen Verwaltung zu den gleichen Maßnahmen wie bei ordentlicher Kapitalherabsetzung (→ § 226 Rn. 2 ff.; → § 227 Rn. 2 f.). Erfolgt vereinfachte Kapitalherabsetzung durch Zusammenlegung von Aktien, kann Kraftloserklärung von Aktienurkunden nach § 226 iVm § 229 III erforderlich werden (→ § 226 Rn. 7 ff.). Auch Durchführung der vereinfachten Kapitalherabsetzung ist zur Eintragung in das HR anzumelden (§ 227 iVm § 229 III).

4. Verbindung mit Kapitalerhöhung. Vereinfachte Kapitalherabsetzung kann mit Kapitalerhöhung verbunden werden (→ § 222 Rn. 4). Verbindung mit regulärer Kapitalerhöhung (§ 182) ist üblich (→ Rn. 4) und zumeist auch erforderlich; denn durch bloße Buchsanierung (→ Rn. 2) fließen der Gesellschaft noch keine neuen Mittel zu. Nur durch Beseitigung der regelmäßig gegebenen Unterbilanz wird aber Ausgabe neuer Aktien wenigstens zu pari und, bei erfolgreichem Verlauf des Sanierungskonzepts, auch eine baldige Gewinnausschüttung ermöglicht; Aussicht auf Ausschüttung schafft Anreiz für eine Beteiligung durch neue Einlagen (vgl. Lutter/Hommelhoff/Timm BB 1980, 737, 740 f.). Vereinfachte Kapitalherabsetzung und reguläre Kapitalerhöhung mit Bareinlage sind miteinander zu verbinden, wenn Grundkapital **unter den Mindestnennbetrag** herabgesetzt wird (§ 228 iVm § 229 III). Nur wenn Kapitalmaßnahmen miteinander verbunden werden, ist schließlich nach §§ 234, 235 ihre Bilanzierung im Jahresabschluss des der Beschlussfassung vorausgehenden Geschäftsjahres möglich. 22

IV. Fehlerhafter Beschluss

Rechtsfolgen fehlerhafter Beschlussfassung bestimmen sich nach §§ 241 ff. 23
Praktisch kommt **nur Anfechtung** in Frage. Im Einzelnen gilt: Wenn vereinfachte Kapitalherabsetzung erfolgte, um Verluste zu decken (§ 229 I 1 Alt. 1), aber **kein Verlust** oder kein Verlust in Höhe des Herabsetzungsbetrags vorlag, kann Beschluss anfechtbar sein (KK-AktG/Ekkenga/Schirrmacher Rn. 43; MHdB AG/Scholz § 62 Rn. 20). Entscheidend sind Verhältnisse bei Beschlussfassung (OLG Frankfurt AG 1989, 207, 208). Konnte bei Beschlussfassung nach kaufmännischen Grundsätzen von Verlust ausgegangen werden (vertretbare Prognose), so ist Beschluss nicht anfechtbar, auch wenn sich später herausstellt, dass Verlust nicht oder nicht mehr vorhanden ist (OLG Frankfurt AG 1989, 207, 208; KK-AktG/Ekkenga/Schirrmacher Rn. 43); Buchertrag ist dann entspr. § 232 in Kapitalrücklage einzustellen. Bei **Verstoß gegen § 231** ist Beschluss nur anfechtbar (→ § 231 Rn. 7). **Fehlende Zweckbestimmung** (§ 229 I 2) ist ebenfalls Anfechtungsgrund; wenn nicht angefochten wird, ist Kapitalherabsetzung als ordentliche durchzuführen (GK-AktG/Sethe Rn. 63). **Verstoß gegen § 229 II** macht Beschluss gleichfalls nur anfechtbar, nicht nichtig; zwar dient Vorschrift auch, aber nicht schwerpunktmäßig dem Schutz der Gläubiger (MüKoAktG/Oechsler Rn. 47; MHdB AG/Scholz § 62 Rn. 20). Findet Kapitalherabsetzung zur Vorbereitung einer Verschmelzung statt und wird unzureichender Verschmelzungsbericht für nichtig erklärt, kommt diese Rechtsfolge für Kapitalherabsetzung als notwendiger Annex der Verschmelzung ebenso in Betracht wie die Heilungsmöglichkeit gem. § 20 II UmwG. Dies gilt insbes. dann, wenn Verschmelzung gerade von voriger Herabsetzung abhängen soll, was im Rahmen eines der Verschmelzung vorangehenden Kapitalschnitts der übernehmenden Gesellschaft regelmäßig der Fall sein wird (OLG Frankfurt AG 2012, 461 f.).

Verbot von Zahlungen an die Aktionäre

230 **[1] Die Beträge, die aus der Auflösung der Kapital- oder Gewinnrücklagen und aus der Kapitalherabsetzung gewonnen werden, dürfen nicht zu Zahlungen an die Aktionäre und nicht dazu verwandt werden, die Aktionäre von der Verpflichtung zur Leistung von Einlagen zu befreien. [2] Sie dürfen nur verwandt werden, um Wertminderungen auszugleichen, sonstige Verluste zu decken und Beträge in die Kapitalrücklage oder in die gesetzliche Rücklage einzustellen. [3] Auch eine Verwendung zu einem dieser Zwecke ist nur zulässig, soweit sie im Beschluß als Zweck der Herabsetzung angegeben ist.**

I. Regelungsgegenstand und -zweck

1 § 230 regelt Verwendung der Beträge, die aus der Auflösung der Kapital- oder Gewinnrücklagen und aus der Kapitalherabsetzung selbst gewonnen worden sind. § 230 S. 1 dient dem Schutz der Gesellschaftsgläubiger. § 230 S. 2 und 3 wahren auch Interessen der Aktionäre, insofern doppelte Schutzfunktion: Gläubiger- und Aktionärsschutz. S. 2 und 3 ergänzen damit § 229 I. Vorschrift ist zwingend.

II. Von § 230 erfasste Beträge

2 Zahlungsverbot und auch Verwendungsgebot gelten zunächst für den aus der Kapitalherabsetzung selbst gewonnenen Betrag, darüber hinaus auch für die durch Auflösung (Umbuchung) der Kapital- oder Gewinnrücklagen gewonnenen Beträge. Damit wird auf § 229 II Bezug genommen. Begriff der Gewinnrücklage erfasst auch die in § 229 II erwähnte ges. Rücklage (s. § 266 III A III HGB). § 230 nennt zwar nicht den in § 229 II 2 erwähnten **Gewinnvortrag** (→ § 58 Rn. 24). Daraus gewonnene Beträge werden von § 230 gleichwohl erfasst (KK-AktG/Ekkenga/Schirrmacher Rn. 7; MHdB AG/Scholz § 62 Rn. 22), weil der Buchertrag der AG insgesamt erhalten bleiben muss. Verbot des § 230 erfasst nur die tats. **umgebuchten Beträge.** Nicht umgebuchte Beträge werden durch § 230 nicht berührt, und zwar auch dann nicht, wenn Umbuchung (oder sonstige Auflösung) entgegen § 229 II unterblieben ist (GK-AktG/Sethe Rn. 3). Es verbleibt bei bisheriger Zweckbestimmung.

III. Ausschüttungsverbot

3 **1. Inhalt.** Von § 230 erfasste Beträge (→ Rn. 2) dürfen weder zu Zahlungen an Aktionäre noch dazu verwandt werden, sie von Verpflichtung zur Leistung der Einlagen zu befreien (§ 230 S. 1). Verbot ist klar, **zeitlich unbeschränkt und ohne jede Ausnahme;** inwieweit sich solches Verbot bereits aus allg. Vorschriften ergibt, mag dahinstehen (vgl. Marsch-Barner/Schäfer/Busch/Busch Rn. 50.19). Ausschüttung ist in jeder (auch verdeckter) Form verboten, nicht nur als direkte Zahlung und Einlagenbefreiung. Verboten ist auch Zahlung einer Dividende aus gebundenen Beträgen. Etwas anderes gilt für regulär erwirtschafteten Gewinn (MüKoAktG/Oechsler Rn. 8); insoweit ist nur § 233 zu beachten. Erlaubt sind Zahlungen an Aktionäre aufgrund eines anderen Rechtsverhältnisses, zB Kauf, Miete, soweit darin keine verdeckte Einlagenrückgewähr (→ § 57 Rn. 15 ff.) zu finden ist.

4 **2. Rechtsfolgen bei Verstoß.** Aktionäre, die Zahlungen empfangen haben, haften nach § 62 (KK-AktG/Ekkenga/Schirrmacher Rn. 11). Einlagenerlass ist nach § 134 BGB iVm § 230 S. 1 nichtig, so dass Einlagenforderung fortbesteht (BeckOGK/Marsch-Barner/Maul Rn. 5). Vorstands- und AR-Mitglieder haften nach §§ 93, 116. **Jahresabschluss,** der Beträge entgegen § 230 S. 1 als Gewinn ausweist, ist gem. § 256 I Nr. 1 nichtig, weil § 230 S. 1 schwerpunktmäßig dem Gläubigerschutz dient (→ § 256 Rn. 7). Ein darauf aufbauender **Gewinnverwendungsbeschluss** ist gleichfalls gem. § 241 Nr. 3 nichtig, und zwar nach § 253 I 1 (→ § 253 Rn. 4).

IV. Verwendungsgebot

5 **1. Zweckbindung.** Von § 230 erfasste Beträge (→ Rn. 2) dürfen nur verwandt werden, um Wertminderungen auszugleichen, sonstige Verluste zu decken und Beträge in Kapitalrücklage oder in ges. Rücklage einzustellen (§ 230 S. 2),

und zwar jew. nur, soweit im Beschluss entspr. Verwendung auch als Zweck der Herabsetzung angegeben ist (§ 230 S. 3). Norm ergänzt damit § 229 I und bindet Vorstand an im Herabsetzungsbeschluss festgesetzten Zweck. Es besteht also **kein Ermessensspielraum** für Verwaltung, auch dann nicht, wenn mehrere Zwecke festgesetzt sind, weil dann Herabsetzungsbetrag zwingend aufzuteilen ist (str., → § 229 Rn. 10). Zu Rechtsfolgen bei fehlender Zweckangabe → § 229 Rn. 23. § 230 S. 2 nennt neben den in § 229 I 1 genannten Zwecken auch Einstellung in ges. Rücklage. Ihre Nennung ist erforderlich, weil § 230 nicht nur den Herabsetzungsbetrag erfasst, sondern auch Beträge aus der ges. Rücklage und der Kapitalrücklage (→ Rn. 2). IR einer Kapitalherabsetzung zur Dotierung der Kapitalrücklage kann aber zuvor Auflösung der Gewinnrücklagen erforderlich werden, die in ges. Rücklage einzustellen sind (s. § 231 S. 1).

2. Unterschiedsbetrag. Möglich ist, dass Vorstand Herabsetzungsbetrag nicht 6
in vollem Umfang zweckgerichtet verwenden kann, weil Verlust nicht in der Höhe eingetreten ist, wie er sich bei Beschlussfassung nach ordnungsgem. kaufmännischen Grundsätzen zunächst dargestellt hat. Dann ist Unterschiedsbetrag gem. § 232 in Kapitalrücklage einzustellen. Ggf. ist § 232 entspr. anzuwenden (→ § 232 Rn. 8).

3. Rechtsfolgen bei Verstoß. Verstoßen Verwaltungsmitglieder gegen § 230 7
S. 2, 3, so handeln sie pflichtwidrig und haften nach §§ 93, 116. Eine zweckwidrige Einstellung in die Bilanz macht **Jahresabschluss** zwar fehlerhaft. Er ist aber weder nichtig (§ 256) noch anfechtbar (§ 257). Das Erste nicht, weil Verwendungsgebot nur Interessen der Aktionäre dient (→ Rn. 1), das Zweite nicht, weil Inhaltsfehler auch bei Feststellung durch HV keinen Anfechtungsgrund ergeben (§ 257 I 2). Begründet Handlung allerdings zugleich Verstoß gegen § 230 S. 1, so tritt Nichtigkeitsfolge ein (→ Rn. 4).

Beschränkte Einstellung in die Kapitalrücklage und in die gesetzliche Rücklage

231 **[1] Die Einstellung der Beträge, die aus der Auflösung von anderen Gewinnrücklagen gewonnen werden, in die gesetzliche Rücklage und der Beträge, die aus der Kapitalherabsetzung gewonnen werden, in die Kapitalrücklage ist nur zulässig, soweit die Kapitalrücklage und die gesetzliche Rücklage zusammen zehn vom Hundert des Grundkapitals nicht übersteigen. [2] Als Grundkapital gilt dabei der Nennbetrag, der sich durch die Herabsetzung ergibt, mindestens aber der in § 7 bestimmte Mindestnennbetrag. [3] Bei der Bemessung der zulässigen Höhe bleiben Beträge, die in der Zeit nach der Beschlußfassung über die Kapitalherabsetzung in die Kapitalrücklage einzustellen sind, auch dann außer Betracht, wenn ihre Zahlung auf einem Beschluß beruht, der zugleich mit dem Beschluß über die Kapitalherabsetzung gefaßt wird.**

I. Regelungsgegenstand und -zweck

§ 231 betr. vereinfachte Kapitalherabsetzung zwecks Dotierung der Kapital- 1
rücklage und beschränkt ihre Zulässigkeit der Höhe nach auf 10 % des Grundkapitals. Norm dient schwerpunktmäßig den **Interessen der Aktionäre** (ADS Rn. 7; KK-AktG/Ekkenga/Schirrmacher Rn. 2). Eingriff in die Mitgliedschaft, wie ihn die Kapitalherabsetzung notwendig bedeutet (→ § 222 Rn. 3), soll auf das aus § 150 II ableitbare Maß beschränkt bleiben. Der Sache nach geht es also um eine Ergänzung des § 229. Dagegen gilt die Vorschrift dann nicht, wenn

vereinfachte Kapitalherabsetzung zwecks Verlustdeckung beschlossen wurde, Verluste aber zu hoch angenommen worden sind. In diesem Fall verbleibt es bei § 232. Vorschrift ist durch BiRiLiG v. 19.12.1985 (BGBl. 1985 I 2355) neu gefasst worden, was zu ihrer Verständlichkeit nicht beigetragen hat.

II. Höchstbetrag der Rücklagendotierung

2 § 231 S. 1 betr. der Sache nach bloße Umbuchungen zwischen den Eigenkapitalkonten, und zwar (1.) von anderen Gewinnrücklagen (§ 266 III A III Nr. 4 HGB) in die ges. Rücklage (§ 266 III A III Nr. 1 HGB) – das ist der Fall des § 231 S. 1 Hs. 1 – und (2.) vom gezeichneten Kapital oder Grundkapital (§ 266 III A I HGB) in die Kapitalrücklage (§ 266 III A II HGB); das ist der Fall des § 231 S. 1 Hs. 2. Dass die **Umbuchung von anderen Gewinnrücklagen in die ges. Rücklage** erfolgen muss, ergibt sich schon aus § 229 II (→ § 229 Rn. 14). Geboten und zulässig ist sie gem. § 231 S. 1 jedoch nur bis zur Auffüllung des ges. Reservefonds (→ § 150 Rn. 1), der seinerseits die nach oben durch 10 % des Grundkapitals begrenzte Summe aus ges. Rücklage und Kapitalrücklage iSd § 272 II Nr. 1–3 HGB darstellt (→ § 150 Rn. 3). Wenn ges. Reservefonds durch solche Umbuchung von einem Rücklagenkonto in das andere aufgefüllt werden kann, ist für vereinfachte Kapitalherabsetzung von vornherein kein Raum.

3 Die **Umbuchung vom Grundkapital in die Kapitalrücklage** und damit die vereinfachte Kapitalherabsetzung darf nur erfolgen, wenn (1.) die Umbuchung zwischen den Rücklagekonten (→ Rn. 2) erfolgt ist und soweit (2.) ein Unterschiedsbetrag zwischen der dadurch tats. erreichten Summe aus ges. Rücklage und Kapitalrücklage einerseits, 10 % des Grundkapitals andererseits verbleibt. Dieser Unterschiedsbetrag, mit dem der ges. Reservefonds (→ Rn. 2) aufgefüllt wird, ist der Höchstbetrag zulässiger Kapitalherabsetzung und damit zugleich der Höchstbetrag einer Rücklagendotierung aus dem Grundkapital. **Maßgeblicher Zeitpunkt** für Höhe der Rücklagen (ges. Rücklage und Kapitalrücklagen) ist Beschlussfassung der HV (KK-AktG/Ekkenga/Schirrmacher Rn. 7; MHdB AG/Scholz § 62 Rn. 15), und zwar auch dann, wenn nachfolgende Dotierung auf gleichzeitig gefasstem (Kapitalerhöhungs-)Beschluss beruht (§ 231 S. 3; → Rn. 6).

4 § 231 S. 1 spricht nur von anderen Gewinnrücklagen (§ 266 III A III Nr. 4 HGB), nicht auch von den **satzungsmäßigen Rücklagen** (§ 266 III A III Nr. 3 HGB). Letztgenannte Rücklagen sind jedoch wie andere Gewinnrücklagen zu behandeln, also zugunsten der ges. Rücklage aufzulösen (umzubuchen). Erst der danach verbleibende Unterschiedsbetrag (→ Rn. 3) ergibt den Höchstbetrag zulässiger Kapitalherabsetzung. Anderenfalls ergäbe sich ggü. dem früheren Recht eine sachliche Änderung, die durch BiRiLiG nicht bezweckt war (→ § 229 Rn. 14).

III. Maßgebliche Grundkapitalziffer

5 Anders als bei den Rücklagen (→ Rn. 3) ist bei der Grundkapitalziffer nicht die zZ der Beschlussfassung geltende anzusetzen, sondern jene, die sich durch die (geplante) Kapitalherabsetzung ergibt (§ 231 S. 2). Es ist also so zu rechnen, als ob Kapital bereits herabgesetzt wäre. Wird jedoch durch beabsichtigte Kapitalherabsetzung Mindestnennbetrag nach § 7 unterschritten (s. § 228), so gilt nach eindeutigem Wortlaut des § 231 S. 2 der Mindestnennbetrag von 50.000 Euro (ADS Rn. 21; MüKoAktG/Oechsler Rn. 7; MHdB AG/Scholz § 62 Rn. 16; vgl. auch → § 229 Rn. 13). Unberücksichtigt bleibt dagegen evtl. mit Kapital-

herabsetzung verbundene Kapitalerhöhung (KK-AktG/Ekkenga/Schirrmacher Rn. 8; MüKoAktG/Oechsler Rn. 7).

IV. Unerheblich: Einstellungen nach Beschlussfassung

Gem. § 231 S. 3 bleiben Beträge unberücksichtigt, die nach der Beschlussfassung der HV über die Kapitalherabsetzung in die Kapitalrücklage einzubuchen sind (→ Rn. 3), und zwar auch dann, wenn sie durch einen gleichzeitig gefassten Beschluss veranlasst sind, also das Agio, das aufgrund einer Kapitalerhöhung zu zahlen ist, die einen Ausgabekurs über dem geringsten Ausgabebetrag (§ 9 I) vorsieht (vgl. § 272 II Nr. 1 HGB; s. ADS Rn. 22; KK-AktG/Ekkenga/Schirrmacher Rn. 7). 6

V. Rechtsfolgen bei Verstoß

Verstoß gegen § 231 macht Kapitalherabsetzungsbeschluss **anfechtbar,** nicht nichtig, weil es schwerpunktmäßig um Aktionärsinteressen geht (→ Rn. 1; vgl. ADS Rn. 23; Marsch-Barner/Schäfer/Busch/Busch Rn. 50.12). Wenn Anfechtung möglich ist, aber nicht stattfindet, wird Registergericht den Beschluss eintragen, weil Drittinteressen nicht berührt werden (Marsch-Barner/Schäfer/Busch/Busch Rn. 50.12). Überschießender Betrag ist in Kapitalrücklage einzustellen, jedoch nicht gem. § 231 S. 1, der dies gerade verbietet, sondern analog § 232 (ADS Rn. 24; sa MüKoAktG/Oechsler Rn. 10). Auf jeden Fall scheidet eine Auszahlung an die Aktionäre aus (§ 230 S. 1). Gegen § 231 verstoßender Jahresabschluss ist nach § 256 I Nr. 4 nichtig (→ § 256 Rn. 15), wenn nicht ein Fall analoger Anwendung des § 232 vorliegt (ADS Rn. 24). 7

Einstellung von Beträgen in die Kapitalrücklage bei zu hoch angenommenen Verlusten

232 Ergibt sich bei Aufstellung der Jahresbilanz für das Geschäftsjahr, in dem der Beschluß über die Kapitalherabsetzung gefaßt wurde, oder für eines der beiden folgenden Geschäftsjahre, daß Wertminderungen und sonstige Verluste in der bei der Beschlußfassung angenommenen Höhe tatsächlich nicht eingetreten oder ausgeglichen waren, so ist der Unterschiedsbetrag in die Kapitalrücklage einzustellen.

I. Regelungsgegenstand und -zweck

§ 232 betr. vereinfachte Kapitalherabsetzung zur Verlustdeckung und behandelt den Fall, dass sich im Nachhinein die bei Beschlussfassung angenommenen Verluste als zu hoch erwiesen haben, also ein die tats. Verluste übersteigender Herabsetzungsbetrag festgesetzt worden ist (→ § 229 Rn. 16). Norm dient wie § 230 S. 1 dem **Gläubigerschutz** (BGHZ 119, 305, 322 mwN = NJW 1993, 57), indem sie Einstellung in Kapitalrücklage vorschreibt. Norm hat auch präventiven Charakter, indem sie manipulativen Verlustannahmen vorbeugt (MüKo-AktG/Oechsler Rn. 2). 1

II. Voraussetzungen

1. Allgemeines. § 232 betr. unmittelbar nur vereinfachte Kapitalherabsetzung zur Verlustdeckung einschließlich des Ausgleichs von Wertminderungen, nicht aber Kapitalherabsetzung zum Zweck der Dotierung der Kapitalrücklage (sa → Rn. 8). Voraussetzung ist Unterschiedsbetrag (→ Rn. 3 f.), der sich daraus 2 ergibt, dass Herabsetzungsbetrag ganz oder teilw. zur Verlustdeckung nicht erforderlich ist, weil Wertminderungen und sonstige Verluste in der bei Beschlussfassung angenommenen Höhe tats. nicht eingetreten oder zwischenzeitlich ausgeglichen sind. Entscheidend für direkte Anwendung des § 232 ist, dass Unterschiedsbetrag entsteht, obwohl **Herabsetzungsbetrag durch ordnungsgem. Prognose** ermittelt wurde (→ § 229 Rn. 8, 16). § 232 erlaubt nicht, Herabsetzungsbetrag willkürlich oder fehlerhaft überhöht festzusetzen; in diesen Fällen ist Beschluss fehlerhaft und damit anfechtbar (→ § 229 Rn. 23).

3 **2. Unterschiedsbetrag.** Ob Unterschiedsbetrag (→ Rn. 2) besteht, beurteilt sich auf der Grundlage einer (fiktiven) Jahresbilanz, die **nachträglich** aufzustellen ist, und zwar bezogen auf **Stichtag der Beschlussfassung** über die Kapitalherabsetzung (KK-AktG/Ekkenga/Schirrmacher Rn. 4 f.; MHdB AG/Scholz § 62 Rn. 27). Darin liegt kein Widerspruch zu der Formulierung des § 232 „bei Aufstellung der Jahresbilanz". Gemeint ist damit lediglich, dass fiktive Bilanz anlässlich der Aufstellung der Jahresbilanz zu erstellen ist. Ob Unterschiedsbetrag besteht, beurteilt sich nach dem (fiktiven) **Bilanzergebnis insges.;** unerheblich ist also, ob gerade konkret erwarteter Verlust, der Kapitalherabsetzung veranlasst hat, auch eingetreten ist. Sind einzelne Vermögenswerte zu hoch, andere dagegen zu niedrig angenommen, gleicht sich dieses aus (KK-AktG/Ekkenga/Schirrmacher Rn. 6; MHdB AG/Scholz § 62 Rn. 26). Unterschiedsbetrag kann sich zB ergeben, weil zweifelhafte Forderungen (→ § 229 Rn. 7 f.) nach Beschlussfassung erwartungswidrig erfüllt wurden (s. KK-AktG/Ekkenga/Schirrmacher Rn. 7; MHdB AG/Scholz § 62 Rn. 29). Welche Höhe der Unterschiedsbetrag aufweist, ist für Rechtsfolge des § 232 unerheblich.

4 Ein nach dem Beschluss über die Kapitalherabsetzung **erwirtschafteter Ertrag** oder eine sonstige Verbesserung der Vermögenssituation bleibt unberücksichtigt, verpflichtet also nicht dazu, einen entspr. Betrag in Kapitalrücklage einzustellen (KK-AktG/Ekkenga/Schirrmacher Rn. 5; MüKoAktG/Oechsler Rn. 7; MHdB AG/Scholz § 62 Rn. 27). Vielmehr gelten allg. Regeln über Gewinnverwendung. Unberücksichtigt bleiben ferner **nach Beschlussfassung entstandene Vermögensverschlechterungen.** Lag also bei Beschlussfassung kein Verlust vor, ist ein solcher aber später eingetreten, so kann Unterschiedsbetrag nicht zur Deckung der neuen Verluste verwandt, sondern muss nach § 232 in Kapitalrücklage eingestellt werden (GK-AktG/Sethe Rn. 6; MHdB AG/Scholz § 62 Rn. 27).

5 **3. Zeitraum.** Einstellung des Unterschiedsbetrags in Kapitalrücklage ist nur erforderlich, wenn sich Unterschiedsbetrag bei Aufstellung (→ § 172 Rn. 2) der Jahresbilanz für das Geschäftsjahr ergibt, in dem über Kapitalherabsetzung beschlossen wurde (Eintragung ist unerheblich), oder bei Aufstellung der Jahresbilanz für die beiden darauf folgenden Geschäftsjahre. § 232 ist also für einen Zeitraum **von drei Jahren** nach Beschlussfassung über Kapitalherabsetzung zu beachten. Ergibt sich Unterschiedsbetrag erst im zweiten oder dritten Geschäftsjahr, so ist er in jeweilige Jahresbilanz einzustellen. Vorausgegangene Jahresabschlüsse bleiben unverändert (Marsch-Barner/Schäfer/Busch/Busch Rn. 50.23).

III. Einstellungspflicht als Rechtsfolge

6 Unterschiedsbetrag ist in Kapitalrücklage einzustellen; gemeint ist Bilanzposten des § 266 III A II HGB. Die in § 272 II HGB genannten Gruppen passen allerdings sämtlich nicht (so auch ADS Rn. 19 für § 272 II Nr. 4 HGB). Unterschiedsbetrag sollte als solcher, also als außerordentlicher Ertrag (Überschuss nach Verlustdeckung) aus vereinfachter Kapitalherabsetzung, ausgewiesen werden. Jede

andere Verwendung des Betrags ist unzulässig. Einstellungshöchstgrenze des § 231 wirkt hier nicht (unstr., s. RegBegr. Kropff S. 321); Pflicht zur Einstellung besteht also auch, wenn ges. Rücklage und Kapitalrücklage bereits mehr als 10% des Grundkapitals erreicht haben (Marsch-Barner/Schäfer/Busch/Busch Rn. 50.21). In der GuV ist Unterschiedsbetrag als „Einstellung in die Kapitalrücklage nach den Vorschriften über die vereinfachte Kapitalherabsetzung" gesondert auszuweisen (§ 240 S. 2; → § 240 Rn. 4). Normadressat ist das Organ, das Jahresabschluss feststellt, also entweder Vorstand und AR (§ 172) oder HV (§ 173). Im zweiten Fall hat Vorstand Einstellungspflicht bei Aufstellung des Jahresabschlusses zu beachten.

IV. Rechtsfolgen bei Verstoß

Jahresabschluss ist nach § 256 I Nr. 1 und Nr. 4 nichtig (Marsch-Barner/ Schäfer/Busch/Busch Rn. 50.24; MüKoAktG/Oechsler Rn. 14; teilw. abw. KK-AktG/Ekkenga/Schirrmacher Rn. 11: nichtig gem. § 256 I Nr. 1; gem. § 241 Nr. 3 bei Feststellung durch HV), da § 232 dem Gläubigerschutz dient (→ Rn. 1). Heilung ist möglich (s. § 256 VI). **Gewinnverwendungsbeschluss** ist ebenfalls nichtig, wenn er auf nichtigem Jahresabschluss beruht (§ 253 I 1). Zahlung an Aktionäre begründet ihre Haftung nach § 62. Vorstands- und AR-Mitglieder haften für Schäden, die der AG durch Verstoß gegen § 232 entstanden sind, nach §§ 93, 116. 7

V. Analoge Anwendung des § 232

Überschussbetrag ergibt sich auch, wenn Herabsetzungsbetrag von vornherein **höher als zur Verlustdeckung zulässig** gewählt wurde. Zwar ist in diesem Fall Kapitalherabsetzungsbeschluss anfechtbar. Unterbleibt Anfechtung aber, so wird Kapitalherabsetzung, weil keine Drittinteressen betroffen sind, in das HR eingetragen und damit nach § 224 iVm § 229 III wirksam (→ § 229 Rn. 23). Entspr. gilt, wenn vereinfachte Kapitalherabsetzung zwecks Dotierung der Kapitalrücklage beschlossen und Herabsetzungsbetrag **höher als nach § 231 zulässig** festgesetzt wurde; dann scheitert – Wirksamkeit der Kapitalherabsetzung vorausgesetzt – die Einstellung in Kapitalrücklage ganz oder teilw. an Höchstgrenze des § 231 (→ § 231 Rn. 7). Für diesen Fall ist allg. anerkannt, dass Betrag analog § 232 in die Kapitalrücklage einzustellen ist (→ § 231 Rn. 7; Marsch-Barner/ Schäfer/Busch/Busch Rn. 50.23; MHdB AG/Scholz § 62 Rn. 29). Gleiches muss aber auch im ersten Fall – fehlerhaft überhöhter Herabsetzungsbetrag – gelten (so auch MHdB AG/Scholz § 62 Rn. 29; aA KK-AktG/Lutter, 2. Aufl. 1993, § 230 Rn. 14 bei offener Überhöhung). Auf jeden Fall scheidet Ausschüttung an Aktionäre gem. § 230 S. 1 ebenso aus wie Rückgängigmachung der Kapitalherabsetzung (insoweit aA [Kapitalerhöhung aus Gesellschaftsmitteln] Hirte FS Claussen, 1997, 115, 123). Bestehen für erwartete Verluste **Rückstellungen** und werden diese aufgelöst, weil Verluste in angenommener Höhe nicht eingetreten sind, so ist Betrag ebenfalls entspr. § 232 in Kapitalrücklage einzustellen (BGHZ 119, 305, 321 f. = NJW 1993, 57). 8

Gewinnausschüttung. Gläubigerschutz

233 (1) [1] **Gewinn darf nicht ausgeschüttet werden, bevor die gesetzliche Rücklage und die Kapitalrücklage zusammen zehn vom Hundert des Grundkapitals erreicht haben.** [2] **Als Grundkapital gilt dabei der Nennbetrag, der sich durch die Herabsetzung ergibt, mindestens aber der in § 7 bestimmte Mindestnennbetrag.**

(2) [1] **Die Zahlung eines Gewinnanteils von mehr als vier vom Hundert ist erst für ein Geschäftsjahr zulässig, das später als zwei Jahre nach der Beschlußfassung über die Kapitalherabsetzung beginnt.** [2] **Dies gilt nicht, wenn die Gläubiger, deren Forderungen vor der Bekanntmachung der Eintragung des Beschlusses begründet worden waren, befriedigt oder sichergestellt sind, soweit sie sich binnen sechs Monaten, nachdem der der Gewinnverteilung zugrundeliegende Jahresabschluss in das Unternehmensregister eingestellt worden ist, zu diesem Zweck gemeldet haben.** [3] **Einer Sicherstellung der Gläubiger bedarf es nicht, die im Fall des Insolvenzverfahrens ein Recht auf vorzugsweise Befriedigung aus einer Deckungsmasse haben, die nach gesetzlicher Vorschrift zu ihrem Schutz errichtet und staatlich überwacht ist.** [4] **Die Gläubiger sind auf die Befriedigung und Sicherstellung durch eine gesonderte Erklärung hinzuweisen, die der das Unternehmensregister führenden Stelle gemeinsam mit dem Jahresabschluss elektronisch zur Einstellung in das Unternehmensregister zu übermitteln ist.**

(3) **Die Beträge, die aus der Auflösung von Kapital- und Gewinnrücklagen und aus der Kapitalherabsetzung gewonnen sind, dürfen auch nach diesen Vorschriften nicht als Gewinn ausgeschüttet werden.**

I. Regelungsgegenstand und -zweck

1 § 233 ist zentrale **Gläubigerschutzvorschrift** und verbietet Gewinnausschüttung, bevor ges. Rücklage und Kapitalrücklage zusammen 10 % des Grundkapitals erreicht haben (§ 233 I). Wird Quote bereits in den ersten zwei Geschäftsjahren nach Kapitalherabsetzung erreicht, so greift zusätzlich § 233 II ein, der Höhe der Gewinnausschüttung auf 4 % beschränkt. Daneben stellt § 233 III klar, dass iRd Kapitalherabsetzung gewonnene Beträge nicht als Gewinn ausgeschüttet werden dürfen (s. bereits § 230; → § 230 Rn. 3).

II. Verbot der Gewinnausschüttung

2 **1. Inhalt und Bedeutung.** Gem. § 233 I 1 darf AG im Interesse der Gläubiger Gewinn erst dann ausschütten, wenn ges. **Reservefonds** (→ Rn. 4) die Mindesthöhe nach § 150 II erreicht hat. Gleichwohl verpflichtet § 233 I 1 nicht, Gewinn bis dahin in die ges. Rücklage einzustellen (unstr.); insoweit gilt nur § 150 II. Gewinn kann vielmehr zu jedem anderen zulässigen Zweck verwandt, zB in andere Gewinnrücklagen eingestellt oder auf neue Rechnung vorgetragen oder zur Kapitalerhöhung aus Gesellschaftsmitteln genutzt werden (MüKoAktG/Oechsler Rn. 9; MHdB AG/Scholz § 62 Rn. 31). Ausschüttungssperre ist zwingend; Befriedigung der Gläubiger oder Leistung einer Sicherheit ändern daran nichts.

3 Verboten ist **Gewinnausschüttung;** dazu zählt auch Gewinnabführung aufgrund eines Gewinnabführungsvertrags (GK-AktG/Sethe Rn. 5; krit. mit Hinweis auf § 302 und § 300 Nr. 1 MüKoAktG/Oechsler Rn. 6; MHdB AG/Scholz § 62 Rn. 32). Zulässig sind dagegen Zahlungen aufgrund von Teilgewinnabführungsverträgen und Gewinngemeinschaften (§ 292 I Nr. 1 und 2), weil diese Verträge der AG eine Gegenleistung gewähren (MüKoAktG/Oechsler Rn. 5; MHdB AG/Scholz § 62 Rn. 32). Zulässig sind ferner gewinnabhängige Zahlungen an Dritte sowie an Aktionäre, wenn sie der AG wie Dritte ggü. stehen, zB als Inhaber von Gewinnschuldverschreibungen oder Genussrechten (MHdB AG/Scholz § 62 Rn. 32); Anspruch entfällt dann aber bereits aufgrund des Vertrags, wenn er sich nicht nach erzieltem, sondern nach ausgeschüttetem Gewinn richtet. Norm verbietet schließlich nicht Zahlungen aufgrund einer Dividendengarantie

(→ § 224 Rn. 10), insbes. nach § 304 II 2 (KK-AktG/Ekkenga/Schirrmacher Rn. 4; Marsch-Barner/Schäfer/Busch/Busch Rn. 50.26; MüKoAktG/Oechsler Rn. 5).

2. Berechnung der Quote. Mit ges. Rücklage und Kapitalrücklage sind Bilanzposten des § 266 III A II, III Nr. 1 HGB gemeint. **Begriff der Kapitalrücklage** umfasst nach Wortlaut des § 233 I alle vier in § 272 II HGB genannten Untergliederungen, auch Zuzahlungen, die Gesellschafter in das Eigenkapital leisten (s. § 272 II Nr. 4 HGB). Das dürfte jedoch nicht gemeint sein, weil ges. Rücklage in § 233 I aF durch ges. Reservefonds iSd § 150 II abgelöst worden ist, der Zuzahlungen gerade nicht umfasst (→ § 150 Rn. 1, 3; → § 231 Rn. 2). **Grundkapital** ist der Nennbetrag, der sich durch die Herabsetzung ergibt, mindestens aber der in § 7 bestimmte Mindestnennbetrag (§ 233 S. 2). Unterschreitung des Mindestnennbetrags ist nur zulässig, wenn Kapitalherabsetzung mit einer Kapitalerhöhung verbunden wird (§ 229 III iVm § 228). Erhöhungsbetrag ist folglich bei der Berechnung außer Acht zu lassen; ebenso nachfolgende Kapitalerhöhungen (MüKoAktG/Oechsler Rn. 8). Quote von 10 % ist zwingend. 4

3. Beginn und Dauer. Ausschüttungsverbot beginnt mit Wirksamwerden der Kapitalherabsetzung. Entscheidendes Datum ist also Tag der Eintragung des HV-Beschlusses (§ 224 iVm § 229 III), nicht Durchführung der Kapitalherabsetzung. Vor diesem Zeitpunkt beschlossene Gewinnausschüttung bleibt zulässig, auch wenn Zahlungen erst später geleistet werden, wenn kein Umgehungsfall vorliegt (KK-AktG/Ekkenga/Schirrmacher Rn. 8; MHdB AG/Scholz § 62 Rn. 33; BeckOGK/Marsch-Barner/Maul Rn. 8; aA MüKoAktG/Oechsler Rn. 10; GK-AktG/Sethe Rn. 9). Verbot endet, wenn Quote erreicht ist. Fällt sie später wieder unter 10 %, weil Verluste aus der Rücklage zu decken sind, lebt Verbot nicht wieder auf (KK-AktG/Ekkenga/Schirrmacher Rn. 7; MHdB AG/Scholz § 62 Rn. 33). 5

III. Beschränkung der Höhe der Gewinnausschüttung

1. Grundsatz. Zahlung eines höheren Gewinnanteils als 4 % des Grundkapitals ist erst für ein Geschäftsjahr zulässig, das später als zwei Jahre nach Beschlussfassung über die Kapitalherabsetzung beginnt (§ 233 II 1). Zum Begriff der Gewinnausschüttung → Rn. 3. Prozentualer Gewinnanteil errechnet sich aus zum Zeitpunkt des Gewinnverwendungsbeschlusses jew. **bestehender Grundkapitalziffer** (Marsch-Barner/Schäfer/Busch/Busch Rn. 50.27; MHdB AG/Scholz § 62 Rn. 34), also anders als bei § 233 I nicht notwendig aus der Ziffer, die durch Kapitalherabsetzung erreicht wurde (→ Rn. 4). Kapitalerhöhungen sind zu berücksichtigen. Höchstbetrag von 4 % ist Durchschnittswert; wie er sich auf die einzelnen Aktien verteilt (zB unterschiedliche Dividende bei Stamm- und Vorzugsaktien), ist unerheblich (Marsch-Barner/Schäfer/Busch/Busch Rn. 50.27). 6

Beschränkung gilt für das zum Zeitpunkt der Beschlussfassung (nicht: Wirksamwerden) **laufende Geschäftsjahr und die zwei nachfolgenden Geschäftsjahre.** Rückwirkung der Kapitalherabsetzung nach § 234 berührt diesen Zeitraum nicht (MHdB AG/Scholz § 62 Rn. 34). Sind Gewinne aus dem vorangegangenen Geschäftsjahr allerdings noch nicht ausgeschütten worden, greift Sperre auch hier (sa MHdB AG/Scholz § 62 Rn. 35). Wirksam wird Verbot jedoch erst mit Wirksamwerden der Kapitalherabsetzung, also gem. §§ 223, 224 mit **Eintragung** des darauf gerichteten Beschlusses (MüKoAktG/Oechsler Rn. 15; MHdB AG/Scholz § 62 Rn. 35). Gegenauffassung, die unter Verweis auf Wortlaut des § 233 II 1 auf Zeitpunkt der Beschlussfassung abstellt (GK- 7

AktG/Sethe Rn. 19), widerspricht herkömmlichem Wirksamkeitsverständnis und findet auch im Wortlaut, der nur für Berechnung des Endtermins der Ausschüttungssperre auf Beschlussfassung abstellt, keine hinreichende Stütze (MüKoAktG/Oechsler Rn. 15). **Vor Eintragung gefasster Gewinnverwendungsbeschluss** darf also noch Gewinnanteil von über 4 % vorsehen. Gewinnverwendungsbeschluss kann auch zugleich mit Beschluss über vereinfachte Kapitalherabsetzung sowie zwischen Beschlussfassung und Wirksamwerden der Kapitalherabsetzung gefasst werden (MHdB AG/Scholz § 62 Rn. 35). Bis zum Wirksamwerden der Kapitalherabsetzung dürfen dann auch mehr als 4 % gezahlt werden. Nach Wirksamwerden gilt jedoch Schranke des § 233 II 1 und Zahlung eines Gewinnanteils ist beschränkt auf 4 %. Verbot begrenzt rechtsgestaltend den Dividendenanspruch der Aktionäre (KK-AktG/Lutter, 2. Aufl. 1993, Rn. 13). Das gilt nicht nur für nach Wirksamwerden angefallenen Teilgewinn, sondern für **gesamte Abrechnungsperiode.** Wirksamwerden hat allein für Frage Bedeutung, ab welchem Zeitpunkt Gewinnausschüttung nicht mehr zulässig ist (iErg zutr., aber die hM wohl fehlinterpretierend KK-AktG/Ekkenga/Schirrmacher Rn. 12 f.).

8 **2. Ausnahme.** Verbot des § 233 II 1 gilt nicht, wenn die **Gläubiger,** deren Forderungen vor der Bek. der Eintragung des Kapitalherabsetzungsbeschlusses begründet worden waren, **befriedigt oder sichergestellt** sind, soweit sie sich binnen sechs Monaten nach der Bek. des Jahresabschlusses, aufgrund dessen die Gewinnverteilung beschlossen ist, zu diesem Zweck gemeldet haben (§ 233 II 2). Norm ist § 225 nachgebildet (→ § 225 Rn. 15). Hinsichtlich Bek. ist nach Neuordnung des Bekanntmachungswesens durch **DiRUG 2021** zu beachten, dass damit gem. § 10 I HGB nur noch erstmalige Abrufbarkeit der Eintragung umschrieben wird (→ § 39 Rn. 7 ff.). **Ergänzung:** Verbot gilt mindestens bis zum Ablauf der halbjährigen Meldefrist. Frist beginnt mit Einstellung des Jahresabschlusses, aufgrund dessen Gewinnverteilung beschlossen wurde, in das Unternehmensregister nach § 8b HGB iVm § 325 I HGB (→ § 172 Rn. 11) (anders § 225 I 2: Bek. der Eintragung des Kapitalherabsetzungsbeschlusses; § 225 I 2 ist bei vereinfachter Kapitalherabsetzung gem. § 229 III nicht anwendbar). Frist berechnet sich nach §§ 187 ff. BGB. Keiner Sicherstellung bedarf es, wenn Gläubiger im Fall des Insolvenzverfahrens aus einer bes. Deckungsmasse bevorzugt zu befriedigen sind. Das entspr. § 225 I 3 (→ § 225 Rn. 10). Gläubiger müssen nach § 233 II 4 auf Befriedigung oder Sicherstellung hingewiesen werden. Nachdem DiRUG 2021 auch Format zur Veröffentlichung des Jahresabschlusses neu geordnet hat (→ § 172 Rn. 11), geschieht dies künftig nicht mehr durch Bek. nach § 325 II HGB aF, sondern durch **gesonderte Erklärung,** die der das Unternehmensregister führenden Stelle gemeinsam mit dem Jahresabschluss elektronisch zur Einstellung in das Unternehmensregister zu übermitteln ist.

IV. Verbot der Ausschüttung des Buchertrags

9 Beträge, die aus Auflösung von Kapital- und Gewinnrücklagen und aus Kapitalherabsetzung gewonnen sind, dürfen auch nach § 233 I und II nicht als Gewinn ausgeschüttet werden (§ 233 III). Norm stellt klar, dass Ausschüttungsverbot des § 230 S. 1 uneingeschränkt gilt. Das ist sachgerecht, weil durch Umbuchung nichts verdient wird.

V. Rechtsfolgen bei Verstoß

10 Gewinnverwendungsbeschluss, der § 233 missachtet, ist nach § 253 I, § 241 Nr. 3 nichtig, da Norm dem Gläubigerschutz dient (unstr.). Sind entgegen § 233

Zahlungen geleistet worden, haften Aktionäre nach § 62. Haftung der Vorstands- und AR-Mitglieder bestimmt sich nach §§ 93, 116.

Rückwirkung der Kapitalherabsetzung

234 **(1) Im Jahresabschluß für das letzte vor der Beschlußfassung über die Kapitalherabsetzung abgelaufene Geschäftsjahr können das gezeichnete Kapital sowie die Kapital- und Gewinnrücklagen in der Höhe ausgewiesen werden, in der sie nach der Kapitalherabsetzung bestehen sollen.**

(2) [1]In diesem Fall beschließt die Hauptversammlung über die Feststellung des Jahresabschlusses. [2]Der Beschluß soll zugleich mit dem Beschluß über die Kapitalherabsetzung gefaßt werden.

(3) [1]Die Beschlüsse sind nichtig, wenn der Beschluß über die Kapitalherabsetzung nicht binnen drei Monaten nach der Beschlußfassung in das Handelsregister eingetragen worden ist. [2]Der Lauf der Frist ist gehemmt, solange eine Anfechtungs- oder Nichtigkeitsklage rechtshängig ist.

I. Regelungsgegenstand und -zweck

Norm soll vermeidbare Schädigung des Gesellschaftskredits verhindern und bezweckt damit **Erleichterung von Sanierungsbemühungen** (OLG Düsseldorf ZIP 1981, 847; KK-AktG/Ekkenga/Schirrmacher Rn. 3; Lutter/Hommelhoff/Timm BB 1980, 737, 741; K. Schmidt AG 1985, 150, 156). Deshalb ist es uU zulässig, Eigenkapitalposten unter **Durchbrechung des Stichtagsprinzips** (§ 252 I Nr. 3 HGB) schon im Jahresabschluss für vorhergehendes Geschäftsjahr so zu verwenden, wie sie sich aus geplanter vereinfachter Kapitalherabsetzung ergeben sollen. Ansatz des § 234 wird durch § 235 fortgeführt. Eine mit der Kapitalherabsetzung verbundene Kapitalerhöhung kann danach gleichfalls rückwirkend berücksichtigt werden. Für Bek. eines nach § 234 aufgestellten Jahresabschlusses enthält § 236 eine von § 325 HGB abw. Sonderregelung. 1

II. Rückwirkung

1. Allgemeines. § 234 I enthält lediglich Ausnahme vom Stichtagsprinzip (→ Rn. 1) und lässt insoweit modifizierte Jahresbilanz zu. **Wirksam** wird vereinfachte Kapitalherabsetzung dagegen nach § 224 iVm § 229 III **erst mit Eintragung des Beschlusses** (unstr.; s. nur K. Schmidt AG 1985, 150, 156 f.). Norm verpflichtet AG aber nicht, so zu verfahren (MHdB AG/Scholz § 62 Rn. 38). Ob von Rückwirkungsmöglichkeit Gebrauch gemacht wird, entscheidet Gesellschaft durch ihre Organe (MüKoAktG/Oechsler Rn. 6). Norm ist nur bei vereinfachter Kapitalherabsetzung anwendbar, nicht aber bei ordentlicher Kapitalherabsetzung oder bei Kapitalherabsetzung durch Einziehung von Aktien (unstr.). Dagegen steht es der Anwendung des § 234 nicht entgegen, wenn AG im abgelaufenen Geschäftsjahr noch GmbH war (GK-AktG/Sethe Rn. 3; K. Schmidt AG 1985, 150, 156 f.). 2

2. Einzelheiten. Erlaubt ist Rückwirkung nur für den Jahresabschluss des Geschäftsjahrs, das der Beschlussfassung über die Kapitalherabsetzung vorausgegangen ist, nicht aber für weiter zurückliegende Geschäftsjahre. Von ihr betroffen sind nur die Bilanzposten gezeichnetes Kapital (Grundkapital) gem. § 266 III A I HGB und die Kapital- und Gewinnrücklagen nach § 266 III A II, III HGB. Nur sie können so beziffert werden, als wäre Kapitalherabsetzung am Bilanz- 3 stichtag bereits wirksam gewesen. Aufzunehmen sind die Zahlen, die sich unmittelbar nach Eintragung des Kapitalherabsetzungsbeschlusses ergeben werden. Für alle übrigen Bilanzposten verbleibt es beim Stichtagsprinzip.

III. Feststellung des Jahresabschlusses durch die Hauptversammlung

4 **1. Zuständigkeit.** HV beschließt im Falle des § 234 I über Feststellung des Jahresabschlusses (§ 234 II 1). Regelung ist zwingend und durchbricht in §§ 172, 173 festgelegte Zuständigkeit zur Feststellung des Jahresabschlusses. HV ist im Fall der Rückwirkung nämlich auch ohne Vorlagebeschluss der Verwaltung nach § 173 zuständig (KK-AktG/Ekkenga/Schirrmacher Rn. 7 ff.; MHdB AG/Scholz § 62 Rn. 39). Über Vorfrage, ob von Befugnis (→ Rn. 2) des § 234 I Gebrauch gemacht werden soll, entscheidet jedoch Verwaltung nach pflichtgem. Ermessen. Vorstand und AR können nämlich Jahresabschluss ohne Rückwirkung der Kapitalherabsetzung nach § 172 feststellen. Feststellung ist dann bindend; Jahresabschluss kann von HV nicht mehr geändert werden. Nicht abänderbar ist auch bereits von HV festgestellter Jahresabschluss.

5 Im Einzelnen ist zu unterscheiden. **Beschließen Vorstand und AR nach § 173 I,** die Feststellung des Jahresabschlusses der HV zu überlassen, so ist sie in der Entscheidung über die Rückwirkung frei. Bei Abweichungen vom vorgelegten Abschlussentwurf ist gem. § 173 III Nachtragsprüfung erforderlich (vgl. KK-AktG/Ekkenga/Schirrmacher Rn. 8). Möglich ist auch, dass Vorstand **ohne Vorlagebeschluss** den Entwurf eines Jahresabschlusses allein deshalb der HV zur Feststellung vorlegt, weil Rückwirkung nach § 234 beschlossen werden soll. HV kann in diesem Fall nur Jahresabschluss mit Rückwirkung beschließen; folgt sie dem Entwurf nicht (keine Rückwirkung), so kann sie Jahresabschluss nicht feststellen, da kein Beschluss nach § 173 I 1 vorliegt (GK-AktG/Sethe Rn. 10). HV ist befugt, Verwaltung anzuweisen, Jahresabschluss zur Feststellung gem. § 234 vorzulegen (GK-AktG/Sethe Rn. 10). Wenn Verwaltung trotzdem den Jahresabschluss (ohne Rückwirkung) nach § 172 feststellt, handelt sie pflichtwidrig; §§ 93, 116 können eingreifen (GK-AktG/Sethe Rn. 10).

6 **2. Gleichzeitige Beschlussfassung.** Feststellung des Jahresabschlusses durch HV soll gem. § 234 II 2 zugleich mit der Beschlussfassung über die Kapitalherabsetzung nach § 229 erfolgen. „Zugleich" bedeutet auf einer HV (KK-AktG/Ekkenga/Schirrmacher Rn. 12; Krafka RegisterR Rn. 1556). Norm trägt dem engen Zusammenhang zwischen beiden Beschlüssen Rechnung, stellt aber lediglich Sollvorschrift dar, so dass Verstoß nicht zwingend zur Anfechtbarkeit der Beschlüsse führt (→ § 243 Rn. 6). Interessen der Gläubiger sind durch § 234 III geschützt. Folgende Konstellationen sind zu unterscheiden: Beschließt HV zunächst über Kapitalherabsetzung und später über Feststellung des Jahresabschlusses, so ist Herabsetzung weder anfechtbar noch nichtig (KK-AktG/Ekkenga/Schirrmacher Rn. 13; BeckOGK/Marsch-Barner/Maul Rn. 10; S/L/Veil Rn. 9; MHdB AG/Scholz § 62 Rn. 40; aA LG Frankfurt DB 2003, 2541, 2542). Auch die Feststellung des Jahresabschlusses ist wirksam (MüKoAktG/Oechsler Rn. 13; MHdB AG/Scholz § 62 Rn. 40). Wird Jahresabschluss rückwirkend festgestellt, bevor Kapitalherabsetzung beschlossen ist, wird Feststellung des Jahresabschlusses durch Wirksamwerden der Kapitalherabsetzung bedingt (MHdB AG/Scholz § 62 Rn. 40; KK-AktG/Ekkenga/Schirrmacher Rn. 13; MüKo-AktG/Oechsler Rn. 13).

IV. Fristgerechte Eintragung

7 **1. Dreimonatsfrist.** Beschluss über vereinfachte Kapitalherabsetzung sowie über Feststellung des Jahresabschlusses ist nach Wortlaut des § 234 III 1 nichtig

(der Sache nach: endgültig unwirksam; → § 241 Rn. 7), wenn Beschluss über Kapitalherabsetzung nicht binnen drei Monaten nach Beschlussfassung in HR eingetragen worden ist. Ohne Bedeutung ist nur deklaratorische (→ § 227 Rn. 1) Eintragung der Durchführung der Kapitalherabsetzung. Für Fristberechnung gelten § 187 I BGB, § 188 II BGB. Dreimonatsfrist beginnt mit dem auf die HV folgenden Tag zu laufen. Wird Feststellung des Jahresabschlusses isoliert vorgezogen (→ Rn. 6), leitet auch dies den Lauf der Frist ein (KK-AktG/Ekkenga/Schirrmacher Rn. 15; MüKoAktG/Oechsler Rn. 14). Frist ist Ausschlussfrist und wird daher **nur durch rechtzeitige Eintragung** des Kapitalherabsetzungsbeschlusses nach § 229 III iVm §§ 223, 234 gewahrt. Anmeldung innerhalb der Frist reicht nicht. Erfolgt Eintragung durch schuldhafte Pflichtverletzung des Registerrichters nicht rechtzeitig, so kommen Ansprüche aus Amtspflichtverletzung (Art. 34 GG, § 839 BGB) in Betracht.

2. Fristhemmung. Lauf der Dreimonatsfrist ist gehemmt, solange eine **Anfechtungs- oder Nichtigkeitsklage** rechtshängig ist (§ 234 III 2). Das entspr. § 217 II 5, § 228 II 2 und trägt der inhaltlich korrespondierenden Änderung in § 181 I Rechnung (→ § 181 Rn. 10). Erfasst werden Klagen gegen den Kapitalherabsetzungsbeschluss nach §§ 246, 249 sowie gegen den Jahresabschluss nach §§ 256, 257. Gewöhnliche Feststellungsklage hemmt Frist nicht. Rechtswirkung der Hemmung bestimmt sich nach § 209 BGB. Demnach wird Zeitraum der Rechtshängigkeit nicht mitgerechnet. Bereits begonnene Frist läuft also fort, sobald Hemmung wegfällt. Zu weiteren Einzelheiten → § 228 Rn. 6 f. 8

3. Rechtsfolge bei Fristüberschreitung. Fristablauf macht sowohl Kapitalherabsetzungsbeschluss als auch Jahresabschluss nichtig (§ 234 III 1; für den Jahresabschluss auch § 256 I), und zwar von Anfang an (allgM). Besser spräche Ges. von endgültiger Unwirksamkeit (→ Rn. 7). Zuvor war Jahresabschluss in der Schwebe, weil er zwingend von Wirksamkeit der Kapitalherabsetzung abhängt (KK-AktG/Ekkenga/Schirrmacher Rn. 18). Gleiches gilt für Kapitalherabsetzungsbeschluss, der ohnehin erst mit seiner Eintragung wirksam wird (§ 229 III iVm § 224). Wegen ihres engen Zusammenhangs verfügt Ges. Nichtigkeit (Unwirksamkeit) beider Beschlüsse. Rechtsfolge ist für Jahresabschluss zwingend. Str. ist aber, ob dies auch für Kapitalherabsetzungsbeschluss gilt (so noch KK-AktG/Lutter, 2. Aufl. 1993, Rn. 19) oder ob hier HV im Beschluss bestimmen kann, dass Kapitalherabsetzung unabhängig von Rückwirkung wirksam werden soll (so zutr. KK-AktG/Ekkenga/Schirrmacher Rn. 17; MHdB AG/Scholz § 62 Rn. 41). 9

Heilung. Nach Fristablauf darf Registergericht nichtigen Kapitalherabsetzungsbeschluss nicht mehr in das HR eintragen. Trägt es trotzdem ein, ist gem. § 242 III Heilung in entspr. Anwendung des § 242 II möglich (→ § 242 Rn. 9). Sinngleiche Vorschrift fehlt für Jahresabschluss (s. § 256 VI). Mit allgM ist jedoch davon auszugehen, dass mit Heilung des Kapitalherabsetzungsbeschlusses auch Jahresabschluss geheilt wird (MHdB AG/Scholz § 62 Rn. 41). Wiederholung der nichtigen (unwirksamen) Beschlüsse ist möglich (KK-AktG/Ekkenga/Schirrmacher Rn. 19). 10

Rückwirkung einer gleichzeitigen Kapitalerhöhung

235 (1) [1] **Wird im Fall des § 234 zugleich mit der Kapitalherabsetzung eine Erhöhung des Grundkapitals beschlossen, so kann auch die Kapitalerhöhung in dem Jahresabschluß als vollzogen berücksichtigt werden.** [2] **Die Beschlußfassung ist nur zulässig, wenn die neuen Aktien gezeichnet, keine Sacheinlagen festgesetzt sind und wenn auf jede**

Aktie die Einzahlung geleistet ist, die nach § 188 Abs. 2 zur Zeit der Anmeldung der Durchführung der Kapitalerhöhung bewirkt sein muß. [3]Die Zeichnung und die Einzahlung sind dem Notar nachzuweisen, der den Beschluß über die Erhöhung des Grundkapitals beurkundet.

(2) **[1]Sämtliche Beschlüsse sind nichtig, wenn die Beschlüsse über die Kapitalherabsetzung und die Kapitalerhöhung und die Durchführung der Erhöhung nicht binnen drei Monaten nach der Beschlußfassung in das Handelsregister eingetragen worden sind. [2]Der Lauf der Frist ist gehemmt, solange eine Anfechtungs- oder Nichtigkeitsklage rechtshängig ist. [3]Die Beschlüsse und die Durchführung der Erhöhung des Grundkapitals sollen nur zusammen in das Handelsregister eingetragen werden.**

Übersicht

I. Regelungsgegenstand und -zweck

1 § 235 ergänzt § 234 für den Fall, dass mit Kapitalherabsetzung eine Kapitalerhöhung verbunden ist. Norm bezweckt wie § 234 (→ § 234 Rn. 1) **Erleichterung von Sanierungsbemühungen** unter Durchbrechung des Stichtagsprinzips. Sie lässt zu, dass auch die Kapitalerhöhung bereits im Jahresabschluss für das Geschäftsjahr berücksichtigt wird, das den Beschlüssen über die Kapitalmaßnahmen vorausgeht (§ 235 I 1), und nennt dafür die Voraussetzungen (§ 235 I 2, 3; II). Offenlegung des Jahresabschlusses bestimmt sich im Fall des § 235 nach § 236.

II. Rückwirkung der Kapitalerhöhung (§ 235 I)

2 **1. Bedeutung.** Gem. § 235 I 1 kann im Fall des § 234 auch eine Kapitalerhöhung im Jahresabschluss als vollzogen berücksichtigt werden. Ebenso wie bei § 234 gilt, dass Norm nicht bestimmt, dass Kapitalerhöhung rückwirkend wirksam wird. **Wirksam** wird sie **erst mit Eintragung der Durchführung** der Kapitalerhöhung (§ 189). Erst mit ihr erhält AG neue Grundkapitalziffer und entstehen neue Mitgliedsrechte. § 235 enthält nur Ausnahme vom Stichtagsprinzip (→ Rn. 1), lässt insoweit modifizierte Jahresbilanz zu und erlaubt Aufstellen einer „unrichtigen" Bilanz, indem Bilanzpositionen in einer Höhe ausgewiesen werden, wie sie zum Bilanzstichtag tats. nicht bestanden. Auf der Passivseite der Bilanz sind das gezeichnete Kapital (§ 266 III A I HGB) und, wenn ein Agio zu zahlen ist, die Kapitalrücklage so zu beziffern, als ob Kapitalerhöhung schon

wirksam wäre (§ 266 III A II HGB, § 272 II Nr. 1 HGB); auf der Aktivseite sind vor dem Anlagevermögen die Einlageforderungen auszuweisen (§ 272 I 3 HGB).

2. Kein Zwang zur Rückwirkung. § 235 I 1 räumt Möglichkeit zur Rückwirkung ein, verpflichtet aber nicht dazu (unstr.). Da Rückwirkung der Kapitalerhöhung nur in Betracht kommt, wenn auch Kapitalherabsetzung nach § 234 zurückwirkt (→ Rn. 4), bestehen **drei Gestaltungsmöglichkeiten:** (1.) Weder Kapitalherabsetzung noch Kapitalerhöhung wirken zurück; beide Maßnahmen werden erst im Jahresabschluss des Geschäftsjahres ausgewiesen, in dem sie wirksam werden. (2.) Kapitalherabsetzung wirkt nach § 234 zurück; Kapitalerhöhung jedoch nicht. In diesem Fall sind Voraussetzungen des § 234 zu beachten. (3.) Kapitalherabsetzung und Kapitalerhöhung wirken zurück; sowohl § 234 wie § 235 sind zu berücksichtigen. Zur Frage, wer über Rückwirkung der Kapitalherabsetzung entscheidet, → § 234 Rn. 4 f. Über Rückwirkung der Kapitalerhöhung bestimmt HV durch entspr. Aufstellung des Jahresabschlusses (MHdB AG/Scholz § 62 Rn. 43). 3

3. Voraussetzungen der Beschlussfassung. a) Allgemeines. Rückwirkende Kapitalerhöhung ist nur zur Ergänzung vereinfachter Kapitalherabsetzung möglich (unstr.). Sie setzt zudem voraus, dass über Kapitalherabsetzung und Kapitalerhöhung zugleich beschlossen wird (s. § 235 I 1), also in einer HV (MHdB AG/Scholz § 62 Rn. 43; Krafka RegisterR Rn. 1556). Ferner ist Rückwirkung nur zulässig, wenn auch zugleich beschlossene Kapitalherabsetzung nach § 234 zurückwirkt (KK-AktG/Lutter, 2. Aufl. 1993, Rn. 4; Lutter/Hommelhoff/Timm BB 1980, 737, 744). Voraussetzungen des § 234 sind folglich kumulativ zu beachten. § 235 ist auch anwendbar, wenn AG im abgelaufenen Geschäftsjahr noch die Rechtsform einer GmbH besaß (MHdB AG/Scholz § 62 Rn. 42; → § 234 Rn. 2). 4

b) Reguläre Kapitalerhöhung mit Geldeinlage. Beschluss darf nur gefasst werden, wenn neue Aktien gezeichnet, keine Sacheinlagen festgesetzt sind und auf jede Aktie eine Einzahlung entspr. § 188 II geleistet ist (§ 235 I 2). Kapitalerhöhung muss somit eine solche gegen Einlagen nach §§ 182 ff. sein. Bedingte Kapitalerhöhung (§ 192), genehmigtes Kapital (§ 202) oder Kapitalerhöhung aus Gesellschaftsmitteln genügen nicht (KK-AktG/Ekkenga/Schirrmacher Rn. 6; MHdB AG/Scholz § 62 Rn. 43; Lutter/Hommelhoff/Timm BB 1980, 737, 741). Alle neuen Aktien müssen vor Kapitalerhöhungsbeschluss gezeichnet sein. Es müssen also die **Zeichnungsverträge** (→ § 185 Rn. 23 ff.) vorliegen (KK-AktG/Ekkenga/Schirrmacher Rn. 8). Zeichnung erfolgt unter der Bedingung, dass Kapitalerhöhung wirksam beschlossen wird. Andernfalls (kein oder nichtiger Beschluss) ist Zeichnungsvertrag nach §§ 812 ff. BGB abzuwickeln (Marsch-Barner/Schäfer/Busch/Busch Rn. 50.35). Ferner muss es sich um Kapitalerhöhung gegen **Geldeinlage** handeln, weil im Sanierungsfall problemlos feststellbare echte Zufuhr neuer Mittel erfolgen soll (OLG Düsseldorf ZIP 1981, 847). Bei Sacheinlagen (→ § 183 Rn. 2 f.) gibt es keine Rückwirkung. 5

c) Voreinzahlung. Beschluss ist nur zulässig, wenn auf jede Aktie die Einzahlung geleistet ist, die nach § 188 II vor Anmeldung der Durchführung bewirkt sein muss. Zeichner sind mithin vorleistungspflichtig. Nach § 188 II gelten § 36 II, § 36a, § 37 I sinngem., so dass **mindestens 25 % des geringsten Ausgabebetrags zuzüglich Agio** auf jede Aktie einzuzahlen sind. Hat Vorstand zudem Restbetrag ganz oder teilw. geltend gemacht (s. § 36 II), umfasst Einzahlungspflicht auch diesen Betrag (BGHZ 118, 83, 88 = NJW 1992, 2222; OLG Düsseldorf ZIP 1981, 847). Zahlung muss als Vorschuss auf die künftige Einlageverpflichtung erbracht werden (BGHZ 118, 83, 88; → § 188 Rn. 7 f.). 6

7 Da § 235 II auf § 188 I 2 und dieser auf § 36 II verweist, müsste nach dessen Wortlaut verlangt werden, dass eingeforderter Betrag ordnungsgem. **eingezahlt** worden ist (s. § 54 III) und noch im Zeitpunkt der Anmeldung **endgültig zur freien Verfügung** des Vorstands steht. Nach neuerer Rspr. kommt es auf freie Verfügbarkeit im Zeitpunkt der Anmeldung indes nicht mehr an, sondern lediglich darauf, dass Einlage nicht an Inferenten zurückgeflossen ist (→ § 188 Rn. 6). Das muss bei Kapitalerhöhung zu Sanierungszwecken iSd § 235 erst recht gelten, da hier grds. ges. Reihenfolge praktischen Bedürfnissen nicht entspr. (MüKoAktG/Oechsler Rn. 11; GK-AktG/Sethe Rn. 12). Ordnungsgem. eingezahlt ist Einlage nur, wenn sie auch etwaiges eingefordertes Agio erfasst (OLG Düsseldorf ZIP 1981, 847, 856 f.; BeckOGK/Marsch-Barner/Maul Rn. 11; MüKoAktG/Oechsler Rn. 11; aA noch Lutter/Hommelhoff/Timm BB 1980, 737, 744).

8 **4. Nachweis der Voraussetzungen.** Zeichnung und Zahlung der Mindesteinlage sind dem Notar nachzuweisen, der Kapitalerhöhungsbeschluss beurkundet (§ 235 I 3). Nachweis muss **vor der Beurkundung** erfolgen, nicht notwendig in der HV. In welcher Form Notar den Nachweis verlangt, steht in seinem pflichtgem. Ermessen (MHdB AG/Scholz § 62 Rn. 44). Nachweis wird idR durch Vorlage der Zeichnungsscheine und der Einzahlungsbelege erbracht; anstelle der Einzahlungsbelege kann auch eine schriftliche Bankbestätigung vorgelegt werden (KK-AktG/Ekkenga/Schirrmacher Rn. 11). Notar kann Nachweis der Einzahlung auch durch öffentl. Urkunden verlangen (KK-AktG/Ekkenga/Schirrmacher Rn. 11). Werden Voraussetzungen nicht oder nicht ordnungsgem. nachgewiesen, hat Notar seine Mitwirkung bei der Beschlussfassung abzulehnen. Protokolliert er Beschlüsse trotzdem, so bleibt Verstoß ohne beschlussrechtl. Folgen (Marsch-Barner/Schäfer/Busch/Busch Rn. 50.35; MHdB AG/Scholz § 62 Rn. 45).

9 **5. Fehlerhafter Beschluss.** Liegen Voraussetzungen des § 235 I 1 oder 2 nicht vor, so ist ein die Kapitalerhöhung ausweisender **Jahresabschluss** nach § 256 I Nr. 1 **nichtig.** Ges. Anforderungen dienen nämlich iSd dieser Vorschrift schwerpunktmäßig dem Gläubigerschutz (MüKoAktG/Oechsler Rn. 13; MHdB AG/Scholz § 62 Rn. 45).

III. Fristgerechte Eintragung (§ 235 II)

10 **1. Eintragungsfrist; Fristüberschreitung.** Wenn HV die Kapitalerhöhung im Jahresabschluss berücksichtigt hat, sind gem. § 235 II 1 sämtliche Beschlüsse von Anfang an **nichtig,** wenn Beschluss über die Kapitalherabsetzung (§ 223, 224 iVm § 229 III) und Beschluss über die Kapitalerhöhung (§ 184) sowie deren Durchführung (§§ 188, 189) nicht binnen drei Monaten in das HR eingetragen worden sind. Unerheblich bleibt deklaratorische Eintragung der Durchführung der Kapitalherabsetzung nach § 227 iVm § 229 III. **Dreimonatsfrist** beginnt mit Tag der Beschlussfassung. Für Fristberechnung gelten § 187 I BGB, § 188 II BGB. Frist wird durch **rechtzeitige Eintragung** gewahrt. Anmeldung innerhalb der Frist reicht nicht (→ § 234 Rn. 7).

11 Nach Ablauf der Frist darf Registergericht Kapitalherabsetzungsbeschluss, Kapitalerhöhungsbeschluss und Durchführung der Kapitalerhöhung nicht mehr in das HR eintragen. Trägt es trotzdem ein, ist gem. § 242 III **Heilung** in entspr. Anwendung des § 242 II möglich. Norm betr. dem Wortlaut nach zwar nur die Kapitalmaßnahmen. Sinngleiche Vorschrift fehlt für Jahresabschluss (s. § 256 VI). Doch gilt hier ebenso wie iRd § 234, dass sich Heilung der Kapitalmaßnahmen auch auf Jahresabschluss erstreckt (→ § 234 Rn. 10).

12 **2. Fristhemmung.** Dreimonatsfrist ist gehemmt, solange eine **Anfechtungs- oder Nichtigkeitsklage** rechtshängig ist (§ 235 II 2). Dagegen bewirkt das

Ausstehen einer staatlichen Genehmigung keine Fristhemmung mehr, nachdem § 235 II 2 durch VorstAG 2009 entspr. geändert worden ist (→ § 181 Rn. 10; → § 234 Rn. 8).

3. Gleichzeitige Eintragung. Beschlüsse und die Durchführung der Erhöhung des Grundkapitals sollen nur zusammen in das HR eingetragen werden (§ 235 II 3). Verstoß berührt Wirksamkeit nicht (kein Anfechtungs- oder Nichtigkeitsgrund), da Norm nur Ordnungsvorschrift ohne wesentliche Bedeutung ist (KK-AktG/Ekkenga/Schirrmacher Rn. 16; MHdB AG/Scholz § 62 Rn. 46; → § 243 Rn. 7). Für Registerrichter ist sie aber zwingend (→ § 228 Rn. 8). Liegen nicht alle drei Anmeldungen vor oder sind sie zT nicht ordnungsgem., hat Registerrichter nach fruchtloser Zwischenverfügung Eintragung wegen § 235 II 3 abzulehnen. Norm will vermeiden, dass Eintragungen vorgenommen werden, die sich später wegen § 235 II 1 als nichtig (unwirksam) erweisen könnten. **Kosten der Eintragung:** § 58 I GNotKG, § 105 GNotKG sowie HRegGebV v. 30.9.2004 (BGBl. 2004 I 2562) mit Gebührenverzeichnis (GV) als Anlage. Geschäftswert orientiert sich aufgrund gemeinschaftskonformer Auslegung am tats. Aufwand (→ § 38 Rn. 18; → § 182 Rn. 34, 34a). 13

Offenlegung

236 Die Offenlegung des Jahresabschlusses nach § 325 des Handelsgesetzbuchs darf im Fall des § 234 erst nach Eintragung des Beschlusses über die Kapitalherabsetzung, im Fall des § 235 erst ergehen, nachdem die Beschlüsse über die Kapitalherabsetzung und Kapitalerhöhung und die Durchführung der Kapitalerhöhung eingetragen worden sind.

I. Regelungsgegenstand und -zweck

§ 236 modifiziert § 325 HGB und bezweckt **Gläubigerschutz und Schutz künftiger Aktionäre.** Norm verhindert in ihrem Interesse, dass durch verfrühte Offenlegung der unrichtige Eindruck erweckt wird, der Jahresabschluss sei wirksam, obwohl Fristen nach § 234 III, § 235 II noch laufen. 1

II. Vorstandspflichten

Bis zu den in § 236 vorausgesetzten Eintragungen hat jede Offenlegung zu unterbleiben. Nach Eintragung ist unverzüglich (§ 121 I 1 BGB) gem. § 325 HGB zu verfahren. Norm verschiebt also lediglich maßgeblichen Anfangszeitpunkt. 2

III. Rechtsfolgen bei Verstoß

§ 236 ist Schutzgesetz iSd **§ 823 II** BGB (BeckOGK/Marsch-Barner/Maul Rn. 3; MHdB AG/Scholz § 62 Rn. 47). AG haftet über § 31 BGB. Haftung kann eintreten, wenn Gläubiger oder Aktionäre auf die Wirksamkeit eines nach § 234 III, § 235 II nichtigen (unwirksamen) Jahresabschlusses vertraut haben und Schaden erleiden, weil Rückbezug der Kapitalmaßnahme nicht gelungen ist. Vorstands- und AR-Mitglieder können von der AG nach §§ 93, 116 in Regress genommen werden. 3

Dritter Unterabschnitt. Kapitalherabsetzung durch Einziehung von Aktien. Ausnahme für Stückaktien

Voraussetzungen

237 (1) [1]**Aktien können zwangsweise oder nach Erwerb durch die Gesellschaft eingezogen werden.** [2]**Eine Zwangseinziehung ist nur zulässig, wenn sie in der ursprünglichen Satzung oder durch eine Satzungsänderung vor Übernahme oder Zeichnung der Aktien angeordnet oder gestattet war.**

(2) [1]**Bei der Einziehung sind die Vorschriften über die ordentliche Kapitalherabsetzung zu befolgen.** [2]**In der Satzung oder in dem Beschluß der Hauptversammlung sind die Voraussetzungen für eine Zwangseinziehung und die Einzelheiten ihrer Durchführung festzulegen.** [3]**Für die Zahlung des Entgelts, das Aktionären bei einer Zwangseinziehung oder bei einem Erwerb von Aktien zum Zwecke der Einziehung gewährt wird, und für die Befreiung dieser Aktionäre von der Verpflichtung zur Leistung von Einlagen gilt § 225 Abs. 2 sinngemäß.**

(3) **Die Vorschriften über die ordentliche Kapitalherabsetzung brauchen nicht befolgt zu werden, wenn Aktien, auf die der Ausgabebetrag voll geleistet ist,**

1. **der Gesellschaft unentgeltlich zur Verfügung gestellt oder**
2. **zu Lasten des Bilanzgewinns oder einer frei verfügbaren Rücklage, soweit sie zu diesem Zweck verwandt werden können, eingezogen werden oder**
3. **Stückaktien sind und der Beschluss der Hauptversammlung bestimmt, dass sich durch die Einziehung der Anteil der übrigen Aktien am Grundkapital gemäß § 8 Abs. 3 erhöht; wird der Vorstand zur Einziehung ermächtigt, so kann er auch zur Anpassung der Angabe der Zahl in der Satzung ermächtigt werden.**

(4) [1]**Auch in den Fällen des Absatzes 3 kann die Kapitalherabsetzung durch Einziehung nur von der Hauptversammlung beschlossen werden.** [2]**Für den Beschluß genügt die einfache Stimmenmehrheit.** [3]**Die Satzung kann eine größere Mehrheit und weitere Erfordernisse bestimmen.** [4]**Im Beschluß ist der Zweck der Kapitalherabsetzung festzusetzen.** [5]**Der Vorstand und der Vorsitzende des Aufsichtsrats haben den Beschluß zur Eintragung in das Handelsregister anzumelden.**

(5) **In den Fällen des Absatzes 3 Nr. 1 und 2 ist in die Kapitalrücklage ein Betrag einzustellen, der dem auf die eingezogenen Aktien entfallenden Betrag des Grundkapitals gleichkommt.**

(6) [1]**Soweit es sich um eine durch die Satzung angeordnete Zwangseinziehung handelt, bedarf es eines Beschlusses der Hauptversammlung nicht.** [2]**In diesem Fall tritt für die Anwendung der Vorschriften über die ordentliche Kapitalherabsetzung an die Stelle des Hauptversammlungsbeschlusses die Entscheidung des Vorstands über die Einziehung.**

Übersicht

I. Grundlagen

1. Regelungsgegenstand und -zweck. Norm betr. Einziehung von Aktien und regelt sie als dritte Form der **Kapitalherabsetzung** (→ § 222 Rn. 2). Einziehung ist (anders zB § 34 GmbHG) nur in dieser Weise möglich. Damit wird Schutz der Gläubiger gewährleistet; denn über § 237 II 1 ist § 225 anwendbar (sa § 237 V). Ausgestaltung gerade als **eigenständige Form** der Kapitalherabsetzung ist notwendig, um auch Schutz der betroffenen Aktionäre sicherzustellen (vgl. dazu Grunewald, Der Ausschluss aus Gesellschaft und Verein, 1987, 50 ff.). Zum Schutz der Aktionäre wird bestimmt, dass Zwangseinziehung (§ 237 I 1 Alt. 1) nur aufgrund einer Satzungsbestimmung zulässig ist, die bereits in der ursprünglichen Satzung enthalten oder durch Satzungsänderung vor Übernahme oder Zeichnung der durch Einziehung betroffenen Aktien eingefügt war (§ 237 I 2). Schutzbedürfnis entfällt, wenn AG eigene Aktien einzieht (§ 237 I 1 Alt. 2). **Abwicklung und Insolvenz:** Einziehung ist möglich, soweit sie dem Zweck des Verfahrens nicht widerspricht (hM, s. zB KK-AktG/Lutter, 2. Aufl. 1993, Rn. 16). 1

2 **2. Abgrenzungen.** Von der Einziehung zu unterscheiden ist (1.) **Kaduzierung** (§ 64). Sie führt zum Ausschluss des säumigen Aktionärs. Er verliert sein Mitgliedsrecht, das als solches aber bestehen bleibt (→ § 64 Rn. 1, 8). (2.) **Kraftloserklärung** von Aktien (§§ 72, 73, 226) bewirkt, dass Urkunde das Mitgliedsrecht nicht mehr verbrieft. Mitgliedsrecht selbst besteht aber fort (→ § 72 Rn. 5; → § 73 Rn. 6; → § 226 Rn. 12). (3.) **Erwerb eigener Aktien** durch AG (§ 71) berührt Mitgliedsrecht als solches ebenfalls nicht (→ § 71b Rn. 3). AG hat lediglich während der Zeit, in der sie eigene Aktien hält, die daraus folgenden Einzelbefugnisse nicht (→ § 71b Rn. 3 ff.). (4.) Weiterhin ist von der Einziehung die sog **Auslosung** von Aktien abzugrenzen. Gemeint ist Satzungsbestimmung (nicht nur [zulässige] schuldrechtl. Abrede), die den Aktionär verpflichtet, sein Mitgliedsrecht unter bestimmten Umständen auf einen Dritten (auch AG) zu übertragen. Zulässigkeit einer solchen Satzungsklausel ist im Hinblick auf § 23 V, § 54 I str., aber unter den Voraussetzungen des § 237 wohl zu bejahen (so auch RGZ 120, 177, 180 f.; Grunewald, Der Ausschluss aus Gesellschaft und Verein, 1987, 199; GK-AktG/Sethe Rn. 26; Cremers NZG 2023, 723 ff.; aA KK-AktG/Ekkenga/Schirrmacher Rn. 15; BeckOGK/Marsch-Barner/Maul Rn. 6; MHdB AG/Scholz § 63 Rn. 3). Zur Frage, ob daneben auch Ausschluss aus wichtigem Grund möglich ist, → Rn. 15.

3 **3. Verhältnis zu §§ 179–181.** Kapitalherabsetzung durch Einziehung von Aktien ist wegen § 23 III Nr. 3, 4 immer auch Satzungsänderung (→ Rn. 1). §§ 179, 180 f. finden neben §§ 237 ff. ergänzend Anwendung (→ § 222 Rn. 6). Mit Wirksamwerden der Kapitalherabsetzung (§ 238) wird **Satzungstext unrichtig.** Erforderliche formelle Satzungsänderung ist von der Satzungsänderung „Kapitalherabsetzung durch Einziehung von Aktien" zu unterscheiden und beurteilt sich ausschließlich nach §§ 179, 180 f. Delegation auf AR nach § 179 I 2 ist möglich und zweckmäßig (→ § 179 Rn. 11).

4 **4. Einziehungszwecke.** Ges. beschränkt Anwendungsbereich nicht. Kapitalherabsetzung durch Einziehung tritt deshalb konkurrierend neben die anderen Formen der Kapitalherabsetzung (KK-AktG/Ekkenga/Schirrmacher Rn. 19), kann also zB Sanierung, Rückzahlung an die Aktionäre, Einstellung in die Kapitalrücklage usw. bezwecken. Zweck der Einziehung kann aber auch gerade die Beseitigung des konkret betroffenen Mitgliedsrechts sein (KK-AktG/Ekkenga/Schirrmacher Rn. 19; Reinisch, Der Ausschluss von Aktionären, 1992, 20), zB bei Veräußerung oder Vererbung an Familienfremde (Lutter FS Vieregge, 1995, 603, 615). Zudem kann Einziehung bei Vorbereitung eines Börsengangs eingesetzt werden, wenn AG eigene Aktien hält (Schulz ZIP 2015, 510, 516 f.). Auch kommt der Kurspflege dienende Einziehung in Betracht (→ § 71 Rn. 19c; Kallweit/Simons AG 2014, 352). Auch Ausschluss von Aktionären oder Beseitigung einer Aktiengattung ist zulässiger Zweck. Squeeze-Out-Option entfaltet insofern keine Ausschlusswirkung; Vermeidung dieser Möglichkeit begründet keinen Rechtsmissbrauch (OLG Frankfurt NZG 2021, 875 Rn. 27 ff.). Im Beschluss ist der Zweck der Einziehung anzugeben (§ 222 III iVm § 237 II 1, § 237 IV 4).

II. Zwangseinziehung und Einziehung nach Erwerb (§ 237 I)

5 **1. Allgemeines.** Einziehung bedeutet **Vernichtung der Mitgliedsrechte,** aber nicht aller; denn darin läge Selbstauflösung (→ § 262 Rn. 24). Vernichtung heißt, dass die mitgliedschaftlichen Rechte und Pflichten erlöschen (→ § 238 Rn. 5). § 237 I 1 unterscheidet zwischen Zwangseinziehung einerseits und Einziehung nach Erwerb durch die Gesellschaft andererseits. **Zwangseinziehung** liegt vor, wenn sie Mitgliedsrechte betr., die nicht der AG selbst gehören.

Unerheblich ist entgegen dem Wortsinn, ob sie mit oder gegen den Willen des betroffenen Aktionärs erfolgt. Zur **Einziehung nach Erwerb** durch AG → Rn. 19 ff.

6 **2. Zwangseinziehung. a) Ermächtigung in der Satzung. aa) Erfasste Aktien.** Zwangseinziehung ist nur zulässig, wenn sie in ursprünglicher Satzung oder durch Satzungsänderung vor Übernahme oder Zeichnung der Aktien angeordnet oder zugelassen war (§ 237 I 2). Zum Inhalt der Satzungsklausel → Rn. 10 ff. Zwangseinziehung ist nicht beschränkt auf vinkulierte Namensaktien (BeckOGK/Marsch-Barner/Maul Rn. 8). Vielmehr sind alle Aktien der Zwangseinziehung zugänglich, also verbriefte wie unverbriefte Aktien, Namens- und Inhaberaktien sowie Stämme und Vorzüge. **Gründungsaktien** können nur eingezogen werden, wenn das schon in Gründungssatzung vorgesehen war oder die betroffenen Aktionäre zustimmen (→ Rn. 8). Einziehungsermächtigung, die durch Satzungsänderung (§§ 179–181) Inhalt der Satzung wurde, bezieht sich nur auf Aktien, die nachträglich übernommen oder gezeichnet worden sind. **Zeichnung** meint (schriftliche) Erklärung nach § 185 (→ § 185 Rn. 5 ff.), also auf den Zeichnungsvertrag gerichtete Willenserklärung. IR eines mittelbaren Bezugsrechts (§ 186 V) ist Rechtsverhältnis zwischen KI und AG entscheidend, da nur KI Zeichner ist (→ § 186 Rn. 50). Bei Options- und Wandelanleihen ist nach hM auf die der Zeichnung gleichstehende Bezugserklärung bzw. Wandelungserklärung (→ § 198 Rn. 2) des Options- oder Wandelanleihegläubigers abzustellen (str., wie hier B/K/L/Becker Rn. 8; Grigoleit/Rieder Rn. 11; BeckOGK/Marsch-Barner/Maul Rn. 8; aA Marsch-Barner/Schäfer/Busch/Busch Rn. 51.3; MHdB AG/Scholz § 63 Rn. 8: Ausgabe der Bezugsrechte). **Übernahme** betr. nicht abgeleiteten Erwerb durch rechtsgeschäftliche Übertragung, sondern gleichfalls nur originären Erwerb von Aktien, aber ohne Zeichnung, wie zB bei Kapitalerhöhung aus Gesellschaftsmitteln.

7 § 237 I 2 setzt voraus, dass Zeichnung oder Übernahme **nach Wirksamwerden der Satzungsänderung** erfolgen (im Grundsatz unstr.). Abzustellen ist auf Eintragung in das HR (§ 181 III). Nur solche Aktien sollen von Einziehung erfasst werden, die von Beginn des Aktienerwerbs an mit Einziehungsmöglichkeit belastet waren. Gleichzeitigkeit der Vorgänge genügt auch dann nicht, wenn Aktienerwerb durch Übernahme erfolgt (→ Rn. 6). § 237 I 2 gilt auch, wenn Satzungsklausel, die zur Einziehung ermächtigt, zugleich mit Kapitalerhöhung beschlossen wird. Die jungen Aktien stehen nur dann unter dem Vorbehalt der Klausel, wenn diese zum Zeitpunkt der Zeichnung schon in das HR eingetragen war (KK-AktG/Ekkenga/Schirrmacher Rn. 30; Beck OGK/Marsch-Barner/Maul Rn. 9).

8 **bb) Zustimmung betroffener Aktionäre.** Mitgliedsrechte können aufgrund einer nach Übernahme oder Zeichnung eingefügten Ermächtigungsklausel eingezogen werden, wenn alle betroffenen Aktionäre dem zustimmen (hM, s. LG Stuttgart NZG 2021, 1227 Rn. 45; BeckOGK/Marsch-Barner/Maul Rn. 10; MHdB AG/Scholz § 63 Rn. 8; unter Vorbehalt von Rechten Dritter MüKoAktG/Oechsler Rn. 24; vgl. auch KGJ 31 A 164, 170). § 237 I 2 dient nämlich dem Schutz der Aktionäre (→ Rn. 7), auf den sie verzichten können. Aktionären steht es auch frei, bei Verstoß Beschluss nicht anzufechten und damit seine endgültige Wirksamkeit herbeizuführen.

9 **cc) Änderung der Satzungsermächtigung.** Satzungsermächtigung kann gem. §§ 179 ff. geändert werden. Neue Satzungsklausel, die Zwangseinziehung erleichtert und damit Aktionäre beschwert, wirkt gem. § 237 I 2 aber nur auf **nachträglich übernommene oder gezeichnete Aktien,** es sei denn, die betroffenen Aktionäre hätten zugestimmt (→ Rn. 8; LG Stuttgart NZG 2021,

1227 Rn. 45). Wird dagegen Zwangseinziehung erschwert oder beseitigt, werden also Aktionäre weniger belastet, so wirkt neue Satzungsklausel auch für alle zuvor von Zwangseinziehung belasteten Mitgliedsrechte, sofern Änderungsbeschluss nichts anderes zum Ausdruck bringt (KK-AktG/Lutter, 2. Aufl. 1993, Rn. 31; GK-AktG/Sethe Rn. 40). ZT wird in dieser Situation allerdings auch in diesem Fall Zustimmung der von Zwangseinziehung bislang nicht betroffenen Aktionäre analog § 35 BGB gefordert, da diese ihre Privilegierung verlieren (KK-AktG/Ekkenga/Schirrmacher Rn. 36). Da Sonderbelastung des einen aber nicht zwangsläufig mit Sonderrecht iSd § 35 BGB gleichzusetzen ist, bleibt Analogieschluss fragwürdig. Änderungsbeschluss bedarf **keiner Zustimmung der Vorzugsaktionäre** nach § 141 I, wenn er künftige Zwangseinziehung nur gestattet, weil damit Rechte der Vorzugsaktionäre noch nicht unmittelbar betroffen sind; erst Einziehungsbeschluss selbst kann zustimmungsbedürftigen Rechtseingriff begründen (LG Stuttgart NZG 2021, 1227 Rn. 33). Auch Sonderbeschluss nach § 179 III ist nicht erforderlich, sofern sich satzungsmäßige Gestattung auf Aktien aller Gattungen gleichermaßen bezieht (LG Stuttgart NZG 2021, 1227 Rn. 34). Zustimmung nach § 237 II 1 iVm § 222 II ist nicht erforderlich, da Vorzugsaktien keine stimmberechtigten Aktien in diesem Sinne sind (→ § 222 Rn. 18; LG Stuttgart NZG 2021, 1227 Rn. 35 ff.).

10 **b) Angeordnete Zwangseinziehung. aa) Begriff.** Zwangseinziehung ist angeordnet, wenn Satzung vorgibt, dass **unter bestimmten Voraussetzungen** Aktien eingezogen werden müssen. Satzung muss Voraussetzungen so genau bestimmen, dass Entscheidung über Zwangseinziehung sich auf Feststellung der Voraussetzungen beschränkt; Entscheidungsspielraum des Beschlussorgans (→ Rn. 14) darf nicht bestehen. Auch Einzelheiten der Durchführung müssen so genau bestimmt sein, dass Kapitalmaßnahme anhand der festgesetzten Einzelheiten durchgeführt werden kann, ohne dass ausführendes Organ weitere wesentliche Entscheidungen zu treffen hat (s. KGJ 45 A 172, 174; OLG München AG 2017, 441, 443; BeckOGK/Marsch-Barner/Maul Rn. 11; MHdB AG/Scholz § 63 Rn. 9; Terbrack RNotZ 2003, 89, 110). Satzung muss auch regeln, ob und in welcher Höhe Einziehungsentgelt gezahlt wird (→ Rn. 17). Auch Zeitpunkt der Einziehung ist zu bestimmen (KK-AktG/Ekkenga/Schirrmacher Rn. 39; Terbrack RNotZ 2003, 89, 110). Dafür genügt Angabe eines Zeitraums. Liegt Einziehungsgrund vor, ist AG zur Einziehung verpflichtet. Verstoß kann Schadensersatzanspruch begründen. Satzungsklausel, die Voraussetzungen einer angeordneten Zwangseinziehung nicht genügt, kann in gestattete Zwangseinziehung umgedeutet (§ 140 BGB) werden (MHdB AG/Scholz § 63 Rn. 9; BeckOGK/Marsch-Barner/Maul Rn. 14).

11 **bb) Einziehungsgründe.** IRd Gründungssatzung sind Gründer wegen insoweit bestehenden Einstimmigkeitserfordernisses in Ausgestaltung der Einziehungsgründe weitgehend frei. Wird angeordnete Zwangseinziehung durch Satzungsänderung (§ 179) beschlossen, gelten allg. Schranken (→ § 179 Rn. 29), insbes. Gleichbehandlungsgebot nach § 53a (zutr. dazu MHdB AG/Scholz § 63 Rn. 10). Auf Gleichbehandlung kann Aktionär verzichten (→ § 53a Rn. 5). Einer am Gesellschaftsinteresse ausgerichteten sachlichen Rechtfertigung bedarf es wegen der Interessenbewertung durch § 237 I nicht (KG AG 2021, 597, 603; BeckOGK/Marsch-Barner/Maul Rn. 11; MHdB AG/Scholz § 63 Rn. 11; Reinisch, Der Ausschluss von Aktionären, 1992, 23).

12 **Einzelheiten:** Satzung kann anordnen, dass Aktien auf **Verlangen des Aktionärs** einzuziehen sind (unstr.). Zulässig ist auch Satzungsklausel, nach der innerhalb eines festgelegten Zeitraums Aktien in bestimmter Zahl einzuziehen sind, die **durch Los** ausgewählt werden (MHdB AG/Scholz § 63 Rn. 10; vgl. RGZ 120, 177, 180; zur Auslosung mit Übertragungspflicht → Rn. 2). Auch

eine Aktiengattung kann zu einem bestimmten Termin eingezogen werden (MHdB AG/Scholz § 63 Rn. 10). Ebenso ist Einziehung **vinkulierter Namensaktien** zulässig, wenn notwendige Zustimmung zur Übertragung verweigert wird; s. § 68 II (Marsch-Barner/Schäfer/Busch/Busch Rn. 51.6; BeckOGK/Marsch-Barner/Maul Rn. 12; KK-AktG/Ekkenga/Schirrmacher Rn. 44). Satzung kann auch an **persönliche Verhältnisse** der Aktionäre anknüpfen, zB Insolvenz des Aktionärs (LG Stuttgart NZG 2021, 1227 Rn. 52), Pfändung der Aktien (Kreklau/Schmalholz BB 2011, 778). Solche Klauseln stehen jedenfalls dann in Einklang mit § 53a, wenn Einziehungsgrund jeden Aktionär treffen kann (heute hM, s. MHdB AG/Scholz § 63 Rn. 10 mwN; anders noch RGZ 49, 77, 79; RGZ 120, 177, 180). Sie sind nach hM aber auch dann zulässig, wenn Einziehungsgrund von vornherein auf einzelne Aktionäre beschränkt ist (MüKoAktG/Oechsler Rn. 36 aE; MHdB AG/Scholz § 63 Rn. 10).

Nichtleistung der Einlage kann nur Folgen der §§ 63 ff. nach sich ziehen, 13
nicht aber als Einziehungsgrund festgesetzt werden (MüKoAktG/Oechsler Rn. 37). Satzung kann aber Einziehung für den Fall anordnen, dass Aktionär eine nach § 55 zulässigerweise vereinbarte **Nebenverpflichtung** nicht erfüllt (MüKoAktG/Oechsler Rn. 38; MHdB AG/Scholz § 63 Rn. 10). Unzulässig ist es dagegen, von §§ 54, 55 nicht gedeckte Nebenverpflichtungen und Zusatzleistungen mittelbar durchzusetzen, indem Zwangseinziehung angeordnet wird (RG JW 1928, 2622, 2624 f.; OLG Karlsruhe OLGR 43, 309 f.; BeckOGK/Marsch-Barner/Maul Rn. 13; MüKoAktG/Oechsler in 38; Grunewald, Der Ausschluss aus Gesellschaft und Verein, 1987, 55; Terbrack RNotZ 2003, 89, 110), und zwar auch dann, wenn wirksame schuldrechtl. Verpflichtung (→ § 54 Rn. 7) vorliegt oder gar keine Verpflichtung begründet ist, sondern Einziehung nur von einem bestimmten Verhalten (wie Austritt aus einem Familienverein) abhängen soll (KK-AktG/Ekkenga/Schirrmacher Rn. 42, 53). Unzulässig ist ferner Satzungsbestimmung, die Einziehung aller eigenen Aktien der AG anordnet, weil sonst Verwaltung Eintritt der Voraussetzung sowie Umfang der Einziehung bestimmen könnte (Marsch-Barner/Schäfer/Busch/Busch Rn. 51.6). Unzulässig sind auch vom Ges. nicht gedeckte Strafaktionen als gegen das Wesen der AG verstoßende Einziehungsgründe, zB Einziehung der Aktien von Aktionären, die abw. von der Mehrheit abgestimmt haben (MüKoAktG/Oechsler Rn. 39).

cc) Entscheidung des Vorstands. Bei angeordneter Zwangseinziehung be- 14
darf es eines HV-Beschlusses nicht (§ 237 VI 1). An seine Stelle tritt Entscheidung des Vorstands (§ 237 VI 2). HV-Beschluss ist entbehrlich, weil infolge der inhaltlich bestimmten Satzungsklausel (→ Rn. 10) kein Bedarf an korporativer Regelung besteht. Zu Einzelheiten → Rn. 40 f.

c) Gestattete Zwangseinziehung. aa) Begriff und Satzungsinhalt. 15
Zwangseinziehung ist gestattet, wenn Satzung sie vorsieht, ohne das Verfahren anzuordnen. Satzung kann Zwangseinziehung ohne Nennung von Einziehungsgründen vorsehen (LG Stuttgart NZG 2021, 1227 Rn. 50; BeckOGK/Marsch-Barner/Maul Rn. 15; MüKoAktG/Oechsler Rn. 42; GK-AktG/Sethe Rn. 60; MHdB AG/Scholz § 63 Rn. 12; aA Grunewald, Der Ausschluss aus Gesellschaft und Verein, 1987, 232 f.; unscharf KGJ 31 A 164, 170; anders auch Rspr. zum Personengesellschaftsrecht und GmbH-Recht, s. HCL/Ulmer/Habersack GmbHG § 34 Rn. 41 ff.). Festlegung von Einziehungsgründen in Satzung ist aber zulässig (LG Stuttgart NZG 2021, 1227 Rn. 50). Werden sie genannt, gelten Erl. zur angeordneten Zwangseinziehung entspr. (→ Rn. 12 f.). Daneben sind bei Vorliegen genereller Gestattung aber auch weitere ungeschriebene Einziehungsgründe denkbar, zB **Vorliegen eines wichtigen Grundes** entspr. § 134 HGB als allg. Ausdruck des Verbandsrechts (Grunewald, Der Ausschluss aus Gesellschaft und Verein, 1987, 52 ff.; Hölters/Weber/Haberstock/Greitemann Rn. 34 ff.;

MüKoAktG/Oechsler Rn. 52 ff.; GK-AktG/Sethe Rn. 60). Anonymer Charakter der kapitalistischen AG steht dem nicht per se entgegen, da es sich dabei nur um idealtypische Ausgestaltung handelt, von der rechtstatsächlich vielfach abgewichen wird (MüKoAktG/Oechsler Rn. 52). Bei personal geprägter AG ist Zwangsausschluss wie bei GmbH (§ 34 GmbHG) deshalb als ultima ratio zulässig, wenn Gründe in der Person eines Aktionärs Verwirklichung des Gesellschaftszwecks gefährden (sa OLG München NZG 2015, 1027, 1028; Punte/Klemens BB 2019, 647, 648). In Extremfällen wird man diese Möglichkeit sogar ohne Gestattung zulassen müssen. Das ist für die GmbH anerkannt (vgl. nur BGHZ 9, 157, 158 ff. = NJW 1953, 780; BGH NJW 1999, 3779; MüKoGmbHG/Strohn GmbHG § 34 Rn. 103), wird für die AG von der Rspr. hingegen abgelehnt (BGHZ 9, 157, 163; BGHZ 18, 350, 361 = NJW 1955, 1919). Zumindest in geschlossenen Gesellschaften erscheint eine Ungleichbehandlung der beiden Kapitalgesellschaftsformen indes nicht sachgerecht, so dass die besseren Gründe für eine solche Ausschlussmöglichkeit auch bei der AG sprechen (vgl. insbes. Grunewald, Der Ausschluss aus Gesellschaft und Verein, 1987, 52 ff.; ferner Emmerich/Habersack/Habersack § 327a Rn. 8; KK-AktG/Ekkenga/Schirrmacher Rn. 145 f.; GK-AktG/Sethe Rn. 27; MHdB AG/Scholz § 63 Rn. 56 ff.; wohl auch OLG München AG 2017, 441, 443; skeptisch MüKoAktG/Oechsler Rn. 56 ff. mit Verweis auf unionsrechtl. Schranken aus Art. 288 III AEUV iVm Art. 75 GesR-RL [früher Art. 36 Kapital-RL]). Zur näheren Konturierung eines solchen Ausschlussrechts kann auf reichen Erkenntnisfundus zu GmbH und Personengesellschaften zurückgegriffen werden (MHdB AG/Scholz § 63 Rn. 56; ausf. Punte/Klemens BB 2019, 647, 648 f.). IÜ kann das weitere Verfahren an Grundsätzen des § 237 ausgerichtet werden (MHdB AG/Scholz § 63 Rn. 57). Entscheidung, ob aufgrund gestatteter Zwangseinziehung Aktien eingezogen werden, obliegt der HV; § 237 VI gilt hier nicht.

16 **bb) Einziehungsbeschluss der Hauptversammlung: Materielle Schranken.** Auch wenn Satzung Zwangseinziehung zulässt, bedarf es für bloß gestattete (anders als für angeordnete) Zwangseinziehung aber noch Durchführung durch HV-Beschluss (LG Stuttgart NZG 2021, 1227 Rn. 23). HV darf über Zwangseinziehung nicht nach Belieben entscheiden. Die auf einen Teil der Aktien beschränkte Vernichtung der Mitgliedschaft (→ Rn. 5) und darin liegende Ungleichbehandlung muss sich zunächst als **willkürfrei** iSd § 53a darstellen (OLG München AG 2017, 441, 444). Sonst ist Beschluss anfechtbar (→ § 243 Rn. 29). Weitergehend ist Vernichtung der Mitgliedschaft, die nicht der Teilliquidation dient (zutr. KK-AktG/Ekkenga/Schirrmacher Rn. 54), auch nur dann zulässig, wenn sie als intensivster denkbarer Eingriff den **Maßstäben der Erforderlichkeit und der Verhältnismäßigkeit** entspr. (KK-AktG/Ekkenga/Schirrmacher Rn. 54; BeckOGK/Marsch-Barner/Maul Rn. 15; sa Grunewald, Der Ausschluss aus Gesellschaft und Verein, 1987, 232 f.; Reinisch, Der Ausschluss von Aktionären, 1992, 23; aA MHdB AG/Scholz § 63 Rn. 14: Missbrauchskontrolle). Vgl. → § 186 Rn. 25 ff.; → § 203 Rn. 11 ff., 37 ff., 51. Sonst ist HV-Beschluss anfechtbar (→ § 243 Rn. 24). Für Einschränkungen der gerichtl. Prüfung wie bei Kapitalerhöhung (→ § 186 Rn. 36 ff.) spricht hier nichts. IÜ dürfen keine Ziele verfolgt werden, die iR angeordneter Zwangseinziehung unzulässigen Einziehungsgrund darstellen. HV darf also mit Einziehung nicht Erfüllung von unzulässigen Nebenleistungspflichten durchsetzen oder Aktionäre strafen, die weitere Pflichten nicht übernehmen wollen, etwa zum Bezug neuer Aktien oder zur Übernahme einer Bürgschaft zugunsten der AG nicht bereit sind.

17 **d) Einziehungsentgelt.** Ges. regelt nicht, ob und in welcher Höhe AG betroffenem Aktionär Einziehungsentgelt zu zahlen hat. Bei **angeordneter Zwangseinziehung** sind Fragen des Einziehungsentgelts zwingend in Satzung

selbst zu regeln; Delegation auf Verwaltung ist unzulässig (allgM, sa KGJ 31 A 164, 170; KGJ 45 A 172, 175). Ausreichend und auch zweckmäßiger ist es, statt konkreter Zahl feste Bezugsgröße (Ertragswert, Börsenpreis, → Rn. 18) festzuschreiben und Ausrechnung des konkreten Entgelts der Verwaltung zu überlassen (BeckOGK/Marsch-Barner/Maul Rn. 16; MüKoAktG/Oechsler Rn. 63). Einziehungsentgelt muss nicht notwendig wirklichem Wert der Aktie entspr. Höheres Entgelt ist zulässig, weil Gesellschaftsgläubiger nach § 237 II 1 iVm §§ 225, 237 III geschützt sind (MHdB AG/Scholz § 63 Rn. 18). Kapitalerhaltungsregeln dürfen jedenfalls nicht verletzt werden; anderenfalls ist Einziehungsbeschluss nach § 241 Nr. 3 nichtig (BGH NJW 2011, 2294 Rn. 11 ff.; NZG 2021, 831 Rn. 23 [jew. zur GmbH]; OLG Dresden ZIP 2016, 720 Rn. 7). Erfolgt Kapitalherabsetzung zum Verlustausgleich, ist kein Entgelt zu zahlen, sofern Maßnahme alle Aktionäre gleichermaßen trifft (zur Missbrauchsgefahr vgl. GK-AktG/Sethe Rn. 65). **Völliger Ausschluss** wird von nun hM im Hinblick auf Art. 14 I GG zutr. abgelehnt (OLG München AG 2017, 441, 445 f.; MüKoAktG/Oechsler Rn. 65 ff.; GK-AktG/Sethe Rn. 69; aA Terbrack RNotZ 2003, 89, 111; so auch obiter dictum BGH AG 2013, 224, 226); Zwangseinziehung ist auch grds. unzulässig, wenn sie gegen unangemessen geringes Entgelt erfolgt (BGH AG 2013, 224, 226 [obiter dictum]). Ein unter dem wirklichen Wert der Aktie liegendes Entgelt kann aber im Einzelfall zulässig sein, was insbes. für die nicht börsennotierte, personalistische Gesellschaft in Betracht kommt, wenn die Zahlung eines Einziehungsentgelts in Höhe des wahren Werts deren Liquidierung nach sich ziehen würde (vgl. OLG München AG 2017, 441, 445 f.; MüKoAktG/Oechsler Rn. 67; GK-AktG/Sethe Rn. 69; großzügiger aber MHdB AG/Scholz § 63 Rn. 21). Unentgeltliche Einziehung ist, sofern man sie überhaupt anerkennt, auch bei Zwangsvollstreckung gegen Aktionär oder im Fall seiner Insolvenz zulässig, es sei denn, Satzung beschränkt Unentgeltlichkeit auf diese Fälle und setzt bei anderen in Person des Gesellschafters liegenden Einziehungsgründen ein Entgelt fest (KK-AktG/Ekkenga/Schirrmacher Rn. 53; sa RGZ 142, 373, 377 f. und BGHZ 65, 22, 28 f. = NJW 1975, 1835, jew. zur GmbH).

Bei **gestatteter Zwangseinziehung** ist Regelung in der Satzung entspr. 18
→ Rn. 17 möglich. Unzulässig ist, Regelung des Entgelts in freies Ermessen der HV zu stellen (OLG München AG 2017, 441, 443; MHdB AG/Scholz § 63 Rn. 16). Zulässig ist aber Satzungsregelung, die HV anweist, angemessenes Entgelt zu zahlen (LG Stuttgart NZG 2021, 1227 Rn. 54; GK-AktG/Sethe Rn. 74). Fehlt Regelung zum Einziehungsentgelt in der Satzung, so ist AG gleichfalls zur Zahlung angemessenen Entgelts verpflichtet (OLG München AG 2017, 441, 443; LG Stuttgart NZG 2021, 1227 Rn. 54; KK-AktG/Ekkenga/Schirrmacher Rn. 63; MHdB AG/Scholz § 63 Rn. 16). Im HV-Beschluss kann Einziehungsentgelt dann nur noch konkretisiert werden (s. § 237 II 2). **Angemessenheit des Entgelts** sollte nach den zu § 305 III 2 geltenden Grundsätzen beurteilt werden (OLG München AG 2017, 441, 445), was nicht zwangsläufig zur Orientierung am Ertragswert führt, sondern nach neuerer Rspr. auch Orientierung am Börsenwert gestattet (→ § 305 Rn. 17 ff., 26), der allerdings bei Zwangseinziehung oftmals nur von geringer Aussagekraft sein wird und deshalb im Regelfall nur als Untergrenze herangezogen werden kann. Spruchverfahren nach Vorbild der §§ 1 ff. SpruchG wäre de lege ferenda sinnvoll (für entspr. Anwendung der §§ 1 ff. SpruchG MüKoAktG/Oechsler Rn. 71a). Für Wertfeststellung ist Zeitpunkt entscheidend, zu dem Kapitalherabsetzung wirksam wird (→ § 238 Rn. 2 ff.; RGZ 125, 114, 121 f.; KK-AktG/Ekkenga/Schirrmacher Rn. 67).

3. Einziehung von Aktien nach Erwerb. a) Allgemeines. AG kann eigene 19
Aktien ohne weiteres im Beschlussverfahren einziehen; einer Ermächtigung in der Satzung bedarf es nicht. Satzung kann Einziehung eigener Aktien beschrän-

ken (§ 222 I 2 iVm § 237 II 1), aber nicht ausschließen (KK-AktG/Ekkenga/Schirrmacher Rn. 85; MHdB AG/Scholz § 63 Rn. 24). Einziehung nach Erwerb durch AG setzt immer HV-Beschluss voraus; § 237 VI trifft den Fall nicht. Ausnahmsweise kann AG auch zur Einziehung verpflichtet sein (s. § 71c III). Wenn AG eigene Aktien unter pari erworben hat, erzielt sie im Falle der Einziehung Buchgewinn, den sie beliebig verwenden kann. Lag Erwerbspreis jedoch über geringstem Ausgabebetrag (§ 9 I), so ist Mehrbetrag aus anderen Mitteln (Gewinnvortrag [→ § 58 Rn. 24], Gewinnrücklage) zu decken. AG kann eigene Aktien zwecks Einziehung nach § 71 I Nr. 6 erwerben, wenn HV vor Erwerb Herabsetzungsbeschluss gefasst hat (→ § 71 Rn. 19). Rückerwerb kann auch aufgrund Ermächtigung nach § 71 I Nr. 8 erfolgen (→ § 71 Rn. 19c); Vorstand kann gem. § 71 I Nr. 8 S. 6 ermächtigt werden, Aktien ohne HV-Beschluss einzuziehen (→ Rn. 34, 34a; → § 71 Rn. 19n).

20 **b) Eigene Aktien.** AG muss Inhaberin der einzuziehenden Aktien sein. Entscheidend ist ausschließlich dingliche Rechtslage. Bei unverbrieften Mitgliedsrechten vollzieht sich rechtsgeschäftlicher Erwerb durch Abtretung nach §§ 398 ff., 413 BGB; bei verbrieften Mitgliedsrechten (auch) nach §§ 929 ff. BGB. Rechtsgrund des Erwerbs ist unerheblich (MHdB AG/Scholz § 63 Rn. 25). Ebenso ist unerheblich, ob Verpflichtungsgeschäft unwirksam, nichtig (etwa nach § 71 IV 2), anfechtbar oder sonstwie fehlerhaft ist und deshalb Anspruch auf Rückübertragung des Mitgliedsrechts besteht oder entstehen kann. Nicht anzuwenden ist § 71d. AG kann also Aktien nicht einziehen, die von abhängiger Gesellschaft oder von Dritten für ihre Rechnung gehalten werden.

21 **Verstoß gegen § 71** macht Einziehung nicht unzulässig (KK-AktG/Ekkenga/Schirrmacher Rn. 87; MüKoAktG/Oechsler Rn. 73). Zwar ist Verpflichtungsgeschäft nichtig, Verstoß berührt maßgebliche dingliche Rechtslage aber nicht (s. § 71 IV). **Erwerb zwecks Einziehung** ist gem. § 71 I Nr. 6 erlaubt, Verpflichtungsgeschäft also gültig, wenn HV-Beschluss über Kapitalherabsetzung vorliegt. Inhaberin der zur Einziehung vorgesehenen Aktien muss AG erst zum Zeitpunkt der Einziehungshandlung (dazu § 238 S. 3; → § 238 Rn. 7 f.) sein (KG AG 2021, 597, 603). Durchführbarkeit eines Kapitalherabsetzungsbeschlusses, der Einziehung noch zu erwerbender Aktien vorsieht, ist abhängig vom Erwerb der Aktien (ähnlich KK-AktG/Ekkenga/Schirrmacher Rn. 88; MüKoAktG/Oechsler Rn. 74).

III. Ordentliches Einziehungsverfahren (§ 237 II)

22 **1. Überblick.** Ges. unterscheidet zwischen ordentlichem (§ 237 II) und vereinfachtem Einziehungsverfahren (§ 237 III–V). **Ordentliches Einziehungsverfahren** bestimmt sich gem. § 237 II 1 im Wesentlichen nach den Vorschriften der ordentlichen Kapitalherabsetzung (§§ 222 ff.). Verweis ist zwingend und wird durch § 237 II 3 ergänzt. Nur unter den Voraussetzungen des § 237 III eröffnet Ges. die Möglichkeit, im **vereinfachten Einziehungsverfahren** zu beschließen. Beschlussvoraussetzungen sind in diesem Verfahren herabgesetzt (§ 237 IV 2); auch genügt für Gläubigerschutz bloße Einstellung in die Kapitalrücklage (§ 237 V). Beide Beschlussverfahren werden durch § 237 VI ergänzt. Danach bedarf es bei angeordneter Zwangseinziehung eines HV-Beschlusses nicht. An seine Stelle tritt Entscheidung des Vorstands über die Einziehung.

23 **2. Beschlussvoraussetzungen.** Erforderlich ist **HV-Beschluss,** der gem. § 222 I 1 iVm § 237 II 1 einer Kapitalmehrheit von mindestens ¾ des bei der Beschlussfassung vertretenen Grundkapitals sowie der einfachen Stimmenmehrheit gem. § 133 I bedarf (→ § 222 Rn. 9). Satzung kann größere Kapitalmehrheit bestimmen (§ 222 I 2 iVm § 237 II 1). Bestehen mehrere Aktiengattungen, ist

Sonderbeschluss einer jeden Gattung erforderlich (§ 222 II iVm § 237 II). Verschiedene Aktiengattungen können bereits deshalb vorliegen, weil nur bestimmte Aktienarten von der Einziehung bedroht sind.

Stimmrechtsfragen. Aktionäre, deren Aktien eingezogen werden sollen, sind grds. stimmberechtigt (KK-AktG/Lutter, 2. Aufl. 1993, Rn. 83; MüKoAktG/Oechsler Rn. 79). Ausnahme (kein Stimmrecht) gilt für **eigene Aktien** der AG (→ § 71b Rn. 4 f.; → § 71d Rn. 10, 12, 18). Dagegen kann nach Gesetzeslage nicht angenommen werden, dass weitere Ausnahme vorliegt, wenn HV über Zwangseinziehung **aus wichtigem Grund** in der Person des Aktionärs beschließt. Solche Ausnahme findet in § 136 I keine Stütze, weil Norm (seit 1937) kein Stimmverbot für Rechtsgeschäfte (§ 47 IV 2 Fall 1 GmbHG) enthält (sehr str., wie hier MüKoAktG/Oechsler Rn. 79; GK-AktG/Sethe Rn. 87; aA KK-AktG/Ekkenga/Schirrmacher Rn. 96; BeckOGK/Marsch-Barner/Maul Rn. 24; Jenne/Wulf BB 2023, 1290 ff.; Punte/Klemens BB 2019, 647, 650) und ihre kasuistische Fassung nicht unter Berufung auf allg. Prinzipien überwunden werden kann (→ § 136 Rn. 17 f.). Unbenommen bleibt einziehungswilligen Aktionären, gegen den mit den Stimmen des Einziehungsgegners gefassten (negativen) Beschluss Anfechtungsklage wegen treuwidriger Stimmrechtsausübung zu erheben (→ § 243 Rn. 24 ff.) und diese durch positive Feststellungsklage zu ergänzen (→ § 246 Rn. 42 f.). 23a

3. Beschlussinhalt. Beschluss muss bestimmen, dass Grundkapital durch Einziehung von Aktien herabgesetzt werden soll; ferner, ob es sich um Zwangseinziehung oder um Einziehung nach Erwerb handelt (s. § 237 I 1). Beschlussinhalt muss iÜ den Anforderungen entspr., denen auch Beschluss zur ordentlichen Kapitalherabsetzung genügen muss (→ § 222 Rn. 12). Es ist also **Zweck der Einziehung** (→ Rn. 4) anzugeben (s. § 222 III iVm § 237 II 1). Ferner ist **Höhe des Herabsetzungsbetrags** festzusetzen; Berechenbarkeit aus Angabe der einzuziehenden Aktien und deren geringsten Ausgabebeträgen (§ 9 I) reicht (KK-AktG/Ekkenga/Schirrmacher Rn. 97; Zöllner FS Doralt, 2004, 751, 765 ff.). Zulässig ist auch Angabe eines Höchstbetrags, soweit tats. Herabsetzungsbetrag für Verwaltung bestimmbar ist (Happ/Stucken AktienR 14.04 Rn. 3.2; → § 222 Rn. 12). Mindestnennbetrag des Grundkapitals darf grds. nicht unterschritten werden. Jedoch gilt Ausnahme nach § 228 auch hier (§ 237 II 1; sa KK-AktG/Ekkenga/Schirrmacher Rn. 99; MHdB AG/Scholz § 63 Rn. 4). Ausgeschlossen ist jedoch Herabsetzung auf Null, denn anders als bei der Kapitalherabsetzung durch Nennwertherabsetzung und Zusammenlegung von Aktien (→ § 228 Rn. 2) entstünde hier eine Gesellschaft ohne jegliche Gesellschafter – Keinmann-AG (→ Rn. 5). Nicht überzeugen kann ferner, in solchen Fällen allen Aktionären ein Bezugsrecht einzuräumen (so aber MüKoAktG/Oechsler Rn. 81), denn dann entstünde die kaum mit der Einziehung als solcher zu vereinbarende Rechtsfolge, dass einem einzelnen ausgeschlossenen Aktionär kein Bezugsrecht zustünde, bei Einziehung aller Aktien indes allen Aktionären (GK-AktG/Sethe Rn. 18). 24

HV-Beschluss muss ferner die **Voraussetzungen der Zwangseinziehung** und die **Einzelheiten ihrer Durchführung** festsetzen, sofern dies nicht bereits in der Satzung geschehen ist (§ 237 II 2; → Rn. 10, 15). Soweit Satzung nichts vorgibt, muss HV-Beschluss ergänzend alles regeln, was bei angeordneter Zwangseinziehung bereits in der Satzungsbestimmung enthalten sein muss (→ Rn. 10), insbes. Zeitpunkt der Einziehung und Einziehungsentgelt (→ Rn. 17; zust. OLG München NZG 2015, 1027, 1028). HV-Beschluss muss ferner konkret bestimmen, welche Mitgliedsrechte von Einziehung betroffen sind. Ausnahme gilt für Aktien, die nach Erwerb durch die Gesellschaft eingezogen werden (§ 237 I 1 Alt. 2). 25

26 **4. Anmeldung und Eintragung.** HV-Beschluss ist gem. § 223 iVm § 237 II 1 zur Eintragung in das HR anzumelden. Anmeldung erfolgt durch **Vorstand** in vertretungsberechtigter Zahl und AR-Vorsitzenden gemeinsam. Es gelten Erl. zu § 223. Registerkontrolle (→ § 223 Rn. 5 f.) erstreckt sich auch darauf, ob Zwangseinziehung von Satzungsermächtigung gedeckt ist. Fehlt Ermächtigung, so hat Registerrichter Eintragung abzulehnen, weil HV-Beschluss nichtig oder anfechtbar ist (→ Rn. 42; → § 181 Rn. 14); so iE auch KK-AktG/Ekkenga/Schirrmacher Rn. 100. Zum Inhalt der Eintragung s. Krafka RegisterR Rn. 1563 f. Eintragung allein bewirkt nicht, dass Kapitalherabsetzung wirksam wird. § 224 wird von § 238 verdrängt, der zusätzlich Durchführung der Einziehung voraussetzt (→ § 238 Rn. 1 f.). Registergericht hat Eintragung bekanntzumachen (→ § 223 Rn. 6), was nach Inkrafttreten des DiRUG 2021 durch **gesonderte Registerbekanntmachung** geschieht (→ § 39 Rn. 10; → § 225 Rn. 14). Anmeldung und Eintragung des Kapitalherabsetzungsbeschlusses können mit Anmeldung und Eintragung der Durchführung verbunden werden (s. § 239 II). Berichtigung des Satzungstextes (→ Rn. 3) muss mit Anmeldung des Beschlusses verbunden werden, wenn Einziehung vor Eintragung durchgeführt wird, weil dann Kapitalherabsetzung wirksam und damit alter Satzungstext unrichtig ist (→ § 238 Rn. 5; → 239 Rn. 1). Entscheidung des Vorstands über Einziehung nach § 237 VI ist nicht anzumelden (→ Rn. 41). Zu den Kosten des Registerverfahrens → Rn. 44.

27 **5. Gläubigerschutz. a) § 225.** Gläubigerschutzvorschrift des § 225 findet Anwendung (§ 237 II 1), auch § 225 III. Gesellschaftsgläubiger haben also klagbaren Anspruch auf **Sicherheitsleistung** gem. §§ 232 ff. BGB für Forderungen, die vor Bek. der Eintragung des Beschlusses begründet worden sind (→ § 225 Rn. 2 ff.), sofern sie nicht Erfüllung verlangen können oder Ausnahmen eingreifen (→ § 225 Rn. 9 ff.). Zudem dürfen **Zahlungen** an Aktionäre aufgrund der Herabsetzung des Grundkapitals erst geleistet werden, nachdem seit Bek. der Eintragung sechs Monate verstrichen sind und den Gläubigern, die sich rechtzeitig gemeldet haben, Befriedigung oder Sicherheit gewährt worden ist (§ 225 II 1); sonst: § 62.

28 **b) § 237 II 3.** Für Zahlung des Entgelts, das Aktionären bei Zwangseinziehung oder bei Erwerb von Aktien zum Zwecke der Einziehung gewährt wird, gilt Auszahlungsverbot des § 225 II sinngem. (§ 237 II 3). Gezahlt werden darf also nur, wenn seit Bek. der Eintragung sechs Monate verstrichen sind und zudem den Gläubigern, die sich rechtzeitig gemeldet haben, Befriedigung oder Sicherheit gewährt worden ist. Zum Einziehungsentgelt → Rn. 17 ff. Verbot betr. ferner Zahlung des Entgelts, das iRd Erwerbs von Aktien zum Zweck der Einziehung vereinbart wurde. Gemeint ist nur Fall des § 71 I Nr. 6. Hat AG eingezogene Aktien unter den Voraussetzungen des § 71 I Nr. 1–5 erworben, greift Auszahlungsverbot also nicht (Marsch-Barner/Schäfer/Busch/Busch Rn. 51.16; MHdB AG/Scholz § 63 Rn. 35). **Verstoß** begründet unter weiteren Voraussetzungen der §§ 93, 116 Schadensersatzpflicht der Verwaltungsmitglieder. Gegen § 237 II 3 verstoßender Gewinnverwendungsbeschluss ist nichtig nach § 241 Nr. 3, § 253 I 1.

29 Hat AG **nicht voll eingezahlte Aktien** eingezogen, so ist § 225 II auf Befreiung von Verpflichtung zur Leistung von Einlagen sinngem. anwendbar (§ 237 II 3). Norm lässt Verpflichtung zur Leistung der Resteinlage über den Zeitpunkt hinaus fortbestehen, zu dem Mitgliedsrecht wirksam untergegangen ist. Früherer Aktionär hat nach Aufforderung (entspr. § 63 I) zu leisten, solange Voraussetzungen des § 225 II 1 noch nicht vorliegen. Ohne § 237 II 3 könnte zweifelhaft sein, ob Pflicht zur Zahlung der Resteinlage fortbesteht, da mit

Untergang des Mitgliedsrechts entspr. Rechte und Pflichten enden (→ § 238 Rn. 5).

IV. Vereinfachtes Einziehungsverfahren (§ 237 III–V)

1. Überblick. Vereinfachtes Einziehungsverfahren ist nur zulässig, wenn in § 237 III genannte Voraussetzungen vorliegen, nämlich Volleinzahlung (→ Rn. 31) und unentgeltlicher Aktienerwerb durch AG (→ Rn. 32) oder alternativ entgeltlicher Erwerb, soweit Entgelt aus bestimmten Gewinnposten erbracht wird (→ Rn. 34), oder, wiederum alternativ, bei Einziehung von Stückaktien (§ 8 III) ohne Herabsetzung des Kapitals (→ Rn. 34a). Verfahren ist vereinfacht, weil Vorschriften über ordentliche Kapitalherabsetzung nicht befolgt zu werden brauchen (§ 237 III; → Rn. 22). Vereinfachtes Einziehungsverfahren ist sowohl bei Zwangseinziehung als auch bei Einziehung eigener Aktien anwendbar (BeckOGK/Marsch-Barner/Maul Rn. 27; MüKoAktG/Oechsler Rn. 91; aA MHdB AG/Scholz § 63 Rn. 37). Verfahren darf nicht mit vereinfachter Kapitalherabsetzung nach §§ 229 ff. verwechselt werden. Beide haben miteinander nur gemein, dass der Gläubigerschutz gem. § 225 nicht gilt. 30

2. Voraussetzungen. a) Volleingezahlte Aktien. Auf jede Aktie muss Ausgabebetrag voll geleistet (vereinfacht: eingezahlt) sein. Ausgabebetrag folgt nach Maßgabe des § 9 aus der Satzung (→ § 27 Rn. 3), schließt also Agio ein, so dass sich sachliche Abweichung ggü. früherer Normfassung nicht ergibt. Es genügt Volleinzahlung im Zeitpunkt des Wirksamwerdens der Kapitalherabsetzung (MüKoAktG/Oechsler Rn. 92; MHdB AG/Scholz § 63 Rn. 38). Norm dient dem Gläubigerschutz. Verstoß macht HV-Beschluss nach § 241 Nr. 3 nichtig (KK-AktG/Ekkenga/Schirrmacher Rn. 104; MüKoAktG/Oechsler Rn. 101). Umdeutung in HV-Beschluss zur ordentlichen Einziehung ist möglich. Beschluss muss dann aber Voraussetzungen des § 237 II 1 (insbes. den Mehrheitserfordernissen) genügen (vgl. BeckOGK/Marsch-Barner/Maul Rn. 28). 31

b) Unentgeltlichkeit. Aktien sind AG unentgeltlich zur Verfügung gestellt (§ 237 III Nr. 1), wenn sie **keine Gegenleistung** erbracht hat oder erbringen muss. Gegenleistung muss nicht notwendig Zahlung eines Geldbetrags sein, entscheidend ist, dass wirtschaftlich kein Gegenwert geleistet wird; auch Dienstleistungen, Lieferungen und ähnliches machen Erwerb entgeltlich. Begriff **zur Verfügung gestellt** ist umfassend auszulegen. Erfasst wird Überlassung von Aktien durch Inhaber ohne Aufgabe seiner Berechtigung zum Zwecke der Einziehung (GK-AktG/Sethe Rn. 103). AG kann aber auch Inhaberin des Mitgliedsrechts werden (GK-AktG/Sethe Rn. 103). Erwerbsgrund ist unerheblich. Zur Verfügung gestellt sind Aktien insbes. auch, wenn AG aufgrund einer (unentgeltlichen) Zwangseinziehung auf Aktien zugreift (BeckOGK/Marsch-Barner/Maul Rn. 30; MHdB AG/Scholz § 63 Rn. 39; Happ/Stucken AktienR 14.05 Rn. 1.1). Grds. ist **Zeitpunkt unerheblich,** zu dem Aktien der AG unentgeltlich zur Verfügung gestellt werden. Er kann vor oder nach Beschlussfassung liegen. Es genügt, dass Voraussetzung bei Wirksamwerden der Einziehung vorliegt (Zöllner FS Doralt, 2004, 751, 754). 32

§ 237 III Nr. 1 ist auch dann anwendbar, wenn AG nach § 272 Ia 1 HGB verfahren ist oder zu verfahren hat. **Offene Absetzung vom gezeichneten Kapital** signalisiert nämlich nur dessen wirtschaftliche Kürzung, nicht jedoch anwendungsschädliche Gegenleistung (BeckOGK/Marsch-Barner/Maul Rn. 29). 33

c) Einziehung zu Lasten des Bilanzgewinns oder einer frei verfügbaren Rücklage. Einziehung der Aktien (nicht notwendig eigener, s. KK-AktG/Lutter, 2. Aufl. 1993, Rn. 105) muss zu Lasten des Bilanzgewinns oder einer frei 34 verfügbaren Rücklage erfolgen (§ 237 III Nr. 2). Erwerbskosten werden dann aus Gesellschaftsmitteln aufgebracht. Bis 2017 nahm zweite Variante statt auf „frei verfügbare Rücklage“ noch auf „andere Gewinnrücklage“ Bezug. Dies wurde als „Redaktionsversehen“ durch CSR-UG 2017 korrigiert, um klarzustellen, dass Rücklage nicht bereits gebunden sein darf, zB durch Gewinnabführungsvertrag nach § 291 I oder Gewinnverwendungsbeschluss nach § 174 oder für andere Verwendung (RegBegr. BT-Drs. 18/9982, 65). Bilanzgewinn (s. § 158 I Nr. 5) bzw. frei verfügbare Rücklage (s. § 266 III A III Nr. 4 HGB) muss Betrag ausweisen, der Erwerbskosten oder Zahlung des Einziehungsentgelts deckt. Auch Rücklagen, die nach § 268 VIII HGB gesperrt sind, dürfen nicht zur Zahlung an die von Einziehung betroffenen Aktionäre verwandt werden (Kropff FS Hüffer, 2010, 539, 548). Betrag darf nicht durch Verlustvortrag (→ § 158 Rn. 2) gemindert sein. Bilanzgewinn ist nicht mehr verfügbar, wenn bereits Gewinnverwendungsbeschluss (§ 174) vorliegt. Gleiches gilt, wenn Bilanzgewinn aus anderen Gründen gebunden ist (zB Gewinnabführungsvertrag). Auch § 58 ist zu beachten (KK-AktG/Ekkenga/Schirrmacher Rn. 113). Frei verfügbare Rücklage muss für Deckung des Entgelts verwandt werden können. Daran fehlt es, wenn sie einem bestimmten anderen Zweck dient (BeckOGK/Marsch-Barner/Maul Rn. 31; MHdB AG/Scholz § 63 Rn. 40). Ob entspr. Mittel verfügbar sind, entscheidet Vorstand nach pflichtgemäßem Ermessen (KG AG 2021, 597, 602; S/L/Veil Rn. 40). Im Fall der Anmeldung einer Einziehung von Aktien aufgrund Ermächtigung nach § 71 I Nr. 8 S. 6 ist Maßstab für die registerrechtl. Prüfung nur § 71 I Nr. 8, II, III, nicht auch § 237 III (OLG München AG 2012, 563 f.; MHdB AG/Scholz § 63 Rn. 27; → Rn. 34a; aA MüKoAktG/Oechsler Rn. 91a). Das hat zur Folge, dass Einziehung auch zu Lasten einer freien Rücklage nach § 272 II Nr. 4 HGB gehen kann. In den Fällen des § 71 I Nr. 8 S. 6 folgt dies aus § 71 II 2 (OLG München AG 2012, 563 f.; Kallweit/Simons AG 2014, 352, 354). Durch Neufassung 2017 ist klargestellt, dass frei verfügbarer Rücklage iSd § 237 III Nr. 2 auch die gem. § 272 II Nr. 4 HGB gebildete Kapitalrücklage gleichsteht, weil auch sie frei verfügbar ist (so schon zu § 237 aF OLG München AG 2012, 563 f.; Kallweit/Simons AG 2014, 352, 354). Folgerichtig sollte daher in Zukunft auch die vereinfachte Einziehung nach § 237 III zu Lasten der freien Kapitalrücklage nach § 272 II Nr. 4 HGB möglich sein (BeckOGK/Marsch-Barner/Maul Rn. 31). Verstoß gegen Gebot freier Verfügbarkeit macht HV-Beschluss anfechtbar (KK-AktG/Ekkenga/Schirrmacher Rn. 114; aA Zöllner FS Doralt, 2004, 751, 760 f.).

34a **d) Einziehung von Stückaktien ohne Herabsetzung des Kapitals.** Nach § 237 III Nr. 3 brauchen §§ 222 ff. nicht befolgt zu werden, wenn Stückaktien (§ 8 III) eingezogen werden und HV im Einziehungsbeschluss bestimmt, dass auf verbleibende Aktien entspr. erhöhter Anteil am Grundkapital entfällt. Privilegierung setzt voraus, dass es überhaupt eines Beschlusses der HV nach § 237 II bedarf. Daran fehlt es in den Fällen des **§ 71 I Nr. 8 S. 6,** so dass dazu ermächtigter Vorstand Aktien unter Erhöhung der Kapitalquote der übrigen Aktionäre einziehen kann, ohne dass HV nochmals beschließen müsste (OLG München AG 2012, 563 f.; → Rn. 34; aA BeckOGK/Marsch-Barner/Maul Rn. 33; MHdB AG/Scholz § 63 Rn. 52). Ermächtigung ist erteilt, wenn Beschluss der HV Erhöhung der Kapitalquote als alleiniges Verfahren oder als Alternative zur Kapitalherabsetzung vorsieht. Für letztgenannten Fall reicht es aus, dass Beschluss Einziehung vorsieht, ohne inhaltliche Vorgaben zu machen, doch ist klarstellende Erwähnung beider Möglichkeiten vorzuziehen (Happ/Stucken AktienR Muster 14.07 Rn. 2.1).

34b Soweit § 237 II eingreift, also **ohne vorgängige Ermächtigung** des Vorstands (→ Rn. 34a), können Stückaktien (§ 8 III) ohne Herabsetzung des Grundkapitals (§§ 222 ff.) eingezogen werden, wenn **Einziehungsbeschluss** das vorsieht, nämlich durch Wahl der Erhöhung der Kapitalquote der übrigen Aktien als Verfahrensalternative (§ 237 III Nr. 3). Regelung beruht auf Art. 1 Nr. 25 TransPuG v. 19.7.2002 (BGBl. 2002 I 2681) und geht auf Empfehlung der Corporate Governance-Kommission zurück (s. Baums [Hrsg.], Bericht, 2001, Rn. 234). Während § 237 I Einziehung von Aktien sonst nur im Verfahren der Kapitalherabsetzung zulässt, soll bei Stückaktien dieser Zusammenhang von Ziel und Verfahren aufgehoben werden, sofern Maßnahme nicht tats. der Kapitalherabsetzung dient; deshalb muss Einziehungsbeschluss bestimmen, dass sich Anteile am Grundkapital erhöhen, was dessen Fortbestand voraussetzt (RegBegr. BT-Drs. 14/8769, 24). Ges. kehrt damit für Stückaktien zu bis 1937 bestehender Gesetzeslage zurück (§ 227 HGB aF). Rechtssystematisch handelt es sich um Regelung der Mitgliedschaft im Sinne einer Neustückelung, die in §§ 53a ff. einzustellen wäre und als Wiedereinführung der **Amortisation** auf Nennbetragsaktien erstreckt werden könnte (mit Recht krit. BeckOGK/Marsch-Barner/Maul Rn. 33; DAV-HRA NZG 2002, 115, 118 f.; Ihrig/Wagner BB 2002, 789, 795 f.; Terbrack RNotZ 2003, 734, 737). Sonst nach § 237 V erforderliche Umbuchung vom Grundkapital in die Kapitalrücklage hat zu unterbleiben, weil kein Herabsetzungsbetrag zur Verfügung steht (→ Rn. 38). Satzungsgrundlage (§ 237 I 2) bleibt erforderlich. Formulierungsbeispiele bei Terbrack RNotZ 2003, 734, 747 f.

3. Beschlussvoraussetzungen. Vereinfachte Kapitalherabsetzung kann nur von HV beschlossen werden (§ 237 IV 1). Es genügt ausnahmsweise **einfache Stimmenmehrheit** gem. § 133 I (§ 237 IV 2). Wenn mehrere Aktiengattungen vorhanden sind, bedarf es keiner Sonderbeschlüsse entspr. § 222 II, weil § 237 IV abschließende Regelung enthält (Marsch-Barner/Schäfer/Busch/Busch Rn. 51.25; MHdB AG/Scholz § 63 Rn. 42; MüKoAktG/Oechsler Rn. 103; Happ/Stucken AktienR 14.05 Rn. 8.2; aA Zöllner FS Doralt, 2004, 751, 762). Dagegen verbleibt es bei Zustimmungserfordernis nach § 141 I, wenn Vorzugsaktien eingezogen werden sollen (BeckOGK/Marsch-Barner/Maul Rn. 34; MüKoAktG/Oechsler Rn. 104; aA MHdB AG/Scholz § 63 Rn. 29, 42; Happ/Stucken AktienR 14.05 Rn. 8.2). Sonderbeschluss kann auch nach § 179 III notwendig werden (BeckOGK/Marsch-Barner/Maul Rn. 34; aA Happ/Stucken AktienR 14.05 Rn. 8.2). **Satzung** kann größere Stimmenmehrheit und weitere Erfordernisse (Kapitalmehrheit, Zustimmung der Gattungsaktionäre) bestimmen (§ 237 IV 3). Erleichterungen sind unzulässig. Ges. oder satzungsmäßige Beschlusserfordernisse gelten auch für die wegen § 23 III Nr. 3, 4 notwendig werdende Anpassung des Satzungstextes bzw. für Ermächtigung des AR zur Fassungsänderung. 35

4. Beschlussinhalt. Erl. zum ordentlichen Einziehungsverfahren gelten entspr. (→ Rn. 24). Beschluss muss ferner erkennen lassen, dass Kapitalherabsetzung durch Einziehung von Aktien in **vereinfachter Form** erfolgt (BeckOGK/Marsch-Barner/Maul Rn. 35; MüKoAktG/Oechsler Rn. 106; Happ/Stucken AktienR 14.05 Rn. 3.1). § 237 IV 4 stellt klar, dass im Beschluss auch hier Zweck der Kapitalherabsetzung (→ Rn. 4) festzusetzen ist. Dagegen erfolgt in § 237 V angeordnete Einstellung nicht im Herabsetzungsbeschluss, sondern im nächsten Jahresabschluss (→ Rn. 38; MHdB AG/Scholz § 63 Rn. 43). 36

5. Anmeldung und Eintragung. Beschluss ist vom Vorstand und vom AR-Vorsitzenden gemeinsam zur Eintragung in das HR anzumelden (§ 237 IV 5); → Rn. 26; IRd **Registerkontrolle** wird auch geprüft, ob vereinfachtes Einziehungsverfahren gem. § 237 III zulässig ist. Registerrichter kann dazu erforderliche Nachweise (zB über Volleinzahlung) verlangen. Wenn keine Volleinzahlung 37 vorliegt, ist HV-Beschluss nichtig (→ Rn. 31) und Eintragung abzulehnen. Wurde dagegen Einziehung zu Lasten einer anderen Gewinnrücklage vorgenommen, die nicht zu diesem Zweck hätte verwandt werden dürfen (Verstoß gegen § 237 III Nr. 3), so ist HV-Beschluss lediglich anfechtbar (→ Rn. 34). Da nur Aktionärsinteressen betroffen sind, ist Eintragung zu verfügen. Anmeldung und Eintragung des Beschlusses können mit Anmeldung und Eintragung der Durchführung verbunden werden (§ 239 II).

38 **6. Gläubigerschutz.** Im vereinfachten Einziehungsverfahren nach § 237 III Nr. 1 oder 2 ist ein Betrag in die Kapitalrücklage einzustellen, der dem Betrag des Grundkapitals gleichkommt, der auf die eingezogenen Aktien entfällt (§ 237 V). Maßgeblich ist bei Nennbetragsaktien Gesamtnennbetrag, bei Stückaktien Summe der auf eingezogene Aktien entfallenden anteiligen Beträge (§ 8 III 3). Zur Kapitalrücklage s. § 266 III A II HGB und § 272 II HGB. Einstellung erfolgt aus dem Grundkapital (s. § 266 III A I HGB) und ist damit Umbuchung auf der Passivseite. Norm bezweckt Schutz der Gesellschaftsgläubiger. Sie bewirkt, dass Gesellschaftsvermögen in Höhe des Herabsetzungsbetrags der **Verwendungsbindung nach § 150 III, IV** unterliegt (→ Rn. 39). Einstellung ist zum Zeitpunkt des Wirksamwerdens der Kapitalherabsetzung vorzunehmen (→ § 238 Rn. 2 ff.). Kapitalrücklage muss deshalb in dem Jahresabschluss dotiert sein, der auf Kapitalherabsetzung folgt (KK-AktG/Ekkenga/Schirrmacher Rn. 114; MHdB AG/Scholz § 63 Rn. 43). Sonst ist er nach § 256 I Nr. 1, 4 nichtig (MHdB AG/Scholz § 63 Rn. 43). Nichtig ist auch darauf beruhender Gewinnverwendungsbeschluss (§ 253 I 1). Verwaltungsmitglieder können bei Verstoß nach §§ 93, 116 haften. Einstellung in die Kapitalrücklage ist entspr. § 240 S. 2 in GuV auszuweisen (str., → § 240 Rn. 5). Nach ihrem früheren Wortlaut betraf Regelung auch Einziehung von Stückaktien ohne Kapitalherabsetzung (§ 237 III Nr. 3; → Rn. 34a). Obwohl Grundkapital im Fall des § 237 III Nr. 3 nicht herabgesetzt wird, bedarf es auch hier eines Gläubigerschutzes: Einziehung, die idR nach Erwerb durch Gesellschaft gem. § 71 I Nr. 8 S. 6 erfolgen wird (vgl. BeckOGK/Marsch-Barner/Maul Rn. 33) darf wegen § 57 nur aus freien Rücklagen oder unentgeltlich – entspr. § 237 III Nr. 1 und 2 – erfolgen, da auch hier gebundenes Kapital an Aktionäre fließen kann (B/K/L/Becker Rn. 49; BeckOGK/Marsch-Barner/Maul Rn. 33; Wieneke/Förl AG 2005, 189, 195).

39 **Verwendung der Kapitalrücklage** bestimmt sich nach § 150 III und IV (→ § 150 Rn. 8 ff., 11 f.). In Kapitalrücklage eingestellter Herabsetzungsbetrag kann deshalb mittelbar auch zum Ausgleich eines Jahresfehlbetrags oder Verlustvortrags (→ § 158 Rn. 2) verwandt werden, so dass Kapitalherabsetzung durch Einziehung im vereinfachten Verfahren auch zu **Sanierungszwecken** genutzt werden kann (vgl. MHdB AG/Scholz § 63 Rn. 44). Der Ausgleich von Verlusten aus dem Buchgewinn ermöglicht eine frühere oder höhere Gewinnausschüttung, weil ohne diesen Ausgleich späterer Betriebsgewinn zur Verlustdeckung hätte verwandt werden müssen. § 233 steht dem nicht entgegen. Unmittelbare Anwendung scheitert (unstr.); vereinfachtes Einziehungsverfahren ist keine vereinfachte Kapitalherabsetzung. Nach zutr. Ansicht ist § 233 auch nicht analog anwendbar; denn der Buchgewinn wird gerade nicht ausgeschüttet (ausf. Daghles/Kynast ZGR 2021, 987, 997 ff.; s. ferner BeckOGK/Marsch-Barner/Maul Rn. 39; Marsch-Barner/Schäfer/Busch/Busch Rn. 51.28; MHdB AG/Scholz § 63 Rn. 44; Terbrack RNotZ 2003, 89, 115; aA MüKoAktG/Oechsler Rn. 109).

V. Einziehung durch den Vorstand (§ 237 VI)

40 **1. Anwendungsbereich.** Bei schon in Satzung angeordneter Zwangseinziehung bedarf es eines HV-Beschlusses nicht (§ 237 VI 1). An seine Stelle tritt

Entscheidung des Vorstands über die Einziehung (§ 237 VI 2). Kompetenzverlagerung gilt **nur bei angeordneter Zwangseinziehung** (→ Rn. 10), nicht auch bei gestatteter Zwangseinziehung (→ Rn. 15) oder Einziehung nach Erwerb durch die Gesellschaft (→ Rn. 19). Anstelle des Vorstands kann HV beschließen (KK-AktG/Ekkenga/Schirrmacher Rn. 137; MHdB AG/Scholz § 63 Rn. 31), wenn Vorstand es gem. § 119 II verlangt (BeckOGK/Marsch-Barner/Maul Rn. 40). Entscheidung des Vorstands ersetzt nur HV-Beschluss; iÜ verbleibt es bei Vorschriften über ordentliche Kapitalherabsetzung (§ 237 II 1). Jedoch ist kein Grund ersichtlich, warum nicht auch vereinfachtes Einziehungsverfahren nach § 237 III–V möglich sein soll, wenn Voraussetzungen des § 237 III vorliegen (BeckOGK/Marsch-Barner/Maul Rn. 40; MüKoAktG/Oechsler Rn. 112).

2. Entscheidung des Vorstands. Entscheidung des Vorstands ist Geschäftsführungsmaßnahme, die mit Einziehungshandlung gem. § 238 S. 3 (→ § 238 Rn. 8) identisch und nach inzw. allgM nicht in das HR anzumelden und einzutragen ist (ausf. MüKoAktG/Oechsler Rn. 115). Frist des § 225 II beginnt deshalb erst mit Bek. der Durchführung der Kapitalherabsetzung, die zudem den Hinweis nach § 225 I 2 enthalten muss (Marsch-Barner/Schäfer/Busch/Busch Rn. 51.31; MHdB AG/Scholz § 63 Rn. 36). 41

VI. Rechtsfolgen bei fehlerhafter Einziehung

Ist Einziehungsbeschluss der HV fehlerhaft, so bestimmen sich Rechtsfolgen nach allg. Vorschriften (§§ 241 ff.). Dabei ist zu unterscheiden: Beschließt HV Zwangseinziehung ohne Satzungsermächtigung (→ Rn. 15), so ist Beschluss gem. § 241 Nr. 3 nichtig, denn Aktionäre müssen wissen, dass Verlust der Mitgliedschaft eintreten kann. Dagegen ist Beschluss nur anfechtbar, wenn Voraussetzungen der Ermächtigung nicht vorliegen (AG Charlottenburg NZG 2015, 1326; BeckOGK/Marsch-Barner/Maul Rn. 43; MüKoAktG/Oechsler Rn. 25; MHdB AG/Scholz § 63 Rn. 32). 42

Im **vereinfachten Beschlussverfahren** ist HV-Beschluss nach § 241 Nr. 3 nichtig, wenn nicht volleingezahlte Aktien eingezogen werden (→ Rn. 31 mN). Gleiches muss aber auch gelten, wenn Voraussetzung des § 237 III Nr. 1 nicht vorliegt oder Herabsetzungsbetrag nicht durch Bilanzgewinn oder andere Gewinnrücklage gedeckt ist (s. § 237 III Nr. 2), da in beiden Fällen schwerpunktmäßig Interessen der Gläubiger betroffen sind. HV-Beschluss ist aber nur anfechtbar, wenn Einziehung zu Lasten einer anderen Gewinnrücklage erfolgt, die zu diesem Zweck nach § 237 III Nr. 2 nicht hätte verwandt werden dürfen. Gleiches gilt, wenn Verwendung des Bilanzgewinns unter Verletzung des Gewinnanspruchs der Aktionäre erfolgt (BeckOGK/Marsch-Barner/Maul Rn. 43; GK-AktG/Sethe Rn. 129). Bedarf HV-Beschluss **sachlicher Rechtfertigung** (→ Rn. 16) und fehlt sie, so ist Beschluss ebenfalls anfechtbar. Entscheidet Vorstand nach § 237 VI über angeordnete Zwangseinziehung, ist Vorstandsentscheidung ohne Wirkung, wenn Voraussetzungen der angeordneten Zwangseinziehung nicht vorlagen (BeckOGK/Marsch-Barner/Maul Rn. 44; ähnlich MHdB AG/Scholz § 63 Rn. 32). Zu den Rechtsfolgen bei Verstoß gegen § 237 V → Rn. 38. 43

VII. Kosten und Steuern

Kosten der Registerverfahren (Anmeldung und Eintragung des HV-Beschlusses bzw. der Durchführung) bestimmen sich nach § 58 I GNotKG, § 105 GNotKG sowie HRegGebV v. 30.9.2004 (BGBl. 2004 I 2562) mit Gebührenverzeichnis (GV) als Anlage. Der Beschlusseintragung liegt immer ein **bestimm-** 44

ter Geldbetrag (Herabsetzungsbetrag) zugrunde (§ 105 I Nr. 4 lit. b GNotKG), was jedoch bei gemeinschaftskonformer Auslegung unerheblich bleibt; maßgeblich ist tats. Aufwand (→ § 38 Rn. 18; → § 182 Rn. 34). Der Eintragung der Durchführung liegt kein bestimmter Geldbetrag zugrunde; vgl. § 105 II, IV Nr. 1 GNotKG. **Steuerrecht:** Bei vereinfachter Herabsetzung durch Einziehung gem. § 237 III Nr. 1 gelten § 220, § 57o GmbHG, § 3 KapErhStG entspr. mit der Folge, dass anteilige Buchwerte im allg. beim Aktionär im Jahr der Herabsetzung auszubuchen sind (BFH NZG 2005, 782). Zu weiteren Fragen s. Happ/Stucken/Bahns/Schmitz AktienR 14.04 Rn. 13.1.

Wirksamwerden der Kapitalherabsetzung

238 **[1] Mit der Eintragung des Beschlusses oder, wenn die Einziehung nachfolgt, mit der Einziehung ist das Grundkapital um den auf die eingezogenen Aktien entfallenden Betrag herabgesetzt. [2] Handelt es sich um eine durch die Satzung angeordnete Zwangseinziehung, so ist, wenn die Hauptversammlung nicht über die Kapitalherabsetzung beschließt, das Grundkapital mit der Zwangseinziehung herabgesetzt. [3] Zur Einziehung bedarf es einer Handlung der Gesellschaft, die auf Vernichtung der Rechte aus bestimmten Aktien gerichtet ist.**

I. Regelungsgegenstand und -zweck

1 Norm bestimmt Zeitpunkt des Wirksamwerdens der Kapitalherabsetzung durch Einziehung von Aktien. § 238 S. 1 stellt, anders als § 224, nicht nur auf die **Eintragung des Herabsetzungsbeschlusses** in das HR ab, sondern verlangt **zusätzlich die Einziehungshandlung** (→ Rn. 7 ff.). Darauf kommt es an, weil nur einzelne Aktien betroffen werden (→ § 237 Rn. 5). Wirksamwerden der Einziehung ist mit Verringerung des Grundkapitals verbunden, weil nur so sichergestellt werden kann, dass Höhe des Grundkapitals gleich der Summe der geringsten Ausgabebeträge (§ 9 I) aller Aktien ist. Ausnahme von § 238 S. 1 gilt, wenn Vorstand nach § 237 VI über Einziehung entscheidet. Dann genügt zum Wirksamwerden der Kapitalherabsetzung die Einziehungshandlung (§ 238 S. 2).

II. Zeitpunkt des Wirksamwerdens

2 **1. Grundsatz.** Mit Eintragung des Kapitalherabsetzungsbeschlusses oder, wenn Einziehung nachfolgt, mit Einziehung ist das Grundkapital um auf eingezogene Aktien entfallenden Betrag herabgesetzt (§ 238 S. 1). Wirksamwerden der Kapitalherabsetzung (und der Einziehung selbst, → Rn. 1) ist von zwei Voraussetzungen abhängig, die kumulativ vorliegen müssen: zum einen von Eintragung des Beschlusses in das HR und zum anderen von Vornahme der Einziehungshandlung (→ Rn. 3). Unerheblich ist, in welcher Reihenfolge Voraussetzungen erfüllt werden. Einziehungshandlung kann der Eintragung vorausgehen oder nachfolgen.

3 Sind zur Durchführung der Kapitalherabsetzung **mehrere Einziehungshandlungen** notwendig (zB Einziehung vorhandener und noch zu erwerbender eigener Aktien), so müssen sämtliche Handlungen vorliegen, bevor Kapitalmaßnahme wirksam wird (zust. MüKoAktG/Oechsler Rn. 2). Einziehungshandlungen können auch teils vor und teils nach Beschlusseintragung vorgenommen werden (KK-AktG/Ekkenga/Schirrmacher Rn. 4). § 238 S. 1 ist immer anwendbar, wenn HV Kapitalherabsetzung durch Einziehung beschlossen hat (→ Rn. 5). Unerheblich ist, ob Kapitalherabsetzung nach den Vorschriften über die ordentli-

che Kapitalherabsetzung (§ 237 II 1) erfolgt oder im vereinfachten Verfahren (§ 237 III–V) beschlossen wird.

2. Angeordnete Zwangseinziehung. Handelt es sich um durch Satzung angeordnete Zwangseinziehung, so ist, wenn nicht HV über Kapitalherabsetzung beschließt, das Grundkapital schon mit Zwangseinziehung herabgesetzt (§ 238 S. 2). Norm nimmt Bezug auf § 237 VI, der im Falle angeordneter Zwangseinziehung die Entscheidung des Vorstands über die Einziehung genügen lässt. § 238 S. 2 findet aber nur Anwendung, wenn tats. **Vorstand über die Einziehung entschieden** hat. Hat Vorstand von seiner Befugnis nach § 237 VI keinen Gebrauch gemacht und HV über Zwangseinziehung beschließen lassen (→ § 237 Rn. 40), so gilt nicht § 238 S. 2, sondern § 238 S. 1 (KK-AktG/Ekkenga/Schirrmacher Rn. 5; MüKoAktG/Oechsler Rn. 4). Gem. § 238 S. 2 wird Kapitalherabsetzung mit Zwangseinziehung wirksam, also mit Vornahme der Einziehungshandlung (→ Rn. 7 f.). Grund der Ausnahme: Entscheidung des Vorstands ist nach richtiger Ansicht nicht eintragungsfähig (str., → § 237 Rn. 41). 4

III. Rechtsfolgen

Mit Wirksamwerden der Kapitalherabsetzung hat AG **neue Grundkapitalziffer.** Es entsteht **Buchertrag** in Höhe der Differenz zum alten Grundkapital (→ § 222 Rn. 3). Zugleich gehen von Einziehung betroffene Mitgliedsrechte unter (→ Rn. 1). Zwischen AG und bisherigem Inhaber bestehen **keine mitgliedschaftlichen Rechte und Pflichten** mehr. Gewinnverwendungsbeschluss nach Einziehung gibt betroffenem Aktionär keinen Dividendenzahlungsanspruch (BGH NJW 1998, 3646, 3647 zur GmbH). Nur vor Einziehung entstandene Gewinnansprüche können als Gläubigerrechte weiterhin geltend gemacht werden (BeckOGK/Marsch-Barner/Maul Rn. 6; MüKoAktG/Oechsler Rn. 8). **Aktienurkunden** verkörpern nach Einziehung obligatorischen Anspruch auf Zahlung des Einziehungsentgelts (Marsch-Barner/Schäfer/Busch/Busch Rn. 51.33; MHdB AG/Scholz § 63 Rn. 49). AG muss analog § 797 S. 1 BGB nur Zug um Zug gegen Aushändigung der Urkunde zahlen. Dagegen ist nicht anzunehmen, dass sie ihrerseits klagbaren Anspruch auf Einreichung der Urkunde hat (KK-AktG/Ekkenga/Schirrmacher Rn. 11; MHdB AG/Scholz § 63 Rn. 49). Möglich und sinnvoll ist Kraftloserklärung gem. § 73 (BeckOGK/Marsch-Barner/Maul Rn. 5; für entspr. Pflicht KK-AktG/Ekkenga/Schirrmacher Rn. 11). § 226 gilt nur für die Durchführung der Kapitalherbsetzung durch Zusammenlegung von Aktien (→ § 226 Rn. 2). 5

IV. Keine Rückwirkung nach § 234

Wenn Kapitalherabsetzung durch Einziehung von Aktien zu Sanierungszwecken erfolgt, mag Ausweis des aktuellen gezeichneten Kapitals im Jahresabschluss für das letzte vor der Beschlussfassung über die Kapitalherabsetzung abgelaufene Geschäftsjahr ebenso wie entspr. Rückwirkung einer gleichzeitig beschlossenen Kapitalerhöhung wünschenswert sein, jedoch sieht Ges. in §§ 237 ff. eine solche Rückwirkung nicht vor. Auch entspr. Anwendung der §§ 234, 235 kommt wegen ihrer speziellen Ausrichtung auf vereinfachte Kapitalherabsetzung nicht in Betracht (B/K/L/Becker Rn. 13; MHdB AG/Scholz § 63 Rn. 48). 6

V. Einziehungshandlung

1. Zuständigkeit. Zur Einziehung bedarf es einer Handlung der Gesellschaft, die auf Vernichtung der Rechte aus bestimmten Aktien gerichtet ist (§ 238 S. 3). 7

Zuständig ist allein **Vorstand** (KK-AktG/Ekkenga/Schirrmacher Rn. 9; MHdB AG/Scholz § 63 Rn. 47). Wenn HV Einziehung beschlossen hat, ist Einziehungsakt die Ausführung des HV-Beschlusses und fällt deshalb nach § 83 II in den Zuständigkeitsbereich des Vorstands. Hat Vorstand nach § 237 VI selbst entschieden, so ergibt sich bereits hieraus seine Zuständigkeit. In diesem Fall ist Entscheidung des Vorstands über die Einziehung zugleich auch der Einziehungsakt, so dass es keiner weiteren Maßnahme bedarf (s. KK-AktG/Ekkenga/Schirrmacher Rn. 10).

8 **2. Einziehungserklärung.** Sie ist **empfangsbedürftige Willenserklärung** mit dem Inhalt, ein bestimmtes Mitgliedsrecht vernichten zu wollen. Erklärungsgegner ist der Inhaber des Mitgliedsrechts (BeckOGK/Marsch-Barner/Maul Rn. 8; MüKoAktG/Oechsler Rn. 5; MHdB AG/Scholz § 63 Rn. 47). Konkludente Willenserklärung genügt. Zugang bestimmt sich grds. nach allg. Vorschriften (insbes. § 130 BGB), ist aber auch mit Veröffentlichung der Erklärung in den Gesellschaftsblättern bewirkt (BeckOGK/Marsch-Barner/Maul Rn. 8), sofern Satzung nichts anderes bestimmt und sich Einziehung der Aktien nicht gegen namentlich bekannte Aktionäre richtet. Zugang entfällt, wenn Einziehung eigene Aktien der AG betr. Es genügt dann jede Handlung, die Einziehung zum Ausdruck bringt, wofür mangels Aktivierung gem. § 272 Ia HGB (→ § 71 Rn. 25 ff.) nicht mehr auf Abbuchung abgestellt werden kann. Jedenfalls genügend ist Ausbuchung aus Depot der AG, aber wohl auch schon die (zweckmäßig dokumentierte) Anweisung dazu (Kallweit/Simons AG 2014, 352, 357; Rieckers ZIP 2009, 700, 705). Genügend dürfte auch Anmeldung der Durchführung nach § 239 sein (Schulz ZIP 2015, 510, 516).

9 Einziehungserklärung muss **betroffenes Mitgliedsrecht bestimmt bezeichnen** (unstr.), zB durch Serie und Nummer der betroffenen Aktie oder durch die Person ihres Inhabers (KK-AktG/Ekkenga/Schirrmacher Rn. 7). Für die Einziehungshandlung ist Vernichtung der Aktienurkunde weder erforderlich noch ausreichend (s. Punte/Klemens BB 2019, 647, 650). Wurden jedoch zum Zweck der Einziehung Aktienurkunden der AG übergeben, so liegt in der Vernichtung oder Abstempelung konkludent die Einziehungserklärung (KK-AktG/Ekkenga/Schirrmacher Rn. 8). Zugang ist dann entspr. § 151 BGB entbehrlich (B/K/L/Becker Rn. 8). Einziehungsentgelt braucht im Zeitpunkt der Einziehungshandlung noch nicht gezahlt zu sein.

10 **3. Fehlerhafter Einziehungsakt.** Einziehungshandlung bedarf wirksamer Ermächtigung. Daran fehlt es, wenn HV-Beschluss unwirksam oder nichtig ist (→ § 237 Rn. 42 f.). Ferner, wenn Vorstand bei angeordneter Zwangseinziehung nach § 237 VI fehlerhaft entschieden hat (→ § 237 Rn. 43). Dann ist Einziehungshandlung **ohne Wirkung.** Gleiches gilt, wenn Mitgliedschaftsrecht nicht bestimmt genug bezeichnet wird. Mitgliedschaft besteht also fort, auch wenn Herabsetzungsbeschluss oder seine Durchführung in das HR eingetragen sind (MüKoAktG/Oechsler Rn. 6). HR ist unrichtig. Vorstand hat Berichtigung anzumelden. Registergericht kann auch selbst nach §§ 395, 398 FamFG vorgehen.

Anmeldung der Durchführung

239 (1) [1]**Der Vorstand hat die Durchführung der Herabsetzung des Grundkapitals zur Eintragung in das Handelsregister anzumelden.** [2]**Dies gilt auch dann, wenn es sich um eine durch die Satzung angeordnete Zwangseinziehung handelt.**

(2) **Anmeldung und Eintragung der Durchführung der Herabsetzung können mit Anmeldung und Eintragung des Beschlusses über die Herabsetzung verbunden werden.**

I. Regelungsgegenstand und -zweck

Norm betr. Anmeldung der Durchführung der Kapitalherabsetzung zur Eintragung in das HR und bestimmt die Anmelder (§ 239 I 1). Sie stellt klar, dass Anmeldung der Durchführung auch erforderlich ist, wenn es sich um in Satzung angeordnete Zwangseinziehung handelt (§ 239 I 2). Bezweckt ist **Publizität der Durchführung.** Eintragung hat nur **deklaratorische Bedeutung** (KK-AktG/Ekkenga/Schirrmacher Rn. 2). Anmeldung der Durchführung ist zu unterscheiden von Anmeldung des Kapitalherabsetzungsbeschlusses gem. § 223 iVm § 237 II 1 oder gem. § 237 IV 5. Beide Anmeldeverfahren können miteinander verbunden werden (§ 239 II). Neben diese Registerverfahren treten zudem Anmeldung und Eintragung der formellen Satzungsänderung (→ § 237 Rn. 3). Sie ist mit Anmeldung der Durchführung zu verbinden, wenn sie nicht schon mit Anmeldung des Kapitalherabsetzungsbeschlusses verbunden war. 1

II. Begriff der Durchführung

Kapitalherabsetzung durch Einziehung von Aktien ist durchgeführt, wenn alle notwendigen Einziehungshandlungen (→ § 238 Rn. 7 f.) vorgenommen sind (KK-AktG/Ekkenga/Schirrmacher Rn. 3; MHdB AG/Scholz § 63 Rn. 50). Sie wird sofort wirksam, wenn entspr. Beschluss bereits eingetragen ist, sonst mit seiner Eintragung. Zur Durchführung gehört dagegen nicht, dass betroffene Aktienurkunden eingereicht oder für kraftlos (→ § 238 Rn. 5 aE) erklärt sind. 2

III. Anmeldung der Durchführung

1. Allgemeines. Zuständig ist **Amtsgericht** (§ 23a I 2, II Nr. 4 GVG) des Gesellschaftssitzes (§ 14). Anmeldung muss elektronisch in öffentl. beglaubigter Form erfolgen (§ 12 I HGB); vgl. dazu § 129 BGB, § 39a BeurkG; zur durch DiRUG 2021 neu geschaffenen Möglichkeit der Beglaubigung mittels Videokommunikation → § 36 Rn. 2; zur Auslandsbeglaubigung → § 23 Rn. 12. Anmeldung ist unverzüglich (§ 121 I 1 BGB) nach beendeter Durchführung vorzunehmen (→ § 227 Rn. 4). Unterlagen sind nicht beizufügen. Zur Anmeldung der Einziehung aufgrund Ermächtigung nach § 71 I Nr. 8 S. 6 vgl. Kallweit/Simons AG 2014, 352, 358. 3

2. Anmelder. Anmeldung obliegt **nur Vorstand** (§ 239 I 1). Anders als bei Anmeldung des Kapitalherabsetzungsbeschlusses gem. § 223 iVm § 237 II 1 oder gem. § 237 IV 5 muss AR-Vorsitzender nicht mitwirken (vgl. RegBegr. Kropff S. 325). Vorstand handelt **im Namen der AG,** nicht im eigenen Namen (→ § 181 Rn. 4). Ausreichend ist Mitwirkung einer vertretungsberechtigten Zahl von Vorstandsmitgliedern (BeckOGK/Marsch-Barner/Maul Rn. 4; GK-AktG/Sethe Rn. 9). Unechte Gesamtvertretung (§ 78 III) ist zulässig (vgl. KG JW 1938, 3121; GK-AktG/Sethe Rn. 92). Ebenso Anmeldung durch bevollmächtigten Dritten (auch des mit entspr. Vollmacht ausgestatteten Prokuristen) unter Beachtung der Formvorschrift des § 12 I HGB (GK-AktG/Sethe Rn. 9; → § 223 Rn. 3). Vorstand ist zur Anmeldung verpflichtet. Sie kann nach § 14 HGB durch Zwangsgeld erzwungen werden. Unterlassene oder verspätete Anmeldung kann Schadensersatzpflicht (§§ 93, 116) und Abberufung (§ 84 IV, § 103 III) begründen. § 239 I ist aber mangels Individualschutzes kein Schutzgesetz iSd § 823 II BGB. 4

5 **3. Angeordnete Zwangseinziehung.** Pflicht zur Anmeldung besteht gem. § 239 I 2 auch, wenn es sich um durch Satzung angeordnete Zwangseinziehung (→ § 237 Rn. 10) handelt. Das hat nur klarstellende Bedeutung. Pflicht zur Anmeldung könnte zweifelhaft sein, weil es bei einer durch Satzung angeordneten Zwangseinziehung eines Beschlusses der HV nicht bedarf (§ 237 VI). In diesem Fall ist den HV-Beschluss ersetzende Entscheidung des Vorstands nicht eintragungsfähig und folglich auch nicht anzumelden (str., → § 237 Rn. 41). Deshalb ist Eintragung der Durchführung von bes. Bedeutung, da Öffentlichkeit erstmals von Kapitalherabsetzung unterrichtet wird. IÜ gelten keine Besonderheiten.

IV. Registerkontrolle

6 Zuständig ist der Rechtspfleger (s. § 3 Nr. 2 lit. d RPflG). Er hat ordnungsgem. Anmeldung zu prüfen und ist grds. auch zur materiellen Prüfung berechtigt und verpflichtet. **Materielle Prüfung** betr. Frage, ob Kapitalherabsetzung durch Einziehung ordnungsgem. durchgeführt wurde (→ Rn. 2) und ob Summe der geringsten Ausgabebeträge (§ 9 I) dem herabgesetzten Grundkapital entspr. Davon kann idR ausgegangen werden. Bei Zweifeln ist genauere Prüfung erforderlich. Es gilt der Amtsermittlungsgrundsatz (§ 26 FamFG). Zur Prüfung erforderliche Unterlagen sind dem Gericht auf Verlangen zur Verfügung zu stellen. Prüfung ist idR auf die Durchführung zu beschränken; denn Kapitalherabsetzungsbeschluss ist schon vor seiner Eintragung geprüft worden. Weitergehende materielle Prüfung kann ausnahmsweise bei einer durch Satzung angeordneten Zwangseinziehung angezeigt sein, wenn Vorstand anstelle der HV die Einziehung beschlossen hat (§ 237 VI), weil Vorstandsentscheidung mangels Eintragungsfähigkeit noch keiner Prüfung unterlag (→ § 237 Rn. 41).

V. Eintragung

7 Liegen Eintragungsvoraussetzungen vor, erfolgt Eintragung der Durchführung gem. § 43 Nr. 6 lit. a, Nr. 7 HRV in Spalte 6: „Die am … beschlossene Herabsetzung des Grundkapitals durch Einziehung von Aktien ist durchgeführt". Eintragung hat lediglich deklaratorische Bedeutung (→ Rn. 1). Ihr Inhalt ist im BAnz. und mindestens einem anderen Blatt bekanntzumachen (§ 10 I HGB).

VI. Verbindung mit Anmeldung des Kapitalherabsetzungsbeschlusses

8 Zulässig ist, Anmeldung und Eintragung der Durchführung der Herabsetzung des Grundkapitals mit Anmeldung und Eintragung des Beschlusses über die Herabsetzung zu verbinden (§ 239 II; sa § 188 V, § 227 II). Wird davon Gebrauch gemacht, so verbleibt es bei den für das jeweilige Registerverfahren geltenden Anmelde- und Eintragungsvoraussetzungen, zB Mitwirkung des AR-Vorsitzenden bei Beschlussanmeldung (MHdB AG/Scholz § 63 Rn. 50), Durchführung der Einziehung iRd § 239, Registerkontrolle. Auch bei verbundener Anmeldung kann Registerrichter über beide Anträge getrennt entscheiden und zunächst nur Herabsetzungsbeschluss eintragen. Wollen Anmelder getrennte Eintragung ausschließen, ist dies gesondert zu beantragen (→ § 188 Rn. 18). Nach zutr. Ansicht ist Entscheidung des Vorstands über Einziehung gem. § 237 VI nicht anmelde- und eintragungsfähig (str.; → § 237 Rn. 41). Anmeldung und Eintragung der formellen Satzungsänderung (→ § 222 Rn. 6) ist iRd § 239 II gleichfalls mit beiden Registerverfahren zu verbinden (→ Rn. 1).

Str. ist, ob beide Registerverfahren miteinander verbunden werden können, wenn Kapitalherabsetzungsbeschluss die **Einziehung künftig zu erwerbender eigener Aktien** vorsieht. Früher wurde angenommen, dass Erwerb eigener Aktien nach § 71 I Nr. 6 Eintragung des Beschlusses voraussetzt, weil noch nicht eingetragener Kapitalherabsetzungsbeschluss mit einfacher Mehrheit von HV aufgehoben werden könne und deshalb noch keine ausreichende Bindung der AG an die Kapitalherabsetzung bestehe (KK-AktG/Lutter, 2. Aufl. 1993, Rn. 4). Zwar kann noch nicht eingetragener Kapitalherabsetzungsbeschluss mit einfacher Mehrheit aufgehoben werden (→ § 222 Rn. 16), doch führt dies nach heute hM nicht dazu, dass Registerverfahren nicht verbunden werden dürfen. Eine solche Einschränkung ergibt sich weder aus Wortlaut noch aus Zweck des § 71 (iE wie hier B/K/L/Becker Rn. 7; KK-AktG/Ekkenga/Schirrmacher Rn. 5; BeckOGK/Marsch-Barner/Maul Rn. 2; MHdB AG/Scholz § 63 Rn. 50; Happ/Stucken AktienR 14.04 Rn. 10.3; sympathisierend MüKoAktG/Oechsler Rn. 7). 9

Vierter Unterabschnitt. Ausweis der Kapitalherabsetzung

Gesonderte Ausweisung

240 [1]**Der aus der Kapitalherabsetzung gewonnene Betrag ist in der Gewinn- und Verlustrechnung als „Ertrag aus der Kapitalherabsetzung" gesondert, und zwar hinter dem Posten „Entnahmen aus Gewinnrücklagen", auszuweisen.** [2]**Eine Einstellung in die Kapitalrücklage nach § 229 Abs. 1 und § 232 ist als „Einstellung in die Kapitalrücklage nach den Vorschriften über die vereinfachte Kapitalherabsetzung" gesondert auszuweisen.** [3]**Im Anhang ist zu erläutern, ob und in welcher Höhe die aus der Kapitalherabsetzung und aus der Auflösung von Gewinnrücklagen gewonnenen Beträge**

1. zum Ausgleich von Wertminderungen,
2. zur Deckung von sonstigen Verlusten oder
3. zur Einstellung in die Kapitalrücklage

verwandt werden. [4]**Ist die Gesellschaft eine kleine Kapitalgesellschaft (§ 267 Absatz 1 des Handelsgesetzbuchs), braucht sie Satz 3 nicht anzuwenden.**

I. Regelungsgegenstand und -zweck

Vorschrift regelt Ausweis der Kapitalherabsetzung in GuV und Anhang. Sie bezweckt Information der Gläubiger und der Aktionäre über wirkliche **Ertragslage der Gesellschaft** (KK-AktG/Ekkenga/Schirrmacher Rn. 3), ferner Klarheit über **Verwendung des Buchertrags** (RegBegr. Kropff S. 326). § 240 regelt dagegen nicht, wie Beträge auszuweisen sind, die aus einer nach § 229 II (→ § 229 Rn. 11 ff.) notwendigen Auflösung von Gewinn- und Kapitalrücklagen stammen. Insoweit gilt § 158 I 1 Nr. 2, 3 (RegBegr. Kropff S. 326; KK-AktG/Ekkenga/Schirrmacher Rn. 3) sowie mangels abw. Vorschrift (→ Rn. 3) auch § 158 I 2 (Ausweiswahlrecht). 1

II. Ausweis der Kapitalherabsetzung

1. Allgemeines. § 240 ist zwingend. Anders als § 190 AktG 1937 ist § 240 **bei allen drei Formen der Kapitalherabsetzung** zu beachten, also nicht nur bei vereinfachter, sondern auch bei ordentlicher Kapitalherabsetzung sowie bei Kapitalherabsetzung durch Einziehung von Aktien (RegBegr. Kropff S. 326). Ges. stellt das durch den nur für § 240 geschaffenen (vierten) Unterabschnitt klar. 2

Ausweis- und Erläuterungspflichten bestehen für Jahresabschluss des Geschäftsjahres, in dem die Buchungen vorzunehmen sind, also grds. in dem Geschäftsjahr, in dem Kapitalherabsetzung wirksam wird (s. dazu §§ 224, 229 III, § 238). Etwas anderes gilt aber, wenn Kapitalherabsetzung nach § 234 zurückwirkt. In diesem Fall ist § 240 bereits für Jahresabschluss des Geschäftsjahrs zu beachten, in dem Kapitalmaßnahme rückwirkend Berücksichtigung findet (KK-AktG/Ekkenga/Schirrmacher Rn. 4; BeckOGK/Marsch-Barner/Maul Rn. 2).

3 **2. Kapitalherabsetzungsbetrag.** Buchertrag aus Kapitalherabsetzung (→ § 222 Rn. 3) ist in GuV gesondert auszuweisen, und zwar als „Ertrag aus der Kapitalherabsetzung". Gliederungstechnisch erfolgt Ausweis hinter dem Posten „Entnahmen aus Gewinnrücklagen" (s. dazu § 158 I Nr. 3). Buchertrag entspr. der Differenz zwischen alter und neuer Grundkapitalziffer. Weil § 240 S. 1 ausdr. bestimmt, dass Buchertrag in GuV auszuweisen ist, findet Ausweiswahlrecht des § 158 I 2, der zulässt, dass Angaben nach § 158 I 1 statt in der GuV im Anhang gemacht werden (→ § 158 Rn. 7), keine Anwendung. Ist also Kapitalherabsetzung im Jahresabschluss zu berücksichtigen, müssen Angaben nach § 158 I 1 in GuV gemacht werden (str., → bereits § 158 Rn. 8; wie hier B/K/L/Becker Rn. 3; BeckOGK/Marsch-Barner/Maul Rn. 3; MüKoAktG/Oechsler Rn. 3; aA ADS § 158 Rn. 24; KK-AktG/Ekkenga/Schirrmacher Rn. 6a). Zur Frage, ob Ausweis nach § 240 S. 1 auch im Konzernabschluss erforderlich ist, vgl. ADS § 298 HGB Rn. 200.

4 **3. Einstellungen in die Kapitalrücklage.** Wird bei vereinfachter Kapitalherabsetzung der Buchgewinn gem. § 229 I 1 in die Kapitalrücklage eingestellt oder sind Beträge nach § 232 in die Kapitalrücklage einzustellen, so ist entspr. Betrag in GuV als „Einstellung in die Kapitalrücklage nach den Vorschriften über die vereinfachte Kapitalherabsetzung" auszuweisen (§ 240 S. 2). Norm tritt nicht an die Stelle des § 240 S. 1, sondern ergänzt die Vorschrift. Herabsetzungsbetrag ist also nach wie vor gem. § 240 S. 1 als „Ertrag aus der Kapitalherabsetzung" auszuweisen. Dagegen betr. § 240 S. 2 **Gegenposten in GuV,** der notwendig wird, wenn Herabsetzungsbetrag ganz oder teilw. in die Kapitalrücklage einzustellen ist. Er stellt sicher, dass entspr. Betrag für die Kapitalrücklage auch tats. vorhanden ist. Gliederungsposten des § 240 S. 2 ist erforderlich, weil Einstellungen in die Kapitalrücklage grds. erfolgsneutral erfolgen (§ 272 II HGB), sich also außerhalb der GuV vollziehen. Einstellungen aus dem Gewinn der Gesellschaft erfolgen dagegen per definitionem (→ § 150 Rn. 2) ausschließlich in die Gewinnrücklagen (s. § 158 I 1 Nr. 4). Deshalb besteht grds. keine Notwendigkeit, entspr. Posten in GuV auszuweisen. Ausnahme gilt aber, wenn Buchgewinn nach §§ 229 I 1, 232 in die Kapitalrücklage einzustellen ist, weil Herkunft dieses Betrags eben wegen § 240 S. 1 in GuV ausgewiesen wird. Gliederungstechnisch ist Posten „Einstellung in die Kapitalrücklage nach den Vorschriften über die vereinfachte Kapitalherabsetzung" zweckmäßigerweise vor § 158 I 1 Nr. 4 aufzuführen; vgl. § 158 I 1 Nr. 2, 3 (so auch ADS § 158 Rn. 26).

5 Fraglich ist, was gilt, wenn iR einer Kapitalherabsetzung durch Einziehung von Aktien dem Kapitalherabsetzungsbetrag entspr. **Betrag nach § 237 V** in die Kapitalrücklage einzustellen ist. § 240 S. 2 erwähnt diesen Fall nicht. Norm ist aber entspr. anwendbar, weil sonst GuV einen nicht kompensierten Ertrag ausweisen und damit dem Regelungszweck des § 237 V (→ § 237 Rn. 38) widersprechen würde (ADS § 158 Rn. 27; KK-AktG/Ekkenga/Schirrmacher Rn. 8; → § 158 Rn. 8). In diesem Fall kann Posten aber nicht wie in § 240 S. 2 vorgesehen benannt werden, da Betrag eben nicht aus vereinfachter Kapitalherabsetzung stammt. Posten ist zB „Einstellung in die Kapitalrücklage nach § 237 V"

zu benennen. § 240 S. 2 findet ferner entspr. Anwendung, wenn in analoger Anwendung des § 232 (→ § 232 Rn. 8) Beträge in die Kapitalrücklage einzustellen sind.

III. Erläuterungen im Anhang

Über Verwendung des Buchertrags ist im Anhang zum Jahresabschluss zu berichten. § 240 S. 3 ergänzt § 160. Zu erläutern ist, ob und in welcher Höhe aus der Kapitalherabsetzung und aus der Auflösung von Gewinnrücklagen gewonnene Beträge (1.) zum Ausgleich von Wertminderungen, (2.) zur Deckung von sonstigen Verlusten oder (3.) zur Einstellung in die Kapitalrücklage verwandt werden. Norm nimmt damit Bezug auf die in § 229 I 1 genannten Zwecke der vereinfachten Kapitalherabsetzung (auf deren Anwendungsbereich § 190 AktG 1937 beschränkt war), gilt aber auch für ordentliche Kapitalherabsetzung wie für Kapitalherabsetzung durch Einziehung von Aktien (→ Rn. 2). Gleichgültig ist, ob Verluste im Berichtsjahr oder davor entstanden und ausgewiesen worden sind. Auch über Herkunft der Verluste und der Wertminderungen ist zu berichten. Erl. sind auch für Beträge zu machen, die im Zusammenhang mit der Kapitalherabsetzung durch Auflösung von Gewinnrücklagen gewonnen werden (BeckOGK/Marsch-Barner/Maul Rn. 5). In § 240 S. 4 durch BilRUG 2015 neu eingefügte Ausnahme von Berichtspflicht nach § 240 S. 3 gilt für kleine Kapitalgesellschaften iSd § 267 I HGB. Wie neu eingefügte Ausnahmen in § 152 IV 2 (→ § 152 Rn. 8), § 160 III (→ § 160 Rn. 16) und § 261 I 7 (→ § 261 Rn. 7a) soll auch damit maximalharmonisierendem Charakter der Bilanz-RL Rechnung getragen werden, um so Belastungen für kleine Unternehmen zu reduzieren. 6

IV. Rechtsfolgen bei Verstoß

Bei Verstoß gegen § 240 ist Bestätigungsvermerk nach § 322 HGB zu versagen (BeckOGK/Marsch-Barner/Maul Rn. 6). § 240 S. 1, 2 enthält Gliederungsvorschriften für den Jahresabschluss. Verstoß (genauer: falscher Ausweis der Beträge) führt nach § 256 IV nur zu seiner Nichtigkeit, wenn Klarheit und Übersichtlichkeit dadurch wesentlich beeinträchtigt sind, was nicht ohne Weiteres gegeben ist (sa KK-AktG/Ekkenga/Schirrmacher Rn. 14). Anders liegen aber die Fälle, in denen unter Verstoß gegen materielle Gläubigerschutzbestimmungen (§§ 232, 237 V) Beträge gar nicht ausgewiesen werden. Solche Verstöße führen regelmäßig zur Nichtigkeit des Jahresabschlusses nach § 256 I Nr. 4 (MüKoAktG/Oechsler Rn. 7; → § 232 Rn. 7; → § 237 Rn. 38). 7

Siebenter Teil. Nichtigkeit von Hauptversammlungsbeschlüssen und des festgestellten Jahresabschlusses. Sonderprüfung wegen unzulässiger Unterbewertung

Erster Abschnitt. Nichtigkeit von Hauptversammlungsbeschlüssen

Erster Unterabschnitt. Allgemeines

Nichtigkeitsgründe

241 Ein Beschluß der Hauptversammlung ist außer in den Fällen des § 192 Abs. 4, §§ 212, 217 Abs. 2, § 228 Abs. 2, § 234 Abs. 3 und § 235 Abs. 2 nur dann nichtig, wenn er

1. in einer Hauptversammlung gefaßt worden ist, die unter Verstoß gegen § 121 Abs. 2 und 3 Satz 1 oder Abs. 4 und 4b Satz 1 einberufen war,
2. nicht nach § 130 Absatz 1 bis 2 Satz 1 und Absatz 4 beurkundet ist,
3. mit dem Wesen der Aktiengesellschaft nicht zu vereinbaren ist oder durch seinen Inhalt Vorschriften verletzt, die ausschließlich oder überwiegend zum Schutze der Gläubiger der Gesellschaft oder sonst im öffentlichen Interesse gegeben sind,
4. durch seinen Inhalt gegen die guten Sitten verstößt,
5. auf Anfechtungsklage durch Urteil rechtskräftig für nichtig erklärt worden ist,
6. nach § 398 des Gesetzes über das Verfahren in Familiensachen und in den Angelegenheiten der freiwilligen Gerichtsbarkeit auf Grund rechtskräftiger Entscheidung als nichtig gelöscht worden ist.

Übersicht

I. Grundlagen

1. Regelungsgegenstand und -zweck. § 241 betr. Nichtigkeit von HV-Beschlüssen. Norm bezweckt **Rechtssicherheit** durch Einschränkung der Nichtigkeitsgründe ggü. dem allg. Zivilrecht und ihre tatbestandliche Präzisierung: Nur bes. evidente oder inhaltlich schwerwiegende Normverstöße führen zur Nichtigkeit mit der Folge, dass Beschluss keinerlei Wirkungen auslöst. Indem Vorschrift Nichtigkeitsgründe katalogartig zusammenfasst, dient sie zugleich der **Abgrenzung von Nichtigkeit und Anfechtbarkeit.** Abgrenzung ist vor allem wegen der Monatsfrist des § 246 I, die nur für Anfechtung gilt, unverzichtbar (vgl. Amtl. Begr. RAnz. 1937 Nr. 28, 2. Beil. S. 1 zu § 195 AktG 1937). Anfechtbarkeit, bei der Beschluss zunächst wirksam ist und nur nachträglich vernichtet werden kann (→ Rn. 5), ist Normalfall der Beschlussmängelklage, Nichtigkeit ist Ausnahme für Schwerstmängel. Gesetzgeber hat Regelung 1965 im Wesentlichen unverändert übernommen (RegBegr. Kropff S. 327 f.). Norm ist zwingend, aber nicht ganz abschließend. Sie ist aus §§ 250, 253 zu ergänzen und wird, sofern Feststellung des Jahresabschlusses der HV überlassen bleibt, durch § 256 verdrängt; zur Frage, ob § 23 V weiteren Nichtigkeitsgrund enthält, → Rn. 15. IÜ sind ungeschriebene Nichtigkeitsgründe aus Gründen der Rechtssicherheit und angesichts der drastischen Strenge der Nichtigkeitsanordnung nicht anzuerkennen, sondern es sollte ganz im Gegenteil verstärkt **teleologische Reduktion** bestehender Nichtigkeitsgründe (etwa in Gestalt eines Bagatellvorbehalts → Rn. 11, 13) erwogen werden (Fleischer ZIP 2014, 149, 156 f.). Auch Gesetzgeber des ARUG 2009 hat speziell bei Einberufungsmängeln Zahl der Nichtigkeitsgründe reduziert, um strenge Nichtigkeitsfolge auf grundlegende Verstöße zu beschränken (ausf. S/L/Schwab Rn. 13). De lege ferenda sollte dieser Weg noch weitergehend beschritten werden (vgl. zu entspr. Vorschlägen J. Koch Gutachten F zum 72. DJT, 2018, 48 ff.; AK Beschlussmängelrecht AG 2008, 617, 620; Bayer/Fiebelkorn ZIP 2012, 2181, 2190; Noack FS Baums, 2017, 845, 850 ff.; Söntgerath, Die Nichtigkeitsgründe des § 241 AktG, 2020, 171 ff.; insofern zust. auch Seibert/Hartmann FS Stilz, 2014, 585, 599). 72. DJT hat insofern klares rechtspolitisches Votum abgegeben (für Reduktion der Nichtigkeitsgründe: 57 Ja-Stimmen, keine Gegenstimme, eine Enthaltung – vgl. Verh. 72. DJT, Bd. II/2, 2019, O 252, Beschluss I.8). 1

2. Beschluss der Hauptversammlung. § 241 setzt HV-Beschluss als Gegenstand der Nichtigkeitsfolge und damit dessen Begriff und Rechtsnatur voraus. **Begriff:** HV-Beschluss ist die durch Abstimmung der Aktionäre über einen Antrag erzielte Willensbildung und -äußerung der Versammlung; der von ihr geäußerte Wille wird der AG als eigener zugerechnet (→ § 133 Rn. 2). Beschluss hat Inhalt, mit dem er vom Versammlungsleiter festgestellt wird (zur fehlerhaften HV-Leitung → § 129 Rn. 19). **Rechtsnatur:** HV-Beschluss ist mehrseitiges, aber nicht vertragliches Rechtsgeschäft eigener Art (→ § 133 Rn. 3 f.; → § 119 Rn. 3). Auch Antragsablehnung ist (negativer) HV-Beschluss (→ § 133 Rn. 5). **Abgrenzungen:** Keine HV-Beschlüsse sind Sonderbeschlüsse, Minderheitsverlangen und Übergehen eines Antrags (→ § 133 Rn. 6). Auch auf AR-Beschlüsse sind §§ 241–249 nicht anzuwenden (→ § 108 Rn. 28). Dasselbe gilt für Vorstandsbeschlüsse (→ § 77 Rn. 6). 2

3 Sog **Nicht- oder Scheinbeschlüsse** sollen nach einer Ansicht vorliegen, wenn krasse Verfahrensfehler vorgekommen sind (BGHZ 11, 231, 236 = NJW 1954, 385: Mann von der Straße beruft Versammlung von Leuten ein, die mit Gesellschaft nichts zu tun haben). Es soll sich dann um ein nur beschlussähnliches wirkungsloses Gebilde handeln (RGZ 75, 239, 244; BGHZ 11, 231, 236; KG OLGR 16, 93). Nach richtiger Ansicht ist **Kategorie entbehrlich** (heute wohl hL, MüKoAktG/C. Schäfer Rn. 11; HCL/Raiser/Schäfer GmbHG Anh. § 47 Rn. 27; Noack, Fehlerhafte Beschlüsse, 1989, 3). Soweit hierhin auch der Fall gerechnet wird, dass für den Beschluss erforderliche Mehrheit in Wahrheit nicht erreicht war (Berücksichtigung ungültiger Stimmen, Zählfehler), sind damit verbundene Probleme jedenfalls ohne aktienrechtl. Bedeutung; denn die Feststellung des HV-Leiters über das Abstimmungsergebnis und ihre Beurkundung (§ 130 I 1) oder privatschriftliche Protokollierung (§ 130 I 3) konstituieren HV-Beschluss auch dann, wenn sie inhaltlich unrichtig sind (MüKoAktG/C. Schäfer Rn. 8a). Beschluss ist auch dann nicht nichtig, sondern nur anfechtbar (→ § 20 Rn. 17; → § 130 Rn. 22 ff; BGHZ 167, 204 Rn. 26 = AG 2006, 501; aus der Rspr. zur GmbH bes. BGHZ 104, 66, 69 = NJW 1988, 1844), und zwar auch bei sog **Stimmlosigkeit,** also bei Nichtigkeit oder Unwirksamkeit aller Stimmabgaben (BGHZ 167, 204 Rn. 26; OLG Frankfurt NZG 2019, 1055 Rn. 23; LG Berlin ZIP 2012, 1034; B/K/L/Göz Rn. 3; Nietsch WM 2007, 917, 918 ff.; aA Semler/Asmus NZG 2004, 881, 889 f.).

4 **3. Nichtigkeit; Anfechtbarkeit; Unwirksamkeit.** § 241 setzt nicht nur HV-Beschluss, sondern auch Nichtigkeitsfolge als jur. Kategorie voraus. **Nichtigkeit** bezeichnet das Ausbleiben der von den Geschäftsbeteiligten gewollten Rechtswirkungen wegen der Gesetzwidrigkeit des Rechtsgeschäfts. Dass Gesetzwidrigkeit durch bes. Erklärung oder Klage geltend gemacht wird, ist möglich (§ 249), aber nicht erforderlich. Vielmehr kann sich jedermann in beliebiger Weise auf die Nichtigkeit berufen. Auch Zustimmung aller Aktionäre kann den nichtigen Beschluss vorbehaltlich der Heilung nach § 242 II 4 (→ § 242 Rn. 5a; RGZ 111, 26, 28; BGHZ 11, 231, 239 = NJW 1954, 385) nicht gültig machen.

5 **Anfechtbarkeit** ist wie Nichtigkeit Folge der Gesetzwidrigkeit (oder Satzungswidrigkeit) des Beschlusses, führt aber nur durch Anfechtungsklage und entspr. rechtskräftiges Urteil zu seiner Nichtigkeit (§§ 243, 248). Dem Urteil kann in Ausnahmefällen die von Amts wegen durch das Registergericht vorzunehmende Amtslöschung gem. § 398 FamFG gleichstehen (vgl. § 241 Nr. 6). Aus Gründen der Rechtssicherheit (→ Rn. 1) ist Nichtigkeit die Ausnahme, Anfechtbarkeit die Regel. Der Rechtssicherheit dient nicht nur das der Nichtigkeitsfolge vorgeschaltete Verfahren, sondern auch die Monatsfrist des § 246 I. Auch nach deren Ablauf kann Verletzung von Vorschriften, deren Beachtung auch im öffentl. Interesse liegt, allerdings noch Eintragung des Beschlusses in das HR hindern. Insoweit lässt sich von Eintragungswidrigkeit sprechen (str.; → § 243 Rn. 56 mwN).

6 Von Nichtigkeit abzugrenzen ist auch **Unwirksamkeit.** Sie beruht nicht auf Gesetzesverstoß, sondern ist Folge des zwar gesetzeskonformen, aber unvollständigen rechtsgeschäftlichen Tatbestands; es muss, damit gewollte Rechtsfolge eintritt, neben dem HV-Beschluss weiteren Erfordernissen Rechnung getragen werden. **Bsp:** Eintragung eines satzungsändernden Beschlusses in das HR (§ 181 III); Zustimmung der betroffenen Aktionäre zur Begr. von Nebenverpflichtungen (§ 180 I); Erfordernis eines Sonderbeschlusses (§ 138) beteiligter Aktiengattungen (§ 179 III, § 182 II, § 222 II). Unterscheidung von Nichtigkeit und Unwirksamkeit entspr. der ganz hM (RGZ 148, 175, 184 ff.; BGHZ 15, 177, 181 = NJW 1955, 178; BGHZ 48, 141, 143 = NJW 1967, 2159; öOGH AG 2002, 575, 577; A. Hueck, Anfechtbarkeit und Nichtigkeit, 1924, 72 ff., 93 ff.,

97 ff.; Noack, Fehlerhafte Beschlüsse, 1989, 12 f.). Gegenansicht von Baums ZHR 142 (1978), 582 ff. überzeugt weder für das Aktienrecht noch für das bürgerliche Recht (MüKoAktG/C. Schäfer Rn. 16; Casper, Die Heilung nichtiger Beschlüsse, 1998, 37 f.). Unwirksamkeit kann **schwebend oder endgültig** sein. Endgültige Unwirksamkeit ist anzunehmen, wenn feststeht, dass zusätzliche Wirksamkeitsvoraussetzung nicht eintreten wird. Unwirksamkeit kann mit allg. Feststellungsklage (§ 256 ZPO) geltend gemacht werden (GK-AktG/K. Schmidt Rn. 18). Analog § 242 kann Heilung eintreten, wenn Registergericht unwirksamen Beschluss fälschlich einträgt (hM; → § 242 Rn. 10).

II. Nichtigkeitsfälle außerhalb des § 241

In seinen **Eingangsworten** will § 241 weitgehend vollständigen Überblick 7 über die Ausnahmefälle vermitteln, in denen Beschluss ohne weiteres rechtl. wirkungslos bleibt. Nichtigkeit tritt ein in den Fällen des § 192 IV (→ § 192 Rn. 26 ff.), ferner gem. § 212 S. 2, wenn bei Kapitalerhöhung aus Gesellschaftsmitteln Aktien nach anderem Schlüssel als quotenmäßiger Beteiligung am Grundkapital zugeteilt werden sollen (→ § 212 Rn. 3). Die weiter angeführten § 217 II, § 228 II, § 234 III, § 235 II sprechen zwar von Nichtigkeit, enthalten aber der Sache nach Fälle von Unwirksamkeit (MüKoAktG/C. Schäfer Rn. 18; andere Terminologie bei GK-AktG/K. Schmidt Rn. 16, 109: zunächst unwirksam, mit Fristablauf nichtig). Das ist iE unschädlich, weil sog Nichtigkeit nicht schon der Beschlussfassung anhaftet, sondern erst mit Ablauf der Eintragungsfrist beginnt. Aus Eingangsworten („nur") und Regelungszweck (→ Rn. 1) folgt schließlich, dass es **keine ungeschriebenen Nichtigkeitsgründe** gibt. Zu Unrecht haben deshalb LG Frankfurt AG 2005, 892 und LG Köln AG 2005, 696 Nichtigkeit angenommen, wenn Antrag auf Abwahl des Versammlungsleiters unbeachtet geblieben ist. Tats. liegt bloße Anfechtbarkeit vor (BeckOGK/Wicke § 130 Rn. 82 mwN; ausf. → § 129 Rn. 21; → § 243 Rn. 16).

III. Katalog des § 241

1. Einberufungsmängel. a) Nichtigkeitsgründe. HV-Beschluss ist nach 8 § 241 Nr. 1 nichtig, wenn HV unter Verstoß gegen § 121 II und III 1 oder IV und IVb 1 einberufen worden ist. Sprachliche Fassung des ersten Satzteils, bes. der auffällige Wechsel von „und" zu „oder" soll zum Ausdruck bringen, dass jede Einberufung durch dafür zuständige Personen, idR den Vorstand, zu erfolgen hat (§ 121 II) **und** den Inhalt des § 121 III 1 haben muss, gleichgültig, ob sie in den Gesellschaftsblättern bekanntgemacht (§ 121 IV 1) **oder** durch eingeschriebenen Brief bewirkt wird (§ 121 IV 2).

Nichtigkeitsgründe sind: **keine Einberufung; keine Befugnis** zur Einberu- 9 fung; **keine Bek.** in den Gesellschaftsblättern, wenn nicht § 121 IV 2 eingreift; **Fehlen von Mindestangaben** in der Bek. (zur Entschlackung der Nichtigkeitsgründe durch ARUG 2009 → Rn. 1). Als Nichtigkeitsgrund tritt hinzu Verstoß gegen § 121 IV 2, also insbes. das **Übergehen von Aktionären** (→ § 121 Rn. 11a ff.), es sei denn, dass übergangener Aktionär HV-Beschluss nach § 242 II 4 genehmigt hat (→ § 242 Rn. 5a); auf Vertretenmüssen der AG kommt es nach heute hM nicht an (→ § 121 Rn. 11d). Nichtigkeitsgrund liegt auch vor, wenn Einberufung nicht durch eingeschriebenen Brief erfolgt (→ § 121 Rn. 11f; GK-AktG/K. Schmidt Rn. 48). Durch VHVG 2022 neu eingefügte Verweisung auf § 121 IVb wird auch Verstoß gegen bes. **Angabepflichten bei vHV** (→ § 121 Rn. 11j ff.) mit Nichtigkeitsfolge sanktioniert (Geltung für nach 27.7.2022 einberufene HV – vgl. § 26n II EGAktG). Das ist konsequent, weil Hinweis auf Möglichkeit elektronischer Zuschaltung Ortsangabe ersetzt (Reg-

Begr. BT-Drs. 20/1738, 37). Andere Verfahrensverstöße können Beschluss nur anfechtbar machen, auch wesentliche wie fehlende Angabe der Tagesordnung in der Einberufung (§ 121 III 2), fehlende Zusatzangaben bei börsennotierten Gesellschaften (§ 121 III 3) oder Nichtbeachtung der Einberufungsfrist (§ 123 I). Erweiterung des Inhalts der Einberufung durch Umgestaltung des § 121 III sowie Pflicht, Einberufung geeigneten Medien zuzuleiten (§ 121 IVa), führen also nicht zur Erweiterung der Nichtigkeitsgründe (RegBegr. BT-Drs. 16/11642, 39). Auch Fortsetzung der HV nach Mitternacht ist kein Nichtigkeitsgrund (→ § 121 Rn. 17). Zum Sonderfall einer Einberufung auf rechtswidriger Satzungsgrundlage → § 121 Rn. 11.

10 **Einzelfragen. Spontanversammlung** (keine Einberufung) hat bei AG kaum praktische Bedeutung; ihre Beschlüsse sind nichtig, es sei denn, dass Erfordernisse einer Vollversammlung erfüllt sind (→ Rn. 12). Zur **Einberufungsbefugnis** → § 121 Rn. 6 ff. Einberufungsbefugnis fehlt und Nichtigkeitsfolge tritt ein: wenn Bestellung des Vorstands insges. nichtig ist und auch § 121 II 2 nicht hilft; wenn Bestellung sämtlicher Vorstandsmitglieder nichtig oder noch nicht wirksam war (BGHZ 18, 334, 337 ff. = NJW 1955, 1917 zur Genossenschaft); wenn Vorstand nicht beschlossen hat. Nur Anfechtbarkeit ist dagegen anzunehmen, wenn Vorstand zwar beschließt, sein Beschluss aber nichtig ist (MüKoAktG/C. Schäfer Rn. 28). Auf Einberufung durch AR (§ 111 III) sind diese Grundsätze zu übertragen. Wenn Gesellschaftswohl Einberufung nicht erforderte (§ 111 III 1), liegt darin kein Nichtigkeitsgrund. Für Aktionärsminderheit (§ 121 II 3, § 122) gilt: HV-Beschluss ist nichtig, wenn gerichtl. Ermächtigung nicht erteilt oder Ermächtigungsbeschluss vor HV aufgehoben ist (allgM – s. statt aller MüKoAktG/C. Schäfer Rn. 29). Diese Folge wird verbreitet auch dann angenommen, wenn entgegen § 122 III 3 nicht auf gerichtl. **Minderheitsermächtigung** hingewiesen worden ist (Hölters/Weber/Englisch Rn. 23; B/K/L/Göz Rn. 8). Zutr. ist im Lichte des klaren Wortlauts des § 241 Nr. 1 und generellem Bestreben, Nichtigkeitsgründe eng zu fassen, aber Gegenauffassung, nach der in diesem Fall nur Anfechtbarkeit vorliegt (BeckOGK/Drescher Rn. 163; Hölters/Weber/Drinhausen § 122 Rn. 24; MüKoAktG/C. Schäfer Rn. 29; MüKoAktG/Kubis § 122 Rn. 69; KK-AktG/Noack/Zetzsche Rn. 48). Nichtigkeit greift bei fehlender Ermächtigung auch dann ein, wenn Minderheit erforderliches Quorum erreicht (KK-AktG/Noack/Zetzsche Rn. 45). Wird umgekehrt Quorum verfehlt, aber Ermächtigung erteilt, kann Ermächtigung mit dazu verfügbaren Mitteln zwar gerichtlich angegriffen werden; wird sie bestandskräftig, sind aber aufgrund ihrer Gestaltungswirkung sowohl Nichtigkeit als auch Anfechtung ausgeschlossen (OLG Frankfurt AG 2016, 252, 253; MüKoAktG/Kubis § 122 Rn. 71; BeckOGK/Rieckers § 122 Rn. 87; GK-AktG/K. Schmidt Rn. 45; für Anfechtung MüKoAktG/C. Schäfer Rn. 29). Rspr. zur Parallelnorm in § 50 III GmbHG ist nur bzgl. des Prinzips, aber wegen abw. Regelung in § 122 nicht in Einzelheiten übertragbar (BGHZ 11, 231, 236 f. = NJW 1954, 385; BGHZ 87, 1, 3 = NJW 1983, 1677; OLG Hamburg ZIP 1995, 1513, 1514).

11 **Bekanntmachungsfehler.** Zur Art und Weise der Bek. vgl. § 121 III und IV. In den Fällen des § 121 IV 1 muss Bek. in BAnz. eingerückt werden (§ 25), in denen des § 121 IV 2 grds. allen Aktionären zugehen (→ Rn. 9). Wird nur über Ges und Satzung hinausgehende Übung nicht beachtet (zusätzliche Veröffentlichungen, briefliche Einladung neben Publikation in den Gesellschaftsblättern), so sind Beschlüsse weder nichtig noch anfechtbar (MüKoAktG/C. Schäfer Rn. 30). Fehlen von Mindestangaben (→ § 121 Rn. 10) bewirkt stets, also ohne Rücksicht auf Weg der Einberufung (§ 121 IV 1 oder 2), Nichtigkeit der von HV gefassten Beschlüsse. Dazu gehören aber nicht die Hinweise auf Vertretungsmodalitäten (→ § 121 Rn. 10). Das gilt auch für börsennotierte Gesellschaften, weil § 121 III 3 Nr. 2a nicht in § 241 Nr. 1 aufgeführt ist (→ § 243

Rn. 14). Zur irrtumsbedingt unterbliebenen Ladung einzelner Aktionäre nach § 121 IV 2 → § 121 Rn. 11d. Mindestangaben fehlen nicht, wenn HV nach Mitternacht beschließt, weshalb allenfalls Anfechtbarkeit gegeben sein kann (str.; → § 121 Rn. 17). § 121 III 1 ist strikt anzuwenden. Fehlende Angaben von Firma oder Sitz (dazu einschr. GK-AktG/K. Schmidt Rn. 46 für Bagatellverstöße; weitergehend OLG Düsseldorf ZIP 1997, 1153, 1159 f.), Zeit oder Ort der HV führen zur Nichtigkeit (→ § 121 Rn. 11), wobei Fälle nur **geringfügiger Unrichtigkeit** unbeachtlich bleiben sollten (heute hM – vgl. OLG Düsseldorf ZIP 1997, 1153, 1159 f.; OLG Frankfurt AG 1991, 208, 209; 2008, 667, 670; LG Essen AG 1995, 191; KK-AktG/Noack/Zetzsche Rn. 56; BeckOGK/Rieckers § 121 Rn. 22; Henssler/Strohn/Drescher Rn. 26; GK-AktG/K. Schmidt Rn. 46; Butzke HV B 73; Fleischer ZIP 2014, 149, 151 f.; strenger MüKoAktG/Kubis § 121 Rn. 42). Dazu gehört auch Angabe des Ortes physischer Präsenz bei vHV (→ § 121 Rn. 11j). Auch Anfechtung wird in diesen Fällen zumeist an Relevanzerfordernis scheitern (offenlassend OLG Frankfurt AG 2008, 667, 670). Unzulässige Rechtsausübung anzunehmen, liegt dann nahe, wenn Nichtigkeit trotz anfänglicher Evidenz des Fehlers erst nach Durchführung von Beschlüssen geltend gemacht wird oder nach Interessenabwägung im Einzelfall Unverhältnismäßigkeit anzunehmen ist (zutr. zB OLG München AG 2000, 134, 135 [unterbliebener Hinweis auf AG als eine von mehreren Hinterlegungsstellen; strenger als Vorinstanz LG München I ZIP 1999, 1213, 1214 f.]; sa LG Mosbach AG 2001, 206, 209). Unterschreitung der Einberufungsfrist (§ 123 I) begründet lediglich Anfechtbarkeit (BGHZ 11, 231, 234 f. = NJW 1954, 385; BGH WM 1972, 742, 743; BGHZ 100, 264, 265 = NJW 1987, 2580), ebenso Fehler bei Bek. der Tagesordnung (§ 121 III 2; RGZ 89, 367, 381; KG OLGR 14, 352; LG Köln AG 1996, 37).

b) Ausnahme: Vollversammlung. Nichtigkeit trat nach früherer Gesetzeslage gem. § 241 Nr. 1, 2. Satzteil nicht ein, wenn alle Aktionäre erschienen oder vertreten waren (Vollversammlung). Dieser Teil der Vorschrift ist aufgehoben und unter sachlicher Verbesserung durch § 121 VI ersetzt. Danach liegt schon kein Verstoß gegen § 121 vor, so dass sich Ausnahmetatbestand erledigt hat (→ § 121 Rn. 19 ff.). Ausschluss der Nichtigkeit gilt auch dann, wenn tats. Einladung erfolgte, aber fehlerhaft war, dann aber trotzdem sämtliche Aktionäre anwesend waren und keinen Widerspruch erhoben haben (LG Dortmund 13.3.2014 – 18 O 65/13, juris-Rn. 24 = BeckRS 2014, 6200; sa → § 121 Rn. 21). **12**

2. Beurkundungsmängel. Nach § 241 Nr. 2 führen Beurkundungsmängel zur Nichtigkeit. Überraschend strenge Sanktionierung eines bloßen Protokollfehlers erklärt sich aus **eigentümlicher historischer Entwicklung** der Vorschrift, die zunächst in deutlich engerer Tatbestandsfassung mit Nichtigkeitsfolge verknüpft und erst in der Folgezeit tatbestandlich ausgeweitet wurde (ausf. J. Koch FS 25 Jahre DNotI, 2018, 491 ff.). Diese Fehlentwicklung sollte jedenfalls de lege ferenda korrigiert werden (J. Koch FS 25 Jahre DNotI, 2018, 491 ff.; Noack FS Baums, 2018, 845, 855). De lege lata kann sie zwar wohl keine umfassende rechtsfortbildende Korrektur rechtfertigen, wohl aber eine tendenziell eher restriktive Auslegung, die in Rspr. des II. ZS mittlerweile auch deutlich zu erkennen ist (→ Rn. 13c, 13d). **13**

Zu Beurkundungsmängeln zählen insbes.: Unterbleiben der Beurkundung überhaupt (§ 241 Nr. 2 iVm § 130 I 1 und 3; → § 130 Rn. 2, 10, 14a); fehlende persönliche Anwesenheit des Notars am Versammlungsort (§ 241 Nr. 2 iVm § 130 Ia; → § 130 Rn. 14f; Geltung für nach 27.7.2022 einberufene HV – vgl. § 26n II EGAktG); Fehlen von förmlichen oder inhaltlichen Essentialia, nicht jedoch des erweiterten Feststellungsinhalts nach § 130 II 2, 3 (§ 241 Nr. 2 iVm **13a**

§ 130 II 1; → § 130 Rn. 15 ff.; RegBegr. BT-Drs. 16/11642, 39 f.), und zwar auch bei privatschriftlichem Protokoll (→ § 130 Rn. 14d, 30); Fehlen der Unterschrift des Notars (§ 241 Nr. 2 iVm § 130 IV; → § 130 Rn. 26, und zwar auch bei Einmann-AG – OLG Stuttgart AG 2015, 284) bzw. des AR-Vorsitzenden oder, wenn nicht identisch, des HV-Leiters (§ 241 Nr. 2 iVm § 130 I 3; → § 130 Rn. 14e; zu fehlerhafter Leitungsperson → § 129 Rn. 19; → § 130 Rn. 30).

13b **Andere Beurkundungsfehler** führen nicht zur Nichtigkeit; auch Anfechtbarkeit tritt nicht ein, weil Beschluss nicht auf nachfolgendem Gesetzesverstoß beruhen kann (→ § 130 Rn. 32; OLG Frankfurt NZG 2021, 971 Rn. 67). Kein Beurkundungsfehler ist angebliche Mehrfachbeurkundung (Unterzeichnung erst des Entwurfs, dann der Reinschrift → § 130 Rn. 11), auch nicht mangelnde Überwachung und Protokollierung der Stimmenauszählung oder Fehler bei Aufnahme des Widerspruchs (OLG Frankfurt AG 2015, 272 Rn. 35). Mangels Verstoßes gegen § 130 II scheidet Nichtigkeit nach § 241 Nr. 2 aus (BGHZ 180, 9 Rn. 16 = NJW 2009, 2207). Ebenfalls nicht zur Nichtigkeit, sondern lediglich zur Anfechtbarkeit führt fehlerhafte Feststellung des Beschlussergebnisses durch Versammlungsleiter (BGHZ 216, 112 Rn. 52 = NZG 2017, 1374; RegBegr. BT-Drs. 16/11642, 39 f.). Selbst wo Nichtigkeitsgrund vorliegt, ist dennoch Heilungsmöglichkeit nach § 242 zu beachten. Zur späteren Unterzeichnung der Reinschrift vgl. → Rn. 13d; → § 130 Rn. 11.

13c Für Fälle festgestellter Beurkundungsmängel wurde **Bagatellvorbehalt,** den hM für Bekanntmachungsmängel anerkannt hat (→ Rn. 11), vom BGH ursprünglich abgelehnt (BGH AG 1994, 466 f.; LG München AG 2013, 138, 140). Mit BGHZ 216, 112 Rn. 61 f. = NZG 2017, 1374 wurde diese Rspr. korrigiert: Wenn sich aus den Angaben in der Niederschrift das zahlenmäßige Abstimmungsergebnis (auch in nicht einfachen Verhältnissen) so errechnen lässt, dass danach **keine Zweifel** über die Ablehnung oder Annahme des Antrags und die Ordnungsmäßigkeit der Beschlussfassung verbleiben, ist der mit der Beurkundung verfolgte Zweck erfüllt, die Willensbildung zweifelsfrei und in streitausschließender Weise zu dokumentieren (ähnlich schon RGZ 105, 373, 374 f.; Überblick über Relevanz einzelner Fehlerarten bei Selter ZIP 2018, 1161, 1164 ff.). Diese Neupositionierung ist zu begrüßen (krit. aber Heckschen/Kreußlein NZG 2018, 401, 415 f.; Herrler NJW 2018, 585, 586 f.). Der grundlegende Gedanke, dass sinnlose Förmelei keine Nichtigkeit begründen kann, sollte auch für sonstige Beurkundungsmängel verallgemeinerungsfähig sein (KK-AktG/Noack/Zetzsche Rn. 72; Fleischer ZIP 2014, 149, 152, 157).

13d Weitere erhebliche Abschwächung der strengen Nichtigkeitsfolge liegt darin, dass II. ZS des BGH mittlerweile auch **Berichtigung fehlerhafter Protokolle** in weitem Umfang zugelassen hat (ausf. → § 130 Rn. 11a). Amtierender Vorsitzender Drescher hat angedeutet, dass dieser Gedanke möglicherweise noch weitergehend dahin fortgedacht werden könne, dass § 241 Nr. 2 generell nicht als Fall schwebender Unwirksamkeit, sondern **schwebender Nichtigkeit** aufzufassen sei. Diese greife erst dann ein, wenn feststehe, dass ordnungsgem. Protokoll nicht mehr erstellt werde (Drescher FS Bergmann, 2018, 169 ff.; ausf. → § 130 Rn. 11). In der Tat findet diese Konstruktion auch schon in BGHZ 180, 9 Rn. 14 = NJW 2009, 2207 einen höchstrichterlichen Anhaltspunkt. Insbes. Fälle, in denen in HV Entwurf und erst später unterschriebene Reinschrift erstellt wird, sollen über diese Konstruktion praxistauglich gelöst werden können, ohne dass es bislang herrschender Rückwirkungskonstruktion bedarf (→ § 130 Rn. 11). Verwaltung darf dann, solange Nichtigkeit nicht endgültig feststeht, von Wirksamkeit des Beschlusses ausgehen und ihn umsetzen (Drescher FS Bergmann, 2018, 169, 179 f.).

3. Wesen der Aktiengesellschaft; Gläubigerschutz; öffentliches Interesse. a) Grundlagen. § 241 Nr. 3 umschreibt zur Nichtigkeit führende Inhaltsmängel. Praktische Bedeutung hat seit AktG 1937 deutlich abgenommen (s. RGZ 164, 220, 223; OLG Düsseldorf AG 1968, 19, 22; zum MitbestG 1976 → Rn. 20), weil Zuständigkeit für Feststellung des Jahresabschlusses auf Verwaltung übergegangen ist (Regelfall des § 172) und Grenzen der Satzungsautonomie ggü. früher deutlich präzisiert worden sind; damit sind frühere klassische Konfliktfelder entfallen (vgl. Huber FS Coing, Bd. II, 1982, 167, 176 f. mit Übersicht zur älteren Rspr. auf S. 171 ff.). Weiterhin str. hinsichtlich der Auslegung dieser Norm sind insbes. zwei Fragen: (1.) Ist § 241 Nr. 3 bzgl. der Inhaltsmängel abschließend oder gibt es, abgesehen von § 241 Nr. 4, §§ 250, 253, 256, noch Nichtigkeitsgründe außerhalb der Vorschrift? (2.) Wie sind die tatbestandlichen Varianten des § 241 Nr. 3 zu konkretisieren und in welchem Verhältnis stehen sie zueinander? 14

Zu (1.): Frage, ob § 241 Nr. 3 auch jenseits der § 241 Nr. 4, §§ 250, 253, 256 abschließenden Charakter hat, wird insbes. mit Blick auf Grundsatz der Satzungsstrenge gem. § 23 V diskutiert. Dazu hat Geßler ZGR 1980, 427, 444 im Kontext mitbestimmungsrechtl. Probleme die These entwickelt, dass sich die Nichtigkeitsfolge auch **unmittelbar aus § 23 V** ergeben kann, wenn HV Satzungsänderungen unter Überschreitung der nach § 23 V noch verbliebenen Satzungsautonomie beschließt (zust. OLG Düsseldorf AG 1968, 19, 22; BeckOGK/Drescher Rn. 215 ff.; Grigoleit/Ehmann Rn. 16; B/K/L/Göz Rn. 15; MüKoAktG/Pentz § 23 Rn. 170 f.; GK-AktG/Röhricht/Schall § 23 Rn. 259 ff.; MHdB AG/Austmann § 42 Rn. 25; Huber FS Coing II, 1982, 167, 184 ff.). Nach Gegenauffassung verbleibt es dagegen bei Nichtigkeitsgründen des § 241, doch soll in diesen Fällen Wesensverstoß gem. § 241 Nr. 3 vorliegen können (OLG Braunschweig BeckRS 2014, 20216 Rn. 27 ff.; KK-AktG/A. Arnold § 23 Rn. 154; Hölters/Weber/Englisch Rn. 51 ff.; MüKoAktG/C. Schäfer Rn. 52; KK-AktG/Noack/Zetzsche Rn. 127; S/L/Schwab Rn. 24; S/L/Seibt § 23 Rn. 62; teilw. zust. Casper, Die Heilung nichtiger Beschlüsse, 1998, 204 ff., 208 f.). Inwiefern beide Auffassungen zu abw. Ergebnissen führen, hängt davon ab, wie eng man „Wesen der AG" fasst; idR wird es nur selten zu unterschiedlichen Wertungen kommen (MHdB AG/Austmann § 42 Rn. 25). Anwendung des § 241 Nr. 3 stößt auf die Schwierigkeit, dass Lösung nur für satzungsändernden HV-Beschluss funktioniert, nicht aber für **Ursprungssatzung** (zutr. BeckOGK/Drescher Rn. 217). Welcher Schluss aus diesem Befund zu ziehen ist, bleibt aber ungewiss. Erstgenannte Auffassung nimmt an, Nichtigkeit könne dann nur an § 23 V gemessen werden, wogegen letztgenannte Auffassung auch Nichtigkeit der Ursprungssatzung nicht nur an § 23 V messen, sondern zugleich Wertung des § 241 Nr. 3 heranziehen will, um unterschiedliche Wertmaßstäbe zu vermeiden. Der damit angenommenen Korrektur des § 23 V über § 241 Nr. 3 liegt Prämisse zugrunde, dass beide Vorschriften auf unterschiedlichen Maßstäben beruhen. Huber hat jedoch zutr. herausgearbeitet, dass dies nicht der Fall ist, sondern Gesetzgeber von 1937 Rspr. des RG festschreiben wollte, die in diesen Fällen von **Wesensverstößen** ausging (Huber FS Coing, Bd. II, 1982, 176 f.; zust. BeckOGK/Drescher Rn. 214, 219; B/K/L/Göz Rn. 15; MüKoAktG/Pentz § 23 Rn. 171; GK-AktG/K. Schmidt Rn. 56; J. Koch ZHR 182 [2018], 378, 382 ff.; zweifelnd insofern allerdings MüKoAktG/C. Schäfer Rn. 50). Maßstab des § 241 Nr. 3 ist deshalb nicht auf § 23 V zu übertragen, sondern vielmehr füllt § 23 V Wesensmerkmale des § 241 Nr. 3 aus. Gegenauffassung würde die zahlreichen Unsicherheiten, mit denen § 241 Nr. 3 gerade bei engerem Verständnis behaftet ist, in § 23 V hineintragen, was wenig sinnvoll erscheint. Wichtiger als konkrete dogmatische Konstruktion ist die durch BGHZ 144, 365, 368 = NJW 2000, 2819 herbeigeführte Klarstellung, dass auch Nichtig- 15 keit der Ursprungssatzung gem. § 242 II geheilt werden kann (→ § 23 Rn. 43 mwN).

16 Zu (2.): Im Schrifttum bes. umstr. Frage nach **Verhältnis der Tatbestandsvarianten** zueinander spielt in Praxis nur sehr untergeordnete Rolle. Streit betr. Frage nach dem Verhältnis des „Wesens der AG" zu den Bestimmungen „im öffentl. Interesse". Nach MüKoAktG/C. Schäfer Rn. 48 ff. soll Schwerpunkt bei öffentl. Interesse liegen, wohingegen Wesensalternative nur einen Auffangtatbestand für Grundlagenverstöße bilde, der regelmäßig in der Beeinträchtigung des aktienrechtl. ordre public aufgehe. Andere Sichtweise rücke mit dem Wesen der AG den am wenigsten konkreten Tatbestandsteil in den Mittelpunkt (sehr restriktiv auch OLG München AG 2013, 173, 175). Nach der Gegenauffassung wird auch Wesen der AG von allen zwingenden, strukturbezogenen Normen des Ges. konstituiert, was diesen Tatbestandsteil aufwertet (GK-AktG/Röhricht/Schall § 23 Rn. 259 ff.; GK-AktG/K. Schmidt Rn. 54 ff.; Scheuerle AcP 163 [1963], 429, 438; iE auch Huber FS Coing, Bd. II 1982, 167, 184 ff.). Praxis scheint größere Sympathien für Anknüpfung an Vorschriften im öffentl. Interesse zu haben, da augenscheinlich nur dann konkrete „Vorschriften" Ausgangspunkt der Prüfung sein können (BeckOGK/Drescher Rn. 221; ähnlich auch der Befund von GK-AktG/K. Schmidt Rn. 59). Geht man allerdings mit hier vertretener Auffassung hinsichtlich der Ursprungssatzung davon aus, dass **§ 23 V** und § 241 Nr. 3 übereinstimmende Wertmaßstäbe zugrunde liegen (→ Rn. 15), so orientiert sich Prüfung auch bei diesem Verständnis an **zwingenden Vorschriften des Aktienrechts,** so dass insofern von der praktischen Herangehensweise kein Unterschied besteht (GK-AktG/K. Schmidt Rn. 54: Gesetzesverstoß kann Wesensverstoß sein). Es erübrigt sich dann aber die Frage, ob die Vorschrift „im öffentl. Interesse" besteht (GK-AktG/K. Schmidt Rn. 54) und es wird – noch wichtiger – vermieden, dass die mit dieser Abgrenzung verbundene Unsicherheit auf § 23 V zurückstrahlt (→ Rn. 15). Auch damit verbleiben allerdings Abgrenzungsschwierigkeiten, da aufgrund der offensichtlich einschränkenden Regelungsperspektive des § 241 Nr. 3 („nur dann nichtig") nicht jeder Verstoß gegen aktienrechtl. Vorschriften zur Nichtigkeit führen kann (insofern zutr. OLG München AG 2013, 173, 175). Mit Blick auf Normzweck können darunter nur Beschlüsse fallen, die durch ihren Inhalt (keine bloßen Verfahrensverstöße) Vorschriften verletzen, die nicht ausschließlich die Interessen der zur Zeit vorhandenen Aktionäre betreffen, oder auf deren Einhaltung die Aktionäre im Einzelfall nicht gültig verzichten können (A. Hueck, Anfechtbarkeit und Nichtigkeit, 1924, 80; J. Koch ZHR 182 [2018], 378, 382 ff.). Anders gefasst: Nichtig ist ein Beschluss, dessen Inhalt die HV auch bei allseitiger Zustimmung und Beachtung aller Verfahrensvorschriften nicht in Geltung setzen könnte, der also außerhalb der Rechtsmacht der HV liegt (Eberspächer, Nichtigkeit von HV-Beschlüssen nach § 241 Nr. 3 AktG, 2009, 123 f.; ausf. J. Koch ZHR 182 [2018], 378, 382 ff.). Worüber Aktionäre in ihrer Gesamtheit nicht verfügen können, darüber kann auch nicht einzelner Aktionär verfügen, indem er Anfechtungsfrist verstreichen lässt. Zu diesem geschützten Kern gehören alle drittschützenden Normen, aber auch unentziehbare Rechtspositionen der Aktionäre selbst (AmtlBegr Klausing S. 174; ausf. J. Koch ZHR 182 [2018], 378, 389 ff.). Bei diesem Verständnis besteht zwischen den beiden Tatbestandsvarianten eine große Schnittmenge. Nebeneinander der beiden Varianten kann dennoch sinnvoll sein, um in Zweifelsfällen **alternative Begr.** zu gestatten. In diese Verständnisrichtung deutet auch BGHZ 160, 253, 256 = NJW 2004, 3561, der lediglich „Verstoß gegen Grundprinzipien des Aktienrechts" konstatiert und diese pauschal unter § 241 Nr. 3 fasst, ohne nach Tatbestandsvarianten zu differenzieren oder Verstoß gegen öffentl. Interessen festzustellen.

b) Einzelfragen. aa) Wesen der Aktiengesellschaft. Folgt man diesem Ansatz, so sind unter § 241 Nr. 3 Var. 1 zunächst **kompetenzüberschreitende HV-Beschlüsse** zu fassen, namentl. solche, die in Geschäftsführungszuständigkeit des Vorstands eingreifen (OLG Düsseldorf AG 2019, 348, 352; OLG Karlsruhe NZG 2018, 508 Rn. 56 ff. [fehlerhafte Aufgabenzuweisung an bes. Vertreter – zu den hier anzustellenden Differenzierungen s. aber → § 147 Rn. 13]; Grigoleit/Ehmann Rn. 16; GK-AktG/K. Schmidt Rn. 57; S/L/Schwab Rn. 25; MHdB AG/Austmann § 42 Rn. 25; J. Koch ZHR 182 [2018], 378, 382 ff.; iE ebenfalls für Nichtigkeit, aber unter Zuordnung zur dritten Variante Hölters/Weber/Englisch Rn. 66; MüKoAktG/C. Schäfer Rn. 62; Baums ZHR 142 [1978], 582, 584 f.; Geßler ZGR 1980, 427, 444; dem zuneigend OLG Stuttgart AG 2004, 678, 679; nicht eindeutig OLG München AG 2013, 173, 175). Kompetenzbegrenzende Vorschriften gehören zum Strukturbild der AG, so dass Kompetenzüberschreitung nicht als bloßer Verfahrensfehler angesehen werden kann (OLG Karlsruhe NZG 2018, 508 Rn. 59). Auch **satzungsändernde Beschlüsse** sind gem. § 241 Nr. 3 Var. 1 nichtig, sofern sie gegen § 23 V verstoßen, und zwar ohne dass es zusätzlicher Prüfung eines Verstoßes gegen öffentl. Interessen bedarf (OLG Düsseldorf AG 1968, 19, 22; Grigoleit/Ehmann Rn. 16; GK-AktG/K. Schmidt Rn. 56; Huber FS Coing, Bd. II 1982, 167, 184 ff.; J. Koch ZHR 182 [2018], 378, 382 ff.; ähnlich Geßler ZGR 1980, 427, 444 [nichtig nach § 23 V]; iE ebenso, aber aufgrund des vom öffentl. Interesse getragenen Regelungskerns MüKoAktG/C. Schäfer Rn. 61). Nichtig sind daher etwa satzungsändernde Beschlüsse, durch die ges. festgelegte Mehrheitserfordernisse ohne entspr. ges. Gestattung nach oben oder unten modifiziert werden (S/L/Schwab Rn. 25); dasselbe gilt für Satzungsänderung, die vorsieht, dass Übertragung nicht verbriefter Namensaktien von einer Unterschriftsbeglaubigung auf Kosten der betroffenen Aktionäre abhängig gemacht wird (BGHZ 160, 253, 256 ff. = NJW 2004, 3561). Daneben sind als Vorschriften, die zwar nicht dem Drittschutz dienen, aber als unentziehbare Rechte des Aktionärs auch von diesem nicht preisgegeben werden können, etwa folgende Vorgaben durch § 241 Nr. 3 Var. 1 geschützt: eigene Rechtspersönlichkeit (§ 1), Begrenzung der Aktionärspflichten (§§ 54 ff.), Notwendigkeit und Zuständigkeit der ges. vorgeschriebenen Organe (§§ 76 ff.); Verstoß gegen Gleichbehandlungsgrundsatz und Minderheitenschutz sind dagegen nicht erfasst, sofern sie nicht dauerhaft festgeschrieben werden sollen (ausf. GK-AktG/K. Schmidt Rn. 58; J. Koch ZHR 182 [2018], 378, 390 f., 393 ff.). Nichtig wegen gebotenen Schutzes der Mitgliedschaft ist auch Umwandlungsbeschluss ohne ges. Grundlage (BGHZ 132, 353, 357 f. = NJW 1996, 2165 Ls.). In sich widersprüchliche und damit **perplexe Beschlüsse** verstoßen nicht gegen das Wesen der AG (so aber MüKoAktG/C. Schäfer Rn. 67), sondern sind nach allg. Grundsätzen der Rechtsgeschäftslehre nichtig (LG München I AG 2015, 639, 640; GK-AktG/K. Schmidt Rn. 64; S/L/Schwab Rn. 26). Zur Nichtigkeit einer Kapitalerhöhung mit übermäßig langer Durchführungsfrist → § 182 Rn. 17. 17

bb) Gläubigerschützende Vorschriften. HV-Beschluss ist unter diesem Aspekt (§ 241 Nr. 3 Fall 2) nichtig, wenn er durch seinen Inhalt Vorschriften verletzt, die ausschließlich oder überwiegend (schwerpunktmäßig) den Gläubigerschutz bezwecken. Hierhin gehören zunächst die Normen, die speziell auf Gläubigerschutz gerichtet sind, wie §§ 225, 233, 272, 303, 321 AktG sowie §§ 22, 133, 134, 204, 224, 249, 257 UmwG. Es genügt jedoch, dass die jeweilige Norm **wesentliche Bedeutung für den Gläubigerschutz** hat (MüKoAktG/C. Schäfer Rn. 55; KK-AktG/Noack/Zetzsche Rn. 103; krit. Geßler ZGR 1980, 427, 436). Hierhin gehören jedenfalls die der **Kapitalerhaltung** dienenden Normen wie §§ 57, 58 IV, §§ 71 ff. (vgl. BGH AG 2012, 680 Rn. 13; zur 18

GmbH auch schon RGZ 142, 286; BGHZ 15, 391 = NJW 1955, 222; zu § 71 auch OLG Jena AG 2015, 160, 161). Auch eine Missachtung der gläubigerschützenden Ausschüttungssperre nach § 268 VIII HGB ist § 241 Nr. 3 Fall 2 zuzuordnen (→ § 253 Rn. 3 mwN), wobei in diesem Fall regelmäßig allerdings nicht Gesamt-, sondern nur Teilnichtigkeit (→ Rn. 33) anzunehmen sein wird (Apfelbacher FS Hoffmann-Becking, 2013, 13, 14; Gelhausen/Althoff WPg 2009, 584, 590; Küting/Lorson/Eichenlaub/Toebe GmbHR 2010, 1, 7; von der Laage WM 2012, 1322, 1326; Strothotte, Gewinnverwendung, 2014, 430 f.; aA Marx/Dallmann Stbg 2010, 453, 464). Dagegen lässt sich Schwerpunkterfordernis nicht schon mit der Erwägung erfüllen, dass organisationsrechtl. Normen letztlich auch den Gläubigern zugute kommen (zutr. deshalb OLG Düsseldorf AG 1976, 215 zum Höchststimmrecht).

19 **cc) Andere Normen im öffentlichen Interesse.** § 241 Nr. 3 Fall 3 steht nach hier vertretenem Verständnis nicht zwingend im vor- oder nachgeordneten Verhältnis zu § 241 Nr. 3 Fall 1, sondern beide Regelungen sind als **gleichwertige Tatbestandsvarianten** mit erheblicher Schnittmenge aufzufassen. Im Schrifttum geäußerte Beurteilung, wonach Wesensverstoß stets auch öffentl. Interessen verletze, ist schon rein begrifflich nicht so selbstverständlich, wie es zT vorausgesetzt wird (s. etwa BeckOGK/Drescher Rn. 222, 229 ff.; GK-AktG/K. Schmidt Rn. 54; zutr. insofern S/L/Schwab Rn. 24). Erleichterung des Nebeneinander liegt nach hier vertretener Auffassung gerade darin, dass bei Wesensverstößen nicht stets auch Verletzung des öffentl. Interesses dargelegt werden muss und umgekehrt, bei Vorschriften im öffentl. Interesse nicht gefragt werden muss, ob sie zu grundlegenden Strukturprinzipien des Aktienrechts gehören (→ Rn. 16 f.). So kann etwa Wahl eines Abschlussprüfers, der Vorgaben des § 319 II HGB nicht genügt, zwar als Gefährdung des öffentl. Interesses, aber kaum als Verstoß gegen das Wesen der AG angesehen werden (praktische Bedeutung ist hier allerdings durch § 243 III 1 Nr. 5 aufgehoben, der nach zutr. Auffassung auch im Rahmen des § 249 I gilt [→ § 249 Rn. 12a]). HV-Beschlüsse sind nach § 241 Nr. 3 Fall 3 nichtig, wenn drei Voraussetzungen erfüllt sind: Beschluss muss durch seinen Inhalt Vorschriften verletzen; diese müssen im öffentl. Interesse gegeben sein; und zwar ausschließlich oder überwiegend (schwerpunktmäßig). **Vorschriften** sind Rechtsnormen (Art. 2 EGBGB) einschließlich der daraus ableitbaren Untersätze, nicht auch bloße Prinzipien ohne normative Verfestigung (vgl. zur Mitbestimmung MüKoAktG/C. Schäfer Rn. 57; ferner Huber FS Coing, Bd. II, 1982, 167, 189 und 191). **Begriff des öffentl. Interesses** ist weit auszulegen (allgM, s. OLG Düsseldorf AG 1968, 19, 22; BeckOGK/Drescher Rn. 229). Davon ist grds. auch das Strukturbild der AG erfasst (OLG München AG 2007, 173, 174; MüKoAktG/C. Schäfer Rn. 58), doch wird man insofern § 241 Nr. 3 Fall 1 als vorrangig anzusehen haben (GK-AktG/K. Schmidt Rn. 60); zweifelhaft in der Zuordnung deshalb OLG München AG 2007, 173, 174: Squeeze-Out-Beschluss ohne den nach § 327a I 1 erforderlichen Besitz von 95 % des Grundkapitals (→ § 327a Rn. 12) als Verstoß gegen öffentl. Interesse.

20 Von § 241 Nr. 3 Fall 3 erfasst sind dagegen Verstöße satzungsändernder HV-Beschlüsse gegen die **durch §§ 25 ff. MitbestG mitgestaltete AR-Verfassung.** BGH nimmt an, dass §§ 25 ff. MitbestG zu den schwerpunktmäßig im öffentl. Interesse gegebenen Vorschriften gehören, und gelangt daher zur Nichtigkeit entgegenstehender HV-Beschlüsse (vgl. namentl. BGHZ 83, 106, 109 ff. = NJW 1982, 1525; BGHZ 83, 151, 153 ff. = NJW 1982, 1530; BGHZ 89, 48, 50 = NJW 1984, 733; anders noch OLG München NJW 1981, 2201). Dem ist zuzustimmen, da Regelung der Unternehmensmitbestimmung zwar nicht das Strukturbild der Gesellschaft prägt, aber Kernstück der ges. gestalteten Unter-

nehmensverfassung ist und damit zum wirtschaftsrechtl. ordre public gehört (→ Rn. 19; sa KK-AktG/Noack/Zetzsche Rn. 118 f.).

4. **Sittenwidrigkeit.** Nach § 241 Nr. 4 ist Beschluss der HV ferner nichtig, wenn er durch seinen Inhalt gegen die guten Sitten verstößt. Im gedanklichen Ausgangspunkt knüpft Vorschrift an § 138 I BGB an, setzt also voraus, dass Norm verletzt wird, auf deren Beachtung nach dem „Anstandsgefühl aller billig und gerecht Denkenden", dh in objektiv-ethischer Betrachtung nicht verzichtet werden kann (MüKoAktG/C. Schäfer Rn. 68). Indem Norm gerade auf den **Inhalt** abhebt, fasst sie den Tatbestand allerdings enger als § 138 I BGB. Das bezweckt und bewirkt Einschränkung der Nichtigkeitsfälle im Anschluss an Rspr. des RG (dazu A. Hueck FG RG, Bd. IV, 1929, 167, 171 ff.), nach der Beschluss „für sich allein genommen" sittenwidrig sein muss (RG JW 1934, 1493; RGZ 131, 141, 145). Zustandekommen, Beweggründe und Zweck sollen dagegen nur Anfechtbarkeit begründen können (RGZ 131, 141, 145; RGZ 146, 385; RGZ 166, 129, 132). BGH hat Rspr. im Grundsatz fortgeführt (BGH NJW 1952, 98, 99; BGHZ 8, 348, 355 = NJW 1953, 740; BGHZ 15, 382, 385 f. = NJW 1955, 221; BGHZ 24, 119 = NJW 1957, 951; BGHZ 101, 113, 116 f. = NJW 1987, 2514; BGHZ 116, 359, 374 f. = NJW 1992, 892; BGH NZG 2023, 701 Rn. 29 [zu Schadensersatzfolgen → § 246 Rn. 20]; sa OLG Jena AG 2009, 582, 583; OLG Karlsruhe NZG 2013, 818, 819; OLG Köln NZG 2021, 1217 Rn. 35; OLG München AG 2001, 197, 198). Das hat dazu geführt, dass Vorschrift im Wesentlichen nur noch Bedeutung in Fällen der **Gläubigerschädigung** erlangt hat (zB durch Verzicht der HV auf Schadensersatzansprüche gegen Organmitglieder nach Eintritt der Insolvenzreife). Nur bei derartiger **Drittbeteiligung** ist zwingende und damit vom Willen der übrigen Aktionäre losgelöste Nichtigkeit erforderlich, während andere Fälle wie Treupflichtverletzung, Ungleichbehandlung und Rechtsmissbrauch zweckmäßiger der Anfechtung zu unterwerfen sind, bei der Aktionäre auf Schutzfunktion im Einzelfall auch verzichten können (OLG Frankfurt BeckRS 19511 Rn. 63; MüKoAktG/C. Schäfer Rn. 70; KK-AktG/Noack/Zetzsche Rn. 149). Beschlüsse, die gegen Interessen der Gläubiger oder anderer außenstehender Dritter verstoßen, sind deshalb gem. § 241 Nr. 4 nichtig, auch wenn das dem nichtssagenden Wortlaut nicht ohne weiteres entnommen werden kann (BGHZ 15, 382, 385 f.; sa RGZ 161, 129, 144 f.; OLG Dresden NZG 1999, 1109 f.; OLG Karlsruhe NZG 2013, 818, 819; MüKoAktG/C. Schäfer Rn. 70). Selbst da, wo Gläubigergefährdung zu befürchten steht, kann Nichtigkeit doch abzulehnen sein, wenn sie nicht dem Beschlussinhalt selbst anhaftet, sondern dessen vorgelagerten Motiven, wie etwa bei Bestellung eines Vorstandsmitglieds zum Zweck der Firmenbestattung (OLG Karlsruhe NZG 2013, 818, 819). 21

5. **Rechtskräftiges Anfechtungsurteil.** Gem. § 241 Nr. 5 tritt Nichtigkeit durch rechtskräftiges auf Anfechtungsklage ergehendes Urteil ein. Umstr., im praktischen Ergebnis ohne Bedeutung ist, ob Nichtigkeitsfolge aus § 241 Nr. 5 oder schon aus § 248 folgt und in § 241 Nr. 5 nur klargestellt wird (für das Erste GK-AktG/K. Schmidt Rn. 69 ff.; für das Zweite MüKoAktG/C. Schäfer Rn. 71). Wortlaut legt eher erste Lösung nahe, aber Gestaltung der Vorgängervorschrift des § 195 AktG 1937 spricht recht deutlich für die zweite (MüKoAktG/C. Schäfer Rn. 71). Auf Nichtigkeitsfeststellungsurteil gem. § 249 ist § 241 Nr. 5 nicht anzuwenden. 22

6. **Löschung im Handelsregister. a) Allgemeines.** Nichtig ist schließlich ein Beschluss der HV, der gem. § 398 FamFG aufgrund rechtskräftiger Entscheidung des Registergerichts als nichtig gelöscht worden ist (§ 241 Nr. 6). Geltende Textfassung beruht auf FGG-ReformG 2008. Änderung vollzieht Neuordnung des Registerrechts nach, hat also nur redaktionelle Bedeutung. Norm 23

enthält Seitenstück zu § 241 Nr. 5 und verzahnt Amtslöschung und materielles Aktienrecht.

24 **§ 398 FamFG** bestimmt:

§ 398 FamFG Löschung nichtiger Beschlüsse

Ein in das Handelsregister eingetragener Beschluss der Hauptversammlung oder Versammlung der Gesellschafter einer der in § 397 bezeichneten Gesellschaften sowie ein in das Genossenschaftsregister eingetragener Beschluss der Generalversammlung einer Genossenschaft kann nach § 395 als nichtig gelöscht werden, wenn er durch seinen Inhalt zwingende gesetzliche Vorschriften verletzt und seine Beseitigung im öffentlichen Interesse erforderlich erscheint.

25 **b) Voraussetzungen. aa) Für Amtslöschung.** Zu unterscheiden ist zwischen den Voraussetzungen der Amtslöschung und denen der Nichtigkeit (→ Rn. 32). Amtslöschung erfolgt durch Eintragung des Löschungsvermerks in das HR (§ 395 I 2 FamFG iVm § 398 FamFG). Dessen Eintragung setzt **Löschungsverfügung** des Registergerichts voraus (§ 395 I 1 FamFG, § 398 FamFG). Zulässig ist Löschungsverfügung nur, wenn Beschluss durch seinen Inhalt zwingende ges. Vorschriften verletzt und seine Beseitigung im öffentl. Interesse erforderlich ist (§ 398 FamFG). Telos des § 398 FamFG wird in gesellschaftsrechtl. Schrifttum zumeist mit Reinhaltung des Registers von der Eintragung inhaltlich nichtiger Beschlüsse umschrieben (GK-AktG/K. Schmidt Rn. 75). Das ist grds. richtig, allerdings dahingehend zu relativieren, dass solche Korrektur nur dann erfolgt, wenn im öffentl. Interesse Durchsetzung zwingender Gesetzesnormen erforderlich scheint. Durch diese Einschränkung trägt Norm dem Interesse an Bestandssicherheit und dem gesteigerten Vertrauen Rechnung, das durch die Eintragung des Beschlusses im HR entsteht (KG FGPrax 2013, 32, 33; KK-AktG/Noack/Zetzsche Rn. 156).

26 Zunächst muss also ein **Beschluss der HV** vorliegen und eingetragen sein. Das setzt Eintragungsfähigkeit voraus, beschränkt die Amtslöschung aber nicht auf konstitutiv wirkende Beschlüsse (str.; vgl. wie hier HCL/Raiser/Schäfer GmbHG Anh. § 47 Rn. 54 mwN), wenngleich hier der wesentliche praktische Anwendungsbereich liegt. Keinesfalls wäre es richtig, § 398 FamFG auf satzungsändernde Beschlüsse zu beschränken (zutr. BayObLGZ 1956, 303, 310; OLG Hamm OLGZ 1979, 313, 314). Gleichzustellen sind **Eintragungen anderen Inhalts,** soweit das Ges. die Eintragung der Maßnahme selbst und nicht oder nicht nur die des ihr zugrunde liegenden HV-Beschlusses fordert (OLG Hamm OLGZ 1979, 313, 314; 1994, 415, 417 für Eingliederung [→ § 319 Rn. 18]; OLG Karlsruhe OLGZ 1986, 155, 158 für Durchführung der Kapitalerhöhung [→ § 189 Rn. 7]).

27 Sodann muss der Beschluss **durch seinen Inhalt zwingende ges. Vorschriften verletzen;** fehlerhaftes Zustandekommen oder fehlerhaftes Verfahren des Registergerichts genügen nicht (OLG Hamburg NZG 2003, 981; OLG Karlsruhe FGPrax 2001, 161 f.; OLG München DB 2010, 611, 616; Krafka RegisterR Rn. 460). Meist wird es sich um Fälle handeln, in denen Nichtigkeit nach § 241 Nr. 3 vorliegt, doch ist das vom Ges. nicht vorausgesetzt (MüKoAktG/C. Schäfer Rn. 77 mwN; aA OLG Hamm OLGZ 1994, 415, 419; S/L/Schwab Rn. 39; MHdB AG/Austmann § 42 Rn. 31). In Betracht kommen alle ges. Vorschriften, auch außerhalb des AktG, etwa §§ 25 ff. MitbestG. Heilung durch Eintragung und Zeitablauf hindert Amtslöschung nicht (§ 242 II 3; → § 242 Rn. 8). Jedoch kommt § 398 FamFG nicht zur Anwendung, wenn der Beschluss aufgrund eines durchgeführten Freigabeverfahrens nach § 246a AktG eingetragen wurde (§ 242 II 5 Hs. 2; Krafka RegisterR Rn. 461). Ferner muss **Beseitigung** des Beschlusses **im öffentl. Interesse** liegen. Das öffentl. Interesse ist nicht identisch mit einem Interesse, das Aktionäre an der Löschung haben mögen (BGHZ 202,

87 Rn. 17 = NZG 2014, 1307; OLG Karlsruhe OLGZ 1986, 155, 158; aA Casper FS Bergmann, 2018, 127, 136). Für § 398 FamFG ist nur das öffentl. Interesse an der Beseitigung des Beschlusses maßgebend; die Bestimmung selbst muss nicht im öffentl. Interesse gegeben sein. Entspr. der Wertung des § 241 Nr. 3 kommt aber Gläubigerschutz als öffentl. Interesse in Betracht (KG FGPrax 2013, 32, 33; OLG Karlsruhe OLGZ 1986, 155, 158). Soweit Ges. als Folge der Gesetzesverletzung bloße Anfechtbarkeit eintreten lässt (§ 243 I), spricht das gegen ein öffentl. Interesse an der Beseitigung des Beschlusses (unter diesem Blickwinkel zutr. OLG Hamm OLGZ 1994, 415, 419). Ebenso kann Ablauf der Heilungsfristen nach § 242 ein mangelndes öffentl. Interesse an der Löschung indizieren (KK-AktG/Noack/Zetzsche Rn. 169).

Die Durchführung des Löschungsverfahrens findet von Amts wegen oder auf Antrag der berufsständischen Organe statt (§§ 398, 395 I 1 FamFG iVm § 380 FamFG). Anregung (§ 24 FamFG) durch Aktionäre, Organe oder Dritte begründet keinen Anspruch darauf (OLG Köln NZG 2003, 75, 76). Spätestens nach Heilung gem. § 242 steht ihm gegen den die Anregung zurückweisenden Beschluss des Registergerichts auch kein Rechtsmittel zu, weil anderenfalls mit Heilung bezweckte Rechtssicherheit (→ § 242 Rn. 1) gefährdet würde (BGHZ 202, 87 Rn. 14 ff. = NZG 2014, 1307; aA Casper FS Bergmann, 2018, 127, 139 ff.). Nach wohl hM im Registerrecht entscheidet Registergericht über Amtslöschung nach pflichtgem. Ermessen (vgl. statt vieler Krafka RegisterR Rn. 460), was jedoch nicht zutrifft. Ob **öffentl. Interesse** besteht, ist vielmehr **Rechtsfrage.** Besteht es, muss gelöscht werden (MüKoAktG/C. Schäfer Rn. 80; KK-AktG/Noack/Zetzsche Rn. 170; S/L/Schwab Rn. 42). 28

bb) Für Beschlussnichtigkeit. Nichtigkeit tritt gem. § 241 Nr. 6 ein, wenn Löschungsvermerk (→ Rn. 25, 28) eingetragen ist, und zwar **aufgrund rechtskräftiger Entscheidung.** Sprachlich wenig gelungene Vorschrift meint, dass Löschung nur dann zur Nichtigkeit des HV-Beschlusses führt, wenn zuvor der beteiligten Gesellschaft durch Löschungsankündigung Gelegenheit zum Widerspruch gegeben worden und entweder dafür gesetzte Frist verstrichen ist (§ 395 II FamFG, § 398 FamFG) oder der erhobene Widerspruch durch (formell) rechtskräftige Verfügung zurückgewiesen worden ist (§ 393 III, V FamFG, § 395 III FamFG, § 398 FamFG; vgl. MüKoAktG/C. Schäfer Rn. 84). IdR werden auch die materiellen Voraussetzungen der Amtslöschung (→ Rn. 25 ff.) erfüllt sein, doch ist das nicht rechtl. notwendig. Vielmehr bewirkt das abgeschlossene Löschungsverfahren auch dann die Nichtigkeit des Beschlusses, wenn seine materiellen Voraussetzungen nicht gegeben waren (MüKoAktG/C. Schäfer Rn. 74, 84). 29

c) Rechtswirkungen. Amtslöschung bewirkt nach allgM **Nichtigkeit von Anfang an** (ex tunc). Das ist im Interesse der Rechtsklarheit notwendig. Denn anderenfalls könnte darüber gestritten werden, ob Nichtigkeit gem. § 241 Nr. 3 oder 4 von Anfang an vorlag oder erst ab Löschung eingetreten ist. Notwendiger **Vertrauensschutz** zugunsten Dritter erfolgt **gem. § 15 III HGB** (zust. Krafka RegisterR Rn. 463). Im Fall zuvor eingetretener Heilung nach § 242 wird allerdings erwogen, ex nunc-Wirkung grds. zuzulassen (Göz FS Stilz, 2014, 179, 184 ff.) oder zumindest entspr. Anordnung des Registerrichters zu gestatten (Casper, Die Heilung nichtiger Beschlüsse, 1998, 244 f.; zust. MüKoAktG/C. Schäfer Rn. 86 mwN). Das Erste lässt sich mit Gesamtsystematik des § 241 nur schwer in Einklang bringen und vermag Bedenken im Hinblick auf Rechtssicherheit nicht auszuräumen. Das Zweite ist erwägenswert und auch unter Rechtssicherheitsgesichtspunkten unbedenklich. Entspr. Anordnung sollte in Eintragung aufgenommen werden. Ob Löschung nur deklaratorische Bedeutung oder konstitutive Wirkung hat, hängt von zuvor bestehender materieller Rechts- 30 lage ab. Konstitutive Wirkung tritt zB ein, wenn Nichtigkeit schon gem. § 242 II geheilt war oder wenn ausnahmsweise zu Unrecht gelöscht worden ist (→ Rn. 29).

31 **d) Verhältnis zu § 395 FamFG.** Als **Grundsatz** gilt: § 398 FamFG enthält abschließende Regelung, die § 395 FamFG verdrängt (allgM, s. BayObLGZ 1956, 303, 310; OLG Hamburg NZG 2003, 981, 982; OLG Hamm OLGZ 1979, 313, 316 f.; OLG Karlsruhe OLGZ 1986, 155, 159; KG JW 1934, 988; OLG Köln ZIP 2002, 573, 576; Krafka RegisterR Rn. 459). Nach Rspr. der Instanzgerichte (vgl. OLG Düsseldorf FGPrax 2004, 294, 295; OLG Hamm OLGZ 1979, 313, 316 f.; OLG Karlsruhe OLGZ 1986, 155, 159) soll das schlechthin gelten, also auch dann, wenn nicht inhaltliche Mängel des Beschlusses, sondern **Mängel des Registerverfahrens** in Frage stehen. Das widerspricht RGZ 85, 205, 208, wonach gem. § 142 FGG aF (heute: § 395 FamFG) gelöscht werden kann, wenn Betrag der angemeldeten und eingetragenen Kapitalerhöhung sich nicht mit dem Beschluss deckt; Folge: § 398 FamFG nicht anwendbar. Das hat zur Folge, dass Auseinanderfallen von Anmeldung und Eintragung Amtslöschung gem. § 395 FamFG nach sich ziehen kann (zust. Grigoleit/Ehmann Rn. 26; S/L/Schwab Rn. 44). Auch BVerfG und überwiegendes Schrifttum bejahen zu Recht Anwendung des § 395 FamFG bei schweren Verfahrensfehlern (keine Anmeldung; Anmeldung durch Unbefugte; fehlende Deckung von Anmeldung und Eintragung; → § 327e Rn. 3; BVerfG NZG 2010, 902, 904; MüKoAktG/C. Schäfer Rn. 81; KK-AktG/Noack/Zetzsche Rn. 193 ff.; MüKoFamFG/Krafka FamFG § 398 Rn. 6; aA zB S/L/Schwab Rn. 44); → § 189 Rn. 7.

IV. Nichtigkeit als Rechtsfolge

32 **1. Allgemeines.** Nichtigkeit des HV-Beschlusses bedeutet Ausbleiben der gewollten Rechtswirkung wegen Gesetzwidrigkeit des Rechtsgeschäfts (→ Rn. 4). Sie kann von jedermann geltend gemacht werden und in jeder ihm geeignet erscheinenden Weise, also nicht nur in Form der Nichtigkeitsklage, sondern auch durch Einrede oder allg. Feststellungsklage gem. § 256 ZPO, sofern Rechtsschutzbedürfnis besteht (§ 249 I 2). Nichtigkeit ist **Eintragungshindernis** (ganz hM, s. MüKoAktG/C. Schäfer Rn. 95; Lutter NJW 1969, 1873 f. mwN; zu Unrecht einschr. Baums, Eintragung und Löschung, 1981, 21 f.). Ob Nichtigkeitsgrund vorliegt, hat Registergericht **von Amts wegen zu prüfen.** In Zweifelsfällen kann es sinnvoll sein, dass Vorstand Beschluss zwar anmeldet, aber Registergericht auf Bedenken hinweist. Notar hat dagegen selbst bei evidenter Nichtigkeit kein Recht, Beurkundung zu verweigern, sofern kein Fall des § 4 BeurkG vorliegt (→ § 130 Rn. 13). Er kann Bedenken aber in der Niederschrift vermerken. Dadurch vermeidet er es, Beschluss mit Sicherheit nichtig zu machen (→ § 241 Nr. 2; dazu → Rn. 13 ff.), und erreicht gleichzeitig, dass ein Rechtsgeschäft von zweifelhafter Gültigkeit nicht durch seine Amtstätigkeit den Schein der Gültigkeit erhält (MüKoAktG/C. Schäfer Rn. 96). Vertrauensschutz ggü. nichtigen Beschlüssen kommt grds. nicht in Betracht. Ausnahmen sind iRd § 15 III HGB denkbar.

33 **2. Teilnichtigkeit.** Einheitliche Abstimmung und Feststellung des Ergebnisses führt auch **bei komplexen,** mehrere Gegenstände zusammenfassenden **Anträgen** zu einem einheitlichen Beschluss. In solchen Fällen ist bei inhaltlichen Mängeln Teilnichtigkeit möglich, nämlich dann, wenn sich Mangel nicht auf alle Gegenstände bezieht. Anzuwenden ist **§ 139 BGB** (ganz hM, s. BGHZ 11, 231, 246 = NJW 1954, 385; BGH NJW 1988, 1214; BGHZ 205, 319 Rn. 30 = NZG 2015, 867; BGH NZG 2022, 208 Rn. 19; OLG Karlsruhe NZG 2018,

508 Rn. 72 ff.; OLG München AG 2008, 864, 869; OLG Nürnberg AG 2021, 721, 723; OLG Stuttgart AG 2012, 298, 304; AG 2021, 522, 529; MüKoAktG/C. Schäfer Rn. 91; aA OLG Hamburg AG 1970, 230 unter Verwechselung von Teilnichtigkeit und Perplexität; krit. und deshalb jedenfalls für restriktive Anwendung Grunewald NZG 2017, 1321 ff.). Bedeutung des Beschlusses ist also zunächst durch Auslegung zu ermitteln (BGHZ 205, 319 Rn. 30; Bsp. bei MüKoAktG/C. Schäfer Rn. 92). Dabei kommt es nicht entscheidend darauf an, ob in der Tagesordnung einheitliche Beschlussvorlage angekündigt ist oder einheitlich abgestimmt wird (BGHZ 205, 319 Rn. 31). So führt etwa Block- oder Listenwahl von AR-Mitgliedern (→ § 101 Rn. 6 f.) nicht dazu, dass gesamte Wahl unwirksam ist, wenn Nichtigkeitsgrund nur in Person eines einzelnen Mitglieds vorliegt (OLG Stuttgart AG 2021, 522, 529; BeckOGK/Drescher Rn. 115). Wenn Auslegung nichts ergibt, tritt nach der ges. Hilfsregel Gesamtnichtigkeit ein. Diese Grundsätze gelten auch, wenn in einem Beschluss **mehrere Satzungsänderungen** zusammengefasst werden und eine davon nichtig ist: Ergibt Auslegung, dass kein innerer Zusammenhang zwischen Satzungsänderungen besteht, tritt Teilnichtigkeit ein; anderenfalls sind alle inhaltlich zusammenhängenden Änderungen nichtig (vgl. BGHZ 205, 319 Rn. 30 ff.; BGH NZG 2022, 208 Rn. 19). Von Teilnichtigkeit zu unterscheiden ist der Fall mehrerer, allerdings rechtl. und sachlich zusammenhängender Beschlüsse; dafür gilt § 139 BGB nicht (vgl. BGHZ 205, 319 Rn. 31 [obiter dictum]; OLG Frankfurt AG 2009, 631 f.; MüKoAktG/C. Schäfer Rn. 90; vgl. speziell zur Gesamtentlastung → § 120 Rn. 8). Nichtig ist jedoch gem. § 253 I 1 der Gewinnverwendungsbeschluss, der auf nichtig festgestelltem Jahresabschluss beruht (→ § 253 Rn. 4).

Heilung der Nichtigkeit

242 (1) **Die Nichtigkeit eines Hauptversammlungsbeschlusses, der entgegen § 130 Absatz 1 bis 2 Satz 1 und Absatz 4 nicht oder nicht gehörig beurkundet worden ist, kann nicht mehr geltend gemacht werden, wenn der Beschluß in das Handelsregister eingetragen worden ist.**

(2) [1] **Ist ein Hauptversammlungsbeschluß nach § 241 Nr. 1, 3 oder 4 nichtig, so kann die Nichtigkeit nicht mehr geltend gemacht werden, wenn der Beschluß in das Handelsregister eingetragen worden ist und seitdem drei Jahre verstrichen sind.** [2] **Ist bei Ablauf der Frist eine Klage auf Feststellung der Nichtigkeit des Hauptversammlungsbeschlusses rechtshängig, so verlängert sich die Frist, bis über die Klage rechtskräftig entschieden ist oder sie sich auf andere Weise endgültig erledigt hat.** [3] **Eine Löschung des Beschlusses von Amts wegen nach § 398 des Gesetzes über das Verfahren in Familiensachen und in den Angelegenheiten der freiwilligen Gerichtsbarkeit wird durch den Zeitablauf nicht ausgeschlossen.** [4] **Ist ein Hauptversammlungsbeschluß wegen Verstoßes gegen § 121 Abs. 4 Satz 2 nach § 241 Nr. 1 nichtig, so kann die Nichtigkeit auch dann nicht mehr geltend gemacht werden, wenn der nicht geladene Aktionär den Beschluß genehmigt.** [5] **Ist ein Hauptversammlungsbeschluss nach § 241 Nr. 5 oder § 249 nichtig, so kann das Urteil nach § 248 Abs. 1 Satz 3 nicht mehr eingetragen werden, wenn gemäß § 246a Abs. 1 rechtskräftig festgestellt wurde, dass Mängel des Hauptversammlungsbeschlusses die Wirkung der Eintragung unberührt lassen; § 398 des Gesetzes über das Verfahren in Familiensachen und in den Angelegenheiten der freiwilligen Gerichtsbarkeit findet keine Anwendung.**

(3) **Absatz 2 gilt entsprechend, wenn in den Fällen des § 217 Abs. 2, § 228 Abs. 2, § 234 Abs. 3 und § 235 Abs. 2 die erforderlichen Eintragungen nicht fristgemäß vorgenommen worden sind.**

Übersicht

I. Regelungsgegenstand und -zweck

1 Norm betr. Heilung der Nichtigkeit (§ 241) von HV-Beschlüssen und dient der **Rechtssicherheit,** indem sie Beschlüssen trotz ihres Mangels zur Gültigkeit verhilft (→ Rn. 7). Bedürfnis dafür ergibt sich aus weitgehender Nichtigkeitssanktion, die grds. von jedermann, in jeder Weise und ohne zeitliche Beschränkung geltend gemacht werden kann (BeckOGK/Casper Rn. 4). Um diese strenge Folge abzumildern, nimmt Ges. bewusst in Kauf, dass Nichtigkeitssanktion noch weiter zurückgedrängt wird, als es nach § 241 ohnehin der Fall ist (Amtl. Begr. zu § 196 AktG 1937, RAnz. 1937 Nr. 28, 2. Beil. S. 1). Unterschied zwischen Nichtigkeit und Anfechtung wird damit weiter relativiert. Heilung hat in der Sache funktional ähnliche Funktion wie Anfechtungsfrist (§ 246 I), auf die hier als Gestaltungsmittel auch in modifizierter Form nicht zurückgegriffen werden kann, da Nichtigkeit ex lege eintreten soll. **Zentrales Heilungselement** ist **Eintragung** des Beschlusses, was zu überraschender Konsequenz führt, dass gerade bei weniger bedeutsamen und deshalb nicht eintragungsbedürftigen Beschlüssen Heilung nicht möglich ist (BeckOGK/Casper Rn. 1). Auch bei nichtiger AR-Wahl gem. § 250 ist Heilung danach – trotz durchaus weitreichender Wirkung – ausgeschlossen (→ § 250 Rn. 16). Seitenstück zu § 242 ist für nichtigen Jahresabschluss in **§ 256 VI** enthalten (→ § 256 Rn. 28 ff.), nicht voll vergleichbar ist dagegen § 20 II UmwG, der lediglich Erfordernis gültiger Beschlüsse durch Eintragung der Verschmelzung ersetzt, um so Probleme der Entschmelzung zu verhindern (RegBegr. BT-Drs. 9/1065, 19 f.; Begr. BT-Drs. 12/6699, 91 f.). Bei Mängeln der Ursprungssatzung ist § 242 II analog anzuwenden (hM; → § 23 Rn. 43 mwN). Für **GmbH** gilt § 242 entspr., auch einschließlich der Dreijahresfrist des § 242 II (BGHZ 80, 212, 216 f. = NJW 1981, 2125; BGH NJW 1996, 257, 258; BGHZ 144, 365, 368 = NJW 2000, 2819; BGH NZG 2023, 701 Rn. 28).

II. Voraussetzungen der Heilung

2 **1. Bei Beurkundungsmängeln.** Verstöße gegen § 130 I, Ia (Geltung für nach 27.7.2022 einberufene HV – vgl. § 26n II EGAktG), II 1 (nicht auch: II 2, 3) oder IV sind Nichtigkeitsgründe nach § 241 Nr. 2 (→ § 241 Rn. 13 ff.). Insoweit lässt § 242 I Heilung sofort mit **Eintragung** eintreten; dass Beschluss bloß zu den Akten genommen wird, genügt nicht (Henssler/Strohn/Drescher

Rn. 3). Praktisch dürfte diese Heilungsmöglichkeit nur bei einzelnen Inhaltsfehlern in Betracht kommen, da es bei gröberen Fehlern, wie etwa dem völligen Fehlen der Beurkundung, aufgrund Registerprüfung kaum zur HR-Eintragung kommen wird (MüKoAktG/C. Schäfer Rn. 4). Erforderlich ist Eintragung in das HR des zuständigen Gerichts (§ 14 iVm §§ 376 f. FamFG). Bei Sitzverlegung kommt es auf neuen Gesellschaftssitz an (§ 45 II 4), bei Zweigniederlassung auf Eintragung in das HR der Hauptniederlassung (§ 13 I HGB [Registergericht der Zweigniederlassung gibt es seit EHUG 2006 nicht mehr]), bei Doppelsitz auf Eintragung in beide Register (Schlechterstellungsprinzip – vgl. GK-HGB/J. Koch/Harnos § 13 Rn. 76). Auf Bek. kommt es nicht an. Amtslöschung nach § 398 FamFG ist schon deshalb ausgeschlossen, weil Tatbestand (Inhaltsfehler) nicht vorliegt (→ § 241 Rn. 23 ff., 27). Heilung kommt ausschließlich bei eintragungspflichtigen Beschlüssen in Betracht, nicht aber bei eintragungsunfähigen Beschlüssen, da in diesem Fall Vertrauen auf materielle Richtigkeit der HR-Eintragung nicht schutzwürdig ist (vgl. Hölters/Weber/Englisch Rn. 2; MüKoAktG/C. Schäfer Rn. 4; KK-AktG/Noack/Zetzsche Rn. 12; aA BeckOGK/Casper Rn. 6; zust. Henssler/Strohn/Drescher Rn. 3). Bejaht wird darüber hinaus verbreitet auch Heilung bei bloß eintragungsfähigen Beschlüssen (MüKoAktG/C. Schäfer Rn. 4), doch ist zu Recht darauf hingewiesen worden, dass zumindest im geltenden Aktienrecht solche bloß eintragungsfähigen Beschlüsse nicht vorgesehen sind, so dass diese Auffassung derzeit ohne Substrat ist (KK-AktG/Noack/Zetzsche Rn. 13).

2. Bei Einberufungsfehlern und Inhaltsmängeln. Bei Nichtigkeit des HV-Beschlusses nach § 241 Nr. 1, 3 oder 4 (→ § 241 Rn. 8 ff., 14 ff., 21) ist **Eintragung** erforderlich, aber nicht genügend, um Heilung eintreten zu lassen. Hinzutreten muss gem. § 242 II 1 **Ablauf einer Dreijahresfrist.** Maßgeblich für Fristbeginn ist Eintragungstag (Vermerk gem. § 15 HRV), nicht Verfügung und auch nicht Bek. Maßgeblich für Fristbeginn ist § 187 I BGB, für Fristende § 188 II Fall 1 BGB. § 193 BGB (Fristende erst mit Ablauf des folgenden Werktages, wenn maßgeblicher Tag Samstag, Sonntag oder Feiertag ist) ist dem Wortlaut nach nicht einschlägig, findet aber dennoch analoge Anwendung (überzeugend BeckOGK/Casper Rn. 7; zust. MüKoAktG/C. Schäfer Rn. 7; S/L/Schwab Rn. 6; GK-AktG/K. Schmidt Rn. 11; aA OLG Düsseldorf AG 2003, 45 f.; Henssler/Strohn/Drescher Rn. 4; KK-AktG/Noack/Zetzsche Rn. 54). Es handelt sich um materiell-rechtl. Ausschlussfrist; deshalb gibt es keine Wiedereinsetzung in den vorigen Stand nach §§ 233 ff. ZPO. 3

Fristverlängerung tritt gem. § 242 II 2 ein, wenn bei ihrem Ablauf Nichtigkeitsfeststellungsklage (§ 249) **rechtshängig** ist. Allg. Feststellungsklage (§ 256 ZPO) genügt aufgrund ihrer inter-partes-Wirkung nicht (str., wie hier OLG Koblenz NZG 2006, 270, 271; Grigoleit/Ehmann Rn. 4; GK-AktG/K. Schmidt Rn. 12 sowie hM zur GmbH, s. HCL/Raiser/Schäfer GmbHG Anh. § 47 Rn. 81 mwN; wohl auch BGHZ 33, 175, 177 = NJW 1961, 26; aA KK-AktG/Noack/Zetzsche Rn. 61). Erst recht nicht ausreichend ist, dass Feststellung der Nichtigkeit nur Vorfrage ausmacht oder Nichtigkeit einredeweise geltend gemacht wird (BGHZ 33, 175, 177). **Anhängigkeit** genügt nur, wenn **Zustellung demnächst** erfolgt (§ 167 ZPO); s. BGH NJW 1989, 904, 905; LG Düsseldorf AG 1989, 140 f. zu § 256 VI; MüKoAktG/C. Schäfer Rn. 9. Demnächst zugestellt ist noch, wenn seit Einreichung elf bzw. zwölf Tage vergangen sind (BGHZ 33, 175, 177). Gleiches gilt, wenn Antrag auf Prozesskostenhilfe gestellt ist und Nichtigkeitsklage alsbald iSd § 167 ZPO erhoben wird; bei Versagung gilt Zweiwochenfrist für Klageerhebung (BeckOGK/Casper Rn. 9). 4

Wirkung rechtzeitiger Klageerhebung **beschränkt sich auf Fristverlängerung;** also kein Neubeginn, keine Ablaufhemmung (MüKoAktG/C. Schäfer 5

Rn. 11). Verlängert wird Frist bis zur rechtskräftigen Entscheidung (§ 242 II 2 Fall 1), alternativ bis zur anderweitigen endgültigen Erledigung der Klage (§ 242 II 2 Fall 2), zB Rücknahme oder Erledigung der Hauptsache. Wenn der Nichtigkeitsklage (→ Rn. 4) stattgegeben wird, ist HV-Beschluss auch dann nichtig, wenn Dreijahresfrist bei Eintritt der Rechtskraft abgelaufen war. Sonst (Abweisung, Rücknahme usw) wird Eintritt der Heilungswirkung nicht gehindert. Nichtigkeit ist sogleich geheilt, wenn Dreijahresfrist bei endgültiger Erledigung des Rechtsstreits verstrichen ist, sonst erst mit deren Ablauf.

5a **Sonderfall** des Einberufungsfehlers ist Verstoß gegen § 121 IV 2, nämlich **Übergehen von Aktionären** bei Einberufung der HV durch eingeschriebenen Brief (→ § 121 Rn. 11a ff.). § 242 II 4 sieht für diesen Fall (gleichzustellen ist fehlerhafte briefliche Ladung) Heilung durch Genehmigung der betroffenen Aktionäre vor. Fraktionsbegr. BT-Drs. 12/6721, 11 beruft sich dafür auf Rechtssicherheit; bei bloßem „Büroversehen" soll strenge Nichtigkeitsfolge abgefedert werden, wenn davon individuell Betroffener auf Rechtsschutz verzichtet. Heilungsmöglichkeit ist aber nicht auf versehentliche Fehler beschränkt, sondern selbst bewusst übergangener Aktionär kann genehmigen (BeckOGK/Casper Rn. 11). Heilungsgrund ist nicht auf eingetragene Beschlüsse beschränkt, sondern gilt generell (KK-AktG/Noack/Zetzsche Rn. 35). Fristsetzung des Vorstands ist nicht geeignet, Genehmigungsmöglichkeit zu beenden (keine analoge Anwendung der § 108 II BGB, § 177 II BGB). Pflicht zur Genehmigung gibt es nicht (BeckOGK/Casper Rn. 11). Sind mehrere Aktionäre übergangen, so tritt Heilung nur ein, wenn alle genehmigen (KK-AktG/Noack/Zetzsche Rn. 45).

6 **3. Von Heilung ausgeschlossene Fälle.** Für nicht in § 242 aufgeführte Nichtigkeitsfälle gibt es keine Heilung. Hierher gehören (Eingangsworte des § 241) § 192 IV, § 212 (zu § 217 II, § 228 II, § 234 III, § 235 II, § 242 III → Rn. 9) sowie § 250 (→ § 250 Rn. 16). Auch bei § 241 Nr. 5 und 6 gelangt § 242 nicht zur Anwendung: Eintragung des auf Anfechtungsklage ergehenden Nichtigkeitsurteils (§ 248 I 3) konterkariert Eintragung des Beschlusses, so dass diese als notwendiges Element des Heilungstatbestands (→ Rn. 3) nicht zur Verfügung steht (§ 241 Nr. 5). Amtslöschung (§ 241 Nr. 6) ist Gegenstück zur Eintragung, lässt also ebenfalls unabdingbares Teilstück des Heilungstatbestands entfallen. Heilung tritt wegen Vorrangs des Gemeinschaftsrechts auch nicht ein bei Verstoß gegen Art. 101 II AEUV (K. Schmidt AG 1996, 385, 388 f.).

III. Heilungswirkung

7 **1. Materiell-rechtliche Rückwirkung.** Heilung der Nichtigkeit bedeutet ungeachtet der forensischen Formulierung in § 242 I und II 1 („kann nicht mehr geltend gemacht werden") **Veränderung der materiellen Rechtslage.** Mit Eintritt der Heilungsvoraussetzungen treten nämlich die von HV gewollten Beschlusswirkungen ein; bis dahin nichtiger HV-Beschluss wird gültig (hM – vgl. etwa MüKoAktG/C. Schäfer Rn. 3; B/K/L/Göz Rn. 9; Casper FS Bergmann, 2018, 127, 132 ff.; aA noch Mestmäcker BB 1961, 945, 947 f.). Das rechtfertigt sich aus materieller Prüfung des Beschlusses durch Registergericht, die seiner Eintragung vorausgegangen ist (→ § 241 Rn. 32). Heilungswirkung erstreckt sich auch auf zunächst nichtige Beschlüsse über Satzungsänderungen (BGHZ 99, 211, 217 = NJW 1987, 902; BGHZ 144, 365, 367 = NJW 2000, 2819; BGHZ 202, 87 Rn. 14 = NZG 2014, 1307; BGH NZG 2023, 701 Rn. 28; → § 23 Rn. 43). Sie werden damit trotz Nichtigkeit in dauerhafte Bestandskraft perpetuiert, was Grundsatz der Satzungsstrenge (§ 23 V) relativiert und deshalb gerade bei **Inhaltsmängeln** zu unhaltbaren Ergebnissen führen kann (vgl. Herchen FS Marsch-Barner, 2018, 239, 241 ff.). Diese Folge hat im Schrifttum Anlass gege-

ben, nach Möglichkeiten teleologischer Reduktion zu suchen, etwa durch zumindest künftige Unwirksamkeit in Anlehnung an Regeln der fehlerhaften Gesellschaft (Stein ZGR 1994, 472, 480 f., 485 ff.), durch Austrittsrecht (Goette FS Röhricht, 2005, 115, 118 f.) oder Vorrang zwingenden Rechts (KK-AktG/Noack/Zetzsche Rn. 71 ff.; Herchen FS Marsch-Barner, 2018, 239, 245 ff.). Am ehesten scheint letztgenannter Ansatz erwägenswert, doch lassen sich Voraussetzungen teleologischer Reduktion angesichts klarer Gesetzeslage nur schwer bejahen. Tätigwerden des Gesetzgebers wäre auch hier dringend geboten (J. Koch Gutachten F zum 72. DJT, 2018, 54). Ohne solche rechtsfortbildende oder ges. Korrektur kann Abhilfe allenfalls über Amtslöschung nach § 398 FamFG geschaffen werden (→ Rn. 8; krit. Herchen FS Marsch-Barner, 2018, 239, 243 f.). Weil HV-Beschluss gültig wird, ist er auch für Vorstand und AR verbindlich und gesetzmäßig iSd § 93 IV, § 116 (→ § 93 Rn. 155; wie hier BGHZ 33, 175, 176 ff. = NJW 1961, 26; BeckOGK/Casper Rn. 12, 16; GK-AktG/Hopt/Roth § 93 Rn. 482 ff.; MüKoAktG/C. Schäfer § 242 Rn. 22; aA Stein ZGR 1994, 472, 480 f.). Verwaltung muss ihn ausführen. **Schadensersatzpflicht der Organmitglieder** ist dadurch nicht notwendig ausgeschlossen. Vorwurf der Pflichtwidrigkeit bezieht sich nicht auf Ausführung des Beschlusses, sondern darauf, dass seine rechtzeitige Beseitigung unterlassen wurde (vgl. mit Unterschieden iE KK-AktG/Cahn § 93 Rn. 175; BeckOGK/Fleischer § 93 Rn. 326; MüKoAktG/C. Schäfer Rn. 22; teilw. abw. Casper, Die Heilung nichtiger Beschlüsse, 1998, 188 ff.). Erforderlicher Sorgfaltsverstoß bereitet allerdings durchweg Schwierigkeiten und kann jedenfalls dann kaum bejaht werden, wenn Registergericht in Kenntnis ihm von der Verwaltung mitgeteilter Bedenken Eintragung vorgenommen oder Löschung nicht veranlasst hat. Ebenfalls umstr. ist, ob daneben auch Raum für **Schadensersatzpflicht der Mitgesellschafter** bleibt und daraus – sofern jew. Anspruchsvoraussetzungen erfüllt sind – Pflicht zur Aufhebung des Beschlusses abgeleitet werden kann (dagegen BeckOGK/Casper Rn. 17). Frage ist zu bejahen, da das von § 242 geschützte Interesse an Rechtssicherheit nicht beeinträchtigt wird, wenn Beschluss bis zur Aufhebung wirksam bleibt (KG NZG 2022, 409 Rn. 26 ff.). Bei treupflichtgestützter Klage ist insofern aber Vorsatzerfordernis zu beachten (→ § 53a Rn. 28).

2. Fortdauernde Befugnis zur Amtslöschung. Nach § 242 II 3 bleibt Amtslöschung gem. § 398 FamFG (→ § 241 Rn. 23 ff.) wegen der in § 242 II 1 umschriebenen Beschlussmängel (nicht auch: in den Fällen des § 242 I) zulässig. Öffentl. Interesse an Beseitigung des Beschlusses muss trotz Zeitablaufs und vom Ges. vorgesehener Heilungsfolge vorhanden sein. Das lässt sich **nur in Ausnahmefällen** bejahen. Löschung ist in diesen Fällen privatrechtsgestaltender Akt der fG, weil durch Heilung schon eingetretene Gültigkeit (→ Rn. 7) wieder beseitigt wird (MüKoAktG/C. Schäfer Rn. 23; Casper, Die Heilung nichtiger Beschlüsse, 1998, 149 ff.; krit. KK-AktG/Noack/Zetzsche Rn. 69). Zur grds. eintretenden Unwirksamkeit ex nunc → § 241 Rn. 30. 8

IV. Bestandskraft der Beschlusswirkungen nach Freigabeverfahren

§ 242 II 5 betr. zwar nicht Heilung, weil Beschluss durch rechtskräftige Feststellung seiner Eintragungsfähigkeit gem. § 246a I nicht gültig wird (→ Rn. 7; s. C. Schäfer FS K. Schmidt, 2009, 1389, 1399; M. Winter FG Happ, 2006, 363, 370 f.). Beschluss soll aber trotz andauernder Nichtigkeit des mit ihm gegebenen rechtsgeschäftlichen Tatbestands die intendierte Regelung bewirken (→ § 246a Rn. 4; ähnlich BeckOGK/Casper Rn. 22), so dass sich die Nichtigkeitsfolgen auf Schadensersatz reduzieren, wofür § 246a IV eine bes. Anspruchsgrundlage einführt (Spindler NZG 2005, 825, 830). Diese **Reduktion der Nichtigkeits-** 8a

folgen wird durch § 242 II 5 registerrechtl. flankiert: § 242 II 5 Hs. 1 untersagt Eintragung eines auf Nichtigkeit erkennenden Urteils durch Vermerk gem. § 44 HRV, die sonst nach § 248 I 3, § 249 I zu erfolgen hätte. Nach § 242 II 5 Hs. 2 bleibt auch § 398 FamFG außer Anwendung. Registergericht darf also nicht die Amtslöschung vornehmen, die sonst nach § 241 Nr. 6 (→ § 241 Rn. 23 ff.) zu umfassender Nichtigkeit führen würde.

V. Entsprechende Geltung des § 242 II

9 **1. Kapitalveränderungen.** In § 242 III sind Fälle zusammengefasst, in denen verspätete Eintragung des auf Kapitalveränderungen gerichteten HV-Beschlusses diesen in den Worten des § 241 nichtig, der Sache nach (→ § 241 Rn. 7) unwirksam macht. HV-Beschluss ist nichtig (unwirksam), wenn erforderliche Eintragungen nicht innerhalb von drei (§ 217 II 4, § 234 III 1, § 235 II 1) oder sechs Monaten (§ 228 II 1) erfolgt sind. Entspr. Geltung des § 242 II bedeutet, dass nach Ablauf der nicht durch Klage verlängerten Dreijahresfrist die verspätete Eintragung so wirkt, als ob sie rechtzeitig erfolgt wäre. Amtslöschung bleibt zulässig, weil sich entspr. Anwendung des § 242 I auch darauf bezieht.

10 **2. Heilung von Unwirksamkeit.** § 242 III ist nicht als singuläre Regel aufzufassen. Vielmehr ist Heilung der Unwirksamkeit (→ § 241 Rn. 6) nach ganz hM generell **analog § 242 II möglich** (OLG Hamburg AG 1970, 230 f.; OLG Schleswig NZG 2000, 895, 896; MüKoAktG/C. Schäfer Rn. 25; Casper, Die Heilung nichtiger Beschlüsse, 1998, 268 ff.). Analoge Anwendung heißt: Wenn unwirksamer Beschluss in das HR eingetragen und nicht innerhalb von drei Jahren mit Feststellungsklage angegriffen worden ist, wird fehlende Wirksamkeitsvoraussetzung durch Eintragung und Zeitablauf ersetzt. Beschluss ist bis dahin schwebend unwirksam und wird mit Heilung endgültig wirksam. Amtslöschung bleibt möglich (MüKoAktG/C. Schäfer Rn. 26). ZT weiterhin als Analogiefall erörterte **Scheinbeschlüsse** (vgl. BeckOGK/Casper Rn. 29) sind nicht als eigenständige Kategorie anzuerkennen (→ § 241 Rn. 3).

Anfechtungsgründe

243 (1) **Ein Beschluß der Hauptversammlung kann wegen Verletzung des Gesetzes oder der Satzung durch Klage angefochten werden.**

(2) [1]**Die Anfechtung kann auch darauf gestützt werden, daß ein Aktionär mit der Ausübung des Stimmrechts für sich oder einen Dritten Sondervorteile zum Schaden der Gesellschaft oder der anderen Aktionäre zu erlangen suchte und der Beschluß geeignet ist, diesem Zweck zu dienen.** [2]**Dies gilt nicht, wenn der Beschluß den anderen Aktionären einen angemessenen Ausgleich für ihren Schaden gewährt.**

(3) [1]**Die Anfechtung kann nicht gestützt werden**

1. **auf die durch eine technische Störung verursachte Verletzung von Rechten, die nach § 118 Absatz 1 Satz 2 und Absatz 2 Satz 1 sowie § 134 Absatz 3 auf elektronischem Wege wahrgenommnen worden sind,**
2. **auf die durch eine technische Störung verursachte Verletzung von Rechten, die nach § 118a Absatz 1 Satz 2 Nummer 2, 3, 4 in Verbindung mit § 131, nach § 118a Absatz 1 Satz 2 Nummer 6 in Verbindung mit § 130a Absatz 1 bis 4, nach § 118a Absatz 1 Satz 2 Num-**

mer 7 in Verbindung mit § 130a Absatz 5 und 6 sowie nach § 118a Absatz 1 Satz 2 Nummer 8 auf elektronischem Wege wahrgenommen worden sind,

3. auf die durch eine technische Störung verursachte Verletzung von § 118a Absatz 1 Satz 2 Nummer 1 und 5 sowie Absatz 6,

4. auf eine Verletzung der §§ 67a, 67b, 118 Absatz 1 Satz 3 bis 5 und Absatz 2 Satz 2, von § 118a Absatz 1 Satz 4, § 121 Absatz 4a oder des § 124a,

5. auf Gründe, die ein Verfahren nach § 318 Absatz 3 des Handelsgesetzbuchs rechtfertigen.

[2]Eine Anfechtung kann auf die durch eine eine technische Störung verursachte Verletzung von Rechten aus Satz 1 Nummer 1 und 2 sowie Vorschriften aus Satz 1 Nummer 3 nur gestützt werden, wenn der Gesellschaft grobe Fahrlässigkeit oder Vorsatz vorzuwerfen ist; in der Satzung kann ein strengerer Verschuldensmaßstab bestimmt werden.

(4) **[1]Wegen unrichtiger, unvollständiger oder verweigerter Erteilung von Informationen kann nur angefochten werden, wenn ein objektiv urteilender Aktionär die Erteilung der Information als wesentliche Voraussetzung für die sachgerechte Wahrnehmung seiner Teilnahme- und Mitgliedschaftsrechte angesehen hätte. [2]Auf unrichtige, unvollständige oder unzureichende Informationen in der Hauptversammlung über die Ermittlung, Höhe oder Angemessenheit von Ausgleich, Abfindung, Zuzahlung oder über sonstige Kompensationen kann eine Anfechtungsklage nicht gestützt werden, wenn das Gesetz für Bewertungsrügen ein Spruchverfahren vorsieht.**

Übersicht

I. Grundlagen

1 **1. Regelungsgegenstand und -zweck.** § 243 eröffnet Anfechtungsmöglichkeit und nennt Anfechtungsgründe. Norm verfolgt zwei Ziele, die zueinander in einem Spannungsverhältnis stehen: Sie will zum einen Rechtssicherheit gewährleisten, bezweckt aber zum anderen auch Anerkennung der Anfechtungsbefugnis in der Ausgestaltung und in den Grenzen, die im Interesse der Rechtssicherheit erforderlich erscheinen (vgl. MüKoAktG/C. Schäfer Rn. 7; ausf. zur historischen Entwicklung Dornbach, Die aktienrechtliche Anfechtungsklage, 2013, 9 ff.). Gesteigertes Bedürfnis nach **Rechtssicherheit** rechtfertigt sich aus idR beachtlicher Tragweite von HV-Beschlüssen, aber auch aus dem für HV erforderlichen Aufwand. Der Rechtssicherheit dienen Beschränkungen der Anfechtungsbefugnis (§ 245) und der Umstand, dass HV-Beschluss nur durch fristgebundene (§ 246 I) Anfechtungsklage vernichtet werden kann. **Anerkennung der Anfechtungsbefugnis** jedes Aktionärs, unabhängig von Beteiligungshöhe, ist im Lichte der häufig hohen Relevanz von HV-Beschlüssen keinesfalls unbedenklich, findet ihre rechtspolitische Rechtfertigung aber darin, dass Aktionäre nicht nur individuelle Rechtsposition durchsetzen, sondern auch Kontrollrecht zur Eingrenzung von

Mehrheitsmacht im Interesse der Allgemeinheit ausüben (→ § 245 Rn. 3). **Systematischer Missbrauch** dieser an sich sinnvollen Gestaltung durch sog räuberische Aktionäre (→ § 245 Rn. 22 ff.) hat aber Grenzen dieser Gestaltung aufgezeigt und Gesetzgeber zu ständig neuen Reformen veranlasst, wobei insbes. das UMAG 2005 sowie das ARUG 2009 zu nennen sind. Im Ergebnis haben diese Maßnahmen zumindest Teilerfolg gezeitigt (→ § 245 Rn. 22), doch hat zugleich die **systematische Geschlossenheit des Beschlussmängelrechts** darunter gelitten. Umfassende Reform wäre daher wünschenswert und wird zu Recht mit immer größerer Dringlichkeit eingefordert (→ § 245 Rn. 31 ff.).

Prinzip des § 243 I und damit auch Notwendigkeit einer Anfechtungsklage 2 (ggf. ergänzt um positive Beschlussfeststellungsklage; → § 246 Rn. 42 f.) ist für Beschlüsse der Gesellschafterversammlung der **GmbH** zu übernehmen, wenn Beschlussergebnis vom Versammlungsleiter festgestellt worden ist (ganz hM, BGHZ 97, 28, 31 = NJW 1986, 2051; BGHZ 104, 66, 69 = NJW 1988, 1844; BGHZ 153, 285, 287 = NJW 2003, 2314; OLG Köln NZG 2003, 40; BeckOGK/Casper Vor § 241 Rn. 9; GK-AktG/K. Schmidt § 241 Rn. 38; aA insbes. Fehrenbach, Der fehlerhafte Gesellschafterbeschluss in der GmbH, 2011, 117 ff.; Noack, Fehlerhafte Beschlüsse, 1989, 113 ff.; Raiser FS 100 Jahre GmbHG, 1992, 587, 595 ff.). Nicht anwendbar ist § 243 I dagegen auf **Vereine und Personengesellschaften;** ihre Beschlüsse sind bei Gesetzesverstoß nicht anfechtbar, sondern nichtig (BGH NJW 1995, 1218 f.; 2008, 69 Rn. 36; OLG Hamm NJW-RR 1997, 989; aA insbes. GK-AktG/K. Schmidt § 241 Rn. 40 f.; K. Schmidt FS Stimpel, 1985, 217, 225 ff.; K. Schmidt AG 2009, 248, 252 ff.). Für Genossenschaft enthält § 51 GenG spezielle Regelung. Soweit es um fehlerhafte **AR-Beschlüsse** geht, soll nach einer Meinung ebenfalls Anfechtung möglich und geboten sein; den verschiedenen Ausprägungen dieser Ansicht ist jedoch nicht zu folgen, so dass es bei Nichtigkeit fehlerhafter AR-Beschlüsse mit der Möglichkeit verwirkungsähnlichen Rügeverlusts bleibt (→ § 108 Rn. 25 ff.).

2. Anfechtungsbefugnis. Zur Anfechtung befugt sind Aktionäre nach Maß- 3 gabe des § 245 S. 1 Nr. 1–3, der Vorstand (nicht auch: der AR) als Organ der AG (§ 245 S. 1 Nr. 4), schließlich unter den Voraussetzungen des § 245 S. 1 Nr. 5 die einzelnen Mitglieder des Vorstands und des AR. Funktion der Anfechtungsbefugnis ist **Beschlusskontrolle.** Für Aktionäre handelt es sich um ein aus der Mitgliedschaft folgendes **Individualrecht,** für Vorstand um eine Ausprägung der Leitungsbefugnis (§ 76 I); sie schließt die Verantwortung für die Rechtmäßigkeit der Willensbildung durch HV-Beschluss ein. Nach ihrer zivilrechtl. Ausgestaltung ist Anfechtungsbefugnis ein **Gestaltungsklagerecht,** weil Klage gem. §§ 246, 248 unmittelbare Veränderung der materiellen Rechtslage durch Richterspruch bezweckt und durch stattgebendes rechtskräftiges Urteil erreicht. Zum Missbrauch der Anfechtungsbefugnis → § 245 Rn. 22 ff.

3. Anfechtungsgegenstand. Nur HV-Beschlüsse können gem. §§ 243 ff. 4 angefochten werden, ferner gem. § 138 S. 2 Sonderbeschlüsse bestimmter Aktionärsgruppen. Zum Begriff des HV-Beschlusses und den erforderlichen Abgrenzungen → § 241 Rn. 2 f. **Teilanfechtung** kommt bei komplexen Anträgen und entspr. zusammengesetzten Beschlüssen in Frage, wenn der Verstoß gegen Ges. oder Satzung sich auf einen oder mehrere Regelungsgegenstände beschränkt. Für die Frage, ob die Nichtigkeit infolge rechtskräftigen Anfechtungsurteils auch die übrigen Beschlussteile erfasst, ist § 139 BGB maßgeblich (→ § 241 Rn. 33). Soweit danach Gesamtnichtigkeit eintritt, ist sie durch Klage gem. § 249 geltend zu machen. Auf zusammenhängende Beschlüsse ist Anwendung des § 139 BGB nicht zu erstrecken, weil es sich ungeachtet eines rechtl. oder wirtschaftlichen Zusammenhangs um mehrere Rechtsgeschäfte handelt, wenn über mehrere Anträge beschlossen wird (näher dazu BeckOGK/Drescher § 241 Rn. 118 f.).

II. Verletzung des Gesetzes oder der Satzung (§ 243 I)

5 **1. Allgemeines. a) Verletzung des Gesetzes.** Anfechtungsgrund ist nach § 243 I zunächst die Verletzung des Ges. **Jede Rechtsnorm** ist Ges. iSd § 243 I. Maßgeblich ist also der materielle Gesetzesbegriff des Art. 2 EGBGB. Jede Rechtsnorm bedeutet: formelle Ges., Rechtsverordnungen und Satzungen öffentl.-rechtl. Körperschaften, soweit für die AG einschlägig; geschriebene wie ungeschriebene Rechtsnormen; nicht nur aktienrechtl. Vorschriften, sondern Bestimmungen aller Rechtsgebiete, soweit ihr Geltungsanspruch die AG umfasst. Im Wege der Anfechtung können auch Nichtigkeitsgründe geltend gemacht werden (→ § 249 Rn. 19 mwN). Auch und gerade **Generalklauseln** genügen dem Gesetzesbegriff des § 243 I, und zwar gleichgültig, ob es sich um geschriebene Normen oder um ges. nicht ausdr. fixierte Prinzipien handelt (allgM, s. zB GK-AktG/K. Schmidt Rn. 9). Von bes. Bedeutung ist Anfechtung wegen Verletzung der gesellschaftsrechtl. Treupflicht; in Betracht kommen ferner Verstöße gegen § 53a und auch gegen § 138 I BGB, soweit nicht schon Nichtigkeit nach § 241 Nr. 4 vorliegt. Anfechtung unter diesem Gesichtspunkt tritt jedoch im Wesentlichen hinter Anfechtung wegen Treupflichtverletzungen zurück (→ Rn. 21 ff.). Ebenfalls keine Gesetzesverletzung liegt nach richtiger, wenngleich umstrittener Ansicht vor, wenn Beschluss der HV inhaltlich gegen **Vorgaben des DCGK** verstößt; denn diese haben keine Gesetzesqualität (→ § 161 Rn. 3) und auch § 161 ist nicht verletzt (→ § 161 Rn. 31). Über Transmissionsriemen des Entlastungsbeschlusses kann allerdings auch DCGK Anfechtung begründen, da Entlastung nach hM unrechtmäßig ist, wenn sie trotz gravierender Verletzung von Ges. oder Satzung erteilt wird (→ § 120 Rn. 11) und Verstoß gegen DCGK nach Rspr. des BGH uU solche Verletzung darstellen kann (→ § 161 Rn. 31).

6 Nicht vollständig geklärt ist, ob Verletzung von ges. **Sollvorschriften** den HV-Beschluss anfechtbar macht oder ob insoweit eine einschr. Auslegung des § 243 I geboten ist, nach der es im Einzelfall auf die Verletzung schutzwerter Interessen ankommt. Nach Rspr. ist Anfechtbarkeit auch bei Verletzung von Sollvorschriften die Regel (RGZ 68, 232, 233; RGZ 170, 83, 97; ebenso BeckOGK/Drescher Rn. 45; Grigoleit/Ehmann Rn. 6). Ausgenommen ist nur der Verstoß gegen offenbar unbedeutende Ordnungsvorschriften (zB RGZ 170, 83, 97). Für generelle Ausnahmestellung der Sollvorschriften bietet § 243 I dagegen keine Handhabe und die Einführung ungeschriebener Anfechtungsvoraussetzungen wie Verletzung schutzwerter Aktionärsinteressen oder Ermessensfehlgebrauch ist der Kontrollfunktion des Anfechtungsrechts abträglich. Richtigerweise sollte auf Feststellung eines Regel-Ausnahme-Verhältnisses gänzlich verzichtet werden und stattdessen **konkrete Normauslegung** maßgeblich sein. Wo Sollvorschrift Verpflichtung ausdrückt, die eingreift, wenn entspr. Möglichkeit besteht („muss, wenn kann"), ist Anfechtbarkeit zu bejahen. Wenn Sollvorschrift dagegen bewusst angeordnete Sanktionslosigkeit (lex imperfecta) oder Beurteilungsspielraum (so im Fall des § 121 V 1; → § 121 Rn. 12) ausdrückt, ist Anfechtung im ersten Fall gänzlich zu verneinen, im zweiten Fall, sofern Grenzen des Beurteilungsspielraums nicht überschritten sind (GK-AktG/K. Schmidt Rn. 12; sa KK-AktG/Noack/Zetzsche Rn. 138 ff. mit ordnender Zusammenstellung in Rn. 140 f.).

7 **b) Verletzung der Satzung.** Satzungsverstoß ist ebenso Anfechtungsgrund wie Gesetzesverletzung. Voraussetzung ist Wirksamkeit der Satzungsregelung. Wird daher eingetragene Satzungsänderung nachträglich für nichtig erklärt, kann auch zunächst gegebener Satzungsverstoß entfallen (Hölters/Weber/Englisch

Rn. 8). Satzungsverstoß ist nur gegeben, wenn es sich um **materielle Satzungsbestimmungen** handelt (→ § 23 Rn. 39), nicht aber bei formellen Satzungsbestimmungen (→ § 23 Rn. 40) mit schuldrechtl. Charakter (BeckOGK/Drescher Rn. 52; Henssler/Strohn/KK-AktG/Noack/Zetzsche Rn. 164; aA Grigoleit/Ehmann Rn. 4). Von **Satzungsdurchbrechung** spricht man, wenn HV für Einzelfall einen Beschluss fasst, der einer fortbestehenden materiellen Satzungsbestimmung widerspricht (→ § 179 Rn. 7 ff.). Sie führt – ungeachtet der Einteilung als zustandsbegründend oder punktuell – stets zur Unwirksamkeit nach § 181 III, nicht bloß zur Anfechtbarkeit (→ § 179 Rn. 8); Ausnahme wird nur für sog unbewusste Satzungsverletzung zugelassen (str., → § 179 Rn. 8b). Nur bedeutungslose Satzungsverstöße begründen die Anfechtung nicht (RGZ 170, 83, 97), was nach heutigem Verständnis auch durch Relevanzlehre (→ Rn. 12 f.) bestätigt wird (KK-AktG/Noack/Zetzsche Rn. 172). Verstoß gegen **Geschäftsordnung** ist kein Gesetzesverstoß (BeckOGK/Drescher Rn. 57 ff.). **Bsp.** für Anfechtbarkeit wegen Satzungsverstoßes: Das von HV gewählte AR-Mitglied erfüllt von der Satzung geforderte persönliche Voraussetzungen nicht (§ 100 IV, § 251 I 1); entgegen der Satzung sind Aktionäre zur Abstimmung zugelassen worden, die ihre Aktien nicht oder nicht termingerecht hinterlegt haben (§ 123 II 1); von Satzung geforderte verschärfte Kapitalmehrheit (§ 179 II 2, § 186 III 3) wird nicht erreicht, aber Antragsannahme vom HV-Leiter gleichwohl festgestellt; es wird Entlastung beschlossen, obwohl Lagebericht fehlt, den Satzung bei kleiner AG vorschreibt (BGH AG 2008, 83 Rn. 5 ff.; OLG Nürnberg AG 2007, 295, 297 f.; Graff AG 2008, 479, 482; → § 120 Rn. 12).

c) Vertragsverletzung, Stimmbindungsverträge. Keine Gesetzesverletzung iSd § 243 I ist die **Vertragsverletzung.** Vertragswidrigkeit eines HV-Beschlusses begründet also nicht dessen Anfechtbarkeit (RGZ 83, 377, 380), auch nicht über den Rechtsgrundsatz „pacta sunt servanda" (KK-AktG/Zöllner, 1. Aufl. 1985, Rn. 67). Erst recht verfehlt ist Annahme, Anfechtbarkeit durch ergänzende Auslegung einer angeblich lückenhaften Zusage begründen zu können (so aber OLG Celle AG 2004, 206, 207). 8

Als wichtigster Anwendungsfall der Anfechtbarkeit wegen Vertragsverletzung ist Verstoß gegen Verpflichtung aus **Stimmbindungsverträgen** zu nennen. Stimmbindungsverträge sind **schuldrechtl. Absprachen** unter Aktionären; sie verpflichten zur Ausübung des Stimmrechts in der vertraglich festgelegten Weise; solche Absprachen sind zulässig (→ § 133 Rn. 25 ff.). Die Frage, ob die bindungswidrige Stimmabgabe den so zustande gekommenen HV-Beschluss anfechtbar macht, ist jedenfalls im Grundsatz zu verneinen, weil Ges. oder Satzung nicht verletzt werden. Anderes gilt, wenn die Stimmbindung in die Satzung aufgenommen worden ist (→ § 133 Rn. 26); denn dann ist nicht nur der Vertrag, sondern auch die Satzung verletzt. Im Übrigen ist an Trennung von korporationsrechtl. und schuldrechtl. Ebene gegen im Schrifttum auch vertretene Synthese festzuhalten (zusammenfassend Ulmer FS Röhricht, 2005, 633 ff.; sa Hölters/Weber/Englisch Rn. 49; Gegenposition etwa bei KK-AktG/Noack/Zetzsche Rn. 188; Zöllner in RWS-Forum 8, 1996, 89, 95 ff.). 9

BGH nimmt in zwei Entscheidungen zur GmbH an, auch Verletzung der nur schuldrechtl. Nebenabrede begründe Anfechtbarkeit, wenn sich **sämtliche Gesellschafter** derart gebunden haben; Nebenabrede sei „als eine solche der Gesellschaft zu behandeln" (BGH NJW 1983, 1910, 1911; 1987, 1890, 1892; ebenso OLG Celle NZG 2023, 71 Rn. 18; OLG Hamm NZG 2000, 1036, 1037; sa öOGH AG 1996, 329: Anfechtung, wenn Nebenabrede Treupflicht konkretisiert; aA OLG Stuttgart DB 2001, 854; offengelassen in BGHZ 123, 15, 20 = NJW 1993, 2246; ausf. zum Zusammenspiel dieser Urteilsfolge J. Koch AG 2015, 213, 215 ff.). Schrifttum ist dem teilw. gefolgt (BeckOGK/Drescher Rn. 63; GK- 10

AktG/K. Schmidt Rn. 19 f.; KK-AktG/Noack/Zetzsche Rn. 185 ff.; Happ ZGR 1984, 168, 175; Noack Gesellschaftervereinbarungen, 1994, 162 ff., 168 f.; S/L/Schwab Rn. 23). Es überwiegen aber die krit. Stimmen (Lutter/Hommelhoff/Bayer GmbHG Anh. § 47 Rn. 44; Hölters/Weber/Englisch Rn. 50; HCL/Hüffer/Schäfer GmbHG § 47 Rn. 92; Goette in RWS-Forum 8, 1996, 113, 119 ff.; Hoffmann-Becking ZGR 1994, 442, 450; Ulmer NJW 1987, 1849, 1850 f.; M. Winter ZHR 154 [1990], 259, 268 ff.). Ungeachtet der Rechtslage bei der GmbH ist jedenfalls für die AG **der abl. Auffassung zuzustimmen.** Wenn Gesellschafter darauf verzichten, ihrer Abrede durch Aufnahme in die Satzung korporationsrechtl. Charakter zu geben (→ Rn. 9), sind sie an schuldrechtl. Charakter gebunden und können Streitigkeiten über Reichweite der Bindungswirkung nicht im Verhältnis zur AG und auf deren Kosten austragen (MüKoAktG/C. Schäfer Rn. 24). Auch aus Gründen der Rechtssicherheit und im Lichte des § 23 V ist Vorstellung, dass Rechtsbeziehungen der AG an der Satzung vorbei durch außerstatutarisches Regelwerk festgelegt werden können, problematisch (Hölters/Weber/Englisch Rn. 50); entspr. **satzungsüberlagernde Bindungen** können nur da als wirksam anerkannt werden, wo Abweichung von Satzung lediglich gesellschaftsinterne Wirkung hat und weder Rechtsverkehr noch später eintretende Gesellschafter berührt (ausf. → § 23 Rn. 47). Anfechtbarkeit ist jedenfalls auch dann abzulehnen. Ausnahmen können allenfalls in Missbrauchsfällen anerkannt werden (MüKoAktG/C. Schäfer Rn. 24).

11 **2. Verfahrensfehler. a) Grundsatz.** Beschluss der HV kann zunächst wegen eines Verfahrensfehlers anfechtbar sein (zu Inhaltsfehlern → Rn. 20 ff.). Verfahrensfehler liegt vor, wenn Ges. oder Satzung **beim Zustandekommen des Beschlusses** verletzt werden. Begriff des Zustandekommens ist nicht eng zu fassen. Er umfasst die Abstimmung und die Feststellung ihres Ergebnisses, erstreckt sich aber überdies auf die gesamte Vorbereitung der Beschlussfassung, namentl. auf die Einberufung und Durchführung der HV. **Bsp:** unberechtigter Ausschluss stimmberechtigter Aktionäre von Teilnahme an HV (BGHZ 44, 245, 250 ff. = NJW 1966, 43); Fehlen des nach § 312 gebotenen Abhängigkeitsberichts bzgl. Beschlussfassung über die Entlastung (BGHZ 62, 193, 194 f. = NJW 1974, 855); unrichtige Feststellung des Beschlussergebnisses wegen Nichtbeachtung eines Stimmverbots (BGH NJW 1973, 1039); ebenso, weil erforderliche Mehrheit verkannt wird (BGHZ 76, 191, 197 = NJW 1980, 1465); Verletzung der Informationspflichten nach § 179a II (BGHZ 82, 188, 195 ff. = NJW 1982, 933 zu § 361 aF); Nichteinhaltung der Einberufungsfrist (BGHZ 100, 264, 269 ff. = NJW 1987, 2580 zur GmbH). Weitere Nachw. → Rn. 12 ff.

12 **b) Relevanz oder Kausalität.** Nicht jeder Verfahrensfehler kann Anfechtbarkeit begründen. Wortlaut des § 243 I, der dieses Ergebnis zuließe, ist vielmehr mit dem Ziel einschr. auszulegen, dass Fehler ausscheiden, die auf Ergebnis der Beschlussfassung keinerlei Einfluss gehabt haben. Während darüber Einigkeit besteht, gehen die Meinungen über die entscheidenden Kriterien auseinander. Nach früher hM, insbes. Rspr. sollte es auf **potenzielle Kausalität** des Fehlers für das Beschlussergebnis ankommen. Wesentlich ist in diesem Konzept **Darlegungs- und Beweislast der AG;** sie muss Möglichkeit eines Ursachenzusammenhangs zwischen Normverletzung und Beschlussergebnis ausräumen (vgl. noch RGZ 65, 241, 242 f.; BGHZ 14, 264, 267 f. = NJW 1954, 1563; BGHZ 59, 369, 375 = NJW 1973, 235; BGHZ 86, 1, 3 = NJW 1983, 878). Jüngere Entscheidungen, namentl. zur Auskunftsverweigerung (→ § 131 Rn. 21 ff.), hielten zwar im Ausgangspunkt noch am Kausalitätserfordernis fest, näherten sich aber mit Vergleichsfigur des obj. urteilenden Aktionärs schon der Relevanzbetrachtung (→ Rn. 13) an.

13 Nach heute ganz hM ist potenzielle Kausalität des Normverstoßes durch seine Relevanz zu ersetzen. Erforderlich ist danach **am Zweck der verletzten Norm orientierte wertende Betrachtung,** die iE Kausalitätsüberlegungen auf die Fälle fehlerhafter Ergebnisfeststellung zurückführt und iÜ zu einer nach der Bedeutung des Verfahrensfehlers für die Mitgliedschaft differenzierenden Beurteilung gelangt (grundlegend KK-AktG/Zöllner, 1. Aufl. 1985, Rn. 81 ff.). Diesem Verständnis hat sich auch der **BGH** in nunmehr stRspr angeschlossen (BGHZ 149, 158, 163 ff. = NJW 2002, 1128; BGHZ 160, 253, 255 f. = NJW 2004, 3561; BGHZ 216, 112 Rn. 74 f. = NZG 2017, 1374; BGHZ 226, 224 Rn. 33 = NZG 2020, 1106; BGHZ 229, 27 Rn. 23 = NZG 2021, 782; sa MüKoAktG/C. Schäfer Rn. 31; KK-AktG/Noack/Zetzsche Rn. 54 ff.; Drescher FS Krieger, 2020, 215 ff.). Ihre endgültige Bestätigung hat sie durch das UMAG 2005 gefunden. Im Zuge dieses Reformgesetzes wurde sie – wenn auch nur für den Spezialfall des Auskunftsmangels – ausdr. in **§ 243 IV 1** normiert (→ Rn. 46 ff.) und hat damit eine ges. Basis gefunden, die verallgemeinerungsfähig ist. Sie trifft auch in der Sache zu, weil sie dem Charakter der Anfechtungsbefugnis als einem auf Rechtskontrolle gerichteten Individualrecht entspr. und das Recht der Aktionäre auf sachgem. Teilhabe an der Willensbildung der AG zur Geltung bringt. In Einzelfällen hat BGH in jüngerer Zeit allerdings nach Vorbild einiger Judikate aus dem Personengesellschaftsrecht auch wieder eine nachgelagerte Korrektur der Relevanzbetrachtung **unter Rückbezug auf Argumentationsfigur der Kausalität** vorgenommen und Frage gestellt, ob Verfahrensverstoß tats. im konkreten Einzelfall für Mitwirkungs- und Teilnahmerecht von Bedeutung ist (BGHZ 216, 110 Rn. 74 = NZG 2017, 1374; ausf. Drescher FS Krieger, 2020, 215, 220 ff.). Daran kann es fehlen, wenn der Schutzzweck anderweitig erreicht ist oder das Mitwirkungsrecht aus anderen Gründen nicht schützenswert ist, wobei diese Feststellung bei wenigen Aktionären leichter getroffen werden kann als bei Publikumsgesellschaft (Drescher FS Krieger, 2020, 215, 220).

14 **c) Fallgruppen. aa) Vorbereitungs- und Durchführungsmängel.** Vorbereitungsmängel sind namentl. als **Verstoß gegen Einberufungsvorschriften** (§§ 121–123) und als **mangelhafte Bek. der Tagesordnung** (§§ 124–127) denkbar. Im Einzelnen ist zu unterscheiden: Einberufung durch Unbefugte (§ 121 II) begründet schon Nichtigkeit gleichwohl gefasster Beschlüsse (BGHZ 11, 231, 236 = NJW 1954, 385; BGHZ 87, 1, 2 f. = NJW 1983, 1677 [beide zur GmbH]; → § 121 Rn. 8). Nichtigkeit tritt ebenfalls ein bei Verletzung des § 121 III 1, also bei fehlender oder unzutreffender Angabe von Firma oder Sitz der AG, Zeit oder Ort ihrer HV (BGHZ 36, 207, 211 = NJW 1962, 538; BGHZ 49, 183, 189 = NJW 1968, 743; → § 121 Rn. 11; → § 241 Rn. 11). Andere Einberufungsmängel, also Verstöße gegen § 121 III 2 oder bei börsennotierten Gesellschaften (§ 3 II) gegen § 121 III 3, scheiden als Nichtigkeitsgründe aus (→ § 241 Rn. 14), kommen allerdings als Anfechtungsgründe in Betracht. Auch Unzulässigkeit des Versammlungsorts macht HV-Beschlüsse (nur) anfechtbar (RGZ 44, 8, 9 f.; BGH AG 1985, 188, 189; BayObLGZ 1958, 294, 297 = NJW 1959, 485 f. zur Genossenschaft; OLG Hamm OLGZ 1974, 149, 153 = NJW 1974, 1057; → § 121 Rn. 12). Für den Fall, dass Versammlung zwar nicht an den in der Satzung vorgesehenen Ort einberufen wird, gewählter Ort aber gleichermaßen leicht erreichbar ist (was idR nur bei kleinem Gesellschafterkreis anzunehmen ist), kann Kläger aus Kausalitätsgedanken heraus (→ Rn. 13) Berufung auf Anfechtbarkeit verwehrt sein (BGH NZG 2016, 552 Rn. 24; Drescher FS Krieger, 2020, 215, 220). Einberufung durch Minderheit (§ 122 III) muss Hinweis auf gerichtl. Ermächtigung enthalten, wenn Beschlüsse nicht anfechtbar sein sollen (→ § 122 Rn. 33). Anfechtbar ist Beschluss auch, wenn Einberufungsfrist

(§ 123 I) nicht eingehalten wird (BGH NZG 1998, 152, 153 zur GmbH; OLG Frankfurt AG 2010, 130, 132). Weiterhin sind HV-Beschlüsse grds. anfechtbar, wenn gegen § 124 I–III verstoßen wurde; auch Relevanz wird idR im Lichte des § 124 IV 1 bejaht (ausf. → § 124 Rn. 35 ff.). Anfechtungsbegründender Mangel ist schließlich Verstoß des Vorstands gegen seine Mitteilungspflichten (→ § 125 Rn. 30), nicht aber unterlassene oder fehlerhafte Weiterleitung durch Intermediäre nach §§ 67a, 67b, 125 V (§ 243 III 1 Nr. 4 → Rn. 44a).

15 In den genannten Fällen ist **Relevanz** (→ Rn. 13) jedenfalls idR **zu bejahen.** Anders allerdings RG JW 1915, 1366; LZ 1917 Sp 1057 bei mangelhafter Ankündigung der Tagesordnung zu Lasten von Kleinaktionären. Den Entscheidungen kann nicht gefolgt werden, weil sie den gebotenen Schutz der Minderheit durch ordentliches Verfahren iE zur Disposition der den Beschluss tragenden Mehrheit stellen (vgl. KK-AktG/Zöllner, 1. Aufl. 1985, Rn. 90). Erwägenswert ist, Verletzung der Frist von 21 Tagen nach § 125 I als nicht relevant anzusehen, wenn Mitteilung alsbald nachgeholt wurde (→ § 125 Rn. 30).

16 Durchführungsfehler spielen insbes. eine Rolle als unzulässige **Eingriffe in das Teilnahmerecht** der Aktionäre (→ § 118 Rn. 24), vor allem durch nicht erforderliche oder nicht verhältnismäßige Ordnungsmaßnahmen (BGHZ 44, 245, 251 ff. = NJW 1966, 43; → § 129 Rn. 22 ff.) einschließlich übertriebener Zugangsbeschränkungen (OLG Frankfurt AG 2007, 357 f.). Auch wenn Teilnehmer HV aufgrund Absage verlassen, die tats. unwirksam ist, wird ihr Teilnahmerecht verletzt (BGHZ 206, 143 Rn. 37 ff. = NZG 2015, 1227; diff. Schüppen/Tretter ZIP 2015, 2097, 2102 f.). Keine Verletzung des Teilnahmerechts ist aber darin zu sehen, dass HV nicht in gesamten **Präsenzbereich** (Catering-Bereich, Raucherecken, Toilettenräume) übertragen wird oder dort akustisch nicht ungestört vernehmbar ist (sog Beschallungsrüge – zB durch Heißluft-Handtrockner). Aktionär kann fehlende Übertragung unschwer erkennen und in Versammlungsraum zurückkehren (BGH NZG 2013, 1430; OLG Frankfurt AG 2015, 272 Rn. 42; OLG München NZG 2013, 622; 623 f.; aA noch LG München I AG 2011, 263 f.; vgl. auch schon Versäumnisurteil LG München I BB 2010, 1111). Auch unzureichende Verpflegung kann nicht als Anfechtungsgrund anerkannt werden, da es hier keine Vorgaben des Aktienrechts, sondern nur Usancen der Aktienrechtswirklichkeit gibt (GK-AktG/Butzke § 121 Rn. 128; BeckOGK/Rieckers § 121 Rn. 93; Mutter AG 2016, R 135 f.; aA MüKoAktG/Kubis § 121 Rn. 40). Soweit in Teilnahmerecht eingegriffen wird, muss Relevanz des Fehlers und damit Anfechtbarkeit des Beschlusses ohne Rücksicht auf Mehrheitsverhältnisse bejaht werden (heute hM, s. MüKoAktG/C. Schäfer Rn. 35; aA noch RG JW 1931, 2961 f.). Anfechtungsbegründender Durchführungsmangel ist auch Ungleichbehandlung (§ 53a) bei Zumessung der Redezeit durch HV-Leiter, die dazu führt, dass rechtzeitige Wortmeldungen wegen Debattenschlusses nicht mehr berücksichtigt werden (LG München I AG 2000, 139). Instanzgerichtl. Rspr. nimmt überdies auch dann Anfechtungsgrund an, wenn **HV-Leiter** wie üblich durch Satzung bestimmt ist, seine **Abwahl** beantragt wird und Antrag zu Unrecht erfolglos bleibt (→ § 129 Rn. 21 mwN). Nichtigkeit liegt in diesen Fällen nicht vor (→ § 241 Rn. 7).

17 **bb) Verletzung von Informationspflichten.** Unberechtigte Verweigerung von Auskünften und andere Verletzungen von Informationspflichten stellen wichtige Unterfälle von anfechtungsbegründenden Verfahrensfehlern dar. Namentl. ist auch hier **Relevanzbetrachtung** (→ Rn. 12 f.) geboten. Neufassung des § 243 IV durch UMAG 2005 hat diese Fallgruppe des § 243 I gesondert aufgegriffen, und zwar im Anschluss an eine Empfehlung der Regierungskommission Corporate Governance (s. Baums [Hrsg.], Bericht, 2001, Rn. 140). Vgl. wegen der Einzelheiten → Rn. 45 ff.

cc) Klageausschluss zugunsten von Spruchverfahren. Für Fälle des Formwechsels (§§ 190 ff. UmwG) hat Rspr. angenommen, dass Anfechtungsklagen gegen Umwandlungsbeschlüsse (§ 193 UmwG), mit denen Verletzung von Informations-, Auskunfts- oder Berichtspflichten geltend gemacht wird, dem umwandlungsrechtl. Klageausschluss unterliegen, den § 210 UmwG zugunsten des Spruchverfahrens (§§ 212, 305 ff. UmwG) vorsieht, namentl. auch bei angeblicher Verletzung des § 131 (BGHZ 146, 179, 181 = NJW 2001, 1425; bestätigt von BGH NJW 2001, 1428). Fraglich geblieben war vor allem Übertragung dieser Lösung auf ähnliche Konstellationen. Neufassung des § 243 IV durch UMAG 2005 hat Rspr. dahin verallgemeinert, dass Anfechtungsausschluss immer eingreift, wenn Bewertungsrüge im Spruchverfahren vorgesehen ist (→ Rn. 47b, 47c). 18

dd) Fehlerhafte Feststellung des Abstimmungsergebnisses. Feststellung ist fehlerhaft, wenn zB in Fällen des § 136 Stimmen mitgezählt wurden (→ § 136 Rn. 24), Stimmen aus anderen Gründen ungültig waren (zB wegen Treuwidrigkeit, → § 53a Rn. 30; in diesen Fällen können sich Verfahrens- und Inhaltsfehler [→ Rn. 21, 24] überschneiden, sa GK-AktG/K. Schmidt Rn. 47 aE) und trotzdem Berücksichtigung fanden, Bevollmächtigte nicht zur Stimmabgabe zugelassen wurden usw (vgl. zB BGHZ 14, 264, 267 = NJW 1954, 1563; BGHZ 97, 28, 30 ff. = NJW 1986, 2051; BGHZ 104, 66, 69 = NJW 1988, 1844 [teilw. zur GmbH]). In Fällen dieser Art liegt **berechtigter Kern der Rspr. zur potenziellen Kausalität.** Sie, aber auch Relevanz, fehlt, wenn Feststellungsfehler auf Beschlussergebnis ohne Einfluss geblieben ist, bes. dann, wenn erforderliche Mehrheit auch nach Abzug fälschlich mitgezählter Stimmen verbleibt (unstr., vgl. zB BGH AG 2014, 624 Rn. 8; BGHZ 220, 36 Rn. 18 = NZG 2019, 262; OLG Düsseldorf AG 2019, 348, 353; MüKoAktG/C. Schäfer Rn. 41; GK-AktG/K. Schmidt Rn. 39). 19

3. Inhaltsfehler. a) Einzelvorschriften. Neben Verfahrensfehlern führen auch Inhaltsfehler zur Anfechtbarkeit. Inhaltsfehler liegt vor, wenn sich Mangel des HV-Beschlusses nicht auf sein Zustandekommen, sondern auf die Regelung als Ergebnis der Beschlussfassung bezieht. Regelung kann zunächst gegen konkrete Einzelvorschriften verstoßen und ist dann anfechtbar, wenn nicht schon Nichtigkeit gem. § 241 Nr. 3 Fall 2 oder Fall 3 vorliegt (→ § 241 Rn. 14 ff., 17 ff.). Danach und wegen der Sonderregelung in §§ 251, 254, 255 ist **praktische Bedeutung** der Anfechtung unter diesem Blickwinkel bislang **eher gering** gewesen. In jüngerer Zeit hat allerdings Anfechtung von **Entlastungsbeschlüssen** große praktische Bedeutung erlangt. Sie wird bei gravierenden Verletzungen von Ges. oder Satzung zugelassen (ausf. → § 120 Rn. 11), was nach der Rspr. ggf. auch bei fehlerhafter Entsprechenserklärung gem. § 161 aufgrund Abweichung von bedeutsamen Kodexvorgaben der Fall sein kann (→ § 161 Rn. 31). Jenseits dieses wichtigen Sonderfalls kommen als Verstöße gegen Einzelvorschriften am ehesten solche ges. Vorgaben in Betracht, die zwar dispositiv, aber nicht durch die jeweilige Satzungsregelung verdrängt sind. 20

b) Generalklauseln: Allgemeines. Auch der Verstoß der durch den Beschluss getroffenen Regelung gegen allg. oder spezifisch gesellschaftsrechtl. Generalklauseln ist Gesetzesverstoß und begründet Anfechtbarkeit gem. § 243 I (→ Rn. 5). Solche Generalklauseln sind insbes. gesellschaftsrechtl. **Treupflicht** und **Gleichbehandlungsgebot** (§ 53a). Sie ergeben die Rechtsgrundlage für die materielle Beschlusskontrolle oder, in anderer Formulierung, für die **beweglichen Schranken der Mehrheitsherrschaft** (grundlegend Zöllner, Die Schranken mitgliedschaftlicher Stimmrechtsmacht, 1963, 339 ff.; vgl. ferner M. Winter Mitgliedschaftliche Treubindungen, 1988, zB 16 ff.). Dass diese Treu- 21 pflicht auch im Aktienrecht besteht, und zwar sowohl im Verhältnis der Aktionäre zur AG wie auch in ihrem Verhältnis zueinander, kann als gesichert angesehen werden (→ § 53a Rn. 13 ff. mwN).

22 Die **materielle Beschlusskontrolle** ist im Zusammenhang des § 243 I ein inzwischen **etabliertes Rechtsinstitut,** das in einem langjährigen Entwicklungsprozess über mehrere Entscheidungsstufen herausgebildet wurde (Überblick bei Harnos, Gerichtliche Kontrolldichte, 2021, 521 ff.). Die Entwicklung der aktuellen **Rspr.** setzt mit Feststellung der ITT-Entscheidung ein, eine Rücksichtspflicht sei das Korrelat der Mehrheitsmacht, auf die Gesellschaftsinteressen der Minderheit einzuwirken (BGHZ 65, 15, 19 = NJW 1976, 191). Zum Durchbruch gelangt Gedanke einer materiellen Beschlusskontrolle in der Kali+Salz-Entscheidung (BGHZ 71, 40, 44 ff. = NJW 1978, 1316). Das Holzmann-Urteil (BGHZ 83, 319, 321 ff. = NJW 1982, 2444) bestätigt den Rechtsgedanken und erstreckt ihn auf die Schaffung eines genehmigten Kapitals (§ 202). Die Linotype-Entscheidung hält an den in der Rspr. bis dahin entwickelten Grundsätzen fest (BGHZ 103, 184, 189 f. = NJW 1988, 1579) und bringt zugleich die endgültige Anerkennung der Treupflicht, bes. auch im Verhältnis der Aktionäre zueinander (→ Rn. 21). Als überholt ist vor allem das Hibernia-Urteil des RG einzustufen (RGZ 68, 235, 246), an das der BGH mit den beiden Minimax-Entscheidungen bei nicht ganz einheitlicher Akzentsetzung noch anknüpfte (BGHZ 21, 354, 357 f. = NJW 1956, 1753; BGHZ 33, 175, 186 f. = NJW 1961, 26). Aus der Rspr. zu anderen Gesellschaftsformen ist bes. auf die Süssen-Entscheidung (BGHZ 80, 69, 74 f. = NJW 1981, 1512 zur GmbH) hinzuweisen (Begr. von Abhängigkeit). Die praktische Bedeutung einschr. BGHZ 136, 133, 138 ff. = NJW 1997, 2815 (→ § 186 Rn. 1; → § 203 Rn. 11 ff., 333 ff.). **Schrifttum** hat sich im Prinzip einhellig der materiellen Beschlusskontrolle angeschlossen (vgl. statt vieler BeckOGK/Drescher Rn. 173 ff.; MüKoAktG/C. Schäfer Rn. 47 ff.; S/L/Schwab Rn. 14; sa KK-AktG/Noack/Zetzsche Rn. 250 ff., 326 ff. mit allerdings weitgehender Aufweichung durch Anerkennung finanzieller Abfindung, → Rn. 31; krit. Geiger, Mitgliedschaftseingriff und Normprägung, 2020, 204 ff., 575 ff.).

23 In der Sache findet materielle Beschlusskontrolle ihre **Rechtfertigung** im Erfordernis des Minderheitenschutzes. Dieses Erfordernis folgt daraus, dass die dem vertragsrechtl. Konsensprinzip innewohnende **Richtigkeitsgewähr** des ausgehandelten Vertrages unter den typischen Bedingungen der AG (insbes. Mehrheitsprinzip) für die Beschlussfassung nicht gilt (eingängige Darstellung bei Wiedemann GesR I § 8 I 1; sa Dornbach, Die aktienrechtliche Anfechtungsklage, 2013, 151 ff.). Mehrheitsprinzip geht von Leitbild einer AG mit weitgestreutem Aktienbesitz aus, in der wechselnde Mehrheiten entscheiden, die das allen gemeinsame Gesellschaftsinteresse zur Richtschnur ihrer Willensbildung machen (so MüKoAktG/C. Schäfer Rn. 48). In dieser Konstellation mag auch Mehrheitsbeschluss Richtigkeitsgewähr in sich tragen. Insbes. bei stabilen Mehrheitsverhältnissen wird Beschlussinhalt zwischen Mehrheit und Minderheit aber nicht ausgehandelt, sondern angeordnet, so dass von einer unter Gerechtigkeitsgesichtspunkten für alle Beteiligten geltende „Richtigkeitschance" keine Rede sein kann (Wiedemann GesR I § 8 I 1; sa Harnos, Gerichtliche Kontrolldichte, 2021, 124 f., 132 ff.). Mehrheitsmacht bedarf deshalb eines Korrektivs, das in Instituten der Treupflicht und des Gleichbehandlungsgrundsatzes verankert wird (→ Rn. 21), für die praktische Rechtsanwendung aber der weiteren Konkretisierung bedarf (→ Rn. 24 ff.). Insbes. hat Rechtsentwicklung gezeigt, dass Korrektur der Mehrheitsmacht nicht bei allen Beschlussgegenständen in gleicher Weise geboten ist, so dass es einer fallgruppenartigen Auffächerung bedarf (→ Rn. 25 ff.).

c) Verletzung von Treupflichten. aa) Grundsatz. Materielle Beschlusskontrolle findet statt, wenn Beschluss in Mitgliedschaft der Minderheitsaktionäre eingreift. Ihre rechtl. Basis findet Kontrolle in mitgliedschaftlicher Treupflicht der Aktionäre untereinander (→ § 53a Rn. 21). Kontrollintensität hängt von konkret in Frage stehender Maßnahme ab: In jedem Fall ist Beschluss am Maßstab des **Rechtsmissbrauchs** und der **Gleichbehandlung** zu messen (zum Ersten → Rn. 27, zum Zweiten → Rn. 29; sog Kontrolle erster Stufe). Bei einigen bes. tief in die Mitgliedschaft eingreifenden Maßnahmen konkretisiert Treupflicht in noch weitergehender Pflicht der den Beschluss tragenden Mehrheit, nur nach **Maßstäben der Erforderlichkeit und der Verhältnismäßigkeit** in Mitgliedschaft einzugreifen (Kontrolle zweiter Stufe). Ob diese Maßstäbe gewahrt sind, ist Gegenstand richterlicher Prüfung (für Heranziehung des § 93 I 2 mit Unterschieden im Detail Harnos, Gerichtliche Kontrolldichte, 2021, 564 ff.; Verse, Gleichbehandlungsgrundsatz, 2006, 273 ff.; Wallisch, Unternehmerische Entscheidungen, 2014, 69 ff.; Wandrey, Materielle Beschlusskontrolle, 2012, 163 ff.; Paefgen/Wallisch, FS Krieger, 2020, 675, 678 f.; dagegen Mayer, Materielle Beschlusskontrolle, 2013, 190 f., 243 ff.). Beschluss ist also gesetzwidrig iSd § 243 I, wenn er in Mitgliedschaft der Minderheitsaktionäre eingreift und Eingriff nicht durch Gesellschaftsinteresse sachlich gerechtfertigt oder zwar gerechtfertigt, aber nach Abwägung des Gesellschaftsinteresses und der Interessen der betroffenen Minderheitsaktionäre unverhältnismäßig ist (so iE, wenn auch noch ohne zureichende Verknüpfung mit Treupflicht als rechtl. Ableitungsbasis, BGHZ 71, 40, 43 ff. = NJW 1978, 1316; BGHZ 83, 319, 321 = NJW 1982, 2444 [→ Rn. 22]; BGHZ 120, 141, 145 f. = NJW 1993, 400). Kein Raum für Beschlusskontrolle bleibt, wenn Ges. selbst Eingriff in Mitgliedschaft vorsieht, ohne seine sachliche Rechtfertigung durch Gesellschaftsinteresse zu fordern, oder wenn ges. Zulässigkeit von Eingriffen in Mitgliedschaft als normative Abwägung gegen Interessen der Minderheitsaktionäre verstanden werden muss (→ Rn. 26 f., 28). 24

bb) Fallgruppen. Als markante Fallgruppe, die der materiellen Beschlusskontrolle für das Aktienrecht das Gepräge gibt, hat sich der **Bezugsrechtsausschluss** bei einer Kapitalerhöhung (BGHZ 71, 40, 43 ff. = NJW 1978, 1316) oder bei Schaffung eines genehmigten Kapitals (BGHZ 83, 319, 321 = NJW 1982, 2444) herausgestellt (zum Ersten eingehend → § 186 Rn. 25 ff., zum Zweiten → § 203 Rn. 11 ff., 33 ff.; dort auch zu den teilw. umstrittenen Einzelheiten und zur Rechtsprechungswende durch BGHZ 136, 133, 138 ff. = NJW 1997, 2815). Ein Genussrechte betr. Bezugsrechtsausschluss steht nur dann gleich, wenn er im Einzelfall ähnliche Rechtswirkungen hat (BGHZ 120, 141, 146 ff. = NJW 1993, 400). Denkbar, wenn auch für die AG nicht typisch, ist ferner die **Begr. faktischer Abhängigkeit** der AG durch einen den Vorstand vom Wettbewerbsverbot befreienden Beschluss (BGHZ 80, 69, 74 = NJW 1981, 1512 zur GmbH; vgl. zu Maßnahmen ähnlicher Art Ulmer/Habersack/Löbbe/Raiser/Schäfer GmbHG Anh. § 47 Rn. 127). 25

Inwieweit **Grundlagenbeschlüsse** über Abschluss von Unternehmensverträgen, über Verschmelzungen, Mehrheitseingliederungen und -umwandlungen einer materiellen Beschlusskontrolle unterliegen, ist **nicht abschließend geklärt.** Namentl. im älteren Schrifttum (noch vor Inkrafttreten des UmwG) wurde dafür plädiert, Beschlüsse der genannten Art generell der materiellen Kontrolle zu unterwerfen (so namentl. Wiedemann ZGR 1980, 147, 156 f.; sa Martens FS Rob. Fischer, 1979, 437, 446 zum Beherrschungsvertrag). Nach heute hM bedarf es dagegen keiner sachlichen Rechtfertigung, weil und soweit Ges. Maßnahmen der genannten Art ausdr. zulässt; vielmehr soll nur eine Kontrolle erster Stufe (Ermessensmissbrauch, Ungleichbehandlung → Rn. 24, 27) stattfinden (so jeden- 26 falls für den Formwechsel BGH AG 2005, 613 f.; iE auch OLG Düsseldorf AG 2003, 578, 579 [Formwechsel]; OLG Stuttgart AG 2000, 229, 230 f. [keine allg. Konzernbildungskontrolle]; mit Unterschieden im Detail auch MüKoAktG/C. Schäfer Rn. 63 ff.; KK-AktG/Noack/Zetzsche Rn. 372 ff.; Lutter ZGR 1981, 171, 177 ff.).

27 Für die **Stellungnahme** ist von dem in → Rn. 24 dargelegten Grundsatz auszugehen. Weil materielle Beschlusskontrolle ihre Basis in Treupflicht der Aktionäre findet und sich als deren Konkretisierung darstellt, unterliegen dem rechtl. Ansatz nach **auch Grundlagenbeschlüsse** der materiellen Kontrolle; denn auch und gerade insoweit bestehen die Treubindungen der Aktionäre. Auch hier ist jedoch zu beachten, dass **spezielle ges. Regelungen** sich gegen die Generalklausel durchsetzen (→ Rn. 24). Deshalb kann, weil Zulässigkeit von Unternehmensverträgen, Eingliederungen, Verschmelzungen, Formwechsel usw vom Ges. vorausgesetzt wird, nicht angenommen werden, entspr. Mehrheitsbeschlüsse bedürften der sachlichen Rechtfertigung (→ § 293 Rn. 6 f.), es sei denn, dass sich für spezifische Fallgestaltungen Anschauungslücken des Gesetzgebers feststellen lassen. Soweit sachliche Rechtfertigung danach nicht erforderlich ist, verbleibt es bei den vorgelagerten Verboten der **Ungleichbehandlung** (→ Rn. 29; BGHZ 85, 350, 360 f. = NJW 1983, 1056 zur Umwandlung einer Publikums-KG) und des Rechtsmissbrauchs, wobei sich gerade letztgenannte Fallgruppe oft mit der in § 243 II geregelten Verfolgung von Sondervorteilen überschneiden wird. Maßgebliche Erschwernis für Anfechtungskläger liegt auf dieser schwächeren Beschlusskontrolle der ersten Stufe aber darin, dass es ihm obliegt, die Tatsachen beizubringen, aus denen sich Anfechtbarkeit ergibt (zur Darlegungs- und Beweislast → Rn. 59 ff., 63 f.).

28 Nach diesen Grundsätzen sind auch **Auflösungsbeschlüsse** sowie die nachträgliche Einführung eines Höchststimmrechts zu beurteilen. Auflösungsbeschlüsse bedürfen keiner positiven sachlichen Rechtfertigung (BGHZ 76, 352, 353 = NJW 1980, 1278 zur GmbH mit über das Ziel hinausschießender Formulierung des Rechtsgedankens; BGHZ 103, 184, 190 = NJW 1988, 1579; sa öOGH AG 1999, 142 [zur Umwandlung]; OLG Frankfurt AG 1991, 208, 210; OLG Stuttgart AG 1994, 411, 413; OLG Stuttgart AG 1997, 136, 137; Henze ZIP 1995, 1473, 1475 f.). Regelung des § 262 I Nr. 2 (→ § 262 Rn. 11) sowie der §§ 264 ff. ist wegen unverzichtbarer Freiheit zur Desinvestition als abschließend zu beurteilen. Dasselbe gilt iE bei **nachträglicher Einführung eines Höchststimmrechts** gem. § 134 I 2 (→ § 134 Rn. 8 mwN). Auch bei Änderung des Unternehmensgegenstands und bei Vermögensübertragung ist materielle Inhaltskontrolle nicht veranlasst (→ § 179 Rn. 29; → § 179a Rn. 10), desgleichen nicht bei Kapitalherabsetzung (→ § 222 Rn. 14).

29 **d) Verletzung des Gleichbehandlungsgebots.** Sachwidrig differenzierende Regelungen in HV-Beschlüssen verstoßen gegen § 53a und begründen deshalb Anfechtbarkeit gem. § 243 I (→ § 53a Rn. 12 mwN). Stattdessen wird auch Unwirksamkeit vertreten (so zB Rob. Fischer JZ 1956, 362 f.), doch ist dem nicht zu folgen (MüKoAktG/C. Schäfer Rn. 67 f.; GK-AktG/K. Schmidt Rn. 44). **Praktische Bedeutung** ist nicht derart erheblich, wie verbreitet angenommen, weil teils spezielle Vorschriften zur Verfügung stehen (etwa §§ 11, 12, 60, 134, 186, 271), teils die auf mitgliedschaftliche Treubindungen gestützte weiterreichende materielle Beschlusskontrolle (→ Rn. 24 ff.) ihre Aufgaben übernimmt (→ § 53a Rn. 2). Wenn keine Ungleichbehandlung vorliegt, kann Beschluss gleichwohl anfechtbar sein, wenn der beschlossenen Maßnahme die erforderliche sachliche Rechtfertigung abgeht; so vor allem in den Fällen des Bezugsrechtsausschlusses (→ Rn. 25; → § 186 Rn. 25). Umgekehrt bleibt Anfechtbarkeit wegen Verstoßes gegen § 53a wegen willkürlicher Ausübung der Mehrheitsmacht

auch dann denkbar, wenn Beschluss nicht der positiven sachlichen Rechtfertigung bedarf (→ Rn. 26 f.; s. BGHZ 120, 141, 150 f. = NJW 1993, 400).

III. Unzulässige Verfolgung von Sondervorteilen (§ 243 II)

1. Allgemeines. § 243 II enthält **Generalklausel,** die Ergänzung des § 243 I bezweckt („auch"). Gesetzgeber des AktG 1937 wollte mit Vorläuferregelung des § 197 II AktG 1937 der Schwierigkeit begegnen, dass Verfolgung von Sondervorteilen idR nicht auf Inhalt des Beschlusses durchschlägt und seine Nichtigkeit deshalb nicht ohne weiteres nach § 241 Nr. 4 (früher: § 138 I BGB) begründbar ist (Amtl. Begr. RAnz. 1937 Nr. 28, 2. Beil. S. 1; zu den Ursprüngen der sog aktienrechtl. Generalklausel s. Hüffer FS Kropff, 1997, 127, 134 ff.). Während Gesetzgeber 1965 durch Neufassung des § 243 II 1 tendenziell Anfechtungsmöglichkeiten erweiterte (bes. durch Wegfall des früheren umfassenden Vorsatzerfordernisses; vgl. RegBegr. Kropff S. 329 f.), zielt Ausgleichsklausel des § 243 II 2 auf Anfechtungsausschluss ab. Darin liegt Fortführung der sog Konzernöffnungsklausel von 1937 in anderer tatbestandlicher Ausgestaltung. Wenigstens dieser Normteil ist misslungen (→ Rn. 31, 37). 30

§ 243 II hat **keine erhebliche praktische Bedeutung** erlangt. Insbes. allseitige Anerkennung der auf mitgliedschaftliche Treubindungen, daneben auch auf § 53a, gestützten materiellen Beschlusskontrolle (→ Rn. 21 ff., 29) zeigt, dass Beschlussmängelrecht zwar Generalklausel braucht, aber in anderer Ausgestaltung als durch § 243 II geboten. Insbes. Vorsatzerfordernis, das in § 243 II 1 für Erwerb des Sondervorteils erhalten geblieben ist („zu erlangen suchte"; → Rn. 34), ergibt bei Beschlusskontrolle keinen vernünftigen Sinn (zutr. M. Winter, Mitgliedschaftliche Treubindungen, 1988, 105 ff., 300). **Ausgleichsklausel** des § 243 II 2 verschärft Defizite der Norm, weil Eingriff in Mitgliedsrechte der Minderheitsaktionäre, der nicht erforderlich oder nicht verhältnismäßig ist (→ Rn. 24), nicht deshalb sachlich gerechtfertigt ist, weil Mehrheit sich diesen Eingriff etwas kosten lässt (krit. deshalb MüKoAktG/C. Schäfer Rn. 72, 91; M. Winter, Mitgliedschaftliche Treubindungen, 1988, 301 ff.; Martens AG 1974, 9 ff.). Eben deshalb kann materielle Beschlusskontrolle auch nicht an § 243 II 2 scheitern (für das Aktienrecht ganz hM, s. MüKoAktG/C. Schäfer Rn. 92; GK-AktG/K. Schmidt Rn. 52; Hüffer FS Kropff, 1997, 127, 138 ff.; aA Mülbert, Aktiengesellschaft, Unternehmensgruppe und Kapitalmarkt, 2. Aufl. 1996, 348 ff.: Erstreckung der Ausgleichsklausel auf § 243 I, wenn Beschluss einer Kapitalmehrheit von 75 % bedarf). Aus demselben Grund ist auch neuerem Ansatz nicht zu folgen, wonach bei Verletzung vermögensrechtl. Vorschriften Anfechtung immer zu verneinen sei, wenn Mehrheit angemessenen Ausgleich biete und Ausgleichshöhe gerichtl. überprüfbar sei (KK-AktG/Noack/Zetzsche Rn. 47, 212 ff., 268 ff., 383 ff., 459 ff. sowie Vor § 241 Rn. 63 ff.: Kompensation statt Kassation [Rn. 384]; Zetzsche FS Seibert, 2019, 1149 ff.). Zwar ist es richtig, dass Gesetzgeber in jüngerer Vergangenheit an mehreren Stellen **Kommerzialisierung der Minderheitsposition** geduldet hat, doch spricht gerade die nur punktuelle Gestattung, die überdies zumeist auch nur eng begrenzte Fallgruppe reiner Bewertungsmängel erfasst, gegen verallgemeinernde Ausdehnung (krit. auch GK-AktG/Henze/Notz Vor §§ 53a ff. Rn. 38 f.; Heidel/Ridder FS Seibert, 2019, 325, 335 f.). Speziell das Spruchverfahren erfasst entgegen KK-AktG/Noack/Zetzsche Rn. 47 eben nicht sämtliche Eingriffe „zB durch Anteilsfehlbewertung", sondern ist ausschließlich auf solche Bewertungsfehler beschränkt. Spezialvorschrift gilt für **Rekapitalisierungsmaßnahmen nach WStBG.** Dort werden Rückzahlungen an Finanzmarktstabilisierungsfonds, Wirtschaftsstabilisierungsfonds oder, wegen Verweis in § 29 II 1 Nr. 15 EnSiG, an Bund nicht durch § 243 II untersagt, sondern es gilt insofern Sonderregelung des § 19 I 1 WStBG 31

(OLG Frankfurt AG 2015, 272 Rn. 102ff. – zur Vorgängervorschrift des § 20 I FMStBG).

32 Nach inzwischen erreichtem Entwicklungsstand lässt sich für das **Verhältnis zwischen § 243 I und § 243 II** zusammenfassend festhalten: (1.) Die tatbestandlichen Voraussetzungen des § 243 II 1 und die Ausgleichsklausel des § 243 II 2 entfalten **keine Sperrwirkung** ggü. einer Anfechtung nach § 243 I. (2.) Die leichter zugängliche Anfechtungsmöglichkeit des § 243 I macht den Rückgriff auf § 243 II weithin entbehrlich. Es bleiben nur bes. gelagerte Restfälle, in denen materielle Beschlusskontrolle nicht eingreift, aber das Verhalten von Aktionären aus Gründen des Einzelfalls missbrauchsbehaftet ist (→ Rn. 36). (3.) Wenn der volle Tatbestand des § 243 II erfüllt ist, wird in aller Regel auch derjenige des § 243 I erfüllt sein. Anfechtung kann dann auf beide Vorschriften gestützt werden (sa BGH WM 1976, 1226, 1227 [unangemessene Umsatztantieme eines GmbH-Geschäftsführers]).

33 **2. Anfechtungsvoraussetzungen. a) Überblick.** § 243 II 1 erfordert zunächst obj. **Ausübung des Stimmrechts** durch einen Aktionär. Soweit Vertreter oder Legitimationsaktionäre tätig werden, ist § 166 I und II BGB anzuwenden (MüKoAktG/C. Schäfer Rn. 74). Mit Stimmabgabe muss Aktionär **Sondervorteile** für sich oder einen Dritten erstreben; das kann jedweder Vorteil ohne Rücksicht auf die Art seiner Erlangung sein (→ Rn. 35f.). Nicht mehr gefordert wird die noch durch § 197 II AktG 1937 vorausgesetzte Gesellschaftsfremdheit des Sondervorteils. Nach RegBegr. Kropff S. 330 kommt Gesellschaftsfremdheit schon im Begriff des Sondervorteils zum Ausdruck und sind engere Anfechtungsvoraussetzungen iÜ nicht angezeigt. Daran anknüpfende Streitfrage, ob es ausnahmsweise auch gesellschaftsnützliche Sondervorteile zum Schaden anderer Aktionäre geben kann, ist zu bejahen (MüKoAktG/C. Schäfer Rn. 80; GK-AktG/K. Schmidt Rn. 56; Geßler FS Barz, 1974, 97, 99; wohl auch OLG München AG 2012, 260, 262; aA KK-AktG/Noack/Zetzsche Rn. 436). Sondervorteil muss **zum Schaden der AG oder der anderen Aktionäre** erstrebt werden. Soweit diesem Erfordernis neben dem Begriff des Sondervorteils überhaupt selbständige Bedeutung zukommt, ist zu verlangen, dass ein Schaden eintritt oder (bei noch nicht vollzogenem Vorteilserwerb) eintreten würde und zwischen ihm und der Vorteilsgewährung ein unmittelbarer oder mittelbarer zurechenbarer Kausalzusammenhang besteht (oder bestehen würde). Ferner muss **Beschluss geeignet** sein, der Erlangung von Sondervorteilen zu dienen. So liegt es, wenn Sondervorteil die obj. mögliche Konsequenz des Beschlussinhalts darstellt; obj. untaugliche Maßnahmen (und auch nur sie) scheiden aus (BeckOGK/Drescher Rn. 207; MüKoAktG/C. Schäfer Rn. 84).

34 Subj. setzt § 243 II 1 voraus, dass Aktionär den Sondervorteil „zu erlangen suchte". Darin liegt **auf Erwerb des Sondervorteils beschränktes Vorsatzerfordernis** (RegBegr. Kropff S. 329). Erforderlich sind deshalb das Bewusstsein, dass der Beschluss als Grundlage für den Erwerb eines bes. Vorteils dienen kann, und der Wille des Aktionärs, diesen Vorteil für sich oder einen Dritten zu erlangen (allgM, statt aller MüKoAktG/C. Schäfer Rn. 85). Bedingter Vorsatz genügt (NK-AktR/Heidel Rn. 42; KK-AktG/Noack/Zetzsche Rn. 447). Weitergehende Absicht bildet den Regelfall, ist indessen nicht erforderlich (aA S/L/Schwab Rn. 28). Anders als nach § 197 II AktG 1937 bezieht sich Vorsatzerfordernis nicht auf den Schaden (heute allgM – s. RegBegr. Kropff S. 329). Vorsatz bzgl. des Sondervorteils wird allerdings idR das Bewusstsein der Schadenszufügung enthalten (MüKoAktG/C. Schäfer Rn. 86).

35 **b) Insbesondere: Begriff des Sondervorteils.** § 243 II 1 verzichtet darauf, Begriff des Sondervorteils zu umschreiben. Begriff bezeichnet ohne Rücksicht auf Art der Erlangung **jedweden Vorteil,** sofern es bei einer Gesamtwürdigung

als sachwidrige Bevorzugung erscheint, dem Aktionär oder einem Dritten den Vorteilserwerb zu gestatten oder den bereits vollzogenen Erwerb hinzunehmen (BGHZ 138, 71, 80 f. = NJW 1998, 2054; BGH AG 2009, 534, 535; OLG Düsseldorf Konzern 2006, 768, 775; OLG Hamm NZG 2008, 914, 915; OLG Jena AG 2009, 582, 583; OLG Köln ZIP 2014, 263, 266; OLG Schleswig AG 2008, 129, 131; s. schon MüKoAktG/C. Schäfer Rn. 75). Im Einzelnen bedeutet das: Es wird sich zwar idR um einen Vermögensvorteil handeln, doch ist das nicht notwendig; vielmehr genügt auch Verbesserung der korporationsrechtl. Stellung (allgM, MüKoAktG/C. Schäfer Rn. 76; KK-AktG/Noack/Zetzsche Rn. 411). Auch die Wahl in den AR könnte deshalb Sondervorteil sein, doch kommt es darauf nicht an, weil § 251 I Anfechtung wegen Verfolgung von Sondervorteilen nicht zulässt (hM, → § 251 Rn. 5). Wie Vorteil erlangt wird, bleibt gleich; möglich sind vor allem Zuwendung der AG, Verzicht der Gesellschaft auf Wahrnehmung eigener Erwerbschancen oder widerstandslose Hinnahme von Selbstbegünstigungen. Am meisten Schwierigkeiten bereitet das Werturteil **sachwidriger Bevorzugung,** bes. bei Geschäften der AG mit ihrem Mehrheitsaktionär. Überwiegend wird darauf abgestellt, dass Vorteil nicht allen zufließt, die sich ggü. der AG in vergleichbarer Lage befinden (MüKoAktG/C. Schäfer Rn. 78 f.; ähnlich KK-AktG/Noack/Zetzsche Rn. 416 ff.: Vergleichsmarktkonzept; diff. Abrell BB 1974, 1463, 1466; krit. KK-AktG/Zöllner, 1. Aufl. 1985, Rn. 207 ff.). Soweit es, wie nicht selten bei konzerninternen Vorgängen, bes. Betriebspacht, an einem Markt fehlt, kann Vergleichskonzept nur mit der Maßgabe gelten, dass es auf die fiktive Gegenleistung ankommt, die vernünftiger außenstehender Dritter erbringen würde (MüKoAktG/C. Schäfer Rn. 79). Eher unscharf ist, Vergleichskonzept durch wirtschaftliche Rechtfertigung zu ergänzen oder zu ersetzen (GK-AktG/K. Schmidt Rn. 55).

Bsp. für Sondervorteile **aus jüngerer Rspr.:** Sondervorteil ist günstige und **36**
schnelle, bereits konkret in die Wege geleitete Unternehmensübernahme, die Mehrheitsgesellschafter unter Zurücksetzung der Interessen der Minderheit durch Auflösungsbeschluss erstrebt (BGHZ 76, 352, 357 = NJW 1980, 1278 zur GmbH; BGHZ 103, 184, 193 = NJW 1988, 1579). Insoweit ist Anfechtung wegen fehlender sachlicher Rechtfertigung nach § 243 I nicht möglich, weil es solcher Rechtfertigung bei Auflösungsbeschlüssen nicht bedarf (→ Rn. 28). § 243 II entfaltet deshalb Auffangfunktion wegen missbräuchlichen Vorgehens im Einzelfall (→ Rn. 32). Sondervorteil ist auch Abschluss eines Betriebspachtvertrags mit Mehrheitsgesellschafter, durch den ernsthafte und bessere Pachtofferte des Minderheitsgesellschafters übergangen wird, es sei denn, dass schlechtere Konditionen durch andere Gesellschaftsbelange aufgewogen werden (OLG Frankfurt AG 1973, 136; im Schrifttum str., vgl. MüKoAktG/C. Schäfer Rn. 106 ff.). Sondervorteil ist ferner gegeben, wenn Mehrheitsaktionär Zustimmungsbeschluss zustande bringt, und zwar zu Aktientausch, der ihn um knapp 200 Mio. DM begünstigt (LG München I AG 2002, 301). Für Sondervorteil können auch bes. Begleitumstände sprechen wie handstreichartiges Ausnutzen vorübergehenden Stimmrechtsausschlusses für Beschlussfassung über Kapitalerhöhung unter Bezugsrechtsausschluss während des Wochenendes (OLG Schleswig AG 2008, 129, 142). Keinen Sondervorteil stellt es dagegen dar, wenn sich für Mehrheitsaktionär aus Formwechsel in GmbH & Co KG tats. Steuervorteile ergeben (BGH AG 2005, 613, 614), ebenso nicht, wenn mit Stimmen des Hauptaktionärs Ausgabe von Genussrechten beschlossen wird, obwohl junge Aktien für AG billiger wären, sofern Ausgabekonditionen als solche nicht zu beanstanden sind (OLG Bremen AG 1992, 268, 270); auch nicht, wenn Holding ihre Liquidation wegen steuerlicher Nachteile ablehnt und aufnehmende AG Kosten anschließender Verschmelzung zu tragen hat (OLG Stuttgart AG 1996, 35), ferner nicht, wenn Vorzugsaktionären Recht zum Umtausch in Stammaktien

gewährt wird, ohne dass sie Kursdifferenz voll ausgleichen müssen, sofern Maßnahme auch unter Berücksichtigung dieses Umstands dem Gesellschaftswohl dient (LG Köln AG 2002, 103), ebenso nicht, wenn sich beruflich als RA tätiger Aktionär bei Ausfall des AR-Vorsitzenden zum HV-Leiter wählen lässt und dafür Tageshonorar in Höhe von 7000 Euro erhält (LG München I AG 2010, 419, 423). Sondervorteil ist schließlich nicht deshalb gegeben, weil Verlustvortrag bei Verschmelzung vor allem dem Mehrheitsaktionär zugute kommt. Dass außenstehende Aktionäre davon (quotal) weniger haben, liegt in Natur der Sache und ist deshalb keine Ungleichbehandlung (aA LG Hanau AG 2003, 534). Vgl. aus der Rspr. zur GmbH noch BGH WM 1976, 1226, 1227 (unangemessene Umsatztantieme zugunsten des geschäftsführenden Mehrheitsgesellschafters); BGH WM 1977, 361, 363 (Eingriff in Geschäftschancen der GmbH X zugunsten der GmbH Y, an der keine familienfremden Gesellschafter beteiligt sind).

37 **3. Ausgleichsgewährung. a) Zweck und Bedeutung des Ausschlusstatbestands.** Auch wenn Anfechtungsvoraussetzungen des § 243 II 1 erfüllt sind (→ Rn. 33 ff.), ist Anfechtung nach § 243 II 2 ausgeschlossen, wenn HV-Beschluss Ausgleichsregelung zugunsten der anderen Aktionäre enthält. Ges. will Mehrheitsaktionär in grundlegenden Fragen der Gesellschafts- und Unternehmensstruktur Maßnahmen gegen Widerspruch der Minderheit ermöglichen und gibt sich deshalb mit bloßem Vermögensschutz zufrieden (s. vor allem Geßler FS Barz, 1974, 97, 103; Geßler, Minderheitenschutz bei Kapitalgesellschaften, 1967, 92, 94 und 96 f.). RegBegr. Kropff S. 329 vermutet Hauptanwendungsfall der Vorschrift im Abschluss von Unternehmensverträgen, für die nicht schon § 304 eine Ausgleichspflicht vorschreibt. Nach zutr. hM ist **Regelung misslungen,** weil sie gebotenen Gläubigerschutz außer Acht lässt (→ Rn. 40) und Interessenlage des Aktionärs undifferenziert auf diejenige eines gläubigerähnlichen Kapitalanlegers verkürzt (Nachw. → Rn. 31). Rechtsgedanke des § 243 II 2 ist deshalb grds. (Ausnahme: § 292 III 2; → § 292 Rn. 30) nicht auf Anfechtung nach § 243 I zu übertragen (→ Rn. 31 f.). Für Fälle eines Gesellschaftsschadens ist überdies teleologische Reduktion angezeigt (→ Rn. 40).

38 **b) Tatbestandliche Erfordernisse.** § 243 II 2 fordert **Ausgleich,** dessen **Angemessenheit** und Aufnahme der entspr. Regelung in den **Beschluss** selbst. Ausgleich ist nicht nach Vorbild des § 249 BGB zu verstehen, sondern bedeutet wirtschaftliche Kompensation des durch Sondervorteil zurechenbar verursachten Schadens. Nicht angemessen ist Abfindungsangebot nach Vorbild des § 305, weil es Aktionäre nur unter Aufgabe ihrer Mitgliedschaft wahrnehmen könnten (zutr. GK-AktG/K. Schmidt Rn. 60). In Betracht kommt dagegen Dividendengarantie unter Orientierung an § 304 (vgl. MüKoAktG/C. Schäfer Rn. 96). Ausgleichsregelung ist in gebotener Weise Teil des Beschlusses, wenn sie durch Aufnahme in den Antrag oder durch Bezugnahme auf abgeschlossene Verpflichtungserklärungen in Beschlussregelung selbst einbezogen wird. Absichtserklärungen oder Versprechungen genügen nicht. Schuldner der Ausgleichsleistung kann idR nur der Aktionär oder der Dritte sein, dem der Sondervorteil zufällt (MüKoAktG/C. Schäfer Rn. 98; GK-AktG/K. Schmidt Rn. 61). Zur konstruktiven Verknüpfung seiner Verpflichtung mit dem HV-Beschluss vgl. MüKoAktG/C. Schäfer Rn. 99.

39 **c) Rechtsfolgen.** Wenn Voraussetzungen des § 243 II 2 vorliegen, entfällt Anfechtungsgrund des § 243 II 1, aber auch nur dieser (→ Rn. 31 f., 37 aE). Niemand kann unter diesem Aspekt die Vernichtung des Beschlusses begehren. Er ist auch nicht materiell rechtswidrig, sondern rechtmäßig; denn das Ges. gestattet es, Sondervorteile unter Ausgleichsgewährung zu verfolgen (ebenso GK-AktG/K. Schmidt Rn. 62).

d) Kein Anfechtungsausschluss bei Gesellschaftsschaden. Nach seinem Wortlaut bezieht sich § 243 II 2 sowohl auf Schaden der AG als auch auf den der übrigen Aktionäre. Danach wäre es möglich, dass Mehrheit Gesellschaftsvermögen schmälert, etwa durch verdeckte Gewinnausschüttung, und Anfechtbarkeit allein deshalb entfällt, weil Minderheit ein Ausgleich angeboten wird. Das wird teilw. für richtig gehalten (Geßler FS Barz, 1974, 97, 99 f.; zust. KK-AktG/Noack/Zetzsche Rn. 487 ff.; S/L/Schwab Rn. 30), von hM jedoch wegen Zurücksetzung der Gläubigerbelange abgelehnt (MüKoAktG/C. Schäfer Rn. 95; GK-AktG/K. Schmidt Rn. 60; KK-AktG/Zöllner, 1. Aufl. 1985, Rn. 242; Bachelin, Der konzernrechtliche Minderheitenschutz, 1969, 67 f.; Schilling FG Hengeler, 1972, 226, 231 ff.; Tettinger, Materielle Anforderungen an den Bezugsrechtsausschluss, 2003, 74). Standpunkt der hM trifft wegen **vorrangiger Bedeutung des Gläubigerschutzes** zu. Offenbar ist dieser Gesichtspunkt infolge Fixierung des Gesetzgebers auf Aktionär als gläubigerähnlichen Kapitalanleger (→ Rn. 37) nicht hinlänglich bedacht worden. Das rechtfertigt teleologische Reduktion, nach der Ausgleichsklausel bei Schädigung der Gesellschaft nur insoweit gilt, als Gläubigerbelangen durch konzernrechtl. Vorschriften (§ 300 Nr. 2, § 302 II, §§ 311 ff.) oder durch Ausgleichsgewährung an AG selbst Rechnung getragen wird (MüKoAktG/C. Schäfer Rn. 95; GK-AktG/K. Schmidt Rn. 60). 40

4. Sondervorteile und Konzernrecht. a) Unternehmensverträge (§§ 291, 292). Im Abschluss **eines Beherrschungs- oder Gewinnabführungsvertrags** (§ 291) kann zwar tatbestandlich ein bes. Vorteil für den Vertragspartner der AG liegen, doch ist der Zustimmungsbeschluss der HV (§ 293 I) schon deshalb nicht gem. § 243 II anfechtbar, weil § 304 III 2 ein ausdrücklicher, § 305 V 1 ein konkludenter Anfechtungsausschluss zu entnehmen ist (→ § 305 Rn. 57). Anfechtung nach § 243 I bleibt allerdings möglich (→ § 293 Rn. 16). 41

Bzgl. der **Unternehmensverträge des § 292** gibt es keinen Anfechtungsausschluss. Sie gewähren einen Sondervorteil iSd § 243 II 1, wenn es an einer angemessenen Gegenleistung fehlt. Vgl. zum Betriebspachtvertrag (§ 292 I Nr. 3) → Rn. 36. Soweit es um Gewinngemeinschaft und Teilgewinnabführung (§ 292 I Nr. 1, 2) ohne angemessene Gegenleistung (→ § 292 Rn. 25) geht, ist Zustimmungsbeschluss wegen Verletzung der §§ 57, 58 IV schon nach § 241 Nr. 3 nichtig (→ § 241 Rn. 17). Ausgeschlossen wird die Anfechtung dadurch jedoch nicht (MüKoAktG/C. Schäfer Rn. 103). Keine Nichtigkeit tritt nach § 292 III 1 ein, wenn Betriebspacht- oder Betriebsüberlassungsverträge (§ 292 I Nr. 3) ohne angemessene Gegenleistung geschlossen werden (→ § 292 Rn. 29). Möglich bleibt jedoch Anfechtung nach § 243 I oder II, wobei ausnahmsweise der Anfechtungsausschluss des § 243 II 2 auch für § 243 I gilt (hM; → § 292 Rn. 30). 42

b) Verhältnis zu §§ 311 ff. In welchem Verhältnis § 243 II zu §§ 311 ff. steht, ist str. Frage erlangt praktische Bedeutung, wenn die jeweilige Maßnahme zu ihrer Wirksamkeit der Zustimmung der HV bedarf, also nur ausnahmsweise bei Angelegenheiten der Geschäftsführung (§ 119 II). Nach ganz hM bleibt **Anfechtung** wegen Verfolgung eines Sondervorteils von §§ 311 ff. unberührt und mithin **möglich** (BGH AG 2012, 680 Rn. 19; OLG Frankfurt WM 1973, 348, 350; MüKoAktG/C. Schäfer Rn. 105; KK-AktG/Noack/Zetzsche Rn. 555 ff.; Will, Nachteilsausgleichsvereinbarungen im faktischen Konzern, 2017, 119 ff.). Gegenansicht findet bei Unterschieden im Detail in § 311 eine den Anfechtungsgrund des § 243 II verdrängende Sonderregelung, und zwar mit dem Hauptargument, dass § 243 II 2 sonst Möglichkeit nachträglichen Nachteilsausgleichs zunichte machen würde (Altmeppen ZIP 2016, 441, 442 ff.; M. 43

Arnold/Gärtner FS Stilz, 2014, 7, 9 ff.). An hM ist festzuhalten. Soweit HV befasst wird, also bei wesentlichen Maßnahmen, kann Anfechtung nicht durch nachträgliche Ausgleichsgewährung ausgeschlossen werden (→ § 311 Rn. 48). Ausgeschlossen ist Anfechtung wegen Verfolgung eines Sondervorteils auch bei Squeeze-Out und Eingliederung gem. § 327f S. 1 bzw. § 320b II 1.

IV. Anfechtungsausschlüsse (§ 243 III)

44 **1. Technische Störungen bei Präsenz-HV (Nr. 1).** § 243 wurde durch VHVG 2022 neu gefasst und regelt nunmehr umfassend Anfechtungsausschlüsse sowohl in der Präsenz-HV als auch in der vHV. Gesellschaften sollen nicht aufgrund Sorge vor übermäßigen Anfechtungsrisiken von Nutzung elektronischer Gestaltungen abgehalten werden (RegBegr. BT-Drs. 20/1738, 37). § 243 III 1 Nr. 1 knüpft an § 118 I 2, II 1, § 134 III an und schließt bestimmte Rechtsverletzungen grds. als Anfechtungsgründe aus. Diese Regelungsvariante geht zurück auf ARUG 2009 und soll erreichen, dass technische Störungen, die bei **elektronischer Kommunikation** auftreten, nicht zur Erweiterung der Anfechtungsmöglichkeiten führen (RegBegr. BT-Drs. 16/11642, 40). Konkret geht es um technische Störungen iR elektronischer Teilnahme, elektronischer Briefwahl oder Stimmrechtsausübung durch einen Bevollmächtigten (RegBegr. BT-Drs. 20/1738, 37). Umfassende Bezugnahme des § 243 III 1 Nr. 1 auch auf **Vollmachtsregelung** des § 134 III erfährt notwendige Einschränkung dadurch, dass es auch insoweit um technische Störungen und um elektronische Rechtsausübung gehen muss. Gemeint sind also nur Fälle, in denen Vollmacht elektronisch erteilt, widerrufen oder nachgewiesen wird.

44a Vorschrift gilt nach § 243 III 1 Nr. 1 für Störungen, die sich bei Präsenz-HV im Fall einer zusätzlich gestatteten **elektronischen Teilnahme** nach § 118 I 2 oder **Briefwahl** nach § 118 II 1 ergeben können. Für vHV gilt eigenständige Regelung in § 243 III 1 Nr. 2 (→ Rn. 44b). Verletzung genannter Rechte wird nicht generell von Anfechtung ausgenommen, sondern nur Rechtsverletzung aufgrund technischer Störungen (RegBegr. BT-Drs. 20/1738, 37). Zu beachten ist, dass Anfechtung bei technischen Störungen nicht – wie es Wortlaut des § 243 III 1 nahelegt – generell ausgeschlossen wird, sondern nur unter weiteren **Negativvoraussetzungen** des § 243 III 2 (→ Rn. 44g). Aufspaltung des § 243 III Nr. 1 aF, der Regel und Ausn. erhielt, in zwei getrennte Sätze hat zu neuer **missverständlicher Struktur** geführt.

44b **2. Technische Störungen in virtueller HV (Nr. 2 und 3).** § 243 III 1 Nr. 2 regelt technische Störungen iRe virtueller HV. Ges. zählt nicht Störungsformen auf, sondern mögliche Rechte, die **Gegenstand solcher Störungen** sein können. Das sind das Recht auf Stimmrechtsausübung (§ 118a I 2 Nr. 2), Antragstellung (§ 118a I 2 Nr. 3), Auskunftserteilung (§ 118a I 2 Nr. 4 iVm § 131), Stellungnahme (§ 118a I 2 Nr. 6 iVm § 130a I – IV), Rede (§ 118a I 2 Nr. 7 iVm § 130a V, VI) und Widerspruch (§ 118a I 2 Nr. 8), sofern diese Rechte auf elektronischem Wege ausgeübt werden. Wie bei Nr. 1 (→ Rn. 44a) wird Verletzung dieser Rechte nicht generell von Anfechtung ausgenommen, sondern nur, wenn sie auf technischer Störung beruht. Ausdr. Nennung des § 130a VI deutet darauf hin, dass Anfechtungsausschluss auch Zurückweisung wegen Funktionsstörung in vHV erfasst (ausf. Kruchen/Werner DZWIR 2023, 175, 185). Alle anderen Voraussetzungen, die AktG für vHV zur Gewährleistung des Teilnahmerechts aufstellt, unterfallen der Anfechtung (RegBegr. BT-Drs. 20/1738, 37).

44c Nach § 243 III 1 Nr. 3 sind technische Störungen, die eine **Verletzung der Pflicht zur Bild- und Tonübertragung** (§ 118a I 2 Nr. 1) und zur Auslage von Unterlagen (§ 118a VI) zur Folge haben, unter weiteren Voraussetzungen des § 243 III 2 (→ Rn. 44g) von Anfechtung ausgenommen. Gesonderte Nennung erklärt sich daraus, dass es hier nicht um Verletzung individueller Aktionärsrechte geht, sondern um Pflichten, die ggü. HV-Kollektiv bestehen.

3. Verletzung einzelner Weitergabe-, Bestätigungs- und Veröffentlichungspflichten (Nr. 4). § 243 III 2 Nr. 4 schließt beschlussrechtl. Sanktionen für Verstoß gegen best. elektronische Weitergabe-, Bestätigungs- und Veröffentlichungspflichten aus. Erfasst sind zunächst **Zuleitungspflicht** börsennotierter Gesellschaften (§ 3 II; → § 3 Rn. 5 f.) nach §§ 67a, 67b. Diese Vorschriften betr. Pflicht der AG und der Intermediären zur **Weitergabe von Mitteilungen** und umfassen über Verweis in § 125 V auch Mitteilung über Einberufung der HV (in diesem Fall nicht aber solche der AG selbst nach § 125 I, II; → § 125 Rn. 30). Obwohl Weitergabepflicht eine wesentliche Rolle für Informationsfluss zwischen AG und Aktionär spielt, ist Anfechtungsausschluss gerechtfertigt, weil Intermediäre als **Informationsgehilfen** des Aktionärs tätig werden und AG ihre Pflichterfüllung nicht hinlänglich beeinflussen kann (AusschussB Kropff S. 330). Sanktion liegt stattdessen in sämtlichen Fällen in Verfolgung als OWi nach § 405 IIIa. Vor dem Hintergrund dieses Normzwecks sind Zweifel geäußert worden, ob für **Pflichten der AG aus § 67a** nicht teleologische Reduktion angezeigt sei (dafür Hirte/Heidel/Heidel Rn. 8 ff.; sympathisierend Hirte/Heidel/Mock § 67a Rn. 47). Das ist nicht ganz unplausibel, doch ist RegBegr. 19/9739, 115 zu knapp gefasst, um daraus derart zwingenden teleologischen Befund abzuleiten, dass klarer Wortlaut rechtsfortbildend korrigiert werden könnte. 44d

Mit VHVG 2022 neu eingefügt wurde Verweis auf Regelungen zur **Zugangsbestätigung** hinsichtlich Stimmrechtsausübung nach § 118 I 3 – 5. Weil § 118a I 4 für vHV auf diese Regelung verweist, wird Anfechtungsausschluss auch auf diese Norm erstreckt. § 121 IVa betr. mediale Verbreitung, § 124a Veröffentlichungen auf Internetseite der AG – jew. beschränkt auf börsennotierte AG (→ § 3 II; § 3 Rn. 5 f.). 44e

4. Vorrang des Ersetzungsverfahrens nach § 318 III HGB (Nr. 5). Anfechtung, nämlich des Wahlbeschlusses (§ 119 I Nr. 5; § 318 I 1 HGB), ist nach § 243 III 1 Nr. 5 ausgeschlossen, wenn Gründe, die ohne Ausschluss zur Anfechtbarkeit führen könnten, Ersetzungsverfahren des § 318 III HGB rechtfertigen. § 243 III 1 Nr. 5 begründet also **verdrängende Spezialität** des § 318 III HGB (OLG Karlsruhe BeckRS 2018, 49021 Rn. 43; OLG München WM 2009, 265, 270; ausf. auch zu verbleibenden Anfechtungsmöglichkeiten Marsch-Barner FS Hommelhoff, 2012, 691, 695 ff.). Lockerung des Befangenheitsrechts ist damit nicht bezweckt. Vielmehr sind Befangenheitsregeln in § 319 II HGB (Generalklausel), § 319 III und IV HGB, § 319b HGB deutlich erweitert worden (Knorr FS Röhricht, 2005, 935, 943 ff.), wodurch sich ohne Vorrang des Ersetzungsverfahrens Anfechtungs- und Nichtigkeitsproblematik breitflächiger ergeben hätte. § 243 III 1 Nr. 5 soll demgegenüber sicherstellen, dass stets gültig bestellter Prüfer vorhanden ist und Missbrauchsprobleme minimiert werden (RegBegr. BT-Drs. 15/3419, 55). § 243 III 1 Nr. 5 schließt schon das Verfahren aus, so dass gleichwohl erhobene Anfechtungsklage unzulässig ist (Gelhausen/Heinz WPg 2005, 693, 697). Bei Nichtigkeitsklage gilt § 243 III 1 Nr. 5 gem. § 249 I 1 sinngem., so dass auch sie ausgeschlossen ist (→ § 249 Rn. 12a). Weiterhin Probleme bereitet der Praxis die zunehmend verbreitete Übung, die Prüferbestellung nicht aufgrund der in § 318 III HGB genannten Gründe, sondern aufgrund **formaler Fehler** anzufechten. In diesem Fall ist § 243 III 1 Nr. 5 nicht anwendbar (OLG Karlsruhe BeckRS 2018, 49021 Rn. 43; aA KK-AktG/Noack/Zetzsche Rn. 633 f.; Schockenhoff/Culmann AG 2016, 23). Gerichtspraxis hilft hier 44f aber in der Weise, dass bei einer anhängigen Anfechtungsklage analog § 318 IV 1, 2 HGB gerichtl. Bestellung gestattet wird (OLG Karlsruhe NZG 2016, 64 Rn. 8 ff.; zust. Schockenhoff/Culmann AG 2016, 23 ff.; sa schon GK-HGB/Habersack/Schürnbrand § 318 Rn. 72). Dabei ist es auch zulässig, den von der HV gewählten Prüfer zu bestellen, sofern nicht gerade ein in seiner Person beruhender Hinderungsgrund besteht (OLG Karlsruhe NZG 2016, 64 Rn. 39 ff.). Auch eine Bestellung vor Abschluss des Geschäftsjahrs soll zulässig sein (OLG Karlsruhe NZG 2016, 64 Rn. 32 ff.; sa GK-HGB/Habersack/Schürnbrand § 318 Rn. 70).

44g **5. Verschuldensmaßstab (§ 243 III 2).** Mit VHVG 2022 neu eingefügter § 243 III 2 war ursprünglich nur für technische Störungen in § 243 III 1 Nr. 1 vorgesehen, ist mit Neufassung aber in S. 2 ausgelagert und damit **auf Gesamtvorschrift erweitert** worden, ohne dass damit inhaltliche Änderung verbunden ist (RegBegr. BT-Drs. 20/1738, 37; zur irreführenden Struktur → Rn. 44a). Danach reicht Freistellung vom Anfechtungsrisiko nur bis zu grob fahrlässiger Handlungsweise der AG. Sie ist gegeben, wenn **jedermann einleuchtendes Mindestmaß** technischer und organisatorischer Sorgfalt vorwerfbar vernachlässigt wird (Einzelheiten: KK-AktG/Noack/Zetzsche Rn. 585 ff.). RegBegr. BT-Drs. 20/1738, 37 konkretisiert, dass grobe Fahrlässigkeit idR auszuschließen ist, wenn **professioneller Dienstleister** mit technischer Durchführung betraut wird. Darlegungs- und Beweislast für Verschulden liegt beim Anfechtungskläger (RegBegr. BT-Drs. 16/11642, 40). Das ist rechtspolit. zweifelhaft (BeckOGK/Drescher Rn. 237; Hirte FS Strenger, 2023, 195, 205 f.). Korrektur de lege lata (dafür Schirmer AG 2023, 19 Rn. 16 ff.) entbehrt aber methodischer Grundlage (Kruchen/Werner DZWIR 2023, 175, 185 f.). Satzung kann nach § 243 III 1 2 Hs. 2 strengeren „Verschuldensmaßstab" bestimmen.

44h **6. Sonstige Ausschlusstatbestände.** Neben § 243 III sind an anderen Stellen des Ges. noch weitere Ausschlusstatbestände vorgesehen. Den wichtigsten enthält **§ 243 IV 2 für Informationsmängel** im Zusammenhang mit Bewertungsrügen, für die das Spruchverfahren eröffnet ist (→ Rn. 47b f.). § 120a I 3 ergänzt einen Anfechtungsausschluss für das **Say on Pay** (→ § 120a Rn. 1 ff.). Schließlich ist AG nach **§§ 48–51 WpHG** umfassenden Pflichten ausgesetzt, die vor allem im Vorfeld der HV Bedeutung erlangen (§ 48 I Nr. 5 WpHG, § 49 III 1 Nr. 1 WpHG; zu §§ 30a, 30b WpHG aF Mutter/Arnold/Stehle AG 2007 R 109, 113 f.). § 52 WpHG hält hierzu ausdr. fest, dass Verletzung der §§ 48 ff. WpHG keinen Anfechtungsgrund darstellt. Verletzung kapitalmarktrechtl. Pflichten soll also nicht aktienrechtl. sanktioniert werden. Regelung ist sachgerecht, wäre aber besser als § 243 III 1 Nr. 6 formuliert worden (zust. Fleischer ZIP 2014, 149, 150).

V. Anfechtung wegen Informationsmängeln (§ 243 IV)

45 **1. Informationsmangel als Anfechtungsgrund. a) Allgemeines.** § 243 IV betrifft Informationsmängel. Norm setzt voraus, dass sie grds. als Gesetzesverletzung in der Variante des Verfahrensfehlers Anfechtungsgrund iSd § 243 I darstellen (→ Rn. 17 f.). Nach einem Alternativkonzept liegt Anfechtungsgrund stattdessen in Beeinträchtigung mitgliedschaftlicher Entscheidungsbefugnisse des Aktionärs, weshalb § 243 IV 1 neben § 243 I selbständiger Anfechtungstatbestand sein soll (Kersting ZGR 2007, 319, 327 ff.). Das widerspricht jedoch der Systematik des § 243, die an Grundnorm des § 243 I Ergänzung durch § 243 II, Ausschlusstatbestand des § 243 III und Anfechtungsbeschränkungen des § 243 IV anknüpft. Annahme selbständiger Grundnorm überfordert auch Entstehungsgeschichte (→ Rn. 46a) und ist schließlich wegen tendenzieller Er-

weiterung der Anfechtungsmöglichkeiten auch teleologisch nicht überzeugend. § 243 IV 1 soll nämlich Voraussetzungen darauf gestützter Anfechtungsklage mit einschränkender Tendenz **präzisieren** (RegBegr. BT-Drs. 15/5092, 25 f.) und in S. 2 Anfechtungsklage zugunsten von Spruchverfahren **ausschließen,** soweit sich Informationsmangel auf Kompensation bezieht (wie hier BeckOGK/Drescher Rn. 117; KK-AktG/Noack/Zetzsche Rn. 649 m. Fn. 889). Auskunftsrechte gelten als bes. gefährliches Einfallstor für missbräuchliche Anfechtungsklagen, wenngleich zu konstatieren ist, dass diese gerade in Unternehmenspraxis verbreitete Sorge mittlerweile im **Lichte jüngerer Gerichtspraxis** etwas gemindert sein könnte (s. schon → § 131 Rn. 21). Gerade BGH wendet Erforderlichkeits- (→ § 131 Rn. 21 ff.) und Relevanzerfordernis (→ Rn. 46 ff.) mittlerweile doch mit größerer Konsequenz an. Tats. wird Großteil der in der Praxis beantworteten Fragen aufgrund fehlender Erforderlichkeit keiner Antwort bedürfen; verbleibende Mängel werden zumeist Abwägung nach § 246a II Nr. 3 nicht standhalten (→ § 246a Rn. 21 f.), sofern Freigabeverfahren eröffnet ist.

b) Bedeutung des Relevanzerfordernisses. Zu unterscheiden sind **drei Fragen,** die in § 243 IV 1 nicht ganz auseinandergehalten werden: (1.) Welche Auskünfte sind auf Verlangen von Aktionären zur sachgemäßen Beurteilung des Gegenstands der Tagesordnung mit der Folge erforderlich, dass eine nicht oder nicht ordnungsgemäß erteilte Auskunft eine unrichtige, unvollständige oder verweigerte Erteilung von Informationen (Informationsmangel) darstellt? (2.) In welcher Beziehung muss das Beschlussergebnis zum Informationsmangel stehen, damit Anfechtbarkeit des Beschlusses allg. gegeben ist? (3.) Gibt es Ausnahmesachverhalte, in denen die Voraussetzungen (1.) und (2.) erfüllt sind, die Anfechtbarkeit des Beschlusses aber trotzdem im Einzelfall nicht überzeugen kann? Frage (1.) stellt sich wohl nur im Kontext der Auskunftsverweigerung. Wenn sie zu verneinen ist, ist die Prüfung der Anfechtbarkeit mit negativem Ergebnis beendet (→ Rn. 47). Frage (3.) gehört zur Verletzung anderer Informationspflichten (→ Rn. 47a). 46

§ 243 IV 1 bezieht sich auf in → Rn. 46 angeführte Frage (2.). Norm soll einschlägige **Rspr. zur Relevanz** aufgreifen und verdichten (RegBegr. BT-Drs. 15/5092, 26). Sie meint also: Wegen eines Informationsmangels kann angefochten werden, wenn nach am Zweck der verletzten Norm orientierter wertender Betrachtung die Vernichtbarkeit des Beschlusses wegen seines rechtswidrigen Eingriffs in die Mitgliedsrechte der Aktionäre die gebotene Rechtsfolge darstellt (→ Rn. 13). Oder sinngleich: Der Informationsmangel lässt den Beschluss unter einem Legitimationsdefizit leiden, das bei wertender Betrachtung die Anfechtbarkeit rechtfertigt (zB BGHZ 149, 158, 164 f. = NJW 2002, 1128; BGHZ 160, 385, 392 = NJW 2005, 828). Darin liegt die Abkehr von früher für richtig gehaltener potenzieller Kausalität, nach der es darauf angekommen wäre, ob ein obj. urteilender Aktionär sein Abstimmungsverhalten vom Informationsinhalt abhängig gemacht hätte (→ Rn. 12; so noch § 243 IV 1 idF des RefE, s. NZG-Beil. 4/2004, 7; krit. dazu BGHZ 160, 385, 392 = NJW 2005, 828: „missverständlich"). Es kommt also gerade nicht auf das hypothetische Abstimmungsverhalten, sondern auf die Bedeutung des Informationsmangels für die Mitgliedsrechte der Aktionäre an. 46a

Ist Informationsmangel gegeben und im dargelegten Sinne (→ Rn. 46a) relevant, so ist Beschluss grds. anfechtbar. ZT kritisiert wird die Einschränkung, dass Informationserteilung „wesentliche" Voraussetzung für Ausübung der Mitgliedsrechte zu sein habe, da bei richtig verstandener Relevanzbetrachtung ein für Mitgliedsrechte relevanter Informationsmangel immer wesentlich sei (vgl. Martens/Martens FS K. Schmidt, 2009, 1129, 1140; aA OLG Frankfurt AG 2011, 36, 43). Das ist grds. richtig, doch lassen Gesetzesmaterialien erkennen, dass es 46b dem Gesetzgeber bei Einfügung dieses Merkmals um eher ergebnisorientierte Akzentverschiebung ging (J. Koch ZGR 2006, 769, 794 f.; zust. KK-AktG/Noack/Zetzsche Rn. 660): Gerichte sollten mit dieser Betonung ermutigt werden, das bislang nur schwach konturierte Relevanzerfordernis beherzter anzuwenden, so dass es künftig seine **Filterfunktion gegen missbräuchliche Anfechtungsklagen** besser erfüllen kann. Verunglückt ist dagegen Umschreibung der Wesentlichkeit in RegBegr. BT-Drs. 15/5092, 26 dahingehend, dass der Aktionär ohne die vorherige ordnungsgemäße Erteilung der Information der Beschlussvorlage nicht zugestimmt hätte. Darin liegt unbedachter sprachlicher Nachklang des Kausalitätserfordernisses, dem keine Bedeutung beigemessen werden darf (s. schon J. Koch ZGR 2006, 769, 795; zust. BeckOGK/Drescher Rn. 124; sa Hölters/Weber/Englisch Rn. 89; zweifelnd MüKoAktG/C. Schäfer Rn. 117). Man kann nicht zugleich die Relevanzlehre kodifizieren und Restbestände von potenzieller Kausalität weiterführen wollen (mit Recht krit. auch Veil AG 2005, 567, 569; aA Weißhaupt ZIP 2005, 1766, 1771). Ebenfalls nicht glücklich ist es, wenn in RegBegr. BT-Drs. 15/5092, 26 **obj. urteilender Aktionär** als solcher umschrieben wird, „der vernünftig und im wohlverstandenen Unternehmensinteresse handelt und dem es nicht auf die Erreichung kurzfristiger Ziele ankommt, sondern der die langfristige Ertrags- und Wettbewerbsfähigkeit der Gesellschaft im Auge hat". Kurzfristiges Investitionsinteresse muss Motive des Aktionärs nicht zwingend diskreditieren, so dass auch im Rahmen des § 243 IV keine Scheidung von guten und schlechten Aktionären angebracht ist (sa Hölters/Weber/Englisch Rn. 88; S/L/Schwab Rn. 36; Heinrich/Theusinger BB 2006, 449, 450; Noack/Zetzsche ZHR 170 [2006], 218, 223). Entscheidend muss vielmehr sein, ob Investitionsziele des Aktionärs mit dem Interesse der AG an langfristiger Prosperität in Einklang stehen (so überzeugend S/L/Schwab Rn. 36; zust. Hölters/Weber/Englisch Rn. 88). Weitere Eingrenzung des Anfechtungsrechts wird derzeit verbreitet unter dem Gesichtspunkt einer sog **Rügeobliegenheit** des Aktionärs bei unzureichender Beantwortung seiner Frage diskutiert. Sie ist denkbar namentl. bei Pauschalfragen und quantitativem Fragenexzess, nicht aber als Regelfall oder gar aufgrund „salvatorischer Abschlussfrage" des HV-Leiters (ausf. → § 131 Rn. 70, 102; sa → § 245 Rn. 26).

47 **c) Auskunftsverweigerung als Anfechtungsgrund.** Verweigerung einer Auskunft ist **Kernfall des Informationsmangels** und deshalb Anfechtungsgrund, sofern verweigerte Auskunft auch Beschlussgegenstand betrifft (→ § 131 Rn. 111). AG muss sich Verletzung der Auskunftspflicht durch Vorstand als eigene Pflichtverletzung zurechnen lassen. Auskunftsverweigerung ist auch relevant für Teilnahme- und Stimmrecht der Aktionäre, so dass Relevanzerfordernis die Anfechtbarkeit nicht beseitigt (deutlich BGHZ 160, 385, 391 f. = NJW 2005, 828). Auch bei marginalen oder unwesentlichen Rechtsverstößen kann Anfechtbarkeit nicht mit fehlender Relevanz verneint werden (zust. Kersting ZGR 2007, 319, 326). Gegenansicht, die eine Art gesteigerter Relevanz für möglich hält und zur Anfechtungsvoraussetzung machen will (DAV-HRA NZG 2005, 388, 392; wohl auch Noack/Zetzsche ZHR 170 [2006], 218, 220 f.), entspr. nicht dem kodifizierten Relevanzerfordernis, sondern vermengt es mit tatbestandlichen Voraussetzungen des § 131. Zu prüfen ist nämlich iSv Frage (1.) aus → Rn. 46, ob überhaupt Informationsmangel vorliegt oder ob begehrte Auskunft zur sachgemäßen Beurteilung des Gegenstands der Tagesordnung nicht erforderlich war. Fehlende Erforderlichkeit in diesem Sinne ist auch dann anzunehmen, wenn unrichtige, unvollständige oder unterbliebene Auskunft für Urteilsbildung vernünftiger Aktionäre kein erhebliches Element bildet (→ § 131 Rn. 21 ff.; BGHZ 180, 9 Rn. 41 = NJW 2009, 2207). Ggf. liegt schon kein Informationsmangel vor. War Auskunft aber erforderlich, so ist Verweigerung ex lege relevant (ebenso

Bayer/Habersack/Zöllner, Aktienrecht im Wandel, 2007, Bd. II, 10. Kap Rn. 70). Ob den HV-Beschluss tragende Aktionärsmehrheit bei ordnungsgemäßer Erteilung der Auskunft ebenso beschlossen hätte, ist unerheblich (BGHZ 36, 121, 140 = NJW 1962, 104). Entspr. Beweisangebot der beklagten AG ist nicht zu folgen. Schließlich sind Anfechtungsklage und **Auskunftserzwingung nach § 132** voneinander unabhängige Verfahren, so dass Anfechtungsklage ohne vorgeschaltetes Erzwingungsverfahren erhoben werden kann (ausf. → § 132 Rn. 2). Aussetzung des Anfechtungsprozesses bleibt gem. § 148 ZPO zulässig, ist aber nicht notwendig (→ § 132 Rn. 2). Entscheidung im Verfahren nach § 132 bindet Gericht des Anfechtungsprozesses nicht (→ § 132 Rn. 2).

d) Verletzung anderer Informationspflichten. § 243 IV 1 gilt auch für Verletzung anderer Informationspflichten, allerdings nur, wenn diese auch unmittelbaren HV-Bezug aufweisen (BGHZ 220, 36 Rn. 36 ff. = NJW 2019, 262). Das hat BGH namentl. für Entsprechenserklärung nach § 161 ebenso klar verneint wie für Erklärung zur Unternehmensführung nach § 289f II Nr. 1 HGB (BGHZ 220, 36 Rn. 35 ff.; → § 161 Rn. 32 ff.). Anfechtbarkeit wird dagegen begründet durch Verstoß gegen Pflicht zur Auslegung nach § 175 II 1 bzgl. des Gewinnverwendungsbeschlusses (→ § 175 Rn. 5 f.). Allerdings kann Relevanz fehlen, wenn entgegen § 175 II 2 nur Abschriften nicht oder nicht rechtzeitig erteilt werden (→ § 175 Rn. 7). Anfechtungsbegründend ist weiter Verletzung der Berichtspflicht nach § 186 IV 2 (→ § 186 Rn. 23 f.); vgl. BGHZ 83, 319, 325 f. = NJW 1982, 2444. Ebenso ist Relevanz im dargelegten Sinne bei nicht unerheblichen Mängeln des **Verschmelzungsberichts** (§ 8 UmwG), die sich nicht auf Abfindung beziehen (→ Rn. 47b), auch dann anzunehmen, wenn dem Beschluss zustimmender Großaktionär über erforderliche Informationen verfügt, aber Minderheit nicht (BGHZ 107, 296, 306 f. = NJW 1989, 2689; BGHZ 119, 1, 18 ff. = NJW 1992, 2760). Relevanter Mangel ist dagegen zu verneinen, wenn bei erforderlicher Auslegung von Dokumenten in HV lediglich formbezogene Merkmale nicht wiedergegeben werden (BGHZ 229, 27 Rn. 21 ff. = NZG 2021, 782: Auslage eines Spaltungsvertrags ohne Urkundenmantel und Vollmachten). Schließlich ist Relevanz bei Verstößen gegen Informationspflichten nach § 179a II gegeben (iE auch BGHZ 82, 188, 196 f. und 200 = NJW 1982, 933). Wenn danach Anfechtbarkeit auch grds. zu bejahen ist, kann sie hier anders als bei Auskunftsverweigerung (→ Rn. 47) ausnahmsweise doch ausgeschlossen sein, nämlich dann, wenn vom Standpunkt eines vernünftigen Beurteilers aus zwischen dem Gesetzesverstoß in seinem konkreten Erscheinungsbild und der Vernichtung des Beschlusses als Sanktion kein angemessenes Verhältnis besteht (MüKoAktG/C. Schäfer Rn. 37 f. mwN; weitergehend als hier LG Frankfurt WM 1989, 683, 685). 47a

2. Anfechtungsausschluss für Bewertungsrügen. Mangelhafte Information über Ermittlung, Höhe oder Angemessenheit von Kompensationen wie Ausgleich, Abfindung oder Zuzahlung stellt zwar Verfahrensfehler iSd § 243 I dar. Anfechtungsklage ist aber nach § 243 IV 2 ausgeschlossen, wenn Gesetz für Bewertungsrügen **Spruchverfahren** vorsieht. Damit wird vermieden, dass Ausschluss der Anfechtung wegen Bewertungsmängeln durch Verweisung in das Spruchverfahren (§ 304 III 2, § 305 V 1, § 320b II 1, § 327f S. 1) dadurch unterlaufen wird, dass zwar nicht die Bewertung, aber die darauf bezogenen Informationen als fehlerhaft beanstandet werden. Durch UMAG 2005 eingeführte Regelung kodifiziert mit BGHZ 146, 179, 181 = NJW 2001, 1425 eingeleitete und durch BGH NJW 2001, 1428 bestätigte Rspr. und dehnt sie zugleich auf alle Fälle aus, in denen Ges. ein Spruchverfahren eröffnet. Das sind vor allem §§ 32, 34, 125, 176 UmwG; § 304 III 2 und 3, § 305 V 1 und 2, § 320 II 1 Nr. 2, § 320b II, § 327f S. 1. Daneben soll Norm auch auf ges. nicht geregelte Fälle 47b

Anwendung finden (RegBegr. BT-Drs. 15/5092, 26), was bislang insbes. für Delisting auf Grundlage der Macrotron-Entscheidung angenommen wurde (J. Koch ZGR 2006, 769, 795 mit Fn. 142). Nach Aufgabe der Macrotron-Rspr. hat sich dieser Anwendungsfall aber erledigt (→ § 119 Rn. 30 ff.). Anfechtungsausschluss bedeutet wie bei umwandlungsrechtl. Vorbildern **Unzulässigkeit** auf Nichtigerklärung gerichteter Gestaltungsklage, soweit sie auf Informationsmängel gestützt wird, die dem Spruchverfahren (einschließlich der Modalitäten einer Bewertung nach dem Börsenkurs, s. OLG Düsseldorf AG 2009, 538, 542) unterliegen (aA Schwab NZG 2007, 521, 523 ff.).

47c Zu beachten bleiben zwei nicht unwesentliche **Einschränkungen:** § 243 IV 2 gilt nicht bei (gänzlich) verweigerter Information; denn den **Verweigerungsfall** führt Norm anders als § 243 IV 1 nicht auf (RegBegr. BT-Drs. 15/5092, 26). Zur Vermeidung von Abgrenzungsschwierigkeiten (s. dazu Spindler NZG 2005, 825, 829) ist Einschränkung formal zu handhaben. Sie setzt also buchstäbliche und in der Sache unberechtigte Verweigerung voraus (RegBegr. 15/5092, 26: Totalverweigerung; KK-AktG/Noack/Zetzsche Rn. 699; für weiteres Verständnis NK-AktR/Heidel Rn. 62). Ferner bezieht sich § 243 IV 2 nur auf Informationsmängel, die **in der HV** aufgetreten sind. Das gesamte Berichtswesen vor und außerhalb der HV unterliegt also nicht dem Klageausschluss (so ausdr. RegBegr. BT-Drs. 15/5092, 26; zust. S/L/Schwab Rn. 46; M. Winter FG Happ, 2006, 363, 365 f.; → § 293a Rn. 23 f.). Diese Eingrenzung wird verbreitet kritisiert, da sie zu schwierigen und teilw. auch willkürlich anmutenden Abgrenzungen führen könne (MüKoAktG/C. Schäfer Rn. 124; KK-AktG/Noack/Zetzsche Rn. 720 ff.). Diese Gefahr besteht zwar in der Tat, ist aber hinzunehmen, da anderenfalls die Verletzung der für den Aktionär bes. wichtigen Informationspflichten letztlich sanktionslos bliebe (LG Darmstadt AG 2006, 127, 131; Decher FS Hoffmann-Becking, 2013, 295 ff.). Zur Konkretisierung der iE betroffenen Auskünfte vgl. etwa für Abschluss eines Unternehmensvertrags → § 293a Rn. 11 ff., für den Fall des Squeeze-Out → § 327f Rn. 2; ausf. Decher FS Hoffmann-Becking, 2013, 295, 302 ff.

VI. Anfechtbarkeit als Rechtsfolge

48 **1. Allgemeines.** Anfechtbarkeit ist ein durch den Lauf der Anfechtungsfrist (§ 246 I) **zeitlich begrenzter Schwebezustand,** der sich in gegenläufigen Richtungen entwickeln kann (ausf. Noack DB 2014, 1851 ff.). Während das auf Anfechtungsklage ergehende rechtskräftige Urteil zur rückwirkenden Vernichtung des HV-Beschlusses führt (§ 248 I 1; → § 248 Rn. 4, 6 f.), bewirkt Ablauf der Anfechtungsfrist das Ende der Vernichtbarkeit, wenn Klage nicht rechtzeitig erhoben worden ist. Nicht gleichbedeutend mit Anfechtbarkeit ist die sie begründende (§ 243 I) materielle Rechtswidrigkeit des Beschlusses. Diese überdauert die Anfechtungsfrist, kann aber im Interesse der bezweckten Rechtssicherheit (→ Rn. 1) nicht mehr zur Vernichtung des Beschlusses führen. Bedeutungslos wird die **fortdauernde Rechtswidrigkeit** dadurch nicht; insbes. kann sie ein Eintragungshindernis darstellen (→ Rn. 56). Außer durch Ablauf der Anfechtungsfrist (§ 246 I) kann Anfechtbarkeit durch Bestätigung gem. § 244 entfallen. Weitere Heilungsmöglichkeiten sind nicht von nennenswertem praktischem Interesse (vgl. dazu MüKoAktG/C. Schäfer Rn. 126).

49 **2. Rechte und Pflichten der Beteiligten. a) In der Hauptversammlung.** In der HV stellt sich die Frage nach den Pflichten des HV-Leiters und des Notars. **HV-Leiter** ist gehalten, Zustandekommen von anfechtbaren Beschlüssen iRd Möglichen zu verhindern. Rechtmäßigkeitskontrolle obliegt ihm allerdings nur in den in → § 129 Rn. 23 aufgezeigten engen Grenzen In seiner Verantwortung

liegt auch die Feststellung des Beschlussergebnisses (§ 130 II; → § 130 Rn. 22, 23). Stellt sich nach Feststellung die Anfechtbarkeit heraus, zB wegen Zählfehlers, muss HV-Leiter nach Abhilfe suchen. Bei unrichtiger Feststellung ist Antrag erneut zur Abstimmung zu stellen (MüKoAktG/C. Schäfer Rn. 127). Von sich aus korrigieren kann HV-Leiter den Feststellungsfehler nicht, weil Beschluss bereits zustande gekommen ist. Zu den Pflichten des **Notars** ggü. anfechtbaren Beschlüssen → § 130 Rn. 13. Ein Recht, die Beurkundung anfechtbarer Beschlüsse zu verweigern, besteht nach zutr. hM nicht, wohl aber ein Recht, wenngleich keine Pflicht, die Rechtmäßigkeit zu prüfen und auf Bedenken hinzuweisen (näher MüKoAktG/C. Schäfer Rn. 128).

b) Vorstandspflichten. Vorstand muss rechtzeitig (Monatsfrist des § 246 I) prüfen, ob er von seiner Anfechtungsbefugnis nach § 245 S. 1 Nr. 4 Gebrauch machen will oder nicht. Pflicht zur Anfechtung ist nicht ohne weiteres, wohl aber bei gesellschaftsschädlichen Beschlüssen zu bejahen (→ § 245 Rn. 36). Frage der **Ausführungspflicht** (§ 83 II) stellt sich, soweit Beschlüsse nach ihrem Inhalt ausführungsbedürftig sind. Sie ist für (noch) anfechtbare Beschlüsse zu verneinen, weil § 83 II iVm § 93 IV 1 einen rechtmäßigen Beschluss voraussetzt, an dem es gerade fehlt (ebenso GK-AktG/K. Schmidt Rn. 71). Dagegen wird der Beschluss mit Ablauf der Anfechtungsfrist gesetzmäßig (str. → § 93 Rn. 155), so dass jetzt ausgeführt werden muss. Ob insoweit für gesellschaftsschädliche Beschlüsse eine Ausnahme gemacht werden kann (dafür MüKoAktG/C. Schäfer Rn. 132), ist nicht zweifelsfrei. Gut vertretbar erscheint auch, Ausführungspflicht zu bejahen, aber zugleich Ersatzpflicht der Vorstandsmitglieder wegen pflichtwidriger Unterlassung der Anfechtung anzunehmen (→ § 242 Rn. 7 zur ähnlichen Problematik bei Heilung). 50

3. Registerverkehr. a) Überblick. Fragen des Registerverfahrens stellen sich, wenn Beschluss der HV eintragungsbedürftig ist und zur Eintragung angemeldet wird. Eintragungsbedürftigkeit ist namentl. bei Satzungsänderungen, Kapitalerhöhung und -herabsetzung sowie strukturändernden Maßnahmen gegeben (vgl. §§ 181, 184, 195, 202 II, 207, §§ 223, 229 III, § 237 II 1, §§ 263, 274 III, §§ 294, 295, 319 IV, § 320 I 3, § 327 III sowie zur Verschmelzung §§ 16, 36 I UmwG und zum Formwechsel § 198 UmwG). Recht und Pflicht des Registergerichts zur **Prüfung in formeller und materieller Hinsicht** sind geklärt und bedürfen keiner grds. Vertiefung mehr. Wenn materielle Prüfung Nichtigkeit des Beschlusses ergibt, liegt Eintragungshindernis vor (→ § 241 Rn. 32). Während das geklärt ist, führt Feststellung von Anfechtbarkeit nicht selten zur Konfusion, weil zwischen den verschiedenen Fallgestaltungen nicht hinlänglich unterschieden wird. Schon im Ansatz ist danach zu differenzieren, ob Ges. Negativerklärung fordert (zB § 319 V, § 320 I 3, § 16 II UmwG) oder nicht. Zu den Fällen mit Negativerklärung → Rn. 57. Wenn sie wie idR nicht erforderlich ist, sind die im Folgenden erläuterten fünf Fallgestaltungen zu unterscheiden. 51

b) Negativerklärung nicht erforderlich. aa) Anmeldung innerhalb der Monatsfrist, Klage nicht erhoben. Zulässig und im Regelfall empfehlenswert ist in diesem Fall Aussetzung gem. § 21 I FamFG, § 381 FamFG bis zum Ablauf der Anfechtungsfrist (aA GK-AktG/K. Schmidt Rn. 72: eintragen). Klageerhebung ist dafür, wie § 381 FamFG zeigt, nicht erforderlich (MüKoAktG/C. Schäfer Rn. 134). Zuwarten bis zum Ablauf der Monatsfrist wird in aller Regel keine wesentliche Benachteiligung der Gesellschaft bedeuten. 52

bb) Anfechtungsklage erhoben, aber noch kein rechtskräftiges Urteil. Ausgangslage ist hier anders gelagert als in → Rn. 52, weil mit kurzfristiger Klärung der Verhältnisse nicht gerechnet werden kann. Auch hier besteht Aussetzungsmöglichkeit der § 21 I FamFG, § 381 FamFG. Gericht muss aber Interesse 53 der AG an baldiger Eintragung berücksichtigen und gegen Erfolgsaussichten der Anfechtungsklage abwägen (allgM, s. MüKoAktG/C. Schäfer Rn. 135). Solche Abwägung ist schwierig. Eintragung liegt nahe, wenn Klage nach gesichertem rechtl. Erkenntnisstand unzulässig oder unschlüssig ist (zB Normwidrigkeit des Beschlusses nicht substanziiert behauptet wird oder Fehler bei Beschlussfeststellung offenbar unerheblich ist). Sie sollte nicht erfolgen, wenn Erfolgsaussichten der Klage nicht zuverlässig beurteilbar sind, insbes. dann nicht, wenn es dafür auf Ergebnis einer Beweisaufnahme ankommt (so auch Praxis der Registergerichte → § 245 Rn. 23). Damit eintretende **faktische Registersperre** kann durch Entscheidung des Gerichts (OLG) im **Freigabeverfahren** des § 246a durchbrochen werden, soweit es um Kapitalmaßnahmen oder Unternehmensverträge geht, obwohl es insoweit keiner Negativerklärung (→ Rn. 57) bedarf; iÜ, vor allem bei bloßer Satzungsänderung, verbleibt es bei § 21 I FamFG, § 381 FamFG.

54 **cc) Rechtskräftiges Anfechtungsurteil.** Grds. entscheidet Registergericht zwar selbständig. Prinzip selbständiger Entscheidung gilt aber nicht ggü. rechtskräftigen Gestaltungsurteilen, weil sie materielle Rechtslage verändern (GK-HGB/J. Koch/Harnos § 16 Rn. 4 f. mwN), also auch nicht ggü. dem rechtskräftigen Anfechtungsurteil (§ 248 I 1). Anmeldung ist zurückzuweisen. Wenn schon eingetragen war, ist nunmehr gem. § 248 I 3 auch Urteil einzutragen, nicht etwa Eintragung zu löschen (MüKoAktG/C. Schäfer Rn. 136).

55 **dd) Rechtskräftige Abweisung der Anfechtungsklage.** Das klageabweisende Urteil entfaltet keine Gestaltungswirkung, so dass Registergericht nicht schon kraft Ges. gebunden ist; es verbleibt vielmehr beim Prinzip selbständiger Entscheidung (→ Rn. 54). Wegen dringend wünschenswerter Entscheidungsharmonie wird Registergericht jedoch sehr eingehend prüfen müssen, ob es von der Möglichkeit abw. Sachentscheidung, dh Zurückweisung der Anmeldung, Gebrauch macht (MüKoAktG/C. Schäfer Rn. 137). Ausgeschlossen sind solche Fälle nicht. Am ehesten ist daran zu denken, dass Ausschlussfrist des § 246 I versäumt wurde, so dass Prozessgericht zur Prüfung der Anfechtungsgründe nicht vordringen konnte (→ Rn. 56).

56 **ee) Frist abgelaufen.** Wenn Anfechtungsfrist (§ 246 I) ohne Klage abgelaufen ist (uU aber auch sonst, → Rn. 55), stellt sich Frage, ob Registergericht Eintragung vorzunehmen hat oder ob es Anmeldung des unanfechtbar gewordenen Beschlusses wegen von ihm festgestellter Normwidrigkeit (§ 243 I) zurückweisen darf. Nach hM des Registerrechts ist Eintragung zu verfügen, weil Mangel nach Fristablauf von niemandem mehr geltend gemacht werden kann (BayObLGZ 1972, 126, 128 f.; KG JW 1936, 334, 335; OLG Hamburg OLGZ 1984, 307, 310 f.; OLG Köln WM 1981, 1263, 1264 f.; OLG Köln BB 1982, 579; OLG München GmbHR 2012, 905 f.; Krafka RegisterR Rn. 1027). Die hM des Gesellschaftsrechts differenziert dagegen zu Recht: Danach ist Gericht berechtigt und verpflichtet, Anmeldung zurückzuweisen, wenn durch Mangel des Beschlusses **Interessen der Gläubiger, der künftigen Aktionäre oder der öffentl. Ordnung des Aktienwesens** auch nur mitbetroffen sind, zB in den Fällen der § 182 I 4, § 182 IV, § 192 II, § 208 II 2, § 222 III, § 229 II, § 237 I 2 (grundlegend Lutter NJW 1969, 1873 ff.; zust. BeckOGK/Drescher Rn. 13; MüKoGmbHG/Harbarth § 54 Rn. 76; MüKoAktG/C. Schäfer Rn. 138; GK-AktG/Sethe § 222 Rn. 22; weitergehend Baums, Eintragung und Löschung von Gesellschafterbeschlüssen, 1981, 57 f., 64 ff.). Diese Ansicht trifft zu (→ § 241 Rn. 5), weil Unanfechtbarkeit nichts an fortdauernder Rechtswidrigkeit ändert (→ Rn. 48) und Anfechtungsberechtigte sonst über Drittinteressen disponieren dürften. Grds. wird ihnen das schon dadurch verwehrt, dass bei Berührung von Drittinteressen § 241 Nr. 3 eingreift (ausf. J. Koch ZHR 182 [2018], 378,

383 ff.), doch gilt Norm nur bei „überwiegenden" Drittinteressen (Lutter NJW 1969, 1873, 1874 f.). Für verbleibende Fälle, in denen Drittinteresse nicht überwiegt, aber doch Regelungsziel ist, kann es sinnvoll sein, diesen Schutz Registerrichter zu überantworten (ausf. GK-HGB/J. Koch/Harnos § 8 Rn. 110 ff.). Ablauf der Anfechtungsfrist stellt nur Rechtsfrieden zwischen AG und Gesellschaftern her, heilt Gesetzesverstoß aber nicht materiell-rechtl. (BeckOGK/Drescher Rn. 13). Es handelt sich deshalb weiterhin um „eintragungswidrigen" Beschluss. Registergericht, das nicht allein Vollzugsbehörde ist, sondern auch Aufgaben der Rechtsaufsicht wahrnimmt, darf das nicht ignorieren.

c) Negativerklärung erforderlich. Bei Eingliederung, Squeeze-Out, Verschmelzung und Vermögensübertragung ist sog Negativerklärung erforderlich (§ 319 V, § 320 I 3, § 327e II, § 16 II, § 176 I UmwG). Anmeldung muss also Erklärung des Vorstands enthalten, dass fristgerechte Anfechtung nicht erfolgt oder Klage rechtskräftig abgewiesen ist. Wenn Erklärung fehlt, ist für Aussetzung gem. § 21 I FamFG, § 381 FamFG kein Raum. Gericht fordert vielmehr Erklärung durch Zwischenverfügung nach (§ 382 IV 1 FamFG) und weist Anmeldung als zZ unzulässig zurück, wenn sie nicht beigebracht werden kann (BGHZ 112, 9, 13 = NJW 1990, 2747; MüKoAktG/C. Schäfer Rn. 140; aA Volhard AG 1998, 397, 401). Ist Eintragung allerdings zu Unrecht erfolgt, so richtet sich **Amtslöschung** grds. nur nach § 398 FamFG, da dieser § 395 FamFG als lex specialis vorgeht. Im Fall von nicht nur schwerwiegenden inhaltlichen Mängeln ist Anwendung des § 395 FamFG jedoch möglich (so überzeugend BVerfG NZG 2010, 902, 904; aA noch OLG Düsseldorf FGPrax 2004, 294, 295; zum Verhältnis der §§ 395, 398 FamFG → § 241 Rn. 31; zur Negativerklärung bei Eingliederung und Squeeze-Out → § 319 Rn. 15; → § 327e Rn. 3). Sog **Registersperre** besteht zwar nicht ausnahmslos, aber doch im Grundsatz (§ 319 V 2; → § 319 Rn. 15 f.). Ihrer **Überwindung** dient bes. Beschlussverfahren, zB gem. § 319 VI. Negativerklärung wird nämlich ersetzt durch rechtskräftige Feststellung des Gerichts (OLG), dass gegen HV-Beschluss gerichtete Klage seiner Eintragung nicht entgegensteht (Einzelheiten → § 319 Rn. 14 ff.). 57

VII. Prozessuale Fragen

1. Allgemeines. Beschluss der HV kann nur durch Klage angefochten werden. Durch private Willenserklärung kann weder ein Aktionär noch ein Gesellschaftsorgan oder ein Organmitglied dem Beschluss die von HV gewollte und erklärte Rechtswirkung nehmen. Weil Anfechtung nur durch Klage erfolgen kann, verbinden sich aktien- und prozessrechtl. Vorschriften und Grundsätze zu einem Regelungskomplex, der bei §§ 246–248 im jeweiligen Zusammenhang erläutert ist. Keine bes. Regelung haben Darlegungs- und Beweislast und der einstweilige Rechtsschutz gefunden (→ Rn. 59 ff., 66). 58

2. Darlegungs- und Beweislast. a) Grundposition: Normentheorie. Bes. Vorschrift über Verteilung der Darlegungs- und Beweislast ist weder in §§ 243 ff. enthalten noch anderwärts gegeben. Also gilt allg. Grundsatz, dass jede Partei die Tatsachen zu behaupten und zu beweisen hat, die von den ihr günstigen Normen vorausgesetzt werden (sog Normentheorie); vgl. OLG Frankfurt AG 2011, 36, 39; OLG München AG 2003, 452, 453; MüKoAktG/C. Schäfer Rn. 144. Daran ist festzuhalten, obgleich Denkmodell der Normentheorie, nämlich Durchsetzung von Ansprüchen, dem Regelungsmodell der §§ 243 ff. nicht voll entspr.; namentl. rechtfertigt Gesichtspunkt des Minderheitenschutzes keine allg. Beweislastumkehr (Hüffer FS Fleck, 1988, 151, 154 ff., 156). 59

Kläger muss also die Tatsachen behaupten und im Streitfall beweisen, aus denen sich seine Anfechtungsbefugnis ergibt (§ 245), im Regelfall also Aktionärs- 60 eigenschaft und Widerspruch zur notariellen Niederschrift (§ 245 S. 1 Nr. 1; → § 130 Rn. 4). Entscheidend ist Erklärung des Widerspruchs, nicht seine Niederschrift (Hüffer FS Fleck, 1988, 151, 156 f.). Bei abgelaufener Anfechtungsfrist (§ 246 I) trägt Kläger Darlegungs- und Beweislast für Fristwahrung durch rechtzeitige Zustellung der Klageschrift (Erl. zu § 246). Darzulegen und zu beweisen sind weiterhin Voraussetzungen des § 243, also die Tatsache der Beschlussfassung und grds. auch die tats. Voraussetzungen des Gesetzes- oder Satzungsverstoßes (§ 243 I; s. OLG München AG 2003, 452, 453: behauptete Nichtzuleitung des Abhängigkeitsberichts an AR; LG Frankfurt NZG 2013, 1181, 1183) oder der unzulässigen Verfolgung von Sondervorteilen (§ 243 II); vgl. MüKoAktG/C. Schäfer Rn. 152. Insoweit gelten jedoch teilw. Besonderheiten, bes. bei Verfahrensfehlern (→ Rn. 61 f.).

61 **b) Fehler des Beschlussverfahrens. aa) Kausalitätsgegenbeweis.** Nach früher hM führten Mängel des Beschlussverfahrens (→ Rn. 11 ff.) nur dann zur Anfechtbarkeit, wenn sie das Ergebnis der Beschlussfassung beeinflusst hatten. Doch trug die **Gesellschaft** nach diesem Konzept die volle Darlegungs- und Beweislast für das Fehlen eines Kausalzusammenhangs (→ Rn. 12). Richtig ist es, davon abw. statt auf potenzielle Kausalität auf Relevanz abzuheben (→ Rn. 13), womit sich das Erfordernis ursächlichen Zusammenhangs auf die fehlerhafte Feststellung des Abstimmungsergebnisses beschränkt (→ Rn. 19). Insoweit bleibt es dabei, dass es Sache der beklagten AG ist, Tatsachen darzulegen und zu beweisen, aus denen sich ergibt, dass der Fehler keine Bedeutung für das Ergebnis hat (echte Beweislastumkehr; sa GK-AktG/K. Schmidt § 246 Rn. 81). Bei eindeutigen Mehrheitsverhältnissen wird das nicht schwierig sein.

62 **bb) Beweiserleichterungen.** Abgesehen von den in → Rn. 61 erörterten Fällen, gibt es iR von Anfechtungsklagen keine gesicherte Umkehr der Beweislast. Sie sollte aber bei Verletzung von Informationspflichten dann eintreten, wenn Kläger Tatsachen behaupten und beweisen konnte, die „Grund zu der Annahme" mangelhafter Erfüllung der Informationspflichten geben (näher Hüffer FS Fleck, 1988, 151, 160 f.). Das steht im Zusammenhang mit **Prinzip der Tatsachennähe,** das auch sonst weiterhelfen kann (MüKoAktG/C. Schäfer Rn. 148; GK-AktG/K. Schmidt § 246 Rn. 81; Bacher GmbHR 2002, 712, 714 ff.). Teilw. kann auch auf **Beweisvereitelung** abgehoben werden, vor allem, wenn HV-Protokoll von AG entgegen gerichtl. Auflage (§ 422 ZPO, § 810 Fall 2 BGB) nicht vorgelegt wird (Hüffer FS Fleck, 1988, 151, 162; sa HCL/Raiser/Schäfer GmbHG Anh. § 47 Rn. 223). **HV-Notar** kann als Zeuge im Beschlussmängelstreit auftreten. Verschwiegenheitspflicht nach § 18 I 1 und 2 BNotO ist insoweit teleologisch zu reduzieren, so dass Verweigerungsrecht nach § 383 I Nr. 6 ZPO nicht greift (überzeugend Angerer/Backhaus AG 2022, 16 Rn. 1 ff.).

63 **c) Inhaltsfehler.** Wenn Anfechtungsklage auf inhaltliche Mängel des HV-Beschlusses gestützt wird, ist es, soweit es nicht um reine Rechtsfragen geht, **Sache des Klägers,** Tatsachen zu behaupten und zu beweisen, aus denen sich Verletzung von einzelnen Bestimmungen des Ges. oder der Satzung ergibt (MüKoAktG/C. Schäfer Rn. 149; Hüffer FS Fleck, 1988, 151, 163 f.). Soweit Verstöße gegen § 53a in Frage stehen (→ Rn. 29), gilt das allerdings nur für Tatsachen, aus denen sich Ungleichbehandlung ergeben soll. Wenn diese feststeht, AG die Ungleichbehandlung aber rechtfertigen will, trägt sie für entspr. Tatsachen die Beweislast (allgM, s. Hüffer FS Fleck, 1988, 151, 164 mwN; zust. GK-AktG/K. Schmidt § 246 Rn. 82; HCL/Raiser/Schäfer GmbHG Anh. § 47 Rn. 224).

64 **d) Insbesondere: Verletzung von Treupflichten; Gleichbehandlungsgrundsatz.** Schwieriger ist Verteilung der Darlegungs- und Beweislast, soweit

inhaltliche Mängel des HV-Beschlusses in Verletzung der mitgliedschaftlichen Treupflicht oder des Gleichbehandlungsgrundsatzes bestehen sollen (→ Rn. 24 ff.). Erörtert wird vornehmlich Fall der Kapitalerhöhung unter Bezugsrechtsausschluss. Hier hat BGHZ 71, 40, 48 f. = NJW 1978, 1316 Darlegungs- und Beweislast in dem Sinne gespalten, dass AG Tatsachen darlegen muss, aus denen sich sachliche Rechtfertigung ergeben soll; deren Widerlegung einschließlich zugehöriger Beweisführung soll aber Sache des Klägers bleiben (ausf. → § 186 Rn. 38; offengelassen aber in BGHZ 219, 215 Rn. 47 = NJW 2018, 2796). Dem ist mit hLit nicht zu folgen (ausf. → § 186 Rn. 38) und entspr. allg. Grundsätzen (→ § 53a Rn. 8) anzunehmen, dass **Darlegungs- und Beweislast für sachliche Rechtfertigung bei der AG** liegt (ausf. → § 186 Rn. 38). Eines Rückgriffs auf Grundsätze der sekundären Beweislast bedarf es insofern nicht (v. Selle NZG 2023, 1199, 1201 f.). Soweit Inhaltskontrolle bei anderen (strukturändernden) Maßnahmen stattfinden kann (→ Rn. 26 f.), muss Darlegungs- und Beweislast ebenso verteilt werden.

e) Unzulässige Verfolgung von Sondervorteilen. Kläger muss die Tatsa- 65
chen darlegen und beweisen, aus denen sich unzulässige Verfolgung von Sondervorteilen iSd § 243 II 1 ergibt (OLG Nürnberg NZG 2018, 500 Rn. 92; AG 2021, 721, 728). Demgegenüber ist § 243 II 2 Ausnahmetatbestand, so dass beklagte AG entspr. Tatsachen beizubringen hat (Hüffer FS Fleck, 1988, 151, 155, 164). Anforderungen an substanziierte Darlegung des Klägers dürfen jedoch nicht überspannt werden (BGHZ 103, 184, 196 f. = NJW 1988, 1579).

3. Einstweiliger Rechtsschutz. Frage nach einstweiligem Rechtsschutz kann 66
sich im Zusammenhang mit Anfechtungsklagen aus mehrfacher Perspektive stellen. Aus **Sicht der AG** kann es in erster Linie darum gehen, vom Registerrichter gem. § 21 I FamFG, § 381 FamFG ausgesetzte oder tats. unterbleibende Eintragung vorzunehmen. Zu diesem Zweck steht heute allerdings für bestimmte Beschlussgegenstände **Freigabeverfahren** nach § 246a zur Verfügung, das zumindest für AG selbst §§ 935 ff. ZPO als **lex specialis** verdrängt (ausf. GK-HGB/J. Koch/Harnos § 16 Rn. 42; Kort NZG 2007, 169, 171). Für Beschlüsse, für die ein Freigabeverfahren nicht vorgesehen ist, entfaltet § 246a hingegen keine Sperrwirkung (GK-HGB/J. Koch/Harnos § 16 Rn. 42); → § 246a Rn. 27.

Aus **Sicht der Aktionäre** kann Interesse bestehen, Beschlussfassung selbst 67
im Wege einstweiliger Verfügung zu verhindern, oder sich doch zumindest gegen Vollzug, insbes. durch Eintragung, zur Wehr zu setzen. Einstweilige Verfügung, mit der schon **Beschlussfassung** verhindert werden soll, wird überwiegend im GmbH-Recht problematisiert, kann sich aber gleichermaßen im AktR stellen. ZT wird sie kategorisch abgelehnt (OLG Celle GmbHR 1981, 264, 265 f.; OLG Frankfurt BB 1982, 274; OLG Koblenz NJW 1991, 1119; OLG Stuttgart NJW 1987, 2499), doch hat sich in neuerer Zeit zu Recht herrschende Kompromissformel durchgesetzt (Unterschiede werden in manchen Streitübersichten unnötig überbetont). Danach ist solche Verfügung nicht gänzlich ausgeschlossen, sondern unter hohen Anforderungen ausnahmsweise zulässig, wenn vorläufiger Rechtsschutz gegen Beschlussausführung keinen effektiven Schutz leisten kann (OLG Düsseldorf NZG 2005, 633, 634; OLG München NZG 1999, 407; 2007, 152, 153; B/K/L/Göz § 246 Rn. 48; KK-AktG/Noack/Zetzsche § 246 Rn. 250 ff.; Buchta DB 2008, 913, 914 ff.; Leuering FS Bergmann, 2018, 457, 461). In der Rspr. wird diese Notwendigkeit aber zumeist verneint (vgl. etwa OLG München NZG 2007, 152, 153). Weniger Probleme bereitet Konstellation, in der Kläger nach Beschlussfassung Klage erhebt und mittels einstweiligen Rechtsschutzes in Vernichtung des HV-Beschlusses liegenden Prozesserfolg (§ 248) dadurch vorläufig sichern will, dass

er gegen AG einstweilige Verfügung erwirkt (§§ 935 ff. ZPO). Das ist veranlasst, wenn tats. **Ausführung** des Beschlusses bevorsteht, damit begonnen wird oder eintragungsbedürftige Beschlüsse zum HR angemeldet werden und Registerrichter – was die Ausnahme sein wird – keine Aussetzung vornimmt. Einstweilige Verfügung ist in solchen Fällen grds. möglich (BVerfG WM 2004, 2354; OLG München NZG 2007, 152, 153 f.; MüKoAktG/C. Schäfer Rn. 153). Ob als dritte Kategorie auch vor Beschlussfassung einstweiliger Rechtsschutz gegen spätere Ausführung möglich sein kann, ist derzeit noch wenig erörtert, als mildere Maßnahme im Vergleich zum Rechtsschutz gegen Beschlussfassung selbst aber durchaus erwägenswert, wenn durch unmittelbaren Vollzug sonst vollendete Tatsachen geschaffen würden (dafür Leuering FS Bergmann, 2018, 457, 462 ff.).

68 Fraglich ist allerdings auch hier Spezialität des § 246a. Auch aus Sicht des Aktionärs ist einstweilige Verfügung jedenfalls dann nachrangig, wenn bereits ein solches **Verfahren eingeleitet** wurde. Mit § 246a hat Gesetzgeber sorgfältig austariertes Regelungsregime geschaffen, das den Konflikt zwischen dem Vollzugsinteresse der AG und dem Aussetzungsinteresse der AG auflösen soll. Diese speziellere Regelung darf nicht durch Rückgriff auf allg. Möglichkeit vorläufigen Rechtsschutzes unterlaufen werden (GK-HGB/J. Koch/Harnos § 16 Rn. 43). Ist Verfahren nicht eingeleitet, bleibt einstweiliger Rechtsschutz möglich, da Aktionär auf mögliches Freigabeverfahren keinen Einfluss hat. Aktionär muss aber drohendes Schadensersatzrisiko nach § 945 ZPO bedenken, das nicht über analoge Anwendung des § 247 II 1 gemindert werden kann (MüKoAktG/C. Schäfer Rn. 155). Verfügungsanspruch setzt Anfechtungsklage und deren Schlüssigkeit voraus. Das wird im Schrifttum zwar zT in Zweifel gezogen (NK-AktR/Heidel Rn. 65), ergibt sich aber aus allg. Verbot widersprüchlichen Verhaltens (zust. Grigoleit/Ehmann Rn. 38). Verfügungsgrund liegt vor, wenn von AG geschaffene Tatsachen nicht ohne spürbaren Nachteil für Kläger beseitigt werden könnten. Verfügungsgrund ist insbes. auch **drohende Registereintragung.** Einstweilige Verfügung, die Eintragung für unzulässig erklärt, ist vollstreckbare Entscheidung iSd § 16 II HGB (BVerfG WM 2004, 2354, 2355; LG Heilbronn AG 1971, 372; GK-HGB/J. Koch/Harnos § 16 Rn. 33) und bindet das Registergericht (OLG Koblenz GmbHR 1986, 430; LG Heilbronn AG 1971, 372; Baur ZGR 1972, 421 f., 426). Zur Frage, wie sich nachträglich eingeleitetes Freigabeverfahren auswirkt, → § 246a Rn. 27; zum einstweiligen Rechtsschutz bei befürchtetem abredewidrigen Abstimmungsverhaltens bei Stimmbindungsverträgen → § 133 Rn. 31.

Bestätigung anfechtbarer Hauptversammlungsbeschlüsse

244 [1]**Die Anfechtung kann nicht mehr geltend gemacht werden, wenn die Hauptversammlung den anfechtbaren Beschluß durch einen neuen Beschluß bestätigt hat und dieser Beschluß innerhalb der Anfechtungsfrist nicht angefochten oder die Anfechtung rechtskräftig zurückgewiesen worden ist.** [2]**Hat der Kläger ein rechtliches Interesse, daß der anfechtbare Beschluß für die Zeit bis zum Bestätigungsbeschluß für nichtig erklärt wird, so kann er die Anfechtung weiterhin mit dem Ziel geltend machen, den anfechtbaren Beschluß für diese Zeit für nichtig zu erklären.**

Übersicht

I. Regelungsgegenstand und -zweck

1 Norm betr. Bestätigung anfechtbarer HV-Beschlüsse und dient der **Rechtssicherheit.** Wenn Gültigkeit des HV-Beschlusses zweifelhaft ist, soll es möglich sein, Zweifel vor rechtskräftiger Entscheidung über Anfechtungsklage auszuräumen (RegBegr. Kropff S. 331; Hüffer ZGR 2012, 730, 731 f.). Praxis behalf sich früher mit mangelfreier Wiederholung des möglicherweise anfechtbaren Beschlusses, die Rechtsschutzbedürfnis für schon erhobene Anfechtungsklage entfallen ließ (BGHZ 21, 354, 356 = NJW 1956, 1753; BGHZ 196, 195 Rn. 14 = NZG 2013, 456). Vorschrift soll namentl. dann Verbesserung bringen, wenn Neuvornahme praktisch nicht möglich ist, wie vor allem bei Kapitalerhöhungsbeschlüssen wegen Risikos doppelter Kapitalerhöhung (RegBegr. Kropff S. 331). Aber auch bei anderen Beschlussformen kann Bestätigung **Vorteile ggü. Neuvornahme** bringen, die sich daraus ergeben, dass rechtl. Beurteilung an Zeitpunkt des Ausgangsbeschlusses anknüpft (→ Rn. 2) und überdies im Freigabeverfahren Chancenverbesserung bringen kann, da Anfechtungsklage bei erfolgreicher Bestätigung offensichtlich unbegründet ist und zudem Schadensersatzpflicht nach § 246a IV wegfallen kann (Hüffer ZGR 2012, 730, 731 und 749 ff.). Gegenläufiger Nachteil des Bestätigungsbeschlusses ist darin zu sehen, dass er seinerseits der **Anfechtung** unterliegt, was iVm üblicher Aussetzungspraxis zu erheblichen Verzögerungen führen kann (Zöllner AG 2004, 397, 398: „Kaskade von Bestätigungsbeschlüssen folgt korrespondierende Kaskade von Anfechtungsprozessen"). Auf Vorstands- und AR-Beschlüsse findet § 244 keine entspr. Anwendung (Hüffer ZGR 2012, 730, 735). § 244 geht auf AktG 1965 zurück und ist seitdem – als einzige Vorschrift des Beschlussmängelrechts neben § 253 – nicht geändert worden (Hüffer ZGR 2012, 730, 731). Erster Normteil ist bes. beeinflusst durch v. Caemmerer FS A. Hueck, 1959, 281, zweiter Normteil durch Überlegungen von A. Hueck FS Molitor, 1962, 415. Ausf. zur Entstehungsgeschichte und zur rechtspolitischen Würdigung Hüffer ZGR 2012, 730, 751 ff.; Klamaris, Bestätigung anfechtbarer HV-Beschlüsse, 2018, 52 ff.; krit. Zöllner AG 2004, 397, 404.

II. Voraussetzungen des Anfechtungsausschlusses

2 **1. Bestätigung durch neuen Beschluss.** Anfechtung ist gem. § 244 S. 1 ausgeschlossen, wenn HV neuen Beschluss fasst, der anfechtbaren Beschluss bestätigt. Entgegen missverständlicher Überschrift gilt das nicht nur für anfechtbare, sondern auch für **bereits angefochtene Beschlüsse.** In zweiter Fallgestal-

tung liegt auch praktischer Schwerpunkt: Bestätigung als Reaktion auf bereits erhobene Anfechtungsklage (Hüffer ZGR 2012, 730, 731). Nichtige Beschlüsse können nicht bestätigt werden (allgM, s. BGHZ 189, 32 Rn. 23, 27 = NZG 2011, 669; BGH AG 2012, 680 Rn. 10). Einschränkungen aufgrund des Beschlussgegenstands wie Übertragung von Aktien nach § 327a haben keine rechtl. Basis (Kocher NZG 2006, 1, 5). Zeitliche Grenzen bestehen nicht, so dass Bestätigungsbeschluss auch erst Jahre nach Ausgangsbeschluss gefasst werden kann (OLG München AG 1997, 516, 517; Henssler/Strohn/Drescher Rn. 4). Bestätigungsmöglichkeit endet erst mit **rechtskräftiger Nichtigkeitserklärung** des Ausgangsbeschlusses (§ 241 Nr. 5; LG Frankfurt AG 2014, 132 Rn. 107). Für Beschluss gelten grds. **dieselben Mehrheitserfordernisse** wie für Ausgangsbeschluss, da dieser erst mit Bestätigung endgültige Wirksamkeit erhält und diese von erforderlicher Mehrheit getragen sein muss. Beruht Mehrheit des Ausgangsbeschlusses auf Fehler, etwa unrichtiger Informationslage, ist diese Legitimation nicht gegeben (BeckOGK/Drescher Rn. 20; KK-AktG/Noack/Zetzsche Rn. 55 f., 77 f.; Grobecker/Kuhlmann NZG 2007, 1, 7; Hoppe NZG 2019, 1401, 1405; aA Hüffer ZGR 2012, 730, 737). Bestätigung liegt vor, wenn HV ihren ersten Beschluss trotz eventueller Mängel als verbindliche Regelung der jeweiligen Gesellschaftsangelegenheit anerkennen will und dies erklärt (BGHZ 157, 206, 209 f. = NJW 2004, 1165). Das ist auch dann möglich, wenn nichtig abgegebene Stimmen mitgezählt worden sind und HV-Leiter Beschlussfassung deshalb zu Unrecht festgestellt hat. Inhaltlich falsche Feststellung führt nämlich zusammen mit Beurkundung zum Zustandekommen des Beschlusses mit festgestelltem Inhalt (→ § 130 Rn. 22, 23; → § 241 Rn. 3). Dieser Beschluss ist zwar anfechtbar, damit aber auch der Bestätigung zugänglich (BGH AG 2006, 158 Rn. 17 f.; BGHZ 189, 32 Rn. 24; OLG Köln AG 2021, 686, 688; OLG Stuttgart AG 2004, 457, 458; aA OLG München AG 2003, 645; Mimberg FS Hüffer, 2010, 663, 671 ff.). Das gilt auch beim zeitweiligen Verlust des Stimmrechts nach § 20 VII oder nach § 44 WpHG (BGHZ 167, 204 Rn. 26 = AG 2006, 501; BGHZ 189, 32 Rn. 24; OLG Stuttgart AG 2004, 457, 458; Happ FS K. Schmidt, 2009, 545, 559 ff.; aA Mimberg FS Hüffer, 2010, 663, 676 ff.). Weil es nur um Geltungserklärung geht, ist **Aktualisierung** eines für Erstbeschluss vorgeschriebenen Berichts **entbehrlich** (OLG Frankfurt AG 2011, 36, 42; OLG Karlsruhe AG 1999, 470; KG NZG 2008, 29, 30; B/K/L/Göz Rn. 5; Kocher NZG 2006, 1, 3 f.). Das Gleiche gilt für bereits vorhandene Bewertungsgutachten (Hüffer ZGR 2012, 730, 735, 753). Weiterhin müssen bereits beantwortete und durch Zeitablauf überholte **Fragen** nicht beantwortet werden, wohl aber bislang unbeantwortete und aktualisierende Fragen (str. – wie hier OLG München AG 1997, 516, 519; LG Frankfurt AG 2014, 132 Rn. 134; Henssler/Strohn/Drescher Rn. 5a; B/K/L/Göz Rn. 5; Habersack/Schürnbrand FS Hadding, 2004, 391, 404 f.; aA NK-AktR/Heidel Rn. 5; Grobecker/Kuhlmann NZG 2007, 1, 5). Gegenauffassung übersieht, dass Ausgangs- und Bestätigungsbeschluss als Einheit eines Doppeltatbestandes angesehen werden; anderenfalls wäre bezweckte Erleichterung ggü. Neuvornahme (→ Rn. 1) deutlich gemindert (Kocher NZG 2006, 1, 4). Auch sonst kommt es auf seither eingetretene Entwicklungen nicht an (BGHZ 157, 206, 209 ff.; OLG Dresden AG 2001, 489, 490; LG Frankfurt AG 2007, 48, 51; BeckOGK/Drescher Rn. 28; Habersack/Schürnbrand FS Hadding, 2004, 391, 404 ff.). Bei AR-Wahl setzt sich Vorgabe des § 124 III 1 dahingehend fort, dass Vorstand auch für Bestätigungsbeschlüsse nach § 244 keine Vorschläge unterbreiten darf; Kandidateninformationen müssen nicht aktualisiert werden (LG Frankfurt AG 2014, 132 Rn. 111).

2a Für inhaltliche Auslegung des Beschlusses liegt Deutungsalternative zur Bestätigung in **Wiederholung oder Neuvornahme,** mit der HV gerade nicht am ersten Beschluss festhält, sondern wegen seiner Mangelhaftigkeit neuen Beschluss an seine Stelle setzt. Maßgeblich ist Regelungswille der HV (→ Rn. 1). Entspr. dem Grundgedanken des § 244 S. 1 ist **iZw Bestätigung anzunehmen** (OLG Frankfurt AG 2011, 36, 42; LG Frankfurt AG 2014, 132 Rn. 104). Dabei ist vorausgesetzt, dass erster und zweiter Beschluss inhaltlich übereinstimmen. Bei sachlichen Abweichungen handelt es sich stets um Neuvornahme (OLG Bremen BeckRS 2014, 14081; LG Frankfurt AG 2014, 132 Rn. 104; MüKoAktG/C. Schäfer Rn. 5). Damit kommt Bestätigung iE nur bei Verfahrensfehlern in Betracht; denn bei inhaltlichen Mängeln wäre der Bestätigungsbeschluss ebenso anfechtbar wie der Ausgangsbeschluss (BGHZ 189, 32 Rn. 27 = NZG 2011, 669; OLG Dresden AG 2001, 489, 491; OLG München AG 2013, 173, 175 ff.; BeckOGK/Drescher Rn. 25 f.; S/L/Schwab Rn. 3; aA KK-AktG/Noack/Zetzsche Rn. 41 ff.; zweifelnd auch Butzke FS Stilz, 2014, 83, 85 f.). Praktisch kann allerdings auch dieser Weg zum Erfolg führen, nämlich wenn gegen Bestätigungsbeschluss tats. keine Anfechtungsklage erhoben wird (zum Erfordernis der Doppelanfechtung → Rn. 4), dieser somit trotz seines Mangels Gültigkeit erlangt und damit Heilungswirkung zugunsten des Ausgangsbeschlusses eintritt (vgl. dazu BGH NZG 2021, 831 Rn. 58; BeckOGK/Drescher Rn. 24, 26; Hüffer ZGR 2012, 730, 735; Wasmann FS Riegger, 2008, 47, 55).

2. Gültigkeit und Wirksamkeit des neuen Beschlusses. Anfechtung ist nur dann ausgeschlossen, wenn zweiter HV-Beschluss gültig und wirksam ist; 3
denn sonst kann von HV gewollte Bestätigungswirkung nicht eintreten. Erforderliche Sonderbeschlüsse (§ 138) müssen für Bestätigungsbeschluss nur dann wiederholt werden, wenn sie selbst anfechtbar sind (B/K/L/Göz Rn. 5; S/L/Schwab Rn. 13). Erfolgreiche rechtskräftige Anfechtung des Bestätigungsbeschlusses lässt seine Wirkung auch insoweit entfallen, als Anfechtung des Ausgangsbeschlusses auf andere Gründe gestützt wird (OLG Hamburg AG 2011, 677, 679). Bloße Anfechtbarkeit des zweiten Beschlusses hindert Anfechtungsausschluss bzgl. des ersten dagegen nicht (im Grundsatz allgM, s. MüKoAktG/C. Schäfer Rn. 7; GK-AktG/K. Schmidt Rn. 9). Bestätigungswirkung tritt **mit Ablauf der Monatsfrist** des § 246 I ein, wenn keine Klage erhoben wird. Wenn Bestätigungsbeschluss dagegen angefochten wird, kann er sein Ziel nicht mehr erreichen; denn erst mit rechtskräftiger Entscheidung über die Anfechtungsklage steht fest, ob Anfechtung bzgl. des ersten Beschlusses ausgeschlossen ist oder nicht. **Anfechtungsbefugnis bzgl. Bestätigungsbeschluss** folgt grds. allg Regeln, was insbes. zur Folge hat, dass Anfechtungsbefugnis erlischt, wenn Aktionär noch vor Bestätigungsbeschluss **Aktionärseigenschaft verliert,** und zwar auch dann, wenn Verlust unfreiwillig, namentl. durch Squeeze-Out, eintritt (BGHZ 189, 32 Rn. 22 = NZG 2011, 669; BeckOGK/Drescher Rn. 63 ff.; KK-AktG/Noack/Zetzsche Rn. 74 ff.). Gegenauffassung, die in diesem Fall Zustimmung des ausgeschiedenen Aktionärs für erforderlich hält (GK-AktG/K. Schmidt Rn. 8), findet im Ges. keine Stütze und auch keine Rechtfertigung in bes. Schutzbedürfnis des Aktionärs, dessen Interessen durch ex-nunc-Wirkung hinreichend gewahrt werden (BeckOGK/Drescher Rn. 64). Sollte das aufgrund gezielt rechtsmissbräuchlichen Verhaltens ausnahmsweise nicht der Fall sein, kommt Nichtigkeit wegen Sittenwidrigkeit nach § 241 Nr. 4 in Betracht, die auch von ausgeschiedenem Aktionär noch geltend gemacht werden kann (BeckOGK/Drescher Rn. 63; Hüffer ZGR 2012, 730, 739 f.). Speziell für Verlust der Anfechtungsbefugnis infolge Squeeze-Out steht hier vertretener Auffassung auch verfassungskonforme Erweiterung der Anfechtungsbefugnis nach BVerfG AG 2010, 160 Rn. 25 f.; BGHZ 189, 32 Rn. 7 ff. (→ § 245 Rn. 7; → § 327e Rn. 3) nicht entgegen, da diese verhindern soll, dass rechtswidriger Ausschluss mangels verbleibenden klagebefugten Aktionären gänzlich sanktionslos bleibt. Auf Bestätigungsbeschluss kann diese Rspr. nicht

übertragen werden (Hüffer ZGR 2012, 730, 739; iE auch Grigoleit/Ehmann Rn. 8).

4 **3. Insbesondere: Identischer Anfechtungsgrund bei beiden Beschlüssen.** Möglich ist, dass Bestätigungsbeschluss denselben Mangel aufweist wie Ausgangsbeschluss. Nur dann kann sinnvoll gefragt werden, ob schon bloße Anfechtbarkeit des Bestätigungsbeschlusses auch bzgl. des ersten Beschlusses dem Anfechtungsausschluss entgegensteht oder ob auch insoweit der Grundsatz gilt, dass nur das rechtskräftige Anfechtungsurteil dem Bestätigungsbeschluss die Wirkung nimmt (→ Rn. 3). Nach früher hM war das Erste richtig, weil **Doppelanfechtung** unökonomische und unverständliche Formalität bedeute (BGHZ 21, 354, 358 = NJW 1956, 1753). Heute hM leitet dagegen aus Wortlaut und Zweck des § 244 S. 1 ab, dass auch bei Identität des Mangels Anfechtungsklage gegen Bestätigungsbeschluss erhoben werden muss (LG München I AG 2010, 173, 177; BeckOGK/Drescher Rn. 24; MüKoAktG/C. Schäfer Rn. 10; Klamaris, Bestätigung anfechtbarer HV-Beschlüsse, 2018, 188 ff.; Kocher NZG 2006, 1 f.; Zöllner ZZP 81 [1968], 135, 148 ff.). Am Erfordernis der Doppelanfechtung ist festzuhalten. Denn § 244 S. 1 fordert Anfechtung des zweiten Beschlusses ohne jede Einschränkung und einengende Gesetzesauslegung ist nicht veranlasst. Bestätigungsbeschluss ist nämlich nicht Streitgegenstand der ersten Anfechtungsklage, und Identität des Mangels ist vielfach zweifelhaft und nicht ohne weiteres zu beurteilen (Hüffer ZGR 2012, 730, 738 f.).

III. Bestätigungswirkung

5 **1. Materiell-rechtliche Heilungswirkung.** Anfechtung kann nach § 244 S. 1 infolge des Bestätigungsbeschlusses nicht mehr geltend gemacht werden. Nach hM ist damit **materiell-rechtl. Heilungswirkung** bezeichnet, nicht bloß Wegfall des Rechtsschutzbedürfnisses für Anfechtungsklage (heute hM – vgl. BGHZ 157, 206, 210 = NJW 2004, 1165; BGH NZG 2021, 831 Rn. 56; MüKoAktG/C. Schäfer Rn. 11; KK-AktG/Noack/Zetzsche Rn. 60 ff.; GK-AktG/K. Schmidt Rn. 12 f.; Hüffer ZGR 2012, 730, 733; Kiethe NZG 1999, 1086, 1091 f.; anders noch BGHZ 21, 354, 356 = NJW 1956, 1753; sa LG München I AG 2000, 330). Das trifft zu, weil § 244 bezweckt, Gültigkeit des Beschlusses außer Zweifel zu stellen (→ Rn. 1). Mit Unzulässigkeit der Anfechtungsklage infolge Wegfalls des Rechtsschutzbedürfnisses wäre dieses Ziel nicht voll erreicht (aA und de lege ferenda für Aufhebung des § 244 Zöllner AG 2004, 397, 402 und 404). Die vom Kläger trotz Bestätigung aufrechterhaltene Anfechtungsklage ist als **unbegründet,** nicht als unzulässig abzuweisen. Unbegründet wird auch positive Beschlussfeststellungsklage (→ § 246 Rn. 42 f.), mit der angebliches Abstimmungsergebnis als Beschluss festgestellt werden sollte (BGH AG 2006, 158 Rn. 22). Dass Heilung an Verwirkung scheitern kann, ist kaum anzunehmen, jedenfalls aber Frage des Einzelfalls (BGH AG 2009, 446). Wird Bestätigungsbeschluss erst nach erfolglosem Freigabeverfahren gefasst, begründet Beschluss neuen Lebenssachverhalt, so dass weiteres Freigabeverfahren zulässig ist (→ § 246a Rn. 13 mwN).

6 **2. Zeitpunkt.** Frage, ob Heilung auf Zeitpunkt des ersten Beschlusses zurückwirkt, wird heute ganz überwiegend dahingehend beantwortet, dass Bestätigungsbeschluss seine **Wirkung nur ex nunc** entfaltet (BGH NJW 1972, 1320; BGHZ 157, 206, 210 f. = NJW 2004, 1165; OLG Düsseldorf NZG 2003, 975, 978; MüKoAktG/C. Schäfer Rn. 12; Zöllner ZZP 81 [1968], 135, 137 ff.; aA noch BayObLGZ 1977, 226, 232 f. = NJW 1978, 1387). Aussage ist richtigerweise dahingehend zu präzisieren, dass Anfechtungsklage in der Tat erst mit Bestätigungsbeschluss unbegründet wird, Ausgangsbeschluss bis dahin also fehler-

haft bleibt (Rückschluss aus § 244 S. 2, → Rn. 7), was insbes. mit Blick auf prozessuale Kostenfolgen von Bedeutung ist (→ Rn. 8). Aufgrund der grds. (schwebenden) Wirksamkeit anfechtbarer Beschlüsse, die mit der Beseitigung des Anfechtungsrechts qua Bestätigung zur endgültigen Wirksamkeit perpetuiert wird, ist Wirksamkeit des Ausgangsbeschlusses damit aber von Anfang an gegeben (LG Frankfurt AG 2014, 132 Rn. 127 ff.; vgl. dazu BeckOGK/Drescher Rn. 8: de facto ex-tunc-Wirkung; zust. Grigoleit/Ehmann Rn. 6; S/L/Schwab Rn. 15; Butzke FS Stilz, 2014, 83, 84 f.). So begründet etwa ursprünglich fehlerhafter, dann aber bestätigter Gewinnverwendungsbeschluss Dividendenbezugsrecht nur für Personen, die schon bei Erstbeschluss Aktionär waren (LG Frankfurt AG 2014, 132 Rn. 129; S/L/Schwab Rn. 15; Butzke FS Stilz, 2014, 83, 87 f.).

IV. Nichtigerklärung für Vergangenheit

Anfechtungskläger kann ausnahmsweise rechtl. Interesse daran haben, dass anfechtbarer Erstbeschluss für die Zeit bis zum Bestätigungsbeschluss für nichtig erklärt wird. In diesem Fall darf Kläger Anfechtungsklage nach § 244 S. 2 mit dem Ziel aufrechterhalten, dass HV-Beschluss für die Zeit **von Beschlussfassung bis zur Bestätigung** für nichtig erklärt wird (ebenso Habersack/Schürnbrand FS Hadding, 2004, 391, 393). In darauf gerichteter Einschränkung des Klageantrags liegt Klageänderung, die gem. § 244 S. 2 ohne Rücksicht auf die Voraussetzungen der §§ 263, 264 ZPO zulässig ist (LG München I AG 2020, 497). Voraussetzung ist **rechtl. Interesse,** das nur im Ausnahmefall anzunehmen und insbes. dann nicht gegeben ist, wenn Kläger nur rechtl. Bestätigung seiner Rechtsauffassung anstrebt (LG München I AG 2020, 497, 498 f.). Vielmehr muss er in seinen mitgliedschaftlichen Rechten betroffen sein, so etwa durch Herabsetzung des Dividendenvorzugs bei Vorzugsaktien ohne Stimmrecht. Daneben ist rechtl. Interesse auch dann gegeben, wenn in der Zwischenzeit aufgrund des angefochtenen Beschlusses weitere Maßnahmen beschlossen worden sind (Beispiele nach Hüffer ZGR 2012, 730, 741 f.; sa Butzke FS Stilz, 2014, 83, 91 ff. mit Forderung nach enger Auslegung). Auch bei Anfechtung einer AR-Wahl (→ § 101 Rn. 20 ff.) wird rechtl. Interesse des klagenden Aktionärs idR zu verneinen sein (Butzke FS Stilz, 2014, 83, 94 f.; aA S/L/Schwab Rn. 23). Auch Interesse an einer günstigen Kostenentscheidung genügt nicht, weil diese auch durch Erledigungserklärung (→ Rn. 8) erreicht werden kann (BGH AG 2011, 335 Rn. 24). Stattgebendes Urteil muss für nichtig erklärten Beschluss und zeitlichen Endpunkt der Nichtigerklärung genau bezeichnen. Wird Bestätigungsbeschluss, etwa infolge von Zustimmungserfordernissen, erst später wirksam, so ist Erstbeschluss bis zu diesem späteren Zeitpunkt für nichtig zu erklären (MüKoAktG/C. Schäfer Rn. 16). Entscheidung ergeht nur auf Antrag, nicht von Amts wegen (BeckOGK/Drescher Rn. 59; aA GK-AktG/K. Schmidt Rn. 24). In der Praxis hat § 244 S. 2 keine nennenswerte Bedeutung erlangt (BeckOGK/Drescher Rn. 57; Hüffer ZGR 2012, 730, 742). 7

V. Prozessuale Fragen

1. Erledigung der Hauptsache. Abgesehen von den Fällen des § 244 S. 2 (→ Rn. 7), wird Klage gegen Erstbeschluss durch Bestätigungsbeschluss abweisungsreif; denn von Bestätigung an ist Mangel des Erstbeschlusses geheilt (→ Rn. 5 f.). Anfechtungskläger muss Erledigung der Hauptsache erklären, wenn er Klageabweisung vermeiden will (OLG Frankfurt AG 2009, 168 f.; BeckOGK/Drescher Rn. 35). Schließt sich AG diesem Schritt an, ist Fall des **§ 91a ZPO** gegeben. Bei einseitiger Erledigterklärung durch Kläger, also dann, wenn beklagte Gesellschaft auf Abweisung der Klage besteht, weil Erstbeschluss von Anfang 8 an mangelfrei gefasst worden sei, gelten dafür anerkannte allg. Grundsätze der Klageänderungstheorie (BGH NJW 1969, 237; BGHZ 73, 12, 13 = NJW 1982, 1589; BGHZ 109, 359, 366 f. = NJW 1989, 2885; zusammenfassend zB Lüke FS F. Weber, 1975, 323, 332 ff.). Kläger geht also mit Erledigterklärung im Wege zulässiger Klageänderung (§ 264 Nr. 2 ZPO) vom Anfechtungsantrag auf Feststellungsantrag (Feststellung der Erledigung) über. Damit hat er Erfolg, wenn Anfechtungsklage ohne Bestätigungsbeschluss zulässig und begründet war. Fehlt es daran, weil Erstbeschluss nicht anfechtbar gewesen ist, so ist jetzt rechtshängige Feststellungsklage als unbegründet mit Kostenfolge des § 91 ZPO abzuweisen (iE ebenso GK-AktG/K. Schmidt Rn. 19). Einseitige Erklärung des Klägers kann also nicht zu einem Kostenbeschluss nach § 91a ZPO führen (MüKoAktG/C. Schäfer Rn. 18; anders noch RegBegr. Kropff S. 332). Hilfsweise Erledigungserklärung ist nicht zulässig, und zwar auch dann nicht, wenn in erster Linie Nichtigkeit des Erstbeschlusses geltend gemacht wurde (BGH AG 2010, 749 f.; 2011, 335 Rn. 21 ff.; Henssler/Strohn/Drescher Rn. 9).

9 **2. Doppelanfechtung.** Wenn Kläger Eintritt der Heilungswirkung vermeiden will, muss er auch Bestätigungsbeschluss anfechten (→ Rn. 3), und zwar auch dann, wenn Erst- und Bestätigungsbeschluss unter demselben Mangel leiden (→ Rn. 4). Anfechtung erfolgt wie sonst auch durch Klageerhebung (§§ 243 I, 246). Darin liegt **nachträgliche obj. Klagehäufung** (OLG Stuttgart AG 2005, 125, 126), deren Zulässigkeit durchgängig bejaht wird. Bislang hM stellt insofern auf § 264 Nr. 2 ZPO ab (OLG Dresden AG 2000, 43, 44; NK-AktR/Heidel Rn. 11; S/L/Schwab Rn. 21; GK-AktG/K. Schmidt Rn. 17). Überzeugender erscheint es indes, mit Gegenauffassung **§ 263 ZPO** zugrunde zu legen, da sich mit Beschluss auch Klagegrund ändert (OLG Stuttgart AG 2005, 125, 126; B/K/L/Göz Rn. 9; MüKoAktG/C. Schäfer Rn. 20; Hüffer ZGR 2012, 730, 743; offenlassend BeckOGK/Drescher Rn. 41). Sachdienlichkeit ist im Hinblick auf sonst eintretende Klageverdoppelung aber grds. zu bejahen (Hüffer ZGR 2012, 730, 743). Klagehäufung ist auch noch im Berufungsverfahren zulässig (OLG Stuttgart AG 2005, 125, 126), wozu es in der Praxis wegen der auch hier geltenden Monatsfrist des § 246 I aber nur in Ausnahmefällen kommen wird, etwa bei deutlich später gefasstem Bestätigungsbeschluss (Hüffer ZGR 2012, 730, 743 f.). In Revisionsinstanz ist Klagehäufung nicht mehr möglich, uU aber nach Zurückverweisung (Einzelheiten bei Hüffer ZGR 2012, 730, 744). Bei Klagehäufung ist über Nichtigerklärung beider Beschlüsse grds. gemeinsam zu verhandeln und zu entscheiden. Ist keine Klagehäufung gegeben, etwa weil anderer Kläger als im Ausgangsverfahren geklagt hat, kann Gericht die Klagen unter den Voraussetzungen des § 147 ZPO verbinden (Einzelheiten bei Hüffer ZGR 2012, 730, 744 f.). Gericht kann aber auch entgegengesetzten Weg beschreiten und gem. **§ 148 ZPO** Verhandlung über Anfechtungsklage gegen Erstbeschluss aussetzen, bis über Klage gegen Bestätigungsbeschluss entschieden ist (BGH AG 2010, 709; NZG 2021, 831 Rn. 56: Regelfall; MüKoAktG/C. Schäfer Rn. 22; zur Möglichkeit einer Teilaussetzung vgl. NK-AktR/Heidel Rn. 12 f.). Ebenso ist aber umgekehrt auch Aussetzung der Verhandlung über Bestätigungsbeschluss denkbar (Hüffer ZGR 2012, 730, 746 f.). Weil mit Anfechtung des Bestätigungsbeschlusses neuer Streitgegenstand gegeben ist, liegt auch **zusätzliches Kostenrisiko** vor (MüKoAktG/C. Schäfer Rn. 23). Gem. § 247 I sind aber sämtliche Umstände des Einzelfalls zu berücksichtigen, also auch, dass es zwar um zwei Beschlüsse, aber um ein und dieselbe Gesellschaftsangelegenheit geht. Aus diesem Grund geht bislang hM davon aus, dass Höchstwert des § 247 I 2 nur einmal anzusetzen ist (Grigoleit/Ehmann Rn. 8; B/K/L/Göz Rn. 11; GK-AktG/K. Schmidt § 247 Rn. 19; S/L/Schwab Rn. 21), was dem durch Bestätigungsbeschluss entstandenen Mehraufwand aber nicht gerecht wird. Vorzugswürdig ist

deshalb deutliche **Ermäßigung** des auf den Bestätigungsbeschluss entfallenden Teilstreitwerts (MüKoAktG/C. Schäfer Rn. 23; KK-AktG/Noack/Zetzsche Rn. 111; BeckOGK/Drescher Rn. 56; Hüffer ZGR 2012, 730, 749 unter Aufgabe seines in → 10. Aufl. 2012, Rn. 9 vertretenen Standpunkts).

3. Revisionsverfahren. Gem. § 559 I ZPO unterliegt grds. nur das Parteivorbringen der Berufungsinstanz der revisionsgerichtl. Beurteilung. Danach müsste erst in der Revisonsinstanz geltend gemachte Bestätigung des anfechtbaren HV-Beschlusses unbeachtet bleiben. Das wiederum ist problematisch, weil kein gangbarer Weg besteht, Bestätigungswirkung (→ Rn. 5 f.) noch nach rechtskräftigem Anfechtungsurteil zum Tragen zu bringen (Zöllner FS Beusch, 1993, 973, 976 ff.). Deshalb wird man ausnahmsweise zulassen müssen, dass sich AG **noch mit Bestätigung verteidigt,** was bei nicht angefochtenem Bestätigungsbeschluss zur Aufhebung des Berufungsurteils und wohl durchgängig zur Klageabweisung als eigener Sachentscheidung (§ 562 I ZPO, § 563 III ZPO), dagegen bei Doppelanfechtung (→ Rn. 9) zur Aussetzung des Revisionsverfahrens gem. §§ 148, 555 ZPO führen wird, damit Vorinstanz Gelegenheit zur Entscheidung über zweite Anfechtungsklage erhält (Hüffer ZGR 2012, 730, 748 f.; Zöllner FS Beusch, 1993, 973, 981 f.; Kocher NZG 2006, 1, 6; zust. BeckOGK/Drescher Rn. 54; KK-AktG/Noack/Zetzsche Rn. 103; aA Grigoleit/Ehmann Rn. 10; NK-AktR/Heidel Rn. 9). 10

Anfechtungsbefugnis

245

[1] Zur Anfechtung ist befugt

1. jeder in der Hauptversammlung erschienene Aktionär, wenn er die Aktien schon vor der Bekanntmachung der Tagesordnung erworben hatte und gegen den Beschluß Widerspruch zur Niederschrift erklärt hat;
2. jeder in der Hauptversammlung nicht erschienene Aktionär, wenn er zu der Hauptversammlung zu Unrecht nicht zugelassen worden ist oder die Versammlung nicht ordnungsgemäß einberufen oder der Gegenstand der Beschlußfassung nicht ordnungsgemäß bekanntgemacht worden ist;
3. im Fall des § 243 Abs. 2 jeder Aktionär, wenn er die Aktien schon vor der Bekanntmachung der Tagesordnung erworben hatte;
4. der Vorstand;
5. jedes Mitglied des Vorstands und des Aufsichtsrats, wenn durch die Ausführung des Beschlusses Mitglieder des Vorstands oder des Aufsichtsrats eine strafbare Handlung oder eine Ordnungswidrigkeit begehen oder wenn sie ersatzpflichtig werden würden.

[2] Im Fall der virtuellen Hauptversammlung gelten alle zu der Versammlung elektronisch zugeschalteten Aktionäre als erschienen im Sinne des Satzes 1 Nummer 1.

Übersicht

I. Grundlagen

1 **1. Regelungsgegenstand und -zweck.** § 245 regelt, wer Träger des Anfechtungsrechts ist. Norm bezweckt **Begrenzung des zur Anfechtung berechtigten Personenkreises** und innerhalb dieser Grenzen **Gewährleistung der Anfechtungsbefugnis** als ein subj. Recht (vgl. zu beiden Gesichtspunkten schon Allg. Begr. zur Novelle 1884, Abdruck bei Schubert/Hommelhoff, 100 Jahre Modernes Aktienrecht [ZGR-Sonderheft 4], 1985, 387, 467). Begrenzung erfolgt im Wesentlichen durch Erfordernis der Aktionärseigenschaft, der Teilnahme und des Widerspruchs zur Niederschrift (§ 245 S. 1 Nr. 1). Auf diese Weise wird sog Popularklage ausgeschlossen (BeckOGK/Vatter Rn. 3). Von weiteren Einschränkungen hat Gesetzgeber 1965 bewusst abgesehen (RegBegr. Kropff S. 332 f.; → Rn. 31 ff.; zum Erfordernis eines weitergehenden Rechtsschutzbedürfnisses → § 246 Rn. 9). Regelung ist zwingend (§ 23 V). Norm ist geändert durch UMAG 2005 mit der Zielrichtung, den Missbrauch von Anfechtungsklagen durch weitere Anforderungen zu erschweren (→ Rn. 22 ff.).

2 **2. Recht zur Anfechtung. a) Materiell-rechtlicher Charakter.** Anfechtungsbefugnis ist **subj. Recht,** das nur in den Grenzen des § 245 besteht. Wenn sie fehlt, ist Klage unbegründet, nicht unzulässig (ganz hM, s. BGH AG 2007, 863 Rn. 6; MüKoAktG/C. Schäfer Rn. 3; KK-AktG/Noack/Zetzsche Rn. 4 ff.; aA S/L/Schwab Rn. 2). Man sollte deshalb auch nicht von einer Klagebefugnis sprechen (so aber zB GK-AktG/K. Schmidt Rn. 2 f., 5 f. aufgrund anderen Ver-

ständnisses der Gestaltungsklage). Zuordnung zur Begründetheit erlaubt es überdies, einheitlichen Streitgegenstand von Anfechtungs- und Nichtigkeitsklage zugrunde zu legen und Zulässigkeit ohne Rücksicht auf Anfechtungsbefugnis, deren es bei Nichtigkeitsklagen nicht bedarf, zu bejahen (GK-AktG/K. Schmidt Rn. 7). Anfechtungsbefugnis der Aktionäre wird durch § 245 S. 1 Nr. 1–3 begrenzt, weil zur Mitgliedschaft weitere Voraussetzungen hinzutreten müssen. Entspr. Befugnis des Vorstands (§ 245 S. 1 Nr. 4) ist Konkretisierung seiner Leitungsaufgabe nach § 76 I (→ Rn. 4). § 245 S. 1 Nr. 5 wirkt rechtsbegründend, weil einzelne Verwaltungsmitglieder ohne bes. Vorschrift nicht anfechtungsberechtigt wären.

b) Funktion und dogmatische Einordnung. Funktion der Anfechtung ist Kontrolle der Rechtmäßigkeit von HV-Beschlüssen (§ 243 I). Anfechtungsbefugnis ist deshalb **Kontrollrecht.** Soweit Aktionäre befugt sind, macht sich Ges. für die Kontrolle deren private Initiative zunutze und überträgt ihnen damit eine Aufgabe, die im Octroi- und Konzessionssystem vor 1870 noch der Staat übernommen hatte; weit gefasstes Aktionärsrecht kompensiert insofern Fehlen eines staatlichen Aktienamtes (zutr. zB Lutter ZGR 1978, 347, 349 f.; sa Dornbach, Die aktienrechtliche Anfechtungsklage, 2013, 165 ff. mit Kritik der Aufsichtsfunktion auf 169 ff.). Für die Dogmatik der Mitgliedschaft ist Anfechtungsbefugnis ein daraus folgendes **eigennütziges Verwaltungsrecht,** dessen Ausübung keinen gesteigerten Treubindungen zur AG unterliegt (MüKoAktG/C. Schäfer Rn. 7). Auch Prinzip der schonendsten Rechtsausübung greift mangels beschlussrechtl. Alternative nicht. Gerade im Hinblick auf Kontrollfunktion der Anfechtungsklage soll sie vom Aktionär auch **ohne persönliche Betroffenheit** erhoben werden können (→ § 246 Rn. 9). Daraus erwächst naturgemäß Missbrauchsgefahr, die kaum vollständig eingegrenzt werden kann, ohne zugleich diese Kontrolle zu schwächen (vgl. zu diesem rechtspolitischen Dilemma K. Schmidt AG 2009, 248 ff.). Möglich bleibt allenfalls, dass Anfechtungsbefugnis wegen Rechtsmissbrauchs gem. § 242 BGB verloren geht, doch zeigt sich Rspr. zurückhaltend (→ Rn. 22 ff.), was insofern verständlich ist, als Anfechtungsklage praktisch die einzige Waffe des Aktionärs ist, dessen Rechtsstellung in der AG ansonsten eher schwach ausgestaltet ist (K. Schmidt AG 2009, 248; zum Einwand fehlenden Rechtsschutzbedürfnisses → § 246 Rn. 9). Art und Weise ihrer Ausübung weisen Anfechtungsbefugnis schließlich als **Gestaltungsklagerecht** aus. Begehrte Rechtsgestaltung liegt darin, dass HV-Beschlüsse ihre rechtl. Verbindlichkeit rückwirkend verlieren. Weil Ergebnis nur durch Klage und Urteil erreicht werden kann (§ 243 I, § 248 I 1), liegt Gestaltungsklagerecht vor (MüKoAktG/C. Schäfer Rn. 9). 3

Auch **Anfechtungsbefugnis des Vorstands** (§ 245 S. 1 Nr. 4) ist Kontrollrecht und Gestaltungsklagerecht. Wahrung von Ges. und Satzung in der AG gehört zu seinen aus § 76 I folgenden Aufgaben. Leitung der AG schließt Verantwortung für Rechtmäßigkeit von HV-Beschlüssen ein (OLG München WM 2008, 2376, 2380). Vorstand wird aber anders als Aktionäre (→ Rn. 3) nicht eigennützig tätig, sondern ist als Organ auf das Gesellschaftsinteresse verpflichtet. Das gilt auch für die Anfechtung (RGZ 83, 319, 323; MüKoAktG/C. Schäfer Rn. 15; GK-AktG/K. Schmidt Rn. 4, 32 [„Funktionärsklage"]). Anfechtungsbefugnis steht dem Vorstand als Organ selbst zu (MüKoAktG/C. Schäfer Rn. 16). Gegenansicht, nach der Vorstand nur für Ausübung des der AG zustehenden Anfechtungsrechts zuständig sein soll (KK-AktG/Zöllner, 1. Aufl. 1985, Rn. 59), überzeugt schon deshalb nicht, weil sie den Zusammenhang des § 245 S. 1 Nr. 4 mit § 76 I vernachlässigt (so jetzt auch KK-AktG/Noack/Zetzsche Rn. 124). Im Innenbereich sind eigene Rechte und Pflichten der Organe möglich (MüKoAktG/C. Schäfer Rn. 16). Entspr. gilt für **Anfechtungsbefug-** 4

nis der einzelnen Verwaltungsmitglieder nach § 245 S. 1 Nr. 5 (MüKoAktG/C. Schäfer Rn. 17; auch insoweit aA [bloße Ausübungsberechtigung] KK-AktG/Zöllner, 1. Aufl. 1985, Rn. 69). Auch sie hat Kontrollfunktion, dient aber zugleich dem persönlichen Interesse, nicht durch Ausführung des Beschlusses strafbar oder bußgeldpflichtig oder schadensersatzpflichtig zu werden.

II. Anfechtungsrecht des Aktionärs

5 **1. Der erschienene Aktionär (§ 245 S. 1 Nr. 1). a) Aktionärseigenschaft. aa) Allgemeines.** Nach § 245 S. 1 Nr. 1 haben Aktionäre Anfechtungsbefugnis, wenn sie in HV erschienen sind und gegen den Beschluss Widerspruch zur Niederschrift erklärt haben. Aktionärseigenschaft ist unverzichtbar, wird aber schon durch Innehabung auch nur einer einzigen Aktie begründet (→ Rn. 33). Auf die Aktienbesitzzeit kommt es mit Ausnahme des Vorbesitzes nach § 245 S. 1 Nr. 1 und 3 (→ Rn. 7, 21) nicht an, auch nicht auf das Stimmrecht; auch Inhaber von stimmrechtslosen Vorzügen können also anfechten (allgM, s. zB BGHZ 14, 264, 271 = NJW 1954, 1563 zur GmbH; LG Mannheim AG 2014, 589, 590 f.; MüKoAktG/C. Schäfer Rn. 20). Dasselbe gilt, wenn Aktionäre mangels vollständiger Einlagenleistung gem. § 134 I noch nicht stimmberechtigt oder wegen Selbstbetroffenheit nach § 136 I vom Stimmrecht ausgeschlossen sind (→ § 136 Rn. 17). Etwas anderes gilt aber dann, wenn nicht nur Stimmrecht fehlt, sondern trotz fortdauernder Mitgliedschaft zeitweiliger Rechtsverlust eintritt. Das ist der Fall bei eigenen Aktien gem. §§ 71b, 71d S. 4, bei versäumter Publikationspflicht nach § 59 WpÜG sowie bei nicht erfüllter Mitteilungspflicht nach § 20 VI, § 21 IV AktG und § 44 WpHG (BGH NZG 2020, 1349 Rn. 12), und zwar auch dann, wenn Mitteilung später nachgeholt wird (BGHZ 167, 204 Rn. 14 = AG 2006, 501; Henssler/Strohn/Drescher Rn. 4). Ausnahme gilt allerdings für § 245 S. 1 Nr. 3, wenn Meldung bis zur Klageerhebung nachgeholt wird (BGH NJW 2009, 2458 Rn. 4; → § 20 Rn. 14).

6 Bei **Rechtsgemeinschaft an einer Aktie** muss für die Anfechtung wenigstens grds. gem. § 69 I ein gemeinschaftlicher Vertreter bestellt werden. Ob das auch dann gilt, wenn nach dem Innenrecht der jeweiligen Gemeinschaft ein Mitberechtigter allein anfechten kann, ist fraglich. BGHZ 108, 21, 30 f. = NJW 1989, 2694 hat für Erbengemeinschaft angenommen, dass sich § 2038 I 2 Hs. 2 BGB gegen § 18 I GmbHG durchsetzt, und bzgl. § 69 I kann Frage schwerlich anders entschieden werden. Mit Wortlaut dieser Vorschrift (und auch dem des § 18 I GmbHG) steht Entscheidung jedoch nicht im Einklang (krit. deshalb schon → § 69 Rn. 5). **Girosammelverwahrung** stellt trotz § 6 I DepotG keinen Anwendungsfall des § 69 I dar (→ § 69 Rn. 2). Daher ist für Anfechtung weder die Bestellung eines gemeinschaftlichen Vertreters noch Wiederbegründung alleiniger Berechtigung durch Auslieferung eines effektiven Stücks erforderlich (MüKoAktG/C. Schäfer Rn. 23).

7 **bb) Maßgeblicher Zeitpunkt.** Aktionärseigenschaft müsste nach allg. Grundsätzen bei Beschlussfassung bestehen (BGH NJW 2008, 69 Rn. 64). Seit Änderung des § 245 S. 1 Nr. 1 (und Nr. 3) durch UMAG 2005 muss sie jedoch **vor Bek. der Tagesordnung** gegeben sein. Vorbesitzzeiten können analog § 70 unter den dort genannten Voraussetzungen wirtschaftlicher Gleichstellung mit dem Eigentum angerechnet werden (→ § 70 Rn. 5). Hat AG **Namensaktien,** so muss Eintragung des Klägers im Aktienregister auf jeden Fall im Zeitpunkt der Klage erfolgt sein. Fraglich ist, ob Eintragung auch der Bek. vorangehen muss. Das wird zT befürwortet, um Verdoppelung der Anfechtungsbefugnis auszuschließen (MüKoAktG/C. Schäfer Rn. 25), erscheint aber aus praktischen Gründen nicht erforderlich und überdies mit § 70 nicht vereinbar, wenn man

Vorschrift mit hier vertretener – wenngleich umstr. – Auffassung auch dann anwendet, wenn Ges. nicht auf Zeitraum, sondern auf Zeitpunkt abstellt (→ § 70 Rn. 5; sa Bayer/Scholz NZG 2013, 721, 722). Bek. erfolgt in den Gesellschaftsblättern (§ 124 I 1), also im BAnz. (§ 25). Frühere Zweifelsfragen bei mehreren Gesellschaftsblättern nach § 25 S. 2 haben sich durch Streichung der Vorschrift erledigt (dazu und zur Übergangsregelung bei Altsatzungen → § 25 Rn. 1). Im Regelfall, dass nämlich Einberufung und Bek. in einem Text erfolgen, ergibt sich aus § 245 S. 1 Nr. 1, dass Aktionärseigenschaft vor Einberufung vorhanden sein muss. Wenn Aktionär Gesamtrechtsnachfolger ist, genügt es, dass sein Rechtsvorgänger schon bei Bek. Aktionär war (s. zur früheren Gesetzeslage RGZ 33, 91, 94; RGZ 66, 134 f.; OLG Celle AG 1984, 266, 271; LG Dortmund AG 1977, 109 f.). Schließlich: Weil nach § 245 S. 1 Nr. 1 nur Aktionäre anfechtungsbefugt sind, muss Aktionärseigenschaft auch noch im Zeitpunkt der **Klageerhebung** bestehen. Endet sie vorher, so geht Anfechtungsbefugnis verloren (Goette FS K. Schmidt, 2009, 469, 476). Einschränkung gilt insofern aber bei Rechtsverlust infolge eines **Squeeze-Out-Verfahrens,** wenn sich Anfechtungsklage gerade gegen Übertragungsbeschluss richtet (→ § 327e Rn. 3, dort auch zum Löschungsverfahren nach § 395 FamFG).

Str. ist, ob **Fortdauer der Aktionärseigenschaft** während des Rechtsstreits 8 zu den Anfechtungsvoraussetzungen gehört, ggf. auch, wie Endpunkt genau zu bestimmen ist (letzte Tatsachenverhandlung, letzte mündliche Verhandlung, Ende des Rechtsstreits). Während früher Fortdauer verlangt wurde (A. Hueck, Nichtigkeit und Anfechtbarkeit, 1924, 137 ff.), nimmt heute hM **entspr. § 265 ZPO** an, dass Veräußerung der Aktien Aktivlegitimation für Anfechtungsklage nicht entfallen lässt (BGHZ 169, 221 Rn. 15 = NJW 2007, 300; KK-AktG/Noack/Zetzsche Rn. 55; Drescher FS Stilz, 2014, 125, 132 f. – zur entspr. Behandlung im Rahmen des § 3 SpruchG → SpruchG § 3 Rn. 5a). Auch für GmbH ist diese Ansicht jedenfalls für den Fall herrschend, dass bisheriger Gesellschafter an Fortführung rechtl. Interesse hat (BGHZ 43, 261, 266 f. = NJW 1965, 1378; BGH NJW 1969, 133; WM 1974, 392). Ein solches Interesse kann auch dann entfallen, wenn Gesellschafter zum Ausscheiden verpflichtet ist und keine Abfindung von der Gesellschaft zu erhalten hat (OLG Celle ZIP 2014, 1529, 1530). Für Aktienrecht stellt sich Frage zwar weniger dringend, weil Fortbesitz auch nur einer Aktie für Aktivlegitimation genügt (→ Rn. 5), doch kann analoge Anwendung des § 265 ZPO davon nicht abhängen, weshalb heute hM überzeugt.

Entspr. Anwendung des § 265 ZPO bezieht sich nach BGHZ 169, 221 Rn. 16 8a = NJW 2007, 300 nicht nur auf Veräußerung iS rechtsgeschäftlicher Übertragung der Mitgliedschaft, sondern auch auf deren **unfreiwilligen Verlust,** bes. durch **Squeeze-Out,** sofern trotz des Verlustes an Fortführung des Verfahrens berechtigtes und nicht schon im Spruchverfahren geschütztes Interesse besteht (OLG München AG 2009, 912, 913; ferner OLG Frankfurt AG 2010, 679 f.; OLG Stuttgart AG 2006, 340, 341 f.; Dreier DB 2004, 808; aA noch Buchta/Ott DB 2005, 990, 993; Bungert BB 2005, 1345). Entscheidung des BGH trifft im Ausgangspunkt und wegen bes. Sachverhalts (treuwidrige Vorteilserlangung) wohl auch iE zu. Rechtsschutz durch Anfechtungsklage und Spruchverfahren bleibt aber misslich und kann nur in Ausnahmefällen hingenommen werden, in denen es um gewichtige grundrechtsrelevante (Art. 14 GG) Vermögensbelange geht (mit prozessualer Begr. ähnlich Niestsch NZG 2007, 451, 453). Jedenfalls muss es um Fortführung der Anfechtungsklage gehen, Klage ehemaliger Aktionäre nach eingetragenem Squeeze-Out kann grds. nicht durch analoge Anwendung des § 256 II ZPO schlüssig gemacht werden (LG München I NJW 2009, 3794, 3796 f.), doch gilt insofern nach neuerer Rspr. gewichtige Einschränkung, wenn sich Anfechtung gerade gegen Übertragungsbeschluss richtet (→ Rn. 7; → § 327e

Rn. 3). Dasselbe gilt auch für **Zwangseinziehung** (OLG München AG 2017, 441, 442).

9 **cc) Nachweis.** Anfechtungskläger muss im Streitfall seine Aktionärseigenschaft beweisen. Beweis kann bei Namensaktien durch Eintragung im Aktienregister (§ 67), sonst durch Vorlage der Aktienurkunde oder der Hinterlegungsbescheinigung geführt werden. Bestreitet AG die Aktionärseigenschaft weiter (zB wegen Veräußerung und Wegfall des Fortführungsinteresses, → Rn. 8), ist sie insoweit mit Führung des Gegenbeweises belastet.

10 **dd) Treuhand; Pfandrecht; Nießbrauch.** Bei **Treuhand** entscheidet die rechtl., nicht die wirtschaftliche Betrachtung, so dass Anfechtungsbefugnis beim Treuhänder und nicht beim Treugeber liegt (BGHZ 24, 119, 124 = NJW 1957, 951; BGH NJW 1966, 1458, 1459; GK-AktG/K. Schmidt Rn. 15). Auch für das **Pfandrecht** ist nach heute ganz hM die Eigentumslage maßgeblich, so dass Anfechtungsbefugnis beim Aktionär bleibt (LG Mannheim AG 1991, 29; MüKoAktG/C. Schäfer Rn. 31 f.; GK-AktG/K. Schmidt Rn. 16). Pfandnehmer ist verpflichtet, dem Aktionär die Anfechtung zu ermöglichen, etwa durch Hinterlegung einer Aktie (→ Rn. 9). Beim **Nießbrauch** setzen sich die Unsicherheiten hinsichtlich der Zuordnung des Stimmrechts (→ § 134 Rn. 17a) bei der Anfechtungsbefugnis fort. Ordnet man es mit hier vertretener Auffassung allein dem Aktionär zu, ist er auch allein zur Anfechtung befugt (BeckOGK/Vatter Rn. 18). Als aus der Mitgliedschaft folgendes Verwaltungsrecht (→ Rn. 3) kann Anfechtungsbefugnis von dieser ebenso wenig abgespalten werden wie sonstige Verwaltungsrechte (zB → § 118 Rn. 27). Daraus resultierende Probleme können durch Treuhandlösung vermieden werden (BeckOGK/Vatter Rn. 18; MüKoAktG/C. Schäfer Rn. 32).

11 **ee) Legitimationsübertragung.** Nach früher hM soll Legitimationsaktionär zur Anfechtung befugt sein (RGZ 30, 50 f.; RG JW 1929, 3086; RG JW 1931, 793). Diese Sichtweise wird heute in dieser Form allg. abgelehnt (BayObLGZ 1996, 234, 237 f. unter Aufgabe von BayObLGZ 1987, 297, 302; KG AG 2010, 166, 168; OLG Stuttgart AG 2002, 353, 355; LG München I AG 2010, 47; MüKoAktG/C. Schäfer Rn. 33; Mohamed, Legitimationszession, 2018, 207 ff.; Piroth, Legitimationsübertragung, 2022, Kap. 6 B). Legitimationsübertragung ist entgegen dem unmittelbaren Wortsinn nur Ermächtigung zur Ausübung des Stimmrechts im eigenen Namen (→ § 129 Rn. 12 ff.). Also kommt es darauf an, ob die **Ermächtigung im Einzelfall** über die Stimmrechtsausübung hinaus auch die Anfechtung abdeckt, was bei **Inhaberaktien** durch Auslegung unter bes. Berücksichtigung der Gesellschaftsperspektive zu ermitteln ist (OLG Stuttgart AG 2002, 353, 355; 2003, 588; LG Frankfurt AG 2013, 529, 530; MüKoAktG/C. Schäfer Rn. 33; aA KK-AktG/Noack/Zetzsche Rn. 34 f.; Grunewald ZGR 2015, 347, 357: Ausdehnung der Befugnisse des Legitimationsaktionärs muss vermieden werden). Probleme können sich hier insbes. bei digitalisiertem Banknachweis ergeben, der idR nur für HV-Tag ausgestellt ist, so dass es weiterer Umstände bedarf, um fortdauernde Prozessermächtigung zu belegen; weiterhin muss Prozessführungsbefugnis des Legitimationsaktionärs nachgewiesen werden (Noack FS Stilz, 2014, 439, 450; zust. GK-AktG/Mülbert Rn. 129; Mohamed, Legitimationszession, 2018, 214). Handeln kraft Ermächtigung ist, soweit nicht ohnehin offenkundig, innerhalb der Frist des § 246 I offenzulegen (OLG Stuttgart AG 2003, 588, 589). Bei negativem Auslegungsergebnis kann nur der Zedent anfechten, nicht der Zessionar. Für Anfechtung des Zedenten genügt es entgegen früher hM, wenn Zessionar in der HV erschienen ist und Widerspruch zur Niederschrift erklärt hat (→ Rn. 12). Im Ausgangspunkt zust., aber für eigene Ausübungsbefugnis des Zessionars und damit iE wie früher hM GK-AktG/

K. Schmidt Rn. 15. Etwas anderes gilt bei **Namensaktien,** wenn Legitimationsaktionär im Aktienregister eingetragen ist. In diesem Fall spricht für Dauer der Eintragung Wertung des § 67 II 1 auch hier für alleinige Anfechtungsbefugnis des Zessionars (Bayer/Scholz NZG 2013, 721 f.; Grunewald ZGR 2015, 347, 357; Mohamed, Legitimationszession, 2018, 209 ff.; Piroth, Legitimationsübertragung, 2022, Kap. 6 C; aA LG München I AG 2010, 47; Dißars BB 2004, 1293 ff.; → § 67 Rn. 29).

b) Erscheinen in der Hauptversammlung. Aktionär (→ Rn. 5 ff.) muss gem. § 245 S. 1 Nr. 1 in HV erschienen sein. Darin liegt zusätzliche Anfechtungsvoraussetzung, deren Erfüllung durch Teilnehmerverzeichnis (§ 129) bewiesen werden kann. **Persönliches Erscheinen** ist genügend, aber nicht erforderlich. Erschienen ist auch, wer **online** teilnimmt, was Zulassung durch Satzung oder dazu ermächtigten Vorstand voraussetzt (→ § 118 Rn. 11). So ist es trotz physischer Abwesenheit, weil elektronische Kommunikation physische Anwesenheit ersetzt (→ § 118 Rn. 10 ff.). Anfechtungsbefugnis besteht also nur bei rechtzeitigem Erwerb der Aktien (→ Rn. 7) und Widerspruch zur Niederschrift (→ Rn. 13 ff.). Ausreichend ist ferner **offene Stellvertretung** iSd §§ 164 ff. BGB, ferner **verdeckte Stellvertretung** im Namen dessen, den es angeht, nach § 135 IV 2 durch Intermediäre oder durch geschäftsmäßig Handelnde iSd § 135 VIII (MüKoAktG/C. Schäfer Rn. 34 f.). Soweit es um sog **Legitimationsaktionäre** geht (→ Rn. 11), liegt zwar keine eigentliche Stellvertretung vor, doch kann es für § 245 S. 1 Nr. 1 nicht auf zivilrechtl. Konstruktion des Verhältnisses ankommen. Entscheidend ist, dass Opposition schon in der HV deutlich wird; Person des Klägers kann sich später herausstellen. Deshalb hat der Aktionär (Legitimationszedent) für Anfechtungsklage erforderliche Sachbefugnis (KG AG 2010, 166, 168; LG München I AG 2010, 47, 48; GK-AktG/K. Schmidt Rn. 15 aE, 18) und nicht der Legitimationszessionar, es sei denn, dass sich Ermächtigung darauf erstreckt (→ Rn. 11). Auch für Erscheinen in HV iSd § 245 S. 1 Nr. 1 kann nicht verlangt werden, dass Legitimationsaktionär Aktienbesitz nachweist (so aber KG AG 2010, 166, 168), sondern es genügt, wenn er unter Offenlegung des Fremdbesitzes ins Teilnehmerverzeichnis eingetragen ist (zutr. Bayer/Scholz NZG 2012, 721, 723; iE ähnlich LG Frankfurt AG 2013, 529, 530: Berufung der AG auf unzureichende Legitimation ist venire contra factum proprium, wenn Aktionär zunächst in HV zugelassen wurde). 12

c) Widerspruch zur Niederschrift. aa) Begriff und Bedeutung. Anfechtungsbefugt ist Aktionär nur, wenn er oder der für ihn Erschienene (→ Rn. 12) gegen den Beschluss Widerspruch zur Niederschrift erklärt hat (§ 245 S. 1 Nr. 1). Widerspruchserfordernis besteht auch bei Einberufungsmängeln iSd § 245 S. 1 Nr. 2, wenn Aktionär trotz des Mangels tats. erschienen ist (OLG München AG 2010, 677). § 245 S. 1 Nr. 1 gilt auch für **Briefwähler und Online-Teilnehmer,** so dass erstgenannte Gruppe grds. nicht anfechten kann, die letztgenannte Gruppe nur nach Maßgabe der konkreten Teilnahmebedingungen (→ § 118 Rn. 13 f.), wenn diese auch Online-Widerspruch vorsehen (Noack WM 2009, 2289, 2291 f.). Zur Niederschrift kann Erklärung nur in HV abgegeben werden, weshalb vorgängige Erklärung unbeachtlich bleibt (iE zutr. LG Frankfurt AG 2005, 51, 52). Wer für Aktionär erscheint, kann auch ohne gültige Stimmrechtsvollmacht für ihn wirksam Widerspruch erheben (OLG Stuttgart NZG 2004, 966, 967 [insoweit nicht in AG 2005, 94]). Widerspruch ist Erklärung, dass gegen Rechtmäßigkeit des Beschlusses Bedenken bestehen und deshalb gerichtl. Schritte in Betracht gezogen werden (→ Rn. 14). Stimmabgabe gegen Beschluss ist noch kein Widerspruch, Stimmabgabe für ihn hindert Widerspruch nicht (ganz hM – vgl. nur OLG Brandenburg AG 2003, 328; BeckOGK/Vatter Rn. 27; zweifelnd für Verfahrensfehler Fleischer FS Stilz, 2014, 143, 152 f.). Unterbleibt Wider- 13 spruch, so liegt darin kein rechtsgeschäftlicher Verzicht auf Anfechtung. Vielmehr geht Anfechtungsbefugnis kraft Ges., nämlich verwirkungsähnlich wegen sonst widersprüchlichen Verhaltens verloren (MüKoAktG/C. Schäfer Rn. 36; zust. Noack AG 1989, 78, 79 f.). Rechtstechnisch handelt es sich um eine Obliegenheit (Fleischer FS Stilz, 2014, 143, 145). Zu den Folgen, die sich daraus ergeben → Rn. 16.

14 **bb) Inhalt und Modalitäten des Widerspruchs.** Widersprechender muss deutlich machen, dass er sich gegen Gültigkeit des Beschlusses wendet. Gebrauch bestimmter Worte ist nicht notwendig. Es genügt, wenn Aktionär erklärt, er widerspreche, fechte an, verwahre sich gegen den Beschluss, halte ihn für gesetz- oder satzungswidrig, nichtig, unwirksam oder ungültig, auch wenn Mangelfolge nicht korrekt bezeichnet ist (RGZ 53, 291, 293; MüKoAktG/C. Schäfer Rn. 38). **Begr. ist entbehrlich** (OLG München AG 2019, 266, 269; LG München I AG 2020, 448, 449; MüKoAktG/C. Schäfer Rn. 38; aA KK-AktG/Noack/Zetzsche § 130 Rn. 216 ff.) und präjudiziert, falls gegeben, nicht Begr. der Anfechtungsklage (vgl. zB Noack AG 1989, 78, 81). Widerspruch muss sich aber gegen einen Beschluss richten und deutlich machen, gegen welchen Punkt; wenn Vorsitzender zu Beginn der HV eine Stimmrechtsentziehung ausspricht, ist dagegen erhobener Protest nicht ohne weiteres Widerspruch iSd § 245 S. 1 Nr. 1 (OLG Oldenburg NJW 1975, 1790; LG Ellwangen AG 1976, 276 f.). Aktionär kann aber deutlich machen, dass er nicht nur gegen die Maßnahme, sondern auch gegen die später zu fassenden Beschlüsse Widerspruch erhebt (Noack AG 1989, 78, 80). **Genereller Widerspruch** ist möglich (RGZ 30, 50, 52; RGZ 36, 24, 26), und zwar auch ohne bes. Begr. (LG Dortmund AG 1977, 109, 110; MüKoAktG/C. Schäfer Rn. 38). Aktionär muss aber deutlich machen, dass sich Widerspruch gegen sämtliche Beschlüsse richtet. **Zeitlicher Rahmen** für Widerspruch entspr. Dauer der HV (allgM). Er kann auch vor Beschlussfassung erfolgen (BGH AG 2007, 863 Rn. 6; BGHZ 180, 9 Rn. 17 = NJW 2009, 2207; LG München I AG 2020, 448, 449; NK-AktR/Heidel Rn. 12; aA LG Frankfurt NZG 2006, 438, 439; MüKoAktG/Kubis § 130 Rn. 9) und noch nach Erledigung der gesamten Tagesordnung erklärt werden, solange HV noch nicht geschlossen ist. Widerspruch nach Schließung bleibt unbeachtlich (LG Köln AG 1996, 37). Aktionäre dürfen aber nicht durch abrupte Schließung der HV überrumpelt werden; wenn doch, wird Widerspruch in der HV mit der Maßgabe entbehrlich, dass Erklärung der Gesellschaft alsbald zur Kenntnis gebracht werden muss (KK-AktG/Noack/Zetzsche Rn. 87; GK-AktG/K. Schmidt Rn. 22).

15 Widerspruch muss **zur Niederschrift** (§ 130) erklärt werden (zur Geltung dieses Erfordernisses auch in vHV → Rn. 21c ff.). Dafür genügt es, wenn der Erklärende sich so deutlich ausdrückt, dass sorgfältiger Notar oder anderer Protokollführer (§ 130 I 3) das Vorliegen eines Widerspruchs erkennen kann (RGZ 53, 291, 293; OLG Breslau OLGR 34, 351). Protokollierung muss also nicht bes. gewünscht werden. Wenn Notar Zweifel hat, muss er nachfragen. Aufnahme des Widerspruchs in die Niederschrift ist nicht Voraussetzung der Anfechtungsbefugnis. Kläger darf auch in anderer Form beweisen, dass er dem Beschluss widersprochen hat (RGZ 53, 291, 293; OLG Breslau OLGR 34, 351; OLG Hamburg AG 1960, 333 f.; MüKoAktG/C. Schäfer Rn. 35). Parteien können Erklärung des Widerspruchs auch unstreitig stellen (OLG Düsseldorf AG 1996, 273, 274). Zur **Beweisführung** des Klägers gehört, dass Widerspruch durch oder für ihn als Aktionär erhoben worden ist. Die Klage ist also unbegründet, wenn zwar der Widerspruch feststeht, aber als Widerspruch eines Fremdbesitzes protokolliert worden ist und daraus folgende Vermutung nicht widerlegt werden kann (OLG München AG 2001, 482; OLG Schleswig AG 2022, 747, 749).

cc) Reduktion des Widerspruchserfordernisses. Nach Wortlaut des § 245 S. 1 Nr. 1 ist Widerspruch auch dann erforderlich, wenn Anfechtungsgrund während der HV nicht erkennbar wird. Das lässt sich jedoch sachlich nicht rechtfertigen. Wenn **Normverstoß nicht erkennbar** war, handelt Aktionär auch nicht widersprüchlich, wenn er die Rüge erst später erhebt. Dem Grundgedanken des § 245 S. 1 Nr. 1 (→ Rn. 13) entspr. es deshalb, in solchen Fällen unter Reduktion des Gesetzeswortlauts auf das Widerspruchserfordernis zu verzichten (hM, BeckOGK/Vatter Rn. 34; Henssler/Strohn/Drescher Rn. 9; MüKoAktG/C. Schäfer Rn. 37; KK-AktG/Noack/Zetzsche Rn. 85; GK-AktG/K. Schmidt Rn. 19; Fleischer FS Stilz, 2014, 143, 146 f.; Kersting ZGR 2007, 319, 345 f.; aA Grigoleit/Ehmann Rn. 13; B/K/L/Göz Rn. 12; MHdB AG/Austmann § 42 Rn. 94). Andere Sichtweise würde Aktionäre dazu nötigen, stets pauschal gegen jeden unliebsamen Beschluss Widerspruch zu erheben, was nicht sinnvoll erscheint. Nur hM vermag überdies Interesse der AG an Rechtssicherheit und Wahrung mitgliedschaftlicher Belange einem sinnvollen Ausgleich zuzuführen. Von Gegenauffassung erhobenem Einwand drohender Rechtsunsicherheit (vgl. MHdB AG/Austmann § 42 Rn. 94) kann durch Ausschlussfrist des § 246 I hinreichend Rechnung getragen werden (Noack AG 1989, 78, 82). Solange sich keine feste Praxis in diesem Sinne gebildet hat, muss allerdings geraten werden, iZw Widerspruch zu erheben. Dasselbe, also Entbehrlichkeit des Widerspruchs, muss in den **Irrtumsfällen** für den Aktionär gelten, dessen Stimmabgabe in anfechtungsrelevanter Weise (§§ 119, 123 BGB) von Irrtum beeinflusst ist; denn wer sich irrt und den Beschluss deshalb für in Ordnung hält, kann ihm nicht widersprechen (str., s. zutr. Noack AG 1989, 78, 82 f. mwN). S. auch → Rn. 14 aE zur Überrumpelung, ferner → Rn. 17 f. zum unberechtigten Saalverweis. 16

2. Der nicht erschienene Aktionär (§ 245 S. 1 Nr. 2). a) Nichterscheinen. Aktionäre, die in HV nicht erschienen sind, dürfen anfechten, wenn eine der weiteren Voraussetzungen des § 245 S. 1 Nr. 2 erfüllt ist (unberechtigte Nichtzulassung, Einberufungs- oder Bekanntmachungsfehler). Aktionär ist nicht erschienen, wenn er weder persönlich anwesend noch unmittelbar oder mittelbar vertreten ist und auch nicht durch einen Legitimationsaktionär repräsentiert wird (→ Rn. 11 f.). Für **Teilwahrnehmung des HV-Termins** gilt: Wer überhaupt erscheint, fällt grds. nicht unter § 245 S. 1 Nr. 2, sondern unter § 245 S. 1 Nr. 1, weil er während der gesamten Versammlungsdauer Widerspruch erheben kann (→ Rn. 14); er muss es also auch (Einzelheiten sind str.; s. dazu MüKoAktG/C. Schäfer Rn. 43; GK-AktG/K. Schmidt Rn. 24). Ausnahme gilt für nicht ordnungsgem. bekanntgemachte Tagesordnungspunkte, da Aktionär hier aus frühzeitigem Verlassen kein Vorwurf gemacht werden kann (Henssler/Strohn/Drescher Rn. 10). Weitere Ausnahme gilt bei **Saalverweis.** Insoweit ist § 245 S. 1 Nr. 2, nicht § 245 S. 1 Nr. 1, anzuwenden, Widerspruch also unter den weiteren Voraussetzungen des Normteils entbehrlich; denn wer verwiesen wird, konnte gerade nicht während der gesamten Versammlungsdauer frei über den Widerspruch entscheiden (BeckOGK/Vatter Rn. 41; MüKoAktG/C. Schäfer Rn. 44; keine ausdr. Stellungnahme in BGHZ 44, 245, 250 = NJW 1966, 43). Das gilt nicht nur für vorangehende, sondern auch für später gefasste Beschlüsse, da das Recht des Aktionärs, ihnen bis zum Ende der Versammlung zu widersprechen, auch hier beschnitten wird (MüKoAktG/C. Schäfer Rn. 44). Ob Verweis zu Recht erfolgt ist oder nicht, spielt erst bei Anwendung des § 245 S. 1 Nr. 2 Fall 1 eine Rolle (→ Rn. 18). 17

b) Unberechtigte Nichtzulassung. Ohne Widerspruch erhoben zu haben, ist Aktionär gem. § 245 S. 1 Nr. 2 Fall 1 zur Anfechtung befugt, wenn er oder sein Vertreter (vgl. OLG Düsseldorf AG 1991, 444 f.) zu Unrecht nicht zur HV zugelassen worden ist. Das gilt auch für Verweigerung der Online-Teilnahme; 18

allerdings nicht bei bloß technischen Zugangsproblemen (§ 243 III 1 Nr. 1; Henssler/Strohn/Drescher Rn. 11). Grds. hat jeder Aktionär das Teilnahmerecht (→ § 118 Rn. 24 ff.), sofern er Teilnahmebedingungen (→ § 123 Rn. 4 ff.) erfüllt. Das kann uU auch durch Vorlage von Aktien einer Vorläufergesellschaft geschehen, für die Lieferbarkeitsbescheinigung im Affidavit-Verfahren ausgestellt ist (OLG Oldenburg AG 2000, 367, 369). Zutrittsverweigerung ist berechtigt, wenn Fehler bei eingeschaltetem Intermediär und nicht bei der AG liegt, zB verspätete Ausstellung eines Depotnachweises (OLG Hamburg AG 2002, 460, 462; Grigoleit/Ehmann Rn. 15; KK-AktG/Noack/Zetzsche Rn. 107). Auch wer sich vor Zutritt zur HV zumutbaren Personen- und Gepäckkontrollen entzieht, wird zu Recht nicht zugelassen. Zu weitgehend hat OLG Frankfurt AG 2007, 357 f. Zumutbarkeit aber schon bei alternativloser Taschenkontrolle bejaht (krit. auch KK-AktG/Noack/Zetzsche Rn. 102). Nicht seinem Wortlaut, aber seinem Sinn nach gilt § 245 S. 1 Nr. 2 Fall 1 auch **bei unberechtigter Verweisung** des Aktionärs aus der HV; denn es macht keinen wesentlichen Unterschied, ob Teilnahmerecht des Aktionärs durch Nichtzulassung oder durch spätere Verweisung verletzt worden ist (BGHZ 44, 245, 250 ff. = NJW 1966, 43; OLG München AG 2010, 842, 843).

19 **c) Einberufungsfehler.** Nach § 245 S. 1 Nr. 2 Fall 2 ist Aktionär auch dann ohne Widerspruch zur Niederschrift anfechtungsbefugt, wenn er in HV nicht erschienen und diese nicht ordnungsgem. einberufen ist. Nimmt Aktionär trotz des Einberufungsfehlers an HV teil, bleibt Widerspruch jedoch Anfechtungsvoraussetzung (→ Rn. 13). Einberufungsfehler iSd § 245 S. 1 Nr. 2 Fall 2 ist jedenfalls **Verstoß gegen §§ 121–123** (allgM, s. zB MüKoAktG/C. Schäfer Rn. 48), nach richtiger Ansicht auch **Verletzung der Mitteilungspflicht nach §§ 125–127** (hM, s. MüKoAktG/Schäfer Rn. 48; GK-AktG/K. Schmidt Rn. 27), dagegen nicht Verstoß des Intermediärs gegen Weitergabepflicht der §§ 67a, 67b, § 125 V, weil nicht der AG zuzurechnen (§ 243 III; → § 243 Rn. 44a). Von den Voraussetzungen der Anfechtungsbefugnis zu unterscheiden ist Frage, wie sich Fehler auf Rechtsbeständigkeit des HV-Beschlusses auswirkt. Insoweit sind allein § 241 Nr. 1, § 243 I maßgeblich. Verstoß gegen § 121 II und III oder IV ist schon Nichtigkeitsgrund (→ § 241 Rn. 8 ff.). Im Übrigen sind Einberufungsmängel durchweg relevante Verfahrensfehler und damit Anfechtungsgründe (→ § 243 Rn. 14 f.).

20 **d) Bekanntmachungsfehler.** Keines Widerspruchs bedarf es schließlich gem. § 245 S. 1 Nr. 2 Fall 3, wenn Aktionär in der HV nicht erschienen ist und der Gegenstand der Beschlussfassung nicht ordnungsgem. bekanntgemacht wurde. Dagegen muss Aktionär widersprechen, wenn er trotz des Bekanntmachungsfehlers in der HV erscheint (→ Rn. 13). Bekanntmachungsfehler ist **Verstoß gegen § 124 I–III** (→ § 124 Rn. 2 ff.). Widerspruch ist unter den genannten Prämissen schlechthin entbehrlich, also auch bzgl. der Beschlüsse, deren Gegenstand korrekt bekanntgemacht worden ist. Das ist gerechtfertigt, weil nicht ausgeschlossen werden kann, dass Aktionär durch den Bekanntmachungsfehler vom Besuch der HV überhaupt abgehalten wurde. Zum Bekanntmachungsfehler als Anfechtungsgrund → § 124 Rn. 35 ff.; → § 243 Rn. 14 f.

21 **3. Unzulässige Verfolgung von Sondervorteilen (§ 245 S. 1 Nr. 3).** Gem. § 245 S. 1 Nr. 3 steht jedem Aktionär, der seine Aktien schon vor Bek. der Tagesordnung erworben hat, ohne weitere Voraussetzungen die Anfechtungsbefugnis zu, wenn Anfechtung gem. § 243 II auf unzulässige Verfolgung von Sondervorteilen gestützt wird (→ § 243 Rn. 30 ff.). Erfordernis des Vorbesitzes ist wie in § 245 S. 1 Nr. 1 durch UMAG 2005 eingeführt worden. Aktionär (dazu, auch zum Vorbesitz → Rn. 5 ff.) muss also nicht an HV teilnehmen, nicht

widersprechen und auch die bes. Umstände des § 245 S. 1 Nr. 2 (→ Rn. 17 ff.) nicht dartun. Weil Mitgliedschaft als solche genügt, steht auch das Ruhen einzelner daraus folgender Befugnisse wie nach § 20 VII der Anfechtung nicht entgegen (BGH AG 2009, 534, 535; OLG Schleswig AG 2008, 129, 131; wohl auch BGHZ 167, 204 Rn. 14). Regelung bezweckt verstärkten Schutz der AG und ihrer Aktionäre vor missbräuchlicher Stimmrechtsausübung. Sie ist überdies insoweit hilfreich, als sie einen Hauptfall nicht schon in der HV erkennbarer Normwidrigkeit vom Widerspruchserfordernis ausnimmt (MüKoAktG/C. Schäfer Rn. 50; GK-AktG/K. Schmidt Rn. 29; aA Grigoleit/Ehmann Rn. 18). Insoweit bedarf es also keiner Reduktion des Erfordernisses, wie sie sonst angebracht ist (→ Rn. 16). Weitergehende teleologische Extension auf Verstoß gegen Gleichbehandlungsgrundsatz oder Treupflicht (dafür NK-AktR/Heidel Rn. 20; KK-AktG/Noack/Zetzsche Rn. 123; GK-AktG/K. Schmidt Rn. 30) ist hingegen zweifelhaft, da zwar auch hier oftmals fehlende Erkennbarkeit gegeben sein wird, derartigen Verstößen aber nicht zugleich auch vergleichbarer Unrechtsgehalt zukommt wie der Verfolgung von Sondervorteilen (wie hier Hölters/Weber/Englisch Rn. 27; MüKoAktG/C. Schäfer Rn. 51).

4. Sonderregelung für virtuelle HV (§ 245 S. 2). § 245 S. 2 wurde neu eingefügt durch **VHVG 2022.** Er knüpft an § 118a I 2 Nr. 8 an, wonach Möglichkeit zum Widerspruch auch in vHV gegeben sein muss (→ § 118a Rn. 42). Neuer § 245 S. 2 ergänzt Sonderregelung für vHV, in der alle zur vHV elektronisch zugeschalteten Aktionäre als erschienen iSd § 245 S. 1 Nr. 1 gelten. Möglichkeit zum Widerspruch wurde schon in § 1 II 1 Nr. 4 COVMG aF als Voraussetzung der vHV postuliert, so dass an dazu gewonnene Erkenntnisse angeknüpft werden kann. Allerdings wurde in § 1 II 1 Nr. 4 COVMG aF zusätzlich verlangt, dass Aktionär an vHV nicht nur teilgenommen, sondern auch Stimmrecht ausgeübt hat. Auf dieses Zusatzerfordernis wird in § 118a I 2 Nr. 8 ebenso wie in § 245 S. 2 verzichtet (RegBegr. BT-Drs. 20/1738, 38), was zur Folge hat, dass nunmehr auch Inhaber **stimmrechtsloser Vorzugsaktien** zum Widerspruch berechtigt sind (Bungert/Rieckers/Becker DB 2022, 2074, 2080). **21a**

Erforderlich ist aber stets, dass sich Aktionär zur vHV **elektronisch zuschaltet** (anders noch RefE; vgl. dazu die Kritik von Bungert/Rieckers DB 2022, 581, 590). Anfechtungsbefugnis besteht daher nicht für Aktionäre, die sich nur im Vorfeld nach § 131 Ia–If beteiligen (→ § 131 Rn. 40 ff.), weil sie nicht sämtliche Informationen überblicken, die sowohl im Vorfeld als auch während HV gegeben und ausgetauscht wurden (RegBegr. BT-Drs. 20/1738, 38). So können etwa ursprünglich fehlende Informationen nachgereicht oder Formfehler beseitigt oder geheilt worden sein (RegBegr. BT-Drs. 20/1738, 38). Auch weiteres **Erfordernis vorangegangenen Erwerbs** nach § 245 S. 1 Nr. 1 bleibt von Sonderregelung unberührt (Herrler DNotZ 2020, 468, 495 f.). **21b**

Widerspruch ist wie auch sonst (→ § 245 Rn. 14) **bis zum Ende der vHV** möglich und im Wege elektronischer Kommunikation zu erklären (RegBegr. BT-Drs. 20/1738, 25: „während der Versammlung"). AG muss aber nicht schon vor Beginn der HV Widerspruchsmöglichkeit „auf Vorrat" anbieten (Herrler DNotZ 2020, 468, 497). **Elektronischer Widerspruch** kann zB durch entspr. Funktion auf **Online-Plattform,** üblicherweise Aktionärsportal, etwa in Gestalt eines Textfeldes mit Versandmöglichkeit, Checkbox oder „Widerspruchs-Button" eröffnet werden (RegBegr. BT-Drs. 20/1738, 25). Diesen Weg hat HV-Praxis 2020 und 2021 ganz überwiegend gewählt (Danwerth AG 2021, 613 Rn. 51 f.). Alternativ ist aber auch Einrichtung **bes. Kommunikationskanals** mit Widerspruchsempfänger (Notar, sonstiger Protokollführer oder HV-Leiter) möglich, etwa über designierte E-Mail-Adresse (RegBegr. BT-Drs. 20/1738, 25 f.; zu Einzelheiten Wicke FS Heidinger, 2023, 619, 625 f. sowie – noch zu **21c**

COMVG aF – Hauschild/Zetzsche AG 2020, 557 Rn. 47 ff.; Kruchen DZWIR 2020, 431, 459; Noack/Zetzsche AG 2020, 265 Rn. 67). In weiter Wortlautauslegung soll auch Angabe einer Telefonnummer genügen (J. Hoffmann DB 2022, 1498, 1502). Entscheidung über zu wählenden Kommunikationskanal trifft AG; Widerspruch kann dann nur auf diesem Wege und nicht etwa auch iRe Redebeitrags erklärt werden (Wicke FS Heidinger, 2023, 619, 625). Entspr. Hinweise zur genauen Gestaltung sollten in **Einberufung** aufgenommen werden (J. Hoffmann DB 2022, 1498, 1502 f.; zu COVMG aF auch Danwerth AG 2021, 613 Rn. 52; Lieder ZIP 2020, 837, 842; Stelmaszczyk/Forschner Konzern 2020, 221, 233 mit Formulierungsvorschlag). Pflicht dazu besteht allerdings nicht; spätestens zu Beginn der vHV selbst ist entspr. Information, wie Rechte ausgeübt werden können, aber zu geben und dauerhaft verfügbar zu halten (J. Hoffmann DB 2022, 1498, 1502). Nutzt Aktionär nicht den in Einberufung vorgegebenen Kommunikationskanal, ist Widerspruch unbeachtlich (Hauschild/Zetzsche AG 2020, 557 Rn. 53), sollte vorsorglich aber in Niederschrift aufgenommen werden (Danzeglocke RNotZ 2022, 229, 254). Gleiches gilt für nach HV-Ende eingehende Fragen (Danzeglocke RNotZ 2022, 229, 254).

21d § 118a I 2 Nr. 8 setzt nicht ausdr. voraus, dass Widerspruch **zur Niederschrift** eingelegt werden muss, doch kann dieses Erfordernis aus Einbettung in allg. beschlussmängelrechtl. System und Bezugnahme auf § 245 gefolgert werden, der dieses Erfordernis auch weiterhin enthält (J. Hoffmann DB 2022, 1498, 1500 f.; implizit auch Wicke FS Heidinger, 2023, 619, 625). Für AG ergibt sich daraus Pflicht, elektronische Kommunikation so zu gestalten, dass Notar von Widerspruch Kenntnis erlangt, und zwar durch eigene Wahrnehmung, nicht allein durch „Weiterreichung" durch Organe (J. Hoffmann DB 2022, 1498, 1502). Dafür genügt es, wenn Notar selbst Zugang zum technischen System oder unmittelbare Verbindung zu HV-Dienstleister eröffnet wird; direkter Kontakt zwischen Aktionär und Notar ist nicht gefordert (Wicke FS Heidinger, 2023, 619, 625).

21e **Mängel** in der Ausgestaltung des elektronischen Widerspruchs, Informations- oder Funktionsmängel führen nicht dazu, dass vHV nicht vorliegt, sondern können allenfalls Anfechtung begründen (s. schon → § 118a Rn. 17). Für **technische Störungen** gilt § 243 III 1 Nr. 2, der Anfechtungsausschluss vorsieht. In anderen Fällen ist Anfechtung grds. möglich und Anfechtungsbefugnis auch dann anzunehmen, wenn Aktionär aufgrund eines in der Risikosphäre der AG liegenden Grundes an Widerspruch gehindert war (J. Hoffmann DB 2022, 1498, 1503 f.). Unzureichende Ausgestaltung der Widerspruchsmöglichkeit kann sodann Rechtsverstoß sein, der grds. zur Anfechtung berechtigen würde. Es fehlt aber an **Relevanz** (→ § 243 Rn. 12 ff.) dieses Verstoßes, da Widerspruch ein der Beschlussfassung logisch nachgelagerter Vorgang ist, der auf Willensbildung der HV naturgem. keine Auswirkungen haben kann (J. Hoffmann DB 2022, 1498, 1504).

III. Missbrauch des Anfechtungsrechts

22 **1. Grundlagen.** Noch in den 1960er Jahren wurde angenommen, dass es Missbrauch des Anfechtungsrechts aufgrund der Kontrollfunktion der Anfechtungsklage schlechterdings nicht geben könne (vgl. etwa Mestmäcker DB 1961, 951). Auch rechtstatsächlich wurde solcher Missbrauch nicht als Problem wahrgenommen, weshalb RegBegr. Kropff S. 333 noch 1965 konstatierte, dass wirklich missbräuchliche Anfechtungsklagen nicht bekanntgeworden seien. Seit 1970er Jahren konnte dieser Befund aber schon keine Gültigkeit mehr beanspruchen, auch wenn das Problem erst in den 1980er Jahren in das Bewusstsein einer breiteren Öffentlichkeit gerückt ist (vgl. schon Beyerle ZGR 1977, 650 ff.; aus

jüngerer Zeit Dornbach, Die aktienrechtliche Anfechtungsklage, 2013, 54 ff.). In den 1990er und 2000er Jahren galten rechtsmissbräuchliche Anfechtungsklagen als eines der drängendsten rechtspolitischen Probleme (vgl. statt vieler Jahn FS Hopt, 2010, 2029: „geradezu mafiöse Strukturen"), das verbreitet sogar als volkswirtschaftliche Belastung für die Wettbewerbsfähigkeit des Standortes Deutschland angesehen wurde (Dornbach, Die aktienrechtliche Anfechtungsklage, 2013, 236 ff.; Habersack/Stilz ZGR 2010, 710, 731). Auch vom BGH und den ihm folgenden Instanzgerichten ist Missbrauchsmöglichkeit zutr. bejaht (vgl. zB BGHZ 107, 296, 308 ff. = NJW 1989, 2689; BGHZ 112, 9, 30 = NJW 1990, 2747), zugleich aber auch betont worden, dass Einwand individuellen Rechtsmissbrauchs allenfalls ausnahmsweise bei einzelnen klar abgrenzbaren Fallgestaltungen in Betracht zu ziehen sei (BGHZ 206, 143 Rn. 49 = NZG 2015, 1227; BGHZ 226, 224 Rn. 39 = NZG 2020, 1106). Der Gesetzgeber hat sich bemüht, diesem Missbrauch durch **zahlreiche Reformgesetze** entgegenzuwirken (ausf. empirische Aufarbeitung namentl. bei Baums/Vogel/Tacheva ZIP 2000, 1649 ff.; Baums/Keinath/Gajek ZIP 2007, 1629, 1633 ff. und Baums/Drinhausen/Keinath ZIP 2011, 2329 ff.; sa Schatz, Der Missbrauch der Anfechtungsbefugnis, 2012, 41 ff.; Überblick über Reformgesetze bei Dornbach, Die aktienrechtliche Anfechtungsklage, 2013, 54 ff.; Schatz, Der Missbrauch der Anfechtungsbefugnis, 2012, 94 ff.). Nachdem diese Bemühungen lange Zeit wenig gefruchtet haben und auch die breit angelegte Missbrauchsprävention im Zuge des UMAG 2005 zunächst nur geringe Wirkung zeitigte, sind mit der Nachbesserung und Ergänzung des damit eingefügten Maßnahmepakts im Zuge des **ARUG** 2009 erstmals **deutliche Erfolge** zu verzeichnen (Bayer/Hoffmann/Sawada ZIP 2012, 897 ff.; Bayer/Hoffmann ZIP 2013, 1193 ff.; zu den Gründen Schatz, Der Missbrauch der Anfechtungsbefugnis, 2012, 176 ff.). Nach heutigem Stand ist die **Missbrauchsproblematik deutlich entschärft** (vgl. zuletzt Bayer/Hoffmann AG 2023, R 141 ff.), wenngleich auch noch nicht vollständig bewältigt.

2. Erscheinungsformen des Missbrauchs. Missbrauch der Anfechtungsklage wird durch den ihr innewohnen den „Lästigkeitswert" ermöglicht. Er tritt insbes. bei **eintragungsbedürftigen HV-Beschlüssen** zutage. Anfechtungsklage löst in bestimmten Konstellationen schon qua Gesetzes Registersperre aus, so dass Eintragung nicht erfolgen darf (§ 319 V, § 320 I 3, § 327e II AktG, § 16 II UmwG, § 176 I UmwG). In anderen Fällen steht es im pflichtgem. Ermessen des Registerrichters, ob er Eintragung vornimmt oder gem. § 21 I FamFG, § 381 FamFG aussetzt. Bei dieser Entscheidung unterfällt Registerrichter aber nicht dem Spruchrichterprivileg nach § 839 II BGB und trägt damit erhöhte Haftungsrisiken, woraus in der Praxis zumeist die Konsequenz gezogen wird, die Eintragung im Zweifel eher auszusetzen, bis Gericht über Klage entschieden hat (vgl. Poelzig/Meixner AG 2008, 196; M. Winter FS Ulmer, 2003, 699, 701). Diese Schlussfolgerung ist nicht selbstverständlich, weil Haftung auch bei zu Unrecht unterlassener Eintragung von Seiten der AG drohen kann (zutr. Noack DB 2014, 1851, 1854), entspr. aber gängiger Praxis. In diesem Fall besteht zwar keine rechtl., aber doch eine **faktische Registersperre** (→ § 243 Rn. 53; zur mittlerweile möglichen Überwindung über Freigabeverfahren nach § 246a, → § 246a Rn. 1 ff.). Damit einhergehende zeitliche Verzögerung begründet gerade bei bedeutsamen Strukturbeschlüssen der HV bes. **Lästigkeitswert** der Anfechtungsklage, aus der sich für Anfechtungskläger ein erhebliches Erpressungspotenzial ergibt, das er zu Kommerzialisierungszwecken nutzbar machen kann, und zwar unabhängig davon, ob Anfechtungsklage letztlich Erfolg hat oder nicht (zu den wirtschaftlichen Folgen der bloßen Registersperre Schatz, Der Missbrauch der Anfechtungsbefugnis, 2012, 23 ff.). Druckmittel des missbräuchlich agierenden Aktionärs ist deshalb die Registerblockade, ihr Hebel das Zeitmoment. **Gegen-** 23

läufige Risiken des Aktionärs sind hingegen überschaubar, seitdem in § 200 II AktG 1937 vorgesehene Schadensersatzpflicht wegen unbegründeter Anfechtung im Zuge der Aktienrechtsreform 1965 aufgehoben wurde (→ § 248 Rn. 1), zumal auch Kostenrisiko über Streitwertspaltung nach § 247 in Grenzen gehalten wird (zur ökonomischen Anreizsituation von Klägern und Verwaltung s. Schatz, Der Missbrauch der Anfechtungsbefugnis, 2012, 27 ff.). Bes. anstößig erscheinen solche Vorgehensweisen, wenn Anfechtungsgrund zuvor in HV durch gezielte Provokation von Verfahrensfehlern durch Kläger selbst geschaffen wurde, zB durch extensive Ausübung des Auskunftsrechts oder gar Handgreiflichkeiten und Beleidigungen, um HV-Leiter zu unverhältnismäßigen Ordnungsmaßnahmen zu veranlassen. Planung und Durchführung einer HV ist damit für Verwaltung zu einem anfechtungsrechtl. Minenfeld geworden, was AG und Aktionäre gleichermaßen belastet. Sofern die im Zuge der zahlreichen Reformgesetze neu geschaffenen Instrumentarien nicht ausreichen, um solchen Praktiken wirksam zu begegnen, bleibt AG nur Einwand des Rechtsmissbrauchs (zum Tatbestand → Rn. 24 ff., zu den Rechtsfolgen → Rn. 30).

24 **3. Missbrauchstatbestand. a) Allgemeines.** Ausübung der Anfechtungsbefugnis unterliegt ungeachtet ihrer Kontrollfunktion (→ Rn. 3) den für private Rechtsausübung auch sonst geltenden Schranken, hier dem aus § 242 BGB folgenden Verbot des (individuellen) Rechtsmissbrauchs (grundlegend BGHZ 107, 296, 310 f. = NJW 1989, 2689 – Kochs/Adler; sa MüKoAktG/C. Schäfer Rn. 55 ff.; Lutter FS 40 Jahre Der Betrieb, 1988, 193, 208 f.). Die **wesentlichen Anwendungsfälle** sind diejenigen illoyaler, grob eigennütziger Rechtsausübung (OLG Stuttgart AG 2003, 456, 457: subjektive Motivation). ZT vorgeschlagene weitergehende Erfassung eines rein obj. Missbrauchs (etwa bei evident aussichtsloser Anfechtungsklage – vgl. dazu GK-AktG/K. Schmidt Rn. 54, 59, 64 ff.) übersteigt herkömmliches Missbrauchsverständnis, ohne dass sich diese Weiterentwicklung als notwendig erweist, da praktische Unterschiede aufgrund der zumindest indizierenden Bedeutung obj. Umstände (→ Rn. 25) gering sind (MüKoAktG/C. Schäfer Rn. 61). Nicht erforderlich ist dagegen ein noch gesteigerter Rechtsmissbrauch, wie noch von OLG Hamm AG 1989, 31 (Vorinstanz zu BGHZ 107, 296) in Form strafrechtl. relevanten Verhaltens (Nötigung, Erpressung) vorausgesetzt, auch nicht Schikane iSd § 226 BGB (BGHZ 107, 296, 311).

25 In der Praxis hat sich Missbrauchseinwand **nicht als hinreichend leistungsfähiger Filter erwiesen,** um missbräuchliche Anfechtungsklagen zuverlässig auszusieben (Habersack/Stilz ZGR 2010, 710, 713). Das ist im Wesentlichen darauf zurückzuführen, dass AG den subjektiv verstandenen Missbrauchstatbestand auch bei großzügiger Gestattung eines Indizienbeweises oftmals nur schwer beweisen kann und überdies eine Klageabweisung wegen Rechtsmissbrauchs voraussetzt, dass es überhaupt zu einer Verfahrensbeendigung durch Urteil kommt, was indes in den meisten Prozessen nicht der Fall ist (vgl. Schatz, Der Missbrauch der Anfechtungsbefugnis, 2012, 55 ff.). Selbst wenn Klageabweisung droht, ist sie angesichts der im Lichte des § 247 I 1 nur begrenzt spürbaren Kostenfolge des § 91 I 1 ZPO für Kläger ein noch hinnehmbares Risiko (Schatz, Der Missbrauch der Anfechtungsbefugnis, 2012, 28 f., 72 f.). Gerichte zeigen sich bei Annahme eines Missbrauchs idR zurückhaltend, um Kontrollfunktion der Anfechtungsklage nicht über Gebühr auszuhöhlen (vgl. aus jüngerer Zeit OLG Stuttgart AG 2021, 522, 523). Unverhoffte Schützenhilfe ggü. missbräuchlichen Klagen bietet neuerdings aber das Steuerrecht (vgl. FG Köln NZG 2015, 1403 ff.: Zahlungen an räuberischen Aktionär unterliegen Einkommensteuer, bei Wiederholungsabsicht auch Umsatzsteuer; vgl. dazu LG Köln v. 26.8.2020 – 9 K 602/16 [nv] – Nichtzulassungsbeschwerde zurückgewiesen durch BFH AG 2021, 646 Rn. 1 ff.;

Binnewies/Ruske AG 2021, 632 f.; Florstedt FS Seibert, 2019, 235 ff.; Olgemöller/Selle AG 2017, 309 ff.).

Noch nicht abschließend geklärt ist Verhältnis des Rechtsmissbrauchseinwands 26 zur **mitgliedschaftlichen Treupflicht.** BGHZ 107, 296, 311 hatte früheren Rückgriff des RG (RGZ 146, 385, 397) auf Treupflicht noch für obsolet erklärt, was sich allerdings in erster Linie daraus erklären dürfte, dass RG auf dieser Grundlage sehr strenge Anforderungen an Missbrauchseinwand entwickelt hatte (sa Schatz, Der Missbrauch der Anfechtungsbefugnis, 2012, 53 f. Fn. 246). Diese hohen Anforderungen wollte BGH herabschrauben, ohne damit **dogmatische Einbindung** des individuellen Rechtsmissbrauchs in umfassend verstandener Treupflicht grds. Absage zu erteilen. Vielmehr erscheint diese dogmatische Verortung durchaus sachgerecht (sa OLG Frankfurt AG 2009, 200, 202), solange klar bleibt, dass Aktionär als Anfechtungskläger nicht gehalten ist, seine eigenen Interessen hinter diejenigen der AG zurückzustellen (eigennütziges Verwaltungsrecht, → Rn. 3; sa MüKoAktG/C. Schäfer Rn. 57; GK-AktG/K. Schmidt Rn. 52). In der Rspr. eher den Treupflichten als den Missbrauchsfällen zugeordnet werden die zunehmend diskutierten **Rügeobliegenheiten,** die in neuerer Gerichtspraxis und im Schrifttum zT flankierend herangezogen werden, um missbräuchlichen Anfechtungsklagen entgegenzuwirken (→ § 243 Rn. 46b; ausf. → § 131 Rn. 70, 102; zur Einordnung in das Gesamtgefüge des Beschlussmängelrechts Fleischer ZIP 2014, 149, 152 f., 157 f.; Fleischer FS Stilz, 2014, 143, 153 ff.; sa KK-AktG/Noack/Zetzsche Vor § 121 Rn. 24 ff.).

b) Einzelfragen. Tatbestandliche Verfestigung der Missbrauchsfälle wird nicht 27 überzeugend gelingen (Boujong FS Kellermann, 1991, 1, 7), was einer Typenbildung nicht entgegensteht. Letztlich handelt es sich also um einzelfallbezogene Beurteilungen. Mit dieser Maßgabe kann festgehalten werden: Wer HV-Beschluss anficht, um sich sog Lästigkeitswert seiner Klage „abkaufen" zu lassen, um also ihm **nicht gebührende Sonderleistungen** (gleichgültig, in welcher rechtl. Einkleidung) zu erlangen, handelt missbräuchlich (so die Kernfälle, s. zB BGHZ 107, 296, 311 = NJW 1989, 2689; BGH AG 2007, 625, 628; KG ZIP 2011, 123, 124; OLG Stuttgart AG 2003, 456, 457). Das gilt auch dann, wenn sich Kläger **erst nach Klageerhebung** entschließt, Sonderleistung einzufordern, zB als angebliches Rechtsberatungshonorar oder durch überhöhten Vergleichswert (zutr. BGH NJW 1992, 569; Diekgräf WM 1991, 613, 618). Zur Frage, wann unangemessen hohe Gegenleistung vorliegt, → § 57 Rn. 31. In der Praxis haben Anfechtungskläger ihr Verhalten diesen Vorgaben aber angepasst und werden Gegenleistung nur selten in gerichtl. nachweisbarer Form einfordern (Schatz, Der Missbrauch der Anfechtungsbefugnis, 2012, 58 f.). Nicht genügend ist, dass allein in anderen Verfahren solche Leistungen gefordert wurden; doch kann darin Umstand von indizierender Bedeutung für das gegenwärtige Verfahren liegen (→ Rn. 25). Perspektive sollte nicht auf die Abkauffälle verengt werden. Missbräuchlich handelt auch, wer anficht, um AG unter seinen „Einfluss zu bringen und zu vernichten" (BGHZ 33, 175, 186 = NJW 1961, 26), ferner, wer anficht, „um selbstsüchtig der Gesellschaft seinen Willen erpresserisch aufzuzwingen" (RGZ 146, 385, 395), sofern Wille darauf gerichtet ist, Aktien anderer Gesellschafter an sich zu bringen und einen Sitz im Vorstand zu erlangen (RGZ 146, 385, 395). Missbrauch kann auch vorliegen, wenn Anfechtungsklage als Druckmittel in einem Schadensersatzprozess eingesetzt wird (OLG Frankfurt AG 1996, 135, 136 f.). Nicht missbräuchlich ist Anfechtung dagegen allein deshalb, weil Aktionär zunächst **für Beschluss gestimmt** hat (MüKoAktG/C. Schäfer Rn. 60; diff. KK-AktG/Noack/Zetzsche Rn. 174 ff.). Vorwurf widersprüchlichen Verhaltens ist hier zwar naheliegend, aber keineswegs zwingend, weil es durchaus denkbar ist, dass er in der konkreten Entscheidungssituation die Tragweite des Beschlusses schlicht verkennt. Erst recht ist Missbrauch nicht schon bei **fehlender eigener Betroffenheit** zu bejahen (→ § 246 Rn. 9; so aber KK-AktG/Noack/Zetzsche Rn. 178). Fortdauernde Berechtigung der Kontrollfunktion der Anfechtungsklage (→ Rn. 23) mag zwar rechtspolitisch zweifelhaft sein, liegt geltender Konzeption des Beschlussmängelrechts aber weiterhin zugrunde. Gesetzgeber hat über Jahrzehnte hinweg Forderungen der Praxis ignoriert, Erfordernis materieller Betroffenheit in das Beschlussmängelrecht einzuführen. Diese legislative Verweigerung kann nicht über Missbrauchseinwand überspielt werden.

28 **c) Darlegungs- und Beweislast.** Wenn sich beklagte AG auf Missbrauch der Anfechtungsbefugnis durch Kläger beruft, erhebt sie einen Einwand gegen dessen grds. bestehende Sachbefugnis. Also ist es ihre Sache, Tatsachen zu behaupten und zu beweisen, aus denen sich Missbrauch ergibt (RGZ 146, 385, 396 f.; LG Hof WM 1992, 2057, 2062; KK-AktG/Noack/Zetzsche Rn. 182). Grundsätze des Anscheinsbeweises sind mangels dafür erforderlicher typischer Geschehensabläufe kaum nutzbar zu machen (MüKoAktG/C. Schäfer Rn. 62; Boujong FS Kellermann, 1991, 1, 7 f.). Problemlösung kann daher nur im Bereich der **Beweiswürdigung** gefunden werden (§ 286 ZPO), insbes. unter Berücksichtigung der **indizierenden Bedeutung** des prozessualen und außerprozessualen Klägerverhaltens, das einer Gesamtwürdigung zu unterziehen ist (s. dazu OLG Frankfurt AG 2009, 200, 203; Martens/Martens AG 2009, 173, 174, 175 f.).

29 Im Rahmen dieser Beweiswürdigung kann auch der Versuch, in **anderen Verfahren** abzukassieren, relevant sein, doch wird dieses Indiz nur ausnahmsweise bei sich zeitlich überschneidenden Beschlussmängelverfahren anerkannt (BGHZ 107, 296, 312 ff. = NJW 1989, 2689; OLG Stuttgart AG 2003, 165, 166; sa BGH NJW 1990, 322). Liegt das missbräuchliche Verhalten des Klägers in anderen Verfahren schon länger zurück, wird Rechtssatz des Inhalts „Räuber bleibt Räuber" nicht anerkannt (OLG Stuttgart AG 2003, 456, 457; KG AG 2011, 299, 300; LG Hof WM 1992, 2057, 2062 f.; LG München I AG 2007, 337, 339; Schatz, Der Missbrauch der Anfechtungsbefugnis, 2012, 58 mit Fn. 267; s. aber auch OLG Frankfurt AG 2009, 200, 203). Indizierende Bedeutung hat auch die ganz ungewöhnliche, außerhalb vernünftiger Betrachtung stehende Höhe einer sog Honorarforderung, ohne dass sich insofern trennscharfe Abgrenzungskriterien entwickeln ließen (BGH NJW 1992, 569: 10 Mio. DM für angebliche Rechtsberatung; → § 57 Rn. 31), ferner in der Gesamtschau bloßes Vorschicken eines Aktionärs, ein vorgeschlagener Aktienankauf durch die Gesellschaft und Reaktion mit Befangenheitsantrag gegen Gericht, das dem Kläger Vergleichsmöglichkeiten nahebringen will (OLG Stuttgart AG 2001, 315, 316 f.). Als weitere Indizien, die aber zumeist **nur in Gesamtschau** Missbrauch indizieren können (sa OLG Frankfurt AG 2009, 200, 203), werden genannt: Bereitwilligkeit zum Vergleich (OLG Frankfurt AG 2009, 200, 203), rein formale Natur der geltend gemachten Anfechtungsgründe (OLG Frankfurt AG 2009, 200, 203; dagegen aber KG AG 2011, 299, 300), Geringfügigkeit der klägerischen Beteiligung in Kombination mit spätem Erwerbszeitpunkt (OLG Stuttgart AG 2001, 315, 317) oder geringem individuellen Vorteil (OLG Düsseldorf AG 1994, 228, 230); Geringfügigkeit allein genügt nicht (s. BGHZ 122, 211, 216 = NJW 1993, 1976). Gerichte zeigen sich in Annahme des Missbrauchs aber auch weiterhin sehr zurückhaltend. Auch in OLG Frankfurt AG 2009, 200 ff. dürfte nicht viel erhoffte Trendwende zu sehen sein (Schatz, Der Missbrauch der Anfechtungsbefugnis, 2012, 62 ff.). Zu Fallgruppen missbräuchlicher Anfechtungsklagen und weiteren Einzelheiten vgl. Schatz, Der Missbrauch der Anfechtungsbefugnis, 2012, 57 ff.

4. Missbrauchsfolgen. Wer missbräuchlich handelt, bringt sich um sein Recht. Er verliert also die ihm grds. zustehende Anfechtungsbefugnis, so dass seine **Klage unbegründet** wird (→ Rn. 2; unmissverständlich BGH AG 1992, 448; NJW 1992, 569, 570; sa OLG Frankfurt AG 1992, 271; 1996, 135, 136; OLG Karlsruhe AG 1992, 273; KG ZIP 2011, 123, 124; OLG Stuttgart AG 2003, 456; Schatz, Der Missbrauch der Anfechtungsbefugnis, 2012, 55 mwN in Fn. 250). Allerdings findet sich auch die Ansicht, die Klage sei mangels Rechtsschutzbedürfnisses unzulässig (so noch OLG Karlsruhe WM 1991, 1755; vgl. ferner GK-AktG/K. Schmidt Rn. 75 f.; Künzel FS Heinsius, 1991, 425, 428 ff.). Dem ist nicht zu folgen, weil Kläger nicht nur die ihm eröffnete Rechtsschutzmöglichkeit, sondern seine materiell-rechtl. Befugnis zur Rechtsgestaltung missbraucht. Immerhin denkbar ist allerdings, dass von missbräuchlicher Anfechtung abgesetztes prozessuales Verhalten die Unzulässigkeit derart bedingt, dass es auf den eigentlichen Missbrauchssachverhalt schon nicht mehr ankommt (OLG Frankfurt AG 1992, 272). Als unzulässig ist auch Nichtigkeitsklage abzuweisen (→ § 249 Rn. 11), mit der zugleich Anfechtungsgründe geltend gemacht werden (OLG Stuttgart AG 2003, 165). Zahlungen der Gesellschaft und sonstige Leistungen sind **verbotene Einlagenrückgewähr** iSd § 57 (→ § 57 Rn. 31) und begründen den bes. aktienrechtl. Rückgewähranspruch des § 62. Voraussetzung ist aber, dass es sich tats. um Abkauf des Lästigkeitswerts und nicht nur um – davon abzugrenzende – zulässige Zahlung im Zuge einer vergleichsweisen Beilegung der Beschlussmängelstreitigkeit handelt (→ § 57 Rn. 31). Daneben können **Schadensersatzansprüche aus §§ 823 ff. BGB** bestehen (→ § 62 Rn. 12; OLG Frankfurt AG 2009, 200, 201 ff.; LG Frankfurt AG 2007, 824 f.; LG Hamburg AG 2009, 553 f. [alle zu § 826 BGB]), die neben § 62 deshalb eigenständige Bedeutung haben, weil auf ihrer Grundlage nicht nur Rückzahlung verlangt werden kann, sondern auch Ersatz der sonstigen Schäden (Schatz, Der Missbrauch der Anfechtungsbefugnis, 2012, 80 f.). Sofern solche Schäden nur als Konsequenz einer zweckentsprechend erhobenen Anfechtungsklage entstehen, nimmt AktG sie in Kauf, aber nicht mehr, wenn sie aus sittenwidrigem und missbräuchlichem Verhalten erwachsen (Schatz, Der Missbrauch der Anfechtungsbefugnis, 2012, 83). Gläubiger eines solchen Anspruchs kann allerdings nicht sein, wer zur betroffenen AG nur in Vertragsbeziehungen steht (OLG Hamburg ZIP 2011, 126, 128). Daneben werden idR auch Schadensersatzansprüche aus Verletzung der mitgliedschaftlichen Treupflicht bestehen, denen aber neben §§ 823 ff. BGB keine maßgebliche Bedeutung zukommen wird (Schatz, Der Missbrauch der Anfechtungsbefugnis, 2012, 86 ff.; weitergehend Werner FS Semler, 1993, 419, 427 f.). Strafrechtl. kann Missbrauch der Anfechtungsklage vollendete oder versuchte Erpressung begründen (BGH NJW 1992, 2821, 2823). 30

5. Rechtspolitische Überlegungen. a) Verbleibender Reformbedarf. 31
Reformgesetze der vergangenen Jahre haben bei Bekämpfung des Anfechtungsmissbrauchs mittlerweile deutliche Fortschritte erzielt, doch hat die **innere Konsistenz** des Beschlussmängelrechts darunter gelitten (vgl. zum Folgenden J. Koch Gutachten F zum 72. DJT, 2018, 20 ff.). Der Rechtsschutz, den die Anfechtungsklage weiterhin jedem Aktionär ungeachtet der konkreten Höhe seiner Beteiligung gewährt, hat sich in der Praxis ganz weitgehend auf das Freigabeverfahren nach § 246a verlagert, wo von dem hohen Schutzniveau der mitgliedschaftlichen Rechte nur noch wenig übrig bleibt und sich wirtschaftliche Belange der AG bis zur Schwelle eines bes. schweren Rechtsverstoßes gegen die Aktionärsbelange durchsetzen (→ § 246a Rn. 21 f.). Damit haben auch die in Rspr. und Schrifttum über Jahrzehnte zum Schutz der Aktionäre entwickelten Differenzierungen zwischen relevanten und irrelevanten Beschlussmängeln in diesem Verfahren ihre

Bedeutung verloren, da sie sich in der Interessenabwägung des Freigabeverfahrens auflösen (Habersack/Stilz ZGR 2010, 710, 719 f.). Sie spielen zwar noch bei der eigentlichen Anfechtungsklage weiterhin eine Rolle, doch kommt dieser neben dem Freigabeverfahren nur nebensächliche Bedeutung zu. Die beklagte AG erhält mit erfolgreichem Abschluss des Freigabeverfahrens nicht allein die Eintragung, sondern zugleich auch deren Bestandskraft, womit sie die für sie wesentlichen Ziele bereits erreicht hat, zumal dieses Ergebnis nicht mehr in einem Instanzenzug überprüft wird, sondern aufgrund der abschließenden Zuständigkeit des OLG nicht mehr in Frage gestellt werden kann (zur Wandlung des Freigabeverfahrens in ein Bestandskraftverfahren s. Habersack/Stilz ZGR 2010, 710, 715 ff.). Die für das Anfechtungsverfahren verbleibende Frage nach einer Rechtsverletzung hat nur noch für etwaige Schadensersatzansprüche Relevanz, die aber schon aufgrund schwieriger Beweisbarkeit des Schadens für die Parteien nur von geringem Interesse sind. Die politisch über Jahrzehnte immer wieder abgelehnte **weitgehende Beschneidung der Aktionärsrechte** wurde also tats. vollzogen, ist aber optisch in einer solchen Weise in der zweiten Linie „versteckt" worden, dass sie der rechtspolitischen Diskussion zumindest teilw. entzogen werden konnte (Gehle FS Heidel, 2021, 457, 466; Noack NZG 2008, 441, 446). Diese subtile Vorgehensweise mag im Hinblick auf politische Gegebenheiten durchaus klug sein, muss aber doch der rechtspolitischen Bewertung zumindest iErg standhalten und dieses Ergebnis darf nicht allein an den Erfolgen in der Missbrauchsbekämpfung gemessen werden, sondern auch an dem Ideal eines hinreichenden Schutzes der Mitgliedschaft. Aus dieser Perspektive scheinen die bisherigen Reformen über das Ziel hinausgeschossen zu sein (krit. auch OLG Jena AG 2007, 31, 36 f.; AK Beschlussmängelrecht AG 2008, 617, 619; J. Koch Gutachten F zum 72. DJT, 2018, 27 ff.).

32 **b) Reformansätze.** Aus diesem mittlerweile weit verbreiteten Befund der systematischen Inkonsistenz des Beschlussmängelrechts ist der immer deutlicher vernehmbare Ruf nach einer **umfassenden ges. Neuordnung** erwachsen (vgl. Verh. 72. DJT, Bd. II/2, 2019, O 252, Beschluss I.8 im Anschluss an J. Koch Gutachten F zum 72. DJT, 2018, 9 ff.). Dabei geht es nicht allein darum, Aktionärsrechte einseitig wieder aufzuwerten, sondern auch zugunsten der Unternehmen sind etwa im Spruchverfahren und im Umwandlungsrecht noch zahlreiche Erschwernisse zu beseitigen, die derzeit die Gesellschaften belasten und Berufsklägern verbleibende Betätigungsfelder belassen (zu entspr. Vorschlägen in dieser Richtung s. insbes. DAV-HRA NZG 2013, 694, 697 ff. sowie Löbbe Verh. 72. DJT, Bd. II/1, 2019, O 11, 26 ff.; zu Ausweichmechanismen der Praxis Dornbach, Die aktienrechtliche Anfechtungsklage, 2013, 236 ff.). **Reformvorschläge** sind zu zahlreich und vielgestaltig, als dass sie hier umfassend dargestellt werden könnten. Im Folgenden soll deshalb nur grober Überblick über die wichtigsten Ansätze und neuesten Entwicklungstendenzen gegeben werden (ausf. Überblick bei Dornbach, Die aktienrechtliche Anfechtungsklage, 2013, 235 ff.; Fiebelkorn, Die Reform der aktienrechtlichen Beschlussmängelklagen, 2013, 257 ff.; Homeier, Berufskläger im Aktienrecht, 2016, 135 ff.; Schatz, Der Missbrauch der Anfechtungsbefugnis, 2012, 223 ff.). Zu Reformperspektiven im Rechtsvergleich vgl. Fleischer AG 2012, 765 ff.

33 Sehr intensiv wurde beschlussmängelrechtl. Diskussion in den 1990er und 2000er Jahren geführt, als Problem missbräuchlicher Anfechtungsklagen noch bes. drängend war (→ Rn. 22 f.). Während sich rechtspolitische Debatte in vergangenen Jahren stärker auf ein zumindest in seinen Grundzügen weitgehend konsentiertes Modell fokussiert hat (→ Rn. 35), wurde in diesen Jahren noch wesentlich größere **Vielzahl unterschiedlichster Ansätze** propagiert, von denen die meisten mittlerweile aber nur noch vereinzelt vertreten werden. Am langlebigsten

hat sich Forderung nach einem generellen **Anfechtungsquorum** für die Erhebung einer Anfechtungsklage erwiesen, das mittlerweile seit mehr als 100 Jahren ewiger Wiedergänger beschlussrechtl. Diskussionen ist (vgl. zu entspr. Forderungen aus jüngerer Zeit etwa Bayer/Möller NZG 2018, 801, 803 ff.; Grigoleit AG 2018, 645, 651 ff.; Hüffer FS Brandner, 1996, 57, 60 ff.; Schatz, Der Missbrauch der Anfechtungsbefugnis, 2012, 274 ff.). Tats. ist Quorumsgedanke insbes. vor dem Hintergrund plausibel, dass der Gesetzgeber das § 245 S. 1 Nr. 1 zugrunde liegende Leitbild eines in wirtschaftlich nennenswerter Weise in „seiner" Gesellschaft engagierten Aktionärs (noch 1.000 RM nominal nach den Verhältnissen von 1937) durch Zulassung der 1 Euro-Aktie in § 8 II zugunsten eines „asset hopper" untergraben hat (sa Wallenhorst, Schranken der Anfechtungsbefugnis von Aktionären, 1996, 123 ff., 137 ff.). In der Vergangenheit ist Quorumsgedanke aber stets auf entschiedenen **polit. Widerstand** gestoßen (vgl. dazu J. Koch Gutachten F zum 72. DJT, 2018, 16 f.; J. Koch FS E. Vetter, 2019, 317, 325 f.) und hat in jüngster Zeit auch in Lit. an Zuspruch verloren. Das liegt zum einen daran, dass schon jetzt im Freigabeverfahren enthaltenes **Kassationsquorum** (→ Rn. 35) Rechte der Kleinaktionäre weniger beschneidet als generelles Anfechtungsquorum und doch Missbrauch ähnlich wirksam begegnen kann. Zum anderen ist aufgrund Wandels der Aktionärsstruktur deutlich geworden, dass Anfechtungsrecht auch von prominent beteiligten Aktionären missbraucht werden kann und sich Quorum hier als wirkungslos erweist (abl. bis krit. deshalb Habersack/Stilz ZGR 2010, 710, 725; J. Koch Gutachten F zum 72. DJT, 2018, 16 f., 25; J. Koch FS E. Vetter, 2019, 317, 325 f.; Lieder NZG 2018, 1321, 1323). 72. DJT hat Anfechtungsquorum deshalb weder empfohlen noch auch nur diskutiert.

Als weiterer früher zT prominent vertretener Reformansatz ist etwa Modell eines **umgekehrten Freigabeverfahrens** zu erwähnen, in dem Rolle von Angreifer und Verteidiger ausgetauscht wird und Kläger Aussetzung der Eintragung zu beantragen hat (vgl. Baums Gutachten 63. DJT, Bd. I, F 169 ff.; K. Schmidt Verh. 63. DJT, Bd. II/1, O 21 f.). Sofern dieser Austausch allerdings nicht durch (polit. undurchsetzbare) Haftungsfolge auf Klägerseite ergänzt wird (dafür etwa Niemeier ZIP 2008, 1148, 1150), weist es ggü. geltendem Freigabeverfahren keine nennenswerten Vorzüge auf und wird deshalb heute nur noch selten befürwortet (vgl. J. Koch Gutachten F zum 72. DJT, 2018, 17 ff.). Auch sonst erfährt Forderung nach **übermäßigen Haftungs- oder Kostenfolgen** für Kläger nur noch wenig Zuspruch (vgl. aber noch Martens/Martens AG 2009, 173, 187; Poelzig DStR 2009, 1151, 1153 f.), da sie redlichen Kläger ebenso treffen wie unredlichen (J. Koch Gutachten F zum 72. DJT, 2018, 17, 61 ff.). Gedanke an **Staatsaufsicht oder verschärfte Vorstandsaußenhaftung** hat zu Recht ebenfalls keine nennenswerte Gefolgschaft gefunden (J. Koch Gutachten F zum 72. DJT, 2018, 19 f.). Einführung eines Merkmals persönlicher Betroffenheit oder einer Rügeobliegenheit (Überblick bei J. Koch Gutachten F zum 72. DJT, 2018, 55) können Missbrauchsproblem allenfalls punktuell entschärfen, aber nicht lösen. Vorschlag, Aktionäre auf **Sekundäransprüche** zu verweisen (Assmann AG 2008, 208 ff.), wird überwiegend zu Recht als zu scharfer Eingriff in die mitgliedschaftlichen Befugnisse empfunden, zumal Schadensersatzansprüche oftmals an Beweisschwierigkeiten scheitern werden (abl. etwa Habersack/Stilz ZGR 2010, 710, 726; K. Schmidt AG 2009, 248, 256). Zur Idee einer grundlegenden Substitution der Anfechtungsklage durch Vermögensschutz s. insbes. Mülbert, Aktiengesellschaft, Unternehmensgruppe und Kapitalmarkt, 2. Aufl. 1996, 55 ff. – ausf. Kritik mwN bei Dornbach, Die aktienrechtliche Anfechtungsklage, 2013, 239 ff. Zum Modell eines getrennten Freigabe- und Bestandskraftverfahrens s. Hirte FS Meilicke, 2010, 201 ff. im Anschluss an Sauerbruch, Das Freigabeverfahren gem. § 246a AktG, 2008; zutr. dagegen Stilz FS Hommelhoff, 2012, 1181, 1189 ff. **34**

35 In den letzten Jahren haben sich **Reformvorstellungen deutlich vereinheitlicht.** Insbes. sind drei schon im geltenden Recht enthaltene Elemente als Grundpfeiler eines modernen Beschlussmängelrechts weitestgehend konsentiert, nämlich (1) Aufgabe der früher geltenden Einheitsfolge Beschlusskassation zugunsten einer Auffächerung der Rechtsfolgen, (2) Maßgeblichkeit eines Verhältnismäßigkeitsmaßstabs sowie (3) Erfordernis eines Eilverfahrens (vgl. die Verh. 72. DJT, Bd. II/2, 2019, O 252, Beschluss I.5, I.6 im Anschluss an J. Koch Gutachten F zum 72. DJT, 2018, 12 ff.; nur scheinbar aA Grigoleit AG 2018, 645, 646 ff. [vgl. dazu J. Koch FS E. Vetter, 2019, 317, 320 f.]; tats. aA Heidel Verh. 72. DJT, Bd. II/1, 2019, O 37, 55 ff.). Verbleibender rechtspolit. Streit dreht sich namentl. um **Ausgestaltung der Verhältnismäßigkeitsprüfung,** für die 72. DJT Kombination eines beschluss- und eines klägerbezogenen Filters empfohlen hat (Verh. 72. DJT, Bd. II/2, 2019, O 251, Beschluss I.3 im Anschluss an J. Koch Gutachten F zum 72. DJT, 2018, 20 ff.; für nur beschlussbezogenen Filter dagegen AK Beschlussmängelrecht AG 2008, 617, 618; Mülbert NJW 2018, 2771, 2773). Dabei sollen in beschlussbezogenem Filter Vor- und Nachteile der Kassation im Lichte der Schwere des Verstoßes gegeneinander abgewogen werden (abw. Grigoleit AG 2018, 645, 651 ff.; Mülbert NJW 2018, 2771, 2773; Erwiderung darauf bei J. Koch FS E. Vetter, 2019, 317, 321 ff.). Für klägerbezogenen Filter wurde in vorbereitendem Gutachten moderater Ausbau des in § 246a II Nr. 2 enthaltenen Kassationsquorums empfohlen (J. Koch Gutachten F zum 72. DJT, 2018, 33 ff.; aA Lieder NZG 2018, 1321, 1323). Weitgehenden Zuspruch findet überdies Forderung, **Verhältnismäßigkeitsprüfung im Hauptsacheverfahren** anzusiedeln, das durch beschleunigte Freigabemöglichkeit zu flankieren ist, die als Zwischenentscheidung eines einheitlichen Verfahrens ausgestaltet sein soll (J. Koch Gutachten F zum 72. DJT, 2018, 36 ff.). Sieht Gericht von Kassation ab, soll es zwischen **alternativen Rechtsfolgen** wählen dürfen (Verh. 72. DJT, Bd. II/2, 2019, O 251, Beschluss I.2 im Anschluss an AK Beschlussmängelrecht AG 2008, 617 ff.; J. Koch Gutachten F zum 72. DJT, 2018, 37 ff.; krit. Heidel/Ridder FS Seibert, 2019, 325, 336 ff.). Weiterhin wird mittlerweile mehrheitlich dafür plädiert, dass Gericht auch bei **nicht strukturändernden Beschlüssen** zwischen alternativen Rechtsfolgen wählen kann (zu abw. Detailgestaltungen vgl. Seibert/Bulgrin FS Marsch-Barner, 2018, 525 ff. einerseits und J. Koch FS Seibert, 2019, 481 ff. andererseits). Einhellig befürwortet hat 72. DJT den Vorschlag, **Nichtigkeitsgründe** zu reduzieren und im Wesentlichen nur die in § 241 Nr. 3 AktG erfassten Tatbestände mit inhaltlichen Klarstellungen beizubehalten (Verh. 72. DJT, Bd. II/2, 2019, O 252, Beschluss I.8; vgl. auch J. Koch Gutachten F zum 72. DJT, 2018, 48 ff.; Noack FS Baums, 2018, 850 ff.). **Erstinstanzl. OLG-Zuständigkeit** für Beschlussmängelverfahren wurde im vorbereitenden Gutachten befürwortet (J. Koch Gutachten F zum 72. DJT, 2018, 39 ff.; sa Harbarth AG 2018, 637, 643 f.; Lieder NZG 2018, 1321, 1326), vom DJT aber abgelehnt (Verh. 72. DJT, Bd. II/2, 2019, O 252, Beschluss I.7). **Spruchverfahren** soll nach Empfehlungen des 72. DJT ausgeweitet und verfahrenstechnisch verschlankt werden (Verh. 72. DJT, Bd. II/2, 2019, O 252 f., Beschluss II.9–II.13 im Anschluss an Löbbe Verh. 72. DJT, Bd. II/1, 2019, O 11, 26 ff.). Überdies soll **Schiedsverfahren** über Beschlussmängelstreit geführt werden können (Verh. 72. DJT, Bd. II/2, 2019, O 254, Beschluss IV.18 ff. im Anschluss an J. Schmidt Verh. 72. DJT, Bd. II/1, 2019, O 101 ff.).

IV. Anfechtungsrecht des Vorstands (§ 245 S. 1 Nr. 4)

36 **1. Vorstand als Träger des Anfechtungsrechts.** Anfechtungsrecht des Vorstands ist in § 245 S. 1 Nr. 4 anerkannt, hat praktisch aber keine Bedeutung erlangt (KK-AktG/Noack/Zetzsche Rn. 126). Vorstand (und nicht AG) ist selbst

Träger des Anfechtungsrechts (str.; → Rn. 4), und zwar als **Kollegialorgan.** Soweit AG nicht ausnahmsweise Alleinvorstand hat, ist also ein Beschluss erforderlich, der mangels anderer Bestimmung durch Satzung oder Geschäftsordnung einstimmig gefasst werden muss (§ 77 I). Förmliche Voraussetzungen nach Art des § 245 S. 1 Nr. 1 oder 2 stellt § 245 S. 1 Nr. 4 nicht auf. Solche Einschränkungen ständen mit der Aufgabe des Vorstands, für Rechtmäßigkeit des Korporationshandelns zu sorgen, nicht im Einklang (sa BGHZ 206, 143 Rn. 45 = NZG 2015, 1227). Deshalb steht es der Anfechtung auch nicht entgegen, dass Vorstand den Beschluss selbst vorgeschlagen hat (§ 124 III), erst recht nicht, dass seine Mitglieder als Aktionäre in der HV für den Antrag gestimmt haben (allgM, s. zB OLG Frankfurt AG 2015, 445 Rn. 88; MüKoAktG/C. Schäfer Rn. 65). Aufgrund genereller Sorgfaltspflicht ist Vorstand zur Anfechtung verpflichtet, wenn aus Beschluss Gesellschaftsschaden zu folgen droht (allgM – s. MüKoAktG/C. Schäfer § 243 Rn. 131; Ihrig/Schäfer Vorstand Rn. 1200 f.; Haertlein ZHR 168 [2004], 437, 449; zu Besonderheiten bei Gewinnausschüttung → § 174 Rn. 7). Weitergehende grds. Anfechtungspflicht bei jedem Rechtsverstoß (dafür wohl NK-AktR/Heidel § 243 Rn. 66) wird man dagegen nicht annehmen können (wie hier GK-AktG/Hopt/Roth § 93 Rn. 175; Fleischer BB 2005, 2025, 2030; Kindler FS Krieger, 2020, 475, 483 ff. mw Ausführungen zur Ermessensentscheidung des Vorstands). Das zeigt schon § 246a, der es Vorstand ausdr. gestattet, auch rechtswidrigem Beschluss über Freigabeverfahren zu dauerhafter Bestandskraft zu verhelfen (KK-AktG/Noack/Zetzsche Rn. 136). Anfechtungsbefugnis des **bes. Vertreters** (§ 147) ist abzulehnen, da ihm die umfassende Verantwortung des Vorstands für die Rechtmäßigkeit des Korporationshandelns abgeht und es deshalb an vergleichbarer Interessenlage fehlt (OLG München AG 2009, 119, 120; MüKoAktG/M. Arnold § 147 Rn. 75; S/L/Spindler § 147 Rn. 35; Nietsch ZGR 2011, 589, 628 ff.; grds. auch Mock AG 2015, 652, 654 [Ausn. für Squeeze-Out]; aA LG München I NJW 2009, 3794 f.; Hirte/Mock DB 2010, 775; offenlassend OLG München AG 2011, 177, 178; zur Möglichkeit eines Beitritts im Wege einer Nebenintervention → § 147 Rn. 34). Ungeklärt ist, ob auch bei Vorstand Anfechtungsbefugnis aus Gründen des **Rechtsmissbrauchs** (→ Rn. 22 ff.) ausgeschlossen sein kann (offengelassen von BGHZ 206, 143Rn. 48 f.). Da Rechtsmissbrauch aber allg. Rechtsinstitut darstellt, wird Frage zu bejahen sein (sa Schüppen/Tretter ZIP 2015, 2097, 2103; für großzügigere Gestattung im konkreten Fall auch Cziupka/Kraack DNotZ 2016, 15, 27 ff.; Lieder NZG 2015, 81, 88 ff.: Anfechtung des Vorstands gegen die Beschlüsse einer von ihm pflichtwidrig abgesagten, aber dennoch durchgeführten HV aufgrund Minderheitsverlangens nach § 122 I).

2. Abwicklung und Insolvenz. Abwickler treten an die Stelle des Vorstands. 37
Sie sind nach § 245 S. 1 Nr. 4, § 264 II, § 268 II auch zur Anfechtung befugt (allgM, s. MüKoAktG/C. Schäfer Rn. 70). Für Insolvenzverwalter gilt das nicht ohne weiteres, sondern nur dann, wenn Beschluss, gegen den sich Anfechtung richtet, **Auswirkungen auf die Masse** hat (BGH AG 2020, 540 Rn. 28 f.). Ist das nicht der Fall (zB Wahlen zum AR), verbleibt Anfechtungsbefugnis beim Vorstand (RGZ 76, 244, 246 ff.; MüKoAktG/C. Schäfer Rn. 71). Zur davon zu trennenden Frage, wie sich Eröffnung des Insolvenzverfahrens auf schon anhängigen Rechtsstreit auswirkt → § 246 Rn. 29.

3. Vorstand als Prozesspartei. Vorstand ist nicht nur materiell-rechtl. zur 38
Anfechtung befugt, sondern als Träger der Befugnis auch **parteifähig** (hM, s. BeckOGK/Vatter Rn. 47; MüKoAktG/C. Schäfer Rn. 67; GK-AktG/K. Schmidt Rn. 33; S/L/Schwab Rn. 30). Gegenansicht hält AG für die klagende Partei und gelangt damit, weil AG jedenfalls die Beklagte ist (§ 246 II 1), zur Vorstellung eines Insichprozesses (KK-AktG/Zöllner, 1. Aufl. 1985, § 246

Rn. 24; abw. jetzt KK-AktG/Noack/Zetzsche Rn. 124). Das ist konsequent, wenn man auch die Anfechtungsbefugnis der AG zuweist, und ebenso folgerichtig abzulehnen, weil diesem Verständnis nicht zugestimmt werden kann (→ Rn. 4, 36). Vorstand ist in seiner jeweiligen Zusammensetzung Partei. Wechsel von Vorstandsmitgliedern ist also keine Parteiänderung. Hat Anfechtungsklage des Vorstands Erfolg, trägt AG als unterlegene Beklagte **Kosten des Rechtsstreits** (MüKoAktG/C. Schäfer Rn. 69). Unterliegt Vorstand, muss hier angenommene Parteistellung auch kostenrechtl. weitergedacht werden mit der Folge, dass Vorstand in die Kosten verurteilt werden kann (BGH AG 2020, 126 Rn. 8; BeckOGK/Vatter Rn. 50; Hölters/Weber/Englisch Rn. 40; MüKoAktG/C. Schäfer Rn. 69; GK-AktG/K. Schmidt Rn. 35; aA S/L/Schwab Rn. 33 unter Berufung auf mittlerweile aufgehobenen § 99 VI 7 aF analog [jetzt wohl 23 Nr. 10 GNotKG analog → § 99 Rn. 12]). Allerdings steht ihm idR Freistellungsanspruch analog § 670 BGB gegen AG zu (gilt auch für Vorschussanspruch analog § 669 BGB), sofern Klage nicht missbräuchlich erhoben wurde (KK-AktG/Noack/Zetzsche Rn. 146). Kostenfestsetzungsantrag der AG scheidet deshalb idR aus (BeckOGK/Vatter Rn. 50).

V. Anfechtungsrecht einzelner Organmitglieder (§ 245 S. 1 Nr. 5)

39 **1. Organmitgliedschaft.** § 245 S. 1 Nr. 5 begründet Anfechtungsbefugnis einzelner Mitglieder des Vorstands oder des AR (zu den damit verfolgten Zielen → Rn. 4). Stellvertretende Mitgliedschaft im Vorstand ist gem. § 94 genügend (unstr., s. MüKoAktG/C. Schäfer Rn. 73 mwN). Ersatzmitglieder des AR haben das Anfechtungsrecht erst, wenn sie gem. § 101 III 2 in den AR eingerückt sind. Mitgliedschaft in Vorstand oder AR muss **im Zeitpunkt der Klageerhebung** bestehen. Bei Beschlussfassung muss sie noch nicht vorliegen. Amtsverlust nach Klageerhebung führt nach richtiger Ansicht nicht zum Wegfall der Anfechtungsbefugnis; denn vom Ges. ua bezweckte Klärung der Rechtmäßigkeit des Beschlusses muss möglich bleiben und darf nicht durch Amtsverlust des Klägers vereitelt werden (MüKoAktG/C. Schäfer Rn. 73; GK-AktG/K. Schmidt Rn. 40; aA KK-AktG/Noack/Zetzsche Rn. 158).

40 **2. Sachliche Erfordernisse.** Förmliche Voraussetzungen wie Anwesenheit in HV oder Widerspruch zur Niederschrift stellt § 245 S. 1 Nr. 5 nicht auf. Es muss sich aber um einen **ausführungsbedürftigen Beschluss** handeln. Zur Ausführung des Beschlusses gehört namentl. seine Anmeldung zur Eintragung in das HR. Anfechtungsbefugnis besteht fort, wenn Beschluss nach Klageerhebung von anderen Verwaltungsmitgliedern ausgeführt wird (MüKoAktG/C. Schäfer Rn. 74). Ausführung des Beschlusses muss mit **Sanktionen** – Strafe, Bußgeld oder Ersatzpflicht – bedroht sein. Dass die Verantwortlichkeit gerade den Kläger trifft, ist nicht erforderlich, auch nicht, dass es sich um spezifisch aktienrechtl. Unrechts- oder Haftungstatbestände handelt.

41 **3. Organmitglied als Prozesspartei.** Organmitglied hat unter den Voraussetzungen der → Rn. 39 f. eigene Anfechtungsbefugnis und ist selbst Prozesspartei. Weil Klage aufgrund eigenen Rechts erhoben wird, liegt auch **kein Fall der Prozessstandschaft** vor. Bei Klageabweisung sind **Kosten des Rechtsstreits** dem Kläger und nicht, wie bei Klage des Vorstands (→ Rn. 38), der AG aufzuerlegen; denn anders als Vorstand verfügt Organmitglied über eigenes Vermögen. Es besteht aber ein Aufwendungsersatzanspruch gegen die AG nach Maßgabe der §§ 670, 675 BGB (näher MüKoAktG/C. Schäfer Rn. 76).

Anfechtungsklage

246 **(1) Die Klage muß innerhalb eines Monats nach der Beschlußfassung erhoben werden.**

(2) [1]Die Klage ist gegen die Gesellschaft zu richten. [2]Die Gesellschaft wird durch Vorstand und Aufsichtsrat vertreten. [3]Klagt der Vorstand oder ein Vorstandsmitglied, wird die Gesellschaft durch den Aufsichtsrat, klagt ein Aufsichtsratsmitglied, wird sie durch den Vorstand vertreten.

(3) [1]Zuständig für die Klage ist ausschließlich das Landgericht, in dessen Bezirk die Gesellschaft ihren Sitz hat. [2]Ist bei dem Landgericht eine Kammer für Handelssachen gebildet, so entscheidet diese an Stelle der Zivilkammer. [3]§ 148 Abs. 2 Satz 3 und 4 gilt entsprechend. [4]Die mündliche Verhandlung findet nicht vor Ablauf der Monatsfrist des Absatzes 1 statt. [5]Die Gesellschaft kann unmittelbar nach Ablauf der Monatsfrist des Absatzes 1 eine eingereichte Klage bereits vor Zustellung einsehen und sich von der Geschäftsstelle Auszüge und Abschriften erteilen lassen. [6]Mehrere Anfechtungsprozesse sind zur gleichzeitigen Verhandlung und Entscheidung zu verbinden.

(4) [1]Der Vorstand hat die Erhebung der Klage unverzüglich in den Gesellschaftsblättern bekanntzumachen. [2]Ein Aktionär kann sich als Nebenintervenient nur innerhalb eines Monats nach der Bekanntmachung an der Klage beteiligen.

Übersicht

I. Regelungsgegenstand und -zweck

1 Norm regelt Modalitäten der Anfechtungsklage und bezweckt im Wesentlichen **Rechtssicherheit** durch Ausschlussfrist des § 246 I, Passivlegitimation nur der AG (§ 246 II 1) und darauf aufbauende Konzentration der Zuständigkeit beim LG des Gesellschaftssitzes (§ 246 III). Die beiden letztgenannten Regelungen gewährleisten **einheitliche Entscheidung** über alle Klagen. **Obligatorische Bek.** (§ 246 IV) erlaubt Nebenintervention (→ Rn. 5 ff.) und hat überdies Warnfunktion für die Öffentlichkeit. 1965 neu gestaltete Vertretungsregelung in § 246 II 2 und 3 soll verhindern, dass Mitglieder des Vorstands oder des AR bei Klage von Organmitgliedern sowohl auf der Kläger- wie auf der Beklagtenseite auftreten (s. dazu RegBegr. Kropff S. 333).

II. Grundlagen

2 **1. Prozessparteien; Nebenintervention. a) Kläger. aa) Grundsatz.** Aktivlegitimation hat nur, wem nach § 245 Anfechtungsbefugnis zukommt. Fehlt sie, ist Klage nicht als unzulässig, sondern als unbegründet abzuweisen (→ § 245 Rn. 2). Parteien sind klagender **Aktionär,** klagender **Vorstand** oder klagendes **Organmitglied** (zu den beiden letztgenannten Fällen → § 245 Rn. 38, 41). Weil Vorstand nach § 245 S. 1 Nr. 4 Kläger sein kann, ist er auch parteifähig.

3 **bb) Streitgenossenschaft auf Klägerseite.** Mehrere Anfechtungskläger sind Streitgenossen, und zwar notwendige Streitgenossen **gem. § 62 Fall 1 ZPO** (prozessrechtl. notwendige Streitgenossenschaft), weil Rechtskraft des Anfechtungsurteils gem. § 248 I 1 für und gegen alle Anfechtungsbefugten wirkt (→ § 248 Rn. 5, 8) und Gericht deshalb den HV-Beschluss nur einheitlich ggü. allen Klägern für nichtig erklären kann (allgM, vgl. nur aus jüngerer Zeit BGHZ 180, 9 Rn. 55 = NJW 2009, 2207). Insoweit bestehender Zwang zu gleichförmiger Entscheidung über Mangelhaftigkeit des Beschlusses genügt, um notwendige Streitgenossenschaft anzunehmen. Dass einzelne Kläger mangels Anfechtungsbefugnis (§ 245) oder wegen Fristüberschreitung (§ 246 I) abgewiesen werden können und damit Prozessergebnisse nicht notwendig identisch sind, steht nicht entgegen (KG AG 2009, 30, 32).

4 **b) Beklagte.** Nur die AG kann Beklagte sein (§ 246 II 1; → Rn. 27 ff.). Vorstand, AR oder HV fehlt schon die passive Parteifähigkeit. Mangel ist gem. § 56 I ZPO von Amts wegen zu beachten und macht Klage unzulässig (GK-AktG/K. Schmidt Rn. 31).

c) Nebenintervention. aa) Interventionsfähigkeit. Nebenintervention (§ 66 I ZPO) ist sowohl auf der Seite des Anfechtungsklägers als auch auf der Seite der beklagten AG möglich. Nebenintervenient kann aber nur sein, wer **parteifähig** ist, also zunächst jeder Aktionär und jedes Mitglied von Vorstand oder AR, ferner auch der Vorstand als Organ, aber grds. nur auf Seiten des Klägers; denn nur für die Anfechtung ist er nach § 245 S. 1 Nr. 4 parteifähig. Wenn Anfechtung einredeweise gegen positive Beschlussfeststellungsklage geltend gemacht wird (→ Rn. 42 f.), ist Vorstand dafür interventionsfähig (BGHZ 76, 191, 201 = NJW 1980, 1465). Interveniert Vorstand, ist er selbst Streithelfer. AR als Organ kann nach § 245 nicht anfechten, also auch nicht Nebenintervenient sein. Für bes. Vertreter iSd § 147 II hat BGH Parteifähigkeit bei Verfolgung seiner eigenen Interessen anerkannt (→ § 147 Rn. 34). 5

bb) Rechtliches Interesse. Nebenintervention setzt gem. § 66 I ZPO rechtl. Interesse am Obsiegen der unterstützten Partei voraus. Rechtl. Interesse ist aber nicht von Amts wegen zu prüfen, sondern gem. § 71 ZPO nur auf Antrag iR eines Zwischenstreits (BGHZ 38, 110 f. = NJW 1963, 860). Es liegt wegen § 248 I 1 schon dann vor, wenn Streithelfer der AG als **Aktionär** angehört (arg. § 248 I 1, § 249 I 1; OLG Nürnberg AG 2009, 748). Dass er auch die weiteren Voraussetzungen des § 245 erfüllt, ist dagegen nicht erforderlich (BGHZ 172, 136 Rn. 8 f. = AG 2007, 629; BGH AG 2008, 630, 631 f.; OLG Nürnberg AG 2009, 748, 749; Bayer FS Maier-Reimer, 2010, 1, 6 f.; aA Meyer-Landrut/Pluskat BB 2007, 2533, 2534). Insbes. kann Beitritt auch noch **nach Ablauf der Monatsfrist** des § 246 I erklärt werden (BGHZ 172, 136 Rn. 11 ff.; BGH AG 2007, 631 Rn. 9; aA noch OLG Frankfurt AG 2006, 755; v. Falkenhausen/Kocher ZIP 2004, 1179, 1180 ff.). Dass § 246 I nicht für Nebenintervention gilt, folgt inzwischen auch aus der (nicht rückwirkenden, s. BGHZ 172, 136 Rn. 12 ff.; BGH AG 2007, 631 Rn. 11) Einführung einer bes. Interventionsfrist in § 246 IV 2 (→ Rn. 40; ebenso Goslar/v. der Linden WM 2009, 492, 495). Allerdings ist auch der Nebenintervenient mit solchem Vorbringen präkludiert, das beim Anfechtungskläger unter die Ausschlusswirkung des § 246 I fällt (OLG Stuttgart AG 2015, 163, 170; Goslar/v. der Linden WM 2009, 492, 496; Wasmann/Kallweit Konzern 2008, 135, 140). Wegen der erweiterten Urteilswirkung des § 248 I 1 (→ Rn. 5, 8) ist Nebenintervention der einzelnen **Verwaltungsmitglieder** ebenfalls ohne Rücksicht auf weitere Voraussetzungen des § 245 S. 1 Nr. 5 zuzulassen (MüKoAktG/C. Schäfer Rn. 9; KK-AktG/Noack/Zetzsche Rn. 204). **Dritte** können nur ausnahmsweise ein rechtl. Interesse haben, etwa als Partei eines Unternehmens- oder Verschmelzungsvertrags, wenn Zustimmungsbeschluss der HV angefochten wird (s. zB § 293, § 13 UmwG; zust. OLG Düsseldorf AG 2004, 677, 678), oder bei greifbarem Regressrisiko, zB als Abschluss- oder Sonderprüfer (MüKoAktG/C. Schäfer Rn. 10), daneben auch als bes. Vertreter, sofern persönliche Rechtsstellung von Beschluss berührt wird (BGH NZG 2015, 835 Rn. 11 ff. → § 147 Rn. 34). 6

cc) Rechtsstellung des Nebenintervenienten. Nebenintervenient wird gem. §§ 61, 69 ZPO Streitgenosse der Hauptpartei, soweit er zu dem in § 248 I 1 genannten Personenkreis gehört; denn Rechtskraft des Anfechtungsurteils wirkt für und gegen ihn (BGH AG 1993, 514, 515; NZG 1999, 68 f.; AG 1999, 267; AG 2020, 126 Rn. 8; OLG Düsseldorf AG 2019, 348, 350; GK-AktG/K. Schmidt Rn. 44). Nebenintervenient kann dem **Anfechtungskläger** oder beklagter AG beitreten. Das Erste ist zwar beim professionellen Klageunwesen (→ § 245 Rn. 22 ff.) üblich geworden, hat aber abgesehen von solchen Angriffen wenig Sinn. Namentl. hilft die Nebenintervention auf der Seite des Klägers nicht gegen Verfahrensbeendigung durch dessen Prozesserklärung, zB durch Klagerücknahme gem. § 269 ZPO (OLG Köln AG 2003, 522, 523; Bayer 7

FS Maier-Reimer, 2010, 1, 4 f.) oder durch Erklärungen gem. §§ 91a, 306 ZPO oder durch Zurücknahme des Rechtsmittels (§§ 516, 565 ZPO). Streithelfer des Berufungsklägers muss auch Ablauf der Berufungsfrist (§ 517 Hs. 1 ZPO) gegen sich gelten lassen (BGH AG 2005, 89, 90). Missbräuchlich agierende Nebenintervenienten versprachen sich davon zT, an einer **im Vergleich erzielten Kostenregelung** zu partizipieren (Grigoleit/Ehmann, 1. Aufl. 2013, Rn. 22), doch hat BGH diesem Vorgehen durch Ablehnung der Kostenparallelität Grundlage entzogen (s. unten). Nebenintervention auf Seiten der **beklagten AG** kann eher sinnvoll sein; denn Handlungen der Hauptpartei wie Geständnis oder Anerkenntnis (§ 288 bzw. § 307 ZPO) wirken gem. § 61 ZPO nicht zum Nachteil des Streitgenossen. Daher können Vorstand und AR Beschluss nicht gegen den Streithelfer durch Prozesshandlung preisgeben (BGH NZG 2008, 428 Rn. 8; BGHZ 226, 182 Rn. 15 = NZG 2020, 1025; LG Hannover WM 1992, 1239, 1243 [insoweit nicht in AG 1993, 187]; MüKoAktG/C. Schäfer Rn. 12; Bork ZIP 1992, 1205, 1210 ff.). Auch §§ 62, 66 II ZPO sind anzuwenden, so dass Nebenintervenient Säumnislage ausschließen und auch Rechtsmittel einlegen kann. Möglich bleibt allerdings, dass beklagte AG gegen sie ergangenes Anfechtungsurteil durch Zurücknahme ihres Rechtsmittels (§§ 516, 565 ZPO) rechtskräftig werden lässt. Streitgenössischer Charakter der Nebenintervention (§ 69 ZPO), führt zur Kostenentscheidung gem. § 100 II ZPO: **keine Kostenparallelität.** Daher hat Nebenintervenient bei (vergleichsbedingter) Rücknahme der Klage keinen Erstattungsanspruch gegen beklagte AG (BGH AG 2007, 547 Rn. 7 ff.; 2009, 624 f.; 2010, 709 Rn. 8 ff.; Meyer-Landrut/Pluskat BB 2007, 2533, 2535 ff.). Dasselbe gilt bei echtem Prozessvergleich; auch Anwendung des § 91a ZPO kommt hier nicht in Betracht (BGH AG 2014, 813 Rn. 6 ff. in Auseinandersetzung mit Kiefner NZG 2009, 1019, 1021; Sturm NZG 2006, 921, 923).

8 **2. Klageart.** Anfechtungsklage ist **Gestaltungsklage,** weil Kläger Änderung der materiellen Rechtslage begehrt; bis dahin gültiger HV-Beschluss soll wegen seines Mangels mit Rechtskraft des Urteils ungültig werden (allgM, s. MüKoAktG/C. Schäfer Rn. 14; GK-AktG/K. Schmidt § 241 Rn. 69, § 248 Rn. 4). Soweit von kassatorischer Klage gesprochen wird (K. Schmidt JZ 1977, 769; Noack, Fehlerhafte Beschlüsse, 1989, 88 ff.), wird damit Charakter der Anfechtungsklage als Gestaltungsklage nicht in Abrede gestellt, sondern der Versuch unternommen, Anfechtungs- und Nichtigkeitsklage in funktionaler Betrachtung aneinander zu rücken und auch der Letztgenannten Gestaltungswirkung beizulegen (→ § 249 Rn. 10).

9 **3. Rechtsschutzbedürfnis.** Wie jede Klage setzt auch Anfechtungsklage ein Rechtsschutzbedürfnis voraus (OLG Stuttgart AG 2016, 370, 371). Es ist **idR zu bejahen,** weil rechtswidrige Beschlüsse (§ 243) nur durch Klage und Urteil vernichtet werden können. Dass der Kläger durch den geltend gemachten Gesetzes- oder Satzungsverstoß persönlich betroffen wird, ist nicht erforderlich (RGZ 166, 175, 188; BGHZ 43, 261, 265 f. = NJW 1965, 1378; BGHZ 70, 117, 118 = NJW 1978, 540; BGH AG 2004, 670, 671; OLG Düsseldorf AG 2000, 365 f.; OLG Hamm ZIP 2016, 1071, 1072 [zur GmbH]; ausf. dazu und zu Ausnahmen von diesem Grundsatz Drescher FS Stilz, 2014, 125 ff.; sa – für Freigabeverfahren – KG NZG 2015, 1312, 1313). Darin kommt Charakter der Anfechtung nicht nur als Individualrecht, sondern auch als Maßnahme der **obj. Beschlusskontrolle** (→ § 243 Rn. 1) zum Ausdruck. Auch angeblich vermögenslosem Kläger kann Rechtsschutzbedürfnis nicht abgesprochen werden (OLG München AG 2001, 193, 194). Missbrauch des Anfechtungsrechts durch Aktionär (→ § 245 Rn. 22 ff.) führt nicht zum Wegfall des Rechtsschutzbedürfnisses, sondern zum **Verlust der materiell-rechtl. Anfechtungsbefugnis**

(→ § 245 Rn. 30). Klage ist nicht unzulässig, sondern unbegründet. Zu Fragen des Rechtsschutzinteresses bei Maßnahmen nach UmwG → Rn. 28.

Rechtsschutzbedürfnis kann in Ausnahmefällen fehlen, etwa dann, wenn **abl. Beschluss angefochten** wird, weil sich dadurch keine relevante Veränderung der Rechtslage ergeben kann: Der Beschlussantrag war erfolglos und bleibt es (RGZ 166, 175, 188; BGH WM 1964, 1188, 1191). Anders aber vor allem, wenn Anfechtungsklage mit positiver Beschlussfeststellungsklage (→ Rn. 42 f.) verbunden wird (BGHZ 76, 191, 197 ff. = NJW 1980, 1465; weitere Fälle bei Drescher FS Stilz, 2014, 125 ff.). Rechtsschutzbedürfnis wird auch dann zu verneinen sein, wenn HV angefochtenen Beschluss aufgehoben hat oder angestrebtes Ergebnis anderweitig eingetragen ist wie durch Amtsniederlegung bei Wahl von AR-Mitgliedern, die wegen Verfahrensfehlers angefochten wurde (BGH AG 2013, 387 Rn. 10; Drescher FS Stilz, 2014, 125, 129 ff.; Marsch-Barner FS K. Schmidt, 2009, 1109, 1119). Weiterhin kann Bedürfnis für Beschlussanfechtung entfallen, wenn Alleingesellschafter Beschlüsse selbst aufheben und damit ohne Gestaltungsurteil ihre Wirkung beseitigen kann (BGH NJW 2018, 3041 Rn. 28; AG 2019, 682, 683). 10

4. Streitgegenstand. a) Begriff. Nach hM ist Streitgegenstand der Anfechtungsklage das Begehren des Klägers, die Nichtigkeit des von ihm bezeichneten HV-Beschlusses wegen des von ihm **vorgebrachten Sachverhalts** mit Wirkung für und gegen jedermann zu klären (vgl. BGH AG 2010, 452 Rn. 3; LG München I AG 2004, 159, 160; Henssler/Strohn/Drescher Rn. 9; MüKoAktG/C. Schäfer Rn. 18; S/L/Schwab Rn. 1 ff.; Fiebelkorn, Die Reform der aktienrechtlichen Beschlussmängelklagen, 2013, 35 ff.; Bork NZG 2002, 1094 f.). Umschreibung entspr. dem vorherrschenden zweigliedrigen Streitgegenstandsbegriff (dazu MüKoZPO/Becker-Eberhard ZPO Vor § 253 Rn. 32 mwN) und hat insbes. zur Folge, dass auch nach klageabweisendem Urteil erneute Klage zulässig ist, wenn sie auf anderen Anfechtungsgrund gestützt wird. Nach aA ist Anfechtungs- und Nichtigkeitsklage bloße Rechtskontrollklage. Streitgegenstand ist danach das Begehren, die Nichtigkeit des Beschlusses mit Wirkung für und gegen jedermann zu klären, ohne dass es auf Konkretisierung des Sachverhaltskomplexes ankäme, aus dem Rechts- oder Satzungswidrigkeit folgen soll (Grigoleit/Ehmann Rn. 4 f.; KK-AktG/Noack/Zetzsche Rn. 93 ff.; NK-AktR/Heidel Rn. 20 f.). Ziel dieser Konzeption ist eine **erweiterte Präklusionswirkung** des abweisenden Sachurteils (MüKoAktG/C. Schäfer Rn. 19). BGH hatte sich augenscheinlich in BGHZ 152, 1, 4 ff. = NJW 2002, 3465 dieser Auffassung angeschlossen, hat sie aber mittlerweile in BGH AG 2010, 452 Rn. 3 ausdr. wieder im Sinne der hL klargestellt: „Streitgegenstand der aktienrechtlichen Anfechtungsklage wird durch die jew. geltend gemachten Beschlussmängelgründe als Teil des zugrunde liegenden Lebenssachverhalts bestimmt." (sa BGH AG 2011, 335 Rn. 10; zum Verständnis dieser Entscheidungen als Korrektur von BGHZ 152, 1 sa BGHZ 206, 143 Rn. 43 = NZG 2015, 1227; S/L/Schwab Rn. 1; Henze/Born/Drescher HRR AktienR Rn. 1631: „anders noch"; Stilz FS Hommelhoff, 2012, 1181, 1187). Diese **Klarstellung** ist zu begrüßen. Konzeption als reine Rechtskontrollklage löst sich ohne Not vom herkömmlichen Streitgegenstandsbegriff und führt insbes. beim Nachschieben von Anfechtungsgründen zu dogmatischen Brüchen (→ Rn. 26). Darüber hinaus wird Streitgegenstand auch durch den auf einen konkreten Beschluss bezogenen Antrag bestimmt (BGHZ 206, 143 Rn. 44). Im Einzelnen näher zu erläutern sind: Verhältnis von Anfechtungs- und Nichtigkeitsklage; Bindungswirkung des rechtskräftigen Urteils; Umfang der Präklusionswirkung. 11

b) Verhältnis von Anfechtungs- und Nichtigkeitsklage. Begriff des Streitgegenstands (→ Rn. 11) bringt zum Ausdruck, dass Anfechtungs- und Nichtig- 12 keitsklage **dasselbe Ziel** verfolgen, nämlich richterliche Klärung der Nichtigkeit des HV-Beschlusses mit Wirkung für und gegen jedermann (BGHZ 134, 364, 366 = NJW 1997, 1510; BGH NJW 1999, 1638; NZG 2021, 831 Rn. 21; OLG Stuttgart AG 2004, 678 f.; wN → Rn. 11). Durch BGH zu Recht aufgegeben ist damit frühere Rspr., nach der Anfechtungs- und Nichtigkeitsklage auf verschiedene Rechtsschutzziele gerichtet sein sollten (vgl. noch RGZ 170, 83, 87 f.; BGHZ 32, 318, 322 = NJW 1960, 1447). Damit ist auch früher für möglich gehaltene Auslegung des Klageantrags, nach der Nichtigerklärung entspr. Feststellung oder umgekehrt Feststellung der Nichtigkeit entspr. Gestaltungswirkung einschloss (s. noch BGHZ 116, 359, 372 f. = NJW 1992, 892), überflüssig geworden. Jeder Klageantrag schließt Nichtigerklärung oder Feststellung nach Maßgabe des § 248 bzw. des § 249 ein (BGH NZG 2021, 831 Rn. 21; BeckOGK/Vatter Rn. 6).

13 Aus **Identität der Rechtsschutzziele** folgt iE: Wird nur auf Feststellung der Nichtigkeit geklagt, so kann Gericht auch Anfechtungsgründe prüfen; desgleichen umgekehrt. Gericht ist zu solcher Prüfung auch nicht nur befugt, sondern verpflichtet, weil Anwendung des § 248 oder des § 249 reine Rechtsfrage ist (BGHZ 134, 364, 366 f. = NJW 1997, 1510; BGH AG 1999, 1638; BGHZ 160, 253, 256 = NJW 2004, 3561; BGH NZG 2021, 831 Rn. 21; OLG Frankfurt NZG 2008, 343; MüKoAktG/C. Schäfer Rn. 21). Prüfung erfolgt deshalb auch in der Revisionsinstanz, namentl. dann, wenn Berufungsurteil nur den einen oder den anderen Gesichtspunkt aufgegriffen hat (BGHZ 134, 364, 366 f. = NJW 1997, 1510). Übergang von Nichtigkeits- zur Anfechtungsklage oder umgekehrt ist bei unverändertem Sachverhalt keine Klageänderung (MüKoAktG/C. Schäfer Rn. 21). Der Anfechtungsklage steht das Prozesshindernis der Rechtshängigkeit entgegen, wenn derselbe Sachverhalt schon Gegenstand einer Nichtigkeitsklage ist; auch die Umkehrung ist richtig. Teilurteil über Nichtigkeits- oder Anfechtungsgründe oder über einen Teil der Kläger ist unzulässig (BGH NJW 1999, 1638 f.). Bislang übliche Anwaltspraxis pflegte Nichtigkeits- und Anfechtungsgründe durch **Haupt- und Eventualantrag** in den Prozess einzuführen. Das war vor BGHZ 134, 364 ratsam (→ Rn. 12; sa OLG Stuttgart AG 1994, 411, 412), ist nunmehr entbehrlich, aber weiterhin zulässig und auch kostenrechtl. unschädlich, weil solche Antragshäufung keinen Grund für Festsetzung höheren Regelstreitwerts ergibt (→ § 247 Rn. 6). Rspr. prüfte bislang Nichtigkeit vor Anfechtung, wenn Eventualanträge gestellt waren (BGH NJW 1952, 98; KG NJW 1959, 439). Eine Bindung in diesem Sinne gab es jedoch schon bisher nicht (K. Schmidt JZ 1977, 769 f.). Bei nunmehr anerkannter Identität der Rechtsschutzziele wäre sie vollends unbegründbar. Will Kläger bestimmte Sachverhaltsteile nicht oder nicht mehr zur Prüfung stellen, so muss er seinen Tatsachenvortrag entspr. beschränken.

14 **c) Rechtskraftwirkungen (objektive Grenzen).** Zu unterscheiden ist zwischen stattgebenden und abweisenden Urteilen. Das die **Nichtigkeit erklärende oder feststellende Urteil** (Anfechtungs- bzw. Nichtigkeitsklage) steht erneuter sachlicher Befassung des Gerichts entgegen, und zwar auch dann, wenn die Klageart gewechselt wird (MüKoAktG/C. Schäfer Rn. 24). Das abweisende Prozessurteil entfaltet keine Rechtskraft, so dass neue Klage unter allg. Prozessvoraussetzungen zulässig bleibt. Dem **abweisenden Sachurteil** kommt nach hL Rechtskraftwirkung zu, soweit Kläger den Sachverhalt, der zur Nichtigkeit führen soll, in den Prozess eingeführt hat. Zulässig bleibt dagegen Nichtigkeits- und (wegen § 246 I nur theoretisch) Anfechtungsklage, die auf anderen Sachverhalt gestützt wird (MüKoAktG/C. Schäfer Rn. 25; K. Schmidt JZ 1977, 769, 771 f.). Nach aM, die Streitgegenstand allein in Rechtsbehauptung eines zur Nichtigkeit führenden Mangels findet, soll auch das ausgeschlossen sein (bloße Rechtskon-

trollklage, → Rn. 11). Das widerspricht jedoch nach hier eingenommenem Standpunkt (→ Rn. 11) allg. Grundsätzen zur Rechtskraftwirkung und kann auch unter dem Gesichtspunkt der Rechtssicherheit nicht zureichend begründet werden (MüKoAktG/C. Schäfer Rn. 25; sa Bork NZG 2002, 1094 f.). Zur subj. Reichweite der Rechtskraft vgl. §§ 248, 249; → § 248 Rn. 8 bzw. → § 249 Rn. 16.

5. Dispositionsgrundsatz. a) Allgemeines. Für Prozessführung durch beklagte AG gilt allg. Verfahrensrecht und daher im Prinzip der Dispositionsgrundsatz, weil § 246 nichts Abweichendes enthält. Das ist deshalb nicht unproblematisch, weil sich durch Prozesshandlungen Wirkungen erzielen lassen, die auf Beseitigung des Beschlusses hinauslaufen, obwohl Vertretungsorgane der AG diesen Erfolg außerhalb des Prozesses nicht herbeiführen könnten. Unbedenklich zulässig sind jedenfalls Prozesshandlungen des Anfechtungsklägers, die den angefochtenen HV-Beschluss bestehen lassen (GK-AktG/K. Schmidt Rn. 68), zB Klagerücknahme (§ 269 ZPO) oder Klageverzicht (§ 306 ZPO). Auch echtes Versäumnisurteil gegen den Kläger (§ 330 ZPO) ist zulässig. 15

b) Prozessverlust durch Maßnahmen der Gesellschaft. Nach hM kann beklagte AG den Prozessverlust faktisch dadurch bewirken, dass sie ihr nachteilige Tatsachen **zugesteht** (§ 288 ZPO) oder die **Geständnisfiktion durch Säumnis** gem. § 331 I 1 ZPO auslöst (vgl. MüKoAktG/C. Schäfer Rn. 28 f.; Bork ZIP 1992, 1205, 1207; aA S/L/Schwab Rn. 28). Dispositionsmaxime steht beiden Gestaltungen nicht entgegen, da sie Ausfluss des Verhandlungsgrundsatzes sind (Bork ZIP 1992, 1205, 1207). Ebenso unbestritten ist, dass Gestaltungswirkung des Anfechtungsurteils oder Feststellung der Beschlussnichtigkeit nicht Gegenstand eines **Vergleichs** sein können; denn diese Rechtsfolgen unterliegen nicht der Parteidisposition (unstr., s. BGH LM AktG 1937 § 199 Nr. 1; MüKoAktG/C. Schäfer Rn. 30; GK-AktG/K. Schmidt Rn. 74; Brändel FS Vieregge, 1995, 69, 70 f.). Zulässig sind dagegen Vergleiche, die den Beschluss als solchen unberührt lassen, zB Klagerücknahme gegen Übernahme der Prozesskosten, dies allerdings vorbehaltlich einer Missbrauchsprüfung (Feltkamp, Anfechtungsklage und Vergleich, 1991, 49 ff. mwN). Nach teilw. vertretener Auffassung soll es überdies möglich sein, dass AG sich durch Vergleich verpflichtet, den Beschluss nicht auszuführen (MüKoAktG/C. Schäfer Rn. 30). Mit zutr. Gegenauffassung ist diese Gestaltung indes abzulehnen, da anderenfalls unzulässige Parteidisposition über HV-Beschluss in der Sache doch herbeigeführt werden könnte (Hölters/Weber/Englisch Rn. 59; B/K/L/Göz Rn. 40; KK-AktG/Noack/Zetzsche Rn. 174 f.). Zum protokollierten Vergleich unter Einbeziehung Dritter Brändel FS Vieregge, 1995, 69, 74 ff. 16

Umstr. ist Zulässigkeit eines **Anerkenntnisses** durch Organe der AG (§ 307 ZPO). Bislang hM hat sie bejaht, da § 246 insofern nichts hergebe, um Dispositionsgrundsatz außer Kraft zu setzen (OLG Düsseldorf AG 2019, 348, 350 ff.; LG Hannover WM 1992, 1239, 1243 [insoweit nicht in AG 1993, 187]; Henssler/Strohn/Drescher Rn. 44; MüKoAktG/C. Schäfer Rn. 29; KK-AktG/Noack/Zetzsche Rn. 170; MHdB AG/Austmann § 42 Rn. 120; Bork ZIP 1992, 1205 ff.; Göz/Buken NZG 2019, 1046 ff.; Kindler FS Krieger, 2020, 475 ff.). Mittlerweile ebenfalls stark vertretene Gegenauffassung lehnt Zulässigkeit eines Anerkenntnisses ab, da AG nicht über Wirksamkeit des Beschlusses disponieren dürfe (OLG München NJW-RR 1997, 988 [zur GmbH]; BeckOGK/Vatter Rn. 56; Grigoleit/Ehmann Rn. 25; Hölters/Weber/Englisch Rn. 60 f.; GK-AktG/K. Schmidt Rn. 75 ff., 78; S/L/Schwab Rn. 28; Volhard ZGR 1996, 55, 69 ff.). BGH hat Frage für GmbH bislang ausdr. offengelassen (BGH NJW 1975, 1273 zur GmbH). Neuerer Schrifttumsauffassung ist zu folgen und Zulässigkeit des Anerkenntnisses abzulehnen, da anderenfalls eintretende Ungleichbehandlung 17 von Vergleich (→ Rn. 16) und Anerkenntnis schlechterdings nicht zu erklären wäre. In beiden Fällen muss verhindert werden, dass **Entscheidung der HV durch Verwaltungsorgane ausgehebelt** werden kann. Diese Gefahr wird durch Erfordernis der Doppelvertretung gem. § 246 II 2 zwar reduziert, aber keinesfalls ausgeschlossen. Auch Möglichkeit der Aktionäre, der AG als Nebenintervenienten beizutreten (→ Rn. 5 ff.), wirkt dieser Gefahr nicht zuverlässig entgegen, da Aktionäre erst zu spät von Anerkenntnis erfahren werden und nicht vorsorglich jedem Rechtsstreit beitreten können (Hölters/Weber/Englisch Rn. 61; Volhard ZGR 1996, 55, 76 ff.: nur Ausflucht). Angesichts weiterhin unklarer Rechtslage ist Aktionär ein solcher Beitritt aber jedenfalls dann zu empfehlen, wenn er an Aufrechterhaltung des Beschlusses bes. Interesse hat und Gefahr sieht, dass Organe Anerkenntnis abgeben könnten.

18 **6. Zur Frage der Schiedsfähigkeit von Beschlussmängelstreitigkeiten.** Zu unterscheiden ist, ob **Schiedsklausel als Satzungsinhalt** begegnet oder Gegenstand eines Schiedsvertrags bildet. Aktienrechtl. relevant ist vor allem der erste Fall. Schiedsfähigkeit scheitert dann an § 23 V. Im Ges. zur Neuregelung des Schiedsverfahrensrechts (SchiedsVfG) v. 22.12.1997 (BGBl. 1997 I 3224) ist schon diese Weichenstellung nicht erkannt worden. Reform bleibt deshalb unbehelflich, soweit es um aktienrechtl. Beschlussmängelstreitigkeiten geht. Als Satzungsregelung stellt Schiedsklausel keine Vereinbarung iSd § 1029 ZPO dar, weil Satzung Aktionäre ähnlich wie obj. Recht bindet (→ § 23 Rn. 7). Sie fällt deshalb unter **§ 1066 ZPO,** ist aber anders als Gerichtsstandsklausel (→ § 23 Rn. 38; Mülbert ZZP 118 [2005], 313, 322 f.) als Verfügung iS dieser Vorschrift gerade nicht statthaft, sondern gem. § 23 V als nicht zugelassene Abweichung vom Erfordernis der Klage vor den staatlichen Gerichten (§ 241 Nr. 5, § 246) ohne ges. Basis (GK-AktG/K. Schmidt Rn. 121; K. Schmidt ZGR 1988, 523, 537 f.; BeckOGK/Vatter Rn. 13; MHdB AG/Austmann § 42 Rn. 11; Henze ZIP 2002, 97, 99 f.; Reichert FS Ulmer, 2003, 511, 530 f.; Schlüter, Schiedsbindung von Organmitgliedern, 2017, 201 ff.; wohl auch BGHZ 132, 278, 282 [unter 3.] = NJW 1996, 1753; aA KK-AktG/Noack/Zetzsche Rn. 145; S/L/Schwab Rn. 48 unter unzutr. Berufung auf BGHZ 180, 221 = NJW 2009, 1962 [GmbH]; Lüke/Blenske ZGR 1998, 253, 257 ff.). Dass Gesetzgeber des SchiedsVfG sich der ihm unterbreiteten Frage (s. DAV-HRA Stellungnahme Nr. 18/1997 [Ziff. 2]) nicht angenommen hat, bleibt unverständlich. Aus allem folgt, dass es unter üblichen aktienrechtl. Bedingungen keine Schiedsklage gegen HV-Beschlüsse gibt. Sie wäre insbes. nicht fristwahrend iSd § 246 I.

19 Soweit es um **Schiedsvertrag iSd § 1029 ZPO** geht, also um Absprache im Einzelfall unter Einbeziehung aller Aktionäre (GK-AktG/K. Schmidt Rn. 122; K. Schmidt AG 1995, 551, 553), ergeben sich weitere Schwierigkeiten. Infolge § 1030 I 1 ZPO (Schiedsfähigkeit für alle vermögensrechtl. Ansprüche) ist nur frühere Hauptbegründung für – insoweit angebliche – Schiedsunfähigkeit gegenstandslos geworden (vgl. RegBegr. BT-Drs. 13/5274, 34 f.), nämlich fehlende Vergleichsfähigkeit (BGH LM § 199 AktG 1937 Nr. 1 = BB 1951, 683). Geblieben ist Problem der **parteiübergreifenden Urteilswirkung** nach § 248 I 1, § 249 I 1 (→ § 248 Rn. 4 f., 8). BGHZ 132, 278, 289 f. = NJW 1996, 1753 hatte hierzu noch entschieden, dass gerade diese Wirkung und ihre Verfahrensvoraussetzungen dem Gesetzgeber überlassen bleiben müssen. BGHZ 180, 221 Rn. 13 f. = NJW 2009, 1962 hat diesen Standpunkt aufgegeben und folgt damit für GmbH unter Formulierung von Vorgaben, die übergreifende Urteilswirkung als gerechtfertigt erscheinen lassen, einer ihm durch RegBegr. BT-Drs. 13/5274, 35 „überantwortete(n) Aufgabe" (BGHZ 180, 221 Rn. 13 ff.; bekräftigt in BGH NJW 2015, 3234 Rn. 12 ff. und BGH NZG 2017, 657 Rn. 24 ff.). Schiedsfähigkeit wird danach dann bejaht, wenn: (1) Schiedsabrede mit Zustimmung aller

Gesellschafter getroffen wurde, (2) jeder Gesellschafter an Auswahl und Bestellung mitwirken kann oder Auswahl durch neutrale Stelle erfolgt, (3) jeder Gesellschafter über Einleitung und Verlauf des Verfahrens informiert wird und intervenieren kann und (4) Streitigkeit entspr. § 246 III auf ein Schiedsgericht konzentriert werden kann (BGHZ 180, 221 Rn. 20; zur Nichtgeltung bei reiner Feststellungsklage BGH NJW 2015, 3234 Rn. 15). Zumindest für größere Gesellschaften wird sich daraus keine tragfähige Lösung ergeben, weshalb Enthaltsamkeit des Gesetzgebers unverständlich bleibt. In der Sache mag es möglich sein, Schiedsklauseln so auszugestalten, dass sie den Besonderheiten von Beschlussmängelstreitigkeiten Rechnung tragen (eingehend Lüke/Blenske ZGR 1998, 253, 278 ff.; sa Bender DB 1998, 1900, 1901 ff.; Versin GmbHR 2015, 969, 971 ff.). Unverzichtbare **Rechtssicherheit** kann aber, wie auch das Scheitern der vom BGHZ 180, 221 Rn. 21 ff. beurteilten konkreten Schiedsklausel zeigt, nur Gesetzgeber leisten. Sie wäre nicht nur für GmbH, sondern auch für Typus der kleinen AG nützlich (Habersack JZ 2009, 797, 799; Reichert FS Ulmer, 2003, 511, 531 f. und 540 f.; Riegger/Wilske ZGR 2010, 733, 748 f.). Soweit im Einzelfall den Vorgaben des BGH entspr. Schiedsabrede iSd § 1029 ZPO vorhanden ist, wird sie nach der Wende der Rspr. zur GmbH allerdings auch bei AG Bestand haben. In diesem Fall wird Präklusionsfrist nach § 246 durch schiedsvereinbarungswidrige Klage vor staatlichem Gericht nicht eingehalten (Lammrich NZG 2023, 1446 ff.).

III. Anfechtungsfrist (§ 246 I)

1. Materiell-rechtliche Frist. § 246 I schreibt für Anfechtungsklage Monatsfrist vor, und zwar **zwingend.** Weder Satzung (§ 23 V) noch Prozessparteien können sie verlängern (OLG Karlsruhe AG 2008, 718, 720; MüKoAktG/C. Schäfer Rn. 38). Für GmbH gilt § 246 I nur, aber immerhin als Leitbild; Fristüberschreitung ist nicht ratsam (OLG Hamm NZG 2004, 380 mit Rspr.-Übersicht; OLG Karlsruhe NZG 2013, 942, 944). Monatsfrist ist materiell-rechtl. Frist. Verspätete Klage ist deshalb nicht unzulässig, sondern unbegründet (RGZ 123, 204, 207; OLG Frankfurt WM 1984, 209, 211; OLG Karlsruhe AG 2008, 718, 720; OLG Koblenz AG 2003, 522; LG München I NZG 2009, 226, 227; Stilz GS M. Winter, 2011, 675, 679; aA S/L/Schwab Rn. 8), es sei denn, dass sie noch als Nichtigkeitsklage Erfolg hat (GK-AktG/K. Schmidt Rn. 13). Vorschriften der ZPO über Fristen sind nicht anwendbar. Es gibt insbes. **keine Wiedereinsetzung** in den vorigen Stand nach §§ 233 ff. ZPO (RGZ 123, 204, 207; LG München I NZG 2009, 226, 227; vgl. aber auch Lüke NJW 1966, 839 zum Antrag auf Prozesskostenhilfe; dazu → Rn. 25). Weil es nicht um die Zulässigkeit der Klage oder sonst um das Verfahren geht, ist auch § 538 II Nr. 1, 3 ZPO weder unmittelbar noch entspr. anwendbar (RGZ 123, 204, 207). Unanfechtbarkeit eines sittenwidrig erwirkten Gesellschafterbeschlusses schließt allerdings ein darauf gestütztes **Schadensersatzverlangen** des geschädigten Gesellschafters nicht aus. Dieses kann auch auf Wiederherstellung des ursprünglichen Zustands gerichtet sein, soweit dem nicht schutzwürdige Rechte Dritter entgegenstehen (BGH NZG 2023, 701 Rn. 30 ff. zur Wiederherstellung der ursprünglichen Satzung in der GmbH; sa zuvor BGHZ 101, 113, 121 f. = NJW 1987, 2514; ausf. Bayer/Rauch GmbHR 2023, 261 Rn. 1 ff. m. umfassender Übersicht zum Streitstand). Das wird in erster Linie anzunehmen sein, wenn Schädiger (uU qualifizierter) Mehrheitsaktionär ist. Alternativ ist auch Schadensersatz in Geld möglich (BGHZ 101, 113, 121 f.; BGH NZG 2023, 701 Rn. 31). Für generellen Ausschluss bei Versäumung fristgerechter Anfechtungsklage (dafür Fehrmann EWiR 2023, 133, 134) fehlt ges. Grundlage (zur Anwendung des § 254 BGB vgl. Bayer/Rauch GmbHR 2023, 261 Rn. 28 f.). BGH hat offengelassen, ob Scha- 20 densersatzanspruch auch aus **Treupflichtverletzung** resultieren kann (BGH NZG 2023, 701 Rn. 32). Frage ist zu bejahen. Wenn Voraussetzungen erfüllt sind, ist nicht Anwendung, sondern Nichtanwendung begründungsbedürftig und solche Begründung kann nicht gegeben werden, sofern nicht generelle Sperrwirkung des Beschlussmängelrechts angenommen wird (überzeugend KG NZG 2022, 409 Rn. 40; Bayer/Rauch GmbHR 2023, 261 Rn. 32 ff.; aA H.-F. Müller LMK 2023, 809006; Leuering/Rubner NJW-Spezial 2023, 111; sa schon → § 53a Rn. 28). Zu beachten ist aber Beschränkung der Schadensersatzfolge auf Vorsatzfälle (→ § 53a Rn. 28).

21 **2. Ausschlussfrist.** Monatsfrist ist Ausschluss- oder Präklusionsfrist, keine Verjährungsfrist (RGZ 125, 143, 155 f.; BGH LM § 199 AktG 1937 Nr. 1; MüKoAktG/C. Schäfer Rn. 37). Deshalb gibt es **keine Hemmung** nach §§ 203 ff. BGB (RGZ 158, 137, 140; BGH NJW 1952, 98; s. aber auch OLG Frankfurt NJW 1966, 838). Fristversäumnis begründet keine Einrede gem. § 214 BGB, sondern lässt Anfechtungsbefugnis kraft Ges. entfallen. Klage ist deshalb auch dann abweisungsreif, wenn sich Beklagte nicht auf Fristablauf beruft, und zwar auch noch in der Revisionsinstanz (RGZ 125, 143, 155 f.; BGH NJW 1952, 98; 1998, 3344, 3345; OLG Karlsruhe AG 2008, 718, 719; Heuer AG 1989, 234, 237).

22 **3. Fristlauf und -berechnung.** Maßgeblich für **Fristbeginn** ist der **Tag der HV,** die Beschluss gefasst hat. Tag der Beschlussfassung wird gem. § 187 I BGB nicht mitgerechnet. Bei mehrtägiger HV tritt letzter Versammlungstag an die Stelle des Tags der Beschlussfassung, weil bis dahin auch Widerspruch zur Niederschrift erklärt werden kann (str., vgl. MüKoAktG/C. Schäfer Rn. 39; GK-AktG/K. Schmidt Rn. 16; aA Henn AG 1989, 230, 232). Fristende ist nach § 188 II BGB zu bestimmen. Fällt Fristende auf einen Sonntag, Feiertag oder Sonnabend, so läuft Frist erst mit dem Ende des nächsten Werktags ab (§ 193 BGB).

23 **4. Fristwahrung. a) Klageerhebung.** Anfechtungsfrist ist gewahrt, wenn Klage spätestens am letzten Tag der Frist durch **Zustellung** der Klageschrift erhoben wird (§ 253 I ZPO), sofern sie den auf Nichtigerklärung gerichteten Antrag enthält (LG Frankfurt AG 1992, 235; zur Begr. → Rn. 26). Genügend ist jedoch gem. § 167 ZPO auch **rechtzeitige Einreichung** der Klageschrift bei Gericht, sofern Zustellung demnächst erfolgt (BGHZ 15, 177, 180 = NJW 1955, 178; BGHZ 32, 318, 322 = NJW 1960, 1447; BGH NJW 1974, 1557 f.; OLG Düsseldorf AG 1968, 19; OLG Frankfurt AG 1973, 136; OLG München WM 2010, 1859, 1860; OLG Stuttgart AG 1998, 529; LG München I NZG 2021, 557 Rn. 19; ausf. Konkretisierung bei Wertenbruch FS Heidel, 2021, 751 ff. mwN: bis zu 14 Tagen). Zustellungsverzögerungen durch unvollständige Anschriften oder verspätete Einzahlung des Gerichtskostenvorschusses und dergl. gehen zu Lasten des Klägers (BGH AG 2011, 335 Rn. 13; OLG Brandenburg AG 2008, 497; OLG Celle NZG 2014, 640; OLG Düsseldorf AG 2009, 666; OLG Stuttgart AG 2004, 678, 679; BeckOGK/Vatter Rn. 17). Auch Doppelvertretung muss beachtet sein (→ Rn. 32 f.). Wenn Zustellung zunächst infolge eines Versehens der Geschäftsstelle unterbleibt, kann sie wirksam nachgeholt werden (OLG München WM 2010, 1859, 1860).

24 **b) Insbesondere: Klage vor dem unzuständigen Gericht.** Obwohl § 246 III ausschließliche Zuständigkeit begründet, genügt für Fristwahrung grds. auch Klage vor einem unzuständigen Gericht. Dieser Fall ist jedoch nicht gegeben, wenn an zuständiges Landgericht gerichtete Klage fälschlich beim Amtsgericht eingereicht wird (LG Hannover AG 1993, 187 f.). Jedenfalls bei **rechtzeitigem Verweisungsantrag** ist es unschädlich, wenn Beschluss des § 281

ZPO erst nach Ablauf der Monatsfrist ergeht. So zum Finanzvertrag BGHZ 34, 230, 234 f. = NJW 1961, 1014 (örtl. Zuständigkeit); BGHZ 35, 374 = NJW 1961, 2259; sa zum Antrag auf Mahnbescheid BGHZ 86, 313, 322 f. = NJW 1983, 1050; seither zur Enteignung BGHZ 97, 155, 161 = NJW 1986, 2255; zu § 23 IV WEG BGHZ 139, 305, 307 f. = NJW 1998, 3648; zu § 327f aF BGHZ 166, 329 Rn. 12 ff. (anders aber § 4 I 2 SpruchG; → SpruchG § 4 Rn. 5); vgl. ferner LG Hannover ZIP 2009, 666; MüKoAktG/C. Schäfer Rn. 41; GK-AktG/K. Schmidt Rn. 18; für Verfehlung der örtl. Zuständigkeit Henn AG 1989, 230, 232 f.; für Missbrauchsfälle Heuer AG 1989, 234, 236 f. Entgegen Henn ist an bisheriger Meinung trotz materiell-rechtl. Charakters der Ausschlussfrist festzuhalten, weil sie gerade durch Prozesshandlung gewahrt werden soll; dann müssen insoweit aber auch prozessuale Grundsätze gelten (ebenso OLG Dresden AG 1999, 274, 275).

Wahrung der Anfechtungsfrist durch Klage vor unzuständigem Gericht nötigt nicht dazu, auch offenbare **Missbräuche** hinzunehmen. Legt „ein Kleinaktionär serienweise Anfechtungsklagen beim LG seines Wohnortes ein und stellt in der Klageschrift bereits den Verweisungsantrag“ (Heuer AG 1989, 234, 235), so wird Verweisungsmöglichkeit missbraucht. Das missbräuchliche Verhalten ist unbeachtlich, Klage mithin verspätet (zust. GK-AktG/K. Schmidt Rn. 18). Entspr. gilt, wenn Anfechtungskläger ausländischen Gerichtsstand in Anspruch nimmt und deshalb erhebliche Zustellungsverzögerung eintritt. Zum Schiedsgericht → Rn. 18. 24a

c) Antrag auf Prozesskostenhilfe? Gem. § 246 I wird Anfechtungsfrist nur durch Klageerhebung gewahrt. Antrag auf Prozesskostenhilfe (PKH) sollte nach früher hM nicht genügen (s. noch Boesebeck AG 1966, 303; Henn AG 1989, 230, 232; aus neuerer Zeit KK-AktG/Noack/Zetzsche Rn. 31). Ältere Gegenauffassung gelangte hier über § 206 BGB analog (OLG Frankfurt NJW 1966, 838 noch zu § 203 II BGB aF) oder über entspr. Anwendung der §§ 233 ff. ZPO zu abw. Ergebnis (Lüke NJW 1966, 838 f.). Mittlerweile geht zumindest ganz hLit. zu Recht davon aus, dass auch Antrag auf Prozesskostenhilfe Frist wahren kann, allerdings nicht über § 206 BGB oder §§ 233 ff. ZPO, sondern – wie von GK-AktG/K. Schmidt Rn. 21 entwickelt – durch Fortbildung des § 246 I iVm § 167 ZPO (zust. BeckOGK/Vatter Rn. 19; Grigoleit/Ehmann Rn. 9; NK-AktR/Heidel 29; MüKoAktG/C. Schäfer Rn. 42 f.). Danach genügt Zustellung der Klage nach Fristablauf, wenn sie nach Bewilligung der fristgerecht unter Einreichung der Klageschrift beantragten PKH oder im Versagungsfall innerhalb einer aus § 234 I ZPO abgeleiteten Zweiwochenfrist erfolgt (glA Tielmann WM 2007, 1686, 1690 f.). Instanzgerichtl. Rspr. hat diese Lösung bislang aber noch nicht aufgegriffen (OLG Celle AG 2010, 367; deutlich abl. auch, wenngleich iE offenlassend OLG Karlsruhe NZG 2013, 942, 944 f.). 25

5. Anforderungen an die Begr. der Klage. Es genügt nicht, dass innerhalb der Anfechtungsfrist Klage erhoben wird. Vielmehr ist auch erforderlich, dass Anfechtungsgründe innerhalb der Frist in ihrem wesentlichen tats. Kern dargelegt werden (ganz hM – vgl. RGZ 91, 316, 323; RGZ 170, 83, 94 f.; BGHZ 15, 177, 180 f. = NJW 1955, 178; BGHZ 32, 318, 322 f. = NJW 1960, 1447; BGH NJW 1995, 260, 261; BGHZ 229, 27 Rn. 96 = NZG 2021, 782; OLG Frankfurt ZIP 2017, 1714, 1716; OLG München AG 2018, 761, 762; OLG Stuttgart AG 2015, 163, 170; BeckOGK/Vatter Rn. 21; Henssler/Strohn/Drescher Rn. 9; MüKo-AktG/C. Schäfer Rn. 44; GK-AktG/K. Schmidt Rn. 22 ff.; konkretisierend Stilz GS M. Winter, 2011, 675, 684 ff.; sa Wertenbruch FS E. Vetter, 2019, 857 ff.; sprachlich, aber wohl nicht sachlich abw. BGH AG 2010, 452 Rn. 3; 2010, 748 Rn. 4 [beide mit revisionsrechtl. Hintergrund]; aA KK-AktG/Noack/Zetzsche Rn. 33 ff.). Bei behaupteter Auskunftspflichtverletzung zählen dazu Wiedergabe 26 der Frage und der als unrichtig gerügten Antwort (OLG Stuttgart AG 2015, 163, 170). Entscheidend sind die Tatsachen, nicht ihre rechtl. Würdigung (BGHZ 32, 318, 323; OLG München AG 2010, 170, 171). Wenigstens die Angriffsrichtung muss innerhalb der Monatsfrist festgelegt sein (BGH NJW 1966, 2055; BGHZ 229, 27 Rn. 96; OLG Frankfurt NZG 2014, 1017, 1018). **Nachgeschobene Anfechtungsgründe** bleiben in diesem Konzept **unbeachtlich** (so zB BGHZ 15, 177, 180 f.; BGHZ 120, 141, 157 = NJW 1993, 400; OLG Dresden AG 2001, 489, 490; OLG Frankfurt ZIP 2017, 1714, 1716; OLG Hamburg AG 2003, 46, 47; OLG Hamm AG 2010, 789, 790; OLG Stuttgart AG 2015, 163, 170; GK-AktG/K. Schmidt Rn. 24; iE auch öOGH AG 1996, 38, 39). Bei dieser Handhabung ist BGH auch geblieben, nachdem er sich mit BGHZ 152, 1, 4 ff. = NJW 2002, 3465 augenscheinlich dem Konzept der Rechtskontrollklage angeschlossen hatte (→ Rn. 11). Auch im Anschluss an diese Entscheidung hat er nämlich unverändert Vortrag des für Anfechtbarkeit maßgebenden Lebenssachverhalts innerhalb der Anfechtungsfrist verlangt (klarstellend BGH AG 2005, 395, 397; 2005, 613, 614; seither auch BGH AG 2006, 158 Rn. 24; BGHZ 167, 204 Rn. 18; BGHZ 180, 9 Rn. 34 = NJW 2009, 2207; BGHZ 189, 32 Rn. 13 = NZG 2011, 669). Das war vor dem Verständnishintergrund der Rechtskontrollklage zwar prozessual nicht konsequent (vgl. Bork NZG 2002, 1094 f.), entsprach aber der materiell-rechtl. Ausschlussfunktion der Monatsfrist (→ Rn. 20; LG München I AG 2005, 623, 626; Stilz GS M. Winter, 2011, 675, 678 f.). Nachdem BGH AG 2010, 452 Rn. 3 wieder vom Konzept der Rechtskontrollklage Abstand genommen hat (→ Rn. 11), ist rechtl. Behandlung auch wieder in sich stringent. Möglich bleibt entspr. den zur Klageänderung geltenden Regeln (s. Stilz GS M. Winter, 2011, 675, 680 f.) nachträgliche Ergänzung oder Berichtigung des Tatsachenvortrags (BGH NJW 1987, 780).

IV. Gesellschaft als Beklagte; Vertretung (§ 246 II)

27 **1. Passivpartei. a) Grundsatz.** Nach § 246 II 1 ist Anfechtungsklage gegen AG zu richten. Dabei verbleibt es auch dann, wenn AG nur zwei Aktionäre hat, von denen der eine den Beschluss angreift, den der andere mit seinen Stimmen zustande gebracht hat (OLG Rostock NZG 2004, 191, 192 zur GmbH). Nach Auflösung ist Abwicklungsgesellschaft richtige Beklagte, und zwar auch dann, wenn sich Anfechtung gegen Auflösungsbeschluss selbst richtet (BGHZ 36, 207, 208 = NJW 1962, 538).

28 **b) Verschmelzung und Umwandlung.** Bei bloßem Formwechsel (§§ 190 ff. UmwG) ist Gesellschaft in ihrer neuen Rechtsform Passivpartei. Schwierige Fragen können sich bei Verschmelzung ergeben. Passivpartei kann nach Eintragung in das HR nur noch die übernehmende Gesellschaft bzw. der neue Rechtsträger sein. War Anfechtungsklage vorher erhoben, finden **§§ 239 ff., 246 ff. ZPO** entspr. Anwendung (RGZ 56, 331, 332; RG JW 1932, 175; LG Aachen Rpfleger 1982, 72). Soweit sich Klage gegen den Verschmelzungsbeschluss richtet, wird ihr wegen § 20 II UmwG vielfach das **Rechtsschutzinteresse** fehlen. Zu bejahen ist es aber, wenn Klage auf Schadensersatz nach § 16 II 6 Hs. 1 UmwG vorbereitet werden soll (OLG Hamburg AG 2004, 619, 620 f.). Passivlegitimiert ist der übernehmende oder neue Rechtsträger (§ 28 UmwG). Wenn andere Beschlüsse angegriffen sind, ist Rechtsschutzbedürfnis zu bejahen, sofern sich Wirkung des in der untergegangenen Gesellschaft gefassten Beschlusses in der neuen Gesellschaft fortsetzt (BGH AG 2019, 682, 683; OLG Hamm AG 1973, 206, 207; LG Bonn AG 2008, 595, 596). Anfechtungsbefugnis besteht bei Verschmelzung kraft fortgesetzter Mitgliedschaft weiter (BayObLGZ 1983, 239, 241 f. = NJW 1984, 1691), ebenso bei übertragender Umwandlung, wenn (auch)

Umwandlungsbeschluss angefochten wird (KG JW 1936, 3202), sonst dagegen nicht, weil Mitgliedschaft untergegangen ist (RG JW 1937, 2273, 2276). Einzelheiten zu Verschmelzung und Umwandlung bei MüKoAktG/C. Schäfer Rn. 50 ff.; GK-AktG/K. Schmidt Rn. 36, 91 ff. (teilw. abw.).

c) Insolvenz. Im Insolvenzfall ist Passivpartei am **Maßstab des erwartbaren Prozessergebnisses** zu ermitteln: Soweit erfolgreiche Anfechtung zu einer Minderung der Aktivmasse führt oder daraus zu berichtigende Verbindlichkeiten vermehrt, muss Anfechtungsprozess gegen **Insolvenzverwalter als Partei kraft Amtes** geführt werden (RG JW 1936, 181; BGHZ 32, 114, 121 f. = NJW 1960, 1006; BGH AG 2020, 540 Rn. 39; OLG Königsberg JW 1927, 2439; MüKoAktG/C. Schäfer Rn. 49; F. Weber KTS 1970, 73, 86 ff.; andere Konzeption bei GK-AktG/K. Schmidt Rn. 34, 41: gegen AG, vertreten durch Insolvenzverwalter). Ein schon anhängiger Prozess wird nach § 240 ZPO durch Eröffnung des Insolvenzverfahrens unterbrochen (BGHZ 190, 291 Rn. 9 = AG 2011, 786). Wird Masse durch Anfechtung nicht betroffen (insolvenzneutrale Beschlüsse) oder als Aktivmasse sogar vermehrt, ist dagegen die **Gesellschaft Partei** (vgl. die Genannten; speziell zur Vermehrung der Aktivmasse RGZ 76, 244, 249 f.; BGHZ 190, 291 Rn. 9). Das ist im letztgenannten Fall aufgrund des Massebezugs nicht selbstverständlich, aber trotzdem richtig, weil Insolvenzverwalter nicht dazu gezwungen werden darf, einen für die Masse nachteiligen Beschluss zu verteidigen (BGHZ 190, 291 Rn. 9; BGH AG 2020, 540 Rn. 23, 39). In diesem Fall bedarf es demnach keiner Unterbrechung; Insolvenzverwalter kann sich als Nebenintervenient auf Seiten des Klägers beteiligen (BGHZ 190, 291 Rn. 9). Wird nach Verfahrenseröffnung geklagt und ist Massebezug zweifelhaft, sollte gegen AG als Insolvenzgesellschaft geklagt und Berichtigung der Parteibezeichnung in der Klageschrift vorbehalten werden. Zu den Folgen einer Eröffnung des Insolvenzverfahrens über Vermögen des Klägers vgl. BGH NZG 2018, 32 Rn. 15 f. 29

2. Vertretung der Gesellschaft bei Klage von Aktionären. a) Doppelvertretung. Bei Anfechtungsklagen von Aktionären wird AG abw. von § 78 I gem. § 246 II 2 **durch Vorstand und AR** vertreten. Damit soll verhindert werden, dass Vorstand gemeinsam mit Kläger den von der Mehrheit getragenen Beschluss zu Fall bringt, was nach hier vertretener Auffasssung zwar nicht über Anerkenntnis oder Vergleich möglich ist, wohl aber durch Säumnis oder schlichtes Geständnis (→ Rn. 16 f.; sa BGHZ 32, 114, 117 = NJW 1960, 1006; MüKoAktG/C. Schäfer Rn. 55). Ob diese Gefahr konkret besteht, ist unerheblich; entscheidend ist abstrakte Beurteilung (OLG Karlsruhe AG 2008, 718). Prinzip der Doppelvertretung gilt für alle Prozesshandlungen der AG, auch für Passivvertretung (→ Rn. 32 ff.). Soweit Willensbildung erforderlich ist, beschließen Vorstand und AR jew. für sich (allgM, s. MüKoAktG/C. Schäfer Rn. 55; KK-AktG/Noack/Zetzsche Rn. 76). Angabe der Vertretungsorgane gehört nicht zu dem nach § 253 II ZPO notwendigen Inhalt der Klageschrift, kann also auch nach Ablauf der Frist des § 246 I nachgeholt werden; ebenso namentliche Nennung der Mitglieder des Vorstands und des AR, die gem. § 130 Nr. 1 ZPO erfolgen soll (nicht muss); vgl. BGHZ 32, 114. Sind Vorstand oder AR nicht handlungsfähig, zB durch Amtsniederlegung, so ist AG nicht prozessfähig. Dem Mangel kann durch Bestellung eines Prozesspflegers (§ 57 ZPO) abgeholfen werden (OLG Dresden AG 2005, 812 f.). 30

b) Abwicklung und Insolvenz. Nach Auflösung der AG treten die Abwickler an die Stelle des Vorstands (§ 269 I), so dass AG ggü. der Anfechtungsklage eines Aktionärs von ihnen und dem AR, nicht von den Abwicklern allein, vertreten wird (BGHZ 32, 114, 118 = NJW 1960, 1006; OLG Königsberg JW 1927, 2439). Falsche Bezeichnung eines Abwicklers als Vorstandsmitglied ist 31 unschädlich (BGHZ 32, 114, 119). Nach Eröffnung des Insolvenzverfahrens kommt es darauf an, ob Insolvenzverwalter als Partei kraft Amtes verklagt wird oder ob die AG Beklagte ist (→ Rn. 29). **Insolvenzverwalter bedarf keiner Mitwirkung des AR** (nur iE zust. GK-AktG/K. Schmidt Rn. 41). AG wird dagegen von Vorstand und AR vertreten (BGH AG 2006, 246), und zwar auch dann, wenn Insolvenzverwalter klagt (→ Rn. 36). § 269 ist unanwendbar, weil AG durch Insolvenz zwar aufgelöst (§ 262 I Nr. 3), aber nicht abgewickelt wird (§ 264 I); anders nur, wenn das Insolvenzverfahren über die Abwicklungsgesellschaft eröffnet wird. Wenn Massebezug zweifelhaft bleibt (→ Rn. 29), wird man an Gesellschaft (Vorstand und AR) und vorsorglich an Insolvenzverwalter zustellen müssen; anderenfalls riskiert Kläger verspätete Zustellung, die durch Berichtigung der Parteibezeichnung nicht aus der Welt geschafft werden kann.

32 **c) Zustellung der Klage. aa) Grundsatz.** Auch und gerade bei Zustellung der Klageschrift (§ 253 I ZPO) ist Doppelvertretung (→ Rn. 30) zu beachten. Zustellungsverfahren wird durch §§ 166 ff. ZPO bestimmt. Danach gilt: Zustellungsadressaten sind gem. § 170 II ZPO Leiter der AG, ist nicht diese selbst. Es genügt jedoch, wenn Zustellungsurkunde als Zustellungsempfänger (§ 182 II Nr. 1 ZPO) die Gesellschaft angibt; auszuhändigen ist dann an Vorstandsmitglied (BGHZ 107, 296, 299 = NJW 1989, 2689; OLG Brandenburg AG 2008, 497). Weil Vorstand und AR gem. § 246 II 2 ges. Vertreter sind, muss auch an beide zugestellt werden (BGH NJW 1992, 2099 f.; MüKoAktG/C. Schäfer Rn. 59). Aus § 170 II ZPO folgt nichts anderes, da diese Vorschrift – wenngleich unscharf gefasst – aktienrechtl. Sonderregelung nicht verdrängen soll (Tielmann ZIP 2002, 1879, 1881 f.; aA KK-AktG/Noack/Zetzsche Rn. 118 f.). Wird § 170 II ZPO gleichwohl angewandt, so sind Vorstand und AR gemeinsam Leiter der AG. Nach § 170 III ZPO genügt jedoch **Zustellung an jew. ein Mitglied des Vorstands und des AR** (stRspr, s. RGZ 83, 414, 417; BGHZ 32, 114, 119 = NJW 1960, 1006; BGH NJW 1992, 2099 f.; AG 2020, 540 Rn. 45; KG AG 2005, 583; OLG München BeckRS 2015, 10821 Rn. 32 [insofern nicht in NZG 2015, 1027]; überholt: OLG Hamburg OLGR 27, 61 f.), bei KGaA an einen Komplementär und ein AR-Mitglied (BGH AG 2020, 540 Rn. 45). Ist AR-Mitglied, an das zugestellt wird, zwischenzeitlich ausgeschieden, kann Zustellung dennoch nach allg. Rechtsscheingrundsätzen wirksam sein, wenn es noch in nach § 106 eingereichte Liste eingetragen ist (→ § 106 Rn. 1). Nach Auflösung der AG treten die Abwickler (→ Rn. 31) auch für die Zustellung an die Stelle des Vorstands; es bedarf aber weiterhin der Mitwirkung des AR (BGHZ 32, 114, 119). In keinem Fall reicht Zustellung der Anfechtungsklage an den Prokuristen. Aus § 49 I HGB oder § 171 ZPO folgt nichts anderes, weil § 246 II 2 Vertretung durch Vorstand (und AR) verlangt.

33 **bb) Art und Weise der Zustellung.** Ordnungsgem. ist Zustellung durch Aushändigung einer Abschrift an den Adressaten in Person, gleichgültig, an welchem Ort (§ 177 ZPO). Für **Ersatzzustellung** ist zwischen Vorstand und AR zu unterscheiden. **Vorstand:** Maßgeblich ist § 178 ZPO. Danach kann Ersatzzustellung auch in der Wohnung des Vorstandsmitglieds erfolgen, bes. durch Aushändigung an Familienangehörige oder Hauspersonal, ferner gem. § 178 I Nr. 2 ZPO in Geschäftsräumen durch Aushändigung an dort beschäftigte Personen. Dabei wird es sich idR um Räume der AG handeln, doch ist das mangels beschränkender Vorgabe in § 178 I Nr. 2 ZPO nicht notwendig. Auch andere Räume genügen, wenn Vorstandsmitglied von dort aus selbständig tätig wird (Tielmann ZIP 2002, 1879, 1883).

34 **AR:** Ersatzzustellung kann zunächst gem. § 178 I Nr. 1 ZPO unter der Privatanschrift des AR-Mitglieds erfolgen (→ Rn. 33). Das ist jedoch nicht mehr notwendig. Nach § 178 I Nr. 2 ZPO kommt nämlich auch Zustellung in Ge-

schäftsräumen in Betracht, die AR-Mitglied nutzt oder unterhält. Insbes. kann AR-Mitgliedern, die Vorstandsmitglied einer anderen Gesellschaft sind, auch in den dortigen Geschäftsräumen zugestellt werden (NK-AktR/Heidel Rn. 26; Tielmann ZIP 2002, 1879, 1883). Soweit AR-Mitglied bes. Büro unterhält, kann Ersatzzustellung auch dort vorgenommen werden. AR-Mitgliedern, die hauptberuflich Rechtsanwälte oder Notare sind, kann auch unter der Kanzleiadresse zugestellt werden (NK-AktR/Heidel Rn. 26; Tielmann ZIP 2002, 1879, 1883). Nach wie vor und zu Recht ausgeschlossen ist jedoch Ersatzzustellung in Geschäftsräumen der beklagten AG. Soweit AR-Mitglied, etwa als Vorsitzender, dort Räume zur Verfügung hat, pflegt es sich dort nämlich nicht dauernd aufzuhalten. Auch widerspräche es dem Zweck der Doppelvertretung (→ Rn. 30), wenn Übergabe der Klageschrift an Gesellschaftspersonal genügen würde (ganz hM, s. RGZ 83, 414, 417; BGHZ 107, 296, 299 = NJW 1989, 2689; OLG Hamburg AG 2002, 521, 523; KG AG 2005, 583; OLG München NZG 2008, 599; aA OLG Celle AG 1989, 209, 210; Borsch AG 2005, 606, 607 f.).

cc) Heilung von Zustellungsmängeln. Mängel können gem. § 189 ZPO durch anderweitigen tats. Zugang geheilt werden. Zugang muss aber innerhalb der Monatsfrist des § 246 I und des nach § 167 ZPO zusätzlich anzusetzenden Zeitraums erfolgt sein (OLG Naumburg NZG 2001, 1043; LG Frankfurt AG 1984, 192, 193 f.). **Anderweitiger fristgem. Zugang** ist Tatsache, die gem. §§ 138 III, 288 ZPO zugestanden werden kann. In Betracht kommt auch Heilung durch Rügeverzicht oder rügelose Einlassung gem. § 295 ZPO (s. dazu RG JW 1928, 1569; OLG Hamburg AG 1971, 403; OLG Hamm AG 1973, 206 f.; v. Gleichenstein AG 1969, 305, 307 f.). Weil jedoch Monatsfrist des § 246 I nicht verzichtbar ist, müssen Verzichtserklärung oder rügelose Einlassung rechtzeitig erfolgt sein, so dass dieser Heilungsmöglichkeit kaum praktische Bedeutung zukommt (MüKoAktG/C. Schäfer Rn. 63). 35

3. Vertretung der Gesellschaft bei anderen Anfechtungsklagen. Klagt Vorstand als Organ (§ 245 S. 1 Nr. 4) oder klagt ein einzelnes Vorstandsmitglied (§ 245 S. 1 Nr. 5), so wird AG gem. § 246 II 3 durch den AR allein vertreten. Das gilt auch dann, wenn Aktionärsklage und Vorstandsklage zusammentreffen (LG Hannover ZIP 2023, 1535 f.; MüKoAktG/C. Schäfer Rn. 65). Klagen einzelne Mitglieder des AR (§ 245 S. 1 Nr. 5), so liegt Vertretung allein beim Vorstand. Wenn Mitglieder des Vorstands und des AR Anfechtungsklage erheben, ist die Gesellschaft ohne ges. Vertreter; denn Vorstand und AR sind wegen Beteiligung ihrer Mitglieder vertretungsunfähig (allgM, s. MüKoAktG/C. Schäfer Rn. 67). Der Vorsitzende des Prozessgerichts hat deshalb gem. § 57 ZPO einen Prozesspfleger zu bestellen (OLG Hamburg AG 2003, 519). HV kann analog § 147 II 1 bes. Vertreter einsetzen (näher MüKoAktG/C. Schäfer Rn. 67; zust. GK-AktG/K. Schmidt Rn. 38). § 246 II 3 ist nicht analog anzuwenden, wenn Insolvenzverwalter klagt, sondern in diesem Fall bleibt es bei Doppelvertretung (BGHZ 225, 198 Rn. 52 f. = AG 2020, 540 Rn. 50). 36

V. Einzelne Verfahrensfragen (§ 246 III)

1. Ausschließliche Zuständigkeit. Das LG, in dessen Bezirk AG ihren Sitz (§ 5) hat, ist für Anfechtungsklagen gem. § 246 III 1 sachlich und örtlich (international: Wedemann AG 2011, 282 ff.) ausschließlich zuständig. §§ 38, 39 ZPO können keine andere Zuständigkeit ergeben. Bei den ausnahmsweise zulässigen und nicht ganz seltenen **Doppelsitzen** (→ § 5 Rn. 10) wird verbreitet angenommen, dass tats. inländischer Verwaltungssitz entscheidet, um Doppelzuständigkeit (zu daraus folgenden Problemen s. LG Bonn AG 1995, 44) zu vermeiden (MüKoAktG/C. Schäfer Rn. 72; zust. Grigoleit/Ehmann Rn. 17; S/L/Schwab 37

Rn. 30; Bork ZIP 1995, 609, 616). Auch wenn das Anliegen, verfahrenstechnische Probleme zu vermeiden, sicher schutzwürdig ist, so muss es doch hinter den allg. Grundsatz zurücktreten, dass Doppelsitz eine ausschließlich im Interesse der AG zugelassene Ausnahme ist, so dass sie auch sämtliche daraus entstehenden Nachteile zu tragen hat, sog **Schlechterstellungsprinzip** (→ § 14 Rn. 4). Dazu gehört auch, dass Anfechtungskläger nicht zugemutet werden kann, unter mehreren satzungsmäßig ausgewiesenen Sitzen tats. Verwaltungssitz zu ermitteln (Heer ZIP 2012, 803, 805). Vielmehr muss auch hier Anfechtungskläger frei zwischen den Sitzen wählen können (so zutr. KG AG 1996, 421; LG Berlin AG 1995, 41, 42; LG Bonn AG 1995, 44; Ulmer/Ulmer/Löbbe GmbHG § 4a Rn. 31; Heer ZIP 2012, 803, 805; Henn AG 1989, 230, 231; Pluskat WM 2004, 601, 606; Tielmann WM 2007, 1686). Einer Beschlussanfechtung bei mehreren Gerichten steht die anderweitige Rechtshängigkeit bzw. die Rechtskraft des Urteils entgegen (GK-HGB/J. Koch/Harnos § 13 Rn. 77; Pluskat WM 2004, 601, 606). Auch bei Sitzverlegung bestimmt sich Gerichtsstand nach Satzungssitz. Dieser wechselt gem. § 45 II 5 mit Eintragung in das HR des neuen Sitzgerichts (→ § 45 Rn. 4 f.). Bei Verschmelzung ist nach deren Eintragung erhobene Klage gegen übernehmende oder neue Gesellschaft zu richten (→ Rn. 28). Folglich bestimmt deren Satzungssitz die örtliche Zuständigkeit (LG Frankfurt NZG 2007, 120). Klage vor dem unzuständigen Gericht wirkt fristwahrend, sofern kein Missbrauch vorliegt (str.; → Rn. 24). Sofern bei zust. LG eine **KfH** besteht, entscheidet sie nach § 246 III 2 anstelle der Zivilkammer. Auf entspr. Antrag des Klägers (§ 96 I GVG) kommt es nicht an. KfH ist also ausschließlich zuständig, und zwar analog § 246 III 2 auch bei Anfechtung von Beschlüssen der Gesellschafterversammlung einer GmbH (OLG München AG 2007, 912 f.). Gem. § 246 III 3 gilt § 148 II 3 und 4 sinngem. Möglich ist also **Zuständigkeitskonzentration,** um bes. Sachkunde bei einem LG des OLG-Bezirks zu nutzen (→ § 148 Rn. 12; sa Tielmann WM 2007, 1686). Zuständig sind danach in Baden-Württemberg LG Mannheim für OLG-Bezirk Karlsruhe und LG Stuttgart für OLG-Bezirk Stuttgart (§ 13 II Nr. 1–11 ZuVoJu), in Bayern LG München I für OLG-Bezirk München und LG Nürnberg-Fürth für OLG-Bezirke Nürnberg und Bamberg (§§ 13–31 GZVJu), in Hessen LG Frankfurt (§ 38 JuZuV), in Mecklenburg-Vorpommern LG Rostock (§ 4 I Nr. 5 KonzVO M-V iVm § 95 I Nr. 4 lit f., Nr. 6 und II GVG), in Niedersachsen LG Hannover (§ 2 ZustVO-Justiz), in NRW LG Düsseldorf, LG Dortmund oder LG Köln (je nach LG-Bezirken, vgl. § 1 KonzentrationsVO GesR). Spezielle Zuständigkeit in **Kartellsachen** (§§ 87, 89 GWB) hat allerdings Vorrang (MüKoAktG/C. Schäfer Rn. 72 aE; zust. Henn AG 1989, 230, 231).

38 **2. Erster Termin.** Gem. § 246 III 4 findet mündliche Verhandlung frühestens statt, wenn Anfechtungsfrist abgelaufen ist (→ Rn. 22). Dadurch soll sichergestellt werden, dass Prozessverbindung (§ 246 III 5; → Rn. 39) schon vor dem ersten Verhandlungstermin erfolgen kann. Anpassung der Vorschrift an §§ 272 ff. ZPO idF der Vereinfachungsnovelle v. 3.12.1976 (BGBl. 1976 I 3281) ist unterblieben. Wegen des Normzwecks ist anzunehmen, dass auch früher erster Termin und schriftliches Vorverfahren (§§ 275, 276 ZPO) nicht vor Ablauf der Anfechtungsfrist stattfinden dürfen, wenn es darauf ausnahmsweise ankommen sollte (glA S/L/Schwab Rn. 31).

38a **3. Akteneinsicht, Auszüge und Abschriften.** § 246 III 5 knüpft an § 299 I ZPO an, gewährt der beklagten AG das Recht auf Akteneinsicht sowie auf Erteilung von Auszügen und Abschriften aber schon unmittelbar **mit Ablauf der Anfechtungsfrist** des § 246 I. Verzichtet wird also auf von § 299 I ZPO vorausgesetzte Rechtshängigkeit (MüKoAktG/C. Schäfer Rn. 74) und damit auf Zustellung der Klageschrift (§ 253 I ZPO, § 261 I ZPO). Hintergrund ist Praxis einiger Anfechtungskläger, Zustellung der Klageschrift zu verzögern (keine oder unvollständige Einzahlung des Kostenvorschusses; unzureichende Angaben zu den Zustellungsadressaten) und dadurch Vorbereitung des Freigabeantrags (§ 246a) zu erschweren, um Vergleichsbereitschaft der AG herbeizuführen (RegBegr. BT-Drs. 16/11642, 41; J. Vetter AG 2008, 177, 193). Gegenstand des vorgezogenen Einsichtsrechts ist nur die eingereichte (§ 253 V ZPO) Klageschrift, nicht auch der übrige Inhalt der Gerichtsakten. Insoweit verbleibt es bei § 299 ZPO.

4. Prozessverbindung. Mehrere Anfechtungsprozesse sind nach § 246 III 6 zu verbinden. Norm ist zwingend; kein Ermessensspielraum wie nach § 147 ZPO. Zweck ist, widersprechende Entscheidungen über Gültigkeit desselben Beschlusses zu verhindern. Deshalb greift § 246 III 6 immer dann ein, wenn derselbe Beschluss angegriffen wird; Anfechtungsgrund bleibt gleich. Dagegen gilt § 147 ZPO, wenn verschiedene Beschlüsse angefochten werden, und zwar auch bei rechtl. Abhängigkeit des einen von dem anderen (OLG Stuttgart AG 1995, 283; MüKoAktG/C. Schäfer Rn. 75; GK-AktG/K. Schmidt Rn. 66). Verbindung erfolgt notwendig bei KfH, weil nur sie nach § 246 III 2 für Anfechtungsprozesse funktional zust. ist (→ Rn. 37). Vom Landgericht unterlassene Prozessverbindung ist vom Berufungsgericht nachzuholen (OLG Hamburg AG 1971, 403 f. für Nichtigkeitsklagen). Unterbleibt Prozessverbindung endgültig, so hat Streithelfer, der mehreren Anfechtungsklägern beigetreten ist, vorbehaltlich missbräuchlicher Rechtsausübung in jedem Verfahren den vollen Kostenerstattungsanspruch (BGH WM 2010, 1323 f.). Vor Verbindung sind Anfechtungs- und Nichtigkeitsklagen gebührenrechtl. selbständig; die danach entstandenen Kosten bleiben auch nach Prozessverbindung bestehen (BGH AG 2011, 335 Rn. 13; 2013, 594 Rn. 17; aA S/L/Schwab Rn. 33). 39

VI. Bekanntmachungspflicht (§ 246 IV)

Nach § 246 IV 1 muss Vorstand Anfechtungsklage unverzüglich (§ 121 I 1 BGB) in den Gesellschaftsblättern, also im BAnz. (§ 25), bekannt machen. Bekanntmachungspflicht hat **Warnfunktion;** Öffentlichkeit soll davon unterrichtet werden, dass mit fortdauernder Gültigkeit des HV-Beschlusses nicht mehr zuverlässig gerechnet werden kann. Zugleich soll mit Blick auf erga-omnes-Wirkung (§ 248 I 1) Möglichkeit eröffnet werden, als Nebenintervenient beizutreten (KK-AktG/Noack/Zetzsche Rn. 236). Wer Klage erhoben hat, ist gleichgültig. Angegriffener Beschluss ist zu bezeichnen. Werden mehrere Beschlüsse angefochten, müssen mehrere Bek. erfolgen, die jedoch in einer Publikation zusammengefasst werden können. Die Erfolgsaussichten der Klage spielen keine Rolle. Erforderlich und genügend ist Handeln von Vorstandsmitgliedern in vertretungsberechtigter Zahl. Gem. § 407 I kann Bek. im Zwangsgeldverfahren durchgesetzt werden. Schadensersatzpflichten bei unterbliebener Bek. sind denkbar (MüKoAktG/C. Schäfer Rn. 79). Auf positive Beschlussfeststellungsklage (→ Rn. 42 f.) ist § 246 IV 1 entspr. anzuwenden (→ Rn. 43). § 246 IV 2 beschränkt Möglichkeit zur **Nebenintervention** (→ Rn. 5 ff.). Angebliche Verfassungswidrigkeit wegen Verkürzung rechtl. Gehörs (S/L/Schwab Rn. 38) ist nicht anzuerkennen (OLG Frankfurt NZG 2010, 785, 786; Goslar/v. der Linden WM 2009, 492, 493; Wilsing/Ogorek NZG 2010, 1058 f.). Soweit Norm anwendbar ist, muss abw. von allg. Grundsätzen (→ Rn. 6) Monatsfrist eingehalten werden, die jedoch nicht ab Beschlussfassung (§ 246 I), sondern ab Bek. läuft. Nach früherer Gesetzeslage sollte neben Klageerhebung auch Termin zur mündlichen Verhandlung bekannt gegeben werden, was indes zu Unsicherheiten führte, wenn Bek. der Anfechtungsklage wegen schriftlichen Vorverfahrens 40

(§ 276 ZPO) ohne frühen ersten Termin erfolgt. Um insofern Rechtssicherheit zu schaffen, wurde im Zuge der Aktienrechtsnovelle 2016 der frühe erste Termin als Bezugspunkt der Bek. gestrichen (RegBegr. BT-Drs. 18/4349, 30). Führt Mehrheit von Klagen zu mehrfacher Bek., so beginnt Frist mit der ersten (S/L/Schwab Rn. 37; Wasmann/Kallweit Konzern 2008, 135, 139; aA KK-AktG/Noack/Zetzsche Rn. 211; Goslar/v. der Linden WM 2009, 492, 494 f.). Verspäteter Beitritt bleibt unwirksam (OLG Frankfurt AG 2006, 755; OLG Nürnberg AG 2007, 295 f.). Regelung gilt nur für Beitritt auf Klägerseite, nicht auch auf Beklagtenseite; denn nur im ersten Fall liegt Beteiligung an Klage vor (BGH NZG 2009, 948 Rn. 9 f.; OLG Düsseldorf AG 2019, 348, 350; OLG Nürnberg AG 2009, 748; aA KK-AktG/Noack/Zetzsche Rn. 220 f.; Wasmann/Kallweit Konzern 2008, 135, 138).

VII. Anfechtungs- und Feststellungsklage

41 **1. Allgemeine Feststellungsklage.** Für allg. Feststellungsklage (§ 256 ZPO) bleibt im Aktienrecht nur wenig Raum. In Betracht kommen Klage auf Feststellung der **Unwirksamkeit** eines HV-Beschlusses, ferner Klage auf Feststellung seiner **Nichtigkeit,** soweit Kläger nicht unter § 249 I 1 fällt (→ § 249 Rn. 4 ff.). Unwirksamkeit bezeichnet Ausbleiben der gewollten Rechtsfolge wegen Unvollständigkeit des rechtsgeschäftlichen Tatbestands, zB wegen Fehlens eines Sonderbeschlusses (→ § 241 Rn. 6). Darauf gerichtete Feststellungsklage verfolgt anderes Ziel als Anfechtungsklage. Was Kläger will, muss durch Auslegung ermittelt werden (dazu MüKoAktG/C. Schäfer Rn. 83). Klage auf Feststellung der Unwirksamkeit wahrt Anfechtungsfrist (§ 246 I) nicht. Im Einzelfall kann es sinnvoll sein, auf Feststellung der Unwirksamkeit und auf Nichtigerklärung zu klagen, nämlich dann, wenn fehlendes Wirksamkeitserfordernis nachholbar ist und daneben bestehender Gesetzesverstoß bei Nachholung wegen Ablaufs der Anfechtungsfrist nicht mehr geltend gemacht werden könnte.

42 **2. Positive Beschlussfeststellungsklage. a) Begriff und Zulässigkeit.** Positive Beschlussfeststellungsklage betr. **abl. (negative) Beschlüsse;** HV-Leiter hat Ablehnung des Antrags, etwa wegen Zählfehlers oder fehlerhaft angenommener Mehrheitsverhältnisse, zu Unrecht festgestellt und Notar oder anderer Protokollführer hat Feststellung gem. § 130 II in die Niederschrift aufgenommen. Feststellung und Niederschrift konstituieren den Beschluss, obwohl sie inhaltlich unrichtig sind. Er ist nur wegen Gesetzesverletzung anfechtbar und muss auch angefochten werden, wenn er nicht unangreifbar werden soll (→ § 130 Rn. 22 ff.; → § 243 Rn. 19; vgl. aber auch BGH AG 1996, 126 f.: keine Anfechtungsklage, wenn schon Feststellung fehlt). Erfolgreiche Anfechtung beseitigt aber nur den abl. Beschluss. Das der Abstimmungsmehrheit entspr. Ergebnis (Annahme des Antrags) kann damit nicht herbeigeführt werden. Den Aktionär auf erneute Beschlussfassung zu verweisen, geht nicht an, weil nicht ausgemacht ist, dass Mehrheit für den Antrag ein zweites Mal zustande kommt. Nach ganz hM darf Anfechtungsantrag deshalb um Feststellungsantrag ergänzt werden, dass Beschluss mit näher bezeichnetem Inhalt zustande gekommen ist (vgl. Zöllner, Die Schranken mitgliedschaftlicher Stimmrechtsmacht, 1963, 405 ff. [grundlegend]; BGHZ 76, 191, 197 ff. = NJW 1980, 1465; BGHZ 88, 320, 329 f. = NJW 1984, 489; BGH AG 2001, 587, 588; OLG Köln BeckRS 2018, 17085 Rn. 45 ff.; GK-AktG/K. Schmidt Rn. 98 ff.; Drescher FS Stilz, 2014, 126, 127 f.; aA noch RGZ 142, 123, 128 ff.). Dabei ist vorausgesetzt, dass nach Vorbringen des Klägers angeblich gefasster Beschluss nicht seinem Inhalt nach seinerseits gegen Ges. oder Satzung verstößt (BGHZ 76, 191, 200 f.; BGHZ 97, 28, 31 = NJW 1986, 2051; BGHZ 190, 45 Rn. 9 = NZG 2011, 902; LG München I WM 2008, 2297,

2298; Heer ZIP 2012, 803, 807 f.). Nicht ganz klar ist, ob zitierte Rspr.-Formel nur Nichtigkeits- oder auch Anfechtungsgründe erfasst. Um Dispositionsbefugnis der Aktionäre bei Anfechtungsgründen zu wahren (J. Koch ZHR 182 [2018], 378, 387 ff.), spricht mehr für erstgenannte Deutung (OLG Köln BeckRS 2018, 17085 Rn. 45 im Anschluss an BGHZ 76, 191, 200 f.; Noack/Servatius/Haas/Noack GmbHG Anh. § 47 Rn. 182; Rensen FS Prütting, 2018, 491 ff.). Etwas anderes gilt aber, wenn Mangel durch anfechtungsberechtigte Person tats. geltend gemacht wird (Noack/Servatius/Haas/Noack GmbHG Anh. § 47 Rn. 182; vgl. dazu auch BGHZ 76, 191, 200 f.). Aus dargelegter Funktion der positiven Beschlussfeststellungsklage folgt, dass sie bei Annahme des Antrags, also bei positiven Beschlüssen, nicht zur Verfügung steht. Insoweit begehrte Feststellung ist schon im Anfechtungsurteil eingeschlossen. Gleichwohl erhobene Feststellungsklage (auch gem. § 256 ZPO) ist deshalb unzulässig (BGH AG 2003, 383 f.). Ebenfalls nicht anzuerkennen ist positive Feststellungsklage gegen Abstimmungsverhinderung durch HV-Leiter (→ § 129 Rn. 23).

b) Verfahrensfragen. Positive Beschlussfeststellungsklage beseitigt Rechtsschutzdefizit der Anfechtungsklage und unterliegt deshalb weitgehend den für diese geltenden Regeln. Stets erforderlich bleibt zunächst rechtzeitige Anfechtungsklage (OLG Hamburg AG 2003, 46, 48; Zöllner ZGR 1982, 623, 625 f.). Hinzutreten der positiven Beschlussfeststellungsklage ist nach § 260 ZPO als Klagehäufung zulässig (BGHZ 88, 320, 329 = NJW 1984, 489). Auch Beschlussfeststellungsklage muss innerhalb der **Monatsfrist** des § 246 I erhoben werden; verspätete Klage ist unbegründet (GK-AktG/K. Schmidt Rn. 109). **Widerspruch** zur Niederschrift (§ 245 S. 1 Nr. 1) genügt auch für Feststellungsantrag; dass Aktionär Niederschrift des erstrebten Beschlussergebnisses verlangt, ist nicht erforderlich (BGHZ 76, 191, 200 = NJW 1980, 1465; MüKoAktG/C. Schäfer Rn. 87). Feststellungsinteresse ist nicht erforderlich, da es sich trotz missverständlicher Bezeichnung nicht um Feststellungs-, sondern um Gestaltungsklage handelt (BeckOGK/Vatter Rn. 64; Heer ZIP 2012, 803, 806). Nur isolierter Beschlussfeststellungs-/Anfechtungsklage fehlt Rechtsschutzinteresse, doch hat Prozessgericht insofern nach § 139 I ZPO auf Erweiterung des Antrags hinzuwirken (Drescher FS Stilz, 2014, 125, 127 f.) ZT wird **Rechtsschutzbedürfnis** darüber hinaus bei zu Unrecht abgelehnter Bestellung eines bes. Vertreters nach § 147 II 1 oder 2 verneint, da Ges. insofern spezielles Klagezulassungsverfahren nach § 148 zur Verfügung stelle (Heer ZIP 2012, 803, 806). Das überzeugt nicht, da gerichtl. Feststellung, dass Verfolgung bereits beschlossen wurde, keine weiteren Anforderungen an Kläger stellt, während er bei Klagezulassungsverfahren noch hohe Hürden des § 148 I 2 zu nehmen und den Prozess überdies selbst zu führen hat (zust. Drescher FS Stilz, 2014, 125, 128). Feststellungsurteil entfaltet erweiterte **Rechtskraftwirkung** analog § 248 I 1 (BGHZ 76, 191, 199 f.; GK-AktG/K. Schmidt Rn. 112). Daher ist auch § 246 II und III entspr. anzuwenden. Andere Aktionäre können sich durch **Nebenintervention** (→ Rn. 5 ff.) am Verfahren beteiligen und gegen die Feststellungsklage einredeweise Anfechtungsgründe geltend machen, die sie bei bisheriger Beschlusslage (Ablehnung) nicht vorzubringen brauchten (vgl. BGHZ 76, 191, 201; GK-AktG/K. Schmidt Rn. 108; Emde ZIP 1998, 1475, 1476 f.). Deshalb ist auch analoge Anwendung des § 246 IV geboten; Vorstand muss positive Beschlussfeststellungsklage also unverzüglich (§ 121 I 1 BGB) bekannt machen (BGHZ 76, 191, 200; Hölters/Weber/Englisch Rn. 67). Dass Aktionär neben Voraussetzungen der Nebenintervention auch noch die der Anfechtungsklage erfüllt, etwa Widerspruchserfordernis, ist nicht erforderlich (Heer ZIP 2012, 803, 804 f.). Vorstand ist auch selbst zur Nebenintervention berechtigt (BGHZ 76, 191, 201); → Rn. 5. Abzulehnen ist Möglichkeit (erneuter) Anfech- 43 tungsklage gegen gerichtl. festgestellten Beschluss (Heer ZIP 2012, 803, 804; aA Bauschatz NZG 2002, 317, 319 f.).

Freigabeverfahren

246a (1) [1] **Wird gegen einen Hauptversammlungsbeschluss zur Änderung der Satzung nach § 118a Absatz 1 Satz 1, über eine Maßnahme der Kapitalbeschaffung, der Kapitalherabsetzung (§§ 182 bis 240) oder einen Unternehmensvertrag (§§ 291 bis 307) Klage erhoben, so kann das Gericht auf Antrag der Gesellschaft durch Beschluss feststellen, dass die Erhebung der Klage der Eintragung nicht entgegensteht und Mängel des Hauptversammlungsbeschlusses die Wirkung der Eintragung unberührt lassen.** [2] **Auf das Verfahren sind § 247, die §§ 82, 83 Abs. 1 und § 84 der Zivilprozessordnung sowie die im ersten Rechtszug für das Verfahren vor den Landgerichten geltenden Vorschriften der Zivilprozessordnung entsprechend anzuwenden, soweit nichts Abweichendes bestimmt ist.** [3] **Über den Antrag entscheidet ein Senat des Oberlandesgerichts, in dessen Bezirk die Gesellschaft ihren Sitz hat.**

(2) **Ein Beschluss nach Absatz 1 ergeht, wenn**

1. **die Klage unzulässig oder offensichtlich unbegründet ist,**
2. **der Kläger nicht binnen einer Woche nach Zustellung des Antrags durch Urkunden oder durch einen Nachweis nach § 67c Absatz 3 belegt hat, dass er seit Bekanntmachung der Einberufung einen anteiligen Betrag von mindestens 1 000 Euro hält oder**
3. **das alsbaldige Wirksamwerden des Hauptversammlungsbeschlusses vorrangig erscheint, weil die vom Antragsteller dargelegten wesentlichen Nachteile für die Gesellschaft und ihre Aktionäre nach freier Überzeugung des Gerichts die Nachteile für den Antragsgegner überwiegen, es sei denn, es liegt eine besondere Schwere des Rechtsverstoßes vor.**

(3) [1] **Eine Übertragung auf den Einzelrichter ist ausgeschlossen; einer Güteverhandlung bedarf es nicht.** [2] **In dringenden Fällen kann auf eine mündliche Verhandlung verzichtet werden.** [3] **Die vorgebrachten Tatsachen, auf Grund deren der Beschluss ergehen kann, sind glaubhaft zu machen.** [4] **Der Beschluss ist unanfechtbar.** [5] **Er ist für das Registergericht bindend; die Feststellung der Bestandskraft der Eintragung wirkt für und gegen jedermann.** [6] **Der Beschluss soll spätestens drei Monate nach Antragstellung ergehen; Verzögerungen der Entscheidung sind durch unanfechtbaren Beschluss zu begründen.**

(4) [1] **Erweist sich die Klage als begründet, so ist die Gesellschaft, die den Beschluss erwirkt hat, verpflichtet, dem Antragsgegner den Schaden zu ersetzen, der ihm aus einer auf dem Beschluss beruhenden Eintragung des Hauptversammlungsbeschlusses entstanden ist.** [2] **Nach der Eintragung lassen Mängel des Beschlusses seine Durchführung unberührt; die Beseitigung dieser Wirkung der Eintragung kann auch nicht als Schadensersatz verlangt werden.**

Übersicht

I. Regelungsgegenstand und -zweck

In § 246a geregeltes Freigabeverfahren ist besonderes, den Regeln der ZPO (§ 246a I 2) unterliegendes **Eilverfahren** (BGHZ 168, 48 Rn. 8 = NJW 2006, 2924; RegBegr. BT-Drs. 15/5092, 28). Vorbilder für diese Regelung waren bereits in § 319 VI AktG und § 16 III UmwG enthalten, die allerdings anders als § 246a auf zunächst eintretender Registersperre aufbauen (§ 319 V AktG, § 16 II 2 UmwG), die sodann über Freigabeverfahren überwunden werden kann. Durch UMAG 2005 eingeführter § 246a dehnt dieses Regelungsmodell in modifizierter Form auf andere Strukturmaßnahmen aus, geht dabei aber nicht von ges. Registersperre aus, sondern soll mögliche „faktische Registersperre" (→ § 243 Rn. 53; → § 245 Rn. 23) überwinden. Regelung bezweckt erstens **Durchsetzung der Registereintragung** bei Kapitalmaßnahmen und Unternehmensverträgen und soll zweitens **Bestandsschutz erfolgter Eintragungen** erreichen (§ 246a IV 2). Beide Zielsetzungen sind vor dem Hintergrund des gewerblichen Missbrauchs der Anfechtungsklage zu sehen, dem der Gesetzgeber seit vielen Jahren durch eine Vielzahl von Maßnahmen entgegenzuwirken sucht (ausf. → § 245 Rn. 22 ff.). Druckmittel des missbräuchlich agierenden Aktionärs ist dabei gerade die Registerblockade (→ § 245 Rn. 23), der das Freigabeverfahren entgegenwirken soll. Von den umfassenden Maßnahmekatalogen, mit denen der Gesetzgeber dem Missbrauch entgegengetreten ist (→ § 245 Rn. 22), hat sich § 246a bislang als wirkungsvollstes Instrument erwiesen, das rechtspolitisch aber dennoch weiterhin scharfer Kritik ausgesetzt ist (→ Rn. 2a). § 246a geht zurück auf Vorschlag der Regierungskommission Corporate Governance (Baums, Bericht der Regierungskommission Corporate Governance, 2001, Rn. 153) und auf Empfehlung des 63. DJT (vgl. Sitzungsberichte, Bd. II/1, 2001, O 76 [Nr. 14, 15]), wobei Empfehlung vor allem Vorarbeiten von Marsch-Barner folgt (Sitzungsberichte, Bd. II/1, 2001, O 55, 61 f.). Norm ist durch ARUG 2009 in verschiedener Hinsicht geändert worden. Dabei beruhen die praktisch zentralen Punkte (Eingangszuständigkeit des OLG; kein Rechtsmittel) auf Empfehlungen des Rechtsausschusses (AusschussB BT-Drs. 16/13098, 21 f., 41). 1

Einführung des Freigabeverfahrens war von Beginn an **verfassungsrechtlichen Einwänden** ausgesetzt, und zwar namentl. mit Blick auf Art. 14 I GG und Justizgewährungsanspruch (umfassende Darstellung bei Gehle FS Heidel, 2021, 457 ff. mwN). BVerfG AG 2007, 544, 546 f. hat solchen Einwänden – 2 bezogen auf Parallelregelung in § 319 VI, § 327e II – klare Absage erteilt (Zweifel, ob Voraussetzungen dieser Absage auch weiterhin gegeben sind, allerdings bei Gehle FS Heidel, 2021, 457 ff.). Daraufhin haben sich verfassungsrechtl. Bedenken vornehmlich auf § 246a II Nr. 2 fokussiert, der erst nachträglich eingeführt wurde (→ Rn. 14) und deshalb von BVerfG-Entscheidung nicht erfasst war. Instanzgerichtl. Rspr. hat Verfassungsmäßigkeit allerdings auch insofern wiederholt bestätigt (→ Rn. 20), wodurch in verfassungsrechtl. Diskussion – bei Aufrechterhaltung gegensätzlicher Standpunkte – gewisse Beruhigung eingetreten ist (Gehle FS Heidel, 2021, 457, 458), wenngleich Vorwurf der Verfassungswidrigkeit in der Praxis weiterhin standardmäßig erhoben wird.

2a Weitaus kontroverser wird auch weiterhin **rechtspolitische Debatte** geführt: § 246a ist wesentliches Teilstück einer rechtspolitischen Gesamtkonzeption, die es bei Anfechtungsklage quasi für jedermann belassen, aber nachteilige Auswirkungen unvernünftiger oder gar missbräuchlicher Anfechtungsklagen möglichst ausschließen will (RegBegr. BT-Drs. 15/5092, 28). Misst man die Regelung allein an dem zentralen **Ziel der Missbrauchsbekämpfung,** so kann man ihren Erfolg nicht bestreiten; Anfechtungsklagen sind deutlich zurückgegangen (→ § 245 Rn. 22). Ebenso unbestreitbar ist aber, dass **systematische Konsistenz** des Beschlussmängelrechts unter den Reformen gelitten hat und dass diese Unstimmigkeiten gerade auch auf die Einführung des Freigabeverfahrens zurückzuführen sind (zu Einzelheiten → § 245 Rn. 31). Auch wenn Anfechtungsklage für jedermann vordergründig erhalten worden ist, so ist ihre Bedeutung doch wesentlich zurückgedrängt worden, da gerade bei den bes. wichtigen Strukturbeschlüssen, die in den Anwendungsbereich des § 246a I fallen, zentrale Beschlussfolgen bereits durch die Bestandskraftwirkung des Freigabeverfahrens unanfechtbar zementiert worden sind (vgl. schon LG Wiesbaden AG 1997, 274 f. [zu § 16 III UmwG]: „vorläufig vollstreckbares Todesurteil"). Damit wird **Rechtskontrollfunktion** der Anfechtungsklage (→ § 245 Rn. 3) relativiert (ausf. Kritik → § 245 Rn. 31). Auch wenn das in der Tat bes. dringliche Anliegen, den Missbrauch zurückzudrängen, erreicht ist, und dieser Erfolg in der Sache auch nicht unterschätzt werden sollte, muss doch weiterhin eine umfassende Reform des Beschlussmängelrechts angestrebt werden (→ § 245 Rn. 32 ff.). Bis dahin sollte rechtspolitischen Bedenken dadurch Rechnung getragen werden, dass einzelne Verfahrensvoraussetzungen tendenziell eher aktionärsfreundlich ausgelegt werden (ähnlich mit verstärkender verfassungsrechtl. Argumentation Gehle FS Heidel, 2021, 457, 459 ff.).

II. Feststellung des Gerichts; Verfahrensgrundsätze (§ 246a I)

3 **1. Anwendungsbereich.** Freigabeverfahren setzt voraus, dass HV über Satzungsänderung zur Gestattung virtueller HV (§ 118a I 1; → § 118a Rn. 7 ff.), Maßnahmen der Kapitalbeschaffung oder -herabsetzung (§§ 182–240) oder über Unternehmensvertrag (§§ 291–307; vgl. dazu Richter Konzern 2021, 89 ff.; sa noch → Rn. 11) beschlossen hat. Erstgenannte **Satzungsänderung** ist erst mit VHVG 2022 neu eingefügt worden, um originäre Einführung des virtuellen Formats nicht mit mehrjähriger Unsicherheit zu belasten (RegBegr. BT-Drs. 20/1738, 38). Von an zweiter Stelle genannten **Kapitalmaßnahmen** werden auch erfasst: Ausgabe von Wandel- oder Optionsanleihen (OLG Frankfurt AG 2018, 542, 543), Kapitalherabsetzung durch Einziehung von Aktien (§ 237; OLG München NZG 2015, 1027, 1028 Rn. 29) oder Ermächtigung des Vorstands zum Bezugsrechtsausschluss (OLG Nürnberg NZG 2018, 500 Rn. 32 f.). Analoge Anwendung wird weiterhin angeordnet in § 20 III 4 SchVG auf Beschlüsse der Gläubigerversammlung bei Schuldverschreibungen, die entweder nach dem 5.8.2005 ausgegeben wurden oder bei denen Gläubiger entspr. Änderungen der

Anleihebedingungen beschlossen haben (vgl. dazu OLG Frankfurt AG 2012, 373, 374; OLG Karlsruhe ZIP 2015, 2116 ff.). Für Eingliederung ist spezielle Regelung des § 319 VI vorrangig, auf die § 327e II für Squeeze-Out verweist. Dasselbe gilt für Maßnahmen nach UmwG gem. § 16 III UmwG. Auf andere Beschlüsse ist § 246a weder unmittelbar noch sinngem. anwendbar, auch nicht bei Eintragungsbedürftigkeit. ZB kann Freigabe eines Fortsetzungsbeschlusses gem. § 274 I nicht im Verfahren des § 246a begehrt werden (LG München I AG 2008, 340, 341). Auch Sachzusammenhang mit freigabefähigem Beschluss (zB Kapitalerhöhung und Neustückelung) genügt nicht (KK-AktG/Noack/Zetzsche Rn. 22 f.). Beschränkung des Freigabeverfahrens auf enumerativ angeführte Strukturmaßnahmen ist im Hinblick auf den damit möglicherweise verbundenen schweren Eingriff in Aktionärsrechte (→ Rn. 2 f.) nachvollziehbar, zumal Erpressungspotenzial hier deutlich höher sein dürfte. Dennoch ist nicht zu verkennen, dass damit missbräuchlichen Aktionärsklagen weiterhin zahlreiche Betätigungsfelder verbleiben; so haben in jüngerer Vergangenheit Klagen gegen **Aufsichtsratswahlen** zugenommen, nachdem BGH die Anwendung der Lehre vom fehlerhaften Organ verworfen und damit Tragweite der Anfechtung wesentlich ausgedehnt hat (→ § 101 Rn. 20). Nicht möglich ist auch wertungsmäßige Übertragung von Teilelementen des Freigabeverfahrens auf Sachverhalte, für die es nicht eröffnet ist. Schließlich kommt wegen rechtstatsächlicher Unterschiede zwischen AG und GmbH nicht in Betracht, Freigabeverfahren für kapitalwirksame Beschlüsse der Gesellschafterversammlung einer **GmbH** durch Analogie zu § 246a zu eröffnen (KG NZG 2011, 1068 f.; Noack/Servatius/Haas/Noack GmbHG § 54 Rn. 28; Henssler/Strohn/Drescher Rn. 3; Fehrenbach, Der fehlerhafte Gesellschafterbeschluss in der GmbH, 2011, 375 ff.; Fleischer DB 2011, 2132, 2133 ff.; aA Bayer/Lieder NZG 2011, 1170, 1171 ff.; Harbarth GmbHR 2005, 966, 969). Umstr. ist, ob Freigabeverfahren auf **Sonderbeschlüsse iSd § 138** Anwendung findet, sofern diese für Wirksamkeit der Strukturmaßnahme maßgeblich sind (ausf. Fleischer FS Heidinger, 2023, 107 ff.). Frage wird insbes. in instanzgerichtl. Rspr. zu Parallelvorschrift im Umwandlungsrecht (§ 16 III UmwG) verneint (OLG Frankfurt v. 2.12.2010 – 5 Sch 3/10, juris-Rn. 20 f. = BeckRS 2011, 16034 [insofern nicht in NZG 2012, 351]; sa OLG Düsseldorf AG 2017, 900, 901; sa noch → 17. Aufl. 2023, Rn. 3; iE auch Meul/Ritter AG 2017, 841, 842 ff. mit rechtspolit. Kritik). HLit dehnt Anwendungsbereich dagegen aus und lässt Freigabeverfahren auch bei Anfechtung flankierender Sonderbeschlüsse zu (KK-AktG/Noack/Zetzsche Rn. 21; KK-AktG/J. Vetter § 141 Rn. 188; MüKoAktG/Schäfer Rn. 6; ausf. zu Sonderbeschlüssen nach § 182 II Fleischer, FS Heidinger 2023, 107, 114 ff.). Hiergegen lässt sich zwar enger Wortlaut des § 246a I (HV-Beschluss) vorbringen, doch sprechen vorzugswürdige teleologische Erwägungen und enge rechtl. Verknüpfung zwischen Hauptversammlungs- und Sonderbeschluss iE für Anwendung des Freigabeverfahrens (Fleischer FS Heidinger 2023, 107, 116 ff.; KK-AktG/Noack/Zetzsche Rn. 21; sa BGH NZG 2007, 714 Ls. 3, der Freigabeverfahren nach § 16 III UmwG auf Kapitalerhöhungsbeschluss als „Annexbeschluss" ausgedehnt hat; daran anknüpfend für Einbeziehung von Sonderbeschlüssen iRd § 16 III UmwG Marsch-Barner Liber Amicorum M. Winter, 2011, 467, 485 f.).

Bereits erfolgte Eintragung hindert Freigabeverfahren des § 246a nicht 4
(OLG Celle AG 2008, 217 f.; OLG Düsseldorf AG 2009, 538, 539; OLG Frankfurt AG 2008, 667, 668; KG AG 2009, 30, 31; OLG München AG 2010, 715, 716; OLG Nürnberg NZG 2018, 500 Rn. 35 f.; RegBegr. BT-Drs. 15/5092, 27; DAV-HRA NZG 2005, 388, 393; aA noch LG Hannover ZIP 2007, 2218, 2219 [Vorinstanz zu OLG Celle AG 2008, 217]). Es kommt also nur auf Eintragungsbedürftigkeit an, nicht darauf, dass Registereintragung noch durchgesetzt werden muss. Nach erfolgter Eintragung geht es zwar nicht mehr darum, Ent-

scheidungsspielraum des Registergerichts (§§ 21, 381 FamFG) zu beseitigen. Zusätzlich bezweckter **Bestandsschutz** kann aber nur erreicht werden, wenn Freigabeverfahren auch noch nach Eintragung zu Gebote steht. Erst recht kann Verfahren noch stattfinden, wenn nur Beschluss über Erhöhung des Grundkapitals eingetragen ist (§ 184), während Eintragung der Durchführung (§§ 188, 189) noch aussteht (LG München I BB 2006, 459).

5 Vorausgesetzte Klage **gegen Beschluss der HV** ist in erster Linie Anfechtungsklage. Das folgt aus Zweck des Freigabeverfahrens (→ Rn. 1) und aus systematischem Zusammenhang von § 246 und § 246a. Weil § 249 I 1 auf § 246a verweist, kann jedoch auch Nichtigkeitsklage ein Freigabeverfahren nach sich ziehen (Enders/Ruttmann ZIP 2010, 2280, 2281; Florstedt AG 2009, 465, 471), was auch bei nachgeschobenen Nichtigkeitsklagen (→ § 249 Rn. 14) von Bedeutung ist. Freigabeverfahren ist auch eröffnet, wenn Aktionäre auf Feststellung (§ 256 ZPO) der Unwirksamkeit von HV-Beschlüssen klagen (ebenso BeckOGK/Vatter Rn. 8). Dafür sprechen insoweit offener Wortlaut des § 246a, die Häufigkeit von Fällen, in denen Feststellung angeblicher Unwirksamkeit hilfsweise begehrt wird, und vor allem Zweck des Freigabeverfahrens; denn zu Eintragungsverzögerungen und anhaltenden Unsicherheiten über Belastbarkeit der Beschlussgrundlagen kann es auch kommen, wenn Unwirksamkeit klageweise behauptet wird. Schließlich muss Klage erhoben sein, und zwar gegen den Beschluss, dessen Freigabe begehrt wird (OLG Frankfurt AG 2010, 596). Erhoben ist sie jedenfalls bei Eintritt der **Rechtshängigkeit** durch Zustellung der Klageschrift gem. § 253 I ZPO (BeckOGK/Vatter Rn. 15). Str. ist, ob bloße Anhängigkeit genügt, um Freigabeverfahren einzuleiten (dafür KK-AktG/Noack/Zetzsche Rn. 139; NK-AktR/Schatz Rn. 10; aA BeckOGK/Vatter Rn. 15; S/L/Schwab Rn. 37). Statt Einheitslösung ist danach zu unterscheiden, ob Zustellung bei Entscheidung über den Antrag erfolgt ist oder nicht. Im ersten Fall ist Antragsbefugnis nachträglich entstanden, was für effizienten Rechtsschutz im Eilverfahren (→ Rn. 1) ausreichen muss. Im zweiten Fall ist Antrag dagegen zurückzuweisen, weil Voraussetzungen des § 246a I 1 auch im Entscheidungszeitpunkt nicht vorliegen. Nicht genügend ist jedenfalls vorsorglicher Freigabeantrag, etwa in Form einer Schutzschrift (KK-AktG/Noack/Zetzsche Rn. 142). De lege ferenda dürfte es sinnvoll sein, Freigabeverfahren schon bei bloßer Anhängigkeit zu eröffnen (Stohlmeier NZG 2010, 1011, 1012).

6 **2. Antragserfordernis.** Freigabeverfahren findet nur auf Antrag statt (§ 246a I 1). Bei Antragstellung wird AG gem. § 78 **nur durch ihren Vorstand** vertreten. Doppelvertretung durch Vorstand und AR nach Vorbild des § 246 II 2 ist weder angeordnet noch passend, weil Vorstand dem Beschluss gerade zur Wirksamkeit verhelfen will (→ § 246 Rn. 30; wie hier OLG Brandenburg BeckRS 2023, 26120 Rn. 44; OLG Bremen AG 2009, 412, 413; OLG Düsseldorf AG 2019, 467, 468; OLG Frankfurt AG 2012, 414; OLG Hamm AG 2005, 773, 774; KG AG 2021, 597, 598; OLG München BeckRS 2015, 10821 Rn. 30 f. [insofern nicht in NZG 2015, 1027]; OLG München AG 2021, 1594 Rn. 49; BeckOGK/Vatter Rn. 12; Henssler/Strohn/Drescher Rn. 13; KK-AktG/Noack/Zetzsche Rn. 144; aA OLG Düsseldorf NZG 2004, 328; OLG Köln NZG 2018, 459 Rn. 19; LG München I AG 2008, 340, 341 f.; Ihrig/Stadtmüller FS E. Vetter, 2019, 271, 276 f.). Antrag ist gegen sämtliche Anfechtungskläger zu richten (OLG Jena AG 2007, 31, 32). Etwa vorhandene **Nebenintervenienten** des Anfechtungsprozesses müssen dagegen mangels notwendiger Streitgenossenschaft nicht auch in Freigabeverfahren einbezogen werden (OLG Brandenburg BeckRS 2023, 26120 Rn. 42; OLG Düsseldorf AG 2005, 654; OLG Frankfurt AG 2008, 667, 668 f.; OLG Jena AG 2007, 31, 32; KG AG 2021, 597, 598; OLG Stuttgart AG 2005, 662, 663; K. Schmidt FG Happ, 2006, 259,

268 ff.; aA S/L/Schwab Rn. 40; zur Möglichkeit eines freiwilligen Beitritts → Rn. 9a). Rücknahme des Antrags ist jederzeit, also auch nach mündlicher Verhandlung, ohne Einwilligung des Gegners möglich (OLG Frankfurt NZG 2020, 832 Rn. 4 ff.).

3. Gerichtliche Entscheidung. a) Beschluss. Nach § 246a I 1 entscheidet Gericht durch Beschluss über den Freigabeantrag. Norm spricht das zwar nur für den Fall aus, dass Freigabeantrag Erfolg hat, doch ist Beschluss auch bei Zurückweisung des Antrags richtige Entscheidungsform. Dabei sollte es auch dann verbleiben, wenn in der Hauptsache zeitnah zugunsten des Klägers entschieden wird und Zurückweisung des Freigabeantrags deshalb auch im Urteil erfolgen könnte. Möglich ist jedoch, in den Gründen des Beschlusses abkürzend auf den Inhalt des den Parteien bekannten Urteils Bezug zu nehmen und diesen nur noch um Ausführungen zur Abwägungsklausel (§ 246a II Nr. 3) zu ergänzen. IRd Freigabeverfahrens ist auch bei unionsrechtl. Zweifelsfragen **kein Vorabentscheidungsverfahren** nach Art. 267 AEUV durchzuführen, da es einer solchen Vorlage iRe summarischen und eilbedürftigen Verfahrens nicht bedarf (OLG München NZG 2023, 512 Rn. 62 ff. mwN). 7

b) Feststellungsinhalt. Wenn Freigabeverfahren zur Verfügung steht (→ Rn. 3 ff.) und auch Voraussetzungen des § 246a II erfüllt sind, stellt Gericht in seinem Beschluss (→ Rn. 7) fest, dass die Klageerhebung der Eintragung des angegriffenen Beschlusses nicht entgegensteht und (etwa gegebene) Mängel des Beschlusses die Wirkung seiner Eintragung unberührt lassen. In diesen Vorgaben zum Beschlusstenor geht § 246a I vom Standardfall aus, dass AG an beiden Feststellungen ein Interesse hat und daher auch der Antrag auf beide gerichtet ist. Daran fehlt es beim **nachträglichen Freigabeverfahren** (→ Rn. 4). In diesem Fall ist Feststellung des Gerichts entspr. zu beschränken. Der Umkehrfall dürfte von nur theoretischer Bedeutung sein. Es bestehen jedoch im ZPO-Verfahren (§ 246a I 2) keine grds. Bedenken gegen eine auf Registereintragung beschränkte Feststellung, wenn sich auch nach Auslegung des Gesellschaftsantrags ergibt, dass Weiteres nicht begehrt wird, und auch für isolierte Feststellung ein Rechtsschutzinteresse besteht. 8

4. Verfahrensgrundsätze. a) Anwendbare Vorschriften. Norm spricht Verfahrensfragen in § 246a I 2, 3 und (wenig systematisch) in § 246a III an. § 247 (Regelstreitwert; Streitwertspaltung), § 82 ZPO, § 83 I ZPO, § 84 ZPO sowie die im ersten Rechtszug für das Verfahren vor den Landgerichten geltenden Vorschriften der ZPO sind entspr. anzuwenden, sofern nichts Abweichendes bestimmt ist (§ 246a I 2). Explizite Nennung der §§ 82 ff. ZPO war erforderlich, da Freigabeverfahren vom Wortlaut des § 82 ZPO nicht erfasst ist (RegBegr. BT-Drs. 16/11642, 41), lässt gerade deshalb aber auch keinen Rückschluss auf Unanwendbarkeit anderer Vorschriften zu. Auch Anerkenntnis gem. § 307 S. 1 ZPO ist demnach im Freigabeverfahren möglich (KG NZG 2021, 874 Rn. 8 ff.). Anwendung des **§ 247** ist nach Übergang zur Wertgebühr durch ARUG 2009 sachgerecht, weil Regelungsziele der Norm auch im Eilverfahren beachtlich sind; bloßer Ansatz eines Bruchteils des Streitwerts würde dem nicht gerecht (OLG Düsseldorf AG 2019, 770, 771). Missbrauch wird durch Regelung aber nur bedingt verhindert, da unangemessener Kostenersatz zumeist nicht auf Streitwertbemessung gestützt wird, sondern auf höheren Vergleichswert (Schatz, Der Missbrauch der Anfechtungsbefugnis, 2012, 178 f.). Sinngem. Anwendung des § 82 ZPO, die durch § 83 I ZPO, § 84 ZPO abgesichert wird, soll Verzögerungen des Freigabeverfahrens entgegenwirken. Namentl. kann Freigabeantrag dem Prozessbevollmächtigten der Anfechtungsklage zugestellt werden (RegBegr. BT-Drs. 16/11642, 40), was Verzögerungen durch Angabe einer ausländischen Zustell- 9 adresse vermeidet (s. dazu auch § 246 III 5; → § 246 Rn. 38a). Damit wird entspr. Versuchen begegnet, Verfahren durch Angabe ausländischer Zustelladressen und gleichzeitige Beschränkung der Prozessvollmacht des anwaltlichen Vertreters in die Länge zu ziehen (Noack NZG 2008, 441, 446). Auch **Aussetzung** nach § 148 I ZPO kommt grds. nicht in Betracht, weil sie mit bes. Eilcharakter des Verfahrens nicht vereinbar ist; das gilt jedenfalls dann, wenn Freigabeverfahren zügig abgeschlossen werden kann, etwa weil Mindestanteilsbesitz erkennbar nicht gegeben ist (OLG Köln AG 2021, 686, 687).

9a Nach hM können Aktionäre auch im Freigabeverfahren als **Nebenintervenienten** beitreten (KG AG 2021, 597, 598; KK-AktG/Noack/Zetzsche Rn. 148; S/L/Schwab Rn. 40; Backhaus, Die Beteiligung Dritter bei aktienrechtlichen Rechtsbehelfen, 2009, 106 ff.; Bayer FS Maier-Reimer, 2010, 1, 11 f.; Verse FS Stilz, 2014, 651, 670 f.). Das ist mit Blick auf den Eilcharakter des Verfahrens (→ Rn. 1) keinesfalls selbstverständlich, zumal §§ 66 f. ZPO anders als § 82, § 83 I, § 84 ZPO in § 246a I 2 gerade nicht erwähnt werden (abl. deshalb OLG Bremen 16.8.2012 – 2 U 51/12 juris-Rn. 61 ff. [insofern nicht in ZIP 2013, 460]; Waclawik WM 2004, 1361, 1362 f.). Dennoch ist hM zuzustimmen. Aus expliziter Nennung nur der § 82, § 83 I, § 84 ZPO kann kein Rückschluss auf Unanwendbarkeit der §§ 66 f. ZPO gezogen werden (→ Rn. 9). Bzgl. entgegenstehender **Eilbedürftigkeit** wird zutr. angeführt, dass Nebenintervention auch bei Arrest und einstweiliger Verfügung nach §§ 916 ff. ZPO möglich sei; Freigabeverfahren sei diesen Vorschriften nachempfunden, was für übereinstimmende Behandlung spreche (Backhaus, Die Beteiligung Dritter bei aktienrechtlichen Rechtsbehelfen, 2009, 107). Bedürfnis nach entspr. Rechtsschutzmöglichkeit ist vor dem Hintergrund der inter omnes-Wirkung des Freigabebeschlusses nachvollziehbar (S/L/Schwab Rn. 40; K. Schmidt FG Happ, 2005, 259, 270 f.). Folgefrage, ob auch Nebenintervenienten **Quorum des § 246a II Nr. 2** (→ Rn. 19 ff.) erreichen müssen, wird von hM verneint (KG AG 2021, 597, 598; Henssler/Strohn/Drescher Rn. 14; KK-AktG/Noack/Zetzsche Rn. 79; NK-AktR/Schatz Rn. 37; S/L/Schwab Rn. 40), was aber nicht überzeugt, da nicht einzusehen ist, warum sie besser stehen sollen als Anfechtungskläger, die diese Schwelle nicht überschreiten (Verse FS Stilz, 2014, 651, 670 f.). Zweck des Quorums ist es, das Freigabeverfahren von geringfügig beteiligten Aktionären freizuhalten. Dieser Zweck würde verfehlt, wenn sich Quorum nicht auch auf Nebenintervenienten beziehen würde (Verse FS Stilz, 2014, 651, 671; sa Hölters/Weber/Englisch Rn. 31, der auf Bedürfnis nach Verfahrensbeschleunigung verweist).

10 **b) Eingangszuständigkeit des OLG.** Zuständigkeit liegt nicht mehr wie früher beim Prozessgericht der Anfechtungsklage, sondern bei einem **Senat des OLG,** in dessen Bezirk AG ihren Sitz hat (§ 246a I 3). Regelung geht auf Initiative des Rechtsausschusses zurück und soll vor allem Verfahrensdauer (dazu § 246a III 6) abkürzen (AusschussB BT-Drs. 16/13098, 41). Zuständigkeit des OLG ist verfassungsgem. (KG ZIP 2010, 180 f. zur Eingliederung; Wilsing/Saß DB 2011, 919, 920) und auch der Sache nach zu begrüßen (→ Rn. 2a; Stohlmeier NZG 2010, 1011 f.; Verse NZG 2009, 1127, 1128; eher skeptisch Florstedt AG 2009, 465, 468 f.) und sollte zum Anlass genommen werden, auch für Anfechtungsklagen als Verfahren der Hauptsache die Eingangszuständigkeit des OLG zu begründen. Beschluss des OLG ist unanfechtbar (§ 246a III 4), was der Regelung des § 542 II ZPO für andere Eilverfahren entspr. Entscheidungsfrist von einmal drei Monaten (§ 246a III 6) kann also nicht durch Einlegung eines Rechtsmittels verlängert werden.

11 **5. Wirkungen der Freigabeentscheidung.** Wenn OLG die Feststellungen des § 246a I getroffen hat (→ Rn. 8), ist Registergericht durch die Feststellung gebunden, dass trotz der Klageerhebung kein Eintragungshindernis besteht

(§ 246a III 5 Hs. 1). Bindung bedeutet, dass seine Aussetzungsbefugnis (§§ 21, 381 FamFG) endet. Sog **faktische Registersperre** (→ § 243 Rn. 53; → § 245 Rn. 23) wird also **durchbrochen.** Ebenso erlangt Feststellung der Bestandskraft Wirksamkeit (§ 246a III 5 Hs. 2). **Bestandskraft** heißt, dass Wirksamkeit der klageweise angegriffenen Kapitalmaßnahme oder des Unternehmensvertrags auch dann erhalten bleibt, wenn gegen den Beschluss gerichtete Klage später erfolgreich sein sollte (deutlich OLG Celle AG 2008, 217 f.; OLG Frankfurt AG 2018, 542, 543; Büchel FG Happ, 2006, 1, 5 ff.); namentl. treten die Wirkungen des § 248 nicht ein (J. Koch ZGR 2006, 769, 798; aA Tielmann WM 2007, 1686, 1693). Noch nicht abschließend geklärt ist, ob Bestandskraft auch für Beschluss der Obergesellschaft zum Unternehmensvertrag nach § 293 II über Freigabeverfahren herbeigeführt werden kann, obwohl dieser Beschluss nicht eintragungsbedürftig ist (→ § 294 Rn. 1). Dagegen spricht auf den ersten Blick, dass Gesetzgeber Freigabeverfahren an registergerichtl. Eintragungsverfahren knüpft. Dennoch sollte Anwendbarkeit bejaht werden, um gesetzgeberischem Willen, Unternehmensverträge von Anfechtungsrisiken weitgehend zu entlasten und Bestandskraft herbeizuführen, umfassend Rechnung zu tragen (überzeugend Richter Konzern 2021, 89, 91 ff.; sa OLG Hamburg AG 2010, 251; KG AG 2011, 170; B/K/L/Göz Rn. 2; KK-AktG/Noack/Zetzsche Rn. 35). Weiterhin ist mit Bestandskraft auch Amtslöschung nach § 242 II 2 ausgeschlossen. Das gilt jedoch nur in den sachlichen Grenzen der Freigabeentscheidung. Andere als im Freigabeverfahren geprüfte Mängel können also, soweit sie nicht gem. § 246 I verfristet sind, noch zur Rückabwicklung führen (DAV-HRA NZG 2005, 388, 393; KK-AktG/Noack/Zetzsche Rn. 189).

Im Einzelnen folgt aus Bestandskraft: Durchgeführte Kapitalmaßnahmen bedürfen **keiner Rückabwicklung.** Bei Beherrschungsverträgen kommt es mit Nichtigerklärung des einen oder des anderen Zustimmungsbeschlusses (§ 293) nicht zur rückwirkenden Geltung der §§ 311 ff. Vielmehr verbleibt es bei zum **Vertragskonzern** geltenden Vorschriften, bes. der §§ 300 ff., 304, 308. Ergänzende Regelung zur Bestandskraft ist in § 242 II 5 enthalten. Danach hat Eintragung des Anfechtungsurteils abw. von § 248 I 3 zu unterbleiben, wenn Freigabeentscheidung ausspricht, dass Beschlussmängel die Wirkung der Eintragung unberührt lassen (→ § 242 Rn. 8a). 12

6. Insbesondere: Bestätigung und Freigabeverfahren. Bestätigungsbeschluss gem. § 244 bleibt neben Antrag auf Freigabe möglich. Er kann als vorsorgliche Maßnahme vorab gefasst werden, kann aber auch nach einem Freigabeantrag noch sinnvoll sein (S/L/Schwab Rn. 28; Ihrig/Erwin BB 2005, 1973, 1977 f.). Etwaige Verfahrensfehler verlieren ihre Bedeutung, wenn Bestätigungsbeschluss zustande kommt und Ausgangsbeschluss dadurch unangreifbar wird oder Gericht des Freigabeverfahrens die Überzeugung gewinnt, dass jedenfalls nach Bestätigung kein Beschlussmangel mehr gegeben ist (OLG Frankfurt NZG 2008, 78, 79; OLG München AG 2013, 173, 174 f.; S/L/Schwab Rn. 17; aA Bozenhardt FS Mailänder, 2006, 301, 312 f.). Insbes. wird Anfechtungsklage offensichtlich unbegründet iSd § 246a II Nr. 1, wenn angeblicher Klagegrund infolge Bestätigung weggefallen ist. Wird Bestätigungsbeschluss erst **nach erfolglosem Freigabeverfahren** gefasst, begründet Beschluss neuen Lebenssachverhalt, so dass zweites Freigabeverfahren möglich und nicht von materieller Rechtskraft des ersten Verfahrens gesperrt ist (OLG Frankfurt AG 2008, 167, 168; OLG Köln AG 2021, 686, 688; OLG München AG 2013, 173, 174; Rieckers BB 2008, 514 ff.). Antragsteller kann dann auch neue Tatsachen zur Substanziierung wirtschaftlicher Nachteile (→ Rn. 21 f.) geltend machen, allerdings nur, wenn diese maßgeblich erst nach dem ersten Beschluss entstanden sind (OLG München AG 2013, 173, 177). 13

III. Beschlussvoraussetzungen (§ 246a II)

14 **1. Allgemeines.** Gericht trifft dem Freigabeantrag entspr. Feststellung, wenn einer der drei in § 246a II normierten Fälle vorliegt: keine Erfolgsaussicht (Nr. 1); Verfehlung des Mindestbesitzes (Nr. 2); vorrangiges Vollzugsinteresse der AG (Nr. 3). § 246a II Nr. 2 ist sachlich neu und durch **ARUG 2009** eingeführt worden. Auf ARUG beruht auch § 246a II Nr. 3. Ähnliche Vorschriften enthalten § 319 VI 3, § 327e II, § 16 III 2 UmwG. Erfolg des Freigabeantrags ist gem. § 246a II nicht davon abhängig, dass Registergericht die Eintragung gem. § 21 I FamFG, § 381 FamFG ausgesetzt hat. Das wäre auch nicht sachgerecht, weil Freigabeverfahren zur **Sicherung der Bestandskraft** der Eintragung danach ohne Basis bliebe (KK-AktG/Noack/Zetzsche Rn. 199). Sofern Freigabevoraussetzungen vorliegen, hat Gericht Freigabe zwingend anzuordnen; es besteht insofern **kein Ermessen** des Gerichts (OLG Köln AG 2021, 686, 690 mw Ausführungen zu allfälligen Standardeinwänden der Verwirkung und des Rechtsmissbrauchs von Seiten der AG auf S. 688).

15 **2. Unzulässige oder offensichtlich unbegründete Klage.** Nach § 246a II Nr. 1 wird dem Freigabeantrag zunächst dann entsprochen, wenn gegen HV-Beschluss gerichtete Klage unzulässig ist, also Voraussetzungen für ein Sachurteil nicht vorliegen oder Prozesshindernisse bestehen, auf die sich beklagte AG berufen hat. Anders als Begründetheit, bei der es auf Offensichtlichkeit ankommt, ist **Zulässigkeit umfassend zu prüfen** (LG Darmstadt AG 2006, 127, 128). Unzulässig ist Klage danach zB, wenn Anfechtungskläger nicht parteifähig ist (dazu Riegger FS Bechtold, 2006, 375, 377 ff.) oder wenn Anfechtungsklage ggü. einem anderen Verfahren subsidiär ist (§ 243 III 1 Nr. 5 oder IV 2). In diesem Fall ist allerdings auch Hauptsacheverfahren idR entscheidungsreif, so dass Freigabeverfahren daneben zumeist nur insofern Bedeutung zukommt, als Klageabweisung rechtsmittelfähig ist und daraus entstehende Verzögerungen über § 246a vermieden werden können (Emmerich/Habersack/Habersack § 319 Rn. 34). Sofern Mangel behebbar ist, muss Gericht entspr. Hinweis nach § 139 III ZPO geben (Henssler/Strohn/Drescher Rn. 4). Rechtsmissbrauch führt nicht zur Unzulässigkeit, sondern zur Unbegründetheit der Klage (→ § 245 Rn. 30). Einzelaufzählung möglicher Unzulässigkeitsfälle bei Satzl, Freigabe von Gesellschafterbeschlüssen, 2011, 187 ff.

16 Nach heute ganz hM ist Klage dann offensichtlich unbegründet, wenn **Sach- und Rechtslage eindeutig** und andere Beurteilung daher unvertretbar ist (OLG Düsseldorf NZG 2004, 328, 329; AG 2017, 900, 902; AG 2019, 467, 469; OLG Frankfurt AG 2008, 667, 670; OLG Hamburg AG 2012, 639, 640; OLG Jena AG 2007, 31, 32; OLG Karlsruhe ZIP 2007, 270, 271; KG AG 2009, 30, 32; OLG Köln AG 2004, 39; OLG München AG 2013, 173, 174; NZG 2023, 512 Rn. 53; OLG Nürnberg NZG 2018, 500 Rn. 44; OLG Rostock AG 2013, 768, 769; OLG Stuttgart AG 2015, 163, 164; RegBegr. BT-Drs. 15/5092, 29; DAV-HRA NZG 2005, 388, 393). Nicht durchgesetzt hat sich damit früher vertretene Gegenmeinung, wonach im summarischen Verfahren nur kursorische Prüfung statthaft und Klage dann offensichtlich unbegründet sei, wenn sich ihre Abweisungsreife nach solcher kursorischen Prüfung zeige (vgl. etwa OLG Stuttgart AG 1997, 138, 139; LG Duisburg NZG 1999, 564 f.; LG Freiburg AG 1998, 536, 537; LG Hanau AG 1996, 90, 91; S/L/Schwab Rn. 3). HM ist zuzustimmen. Nur kursorische Prüfung verfehlt ges. Prüfungsauftrag des Gerichts, und zwar auch im summarischen Verfahren (OLG München NZG 2023, 512 Rn. 53). Rechtl. Prüfung ist also durchzuführen und nicht beim Auftreten von Schwierigkeiten oder str. Beurteilung zu Lasten des Antragstellers abzubrechen. Nur wenn

auch nach Durchdringung des Streitstoffs Erfolg und Abweisung der Klage als vertretbar erscheinen, ist sie nicht schon aus Rechtsgründen offensichtlich unbegründet (OLG Frankfurt ZIP 2000, 1928, 1930 ff.; LG München I AG 2000, 87, 88; beide zu Mängeln eines Verschmelzungsberichts). Leichte Erkennbarkeit des Fehlens hinreichender Klagegründe ist danach nur bes. deutlicher, aber nicht einziger Anwendungsfall des § 246a II Nr. 1.

Einzelfragen. Leichte Erkennbarkeit ist gegeben, wenn entscheidungserhebliche Rechtsfrage vom BGH schon gegen Kläger entschieden worden ist (BGHZ 168, 48 Rn. 13 = NJW 2006, 2924; OLG Hamburg AG 2012, 639, 640). Umkehrung, wonach leichte Erkennbarkeit ohne Entscheidung des Revisionsgerichts nicht gegeben wäre, könnte allerdings nicht überzeugen (OLG Düsseldorf AG 2019, 467, 469; OLG Hamburg AG 2012, 639, 640; OLG Karlsruhe ZIP 2007, 270, 271 f.; KK-AktG/Noack/Zetzsche Rn. 50; aA S/L/Schwab Rn. 3; Sosnitza NZG 1999, 965, 970; wohl auch LG Landshut AG 2005, 934, 935). So wenig wie höchstrichterliche Vorklärung ist für klares Scheitern der Klage zu verlangen, dass sich dieses aus einer (scheinbar) wertungsfreien Subsumtion ergibt (Riegger FS Bechtold, 2006, 375, 381; aA LG Darmstadt AG 2006, 127, 130). Eindeutigkeit der Sach- und Rechtslage scheitert nicht schon daran, dass auch andere Standpunkte vertreten werden; es genügt vielmehr, wenn Rechtsfragen aus Sicht des Gerichts eindeutig zu beantworten sind (OLG Düsseldorf AG 2019, 467, 469; OLG Hamburg AG 2021, 568, 569; OLG Nürnberg NZG 2018, 500 Rn. 44; OLG Stuttgart AG 2015, 163, 164; noch großzügiger wohl Henssler/Strohn/Drescher Rn. 5: Offensichtlichkeit bezieht sich ausschließlich auf Sachverhalt). Bei Prüfung leichter Erkennbarkeit kann auch auf Rspr. zu § 247 II zurückgegriffen werden. Gründe, nach denen Antrag auf Streitwertspaltung wegen Aussichtslosigkeit, Mutwilligkeit oder Missbräuchlichkeit der Prozessführung zurückzuweisen ist (vgl. zB BGH AG 1992, 59; OLG Hamm AG 1993, 470), führen auch zur Anwendung des § 246a II Nr. 1. Bestätigung des Beschlusses gem. § 244 kann bewirken, dass sich Anfechtungsklage nachträglich als offensichtlich unbegründet erweist (→ Rn. 13). Bewertungsrügen können idR nicht mit Verweis auf offensichtliche Unbegründetheit überwunden werden (OLG München Konzern 2014, 108, 109 f.; Decher FS Seibert, 2019, 199, 204 ff.), wohl aber ggf. mittels Interessenabwägung nach § 246a II Nr. 3 (→ Rn. 21). 17

Während Rechtsfragen, die sich aufgrund der gegen den Beschluss gerichteten Klage ergeben, voll durchzuprüfen sind, trifft das für **Tatsachenstoff** nicht zu. Insbes. ist Beweiserhebung nicht erforderlich (KG AG 2021, 597, 699 f.); vielmehr genügt nach § 246a III 2 **Glaubhaftmachung** durch die AG (OLG Düsseldorf AG 2009, 538, 540: eidesstattliche Versicherung; sa Henssler/Strohn/Drescher Rn. 5; KK-AktG/Noack/Zetzsche Rn. 52; aA S/L/Schwab Rn. 44). Dafür genügt es, wenn Klage bei Würdigung der vorgelegten Beweise mit eindeutig überwiegender Wahrscheinlichkeit keinen Erfolg haben wird (KG AG 2021, 597, 601 f.; OLG Stuttgart AG 2015, 163; Henssler/Strohn/Drescher Rn. 5). Klage ist aber auch ohne Glaubhaftmachung offensichtlich unbegründet, wenn Missbrauch mit **geringem Ermittlungsaufwand** feststellbar ist oder nach den Feststellungen, die schon in anderen Verfahren getroffen worden sind, zuverlässig mit Händen greifbar erscheint (BGHZ 112, 9, 24 = NJW 1990, 2747). Geringer Ermittlungsaufwand ist etwa anzunehmen, wenn Einsichtnahme in schriftliche Unterlagen genügt oder die Beteiligten bei ohnehin durchgeführter mündlicher Verhandlung angehört werden oder wenn präsente Zeugen zu einfachen tats. Vorgängen vernommen werden. 18

3. Kein fristgerechter Nachweis hinreichenden Anteilsbesitzes. Gem. § 246a II Nr. 2 führt Freigabeantrag auch dann zum Erfolg, wenn Kläger nicht 19 binnen einer Woche seit Zustellung des Antrags durch Urkunden oder Nachw. gem. § 67c III (→ § 67c Rn. 6 ff.) belegt, dass er seit Bek. der Einberufung der HV Aktien im anteiligen Betrag von mindestens 1.000 Euro hält. Sind Voraussetzungen erfüllt, ergeht Entscheidung ohne jede Prüfung der Rechtslage (KG NZG 2015, 1312, 1313), was bedenklich erscheint, aber dadurch abgemindert wird, dass in diesem Fall (keine Sachprüfung) noch Prüfung durch Registergericht nach den Maßstäben, die auch ohne Klage nach Ablauf der Anfechtungsfrist gelten (→ § 243 Rn. 56), zu erfolgen hat (→ Rn. 11; Hölters/Weber/Englisch Rn. 30; Verse FS Stilz, 2014, 651, 666 ff.).

20 Durch ARUG 2009 eingeführte Norm soll Wirksamkeitsverzögerungen verhindern, die im Hinblick auf geringes Investment ökonomisch unverhältnismäßig erscheinen (RegBegr. BT-Drs. 16/11642, 42). Zugleich soll verhindert werden, dass sich Kleinstaktionäre als Trittbrettfahrer an Anfechtungsklagen anderer anhängen (OLG Nürnberg AG 2012, 758; OLG Bremen AG 2013, 643, 644 [zu § 319 VI 3 Nr. 2]; OLG Stuttgart AG 2013, 604, 606). Regelung begegnet keinen verfassungsrechtl. Bedenken (OLG Frankfurt AG 2010, 596, 597; OLG Frankfurt NZG 2021, 875 Rn. 38 ff.; OLG Hamburg Konzern 2010, 515 f.; KG NZG 2015, 1312, 1314; OLG Köln AG 2021, 686, 690; OLG München NZG 2015, 1027, 1028; OLG Nürnberg AG 2012, 758, 760; OLG Stuttgart AG 2010, 89, 90; Verse FS Stilz, 2014, 651, 655; aA S/L/Schwab Rn. 8 ff.). Im Schrifttum wird zT darauf hingewiesen, dass Quorum besser bei der Anfechtungsbefugnis selbst aufgehoben sei. Das ist grds. richtig, doch manifestiert sich darin politischer Kompromisscharakter, der das gesamte Freigabeverfahren prägt, innerhalb der seinerzeit bestehenden politischen Rahmenbedingungen aber die Grenzen des Machbaren schon ausgereizt haben dürfte (→ § 245 Rn. 31). Umfassende Reform bleibt sicher wünschenswert (→ § 245 Rn. 31 ff.).

20a **Anteiliger Betrag** ergibt sich aus Multiplikation des Nennbetrags (OLG Stuttgart AG 2010, 89, 90) bzw. bei Stückaktien des auf die Einzelaktie entfallenden anteiligen Betrags mit Aktienanzahl (OLG Frankfurt AG 2018, 542, 543; OLG Stuttgart AG 2013, 604, 605). Börsenwert ist unerheblich (OLG Hamburg Konzern 2010, 515 f.; Wilsing/Saß DB 2011, 919 f.). Gesetzgeber geht von wertmäßigem Anlagevolumen zwischen 10.000 und 20.000 Euro aus (RAusschuss BT-Drs. 16/13098, 60; OLG Nürnberg AG 2012, 758, 759). Nominell gefasstes Quorum gilt auch dann, wenn quotale Beteiligung an AG tats. nicht unbeachtlich ist. Entscheidung zugunsten eines aus Gründen der Rechtssicherheit eindeutigen Kriteriums kann nicht durch teleologische Reduktion korrigiert werden (OLG München NZG 2015, 1027, 1028). Um Quorum festzustellen, findet **Zusammenrechnung** mehrerer Kläger oder Antragsteller nicht statt (OLG Bremen AG 2013, 643, 644; OLG München AG 2012, 45, 46 [jew. zu § 319 VI 3 Nr. 2]; OLG Stuttgart AG 2013, 604, 605 f.; MüKoAktG/C. Schäfer Rn. 23; aA S/L/Schwab Rn. 12); Ausnahme gilt aber bei **Rechtsgemeinschaft** nach § 69 (OLG Rostock AG 2013, 768, 769; zust. KK-AktG/Noack/Zetzsche Rn. 118; Verse FS Stilz, 2014, 651, 657 f.). Auch **Bündelung** in gemeinsamen Rechtsträger ist möglich, sofern sie schon im Zeitpunkt der Bek. der Einberufung (→ Rn. 20b) vorliegt (NK-AktR/Schatz Rn. 41).

20b Mindestanteilsbesitz muss jedenfalls am Stichtag der Bek. der Einberufung (§ 121) bestehen (Wilsing/Saß DB 2011, 919, 921 f.). Erwerb nach Bek. genügt nicht, auch nicht, wenn er noch am selben Tag erfolgt (Verse FS Stilz, 2014, 651, 658 f.). Welche weitere **Haltedauer** zu fordern ist, ist sehr umstr. (ausf. Überblick über Meinungsstand bei Verse FS Stilz, 2014, 651, 659 f.). Mittlerweile hM nimmt an, dass Besitz nicht bis zur Entscheidung über den Antrag fortbestehen muss (anders nach § 142 II 2, → § 142 Rn. 24; OLG Bamberg NZG 2014, 306, 307; KG NZG 2015, 1312, 1313 f.; OLG Saarbrücken AG 2011, 343 f.; NK-AktR/Schatz Rn. 43; S/L/Schwab Rn. 14). Nach Wortlaut des § 246a II Nr. 2

(„seit") kann aber auch nicht bloßer Besitz zZ der Bekanntgabe genügen (so aber wohl KG NZG 2015, 1312, 1313 f.). Zutr. erscheint es gerade mit Blick auf Wortlaut, **Besitz bis zur Erbringung des Nachw.** nach Zustellung des Freigabeantrags zu verlangen (Henssler/Strohn/Drescher Rn. 6; S/L/Schwab Rn. 5; Verse FS Stilz, 2014, 651, 659 f.; jetzt auch Grigoleit/Ehmann Rn. 7; für Zeitpunkt der Zustellung des Freigabeantrags dagegen OLG Bamberg NZG 2014, 306, 307; für Zeitpunkt der Klageeinreichung Bayer FS Hoffmann-Becking, 2013, 91, 106).

Als **Urkunde** genügt Depotbescheinigung (OLG Frankfurt AG 2018, 542, 544; OLG Nürnberg AG 2012, 758, 761), die sich auf genannten Zeitraum (→ Rn. 20b) zu beziehen hat; zusätzlicher Nachw. der Vertretungsberechtigung des ausstellenden Bankmitarbeiters kann nicht gefordert werden (OLG Saarbrücken AG 2011, 343, 344). Bei Einzelverbriefung genügt auch Urkundenvorlage, sofern durch Nachw. über Erwerbszeitpunkt ergänzt (Verse FS Stilz, 2014, 651, 664). Aufgrund knapper Frist und naheliegender Schwierigkeiten, Nachw. zu führen, sollten Anforderungen nicht überspannt werden (KG NZG 2015, 1312, 1314; Grigoleit/Ehmann Rn. 7). Zeichnungsschein ist dagegen zum Nachw. nicht geeignet (OLG Hamm AG 2011, 826, 828). Bislang umstr. war, ob auch Kopie genügt. HM hat Frage bejaht, sofern Original unverzüglich nachgereicht wird (vgl. OLG München AG 2012, 45, 46; KK-AktG/Noack/Zetzsche Rn. 97; Verse FS Stilz, 2014, 651, 664; aA OLG Frankfurt AG 2010, 508, 509; OLG Bamberg NZG 2014, 306, 307). Nachdem durch **ARUG II 2019** als weitere Nachweisform auch **Bescheinigung gem. § 67c III** zugelassen wurde, hat Zuordnung zum Urkundsbegriff – jedenfalls für börsennotierte AG – an Bedeutung verloren, weil Kopie dem Textformerfordernis des § 67c III genügt, sofern sie auch sonstige Anforderungen der Aktionärsrechte-RL II-DVO erfüllt (→ § 67c Rn. 8). Da nicht ersichtlich ist, warum für nicht börsennotierte AG strengere Anforderungen gelten sollen als für börsennotierte, wird man Kopie nunmehr generell genügen lassen müssen (Hirte/Heidel/Schatz Rn. 4 f.; BeckOGK/Vatter Rn. 27). Vor dem Hintergrund dieser solchermaßen erweiterten Nachweismöglichkeiten sprechen in weiterer Streitfrage, ob auch mittelbarer Nachw. durch Aktionärs- oder Teilnahmeverzeichnisse genügt (dafür KG NZG 2015, 1312, 1314; aA OLG Hamm AG 2011, 826, 827), bessere Argumente für abl. Auffassung, zumal sich auch tats. Aussagegehalt dieser Verzeichnisse nicht auf materielle Berechtigung erstreckt (S/L/Schwab Rn. 15; sa KK-AktG/Noack/Zetzsche Rn. 90). Änderung durch ARUG II 2019 tritt nach § 26j IV EGAktG ab 3.9.2020 in Kraft und ist auf HV anzuwenden, die nach diesem Datum einberufen wird. **20c**

Nachweiserfordernis gilt grds. auch bei **Namensaktien** und kann hier durch aktuelle Vorlage der Aktienurkunde oder Auszug aus Aktienregister (§ 67) geführt werden (§ 246a I 2 AktG, § 420 ZPO), wobei es gem. § 421 ZPO auch genügt, wenn Antragsgegner nachweist, erfolglos einen Antrag auf Erteilung aktueller Aktienregisterauszüge gestellt zu haben (KG NZG 2015, 1312, 1314 [ohne Beschränkung auf Namensaktien: „Antrag auf Vorlage beweiskräftiger Urkunden"]; OLG Nürnberg AG 2012, 758, 761; Henssler/Strohn/Drescher Rn. 7a; S/L/Schwab Rn. 14; MHdB AG/Austmann § 42 Rn. 152; Bayer FS Hoffmann-Becking, 2013, 91, 107 f.; Verse FS Stilz, 2014, 651, 664 f.; aA OLG Hamm AG 2011, 826, 828). Bloße Berufung auf Eintragung in Aktienregister soll dagegen nach instanzgerichtl. Rspr. wohl nicht genügen (großzügiger Bayer FS Hoffmann-Becking, 2013, 91, 107 mit Fn. 110). Beruht Aktienbesitz auf **Erbfall,** so sind Aktienbesitz des Erblassers und Erbeneigenschaft urkundlich nachzuweisen (Erbschein), ggf. auch Ernennung des Anfechtungsklägers zum Testamentsvollstrecker (Zeugnis); s. OLG München AG 2010, 715, 716. **20d**

20e Str. ist, ob Nachweispflicht entspr. § 592 ZPO entfällt, wenn **Quorum unstr.** erreicht ist. HM verneint dies zu Recht unter Hinweis auf materiell-rechtl. Charakter des Freigabekriteriums (KG AG 2011, 170, 171; OLG Hamm AG 2011, 826, 827; OLG Köln BeckRS 2012, 03266; NZG 2018, 459 Rn. 25; OLG München AG 2019, 525, 526; OLG Nürnberg AG 2012, 758, 759 ff. [unter Aufgabe von OLG Nürnberg AG 2011, 179, 180]; BeckOGK/Vatter Rn. 27; B/K/L/Göz Rn. 4b; MüKoAktG/C. Schäfer Rn. 24; MHdB AG/Austmann § 42 Rn. 153; Bayer FS Hoffmann-Becking, 2013, 91, 104 f.; aA OLG Frankfurt AG 2010, 508, 509; 2012, 414 f.; Henssler/Strohn/Drescher Rn. 7a; KK-AktG/Noack/Zetzsche Rn. 119 ff.; diff. Verse FS Stilz, 2014, 652, 665 f.).

20f Nachw. muss **binnen einer Woche** nach Zustellung erbracht werden, und zwar auch wenn Antrag vor Klage zugestellt wird (Verse FS Stilz, 2014, 651, 663). Fristwahrend ist rechtzeitiger Eingang des urkundlichen Nachweises bei Gericht. Verlängerung der Wochenfrist scheidet wegen ihres materiell-rechtl. Charakters und wegen des gewollten Ausschlusses von Trittbrettfahrern aus, ebenso Wiedereinsetzung (OLG München AG 2019, 525, 526; OLG Nürnberg AG 2012, 758, 759 f.). Unterbrechung durch Feiertage ist unschädlich (OLG München AG 2019, 525, 526). Ergebnis muss auch nicht aus Gründen rechtl. Gehörs (Art. 103 I GG) korrigiert werden, wenn Nachw. noch vor Entscheidung erbracht wird (dafür aber Henssler/Strohn/Drescher Rn. 7b; zutr. dagegen Verse FS Stilz, 2014, 652, 663 f.). Wird Quorum nur von einzelnen Anfechtungsklägern rechtzeitig nachgewiesen, so sind nur ihre Anfechtungsgründe, nicht auch die der anderen Kläger, im Freigabeverfahren relevant (OLG Nürnberg AG 2012, 758, 761; OLG Rostock AG 2013, 768, 769; sympathisierend OLG München AG 2012, 45, 46).

21 **4. Vorrangiges Interesse am alsbaldigen Wirksamwerden.** Nach § 246a II Nr. 3 ergeht Freigabebeschluss auch dann, wenn alsbaldiges Wirksamwerden des angegriffenen HV-Beschlusses nach freier Überzeugung des Gerichts unter Abwägung der relevanten Interessen zur Abwendung wesentlicher Nachteile für AG und Aktionäre als vorrangig erscheint. Davon ausgenommen sind Fälle, in denen bes. Schwere des Rechtsverstoßes vorliegt. Prüfung wird üblicherweise in **zwei Stufen** unterteilt, doch besteht zwischen ihnen keine feste Prüfungsreihenfolge (zutr. KK-AktG/Noack/Zetzsche Rn. 76): Auf der ersten Stufe ist wirtschaftliche Abwägung vorzunehmen; auf zweiter Stufe ist zu prüfen, ob trotz vorrangigen Gesellschaftsinteresses Rechtsverstoß so gravierend ist, dass er nicht hingenommen werden kann (KG AG 2021, 597, 604; ausf. zum Folgenden Satzl, Freigabe von Gesellschafterbeschlüssen, 2011, 205 ff.; sa Bayer FS Hoffmann-Becking, 2013, 91, 108 ff.). **Nachteile,** um deren Abwendung es geht, können der AG oder ihren Aktionären (dazu OLG Düsseldorf AG 2009, 538, 539 f.) drohen, wobei es genügt, wenn nur einzelne Aktionäre, zB Großaktionär, davon betroffen sind (Satzl, Freigabe von Gesellschafterbeschlüssen, 2011, 208 f.). Da diese kulminierten Nachteile nach rein wirtschaftlichen Gesichtspunkten gegen individuelles Kassationsinteresse des Klägers abgewogen werden, kann **Abwägung nur in seltensten Fällen zugunsten des Klägers** ausgehen (vgl. RAusschuss BT-Drs. 16/13098, 42; OLG Brandenburg BeckRS 2023, 26120 Rn. 52 ff.; OLG Düsseldorf AG 2017, 900, 910; AG 2019, 467, 475; KG AG 2021, 597, 604 f.; rechtspolitische Kritik bei J. Koch Gutachten F zum 72. DJT, 2018, 27 ff.). Nachteile substanziiert darzulegen, ist Sache der antragstellenden AG; Antragsgegner muss gegenläufig ihm drohende Nachteile darlegen (OLG Stuttgart AG 2015, 163, 171; sa OLG München AG 2023, 707, 709 f.). Sache der AG ist es auch, Freigabeverfahren zügig einzuleiten oder darzulegen, was dem entgegengestanden hat (OLG München AG 2010, 170, 172 f.). Zu einer Antragsfrist von drei Monaten (OLG München AG 2010, 170, 172 f.) lässt sich dieser

Gedanke aber nicht verdichten (OLG Frankfurt AG 2010, 508, 510; KG AG 2010, 497, 498; Stilz FS Hommelhoff, 2012, 1181, 1185; Wilsing/Saß DB 2011, 919, 924). Nachteile liegen nicht nur, aber vor allem in quantifizierbaren finanziellen Belastungen, die aus Eintragungsverzögerung drohen (OLG Düsseldorf AG 2009, 538, 540: nicht nutzbare Synergieeffekte; OLG Hamm AG 2011, 136, 139: bezifferte Kosten fortbestehender Börsennotierung; KG AG 2010, 497, 498 f.: Fortbestand bilanzieller Überschuldung; KG AG 2011, 170, 172; OLG München AG 2014, 546, 549: drohende Insolvenzgefahr; LG München I BB 2006, 459, 460; sa Fuhrmann/Linnerz ZIP 2004, 2306, 2309 f.; ausf. Aufzählung bei Satzl, Freigabe von Gesellschafterbeschlüssen, 2011, 211 ff.). Insbes. können ausweislich RegBegr. BT-Drs. 16/13098, 42 auch Kosten einer anfechtungsbedingten **Wiederholung der HV** von Seiten der AG geltend gemacht werden, was in der Sache durchaus bedenklich ist, da Antragsgegner damit Fehlerfolgenlast tragen und schon diese Kosten individuelle Nachteile in den meisten Fällen übersteigen werden. Instanzgerichtl. Rspr. sieht sich aber auch insofern an gesetzgeberischen Willen gebunden (OLG Brandenburg BeckRS 2023, 26120 Rn. 68 ff.; OLG Düsseldorf *BeckRS 2018, 40174 Rn. 166 f.;* OLG Hamm AG 2011, 136, 139; OLG München NZG 2021, 1594 Rn. 57; AG 2023, 707, 710 [mit Substanziierungsanforderungen]; sa BeckOGK/Vatter Rn. 32; Verse NZG 2011, 1127, 1130; aA Grigoleit/Ehmann Rn. 8; NK-AktR/Schatz Rn. 62; zurückhaltend auch OLG Frankfurt *BeckRS 2011, 24255 [LS]*). Geheimnisschutz der AG wird der Rspr. anheimgegeben (AusschussB BT-Drs. 16/13098, 42), ist aber bei dieser Ausgangslage kaum zu entwickeln. Gegenläufige **Aussetzungsinteressen des Antragsgegners** können insbes. individuelle Nachteile sein, wie zB individueller steuerlicher Nachteil (Satzl, Freigabe von Gesellschafterbeschlüssen, 2011, 215) oder Verwässerungsschäden bei fehlerhaften Kapitalerhöhungen, deren möglicher Eintritt Freigabe nach ges. Konzeption aber auch nicht gänzlich ausschließt (so aber augenscheinlich OLG München Konzern 2014, 108, 110; dagegen OLG Köln ZIP 2014, 263, 265; Decher FS Seibert, 2019, 199 ff.; zur grds. unbefriedigenden rechtspolitischen Behandlung solcher Verwässerungsschäden vgl. auch J. Koch Gutachten F zum 72. DJT, 2018, 31, 65). Schwere der gerügten Rechtsverletzung findet hier aber keine Berücksichtigung, sondern ist jenseits der Abwägung als absolute Schranke zu prüfen (Satzl, Freigabe von Gesellschafterbeschlüssen, 2011, 215 f.; aA S/L/Schwab Rn. 25). Berücksichtigt werden nach klarem Wortlaut nur Nachteile der Antragsgegner, und zwar nur solcher, die Mindestquorum erreicht haben (OLG München NZG 2021, 1594 Rn. 59), nicht der Aktionäre in ihrer Gesamtheit (RegBegr. BT-Drs. 16/13098, 60; OLG Rostock AG 2013, 768, 772; OLG Stuttgart AG 2015, 163, 171; Bayer FS Hoffmann-Becking, 2013, 91, 112 f.; rechtspolit. Kritik bei J. Koch Gutachten F zum 72. DJT, 2018, 27 ff.). Nachteile von Klägern sind zu kumulieren (Verse NZG 2009, 1127, 1130). In Abwägung einzubeziehen ist dabei auch Überlegung, inwiefern Kompensation durch finanziellen Ausgleich iRd Schadensersatzanspruchs möglich ist (OLG Brandenburg BeckRS 2023, 26120 Rn. 80; OLG Köln ZIP 2014, 263, 265; OLG München AG 2014, 546, 549). Auf Begründetheit der Anfechtungsklage kommt es nicht an, da Interessenabwägungsklausel gerade auch dazu dient, Freigabe zu ermöglichen, wenn Anfechtungsklage voraussichtlich begründet ist (RegBegr. BT-Drs. 15/5092, 29).

Auf zweiter Stufe ist zu prüfen, ob **bes. Schwere des Rechtsverstoßes** der 22
Freigabe dennoch entgegensteht. Bei bes. gravierender, über Nichtigkeitsgründe des § 241 hinausgehender (OLG Hamm AG 2011, 624, 626) Rechtsverletzung können also wirtschaftliche Nachteile der AG und ihrer Aktionäre nicht zur Freigabeentscheidung führen (OLG München AG 2010, 842, 843 für unberechtigten Ausschluss des Mehrheitsaktionärs; Enders/Ruttmann ZIP 2010, 2280, 2281 f.; Rubel DB 2009, 2027, 2028 ff.). Zur Beurteilung der bes. Schwere

kommt es auf Bedeutung der Norm an, aber auch auf Ausmaß der Rechtsverletzung (RegBegr. BT-Drs. 16/11642, 41). Erforderlich ist, dass Verstoß so krass rechtswidrig ist, dass eine Eintragung und damit Durchführung „unerträglich" wäre (RegBegr. BT-Drs. 11642, 41; OLG Brandenburg BeckRS 2023, 26120 Rn. 82). Dabei wiegen Nichtigkeitsgründe grds. schwerer als Anfechtungsgründe, ohne dass Freigabe gänzlich ausgeschlossen wäre. Vielmehr ist nach zutr. hM auch bei formalen Nichtigkeitsgründen geringeren Gewichts Freigabe uU möglich (KG AG 2010, 494, 495; AG 2021, 597, 605; BeckRS 2023, 29426 Rn. 35; OLG Köln ZIP 2014, 263, 265; AG 2015, 39, 40; RegBegr. BT-Drs. 16/11642, 41; BeckOGK/Vatter Rn. 29; Satzl, Freigabe von Gesellschafterbeschlüssen, 2011, 222 f.; aA S/L/Schwab Rn. 27). Auch Beeinträchtigung von Drittinteressen oder öffentl. Interessen indiziert bes. Schwere, ohne dass dieser Schluss zwingend wäre (Satzl, Freigabe von Gesellschafterbeschlüssen, 2011, 224). Schließlich ist bes. Schwere bei **materiellen Rechtsfehlern** eher anzunehmen als bei bloß formellen Mängeln (OLG Düsseldorf ZIP 2001, 1717, 1721). Als Beispiele für bes. schwere Verstöße sind zu nennen: schwere Verstöße gegen Gleichbehandlungs- oder Treupflicht (KG AG 2010, 494; OLG Saarbrücken AG 2011, 343), unberechtigter Ausschluss des Mehrheitsaktionärs mit anschließender Kapitalerhöhung (OLG München AG 2010, 842), vorsätzlicher Verstoß (OLG Frankfurt AG 2012, 414, 417), Kapitalherabsetzung unter 50.000 Euro (Verse NZG 2009, 1127, 1130), Geheimversammlung (OLG Zweibrücken AG 2011, 343), gezielte Wertung von Nein-Stimmen als ungültig, um erforderliche Mehrheit zu erreichen (OLG München AG 2014, 546, 549), rechtsmissbräuchliche Gestaltung (OLG München NZG 2021, 1594 Rn. 86). Nach OLG Köln NZG 2018, 459 Rn. 53 kann selbst schwerer Rechtsverstoß aber noch durch finanzielle Kompensation von Seiten der AG kompensiert werden (→ § 327e Rn. 3b).

IV. Verfahren (§ 246a III)

23 **1. Streitiges Eilverfahren eigener Art.** Freigabeverfahren ist schon als bes., den Regeln der ZPO unterliegendes (§ 246a I 2) Eilverfahren charakterisiert worden (→ Rn. 1). Dabei geht es nicht um ein Verfügungsverfahren (§§ 935 ff. ZPO), sondern um ein streitiges Eilverfahren eigener Art (zust. OLG Frankfurt NZG 2020, 832 Rn. 10). Verfahrensbestimmend sind Dispositions- und Verhandlungsmaxime; Amtsermittlung (§ 26 FamFG) findet nicht statt. Einzelvorschriften sind teils in § 246a I 2, 3 enthalten (→ Rn. 19 f.), teils in § 246a III.

24 **2. Einzelvorschriften.** Nach § 246a III 1 Hs. 1 ist Übertragung des Freigabeverfahrens auf den **Einzelrichter** (§ 348a ZPO) ausgeschlossen. Komplexität der Materie erfordert nach ges. Bewertung eine Senatsentscheidung (AusschussB BT-Drs. 16/13098, 41). Aus § 246a III 1 Hs. 1 ist weiter zu schließen, dass auch kein Fall originärer Zuständigkeit des Einzelrichters (§ 348 ZPO) vorliegt, obwohl § 246a anders als § 246 in § 95 II GVG nicht genannt ist. Desgleichen ist keine Dringlichkeitsentscheidung des Vorsitzenden vorgesehen. Sie kann auch nicht analog § 944 ZPO gerechtfertigt werden (aA S/L/Schwab Rn. 35). **Güteverhandlung** (§ 278 II ZPO) ist gem. § 246a III 1 Hs. 2 nicht obligatorisch, bleibt aber zulässig. **Mündliche Verhandlung** des Senats ist nur in dringenden Fällen entbehrlich (§ 246a III 2), also dann, wenn auch Ladung mit kürzestmöglicher Frist noch zu lange dauert. Tatsachen, die dem Antrag zum Erfolg verhelfen sollen, sind vom Antragsteller iSd § 294 ZPO **glaubhaft zu machen** (§ 246a III 3). Taugliches Mittel ist insbes. auch Versicherung an Eides statt (KK-AktG/Noack/Zetzsche Rn. 152; Riegger FS Bechtold, 2006, 375, 382 f.).

25 Gericht entscheidet durch **Beschluss** (§ 246a I 1), der **unanfechtbar** ist (§ 246a III 4). Rechtsbeschwerde kraft Zulassung durch OLG, an die allenfalls

gedacht werden könnte (§ 574 I Nr. 2 ZPO), ist danach ausgeschlossen und läge im Eilverfahren ohnehin nicht nahe. **Kosten:** Wertgebühr nach KV 1641 GKG, wobei sich Wert des Freigabeverfahrens nach **Streitwert** der Hauptsache (§ 247 I) richtet (OLG Stuttgart AG 2010, 89, 91; dort auch zum Streitwert nach übereinstimmenden Erledigungserklärungen). Beschluss wird verkündet (§ 329 I ZPO) oder mitgeteilt (§ 329 II ZPO). Im jew. Zeitpunkt treten **Bindungswirkung** und **Bestandskraft** ein (§ 246a III 5). Letztgenannte wirkt für und gegen jedermann. Schließlich schreibt § 246a III 6 eigens **Frist von drei Monaten** nach Antragstellung vor, in der Beschluss ergehen soll (Leitbild). Verzögerungen sind begründungspflichtig. Begr. bedarf eines selbständigen (unangreifbaren) Beschlusses.

V. Schadensersatzpflicht (§ 246a IV)

Ist HV-Beschluss eingetragen, beruht Eintragung auf Beschluss des Prozessgerichts und erweisen sich Anfechtungs- oder Nichtigkeitsklage nachträglich als begründet, so ist AG gem. § 246a IV 1 ggü. Antragsgegner schadensersatzpflichtig. Das entspr. § 319 VI, § 945 ZPO. Genügend ist Erfolg der Klage, Verschulden also entbehrlich. Zu ersetzen ist der Schaden, für den Eintragung adäquat kausal ist. Haftungsausfüllende Kausalität umfasst sicher vom Kläger des Hauptprozesses nutzlos aufgewandte **Prozesskosten.** Zu ersetzen ist aber auch jeder andere auf die Eintragung rückführbare Vermögensschaden, insbes. auch **Verwässerungsschäden** bei Kapitalerhöhung unter Bezugsrechtsausschluss (vgl. RegBegr. BT-Drs. 15/5092, 28; OLG Düsseldorf AG 2019, 467, 476; S/L/Schwab Rn. 59; M. Winter FG Happ, 2006, 363, 373 f.). Wie weit das für Schutz der berechtigten Interessen der Aktionäre genügt, bleibt fraglich (krit. Spindler NZG 2005, 825, 830; Veil AG 2005, 567, 572 f.). Zulässig und wegen der Beweisschwierigkeiten der Aktionäre geboten ist Schadensschätzung gem. § 287 ZPO, § 728 II BGB analog. Naturalrestitution ist gem. § 246a IV 2 ausgeschlossen, soweit mit ihr Durchführung des HV-Beschlusses rückgängig gemacht würde (Lieder DNotZ 2022, 252, 263 f.). Norm lehnt sich an § 16 III 6 Hs. 2 UmwG aF, § 20 II UmwG aF an, stellt also Bestandsschutz über Aktionärsschutz, sofern Eintragung infolge Freigabebeschlusses erfolgt ist. 26

VI. Verhältnis zur einstweiligen Verfügung

§ 246a verdrängt in seinem Anwendungsbereich zumindest für AG als **lex specialis** Möglichkeit der einstweiligen Verfügung; wo Freigabeverfahren nicht vorgesehen ist, kann auch AG einstweilige Verfügung beantragen (→ § 243 Rn. 66). Aktionären, die Freigabeverfahren nicht initiieren können, steht einstweiliger Rechtsschutz offen, sofern Freigabeverfahren noch nicht beantragt ist (→ § 243 Rn. 67 f.). Noch nicht abschließend geklärt ist Rechtslage, wenn Freigabeantrag nachträglich noch gestellt wird. Ist Verfügung in diesem Fall noch nicht ergangen, wird Verfügungsantrag mit Freigabeantrag unzulässig. Es muss sich hier das Verfahren durchsetzen, das speziell auf diesen Konflikt zugeschnitten ist (ausf. GK-HGB/J. Koch/Harnos § 16 Rn. 44). Aus demselben Grund muss Freigabeantrag aber auch schon ergangene einstweilige Verfügung verdrängen. Dies kann in der Weise geschehen, dass die AG nach § 927 ZPO Aufhebung der einstweiligen Verfügung beantragt. Freigabeantrag ist dann eine für § 927 ZPO relevante Änderung der Umstände (GK-HGB/J. Koch/Harnos § 16 Rn. 44; zust. KK-AktG/Noack/Zetzsche Rn. 177). 27

Streitwert

247 **(1) [1]Den Streitwert bestimmt das Prozeßgericht unter Berücksichtigung aller Umstände des einzelnen Falles, insbesondere der Bedeutung der Sache für die Parteien, nach billigem Ermessen. [2]Er darf jedoch ein Zehntel des Grundkapitals oder, wenn dieses Zehntel mehr als 500 000 Euro beträgt, 500 000 Euro nur insoweit übersteigen, als die Bedeutung der Sache für den Kläger höher zu bewerten ist.**

(2) [1]Macht eine Partei glaubhaft, daß die Belastung mit den Prozeßkosten nach dem gemäß Absatz 1 bestimmten Streitwert ihre wirtschaftliche Lage erheblich gefährden würde, so kann das Prozeßgericht auf ihren Antrag anordnen, daß ihre Verpflichtung zur Zahlung von Gerichtskosten sich nach einem ihrer Wirtschaftslage angepaßten Teil des Streitwerts bemißt. [2]Die Anordnung hat zur Folge, daß die begünstigte Partei die Gebühren ihres Rechtsanwalts ebenfalls nur nach diesem Teil des Streitwerts zu entrichten hat. [3]Soweit ihr Kosten des Rechtsstreits auferlegt werden oder soweit sie diese übernimmt, hat sie die von dem Gegner entrichteten Gerichtsgebühren und die Gebühren seines Rechtsanwalts nur nach dem Teil des Streitwerts zu erstatten. [4]Soweit die außergerichtlichen Kosten dem Gegner auferlegt oder von ihm übernommen werden, kann der Rechtsanwalt der begünstigten Partei seine Gebühren von dem Gegner nach dem für diesen geltenden Streitwert beitreiben.

(3) [1]Der Antrag nach Absatz 2 kann vor der Geschäftsstelle des Prozeßgerichts zur Niederschrift erklärt werden. [2]Er ist vor der Verhandlung zur Hauptsache anzubringen. [3]Später ist er nur zulässig, wenn der angenommene oder festgesetzte Streitwert durch das Prozeßgericht heraufgesetzt wird. [4]Vor der Entscheidung über den Antrag ist der Gegner zu hören.

Übersicht

I. Grundlagen

1 **1. Regelungsgegenstand und -zweck.** Norm betr. Festsetzung des Regelstreitwerts (§ 247 I) und Streitwertspaltung (§ 247 II und III). Bezweckt ist erstens, **angemessene Regelstreitwerte** sicherzustellen. Deshalb ist Bedeutung der Sache für beide Parteien zu würdigen (§ 247 I 1). Damit ist Mittelweg gewählt zwischen der idR wertmindernden Berücksichtigung des Klägerinteresses nach allg. Vorschrift des § 3 ZPO, die ursprünglich auch im Aktienrecht angewandt wurde, und werterhöhender Berücksichtigung des Gesellschaftsinteresses, die noch in § 199 VI AktG 1937 vorgeschrieben war (s. dazu BGH AG 1992, 320 [Verein]; Amtl. Begr. RAnz. 1937 Nr. 28, 2. Beil. S. 1; Happ/Pfeifer ZGR 1991, 103, 105). Beide Lösungen waren unbefriedigend, weil die erste Missbrauch begünstigte, die zweite aber nicht nur Missbrauch, sondern Beschlussmängelrecht insgesamt paralysierte (Baums FS Lutter, 2000, 283, 294). Übermäßiger Berücksichtigung des Gesellschaftsinteresses wird heute vor allem durch Streitwertbegrenzung auf 10 % des Grundkapitals oder höchstens 500.000 Euro vorgebeugt (vgl. RegBegr. Kropff S. 334). Bezweckt ist zweitens **Schutz der wirtschaftlich schwächeren Prozesspartei** (RegBegr. Kropff S. 334; sa BVerfGE 14, 263, 284 = NJW 1962, 1667). Deshalb erlaubt § 247 II Streitwertspaltung nach Vorbild des früheren § 53 PatG (jetzt: § 144 PatG). Seitenstücke enthalten die § 12 IV UWG, § 142 MarkenG, § 26 GebrMG (dazu Pastor WRP 1965, 271; Tetzner NJW 1965, 1944).

2 **2. Verfassungsmäßigkeit.** Zu **§ 247 I:** Streitwertfestsetzung kann Art. 2 I, 20 III GG (Justizgewährleistung) verletzen. BVerfG nimmt Verletzung an, wenn Kostenrisiko außer Verhältnis zu dem wirtschaftlichen Erfolg steht, den Kläger für sich persönlich erstrebt, und zwar auch dann, wenn seine wirtschaftliche Leistungsfähigkeit nicht überschritten wird (BVerfGE 85, 337, 347 = NJW 1992, 1673 [zu § 48 II WEG aF]; BVerfG NJW 1997, 311, 312 [Beschlussfassung in GbR]). Aus bloßer Berücksichtigung auch des Interesses der beklagten AG (→ Rn. 1, 6 ff.) ergibt sich aber noch nicht notwendig Unverhältnismäßigkeit des Risikos für Kläger, so dass § 247 I verfassungsmäßig ist. Ergeben sich im Einzelfall trotz Streitwertbegrenzung (§ 247 I 2; → Rn. 9) Werte, die nach Art. 2 I, 20 III GG bedenklich erscheinen können, so ist dem bei Ermessensausübung Rechnung zu tragen. Rückkehr zu einer § 199 VI AktG 1937 entspr. Regelung ist nach Rspr. des BVerfG ausgeschlossen (sa Hüffer FS Brandner, 1996, 57, 65). **§ 247 II** bewirkt Ungleichbehandlung, weil Vorschrift nach Zweck und Wirkung den klagenden Aktionär begünstigt. Auf Art. 3 GG gestützte Bedenken (v. Falkenhausen, Verfassungsrechtliche Grenzen der Mehrheitsherrschaft, 1967, 243 ff.) sind jedoch nicht begründet, weil wegen anzuerkennender sozialer Zielsetzung (→ Rn. 1) keine sachwidrige Differenzierung gegeben ist (ganz hM, s. zum gewerblichen Rechtsschutz OLG München NJW 1959, 52; 1964, 1730; KG WRP 1978, 300; ferner MüKoAktG/C. Schäfer Rn. 6; KK-AktG/Noack/Zetzsche Rn. 11 ff.).

3 **3. Anwendungsbereich.** Sinngem. Anwendung des § 247 ist in § 246a I 2, § 249 I 1, § 256 VII, § 275 IV 1 vorgesehen. Sie ist ferner angezeigt, soweit Einberufung der HV zwecks Entscheidung der Aktionäre in angeblicher Holzmüller-Lage begehrt wird; überindividuelle Wirkung des Rechtsschutzziels rechtfertigt es, auch Gesellschaftsbelange zu berücksichtigen, vor allem Einberufungs- und Versammlungskosten (OLG Düsseldorf AG 2001, 267; LG Düsseldorf AG 2000, 233 [Vorinstanz]). Zur Beschwer → Rn. 4. Sinngem. Anwendung ist auch für vergleichbare Klagen bei anderen Rechtsformen, bes. **GmbH,** geboten, soweit es um § 247 I 1 geht (BGH NZG 1999, 999; NZG 2009, 1438 Rn. 3; OLG

Hamm NZG 2022, 1019 Rn. 13; Happ/Pfeifer ZGR 1991, 103, 114 ff.; gewichtige Einwände bei Fehrenbach, Der fehlerhafte Gesellschafterbeschluss in der GmbH, 2011, 369 ff.), nicht dagegen, soweit Streitwertbegrenzung des § 247 I 2 in Frage steht (str., wie hier OLG Frankfurt NJW 1968, 2112; OLG Hamm NZG 2022, 1019 Rn. 13; OLG Saarbrücken NZG 2013, 341 f.; Henssler/Strohn/Drescher Rn. 2; MüKoAktG/C. Schäfer Rn. 7; KK-AktG/Noack/Zetzsche Rn. 24; aA OLG Naumburg NZG 2015, 1323 Rn. 14; GK-AktG/K. Schmidt Rn. 5; offenlassend BGH NZG 1999, 999). § 247 II findet dagegen nach allgM auf GmbH wieder entspr. Anwendung (Lutter/Hommelhoff/Bayer GmbHG Anh. § 47 Rn. 83). Abzulehnen ist allerdings pauschale Verallgemeinerung des § 247 II und vergleichbarer Einzelnormen (→ Rn. 1) mit dem Ziel, Rechtsschutz für wirtschaftlich schwächere Partei generell zu verbilligen (vgl. MüKoAktG/C. Schäfer Rn. 7; Baumgärtel, Gleicher Zugang, 1976, 144 ff.; aA Däubler BB 1969, 545, 551). Frage sollte sich mit BGH AG 1992, 320 (keine Anwendung auf Verein) iSd hier vertretenen Meinung praktisch erledigt haben. Gegen analoge Anwendung auf Beschlüsse in zweigliedriger KG zu Recht BGH AG 2003, 318, 319. Entspr. gilt für alle anderen Personengesellschaften (MüKoAktG/C. Schäfer Rn. 7). Für Spruchverfahren vgl. § 15 SpruchG (→ SpruchG § 15 Rn. 1 ff.).

II. Festsetzung des Regelstreitwerts (§ 247 I)

4 **1. Begriff und Bedeutung.** Regelstreitwert ist **voller Streitwert** des § 247 I im Unterschied zum Teilstreitwert des § 247 II. Streitwert bestimmt sich gem. § 3 I GKG nach Wert des Streitgegenstands, also Begehren des Klägers, die Nichtigkeit des HV-Beschlusses wegen des von ihm vorgebrachten Sachverhalts mit Wirkung für und gegen jedermann zu klären (→ § 246 Rn. 11). Abw. von allg. Grundsätzen ist jedoch nach § 247 I auch Interesse der beklagten AG zu berücksichtigen. Regelstreitwert ergibt, abgesehen von § 247 II, die Basis für Ermittlung der Gerichtsgebühren (§ 3 I GKG, § 34 GKG) und der anwaltlichen Gegenstandsgebühren (§ 2 RVG), ferner für Bestimmung der Beschwer gem. § 511 II Nr. 1 ZPO (s. BGH AG 1970, 87; 1982, 19 f.; 1994, 469; 2011, 823; OLG Hamm NZG 2008, 155, 156; OLG Stuttgart AG 2004, 271 f.) bzw. § 544 II Nr. 1 ZPO (BGH NZG 2023, 1031 Rn. 2 f.).

5 **2. Entscheidung nach billigem Ermessen. a) Allgemeines.** Prozessgericht bestimmt Streitwert nach billigem Ermessen (§ 247 I 1). Sachlicher Unterschied zum freien Ermessen des § 3 ZPO ist nicht vorhanden; denn auch dieses muss pflichtgem. ausgeübt werden (KK-AktG/Noack/Zetzsche Rn. 48 f.; Kornblum AcP 168 [1968], 450, 460 f.). Hier wie dort ist also Streitwert ohne Bindung an tats. Angaben der Parteien und Beweisanträge möglichst genau zu ermitteln. Berücksichtigung aller Umstände des Einzelfalls (§ 247 I 1) ist sprachliche Übertreibung. Zu berücksichtigen sind die entscheidungsrelevanten Umstände (BGH NZG 2011, 997; NZG 2023, 1031 Rn. 3; MüKoAktG/C. Schäfer Rn. 11).

6 Maßgeblich ist, anders als nach § 3 ZPO, **Bedeutung der Sache für beide Parteien** (→ Rn. 1) und auch Bedeutung für die anderen, von Urteilswirkung (§ 248 I 1) mitbetroffenen Aktionäre (BGH AG 1982, 19 f.). Gewichtung der jeweiligen Interessen ist nicht ges. vorgegeben, sondern bildet Kern der Ermessensentscheidung (OLG München AG 1989, 212; BeckOGK/Vatter Rn. 11; MüKoAktG/C. Schäfer Rn. 13; abw. [Quadratwurzel] S/L/Schwab Rn. 6 → Rn. 7). Bei **Mehrheit von Anträgen** ist Streitwert grds. für jeden Antrag gesondert festzusetzen und Gesamtstreitwert gem. § 5 Hs. 1 ZPO, § 39 I GKG erst durch Zusammenrechnung zu bilden, sofern keine wirtschaftliche Identität vorliegt (BGH WM 1992, 1370, 1371; OLG Frankfurt AG 2002, 562; OLG München AG 1962, 346 f.; GK-AktG/K. Schmidt Rn. 10). Höchstgrenzen von

§ 247 I 2 gelten für jeden Anspruch gesondert (→ Rn. 9). Zusammenrechnung ist gem. § 45 I 2 GKG auch für **Haupt- und Hilfsanträge** geboten, wenn Entscheidung über Hilfsantrag ergeht. Wenn sie denselben Gegenstand betreffen, ist der Wert des ggf. gem. § 247 I 2 begrenzten höheren Wertes maßgebend (Henssler/Strohn/Drescher Rn. 6). Das ist insbes. dann anzunehmen, wenn mit dem Hauptantrag Nichtigkeitsklage, hilfsweise Anfechtungsklage erhoben wird. Nicht entscheidend sind Art und Zahl der Anfechtungsgründe (BGH AG 1994, 469).

Isoliert betrachtetes Klägerinteresse wird durch **Kurswert** seiner Aktien nach 7
oben begrenzt (OLG Düsseldorf AG 2001, 267; 2019, 770, 771; LG Berlin AG 2001, 543; anders für Sonderfall OLG Frankfurt WM 1984, 655 f.). Allerdings ist dieser Wert lediglich von indizieller Bedeutung, da voller Wert des Aktienbesitzes nur einzustellen ist, wenn vollständiger Wertverlust abgewehrt werden soll (OLG Frankfurt AG 2005, 122; OLG Köln NZG 2021, 469 Rn. 11). Am anderen Ende der Skala ist aber auch Festsetzung in der Nähe der landgerichtl. Streitwertuntergrenze idR unrealistisch niedrig (KG NJW 1967, 1762). Bei abfindungsbegründenden Strukturmaßnahmen ist auch keine Orientierung an Differenz zwischen angebotener und angestrebter Abfindung geboten, da über Abfindungshöhe allein im Spruchverfahren zu entscheiden ist (OLG Köln NZG 2021, 469 Rn. 12). Im Schrifttum werden stattdessen verbreitet aus Gründen der Rechtssicherheit auch präzise mathematische Berechnungsformeln empfohlen (Überblick bei S/L/Schwab Rn. 6). Am verbreitetsten ist insofern sog **relative Mittelwertmethode bzw. Quadratwurzelmethode,** die auch in der Rspr. zT herangezogen wurde (vgl. OLG Hamm AG 1976, 19; zust. GK-AktG/K. Schmidt Rn. 18; S/L/Schwab Rn. 6 – jew. mit Berechnungsbsp.; Happ/Pfeifer ZGR 1991, 103, 107; krit. Emde DB 1996, 1557, 1559). Relativer Mittelwert in diesem Sinne ist Betrag, der sich bei Division des höheren Interesses (der Gesellschaft) durch die gleiche Zahl ergibt, mit der das niedrigere Interesse (des Klägers) multipliziert werden muss, um denselben Betrag zu erreichen. Solche Berechnungsmethoden sind aber nur der Plausibilität dienende **Hilfsverfahren,** deren Überzeugungskraft überdies begrenzt ist, da klare ges. Vorgaben und damit auch exakte Berechnunsgmaßstäbe fehlen; entscheidend bleibt gerichtl. Ermessensbetätigung (Bsp: OLG Frankfurt AG 2002, 562 f.; OLG Rostock NZG 2014, 1350; LG Berlin AG 2001, 543 f.; MüKoAktG/C. Schäfer Rn. 13; MHdB AG/Austmann § 42 Rn. 134). Maßgeblich ist Bedeutung der Sache für beide Parteien sowie für andere Aktionäre, die von Urteilswirkung nach § 248 I mitbetroffen sind (OLG Rostock NZG 2014, 1350). Unerheblich sind wirtschaftliche Verhältnisse der Parteien; sie gehören nicht zu § 247 I, sondern zu § 247 II (MüKoAktG/C. Schäfer Rn. 12). Werden mehrere Beschlüsse angefochten, kann nach Beschlussrelevanz abgestuft und Wert addiert werden. Bsp. bei sonst gleichen Verhältnissen: 200.000 DM bei Entlastungsbeschluss, 125.000 DM bei AR-Wahl, 75.000 DM bei Wahl des Abschlussprüfers (BGH WM 1992, 1370 f. bei streitgegenständlichem Erwerb eigener Aktien in Mrd.-Höhe). Gesamtstreitwert mehrerer Anfechtungsklagen gegen denselben Beschluss nach Verbindung: keine Addition; für Gerichtskosten ist höherer Einzelwert maßgeblich, für Anwaltsgebühren bedarf es gesonderter Festsetzung (OLG Stuttgart NZG 2001, 522 f.).

b) Einzelfälle. Wahl des Abschlussprüfers: 75.000 DM (BGH WM 1992, 8
1370 f.; → Rn. 7); 10.000 DM bei 1300 DM Aktienbesitz des Klägers (LG Bonn AG 1968, 25 f. ohne weitere Sachverhaltsangaben). **Wahl des AR:** 125.000 DM (BGH WM 1992, 1370 f.; → Rn. 7); 1 % des Grundkapitals (LG Dortmund AG 1968, 390, 392; zu schematisch); 250.000 DM bei 100 DM Aktienbesitz und Grundkapital von 290 Mio. DM (OLG Hamburg AG 1973, 279); in neuerer Rspr. scheint sich bei mittleren und großen AG Wert von 50.000 Euro als Standardorientierungsgröße durchzusetzen (KK-AktG/Noack/Zetzsche Rn. 64

mwN). **Entlastungsbeschluss:** 200.000 DM (BGH WM 1992, 1370 f.; → Rn. 7); 30.000 DM als Teilstreitwert und Beschwer der unterlegenen AG, wenn Gesamtstreitwert von 100.000 DM ua die Nichtigkeit des Jahresabschlusses umfasste (BGH WM 1999, 853 f.); 200.000 DM bei Bilanzsumme von 955 Mio. DM (OLG München AG 1962, 346 f.; noch zu § 3 ZPO); 200.000 DM bei Grundkapital von 287 Mio. DM (OLG Hamburg AG 1964, 160 unter Beachtung „der wirtschaftlichen Bedeutung der beanstandeten Transaktion"; noch zu § 3 ZPO); 50.000 DM bei geringem Aktienbesitz des Klägers und 2 Mrd. DM Grundkapital der Beklagten (OLG Stuttgart AG 1995, 237 mit nicht nachvollziehbarem Hinweis auf Motivation des Klägers, sog Deutschland-AG zu bekämpfen). **Satzungsänderung:** 10.000 DM bei Kurswert der Klägeraktien von 2000 DM und Grundkapital von 1 Mio. DM (KG NJW 1967, 1762 unter Würdigung der Bedeutung str. Änderungen); 1 Mio. DM bei Kurswert der Klägeraktien von 175.000 DM und einer der Beklagten drohenden Rückzahlung von 460 Mio. DM (OLG Köln NZG 2002, 966, 969). **Bezugsrechtsausschluss:** 500.000 DM bei 22 000 DM Aktienbesitz, 750 Mio. DM Grundkapital und ausgeschlossenem Betrag von 35 Mio. DM aus 200 Mio. DM genehmigtem Kapital (OLG München AG 1989, 212); 100.000 DM bei Kleinaktionären, 2,8 Mio. DM Grundkapital und 17,2 Mio. DM ausgeschlossenem Erhöhungsbetrag (LG Aachen AG 1995, 45, 46). **Gewinnverwendungsbeschluss:** 10 % des Stammkapitals einer GmbH: 50.900 Euro (BGH NZG 2009, 1438 Rn. 2). **Squeeze-Out:** 50.000 Euro bei Abfindung iHv 16,23 Euro pro Aktie (OLG Koblenz BeckRS 2013, 08497). Auch bei umfangreichem Streitgegenstand soll Streitwert gering sein, wenn AG in der Vergangenheit nur geringe Umsätze aufgewiesen hat und Geschäftsbetrieb zwischenzeitlich eingestellt wurde (OLG Rostock NZG 2014, 1350: 3.000 Euro). Von großer praktischer Bedeutung ist neuere Rspr. des OLG Köln, wonach sich Streitwert verändert, wenn Freigabeentscheidung nach § 246a II gefasst wurde, weil es danach für Bemessung des Streitwerts nur noch auf Schadensersatzanspruch nach § 246a IV 1 ankommen kann (OLG Köln NZG 2021, 469 Rn. 14 ff. mit Orientierung an Verfahrenskosten; zust. Klett/Alfter NZG 2021, 454 ff.). Umfassende Kasuistik namentl. bei S/L/Schwab Rn. 7 ff.

9 **3. Höchstgrenze.** § 247 I 2 zieht Höchstgrenze für Regelstreitwert: 10 % des Grundkapitals, aber nicht mehr als 500.000 Euro. Überschreitung ist zulässig und auch geboten, soweit Interesse des Klägers (→ Rn. 7) höher zu bewerten ist (OLG Düsseldorf AG 2019, 770, 771; MüKoAktG/C. Schäfer Rn. 17). Das kann bei Anfechtungsklage des Großaktionärs ohne weiteres der Fall sein (s. RegBegr. Kropff S. 334; KK-AktG/Noack/Zetzsche Rn. 78 f.). Auch aus Verlust einer bedeutsamen Einflussquote (zB Sperrminorität) kann sich höhere Bedeutung ergeben (OLG Düsseldorf AG 2019, 770, 771). Interessen der sonstigen Beteiligten, unbeteiligter Aktionäre oder der Allgemeinheit bleiben unberücksichtigt (OLG München AG 2023, 911). Höchstgrenze rechnet sich **für den einzelnen Klageantrag.** Gesamtstreitwert kann bei Anfechtung mehrerer Beschlüsse durch eine Klage über der Grenze von 500.000 Euro liegen (OLG Frankfurt AG 1984, 154 f.; MüKoAktG/C. Schäfer Rn. 18; S/L/Schwab Rn. 16). Entgegen bislang hM ist Zusammenrechnung auch geboten bei Doppelanfechtung von Erst- und Bestätigungsbeschluss; zu sachgerechteren Ergebnissen führt deutliche Ermäßigung des auf den Bestätigungsbeschluss entfallenden Teilstreitwerts (→ § 244 Rn. 9).

10 **4. Verfahren.** Maßgeblich sind mangels bes. Vorschrift allg. Grundsätze. Danach gilt für **erste Instanz:** Für Zuständigkeit bedarf es keiner Streitwertfestsetzung (§ 246 III 1). Gebührenstreitwert (§ 63 GKG, § 11 RVG) ist auf Antrag oder dann festzusetzen, wenn Gericht das für angemessen hält. Entschieden wird durch Beschluss, Rechtsmittel ist (einfache) Beschwerde (§ 63 I 2 GKG). Diese

bleibt mangels Beschwer unzulässig, wenn AG höhere Festsetzung erstrebt, aber Honorar vereinbart hat, das vom Streitwert unabhängig ist (KG AG 2001, 531 f.). **Zweite Instanz:** wie zuvor, doch bindet Festsetzung des Streitwerts für Zulässigkeit des Rechtsmittels auch für die Gebührenberechnung (§ 62 GKG).

III. Streitwertspaltung (§ 247 II)

1. Begriff und Bedeutung. Gem. § 247 II 1 kann Prozessgericht auf Antrag sog Streitwertspaltung anordnen. Das ist **Herabsetzung des Gebührenstreitwerts** zugunsten derjenigen Partei (wohl immer: des Anfechtungsklägers), deren wirtschaftliche Lage durch Belastung mit denjenigen Prozesskosten erheblich gefährdet würde, die sich nach § 247 I ergäben. Anordnung wirkt **nur relativ:** für Prozessgegner (wohl immer: beklagte AG) verbleibt es bei Kostenberechnung aus Regelstreitwert des § 247 I. Für Wert des Beschwerdegegenstands oder Wert der Beschwer (§ 511 II Nr. 1 ZPO) bleibt ebenfalls Regelstreitwert maßgeblich. 11

2. Voraussetzungen. a) Erhebliche Gefährdung der wirtschaftlichen Lage. Streitwertspaltung setzt voraus, dass Belastung mit den aus Regelstreitwert (§ 247 I) folgenden Prozesskosten wirtschaftliche Lage der Partei erheblich gefährden würde (§ 247 II 1). Gericht muss also zunächst Regelstreitwert gem. Erl. in → Rn. 5 ff. bestimmen (OLG Frankfurt KostRspr. AktG § 247 Nr. 7), wenn auch nicht notwendig festsetzen; insoweit bleibt § 63 GKG maßgeblich (→ Rn. 10). Bloße Schätzungen genügen nicht (MüKoAktG/C. Schäfer Rn. 23). Aus Regelstreitwert sind Prozesskosten abzuleiten, die Antragsteller im Falle seines Unterliegens zu tragen hätte (OLG Nürnberg KostRspr. PatG § 53 aF Nr. 2). Maßgeblich ist Kostenlast, wie sie aus § 91 ZPO folgt. Vermeidbare, vor allem mutwillig verursachte Kosten bleiben dabei außer Ansatz (OLG Karlsruhe KostRspr. WZG § 31a aF Nr. 2 [jetzt: § 142 MarkenG]). Abzuheben ist auf Kosten der jeweiligen Instanz (OLG Frankfurt KostRspr. AktG § 247 Nr. 7). 12

Belastung mit Prozesskosten müsste **ernsthafte Gefährdung** der wirtschaftlichen Lage bewirken. Anders als bei Gewährung von Prozesskostenhilfe braucht Gefährdung des Unterhalts nicht zu drohen (MüKoAktG/C. Schäfer Rn. 24). Vielmehr ist erforderlich und genügend, dass vernünftiger Aktionär ohne Streitwertspaltung die Prozessführung nicht wagen würde, weil Beeinträchtigung seines Einkommens und Vermögens aus seiner Sicht in keinem vertretbaren Verhältnis zum angestrebten Prozessergebnis steht (zust. KK-AktG/Noack/Zetzsche Rn. 96). So liegt es, wenn wesentliche Beeinträchtigung der Lebensführung durch Schmälerung laufender Einkünfte droht oder ein erheblicher Teil des Vermögens geopfert werden müsste (OLG Celle DB 1992, 466; MüKoAktG/C. Schäfer Rn. 24; sa OLG Frankfurt WM 1984, 1470, 1471 zur Zumutbarkeit einer Kreditaufnahme). Dass Vermögensstamm bis zur Grenze der Unzumutbarkeit eingesetzt werden muss (so noch KK-AktG/Zöllner, 1. Aufl. 1985, Rn. 20), geht zu weit (s. jetzt auch KK-AktG/Noack/Zetzsche Rn. 98). 13

b) Darlegung und Glaubhaftmachung. Antragsteller hat Darlegungslast für Umstände, aus denen sich erhebliche Gefährdung der wirtschaftlichen Lage ergibt (→ Rn. 13). Er muss die relevanten persönlichen Verhältnisse so umfassend und detailliert darstellen, dass Gericht auf dieser Basis sachgerechte Anpassung des Gebührenstreitwerts vornehmen kann. Glaubhaftmachung erfolgt durch liquide Beweismittel oder eidesstattliche Versicherung (§ 294 ZPO). 14

c) Aussichtslose oder mutwillige Prozessführung. § 247 II sieht anders als § 114 S. 1 ZPO keine Prüfung der Erfolgsaussichten vor. Damit verbundene Verzögerung hält Gesetzgeber für unerwünscht; das nach Streitwertspaltung verbleibende Restrisiko soll ausreichen, um von aussichtsloser oder mutwilliger Pro- 15 zessführung abzuhalten (RegBegr. Kropff S. 335). Umgekehrt gilt: Wenn keine Verzögerung droht, weil Aussichtslosigkeit oder Mutwilligkeit ohne weiteres festgestellt werden können, ist Antrag auf Streitwertspaltung zurückzuweisen (BGH AG 1992, 59; OLG Düsseldorf WM 1994, 337, 347; OLG Frankfurt OLGZ 1990, 351, 353; OLG Hamm AG 1993, 470; RegBegr. Kropff S. 335; MüKoAktG/C. Schäfer Rn. 26). So zB, wenn Frist des § 246 I verstrichen ist oder Aktionär erforderlichen Widerspruch nach eigenem Bekunden nicht erklärt hat (§ 245 S. 1 Nr. 1) oder von ihm geltend gemachte Anfechtungsgründe schon nach Gesetzeslage offenkundig nicht bestehen (OLG Hamm AG 1993, 470).

16 **3. Verhältnis zur Prozesskostenhilfe.** Streitwertspaltung gem. § 247 II wird durch Möglichkeit der Prozesskostenhilfe (PKH) nicht ausgeschlossen, weil Voraussetzungen und Wirkungen der Maßnahmen nicht deckungsgleich sind (heute allgM, s. OLG Celle DB 1992, 466; OLG Frankfurt OLGZ 1990, 351, 352; OLG Hamm AG 1976, 19; Henssler/Strohn/Drescher Rn. 8; MüKoAktG/C. Schäfer Rn. 27; überholt KG GRUR 1939, 346). Ob das auch dann ohne weiteres gilt, wenn PKH teilw. endgültig entlastet und das danach verbleibende Risiko keine ernsthafte Hemmschwelle mehr darstellt (→ Rn. 15), kann immerhin bezweifelt werden (OLG Frankfurt OLGZ 1990, 351, 352 f.; im Anschluss an diese Entscheidung für Gleichlauf Grigoleit/Ehmann Rn. 9). Jedenfalls dann, wenn PKH wegen Missbrauchs der Anfechtungsbefugnis möglicherweise nicht zu gewähren wäre (§ 114 S. 1 ZPO), darf das auch iRd § 247 II berücksichtigt werden (OLG Frankfurt OLGZ 1990, 351, 353).

17 **4. Gerichtliche Anordnung. a) Inhalt.** Gericht setzt nicht eine Quote fest, wie Wortlaut des § 247 II 1 nahelegen könnte, sondern bestimmt für die begünstigte Partei den Gebührenstreitwert in einer auf Euro lautenden Summe (iE ebenso OLG Frankfurt WM 1984, 1470, 1471). Festzusetzen ist der Betrag, der zu einer Kostenbelastung führt, bei der die wirtschaftliche Lage der unterlegenen Partei noch nicht erheblich gefährdet ist (→ Rn. 13).

18 **b) Wirkungen.** Gerichtl. Anordnung ist Festsetzung des Gebührenstreitwerts gem. § 63 GKG, die nur für begünstigte Partei wirkt (idR: Anfechtungskläger). Früher bestehender Streit, ob Festsetzung nur **für jeweilige Instanz** wirkt oder für alle Instanzen, ist mit BGH AG 1993, 85 im Sinne der erstgenannten Auffassung für die Praxis geklärt (sa MüKoAktG/C. Schäfer Rn. 29; aA noch BGH MDR 1982, 209; OLG Frankfurt WM 1984, 1470, 1471). Das ist auch zutr., weil eine für alle Instanzen wirkende Entscheidung des LG dem allg. Prinzip widerspräche, dass jede Instanz Streitwert selbst bestimmt. Überdies wäre Festsetzung für alle Instanzen auch unpraktikabel, da in erster Instanz drohende Kostenbelastung noch nicht absehbar ist (MüKoAktG/C. Schäfer Rn. 29).

19 Im Übrigen ist je nach Prozessausgang zu unterscheiden. **Unterliegt begünstigte Partei** (idR Anfechtungskläger), so schuldet sie Gerichtskosten (§ 247 II 1), Gebühren ihres Anwalts (§ 247 II 2) und die des gegnerischen Anwalts (§ 247 II 3) nur in der Höhe, die sich aus Teilstreitwert ergibt. Die obsiegende Partei (idR Gesellschaft) kann ihre nach Regelstreitwert berechneten und erlegten Anwaltsgebühren nur teilw. erstattet verlangen, so dass bezweckter Schutz der schwächeren Partei (→ Rn. 1) insoweit von Gesamtheit der Aktionäre finanziert wird. **Obsiegt begünstigte Partei,** so bestimmen sich Gerichtskosten der unterlegenen Gesellschaft nach Regel-, nicht nach Teilstreitwert. Es besteht nämlich keine Veranlassung, die Gesellschaft als Entscheidungsschuldnerin kostenmäßig zu entlasten (BeckOGK/Vatter Rn. 24; B/K/L/Göz Rn. 11). Auch Anwaltsgebühren des Anfechtungsklägers sind aus Regelstreitwert (§ 247 1) zu berechnen und von unterlegener Gesellschaft entspr. zu erstatten (§ 247 II 4). Regelung der Anwaltsgebühren ist kritikwürdig (MüKoAktG/C. Schäfer Rn. 30).

IV. Antrag auf Streitwertspaltung (§ 247 III)

Entscheidung über Streitwertspaltung ergeht **nur auf Antrag** (§ 247 II 1; anders bei Festsetzung des Regelstreitwerts → Rn. 10), der vor Geschäftsstelle des Prozessgerichts (§ 247 III 1), aber auch vor Geschäftsstelle eines beliebigen Amtsgerichts (§ 129a ZPO) zur Niederschrift des Urkundsbeamten erklärt werden kann. Es besteht also kein Anwaltszwang. Nur schriftliche Eingabe einer (anwaltlich nicht vertretenen) Partei ist aber nicht genügend. Antrag ist nur zulässig, wenn er **vor der Verhandlung zur Hauptsache** gestellt wird (§ 247 III 2), es sei denn, dass Prozessgericht den Regelstreitwert (§ 247 I) heraufsetzt (§ 247 III 3). Weil Festsetzung nach richtiger Ansicht nur für die jeweilige Instanz wirkt (→ Rn. 18), muss Antrag für jeden Rechtszug neu gestellt werden, auch für Revisionsinstanz (BGH AG 1993, 85). Gericht entscheidet durch Beschluss (§ 63 II 1 GKG), und zwar ohne mündliche Verhandlung, aber nach Anhörung des Gegners (§ 247 III 4). Rechtsmittel ist gem. § 68 GKG einfache Beschwerde. Wenn Streitwert gem. § 247 II gespalten wird, haben auch Vertreter der Staatskasse und (wegen § 247 II 2) gem. § 32 II 1 RVG der Anwalt der begünstigten Partei eigenes Beschwerderecht. 20

Urteilswirkung

248 (1) **[1] Soweit der Beschluß durch rechtskräftiges Urteil für nichtig erklärt ist, wirkt das Urteil für und gegen alle Aktionäre sowie die Mitglieder des Vorstands und des Aufsichtsrats, auch wenn sie nicht Partei sind. [2] Der Vorstand hat das Urteil unverzüglich zum Handelsregister einzureichen. [3] War der Beschluß in das Handelsregister eingetragen, so ist auch das Urteil einzutragen. [4] Die Eintragung des Urteils ist in gleicher Weise wie die des Beschlusses bekanntzumachen.**

(2) **Hatte der Beschluß eine Satzungsänderung zum Inhalt, so ist mit dem Urteil der vollständige Wortlaut der Satzung, wie er sich unter Berücksichtigung des Urteils und aller bisherigen Satzungsänderungen ergibt, mit der Bescheinigung eines Notars über diese Tatsache zum Handelsregister einzureichen.**

Übersicht

I. Regelungsgegenstand und -zweck

1 Norm betr. Wirkungen des Anfechtungsurteils (§ 248 I 1) sowie Vorstandspflichten ggü. Registergericht (§ 248 I 2, II) und dessen Verfahren (§ 248 I 3 und 4). Bezweckt ist, **Rechtsklarheit und -sicherheit** zu gewährleisten. Insbes. wird sichergestellt, dass HV-Beschluss nicht nur für Kläger und beklagte AG als Prozessparteien, sondern auch für andere Aktionäre und Verwaltungsmitglieder nichtig ist, wenn Anfechtungsklage Erfolg gehabt hat. Das ist notwendig; denn es „würde eine auf die Parteien beschränkte Wirkung des Nichtigkeitsurteils in der Mehrzahl der Fälle zu unlösbarem Wirrsal führen" (RGZ 85, 311, 313). Möglichkeiten der Verfahrensbeendigung sind in § 248 nicht vollständig erfasst; nach allg. Grundsätzen bleiben Klageabweisung, Prozessvergleich, Klagerücknahme usw zu behandeln (→ Rn. 13 ff.). **Schadensersatzpflicht** wegen unbegründeter Anfechtung war noch in § 200 II AktG 1937 vorgesehen, ist aber nicht in § 248 übernommen worden, da Gesetzgeber von 1965 darin ungerechtfertigte Benachteiligung des Anfechtungsklägers ggü. Klägern in anderen Streitverfahren erblickt und iÜ § 826 BGB für genügend gehalten hat (RegBegr. Kropff S. 335).

II. Anfechtungsurteil (§ 248 I)

2 **1. Urteil.** § 248 I 1 setzt Urteil voraus, das angefochtenen HV-Beschluss für nichtig erklärt. Ob Urteil im streitigen Verfahren ergangen ist (§ 300 ZPO) oder auf der Versäumnis der beklagten AG (§ 331 ZPO) oder auf ihrem Anerkenntnis beruht (§ 307 ZPO), bleibt gleich. Zur Zulässigkeit von Versäumnis- und Anerkenntnisurteil → § 246 Rn. 16. Selbst wenn man Dispositionsgrundsatz insoweit nicht gelten lassen wollte, bliebe Ergebnis gleich. Wenn Urteil ergangen und in Rechtskraft erwachsen ist, vernichtet es den HV-Beschluss nämlich ohne Rücksicht darauf, ob es ergehen durfte (allgM, s. BGH NJW 1975, 1273; MüKoAktG/C. Schäfer Rn. 10). Urteil muss im Tenor Nichtigerklärung aussprechen, darf nicht nur Nichtigkeit feststellen. Beschluss ist durch Datum der HV und Benennung seines Gegenstands möglichst genau zu bezeichnen (näher MüKoAktG/C. Schäfer Rn. 9).

3 **2. Rechtskraft.** Damit Wirkungen des § 248 I 1 eintreten, muss Urteil in Rechtskraft erwachsen sein. Gemeint ist **Unangreifbarkeit** (formelle Rechtskraft). Sie ist eingetreten, wenn kein Rechtsmittel mehr zur Verfügung steht oder wenn unterlegene AG die Rechtsmittelfristen verstreichen lässt (§ 705 ZPO). Im Fall der Nebenintervention auf Seiten der Gesellschaft (§§ 61, 69 ZPO) müssen Rechtsmittelfristen, weil Fall des § 62 ZPO vorliegt, auch für den oder die Nebenintervenienten abgelaufen sein (→ § 246 Rn. 7).

4 **3. Urteilswirkungen. a) Allgemeines.** Anfechtungsklage ist Gestaltungsklage (→ § 246 Rn. 8), Anfechtungsurteil Gestaltungsurteil (unstr., s. MüKoAktG/C. Schäfer Rn. 12; Schulte AG 1988, 67, 68 f.). Es verändert materielle Rechtslage, indem bis dahin zwar gesetz- oder satzungswidriger, aber nur anfechtbarer HV-Beschluss mit Eintritt formeller Rechtskraft nichtig wird (§ 241 Nr. 5). Mit Eintritt formeller Rechtskraft ist **Nichtigkeitstatbestand** des materiellen Rechts **vollständig** (Noack, Fehlerhafte Beschlüsse, 1989, 95 f.), so dass von HV gewollte Rechtswirkungen entfallen. Von Gestaltungswirkung ist materielle Rechtskraftwirkung zu unterscheiden. Sie bedeutet Bindung eines erneut angegangenen Gerichts und (jedenfalls) der Prozessparteien an das schon ergangene Urteil. Auch Gestaltungsurteile entfalten materielle Rechtskraft (MüKoAktG/C. Schäfer Rn. 6), so dass beide Urteilswirkungen zu erläutern sind.

b) Gestaltungswirkung. aa) Wirkung für und gegen jedermann. § 248 I 1 spricht von Urteilswirkungen, ohne zum Ausdruck zu bringen, ob es dabei um Gestaltung oder um **materielle Rechtskraft** gehen soll. Richtig ist das Zweite (→ Rn. 8). Gestaltungswirkung kann schon deshalb nicht gemeint sein, weil Nichtigkeit des Beschlusses als materiell-rechtl. Folge des Urteils (§ 241 Nr. 5) sich nicht auf den in § 248 I 1 genannten Adressatenkreis beschränkt, sondern für und gegen jedermann eintritt. Anders könnte es nur dann sein, wenn Geltungsanspruch des § 241 Nr. 5 subj. beschränkt wäre; das trifft jedoch nicht zu und wäre auch nicht sinnvoll. Wirkung des Gestaltungsurteils für und gegen jedermann ist überdies keine Besonderheit des Anfechtungsprozesses, sondern generell anerkannt (RGZ 80, 317, 323 f.; MüKoZPO/Gottwald ZPO § 322 Rn. 19). Im Folgenden geht es also im Kern um die materielle Nichtigkeitsfolge des § 241 Nr. 5; das Anfechtungsurteil und seine formelle Rechtskraft sind dabei nur Tatbestandselemente (zutr. namentl. K. Schmidt AG 1977, 205, 207). 5

bb) Rückwirkende Gestaltung. Das rechtskräftige Anfechtungsurteil lässt die von HV gewollten Rechtswirkungen des Beschlusses entfallen (→ Rn. 4), und zwar mit Wirkung für und gegen jedermann (→ Rn. 5) und grds. auch rückwirkend. Der HV-Beschluss ist also **von Anfang an nichtig;** das ist weitgehend anerkannt, soweit es um den in § 248 I 1 umschriebenen Personenkreis geht (GK-AktG/K. Schmidt Rn. 5). HLit. lässt von diesem Grundsatz nach Lehre vom fehlerhaften Organ Ausnahmen für Wahlen zum AR zu, doch hat sich BGH diese Auffassung nur in Einzelpunkten zu eigen gemacht (→ § 101 Rn. 20 ff.). 6

Früher str., mittlerweile aber weitgehend geklärt ist die Frage, ob **Rückwirkung auch ggü. Dritten** eintritt, also ggü. gesellschaftsfremden Personen. Das wurde im älteren Schrifttum zT ausgeschlossen (Schlegelberger/Quassowski AktG 1937 § 200 Rn. 3), wird heute aber zu Recht durchgängig bejaht (MüKoAktG/C. Schäfer Rn. 19; GK-AktG/K. Schmidt Rn. 5; Noack, Fehlerhafte Beschlüsse, 1989, 100 f.). Älterer Auffassung lag das sinnvolle Anliegen zugrunde, **Wirksamkeit von Durchführungsgeschäften** namentl. bei Kapitalerhöhung (→ Rn. 7a) nicht mit ex-tunc-Wirkung in Frage zu stellen, doch ist es dafür nicht erforderlich und auch nicht sinnvoll, diese Frage mit rechtl. Schicksal des zugrunde liegenden HV-Beschlusses zu vermengen (anders für Strukturänderungen jetzt aber MüKoAktG/C. Schäfer Rn. 16 f.). Rückwirkung ist deshalb grds. auch ggü. Dritten zu bejahen, es sei denn, dass diese ausnahmsweise Vertrauensschutz in Anspruch nehmen können, insbes. nach § 15 III HGB. Insoweit wird jedoch das Vertrauen auf den Bestand von Durchführungsgeschäften geschützt, nicht das Vertrauen auf den Bestand ihnen zugrunde liegender HV-Beschlüsse (→ Rn. 7a). 7

cc) Durchführungsgeschäfte. Frage nach Wirksamkeit von Durchführungsgeschäften ist im Ausgangspunkt nach allg. Grundsätzen zu beurteilen, dh grds. gilt auch hier Nichtigkeitsfolge, sofern Durchführungsmaßnahme nicht ausnahmsweise eine über HV-Beschluss hinausgehende Legitimation aufweist (MüKoAktG/C. Schäfer Rn. 20 ff.). Daran fehlt es zB bei Dividendenzahlung aufgrund angefochtenen Gewinnverwendungsbeschlusses, so dass Rückzahlung nach §§ 57, 62 gefordert werden kann (BeckOGK/Vatter Rn. 10; MüKoAktG/C. Schäfer Rn. 21). Ebenso tritt Nichtigkeitswirkung ein bei Vermögensübertragung nach § 179a oder Kaufvertrag aufgrund wirksam angefochtenen Nachgründungsbeschlusses gem. § 52 (BeckOGK/Vatter Rn. 11; MüKoAktG/C. Schäfer Rn. 22). **Geschäftsführungsangelegenheiten,** die gem. Holzmüller-Grundsätzen HV vorgelegt werden (→ § 119 Rn. 16 ff.), finden Legitimation im Außenverhältnis hingegen allein in Vertretungsmacht des Vorstands, so dass Nichtigkeit des HV-Beschlusses unbeachtlich ist (BeckOGK/Vatter Rn. 12; KK-AktG/Noack/Zetzsche Rn. 36). Auch bei durchgeführter und eingetragener **Kapital-** 7a

erhöhung verbleibt es bei Rückwirkung des rechtskräftigen Anfechtungsurteils (BGHZ 139, 225, 231 f. = NJW 1998, 3345; GK-AktG/K. Schmidt Rn. 7; teilw. aA MüKoAktG/C. Schäfer Rn. 16; Hommelhoff ZHR 158 [1994], 11, 25 ff., 29 f.). Mit dem Beschluss entfällt jedoch nicht ohne weiteres die darauf aufbauende Kapitalerhöhung einschließlich der Zeichnung junger Aktien. Vielmehr kann sie unter Übernahme der für fehlerhafte Gesellschaften geltenden Grundsätze (→ § 275 Rn. 3) **bis zur Rechtskraft des Urteils** aufrechterhalten werden (MüKoAktG/Schürnbrand/Verse § 189 Rn. 24 ff.; GK-AktG/K. Schmidt Rn. 7; Marsch-Barner/Schäfer/Busch/Busch Rn. 44.117 ff.; Zöllner AG 1993, 68, 72 ff., 75 ff.; iE ähnlich, wenngleich mit anderer Konstruktion MüKoAktG/C. Schäfer Rn. 16 f.). **Nach Eintritt der Rechtskraft** ist Rückabwicklung erforderlich, die den Erwerbern fehlerhaft entstandener junger Aktien Barabfindung (auch bei Sacheinlagen; arg. § 728 I 1 BGB) nach zu § 237 geltenden Grundsätzen (→ § 237 Rn. 18) gewährt (MüKoAktG/Schürnbrand/Verse § 189 Rn. 26 ff.; Kort ZGR 1994, 291, 314 ff.; Zöllner/Winter ZHR 158 [1994], 59, 60 ff., 65 ff.; aA Huber FS Claussen, 1997, 147, 153 ff.: Barabfindung [ohne Beteiligung an stillen Reserven] oder Verschaffung fehlerfreier Aktien). Soweit Erhöhungsbeschluss mangelfrei neu gefasst oder Fehler gem. § 244 behoben wird, können Abfindungsansprüche als Sacheinlage eingebracht werden (MüKoAktG/Schürnbrand/Verse § 189 Rn. 30; Zöllner/Winter ZHR 158 [1994], 59, 79 ff., 84 ff.; teilw. aA Kort ZGR 1994, 291, 321 ff.: Behandlung wie befreiende Voreinzahlung [→ § 188 Rn. 7 f.]). Zur Haftung der Ausgeber → § 191 Rn. 7. Diese Grundsätze können auch auf **andere Strukturmaßnahmen** angewandt werden, allerdings nur dann, wenn sie in gleicher Weise durch verallgemeinerungsfähigen Grundgedanken der Lehre von der fehlerhaften Gesellschaft erfasst werden, was etwa bei Beherrschungsverträgen oder Eingliederungen zu bejahen ist (vgl. dazu auch MüKoAktG/C. Schäfer Rn. 16). Für Verschmelzung, Spaltung und Formwechsel ordnen § 20 II UmwG, § 131 II UmwG, § 202 III UmwG Wirksamkeit des Durchführungsgeschäfts ausdr. an (MüKoAktG/C. Schäfer Rn. 18).

8 **c) Rechtskraftwirkung.** § 248 I 1 betr. subj. Grenzen der materiellen Rechtskraft des Anfechtungsurteils (→ Rn. 4; sa GK-AktG/K. Schmidt Rn. 13). Das Urteil bindet nicht nur die Prozessparteien, sondern weitergehend **alle Aktionäre und Organmitglieder.** Die Bindung von Vorstand und AR folgt schon daraus, dass das Urteil gegen die AG wirkt. Bindungswirkung heißt: Der von § 248 I 1 umfasste Personenkreis kann das Gericht nicht noch einmal mit Gültigkeit des HV-Beschlusses befassen. Gleichwohl erhobene neue Klage ist unzulässig und deshalb abzuweisen, ohne dass auf die Sache selbst einzugehen wäre (BGHZ 34, 337, 339 = NJW 1961, 917; BGHZ 36, 365, 367 = NJW 1962, 1109; BGH NJW 1989, 393, 394; 1989, 2133, 2134; MüKoZPO/Gottwald ZPO § 322 Rn. 37 ff.). Das gilt für erneute Anfechtungsklage ebenso wie für Feststellungsklage mit dem entgegengesetzten Ziel, die Gültigkeit des Beschlusses aussprechen zu lassen. Andere noch anhängige Anfechtungs- oder Nichtigkeitsklagen, über die mangels Prozessverbindung gem. § 246 III, § 249 II noch nicht entschieden sein sollte, sind in der Hauptsache erledigt (MüKoAktG/C. Schäfer Rn. 26). Bes. Vertreter iSd § 147 II wird von § 248 auch nicht in analoger Anwendung erfasst (BGH NZG 2015, 835 Rn. 18; sa → § 147 Rn. 34).

9 **4. Anfechtungs- und positives Feststellungsurteil.** Das auf positive Beschlussfeststellungsklage (→ § 246 Rn. 42 f.) ergehende Urteil setzt das Anfechtungsurteil voraus (BeckOGK/Vatter Rn. 22 ff.). Bei Fassung des Tenors ist auf bes. Klarheit zu achten; der Inhalt des fälschlich abgelehnten und nunmehr als angenommen festgestellten Antrags ist in den Tenor aufzunehmen (Bsp. bei MüKoAktG/C. Schäfer Rn. 27). Urteil wirkt ebenso rechtsgestaltend wie An-

fechtungsurteil, weil es die Feststellung des HV-Leiters über das Beschlussergebnis ersetzt (BGHZ 76, 191, 199 = NJW 1980, 1465) und damit den Beschlusstatbestand vollständig macht (MüKoAktG/C. Schäfer Rn. 28; K. Schmidt AG 1980, 169 f.). Das ist **Gestaltungswirkung** im rechtstechnischen Sinne, die ebenso wie beim Anfechtungsurteil (→ Rn. 5) für und gegen jedermann eintritt (GK-AktG/K. Schmidt Rn. 19). Daneben tritt erweiterte Rechtskraftwirkung analog § 248 I 1 (BGHZ 76, 191, 199; → Rn. 8).

5. Einreichungspflicht; Eintragung. Nach § 248 I 2 muss Vorstand das Anfechtungsurteil, ggf. auch das positive Feststellungsurteil (→ Rn. 9), unverzüglich (§ 121 I 1 BGB) zum HR einreichen. Erforderlich und genügend ist Handeln von Organmitgliedern in vertretungsberechtigter Zahl (§ 78). Einzureichen sind nur rechtskräftige, der Klage ganz oder teilw. stattgebende Entscheidungen. Haben mehrere Instanzen entschieden, so bezieht sich Pflicht des § 248 I 2 auf das letzte Sachurteil. Verpflichtung ist zwangsgeldbewehrt (§ 14 HGB). Zwangsgeldverfahren richtet sich nicht gegen AG, sondern gegen Mitglieder des Vorstands. Einreichung erfolgt elektronisch gem. § 12 II HGHB. Das eingereichte Urteil wird in Registerordner aufgenommen (§ 9 I HRV) und unterliegt dem Recht auf Einsichtnahme gem. § 9 HGB. Zur erweiterten Einreichungspflicht bei Satzungsänderungen (§ 248 II) → Rn. 12. 10

Anfechtungsurteil ist gem. § 248 I 3 **in das HR einzutragen,** wenn für nichtig erklärter Beschluss in das HR eingetragen war. Bei positivem Beschlussfeststellungsurteil kommt Norm mangels Voreintragung nicht zur Anwendung, doch ist nunmehr vorhandener Beschluss nach für ihn geltenden Regeln anzumelden. Das im Fall des § 248 I 3 zu beachtende Verfahren ergibt sich aus § 44 HRV. Danach erfolgt Eintragung des Urteils von Amts wegen (§ 19 II HRV) **durch Vermerk** in allen Spalten des Registerblatts, in denen auch der Beschluss eingetragen war. Die durch Urteil bewirkte Änderung der Rechtsverhältnisse ist einzutragende Tatsache iSd § 15 HGB. Nach § 248 I 4 ist Eintragung des Urteils in gleicher Weise bekanntzumachen wie die des Beschlusses. Das wird überwiegend dahingehend gedeutet, dass Veröffentlichung in den Gesellschaftsblättern (§ 25) zu erfolgen hat (MüKoAktG/C. Schäfer Rn. 31), doch wird zu Recht darauf hingewiesen, dass – vorbehaltlich entspr. Satzungsvorgaben – Beschlüsse keiner solchen Bekanntmachungspflicht unterliegen und BAnz. auch nicht für Verlautbarungen des Registergerichts gebräuchlich ist (KK-AktG/Noack/Zetzsche Rn. 92 f.). Bek. sollte daher gem. § 10 HGB erfolgen (BeckOGK/Vatter Rn. 34; Henssler/Strohn/Drescher Rn. 11; zur inhaltlichen Neuausfüllung des Bekanntmachungsbegriffs durch DiRUG 2021 → § 39 Rn. 7 ff.). 11

III. Erweiterte Einreichungspflicht (§ 248 II)

§ 248 II erweitert Einreichungspflicht des Vorstands für den Fall, dass für nichtig erklärter Beschluss eine Satzungsänderung zum Inhalt hatte. Sodann ist nicht nur das Urteil, sondern auch der danach geltende **Satzungstext mit Notarbescheinigung** zum HR einzureichen. Grund: Weil sich gem. § 181 I der geänderte Satzungstext bei den Registerakten befindet, sollen auch die rückwirkende Vernichtung der Satzungsänderung und ihr Einfluss auf die Textfassung aus den Akten ersichtlich sein. Das ist auch dann sinnvoll, wenn die Anmeldung erfolgt, aber noch nicht eingetragen worden ist. Fehlt es dagegen bisher schon an der Anmeldung, könnte Vorstand jetzt nur zwei identische Textfassungen vorlegen. Das ist eher verwirrend und vom Ges. ungeachtet seines Wortlauts nicht gewollt. Teleologische Reduktion des § 248 II ergibt, dass es für diesen Fall bei Einreichung des Urteils gem. § 248 I 2 verbleibt (MüKoAktG/C. Schäfer Rn. 33; KK-AktG/Noack/Zetzsche Rn. 96). 12

IV. Klageabweisung; andere Formen der Verfahrensbeendigung

13 **1. Wirkungen abweisender Urteile. a) Prozessurteil.** § 248 erfasst Möglichkeiten der Verfahrensbeendigung nicht vollständig (→ Rn. 1) und enthält insbes. nichts über die Wirkungen abweisender Urteile (BeckOGK/Vatter Rn. 3, 29–31). Insoweit ist zwischen **Prozess- und Sachabweisung** zu unterscheiden. Wenn Anfechtungsklage als unzulässig abgewiesen worden ist, kann erneut auf Nichtigerklärung des Beschlusses geklagt werden. Durchweg ist Anfechtungsklage jetzt aber wegen Ablaufs der Monatsfrist (§ 246 I) unbegründet. Weil es sich dabei um materiell-rechtl. Ausschlussfrist handelt, wird ihr Lauf durch die abgewiesene Klage nicht unterbrochen (→ § 246 Rn. 21). Praktisch kommt nur noch Nichtigkeitsklage in Betracht. Dem steht Prozessurteil mangels materieller Rechtskraftwirkung nicht entgegen (→ § 249 Rn. 14).

14 **b) Sachabweisung.** Mangels bes. Vorschrift in § 248 gelten **allg. Grundsätze.** Weil abweisendes Urteil keine Gestaltungswirkung entfalten kann, verbleibt es bei materieller Rechtskraft, sobald Rechtsmittel nicht mehr möglich sind. Bindungswirkung erfasst jedoch nur Prozessparteien. Für eine Rechtskrafterstreckung ist kein Raum. Neuerliche Anfechtungsklage eines anderen Aktionärs ist danach nicht schon unzulässig, aber auch hier wegen Ablaufs der Monatsfrist des § 246 I wohl immer unbegründet. In Betracht kommt jedoch, dass andere Aktionäre Nichtigkeitsklage erheben. Das gilt auch dann, wenn Nichtigkeitsgrund schon in den Prozess eingeführt war. Dann ist darüber zwar schon mitentschieden (→ § 246 Rn. 12, 14), aber nicht mit Wirkung ggü. neuen Klägern.

15 Ob auch der **abgewiesene Anfechtungskläger Nichtigkeitsklage** erheben kann oder ob seine Klage als unzulässig abzuweisen ist, ist str. Früher hM hat angenommen, Nichtigkeitsklage sei zulässig (v. Godin/Wilhelmi § 249 Anm. 4). Inzwischen überwiegt Gegenansicht, nach der Nichtigkeitsklage durch Prozessurteil abzuweisen ist, soweit dem abweisenden Urteil obj. Rechtskraftwirkung zukommt (KK-AktG/Noack/Zetzsche Rn. 61; GK-AktG/K. Schmidt Rn. 15), deren Reichweite wiederum unterschiedlich beurteilt wird (→ § 246 Rn. 14: Rechtskraft nur, soweit Sachverhalt in den Prozess eingeführt war). Richtig ist, Nichtigkeitsklage als unzulässig abzuweisen, soweit sie sich auf denselben Lebenssachverhalt stützt (BeckOGK/Vatter Rn. 28; Hölters/Weber/Englisch Rn. 35; B/K/L/Göz Rn. 22; NK-AktR/Heidel Rn. 15; MüKoAktG/C. Schäfer Rn. 36). Das ist prozessrechtl. konsequent und vermeidet untunliche Doppelprüfung desselben Lebenssachverhalts. Gegenauffassung von Grigoleit/Ehmann Rn. 8 beruht auf dem von hM zu Recht abgelehntem eingliedrigen Streitgegenstandsbegriff (→ § 246 Rn. 11).

16 **2. Prozessvergleich; Klagerücknahme; Erledigung der Hauptsache.** Prozessvergleich (§ 794 I Nr. 1 ZPO) beendet Rechtshängigkeit und macht erneute Anfechtungs- oder Nichtigkeitsklage desselben Klägers unzulässig, soweit Vergleichswirkungen reichen. Weil zulässiger Vergleich Bestand des HV-Beschlusses unberührt lässt (→ § 246 Rn. 17), wird er idR mit Klagerücknahme zusammentreffen. Rechtsstreit ist dann als nicht anhängig geworden anzusehen (§ 269 III ZPO). Erneuter Anfechtungs- oder Nichtigkeitsklage stehen deshalb keine prozessrechtl. Hindernisse entgegen, doch scheitert Anfechtungsklage an Frist des § 246 I. Nach Erledigung der Hauptsache kann es zum Gestaltungsurteil nicht mehr kommen. Vielmehr ist, soweit nicht § 244 S. 2 eingreift, gem. § 91a ZPO durch Beschluss über die Kosten zu entscheiden oder bei einseitiger Erledigterklärung die Erledigung durch Urteil festzustellen. Eine hilfsweise Erledigterklärung, die nach Abweisung der Anfechtungsklage zum Zuge kommen soll, ist

allerdings unzulässig (BGH AG 2010, 749 Rn. 4; 2011, 335 Rn. 22). Drittwirkung nach Vorbild des § 248 I 1 kommt einer Entscheidung über die Erledigung nicht zu.

Bekanntmachungen zur Anfechtungsklage

248a **[1] Wird der Anfechtungsprozess beendet, hat die börsennotierte Gesellschaft die Verfahrensbeendigung unverzüglich in den Gesellschaftsblättern bekannt zu machen. [2] § 149 Abs. 2 und 3 ist entsprechend anzuwenden.**

I. Regelungsgegenstand und -zweck

1 Neben die begrenzte und namentl. ein Anfechtungsurteil voraussetzende Publizitätswirkung, die gem. § 248 I 2 und 3 über das HR erzielt wird (→ § 248 Rn. 10 ff.), tritt nach § 248a Pflicht zur Bek. jeder Verfahrensbeendigung im Umfang des § 149 II und auch der prozessvermeidenden Vereinbarungen iSd § 149 III. Norm ist eingefügt durch UMAG 2005. Sie beruht auf Beschluss I Nr. 16 des 63. DJT (Verh. 63. DJT, Bd. II/2, 2001, O 224) und auf Empfehlung der Regierungskommission Corporate Governance (s. Baums Bericht, 2001, Rn. 158 f.). Damit angeordnete Transparenz aller Absprachen bezweckt **Prävention** ggü. missbräuchlichen Anfechtungsklagen und unzulässigen Vergleichsleistungen (→ § 149 Rn. 1; RegBegr. BT-Drs. 15/5092, 30). Abschreckende Wirkung, die man sich von Veröffentlichung erhofft hat, ist allerdings ausgeblieben. Wesentlicher Nutzen dieser Vorschrift wird heute eher darin gesehen, dass sie **empirische Aufarbeitung** des Beschlussmängelrechts erleichtert (Homeier, Berufskläger im Aktienrecht, 2016, 254 f.).

II. Bekanntmachungspflicht

2 Bek. ist von jeder betroffenen AG vorzunehmen, sofern börsennotiert (§ 3 II). Vorstand hat in ihrer Vertretung unverzüglich (§ 121 I 1 BGB) tätig zu werden. Bek. erfolgt in den Gesellschaftsblättern, also im BAnz. (§ 25). Bekanntzumachen ist die Verfahrensbeendigung, und zwar, wie aus § 149 II iVm § 248a S. 2 folgt, **jede Art der Beendigung,** entspr. dem Normzweck (→ Rn. 1) vor allem jede Beendigung ohne Urteil. Bek. erstreckt sich auch hier auf alle Vereinbarungen und Nebenabreden (→ § 149 Rn. 3). Ohne Bek. bleiben sie unwirksam (§ 149 II 4 iVm § 248a S. 2). Entspr. Anwendung des § 149 III bedeutet, dass auch hier **prozessvermeidende Absprachen** der Bek. bedürfen und ohne sie unwirksam bleiben, namentl. Vereinbarungen, die an bloßen Widerspruch anknüpfen. Sonderproblem ist bei subj. Klagenhäufung **sukzessive Verfahrensbeendigung** durch Ausscheiden einzelner Aktionäre aus Prozessrechtsverhältnis (zB durch Rücknahme der Klage oder des Rechtsmittels). Grds. ist solches Ausscheiden Prozessbeendigung iSd § 248a, also bekanntmachungspflichtig (Meyer/Ulbrich NZG 2010, 246). Bloße Endveröffentlichung bei Beendigung aller Klagen reicht jedoch, wenn beim Ausscheiden keine Absprachen getroffen werden (Meyer/Ulbrich NZG 2010, 246, 248; weitergehend Schnabl ZIP 2008, 1667).

Nichtigkeitsklage

249 (1) **[1] Erhebt ein Aktionär, der Vorstand oder ein Mitglied des Vorstands oder des Aufsichtsrats Klage auf Feststellung der Nichtigkeit eines Hauptversammlungsbeschlusses gegen die Gesellschaft,**

so finden § 246 Abs. 2, Abs. 3 Satz 1 bis 5, Abs. 4, §§ 246a, 247, 248 und 248a entsprechende Anwendung. [2] Es ist nicht ausgeschlossen, die Nichtigkeit auf andere Weise als durch Erhebung der Klage geltend zu machen. [3] Schafft der Hauptversammlungsbeschluss Voraussetzungen für eine Umwandlung nach § 1 des Umwandlungsgesetzes und ist der Umwandlungsbeschluss eingetragen, so gilt § 20 Abs. 2 des Umwandlungsgesetzes für den Hauptversammlungsbeschluss entsprechend.

(2) [1] **Mehrere Nichtigkeitsprozesse sind zur gleichzeitigen Verhandlung und Entscheidung zu verbinden.** [2] **Nichtigkeits- und Anfechtungsprozesse können verbunden werden.**

Übersicht

I. Regelungsgegenstand und -zweck

1 § 249 regelt Nichtigkeitsklage und bezweckt wie § 248 (→ § 248 Rn. 1) **Rechtsklarheit und -sicherheit,** indem die Wirkungen des Nichtigkeitsurteils über die Prozessparteien hinaus auch für und gegen alle Aktionäre sowie die Mitglieder von Vorstand und AR eintreten, sofern Klage von einem Aktionär, dem Vorstand oder einem Organmitglied erhoben wird (§ 248 I 1 iVm § 249 I 1). Wegen der über die Parteien hinausgehenden Wirkungen wird auch das der Entscheidung zugrunde liegende Verfahren dem des Anfechtungsprozesses durch sinngem. Anwendung seiner Regeln angenähert. Dagegen geht es, wie § 249 I 2 zeigt, nicht darum, Geltendmachung der Nichtigkeit durch Klage vorzuschreiben oder die Klagebefugnis zu beschränken. Eingegrenzt wird nur der Personenkreis, der mit seiner Klage die Klarstellung der Ungültigkeit für und gegen alle Aktionäre, die Verwaltung und ihre Mitglieder erreichen kann. Nach ursprünglicher Entwurfsfassung sollte Aktienrechtsnovelle 2016 § 249 II um S. 3 ergänzen (RegBegr. BT-Drs. 18/4349, 30 f.). Danach sollte für den Fall, dass Erhebung einer Klage gegen einen HV-Beschluss gem. § 246 IV 1 bekannt gemacht wird,

ein Aktionär Nichtigkeitsklage gegen diesen Beschluss nur innerhalb eines Monats nach Bek. erheben können. Mit dieser sog „relativen Befristung" sollte Phänomen der **nachgeschobenen Nichtigkeitsklage** (→ Rn. 14) entgegengewirkt werden, was in jedem Fall zu begrüßen wäre. Vorschlag ist auf Empfehlung des RAusschusses letztlich nicht Ges. geworden, da angesichts derzeit bestehender Inkonsistenzen des Anfechtungsrechts (→ § 245 Rn. 31) umfassende Reform in den Blick genommen und bis dahin auf punktuelle Änderungen verzichtet werden soll (RAusschuss BT-Drs. 18/6681, 12).

II. Grundlagen

1. Begriff und Bedeutung der Nichtigkeitsklage. Nichtigkeitsklage ist auf Feststellung (→ Rn. 10) der Nichtigkeit eines HV-Beschlusses gerichtete, von Aktionär, Vorstand oder Organmitglied erhobene Klage, die wegen Person des Klägers und notwendiger Urteilswirkung für und gegen jedermann (→ Rn. 17) teilw. den für Anfechtungsprozess geltenden Regeln untersteht. Soweit Kläger dem genannten Personenkreis angehört, kann er Nichtigkeit von HV-Beschlüssen **nur in Form der Nichtigkeitsklage,** nicht auch mit gewöhnlicher Feststellungsklage gem. § 256 ZPO, geltend machen (BGHZ 70, 384, 388 = NJW 1978, 1325 zur Genossenschaft; OLG Düsseldorf AG 1968, 19, 22; MüKoAktG/C. Schäfer Rn. 7). Denn es handelt sich nicht um zwei Rechtsschutzmöglichkeiten, sondern um bes. Regeln unterstehende Feststellungsklage (str., → Rn. 10). Weil Kläger sich diesen Regeln nicht entziehen kann, bleibt Nichtigkeitsklage unzulässig, wenn nach § 246 II 2 iVm § 249 I 1 erforderliche Zustellung an AR unterblieben ist; der Kläger kann sie nicht zulässig machen, indem er sie als Feststellungsklage gem. § 256 ZPO weiterführt (BGHZ 70, 384, 388; MüKoAktG/C. Schäfer Rn. 7). 2

Soweit Ges. **Fälle endgültiger Unwirksamkeit** als solche der Nichtigkeit bezeichnet (§ 173 III 2, § 217 II 4, § 228 II 1, § 234 III 1, § 235 II 1; sa → § 241 Rn. 6), ist Beschlussmangel durch Nichtigkeitsklage gem. § 249 geltend zu machen. Das entspr. nicht nur dem Gesetzeswortlaut, sondern ist auch sinnvoll, weil damit für wesentlichen Teilbereich erweiterte Urteilswirkung der §§ 248 I 1, 249 I 1 eintritt, was der Rechtsklarheit dient. Frage analoger Anwendung des § 249 (→ Rn. 21) stellt sich insoweit nicht. 3

2. Prozessparteien; Nebenintervention. a) Kläger. aa) Aktionär. Gem. § 249 I 1 kann Nichtigkeitsklage zunächst von Aktionären erhoben werden. Dadurch wird die Aktivlegitimation jedoch nicht begründet. Sie folgt vielmehr schon daraus, dass jedermann – also auch Aktionäre – Feststellung der Nichtigkeit begehren kann, wenn Feststellungs- und Rechtsschutzinteresse zu bejahen sind. **Bedeutung der Aktionärseigenschaft** für § 249 I 1 liegt also allein darin, tatbestandliche Voraussetzungen für sinngem. Anwendung der § 246 II, III 1, IV, §§ 247, 248 zu bezeichnen. Entspr. gilt für die anderen in § 249 I 1 genannten Kläger und für die AG als Beklagte. Auf Bekundung des Klägers, in seiner Eigenschaft als Aktionär zu klagen, kommt es nicht an (MüKoAktG/C. Schäfer Rn. 10); denn sonst könnte Aktionär über ges. Tatbestand disponieren. Die genannten Vorschriften sind also auch dann anwendbar, wenn sich Aktionärseigenschaft erst während des Rechtsstreits herausstellt. § 249 I 1 spricht **keinen Verweis auf § 245 S. 1 Nr. 1 und 3** aus. Nach Wortlaut gibt es also insoweit kein Vorbesitzerfordernis (→ § 245 Rn. 7, 21). ZT wird allerdings aus Identität der Rechtsschutzziele von Anfechtungs- und Nichtigkeitsklage (→ § 246 Rn. 13 f.) erwogen, Vorbesitzerfordernis in teilanaloger Anwendung des § 245 S. 1 Nr. 1 und 3 auf Nichtigkeitsklage zu übertragen (→ 10. Aufl. 2012, Rn. 4 [Hüffer]). Teleologischer Befund ist aber nicht hinreichend eindeutig, um der- 4 artige Rechtsfortbildung tragen zu können: Da Nichtigkeitsfolge nur bei Schwerstmängeln eingreift, ist nicht auszuschließen, dass Gesetzgeber ihre Erhebung auch insofern an geringere Erfordernisse knüpfen wollte als Anfechtungsklage (zust. KK-AktG/Noack/Zetzsche Rn. 19).

5 **Maßgeblicher Zeitpunkt** für Aktionärseigenschaft ist nicht Tag der Beschlussfassung (OLG Celle AG 1984, 266), sondern Tag der jeweiligen, den Anfechtungsregeln unterliegenden Prozesshandlung und (für Urteil) Zeitpunkt der letzten mündlichen Verhandlung (OLG Stuttgart AG 2001, 315, 316; GK-AktG/K. Schmidt Rn. 13). Voraussetzungen des § 249 I 1 sind also zunächst dann erfüllt, wenn Aktionärseigenschaft zwar nicht bei Beschlussfassung, aber bei Klageerhebung gegeben war bzw. ist. Folglich ist schon bei Zustellung der Klage Erfordernis der Doppelvertretung (§ 246 II 2) zu beachten (→ § 246 Rn. 32 ff.). Aktionärseigenschaft ist **von Amts wegen zu prüfen,** weil von ihr die bes. Verfahrensregeln der § 246 II, III 1, IV, §§ 247, 248 abhängen (MüKoAktG/C. Schäfer Rn. 10), und zwar in jeder Lage des Verfahrens, auch in der Revisionsinstanz (BGHZ 43, 261, 265 f. = NJW 1965, 1378).

6 **Veränderungen während des Rechtsstreits** sind relevant, weil es auf jeweilige Prozesshandlung und auf Tag der letzten mündlichen Verhandlung ankommt (→ Rn. 5). Nachträglicher **Erwerb der Aktionärseigenschaft** führt also dazu, dass zunächst erhobene gewöhnliche Feststellungsklage jetzt für Nichtigkeitsklage geltenden Regeln unterworfen wird (OLG Stuttgart AG 2001, 315, 316; MüKoAktG/C. Schäfer Rn. 12; KK-AktG/Noack/Zetzsche Rn. 16; aA GK-AktG/K. Schmidt Rn. 14: Klageänderung). Zustellung an AR (§ 246 II 2) muss also nachgeholt werden. Geschieht das, so kann Nichtigkeitsurteil ergehen. Unterbleibt es, so wird Klage mangels ordnungsgem. Vertretung der Beklagten unzulässig. Str. ist, wie nachträglicher **Verlust der Aktionärseigenschaft** behandelt werden muss. BGH hat dazu früher die Auffassung vertreten, Kläger verliere sein Prozessführungsrecht und sei deshalb durch Prozessurteil abzuweisen (BGHZ 43, 261, 266 = NJW 1965, 1378). Diese Auffassung wird heute nahezu durchgängig abgelehnt, da Nichtigkeitsklage nach zutr. Auffassung keines bes. Prozessführungsrechts auf Klägerseite bedarf. Stattdessen werden heute noch zwei Auffassungen vertreten: Nach der einen soll Kläger Prozess analog § 265 II 1 ZPO auch ohne Aktionärseigenschaft fortführen können (BeckOGK/Vatter Rn. 11; Grigoleit/Ehmann Rn. 6; B/K/L/Göz Rn. 5; KK-AktG/Noack/Zetzsche Rn. 20 f.; GK-AktG/K. Schmidt Rn. 15); nach der anderen wird Nichtigkeitsklage zur gewöhnlichen Feststellungsklage (OLG München AG 2009, 912, 913; Hölters/Weber/Englisch Rn. 17; MüKoAktG/C. Schäfer Rn. 12; wohl auch BGH AG 1999, 180, 181 – Deutung des Urteils allerdings str. [wie hier S/L/Schwab Rn. 4; aA Grigoleit/Ehmann Rn. 6 mit Fn. 27]). Entscheidung hängt davon ab, ob man als Gegenstand des Rechtsstreits die Feststellung der Nichtigkeit oder die Feststellung der Nichtigkeit mit erga-omnes-Wirkung ansieht. In erstgenannter Deutung liegt kein Verlust der Klägerstellung vor, da generell Nichtigkeitsfeststellung gerade nicht Ausfluss des Mitgliedschaftsrechts ist. Wortlaut des § 249 I 1 legt eher bloße Nichtigkeitsfeststellung als Streitgegenstand nahe, an die nur qua Ges. umfassende Geltung geknüpft wird. Dass Klage dann nur inter-partes-Wirkung hat, ist richtig, kann aber kaum als „Rechtsschutzlücke" bezeichnet werden, da auch Erwerber Nichtigkeitsklage erheben kann (Hölters/Weber/Englisch Rn. 17).

7 **bb) Vorstand und Verwaltungsmitglieder.** § 249 I 1 ist auch anwendbar, wenn Vorstand oder einzelne Mitglieder des Vorstands oder des AR auf Feststellung der Nichtigkeit des HV-Beschlusses klagen; gewöhnliche Feststellungsklage (§ 256 ZPO) ist ihnen also verschlossen (→ Rn. 2). Für AR gilt das nicht, doch wäre seine Feststellungsklage mangels Parteifähigkeit unzulässig. Für Erwerb

und Verlust der Organmitgliedschaft gelten die in → Rn. 5 entwickelten Grundsätze entspr. (folgerichtig aA GK-AktG/K. Schmidt Rn. 16 aE).

b) Beklagte. § 249 I 1 setzt Klage gegen AG voraus. Vorstand, AR oder HV fehlt passive Parteifähigkeit (→ § 246 Rn. 4). Wegen Formwechsels, Verschmelzung und Gesellschaftsinsolvenz → § 246 Rn. 27 ff. Weil § 249 I 1 Geltendmachung der Nichtigkeit nicht beschränkt (→ Rn. 1, 4), wird dadurch Feststellungsklage gegen einen Dritten nicht ausgeschlossen. Sie ist jedoch allenfalls denkbar, wenn Nichtigkeit des HV-Beschlusses Vorfrage für anderes mit dem Dritten bestehendes Rechtsverhältnis ist. 8

c) Nebenintervention. Nebenintervention ist nach den in → § 246 Rn. 5 ff. dargestellten Regeln möglich; insbes. können Aktionäre Beschluss der HV auch gegen Nichtigkeitsklage verteidigen. Soweit Nebenintervenient zu dem in § 249 I 1 umschriebenen Personenkreis gehört, handelt es sich um streitgenössische Nebenintervention (→ § 246 Rn. 7), weil erweiterte Urteilswirkung gem. § 248 I 1, § 249 I 1 auch ihn trifft. Nebenintervenient kann also auch hier Säumnislage ausschließen und Rechtsmittel einlegen. 9

3. Klageart. Anfechtungsklage ist Gestaltungsklage (→ § 246 Rn. 8), Nichtigkeitsklage nach ganz hM ungeachtet ihrer Besonderheiten **Feststellungsklage** (BeckOGK/Vatter Rn. 5; Henssler/Strohn/Drescher Rn. 1; Hölters/Weber/Englisch Rn. 2; MüKoAktG/C. Schäfer Rn. 4). Nach Gegenansicht soll auch Nichtigkeitsklage Gestaltungsklage sein, was Zusammenfassung beider Klagen zur sog kassatorischen Klage erlaubt (so namentl. GK-AktG/K. Schmidt Rn. 4 f.). Für Gesetzesanwendung ist Fragestellung kaum weiterführend, weil sich die wesentlichen Sachfragen (Verhältnis von Anfechtungs- und Nichtigkeitsklage; Rechtskraftwirkungen) auf der Grundlage beider Ansichten lösen lassen; insoweit ist auf → § 246 Rn. 11 ff. zu verweisen. Für das geltende Recht bleibt es dabei, dass die Nichtigkeitsklage im Kern Feststellungsklage ist, weil § 249 I 1 das schon nach seinem Wortlaut so vorsieht und die instrumentale Unterscheidung zwischen Gestaltungs- und Feststellungsklage der unterschiedlichen Rechtslage entspr., wie sie vor rechtskräftiger Entscheidung besteht; insoweit unterscheiden sich nicht nur Anfechtungs- und Nichtigkeitsgründe, sondern auch die rechtl. Zustände (→ § 241 Rn. 4 f.; → § 243 Rn. 48 ff.). Andere Akzentsetzung (entscheidend Rechtslage nach Urteil) bei GK-AktG/K. Schmidt Rn. 5. 10

4. Feststellungs- und Rechtsschutzinteresse. Weil Nichtigkeitsklage Feststellungsklage ist (→ Rn. 10), setzt ihre Zulässigkeit Feststellungsinteresse voraus (§ 256 ZPO). Feststellungsinteresse des Aktionärs folgt jedoch schon aus seiner **Mitgliedschaft,** dasjenige des Vorstands und der einzelnen Verwaltungsmitglieder aus **korporationsrechtl. Beziehung zur AG.** Weitergehendes Interesse an Feststellung braucht nicht zu bestehen (BGHZ 43, 261, 265 = NJW 1965, 1378; BGHZ 225, 198 Rn. 33 = AG 2020, 545; BGH AG 2020, 540 Rn. 28; OLG Düsseldorf AG 1968, 19, 22; OLG Hamburg AG 1971, 403). Erforderlich ist ferner allg. Rechtsschutzinteresse, das jedoch nur in Ausnahmefällen fehlen kann, etwa bei mangelfreier Wiederholung des nichtigen Beschlusses (BGHZ 21, 354, 356 = NJW 1956, 1753). Missbräuchlich erhobene Nichtigkeitsklage ist (anders als entspr. Anfechtungsklage, → § 245 Rn. 30) schon unzulässig, nicht unbegründet (OLG Frankfurt AG 1991, 208; OLG Stuttgart AG 2001, 315, 316; 2003, 165). 11

5. Gewöhnliche Feststellungsklage. Feststellungsklage des in § 249 I 1 umschriebenen Personenkreises gegen AG ist notwendig Nichtigkeitsklage, kann also nicht als gewöhnliche Feststellungsklage behandelt werden (→ Rn. 2). Feststellungsklage des einen Aktionärs gegen den anderen ist unzulässig, soweit wegen 12

Möglichkeit der Nichtigkeitsklage kein Feststellungsinteresse besteht (§ 256 ZPO; s. OLG Hamburg ZIP 1995, 1513, 1514 f. zur GmbH). Zulässig ist jedoch **Feststellungsklage Dritter,** wenn sie ein Feststellungsinteresse iSd § 256 ZPO haben (BGH NJW 1966, 1458 f.; OLG Naumburg AG 1998, 430). Vorschriften über den Anfechtungsprozess gelten insoweit weder unmittelbar noch sinngem. AG wird deshalb nicht gem. § 246 II 2, sondern gem. § 78, also nur durch Vorstand, vertreten. Gerichtl. Zuständigkeit bestimmt sich nicht nach § 246 II 3, sondern nach allg. Grundsätzen. Auch wirkt das rechtskräftige Urteil nur zwischen den Prozessparteien und ist weder zum HR einzureichen noch in dieses einzutragen (MüKoAktG/C. Schäfer Rn. 6).

III. Entsprechende Anwendung von Vorschriften des Anfechtungsprozesses (§ 249 I)

12a **1. Subsidiarität der Nichtigkeitsklage.** Bei **Wahl des Abschlussprüfers** durch HV (oder Wahl anderer Prüfer) steht Nichtigkeitsklage nicht zur Verfügung (S/L/Schwab Rn. 5; aA NK-AktR/Heidel Rn. 4). Neufassung des § 249 I 1 enthält insofern Redaktionsfehler und ist berichtigend so zu lesen, dass Norm auch entspr. Anwendung des § 243 III 1 Nr. 5 (in Ursprungsfassung: Nr. 2) anordnet. Das war vor Neufassung durch UMAG so vorgesehen, nämlich durch BilReG 2004. Diese vorgängige Änderung ist bei Neufassung durch UMAG übersehen worden, was Wortlaut offenbar unrichtig macht und deshalb in berichtigender Auslegung zu korrigieren ist (zu § 243 III 1 Nr. 5 vgl. → § 243 Rn. 44b). Regelung ist sachgerecht, weil angestrebte **Priorität des Ersetzungsverfahrens** nach § 318 III HGB wegen Identität der Streitgegenstände sonst nicht erreicht würde. Gleichwohl erhobene Nichtigkeitsklage ist unzulässig. Möglich bleibt gewöhnliche Feststellungsklage (§ 256 ZPO) in den für sie auch sonst geltenden Grenzen (→ Rn. 12).

13 **2. Vertretung der Gesellschaft (§ 246 II).** Wenn Kläger zu dem in § 249 I 1 umschriebenen Personenkreis gehört (→ Rn. 4 ff.), wird beklagte AG gem. § 246 II 2 und 3 vertreten (→ § 246 Rn. 30 ff.). Hervorzuheben ist: Soweit **Doppelvertretung** durch Vorstand und AR stattfindet, muss auch Nichtigkeitsklage an mindestens je ein Mitglied dieser Organe zugestellt werden (BGHZ 32, 114, 119 = NJW 1960, 1006; BGH NJW 1992, 2099 f.). Kenntnis des AR von Klage ohne Zugang der Klageschrift bewirkt keine Heilung gem. § 189 ZPO (BGHZ 70, 384, 387 = NJW 1978, 1325). Zustellungsmangel macht Klage unzulässig (BGHZ 70, 384, 386). Heilung tritt auch nicht ein bei bloßer Kenntnis des Vorstands von Zustellung an ein AR-Mitglied (BGH NJW 1992, 2099 f.).

14 **3. Einzelne Verfahrensfragen (§ 246 III 1–5).** Sachlich und örtlich ausschließlich zuständig ist LG des Gesellschaftssitzes (§ 246 III 1; → § 246 Rn. 37). Weil § 249 I 1 auch auf § 246 III 2 und 3 verweist, ist Nichtigkeitsklage **Handelssache** kraft bes. Zuweisung. Entspr. Anwendung des § 246 III 4 geht bei Nichtigkeitsklage mangels Monatsfrist (§ 246 I) ins Leere. Auch sinngem. Anwendung des § 246 III 5, die § 249 I 1 vorschreibt, begründet keine Klagefrist (RegBegr. ARUG BT-Drs. 16/11642, 42). Gemeint ist nur, dass Recht der beklagten AG auf **Akteneinsicht** sowie auf Erteilung von Auszügen und Abschriften nicht erst mit Rechts-, sondern schon mit Anhängigkeit der Nichtigkeitsklage beginnt (→ § 246 Rn. 38a). Fehlen einer Klagefrist hat dazu geführt, dass sog **nachgeschobene Nichtigkeitsklagen** erhoben werden können, wovon insbes. auch von gewerbsmäßig agierenden Berufsklägern Gebrauch gemacht wird (s. dazu H. Schmidt FS 600 Jahre Universität Leipzig, 2009, 469, 470 ff.). Darunter versteht man Klagen, die etwa nach Abschluss eines für die AG erfolgreichen Freigabeverfahrens, aber noch vor Eintragung des Beschlusses erhoben

werden, um Verfahren weiter hinauszuzögern und so Lästigkeitswert (→ § 245 Rn. 23) zu erhöhen. Daneben werden aber auch bei laufenden Beschlussmängelverfahren, in denen sich eine Niederlage der AG abzeichnet, Klagen nachgeschoben, um mit unverhältnismäßig niedrigem prozessualem Risiko an Kostenerstattungsanspruch partizipieren zu können. **Aktienrechtsnovelle 2016** sollte derartigen Praktiken in ihrer ursprünglichen Fassung durch Einführung einer relativen Befristung entgegenwirken, ist in diesem Punkt aber nicht Ges. geworden (→ Rn. 1).

4. Bekanntmachung (§ 246 IV). Erhebung der Nichtigkeitsklage und erster Termin zur mündlichen Verhandlung sind vom Vorstand unverzüglich (§ 121 I 1 BGB) in den Gesellschaftsblättern, also wenigstens im BAnz. (§ 25), bekanntzumachen (→ § 246 Rn. 40). Verweis erstreckt sich auch auf § 246 IV 2 und damit auf Monatsfrist für Nebenintervention (OLG Frankfurt AG 2010, 558). 15

5. Freigabeverfahren. Entspr. Anwendung des § 246a trägt dem Umstand Rechnung, dass Rechtsschutzziele von Anfechtungs- und Nichtigkeitsklage übereinstimmen und Prozessgericht deshalb verpflichtet ist, auf Nichtigkeitsklage auch Anfechtungsgründe zu prüfen und umgekehrt (→ § 246 Rn. 13). Freigabeverfahren muss also auch ggü. Nichtigkeitsklage zur Verfügung stehen (→ § 246a Rn. 5), weil Kläger sonst durch Wahl der Rechtsschutzform faktische Registersperre herbeiführen könnte (RegBegr. BT-Drs. 15/5092, 27 f.). 15a

6. Streitwert (§ 247). Festsetzung des Regelstreitwerts erfolgt gem. § 247 I 1 durch Prozessgericht nach billigem Ermessen (→ § 247 Rn. 4 ff.). Höchstgrenze des § 247 I 2 (→ § 247 Rn. 9) gilt auch für Nichtigkeitsklage. Streitwertspaltung (§ 247 II) findet auf Antrag (§ 247 III) auch bei Nichtigkeitsklage statt, wenn wirtschaftliche Lage einer Partei (idR: des Nichtigkeitsklägers) durch die aus dem Regelstreitwert folgenden Prozesskosten erheblich gefährdet würde (→ § 247 Rn. 12 f.) und dies gem. § 294 ZPO glaubhaft gemacht wird (→ § 247 Rn. 14). 16

7. Urteilswirkungen (§ 248 I 1). Das rechtskräftige Nichtigkeitsurteil bindet nicht nur die Prozessparteien, sondern gem. § 248 I 1 auch alle Aktionäre und Organmitglieder (Rechtskrafterstreckung → § 248 Rn. 8). Weitergehend ist anzunehmen, dass das Feststellungsurteil (→ Rn. 10) auch **wie ein Gestaltungsurteil für und gegen jedermann** wirkt (BGH NZG 2008, 912 Rn. 8; MüKoAktG/C. Schäfer Rn. 25). Das folgt jedoch nicht aus sinngem. Anwendung des § 248 I 1, weil Norm nur Rechtskraft betr., sondern ist rechtsfortbildende Übertragung der für Gestaltungswirkung geltenden Grundsätze (MüKoAktG/C. Schäfer Rn. 25). Ein Widerspruch zur Annahme einer Feststellungsklage (→ Rn. 10) liegt darin nicht (so aber GK-AktG/K. Schmidt Rn. 3 aE). Vielmehr wird dem Umstand Rechnung getragen, dass es nach rechtskräftiger Entscheidung nicht mehr auf den zur Nichtigkeit führenden Weg, sondern auf die materiell-rechtl. Beurteilung ankommt (→ § 246 Rn. 13), und nichts für eine nur relativ wirkende Nichtigkeit spricht. 17

8. Nichtigkeitsurteil und Handelsregister (§ 248 I 2–4, II). Weil § 249 I 1 insges. auf § 248 verweist, trifft Vorstand auch die Einreichungspflicht des § 248 I 2 (→ § 248 Rn. 10). Wenn der Beschluss in das HR eingetragen war, ist folglich auch das Urteil einzutragen, dh gem. § 44 HRV zu vermerken (§ 248 I 3; → § 248 Rn. 11). Bei Satzungsänderungen besteht erweiterte Einreichungspflicht gem. § 248 II (→ Rn. 12). 18

9. Bekanntmachungen bei Verfahrensbeendigung (§ 248a). Gem. § 249 I 1 ist auch § 248a entspr. anzuwenden. Das beruht wie sinngem. Geltung des § 246a auf der Identität der Rechtsschutzziele von Anfechtungs- und Nichtigkeitsklage (→ Rn. 15a). Mit ihr wäre es unvereinbar, wenn Schutz vor Miss- 18a bräuchen durch Publizität der bei Verfahrensbeendigung getroffenen Absprachen (→ § 248a Rn. 2) auf Anfechtungsklage beschränkt bliebe.

IV. Anderweitige Geltendmachung (noch: § 249 I)

19 Nichtigkeit des HV-Beschlusses kann nicht nur durch Klage geltend gemacht werden, sondern **in jeder Weise.** Das gilt gem. § 249 I 2 auch für den in § 249 I 1 umschriebenen Personenkreis. In Betracht kommt insbes. auf Nichtigkeit des Beschlusses gestützte **Rechtsverteidigung,** wenn aus dem Beschluss Rechte hergeleitet werden sollen (RGZ 120, 28, 31). **Bsp:** Zeichner junger Aktien wendet gegen Zahlungsanspruch Nichtigkeit des Kapitalerhöhungsbeschlusses ein (→ § 185 Rn. 27). Gesellschaft kann sich auch selbst auf Nichtigkeit berufen, etwa des Gewinnverwendungsbeschlusses (§ 174), wenn sie auf Zahlung von Dividende in Anspruch genommen wird. Nichtigkeitsgründe können auch Anfechtungsklage stützen; Monatsfrist des § 246 I gilt insoweit nicht (BGHZ 32, 318, 324 = NJW 1960, 1447 f.; BGH NJW 1995, 260, 261).

V. Umwandlungsvoraussetzungen (noch: § 249 I)

19a § 249 I 3 enthält Sonderregelung für Umwandlungs-, bes. Verschmelzungsmaßnahmen. Insoweit ist durch § 14 I UmwG auch Nichtigkeitsklage ausgeschlossen, doch bezieht sich das nicht auf **Kapitalerhöhungen, Satzungsänderungen** oder andere Maßnahmen, ohne die Umwandlung nicht erfolgen könnte. § 20 II UmwG würde dann nur rechtl. Bestand der eigentlichen Umwandlungsmaßnahme sichern, während gegen Beschlüsse über notwendige Begleitmaßnahmen Nichtigkeitsklage möglich bliebe. Insoweit bisher bestehende Regelungslücke wird durch § 249 I 3 geschlossen (RegBegr. BT-Drs. 15/5092, 30).

VI. Prozessverbindung (§ 249 II)

20 **Mehrere Nichtigkeitsklagen** müssen nach § 249 II 1 zu gleichzeitiger Verhandlung und Entscheidung verbunden werden. Das entspr. der in § 246 III 3 für Anfechtungsklagen getroffenen Regelung und soll wie dort widersprechende Entscheidungen ausschließen (→ § 246 Rn. 39). Für **gewöhnliche Feststellungsklagen** untereinander oder im Verhältnis zur Nichtigkeitsklage gilt nicht § 249 II 1, sondern § 147 ZPO. **Anfechtungs- und Nichtigkeitsklagen** können gem. § 249 II 2 zu gleichzeitiger Verhandlung und Entscheidung verbunden werden. Nach hM ist Gericht sogar verpflichtet, Verbindung vorzunehmen (GK-AktG/K. Schmidt Rn. 27; K. Schmidt AG 1977, 243, 246). Dem ist in dem Sinne beizutreten, dass Prozessverbindung bei Identität des Streitgegenstands die allein richtige verfahrensleitende Entscheidung ist. Für ges. Verpflichtung bietet Wortlaut des § 249 II jedoch keine Stütze (aA KK-AktG/Noack/Zetzsche Rn. 68).

VII. Entsprechende Anwendung?

21 Fraglich ist, ob Klage auf **Feststellung der Unwirksamkeit** (→ § 241 Rn. 6) von HV-Beschlüssen analog § 249 zu behandeln ist. Das ist unstr. dort zu bejahen, wo Ges. selbst die Unwirksamkeit schon als Nichtigkeit behandelt (→ Rn. 3; vgl. statt aller Henssler/Strohn/Drescher Rn. 2). In anderen Fällen wird diese Frage von verbreiteter Meinungsgruppe generell verneint, so dass es bei gewöhnlicher Feststellungsklage iSd § 256 ZPO bleibt (→ 13. Aufl. 2018, Rn. 21; BeckOGK/Vatter Rn. 6; Henssler/Strohn/Drescher Rn. 2; Hölters/Weber/Englisch Rn. 9; B/K/L/Göz Rn. 16; A. Hueck FS Molitor, 1962, 401 f.;

sa BGHZ 15, 177, 181 = NJW 1955, 178). Nach aA soll § 249 dagegen grds. analoge Anwendung finden (s. dazu KK-AktG/Noack/Zetzsche Rn. 62; S/L/Schwab Rn. 13f.). Eine dritte Meinungsgruppe differenziert schließlich zutr. zwischen endgültiger und behebbarer Unwirksamkeit (vgl. zum Folgenden Beck-OGK/Casper Vor § 241 Rn. 15; Grigoleit/Ehmann Rn. 3; MüKoAktG/C. Schäfer Rn. 38; GK-AktG/K. Schmidt Rn. 9). In den Fällen **endgültiger Unwirksamkeit** kann die im Ges. an mehreren Stellen angelegte Gleichsetzung von Unwirksamkeit und Nichtigkeit (vgl. dazu etwa → § 241 Rn. 7) auch iRd § 249 fortgeschrieben werden. Wo Unwirksamkeit behebbar ist, besteht für überschießende Rechtsfolge des § 249 kein Raum.

Zweiter Unterabschnitt. Nichtigkeit bestimmter Hauptversammlungsbeschlüsse

Nichtigkeit der Wahl von Aufsichtsratsmitgliedern

250 (1) **Die Wahl eines Aufsichtsratsmitglieds durch die Hauptversammlung ist außer im Falle des § 241 Nr. 1, 2 und 5 nur dann nichtig, wenn**

1. **der Aufsichtsrat unter Verstoß gegen § 96 Absatz 4, § 97 Abs. 2 Satz 1 oder § 98 Abs. 4 zusammengesetzt wird;**
2. **die Hauptversammlung, obwohl sie an Wahlvorschläge gebunden ist (§§ 6 und 8 des Montan-Mitbestimmungsgesetzes), eine nicht vorgeschlagene Person wählt;**
3. **durch die Wahl die gesetzliche Höchstzahl der Aufsichtsratsmitglieder überschritten wird (§ 95);**
4. **die gewählte Person nach § 100 Abs. 1 und 2 bei Beginn ihrer Amtszeit nicht Aufsichtsratsmitglied sein kann;**
5. **die Wahl gegen § 96 Absatz 2 verstößt.**

(2) **Für die Klage auf Feststellung, daß die Wahl eines Aufsichtsratsmitglieds nichtig ist, sind parteifähig**

1. **der Gesamtbetriebsrat der Gesellschaft oder, wenn in der Gesellschaft nur ein Betriebsrat besteht, der Betriebsrat, sowie, wenn die Gesellschaft herrschendes Unternehmen eines Konzerns ist, der Konzernbetriebsrat,**
2. **der Gesamt- oder Unternehmenssprecherausschuss der Gesellschaft oder, wenn in der Gesellschaft nur ein Sprecherausschuss besteht, der Sprecherausschuss sowie, wenn die Gesellschaft herrschendes Unternehmen eines Konzerns ist, der Konzernsprecherausschuss,**
3. **der Gesamtbetriebsrat eines anderen Unternehmens, dessen Arbeitnehmer selbst oder durch Delegierte an der Wahl von Aufsichtsratsmitgliedern der Gesellschaft teilnehmen, oder, wenn in dem anderen Unternehmen nur ein Betriebsrat besteht, der Betriebsrat,**
4. **der Gesamt- oder Unternehmenssprecherausschuss eines anderen Unternehmens, dessen Arbeitnehmer selbst oder durch Delegierte an der Wahl von Aufsichtsratsmitgliedern der Gesellschaft teilnehmen, oder, wenn in dem anderen Unternehmen nur ein Sprecherausschuss besteht, der Sprecherausschuss,**
5. **jede in der Gesellschaft oder in einem Unternehmen, dessen Arbeitnehmer selbst oder durch Delegierte an der Wahl von Aufsichtsratsmitgliedern der Gesellschaft teilnehmen, vertretene Gewerkschaft sowie deren Spitzenorganisation.**

(3) [1] **Erhebt ein Aktionär, der Vorstand, ein Mitglied des Vorstands oder des Aufsichtsrats oder eine in Absatz 2 bezeichnete Organisation oder Vertretung der Arbeitnehmer gegen die Gesellschaft Klage auf Feststellung, dass die Wahl eines Aufsichtsratsmitglieds nichtig ist, so gelten § 246 Abs. 2, Abs. 3 Satz 1 bis 4, Abs. 4, §§ 247, 248 Abs. 1 Satz 2, §§ 248a und 249 Abs. 2 sinngemäß.** [2] **Es ist nicht ausgeschlossen, die Nichtigkeit auf andere Weise als durch Erhebung der Klage geltend zu machen.**

Übersicht

I. Regelungsgegenstand und -zweck

1 § 250 betr. Nichtigkeit von AR-Wahlen. Vorschrift bezweckt (1.) **Rechtssicherheit und -klarheit** bzgl. der Nichtigkeitsgründe. Dem dient vor allem, dass Nichtigkeit des Wahlbeschlusses nicht aus den Generalklauseln des § 241 Nr. 3 oder 4 abgeleitet werden kann. Dabei wird Funktion des § 241 Nr. 3 teilw. von Enumeration des § 250 I übernommen. Bezweckt ist (2.) **Rechtsschutz der AN-Seite** gegen Verletzung zwingender mitbestimmungsrechtl. Vorschriften durch Wahlbeschlüsse der HV (RegBegr. Kropff S. 336 f.). Deshalb wird Parteifähigkeit für Nichtigkeitsklage in § 250 II ggü. § 50 I ZPO erweitert. Rechtstatsächlich wird für die Jahre von 2007–2011 über 40 Anfechtungen von AR-Wahlen berichtet (Baums/Drinhausen/Keinath ZIP 2011, 2329, 2337). Nachdem BGHZ 196, 195 = NJW 2013, 1535 Anwendung der Grundsätze des fehlerhaften Organs auf AR-Wahl verworfen hat (→ § 101 Rn. 20 ff.), wird verbreitet mit Anstieg gerechnet.

2 **Anwendungsbereich.** Norm gilt nur für **AR-Wahlen durch HV-Beschluss.** Bindung der HV an Wahlvorschläge (§§ 6, 8 MontanMitbestG; → § 96 Rn. 7) steht ihrer Anwendung nicht entgegen. Vorschrift gilt nicht bei Entsendung (→ § 101 Rn. 3, 9 ff.), ferner nicht, wenn Wahl durch andere Stelle als HV erfolgt; so kraft **mitbestimmungsrechtl. Regelung** in verschiedenen Ausgestaltungen (→ § 96 Rn. 5, 9, 11). Insoweit kann Nichtigkeit vor allem im Beschlussverfahren nach §§ 80 ff. ArbGG festgestellt werden (vgl. MüKoAktG/J. Koch

Rn. 3). Davon geht Kommentarlit. zu § 250 auch für Fälle des § 250 I Nr. 1 aus, während Kommentarlit. zu § 97 andere Wege geht und Nichtigkeitsanordnung in diesen Fällen auch auf Wahl der AN-Vertreter durch AN erstreckt (ausf. → § 97 Rn. 5). Regelung ist entspr. ihrem Zweck (→ Rn. 1) grds. abschließend. Nichtigkeit kann jedoch in rechtsanaloger Anwendung des § 250 I auch bei Verstößen gegen § 105 eintreten (→ Rn. 11).

II. Nichtigkeit außerhalb des § 250 (Eingangsworte)

Nach den Eingangsworten des § 250 I ist Wahlbeschluss der HV ohne Rücksicht auf nachfolgende Bestimmungen nur nichtig bei **Einberufungs- oder Beurkundungsfehlern,** soweit sie schon nach § 241 Nr. 1 oder 2 Nichtigkeitsgründe sind, ferner bei **rechtskräftigem Anfechtungsurteil** (§ 241 Nr. 5). Im Einzelnen gilt: Nichtigkeit tritt ein, wenn die in § 121 II–IV niedergelegten Mindestanforderungen an ordnungsgem. Einberufung verletzt sind (§ 241 Nr. 1), also: Fehlen jeglicher Einberufung, soweit Aktionäre nicht zur Vollversammlung zusammentreten (§ 121 VI); Einberufung durch Unbefugte; keine Bek. in den Gesellschaftsblättern; Fehlen der Mindestangaben in der Bek. Andere Einberufungsmängel begründen nur Anfechtbarkeit. Nichtig ist Wahlbeschluss ferner, wenn notarielle oder vom AR-Vorsitzenden verantwortete Niederschrift fehlt (§ 130 I), wenn sie nicht den Mindestinhalt des § 130 II aufweist oder nicht unterschrieben ist (§ 130 I 3, IV). Rechtskräftiges Anfechtungsurteil vernichtet Wahlbeschluss stets, also ohne Rücksicht auf Anfechtungsgrund und Person des Anfechtungsklägers. 3

III. Besondere Nichtigkeitsgründe (§ 250 I)

1. Fehlerhafte Feststellung der Zusammensetzungsgrundlagen (Nr. 1). Gem. § 250 I Nr. 1 ist Wahlbeschluss nichtig, wenn AR unter Verstoß gegen § 96 IV, § 97 II 1 oder § 98 IV zusammengesetzt wird. Dabei geht es um zwingend vorgeschriebenes **Statusverfahren** (→ § 96 Rn. 28; → § 97 Rn. 1), das seinerseits das maßgebliche AR-System klären soll. § 250 I sanktioniert also **Verfahrensfehler** (sa GK-AktG/K. Schmidt 11 ff.). Beschluss ist demnach gültig, wenn zwar die maßgeblichen Zusammensetzungsvorschriften verletzt, aber die für ihre Feststellung geltenden Verfahrensvorschriften eingehalten sind. Umgekehrt begründet Verstoß gegen Verfahrensvorschriften auch dann Nichtigkeit, wenn kein materieller Zusammensetzungsfehler vorliegt. Im Einzelnen tritt Nichtigkeit ein: bei Verletzung des in § 96 IV enthaltenen Status quo-Prinzips (→ § 96 Rn. 28); bei unangreifbar gewordener Bek. des Vorstands und Zusammensetzung des AR nach anderen als den in der Bek. angegebenen ges. Vorschriften (§ 97 II 1; → § 97 Rn. 5); ebenso bei Zusammensetzung nach anderen als in der gerichtl. Entscheidung angegebenen ges. Vorschriften (§ 98 IV; → § 98 Rn. 6). Zur Erstreckung auf AN-Wahl → § 97 Rn. 5. 4

2. Missachtung von Wahlvorschlägen (Nr. 2). Nichtigkeit des Wahlbeschlusses tritt nach § 250 I Nr. 2 ein, wenn HV eine Person entgegen bindendem Wahlvorschlag wählt. Hierhin gehören Fälle der **§§ 6, 8 MontanMitbestG** (sa § 101 I 2). Bindung an Wahlvorschläge außerhalb des Mitbestimmungsrechts gibt es nicht (→ § 101 Rn. 3). Kraft Verweisung des **§ 5 III 2 MitbestErgG** auf § 8 MontanMitbestG ist Bindung an Wahlvorschlag auch für Wahl des neutralen AR-Mitglieds bei Holding (genauer: → § 96 Rn. 8) gegeben, die der Montanmitbestimmung unterliegt. Abweichung vom Wahlvorschlag führt auch hier zur Nichtigkeit (MüKoAktG/J. Koch Rn. 8; KK-AktG/Kiefner Rn. 32; GK-AktG/K. Schmidt Rn. 16). Ist Wahlvorschlag seinerseits nicht ordnungsgem. zustande gekommen, führt dies nicht zur Nichtigkeit nach § 250, sondern lediglich zur 5

Anfechtbarkeit nach § 251 I 2. Aufgrund zahlenmäßig geringer Bedeutung der Montanmitbestimmung ist auch praktische Relevanz des § 250 I Nr. 2 gering (KK-AktG/Kiefner Rn. 31).

6 **3. Überschreitung der Höchstzahl (Nr. 3). a) Grundsatz.** Nichtigkeitsgrund liegt nach § 250 I Nr. 3 vor, wenn in § 95 normierte Höchstzahl der AR-Mitglieder überschritten wird. Höchstzahl folgt bei Gesellschaften, die nicht der Mitbestimmung unterliegen oder deren Mitbestimmungsstatus sich nach DrittelbG richtet (→ § 96 Rn. 10), aus § 95 S. 4 (→ § 95 Rn. 4). Bei abw. mitbestimmungsrechtl. Regelung (→ § 96 Rn. 5, 7, 9) gilt diese kraft ihrer in § 95 S. 5 klargestellten Spezialität (→ § 95 Rn. 6). Nur Überschreitung der ges. Höchstzahl iSd **höchstzulässigen Zahl** ist Nichtigkeitsgrund (LG Flensburg AG 2004, 623, 624), nicht aber Überschreitung der Regelzahl des § 95 S. 1 oder einer Satzungszahl, die hinter dem ges. möglichen Rahmen zurückbleibt. In diesem Fall greift nur Anfechtbarkeit gem. § 251 I 1 (sa KK-AktG/Kiefner Rn. 36; MüKoAktG/J. Koch Rn. 10; Hölters/Weber/Simons § 95 Rn. 23).

7 **b) Bestimmung des von Nichtigkeitsfolge betroffenen Wahlbeschlusses.** Für Frage, welche Wahl im Einzelfall nichtig ist, muss unterschieden werden, ob mitbestimmungsrechtl. Regelung eingreift oder nicht. Bei **nicht mitbestimmtem AR** und Einzelwahl in aufeinanderfolgenden Wahlgängen sind alle Wahlen gültig, bis Höchstzahl erreicht wird, danach nichtig (allgM – vgl. statt aller MüKoAktG/J. Koch Rn. 12). Bei Listen- oder Gesamtwahl (Regelfall; zu ihrer Zulässigkeit → § 101 Rn. 6) ist bei Überschreitung der Höchstzahl Wahl aller AR-Mitglieder nichtig, weil sich nicht feststellen lässt, welche Kandidaten ohne Überschreitung der Höchstzahl gewählt worden wären (allgM, s. nur MüKoAktG/Habersack § 95 Rn. 26; Hölters/Weber/Simons § 95 Rn. 23; sa → § 95 Rn. 7). Ausnahme kann aber gelten, wenn Liste eindeutige Priorisierung vorsieht (KK-AktG/Kiefner Rn. 40; MüKoAktG/J. Koch Rn. 12; GK-AktG/K. Schmidt Rn. 18; Hölters/Weber/Simons Rn. 15; aA BeckOGK/Stilz/Schumann Rn. 16).

8 Soweit **Mitbestimmung** eingreift, sind **Modifikationen** erforderlich. Findet Einzelwahl statt und wählt HV auch die AN-Vertreter, so tritt Nichtigkeit schon ein, sobald Zahl der den Aktionären zustehenden AR-Sitze überschritten wird (sa LG Flensburg AG 2004, 623, 624; MüKoAktG/J. Koch Rn. 12; KK-AktG/Kiefner Rn. 41). Anderenfalls könnte Wahl der AN-Vertreter allein durch Zeitfolge der Wahlgänge nichtig gemacht werden. Aus demselben Grund ist Listen- oder Gesamtwahl schon dann nichtig, wenn HV mehr Personen wählt als sie nach mitbestimmungsrechtl. Vorschriften zu wählen hat. Anstelle der Gesamthöchstzahl maßgeblich ist die Zahl, die davon auf Zuständigkeit der HV entfällt (MüKoAktG/J. Koch Rn. 12; KK-AktG/Kiefner Rn. 41). Nur so lässt sich das sinnwidrige Ergebnis vermeiden, dass sich Gültigkeit der Wahl danach richtet, ob HV vor AN-Seite tätig geworden ist oder nicht.

9 **4. Mangelnde Wählbarkeit (Nr. 4). a) Verstöße gegen § 100 I oder II.** Nichtig ist Wahlbeschluss gem. § 250 I Nr. 4, wenn gewählte Person nach § 100 I oder II nicht AR-Mitglied sein kann, und zwar **bei Beginn ihrer Amtszeit.** Tag des HV-Beschlusses ist als solcher also nicht maßgeblich, vielmehr kann Bestellungshindernis bis zum Amtsbeginn noch beseitigt werden, etwa durch Aufgabe überzähliger AR-Mandate, durch Niederlegung des Vorstandsamts im abhängigen Unternehmen oder durch Ablauf der Cooling-off-Periode (→ § 100 Rn. 12 ff.; dazu KK-AktG/Kiefner Rn. 54; GK-AktG/K. Schmidt Rn. 26). Umgekehrt ist Wahl nichtig, wenn zunächst nicht gegebenes Bestellungshindernis bis zum Amtsbeginn eingetreten ist, etwa durch Übernahme anderer AR-Mandate (MüKoAktG/J. Koch Rn. 13; GK-AktG/K. Schmidt

Rn. 26). Vereinzelt wurde früher angenommen, Nichtigkeit sei heilbar, wenn überzählige AR-Mandate nach dem maßgeblichen Termin aufgegeben werden (J. Schröder, Mängel und Heilung der Wählbarkeit, 1979, 31). Ges. sieht für diesen Fall (anders als nach §§ 242, 253 I 2, § 256 VI) aber keine Heilung vor, so dass die Ansicht nicht zu überzeugen vermag (heute allgM KK-AktG/Kiefner Rn. 54; MüKoAktG/J. Koch Rn. 13; S/L/Schwab Rn. 5). **§ 100 V** (sachverständige Mitglieder und Sektorenkenntnis bei Gesamtheit des AR) wird in § 250 nicht genannt, so dass Verstoß hier nicht zur strengen Nichtigkeitsfolge nach § 250 führt (S/L/Schwab Rn. 5; v. Falkenhausen/Kocher ZIP 2009, 1601, 1603; Schilha ZIP 2016, 1316, 1323). Dasselbe gilt für Verstöße gegen § 36 III 5 KWG oder § 24 IV 1 VAG (Hölters/Weber/Simons Rn. 18).

Persönliche Voraussetzungen des AR-Mandats sind nach § 100 I Eigenschaft als natürliche, unbeschränkt geschäftsfähige Person (→ § 100 Rn. 3). Nichtig ist also zB Wahl einer jur. Person. **Bestellungshindernisse** liegen vor: bei Überschreitung der höchstzulässigen Mandatszahl (§ 100 II 1 Nr. 1, → Rn. 9 f.: AR-Mandate in ausländischen Gesellschaften sind nicht zu berücksichtigen – str.); sog Konzernprivileg des § 100 II 2 (→ Rn. 4) ist auch hier zu beachten; bei Mitgliedschaft im Vertretungsorgan eines abhängigen Unternehmens (§ 100 II 1 Nr. 2; → § 100 Rn. 9); schließlich bei Überkreuzverflechtung (§ 100 II 1 Nr. 3; → § 100 Rn. 14), und zwar sowohl bei obligatorischem als auch bei fakultativem AR (str.; → § 100 Rn. 11 mwN). 10

b) Unzulässige Funktionsverknüpfung. Nach § 105 I kann AR-Mitglied nicht zugleich Vorstandsmitglied derselben AG sein, in ihr auch nicht andere leitende Funktionen ausüben (→ § 105 Rn. 2 ff.). Gesetzesfassung zeigt, dass Ges. von einer schon bestehenden Mitgliedschaft im AR ausgeht. Norm erfasst aber auch den Umkehrfall, dass **Bestellung zum AR-Mitglied nach Begr. unvereinbarer Funktion** erfolgt. In diesen Fällen macht gewollte Funktionsverknüpfung den Wahlbeschluss der HV nichtig. Das folgt aus analoger Anwendung des § 250 I, der insoweit mangels genügender Sachverhaltsanschauung des Gesetzgebers eine Regelungslücke enthält (→ § 105 Rn. 6; iE ebenso BGH NJW 1975, 1657, 1658; MüKoAktG/J. Koch Rn. 20; KK-AktG/Kiefner Rn. 53; GK-AktG/K. Schmidt Rn. 25; aA Hölters/Weber/Simons Rn. 19). 11

5. Verstoß gegen Geschlechterquote (Nr. 5). § 250 I Nr. 5 stellt klar, dass Verstoß gegen Vorgaben des § 96 II Wahlbeschluss nichtig macht. Das ergibt sich schon aus § 96 II 6 (Einzelheiten dort, → § 96 Rn. 23 ff.), musste hier aber noch einmal bekräftigt werden, da anderenfalls Struktur des § 250 I („nur dann nichtig, wenn“) hätte neu gefasst werden müssen (DAV-Ausschüsse NZG 2014, 1214 Rn. 125). Angesichts dieser **Parallelanordnung** ist aber auch fehlende Nennung des § 96 III in § 250 I Nr. 5 unschädlich (→ § 96 Rn. 27). Auch hier tritt Nichtigkeitsfolge ein, wenngleich Klarstellung im Gesetzestext sinnvoll wäre. Für Geltendmachung der Nichtigkeit gelten allg. Grundsätze (zu Einzelheiten → § 96 Rn. 23 ff.). Erweiterte Parteifähigkeit nach § 250 II gilt damit auch hinsichtlich Quotenregelung, obwohl Arbeitnehmerbelange nicht berührt sind (BeckOGK/Stilz/Schumann Rn. 21). Nichtigkeitsanordnung gilt auch für Wahl von **Ersatzmitgliedern,** bei denen sich Quotenverstoß aber erst im Zeitpunkt ihres Nachrückens feststellen lässt und sodann ex tunc zur Nichtigkeit führt (Hölters/Weber/Simons Rn. 18b; BeckOGK/Stilz/Schumann Rn. 21). Um diese Folge zu vermeiden, empfiehlt es sich, als Ersatzmitglied für eine Frau von vornherein ebenfalls eine Frau zu bestellen (Henssler/Strohn/Drescher Rn. 7; Hölters/Weber/Simons Rn. 18b; BeckOGK/Stilz/Schumann Rn. 21). 11a

IV. Parteifähigkeit (§ 250 II)

12 **1. Allgemeines.** Nichtigkeit des Wahlbeschlusses kann durch **Nichtigkeitsklage** (§ 250 III) geltend gemacht werden. Wie sonst auch, ist Parteifähigkeit des Klägers Sachurteilsvoraussetzung. Sie ist zunächst nach § 50 I ZPO zu beurteilen und käme danach Aktionären und Verwaltungsmitgliedern, nach § 250 III 1 auch dem Vorstand als Gesellschaftsorgan zu. Unzulässig wäre dagegen ohne bes. Vorschrift Nichtigkeitsklage von Betriebsräten und nach früher vorherrschender, inzwischen aber überwundener Ansicht auch Nichtigkeitsklage von Gewerkschaften in ihrer Organisationsform als nicht eingetragenen Vereinen (Parteifähigkeit ist nunmehr schon aus allg. Grundsätzen ableitbar, s. BGHZ 42, 210 = NJW 1965, 29; BGHZ 43, 245, 257 = NJW 1965, 859; BGHZ 50, 325 = NJW 1968, 1830; vgl. aber auch BGHZ 109, 15, 17 f. = NJW 1990, 186). Deshalb erklärt § 250 II auch Betriebsräte, Gewerkschaften und deren Spitzenorganisationen für parteifähig, um den notwendigen Rechtsschutz der AN-Seite zu gewährleisten. Parteifähigkeit schließt Fähigkeit ein, sich als Nebenintervenient am Rechtsstreit zu beteiligen (RegBegr. Kropff S. 357; KK-AktG/Kiefner Rn. 60).

13 **2. Betriebsräte; Sprecherausschüsse; Gewerkschaften; Spitzenorganisationen.** Im Einzelnen gilt zu **§ 250 II Nr. 1:** Im nicht konzernverbundenen Unternehmen kommt Parteifähigkeit grds. nur dem Gesamtbetriebsrat zu. Ersatzweise ist Betriebsrat parteifähig, wenn es keinen Gesamtbetriebsrat gibt. Handelt es sich bei AG um das herrschende Unternehmen eines Konzerns, so ist zusätzlich zu dem einen oder dem anderen auch der Konzernbetriebsrat parteifähig. Zu **§ 250 II Nr. 2:** Sprecherausschüsse eingefügt durch Art. 2 Nr. 4 Ges. zur Vereinfachung der Wahl der Arbeitnehmervertreter in den Aufsichtsrat v. 23.3.2002. Gesetzesänderung bezweckt auch hier Parität der beteiligten Interessengruppen (→ § 98 Rn. 4; RegBegr. BT-Drs. 14/8214, 13). Zu **§ 250 II Nr. 3:** Ges. meint mit dem „anderen Unternehmen", wie zB §§ 4, 5 MitbestG zeigen, das abhängige Konzernunternehmen (zust. KK-AktG/Kiefner Rn. 64). Sein Gesamtbetriebsrat (ersatzweise: Betriebsrat) ist neben dem Gesamtbetriebsrat (ersatzweise: Betriebsrat) und dem Konzernbetriebsrat parteifähig. Zu **§ 250 II Nr. 4:** Parallel-änderung zu § 250 II Nr. 2 nF; s. dort. Anderes Unternehmen ist auch hier das abhängige Konzernunternehmen. Zu **§ 250 II Nr. 5:** Parteifähigkeit kommt ferner jeder Gewerkschaft und ihrer Spitzenorganisation zu, die in der AG oder in einem von ihr abhängigen Unternehmen vertreten ist.

V. Weitere Verfahrensfragen (§ 250 III)

14 **1. Anwendbare Vorschriften.** Gem. § 250 III gelten dort angeführte Vorschriften über Anfechtungsklage sinngem. Änderung der Norm durch UMAG 2005 ist bloße Folgeänderung, die vor allem der Zuständigkeit der KfH (§ 246 III 2) und der Pflicht zur Bek. nach § 248a Rechnung trägt. Sinngem. Geltung betr. auch Fall, dass Nichtigkeitsklage nicht von Aktionär, Vorstand oder Organmitglied, sondern von in § 250 II genannten Betriebsräten, Gewerkschaften oder Spitzenorganisationen erhoben wird. Vorschrift entspr. im Wesentlichen der in § 249 I getroffenen Regelung (→ § 249 Rn. 13 ff.). Anzuwenden ist seit Neufassung durch UMAG namentl. auch § 248a, dagegen nicht § 246a, weil Wahlbeschlüsse nicht in das HR eingetragen werden. Nach § 250 III 1 ist insbes. auch § 246 II 2 anzuwenden. Danach gilt **Prinzip der Doppelvertretung** durch Vorstand und AR (vgl. speziell im Kontext der §§ 250, 251 BGHZ 225, 198 Rn. 47 = AG 2020, 545). Klage ist also nur dann ordnungsgem. zugestellt, wenn Klageschrift an wenigstens jew. ein Mitglied des Vorstands und des AR in beglaubigter Abschrift übergeben wird (§ 170 I und III ZPO; → § 246 Rn. 32;

zur Auslandsbeglaubigung → § 23 Rn. 12). Das kann zu Merkwürdigkeiten führen, weil mit der Klage gerade Nichtigkeit der AR-Wahl geltend gemacht wird (GK-AktG/K. Schmidt Rn. 39; S/L/Schwab Rn. 9), ist aber gleichwohl auch dann zu beachten, wenn Nichtigkeit der Wahl des gesamten AR behauptet wird (ebenso LG München I AG 2021, 246; GK-AktG/K. Schmidt Rn. 39). Einschränkende Auslegung ist zwar erwägenswert, aber nicht gesichert. Wird Nichtigkeit einer Einzelwahl geltend gemacht, sollte nicht gerade das betroffene AR-Mitglied für Zustellung ausgewählt werden (zust. KK-AktG/Kiefner Rn. 70). Ein Zustellungsmangel kann darin nach der Gesetzeslage aber nicht gefunden werden.

2. Feststellungsinteresse. Nichtigkeitsklage ist Feststellungsklage (§ 252 I), 15 setzt also Feststellungsinteresse (§ 256 ZPO) des Klägers voraus. Wenn Klage von einem Aktionär, dem Vorstand oder einem Verwaltungsmitglied erhoben wird, folgt Feststellungsinteresse ohne weiteres aus Mitgliedschaft, Organstellung oder Mitgliedschaft im Organ (OLG Hamburg AG 1971, 403 f.; KK-AktG/Kiefner Rn. 62; iE auch in GK-AktG/K. Schmidt Rn. 36 [„Rechtsschutzinteresse"]). Problematisch ist dagegen, wie weit Feststellungsinteresse **der nach § 250 II parteifähigen Stellen** reicht. Einerseits wird angenommen, dass Feststellungsinteresse nur dann ohne weiteres zu bejahen ist, wenn Nichtigkeit der Wahl eines AN-Vertreters festgestellt werden soll (Rummel, Die Mangelhaftigkeit von AR-Wahlen, 1969, 43 ff.). Andererseits soll Feststellungsinteresse auch gegeben sein, wenn es um Wahl eines Aktionärsvertreters geht, und zwar selbst dann, wenn AR nur aus Aktionärsvertretern besteht (KK-AktG/Zöllner, 1. Aufl. 1985, Rn. 52; zust. Henssler/Strohn/Drescher Rn. 10; wohl auch Martens ZGR 1977, 385, 394 Fn. 21). Beides überzeugt nicht. Zu folgen ist vielmehr der vermittelnden und mittlerweile ganz hM, nach der Feststellungsinteresse zwar bei Wahl von Aktionärs- und AN-Vertretern gegeben ist, aber nur dann, wenn es sich auch um mitbestimmten AR handelt (B/K/L/Göz Rn. 14; MüKoAktG/J. Koch Rn. 37; KK-AktG/Kiefner Rn. 66; GK-AktG/K. Schmidt Rn. 37; S/L/Schwab Rn. 9; Hölters/Weber/Simons Rn. 29; jetzt auch BeckOGK/Stilz/Schumann Rn. 28 unter Aufgabe der in 3. Aufl. 2015 vertretenen Ansicht). Abw. Beurteilung in Sonderlagen wird dadurch nicht schlechthin ausgeschlossen.

VI. Nichtigkeit als Rechtsfolge

Nichtigkeit des HV-Beschlusses führt dazu, dass der **Gewählte nicht AR-Mitglied werden kann,** gleichgültig, ob er Wahl annimmt oder nicht. Nichtigkeit kann nicht nur durch Klage (→ Rn. 12 ff.; sa § 252), sondern in jeder Weise geltend gemacht werden (§ 250 III 2). Wenn AR-Mitglied trotz nichtiger Bestellung tats. tätig geworden ist, sind nach Rspr. des BGH Grundsätze des fehlerhaft bestellten Organs nicht anzuwenden (str. → § 101 Rn. 20 ff.). Heilung nach § 242 I, II 1 scheidet nicht nur aus systematischen Gründen aus, sondern auch deshalb, weil es an Eintragung als zentralem Heilungselement fehlt (→ § 242 Rn. 1; wie hier OLG Frankfurt NZG 2019, 1055 Rn. 26; KK-AktG/Kiefner Rn. 59; Pentz AG 2017, 1211, 1212 f.; Simons AG 2017, 743, 745; Theusinger/Guntermann AG 2019, 678, 679; aA LG Darmstadt AG 2017, 326; Göz FS Stilz, 2014, 179 ff.). 16

Anfechtung der Wahl von Aufsichtsratsmitgliedern

251 (1) [1] **Die Wahl eines Aufsichtsratsmitglieds durch die Hauptversammlung kann wegen Verletzung des Gesetzes oder der Satzung durch Klage angefochten werden.** [2] **Ist die Hauptversammlung an**

Wahlvorschläge gebunden, so kann die Anfechtung auch darauf gestützt werden, daß der Wahlvorschlag gesetzwidrig zustande gekommen ist. [3]§ 243 Abs. 4 und § 244 gelten.

(2) [1]**Für die Anfechtungsbefugnis gilt § 245 Satz 1 Nummer 1, 2 und 4 sowie Satz 2. [2]Die Wahl eines Aufsichtsratsmitglieds, das nach dem Montan-Mitbestimmungsgesetz auf Vorschlag der Betriebsräte gewählt worden ist, kann auch von jedem Betriebsrat eines Betriebs der Gesellschaft, jeder in den Betrieben der Gesellschaft vertretenen Gewerkschaft oder deren Spitzenorganisation angefochten werden. [3]Die Wahl eines weiteren Mitglieds, das nach dem Montan-Mitbestimmungsgesetz oder dem Mitbestimmungsergänzungsgesetz auf Vorschlag der übrigen Aufsichtsratsmitglieder gewählt worden ist, kann auch von jedem Aufsichtsratsmitglied angefochten werden.**

(3) **Für das Anfechtungsverfahren gelten die §§ 246, 247, 248 Abs. 1 Satz 2 und § 248a.**

I. Regelungsgegenstand und -zweck

1 § 251 betr. Wahlbeschlüsse der HV, und zwar wie § 250 (→ § 250 Rn. 2) nur solche, nicht anderweitige Bestellung (Entsendung), nicht AN-Wahl. Bezweckt ist vor allem, bes. **Anfechtungsmöglichkeit bei Bindung der HV an Wahlvorschläge** (§§ 6, 8 MontanMitbestG) zu schaffen (RegBegr. Kropff S. 337 f.). Diesem Zweck dienen Einführung eines bes. Anfechtungsgrundes in § 251 I 2 sowie Erweiterung der Anfechtungsbefugnis durch § 251 II 2 und 3. Daneben passt Norm die allg. Anfechtungsvorschriften an Eigenart des Wahlbeschlusses an. Insoweit wesentliche Abweichungen von §§ 243, 245 liegen darin, dass Verfolgung von Sondervorteilen (§ 243 II) keinen Anfechtungsgrund abgibt (→ Rn. 5) und Anfechtungsbefugnis auf den in § 245 S. 1 Nr. 1, 2 und 4 umschriebenen Personenkreis beschränkt wird. Regelung ist abschließend (LG Mannheim AG 1991, 29; KK-AktG/Kiefner Rn. 1). Allg. Anfechtungsvorschriften (§§ 243 ff.) kommen daneben also nur zur Anwendung, sofern § 251 darauf verweist. Zur Anfechtung einer AN-Wahl vgl. Angaben bei MüKoAktG/J. Koch Rn. 3.

II. Anfechtungsgründe

2 **1. Verletzung des Gesetzes oder der Satzung.** Wie andere HV-Beschlüsse (§ 243 I) unterliegen auch Wahlen zum AR der Anfechtung, wenn sie auf Gesetzes-, Satzungs- oder Treupflichtverstoß beruhen. **Gesetzesverletzung** ist vor allem gegeben bei Verstoß gegen §§ 126, 127 (Mitteilung von Wahlvorschlägen) oder gegen § 137 (Abstimmungsreihenfolge). Verstoß gegen § 105 führt schon zur Nichtigkeit der AR-Wahl (→ § 250 Rn. 11), gehört also nicht hierher. Verstöße gegen § 124 III 3 führen grds., aber nicht notwendig zur Anfechtbarkeit (→ § 124 Rn. 31 f., 35 ff.; sa Marsch-Barner FS K. Schmidt, 2009, 1109, 1111). Durchführung einer Blockwahl begründet auch bei Widerspruch eines Aktionärs keinen zur Anfechtung berechtigenden Gesetzesverstoß, wohl aber fehlender Hinweis auf Möglichkeit einer Einzelwahl (Hölters/Weber/Simons Rn. 5; BeckOGK/Stilz/Schumann Rn. 6). Mittlerweile höchstrichterlich geklärt ist früher umstr. Frage, ob **fehlerhafte Entsprechenserklärung** gem. § 161 Wahlbeschluss anfechtbar machen kann; BGH hat sowohl Verstoß gegen § 124 III, IV als auch gegen § 243 IV verneint (ausf. → § 161 Rn. 32 ff.). Auch Verstoß gegen **§ 100 V** (sachverständige Mitglieder und Sektorenkenntnis bei Gesamtheit des AR) führt nicht zur Anfechtbarkeit, da Verfehlung der für das Gesamtorgan geltenden Organisationsanforderungen nicht auf Wahl der einzelnen Mitglieder

durchschlagen kann (→ § 100 Rn. 32 mwN). Privatautonome Mitbestimmungsvereinbarungen sind im Wesentlichen unzulässig und nichtig (→ § 96 Rn. 3 mwN; aA KK-AktG/Kiefner Rn. 39). Nach heute allgM ist es jedoch zulässig, dass HV durch **freiwillige Wahl von AN-Vertretern** faktische Mitbestimmungserweiterung herbeiführt, was in der Praxis namentl. zur Überschreitung der Drittelgrenze des § 4 I DrittelbG begegnet (BGH NJW 1975, 1657, 1658; OLG Bremen NJW 1977, 1153, 1155; OLG Hamburg AG 1972, 183, 184 ff.; KK-AktG/Kiefner Rn. 39; MüKoAktG/J. Koch Rn. 7; GK-AktG/K. Schmidt Rn. 7; Hölters/Weber/Simons Rn. 7; Hanau ZGR 2001, 75, 90 ff.; Ihrig/Schlitt NZG 1999, 333 f.; aA noch Claussen AG 1971, 385; Schmiedel JZ 1973, 343, 344 ff.; zur Zulässigkeit vorangehender Stimmbindung → § 96 Rn. 3). Für Zulässigkeit solcher Gestaltung spricht, dass Gewählte rechtl. AR-Mitglieder „der Aktionäre" sind, denen es freisteht, wen sie in dieses Amt berufen. Entgegenstehende Auffassung, wonach sich entspr. Verbot aus Unvereinbarkeitsregelung des § 105 (Claussen AG 1971, 385, 386) oder dispositionsfestem unternehmensverfassungsrechtl. Regelungskern des § 76 iVm mitbestimmungsrechtl. Regeln ableiten lasse (so noch MüKoAktG/Hüffer, 3. Aufl. 2011, Rn. 5), hat sich nicht durchgesetzt. Durch einfachen Wahlbeschluss ohne Satzungsänderung wird Mitbestimmungsstatus nicht angetastet (zutr. S/L/Schwab Rn. 4). **Satzungsverstoß** ist namentl. gegeben, wenn der Gewählte von Satzung geforderte persönliche Voraussetzungen nicht erfüllt (§ 100 IV, → § 100 Rn. 20). Als **Treupflichtverstoß** ist es anzusehen, wenn Gewählter sich schwerer schuldhafter Pflichtverletzungen schuldig gemacht hat (ausf. OLG Stuttgart AG 2021, 522, 523 ff.; AG 2021, 529, 530 f.). Dabei ist allerdings großer unternehmerischer Freiraum der HV-Mehrheit in Fragen der Unternehmenspolitik zu beachten; Minderheit muss sich Mehrheitsprinzip idR beugen, so dass Beschlusskontrolle hier im Wesentlichen nur Form der Missbrauchskontrolle annehmen kann (OLG Stuttgart AG 2021, 522, 524; E. Vetter AG 2021, 550 Rn. 23 ff.).

2. Gesetzwidriges Zustandekommen von Wahlvorschlägen. Anfechtungsgrund ist nach § 251 I 2 auch gesetzwidriges Zustandekommen von bindenden Wahlvorschlägen (s. zunächst §§ 6, 8 MontanMitbestG, § 5 III 2 MitbestErgG). Erforderlich ist wie bei AN-Wahl (vgl. zB § 22 I MitbestG) **Verstoß gegen wesentliche Vorschriften** (KK-AktG/Kiefner Rn. 6; GK-AktG/K. Schmidt Rn. 9). Dazu kann insbes. auch fehlerhafte Bek. der Wahlvorschläge gehören (vgl. LG Berlin BeckRS 2014, 15139 zur Zulassung von „Spontankandidaturen"). Keine Anfechtungsvoraussetzung ist Kausalität der Gesetzesverletzung für Zustandekommen des Vorschlags, wohl aber (idR ohne weiteres gegebene) Relevanz des Vorschlags für Beschluss der HV (LG Berlin BeckRS 2014, 15139; KK-AktG/Kiefner Rn. 6; BeckOGK/Stilz/Schumann Rn. 12). Missachtung des Vorschlags, also Wahl eines nicht Vorgeschlagenen, führt gem. § 250 I Nr. 2 zur Nichtigkeit der Wahl (→ § 250 Rn. 5). 3

3. Auskunftsverweigerung. Nach § 251 I 3 gilt § 243 IV auch bei Wahl von AR-Mitgliedern. Damit ist zunächst vorausgesetzt, dass **Verstöße gegen Informationspflichten,** bes. gegen § 131, Gesetzesverletzung iSd § 251 I 1 bilden. Aus Geltung des § 243 IV folgt, dass weder HV noch Aktionäre der Wahlanfechtung den Boden entziehen können, indem sie erklären, Verweigerung der Auskunft habe den Beschluss oder ihr Abstimmungsverhalten nicht beeinflusst. 4

III. Keine Anfechtungsgründe

1. Verfolgung von Sondervorteilen. § 251 I nimmt Verfolgung von Sondervorteilen (§ 243 II) nicht in den Kreis der Anfechtungsgründe auf. Nach hM können Wahlbeschlüsse deshalb nicht mit der Begr. angefochten werden, Wahl in 5 den AR stelle einen durch die Stimmabgabe verfolgten Sondervorteil dar (OLG Hamburg AG 1972, 183, 187; GK-AktG/K. Schmidt Rn. 2, 12; S/L/Schwab Rn. 7; BeckOGK/Stilz/Schumann Rn. 3, 16). Gegenansicht bejaht unbewusste Regelungslücke und will § 243 II analog anwenden (Rummel, Die Mangelhaftigkeit von AR-Wahlen, 1969, 57 ff., 66 ff.). Dafür vorgebrachte Gründe reichen jedoch nicht aus (MüKoAktG/J. Koch Rn. 13; GK-AktG/K. Schmidt Rn. 2, 12) und überzeugen auch deshalb nicht, weil Treupflichtverletzungen und sonstige Missbräuche als Gesetzesverletzung (→ Rn. 2) erfasst werden können.

6 **2. Anfechtungsausschluss nach § 243 III 1 Nr. 1 – 4.** Ebenfalls ausgeschlossen ist Anfechtung in den Fällen des § 243 III 1 Nr. 1 – 4. Das war für jetzigen § 243 III 1 Nr. 4 (Verstoß gegen Mitteilungs- und Weiterleitungspflicht) schon bislang anerkannt, da solcher Verstoß AG nicht zugerechnet werden kann (AusschussB Kropff S. 330); Einbeziehung war Redaktionsfehler (s. MüKoAktG/J. Koch Rn. 11 mwN). Derselbe Redaktionsfehler ist ARUG-Gesetzgeber bei Ausweitung der Ausschlusstatbestände unterlaufen: Auch die von § 243 III 1 Nr. 1 – 3 erfassten Publikationsvorgaben (Nr. 5 ist bei Wahlanfechtung ohne Belang) sollen nicht strenge Anfechtungssanktion nach sich ziehen (→ § 243 Rn. 44 f.). Dann ist aber nicht ersichtlich, warum gerade bei AR-Wahl etwas anderes gelten soll (zutr. KK-AktG/Kiefner Rn. 11; Hölters/Weber/Simons Rn. 15).

7 **3. Keine Anfechtung nach Bestätigung.** In § 251 I 3 angeordnete Geltung des § 244 bedeutet, dass auch Wahlbeschlüsse der Bestätigung zugänglich sind. Nach unangreifbar gewordener Bestätigung kann Wahl grds. nicht mehr angefochten werden (§ 244 S. 1; sa Marsch-Barner FS K. Schmidt, 2009, 1109, 1119 f.). Möglich bleibt jedoch **Nichtigerklärung für Vergangenheit,** wenn Anfechtungskläger daran rechtl. Interesse hat (§ 244 S. 2); so zB dann, wenn Gültigkeit inzwischen gefasster AR-Beschlüsse von Stimme des anfechtbar Bestellten abhängt (→ § 101 Rn. 20); wie hier Hölters/Weber/Simons Rn. 13; MüKoAktG/J. Koch Rn. 12; Marsch-Barner FS K. Schmidt, 2009, 1109, 1119 f.; Tielmann/Struck BB 2013, 1548, 1551; aA KK-AktG/Kiefner Rn. 12, der in Abweichung von allg. Grundsätzen (→ § 244 Rn. 6 mwN) rückwirkende Heilung annimmt.

IV. Anfechtungsbefugnis

8 **1. Im Allgemeinen.** § 251 II 1 verweist auf § 245 S. 1 Nr. 1, 2 und 4 und S. 2, dagegen nicht auf S. 1 Nr. 3 und 5. Zur Anfechtung befugt sind demnach anwesende oder in vHV elektronisch zugeschaltete **Aktionäre** unter den zusätzlichen Voraussetzungen des § 245 S. 1 Nr. 1 und 2 sowie **Vorstand als Organ.** Keine Anfechtungsbefugnis gibt es nach § 245 S. 1 Nr. 3. Das ist folgerichtig, weil Verfolgung von Sondervorteilen Anfechtungsklage gegen Wahlbeschlüsse nicht trägt (→ Rn. 5). Gegenansicht von KK-AktG/Zöllner, 1. Aufl. 1985, Rn. 23 geht von entgegengesetzter Prämisse aus und kann daher hier so wenig überzeugen wie dort.

9 **2. Mitbestimmungsrechtliche Erweiterungen.** Anfechtungsbefugnis wird in § 251 II 2 und 3 erweitert, um AN gegen Verletzung von Vorschriften zu schützen, die in ihrem Interesse gegeben sind (RegBegr. Kropff S. 338; sa → Rn. 1). § 251 II 2 meint, wie aus § 6 I 2 MontanMitbestG folgt, Wahl der in **§ 4 I 2 lit. b MontanMitbestG** umschriebenen AR-Mitglieder. Sie kann von jeder vertretenen Gewerkschaft und deren Spitzenorganisation sowie von jedem Betriebsrat angefochten werden, und zwar nach noch hM auch vom Gesamtbetriebsrat (B/K/L/Göz Rn. 9; GK-AktG/K. Schmidt Rn. 17), wobei aber

Analogievoraussetzungen nicht derart überzeugend dargelegt worden sind, wie es angesichts klaren Wortlauts erforderlich wäre (zu Recht abl. deshalb KK-AktG/Kiefner Rn. 59; Hölters/Weber/Simons Rn. 18 m. Fn. 118; BeckOGK/Stilz/Schumann Rn. 10). Für Wahl der Aktionärsvertreter (§ 4 I 2 lit. a MontanMitbestG) besteht diese Anfechtungsbefugnis nicht. § 251 II 3 betr., wie sich aus § 8 I 1 MontanMitbestG ergibt, Wahl des in **§ 4 I 2 lit. c MontanMitbestG** angesprochenen (neutralen) AR-Mitglieds. Sie kann „auch" von jedem AR-Mitglied angefochten werden. Nach früher hM sollte sich das „auch" nur auf § 251 II 1 beziehen, so dass neben den dort Genannten nur AR-Mitglieder als Träger des Vorschlagsrechts zur Anfechtung befugt gewesen wären (so etwa noch Baumbach/Hueck Rn. 10). Nach heute durchgängig vertretener Auffassung ist dem nicht zu folgen, sondern vielmehr anzunehmen, dass AR-Mitglieder neben den in § 251 II 1 und 2 Genannten zur Anfechtung befugt sind (MüKoAktG/J. Koch Rn. 18; KK-AktG/Kiefner Rn. 59; BeckOGK/Stilz/Schumann Rn. 21). Wahl des neutralen Mitglieds kann daher von Betriebsräten usw. angefochten werden. Wortlaut der Norm steht dieser Auslegung nicht entgegen und ihr Zweck gebietet sie.

V. Anfechtungsverfahren

§ 251 III verweist auf §§ 246, 247, 248 I 2 und § 248a. Es verbleibt also im Wesentlichen bei Geltung der allg. Regeln zur Anfechtungsklage. Dafür sind die nach § 251 II anfechtungsbefugten Einrichtungen auch dann parteifähig, wenn das nach § 50 I ZPO nicht der Fall wäre (allgM, s. zB GK-AktG/K. Schmidt Rn. 20). Nicht anwendbar ist § 248 I 1 (Urteilswirkung), § 248 I 3 und 4 sowie II. Betr. Anfechtungsgrund nur einzelnes Mitglied, ist Wahlbeschluss – auch wenn einheitl. gefasst – idR nur hinsichtlich seiner Person aufzuheben (→ § 241 Rn. 33). Für **Urteilswirkung** gilt bes. Regelung des § 252 (→ § 252 Rn. 1 ff.). IÜ sind die genannten Normteile schon der Sache nach nicht einschlägig, weil Wahlbeschlüsse zwar nach § 106 bekanntzumachen sind, aber nicht in das HR eingetragen werden und auch keine Satzungsänderung zum Inhalt haben. Durch UMAG 2005 eingeführte Geltung auch des § 248a erstreckt sich Bekanntmachungspflicht auf Wahlbeschlüsse, was auch hier der Missbrauchsvorbeugung dienen soll. 10

Urteilswirkung

252 **(1) Erhebt ein Aktionär, der Vorstand, ein Mitglied des Vorstands oder des Aufsichtsrats oder eine in § 250 Abs. 2 bezeichnete Organisation oder Vertretung der Arbeitnehmer gegen die Gesellschaft Klage auf Feststellung, daß die Wahl eines Aufsichtsratsmitglieds durch die Hauptversammlung nichtig ist, so wirkt ein Urteil, das die Nichtigkeit der Wahl rechtskräftig feststellt, für und gegen alle Aktionäre und Arbeitnehmer der Gesellschaft, alle Arbeitnehmer von anderen Unternehmen, deren Arbeitnehmer selbst oder durch Delegierte an der Wahl von Aufsichtsratsmitgliedern der Gesellschaft teilnehmen, die Mitglieder des Vorstands und des Aufsichtsrats sowie die in § 250 Abs. 2 bezeichneten Organisationen und Vertretungen der Arbeitnehmer, auch wenn sie nicht Partei sind.**

(2) [1] **Wird die Wahl eines Aufsichtsratsmitglieds durch die Hauptversammlung durch rechtskräftiges Urteil für nichtig erklärt, so wirkt das Urteil für und gegen alle Aktionäre sowie die Mitglieder des Vorstands und Aufsichtsrats, auch wenn sie nicht Partei sind.** [2] **Im Fall des § 251**

Abs. 2 Satz 2 wirkt das Urteil auch für und gegen die nach dieser Vorschrift anfechtungsberechtigten Betriebsräte, Gewerkschaften und Spitzenorganisationen, auch wenn sie nicht Partei sind.

I. Regelungsgegenstand und -zweck

1 § 252 betr. **Drittwirkung** des Nichtigkeitsurteils (§ 252 I) und des Anfechtungsurteils (§ 252 II). Norm bezweckt wie § 248 I 1, § 249 I 1 Rechtsklarheit und -sicherheit; sie will sicherstellen, dass Urteilsausspruch nicht nur für die Prozessparteien, sondern für alle materiell Beteiligten verbindlich ist. Dabei liegt eigentliche Bedeutung der Vorschrift in **Einbeziehung der AN-Seite** (KK-AktG/Kiefner Rn. 1). IÜ wird Regelung der § 248 I 1, § 249 I 1 nur klarstellend wiederholt. Vorausgesetzt ist der jeweiligen Klage stattgebendes Urteil. Für klageabweisende Entscheidungen gibt es keine bes. Regelung. Insoweit bindet das rechtskräftige Urteil also nur die Prozessparteien. Ein anderer als der ursprüngliche Kläger kann Nichtigkeitsklage neu erheben. Theoretisch ist das auch für Anfechtungsklage denkbar, doch scheitert neue Klageerhebung praktisch an Monatsfrist des § 246 I iVm § 251 III.

II. Nichtigkeitsklage und -urteil

2 **1. Klageart und Prozessparteien.** Die in § 252 I vorausgesetzte Klage ist wie die des § 249 (→ § 249 Rn. 10) **Feststellungsklage** (ganz hM – RegBegr. Kropff S. 338; MüKoAktG/J. Koch Rn. 3; S/L/Schwab Rn. 2; BeckOGK/Stilz/Schumann Rn. 2; auch insoweit aA GK-AktG/K. Schmidt Rn. 4: Gestaltungsklage), auf die teilw. für Anfechtungsklage geltende Vorschriften anzuwenden sind (§ 250 III; → § 250 Rn. 14 f.). Ob erweiterte Urteilswirkung eintritt, hängt ausschließlich von der Art der Prozessparteien ab. Wenn eine der in § 252 I bezeichneten Personen oder Stellen gegen AG klagt, wirkt Urteil kraft Ges. auch gegen Dritte (→ § 252 Rn. 3). Klagende Partei muss danach sein: ein Aktionär, der Vorstand, ein Mitglied des Vorstands oder des AR (insoweit deckungsgleich mit § 249 I 1) oder eine Organisation oder Vertretung der AN, die durch § 250 II für Nichtigkeitsklage als parteifähig anerkannt wird (→ § 250 Rn. 13).

3 **2. Drittwirkung des Nichtigkeitsurteils.** Das die Nichtigkeit der Wahl feststellende Urteil wirkt nicht nur für und gegen die Prozessparteien. Vielmehr entfaltet die materielle Rechtskraft Drittwirkung für und gegen sämtliche Aktionäre sowie die Mitglieder des Vorstands und des AR. Darüber hinaus wirkt das rechtskräftige Feststellungsurteil auch für und gegen AN-Seite abschließend klärend. Urteilswirkung erfasst nämlich die AN der Gesellschaft, die AN anderer von der AG abhängiger Unternehmen, die an AR-Wahl unmittelbar oder mittelbar teilnehmen, sowie die nach § 250 II parteifähigen Organisationen oder Vertretungen (→ § 250 Rn. 13) ohne Rücksicht darauf, ob sie tats. Partei sind. Weitergehend ist rechtsfortbildend anzunehmen, dass im Nichtigkeitsverfahren ergangenes Feststellungsurteil in den Fällen des § 252 ebenso wie in denen des § 249 (→ § 249 Rn. 17) **Feststellungswirkung für und gegen jedermann** entfaltet (MüKoAktG/J. Koch Rn. 6; KK-AktG/Kiefner Rn. 3; Hölters/Weber/Simons Rn. 5; BeckOGK/Stilz/Schumann Rn. 4; wegen angeblicher Gestaltungswirkung [→ Rn. 2] nur iE ebenso GK-AktG/K. Schmidt Rn. 4; aA S/L/Schwab Rn. 2). Auf die rechtskräftige Feststellung, dass die Wahl eines AR-Mitglieds nichtig ist, können sich also auch Dritte berufen, ebenso kann ihnen diese Feststellung entgegengehalten werden.

III. Anfechtungsklage und -urteil

4 **1. Klageart und Prozessparteien.** Die in § 252 II vorausgesetzte Anfechtungsklage ist wie im zugehörigen Grundfall der §§ 246, 248 **Gestaltungsklage** (aA unter Verwechselung von Nichtigkeits- und Anfechtungsklage LG Mannheim AG 1991, 29 f.). Sie kann von denjenigen erhoben werden, die nach § 251 II anfechtungsbefugt sind (→ § 251 Rn. 8 f.). Für den Eintritt der Urteilswirkung über die Prozessparteien hinaus (→ Rn. 6 f.) gibt es grds. keine Einschränkung nach der Art des Klägers. Sie tritt vielmehr bei jedem Anfechtungsurteil ein, soweit sich nicht aus § 252 II 2 Besonderheiten ergeben (→ Rn. 6).

5 **2. Gestaltungs- und Rechtskraftwirkung: Allgemeines.** Das der Anfechtungsklage stattgebende Urteil ist Gestaltungsurteil. Anders als das Nichtigkeitsurteil (→ Rn. 3) entfaltet die Entscheidung also **Doppelwirkung:** Erstens verändert sie die materielle Rechtslage und wirkt schon insoweit wie im Grundfall des § 248 (→ § 248 Rn. 5) für und gegen jedermann. Zweitens bindet das Urteil den in § 252 II umschriebenen Personenkreis. Soweit die materielle Rechtskraft danach wirkt, ist erneute Klage mit demselben Streitgegenstand als unzulässig abzuweisen.

6 **3. Drittwirkung des Anfechtungsurteils.** Gestaltungswirkung (→ Rn. 5) tritt nach allg. prozessrechtl. Grundsätzen auch ohne ges. Anordnung für und gegen jedermann ein, weil sich die materielle Rechtslage nicht nach der Person der Beteiligten spalten lässt. In § 252 II geht es nicht darum, sondern wie in § 248 I 1 um Drittwirkung der materiellen Rechtskraft (ebenso GK-AktG/K. Schmidt Rn. 5), also darum, wessen erneute Klage schon als unzulässig abzuweisen ist. Das gilt zunächst für sämtliche Aktionäre und Verwaltungsmitglieder (§ 252 II 1), ferner im **Fall des § 251 II 2** (→ § 251 Rn. 9: § 4 I 2 lit. b MontanMitbestG) für die dort genannten Betriebsräte, Gewerkschaften und Spitzenorganisationen, dagegen nicht wie nach § 252 I (→ Rn. 3) für AN der Gesellschaft oder von ihr abhängiger Unternehmen. Von Erstreckung der Rechtskraft hat Gesetzgeber insoweit abgesehen, weil AN ohnehin nicht anfechtungsbefugt sind (RegBegr. Kropff S. 339). Schrifttum äußert daran teilw. Kritik (vgl. zB KK-AktG/Kiefner Rn. 8). De lege ferenda richtig wäre, insoweit Rechtskrafterstreckung in § 252 I zu streichen; denn spezifische Nichtigkeitsklage (im Unterschied zur gewöhnlichen Feststellungsklage) können AN ohnehin nicht erheben.

7 **Im Fall des § 251 II 3** (→ § 251 Rn. 9: § 4 I 2 lit. c MontanMitbestG) folgt Drittwirkung des Anfechtungsurteils, soweit es um AR-Mitglieder geht, aus § 252 II 1. IÜ ist Drittwirkung in § 252 II nicht vorgesehen. Darin liegt eine Regelungslücke, weil die in § 252 I 2 genannten Betriebsräte, Gewerkschaften und Spitzenorganisationen nach richtiger, wenngleich nicht herrschender Ansicht auch insoweit anfechtungsbefugt sind (→ § 251 Rn. 9). Lücke ist durch analoge Anwendung des § 252 II 2 zu schließen.

8 **4. Rückwirkung des Anfechtungsurteils.** Dem Anfechtungsurteil generell zukommende Rückwirkung (→ § 248 Rn. 6 ff.) tritt gem. § 250 I iVm § 241 Nr. 5 auch bei Anfechtung von Wahlbeschlüssen ein (hM, s. BGHZ 196, 195 Rn. 20 = NJW 2013, 1535; OLG Köln WM 2007, 837, 838; MüKoAktG/J. Koch Rn. 10; GK-AktG/K. Schmidt Rn. 12; teilw. aA noch Baumbach/Hueck Rn. 3). **Lehre vom fehlerhaften Organ** lässt in der Lesart des BGH zwar für Pflichten, Haftung und Vergütung Durchbrechungen zu, kann aber nicht auf gesamte Rechtsstellung des AR-Mitglieds übertragen werden (BGHZ 196, 195 Rn. 18 ff. – ausf. → § 101 Rn. 20 ff.). Das hat zur Folge, dass **Rechtsschutzbedürfnis** für Anfechtungsklage auch nach Amtsniederlegung des AR-Mitglieds

fortbestehen kann, namentl. weil angefochtener Wahlbeschluss Folgewirkungen für vergangene Beschlussfassung im AR hat (BGHZ 196, 195 Rn. 11 ff.; zu diesen Folgewirkungen → § 101 Rn. 20). Daraus erwachsende Rechtsunsicherheit kann auch nach erfolgter Anfechtung nicht durch sofort wirksame gerichtl. Bestellung der Personen vermieden werden, deren Wahl angefochten ist (→ § 104 Rn. 8 mwN). Auch eine vorsorgliche Bestellung, die durch Rechtskraft des Anfechtungsurteils bedingt ist, ist bislang auf verbreitete Skepsis gestoßen (→ § 104 Rn. 8), doch bleibt abzuwarten, ob BGHZ 196, 195 insofern zu abw. Beurteilung führt.

Nichtigkeit des Beschlusses über die Verwendung des Bilanzgewinns

253 (1) [1] **Der Beschluß über die Verwendung des Bilanzgewinns ist außer in den Fällen des § 173 Abs. 3, des § 217 Abs. 2 und des § 241 nur dann nichtig, wenn die Feststellung des Jahresabschlusses, auf dem er beruht, nichtig ist.** [2] **Die Nichtigkeit des Beschlusses aus diesem Grunde kann nicht mehr geltend gemacht werden, wenn die Nichtigkeit der Feststellung des Jahresabschlusses nicht mehr geltend gemacht werden kann.**

(2) **Für die Klage auf Feststellung der Nichtigkeit gegen die Gesellschaft gilt § 249.**

I. Regelungsgegenstand und -zweck

1 § 253 betr. Gewinnverwendungsbeschluss der HV (§ 174), und zwar ohne Rücksicht darauf, ob sie ihrer Bindung an festgestellten Jahresabschluss (→ § 174 Rn. 2 f.) Rechnung trägt, weniger als den Bilanzgewinn verteilt oder diesen Betrag sogar überschreitet (MüKoAktG/J. Koch Rn. 3). Bezweckt ist vor allem, Nichtigkeit des Jahresabschlusses als **bes. Nichtigkeitsgrund** für Gewinnverwendungsbeschluss anzuerkennen (MüKoAktG/J. Koch Rn. 2). Dem liegt selbstverständliche Überlegung zugrunde, dass ein Gewinn, der nicht festgestellt ist, auch nicht verteilt werden kann (Gedanke der Akzessorietät – BeckOGK/Stilz/Schumann Rn. 2). Das gilt analog für GmbH (OLG Hamm AG 1992, 233, 234; KK-AktG/A. Arnold Rn. 3). Daneben enthält § 253 abschließende Zusammenfassung der Nichtigkeitsgründe, die dem Gewinnverwendungsbeschluss anhaften können.

II. Nichtigkeitsgründe

2 **1. Vorbehaltene Fälle (Eingangsworte).** Gem. § 253 I 1 ist Beschluss zunächst unter den Voraussetzungen der § 173 III, § 217 II, § 241 nichtig. **§ 173 III** verlangt uneingeschränkten Bestätigungsvermerk hinsichtlich der Änderungen des prüfungspflichtigen Jahresabschlusses durch HV und setzt dafür Frist von zwei Wochen nach Beschlussfassung (→ § 173 Rn. 7 f.). Ges. spricht von Nichtigkeit, wenn uneingeschränktes Testat nicht oder nicht rechtzeitig vorliegt. Der Sache nach handelt es sich allerdings um endgültige Unwirksamkeit (MüKoAktG/J. Koch Rn. 4; KK-AktG/A. Arnold Rn. 7). Entspr. gilt für **§ 217 II.** Danach wird Kapitalerhöhungsbeschluss nichtig (besser: endgültig unwirksam, → § 217 Rn. 5), wenn junge Aktien rückwirkend an Gewinnverwendung teilhaben sollen und Eintragung des Beschlusses in das HR nicht binnen Dreimonatsfrist erfolgt. § 217 II wird auch schon durch Weiterverweis des § 241 anwendbar, so dass entspr. Vorbehalt in § 253 I 1 gestrichen werden könnte.

3 Zu den **Nichtigkeitsgründen des § 241** ist hervorzuheben: Verstoß gegen **Bindung an festgestellten Jahresabschluss** (§ 174 I 2) führt zur Nichtigkeit

gem. § 241 Nr. 3 Fall 1 (→ § 241 Rn. 17); denn § 174 I 2 gehört zu den wesentlichen kompetenzverteilenden Vorschriften und bindet HV, wenn ausnahmsweise sie den Jahresabschluss feststellt (§ 173), an das materielle Bilanzrecht (→ § 174 Rn. 3). Der Nichtigkeit nach § 241 Nr. 3 Fall 2 ist dagegen die Konstellation zuzuordnen, dass auch Ausschüttungssperren nach §§ 225, 230, 233 missachtet werden (MüKoAktG/J. Koch Rn. 7). Dasselbe gilt für Verstoß gegen **Ausschüttungssperre des § 268 VIII HGB,** weil diese Vorgabe ebenfalls verhindern soll, dass Gewinne, deren Werthaltigkeit kritisch ist, an die Gesellschafter ausgeschüttet werden (MüKoAktG/J. Koch Rn. 7; Scholz/Verse GmbHG § 29 Rn. 65; Apfelbacher FS Hoffmann-Becking, 2013, 13, 14; Gelhausen/Althoff WPg 2009, 584, 590; Simon NZG 2009, 1081, 1085; Strothotte, Gewinnverwendung, 2014, 430; zur Einschränkung der Nichtigkeitsfolge auf Teilnichtigkeit → § 241 Rn. 18, 33). Sie dient also der Kapitalerhaltung im weiteren Sinne und damit dem Gläubigerschutz (RegBegr. BilMoG BT-Drs. 16/10067, 35, 64). Zur Nichtigkeit gem. § 241 Nr. 5 führt insbes. erfolgreiche **Anfechtung wegen übermäßiger Rücklagenbildung** nach § 254 (→ § 254 Rn. 3 ff.). Dagegen bilden **Verstöße gegen § 174 II** keinen Nichtigkeitsgrund, sondern führen nur zur Anfechtbarkeit (ganz hM, s. MüKoAktG/J. Koch Rn. 8; S/L/Schwab Rn. 5; BeckOGK/Stilz/Schumann Rn. 8). Das gilt auch dann, wenn HV von Verwaltungsvorschlag abweicht, dadurch zusätzlicher (steuerlicher) Aufwand entsteht (→ § 170 Rn. 6; → § 174 Rn. 6) und dieser im Beschluss zu niedrig angegeben wird (vgl. schon MüKoAktG/J. Koch Rn. 8; BeckOGK/Stilz/Schumann Rn. 8).

2. Nichtigkeit des Jahresabschlusses. Nichtigkeit des Gewinnverwendungsbeschlusses tritt nach § 253 I 1 ferner ein, wenn Feststellung des Jahresabschlusses nichtig ist und Beschluss auf dem Jahresabschluss beruht. Feststellung des Jahresabschlusses ist nur unter den **Voraussetzungen des § 256** (einschließlich der Anfechtung gem. § 257) nichtig (→ § 256 Rn. 1 ff.). Gewinnverwendungsbeschluss beruht auf nichtigem Jahresabschluss, wenn er von dem dort ausgewiesenen Bilanzgewinn ausgeht (sonst Nichtigkeit nach § 241 Nr. 3 Fall 1, → Rn. 3). Dabei spielt es keine Rolle, wenn bei erneuter Feststellung derselbe Betrag als Bilanzgewinn ausgewiesen wird (GK-AktG/K. Schmidt Rn. 7). 4

III. Heilung

Nach § 253 I 2 wird Nichtigkeit des Gewinnverwendungsbeschlusses wegen vorgelagerter Nichtigkeit des Jahresabschlusses (→ Rn. 4) geheilt, wenn bzgl. des Jahresabschlusses Heilung eingetreten ist. Diese bestimmt sich **nach § 256 VI** (→ § 256 Rn. 28 ff.). Verlängerung der Heilungsfrist gem. § 256 VI 2 durch Klageerhebung (→ § 256 Rn. 30) tritt nur ein, wenn sich Klage auf Feststellung der Nichtigkeit des Jahresabschlusses richtet. Klage nur gegen den Gewinnverwendungsbeschluss hindert Eintritt der Heilungswirkung nicht (OLG Stuttgart AG 2006, 340, 342). Die Nichtigkeit des Gewinnverwendungsbeschlusses wird analog § 253 I 2 geheilt, wenn der zugrunde liegende Jahresabschluss neu festgestellt wird und der ausgewiesene Bilanzgewinn die Ausschüttung deckt (GK-AktG/T. Bezzenberger Rn. 261b; MüKoAktG/Hennrichs/Pöschke § 174 Rn. 59; T. Bezzenberger WM 2020, 2093, 2100; Hennrichs FS Bergmann, 2018, 303, 317 ff.). Heilung wegen sonstiger Nichtigkeitsgründe **nach § 242** wird idR scheitern, weil § 242 Eintragung in das HR voraussetzt, der Beschluss über die Gewinnverwendung aber nicht eintragungsfähig ist. Ausnahme ist nur im Fall des § 217 II (→ Rn. 2) gegeben. Ablauf der Dreijahresfrist nach verspäteter Eintragung des Beschlusses über die Kapitalerhöhung (§ 242 II und III) lässt auch den 5

Gewinnverwendungsbeschluss wirksam werden (MüKoAktG/J. Koch Rn. 10; GK-AktG/K. Schmidt Rn. 8).

IV. Nichtigkeitsklage

6 § 253 II verweist auf § 249. Im dort bezeichneten Umfang sind also Vorschriften über die Anfechtungsklage sinngem. anzuwenden (§ 249 I). Auch gilt Vorschrift über die Prozessverbindung (§ 249 II).

V. Nichtigkeit als Rechtsfolge

7 Der nichtige Gewinnverwendungsbeschluss entfaltet keine Rechtswirkungen. Also entsteht **kein Dividendenzahlungsanspruch** der Aktionäre, weil dieser seine Grundlage erst in § 58 IV iVm dem Gewinnverwendungsbeschluss findet (→ § 58 Rn. 28 ff.). AG darf und muss Dividendenzahlung verweigern. Gleichwohl bezogene Dividende unterliegt dem aktienrechtl. Rückgewähranspruch des § 62, sofern nicht Gutglaubensschutz nach § 62 I 2 eingreift (→ § 62 Rn. 13 f.).

Anfechtung des Beschlusses über die Verwendung des Bilanzgewinns

254 (1) **Der Beschluß über die Verwendung des Bilanzgewinns kann außer nach § 243 auch angefochten werden, wenn die Hauptversammlung aus dem Bilanzgewinn Beträge in Gewinnrücklagen einstellt oder als Gewinn vorträgt, die nicht nach Gesetz oder Satzung von der Verteilung unter die Aktionäre ausgeschlossen sind, obwohl die Einstellung oder der Gewinnvortrag bei vernünftiger kaufmännischer Beurteilung nicht notwendig ist, um die Lebens- und Widerstandsfähigkeit der Gesellschaft für einen hinsichtlich der wirtschaftlichen und finanziellen Notwendigkeiten übersehbaren Zeitraum zu sichern und dadurch unter die Aktionäre kein Gewinn in Höhe von mindestens vier vom Hundert des Grundkapitals abzüglich von noch nicht eingeforderten Einlagen verteilt werden kann.**

(2) [1] **Für die Anfechtung gelten die §§ 244 bis 246, 247 bis 248a.** [2] **Die Anfechtungsfrist beginnt auch dann mit der Beschlußfassung, wenn der Jahresabschluß nach § 316 Abs. 3 des Handelsgesetzbuchs erneut zu prüfen ist.** [3] **Zu einer Anfechtung nach Absatz 1 sind Aktionäre nur befugt, wenn ihre Anteile zusammen den zwanzigsten Teil des Grundkapitals oder den anteiligen Betrag von 500 000 Euro erreichen.**

Übersicht

I. Regelungsgegenstand und -zweck

1 § 254 betr. Anfechtung des Gewinnverwendungsbeschlusses (§ 174), und zwar nur diese. Gemeint ist also **Fall des § 58 III.** Für satzungsändernde Beschlüsse iSd § 58 II (Ermächtigung zu erhöhter Rücklagenbildung) gibt § 254 nach zutr. hM nichts her (BGHZ 55, 359, 364 f. = NJW 1971, 802; → § 58 Rn. 12). Regelungszweck liegt in **Schutz der Minderheit vor Aushungerungspolitik der Mehrheit** (so ausdr. RegBegr. Kropff S. 340). Gemeint ist der Fall, dass ein oder mehrere Großaktionäre einer Thesaurierung des Gewinns auch dann den Vorzug geben, wenn sie nach Lage der Dinge nicht gerechtfertigt ist, und dem Renditeinteresse anderer Aktionäre auch nicht durch Kapitalerhöhung aus Gesellschaftsmitteln (§§ 207 ff.) Rechnung getragen wird (Hölters/Weber/Waclawik Rn. 6: kein Missbrauch der AG als Gefängnis für erwirtschaftete Gewinne). Gesetzgeber hat dabei an krasse Fälle gedacht (RegBegr. Kropff S. 340; sa J. Koch FS Heidel, 2021, 849 ff.). Vorschrift dient damit dem Minderheitenschutz, nicht aber dem Individualschutz des einzelnen Aktionärs (so aber GK-AktG/K. Schmidt Rn. 1; S/L/Schwab Rn. 1), was sich namentl. im Anfechtungsquorum des § 254 II manifestiert (ausf. zu dieser subtilen Unterscheidung J. Koch FS Heidel, 2021, 849, 855 ff.; sa KK-AktG/A. Arnold Rn. 6; MüKoAktG/J. Koch Rn. 2; zu den Folgen → Rn. 3). Für Kreditinstitute macht seit Ges. zur Umsetzung der Zweiten Zahlungsdienste-RL v. 17.7.2017 (BGBl. 2017 I 2446) § 10 V 1 KWG (in Reaktion auf LG Frankfurt v. 15.12.2016 – 3–5 O 154/16 juris-Rn. 85 ff.; dazu → Rn. 7d) Ausnahme von § 254, wenn Zweck einer Kapitalüberlassung die Überlassung von Eigenmitteln iSd Art. 72 CRR) ist (vgl. dazu Apfelbacher FS Marsch-Barner, 2018, 1 ff.). **Rechtspolitische Würdigung** der Vorschrift fällt überwiegend negativ aus, da gesellschaftsrechtl. Schutz des Minderheitsaktionärs zu schwach ausgebildet erscheint (s. insbes. geringe Mindestausschüttung von 4 % sowie Anfechtungsquorum; zur Kritik s. LG Frankfurt v. 15.12.2016 – 3–5 O 154/16 juris-Rn. 92; Strothotte, Gewinnverwendung, 2014, 414 ff.; J. Koch FS Heidel, 2021, 849, 851 ff.).

II. Anfechtung nach § 243

2 Anfechtung des Gewinnverwendungsbeschlusses nach § 243 bleibt von Regelung des § 254 unberührt. Beschluss unterliegt aber **idR keiner inhaltlichen Kontrolle** nach den Maßstäben der Erforderlichkeit und Verhältnismäßigkeit, da Reichweite und Grenzen des Minderheitenschutzes hier schon ges. hinreichend abgesteckt sind (MüKoAktG/J. Koch Rn. 8; Baums FS K. Schmidt, 2009, 57, 76 f.; Habersack FS K. Schmidt, 2009, 523, 528 ff.; Ganzer NZG 2023, 1251, 1257; Schnorbus/Plassmann ZGR 2015, 446, 472 ff.). Nur in Extremfällen kann Anfechtung wegen rechtsmissbräuchlicher Stimmrechtsausübung möglich sein (Schnorbus/Plassmann ZGR 2015, 446, 474 f.; Strothotte, Gewinnverwendung, 2014, 391 f.; J. Koch FS Heidel, 2021, 849, 854; diese Ausn. kann auch die von Wucherer/Zickgraf ZGR 2021, 259, 299 ff. behandelten Fälle erfassen). Auch Anfechtung wegen Sondervorteilen nach § 243 II kommt in Betracht (LG Frankfurt AG 2005, 545, 546; KK-AktG/A. Arnold Rn. 25), wird bei behaupteter zu hoher Gewinnausschüttung (insbes. in Gestalt sog „Superdividenden“ [→ § 174 Rn. 2]) aber mit Blick auf Deinvestitionsfreiheit der Aktionäre (→ § 174 Rn. 2) idR abzulehnen sein (Habersack FS K. Schmidt, 2009, 523, 529; Schnorbus/Plassmann ZGR 2015, 446, 475 ff.; Strothotte, Gewinnverwendung, 2014, 392 f.). **Gesetzesverletzung** liegt insbes. vor, wenn Bilanzgewinn entgegen § 58 III 2 ohne entspr. Satzungsermächtigung anderweitig verwandt wird (→ § 58 Rn. 25, 33) oder wenn Verstoß gegen § 174 II vorliegt (→ § 253

Rn. 3). Auch **Satzungsverstoß** kann Gewinnverwendungsbeschluss anfechtbar machen (OLG Düsseldorf WM 1982, 649 zur GmbH). Verletzung des § 174 I 2 führt schon zur Nichtigkeit des Beschlusses (→ § 253 Rn. 3), so dass es einer Anfechtung nicht bedarf. Verstoßen Vorstand und AR gegen Schranken des § 58 II ist Jahresabschluss selbst nach § 256 I Nr. 4 nichtig (KK-AktG/A. Arnold Rn. 9).

III. Anfechtung wegen übermäßiger Rücklagenbildung

3 **1. Mindestausschüttung.** Über § 243 hinaus ist Anfechtung nach § 254 I möglich, wenn Gewinnverwendungsbeschluss im Übermaß Rücklagen bildet. Erste Voraussetzung dafür ist, dass Gewinnverteilung unter die Aktionäre **4 % des durch Einlagen belegten Grundkapitals** unterschreitet. Maßgeblich für Höhe des Grundkapitals ist Eintragung im HR. Nicht eingeforderte Einlagen (vgl. §§ 54, 63) sind von der Grundkapitalziffer abzusetzen. Wenn Gesamtausschüttung unter 4 % des durch Einlagen belegten Grundkapitals bleibt, kann Beschluss auch von Vorzugsaktionären angefochten werden, die für sich eine Dividende von 4 % erhalten (aA GK-AktG/K. Schmidt Rn. 7; S/L/Schwab Rn. 3). § 254 I bezweckt zwar Mindestdividende des einzelnen Aktionärs (sa BGHZ 84, 303, 305 = NJW 1983, 282). Anfechtungsgrund liegt aber nach seiner ges. Ausgestaltung nicht in Verfehlung der Mindestdividende einzelner Aktionäre, sondern in Verkürzung des Dividendenrechts der Aktionärsgesamtheit (MüKoAktG/J. Koch Rn. 10 f.; J. Koch FS Heidel, 2021, 849, 855 ff.; iE zust. KK-AktG/A. Arnold Rn. 12; Henssler/Strohn/Drescher Rn. 3; BeckOGK/Stilz/Schumann Rn. 18 f.; Strothotte, Gewinnverwendung, 2014, 410 ff.). Im Einzelfall kann für die Anfechtungsklage das Rechtsschutzinteresse fehlen. Dafür verbreitet angeführtes Bsp., dass Aktionär selbst keine höhere Dividende vereinnahmen könnte (Strothotte, Gewinnverwendung, 2014, 414), ist aber nicht unbedenklich, da Anfechtung nach allg. beschlussmängelrechtl. Grundsätzen sonst keine persönliche Betroffenheit voraussetzt (→ § 246 Rn. 9; J. Koch FS Heidel, 2021, 849, 858 f.).

4 **2. Einstellung in Gewinnrücklagen oder Gewinnvortrag.** Verfehlung der Mindestausschüttung (→ Rn. 3) muss dadurch verursacht sein, dass HV Beträge in Gewinnrücklagen (§ 266 III A III HGB) einstellt oder als Gewinn vorträgt (§ 266 III A IV HGB; → § 58 Rn. 24). Anderweitige Gewinnverwendung kann wegen Verstoßes gegen § 58 III zur Anfechtung nach § 243 I führen (→ Rn. 2), begründet aber nicht die Anfechtung nach § 254 I (allgM – vgl. nur MüKoAktG/J. Koch Rn. 12).

5 **3. Ausnahme: Nicht verteilungsfähige Beträge.** Kausalität der Rücklagenbildung oder des Gewinnvortrags (→ Rn. 4) bleibt unbeachtlich, soweit entspr. Beträge nach Ges. oder Satzung von Verteilung unter die Aktionäre ausgeschlossen sind. Das stimmt mit den in § 58 IV enthaltenen Beschränkungen überein. Die erste Ausnahme hat allerdings kaum praktische Bedeutung, weil Gewinnrücklagen, die nach Ges. zu bilden sind, ausnahmslos schon bei der Aufstellung der Bilanz Berücksichtigung finden müssen (§ 150 I und II; § 270 HGB), also dem Ausweis des Bilanzgewinns vorangehen. Bzgl. des Gewinnvortrags ist für **unverteilbaren Spitzenbetrag** anzunehmen, dass dieser unter den Ausnahmetatbestand fällt. Entspr. Vorschrift besteht zwar nicht, dies aber nur deshalb, weil Gesetzgeber derartige Regelung für überflüssig, weil selbstverständlich hielt (RegBegr. Kropff S. 78; sa BGHZ 23, 150, 155 = NJW 1957, 588; Henssler/Strohn/Drescher Rn. 4; BeckOGK/Stilz/Schumann Rn. 11).

6 **Satzungsmäßige Ausschüttungsbeschränkungen** sind nach zutr. hM zulässig (→ Rn. 1; zum Meinungsstand MüKoAktG/J. Koch Rn. 13). Sie begeg-

nen insbes. im Gemeinnützigkeitsbereich, um Privileg der Gemeinnützigkeit nach § 55 I Nr. 1 AO, §§ 59, 60 AO zu erhalten (→ § 58 Rn. 25a). § 254 I wird dadurch nicht unterlaufen, da Anordnung schon in Satzung enthalten sein muss. § 254 schützt vor übertriebener Thesaurierungspolitik schon der einfachen Mehrheit (MüKoAktG/J. Koch Rn. 13; zust. KK-AktG/A. Arnold Rn. 14).

4. Ausnahme: Wirtschaftlich notwendige Rücklagen oder wirtschaftlich notwendiger Gewinnvortrag. Anfechtung ist auch dann ausgeschlossen, wenn Dotierung der Rücklagen oder Vortrag des Gewinns (→ § 58 Rn. 24) zwar nicht durch Ges. oder Satzung vorgeschrieben (→ Rn. 5 f.), aber wirtschaftlich notwendig ist. § 254 verlangt dafür zunächst, dass die eine oder die andere Maßnahme die **Lebens- und Widerstandsfähigkeit der** AG sichert. Formulierung stammt aus RGZ 116, 119 und kann mit RegBegr. BT-Drs. IV/171, 175 f. als Erhaltung der Substanz und des relativen Standes der AG im Wettbewerb mit anderen Unternehmen verstanden werden (LG Frankfurt v. 15.12.2016 – 3–5 O 154/16, juris-Rn. 84; Grigoleit/Ehmann Rn. 6; J. Koch FS Heidel, 2021, 849, 859 f.; aA KK-AktG/Zöllner, 1. Aufl. 1985, Rn. 19). Grenze bilden Maßnahmen zur Dividendenkontinuität oder zur Vorbereitung künftiger Expansion, sofern diese nicht zwingend erforderlich ist, um Wettbewerbsfähigkeit zu sichern (LG Stuttgart BeckRS 2020, 21592 Rn. 34; KK-AktG/A. Arnold Rn. 15). Weiterhin wird vorausgesetzt, dass Sicherung für einen hinsichtlich der wirtschaftlichen und finanziellen Notwendigkeiten **übersehbaren Zeitraum** erfolgt (enger noch RGZ 116, 119, 133: „nächste Zukunft" = zwei bis drei Jahre). Formel wird heute einhellig so verstanden, dass Zeitraum von bis zu fünf Jahren angemessen sein kann (ausf. und mwN J. Koch FS Heidel, 2021, 849, 862; sa LG Stuttgart BeckRS 2020, 21592 Rn. 28; KK-AktG/A. Arnold Rn. 16; Henssler/Strohn/Drescher Rn. 5; MüKoAktG/J. Koch Rn. 16). Bemessung erklärt sich daraus, dass dies häufig dem Zeitraum für mittelfristige Unternehmensplanung entspr. wird (vgl. zur Anlehnung an individuellen Planungshorizont des Unternehmens auch LG Stuttgart BeckRS 2020, 21592 Rn. 28); je weiter der Blick in die Zukunft rückt, desto höhere Anforderungen wird man aber an Darlegungs- und Beweislast der AG (→ Rn. 7d) stellen müssen (J. Koch FS Heidel, 2021, 849, 863 ff. mw Ausführungen zu bes. Schwierigkeiten in unabsehbaren Situationen, zB Pandemie). Schließlich verlangt § 254 I, dass Maßnahme bei vernünftiger kaufmännischer Beurteilung **notwendig** im Unterschied zu wünschenswert oder sinnvoll ist (BeckOGK/Stilz/Schumann Rn. 12). 7

Für Beurteilung dieser Voraussetzungen ist **umfassende wirtschaftliche Betrachtung** vorzunehmen, die auf Seiten der AG deren Zweck und dafür erforderliche Mittel berücksichtigt, aber auch wirtschaftliche Lage, Ausstattung mit Eigenkapital, Höhe und Verfügbarkeit vorhandener Rücklagen, Kreditfähigkeit und Art der Ausschöpfung aufgenommener Kredite, die Höhe der Laufzeit von Verbindlichkeiten, allg. Wirtschaftslage und Marktsituation sowie Zukunftsprognose für betroffenen Wirtschaftszweig (so wohl LG Stuttgart v. 7.4.2020 – 31 O 26/19; zitiert nach BeckOGK/Stilz/Schumann Rn. 12). Deutlicher Indikator für Bedrohung der Lebens- und Widerstandsfähigkeit ist selbstverständlich auch, wenn AG durch Zahlung in **Insolvenzreife** rückt (LG Stuttgart BeckRS 2020, 21592 Rn. 37), doch ist Insolvenzreife umgekehrt keine Voraussetzung, um solche Bedrohung anzunehmen (J. Koch FS Heidel, 2021, 849, 861). Maßgeblich für Beurteilung ist **Zeitpunkt,** zu dem HV Gewinnverwendungsbeschluss fasst, wobei nach aus Spruchverfahren bekannter „Wurzeltheorie" (→ § 304 Rn. 10) alle Entwicklungen zu berücksichtigen sind, die am Stichtag schon angelegt sind (LG Stuttgart BeckRS 2020, 21592 Rn. 38; s. dazu auch J. Koch FS Heidel, 2021, 849, 865). 7a

7b Zur Feststellung dieser Voraussetzungen hat AG nach ganz hM **Beurteilungsspielraum,** der auch im Wortlaut einen Niederschlag findet („bei vernünftiger kaufmännischer Beurteilung"), allerdings in seiner Tragweite nicht mit § 93 I 2 gleichgesetzt werden darf (wie hier LG Frankfurt v. 15.12.2016 – 3–5 O 154/16 juris-Rn. 92 ff.; KK-AktG/A. Arnold Rn. 17; NK-AktR/Heidel Rn. 7; MüKo-AktG/J. Koch Rn. 14; Harnos, Gerichtliche Kontrolldichte, 2021, 657 f.; großzügiger noch Spindler/Stilz/Stilz, 3. Aufl. 2015, Rn. 10 und möglicherweise auch LG Stuttgart BeckRS 2020, 21592 Rn. 33: Orientierung an unternehmerischer Planungsrechnung – vgl. dazu aber die krit. Würdigung bei J. Koch FS Heidel, 2021, 849, 866 ff.; gegen jede Einschränkung der gerichtl. Kontrolldichte MHdB AG/Austmann § 42 Rn. 186). Vielmehr handelt es sich um **Pflichtaufgabe mit Beurteilungsspielraum,** die anders als Fallgruppen der BJR einer strengeren, nämlich enger an den legislatorischen Zielen orientierten, Inhaltskontrolle unterworfen werden darf (→ § 93 Rn. 29). Eine solche schärfere Überprüfung ist auch im Lichte des ansonsten eher schwachen Schutzniveaus der Vorschrift (→ Rn. 1) geboten (LG Frankfurt v. 15.12.2016 – 3–5 O 154/16, juris-Rn. 92 ff.; ausf. J. Koch FS Heidel, 2021, 849, 866 ff.).

7c IR dieser Kontrolle zieht instanzgerichtl. Rspr. zT auch **sonstiges Verhalten der AG** in Betracht und verneint wirtschaftliche Erforderlichkeit etwa dann, wenn Kreditinstitut in der Rechtsform einer AG es unterlassen hat, Sonderposten für allg. Bankrisiken nach § 340g HGB zu bilden (LG Frankfurt v. 15.5.2016 – 3 –5 O 154/16, juris-Rn. 86 f.; krit. Apfelbacher FS Marsch-Barner, 2018, 1, 9 f.). Mit Einführung des § 10 V 1 KWG (→ Rn. 1) dürfte sich diese Fallgruppe aber erledigt haben. Problematischer erscheint es dagegen, wenn Dividendenausfall an die Voraussetzung geknüpft wird, dass Vorstandsgehälter gem. § 87 II gekürzt werden (vorsichtig in diese Richtung LG Frankfurt v. 15.12.2016 – 3–5 O 154/ 16, juris-Rn. 90: „gewisser Zusammenhang"), da Voraussetzungen dieser Vorschrift deutlich über die des § 254 I hinausreichen. Wenn aber tatbestandliche Voraussetzungen einer Kürzung nicht vorliegen, kann dies iRd § 254 I nicht zu Lasten der AG gehen (krit. auch LG Stuttgart BeckRS 2020, 21592 Rn. 86; Apfelbacher FS Marsch-Barner, 2018, 1, 10 f.; J. Koch FS Heidel, 2021, 849, 870 ff.; Rieckers DB 2017, 2786, 2790). Für Vorliegen der genannten Voraussetzungen trägt AG die Beweislast (LG Stuttgart BeckRS 2020, 21592 Rn. 39; KK-AktG/A. Arnold Rn. 17; Henssler/Strohn/Drescher Rn. 5; GK-AktG/ K. Schmidt Rn. 17; aA MHdB AG/Austmann § 42 Rn. 186).

IV. Einzelheiten der Anfechtung

8 **1. Verfahren und Frist.** § 254 II 1 verweist auf §§ 244–246, 247–248a. Wenig elegante Textfassung durch UMAG 2005 soll zum Ausdruck bringen, dass einerseits § 246a nicht anzuwenden ist, nämlich schon mangels Eintragung des Gewinnverwendungsbeschlusses in das HR, dass aber andererseits § 248a gilt; Bek. soll auch hier Missbräuchen vorbeugen. Hinsichtlich der Anfechtungsfrist stellt § 254 II 2 (wortgleich: § 257 II 2; → § 257 Rn. 8) klar, dass Nachtragsprüfung iSd § 316 III HGB den Fristbeginn nicht hinausschiebt. Es verbleibt also dabei, dass erster Tag der Monatsfrist der auf HV folgende Tag ist (§ 187 I BGB). Dasselbe hat für Nachtragsprüfung gem. § 173 III zu gelten. Lauf der Anfechtungsfrist beginnt also vor Wirksamwerden des Gewinnverwendungsbeschlusses.

9 **2. Anfechtungsbefugnis.** Zu unterscheiden ist zwischen Anfechtung nach § 243 (dann: § 245) und Anfechtung nach § 254 I. Für diesen zweiten Fall muss **Quorum des § 254 II 3** erfüllt sein. Danach müssen Anfechtungskläger 5 % des Grundkapitals oder den anteiligen Betrag von 500.000 Euro erreichen (zum Zweck alternativer Schwellenwerte → § 122 Rn. 17). Anteiliger Betrag (§ 8 III

3) folgt aus Division des Grundkapitals durch Aktienanzahl. Bei Nennbetragsaktien (§ 8 I und II) ist der Nennbetrag der anteilige Betrag. Wie Anfechtungsbefugnis selbst ist auch Quorum keine Sachurteilsvoraussetzung, so dass bei ihrem Fehlen erst Begründetheit entfällt. Nach hLit. muss Minderheit kumulativ auch Voraussetzungen des § 245 S. 1 Nr. 1 oder 2 erfüllen (KK-AktG/A. Arnold Rn. 22; Henssler/Strohn/Drescher Rn. 7; B/K/L/Göz Rn. 9; GK-AktG/K. Schmidt Rn. 12; BeckOGK/Stilz/Schumann Rn. 22), doch erscheint Minderheitenschutz damit übermäßig erschwert, da Aktionäre in diesem Fall schon in HV zusammenfinden müssen (Grigoleit/Ehmann Rn. 9; NK-AktG/Heidel Rn. 9; MüKoAktG/J. Koch Rn. 20; s. für § 245 S. 1 Nr. 1 auch S/L/Schwab Rn. 10). Dass § 245 iVm § 254 II 1 klar für hLit. spricht (so GK-AktG/K. Schmidt Rn. 12), trifft schon aufgrund pauschalen Charakters der Verweisung nicht zu (zust. S/L/Schwab Rn. 10). Auch die im älteren Schrifttum weiter erhobene Forderung, Quorum müsse während der Dauer des Rechtsstreits bis zur letzten mündlichen Tatsachenverhandlung erhalten bleiben (KK-AktG/Zöllner, 1. Aufl. 1985, Rn. 23), kann nicht überzeugen. Vielmehr muss genügen, dass das Quorum **bei Klageerhebung** besteht. Nachträglicher Wegfall der Aktionärseigenschaft von Klägern beseitigt Aktivlegitimation analog § 265 II ZPO nicht, sofern er nur als Kläger im Prozess verbleibt (str.; → § 245 Rn. 8). Nur Klagerücknahme (§ 269 ZPO) schadet, wenn Aktien der verbliebenen Kläger den Anforderungen des § 254 II 3 nicht mehr genügen, weil dann gegenläufiges Renditeinteresse der Aktionäre nicht mehr hinreichend gewichtig erscheint (Henssler/Strohn/Drescher Rn. 7; MüKoAktG/J. Koch Rn. 21; GK-AktG/K. Schmidt Rn. 13; BeckOGK/Stilz/Schumann Rn. 23; iE auch S/L/Schwab Rn. 11; aA für Klagerücknahme aber Hölters/Weber/Waclawik Rn. 7). Anfechtung durch Vorstandsmitglieder wird idR an § 245 S. 1 Nr. 5 scheitern (S/L/Schwab Rn. 12). Zu den Folgen der Anfechtung → § 174 Rn. 7.

Anfechtung der Kapitalerhöhung gegen Einlagen

255 (1) **Der Beschluß über eine Kapitalerhöhung gegen Einlagen kann nach § 243 angefochten werden, soweit sich aus den Absätzen 4 bis 7 nicht ein anderes ergibt.**

(2) [1]**Die Anfechtung kann nicht auf § 243 Absatz 2 oder darauf gestützt werden, dass der auf eine Aktie entfallende Wert der Einlage unangemessen niedrig ist.**

(3) **Für die Anfechtung gelten die §§ 244 bis 248a.**

(4) **Ist das Bezugsrecht in anderer Weise als nach § 186 Absatz 3 Satz 4 ganz oder zum Teil ausgeschlossen und ist der auf eine Aktie entfallende Wert der Einlage unangemessen niedrig, so kann jeder Aktionär, dessen Recht, gegen die Wirksamkeit des Kapitalerhöhungsbeschlusses Klage zu erheben, nach Absatz 2 ausgeschlossen ist, unbeschadet der §§ 255a und 255b von der Gesellschaft einen Ausgleich durch bare Ausgleichszahlung verlangen, soweit sein Bezugsrecht ausgeschlossen ist.**

(5) [1]**Bei börsennotierten Gesellschaften entspricht der Wert der gewährten Aktien ihrem Börsenkurs.** [2]**Unterschreitet der Ausgabebetrag den Börsenkurs nicht wesentlich, so entfällt der Anspruch auf Ausgleichszahlung nach Absatz 4 Satz 2.** [3]**Der Börsenkurs ist nicht allein maßgebend, wenn**

1. **die Aktiengesellschaft entgegen Artikel 17 Absatz 1 der Verordnung (EU) Nr. 596/2014 oder einer entsprechenden Vorschrift des anwendbaren ausländischen Rechts eine Insiderinformation, die sie unmittel-**

bar betrifft, nicht so bald wie möglich veröffentlicht oder in einer Mitteilung nach Artikel 17 Absatz 1 der Verordnung (EU) Nr. 596/2014 oder einer entsprechenden Vorschrift des anwendbaren ausländischen Rechts eine unwahre Insiderinformation, die sie unmittelbar betrifft, veröffentlicht oder

2. **ein Verstoß gegen das Verbot der Marktmanipulation nach Artikel 15 der Verordnung (EU) Nr. 596/2014 vorliegt, der den Börsenkurs beeinflusst hat oder hierzu geeignet war oder**
3. **für die Aktien der Aktiengesellschaft während der letzten drei Monate vor Ablauf des der Entscheidung über die Ausgabe der neuen Aktien vorausgehenden Tages an weniger als einem Drittel der Börsentage Börsenkurse festgestellt wurden und mehrere nacheinander festgestellte Börsenkurse um mehr als 5 Prozent voneinander abweichen.**

[4] **Für die Berechnung des Börsenkurses ist § 5 Absatz 1 bis 3 der WpÜG-Angebotsverordnung entsprechend anzuwenden mit der Maßgabe, dass anstelle der Veröffentlichung nach § 10 Absatz 1 Satz 1 oder § 35 Absatz 1 Satz 1 des Wertpapiererwerbs- und Übernahmegesetzes der Ablauf des der Entscheidung über die Ausgabe der neuen Aktien vorausgehenden Tages tritt.** [5] **Ist der Börsenkurs an diesem Tag niedriger, ist dieser Börsenkurs maßgeblich.** [6] **Satz 3 Nummer 1 und 2 ist nicht anzuwenden, sofern der Verstoß oder die Manipulation keine oder nur unwesentliche Auswirkungen auf den nach Satz 4 errechneten Kurs hatten.**

(6) [1] **Die Ausgleichszahlung ist nach Ablauf des Tages, an dem die Eintragung der Durchführung der Kapitalerhöhung erfolgt ist, mit jährlich 5 Prozentpunkten über dem jeweiligen Basiszinssatz nach § 247 des Bürgerlichen Gesetzbuchs zu verzinsen.** [2] **Die Geltendmachung eines weiteren Schadens ist nicht ausgeschlossen.**

(7) **Die Ausgleichszahlung wird auf Antrag durch das Gericht nach den Vorschriften des Spruchverfahrensgesetzes bestimmt.**

Übersicht

I. Regelungsgegenstand und -zweck

§ 255 enthält spezielle **Rechtsschutzregelung** für die Situation einer Kapitalerhöhung mit Einlagen. § 255 I, III ordnet dafür grds. Geltung des Anfechtungsrechts an (→ Rn. 5 f.), statuiert aber in § 255 II auch Ausschluss von zwei Anfechtungsgründen (§ 243 II, unangemessen niedrige Ausgabe). Kern der Vorschrift ist sodann der in § 255 IV – VII geregelte **Verwässerungsschutz** (OLG München AG 2007, 37, 41) für die Situation einer Kapitalerhöhung unter Bezugsrechtsausschluss, bei der Ausgabebetrag unangemessen niedrig festgesetzt wurde. Vom Bezugsrecht ganz oder teilw. ausgeschlossene Minderheit soll also vor der **vermögensmäßigen Entwertung** ihrer Mitgliedsrechte geschützt werden, die eintritt, wenn neue Aktien geschaffen und ausgegeben werden, ohne dass dafür geleistete Einlagen dem Wert der Mitgliedschaft entspr. In dieser Situation soll ausgeschlossenen Aktionären Möglichkeit gerichtl. Korrektur gegeben werden. Schutz vor **Verwässerung der Beteiligungsquote** (→ § 186 Rn. 2) kann – außer in Fällen des § 255a (→ § 255a Rn. 1 ff.) – durch Instrumentarium des § 255 nicht vollständig geleistet werden. 1

Bis zum **ZuFinG 2023** wurde Rechtsschutz gegen Wertverwässerung in der Weise gewährleistet, dass im Falle der Unangemessenheit nach § 255 II aF **Anfechtungsklage** zugelassen wurde. Diese Ausgestaltung war in Lit. aber schon seit langem Gegenstand berechtigter Kritik, da Rechtsordnung mit **überschießender Anfechtungsfolge** Unternehmen übermäßig hart belastet hat, ohne Aktionärsanliegen passgenau zu treffen: Wenn Aktionär Verwässerung seines Anteils aufgrund Unterbewertung beanstandet, liegt folgerichtige Konsequenz dieser Beanstandung nicht in Aufhebung des Kapitalerhöhungsbeschlusses, sondern in Durchsetzung einer Höherbewertung iRd Spruchverfahrens. Diesen Weg hat Gesetzgeber auch für andere Grundlagen- und Strukturmaßnahmen gewählt, so dass Sonderbehandlung der Sachkapitalerhöhung nicht mehr zu rechtfertigen war (DAV-HRA NZG 2023, 738 Rn. 62). 2

Bisheriges Regime war überdies nicht nur dogmatisch inkonsequent, sondern für Praxis auch erhebliche Erschwernis. Scharfe Anfechtungsfolge und damit einhergehendes Missbrauchspotenzial (→ § 245 Rn. 22 ff.) haben in der Vergangenheit **abschreckende Wirkung** in dem Sinne entfaltet, dass Praxis von vornherein Transaktionsformen gewählt hat, in denen § 255 nicht zur Geltung gelangt. Insbes. **Sachkapitalerhöhung zum Zwecke der Unternehmenszusammenführung** wurde bislang in Deutschland kaum eingesetzt, um Damoklesschwert der Beschlussaufhebung zu entgehen. Verschärft wurden solche Risiken dadurch, dass nach Auffassung der instanzgerichtl. Rspr. Freigabeverfahren für diese Überprüfung eines Sachkapitalerhöhungsbeschlusses nicht genutzt werden konnte (OLG Jena AG 2007, 31, 35; OLG München BeckRS 2014, 3

3440; sehr zurückhaltend auch OLG München AG 2023, 707, 710). In der Praxis hatte dies zur Folge, dass anorganisches Wachstum in Form von Bartransaktionen gekleidet wurde, die Unternehmenswert jedoch – anders als Sachkapitalerhöhung – nicht steigern.

4 Gesetzgeber hat sich deshalb mit ZuFinG 2023 darum bemüht, **Rechtsfolgenregime des § 255 praxisfreundlicher** zu gestalten, und dabei in großem Umfang langjährige unternehmensrechtl. Gestaltungsvorschläge aus der Praxis aufgegriffen (vgl. etwa MüKoAktG/J. Koch Rn. 3; Bayer ZHR 163 [1999], 505, 544 ff.; Hüffer ZHR 172 [2008], 8, 15 ff.; J. Vetter ZHR 168 [2004], 8, 29 ff.; aA Baums, Bericht der Reg-Komm. CG, 2001, Rn. 152). § 255 II nF schließt Anfechtungsrecht aus und richtet Rechtsschutz des Aktionärs auf ein der tats. Beanstandung passendes Ziel neu aus (RegBegr. BT-Drs. 20/8292, 117). Aktionär kann **Barausgleich nach § 255 IV** verlangen, dessen konkrete Bemessung im Spruchverfahren geklärt wird (§ 255 VII). Durch diese Neuerung ist **systematische Stellung** im zweiten Unterabschnitt des Beschlussmängelrechts („Nichtigkeit bestimmter Hauptversammlungsbeschlüsse") zweifelhaft geworden. Zuordnung zum Beschlussmängelrecht trifft nur noch auf § 255 I – III zu. Kernregelung des Barausgleichs wäre möglicherweise als Folgevorschrift zu § 186 besser aufgehoben, doch ist Zuordnung mit Blick auf § 255 I – III auch nicht gänzlich unplausibel und vermeidet größere Eingriffe in bisherigen Normenbestand. **Rechtspolitisch** ist Neufassung aus den genannten Gründen unbedingt zu begrüßen, wenngleich Detailgestaltung nicht in allen Punkten gelungen ist. Als hervorstechende Defizite sind insbes. die komplette Rechtsschutzverweigerung in Fällen des § 186 III 4 (→ Rn. 9 ff.) und die zu enge kasuistische Fassung des § 255 V 3 zu nennen (→ Rn. 47 ff.). Neuregelung findet erstmals Anwendung auf HV, die ab Inkrafttreten einberufen werden (§ 26p EGAktG).

II. Anfechtung nach § 243 (§ 255 I, III)

5 **1. Anwendungsbereich.** Anwendungsbereich des § 255 kann nicht einheitlich bestimmt werden, sondern es muss nach Abs. differenziert werden. Generell setzt Norm **effektive Kapitalerhöhung** voraus, betr. also Anfechtung des Kapitalerhöhungsbeschlusses bei Kapitalerhöhung gegen Einlagen (§§ 182 ff. – Bar- oder Sacherhöhung) einschließlich der bedingten Kapitalerhöhung (§§ 192 ff.; → Rn. 7a) und der Schaffung eines genehmigten Kapitals (§§ 202 ff.). Für Kapitalerhöhung aus Gesellschaftsmitteln (§§ 207 ff.) gilt § 255 nicht; insoweit verbleibt es bei § 212 S. 2, §§ 241, 243. IÜ ist zwischen § 255 I – III und § 255 IV – VII zu unterscheiden. Für § 255 IV – VII ist weitere Voraussetzung, dass Bezugsrecht ausgeschlossen wurde, was für § 255 I – III nicht erforderlich ist.

6 **2. Anfechtung nach allgemeinen Vorschriften.** Anfechtung des Kapitalerhöhungsbeschlusses nach § 243 I bleibt gem. § 255 I möglich. Für Durchführung der Anfechtung gelten keine Besonderheiten. § 255 III verweist vielmehr **uneingeschränkt** auf **§§ 244 – 248a.** Anfechtungsbefugnis, -form, -frist und Urteilswirkung sind also nach allg. Grundsätzen zu beurteilen. Verweisung (neu gefasst durch UMAG 2005) deckt auch § 246a (Freigabeverfahren) sowie § 248a (Bek. zur Bekämpfung missbräuchlicher Anfechtungsklagen) ab. Gesetzesverletzung iSd **§ 243 I** liegt insbes. vor, wenn Bezugsrechtsausschluss vorgenommen wird, gegen den andere Beanstandungen als die in § 255 II ausgeschlossenen (§ 243 II, unangemessen niedrige Ausgabe) erhoben werden. Das kann etwa der Fall sein, wenn Aktionären das Bezugsrecht (§ 186 I) ohne aus dem Gesellschaftsinteresse folgende sachliche Gründe genommen wird (BGHZ 71, 40, 43 ff. = NJW 1978, 1316; BGHZ 83, 319, 321 = NJW 1982, 2444; → § 186 Rn. 25 ff., 39g).

3. Anfechtungsausschluss in Fällen des § 255 II. a) Grundsätzliche Geltung. § 255 II hat nach Neugestaltung durch ZuFinG 2023 seinen Charakter als bes. Anfechtungsgrund verloren und sich zum **umfassenden Anfechtungsausschluss** gewandelt, der auch nicht mehr auf Fälle des Bezugsrechtsausschlusses begrenzt wird. Für ordentliche Kapitalerhöhung **ohne Bezugsrechtsausschluss** liegt darin aber keine Änderung, weil schon bislang anerkannt war (obgleich nicht ausdr. geregelt), dass in diesem Fall auch bei zu niedrigem Ausgabebetrag kein Anfechtungsrecht bestand, weil Wertverwässerung durch allg. Mechanismus des (veräußerlichen) Bezugsrechts entgegengewirkt wird (→ § 186 Rn. 2; vgl. zur bisherigen Rechtslage BeckOGK/Stilz/Schumann Rn. 10 f.). Zentrale Neuerung des ZuFinG 2023 liegt in umfassendem Anfechtungsausschluss in sonstigen Fällen der Wertverwässerung qua Bezugsrechtsausschluss, der grds. (zur Ausn. in Fällen des § 186 III 4 → Rn. 9 ff.) aber dadurch kompensiert wird, dass für diese Fälle Barausgleich nach § 255 IV angeboten werden muss. 7

b) Ersetzung des Anfechtungsrechts durch Barausgleich. Anfechtungsausschluss gilt nicht generell, sondern nur in der Weise, dass zwei spezielle Fehler nicht als Anfechtungsgründe anerkannt werden. Das ist zunächst – auch insofern abw. von bisheriger Rechtslage (→ 17. Aufl. 2023, Rn. 3) – § 243 II. Regelung ist folgerichtig. Zentrales Ziel des Gesetzgebers ist es, Anfechtung aufgrund von Bewertungsrügen auszuschließen. Weil mit Vermögensverwässerung bei Altaktionären den bezugsberechtigten Aktionären oder Dritten **Sondervorteile** zugewandt werden, kann Ziel nur erreicht werden, wenn Anfechtungsausschluss auf § 243 II erstreckt wird. Damit wird § 243 II aber auch in solchen Fällen ausgeschlossen, in denen sich Sondervorteile aus anderen Gründen als vermögensmäßiger Übervorteilung ergeben. Bsp.: Ausgabebetrag ist nicht unangemessen niedrig, jedoch liegt die mit Beschränkung der Stimmrechtsquote zwangsläufig verbundene Verwässerung der Verwaltungsbefugnisse nur im Sonderinteresse der HV-Mehrheit und nicht auch im Gesellschaftsinteresse. Für solche Fälle wurde § 243 II bislang herangezogen (GK-AktG/K. Schmidt Rn. 2). Künftig wird man Anfechtungsausschluss in diesen Konstellationen aber durch Anfechtung nach § 243 I wegen fehlender sachlicher Rechtfertigung auffangen (Hüffer ZHR 172 [2008], 8, 19 f.). Zentrale Normaussage liegt sodann in zweiter Modalität des § 255 II, wonach **Einwand der Wertverfehlung** künftig als Anfechtungsgrund ausscheidet. Das ist jedenfalls dann zu begrüßen, wenn Schutz der Aktionäre stattdessen über Barausgleich gewährleistet bleibt (zu komplettem Ausschluss des Rechtsschutzes → Rn. 9 ff.). 8

c) Rechtsschutzverweigerung bei § 186 III 4. Jeder Schutz verwehrt wird dem Aktionär allerdings in Fällen des § 186 III 4. Im RegE BT-Drs. 20/8292 war insofern noch vorgesehen worden, zumindest diese Fälle noch im Anwendungsbereich des § 255 II zu belassen (zur Diskussion unter § 255 II aF → 17. Aufl. 2023, Rn. 8 f. m. umfassenden wNachw; stark verzerrte Wiedergabe des Streitstands bei Bungert/Strothotte DB 2023, 2422, 2423 Fn. 13 und 15). Einbeziehung in neues System des § 255 IV – VII erschien in der Tat hier nicht zwingend geboten, weil § 186 III 4 **ausschließlich Barkapitalerhöhungen** börsennotierter AG erfasst, bei der lediglich am Maßstab des § 255 V 3 hätte geprüft werden müssen, ob Börsenkurs Wert des Unternehmens angemessen widerspiegelt oder nicht. Das hätte im Beschluss- und Freigabeverfahren ohne weiteres geleistet werden können (RegBegr. BT-Drs. 20/8292, 116). Im FinanzA wurde sodann aber Last-Minute-Anregung aus Praktikerbeitrag (Bungert/Strothotte DB 2023, 2422, 2423 f.) nahezu wortwörtlich abgeschrieben und § 186 III 4 damit vollständig aus System des Verwässerungsschutzes herausgenommen. Damit entfällt in Fallgruppe des § 186 III 4 jede Form des Rechtsschutzes vor Wertverwässerung. Begründet wurde Änderung damit, dass rechts- 9 sichere Handhabung des vereinfachten Bezugsrechtsausschlusses anderenfalls nicht möglich sei, wenn dieser stets mit dem Argument angegriffen werden könne, dass innerer Wert erheblich höher sei als Börsenkurs. Überdies hätten Aktionäre in diesem Fall ohne größere Schwierigkeiten die Möglichkeit, drohende Verwässerung durch Zukauf an der Börse zu kompensieren (FinanzA BT-Drs. 20/9363, 127 f. [nicht lektorierte Vorabfassung]).

10 Beide Argumente vermögen nicht zu überzeugen. Gesetzgeber geht in **§ 255 V 3** selbst davon aus, dass es Fälle gibt, in denen Börsenkurs Unternehmenswert nicht zuverlässig widerspiegelt und hat diese Fälle in kasuistisch eng begrenzte Tatbestände eingefasst, die weit hinter dem zurückbleiben, was in bisheriger Rspr. für angemessen gehalten wurde (→ § 305 Rn. 41; J. Koch AG 2024, 1 Rn. 1 ff.). Übertragung dieser engen Fallgruppen auch auf § 186 III 4 hätte rechtssichere Handhabung nur minimal eingeschränkt. Diese Einschränkung wäre aber dringend geboten, weil übergeordneter Zweck der Rechtsordnung nicht glatte verfahrenstechnische Abwicklung ist, sondern **Schutz legitimer Interessen.** Wenn Unternehmenswert im Börsenkurs aber nicht zutr. abgebildet wird, sollten Aktionäre, die ohnehin schon Verwässerung ihres Stimmanteils hinnehmen müssen, zumindest Recht darauf haben, dass ihre Vermögensinteressen gewahrt werden. Dass nach neuer Rechtslage selbst in Fällen der **Marktmanipulation** (§ 255 V 3 Nr. 2) Aktionär auf **marktorientierte Bewertung** verwiesen werden kann, kann unter keinem Gesichtspunkt gerechtfertigt werden (Harnos AG 2023, 873 Rn. 18; J. Koch AG 2024, 1 Rn. 10 f.).

11 Erforderlicher Aktionärsschutz ist auch nicht mit Blick auf **Zukaufsmöglichkeit** obsolet (so aber FinanzA; → Rn. 9; s. zu § 255 II aF auch schon Hoffmann-Becking FS Lieberknecht, 1997, 25, 29; Martens FS Bezzenberger, 2000, 267, 277 f.). Das gilt zum einen, weil Zukauf zumindest unter bestimmten Marktkonditionen rechtl. abgesichertem Bezugsrecht nicht gleichwertig erscheint (Hölters/Weber/Englisch Rn. 22; K. Schmidt/Lutter/Schwab Rn. 4; Mülbert, Aktiengesellschaft, Unternehmensgruppe und Kapitalmarkt, 2. Aufl. 1996, 311; Paefgen, Unternehmerische Entscheidungen, 2002, 102; Zöllner AG 1994, 336, 341). Zum anderen setzt Zukauf voraus, dass ausgeschlossener Aktionär über entspr. **finanzielle Mittel** verfügt, die er zwar auch für Aktienbezug benötigen würde, sich der drohenden finanziellen Belastung in dieser Konstellation aber durch Verkauf des Bezugsrechts entziehen kann. Das ist ihm nicht möglich, wenn er auf Zukauf verwiesen wird, um seine Rechte zu wahren (Harnos AG 2023, 873 Rn. 18; J. Koch AG 2024, 1 Rn. 11). Deutlich verschärft ist dieses Problem, seit Umfang des vereinfachten Bezugsrechtsausschlusses mit ZuFinG 2023 von 10 % **auf 20 % erhöht** wurde (→ § 186 Rn. 39a f.).

12 Vor diesem Hintergrund stellt sich vollständige Rechtsschutzverweigerung in Fällen des § 186 III 4 als augenfälliges Defizit der jetzigen Gestaltung dar. Kapitalerhöhungen nach § 186 III 4 werden fast durchgängig iRd genehmigten Kapitals durchgeführt, wo System des § 255 zumeist ohnehin nicht greift (→ Rn. 17 f.). Dass man trotzdem für die wenigen verbliebenen Fälle selbst in drastischen Fallgruppen kein ausgewogenes System zur Verfügung stellt, ist eine **überflüssige Provokation** der Aktionärsseite, die ohne jede Not in Kauf genommen wurde. Mittlerweile wird in Lit. im Lichte verunglückter Neuregelung sogar erwogen, Aktionären Rechtsschutz selbst dann zu versagen, wenn **Voraussetzungen des § 186 III 4 nicht gegeben** sind (zB erforderliche Nähe zum Börsenkurs – Kuthe AG 2023, R 356). Das würde dazu führen, dass Aktionär nicht nur in Fällen eines manipulierten oder sonst verfälschten Börsenkurses keinen Rechtsschutz mehr hätte (→ Rn. 9 ff.), sondern auch bei klarem Rechtsverstoß. Das mag für Fälle des § 186 III 4 logisch-stringente Fortschreibung der Rechtsschutzverweigerung in § 255 II, IV und auch im Lichte des Gesetzeswortlauts noch plausibel sein, ist aber in Ges. und Begr. FinanzA

(→ Rn. 9) nicht so zwingend angelegt, dass auch dieser Widersinn noch hingenommen werden müsste.

III. Anwendungsbereich des Verwässerungsschutzes nach § 255 IV–VII

1. Eingrenzung des Anwendungsbereichs qua tatbestandlicher Ausgestaltung. Anders als § 255 I–III regeln § 255 IV–VII nicht jeden Beschlussmangel, sondern allein Situation eines zu niedrigen Ausgabebetrags bei Bezugsrechtsausschluss, weil damit für ausgeschlossene Aktionäre Verwässerungsgefahr einhergeht. Wie § 255 I setzen auch die übrigen Abs. des § 255 **effektive Kapitalerhöhung** voraus (zu den Konsequenzen → Rn. 14 ff.). Weitere Eingrenzung des Anwendungsbereichs folgt aus konkreter tatbestandl. Ausgestaltung. § 255 IV setzt voraus, dass sich **Ausgabe- oder Mindestbetrag aus dem Erhöhungsbeschluss** selbst ergibt. Kapitalerhöhung gegen **Sacheinlagen** genügt diesem Erfordernis von vornherein nicht, weil Inferent keinen Betrag, sondern Sache schuldet (BGHZ 71, 40, 50 = NJW 1978, 1316). Auch bei Kapitalerhöhung gegen **Bareinlagen** gibt es Fälle, in denen Kursfestsetzung nicht im HV-Beschluss erfolgt. So schreibt § 182 III Festsetzung eines Mindestbetrags nur für Überpariemission vor. Ferner fehlt betragsmäßige Festlegung, wenn bei **bedingter Kapitalerhöhung** von Möglichkeit des § 193 III Fall 2 Gebrauch gemacht wird. In diesem Fall ist § 255 IV–VII dem Wortlaut nach gleich in zweifacher Hinsicht unanwendbar, weil es überdies auch an Bezugsrechtsausschluss fehlt (ausf. → § 192 Rn. 3, 8; zur analogen Anwendung → Rn. 23). Schließlich trifft § 255 IV–VII seinem Wortlaut nach auch dann nicht zu, wenn sich Ermächtigungsbeschluss bei Schaffung eines genehmigten Kapitals (§ 202) über Emissionskurs ausschweigt (zur Zulässigkeit → § 202 Rn. 16). In diesen Fällen scheidet direkte Anwendung der Vorschrift aus; in Frage kommt aber analoge Anwendung (→ Rn. 16). **Generelle Analogiefähigkeit** des § 255 IV–VII ist – noch bezogen auf Fassung vor ZuFinG 2023 – im Grundsatz unstr. Über Beurteilung von Einzelfällen gehen Meinungen allerdings auseinander (→ Rn. 14 ff.). 13

2. Kapitalerhöhung gegen Sacheinlagen. Auf Kapitalerhöhung gegen Sacheinlagen ist § 255 IV–VII entspr. anzuwenden (allgM – s. BGHZ 71, 40, 50 ff. = NJW 1978, 1316). Dem ist beizutreten, weil vom Gesetz bezweckter Verwässerungsschutz (→ Rn. 2) bei Ausgabe der Aktien gegen Sacheinlagen ebenso erforderlich ist wie bei Bareinlagen und anstelle des Ausgabebetrags auf Wert der Sacheinlagen zurückgegriffen werden kann (BGHZ 71, 40, 50). Tats. liegt gerade in dieser analogen Anwendung auf **Sachkapitalerhöhung praktischer Schwerpunkt** des § 255 IV–VII, da Barkapitalerhöhungen mit Bezugsrechtsausschluss mit Blick auf Erfordernis sachlicher Rechtfertigung nur selten vorgenommen werden. Etwas anderes gilt nur für **erleichterten Bezugsrechtsausschluss** nach § 186 III 4 bei Barkapitalerhöhungen börsennotierter Gesellschaften aufgrund HV-Beschlusses. Für sie war Geltung des § 255 II aF bislang umstr., ist nunmehr nach ges. Neufassung aber unzweifelhaft zu verneinen (→ Rn. 9). Anwendungsschwerpunkt bleibt damit auch künftig bei Sachkapitalerhöhung. 14

Bei **gemischter Bar- und Sachkapitalerhöhung** ist Gefährdungslage für Aktionäre nicht grds. anders als bei reiner Sacherhöhung. Ausgleichsanspruch nach § 255 IV–VII sollte deshalb ohne Rücksicht darauf zugelassen werden, ob bei gemischter Erhöhung Bezugsrechtsausschluss vorliegt (im letzten Punkt str.; s. iÜ OLG Jena AG 2007, 31, 34 f.; Kiefner/Seibel AG 2016, 301, 302). 15

16 **3. Sonderfälle der Barerhöhung. a) Ordentliche und bedingte Kapitalerhöhung.** Für die in → Rn. 13 angesprochenen Fälle der Barerhöhung gilt: Im Fall des **§ 182 III** fragt sich zunächst, zu welchem Kurs Aktien auszugeben sind. Während ältere Rspr. Ausgabe zu pari fordert, verlangt heute hL zu Recht **bestmögliche Verwertung;** nur bei Bezugsrecht der Aktionäre ist Ausgabe zu pari angezeigt (→ § 182 Rn. 25 mwN). Auf dieser Basis kann es nicht um Anfechtung wegen des Ausgabebetrags gehen. Beschluss ist aber dann anfechtbar, wenn geringster Ausgabebetrag (§ 9 I) der Aktien als Gegenwert der Emission unangemessen niedrig ist; er stellt nämlich bei Schweigen des Beschlusses den Mindestbetrag dar (GK-AktG/K. Schmidt Rn. 4). Bei **bedingter Kapitalerhöhung** wird fehlender Bezugsrechtsausschluss dadurch überwunden, dass man für analoge Anwendung mit Blick auf übereinstimmende Gefährdungslage ges. Bezugsrechtslosigkeit genügen lässt (MüKoAktG/J. Koch Rn. 13; → Rn. 23). Im Fall des **§ 193 II Nr. 3 Fall 2** ist Ausgleichsanspruch analog § 255 IV – VII zu bejahen, wenn sich auf Basis der im Beschluss fixierten Grundlagen ein unangemessen niedriger Ausgabebetrag errechnet (→ Rn. 25 ff.).

17 **b) Genehmigtes Kapital.** Im Fall des **§ 202** kommt es auf Inhalt des satzungsändernden Ermächtigungsbeschlusses an. Gibt er der Verwaltung Vorgaben iS eines **Ausgabe- oder Mindestbetrags,** so ist auch § 255 IV–VII insoweit anwendbar (s. MüKoAktG/J. Koch Rn. 14; ausf. Kiefner/Seibel AG 2016, 301, 304; sa Martens FS Bezzenberger, 2000, 267, 269; Tettinger, Materielle Anforderungen an den Bezugsrechtsausschluss, 2003, 76 f.). Wenn Beschluss solche Vorgaben nicht enthält, kann er dagegen zumindest grds. keinen Ausgleichsanspruch nach § 255 IV begründen (so zu § 255 II aF BGH AG 2009, 446 Rn. 6; OLG Karlsruhe AG 2003, 444, 447; KG NZG 2008, 29, 30 f. unter Aufgabe von KG AG 2002, 243, 244 – Greenshoe; sa Busch AG 2002, 230, 232 ff.; Groß ZIP 2002, 160, 163 ff.). Vorstand hat bei Aktienausgabe aber Maßstab des § 255 IV, V zu beachten (→ § 203 Rn. 51). Verfehlt er darin enthaltene Angemessenheitsvorgaben, greift das **für genehmigtes Kapital vorgesehene Sanktionsregime** (→ § 203 Rn. 55).

18 Mit **Neufassung des Rechtsfolgenregimes** (Ausgleichsanspruch statt Anfechtung) wäre Erstreckung auf genehmigtes Kapital möglich gewesen und war in RefE ZuFinG 2023 tats. noch so vorgesehen. RegE BT-Drs. 20/8292 ist von dieser Ausdehnung nach heftigem Protest aus der Praxis (DAV-HRA NZG 2023, 738 Rn. 69 ff.) aber ohne nähere Begründung abgewichen. Praxis hatte insofern argumentiert, dass HV nicht über Bewertungsfragen entscheide, so dass Einbeziehung in beschlussmängelrechtl. Regime systemwidrig sei (Bungert/Strothotte DB 2023, 2422, 2423). Argument war aber nur mit Blick auf § 255 aF treffend; im neuen System hätte Anspruch auf nachträgliche Ausgleichszahlung nach § 255 IV durchaus systemgerecht auf genehmigtes Kapital übertragen werden können, um auf diese Weise bislang tendenziell defizitären Rechtsschutz in diesem Bereich (→ § 203 Rn. 55 ff.) zu ergänzen. Solche Ausdehnung hätte aber – insofern ist rechtspolit. Kritik an Ausdehnung zuzustimmen – generelle **Stoßrichtung des ZuFinG konterkariert,** unternehmerisches Handeln in Deutschland nicht zu erschweren, sondern zu erleichtern (DAV-HRA NZG 2023, 738 Rn. 70 f.).

19 **4. Sonstige Konstellationen.** Analoge Anwendung des § 255 IV–VII wird auch für andere, funktional gleichwertige Fälle der Kapitalbeschaffung bejaht, die ähnliche Verwässerungsgefahr wie Kapitalerhöhung mit Bezugsrechtsausschluss begründen. Dazu gehört Ausgabe von **Genussrechten** (vgl. KK-AktG/A. Arnold Rn. 19; MüKoAktG/J. Koch Rn. 15; GK-AktG/K. Schmidt Rn. 6; S/L/Schwab Rn. 10; Hirte ZIP 1988, 477, 486), von **Wandel- und Gewinnschuldverschreibungen** (KK-AktG/A. Arnold Rn. 19; NK-AktR/Heidel Rn. 32; S/

L/Schwab Rn. 10; Paefgen AG 1999, 67, 69) oder **Optionsanleihen** (NK-AktR/Heidel Rn. 32; Paefgen AG 1999, 67, 69) unter Ausschluss des Bezugsrechts der Aktionäre (§ 221 I, VI; für alle genannten Fälle abl. Kiefner/Seibel AG 2016, 301, 303). Hier ist aus Sicht der von § 255 IV–VII geschützten Aktionäre **Gefährdungslage** mit den sonstigen von dieser Vorschrift erfassten Gestaltungen identisch, ohne dass anderweitiges Schutzinstrumentarium zur Verfügung steht. Deshalb ist Ausdehnung berechtigt.

Auch Ausgabe von **Vorzugsaktien** stellt Form effektiver Kapitalerhöhung dar und führt zu Teilverlagerung des ursprünglich in Stammaktien verbrieften Vermögenswertes auf Vorzugsaktien (Frey/Hirte DB 1989, 2465; Hirte, Bezugsrechtsausschluß und Konzernbildung, 1986, 90). Da hierdurch Aufbau einer beherrschenden Position verbilligt wird (Frey/Hirte DB 1989, 2465 f.), besteht Interesse der Altaktionäre daran, dass Vorzugsaktien zu tats. Wert ausgegeben werden. Insofern ist § 255 IV–VII auch hier analog anzuwenden (BeckOGK/Stilz/Schumann Rn. 16; Frey/Hirte DB 1989, 2465 f.). 20

Ebenso fällt Beurteilung iErg auch bei **Umwandlung von Vorzugsaktien in Stammaktien** aus (Senger/Vogelmann AG 2002, 193 ff.). Da bei Ermittlung des inneren Wertes einer Aktie etwaiger Börsenkurs zu berücksichtigen ist, besteht auch hier Gefahr einer Quersubventionierung, die durch benachteiligte Altaktionäre nicht ausgeglichen werden kann. Dieser Gefahr muss durch analoge Anwendung des § 255 IV–VII begegnet werden (S/L/Schwab Rn. 10; BeckOGK/Stilz/Schumann Rn. 16; Senger/Vogelmann AG 2002, 193, 209). Regelungslücke kann nicht wegen Existenz des § 243 II verneint werden, da dieser Anfechtungsgrund zusätzliche Erfordernisse an subj. Tatseite stellt (S/L/Schwab Rn. 10; Senger/Vogelmann AG 2002, 193, 209). 21

Beim **Rückerwerb eigener Aktien** nach § 71 I Nr. 8 ist ebenfalls in Fällen, in denen Andienungsrecht der Aktionäre ausgeschlossen wird, analoge Anwendung des § 255 IV – VII zu erwägen (so für § 255 II aF OLG Stuttgart AG 2019, 527, 538; S/L/Schwab Rn. 10; Paefgen ZIP 2002, 1509, 1512). Tats. besteht in dieser Konstellation für Analogieschluss aber keine Notwendigkeit, da entsprechender Schutz der ausgeschlossenen Aktionäre über § 57 I erfolgen kann (überzeugend Kiefner/Seibel AG 2016, 301, 305; ebenso Henssler/Strohn/Drescher Rn. 2; BeckOGK/Stilz/Schumann Rn. 16; diff. MüKoAktG/Oechsler § 71 Rn. 244: nur bei zu niedrigem Kaufpreis anwendbar). 22

5. Bezugsrechtsausschluss. Während § 255 I (unter Ausklammerung der in § 255 II genannten Fälle) umfassend vor Rechtsbeeinträchtigungen durch HV-Beschluss schützt, sind Schutzmechanismen des § 255 IV–VII auf **spezifische Gefahr** der Verwässerung durch Bezugsrechtsausschluss zugeschnitten. Stets mit Bezugsrechtsausschluss verbunden ist **bedingte Kapitalerhöhung;** ges. Bezugsrechtslosigkeit ist insofern dem Beschluss eines Bezugsrechtsausschlusses gleichzustellen (s. schon → Rn. 16). IÜ ist Gültigkeit des Bezugsrechtsausschlusses vor weiteren Voraussetzungen des § 255 IV–VII zu prüfen. Verstöße gegen förmliche Voraussetzungen des § 186 III und IV oder mangelnde sachliche Rechtfertigung (→ Rn. 3) machen Beschluss jedoch nur anfechtbar. Das gilt auch für den vereinfachten Bezugsrechtsausschluss nach § 186 III 4 (→ Rn. 12). 23

Nach bisheriger Rechtslage sollte Anfechtungsrecht gem. § 255 II 1 aF nach § 255 II 2 aF nicht in Betracht kommen, wenn **Kreditinstitut** oder anderes Emissionsunternehmen (→ § 186 Rn. 46) verpflichtet ist, die zunächst von ihm übernommenen jungen Aktien den bisherigen Aktionären anzubieten. Das war schon deshalb konsequent, weil in diesem Fall nach § 186 V 1 kein Bezugsrechtsausschluss vorliegt. Deshalb ist es auch unproblematisch, dass Regelung in neues Regime nicht übernommen wurde. Hier hätte sie zwar nicht als Rückausn. vom Anfechtungsrecht, aber doch vom Barausgleichsanspruch fungieren können, ist 24 aus genannten Gründen aber auch in dieser Konstellation obsolet. Fraglich ist, wie mit bisheriger teleologischer Ausdehnung des § 255 II 2 aF auf solche Fälle zu verfahren ist, in denen Recht nur durch **andere Dritte** (zB Großaktionär) vermittelt wird. Nach bislang hM wurde § 255 II 1 aF auch in solchen Fällen nicht angewandt. Bezugsrecht sei zwar ausgeschlossen, doch sei in dieser Konstellation vom Ges. vorausgesetzte Verwässerungsgefahr ebenso wenig gegeben wie bei vorläufiger Übernahme der Aktien durch KI, sofern Aktionär eigener Anspruch gem. § 328 BGB gegen Dritten zustehe (MüKoAktG/J. Koch Rn. 29; BeckOGK/Stilz/Schumann Rn. 18). Verwässerung wird in diesem Fall durch vertragl. Mechanismen ausgeschlossen. Weil Verwässerungsgefahr aber innerer Grund des Schutzes nach § 255 IV–VII ist, wird in solchen Fällen künftig teleologische Reduktion anzunehmen sein.

IV. Verwässerungsschutz durch Barausgleich (§ 255 IV–VII)

25 **1. Ausgleichsanspruch statt Anfechtung.** § 255 IV–VII ersetzt das nach § 255 II ausgeschlossene Anfechtungsrecht durch alternative Rechtsschutzmöglichkeit des Barausgleichs und gestaltet diesen näher aus. Neues Regelungsregime begründet **Anspruch auf materielle Kompensation** (§ 255 IV), gibt für börsennotierte AG marktorientierte Bewertung vor (§ 255 V), flankiert solchermaßen bemessenen Anspruch um Zins- und Ersatzansprüche (§ 255 VI) und verweist Streitigkeiten in Spruchverfahren (§ 255 VII). Ausgleich muss im Wege **barer Ausgleichszahlung** erfolgen, soweit nicht Gewährung von Aktien nach § 255a erfolgt, für deren Schaffung § 255b zusätzliche Form der Kapitalerhöhung eröffnet. Anfechtungsausschluss bezieht sich allerdings nur auf die zwei in § 255 II genannten Gründe (→ Rn. 8). Weil Anfechtung aus anderen Gründen zulässig bleibt, wird Beschlussmängelverfahren nicht – wie oft zu lesen – durch Spruchverfahren ersetzt, sondern Ersetzung gilt nur für genannte Anfechtungsgründe. Kapitalerhöhende AG muss damit rechnen, dass **Beschlussmängelverfahren und Spruchverfahren nebeneinander** treten, wobei daraus resultierende Belastungen aber jedenfalls bei börsennotierter AG durch relativ klare Vorgaben des § 255 V deutlich reduziert sein dürften (→ Rn. 44 ff.).

26 **2. Kernbegriff: Unangemessener Ausgabe- oder Mindestbetrag. a) Bezugspunkt der Unangemessenheit.** Materiell-rechtl. Ausgleichsanspruch greift, wenn Wert der Einlage unangemessen niedrig ist und Bezugsrecht der Aktionäre ganz oder zT ausgeschlossen wurde. Kernbegriff des Ausgleichsregimes nach § 255 IV–VII ist danach wie in § 255 II aF und anderen unternehmensrechtl. Normen weiterhin Begriff der Unangemessenheit. Hinsichtlich **Normstruktur** springt aber ins Auge, dass gewöhnlich auf Abfindung bezogener Angemessenheitsbegriff im Kontext des § 255 abw. verwendet wird. Er bezeichnet nicht mehr – wie etwa in § 305 – Abfindungshöhe, sondern noch **tolerable Abweichung nach unten.** Gesetzgeber weicht damit von sonst geltender strikter Beachtung des **Äquivalenzinteresses** ab (Martens FS Bezzenberger, 2000, 267, 270). Das findet Rechtfertigung darin, dass es in best. Situationen (Einzelheiten → Rn. 32 ff.) erforderlich ist, Abschlag vom inneren Wert zu gewähren, um Transaktionserfolg nicht zu gefährden. Angemessenheitsprüfung wird damit auf zwei Stationen verteilt (vgl. Kiefner/Seibel AG 2016, 301, 306). Zunächst muss in einem ersten Schritt – wie auch in anderen Abfindungssituationen – versucht werden, „wahren“ oder „inneren“ Wert des Unternehmens zu bestimmen, um auf dieser Grundlage in zweitem Schritt noch angemessene Abweichung zu ermitteln (→ Rn. 27 ff.).

27 **b) Bestimmung des Unternehmenswertes bei nichtbörsennotierter AG. aa) Voller Unternehmenswert.** Aus **Spannungsverhältnis** zwischen an-

gemessenem Minderheitenschutz und Unternehmensinteresse an flexibler Preisgestaltung (→ Rn. 26) hat hM folgende Formel abgeleitet: Ausgabebetrag ist dann unangemessen niedrig, wenn er Wert der Aktien nach vernünftiger kaufmännischer Auffassung verfehlt und Verfehlung nach Umständen des Einzelfalls für Aktionäre obj. **nicht hinnehmbar** ist. Dabei liegt Wertverfehlung nicht schon dann vor, wenn Wertannahme des Vorstands von anderem angeblich zutr. Wert negativ abweicht. Erforderlich ist vielmehr, dass sich seine Wertannahme zum Nachteil der Aktionäre außerhalb der **beachtlichen Bandbreite** bewegt, die Ergebnisse sachkundiger Schätzung aufzuweisen pflegen (überzeugend BeckOGK/Stilz/Schumann Rn. 25; zust. KK-AktG/A. Arnold Rn. 20; MüKoAktG/J. Koch Rn. 17; Hüffer ZHR 172 [2008], 572, 581; sa DAV-HRA NZG 2023, 738 Rn. 63: „keine Punktlandung"). Nicht erheblich ist also, dass andere als vorgenommene Bewertung nur als fachlich begründbar oder sonstwie vertretbar erscheint.

Weil sich Wert der Aktien aus dem des Gesellschaftsunternehmens ergibt, 28
geht zentrale Frage dahin, welche Wertvorstellung insoweit maßgebend ist. Mit Maßstab **vernünftiger kaufmännischer Beurteilung** (→ Rn. 27) ist auch sonst üblicher Maßstab gewählt (s. § 254 I), der nicht nur auf zweite Station des Abschlags, sondern auch auf erste Station der **Wertermittlung** angewandt wird (zu diesen Stationen → Rn. 26). Hier trägt er dem Umstand Rechnung, dass Unternehmensbewertungen stets zu schwankenden Ergebnissen führen. Trotzdem muss Ziel der Verwaltung im Ausgangspunkt sein, Wert der einzelnen Aktien möglichst exakt zu bestimmen, um auf dieser Grundlage Angemessenheit des Abschlags zu kalkulieren. Dafür muss zunächst voller (synonym: „wahrer", „innerer", „objektivierter") Unternehmenswert bestimmt werden, wie er für Ermittlung der **Verschmelzungswertrelation** iRd § 305 III zugrunde zu legen ist; stille Reserven und innerer Geschäftswert sind also zu berücksichtigen (OLG Frankfurt AG 1999, 231, 232 f.; AG 2001, 631 Rn. 142; OLG Jena AG 2007, 31, 35; BeckRS 2016, 132573 Rn. 76; OLG München AG 2008, 33, 36; OLG Stuttgart AG 2017, 527, 538; B/K/L/Göz AktG Rn. 5; GK-AktG/K. Schmidt Rn. 12; Johannsen-Roth/Goslar AG 2007, 573, 577; Sinewe NZG 2002, 314, 315 f.; sa BGHZ 71, 40, 51 = NJW 1978, 1316 zur Sachkapitalerhöhung). Das entspr. Schutzweck der Regelung, hat sich als hM durchgesetzt und stellt **durchgehendes Prinzip** dar, das bei Festsetzung nach § 237 (→ § 237 Rn. 18), bei Festsetzung der Barabfindung für Erwerber fehlerhaft entstandener junger Aktien aus fehlgeschlagener Kapitalerhöhung (→ § 248 Rn. 7a) und jedenfalls bei Gesellschaften ohne Börsenkurs für Bestimmung von Ausgleich und Abfindung (§§ 304 II 2, 305 III) zu beachten ist (→ § 305 Rn. 21 ff.).

Zur Wertermittlung ist **Unternehmensbewertung** durch Vorstand oder ex- 29
terne Gutachter (insbes. Ertragswertverfahren; → § 305 Rn. 24 ff.) immer ausreichend, aber nach hM in instanzgerichtl. Rspr. und Lit. keinesfalls zwingend erforderlich; vielmehr können auch andere Kriterien herangezogen werden (OLG Frankfurt AG 2001, 631 Rn. 142; OLG München AG 2008, 33, 36; MüKoAktG/J. Koch Rn. 17). Erforderlich ist jedoch, dass Vorstand auf **Basis angemessener Information** zu Schätzung gelangt, welcher volle Wert (→ Rn. 27) dem eigenen Unternehmen beizulegen ist. Strengere Sichtweise würde Unternehmensübernahmen – sei es im Wege von Bartransaktionen, von Verschmelzungen oder von Sachkapitalerhöhungen – schon aus zeitlichen Gründen oft unmöglich machen (Hüffer ZHR 172 [2008], 572, 576). Deshalb müssen andere Bewertungsmaßstäbe zugelassen werden. Dazu gehört in erster Linie die überschlägige Wertermittlung anhand branchentypischer Kennziffern, namentl. Vergangenheitsergebnisse und Planzahlen (Hüffer ZHR 172 [2008], 572, 577; sa MüKoAktG/J. Koch Rn. 17); Praxis greift auch auf Fairness Opinions (→ § 93

Rn. 47) zurück, ohne dass dies zwingend erforderlich wäre. Zur Frage von Entscheidungsspielräumen → Rn. 39 ff.

30 Genannte Ermittlungsansätze (→ Rn. 27 ff.) sind aus Vorstandsperspektive formuliert, doch gilt zu berücksichtigen, dass in Prozesssituation vornehmlich Aktionär **Beweislast** für Unangemessenheit trägt (hM – vgl. OLG Frankfurt AG 1999, 231, 233; OLG Karlsruhe NZG 2002, 959, 963; KK-AktG/A. Arnold Rn. 34; Hölters/Weber/Englisch Rn. 20; MüKoAktG/J. Koch Rn. 16; aA NK-AktR/Heidel Rn. 13i; Hirte WM 1997, 1001, 1005; Mülbert, Aktiengesellschaft, Unternehmensgruppe und Kapitalmarkt, 2. Aufl. 1996, 341), der auf diese Instrumente nicht wird zurückgreifen können. In neuer verfahrensrechtl. Einkleidung wird diese Last durch jedenfalls partiell geltende Amtsermittlungspflicht des Gerichts relativiert (→ SpruchG § 1 Rn. 3).

31 **bb) Angemessener Abschlag. (1) Abweichung vom Äquivalenzinteresse.** Bemessen an so veranschlagtem Unternehmenswert darf im Erhöhungsbeschluss festgesetzter Ausgabebetrag nicht unangemessen niedrig sein. Maßgeblich für Beurteilung ist nach oben zitierter Formel (→ Rn. 27), dass Wertverfehlung nach Umständen des Einzelfalls für Aktionäre obj. **nicht hinnehmbar** ist. Formel eröffnet notwendigen **zusätzlichen Spielraum** für Festsetzung des Ausgabebetrags (S/L/Schwab Rn. 3; BeckOGK/Stilz/Schumann Rn. 22; Kiefner/Seibel AG 2016, 301, 306 f.).

32 **(2) Erfordernis der Kapitalerhöhung unter Wert.** Darin liegende Abweichung vom **Äquivalenzinteresse** (→ Rn. 26) wird zumeist damit begründet, dass jede Kapitalerhöhung zumindest tendenziell „unter Wert" vorgenommen werden müsse, da Zeichnung junger Aktien sonst ohne genügenden wirtschaftlichen Reiz wäre (B/K/L/Göz AktG Rn. 6; GK-AktG/K. Schmidt Rn. 12). Tats. ist Hinweis nur für best. Fälle der Kapitalerhöhung zutr., insbes. für **Barkapitalerhöhungen.** Sie begegnen in der hier behandelten Fallgruppe der nichtbörsennotierten Gesellschaften allerdings eher selten, da sie dann nicht von § 186 III 4 AktG erfasst werden und sich materielle Rechtfertigung für Bezugsrechtsausschluss bei Barkapitalerhöhungen nicht leicht finden lässt. Für andere Formen der Kapitalerhöhung gilt Abweichung vom Äquivalenzinteresse ebenfalls, erklärt sich dort aber zT aus anderen Umständen, die sich auch auf konkrete Bemessung der Toleranzgrenzen auswirken (→ Rn. 35 ff. und 38).

33 **(3) Sachkapitalerhöhung.** Auf Sachkapitalerhöhung ist § 255 IV analog anzuwenden (→ Rn. 14). Ausschluss des Ausgleichsanspruchs für Kapitalerhöhung nach § 186 III 4 (→ Rn. 9 ff.) kommt hier nicht zur Anwendung, weil vereinfachter Bezugsrechtsausschluss bei Sachkapitalerhöhung nicht möglich ist. Bei danach erforderlicher Bewertung kommt es einerseits auf Sacheinlage, andererseits auf junge Aktien an, die AG dafür hingeben will. Dabei ist auch hier von allg. Grundsätzen auszugehen. Wert des Einlagegegenstands (Grundstück, Patent usw) ist also mit **vollem Wert** der Aktien zu vergleichen, wie er sich nach vernünftiger kaufmännischer Beurteilung ergeben würde, allerdings auch hier mit Maßgabe, dass Wertverfehlung erst dann anfechtungsbegründend wirkt, wenn sie für Aktionäre obj. nicht hinnehmbar ist.

34 Sachkapitalerhöhung ist erstes Bsp., bei dem sich **Abschlagserfordernis** nicht stets zwingend aus Problemen der Marktplatzierung ergeben wird (→ Rn. 32). Hier geht es nicht darum, dass Aktien am Markt platziert werden müssen, sondern sie werden dem Sachinferenten angeboten, der sich jenseits der Einlagesituation kaum mit Gedanken tragen würde, alternativ Aktien am Markt zu erwerben. Für ihn geht es nur darum, für Einbringungsgegenstand angemessene Vergütung zu erhalten. Trotzdem sieht § 255 IV auch hier angemessenen Abschlag vor, was auch richtig ist, sich aber aus anderen Gründen erklärt. Zunächst

wird es mit dadurch eingeräumter Kalkulationsflexibilität ermöglicht, regelmäßig auftretenden Bewertungsunsicherheiten (→ Rn. 35) Rechnung zu tragen, die sich namentl. ergeben, wenn Sacheinlage nicht vielseitig angebotenes marktgängiges Gut ist, sondern – wie meist – singuläres Angebot ohne eindeutig festzustellenden Marktpreis (Martens FS Röhricht, 2005, 987, 993). Insbes. gilt das für **Einbringung eines Unternehmens,** weil hier doppelte Unternehmensbewertung erforderlich wird.

Überdies ist zu berücksichtigen, dass nicht (wie etwa bei § 327a AktG) ein Akteur angemessenen Preis einseitig festlegt, sondern Preisfindung einer **Verhandlungssituation** entspringt, deren Ausgang der Vorstand nicht auf präzisen Betrag hinlenken kann. Vielmehr hat Inferent häufig **Einbringungsmonopol** (Martens FS Röhricht, 2005, 987, 1005), weil Vorstand keine Möglichkeit haben wird, sich Gegenstand auch anderweitig am Markt zu beschaffen. Deshalb muss er nicht nur Wert, sondern auch **strategische Bedeutung** des Sacheinlagegegenstands und des neuen Aktionärs für Erwerbergesellschaft berücksichtigen, wobei Interesse an Einbringung einer bestimmten Sacheinlage idR höher zu gewichten sein wird als bloßes Interesse an bestimmtem Aktionär (Martens FS Röhricht, 2005, 987, 993). Wenn mit **gemeinsam verfolgtem Unternehmenskonzept** längerfristige Steigerung des Unternehmens- und Aktienwerts zu erwarten ist, können Bewertungsabstriche für Aktionäre zumutbar sein (OLG Jena AG 2007, 31, 35; Henssler/Strohn/Drescher Rn. 6; MüKoAktG/J. Koch Rn. 18; DAV-HRA NZG 2023, 738 Rn. 68; Bungert/Strothotte DB 2023, 2422, 2426; aA KK-AktG/A. Arnold Rn. 27; offenlassend BGHZ 71, 40, 51 = NJW 1978, 1316; vgl. zur Berücksichtigung von Synergieeffekten insbes. Kiefner/Seibel AG 2016, 301, 311 f.). Auch etwaige Kontrollprämie kann veranschlagt werden (Bungert/Strothotte DB 2023, 2422, 2426). Nicht richtig wäre es allerdings, zur Übernahme der jungen Aktien bereitem Großaktionär deshalb günstigen Ausgabekurs einzuräumen, weil er wirtschaftliche Zwangslage der AG kraft seines Einflusses ausnutzen kann (BGHZ 71, 40, 52). Weitere Gründe können sich aus konkreter Transaktionsstruktur ergeben. So kann es etwa in Krisensituationen angezeigt sein, neuen Investoren durch attraktivere Preisgestaltung entgegenzukommen (Kiefner/Seibel AG 2016, 301, 306 f.). 35

Obwohl § 255 V Berücksichtigung von Börsenkursen allein für kapitalerhöhende AG vorsieht, spricht nichts dagegen, bei Einbringung einer börsennotierten Unternehmensbeteiligung **auch für Bewertung der Sacheinlage Börsenwert** zugrunde zu legen (DAV-HRA NZG 2023, 738 Rn. 75), wenn nicht an dessen Aussagekraft Zweifel bestehen (vgl. § 255 V 3). Orientierung am Börsenkurs schließt es nicht aus, für Erlangung der Kontrolle marktübliches Premium zu gewähren (DAV-HRA NZG 2023, 738 Rn. 75). 36

Darüber hinaus ist in Rspr. und Lit. erwogen worden, vertraglich erzieltem Verhandlungsergebnis noch weitergehende Verbindlichkeit für Angemessenheitsfeststellung beizumessen. So hat namentl. OLG Stuttgart für Verschmelzung ein **Vertrags- oder Verhandlungsmodell** entwickelt, nach dem vertraglich festgesetztes Umtauschverhältnis (§ 5 I Nr. 3 UmwG, § 15 UmwG) grds. als angemessen zu beurteilen und nicht durch eigenständige gerichtl. Bewertung zu ersetzen ist, sondern nur einer Ergebniskontrolle unterliegt, die ihrerseits konkrete Bewertungsrügen voraussetzt (OLG Stuttgart AG 2006, 420, 423 f.; sa Stilz FS Mailänder, 2006, 423, 427 ff.). Zu § 255 II aF fanden sich im Schrifttum teilw. ähnliche Vorstellungen (Kiefner/Seibel AG 2016, 301, 313 ff.; Martens FS Bezzenberger, 2000, 267, 283 f.; Martens FS Röhricht, 2005, 987, 991 f.). Für Unternehmenspraxis und für gerichtliche Überprüfung ihrer Ergebnisse läge in dieser Lösung wesentliche Vereinfachung, die in der Tat von ihren Wertungsgrundlagen auch auf § 255 IV–VII übertragen werden könnte und im Wortlaut „unangemessen“ grds. auch eine Stütze hätte. Nachdem **BVerfG** Verhandlungs- 37 modell zur Bestimmung der Verschmelzungswertrelation aber als verfassungswidrig verworfen hat (BVerfG AG 2012, 674 ff.; krit. dazu BeckOGK/Stilz/Schumann Rn. 24; Klöhn/Verse AG 2013, 2 ff.), dürften sich entspr. Überlegungen auch für § 255 IV–VII erübrigt haben. Umstand, dass Ausgabepreis aus Verhandlungen resultiert, kann in Gesamtbetrachtung einfließen, diese aber nicht ersetzen (generell krit. NK-AktR/Heidel Rn. 29).

38 **(4) Bedingte Kapitalerhöhung.** Besonderheiten gelten weiterhin bei Feststellung der Unangemessenheit eines Bezugsrechtsausschlusses iR einer bedingten Kapitalerhöhung, sofern sie als Unterlegung zur Bedienung von Umtausch- oder Bezugsrechten an Gläubiger von Wandelschuldverschreibungen (§ 192 II Nr. 1) dient oder als Unterlegung eines Aktienoptionsprogramms (§ 192 II Nr. 3). Hier liegt es gerade im **spekulativen Element,** das diesen Gestaltungen innewohnt, begründet, dass konkreter Wert, zu dem Aktien letztlich ausgegeben werden, im Zeitpunkt der Kapitalerhöhung noch nicht feststeht. Zum Teil wird Unterwertausgabe auch bewusst hingenommen, weil das Ges. Schaffung von **Anreizstrukturen** in dieser Form bewusst gestattet. Das führt indes nicht dazu, dass Kontrolle am Maßstab des § 255 IV–VII gänzlich unterbleibt (so aber für § 192 II Nr. 3 S/L/Schwab Rn. 9), sondern dazu, dass das Ziel solcher Programme im Rahmen des Beurteilungsspielraums, der über das Tatbestandsmerkmal der Angemessenheit eröffnet wird, Berücksichtigung findet (MüKoAktG/J. Koch Rn. 13; GK-AktG/K. Schmidt Rn. 4; Kiefner/Seibel AG 2016, 301, 303, 306 f.). Maßgeblich für Feststellung der Unangemessenheit kann in den genannten Fällen allerdings nur Zeitpunkt sein, zu dem Kapitalerhöhung beschlossen wird, so dass es in den Fällen des § 193 II Nr. 3 Fall 2 (→ Rn. 16) darauf ankommt, welcher Ausgabebetrag sich bei Zugrundelegung der in dem Beschluss festgestellten Konditionen zu diesem Zeitpunkt ergeben würde (zutr. Klarstellung insofern bei Kiefner/Seibel AG 2016, 301, 302 f.; sa KK-AktG/A. Arnold Rn. 17). Das bedeutet letztlich, dass **Bewertungsobjekt ausgetauscht** wird: Es kommt nicht darauf an, ob die Aktien zu billig ausgegeben werden, sondern das Bezugs- bzw. Umtauschrecht (Kiefner/Seibel AG 2016, 301, 303). In Fällen des § 192 II Nr. 2 gelten dagegen keine Besonderheiten (Kiefner/Seibel AG 2016, 301, 303).

39 **c) Entscheidungsspielräume. aa) HV-Beschluss.** Da Angemessenheitsbeurteilung offenkundig durch zahlreiche Unwägbarkeiten geprägt ist, stellt sich Frage nach (analoger) Heranziehung des **§ 93 I 2** (dafür DAV-HRA NZG 2023, 738 Rn. 65; für weiten Spielraum schon vor Einführung des § 93 I 2 Martens FS Röhricht, 2005, 987, 997). Frage ist klar zu verneinen. BJR regelt Sorgfaltspflichten des Vorstands, namentl. im Haftungskontext, in Entscheidungssituationen, für die es an rechtl. Anleitung fehlt; Rechtsfolge des § 93 I 2 ist, dass gerichtl. Kontrolle in weitestgehendem Umfang, der an den Bereich grober Fahrlässigkeit zumindest heranreicht (Ausschluss nur „unvertretbarer Entscheidungen" → § 93 Rn. 51), ausgeschlossen ist. § 255 IV–VII regelt dagegen **beschlussmängelrechtl. Überprüfung einer HV-Entscheidung,** die von Seiten des Gerichts am gesetzlichen Maßstab der Angemessenheit zu kontrollieren ist (NK-AktR/Heidel Rn. 14), wobei diese Vorgabe dem Schutz einer bestimmten Gruppe, nämlich den vom Bezugsrecht ausgeschlossenen Minderheitsaktionären dient. Gerade in solchen Situationen, in denen **gegenläufige Schutzgüter** zu wahren sind, ist es problematisch, Entscheidung allein Aktionärsmehrheit zu überlassen, weil Minderheitenschutz damit weitestgehend in ihr Ermessen gestellt wäre. Wenn etwa DAV-HRA (NZG 2023, 738 Rn. 65) verlangt, dass unangemessen niedrige Einlage nur vorliegen soll, wenn Einschätzung außerhalb jeder vertretbaren Bandbreite liegt, dann könnte das – gerade in Kombination mit der Darlegungs- und Beweislast der Aktionäre (→ Rn. 30) – doch über das Ziel hinausschießen, und zwar insbes. wenn man berücksichtigt, dass gerichtl. Korrek-

tur (anders als bisher) nicht mehr dazu führt, dass gesamte Transaktion scheitert, sondern dass es lediglich zu Nachzahlung kommt, die in Aktien geleistet werden kann.

Tats. besteht für § 93 I 2 auch **kein Bedarf,** weil die Anliegen, die mit BJR verfolgt werden, bereits hinreichend durch die großzügige Auslegung des Angemessenheitsbegriffs gewährleistet werden (ähnlich KK-AktG/A. Arnold Rn. 20). Begriff ermöglicht es, sämtlichen Bewertungsunsicherheiten, die sich in spezifischer Kapitalerhöhungssituation stellen, Rechnung zu tragen. Es wäre aber nicht sachgerecht, weitestgehende Auslegung des Angemessenheitsbegriffs in § 255 IV (→ Rn. 26 ff.) dann anschließend noch mit großzügigen Maßstäben der BJR zu kombinieren, weil sonst vom Minderheitenschutz nichts mehr übrig bliebe. Auch ermöglicht es das Abstellen auf Angemessenheitsbegriff, hinreichend variable Maßstäbe anzulegen, je nachdem, wie sich die Bewertungssituation darstellt. 40

bb) Vorbereitendes Verwaltungshandeln. Allenfalls könnte überlegt werden, **BJR auf Vorstand** anzuwenden, der HV best. Ausgabebetrag als angemessen vorschlägt. Weil sich Vorschlag jedenfalls mittelbar an Angemessenheitsvorgabe des § 255 IV–VII zu orientieren hat, besteht aber auch schon für ihn Aufgabe, Vorschlag so zu formulieren, dass Vermögensinteressen der vom Bezugsrecht ausgeschlossenen Aktionäre gewahrt werden. Weil Leitungsermessen des Vorstands dort endet, wo ges. Pflichten beginnen (Hüffer ZHR 172 [2008], 572, 579), liegt jedenfalls kein typischer Fall der BJR vor. Allenfalls kann man von **ges. determinierter Pflichtaufgabe** sprechen, die iRd ges. Vorgaben Entscheidungsspielraum eröffnet (→ § 93 Rn. 29), aber nicht zum weiten Ermessensspielraum des § 93 I 2 führt (sa Harnos, Gerichtliche Kontrolldichte, 2021, 626 f.). Dafür könnte sprechen, dass Vorstand auch Handlungsalternative hätte, Unternehmen iR einer Bartransaktion zu erwerben und sich in diesen Fall auf BJR berufen könnte (Hüffer ZHR 172 [2008], 572, 574 ff.). Würde man an Kapitalerhöhung gänzlich andere Maßstäbe anlegen, würde man dem Vorstand Anreiz zur Bartransaktion setzen, der möglicherweise nicht im Unternehmensinteresse wäre. Trotzdem bedarf es auch im Lichte dieser Überlegung keines systemwidrigen Rückgriffs auf BJR, weil Vorstand aufgrund der **Weite der Angemessenheitsvorgabe** genau dieselben Beurteilungsspielräume zuzugestehen sind wie HV (→ Rn. 26 ff.). Vermieden werden muss jedenfalls, dass weit verstandener Angemessenheitsbegriff – wie es zT in Lit. durchschimmert – mit weiten Spielräumen der BJR kombiniert wird. 41

3. Mittelbeschaffung. In der Fassung des RegE BT-Drs. 20/8292 regelten **§ 255 IV 3 und 4 RegE,** wie AG sich Mittel beschaffen kann, um bare Ausgleichszahlung vorzunehmen. Komplexe Regelung sollte so ausgestaltet sein, dass wirtschaftliche Belastung letztlich vom Inferenten zu tragen war (§ 255 IV 3 RegE). Dahinter stand Gedanke, dass Inferenten – und nicht AG – **wirtschaftliche Folgen der Wertverwässerung** treffen sollen, von der er allein profitiert; umgekehrt wären bei Risikotragung der AG ausgeschlossene Aktionäre wirtschaftlich mittelbar selbst betroffen, da Ausgleichspflicht dauerhaft Gesellschaftsvermögen belasten würde (KK-AktG/A. Arnold Rn. 8; Harnos AG 2023, 348 Rn. 25; Lutter JZ 2000, 837, 839; Zöllner AG 2000, 145, 151). Auch von dieser Ausgestaltung ist FinanzA BT-Drs. 20/9363, 42 (nicht lektorierte Vorabfassung) abgerückt, da zu starke Belastung des Inferenten befürchtet wurde, der damit nicht nur Risiko der Differenzhaftung, sondern auch Risiko der Falschbewertung der AG durch Vorstand getragen hätte (krit. Kuthe BB 2023, 1603, 1605; ausf. zur Streichung FinanzA BT-Drs. 20/9363, 128 [nicht lektorierte Vorabfassung]). Belastung trifft jetzt AG und damit auch vom Bezugsrecht ausgeschlossenen Aktionär, was rechtspolit. auch nicht unproblematisch ist (krit. Harnos AG 2023, 42

873 Rn. 18), aber schon jetzt geltender Risikoverteilung im UmwG entspr. (FinanzA 20/9363, 128 [nicht lektorierte Vorabfassung]).

43 Ebenfalls nicht übernommen wurde § 255 IV 4 RegE, wonach AG für Ausgleichsanspruch entspr. Mittel im Wege eines Gewinnvortrags oder Rücklagen vorhalten sollte. Regelung hätte namentl. mit Blick auf Bezifferungserfordernis erhebliche Schwierigkeiten aufgeworfen (krit. deshalb DAV-HRA NZG 2023, 738 Rn. 67; Bungert/Strothotte DB 2023, 2422, 2425). Richtigerweise kann entspr. Absicherung erst sinnvoll sein, wenn sich durch nachfolgende Entwicklungen, namentl. instanzgerichtl. Entscheidungen im Spruchverfahren, **Verdacht der Unangemessenheit verfestigt** (zutr. Bungert/Strothotte DB 2023, 2422, 2425). In diesem Fall ist AG aber ohnehin zur Bildung von **Rückstellungen nach § 249 HGB** verpflichtet, so dass auf weitere Sicherung verzichtet werden konnte (FinanzA BT-Drs. 20/9363, 128 [nicht lektorierte Vorabfassung]).

44 **4. Börsennotierte AG (§ 255 V). a) Regelfall (§ 255 V 1).** § 255 V regelt Wertbestimmung für börsennotierte AG (§ 3 II → § 3 Rn. 5 f.: Auslandsbörse genügt). Für sie soll nach § 255 V 1 im Interesse der Prozessökonomie gelten, dass Wert der gewährten Aktien **Börsenkurs** entsprechen muss. Klare Aussage markiert neues Zeitalter der Wertbestimmung, da Gesetzgeber erstmals darauf verzichtet, Angemessenheitspostulat als ges. Leitschnur zu formulieren, sondern Wertbestimmung qua Ges. an Börsenkurs knüpft (zur ausf. und kontroversen bisherigen Diskussion → 17. Aufl. 2023, Rn. 8 ff.). Übliche Gestaltung sieht dagegen so aus, dass zunächst Angemessenheit gefordert wird, die sodann dahingehend konkretisiert wird, dass Ausgleich „mindestens" Börsenkurs entspricht (vgl. § 39 III 2 BörsG iVm 31 I 1 WpÜG iVm § 5 I WpÜG-AV). Stärkere **Marktorientierung** ist uneingeschränkt zu begrüßen, Sinnhaftigkeit der konkret gewählten neuen Gestaltung aber noch nicht ausdiskutiert (zu Zweifeln an hier zugrunde gelegter kasuistischer Fassung → Rn. 47 ff.); dass Vielzahl uneinheitlich gestalteter ges. Maßgaben unbefriedigend ist, liegt jedenfalls auf der Hand (Harnos AG 2023, 348 Rn. 32; Koch AG 2024, 1 Rn. 1 ff.).

45 Nicht erfasst von § 255 V sind im **Freiverkehr** notierte Gesellschaften; hier kann Börsenkurs allenfalls in gerichtl. Schätzung nach § 287 ZPO einbezogen werden (Bungert/Strothotte DB 2023, 2422, 2425; Harnos AG 2023, 348 Rn. 32). Maßstab des Börsenkurses gilt auch dann, wenn bei Sachkapitalerhöhung **Einlagegegenstand nichtbörsennotiertes Unternehmen** ist. Das wurde von früher hM unter Hinweis auf sog Postulat der Methodengleichheit abgelehnt (OLG Jena AG 2007, 31, 34; Bayer ZHR 163 [1999], 505, 535; dagegen schon nach alter Rechtslage mit beachtlichen Argumenten Kiefner/Seibel AG 2016, 301, 310 f.; Kossmann AG 2005, 9, 15). Nach neuer Rechtslage gibt es für diese Eingrenzung keine Anhaltspunkte mehr (abw. insofern aber augenscheinlich DAV-HRA NZG 2023, 738 Rn. 76).

46 **b) Unwesentliche Unterschreitung (§ 255 V 2).** Entspr. der Rechtslage bei nichtbörsennotierten Unternehmen gilt kein strenges Äquivalenzprinzip (→ Rn. 26 ff.). Ausgleichszahlung muss Börsenkurs (= Wert) deshalb nicht erreichen, sondern § 255 V 2 lässt es genügen, wenn Ausgabebetrag Börsenkurs nicht wesentlich unterschreitet. Für Frage, wann unwesentliche Unterschreitung vorliegt, kann auf die **zu § 186 III 4 entwickelten Grundsätze** zurückgegriffen werden (→ § 186 Rn. 39d; RegBegr. BT-Drs. 20/8292, 118). Durch FinanzA BT-Drs. 20/9363, 128 (nicht lektorierte Vorabfassung) wird konkretisiert, dass Abschlag auch über die zu § 186 III 4 entwickelten Grundsätze hinausgehen kann, etwa bei Unternehmenserwerben, Sanierungsfällen und Umtauschangeboten nach § 31 II WpÜG. In Fällen unwesentlicher Wertdifferenz soll es betroffenen Aktionären nach RegBegr. BT-Drs. 20/8292, 118 stattdessen möglich sein, die aus ihrer Sicht unterbewerteten Aktien **nachzukaufen,** ohne dass hierdurch

„faktischer Bezugsrechtszwang" entstünde (gemeint wohl: „faktischer Bezugszwang" → § 182 Rn. 23a; zu Zweifeln an diesem „Zukaufsargument" → Rn. 11).

c) Marktverzerrung (§ 255 V 3). Wie schon bei Regelung zu Delisting in § 39 BörsG (→ § 119 Rn. 39 ff.) enthält § 255 V 3 **typisierte Fälle** fehlerhafter Marktpreisbildung. Die Folgen einer solchen Verzerrung stellen sich aber anders dar als beim Delisting. Während Börsenkurs dort seine Aussagekraft verliert und durch Unternehmensbewertung ersetzt wird, formuliert § 255 V 3 zurückhaltender, dass Börsenkurs „nicht mehr allein maßgebend" sei. In Gesamtschau kann er aber auch weiterhin einbezogen werden. **Fehlerhafte Marktpreisbildung** wird angenommen bei: unterlassener oder unrichtiger Ad-Hoc-Mitteilung nach Art. 17 I MAR oder entspr. Vorschrift des anwendbaren ausländischen Rechts (Nr. 1); Verstoß gegen Verbot der Marktmanipulation nach Art. 15 MAR, der Börsenkurs beeinflusst hat oder hierzu geeignet war (Nr. 2); Marktenge in dem Sinne, dass für Aktien der AG während letzter drei Monate vor Ablauf des der Entscheidung über Ausgabe neuer Aktien vorausgehenden Tages an weniger als einem Drittel der Börsentage Börsenkurs festgestellt wurde und mehrere nacheinander festgestellte Börsenkurse um mehr als 5 % voneinander abweichen (Nr. 3). 47

Ausn. entspr. weitestgehend **Vorbild des § 39 III BörsG,** so dass auf Erkenntnisfortschritte zu dieser Regelung zurückgegriffen werden kann. Zwar ist Nr. 3 in § 39 III 2 BörsG nicht gleichermaßen vorgesehen, findet sich aber in § 39 III 4 BörsG. Unterschiedliche Normstruktur erklärt sich augenscheinlich aus abw. Rechtsfolgenanordnung, die in § 39 III 4 BörsG differenziert ausfallen muss, während ohnehin pauschalere Negativaussage („Börsenkurs nicht allein maßgebend") auf diese Unterscheidung verzichten kann. Zu § 255 V 3 Nr. 1 und 2 wird man Regelungen – wie bei § 39 III 3 BörsG – über zu engen Wortlaut hinaus auch auf Verstöße zu erstrecken haben, die vor der Referenzperiode begangen wurden, aber in diesem Zeitraum noch fortwirken (→ § 119 Rn. 40 mwN). Ebenfalls nach den zum Delisting entwickelten Grundsätzen wird man anzunehmen haben, dass **behördliche Feststellung** eines Verstoßes gegen Art. 17 I MAR, Art. 12, 15 MAR keine Voraussetzung des Zahlungsanspruchs ist (bei § 39 III BörsG str. → § 119 Rn. 40); auch auf Verschulden kommt es nicht an (→ § 119 Rn. 40 mwN). Wie bei § 39 BörsG ist in Fällen des § 255 V 3 Nr. 1 und 2 teleologische Reduktion erwägenswert, wenn sich Kursverfälschung **zugunsten der Aktionäre** ausgewirkt hat (→ § 119 Rn. 40 mwN). Beweislast für Voraussetzungen des § 255 V 3 liegt bei Aktionären (vgl. zur Parallele beim Delisting → § 119 Rn. 39). 48

Fraglich ist, ob bei § 255 V 3 wie bei § 39 III 3 und 4 BörsG (dort aber str. → § 119 Rn. 39) bei bedeutsamen Störungen der Börsenpreisbildung, die nicht im Normtext abgebildet sind, auch **weitere Ausnahmen** anzuerkennen sind. In der Sache wäre solche Ausdehnung rechtspolit. dringend wünschenswert, da Fallpraxis gezeigt hat, dass enge kasuistische Fassung nicht genügt, um Fälle, in denen Börsenkurs Unternehmenswert nicht hinreichend widerspiegelt, zu erfassen (J. Koch AG 2024, 1 Rn. 1 ff.; sa schon J. Koch AG 2021, 249 Rn. 1 ff.). Dennoch ist Frage hier anders zu beurteilen als bei § 39 III 3 und 4 BörsG, da Normstruktur abw. gefasst ist und ges. Grundsatz nicht – wie sonst – Angemessenheitsvorgabe ist, sondern Börsenkursberechnung. Anders als bei § 39 III 3 und 4 BörsG ist deshalb jedenfalls direkte Anwendung nicht eröffnet. Analogieschluss dürfte daran scheitern, dass Defizite der Delistinggestaltung im Gesetzgebungsverfahren umfassend diskutiert wurden (vgl. Harnos AG 2023, 348 Rn. 28), aber nicht zum Anlass einer gesetzgeberischen Korrektur genommen wurden (was bedauerlich bleibt). 49

Rechtsfolge einer Marktverzerrung iSd § 255 V 3 wird nicht gleichermaßen deutlich ausgesprochen wie in § 39 III BörsG. Während dort ausdr. angeordnet 50 wird, dass Ausgleichsbetrag dem anhand einer Bewertung des Emittenten ermittelten Wert des Unternehmens entspr., erschöpft sich Rechtsfolgenanordnung des § 255 V 3 in reiner Negativaussage, dass **Börsenkurs nicht allein maßgebend** ist (zur Einschränkung dieser Vorgabe durch Wesentlichkeitskriterium in § 255 V 6 → Rn. 55). Auch RegBegr. äußert sich zu dann eintretender Folge nicht. Abweichung könnte sich daraus erklären, dass Gesetzgeber Gerichten größere Freiheit einräumen wollte, in Ausübung des Bewertungsermessens nach § 287 ZPO angemessene Methode selbst zu bestimmen. So könnte Gericht etwa statt Bemessung des Unternehmenswertes versuchen, **Differenz zwischen verzerrtem und bereinigtem Börsenkurs** zu ermitteln (für diese Lösung auch bei Delisting Verse FS Baums, 2017, 1317, 1327 ff.: überzeugender als Auswechslung der Bewertungsparameter). Weil sich allerdings auch hypothetischer Kursverlauf nur schwer feststellen lassen wird, wird Regelfall sein, dass Wert der Ausgleichszahlung bei zu vermutender geringer Aussagekraft des Börsenkurses wie auch sonst nach innerem Unternehmenswert bestimmt wird (zu den Bewertungsgrundsätzen → § 305 Rn. 24 ff.). Namentl. in Fällen des § 255 V 3 Nr. 3 dürfte Unternehmensbewertung meist alternativlos sein.

51 **d) Börsenwertberechnung (§ 255 V 4 und 5).** Liegt kein Fall einer Marktverzerrung nach § 255 V 3 vor, schlägt Gesetzgeber in § 255 V 4 – wiederum in Anlehnung an Delisting-Regeln (→ § 119 Rn. 39) – Bogen zum Übernahmerecht und ordnet in Gestalt einer **Rechtsfolgenverweisung** an, dass für Berechnung des Börsenkurses § 5 I–III WpÜG-AV entspr. anzuwenden ist. Sind Voraussetzungen erfüllt, gilt Anordnung des § 5 I WpÜG-AV, wonach Gegenleistung mindestens dem gewichteten durchschnittlichen inländischen Börsenkurs dieser Aktien während der letzten drei Monate entspr. (konkretisiert in § 5 II, III WpÜG-AV). Damit soll Einwand ausgeschlossen sein, dass sich der „wahre Wert" des Unternehmens nicht im Börsenkurs widerspiegele (RegBegr. BT-Drs. 20/8292, 118).

52 Gesetzgeberische Gestaltung ist insofern eigenwillig, als auf § 5 I WpÜG-AV verwiesen wird, der aber seinerseits eine **Vorschrift mit abweichendem Inhalt konkretisiert,** nämlich § 31 I 1 WpÜG. Diese Vorschrift stellt aber gerade nicht vorrangig auf Börsenkurs ab, sondern auf Angemessenheit, wobei nach § 31 I 2 WpÜG Börsenkurs lediglich zu berücksichtigen ist. Angesichts dieser Unterordnung des Börsenkurses unter das Angemessenheitspostulat ist es folgerichtig, dass nach § 5 I WpÜG-AV Gegenleistung „mindestens" gewichtetem durchschnittlichen inländischen Börsenkurs entspr. muss, was zu § 255 V 4 wiederum nicht passt, der Einwand höheren Unternehmenswerts nicht zulassen soll.

53 **Referenztag** für Berechnung ist nicht Veröffentlichung nach Vorbild des § 10 I 1 WpÜG oder § 35 I 1 WpÜG, sondern Ablauf des der Entscheidung über Ausgabe der neuen Aktien vorausgehenden Tages. Das gilt auch für **Auslandsnotierung** (RegBegr. BT-Drs. 20/8292, 118). Unklar ist dabei zunächst, auf welchen Kurs es innerhalb des besagten Tages ankommt (Eröffnungskurs, niedrigster/höchster Kurs, Schlusskurs). Materialien deuten auf Schlusskurs bei Schließung des Marktes hin (v. der Linden/Schäfer DB 2023, 2292, 2294). Darüber hinaus scheint Ges. an dieser Stelle von flexibler Entscheidungssituation (namentl. im Kontext des genehmigten Kapitals) auszugehen, doch ist § 255 V nur auf ordentliche Kapitalerhöhung mit HV-Beschluss anwendbar. Hier ist es erforderlich, für Referenzzeitraum nicht an HV anzuknüpfen, sondern – wie auch sonst – an **Bekanntgabe der Maßnahme** (v. der Linden/Schäfer DB 2023, 2292, 2294). Anderenfalls wäre Maßnahme selbst in Börsenpreisentwicklung schon systemwidrig eingepreist.

54 Wichtige Ergänzung trifft **§ 255 V 5,** mit dem einem der wichtigsten Einwände aus Gesetzgebungsverfahren begegnet werden soll: Im RefE fehlte diese

Regelung, so dass allein Durchschnittskurs maßgeblich war. Das hätte aber dazu führen können, dass am Zeichnungstag Bezugskurs über aktuellem Börsenkurs liegt (vgl. zu dieser Kritik v. der Linden/Schäfer DB 2023, 2292, 2294). Da Kapitalerhöhung, insbes. solche im Zusammenhang mit für das Unternehmen wichtigen Transaktionen, nur dann praktikabel sein wird, wenn Ausgabebetrag unter aktuellem Börsenkurs bleibt, ist nach § 255 V 5 Vergleich zwischen Berechnung nach § 255 V 4 und Börsenkurs zum Stichtag, dem Ablauf des der Entscheidung über Ausgabe der neuen Aktien vorausgehenden Tages, anzustellen. Der niedrigere Wert ist für **Untergrenze** beim Ausgabebetrag maßgeblich (RegBegr. BT-Drs. 20/8292, 118). Problematisch erscheint allerdings, dass § 255 V 5 auf denselben Tag Bezug zu nehmen scheint wie § 255 V 4, dh auf den der Entscheidung über Ausgabe neuer Aktien vorangehenden Tag. Versteht man diesen im Kontext des § 255 V 4 als Tag der Bek. der Maßnahme, wäre Ziel des § 255 V 5 verfehlt, Platzierungserfolg am Zeichnungstag zu sichern. Dieses Ziel könnte nur so erreicht werden, wenn HV – was Ges. hier als zulässig unterstellt (Bungert/Strothotte DB 2023, 2422, 2426) – Bestimmung des konkreten Ausgabebetrags anhand von Formel oder Berechnungsweise Vorstand überlässt (→ § 182 Rn. 22), und iRd § 255 V 5 auf Tag vor Vorstandsentscheidung abzustellen ist. Dass Gesetzeswortlaut damit deutlich strapaziert wird, ist aber nicht zu übersehen.

e) Unwesentliche Auswirkungen fehlerhafter Marktpreisbildung (§ 255 V 6). § 255 V 6 schließlich enthält Ausn. von § 255 V 3 Nr. 1 und 2 für Fälle, in denen sich Verstoß oder Manipulation nicht oder nicht wesentlich auf nach § 255 V 4 berechneten Kurs ausgewirkt hat. **Darlegungs- und Beweislast** muss insofern – wie Negativformulierung belegt – bei AG liegen. 55

5. Zinsanspruch und weitere Schäden (§ 255 VI). § 255 VI gewährt Zinsanspruch für Ausgleichszahlung (besser: für Ausgleichsforderung – Harnos AG 2023, 348 Rn. 24). Anspruch entsteht mit Ablauf des Tages, an dem Eintragung der Durchführung der Kapitalerhöhung erfolgt ist, und wird auf jährlich **5 Prozentpunkte** über jew. Basiszinssatz nach § 247 BGB festgesetzt. Ferner stellt § 255 VI 2 klar, dass Geltendmachung weiterer Schäden nicht ausgeschlossen wird (krit. insofern Bungert/Strothotte DB 2023, 2422, 2426). Resultieren können solche **Schäden** etwa aus entgangenen Gewinnanteilen aufgrund nicht ausgeübter Bezugsrechte sowie daraus, dass die nach § 255a III–V zu gewährende bare Zuzahlung trotz Verzinsung hinter der Wertsteigerung der Aktien zurückbleibt (BeckOGK/Habersack, 1.10.2023, § 72a UmwG Rn. 49). Darüber hinaus ist auch ein Nichterfüllungsschaden denkbar, wenn AG nach § 255a I (auf den § 255 VI über § 255a VI 1 Anwendung findet) Abfindung in Aktien schuldet, diese aber aus rechtl. Gründen nicht beschaffen kann (Grund etwa: weder Ermächtigung zum Erwerb eigener Aktien noch Kapitalerhöhungsbeschluss). Da AG nach § 255a VII 1 Beschaffungsrisiko trägt (→ § 255a Rn. 26), kann über § 255a VI 1 iVm § 255 VI 2 als Sekundäranspruch Schadensersatz verlangt werden (KK-UmwG/Wilsing/v. der Linden § 72a Rn. 17). Anspruchsgrundlage ist insofern § 280 I, III, § 283 BGB (BeckOGK/Habersack, 1.10.2023, § 72a UmwG Rn. 50). **Geltendmachung** des Anspruchs erfolgt durch geschädigten Aktionär, und zwar außerhalb des Spruchverfahrens; Darlegungs- und Beweislast folgt allg. Grundsätzen (KK-UmwG/Wilsing/v. der Linden § 72a Rn. 17). 56

6. Spruchverfahren (§ 255 VII). § 255 VII klärt Spruchverfahren für Bestimmung der Ausgleichszahlung für anwendbar. Gericht entscheidet auf Antrag nach Vorschriften des SpruchG (→ SpruchG § 1 Rn. 1 ff.). 57

Gewährung zusätzlicher Aktien

255a (1) [1]Im Beschluss über die Kapitalerhöhung kann bestimmt werden, dass anstelle einer baren Ausgleichszahlung (§ 255 Absatz 4) zusätzliche Aktien der Gesellschaft gewährt werden. [2]§ 72a Absatz 1 Satz 2 des Umwandlungsgesetzes findet entsprechende Anwendung.

(2) [1]Neue Aktien, die nach Eintragung der Kapitalerhöhung im Rahmen einer weiteren Kapitalerhöhung aus Gesellschaftsmitteln auf Grund eines unangemessenen Wertes der Einlage nicht gewährt wurden, und nach Eintragung der Kapitalerhöhung erfolgte Kapitalherabsetzungen ohne Rückzahlung von Teilen des Grundkapitals sind bei dem Anspruch auf Gewährung zusätzlicher Aktien zu berücksichtigen. [2]Bezugsrechte, die den anspruchsberechtigten Aktionären bei einer nach Eintragung der Kapitalerhöhung erfolgten weiteren Kapitalerhöhung gegen Einlagen auf Grund einer unangemessen niedrigen Einlage nicht zustanden, sind ihnen nachträglich einzuräumen. [3]Die anspruchsberechtigten Aktionäre müssen ihr Bezugsrecht nach Satz 2 gegenüber der Gesellschaft binnen eines Monats nach Eintritt der Rechtskraft der Entscheidung des Gerichts (§ 11 Absatz 1 des Spruchverfahrensgesetzes) ausüben.

(3) Anstelle zusätzlicher Aktien ist den anspruchsberechtigten Aktionären Ausgleich durch eine bare Zuzahlung gemäß § 255 Absatz 4 bis 7 zu gewähren,

1. um Spitzenbeträge auszugleichen oder
2. wenn die Gewährung zusätzlicher Aktien unmöglich geworden ist.

(4) Anstelle zusätzlicher Aktien ist denjenigen Aktionären, die anlässlich einer nach Eintragung der Kapitalerhöhung erfolgten strukturverändernden Maßnahme aus der Gesellschaft ausgeschieden sind, eine Entschädigung in Geld unter Berücksichtigung der von der Gesellschaft zu gewährenden Abfindung zu leisten.

(5) Zusätzlich zur Gewährung zusätzlicher Aktien ist den anspruchsberechtigten Aktionären eine Entschädigung in Geld zu leisten für Gewinne oder einen angemessenen Ausgleich gemäß § 304 des Aktiengesetzes, soweit diese auf Grund einer unangemessenen niedrigen Einlage nicht ausgeschüttet oder geleistet worden sind.

(6) [1]§ 255 Absatz 5 bis 7 ist mit Ausnahme von Absatz 6 Satz 1 entsprechend anzuwenden. [2]Ansprüche auf eine Entschädigung in Geld gemäß den Absätzen 3 und 4 sind gemäß § 255 Absatz 6 Satz 1 ab dem Zeitpunkt zu verzinsen, zu dem die Abfindung oder der Anspruch auf Gewinnausschüttung oder die wiederkehrende Leistung fällig geworden wäre. [3]In den Fällen des § 255b endet der Zinslauf, sobald der Treuhänder gemäß § 255b Absatz 3 die Aktien, die bare Zuzahlung oder die Entschädigung in Geld empfangen hat.

(7) Das Risiko der Beschaffung der zusätzlich zu gewährenden Aktien trägt die Gesellschaft.

Übersicht

I. Regelungsgegenstand und -zweck

§ 255a wurde im Zuge des **ZuFinG 2023** eingeführt. Norm knüpft an § 255 an und regelt, wie Ausgleich an nach § 255 IV anspruchsberechtigte Aktionäre geleistet werden kann. Ges. Regelfall ist nach dieser Vorschrift zwar Barzahlung (krit. insofern Habrich AG 2022, 567 Rn. 19 f. zu § 72a UmwG), doch eröffnet § 255a die für AG oftmals weniger belastende Möglichkeit einer **Abfindung in Aktien.** Regelung war im RefE noch nicht enthalten und ist auf Drängen der Praxis ergänzt worden (vgl. insbes. DAV-HRA NZG 2023, 738 Rn. 68). Es soll damit vermieden werden, dass AG durch Zuzahlungsansprüche dem **Risiko eines Liquiditätsabflusses in ungewisser Höhe** ausgesetzt wird (RegBegr. BT-Drs. 20/8292, 119). Das ist sinnvoll und auch folgerichtig, seit Gesetzgeber durch UmRUG 2023 entspr. Möglichkeit für Verschmelzung in **§ 72a UmwG** eröffnet hat. Namentl. Sachkapitalerhöhung und Verschmelzung zur Aufnahme sind funktional äquivalent (Hüffer ZHR 172 [2008], 8, 14; Lieder/Hilser ZIP 2023, 1, 12 f.), so dass Ungleichbehandlung keinen Sinn ergab. § 255a ist § 72a UmwG in weiten Teilen nachgebildet, so dass zur dogmatischen Entschlüsselung auf Erkenntnisfortschritte zu dieser Norm zurückgegriffen werden kann. Wie auch bei dieser Vorschrift ist **Schutz des § 255a I nicht lückenlos.** Ausgeglichen werden Vermögensnachteile und auch Anteilsverwässerung, doch erhalten Aktionäre etwa keinen Ausgleich dafür, dass sie an der Kapitalerhöhung nachfolgenden Beschlussfassungen nicht nach Maßgabe des korrigierten Umtauschverhältnisses teilnehmen konnten (vgl. dazu BeckOGK/Habersack, 1.10.2023, § 72a UmwG Rn. 30). Inkrafttreten → § 255 Rn. 4. 1

Rechtspolitische Bewertung der Regelung fällt überwiegend positiv aus, was insofern zu erwarten war, als mit Neuregelung langjähriges rechtspolitisches Petitum der Praxis aufgegriffen wurde. Es wird nicht nur der aus Unternehmenssicht bedrohliche Liquiditätsabfluss vermieden (→ Rn. 1), sondern zugleich auch im Aktionärsinteresse **Stimmrechtsverwässerung entgegengewirkt,** was durch Barausgleich nicht zu leisten ist (Lieder/Hilser ZIP 2023, 1, 2). An Detailgestaltung werden dennoch – sowohl zu §§ 72a f. UmwG als auch zu §§ 255a f. – zahlreiche Beanstandungen vorgebracht. Insbes. wird in Zweifel gezogen, ob für Praxis damit tats. nennenswerte Erleichterung geschaffen wird. Nach geltender Ausgestaltung muss sich AG frühzeitig festlegen und kann Ausgleichsformen nicht kombinieren (→ Rn. 3). Damit übernimmt sie, wenn sie für Regime der §§ 255a f. optiert, erhebliches **Beschaffungsrisiko** (§ 255a VII), das als ebenso belastend empfunden werden kann wie Barzahlungspflicht und namentl. bei späteren Strukturmaßnahmen große Unsicherheiten begründen kann (KK-UmwG/Wilsing/v. der Linden § 72a Rn. 12; sa Kuthe AG 2023, R 308, 309 unter bes. Betonung wertpapiertechnischer Stolperfallen). 2

II. Kapitalerhöhungsbeschluss (§ 255a I)

§ 255a I 1 eröffnet **Option,** in Kapitalerhöhungsbeschluss festzulegen, dass anstelle barer Ausgleichszahlung (§ 255 IV) zusätzliche Aktien gewährt werden können. Wahlrecht steht damit ausschließlich AG, nicht bezugsberechtigten Aktionären zu. Anders als bei Regelungsvorbild des § 72a UmwG ist auch kein anderer Akteur (dort: Vertragspartei; KK-UmwG/Wilsing/v. der Linden § 72a Rn. 5) in Entscheidung eingebunden. In der Sache handelt es sich um **Erset-** 3

zungsbefugnis, die von schuldrechtl. Grundfall aber insofern abw., dass sie **verbindlich** ist und später nicht korrigiert werden kann (KK-UmwG/Wilsing/v. der Linden § 72a Rn. 4: „Ersetzungsbefugnis eigener Art"). Nach Entscheidung zugunsten der Gewährung zusätzlicher Aktien kann also weder AG noch Aktionär Barzahlung (außer in Fällen nach § 255a III; → Rn. 15 ff.) verlangen (RegBegr. BT-Drs. 20/8292, 119; krit. BeckOGK/Habersack, 1.10.2023, § 72a UmwG Rn. 7; KK-UmwG/Wilsing/v. der Linden § 72a Rn. 6; DAV-HRA NZG 2022, 849, 850 f.; Bungert/Strothotte DB 2023, 2422, 2427; Lieder/Hilser ZIP 2023, 1, 5 f.). Auch **Kombination** von Barzahlung und Aktien ist nicht zulässig (auch insofern krit. Bungert/Strothotte DB 2023, 2422, 2427; Lieder/Hilser ZIP 2023, 1, 12). Beide Umstände (endgültige Festlegung, keine Kombinationslösung) können dazu führen, dass §§ 255a f. in der Praxis keine große Rolle spielen werden (→ Rn. 2).

4 Aktien müssen nicht zwingend auf dem Weg des § 255b I 1 geschaffen werden, sondern es besteht alternative Möglichkeit zur Übertragung eigener Aktien (RegBegr. BT-Drs. 20/8292, 119). Wird Kapitalerhöhung gewählt, so ist **HV-Beschluss** alternativlos erforderlich; Entscheidung kann nicht Vorstand überlassen werden (RegBegr. BT-Drs. 20/8292, 119).

5 Wie schon § 72a I UmwG lässt auch § 255a I 1 offen, anhand welches **Umrechnungsmaßstabs** zu bestimmen ist, wie viele zusätzliche Aktien anspruchsberechtigte Aktionäre erhalten. Die Antwort geben die UmRuG-Materialien zu § 10a SpruchG, wonach Aktionäre so zu stellen sind, als hätte Verschmelzung (hier: Kapitalerhöhung) von vornherein angemessenes Umtauschverhältnis zugrunde gelegen (RegBegr. BT-Drs. 20/3822, 74, 127). **Alternativkonzept,** Barausgleich anhand aktuellen Börsenkurses in Aktien umzurechnen (vgl. dazu DAV-HRA NZG 2022, 849, 851 f.; Lieder/Hilser ZIP 2023, 1, 4 f.; J. Vetter ZHR 168 [2004], 8, 48 f.), wurde damit Absage erteilt (ausf. KK-UmwG/Wilsing/v. der Linden § 72a Rn. 7). Unterschied liegt darin, dass im Alternativkonzept zusätzlich zu gewährende Aktien Wertäquivalent zu Barausgleich sind, wohingegen Aktionär nach geltender Fassung an Chancen und Risiken der Kursentwicklung weiterhin partizipiert (Bungert/Strothotte DB 2023, 2422, 2426 f.; Lieder/Hilser ZIP 2023 1, 4). Vom Gesetzgeber gewählte Form wird dem Grundgedanken des Ausgleichs in Zusatzaktien eher gerecht, doch hätte sich rechtstechnische Gestaltung im Alternativkonzept wohl unproblematischer dargestellt (namentl. bei Anpassungsregelungen nach § 255a II – V; DAV-HRA NZG 2022, 849, 851; Bungert/Strothotte DB 2023, 2422, 2427; Lieder/Hilser ZIP 2023, 1, 5).

6 **§ 255a I 2** stellt durch Verweis auf § 72a I 2 UmwG klar, dass nachfolgende **Verschmelzungen, Spaltungen und Formwechsel** nicht zum Erlöschen des Anspruchs auf Gewährung zusätzlicher Aktien führen, sofern Zielrechtsform AG oder KGaA ist. An Stelle des übernehmenden Rechtsträgers in § 72a I 2 UmwG tritt bei § 255a kapitalerhöhende Gesellschaft. Pflicht zur Gewährung zusätzlicher Aktien geht als Verbindlichkeit in (partieller) **Gesamtrechtsnachfolge** auf Zielrechtsträger über; beim Formwechsel bleibt sie der kapitalerhöhenden Gesellschaft in neuer Rechtsform zugeordnet. Anspruch der Aktionäre zielt fortan auf **Gewährung zusätzlicher Aktien am Zielrechtsträger** (RegBegr. BT-Drs. 20/8292, 119). In sämtlichen Konstellationen drohen Folgeprobleme von hoher Komplexität, die dazu führen können, dass neues Regime in erster Linie für große börsennotierte Gesellschaften in Betracht kommt, bei denen nachfolgende Umwandlungs- und Kapitalerhöhungsmaßnahmen nicht allzu häufig hintereinander vorkommen (Bungert/Strothotte DB 2023, 2422, 2427 f. mit Bsp.: parallel laufende Spruchverfahren bei Kapitalerhöhung und Folgeverschmelzung; Umtauschverhältnis bei Spaltung zwischen sich spaltender und übernehmender Gesellschaft).

III. Weitere Kapitalmaßnahme (§ 255a II)

7 In Anlehnung an § 72a II UmwG regelt § 255a II Sonderfall, dass AG nach Eintragung der Kapitalerhöhung **weitere Kapitalmaßnahme** vornimmt. Wurden anspruchsberechtigte Aktionäre an Ausgangskapitalerhöhung nicht angemessen beteiligt, droht in dieser Situation **Weiterfresserschaden** idS, dass Unangemessenheit auch in Folgemaßnahme fortgeschrieben wird. Dabei wird nach Art der Kapitalmaßnahme unterschieden: **§ 255a II 1** regelt zunächst als Var. 1 Kapitalerhöhung aus Gesellschaftsmitteln (§§ 207 ff.; → Rn. 8) und als Var. 2 Kapitalherabsetzung ohne Rückzahlung von Teilen des Grundkapitals (§§ 229 ff.; → Rn. 9) und sieht für beide Gestaltungen vor, dass diese Maßnahmen beim Anspruch auf Gewährung zusätzlicher Aktien zu berücksichtigen sind. **§ 255a II 2** behandelt als Var. 3 den Fall, dass Aktionär bei Kapitalerhöhung gegen Einlagen keine hinreichenden Bezugsrechte eingeräumt bekommen hat (→ Rn. 11). Befund hoher Komplexität stellt sich hier wie bei Umwandlungsmaßnahmen (→ Rn. 5).

8 Bei **Kapitalerhöhung aus Gesellschaftsmitteln** (Var. 1) betr. Ergänzungspflicht **Anspruch aus § 212.** Rechtsfolge wird in der Weise formuliert, dass solchermaßen neu geschaffene Aktien beim Anspruch auf Gewährung zusätzlicher Aktien „zu berücksichtigen" sind. Das ist dahin zu verstehen, dass Anspruch entspr. aufgestockt wird. § 255a II 1 wirkt insofern also **anspruchserhöhend** (KK-UmwG/Wilsing/v. der Linden § 72a Rn. 10). Zusatzanspruch entsteht unmittelbar mit Eintragung der Kapitalerhöhung qua Ges., ohne dass es einer Bezugserklärung, Zeichnung oder sonstiger Durchführungsakte bedarf (KK-UmwG/Wilsing/v. der Linden § 72a Rn. 10). Für Ausgleich erforderliche Anteile können durch Kapitalerhöhung gegen Sacheinlagen geschaffen oder dem Bestand eigener Aktien entnommen werden (RegBegr. BT-Drs. 20/8292, 119).

9 Während es in Var. 1 (→ Rn. 8) gilt, Benachteiligung des vom Bezugsrecht ausgeschlossenen Aktionärs zu verhindern, soll Var. 2 für spiegelbildliches **Gegenstück nachträglicher Kapitalherabsetzung** seine Bevorzugung ausschließen. Deshalb reduzieren sich in dieser Konstellation die ihm nach § 255a I 1 zu gewährenden Aktien anteilig. Anteil entspr. dem Verhältnis des Betrages der Kapitalherabsetzung zu dem zuvor vorhandenen Grundkapital. Norm wirkt insofern also nicht wie in Var. 1 anspruchserhöhend, sondern **anspruchsmindernd.**

10 Sowohl in Var. 1 als auch in Var. 2 sind quantitative Veränderungen, die Anspruch nach § 255a I durch nachträgliche Kapitalerhöhung aus Gesellschaftsmitteln oder durch nachträgliche Kapitalherabsetzungen erfährt, durch das mit Entscheidung im **Spruchverfahren** befasste Gericht zu berücksichtigen. Dabei wird stillschweigend vorausgesetzt, dass Kapitalmaßnahme vor Entscheidung im Spruchverfahren erfolgt und damit in Entscheidung des Gerichts einfließen kann. Erst danach vorgenommene Kapitalmaßnahmen beurteilen sich nach § 255a VI 1 iVm § 255 VI 2 (so zu § 72a UmwG BeckOGK/Habersack, 1.10.2023, § 72a UmwG Rn. 25; KK-UmwG/Wilsing/v. der Linden § 72a Rn. 9).

11 **§ 255a II 2** regelt nach dem Vorbild des § 72a II 2 UmwG den Fall, dass bei **nachträglicher Kapitalerhöhung gegen Einlagen** Aktionären Bezugsrechte gem. § 186 aufgrund unangemessenen Wertes der Einlage nicht zustanden. Für diesen Fall wird angeordnet, dass Aktionären Bezugsrecht in Höhe der Differenz nachträglich zu gewähren ist. Vorschrift gilt sowohl für ordentliche Kapitalerhöhung gem. §§ 182 ff. als auch für Ausübung eines **genehmigten Kapitals** gem. §§ 202 ff. (so zu § 72a UmwG BeckOGK/Habersack, 1.10.2023, § 72a UmwG Rn. 27; KK-UmwG/Wilsing/v. der Linden § 72a Rn. 12). Von § 255a II 2 sind allerdings nur solche Aktionäre erfasst, deren Bezugsrecht auch bei Folgemaßnahme nicht ausgeschlossen war. Waren sie ohnehin **vom Bezugsrecht aus-**

geschlossen, können sie auch Aufstockung nicht verlangen (so zu § 72a UmwG BeckOGK/Habersack, 1.10.2023, § 72a UmwG Rn. 28).

12 **Höhe** des einzuräumenden Bezugsrechts hat Gericht in Entscheidung zu bestimmen (§ 10a I Nr. 2 SpruchG). § 255a II 3 sieht sodann vor, dass anspruchsberechtigte Aktionäre ihr Bezugsrecht nach § 255a II 2 ggü. AG binnen eines Monats nach Eintritt der Rechtskraft der Entscheidung des Gerichts (§ 11 I SpruchG) ausüben müssen. Dabei handelt es sich um **materielle Ausschlussfrist.** Sie knüpft vorwärtslaufend an Ereignistag an, mit dessen Ablauf gerichtl. Entscheidung im Spruchverfahren rechtskräftig wird (Beginn: § 187 I BGB; Ende: § 188 II Fall 1 BGB in Ergänzung um § 193 BGB – KK-UmwG/Wilsing/v. der Linden § 72a Rn. 12). Dem Aktionär, der Bezugsrecht ausübt, sind Aktien in entspr. Zahl bzw. mit entspr. Nennbetrag zu übertragen. Im Gegenzug hat er Einlage zu leisten, die zu erbringen gewesen wäre, wenn er Bezugsrecht iRd nachgelagerten Kapitalerhöhung ausgeübt hätte. AG kann Anspruch nach § 255a II 2 durch Übertragung eigener Aktien oder Schaffung neuer Aktien im Wege einer gesonderten Kapitalerhöhung erfüllen (§ 255b V AktG; → § 255b Rn. 11).

13 Ges. ist nicht klar zu entnehmen, ob Ausgleich zwingend durch Bezugsrechte zu erfolgen hat oder auch durch **Verschaffung von Bestandsaktien** möglich ist (für letztgenannte Variante im Kontext des § 72a UmwG BeckOGK/Habersack, 1.10.2023, § 72a UmwG Rn. 29). Klar ist, dass Aktionär – wie allg. bei § 186 – kostenerzeugender Bezug nicht aufgezwungen werden darf. Entscheidet er sich für Bezug, kann **Umweg über Bezugsrecht** vermieden werden. Je nach Wahl der kapitalerhöhenden AG haben ausgleichsberechtigte Aktionäre dann entweder Einlage, die sie bei Teilnahme an nachfolgenden Kapitalerhöhungen hätten leisten müssen, oder entspr. Kaufpreis zu leisten (so zu § 72a UmwG BeckOGK/Habersack, 1.10.2023, § 72a UmwG Rn. 29).

14 Zu § 72a UmwG wird diskutiert, Regelung auch auf Folgen einer **Kapitalherabsetzung mit Rückzahlung** gem. §§ 222 ff. in der Weise zu übertragen, dass ausgleichsberechtigten Aktionären auch Anspruch auf Ausgleich der ihnen entgangenen Beteiligung am Rückzahlungsbetrag zugebilligt wird (dafür BeckOGK/Habersack, 1.10.2023, § 72a UmwG Rn. 30). Solcher gedanklicher Transfer erscheint in der Sache sicherlich erwägenswert, doch scheitert Analogie an im Gesetzestext ausdr. enthaltener Beschränkung auf Kapitalherabsetzung ohne Rückzahlung. Gesetzgeber hat sich bei Gestaltung der Norm an § 72a UmwG orientiert und trotz dort schon bestehender Diskussion dessen Wortlautgestaltung übernommen. Das **verbietet Annahme einer Regelungslücke,** und zwar nicht nur in § 255a, sondern auch in § 72a UmwG, dessen bewusst restriktive Gestaltung durch diesen Wertungstransfer bestätigt wurde.

IV. Ergänzende oder ersetzende bare Zuzahlung (§ 255a III)

15 Auch wenn sich AG nach § 255a I für Gewährung zusätzlicher Aktien entscheidet, kann nach § 255a III dennoch Ausgleich durch bare Zuzahlung gem. § 255 IV–VII erforderlich sein. Fälle sind in § 255a III–V abschließend geregelt (so zu Parallelvorschrift des § 72a III UmwG – RegBegr. BT-Drs. 20/3822, 76). Nach **§ 255a III Nr. 1** erfolgt Barausgleich, um Spitzenbeträge auszugleichen (so die klarstellende Fassung des FinanzA BT-Drs. 20/9363, 44), die dadurch entstehen, dass aktienrechtl. Stückelungsvorschriften (§§ 8 f.) vollständigen Aktienausgleich nicht gestatten (BeckOGK/Habersack, 1.10.2023, § 72a UmwG Rn. 32).

16 Nach **§ 255a III Nr. 2** erfolgt bare Zuzahlung, wenn Primäranspruch auf Gewährung zusätzlicher Aktien **unmöglich** (§ 275 BGB) geworden ist (vgl. zu den folgenden Anwendungsfällen RegBegr. BT-Drs. 20/8292, 120). In diesem

Fall lebt Ursprungsanspruch auf bare Zuzahlung wieder auf. In der Sache ist Regelung aus Aktionärssicht nicht unproblematisch: Gewährung zusätzlicher Aktien kann über längeren Zeitlauf zu völlig anderen wirtschaftlichen Werten führen als Barabfindung. Trotzdem wird Aktionär unter Voraussetzungen des § 255a III doch wieder auf Barabfindungslösung zurückverwiesen (krit. Bungert/Strothotte DB 2023, 2422, 2428).

Anwendungsbereich des § 255a III Nr. 2 wird **durch § 255a I 2 eingeschränkt,** der über Verweis auf § 72a I 2 UmwG dort umschriebene Fälle von Unmöglichkeit ausnimmt, weil Ausgleich in anderer Weise erfolgt (→ Rn. 6). Es bleiben etwa solche Fälle, in denen AG zwischenzeitlich im Wege des Formwechsels Rechtsform erhalten hat, in der Beteiligung nicht in Gestalt von Aktien oder Kommanditaktien besteht. Dies ist zB beim **Formwechsel in GmbH** oder bei rechtsformwechselnder Verschmelzung oder Spaltung in übernehmende GmbH der Fall (vgl. dazu auch KK-UmwG/Wilsing/v. der Linden § 72a Rn. 13; Bungert/Strothotte DB 2023, 2422, 2427). Unmöglichkeit kann auch bei **grenzüberschreitender Umwandlung** vorliegen, sofern Recht des Zielrechtsträgers Gewährung zusätzlicher Aktien nicht zulässt (RegBegr. BT-Drs. 20/8292, 120). 17

IRd **Auf- oder Abspaltung** kann Gewährung zusätzlicher Aktien auch teilweise unmöglich werden, wenn einzelne der übernehmenden oder neuen Rechtsträger nach ihrer Rechtsform keine zusätzlichen Aktien gewähren können. Das wäre im Gesetzeswortlaut besser zum Ausdruck gekommen, wenn Gesetzgeber auch in Nr. 2 statt einleitendem „wenn" ein „soweit" gewählt hätte (so zu § 72a UmwG BeckOGK/Habersack, 1.10.2023, § 72a UmwG Rn. 36; aA aber insofern KK-UmwG/Wilsing/v. der Linden § 72a Rn. 13: Ausgleichsanspruch richtet sich insgesamt wieder auf bare Zuzahlung), ergibt sich aber auch ohne diese Klarstellung eindeutig aus Gesetzesmaterialien (RegBegr. BT-Drs. 20/8292, 120). 18

In allen genannten Fällen deckt sich Entschädigungsanspruch nicht mit Anspruch auf bare Zuzahlung iSd § 255a III. Stattdessen zielt er iS **fiktiver Betrachtung** auf Leistung des Betrags, um den sich Abfindung des Aktionärs für sein Ausscheiden aus AG erhöht hätte, wäre der früheren Strukturmaßnahme von Beginn an angemessenes Umtauschverhältnis zugrunde gelegt worden (RegBegr. BT-Drs. 20/3822, 76 f.; KK-UmwG/Wilsing/v. der Linden § 72a Rn. 14). 19

Stillschweigend vorausgesetzt wird in § 255a III, dass Sachverhalte **vor Entscheidung im Spruchverfahren** eintreten. Nur dann können sie gem. § 10a I Nr. 3 SpruchG in Entscheidung des Gerichts einfließen. Später eintretende Ereignisse werden nur von § 255a VI 1 iVm § 255 VI 2 erfasst (so zu § 72a UmwG BeckOGK/Habersack, 1.10.2023, § 72a UmwG Rn. 35; KK-UmwG/Wilsing/v. der Linden § 72a Rn. 13). Dazu gehört auch Konstellation, dass sich AG zu gewährende Aktien aus **aktienrechtlichen Gründen** nicht beschaffen kann (Grund zB: keine Ermächtigung zum Erwerb eigener Aktien; kein Kapitalerhöhungsbeschluss). In diesem Fall wandelt sich Primäranspruch auf Gewährung zusätzlicher Aktien nach allg. schuldrechtl. Grundsätzen in Schadensersatzanspruch um (BeckOGK/Habersack, 1.10.2023, § 72a UmwG Rn. 35; sa noch → Rn. 26). 20

V. Entschädigung ausgeschiedener Aktionäre (§ 255a IV)

§ 255a IV sieht weiteren Fall barer Zuzahlung vor, wenn Aktionäre anlässlich einer nach Eintragung der Kapitalerhöhung erfolgten strukturverändernden Maßnahme (freiwillig oder unfreiwillig) gegen Abfindung **aus AG ausgeschieden** sind. Hier liegt Unterschied zu § 255a III, weil Anspruch auf Entschädigung in Geld nicht auf anfänglichen Barausgleich unter Berücksichtigung einer von 21

Beginn an angemessenen Einlage gerichtet ist, sondern auf Leistung des aufgrund einer unangemessen niedrigen Einlage entgangenen **Abfindungsbetrags.**

22 Ausscheidensanlass iSd § 255a IV können nach RegBegr. BT-Drucks. 20/8292, 120 f. etwa sein: Übertragung der Aktien anlässlich nachgelagerter Umwandlung (zB gem. §§ 29–34 UmwG, § 62 V UmwG, §§ 207–212 UmwG, § 313 UmwG oder § 327 UmwG), Ausscheiden gegen Abfindung nach aktienrechtl. (zB §§ 305, 320–320b, 327a–327f), übernahmerechtl. (§§ 39a f. WpÜG) oder börsenrechtl. Regelungen (§ 39 BörsG). Letztgenannte **Einbeziehung des Delistings** ist nicht selbstverständlich, weil es sich dabei nach der Rspr. des BGH nicht um Strukturmaßnahme handelt (→ § 119 Rn. 23; krit. deshalb Bungert/Strothotte DB 2023, 2422, 2428; sa schon Herzog/Gebhard AG 2023, 310 Rn. 21 ff.). Entscheidend ist aber nicht so sehr diese Zuordnung, sondern die Tatsache, dass Aktionär anlässlich Maßnahme sämtlichen Aktienbesitz aufgegeben (zB §§ 31, 34 UmwG) oder verloren (zB § 327a) hat und dass Aufgabe bzw. Verlust ges. Abfindungsangebot/-pflicht zugrunde gelegen hat. Ist anspruchsberechtigter Aktionär bei Entscheidung über Anspruch auf Gewährung zusätzlicher Aktien nach § 255a I nicht mehr an AG beteiligt, ist Gewährung zusätzlicher Aktien nicht sachgerecht, da entweder Aktionär Austrittswillen oder Hauptaktionär **Trennungswillen zum Ausdruck** gebracht hat. Anspruch ist deshalb auf Entschädigung in Geld gerichtet. Offen ist, was für Angebote nach WpÜG zu gelten hat, auf die so gefasster Regelungszweck ebenfalls zutrifft (Bungert/Strothotte DB 2023, 2422, 2428).

23 **Höhe der Entschädigung** bestimmt sich nach Betrag, um den sich Abfindung unter Zugrundelegung einer von Beginn an angemessenen Einlage erhöht hätte. Veräußert Aktionär seine Aktien nicht anlässlich einer Strukturmaßnahme, ist Anspruch weiterhin auf Gewährung zusätzlicher Aktien gerichtet. Etwaige Nachteile können ggf. als nicht kompensierter Schaden in Ansatz gebracht werden (§ 255a VI iVm § 255 VI 2). Höhe der Entschädigung ist nach § 10a I Nr. 4 SpruchG im Spruchverfahren zu bestimmen (KK-UmwG/Wilsing/v. der Linden § 72a Rn. 15).

VI. Entgangene Gewinne und Ausgleichszahlungen (§ 255a V)

24 Nicht wie in § 255a IV alternativ, sondern **kumulativ** erfolgt zusätzliche Geldentschädigung nach **§ 255a V** in dem Fall, dass anspruchsberechtigtem Aktionär aufgrund unangemessen niedriger Einlage iR zwischenzeitlich erfolgter **Gewinnausschüttungen** zu geringe Dividende ausgezahlt wurde. Thesaurierte Gewinne bleiben insofern also unberücksichtigt (Bungert/Strothotte DB 2023, 2422, 2428). Gleiches gilt bei zwischenzeitlichem Abschluss eines Beherrschungs- oder Gewinnabführungsvertrags bei **zu niedrigem Ausgleich gem. § 304.** Höhe bestimmt sich nach Betrag, um den sich Gewinnanteil/Ausgleich bei Zugrundelegung des final ermittelten Ausgabebetrags erhöht hätte (so zu § 72a UmwG BeckOGK/Habersack, 1.10.2023, § 72a UmwG Rn. 40). Zu bestimmen ist sie nach § 10a I Nr. 4 SpruchG (KK-UmwG/Wilsing/v. der Linden § 72a Rn. 15).

VII. Wertbestimmung, weitere Schäden, Zinsen (§ 255a VI)

25 § 255a VI verweist für **Verfahren** zur Bestimmung der Gewährung zusätzlicher Aktien oder barer Zuzahlung auf § 255 V–VII mit Ausn. des § 255 VI 1. IErg erfolgt also zumindest bei börsennotierter AG idR Wertermittlung nach Börsenkurs (§ 255 V; → § 255 Rn. 44 ff.). Geltendmachung weiterer Schäden ist nicht ausgeschlossen (§ 255 VI 2; → § 255 Rn. 56). Anzahl der zusätzlich zu gewährenden Aktien und etwaige Folgeanpassungsmaßnahmen werden von Ge-

richt nach Regeln des SpruchG festgesetzt (§ 255 VII; → § 255 Rn. 57). Hinsichtlich Entschädigung nach § 255a III und IV bestimmt § 255 VI 2 in Abw. von § 255 VI 1 für Zinszahlung aber **gesonderten Fälligkeitszeitpunkt:** Sie sind ab dem Zeitpunkt zu verzinsen, zu dem Abfindung oder Anspruch auf Gewinnausschüttung oder wiederkehrende Leistung fällig geworden wäre. In Fällen des § 255b endet Zinslauf, sobald Treuhänder gem. § 255b III Aktien, bare Zuzahlung oder Entschädigung in Geld empfangen hat.

VIII. Beschaffungsrisiko (§ 255a VII)

§ 255a VII enthält klarstellende Vorschrift, wonach Risiko der Beschaffung zusätzlich zu gewährender Aktien **AG** zugewiesen wird. Aktien können eigenen Bestand entnommen werden oder aufgrund einer Ermächtigung nach § 71 I Nr. 8 erworben werden, wobei im letztgenannten Fall allerdings Ziel des Liquiditätsschutzes gerade nicht erreicht wäre (Bungert/Strothotte DB 2023, 2422, 2429). Alternativ kommt Kapitalerhöhung in Betracht. Ist AG zur Beschaffung nicht in der Lage, wandelt sich Primäranspruch auf Beschaffung nach § 283 BGB in **Sekundäranspruch auf Schadensersatz** nach § 255a VI 1 iVm § 255 VI 1 um (§ 255 Rn. 56). 26

Kapitalerhöhung zur Gewährung zusätzlicher Aktien

255b (1) [1] **Die gemäß § 255a Absatz 1 sowie Absatz 2 Satz 1 zusätzlich zu gewährenden Aktien können nach Maßgabe dieses Absatzes und der Absätze 2 bis 4 durch eine weitere Kapitalerhöhung gegen Sacheinlage geschaffen werden.** [2] **Gegenstand der Sacheinlage ist der Anspruch der anspruchsberechtigten Aktionäre auf Gewährung zusätzlicher Aktien, der durch gerichtliche Entscheidung (§ 11 Absatz 1 des Spruchverfahrensgesetzes) oder gerichtlichen Vergleich (§ 11 Absatz 2 bis 4 des Spruchverfahrensgesetzes) festgestellt wurde; der Anspruch erlischt mit Eintragung der Durchführung der weiteren Kapitalerhöhung (§ 189 dieses Gesetzes).** [3] **Wird der Anspruch durch gerichtliche Entscheidung (§ 11 Absatz 1 des Spruchverfahrensgesetzes) festgestellt, kann die Sacheinlage nicht geleistet werden, bevor die Rechtskraft eingetreten ist.**

(2) [1] **Anstelle der Festsetzungen nach § 183 Absatz 1 Satz 1 und § 205 Absatz 2 Satz 1 genügt**

1. **die Bestimmung, dass die auf Grund der zu bezeichnenden gerichtlichen Entscheidung oder des zu bezeichnenden gerichtlich protokollierten Vergleichs festgestellten Ansprüche der anspruchsberechtigten Aktionäre auf Gewährung zusätzlicher Aktien eingebracht werden, sowie**
2. **die Angabe des auf Grund der gerichtlichen Entscheidung oder des Vergleichs zu gewährenden Nennbetrags, bei Stückaktien die Zahl der zu gewährenden Aktien.**

[2] **§ 182 Absatz 4 sowie die §§ 186, 187 und 203 Absatz 3 sind nicht anzuwenden.**

(3) [1] **Die Gesellschaft hat einen Treuhänder zu bestellen.** [2] **Dieser ist ermächtigt, im eigenen Namen**

1. **die Ansprüche auf Gewährung zusätzlicher Aktien an die Gesellschaft abzutreten,**
2. **die zusätzlich zu gewährenden Aktien zu zeichnen,**

3. **die gemäß § 255a zusätzlich zu gewährenden Aktien, baren Zuzahlungen und Entschädigungen in Geld in Empfang zu nehmen sowie**
4. **alle von den anspruchsberechtigten Aktionären abzugebenden Erklärungen abzugeben, soweit diese für den Erwerb der Aktien erforderlich sind.**

[3] **§ 35 Absatz 3 ist entsprechend anzuwenden.**

(4) [1] **Den Anmeldungen nach den §§ 184 und 188 ist in Ausfertigung oder öffentlich beglaubigter Abschrift die gerichtliche Entscheidung oder der gerichtlich protokollierte Vergleich, aus der oder dem sich der zusätzlich zu gewährende Nennbetrag oder bei Stückaktien die Zahl der zusätzlich zu gewährenden Aktien ergibt, beizufügen.** [2] **§ 188 Absatz 3 Nummer 2 ist nicht anzuwenden.**

(5) **§ 182 Absatz 4 sowie die §§ 186, 187 und 203 Absatz 3 sind nicht anzuwenden auf Kapitalerhöhungen, die durchgeführt werden, um zusätzliche Aktien auf Grund gemäß § 255a Absatz 2 Satz 3 ausgeübter Bezugsrechte zu gewähren.**

(6) **Für den Beschluss über die Kapitalerhöhung nach Absatz 1 gilt § 255 Absatz 2 entsprechend.**

Übersicht

I. Regelungsgegenstand und -zweck

1 § 255b wurde im Zuge des **ZuFinG 2023** eingeführt und regelt, wie gem. § 255a I 1, 2, II 1 zusätzlich zu gewährende Aktien geschaffen werden können. Neben Möglichkeit zur Nutzung eigener Aktien (§ 71 – allerdings nicht nach § 71 I Nr. 3 – vgl. BeckOGK/Habersack, 1.10.2023, § 72b UmwG Rn. 3; KK-UmwG/Wilsing/v. der Linden § 72b Rn. 3; aA Herzog/Gebhard AG 2023, 310 Rn. 25 ff.; nur de lege ferenda für diese Möglichkeit Lieder/Hilser ZIP 2023, 1, 7 f.) eröffnet § 255b I–IV dafür – in Anlehnung an § 72b UmwG – **weitere Kapitalerhöhung gegen Sacheinlage.** Parallelgestaltung zu UmwG findet auch hier in funktionaler Adäquanz der Kapitalerhöhung gegen Sacheinlagen und Verschmelzung zur Aufnahme ihre Rechtfertigung (→ § 255a Rn. 2). Wie bei § 255a geht es auch hier darum, Liquiditätsbelastung der AG zu vermeiden. Auch dieser Weg ist nicht alternativlos. Ebenso kann im Vorfeld der Kapitalerhöhung oder nach ihrem Wirksamwerden (aber noch vor Rechtskraft der gerichtl. Entscheidung im Spruchverfahren) **genehmigtes Kapital** geschaffen und nach Rechtskraft der Entscheidung durch Erklärung des Vorstands ausgenutzt werden. Um diese Möglichkeit zu eröffnen, kann es sinnvoll sein, genehmigtes Kapital bereits zusammen mit ursprünglicher Kapitalerhöhung zu beschließen. Ausnutzung setzt dann allerdings voraus, dass Spruchverfahren innerhalb der fünfjährigen Höchstdauer des genehmigten Kapitals abgeschlossen oder Ermächtigung erneuert wird (Bungert/Strothotte DB 2023, 2422, 2429). Effektive **Sachkapitalerhöhung aus Gesellschaftsmitteln** ist dagegen nicht – jedenfalls nicht in diesem Regime – zulässig (krit. dazu im Kontext des § 72b UmwG BeckOGK/

Habersack, 1.10.2023, § 72b UmwG Rn. 5; KK-UmwG/Wilsing/v. der Linden § 72b Rn. 5; Bungert/Strothotte DB 2023, 2422, 2429; Lieder/Hilser ZIP 2023, 1, 12; für eine solche Gestaltung bereits zuvor Bayer ZHR 172 [2008], 24, 36 f.; J. Vetter ZHR 168 [2004], 8, 43 f.). Inkrafttreten → § 255 Rn. 4.

§ 255b führt **Sonderregelung für Sachkapitalerhöhung** in Situation der §§ 255 f. ein, verdrängt den allg. Regelungsbestand aber keinesfalls vollständig. Soweit § 255b keine bes. Bestimmungen enthält, sind Kapitalerhöhungsregeln also anwendbar. Insbes. hat Gewährung zusätzlicher Aktien unter Wahrung aktienrechtl. **Kapitalaufbringungsregeln** zu erfolgen. Wert der Sacheinlage (→ Rn. 3 ff.) muss also Betrag erreichen, um den Grundkapital erhöht wird. Um dies sicherzustellen, ist insbes. gem. § 183 III grds. Prüfung der Werthaltigkeit des einzubringenden Anspruchs erforderlich. Durch gerichtl. Entscheidung im Spruchverfahren steht Anzahl der zu gewährenden Aktien bzw. Höhe des Nennwerts der zu gewährenden Aktien fest. Ob dieser Mechanismus herkömmlichen Regeln der Kapitalaufbringung genügt, die auch durch Unionsrecht gewährleistet sind (Art. 46 GesR-RL) kann hier – ebenso wie schon bei § 72b UmwG – bezweifelt werden (skeptisch im Kontext des § 72b UmwG DAV-HRA NZG 2022, 840, 852; Habrich AG 2022, 567 Rn. 29 ff.; Löbbe ZHR 187 [2023], 498, 518 f.; für Vereinbarkeit BeckOGK/Habersack, 1.10.2023, § 72b UmwG Rn. 10; KK-UmwG/Wilsing/v. der Linden § 72b Rn. 10; Lieder/Hilser ZIP 2023, 1, 8 f.). 2

II. Sachkapitalerhöhung, Sacheinlagegegenstand (§ 255b I)

§ 255b I 1 eröffnet grds. Möglichkeit der Sacheinlage, § 255b I 2 legt zugleich deren Gegenstand fest: **Sacheinlage** ist hier Anspruch anspruchsberechtigter Aktionäre auf Gewährung zusätzlicher Aktien nach § 255a I, was zur Nebenfolge hat, dass **Anwendungsbereich** beider Vorschriften identisch ist (→ § 255a Rn. 13 ff.; KK-UmwG/Wilsing/v. der Linden § 72b Rn. 6). In **Fällen des § 255a I 2** iVm § 72a I 2 UmwG findet § 255b auch auf aus nachfolgender Umwandlung hervorgehende Gesellschaft Anwendung (so zu § 72b UmwG RegBegr. BT-Drs. 20/3822, 79). Voraussetzung ist, dass Anspruch bereits durch gerichtl. Entscheidung (§ 11 I SpruchG) oder gerichtl. Vergleich (§ 11 II–IV SpruchG) festgestellt wurde. Kapitalerhöhung nach § 255b kann also erst **nach Beendigung des Spruchverfahrens** durchgeführt werden (KK-UmwG/Wilsing/v. der Linden § 72b Rn. 7). Zweifel an hinreichender Kapitalaufbringung (→ Rn. 2) sind ausschließlich rechtspolit. Natur, durch § 255b I 2 aber de lege lata ausgeräumt: **§ 255b I 2 unterstellt Sacheinlagefähigkeit und Werthaltigkeit** des Anspruchs, weshalb auch Differenzhaftung des Aktionärs (→ § 27 Rn. 21) insofern ausgeschlossen ist (Bungert/Strothotte DB 2023, 2422, 2430). 3

Eingelegt wird Anspruch durch **Abtretung an AG.** Nach allg. **Konfusionsregeln** hat dies zur Folge, dass mit Vereinigung von Gläubiger und Schuldner in einer Person Anspruch untergeht (RegBegr. BT-Drs. 20/8292, 122; sa KK-UmwG/Wilsing/v. der Linden § 72b Rn. 8). Diese Folge wird in § 255b I 1 Hs. 2 klargestellt, zugleich aber – als weitere Besonderheit – angeordnet, dass Folge **erst mit Durchführung** der Kapitalerhöhung eintritt. Dadurch wird sichergestellt, dass anspruchsberechtigte Aktionäre ihres Anspruchs nicht verlustig gehen, bevor zusätzliche Mitgliedschaftsrechte entstanden sind (RegBegr. BT-Drs. 20/8292, 122). Abtretung des Anspruchs befreit AG also unter Bedingung der Eintragung der Durchführung von Verbindlichkeit ggü. Aktionären (RegBegr. BT-Drs. 20/8292, 122). Kommt Beschluss nicht zustande, kann AG nicht zu barer Zuzahlung zurückkehren, sondern sie trägt nach § 255a VII 1 **Beschaffungsrisiko** und hat danach Schadensersatz zu leisten (→ § 255a Rn. 26; so für 4

§ 72b UmwG auch BeckOGK/Habersack, 1.10.2023, § 72b UmwG Rn. 11; KK-UmwG/Wilsing/v. der Linden § 72b Rn. 11).

5 Voraussetzung für Einlage ist nach allg. Regeln allerdings weiterhin **Sacheinlageprüfung** nach § 183 III, § 205 V 1. Spruchverfahren legt zwar Zahl/ Nennwert der zu gewährenden Aktien fest, aber auf Grundlage des zum Bewertungsstichtag ermittelten Umtauschverhältnisses, also nicht zu dem nach § 183 III **maßgebenden Zeitpunkt der Einbringung,** so dass es weiterer Feststellung des anteiligen Unternehmenswerts bedarf (so zu § 72b UmwG RegBegr. BT-Drs. 20/3822, 79; BeckOGK/Habersack, 1.10.2023, UmwG § 72b Rn. 12; KK-UmwG/Wilsing/v. der Linden § 72b Rn. 12; zweifelnd an Sinnhaftigkeit Bungert/Strothotte DB 2023, 2422, 2430; Lieder/Hilser ZIP 2023, 1, 9 f.). Ausn. gilt nur in Fällen des § 33a, auf den in § 183 III, § 205 V 1 verwiesen wird. Einschlägig ist allerdings nur **§ 33a I Nr. 2,** nicht dagegen auch § 33a I Nr. 1, da Aktionäre nicht Aktien, sondern Anspruch auf Gewährung von Aktien einbringen und auch dies nicht zum gewichteten Durchschnittskurs iSd § 33a I Nr. 1 (BeckOGK/Habersack, 1.10.2023, UmwG § 72b Rn. 13; KK-UmwG/ Wilsing/v. der Linden § 72b Rn. 13; aA Bungert/Strothotte DB 2023, 2422, 2430).

6 § 255b I 3 bestimmt, dass Anspruch auf Gewährung zusätzlicher Aktien, der durch gerichtl. Entscheidung festgestellt wurde, **erst mit Eintritt der Rechtskraft** eingelegt werden kann. Damit soll verhindert werden, dass durch Gewährung zusätzlicher Aktien Tatsachen geschaffen werden, solange Bestehen des Anspruchs nach Grund und Höhe noch nicht endgültig feststeht (RegBegr. BT-Drs. 20/8292, 122).

III. Festsetzungsinhalt (§ 255b II)

7 § 255b II enthält bzgl. der Inhalte des Sachkapitalerhöhungsbeschlusses Abweichung von § 183 I 1 und § 205 II 1 (vgl. zum Folgenden RegBegr. BT-Drs. 20/ 8292, 122). Es genügt nach Nr. 1 Bestimmung, dass die aufgrund der zu bezeichnenden gerichtl. Entscheidung bzw. des zu bezeichnenden gerichtl. protokollierten Vergleichs **festgestellten Ansprüche eingebracht** werden. Entscheidung/ Vergleich enthält die ansonsten erforderlichen Festsetzungen zu Gegenstand und Person, so dass **auf wiederholende Angabe verzichtet** werden kann. Gleiches gilt für Nennbetrag bzw. Zahl von Stückaktien (§ 255b II Nr. 2). Handelt es sich nicht um ordentliche Kapitalerhöhung, sondern um **genehmigtes Kapital,** sind Festsetzungen gem. § 255b II 1 Nr. 2 vom Vorstand vorzunehmen.

8 Nach § 255b II 2 ist Grundsatz der **Subsidiarität** der Kapitalerhöhung gem. § 182 IV und § 203 III nicht anzuwenden, weil Erhöhung hier nicht Herstellung eines angemessenen Umtauschverhältnisses dient und deshalb nicht durch Geltendmachung noch offener Einlageforderungen substituiert werden kann (so RegBegr. BT-Drs. 20/8292, 122). Ebenfalls keine Anwendung finden **§§ 186, 187,** und zwar auch nicht iRd Verweises in § 203 I 1. Da Zusatzaktien nur ausgleichsberechtigten Aktionären zustehen, müssen Bezugsrechte sonstiger Aktionäre oder Dritter ausscheiden (RegBegr. BT-Drs. 20/8292, 122).

IV. Treuhänder (§ 255b III)

9 Auch § 255b III ist an § 72b UmwG angelehnt, der seinerseits an Gestaltungsvorbild des § 71 UmwG anknüpft (KK-UmwG/Wilsing/v. der Linden § 72b Rn. 16). Vorschrift verpflichtet AG, einen Treuhänder zu bestellen, um über ihn Kapitalerhöhung zur Gewährung zusätzlicher Aktien durchzuführen. Treuhänder kommt insofern **Erleichterungsfunktion** zu, als seine Einbeziehung schwerfällig zu orchestrierende Mitwirkungshandlungen einer Vielzahl anspruchsberechtigter

Aktionäre substituieren soll (RegBegr. BT-Drs. 20/8292, 123). Treuhänder ist qua Ges. ermächtigt, **im eigenen Namen, aber auf fremde Rechnung** Ansprüche auf Gewährung zusätzlicher Aktien an AG abzutreten (Nr. 1), zusätzlich zu gewährende Aktien nach Maßgabe des § 185 zu zeichnen (Nr. 2) sowie Aktien, bare Zuzahlungen und Entschädigung in Geld in Empfang zu nehmen (Nr. 3). Schließlich ist er befugt, alle von anspruchsberechtigten Aktionären abzugebenden Erklärungen abzugeben, soweit diese für Erwerb der Aktien erforderlich sind (Nr. 4; insbes. Erklärungen im Zusammenhang mit Verwahrung und Besitzerwerb – vgl. BeckOGK/Habersack, 1.10.2023, UmwG § 72b Rn. 21; KK-UmwG/Wilsing/v. der Linden § 72b Rn. 18 ff.). Nicht aus Ges., sondern nur aus RegBegr. BT-Drs. 20/8292, 123 folgt, dass Treuhänder die gem. Nr. 3 empfangenen Gegenstände zu verwahren und anschließend auf anspruchsberechtigte Aktionäre zu übertragen hat. Pflicht folgt letztlich aus Eigentümerstellung (§ 985 BGB), da Treuhänder kraft Empfangszuständigkeit **nicht Aktionär oder Eigentümer** wird. Vielmehr entstehen mit Eintragung der Durchführung der Kapitalerhöhung (§ 189 AktG) Aktien in der Person der anspruchsberechtigten Aktionäre und nicht in der Person des Treuhänders (RegBegr. BT-Drs. 20/8292, 123). § 255b III 3 ordnet analoge Anwendung des § 35 III hinsichtlich der Auslagen- und Vergütungsersatzansprüche an (→ § 35 Rn. 6 ff.).

V. Anmeldung (§ 255b IV)

Gem. § 255b IV 1 ist Anmeldungen nach **§§ 184, 188** in Ausfertigung oder öffentl. beglaubigter Abschrift gerichtl. Entscheidung/gerichtl. protokollierter Vergleich beizufügen, aus der/dem sich zusätzlich zu gewährender Nennbetrag oder Zahl der zusätzlich zu gewährenden Stückaktien ergibt. Damit wird Registergericht in die Lage versetzt zu überprüfen, ob der Kapitalerhöhung zugrunde liegende Forderungen auf Gewährung zusätzlicher Aktien tats. bestehen. Nach § 255b IV 2 findet **§ 188 III Nr. 2 keine Anwendung,** da dem Anspruch auf Gewährung zusätzlicher Aktien, der Gegenstand der Sacheinlage ist, neben gerichtl. Entscheidung/Vergleich keine vertragl. Beziehungen zwischen anspruchsberechtigten Aktionären und AG zugrunde liegen (RegBegr. BT-Drs. 20/8292, 123). **10**

VI. Ausgleich entgangener Bezugsrechte (§ 255b V)

§ 255b V betr. Kapitalerhöhungen, die durchgeführt werden, um zusätzliche Aktien aufgrund gem. § 255a II 3 ausgeübter **Bezugsrechte** zu gewähren (→ § 255a Rn. 12). Dabei handelt es sich um gesonderte Kapitalerhöhung, die von der nach § 255b I 1 zu trennen ist und der gesonderter Kapitalerhöhungsbeschluss zugrunde liegt. Auf sie findet § 255b I–IV keine Anwendung. Auch Einlage des Inferenten besteht nicht in Anspruch auf Gewährung zusätzlicher Aktien, sondern wird in gesondertem Kapitalerhöhungsbeschluss festgesetzt (→ § 255a Rn. 3 ff.). Diese Kapitalerhöhung erfolgt nach allg. Regeln, doch sind gem. § 255b V auf sie § 182 IV sowie §§ 186, 187 und 203 III nicht anzuwenden. Das bedeutet zunächst, dass abw. von § 182 IV und § 203 III **ausstehende Einlagen** Kapitalerhöhung nicht entgegenstehen. Weiterhin macht Normzweck **Ausschluss des Bezugsrechts** nach § 186 erforderlich, womit auch Absicherung des Bezugsrechts durch Zusicherungsausschluss nach § 187 obsolet wird. Gedanke hinter dieser Regelung ist, dass den nicht anspruchsberechtigten sowie den anspruchsberechtigten Aktionären, die ihr Bezugsrecht nach § 255a II 3 nicht ausgeübt haben, kein Bezugsrecht zusteht (RegBegr. BT-Drs. 20/8292, 123). **11**

VII. Verweis auf § 255 IV 1

12 § 255b VI stellt klar, dass auch **Anfechtung** der weiteren Kapitalerhöhung nicht auf § 243 II oder darauf gestützt werden kann, dass der auf eine Aktie entfallende Wert der Einlage unangemessen niedrig ist. Dem liegt Überlegung zugrunde, dass Zahl bzw. Nennbetrag der zu gewährenden Aktien bereits im Spruchverfahren festgelegt wurden und Ergebnis dieses Verfahrens nicht durch Vorbringen einer Bewertungsrüge im Wege einer gegen Kapitalerhöhungsbeschluss erhobenen Anfechtungsklage torpediert werden soll (Begr. RAusschuss zu § 72b UmwG, BT-Drs. 20/4806, 87).

Zweiter Abschnitt. Nichtigkeit des festgestellten Jahresabschlusses

Nichtigkeit

256 (1) **Ein festgestellter Jahresabschluß ist außer in den Fällen des § 173 Abs. 3, § 234 Abs. 3 und § 235 Abs. 2 nichtig, wenn**

1. er durch seinen Inhalt Vorschriften verletzt, die ausschließlich oder überwiegend zum Schutze der Gläubiger der Gesellschaft gegeben sind,
2. er im Falle einer gesetzlichen Prüfungspflicht nicht nach § 316 Abs. 1 und 3 des Handelsgesetzbuchs geprüft worden ist,
3. er im Falle einer gesetzlichen Prüfungspflicht von Personen geprüft worden ist, die nach § 319 Absatz 1 des Handelsgesetzbuchs oder nach Artikel 25 des Einführungsgesetzes zum Handelsgesetzbuch nicht Abschlussprüfer sind oder aus anderen Gründen als den folgenden nicht zum Abschlussprüfer bestellt sind:
   a) Verstoß gegen § 319 Absatz 2, 3 oder 4 des Handelsgesetzbuchs,
   b) Verstoß gegen § 319b Absatz 1 des Handelsgesetzbuchs,
   c) Verstoß gegen die Verordnung (EU) Nr. 537/2014 des Europäischen Parlaments und des Rates vom 16. April 2014 über spezifische Anforderungen an die Abschlussprüfung bei Unternehmen von öffentlichem Interesse und zur Aufhebung des Beschlusses 2005/909/EG der Kommission (ABl. L 158 vom 27.5.2014, S. 77, L 170 vom 11.6.2014, S. 66),
4. bei seiner Feststellung die Bestimmungen des Gesetzes oder der Satzung über die Einstellung von Beträgen in Kapital- oder Gewinnrücklagen oder über die Entnahme von Beträgen aus Kapital- oder Gewinnrücklagen verletzt worden sind.

(2) **Ein von Vorstand und Aufsichtsrat festgestellter Jahresabschluß ist außer nach Absatz 1 nur nichtig, wenn der Vorstand oder der Aufsichtsrat bei seiner Feststellung nicht ordnungsgemäß mitgewirkt hat.**

(3) **Ein von der Hauptversammlung festgestellter Jahresabschluß ist außer nach Absatz 1 nur nichtig, wenn die Feststellung**

1. in einer Hauptversammlung beschlossen worden ist, die unter Verstoß gegen § 121 Abs. 2 und 3 Satz 1 oder Abs. 4 einberufen war,
2. nicht nach § 130 Abs. 1 und 2 Satz 1 und Abs. 4 beurkundet ist,
3. auf Anfechtungsklage durch Urteil rechtskräftig für nichtig erklärt worden ist.

(4) **Wegen Verstoßes gegen die Vorschriften über die Gliederung des Jahresabschlusses sowie wegen der Nichtbeachtung von Formblättern, nach denen der Jahresabschluß zu gliedern ist, ist der Jahresabschluß nur nichtig, wenn seine Klarheit und Übersichtlichkeit dadurch wesentlich beeinträchtigt sind.**

(5) [1] **Wegen Verstoßes gegen die Bewertungsvorschriften ist der Jahresabschluß nur nichtig, wenn**

1. **Posten überbewertet oder**
2. **Posten unterbewertet sind und dadurch die Vermögens- und Ertragslage der Gesellschaft vorsätzlich unrichtig wiedergegeben oder verschleiert wird.**

[2] **Überbewertet sind Aktivposten, wenn sie mit einem höheren Wert, Passivposten, wenn sie mit einem niedrigeren Betrag angesetzt sind, als nach §§ 253 bis 256a des Handelsgesetzbuchs zulässig ist.** [3] **Unterbewertet sind Aktivposten, wenn sie mit einem niedrigeren Wert, Passivposten, wenn sie mit einem höheren Betrag angesetzt sind, als nach §§ 253 bis 256a des Handelsgesetzbuchs zulässig ist.** [4] **Bei Kreditinstituten, Finanzdienstleistungsinstituten oder bei Wertpapierinstituten sowie bei Kapitalverwaltungsgesellschaften im Sinn des § 17 des Kapitalanlagegesetzbuchs liegt ein Verstoß gegen die Bewertungsvorschriften nicht vor, soweit die Abweichung nach den für sie geltenden Vorschriften, insbesondere den §§ 340e bis 340g des Handelsgesetzbuchs, zulässig ist; dies gilt entsprechend für Versicherungsunternehmen nach Maßgabe der für sie geltenden Vorschriften, insbesondere der §§ 341b bis 341h des Handelsgesetzbuchs.**

(6) [1] **Die Nichtigkeit nach Absatz 1 Nr. 1, 3 und 4, Absatz 2, Absatz 3 Nr. 1 und 2, Absatz 4 und 5 kann nicht mehr geltend gemacht werden, wenn seit der Einstellung des Jahresabschlusses in das Unternehmensregister in den Fällen des Absatzes 1 Nr. 3 und 4, des Absatzes 2 und des Absatzes 3 Nr. 1 und 2 sechs Monate, in den anderen Fällen drei Jahre verstrichen sind.** [2] **Ist bei Ablauf der Frist eine Klage auf Feststellung der Nichtigkeit des Jahresabschlusses rechtshängig, so verlängert sich die Frist, bis über die Klage rechtskräftig entschieden ist oder sie sich auf andere Weise endgültig erledigt hat.**

(7) [1] **Für die Klage auf Feststellung der Nichtigkeit gegen die Gesellschaft gilt § 249 sinngemäß.** [2] **Ist für die Gesellschaft als Emittentin von zugelassenen Wertpapieren im Sinne des § 2 Absatz 1 des Wertpapierhandelsgesetzes mit Ausnahme von Anteilen und Aktien an offenen Investmentvermögen im Sinne des § 1 Absatz 4 des Kapitalanlagegesetzbuchs die Bundesrepublik Deutschland der Herkunftsstaat (§ 2 Absatz 13 des Wertpapierhandelsgesetzes), so hat das Gericht der Bundesanstalt für Finanzdienstleistungsaufsicht den Eingang einer Klage auf Feststellung der Nichtigkeit sowie jede rechtskräftige Entscheidung über diese Klage mitzuteilen.**

Übersicht

I. Grundlagen

1 **1. Regelungsgegenstand und -zweck.** § 256 soll Richtigkeit des Jahresabschlusses gewährleisten und ordnet deshalb bei schweren Mängeln dessen Nichtigkeit an, was nach § 253 I 1 auch Nichtigkeit des darauf beruhenden Beschlusses über Verwendung des Bilanzgewinns zur Folge hat. Da Richtigkeit des Jahresabschlusses auch im **öffentlichen Interesse** liegt (sa BGHZ 225, 198 Rn. 24 = AG 2020, 545; BGH AG 2020, 540 Rn. 19), kann Nichtigkeitsfolge gem. § 256 VII 1 iVm § 249 I 2 von jedermann geltend gemacht werden. In § 256 ausgesprochene Geltung der strengen Nichtigkeitsfolge darf aber nicht darüber hinwegtäuschen, dass sich Nichtigkeit ohnehin nach allg. beschlussrechtl. Grundsätzen ergeben hätte. Tats. liegt Regelungsschwerpunkt nicht auf dieser klarstellenden Anordnung, sondern auf **Einschränkung der Nichtigkeitsgründe** und dient damit Wahrung der Rechtssicherheit im Interesse der Gesellschaft, ihrer Gläubiger und Aktionäre (OLG Frankfurt AG 2007, 282; GK-AktG/T. Bezzenberger Rn. 16; KK-AktG/A. Arnold Rn. 9). Trotz dieser einschränkenden Tendenz stellt sich § 256 aufgrund seiner zT desaströsen Konsequenzen als problematische Vorschrift dar, die im Lichte dieser Folgen tendenziell großzügig auszulegen ist (vgl. zu diesem Befund T. Bezzenberger WM 2020, 2093: „schlimmes Regelwerk" mw Überlegungen zur Entschärfung auf Rechtsfolgenseite).

2 Nichtig ist Jahresabschluss deshalb nur als Folge der in § 256 I–V genannten bes. gravierenden Gesetzesverstöße vorbehaltlich der Heilung nach § 256 VI. Insoweit wird Nichtigkeit wegen des öffentl. Interesses an ordnungsgem. Rech-

nungslegung als unverzichtbar beurteilt (AusschussB Kropff S. 343). Regelung ist abschließend (allgM). Es gibt also keine Nichtigkeit des Jahresabschlusses außer in den durch § 256 erfassten Fällen. Für GmbH soll es der Rspr. (vgl. RGZ 131, 141, 143; BGHZ 83, 341, 347 = NJW 1983, 42) überlassen bleiben, Lösung in Anlehnung an § 256 zu entwickeln (AusschussB BT-Drs. 10/4268, 130 f.; s. dazu BGH NZG 2013, 957 Rn. 5 ff.). Bsp.: OLG Hamm AG 1992, 233, 234. Vorschrift wurde mehrfach geändert (Überblick bei MüKoAktG/J. Koch Rn. 1). Letzte Änderungen beruht auf AReG 2016, das Ausnahmekatalog für Verstoß gegen Tätigkeitsverbote neu gefasst hat (→ Rn. 14).

2. Festgestellter Jahresabschluss. Nichtigkeitsfolge des § 256 bezieht sich nach Wortlaut der Norm auf festgestellten Jahresabschluss. Gemeint ist damit: Gegenstand der Nichtigkeitsfolge ist im Regelfall des § 172 das korporationsrechtl. Rechtsgeschäft eigener Art, das mit Vorlage des aufgestellten Jahresabschlusses durch Vorstand und seine Billigung durch AR zustande kommt (→ § 172 Rn. 3; Hennrichs ZHR 168 [2004], 383, 387; Hennrichs ZHR 174 [2010], 683, 688), im Ausnahmefall des § 173 der HV-Beschluss (zust. Hennrichs ZHR 168 [2004], 383, 387). Jahresabschluss besteht aus Bilanz und GuV (§ 242 III HGB) sowie idR aus Anh. (§§ 284 ff. HGB, § 160 AktG); bei kapitalmarktorientierter Kapitalgesellschaft (§ 264d HGB) wird er nach § 264 I 2 HGB um Kapitalflussrechnung und Eigenkapitalspiegel ergänzt, deren Mängel Ausschüttungsfunktion des Jahresabschlusses aber idR unberührt lassen werden (GK-AktG/T. Bezzenberger Rn. 30). Nichtigkeit gem. § 256 erstreckt sich auf Billigungsbeschluss des AR (BGHZ 124, 111, 116 f. = NJW 1994, 520; Kropff ZGR 1994, 628, 633 ff.). Nur Jahresabschlüsse können nichtig sein, weil nur sie rechtsgeschäftliche Basis haben, nicht sonstige Bilanzen, auch **nicht Konzernabschlüsse,** weil sie gem. § 171 I 1 zwar vom AR des Mutterunternehmens zu prüfen, aber nicht feststellungsfähig sind (→ § 171 Rn. 2; BGH AG 2008, 325; OLG Frankfurt AG 2007, 282 f.). Norm passt auch nicht analog, da Konzernabschluss reine Informationsfunktion hat, für Gewinnausschüttung aber ohne Bedeutung ist, so dass es an vergleichbarer Rechtslage fehlt (str.; wie BGH AG 2008, 325; LG München I Konzern 2007, 537, 539; KK-AktG/A. Arnold Rn. 12; GK-AktG/T. Bezzenberger Rn. 35 f.; aA NK-AktR/Heidel Rn. 7 f.; S/L/Schwab Rn. 3). Für Informationsfunktion ist Fehlerkorrektur in laufender Rechnung ausreichend, allerdings auch erforderlich. Schließlich ist Jahresabschluss der Obergesellschaft (des Mutterunternehmens) nicht deshalb nichtig, weil Konzernrechnungslegung erforderlich gewesen wäre, aber unterblieben ist (OLG Karlsruhe WM 1987, 533). 3

II. Nichtigkeitsgründe außerhalb des § 256 (Eingangsworte)

1. Tatbestände. Nach den Eingangsworten des § 256 I ist festgestellter Jahresabschluss in den Fällen der § 173 III, § 234 III und § 235 II ohne Rücksicht auf die nachfolgenden Bestimmungen nichtig. § 173 III betr. **Änderung des Jahresabschlusses** durch HV. Vorausgesetzt ist, dass die Feststellungskompetenz bei ihr liegt, der aufgestellte Jahresabschluss geändert und nicht innerhalb von zwei Wochen ein hinsichtlich der Änderungen uneingeschränkter Bestätigungsvermerk erteilt wird (→ § 173 Rn. 7 ff.). § 234 regelt vereinfachte **Kapitalherabsetzung** mit Rückwirkung. Feststellung des Jahresabschlusses erfolgt in diesem Fall notwendig durch Beschluss der HV. Ihr Beschluss über die Kapitalherabsetzung muss grds. innerhalb von drei Monaten in das HR eingetragen worden sein. Entspr. Regelung trifft § 235 für den Fall, dass mit der rückwirkenden Kapitalherabsetzung eine rückwirkende **Kapitalerhöhung** verbunden wird. 4

5 **2. Rechtsfolgen.** § 256 I sowie § 173 III, § 234 III, § 235 II sprechen von Nichtigkeit des Jahresabschlusses bzw. des HV-Beschlusses, wenn uneingeschränkter Bestätigungsvermerk nicht oder nicht rechtzeitig erteilt oder Eintragung in das HR nicht innerhalb der Dreimonatsfrist vollzogen wird. Das ist unscharf, weil Nichtigkeit als Folge von Normwidrigkeit eintritt, während den Beschlüssen zu ihrem Wirksamwerden eine vom Ges. zusätzlich aufgestellte Voraussetzung fehlt (Nachtragstestat, Eintragung); → § 241 Rn. 4, 7. Der Sache nach geht es deshalb um **endgültige Unwirksamkeit** (GK-AktG/T. Bezzenberger Rn. 170). Dem entspr., dass es in diesen Fällen **keine Heilung gem. § 256 VI** gibt. Im Einzelnen ist zu unterscheiden: Im Fall des § 173 III bleibt Beschluss unheilbar „nichtig", kann also auch durch Zeitablauf nicht wirksam werden (allgM, → § 173 Rn. 8; GK-AktG/T. Bezzenberger Rn. 170). In den Fällen der § 234 III, § 235 II kommt es darauf an, ob der kapitalverändernde Beschluss seinerseits gem. § 242 III geheilt wird. Wenn das zu bejahen ist (und nur dann), wird auch der Jahresabschluss wirksam (hM, GK-AktG/T. Bezzenberger Rn. 130 f.; S/L/Schwab Rn. 10).

III. Nichtigkeitsgründe des § 256 (§ 256 I–V)

6 **1. Übersicht.** § 256 I fasst diejenigen Mängel des Jahresabschlusses zusammen, die ohne Rücksicht auf die Art der Feststellung (Billigung des AR gem. § 172; Beschluss der HV nach § 173) zu seiner Nichtigkeit führen. Dabei gehören rechtssystematisch § 256 I Nr. 1 und 4 (Inhaltsfehler) und § 256 I Nr. 2 und 3 (Prüfungsmängel) zusammen. § 256 II betr. Verfahrensfehler als zusätzliche Nichtigkeitsgründe bei Feststellung des Jahresabschlusses gem. § 172. § 256 III enthält das Seitenstück für Feststellung nach § 173. Gliederungs- und Bewertungsfehler sind in § 256 IV und V bes. geregelt. Diese Vorschriften gehören zu § 256 I Nr. 1, und zwar in dem Sinne, dass Nichtigkeit des Jahresabschlusses nur eintritt, wenn sich Gliederungs- oder Bewertungsverstoß unter § 256 IV bzw. V subsumieren lässt (iE unstr., s. AusschussB Kropff S. 346 f.). Begr. ist kontrovers. Nach zutr. hM handelt es sich um sog **Interpretationsnormen mit Begrenzungsfunktion** (s. etwa BGHZ 124, 111, 117 f. = NJW 1994, 520; MüKo-AktG/J. Koch Rn. 4; BeckOGK/Jansen Rn. 25; S/L/Schwab Rn. 5; Brete/Thomsen GmbHR 2008, 176, 178; Habersack NZG 2003, 659, 661). AA geht von Spezialitätsverhältnis aus (GK-AktG/T. Bezzenberger Rn. 55), was aber mit klar eingrenzendem Wortlaut des § 256 IV und V kaum zu vereinbaren ist und auch nicht erklären kann, warum in § 256 II und III jew. nur § 256 I, nicht aber § 256 IV, V in Bezug genommen wird (BeckOGK/Jansen Rn. 25; abl. auch LG München I NZG 2023, 125 Rn. 40). **Maßgeblicher Zeitpunkt** für Beurteilung von Mängeln muss, da sich § 256 ausdr. auf festgestellten Jahresabschluss bezieht, **Feststellung** sein und nicht – wie zum Teil behauptet – die Aufstellung (wie hier OLG Dresden AG 2017, 482, 485; KK-AktG/A. Arnold Rn. 25; NK-AktR/Heidel Rn. 10; B/K/L/Schulz Rn. 2; S/L/Schwab Rn. 10; für Aufstellung dagegen BeckOGK/Jansen Rn. 22; offenlassend GK-AktG/T. Bezzenberger Rn. 42, 45; nicht eindeutig OLG Hamm 1992, 274). Das von der Gegenauffassung angeführte Argument, der sog Wertaufhellungszeitraum ende bereits mit der Aufstellung (BeckOGK/Jansen Rn. 22), ist selbst zu wenig abgesichert (vgl. Jungius/Schmidt DB 2012, 1761, 1763 f.), um Abweichung vom klaren Wortlaut des § 256 zu rechtfertigen.

7 **2. Inhalts- und Prüfungsmängel (§ 256 I). a) Generalklausel (Nr. 1).** § 256 I Nr. 1 ist teilw. § 241 Nr. 3 nachgebildet (gestrichen durch Bank-BiRiLiG v. 30.11.1990 [BGBl. 1990 I 2570]: „oder sonst im öffentlichen Interesse"; dazu RegBegr. BT-Drs. 11/6275, 27). Nichtigkeit setzt zunächst voraus, dass

Vorschriften verletzt sind. Dies sind nur ges. Bestimmungen und Verordnungsrecht, nicht auch Satzungsnormen (heute allgM – vgl. KK-AktG/A. Arnold Rn. 21; GK-AktG/T. Bezzenberger Rn. 48; MüKoAktG/J. Koch Rn. 12; BeckOGK/Jansen Rn. 23). Vorschriften müssen ganz oder schwerpunktmäßig dem **Gläubigerschutz** dienen. Schwerpunkterfordernis ist ebenso auszulegen wie iRd § 241 Nr. 3 (→ § 241 Rn. 18). Vorschriften müssen gerade **durch den Inhalt** des Jahresabschlusses verletzt sein (BGHZ 124, 111, 117 = NJW 1994, 520; ADS Rn. 8). Dabei handelt es sich typischerweise um Gliederungs- oder Bewertungsfehler, die ihrerseits iSd § 256 IV bzw. V zu bestimmen sind (→ Rn. 6), so dass sich praktische Bedeutung der Generalklausel minimiert. Fehlerhafter Ansatz (Aktivierung oder Passivierung) ist ebenfalls § 256 V zuzuordnen (hM; vgl. KK-AktG/A. Arnold Rn. 68; GK-AktG/T. Bezzenberger Rn. 78 f.; BeckOGK/Jansen Rn. 68). Verstoß gegen GoB ist wegen § 238 I 1 HGB, § 264 II 1 HGB Gesetzesverstoß (BGHZ 124, 111, 117 = NJW 1994, 520; LG München I NZG 2023, 125 Rn. 39; GK-AktG/T. Bezzenberger Rn. 48; S/L/Schwab Rn. 7; zu ihrem Charakter als Rechtsnormen s. GK-AktG/T. Bezzenberger Rn. 55). Zur Nichtigkeit führen aber nur Verstöße, durch die Darstellung der Vermögens- oder Ertragslage **wesentlich** beeinträchtigt wird (LG München I NZG 2023, 125 Rn. 46; KK-AktG/A. Arnold Rn. 24; GK-AktG/T. Bezzenberger Rn. 52; BeckOGK/Jansen Rn. 26; Hennrichs ZHR 168 [2004], 383, 388 f.; aA NK-AktR/Heidel Rn. 12). Das folgt aus dem Rechtsgedanken des § 256 IV, der aus systematischen Gründen, aber auch aus Gründen der Verhältnismäßigkeit auf § 256 I ausstrahlen muss, und ist auch für die Bewertung anerkannt (BGHZ 83, 341, 347 = NJW 1983, 42; → Rn. 25). § 256 I Nr. 1 erfasst auch Fälle, in denen nach § 150 II vorgeschriebene Rücklagendotierung unterbleibt (str. – aA: § 256 I Nr. 4; ausf. → § 150 Rn. 13).

Anhang und Lagebericht. Anh. (§§ 284 ff. HGB) ist gem. § 264 I 1 HGB 8
Bestandteil des Jahresabschlusses und bildet eine Einheit mit Bilanz und GuV. Das ist nicht nur formal, sondern auch inhaltlich zu verstehen (vgl. BGHZ 124, 111, 121 = NJW 1994, 520; RegBegr. BT-Drs. 10/317, 75 [Entlastung der Zahlenwerke; Ausweiswahlrechte]). Fehlen des Anh. ist daher Verstoß gegen § 256 I Nr. 1 (BGHZ 142, 382 = NJW 2000, 210), ebenso unvollständige oder fehlerhafte Darstellung im Anh., soweit wesentlich (→ Rn. 7 aE). Auf den Lagebericht (§ 289 HGB) sind diese Grundsätze nicht zu übertragen, weil er nicht zum Inhalt des Jahresabschlusses gehört, sondern einen eigenständigen Teil der Rechnungslegung bildet (OLG Dresden AG 2017, 482, 485; OLG Köln AG 1993, 86, 87; vgl. schon MüKoAktG/J. Koch Rn. 14).

b) Fehlende oder unvollständige Prüfung (Nr. 2). aa) Keine Prüfung. 9
Jahresabschluss ist gem. § 256 I Nr. 2 nichtig, wenn keine Prüfung nach § 316 I und III HGB stattgefunden hat. Das deckt zunächst eher theoretischen Fall ab, dass Prüfung **überhaupt unterblieben** ist. Sollte solcher Fall vorkommen, hat Betreiber des BAnz., dem Jahresabschluss gem. § 325 I 1 Nr. 1 HGB einzureichen ist, auf Grundlage seiner von Amts wegen durchzuführenden Prüfung (§ 329 I HGB) Versäumnis der zuständigen Behörde (nach § 334 IV HGB BaFin oder BfJ) mitzuteilen. Behörde wird daraufhin Bußgeld gem. § 335 I 1 Nr. 1 HGB erlassen. Eher vorstellbar ist Fall unterbliebener Nachtragsprüfung (§ 316 III HGB). Sie ist erforderlich, wenn Vorstand von ihm aufgestellten Jahresabschluss ändert und diese Änderung von dem Abschlussprüfer nicht mehr berücksichtigt worden ist. Wortlaut des § 316 III HGB, der das nicht ganz abdeckt, ist zu eng (krit. GK-AktG/T. Bezzenberger Rn. 165; MüKoAktG/J. Koch Rn. 24). Von Nachtragsprüfung iSd § 316 III HGB ist ihr Seitenstück iSd § 173 III zu unterscheiden. Anforderungen zur Vermeidung der Nichtigkeit (besser: endgültigen Unwirksamkeit) sind hier strenger, weil bei Änderungen

durch HV nicht die Verantwortung des Vorstands gegeben ist; → Rn. 4 f.; → § 173 Rn. 7 ff. Kein Nichtigkeitsgrund liegt vor, wenn Prüfung des Abhängigkeitsberichts unterblieben ist; denn auf § 313 nimmt § 256 I Nr. 2 nicht Bezug (OLG Köln AG 1993, 86, 87).

10 **bb) Unvollständige Prüfung.** Wortlaut des § 256 I Nr. 2 ist insofern missverständlich, als Vorschrift den Eindruck erweckt, dass Nichtigkeit nur bei Fehlen jeder Prüfungshandlung eintritt. Jahresabschluss ist aber schon dann nichtig, wenn **Mindestanforderungen** an eine Abschlussprüfung nicht erfüllt wurden (RG Bankwirtschaft 1945, 26 = WPg 1970, 421). Solche Mindestanforderungen sind: Es muss ein Abschlussprüfer bestimmt worden sein (Bestimmung durch unzuständige Stelle unterliegt nicht § 256 I Nr. 2, sondern Nr. 3; → Rn. 13); er muss zureichende Prüfungshandlungen vorgenommen, einen Prüfungsbericht erstattet und Bestätigungsvermerk (§ 322 HGB) erteilt oder versagt haben.

11 **Schlechthin unzureichende Prüfungshandlungen** begründen Nichtigkeitsfolge. RG Bankwirtschaft 1945, 26 = WPg 1970, 421, 423 setzt Verstöße gegen „grundlegende, die zwingende, öffentlich-rechtliche Bedeutung der Pflichtprüfung berührende Bestimmungen" voraus (zust. OLG Stuttgart DB 2009, 1521, 152; KK-AktG/A. Arnold Rn. 28; GK-AktG/T. Bezzenberger Rn. 134; BeckOGK/Jansen Rn. 31; krit. Hölters/Weber/Waclawik Rn. 11). Solche Verstöße sind zB gegeben, wenn ganze Bilanzposten wie Anlage- oder Umlaufvermögen nicht geprüft wurden (allgM, s. MüKoAktG/J. Koch Rn. 20), dagegen noch nicht, wenn einzelne Gegenstände nicht geprüft worden sind oder vergleichbare Qualitätsmängel der Abschlussprüfung vorliegen (OLG Hamburg AG 2002, 460, 461; ADS § 316 HGB Rn. 50). Ferner führt Fehlen des Prüfungsberichts (§ 321 HGB) zur Nichtigkeit des Jahresabschlusses (heute allgM, s. zB OLG Stuttgart DB 2009, 1521, 1525; Hild DB 1972, 1445, 1450). Er muss vorliegen, bevor AR gem. § 172 über die Billigung Beschluss fasst (MüKoAktG/J. Koch Rn. 21). Unverzichtbar zur Vermeidung der Nichtigkeitsfolge sind Schriftform (statt aller S/L/Schwab Rn. 23) einschließlich Unterzeichnung (so wohl auch OLG Celle AG 1961, 105), Feststellungen gem. § 321 I 2 HGB sowie Aufgliederung und Erl. nach § 321 I 3 HGB. Sog **Kurzbericht oder vorläufiger Bericht** genügt, wenn diesen Mindestanforderungen entsprochen wird (allgM, s. OLG Celle AG 1961, 105 f.; GK-AktG/T. Bezzenberger Rn. 137). Wenn nicht, kann vollständiger Prüfungsbericht, der erst nach Beschlussfassung des AR vorgelegt wird, bereits eingetretene Nichtigkeit nicht mehr beseitigen.

12 **Bestätigungsvermerk** (uneingeschränkt oder eingeschränkt) **oder Vermerk über dessen Versagung** sind unverzichtbare Bestandteile der Abschlussprüfung (§ 322 HGB). Fehlt das eine oder das andere, so ist gleichwohl festgestellter Jahresabschluss nichtig (allgM, OLG Stuttgart DB 2009, 1521, 1525; MüKo-AktG/J. Koch Rn. 23; S/L/Schwab Rn. 23). Einschränkungen des Testats oder Versagungsvermerk haben dagegen keinen Einfluss auf Gültigkeit des Jahresabschlusses, weil Prüfung auch mit solchen Vermerken vollständig durchgeführt ist (ganz hM, s. statt aller MüKoAktG/J. Koch Rn. 23 mwN).

13 **c) Fehlen der Prüfereigenschaft (Nr. 3). aa) Keine Bestellung.** § 256 I Nr. 3 setzt ges. Prüfungspflicht voraus (§ 316 I HGB, § 267 I HGB; sa § 264 III HGB) und schreibt für den Fall, dass Abschlussprüfung durch nicht befähigte oder nicht ordnungsgemäß bestellte Person erfolgt ist, Nichtigkeit vor. Ausnahme gilt nur dann, wenn fehlende Prüferbefähigung lediglich in Befangenheit oder anderen Ausschlussgründen wurzelt (§ 319 II–IV HGB, § 319b HGB, → Rn. 14). Damit ist klargestellt, dass nur Verstöße gegen § 319 I HGB und gegen Art. 25 EGHGB als zugehörige Sondernorm zur Nichtigkeit des Jahresabschlusses führen (RegBegr. BT-Drs. 15/3419, 55). Im Einzelnen gilt: **Bestellung** erfolgt grds. durch Wahlbeschluss der HV (§ 119 I Nr. 5, § 318 I 1 HGB)

und seine Bekanntgabe. Fehlender Bestellung steht erfolgreiche Anfechtung des Bestellungsbeschlusses gleich. Befangenheitssachverhalte und andere Ausschlussgründe (§ 319 II–IV HGB, § 319b HGB [Netzwerk; sa → § 143 Rn. 3]) machen Wahlbeschluss gem. § 243 III 1 Nr. 5 allerdings nicht anfechtbar (→ § 243 Rn. 44c) und führen auch nicht zur Nichtigkeit des Jahresabschlusses (§ 256 I Nr. 3 Fall 2). Ausnahmsweise ist **gerichtl. Bestellung** möglich, nämlich unter den Voraussetzungen des § 318 III oder IV HGB (Einzelheiten: GK-AktG/T. Bezzenberger Rn. 157 ff.). Erforderlich ist insoweit nur, dass Verfügung gem. §§ 40 I, 41 FamFG wirksam geworden ist (OLG Düsseldorf WM 1996, 1777, 1778). Maßgeblicher **Zeitpunkt** für wirksame Bestellung ist Vorlage des Prüfungsberichts an AR (allgM). Bis dahin kann Bestellung nachgeholt werden, weil sich ordnungsgem. bestellter Prüfer dann auch Prüfungsergebnisse zu eigen macht, die er noch ohne diese Befähigung erworben hat (zutr. GK-AktG/T. Bezzenberger Rn. 146; BeckOGK/Jansen Rn. 38; Hölters/Weber/Waclawik Rn. 14; aA NK-AktR/Heidel Rn. 17; anders für fehlende Befähigung → Rn. 14). Von Bestellung zu unterscheiden ist Erteilung des **Prüfungsauftrags** (§ 111 II 3, § 318 I 4 HGB: durch AR; → § 111 Rn. 42 ff.). Fehlt er oder ist er ungültig, so bleibt das auf den Jahresabschluss ohne Auswirkung. Bestellung meint also nicht auch das sie begleitende Vertragsverhältnis (GK-AktG/T. Bezzenberger Rn. 147; NK-AktR/Heidel Rn. 17; BeckOGK/Jansen Rn. 38.1). Auch § 139 BGB ist nicht mit der Folge anwendbar, dass Vertragsmängel auf die Bestellung durchschlagen könnten (zust. B/K/L/Schulz Rn. 8).

bb) Keine Prüferbefähigung. Gem. § 256 I Nr. 3 Fall 1 bleibt Jahresabschluss ferner nichtig, wenn der Bestellte keine Prüferbefähigung hat, also weder Wirtschaftsprüfer noch Wirtschaftsprüfungsgesellschaft ist (§ 319 I HGB, Art. 25 EGHGB [gemeinnützige Wohnungsunternehmen; Genossenschaftsbereich]). Vereidigte Buchprüfer oder Buchprüfungsgesellschaften können AG ohne Rücksicht auf ihre Größenmerkmale nicht prüfen (§ 319 I 2 HGB). Fehlender Qualifikation wurde in § 319 I 3 HGB aF Fall gleichgestellt, dass Prüfer keine wirksame Bescheinigung über Teilnahme an Qualitätskontrolle nach § 57a WPO vorweisen kann (vgl. zur Nichtigkeitsfolge in diesem Fall noch BGH NZG 2013, 957 Rn. 10). Durch **APAReG 2016** wurde System der Qualitätskontrolle reformiert und diese als zu bürokratisch empfundene Bescheinigung durch Auszug aus Berufsregister ersetzt, in dem Pflichtprüfungen bei Wirtschaftsprüfungskammer (§ 57a WPO) eingetragen werden; Fehlen dieses Auszugs führt weiterhin zur Nichtigkeit (KK-AktG/A. Arnold Rn. 34). Ersatzpflicht des Prüfers für Kosten erneuter Prüfung tritt in diesem Fall auch bei vorheriger Heilung ein; AG kann sichersten Weg beschreiten, um für zurückliegendes Geschäftsjahr ordnungsgem. Jahresabschluss zu haben (BGH NZG 2013, 957 Rn. 14 zur GmbH). Anders als bei fehlender Bestellung (→ Rn. 13) kommt es für Befähigung nicht nur auf **Zeitpunkt** des Bestätigungsvermerks an, sondern Befähigung muss von Bestellung bis zur Erteilung vorhanden sein (GK-AktG/T. Bezzenberger Rn. 142; NK-AktR/Heidel Rn. 17). **Kein Nichtigkeitsgrund** ist – wie § 256 I Nr. 3 durch Ausklammerung der § 319 II, III, IV HGB, § 319b I HGB und Abschlussprüfer-VO ausdr. klarstellt – **Verstoß gegen Tätigkeitsverbote** (BGHZ 118, 142, 147 und 149 f. = NJW 1992, 2021; RegBegr. BT-Drs. 10/317, 106; KK-AktG/A. Arnold Rn. 37; Habersack NZG 2003, 659, 663 f.). Durch **AReG 2016** ist Ausnahmekatalog erweitert worden, um auch Verstöße gegen Abschlussprüfer-VO aus der Nichtigkeitssanktion auszunehmen (insbes. Art. 16 und 17 Abschlussprüfer-VO zum Auswahl- und Bestellungsverfahren – vgl. RegBegr. BT-Drs. 18/7219, 57; BT-Drs. 18/7902). Namentl. Verstöße gegen Gebot externer Rotation (Art. 17 Abschlussprüfer-VO; → § 111 Rn. 45) führt daher **nicht zur Nichtigkeit des Jahresabschlusses** (KK-AktG/A. Ar- 14 nold Rn. 37; Schürnbrand AG 2016, 70, 73). Dasselbe muss für Verbot der Erbringung von Nichtprüfungsleistungen (Art. 5 Abschlussprüfer-VO) gelten (KK-AktG/A. Arnold Rn. 37; Schürnbrand AG 2016, 70, 75). Auch Wahlbeschluss ist bei Verstoß gegen solches Tätigkeitsverbot gem. § 243 III 1 Nr. 5 nicht mehr anfechtbar, doch kann Verfahren zur Auswechslung des Prüfers nach § 318 III HGB eingeleitet werden. Darüber hinaus ist nach § 134 BGB auch der **Prüfungsauftrag nichtig,** sofern er gegen ausformulierte bes. Tätigkeitsverbote verstößt (BGHZ 118, 142, 148). Dazu zählen auch Befangenheitsgründe nach § 319 II–IV HGB, § 319b HGB, die nunmehr auch durch Verstoß gegen das Verbot von Nichtprüfungsleistungen oder gegen das Rotationsgebot (→ § 111 Rn. 45) begründet werden können (Schürnbrand AG 2016, 70, 72, 75). Das ist nicht unproblematisch, wenn tats. kein Ersetzungsverfahren nach § 318 III HGB stattgefunden hat, und wird auch von BGHZ 118, 142, 147 nicht unmittelbar gedeckt, entspr. aber doch klar geäußertem gesetzgeberischem Willen (vgl. RegBegr. BT-Drs. 15/3419, 37; ebenso Bormann DStR 2010, 1430; Gelhausen/Heinz WPg 2005, 693, 699 f.; vorsichtiger W. Müller NZG 2004, 1037, 1039). Soweit Nichtigkeitsfolge eintritt, scheitert Vergütungsanspruch des Prüfers; auch Bereicherungsanspruch steht ihm gem. § 817 S. 2 BGB nicht zu (BGHZ 118, 142, 150). Mit der bislang ebenfalls in Verweisung einbezogenen Vorschrift des § 319a HGB aF wurden von Abschlussprüfer-VO eingeräumte Mitgliedstaatenwahlrechte ausgeübt. Im Nachgang des Wirecard-Skandals 2020 wurde die Regelung durch FISG 2021 aufgehoben, was redaktionelle Anpassung in § 256 I Nr. 3 erforderlich machte.

15 **d) Verletzung der Bestimmungen über Rücklagen (Nr. 4).** Zur Nichtigkeit führender Inhaltsmangel (zur Systematik → Rn. 6) liegt nach § 256 I Nr. 4 vor, wenn Bestimmungen des Ges. oder der Satzung über die Einstellung in Kapital- oder Gewinnrücklagen oder über die Entnahme aus solchen Rücklagen verletzt worden sind (zu den Begriffen → § 150 Rn. 2 f.). Die in Betracht kommenden ges. Bestimmungen sind: §§ 58, 150, 173 II 2, §§ 230–232, 237 V, §§ 300, 301 S. 2, § 272 IV HGB iVm § 71 II 2. Nicht hierher gehört die etwa unzulässige Bildung von stillen Reserven; sie ist nach § 256 V zu beurteilen (→ Rn. 26). Fälle, in denen **Rücklagenbildung unterbleibt,** fallen nach ganz hM zu § 150 unter § 256 I Nr. 1, nach ganz hM zu § 256 unter § 256 I Nr. 4. Unterschied ist für Anwendung der Heilungsvorschriften von Bedeutung. Richtig ist Anwendung des § 256 Nr. 1 (ausf. → § 150 Rn. 13 mwN).

16 **3. Weitere Mängel bei Feststellung durch Vorstand und Aufsichtsrat (§ 256 II). a) Fehlende Mitwirkung eines Organs.** § 256 II betr. Verfahrensfehler bei Feststellung des Jahresabschlusses durch Vorstand und AR; sie können über § 256 I hinaus Nichtigkeitsgründe ergeben (→ Rn. 6). Davon zu unterscheiden sind Fälle, in denen Mitwirkung des einen oder des anderen Organs überhaupt fehlt. Liegt es so, dann ist schon der rechtsgeschäftliche Tatbestand der Feststellung (→ Rn. 3; → § 172 Rn. 3) nicht gegeben. Frage gültigen oder nichtigen Jahresabschlusses stellt sich nicht. Insbes. kommt Heilung nach § 256 VI nicht in Betracht (MüKoAktG/J. Koch Rn. 34). Hierher gehört insbes. auch der Fall, dass anstelle des Gesamt-AR nur Bilanzausschuss den Jahresabschluss billigt. Ausschuss kann Billigungserklärung nicht abgeben (§ 107 III 7 iVm § 171 II 4), also auch nicht Rechtswirkung des § 172 S. 1 herbeiführen (→ § 172 Rn. 4; str. – wie hier KK-AktG/A. Arnold Rn. 51; MüKoAktG/J. Koch Rn. 44; B/K/L/Schulz Rn. 10; Hölters/Weber/Waclawik Rn. 19; aA GK-AktG/T. Bezzenberger Rn. 184, 193, 204; BeckOGK/Jansen Rn. 46). An Billigung des AR fehlt es auch, wenn er zunächst abgegebene Erklärung vor Einberufung der HV (§ 175 IV) gem. §§ 119, 123 BGB angefochten hat (→ § 172 Rn. 3, 9; → § 175 Rn. 10).

b) Mitwirkung eines unzuständigen Organs. Sie ist praktisch nur in der Form denkbar, dass AR den Jahresabschluss billigt, obwohl ausnahmsweise HV für Feststellung zuständig ist (§ 173 I, § 234 II, §§ 235, 270 II, § 286 I). Behandlung dieses Sachverhalts ist str. Nach einer Ansicht soll – bei wechselnden Begründungen – Nichtigkeit des festgestellten Jahresabschlusses vorliegen (GK-AktG/T. Bezzenberger Rn. 205; BeckOGK/Jansen Rn. 56). Nach der Gegenmeinung fehlt es schon an der Feststellung (ADS Rn. 56; MüKoAktG/J. Koch Rn. 45; S/L/Schwab Rn. 32). Dem ist beizupflichten, weil die Erklärung des unzuständigen AR nichtig ist und wegen dieser Nichtigkeit die Feststellung als Rechtsgeschäft nicht zustande kommt. Mangels Feststellung kann es auch keine Heilung gem. § 256 VI geben. 17

c) Keine ordnungsgemäße Mitwirkung. Nichtigkeit tritt nach § 256 II ein, wenn Vorstand und AR zwar mitgewirkt haben, die Mitwirkung des einen oder des anderen Organs aber nicht ordnungsgem. ist. **Mitwirkung des Vorstands** liegt in Aufstellung des Jahresabschlusses (§ 264 I HGB) und seiner Vorlage an AR (§ 170 I). Während Vorlage durch den Vorstandsvorsitzenden und das zuständige Vorstandsmitglied allein bewirkt werden kann (→ § 170 Rn. 3), muss Vorstand bei Aufstellung als Kollegialorgan, also durch Beschluss mit der jew. erforderlichen Mehrheit, handeln. Eine Aufstellung durch den Vorsitzenden oder den Finanzvorstand allein gibt es nicht (allgM). Ungeachtet der Billigung durch AR verbleibt es bei Nichtigkeit. Dasselbe gilt, wenn Vorstand vorschriftswidrig (unter-)besetzt ist (→ § 76 Rn. 139; KG AG 2011, 299, 300; KK-AktG/A. Arnold Rn. 43; BeckOGK/Jansen Rn. 49; aA Priester FS Kropff, 1997, 591, 603 f., der aber Aufstellungserklärung des Gesamtorgans und dessen Verantwortung vernachlässigt). Dasselbe sollte nach früher hM auch dann gelten, wenn infolge Nichtigkeit der Bestellung zum Vorstandsmitglied Mindestzahl des § 76 II nicht mehr erreicht wird oder Vorstandsbeschluss auf Stimmen der nichtig Bestellten beruht (s. noch KK-AktG/Zöllner, 1. Aufl. 1985, Rn. 82). Nach heute ganz hM hilft insofern aber **Lehre vom fehlerhaften Organ,** wonach Organstellung bei in Vollzug gesetzter Bestellung trotz des Mangels vorläufig wirksam zustande kommt (→ § 84 Rn. 12 f.; MüKoAktG/J. Koch Rn. 38). 18

Mitwirkung des AR liegt im Beschluss über die Billigung und in ihrer Erklärung (→ § 172 Rn. 3 f.). Keine ordnungsgem. Mitwirkung ist bei Beschlussmängeln gegeben. So bei Beschlussunfähigkeit des AR (§ 108 II, → § 108 Rn. 15 ff., 25 ff.); bei Einberufungsfehlern (→ § 110 Rn. 2 ff.); bei Beschlussfassung ohne Sitzung (schriftlich, telefonisch, sonstige Fernkommunikationsmittel), wenn auch nur ein AR-Mitglied dem Verfahren widersprochen hat (§ 108 IV, → § 108 Rn. 21 f.). Nicht hierher gehört Beschlussfassung durch bloßen Ausschuss; es fehlt dann schon an der Billigung (→ Rn. 16). Mängel bei der Prüfung fallen nicht unter § 256 II (OLG Stuttgart DB 2009, 1521, 1524). Vorschrift ist auch nicht einschlägig, wenn AR nicht entspr. § 100 V (sachverständige Mitglieder und Sektorenkenntnis bei Gesamtheit des AR) zusammengesetzt ist (GK-AktG/T. Bezzenberger Rn. 192; Kropff FS K. Schmidt, 2009, 1023, 1035; Wind/Klie DStR 2010, 1339, 1341) oder Abschlussprüfer entgegen § 171 I 2 nicht in Verhandlungen des AR einbezogen wurde (ADS § 171 Rn. 21; KK-AktG/Ekkenga § 171 Rn. 54; S/L/Drygala § 171 Rn. 14; Marsch-Barner/Schäfer/Rabenhorst Rn. 60.188; Forster FS Sieben, 1988, 375, 380 f.; Widmann BB 2009, 2602, 2604; aA KK-AktG/A. Arnold Rn. 46; GK-AktG/T. Bezzenberger 194 f.; GK-AktG/E. Vetter Rn. 160 ff.). Nichtige Bestellung von AR-Mitgliedern ist mit derjenigen von Vorstandsmitgliedern nicht voll vergleichbar (→ § 101 Rn. 20). Mitwirkung des AR ist unter diesem Gesichtspunkt nur dann iSd § 256 II nicht ordnungsgem., wenn AR insgesamt nichtig bestellt ist oder bei 19 nichtiger Bestellung einzelner Mitglieder Beschlussfähigkeit fehlt (§ 108 II) oder wenn nach Abzug der Stimmen nichtig bestellter Mitglieder keine Mehrheit übrig bleibt. Korrektur über **Lehre vom fehlerhaften Organ** hat BGH gerade auch für § 256 II abgelehnt (BGHZ 196, 195 Rn. 26 = NJW 2013, 1535; → § 101 Rn. 20 ff.). Urteil deutet durch Verweis auf zwei Literaturstellen (MüKoAktG/Hüffer, 3. Aufl. 2011, Rn. 44; Spindler/Stilz/Rölike, 2. Aufl. 2010, Rn. 51) zwar Möglichkeit einer Ausnahme an, doch ist Tragweite dieser Einschränkung wenig geklärt, da die in Bezug genommenen Fundstellen lediglich die selbstverständliche Aussage enthalten, dass bloße Anfechtbarkeit des Wahlbeschlusses noch keine Nichtigkeit ist und deshalb nicht schadet (so auch die Lesart von C. Arnold/Gayk DB 2013, 1830, 1833).

20 **4. Weitere Mängel bei Feststellung durch Hauptversammlung (§ 256 III). a) Überblick.** § 256 III betr. Verfahrensfehler bei Feststellung des Jahresabschlusses durch HV. Das gilt auch für § 256 III Nr. 3, weil Anfechtung des Feststellungsbeschlusses der HV gem. § 257 I 2 nicht auf Inhaltsmängel gestützt werden kann. Im Einzelnen ist zu unterscheiden zwischen Unzuständigkeit der HV, den Fällen der § 173 III, § 234 III, § 235 II und den Einzeltatbeständen des § 256 III. **Bei Unzuständigkeit der HV,** also stets dann, wenn nicht ausnahmsweise § 173 I, § 234 II, §§ 235, 270 II, § 286 I eingreifen, ist gleichwohl gefasster Feststellungsbeschluss wegen Kompetenzüberschreitung nichtig, und zwar schon nach § 256 I Nr. 1, weil fehlende Zuständigkeit aus dem Inhalt des Beschlusses folgt und Kompetenzordnung auch im Gläubigerinteresse liegt (auf öffentl. Interesse kann nach Änderung des § 256 I Nr. 1 [→ Rn. 7] nicht mehr abgehoben werden). Rechtslage stimmt also mit derjenigen bei Mitwirkung des unzuständigen AR (→ Rn. 17) nicht voll überein. Sie kann es nicht, weil Beschluss der HV anders als isoliert gesehene Billigungserklärung des AR als rechtsgeschäftlicher Feststellungstatbestand in Betracht kommt. Die Fälle der § 173 III, § 234 III, § 235 II sind in den Eingangsworten des § 256 I vorbehalten; richtig definierte Rechtsfolge ist insoweit endgültige Unwirksamkeit (→ Rn. 4 f.).

21 **b) Einzeltatbestände des § 256 III.** Die Einzeltatbestände des § 256 III sind der Grundvorschrift des § 241 entnommen (§ 241 Nr. 1, 2 und 5; → § 241 Rn. 8 ff., 13, 21). Textstruktur des § 256 III Nr. 1 (und/oder) beruht auf Ges. für kleine Aktiengesellschaften und zur Deregulierung des Aktienrechts v. 2.8.1994 (BGBl. 1994 I 1961) und geht mittelbar auf Zulassung eingeschriebener Briefe als Einberufungsalternative (§ 121 IV) zurück (→ § 241 Rn. 8). Soweit § 121 III betroffen ist, verbleibt es auch nach der Neufassung des § 121 durch ARUG 2009 dabei, dass **nur die Kernmängel der Einberufung** bzgl. Firma und Sitz der AG oder Zeit und Ort der HV Nichtigkeitsgründe sind (§ 121 III 1), nicht auch Verstöße gegen § 121 III 2; ebenso nicht Verstöße gegen § 121 IVa (RegBegr. BT-Drs. 16/11642, 39, 42). Mit ähnlicher Tendenz wird in § 256 III Nr. 2 die frühere Bezugnahme auf § 130 II beschränkt, nämlich auf § 130 II 1. Verstöße gegen die für börsennotierte Gesellschaften (§ 3 II) eingeführten weiteren Anforderungen (§ 130 II 2) sollen nur Anfechtungsgründe sein (RegBegr. BT-Drs. 16/11642, 39 f., 42). In den Fällen des § 256 III Nr. 1 und 2 ist Heilung möglich, für die nicht § 242, sondern § 256 VI gilt. Praktische Bedeutung der Anfechtung (§ 256 III Nr. 3) ist mit der des Grundtatbestands in § 243 unvergleichbar, weil § 257 I 2 Inhaltsmängel als Anfechtungsgründe ausnimmt (→ Rn. 20; → § 257 Rn. 2).

22 **5. Gliederungsfehler (§ 256 IV). a) Verletzung von Gliederungsvorschriften.** § 256 IV sieht vor, dass Jahresabschluss wegen Gliederungsfehlers nur nichtig ist, wenn dadurch seine Klarheit und Übersichtlichkeit wesentlich beeinträchtigt sind. Nach richtiger Ansicht handelt es sich dabei um eine begrenzende

normative Auslegung des § 256 I Nr. 1 (→ Rn. 6). **Vorschriften** über Gliederung des Jahresabschlusses sind bes. §§ 265, 266, 268–277 HGB, ferner §§ 152, 158, 240, 261 I, 286 II. Zu beachten sind aber die in § 266 I 3 und 4 HGB, §§ 274a, 276, 288 HGB vorgesehenen Erleichterungen für kleine Kapitalgesellschaften iSd § 267 I HGB und für Kleinstkapitalgesellschaften (§ 267a HGB) sowie Befreiungsvorschrift für Konzerntochter gem. § 264 III HGB. **Formblätter,** nach denen Jahresabschluss zu gliedern ist, werden aufgrund der Ermächtigung des § 330 HGB durch Rechtsverordnung vorgeschrieben. Übersicht über bisher erlassene Formblattverordnungen bei MüKoHGB/Fehrenbacher HGB § 330 Rn. 9. Vgl. speziell zur Kreditwirtschaft Himmelreich WPg 1988, 365 und 389; zur Versicherungswirtschaft Richter/Geib WPg 1987, 181 sowie Laaß WPg 1988, 353.

Gliederungsverstoß liegt vor, wenn Bilanz oder GuV nicht hinreichend tief 23
gegliedert sind, wenn Vermögensgegenstand, Kapital oder Verbindlichkeit an falscher Stelle aufgeführt sind (LG Stuttgart AG 1994, 473 f.: Ausweis außerordentlichen Ertrags als [fiktive] Warengutschrift; LG München I Konzern 2008, 59, 61) oder wenn **Saldierungsverbot** (§ 246 II HGB) missachtet worden ist. Zum Saldierungsverbot und seinen Ausnahmen in der Bankbilanz vgl. BGHZ 86, 1, 7 ff. = NJW 1983, 878. Defizite im Jahresabschluss können allerdings durch eine korrekte Darstellung im Anh. ausgeglichen werden (GK-AktG/T. Bezzenberger Rn. 103 ff.; NK-AktR/Heidel Rn. 27; skeptisch KK-AktG/A. Arnold Rn. 61). Kein Gliederungsverstoß bei Einstellung von Beteiligungen in das Anlagevermögen trotz schwebender Unwirksamkeit des faktisch vollzogenen Beteiligungserwerbs nach § 41 I 2 GWB; s. OLG Düsseldorf AG 1977, 195 zur Vorläufernorm; aA noch LG Düsseldorf AG 1976, 162 (Vorinstanz).

b) Wesentliche Beeinträchtigung. Gliederungsfehler (→ Rn. 22 f.) führt nur 24
dann zur Nichtigkeit des Jahresabschlusses, wenn Klarheit und Übersichtlichkeit wesentlich beeinträchtigt sind. Es muss also **Aufstellungsgrundsatz des § 243 II HGB** verletzt sein (KG AG 2005, 583, 584; GK-AktG/T. Bezzenberger Rn. 68; s. dazu MüKoBilanzR/Kleindiek HGB § 243 Rn. 12 ff.). Wann Verstoß wesentlich ist, kann nur im Einzelfall beurteilt werden. Insoweit kommt es zunächst auf Bedeutung der jeweiligen Gliederungsvorschrift an. Früherer Beispielskatalog in § 256 IV 2 aF kann als Interpretationshilfe herangezogen werden (s. MüKoAktG/J. Koch Rn. 54). Dass Verstoß gem. § 334 HGB OWi darstellt, kann allenfalls als Indiz, aber nicht als Grundsatz auf wesentliche Beeinträchtigung iSd § 256 IV hindeuten (KK-AktG/A. Arnold Rn. 63; BeckOGK/Jansen Rn. 61). Des Weiteren ist quantitatives (betragsmäßiges) Gewicht des Gliederungsverstoßes zu berücksichtigen. Bagatellfehler können Nichtigkeitsfolge nicht rechtfertigen (allgM, s. zB GK-AktG/T. Bezzenberger Rn. 68; → Rn. 7).

6. Bewertungsfehler (§ 256 V). a) Überbewertung. § 256 V setzt zunächst 25
Bewertungsfehler voraus, also Verstoß gegen Handelsbilanzrecht (bes.: §§ 252 ff. HGB) einschließlich bewertungsrelevanter GoB. Verstoß muss obj. und in dem Sinne auch subj. vorliegen, dass er für ordentliche Kaufleute nach zum Bilanzstichtag bestehenden Verhältnissen erkennbar war (OLG München AG 2023, 908, 910; ADS Rn. 40, 49; BeckOGK/Jansen Rn. 66; S/L/Schwab Rn. 20; Schön FS 50 Jahre BGH, 2000, 153, 162). Fehlt es an Erkennbarkeit, so liegt schon kein Bewertungsfehler vor. Nichtigkeit erfordert weiter, dass Normverstoß zur Überbewertung (§ 256 V 2) geführt hat, die sich auf Posten des Jahresabschlusses bezieht. Gleichzustellen sind **unzulässige Aktivierung** (Bsp.: LG Düsseldorf AG 1989, 140, 141 f.; LG Stuttgart DB 2001, 1025 f.) und unterbliebene, aber gebotene Passivierung einschließlich nach § 249 HGB gebotener Rückstellungen (OLG Frankfurt AG 2007, 401, 402; OLG Hamm AG 1992, 233, 234; LG Stuttgart AG 1994, 473, 474), weil sie zu vergleichbaren Folgen

wie Überbewertungen führen (→ Rn. 7). Dabei geht es nicht darum, Nichtigkeit zu begründen (so aber wohl KK-AktG/Zöllner, 1. Aufl. 1985, Rn. 44), sondern Nichtigkeitsfolge zu begrenzen. Wie bei § 256 IV (→ Rn. 22) liegt darin die Funktion der Vorschrift (→ Rn. 6). Relevant ist Überbewertung nur, wenn sie sich auf **Bilanzposten** bezieht. Das sind die Gliederungspositionen des § 266 HGB. Auf Werte einzelner Vermögensgegenstände oder Beträge einzelner Verbindlichkeiten ist also nicht abzustellen. Bewertungsfehler innerhalb eines Postens können kompensierend wirken (ganz hM, s. KK-AktG/A. Arnold Rn. 67; MüKoAktG/J. Koch Rn. 57; BeckOGK/Jansen Rn. 66). Dagegen gibt es keine Kompensation ganzer Bilanzposten untereinander (ebenso LG Stuttgart DB 2001, 1025 f.; GK-AktG/T. Bezzenberger Rn. 75). Auch bei Kompensation innerhalb eines Postens dürfen nur fehlerhaft bewertete Vermögensgegenstände oder Schulden untereinander saldiert werden (ADS Rn. 43 ff.; KK-AktG/A. Arnold Rn. 67; B/K/L/Schulz Rn. 16). Gegenauffassung, die Aufrechnung auch dann zulassen will, wenn bei korrekt bewerteten Gegenständen aufgrund von Wahlrechten oder Beurteilungsspielräumen höhere Bewertung möglich gewesen wäre (GK-AktG/T. Bezzenberger Rn. 74; BeckOGK/Jansen Rn. 67), belastet Feststellung der Fehlerhaftigkeit mit derartiger Vielzahl denkbarer Ausgleichsszenarien, dass Rechtssicherheit nicht gewährleistet wäre. Schließlich genügt nicht jede (geringfügige) Überbewertung. Sie muss zwar nicht vorsätzlich sein (Hennrichs ZHR 174 [2010], 683, 695), doch führt vorsätzliches Handeln dazu, dass Schwere des Verstoßes ungeachtet quantitativer Betrachtung anzunehmen ist (BGH NZG 2021, 1603 Rn. 71 f.: etwaiger Ausgleichsanspruch nach § 311 ist insofern unbeachtlich). Liegt kein Vorsatz vor, ist solche quantitative Bemessung hingegen erforderlich und zu verlangen, dass Darstellung **wesentlich** beeinträchtigt wird (ganz hM, s. BGHZ 83, 341, 347 = NJW 1983, 42 zur GmbH; BGH NZG 2021, 1603 Rn. 69; OLG Frankfurt AG 2008, 417, 419; 2011, 36, 37; OLG Hamm AG 1992, 233, 234; OLG München AG 2008, 509; LG Düsseldorf AG 1989, 140, 141; LG Frankfurt DB 2001, 1483; LG Frankfurt NZG 2009, 149, 150; LG München I Konzern 2007, 537, 538 [Unterbewertung, aber verallgemeinerungsfähig]; ADS Rn. 49; Henssler/Strohn/E. Vetter Rn. 20; Schulze-Osterloh ZIP 2008, 2241, 2242 f.; aA NK-AktR/Heidel Rn. 35). Maßgeblich sind die gesamten Bilanzverhältnisse der Gesellschaft. Wenn nicht wenigstens 1 % der Bilanzsumme betroffen ist, sollte man Wesentlichkeit grds. verneinen (LG Frankfurt DB 2001, 1483: unwesentlich, wenn 22 % des betroffenen Bilanzpostens weniger als 1 % der Bilanzsumme ausmachen). Hinter 1 % zurückbleibende Anteile können aber dann iSd § 256 V wesentlich sein, wenn sie sich quantitativ beachtlich auf den Jahresüberschuss auswirken (LG München I Konzern 2007, 537, 538; Schulze-Osterloh ZIP 2008, 2241, 2245; insoweit nicht überzeugend OLG München AG 2008, 509; zweifelhaft auch OLG Frankfurt AG 2014, 95, 96: 6 Mrd. Schaden als unwesentlich). Ab einem Schwellenwert von 5 % ist idR von Wesentlichkeit auszugehen. Umfassender aktueller Überblick über die Rspr. bei Jungius/Schmidt DB 2012, 1697, 1700 ff.

26 **b) Unterbewertung.** Unterbewertung führt gem. § 256 V 1 Nr. 2 zur Nichtigkeit des Jahresabschlusses, wenn dadurch Vermögens- und Ertragslage der AG unrichtig wiedergegeben oder verschleiert wird und dieser Erfolg vorsätzlich herbeigeführt worden ist. Legaldefinition der Unterbewertung in § 256 V 3. Auch hier sind **Ansatzfehler** gleichzustellen, also unterbliebene, aber gebotene Aktivierung (BGHZ 124, 111, 119 = NJW 1994, 520 für Anspruch aus § 317 I 1; BGHZ 137, 378, 384 = NJW 1998, 1559; Greiffenhagen FS Ludewig, 1996, 303, 317) oder unzulässige Passivierung (→ Rn. 7, 25; BGH AG 1992, 58, 59 für unzulässige Rückstellungen). Verstoß gegen Aktivierungsgebot ist auch **phasenverschobener Ausweis** von Beteiligungserträgen, wenn phasengleicher

Ausweis nicht nur iS eines Wahlrechts statthaft (dafür schon BGHZ 65, 230, 233 ff., 238 = NJW 1976, 241), sondern geboten ist (jedenfalls bei Gewinnabführungsvertrag, → § 291 Rn. 26; für generelle Aktivierungspflicht unter bestimmten Voraussetzungen BGH AG 1994, 467, 468 [Vorlagebeschluss]; nach EuGH Slg. 1996, I-3133, 3145 ff. = NJW 1996, 2363 richtlinienkonform; Abschlussentscheidung: BGHZ 137, 378, 382; s. dazu Verlautbarung IdW-HFA WPg 1998, 427 f.; str. im Schrifttum, s. zB Groh DStR 1998, 813 ff.; Kropff ZGR 1997, 115, 118 ff.; Schulze-Osterloh ZIP 1996, 1453, 1456 ff. mwN; zur steuerrechtl. Seite BFHE 192, 339, 344 ff. [keine phasengleiche Aktivierung; s. dazu Besprechung von List WM 2001, 941 ff.] und Übergangserlass BMF GmbHR 2000, 1218).

Wie bei Überbewertung (→ Rn. 25) kommt es auch bei Unterbewertung nicht **26a** auf einzelne Gegenstände oder Verbindlichkeiten, sondern auf **Bilanzposten** an. Zusätzlich ist vorausgesetzt, dass Unterbewertung zur unrichtigen Wiedergabe oder Verschleierung der Vermögens- und Ertragslage führt. Es genügt, dass sich Darstellungsmangel auf das eine oder das andere bezieht. Insoweit missverständlicher Gesetzeswortlaut ist iS einer Alternative zu lesen (allgM, s. MüKoAktG/J. Koch Rn. 61). Unrichtige Wiedergabe erfolgt durch greifbar falsche Angaben; dagegen liegt Verschleierung schon dann vor, wenn sich für Dritte kein klares Bild von wahrer Lage der Gesellschaft ergibt (unscharf, aber allgM).

Für **Vorsatzerfordernis** ist auf die an Aufstellung oder Feststellung des Jahres- **27** abschlusses maßgeblich beteiligten Organmitglieder abzuheben. Sie (nicht alle Mitglieder der feststellenden Organe) müssen tatbestandsmäßigen Erfolg, nämlich Falschbilanzierung (Kropff ZGR 1994, 628, 639) gekannt und gewollt haben. Bedingter Vorsatz genügt (BGHZ 124, 111, 120 = NJW 1994, 520). Kein Vorsatz liegt vor, wenn Organmitglieder bei Änderung der Rspr. entspr. bisheriger Judikatur bilanziert haben (BGHZ 137, 378, 384 f. = NJW 1998, 1559). Beweislast liegt beim Nichtigkeitskläger (OLG Düsseldorf AG 1977, 195, 196 f.; BeckOGK/Jansen Rn. 72), doch kommen Erleichterungen nach dem Prinzip der Tatsachennähe in Betracht (GK-AktG/T. Bezzenberger Rn. 98).

c) Branchenbezogene Sonderregeln. § 256 V 4 enthält Klarstellungen für **27a** KI (§ 1 I KWG, § 2 I KWG), Finanzdienstleistungsinstitute (§ 1 Ia KWG, § 2 VI KWG), Wertpapierinstituten (§ 2 I WpIG; → § 70 Rn. 2), Kapitalverwaltungsgesellschaften (§ 17 KAGB) und Versicherungsunternehmen. Danach stellen Abweichungen von allg. Ansatz- oder Bewertungsvorschriften der §§ 253–256a HGB dann **keinen Bewertungsfehler** dar, wenn sie durch das für sie geltende Sonderrecht, vor allem durch §§ 340e–340g HGB (KI, Finanzdienstleistungsinstitute, Wertpapierinstitute oder Kapitalanlagegesellschaften) bzw. §§ 341b–341h HGB (Versicherungsunternehmen) gedeckt sind. Vgl. auch für KI, Finanzdienstleistungsinstitute und Wertpapierinstitute § 258 Ia (keine Sonderprüfung bei Vorsorge für Bankrisiken; → § 258 Rn. 2, 3) und für Versicherungsunternehmen § 209 V (Prüfung der Kapitalerhöhung aus Gesellschaftsmitteln; → § 209 Rn. 1, 12).

IV. Heilung (§ 256 VI)

1. Begriff und Wirkung. Gem. § 256 VI kann Nichtigkeit des Jahres- **28** abschlusses in den dort genannten (nicht in allen, → Rn. 29) Fällen geheilt werden. Durch Heilung soll Rechtssicherheit für AG und Organe hergestellt werden (BGH NZG 2013, 957 Rn. 14). Heilung bezeichnet ungeachtet der forensischen Formulierung des § 256 VI („kann nicht mehr geltend gemacht werden") wie in § 242 (→ § 242 Rn. 7) den nachträglichen fristgebundenen **Wegfall der Nichtigkeit** (heute ganz hM, s. GK-AktG/T. Bezzenberger

Rn. 265; MüKoAktG/J. Koch Rn. 64; BeckOGK/Jansen Rn. 75; Hennrichs ZHR 168 [2004], 383, 389; aA noch Kropff FS Budde, 1995, 341, 349, 357). Jahresabschluss wird also auch für Gesellschaftsorgane gültig (für Anwendung der Grundsätze über die Änderung fehlerhafter Jahresabschlüsse aber H.-P. Müller FS Budde, 1995, 431, 432 f.). Auch das Registergericht kann AG nicht durch Ordnungsgeldverfahren nach § 335 I Nr. 1 HGB zur Offenlegung eines berechtigten Abschlusses anhalten (KK-AktG/A. Arnold Rn. 84). Nichtigkeit des Gewinnverwendungsbeschlusses fällt weg, soweit sie auf Nichtigkeit des Jahresabschlusses beruht (§ 253 I 2). Einzelheiten zur GmbH: Brete/Thomsen GmbHR 2008, 176, 180 ff.

29 **2. Heilungsfähige Nichtigkeitsgründe.** Nur die in § 256 VI genannten Nichtigkeitsgründe sind heilungsfähig. Nicht genannt und daher nicht heilbar sind fehlende oder unvollständige Abschlussprüfung (§ 256 I Nr. 2; → Rn. 9 ff.; Grund: überragende Bedeutung der Pflichtprüfung) und Nichtigkeit aufgrund rechtskräftigen Anfechtungsurteils (§ 256 III Nr. 3; → Rn. 21; Grund: Rechtssicherheit bereits durch Urteil). Zu den in Eingangsworten des § 256 I vorbehaltenen Nichtigkeitsfällen → Rn. 5. Heilung kommt ferner nicht in Betracht, wenn es schon an der Feststellung des Jahresabschlusses fehlt (→ Rn. 16 f.). Beginn der Heilungsfrist richtet sich nach Bek. im Unternehmensregister (→ § 172 Rn. 11). Unterbleibt Bek. aufgrund Befreiungsvorschrift nach § 264 III HGB, kann Heilung nicht erfolgen, da die Bilanzierungsfehler, die zur Nichtigkeit des Jahresabschlusses geführt haben, aus dem Konzernabschluss nicht zu ersehen sind (MüKoAktG/J. Koch Rn. 65). **Heilungsfrist** beträgt sechs Monate oder drei Jahre, wobei Zuordnung eines Verstoßes zu einer dieser Fristen Aufschluss darüber gibt, welches Gewicht der Gesetzgeber ihm beimisst (BeckOGK/Jansen Rn. 78).

30 **3. Fristen.** § 256 VI 1 sieht Heilung teils nach Ablauf von drei Jahren, teils schon nach Ablauf von sechs Monaten vor. **Dreijahresfrist** gilt in den Fällen des § 256 I Nr. 1, IV und V, also bei Verletzung von gläubigerschützenden Vorschriften, bes. bei Gliederungs- und Bewertungsfehlern. Sonst gilt **Sechsmonatsfrist,** soweit Nichtigkeit heilbar ist (→ Rn. 29). Für **Fristbeginn** stellte § 256 VI 1 aF früher auf Bek. des Jahresabschlusses im BAnz. ab (§ 325 II HGB aF). Durch **DiRUG 2021** ist § 256 VI 1 neu gefasst worden, um neuem Format zur Veröffentlichung des Jahresabschlusses (→ § 172 Rn. 11) Rechnung zu tragen. Dieses Anliegen wird dadurch verwirklicht, dass in § 256 VI 1 nF künftig angeknüpft wird an Einstellung in das **Unternehmensregister** nach § 8b HGB iVm § 325 I HGB (→ § 172 Rn. 11). Tag der Einstellung selbst wird gem. § 187 I BGB jedoch nicht mitgerechnet (MüKoAktG/J. Koch Rn. 66). Kommt es nicht zur Eintsellung des Jahresabschlusses, da AG von Befreiungsmöglichkeit nach § 264 III HGB Gebrauch macht oder Bilanz nach § 326 II HGB nur hinterlegt wird, ist Heilung mangels öffentl. Einsehbarkeit nicht möglich (MüKoAktG/J. Koch Rn. 65). **Fristende** ist gem. § 188 II Fall 1 BGB zu bestimmen. Nachdem hM bei allg. Heilungsvorschrift des § 242 analoge Anwendung des § 193 BGB mittlerweile zu Recht bejaht (→ § 242 Rn. 3), muss Vorschrift auch iRd § 256 VI gelten (sa NK-AktR/Heidel Rn. 40; MüKoAktG/J. Koch Rn. 66; S/L/Schwab Rn. 36; aA KK-AktG/A. Arnold Rn. 82; GK-AktG/T. Bezzenberger Rn. 271; BeckOGK/Jansen Rn. 79; B/K/L/Schulz Rn. 19). **Fristverlängerung** tritt ein, wenn bei Ablauf der Frist Nichtigkeitsklage (§§ 249, 256 VII; → Rn. 31) rechtshängig ist (§ 256 VI 2). Dasselbe gilt bei bloßer Anhängigkeit der Klage, sofern Zustellung nach Fristablauf, aber demnächst iSd § 167 ZPO erfolgt (OLG Dresden AG 2017, 482, 485; LG Düsseldorf AG 1989, 140 f.). Frist verlängert sich bis zur rechtskräftigen Entscheidung oder anderweitigen endgültigen Erledigung der Klage. Wenn der Nichtigkeitsklage stattgegeben wird,

kann Heilung nicht mehr eintreten. Wird sie abgewiesen, so tritt Heilung mit Rechtskraft des Urteils ein, wenn Frist bis dahin schon abgelaufen ist; sonst mit Ablauf der jeweiligen Frist (zB bei Abweisung als unzulässig). Allg. Feststellungsklage genügt aufgrund ihrer inter-partes-Wirkung auch hier nicht (→ § 242 Rn. 4). Zum Ganzen → § 242 Rn. 4 f.

V. Nichtigkeitsklage (§ 256 VII)

1. Sinngem. Geltung des § 249. § 256 VII 1 sieht sinngem. Geltung des § 249 vor. Mit seiner Anwendung werden auch die dort genannten Vorschriften anwendbar. Klage ist gegen AG zu richten; für Insolvenzverfahren gelten in → § 246 Rn. 29 dargestellte Grundsätze. Das rechtskräftige Nichtigkeitsurteil wirkt für und gegen jedermann. Klagt Vorstand gegen AG, so können ihr jedenfalls Aktionäre als streitgenössische Nebenintervenienten (→ § 246 Rn. 7) beitreten (OLG Frankfurt AG 2002, 88, 89; OLG Schleswig AG 1993, 431, 432 f.; GK-AktG/T. Bezzenberger Rn. 228 f.), uU auch andere Personen (Lutter FS Helmrich, 1994, 685, 695 ff.). Zum Feststellungsinteresse bei Klage nach § 256 VII 1 vgl. OLG Celle AG 1984, 266, 267 f.; zur Streitwertbestimmung OLG Düsseldorf 11.10.2013 – I-17 W 34/13, juris-Rn. 3. Auch der Insolvenzverwalter kann ohne Darlegung eines bes. Feststellungsinteresses Nichtigkeitsklage erheben, und zwar auch für vorinsolvenzliche Rechnungslegung, sofern Bezug zur Insolvenzmasse besteht (BGHZ 225, 198 Rn. 23 ff. = AG 2020, 545; BGH AG 2020, 540 Rn. 18, 22 [auch bei KGaA]; OLG Dresden AG 2017, 482, 483 ff.; LG München I NZG 2023, 125 Rn. 28; ohne letztgenannte Einschränkung S/L/Schwab Rn. 40). **Insolvenzverwalter** ist in diesem Sinne zur Rechtsverteidigung berufen, wenn beanstandete Mängel des Jahresabschlusses nachteilige Auswirkungen auf die Insolvenzmasse haben, klagender Verwalter also angegriffenen Abschluss durch einen für die Masse günstigeren ersetzen will (BGHZ 225, 198 Rn. 29; BGH AG 2020, 540 Rn. 24). Rechtsschutzinteresse entfällt nicht durch Möglichkeit, Nichtigkeit auf andere Weise geltend zu machen und auch nicht dadurch, dass Insolvenzverwalter Jahresabschluss ggf. selbst korrigieren oder neu aufstellen könnte (BGHZ 225, 198 Rn. 34 f.). Der Bestellung eines Sonderinsolvenzverwalters zur Rechtsverteidigung gegen vom Insolvenzverwalter erhobene Klage bedarf es nicht (BGH AG 2020, 540 Rn. 40). Umgekehrt wird Insolvenzverwalter zum Klagegegner, wenn Anfechtung Dritter negative Auswirkungen auf Insolvenzmasse hat (BGH AG 2020, 540 Rn. 39 f.; sa → § 246 Rn. 29). **Einfache Feststellungsklage** anderer als der in § 249 genannten Personen ist zulässig, wenn sich für sie Feststellungsinteresse bejahen lässt (§ 256 ZPO). Das rechtskräftige Urteil bindet in diesem Fall aber nur die Streitparteien (wie hier KK-AktG/A. Arnold Rn. 89; BeckOGK/Jansen Rn. 81; S/L/Schwab Rn. 42; aA KK-AktG/Zöllner, 1. Aufl. 1985, Rn. 111). Darlegungs- und Beweislast liegt beim Kläger, der zu diesem Zweck Auskunftsrecht nach § 131 nutzbar machen kann (OLG Frankfurt AG 2014, 95, 96). In den Fällen des § 256 V 1 Nr. 2 kommt auch Sonderprüfung wegen unzulässiger Unterbewertung (§§ 258 ff.) in Betracht. Die beiden Verfahren schließen einander nicht aus, solange Nichtigkeit des Jahresabschlusses nicht rechtskräftig festgestellt ist (→ § 258 Rn. 2); näher MüKoAktG/J. Koch Rn. 73). Nichtigkeit muss nicht durch Klage, sondern kann auch anderweitig geltend gemacht werden (Lutter FS Helmrich, 1994, 685, 688 ff.). 31

2. Enforcement-Verfahren. Nichtigkeitsklage führt schließlich zu **Mitteilungspflichten ggü. der BaFin** nach § 256 VII 2, wenn für AG als Emittentin von zugelassenen Wertpapieren iSd § 2 I WpHG mit Ausn. von Anteilen und Aktien an offenen Investmentvermögen iSd § 1 IV KAGB BRD für die Her- 31a kunftsstaat ist (§ 2 XIII WpHG). Neufassung der Norm durch **ARUG II 2019** soll Gleichlauf aktienrechtl. Mitteilungspflicht mit Aussetzungspflicht der BaFin nach § 107 III WpHG im Bilanzkontrollverfahren ermöglichen (RegBegr. BT-Drs. 19/9739, 115; hier ebenfalls genannte DPR ist mit FISG 2021 abgeschafft worden [→ § 93 Rn. 68]). Aus diesem Gleichlauf erklärt sich auch Ausschluss von Anteilen und Aktien an offenen Investmentvermögen, da emittierende Unternehmen nicht Bilanzkontrollverfahren unterworfen sind (RegBegr. BT-Drs. 19/9739, 115). Durch BilKoG 2004 angefügte Regelung stimmt in Voraussetzungen und Zielsetzung mit § 142 VII und § 261a überein (→ § 142 Rn. 35; → § 261a Rn. 1). Auch hier besteht gem. § 107 III WpHG **Vorrang des aktienrechtl. Verfahrens** (Nichtigkeitsklage) ggü. Enforcement-Prüfung. Auf diese Weise soll Ergebniskonflikt zweier parallel verlaufender Verfahren vermieden werden. Spannungsverhältnis wird durch Subsidiarität des Enforcement-Verfahrens aufgelöst (Einzelheiten: Hennrichs ZHR 168 [2004], 383, 404 ff.; Mattheus/Schwab BB 2004, 1099 ff. Erfahrungsberichte: Hein DB 2010, 2265 ff.). Vorrang ist materiell, nicht (nur) zeitlich zu verstehen; Sperrwirkung tritt also auch ggü. laufendem Enforcement-Verfahren ein (BeckOGK/Jansen Rn. 88; Mock DB 2005, 987, 990). Rechtskräftiges Nichtigkeitsurteil bindet Prüfungsstelle, soweit es Fehlerhaftigkeit feststellt, nicht dagegen, soweit es sich zur richtigen Bilanzierung äußert (Gelhausen/Hönsch AG 2005, 511, 517). Subsidiarität wird durch § 256 VII 2 prozedural flankiert. Damit BaFin erforderliche Maßnahmen ergreifen kann, muss Gericht sie über Klage unterrichten. Mitteilungspflichtig sind Eingang der Nichtigkeitsklage (nicht: einer Feststellungsklage nach § 256 ZPO) und der darüber getroffenen Entscheidung, sobald sie rechtskräftig geworden ist. Soweit Enforcement-Verfahren stattfindet und sich Mängel der Rechnungslegung zeigen, die einzeln weniger gravierend sind, können sie doch in einer Gesamtschau wesentlich sein und die Rechnungslegung damit fehlerhaft iSd § 109 WpHG machen (zu § 37q WpHG aF OLG Frankfurt AG 2009, 328; Überblick über reformiertes Enforcement-Verfahren bei Benzing/Denninger/Röger NZG 2022, 1426 ff.). Feststellung von Fehlern durch BaFin begründet als solche keine Nichtigkeit iSd § 256. Schon deshalb darf Behörde Nichtigkeit nicht selbst feststellen. Sie darf aber aussprechen, dass festgestellte Mängel Nichtigkeitsgründe sind (Ch. Müller AG 2010, 483, 489). Gesellschaftsorgane müssen behördliche Fehlerfeststellung zum Anlass nehmen, Jahresabschluss zu überprüfen, ob er tats. Fehler aufweist, der den in § 256 vorausgesetzten Schweregrad erreicht. Vorläufiger Rechtsschutz gegen Verfügungen der BaFin: Krause BB 2011, 299, 300 ff.

VI. Nichtigkeit als Rechtsfolge

32 **1. Betroffener Jahresabschluss.** Nichtigkeit bedeutet, dass Feststellungswirkungen (→ § 172 Rn. 5) nicht eintreten. Pflicht zur Rechnungslegung ist nicht erfüllt. Nichtigkeit ist deshalb notwendig **Gegenstand der Abschlussprüfung** (str., s. GK-AktG/T. Bezzenberger Rn. 217; BeckOGK/Jansen Rn. 91; S/L/Schwab Rn. 46; Kropff FS Havermann, 1995, 321, 337 ff.; aA [keine Pflicht zur Prüfung der Rechtsfolgen bei festgestelltem Gesetzesverstoß] ADS § 322 HGB Rn. 77 ff.). Eine zweite Frage ist es, wie Abschlussprüfer mit von ihm festgestellten, möglicherweise zur Nichtigkeit führenden Gesetzesverstößen umzugehen hat. Solche Verstöße und drohende Nichtigkeitsfolge sind jedenfalls berichtspflichtig (GK-AktG/T. Bezzenberger Rn. 217; BeckOGK/Jansen Rn. 91). Für **Testat** gilt: Soweit tats. Voraussetzungen für Eintritt der Nichtigkeitsfolge trotz festgestellten Gesetzesverstoßes vernünftigerweise unterschiedlich beurteilt werden können (zB da Wesentlichkeit fraglich), kann Einschränkung des Testats genügen (KK-AktG/A. Arnold Rn. 91; GK-AktG/T. Bezzenberger Rn. 218).

Gibt es dagegen im Tatsächlichen keine Zweifel und ist Nichtigkeit deshalb nach Urteil des Prüfers gegeben, so muss er Testat gem. § 322 II 1 Nr. 3, IV 1 HGB versagen (OLG Karlsruhe ZIP 1985, 409, 411; KK-AktG/A. Arnold Rn. 91; GK-AktG/T. Bezzenberger Rn. 217; BeckOGK/Jansen Rn. 92; aA B/K/L/Schulz Rn. 23). Weil es um die Beurteilung einer Rechtsfrage geht, besteht insoweit kein Ermessensspielraum, wohl aber bei der Frage, wie intensiv der Abschlussprüfer in die – für ihn grds. fachfremde – juristische Prüfung einsteigt (GK-AktG/T. Bezzenberger Rn. 217).

Für Gesellschaftsorgane folgt aus Nichtigkeit grds. **Pflicht zur Neuvornahme** 33 (KK-AktG/A. Arnold Rn. 93; Hennrichs ZHR 168 [2004], 383, 391; A. Krämer, Folgen der Nichtigkeit des Jahresabschlusses, 2023, 59 f.), die freilich keine Rückwirkung entfaltet (BGH AG 2020, 540 Rn. 37). Str. ist allerdings, ob Erfüllung dieser Pflicht alternativlos ist oder ob Organe auch **Ablauf der Heilungsfrist** abwarten dürfen. Breite Meinungsgruppe räumt Ermessensspielraum ein, der im wohlverstandenen Interesse der AG auszufüllen ist: Aufwand und sonstige Nachteile einer weiteren Abschlussprüfung seien voraussichtlichen Fehlerfolgen gegenüberzustellen (BayObLGZ 2000, 150, 152; GK-AktG/T. Bezzenberger Rn. 247 ff.; Hölters/Weber/Waclawik Rn. 42). Gegenauffassung hält Geschäftsleitung idR für verpflichtet, Mangel zu beseitigen, doch werden Ausnahmen zugelassen, wenn bevorstehende Heilung absehbar, Aufwand übermäßig groß und Fehlerfolge noch tolerabel ist (KK-AktG/A. Arnold Rn. 94; MüKoAktG/J. Koch Rn. 82; BeckOGK/Jansen Rn. 93; B/K/L/Schulz Rn. 19; S/L/Schwab Rn. 37; Jungius/Schmidt DB 2012, 1761, 1762; Schön FS 50 Jahre BGH, Bd. II, 2000, 153, 163). Großzügige Sichtweise der erstgenannten Auffassung hat Vorzug größerer Praktikabilität für sich, lässt sich jedoch mit Legalitätspflicht (→ § 93 Rn. 9 ff.) kaum vereinbaren, zumal Unwirksamkeit ohnehin nur bei wesentlichen Verstößen eintritt und bis zur Heilung uU drei Jahre vergehen können; derart rechtswidrigen Zustand muss Vorstand beseitigen. Er darf von Behebung nur absehen, wenn Neuvornahme nicht deutlich weniger Zeit in Anspruch nimmt als Heilung, was insbes. bei Sechsmonatsfrist der Fall sein dürfe (MüKoAktG/J. Koch Rn. 82; ähnlich KK-AktG/A. Arnold Rn. 94; BeckOGK/Jansen Rn. 93 [annähernd gleicher Zeitraum]; Schön FS 50 Jahre BGH, Bd. II, 2000, 153, 163). Bei unbedeutenden Fehlern wird ausnahmsweise auch **Korrektur** im Folgeabschluss oder **in laufender Rechnung** für zulässig gehalten (OLG Köln AG 1998, 525, 526; Zöllner FS Scherrer, 2004, 355, 367 ff.), doch dürfte für diese Ausnahme angesichts des Wesentlichkeitserfordernisses (→ Rn. 6) nur wenig Raum bleiben (Hölters/Weber/Waclawik Rn. 42; Jungius/Schmidt DB 2012, 1761). Bloße Korrektur des Zahlenwerks lässt Nichtigkeitswirkungen entfallen (Zöllner FS Scherrer, 2004, 355, 369).

Für Neuvornahme sind gem. § 172 grds. Vorstand und AR zuständig, auch 33a dann, wenn der nichtige Jahresabschluss gem. § 173 von HV beschlossen worden ist. Bindungswirkung des § 175 IV besteht nur für die jeweilige, nicht auch für die erneute Feststellung (BGH NZG 2021, 1603 Rn. 75). Ordnungsgem. Mitwirkung des Vorstands ist auch dann erforderlich, wenn Feststellung an Fehlern des AR gescheitert ist (str.; s. MüKoAktG/J. Koch Rn. 83 mwN). Weil es sich um eine Neuvornahme handelt, bedarf es auch neuerlicher **Abschlussprüfung,** die nach erleichterten Regeln über Nachtragsprüfung gem. § 316 III HGB erfolgen kann; in der Sache handelt es sich um Änderung eines Abschlusses nach Ende der Prüfung (MüKoAktG/J. Koch Rn. 83). Zuständig bleibt ursprünglicher Prüfer, dessen Mandat mit Prüfung des unwirksamen Abschlusses noch nicht erloschen ist (GK-AktG/T. Bezzenberger Rn. 256; BeckOGK/Jansen Rn. 97). Pflicht zur **Offenlegung** (§ 325 HGB) ist mit Einreichung grds. auch dann erfüllt, wenn Jahresabschluss nichtig sein sollte. Registergericht ist nämlich zur Prüfung von Nichtigkeitsgründen weder befugt noch in der Lage. Daher kommt auch Festsetzung von Ordnungsgeld nach § 335a S. 1 Nr. 1 HGB idR nicht in Betracht; allenfalls nach rechtskräftiger Feststellung gem. §§ 249, 256 VII kann Rechtslage anders sein (BayObLGZ 2000, 150, 151 f.; GK-AktG/T. Bezzenberger Rn. 219; BeckOGK/Jansen Rn. 100). **Gewinnverwendungsbeschluss** (§ 174) ist gem. § 253 I 1 nichtig, wenn zugrunde liegender Jahresabschluss nichtig ist (zur Heilung → Rn. 28).

34 **2. Nachfolgende Jahresabschlüsse.** Bedeutung der Nichtigkeit des festgestellten Jahresabschlusses für Folgeabschlüsse ist zweifelhaft. Nach heute einhelliger Auffassung tritt Nichtigkeit insoweit nicht ohne weiteres ein, weil Nichtigkeit des vorgelagerten Jahresabschlusses in abschließender Regelung des § 256 nicht als eigenständiger Nichtigkeitsgrund genannt ist (BGH NJW 1997, 196, 197; OLG Köln AG 1998, 525, 527; OLG München AG 2009, 912, 914; BeckOGK/Jansen Rn. 98; Zöllner FS Scherrer, 2004, 355, 365 ff.). **Nichtigkeit** kann sich aber aufgrund **Fehleridentität** ergeben, wenn Folgeabschluss denselben Fehler enthält (GK-AktG/T. Bezzenberger Rn. 275; S/L/Schwab Rn. 44). Wird Fehler allerdings nicht wiederholt, könnte Grundsatz der **Bilanzidentität** (Bewertungsstetigkeit iSd § 252 I Nr. 1 HGB und Gliederungsstetigkeit iSd § 265 I HGB) verletzt sein und auf diesem Weg ebenfalls Nichtigkeit begründet werden (so in der Tat ADS Rn. 76), was allerdings zur Folge hätte, dass AG sich auch nach Heilung aus Dilemma nicht lösen kann (vgl. auch BGH NZG 2013, 957 Rn. 15). Lösung ist umstr., sollte richtigerweise aber bei Neuvornahme (→ Rn. 33) ansetzen. Sie gehört insoweit zum rechtsgeschäftlichen Feststellungstatbestand (→ Rn. 3) und führt zur endgültigen Wirksamkeit, wenn sie nicht zuvor durch Heilung analog § 256 VI eingetreten ist (Kropff FS Budde, 1995, 341, 342 ff., 348, 352; KK-AktG/A. Arnold Rn. 96; MüKoAktG/J. Koch Rn. 86; BeckOGK/Jansen Rn. 99; S/L/Schwab Rn. 44; aA GK-AktG/T. Bezzenberger Rn. 275 und Hennrichs FS Bergmann, 2018, 303, 306 f. – jew. in Anlehnung an W. Müller ZHR 168 [2004], 414, 423 ff.).

Anfechtung der Feststellung des Jahresabschlusses durch die Hauptversammlung

257 (1) [1] **Die Feststellung des Jahresabschlusses durch die Hauptversammlung kann nach § 243 angefochten werden.** [2] **Die Anfechtung kann jedoch nicht darauf gestützt werden, daß der Inhalt des Jahresabschlusses gegen Gesetz oder Satzung verstößt.**

(2) [1] **Für die Anfechtung gelten die §§ 244 bis 246, 247 bis 248a.** [2] **Die Anfechtungsfrist beginnt auch dann mit der Beschlußfassung, wenn der Jahresabschluß nach § 316 Abs. 3 des Handelsgesetzbuchs erneut zu prüfen ist.**

I. Regelungsgegenstand und -zweck

1 § 257 betr. Anfechtung des Jahresabschlusses, genauer des Feststellungsbeschlusses der HV, wenn ausnahmsweise ihre Zuständigkeit begründet ist (§§ 173, 234 II, §§ 235, 270 II, § 286 I). Feststellungsbeschluss, den HV außerhalb ihrer Kompetenz fassen sollte, wäre gem. § 256 I Nr. 1 nichtig (→ § 256 Rn. 20). Anfechtung bedeutet wie in § 243 Vernichtung des normwidrigen, aber zunächst gültigen Beschlusses durch Gestaltungsklage und -urteil.

2 Vorschrift bezweckt zum einen **Rechtsklarheit und -sicherheit,** indem sie außer Zweifel stellt, in welchem Umfang allg. Anfechtungsregeln anwendbar sind. Das gilt bes. für § 257 II 2, der einer Ungewissheit über den Beginn der Anfechtungsfrist vorbeugen soll (RegBegr. Kropff S. 348). Zum anderen dient

Norm der **Sicherung des festgestellten Jahresabschlusses** in seinem rechtl. Bestand, indem sie Anfechtung wegen Inhaltsmangels ausschließt (§ 257 I 2). Dadurch wird erreicht, dass inhaltliche Mängel entweder zur Nichtigkeit des Jahresabschlusses nach § 256 I Nr. 1 oder 4 führen oder ohne Rücksicht darauf unbeachtlich bleiben, ob Verwaltung oder HV den Jahresabschluss festgestellt haben. Soweit Mängel in unzulässiger Unterbewertung bestehen, wird Fehlen des Anfechtungsrechts teilw. durch Sonderprüfung nach §§ 258 ff. ausgeglichen (AusschussB Kropff S. 343 f.; BeckOGK/Jansen Rn. 10).

II. Anfechtungstatbestände

1. Allgemeine Verfahrensfehler. Feststellungsbeschluss der HV ist anfechtbar, wenn Verfahrensfehler vorliegt, der nicht schon nach § 256 III Nr. 1 oder 2 zur Nichtigkeit führt. Solche Fehler können beim Feststellungsbeschluss ebenso auftreten wie bei anderen Beschlüssen. Sie liegen zB in unrichtiger Feststellung des Abstimmungsergebnisses oder in Mängeln der Einberufung. Anfechtungsgrund ist auch unberechtigte Auskunftsverweigerung (§ 131). Auskünfte in Bewertungsfragen dürfen nicht gem. § 131 III 1 Nr. 3 oder 4 verweigert werden, wenn HV den Jahresabschluss feststellt. Einleitung des Auskunftserzwingungsverfahrens nach § 132 ist für Anfechtung nicht vorausgesetzt (BGHZ 86, 1, 3 ff. = NJW 1983, 878; str.). Ungeschriebene Anfechtungsvoraussetzung ist auch hier zwar nicht Kausalität, aber Relevanz des Verfahrensmangels (str.; → § 243 Rn. 12 f.; aA ADS Rn. 2). 3

2. Besondere Anforderungen bei Feststellung des Jahresabschlusses. Wenn Feststellung des Jahresabschlusses der HV obliegt, sind insbes. zu beachten: Pflicht zur Auslegung der Beschlussvorlage des Vorstands, des Lageberichts, des AR-Berichts und des Gewinnverwendungsvorschlags sowie Pflicht zur Erteilung von verlangten Abschriften (§ 175 II, III); Vorlage- und Erläuterungspflicht ggü. HV (§ 176 I); Teilnahmepflicht des Abschlussprüfers (§ 176 II). Verletzung dieser Pflichten (ausgenommen Erläuterungspflicht, → § 176 Rn. 6; ADS Rn. 8; MüKoAktG/J. Koch Rn. 8) ist bei Relevanz für Beschlussergebnis Anfechtungsgrund (→ § 175 Rn. 5 ff.; → § 176 Rn. 6 und 10). 4

3. Rechtswidrige Zielsetzung. Wenn Inhalt des Jahresabschlusses als solcher nicht zu beanstanden ist, kann gleichwohl der mit dem Feststellungsbeschluss verfolgte Zweck im Einzelfall iSd § 243 I oder II normwidrig sein (Mehrheitsmissbrauch, Verletzung mitgliedschaftlicher Treupflicht, Sondervorteile). In solchen Fällen ist **Anfechtung** nach richtiger Ansicht **möglich** (KK-AktG/A. Arnold Rn. 17; GK-AktG/T. Bezzenberger Rn. 14; MüKoAktG/J. Koch Rn. 10; S/L/Schwab Rn. 4; aA BeckOGK/Jansen Rn. 16). Ausschlusstatbestand des § 257 I 2 greift nach Wortlaut und auch nach Zweck (→ Rn. 2) nicht ein, weil die genannten Normverstöße verfahrensspezifisch sind, also bei Feststellung durch Verwaltung nicht auftreten können. 5

4. Anhang und Lagebericht. Zwischen beiden ist zu unterscheiden. Weil **Anhang** einen Bestandteil des Jahresabschlusses darstellt und mit diesem eine Einheit bildet (§ 264 I 1 HGB), sind seine Mängel Inhaltsfehler des Jahresabschlusses, so dass Anfechtung nach § 257 I 2 ausscheidet (MüKoAktG/J. Koch Rn. 11). Dagegen ist **Lagebericht** selbständige Informationsquelle neben dem Jahresabschluss. Seine Mängel sind deshalb wie die des früheren Geschäftsberichts Anfechtungsgründe, soweit den Aktionären bei verständiger Betrachtung wesentliche Informationen vorenthalten oder nicht unbedeutende Fehlinformationen geboten werden (KK-AktG/A. Arnold Rn. 18; GK-AktG/T. Bezzenberger Rn. 9; NK-AktR/Heidel Rn. 4; aA BeckOGK/Jansen Rn. 16). 6

III. Anwendbare Vorschriften

7 § 257 II 1 stellt klar (→ Rn. 2), dass für Anfechtung §§ 244–246, 247–248a gelten. Das entspr. der in § 251 I 3, II 1 und III (dort mit Abweichungen) und namentl. in § 254 II 1 getroffenen Regelung. Nicht anzuwenden ist also mangels Registereintragung § 246a. Dagegen soll Publizität nach § 248a auch hier Missbräuchen vorbeugen. Mehrere Anfechtungsklagen sind nach § 246 III 3 iVm § 257 II 1 zu verbinden. Nichtigkeits- und Anfechtungsklagen können (und sollten) gem. § 249 II 2 iVm § 256 VII verbunden werden.

IV. Anfechtungsfrist bei Nachtragsprüfung

8 Gem. § 257 II 2 (wortgleich: § 254 II 2; → § 254 Rn. 8) beginnt Anfechtungsfrist auch dann mit Beschlussfassung, wenn Jahresabschluss nach § 316 III HGB erneut zu prüfen ist. Vorschrift setzt die in § 246 I iVm § 187 I BGB getroffene Regelung voraus, nach der erster Tag der Monatsfrist der auf HV folgende Tag ist. Klargestellt wird (→ Rn. 2), dass es dabei auch dann verbleibt, wenn Nachtragsprüfung gem. **§ 316 III HGB** erforderlich ist. Das ist dann der Fall, wenn HV aufgestellten Abschluss geändert hat. Für diesen Fall trifft § 173 III Sonderregelung, dass Wirksamkeit des Feststellungsbeschlusses erst mit erneuter Prüfung eintritt. § 257 II 2 stellt klar, dass es für den Fristablauf dennoch auf die Beschlussfassung ankommt.

Dritter Abschnitt. Sonderprüfung wegen unzulässiger Unterbewertung

Bestellung der Sonderprüfer

258 (1) [1] **Besteht Anlaß für die Annahme, daß**

1. **in einem festgestellten Jahresabschluß bestimmte Posten nicht unwesentlich unterbewertet sind (§ 256 Abs. 5 Satz 3) oder**
2. **der Anhang die vorgeschriebenen Angaben nicht oder nicht vollständig enthält und der Vorstand in der Hauptversammlung die fehlenden Angaben, obwohl nach ihnen gefragt worden ist, nicht gemacht hat und die Aufnahme der Frage in die Niederschrift verlangt worden ist,**

so hat das Gericht auf Antrag Sonderprüfer zu bestellen. [2] **Die Sonderprüfer haben die bemängelten Posten darauf zu prüfen, ob sie nicht unwesentlich unterbewertet sind.** [3] **Sie haben den Anhang darauf zu prüfen, ob die vorgeschriebenen Angaben nicht oder nicht vollständig gemacht worden sind und der Vorstand in der Hauptversammlung die fehlenden Angaben, obwohl nach ihnen gefragt worden ist, nicht gemacht hat und die Aufnahme der Frage in die Niederschrift verlangt worden ist.**

(1a) **Bei Kreditinstituten, Finanzdienstleistungsinstituten oder bei Wertpapierinstituten sowie bei Kapitalverwaltungsgesellschaften im Sinn des § 17 des Kapitalanlagegesetzbuchs kann ein Sonderprüfer nach Absatz 1 nicht bestellt werden, soweit die Unterbewertung oder die fehlenden Angaben im Anhang auf der Anwendung des § 340f des Handelsgesetzbuchs beruhen.**

(2) [1] Der Antrag muß innerhalb eines Monats nach der Hauptversammlung über den Jahresabschluß gestellt werden. [2] Dies gilt auch, wenn der Jahresabschluß nach § 316 Abs. 3 des Handelsgesetzbuchs erneut zu prüfen ist. [3] Er kann nur von Aktionären gestellt werden, deren Anteile zusammen den Schwellenwert des § 142 Abs. 2 erreichen. [4] Die Antragsteller haben die Aktien bis zur Entscheidung über den Antrag zu hinterlegen oder eine Versicherung des depotführenden Instituts vorzulegen, dass die Aktien so lange nicht veräußert werden, und glaubhaft zu machen, daß sie seit mindestens drei Monaten vor dem Tage der Hauptversammlung Inhaber der Aktien sind. [5] Zur Glaubhaftmachung genügt eine eidesstattliche Versicherung vor einem Notar.

(3) [1] Vor der Bestellung hat das Gericht den Vorstand, den Aufsichtsrat und den Abschlußprüfer zu hören. [2] Gegen die Entscheidung ist die Beschwerde zulässig. [3] Über den Antrag gemäß Absatz 1 entscheidet das Landgericht, in dessen Bezirk die Gesellschaft ihren Sitz hat.

(4) [1] Sonderprüfer nach Absatz 1 können nur Wirtschaftsprüfer und Wirtschaftsprüfungsgesellschaften sein. [2] Für die Auswahl gelten § 319 Absatz 2 bis 4 und § 319b Absatz 1 des Handelsgesetzbuchs und bei Gesellschaften, die Unternehmen von öffentlichem Interesse nach § 316a Satz 2 des Handelsgesetzbuchs sind, auch Artikel 5 Absatz 1 der Verordnung (EU) Nr. 537/2014 sinngemäß. [3] Der Abschlußprüfer der Gesellschaft und Personen, die in den letzten drei Jahren vor der Bestellung Abschlußprüfer der Gesellschaft waren, können nicht Sonderprüfer nach Absatz 1 sein.

(5) [1] § 142 Abs. 6 über den Ersatz angemessener barer Auslagen und die Vergütung gerichtlich bestellter Sonderprüfer, § 145 Abs. 1 bis 3 über die Rechte der Sonderprüfer, § 146 über die Kosten der Sonderprüfung und § 323 des Handelsgesetzbuchs über die Verantwortlichkeit des Abschlußprüfers gelten sinngemäß. [2] Die Sonderprüfer nach Absatz 1 haben die Rechte nach § 145 Abs. 2 auch gegenüber dem Abschlußprüfer der Gesellschaft.

Übersicht

I. Grundlagen

1 **1. Regelungsgegenstand und -zweck.** §§ 258 ff. wenden sich gegen Unterbewertungen und setzen deren Unzulässigkeit voraus. Unzulässig sind sie, soweit Wertansätze gegen §§ 252 ff. HGB verstoßen. Früheres Höchstwertprinzip, das Bildung stiller Reserven weitgehend zuließ (RGZ 116, 119, 133; RGZ 156, 52, 56 f.), ist schon seit AktG 1965 überwunden. Seither ist restriktive Linie zunächst durch Sonderregeln für Kapitalgesellschaften in §§ 279 ff. HGB aF fortgesetzt worden, die im Zuge des BilMoG 2009 auf ges. Rechnungslegung ausgedehnt wurden. Nach Neufassung des § 253 HGB wurde Möglichkeit zur Bildung stiller Reserven ganz erheblich eingeschränkt (Hopt/Merkt HGB § 252 Rn. 13 ff.). Mit §§ 258 ff. ist vor allem bezweckt, **unzulässige Unterbewertungen** aufzudecken und damit Bewertungsvorschriften durchzusetzen (ähnlich KK-AktG/A. Arnold Rn. 7; zweifelnd GK-AktG/Mock Rn. 9); ferner das mitgliedschaftliche Dividendenrecht und die ihm entspr., wenngleich durch § 58 begrenzte Kompetenz der HV zu schützen (KK-AktG/A. Arnold Rn. 8; MüKoAktG/J. Koch Rn. 3); schließlich, **vollständige Berichterstattung** im Anh. durchzusetzen (§ 258 I 1 Nr. 2; sog Prinzip der gläsernen, wenngleich verschlossenen Taschen; s. Kronstein/Claussen/Biedenkopf AG 1964, 268). Nicht bezweckt ist, das Individualinteresse von Aktionären an höherer Dividende zu schützen. Das zeigt sich schon in Beschlusszuständigkeit der HV nach § 261 III (insoweit fehlgehend die Kritik von Schimmelbusch WPg 1972, 141 ff.). Zur rechtspolitischen Bewertung der §§ 258 ff. vgl. MüKoAktG/J. Koch Rn. 9. Norm ist Gegenstand vielfältiger **Änderungen** (Überblick bei GK-AktG/Mock Rn. 16 ff.), deren Häufigkeit im umgekehrten Verhältnis zur praktischen Bedeutung des Rechtsinstituts steht (s. dazu GK-AktG/Mock Rn. 27). Letzte Änderung beruht auf AIFM-UG v. 4.7.2013 (BGBl. 2013 I 1981), enthält in der Sache aber nur redaktionelle Anpassung des § 258 Ia.

2 **2. Sonderregeln und Abgrenzungen.** Frühere Sonderregelung für **Kreditinstitute** in §§ 26a, 26b KWG ist seit Durchführung der BankbilanzRL (1.1.1991) aufgehoben. Anschlussregelung ist enthalten in §§ 340–340o HGB, bes. in § 340 f. HGB (sa § 258 Ia; → Rn. 3). **Nichtigkeit des Jahresabschlusses** (§ 256 V 1 Nr. 2) ist innerhalb der Antragsfrist des § 258 II 1 (→ Rn. 14 f.) praktisch nicht feststellbar; Gericht muss Sonderprüfer deshalb auch dann bestellen, wenn es Jahresabschluss für nichtig hält (BeckOGK/Euler/Sabel Rn. 7; MüKoAktG/J. Koch Rn. 65). **Sonderprüfung nach § 142** ist ausgeschlossen, soweit Voraussetzungen des § 258 I vorliegen. Das folgt aus § 142 III und gilt ohne Rücksicht darauf, ob tats. wegen Unterbewertung geprüft wird. Es genügt, dass Sonderprüfung nach §§ 258 ff. stattfinden könnte (→ § 142 Rn. 26 mwN).

II. Voraussetzungen und Durchführung der Sonderprüfung (§ 258 I und Ia)

1. Anlass für die Annahme. Nach Eingangsworten des § 258 I setzt Bestellung von Sonderprüfern voraus, dass „Anlass für die Annahme" einer Unterbewertung oder lückenhafter Berichterstattung im Anh. besteht. Formulierung des Gesetzgebers ist **bewusst unscharf** (Frey WPg 1966, 633 f.). An Spezifizierung des Antrags sollen „keine zu weitgehenden Anforderungen" gestellt werden (AusschussB Kropff S. 349). Erforderlich und genügend ist, dass Antragsteller Tatsachen vorträgt, die für verständigen und obj. Beurteiler den Schluss auf Unterbewertung oder unvollständige Berichterstattung im Anh. nachvollziehbar machen (MüKoAktG/J. Koch Rn. 11). Es genügt – in Anlehnung an strafprozessuale Terminologie – Anfangsverdacht; hinreichender Verdacht ist nicht erforderlich (OLG München AG 2006, 801, 802; FGPrax 2009, 141, 142; MüKoAktG/J. Koch Rn. 11; GK-AktG/Mock Rn. 56; aA KK-AktG/A. Arnold Rn. 36; Jänig NZG 2008, 257, 259 f.). Es müssen **konkrete Tatsachen** behauptet werden. Unsubstanziiertes Vorbringen genügt nicht (unstr., s. OLG München AG 2006, 801, 802 f.; MüKoAktG/J. Koch Rn. 12; S/L/Kleindiek Rn. 6). Lückenloser Vortrag aller relevanten Tatsachen darf allerdings nicht gefordert werden, da Aktionäre über diese Tatsachen gerade nicht verfügen. Auch Glaubhaftmachung oder gar Beweisführung sind nicht zu verlangen (MüKoAktG/J. Koch Rn. 11). Wenn Antrag im dargelegten Sinne ausreichend begründet ist, hat Gericht von Amts wegen zu ermitteln (§ 26 FamFG). **Sonderregelung in § 258 Ia** betr. zunächst KI (§ 1 I KWG, § 2 I KWG), sodann Finanzdienstleistungsinstitute (§ 1 Ia KWG, § 2 VI KWG), Wertpapierinstitute (§ 2 I WpIG; → § 70 Rn. 2), schließlich Kapitalverwaltungsgesellschaften iSd § 17 KAGB. Danach kann Sonderprüfer nach § 258 I nicht bestellt werden, soweit – verglichen mit allg. bilanzrechtl. Anforderungen – zwar Unterbewertung oder Berichtslücke gegeben sein mögen, diese aber auf der in § 340f HGB zugelassenen Vorsorge für Bankrisiken beruhen; auf Finanzdienstleistungsinstitute ist § 340f HGB gem. § 340 IV 1 HGB, auf Wertpapierinstitute gem. § 340 IVa 1 HGB anzuwenden. Soweit Sonderregelung eingreift, ist Annahme iSd § 258 I von vornherein nicht veranlasst. 3

2. Unterbewertung. a) Bestimmte Posten im festgestellten Jahresabschluss. Gem. § 258 I 1 Nr. 1 muss Annahme veranlasst sein, dass im festgestellten Jahresabschluss bestimmte Posten unterbewertet sind. Ob Feststellung durch Verwaltung (Regelfall des § 172) oder durch HV (Ausnahmefall des § 173) erfolgt ist, spielt keine Rolle. Jedoch gibt es **keine Sonderprüfung des nur aufgestellten Jahresabschlusses.** Aus Feststellungserfordernis ergibt sich, dass Sonderprüfung erst nach Abschlussprüfung möglich ist (§ 316 I 2 HGB), es sei denn, dass es sich um eine nicht prüfungspflichtige kleine AG handelt (§ 316 I 1 HGB). Zu welchem Endergebnis Abschlussprüfung geführt hat (vgl. § 322 HGB), ist für Sonderprüfung nicht erheblich (GK-AktG/Mock Rn. 60). 4

Posten bezeichnet wie in § 256 V (→ § 256 Rn. 25 f.) die **Gliederungspositionen des § 266 HGB.** Weil es nur auf Unterbewertung ganzer Posten ankommt, darf vom Antragsteller nicht gefordert werden, dass er einzelne Vermögensgegenstände oder bestimmte Verbindlichkeiten bezeichnet, auf die sich Unterbewertung beziehen soll (ADS Rn. 18 f.; MüKoAktG/J. Koch Rn. 13). Gehindert ist Antragsteller an entspr. konkretem Vortrag jedoch nicht. Zu daraus resultierenden Fragen des Prüfungsumfangs → Rn. 11. 5

b) Nicht unwesentliche Unterbewertung. Bestellung von Sonderprüfern setzt weiter voraus, dass Unterbewertung angenommen werden kann, die nicht 6 unwesentlich ist. Für **Begriff der Unterbewertung** verweist Klammerzusatz des § 258 I 1 Nr. 1 auf § 256 V 3 (→ § 256 Rn. 26). Insbes. gilt auch hier, dass **Ansatzfehler** den Bewertungsfehlern wegen vergleichbarer Wirkungen gleichzustellen sind. Antrag kann also auch darauf gestützt werden, dass Vermögensgegenstände oder Verbindlichkeiten mengenmäßig unzutreffend erfasst sind (sa ADS Rn. 65 unter 1.).

7 Unterbewertung darf **nicht unwesentlich** sein. Doppelte Negation bezeichnet ein Maß, das hinter wesentlicher Unterbewertung zurückbleibt (KK-AktG/A. Arnold Rn. 27; BeckOGK/Euler/Sabel Rn. 15; GK-AktG/Mock Rn. 75; aA Hölters/Weber/Waclawik Rn. 14; Krag/Hullermann DB 1980, 457 f.). Im Übrigen bleibt Konkretisierung zweifelhaft und auch umstritten. Fraglich ist zunächst **Vergleichsgröße.** Als solche kommen einerseits Gesamtverhältnisse des Unternehmens, andererseits der einzelne Bilanzposten in Betracht, auf den sich Unterbewertung bezieht. Früher hM hat sich für erste Lesart ausgesprochen (s. ADS Rn. 86; Frey WPg 1966, 633 f.; Kruse, Die Sonderprüfung, 1972, 62 ff.). Heute überwiegt dagegen zweite, auf jew. Bilanzposten abstellende Betrachtung (KK-AktG/A. Arnold Rn. 27 f.; MüKoAktG/J. Koch Rn. 19 ff.; S/L/Kleindiek Rn. 9; weiter differenzierend GK-AktG/Mock Rn. 78). Der zweiten Ansicht ist mit Rücksicht auf Regelungszweck (→ Rn. 1) beizutreten. Wenn für Sonderprüfung erforderlich wäre, dass Unterbewertung des einzelnen Postens für Gesamtverhältnisse des Unternehmens nicht unwesentlich ist, würde Rechtsinstitut weitgehend seine praktische Bedeutung einbüßen. Für hier vertretene Ansicht spricht auch Umkehrschluss aus § 256 V 1 Nr. 2.

8 Fraglich ist ferner, ob es für nicht unwesentliche Unterbewertung **feste Betragsgrenzen** gibt. Diese Ansicht ist von Frey WPg 1966, 633 f. in Anlehnung an § 160 II 5 aF (Regelung wurde nicht nach § 284 II Nr. 2 HGB übernommen) entwickelt worden; danach soll nicht unwesentliche Unterbewertung nur vorliegen, wenn ihr Betrag 10 % des Jahresüberschusses (Jahresfehlbetrags) erreicht und überdies 0,5 % des Grundkapitals übersteigt. Heute überwiegt hingegen zu Recht die abl. Ansicht (KK-AktG/A. Arnold Rn. 28; MüKoAktG/J. Koch Rn. 22; GK-AktG/Mock Rn. 80). Das gilt nach hier zur Vergleichsgröße vertretener Ansicht schon deshalb, weil die zur Konkretisierung herangezogenen Relationen zu Unrecht auf Gesamtverhältnisse des Unternehmens abstellen (→ Rn. 7). Unabhängig davon ist es sachlich nicht passend, frühere auf Wechsel der Bewertungsmethoden zugeschnittene Regelung auf Feststellung unzulänglicher Unterbewertung zu übertragen. Es verbleibt bei einem Entscheidungsspielraum, der im Einzelfall durch sachverständige und billige Erwägungen ausgefüllt werden muss (ADS Rn. 86).

9 **3. Mängel des Anhangs. a) Keine oder keine vollständigen Angaben.** Sonderprüfer sind nach § 258 I 1 Nr. 2 auch dann zu bestellen, wenn Anh. die vorgeschriebenen Angaben nicht oder nicht vollständig enthält und sie auch in der HV nicht nachgeholt worden sind (zum letzten Punkt → Rn. 10). Welche Angaben erforderlich sind, ergibt sich aus §§ 284 ff. HGB, § 160 (→ § 160 Rn. 1 ff.). Dass sie gänzlich fehlen, ist eher fernliegend. Unvollständig sind sie nicht schon deshalb, weil Anh. eine (uU zweckmäßige) Fehlanzeige nicht enthält. Entscheidend ist allein, ob tats. etwas anzugeben war (KG JW 1936, 2411). Dagegen ist im Umkehrfall – Fehlanzeige wird fälschlich erstattet – Unvollständigkeit zu bejahen. Räumt Ges. allerdings ein Wahlrecht ein, Angaben statt in den Anh. auch in Bilanz oder GuV aufzunehmen, ist Unvollständigkeit nicht gegeben (S/L/Kleindiek Rn. 10). Auch **unrichtige Sachangaben** fallen unter § 258 I 1 Nr. 2; denn die richtige Angabe fehlt zwangsläufig, wenn der Anh. die falsche enthält (KK-AktG/A. Arnold Rn. 31; MüKoAktG/J. Koch Rn. 27).

b) Keine Nachholung in der Hauptversammlung. Vorstand kann seine Berichterstattung in der HV um fehlende Angaben ergänzen. Wenn Informationen danach vollständig sind, findet Sonderprüfung nicht statt, und zwar insoweit ohne Rücksicht darauf, ob Vorstand fehlende Angaben von sich aus oder auf Frage von Aktionären vorgenommen hat (S/L/Kleindiek Rn. 11). Nur wenn fehlende Angaben auch in der HV nicht nachgeholt worden sind, kommt es darauf an, ob nach ihnen gefragt und Aufnahme der Frage in die **Niederschrift** (§ 130) verlangt worden ist. Es genügt, wenn Fragesteller deutlich macht, dass er Angaben nach §§ 284 ff. HGB, § 160 vermisst (Einzelheiten bei MüKoAktG/J. Koch Rn. 29; KK-AktG/A. Arnold Rn. 32). Frage- und Antragsteller müssen nicht identisch sein. Maßgeblich ist auch nicht, ob Notar oder anderer Protokollführer (§ 130 I 3) die Frage tats. beurkundet hat. Erforderlich und genügend ist feststellbares (beweisbares) Beurkundungsverlangen (KK-AktG/A. Arnold Rn. 33). 10

4. Aufgaben der Sonderprüfer. a) Sonderprüfung wegen Unterbewertung. Aufgaben der Sonderprüfer ergeben sich aus § 258 I 2 und 3 iVm dem gerichtl. Prüfungsauftrag (→ Rn. 22). Rückschlüsse ergeben sich auch aus Berichtspflicht des § 259. Bei behaupteter Unterbewertung gilt iE: Prüfung beschränkt sich gem. § 258 I 2 auf die bemängelten Posten, bei denen Gericht Voraussetzungen der Sonderprüfung bejaht hat. Erstens ist zu prüfen, ob überhaupt Unterbewertung vorliegt: Vollständigkeit des Mengengerüsts; Beachtung von Aktivierungsgeboten und Passivierungsverboten; Bewertung und Abschreibung in Übereinstimmung mit Ges. und GoB. Ergibt sich danach Unterbewertung, ist zweitens zu prüfen, ob sie nicht unwesentlich ist (→ Rn. 6 ff.). Drittens muss, wie aus § 259 II folgt, geprüft werden, mit welchem Wert die einzelnen Aktivposten mindestens und die einzelnen Passivposten höchstens anzusetzen waren. 11

b) Sonderprüfung wegen Mängeln des Anhangs. Prüfungsprogramm wird durch § 258 I 3 vorgegeben. An Beschränkungen des Prüfungsauftrags (→ Rn. 22) sind Sonderprüfer auch hier gebunden. Die in § 258 I 3 vorgesehene **Abfolge** (Fehlen von Angaben; vergebliche Frage; Beurkundungsverlangen) setzt eine Berichtslücke als gegeben voraus. Weil sie aber erst festgestellt werden soll, ist es zulässig und idR auch zweckmäßig, umgekehrt vorzugehen (ADS Rn. 72; MüKoAktG/J. Koch Rn. 33; S/L/Kleindiek Rn. 13). Formulierung der abschließenden Feststellung ist schwierig, wenn sich herausstellt, dass Beurkundung nicht verlangt oder Frage nicht gestellt wurde; → § 259 Rn. 7. 12

III. Antrag auf Bestellung von Sonderprüfern (§ 258 II)

1. Form und Frist. a) Form. Gericht bestellt Sonderprüfer nur auf Antrag (§ 258 I 1 aE, II). Verfahren bestimmt sich nach **FamFG.** Zuständig für Entscheidung ist abw. vom früheren Recht das **Landgericht des Gesellschaftssitzes.** Das spricht § 258 III 3 in seiner Neufassung durch FGG-ReformG 2008 eigens aus, wobei sich sachliche Zuständigkeit des LG bereits aus § 71 II Nr. 4 GVG ergeben würde. Abweichung von allg. Grundsätzen liegt hier also allein in örtlicher Zuständigkeit, die ihrerseits wieder modifiziert werden kann, wenn Landesregierungen oder Landesjustizverwaltungen von Konzentrationsermächtigung nach § 71 IV GVG Gebrauch machen (NK-AktR/v. der Linden Rn. 17). Anwaltszwang besteht nicht (§ 10 I FamFG). Bes. Antragsform ist nicht vorgeschrieben; § 12 I HGB bleibt unanwendbar. Antrag zu Protokoll der Geschäftsstelle genügt (§ 25 I FamFG), ebenso Schriftform. Unterschrift ist mangels ges. Bestimmung nicht Wirksamkeitsvoraussetzung, sofern nur Person des Antragstellers klar ist. Der Antrag kann deshalb auch in fernschriftlichen Übermitt- 13 lungsformen (zB Fax, Computerfax mit eingescannter Unterschrift) zugestellt werden (Sternal/Sternal FamFG § 25 Rn. 16). Selbst telefonische Antragstellung ist mangels besonderer Formvorschrift zuzulassen, solange nur auch auf diesem Wege Identität des Erklärenden eindeutig festgestellt werden kann (S/L/Kleindiek Rn. 16). Heute bes. wichtige Übersendung als **elektronisches Dokument** (zB E-Mail, Bilddatei) ist nach § 14 II FamFG ebenfalls zulässig, sofern diese Möglichkeit durch Verordnung für jew. Gericht zugelassen ist (Sternal/Sternal FamFG § 25 Rn. 17).

14 **b) Materiell-rechtliche Ausschlussfrist; Berechnung.** § 258 II 1 verlangt Antragstellung innerhalb eines Monats nach HV. **Monatsfrist** ist zwingende materiell-rechtl. Ausschlussfrist. Es gibt **keine Verlängerung.** Verspätung macht Antrag nicht unzulässig, sondern unbegründet. Vorschriften der ZPO über Fristen sind nicht anwendbar. Weil es um Ausschlussfrist geht (allgM, s. MüKoAktG/J. Koch Rn. 40), findet Hemmung (§§ 203 ff. BGB) nicht statt. Gericht beachtet Fristablauf auch dann, wenn sich AG als Antragsgegnerin darauf nicht berufen sollte. Wiedereinsetzung in vorigen Stand (§§ 17 ff. FamFG) ist nicht möglich (S/L/Kleindiek Rn. 18; GK-AktG/Mock Rn. 116).

15 Maßgeblich für **Fristbeginn** ist **Datum der HV** über Jahresabschluss. Ob HV festgestellten Jahresabschluss entgegengenommen (§§ 172, 175 I) oder selbst über Feststellung beschlossen hat (§§ 173, 175 III), bleibt gleich (ebenso Jänig NZG 2008, 257, 258). Bei Datum der HV verbleibt es auch, wenn Nachtragsprüfung gem. § 316 III HGB erforderlich ist (klarstellend § 258 II 2; sa → § 257 Rn. 8). Fristbeginn gem. § 187 I BGB, Fristende gem. § 188 II BGB. Frist ist jedenfalls gewahrt, wenn Antrag rechtzeitig bei dem örtlich und sachlich zuständigen Gericht (→ Rn. 18) eingeht (ADS Rn. 27. Nach mittlerweile hM genügt aber auch Antragstellung beim unzuständigen Gericht, und zwar nach den zur Anfechtungsklage geltenden Grundsätzen (→ § 246 Rn. 24; wie hier KK-AktG/A. Arnold Rn. 57; B/K/L/Holzborn/Jänig Rn. 17; MüKoAktG/J. Koch Rn. 42; GK-AktG/Mock Rn. 120; jetzt auch S/L/Kleindiek Rn. 18; aA BeckOGK/Euler/Sabel Rn. 23). Prüfungsgründe können ebenso wenig nachgeschoben werden wie bei Anfechtungsklage (Einzelheiten bei MüKoAktG/J. Koch Rn. 43). **Vorfristig gestellter Antrag** ist grds. unwirksam, kann aber wirksam werden; so dann, wenn er nach Fristbeginn (Tag der HV) weiterverfolgt wird (OLG München AG 2006, 801, 802; grds. auch Jänig NZG 2008, 257, 258 f.).

16 **2. Antragsberechtigung. a) Quorum.** § 258 II 3 verweist zur Bestimmung des Quorums auf § 142 II. Dadurch sollen Wertungswidersprüche bei den verschiedenen Varianten der Sonderprüfung vermieden werden (RegBegr. BT-Drs. 15/5092, 30). Erforderlich ist, dass antragstellende Aktionäre 1 % des Grundkapitals oder einen anteiligen Betrag von (nur) 100.000 Euro auf sich vereinigen (→ § 142 Rn. 22; zum Zweck alternativer Schwellenwerte → § 122 Rn. 17). Stimmrechtslose Vorzüge rechnen mit, ebenso Aktien, für die Stimmrecht nach § 134 I oder II nicht ausgeübt werden darf (allgM, vgl. MüKoAktG/J. Koch Rn. 44). Berechnungsbasis ist am Tag der HV in das HR eingetragenes Grundkapital. Eigene Aktien sind nicht abzusetzen (ADS Rn. 31; MüKoAktG/J. Koch Rn. 44; GK-AktG/Mock Rn. 123). Aus § 71b folgt nichts anderes, weil es nicht um Ausübung von Mitgliedsrechten durch AG selbst geht. Ob qualifizierte Minderheit von einem oder von mehreren Aktionären erreicht wird, bleibt gleich. § 258 II 3 lässt Aktionäre zur Antragstellung zu, die einzeln oder zusammen notwendigen Aktienbesitz auf sich vereinigen (heute allgM – s. MüKoAktG/J. Koch Rn. 45).

17 **b) Hinterlegung und Glaubhaftmachung.** Antragsteller müssen ihre Aktien gem. § 258 II 4 bis zur Entscheidung über den Antrag hinterlegen oder Ver-

sicherung des depotführenden KI vorlegen, dass Aktien bis dahin nicht veräußert werden. Antragsberechtigung soll damit für Dauer des gerichtl. Verfahrens erhalten bleiben. Aktienbesitz während der Sonderprüfung ist dagegen entbehrlich (OLG München ZIP 2009, 1524, 1526; ADS Rn. 32; MüKoAktG/J. Koch Rn. 46). Hinterlegung kann bei Hinterlegungsstelle des Amtsgerichts oder bei AG selbst erfolgen (KG JW 1930, 3777; KK-AktG/A. Arnold Rn. 52; MüKoAktG/J. Koch Rn. 46). Versicherung des KI umfasst wie bei § 142 Depotbescheinigung und Verpflichtungserklärung ggü. Gericht, dieses über Veränderungen des Aktienbestandes zu unterrichten (→ § 142 Rn. 24; OLG München AG 2006, 801, 802; problematisierend Jänig NZG 2008, 257, 259). Das muss trotz anderen Wortlauts des § 258 II 4 genügen, weil KI Veräußerung der Aktien nicht verhindern kann. Ferner müssen Antragsteller glaubhaft machen, dass sie seit mindestens drei Monaten vor Tag der HV Inhaber der Aktien sind; kurzzeitige Aktionäre sollen nicht in der Lage sein, Sonderprüfung wegen Unterbewertung zu veranlassen (OLG München FGPrax 2009, 141). Voller Beweis dreimonatigen Aktienbesitzes ist nicht erforderlich. Vielmehr genügt Glaubhaftmachung durch sämtliche Mittel des Freibeweises, (RegE FGG-ReformG BT-Drs. 16/6308, 190), wobei nach § 31 II FamFG Beschränkung auf präsente Beweismittel zu verlangen ist (Sternal/Sternal FamFG § 31 Rn. 1). Vor allem kommt Vorlage von Depotauszügen in Betracht (OLG München FGPrax 2009, 141). Bei Namensaktien kann AG wegen § 67 II veranlasst werden, sich über Inhalt des Aktienregisters zu äußern (OLG München FGPrax 2009, 141). Auch eidesstattliche Versicherung vor Notar genügt (§ 258 II 5).

IV. Gerichtliches Verfahren und Entscheidung (§ 258 III)

1. Zuständigkeit. Sachlich zuständig ist nach § 258 III 3 unter Abweichung vom früheren Recht LG, das im Verfahren nach FamFG tätig wird. Örtl. Zuständigkeit bestimmt sich nach Gesellschaftssitz (§ 14). Funktionell zuständig ist KfH (§ 71 II Nr. 4 lit. b GVG, § 95 II Nr. 2 GVG). Wie bei Parallelgestaltungen in § 98 (→ § 98 Rn. 2), § 132 (→ § 132 Rn. 3), § 142 (→ § 142 Rn. 31), § 145 (→ § 145 Rn. 6); § 260 (→ § 260 Rn. 4), § 315 (→ § 315 Rn. 4) ist auch hier str. (mit jew. unterschiedlichem Meinungsstand), ob diese Zuständigkeit **ausschließlich** ist (legislativ geklärt nur für SpruchG → SpruchG § 2 Rn. 5). Speziell zu § 258 wird Frage von hM zu Recht verneint (ausf. Simons NZG 2012, 609, 610; zust. KK-AktG/A. Arnold Rn. 59; ausf. Begründung → § 98 Rn. 2). KfH entscheidet deshalb nur, wenn sie von Antragsteller (§ 96 I GVG) oder Antragsgegner (§ 98 I GVG) angerufen wird. § 258 III 3 ist wegen Verzahnung mit GVG überflüssig und auch systematisch nicht glücklich; wenn schon, hätte sie § 258 III 1 sein sollen. 18

2. Prüfung und Anhörung. Gericht prüft Antrag in förmlicher und sachlicher Hinsicht. **Förmliche Prüfung** umfasst Zuständigkeit (→ Rn. 18), Antragsform (→ Rn. 13) und Antragsberechtigung (→ Rn. 16 f.). Förmliche Mängel machen Antrag unzulässig. **Sachliche Prüfung** erstreckt sich auf Wahrung der Antragsfrist (→ Rn. 14 f.) und Antragsgründe (→ Rn. 4 ff., 9 f.), wobei es genügt, dass die Annahme solcher Gründe veranlasst ist (→ Rn. 3). Fehlt das eine oder das andere, so ist Antrag als unbegründet abzuweisen. Erforderliche Ermittlungen erfolgen gem. § 26 FamFG von Amts wegen (s. dazu MüKoAktG/J. Koch Rn. 49). Gericht darf nach richtiger Ansicht Sachverständige beiziehen, wenn eigene Sachkunde für Entscheidung über den „Anfangsverdacht" nicht ausreicht (sa BeckOGK/Euler/Sabel Rn. 25; MüKoAktG/J. Koch Rn. 50; GK-AktG/Mock Rn. 148; aA KK-AktG/A. Arnold Rn. 60; B/K/L/Holzborn/Jänig Rn. 21). Allerdings ist es – darin ist Gegenauffassung zuzustimmen – nicht 19

Aufgabe des Gerichts, Ergebnis der Sonderprüfung zu antizipieren. Prüfungsauftrag an Sachverständige muss entspr. beschränkt sein. Unter dem Strich wird deshalb auch nach hier vertretener Meinung nur **schmaler Anwendungsbereich** für Hinzuziehung bestehen, nämlich in solchen Fällen, in denen Gericht auch nach Anhörung von Vorstand, AR und Abschlussprüfer selbst für Bildung des Anfangsverdachts immer noch Zweifel verbleiben, die durch Sachverständigen aufzuklären sind.

20 **Anhörung des Vorstands, des AR und des Abschlussprüfers** ist in § 258 III 1 ausdr. vorgeschrieben. Sie muss vor Bestellung von Sonderprüfern erfolgen, kann also nur unterbleiben, wenn Gericht den Antrag ohnehin als unzulässig oder unbegründet abweisen will. Anhörung kann **schriftlich oder mündlich** erfolgen. Vorstand und AR geben ihre Stellungnahme als Gesellschaftsorgane ab, müssen also gem. § 77 verfahren bzw. gem. § 108 I über den Inhalt ihrer Äußerung beschließen. Mehrere Abschlussprüfer können gemeinsam Stellung nehmen, wenn sie einig sind; sonst ist Einzelerklärung erforderlich (S/L/Kleindiek Rn. 20; GK-AktG/Mock Rn. 169).

21 Gericht kann iR seiner Amtsermittlungen (→ Rn. 19) **Vorlage des Prüfungsberichts** des Abschlussprüfers (§ 321 HGB) verlangen (KK-AktG/A. Arnold Rn. 61). Ergebnis der Anhörung kann auf diese Weise unterstützt oder ergänzt werden. **Vorlage weiterer Unterlagen,** bes. interner Arbeitsanweisungen, interner Vermerke über Bewertungsfragen, von Protokollen über Sitzungen des Vorstands oder des AR oder seiner Ausschüsse ist nicht zu fordern (MüKoAktG/J. Koch Rn. 52; aA Kruse, Die Sonderprüfung, 1972, 105). Darin läge nicht mehr Anhörung, sondern Ausforschung (sa KK-AktG/A. Arnold Rn. 61). Sie ist unzulässig und auch unnötig, weil Gericht aus den vom Vorstand übermittelten oder nicht übermittelten Informationen ohnehin geeignete Schlüsse ziehen darf. Vorstand kann Unterlagen der genannten Art von sich aus vorlegen. Erscheint dies wegen Kenntniserlangung der Antragsteller oder aus sonstigen Gründen untunlich, kann es zweckmäßig sein, sich darauf ausdrücklich zu berufen.

22 **3. Entscheidung.** Gericht entscheidet durch mit Gründen versehenen Beschluss (vgl. § 258 III 2). Wenn Antrag zulässig und begründet ist, bestellt Gericht Sonderprüfer (§ 258 I 1). Gericht muss die **Personen der Sonderprüfer** (oder die Prüfungsgesellschaften) **bezeichnen;** bloße Anordnung einer Sonderprüfung genügt nicht. Gericht kann einen oder mehrere Prüfer bestellen (ADS Rn. 46; Frey WPg 1966, 633, 636). Zum Inhalt des Beschlusses gehört auch **Formulierung des Prüfungsauftrags.** Umfassende Prüfung des Jahresabschlusses ist nicht Sinn des Verfahrens. Gericht muss vielmehr die Posten bezeichnen, die wegen möglicher Unterbewertung geprüft werden sollen (näher MüKoAktG/J. Koch Rn. 55). Bei Sonderprüfung wegen unvollständiger Berichterstattung ist den Prüfern aufzugeben, den Anh. auf das Fehlen oder die Unvollständigkeit derjenigen Angaben hin zu prüfen, deren Fehlen oder Unvollständigkeit mit dem Antrag gerügt worden ist.

23 **4. Kosten; Rechtsmittel.** Wenn Gericht Sonderprüfer bestellt, trägt AG die Gerichtskosten (§ 146 iVm § 258 V 1). Ergebnis der Sonderprüfung selbst hat auf die Kostentragungspflicht keinen Einfluss. Wird Antrag abgewiesen, fallen Gerichtskosten gem. § 22 I GNotKG, § 32 I GNotKG den Antragstellern zur Last. § 260 IV ist in diesem Stadium nicht anwendbar, weil sich Norm nur auf das nachgeschaltete Gerichtsverfahren bezieht (B/K/L/Holzborn/Jänig Rn. 25). Geschäftswert ist von Amts wegen festzusetzen (§ 79 I Nr. 1 GNotKG). Doppelte Gebühr gem. KV 13500 GNotKG (vgl. KV Vorb. 1.3.5 Nr. 2 lit. a GNotKG). Von den Verfahrenskosten zu unterscheiden sind Kosten der Sonderprüfung selbst (→ Rn. 28). Rechtsmittel ist nach § 258 III 2 **Beschwerde**

(§§ 58 ff. FamFG) mit Monatsfrist des § 63 FamFG Rechtsmittel gegen Entscheidung des Beschwerdegerichts ist zulassungsabhängige Rechtsbeschwerde (§§ 70 ff. FamFG).

V. Prüfereigenschaft; Auswahl (§ 258 IV)

1. Notwendige Qualifikation. Sonderprüfer können nach § 258 IV 1 **nur Wirtschaftsprüfer und Wirtschaftsprüfungsgesellschaften** sein. Vergleich mit § 143 I ergibt, dass nur sie, nicht auch sonstige Sachverständige, bestellt werden können (ADS Rn. 46). Prüfereigenschaft muss bei der Bestellung vorliegen und während der gesamten Tätigkeit bestehen. Auswahl geeigneter Personen oder Gesellschaften obliegt dem Gericht. Nicht ges. vorgeschrieben, aber empfehlenswert ist, vor der Entscheidung die Wirtschaftsprüferkammer als zuständige Berufsorganisation zu hören (AusschussB Kropff S. 349; BeckOGK/Euler/Sabel Rn. 32). 24

2. Bestellungshindernisse. a) Mangelnde Unabhängigkeit. Nach § 258 IV 2 gelten für Auswahl der Sonderprüfer Regelungen der § 319 II–IV, § 319b I HGB sinngem. Sonderprüfer müssen also von AG unabhängig sein und dürfen auch nicht in der Gefahr der Befangenheit stehen. Gericht muss sich davon überzeugen, dass **kein Bestellungshindernis** iSd genannten Vorschriften vorliegt. Anhörung der Wirtschaftsprüferkammer (→ Rn. 24) ist auch deshalb empfehlenswert. Zusätzlich sollte **Negativerklärung** von den in Aussicht genommenen Personen oder Gesellschaften vor ihrer Bestellung gefordert werden. Mit der bislang ebenfalls in Verweisung einbezogenen Vorschrift des § 319a HGB aF wurden von Abschlussprüfer-VO eingeräumte Mitgliedstaatenwahlrechte ausgeübt. Im Nachgang des Wirecard-Skandals 2020 wurde die Regelung durch **FISG 2021** aufgehoben, was redaktionelle Anpassung in § 258 IV erforderlich machte. Zugleich wurde klargestellt, dass für Unternehmen von öffentl. Interesse iSd § 316a S. 2 HGB (→ § 100 Rn. 23) auch Verbot der Erbringung von Nichtprüfungsleistungen nach Art. 5 I Abschlussprüfer-VO zu beachten ist. 25

b) Abschlussprüfer. Der Abschlussprüfer kann gem. § 258 IV 3 nicht Sonderprüfer sein. Damit ist zunächst gemeint, dass derjenige, der den nach § 258 angegriffenen Jahresabschluss geprüft hat, nicht zum Sonderprüfer zu bestellen ist. Verbot erfasst aber auch diejenigen Personen oder Gesellschaften, die für das laufende oder ein späteres Geschäftsjahr Abschlussprüfer sind (ADS Rn. 49; BeckOGK/Euler/Sabel Rn. 33; MüKoAktG/J. Koch Rn. 61), weil ihnen die nötige Unbefangenheit ggü. der Gesellschaft fehlt. Ferner kann nicht Sonderprüfer sein, wer in den letzten drei Jahren vor der Bestellung zum Sonderprüfer Abschlussprüfer der AG war (§ 258 IV 3 Fall 2). Nach hM sind vom Tag der Bestellung an drei Kalenderjahre zurückzurechnen (KK-AktG/A. Arnold Rn. 75; MüKoAktG/J. Koch Rn. 61; Frey WPg 1966, 633, 636; aA ADS Rn. 50: Geschäftsjahre). 26

VI. Rechte und Verantwortlichkeit der Sonderprüfer (§ 258 V)

1. Rechtsbeziehung zur AG. Gesetzeswortlaut gibt insoweit nichts her. Sonderprüfer wird als **Organ der Gesellschaft** tätig, weil Rechtswirkungen seiner abschließenden Feststellungen anders nicht erklärt werden können. Die gerichtl. nicht angreifbare Ergänzung des Anh. um fehlende Angaben (§ 259 IV 1 und 2) sowie Feststellung und Ausweis eines Ertrags aufgrund höherer Bewertung (§ 259 II, § 261 I) lassen sich nur als korporationsrechtl. Handeln anstelle der zunächst zuständigen Gesellschaftsorgane einordnen. Daneben besteht ein **schuldrechtl. Verhältnis,** auf das die Regeln über den Geschäftsbesorgungs- 27 vertrag (§ 675 BGB) anzuwenden sind, soweit nicht Sondervorschriften (→ Rn. 28) bestehen (MüKoAktG/J. Koch Rn. 62; zust. Henssler/Strohn/Drescher Rn. 15; aA KK-AktG/A. Arnold Rn. 78). Grundlage beider Rechtsbeziehungen ist der Gerichtsbeschluss.

28 **2. Einzelrechte und Verantwortlichkeit.** Einzelne Rechte des Sonderprüfers regelt § 258 V 1 durch Teilverweis auf §§ 142 ff. Sonderprüfer haben Anspruch auf **Auslagenersatz und Vergütung;** beide werden gerichtl. festgesetzt (§ 142 VI iVm § 258 V 1). Sie werden zusammen mit sonstigen Kosten der Sonderprüfung von der AG geschuldet (§ 146 iVm § 258 V 1); zu den Gerichtskosten → Rn. 23. Festsetzungsbeschluss nach § 142 VI ist Vollstreckungstitel gem. § 794 I Nr. 3 ZPO. Gem. § 258 V 1 haben Sonderprüfer das **Auskunfts- und Einsichtsrecht** des § 145 I–III. Auch die Abschlussprüfer müssen ihnen Auskünfte geben (§ 258 V 2). Für die Verantwortlichkeit des Sonderprüfers gilt § 323 HGB sinngem. (§ 258 V 1; vgl. dazu → § 49 Rn. 2 und 4). Hervorzuheben ist seine **Verschwiegenheitspflicht.** Verletzung begründet Schadensersatzpflicht (§ 323 I 3 HGB) und macht strafbar (§ 404 I Nr. 2).

Prüfungsbericht. Abschließende Feststellungen

259 (1) **[1]Die Sonderprüfer haben über das Ergebnis der Prüfung schriftlich zu berichten. [2]Stellen die Sonderprüfer bei Wahrnehmung ihrer Aufgaben fest, daß Posten überbewertet sind (§ 256 Abs. 5 Satz 2), oder daß gegen die Vorschriften über die Gliederung des Jahresabschlusses verstoßen ist oder Formblätter nicht beachtet sind, so haben sie auch darüber zu berichten. [3]Für den Bericht gilt § 145 Abs. 4 bis 6 sinngemäß.**

(2) **[1]Sind nach dem Ergebnis der Prüfung die bemängelten Posten nicht unwesentlich unterbewertet (§ 256 Abs. 5 Satz 3), so haben die Sonderprüfer am Schluß ihres Berichts in einer abschließenden Feststellung zu erklären,**

1. **zu welchem Wert die einzelnen Aktivposten mindestens und mit welchem Betrag die einzelnen Passivposten höchstens anzusetzen waren;**
2. **um welchen Betrag der Jahresüberschuß sich beim Ansatz dieser Werte oder Beträge erhöht oder der Jahresfehlbetrag sich ermäßigt hätte.**

[2]Die Sonderprüfer haben ihrer Beurteilung die Verhältnisse am Stichtag des Jahresabschlusses zugrunde zu legen. [3]Sie haben für den Ansatz der Werte und Beträge nach Nummer 1 diejenige Bewertungs- und Abschreibungsmethode zugrunde zu legen, nach der die Gesellschaft die zu bewertenden Gegenstände oder vergleichbare Gegenstände zuletzt in zulässiger Weise bewertet hat.

(3) **Sind nach dem Ergebnis der Prüfung die bemängelten Posten nicht oder nur unwesentlich unterbewertet (§ 256 Abs. 5 Satz 3), so haben die Sonderprüfer am Schluß ihres Berichts in einer abschließenden Feststellung zu erklären, daß nach ihrer pflichtmäßigen Prüfung und Beurteilung die bemängelten Posten nicht unzulässig unterbewertet sind.**

(4) **[1]Hat nach dem Ergebnis der Prüfung der Anhang die vorgeschriebenen Angaben nicht oder nicht vollständig enthalten und der Vorstand in der Hauptversammlung die fehlenden Angaben, obwohl nach ihnen gefragt worden ist, nicht gemacht und ist die Aufnahme der Frage in die Niederschrift verlangt worden, so haben die Sonderprüfer am Schluß ihres Berichts in einer abschließenden Feststellung die fehlenden Anga-**

ben zu machen. [2]Ist die Angabe von Abweichungen von Bewertungs- oder Abschreibungsmethoden unterlassen worden, so ist in der abschließenden Feststellung auch der Betrag anzugeben, um den der Jahresüberschuß oder Jahresfehlbetrag ohne die Abweichung, deren Angabe unterlassen wurde, höher oder niedriger gewesen wäre. [3]Sind nach dem Ergebnis der Prüfung keine Angaben nach Satz 1 unterlassen worden, so haben die Sonderprüfer in einer abschließenden Feststellung zu erklären, daß nach ihrer pflichtmäßigen Prüfung und Beurteilung im Anhang keine der vorgeschriebenen Angaben unterlassen worden ist.

(5) **Der Vorstand hat die abschließenden Feststellungen der Sonderprüfer nach den Absätzen 2 bis 4 unverzüglich in den Gesellschaftsblättern bekanntzumachen.**

I. Regelungsgegenstand und -zweck

§ 259 regelt Berichtspflicht der Sonderprüfer und verpflichtet sie zu konkreten 1
abschließenden Feststellungen. Bei Sonderprüfung wegen Unterbewertung (§ 259 II und III) ist es Aufgabe der Prüfer, die **betragsmäßigen Grundlagen** für das weitere Verfahren zu schaffen. Es muss möglich sein, aufgrund der abschließenden Feststellungen zu einem gesonderten Ertragsausweis im nächsten Jahresabschluss zu gelangen (§ 261 I) oder, wenn sich ein gerichtl. Verfahren nicht vermeiden lässt, auf dieser Grundlage substanziierte Anträge zu stellen (§ 260 I; s. AusschussB Kropff S. 344). Bei Sonderprüfung des Anh. (§ 259 IV) müssen Prüfer etwa gegebene **Berichtslücke** selbst schließen; denn insoweit lässt § 260 I keinen Antrag auf gerichtl. Entscheidung zu (→ § 260 Rn. 1, 5).

II. Prüfungsbericht

1. Inhalt und Form; weitere Behandlung. Sonderprüfer sind gem. 2
§ 259 I 1 berichtspflichtig. Bericht darf sich nicht auf Feststellungen nach § 259 I 2, II 1, III und IV beschränken. Zweck der Sonderprüfung gebietet vielmehr **umfassende, klare und aus sich heraus verständliche Unterrichtung** der antragstellenden Aktionäre (ADS Rn. 5; KK-AktG/A. Arnold Rn. 5; MüKo-AktG/J. Koch Rn. 3). Dabei ist zu berücksichtigen, dass bei den Aktionären anders als beim AR idR keine Vorinformationen erwartet werden können (Beck-OGK/Euler/Sabel Rn. 5). Auch über nachteilige Tatsachen muss mangels einer § 286 II oder III Nr. 2 HGB vergleichbaren Schutzklausel grds. berichtet werden, doch kann sich seit Änderung durch UMAG 2005 aus gerichtl. Entscheidung anderes ergeben, weil § 259 I 3 jetzt auf § 145 IV–VI verweist (→ § 145 Rn. 6; S/L/Kleindiek Rn. 3). Bericht ist schriftlich zu erstatten (§ 259 I 1). Zur Schriftform gehört die Unterzeichnung durch die Sonderprüfer (§ 145 VI 3 iVm § 259 I 3). Sie müssen ihren Bericht unverzüglich (§ 121 I 1 BGB) dem Vorstand vorlegen und zum HR des Gesellschaftssitzes einreichen (§ 145 VI 3 iVm § 259 I 3). Vorstand ist verpflichtet, jedem Aktionär auf Verlangen Abschrift zu erteilen (§ 145 VI 4 iVm § 259 I 3). Ferner hat er den Bericht dem AR vorzulegen und ihn bei Einberufung der HV als Gegenstand der Tagesordnung bekannt zu machen (§ 145 VI 5 iVm § 259 I 3).

2. Erweiterte Berichtspflicht. § 259 I 2 erweitert Berichtspflicht um **poten-** 3
zielle Nichtigkeitsgründe iSd § 256 IV und V Nr. 1. Zu berichten ist nämlich auch über Gliederungsfehler, Verstöße gegen Formblattzwang und Überbewertung von Bilanzposten. Erweiterte Berichtspflicht besteht jedoch nur, wenn Sonderprüfer solche Mängel bei Wahrnehmung ihrer Aufgaben feststellen. Prüfungsauftrag wird also nicht kraft Ges. erweitert (allgM). Sonderprüfer müssen

nur Erkenntnisse mitteilen, die bei der Prüfung „sozusagen zwangsläufig" angefallen sind (Kruse, Die Sonderprüfung, 1972, 131; sa AusschussB Kropff S. 350). Ob festgestellte Verstöße wesentlich sind oder nicht, spielt für Berichtspflicht keine Rolle. Urteil der Sonderprüfer über Nichtigkeit des Jahresabschlusses ist also nicht gefragt (KK-AktG/A. Arnold Rn. 10; BeckOGK/Euler/Sabel Rn. 6; S/L/Kleindiek Rn. 5). Zweckmäßig ist aber, dass sie auf etwa eingetretene **Heilung** (§ 256 VI) aufmerksam machen (AusschussB Kropff S. 350). In die abschließenden Feststellungen (→ Rn. 4 ff.) sind Berichtspunkte des § 259 I 2 zwar nicht generell, aber dann aufzunehmen, wenn ohne den Hinweis auf Überbewertungen der unzutreffende Eindruck entsteht, es sei ausschüttungsfähiger Gewinn vorhanden (hM – vgl. ADS Rn. 13; BeckOGK/Euler/Sabel Rn. 9; B/K/L/Holzborn/Jänig Rn. 5; MüKoAktG/J. Koch Rn. 7; aA aber KK-AktG/A. Arnold Rn. 10; GK-AktG/Mock Rn. 39).

III. Abschließende Feststellungen bei Prüfung wegen Unterbewertung

4 **1. Beurteilungsgrundlagen.** Ergebnis der Prüfung hängt von ihren Maßstäben ab. Sie sind in § 259 II 2 und 3 vorgeschrieben und bestimmen nicht nur den Inhalt der abschließenden Feststellung, sondern das gesamte Prüfungsgeschehen. Danach gilt: Maßgeblich ist **Stichtag des Jahresabschlusses** (§ 259 II 2; s. dazu KK-AktG/A. Arnold Rn. 17; MüKoAktG/J. Koch Rn. 10), und zwar insbes. auch für Prognoseentscheidungen. Seinerzeit vertretbare Prognose ist weiter zugrunde zu legen, auch wenn andere tats. Entwicklung inzwischen feststeht. Stichtagsprinzip gilt jedoch nur mit den Einschränkungen des § 252 I Nr. 4 HGB; nachträgliche, aber zur Feststellung des Jahresabschlusses eintretende **wertaufhellende Entwicklungen** sind also zu berücksichtigen (allgM, s. zB KK-AktG/A. Arnold Rn. 17; S/L/Kleindiek Rn. 7). Sonderprüfer haben gem. § 259 II 3 die **Bewertungsmethoden** zugrunde zu legen, die von der AG zuletzt in zulässiger Weise angewandt worden sind. Das bedeutet iE, dass Sonderprüfer an zulässige Ausübung von Bilanzierungswahlrechten und Ausschöpfung von Bewertungsspielräumen gebunden sind (vgl. dazu MüKoAktG/J. Koch Rn. 11; GK-AktG/Mock Rn. 59). Das gilt auch dann, wenn letzte zulässige Bewertung mehrere Jahre zurückliegt (ADS § 258 Rn. 79).

5 **2. Feststellungen bei nicht unwesentlicher Unterbewertung.** Wenn sich nicht unwesentliche Unterbewertung der bemängelten Posten ergibt, müssen Sonderprüfer zunächst den **Mindestansatz** von Aktivposten bzw. den **Höchstansatz** von Passivposten angeben (§ 259 II 1 Nr. 1). Das ist weniger klar als es scheint. Gemeint ist nach zutr. hM, dass Sonderprüfer die bereits vorgenommene Bewertung nur iRd Unvermeidlichen korrigieren sollen (näher MüKoAktG/J. Koch Rn. 12; sa KK-AktG/A. Arnold Rn. 19; BeckOGK/Euler/Sabel Rn. 7; aA Kruse, Die Sonderprüfung, 1972, 134 f.). Ferner müssen Sonderprüfer nach § 259 II 1 Nr. 2 erklären, um welchen Betrag sich Jahresüberschuss erhöht oder Jahresfehlbetrag ermäßigt hätte, wenn von ihnen angenommene Mindest- bzw. Höchstwerte eingesetzt worden wären. Gemeint ist der **Unterbewertungsbetrag,** der sich aus der Addition der einzelnen Unterbewertungen in den bemängelten Bilanzposten ergibt. Zugleich festgestellte Überbewertungen (→ Rn. 3) dürfen nicht verrechnet, steuerlicher Aufwand auf Ertrag aus höherer Bewertung darf an dieser Stelle nicht berücksichtigt werden (hM, s. KK-AktG/A. Arnold Rn. 20; MüKoAktG/J. Koch Rn. 13; aA ADS Rn. 23); → § 261 Rn. 7 und 10.

6 **3. Feststellungen bei fehlender oder unwesentlicher Unterbewertung.** Erforderlich ist in diesen Fällen **Negativtestat** idF des § 259 III: „Nach meiner/

unserer pflichtmäßigen Prüfung und Beurteilung sind die bemängelten Posten im Jahresabschluss zum 31.12.2013 nicht unzulässig unterbewertet" (ADS Rn. 24). Genaue Bezeichnung der Posten ist nicht vorgeschrieben, aber zulässig und wohl auch zweckmäßig (KK-AktG/A. Arnold Rn. 21; MüKoAktG/J. Koch Rn. 14; S/L/Kleindiek Rn. 10).

IV. Abschließende Feststellungen bei Prüfung des Anhangs

1. Feststellungen bei Berichtslücke. Wenn Sonderprüfer Voraussetzungen des § 258 I 1 Nr. 2 bejahen, müssen sie fehlende Angaben gem. § 259 IV 1 in ihrer abschließenden Feststellung nachholen. Anh. wird dadurch ergänzt. Feststellungen können nicht gerichtl. angegriffen werden (§ 260 I 1). Stellt sich heraus, dass in HV nach den Angaben nicht gefragt oder Frage beantwortet worden ist, müssen Prüfer bei Gericht Aufhebung des Beschlusses anregen (→ § 258 Rn. 12). Folgt Gericht der Anregung nicht, so ist abschließend zu erklären, dass Information in HV nicht begehrt oder gegeben wurde. Verfehlt wäre, Anh. zu ergänzen (§ 259 III 1), aber auch, Negativtestat (§ 259 III 3) zu erteilen; denn Anh. ist in diesem Fall nicht mehr zu prüfen. 7

2. Insbesondere: Angabe des Unterschiedsbetrags. § 259 IV 2 fordert Angabe des Unterschiedsbetrags, der sich bei Änderung von Bewertungsmethoden (einschließlich Abschreibungen) ergibt. Erforderlich ist also eine **Vergleichsrechnung,** in der Ergebnisse bisheriger und neuer Bewertung gegenübergestellt werden. Quantitative Grenzen sind in § 259 IV 2 nicht vorgesehen. Auch geringe Beträge müssen also angegeben werden. Offenbar sollen Auswirkungen bilanzpolitischer Maßnahmen auf das Jahresergebnis ohne Rücksicht auf die Größenordnung dargestellt werden, wenn es AG zur Sonderprüfung kommen lässt (rechtspolitisch nicht zweifelsfrei). 8

3. Feststellungen bei Verneinung einer Berichtslücke. § 259 IV 3 schreibt auch für diesen Fall (→ Rn. 6) **Negativtestat** vor. Fassung ist auch hier an den Wortlaut des Ges anzulehnen, doch sind Sonderprüfer nicht gehalten, schlechthin Vollständigkeit des Anh. zu bestätigen, obwohl sie ihn nur iRd gerichtl. Auftrags (→ § 258 Rn. 22 aE) geprüft haben (allgM, s. MüKoAktG/J. Koch Rn. 17 mwN). Abschließende Erklärung sollte deshalb entspr. Einschränkung enthalten. 9

V. Bekanntmachungspflicht

Gem. § 259 V hat Vorstand die abschließenden Feststellungen der Sonderprüfer (→ Rn. 4 ff., 7 ff.) unverzüglich (§ 121 I 1 BGB) in den Gesellschaftsblättern (§ 25) bekanntzumachen. Pflicht kann im Zwangsgeldverfahren durchgesetzt werden (§ 407 I). Bek. muss Hinweis enthalten, dass Feststellungen Ergebnis einer Sonderprüfung gem. § 259 V sind. Mit Bek. beginnt Monatsfrist des § 260 I 1. 10

Gerichtliche Entscheidung über die abschließenden Feststellungen der Sonderprüfer

260 (1) [1] **Gegen abschließende Feststellungen der Sonderprüfer nach § 259 Abs. 2 und 3 können die Gesellschaft oder Aktionäre, deren Anteile zusammen den zwanzigsten Teil des Grundkapitals oder den anteiligen Betrag von 500 000 Euro erreichen, innerhalb eines Monats nach der Veröffentlichung im Bundesanzeiger den Antrag auf Entscheidung durch das nach § 132 Abs. 1 zuständige Gericht stellen.** [2] **§ 258**

Abs. 2 Satz 4 und 5 gilt sinngemäß. [3]Der Antrag muß auf Feststellung des Betrags gerichtet sein, mit dem die im Antrag zu bezeichnenden Aktivposten mindestens oder die im Antrag zu bezeichnenden Passivposten höchstens anzusetzen waren. [4]Der Antrag der Gesellschaft kann auch auf Feststellung gerichtet sein, daß der Jahresabschluß die in der abschließenden Feststellung der Sonderprüfer festgestellten Unterbewertungen nicht enthielt.

(2) **[1]Über den Antrag entscheidet das Gericht unter Würdigung aller Umstände nach freier Überzeugung. [2]§ 259 Abs. 2 Satz 2 und 3 ist anzuwenden. [3]Soweit die volle Aufklärung aller maßgebenden Umstände mit erheblichen Schwierigkeiten verbunden ist, hat das Gericht die anzusetzenden Werte oder Beträge zu schätzen.**

(3) **[1]§ 99 Abs. 1, Abs. 2 Satz 1, Abs. 3 und 5 gilt sinngemäß. [2]Das Gericht hat seine Entscheidung der Gesellschaft und, wenn Aktionäre den Antrag nach Absatz 1 gestellt haben, auch diesen zuzustellen. [3]Es hat sie ferner ohne Gründe in den Gesellschaftsblättern bekanntzumachen. [4]Die Beschwerde steht der Gesellschaft und Aktionären zu, deren Anteile zusammen den zwanzigsten Teil des Grundkapitals oder den anteiligen Betrag von 500 000 Euro erreichen. [5]§ 258 Abs. 2 Satz 4 und 5 gilt sinngemäß. [6]Die Beschwerdefrist beginnt mit der Bekanntmachung der Entscheidung im Bundesanzeiger, jedoch für die Gesellschaft und, wenn Aktionäre den Antrag nach Absatz 1 gestellt haben, auch für diese nicht vor der Zustellung der Entscheidung.**

(4) **[1]Die Kosten sind, wenn dem Antrag stattgegeben wird, der Gesellschaft, sonst dem Antragsteller aufzuerlegen. [2]§ 247 gilt sinngemäß.**

I. Regelungsgegenstand und -zweck

1 § 260 regelt gerichtl. Verfahren nach Durchführung der Sonderprüfung und bezweckt **abschließende Streitentscheidung,** wenn Feststellungen der Sonderprüfer zur Unterbewertung (§ 259 II und III) noch nicht befriedend gewirkt haben; gerichtl. Verfahren soll nach Erwartungen des Gesetzgebers Ausnahme bleiben (AusschussB Kropff S. 344). Entscheidung erfolgt aus Zweckmäßigkeitsgründen im sog **Streitverfahren der fG** (§ 99 I iVm § 260 III 1; → § 99 Rn. 1). Feststellungen der Sonderprüfer zur Berichterstattung im Anh. (§ 259 IV) sind in § 260 I 1 nicht genannt und können deshalb nicht angegriffen werden. Feststellung als solche ließe sich spätestens nach Bek. gem. § 259 V ohnehin nicht mehr aus der Welt schaffen. § 260 war Gegenstand mehrfacher Gesetzesänderungen (Überblick bei MüKoAktG/J. Koch Rn. 1). Letzte Änderung betr. § 260 IV (→ Rn. 10) und erfolgte durch 2. Kostenrechtsmodernisierungsgesetz (2. KostRMoG) v 23.7.2013 (BGBl. 2013 I 2586).

II. Antrag auf gerichtliche Entscheidung

2 **1. Antragsberechtigung.** Antrag kann zunächst von **Gesellschaft** gestellt werden (§ 260 I 1 Fall 1). Vertretung liegt beim Vorstand (§ 78). Früher vertretene Auffassung, dass Vorstand stets der Zustimmung des AR bedürfe, wird heute mangels ges. Grundlage zu Recht nicht mehr vertreten (KK-AktG/A. Arnold Rn. 8; MüKoAktG/J. Koch Rn. 4; GK-AktG/Mock Rn. 23). AR kann aber Antragstellung als wesentliches Einzelgeschäft gem. § 111 IV 2 von seiner Zustimmung abhängig machen (→ § 111 Rn. 62; sa GK-AktG/Mock Rn. 24). Antrag kann ferner von **Aktionären** gestellt werden, wenn sie Quorum von 5 % des Grundkapitals oder Aktienbesitz erreichen, der anteiligen Betrag von

500.000 Euro ausmacht (§ 260 I 1 Fall 2; zum Zweck alternativer Schwellenwerte → § 122 Rn. 17); → § 258 Rn. 16 zur entspr. Regelung des § 258 II 3. Entscheidungsantrag nach § 260 muss aber nicht von den Aktionären gestellt werden, die Prüfung gem. § 258 veranlasst haben (AusschussB Kropff S. 351). Antrag (auch) anderer Aktionäre ist zulässig, sofern Quorum erreicht wird. Gesellschaftsorgane als solche, ihre Mitglieder und auch der Abschlussprüfer können gerichtl. Entscheidung nicht verlangen (krit. zum letzten Punkt Frey WPg 1966, 633, 637).

2. Hinterlegung und Glaubhaftmachung. Aktionäre als Antragsteller (→ Rn. 2) müssen Aktien gem. § 258 II 4 iVm § 260 I 2 bis zur gerichtl. Entscheidung der ersten Instanz (allgM – s. nur MüKoAktG/J. Koch Rn. 7) hinterlegen (→ § 258 Rn. 17). Ferner ist Aktienbesitz von mindestens drei Monaten Dauer glaubhaft zu machen (→ § 258 Rn. 17). Frist bezieht sich nach zutr. hM auf Datum der HV (KK-AktG/A. Arnold Rn. 15; MüKoAktG/J. Koch Rn. 7), nicht auf Bek. der abschließenden Feststellung (so aber noch v. Godin/Wilhelmi Rn. 2). 3

3. Form und Frist; zuständiges Gericht. Bes Antragsform ist nicht vorgeschrieben. Es gelten die in → § 258 Rn. 13 dargestellten Grundsätze. Als Frist sieht § 260 I 1 einen Monat nach Veröffentlichung im BAnz. (§ 25) vor. Fristberechnung erfolgt nach § 187 I BGB, § 188 II BGB. Antrag muss innerhalb der Frist bei dem Gericht angebracht werden, das nach § 132 I zuständig ist. Danach ist grds. das LG des Gesellschaftssitzes ausschließlich zuständig. Für funktionale Zuständigkeit gelten die in → § 132 Rn. 3 dargestellten Grundsätze. 4

4. Zulässiger Inhalt. Antrag muss sich zunächst auf **Unterbewertungen** beziehen; Feststellungen der Sonderprüfer zur Berichterstattung sind unangreifbar, gleichwohl gestellter Antrag auf gerichtl. Entscheidung ist unzulässig (→ Rn. 1). Im Übrigen erfordert § 260 I 3 und 4 einen **inhaltlich bestimmten Feststellungsantrag.** Früher klar hM ging davon aus, Aktionärsminderheit könne nur Feststellung einer höheren Unterbewertung, AG nur Feststellung einer niedrigeren Unterbewertung oder ihres gänzlichen Fehlens beantragen (KK-AktG/A. Arnold Rn. 11; BeckOGK/Euler/Sabel Rn. 4). Dem wird von mittlerweile ebenfalls weit verbreiteter Auffassung zu Recht dahingehend widersprochen, Beteiligte dürften auch gegenläufige Anträge stellen (ADS Rn. 13; B/K/L/Holzborn/Jänig Rn. 5; MüKoAktG/J. Koch Rn. 9; S/L/Kleindiek Rn. 8; GK-AktG/Mock Rn. 32; Hölters/Weber/Waclawik Rn. 9). In der Tat sieht Gesetzeswortlaut diese Einschränkung nicht vor und auch in der Sache kann durchaus schutzwürdiges Bedürfnis der Aktionäre bestehen, unter bestimmten Voraussetzungen auch auf niedrigere Unterbewertung zu drängen (KK-AktG/Claussen Rn. 8). Praktische Bedeutung dieser Frage dürfte allerdings gering bleiben. 5

Antrag muss jedenfalls durch **Bezeichnung des Bilanzpostens,** als Aktionärsantrag auch durch **Angabe des Mindest- bzw.** (bei Passivposten) **des Höchstbetrags** substanziiert sein (str., wie hier hM – ADS Rn. 11; KK-AktG/A. Arnold Rn. 12; BeckOGK/Euler/Sabel Rn. 5; MüKoAktG/J. Koch Rn. 10; S/L/Kleindiek Rn. 8; GK-AktG/Mock Rn. 30; aA [Betragsangabe entbehrlich] Hölters/Weber/Waclawik Rn. 8; Kruse, Die Sonderprüfung, 1972, 143 f.). Gegenmeinung entspr. nicht dem Gesetzeswortlaut und übersieht, dass abschließende Feststellungen der Sonderprüfer gerade substanziierte Anträge ermöglichen sollen (→ § 259 Rn. 1). Antrag der AG kann nach § 260 I 4 auch auf Feststellung gerichtet sein, dass Unterbewertung überhaupt nicht vorliegt. Angabe eines Betrags entfällt dann zwangsläufig. 6

III. Beurteilungsgrundlagen

7 Gericht ermittelt Sachverhalt gem. § 26 FamFG von Amts wegen. Es kann der AG aufgeben, Unterlagen vorzulegen, es kann die Abschlussprüfer hören, es kann Einzelfragen begutachten, aber auch über den gesamten Sachkomplex ein Obergutachten fertigen lassen (ganz hM, s. ADS Rn. 17; KK-AktG/A. Arnold Rn. 18; MüKoAktG/J. Koch Rn. 12; GK-AktG/Mock Rn. 38). Auf dieser Basis entscheidet Gericht iRd gestellten (bezifferten, → Rn. 6) Antrags nach freier Überzeugung (§ 260 II 1). Nicht zu folgen ist der Ansicht, Gericht dürfe über gestellten Antrag hinausgehen (so noch v. Falkenhausen AG 1967, 309, 317; wie hier hM – s. ADS Rn. 20; KK-AktG/A. Arnold Rn. 19; MüKoAktG/J. Koch Rn. 13; S/L/Kleindiek Rn. 9). Gericht hat auch **keinen eigentlichen Ermessensspielraum** (so aber ADS Rn. 17). Entscheidung nach freier Überzeugung bedeutet vielmehr nur, dass es keine Bindung an Beweisregeln gibt (BeckOGK/Euler/Sabel Rn. 7; B/K/L/Holzborn/Jänig Rn. 6; MüKoAktG/J. Koch Rn. 13). Anzuwenden hat Gericht § 259 II 2 und 3 (§ 260 II 2); → § 259 Rn. 4. Erhebliche Schwierigkeiten voller Sachverhaltsaufklärung berechtigen und verpflichten das Gericht zur **Schätzung** (§ 260 II 3). Das lehnt sich an § 287 ZPO an (RegBegr. Kropff S. 352) und bezweckt zügige Entscheidung.

IV. Gerichtliches Verfahren; Rechtsmittel

8 **1. Verfahren und Entscheidung.** § 260 III 1 verweist auf § 99 I, II 1, III und V; → § 99 Rn. 3 f., 5, 7, 9, 11. **Beschlusstenor** ist entspr. § 260 I 3 und 4 zu fassen, wenn Gericht dem Antrag ganz oder teilw. folgen will. Dem Antrag von Aktionären stattgebende Entscheidung bezeichnet also den Bilanzposten und nennt seinen Mindestwert bzw. Höchstbetrag (näher MüKoAktG/J. Koch Rn. 17). Mit Eintritt der Rechtskraft (§ 99 V 1) wirkt Entscheidung für und gegen jedermann (§ 99 V 2). Der AG ist die Entscheidung (Beschluss mit Gründen) stets, Aktionären dann und insoweit **zuzustellen** (§§ 166 ff. ZPO iVm § 15 II FamFG), als sie Antrag nach § 260 I gestellt haben (§ 260 III 2). Entscheidung ist der Aktionärsminderheit aber jedenfalls bekanntzumachen (§ 40 I FamFG). IÜ veranlasst Gericht gem. § 260 III 3 **Veröffentlichung** des Beschlusstenors in den Gesellschaftsblättern (§ 25), damit auch die am Verfahren nicht beteiligten Aktionäre Kenntnis erlangen können.

9 **2. Beschwerde.** Gegen Entscheidung des LG (→ Rn. 4) ist nach § 99 III 2 iVm § 260 III 1 Beschwerde (§§ 58 ff. FamFG) mit Monatsfrist des § 63 FamFG gegeben. **Beschwerdeberechtigung** ist für AG stets, für Aktionäre dann gegeben, wenn sie das Quorum von 5 % des Grundkapitals oder Aktienbesitz erreichen, der anteiligen Betrag von 500.000 Euro ausmacht (§ 260 III 4); → Rn. 2; → § 258 Rn. 16. Beschwerdeführende Aktionäre müssen mit Antragstellern der ersten Instanz nicht identisch sein (→ Rn. 2). Auch hier erforderlich sind **Hinterlegung und Glaubhaftmachung** (§ 258 II 4 und 5 iVm § 260 III 5; → Rn. 3; → § 258 Rn. 17). Bereits hinterlegte Aktien können hinterlegt bleiben. Bei Rückgabe ist neue Hinterlegung erforderlich. Maßgeblicher Zeitpunkt für Glaubhaftmachung des Dreimonatsbesitzes ist auch hier (→ Rn. 3) Datum der HV. Über förmliche Beschwerdeberechtigung hinaus ist **materielle Beschwer** erforderlich. Monatsfrist beginnt grds. mit Bek. der Entscheidung im BAnz., bei Bek. vor Zustellung (→ Rn. 8) erst mit dieser (§ 260 III 6).

V. Verfahrenskosten

§ 260 IV ist neu gefasst durch 2. KostRMoG (→ Rn. 1). Gebühren für gerichtl. Entscheidung über abschließende Feststellungen der Sonderprüfer werden seit dem 1.8.2013 unmittelbar nach dem GNotKG erhoben (§ 1 II Nr. 1 GNotKG). Geschäftswertfestsetzung für Rechtsmittel von Amts wegen erlaubt nun § 79 I 1 GNotKG. Daher konnten Verweis auf KostO aF sowie Gebühren- und Wertvorschriften des § 260 IV aF aufgehoben werden (vgl. RegBegr. 2. KostRMoG BT-Drs. 17/11471, 287). **Kostenschuldnerin** ist bei Entscheidung, die Antrag nicht in vollem Umfang zurückweist, AG, sonst der oder die Antragsteller (§ 260 IV 1). Geschäftswert setzt Gericht unter sinngem. Anwendung des § 247 von Amts wegen fest (§ 260 IV 2). Zu Einzelheiten s. MüKoAktG/J. Koch Rn. 24; Simons AG 2014, 182, 187 f. 10

Entscheidung über den Ertrag auf Grund höherer Bewertung

261 (1) [1]**Haben die Sonderprüfer in ihrer abschließenden Feststellung erklärt, daß Posten unterbewertet sind, und ist gegen diese Feststellung nicht innerhalb der in § 260 Abs. 1 bestimmten Frist der Antrag auf gerichtliche Entscheidung gestellt worden, so sind die Posten in dem ersten Jahresabschluß, der nach Ablauf dieser Frist aufgestellt wird, mit den von den Sonderprüfern festgestellten Werten oder Beträgen anzusetzen.** [2]**Dies gilt nicht, soweit auf Grund veränderter Verhältnisse, namentlich bei Gegenständen, die der Abnutzung unterliegen, auf Grund der Abnutzung, nach §§ 253 bis 256a des Handelsgesetzbuchs oder nach den Grundsätzen ordnungsmäßiger Buchführung für Aktivposten ein niedrigerer Wert oder für Passivposten ein höherer Betrag anzusetzen ist.** [3]**In diesem Fall sind im Anhang die Gründe anzugeben und in einer Sonderrechnung die Entwicklung des von den Sonderprüfern festgestellten Wertes oder Betrags auf den nach Satz 2 angesetzten Wert oder Betrag darzustellen.** [4]**Sind die Gegenstände nicht mehr vorhanden, so ist darüber und über die Verwendung des Ertrags aus dem Abgang der Gegenstände im Anhang zu berichten.** [5]**Bei den einzelnen Posten der Jahresbilanz sind die Unterschiedsbeträge zu vermerken, um die auf Grund von Satz 1 und 2 Aktivposten zu einem höheren Wert oder Passivposten mit einem niedrigeren Betrag angesetzt worden sind.** [6]**Die Summe der Unterschiedsbeträge ist auf der Passivseite der Bilanz und in der Gewinn- und Verlustrechnung als „Ertrag auf Grund höherer Bewertung gemäß dem Ergebnis der Sonderprüfung" gesondert auszuweisen.** [7]**Ist die Gesellschaft eine kleine Kapitalgesellschaft (§ 267 Absatz 1 des Handelsgesetzbuchs), hat sie die Sätze 3 und 4 nur anzuwenden, wenn die Voraussetzungen des § 264 Absatz 2 Satz 2 des Handelsgesetzbuchs unter Berücksichtigung der nach diesem Abschnitt durchgeführten Sonderprüfung vorliegen.**

(2) [1]**Hat das gemäß § 260 angerufene Gericht festgestellt, daß Posten unterbewertet sind, so gilt für den Ansatz der Posten in dem ersten Jahresabschluß, der nach Rechtskraft der gerichtlichen Entscheidung aufgestellt wird, Absatz 1 sinngemäß.** [2]**Die Summe der Unterschiedsbeträge ist als „Ertrag auf Grund höherer Bewertung gemäß gerichtlicher Entscheidung" gesondert auszuweisen.**

(3) [1]**Der Ertrag aus höherer Bewertung nach Absätzen 1 und 2 rechnet für die Anwendung des § 58 nicht zum Jahresüberschuß.** [2]**Über die Ver-**

wendung des Ertrags abzüglich der auf ihn zu entrichtenden Steuern entscheidet die Hauptversammlung, soweit nicht in dem Jahresabschluß ein Bilanzverlust ausgewiesen wird, der nicht durch Kapital- oder Gewinnrücklagen gedeckt ist.

Übersicht

I. Regelungsgegenstand und -zweck

1 Norm betr. Verwendung des aus höherer Bewertung folgenden Ertrags durch Auflösung der unzulässig gebildeten stillen Reserven (§ 261 I und II) und Beschlussfassung der HV (§ 261 III). **Einbuchung des Ertrags und Ertragsverwendung** bilden die letzten Schritte der Sonderprüfung wegen Unterbewertung und zielen wie das ganze Rechtsinstitut darauf ab, Bewertungsvorschriften durchzusetzen, das mitgliedschaftliche Dividendenrecht zu schützen und die Kompetenz der HV zu wahren (→ § 258 Rn. 1). Als Sanktion gegen unzulässige Unterbewertungen war im RegE 1965 zunächst ein Ausschüttungszwang vorgesehen, der aber bei den zuständigen BT-Ausschüssen auf Ablehnung stieß (AusschussB Kropff S. 342 f.; eingehend Kruse, Die Sonderprüfung, 1972, 23 ff.). Regelung des § 261 III ist Rest dieses Ausschüttungszwangs, kann ihn aber nicht gleichwertig ersetzen; denn Mehrheit der HV wird nicht ohne weiteres zugunsten der Ausschüttung entscheiden (andere Beurteilung bei Claussen FS Barz, 1974, 317, 320; zur dennoch positiven rechtspolitischen Würdigung MüKoAktG/J. Koch Rn. 2).

II. Einbuchung des Ertrags gemäß Ergebnis der Sonderprüfung

2 **1. Grundsatz: Übernahme der Prüfungsergebnisse.** § 261 I setzt voraus, dass abschließende Feststellung der Sonderprüfer eine nicht unwesentliche Unterbewertung aufdeckt (§ 259 II) und durch Ablauf der Antragsfrist (§ 260 I) unangreifbar geworden ist. Unter diesen Prämissen ist Vorstand verpflichtet, die unterbewerteten Posten mit den von den Sonderprüfern festgestellten Werten oder Beträgen anzusetzen, und zwar bei Aufstellung des ersten Jahresabschlusses nach Ablauf der Antragsfrist. Gemeint ist derjenige Jahresabschluss, bei dessen Aufstellung die Prüfungsergebnisse erstmals noch Verwendung finden können. Hat Vorstand schon Beschluss gefasst, muss nicht neuerlich aufgestellt werden. Einzelheiten sind str., s. ADS Rn. 3; MüKoAktG/J. Koch Rn. 5). Vorstand muss die Zahlen übernehmen, die in der abschließenden Feststellung gem. § 259 II 1 enthalten sind, soweit nicht aus § 261 I 2 oder 4 (→ Rn. 3 ff.) etwas anderes folgt.

2. Ausnahme: Veränderte Verhältnisse. Zwischen dem Stichtag, auf den sich die Sonderprüfung bezieht, und dem Stichtag, zu dem ihre Ergebnisse übernommen werden sollen, können mehrere Geschäftsjahre liegen. Daraus ergibt sich Notwendigkeit, nachträglichen Veränderungen Rechnung zu tragen. § 261 I 2 erlaubt deshalb bes. bei Abnutzung, von dem Grundsatz des § 261 I 1 abzuweichen, ebenso dann, wenn Anwendung der Bewertungsvorschriften (§§ 253–256a HGB) oder der GoB solche Abweichung rechtfertigen. Einzelheiten sind teilw. zweifelhaft und str. (s. dazu ADS Rn. 5 ff.; MüKoAktG/J. Koch Rn. 7 ff.). Festzuhalten ist insoweit an der Ansicht, dass ein von den Prüfungsergebnissen abweichender Ansatz auch durch nachträgliche **Änderung der Bewertungsmethoden** gerechtfertigt werden kann, sofern es sich dabei um eine generelle, also nicht speziell auf die in der Sonderprüfung bemängelten Posten abzielende Maßnahme handelt (so die mittlerweile ganz hM – s. KK-AktG/A. Arnold Rn. 13; BeckOGK/Euler/Sabel Rn. 7; MüKoAktG/J. Koch Rn. 10; aA ADS Rn. 10). 3

Wie positiv zu verfahren ist, sagt § 261 I 2 nicht. **Ausweis** im Jahresabschluss **soll so erfolgen, als ob Bewertungsverstoß nicht vorgekommen wäre** (AusschussB Kropff S. 353). Von Sonderprüfern gem. § 259 II 1 festgestellte Wertansätze ergeben also den Ausgangspunkt. Planmäßige Abschreibungen müssen von ihnen ausgehen und wegen höheren Ausgangswerts für Folgejahre neu berechnet werden (Bsp. bei ADS Rn. 5; Kruse, Die Sonderprüfung, 1972, 159). Auch eine günstige über den Ausgangswert hinausweisende Entwicklung kann berücksichtigt werden (Voß FS Münstermann, 1969, 443, 470). Maßgebliche Gründe für Abweichung von den abschließenden Feststellungen der Sonderprüfer müssen im Anh. dargelegt werden (§ 261 I 3; zur Ausnahme für kleine AG → Rn. 7a). Außerdem verlangt Ges. eine **Sonderrechnung,** die von den Feststellungen der Sonderprüfer ausgeht und jetzt gewählten Ansatz rechnerisch nachvollziehbar macht (s. Kruse, Die Sonderprüfung, 1972, 164 ff. mit Bsp.). 4

3. Ausnahme: Abgang von Gegenständen. Weitere Ausnahme vom Grundsatz des § 261 I 1 (→ Rn. 2) gilt bei seitherigem Abgang von Gegenständen. § 261 I 4 setzt voraus, dass Aktivierung nicht mehr vorhandener Vermögensgegenstände unterbleibt. Deshalb ist nur noch **im Anh. zu berichten,** und zwar erstens über den Abgang selbst (Verschleiß oder sonstiger Untergang, Veräußerung), zweitens über den erzielten Ertrag (Versicherungssumme, Kaufpreis), drittens über die Verwendung des Ertrags (zur Ausnahme für kleine AG → Rn. 7a). Dafür genügt es idR, wenn dargelegt wird, dass Ertrag in den Bilanzgewinn eingegangen ist (ADS Rn. 13; KK-AktG/A. Arnold Rn. 17). Nur wenn dem Ertrag ausnahmsweise konkrete Ausgaben zugerechnet werden können (Reinvestition der Versicherungssumme), ist auch darüber zu berichten (KK-AktG/A. Arnold Rn. 17; B/K/L/Holzborn/Jänig Rn. 4). 5

4. Vermerk der Unterschiedsbeträge. § 261 I 5 fordert einen Vermerk **bei den einzelnen Bilanzposten,** der den Unterschiedsbetrag ausweist, um den aufgrund der Anforderungen in § 261 I und II Aktivposten höher, Passivposten niedriger angesetzt worden sind. Bei vollständigem Abgang von Gegenständen (→ Rn. 5) erledigt sich der Vermerk, weil ohnehin nichts zu bilanzieren ist. Vermerk kann in Form eines Klammerzusatzes oder einer Fußnote erfolgen, muss aber jedenfalls **Bestandteil der Bilanz** sein. 6

5. Gesonderter Ertragsausweis. Summe der Unterschiedsbeträge (→ Rn. 6) ergibt „Ertrag auf Grund höherer Bewertung gem. dem Ergebnis der Sonderprüfung", der nach § 261 I 6 unter dieser Bezeichnung gesondert auszuweisen ist, und zwar sowohl in der Bilanz (Passivseite) wie auch in der GuV. Auszuweisen ist **Bruttoertrag,** nicht abzusetzen also Körperschaftsteuer (→ Rn. 10). 7

Gesonderter Ausweis erfolgt in der Bilanz nach Posten Jahresüberschuss/Jahresfehlbetrag (§ 266 III A V HGB), bei Bilanzierung unter Berücksichtigung der Ergebnisverwendung (§ 268 I 1 HGB) nach Posten Bilanzgewinn/Bilanzverlust. Entspr. gilt für GuV (§ 158 I 1). Den Sonderposten mit dem Posten Bilanzgewinn zusammenzufassen, ist unzulässig (ganz hM, s. KK-AktG/A. Arnold Rn. 19; MüKoAktG/J. Koch Rn. 14; aA Voß FS Münstermann, 1969, 443, 471).

7a **6. Sonderregeln für kleine Kapitalgesellschaften.** In § 261 I 7 durch BilRUG 2015 neu eingefügte Ausnahme von Berichtspflicht nach § 261 I 3 und 4 gilt für kleine Kapitalgesellschaften iSd § 267 I HGB. Wie neu eingefügte Ausnahmen in § 152 IV 2 (→ § 152 Rn. 8), § 160 III (→ § 160 Rn. 16) und § 240 (→ § 240 Rn. 6) soll auch damit maximalharmonisierendem Charakter der Bilanz-RL Rechnung getragen werden, um so Belastungen für kleine Unternehmen zu reduzieren. Etwas anderes gilt nur dann, wenn unter Berücksichtigung der nach §§ 258 ff. durchgeführten Sonderprüfung die Voraussetzungen des § 264 II 2 HGB vorliegen, dh wenn die Prüfung ergibt, dass der Jahresabschluss nicht ein den tatsächlichen Verhältnissen entsprechendes Bild iSd § 264 I 1 HGB vermittelt. In diesem Fall muss der Anh. diese Darstellung auch bei kleinen Kapitalgesellschaften leisten.

III. Einbuchung des Ertrags gemäß gerichtlicher Entscheidung

8 Frage nach sachgem. Auflösung unzulässig gebildeter Reserven stellt sich auch dann, wenn gerichtl. Entscheidung gem. § 260 erforderlich geworden ist. Auflösung erfolgt im Wesentlichen wie bei bestandskräftiger abschließender Feststellung der Sonderprüfer gem. § 259. § 261 II 1 ordnet sinngem. Anwendung des § 261 I an. Einbuchung erfolgt in dem ersten Jahresabschluss nach Eintritt der Rechtskraft. Im Übrigen ist nur die Bezeichnung des Sonderpostens auszuwechseln. § 261 II 2 schreibt dort genannte Bezeichnung zwingend vor.

IV. Verwendung des Ertrags

9 **1. Keine Zurechnung zum Jahresüberschuss.** Ertrag aus höherer Bewertung rechnet gem. § 261 III 1 nicht zum Jahresüberschuss, soweit es um Anwendung des § 58 geht. Daraus folgt: Weder kraft Satzungsbestimmung (§ 58 I) noch durch Vorstand und AR bei Feststellung des Jahresabschlusses (§ 58 II) können aus Ertrag **freie Gewinnrücklagen** gebildet werden. Ausschüttungszwang ist zwar nicht Ges. geworden (→ Rn. 1), Verfügungsmasse der HV soll aber ungeschmälert erhalten bleiben. HV selbst kann allerdings gem. § 261 III 2 Einstellung in Rücklagen beschließen (genauer MüKoAktG/J. Koch Rn. 16). Aufdeckung unzulässig gebildeter Reserven führt ferner nicht zur **Gewinnbeteiligung** der Vorstandsmitglieder. Das folgt aus allg. Rechtsgedanken, dass Mitglieder des Vorstands von Aufdeckung unzulässiger Unterbewertung nicht profitieren dürfen, was auch für Mitglieder des AR gilt (glA BeckOGK/Euler/Sabel Rn. 17; Wachter/Früchtl Rn. 8; B/K/L/Holzborn/Jänig Rn. 7; MüKoAktG/J. Koch Rn. 17; aA KK-AktG/A. Arnold Rn. 23; GK-AktG/Mock Rn. 23). Früher fand das darin Ausdruck, dass § 261 VI 1 nicht nur auf § 58, sondern auch auf § 86 II verwies. Weil Norm durch TransPuG 2002 aufgehoben worden ist, hat BilMoG 2009 diese Verweisung zwar mit Recht gestrichen (RegBegr. BT-Drs. 16/10067, 105). Zugrunde liegender Rechtsgedanke bleibt aber zutr.

10 **2. Entscheidung der Hauptversammlung.** Über Verwendung des Ertrags aus höherer Bewertung entscheidet gem. § 261 III 2 die HV. Ihre Entschei-

dungsfreiheit wird allerdings eingeschränkt, und zwar erstens durch erforderlichen Steuerabzug, zweitens durch Ausgleich eines Bilanzverlustes. **Steuerabzug** ist notwendig, weil der nach § 261 I 6 bzw. § 261 II 2 gebildete Sonderposten den Bruttoertrag ausweist (→ Rn. 7). Ob Steuern anfallen, ist Frage des Einzelfalls. Vorstand muss Steuerschuld ermitteln. Entspr. Betrag haben Vorstand und AR in ihrem Vorschlag zur Beschlussfassung (§ 124 III 1) als Abzugsposten vorzusehen. Körperschaftsteuersatz hängt von Verwendungsart ab. Nachdem früheres Prinzip der Vollausschüttung durch § 278 HGB aufgehoben ist (→ § 170 Rn. 6), wird man auch hier von dem Fall ausgehen müssen, dass HV dem Verwaltungsvorschlag folgt. Wenn sie thesauriert statt auszuschütten, ergibt sich zusätzlicher Aufwand, der analog § 174 II Nr. 5 anzugeben ist. **Bilanzverlust** ist vorrangig zu decken (S/L/Kleindiek Rn. 12). Verlustvortrag (→ § 158 Rn. 2) und Einstellung des Sonderertrags in Gewinnrücklagen können nicht als zulässig angesehen werden (hM, s. ADS Rn. 27; MüKoAktG/J. Koch Rn. 20). Über Beträge, die nach Steuerabzug und Verlustausgleich verbleiben, kann HV frei verfügen. Im Wesentlichen kommen Ausschüttung, Gewinnvortrag und Einstellung in Gewinnrücklagen in Frage.

Mitteilungen an die Bundesanstalt für Finanzdienstleistungsaufsicht

261a Das Gericht hat der Bundesanstalt für Finanzdienstleistungsaufsicht den Eingang eines Antrags auf Bestellung eines Sonderprüfers, jede rechtskräftige Entscheidung über die Bestellung von Sonderprüfern, den Prüfungsbericht sowie eine rechtskräftige gerichtliche Entscheidung über abschließende Feststellungen der Sonderprüfer nach § 260 mitzuteilen, wenn für die Gesellschaft als Emittentin von zugelassenen Wertpapieren im Sinne des § 2 Absatz 1 des Wertpapierhandelsgesetzes mit Ausnahme von Anteilen und Aktien an offenen Investmentvermögen im Sinne des § 1 Absatz 4 des Kapitalanlagegesetzbuchs die Bundesrepublik Deutschland der Herkunftsstaat (§ 2 Absatz 13 des Wertpapierhandelsgesetzes) ist.

I. Regelungsgegenstand und -zweck

§ 261a regelt Mitteilungspflichten des Gerichts ggü. der BaFin. Sonderprüfung nach §§ 258 ff. hat Vorrang vor Enforcement-Prüfung (107 III WpHG) und muss deshalb zur Kenntnis der Behörde gebracht werden (RegBegr. BT-Drs. 15/3421, 21; hier ebenfalls genannte Prüfung durch DPR nach § 342b III HGB ist mit FISG 2021 abgeschafft worden [→ § 93 Rn. 68]). Parallelvorschriften sind § 142 VII, § 256 VII 2 (zur näheren Erläuterung → § 142 Rn. 35; → § 256 Rn. 31a). 1

II. Voraussetzungen und Inhalt der Mitteilungspflicht

Mitteilungspflicht besteht, wenn für AG als Emittentin von zugelassenen Wertpapieren iSd § 2 I WpHG mit Ausn. von Anteilen und Aktien an offenen Investmentvermögen iSd § 1 IV KAGB für die BRD Herkunftsstaat ist (§ 2 XIII WpHG). Verpflichtung erstreckt sich auf Antragseingang (§ 258 II), Bestellung von Sonderprüfern (§ 258 III), Prüfungsbericht (§ 259) und gerichtl. Entscheidung über die abschließenden Feststellungen (§ 260), worunter analog § 256 VII 2 die rechtskräftige Entscheidung zu verstehen ist (→ § 260 Rn. 9). 2

Achter Teil. Auflösung und Nichtigerklärung der Gesellschaft

Erster Abschnitt. Auflösung

Erster Unterabschnitt. Auflösungsgründe und Anmeldung

Auflösungsgründe

262 (1) **Die Aktiengesellschaft wird aufgelöst**
1. durch Ablauf der in der Satzung bestimmten Zeit;
2. durch Beschluß der Hauptversammlung; dieser bedarf einer Mehrheit, die mindestens drei Viertel des bei der Beschlußfassung vertretenen Grundkapitals umfaßt; die Satzung kann eine größere Kapitalmehrheit und weitere Erfordernisse bestimmen;
3. durch die Eröffnung des Insolvenzverfahrens über das Vermögen der Gesellschaft;
4. mit der Rechtskraft des Beschlusses, durch den die Eröffnung des Insolvenzverfahrens mangels Masse abgelehnt wird;
5. mit der Rechtskraft einer Verfügung des Registergerichts, durch welche nach § 399 des Gesetzes über das Verfahren in Familiensachen und in den Angelegenheiten der freiwilligen Gerichtsbarkeit ein Mangel der Satzung festgestellt worden ist;
6. durch Löschung der Gesellschaft wegen Vermögenslosigkeit nach § 394 des Gesetzes über das Verfahren in Familiensachen und in den Angelegenheiten der freiwilligen Gerichtsbarkeit.

(2) **Dieser Abschnitt gilt auch, wenn die Aktiengesellschaft aus anderen Gründen aufgelöst wird.**

Übersicht

I. Normzweck und Allgemeines

1. Regelungsgegenstand und -zweck. § 262 I nennt die wesentlichen Auflösungsgründe. § 262 II ordnet ergänzend die Geltung der §§ 262 ff. bei Auflösung aus anderen Gründen an. Regelung bezweckt geordnetes Ausscheiden der AG aus dem Rechtsleben, um damit den Aktionären die **Desinvestition** ihrer Mittel (Nr. 1 und 2) und den Gläubigern die **Verwertung des Gesellschaftsvermögens** zu ermöglichen (Nr. 3). Auch sollen vermögenslose (Nr. 4 und 6) und mit Gründungsfehlern behaftete Gesellschaften (Nr. 5) aus dem Rechtsleben verschwinden. Aktienrechtl. Regelung findet weitgehend deckungsgleiche Regelung im GmbH-Recht, wo Auflösung größere Rolle spielt als im Aktienrecht. Größeres Fallmaterial hat zu tieferer dogmatischer Durchdringung geführt, die auch für AG nutzbar gemacht werden kann (BeckOGK/Bachmann Rn. 2, 13). Wertungstransfer scheitert erst dort, wo aktienrechtl. Formstrenge abw. Auslegung gebietet. 1

2. Begriff der Auflösung; Abgrenzungen. Auflösung nach § 262 I Nr. 1–5 (nicht auch: Nr. 6; dazu → Rn. 22) ist **Zweckänderung** und nichts sonst: An die Stelle des bisherigen, regelmäßig auf Gewinnerzielung durch Betrieb des Gesellschaftsunternehmens gerichteten Zwecks (werbende Gesellschaft) tritt der Abwicklungszweck. AG besteht fort, um ihr Vermögen zu versilbern, die Gläubiger zu befriedigen und um verbleibenden Überschuss unter die Aktionäre zu verteilen (RGZ 118, 337, 340; BGHZ 14, 163, 168 = NJW 1954, 1682; BGHZ 24, 279, 286 = NJW 1957, 1279; auch im Schrifttum allgM; Darstellung abw. älterer Meinungen bei Wimpfheimer, Die Gesellschaften, 1908, 81 ff.). Weil nur Zweckänderung vorliegt, ist Fortsetzung nach § 274 möglich. 2

Anders als Auflösung bezeichnen **Beendigung oder Erlöschen** Untergang der AG als jur. Person. Auflösung ist Beginn, Beendigung Schluss der regelmäßig erforderlichen Abwicklung. In Ausnahmefällen ist Abwicklung entbehrlich, fallen deshalb Auflösung und Beendigung zusammen. So bei Löschung wegen Vermögenslosigkeit (§ 262 I Nr. 6 iVm § 394 FamFG; → Rn. 22 f.; → Rn. 25 ff.), bei Umwandlung und bei Verschmelzung durch Aufnahme oder Neugründung. In diesen Fällen ist nichts abzuwickeln (näher MüKoAktG/J. Koch Rn. 15 f.). 3

Während Beendigung oder Erlöschen einen materiell-rechtl. Vorgang bezeichnen, ist **Löschung** das Gegenstück zur Voreintragung der AG, also ein registerrechtl. Vorgang. Sie erfolgt von Amts wegen, indem ein Vermerk in das HR (Sp. 6 des Registerblatts, vgl. § 43 Nr. 6 lit. b sublit. ff HRV) aufgenommen wird (§ 395 I 2 FamFG). Voreintragung und Vermerk werden rot unterstrichen (§ 16 I HRV). Str. ist, ob Löschung nur **deklaratorische Bedeutung** hat **oder konstitutive Wirkung** entfaltet. Richtig ist das Zweite, und zwar im doppelten Sinne: Es gibt kein Erlöschen der jur. Person wegen bloßer Vermögenslosigkeit; erst die Löschung führt zu ihrem Untergang. Und zweitens: Es gibt keine jur. 4

Person ohne Registereintragung; die Löschung bewirkt deshalb auch dann das Erlöschen, wenn ihre Voraussetzungen (Vermögenslosigkeit; Schluss der Abwicklung) nicht vorgelegen haben. Wegen Meinungsstands und Einzelheiten → Rn. 23 f.

5 **3. Anwendungsbereich.** § 262 gilt für durch Registereintragung als jur. Person entstandene AG (§ 41 I 1). Für KGaA enthält § 289 bes. Regelung (→ § 289 Rn. 2 ff.). Zur Vermögensübertragung s. § 179a III; → § 179a Rn. 20 ff. Zustimmung der HV zum Verpflichtungsvertrag (§ 179a I) ist kein selbstwirkender Auflösungstatbestand, vielmehr ist Beschlussfassung gem. § 262 I Nr. 2 erforderlich. Einheitliche Beschlussfassung setzt auf Zustimmung und Auflösung gerichteten Antrag voraus. Behandlung der Vor-AG ist str. Nach richtiger Ansicht sind §§ 262 ff. anzuwenden, soweit sie nicht Eintragung in das HR voraussetzen (→ § 41 Rn. 4); Einzelheiten bei MüKoAktG/J. Koch Rn. 24. Allerdings werden in § 262 I genannte Auflösungsgründe hier nicht als abschließend angesehen, sondern es wird auch Kündigung aus wichtigem Grund zugelassen (BGHZ 169, 270 Rn. 12 ff. = NJW 2007, 589).

6 **4. Keine Auflösungsgründe.** Auflösung liegt nicht vor bei Vermögensübertragung nach § 179a (→ Rn. 5); bei bloß tats. Veränderungen wie Betriebseinstellung, Veräußerung oder Verpachtung des Unternehmens; bei nachträglicher Entstehung einer Einmann-AG, also Vereinigung aller Aktien in einer Hand (→ § 2 Rn. 4). Sitzverlegung in das Ausland begründet nur ausnahmsweise einen Auflösungsgrund, nämlich wenn bei tats. Verlegung des Verwaltungssitzes Zuzugsstaat der Sitztheorie folgt (→ Rn. 10; → § 5 Rn. 12). Auflösung ist zwar dem Gesetzeswortlaut (§ 262 I Nr. 6), nicht aber der Sache nach Folge der Löschung gem. § 394 FamFG (→ Rn. 23).

7 **5. Satzungsmäßige Auflösungsgründe?** Fraglich ist, ob Satzung ein Kündigungsrecht begründen kann, sei es zugunsten aller Aktionäre, sei es als Sonderrecht (§ 11). Ältere Ansicht bejaht das mit wechselnden Begründungen unter Anknüpfung an eine ältere RG-Entscheidung zur GmbH (RGZ 79, 418, 422), die allerdings noch vor Einführung des § 23 V ergangen war (vgl. noch Baumbach/Hueck Rn. 9). Diese Entscheidung wurde auf das Aktienrecht übertragen und sodann auch noch nach Einfügung des § 23 V zunächst unreflektiert fortgeschrieben (so der zutr. Befund von BeckOGK/Bachmann Rn. 72). Nach heute nahezu einhelliger Auffassung ist im Lichte dieser Vorschrift für satzungsmäßige Auflösungsgründe indes kein Raum mehr (BeckOGK/Bachmann Rn. 72; MüKoAktG/J. Koch Rn. 19 ff.; NK-AktR/Wermeckes Rn. 39; KK-AktG/Winnen Rn. 120 f.). Insbes. meint § 262 II nur andere ges. Auflösungsgründe (zu solchen → Rn. 24), erlaubt also keine Regelung in der Satzung.

II. Auflösungstatbestände (§ 262 I)

8 **1. Zeitablauf. a) Begrenzung der werbenden Tätigkeit.** Zeitablauf ist Auflösungsgrund, wenn Satzung eine Zeit bestimmt (in der Praxis selten). Maßgeblich ist der Satzungsinhalt, nicht die Eintragung nach § 39 II (MüKoAktG/J. Koch Rn. 26). Jedenfalls genügend ist kalendermäßige Befristung, auch mit Verlängerungsklausel (allgM). Nach heute zu Recht hM genügt überdies Bestimmbarkeit, sofern das auflösende Ereignis klar fixiert und zeitlich fassbar ist, wie zB Gesellschaft für Dauer eines Patents (BayObLGZ 1974, 479, 481 f. zur GmbH; BeckOGK/Bachmann Rn. 23; KK-AktG/Winnen Rn. 21). Auflösungsbedingung ist unzulässig (BeckOGK/Bachmann Rn. 23; S/L/Riesenhuber Rn. 4). Abw. von hM im GmbH-Recht (s. dort statt vieler MüKoGmbHG/Berner GmbHG § 62 Rn. 81 mwN) ist auch AG auf Lebenszeit eines Aktionärs un-

zulässig (überzeugend BeckOGK/Bachmann Rn. 23; sa MüKoAktG/J. Koch Rn. 27). Zeitablauf kann auch nachträglich im Wege der **Satzungsänderung** (§§ 179 ff.) als Auflösungsgrund eingeführt werden. Beschluss muss stets, insbes. auch in den Fällen des § 179 II 1, den Erfordernissen des § 262 I Nr. 2 genügen (allgM). Rechtsfolge: Auflösung tritt kraft Gesetzes ein. Rückkehr zur werbenden Tätigkeit ist nur nach § 274 möglich. Jeder Aktionär kann Abwicklung verlangen und Anspruch darauf auch klageweise durchsetzen (vgl. zum Antrag RGZ 136, 185, 187). Verzögerungen des Abwicklungsbeginns können Schadensersatzpflicht nach §§ 93, 116 begründen. Zur (unzulässigen) Begrenzung durch Kündigungsklausel → Rn. 7. Zur Zwangsauflösung bei SPACs s. § 47b I BörsG und → § 23 Rn. 67.

b) Verlängerung der werbenden Tätigkeit. Eine in der Satzung vorgesehene Befristung kann verlängert oder aufgehoben werden. Für erforderliche Satzungsänderung genügt Kapitalmehrheit des § 179 II einschließlich einer geringeren satzungsmäßigen Mehrheit. Aus § 274 I 2 folgt nach hM nichts anderes (vgl. zB BeckOGK/Bachmann Rn. 24), es sei denn, dass Satzung erst nach Auflösung geändert wird. Überholt ist seit Rob. Fischer GmbHR 1955, 165 der früher zur GmbH eingenommene Standpunkt, wegen des Rechts auf Abwicklung bestehe ein Einstimmigkeitserfordernis (RGZ 136, 185, 190). Denkbar ist allerdings ein mehrheitsfestes **Sonderrecht** (→ § 11 Rn. 6) auf Abwicklung. Auch dann bedarf es jedoch keines einstimmigen Beschlusses, sondern nur der Zustimmung des Sonderrechtsinhabers. Entsprechendes gilt bei **Nebenleistungs-AG** (§ 55). Zustimmung der betroffenen Aktionäre ist nach dem Rechtsgedanken des § 180 I erforderlich (allgM). Verweigerung kann aber uU treuwidrig sein (GK-AktG/K. Schmidt Rn. 18; sa zur GmbH MüKoGmbHG/Berner § 60 Rn. 84). Zur Fortsetzung von SPACs als reguläre AG s. § 47b II BörsG und → § 23 Rn. 68. 9

2. Beschluss der Hauptversammlung. a) Gesetzliche Regelung. Nach § 262 I Nr. 2 kann AG jederzeit durch Beschluss der HV aufgelöst werden, was sie idR dann tun wird, wenn Aktionäre rechtzeitig erkennen, dass gewinnbringende Tätigkeit in dieser Form nicht mehr möglich ist. Beschluss wird, wenn HV nichts anderes bestimmt, mit seinem Zustandekommen wirksam. Eintragung in das HR (§ 263) hat also keine konstitutive Bedeutung. Ob Wille der HV auf Auflösung gerichtet ist, kann durch Auslegung ermittelt werden. HM legt Beschlüsse, die auf **Sitzverlegung in das Ausland** gerichtet sind, als Auflösungsbeschlüsse aus, was jedoch nur dann überzeugt, wenn bei tats. Verlegung des Verwaltungssitzes Zuzugsstaat der Sitztheorie folgt (GK-AktG/K. Schmidt Rn. 22 – ausf. → § 5 Rn. 12). Stets erforderlich ist Form des § 130. Duldung tats. ergriffener Abwicklungsmaßnahmen kann deshalb für AG nicht als Auflösungsbeschluss interpretiert werden. 10

§ 262 I Nr. 2 verlangt eine **Mehrheit,** die mindestens **¾ des vertretenen Grundkapitals** umfasst. Entspr. den für vergleichbare Fälle (§ 179 II) anerkannten Grundsätzen (RGZ 125, 356, 359) folgt daraus Erfordernis der doppelten Mehrheit. Es muss also die einfache Stimmenmehrheit des § 133 und zusätzlich die Mehrheit von 75 % des vertretenen Grundkapitals erreicht werden. Für dessen Berechnung gilt: Grundkapital ist der in der Satzung festgelegte Betrag abzüglich des Gesamtnennwerts eigener Aktien (§ 71b) und von Dritten für Rechnung der AG oder von Tochterunternehmen gehaltener Aktien (§ 71b iVm § 71d S. 4). Bei Beschlussfassung vertreten sind Aktien, aus denen eine Ja- oder Neinstimme abgegeben worden ist. Einer sachlichen Rechtfertigung des Auflösungsbeschlusses, etwa unter Vergleich mit anderen im wirtschaftlichen Ergebnis vergleichbaren Maßnahmen, bedarf es nicht (→ § 243 Rn. 28). 11

Stimmabgabe kann in zweierlei Richtungen durch **mitgliedschaftliche Treubindungen** beeinflusst werden. Das gilt zunächst für **HV-Mehrheit,** die 11a bei Beschlussfassung richterlicher Beschlusskontrolle unterliegt. Da § 262 Auflösung der AG jedoch ohne inhaltliche Schranken vorsieht, muss sich Beschluss weder am Maßstab der Erforderlichkeit noch am Maßstab der Verhältnismäßigkeit messen lassen (stRspr seit BGHZ 76, 352, 353 = NJW 1980, 1278; BGHZ 103, 184, 190 = NJW 1988, 1579; OLG Frankfurt AG 1991, 208, 210; OLG Stuttgart AG 1994, 411, 413; AG 1997, 136, 137; LG Stuttgart AG 1993, 471; KK-AktG/Winnen Rn. 40). Instrument der Auflösung darf aber nicht missbräuchlich ausgenutzt werden, um in unzulässiger Weise Sondervorteile zu erlangen, insbes. durch günstige Übernahme des Gesellschaftsunternehmens oder einzelner Unternehmensteile (BGHZ 76, 352, 357 = NJW 1980, 1278; BGHZ 103, 184, 193 = NJW 1988, 1579; MüKoAktG/J. Koch Rn. 49); übertragende Auflösung ist allerdings keinesfalls generell verwehrt (→ § 179a Rn. 21 ff.).

11b Auf der anderen Seite kann aber auch **Minderheitsgesellschafter** mitgliedschaftlichen Treubindungen unterliegen (generell → § 53a Rn. 14), aufgrund derer sie verpflichtet sein können, Auflösung zuzustimmen. Das hat BGH für KG anerkannt (BGH NJW 1960, 434 f.), doch gilt nach zutr. hM auch für AG nichts anderes (OLG Köln NZG 2021, 1217 Rn. 42 f.; BeckOGK/Bachmann Rn. 33 f.; Henssler/Strohn/Drescher Rn. 4; vgl. zur GmbH auch OLG München BeckRS 2016, 5420 Rn. 8 f.). Grund dafür kann sein, dass Erreichung des Gesellschaftszwecks offensichtlich unmöglich geworden ist, insbes. wenn **dauerhafter Misserfolg der Geschäftsidee** evident ist und deshalb Substanzverzehr droht (OLG Köln NZG 2021, 1217 Rn. 43). In solcher Situation kann sich Ablehnung der Auflösung rechtsmissbräuchlich darstellen, etwa weil Gesellschafter nur versucht, Mitgesellschaftern zu schaden, was etwa anzunehmen ist, wenn sich durch Zuwarten mit der Liquidation Zerschlagungswerte zu verschlechtern drohen (OLG Köln NZG 2021, 1217 Rn. 43; OLG München BeckRS 2016, 5420 Rn. 9).

12 **b) Bestimmungen der Satzung.** Auflösungsrecht der HV kann gem. § 23 V nicht durch Satzung ausgeschlossen werden (allgM). Auch in ihr enthaltene Zeitangabe (§ 262 I Nr. 1) steht einem Auflösungsbeschluss nicht entgegen. Sie bestimmt also Höchst-, nicht Mindestdauer der werbenden Tätigkeit (KK-AktG/Winnen Rn. 19). Auflösungsrecht ist auch nicht delegierbar (etwa an AR) und kann auch nicht an Mitwirkung anderer Instanzen gebunden werden (allgM, vgl. RGZ 169, 65, 80 mwN). Zulässig sind Erschwerungen des Auflösungsbeschlusses, und zwar zunächst durch Festlegung einer größeren Kapitalmehrheit bis hin zum Einstimmigkeitserfordernis (im letzten Punkt nicht ganz zweifelsfrei, vgl. BeckOGK/Bachmann Rn. 26; MüKoAktG/J. Koch Rn. 43; KK-AktG/Winnen Rn. 35; abl. S/L/Riesenhuber Rn. 10), ferner durch **weitere Erfordernisse** wie Mehrheit bei zwei Abstimmungen und bes. Zustimmung bestimmter Aktionäre (allgM, vgl. zur GmbH RGZ 169, 65, 81).

13 **3. Gesellschaftsinsolvenz.** Insolvenz der AG (nicht: eines Aktionärs) ist Auflösungsgrund nach § 262 I Nr. 3. Zeitpunkt: § 27 InsO. Insolvenzgründe sind Zahlungsunfähigkeit (§§ 17 f. InsO) und Überschuldung (§ 19 InsO); → § 92 Rn. 34 ff. In beiden Fällen besteht Antragspflicht des Vorstands gem. § 15a I InsO. Insolvenzeröffnung bewirkt zwar Auflösung und damit Beendigung der bisherigen werbenden Tätigkeit, aber gem. § 264 I nicht auch Abwicklung iSd aktienrechtl. Liquidation. An ihre Stelle tritt das Insolvenzverfahren, so dass sich Aktien- und Insolvenzrecht überschneiden (→ § 264 Rn. 3 ff.).

14 **4. Ablehnung der Insolvenzeröffnung.** § 262 I Nr. 4 bezweckt, lebensunfähige Gesellschaften aus dem Rechtsleben zu entfernen (BGHZ 75, 178, 180 = NJW 1980, 233). **Voraussetzung:** Beschluss nach § 26 I InsO (weder kostendeckende Masse noch Vorschussleistung), der in Rechtskraft erwachsen ist. Auf

Eintragung des Beschlusses kommt es nicht an, auch nicht auf seine materielle Berechtigung (BeckOGK/Bachmann Rn. 44; KK-AktG/Winnen Rn. 64). Rechtsmittel gegen Abweisung ist sofortige Beschwerde (§§ 6, 34 InsO), die auch der AG als Schuldnerin zusteht. Frist: § 569 I ZPO iVm §§ 4, 6 II InsO. Sofortige Beschwerde kann analog § 15 I InsO von jedem Vorstandsmitglied einzeln im Namen der AG erhoben werden (MüKoAktG/J. Koch Rn. 55 mwN). **Rechtswirkung** ist Abwicklung gem. §§ 264 ff. (KK-AktG/Winnen Rn. 64 ff.; krit. zur GmbH Vallender NZG 1998, 249, 250) ohne Fortsetzungsmöglichkeit nach § 274 (→ § 274 Rn. 6). Fortdauernde Untätigkeit der Abwickler kann Vermögenslosigkeit indizieren und Amtslöschung nach § 394 FamFG (→ Rn. 25 ff.) rechtfertigen (näher MüKoAktG/J. Koch Rn. 57). Als Richtwert für Feststellung einer fortdauernden Untätigkeit wird im Schrifttum Zeitraum von sechs Monaten genannt (BeckOGK/Bachmann Rn. 101; Vallender NZG 1998, 249, 250).

5. Feststellung eines Satzungsmangels. a) Allgemeines zur Amtsauflösung. Auflösungsgrund ist nach § 262 I Nr. 5 rechtskräftige Feststellung eines Satzungsmangels gem. § 399 FamFG (Amtsauflösung). Norm bezweckt, die Sanktionslücke zu schließen, die sich sonst aus der Beschränkung der Nichtigkeit auf die drei Fälle des § 275 I (→ § 275 Rn. 1, 9 ff.) ergeben hätte (RegBegr. BT-Drs. V/3862, 11, 14). Kritik des Schrifttums (Vollzugsdefizit ggü. Richtlinienauftrag; bloßer Etikettenwechsel) ist folgenlos geblieben (s. Baums Eintragung und Löschung von Gesellschafterbeschlüssen, 1981, 57 Rn. 187; Einmahl AG 1969, 210, 214) und wohl auch nicht berechtigt, weil nach § 274 II Nr. 2 anders als früher Fortsetzung unter Beseitigung des Mangels möglich ist. 15

b) Relevante Mängel. aa) Firma und Sitz (§ 23 III Nr. 1 iVm § 399 I FamFG). Amtsauflösung findet nach § 399 I FamFG statt, wenn Satzung Firma oder Sitz nicht bestimmt oder getroffene Bestimmung nichtig ist. **Fehlen der vorgeschriebenen Angaben** hat für eingetragene AG (→ Rn. 5) wegen der Registerkontrolle allenfalls theoretische Bedeutung. **Nichtigkeit der Satzungsregelung** zur Firma liegt jedenfalls dann vor, wenn sie von Anfang an gesetzwidrig ist, namentl. wegen Verstoßes gegen § 4 oder gegen §§ 18 ff. HGB (→ § 4 Rn. 6, 11 ff.), und der Gesetzesverstoß nicht allein aus § 30 I HGB folgt; insoweit umstr. Nichtigkeit ist auch dann gegeben, wenn Satzung gegen Grundsatz der Firmenunterscheidbarkeit (→ § 4 Rn. 6 und 8) verstößt (Einzelheiten bei MüKoAktG/J. Koch 62; zust. KK-AktG/Winnen Rn. 73). Das ist zwar namentl. im GmbH-Recht umstr. (aA etwa Ulmer/Heinrich GmbHG § 4 Rn. 106; wie hier dagegen Lutter/Hommelhoff/Bayer GmbHG § 4 Rn. 47 mwN), im Hinblick auf zwingenden Charakter des § 30 HGB und öffentl. Interesse an korrekter Firmenbildung aber zutr. Befürchtung übermäßig scharfer Sanktionierung besteht nicht, da Registergericht nach Verhältnismäßigkeitsgrundsatz verpflichtet ist, zunächst Verfahren nach § 37 I HGB iVm § 392 FamFG einzuleiten (vgl. auch Lutter/Hommelhoff/Bayer GmbHG § 4 Rn. 47). Bei nachträglicher, gegen Firmenrecht verstoßender Änderung der Satzung ist unter Beachtung des Grundsatzes der Verhältnismäßigkeit nicht § 399 FamFG anwendbar, sondern Löschung des Änderungsbeschlusses nach § 398 FamFG als milderes Mittel (str., vgl. BeckOGK/Bachmann Rn. 51; Hölters/Weber/Krebs Rn. 24; MüKoAktG/J. Koch Rn. 63). Nachträgliche Änderung tats. Verhältnisse, zB Täuschungseignung infolge faktischer Änderung des Unternehmensgegenstands, führt nach hM zur Nichtigkeit und damit zur Amtsauflösung (MüKoAktG/J. Koch Rn. 64; KK-AktG/Winnen Rn. 74; aA BayObLGZ 1979, 207, 208 ff.). Frage nach Nichtigkeit bzgl. des Gesellschaftssitzes (§ 5) entspr. im Ausgangspunkt der firmenrechtl. Problematik, wird aber dadurch beeinflusst, dass § 5 idF durch MoMiG 2008 frühere Verknüpfung des Satzungssitzes mit Betrieb, Geschäftsleitung oder Ver- 16 waltung aufgegeben hat (→ § 5 Rn. 2, 8). Dass **tats. Wegzug** zur unmittelbaren oder analogen Anwendung des § 399 FamFG führt (s. noch BGH NJW 2008, 2914 Rn. 11 ff. im Anschluss an Ulmer FS Raiser, 2005, 439, 446 ff. zur alten Gesetzeslage; aA BayObLGZ 1982, 140, 143; BayObLG NZG 2002, 828, 829 f.), ist nach Liberalisierung der Sitzwahl nicht mehr anzunehmen (→ § 5 Rn. 11 ff.).

17 **bb) Höhe des Grundkapitals (§ 23 III Nr. 3 iVm § 399 I FamFG).** Fehlen der Bestimmung ist Nichtigkeitsgrund iSd § 275 I 1, der Löschung gem. § 397 FamFG nach sich ziehen kann (→ § 275 Rn. 9). Nichtigkeit, etwa wegen Verstoßes gegen § 6 oder § 7 (→ § 6 Rn. 3 bzw. → § 7 Rn. 5), rechtfertigt Auflösungsverfügung nach § 399 FamFG (BeckOGK/Bachmann Rn. 52).

18 **cc) Aktien (§ 23 III Nr. 4 und 5 iVm § 399 I FamFG).** § 23 III Nr. 4 bezieht sich auf §§ 6–9, § 23 Nr. 5 auf § 10 (vgl. Erl. zu den genannten Vorschriften). Amtsauflösung ist sowohl beim Fehlen wie bei Nichtigkeit entspr. Satzungsbestimmungen veranlasst.

19 **dd) Zahl der Vorstandsmitglieder (§ 23 III Nr. 6 iVm § 399 I FamFG).** Die entspr. Norm beruht auf Gesetz zur Durchführung der Kapital-RL v. 13.12.1978 (BGBl. 1978 I 1959) → § 23 Rn. 31. Zur Amtsauflösung führt sowohl das Fehlen wie die Nichtigkeit der vorgeschriebenen Satzungsbestandteile.

20 **c) Verfahrensfragen.** Zuständiges Gericht ist nach § 376 I FamFG, § 377 I FamFG Amtsgericht (Registergericht) des Gesellschaftssitzes (§ 14), in dem ein Landgericht seinen Sitz hat (Abweichungsmöglichkeiten der Länder nach § 376 II FamFG; Überblick bei Sternal/Eickelberg FamFG § 376 Rn. 11 ff.). Sofern Richtervorbehalt nicht landesrechtl. aufgehoben wurde (§ 19 I 1 Nr. 6 RPflG), liegt funktionelle Zuständigkeit beim Richter (§ 17 Nr. 1 lit. f RPflG). Gericht wird von Amts wegen tätig; Ermessen steht ihm nicht zu (KG OLGZ 1991, 396, 400; BeckOGK/Bachmann Rn. 56; NK-AktR/Wermeckes Rn. 29). Etwaige „Anträge" sind als Anregungen (§ 24 FamFG) aufzufassen. Das gilt auch für Mitwirkung der Industrie- und Handelskammer nach § 380 FamFG. Verfahren beginnt mit gerichtl. Aufforderung des § 399 I 1 FamFG. Sie muss dort vorgeschriebenen Inhalt haben und Satzungsmangel bezeichnen. Bleibt Aufforderung vergeblich, so wird angekündigte Feststellungsverfügung nach § 399 II FamFG getroffen. **Rechtsmittel:** Gegen Aufforderung nach § 399 I 1 FamFG gibt es nur Widerspruch, keine Beschwerde. Rechtsmittelfähig sind erst Feststellungsverfügung und die einen Widerspruch zurückweisende Verfügung (§ 399 III FamFG). Rechtsmittel ist Beschwerde mit Monatsfrist des § 63 FamFG. Erhoben werden kann sie ausschließlich von AG selbst, nicht von einem einzelnen Aktionär, da dieser nur mittelbar in seinen Rechten betroffen wird (OLG Frankfurt FGPrax 2009, 179, 180; BeckOGK/Bachmann Rn. 58; KK-AktG/Winnen Rn. 88). Bei Zurückweisung ist zulassungsabhängige Rechtsbeschwerde statthaft (§§ 70 ff. FamFG). Amtsauflösung ist das **speziellere Verfahren ggü. Amtslöschung** nach § 395 FamFG (BayObLGZ 1979, 207, 211; BayObLGZ 1989, 44, 49; MüKoAktG/J. Koch Rn. 73). Nach § 395 FamFG darf deshalb wegen der erläuterten Mängel (→ Rn. 16–19) in aller Regel nicht vorgegangen werden.

21 **6. Löschung wegen Vermögenslosigkeit. a) Allgemeines.** Gem. § 262 I Nr. 6 wird AG auch aufgelöst durch Löschung wegen Vermögenslosigkeit nach § 394 FamFG. Von den übrigen Auflösungsgründen unterscheidet sich § 262 I Nr. 6 systematisch dadurch, dass er nicht zur Auflösung mit anschließender Liquidation führt, sondern idR gleich zur Vollbeendigung der AG (KK-AktG/Winnen Rn. 93). § 394 FamFG (→ Rn. 25 ff.) fasst seinerseits zwei Fallgruppen zusammen: Vermögenslosigkeit, die ohne Abwicklung und ohne Durchführung

des Insolvenzverfahrens eingetreten ist (§ 394 I 1 FamFG; → Rn. 25 ff.), und Vermögenslosigkeit, die erst durch liquidierendes Insolvenzverfahren bewirkt wird (§ 394 I 2 FamFG → Rn. 27 f.).

b) Auflösung als Vollbeendigung. § 262 I Nr. 6 bezeichnet Auflösung als Löschungsfolge. Terminologie ist unzutr. Sie übernimmt unkritisch Wortlaut des § 2 I 2 LöschungsG, der Auflösung fingierte. Um Auflösung geht es aber schon deshalb nicht, weil Löschung **keine Abwicklung** nach sich zieht (§ 264 II; → § 264 Rn. 12). Mangels Abwicklung führt Löschung zumindest idR zur liquidationslosen Vollbeendigung (→ Anh § 262 Rn. 5). Am einfachsten hätte man es deshalb bei § 394 FamFG belassen. Hält man dagegen aktienrechtl. Anknüpfung für unentbehrlich, so ist der richtige systematische Standort hinter § 273 (sa K. Schmidt GmbHR 1994, 829, 832; Vallender NZG 1998, 249, 250). 22

c) Vollbeendigung als notwendige Löschungsfolge. Fraglich kann nur sein, ob Vollbeendigung schon wegen Vermögenslosigkeit eintritt, Löschung nach § 394 FamFG also nur deklaratorische Bedeutung hat, oder ob erst Löschung Vollbeendigung bewirkt, also eine konstitutive Eintragung darstellt. Folgt man der zweiten Auffassung schließt sich die weitere Frage an, ob AG als jur. Person auch bei unberechtigter Löschung (also bei Restvermögen) untergeht oder ob nur Löschung und Vermögenslosigkeit als Doppeltatbestand zum Untergang führen (→ Rn. 23a). Die These, dass Löschung nur deklaratorische Bedeutung hat, war früher verbreitet (BGH WM 1957, 975; BGHZ 53, 264, 266 = NJW 1970, 1044; BGHZ 94, 105, 108 = NJW 1985, 1836; öOGH AG 2002, 568), wird heute aber nicht mehr vertreten. Vielmehr besteht mittlerweile in neuerer Rspr. und Lit. über grds. **konstitutive Wirkung** der Löschung Einigkeit (vgl. etwa BGH NZG 2015, 952 Rn. 19; BAG NJW 1988, 2637; BayObLG FGPrax 1998, 73; OLG Celle NZG 2008, 271; OLG Saarbrücken GmbHR 1992, 311; BeckOGK/Bachmann Rn. 93; MüKoAktG/Heider § 1 Rn. 26; MüKoAktG/J. Koch Rn. 87 ff.; GK-AktG/K. Schmidt § 264 Rn. 15 ff.; Scholz/Scheller GmbHG § 60 Rn. 68; HCL/Casper GmbHG § 60 Rn. 92, 96 f.). Jedenfalls vermögenslose AG (→ Rn. 23a) verliert danach mit Löschung Rechts- und Parteifähigkeit (BGH NZG 2015, 952 Rn. 19). Dem ist schon aus praktischen Gründen beizupflichten, weil sie Beendigung der AG nach Grund und Zeitpunkt von der häufig zweifelhaften Frage der Vermögenslosigkeit trennt. Im Lichte des Normativsystems ist sie auch dogmatisch schlüssig, da Rechtspersönlichkeit als jur. Person mit Registereintragung verliehen wird (MüKoAktG/J. Koch Rn. 87). 23

Weiterhin umstr. ist, ob konstitutive Wirkung überdies **Vermögenslosigkeit** voraussetzt. Das ist zum Recht der GmbH ganz hM und findet auch im Aktienrecht zahlreiche Befürworter (BAG NJW 1988, 2637; BayObLG FGPrax 1998, 73; OLG Celle NZG 2008, 271; OLG Düsseldorf NZG 2004, 916, 918; OLG Koblenz NZG 2007, 431, 432; OLG Koblenz NZG 2016, 750; GK-AktG/K. Schmidt § 264 Rn. 15 ff.; Scholz/Scheller GmbHG § 60 Rn. 60; HCL/Casper GmbHG § 60 Rn. 96 ff.; S/L/Riesenhuber Rn. 15; offengelassen von OLG Frankfurt NZG 2015, 626 Rn. 19). Dem liegt sinnvolles Anliegen zugrunde, Rechtsträger für etwaiges Restvermögen zu erhalten. Allerdings trägt Lehre vom Doppeltatbestand nicht der Bedeutung Rechnung, die Registereintragung im Normativsystem zukommt: Ohne Registereintrag, also ohne staatliche Verleihung der Rechtspersönlichkeit, kann es jur. Person im System der Normativbedingungen nicht geben (s. schon MüKoAktG/J. Koch Rn. 90). Vorzugswürdig ist deshalb, Lösung in **Anlehnung an das Gründungsrecht,** darin zu suchen, dass auch ohne Eintragung zwar keine jur. Person, aber doch – spiegelbildlich zur Vor-AG – **körperschaftlich strukturierte Gesellschaft sui generis** fortbestehen kann, die Träger des Restvermögens ist (für diese Lösung BeckOGK/Bachmann Rn. 95, § 273 Rn. 23; Bachmann FS Lindacher, 2017, 23 ff.; B/K/ 23a

L/Füller Rn. 29 f.; MüKoAktG/J. Koch Rn. 90 f.; Wachter/C. A. Weber Rn. 18; KK-AktG/Winnen Rn. 115; Hönn ZHR 138 [1974], 50, 74 ff.; Hüffer GS Schultz, 1987, 99, 103 ff.; MüKoZPO/Lindacher/Hau ZPO § 50 Rn. 14; Lindacher FS Henckel, 1995, 549, 553 ff.; wohl auch Henssler/Strohn/Drescher § 273 Rn. 6). Diese Nachfolgegesellschaft wurde in Anlehnung an überkommenes Verständnis der Vor-AG (→ § 41 Rn. 4) zunächst noch als eine „als Gesamthand strukturierte Nachgesellschaft" aufgefasst (Hüffer GS Schultz, 1987, 99, 102 ff.; vgl. zur Entwicklung MüKoAktG/J. Koch Rn. 90 f.; Bachmann FS Lindacher, 2017, 23, 25 ff.). Nach heutigem Entwicklungsstand ist es vorzugswürdig sie als körperschaftlich strukturierte Gesellschaft sui generis anzusehen, die unterhalb der jur. Person steht (BeckOGK/Bachmann Rn. 95; Bachmann FS Lindacher, 2017, 23 ff.; Lindacher FS Henckel, 1995, 549, 553 ff.). In der praktischen Umsetzung bleibt Streit zwischen diesen Auffassungen allerdings weitgehend irrelevant. Zu weiteren Konsequenzen für Nachtragsabwicklung → § 264 Rn. 12; → § 273 Rn. 7 f.

III. Auflösung aus anderen Gründen (§ 262 II)

24 Norm meint nach richtiger und mittlerweile wohl auch hM nur andere **ges. Auflösungsgründe;** Satzung kann keine Auflösungsgründe schaffen (→ Rn. 7). Solche Gründe sind: Entstehung einer sog Keinmann-AG (praktisch bedeutungslos). Kommt es doch dazu, löst sich AG auf, weil sie ohne Gesellschafter nicht bestehen kann (B/K/L/Füller Rn. 35; MüKoAktG/J. Koch Rn. 103; KK-AktG/Winnen Rn. 124; teilw. aA BeckOGK/Bachmann Rn. 65; Kreutz FS Stimpel, 1985, 379 ff.). Ferner: Gemeinwohlgefährdung (§ 396; → § 396 Rn. 2 ff.), Vereinsverbot nach § 3 I 1 VereinsG, Maßnahmen der Wirtschaftsaufsicht (vgl. OLG Düsseldorf AG 1988, 50, 52), nämlich Rücknahme der Geschäftserlaubnis nach § 38 KWG (vgl. außer den Kommentaren Rittner FS Ballerstedt, 1975, 105 ff.) und iE auch nach § 304 VAG. **Keine Auflösungsgründe** sind die in → Rn. 6 zusammengestellten Sachverhalte. Abzulehnen ist auch der Vorschlag, die in **§ 61 GmbHG** als Instrument des Minderheitenschutzes geregelte Auflösungsklage auf geschlossene AG zu übertragen (BeckOGK/Bachmann Rn. 66). Zwar ist es richtig, dass der auf Publikumsgesellschaften zugeschnittene Regelungsbestand des AktG oftmals für geschlossene AG nicht passt und individualistische GmbH-Lösung sachgerechter erscheint, doch ist dies ein Phänomen, das an zahllosen Stellen im AktG begegnet und Gegenstand breiter rechtspolitischer Diskussion ist (vgl. nur Bayer Gutachten E zum 67. DJT, 2007). Gesetzgeber hat dem an mehreren Stellen im AktG Rechnung getragen. Wo er dies nicht getan hat, ist es nicht Aufgabe des Gesetzesanwenders, gesetzgeberische Zurückhaltung punktuell zu korrigieren (abl. auch NK-AktR/Wermeckes Rn. 39).

IV. Löschung von Kapitalgesellschaften

§ 394 FamFG Löschung vermögensloser Gesellschaften und Genossenschaften

(1) [1] Eine Aktiengesellschaft, Kommanditgesellschaft auf Aktien, Gesellschaft mit beschränkter Haftung oder Genossenschaft, die kein Vermögen besitzt, kann von Amts wegen oder auf Antrag der Finanzbehörde oder der berufsständischen Organe gelöscht werden. [2] Sie ist von Amts wegen zu löschen, wenn das Insolvenzverfahren über das Vermögen der Gesellschaft durchgeführt worden ist und keine Anhaltspunkte dafür vorliegen, dass die Gesellschaft noch Vermögen besitzt.

(2) [1] Das Gericht hat die Absicht der Löschung den gesetzlichen Vertretern der Gesellschaft oder Genossenschaft, soweit solche vorhanden sind und ihre Person und ihr inländischer Aufenthalt bekannt ist, bekannt zu machen und ihnen zugleich eine an-

gemessene Frist zur Geltendmachung des Widerspruchs zu bestimmen. [2] Auch wenn eine Pflicht zur Bekanntmachung und Fristbestimmung nach Satz 1 nicht besteht, kann das Gericht anordnen, dass die Bekanntmachung und die Bestimmung der Frist durch Bekanntmachung in dem für die Bekanntmachung der Eintragungen in das Handelsregister bestimmten elektronischen Informations- und Kommunikationssystem nach § 10 des Handelsgesetzbuchs erfolgt; in diesem Fall ist jeder zur Erhebung des Widerspruchs berechtigt, der an der Unterlassung der Löschung ein berechtigtes Interesse hat. [3] Vor der Löschung sind die in § 380 bezeichneten Organe, im Fall einer Genossenschaft der Prüfungsverband, zu hören.

(3) Für das weitere Verfahren gilt § 393 Abs. 3 bis 5 entsprechend.

(4) [1] Die Absätze 1 bis 3 sind entsprechend anzuwenden auf offene Handelsgesellschaften und Kommanditgesellschaften, bei denen keiner der persönlich haftenden Gesellschafter eine natürliche Person ist. [2] Eine solche Gesellschaft kann jedoch nur gelöscht werden, wenn die für die Vermögenslosigkeit geforderten Voraussetzungen sowohl bei der Gesellschaft als auch bei den persönlich haftenden Gesellschaftern vorliegen. [3] Die Sätze 1 und 2 gelten nicht, wenn zu den persönlich haftenden Gesellschaftern eine andere offene Handelsgesellschaft oder Kommanditgesellschaft gehört, bei der eine natürliche Person persönlich haftender Gesellschafter ist.

1. Allgemeines. § 394 FamFG betr. Löschung von Kapitalgesellschaften und zB typischer GmbH & Co KG im HR (§ 394 IV FamFG). Geregelt sind Löschungsgründe (§ 394 I FamFG), Löschungsverfahren (§ 394 II FamFG) und Erstreckung der zunächst für Kapitalgesellschaften gegebenen Regeln auf OHG und KG, wenn keine natürliche Person persönlich haftender Gesellschafter ist (§ 394 IV FamFG). Norm bezweckt „Entrümpelung des Registers von jur. personifizierten Karteileichen" aus dem Rechtsleben (K. Schmidt GmbHR 1994, 829, 832; sa → Rn. 14) und dient damit dem **Gläubigerschutz** (allgM; s. nur OLG München NZG 2011, 709). AG, die ohne innere Substanz als leere Hülse fortbesteht, birgt Missbrauchsgefahren, denen das Gericht durch Löschung zuvorkommen soll. Mantel- und Vorratsgründungen werden damit nicht unmöglich gemacht, doch bleibt auch bei ihnen die Ausstattung mit Restvermögen erforderlich; Handel mit solchen Mänteln wird deshalb durch § 394 FamFG erschwert (Noack/Servatius/Haas/Haas GmbHG Anh. § 77 Rn. 4). Gläubigerschutz ist allerdings in erster Linie **Schutz der Neugläubiger,** wohingegen Interessen der Altgläubiger durch vorschnelle Löschung beeinträchtigt werden können (so zutr. BeckOGK/Bachmann Rn. 97 unter Hinweis auf AG Duisburg ZIP 2007, 690). § 394 I 2 FamFG schreibt Löschungsfolge auch nach Insolvenzverfahren vor und bringt damit zum Ausdruck, dass dieses Verfahren vom Prinzip Grundsatz der Vollabwicklung ausgeht (RegBegr. BT-Drs. 12/2443, 83 f.), ohne damit jedoch die Möglichkeit insolvenzfreien Gesellschaftsvermögens zu negieren (→ Rn. 27; → § 264 Rn. 7). Ggü. handelsrechtl. Löschungsverfahren nach § 31 II HGB bei Einstellung der Geschäftstätigkeit ist § 394 FamFG lex specialis (MüKoFamFG/Krafka FamFG § 394 Rn. 2). Zu praktischen Schwierigkeiten und rechtspolitischem Handlungsbedarf, insbes. bei fehlender Erreichbarkeit von Gründern und Geschäftsführern, vgl. Kruck ZIP 2011, 1550 ff.; zust. BeckOGK/Bachmann AktG § 262 Rn. 99. 25

2. Löschungsvoraussetzungen. a) Vermögenslosigkeit. Vermögenslosigkeit iSd § 394 I 1 FamFG ist, entspr. Normzweck, als Indiz für Lebensunfähigkeit der AG zu verstehen und bezeichnet daher jedenfalls idR das **Fehlen aktivierbarer Vermögensgegenstände** (Kriterium: Ansatz- und Bewertungsfähigkeit); vgl. BayObLG GmbHR 1979, 176 f.; BB 1982, 1590; WM 1984, 602; ZIP 1985, 33 f.; OLG Brandenburg NJW-RR 2001, 176, 177; OLG Düsseldorf FGPrax 1997, 36, 37; OLG Frankfurt OLGZ 1978, 48, 49. Auch wertlose Aktiva und Forderungen, wegen derer nicht vollstreckt werden kann, sind kein verwertbares 26

Vermögen (BGH NZG 2015, 952 Rn. 19). Dagegen steht es der Löschung entgegen, wenn immerhin noch „geringes" Vermögen existiert (BayObLG WM 1984, 602; OLG Düsseldorf FGPrax 2011, 134 [Kontoguthaben von mehr als 3.000 Euro]; OLG Frankfurt NZG 2015, 759 Rn. 7; OLG Koblenz GmbHR 1994, 483), wohl aber, wenn es nur noch „verschwindend gering" ist (so zu Recht hLit, s. BeckOGK/Bachmann AktG § 262 Rn. 100; MüKoAktG/J. Koch AktG § 262 Rn. 79; Pape KTS 1994, 157, 162 mwN; anders aber OLG Brandenburg NJW-RR 2001, 176, 177; OLG Frankfurt WM 1983, 281; ZIP 1983, 309). Auch fortgesetzte werbende Tätigkeit kann Löschung wegen Vermögenslosigkeit entgegenstehen (KG NZG 2022, 217 Rn. 12 f.). Überschuldung, Zahlungsunfähigkeit oder Masselosigkeit sind ebenso unerheblich wie Steuerschulden oder fehlende Zahlungsmoral (OLG Frankfurt NZG 2015, 759 Rn. 7), können sich aber im Zusammenspiel mit anderen Faktoren, wie zB Führungslosigkeit und erfolgloser Pfändung, zu Indizienbündel für Vermögenslosigkeit verdichten (OLG Düsseldorf ZIP 2016, 1068, 1070 f.; OLG Frankfurt NZG 2015, 759; BeckOGK/Bachmann AktG § 262 Rn. 100 f.). Wegen bes. gravierender Folgen ist aber grds. strenger Maßstab anzulegen (→ Rn. 6). In Einzelfällen können auch nicht bilanzierungsfähige Vermögensgegenstände oder Rechtspositionen Vermögen iSd § 394 I 1 FamFG sein (OLG Frankfurt NZG 2015, 759 Rn. 7; BeckOGK/Bachmann AktG § 262 Rn. 100; MüKoAktG/J. Koch AktG § 262 Rn. 78). Vermögenslosigkeit kann auch dadurch zur gerichtl. Überzeugung gelangen, dass angebliche Forderung seit drei Jahren nicht ausgeklagt wird (BayObLG FGPrax 1995, 46 f.). Führt AG **Aktivprozesse** vermögensrechtl. Art, so spricht eine tats. Vermutung gegen Vermögenslosigkeit (KG NZG 2007, 474, 475; S/L/Riesenhuber AktG § 262 Rn. 17; HCL/Casper GmbHG § 60 Rn. 78). **Passivprozessen** kommt keine vergleichbare indizierende Wirkung zu, weil nicht klar ist, worauf Kläger seine Vollstreckungshoffnungen stützt (BayObLGZ 1995, 9, 12 f.; MüKoAktG/J. Koch AktG § 262 Rn. 80; HCL/Casper GmbHG § 60 Rn. 78; aA BeckOGK/Bachmann AktG § 262 Rn. 102; S/L/Riesenhuber Rn. 17). Ob Löschung möglich ist, wenn AG noch **Erklärungen** abzugeben hat, wie zB Ausstellung von Arbeitszeugnissen, Mitwirkung bei Löschung von Grundpfandrechten oÄ, ist umstr. In instanzgerichtl. Rspr. wird Frage zT verneint (OLG Frankfurt FGPrax 2006, 269 f.; 2006, 83 f.; MüKo-FamFG/Krafka FamFG § 394 Rn. 4). Bessere Gründe sprechen für Zulässigkeit der Löschung, da Organe Beseitigung der vermögenslosen AG nicht dadurch verhindern können, dass sie Erklärung nicht abgeben; zur Not muss Abgabe dem analog § 264 II bestellten Nachtragsabwickler überlassen bleiben (MüKoAktG/J. Koch AktG § 262 Rn. 80; HCL/Casper GmbHG § 60 Rn. 74; → § 264 Rn. 13). **Maßgeblicher Zeitpunkt** für Vermögenslosigkeit ist Löschung (heute allgM, s. zB OLG Köln FGPrax 1995, 41 mwN; aA noch Crisolli JW 1934, 2657, 2659). Ggf. ist Löschungsverfügung noch zurückzunehmen. Kannvorschrift eröffnet nach richtiger Ansicht weder Beurteilungs- noch Ermessensspielraum (→ Rn. 31).

27 **b) Durchführung des Insolvenzverfahrens.** Nach § 394 I 2 FamFG ist AG zu löschen (→ Rn. 30 f.), wenn Insolvenzverfahren durchgeführt worden ist und keine Anhaltspunkte für fortbestehenden Vermögensbesitz gegeben sind. Norm beruht auf Grundsatz der Vollabwicklung (→ Rn. 25), bringt aber zugleich zum Ausdruck, dass auch nach Abschluss der insolvenzbedingten Liquidation noch Gesellschaftsvermögen vorhanden sein kann, weil es sonst ohne Sinn wäre, zusätzlich zu fordern, dass dafür keine Anhaltspunkte bestehen. Schon deshalb bietet Norm keine Stütze für die These, es gebe nur eine einheitliche insolvenzbedingte und -geprägte Liquidation (so aber K. Schmidt GmbHR 1994, 829, 831). Wenn Amtslöschung erfolgt, erledigt sich jedoch Anmeldung des Abwicklungsschlusses

durch Abwickler (§ 265 I AktG, § 273 I AktG), die nach früherem Recht auch nach Konkursende erforderlich war, weil Konkursverwalter die Anmeldung nicht vornehmen konnte (BayObLGZ 1979, 65, 66 f. zur KG; BayObLG WM 1979, 1171 Ls. = DB 1979, 831 zur GmbH). Amtsverfahren statt Anmeldung stellt sicher, dass Löschung auch dann erfolgt, wenn Gesellschaftsorgane untätig bleiben und/oder unauffindbar sind (s. RegBegr. BT-Drs. 12/3803, 70).

Im Einzelnen gilt: § 394 I 2 FamFG meint liquidierendes Insolvenzverfahren. Dieses ist durchgeführt, sobald **Schlussverteilung** (§ 196 InsO) erfolgt ist. Aufhebung des Verfahrens (§ 200 InsO) verlangt § 394 I 2 FamFG nicht. Nach Schlussverteilung besitzt AG noch Vermögen, darf Löschung also nicht erfolgen, wenn zurückbehaltene Beträge bis zu einer Nachtragsverteilung hinterlegt sind (§§ 198, 203 I Nr. 1 InsO); ferner, wenn ausgezahlte Beträge an die Masse zurückfließen oder nachträglich Vermögensgegenstände aufgefunden werden (§ 203 I Nr. 2 und 3 InsO); schließlich, wenn Insolvenzverwalter Massegegenstände freigegeben hat (→ § 264 Rn. 7); nicht dagegen im seltenen Fall des Liquidationsüberschusses, weil dann Verteilung an die Aktionäre (§ 199 S. 2 InsO) gerade zur Vermögenslosigkeit der AG führt. **Anhaltspunkte** für fortdauernden Vermögensbesitz bestehen notwendig bei Hinterlegung und Freigabe, sonst (Masserückfluss, nachträgliche Feststellung von Vermögensgegenständen) nur ausnahmsweise und namentl. dann nicht, wenn sich Gesellschaftsorgane um AG selbst nicht mehr kümmern. 28

3. Löschungswirkungen. Löschung nach § 394 I 1 oder 2 FamFG bewirkt gem. § 262 I Nr. 6 AktG (→ Rn. 21 ff.) Auflösung der AG. Diese wird jedoch nicht eingetragen (§ 263 S. 4 AktG; → § 263 Rn. 5); Löschung ersetzt also Eintragung der Auflösung. Auch findet grds. keine Abwicklung statt (§ 264 II AktG). Das ist folgerichtig, weil nichts abzuwickeln ist, wenn Löschungsvoraussetzungen zu Recht bejaht wurden. Anders nur, wenn noch verteilungsfähiges Vermögen aufgefunden wird, das nicht der insolvenzrechtl. Nachtragsverteilung (§§ 203 ff. InsO) unterliegt. Soweit diese stattfindet, besteht für Abwicklung nach §§ 264 ff. AktG weder Raum noch Veranlassung (→ § 264 Rn. 13). Weil Abwicklung gem. § 264 II AktG grds. ausgeschlossen ist, führt Löschung jedenfalls idR zur Vollbeendigung der AG (insoweit allgM zum früheren § 2 I LöschungsG). Nach richtiger, wenngleich umstrittener Ansicht bewirkt Löschung wie in den Fällen des § 273 I AktG weitergehend immer Vollbeendigung, also Untergang der AG als solcher. Sie besteht aber dennoch als körperschaftlich strukturierte Nachgesellschaft sui generis fort (→ Rn. 23 f.; → § 264 Rn. 12; → § 273 Rn. 7 f.). Zur Prozessführung gelten dieselben Grundsätze wie bei Löschung nach § 273 AktG (→ § 273 Rn. 19). Nach (allerdings nicht zustimmungsfähiger) hM bleibt auch nach § 394 FamFG gelöschte AG bei schlüssiger Behauptung eines Restvermögens als solche aktiv parteifähig (BGH NJW 2015, 2424 Rn. 19; BAGE 100, 369, 371 f. = NJW 2003, 80, 81). 29

4. Verfahrensfragen. Zuständig ist nach § 14 AktG iVm §§ 376 f. FamFG **Amtsgericht** (§ 23a II Nr. 3 GVG) des Gesellschaftssitzes (§ 14 AktG), in dem ein LG seinen Sitz hat (Abweichungsmöglichkeit der Länder nach § 376 II FamFG; Überblick bei Sternal/Eickelberg FamFG § 376 Rn. 11 ff.). Gericht wird **von Amts wegen** tätig, und zwar auch dann, wenn Löschungsverfahren auf sog Antrag der Finanzbehörde beruht (§ 394 I 1 Fall 2 FamFG). Sog Antrag ist also der Sache nach nur Anregung iSd § 24 FamFG (allgM). Das Recht dazu gibt allerdings Beschwerdebefugnis, wenn Löschung nicht verfügt wird. Auch Ermittlungen zur Vermögenslosigkeit folgen dem Amtsprinzip (§ 26 FamFG). Dabei ist zwischen § 394 I 1 FamFG und § 394 I 2 FamFG zu unterscheiden. Wenn Löschung **ohne Insolvenzverfahren** erfolgen soll, sind Ermittlungen angesichts bes. schwerer Folgen mit aller Genauigkeit und Gewissenhaftigkeit durchzufüh- 30 ren (BayObLG GmbHR 1979, 176 f.; BB 1982, 1590 f.; OLG Düsseldorf ZIP 2016, 1068, 1071; NZG 2017, 1109 Rn. 19; OLG Frankfurt NZG 2015, 759 Rn. 8; OLG Hamm Rpfleger 1993, 286, 287; Einzelheiten bei MüKoAktG/Koch AktG § 262 Rn. 97). Erfolgt Löschung dagegen **nach Durchführung des Insolvenzverfahrens,** so ist Vermögenslosigkeit die Regel, und zwar iS tats. Vermutung. Amtsermittlung über Restvermögen ist nur veranlasst, wenn für seine Existenz bes. Anhaltspunkte sprechen. Das gilt namentl. in den Fällen des § 203 I Nr. 2 und 3 InsO; Masserückfluss oder Restvermögen sollte nur geprüft werden, wenn tats. Vermutung durch substanziiertes Vorbringen eines Beteiligten oder in gleichwertiger Weise erschüttert wird.

31 **Kein Ermessen.** Nach bislang hM entscheidet Registergericht über Löschung nach pflichtgem. Ermessen (BayObLG GmbHR 1979, 176 f.; OLG Karlsruhe JFG 13, 379, 381; OLG Frankfurt OLGZ 1978, 48, 50; DB 1981, 83; WM 1983, 281; aus der Lit. zB BeckOGK/Bachmann AktG § 262 Rn. 104; Winnefeld BB 1975, 70, 72). Gegenauffassung, die in den letzten Jahren verstärkten Zulauf erfahren hat und im GmbH-Recht mittlerweile ganz herrschend ist, lehnt Ermessen ab und tritt stattdessen für ausnahmslose Löschung vermögensloser Gesellschaften ein (MüKoGmbHG/Berner GmbHG § 60 Rn. 172 ff.; B/K/L/Füller § 262 Rn. 31; Noack/Servatius/Haas/Haas GmbHG Anh. § 77 Rn. 10; Scholz/Scheller GmbHG § 60 Rn. 64). HM ist zuzugeben, dass sich Löschung auch bei Vermögenslosigkeit als **unverhältnismäßig** darstellen kann und Registergericht deshalb Möglichkeit haben muss, von Löschung abzusehen, etwa bei erwartbarem baldigem Mittelzufluss. Das ändert aber nichts daran, dass Unverhältnismäßigkeit reine Rechtsfrage ist, die **voller Nachprüfung durch Beschwerdegericht** unterliegt. Bloße Bewältigung von Abgrenzungsschwierigkeiten führt nicht automatisch zu richterlichem Ermessensspielraum. Gerade bei derart schwerwiegendem Eingriff wie Löschung einer AG muss vielmehr volle richterliche Kontrolle gewahrt bleiben. Kann-Formulierung steht dem nicht entgegen, da sie noch auf Wortwahl des älteren FGG zurückgeht, das nicht im Lichte der heutigen Ermessenslehre ausgelegt werden darf (Casper, Die Heilung nichtiger Beschlüsse, 1998, 250 ff.). Wenig hilfreich erscheint es auch, Entscheidungsspielraum des Gerichts als „Beurteilungsspielraum" von der Rechtsfolgen- auf die Tatbestandsseite zu verlagern, da gerichtl. Kontrolle auch dadurch relativiert wird (so noch → 10. Aufl. 2012, AktG Anh. § 262 Rn. 9 [Hüffer]; ausf. zu dem hier vertretenen Standpunkt MüKoAktG/J. Koch AktG § 262 Rn. 98). Wegen der verschiedenen **Verfahrensschritte** (Löschungsankündigung; Entscheidung über Widerspruch, wenn erhoben; Löschungsverfügung) vgl. § 394 II 1 und 2 FamFG; ferner § 393 III–V FamFG iVm § 394 III FamFG (ausf. dazu MüKoAktG/J. Koch AktG § 262 Rn. 93 ff.). Nach § 383 III FamFG kann Löschung nicht mit Rechtsmitteln angegriffen werden, doch erlaubt § 395 FamFG eine **Amtslöschung der Löschung,** wenn sich herausstellt, dass Löschung auf wesentlichem Verfahrensfehler beruht (allgM – vgl. nur OLG Düsseldorf NZG 2017, 745 Rn. 11; OLG Zweibrücken NZG 2023, 761 Rn. 13 f.; MüKoAktG/J. Koch AktG § 262 Rn. 100). Als solcher gilt etwa Löschung vor Entscheidung über Widerspruch oder unterlassene Mitteilung über beabsichtigte Löschung gem. § 394 II FamFG (OLG Düsseldorf NZG 2017, 746 Rn. 12). Auch Fehler bei amtswegigen Ermittlungen zur Vermögenslosigkeit können Amtslöschung der Löschung begründen, etwa wenn Registergericht Vermögenslosigkeit allein aufgrund vorhandener Schulden der AG feststellt, ohne zu klären, ob diese auf mangelnder Leistungsfähigkeit oder unzureichender Zahlungsmoral beruht (OLG Düsseldorf NZG 2016, 1385, 1386; sa OLG Düsseldorf NZG 2017, 1109 Rn. 20 ff.). In all diesen Fällen ist Amtslöschung wegen schweren Verfahrensfehlers nach § 395 FamFG geboten; erst bei anschließender Entscheidung über Widerspruch kommt es auf Vermögenslosigkeit an (OLG Zweibrücken FGPrax

2002, 132 f.; zu der Löschung entgegenstehenden Gründen vgl. KG NZG 2018, 1426). Für Amtslöschungsverfahren ist bereits gelöschte AG mitsamt Organstruktur als fortbestehend anzusehen. Sie kann Verfahren anregen und gegen ablehnende Entscheidung Beschwerde erheben (OLG Düsseldorf ZIP 2016, 1068, 1069; NZG 2017, 745 Rn. 8; 2017, 1109 Rn. 15; sa → Rn. 30).

Anmeldung und Eintragung der Auflösung

263 **[1]Der Vorstand hat die Auflösung der Gesellschaft zur Eintragung in das Handelsregister anzumelden. [2]Dies gilt nicht in den Fällen der Eröffnung und der Ablehnung der Eröffnung des Insolvenzverfahrens (§ 262 Abs. 1 Nr. 3 und 4) sowie im Falle der gerichtlichen Feststellung eines Mangels der Satzung (§ 262 Abs. 1 Nr. 5). [3]In diesen Fällen hat das Gericht die Auflösung und ihren Grund von Amts wegen einzutragen. [4]Im Falle der Löschung der Gesellschaft (§ 262 Abs. 1 Nr. 6) entfällt die Eintragung der Auflösung.**

I. Regelungsgegenstand und -zweck

1 § 263 regelt, wie Auflösung registerrechtl. zu behandeln ist. Bezweckt ist **Publizität der Auflösung.** Zu diesem Zweck wird mit Auflösung Anmeldepflicht verbunden. Publizitätserfordernis ist nicht selbstverständlich, da durch Auflösung weder Bestand noch Parteifähigkeit berührt wird. Gesetzgeber wollte aber, dass auch auflösungsbedingter Übergang von werbender AG zur Abwicklungsgesellschaft und damit verbundene Überlagerung des Gesellschaftszwecks für jedermann erkennbar ist (RegBegr. Kropff S. 354; HCL/Paura GmbHG § 65 Rn. 1).

II. Anmeldung und Eintragung

2 Anmeldepflichtig ist jede Auflösung, soweit sie nicht von Amts wegen einzutragen ist (→ Rn. 4) oder als Löschungsfolge eintritt (→ Rn. 5). Schwerpunkt liegt bei Auflösung nach § 262 I Nr. 1 oder 2. Anmeldung erfolgt in der Form des § 12 HGB. Zuständig ist Amtsgericht (§ 23a II Nr. 3 GVG nF) des Gesellschaftssitzes (§ 14). Hat AG eine oder mehrere Zweigniederlassungen, so ist nach § 13 I 2 HGB vorzugehen (→ HGB § 13 Rn. 10 f.). Anmeldung obliegt nach § 263 S. 1 dem Vorstand, nicht den Abwicklern (MüKoAktG/J. Koch Rn. 7; KK-AktG/Winnen Rn. 5 f.; anders allerdings hM zur GmbH, vgl. BayObLG GmbHR 1994, 478, 479; Scholz/Scheller GmbHG § 65 Rn. 6). Gemeint ist der ehemalige Vorstand, wie er im Zeitpunkt der Auflösung im Amt war. Erforderlich und genügend ist Handeln der Vorstandsmitglieder in vertretungsberechtigter Zahl (§ 78). Anmeldung hat unverzüglich zu erfolgen. Schuldhaftes Zögern (§ 121 I 1 BGB) liegt aber nicht vor, wenn Anmeldung kurzfristig hinausgeschoben wird und dies einer sachgem. Abwicklung dient (RGZ 145, 99, 103). Gegen säumige Vorstandsmitglieder kann Registergericht idR nach § 14 HGB vorgehen.

3 Anmeldung unterliegt **Prüfung** durch Registergericht in formeller und materieller Hinsicht; zu Sonderfällen vgl. MüKoAktG/J. Koch Rn. 3. **Eintragung** erfolgt gem. § 43 Nr. 6 lit. k HRV in Sp. 6 des Registerblatts. **Bek.** richtet sich nach § 10 HGB, wobei zu beachten ist, dass Bekanntmachungsbegriff durch DiRUG 2021 zwar nicht aufgegeben, aber mit vollständig neuem Inhalt gefüllt wird (erstmalige Abrufbarkeit im HR → § 39 Rn. 7 ff.). Eintragung hat nur deklaratorische Bedeutung, und zwar auch in den Sonderfällen, in denen sich die Auflösung mit Satzungsänderung verbindet (str.; → § 262 Rn. 8). Eintragung

und Bek. sind nach hM für Publizitätswirkungen des **§ 15 HGB** wesentlich (vgl. zB BeckOGK/Bachmann Rn. 14). Praktische Bedeutung ist aber gering, weil Vertretungsmacht der Abwickler nach § 269 nicht durch Abwicklungszweck beschränkt ist (→ § 269 Rn. 2) und Aktionäre schon nicht Dritte iSd § 15 HGB sind (RGZ 120, 363, 369; KK-AktG/Winnen Rn. 21 f.).

III. Eintragungen von Amts wegen

4 In den Auflösungsfällen des § 262 I Nr. 3, 4 und 5 besteht gem. § 263 S. 2 keine Anmeldepflicht. Vielmehr wird Auflösung von Amts wegen eingetragen. In den Fällen des § 262 I Nr. 5 kann Registergericht von Amts wegen tätig werden, weil es auflösungsbegründenden Satzungsmangel selbst festgestellt hat. In den Insolvenzsachen des § 262 I Nr. 3 und 4 wird Eintragungsverfahren durch Übermittlung der Ausfertigungen gem. § 31 InsO veranlasst. Einzutragen ist neben der Auflösung auch ihr Grund (§ 263 S. 3). **§ 15 HGB** ist gem. § 32 II 2 HGB iVm § 3 nicht anwendbar, wenn AG durch Insolvenzeröffnung aufgelöst wird (§ 262 I Nr. 3); s. iÜ → Rn. 3.

IV. Keine Eintragung

5 Bei Löschung der AG gem. § 394 FamFG (→ § 262 Rn. 21 ff.; 25 ff.) ist nicht auch noch die Auflösungsfolge einzutragen, von der § 262 I Nr. 6 spricht. § 263 S. 4 stellt das ausdr. klar. Warnfunktion des HR wird nach RegBegr. EGInsO BT-Drs. 12/3803, 82, 85 schon durch Löschung erfüllt. Richtig ist, dass Eintragung der Auflösung neben Rötung der Voreintragung (§ 16 I HRV) und Löschungsvermerk nur irreführend wirken könnte. Gesetzgeber löst in § 263 S. 4 ein Folgeproblem, das vermieden worden wäre, wenn man es unter Verzicht auf § 262 I Nr. 6 bei Löschungsanordnung des § 394 I FamFG belassen hätte (→ § 262 Rn. 22).

Zweiter Unterabschnitt. Abwicklung

Notwendigkeit der Abwicklung

264 (1) **Nach der Auflösung der Gesellschaft findet die Abwicklung statt, wenn nicht über das Vermögen der Gesellschaft das Insolvenzverfahren eröffnet worden ist.**

(2) [1] **Ist die Gesellschaft durch Löschung wegen Vermögenslosigkeit aufgelöst, so findet eine Abwicklung nur statt, wenn sich nach der Löschung herausstellt, daß Vermögen vorhanden ist, das der Verteilung unterliegt.** [2] **Die Abwickler sind auf Antrag eines Beteiligten durch das Gericht zu ernennen.**

(3) **Soweit sich aus diesem Unterabschnitt oder aus dem Zweck der Abwicklung nichts anderes ergibt, sind auf die Gesellschaft bis zum Schluß der Abwicklung die Vorschriften weiterhin anzuwenden, die für nicht aufgelöste Gesellschaften gelten.**

Übersicht

I. Regelungsgegenstand und -zweck

§ 264 I betr. Abwicklung als notwendige Folge einer Auflösung nach § 262 I Nr. 1, 2, 4 oder 5. Bezweckt ist insoweit **Schutz der Gläubiger und der Aktionäre** durch grds. zwingende Geltung (§ 23 V) der §§ 265 ff. (allgM zum Gläubigerschutz; zum Schutz der Aktionäre s. MüKoAktG/J. Koch Rn. 2; ferner Sethe ZIP 1998, 770). Ferner stellt § 264 I für Auflösung nach § 262 I Nr. 3 Vorrang des Insolvenzverfahrens klar; § 264 III, §§ 265 ff. sind also auf Insolvenzgesellschaft nicht anzuwenden. Das erklärt sich daraus, dass nach Eintritt der Insolvenzreife die Gläubiger zum wirtschaftlichen Eigentümer des Unternehmens werden und damit auf sie bzw. den sie vertretenden Insolvenzverwalter – und nicht wie in §§ 264 ff. auf die Aktionäre – die Herrschaft über das Abwicklungsverfahren übergehen soll (BeckOGK/Bachmann Rn. 9). § 264 II bezieht sich auf § 262 I Nr. 6. Norm spricht zwar auch insoweit von Abwicklung, meint damit aber (unscharf) sog **Nachtragsabwicklung,** die infolge vorhergehender Löschung notwendig anderen Charakter hat als die erst zur Löschung hinführende (§ 273 I 2) regelmäßige Liquidation. § 264 III dient der **Ergänzung der §§ 265 ff.** Zugleich wird klargestellt, dass Recht der werbenden AG für Abwicklungsgesellschaft nur gilt, soweit dies mit Abwicklungszweck vereinbar ist. 1

II. Abwicklung (§ 264 I)

Abwicklung iSd § 264 I ist **nur das in §§ 265 ff. geordnete Verfahren.** Andere Art der Liquidation ist, abgesehen vom Insolvenzverfahren (→ Rn. 3 ff.) und von sog Nachtragsabwicklung gem. § 264 II (→ Rn. 12 ff.), nicht möglich, auch nicht bei Einmann-AG, auch nicht bei schuldenfreier Gesellschaft. Weil Abwicklung in der Verantwortung der Gesellschaftsorgane liegt, bleibt Autonomie der AG erhalten. Abwicklungsziel ist Beendigung oder Erlöschen der AG (→ § 262 Rn. 3). Lebensfähige Gesellschaften (→ § 274 Rn. 2, 5 f.) dürfen fortgesetzt werden, solange mit Vermögensverteilung noch nicht begonnen wurde (→ § 274 Rn. 4). Danach muss Abwicklung bis zum Erlöschen durchgeführt werden. 2

III. Insolvenzverfahren (noch: § 264 I)

3 **1. Insolvenzordnung und Gesellschaftsinsolvenz.** Insolvenzrecht geht von der Insolvenz der natürlichen Person aus, erfasst also die Gesellschaftsinsolvenz nur in einigen Sondervorschriften (→ Rn. 4). Andauerndes Fehlen einer zusammenfassenden ges. Regelungsperspektive wird praktischer Bedeutung der Gesellschaftsinsolvenz nicht gerecht und ist zu bedauern.

4 **2. Sondervorschriften und wesentliche Änderungen.** Als Sondervorschriften sind zu nennen: § 11 I und III InsO (Insolvenzfähigkeit), §§ 15, 15a InsO (Antragsrecht und -pflicht → § 92 Rn. 34 ff.), § 18 III InsO (modifiziertes Antragsrecht bei drohender Zahlungsunfähigkeit), § 19 InsO (Überschuldung als Eröffnungsgrund), § 31 InsO (Benachrichtigung des Registergerichts), § 101 I InsO (Erstreckung von Schuldnerpflichten auf Organmitglieder), § 138 II InsO (der jur. Person nahe stehende Personen iSd § 133 II InsO), § 199 S. 2 InsO (Herausgabe eines Überschusses bei Schlussverteilung). Aktienrechtl. wesentliche Abweichungen ggü. früherer Rechtslage liegen in geänderter Fassung des **Überschuldungstatbestands** durch § 19 II InsO (dazu und zur Rückkehr zum modifiziert zweigliedrigen Überschuldungsbegriff → § 92 Rn. 36) und in Erstreckung des Insolvenzbeschlags auf **Neuerwerb** während des Verfahrens durch § 35 InsO (→ § 182 Rn. 32 ff.). Auch für das Aktienrecht von Bedeutung sind Möglichkeit der Reorganisation im Insolvenzplanverfahren nach §§ 217 ff. InsO (→ Rn. 5) und die Eigenverwaltung (§§ 270 ff. InsO) mit aktienrechtl. Sonderbefugnissen des Sachwalters nach § 62 II 2, § 93 V 4, § 117 V 3, § 309 IV 5).

5 **3. Verhältnis des Insolvenzverfahrens zur Abwicklung. a) Reorganisierendes Insolvenzplanverfahren.** Das Insolvenzverfahren ist zwar auf Liquidation der Insolvenzmasse angelegt, muss aber, auch abgesehen von seiner Einstellung gem. §§ 212, 213 InsO, nicht zur Zerschlagung führen. Vielmehr kann das Insolvenzplanverfahren (§§ 217 ff. InsO) unter Befreiung des Schuldners und damit auch der AG von der Restschuld (§ 227 InsO) in Aufhebung des Insolvenzverfahrens einmünden (§ 258 InsO). Zur Kapitalerhöhung in diesem Rahmen → § 182 Rn. 32 ff.; zum neuen Instrument des Debt-Equity-Swap gem. § 225a II InsO → § 182 Rn. 32c. Bei Einstellung oder Aufhebung ist AG gem. § 274 II Nr. 1 fortsetzungsfähig (→ § 274 Rn. 5). Insolvenzplanverfahren ist an die Stelle des früheren Zwangsvergleichs (§§ 173 ff. KO) und des gerichtl. Vergleichs getreten.

6 **b) Prinzip der Vollabwicklung.** Soweit es nicht zur Reorganisation kommt (→ Rn. 5), geht InsO, wie namentl. § 199 S. 2 InsO zum Ausdruck bringt, vom Prinzip der Vollabwicklung aus (RegBegr. BT-Drs. 12/2443, 83 f.). Liquidation ist also bis zur Löschungsreife gem. § 394 I 2 FamFG zu betreiben (→ § 262 Rn. 27 f.). Tragweite des Prinzips ist jedoch begrenzt. Wird nämlich Insolvenzeröffnung gem. § 26 I InsO mangels Masse abgelehnt (§ 262 I Nr. 4; → § 262 Rn. 14), so verbleibt es von vornherein bei Abwicklung gem. §§ 265 ff. Ebenso findet Abwicklung statt, wenn nach Beendigung des liquidierenden Insolvenzverfahrens noch Vermögen vorhanden ist und nicht die insolvenzrechtl. Nachtragsverteilung (§§ 203 ff. InsO) angeordnet wird. Im Wesentlichen ergibt sich deshalb aus Prinzip der Vollabwicklung, dass früher nach Konkursende noch erforderliche Anmeldung des Abwicklungsschlusses durch Vorstandsmitglieder als Abwickler (§ 265 I, § 273 I) entfallen ist (→ § 262 Rn. 27).

7 **c) Insolvenzfreies Vermögen (Freigabe).** Nicht angezeigt ist, Prinzip der Vollabwicklung (→ Rn. 6) spezifisch unternehmensrechtl. einzuordnen, also aktienrechtl. Abwicklung während der Insolvenz auszuschließen und damit insbes.

Möglichkeit insolvenzfreien Gesellschaftsvermögens zu verneinen. Insolvenzfreiheit kann nach wie vor durch Freigabe (dazu BGHZ 127, 156, 163 = NJW 1994, 3232) entstehen, indem Verwalter entspr. Erklärung abgibt. Das ist in § 32 III 1 InsO vorausgesetzt und auch bei insolventer Gesellschaft unerlässlich, um **effiziente Gesamtvollstreckung** zu ermöglichen. An Freigabemöglichkeit hat sich auch durch §§ 35, 199 InsO nichts geändert; denn § 35 InsO bezieht sich nur auf Neuerwerb und § 199 InsO nur auf Schlussverteilung, nicht auf vorangehendes Verfahren (wie hier ganz hM; s. zB BGHZ 35, 180 f. = NJW 1961, 1528; LG Chemnitz ZIP 1995, 2007; LG Osnabrück ZIP 1994, 384; BeckOGK/Bachmann Rn. 9; Braun/Uhlenbruck Unternehmensinsolvenz, 1997, 72 ff.; anders jedoch K. Schmidt passim, zB ZGR 1998, 633, 637 f.). Soweit Freigabe im Bereich des Umweltrechts zu nicht hinnehmbaren Ergebnissen führen sollte (Altlastenproblematik), ist Lösung durch Entwicklung geeigneter Sonderregeln zu suchen (Referat bei K. Schmidt ZIP 2000, 1913, 1915 f.), nicht durch allg. Aufgabe des Freigabeinstituts (tendenziell entgegengesetzt K. Schmidt ZIP 2000, 1913, 1916 ff.).

4. AG als Insolvenzgesellschaft. a) Grundsatz. Praktische Bedeutung konzeptioneller Erwägungen zur Insolvenzgesellschaft hat durch Erstreckung des Insolvenzbeschlags auf Neuerwerb (§ 35 InsO) erheblich abgenommen. Grds. bleibt Rechtsstellung der AG und ihrer Organe sowie deren Verhältnis zum Insolvenzverwalter jedoch klärungsbedürftig. Hierzu gilt: Insolvenzeröffnung ist zwar Auflösungsgrund nach § 262 I Nr. 3. Mangels Abwicklung (§ 264 I) unterliegt AG jedoch weiterhin den für werbende Gesellschaften bestehenden Vorschriften. Insbes. bleibt **Organstruktur** (Vorstand, AR, HV) während des Verfahrens erhalten (ganz hM, s. zB BGHZ 224, 72 Rn. 37 = NZG 2020, 223; BVerwG AG 2005, 579, 581; OLG Frankfurt AG 2018, 722, 724; OLG München AG 1995, 232; KK-AktG/Winnen Rn. 15; zur Vertretung im Anfechtungsprozess LG Dresden ZIP 1995, 1596, 1597; Braun/Uhlenbruck Unternehmensinsolvenz, 1997, 87 f.; K. Schmidt ZGR 1998, 633, 645; aA W. Schulz KTS 1986, 389, 393 f.). Insolvenzzweck führt jedoch zur weitgehenden Überlagerung der Organkompetenzen durch Aufgaben und Befugnisse des Insolvenzverwalters. Das rechtfertigt es, AG als Insolvenzgesellschaft anzusprechen. Dass sie zum bloßen Subjekt des Insolvenzverfahrens würde (K. Schmidt ZGR 1998, 633, 642 f.), trifft jedoch konzeptionell nicht zu und ist auch deshalb unrichtig, weil nach wie vor die Möglichkeit insolvenzfreien Gesellschaftsvermögens durch Freigabe besteht (→ Rn. 7). 8

b) Rechtsstellung des Insolvenzverwalters. Insolvenzverwalter ist wie früher Konkursverwalter im eigenen Namen handelnder **Amtsträger,** der pflichtgebunden (fremdnützig) tätig wird (ganz hM, s. BGHZ 88, 331, 334 mwN = NJW 1984, 739; BGHZ 100, 346, 351 = NJW 1987, 3133; seither zB Jaeger/Windel InsO § 80 Rn. 19; Häsemeyer Insolvenzrecht, 4. Aufl. 2007, Rn. 15.06 mwN). Andere Deutungsversuche (Überblick zB bei Häsemeyer Insolvenzrecht, 4. Aufl. 2007, Rn. 15.01 ff.) haben sich nicht bewährt, namentl. auch nicht modifizierte Organtheorie, nach der Verwalter als organschaftlicher Vertreter des Schuldners und damit auch der AG tätig sein soll (K. Schmidt passim, s. zB K. Schmidt AG 2006, 597, 598 ff.). Er ist nicht als Drittliquidator ein Organ der AG (K. Schmidt ZGR 1998, 633, 634), sondern vorrangig den Gläubigerinteressen verpflichtet, die sich mit denen der Aktionäre und anderer Beteiligter auch im Insolvenzverfahren nicht notwendig decken (s. Jaeger/Windel InsO § 80 Rn. 19; Henckel FS Merz, 1992, 197, 205). 9

c) Funktionsteilung. Fortbestand der Organstruktur (→ Rn. 8) und Stellung des Insolvenzverwalters als Amtstreuhänder (→ Rn. 9) führen zur Funktionstei- 10 lung zwischen Gesellschaftsorganen und Verwalter und damit zur Unterscheidung von **Verdrängungs-, Insolvenzschuldner- und Überschneidungsbereich.** (grundlegend dazu F. Weber KTS 1970, 73, 77 ff.; seither MüKoAktG/J. Koch Rn. 43 ff.; Jaeger/Windel InsO § 80 Rn. 76; sa BGHZ 224, 72 Rn. 37 ff. = NZG 2020, 223). Schwerpunkt liegt im Verdrängungsbereich (also Alleinzuständigkeit des Verwalters), der namentl. die Verwaltung des Gesellschaftsvermögens und die Verfügung über die Vermögensgegenstände umfasst (§ 80 InsO). In den Schuldnerbereich fallen bes. Verwaltung des insolvenzfreien Vermögens (Freigabefälle → Rn. 7; sa BGH ZIP 2016, 310 Rn. 32) und insolvenzneutrale Maßnahmen des Gesellschafts- oder Kapitalmarktrechts (BGHZ 224, 72 Rn. 37 f.; BVerwG AG 2005, 579, 581). Für Überschneidungsbereich bleibt wenig. Vereinzelt wird insofern noch Übertragung nicht voll eingezahlter vinkulierter Aktien genannt (Jaeger/Windel InsO § 80 Rn. 91), doch geht hM auch hier mittlerweile von alleiniger Zuständigkeit des Insolvenzverwalters aus (vgl. statt vieler GK-AktG/Merkt § 68 Rn. 377 mwN).

11 **d) Einzelfragen. Insolvenzverwalter** kann Unternehmen mit Firma (§ 4) veräußern und gem. § 22 HGB erforderliche Einwilligung erteilen (BGHZ 85, 221, 223 f. = NJW 1983, 755; sa BGHZ 92, 79, 83 = NJW 1985, 59; BGHZ 224, 72 Rn. 10 = NZG 2020, 223; KG AG 2018, 47 f.; Staub/Burgard HGB § 22 Rn. 54 ff.; Cziupka/Kraack AG 2018, 525), und zwar auch, wenn Name eines Gesellschafters in Firma enthalten ist (OLG Hamm ZIP 2018, 596, 597). In diesem Fall kann es notwendig sein, dass AG Firma ändert, doch ist dies nicht zwingend erforderlich (so noch OLG Hamm ZIP 2018, 596, 597; KG AG 2018, 47, 48; → 14. Aufl. 2020, Rn. 11; Staub/Burgard HGB § 22 Rn. 69; Cziupka/Kraack AG 2018, 525 f.; Linardatos ZIP 2017, 901, 903 ff.; ebenso auch weiterhin Rieländer ZHR 184 [2020], 507, 513 ff.), sondern Notwendigkeit hängt von den konkreten Umständen des Einzelfalls ab (BGHZ 224, 72 Rn. 11 ff. mwN und mit umfassender Erörterung möglicher Fallgestaltungen und Konfliktlagen; großzügiger auch schon Leuering NJW 2016, 3265, 3267 f.). Sie kann insbes. dann gegeben sein, wenn eine Irreführung des Handelsverkehrs deshalb droht, weil auch die AG trotz ihrer Insolvenz und der Veräußerung ihres Handelsgeschäfts weiterhin zu Abwicklungszwecken in größerem Umfang am Rechtsverkehr teilnehmen muss (BGHZ 224, 72 Rn. 21). Für die Bildung einer solchen **Ersatzfirma** bedarf es wegen § 23 III Nr. 1 aber einer Satzungsänderung, solange nicht ein Insolvenzplan gem. § 225a Abs. 3 InsO eine entsprechende Satzungsänderung vorsieht (BGHZ 224, 72 Rn. 24). Nach umstrittener, mittlerweile aber vom BGH bestätigter Auffassung geht die Befugnis zur Änderung der Satzung in Bezug auf die Firma für den Fall der Verwertung der Firma im Insolvenzverfahren nicht gem. § 80 Abs. 1 InsO auf den Insolvenzverwalter über, da Befugnis dem innergesellschaftlichen Bereich zuzuordnen ist (aA Priester EWiR 2020, 103, 104). Er kann die Firmenänderung auch nicht außerhalb der Satzung kraft eigener Rechtsstellung herbeiführen, sondern es bedarf eines satzungsändernden Beschlusses der Hauptversammlung (BGHZ 224, 72 Rn. 26 ff. = NZG 2020, 223 im Anschluss etwa an MüKoGmbHG/Heinze § 4 Rn. 125; ausf. dazu Rieländer ZHR 184 [2020], 507, 521 ff.; Wasmann AG 2021, 179 Rn. 13 ff.; sa Leuering NJW 2016, 3265, 3268; Wachter GmbHR 2016, 930, 931; aA noch → 14. Aufl 2020, Rn. 11; Altmeppen GmbHG § 4 Rn. 36; Cziupka/Kraack AG 2018, 525, 527; Linardatos ZIP 2017, 901, 908 f.). Damit erhalten Aktionäre Blockadeposition, die letztlich nur durch Insolvenzplan überwunden werden kann (Noack NZG 2020, 257, 258).

11a Einlagenansprüche (§ 36 II, §§ 36a, 54) sind vom Insolvenzverwalter geltend zu machen (RGZ 119, 220, 223), ebenso solche aus unzulässiger Leistung an Aktionäre (§ 62). Bei Nachgründung (§ 52) entscheidet Insolvenzverwalter anstelle der HV (→ § 52 Rn. 11). Nicht dem Insolvenzverwalter, sondern dem Vorstand obliegt es, die allein den Schuldnerbereich betr. Mitteilungspflichten der insolventen AG nach §§ 33 ff. WpHG zu erfüllen (zu §§ 21 ff. WpHG aF BVerwG AG 2005, 579, 581; aA VG Frankfurt ZIP 2004, 469, 471). Zustimmung zur Übertragung teileingezahlter vinkulierter Namensaktien (§ 68 II), fällt nach heute hM in alleinige Zuständigkeit des Insolvenzverwalters (→ Rn. 10). Bestellung und Anstellung von Vorstandsmitgliedern bleibt gem. § 84 Sache des AR; Insolvenzverwalter ist insoweit unzuständig (→ § 84 Rn. 5; OLG Nürnberg AG 1991, 446, 447; aA Jaeger/Windel InsO § 80 Rn. 89; Klöckner AG 2010, 780, 781 ff.: Zuständigkeit der HV nach § 265 II 1). Wo AR im insolvenzfreien Schuldnerbereich Möglichkeiten direkter Einflussnahme behält, stehen ihm auch Maßnahmen der nur mittelbaren Einflussnahme offen, zB Auskunfts-, Einsichts-, Informations- und vergleichbare Recht (OLG München AG 2019, 49, 50 – konkret: § 124 III und § 90 III). Auch AR-Mitglieder selbst werden weiter von HV gewählt und abberufen (OLG Düsseldorf AG 2013, 468; OLG München AG 2018, 581, 583 f.), können Vergütung ihrer Tätigkeit aber nicht aus Insolvenzmasse beanspruchen (Jaeger/Windel InsO § 80 Rn. 89; H.-F. Müller, Der Verband in der Insolvenz, 2002, 156 ff.; Oechsler AG 2006, 606, 607). Stimmrechtsausübung aus massezugehörigen Aktien obliegt dem Verwalter (→ § 134 Rn. 31). Sonderprüfung kann in laufendem Insolvenzverfahren nicht beschlossen werden (str. → § 142 Rn. 10). Möglich bleibt Satzungsänderung durch Beschluss der HV, soweit mit Insolvenzzweck vereinbar (BGHZ 224, 72 Rn. 31 ff. = NZG 2020, 223; OLG München AG 2018, 581, 584; → § 179 Rn. 2; zur Satzungsänderung bei Firmenveräußerung in der Insolvenz → Rn. 11). Kapitalerhöhung gegen Einlagen, die vor Verfahrenseröffnung beschlossen worden ist, bleibt durchführbar. Insolvenzverwalter kann Eintragung aber nicht selbst betreiben (→ § 182 Rn. 32). Erhöhung kann auch nach Verfahrenseröffnung erfolgen (→ § 182 Rn. 32), desgleichen Kapitalherabsetzung, wenn sie mit Erhöhung verbunden wird oder der Buchsanierung dient (→ § 222 Rn. 24; → § 229 Rn. 2). Einziehung gem. § 237 ist möglich, soweit sie dem Insolvenzzweck nicht widerspricht (→ § 237 Rn. 1; Jaeger/Windel InsO § 80 Rn. 99). Insolvenzverwalter hat Anfechtungsbefugnis, sofern angefochtener Beschluss der HV Auswirkungen auf die Masse hat (→ § 245 Rn. 37). Entspr. ist Klage nach §§ 256, 257 gegen ihn zu richten, wenn Nichtigkeit für Masse nachteilig sein kann (→ § 256 Rn. 31). Mit Insolvenzeröffnung enden Beherrschungs- und Gewinnabführungsverträge von Rechts wegen (→ § 297 Rn. 7, 22). Anspruch auf Verlustübernahme ist vom Insolvenzverwalter geltend zu machen (→ § 302 Rn. 16).

e) Eigen- statt Insolvenzverwaltung. Statt Insolvenzverwalter einzusetzen, 11b
kann Insolvenzgericht auch Eigenverwaltung anordnen (§§ 270 ff. InsO; ausf. zu Vor- und Nachteilen → § 92 Rn. 50), und zwar auch in der Gesellschaftsinsolvenz (zur Neuordnung im Zuge des ESUG 2011 s. Vallender GmbHR 2012, 445 ff.; zur Neuordnung im Zuge des SanInsFoG Frind ZIP 2021, 171 ff.). Eigenverwaltung durch den Schuldner steht unter Aufsicht eines Sachwalters, der wie Insolvenzverwalter gerichtl. bestellt wird (§ 27 I 2 InsO, §§ 270, 271 InsO). Seine Einzelbefugnisse ergeben sich aus §§ 274 ff. InsO. Bei Ausübung von Ansprüchen der AG durch Gläubiger wird er anstelle des Insolvenzverwalters tätig (§ 62 II 2, § 93 V 4, § 117 V 3, § 309 IV 5). Aktienrechtl. Bindungen, denen Vorstand der insolvenzfreien AG unterliegt (bes. § 111 IV 2), treten zurück, soweit Vorstand anstelle des Insolvenzverwalters tätig wird. Das war bislang umstr. (vgl. dazu etwa BeckOGK/Bachmann Rn. 16 mwN), wird nun aber durch den im Zuge des ESUG 2011 neu eingefügten **§ 276a S. 1 InsO** ausdr. dahingehend klargestellt, dass AR, Gesellschafterversammlung oder entspr. Organ keinen Einfluss auf Geschäftsführung des Schuldners haben. Auch Abberufung und Neu-

bestellung von Mitgliedern der Geschäftsleitung ist gem. § 276a S. 2 InsO nur wirksam, wenn Sachwalter zustimmt (zu den Einzelheiten vgl. K. Schmidt InsO/Undritz § 276a Rn. 1 ff.). Aus § 276a S. 1 InsO ergibt sich weitgehende **Freistellung von allg. Weisungs-, Prüfungs- und Kontrollrechten,** namentl. des AR (Einzelheiten K. Schmidt/Undritz InsO § 276a Rn. 2; Klöhn NZG 2013, 81, 86). Ausgenommen ist aber – wie im Regelinsolvenzverfahren – sog insolvenzfreier Bereich (→ Rn. 10 f. – vgl. K. Schmidt/Undritz InsO Rn. 3; Klöhn NZG 2013, 81, 82 ff.), zu dem auch hier etwa Wahl der AR-Mitglieder durch HV fällt (OLG Düsseldorf AG 2013, 468 f.; Klöhn DB 2013, 41 f.).

IV. Abwicklung nach Löschung (§ 264 II)

12 **1. Allgemeines.** § 264 II betr. sog **Nachtragsabwicklung,** also den Fall, dass nach Abschluss der Abwicklung wegen Vermögenslosigkeit doch noch Restvermögen festgestellt wird. Unterschied zwischen § 264 II und § 273 IV liegt darin, dass bei § 264 II Abwicklung nicht vorangegangen ist, bei § 273 IV aber doch (KG NZG 2022, 315 Rn. 10). Begriff der Nachtragsabwicklung ist deshalb hier – obgleich üblich – unscharf, zumal nach richtigem Verständnis Löschung der AG im HR ungeachtet der ebenfalls unzutreffenden Terminologie des § 262 I Nr. 6 (→ § 262 Rn. 22) auch dann zur Vollbeendigung der jur. Person führt, wenn Restvermögen übersehen wurde (str.; → § 262 Rn. 23). Wie gerichtl. Ernennung der Abwickler (§ 264 II 2) zeigt, ist auch der Sache nach keine reguläre Abwicklung gemeint. Weil AG mit Löschung untergegangen ist, können Vermögensgegenstände nicht ihr zustehen. Sie bleiben aber auch nicht subjektlos, sondern stehen körperschaftlich strukturierter Nachgesellschaft sui generis zu (→ § 262 Rn. 23 f.).

13 **2. Voraussetzungen.** Wenn Löschung gem. § 394 I 1 FamFG erfolgt ist (→ § 262 Rn. 26), erfordert Nachtragsabwicklung, dass noch verteilungsfähiges Vermögen vorhanden ist. Das Gleiche gilt bei Löschung gem. § 394 I 2 FamFG (→ § 262 Rn. 27 f.), doch ist Nachtragsabwicklung dann subsidiär ggü. insolvenzrechtl. Nachtragsverteilung gem. §§ 203 ff. InsO (→ Rn. 6). Gericht kann namentl. wegen Geringfügigkeit davon absehen, Nachtragsverteilung anzuordnen (§ 203 III InsO). Das für beide Varianten vorausgesetzte **verteilungsfähige Vermögen** ist zB gegeben, wenn realisierbare Ansprüche gegen ehemalige Aktionäre, etwa aus § 62, oder Ersatzansprüche gegen ehemalige Organmitglieder bestehen (vgl. BayObLG BB 1985, 7 f.; BayObLGZ 1993, 332, 333 f.). Ungedeckte Verbindlichkeiten rechtfertigen Bestellung von Abwicklern dagegen nicht (BGHZ 74, 212, 213 = NJW 1979, 1592 [Verein]; B/K/L/Füller Rn. 6; GK-AktG/K. Schmidt Rn. 18; KK-AktG/Winnen Rn. 34). Umstr. ist, wie bei Abgabe von **Erklärungen** oder Notwendigkeit **sonstiger Abwicklungsmaßnahmen** zu verfahren ist. Nach richtiger Auffassung stellen sie kein Löschungshindernis dar (→ § 262 Rn. 26). Allerdings sieht auch § 264 II – anders als weiter gefasster § 273 IV („weitere Abwicklungsmaßnahmen nötig") – für diesen Fall keine Nachtragsabwicklung vor. Da für unterschiedliche Behandlung der Nachtragsabwicklung gem. § 264 II und § 273 IV aber kein Anlass besteht, ist Abwicklerbestellung mit beschränktem Aufgabenbereich auch hier zuzulassen (→ § 273 Rn. 14).

14 **3. Bestellung von Abwicklern.** Abwickler werden gem. § 264 II 2 durch das Gericht ernannt. Das Amt früherer Vorstandsmitglieder oder Abwickler lebt nicht wieder auf (KK-AktG/Winnen Rn. 40; Kirberger Rpfleger 1975, 341; Piorreck Rpfleger 1978, 157, 159). Gericht in diesem Sinne ist Registergericht; funktionelle Zuständigkeit liegt nach § 17 Nr. 2 lit. c RPflG beim Rechtspfleger. Erforderlich ist Antrag eines Beteiligten (Aktionär, Gläubiger), in dem er Existenz

fortbestehenden Vermögens der AG **glaubhaft** zu machen hat (ähnlich BayObLG ZIP 1985, 33, 34; KG FGPrax 2007, 185, 186; BeckOGK/Bachmann Rn. 32; B/K/L/Füller Rn. 6 mit zutr. Kritik an den zu strengen Anforderungen des OLG Frankfurt FGPrax 2005, 271, das Nachweis der Realisierbarkeit verlangt; zu großzügig dagegen OLG Stuttgart NJW-RR 1994, 1064: Behauptung genügt). Gericht entscheidet nach pflichtgem. Ermessen (BGHZ 53, 264, 269 = NJW 1970, 1044), also ohne Bindung an den Antrag. Rechtsmittel ist Beschwerde nach §§ 58 ff. FamFG. Str. ist Beschwerdebefugnis der Gesellschafter der gelöschten Gesellschaft (entgegen hM bejahend BayObLG FGPrax 1995, 244 mwN); → § 273 Rn. 20.

4. Abwicklung. § 264 II ordnet Abwicklung an, ohne sie zu regeln. Aus 15
Begriff und Auflösungsfolge des § 262 I Nr. 6 ergibt sich sinngem. Anwendung der §§ 264 ff. Sie ist aber nur mit Vorsicht möglich, weil Abwicklung nach § 264 II eigenständiges Verfahren darstellt (vgl. BayObLGZ 1955, 288, 292 f.; augenscheinlich weiter aber BGH NZG 2022, 1357 Rn. 15; krit. Bachmann/Baum NZG 2022, 1359 f.). Einzelheiten sind str. LG Berlin JW 1936, 746 will auf Vertretungsmacht § 269 anwenden, Piorreck Rpfleger 1978, 157, 159 f. überdies §§ 267, 272 (alles zu entspr. Fragen der GmbH; abzulehnen). Maßgeblich ist in erster Linie **Konkretisierung des Wirkungskreises durch Registergericht.** Es gelten insofern die in → § 273 Rn. 18 genannten Grundsätze. Umstr. ist, ob Abwickler und AG **in HR einzutragen** sind. Das wird unter Verweis auf § 266 I zT generell bejaht (KG JW 1937, 1739, 1740), von ahM aber speziell für Fälle der Löschung wegen Vermögenslosigkeit jedenfalls dann verneint, wenn Gericht den Abwicklern nur eng begrenzten Aufgabenbereich zugewiesen hat und nur noch einzelne, schnell zu erledigende Abwicklungsmaßnahmen zu erfolgen haben (KG NZG 2021, 926 Rn. 17; OLG München NZG 2011, 38; BeckOGK/Bachmann Rn. 35; MüKoAktG/J. Koch Rn. 16; für Ermessen bei geringem Umfang KG NZG 2022, 315 Rn. 17 ff. [krit. dazu Scheller EWiR 2022, 295 f.]; OLG München NZG 2011, 38; BeckOGK/Bachmann Rn. 35; MüKoAktG/J. Koch Rn. 16). Nach hier vertretenem Verständnis, wonach AG mit Löschung als jur. Person untergeht (→ Rn. 12; → § 262 Rn. 23 f.; → § 273 Rn. 7 f.), ist Wiedereintragung der AG grds. nicht zu vereinbaren (BeckOGK/Bachmann § 273 Rn. 33; MüKoAktG/J. Koch Rn. 16). BGH scheint jedoch andere Konzeption zugrunde zu legen, wenn Wiedereintragung der Gesellschaft (dort: GmbH) und ihrer Liquidatoren grds. von Amts wegen verlangt wird (BGH NZG 2022, 1357 Rn. 12 ff.). Unterlassen der Eintragung wird allenfalls aus **verfahrensökonomischen Gründen** erwogen, letztlich aber offengelassen (BGH NZG 2022, 1357 Rn. 12 ff.; zu Recht krit. Bachmann/Baum NZG 2022, 1359 f.). Anerkannt ist, dass Wiedereintragung auch zu erfolgen hat bei wesentlichem Verfahrensmangel iSd § 395 FamFG (OLG Düsseldorf FGPrax 1998, 231; KG AG 2016, 631). Str. ist **Fortsetzungsfähigkeit** der gelöschten AG. Sie ist mit RGZ 156, 23, 26 f. ohne Rücksicht auf Vermögensstand abzulehnen (sa OLG Celle NZG 2008, 271; KG NZG 2018, 1426 Rn. 11; Hölters/Weber/Krebs Rn. 17; NK-AktR/Wermeckes Rn. 8; KK-AktG/Winnen Rn. 39; Hüffer GS Schultz, 1987, 99, 114; aA KG JFG 22, 245, 248 = DR 1941, 1543; OLG Düsseldorf GmbHR 1979, 227 f.; Noack/Servatius/Haas/Haas GmbHG § 66 Rn. 42 mwN; offenlassend BayObLGZ 1993, 341, 345 = NJW 1994, 594). Der durch Löschung bewirkte Untergang der jur. Person kann dem Übergang von werbender AG zur Abwicklungsgesellschaft als bloßer Zweckänderung nicht gleichgestellt werden.

V. Anwendbares Recht der werbenden Gesellschaft (§ 264 III)

16 **1. Überblick.** Gem. § 264 III gelten Vorschriften über werbende AG fort, soweit sich nicht aus §§ 265 ff. oder Abwicklungszweck ein anderes ergibt. Daraus folgt: **§§ 1, 3, 4 und § 5** gelten weiter. AG in Abwicklung ist auch parteifähig (§ 50 I ZPO), insolvenzfähig (klarstellend § 11 III InsO) sowie register-, bes. grundbuchfähig. Vorschriften über Kapitalaufbringung gelten nur modifiziert. Verpflichtung zur **Leistung von Einlagen** (§ 54) besteht nur gem. § 268 I 1, § 271 III. Einforderungsbeschluss der HV ist aber auch dann nicht erforderlich, wenn Satzung ihn grds. vorsieht (RGZ 45, 153, 155; RGZ 138, 106, 111). Offenbar vermögenslose Aktionäre müssen nicht in Anspruch genommen werden (RGZ 149, 293, 300). **Rückgewähr von Einlagen** (§ 57) bleibt bis zum Ablauf des Sperrjahrs (§ 272) und überdies verboten, soweit entspr. Mittel zur Gläubigerbefriedigung erforderlich sind (→ § 271 Rn. 3). Zur **Rechnungslegung** vgl. § 270 (→ § 270 Rn. 1 ff.). **Organstruktur** bleibt unberührt; insbes. bleibt AR im Amt (BGHZ 32, 114, 117 = NJW 1960, 1006 zur Genossenschaft); → Rn. 17. Seine Personalkompetenz (§ 84) ist jedoch zugunsten der in § 265 I, II 1 getroffenen Regelung erloschen. Beschlüsse der HV müssen mit Abwicklungszweck vereinbar sein (OLG Hamburg AG 2003, 643, 644). Mit dieser Maßgabe darf HV auch **Satzungsänderungen** weiterhin beschließen (RGZ 121, 246, 253; BGHZ 24, 279, 288 = NJW 1957, 1279; OLG Frankfurt OLGZ 1974, 129 = NJW 1974, 463; KG NZG 2018, 1197 Rn. 8). Zulässig ist danach etwa Firmenänderung oder Kapitalerhöhung gegen Einlagen (§§ 182 ff.; vgl. BGHZ 24, 279, 286; näher → § 182 Rn. 31), nicht dagegen aus Gesellschaftsmitteln (§§ 207 ff.). Zulässigkeit der Kapitalherabsetzung ist str., aber zu bejahen (ausf. → § 222 Rn. 24 mwN). Sitzverlegung wird in instanzgerichtl. Rspr. krit. bewertet, da sie Auffinden der AG erschweren kann (KG NZG 2018, 1197 Rn. 8). Fraglich ist Schicksal von **Unternehmensverträgen;** automatische Beendigung mit Auflösung der AG ist nach hM anzunehmen (näher → § 297 Rn. 22). **Squeeze-Out** (§§ 327a ff.) ist auch im Abwicklungsstadium möglich (hM, ausf. → § 327a Rn. 6).

17 **2. Insbesondere: Vergütungsansprüche.** Für **Vorstandsmitglieder** gilt: Gehaltsanspruch besteht vorbehaltlich § 87 II weiter. Tantieme entfällt, weil während der Abwicklung kein Jahresgewinn ermittelt wird (allgM); uU lässt sich aber Anspruch auf Ausgleichszahlung begründen. Etwa zugesagte sog Garantietantieme ist weiter zu zahlen, weil es für sie auf Gewinn gerade nicht ankommt. Für Vergütungsansprüche der **AR-Mitglieder** ist nach heute allgM in erster Linie Satzung oder HV-Beschluss maßgeblich. Danach zugesagter Festbetrag ist zu bezahlen, bis Satzung oder HV-Beschluss geändert werden (BeckOGK/Bachmann Rn. 39; B/K/L/Füller Rn. 16; MüKoAktG/J. Koch Rn. 25; S/L/Riesenhuber Rn. 8). Für Tantieme gelten dieselben Grundsätze wie bei Vorstandsmitgliedern.

Abwickler

265 (1) **Die Abwicklung besorgen die Vorstandsmitglieder als Abwickler.**

(2) [1] **Die Satzung oder ein Beschluß der Hauptversammlung kann andere Personen als Abwickler bestellen.** [2] **Für die Auswahl der Abwickler gilt § 76 Abs. 3 Satz 2 bis 4 sinngemäß.** [3] **Auch eine juristische Person kann Abwickler sein.**

(3) [1] **Auf Antrag des Aufsichtsrats oder einer Minderheit von Aktionären, deren Anteile zusammen den zwanzigsten Teil des Grundkapitals oder den anteiligen Betrag von 500 000 Euro erreichen, hat das Gericht bei Vorliegen eines wichtigen Grundes die Abwickler zu bestellen und abzuberufen.** [2] **Die Aktionäre haben glaubhaft zu machen, daß sie seit mindestens drei Monaten Inhaber der Aktien sind.** [3] **Zur Glaubhaftmachung genügt eine eidesstattliche Versicherung vor einem Gericht oder Notar.** [4] **Gegen die Entscheidung ist die Beschwerde zulässig.**

(4) [1] **Die gerichtlich bestellten Abwickler haben Anspruch auf Ersatz angemessener barer Auslagen und auf Vergütung für ihre Tätigkeit.** [2] **Einigen sich der gerichtlich bestellte Abwickler und die Gesellschaft nicht, so setzt das Gericht die Auslagen und die Vergütung fest.** [3] **Gegen die Entscheidung ist die Beschwerde zulässig; die Rechtsbeschwerde ist ausgeschlossen.** [4] **Aus der rechtskräftigen Entscheidung findet die Zwangsvollstreckung nach der Zivilprozeßordnung statt.**

(5) [1] **Abwickler, die nicht vom Gericht bestellt sind, kann die Hauptversammlung jederzeit abberufen.** [2] **Für die Ansprüche aus dem Anstellungsvertrag gelten die allgemeinen Vorschriften.**

(6) **Die Absätze 2 bis 5 gelten nicht für den Arbeitsdirektor, soweit sich seine Bestellung und Abberufung nach den Vorschriften des Montan-Mitbestimmungsgesetzes bestimmen.**

Übersicht

I. Normzweck und Allgemeines

1 **1. Regelungsgegenstand und -zweck.** § 265 regelt Bestellung und Abberufung der Abwickler sowie (§ 265 IV) Vergütung und Auslagenersatz gerichtl. bestellter Abwickler. Norm stärkt die Rechtsposition der HV durch **Übergang der Personalkompetenz** vom (mitbestimmten) AR (§ 84) auf die HV (§ 265 II 1 und V 1) und trägt damit dem Umstand Rechnung, dass Unternehmenszweck nicht mehr an zukunftsgerichteten unternehmerischen Zielen orientiert ist, sondern nur noch an bestmöglicher Abwicklung im Sinne der Anteilseigner (BeckOGK/Bachmann Rn. 2). § 265 I sichert Handlungsfähigkeit, § 265 III schützt Minderheit.

2 **2. Anwendungsbereich.** § 265 gilt nach richtiger Ansicht auch für **Vor-AG** (BGHZ 169, 270 Rn. 27 = NJW 2007, 589; ebenso BGH NJW 1998, 1079, 1080; 2008, 2441 Rn. 6; BAG NJW 1963, 680, 681 [alle zur Vor-GmbH]; ausf. MüKoAktG/J. Koch Rn. 3 f.; aA [§§ 730 ff. BGB in der bis 1.1.2024 geltenden Fassung] noch BGH NJW 1963, 859; BGHZ 51, 30, 34 = NJW 1969, 509; BGHZ 86, 122, 127 = NJW 1983, 876; OLG Frankfurt AG 1996, 88). Für **Kredit- und Versicherungswirtschaft** sind Sonderregeln zu beachten; s. § 38 II 2 KWG, § 298 I 1 VAG. Zum Arbeitsdirektor vgl. → Rn. 14.

II. Vorstandsmitglieder (§ 265 I)

3 Nach § 265 I sind die bisherigen Vorstandsmitglieder **Abwickler kraft Ges.** Die Aufgabe fällt nicht dem Vorstand als Organ, sondern seinen tats. vorhandenen Mitgliedern zu. Unterschreitung der in der Satzung festgelegten Zahl ändert nichts an der Abwicklungsaufgabe der Verbliebenen (BeckOGK/Bachmann Rn. 8; Bredol, Rechtsstellung der Abwickler, 2010, 104). Eines Bestellungsakts durch die AG oder einer Erklärung der Mitglieder des bisherigen Vorstands bedarf es nicht („geborene Abwickler"). Die **Amtsdauer** richtet sich mangels bes. Bestimmung nach der Aufgabe. Die Abwickler bleiben also im Amt, bis die AG im HR gelöscht worden ist (§ 273 I 2), es sei denn, dass sie vorher abberufen werden (§ 265 V 1) oder ihr Amt niederlegen (→ Rn. 13). Das **Anstellungsverhältnis** überdauert die Auflösung. Sie bietet den Vertragsparteien auch keinen wichtigen Grund zur Kündigung. Wegen der Vergütungsansprüche → § 264 Rn. 17. Wenn die Abwicklung die vereinbarte Laufzeit des Vertrags überschreitet, kann die Fortdauer der Tätigkeit als schlüssige Vertragsverlängerung gewertet werden.

III. Durch Satzung oder Beschluss bestellte Abwickler (§ 265 II)

4 **1. Satzung.** Nach § 265 II 1 kann die Satzung andere Personen als die Vorstandsmitglieder als Abwickler bestellen. Eines zusätzlichen Bestellungsaktes bedarf es nicht, doch kann das Organverhältnis nicht gegen den Willen des Benannten zustande kommen. Entspr. Klauseln sind **formelle** (oder unechte) **Satzungsbestandteile** (näher MüKoAktG/J. Koch Rn. 8; Bredol, Rechtsstellung der Abwickler, 2010, 109; aA KK-AktG/Winnen Rn. 15). **Zulässiger Inhalt:** Satzung kann alle oder einzelne Vorstandsmitglieder von der Abwicklung ausschließen. Sie kann auch umgekehrt bestimmte Personen als Abwickler benennen. Die Bestimmung darf aber **nicht einem Dritten überlassen** bleiben, auch nicht dem AR (hM, vgl. KG OLGR 8, 235; KGJ 49, 122, 123 ff.; Bredol, Rechtsstellung der Abwickler, 2010, 108; Sethe ZIP 1998, 770, 771). Unzulässig ist auch, den „jeweiligen" Leiter einer Behörde oder Inhaber eines Amtes zum Abwickler zu machen, weil die AG damit von Besetzungsentscheidung Dritter abhängig würde (wie hier B/K/L/Füller Rn. 5; MüKoAktG/J. Koch Rn. 9; S/L/Riesenhuber Rn. 6; aA BeckOGK/Bachmann Rn. 11; GK-AktG/K. Schmidt Rn. 18; Sethe ZIP 1998, 770, 771). Zu § 265 II 2 → Rn. 6.

5 **2. Beschluss der Hauptversammlung.** Auch HV kann nach § 265 II 1 Abwickler bestellen. Die Regelung ist **satzungsfest.** Erforderlich und genügend ist **einfache Stimmenmehrheit** des § 133 I, auch dann, wenn die Satzung bestimmte Personen zu Abwicklern beruft (→ Rn. 4); heute allgM. Das entspr. dem formellen Charakter einer solchen Regelung und wird unmittelbar durch § 265 V 1 bestätigt. Anstellungsvertrag wird entspr. § 112 durch AR für AG abgeschossen, doch kann HV auch andere Personen zur Vertretung der AG ermächtigen; dasselbe gilt für Kündigung (BeckOGK/Bachmann Rn. 23 f.; MüKoAktG/J. Koch Rn. 33; ohne die Ermächtigungsmöglichkeit dagegen Henss-

ler/Strohn/Drescher Rn. 10; GK-AktG/K. Schmidt Rn. 27; für umfassende Zuständigkeit der HV B/K/L/Füller Rn. 9).

3. Persönliche Bestellungshindernisse; juristische Personen. Sowohl Satzungsgeber wie HV müssen § 76 III 2 bis 4 beachten (§ 265 II 2). Wer wegen absoluten oder relativen Bestellungshindernisses nicht Vorstand sein kann, kann also auch nicht Abwickler werden. Das gilt nunmehr auch für Betreute, die einem Einwilligungsvorbehalt (§ 1825 BGB) unterliegen (§ 76 III 2 Nr. 1). Dagegen gilt § 76 III 1 für die Abwickler nicht. Treten bei einem Abwickler nachträglich Verhältnisse ein, die seiner Bestellung entgegengestanden hätten, endet sein Amt – wie im originären Anwendungsbereich des § 76 III 2 2 (→ § 76 Rn. 149) – mit diesem Zeitpunkt von selbst; HR-Eintragung wird unrichtig und ist von Amts wegen zu löschen (OLG Düsseldorf BeckRS 2021, 34733 Rn. 9). Nach § 265 II S. 3 kann jedenfalls jur. Person Abwickler sein (so schon OLG Karlsruhe JW 1925, 2017). Bezweckt ist damit, Treuhandgesellschaften als Abwickler zuzulassen. Beschränkung auf jur. Person erklärt sich aus seinerzeit rechtstatsächlich prägendem Anschauungsmaterial, doch besteht kein Grund, nicht auch OHG und KG als Abwickler zuzulassen (BeckOGK/Bachmann Rn. 7; MüKoAktG/J. Koch Rn. 11; GK-AktG/K. Schmidt Rn. 17; HCL/Paura GmbHG § 66 Rn. 13; aA B/K/L/Füller Rn. 8; KK-AktG/Winnen Rn. 23). Dasselbe muss nach heutigem Entwicklungsstand für GbR gelten (Henssler/Strohn/Drescher Rn. 7; MüKoAktG/J. Koch Rn. 11; GK-AktG/K. Schmidt Rn. 17; aA BeckOGK/Bachmann Rn. 7). Mit **DiRUG 2021** wurde mit Wirkung zum 1.8.2022 (Art. 31 DiRUG) § 256 II 1 auch auf neu gefassten § 76 II 3 und 4 erstreckt; Anwendbarkeit wird durch § 26m I EGAktG aber auf 1.8.2023 verschoben. In § 76 III 3 vorgesehenes Bestellungshindernis bei **ausländischem Berufs- und Gewerbeverbot** in EU-Mitgliedstaat oder EWR-Vertragsstaat (→ § 76 Rn. 147 f.) wird damit im Wege einer Folgeänderung auch auf Abwickler ausgedehnt. 6

IV. Gerichtlich bestellte Abwickler (§ 265 III und IV)

1. Voraussetzungen. a) Antrag. Unter den Voraussetzungen des § 265 III muss das Gericht Abwickler bestellen oder abberufen. Erforderlich sind ein Antrag und ein wichtiger Grund. Das Antragsrecht hat zunächst der **AR.** Nach § 108 I iVm § 264 II entscheidet der AR durch Beschluss. Nach mittlerweile hM genügt aber auch bloße Unterzeichnung des Antrags durch alle Mitglieder des AR (BeckOGK/Bachmann Rn. 15; Henssler/Strohn/Drescher Rn. 5; MüKoAktG/J. Koch Rn. 14; KK-AktG/Winnen Rn. 27; aA Bredol, Rechtsstellung der Abwickler, 2010, 114). Antragsberechtigt ist ferner eine **qualifizierte Minderheit von Aktionären.** Sie müssen entweder 5 % des Grundkapitals auf sich vereinigen oder Aktien besitzen, deren anteiliger Betrag 500.000 Euro ausmacht (→ § 258 Rn. 16; zum Zweck alternativer Schwellenwerte → § 122 Rn. 17). Es können nur Aktionäre berücksichtigt werden, die seit mindestens drei Monaten Inhaber der Aktien sind (§ 265 III 2). Hinterlegung ist nicht vorgeschrieben. Fehlt eine der genannten Voraussetzungen, so ist der Antrag unzulässig. Unzulässig ist auch der Antrag von Gesellschaftsgläubigern (dazu KGJ 46 A 161 ff.). 7

b) Wichtiger Grund. Der wichtige Grund des § 265 III 1 ist unbestimmter Rechtsbegriff und daher im Rechtsmittelverfahren voll überprüfbar. Da gerichtl. Bestellung nur ausnahmsweise zulässiges Verfahren zur Verhinderung von Führungslosigkeit und zum Minderheitenschutz ist, ist dafür erst Raum, wenn ordentliche Liquidatorenbestellung nicht gelingt und wirksame Bestellung durch HV auch nicht zu erwarten ist (OLG Düsseldorf NZG 2019, 580 Rn. 17, 20 ff.). Wichtiger Grund liegt danach etwa vor, wenn **dauerhaft Abwickler fehlen** (bei 8 vorübergehendem Zustand: Notbestellung gem. § 85, sofern dringlich) oder wenn **weitere Amtsführung** der Abwickler für Minderheit (→ Rn. 7) **unzumutbar** erscheint. Entscheidend ist, ob aus ihrer Tätigkeit den Abwicklungszweck gefährdende Nachteile zu erwachsen drohen; Verschulden unerheblich. In Betracht kommen Parteilichkeit der Abwickler, grobe Pflichtverletzungen, Unfähigkeit (vgl. BayObLG NJW 1955, 1678; BayObLGZ 1969, 65, 68 ff.; BayObLG NJW-RR 1996, 1384; OLG Hamm BB 1958, 497; 1960, 918; 1960, 1355 [alle zur GmbH oder KG]; Bredol, Rechtsstellung der Abwickler, 2010, 115).

9 **2. Verfahrensfragen.** Gericht entscheidet im Verfahren nach FamFG. Zuständig ist Amtsgericht (§ 23a I Nr. 2, II Nr. 4 GVG iVm § 375 Nr. 3 FamFG, §§ 376, 377 FamFG) des Gesellschaftssitzes (§ 14), in dessen Bezirk ein LG seinen Sitz hat (Abweichungsmöglichkeit der Länder nach § 376 II FamFG; Überblick bei Sternal/Eickelberg FamFG § 376 Rn. 11 ff.). Es gilt Amtsermittlungsgrundsatz (§ 26 FamFG). Nach § 34 I Nr. 1 FamFG ist als Antragsgegnerin die AG (nicht: die Aktionäre) anzuhören, vertreten durch ihre Abwickler. Entscheidung erfolgt durch Beschluss, der wegen § 265 III 4 mit Gründen zu versehen ist (§ 38 III 1 FamFG). Über Auswahl geeigneter Personen entscheidet Gericht ohne Bindung an den Antrag; insoweit nur Anregung (allgM, vgl. BayObLGZ 24 [1925], 58, 59 f.). Nicht geeignet ist, wer von vornherein erklärt, er werde das Amt nicht annehmen (BayObLGZ 1996, 129, 131). Rechtsmittel ist Beschwerde mit Monatsfrist des § 63 FamFG (vgl. § 265 II 4). Weitere Beschwerde ist unstatthaft, zulässig jedoch Rechtsbeschwerde (§§ 70 ff. FamFG). **Beschwerdebefugt** ist bei Abweisung des Antrags nur der Antragsteller (§ 59 II FamFG). Minderheit muss das Quorum des § 265 III 1 auch dann noch erreichen, wenn Beschwerde eingelegt wird. Bei Erfolg des Antrags hat AG als unterlegene Antragsgegnerin Beschwerdebefugnis (§ 59 I FamFG). Beschwerden von (anderen) Aktionären sind unzulässig (KG OLGR 8, 235 f.; KG Recht 1930 Nr. 902), ebenso des AR (KG OLGR 8, 235 f.; OLG Rostock JFG 2, 231 f.). Bisherigen Abwicklern ist Beschwerderecht dagegen zuzugestehen (MüKoAktG/J. Koch Rn. 25; KK-AktG/Winnen Rn. 37). Früher hM, wonach Ernennung von Abwicklern durch einstw. Verfügung verfahrensrechtl. ausgeschlossen sein soll (OLG Dresden OLGR 16, 196 ff.), hat ihre Grundlage verloren, seit FamFG solches Verfahren in §§ 49 ff. FamFG ausdr. vorsieht (BeckOGK/Bachmann Rn. 16; Henssler/Strohn/Drescher Rn. 6; B/K/L/Füller Rn. 12).

10 **3. Vergütung und Auslagenersatz.** Abwickler haben entspr. Forderungen aus § 265 IV 1. Es handelt sich um **ges. Anspruch,** der noch immer erörterte Lehre vom Zwangsdienstvertrag überflüssig macht (MüKoAktG/J. Koch Rn. 27 f. mwN). Über die Höhe entscheiden primär die Beteiligten durch Vertrag iRd §§ 134, 138 BGB (BGHZ 133, 90, 94 ff. = NJW 1996, 2499 zum [unzulässigen] Erfolgshonorar eines Rechtsanwalts); das Gericht nur, wenn keine Einigung gelingt (§ 265 IV 2; dazu BGHZ 133, 90, 96 f.: erfolgsorientierte Kriterien in den Grenzen des § 87 I berücksichtigungsfähig). **Rechtsmittel** ist gem. § 265 IV 3 Hs. 1 die Beschwerde mit Monatsfrist des § 63 FamFG (→ § 33 Rn. 7a). Weiteres Rechtsmittel ist nicht gegeben. Insbes. ist Rechtsbeschwerde nach § 265 IV 3 Hs. 2 unstatthaft, weil es bei Streitigkeiten über Vergütung und Auslagenersatz keiner höchstrichterlichen Klärung bedarf (RegBegr. BT-Drs. 16/6308, 355). Der rechtskräftige Festsetzungsbeschluss ist gem. § 265 IV 4 Titel nach § 794 I Nr. 3 ZPO. Zulässig und zweckmäßig ist es, dass das Gericht die Bestellung von Abwicklern von Vorschussleistung abhängig macht (KG RJA 8, 267, 268 f.).

V. Abberufung; Amtsniederlegung (§ 265 V)

1. Durch die Hauptversammlung. Nicht gerichtl. bestellte Abwickler kann HV gem. § 265 V 1 jederzeit abberufen. Das bezieht sich auf den in → Rn. 3–5 umschriebenen Personenkreis. Mit Abberufung enden die körperschaftlichen Rechte und Pflichten der Abwickler. Dagegen verbleibt es für Anstellungsvertrag nach § 265 V 2 bei allg. Vorschriften. Erforderlich ist also Kündigung, bei der AG gem. § 112 iVm § 264 II durch AR vertreten wird (OLG Frankfurt AG 2009, 335; GK-AktG/K. Schmidt Rn. 45). Erforderlich ist jedoch vorgängiger Abberufungsbeschluss der HV (BGH ZIP 2009, 1058, 1059). IÜ → § 84 Rn. 84 ff. 11

2. Durch das Gericht. Gem. § 265 III kann Gericht jeden Abwickler (auch einzeln, s. Bredol, Rechtsstellung der Abwickler, 2010, 117) abberufen, nicht nur den oder die von ihm bestellten. Für Voraussetzungen und Verfahren gelten Ausführungen in → Rn. 7–9 sinngem. Wichtiger Grund ist nur dann gegeben, wenn Liquidator grobe Pflichtverletzungen vorzuwerfen sind, er zur Amtsführung nicht in der Lage ist oder aus Gründen des Minderheitenschutzes Abberufung erforderlich ist (KG NZG 2023, 1648 Rn. 9). Für Ansprüche der Abwickler ist zu unterscheiden. Zwischen nicht gerichtl. bestellten Abwicklern und AG besteht Anstellungsvertrag, den nur AG durch ihren AR (→ Rn. 11) kündigen kann. Wichtiger Grund für Abberufung ist nicht ohne weiteres wichtiger Grund für Kündigung. Gerichtl. bestellte Abwickler verlieren ihre aus Ges. folgenden Ansprüche (→ Rn. 10) ohne weiteres mit Abberufung. 12

3. Amtsniederlegung. Wie Vorstandsmitglieder (→ § 84 Rn. 79 ff.) haben auch Abwickler grds. das Recht zur Amtsniederlegung (OLG Hamm NJW 1960, 872; Gottschling GmbHR 1960, 141 ff.; beide zur GmbH). Das gilt für alle Abwickler einschließlich der gerichtl. bestellten. Erforderlich ist Erklärung ggü. der durch den AR vertretenen AG, bei gerichtl. bestellten Abwicklern ggü. dem Gericht (str. für GmbH). Voraussetzungen sind nicht gänzlich zweifelsfrei. Frage ist entspr. den für Vorstand geltenden Grundsätzen (→ § 84 Rn. 79 ff.) zu lösen. BGHZ 78, 82, 89 ff. = NJW 1980, 2415 verlangte noch, dass Niederlegung auf wichtigen Grund gestützt wird; BGHZ 121, 257, 261 = NJW 1993, 1198 (zur GmbH) verzichtet zutr. auch darauf. Erst recht unerheblich ist, ob wichtiger Grund besteht. 13

VI. Arbeitsdirektor (§ 265 VI)

Aus § 265 VI folgt: Arbeitsdirektor wird im Geltungsbereich der **Montanmitbestimmung** gem. § 265 I iVm § 12 MontanMitbestG Abwickler, ohne dass Satzung, HV oder Gericht etwas anderes bestimmen könnten. Es verbleibt bei Abberufung durch AR aus wichtigem Grund (§ 84 IV). Für Arbeitsdirektor nach dem MitbestErgG oder nach dem MitbestG 1976 gilt diese Sonderregelung nicht; insoweit gilt die in § 265 I–V getroffene Regelung. 14

Anmeldung der Abwickler

266 (1) **Die ersten Abwickler sowie ihre Vertretungsbefugnis hat der Vorstand, jeden Wechsel der Abwickler und jede Änderung ihrer Vertretungsbefugnis haben die Abwickler zur Eintragung in das Handelsregister anzumelden.**

(2) **Der Anmeldung sind die Urkunden über die Bestellung oder Abberufung sowie über die Vertretungsbefugnis in Urschrift oder öffentlich beglaubigter Abschrift beizufügen.**

(3) [1]**In der Anmeldung haben die Abwickler zu versichern, daß keine Umstände vorliegen, die ihrer Bestellung nach § 265 Abs. 2 Satz 2 entgegenstehen, und daß sie über ihre unbeschränkte Auskunftspflicht gegenüber dem Gericht belehrt worden sind.** [2]**§ 37 Abs. 2 Satz 2 ist anzuwenden.**

(4) **Die Bestellung oder Abberufung von Abwicklern durch das Gericht wird von Amts wegen eingetragen.**

I. Regelungsgegenstand und -zweck

1 § 266 betr. Vertretungsverhältnisse der Gesellschaft und bezweckt ihre Offenlegung. Parallelvorschriften sind etwa § 37 II–V, § 39 I 2, § 81, § 8 IV GmbHG, § 10 I 2 GmbHG, § 39 GmbHG. Eintragungen haben nur deklaratorische Bedeutung, keine konstitutive Wirkung. Sie sind deshalb, soweit sachlich richtig, nicht wegen fehlerhafter Verfahrensgrundlage zu löschen (BayObLG ZIP 1994, 1767, 1770). Schutz des Rechtsverkehrs erfolgt nach § 15 HGB (GK-AktG/K. Schmidt Rn. 18).

II. Anmeldung der Abwickler

2 Anzumelden sind gem. § 266 I zunächst die ersten Abwickler (Vor- und Familienname, Beruf und Wohnort; vgl. § 43 Nr. 4 HRV) sowie ihre Vertretungsbefugnis. Das entspr. § 37 III. Anmeldung der Vertretungsbefugnis muss der generell-konkreten Eintragung entspr. (BGHZ 87, 59, 63 = NJW 1983, 1676; → § 37 Rn. 8). Anmeldepflichtig ist ferner jeder Wechsel der Abwickler und jede Änderung ihrer Vertretungsbefugnis. Form: § 12 HGB.

3 **Anmeldung der ersten Abwickler** ist gem. § 266 I **Pflicht des Vorstands,** wie er vor der Auflösung im Amt war (hM: nachwirkende öffentl-rechtl. Pflicht – s. BeckOGK/Bachmann Rn. 7). Erforderlich und genügend ist Handeln der Vorstandsmitglieder in vertretungsberechtigter Zahl (§ 78). Notfalls Zwangsgeldverfahren nach § 14 HGB (OLG Karlsruhe OLGR 9, 268 zur GmbH). **Alle späteren Anmeldungen obliegen** nach § 266 I den (bisherigen oder neuen) **Abwicklern.** Ausgeschiedene Abwickler können nicht anmelden, auch nicht ihr Ausscheiden (KG OLGR 34, 348 f.; MüKoAktG/J. Koch Rn. 7 mwN). Beizufügen sind die in § 266 II genannten **Urkunden,** soweit sie nach dem Inhalt der Anmeldung vorhanden sein müssen. Vielfach genügt Bezugnahme auf die Satzung und das HV-Protokoll, die dem Registergericht ohnehin vorliegen müssen (genauer: MüKoAktG/J. Koch Rn. 10 f.). Genügend ist Beifügung in jew. einem Exemplar (s. dazu und zur elektronischen Einreichung → § 81 Rn. 7).

III. Versicherung der Abwickler (§ 266 III)

4 Gem. § 266 III müssen Abwickler erklären, dass kein Bestellungshindernis vorliegt (→ § 265 Rn. 6) und dass sie über ihre unbeschränkte Auskunftspflicht belehrt worden sind (§ 266 III 1; zu Anforderungen an die Erklärung vgl. OLG Schleswig NZG 2015, 232 Rn. 15 ff.). Das entspr. voll der in § 37 II 1 getroffenen Regelung (vgl. → § 37 Rn. 6 f.). Aus der Anwendung des § 37 II folgt, dass die Belehrung auch hier durch den Notar vorgenommen werden kann (§ 266 III 2). Ist Abwickler **jur. Person** (§ 265 II 3), haben deren Vertreter in vertretungsberechtigter Zahl Versicherung für sie abzugeben (ausf. Kühn NZG 2012, 731 ff.; zust. BeckOGK/Bachmann Rn. 11; KK-AktG/Winnen Rn. 17; aA S/L/Riesenhuber Rn. 7). Regelung gilt auch, wenn Abwickler zuvor Vorstandsmitglied war und als solcher Habilitätsversicherung nach § 37 II 1 bzw. § 81 III abge-

geben hat, da Liquidator nicht altes Amt fortsetzt, sondern neues antritt (KG NZG 2022, 1684 Rn. 13 [GmbH]).

IV. Eintragungen von Amts wegen (§ 266 IV)

§ 266 IV bezieht sich auf § 265 III. Nach dem Zweck der Regelung sind auch die Vertretungsbefugnis gerichtl. bestellter Abwickler und ihre Änderung von Amts wegen einzutragen. 5

Aufruf der Gläubiger

267 **[1] Die Abwickler haben unter Hinweis auf die Auflösung der Gesellschaft die Gläubiger der Gesellschaft aufzufordern, ihre Ansprüche anzumelden. [2] Die Aufforderung ist in den Gesellschaftsblättern bekanntzumachen.**

I. Pflicht zum Gläubigeraufruf

§ 267 regelt Gläubigeraufruf. Norm bezweckt den Schutz der Gläubiger, 1
indem sie **Beginn des Sperrjahrs** (§ 272) von Bek. des Aufrufs abhängig macht. Abwickler sind ggü. AG (nicht ggü. Gläubigern) verpflichtet, Gläubiger zur Anmeldung ihrer Ansprüche aufzufordern (Henssler/Strohn/Drescher Rn. 1; zweifelnd wohl BeckOGK/Bachmann Rn. 2). Sie handeln dabei in vertretungsberechtigter Zahl (§ 269). Eine Verpflichtung ggü. den Gläubigern besteht nicht. Auch Registergericht kann Gläubigeraufruf nicht erzwingen. Vgl. aber → Rn. 3 zur Vermögensverteilung. Parallelvorschrift: § 65 II GmbHG.

II. Durchführung

Den Mindestanforderungen des § 267 entspr. folgender Text: „Die X-AG in 2
Y ist aufgelöst. Die Gläubiger werden aufgefordert, ihre Ansprüche anzumelden. X-AG in Abwicklung. A und B als Abwickler". Der Aufruf hat unverzüglich nach der Auflösung zu erfolgen. Erforderlich ist Bek. in den Gesellschaftsblättern (§ 25). **Einmalige Bek.** genügt seit Änderung der Norm durch ARUG 2009. Weitergehende Anforderungen der Satzung (§ 23 IV) sind zu beachten.

III. Rechtswirkungen

Gläubigeraufruf setzt Lauf des Sperrjahrs in Gang (§ 272 I). Aufgebotsähnliche 3
Wirkungen hat er nicht. Wenn Aufruf versäumt wird, verzögert sich Beginn des Sperrjahrs. Vermögensverteilung wird also erst später zulässig. Erfolgt sie gleichwohl, gilt § 62. Organmitglieder machen sich schadensersatzpflichtig nach §§ 93, 116, 264 II.

Pflichten der Abwickler

268 (1) **[1] Die Abwickler haben die laufenden Geschäfte zu beenden, die Forderungen einzuziehen, das übrige Vermögen in Geld umzusetzen und die Gläubiger zu befriedigen. [2] Soweit es die Abwicklung erfordert, dürfen sie auch neue Geschäfte eingehen.**

(2) **[1] Im übrigen haben die Abwickler innerhalb ihres Geschäftskreises die Rechte und Pflichten des Vorstands. [2] Sie unterliegen wie dieser der Überwachung durch den Aufsichtsrat.**

(3) **Das Wettbewerbsverbot des § 88 gilt für sie nicht.**

(4) [1] Auf allen Geschäftsbriefen, die an einen bestimmten Empfänger gerichtet werden, müssen die Rechtsform und der Sitz der Gesellschaft, die Tatsache, daß die Gesellschaft sich in Abwicklung befindet, das Registergericht des Sitzes der Gesellschaft und die Nummer, unter der die Gesellschaft in das Handelsregister eingetragen ist, sowie alle Abwickler und der Vorsitzende des Aufsichtsrats mit dem Familiennamen und mindestens einem ausgeschriebenen Vornamen angegeben werden. [2] Werden Angaben über das Kapital der Gesellschaft gemacht, so müssen in jedem Falle das Grundkapital sowie, wenn auf die Aktien der Ausgabebetrag nicht vollständig eingezahlt ist, der Gesamtbetrag der ausstehenden Einlagen angegeben werden. [3] Der Angaben nach Satz 1 bedarf es nicht bei Mitteilungen oder Berichten, die im Rahmen einer bestehenden Geschäftsverbindung ergehen und für die üblicherweise Vordrucke verwendet werden, in denen lediglich die im Einzelfall erforderlichen besonderen Angaben eingefügt zu werden brauchen. [4] Bestellscheine gelten als Geschäftsbriefe im Sinne des Satzes 1; Satz 3 ist auf sie nicht anzuwenden.

I. Regelungsgegenstand und -zweck

1 § 268 regelt Befugnisse und Pflichten der Abwickler. Norm korrespondiert mit § 76 I. Bezweckt ist, **korporative Stellung der Abwickler** festzulegen, insbes., ihnen die typischen Liquidationsgeschäfte (§ 268 I) als Mindestaufgabe zuzuweisen.

II. Geschäftskreis

2 **1. Grundsätzliches.** Hinter § 268 I steht das Regelungsmodell einer Abwicklung durch Zerschlagung und Einzelveräußerung. Die Befugnis, iRd Abwicklungszwecks auch neue Geschäfte einzugehen (§ 268 I 2), enthält (seit 1965) nur eine Randkorrektur. Das Modell entspr. nicht ohne weiteres der Wirklichkeit. Es spricht alles dafür, die Abwicklung ebenso wie die Leitung der werbenden Gesellschaft als **unternehmerische Aufgabe** zu begreifen (zust. Bredol, Rechtsstellung der Abwickler, 2010, 170 ff.) und ihm dementsprechend zumindest im zeitlichen Ablauf auch unternehmerisches Ermessen einzuräumen (MüKoAktG/J. Koch Rn. 3; zust. Henssler/Strohn/Drescher Rn. 2; KK-AktG/Winnen Rn. 7). Ihr Ziel muss sein, im Interesse der Gläubiger und der Aktionäre eine möglichst reichhaltige Verteilungsmasse zu erwirtschaften. Alles, was diesem Ziel dient, liegt innerhalb des Geschäftskreises der Abwickler, also auch die Veräußerung des Unternehmens insgesamt oder in betriebsfähigen Teilen. Über Gesamt- oder Einzelveräußerung oder Kombinationen ist vorrangig unter dem Gesichtspunkt der Erlösmaximierung zu entscheiden.

3 **2. Unternehmensveräußerung und verwandte Vorgänge.** Abwickler dürfen Unternehmen als Ganzes veräußern (RG LZ 1913 Sp. 212 Nr. 4; BGHZ 76, 352, 356 = NJW 1980, 1278; BGHZ 103, 184, 192 = NJW 1988, 1579). OLG Hamm BB 1954, 913 verlangt dafür ausreichende Unterlagen, mit denen die Veräußerung und der Preis in groben Zügen gerechtfertigt werden können. Unter dem Aspekt des angemessenen Entgelts ist namentl. die Veräußerung an den Mehrheitsaktionär oder eine entspr. Gruppe zu prüfen. Zu firmenrechtl. Folgeproblemen vgl. MüKoAktG/J. Koch Rn. 7 ff. Daneben kommen in der Abwicklung als zulässig in Betracht: **Teilveräußerungen,** etwa bestimmter Finanzanlagen, aber auch selbständig arbeitsfähiger Unternehmensteile; **Errichtung neuer Gesellschaft** als Vorbereitung späterer Veräußerung (vgl. schon OLG Dresden Recht 1905, Nr. 771); **Ausstattung** (Kapitalerhöhung) einer

Schubladen-GmbH; **Betriebsaufspaltung** (kapitalistische Variante); **Ausgliederung** durch Einbringung (Sacheinlage) in neue Gesellschaft unter anschließender Veräußerung der Anteile (vgl. aber BGHZ 83, 122 = NJW 1982, 1703; für unerheblich gehalten von Noack ZIP 2002, 1873, 1878 f.); **Verschmelzung** (RGZ 124, 279, 300), solange Fortsetzung zulässig (§ 3 III UmwG); mit ders. Maßgabe **Formwechsel** (§ 191 III UmwG); **Vermögensübertragung** (§ 179a), für die nach zutr. hM auch in der Abwicklung der Zustimmungsbeschluss der HV erforderlich ist (→ § 179a Rn. 24).

3. Ausdrücklich genannte Abwicklungsgeschäfte. Diese sind nach § 268 I Beendigung laufender Geschäfte, Forderungseinzug, Vermögensversilberung, Befriedigung der Gläubiger und uU Abschluss neuer Geschäfte. **Beendigung laufender Geschäfte** ist ihre Weiterführung bis zur Beendigung (Erfüllung, Auflösung durch Kündigung), auch Fortführung schwebender Prozesse oder anderer Verfahren. **Forderungseinzug** umfasst als Unterfall der Geschäftsbeendigung die Geltendmachung aller Ansprüche der AG ohne Rücksicht auf Rechtsgrund und Anspruchsinhalt (RGZ 44, 80, 84: Auflassung) einschließlich der Rechtsverfolgung in allen Varianten und der Verwertung durch Verkauf und ähnliche Geschäfte. **In Geld umzusetzen** sind alle Vermögensgegenstände mit Ausnahme der Gesellschaftsansprüche. Ziel ist Herstellung eines verteilungsfähigen Geldvermögens. Ausnahmen, etwa iSe Teilung in Natur, wurden von früher hM aufgrund eines mehrheitlich gefassten HV-Beschlusses zugelassen (vgl. RGZ 62, 56, 58 f.; RGZ 124, 279, 300 [Verschmelzung]). Heute herrschende Gegenauffassung verlangt dagegen zu Recht Verzichtserklärungen aller Aktionäre, soweit nicht, wie bei Verschmelzung, vom Ges. ausdr. anderes bestimmt wird (ausf. MüKoAktG/J. Koch Rn. 19 f.; zust. BeckOGK/Bachmann § 271 Rn. 7; Henssler/Strohn/Drescher § 271 Rn. 7; KK-AktG/Winnen Rn. 29; offenlassend BGH AG 2004, 670, 671). **Befriedigung der Gläubiger** erfolgt nach BGB (zB §§ 362 ff. BGB). Zu beachten ist überdies § 272 II und III (→ § 272 Rn. 4 f.). Abschluss neuer Geschäfte meint alle Maßnahmen, die einer vorläufigen Fortführung des Unternehmens dienlich sind (→ Rn. 2). 4

III. Stellung der Abwickler in der Organstruktur

1. Vorstandsähnliche Stellung. Innerhalb ihres Geschäftskreises haben Abwickler die Rechte und Pflichten des Vorstands (§ 268 II 1). Sie leiten in den Grenzen des Abwicklungszwecks AG unter eigener Verantwortung (§ 76 I). Übertragung der Abwicklung auf Dritte ist unzulässig (KGJ 37 A 164). Im Einzelnen folgt aus § 268 II 1: Für die Abwickler gelten §§ 77, 82 II (soweit mit Abwicklungszweck vereinbar), §§ 83, 89, 91, 92 I und II (s. zu § 92 II aF [§ 15b InsO nF] BGH AG 2012, 371 Rn. 9), § 93 (BGH AG 2012, 371 Rn. 9), dort wegen unternehmerischer Aufgabe (→ Rn. 2) insbes. auch BJR des § 93 I 2 (ebenso Bredol, Rechtsstellung der Abwickler, 2010, 224 ff.), dagegen nur mit Einschränkungen § 93 IV (str.), §§ 105, 121 II, § 245 S. 1 Nr. 4, § 246 II. Anstelle des § 80 gilt § 268 IV (→ Rn. 8). § 81 wird durch § 266 verdrängt, § 88 ist durch § 268 III außer Geltung gesetzt (→ Rn. 7). Zu den Vergütungsansprüchen (§ 87) → § 264 Rn. 17. Zur Anwendung der Existenzvernichtungshaftung auf Abwickler → § 1 Rn. 26 mwN. 5

2. Verhältnis zu anderen Organen. Gem. § 268 II 2 unterliegen die Abwickler der **Überwachung durch den AR.** Das entspr. § 111 I. Als unverzichtbares Element der Überwachung besteht auch die Berichtspflicht des § 90. Dem AR stehen ferner die Einzelrechte des § 111 zu, einschließlich des Rechts, bestimmte Geschäftsarten zustimmungspflichtig zu machen. Auch § 112 bleibt anwendbar (Henssler/Strohn/Drescher Rn. 7; MüKoAktG/J. Koch § 269 Rn. 9; 6

KK-AktG/Winnen Rn. 42; diff. BeckOGK/Bachmann Rn. 20). Eine wesentliche Schwächung des AR und gewollte Aufwertung der HV ergeben sich daraus, dass AR nicht durch seine Billigung den Jahresabschluss feststellen kann (§ 270 II 1) und vor allem nicht über die Personalkompetenz des § 84 verfügt (vgl. § 265; → § 265 Rn. 1 und 5). Abgesehen von § 265 II und V enthält das Ges. keine bes. Aussage zum Verhältnis zwischen **Abwicklern und HV.** HV hat jedenfalls die Zuständigkeiten des § 119 I, soweit die dort genannten Maßnahmen in der Abwicklung in Betracht kommen (→ § 264 Rn. 16). Im älteren Schrifttum wird ihr überdies abw. von § 119 II ein Weisungsrecht in Angelegenheiten der Geschäftsführung zugestanden (Baumbach/Hueck Rn. 9; GK-AktG/Wiedemann, 3. Aufl. 1973, Rn. 5), aber zu Unrecht; es hat keine ges. Grundlage und wäre auch rechtspolitisch verfehlt (ganz hM – vgl. Henssler/Strohn/Drescher Rn. 8; B/K/L/Füller Rn. 2; MüKoAktG/J. Koch Rn. 29; KK-AktG/Winnen Rn. 41; aA Sethe ZIP 1998, 770, 772 f.; diff. BeckOGK/Bachmann Rn. 22). Holzmüller/Gelatine-Sachverhalte (→ § 119 Rn. 16 ff.) verpflichten Vorstand auch während der Abwicklung zur Vorlage an HV (str., s. Bredol, Rechtsstellung der Abwickler, 2010, 195 ff. mwN; wie hier Henssler/Strohn/Drescher Rn. 2; MüKoAktG/J. Koch Rn. 14; GK-AktG/K. Schmidt Rn. 3; vgl. zur Liquidation einer LPG auch BGH NZG 2012, 1189 Rn. 24).

IV. Kein gesetzliches Wettbewerbsverbot

7 § 88 gilt nicht für Abwickler (§ 268 III), auch nicht für die Mitglieder des ehemaligen Vorstands als Abwickler. Da auch Abwicklung grds. vollen unternehmerischen Einsatz des Vorstands erforderlich macht, ist Regelung rechtspolitisch problematisch (BeckOGK/Bachmann Rn. 25; GK-AktG/K. Schmidt Rn. 8). Für teleologische Reduktion ist angesichts klaren Wortlauts und eindeutiger Regelungsabsicht aber kein Raum (so aber B/K/L/Füller Rn. 10). Stattdessen kann es sinnvoll sein, entspr. Verbot im Anstellungsvertrag zu vereinbaren. Vereinbarung zu Lasten des Vorstandsmitglieds bindet es nicht ohne weiteres in seiner Eigenschaft als Abwickler, es handelt sich vielmehr um Auslegungsfrage (BeckOGK/Bachmann Rn. 25; MüKoAktG/J. Koch Rn. 31). Dabei soll nach OLG Brandenburg AG 2009, 513, 515 im Zweifel Fortgeltungswille vermutet werden (sa B/K/L/Füller Rn. 10). Im Lichte des § 268 III, der gerade auf der Überlegung beruht, dass Vorstands- und Abwickleraufgaben nicht identisch sind, ist diese Sichtweise zweifelhaft (Henssler/Strohn/Drescher Rn. 9). Klarstellung im Vertrag ist deshalb sinnvoll. IÜ kann sich daneben auch einzelfallbezogenes konkretes Wettbewerbsverbot aus organschaftlicher Treupflicht (→ § 84 Rn. 10 f.) der Abwickler ergeben (Bredol, Rechtsstellung der Abwickler, 2010, 227 ff.; GK-AktG/K. Schmidt Rn. 9).

V. Angaben auf Geschäftsbriefen

8 § 268 IV entspr. im Wesentlichen § 80 I–III (s. → § 80 Rn. 1 ff., 8). Bei Verstößen ist Zwangsgeldverfahren nach § 407 I, §§ 388 ff. FamFG möglich.

Vertretung durch die Abwickler

269 (1) **Die Abwickler vertreten die Gesellschaft gerichtlich und außergerichtlich.**

(2) [1] **Sind mehrere Abwickler bestellt, so sind, wenn die Satzung oder die sonst zuständige Stelle nichts anderes bestimmt, sämtliche Abwickler nur gemeinschaftlich zur Vertretung der Gesellschaft befugt.** [2] **Ist eine**

Willenserklärung gegenüber der Gesellschaft abzugeben, so genügt die Abgabe gegenüber einem Abwickler.

(3) [1]**Die Satzung oder die sonst zuständige Stelle kann auch bestimmen, daß einzelne Abwickler allein oder in Gemeinschaft mit einem Prokuristen zur Vertretung der Gesellschaft befugt sind.** [2]**Dasselbe kann der Aufsichtsrat bestimmen, wenn die Satzung oder ein Beschluß der Hauptversammlung ihn hierzu ermächtigt hat.** [3]**Absatz 2 Satz 2 gilt in diesen Fällen sinngemäß.**

(4) [1]**Zur Gesamtvertretung befugte Abwickler können einzelne von ihnen zur Vornahme bestimmter Geschäfte oder bestimmter Arten von Geschäften ermächtigen.** [2]**Dies gilt sinngemäß, wenn ein einzelner Abwickler in Gemeinschaft mit einem Prokuristen zur Vertretung der Gesellschaft befugt ist.**

(5) **Die Vertretungsbefugnis der Abwickler kann nicht beschränkt werden.**

(6) **Abwickler zeichnen für die Gesellschaft, indem sie der Firma einen die Abwicklung andeutenden Zusatz und ihre Namensunterschrift hinzufügen.**

I. Regelungsgegenstand und -zweck

§ 269 betr. Vertretung der AG, ergänzt also § 268 für das Außenverhältnis. 1
Hauptzweck ist wie bei § 78, die **Handlungsfähigkeit** der Gesellschaft sicherzustellen. Daneben geht es um Schutz des Rechtsverkehrs durch unbeschränkte (§ 269 I) und unbeschränkbare (§ 269 V) Vertretungsmacht und um Schutz der AG durch das Prinzip der Gesamtvertretung (§ 269 II).

II. Abwickler als Vertreter

Die Abwickler sind **organschaftliche Vertreter** der aufgelösten AG und in 2
dieser Eigenschaft funktionsgleich mit Vorstand der werbenden Gesellschaft. Insbes. ist ihre Vertretungsmacht unbeschränkt (I) und unbeschränkbar (V). Namentl. kennt das Aktienrecht (seit 1965) **keine Beschränkung** der Vertretungsmacht **auf Abwicklungsgeschäfte.** Damit soll Sicherheit des Rechtsverkehrs gefördert werden (RegBegr. Kropff S. 358 f.). Angesichts der Übereinstimmung mit § 78 I kann wegen der Einzelfragen (zB Mitwirkung der HV in Ausnahmefällen, Missbrauch, Insichgeschäfte) auf Erl. dazu verwiesen werden. AR ist allerdings nur dann gem. § 112 zuständig, wenn AG ggü. Abwicklern vertreten werden soll. Vertretung ggü. ehemaligen Vorstandsmitgliedern liegt dagegen bei etwa bestellten Fremdabwicklern (OLG Brandenburg AG 2003, 44; OLG Köln NZG 2002, 1062, 1063; MüKoAktG/J. Koch Rn. 9; NK-AktG/Wermeckes Rn. 2; aA BeckOGK/Bachmann Rn. 7; GK-AktG/K. Schmidt Rn. 4; KK-AktG/Winnen Rn. 12).

III. Ausgestaltung der Vertretungsmacht

1. Gesamtvertretung als Regelfall. Aktivvertretung: Sämtliche Abwickler 3
sind nach § 269 II 1 nur gemeinschaftlich zur Vertretung befugt. Das gilt auch dann, wenn die Abwickler Vorstandsmitglieder waren (§ 265 I) und als solche Einzelvertretungsmacht hatten; Satzungsregelung dieses Inhalts überdauert Auflösung also grds. nicht, und zwar auch dann nicht, wenn Vorstandsmitglieder Abwickler sind. Es gibt also **keine Kompetenzkontinuität** (BGH NZG 2009, 72 Rn. 9 ff.; OLG Köln NZG 2016, 1314 Rn. 13; Bredol, Rechtsstellung der Abwickler, 2010, 128; aA BeckOGK/Bachmann Rn. 9; GK-AktG/K. Schmidt

Rn. 11). Solche Kontinuität ist auch nicht zu vermuten, sondern von § 269 II 1 zugelassene abw. Bestimmung muss sich eindeutig auf Abwicklung beziehen (BGH NZG 2009, 72 Rn. 11 f.; aA zur GmbH Reymann GmbHR 2009, 176, 177 f.). Regelung geht allerdings ins Leere, wenn nur ein Abwickler vorgesehen ist (etwa Alleinvorstand im Fall des § 265 I). Gesamtvertretungsmacht eines von mehreren Abwicklern erstarkt nicht zur Einzelvertretungsmacht, wenn die übrigen Abwickler aus dem Amt scheiden (BGH WM 1975, 157 f.; BGHZ 121, 263, 264 f. = NJW 1993, 1654; zweifelnd BeckOGK/Bachmann Rn. 9; GK-AktG/K. Schmidt Rn. 9). Folglich muss entweder dem verbliebenen Abwickler Einzelvertretungsmacht erteilt (§ 269 III) oder ein neuer Abwickler berufen werden. **Passivvertretung:** Insoweit gilt nach § 269 II 2 Einzelvertretung. Auf geschäftsähnliche Handlungen wie Mängelrügen analog anzuwenden. Prozessrecht: § 170 III ZPO.

4 **2. Andere Vertretungsregelungen.** § 269 II ist nicht zwingend. Nach § 269 III 1 sind auch **Einzelvertretung** oder **unechte Gesamtvertretung** möglich (insoweit → § 78 Rn. 14 ff.). Auch insofern (→ Rn. 3) besteht also keine Kompetenzkontinuität. Auch Befreiung von § 181 BGB wirkt nicht in neuer AG fort (OLG Köln NZG 2016, 1314 Rn. 12 ff.; Henssler/Strohn/Drescher Rn. 2; MüKoAktG/J. Koch Rn. 11; KK-AktG/Winnen Rn. 17; aA BeckOGK/Bachmann Rn. 6; GK-AktG/K. Schmidt Rn. 8). Indem § 269 III 1 unechte Gesamtvertretung zulässt, wird zugleich anerkannt, dass Abwicklungsgesellschaft **Prokuristen** (§§ 48 ff. HGB) haben kann; anders noch AktG 1937. Vor der Auflösung erteilte Prokura bleibt bestehen (RegBegr. Kropff S. 359). **Handlungsvollmacht** (§ 54 HGB) ist in der aufgelösten AG ebenso möglich wie in der werbenden.

5 Erforderlich ist eine Bestimmung der **Satzung** oder der **sonst zuständigen Stelle** (§ 269 III 1). Eine Bestimmung der Satzung setzt sich stets gegen § 269 II durch. Zuständige Stellen sind iÜ die HV wegen der ihr zukommenden Personalkompetenz (§ 265 II und V) und das Gericht, soweit es um die von ihm bestellten Abwickler geht (Bredol, Rechtsstellung der Abwickler, 2010, 129 f.). Prokura kann das Gericht nicht erteilen, wohl aber unechte Gesamtvertretung anordnen, wenn die AG ohnehin über Prokuristen verfügt. Der AR hat nach § 269 III 2 nur eine von Satzung oder HV-Beschluss abgeleitete Kompetenz, Ausnahmen von § 269 II einzuführen. Schließlich verbleibt es für die Passivvertretung in allen Fällen bei der Einzelbefugnis der Abwickler (§ 269 III 3).

6 **3. Ermächtigung zur Geschäftsvornahme.** Nach § 269 IV können Abwickler bei echter und unechter Gesamtvertretungsbefugnis einzelne von ihnen (nicht: Prokuristen) zur Vornahme von bestimmten Geschäften oder Geschäftsarten ermächtigen. Das entspr. wörtlich § 78 IV (→ § 78 Rn. 19 ff.).

IV. Unbeschränkbarkeit der Vertretungsmacht

7 Die Vertretungsmacht der Abwickler ist nicht nur unbeschränkt, sie ist auch (entspr. § 82 I) unbeschränkbar. Die in § 265 I abgeschaffte Beschränkung auf Abwicklungsgeschäfte kann daher auch nicht durch Satzung oder Beschluss der HV eingeführt werden. Im Innenverhältnis müssen sich die Abwickler an ihren Geschäftskreis (→ § 268 Rn. 2 ff.) halten. Schutz der Gesellschaft vor pflichtwidriger Überschreitung der Befugnisse nur nach Missbrauchsgrundsätzen (→ § 82 Rn. 6 f.).

V. Zeichnung

Abwickler zeichnen nach § 269 VI durch Firma, Abwicklungszusatz und Namensunterschrift. Es genügt, die Abwicklung anzudeuten. Das Wort Abwicklung muss nicht verwandt werden. Unbedenklich deshalb „in Liquidation" und ebenso eine dem Verkehr verständliche Abkürzung („i. L."). Fehler bei der Zeichnung berühren Wirksamkeit von Rechtsgeschäften für und gegen die AG als solche nicht. Entscheidend ist dann, ob sich Fremdbezogenheit des Handelns anderweitig nachweisen lässt. 8

Eröffnungsbilanz. Jahresabschluß und Lagebericht

270 (1) **Die Abwickler haben für den Beginn der Abwicklung eine Bilanz (Eröffnungsbilanz) und einen die Eröffnungsbilanz erläuternden Bericht sowie für den Schluß eines jeden Jahres einen Jahresabschluß und einen Lagebericht aufzustellen.**

(2) [1] **Die Hauptversammlung beschließt über die Feststellung der Eröffnungsbilanz und des Jahresabschlusses sowie über die Entlastung der Abwickler und der Mitglieder des Aufsichtsrats.** [2] **Auf die Eröffnungsbilanz und den erläuternden Bericht sind die Vorschriften über den Jahresabschluß entsprechend anzuwenden.** [3] **Vermögensgegenstände des Anlagevermögens sind jedoch wie Umlaufvermögen zu bewerten, soweit ihre Veräußerung innerhalb eines übersehbaren Zeitraums beabsichtigt ist oder diese Vermögensgegenstände nicht mehr dem Geschäftsbetrieb dienen; dies gilt auch für den Jahresabschluß.**

(3) [1] **Das Gericht kann von der Prüfung des Jahresabschlusses und des Lageberichts durch einen Abschlußprüfer befreien, wenn die Verhältnisse der Gesellschaft so überschaubar sind, daß eine Prüfung im Interesse der Gläubiger und Aktionäre nicht geboten erscheint.** [2] **Gegen die Entscheidung ist die Beschwerde zulässig.**

Übersicht

I. Normzweck und Allgemeines

1 **1. Regelungsgegenstand und -zweck.** § 270 betr. Rechnungslegung der Abwicklungs-AG. Normzweck liegt zum einen darin, durch Dokumentation der Vermögensverhältnisse im Abwicklungsstadium betrügerisches Beiseiteschaffen von Vermögenswerten zu verhindern (BeckOGK/Euler/Binger Rn. 2), zum anderen sollen allg. Vorschriften über den Jahresabschluss sachgerecht abgewandelt werden, um sie an die Besonderheiten der Abwicklung anzupassen. § 270 ist **zwingend** und gilt für alle Auflösungsfälle mit Ausnahme der Insolvenz. Anfertigung einer **Insolvenzbilanz** (§ 153 InsO) obliegt dem Insolvenzverwalter und folgt bes. Grundsätzen (vgl. dazu LG Oldenburg Rpfleger 1993, 451).

2 **2. Stadien und Formen der Rechnungslegung.** Erforderlich sind: abschließende Rechnungslegung der werbenden AG; Eröffnungsbilanz der Abwicklungs-AG mit Erläuterungsbericht; Abwicklungsjahresabschlüsse mit Lageberichten; Schlussrechnung. Erstgenannte Rechnungslegung hat keine bes. Regelung gefunden (→ Rn. 3 ff.). Der zweite und dritte Schritt sind Gegenstand des § 270 (→ Rn. 6 ff. und 14 ff.). Schlussrechnung ist in § 273 I 1 vorausgesetzt (→ § 273 Rn. 3).

II. Abschließende Rechnungslegung

3 **1. Jahresabschluss und Lagebericht.** Für **volle abgelaufene Geschäftsjahre** (Auflösung zum Ende des Geschäftsjahrs) ist übliche Rechnungslegung erforderlich (unstr.). Dasselbe gilt nach heute ganz hM aber auch für **Rumpfgeschäftsjahre** (Auflösung während des Geschäftsjahrs); s. BayObLG DB 1994, 523, 524; BeckOGK/Euler/Binger Rn. 14 ff.; GK-AktG/K. Schmidt Rn. 5; Sarx FS Forster, 1992, 547, 551 f.; Scherrer/Heni, Liquidations-Rechnungslegung, 3. Aufl. 2009, 25 ff. Mindermeinung will hier mit unterschiedlichen Begründungen auf Jahresabschluss verzichten. Das wurde früher zT damit begründet, dass Gewinnermittlungsbilanz für die Abwicklung entbehrlich sei (so noch v. Godin/Wilhelmi Rn. 3), was schon deshalb fehlgeht, weil Eröffnungsbilanz der Abwicklungs-AG Neubewertungen enthält (→ Rn. 7 f.), so dass Rumpfgeschäftsjahr ohne Abschluss bliebe (so jetzt auch MHdB AG/Hoffmann-Becking § 67 Rn. 16). Soweit stattdessen auf Unternehmenskontinuität abgehoben wird (Förschle/Kropp/Deubert DStR 1992, 1523 f.; Förschle/Kropp/Deubert DB 1994, 998 f.), wird Unterschied zwischen Gewinnermittlungsbilanz und Abwicklungsbilanz zu Unrecht nivelliert. Anzuwenden sind §§ 242 ff., 264 ff., 284 ff. HGB.

4 **Einzelfragen. Bilanzstichtag** ist grds. nach Auflösungszeitpunkt zu bestimmen (allgM, zB Olbrich WPg 1975, 265 f.); maßgeblich ist Tag vor Auflösung (BFHE 113, 112, 114; BayObLG DB 1994, 523, 524; ADS Rn. 13). Bei erheblichen Schwierigkeiten (Inventur unmöglich, weil Auflösung zu spät bekannt) darf zeitnaher abw. Stichtag gewählt werden (BeckOGK/Euler-Binger Rn. 33; lbrich WPg 1975, 265 f.; aA GK-AktG/K. Schmidt Rn. 7). Abschluss für Rumpfgeschäftsjahr unterliegt **Pflichtprüfung** analog § 316 HGB (Olbrich WPg 1975, 265 f. zu § 162 aF). **Aufstellung** obliegt analog § 270 I den Abwicklern, **Feststellung** erfolgt gem. § 270 II 1 analog durch HV-Beschluss; § 172 ist unanwendbar (hM, näher BeckOGK/Euler/Binger Rn. 25; MüKoAktG/J. Koch Rn. 11).

5 **2. Gewinnverwendung.** Wenn Feststellung des Jahresabschlusses nach Auflösung erfolgt, sich aber auf vorhergehenden Zeitraum bezieht (iÜ → § 272 Rn. 2 f.), ist fraglich, ob Gewinn als Dividende ausgeschüttet werden darf. Heute

einhellige Auffassung verneint diese Frage unter Verweis auf § 272 (ADS Rn. 14; BeckOGK/Euler/Binger Rn. 27 ff.; zur GmbH BFHE 110, 353, 356). Das ist deshalb richtig, weil Substanzverlust durch Ausschüttung nicht mehr durch Gewinn aus werbender Tätigkeit kompensiert werden kann (MüKoAktG/J. Koch Rn. 14). Anstelle der Ausschüttung hat also Zuweisung zur Verteilungsmasse zu erfolgen.

III. Eröffnungsbilanz und Erläuterungsbericht

1. Inhaltliche Anforderungen. Als **Grundsatz** gilt, dass sich Inhalt und Gliederung der Eröffnungsbilanz nach §§ 243–256, 264–274 HGB sowie §§ 150, 152 bestimmen (§ 270 II 2). Das ist eine Kehrtwendung ggü. früherem Recht, weil §§ 153–156 aF gem. § 270 III 1 aF gerade keine Anwendung finden sollten. Regelung will der Tatsache Rechnung tragen, dass Auflösung nur ausnahmsweise zur sofortigen Einstellung des Geschäftsbetriebs führt (RegBegr. BT-Drs. 10/317, 107); vgl. aber → Rn. 7. **Bilanzgliederung** erfolgt analog §§ 266 ff. HGB, aber unter Berücksichtigung des Abwicklungszwecks. Auf Aktivseite ist insofern grds. keine Umgliederung der Vermögensgruppen (§ 266 I HGB) erforderlich (B/K/L/Füller Rn. 14; Einzelheiten bei BeckOGK/Euler/Binger Rn. 38 ff.; MüKoAktG/Euler/Binger Rn. 24; zur Behandlung von Anlage- wie Umlaufvermögen → Rn. 8). Auf Passivseite ist str., wie Ausweis des Eigenkapitals und der offenen Rücklagen zu erfolgen hat. Nach heute herrschender **Bruttomethode** erfolgt Ausweis wie bei der werbenden AG in der Gliederung des § 266 III lit. A HGB unter Beachtung der ergänzenden Bestimmungen des § 272 HGB (vgl. BeckOGK/Euler/Binger Rn. 42; B/K/L/Füller Rn. 15; MüKoAktG/J. Koch Rn. 25 ff.). Ältere Gegenauffassung plädierte hingegen dafür, nach sog Nettomethode Grundkapital und offene Rücklagen nicht mehr als solche auszuweisen, sondern Abwicklungsvermögen in einen Bilanzposten einzustellen und (wenn positiv) zu passivieren (vgl. Forster FS Knorr, 1968, 77, 82 ff.). Herrschender Sichtweise ist zuzustimmen, da sie nicht nur in § 270 II 2 eine Grundlage findet, sondern auch der Vorstellung einer zunächst unternehmensfortführenden Abwicklungsgesellschaft entspr. (BeckOGK/Euler/Binger Rn. 44). 6

2. Insbesondere: Bewertungsfragen. a) Verteilungs- oder Erfolgsbilanz? Bis zum BiRiLiG war entspr. dem Abwicklungszweck anerkannt: Eröffnungsbilanz ist Vermögensverteilungsbilanz. Daher galt Prinzip der Neubewertung; anzusetzen sind Realisationswerte (so schon RGZ 80, 104, 107, umfassende Meinungsübersicht bei MüKoAktG/J. Koch Rn. 29). Nunmehr in § 270 II 2 angeordnete Bewertung nach §§ 252 ff. HGB schließt es aus, am Prinzip der Neubewertung festzuhalten (sa BeckOGK/Euler/Binger Rn. 65; MüKoAktG/J. Koch Rn. 30). Daraus folgt insbes., dass **going-concern-Prinzip** (§ 252 I Nr. 2 HGB) auch für Abwicklungsbilanz gilt (BeckOGK/Euler/Binger Rn. 66; MüKoAktG/J. Koch Rn. 31; Sarx FS Forster, 1992, 547, 553 ff., 557 ff.; Scherrer/Heni Liquidations-Rechnungslegung, 3. Aufl. 2009, 85 ff.). Auch dies entspr. der Vorstellung von einer zunächst unternehmensfortführenden Abwicklungsgesellschaft (sa RegBegr. BT-Drs. 10/317, 107). Nur wenn tats. Gegebenheiten dem entgegenstehen, ist deshalb ausnahmsweise nicht von Unternehmensführung auszugehen (zu Einzelheiten BeckOGK/Euler/Binger Rn. 69 ff.; MüKoAktG/J. Koch Rn. 32 f. KK-AktG/Winnen Rn. 22 ff.). 7

b) Bewertung von Anlage- wie Umlaufvermögen. Gem. § 270 II 3 sind Vermögensgegenstände des Anlagevermögens uU wie solche des Umlaufvermögens zu bewerten und ggf. auch umzugliedern (→ Rn. 6; KG NZG 2001, 845, 846). **Voraussetzungen:** Ihre Veräußerung muss innerhalb eines übersehbaren Zeitraums beabsichtigt sein oder sie dürfen nicht mehr dem Geschäfts- 8 betrieb dienen. Zum Ersten: Absicht genügt (einschr. Förschle/Deubert DStR 1996, 1743, 1747 mwN); ein Geschäftsjahr ist immer übersehbar. Zum Zweiten: Hauptfall ist gänzliche oder teilw. Betriebseinstellung. **Rechtsfolgen:** § 270 II 3 begründet Pflicht, kein Wahlrecht. Bewertung wie Umlaufvermögen erfolgt durch Abschreibungen in analoger Anwendung des § 253 III HGB. Weil Börsen- oder Marktpreis für Anlagevermögen vielfach nicht feststellbar ist, kommt bes. Abschreibung auf den beizulegenden Wert in Betracht (§ 253 III 5 HGB). Das ist in Eröffnungsbilanz der Abwicklungs-AG der Veräußerungs-, nicht der Wiederbeschaffungswert.

9 **3. Erläuterungsbericht.** An die Stelle von Anh. und Lagebericht tritt Erläuterungsbericht (§ 270 I). Auch insoweit sind Vorschriften über den Jahresabschluss entspr. anzuwenden (§ 270 II 2), nämlich §§ 284 ff. HGB, § 160 und wohl auch § 289 HGB. Zweck des Berichts ist, **Bewertungsunterschiede** zwischen bisherigen Jahresabschlüssen und Eröffnungsbilanz externen Bilanzadressaten verständlich zu machen (RegBegr. Kropff S. 360). Die Bewertungsmethoden sind anzugeben. Bei Fortführung bisheriger Buchwerte (und darin enthaltener stiller Reserven) wird sich der Bericht auch über Veräußerungschancen und insoweit über das erwartete Abwicklungsergebnis aussprechen müssen (BeckOGK/Euler/Binger Rn. 89; Forster FS Barz, 1974, 335, 339).

10 **4. Auf- und Feststellung; Prüfung; Offenlegung. a) Aufstellung und Feststellung.** Aufstellung von Eröffnungsbilanz und Bericht ist Pflicht der Abwickler (§ 270 I). **Frist** für nicht kleine Kapitalgesellschaften: drei Monate nach Auflösung (§ 264 I 2 HGB iVm § 270 II 2). Fehlen hinreichender Gesellschaftsmittel ist kein Befreiungsgrund (KGJ 30 A 125, 127; hM). Notfalls **Zwangsgeld** nach § 407 I. Feststellung obliegt allein der HV (zwingend); § 172 gilt nicht. Der Feststellung muss die **Prüfung** vorausgegangen sein (§ 316 I 2 HGB iVm § 270 II 2), es sei denn, dass das Gericht nach § 270 III befreit hat (zur Prüfung → Rn. 11 f.). Rechtsfolge unterbliebener Prüfung: Nichtigkeit des Feststellungsbeschlusses und damit der Bilanz nach § 256 I Nr. 2.

11 **b) Prüfung.** Eröffnungsbilanz und Erläuterungsbericht einer nicht kleinen Kapitalgesellschaft unterliegen im **Regelfall der Pflichtprüfung** (§§ 316 ff. HGB iVm § 270 II 2). Der Prüfer wird von HV gewählt (§ 318 I 1 HGB iVm § 119 I Nr. 5, § 270 II 2). Den Prüfungsauftrag erteilt der AR (§ 111 II 3 iVm § 270 II 2); s. zu den Einzelheiten → § 111 Rn. 42 ff. Erforderlich sind der schriftliche Prüfungsbericht und ggf. das Testat (§§ 321, 322 HGB iVm § 270 II S. 2); zum Inhalt des Bestätigungsvermerks s. Förschle/Deubert WPg 1993, 397, die S. 399 ff. eine Bestätigung auch zur Vermögenslage für erforderlich halten. Die Abwickler müssen Eröffnungsbilanz und Erläuterungsbericht unverzüglich dem AR vorlegen (§ 170 I iVm § 270 II 2), der seinerseits zu prüfen hat (§ 171 I 1 iVm § 270 II 2). Den Prüfungsbericht leitet der Prüfer dem AR unmittelbar zu (§ 321 V 2 HGB; → § 170 Rn. 2).

12 **Befreiung von der Prüfungspflicht.** Nach § 270 III 1 kann Gericht von Prüfungspflicht befreien. Das gilt über § 270 II 2 auch für Eröffnungsbilanz und Erläuterungsbericht (BT-Drs. 10/4268, 86, 128). Vorausgesetzt sind **überschaubare Gesellschaftsverhältnisse.** Daran fehlt es, wenn während der Abwicklung noch wesentliche Geschäftstätigkeit zu erwarten steht (so schon Amtl. Begr. zu § 211 AktG 1937, RAnz. 1937 Nr. 28, 2. Beil.), ferner, wenn aufgrund bisheriger Mängel, persönlicher Unzuverlässigkeit der Verantwortlichen oder atypischer Begleitumstände Zweifel an ordnungsmäßiger Abwicklung bestehen (hM). Unternehmensgröße allein steht Befreiung nicht entgegen (str., aA Adler, Abwicklungsbilanzen, 1956, 19). **Zuständig** ist Amtsgericht (§ 23a I Nr. 2, II Nr. 4 GVG iVm § 375 Nr. 3 FamFG) des Gesellschaftssitzes (§ 14 iVm §§ 376 f.

FamFG), in dessen Bezirk ein LG seinen Sitz hat (Abweichungsmöglichkeit der Länder nach § 376 II FamFG; Überblick bei Sternal/Eickelberg FamFG § 376 Rn. 11 ff.). Rechtsmittel ist gem. § 270 III 2 Beschwerde mit Monatsfrist des § 63 FamFG.

c) Offenlegung. Gem. §§ 325 ff. HGB iVm § 270 II 2 ist Offenlegung erforderlich. An die Stelle des Vorstands treten die Abwickler. Notfalls Zwangsgeldverfahren gem. § 335 I 1 Nr. 1 HGB. 13

IV. Abwicklungsjahresabschluss und Lagebericht; Entlastung

1. Jahresbilanz; GuV; Anhang. § 270 I verlangt Abwicklungsjahresabschlüsse und zugehörige Lageberichte. Anwendbar sind gem. § 264 II die Vorschriften über die Rechnungslegung der werbenden AG (RegBegr. BT-Drs. 10/4268, 86, 128), freilich nur in den Grenzen des Abwicklungszwecks. Daraus folgt für die **Abwicklungsjahresbilanz:** Wie Eröffnungsbilanz (→ Rn. 7) dient sie jedenfalls nicht der Gewinnermittlung, weil während der Abwicklung keine Dividende gezahlt wird (§§ 271, 272). Zweck ist, periodisch eine Übersicht über den Vermögensstand und das Fortschreiten der Abwicklung zu geben (Forster FS Knorr, 1968, 77, 86; hM), und zwar wegen gebotener Bilanzkontinuität (§ 252 I Nr. 1 und 6 HGB) nach den für die Eröffnungsbilanz geltenden Gliederungs-, Ansatz- und Bewertungsregeln (→ Rn. 6 ff.; MüKoAktG/J. Koch Rn. 54). Dagegen besteht keine Kontinuität zwischen letztem Abschluss der werbenden AG (→ Rn. 3) und Abwicklungsjahresabschluss. Zu bilanzieren ist für jedes Jahr der Abwicklung. Die Abschlüsse müssen deshalb auf Tag und Monat der Eröffnungsbilanz (Auflösungstag) aufgestellt werden. Wenn stattdessen das bisherige Geschäftsjahr beibehalten werden soll (zulässig, vgl. RegBegr. Kropff S. 360), muss HV so beschließen (KG JW 1931, 2993; ADS Rn. 25; KK-AktG/Winnen Rn. 45; hM). 14

Für **GuV** gelten **Gliederungsvorschriften** der §§ 275 ff. HGB iVm § 264 II, ferner § 158, alles iRd Abwicklungszwecks (→ Rn. 14). Erforderlich sind weiter Anh. und Lagebericht. **Anhang:** vgl. §§ 284 ff. HGB, § 160. Bilanzierungs- und Bewertungsmethoden sind offenzulegen (§ 284 II Nr. 1 HGB). Einzelangaben nach § 160 I Nr. 4 sind entbehrlich. Für die Anwendung des § 285 Nr. 9 und 10 HGB treten die Abwickler an die Stelle der Vorstandsmitglieder. Vgl. iÜ Forster FS Knorr, 1968, 77, 90 ff. 15

2. Lagebericht. § 270 I verpflichtet die Abwickler auch zur Aufstellung eines Lageberichts, wobei allerdings Erleichterungen in § 264 I 4 HGB, § 267 I HGB, § 267a II HGB auch hier gelten (Henssler/Strohn/Drescher Rn. 8; B/K/L/Füller Rn. 26). § 289 HGB gilt iRd Abwicklungszwecks (§ 264 II). Mindestinhalt sind danach der Verlauf der Abwicklung und die Lage der Gesellschaft (§ 289 I HGB). 16

3. Auf- und Feststellung; Prüfung; Offenlegung. Insoweit kann auf die zur Abwicklungseröffnungsbilanz geltenden Grundsätze zurückgegriffen werden (→ Rn. 10–12). 17

4. Entlastung. Die HV beschließt nach § 270 II 1 über die Entlastung der Abwickler und der AR-Mitglieder. Bedeutung wie bei § 120, nicht wie bei der Billigung der Schlussrechnung (→ § 273 Rn. 3). An die Stelle der Verhandlung über den Bilanzgewinn (§ 120 III) tritt wegen §§ 271, 272 die Verhandlung über den Abwicklungsjahresabschluss. 18

Verteilung des Vermögens

271 (1) **Das nach der Berichtigung der Verbindlichkeiten verbleibende Vermögen der Gesellschaft wird unter die Aktionäre verteilt.**

(2) **Das Vermögen ist nach den Anteilen am Grundkapital zu verteilen, wenn nicht Aktien mit verschiedenen Rechten bei der Verteilung des Gesellschaftsvermögens vorhanden sind.**

(3) [1] **Sind die Einlagen auf das Grundkapital nicht auf alle Aktien in demselben Verhältnis geleistet, so werden die geleisteten Einlagen erstattet und ein Überschuß nach den Anteilen am Grundkapital verteilt.** [2] **Reicht das Vermögen zur Erstattung der Einlagen nicht aus, so haben die Aktionäre den Verlust nach ihren Anteilen am Grundkapital zu tragen; die noch ausstehenden Einlagen sind, soweit nötig, einzuziehen.**

I. Regelungsgegenstand und -zweck

1 § 271 betr. Verteilung des Abwicklungsüberschusses. Norm stellt zunächst klar, dass das Verbot der Einlagenrückgewähr (§ 57) mit Befriedigung oder Sicherung der Gläubiger sowie Ablauf der Sperrfrist (§§ 271, 272) endet. Ferner begründet Ges. die **organschaftliche Zuständigkeit der Abwickler** für das Verteilungsverfahren. Ungeachtet des Rechts der Aktionäre auf den Abwicklungsüberschuss (→ Rn. 2) entscheiden sie und nicht die HV über Masse, Zeitpunkt und Verfahren der Verteilung. Parallelvorschrift: § 72 GmbHG.

II. Vermögensverteilung unter die Aktionäre

2 **1. Recht auf den Abwicklungsüberschuss.** Aus § 271 folgt, dass die Aktionäre ein Recht auf den Abwicklungsüberschuss haben. **Rechtsnatur:** Aus der Mitgliedschaft folgendes, zunächst nicht selbständig durchsetzbares Vermögensrecht, das sich mit Eintritt der ges. Verteilungsvoraussetzungen in ein auf Zahlung gerichtetes Gläubigerrecht umwandelt (ROHGE 17, 44, 46; KG AG 2009, 905, 906; unstr.). Nicht frei von Schwierigkeiten ist die Frage, ob und ggf. wie das Recht auf den Abwicklungsüberschuss ausgeschlossen werden kann. Jedenfalls **unentziehbar** ist das Recht, wenn es sich in ein Gläubigerrecht umgewandelt hat (RGZ 62, 56, 60 f.; BGHZ 23, 150, 152 ff. = NJW 1957, 588 zur Dividende). IÜ lässt hM den Ausschluss in der ursprünglichen Satzung zu; nachträglich soll er dagegen nur mit Zustimmung aller betroffenen Aktionäre möglich sein (Henssler/Strohn/Drescher Rn. 2; MüKoAktG/J. Koch Rn. 7; KK-AktG/Winnen Rn. 9). Dem Zweiten ist beizupflichten, weil es sich um ein Individualrecht handelt. Das Erste ist zumindest für den praktischen Hauptfall eines gemeinnützigen Zwecks wegen §§ 51 ff., 55 I Nr. 2, 4 AO anerkannt (statt aller MüKoAktG/J. Koch Rn. 6). Nach heute hM gilt dasselbe aber auch bei anderer AG, da § 58 III und IV darauf schließen lassen, dass Aktionär vor derartigen Abweichungen nicht geschützt ist (BeckOGK/Bachmann Rn. 6 f.; Henssler/Strohn/Drescher Rn. 7; KK-AktG/Winnen Rn. 8; Sethe ZHR 162 [1998], 474, 483 ff.; Sethe ZIP 1998, 770, 772). Dieser Rückschluss bleibt allerdings zweifelhaft, da Eingriff in das Vermögenssubstrat der Mitgliedschaft schwerer wiegt als Beeinträchtigung des Gewinnstammrechts (ausf. MüKoAktG/J. Koch Rn. 6). Zum grds. Anspruch auf Abwicklung in Natur vgl. → § 268 Rn. 4.

3 **2. Abwicklungsüberschuss: Begriff und Feststellung.** Abwicklungsüberschuss ist das Vermögen, das nach der Berichtigung der Verbindlichkeiten verbleibt. Befriedigung der Gläubiger hat unbedingten Vorrang vor jeder Ver-

mögensverteilung. Wie sich die Abwickler über den Bestand der Verteilungsmasse Klarheit zu verschaffen haben, sagt § 271 nicht. Auch § 273 I führt insoweit nicht weiter, weil die Schlussrechnung erst nach der Verteilung zu legen ist. Die Pflichten eines ordentlichen und gewissenhaften Amtswalters fordern die Aufstellung einer **Schlussbilanz samt eines Verteilungsplans** (BeckOGK/Bachmann Rn. 8; vgl. zur GmbH auch Noack/Servatius/Haas/Haas GmbHG § 71 Rn. 28 f.). Eine Feststellung durch die HV ist wegen der alleinigen organschaftlichen Zuständigkeit der Abwickler (→ Rn. 1) weder erforderlich noch möglich.

3. Zeitpunkt und Verfahren. Mit Verteilung darf **frühestens nach Ablauf des Sperrjahrs** begonnen werden (§ 272 I; vgl. → § 272 Rn. 2). Die Modalitäten hat Ges. nicht geregelt. Enthält auch Satzung keine Regelung (dazu Sethe ZHR 162 [1998], 474, 485; Sethe ZIP 1998, 770, 772), so entscheiden die Abwickler, die dabei dem Leitbild des ordentlichen und gewissenhaften Abwicklers (§ 93 iVm § 264 II) gerecht werden müssen. Einzelfragen: Aufforderung an Aktionäre, Ansprüche geltend zu machen, ist bei nicht voll überschaubaren Verhältnissen erforderlich; sie kann durch **Bek.** in Gesellschaftsblättern (§ 25) erfolgen (hM). **Legitimation** der Aktionäre erfolgt bei Inhaberaktien idR durch Vorlegung der Aktienurkunde (RG LZ 1914 Sp. 174 Nr. 5; hM) oder einer Hinterlegungsbescheinigung. Bei Namensaktien richten sich die Abwickler nach Eintragung im (ordnungsgem. geführten) Aktienregister (§ 67 II). **Risiko mehrfacher Inanspruchnahme** kann nach zu Recht hM nicht dadurch vermieden werden, dass AG nur gegen **Aushändigung der Urkunde** leistet. Darauf besteht kein Anspruch, weil das Papier in den Fällen des § 273 I (Entgegennahme der Schlussrechnung), III oder IV noch zur Legitimation benötigt wird (LG München I WM 1958, 1111). IÜ ist Anspruch auf Aushändigung auch nicht mit den modernen Rahmenbedingungen eines zunehmend entmaterialisierten Wertpapierbegriffs zu vereinbaren (BeckOGK/Bachmann Rn. 10). **Quittungsanspruch:** § 368 BGB. Schließlich sind **Namen und Anschriften der Zahlungsempfänger** festzuhalten (näher MüKoAktG/J. Koch Rn. 16). 4

4. Verjährung; Anspruchsausschluss; Hinterlegung. Für Verjährung hat bislang hM auf Namensaktien regelmäßige Verjährung gem. §§ 195, 199 I BGB angewandt, auf Inhaberaktien dagegen § 801 I BGB mit der Folge, dass Anspruch auf Abwicklungsüberschuss einer Ausschlussfrist von 30 Jahren seit Eintritt der Verteilungsvoraussetzungen unterliegt (so noch S/L/Riesenhuber, 3. Aufl. 2015, Rn. 12). Da diese Differenzierung kaum überzeugt und ein derart unbefriedigender teleologischer Befund keine Grundlage eines Analogieschlusses sein kann, erscheint Gegenauffassung vorzugswürdig, die beide Gestaltungen allg. Verjährungsregeln nach **§§ 195, 199 I BGB** unterwirft (Henssler/Strohn/Drescher Rn. 9; MüKoAktG/J. Koch Rn. 18; KK-AktG/Winnen Rn. 21; jetzt auch S/L/Riesenhuber Rn. 12; wieder anders [§ 801 II BGB analog] BeckOGK/Bachmann Rn. 11; GK-AktG/K. Schmidt Rn. 16). Abkürzung der Verjährung nach § 195 BGB ist als zulässig zu beurteilen. Satzungsfrist darf Recht des Aktionärs aber nicht in der Sache beeinträchtigen. **Hinterlegung** ist geboten, wenn sich am Schluss des Verteilungsverfahrens herausstellt, dass nicht alle Aktionäre ihre Abwicklungsquote erhoben haben; anders kann Abwicklung in diesem Fall nicht zu Ende gebracht werden. 5

III. Verteilungsmaßstab bei gleichmäßiger Einlageleistung

Nach § 271 II ist der Abwicklungsüberschuss grds. nach den Anteilen am Grundkapital zu verteilen. Der auf jede Aktie auszuschüttende Betrag bestimmt sich also bei Nennbetragsaktien (§ 8 II) nach dem Verhältnis des Nennbetrags 6 zum Grundkapital, bei Stückaktien (§ 8 III), indem Überschuss durch Aktienzahl dividiert wird. Quotale Beteiligung bezweckt und erreicht Gleichbehandlung der Aktionäre (§ 53a). Eigene Aktien der AG bleiben gem. § 71b außer Ansatz. Verstöße gegen Pflicht zur Beteiligungspublizität sind dann unbeachtlich, wenn sie nicht vorsätzlich geschehen sind und Mitteilung nachgeholt wird (s. § 20 VII AktG, § 44 I 2 WpHG – Henssler/Strohn/Drescher Rn. 5). Sind nach der Satzung Aktien mit verschiedenen Rechten bei der Vermögensverteilung vorhanden (→ § 11 Rn. 4), so gilt zunächst die Satzung. Der nach der Bedienung der Vorzüge verbleibende Überschuss ist nach § 271 II zu verteilen.

IV. Verteilungsmaßstab bei unterschiedlicher Einlageleistung

7 Nach § 271 III muss bei unterschiedlicher Einlagenleistung unterschieden werden, ob die Abwicklungsschlussbilanz (→ Rn. 3) wenigstens ausgeglichen schließt oder ob sich ein Fehlbetrag ergibt, weil der Passivposten Einlagenerstattung höher ist als der Aktivposten Gesellschaftsvermögen. Bei **ausgeglichener Schlussbilanz** endet die Verteilung mit der Erstattung der Einlagen; zeigt sich ein **Überschuss,** so ist dieser nach dem Maßstab des § 271 II auszukehren. Bestehen Vorrechte (→ § 11 Rn. 4), so gehen sie auch den Ansprüchen auf Einlagenerstattung vor, weil § 271 III nur den Maßstab des § 271 II abwandelt, aber nicht das Vorrecht beseitigt (BeckOGK/Bachmann Rn. 12). Wenn sich ein **Fehlbetrag** ergibt, ist nach § 271 III 2 zu verfahren. Erforderlich ist, den auf die einzelne Aktie anteilig entfallenden Fehlbetrag mit dem Anspruch auf Einlagenerstattung zu verrechnen. Fehlbetragsquote bestimmt sich auch hier nach Anteilen am Grundkapital. In Höhe des nach Verrechnung verbleibenden Fehlbetragsanteils muss die Einlage noch geleistet werden. Uneinbringliche Ansprüche sind dem Gesamtfehlbetrag zuzurechnen.

V. Fehlerhafte Verteilung

8 Fehlerhafte, also den Anspruch des Aktionärs verkürzende Verteilung ist Verletzung seines Gläubigerrechts (→ Rn. 2) und löst dieselben Rechtsfolgen aus wie die Verletzung der Rechte anderer Gläubiger. Zum vorbeugenden Rechtsschutz → § 272 Rn. 6, zu Rückgewähr- und Schadensersatzansprüchen → § 272 Rn. 7.

Gläubigerschutz

272 (1) **Das Vermögen darf nur verteilt werden, wenn ein Jahr seit dem Tage verstrichen ist, an dem der Aufruf der Gläubiger bekanntgemacht worden ist.**

(2) **Meldet sich ein bekannter Gläubiger nicht, so ist der geschuldete Betrag für ihn zu hinterlegen, wenn ein Recht zur Hinterlegung besteht.**

(3) **Kann eine Verbindlichkeit zur Zeit nicht berichtigt werden oder ist sie streitig, so darf das Vermögen nur verteilt werden, wenn dem Gläubiger Sicherheit geleistet ist.**

I. Regelungsgegenstand und -zweck

1 Vorschrift betr. sog **Sperrjahr** und bezweckt **Gläubigerschutz** durch vorübergehende Thesaurierung des Gesellschaftsvermögens (→ Rn. 2). Vorausgesetzt ist sachlicher und zeitlicher Vorrang der Gläubigerbefriedigung vor dem Verteilungsinteresse der Aktionäre, wie er sich aus § 271 I ergibt. Norm ist **zwingend;** dagegen verstoßende Satzungsänderung nichtig gem. § 241 Nr. 3, 2. Mod. (BGH NZG 2022, 208 Rn. 9). Auch Zustimmung aller bekannten Gläubiger

entbindet nicht von der Einhaltung des Sperrjahrs (hM, vgl. zB B/K/L/Füller Rn. 2).

II. Verteilungsverbot (Sperrjahr)

§ 272 I verbietet Vermögensverteilung vor Ablauf des Sperrjahrs (zur Verkürzung der Sperrfrist auf zwei Monate bei SPACs-Auflösung s. § 47b III BörsG und → § 23 Rn. 67). **Fristberechnung:** Das für Beginn maßgebende Ereignis ist Bek. des Gläubigeraufrufs nach § 267, wobei einmalige Bek. genügt (→ § 267 Rn. 2). Frist läuft ab Folgetag (§ 187 I BGB). Berechnung ihres Endes nach § 188 II Hs. 1 BGB. Gedankliche Grundlage des § 272 I ist gläubigerschützendes Thesaurierungsgebot, das wegen vorrangiger Gläubigerbefriedigung nicht nur Gesamtvermögensbestand, sondern auch Liquidität sichert (BGH NZG 2009, 659 Rn. 19; NZG 2022, 208 Rn. 10; BeckOGK/Bachmann Rn. 3; K. Schmidt DB 2009, 1971 ff.; aA Erle GmbHR 1998, 216, 218 ff.). Verbotene **Vermögensverteilung** ist deshalb ohne Rücksicht darauf, ob auch ein Verstoß gegen § 57 vorliegt, jede Handlung zugunsten der Aktionäre, die auf Verkürzung des liquiden Gesellschaftsvermögens hinausläuft, zB Abschläge, Gewinnausschüttung (soweit nicht vor Auflösung Gläubigerrechte entstanden sind, → Rn. 3) und grds. auch Darlehen, die gegen Abwicklungsquote verrechnet werden sollen, und zwar ohne Rücksicht auf Verzinslichkeit (BGH NZG 2009, 659 Rn. 21 ff.). Auch durch Hinterlegung zugunsten unbekannter Aktionäre wird Vermögen iSd § 272 I verteilt, und zwar auch dann, wenn AG nicht auf Recht zur Rücknahme verzichtet hat (§ 376 II Nr. 1 BGB – BGH NZG 2022, 208 Rn. 15 ff.) 2

Abgrenzungsprobleme ergeben sich, wenn Gläubiger der AG zugleich Aktionäre sind. **Drittgläubigeransprüche** (zB aus Kauf oder Darlehen) können von den Aktionären ohne Rücksicht auf § 272 I geltend gemacht werden (BGH NZG 2020, 260 Rn. 26; eingehend MüKoAktG/J. Koch Rn. 7). **Zahlungsansprüche aus dem Gesellschaftsverhältnis,** bes. auf Dividende aus vor der Auflösung gefasstem Gewinnverwendungsbeschluss (§ 174; iÜ → § 270 Rn. 5), wandeln sich nicht in unselbständige Rechnungsposten um (so aber Rspr. zu Personengesellschaften, vgl. BGHZ 37, 299, 304 = NJW 1962, 1863; BGH NJW 1981, 2802 f.), sondern können geltend gemacht werden, soweit Grundkapital und ges. Rücklage erhalten bleiben (MüKoAktG/J. Koch Rn. 10; K. Schmidt ZIP 1981, 1 f.). Insoweit muss auch das Sperrjahr des § 272 I nicht abgewartet werden (MüKoAktG/J. Koch Rn. 11; KK-AktG/Winnen Rn. 10; sowie hM zur GmbH; aA K. Schmidt ZIP 1981, 1 f.). Behandlung **kapitalersetzender Aktionärsdarlehen** ist noch ungeklärt; richtig dürfte sein, den Rückzahlungsanspruch als unselbständigen Posten in die Auseinandersetzungsrechnung eingehen zu lassen, also keine Zahlung außerhalb der Vermögensverteilung vorzunehmen (MüKoAktG/J. Koch Rn. 12). 3

III. Hinterlegung

Vermögensverteilung findet nach § 271 I grds. erst statt, wenn die Verbindlichkeiten berichtigt sind. § 272 II und III betr. Sonderfälle, in denen Berichtigung nicht möglich ist. Danach stehen im allg. Hinterlegung und Sicherheitsleistung nach Ermessen der Abwickler zur Auswahl. Kein Ermessen, sondern **Hinterlegungspflicht unter den bes. Voraussetzungen des § 272 II.** Danach muss erstens ein Recht zur Hinterlegung bestehen (vgl. §§ 372, 293 ff., 383 ff. BGB, § 373 HGB). Zweitens darf sich ein bekannter Gläubiger nicht melden (ausf. Niemeyer/König MDR 2014, 749, 750 ff.). Das umfasst jedenfalls Kenntnis der Abwickler von Forderung und Gläubiger. Für weiteres in der AG vorhandenes Wissen gelten Grundsätze der Wissenszurechnung (→ § 78 4

Rn. 24 ff.: ordnungsgem. Wissensorganisation; ausf. Niemeyer/König MDR 2014, 749, 750 f.). Gegen den Wortsinn wird es auch für ausreichend gehalten, dass nur die Forderung bekannt ist (KK-AktG/Winnen Rn. 13; Niemeyer/König MDR 2014, 749, 750 mwN). Notwendig ist positive Kenntnis des Forderungsgrundes und (im Wesentlichen) der Höhe. Forderung muss so substanziiert sein, dass Schätzung gem. § 287 ZPO möglich ist (Niemeyer/König MDR 2014, 749, 751). Kennenmüssen steht nicht gleich (RGZ 92, 77, 80; RG JW 1930, 2943), kann aber durch Wissenszurechnung ersetzt werden (Niemeyer/König MDR 2014, 749, 751 f.). Drittens muss ein Betrag geschuldet sein, also Geldschuld vorliegen. **Rechtsfolge:** Zwar kein Anspruch von Gläubigern auf Hinterlegung, wohl aber darauf, Vermögensverteilung bis zur Hinterlegung zu unterlassen (zu Einzelheiten Niemeyer/König MDR 2014, 749, 753 f.).

IV. Sicherheitsleistung

5 Unter den **Voraussetzungen** des § 272 III hängt Zulässigkeit der Verteilung von Sicherheitsleistung ab. Erster Fall: Berichtigung zZ nicht möglich; das umfasst bedingte oder befristete Forderungen (zu weiteren Fällen: Niemeyer/König MDR 2014, 749, 753). Zweiter Fall: Verbindlichkeit ist streitig. So dann, wenn ein Anspruch erhoben wird (auch außergerichtl.), den Abwickler nach Grund oder Höhe nicht anerkennen können. Wegen offensichtlich unbegründeter Forderungen muss nach allgM keine Sicherheit geleistet werden (zu Einzelheiten Niemeyer/König MDR 2014, 749, 753 f.). **Klagbarer Anspruch** auf Sicherheitsleistung besteht nach zutr. hM nicht (MüKoAktG/J. Koch Rn. 22; KK-AktG/Winnen Rn. 19). Dasselbe Ergebnis erzielt RGZ 143, 301, 302 ff. durch Verneinung der Fälligkeit. **Art und Weise:** §§ 232 ff. BGB (RGZ 72, 15, 20), die aber keine zwingende Regelung enthalten. Die Parteien können anderes vereinbaren, zB Bürgschaft des herrschenden Unternehmens (RGZ 143, 301 f.) ohne Rücksicht auf § 232 II BGB.

V. Verbotene Verteilung

6 **1. Vorbeugender Rechtsschutz.** Gläubiger der AG haben nicht nur Anspruch auf Zahlung oder sonstige Leistung, sondern auch Anspruch auf Unterlassung verbotswidriger Maßnahmen, dagegen nicht auf Sicherheitsleistung, auch dann nicht, wenn unzulässige Verteilung unmittelbar bevorsteht (K. Schmidt ZIP 1981, 1, 4). Stattdessen **Arrestverfahren** wegen des Anspruchs auf Zahlung oder sonstige Leistung (K. Schmidt ZIP 1981, 1, 5) bzw. **einstw. Verfügung** gegen Abwickler wegen des Unterlassungsanspruchs (K. Schmidt ZIP 1981, 1, 5; wohl aA BeckOGK/Bachmann Rn. 12), uU auch gegen AG (Rechtsschutzinteresse insoweit fraglich, diff. MüKoAktG/J. Koch Rn. 28; verneinend BeckOGK/Bachmann Rn. 12; K. Schmidt ZIP 1981, 1, 5).

7 **2. Folgen der Verbotsverletzung.** Verstöße gegen §§ 271, 272 begründen **keine Nichtigkeit nach § 134 BGB;** verbotswidrige Verteilungsgeschäfte bleiben also wirksam (hM, s. RG Warn 1912 Nr. 270; RGZ 92, 77, 79; BGH NJW 1973, 1695 f.; BGH NZG 2022, 208 Rn. 17), es sei denn, dass sie auch gegen § 138 BGB verstoßen. Verbotswidrige Verteilung begründet aber **Rückgewähransprüche** aus § 62 I 1 iVm § 264 III (RGZ 92, 77, 81; RGZ 109, 387, 391 f.; RGZ 124, 210, 215; RG JW 1930, 2943; BGH NZG 2022, 208 Rn. 17; allgM); Verschulden, guter Glaube oder Wegfall der Bereicherung insoweit unerheblich. Daneben bestehen **Schadensersatzansprüche** gegen Abwickler oder Mitglieder des AR, wenn Verstoß gegen § 271 I, § 272 zugleich Voraussetzungen der §§ 93, 268 II bzw. der §§ 93, 116, 264 II erfüllt (KG AG 2009, 905, 907). Die genannten Ansprüche sind solche der AG, nicht der Gläubiger. Sie können

Forderungen jedoch geltend machen, wenn von AG keine Befriedigung zu erlangen ist (§ 62 II, § 93 V, § 116). **Zuständigkeit zum Empfang** liegt bei § 62 II grds. bei AG, solange noch mit anderen Gläubigern zu rechnen ist (dazu und zur anderenfalls greifenden Ausnahme einer Direktklage vgl. MüKoAktG/J. Koch, 5. Aufl. 2020, Rn. 33). Schadensersatzansprüche können dagegen nach **§ 93 V, § 116** – entspr. herkömmlicher Normstruktur (→ § 93 Rn. 170 f.) – jedenfalls dann von Gläubiger zur Zahlung an sich selbst geltend gemacht werden, wenn Löschung noch nicht erfolgt ist, da Normzweck sich dann nicht anders darstellt als in werbender AG (MüKoAktG/J. Koch Rn. 34). BGH hat Direktklage zumindest für den Fall, dass nur ein Gläubiger vorhanden ist, zur Erleichterung der Rechtsdurchsetzung aber auch nach Löschung zugelassen (BGHZ 218, 80 Rn. 55 ff. = NZG 2018, 625; sa BGH NZG 2020, 260 Rn. 24). Das ist trotz Gefahr eines Gläubigerwettlaufs zum Zwecke erleichterter Gläubigerbefriedigung auch auf die Situation zu übertragen, dass mehrere Gläubiger vorhanden sind (MüKoAktG/J. Koch Rn. 34; zweifelnd Böcker DZWiR 2018, 456, 463). Für flankierende Ersatzhaftung aus **§ 272 iVm § 823 II BGB** besteht nach Auffassung des BGH jedenfalls im GmbH-Recht neben § 73 III GmbHG kein Bedarf (BGHZ 218, 80 Rn. 13 ff.). Trotz unterschiedlicher ges. Ausgangslage dürfte diese Rspr. aufgrund Gleichlaufs kapitalgesellschaftsrechtl. Rechtsformen auch auf AG zu übertragen sein (so jetzt auch Henssler/Strohn/Drescher Rn. 7; MüKoAktG/J. Koch Rn. 35; ausf. Vomhof, Die Haftung des Liquidators, 1988, 77 ff.; aA aber noch → 13. Aufl. 2018, Rn. 7; BeckOGK/Bachmann Rn. 15; GK-AktG/K. Schmidt Rn. 16). Dagegen ist Existenzvernichtungshaftung auch noch im Liquidationsstadium möglich (→ § 1 Rn. 26 mwN).

Schluß der Abwicklung

273 (1) [1] **Ist die Abwicklung beendet und die Schlußrechnung gelegt, so haben die Abwickler den Schluß der Abwicklung zur Eintragung in das Handelsregister anzumelden.** [2] **Die Gesellschaft ist zu löschen.**

(2) **Die Bücher und Schriften der Gesellschaft sind an einem vom Gericht bestimmten sicheren Ort zur Aufbewahrung auf zehn Jahre zu hinterlegen.**

(3) **Das Gericht kann den Aktionären und den Gläubigern die Einsicht der Bücher und Schriften gestatten.**

(4) [1] **Stellt sich nachträglich heraus, daß weitere Abwicklungsmaßnahmen nötig sind, so hat auf Antrag eines Beteiligten das Gericht die bisherigen Abwickler neu zu bestellen oder andere Abwickler zu berufen.** [2] **§ 265 Abs. 4 gilt.**

(5) **Gegen die Entscheidungen nach den Absätzen 2, 3 und 4 Satz 1 ist die Beschwerde zulässig.**

Übersicht

I. Regelungsgegenstand und -zweck

1 § 273 betr. **Pflichten der Abwickler** ggü. Registergericht und dessen Maßnahmen am Schluss der Abwicklung. Normzweck ist sachgerechte **Ordnung der registermäßigen Behandlung** des Gesellschaftsendes sowie genaue **Bestimmung des Zeitpunkts, in dem AG erlischt** (Amtl. Begr. zu § 214 AktG 1937, RAnz. 1937 Nr. 28, 2. Beil.). AG soll zur Vermeidung von Missbrauchsgefahren nicht als „leerer Mantel" fortbestehen, sondern aus dem Rechtsverkehr entfernt werden (ausf. → § 262 Rn. 25; anschaulich zu den zahlreichen praktischen Stolperfallen Oltmanns FS Heidel, 2021, 329 ff.: AG ist [fast] nicht tot zu kriegen).

II. Anmeldung und Löschung (§ 273 I)

2 **1. Anmeldung. a) Voraussetzungen.** Anmeldepflicht besteht, wenn Abwicklung beendet und Schlussrechnung gelegt ist (§ 273 I 1). Abwicklung ist beendet, sobald die laufenden Geschäfte ihren Abschluss gefunden haben, die Gesellschaftsgläubiger – soweit möglich – befriedigt worden sind (§ 268 I) und ein danach uU noch verbleibendes Restvermögen unter die Aktionäre verteilt worden ist (§ 271 I). Ist das nicht erfolgt, kann Löschung auch nicht mit Verweis auf mögliche Nachtragsliquidation begründet werden (KG NZG 2021, 125 Rn. 18). Erst wenn AG über keine Vermögenswerte mehr verfügt, die für Gläubigerbefriedigung oder Verteilung unter die Aktionäre in Betracht kommen, ist verteilbares Vermögen nicht mehr vorhanden (BGH NZG 2022, 268 Rn. 11; NZG 2022, 1486 Rn. 8). Weil Verteilung **nicht vor Ablauf des Sperrjahrs** erfolgen darf (§ 267 I, § 272 I), kann Abwicklung vorher nicht beendet sein (RGZ 77, 268, 273; KG JW 1932, 2623, 2625 unter Aufgabe von KGJ 28 A 51; KG DR 1941, 2130). Etwas anderes gilt aber dann, wenn Vermögenslosigkeit der AG bereits vorher feststeht, weil Zweck der Verteilungssperre dann offensichtlich ins Leere geht („Blitzlöschung" – vgl. OLG Hamm GmbHR 2017, 930; OLG Jena ZIP 2016, 25, 26; KG NZG 2023, 75 Rn. 10 ff.; OLG Köln FGPrax 2005, 80 f.; BeckOGK/Bachmann Rn. 4; Henssler/Strohn/Drescher Rn. 2; KK-AktG/Winnen Rn. 10; Freier NZG 2020, 812 ff.; aA S/L/Riesenhuber Rn. 5; entgegen missverständlichem Leitsatz offenlassend OLG Naumburg ZIP 2002, 1529, 1530; einschränkend OLG Celle NZG 2018, 1425; KG NZG 2019, 1294). Registergericht muss allerdings sorgfältig prüfen, ob tats. Vermögenslosigkeit eingetreten ist, um einer missbräuchlichen Vermögensverlagerung auf Gesellschafter entgegenzuwirken (vgl. dazu Munzig FGPrax 2005, 81, 82). Das setzt entspr. Versicherung der Anmelder voraus (OLG Köln FGPrax 2005, 80 f.). Ist Vermögensverlagerung festzustellen, fehlt es an Vermögenslosigkeit, weil AG

dann idR Ersatzansprüche zustehen werden (OLG Düsseldorf NZG 2005, 363 f.; BeckOGK/Bachmann Rn. 4; Henssler/Strohn/Drescher Rn. 2). **Gesellschaftsprozesse** müssen ihren Abschluss gefunden haben (bei Urteilen: Rechtskraft; vgl. RGZ 77, 268, 273). Auch laufendes Steuerverfahren steht Liquidation entgegen (OLG Hamm NZG 2015, 1159 Rn. 14 ff.; sehr str. – vgl. Nachw. in BGH NZG 2022, 268 Rn. 18 [offenlassend]), nicht aber bloße Möglichkeit einer Aufhebung der Steuerfestsetzung (BGH NZG 2022, 268 Rn. 11 ff.) oder Bekanntgabe eines Feststellungsbescheids (BGH NZG 2022, 1486 Rn. 20 ff.). **Hinterlegung** nach § 272 II steht für Abwicklungsende der Befriedigung des Gläubigers gleich, dagegen im Allg. nicht Sicherheitsleistung nach § 272 III (KK-AktG/Winnen Rn. 8). Verbleib eines **Spitzenbetrags,** der vernünftigerweise nicht mehr verteilt werden kann, hindert Abwicklungsende nicht. Insoweit entscheidet HV bei Billigung der Schlussrechnung.

Ferner muss **Schlussrechnung gelegt** sein. Entspr. Pflicht der Abwickler ggü. AG ist in § 273 I 1 vorausgesetzt. Nach allgM handelt es sich dabei um **Rechenschaftslegung iSd § 259 BGB.** Hauptfolge: Bilanz ist nicht erforderlich. Vielmehr genügt geordnete Zusammenstellung von Einnahmen und Ausgaben unter Vorlage der Belege (vgl. zB BeckOGK/Bachmann Rn. 5; MüKoAktG/J. Koch Rn. 6). Bilanz kann jedoch empfehlenswert, wegen der erforderlichen Ordnung im Einzelfall auch geboten sein (abw. Oltmanns FS Heidel, 2021, 329, 336: sinnvoll ist allein Überleitungsrechnung). „Gelegt" ist Schlussrechnung erst, wenn HV Vorlage der Abwickler durch Beschluss gebilligt hat. Herkömmlich spricht man wie bei §§ 120, 270 II von **Entlastung.** Allerdings müssen deren Folgen nicht zwangsläufig mit denen des § 120 identisch sein, sondern sind aus eigenständigem Regelungszweck abzuleiten. So wurde früher zT angesichts des auf Vollbeendigung gerichteten Abwicklungszwecks angenommen, § 120 II 2 komme wie auch § 93 IV 2 nicht zur Anwendung (→ 10. Aufl. 2012, Rn. 3 [Hüffer]). Berücksichtigt man, dass § 120 II 2 gerade den begrenzten Erkenntnismöglichkeiten der HV ggü. Verwaltung Rechnung tragen soll (→ § 120 Rn. 13), sprechen auch hier die besseren Argumente für eine Anwendung (BeckOGK/Bachmann Rn. 6; MüKoAktG/J. Koch Rn. 8; KK-AktG/Winnen Rn. 14; jetzt auch Hölters/Weber/Krebs Rn. 3). Dass sich fortdauernde Ansprüche mit dem Ziel der Vollbeendigung nicht vereinbaren ließen, ist insofern nicht richtig, als Gesetz selbst in § 273 IV Nachtragsabwicklung vorsieht, falls nach Beendigung noch Ansprüche auftreten. Anspruch auf Entlastung haben Abwickler und auch Mitglieder des AR auch hier nicht (so zur GmbH BGHZ 94, 324 = NJW 1986, 129; sa BeckOGK/Bachmann Rn. 6; Henssler/Strohn/Drescher Rn. 3). 3

b) Inhalt. Anzumelden ist **Schluss der Abwicklung,** nicht (wie bis AktG 1937) Erlöschen der Gesellschaftsfirma. Auch § 31 II 1 HGB ist unanwendbar. Mit § 273 I inhaltlich übereinstimmende Regelung enthält § 74 I GmbHG (seit 1993). 4

c) Durchführung. Die Abwickler melden in vertretungsberechtigter Zahl an (§ 269 II). Auch unechte Gesamtvertretung ist zulässig. Form: § 12 HGB. Zuständig ist Registergericht des Gesellschaftssitzes (§ 14). Vorlage der Schlussrechnung und des Entlastungsbeschlusses (→ Rn. 3) ist zwar nicht vorgeschrieben, aber zwecks Prüfung (→ Rn. 6) praktisch unverzichtbar. Notfalls Zwangsgeld gem. § 14 HGB, § 407 I 1 Hs. 2, das nicht gegen AG, sondern gegen Abwickler persönlich festzusetzen ist (GK-HGB/J. Koch/Harnos § 14 Rn. 14). 5

2. Löschung. a) Registerverfahren. Registergericht prüft Anmeldung in formeller und materieller Hinsicht. Es muss sich insbes. davon überzeugen, dass Abwicklung beendet und Schlussrechnung gelegt ist. Ermittlungen werden von Amts wegen geführt (§ 26 FamFG) und sind wegen bes. Tragweite mit erhöhter 6

Sorgfalt vorzunehmen. Gericht kann aber von Vermögenslosigkeit ausgehen, wenn an ihr aufgrund der in der Anmeldung mitgeteilten Tatsachen keine begründeten Zweifel bestehen (BGH NZG 2022, 268 Rn. 9). IÜ steht Umfang der Ermittlungstätigkeit im pflichtgem. Ermessen des Registerrichters (BGH NZG 2022, 268 Rn. 9). Anmeldung vor Ablauf des Sperrjahrs ist zurückzuweisen (Nachw. in → Rn. 2). Bei ordnungsgem. Anmeldung verfügt Gericht Eintragung des Abwicklungsschlusses, weil darauf der Antrag gerichtet ist, und außerdem gem. § 273 I 2 die Löschung der Gesellschaft; diese von Amts wegen. Zweckmäßig ist Verbindung beider Eintragungen: „Die Abwicklung ist beendet. Die Gesellschaft ist gelöscht." Einzutragen ist in Abteilung B Sp. 6 (§ 43 Nr. 6 lit. k HRV). Bek.: § 10 HGB.

7 **b) Wirkungen im Allgemeinen.** Rspr. zur Wirkung der Löschung betr. vor allem GmbH und hier § 394 FamFG (→ § 262 Rn. 25 ff.), doch ist anerkannt, dass für AG und für Vermögenslosigkeit als Abwicklungsfolge iSd § 273 I 2 keine anderen Grundsätze gelten können. Es finden sich daher auch hier die in → § 262 Rn. 23 f. vertretenen Positionen. Nach heute ganz hM hat Löschung der AG nicht nur deklaratorische Bedeutung, sondern **konstitutive Wirkung** (→ § 262 Rn. 23). Weiterhin umstr. ist, ob diese Wirkung allein durch Löschung ausgelöst wird oder nach der im GmbH-Recht herrschenden Lehre vom Doppeltatbestand erst dann, wenn überdies Vermögenslosigkeit eingetreten ist. Nach richtiger Auffassung wirkt Löschung auch dann konstitutiv, wenn Abwicklungsende nur vermeintlich erreicht war; an Stelle der erloschenen jur. Person tritt uU Nachgesellschaft (→ § 262 Rn. 23).

8 **c) Einzelfragen.** Konsequenzen der Löschung zu formulieren, bereitet konstruktive Schwierigkeiten, da sie unterschiedlich ausfallen, je nachdem, ob Löschung berechtigt oder unberechtigt erfolgt, und im letztgenannten Fall überdies unterschiedliche Vorstellungen in Rspr. und Lit. vom Wesen der dann fortbestehenden AG (→ Rn. 7) Übersicht weiter erschweren; Im Fall **berechtigter Löschung** erlöschen mit Registereintragung auch **Schulden** vermögensloser AG, weil es keine Verbindlichkeiten ohne Schuldner gibt (hM, vgl. BGHZ 74, 212, 215 = NJW 1979, 1592; Beitzke NJW 1952, 841 f.; aA ohne Begr. BGH NJW 1981, 47). Gegenauffassung konstruiert auch für diesen Fall „theoretisch ewig bestehende latente Nachgesellschaft" (BeckOGK/Bachmann Rn. 12, 14) bzw. „schwebend nichtexistente" AG (H. Schmidt, Zur Vollbeendigung juristischer Personen, 1989, 181), die von (unberechtigt gelöschter) Nachgesellschaft (→ § 262 Rn. 23a) nochmals zu unterscheiden sein soll. Damit soll insbes. erreicht werden, **Fortbestand akzessorischer Sicherheiten** (Bürgschaft, Hypothek) zu sichern. Es ist indes zweifelhaft, ob es derart anspruchsvoller Konstruktion zu diesem Zweck tats. bedarf. Vielmehr genügt einschränkende Auslegung akzessorietätsbegründender Normen, die ihrerseits mit Rücksicht auf Sicherungszweck geboten ist (BGHZ 82, 323, 326 ff. mwN = NJW 1982, 875; BGHZ 105, 259, 260 ff. = NJW 1989, 220; BGH NJW 2012, 1645 Rn. 12; Henssler/Strohn/Drescher Rn. 6; MüKoAktG/J. Koch Rn. 15 iVm § 262 Rn. 86; KK-AktG/Winnen Rn. 21). Auch fingierter Fortbestand gesicherter Forderungen, wie er wohl BGHZ 48, 303, 307 = NJW 1968, 297 zugrunde liegt, ist danach nicht mehr erforderlich. Neubegründung solcher Rechte ist nach Löschung allerdings nicht mehr möglich, auch nicht durch Schuldbeitritt (str.; aA BGH NJW 1981, 47). **Unberechtigte Löschung** wirft mit Blick auf Schulden hingegen weniger Probleme auf: Sofern noch Vermögen vorhanden ist, tritt an die Stelle der untergegangenen jur. Person Nachgesellschaft, die dann auch Träger fortbestehender Verbindlichkeiten sein kann (insofern übereinstimmend BeckOGK/Bachmann Rn. 12, 14). Zu weiteren Folgeproblemen unberechtigter Löschung (noch Abwicklungsmaßnahmen nötig) vgl. § 273 IV; → Rn. 13 ff.

Seit jeher Schwierigkeiten bereiten **Prozesse** der gelöschten AG. Aktivprozesse der AG hindern im Regelfall Löschung; bei Passivprozessen besteht solche Regel nicht (→ § 262 Rn. 27). Ist Löschung zu Unrecht erfolgt, gilt für **Aktivprozesse:** AG ist zwar als jur. Person untergegangen, aber als mit dieser identische Nach-AG weiterhin rechts- und parteifähig. Sie ist aber dennoch prozessunfähig, weil sie mit Löschung Vertretungsorgan verloren hat (MüKoAktG/J. Koch Rn. 16; Lindacher FS Henckel, 1995, 549, 556 ff.); Amt des Abwicklers ist mit Löschung beendigt (OLG Hamburg GmbHR 1996, 860, 861). Prozess wird im Parteiprozess nach § 241 ZPO unterbrochen, bei anwaltlicher Vertretung erfolgt hingegen nur auf Wunsch Aussetzung gem. § 246 ZPO (BeckOGK/Bachmann Rn. 15; Noack/Servatius/Haas/Haas GmbHG § 74 Rn. 18; HCL/Paura GmbHG § 74 Rn. 34; Lindacher FS Henckel, 1995, 549, 559 f.). Auch ohne Aussetzung muss spätestens im Zeitpunkt der letzten mündlichen Verhandlung Prozessfähigkeit durch Liquidatorenbestellung wieder hergestellt sein (Buchner, Amtslöschung, Nachtragsliquidation und masselose Insolvenz von Kapitalgesellschaften, 1998, 154; Lindacher FS Henckel, 1995, 549, 559 f.). Auch im **Passivprozess** verliert gelöschte Partei bei unberechtigter Löschung zumindest ihre Prozessfähigkeit. Kläger muss in diesem Fall nicht nur substanziiert legitimen Abwicklungsbedarf behaupten (OLG München NZG 2017, 1071 Rn. 20; Noack/Servatius/Haas/Haas GmbHG § 74 Rn. 19), sondern auch die registergerichtl. Bestellung eines Nachtragsliquidators veranlassen (OLG Frankfurt NZG 2015, 626 Rn. 18). Hinsichtlich des materiellen Abwicklungsbedarfs genügt es, wenn der AG aus anderen rechtskräftig abgeschlossenen Verfahren noch **Kostenerstattungsansprüche** zustehen (OLG Frankfurt NZG 2015, 626 Rn. 14; OLG München NZG 2017, 1071 Rn. 20; BeckOGK/Bachmann Rn. 17; Henssler/Strohn/Drescher Rn. 10), und zwar auch dann, wenn sie Rechtsmittel gegen ihre Verurteilung eingelegt hat und ihr im Falle des Obsiegens ein solcher Anspruch zustehen würde (BGH NJW-RR 1986, 395; WM 1991, 765 766; BGHZ 159, 94, 101 = NJW 2004, 2523; BeckOGK/Bachmann Rn. 17; Henssler/Strohn/Drescher Rn. 10). Ebenso genügt Ersatzanspruch gegen Liquidator (KG NZG 2023, 1188 Rn. 15). Dagegen genügt es nicht, wenn der Kläger auf einen etwaigen Kostenerstattungsanspruch der AG im konkreten Passivprozess verweist, da es widersprüchlich wäre, wollte er Nachexistenz der gelöschten AG aus einem Umstand ableiten, der die Abweisung der eigenen Klage voraussetzt (BGHZ 74, 212, 213 f. = NJW 1979, 1592; BGH ZIP 1981, 1268; BeckOGK/Bachmann Rn. 17; MüKoAktG/J. Koch Rn. 17; Lindacher FS Henckel, 1995, 549, 560 f.; aA OLG Koblenz NZG 1998, 637, 638). 9

III. Bücher und Schriften (§ 273 II und III)

1. Hinterlegung. § 273 II begründet Hinterlegungspflicht der Abwickler (notfalls: Zwangsgeld nach § 407 I) und **ergänzt** damit **§ 257 HGB. Gegenstand** der Hinterlegung sind alle Unterlagen iSd § 257 HGB (auch elektronisch geführte – OLG Celle NZG 2018, 265 Rn. 8), ferner Schriftstücke wie Aktienregister (§ 67) und insbes. Abwicklungsunterlagen (BayObLGZ 1967, 240, 242 = NJW 1968, 56), etwa Schlussrechnung und Belege über den Gläubigeraufruf. Bei Unternehmensveräußerung beschränkt sich Hinterlegung auf Veräußerungsvertrag und diejenigen Schriftstücke, die (wie Abwicklungsunterlagen) nicht auf Erwerber übergehen. IÜ tritt dieser in Aufbewahrungspflicht des § 257 HGB ein (ROHGE 19, 419 f.). **Ort** der Aufbewahrung bestimmt Gericht von Amts wegen. Abwickler können Vorschläge machen und dazu auch aufgefordert werden (Bsp.: Banken, Treuhandgesellschaften, Rechtsanwalts-, Steuerberater- oder Wirtschaftsprüferkanzleien, vgl. Oltmanns FS Heidel, 2021, 329, 339 f.: iÜ von zuständigem HR abhängig). Hinlänglich sicher ist Aufbewahrung bei (genau zu 10 bezeichnender) Bank oder Treuhandgesellschaft. **Kosten** fallen der AG zur Last. Entspr. Mittel sind bei Abwicklung zurückzubehalten und wegen Wegfalls des Schuldners vorschussweise zu zahlen (NK-AktR/Wermeckes Rn. 10). **Frist:** zehn Jahre ab Hinterlegung. Länger laufende ges. Fristen (§ 257 V HGB, § 147 AO) bleiben unberührt.

11 **2. Einsichtnahme. Einsichtsberechtigte** sind nach § 273 III Aktionäre und Gläubiger, sofern sie ein berechtigtes Interesse an der Einsichtnahme haben (so auch OLG Celle NZG 2018, 265 Rn. 6; B/K/L/Füller Rn. 7; MüKoAktG/J. Koch Rn. 23; S/L/Riesenhuber Rn. 9; NK-AktR/Wermeckes Rn. 11; KK-AktG/Winnen Rn. 35; aA BeckOGK/Bachmann Rn. 22; Henssler/Strohn/Drescher Rn. 12). Glaubhaftmachung genügt (str.). Unter der genannten Voraussetzung steht das Recht auch früheren Aktionären zu (hM), dagegen nicht früheren Gläubigern. Gemeint sind nur solche, die bei der Abwicklung ganz oder teilw. ausgefallen sind. Unberührt bleibt das allg. Einsichtsrecht des § 810 BGB.

12 **Inhalt des Rechts** ist Einsichtnahme, die inhaltlich nicht weiter eingeschränkt ist (OLG Celle NZG 2018, 265 Rn. 7); Notizen, Abschriften, Fotokopien sind bei angemessenem zeitlichem Aufwand zuzulassen (allgM), auch Zuziehung eines neutralen Sachverständigen (vgl. zB BGHZ 25, 115, 123 mwN = NJW 1957, 1555; BGH DB 1962, 1139 zu §§ 118, 166 HGB [in bis 1.1.2024 geltender Fassung]). Dagegen gibt § 273 III keinen Anspruch auf Aushändigung der Bücher und Schriften, auch nicht auf Erteilung von Abschriften. Umstr. ist, ob Kopie von Datensätzen zulässig ist. Bessere Gründe sprechen dafür, Frage zu verneinen. Zwar kann damit der Gefahr einer unkontrollierbaren Vervielfältigung und Verbreitung nicht mit letzter Sicherheit entgegengewirkt werden, doch kann sie auf diesem Wege zumindest eingedämmt werden; auch der Wortlaut („Einsicht gestatten") deckt Ausdehnung auf Kopie ganzer Datensätze nicht (MüKoAktG/J. Koch Rn. 26; aA B/K/L/Füller Rn. 7; Noack/Servatius/Haas/Haas GmbHG § 74 Rn. 12). Zu den **Verfahrensfragen** vgl. MüKoAktG/J. Koch Rn. 28 f. Die str. Frage, ob Registergericht die von ihm angesprochene Gestattung der Einsichtnahme durch Festsetzung von **Zwangsgeld gem. § 35 FamFG** gegen den Verwahrer durchsetzen kann (Alternative: Klage des Einsichtsberechtigten und Vollstreckung), ist mit der Rspr. zu bejahen (KG JW 1937, 2289; OLG Oldenburg BB 1983, 1434; sa BeckOGK/Bachmann Rn. 23; B/K/L/Füller Rn. 8).

IV. Nachtragsabwicklung (§ 273 IV)

13 **1. Grundlagen.** Unter den Voraussetzungen des § 273 IV findet Nachtragsabwicklung statt. Das ist bloßes **Ergänzungsverfahren,** mit dem nur vermeintlich abgeschlossene Abwicklung (§ 273 I) tats. zu Ende gebracht werden soll (BayObLGZ 1955, 288, 292; MüKoAktG/J. Koch Rn. 30; KK-AktG/Winnen Rn. 40). Das dogmatische Hauptproblem liegt in **Zuordnung subj. Rechte** an nachträglich aufgefundenen Vermögensgegenständen. Lösung kann bei Löschung wegen vermeintlichen Abwicklungsendes nicht anders ausfallen als bei Löschung wegen vermeintlicher Vermögenslosigkeit (→ § 262 Rn. 23 f.; → § 264 Rn. 12). Weil AG infolge konstitutiver Wirkung der Löschung als jur. Person untergegangen ist (→ Rn. 7), steht sie als Rechtsträger nicht mehr zur Verfügung, wohl aber eine mit ihr identische, körperschaftlich strukturierte Gesellschaft sui generis in Nachexistenz (→ § 262 Rn. 23a). Entspr. Anwendung des § 273 IV hat BGH dort anerkannt, wo Gesellschaft ausländischen Rechts infolge der Löschung im Register ihres Heimatstaates ihre Rechtsfähigkeit verliert. Sie besteht für ihr in Deutschland belegenes Vermögen entspr. den für **Rest- oder Spaltgesellschaft** geltenden Grundsätzen fort (→ § 14 Rn. 4), so dass für einzel-

ne Abwicklungsmaßnahmen Nachtragsliquidator entspr. § 273 IV 1 (kein Pfleger entspr. § 1913 BGB) zu bestellen ist (BGHZ 212, 381 Rn. 11 ff. = NZG 2017, 347; KG AG 2019, 431, 432).

2. Notwendigkeit weiterer Abwicklungsmaßnahmen. Bestellung von Nachtragsabwicklern erfolgt nur, wenn nach Löschung weitere Abwicklungsmaßnahmen notwendig werden; so dann, wenn noch **verteilungsfähiges Vermögen** (zB Einlagenansprüche, Schadensersatzansprüche, Deckungsansprüche gegen Versicherung) aufgefunden wird (BayObLGZ 1983, 130, 136; BayObLG ZIP 1985, 33 f.; FGPrax 2004, 297, 298; OLG Düsseldorf AG 2013, 469, 470; OLG Frankfurt NZG 2015, 626 Rn. 24 f.). Antragsteller muss schlüssig darlegen, dass behaupteter Anspruch auch realisiert werden kann (BayObLG ZIP 1985, 33 f.). **Ungedeckte Verbindlichkeiten** allein rechtfertigen ohne korrespondierendes Vermögen nach hM schon deshalb keine Nachtragsabwicklung, weil sie mit Löschung untergehen (→ Rn. 8); auch ist nicht erkennbar, was Nachtragsabwickler tun sollen, wenn nichts zu verteilen ist (sa B/K/L/Füller Rn. 1; KK-AktG/Winnen Rn. 43). **Notwendigkeit von Erklärungen** oder Zustellungen (Freigabe im Hinterlegungsverfahren, Löschungsbewilligung; Steuerbescheid; → § 264 Rn. 13) rechtfertigt dagegen nach hM Bestellung von Nachtragsabwicklern (vgl. zur GmbH BGHZ 105, 259, 262 = NJW 1989, 220; BFHE 169, 294, 297 f. = NJW 1993, 2133; BayObLGZ 1955, 288, 295; BayObLGZ 1993, 32, 333; OLG Frankfurt WM 1982, 1266, 1267; OLG Hamm FGPrax 1997, 33; KG NZG 2023, 73 Rn. 14; ZIP 2023, 79, 80; OLG Köln FGPrax 2003, 86, 88; OLG Frankfurt NZG 2015, 626 Rn. 21). Dem ist mit Rücksicht auf die gewollt flexible Textfassung des § 273 IV zuzustimmen, obwohl in der Sache nur pflegerähnlich einzelne Geschäfte besorgt werden (→ § 264 Rn. 13). 14

3. Bestellung von Nachtragsabwicklern. Erforderlich ist nach § 273 IV 1 **Antrag** eines Beteiligten; von Amts wegen ist Bestellung nicht möglich (OLG Bremen NZG 2016, 626 Rn. 18). Beteiligt sind nach allgM frühere Aktionäre, und zwar als einzelne (OLG Koblenz ZIP 2007, 2166 zur GmbH), sofern sie noch im Zeitpunkt der Löschung Aktionäre waren (OLG Jena AG 2001, 536), ferner Gläubiger (auch Finanzverwaltung, zB für Hilfsanspruch auf Duldung der Betriebsprüfung, BayObLGZ 1983, 130, 135 ff.; BayObLG ZIP 1985, 33 f.), frühere Organmitglieder, bes. Abwickler, ferner an der Abgabe von Erklärungen Interessierte. Voller Nachw. der Notwendigkeit weiterer Abwicklungsmaßnahmen ist nicht zu fordern, wohl aber **Glaubhaftmachung** entspr. Tatsachen (OLG Düsseldorf AG 2013, 469, 470; sa OLG Düsseldorf NZG 2023, 1228 Rn. 11: durch substanziierte Behauptungen nachvollziehbar darlegen). Zuständigkeit liegt beim Amtsgericht, und zwar gem. § 23a II Nr. 4 GVG iVm § 375 Nr. 3 FamFG (s. KG AG 1992, 29, 30), das gem. § 17 Nr. 2 lit. c RPflG durch den Rechtspfleger (nicht: Richter) entscheidet. 15

Begründeter Antrag führt zur **Neubestellung** von Abwicklern. Sie ist auch dann nötig, wenn Gericht frühere Abwickler wiederbestellen will (heute allgM, auch zur GmbH, s. BGHZ 53, 264, 266 ff. = NJW 1970, 1044; BGH NJW 1985, 2479; BGHZ 155, 121, 124 = NJW 2003, 2676; BayObLG NZG 2001, 408, 409; OLG Hamm FGPrax 2001, 210, 211; OLG Stuttgart AG 1995, 284, 285; anders noch BayObLGZ 1955, 288, 291). Über Person der Nachtragsabwickler entscheidet Gericht nach pflichtgem. Ermessen (BGHZ 53, 264, 269; OLG Frankfurt NZG 2015, 626 Rn. 33). Erforderlich ist jedoch das Einverständnis der in Aussicht genommenen Person (OLG München FGPrax 2008, 171, 173). Wiederbestellung des bisherigen Abwicklers ist fehlerhaft, wenn er gerade aus seiner bisherigen Tätigkeit auf Schadensersatz in Anspruch genommen werden soll (OLG Hamm FGPrax 1997, 33 f.). Nach § 265 IV iVm § 273 IV 2 haben Abwickler Anspruch auf Auslagenersatz und Vergütung. Schuldnerin ist 16

Abwicklungsgesellschaft, nicht Landeskasse. Angesichts der zumindest ungewissen Vermögensverhältnisse der Gesellschaft ist Antragsteller vorschusspflichtig (allgM). Die Abwickler sind gem. § 266 IV grds. in das HR einzutragen (unstr.). Ausn. gilt dann, wenn es sich um Abwickler mit pflegerähnlichen Einzelaufgaben handelt (ebenfalls unstr., vgl. BayObLGZ 1955, 288, 292; OLG München NZG 2011, 38; im konkreten Fall offenlassend KG NZG 2021, 926 Rn. 18 f.; ebenso im Kontext des § 264 II auch BGH NZG 2022, 1357 Rn. 12 ff.: Nichteintragung allenfalls aus verfahrensökonomischen Gründen). Solchermaßen nicht eingetragener Abwickler legitimiert sich mit Bestellungsurkunde (OLG München NZG 2011, 38; einschränkend KG NZG 2021, 926 Rn. 18 ff.: keine Legitimation ggü. Grundbuchamt, wenn seit Erlass bereits ein Jahr vergangen ist).

17 **4. Registerrechtliche Behandlung der gelöschten AG.** Nach hM im GmbH-Recht ist **(Wieder-)Eintragung** der gelöschten Gesellschaft jedenfalls grds. geboten (vgl. statt vieler). Dem hat sich im Kontext des § 66 V GmbHG (Parallelvorschrift zu § 264 II) auch BGH angeschlossen und Ausn. nur aus verfahrensökonomischen Gründen zugelassen (BGH NZG 2022, 1357 Rn. 12 ff. mwN; → § 264 Rn. 15). Abw. Behandlung in Fällen des § 273 IV ließe sich mit Blick auf schon erfolgte Abwicklung rechtfertigen (Bachmann/Baum NZG 2022, 1359, 1360), doch ist solche Unterscheidung in BGH-Entscheidung wohl nicht angelegt. Tats. ist grds. Eintragungspflicht problematisch, weil sie nur dann geboten ist, wenn man mit der im GmbH-Recht herrschenden Lehre vom Doppeltatbestand davon ausgeht, dass Gesellschaft fortexistiert. Mit der hier vertretenen Gegenansicht (→ § 262 Rn. 23a) ist AG hingegen als jur. Person mit der Löschung untergegangen und kann auch nicht durch bloße Eintragung wiederbelebt werden (→ Rn. 7, 13; → § 262 Rn. 23 f.; wie hier BeckOGK/Bachmann Rn. 33; B/K/L/Füller Rn. 10; MüKoAktG/J. Koch Rn. 42 f.). Diese ist auch praktisch entbehrlich, weil Eintragung der Nachtragsabwickler (→ Rn. 16 aE) hinreichend zum Ausdruck bringt, dass Löschung verfrüht vorgenommen wurde. Folgt man dem, so kommt nur bei schwerwiegendem Verfahrensfehler (von Wiedereintragung zu unterscheidende) **Amtslöschung** der Löschung nach § 395 FamFG in Betracht, zB bei Löschung vor Ablauf der Widerspruchsfrist (BayObLGZ 1993, 341, 345 = NJW 1994, 594; BayObLG NJW-RR 1996, 417; NZG 2000, 833, 834; OLG Hamm NZG 2001, 1040, 1041; Piorreck Rpfleger 1978, 157, 159).

18 **5. Rechte und Pflichten der Nachtragsabwickler, besonders Prozessführung.** Ausdr. Regelung über Rechte und Pflichten der Nachtragsabwickler fehlt. **§§ 264 ff.** gelten, soweit mit dem Charakter der Nachtragsabwicklung als Ergänzungsverfahren (→ Rn. 13) vereinbar (augenscheinlich großzügiger im Kontext des § 66 V GmbHG [Parallelvorschrift zu § 264 II] aber BGH NZG 2022, 1357 Rn. 15; krit. Bachmann/Baum NZG 2022, 1359 f.). In erster Linie ist es Aufgabe des Gerichts, den Geschäftskreis der Nachtragsabwickler festzulegen (vgl. OLG München FGPrax 2008, 171, 172). Hat das Gericht etwa für nach Löschung aufgefundenes Vermögen Nachtragsliquidator bestellt und dessen Wirkungskreis auf diese Vermögenswerte beschränkt, gehört es nicht zu seinen Aufgaben, gelöschte AG als werbende Gesellschaft wiederaufleben zu lassen (so zu § 60 I Nr. 7 GmbHG [= § 264 II] KG NZG 2018, 1426 Rn. 10; sa KG NZG 2022, 315 Rn. 10 ff. [zu § 66 V GmbHG, der § 264 II entspr.]). Klage außerhalb dieses Geschäftskreises ist mangels Prozessführungsbefugnis des Nachtragsabwicklers unzulässig (aA OLG Koblenz ZIP 2007, 2166 f.). Wurde Eingrenzung des Wirkungskreises nicht vorgenommen, folgt allein aus Anlass der Nachtragsliquidation (zB Beteiligung an Rechtsstreitigkeit) noch keine inhaltliche Beschränkung (OLG Düsseldorf NZG 2014, 230). Nachträgliche gerichtl. Begrenzung stellt sich dann als Teilabberufung dar, die mit Beschwerde angegriffen

werden kann (OLG Düsseldorf NZG 2014, 230 f.). Geschäftskreis ist aber auf Antrag zu erweitern. Gem. § 273 IV 2 ist § 265 IV anwendbar (→ Rn. 16). Anzuwenden ist auch § 273 I. Wenn Bestellung der Nachtragsabwickler eingetragen war (→ Rn. 16), ist auch Schluss der Nachtragsabwicklung einzutragen. Unpassend und nicht anzuwenden sind nach allgM §§ 267, 270, 272, ferner nicht § 269. Vielmehr bestimmt sich Vertretungsmacht der Nachtragsabwickler nach ihrem im Bestellungsbeschluss festgelegten Geschäftskreis (KG AG 1999, 123, 125 f.; NZG 2021, 926 Rn. 16).

Hinsichtlich **Prozessführung** setzen sich verschiedene Sichtweisen zu den 19
Löschungsfolgen (→ Rn. 7) fort (→ Rn. 9): Wer mit Lehre vom Doppeltatbestand fortdauernde Existenz der AG annimmt, kann auch von fortdauernder Parteifähigkeit ausgehen (§ 50 I ZPO); nur Prozessfähigkeit der gelöschten Gesellschaft (§ 51 ZPO) wird durch Bestellung der Nachtragsabwickler wiederhergestellt (Scholz/Scheller GmbHG § 60 Rn. 73 ff.). Ist Zustellung nicht erfolgt, kann unter den Voraussetzungen des § 57 ZPO ein Prozesspfleger bestellt werden (Piorreck Rpfleger 1978, 157, 160). Vor Löschung erteilte Prozessvollmacht gilt gem. § 86 ZPO fort, so dass Verfahren nicht gem. § 241 ZPO unterbrochen wird; es gilt § 246 ZPO (BGHZ 121, 263, 265 f. = NJW 1993, 1654; BGH NJW-RR 1994, 542; BayObLG FGPrax 2004, 297, 298; OLG Frankfurt NZG 2015, 626 Rn. 29). Nach hier vertretener konstitutiver Wirkung der Löschung (→ Rn. 7, 13) ist demgegenüber **Abwicklungsgesellschaft Partei.** Sieht man sie als im Kern identische körperschaftlich strukturierte AG in Nachexistenz, so bedarf es auch bei Altprozessen keines Parteiwechsels, sondern der Prozess kann unmittelbar von Nachgesellschaft fortgesetzt werden, sobald ihre Prozessfähigkeit wiederhergestellt ist (grundlegend MüKoZPO/Lindacher/Hau ZPO § 50 Rn. 14 f.; Lindacher FS Henckel, 1995, 549, 559 f.; zust. BeckOGK/Bachmann Rn. 34; iE auch OLG Frankfurt NZG 2015, 626 Rn. 32 ff.).

V. Rechtsmittel (§ 273 V)

Rechtsmittel ist nach § 273 V in den dort genannten Fällen **Beschwerde** mit 20
Monatsfrist des § 63 FamFG. **§ 273 II:** Beschwerde kann sich gegen gerichtl. Bestimmung des Aufbewahrungsorts richten. Beschwerdebefugt sind die Abwickler und bis zu ihrer Löschung die AG als Eigentümerin der Unterlagen. **§ 273 III:** Beschwert sind erfolglose Antragsteller und bei Erfolg des Antrags die ehemaligen Abwickler. **§ 273 IV:** Beschwert sind wiederum erfolglose Antragsteller. Wird dem Antrag stattgegeben, so kann gelöschte AG Beschwerde einlegen (allgM, vgl. BayObLGZ 13 [1913], 681, 684 f.; BayObLGZ 1983, 130, 133; offengelassen von KG OLGZ 1982, 145, 148). Vertretung liegt bei den früheren Abwicklern (insoweit str., wie hier BayObLGZ 1982, 130, 134).

Fortsetzung einer aufgelösten Gesellschaft

274 (1) [1] **Ist eine Aktiengesellschaft durch Zeitablauf oder durch Beschluß der Hauptversammlung aufgelöst worden, so kann die Hauptversammlung, solange noch nicht mit der Verteilung des Vermögens unter die Aktionäre begonnen ist, die Fortsetzung der Gesellschaft beschließen.** [2] **Der Beschluß bedarf einer Mehrheit, die mindestens drei Viertel des bei der Beschlußfassung vertretenen Grundkapitals umfaßt.** [3] **Die Satzung kann eine größere Kapitalmehrheit und weitere Erfordernisse bestimmen.**

(2) **Gleiches gilt, wenn die Gesellschaft**

1. **durch die Eröffnung des Insolvenzverfahrens aufgelöst, das Verfahren aber auf Antrag des Schuldners eingestellt oder nach der Bestätigung eines Insolvenzplans, der den Fortbestand der Gesellschaft vorsieht, aufgehoben worden ist;**
2. **durch die gerichtliche Feststellung eines Mangels der Satzung nach § 262 Abs. 1 Nr. 5 aufgelöst worden ist, eine den Mangel behebende Satzungsänderung aber spätestens zugleich mit der Fortsetzung der Gesellschaft beschlossen wird.**

(3) [1] **Die Abwickler haben die Fortsetzung der Gesellschaft zur Eintragung in das Handelsregister anzumelden.** [2] **Sie haben bei der Anmeldung nachzuweisen, daß noch nicht mit der Verteilung des Vermögens der Gesellschaft unter die Aktionäre begonnen worden ist.**

(4) [1] **Der Fortsetzungsbeschluß wird erst wirksam, wenn er in das Handelsregister des Sitzes der Gesellschaft eingetragen worden ist.** [2] **Im Falle des Absatzes 2 Nr. 2 hat der Fortsetzungsbeschluß keine Wirkung, solange er und der Beschluß über die Satzungsänderung nicht in das Handelsregister des Sitzes der Gesellschaft eingetragen worden sind; die beiden Beschlüsse sollen nur zusammen in das Handelsregister eingetragen werden.**

I. Regelungsgegenstand und -zweck

1 § 274 betr. Fortsetzung der aufgelösten AG. Norm stellt klar, dass Fortsetzung grds. zulässig ist, was sich von selbst versteht, wenn man in Auflösung mit heute allgM reine Zweckänderung sieht (→ § 262 Rn. 2). Zugleich bezweckt § 274 aber auch **Gläubiger- und Aktionärsschutz.** Vermögensverteilung darf nämlich noch nicht begonnen haben (→ Rn. 4). Auch darf AG nicht ganz oder im Wesentlichen vermögenslos geworden sein (→ Rn. 6). Schwerpunkt der Regelung liegt im Wesentlichen nicht so sehr auf klarstellender Gestattung der Fortsetzung, sondern auf diesen letztgenannten Einschränkungen (BeckOGK/Bachmann Rn. 2; MüKoAktG/J. Koch Rn. 1). Weitere Bedeutung erlangt § 274 im Umwandlungsrecht, da § 3 III UmwG Beteiligung einer AG als übertragende Rechtsträgerin davon abhängig macht, dass Fortsetzung beschlossen werden könnte; für aufgelöste Gesellschaft als übernehmende Rechtsträgerin kommt es analog § 3 III UmwG ebenfalls auf Fortsetzungsfähigkeit an (KG NZG 1999, 359, 360). Damit regelt § 274 I und II mittelbar auch Umwandlungsfähigkeit der aufgelösten AG. Rechtstatsächlicher Überblick: Bayer/Hoffmann AG 2019, R 276 ff.

II. Fortsetzung und Fortsetzungsbeschluss (§ 274 I)

2 **1. Begriff.** Fortsetzung ist, weil Auflösung als bloße Zweckänderung (→ § 262 Rn. 2) Charakter der AG (§§ 1 ff.) unverändert lässt (→ § 264 Rn. 5), nichts anderes als **erneute Zweckänderung,** nämlich Übergang von Abwicklung zu erneuter werbender Tätigkeit (heute allgM). Satzungsänderung ist im bloßen Fortsetzungsbeschluss wegen der notwendigen Unterscheidung zwischen Gesellschaftszweck und Unternehmensgegenstand (§ 23 III Nr. 2) nicht zu finden (gleichfalls allgM, vgl. RGZ 118, 337, 341). Allerdings kann Fortsetzungsbeschluss mit Satzungsänderung verbunden werden, etwa um materiellen Aufhebungstatbestand zu beseitigen (GK-AktG/K. Schmidt Rn. 7). Zulässig ist Fortsetzung gem. § 274 I 1 bei Auflösung der AG durch **Zeitablauf** (§ 262 I Nr. 1) oder durch **Beschluss der HV** (§ 262 I Nr. 2). Soweit Kündigung Sonderrecht darstellt, bedarf Beschluss auch der Zustimmung des Berechtigten.

2. Fortsetzungsbeschluss. Nur HV kann Fortsetzung beschließen (§ 274 I 1). Erforderlich ist nach § 274 I 2 eine doppelte Mehrheit, nämlich erstens die einfache Stimmenmehrheit des § 133 I und zweitens die **Mehrheit von drei Vierteln** des vertretenen Grundkapitals. Eigene Aktien bleiben gem. § 71b außer Ansatz. Regelung ist gem. § 274 I 3 **halbzwingend.** Satzung kann also Erschwerungen (zB Einstimmigkeitserfordernis), aber nicht Erleichterungen einführen; notwendiger Minderheitenschutz soll gewährleistet bleiben (vgl. auch Rob. Fischer GmbHR 1955, 165, 166 f.). Zum Wirksamwerden des Beschlusses (§ 274 IV) → Rn. 8. 3

3. Fortsetzungshindernisse. Auch bei grds. Zulässigkeit der Fortsetzung kann Beschluss nur gefasst werden, solange **Vermögensverteilung** noch nicht begonnen hat (§ 274 I). Bestimmung sichert Verbot der Einlagenrückgewähr (§ 57) gegen Umgehung und dient wie dieses dem Schutz der Gläubiger und der Aktionäre (→ Rn. 1). Sie gilt für jeden Fortsetzungsfall (→ Rn. 5; sa für Fortsetzung nach Aufhebung des Insolvenzverfahrens BGH NZG 2020, 1182 Rn. 38) und ist strikt zu beachten; insbes. nützt Rückführung des bereits Verteilten in das Gesellschaftsvermögen nichts. Zur Nachweispflicht der Abwickler → Rn. 7. Von einem bestimmten Mindestvermögen macht § 274 die Fortsetzung nicht abhängig. Nach hM darf deshalb auch dann fortgesetzt werden, wenn Vermögen nicht mehr das ges. oder satzungsmäßige Grundkapital erreicht (statt aller GK-AktG/K. Schmidt Rn. 11). Dem ist, weil es nicht um Neugründung geht, beizutreten, allerdings nur mit der Maßgabe, dass keine **Überschuldung** vorliegen darf (so hM zur GmbH; ähnlich OLG Dresden AG 2001, 489, 491; BeckOGK/Bachmann Rn. 9; Hölters/Weber/Krebs Rn. 2), die nicht gleichzeitig mit Fortsetzungsbeschluss beseitigt wird (→ Rn. 2; KK-AktG/Winnen Rn. 32). 4

III. Weitere Fälle (§ 274 II)

1. Fortsetzung zulässig. § 274 II Nr. 1 betr. insolvenzbedingte Auflösung. Fortsetzung ist danach möglich, wenn Auflösung gem. § 262 I Nr. 3 erfolgt, aber Insolvenzverfahren auf Antrag der AG gem. §§ 212, 213 InsO unter Zustimmung der Gläubiger eingestellt oder gem. § 258 InsO nach rechtskräftiger Bestätigung eines Insolvenzplans, der den Fortbestand der AG vorsieht (abstrakte Möglichkeit genügt – vgl. BGH NZG 2020, 1182 Rn. 21 ff.), aufgehoben ist. In diesen Fällen beseitigt AG die zur Insolvenz führende unternehmerische Krise und bleibt – für die beteiligten Verkehrskreise erkennbar – als wirtschaftliche Einheit aus Sach- und Personalmitteln am Markt erhalten (BGH NZG 2015, 872 Rn. 12). Entspr. Prüfung der Voraussetzung darf Registergericht eigenständig vornehmen, ist also insbes. nicht an Feststellungen des Insolvenzgerichts gebunden (BGH NZG 2020, 1182 Rn. 12 ff.). Einstellung und Aufhebung bewirken für sich aber nur das Ende des Insolvenzverfahrens. Wenn Fortsetzung gewollt ist, muss also gem. → Rn. 3 beschlossen werden. Sonst ist iRd noch Erforderlichen abzuwickeln. IÜ ist zu beachten, dass auch Grundsätze der wirtschaftlichen Neugründung (→ § 23 Rn. 25 ff.) auf fortgesetzte AG Anwendung finden können (BGH NZG 2018, 1350 Rn. 23 ff.; NZG 2020, 1182 Rn. 47 ff.). Gem. **§ 274 II Nr. 2** ist Fortsetzung auch bei Auflösung nach § 262 I Nr. 5 zulässig (Verfügung nach § 399 FamFG), wenn AG den Mangel durch Satzungsänderung behoben hat. Das entspr. dem Zweck der Auflösung, AG durch Druck der Abwicklung zur Mangelbeseitigung zu veranlassen (RegBegr. BT-Drs. V/3862, 14). In ähnlicher Weise ist Fortsetzung ferner zulässig, wenn AG durch **Nichtigkeitsurteil oder Amtslöschung** (§ 275) in Abwicklung getreten (§ 277 I) und der Satzungsmangel heilbar ist (§ 276), sofern von dieser Möglichkeit durch Satzungsänderung Gebrauch gemacht wird (§ 274 iVm § 277 I). Fortsetzung kommt schließlich 5 auch nach vereinsrechtl. **Verbotsverfügung** oder **aufsichtsrechtl. Maßnahmen** (Kredit- und Versicherungswirtschaft) in Betracht (dazu MüKoAktG/J. Koch Rn. 12).

6 **2. Fortsetzung unzulässig.** Fortsetzung der AG kommt nicht in Betracht bei Auflösung wegen Ablehnung der Insolvenzeröffnung mangels kostendeckender Masse nach § 262 I Nr. 4 (BGHZ 75, 178, 180 = NJW 1980, 233; BayObLGZ 1993, 341, 342 ff. = NJW 1994, 594; KG FGPrax 1999, 33; OLG Köln NZG 2010, 507, 508; aA Hennrichs ZHR 159 [1995], 593, 594 ff. für den Fall erneuter Kapitalausstattung). Weiterhin ergibt sich im Gegenschluss zu § 274 II Nr. 1, dass Fortsetzung ausscheidet, wenn Insolvenzverfahren durch Schlussverteilung beendet worden ist und aus diesem Grund nach § 200 I InsO aufgehoben wird oder mangels kostendeckender Masse eingestellt wird (§ 207 InsO; vgl. zur AG BGH NZG 2003, 532, 534; zur GmbH BGH NZG 2015, 872 Rn. 7 ff.; KG NZG 2017, 307 Rn. 6; OLG Celle NZG 2011, 464; OLG Köln NJW 1959, 198 f.); ob Voraussetzungen einer wirtschaftlichen Neugründung vorliegen, ist unerheblich (KG NZG 2017, 307 Rn. 7). Früher im GmbH-Recht verbreiteter Gegenauffassung, die Fortsetzung zulassen will (vgl. etwa Scholz/K. Schmidt/Bitter, 11. Aufl. 2015, GmbHG Vor § 64 Rn. 180 ff. mwN), wenn Insolvenzreife und Masselosigkeit beseitigt werden, hat BGH (NZG 2015, 872 Rn. 7 ff.) klare Absage erteilt und stattdessen auf Verfahren der §§ 212, 213 InsO (→ Rn. 5) verwiesen. Ebenfalls unzulässig ist Fortsetzung bei Löschung wegen Vermögenslosigkeit nach § 394 FamFG (→ § 264 Rn. 15); Auflösung wegen Gemeinwohlgefährdung nach § 396 (hM, → § 396 Rn. 9); im Stadium der Nachtragsabwicklung nach § 273 IV (iE hM). Soweit Fortsetzung unzulässig ist, kann AG auch nicht an **Verschmelzung** teilnehmen, und zwar weder als übertragende (§ 3 II UmwG) noch als aufnehmende Gesellschaft (analog § 3 II UmwG; → Rn. 1).

IV. Pflichten der Abwickler (§ 274 III)

7 Abwickler müssen Fortsetzung nach § 274 III 1 zur Eintragung **anmelden.** Erforderlich und genügend ist Handeln in vertretungsberechtigter Zahl (§ 269). Nachzusuchen ist um Eintragung der (beabsichtigten) Fortsetzung und um die des Fortsetzungsbeschlusses. Form: § 12 HGB. Zuständig ist Amtsgericht (§ 23a II Nr. 3 GVG) des Gesellschaftssitzes (§ 14). Bei Fortsetzung nach Insolvenzeröffnung (→ Rn. 5) werden Vorstandsmitglieder der aufgelösten AG tätig, weil Abwickler nicht bestellt sind und Insolvenzverwalter nicht zuständig ist (→ § 264 Rn. 10). Abwickler bzw. Vorstandsmitglieder unterliegen **Nachweispflicht** des § 274 III 2. Bloße Versicherung, dass Vermögensverteilung noch nicht begonnen hat, genügt nicht. Erforderlich ist nach hM entspr. Bescheinigung oder Auskunft von Wirtschaftsprüfern. Weitere gerichtl. Prüfung ist zulässig und idR geboten (näher MüKoAktG/J. Koch Rn. 29).

V. Beschlusswirkungen (§ 274 IV)

8 **1. Zeitpunkt.** Zu unterscheiden ist zwischen bloßer Fortsetzung und Fortsetzung mit Satzungsänderung. Im ersten Fall wird Beschluss nach § 274 IV 1 mit seiner **Eintragung in das HR** wirksam (konstitutive Wirkung). Im zweiten Fall ist Satzungsänderung zur Beseitigung des Auflösungsgrunds erforderlich (Fälle: § 274 II Nr. 2; § 276; → Rn. 5). Fortsetzungsbeschluss wird dann nach § 274 IV 2 Hs. 1 erst wirksam, wenn er und Beschluss über Satzungsänderung eingetragen sind; Grund: § 181 III. Gleichzeitigkeit der Eintragungen (§ 274 IV 2 Hs. 2) dient der Ordnung des HR, ist also keine Wirksamkeitsvoraussetzung.

2. Inhalt. Mit Wirksamwerden des Beschlusses besteht AG wieder als **werbende Gesellschaft;** Rechtsnachfolgeprobleme gibt es nicht (→ Rn. 1). Amt der Abwickler erlischt kraft Ges. § 273 I ist nur bzgl. der **Schlussrechnung** und mit der Maßgabe analog anzuwenden, dass **Entlastung** durch HV anders als bei regulärem Abwicklungsende (→ § 273 Rn. 3) keine Präklusionswirkung entfaltet; denn bei Fortsetzung bedarf es keiner endgültigen Bereinigung der Gesellschaftsverhältnisse. **Organstruktur:** HV und AR bestanden auch während der Abwicklung. Sie gewinnen kraft Ges. die Kompetenzen zurück, die ihnen in der werbenden Gesellschaft zustehen. Neuen Vorstand muss AR jedenfalls dann bestellen, wenn andere Personen als Vorstandsmitglieder Abwickler sind (§ 265 II und 3); Bestellung erfolgt aufschiebend bedingt durch Wirksamwerden des Fortsetzungsbeschlusses (→ Rn. 8). IÜ ist Neubestellung wohl nicht geboten (MüKoAktG/J. Koch Rn. 34), aber empfehlenswert, weil Unsicherheiten damit vermieden werden. 9

Zweiter Abschnitt. Nichtigerklärung der Gesellschaft

Klage auf Nichtigerklärung

275 (1) [1] **Enthält die Satzung keine Bestimmungen über die Höhe des Grundkapitals oder über den Gegenstand des Unternehmens oder sind die Bestimmungen der Satzung über den Gegenstand des Unternehmens nichtig, so kann jeder Aktionär und jedes Mitglied des Vorstands und des Aufsichtsrats darauf klagen, daß die Gesellschaft für nichtig erklärt werde.** [2] **Auf andere Gründe kann die Klage nicht gestützt werden.**

(2) **Kann der Mangel nach § 276 geheilt werden, so kann die Klage erst erhoben werden, nachdem ein Klageberechtigter die Gesellschaft aufgefordert hat, den Mangel zu beseitigen, und sie binnen drei Monaten dieser Aufforderung nicht nachgekommen ist.**

(3) [1] **Die Klage muß binnen drei Jahren nach Eintragung der Gesellschaft erhoben werden.** [2] **Eine Löschung der Gesellschaft von Amts wegen nach § 397 Abs. 1 des Gesetzes über das Verfahren in Familiensachen und in den Angelegenheiten der freiwilligen Gerichtsbarkeit wird durch den Zeitablauf nicht ausgeschlossen.**

(4) [1] **Für die Anfechtung gelten § 246 Abs. 2 bis 4, §§ 247, 248 Abs. 1 Satz 1, §§ 248a, 249 Abs. 2 sinngemäß.** [2] **Der Vorstand hat eine beglaubigte Abschrift der Klage und das rechtskräftige Urteil zum Handelsregister einzureichen.** [3] **Die Nichtigkeit der Gesellschaft auf Grund rechtskräftigen Urteils ist einzutragen.**

Übersicht

I. Normzweck und Allgemeines

1 **1. Regelungsgegenstand und -zweck.** §§ 275 ff. betr. **Gründungsmängel** der AG, die nach Registereintragung festgestellt werden (zur Behandlung von Mängeln vor Eintragung → Rn. 8). Solche Mängel können nur nach Maßgabe des § 275 I geltend gemacht werden, und zwar, abgesehen von Amtslöschung nach § 397 FamFG (→ Rn. 30 ff.), nur durch Nichtigkeitsklage (§ 275 II–IV). Satzungsmängel, die Gegenstand des Unternehmens betr., sind heilungsfähig (§ 276). Rechtsfolgen festgestellter Nichtigkeit: Auflösung und Abwicklung gem. §§ 264 ff. (§ 277). Geltende Gesetzesfassung beruht im Wesentlichen auf frühere PublizitätsRL (jetzt GesR-RL), so dass Grundsätze richtlinienkonformer Auslegung zu berücksichtigen sind (vgl. zur PublizitätsRL Lutter/Bayer/Schmidt EuropUntKapMR Rn. 18.1 ff.; sa schon Einmahl AG 1969, 210 ff.). Parallelvorschrift: § 75 GmbHG.

2 Zweck der §§ 275–277 ist, **Schutz der Aktionäre und des Rechtsverkehrs** vor sachwidriger rückwirkender Nichtigkeit zu gewährleisten. Für Aktionäre geht es insbes. um adäquate Abwicklung der Vermögensverhältnisse der Gesellschaft, für Rechtsverkehr um Schuldnerposition und um haftendes Vermögen der durch Eintragung trotz Gründungsmangels entstandenen AG. Diese Erwägungen tragen schon Ursprungsregelung der §§ 309 ff. HGB (vgl. Denkschrift HGB 171 f. = Hahn/Mugdan, Die gesammten Materialien zu den Reichsjustizgesetzen, Bd. VI, 1897, 333 f.) und sind unverändert aktuell.

3 **2. Dogmatische Grundlagen.** §§ 275 ff. gehören in den weiteren Zusammenhang der **fehlerhaften Gesellschaft.** Über deren dogmatische Konzeption besteht zwar noch immer keine abschließende Einigkeit, doch kann als heute hM festgehalten werden, dass Gesellschaft trotz Mangels ihrer rechtsgeschäftlichen Grundlage nicht nur tats., sondern auch rechtl. besteht, weil Gesellschaftsvertrag nicht nur Schuld-, sondern auch Organisationsvertrag ist (umfassend dazu GK-

HGB/Schäfer § 105 Rn. 315 ff. mwN). Für AG bedarf es des Rückgriffs auf diese Lehre im Hinblick auf ausdr. Regelung in §§ 275 ff. aber nur sehr beschränkt (BeckOGK/Bachmann Rn. 3). Regelungen können nach heutigem Entwicklungsstand als spezialges. Ausdruck der allg. Lehre verstanden werden (GK-AktG/K. Schmidt Rn. 1).

Weil AG trotz Gründungsmangels als solche besteht (→ Rn. 3), kann es nur 4 noch darum gehen, ob Mangel zur Auflösung und Abwicklung der Gesellschaft führt. Bezweckter **Schutz des Rechtsverkehrs** (→ Rn. 2) tritt also reflexartig infolge rechtl. Anerkennung der Gesellschaft ein. Spezielle Bedeutung der §§ 275 ff. liegt in diesem Zusammenhang darin, dass Gründungsmangel abw. von allg. Grundsätzen weithin nicht einmal als Auflösungsgrund Bedeutung erlangt und von Aktionären wie Verwaltungsmitgliedern nur durch Nichtigkeitsklage (→ Rn. 19 ff.) geltend gemacht werden kann. Das rechtfertigt sich aus Eintragung der AG in das HR und ihr vorangehender Prüfungstätigkeit des Registerrichters.

3. Anwendungsbereich. a) Eingetragene AG. §§ 275 ff. setzen Register- 5 eintragung voraus. AG muss also als solche (§ 41 I 1), dh als jur. Person, entstanden sein. Auflösung nach §§ 262 ff. ändert an Geltung der §§ 275 ff. nichts. Zur Behandlung der vor Eintragung bestehenden Vor-AG → Rn. 8.

b) Insbesondere: Unzulässige Eintragung. Verstöße gegen wesentliche 6 Verfahrensvorschriften (etwa: keine Anmeldung; Anmeldung durch Unbefugte) machen Eintragung unzulässig und führen ausnahmsweise zur Amtslöschung nach § 395 FamFG (MüKoFamFG/Krafka FamFG § 397 Rn. 3). Bis zu dem Zeitpunkt, in dem solche Löschung erfolgt, sollten nach früher verbreiteter Auffassung §§ 275 ff. unanwendbar sein, da unzulässige Eintragung der nicht erfolgten Eintragung gleichgestellt wurde (Baumbach/Hueck Rn. 3). Nach heute hM greift § 275 dagegen auch in diesen Fällen ein; denn einerseits kann Registerrecht die Rechtsschutzmöglichkeiten für Aktionäre und Organmitglieder nicht verkürzen, andererseits kann Verfahrensfehler des Registergerichts den Kreis beachtlicher Gründungsmängel nicht erweitern (näher MüKoAktG/J. Koch Rn. 11; zust. BeckOGK/Bachmann Rn. 5).

c) Keine Geltung bei Verschmelzung. Bei Verschmelzung gelten §§ 275 ff. 7 nicht, auch nicht bei Verschmelzung durch Neubildung (§ 20 II UmwG, § 36 I 1 UmwG). Mängel lassen Wirkungen der eingetragenen Verschmelzung unberührt (aA BeckOGK/Bachmann Rn. 6). Grund: Bes. Schwierigkeiten einer Entschmelzung sollen vermieden werden (RegBegr. BR-Drs. 344/81, 68 f.).

4. Rechtslage vor Eintragung. Vor Eintragung gelten §§ 275 ff. nicht 8 (→ Rn. 5). Auf in Vollzug gesetzte Vor-AG ist jedoch Sonderrecht der fehlerhaften Gesellschaft (→ Rn. 3) anzuwenden (heute allgM – vgl. BeckOGK/Bachmann Rn. 5; KK-AktG/Winnen Rn. 15; s. zur Vor-GmbH auch RGZ 166, 51, 59; BGHZ 13, 320, 323 f. = NJW 1954, 1562). Mangel kann allein Auflösung der AG rechtfertigen. Eintragung der AG kann nach § 16 II HGB verhindert werden.

II. Voraussetzungen der Nichtigerklärung (§ 275 I)

1. Die drei Tatbestände des § 275 I 1. a) Keine Bestimmungen über die 9 Höhe des Grundkapitals. Auf Nichtigerklärung der AG kann zunächst dann geklagt werden, wenn Satzung entgegen § 23 III Nr. 3 keine Bestimmungen über Höhe des Grundkapitals trifft. Mangel ist unheilbar (Umkehrschluss aus § 276; ebenso BeckOGK/Bachmann Rn. 7). **Nichtigkeit** einer vorhandenen Satzungsbestimmung kann ihrem Fehlen insoweit nicht gleichgestellt werden (heute allgM – s. nur KK-AktG/Winnen Rn. 22). Das ergibt sich schon aus

Vergleich von § 275 I 1 Fall 1 einerseits, § 275 I 1 Fall und Fall 3 andererseits (vgl. auch Art. 11 1 lit. b Ziff. ii und iii GesR-RL). Nichtigkeit, etwa wegen Verstoßes gegen § 6 oder § 7, kann daher nur gem. § 399 FamFG, § 262 I Nr. 5 zur Auflösungsverfügung führen (→ § 262 Rn. 15 ff., 17).

10 **b) Keine Bestimmungen über den Gegenstand des Unternehmens.** Nichtigkeitsklage kann zweitens erhoben werden, wenn Satzung unter Verstoß gegen § 23 III Nr. 2 nichts über Gegenstand des Unternehmens bestimmt. Das ist Tätigkeit, die AG zu betreiben beabsichtigt (BGH WM 1981, 163, 164 zur GmbH [insoweit nicht in BGHZ 78, 311 = NJW 1981, 682]; BayObLGZ 1975, 447 f. = NJW 1976, 1694); vgl. dazu und zur Unterscheidung vom Gesellschaftszweck → § 23 Rn. 22. Bestimmung muss gänzlich fehlen. **Erhebliche Unklarheit** oder gänzliche Unbestimmtheit genügt nach heute allgM nicht, um Abgrenzungsschwierigkeiten zu vermeiden (GK-AktG/K. Schmidt Rn. 12).

11 **c) Nichtigkeit der Bestimmungen über den Gegenstand des Unternehmens. aa) Grundsatz.** Nichtigkeitsklage ist nach § 275 I 1 Fall 3 begründet, wenn Bestimmungen der Satzung über Unternehmensgegenstand nichtig sind. Nichtigkeit setzt Gesetz- oder Sittenwidrigkeit iSd **§ 241 Nr. 3 oder 4** voraus. Es genügt also nicht jeder Sachverhalt, der unter §§ 134, 138 BGB subsumierbar ist. Hauptfälle liegen vielmehr in Verletzung von Vorschriften, die schwerpunktmäßig im öffentl. Interesse gegeben sind (§ 241 Nr. 3 Fall 2 und 3) oder in Sittenwidrigkeit, die schon durch Inhalt der Satzungsregelung selbst und nicht erst durch außerhalb liegende Umstände begründet wird (§ 241 Nr. 4). Nähere Begr. dieses Konzepts bei MüKoAktG/J. Koch Rn. 21; zust. BeckOGK/Bachmann Rn. 9).

12 **bb) Umstände außerhalb der Satzung.** § 275 I 1 Fall 3 fordert Nichtigkeit der einschlägigen Satzungsbestimmungen. Danach muss sich Gesetzes- oder Sittenwidrigkeit iSd § 241 Nr. 3 oder 4 schon aus ihrem Wortlaut ergeben. Weil solche Fälle kaum anzutreffen sind, liegt es nahe, neben dem Wortlaut auch und vor allem auf tats. Tätigkeit abzustellen. Dementspr. wurde auch im Kapitalgesellschaftsrecht lange angenommen, dass tats. Verhältnisse zu berücksichtigen seien und gem. § 117 BGB schon dann zur Nichtigkeit führten, wenn tats. Tätigkeit von Satzungsbestimmung abwich (s. etwa noch KG OLGR 24, 133 f.). Solches Verständnis ist aber mit klaren Vorgaben der **Marleasing-Entscheidung** des EuGH (Slg. 1990, I-4135, Rn. 11, 12) nicht in Einklang zu bringen, wonach allein Wortlaut maßgeblich ist, tats. Verhältnisse aber irrelevant bleiben. Das gilt selbst dann, wenn zusätzlich zur Falschangabe noch Gesetzes- oder Sittenwidrigkeit vorliegt. Für diese letztgenannte Ansicht spricht zwar viel (Samara-Krispis/Steindorff CMLRev 1992, 615, 616 f.), doch ist Aussage der Marleasing-Entscheidung unmissverständlich und gewinnt noch dadurch an Gewicht, dass Schlussanträge des Generalanwalts gerade der vermittelnden Linie gefolgt sind und darin vom EuGH keine Zustimmung erhalten haben (ausf. MüKoAktG/J. Koch Rn. 23 ff.). Diese unnötig rigide Begrenzung des Nichtigkeitsgrunds mag zwar zu kritisieren sein, ist wegen des unionsrechtl. Auslegungsmonopols des EuGH aber doch hinzunehmen (BeckOGK/Bachmann Rn. 11; MüKoAktG/J. Koch Rn. 23 ff.; Kort, Bestandsschutz fehlerhafter Strukturänderungen, 1998, 27; Lutter JZ 1992, 593 (599); Stuyck/Wytinck CMLRev 1991, 205, 220). Anstelle der Nichtigkeit muss hier Auflösung gem. § 396 treten.

13 **cc) Nachträgliche Änderungen.** Nichtigkeit eines HV-Beschlusses, durch den **Satzungsbestimmungen** über den Unternehmensgegenstand geändert werden, rechtfertigt nicht Klage auf Nichtigerklärung der AG. Es verbleibt vielmehr bei Nichtigkeit des Änderungsbeschlusses, die gem. § 249 durch Klage

oder auch auf andere Weise geltend gemacht werden kann (BayObLGZ 1984, 283, 286 f.).

Ob tats. **Änderung des Unternehmensgegenstands** Nichtigkeit der unveränderten Satzungsbestimmung bewirkt, wird nicht einheitlich beurteilt. ZT wird auch hier noch Nichtigkeit bejaht (vgl. noch GK-AktG/K. Schmidt Rn. 17), doch ist auch dies mit **Marleasing-Entscheidung** (EuGH Slg. 1990, I-4135; → Rn. 12) nicht in Einklang zu bringen. Weil danach Unionsrecht bei Falschangabe in der Auslegung des EuGH keine Nichtigkeit eintreten lässt (→ Rn. 12), folgt auf der Basis der EuGH-Entscheidung die Notwendigkeit, § 275 restriktiv auszulegen. Danach kann nachträgliche Veränderung des ursprünglich rechtmäßigen satzungsmäßigen Unternehmensgegenstands keine Nichtigkeitsklage rechtfertigen (MüKoAktG/J. Koch Rn. 26; KK-AktG/Winnen Rn. 38). 14

dd) Einzelfälle. Nichtigkeit der Satzungsbestimmungen über den Unternehmensgegenstand ist wegen Gesetzwidrigkeit zu bejahen: bei Strafbarkeit der Tätigkeit (verbotenes Glücksspiel, gewerblicher Schmuggel [RGZ 96, 282], Hehlerei); bei Verstoß gegen Kartellverbot des Art. 101 I AEUV, § 1 GWB, soweit nicht nach Art. 101 III AEUV, §§ 2 f. GWB freigestellt (str.), sowie bei Verstoß gegen staatliches Monopol (BayObLG NJW 1971, 528; BayObLGZ 1972, 126, 129), da auch darin Verbot privater Betätigung liegt (aA BeckOGK/Bachmann Rn. 10). Sittenwidrigkeit ist anzunehmen: bei organisiertem Austausch von Finanzwechseln (BGHZ 27, 172, 176 = NJW 1958, 989; rechtstatsächlich wohl überholt); entspr. bei Scheck- und Lastschriftreiterei; bei Organisation von Steuerhinterziehungen (OLG Koblenz WM 1979, 1435 f.); bei Gesellschaftsgründung zwecks Umgehung ausländerrechtl. Vorschriften, sofern in dieser Umgehung primärer Gesellschaftszweck liegt (str.; für § 134 BGB OLG Stuttgart OLGZ 1984, 143, 145 f.; LG Krefeld Rpfleger 1982, 475; KK-AktG/Winnen Rn. 29). Im Lichte des ProstG ist dagegen frühere Annahme der Sittenwidrigkeit bei Betrieb eines Bordells nicht mehr angängig (BeckOGK/Bachmann Rn. 10; MüKoAktG/J. Koch, 5. Aufl. 2020, Rn. 28; Lutter/Hommelhoff/Bayer GmbHG § 1 Rn. 14). 15

Keine Nichtigkeit liegt vor: bei Mantel- oder Vorratsgründung (→ Rn. 17); bei Gemeinwohlgefährdung durch Verwaltungsträger (§ 396), und zwar auch dann, wenn gesetzwidriges Organhandeln durch verbotenen Unternehmensgegenstand veranlasst ist (nur Auflösung → § 396 Rn. 9); bei mangelnder Individualisierung des Unternehmensgegenstands. Zum letztgenannten Fall: § 23 III Nr. 2 fordert für Öffentlichkeit aussagekräftige Angabe, aus der sich sachlicher Tätigkeitsbereich des Unternehmens ergibt (BGH WM 1981, 163, 164 [insoweit nicht in BGHZ 78, 311 = NJW 1981, 682]). Bei unzureichender Angabe in Satzung muss Registergericht Anmeldung zurückweisen. Nach ganz hM liegt aber keine Nichtigkeit der Satzungsbestimmung vor (MüKoAktG/J. Koch Rn. 30 mwN), so dass § 275 nicht eingreift, wenn Eintragung (zu Unrecht) erfolgt. 16

ee) Insbesondere: Mantel- oder Vorratsgründung. Mantelgründung ist Errichtung einer AG oder GmbH, die vorerst, abgesehen von Verwaltung eigenen Vermögens, kein Unternehmen betreiben soll (→ § 23 Rn. 25 ff.). Zulässigkeit ist str. Nach früher hM war sie zu verneinen, wofür teils § 117 BGB (Scheingründung), teils § 134 BGB herangezogen wurde (→ § 23 Rn. 25 mwN). Inzwischen wird zwischen offener und verdeckter Mantelgründung differenziert und erstgenannte Konstellation zu Recht für zulässig gehalten (→ § 23 Rn. 25 mwN). Für verdeckte Mantelgründung zog früher hM § 275 heran (sa GK-AktG/K. Schmidt Rn. 18). Nach heute zu Recht hM gilt Folgendes: Korrekte Angabe des Unternehmensgegenstands (Verwaltung des Gesellschaftsvermögens) schließt Verstoß gegen § 23 III Nr. 2 aus, so dass es von vornherein an Nichtig- 17 keit der Satzung fehlt. Angabe in Wahrheit nicht betriebenen Unternehmens ist zwar Gesetzesverstoß, ergibt aber bei richtlinienkonformer Auslegung des § 275 unter Berücksichtigung der Marleasing-Entscheidung des EuGH keinen Klagegrund (→ Rn. 12, 14). Insoweit hilft also nur vorbeugende Registerkontrolle (wie hier BeckOGK/Bachmann Rn. 10; B/K/L/Füller Rn. 11; MüKoAktG/J. Koch Rn. 30; NK-AktR/Wermeckes Rn. 8; KK-AktG/Winnen Rn. 34).

18 **2. Keine weiteren Klagegründe (§ 275 I 2).** Klage auf Nichtigerklärung kann nur auf Mängel iSd § 275 I 1 gestützt werden. Andere Verstöße der Satzung gegen § 23 III führen nach Maßgabe des § 399 FamFG zur Auflösung (§ 262 I Nr. 5), aber nicht zur Nichtigkeit. Bei Verstoß gegen § 23 V bleibt nur Feststellungsklage gem. § 256 ZPO (BeckOGK/Bachmann Rn. 13). Das Thema sog mittelbarer Nichtigkeitsgründe (abl. schon RGZ 114, 77, 80) ist seit 1937 überholt (eingehend Rossner, Der Einfluss von Gründungsmängeln, 1966, 31 ff.); es gibt sie nicht. Auch Mängel der Übernahmeerklärung (§ 29) führen nicht zur Anwendung des § 275, ebensowenig Mängel des Eintragungsverfahrens. Sie können allerdings Amtslöschung nach § 395 FamFG nach sich ziehen, sofern wesentliche Eintragungsvoraussetzung fehlt und Eintragung dem Willen der Beteiligten auch inhaltlich nicht entspr. (iE str., vgl. dazu MüKoAktG/J. Koch Rn. 37).

III. Nichtigkeitsklage (§ 275 II–IV)

19 **1. Allgemeines.** Abgesehen von Amtslöschung nach § 397 FamFG (→ Rn. 30 ff.), kann Nichtigerklärung der AG nur durch Klage erreicht werden (allgM). Es gibt also keine Nichtigkeitseinrede. Ggü. Einlagenforderung kann also nicht eingewandt werden, AG sei wegen Nichtigkeitsgrundes abwicklungsreif (allgM; vgl. außer den Kommentaren Rossner, Der Einfluss von Gründungsmängeln, 1966, 79 ff.; RGZ 114, 77, 79 ist überholt). Schließlich ist Nichtigerklärung der AG auch nicht schiedsfähig. Satzung kann Schiedsfähigkeit nämlich nicht einführen (§ 23 V); Schiedsvertrag (§ 1029 ZPO) hätte nicht die erforderliche parteiübergreifende Urteilswirkung zur Folge.

20 Die Nichtigkeitsklage ist **Gestaltungsklage,** nicht Feststellungsklage (heute allgM). Das ist prozessuale Konsequenz aus Anerkennung der AG als trotz Gründungsmangels tats. und rechtl. bestehender Gesellschaft (→ Rn. 3). Denkschrift HGB 171 = Hahn/Mugdan, Die gesammten Materialien zu den Reichsjustizgesetzen, Bd. VI, 1897, (Rn. 2), 333, wonach Urteil „nur deklaratorische Bedeutung" haben sollte, ist überholt. Angestrebte Rechtsgestaltung ist Umwandlung der werbenden AG in Abwicklungsgesellschaft. Kein Prozesshindernis bildet Einleitung des Amtslöschungsverfahrens nach § 397 FamFG (→ Rn. 30 ff.). **Rechtsschutzinteresse** ist auch bei Auflösung der AG gem. § 262 zu bejahen, weil insoweit Rückumwandlung in werbende Gesellschaft nur an Voraussetzungen des § 274 gebunden ist, während bei Klage auf Nichtigerklärung zusätzlich der Satzungsmangel nach §§ 276, 277 I behoben sein muss. Zu Einzelheiten des Verfahrens → Rn. 24 ff.

21 **2. Prozessparteien. a) Kläger. Jeder Aktionär** kann auf Nichtigerklärung der AG klagen, auch Aktionär ohne Stimmrecht und, weil Ges. kein Quorum vorschreibt, auch Inhaber nur einer Aktie. Mehrere Kläger bilden notwendige Streitgenossenschaft aus prozessrechtl. Grund (§ 62 I Fall 1 ZPO). Jeder Aktionär hat das Recht zur Nebenintervention auf Seiten des Klägers oder der beklagten AG (→ § 246 Rn. 5 ff.). Nur Aktionäre, **nicht Dritte** (ausgenommen Verwaltungsmitglieder → Rn. 22) haben das Gestaltungsklagerecht. Gläubiger können Nichtigerklärung also nicht erreichen (OLG Naumburg OLGR 27, 394), auch nicht als Inhaber eines Genussrechts oder einer Wandelobligation. **Maßgeblicher**

Zeitpunkt: Erforderlich und genügend ist, dass Aktionärseigenschaft im Zeitpunkt der Klagerhebung besteht und bis zur letzten mündlichen Verhandlung andauert (Einzelheiten bei MüKoAktG/J. Koch Rn. 47).

Auch Verwaltungsmitglieder können Kläger sein, und zwar sowohl Mitglieder des Vorstands wie des AR. Klagerecht steht den einzelnen Mitgliedern zu, nicht dem Organ als solchen, abw. von § 245 S. 1 Nr. 4 auch nicht dem Vorstand. Auch gerichtl. bestellte Vorstandsmitglieder sind klagebefugt (§ 85), ebenso Stellvertreter von Vorstandsmitgliedern (§ 94). Ersatzmitglieder des AR dürfen erst klagen, wenn sie nach § 101 III 2 eingerückt sind. 22

b) Beklagte. Passivpartei des Prozesses ist AG (§ 246 II 1 iVm § 275 IV 1); vgl. zu ihrer Vertretung und zu anderen Einzelheiten → Rn. 26. Gegen Aktionäre oder Gesellschaftsorgane kann die Klage nicht gerichtet werden. 23

3. Einzelheiten des Verfahrens. a) Aufforderung zur Mängelbeseitigung (§ 275 II). Wenn Satzungsmangel heilbar ist (§ 276; → Rn. 31 ff.), kann Klage erst erhoben werden, wenn AG von einem Klagebefugten (→ Rn. 21 f.) zur Mängelbeseitigung aufgefordert und Dreimonatsfrist fruchtlos verstrichen ist. Fehlt das eine oder das andere, so ist Klage als zur Zeit unzulässig abzuweisen. Aufforderung ist formlos möglich. Behaupteter Mangel muss aber so genau bezeichnet werden, dass AG Verfahren zu seiner Beseitigung einleiten kann; pauschale Rügen genügen nicht. Für **Berechnung der Dreimonatsfrist** gelten § 187 I BGB, § 188 II BGB. Ausnahmsweise ist Klage vor Ablauf der Dreimonatsfrist zulässig, wenn sie sonst an Dreijahresfrist des § 275 III (→ Rn. 25) scheitern würde (vgl. MüKoAktG/J. Koch Rn. 44 mwN). 24

b) Klagefrist (§ 275 III). Klagemöglichkeit besteht nur innerhalb Dreijahresfrist des § 275 III 1. Amtslöschung gem. § 397 S. 1 FamFG bleibt auch danach noch möglich (§ 275 III 2; dort vorgesehener Verweis auf § 397 I ist Redaktionsversehen). Es handelt sich bei Dreijahresfrist um **zwingende materiellrechtl. Ausschlussfrist.** Nach ihrem Ablauf ist Klage als unbegründet abzuweisen. Fristverlängerung durch Satzung oder Parteivereinbarung ist ausgeschlossen (Einzelheiten wie bei § 246 I; → § 246 Rn. 20 ff.). Maßgeblich für **Fristbeginn** ist Eintragung der AG in das HR (vgl. §§ 15, 33 II HRV). **Fristberechnung** erfolgt nach § 187 I BGB, § 188 II BGB. § 193 BGB dürfte anwendbar sein. **Fristwahrung** nur durch Klagerhebung, also durch Zustellung der Klageschrift (§ 253 I ZPO) oder durch Einreichung bei Gericht, sofern Zustellung demnächst erfolgt (§ 167 ZPO); Zustellung oder Einreichung müssen spätestens am letzten Tag der Frist erfolgen. Antrag auf **Prozesskostenhilfe** (§§ 114 ff. ZPO) genügt trotz Länge der Frist unter Übernahme der zur Anfechtungsklage entwickelten Grundsätze (→ § 246 Rn. 25; MüKoAktG/J. Koch Rn. 53; KK-AktG/Winnen Rn. 59). Fristablauf bewirkt ex nunc eintretenden Wegfall der Auflösungsmöglichkeit. 25

c) Anwendbare Einzelvorschriften (§ 275 IV 1). § 246 II–IV, §§ 247, 248 I 1, § 248a und § 249 gelten sinngem. Passivpartei ist also AG (§ 246 II 1; → Rn. 23). Für Aktionärsklagen gilt Prinzip der Doppelvertretung (§ 246 II 2) einschließlich daraus folgender Zustellungsregeln (→ § 246 Rn. 30, 32 ff.). Bei Klage durch Organmitglieder wird AG durch das jew. andere Organ vertreten (§ 246 II S. 3; → § 246 Rn. 36). Ausschließlich zuständig ist Landgericht des Gesellschaftssitzes (§ 246 III 1), hier KfH (§ 246 III 2). § 246 III S. 4 kann mangels vergleichbarer Frist nicht angewandt werden. Mehrere Klagen auf Nichtigerklärung der AG sind zu verbinden (§ 246 III 3; → § 246 Rn. 39). Den Vorstand trifft auch Pflicht zur Bek. nach § 246 IV. Für Festsetzung des Streitwerts gilt § 247 entspr. Zu beachten sind also Beschränkungen bei Festsetzung des Regelstreitwerts (→ § 247 Rn. 6 ff., 9) und Möglichkeit der Streitwertspal- 26 tung (→ § 247 Rn. 11 ff.). Zu § 248 I 1 → Rn. 27. Sinngem. anzuwenden ist auch § 248a, um missbräuchlichen Klagen durch Publizität entgegenzuwirken. Schließlich gilt auch § 249 II entspr. Wegen § 246 III 3 hat aber nur § 249 II 2 Bedeutung. Danach kann Klage auf Nichtigerklärung der AG mit Nichtigkeits- oder Anfechtungsklage gegen HV-Beschluss verbunden werden. Gericht entscheidet insoweit nach Zweckmäßigkeit.

27 **4. Urteilswirkungen und Handelsregister (§ 275 IV 2 und 3). a) Stattgebende Entscheidung.** Urteil ist **Gestaltungsurteil.** Es wird also nicht festgestellt, dass AG nichtig ist, sondern sie wird für nichtig erklärt. Urteil bewirkt **Auflösung** der AG gem. § 277 (→ § 277 Rn. 3). Für betroffenen Personenkreis gilt § 248 I 1 (§ 275 IV 1). Danach tritt nicht nur Gestaltungswirkung, sondern auch materielle Rechtskraft für und gegen alle Aktionäre und sämtliche Verwaltungsmitglieder ein (→ § 248 Rn. 8).

28 **b) Klageabweisung.** Es gelten allg. Grundsätze. Nach Sachabweisung ist daher erneute Klage desselben Klägers mit demselben Streitgegenstand (Nichtigkeitsgrund) unzulässig. Dagegen sind andere Klageberechtigte durch Urteilswirkung nicht gebunden.

29 **c) Handelsregister.** § 275 IV 2 begründet **Einreichungspflicht** des Vorstands. Er hat also nicht nur die in § 246 IV vorgesehenen Bek. zu veranlassen, sondern zusätzlich beglaubigte Abschrift der Klage und eine mit Rechtskraftzeugnis (§ 706 ZPO) versehene Urteilsausfertigung zum HR einzureichen. Einreichungspflicht besteht auch für klageabweisende Entscheidung (Henssler/Strohn/Drescher Rn. 7; MüKoAktG/J. Koch Rn. 60; KK-AktG/Winnen Rn. 72; aA BeckOGK/Bachmann Rn. 23) und ist notfalls im Zwangsgeldverfahren nach § 14 HGB durchzusetzen. Registergericht verfügt **Eintragung** der Nichtigkeit (§ 275 IV 3). Eintragung erfolgt in Spalte 6 des Registerblatts (§ 43 Nr. 6 lit. k HRV) und wird ihrerseits gem. § 10 HGB bekanntgemacht. Zu ihrer konstitutiven Bedeutung → § 277 Rn. 2.

IV. Amtslöschung (§ 397 FamFG)

30 **1. Allgemeines.** Fehlen oder Nichtigkeit zentraler Satzungsbestandteile kann öffentl. Interesse begründen, dass AG aus dem Rechtsleben ausscheidet. Diesem Interesse dient die in § 397 FamFG (unter Weiterverweis auf § 395 FamFG) geregelte Amtslöschung. Sie ist zu unterscheiden von Löschung wegen schwerwiegenden Verfahrensfehlers nach § 395 FamFG (→ Rn. 18) und Löschung wegen Vermögenslosigkeit nach § 394 FamFG (→ § 262 Rn. 21 ff.; § 262 Rn. 25 ff.).

31 **2. Voraussetzungen und Wirkung.** Es muss **Satzungsmangel** iSd § 275 I 1 vorliegen (→ Rn. 9 ff.). Von Heilungsmöglichkeit des § 276 darf im Zeitpunkt der Löschungsverfügung kein Gebrauch gemacht worden sein. **Heilung** ist noch nach Ablauf der Widerspruchsfrist (§ 395 II FamFG, § 397 S. 1 FamFG) oder nach rechtskräftiger Zurückweisung des Widerspruchs möglich (KG JFG 11, 159, 161; B/K/L/Füller Rn. 26). Dann ist die noch nicht vollzogene Löschungsverfügung zurückzunehmen. Ist sie bereits vollzogen, so muss Heilungs- mit Fortsetzungsbeschluss (→ § 277 Rn. 3) verbunden werden. Für Amtslöschung gibt es keine Ausschlussfrist (so ausdr. § 275 III 2).

32 **Öffentl. Interesse** verlangt zwar § 398 FamFG für Löschung von HV-Beschlüssen, aber nicht § 397 S. 1 FamFG für Löschung der AG selbst. Es ist gleichwohl erforderlich (sa Henssler/Strohn/Drescher Rn. 8; Hölters/Weber/Krebs Rn. 27; KK-AktG/Winnen Rn. 82). § 397 S. 1 FamFG geht lediglich davon aus, dass bei gravierendem Satzungsmangel öffentl. Interesse besteht. Fehlt es

ausnahmsweise, so hat Löschung zu unterbleiben, namentl. dann, wenn sie infolge Zeitablaufs (etwa bei tats. Veränderung des Unternehmensgegenstands) nicht mehr gerechtfertigt ist (KG JFG 18, 189; Henssler/Strohn/Drescher Rn. 8). Während bislang hM annahm, Registergericht entscheide nach Ermessen (vgl. bes. Bassenge Rpfleger 1974, 174; zust. BeckOGK/Bachmann Rn. 25), geht heute hM davon aus, dass öffentl. Interesse Gegenstand einer Rechtsfrage sei (MüKoAktG/J. Koch Rn. 68; GK-AktG/K. Schmidt Rn. 43; KK-AktG/Winnen Rn. 85). Wegen **Wirkung** der Amtslöschung vgl. § 277; → Rn. 2 ff.; erst vollzogene Löschung löst AG auf.

3. Verfahren. Ausschließlich zuständig ist **Amtsgericht** (§ 23a II Nr. 3 GVG) des Gesellschaftssitzes (§ 14 iVm §§ 376 f. FamFG), in dessen Bezirk ein LG seinen Sitz hat; nicht mehr zuständig ist das vorgeordnete LG (→ § 241 Rn. 25). Gericht wird **von Amts wegen** tätig, doch besteht Antrags- und Beschwerderecht der IHK nach § 380 FamFG (OLG Hamm DNotZ 1954, 92 f.; OLG Düsseldorf DNotZ 1957, 417). Verfahren beginnt mit **Löschungsankündigung,** die an AG, vertreten durch ihren Vorstand (MüKoAktG/J. Koch Rn. 70), zu richten ist. Auf Heilungsmöglichkeit (§ 276) ist ausdr. hinzuweisen (§ 45 I HRV). Es muss Widerspruchsfrist bestimmt werden (§ 395 II 1 FamFG, § 397 S. 1 FamFG). Registergericht ordnet **Löschung** an, wenn kein Widerspruch erhoben wird (§ 393 V Var. 1 FamFG, § 395 III FamFG, § 397 S. 1 FamFG). Sie erfolgt durch Vermerk in Spalte 6 des Registerblatts (§ 43 Nr. 6 lit. b sublit. ff HRV), der AG als nichtig bezeichnet (§ 45 II HRV). Bek. erfolgt nach § 10 HGB (zur Neuordnung des Bekanntmachungswesens durch DiRUG 2021 → § 39 Rn. 7 ff.). Wird **Widerspruch** erhoben, so ist zunächst darüber zu entscheiden; Löschung erst nach rechtskräftiger Zurückweisung des Widerspruchs (§ 393 V Var. 2 FamFG, § 395 III FamFG, § 397 S. 1 FamFG). Löschungsankündigung und -verfügung sind nicht rechtsmittelfähig. Beschwerde (Frist: § 63 FamFG) gibt es erst gegen die Verfügung, die Widerspruch zurückweist (§ 393 III 2 FamFG, § 395 III FamFG, § 397 S. 1 FamFG). Nach deren Abweisung ist zulassungsabhängige Rechtsbeschwerde statthaft (§§ 70 ff. FamFG). 33

4. Amtslöschung und Streitverfahren. Registerrichter hat **Aussetzungsbefugnis** des § 21 I FamFG, § 381 FamFG. **Bindungswirkung** entfaltet jedenfalls das auf Nichtigkeit der AG erkennende rechtskräftige Urteil, das dementspr. auch nach § 275 IV 1 iVm § 248 I 3 einzutragen ist. Registerrichter muss also nach § 275 IV 3 (→ Rn. 29) auch dann eintragen, wenn er Urteil nicht für richtig hält. Dagegen darf er löschen, obwohl Klage rechtskräftig als unbegründet abgewiesen ist (Henssler/Strohn/Drescher Rn. 9; B/K/L/Füller Rn. 30; MüKoAktG/J. Koch Rn. 74); dementsprechend ist insofern auch keine Eintragungspflicht vorgesehen. Amtslöschung vor Streitentscheidung erledigt Hauptsache. 34

Heilung von Mängeln

276 **Ein Mangel, der die Bestimmungen über den Gegenstand des Unternehmens betrifft, kann unter Beachtung der Bestimmungen des Gesetzes und der Satzung über Satzungsänderungen geheilt werden.**

I. Heilungsfähige Mängel

Nach § 276 in seiner Fassung durch PublizitätsRL (jetzt konsolidiert in GesR-RL) kann ein Mangel geheilt werden, der Bestimmungen über Unternehmensgegenstand betr. Das gilt für Fehlen der Satzungsbestimmung ebenso wie für (auch nachträglich eintretende, → § 275 Rn. 14) Nichtigkeit einer getroffenen 1

Regelung. **Nicht heilbar** ist Mangel der Satzung, wenn Bestimmungen über Höhe des Grundkapitals fehlen. Das folgt schon aus Wortlaut des Ges. und ist für Aktienrecht weitgehend anerkannt (statt aller BeckOGK/Bachmann Rn. 4; MüKoAktG/J. Koch Rn. 4 f.; aA aber GK-AktG/K. Schmidt Rn. 6 f.).

II. Heilung durch Satzungsänderung

2 **1. Hauptversammlungsbeschluss.** Heilung erfolgt im Wege der Satzungsänderung. Erforderlich ist also Beschluss der HV und für ihn **Dreiviertelmehrheit** des § 179 II 1, wenn Satzung keine andere Regelung enthält. Für Änderungen des Unternehmensgegenstands kann Satzung das Mehrheitserfordernis zwar verschärfen, aber nicht abmildern (§ 179 II 2 Fall 2). Das gilt auch für Heilungsbeschlüsse, aber nur, wenn Norm tatbestandlich eingreift. So liegt es, wenn tats. eingetretene Änderung des Unternehmensgegenstands satzungsmäßig bereinigt werden soll (ebenso BeckOGK/Bachmann Rn. 5). UU kann sich im Einzelfall auch positive Stimmpflicht ergeben, wenn Satzungsänderung dazu dient, Grundlagen des Gesellschaftsverhältnisses wiederherzustellen (MüKoAktG/J. Koch Rn. 9 f.; GK-AktG/K. Schmidt Rn. 8; ähnlich BeckOGK/Bachmann Rn. 6; Henssler/Strohn/Drescher Rn. 2; NK-AktR/Wermeckes Rn. 3).

3 **2. Registerverfahren.** Erforderlich ist Anmeldung des Heilungsbeschlusses in der Form des § 12 HGB (§ 181 I 1 iVm § 276). Die in § 181 I 2 und genannten Urkunden sind beizufügen. Zuständig ist Amtsgericht (§ 23a II Nr. 3 GVG) des Gesellschaftssitzes (§ 14). Anmeldung obliegt dem Vorstand, der durch Mitglieder in vertretungsberechtigter Zahl tätig wird (§ 78). Registergericht prüft Anmeldung in formeller und materieller Hinsicht. Ergeben sich keine Beanstandungen, so verfügt es die Eintragung. Sie erfolgt gem. § 43 Nr. 6 lit. f HRV in Sp. 6 des Registerblatts. Eintragung wirkt konstitutiv (§ 181 III iVm § 276). Bek. erfolgt nach § 10 HGB, umschreibt nach neuer Begrifflichkeit aber nur noch erstmalige elektronische Abrufbarkeit der Eintragung (§ 10 I HGB; zur Neuordnung des Bekanntmachungswesens durch DiRUG 2021 → § 39 Rn. 7 ff.).

III. Heilungswirkung

4 Werbende AG kann ex nunc nicht mehr aufgelöst werden. Bereits aufgelöste AG darf durch Fortsetzungsbeschluss (§ 274) zur werbenden Tätigkeit zurückkehren. Der bisherige Nichtigkeitsgrund verliert also seine Bedeutung. Eine in der Vergangenheit liegende Pflichtverletzung der Verwaltung wird dadurch nicht ungeschehen gemacht. Ersatzansprüche (§§ 93, 116) bestehen also weiter, Abberufung (§ 84 IV, § 103) bleibt möglich.

Wirkung der Eintragung der Nichtigkeit

277 (1) **Ist die Nichtigkeit einer Gesellschaft auf Grund rechtskräftigen Urteils oder einer Entscheidung des Registergerichts in das Handelsregister eingetragen, so findet die Abwicklung nach den Vorschriften über die Abwicklung bei Auflösung statt.**

(2) **Die Wirksamkeit der im Namen der Gesellschaft vorgenommenen Rechtsgeschäfte wird durch die Nichtigkeit nicht berührt.**

(3) **Die Gesellschafter haben die Einlagen zu leisten, soweit es zur Erfüllung der eingegangenen Verbindlichkeiten nötig ist.**

I. Die nichtige AG als aufgelöste Gesellschaft

1 Eingetragene AG besteht trotz Gründungsmangels als jur. Person (→ Rn. 3 f.). Gerichtl. Feststellung der Nichtigkeit ist deshalb nur Auflösungstatbestand, der Abwicklung ebenso nach sich zieht wie Eintritt anderer Auflösungsgründe. Früher für richtig gehaltene Vorstellung einer eigentlich nicht existenten, im Interesse des Aktionärs- und Gläubigerschutzes (→ § 275 Rn. 3) nur fingierten Gesellschaft ist überholt.

II. Voraussetzungen der Auflösung

2 Nach Wortlaut des § 277 I bewirkt erst Eintragung der Nichtigkeit, dass AG in Abwicklungsstadium eintritt; Eintragung hätte danach konstitutive Wirkung (so BeckOGK/Bachmann Rn. 7; Henssler/Strohn/Drescher Rn. 3; MüKoAktG/J. Koch § 277 Rn. 4 ff.; KK-AktG/Winnen Rn. 5 f.). ZT wird dagegen differenzierende Lösung vertreten, wonach Eintragung zwar für Löschungsverfügung konstitutiv wirke, der Eintragung eines rechtskräftigen Urteils aber nur deklaratorische Wirkung zukomme (B/K/L/Füller Rn. 23; S/L/Riesenhuber Rn. 2). Diese Lösung erscheint zwar dogmatisch stimmig, weil sie der Gestaltungswirkung des Nichtigkeitsurteils Rechnung trägt. Mit klarem Wortlaut des § 277 I lässt sie sich allerdings nur schwer in Einklang bringen. Da überdies keine zwingenden Sachgründe ersichtlich sind, die teleologische Korrektur des Wortlauts erforderlich machen, ist dem wortlautgetreuen konstitutiven Verständnis zu folgen.

III. Auflösungsfolgen

3 **1. Abwicklung.** Es gelten §§ 264 ff. Danach bleibt AG als jur. Person bis zur Vollbeendigung bestehen (öOGH AG 1994, 572). Vorstandsmitglieder werden Abwickler, wenn nicht andere Personen bestellt werden (§ 265). Vertretungsmacht des Vorstands endet mit rechtskräftigem Urteil, nicht erst mit Eintragung. Rechtsverkehr wird aber nach § 15 I und II HGB geschützt. Nach Schluss der Abwicklung ist gem. § 273 zu verfahren. Fortsetzungsbeschluss kann nach §§ 274, 277 I gefasst werden, wenn Mangel heilbar ist (§ 276) und kein Fortsetzungshindernis wie Beginn der Vermögensverteilung besteht (→ § 274 Rn. 4 f.).

4 **2. Rechtsgeschäfte.** Nach § 277 II wird Wirksamkeit von Rechtsgeschäften durch Nichtigkeit der AG nicht berührt. Darin liegt nur Klarstellung, weil AG tats. wie rechtl. besteht. Deshalb geht es weder um § 15 HGB noch um allg. Rechtsscheinshaftung. Folglich sind Kenntnis des Satzungsmangels oder des Eintritts der Auflösungsfolge unerheblich. § 277 II gilt auch zugunsten der AG und auch bei Einmann-AG (RG HRR 1935 Nr. 1677).

5 **3. Rückständige Einlagen.** Vor Auflösung verbleibt es bei allg. Vorschriften (§ 9 I, § 27 I, § 54). Nach Auflösung besteht Einlagepflicht gem. § 277 III nur noch in beschränktem Umfang, nämlich soweit zur Befriedigung der Gläubiger erforderlich. Maßgeblicher Zeitpunkt ist Rechtskraft des Nichtigkeitsurteils (RGZ 114, 77; → Rn. 2). Aktionär muss beweisen, dass seine Leistung zur Befriedigung der Gläubiger nicht benötigt wird (Ausnahme vom Grundsatz der Einlagepflicht). Gem. § 53a muss AG den Schuldenbetrag grds. auf alle Aktien umlegen. Auf nichtigen Kapitalerhöhungsbeschluss findet § 277 III analoge Anwendung (→ § 189 Rn. 6).

Zweites Buch. Kommanditgesellschaft auf Aktien

Wesen der Kommanditgesellschaft auf Aktien

278 (1) **Die Kommanditgesellschaft auf Aktien ist eine Gesellschaft mit eigener Rechtspersönlichkeit, bei der mindestens ein Gesellschafter den Gesellschaftsgläubigern unbeschränkt haftet (persönlich haftender Gesellschafter) und die übrigen an dem in Aktien zerlegten Grundkapital beteiligt sind, ohne persönlich für die Verbindlichkeiten der Gesellschaft zu haften (Kommanditaktionäre).**

(2) **Das Rechtsverhältnis der persönlich haftenden Gesellschafter untereinander und gegenüber der Gesamtheit der Kommanditaktionäre sowie gegenüber Dritten, namentlich die Befugnis der persönlich haftenden Gesellschafter zur Geschäftsführung und zur Vertretung der Gesellschaft, bestimmt sich nach den Vorschriften des Handelsgesetzbuchs über die Kommanditgesellschaft.**

(3) **Im übrigen gelten für die Kommanditgesellschaft auf Aktien, soweit sich aus den folgenden Vorschriften oder aus dem Fehlen eines Vorstands nichts anderes ergibt, die Vorschriften des Ersten Buchs über die Aktiengesellschaft sinngemäß.**

Übersicht

I. Normzweck und Allgemeines

1. Regelungsgegenstand und -zweck. §§ 278 ff. regeln die KGaA als eine Mischform von AG und KG mit Schwerpunkt im Aktienrecht (→ Rn. 3). Dabei hat § 278 erstens die Aufgabe, die **Strukturmerkmale** der KGaA zu bestimmen (ähnlich wie § 1 diejenigen der AG → § 1 Rn. 1); das geschieht in § 278 I. Zweitens dient die Vorschrift, entspr. dem Mischcharakter der Rechtsform, der Abstimmung von drei Normengruppen, nämlich Aktienrecht, Recht der KG und Sonderregeln der §§ 279–290. § 278 fungiert hier als „Scharniernorm" (Teichmann FS Krieger, 2020, 993, 994), die in § 278 II und III wahlweise auf das Recht der AG (insbes. hinsichtlich Kapitalstruktur) oder auf das Recht der KG (insbes. hinsichtlich Innenverhältnis der Gesellschaftergruppen und Führungsstruktur) verweist (GK-AktG/Sethe Rn. 5). Hinsichtlich des anwendbaren Rechts ist (1) zunächst zu fragen, ob §§ 279–290 als Spezialregelungen einschlägig sind, sodann (2), ob über § 278 II Recht der KG Anwendung findet. Ist dies nicht der Fall, findet (3) gem. § 278 III Aktienrecht Anwendung (vgl. zur Regelungstechnik Herfs AG 2005, 589 ff.). Zur Besteuerung der KGaA etwa Hasselbach/Ebbinghaus DB 2015, 1269, 1275 f. 1

2. Praktische Verbreitung. Die Zahl der KGaA ist immer noch verhältnismäßig gering, hat in den letzten Jahren aber deutlich zugenommen (ausf. empirische Bestandsaufnahme bei GK-AktG/Sethe Vor §§ 278 ff. Rn. 44 ff.; Lieder/Hoffmann AG 2016, 704 ff.). Während das Stat. Jb. BRD, 1990, 126 f. sie noch mit 27 angab, waren laut DAI-Factbook 2013 im Jahr 2009 schon 236 Unternehmen in dieser Rechtsform organisiert. Bereits 2013 ist ihre Zahl auf 280 angestiegen (Kornblum GmbHR 2013, 693, 694); 2022 wurden 389 KGaA gezählt (Bayer/Lieder/Hoffmann GmbHR 2023, 709, 717), zu denen auch einige große DAX-Unternehmen zählen (vgl. v. Eiff/Otte GWR 2015, 246; Hasselbach/Ebbinghaus DB 2015, 1269). Der Grund für diese Entwicklung dürfte vornehmlich in der Anerkennung der Kapitalgesellschaft & Co KGaA (BGHZ 134, 392 = NJW 1997, 1923) gesehen werden. Vier Fünftel aller KGaA sind mittlerweile in dieser Sonderform verfasst (Johannsen-Roth/Kießling in FS Marsch-Barner, 2018, 273). Dass die Rechtsform nicht noch weiter verbreitet ist, dürfte namentl. darauf zurückzuführen sein, dass die KGaA mit einer natürlichen Person als Komplementär den Gestaltungswünschen der Praxis nicht entspr., die KGaA mit einer jur. Person als Komplementär dagegen in ihrer rechtl. Struktur derart unüberschaubar wirkt, dass sie in der Unternehmenspraxis, aber auch am Kapitalmarkt auf Akzeptanzprobleme stoßen könnte (Fett/Stütz NZG 2017, 1121 f.; Lieder/Hoffmann AG 2016, 704, 712: „Paradiesvogel im Rechtsformenzoo des deutschen Verbandsrechts"). Attraktiv ist Rechtsform der KGaA jedoch für **mittelständische Familienunternehmen,** da sie anders als GmbH kapitalmarktoffen ist, zugleich aber kautelarjuristische Freiheiten einräumt, die in einer AG wegen § 23 V nicht bestehen (→ Rn. 18 ff.; ausf. Fleischer/Maas DB 2021, 37, 42 f.; Kruse/Domning/Frechen DStR 2017, 2440 ff.; Mense GWR 2014, 320 f.; Reichert ZIP 2014, 1957, 1960). Hervorzuheben ist namentl. die Möglichkeit, börsennotierte KGaA (→ Rn. 23) zu errichten, deren Geschäftsleitung durch die Familiengesellschafter kontrolliert wird (Komplementär als „Herr im Haus") und die vor feindlichen Übernahmen geschützt ist (Haider-Giangreco/Polte BB 2014, 2947, 2952; Hasselbach/Ebbinghaus DB 2015, 1269, 1274 f.). Auch mitbestimmungsrechtl. Gesichtspunkte (→ Rn. 22) dürften bei der Rechtsformwahl eine Rolle spielen. Zur bes. Bedeutung im Bereich des Profifußballs vgl. Fett/Stütz NZG 2017, 1121, 1124. 2

3 **3. Rechtliche Struktur.** Die rechtl. Struktur der KGaA schwankt in der Entwicklung (dazu Wiesner ZHR 148 [1984], 56, 64 ff.) zwischen Abart der KG und **Abart der AG.** Was heute zutrifft, ist str. Teils wird Abart der AG angenommen (Wiesner ZHR 148 [1984], 56, 64 ff.), teils eigenständiger Charakter betont (BGHZ 134, 392, 398 = NJW 1997, 1923; MüKoAktG/Perlitt Vor § 278 Rn. 31 ff.), teils Frage offengelassen (Bürgers/Fett/Fett HdB KGaA § 3 Rn. 2). Dass aktienrechtl. Elemente überwiegen, kann spätestens seit § 219 AktG 1937 (Anerkennung der KGaA als jur. Person) kaum zweifelhaft sein. Richtig ist allerdings, dass die Frage nur geringe praktische Bedeutung hat (→ Rn. 10; → § 288 Rn. 1 f.) und speziell die Organisationsstruktur durch § 278 II den §§ 161 ff. HGB unterstellt ist (→ Rn. 11 ff.).

II. Strukturmerkmale (§ 278 I)

4 **1. Überblick. Wie AG** ist KGaA Korporation (→ § 1 Rn. 2 f.), jur. Person (→ § 1 Rn. 4 ff.), Kapitalgesellschaft (→ § 1 Rn. 10 ff.) und Formkaufmann (→ § 1 Rn. 14); vgl. § 278 I und zur Eigenschaft als Formkaufmann § 3 I iVm § 278 III. **Anders als AG** hat KGaA jedoch zwei Arten von Gesellschaftern, nämlich wenigstens einen persönlich haftenden Gesellschafter (Komplementär, Geschäftsinhaber) und einen oder mehrere Kommanditaktionäre. Sie sind am Grundkapital beteiligt und haften für die Gesellschaftsverbindlichkeiten nicht persönlich. Das unterscheidet sie von den Kommanditisten, bei denen der Ausschluss der grds. gegebenen persönlichen Haftung von der Leistung und dem Verbleib der Einlage abhängt (§ 161 I, §§ 171 ff. HGB). Abw. von § 1 I 2 (→ § 1 Rn. 8 f.) sieht § 278 I also eine gespaltene Haftungsstruktur vor. Im Verhältnis zwischen Komplementären und Kommanditaktionären gilt die mitgliedschaftliche Treupflicht (hM – LG München NZG 2014, 700, 703; MüKoAktG/Perlitt Rn. 135).

5 **2. Insbesondere: Komplementäre und Kommanditaktionäre.** Die Gesellschafter können nur Komplementäre oder Kommanditaktionäre sein; KGaA kann also nicht Kommanditisten iSd §§ 161 ff. HGB als dritte Art von Gesellschaftern haben (hM, s. GK-AktG/Sethe Rn. 15; MüKoAktG/Perlitt Rn. 13 ff.). Möglich ist dagegen die stille Beteiligung (§§ 230 ff. HGB) an dem von der KGaA betriebenen Handelsgewerbe (RGZ 153, 371, 373). Die Komplementäre können zugleich Kommanditaktionäre sein (allgM, s. zB KK-AktG/Mertens/Cahn Rn. 48). Auch ist es zulässig, dass die Komplementäre alle Aktien selbst übernehmen (KK-AktG/Mertens/Cahn Rn. 10). Deshalb und wegen der Verselbständigung der KGaA zur jur. Person (→ Rn. 4) kann sie auch als **Einpersonengesellschaft** bestehen (ganz hM, näher KK-AktG/Mertens/Cahn Rn. 10; MüKoAktG/Perlitt § 280 Rn. 29 ff.). Seit Neufassung des § 280 I 1 durch UMAG 2005 kann KGaA auch durch einseitiges Rechtsgeschäft einer Person errichtet werden (→ § 280 Rn. 2). Schließlich ist es auch denkbar, dass KGaA selbst sämtliche Anteile an ihrer Komplementärin hält; in diesem Fall spricht man von **Einheits-KGaA** (BeckOGK/Bachmann Rn. 4). Tats. ist **Komplementär idR jur. Person** (→ Rn. 1; zur rechtl. Behandlung → Rn. 8 ff.). Man spricht dann von atypischer oder kapitalistischer KGaA (vgl. zur Begrifflichkeit GK-AktG/Sethe Vor §§ 278 ff. Rn. 138 ff.; → Rn. 8 f.).

III. Die Rechtsstellung der Komplementäre (§ 278 II)

6 **1. Grundsatz und Überblick.** Nach § 278 II bestimmt sich die Rechtsstellung der Komplementäre nach **§§ 161 ff. HGB.** Für ihr Verhältnis untereinander sind gem. § 161 II HGB die §§ 108 ff. HGB anzuwenden. Ergänzend gelten §§ 705 ff. BGB iVm § 105 III HGB. In ihrem Verhältnis zur Gesamtheit der

Kommanditaktionäre (nicht: zwischen Komplementären und einzelnen Kommanditaktionären) sind §§ 163–169 HGB maßgeblich. Auch die Auseinandersetzung unterliegt den für die KG geltenden Regeln (BGH AG 1974, 187, 188). Das Verhältnis zu Dritten ist nach §§ 123 ff. HGB zu beurteilen. Bes. obliegt es den Komplementären, die Geschäfte zu führen und die KGaA zu vertreten. Die Kommanditaktionäre haben insoweit auch in ihrer Gesamtheit keine Rechte (§§ 164, 170 HGB). Von zentraler Bedeutung für die KGaA ist, dass sich die Verweisung des § 278 II auch auf §§ 108, 163 HGB erstreckt. Damit steht Organisationsstruktur der KGaA iGgs zu derjenigen der AG (§ 23 V; → § 23 Rn. 34 ff.) zur **Disposition des Satzungsgebers,** was Herausbildung verschiedener Typen ermöglicht (→ Rn. 18 f.; Überblick auch bei Bürgers/Fett/Reger HdB KGaA § 5 Rn. 21 ff.). Komplementär kann herrschendes Unternehmen iSd §§ 15 ff. sein (ausf. → Rn. 21).

2. Persönliche Anforderungen. a) Natürliche Personen. Komplementäre einer KGaA können jedenfalls unbeschränkt geschäftsfähige natürliche Personen sein. Dasselbe gilt für geschäftsunfähige oder nur beschränkt geschäftsfähige Personen (§§ 104, 106 BGB), wenn sie nicht zur Geschäftsführung oder Vertretung (→ Rn. 11 ff.) berufen sind (hM, s. KK-AktG/Mertens/Cahn Rn. 20; MüKo-AktG/Perlitt Rn. 29). Früher teilw. geforderte Vorstandsqualifikation gem. § 76 III 1 und damit Erfordernis unbeschränkter **Geschäftsfähigkeit** (zB Elschenbroich, Die KGaA, 1959, 130) kommt für Komplementäre, die an Geschäftsleitung nicht teilnehmen, überhaupt nicht in Betracht. Ob für geschäftsleitende Komplementäre noch volle Geschäftsfähigkeit verlangt werden kann oder ob es darauf wegen Möglichkeit ges. Vertretung nach den zu §§ 116, 124, 161 II HGB geltenden Grundsätzen nicht ankommt, scheint geklärt. Für ein solches Erfordernis spräche zwar § 76 III 1 (KK-AktG/Mertens/Cahn Rn. 15, 20), zutr. hM verneint dies jedoch mit Hinweis, dass Stellung der Komplementäre der eines Vorstands nicht entspr. und § 283 keinen entspr. Verweis enthält (GK-AktG/Sethe Rn. 24 f.; MHdB AG/Herfs § 78 Rn. 15). Vorteil: minderjähriger Erbe kann in Komplementärstellung einrücken (BeckOGK/Bachmann Rn. 41). 7

b) Andere Gesellschaften. aa) Grundsatz. Dass jur. Personen und rechtsfähige Personenhandelsgesellschaften Komplementäre sein können, ist seit der Leitentscheidung BGHZ 134, 392 = NJW 1997, 1923 unstr. Daraus folgt Möglichkeit sog **atypischer KGaA,** die namentl. in den Formen einer GmbH & Co KGaA, AG & Co KGaA, SE & Co KGaA oder auch Stiftung & Co KGaA begegnet. Selbst doppelstöckige Struktur iSe GmbH & Co KG & Co KGaA ist denkbar. Auch **Außen-GbR** ist als taugliche Komplementärin anzusehen (ausf. hierzu Heinze DNotZ 2012, 426, 430), mangels Rechtsfähigkeit jedoch nicht eheliche Gütergemeinschaft oder Erbengemeinschaft (GK-AktG/Sethe Rn. 42). Zur Besonderheit, dass KGaA sämtliche Anteile der Komplementär-Gesellschaft hält → Rn. 5. 8

bb) Einzelfragen. Satzungen oder Gesellschaftsverträge müssen wie bei GmbH & Co KG entspr. aufeinander abgestimmt sein. Unverzichtbar ist **Publizität** der atypischen Gestaltung. § 279 II verlangt deshalb, dass allseitige Haftungsbeschränkung in der Firma offengelegt wird (→ § 279 Rn. 3). Aus der Firma „Heinrich Müller Maschinenfabrik GmbH" kann zB die Firma „Heinrich Müller Maschinenfabrik GmbH & Co KGaA" abgeleitet werden. Abzuwarten bleibt, ob und inwieweit es zugunsten der Kommanditaktionäre beschränkender Rechtsregeln bedarf (eher beiläufig BGHZ 134, 392, 399; dazu Ihrig/Schlitt in Ulmer ZHR-Beiheft 67, 1998, 33, 42 ff.; monographisch Arnold, Die GmbH & Co KGaA, 2001, zB S. 48 ff.; zur Einschränkung von Zustimmungserfordernissen → Rn. 19), insbes. einer spezifischen Inhaltskontrolle der Satzung entspr. der 9

Rspr. zur Publikums-KG. Während manche insbes. aus **Anlegerschutzgründen** ein solches „Sonderrecht" für die atypische KGaA befürworten (BeckOGK/Bachmann Rn. 32 f.; Ihrig/Schlitt in Ulmer ZHR-Beiheft 67, 1998, 60), lehnt wohl hM (GK-AktG/Sethe Rn. 7; B/K/L/Förl/Fett Rn. 37a; Bürgers/Fett/Reger HdB KGaA § 5 Rn. 26 ff.; Wichert AG 2000, 268 ff.; stark diff. MüKoAktG/Perlitt Rn. 339 ff.) eine solche Fortentwicklung ab. HM ist zuzustimmen, da KGaA schließlich anders als KG ohnehin schon als Publikumsgesellschaft konzipiert ist (Bürgers/Fett/Reger HdB KGaA § 5 Rn. 29) und überdies andere gesellschaftsrechtl. Institute wie Treupflichten (→ Rn. 4) bereit stehen, um Missbrauch zu begegnen (GK-AktG/Sethe Rn. 7). Dass daneben nennenswerte Schutzlücken verbleiben, ist bislang durch rechtstatsächliche Entwicklung noch nicht bestätigt.

10 **3. Haftung.** Im **Außenverhältnis** haften die Komplementäre den Gläubigern der KGaA gem. **§§ 126 ff. HGB** iVm § 161 II HGB zwingend unmittelbar, unbeschränkt und persönlich, können also insbes. neben KGaA in Anspruch genommen werden (s. LAG München ZIP 1990, 1219 f.). Wegen der Einwendungen vgl. § 128 HGB. Zwangsvollstreckung setzt einen Titel gegen den Komplementär voraus (§ 129 II HGB). Eintretender Komplementär haftet gem. § 127 HGB für bestehende Verbindlichkeiten der KGaA. Mehrere Komplementäre sind Gesamtschuldner. Ein in Anspruch genommener Komplementär kann im **Innenverhältnis** gem. § 161 II iVm § 105 III HGB iVm § 716 I BGB bei KGaA Regress nehmen. § 426 II BGB ist mangels echter Gesamtschuld (primäre Leistungspflicht der KGaA) nicht anwendbar. **Freistellungsvereinbarungen** zwischen Komplementären im Innenverhältnis sind zulässig (§ 126 S. 2 HGB). Satzungsmäßiger Rückgriff gegen Kommanditaktionäre ist jedoch als Nachschusspflicht unzulässig, so dass insoweit nur schuldrechtl. Freistellungszusagen der Kommanditaktionäre in Betracht kommen (GK-AktG/Sethe Rn. 69; BeckOGK/Bachmann Rn. 47; KK-AktG/Mertens/Cahn Rn. 40, 52). **Ausgeschiedene Komplementäre** haften fort, und zwar gem. § 137 HGB für die Dauer von fünf Jahren, wobei Enthaftungsregelung für Verbindlichkeiten aus sämtlichen Schuldverhältnissen gilt (RegBegr. BT-Drs. 12/1868, 8). Einwand der Verjährung der Gesellschaftsschuld nach § 127 I HGB bleibt Altgesellschafter erhalten (sa Brandes FS Stimpel, 1985, 105, 111 ff.). Enthaftungsfrist beginnt mit Ablauf des Tages, an dem Ausscheiden in das HR eingetragen wird (§ 137 I 3 HGB). Forthaftung ist mit Rücksicht auf zusätzliche aktienrechtl. Kapitalsicherung zwar nicht unproblematisch (näher Wiesner ZHR 148 [1984], 56, 67 ff.), ist aber, wie §§ 224, 237, 249 UmwG zeigen, als ges. gewollt hinzunehmen (MHdB AG/Herfs § 78 Rn. 23; Bürgers/Fett/Reger HdB KGaA § 5 Rn. 228). Ausgleichsansprüche ausgeschiedener Komplementäre gegen KGaA folgen aus §§ 670, 683 S. 1 BGB (GK-AktG/Sethe Rn. 68; BeckOGK/Bachmann Rn. 49; B/K/L/Förl/Fett Rn. 21; aA MüKoHGB/K. Schmidt/Drescher HGB § 128 Rn. 65). In diesem Fall ist § 426 II BGB nach zutr. hM anwendbar (Hopt/Roth HGB § 128 Rn. 25; KK-AktG/Mertens/Cahn Rn. 44; MüKoAktG/Perlitt Rn. 163; Bürgers/Fett/Reger HdB KGaA § 5 Rn. 225; aA B/K/L/Förl/Fett Rn. 21).

11 **4. Geschäftsführung und Vertretung (einschließlich Organverfassung). a) Geschäftsführung. aa) Grundsatz und Überblick.** Die KGaA hat keinen Vorstand. Geschäftsführung (und Vertretung; → Rn. 14) liegt deshalb bei den Komplementären (Prinzip der Selbstorganschaft). Sie richtet sich gem. § 278 II nach **§ 116 HGB** iVm § 161 II HGB. Die Kommanditaktionäre sind auch in ihrer Gesamtheit entspr. § 164 HGB von der Geschäftsführung ausgeschlossen (aber satzungsdispositiv; → Rn. 19). Nach § 116 I HGB sind alle Komplementäre zur Geschäftsführung berechtigt und verpflichtet, und zwar einzeln (§ 116 III HGB). Bei Widerspruch eines anderen Komplementärs muss die geplante Maß-

nahme jedoch unterbleiben (§ 116 III 3 HGB). Die Befugnis zur Geschäftsführung umfasst nach § 116 II HGB nur die Vornahme derjenigen Handlungen, die der Geschäftsbetrieb gerade dieser KGaA mit sich bringt (konkrete Betrachtung; → Rn. 13). Erteilung einer Prokura ist von Einzelbefugnis grds. nicht gedeckt, sondern bedarf Zustimmung aller geschäftsführenden Komplementäre (§ 116 II 2 HGB). Zur Entziehung der Geschäftsführungsbefugnis gem. § 116 V HGB durch Gestaltungsurteil aus wichtigem Grund → Rn. 17b. Kontrollrecht des § 105 III iVm § 717 HGB steht den nicht geschäftsführenden Komplementären zu, dagegen nicht den Kommanditaktionären.

bb) Einzelfragen. Die Komplementäre dürfen sich eine **Geschäftsordnung** geben. Eine Befugnis des AR, die Geschäftsordnung zu erlassen (vgl. § 77 II 1), gibt es in der KGaA von Ges. wegen nicht (BeckOGK/Bachmann Rn. 61; MüKoAktG/Perlitt Rn. 80). Für **Rechnungslegung und Jahresabschluss** unterliegen die Komplementäre den für den Vorstand geltenden Vorschriften (§ 283 Nr. 9–11). Insbes. haben sie den Jahresabschluss aufzustellen. Feststellung erfolgt nicht gem. § 172 durch Billigung des AR, sondern setzt zwingend Beschluss der HV voraus (§ 286 I 1), der seinerseits nur mit Zustimmung der (dh aller, aber satzungsdispositiv) Komplementäre zustande kommt (§ 286 I 2). 12

Außergewöhnliche Geschäfte, dh solche, die von § 116 II HGB nicht gedeckt sind (→ Rn. 11), bedürfen vorbehaltlich abw. Regelung in der Satzung der Zustimmung aller Komplementäre, auch der nicht geschäftsführenden (§ 116 II, Hs. 2HGB). Erforderlich ist weiter zust. Beschluss der HV. Das folgt aus § 164 HGB, der über Wortlaut hinaus Zustimmungserfordernis begründet (allgM seit RGZ 158, 302, 305; s. MüKoAktG/Perlitt Rn. 179; zur satzungsmäßigen Einschränkung → Rn. 19). **Haftung** richtet sich nach § 93 iVm § 283 Nr. 3 (OLG München AG 2000, 426, 427). Geschuldet wird also Sorgfalt des ordentlichen Geschäftsleiters (BGHZ 134, 392, 394 = NJW 1997, 1923; OLG München AG 2000, 426, 427 – dort erörterte Frage nach Anwendung des § 708 BGB aF hat sich mit Streichung der Vorschrift im Zuge des MoPeG 2021 erledigt). 13

b) Vertretung. § 278 II verweist auch insoweit auf KG-Recht. Maßgeblich sind also § 124 HGB iVm § 161 II HGB. An die Stelle des § 125 HGB, der zwar Außenverhältnis, aber nicht eigentlich Vertretung betr., tritt § 80 iVm § 278 III. § 124 I HGB sieht Einzelvertretung vor. Nach § 125 II HGB kann Gesamtvertretung durch die Satzung eingeführt werden. Änderungen in der Vertretungsmacht müssen nach § 283 Nr. 1, 81 zum HR angemeldet werden. Die Vertretungsmacht ist im Außenverhältnis gem. § 124 IV 2 HGB gänzlich unbeschränkt (anders Geschäftsführungsbefugnis → Rn. 11). Dritte können sich darauf aber bei Kollusion und vergleichbaren Sachverhalten nicht berufen. Verliert KGaA einzigen Komplementär, tritt Führungslosigkeit ein, auf die § 78 I 2 anwendbar ist und Zuständigkeit des AR begründet (→ § 289 Rn. 9). Zur Entziehung der Vertretungsmacht vgl. § 124 V HGB (vgl. noch → Rn. 17c). 14

c) Aufsichtsrat; Hauptversammlung. Nach §§ 95 ff. iVm § 278 III muss die KGaA einen AR haben. Liegt Fall des § 104 I oder II vor (→ § 104 Rn. 2 ff., 8 ff.), können Komplementäre, Kommanditaktionäre und AR-Mitglieder Ergänzungsantrag stellen (OLG Frankfurt AG 2015, 247, 248 ff.; KK-AktG/Mertens/Cahn § 287 Rn. 13). Zuständigkeit der Komplementäre stehen weder grds. abschließender Katalog des § 283 (→ § 283 Rn. 1) noch Stimmverbot des § 285 I 2 Nr. 1 (→ § 285 Rn. 1) entgegen (OLG Frankfurt AG 2015, 247, 249; BeckOGK/Bachmann § 283 Rn. 3). Komplementäre können nicht AR-Mitglieder sein (§ 287 III). Die Vorschriften über den AR der AG gelten sinngem. (vgl. auch § 283 Nr. 4), soweit das mit der bes. Rechtsstellung der Komplementäre vereinbar ist. Auch der AR der KGaA hat die Überwachungskompetenz des 15

§ 111 I, das Prüfungsrecht des § 111 II und das Informationsrecht des § 90 (vgl. dazu mit einschr. Tendenz Kallmeyer ZGR 1983, 57, 69 ff.). Auch ARAG/Garmenbeck-Grundsätze sind auf AR der KGaA anwendbar (Bachmann FS Krieger, 2020, 61, 67 ff.). Wesentliche Abweichungen ggü. dem AR der AG: keine Personalkompetenz entspr. § 84; keine Befugnis zum Erlass einer Geschäftsordnung nach § 77 II 1 (→ Rn. 12); keine Feststellung des Jahresabschlusses durch Billigung des AR nach § 172 (→ Rn. 12); kein Recht, das Zustimmungserfordernis des § 111 IV 2 zu begründen (BeckOGK/Bachmann § 287 Rn. 17; Sethe AG 1996, 289, 291, 297 f.); satzungsmäßige Abänderung ist denkbar – vgl. Schnorbus/Ganzer BB 2020, 451, 458.

16 **Vertretung durch AR** allein: § 287 I und II (→ § 287 Rn. 1 f.); zur Situation der Führungslosigkeit → § 289 Rn. 9. Bei Rechtsgeschäften mit geschäftsführenden Komplementären (auch ausgeschiedenen [→ § 112 Rn. 4]) gilt § 112 iVm § 278 III (hM, s. BGH AG 2005, 239 f. [stille Gesellschaft mit KGaA]; MüKoAktG/Perlitt Rn. 263; Sethe AG 1996, 289, 298 f.; krit., aber iE zust. BeckOGK/Bachmann § 287 Rn. 20 f.; teilw. aA KK-AktG/Mertens/Cahn § 287 Rn. 20 f.), nicht hingegen bei Rechtsgeschäften mit nicht geschäftsführungsbefugten Komplementären, da § 112 AktG lediglich der Verhinderung solcher Interessenkonflikte dient, die sich typischerweise aus der regelmäßigen Vertretungsfunktion ergeben (Fiebelkorn BB 2021, 2123, 2124; aA GK-AktG/Sethe § 287 Rn. 72; BeckOGK/Bachmann § 287 Rn. 22). Anwendungsbereich der § 112 iVm § 278 III ist auf Rechtsgeschäfte mit Geschäftsführern einer (geschäftsführenden) Komplementärgesellschaft zu erstrecken (BeckOGK/Bachmann § 287 Rn. 24). Weitere Ausdehnung auf deren Gesellschafter (dafür noch Spindler/Stilz/Bachmann, 4. Aufl. 2019, Rn. 15) ist von Normzweck nicht mehr gedeckt und kann in bestimmten Konzernstrukturen zu Aufgabenfülle führen, die von AR auch praktisch nicht zu bewältigen ist (so jetzt auch Bachmann AG 2019, 581, 591 ff.; Fiebelkorn ZGR 2020, 782, 795 ff.; Habersack ZIP 2019, 1453, 1454 ff.; Lutter/Krieger/Verse AR Rn. 1330). Doppelvertretung durch AR und persönlich haftenden Gesellschafter: § 246 II iVm § 283 Nr. 13 (BGH AG 2020, 540 Rn. 47); Vertretung durch persönlich haftenden Gesellschafter und den Vorsitzenden des AR (Mitzeichnung): bei Anmeldungen zum HR (§ 283 Nr. 1), zB bei Kapitalerhöhung (§ 184 I).

17 Gem. §§ 118 ff. iVm § 278 III ist die **HV** das dritte Organ der KGaA (Überblick bei Bachmann FS Marsch-Barner, 2018, 13 ff.). Sie dient der Willensbildung der Kommanditaktionäre in ihrer Gesamtheit. Sie haben insoweit die Rechte, die den Aktionären zustehen, insbes. das Recht auf Teilnahme und das Stimmrecht, soweit ihre Aktien nicht stimmrechtslose Vorzüge sind. Für das Stimmrecht gelten §§ 134–137. Teilnahmerecht der Komplementäre ist wegen ihrer Vorstandsfunktionen nach § 118 III 1 iVm § 278 III anzuerkennen. Dies gilt idR auch für Teilnahmepflicht. Von dieser Regel wird zT Ausn. zugelassen, wenn alle Beschlüsse allein von Kommanditaktionären gefasst werden (→ 14. Aufl. 2020, Rn. 17; MüKoAktG/Perlitt § 285 Rn. 6 f.). Da aber auch in dieser Situation ggf. Fragen der Kommanditaktionäre zu beantworten sein können, ist auch hier von Teilnahmepflicht auszugehen (BeckOGK/Bachmann § 285 Rn. 5; S/L/K. Schmidt § 285 Rn. 5). Stimmrecht haben sie gem. § 285 I 1 nur, wenn sie zugleich Kommanditaktionäre sind und nur in dieser Eigenschaft, ferner mit den Beschränkungen des § 285 I 2. Für die Kompetenzen der HV gelten § 119 und die weiteren zuständigkeitsbegründenden Vorschriften singem.; zur Feststellung des Jahresabschlusses → Rn. 12.

17a **d) Grundlagengeschäfte.** Nicht zur Geschäftsführung gehören Grundlagengeschäfte, auf die sich Geschäftsführungs- und Vertretungsbefugnis der Geschäftsführer nicht erstreckt. Beide Gesellschaftergruppen müssen zustimmen (zu satzungsmäßigen Modifizierungen vgl. BeckOGK/Bachmann Rn. 70 ff.). Zustimmungserfordernis ist bei Grundlagengeschäften nach Personengesellschaftsrecht satzungsdisponibel (GK-AktG/Sethe Rn. 124). Str. sind die Grenzen einer Abbedingung. Erforderlich ist wohl, dass zumindest der AR oder ein anderes, die Interessen der Kommanditaktionäre vertretendes Gremium an Grundlagengeschäft mitwirkt (BeckOGK/Bachmann, 75 f.; aA GK-AktG/Sethe Rn. 124, der Grenze erst in der Treupflicht der Komplementäre sieht).

e) Holzmüller-Doktrin. Ob Übertragung der sog Holzmüller-Grundsätze (→ § 119 Rn. 16 ff.) neben den erweiterten personen- und aktienrechtl. Zustimmungserfordernissen bei **außerordentlichen Geschäftsführungsmaßnahmen** (→ Rn. 13) und Grundlagengeschäften noch Raum bleibt, ist umstr. (dagegen GK-AktG/Sethe Vor §§ 278 Rn. 102; KK-AktG/Mertens/Cahn Rn. 57, 67, 69; MüKoAktG/Perlitt Rn. 183; Förl/Fett NZG 2004, 210, 211; Sethe AG 2021, 78, 80 f.; dafür OLG Stuttgart AG 2003, 527, 531; BeckOGK/Bachmann Rn. 76 ff.; S/L/K. Schmidt Rn. 39). Jedenfalls bei gesetzestypischer Ausgestaltung ist hierfür kein Raum, also bei Geltung von § 164 HGB iVm § 278 II. Wenn § 164 HGB dagegen kraft Satzung nicht gilt (→ Rn. 18 f.), lässt sich Notwendigkeit zur Befassung der HV im Wege der Rechtsfortbildung begründen (str.; vgl. OLG Stuttgart AG 2003, 527, 531 f.; ähnlich BeckOGK/Bachmann Rn. 77; S/L/K. Schmidt Rn. 39; Grigoleit/Servatius Rn. 10; Ihrig/Schlitt in Ulmer ZHR-Beiheft 67, 1998, 33, 65; aA GK-AktG/Sethe Vor §§ 278 ff. Rn. 102, § 278 Rn. 123). Für den Fall der Veräußerung wesentlicher Unternehmensteile erscheint es nicht zuletzt aus Verkehrsschutzgründen durchaus plausibel, kein Grundlagengeschäft anzunehmen, sondern außerordentliche Geschäftsführungsmaßnahmen (so Förl/Fett NZG 2004, 210, 212 ff.; zust. MüKoAktG/Perlitt Rn. 184). Im Hinblick auf Erfordernis der HV-Zustimmung ist Einordnung als Grundlagengeschäft nicht relevant (vgl. B/K/L/Förl/Fett Rn. 47), wohl aber im Hinblick auf Mehrheitserfordernisse (MüKoAktG/Perlitt Rn. 184 f.). 17b

f) Entzug der Geschäftsführungs- und Vertretungsbefugnis. Geschäftsführungs- und Vertretungsbefugnis kann gem. § 161 II HGB iVm § 116 V, § 124 V HGB iVm § 278 II aus wichtigem Grund (vgl. Hopt/Roth HGB § 117 Rn. 4 ff.) **durch gerichtl. Entscheidung** entzogen werden. „Übrige Gesellschafter" iSv § 117 HGB sind sonstige Komplementäre und Gesamtheit der Kommanditaktionäre, die durch HV-Beschluss entscheiden (BGH BeckRS 2016, 00462 Rn. 5f; OLG Frankfurt AG 2015, 448, 449; MüKoAktG/Perlitt Rn. 190). Abberufungsrecht des AR nach § 84 IV besteht in der KGaA nicht (KK-AktG/Mertens/Cahn Rn. 83; MüKoAktG/Perlitt Rn. 189). Entziehungsklage ist durch KGaA, vertreten durch AR, zu erheben (OLG Frankfurt AG 2015, 448, 449; BeckOGK/Bachmann Rn. 81; MüKoAktG/Perlitt Rn. 190; wohl auch BGH BeckRS 2016, 00462 Rn. 4 ff.; aA KK-AktG/Mertens/Cahn Rn. 83; S/L/K. Schmidt Rn. 40). Entziehung ist auch zulässig, wenn sie einzigen geschäftsführungs- und vertretungsberechtigten Komplementär betrifft (RGZ 74, 297, 299 ff.; BGH BeckRS 2016, 00462 Rn. 6; GK-AktG/Sethe Rn. 168). In diesem Fall muss analog § 29 BGB Notgeschäftsführer bestellt werden (RGZ 74, 297, 301; MüKoAktG/Perlitt Rn. 258; Bürgers/Fett/Reger HdB KGaA § 5 Rn. 180). Satzung kann Regelungen zur Entziehung, etwa Konkretisierung des wichtigen Grunds oder Übertragung der Antragsbefugnis auf andere Organe enthalten (vgl. GK-AktG/Sethe Rn. 178; KK-AktG/Mertens/Cahn Rn. 97). Str. ist, ob Geschäftsführer der Komplementärgesellschaft direkt durch andere Komplementäre und HV abberufen werden kann, sog **„Abberufungsdurchgriff"** (dafür KK-AktG/Mertens/Cahn § 289 Rn. 60; S/L/K. Schmidt Rn. 13, 41). Fehlt entspr. Satzungsermächtigung, wird dies von hM zutr. verneint, denn 17c ein solcher Durchgriff wäre mit rechtl. Eigenständigkeit der Komplementärgesellschaft nicht vereinbar (LG Frankfurt NZG 2013, 748, 749; BeckOGK/Bachmann Rn. 84; B/K/L/Förl/Fett Rn. 50; MüKoAktG/Perlitt Rn. 375 ff.; für AG als Komplementär Marsch-Barner FS Hoffmann-Becking, 2013, 777, 789). Komplementärin kann jedoch kraft Treupflichten verpflichtet sein, den Geschäftsführer abzuberufen (GK-AktG/Sethe Rn. 170; BeckOGK/Bachmann Rn. 84).

18 **5. Regelungen der Satzung. a) Grundsatz.** Das aktienrechtl. Prinzip der Satzungsstrenge (§ 23 V) gilt für die KGaA nur insoweit, als es um die in § 278 III in Bezug genommenen Vorschriften des AktG geht, nicht aber soweit es um die § 278 II unterfallende Organisationsverfassung der Gesellschaft geht. Vielmehr besteht insofern für den Satzungsgeber Gestaltungsfreiheit, weil die Verweisung des § 278 II auf das Recht der KG auch die§§ 108, 163 HGB umfasst (→ Rn. 6); zu § 283 → Rn. 19. Die daraus folgende Flexibilität der Rechtsform kann der Satzungsgeber nutzen, um der KGaA eine den Verhältnissen entspr. Führungsstruktur zu geben. Die umschriebene Gestaltungsfreiheit entspr. der allgM (vgl. OLG Köln AG 1978, 17, 18; KK-AktG/Mertens/Cahn Vor § 278 Rn. 4; MüKoAktG/Perlitt Vor § 278 Rn. 33 ff.).

19 **b) Einzelne Gestaltungen.** Satzung kann einzelne Komplementäre von Geschäftsführung und Vertretung ausschließen. Deshalb ist es möglich, dass zB GmbH oder Minderjähriger Komplementär wird (→ Rn. 7 ff.). Geschäftsführungsbefugnis kann auch auf außergewöhnliche Geschäfte erstreckt werden (→ Rn. 13). Weil § 164 HGB dispositiv ist, können der Gesamtheit der Kommanditaktionäre Geschäftsführungsbefugnisse eingeräumt werden, bes. durch Zustimmungsvorbehalte zugunsten der HV, nicht jedoch einzelnen Kommanditaktionären (GK-AktG/Sethe Rn. 104; BeckOGK/Bachmann Rn. 64 f.). Wichtiger ist jedoch, ob **Zustimmungsrechte abbedungen** werden können. Problematisch erscheint Abbedingung von § 164 I Hs. 2 HGB im Hinblick auf Kommanditaktionäre. Bei gesetzestypischer KGaA entspr. diese Ausschlussmöglichkeit zu Recht allgM (vgl. GK-AktG/Sethe Rn. 113). Str. ist dies aber im Fall einer Kapitalgesellschaft als Komplementär (angedeutet von BGHZ 134, 392, 399 = NJW 1997, 1923). HM bejaht Ausschlussmöglichkeit auch hier (GK-AktG/Sethe Rn. 121; B/K/L/Förl/Fett Rn. 45; MüKoAktG/Perlitt Rn. 363; Bürgers/Fett/Reger HdB KGaA § 5 Rn. 100 ff.; Heermann ZGR 2000, 61, 82). Dem ist zuzustimmen, da bei KGaA mit vielen Kommanditaktionären, vor allem bei Börsennotierung (→ Rn. 23), Zustimmungsvorbehalt wenig praktikabel erscheint; sein Ausschluss sollte weniger als Risiko der Kapitalgesellschaft & Co KGaA, denn als notwendige und konsequente praktische Folge ihrer Anerkennung angesehen werden. Zum Schutz der Kommanditisten in diesem Fall vgl. MüKoAktG/Perlitt Rn. 363.

19a Auch Rechtsverhältnis zwischen Komplementären und AR (→ Rn. 15) kann abw. gestaltet werden, und zwar sowohl in dem Sinne, dass Stellung der Komplementäre der eines Vorstands angenähert wird, wie auch gegenläufig mit dem Ziel, Führungsrolle der Komplementäre über Ges. hinaus aufzuwerten. Vertretung der KGaA ggü. ausgeschiedenem geschäftsführenden Komplementär durch iÜ nur vermögensmäßig beteiligte Komplementär-GmbH wird als Satzungsregelung zugelassen von OLG München AG 1996, 86. Möglich ist in den Grenzen der Satzungsfreiheit (→ Rn. 18) auch die Einrichtung eines Beirats, Verwaltungsrats oder Gesellschafterausschusses (→ § 287 Rn. 1). Nicht zulässig ist es, organschaftliche Geschäftsführungsbefugnis oder Vertretungsmacht auf Dritte zu übertragen (Grundsatz der Selbstorganschaft) oder alle Komplementäre von der Geschäftsführung auszuschließen (Bürgers/Fett/Reger HdB KGaA § 5 Rn. 96). Zulässig ist auch Satzungsklausel, die Aufnahme oder Ausscheiden von Komplementären außerhalb der Satzung regelt, so dass es nur einer Fassungsänderung bedarf, ebenso eine Klausel, nach der Vermögenseinlagen der Komplementäre Erhöhungen des Grundkapitals proportional folgen (GK-AktG/Sethe Rn. 186 und § 281 Rn. 9; MüKoAktG/Perlitt Rn. 406, § 281 Rn. 16; zum Problem der Aufnahme von Komplementären und entspr. Satzungsänderungen → § 281 Rn. 3). Bei den in § 283 aufgeführten einzelnen Angelegenheiten ist zu unterscheiden: Soweit sie Geschäftsführung oder Vertretung betr., geht Satzung vor. Außerhalb dieses Bereichs begründet § 283 zwingende Rechte und Pflichten der Komplementäre.

IV. Sinngemäße Geltung von Vorschriften (§ 278 III)

Nach § 278 III sind **§§ 1–277** sinngem. anzuwenden, soweit sich aus § 278 I 20 und II, aus §§ 279–290 oder aus dem Fehlen eines Vorstands nichts anderes ergibt. Generalverweisung umfasst namentl. diejenigen Vorschriften und Grundsätze, die sich auf die Sicherung der Kapitalgrundlagen, auf die Mitgliedschaft des Aktionärs und auf die Organisation der HV beziehen. Über § 278 III gilt auch § 23 V, soweit aus den vorrangigen §§ 109, 163 HGB nichts anderes folgt (→ Rn. 18 f.). Anzuwenden sind ferner §§ 15 ff. (→ Rn. 21). Zu Sondervorschriften für börsennotierte Gesellschaften → Rn. 23. Dagegen spricht § 278 II das **Dritte Buch** nicht an. Für das Konzernrecht finden sich jedoch ausdr. Gleichstellungen (vgl. etwa §§ 291, 311). Für Verschmelzung und Formwechsel bestehen teilw. Sonderregeln (vgl. zB §§ 78, 141 ff., 229, 242, 245 UmwG). Auf Zweigniederlassungen der KGaA sind gem. § 13a V HGB die für Zweigniederlassungen der AG geltenden Vorschriften sinngem. anzuwenden (→ HGB § 13a Rn. 5). In praktischer Rechtsanwendung zeigt sich häufig, dass Gesetzgeber **Besonderheiten der KGaA** nicht immer legislativ mitbedenkt, was Beantwortung von Detailfragen erschweren kann (Johannsen-Roth/Kießling in FS Marsch-Barner, 2018, 273, 274: Rechtsform im „konturlosen Analogieschatten der AG").

V. Konzernrecht, Mitbestimmung und Börsenzulassung

§§ 15 ff. gelten über § 278 III für KGaA. Auch §§ 291 ff. AktG finden An- 21 wendung, KGaA wird dort ausdr. erwähnt (BeckOGK/Bachmann Rn. 96). Mangels Erwähnung in § 319 und aufgrund der fortbestehenden persönlichen Haftung der Komplementäre kommt sie jedoch als einzugliedernder Rechtsträger nicht in Betracht (hL, → § 319 Rn. 4; BeckOGK/Bachmann Rn. 96; MüKo-AktG/Grunewald § 319 Rn. 9; KK-AktG/Koppensteiner Vor § 319 Rn. 11; aA für KGaA ohne natürliche Person B/K/L/Fett § 319 Rn. 3). Ebenso wenig kann KGaA ein eingliedernder Rechtsträger sein (→ § 318 Rn. 4; MüKoAktG/Grunewald § 319 Rn. 5; KK-AktG/Mertens/Cahn Vor § 278 Rn. 22; aA Beck-OGK/Bachmann Rn. 96; B/K/L/Förl/Fett Rn. 52). Regeln über **Vertragskonzern** (§§ 291 ff.) können bei Vorliegen eines Vertrags iSv §§ 291 f. unproblematisch angewendet werden. Bei §§ 311 ff. kommt es darauf an, ob Voraussetzungen der §§ 15 ff. erfüllt sind (BeckOGK/Bachmann Rn. 97). Erforderlich ist zunächst, dass Beherrschender „Unternehmen" iSv § 15 ist, mithin **anderweitige wirtschaftliche Interessenbindung** besteht (→ § 15 Rn. 8 ff.). Bloße Komplementäreigenschaft ist daher nicht ausreichend (allgM, vgl. nur OLG Celle AG 2015, 205; KK-AktG/Mertens/Cahn Vor § 278 Rn. 25). Anders jedoch, wenn Gesellschaft Komplementärin mehrerer KGaA ist (GK-AktG/Sethe Vor §§ 278 ff. Rn. 76). Vermutung des § 17 II gilt für Mehrheitsgesellschafter aufgrund der Struktur der KGaA, insbes. wegen fehlender Personalkompetenz des AR, grds. nicht (GK-AktG/ Sethe Vor §§ 278 ff. Rn. 81; B/K/L/Förl/Fett

Rn. 53). Ob Komplementär **beherrschenden Einfluss** in KGaA innehat, richtet sich nach dem Einzelfall. Jedenfalls bei mehreren Komplementären ist beherrschender Einfluss idR wegen Widerspruchsrecht nach § 116 III 3 HGB nicht gegeben (BeckOGK/Bachmann Rn. 99). Bei einzelnem Komplementär ist bei gesetzl. Ausgangssituation beherrschender Einfluss anzunehmen, da Komplementär allein Geschäfte führt (BeckOGK/Bachmann Rn. 100; Emmerich/Habersack/Emmerich § 17 Rn. 47; aA GK-AktG/Sethe Vor §§ 278 ff. Rn. 82 ff.; B/K/L/Förl/Fett Rn. 54; MüKoAktG/Perlitt Vor § 278 Rn. 113; Hoffmann-Becking NZG 2022, 883 f.; Reichert/Ott in 10 Jahre SE, 2015, 154, 171 ff.; gegen jeden beherrschenden Einfluss des Komplementärs Kessler, Die rechtlichen Möglichkeiten der Kommanditaktionäre, 2003, 239). Zwar besteht Zustimmungserfordernis der Kommanditaktionäre bei außergewöhnlichen Geschäftsführungsmaßnahmen (→ Rn. 13), jedoch haben Kommanditaktionäre wegen Prinzip der Selbstorganschaft keinen Einfluss auf personelle Besetzung des Geschäftsführungsorgans (zu den Voraussetzungen des beherrschenden Einflusses → § 17 Rn. 5). Abw. Satzungsgestaltungen zur Einschränkung des beherrschenden Einflusses des Komplementärs sind aber mögl. (BeckOGK/Bachmann Rn. 100).

22 Zwar ist KGaA grds. mitbestimmt (§ 1 I MitbestG; § 1 DrittelbG), jedoch ist **Mitbestimmung** aufgrund der fehlenden Personalkompetenz des AR (§ 84 gilt nicht, → Rn. 15; insoweit klarstellend § 31 I 2 MitbestG) deutlich entschärft, sog „Mitbestimmungsprivileg" (vgl. dazu Giehl MittBayNot 2016, 285, 286; zum rechtstats. Niederschlag vgl. T. Hoffmann AG 2016, R 167). Zudem ist gem. § 33 I 2 MitbestG kein Arbeitsdirektor zu bestellen. Hinsichtlich der Mitbestimmung nach DrittelbG und betrieblicher Mitbestimmung gelten keine Besonderheiten. Ist Komplementär eine Kapitalgesellschaft, gelten ebenfalls keine Besonderheiten, insbes. ist Komplementärgesellschaft nicht mitbestimmungspflichtig analog § 4 MitbestG (GK-AktG/Oetker MitbestG § 4 Rn. 2; Giehl MittBayNot 2016, 285, 286 ff.; Joost ZGR 1998, 334, 343 ff.) oder § 5 MitbestG (Bayer ZGR 1977, 173, 193 f.; Giehl MittBayNot 2016, 285, 288 f.; Hoffmann-Becking NZG 2022, 883 f.). Angesichts § 31 I 2 MitbestG, § 33 I 2 MitbestG ist schon das Vorliegen einer planwidrigen Lücke fraglich (Philbert, KGaA, 2005, 68). Jedenfalls ist Anwendung von §§ 4, 5 MitbestG systemwidrig und die Grenzen der Rechtsfortbildung überschreitend (hM – BGHZ 134, 392, 400 = NJW 1997, 1923; OLG Celle AG 2015, 205; GK-AktG/Sethe Vor §§ 287 ff. Rn. 11 ff.; Giehl MittBayNot 2016, 285, 286 ff. [mit weiteren Gestaltungshinweisen]; Marsch-Barner FS Hoffmann-Becking, 2013, 777, 791). Soll paritätische Mitbestimmung de lege ferenda auf KGaA ausgeweitet werden, ist Gesetzgeber dazu aufgerufen (BGHZ 134, 392, 400), was freilich die Attraktivität der Rechtsform, insbes. für Familienunternehmen, erheblich schmälern würde.

23 Kommanditaktien, nicht aber Komplementäranteile können zum **Börsenhandel** zugelassen (§ 32 BörsG) oder in **Freiverkehr** (§ 48 BörsG) einbezogen werden (BeckOGK/Bachmann Rn. 102; Mayer-Uellner/Otte NZG 2015, 737, 739). Bei Börsenzulassung ist § 3 II einschlägig, so dass Sondervorschriften für börsennotierte Gesellschaften (→ § 3 Rn. 5) und Kapitalmarktrecht (MAR, BörsG, Prospekt-VO, WpPG, WpHG, WpÜG) auch für KGaA gelten, wobei rechtsformspezifische Besonderheiten zu berücksichtigen sind. So ist im **Börsenzulassungsprospekt** (Art. 3 III Prospekt-VO, § 32 III Nr. 2 BörsG) die Stellung der Kommanditaktionäre und des Komplementärs zu erläutern (BeckOGK/Bachmann Rn. 103 ff.). Kapitalmarktrechtl. **Publizitätspflichten** gem. Art. 17 ff. MAR, §§ 33 ff. WpHG sind einzuhalten (BeckOGK/Bachmann Rn. 109 ff.; KK-AktG/Mertens/Cahn Vor § 278 Rn. 32; Mayer-Uellner/Otte NZG 2015, 737, 739 f.). Komplementäre sind – obwohl in MAR nicht mehr deutlich zum Ausdruck gebracht – auch weiterhin als Personen mit Führungsaufgaben iSd Art. 19 MAR anzusehen (Fett/Stütz NZG 2017, 1121, 1129 f.; aA

Kumpan AG 2016, 446, 449). KGaA kann gem. § 2 III Nr. 1 WpÜG **Zielgesellschaft** sein (Einzelheiten bei MüKoAktG/Perlitt Vor § 278 Rn. 129 ff.), wobei sich praktische Bedeutung des Übernahmerechts für KGaA als übernahmeresistente Rechtsform (→ Rn. 2) in Grenzen hält (Mayer-Uellner/Otte NZG 2015, 737, 740). Komplementär und AR müssen gem. § 278 III iVm § 161 **Entsprechenserklärung** abgeben (hM – BeckOGK/Bachmann Rn. 113; S/L/K. Schmidt Rn. 45; Mayer-Uellner/Otte NZG 2015, 737, 739). Da Kodex auf AG zugeschnitten ist, sind idR Abweichungen nötig, die mit rechtsformspezifischen Besonderheiten begründet werden können (MüKoAktG/Perlitt Vor § 278 Rn. 148; Mayer-Uellner/Otte NZG 2015, 737, 797). Gem. § 289f III HGB müssen börsennotierte KGaA Erklärung zu Unternehmensführung nach § 289f I, II HGB in ihren Lagebericht aufnehmen. Zur Börsenbewertung einer KGaA Ladwig/Motte DStR 1996, 842, 846; Mayer-Uellner/Otte NZG 2015, 737, 742.

Firma

279 (1) **Die Firma der Kommanditgesellschaft auf Aktien muß, auch wenn sie nach § 22 des Handelsgesetzbuchs oder nach anderen gesetzlichen Vorschriften fortgeführt wird, die Bezeichnung „Kommanditgesellschaft auf Aktien" oder eine allgemein verständliche Abkürzung dieser Bezeichnung enthalten.**

(2) **Wenn in der Gesellschaft keine natürliche Person persönlich haftet, muß die Firma, auch wenn sie nach § 22 des Handelsgesetzbuchs oder nach anderen gesetzlichen Vorschriften fortgeführt wird, eine Bezeichnung enthalten, welche die Haftungsbeschränkung kennzeichnet.**

I. Normzweck

§ 279 I entspr. § 4 und ist dieser Vorschrift nachgebildet. Wie § 4 regelt auch 1 § 279 I nicht die Firma der KGaA, sondern den **Rechtsformzusatz;** Zweck: Offenlegung der Rechtsverhältnisse (→ § 4 Rn. 1). § 279 II entspr. dem Vorbild des § 19 II HGB und bezweckt **Gläubiger- und Aktionärsschutz** durch Publizität der Gesellschaftsverhältnisse (sa RegBegr. zu § 19 II nF, BT-Drs. 13/8444, 56). Vorgeschrieben ist die firmenrechtl. Publizität, die schon BGHZ 134, 392, 401 = NJW 1997, 1923 zu Recht (Ulmer/Hommelhoff, Die GmbH & Co KGaA nach dem Beschluss BGHZ 134, 392, 1998, 9, 10 f.; aA Strieder/Habel BB 1997, 1375, 1376) gefordert hat.

II. Firma und Rechtsformzusatz

Firmenbildung ist nicht mehr wie früher in § 279, sondern mangels aktien- 2 rechtl. Sondervorschrift in § 18 HGB geregelt, der gem. § 6 HGB iVm §§ 3, 278 III (→ § 278 Rn. 4) zur Anwendung kommt. Entfallen ist namentl. früheres Entlehnungsgebot. Auf Erl. zu § 4 (→ Rn. 11–16) kann verwiesen werden. Wie nach § 4 (→ § 4 Rn. 17) muss Rechtsformzusatz in ursprünglicher wie in abgeleiteter Firma enthalten sein. Auch hier ist wesentlich, dass entgegen früher hM die ausgeschriebene Bezeichnung verwandt werden kann, aber nicht muss; Abkürzung ist namentl. auch in der Satzung und im Registerverkehr zulässig (KK-AktG/Mertens/Cahn Rn. 4; MüKoAktG/Perlitt Rn. 4). Von § 279 I verlangte Allgemeinverständlichkeit ist vor allem bei KGaA gegeben. Abkürzungen wie KGA, KoAG, KommAG, KAG haben sich nicht durchgesetzt und sollten nicht gewählt werden.

III. Allseitige Haftungsbeschränkung

3 Wenn in KGaA keine natürliche Person unbeschränkt haftet, muss in ursprünglicher und abgeleiteter Firma Haftungsbeschränkung gekennzeichnet werden (§ 279 II). Regelung erfasst nicht nur GmbH, auf die sie in erster Linie abzielt, sondern sämtliche komplementärfähigen Gesellschaften (→ Rn. 8), die ihrer Rechtsform nach nur mit ihrem Vermögen haften. Gängige Konjugation „& Co" schließt sich an Rechtsform des Komplementärs an, zB AG & Co KGaA, GmbH & Co KGaA. Ist UG Komplementärin, erscheint Firmierung UG (haftungsbeschränkt) & Co KGaA geboten (Grigoleit/Servatius Rn. 5). Ist GmbH & Co KG einzige Komplementärin, genügt einmalige Nennung der Haftungsbeschränkung in Firmierung, also GmbH & Co KGaA (GK-AktG/Sethe Rn. 21; Dirksen/Möhle ZIP 1998, 1377, 1380). Formulierung der Voraussetzungen entspr. § 19 II. Dort ist Klarstellung bezweckt, dass Kennzeichnung der Haftungsbeschränkung für mehrstöckige GmbH & Co KG nur erforderlich ist, wenn auf keiner Stufe eine natürliche Person unbeschränkt haftet (RegBegr. BT-Drs. 13/8444, 56). Wegen sachlich übereinstimmender Formulierung gilt das auch für KGaA.

Feststellung der Satzung. Gründer

280 (1) [1]**Die Satzung muß durch notarielle Beurkundung festgestellt werden.** [2]**In der Urkunde sind bei Nennbetragsaktien der Nennbetrag, bei Stückaktien die Zahl, der Ausgabebetrag und, wenn mehrere Gattungen bestehen, die Gattung der Aktien anzugeben, die jeder Beteiligte übernimmt.** [3]**Bevollmächtigte bedürfen einer notariell beglaubigten Vollmacht.**

(2) [1]**Alle persönlich haftenden Gesellschafter müssen sich bei der Feststellung der Satzung beteiligen.** [2]**Außer ihnen müssen die Personen mitwirken, die als Kommanditaktionäre Aktien gegen Einlagen übernehmen.**

(3) **Die Gesellschafter, die die Satzung festgestellt haben, sind die Gründer der Gesellschaft.**

I. Feststellung der Satzung

1 § 280 betr. Feststellung der Satzung als ersten Gründungsschritt, fasst die in §§ 2, 23 I und II, § 28 für die AG getroffene Regelung zusammen und modifiziert sie für die KGaA. Zur Gründerfähigkeit im Allg. → § 2 Rn. 3 f., 5 ff., zur Komplementärfähigkeit insbes. → § 278 Rn. 8, zur notariellen Beurkundung und zum Urkundeninhalt → § 23 Rn. 9 ff., 16 ff. Geltende Fassung entspr. § 23 II Nr. 2 (→ § 23 Rn. 18) und trägt der Einführung von Stückaktien (§ 8 III) Rechnung.

II. Gründerzahl

2 In seiner Neufassung durch UMAG 2005 verzichtet § 280 I 1 auf Vorgabe einer Gründerzahl. Ges. holt damit Anpassung des § 280 I 1 an § 2 nach, die bisher unterblieben war. Mangels anderer Vorgabe und unter Verallgemeinerung des § 197 S. 2 UmwG gilt jetzt § 2 iVm § 278 III, so dass Gründung auch von einer Person (RegBegr. BT-Drs. 15/5097, 31) durch einseitiges Rechtsgeschäft vorgenommen werden kann. IÜ entspr. § 280 I 1 voll § 23 I 1 (→ § 23 Rn. 6 ff., 9 ff.).

III. Gründungsbeteiligte

3 Alle Komplementäre und alle Kommanditaktionäre müssen mitwirken (§ 280 II). Die Komplementäre können Aktien gegen Einlagen übernehmen, nach hM auch alle Aktien (→ § 278 Rn. 5 aE). In diesem Fall gilt Stimmverbot wegen Interessenkollision gem. § 285 I 2 nicht (KK-AktG/Mertens/Cahn Rn. 6; MüKoAktG/Perlitt Rn. 18). Gründer sind gem. § 280 III nicht nur die Aktionäre (so § 28), sondern auch die Komplementäre. Gründerhaftung (§ 46) und strafrechtl. Verantwortung (§ 399 I Nr. 1 und 2) werden dadurch auf sie erstreckt.

IV. Anwendung der Gründungsvorschriften, Nachgründung

4 Gem. § 273 III sind für Gründung Vorschriften über AG-Gründung anzuwenden, soweit §§ 280 ff. nichts abw. regeln. Mit Feststellung der Satzung entsteht Vor-KGaA: KGaA-Recht ist anzuwenden, sofern dieses nicht Eintragung voraussetzt (→ § 41 Rn. 4). Im Namen der Gesellschaft handelnde Gesellschafter trifft Handelndenhaftung gem. § 41 (BeckOGK/Bachmann Rn. 19; Bürgers/Fett/Bürgers HdB KGaA § 4 Rn. 26 ff.). Kommanditaktionäre wählen ersten AR und Abschlussprüfer gem. § 30 I (MüKoAktG/Perlitt Rn. 21). Hierbei gilt für Komplementäre Stimmverbot (§ 285 I Nr. 1) mit der in → Rn. 3 genannten Ausnahme. Sämtliche Gründer haben Gründungsbericht nach § 32 zu erstellen, der nach § 33 I von AR und Komplementären zu prüfen ist. Zusätzlich ist nach dem Rechtsgedanken des § 33 II Nr. 1 stets externe **Gründungsprüfung** nötig (allgM, → § 283 Rn. 2; GK-AktG/Sethe Rn. 15; KK-AktG/Mertens/Cahn Rn. 9). Gründungsprüfung erstreckt sich auch auf **Sacheinlagen** der Kommanditaktionäre, nicht jedoch auf Sondereinlagen der Komplementäre außerhalb des Grundkapitals, denn Sachgründungsregeln nehmen nur auf Grundkapital Bezug. Sondereinlagen außerhalb des Grundkapitals richten sich hingegen nach Personengesellschaftsrecht (§ 278 II – nun hL – BeckOGK/Bachmann Rn. 14; MüKoAktG/Perlitt Rn. 24; S/L/K. Schmidt Rn. 7; aA GK-AktG/Sethe § 281 Rn. 24 ff.; KK-AktG/Mertens/Cahn Rn. 10). Str. ist, ob Sondereinlagen im Rahmen von § 52 zur Bestimmung der 10%-Grenze zu berücksichtigen ist (so KK-AktG/Mertens/Cahn Rn. 14). Das ist abzulehnen, da Sondereinlagen der Komplementäre nicht externer Gründungsprüfung unterliegen und somit keine Umgehung der Sachgründungsvorschriften vorliegt (hM – s. GK-AktG/Sethe Rn. 3; BeckOGK/Bachmann Rn. 16; B/K/L/Förl/Fett Rn. 7; MüKoAktG/Perlitt § 278 Rn. 337).

Inhalt der Satzung

281 (1) **Die Satzung muß außer den Festsetzungen nach § 23 Abs. 3 und 4 den Namen, Vornamen und Wohnort jedes persönlich haftenden Gesellschafters enthalten.**

(2) **Vermögenseinlagen der persönlich haftenden Gesellschafter müssen, wenn sie nicht auf das Grundkapital geleistet werden, nach Höhe und Art in der Satzung festgesetzt werden.**

1 § 281 regelt **Inhalt der Satzung** und ergänzt § 23 III und IV. Angaben nach § 23 III Nr. 6 entfallen gem. § 278 III. Angaben nach § 23 III Nr. 1–5 sind um die **Personalia** der Komplementäre zu ergänzen. Dass § 281 I lediglich die Gründungssatzung betrifft (so BeckOGK/Bachmann Rn. 7), würde zwar die äußerst unklaren und umstrittenen Prozeduren im Hinblick auf die Satzungsänderung bei der Aufnahme neuer Komplementäre (→ Rn. 3) lösen, kann de

lege lata angesichts des Wortlauts jedoch kaum angenommen werden. Fakultativ, in der Praxis indes üblich, sind Regelungen zur Geschäftsführungs- und Vertretungsbefugnis (→ § 278 Rn. 11 ff.), sowie ggf. Regelungen zur Ergebnisverteilung und zum Rechtsverhältnis der Komplementäre untereinander (B/K/L/Förl/Fett Rn. 4).

2 § 281 II setzt voraus, dass die Komplementäre Sondereinlagen erbringen können, die nicht auf das Grundkapital geleistet werden (§ 705 BGB iVm § 105 III HGB, § 161 II HGB). Sie sind nach Art und Höhe in der Satzung festzusetzen. Änderung ist notwendig Satzungsänderung (KK-AktG/Mertens/Cahn Rn. 13); ergänzende Geltung des § 183 ist ungeklärt (Masuch NZG 2003, 1048 ff.). Gegenstand muss so konkret bezeichnet sein, dass er eingefordert werden kann, ausreichend ist daher auch Angabe einer Rahmengröße (GK-AktG/Sethe Rn. 16; MüKoAktG/Perlitt Rn. 22). Zulässig ist auch Satzungsregel, die Erhöhung der Sondereinlage proportional zur Grundkapitalerhöhung vorsieht (vgl. Bürgers/Fett/Fett HdB KGaA § 7 Rn. 15). Zulässig ist ebenfalls Umwandlung von Sondereinlage in Kommanditaktien und umgekehrt (ausf. GK-AktG/Sethe §§ 278 ff. Rn. 188 ff.; Bürgers/Fett/Fett HdB KGaA § 7 Rn. 18 ff.). Die **Einlagefähigkeit** ist nicht nach § 27 II, sondern nach §§ 705 ff. BGB zu beurteilen (hM, s. GK-AktG/Sethe Rn. 15; BeckOGK/Bachmann Rn. 8 [mit Einschränkungen]; MüKoAktG/Perlitt Rn. 21; MHdB AG/Herfs § 77 Rn. 22 f.; aA KK-AktG/Mertens/Cahn Rn. 10). Davon zu unterscheiden und gesondert zu beurteilen ist Bilanzierungsfähigkeit (→ § 286 Rn. 2). Pflicht zur Übernahme von Sondereinlagen durch Komplementäre besteht nicht.

3 **Änderungen** der aktienrechtl. Bestandteile der Satzung bestimmen sich nach §§ 179 ff. Problematisch ist indes, ob sich Änderung von Satzungsregelungen des Personengesellschaftsrechts – insbes. Aufnahme neuer Komplementäre oder die Erhöhung der Vermögenseinlage der Komplementäre – nach §§ 179 ff. oder nach Personengesellschaftsrecht richtet (ausf. Bürgers/Fett/Fett HdB KGaA § 3 Rn. 25 ff.). Gesetz geht immerhin von einheitlicher Satzung aus, deren Änderung HV-Beschluss (§ 179 I) bedarf und erst mit Eintragung wirksam wird (§ 181 III), vgl. Cahn AG 2001, 579, 583 f. Eine Ansicht will daher stets §§ 179 ff. anwenden (S/L/K. Schmidt Rn. 15). Gegenauffassung will danach differenzieren, ob Satzung entspr. Regel, etwa zur Neuaufnahme von Komplementären, enthält oder nicht. Im ersten Fall gelte dieses Verfahren (sog Aufnahme außerhalb der Satzung, → § 278 Rn. 19) und es bedürfe lediglich einer Fassungsänderung, mit der auch AR betraut werden kann (§ 179 I 2). Im zweiten Fall bedürfe es eines HV-Beschlusses nach § 179 sowie der Zustimmung der Komplementäre gem. § 285 II 1 (GK-AktG/Sethe § 278 Rn. 45 ff.). Eine weitere Meinungsgruppe will über § 278 II stets Personengesellschaftsrecht (§ 116 II 1 Hs. 2 HGB) anwenden und lässt bei Zustimmung der HV einfache Mehrheit genügen (BeckOGK/Bachmann Rn. 24; B/K/L/Förl/Fett Rn. 10; Fett/Stütz NZG 2017, 1121, 1127 f.), was zumindest vom dogmatischen Ausgangspunkt in § 278 II überzeugend erscheint. Die von allen Ansichten gemeinsam verlangte Gestaltungsfreiheit lässt die praktischen Differenzen indes nicht allzu groß erscheinen (so auch BeckOGK/Bachmann Rn. 23).

Eintragung der persönlich haftenden Gesellschafter

282 **[1] Bei der Eintragung der Gesellschaft in das Handelsregister sind statt der Vorstandsmitglieder die persönlich haftenden Gesellschafter anzugeben. [2] Ferner ist einzutragen, welche Vertretungsbefugnis die persönlich haftenden Gesellschafter haben.**

§ 282 betr. **Eintragung.** Die Vorschrift wandelt § 39 ab und trägt dem Umstand Rechnung, dass die Vorstandsfunktionen bei den Komplementären liegen. Auch bei der erforderlichen Anmeldung (§ 36) treten sie an die Stelle der Vorstandsmitglieder (→ § 283 Rn. 2). Bei natürlichen Personen sind Name, Vorname, Geburtsdatum und Wohnort anzugeben. Bei Komplementärgesellschaften sind Firma, Sitz und sonstige Registerangaben anzumelden, nicht jedoch deren Geschäftsführer (MüKoAktG/Perlitt Rn. 8). Die **Vertretungsbefugnis** der Komplementäre (Einzel- oder Gesamtvertretung, unechte Gesamtvertretung) ist in jedem Fall einzutragen (§ 282 S. 2), namentl. auch dann, wenn die Satzung keine bes. Regelung trifft. 1

Persönlich haftende Gesellschafter

283 Für die persönlich haftenden Gesellschafter gelten sinngemäß die für den Vorstand der Aktiengesellschaft geltenden Vorschriften über

1. die Anmeldungen, Einreichungen, Erklärungen und Nachweise zum Handelsregister sowie über Bekanntmachungen;
2. die Gründungsprüfung;
3. die Sorgfaltspflicht und Verantwortlichkeit;
4. die Pflichten gegenüber dem Aufsichtsrat;
5. die Zulässigkeit einer Kreditgewährung;
6. die Einberufung der Hauptversammlung;
7. die Sonderprüfung;
8. die Geltendmachung von Ersatzansprüchen wegen der Geschäftsführung;
9. die Aufstellung, Vorlegung und Prüfung des Jahresabschlusses und des Vorschlags für die Verwendung des Bilanzgewinns;
10. die Vorlage und Prüfung des Lageberichts, eines gesonderten nichtfinanziellen Berichts sowie eines Konzernabschlusses, eines Konzernlageberichts und eines gesonderten nichtfinanziellen Konzernberichts;
11. die Vorlegung, Prüfung und Offenlegung eines Einzelabschlusses nach § 325 Abs. 2a des Handelsgesetzbuchs;
11a. die Vorlage eines Ertragsteuerinformationsberichts (§§ 342b, 342c, 342d Absatz 2 Nummer 2 des Handelsgesetzbuchs) und einer Erklärung nach § 342d Absatz 2 Nummer 1 des Handelsgesetzbuchs;
12. die Ausgabe von Aktien bei bedingter Kapitalerhöhung, bei genehmigtem Kapital und bei Kapitalerhöhung aus Gesellschaftsmitteln;
13. die Nichtigkeit und Anfechtung von Hauptversammlungsbeschlüssen;
14. den Antrag auf Eröffnung des Insolvenzverfahrens.

I. Allgemeines

§ 283 regelt **Vorstandsfunktionen** der Komplementäre, soweit nicht Geschäftsführung oder Vertretung betroffen sind. Insoweit verbleibt es bei §§ 116, 124 HGB, jew. iVm § 278 II (→ § 278 Rn. 11 ff., 14), soweit nicht die Satzung anderes bestimmt (→ § 278 Rn. 19). IÜ ist § 283 jedoch abschließend und zwingend (allgM, s. BGHZ 134, 392, 394 = NJW 1997, 1923). Regelung ist lex specialis zu § 278 II. **Normadressaten:** alle Komplementäre, auch die nicht geschäftsführenden (ganz hM, vgl. KK-AktG/Mertens/Cahn Rn. 6; MüKoAktG/Perlitt Rn. 8 ff.). Wesentliche Einschränkung: Handlungen, die Geschäfts- 1 führungsbefugnis voraussetzen (zB Jahresabschluss, § 283 Nr. 9), werden auch durch § 283 nicht zur Aufgabe insoweit ausgeschlossener Gesellschafter. Soweit danach nicht voll Geschäftsfähige von § 283 angesprochen sind (zur Komplementärfähigkeit → § 278 Rn. 7), ist jedenfalls ges. Vertretung erforderlich. Erwägenswert ist, solche Personen von der Geltung des § 283 ganz auszunehmen.

II. Katalog

2 **Nr. 1:** Vorstandsrecht gilt für Registerverkehr und Bek. der KGaA. Vgl. zum Registerverkehr bes. §§ 36, 37, 81, 106, 130 V, §§ 181, 184, 188; zu Bek. der Gesellschaft §§ 106, 121 III, §§ 125 ff. Von Geschäftsführung ausgeschlossene Komplementäre wirken nur bei der ersten Anmeldung mit. Verlangt § 184 I Mitwirkung des AR-Vorsitzenden, gilt dies auch für KGaA. **Nr. 2:** Maßgeblich sind §§ 33 ff. Externe Gründungsprüfung ist nach dem Rechtsgedanken des § 33 II Nr. 1 immer nötig (→ § 280 Rn. 4). **Nr. 3:** Vgl. zur zivilrechtl. Seite §§ 53, 93 (→ § 278 Rn. 13), zur strafrechtl. § 399 I Nr. 1, 2, 4, 6 und II. Auch Komplementärgesellschaft unterliegt Nr. 3. Handeln ihrer Organe wird über § 31 BGB zugerechnet. Ebenso wird Direktanspruch gegen Geschäftsführer der Komplementärgesellschaft angenommen (eingehend Bürgers/Fett/Reger HdB KGaA § 5 Rn. 153 ff.; einschr. Fett/Stütz NZG 2017, 1121, 1126). **Nr. 4:** Zentrale Vorschriften sind §§ 90, 170. Umgekehrt ist Ausübung der AR-Rechte gem. § 111 I, II zu dulden (KK-AktG/Mertens/Cahn Rn. 11); iÜ → § 278 Rn. 15. **Nr. 5:** Kreditgewährung an Komplementäre (auch nicht geschäftsführende) nur nach Maßgabe des § 89, an Mitglieder des AR nur gem. § 115. Kallmeyer ZGR 1983, 57, 75 will über Kredite an Komplementäre die HV oder ein nach der Satzung zuständiges Organ entscheiden lassen; dagegen zu Recht OLG Stuttgart AG 2004, 678, 680; MüKoAktG/Perlitt Rn. 24. **Nr. 6:** Einberufung der HV nach §§ 121 ff., 175; nach richtiger Ansicht auch nach § 92 (KK-AktG/Mertens/Cahn Rn. 13; MüKoAktG/Perlitt Rn. 29, 43), betr. nur geschäftsführungs- und vertretungsbefugte Komplementäre, für die anderen Komplementäre kommt solches Recht wie für Kommanditaktionäre aus § 122 in Betracht (MüKoAktG/Perlitt Rn. 27 f.). **Nr. 7:** Sonderprüfung ist die nach §§ 142 ff. und auch die wegen unzulässiger Unterbewertung nach §§ 258 ff. **Nr. 8:** Für Kommanditaktionäre gilt § 147 (vgl. dort). Nach hM können einzelne Komplementäre und auch die Gesamtheit der Kommanditaktionäre im Wege der actio pro socio vorgehen (GK-AktG/Sethe Rn. 30; Anwendung auf die Gesamtheit der Kommanditaktionäre bezweifelnd BeckOGK/Bachmann Rn. 22; aA Grigoleit/Servatius Rn. 25). Ob dies auch für Kommanditaktionäre gilt, ist angesichts § 148 AktG zu bezweifeln (B/K/L/Förl/Fett Rn. 13).

3 **Nr. 9–11a:** Den geschäftsführungsbefugten Komplementären obliegt es, den Jahresabschluss aufzustellen, dem AR vorzulegen und zu prüfen sowie den Vorschlag über die Verwendung des Bilanzgewinns (§ 170 II) zu unterbreiten, desgleichen den Lagebericht vorzulegen und zu prüfen sowie ggf. (§§ 290 ff. HGB) den Konzernabschluss und den Konzernlagebericht. Neufassung des § 283 Nr. 10 durch CSR-RL-UG 2017 erstreckt Vorlage auch auf gesonderten nichtfinanziellen Bericht iSd §§ 289b, 315b HGB (→ § 170 Rn. 2c f.) und stellt zugleich klar, dass §§ 170 I 3, 171 I 4 (→ § 170 Rn. 2c f.; → § 171 Rn. 8a) auch für KGaA gelten (RegBegr. BT-Drs. 18/9982, 65); Gleiches gilt nach Nr. 11a für 2023 neu eingeführten Ertragsteuerinformationsbericht (→ § 170 Rn. 2d). Zur Vorlegung gehört in § 283 Nr. 10 und 11 auch Aufstellung, die aber nicht durch Billigung in Feststellung einmünden kann. Auch **Abhängigkeitsbericht** ist von den Komplementären zu erstatten, wenn KGaA abhängige Gesellschaft ist (→ § 312 Rn. 5). Auftrag zur Prüfung erteilt AR (§ 111 II 3), der seinerseits ebenfalls zur Prüfung verpflichtet ist (§ 171). **Nr. 12:** Einschlägig sind §§ 199, 203, 214.

Norm gilt entspr. für ordentliche Kapitalerhöhung (BeckOGK/Bachmann Rn. 24). **Nr. 13:** Maßgebliche Normen sind §§ 241 ff. Nach hM ist jeder Komplementär ungeachtet Geschäftsführungsbefugnis anfechtungsberechtigt (BGHZ 206, 143 Rn. 45; GK-AktG/Sethe Rn. 37, § 285 Rn. 11 ff.). Ausgenommen ist wegen § 286 I 1 die Nichtigkeit nach § 256 II. Auch obliegt ihnen die Vertretung der KGaA neben dem AR nach § 246 II 2. Zum Spezialfall einer Nichtigkeitsfeststellung des Jahresabschlusses durch Insolvenzverwalter → § 256 Rn. 31. **Nr. 14:** Antragspflicht nach § 15a InsO betr. geschäftsführende Komplementäre; für entspr. Recht der nicht geschäftsführungsberechtigten Komplementäre GK-AktG/Sethe Rn. 38; BeckOGK/Bachmann Rn. 26. De lege ferenda krit. Poertzgen ZInsO 2014, 165, 170, der den Verweis auf § 15a InsO bei typischen KGaA (→ § 278 Rn. 5) für systematisch überflüssig hält.

Wettbewerbsverbot

284 (1) [1]**Ein persönlich haftender Gesellschafter darf ohne ausdrückliche Einwilligung der übrigen persönlich haftenden Gesellschafter und des Aufsichtsrats weder im Geschäftszweig der Gesellschaft für eigene oder fremde Rechnung Geschäfte machen noch Mitglied des Vorstands oder Geschäftsführer oder persönlich haftender Gesellschafter einer anderen gleichartigen Handelsgesellschaft sein.** [2]**Die Einwilligung kann nur für bestimmte Arten von Geschäften oder für bestimmte Handelsgesellschaften erteilt werden.**

(2) [1]**Verstößt ein persönlich haftender Gesellschafter gegen dieses Verbot, so kann die Gesellschaft Schadenersatz fordern.** [2]**Sie kann statt dessen von dem Gesellschafter verlangen, daß er die für eigene Rechnung gemachten Geschäfte als für Rechnung der Gesellschaft eingegangen gelten läßt und die aus Geschäften für fremde Rechnung bezogene Vergütung herausgibt oder seinen Anspruch auf die Vergütung abtritt.**

(3) [1]**Die Ansprüche der Gesellschaft verjähren in drei Monaten seit dem Zeitpunkt, in dem die übrigen persönlich haftenden Gesellschafter und die Aufsichtsratsmitglieder von der zum Schadensersatz verpflichtenden Handlung Kenntnis erlangen oder ohne grobe Fahrlässigkeit erlangen müssten.** [2]**Sie verjähren ohne Rücksicht auf diese Kenntnis oder grob fahrlässige Unkenntnis in fünf Jahren von ihrer Entstehung an.**

I. Wettbewerbsverbot

§ 284 verbietet in Parallele zu § 88 den Komplementären, zur KGaA in Wettbewerb zu treten. Vorausgesetzt ist ein bestehendes Gesellschaftsverhältnis; das Verbot richtet sich also nicht gegen den ausgeschiedenen Komplementär. Nach hM ist auch der Wettbewerb des nicht geschäftsführenden Komplementärs verboten (GK-AktG/Sethe Rn. 5 ff.; BeckOGK/Bachmann Rn. 3; MüKoAktG/Perlitt Rn. 4). Das entspr. dem Wortlaut, ist aber mit Rücksicht auf **§ 1 GWB** und dazu vorliegende Rspr. (BGHZ 38, 306 = NJW 1963, 646; BGHZ 89, 162 = NJW 1984, 1351) tendenziell zu weitgehend (MHdB AG/Herfs § 76 Rn. 24; Armbrüster ZIP 1997, 1269, 1271; einschr. auch KK-AktG/Mertens/Cahn Rn. 4). Bei Komplementärgesellschaften trifft das Wettbewerbsverbot nicht nur sie, sondern auch deren Geschäftsführungsorgane und deren beherrschende Gesellschafter (GK-AktG/Sethe 10 f.; KK-AktG/Mertens/Cahn Rn. 3). Dogmatische Grundlage im Hinblick auf Wettbewerbsverbot der Geschäftsführer ist str., teilw. wird solches aus der Beziehung zwischen Komplementärgesellschaft und deren Geschäftsführung nach dem Grundgedanken des Vertrags mit Schutzwir- 1 kung auf KGaA erstreckt (Arnold, Die GmbH & Co. KGaA, 2001, 95), wohl hM wendet § 284 entspr. auf Geschäftsführung des Komplementärs an (B/K/L/Förl/Fett Rn. 3; KK-AktG/Mertens/Cahn Rn. 3; GK-AktG/Sethe Rn. 11; Hoffmann-Becking ZHR 175 [2011], 597, 601 ff.; Wichert AG 2000, 268, 274). Letztgenannte Auffassung erscheint überzeugender, da Vorschrift das Ausnutzen gesellschaftsinterner Informationen auch zu Lasten der anderen Gesellschafter verhindern soll. IÜ sind Unterschiede nicht lediglich dogmatischer Natur (vgl. Hoffmann-Becking ZHR 175 [2011], 597, 602 f.). Rspr. zu AG & Co KG, wonach § 117 HGB nicht für AG-Vorstand gilt (BGHZ 180, 105 = AG 2009, 500 – Gruner & Jahr zu § 112 aF), lässt sich nicht auf AG & Co KGaA übertragen (BeckOGK/Bachmann Rn. 5; Hoffmann-Becking ZHR 175 [2011], 597, 603). Auf AR-Mitglieder und Kommanditaktionäre findet Wettbewerbsverbot selbst bei ähnlicher Gefährdungslage keine Anwendung (GK-AktG/Sethe Rn. 13 f.). Bloße Beteiligung an anderer Gesellschaft ist unschädlich, wenn sie nicht mit bes. Einflussnahme auf die Geschäftsführung einhergeht (GK-AktG/Sethe Rn. 18; S/L/K. Schmidt Rn. 14). Nutzung von Kenntnissen etwa erlangter Gesellschaftsinterna führt als Treupflichtverletzung zu Unterlassungs- und Schadensersatzansprüchen.

II. Dispens und weiteres Rechtsfolgenprogramm

2 § 284 kann nicht durch Satzung abbedungen oder abgemildert werden (BeckOGK/Bachmann Rn. 9 ff.; GK-AktG/Sethe Rn. 25; aA MüKoAktG/Perlitt Rn. 26). Norm erlaubt jedoch Befreiung vom Wettbewerbsverbot. Sie setzt ausdr. Einwilligung (iSv § 183 S. 1 BGB) der übrigen Komplementäre (aller, auch der nicht geschäftsführenden) und zust. Beschluss des AR voraus (GK-AktG/Sethe Rn. 31 ff.; einschränkend BeckOGK/Bachmann Rn. 12, der Mitwirkung allein des AR als ausreichend erachtet). Wenn der Dispens **faktische Abhängigkeit** der KGaA vom Konkurrenzunternehmen begründet, muss er sachlich gerechtfertigt und verhältnismäßig sein; diese in BGHZ 80, 69, 74 = NJW 1981, 1512 für die GmbH formulierten Anforderungen sind verallgemeinerungsfähig. Verstoß ist treuwidriges Gesellschafter- oder (AR) Organhandeln. IÜ enthalten § 284 II und III Parallelregelungen zu § 88 II und III, so dass auf entspr. Ausführungen verwiesen werden kann (→ § 88 Rn. 6 ff.).

Hauptversammlung

285 (1) **[1] In der Hauptversammlung haben die persönlich haftenden Gesellschafter nur ein Stimmrecht für ihre Aktien. [2] Sie können das Stimmrecht weder für sich noch für einen anderen ausüben bei Beschlußfassungen über**

1. die Wahl und Abberufung des Aufsichtsrats;
2. die Entlastung der persönlich haftenden Gesellschafter und der Mitglieder des Aufsichtsrats;
3. die Bestellung von Sonderprüfern;
4. die Geltendmachung von Ersatzansprüchen;
5. den Verzicht auf Ersatzansprüche;
6. die Wahl von Abschlußprüfern.

[3] Bei diesen Beschlußfassungen kann ihr Stimmrecht auch nicht durch einen anderen ausgeübt werden.

(2) **[1] Die Beschlüsse der Hauptversammlung bedürfen der Zustimmung der persönlich haftenden Gesellschafter, soweit sie Angelegenheiten betreffen, für die bei einer Kommanditgesellschaft das Einverständnis**

der persönlich haftenden Gesellschafter und der Kommanditisten erforderlich ist. [2]Die Ausübung der Befugnisse, die der Hauptversammlung oder einer Minderheit von Kommanditaktionären bei der Bestellung von Prüfern und der Geltendmachung von Ansprüchen der Gesellschaft aus der Gründung oder der Geschäftsführung zustehen, bedarf nicht der Zustimmung der persönlich haftenden Gesellschafter.

(3) **[1]Beschlüsse der Hauptversammlung, die der Zustimmung der persönlich haftenden Gesellschafter bedürfen, sind zum Handelsregister erst einzureichen, wenn die Zustimmung vorliegt. [2]Bei Beschlüssen, die in das Handelsregister einzutragen sind, ist die Zustimmung in der Verhandlungsniederschrift oder in einem Anhang zur Niederschrift zu beurkunden.**

I. Stimmrecht

1. Regelungsgegenstand und -zweck. § 285 ist mit „Hauptversammlung" überschrieben, regelt sie aber nicht umfassend, sondern maßgebliche Regelungen folgen aus §§ **118 ff. iVm § 278 III** (→ Rn. 17). § 285 I ergänzt Besonderheiten zum Stimmrechtsausschluss. Da HV anders als bei AG auch nicht Versammlung aller Gesellschafter ist, sondern nur der Kommanditaktionäre, kann in bestimmten Fällen Zustimmung der Komplementäre erforderlich sein, für die § 285 II und III Sonderregeln vorsehen (→ Rn. 2 ff.). Die Kommanditaktionäre haben das Stimmrecht nach §§ 12, 134–137 iVm § 278 III. Die Komplementäre haben als solche kein Stimmrecht. Stimmberechtigt sind sie nur, soweit sie zugleich Kommanditaktionäre sind, und zwar in dieser Eigenschaft (§ 285 I 1). Ohne Aktionärseigenschaft kann ihnen auch Teilnahme versagt werden (Bachmann FS Marsch-Barner, 2018, 13, 21). Beschränkungen des Stimmrechts nach § 134 I sind möglich. Einem Stimmrechtsausschluss unterliegen die Komplementäre in den in § 285 I 2 aufgeführten sechs Fällen. **Zweck der Vorschrift** ist die Vermeidung von abstrakten Interessenkonflikten (Fiebelkorn ZGR 2020, 782, 811 f.). Nicht geschäftsführungsberechtigte Komplementäre sind deshalb vom Stimmverbot mangels abstrakten Interessenkonflikts im Wege der teleologischen Reduktion auszunehmen (Fiebelkorn BB 2021, 2123, 2126 f.; Hennemann ZHR 182 [2018], 157, 184; aA MüKoAktG/Perlitt Rn. 20; Bürgers/Fett/Reger HdB KGaA § 5 Rn. 414). Das Stimmverbot gilt auch für die Beschlussfassung über sachlich zugehörige Verfahrensanträge, bes. Vertagung; das Teilnahmerecht bleibt dagegen unberührt (KK-AktG/Mertens/Cahn Rn. 9; MüKoAktG/Perlitt Rn. 18). 1

2. Erstreckung des Stimmverbots auf geschäftsführende Komplementärgesellschaften. Bei geschäftsführenden Komplementärgesellschaften erstreckt sich Stimmverbot auch auf **Vertretungsorgane** (GK-AktG/Sethe Rn. 25; BeckOGK/Bachmann Rn. 26; Seibt/v. Rimon AG 2019, 753, 758). Str. ist, ob auch eine analoge Anwendung auf deren **beherrschenden Gesellschafter** geboten ist (dafür GK-AktG/ Sethe Rn. 26 ff.; MüKo-AktG/Perlitt § 278 Rn. 325; B/K/L/Förl/Fett Rn. 3; Sethe AG 2021, 78, 82 ff.; so auch noch Bachmann FS Marsch-Barner, 2018, 13, 23 f.; Schnülle NZG 2017, 1056, 1057; Seibt/v. Rimon AG 2019, 753, 758; diff. Fiebelkorn ZGR 2020, 782, 823 ff.; dagegen KK-AktG/Mertens/Cahn Rn. 8; zweifelnd nun auch BeckOGK/Bachmann Rn. 27). Im Gleichlauf mit § 287 III ist jedenfalls das Stimmrecht analog § 285 I 2 Nr. 1 ausgeschlossen, wenn Gesellschafter maßgeblich beteiligt ist und **bestimmenden Einfluss** ausüben kann (→ § 287 III Rn. 5 ff.). Wegen (finanzieller) Betroffenheit besteht auch bei § 285 I 2 Nr. 2–5 die Gefahr eines abstrakten Interessenkonflikts, so dass ein Stimmrechtsausschluss des mehrheitlich 1a beteiligten Gesellschafters gerechtfertigt ist (Fiebelkorn ZGR 2020, 782, 827 f.; auch GK-AktG/Sethe Rn. 29, der Vergleich zu § 136 zieht; vgl. zu § 136 → § 136 Rn. 10 f.). Allein bei der Wahl des Abschlussprüfers scheint Ausschluss analog § 285 I 2 Nr. 6 nicht sachgerecht (Fiebelkorn ZGR 2020, 782, 828).

1b Bei **Gesellschaftergruppenidentität** ist fraglich, ob beherrschender Kommanditaktionär der KGaA aufgrund seines mittelbaren Einflusses auf Komplementärgesellschaft von Abstimmung ausgeschlossen ist. Bessere Gründe sprechen dafür, Frage zu verneinen, da hier nicht Komplementär Einfluss auf HV nimmt, sondern umgekehrt Einfluss gerade aus der HV in die Komplementärgesellschaft ausstrahlt. Bei anderem Verständnis bliebe Mehrheitsgesellschafter von Einflussnahme auf AR-Wahl ausgeschlossen, was kaum überzeugt (Schnülle NZG 2017, 1056, 1058 f.; zust. Bachmann FS Marsch-Barner, 2018, 13, 24; Hennemann ZHR 182 [2018], 157, 186 f.). Sind **alle Kommanditaktionäre zugleich Komplementäre,** wird zumindest in den Fällen der Nr. 1–3 und 6 mangels Interessenkonflikts eine teleologische Reduktion angenommen (KK-AktG/Mertens/Cahn Rn. 24). Richtigerweise dürfte aber in allen Fällen des § 285 I 2 ein Stimmverbot entfallen (BeckOGK/Bachmann Rn. 29; Schnülle NZG 2017, 1056, 1058; aA GK-AktG/Sethe Rn. 35: Differenzierung nach Geschäftsführungsbefugnis). Das gilt als Spezialfall einer solchen Identität insbes. auch in Einmann-KGaA (BeckOGK/Bachmann Rn. 28; Schnülle NZG 2017, 1056, 1057 f.). Mit Stimmverbot nach Nr. 1 geht Verbot der **Ausübung eines Entsenderechts** einher (Hoffmann-Becking/Herfs FS Sigle, 2000, 273, 289). Nach BGH AG 2006, 117, 118 ist Ausübung durch weisungsfreie Person, die Komplementär nahe steht, möglich. § 285 I ist zwingend nach § 23 V iVm § 278 II.

II. Zustimmungsrechte der Komplementäre

2 Gem. § 285 II 1 ist Zustimmung der Komplementäre (auch der nicht geschäftsführenden, RGZ 82, 360, 362 f.) erforderlich, wenn in der KG Einverständnis der beiden Gesellschaftergruppen hergestellt werden muss. Das betr. Satzungsänderungen einschließlich des so beschlossenen Komplementärwechsels (OLG Stuttgart AG 2003, 587) und sonstige **Grundlagenbeschlüsse** (zB Zustimmung zu Unternehmensverträgen, Auflösung, Verschmelzung und Formwechsel), ferner **außergewöhnliche Geschäftsführungsmaßnahmen** iSd § 116 II HGB, § 164 HGB (KK-AktG/Mertens/Cahn Rn. 35 f.; MüKoAktG/Perlitt Rn. 42; dazu → § 278 Rn. 17a). Zur Übertragung des gesamten Vermögens → § 179a Rn. 25. Die Satzung kann den Kreis zustimmungsbedürftiger Geschäfte erweitern, für die Zustimmung auch das Mehrheitsprinzip einführen oder einzelnen, zB nicht geschäftsführenden, Komplementären das Zustimmungsrecht nehmen. Str. ist, ob Satzung den Komplementären Mitspracherecht bei HV-Beschlüssen über **Gewinnverwendung** einräumen darf. Teilw. wird eine solche Gestaltungsoption abgelehnt (GK-AktG/Sethe Rn. 90; Mense GWR 2015, 320, 323; Sethe AG 2021, 78, 81; sympathisierend OLG München AG 2014, 864, 865), teilw. nur Gesellschaften eingeräumt, die weder börsennotiert noch Publikums-KGaA sind (vgl. MüKoAktG/Perlitt § 286 Rn. 80). Überzeugender erscheint es, satzungsmäßiges Zustimmungserfordernis zuzulassen (LG München NZG 2014, 700, 701 f.; BeckOGK/Bachmann Rn. 36; KK-AktG/Mertens/Cahn § 286 Rn. 33; S/L/K. Schmidt § 286 Rn. 12; MHdB AG/Herfs § 81 Rn. 21), aber die Zustimmungsverweigerung der Ausübungskontrolle am Maßstab der Treupflicht zu unterziehen (→ § 278 Rn. 4; BeckOGK/Bachmann Rn. 36; KK-AktG/Mertens/Cahn Rn. 49; Haider-Giangreco/Polte BB 2014, 2947, 2952; so wohl auch MüKoAktG/Perlitt § 286 Rn. 80; zur Missbrauchsschranke nach § 242 BGB OLG München AG 2014, 864, 865). Zur Feststellung des Jahresabschlusses vgl. § 286 I 2 (→ § 286 Rn. 1).

Zustimmung ist **Willenserklärung,** die grds. (Ausnahmen: → Rn. 4) auch schlüssig abgegeben werden kann. Erklärungsempfänger sind HV oder AR. **Kein Zustimmungsrecht** haben die Komplementäre nach der zwingenden Vorschrift des § 285 II 2, wenn es um die Bestellung von Prüfern (§§ 142 ff., 258 ff.; §§ 316 ff. HGB) oder darum geht, Ansprüche aus Gründung oder Geschäftsführung (§§ 46, 53, 93) geltend zu machen. Ist Zustimmung der Komplementäre erforderlich, ist gefasster HV-Beschluss bis dahin schwebend unwirksam, nicht jedoch nichtig (GK-AktG/Sethe Rn. 59, 72). 3

III. Einreichung zum Handelsregister

§ 285 III verpflichtet nicht zur Einreichung, sondern setzt die Pflicht voraus (zB nach § 181, § 325 HGB). § 285 III 1 ist Ordnungsvorschrift; die Zustimmung kann also nachgeholt, auch durch Zwischenverfügung aufgegeben werden (KK-AktG/Mertens/Cahn Rn. 50). Dagegen ist die **Formvorschrift** des § 285 III 2 für nicht nur einreichungs-, sondern eintragungspflichtige Beschlüsse zwingend. Erforderlich ist Beurkundung in der Niederschrift (§ 130) oder in einer Anhangsurkunde; alles andere genügt nicht (KGJ 41 A 140; OLG Stuttgart NZG 2003, 293 f.). Soweit Beurkundungserfordernis reicht, scheidet konkludente Zustimmung (etwa durch Mitwirkung bei der Registeranmeldung) aus (allgM). 4

Jahresabschluß. Lagebericht

286 (1) [1]**Die Hauptversammlung beschließt über die Feststellung des Jahresabschlusses.** [2]**Der Beschluß bedarf der Zustimmung der persönlich haftenden Gesellschafter.**

(2) [1]**In der Jahresbilanz sind die Kapitalanteile der persönlich haftenden Gesellschafter nach dem Posten „Gezeichnetes Kapital" gesondert auszuweisen.** [2]**Der auf den Kapitalanteil eines persönlich haftenden Gesellschafters für das Geschäftsjahr entfallende Verlust ist von dem Kapitalanteil abzuschreiben.** [3]**Soweit der Verlust den Kapitalanteil übersteigt, ist er auf der Aktivseite unter der Bezeichnung „Einzahlungsverpflichtungen persönlich haftender Gesellschafter" unter den Forderungen gesondert auszuweisen, soweit eine Zahlungsverpflichtung besteht; besteht keine Zahlungsverpflichtung, so ist der Betrag als „Nicht durch Vermögenseinlagen gedeckter Verlustanteil persönlich haftender Gesellschafter" zu bezeichnen und gemäß § 268 Abs. 3 des Handelsgesetzbuchs auszuweisen.** [4]**Unter § 89 fallende Kredite, die die Gesellschaft persönlich haftenden Gesellschaftern, deren Ehegatten, Lebenspartnern oder minderjährigen Kindern oder Dritten, die für Rechnung dieser Personen handeln, gewährt hat, sind auf der Aktivseite bei den entsprechenden Posten unter der Bezeichnung „davon an persönlich haftende Gesellschafter und deren Angehörige" zu vermerken.**

(3) **In der Gewinn- und Verlustrechnung braucht der auf die Kapitalanteile der persönlich haftenden Gesellschafter entfallende Gewinn oder Verlust nicht gesondert ausgewiesen zu werden.**

(4) **§ 285 Nr. 9 Buchstabe a und b des Handelsgesetzbuchs gilt für die persönlich haftenden Gesellschafter mit der Maßgabe, daß der auf den Kapitalanteil eines persönlich haftenden Gesellschafters entfallende Gewinn nicht angegeben zu werden braucht.**

I. Aufstellung und Feststellung des Jahresabschlusses

1 Geschäftsführende Komplementäre haben Jahresabschluss gem. § 283 Nr. 9 aufzustellen. Str. ist, ob vorab interner Abschluss nach personengesellschaftsrechtl. Grundsätzen aufzustellen ist (→ § 288 Rn. 1 ff.). Der Jahresabschluss kann nicht entspr. § 172 durch Billigung des AR **festgestellt** werden. § 286 I 1 verlangt vielmehr zwingend einen **Beschluss der HV.** Für ihn gilt § 173 II und III iVm § 278 III. Das Auskunftsverweigerungsrecht des § 131 III 1 Nr. 3 und 4 steht den Komplementären nicht zu. Zu beachten sind aber bei Kreditinstituten die aus §§ 340 f. HGB folgenden Beschränkungen. Gem. § 286 I 2 ist der Beschluss nur bei **Zustimmung der** (aller) **Komplementäre** wirksam. Insoweit kann die Satzung anderes bestimmen (→ § 285 Rn. 2). Ungeklärt ist die Rechtslage, wenn wegen **Uneinigkeit** der Beteiligten keine oder mangels Zustimmung keine wirksame Feststellung erfolgt. Schrifttum erörtert verschiedene Klagemodelle (Überblick bei KK-AktG/Mertens/Cahn Rn. 29 ff.; MüKoAktG/Perlitt Rn. 69 ff.). Wollen Komplementäre Zustimmung der Kommanditaktionäre erzwingen, erscheint Anfechtungsklage gegen ablehnenden HV-Beschluss verbunden mit Beschlussfeststellungsklage sachgerecht. Stehen Kommanditaktionäre auf Klägerseite, ist Klage der KGaA – vertreten durch AR (§ 287 II) – auf Zustimmungserteilung der gangbare Weg. In beiden Fällen ist Klage nur bei treuwidriger Zustimmungsverweigerung begründet (hM – KK-AktG/Mertens/Cahn Rn. 32; MüKoAktG/Perlitt Rn. 70; BeckOGK/Bachmann Rn. 5). Kann Gericht keinen Treueverstoß feststellen, steht Letztentscheidungskompetenz nach hM Komplementären zu (GK-AktG/Sethe Rn. 22; MüKoAktG/Perlitt Rn. 71; MHdB AG/Herfs § 81 Rn. 14; aA BeckOGK/Bachmann Rn. 5: KGaA ist auflösungsreif). Zur Zustimmung der Komplementäre zum Gewinnverwendungsbeschluss → § 285 Rn. 2. Zur Ermittlung des auf die Komplementäre entfallenden Gewinns → § 288 Rn. 1 f.

II. Jahresbilanz

2 **1. Kapitalanteil. Begriff:** Kapitalanteil ist eine Rechnungsziffer, nämlich der in der Bilanz ausgewiesene Geldbetrag, der auf der Passivseite der aktivierten Einlage in ihrem jeweiligen Stand entspr.; aus dem Verhältnis der Kapitalanteile zueinander ergibt sich der Umfang der Beteiligung (RGZ 117, 238, 242; Umschreibungen des Schrifttums differieren, meinen aber im Wesentlichen dasselbe, vgl. ADS Rn. 28 sowie Huber ZGR 1988, 1, 4 mwN in Fn. 1). Was nicht aktiviert werden kann, kann auch auf der Passivseite keinen Ausdruck finden. **Dienstleistungen** sind deshalb nach § 706 III BGB zwar einlagefähig, finden aber im Kapitalanteil keinen Ausdruck (Bürgers/Fett/Schließer HdB KGaA § 6 Rn. 80; Sethe DB 1998, 1044, 1046). Bewertung erfolgt nach §§ 252 ff. HGB. Zur Gründungsprüfung der Sacheinlagen der Komplementäre → § 280 Rn. 4.

3 **Ausweis der Kapitalanteile** erfolgt gem. § 286 II 1 auf der Passivseite nach A I (vgl. § 266 III HGB). Sie dürfen nicht als gezeichnetes Kapital ausgewiesen werden, weil sie nicht den aktienrechtl. Bindungen unterliegen. Nach allgM soll es genügen, wenn die Kapitalanteile aller Komplementäre in einer Summe ausgedrückt werden (zB MüKoAktG/Perlitt Rn. 83). Unzulässig ist jedoch die Saldierung positiver und negativer Konten (ADS Rn. 30; Sethe DB 1998, 1044, 1047).

4 **2. Verlustabschreibung.** Gem. § 286 II 2 ist Verlust vom Kapitalanteil des Komplementärs abzuschreiben. Das ist (insoweit anders als nach § 120 II Hs. 2 HGB) zwingend (Sethe DB 1998, 1044, 1047). Gesondert auszuweisen ist

nach § 286 II 3 ein den Betrag des Kapitalanteils übersteigender Verlust. Er wird als Forderung aktiviert, soweit der betroffene Komplementär zahlungspflichtig ist (ADS Rn. 35). IÜ ist er gem. § 268 III HGB am Schluss der Aktivseite mit großem Gliederungsbuchstaben unter der vorgeschriebenen Bezeichnung auszuweisen (BeckOGK/Bachmann Rn. 10).

3. Kredite. Kredite der Gesellschaft an Komplementäre, deren Ehegatten, Lebenspartner (§ 1 LPartG; → § 89 Rn. 6), minderjährige Kinder oder mittelbare Stellvertreter, die unter § 89 fallen (also nicht: Kredite bis zur Höhe eines Bruttomonatsgehalts, § 89 I 5), sind gem. § 286 II 4 auszuweisen. Die früher vorgeschriebene Aktivierung unter III B Nr. 11 ist durch BiRiLiG 1985 abgewandelt worden in eine Aktivierung „bei den entspr. Posten". Je nach Lage der Dinge A III 6 oder B II 4, uU (Warenkredit) B II 1. Stets anzubringen ist der Vermerk „davon an persönlich haftende Gesellschafter und deren Angehörige". Aufgliederung der auf sie entfallenden Gesamtsumme nach Personen ist nicht vorgeschrieben (Sethe DB 1998, 1044, 1048). 5

III. GuV

Die Komplementäre sollen nicht gehalten sein, Gewinne auf ihren Kapitalanteil in der GuV offenzulegen (RegBegr. Kropff S. 370). Verluste folgen ohnehin aus der Abschreibung nach § 286 II 2 und 3. Daher sind entspr. Ausweise in der GuV nach § 286 III entbehrlich. Kommanditaktionäre können jedoch in HV Auskunft über Gewinn- und Verlustanteile der Komplementäre verlangen (KK-AktG/Mertens/Cahn Rn. 25). 6

IV. Angabe der Gesamtbezüge

Zu den sonstigen Pflichtangaben des Anhangs gehören nach § 285 Nr. 9 lit. a HGB iVm § 286 IV die auf das Geschäftsjahr entfallenden Gesamtbezüge (Gehälter usw) der aktiven Komplementäre, entspr. nach § 285 Nr. 9 lit. b HGB die Gesamtbezüge (Abfindungen usw) der ausgeschiedenen oder nicht mehr geschäftsführenden Komplementäre oder ihrer Hinterbliebenen, ferner vorgenommene oder unterbliebene Pensionsrückstellungen. Nicht zu den Gesamtbezügen gehört der Gewinn, der auf den Kapitalanteil entfällt. Das Ges. will lediglich die Angabe von Tätigkeitsvergütungen, die denen der Vorstandsmitglieder vergleichbar sind (RegBegr. Kropff S. 370). 7

Aufsichtsrat

287 (1) **Die Beschlüsse der Kommanditaktionäre führt der Aufsichtsrat aus, wenn die Satzung nichts anderes bestimmt.**

(2) [1] **In Rechtsstreitigkeiten, die die Gesamtheit der Kommanditaktionäre gegen die persönlich haftenden Gesellschafter oder diese gegen die Gesamtheit der Kommanditaktionäre führen, vertritt der Aufsichtsrat die Kommanditaktionäre, wenn die Hauptversammlung keine besonderen Vertreter gewählt hat.** [2] **Für die Kosten des Rechtsstreits, die den Kommanditaktionären zur Last fallen, haftet die Gesellschaft unbeschadet ihres Rückgriffs gegen die Kommanditaktionäre.**

(3) **Persönlich haftende Gesellschafter können nicht Aufsichtsratsmitglieder sein.**

I. Allgemeines

1 § 287 enthält die Sonderbestimmungen zum AR, die mit Rücksicht auf die Eigenart der KGaA erforderlich sind. Zu seiner grds. durch §§ 95 ff. iVm § 278 III definierten Rechtsstellung → § 278 Rn. 15 f. Nach § 287 I führt der AR als **Gesellschaftsorgan** (hM – BGHZ 165, 192, 199 = NJW 2006, 510; KK-AktG/Mertens/Cahn Rn. 2) die Beschlüsse der Kommanditaktionäre aus. Das sind solche, mit denen die Versammlung Rechte nach Personengesellschaftsrecht geltend macht, dagegen nicht solche, die von der Versammlung in sonstigen Gesellschaftsangelegenheiten gefasst werden; die Ausführungszuständigkeit liegt insoweit nicht beim AR, sondern bei den Komplementären. Die Kompetenzzuweisung an den AR ist teilw. dispositiv (→ § 278 Rn. 19a). Die Satzung kann insbes. die Interessen der Kommanditaktionäre einem Beirat, Verwaltungsrat oder Gesellschafterausschuss überantworten (KK-AktG/Mertens/Cahn Rn. 28 ff.; v. Eiff/Otte GWR 2015, 246, 247; Habersack FS Hellwig, 2011, 143, 146 ff.; Martens AG 1982, 113; Schnorbus GS M. Winter, 2011, 629, 634 ff.). **Geschlechterquote** nach § 96 II, III gilt auch für KGaA (→ 96 Rn. 13; Backhaus AG 2021, 653 Rn. 15 ff.; Hasselbach/Ebbinghaus DB 2015, 1269, 1274), ebenso Zielgrößenvorgabe nach § 76 IV (→ § 76 Rn. 163) sowie § 111 V, sofern AR selbst betroffen ist (→ § 111 Rn. 80; Johannsen-Roth/Kießling in FS Marsch-Barner, 2018, 273, 276 ff.). Auf Vorstand zugeschnittene Vorgaben gelten dagegen für KGaA nicht (vgl. zu § 76 IIIa → § 76 Rn. 153; zu § 111 V → § 111 Rn. 80). Auch auf sonstige satzungsmäßig vorgesehene Gremien finden Quoten- und Zielvorgaben keine Anwendung (überzeugend Backhaus AG 2021, 653 Rn. 16 f.).

II. Rechtsstreitigkeiten

2 § 287 II 1 weist die **Prozessvertretung** dem AR zu, soweit es sich um Angelegenheiten der Kommanditaktionäre iSv → Rn. 1 handelt. Als Partei tritt die KGaA auf (hM – GK-AktG/Sethe Rn. 57 ff.; KK-AktG/Mertens/Cahn Rn. 22; Herfs AG 2005, 589, 591 f.; Kessler NZG 2005 145, 146 f.; Sethe AG 1996, 289, 299 f.; aA noch RGZ 74, 301, 303: Gesamtheit der Kommanditaktionäre). Empfehlenswerte, weil alle Angaben enthaltende **Parteibezeichnung** (§ 253 II Nr. 1 ZPO): die Kommanditaktionäre der XY-KGaA, vertreten durch den AR. Vgl. zur Vertretung auch → § 278 Rn. 16, 19.

3 **Kosten** fallen nach § 287 II 2 zunächst der KGaA als Partei zur Last (KK-AktG/Mertens/Cahn Rn. 23). Nicht selbstverständlich ist der in § 287 II 2 vorausgesetzte Rückgriff gegen die Kommanditaktionäre. Zutr. hM sieht darin Anspruchsgrundlage, gewährt Erstattungsanspruch bei pflichtwidriger Klageerhebung ohne Haftungsbeschränkung und verneint diesen bei vertretbarer Rechtsverfolgung (KK-AktG/Mertens/Cahn Rn. 23; iE auch MüKoAktG/Perlitt Rn. 78).

III. Unvereinbarkeit

4 Geschäftsführende Komplementäre können nach § 287 III nicht Mitglieder des AR sein. Zweck der Vorschrift ist personelle Trennung von Geschäftsführung und Überwachung (so ganz hM – BGH AG 2006, 117, 118; KK-AktG/Mertens/Cahn Rn. 11; Bachmann AG 2019,581, 584). Deshalb ist nicht geschäftsführender Komplementär im Wege der teleologischen Reduktion vom Anwendungsbereich auszunehmen (Fiebelkorn BB 2021, 2123, 2125 f.; Hennemann ZHR 182 [2018], 157, 165 f.; aA OLG München AG 2004, 151, 153; LG München I AG 2002, 467, 469; Bürgers/Fett/Bürgers HdB KGaA § 5 Rn. 454).

Das ist auf **Geschäftsführer oder andere ges. Vertreter einer geschäftsführenden Komplementärgesellschaft** zu erstrecken (ganz hM, s. GK-AktG/Sethe Rn. 10; S/L/K. Schmidt Rn. 9; Bachmann AG 2019, 581, 582; Krieger FS Windbichler, 2020, 857, 859 f. sowie Fiebelkorn ZGR 2020, 782, 804 ff., der die Analogie auch auf rechtsgeschäftliche Vertreter erstreckt; in der Tendenz wie die hM wohl auch BGHZ 165, 192, 197 f. = NJW 2006, 510).

Im Hinblick auf die **Gesellschafter** einer geschäftsführenden Komplementärgesellschaft ist nach Mehrheitsverhältnissen sowie nach Rechtsformen zu differenzieren: Mit Sinn und Zweck des § 287 III, personeller Trennung von Geschäftsführung und Überwachung der KGaA, erscheint es am ehesten vereinbar, Inhabilität auf solche **natürlichen Gesellschafter** (zu jur. Person als Gesellschafter → Rn. 6) zu erstrecken, die in der Gesellschaft eine organähnliche Leitungsfunktion innehaben oder daran maßgeblich beteiligt sind und deshalb dort bestimmenden Einfluss ausüben können (OLG München NZG 2004, 521; in diese Richtung auch BGHZ 165, 192, 198 = NJW 2006, 510 [„allenfalls"]; OLG Frankfurt BeckRS 2014, 2429; sa Henssler/Strohn/A. Arnold Rn. 1; B/K/L/Förl/Fett Rn. 10; GK-AktG/Sethe Rn. 10b; MHdB AG/Herfs § 79 Rn. 59; Goette/Arnold/Roßkopf AR § 9 Rn. 7; Hennemann ZHR 182 [2018], 157, 169 ff.; Sethe AG 2021, 78, 85 ff.; diff. MüKoAktG/Perlitt § 278 Rn. 321; aA Bachmann AG 2019, 581, 582 ff.; Fiebelkorn ZGR 2020, 782, 806 ff.; Habersack ZIP 2019, 1453, 1458 ff.; Krieger FS Windbichler, 2020, 857 ff.; Otte BB 2022, 461, 464 f.). Nach dieser hM wird etwa bei der GmbH (zur AG → Rn. 7) nur der herrschende Gesellschafter, der in tats. oder rechtl. Hinsicht in der Lage ist, bestimmenden Einfluss gerade auf das Weisungsrecht gem. § 37 I GmbHG auszuüben, unter § 287 III fallen. Ausdehnung auf sämtliche Gesellschafter (NK-AktR/Wichert Rn. 8 nimmt nur Bagatellbeteiligungen aus) ist jedenfalls zu weitgehend (so auch BGHZ 165, 192, 198; s. ferner GK-AktG/Sethe Rn. 10b; Bürgers/Fett/Bürgers HdB KGaA § 5 Rn. 457 [die beiden letztgenannten jew. unter Aufgabe einer früheren gegenteiligen Ansicht]; Krieger FS Windbichler, 2020, 857, 860; R. Müller AG 2021, 823 Rn. 20; Seibt/v. Rimon AG 2019, 753, 756 f.). 5

Um berechtigtes Steuerungsinteresse des wirtschaftlichen Eigentümers nicht zu gefährden, sollten Analogievoraussetzungen tendenziell eher streng gehandhabt werden (sa Bachmann AG 2019, 581, 588; Habersack ZIP 2019, 1453, 1458 ff.; Krieger FS Windbichler, 2020, 857 ff.; tendenziell zust. MüKoAktG/Perlitt Rn. 116 ff.; Lutter/Krieger/Verse AR Rn. 1330). Jedenfalls dann, wenn auch **herrschender Gesellschafter jur. Person** mit mehrköpfigen Organstrukturen ist, wird man Analogie deshalb nicht noch auf einzelne Organwalter ausdehnen können, ohne Voraussetzungen der Rechtsfortbildung überzustrapazieren (so aber wohl OLG Frankfurt BeckRS 2014, 2429; iE wie hier Bachmann AG 2019, 581, 589; Fiebelkorn ZGR 2020, 782, 810 f.; Habersack ZIP 2019, 1453, 1461; Krieger FS Windbichler, 2020, 857, 865 ff.). Verbleibenden Umgehungsrisiken ist im Einzelfall zu begegnen. Ist AR-Mitglied an herrschender Gesellschaft als **Gesellschafter** beteiligt, wird man Analogie dann bejahen können, wenn er über mittelbare Beteiligungskette letztlich bestimmenden Einfluss auf Komplementärgesellschaft nehmen kann, namentl. also als Allein- oder Mehrheitseigentümer einer beherrschenden GmbH. Strengere Ansichten überdehnen **Normzweck des § 287 III** dahingehend, dass Norm Interessenkonflikten generell entgegenwirken wolle und AR als Vertretungsorgan der Kommanditaktionäre von Komplementäreinfluss gänzlich freigehalten werden müsse (LG München AG 2002, 467, 468 f.). Das entspr. aber nicht Feststellungen des BGH, wonach AR Organ der Gesellschaft sei und nicht ein solches einer Gesellschaftergruppe (BGHZ 165, 192 Rn. 15 = NJW 2006, 510; vgl. zu diesem Argument auch Bachmann AG 2019, 581, 583; ausdr. abw. von BGH deshalb auch GK-AktG/Sethe Rn. 10b; 6

Sethe AG 2021, 78, 86). § 287 III ist damit weder Ausdruck einer „Lagertheorie" noch will er „Gegnerfreiheit" im AR bezwecken (BGHZ 165, 192 Rn. 15; Bachmann AG 2019, 581, 583 f.; R. Müller AG 2021, 823 Rn. 16 ff.). Vielmehr soll gewährleistet werden, dass Organisationsgefälle zwischen Überwachungsorgan und Überwachtem gewahrt bleibt, indem Geschäftsführungs- und Überwachungsfunktion nicht „in einer Hand" zusammenfallen (BGHZ 165, 192 Rn. 13, 15). Das kann teleologisch auf die Fälle ausgedehnt werden, wo Geschäftsführer fremder Weisung unterliegt, nicht aber dort, wo er nur Gegenstand faktischer Einflussnahmen sein kann.

7 Bei der **AG als Komplementär** können auf dieser Wertungsgrundlage selbst der Mehrheitsaktionär und seine Organvertreter aufgrund der Weisungsfreiheit des Vorstands (§ 76 I) nicht unter § 287 III fallen (zutr. B/K/L/Förl/Fett Rn. 10; Otte, Die AG & Co. KGaA, 2011, 147; R. Müller AG 2021, 823 Rn. 24 f.; Wollburg FS Hoffmann-Becking, 2013, 1425, 1433; aA Hennemann ZHR 182 [2018], 157, 175 f.). Dem dagegen erhobenen Einwand, dass weisungsfrei nicht gleich einflussfrei sei (Hennemann ZHR 182 [2018], 157, 176), ist entgegenzuhalten, dass Einflussmöglichkeit auch nicht mit Leitung gleichgesetzt werden kann, auf die es für Anwendung des § 287 III aber ankommt. Andere Beurteilung ist wegen § 308 AktG geboten, wenn Komplementär-AG in einen Vertragskonzern eingebunden ist (Fett/Stütz NZG 2017, 1121, 1124; R. Müller AG 2021, 823 Rn. 21). Das gilt auch dann, wenn herrschender Gesellschafter der Komplementärin gleichzeitig mehrheitlich am Kapital der KGaA als Kommanditaktionär beteiligt ist, da hinreichender Schutz der außenstehenden Kommanditaktionäre gewährleistet sein muss (ausf. R. Müller AG 2021, 823 Rn. 31 f.; aA Bachmann AG 2019, 582, 587; wohl auch MüKoAktG/Perlitt Rn. 118). Auch die **AR-Mitglieder der Komplementär-AG** fallen nicht unter § 287 III, da hier zwar Überwachungsaufgaben kumulieren, nicht jedoch Geschäftsführung und Überwachung (so auch MüKoAktG/Perlitt Rn. 119; Hennemann ZHR 182 [2018], 157, 167 ff.; Wollburg FS Hoffmann-Becking, 2013, 1425, 1433; aA Grigoleit/Servatius Rn. 7, der Verhinderungskompetenz des § 111 IV 2 überschießend als „Geschäftsführungskompetenz" interpretiert). Tats. ist personenidentische Besetzung der beiden Gesellschaften gängige Praxis (Fett/Stütz NZG 2017, 1121, 1124).

8 **Rechtsfolge** eines Verstoßes gegen § 287 III ist ges. nicht geregelt; in Betracht kommen Nichtigkeits- oder Anfechtungsklage (§ 252 I, II AktG; insofern offenlassend BGHZ 165, 192, 196 f. = NJW 2006, 510). Entsprechend zu den Folgen eines Verstoßes gegen § 105 AktG (→ § 105 Rn. 6) ist Nichtigkeitsklage analog § 250 I Nr. 4 statthaft (Hennemann ZHR 182 [2018], 157, 183 f.; Wollburg FS Hoffmann-Becking, 2013, 1425, 1437 f.). Im Fall der Entsendung ist prozessual allg. Feststellungsklage gem. § 256 I ZPO zu erheben (BGHZ 165, 192, 198). Bei nachträglichem Eintreten des Grundes für die Inkompatibilität ist ex nunc Nichtigkeit anzunehmen (Hennemann ZHR 182 [2018], 157, 183 f.; vgl. auch → § 100 Rn. 30).

Entnahmen der persönlich haftenden Gesellschafter. Kreditgewährung

288 (1) [1] **Entfällt auf einen persönlich haftenden Gesellschafter ein Verlust, der seinen Kapitalanteil übersteigt, so darf er keinen Gewinn auf seinen Kapitalanteil entnehmen.** [2] **Er darf ferner keinen solchen Gewinnanteil und kein Geld auf seinen Kapitalanteil entnehmen, solange die Summe aus Bilanzverlust, Einzahlungsverpflichtungen, Verlustanteilen persönlich haftender Gesellschafter und Forderungen aus**

Krediten an persönlich haftende Gesellschafter und deren Angehörige die Summe aus Gewinnvortrag, Kapital- und Gewinnrücklagen sowie Kapitalanteilen der persönlich haftenden Gesellschafter übersteigt.

(2) [1] **Solange die Voraussetzung von Absatz 1 Satz 2 vorliegt, darf die Gesellschaft keinen unter § 286 Abs. 2 Satz 4 fallenden Kredit gewähren.** [2] **Ein trotzdem gewährter Kredit ist ohne Rücksicht auf entgegenstehende Vereinbarungen sofort zurückzugewähren.**

(3) [1] **Ansprüche persönlich haftender Gesellschafter auf nicht vom Gewinn abhängige Tätigkeitsvergütungen werden durch diese Vorschriften nicht berührt.** [2] **Für eine Herabsetzung solcher Vergütungen gilt § 87 Abs. 2 Satz 1 und 2 sinngemäß.**

I. Gewinnermittlung und -verteilung

§ 288 bezweckt Kapitalschutz, indem es **Entnahmerecht des Komplementärs** begrenzt und sonst geltender personengesellschaftsrechtlicher Vertragsfreiheit Grenzen zieht (BeckOGK/Bachmann Rn. 2). Umstr. ist, wie zugrunde liegender Gewinn zu berechnen ist. Nach hM ergibt sich der **Gewinn der KGaA** zwar aus ihrem Jahresabschluss, dessen Inhalt seinerseits den für AG geltenden Regeln folgt (→ § 283 Rn. 2 zu Nr. 9–11). Der den Komplementären gebührende Gewinn soll sich aber nicht aus dem aktienrechtl. Jahresabschluss, sondern aus einer zusätzlichen KG-Bilanz iSd §§ 120, 161 II HGB ergeben, die (unter Fortschreibung älterer Lit.) nicht den §§ 264 ff. HGB, sondern (nur) den §§ 238 ff., 252 ff. HGB unterliegt. Die Satzung kann allerdings Abweichendes bestimmen (vgl. etwa GK-AktG/Sethe Rn. 15 ff.; Elschenbroich, Die KGaA, 1959, 88 ff.). Nach einer Gegenansicht soll aktienrechtl. Jahresabschluss auch für Ermittlung des Komplementärgewinns maßgeblich sein; Recht der KG soll erst für Gewinnverteilung gelten (so bes. KK-AktG/Mertens/Cahn § 286 Rn. 10, 13; sa S/L/K. Schmidt Rn. 3). Nach dritter Auffassung soll zwar eine KG-Bilanz erstellt werden, sollen aber dabei nach dem Stand von heute die insges. strengeren Regeln für Kapitalgesellschaften, bes. §§ 264 ff. HGB, zur Anwendung kommen (MüKoAktG/Perlitt § 286 Rn. 25 ff.; offenlassend BFHE 157, 382, 391 ff. = NJW 1990, 1812). 1

Stellungnahme. KG-Bilanz für KGaA verkennt deren Charakter als jur. Person und Kapitalgesellschaft (→ § 278 Rn. 3 f.). Für Gewinnermittlung gilt nicht § 278 II, sondern § 278 III (ADS Rn. 55 ff.; Drüen/van Heek DStR 2012, 541, 543 f.). Der von KK-AktG/Mertens/Cahn § 286 Rn. 10, 13 entwickelten Ansicht ist also beizutreten. In der Sache geht es nicht um Verdoppelung von Bilanzen, mit der die Abschlusstechnik fertig werden könnte, sondern erstens um die Feststellungskompetenz und zweitens um die materiellen Ansatz- und Bewertungsvorschriften (darin zutr. MüKoAktG/Perlitt § 286 Rn. 25 ff.). **Feststellungskompetenz:** Die hM zielt darauf ab, allein die Komplementäre über den ihnen zustehenden Gewinn entscheiden zu lassen. Dabei wird übersehen, dass dieses Konzept für die KG nicht mehr der hM entspr. Mitwirkung des Kommanditisten an Bilanzfeststellung ist weitgehend und zu Recht anerkannt (vgl. BGHZ 132, 263, 266 f. = NJW 1996, 1678; BGHZ 170, 283 Rn. 6 = NJW 2007, 1685; MüKoBilR/Kleindiek HGB § 242 Rn. 15). Bes. KG-Bilanz führt also nicht zum gewünschten Ergebnis. **Ansatz und Bewertung:** Die für AG geltenden Regeln müssen auch für KGaA gelten. Anderenfalls wäre es möglich, dass Gewinnentnahme durch die Komplementäre den Grundsatz der Kapitalerhaltung verletzt. In einer (Kapital-)Gesellschaft kann nicht mit zwei Gewinnbegriffen gearbeitet werden. Die persönliche Haftung schafft keinen angemessenen Ausgleich. 2

3 Danach verbleibt für das KG-Recht nur die **Gewinnverteilung.** Maßgeblich ist die Satzung. Regelt sie nichts, sind § 105 III HGB iVm § 709 III BGB anzuwenden, soweit es um das Verhältnis zwischen Komplementären einerseits und Kommanditaktionären andererseits geht. Verteilung unter den Kommanditaktionären bestimmt sich dagegen nach § 60 (vgl. BeckOGK/Bachmann Rn. 4; S/L/K. Schmidt Rn. 4).

II. Entnahmesperren

4 Basis des Entnahmerechts ist (dispositiver) **§ 122 HGB,** der mit MoPeG 2021 neu geordnet wurde. Wenig praxistaugliches gewinnunabhängiges Entnahmerecht ist durch Prinzip der Vollausschüttung ersetzt worden; Vereinbarung von Gewinnthesaurierungen bleibt Gesellschafterversammlung vorbehalten (Koch/Könen PersG HGB § 122 Rn. 1, 3). Regelung und davon abweichende Vereinbarungen werden jedoch durch die zwingende, der Kapitalerhaltung dienende Sondervorschrift des § 288 I überlagert. Entnahme ist danach erstens verboten, solange der Verlustanteil des Komplementärs seinen Kapitalanteil übersteigt (§ 288 I 1), und zwar auch dann, wenn dies erst aufgrund der Entnahme der Fall wäre (KK-AktG/Mertens/Cahn Rn. 29). Sie ist zweitens unter den Voraussetzungen des § 288 I 2 unzulässig. Für die Bildung der danach zu vergleichenden Summen aus einerseits Aktiva, andererseits Passiva kommt es nicht auf den einzelnen Komplementär, sondern auf die Gesamtbeträge an. Gesetzwidrige Entnahmen begründen aktienrechtl. Rückerstattungspflicht ohne den für Komplementäre unpassenden Gutglaubensschutz des § 62 I 2. Daneben ist eine Schadensersatzpflicht der Komplementäre (zB nach § 823 II BGB) möglich.

III. Kreditsperre

5 § 288 II 1 verbietet Kreditgewährung iSd §§ 89, 286 II 4 (→ § 286 Rn. 5), solange der Tatbestand des § 288 I 2 verwirklicht ist. Auch dieses Verbot dient der Kapitalerhaltung (RegBegr. Kropff S. 371) und ist deshalb zwingend. Beschränkungen können durch Satzung nur weiter verschärft werden (GK-AktG/Sethe Rn. 75). Unzulässig sind sowohl Vertragsschluss nach Eingreifen der Sperre, als auch Auszahlung der Valuta eines vor Eingreifen der Sperre geschlossenen Vertrages. Verstöße führen zur aktienrechtl. Rückgewährpflicht nach § 288 II 2. Kreditgewährende Organmitglieder können nach §§ 93, 116 schadensersatzpflichtig sein.

IV. Tätigkeitsvergütungen

6 § 288 III 1 enthält ges. Ausnahme von § 288 I und II (GK-AktG/Sethe Rn. 76; Rödder/Herlinghaus/Neumann/Hageböke, 2015, KStG § 9 Rn. 46; MüKoAktG/Perlitt Rn. 63; aA S/L/K. Schmidt Rn. 18; Grigoleit/Servatius Rn. 6; MHdB AG/Herfs § 81 Rn. 28: Klarstellung; KK-AktG/Mertens/Cahn Rn. 39). Norm regelt, dass Tätigkeitsvergütungen, die nicht vom Gewinn abhängen (also Gehalt iGgs zu Tantiemen), auch in Verlustphasen gezahlt werden dürfen. Wegen § 26 bedürfen sie einer Satzungsgrundlage (OLG München NZG 2022, 309 Rn. 21; BeckOGK/Bachmann Rn. 12; Rödder/Herlinghaus/Neumann/Hageböke, 2015, KStG§ 9 Rn. 43 f.; Hölters/Weber/Müller-Michaels Rn. 5). Art und Höhe können frei vereinbart werden; § 87 I greift insoweit nicht ein (BeckOGK/Bachmann Rn. 13; Hölters/Weber/Müller-Michaels Rn. 5). Nachträgliche Herabsetzung ist aber gem. § 87 II 1 iVm § 288 III 2 möglich (Einzelheiten bei MüKoAktG/Perlitt Rn. 75 ff.). Auch neue Regelungen zum Vergütungssystem und -bericht nach §§ 87 IV, 87a, 120a und 162 finden Anwendung (→ § 87a Rn. 3). Str. ist die Behandlung von Tantiemen, die aber nach

klarem Wortlaut nicht erfasst sind (hM GK-AktG/Sethe Rn. 94 [unter Aufgabe einer früheren gegenteiligen Ansicht]; BeckOGK/Bachmann Rn. 15; Bürgers/Körber/Förl/Fett Rn. 11; KK-AktG/Mertens/Cahn Rn. 42; aA Grigoleit/Servatius Rn. 7). Zur Besteuerung Rödder/Herlinghaus/Neumann/Hageböke, 2015, KStG § 9 Rn. 44 ff.

Auflösung

289 (1) **Die Gründe für die Auflösung der Kommanditgesellschaft auf Aktien und das Ausscheiden eines von mehreren persönlich haftenden Gesellschaftern aus der Gesellschaft richten sich, soweit in den Absätzen 2 bis 6 nichts anderes bestimmt ist, nach den Vorschriften des Handelsgesetzbuchs über die Kommanditgesellschaft.**

(2) **Die Kommanditgesellschaft auf Aktien wird auch aufgelöst**

1. **mit der Rechtskraft des Beschlusses, durch den die Eröffnung des Insolvenzverfahrens mangels Masse abgelehnt wird;**
2. **mit der Rechtskraft einer Verfügung des Registergerichts, durch welche nach § 399 des Gesetzes über das Verfahren in Familiensachen und in den Angelegenheiten der freiwilligen Gerichtsbarkeit ein Mangel der Satzung festgestellt worden ist;**
3. **durch die Löschung der Gesellschaft wegen Vermögenslosigkeit nach § 394 des Gesetzes über das Verfahren in Familiensachen und in den Angelegenheiten der freiwilligen Gerichtsbarkeit.**

(3) **[1] Durch die Eröffnung des Insolvenzverfahrens über das Vermögen eines Kommanditaktionärs wird die Gesellschaft nicht aufgelöst. [2] Die Gläubiger eines Kommanditaktionärs sind nicht berechtigt, die Gesellschaft zu kündigen.**

(4) **[1] Für die Kündigung der Gesellschaft durch die Kommanditaktionäre und für ihre Zustimmung zur Auflösung der Gesellschaft ist ein Beschluß der Hauptversammlung nötig. [2] Gleiches gilt für den Antrag auf Auflösung der Gesellschaft durch gerichtliche Entscheidung. [3] Der Beschluß bedarf einer Mehrheit, die mindestens drei Viertel des bei der Beschlußfassung vertretenen Grundkapitals umfaßt. [4] Die Satzung kann eine größere Kapitalmehrheit und weitere Erfordernisse bestimmen.**

(5) **Persönlich haftende Gesellschafter können außer durch Ausschließung nur ausscheiden, wenn es die Satzung für zulässig erklärt.**

(6) **[1] Die Auflösung der Gesellschaft und das Ausscheiden eines persönlich haftenden Gesellschafters ist von allen persönlich haftenden Gesellschaftern zur Eintragung in das Handelsregister anzumelden. [2] § 141 Abs. 2 des Handelsgesetzbuchs gilt sinngemäß. [3] In den Fällen des Absatzes 2 hat das Gericht die Auflösung und ihren Grund von Amts wegen einzutragen. [4] Im Falle des Absatzes 2 Nr. 3 entfällt die Eintragung der Auflösung.**

I. Regelungsgegenstand und -zweck

§ 289 betr. Auflösung (→ § 262 Rn. 2 ff.) der KGaA und Ausscheiden von Komplementären. Norm bezweckt **Abstimmung von Aktien- und Handelsrecht,** das gem. § 289 I grds. zur Anwendung kommt. Auflösungsgründe sind in § 289 I und II nicht erschöpfend bezeichnet (vgl. noch § 396, ferner § 38 I KWG). Zur Auflösung führt auch sog Ausscheiden des einzigen Komplementärs (→ Rn. 9). Kein Auflösungsgrund ist dagegen Vereinigung aller Aktien in der 1

Hand des einzigen Komplementärs (Einmann-KGaA); Sitzverlegung in das Ausland ist nur dann Auflösungsgrund, wenn bei tats. Verlegung des Verwaltungssitzes Zuzugsstaat der Sitztheorie folgt (→ § 5 Rn. 12; → § 262 Rn. 10). Fortsetzung der aufgelösten KGaA ist nach § 274 iVm § 278 III möglich.

II. Grundsatz: Geltung des KG-Rechts

2 **1. Auflösung.** Gem. § 289 I bestimmen sich Auflösungsgründe im Prinzip nach KG-Recht. Über § 161 II HGB kommt also § 138 HGB. Auflösungsgründe sind gem. § 131 I HGB: Zeitablauf (Nr. 1), Gesellschaftsinsolvenz (Nr. 2), gerichtl. Entscheidung (Nr. 3), und zwar auf Auflösungsklage gem. § 139 HGB, sowie Auflösungsbeschluss (Nr. 4). Frühere weitere Auflösungsgründe wie Tod des Komplementärs, Eröffnung des Insolvenzverfahrens über sein Vermögen oder von ihm erklärte Kündigung führen nur noch zum Ausscheiden (§ 131 III HGB). Zur Kündigung durch Kommanditaktionäre → Rn. 6. Ihr Tod ist kein Auflösungsgrund (§ 177 HGB).

3 **2. Ausscheiden.** Ein Gesellschafter scheidet aus, wenn seine Mitgliedschaft endet, ohne dass dies auf den rechtl. Bestand der Gesellschaft von Einfluss wäre. Für das Ausscheiden der **Komplementäre** gilt gem. § 289 I wie für die Auflösung grds. KG-Recht, also §§ 130 ff. HGB iVm § 161 II HGB (→ Rn. 2). Über das Ausscheiden der **Kommanditaktionäre** bestimmt § 289 I nichts. Maßgeblich ist Aktienrecht (§ 278 III). Danach gibt es kein freiwilliges Ausscheiden, es sei denn, man wollte die Veräußerung der Aktien als solches bezeichnen. In Betracht kommt nur Einziehung nach §§ 237 ff. (vgl. Erl. dort).

III. Sonderregeln gegenüber § 131 HGB

4 **1. Zusätzliche Auflösungsgründe.** KGaA wird auch dann aufgelöst, wenn Eröffnung des Insolvenzverfahrens mangels kostendeckender Masse rechtskräftig abgelehnt wird (§ 26 InsO). Lebensunfähige KGaA soll wie lebensunfähige AG aus Rechtsleben entfernt werden (vgl. BGHZ 75, 178, 180 = NJW 1980, 233). Einzelheiten: → § 262 Rn. 14. Auflösungsgrund ist ferner gem. § 289 II Nr. 2 die rechtskräftige Verfügung des Registergerichts nach **§ 399 FamFG.** Zweck der Amtsauflösung ist auch hier, sonst infolge Verkürzung der Nichtigkeitstatbestände drohende Sanktionslücke zu schließen (→ § 262 Rn. 15 ff.). Auflösungsgrund ist schließlich nach § 289 II Nr. 3 Löschung wegen Vermögenslosigkeit gem. **§ 394 FamFG.** Norm entspr. § 262 I Nr. 6 (→ § 262 Rn. 21 ff.).

5 **2. Keine Auflösungsgründe.** Insolvenz des Kommanditaktionärs löst KGaA gem. § 289 III 1 nicht auf. Norm ist rechtspolitisch zweifelhaft, weil das Ergebnis nach Neufassung der handelsrechtl. Auflösungsgründe (→ Rn. 2) schon aus § 138 I Nr. 2, II Nr. 1 HGB iVm § 289 I folgt. Insolvenzverwalter kann und muss den durch Kommanditaktien repräsentierten Vermögenswert anderweitig, namentl. durch Veräußerung, realisieren. Auf demselben Gedanken beruht § 289 III 2, der Kündigung nach **§ 133 HGB** ausschließt. Gläubiger des Kommanditaktionärs können die Aktien pfänden und verwerten.

IV. Beschluss der Hauptversammlung

6 § 289 IV betr. Rechte der Kommanditaktionäre bei Kündigung, Auflösungsbeschluss und Auflösungsklage. **Kündigung:** Mit ihr wird nach § 132 HGB nicht die Gesellschaft aufgelöst, sondern lediglich die Mitgliedschaft gekündigt. Weil Kommanditaktionäre nicht freiwillig ausscheiden können (→ Rn. 3), kann in § 289 IV 1 auch nicht ersatzweise § 130 I Nr. 3 HGB gemeint sein. Norm geht deshalb insoweit ins Leere (hM – BeckOGK/Bachmann Rn. 11; B/K/L/

Förl/Fett Rn. 9; Veil NZG 2000, 72, 73 f.; aA Mertens AG 2004, 333, 334 ff.; wieder anders GK-AktG/Sethe Rn. 72 ff.: Gesamtheit der Kommanditaktionäre steht Kündigungsrecht zu. Folge ist jedoch nicht Auflösung der Gesellschaft, sondern Übernahme der Aktien durch Komplementäre). Neben der Veräußerung der Kommanditaktien verbleiben **Auflösungsbeschluss** (§ 138 I Nr. 4 HGB) und **Auflösungsklage** (§ 138 I Nr. 3 HGB). Norm sollte deshalb in § 289 IV 1 und 2 lauten: „Kommanditaktionäre können der Auflösung der Gesellschaft nur durch Hauptversammlungsbeschluss zustimmen. Auch ihr Antrag auf Auflösung durch gerichtl. Entscheidung bedarf eines solchen Beschlusses." Erklärung einzelner Kommanditaktionäre bleibt ungültig, ihre Klage unzulässig. Kommt Beschluss zustande, so ist er gem. § 287 I grds. durch AR auszuführen, und zwar durch Stimmabgabe (§ 138 I Nr. 4 HGB) oder durch Klageerhebung (§ 138 I Nr. 3, § 139 HGB). Mangels Parteifähigkeit der Gesamtheit der Kommanditaktionäre ist auch hier (→ § 287 Rn. 2) Partei der (Auflösungs-)Klage KGaA, vertreten durch den AR (vgl. nur GK-AktG/Sethe Rn. 46 ff.). **Erforderliche Mehrheit:** mindestens ¾ des vertretenen Grundkapitals (§ 289 IV 3). Die Satzung kann die Beschlussfassung nicht erleichtern, nur erschweren (§ 289 IV 4). Komplementäre, die Kommanditaktionäre sind, dürfen in dieser Eigenschaft mitstimmen, weil § 285 I 2 für Auflösung kein Stimmverbot ausspricht.

V. Ausscheiden von Komplementären

1. Ausschließung. Handelsrechtl. Basisregelung in § 130 HGB iVm § 161 II HGB ist zwar gem. § 289 I grds. maßgeblich (→ Rn. 3), wird aber durch § 289 V wesentlich modifiziert. Danach können Komplementäre, wenn Satzung nichts anderes bestimmt, nur im Wege der Ausschließung ausscheiden. Angesprochen ist damit § 134 HGB. Erforderlich ist also Klage der übrigen Komplementäre und der durch den AR vertretenen Gesamtheit der Kommanditaktionäre, die ihren Willen durch Beschluss der HV mit qualifizierter Mehrheit gebildet haben muss (→ Rn. 6). Die Klage muss auf einen wichtigen Grund iSd § 139 HGB gestützt sein. Passivpartei ist der auszuschließende Komplementär, nicht die KGaA. Fraglich bleibt mangels Abstimmung des § 289 V mit §§ 130 ff. HGB, wie Kündigung durch Privatgläubiger eines Komplementärs behandelt werden soll. Weil sie einerseits gem. § 130 I Nr. 4 HGB iVm § 133 HGB nicht mehr Auflösungsgrund ist, andererseits Verwertung des Anteils ermöglicht werden muss, kann sie nur als Ausschließung iSd § 289 V eingeordnet werden. 7

2. Ausscheiden auf Satzungsgrundlage. Soweit § 289 V für Ausscheiden eines Komplementärs entspr. Satzungsklausel voraussetzt, ist zu unterscheiden, ob Satzung Tatbestand selbst begründet (etwa: Befristung der Mitgliedschaft, Veräußerung der Kapitaleinlage) oder ges. Auflösungsgründe nach Art einer Fortsetzungsklausel in Tatbestände des Ausscheidens umformt. Für die erste Fallgruppe behält Norm Bedeutung, indem sie privatautonome Gestaltung zulässt. Für die zweite (§ 138 HGB aF entspr.) Fallgruppe ist sie dagegen funktionslos geworden, weil schon § 130 HGB Ausscheiden statt Auflösung vorsieht. Dass Satzung dies zu wiederholen habe (§ 289 V: „nur"), ist nicht anzunehmen. Vielmehr ist Abstimmungsbedarf auch hier (→ Rn. 6) übersehen worden (Kessler NZG 2005, 145, 146 f.; Veil NZG 2000, 72, 74 ff.). Gemeint ist demnach: Soweit Satzung nichts anderes vorsieht, verbleibt es neben der Ausschließung des persönlich haftenden Gesellschafters bei § 130 HGB. Nur noch zum Ausscheiden führt namentl. **Tod des Komplementärs** (§ 130 I Nr. 1 HGB). Frühere Fortsetzungsklausel ist überflüssig. Abfindungsanspruch des § 728 I BGB kann für diesen Fall in der Satzung ausgeschlossen werden (RGZ 145, 289; RGZ 171, 345, 350; BGHZ 22, 186, 194 = NJW 1957, 180); entspr. Klausel ist aber auch erforder- 8 lich. Nachfolgeklausel macht Mitgliedschaft des Komplementärs zugunsten des in der Klausel Benannten vererblich (BGHZ 22, 186, 191; BGHZ 55, 267, 269 = NJW 1971, 1268; BGHZ 68, 225, 229 f. = NJW 1977, 1339). Frage des Abfindungsanspruchs stellt sich in diesem Fall nicht (Vollnachfolge). Nachfolger kann aber entspr. § 131 HGB vorgehen und verlangen, dass er durch Satzungsänderung als Kommanditaktionär zugelassen wird. Erforderlich ist Sachkapitalerhöhung; Sacheinlage besteht aus bisheriger Sondereinlage des verstorbenen Komplementärs (dazu KK-AktG/Mertens/Cahn Rn. 38 mwN). Anspruch auf Satzungsänderung besteht nicht. Der Erbe kann aber gem. § 131 II HGB fristlos ausscheiden und Abfindung nach § 728 I BGB fordern. Ob sinngem. Anwendung des § 131 HGB auch Recht des Erben trägt, Kommanditist zu werden (so noch Baumbach/Hueck Rn. 6), ist durchaus fraglich und eher abzulehnen. Möglich sind schließlich auch qualifizierte Nachfolgeklausel (dazu grundlegend BGHZ 68, 225, 237 ff.) und Eintrittsklausel (vgl. zu ihr als Umdeutungsziel BGH NJW 1978, 264).

9 **3. Ausscheiden des einzigen Komplementärs.** Auch einziger Komplementär kann ausscheiden, insbes. auch durch Ausschließung nach § 134 HGB; → Rn. 7). KGaA ist damit jedoch aufgelöst (hM – statt aller S/L/K. Schmidt Rn. 15, 36; aA [Rechtsformwechsel in AG] Bunnemann, Das Ausscheiden des letzten Komplementärs aus der Kommanditgesellschaft auf Aktien, 2008, 14, 54 ff.; Kallmeyer ZIP 1994, 1746, 1751), weil sie (wie KG) ohne Komplementär nicht bestehen kann (BGHZ 6, 113, 116 = NJW 1952, 875; BGHZ 51, 198, 200 = NJW 1969, 507). Rückumwandlung in werbende Gesellschaft ist möglich, wenn neuer Gesellschafter als Komplementär hinzutritt oder bisheriger Kommanditaktionär Komplementär wird (allgM). Bis dahin tritt Führungslosigkeit der KGaA ein, auf die § 78 I 2 (→ § 78 Rn. 4a) anwendbar ist und Vertretungsbefugnis des AR begründet (BGH AG 2020, 540 Rn. 52 ff.). Kein Auflösungsgrund liegt vor, wenn einzigem Komplementär die **Geschäftsführungsbefugnis** (§ 116 V HGB) oder die **Vertretungsmacht** (§ 124 V HGB) entzogen wird. Auch lässt sich der von BGHZ 51, 198, 200 f. für KG eingenommene Standpunkt, wonach dem einzigen Komplementär nicht die Vertretungsmacht entzogen werden kann (wohl ohnehin unrichtig), jedenfalls nicht auf KGaA übertragen. Vielmehr ist dem Mangel durch gerichtl. Ersatzbestellung eines Vertreters abzuhelfen. Dabei bleibt es iE gleich, ob Bestellung auf § 85 oder (besser) auf § 29 BGB gestützt wird; für letztgenannte Deutung schon RGZ 74, 297, 301. Klage auf Entziehung der Vertretungsmacht kann mit Klage auf Zustimmung zur Umwandlung in AG verbunden werden (RGZ 82, 360, 362). In der Praxis wird zumeist versucht, Führungslosigkeit dadurch zu vermeiden, dass in Satzung (zur entspr. Gestaltungsfreiheit in der KGaA → § 278 Rn. 18 ff.) unverzügliche Aufnahme eines neuen persönlich haftenden Gesellschafters oder Antrag auf gerichtl. Bestellung eines Notvertreters vorgesehen wird (Theusinger/Guntermann NZI 2020, 744, 745).

VI. Registerverfahren

10 Auflösung und Ausscheiden eines Komplementärs sind zum HR anzumelden, und zwar von allen Komplementären, auch dem ausgeschiedenen (§ 289 VI 1). Mitzeichnung durch Vorsitzenden des AR ist insoweit nicht vorgeschrieben. § 141 II HGB gilt sinngem. (§ 289 VI 2); Mitwirkung der Erben kann also unterbleiben, wenn ihr bes. Hindernisse entgegenstehen. Gem. § 289 VI 3 entfällt Anmeldepflicht in den Fällen des § 289 II; Eintragung der Auflösung und ihres Grundes erfolgen von Amts wegen. Norm ist überflüssig, weil das Geregelte

schon aus § 263 S. 2 und 3 iVm § 278 III folgt. § 289 VI 4 entspr. § 263 S. 4 und ist wegen § 278 III ebenfalls entbehrlich (→ § 263 Rn. 4 f.).

Abwicklung

290 (1) **Die Abwicklung besorgen alle persönlich haftenden Gesellschafter und eine oder mehrere von der Hauptversammlung gewählte Personen als Abwickler, wenn die Satzung nichts anderes bestimmt.**

(2) **Die Bestellung oder Abberufung von Abwicklern durch das Gericht kann auch jeder persönlich haftende Gesellschafter beantragen.**

(3) [1] **Ist die Gesellschaft durch Löschung wegen Vermögenslosigkeit aufgelöst, so findet eine Abwicklung nur statt, wenn sich nach der Löschung herausstellt, daß Vermögen vorhanden ist, das der Verteilung unterliegt.** [2] **Die Abwickler sind auf Antrag eines Beteiligten durch das Gericht zu ernennen.**

I. Abwicklung

Abwicklung der KGaA richtet sich gem. § 278 III **nach §§ 264 ff.** einschließlich des § 272 I, und zwar nicht nur hinsichtlich der Kommanditaktionäre, sondern auch hinsichtlich der Komplementäre (str.; wie hier zB KK-AktG/Mertens/Cahn Rn. 3; aA zB Bürgers/Fett/Schulz HdB KGaA § 8 Rn. 67). Eine bes. Regelung trifft § 290 nur für die Personen der Abwickler. Sie modifiziert § 265. An die Stelle der Vorstandsmitglieder (§ 265 I) treten zunächst **alle Komplementäre,** auch die nicht geschäftsführenden (allgM). Das entspr. § 144 HGB. Ferner kann HV, damit auch die Kommanditaktionäre vertreten sind, einen oder mehrere zusätzliche Abwickler wählen. Komplementäre, die zugleich Kommanditaktionäre sind, dürfen mitstimmen; § 285 I 2 begründet insoweit kein Verbot. Umgekehrt gibt es in diesem Fall auch keinen Zustimmungsvorbehalt zugunsten der Komplementäre nach § 285 II 1. Satzung kann Abweichendes bestimmen. Einzelheiten dazu und zur Abwicklung bei Sethe ZIP 1998, 1138 ff. 1

II. Gerichtliche Bestellung oder Abberufung

Sie richten sich nach § 265 III mit der Maßgabe, dass auch jeder Komplementär das Antragsrecht hat (§ 290 II). § 265 III 2 und 3 gelten für die Komplementäre nicht. Vergütung und Auslagenersatz bestimmen sich nach § 265 IV. 2

III. Abwicklung nach Löschung

§ 290 III betr. Abwicklung nach Löschung gem. § 394 FamFG (→ § 262 Rn. 25 ff.). Norm ist angefügt durch Art. 47 Nr. 15 EGInsO (BGBl. 1994 I 2911). Sie wiederholt wörtlich § 264 II und ist damit überflüssig, weil sich dessen Geltung schon aus § 278 III ergeben hätte. Vgl. zu Einzelheiten → § 264 Rn. 12 ff.; zur auch hier geltenden Zuständigkeit des Rechtspflegers s. § 17 Nr. 2 lit. c RPflG. 3

Drittes Buch. Verbundene Unternehmen

Erster Teil. Unternehmensverträge

Erster Abschnitt. Arten von Unternehmensverträgen

Beherrschungsvertrag. Gewinnabführungsvertrag

291 (1) [1] **Unternehmensverträge sind Verträge, durch die eine Aktiengesellschaft oder Kommanditgesellschaft auf Aktien die Leitung ihrer Gesellschaft einem anderen Unternehmen unterstellt (Beherrschungsvertrag) oder sich verpflichtet, ihren ganzen Gewinn an ein anderes Unternehmen abzuführen (Gewinnabführungsvertrag).** [2] **Als Vertrag über die Abführung des ganzen Gewinns gilt auch ein Vertrag, durch den eine Aktiengesellschaft oder Kommanditgesellschaft auf Aktien es übernimmt, ihr Unternehmen für Rechnung eines anderen Unternehmens zu führen.**

(2) **Stellen sich Unternehmen, die voneinander nicht abhängig sind, durch Vertrag unter einheitliche Leitung, ohne daß dadurch eines von ihnen von einem anderen vertragschließenden Unternehmen abhängig wird, so ist dieser Vertrag kein Beherrschungsvertrag.**

(3) **Leistungen der Gesellschaft bei Bestehen eines Beherrschungs- oder eines Gewinnabführungsvertrags gelten nicht als Verstoß gegen die §§ 57, 58 und 60.**

Übersicht

I. Regelungsgegenstand und -zweck

1 §§ 291, 292 sind Spitzenvorschriften des in §§ 291–328 enthaltenen **materiellen Konzernrechts** (zu Begriff und Systematik → § 15 Rn. 2; zur zweifelhaften systematischen Zuordnung der §§ 327a ff. → § 327a Rn. 5). § 291 führt Rechtsbegriff des Unternehmensvertrags ein und ordnet ihm die durch den Vertragsgegenstand definierten Beherrschungs- und Gewinnabführungsverträge zu. Gewinnabführungsvertrag wird in § 291 I 2 Geschäftsführungsvertrag gleichgestellt. Regelung wird durch Zuordnung weiterer Vertragstypen in § 292 ergänzt. Die Sammelbezeichnung Unternehmensvertrag (RegBegr. Kropff S. 376) deckt damit Beherrschungs-, Gewinnabführungs- und Geschäftsführungsverträge (§ 291) sowie Gewinngemeinschafts-, Teilgewinnabführungs-, Betriebspacht- und Betriebsüberlassungsverträge (§ 292) mit den Klarstellungen der §§ 291, 292 ab. Unternehmensvertrag ist also **Oberbegriff,** der dem rechtstechnischen Zweck **sprachlicher Vereinfachung** dient. Damit ist einheitlicher Bezugspunkt für allg. Regeln zum Abschluss von Unternehmensverträgen in §§ 293–299 geschaffen, die sodann für die wichtigsten und einschneidendsten Vertragstypen Beherrschungs- und Gewinnabführungsvertrag durch Sonderregelungen in §§ 300–310 ergänzt werden (vgl. Emmerich/Habersack/Emmerich Rn. 1). Ges. folgt damit der aus dem BGB bekannten Methode, definitionsartige Umschreibungen der geregelten Rechtsverhältnisse „vor die Klammer" der spezielleren Regelungen zu ziehen.

2 Bezeichnung Unternehmensvertrag ist **im AktG 1937 noch ohne Vorbild.** § 256 AktG 1937 fasste statt dessen unter dem Begriff Gewinngemeinschaft verschiedene Verträge zusammen. Neugestaltung 1965 erfolgte, um schon damals anerkannter steuerlicher Organschaft (→ Rn. 38 f.) auch ein gesellschaftsrechtl. solides Fundament zu geben und die der Organschaft zugrunde liegenden Vertragstypen zu verankern (GK-AktG/Mülbert Rn. 5 f.; J. Vetter in 50 Jahre AktG, 2015, 233 ff.). Neue Bezeichnung wurde gewählt, um **regelmäßig in die Unternehmensstruktur eingreifenden Charakter** solcher Verträge auszudrücken (RegBegr. Kropff S. 376; MüKoAktG/Altmeppen Vor § 291 Rn. 2). Als strukturändernde Folge hebt schon § 291 III Lockerung der sonst strikt zu beachtenden Vermögensbindung hervor; §§ 57, 58, 60 sind nämlich nicht anzuwenden, wenn grds. verbotene Leistungen bei Bestehen eines Beherrschungs- oder Gewinnabführungsvertrags erbracht werden (sa § 292 III 1). Beherrschungsvertrag (nur dieser) begründet ferner die Leitungsmacht des § 308 und setzt damit eigenverantwortliche Leitung der AG durch ihren Vorstand (§ 76) zugunsten des herrschenden Unternehmens außer Kraft (→ § 76 Rn. 130), allerdings nur, soweit § 308 reicht (→ Rn. 37). Entspr. gilt nach § 323 I bei Eingliederung. Dagegen bleibt eigenverantwortliche Leitungsmacht bei allen anderen (faktischen) Konzernierungsfällen erhalten (→ § 76 Rn. 131; → § 311 Rn. 48).

3 **Regelungsaufgabe** des materiellen Konzernrechts ist **Gefahrenabwehr** (→ § 15 Rn. 3). §§ 291–328 sind aber nicht nach konzernspezifischen Gefahren und entspr. ges. Schutzinstrumenten aufgebaut. Gesetzessystematik beruht vielmehr, der konzernverfassungsrechtl. Grundidee (→ Rn. 2) folgend, auf der Einteilung in die **Vertragskonzerne** (§§ 291 ff.), sonstige **Abhängigkeitsverhältnisse** (§§ 311 ff.) und **Eingliederungen** (§§ 319 ff.). Speziell bei den in §§ 291 f. geregelten Unternehmensverträgen resultieren gesteigerte Gefahren daraus, dass über umfassende Leitungsmacht des Beherrschungsvertrags (§ 308) oder finanzielle Aushöhlung durch Gewinnabführungsvertrag Interessen der Minderheit und der Gläubiger bes. tiefgreifend beeinträchtigt werden können. Motiv für Abschluss solcher Verträge ist seit jeher insbes. **Begr. einer steuerlichen Organschaft** (GK-AktG/Mülbert Rn. 8), die nach heutiger Gesetzeslage nicht mehr wie früher Kombination von Gewinnabführung und Beherrschung erfordert, sondern isolierte Gewinnabführung genügen lässt (→ Rn. 38 f.). Durch Beherrschungsvertrag geschaffene gesteigerte Steuerungsmöglichkeiten können ebenfalls angestrebt sein, doch zeigt Praxis, dass auch effektive Steuerung faktischer Konzerne möglich ist (→ Rn. 4).

4 Trotz ges. Fixierung auf idealtypisch unabhängige Einzelgesellschaft stellt konzernrechtl. Verflechtung der AG realtypischen Regelfall dar (vgl. – wenngleich auf Grundlage zumeist älteren Datenmaterials – MüKoAktG/Altmeppen Einl. §§ 291 ff. Rn. 19; Emmerich/Habersack/Emmerich Rn. 5; neuere Zahlen bei Bayer/Hoffmann AG 2015, R 91, 93 f.; Bayer/Hoffmann AG 2018, R 116 ff.). Allerdings wird **Konzernwirklichkeit** entgegen Vorstellung des historischen Gesetzgebers nicht durch Vertragskonzern, sondern durch faktischen Konzern bestimmt. Rein faktische Einflussmöglichkeiten des Mehrheitsaktionärs ermöglichen es ebenfalls, seine Leitungsvorstellungen zur Durchsetzung zu verhelfen, ohne belastende Folgen von Verlustausgleich (§ 302) sowie Ausgleich und Abfindung (§§ 304 f.) tragen zu müssen. Dabei mag auch eine Rolle spielen, dass § 293 I 2 für Zustimmungsbeschluss nicht immer vorhandene Mehrheit von drei Vierteln vorschreibt (MüKoAktG/Altmeppen Einl. §§ 291 ff. Rn. 5). Speziell im GmbH-Recht, wo Weisungsrecht schon nach § 37 I GmbHG besteht, sind Beherrschungsverträge quasi ausschließlich steuerlich motiviert, wohingegen sie im Aktienrecht auch originär gesellschaftsrechtl. Bedeutung haben (J. Vetter in 50 Jahre AktG, 2015, 231, 241 f.). Seitdem steuerliche Organschaft auch durch isolierten Gewinnabführungsvertrag begründet werden kann (→ Rn. 38 f.), hat dieser Vertragstyp weitere Verbreitung gefunden (Emmerich/Habersack/Emmerich Rn. 6). Nach **neuerer Untersuchung** sollen deutschlandweit ca. 500–700 Gesellschaften abhängige Gesellschaften eines Vertragskonzerns sein (nur etwa 60 von ihnen mit außenstehenden Aktionären), wobei in 80 % aller Fälle Beherrschungsvereinbarung mit Gewinnabführungsvertrag verknüpft war; grenzüberschreitende Beherrschungsverträge werden nur im niedrigen zweistelligen Bereich angenommen (Lieder/Hoffmann AG 2017, R 266 ff.; zu Entwicklungslinien der vergangenen 25 Jahre s. Lieder/Hoffmann AG 2020, R 172 ff.). Zum Interesse aktivistischer Hedgefonds am Abschluss eines Beherrschungsvertrags vgl. Schiessl FS Seibert, 2019, 733 ff.

4a Einheitliche **unionsrechtl. Regelung des Konzernrechts** gibt es bislang noch nicht. Abgesehen von Bilanz-RL und IFRS-VO (VO (EG) 1606/2002 v. 19.7.2002, ABl. EG 2002 L 243, 1) ist bisher jedes Vorhaben, Grundsätze europäischen Konzernrechts zu entwickeln und festzuschreiben, gescheitert (S/L/Langenbucher Rn. 15). ZT sind allerdings Fragen, die nach deutschem Verständnis konzernrechtl. Natur sind, in andere europäische Regelungen integriert worden (Teichmann AG 2013, 184, 184). Seit Bericht der Reflection Group on the Future of European Company Law lebt Diskussion über europäisches Konzernrecht in neuerer Zeit wieder auf (s. Aktionsplan: Europäisches Gesellschaftsrecht und Corporate Governance, KOM 2012, 740). Kommission möchte nicht nur grenzüberschreitende Geschäftstätigkeit der kleinen und mittleren Unternehmen erleichtern, sondern hat in Ziff. 4.6. des Aktionsplans auch Initiative für verbesserte Informationen über Gruppen und bessere Anerkennung des Begriffs „Gruppeninteresse“angekündigt. Dem liegt Zielvorstellung zugrunde, Konzernspitze einer grenzüberschreitenden Unternehmensgruppe Steuerungsmöglichkeiten an die Hand zu geben, die nicht durch Verbotsschranken und Abwehrregeln nationaler Rechtsordnungen beeinträchtigt werden (Ekkenga AG 2013, 181, 182; sa Renner ZGR 2014, 452, 468; zu weiteren Fragestellungen und Konzepten der Konzernrechtsharmonisierung s. Forum European on Company Groups ZGR 2015, 507 ff.; Teichmann AG 2013, 184 ff; Drygala AG 2013, 198 ff.; Mülbert ZHR 179 [2015], 645 ff.; Schön ZGR 2019, 343 ff. – jew. mwN; sa Holding-HdB/Bayer/J. Schmidt § 19; zum Gruppeninteresse im Konzern aus betriebswirtschaftlicher Sicht s. v. Werder Konzern 2015, 362). Ebenfalls konzernrechtl. Relevanz hatte Projekt einer SMC (Single Member Company), das im RL-Vorschlag der EU-Kommission (COM [2014] 212) zwischenzeitlich als **SUP (Societas Unius Personae)** nähere Gestalt angenommen hatte (vgl. dazu noch statt vieler Bayer/Schmidt BB 2015, 1731, 1733 ff.). Sie sollte – als Nachfolgemodell der vorläufig gescheiterten SPE – grenzüberschreitende Aktivitäten für KMU im Binnenmarkt erleichtern und fördern und insbes. auch als Konzernbaustein zur Verfügung stehen. Das Projekt wurde aber inzwischen aufgegeben (Bormann/Stelmaszczyk ZIP 2018, 764). Von konzernrechtl. Relevanz sind schließlich auch unionsrechtl. Vorgaben zur **Niederlassungsfreiheit** (vgl. Holding-HdB/Bayer/J. Schmidt § 19 Rn. 19.61 ff.; Schön ZGR 2019, 343, 349 ff.). Nach EuGH (EuZW 2013, 664 Rn. 35 ff. – Impacto Azul) sollen allerdings Mitgliedstaaten wegen fehlender unionsrechtl. Harmonisierung für die Bestimmung des auf eine Verbindlichkeit eines verbundenen Unternehmens anwendbaren Rechts selbst zuständig sein (in concreto: nach Herkunftsland differenzierende Anordnung gesamtschuldnerischer Haftung der Muttergesellschaft; ausf. und krit. Teichmann ZGR 2014, 45, 48 f., 62 ff. mwN). Zu Grundproblemen des Konzern-Insolvenzrechts vgl. Siemon NZI 2014, 55 mwN.

II. Beherrschungsvertrag (§ 291 I 1)

1. Vertragsparteien. a) Untergesellschaft. aa) Aktiengesellschaft; KGaA. Unternehmensvertrag ist nach § 291 I 1 Fall 1 zunächst der Beherrschungsvertrag. Ges. charakterisiert ihn (1.) durch die Art der Vertragsparteien, (2.) durch seinen Regelungsinhalt (→ Rn. 9 ff.). Untergesellschaft muss AG oder KGaA sein und nach ihrem **Gesellschaftsstatut** deutschem Recht unterliegen, weil deutsches Konzernrecht Schutz ausländischer Gesellschaft nicht bezwecken kann (s. zB BGH NZG 2005, 214, 215; GK-AktG/Mülbert Rn. 42; → Rn. 8; → § 15 Rn. 7; → § 311 Rn. 9). Nach Änderung des § 5 (→ § 5 Rn. 1, 3) kann das aber auch bei AG mit ausländischem Verwaltungssitz und inländischem Satzungssitz der Fall sein, sofern Zuzugsstaat Gründungstheorie folgt; zur Bestimmung des Gesellschaftsstatuts iE → § 1 Rn. 34 ff. Dass AG oder KGaA schon vor Abschluss des Beherrschungsvertrags abhängig iSd § 17 war oder iSd § 16 im Mehrheitsbesitz des Vertragspartners stand, bildet zwar den Regelfall, ist aber rechtl. nicht erforderlich (MüKoAktG/Altmeppen Rn. 18; KK-AktG/Koppensteiner Rn. 7; aA van Venrooy DB 1986, 612, 614 ff.). Zur Anwendung der Rom I-Verordnung auf Unternehmensverträge s. Renner/Hesselbarth IPRax 2014, 117 ff. (bejahend aufgrund vertraglicher Qualifizierung; sa Renner ZGR 2014, 452, 475 ff.; zu weiteren kollisionsrechtl. Fragen → § 15 Rn. 7). 5

6 **bb) Exkurs: Unternehmen anderer Rechtsform.** Dass § 291 I 1 Fall 1 eine AG oder KGaA als Untergesellschaft voraussetzt, bedeutet nicht, dass Beherrschungsverträge mit **GmbH als Untergesellschaft** ausgeschlossen wären. Zwar besteht hinsichtlich originär gesellschaftsrechtl. Inhalts speziell des Beherrschungsvertrags aufgrund erleichterter Steuerungsmöglichkeiten (§ 37 I GmbHG) insofern noch weniger Bedarf als bei AG, doch ist grds. Abschluss eines Unternehmensvertrags anerkanntermaßen zulässig (BGHZ 105, 324, 330 f. = NJW 1989, 295; Emmerich/Habersack/Emmerich Rn. 59 ff.), was mittlerweile auch in § 30 I 2 GmbHG Niederschlag gefunden hat. Auch aus steuerrechtl. Gründen kann solche Gestaltung empfehlenswert sein. Es handelt sich dann aber nicht um aktienrechtl. Vertragskonzern, so dass Lösungen zwar in Anlehnung an, aber nicht durch Übernahme der §§ 291 ff. entwickelt werden müssen (Kropff FS Semler, 1993, 517, 521 ff.; aA Korff GmbHR 2009, 243, 244 ff.; originär zivilrechtl. Fundierung bei Schreiber, Konzernrechtsfreie Kontrolle, 2017). Strukturunterschieden zwischen AG und GmbH muss Rechnung getragen werden (OLG München ZIP 2014, 1067, 1069 f.; Emmerich/Habersack/Emmerich § 291 Rn. 60; vgl. dazu auch BGHZ 190, 45 Rn. 20 = NZG 2011, 902). Zu den Einzelheiten möglicher Analogiebildung s. Emmerich/Habersack/Emmerich § 293 Rn. 38 ff.; empirische Untersuchung bei Lieder/Hoffmann GmbHR 2019, 1261 ff.

7 Im Gefolge von BGH NJW 1980, 231 (Gervais) ist heute anerkannt, dass in vergleichbarer Weise auch **Personengesellschaft** Beherrschungsvertrag **als Untergesellschaft** schließen kann (ausf. zum Konzernrecht der Personengesellschaft GK-HGB/Schäfer Anh. § 105 mwN, speziell zum Beherrschungsvertrag Rn. 67 ff.). Praktische Bedeutung ist allerdings gering und auch konkreter Umfang des aktienkonzernrechtl. Wertungstransfers noch weitgehend ungewiss (GK-HGB/Schäfer Anh. § 105 Rn. 67 ff.). **Anstalt öffentl. Rechts** (Landesbank) soll im Hinblick auf „staatsrechtl. Verankerung und öffentlich-rechtl. Aufgabenstellung" nicht in der Lage sein, sich durch Beherrschungsvertrag fremder Leitung zu unterstellen (LAG Berlin AG 1996, 140, 142 f.). Das überzeugt nicht, sofern Anstalt ohnehin abhängiges Unternehmen ist (→ § 17 Rn. 9) und staatliche Einflussnahme (sog Ingerenz) in privatrechtl. Form gleichwertig erfolgen kann (Bezzenberger/Schuster ZGR 1996, 481, 498 f.; sa MüKoAktG/Altmeppen Rn. 22; wohl auch Raiser ZGR 1996, 458, 470 f.; zur Anstalt öffentl. Rechts als herrschendes Unternehmen → Rn. 23).

8 **b) Obergesellschaft.** Beherrschender Vertragspartner wird von § 291 I 1 Fall 1 als anderes Unternehmen angesprochen. Begriff ist also **rechtsformneutral** (BGHZ 69, 334, 338 = NJW 1978, 104) und entspr. seinem Zweck auszulegen (→ § 15 Rn. 8 f.), so dass es auf anderweitige, ernsthafte Besorgnis nachteiliger Einflussnahme auf Untergesellschaft begründende **wirtschaftliche Interessenbindung** ankommt (→ § 15 Rn. 10 ff.), wobei Rspr. Bindung an öffentl. Interessen genügen lässt (→ § 15 Rn. 16 ff.). ZT erwogene Möglichkeit, Abschluss des Beherrschungsvertrags nicht von anderweitiger Interessenbindung abhängig zu machen, sondern jeden Aktionär als herrschendes Unternehmen zu qualifizieren, der Zustimmungsbeschluss iSd § 293 I durchsetzt (MHdB AG/Krieger § 71 Rn. 9; Hüffer GS Tettinger, 2007, 449, 461 f.; K. Schmidt FS Koppensteiner, 2001, 191 ff.; Rubner Konzern 2003, 735 ff.; Stephan Konzern 2014, 1, 9 f.), wird von hM zu Recht abgelehnt, da dadurch Wortlaut missachtet und ges. Systematik mit §§ 15 ff. als allg. Teil des Konzernrechts durchbrochen würde, ohne dass dies durch zwingende teleologische Gründe gerechtfertigt wäre (MüKoAktG/Altmeppen Rn. 4 ff.; S/L/Langenbucher Rn. 11 f.; GK-AktG/Mülbert Rn. 46 ff.; S/L/J. Vetter § 15 Rn. 34 ff.; BeckOGK/Veil/Walla Rn. 72). Aktionärseigenschaft des herrschenden Unternehmens ist dagegen nicht erforderlich

(GK-AktG/Mülbert Rn. 45; Thoma FS Hoffmann-Becking, 2013, 1237, 1240 ff. mit zutr. Widerlegung der zT geäußerten strafrechtl. Bedenken [s. Emmerich/Habersack/Emmerich, 7. Aufl. 2012, Rn. 10 unter Hinweis auf § 266 StGB; in Folgeaufl. nicht übernommen]). Auch Personengesellschaft kann herrschendes Unternehmen sein. Ebenso kommen Einzelkaufleute in Frage. Obergesellschaft kann, anders als Untergesellschaft (→ Rn. 5), **auch Sitz im Ausland haben** (OLG Düsseldorf AG 2007, 170, 171; LG München I AG 2011, 801, 802; MüKoAktG/Altmeppen Rn. 26; KK-AktG/Koppensteiner Vor § 291 Rn. 183 f.). Insbes. finden §§ 291 ff. Anwendung, soweit das zum Schutz der deutschen Untergesellschaft ggü. dem Einflusspotenzial der ausländischen Obergesellschaft geboten ist. Betrifft Regelung dagegen nur Schutz der Obergesellschaft, ist ihr Gesellschaftsstatut maßgebend (→ § 15 Rn. 7; Einzelheiten bei MHdB IntGesR/Drinhausen § 44 Rn. 15 ff.).

2. Begriff und Inhalt. a) Allgemeines. § 291 I 1 Fall 1 umschreibt Beherrschungsvertrag als den Vertrag, durch den AG oder KGaA (→ Rn. 5) die **Leitung ihrer Gesellschaft** einem anderen Unternehmen (→ Rn. 8) unterstellt (Vertragsmuster bei Happ/Liebscher KonzernR/UmwR 1.01 lit. a, 1.03 lit. a). Daraus folgende inhaltliche **Mindestanforderungen** werden nicht ganz einheitlich beurteilt. Zu unterscheiden ist zwischen dem Mindestinhalt, der den Vertragstyp charakterisiert (→ Rn. 10 f.), und etwaigen zusätzlichen, die Gültigkeit oder die gültige Zustimmung der HV (§ 293 I) betr. Erfordernissen (→ Rn. 12 f.). 9

b) Mindestinhalt. Vertrag muss **Leitung der Untergesellschaft** zum Gegenstand haben. Wortlaut knüpft an § 76 I an und meint auch in der Sache dasselbe. Leitung der AG ist Führungsfunktion des Vorstands im Sinne eines herausgehobenen Teilbereichs der Geschäftsführung (→ § 76 Rn. 14); bei typologischer Betrachtung geht es um Unternehmensplanung, -koordination, -kontrolle und Besetzung der Führungsstellen (→ § 76 Rn. 13; OLG Schleswig NZG 2008, 868, 869; sa MüKoAktG/Altmeppen Rn. 79; KK-AktG/Koppensteiner Rn. 20). Beherrschungsvertrag muss angesprochene Bereiche nicht vollständig erfassen. Erforderlich und genügend ist, dass herrschender Vertragspartner in die Lage versetzt wird, eine **einheitliche Leitung iSd § 18** durchzusetzen, was nach hier vertretenem weitem Leitungsbegriff bedeutet, dass einheitliche Planung, Durchführung und Kontrolle in wenigstens einem wesentlichen Bereich unternehmerischer Tätigkeit (zB Produktion, Verkauf, Organisation) erforderlich ist (→ § 18 Rn. 8 ff.; ähnlich KG AG 2001, 186; LG München I ZIP 2008, 555, 560; S/L/Langenbucher Rn. 23; GK-AktG/Mülbert Rn. 66 ff.); in diesen Grenzen ist also auch Teilbeherrschungsvertrag (→ Rn. 15) zulässig. Weitergehende Gegenauffassungen, die entweder umfassende Unterstellung sämtlicher Leitungsfunktionen verlangen (KK-AktG/Koppensteiner Rn. 49) oder gerade gegenläufig schon Übertragung einzelner Leitungsfunktionen oder Leitung einzelner Betriebe ausreichen lassen (MüKoAktG/Altmeppen Rn. 91 ff.; Veil, Unternehmensverträge, 2003, 234 f.), sind abzulehnen. Erster Auffassung ist entgegenzuhalten, dass gerade lebhafte Diskussion um sog verdeckte Beherrschungsverträge (→ Rn. 14 f.) belegt, dass es nicht sinnvoll sein kann, tatbestandlich enge Grenzen zu ziehen, die sodann im Wege der Analogiebildung breitflächig aufgebrochen werden müssen. Zweite Auffassung, obgleich eher erwägenswert, ist abzulehnen, weil solche Deutung gerade mit Blick auf Konzernvermutung des § 18 I 2 zu systematischen Verwerfungen führen würde (GK-AktG/Mülbert Rn. 68, 70). Praktische Bedeutung der Frage wird zT als gering angesehen, da aus Gründen kautelarjuristischer Vorsicht auf § 308 verwiesen werde (Hölters/Weber/Deilmann Rn. 21); Umgehungspotenzial über atypische oder verdeckte Beherrschungsverträge ist aber gerade an diesem vertragstypischen Inhalt zu messen (→ Rn. 14 f.). Bloße Zustimmungsvorbehalte iR atypischer stiller Beteiligung 10 genügen idR nicht, um Beherrschungsvertrag anzunehmen (Koppensteiner FS Canaris, 2007, 209, 216; tendenziell großzügiger Bachmann/Veil ZIP 1999, 348, 354), weil sie keine unternehmerische Initiative erlauben (sa §§ 76 I, 111 IV 2). Zusammenhang des § 291 I 1 Fall 1 mit § 76 I ergibt weiter, dass **Kompetenzen des AR und der HV** der Untergesellschaft durch Beherrschungsvertrag grds. nicht betroffen sind (sa § 308 III). Inhalt und Bedeutung der Kompetenzen entspr. jedoch infolge der durch den Beherrschungsvertrag bewirkten Strukturänderung nicht mehr denen in konzernfreier Gesellschaft.

11 **Unterstellung.** Leitung der AG muss anderem Unternehmen vertraglich unterstellt sein (§ 291 I 1 Fall 1). RegBegr. Kropff S. 376 spricht spiegelbildlich von „der übergeordneten Leitung des anderen Vertragsteils". Das kann **nicht rückwirkend** geschehen, weshalb Beherrschungsvertrag (anders als Gewinnabführungsvertrag) keine Rückwirkung zu entfalten vermag (→ § 294 Rn. 19 f.). Unterstellung bzw. Überordnung sind gegeben, wenn anderer Vertragsteil im Konfliktfall seinen Willen gegen Vorstand der Untergesellschaft rechtl. durchsetzen kann, was auf **Weisungsbefugnis nach § 308 als unverzichtbarem Merkmal** des Beherrschungsvertrags hinausläuft (hM, s. OLG München AG 2012, 802, 803; OLG Schleswig NZG 2008, 868, 869; Emmerich/Habersack/Emmerich Rn. 26 f.; KK-AktG/Koppensteiner Rn. 21 ff.; MHdB AG/Krieger § 71 Rn. 6; Kort NZG 2009, 364, 365; iE auch Stephan Konzern 2014, 1, 11). Gegenansicht meint allerdings, es könne Beherrschungsverträge auch ohne Weisungsrecht geben (MüKoAktG/Altmeppen Rn. 97 ff.; GK-AktG/Mülbert Rn. 122; Exner, Beherrschungsvertrag, 1984, 115 ff.), und will damit § 291 III anwendbar machen sowie von §§ 311 ff. dispensieren. Eben das geht nicht an, weil damit Regelsystem des Vertragskonzerns und des faktischen Konzerns mangels nachvollziehbaren Inhalts des Begriffs Beherrschungsvertrag die tatbestandliche Abgrenzung verlieren würde. Richtig ist nur, dass Weisungsbefugnis nicht in Vertrag hineingeschrieben werden muss. Sie ergibt sich vielmehr als ges. Folge des Vertragsschlusses. Aus ihm ergeben sich auch **Treubindungen** beider Seiten, aus denen vor allem Rücksichtspflichten resultieren. So hat abhängige AG herrschendem Unternehmen die Ausübung seiner weisungsgestützten Herrschaftsrechte zu ermöglichen (→ § 308 Rn. 20; OLG Frankfurt NZG 2000, 603, 604; Reichert GS M. Winter, 2011, 543, 553 ff.; Löbbe, Unternehmenskontrolle im Konzern, 2003, 224 f. zur Konsultationspflicht des Tochtervorstands).

12 **c) Zusätzliche Erfordernisse.** Als zusätzliches Erfordernis eines Beherrschungsvertrags wird daneben zT auch noch Ausgleichs- und Abfindungsregelung iSd §§ 304, 305 genannt (MHdB AG/Krieger § 71 Rn. 7), was indes nur in dem Sinne richtig ist, dass Beherrschungsverträge ohne Ausgleichsregelung nichtig sind (§ 304 III 1); um ein Begriffsmerkmal des Beherrschungsvertrags handelt es sich dagegen nicht (GK-AktG/Mülbert Rn. 80; krit. zur Rechtsfolgenseite Emmerich FS Hüffer, 2010, 179, 181 f.). Für Abfindung folgt schon aus § 305 V 2, dass sie kein zwingender Vertragsbestandteil ist (GK-AktG/Mülbert Rn. 79).

13 Als geklärt darf dagegen heute angesehen werden, dass Bezeichnung als Beherrschungsvertrag in der gem. § 293 III 1 zu errichtenden Vertragsurkunde kein zwingender Vertragsbestandteil ist (KG AG 2001, 186; OLG München ZIP 2008, 1330, 1331; LG Hamburg AG 1991, 365, 366; KK-AktG/Koppensteiner Rn. 22; MHdB AG/Krieger § 71 Rn. 7; Huber ZHR 152 [1988], 123, 136 ff.; anders noch Bälz FS Raiser, 1974, 287, 306). Gegenauffassung findet im Ges. keine Stütze; § 291 hebt gerade auf Inhalt, **nicht auf Bezeichnung des Vertrags** ab. Ebenfalls obsolet ist klarstellende Klausel, nach der für Untergesellschaft, ihre Gläubiger und Aktionäre deutsches Recht gilt (für solches Erfordernis aber noch Wiedemann GesR I 805 f.). **Geltung deutschen Rechts** ist Folge der den konzernrechtl. Schutz der deutschen Untergesellschaft bezweckenden Rechts-

norm. Vertragsklausel führt demggü. nicht weiter und erweckt nur unzutr. Vorstellung einer Rechtswahl (so heute allg. Auffassung – statt aller GK-AktG/Mülbert Vor §§ 291 ff. Rn. 25).

d) Sonstiger Inhalt. Neben notwendigem Mindestinhalt (→ Rn. 10 ff.) können auch weitere ergänzende Regelungen in Unternehmensvertrag aufgenommen werden (Emmerich/Habersack/Emmerich Rn. 19). Da vor Vertragsschluss idR Abhängigkeitsverhältnis iSd § 17 vorliegen wird, sind Zulässigkeit und Rechtsfolgen solcher Vereinbarungen – jenseits des Sonderfalls atypischer oder verdeckter Beherrschungsverträge (→ Rn. 14) – in erster Linie an § 311 zu messen (Emmerich/Habersack/Emmerich Rn. 19). Darüber hinaus darf auch zwingendes Aktienrecht nicht über das Maß des in §§ 291 ff. gestatteten Umfangs hinaus abgeändert werden. Über solche Nebenabreden können namentl. auch **Informationsrechte der Tochter** ggü. der Obergesellschaft begründet werden (ausf. Pöschke ZGR 2015, 550, 560 ff.; zust. Schürnbrand ZHR 181 [2017], 357, 365). Entspr. Rechtsposition kann sich auch aus Auslegung oder Treu und Glauben iVm Unternehmensvertrag ergeben; alternativ ist auch Herleitung aus mitgliedschaftlicher Treupflicht möglich (s. Pöschke ZGR 2015, 550, 560 ff. mwN). Annahme eines solchen Anspruchs liegt insbes. dann nahe, wenn Leistungen der abhängigen Gesellschaft erfolgen sollen, die ohne Privilegierung durch § 57 I 3 Fall 1 unzulässig wären. In solchen Fällen muss herrschendes Unternehmen tragfähige Informationen über seine finanzielle Situation vorlegen, die es der Tochter ermöglichen zu beurteilen, ob Obergesellschaft ihre Verlustübernahmepflicht nach § 302 erfüllen kann (ausf. Pöschke ZGR 2015, 550, 564 ff. mwN). 13a

e) Atypische/verdeckte Beherrschungsverträge? Erwogen wird, ob es Verträge gibt, die in ihren Wirkungen Beherrschungsverträgen entsprechen, ges. Anforderungsprofil aber nicht voll genügen und deshalb durch **Analogiebildung** für Beherrschungsverträge geltenden Regeln zu unterstellen sind (ausf. bes. GK-AktG/Mülbert Rn. 116 ff.; sa Emmerich/Habersack/Emmerich Rn. 21 ff.; monographisch aus jüngerer Zeit allein Dette, Verdeckte und atypische Beherrschungsverträge im Aktienrecht, 2012; Ederle, Verdeckte Beherrschungsverträge, 2010; Kienzle, Verdeckte Beherrschungsverträge im Aktienrecht, 2010). Verbreitet wird auch von verdeckten Beherrschungsverträgen gesprochen, wobei begriffliche Abgrenzung noch nicht geklärt ist. Bezeichnung als verdeckter Vertrag darf jedenfalls nicht iS subjektiver Umgehungsabsicht verstanden werden; maßgeblich kann nur **materieller Vertragsgehalt** sein (GK-AktG/Mülbert Rn. 117). Problem hat seinen Ausgangspunkt in der Frage gefunden, wann Betriebsführungsverträge derart weitreichende Steuerungsmöglichkeiten gewähren, dass sie letztlich wie Beherrschungsvertrag wirken und deshalb ähnlichen Haftungsfolgen unterstellt werden müssen (→ § 292 Rn. 23 f.). Mittlerweile ist Diskussion ausgedehnt worden auf zahlreiche sonstige Instrumentarien, mit denen sich abhängige AG faktisch der Herrschaft des anderen Teils unterstellt, zB Zustimmungs- oder Vetorechte, Finanzierungsverträge unter Einbeziehung von Covenants, Just-in-Time-Lieferverträge, Franchiseverträge, Konzernrichtlinien, Investorenvereinbarungen, Business Combination Agreements (ausf. zu den beiden Letztgenannten → § 76 Rn. 124 ff.; sa Decher FS Hüffer, 2010, 145 ff.); Überblick bei Emmerich/Habersack/Emmerich Rn. 28 f.; Dette, Verdeckte und atypische Beherrschungsverträge im Aktienrecht, 2012, 30 ff. Wichtigste Rechtsfolge einer Einstufung als verdeckter Beherrschungsvertrag soll **Abfindungspflicht** des herrschenden Unternehmens nach § 305 sein (dafür: LG München I ZIP 2008, 555, 559 ff. [offenlassend aber LG München I NZG 2019, 384 Rn. 36 ff.]; Emmerich FS Hüffer, 2010, 179, 183 ff.; Hirte/Schall Konzern 2006, 243, 244 ff.; vgl. auch LG Nürnberg-Fürth AG 2010, 179 f.: „Züge eines Beherr- 14 schungsvertrags“). Nach **heute hM** ist Figur des verdeckten Beherrschungsvertrags nicht anzuerkennen (iE LG Flensburg Konzern 2006, 303; Decher FS Hüffer, 2010, 145, 149 ff.; Ederle, Verdeckte Beherrschungsverträge, 2010, 119 ff.; Wiegand, Investorenvereinbarungen, 2017, 74 ff.; Ederle AG 2010, 273, 274 ff.; Kiefner ZHR 178 [2014], 547, 566 ff.; Reichert ZGR 2015, 1, 10 ff.).

14a Konstruktion des atypischen oder verdeckten Beherrschungsvertrags verfolgt nachvollziehbares Anliegen, Schutzlücken zu schließen, läuft dabei aber Gefahr, **Haftungs- und Abfindungsregime der §§ 300 ff. uferlos auszudehnen.** Geht man angesichts der deshalb erforderlichen Eingrenzung mit hier vertretener Auffassung davon aus, dass Weisungsrecht des herrschenden Unternehmens zwingendes Vertragselement eines Beherrschungsvertrages ist (→ Rn. 11), verdeckter Beherrschungsvertrag diesem Einflussgrad also angenähert sein müsste, wird potenzieller Anwendungsbereich schon erheblich eingeschränkt. Ob daneben noch Bedürfnis für diese Konstruktion verbleibt, hängt maßgeblich davon ab, wie man den typischen Inhalt des Vertrags versteht. Nach in → Rn. 10 gegebener Umschreibung des Mindestinhalts (vollständige Erfassung aller Führungsfunktionen nicht erforderlich) und Verzicht auf förmliche Bezeichnung als Beherrschungsvertrag (→ Rn. 13) sollte sich **bes. Kategorie atypischer Beherrschungsverträge** durchweg als **entbehrlich** erweisen, also Unterstellung unter die für Beherrschungsverträge geltenden Regeln ohne Analogie möglich sein. Praxis trägt dem in der Weise Rechnung, dass bei vertraglicher Gestaltung zumeist nur Koordinations- und Bemühenspflichten formuliert werden, Anklang an Weisungsrechte aber tunlich vermieden wird (vgl. etwa zur Gestaltung sog Konzern-Koordinationsverträgen → § 311 Rn. 48c). Soweit nach Vertragsinhalt Beherrschung vorliegt, bleibt angeblich faktischer Vertrag allerdings **gem. § 294 idR unwirksam** (OLG München AG 2008, 672, 673 f.; OLG Schleswig NZG 2008, 868, 873 f.; LG München I Konzern 2007, 763 f.; Ederle, Verdeckte Beherrschungsverträge, 2010, 148; Kort NZG 2009, 364, 367). Bei sehr intensiver Einflussnahme kann Vertragsnichtigkeit auch über § 134 BGB wegen unzulässiger Einschränkung der Leitungsmacht des Vorstands hergeleitet werden (→ § 76 Rn. 124 ff.). Wo Einflusspotenzial weder für Beherrschung in diesem Sinne noch für unzulässige Beschränkung der Leitungsmacht genügt, muss **Schutz über §§ 117, 311 ff.** geleistet werden (so auch Stephan Konzern 2014, 1, 13); Spruchverfahren ist in diesen Fällen unstatthaft (→ SpruchG § 1 Rn. 6; OLG München AG 2008, 672 f.). Früher für richtig gehaltene Lehre von qualifizierter-faktischer Konzernierung hat sich überholt (→ § 1 Rn. 22 ff.). Ergänzend kann vor allem mitgliedschaftliche Treupflicht herangezogen werden.

15 **3. Sonderformen.** Als Sonderformen werden Teilbeherrschungsverträge, Beherrschungsverträge bei mehrstufigen Unternehmensverbindungen und Mehrmütterbeherrschungsverträge erörtert. **Teilbeherrschungsverträge** sind unter der in → Rn. 10 genannten Prämisse Beherrschungsverträge iSd § 291 I 1 Fall 1 und als solche zulässig (hM, s. Hölters/Weber/Deilmann Rn. 30; Emmerich/Habersack/Emmerich Rn. 23 ff.; S/L/Langenbucher Rn. 30; MHdB AG/Krieger § 71 Rn. 5; Bachmann/Veil ZIP 1999, 348, 353; weitergehend MüKoAktG/Altmeppen Rn. 91 ff.; aA KK-AktG/Koppensteiner Rn. 46 ff.; eng auch Koppensteiner FS Canaris, 2007, 209, 216). Beherrschung nur einzelner Betriebe oder Unternehmensteile bedeutet keine Unterstellung iSd § 291 I 1 Fall 1 und ist deshalb nicht als (Teil-)Beherrschungsvertrag einzustufen (hM, s. zB GK-AktG/Mülbert Rn. 97; MHdB AG/Krieger § 71 Rn. 5; aA Grobecker DStR 2002, 1953, 1954 f.). Beherrschungsverträge bei **mehrstufigen Unternehmensverbindungen** (bes.: nicht nur Mutter-Tochter, sondern auch Mutter-Enkel) sind zulässig (hM, s. MüKoAktG/Altmeppen § 309 Rn. 22 ff.; Emmerich/Habersack/Emmerich Rn. 56 ff.; Krieger FS K. Schmidt, 2009, 999, 1002; aA Pentz,

Rechtsstellung der Enkel-AG, 1994, 172 ff., 175); sie erlauben unmittelbare Weisungen der Mutter an Vorstand der Enkelgesellschaft. Zu achten ist darauf, dass Möglichkeit widersprüchlicher Weisungen ausgeräumt wird (GK-AktG/Mülbert Rn. 113 iVm Rn. 109; MHdB AG/Krieger § 71 Rn. 10). Gleichzeitigen Abschluss des Beherrschungsvertrags mit mehreren Unternehmen will LG Frankfurt DB 1990, 624 nur zulassen, wenn Unternehmen ihren Beherrschungswillen koordiniert haben; das schießt zumindest in der Formulierung über das Ziel hinaus.

Auch im Fall der **Mehrmütterherrschaft** (vgl. → § 17 Rn. 13 ff.) ist Abschluss von Beherrschungsverträgen mit dem Gemeinschaftsunternehmen zulässig. Derartige Gestaltungen waren ursprünglich steuerrechtl. motiviert und entspr. verbreitet, haben aber mit Beendigung der steuerrechtl. Anerkennung der Mehrmütterorganschaft durch das Steuervergünstigungsabbaugesetz v. 15.4.2003 (BGBl. 2003 I 660) an praktischer Bedeutung verloren (vgl. dazu GK-AktG/Mülbert Rn. 16 ff.). Unproblematisch möglich ist Abschluss mit den jeweiligen Muttergesellschaften. Fraglich ist dagegen, ob auch zwischen ihnen bestehende **GbR tauglicher Vertragspartner** sein kann. Das ist in solchen Fällen problematisch, in denen GbR als rein vermögensverwaltende Zwischenholding ohne anderweitige unternehmerische Beteiligung eingesetzt wird, weil ihr dann die erforderliche Unternehmenseigenschaft fehlt (→ Rn. 8). Aus diesem Grund wird GbR verbreitet die Eignung als tauglicher Vertragspartner abgesprochen (Hölters/Weber/Deilmann Rn. 41; GK-AktG/Mülbert Rn. 53 f.). Das hätte Nichtigkeit des von der GbR geschlossenen Unternehmensvertrags zur Folge, was aber dadurch abgemildert werden soll, dass namens der GbR geschlossene Verträge idR als Verträge mit den Muttergesellschaften angesehen werden. Ebenso wird es auch nach Vertretern dieser Ansicht als unschädlich angesehen, wenn in Vertragstexten neben den Muttergesellschaften die GbR genannt wird. Mittlerweile hM betrachtet diese Trennung bei **wirtschaftlicher Betrachtungsweise** indes zu Recht als künstlich, wenn in Zwischenholding lediglich die anderweitigen unternehmerischen Interessen der Muttergesellschaften zusammengefasst werden (Emmerich/Habersack/Emmerich § 295 Rn. 14a; KK-AktG/Koppensteiner Rn. 58; Henssler/Strohn/Paschos Rn. 21; NK-AktR/Peres Rn. 32; B/K/L/Schenk § 295 Rn. 4; Grigoleit/Servatius § 295 Rn. 5). Insbes. beim Wechsel im Mitgliederbestand der GbR wirft diese Konstruktion unnötige Probleme auf (→ § 295 Rn. 5). Aus Gründen **kautelarjuristischer Vorsicht** sollte Praxis jedoch vorerst auch weiterhin sowohl Muttergesellschaften als auch GbR in den Vertragstext aufnehmen (MHdB AG/Krieger § 71 Rn. 11; Muster bei MVH I/Hoffmann-Becking Form X.6). 16

4. Rechtsnatur. Unternehmensverträge iSd § 291 und damit bes. Beherrschungsverträge reichen in ihren Wirkungen über diejenigen schuldrechtl. Austauschverträge hinaus. Im Anschluss an Flume DB 1955, 485 sowie DB 1957, 439 und Würdinger DB 1958, 1447, 1451 f. werden sie von hM als **Organisationsverträge** qualifiziert (BGHZ 103, 1, 4 f. = NJW 1988, 1326; BGHZ 105, 324, 331 = NJW 1989, 295; BGH NJW 1992, 1452, 1454; BayObLGZ 1988, 201, 204 = NJW 1989, 128 Ls.; OLG Düsseldorf AG 1992, 60, 61; OLG Frankfurt AG 1988, 267, 270; OLG Stuttgart AG 1998, 585, 586; MüKoAktG/Altmeppen Rn. 27 ff.; Kort NZG 2009, 364, 366; aA GK-AktG/Mülbert Rn. 20 ff.). Dem ist zuzustimmen, weil es bei äußerlich unveränderter Fortgeltung der Satzung der beherrschten Gesellschaft zur **Strukturänderung** kommt, die sich in der Weisungsbefugnis des herrschenden Unternehmens (§ 308) und in der Maßgeblichkeit des Konzerninteresses niederschlägt. Soweit Unternehmensvertrag organisationsrechtl. (gleichbedeutend: körperschaftlichen) Inhalt hat, gilt für ihn **Prinzip der obj. Auslegung** (BGH NZG 2022, 658 Rn. 15; BFH AG 17

2023, 505 Rn. 14 f.; OLG München WM 2009, 1013; WM 2009, 1038, 1040; MüKoAktG/Altmeppen Rn. 35 f.; → § 23 Rn. 39; teilw. krit. KK-AktG/Koppensteiner Vor § 291 Rn. 158; Grunewald ZGR 2009, 647, 650 ff.). Entstehungsgeschichte, Vorentwürfe, Äußerungen und Vorstellungen abschlussbeteiligter Personen dürfen deshalb nicht berücksichtigt werden (BGH NZG 2022, 658 Rn. 15). Gleiches gilt für Aufhebungsvertrag (BGH NZG 2022, 658 Rn. 16).

18 Neben organisationsrechtl. bestehen allerdings **auch schuldrechtl. Bindungen** in Form von Leistungspflichten (Befolgung von Weisungen einerseits, Übernahme von Verlusten andererseits); vgl. MüKoAktG/Altmeppen Rn. 37. **Synallagmatische Verknüpfung** der Leistungspflichten iSd §§ 320 ff. ist str. (s. zum Meinungsstand MüKoAktG/Altmeppen Rn. 38). Sie sollte bejaht werden, weil Untergesellschaft sonst ein wesentliches Mittel zur Durchsetzung ihrer Ansprüche (§ 302 I) verlöre.

19 **5. Rechtliche Behandlung (Überblick).** Einzelheiten zum Abschluss, zu Änderung und Aufhebung des Beherrschungsvertrags regeln §§ 293–299. Durch § 293 erledigt sich insbes. für Aktienkonzernrecht die Frage, ob Abschluss des Beherrschungsvertrags wie Satzungsänderung zu behandeln ist (s. aber noch KK-AktG/Koppensteiner Vor § 291 Rn. 159). Gäbe es § 293 nicht, müsste sie bejaht werden. Gültiger Beherrschungsvertrag hebt Vermögensbindung auf (§ 291 III). Sicherung der AG und ihrer Gläubiger erfolgt durch §§ 300–303, die der außenstehenden Aktionäre durch §§ 304–307. Leitungsmacht und Verantwortlichkeit des herrschenden Unternehmens sind in §§ 308–310 geregelt. Gem. § 15 sind ferner diejenigen Rechtsnormen anzuwenden, die für verbundene Unternehmen gelten (→ § 15 Rn. 22). Ebenso gem. § 17 die bei Abhängigkeit geltenden Vorschriften (→ § 17 Rn. 24) und schließlich die für Unterordnungskonzerne geltenden Bestimmungen (→ § 18 Rn. 22).

20 **6. Fehlerhafte Beherrschungsverträge.** Beherrschungsvertrag kann wie jedes Rechtsgeschäft unter Gültigkeitsmängeln leiden, zB wegen Formfehlers (§ 125 BGB), erfolgreicher Irrtumsanfechtung (§§ 119, 123 BGB) oder Mängeln des Zustimmungsbeschlusses der HV (Überblick bei Emmerich/Habersack/Emmerich Rn. 44: Unterscheidung zwischen formellen und materiellen Mängel). Für Beherrschungsverträge im **GmbH-Konzernrecht** hat Rspr. bei Fehlen des beurkundeten Zustimmungsbeschlusses oder unterbliebener Registereintragung **Grundsätze über fehlerhafte Gesellschaft** angewandt, um Pflicht zum Verlustausgleich entspr. § 302 zu begründen (BGHZ 103, 1, 4 f. = NJW 1988, 1326; BGHZ 105, 168, 182 = NJW 1988, 3143; BGHZ 116, 37, 39 = NJW 1992, 505; BGH NJW 2002, 822, 823; NZG 2005, 261, 262; 2005, 472 [die beide Letztgenannten zu Teilgewinnabführungsverträgen]; OLG Koblenz AG 1991, 142; OLG München AG 1991, 358, 361). Schrifttum ist dem bislang überwiegend gefolgt (vgl. statt vieler Lutter/Hommelhoff/Hommelhoff GmbHG Anh. § 13 Rn. 109 ff.), doch werden zunehmend auch abw. Stimmen laut (vgl. Emmerich/Habersack/Emmerich Rn. 47 ff.; MüKoGmbHG/Liebscher Anh. GmbH-KonzernR Rn. 712 f.).

21 Der zitierten Judikatur (→ Rn. 20) ist schon wegen organisationsrechtl. Charakters des Beherrschungsvertrags (→ Rn. 17) zuzustimmen. Wie weit sie für das **Aktienkonzernrecht** nutzbar gemacht werden kann, ist jedoch noch wenig geklärt. HM bejaht grds. Übertragungsmöglichkeit zumindest im Ansatz, doch besteht hinsichtlich Detailausgestaltung Uneinigkeit (für grds. Zulässigkeit MüKoAktG/Altmeppen Rn. 195 ff.; Emmerich/Habersack/Emmerich Rn. 47 ff.; GK-AktG/Mülbert § 293 Rn. 146 ff.; BeckOGK/Veil/Walla Rn. 130 ff.; MHdB AG/Krieger § 71 Rn. 19). Erforderlich ist jedenfalls, dass Vertrag in Vollzug gesetzt wurde, etwa durch Weisung oder Verlustausgleich (OLG Karlsruhe AG 2011, 673, 675). Ob darüber hinaus Eintragung erforderlich ist, ist

umstr., richtigerweise aber zu bejahen, da selbst fehlerfreier Vertrag gem. § 294 II (sa § 22 II EGAktG) erst in diesem Zeitpunkt Rechtswirkungen entfalten kann (OLG Karlsruhe AG 2011, 673, 675 f.; OLG Koblenz ZIP 2001, 1095, 1098; OLG München AG 2008, 672, 673 f.; OLG Schleswig AG 2009, 374; OLG Zweibrücken FGPrax 2004, 246, 248; Emmerich/Habersack/Emmerich Rn. 47; GK-AktG/Mülbert § 293 Rn. 160; BeckOGK/Veil/Walla Rn. 133). Jedoch können diese Grundsätze nicht auf nichtigen oder erfolgreich angefochtenen **Zustimmungsbeschluss der HV** übertragen werden (OLG Zweibrücken FGPrax 2004, 246, 248; Emmerich/Habersack/Emmerich Rn. 48; aA MüKo-AktG/Altmeppen Rn. 210 ff.; MHdB AG/Krieger § 71 Rn. 55; Krieger ZHR 158 [1994], 35, 37 f.; Stephan Konzern 2014, 1, 20). Etwas anderes folgt auch nicht aus der Rspr. (→ Rn. 20), weil Verträge in den entschiedenen Fällen im Einverständnis der Beteiligten praktiziert wurden, während bei nichtigem oder vernichtetem HV-Beschluss ein rechtl. beachtliches Einverständnis gerade fehlt (zust. OLG Karlsruhe AG 2011, 673, 675; OLG Koblenz ZIP 2001, 1095, 1098; OLG Zweibrücken FGPrax 2004, 246, 248; aA GK-AktG/Mülbert Rn. 155 ff.). Problem ist allerdings für AktienR durch Einführung des Freigabeverfahrens (§ 246a) deutlich entschärft worden. Danach ist Bestandskraft des fehlerhaften Vertrags auch dann gesichert, wenn er auf rechtkräftigem Freigabebeschluss beruht (Emmerich/Habersack/Emmerich Rn. 45). Zu Auswirkungen inhaltlicher Vertragsmängel auf den Zustimmungsbeschluss s. Stephan Konzern 2014, 1, 17 f. mwN; sa → § 293 Rn. 16.

7. Altverträge. Nicht anzuwenden sind §§ 291 ff. auf bis zum 31.12.1965 geschlossene sog Altverträge (ausf. MüKoAktG/Altmeppen Rn. 239 mwN). Beherrschungsabreden iR von solchen Gewinnabführungsverträgen alten Rechts sind gültig, wenn Mindestanforderungen (Zustimmung der HV mit qualifizierter Mehrheit; vertragliche Dividendengarantie; Registereintragung gem. § 22 II EGAktG eingehalten werden (OLG Karlsruhe NJW 1967, 831, 832; MüKo-AktG/Altmeppen Rn. 241; KK-AktG/Koppensteiner Vor § 291 Rn. 167 f.). Nach altem Recht bestehende Mängel werden durch Eintragung in das HR nicht geheilt (Kropff BB 1965, 1281, 1287). Verträge können aber nach den Grundsätzen über die fehlerhafte Gesellschaft bis zu ihrer außerordentlichen Kündigung Wirksamkeit erlangen (→ Rn. 20 f.). Zulässigkeit isolierter (und dann auch zustimmungsfreier → § 293 Rn. 2) Beherrschungsverträge ist jedenfalls fragwürdig (MüKoAktG/Altmeppen Rn. 240). 22

III. Gewinnabführungsvertrag (noch: § 291 I)

1. Allgemeines. Nach § 291 I 1 Fall 2 liegt Gewinnabführungsvertrag vor, wenn sich Gesellschaft verpflichtet, ihren ganzen Gewinn an anderes Unternehmen abzuführen. Wegen der Vertragsparteien gelten Ausführungen in → Rn. 5 ff., 8 entspr. Bzgl. des Vertragsinhalts ist wesentlich, dass sich Abführungspflicht auf **ganzen Gewinn** beziehen muss (allgM; → Rn. 26); Muster bei Happ/Liebscher KonzernR/UmwR 1.01 lit. a, 1.03 lit. a, 1.05 lit. a. Im Übrigen ist konkreter Inhalt hinsichtlich Entstehung, Fälligkeit und Maßgeblichkeit nach allg. Auslegungsgrundsätzen zu bestimmen (BGHZ 223, 13 Rn. 42 = NZG 2019, 1149). Wegen der mit Gewinnabführungspflicht gekoppelten Verlustdeckungspflicht nach § 302 I wird Vertrag zutr. auch als Ergebnisübernahmevertrag bezeichnet (GK-AktG/Mülbert Rn. 142). Frage zusätzlicher Erfordernisse ist wie beim Beherrschungsvertrag zu entscheiden (→ Rn. 12 f.); insbes. bedarf es **keiner Bezeichnung als Gewinnabführungsvertrag** im Text der Urkunde (→ Rn. 13). Weisungsbefugnis (§ 308) folgt nur aus Beherrschungsvertrag, nicht aus (zulässigem → Rn. 24) isoliertem Gewinnabführungsvertrag. 23

Rechtsnatur ist wie beim Beherrschungsvertrag zu bestimmen. Es handelt sich also wie dort um Organisationsvertrag, der zusätzliche schuldrechtl. Elemente aufweist (→ Rn. 17 f.), und zwar auch dann, wenn Gewinnabführungsvertrag ausnahmsweise isoliert begegnet. Folgerichtig kommen bei Vertragsmängeln auch die Grundsätze über die fehlerhafte Gesellschaft im Prinzip zur Anwendung (→ Rn. 20 f.).

24 **2. Zulässigkeit isolierter Gewinnabführungsverträge.** Gewinnabführungsvertrag und Beherrschungsvertrag werden vielfach zum sog Organschaftsvertrag verknüpft. Gesellschaftsrechtl. notwendig ist das jedoch nicht (zum Steuerrecht → Rn. 38 f.). Vielmehr sind Gewinnabführungsverträge auch isoliert zulässig (OLG Karlsruhe AG 2001, 536, 537; LG Kassel AG 1997, 239; MüKoAktG/Altmeppen Rn. 150 ff.; KK-AktG/Koppensteiner Rn. 78; GK-AktG/Mülbert Rn. 153; Mühl/Wagenseil NZG 2009, 1253; H.-P. Müller FS Goerdeler, 1987, 375, 382 ff.) und begegnen auch in der Praxis, nachdem steuerliche Organschaft nicht mehr zwingend Verbindung mit Beherrschungsvertrag voraussetzt (→ Rn. 39). Isolierte Zulässigkeit erlangt vor allem Bedeutung, wenn Beherrschungsvertrag auf aufsichtsrechtl. Hindernisse stößt oder wenn Parteien Rückwirkung wollen; sie kann nämlich dem Gewinnabführungs-, aber nicht dem Beherrschungsvertrag zukommen (→ Rn. 11; → § 294 Rn. 19 f.). Gegenmeinung findet im isolierten Vertragsschluss Verstoß gegen §§ 311 ff. und nimmt an, dass bezogene Gewinne als Nachteil auszugleichen sind, so dass isolierter Gewinnabführungsvertrag nicht möglich sei (van Venrooy BB 1986, 612). Nach Gesetzeslage (vgl. bes. §§ 316, 324 II) müssen isolierte Gewinnabführungsverträge jedoch als zulässig beurteilt werden. Darauf beruhende **Gewinnabführung verpflichtet nicht per se zum Nachteilsausgleich.** § 311 greift vielmehr nur ein, wenn abhängige Gesellschaft zu überhöhtem Gewinnausweis veranlasst worden ist (Einzelheiten bei H.-P. Müller FS Goerdeler, 1987, 375, 382 ff.). Aus Zulässigkeit isolierter Gewinnabführungsverträge folgt nicht, dass bei Abschluss eines Organschaftsvertrags der Gewinnabführungsteil isoliert gekündigt werden könnte; sog Kündigung ist vielmehr Änderung des einheitlichen Organschaftsvertrags (OLG Karlsruhe AG 2001, 536, 537).

25 **3. Sonderformen. Gewinnabführungsverträge zugunsten Dritter** (vor allem: zwischen Tochter- und Enkel- zugunsten der Muttergesellschaft) wurden von früher hM für unzulässig gehalten, da ein Gleichlauf zwischen Gewinnabführung und Verlustübernahme bestehen müsse, um insbes. Ansprüche aus § 302 nicht auszuhöhlen (Emmerich/Habersack/Emmerich Rn. 80 f.; Rehbinder ZGR 1977, 581, 628; Sonnenschein AG 1976, 147, 148 ff.; grds. auch Grigoleit/Servatius Rn. 63). Heute hM lässt dagegen – mit Unterschieden im Detail – im Unternehmensverbund zu Recht auch diese Gestaltung zu, da Wortlaut nicht entgegensteht und Kompensationsfähigkeit der Tochter ggü. Enkel durch eigene Ausgleichsansprüche nach § 302, aber auch nach §§ 311 ff. gegen Mutter hinreichend gesichert sind (KK-AktG/Koppensteiner Rn. 96; S/L/Langenbucher Rn. 56; GK-AktG/Mülbert Rn. 165 f.; B/K/L/Schenk Rn. 20; BeckOGK/Veil/Walla Rn. 112; weiter diff. MüKoAktG/Altmeppen Rn. 156 ff.). Gewinnabführung kann auch zugunsten **mehrerer Mütter** vereinbart werden, die für Folgepflichten der §§ 302 ff. sodann gesamtschuldnerisch einzustehen haben (MüKoAktG/Altmeppen Rn. 153 f.; GK-AktG/Mülbert Rn. 161).

26 **4. Abzuführender Gewinn.** Vertrag muss darauf gerichtet sein, den ganzen Gewinn an anderes Unternehmen abzuführen (§ 291 I 1 Fall 1; → Rn. 23). Vertrag ist Grundlage dieser Verpflichtung und des spiegelbildlichen Gewinnabführungsanspruchs des herrschenden Unternehmens (Wolf NZG 2007, 641, 642).

Entstehung und Fälligkeit bestimmen sich nicht nach den zu § 302 geltenden Grundsätzen (→ § 302 Rn. 13), weil es sich dabei um Schutzrecht zugunsten des verpflichteten Vertragsteils handelt. Auslegung des Vertrags wird idR zum Ergebnis haben, dass Anspruch auf Gewinnabführung nicht schon mit Bilanzstichtag, sondern erst mit Feststellung des Jahresabschlusses entsteht und auch erst von diesem Zeitpunkt an zu verzinsen ist (str., s. MüKoAktG/Altmeppen Rn. 149; GK-AktG/Mülbert Rn. 154; Hennrichs ZHR 174 [2010], 683, 698; Wolf NZG 2007, 641, 643 ff.; aA LG Frankfurt AG 2007, 48, 50 f.; KK-AktG/Koppensteiner § 302 Rn. 53). Gemeint ist **Bilanzgewinn,** wie er sich ergäbe, wenn kein Gewinnabführungsvertrag bestände (in diesem Sinne: fiktiver Bilanzgewinn), jedoch **unter Berücksichtigung der §§ 300 Nr. 1** (höhere Dotierung der ges. Rücklage), **301** (Höchstbetrag). Soweit Sanierungszuschüsse des anderen Unternehmens ergebniswirksam verbucht werden könnten, tats. aber so verbucht worden sind, dass Höchstbetragsregelung des § 301 eingreift (→ § 301 Rn. 3 ff.), kann Gesellschaft damit ihre Vertragspflichten verletzt haben und gem. § 280 I BGB ersatzpflichtig sein (OLG Frankfurt NZG 2000, 603, 604 f.). Tats. Bilanzgewinn kann nicht ausgewiesen werden, weil entspr. Betrag durch Passivierung der Gewinnabführungspflicht neutralisiert wird. An Abführung des „ganzen" Gewinns fehlt es auch, wenn Teil des Gewinns zuvor an stille Gesellschafter ausgekehrt werden soll (BFH AG 2011, 683, 684; zur Einordnung als Teilgewinnabführungsvertrag → § 292 Rn. 15). Besonderheiten gelten für Versicherungsunternehmen aufgrund bes. Ausschüttungssperre für Bilanzgewinn gem. § 139 II 3 VAG. Sie hat Gewinnabführungsverträge attraktiver gemacht, um Ausschüttung an Anteilseigner trotz Sperre zu ermöglichen (Lieder/Hoffmann AG 2020, R 172, 175). Dadurch provozierte Frage, ob nicht auch Gewinnabführung unter Ausschüttungssperre fällt, hat BGH zutr. mit ausf. Begründung, namentl. unter Verweis auf Sicherung des § 302, verneint (BGH NZG 2021, 514 Rn. 11 ff.).

26a Anderes Unternehmen, also Vertragsgläubiger, ist zur **phasengleichen Vereinnahmung** verpflichtet, wenn sein Abschlussstichtag mit dem der Schuldnergesellschaft identisch ist oder ihm nachfolgt (ADS HGB § 277 Rn. 71; Kropff ZGR 1997, 115, 119); → § 256 Rn. 26 zur weitergehenden Frage, ob phasengleiche Vereinnahmung generell geboten ist. Auf Seiten der abhängigen AG eröffnen Bilanzierungswahlrechte Vorstand Ermessensspielräume, die aber durch **vertragliche Regelungen** eingeschränkt werden können (GK-AktG/Mülbert Rn. 146 ff.; H.-P. Müller FS Goerdeler, 1987, 375, 385 ff.); spätere Weisung ist nur aufgrund Beherrschungsvertrags möglich (NK-AktR/Peres Rn. 67). Bilanzierung der verpflichteten Gesellschaft muss sich aber vorrangig an Ges. und GoB orientieren. Ausschüttungssperre des § 233 I ist zu beachten (→ § 233 Rn. 3). Hat abhängige AG Grenzen ihrer Wahlrechte überschritten, ist fraglich, ob auch insofern zu § 302 entwickelter **obj. Bilanzierungsmaßstab** gilt (→ § 302 Rn. 9). Das ist zumindest dann anzunehmen, wenn Verlust nach § 302 auszugleichen ist (Wolf NZG 2007, 641, 644), muss aber wohl auch schon für Gewinnabführung selbst gelten, da es auch hier (anders als bei Entstehung und Fälligkeit → Rn. 26) darum geht, abhängige AG vor durch herrschendes Unternehmen zu seinen Gunsten beeinflusste Bilanzfehler zu schützen (str., wie hier Emmerich/Habersack/Emmerich § 301 Rn. 21; Gärtner AG 2014, 793, 794 ff.; Simon/Leuering NJW-Spezial 2006, 123; aA Goldschmidt/Laeger NZG 2012, 1201, 1202; Wolf NZG 2007, 641, 644). Probleme können daraus namentl. beim Unternehmenskauf erwachsen (Goldschmidt/Laeger NZG 2012, 1201, 1202).

27 **5. Rechtliche Behandlung (Überblick).** Gewinnabführungsvertrag verpflichtet zur Gewinnabführung (→ Rn. 26) und befreit nach § 291 III umfassend von Verbot der Einlagenrückgewähr (→ Rn. 36 f.). Darüber hinaus gelten im

Wesentlichen die in → Rn. 19 zum Beherrschungsvertrag dargestellten Grundsätze. Der wichtigste Unterschied liegt darin, dass der isolierte Gewinnabführungsvertrag nicht die Weisungsbefugnis des § 308 begründet; Vorstandsverantwortung nach § 76 bleibt unverändert. Weiterer Unterschied liegt in Anwendung der §§ 15 ff. Zwar kommen auch hier gem. § 15 die für verbundene Unternehmen geltenden Vorschriften (→ § 15 Rn. 22) zur Anwendung, doch gilt nach § 18 I 2 nicht die unwiderlegbar geltende Konzernvermutung. Praktische Abweichungen ergeben sich daraus kaum, da Gewinnabführungsvertrag Abhängigkeit iSd § 17 zumindest indiziert (→ § 17 Rn. 12). Damit greift widerlegbare Vermutung des § 18 I 3 (→ § 18 Rn. 18 f.), die kaum zu entkräften sein dürfte. Trotz Abhängigkeit befreit § 316 von Pflicht zum Abhängigkeitsbericht, belegt aber zugleich, dass §§ 311, 317 iÜ anwendbar bleiben (GK-AktG/Mülbert Rn. 175). Fehlerhafte Gewinnabführungsverträge sind wegen ihres organisationsrechtl. Charakters (→ Rn. 23) zu behandeln wie in → Rn. 20 f. dargestellt.

28 **6. Abgrenzungen. a) Verlustübernahmevertrag.** Vereinbarungen, durch die sich ein anderes Unternehmen verpflichtet, Verlust einer AG oder KGaA zu übernehmen (Verlustübernahmeverträge), dienen im Unternehmensverbund idR dazu, die Kreditwürdigkeit eines Tochterunternehmens zu verbessern oder sonst eintretende Insolvenzreife zu vermeiden. Solche Verträge erfüllen weder die tatbestandlichen Voraussetzungen des § 291 noch die des § 292, sind also **keine Unternehmensverträge** und stehen insbes. auch den Gewinnabführungsverträgen nicht gleich (ganz hM, s. MüKoAktG/Altmeppen Rn. 165; KK-AktG/Koppensteiner Rn. 80; GK-AktG/Mülbert Rn. 178; aA Priester FS Grunewald, 2021, 875, 876 f.). Verlustübernahmevertrag wird daher ohne Rücksicht auf die Voraussetzungen der §§ 293, 294 wirksam; Zustimmung der HV der zusagenden AG kann auch nicht in analoger Anwendung der genannten Vorschriften gefordert werden (hM, s. OLG Celle AG 1984, 267, 268; MüKoAktG/Altmeppen Rn. 165; GK-AktG/Mülbert Rn. 178). Auch § 316 findet keine Anwendung (→ § 316 Rn. 2), so dass Pflicht zum Abhängigkeitsbericht fortbesteht.

29 **b) Teilgewinnabführung; besondere Gewinnbeteiligungen.** Wenn Vertrag nicht auf Abführung des ganzen Gewinns (→ Rn. 23, 26), sondern nur auf **Abführung eines Gewinnteils** gerichtet ist, liegt nach § 292 I Nr. 2 zwar ein Unternehmensvertrag, aber nicht ein Gewinnabführungsvertrag iSd § 291 I 1 Fall 2 vor. Folglich gilt § 291 III insoweit nicht, so dass rechtl. Vermögensbindung in der abführungspflichtigen Gesellschaft erhalten bleibt (OLG Düsseldorf AG 1996, 473, 474). Andererseits finden von den Schutzvorschriften der §§ 300 ff., 304 ff. nur § 300 Nr. 2, § 301 Anwendung (OLG Düsseldorf AG 1996, 473, 474). **Gewinnbeteiligungen iSd § 292 II** können wiederum nicht Gegenstand eines Teilgewinnabführungsvertrags sein, stellen also jedenfalls grds. keinen Unternehmensvertrag dar. Solche Abreden sind als (verdeckte) Gewinnabführungsverträge zu qualifizieren, wenn sie auf Abschöpfung des ganzen Gewinns hinauslaufen (MüKoAktG/Altmeppen Rn. 162; KK-AktG/Koppensteiner Rn. 92; MHdB AG/Krieger § 72 Rn. 7). So liegt es, weil es auf den Inhalt des Vertrags ankommt. Wegen der in solchen Fällen fehlenden Eintragung im HR bleibt Vertrag jedoch unwirksam (§ 294 II), so dass §§ 57, 58, 60 entgegen § 291 III zur Anwendung kommen.

IV. Geschäftsführungsvertrag (noch: § 291 I)

30 **1. Allgemeines.** § 291 I 2 betr. sog Geschäftsführungsvertrag und stellt ihn dem Gewinnabführungsvertrag (→ Rn. 23 ff.) gleich. Wesentliches Kennzeichen ist, dass AG oder KGaA ihr Unternehmen **für Rechnung eines anderen Unternehmens** führt. Gleichstellung mit Gewinnabführungsvertrag erfolgt, weil beide

Vertragstypen zum gleichen wirtschaftlichen Ergebnis führen (AusschussB Kropff S. 377). Konzernrechtl. macht es keinen Unterschied, ob Gewinn bei der AG oder KGaA erst gar nicht entsteht (Geschäftsführungsvertrag) oder zwar entsteht, aber von dem anderen Unternehmen voll übernommen wird (Gewinnabführungsvertrag). **Bilanzielle Behandlung** ist nicht voll geklärt. Jedenfalls unzulässig ist Übertragung von Einzelergebnissen während des Geschäftsjahrs (§ 59). Zutr. dürfte iU sein, am Ende des Geschäftsjahrs fiktiven Bilanzgewinn (→ Rn. 26) zu ermitteln und durch dessen Übertragung auf das andere Unternehmen wechselseitige Ansprüche aus §§ 667, 670 BGB abzugelten (s. Emmerich/Habersack/Emmerich Rn. 100; GK-AktG/Mülbert Rn. 194 f.; van Venrooy DB 1981, 675, 676 f.; aA MüKoAktG/Altmeppen Rn. 180 ff.; KK-AktG/Koppensteiner Rn. 85 [Gegenbuchungen bei den einzelnen Aktiv- und Passivposten]).

2. Vertragsinhalt. Vertrag muss darauf gerichtet sein, dass AG oder KGaA mit Sitz im Inland (→ Rn. 5) ihre **gesamte geschäftliche Tätigkeit** für Rechnung eines anderen in- oder ausländischen Unternehmens beliebiger Rechtsform (→ Rn. 8) entfaltet. Führung einzelner Betriebe (oder gar Betriebsteile) für fremde Rechnung genügt nicht (MüKoAktG/Altmeppen Rn. 175; KK-AktG/Koppensteiner Rn. 82). Geschäftsführung muss **unentgeltlich** erfolgen, weil der AG oder KGaA sonst Gewinn verbliebe (MüKoAktG/Altmeppen Rn. 185 f.; GK-AktG/Mülbert Rn. 186; Schulze-Osterloh ZGR 1974, 427, 452 f. und 455). Gesetzgeber ist davon ausgegangen, dass Gesellschaft ihr Unternehmen zwar für fremde Rechnung, aber im eigenen Namen betreibt (AusschussB Kropff S. 377). Das Zweite ist jedoch nicht notwendig. Vielmehr sind Voraussetzungen des § 291 I 2 auch dann erfüllt, wenn Rechtsverhältnis durch Handeln im fremden Namen offengelegt wird (MüKoAktG/Altmeppen Rn. 176; GK-AktG/Mülbert Rn. 185). 31

3. Keine Weisungsbefugnis des anderen Unternehmens. Weil AG oder KGaA fremdnützig tätig wird, liegt es nahe, Weisungsbefugnis des anderen Unternehmens aus § 665 BGB abzuleiten (s. van Venrooy DB 1981, 675, 677 ff.). Solche Weisungsbefugnis könnte jedoch nicht zuverlässig vom Weisungsrecht des § 308 abgegrenzt werden, das indessen Beherrschungsvertrag (§ 291 I 1 Fall 1) voraussetzt (zutr. KK-AktG/Koppensteiner Rn. 87 f.). **§ 665 BGB** wird deshalb **konzernrechtl.** mit der Folge **überlagert,** dass Weisungsbefugnisse nur iR von Beherrschungsverträgen und unter ihren Voraussetzungen (§§ 293 ff.) begründet werden können (MüKoAktG/Altmeppen Rn. 183; Emmerich/Habersack/Emmerich Rn. 101; KK-AktG/Koppensteiner Rn. 87 f.; wohl auch OLG Karlsruhe NJW 1967, 831, 832; aA GK-AktG/Mülbert Rn. 184). 32

4. Abgrenzungen. Von Geschäftsführungsvertrag zu unterscheiden sind Betriebsführungsvertrag (§ 292 I Nr. 3) und Produktion für fremde Rechnung. Beim **Betriebsführungsvertrag** übt AG oder KGaA ihre geschäftliche Tätigkeit gerade nicht für fremde Rechnung aus. Vielmehr ist anderes Unternehmen verpflichtet, Betrieb der AG oder KGaA für deren Rechnung zu führen (→ § 292 Rn. 20). **Produktion für fremde Rechnung** kann nicht generell dem einen oder dem anderen Vertragstyp zugeordnet werden. Es kann sich um Betriebsüberlassung, aber auch um Geschäftsführungsvertrag und, wenn Weisungsgebundenheit gewollt ist, auch um Beherrschungsvertrag handeln. 33

V. Gleichordnungskonzernvertrag (§ 291 II)

1. Rechtsnatur und Vertragsschluss. Gleichordnungskonzernvertrag ist gem. § 291 II kein Beherrschungsvertrag. Diese Anordnung ist klarstellender Natur, da nach § 18 II kennzeichnend für Gleichordnungskonzern ist, dass **ein-** 34

heitliche Leitung mehrerer Unternehmen **ohne Abhängigkeit und ohne Beherrschung** zustande kommt (→ § 18 Rn. 20 f. mwN auch zu tats. Erscheinungsformen). Str. ist indes, ob Gleichordnungskonzernvertrag nicht ähnlich wie Unternehmensvertrag iSd § 292 I Nr. 3 strukturänderungsgestaltender Schuldvertrag sein kann, was Anwendung der **§§ 293 ff.** zur Folge haben soll (so mit Unterschieden im Detail Emmerich/Habersack/Emmerich § 18 Rn. 35; GK-AktG/Mülbert Rn. 210, 213 f.; BeckOGK/Veil/Walla Rn. 122 ff.; Timm, Die AG als Konzernspitze, 1980, 151 ff.; dagegen die hM – vgl. MüKoAktG/Altmeppen Rn. 215 f.; KK-AktG/Koppensteiner Rn. 104; S/L/Langenbucher Rn. 66 ff.; S/L/J. Vetter § 18 Rn. 37). Eine solche Anwendung ist angesichts auch hier bestehender Verbundgefahren rechtspolitisch erwägenswert, doch sprechen de lege lata sowohl Gesetzesbegründung (RegBegr. Kropff S. 377) als auch ges. Ausgestaltung dagegen. § 291 II schließt zwar ausdr. nur Einordnung als Beherrschungsvertrag aus, doch legt ausschließlich negative Regelung Vermutung nahe, dass Gesetzgeber positive Zuordnung zu Unternehmensverträgen nicht wollte. Danach ist Gleichordnungskonzernvertrag im Prinzip **wie schuldrechtl. Vertrag** zu behandeln. Er kann also auch konkludent geschlossen werden, bedarf keiner Eintragung in das HR und fällt in (aus § 78 folgende) Abschlusskompetenz des Vorstands. Anders ist Rechtslage nur dann, wenn Vertrag zugleich Abreden iSd §§ 291 oder 292 enthält. Ob skizzierte Gesetzeslage befriedigen kann oder tats. vorhandene Folgepflicht der beteiligten Unternehmen ignoriert, kann hier nicht erläutert werden (s. dazu K. Schmidt ZHR 155 [1991] 417, 424 ff.; K. Schmidt FS Rittner, 1991, 561, 574 ff.). Aufgrund Einordnung des Gleichordnungskonzerns als GbR (→ § 18 Rn. 20) galt bislang jederzeitige Kündigungsmöglichkeit nach § 723 I 1 BGB aF, die auch vertraglich kaum beschränkt werden konnte (ausf. Timm/Messing FS Hommelhoff, 2012, 1237, 1242 ff.; zust. GK-AktG/Mülbert Rn. 223). Mit Neuordnung des Kündigungsrechts im Zuge des MoPeG 2021 hat sich Rechtslage insofern verschoben, als freie Kündbarkeit – vorbehaltlich abw. vertraglicher Regelung (§§ 708, 723, 725 BGB) – auf Kündigung der Mitgliedschaft beschränkt bleibt, also lediglich zum Ausscheiden eines Gesellschafters führt, nicht aber zur Auflösung der GbR.

35 **2. Außenseiterschutz.** Gleichordnungskonzern begründet aufgrund Anordnung des § 291 II anders als Unterordnungskonzern kein Weisungsrecht nach § 308 (BeckOGK/Schall § 18 Rn. 31; S/L/J. Vetter § 18 Rn. 27 ff.; aA Veil, Unternehmensverträge, 2003, 282 f.; skeptisch wohl auch Emmerich/Habersack/Emmerich § 18 Rn. 36), so dass analoge Anwendung der §§ 302–305 nicht in Betracht kommt (GK-AktG/Mülbert Rn. 221; S/L/J. Vetter § 18 Rn. 31; aA Emmerich/Habersack/Emmerich, 7. Aufl. 2013, § 18 Rn. 36 [offenlassend in 9. Aufl. 2019]). Auch §§ 311 ff. können nicht zur Anwendung gelangen, da sie Abhängigkeit voraussetzen und nach § 18 II für Gleichordnungskonzern gerade Unabhängigkeit charakteristisch ist; es scheiden deshalb sowohl Privilegierung schädlicher Einflussnahme als auch entspr. Ausgleichs- oder Ersatzpflichten aus (S/L/J. Vetter § 18 Rn. 32; für analoge Anwendung aber BeckOGK/Schall § 18 Rn. 31). Aufgrund Einordnung als GbR (→ § 18 Rn. 20) begründet schädigende Einflussnahme aber Schadensersatzpflicht wegen Treupflichtverletzung, weil schädliche Einflussnahme gerade nicht der partnerschaftlichen Struktur des Gleichordnungskonzerns entspr. (zutr. Lutter/Drygala ZGR 1995, 557, 565 ff.; zust. GK-AktG/Mülbert Rn. 219 ff.); flankierenden Schutz bieten § 826 BGB und § 117 (S/L/J. Vetter § 18 Rn. 31 ff.). Figur des qualifiziert-faktischen Gleichordnungskonzern mit horizontalem Durchgriff auf Schwestergesellschaft (AG Eisenach AG 1995, 519 f.) ist daneben spätestens seit allg. Aufgabe des qualifiziert-faktischen Konzerns (→ § 1 Rn. 22 ff.) nicht mehr anzuerkennen (sa S/L/J. Vetter § 18 Rn. 34 ff.). Zu weiteren Rechtsfolgen → § 18 Rn. 22.

VI. Lockerung der Vermögensbindung (§ 291 III)

1. Kein Verstoß gegen §§ 57, 58, 60. Beherrschungs- oder Gewinnabführungsverträge werden nicht rechtl. notwendig (OLG Nürnberg AG 1996, 228, 229), aber durchweg mit Unternehmen geschlossen, die als Aktionär beteiligt sind. Leistungen der Tochtergesellschaft würden deshalb gegen §§ 57, 58 oder 60 verstoßen, so dass Abschluss von Verträgen iSd § 291 I vielfach nicht sinnvoll wäre. § 291 III nimmt deshalb solche Leistungen im Wege der **Fiktion** von genannten Verbotstatbeständen aus und klärt damit früher bestehende Streitfrage (RegBegr. Kropff S. 378). Seit Änderung der Norm durch MoMiG 2008 ist nur noch vorausgesetzt, dass Leistung **bei Bestehen** des Vertrags erbracht wird, sei es an anderen Vertragsteil oder an anderes Mitglied der Unternehmensgruppe oder an sonstigen Dritten. Das korrespondiert mit Neufassung des § 57 I 3 Hs. 1 (→ § 57 Rn. 39). Weil es nicht mehr wie nach § 291 III aF darauf ankommt, dass Leistungen „auf Grund" des Unternehmensvertrags erbracht werden, ist rechtmäßige Weisung des herrschenden Vertragsteils anders als früher (Pentz ZIP 2006, 781, 786) keine Privilegierungsvoraussetzung mehr (GK-AktG/Mülbert Rn. 134; Grenze aber: Existenzvernichtung; → § 57 Rn. 39 sowie S/L/Langenbucher Rn. 71; verbleibender Schutz über § 309 II). Ebenso lässt sich zulässige Leistung aufgrund eines Gewinnabführungsvertrags nicht mehr auf Betrag der Gewinnabführung beschränken. Das war früher richtig (Pentz ZIP 2006, 781, 786), entspr. aber nicht mehr dem neuen Gesetzeswortlaut, nach dem Verbot der Einlagenrückgewähr bei Bestehen eines Beherrschungs- oder Gewinnabführungsvertrags generell außer Kraft gesetzt wird. Änderungen sind in der Sache teilw. fragwürdig, aber grds. hinzunehmen. Gläubigerschutz erfolgt über §§ 302, 303. Zur Anwendung bei Zweifeln an Vollwertigkeit dieses Anspruchs → § 57 Rn. 39. 36

2. Verhältnis zu § 76 I. Anders als §§ 57, 58, 60 wird § 76 I durch Beherrschungs- oder Gewinnabführungsvertrag nicht suspendiert. Vorstand bleibt vielmehr zu eigenverantwortlicher Leitung verpflichtet, soweit herrschendes Unternehmen von seiner aus § 308 folgenden Weisungsbefugnis keinen oder keinen rechtmäßigen Gebrauch macht. Wegen der Einzelheiten → § 308 Rn. 7, 12 ff., 15 ff., 20 ff. 37

VII. Steuerrechtliche Fragen

Steuerrechtl. Parallelbegriff zum Konzern ist **Organschaft** (ausf. zur Besteuerung in Organschaftsfällen Holding-HdB/Jesse § 14 Rn. 14.535 ff.). Historisch ist sie die ursprüngliche Figur, aus der Unternehmensverträge der §§ 291, 292 herausgewachsen sind (s. zB Schön ZHR 168 [2004], 629 ff.). Organschaft bezeichnet Rechtsverhältnis zwischen Organträger (herrschendem Unternehmen, Obergesellschaft) und Organgesellschaft (abhängiger Gesellschaft). Ihr Zweck ist **Konsolidierung von Ergebnissen und Umsätzen** der dem Organkreis angehörenden Unternehmen auf der Ebene des Organträgers. Dabei ist nach Tatbestand und Rechtsfolge zwischen der körperschaft-, der umsatz- und gewerbesteuerrechtl. Organschaft zu unterscheiden (zu den Einzelheiten vgl. GK-AktG/Mülbert Rn. 8 ff.; BeckOGK/Veil/Walla Rn. 18 ff.). Konsolidierung erfolgt bei Körperschaftsteuer gem. § 14 I 1 KStG durch Zurechnung des bei der Organgesellschaft als eigenem Steuerrechtsubjekt angefallenen Ergebnisses zum Organträger; das kann zu einer Senkung der effektiv zu tragenden Steuerlast führen (BeckOGK/Veil/Walla Rn. 19; Holding-HdB/Jesse § 14 Rn. 14.537). Bei Umsatz- und Gewerbesteuer werden Umsätze bzw. Erträge deshalb allein beim Organträger erfasst, weil Organgesellschaft nicht mehr eigenes Steuerrechtsubjekt ist 38

(Holding-HdB/Jesse § 14 Rn. 14.535; Schmidt/Müller/Stöcker, Die Organschaft, 2003, Rn. 470).

39 Traditionelle Elemente der Organschaft sind **Eingliederung** und **Ergebnisabführungsvertrag.** Steuerrechtl. Eingliederung ist aber nicht mit dem in §§ 319 ff. niedergelegten aktienrechtl. Institut identisch. Vielmehr sind in diesem Zusammenhang hinsichtlich der Eingliederung die finanzielle, wirtschaftliche und organisatorische Unterordnung der Organgesellschaft zu unterscheiden. **Finanzielle** Eingliederung erfordert Stimmen- (nicht auch: Kapital-)mehrheit, wobei mittelbare Beteiligung genügt (GK-AktG/Mülbert Rn. 12). **Wirtschaftliche** Eingliederung bedeutet Förderung der gewerblichen Tätigkeit des Organträgers im Rahmen eines Unterordnungsverhältnisses (unselbständige Betriebsabteilung). **Organisatorische** Eingliederung liegt vor, wenn Wille des Organträgers in Geschäftsleitung der Organgesellschaft tats. durchgesetzt wird. Anders als bis 2001 bedarf es seit **Neufassung des § 14 KStG durch SteuersenkungsG (StSenkG)** v. 23.10.2000 (BGBl. 2000 I 1433) für körperschaftsteuerliche Organschaft nur noch der finanziellen Eingliederung und des Ergebnisabführungsvertrags (speziell zu den steuerrechtl. Anforderungen Mühl/Wagenseil NZG 2009, 1253, 1255; Neumayer/Imschweiler GmbHR 2011, 57 ff.). Ergebnisabführungsvertrag wird dadurch in vielerlei Konstellationen wichtiger Baustein einer effizienten Konzerninnenfinanzierung (Nodoushani DStR 2017, 399), wird aber von Finanzverwaltung oft krit. hinterfragt, so dass steuerliche Gestaltung mit großer Sorgfalt erfolgen muss. Insbes. muss Vertrag Mindestlaufzeit von fünf Jahren haben, die nach hM des Steuerrechts nach Kalender-, nicht nach Wirtschaftsjahren zu bemessen ist, weshalb Rumpfgeschäftsjahre nicht mitgerechnet werden können (BFH NZG 2011, 596 Rn. 11 ff. mwN; s. dazu Olbing NZG 2011, 773 ff.). Steuerrechtl. Anerkennung scheitert aber nicht an der Umstellung des Wirtschaftsjahres in Gestalt einer Verkürzung des ersten Wirtschaftsjahres durch Bildung eines Rumpfgeschäftsjahres, solange feste Vertragslaufzeit davon unberührt bleibt (BFH NZG 2014, 558 Rn. 16 ff.; ausf. dazu Scheifele/Marx DStR 2014, 1793 ff.). In dieser Laufzeit muss Gewinnabführungsvertrag nach § 14 I 1 Nr. 3 KStG auch tats. durchgeführt worden sein. Dass Vertrag Kündigung aus wichtigem Grund gestattet, steht Annahme einer Organschaft nicht entgegen, doch muss wichtiger Grund steuerrechtl. Anforderungen genügen (ausf. Nodoushani DStR 2017, 399, 401 ff.; sa Boor RNotZ 2017, 65, 71 f.). Dafür reicht es nicht aus, dass Parteien Zweck der Konzernverrechnung erreicht haben (BFH NZG 2014, 558 Rn. 14 ff.; s. dazu Scheifele/Marx DStR 2014, 1793, 1798 ff.). Abw. von früherer Rechtslage ist für Organschaft nach § 14 KStG organisatorische Eingliederung in Gestalt eines Beherrschungsvertrags nicht mehr erforderlich (→ Rn. 24). Entspr. Grundsätze gelten für gewerbesteuerliche Organschaft nach § 2 II 2 GewStG, während umsatzsteuerliche Organschaft nach § 2 II 1 Nr. 2 UStG weiterhin finanzielle, wirtschaftliche und organisatorische Eingliederung voraussetzt. Zur unionsrechtl. Entwicklungen der Gruppenbesteuerung s. BeckOGK/Veil/Walla Rn. 27 f. mwN. Zur Fortdauer der Organschaft nach Erfüllung des Insolvenzverfahrens vgl. BFH AG 2014, 671 Rn. 27 ff.

Andere Unternehmensverträge

292 **(1) Unternehmensverträge sind ferner Verträge, durch die eine Aktiengesellschaft oder Kommanditgesellschaft auf Aktien**

1. sich verpflichtet, ihren Gewinn oder den Gewinn einzelner ihrer Betriebe ganz oder zum Teil mit dem Gewinn anderer Unternehmen oder einzelner Betriebe anderer Unternehmen zur Aufteilung eines

gemeinschaftlichen Gewinns zusammenzulegen (Gewinngemeinschaft),

2. sich verpflichtet, einen Teil ihres Gewinns oder den Gewinn einzelner ihrer Betriebe ganz oder zum Teil an einen anderen abzuführen (Teilgewinnabführungsvertrag),

3. den Betrieb ihres Unternehmens einem anderen verpachtet oder sonst überläßt (Betriebspachtvertrag, Betriebsüberlassungsvertrag).

(2) **Ein Vertrag über eine Gewinnbeteiligung mit Mitgliedern von Vorstand und Aufsichtsrat oder mit einzelnen Arbeitnehmern der Gesellschaft sowie eine Abrede über eine Gewinnbeteiligung im Rahmen von Verträgen des laufenden Geschäftsverkehrs oder Lizenzverträgen ist kein Teilgewinnabführungsvertrag.**

(3) [1] **Ein Betriebspacht- oder Betriebsüberlassungsvertrag und der Beschluß, durch den die Hauptversammlung dem Vertrag zugestimmt hat, sind nicht deshalb nichtig, weil der Vertrag gegen die §§ 57, 58 und 60 verstößt.** [2] **Satz 1 schließt die Anfechtung des Beschlusses wegen dieses Verstoßes nicht aus.**

Übersicht

I. Grundlagen

1 **1. Regelungsgegenstand und -zweck.** § 292 betr. „andere" Unternehmensverträge, nämlich solche, die nicht auf Beherrschung oder Gewinnabführung (§ 291) gerichtet sind. Norm ergänzt § 291 und dient wie diese Vorschrift (→ § 291 Rn. 1) dem rechtstechnischen Zweck **sprachlicher Vereinfachung** durch Einführung eines Sammelbegriffs, an den andere Bestimmungen (bes. §§ 293 ff.) anknüpfen. Unternehmensverträge iSd § 292 sind wie die des § 291 durch ihre unterschiedlichen Rechtsfolgen definiert; sie umfassen Gewinngemeinschaft (§ 292 I Nr. 1), Teilgewinnabführung (§ 292 I Nr. 2) sowie Betriebspacht und Betriebsüberlassung (§ 292 I Nr. 3). Zentrale Rechtsfolge der Zuordnung zu den Unternehmensverträgen liegt darin, dass ihr **Abschluss nicht allein in Kompetenz des Vorstands** liegt, sondern gem. § 293 der Zustimmung der HV bedarf (RegBegr. Kropff S. 378; vgl. zum Schutzzweck auch BGHZ 223, 13 Rn. 25 = NZG 2019, 1149). Damit wird namentl. ihre Gewinnverwendungszuständigkeit geschützt. § 292 II enthält Klarstellung zu § 292 I Nr. 2. § 292 III normiert Rechtsfolgen bei Verstößen gegen Kapitalbindungsregeln.

2 **2. Rechtsnatur der anderen Unternehmensverträge.** Während Beherrschungs- und Gewinnabführungsverträge Organisationsverträge sind (→ § 291 Rn. 17, 23), haben Vertragstypen des § 292 I **nach den Vorstellungen des Gesetzgebers nur schuldrechtl. Bedeutung.** RegBegr. Kropff S. 378 bezeichnet sie als „schuldrechtliche Verträge mit Austausch von Leistung und Gegenleistung" (so auch die hM, s. BGHZ 223, 13 Rn. 24 = BGH NZG 2019, 1149; MüKoAktG/Altmeppen Rn. 7; K. Schmidt ZGR 1984, 295, 304 f.; aA Adenauer, Betriebsführungsverträge und Unbundling, 2018, 260 ff. mwN; Adenauer NZG 2019, 361, 364 f.). Der hM ist grds. beizupflichten, weil Leitungszuständigkeit des Vorstands (§ 76 I) nicht überlagert und Kapitalbindung nicht wie nach § 291 III gelockert wird (s. § 292 III 2). Gleichwohl sind Vertragstypen des § 292 I von einschneidender wirtschaftlicher Bedeutung für AG oder KGaA (deshalb Geltung der §§ 293 ff.) und wesentliche Elemente faktischer Konzernierung. Im Fall des § 292 I Nr. 1 ist auch zu beachten, dass durch **Gewinngemeinschaft Innen-GbR** entsteht (§§ 705 ff. BGB), der Vertrag also unter diesem Aspekt nicht nur schuld-, sondern auch organisationsrechtl. Elemente enthält (→ Rn. 4 aE, 11).

II. Vertragstypen (§ 292 I)

3 **1. Vertragsparteien.** § 292 I unterscheidet zwischen dem verpflichteten Vertragsteil und dem anderen Vertragsteil (oder den anderen Vertragsteilen). **Verpflichteter Vertragsteil** muss AG oder KGaA mit deutschem Gesellschaftsstatut sein, weil nur Schutz solcher Gesellschaften vom deutschen Konzernrecht bezweckt ist (→ § 291 Rn. 5). Der **andere Vertragsteil** kann hingegen auch ausländischem Gesellschaftsstatut unterfallen (→ § 291 Rn. 8). IÜ ist zwischen Gewinngemeinschaft (§ 292 I Nr. 1) einerseits, Teilgewinnabführungsvertrag (§ 292 I Nr. 2), Betriebspacht und Betriebsüberlassung (§ 292 I Nr. 3) andererseits zu unterscheiden. Für **Gewinngemeinschaft** verlangt § 292 I Nr. 1 Unternehmenseigenschaft des anderen Vertragsteils. Begriff ist rechtsformneutral auszulegen (→ § 291 Rn. 8), bezeichnet also jeden (gewinnorientierten) Unternehmensträger (ebenso GK-AktG/Mülbert Rn. 30). Für die **anderen Vertragstypen** (§ 292 I Nr. 2 und 3) ist Unternehmenseigenschaft nicht vorausgesetzt. Anderer Vertragsteil kann also jedermann sein (MüKoAktG/Altmeppen Rn. 46, 95; GK-AktG/Mülbert Rn. 31 ff.; problematisierend KK-AktG/Kop-

pensteiner Rn. 5). Insbes. gilt § 292 I Nr. 2 und 3 nicht nur bei konzerninternen, sondern auch bei konzernexternen Verträgen, also dann, wenn §§ 17, 18 nicht eingreifen, bes. mangels Unternehmenseigenschaft des anderen Vertragsteils (→ Rn. 17).

2. Gewinngemeinschaft (Nr. 1). a) Allgemeines. Gewinngemeinschaft liegt nach § 292 I Nr. 1 vor, wenn Vertrag darauf gerichtet ist, Gewinn der AG oder KGaA mit dem Gewinn anderer Unternehmen zusammenzulegen und so entstandenen Gesamtgewinn (RegBegr. Kropff S. 378 f. spricht vom „gemeinschaftlichen Topf") nach bestimmtem Schlüssel wieder aufzuteilen. Gemeinsame Leitung wird vom Ges. nicht gefordert. Es können auch mehr als zwei Unternehmen beteiligt sein. Abrede muss nicht den ganzen Gewinn der Vertragsparteien erfassen. Es **genügt Zusammenfassung von Gewinnteilen,** auch von Gewinnen oder Gewinnteilen einzelner Betriebe. Vertragsmuster bei Happ/Liebscher KonzernR/UmwR 2.01 lit. a. Praktische Bedeutung ist wegen fehlender Eignung zur Organschaft iSd § 14 KStG gering (dazu GK-AktG/Mülbert Rn. 59). Gewinngemeinschaft ist notwendiger Anwendungsfall des § 15, weil alle Vertragspartner Unternehmenseigenschaft haben (→ Rn. 3). Ihrer Rechtsnatur nach ist Gewinngemeinschaft Innen-GbR (→ Rn. 2 aE; Walter BB 1995, 1876, 1877). 4

b) Abgrenzungsfragen: Gleichordnungskonzern. Abgrenzungsfragen können sich ggü. Gleichordnungskonzernen (§ 291 II) und ggü. der Gründung von Gemeinschaftsunternehmen ergeben. Gleichordnungskonzern und Gewinngemeinschaft werden häufig miteinander verbunden sein, um durch vereinheitlichte Leitung schon Gewinnerzielung zu maximieren, doch ist dies nicht zwingend. Wenn vertragstypische Zusammenfassung und Aufteilung von Gewinnen fehlen, unterliegt Gleichordnungskonzernvertrag nicht den § 292 I Nr. 1, §§ 293 ff. (KK-AktG/Koppensteiner Rn. 45; GK-AktG/Mülbert Rn. 75). 5

c) Abgrenzungsfragen: Gemeinschaftsgründungen. Für Gemeinschaftsgründungen (Teilfusionen; Vermögensvergemeinschaftungen) ist Diskussionsstand wenig gesichert. Eine Ansicht will Mitwirkung der HV durch unmittelbare oder analoge Anwendung des § 293 erreichen (Emmerich/Habersack/Emmerich Rn. 16; Lutter FS Barz, 1974, 199, 214 mit Vorbehalt einer Bagatellgrenze; Timm, Die AG als Konzernspitze, 1980, 158 ff.). BGH NJW 1982, 933, 936 (Hoesch/Hoogovens; insoweit nicht in BGHZ 82, 188) hat Frage ausdr. zugunsten des § 361 I aF (jetzt: § 179a I) offengelassen; abl. MüKoAktG/Altmeppen Rn. 23 ff.; KK-AktG/Koppensteiner Rn. 47; GK-AktG/Mülbert Rn. 76 ff. Allenfalls in Betracht zu ziehende analoge Anwendung des § 292 I Nr. 1 dürfte daran scheitern, dass in den Fusionsfällen erforderliche Leitungsgemeinschaft bei Gewinngemeinschaft gerade nicht besteht (→ Rn. 4). Angestrebte Anwendung des § 293 zeigt, dass Teilfusionslehre Vorläuferin der **Holzmüller-Doktrin** (→ § 119 Rn. 16 ff.) ist und sich mit dieser überlebt hat; insbes. lässt sich auch auf diese Weise kein generelles Erfordernis qualifizierter Mehrheit begründen, das BGH aber rechtsfortbildend bejaht (→ § 119 Rn. 29). 6

d) Gewinn. Gewinn iSd § 292 I Nr. 1 ist **nur periodisch ermittelter Gewinn,** nicht Gewinn aus Einzelgeschäften (MüKoAktG/Altmeppen Rn. 16; GK-AktG/Mülbert Rn. 64; BeckOGK/Veil/Walla Rn. 8; MHdB AG/Krieger § 73 Rn. 10). Gewinnzusammenfassungen, wie sie etwa in Arbeitsgemeinschaften der Baubranche oder Konsortien begegnen, fallen deshalb nicht unter § 292 I Nr. 1 (MüKoAktG/Altmeppen Rn. 16; Emmerich/Habersack/Emmerich Rn. 11; GK-AktG/Mülbert Rn. 64). Gewinngemeinschaft kann mit Verlustgemeinschaft zur Ergebnisgemeinschaft erweitert werden. Bedingungen des § 292 I Nr. 1 sind auch dann erfüllt, dagegen nicht mehr bei isolierter Verlustgemeinschaft (KK-AktG/Koppensteiner Rn. 36). 7

8 Erfordernis eines periodisch ermittelten Gewinns ist erfüllt, wenn Vertrag an **Bilanzgewinn oder Jahresüberschuss** anknüpft (allgM). In direkter (hM, vgl. zB MüKoAktG/Altmeppen Rn. 16) oder jedenfalls analoger Anwendung des § 292 I Nr. 1 (so KK-AktG/Koppensteiner Rn. 35 und Rn. 42) ist Gewinngemeinschaft auch dann gegeben, wenn **Rohertrag** zum Bezugspunkt genommen wird, bes. wenn Betriebsgewinne gepoolt werden (Führling, Sonstige Unternehmensverträge, 1993, 64). Anknüpfung an andere Positionen der GuV (zB Umsatzerlöse) wird für Teilgewinnabführungsverträge erörtert (MüKoAktG/Altmeppen Rn. 16, 57; K. Schmidt ZGR 1984, 295, 300 f.; Schulze-Osterloh ZGR 1974, 427, 440), müsste dann auch für Gewinngemeinschaft richtig sein, hat sich aber nicht durchgesetzt (KK-AktG/Koppensteiner Rn. 42 f.).

9 **e) Zusammenlegung und Aufteilung.** Vertrag muss darauf gerichtet sein, dass alle Partner (nicht nur einer oder einige) vertraglich definierten Gewinn (→ Rn. 7 f.) zwecks späterer Aufteilung zusammenlegen. Aufteilung bedeutet, dass jeder Vertragspartner die **freie Verfügungsgewalt über ihm zustehenden Gewinnanteil** erlangt. Andere Verwendung des zusammengelegten Gewinns, etwa Dividendengarantie zugunsten außenstehender Aktionäre, ist keine Aufteilung, entspr. Vertrag kein Unternehmensvertrag iSd § 292 I Nr. 1 (MüKoAktG/Altmeppen Rn. 20; BeckOGK/Veil/Walla Rn. 9; MHdB AG/Krieger § 73 Rn. 11). Nach mittlerweile hM gilt dies allerdings nicht bei Finanzierung gemeinsamer Investitionsvorhaben der vergemeinschafteten Unternehmen (Emmerich/Habersack/Emmerich Rn. 13; KK-AktG/Koppensteiner Rn. 38; GK-AktG/Mülbert Rn. 72 f.; S/L/Langenbucher Rn. 8; BeckOGK/Veil/Walla Rn. 10; aA MüKoAktG/Altmeppen Rn. 21 f.). Dem ist zuzustimmen, da auch auf diese Weise Gewinnbezugsrechte der Aktionäre in weitreichender Form ausgehöhlt werden könnte, was Beachtung des § 293 erforderlich macht.

10 Vertragspflicht zur Zusammenlegung muss „zur Aufteilung" des entstandenen Pools begründet werden. Vertrag muss daher einen **Verteilungsschlüssel** festlegen (Überblick bei Schubert/Küting Unternehmenszusammenschlüsse, 1981, 193 ff.). Sollte es daran fehlen, ist Vertrag mangels hinreichenden Konsenses der Beteiligten schon nicht zustande gekommen. Aus dem Schlüssel folgende Quotierung muss auch in dem Sinne angemessen sein, dass zwischen fiktivem eigenständigen Gewinn und Gewinnanteil weitgehende Parallelität, aber keine Deckungsgleichheit besteht. Gewinngemeinschaft dient gerade dazu, Gewinnerzielung auch bei volatiler Geschäftsentwicklung einzelner Beteiligter zu stabilisieren (Emmerich/Habersack/Emmerich Rn. 18; GK-AktG/Mülbert Rn. 74).

11 **f) Rechtsfolgen bei unangemessener Aufteilung.** Für Folgebeurteilung unangemessener Aufteilung kommt es darauf an, ob begünstigtes Unternehmen Aktionär der benachteiligten Gesellschaft ist oder nicht. Im ersten Fall greifen §§ 57, 58, 60 ein (arg. § 291 III, § 292 III). Nach neuerer Rspr. ist Vertrag nicht mehr wegen Gesetzesverstoßes nach § 134 BGB **nichtig** (→ § 57 Rn. 56 mwN; s. aus konzernrechtl. Sicht auch MHdB AG/Krieger § 73 Rn. 11; MüKoAktG/Altmeppen Rn. 30, 32; Grigoleit/Servatius Rn. 17; aA Emmerich/Habersack/Emmerich Rn. 19; GK-AktG/Mülbert Rn. 39; BeckOGK/Veil/Walla Rn. 12). Zustimmungsbeschluss der HV bleibt jedoch nach § 241 Nr. 3 nichtig (s. GK-AktG/Mülbert Rn. 39; MHdB AG/Krieger § 73 Rn. 13; aA MüKoAktG/Altmeppen Rn. 30 ff. [Anfechtung des Beschlusses, Vertragsanpassung]; Grigoleit/Servatius Rn. 17). **Rückabwicklung** vollzogener Gewinngemeinschaft erfolgt zugunsten der benachteiligten AG vorrangig durch bes. aktienrechtl. Rückgewähranspruch des § 62 (→ § 62 Rn. 12), iÜ nicht nach §§ 812 ff. BGB, sondern nach den Grundsätzen über die fehlerhafte Gesellschaft, weil Gewinngemeinschaft GbR darstellt (→ Rn. 2, 4) und mit der Zusammenlegung von Gewinnen in Vollzug gesetzt ist. Dass kein Organisationsvertrag iSd Konzern-

rechts vorliegt (→ Rn. 2), steht nicht entgegen. Im zweiten Fall besteht kein bes. aktienrechtl. Fehlertatbestand. Mitglieder des Vorstands und des AR können aber nach §§ 93, 116 schadensersatzpflichtig sein.

3. Teilgewinnabführungsvertrag (Nr. 2). a) Allgemeines. Teilgewinnabführungsvertrag ist dadurch gekennzeichnet, dass sich AG oder KGaA verpflichtet, einen **Teil ihres Gewinns oder den Gewinn einzelner ihrer Betriebe** ganz oder teilw. an einen anderen abzuführen (§ 292 I Nr. 2). Muster bei Happ/Liebscher KonzernR/UmwR 1.06 lit. a (für GmbH-KG). Anderer Vertragsteil kann, muss aber nicht Unternehmenseigenschaft haben (→ Rn. 3; KK-AktG/Koppensteiner Rn. 12; GK-AktG/Mülbert Rn. 31). Nur wenn er sie hat, liegen verbundene Unternehmen iSd § 15 vor. Unternehmensvertrag mit der gewollten Folge des § 293 ist in jedem Fall gegeben, um Zuständigkeit der HV für wirtschaftlich bedeutsame Verträge zu sichern (MüKoAktG/Altmeppen Rn. 46). Ausnahme macht § 292 II für bestimmte Gewinnbeteiligungen (→ Rn. 26 ff.). Praktische Bedeutung haben § 292 I Nr. 2, §§ 293 ff. nur für stille Beteiligungen an AG (→ Rn. 15); ansonsten sind Teilgewinnabführungsverträge wenig verbreitet, da sie nicht die körperschaftssteuerliche Organschaft nach § 14 KStG begründen. Zur scheinbaren Teilgewinnabführung als verschleiertem Gewinnabführungsvertrag → § 291 Rn. 29. 12

b) Abführung eines Teilgewinns. Vertrag muss Teilgewinn des Unternehmens zum Gegenstand haben. Teilgewinn des Unternehmens ist auch der ganze Gewinn eines von wenigstens zwei Betrieben der Gesellschaft. Es genügt jeder Betrag. § 292 I Nr. 2 kennt also **keine Bagatellgrenze,** reicht aber andererseits **bis an die Schwelle des ganzen Gewinns** iSd § 291 I 1 Fall 2 (→ § 291 Rn. 29). Dass der Gesellschaft ein Mindestgewinn in bestimmter Höhe verbleiben muss, wenn nicht § 291 I 1 Fall 2 eingreifen soll (so noch Geßler/Hefermehl/Geßler Rn. 33), ist nicht begründbar (heute allgM, s. OLG Zweibrücken NZG 2015, 319, 320; MüKoAktG/Altmeppen Rn. 50 f.; BeckOGK/Veil/Walla Rn. 19; MHdB AG/Krieger § 73 Rn. 15). Sieht Vertrag angemessene Gegenleistung vor, wird der erforderliche Schutz bei Teilgewinnabführungsverträgen gewährt (MHdB AG/Krieger § 73 Rn. 15). Auch für § 292 I Nr. 2 muss es sich um Abführung **periodisch ermittelten Gewinns** handeln (→ Rn. 7 f.; KK-AktG/Koppensteiner Rn. 55; GK-AktG/Mülbert Rn. 86; Führling, Sonstige Unternehmensverträge, 1993, 65 f.). So liegt es jedenfalls, wenn an Bilanzgewinn oder Jahresüberschuss angeknüpft wird. Dafür genügt es aber nicht, dass das eine oder das andere nur der vertraglichen Anspruchsbegrenzung dient (Besserungsabrede, s. OLG München NZG 2009, 38, 39). Zu anderen Positionen der GuV → Rn. 8 aE. Kein Gewinn und folglich auch kein Teilgewinn sind Zinsen, die AG zusagt, auch nicht bei atypischer Zinsabrede (35 % auf das investierte Kapital nach Ablauf von fünf sog Beteiligungsjahren; s. BayObLG AG 2001, 424; Emmerich/Habersack/Emmerich Rn. 26; GK-AktG/Mülbert Rn. 86; aA für jährliche Mindestverzinsung OLG Hamburg NZG 2003, 435, 437; Apfelbacher FS Hoffmann-Becking, 2013, 13, 16 f. zum Spezialfall der stillen Beteiligung [→ Rn. 15]). Zu Gewinnbeteiligungen von Vorstand, AR oder AN → Rn. 27. 13

Vorbehaltlich des § 292 II genügt für § 292 I Nr. 2 jede Abführung von Teilgewinn an einen anderen, gleichgültig, ob **entgeltlich oder unentgeltlich;** auch auf Angemessenheit des Entgelts kommt es insoweit nach klarem Wortlaut nicht an (hM, s. BGHZ 223, 13 Rn. 15 = NZG 2019, 1149; BGH NZG 2019, 1177 Rn. 21; KG AG 2000, 183, 184; Hölters/Weber/Deilmann Rn. 17; KK-AktG/Koppensteiner Rn. 49; S/L/Langenbucher Rn. 18 f.; GK-AktG/Mülbert Rn. 83; MHdB AG/Krieger § 73 Rn. 17; Lieder/Wernert NZG 2020, 361, 362; aA MüKoAktG/Altmeppen Rn. 74 ff.; Emmerich/Habersack/Emmerich Rn. 27; BeckOGK/Veil/Walla Rn. 20 f.). Das bedeutet nicht, dass diese Ge- 14 sichtspunkte ohne Belang wären. Sie spielen aber erst bei Frage nach Gültigkeit des Teilgewinnabführungsvertrags eine Rolle (→ Rn. 16).

15 **c) Insbesondere: stille Beteiligung an Aktiengesellschaft.** Stille Gesellschaft ist nach §§ 230, 231 HGB dadurch gekennzeichnet, dass sich der Stille am Handelsgewerbe des Geschäftsinhabers mit einer in dessen Vermögen übergehenden Einlage beteiligt und dafür zwingend einen Anteil am periodisch ermittelten Gewinn (dispositiv: Anteil am Verlust) erhält. Wenn AG das Handelsgewerbe betreibt (vgl. dazu § 6 HGB, § 3 I), liegt grds. (Ausnahme → Rn. 27) **Teilgewinnabführungsvertrag** mit der Folge vor, dass Zustimmung der HV (§ 293) und Eintragung in das HR (§ 294) Wirksamkeitsvoraussetzungen sind (ganz hM, s. BGHZ 156, 38, 43 = NJW 2003, 3412; BGH AG 2006, 546 Rn. 20; 2013, 92 Rn. 26; OLG Braunschweig AG 2003, 686 f.; OLG Celle AG 2000, 280; OLG Hamburg AG 2011, 339, 341; OLG Hamm AG 2003, 520, 521; OLG Stuttgart NZG 2000, 93, 94; LG München I ZIP 2010, 522, 523; MüKoAktG/Altmeppen Rn. 65; K. Schmidt ZGR 1984, 295, 297 ff.). Das gilt **auch bei atypischer stiller Beteiligung,** also bei Geschäftsführungsbefugnissen des stillen Gesellschafters; denn Pflicht zur Abführung eines Teilgewinns besteht auch dann (OLG Braunschweig AG 2003, 686 f.; MüKoAktG/Altmeppen Rn. 66; GK-AktG/Mülbert Rn. 95; aA insoweit Schulze-Osterloh ZGR 1974, 427, 447 ff.). Ausnahme gilt für Beteiligung des Finanzmarktstabilisierungsfonds, des Wirtschaftsstabilisierungsfonds oder, wegen Verweis in § 29 II 1 Nr. 9 EnSiG, des Bundes als stiller Gesellschafter nach § 10 I 1 WStBG (vgl. dazu Apfelbacher FS Hoffmann-Becking, 2013, 13, 19 ff.; ausf. Becker/Heyder/Paudtke/Heyder/Stautner WStBG § 10 Rn. 5 ff.). Auch für stille Beteiligung gilt, dass feste Verzinsung der Beteiligung nicht unter § 292 I Nr. 2 fällt (→ Rn. 13). Bei mehreren stillen Beteiligungen darf Gesamtpaket jedenfalls dann einheitlich zur Abstimmung gestellt werden, wenn sie sachlich eng zusammenhängen (LG Berlin AG 2001, 95, 96). Stille Beteiligung kann isolierter vertraglicher Beherrschung nachfolgen. Umstr. ist, ob solche Kombination auch mit Gewinnabführungsvertrag möglich ist. ZT wird diese Frage verneint, da Abführung des ganzen Gewinns (→ § 291 Rn. 23, 26) für nochmalige Teilgewinnabführung keinen Raum lasse (Berninger DB 2004, 297, 298 f.). Heute hM lässt auch diese Gestaltung zu Recht zu, da Gewinnbeteiligung des stillen Gesellschafters die der Gewinnabführung vorgelagerte Ebene der Gewinnermittlung betr., so dass Kollisionslage tats. nicht besteht (überzeugend Priester FS Raupach, 2006, 391, 395 ff.; zust. MüKoAktG/Altmeppen Rn. 65 Fn. 104; MüKoHGB/K. Schmidt HGB § 230 Rn. 116; Hageböke Konzern 2013, 334, 343 mwN; Schmich GmbHR 2008, 464, 465). Kein Teilgewinnabführungsvertrag ist Besserungsabrede, die anlässlich einer Tilgungsaussetzung getroffen wird; denn spätere Zahlungen sind auch bei Gewinnabhängigkeit Tilgung, nicht Gewinnabführung (OLG München AG 2009, 372, 373).

16 **d) Rechtsfolgen bei fehlender oder unangemessener Gegenleistung.** Unentgeltlichkeit oder unangemessen niedrige Gegenleistung ändern nach hM nichts an Subsumtion des Vertrags unter § 292 I Nr. 2 (→ Rn. 14). Das eine wie das andere führt, wenn ein Aktionär der Gesellschaft Vertragspartner ist, nicht zur **Nichtigkeit** des Vertrags nach § 134 BGB, jedoch des Zustimmungsbeschlusses der HV nach § 241 Nr. 3, weil gegen §§ 57, 58, 60 verstoßen wird (→ Rn. 11; ausf. mwN → § 57 Rn. 56; sa MHdB AG/Krieger § 73 Rn. 23; aA Emmerich/Habersack/Emmerich Rn. 27a; BeckOGK/Veil/Walla Rn. 22). Maßgeblicher Zeitpunkt für Beurteilung der Angemessenheit einer Gegenleistung ist der des Vertragsschlusses (KK-AktG/Koppensteiner Rn. 74; MHdB AG/Krieger § 73 Rn. 23). Sie muss der AG geschuldet werden, so dass Ausgleichszahlungen nach § 304 außer Ansatz zu bleiben haben (KK-AktG/Koppensteiner Rn. 71). Ver-

botswidrig erbrachte Leistungen der Gesellschaft unterliegen dem bes. aktienrechtl. **Rückgewähranspruch des § 62** (Emmerich/Habersack/Emmerich Rn. 27a); anderer Vertragsteil ist auf §§ 812 ff. BGB beschränkt (hier Austauschvertrag, nicht GbR wie im Fall der Gewinngemeinschaft [→ Rn. 11]). Wenn Vertragspartner nicht Aktionär ist, wird Vorstand keinen Anlass sehen, etwas zu verschenken; iÜ greifen §§ 93, 116 ein, uU auch § 243 I oder II. Wird Angemessenheit umgekehrt von Seiten der AG nach Vertragsschluss dadurch gefährdet, dass betriebsnotwendiges Vermögen veräußert wird, kann darin trotzdem zumindest dann keine den Vorwurf der Sittenwidrigkeit begründende Verletzung einer Leistungstreuepflicht gesehen werden, wenn Gegenleistung ihrerseits angemessen war und für die Erwirtschaftung von Gewinnen eingesetzt werden soll (BGH NZG 2019, 1177 Rn. 28).

4. Betriebspacht; Betriebsüberlassung (Nr. 3). a) Allgemeines. Unternehmensverträge sind gem. § 292 I Nr. 3 schließlich auch Betriebspacht- und Betriebsüberlassungsvertrag sowie nach hM (→ Rn. 20) Betriebsführungsvertrag (Übersicht bei Fenzl, Betriebspacht-, Betriebsüberlassungs- und Betriebsführungsverträge, 2007, Rn. 18 ff.). § 15 ist erfüllt, wenn der andere Vertragsteil **Unternehmenseigenschaft** hat. Das ist durchweg, aber nicht notwendig der Fall (→ Rn. 3 aE). Für Pächter wird Unternehmenseigenschaft vielfach aus Kaufmannseigenschaft abgeleitet (s. zB Maser, Betriebspacht- und Betriebsüberlassungsverhältnisse, 1985, 44 f.; ähnlich MüKoAktG/Altmeppen Rn. 95). Auch insoweit gilt jedoch, dass Unternehmenseigenschaft des Pächters anhand der in → § 15 Rn. 10 ff. dargelegten Grundsätze zu ermitteln ist (GK-AktG/Mülbert Rn. 32). Regelfall des § 292 I Nr. 3 sind konzerninterne Verträge zur Intensivierung der Konzernleitung (GK-AktG/Mülbert Rn. 115 f.), doch gilt Norm auch für konzernexterne Verträge (hM → Rn. 3 aE; MüKoAktG/Altmeppen Rn. 96; eingehend Mimberg, Konzernexterne Betriebspachtverträge, 2000, 77 ff.; Fleck JbFSt 1982/83, 429, 433, 442 f.; teilw. aA U. H. Schneider JbFSt 1982/83, 387, 408), die namentl. in Gestalt von Pacht und Überlassung zT als substanzerhaltende Alternative zum Unternehmensverkauf eingesetzt werden (GK-AktG/Mülbert Rn. 115). Zur analogen Anwendung des § 292 I Nr. 3 (und des § 293 I 1) bei Verpachtung des KG- oder GmbH-Unternehmens s. OLG Hamburg AG 2001, 91, 92; LG Berlin AG 1992, 91, 92 f.; Fleck JbFSt 1982/83, 429, 433 f. (satzungsändernder Beschluss der Verpächterin erforderlich, Vertrag aber auch ohne Beschluss wirksam). Zur Einordnung als Betriebsübergang iSd § 613a BGB im Lichte der Anforderungen des BAG (NJW 2003, 3581, 3582 f.) vgl. LAG Baden-Württemberg AG 2016, 754 ff. 17

b) Untertypen. Betriebspacht ist **iSd §§ 581 ff. BGB** zu verstehen. Nach zutr. hM folgt daraus, dass es sich um entgeltlichen Vertrag handeln muss (MüKoAktG/Altmeppen Rn. 110; GK-AktG/Mülbert Rn. 126; aA KK-AktG/Koppensteiner Rn. 77). Mit „Betrieb ihres Unternehmens" meint Ges., dass AG oder KGaA Führung ihrer sämtlichen Betriebe dem Pächter überlassen muss, also ihre bisherige operative Tätigkeit vollständig zu seinen Gunsten aufgibt (LAG Baden-Württemberg AG 2016, 754; MüKoAktG/Altmeppen Rn. 97; GK-AktG/Mülbert Rn. 120; Fenzl Konzern 2006, 18, 21 f.; Illert/König NZG 2021, 367 ff.; Mimberg, Konzernexterne Betriebspachtverträge, 2000, 20 ff., 23). Gegenauffassung, die auch bloße Teilpachtverträge den §§ 291 ff. unterstellen will (Grigoleit/Servatius Rn. 37; Adenauer, Betriebsführungsverträge und Unbundling, 2018, 275 ff.), findet im Wortlaut keine Grundlage, obwohl in § 291 I 1, § 292 I Nr. 2 zwischen Gewinn- und Teilgewinnabführungsverträgen und in § 292 I zwischen Gewinn und Gewinn einzelner Betriebe unterschieden wird (Illert/König NZG 2021, 367, 368). Andere Sichtweise würde zu kaum trennscharf handhabbaren Abgrenzungsschwierigkeiten führen (Illert/König NZG 18

2021, 367, 368). Werden allerdings nur einzelne unbedeutende Betriebsteile ausgespart, ist Gesetzesumgehung in Betracht zu ziehen (MüKoAktG/Altmeppen Rn. 97; GK-AktG/Mülbert Rn. 121). Pächter führt Unternehmen im eigenen Namen und auf eigene Rechnung. Vertragsmuster bei Happ/Bednarz KonzernR/UmwR 3.01 lit. a, 3.02 lit. a. Überblick zum Vertragsschluss bei Nelißen BB 2007, 786 f. Vertragspflichten richten sich nach (idR detaillierter) Parteiabsprache; subsidiär kommen §§ 581 ff. BGB zur Anwendung (ausf. U. H. Schneider JbFSt 1982/83, 387, 394 ff.). §§ 300, 301 sind nicht anwendbar; es gilt allein § 302 II (→ § 302 Rn. 20 ff.). Betriebspacht begründet Betriebsübergang nach § 613a BGB (LAG Baden-Württemberg AG 2016, 754).

19 **Betriebsüberlassung** findet in den Vertragstypen des BGB keine Entsprechung. Sie ist idR dadurch gekennzeichnet, dass Betriebe der Gesellschaft von dem anderen Vertragsteil nicht wie bei Pacht im eigenen, sondern im Namen der AG oder KGaA geführt werden. Übernehmer wird jedoch wie bei Pacht **für eigene Rechnung** tätig, was zur Folge hat, dass Eigentümergesellschaft – auch hier vorbehaltlich abweichender privatautonomer Regelungen – entspr. § 667 BGB zur Abführung des Geschäftsergebnisses an Übernehmer verpflichtet ist, dieser seinerseits Aufwendungsersatz nach § 670 BGB leisten muss (GK-AktG/Mülbert Rn. 124 f.). Damit Übernehmer im Namen der Gesellschaft handeln kann, muss diese ihm Vollmacht erteilen. In Frage kommen Prokura (§ 48 HGB) oder Generalhandlungsvollmacht (§ 54 HGB). Zur Problematik unwiderruflicher Generalvollmacht s. einerseits BGH NJW 1982, 1817 (Holiday Inn), andererseits Huber ZHR 152 (1988), 1, 16 ff. mwN (in Analyse und Ergebnis zutr.). Bestehende Vertragsverhältnisse müssen durch dreiseitige Vereinbarung übernommen werden (alternativ: interne Erfüllungsübernahme). Da Betrieb nicht im eigenen Namen geführt wird, findet kein Betriebsübergang nach § 613a BGB statt (LAG Baden-Württemberg AG 2016, 754; aA GK-AktG/Mülbert Rn. 133). Der Betriebsüberlassung ist ferner die unentgeltliche pachtartige Überlassung zuzuordnen, die nicht unter § 581 BGB subsumiert werden kann (→ Rn. 18). Betriebsüberlassung hat also Auffangfunktion, da sie auch unentgeltlich erfolgen kann (zu der dann regelmäßig eintretenden Folge der Unangemessenheit → Rn. 25). Vertragsmuster bei Happ/Bednarz KonzernR/UmwR 3.03 lit. a.

20 **Betriebsführungsvertrag** ist dadurch gekennzeichnet, dass der andere Vertragsteil – anders als bei Betriebspacht und -überlassung – **Betriebe der Gesellschaft für deren Rechnung** führt, wobei er (ebenfalls anders als bei Pacht) idR auch in deren Namen tätig wird (sonst: „unechter" Betriebsführungsvertrag). Bsp.: BGH NJW 1982, 1817 (Holiday Inn); Vertragsmuster bei Happ/Bednarz KonzernR/UmwR 3.04 lit. a. Vertragliche Beschränkung auf einzelne Betriebssparten (Produktion, EDV) wird hier anerkannt (Priester FS Hommelhoff, 2012, 875, 876 f.). Konzernextern können Betriebsführungsverträge dem Einkauf von Managementleistung, konzernintern der stärkeren Konzentration, aber auch gegenläufig der Bildung einer dezentralen Spartenorganisation dienen (Winter/Theisen AG 2011, 662, 663 f.). In neuerer Zeit begegnen auch vermehrt Verträge, die darauf abzielen, Arbeitskräftebedarf und Personaleinsatz flexibel zu gestalten, ohne dabei strengen arbeitsrechtl. Bindungen zu unterliegen (vgl. Ginal/Raif GWR 2017, 131 ff.). Betriebsführungsvertrag ist in § 293 I Nr. 3 nicht erwähnt und da AG damit – anders als bei Pacht und Überlassung – auch nicht zu reiner „Rentnergesellschaft" wird (KK-AktG/Koppensteiner Rn. 80), ist str., ob **§ 293 anwendbar** ist. HM bejaht diese Frage zu Recht in analoger Anwendung des § 292 I Nr. 3, wenn Betriebsführung vollständig übertragen wird; mit uneingeschränkter Überlassung der Betriebsführung geht schwerer Eingriff in Organisationsverfassung einher, der von HV gestattet werden muss (MüKoAktG/Altmeppen Rn. 150; KK-AktG/Koppensteiner Rn. 79 f.; Priester FS Hommelhoff, 2012, 875, 880 ff.; aA GK-AktG/Mülbert Rn. 155 ff.; Fenzl

Konzern 2006, 18, 27 ff.; Winter/Theisen AG 2011, 662, 665 ff.: rein schuldrechtl. Vertrag). Wie bei Betriebsüberlassung (→ Rn. 19) ist beim echten Betriebsführungsvertrag **Vollmacht** erforderlich, damit Betriebsführer im Namen der Gesellschaft tätig werden kann. Da Betriebsführer auf fremde Rechnung handelt, liegt Auftrag iSd § 662 BGB bzw. (bei Entgeltlichkeit) Geschäftsbesorgungsvertrag nach § 675 BGB vor; auftragsrechtl. Regelungsregime wird zumeist durch spezielle Parteiabrede verdrängt und kommt nur subsidiär zur Anwendung (GK-AktG/Mülbert Rn. 145 ff.; steuerliche Vorgaben: Winter/Theisen AG 2011, 662, 664 f.). Dabei wird idR auch ges. Weisungsbefugnis (§ 665 BGB) modifiziert; bei zu weitgehender Beschneidung kann Zulässigkeit aber im Lichte des § 76 zweifelhaft sein (ausf. dazu → § 76 Rn. 124 ff.; sa MüKoAktG/Altmeppen Rn. 156; GK-AktG/Kort § 76 Rn. 200 f.; GK-AktG/Mülbert Rn. 152 ff.; Fleischer FS Schwark, 2009, 137, 150; Priester FS Hommelhoff, 2012, 875, 877 f.: keine unwiderrufliche Generalvollmacht). § 613a BGB ist auf unechten, nicht aber auf echten Betriebsführungsvertrag anwendbar (LAG Baden-Württemberg AG 2016, 754, 755; zur zweiten Aussage sa LAG Berlin-Brandenburg BeckRS 2016, 70093 Rn. 32 ff.).

c) Kombinierte Unternehmensverträge. Betriebspacht-, Betriebsüberlassungs- und Betriebsführungsverträge begegnen nicht nur isoliert, sondern treten auch iVm Unternehmensverträgen iSd § 291, bes. mit Beherrschungsverträgen, auf. Solche Kombination ist zulässig (allgM, s. MüKoAktG/Altmeppen Rn. 141 ff.; Emmerich/Habersack/Emmerich Rn. 45; GK-AktG/Mülbert Rn. 167; Happ/Bednarz KonzernR/UmwR 3.01). **Wirksamkeitsvoraussetzungen der §§ 293–294 müssen gesondert eingehalten werden** (KK-AktG/Koppensteiner Rn. 87 ff.; Priester FS Hommelhoff, 2012, 875, 887 f.), und zwar insbes. auch dann, wenn erst Beherrschungs- und anschließend Pachtvertrag (oder Überlassungsvertrag) geschlossen wird (MüKoAktG/Altmeppen Rn. 142). Zustimmung der HV muss also beide Elemente abdecken, beide Verträge bedürfen der Eintragung in das HR. Problematisch ist in diesen Fällen vor allem, ob aus § 308 folgende Grenzen der Leitungsmacht durch Bevollmächtigung des herrschenden Unternehmens überwunden werden können; wohl bejahend MüKoAktG/Altmeppen Rn. 141; MHdB AG/Krieger § 73 Rn. 45; verneinend KK-AktG/Koppensteiner Rn. 87; ausführlich Huber ZHR 152 (1988), 123, 129 ff. Zur Kombination mit Gewinnabführungsvertrag s. GK-AktG/Mülbert Rn. 169. 21

d) Abgrenzungsfragen: sonstige Austauschbeziehungen. Die Gesellschaft und ihr Unternehmen können durch **Liefer- und Kreditverträge** vom Vertragspartner wirtschaftlich abhängig werden, etwa durch längerfristige Exklusivbindungen. Solche Verträge **fallen nicht unter § 292 I** und können auch nicht durch seine analoge Anwendung den §§ 293, 294 unterworfen werden (GK-AktG/Mülbert Rn. 139; MHdB AG/Krieger § 73 Rn. 27; aA Martens, Die existentielle Wirtschaftsabhängigkeit, 1979, 23, 31 ff.; in Einzelaspekten auch BeckOGK/Veil/Walla Rn. 60 ff.). Ungeschriebene HV-Zuständigkeit für Sachverhalte, die zwar wirtschaftlich gewichtig, aber nicht einmal (Ausgliederung auf Tochterunternehmen) gesellschaftsrechtl. unterlegt sind, kann es ohne tatbestandlich ausgeprägte Voraussetzungen nicht geben. 22

e) Abgrenzungsfragen: Beherrschungs- und Gewinnabführungsverträge. Verträge iSd § 292 I und hier insbes. die Betriebspacht-, Betriebsüberlassungs- und Betriebsführungsverträge des § 292 I Nr. 3 können bei Abhängigkeit der Gesellschaft vom anderen Vertragsteil einen für Unternehmensverträge iSd § 291 charakteristischen Inhalt annehmen. Insbes. ist denkbar, dass sich abhängige Gesellschaft der Sache nach der Leitung des anderen Vertragsteils unterstellt (→ § 291 Rn. 10 f.). Einordnung dieser Fälle ist str. Nicht durchgesetzt hat sich 23

Annahme, es sei schon als Gewinnabführungsvertrag zu bewerten, wenn Vertrag aufgrund fehlender Ausgewogenheit dazu führt, dass bei abhängiger Gesellschaft kein Gewinn entsteht (Oesterreich, Die Betriebsüberlassung, 1979, 138 f.; zu Recht abl. KK-AktG/Koppensteiner § 291 Rn. 91; GK-AktG/Mülbert § 291 Rn. 169; zu den davon abzugrenzenden Fällen verschleierter Gewinnabführung → § 291 Rn. 29).

24 IÜ ist Schrifttum gespalten. Teilw. wird angenommen, **Betriebsführungsvertrag mit abhängiger Eigentümergesellschaft** sei per se (Huber ZHR 152 [1988], 123, 140) oder wenigstens idR verschleierter Beherrschungsvertrag. Andere stellen dagegen darauf ab, ob betriebsführendes Unternehmen im Einzelfall vertragliche Einflussmöglichkeiten hat, die dem Weisungsrecht des § 308 entspr. (MüKoAktG/Altmeppen Rn. 167 ff.; KK-AktG/Koppensteiner § 291 Rn. 40; GK-AktG/Mülbert Rn. 159 ff.; MHdB AG/Krieger § 73 Rn. 42, 57; Priester FS Hommelhoff, 2012, 875, 885 f.). Der letztgenannten Auffassung ist zuzustimmen, weil § 302 II belegt, dass Betriebspacht und -überlassung durch Abhängigkeit nicht schon zum Beherrschungsvertrag werden und für Betriebsführung nichts anderes gelten kann (MHdB AG/Krieger § 72 Rn. 57). Liegen entspr. intensive Einflussmöglichkeiten vor, bedarf es bes. Kategorie eines atypischen Beherrschungsvertrags nicht (→ § 291 Rn. 14). Mangelnde Bezeichnung als Beherrschungsvertrag steht nach richtiger Ansicht nicht entgegen (→ § 291 Rn. 12 f.). Fraglich bleibt allerdings, ob damit praktisch viel gewonnen ist; vielfach wird Beherrschungsvertrag unwirksam sein, weil Zustimmung der HV (§ 293) Beherrschungssachverhalt nicht abdeckt (→ Rn. 21), oder nach § 304 III 1 nichtig, weil Ausgleichsregelung fehlt (GK-AktG/Mülbert Rn. 162).

25 **f) Rechtsfolgen fehlender oder unangemessener Gegenleistung.** Betriebspacht-, Betriebsüberlassungs- und Betriebsführungsverträge müssen der Gesellschaft eine angemessene Gegenleistung gewähren, die in Ermangelung eines Marktpreises idR auf Grundlage des Ertragswertes zu schätzen ist (GK-AktG/Mülbert Rn. 128 ff.; aA Hölters/Weber/Deilmann Rn. 30). Erforderlich ist, dass **Ertragswert des Unternehmens langfristig erhalten** bleibt (KK-AktG/Koppensteiner Rn. 101; MHdB AG/Krieger § 73 Rn. 36). Verträge iSd § 292 I Nr. 3, die mit Aktionären geschlossen werden, und entspr. HV-Beschlüsse sind kraft der Sonderregelung in § 292 III nicht wegen Verstoßes gegen §§ 57, 58, 60 nichtig, wenn Gegenleistung hinter dem erforderlichen Maß zurückbleibt. Wegen der Einzelheiten → Rn. 29 ff.

III. Besondere Gewinnbeteiligungen (§ 292 II)

26 **1. Allgemeines.** § 292 II knüpft an § 292 I Nr. 2 an und umschreibt bes. Gewinnbeteiligungen, um sie von dem nach § 292 I Nr. 2, § 293 sonst begründeten Erfordernis eines zustimmenden HV-Beschlusses auszunehmen. Ges. will **im Interesse der Praktikabilität erforderliche Ausnahmen** nicht quantitativ (→ Rn. 13), sondern qualitativ bestimmen (KG AG 2000, 183, 184; OLG Stuttgart AG 2011, 93, 95; RegBegr. Kropff S. 379). Regelung ist abschließend. Daher verbietet sich extensive oder analoge Anwendung (K. Schmidt ZGR 1984, 295, 302) mit dem Ziel, weitere Gestaltungen, etwa unbedeutende stille Beteiligungen anderer als der in § 292 II angesprochenen Personen oder Dividendengarantien nach § 304 II 2, aus den Teilgewinnabführungsverträgen herauszunehmen.

27 **2. Personenbezogene Ausnahmen von § 292 I Nr. 2.** Den für Teilgewinnabführungsverträge geltenden Regeln unterliegen nicht Verträge, die mit Mitgliedern des Vorstands oder des AR oder mit einzelnen AN der Gesellschaft über eine Gewinnbeteiligung geschlossen werden. Dabei geht es vor allem um

die Vereinbarung variabler Vergütungsbestandteile (OLG Stuttgart AG 2011, 93, 95) wie zB Tantiemen. **Gewinnbeteiligung von AN** muss sich auf einzelne von ihnen beziehen. Betriebsvereinbarungen zugunsten der Belegschaft oder nach generellen Kriterien umschriebenen Belegschaftsgruppen fallen nicht unter den Befreiungstatbestand (allgM, s. MüKoAktG/Altmeppen Rn. 79; GK-AktG/Mülbert Rn. 108). Stets muss es sich aber um Gewinnbeteiligung ieS handeln. Dagegen kann nicht jede Leistung der AG, die sich vermögenswirksam auswirkt, unter § 292 I Nr. 2 gefasst werden, da ansonsten Grenzlinie zu Vorstandskompetenzen verwischt würde (sa MüKoAktG/Altmeppen Rn. 57). Aus diesem Grund sind **Bonuszahlungen,** die aufgrund zuvor festgelegter Parameter mit dem Erfolg der AG verknüpft werden, nicht als Teilgewinnabführung in diesem Sinne anzusehen (aA Ekkenga AG 2017, 89, 92 ff.: Umkehrschluss aus § 292 II). Auf Stock Appreciation Rights oder Phantom Stocks findet Norm ebenfalls keine Anwendung (→ § 87 Rn. 42). Als Teilgewinnabführungsvertrag ist es auch nicht zu behandeln, wenn Organmitgliedern oder einzelnen AN iR von stillen Beteiligungen an AG (→ Rn. 15) Gewinnanteile zugesagt werden (KK-AktG/Koppensteiner Rn. 64; MHdB AG/Krieger § 73 Rn. 19; K. Schmidt ZGR 1984, 295, 301).

28 **3. Gegenstandsbezogene Ausnahmen von § 292 I Nr. 2.** Nicht unter § 292 I Nr. 2 zu subsumieren sind ferner Abreden über eine Gewinnbeteiligung iR von Verträgen des laufenden Geschäftsverkehrs oder von Lizenzverträgen. Ob ein **Vertrag des laufenden Geschäftsverkehrs** vorliegt, ist nach Maßgabe des § 116 II HGB zu bestimmen (allgM, vgl. zB MüKoAktG/Altmeppen Rn. 80; GK-AktG/Mülbert Rn. 110); erforderlich ist also konkrete, auf Geschäftsbetrieb gerade dieser Gesellschaft abstellende Beurteilung (s. dazu KG AG 2000, 183, 185: Anmietung eines Hotelgrundstücks durch Hotelbetriebsgesellschaft). Aufnahme eines stillen Gesellschafters gehört nicht zum gewöhnlichen Geschäftsbetrieb (allgM, s. KK-AktG/Koppensteiner Rn. 64; K. Schmidt ZGR 1984, 295, 301 ff.; Semler FS Werner, 1984, 855, 861). Begriff des **Lizenzvertrags** ist weit zu fassen. Know how-Verträge genügen, auch Verwertung von Erfindungen (MüKoAktG/Altmeppen Rn. 82; GK-AktG/Mülbert Rn. 111).

IV. Verletzung von Kapitalbindungsregeln bei Verträgen im Sinne des § 292 I Nr. 3 (§ 292 III)

29 **1. Allgemeines.** § 292 III betr. unmittelbar Betriebspacht- und Betriebsüberlassungsverträge einschließlich der Betriebsführungsverträge, also Fälle des § 292 I Nr. 3, und zugehörige HV-Beschlüsse. Nach neuerer Rspr. sind Verträge bei Verstoß gegen §§ 57, 58, 60 nach § 134 BGB nicht mehr nichtig (ausf. → § 57 Rn. 56; sa MüKoAktG/Altmeppen Rn. 115 ff.). Auch **§ 292 III 1 schließt Nichtigkeitsfolge aus,** weil Rückabwicklung von tats. durchgeführten Betriebspacht- oder Betriebsüberlassungsverträgen praktisch mit erheblichen Schwierigkeiten verbunden ist, soweit überhaupt möglich (RegBegr. Kropff S. 379). Zulässig bleibt Anfechtung (§ 292 III 2). Insoweit vertraut Ges. auf Kürze der Monatsfrist (§ 246 I) und Warnfunktion der erhobenen Anfechtungsklage. Mittelbar ergibt sich aus § 292 III, dass es für Gewinngemeinschaft und Teilgewinnabführungsvertrag bei allg. Grundsätzen verbleibt (→ Rn. 11, 16). Nichtigkeit ist auch dann ausgeschlossen, wenn Betriebspacht oder -überlassung mit Teilgewinnabführungsvertrag verkoppelt werden (KK-AktG/Koppensteiner Rn. 92).

30 **2. Anfechtung des Zustimmungsbeschlusses.** Zustimmungsbeschluss der HV wegen Verletzung der §§ 57, 58, 60 anzufechten, ist gem. § 292 III 2 zulässig. Anfechtung kann auf § 243 I und auf § 243 II 1 gestützt werden (MüKoAktG/Altmeppen Rn. 121; KK-AktG/Koppensteiner Rn. 23 f.; GK-AktG/

Mülbert Rn. 40). Anfechtungsgrund nach § 243 I ist Verstoß gegen Rückgewährverbot bei unangemessen niedrigem Entgelt (MüKoAktG/Altmeppen Rn. 121). Früher hM erstreckte den im Fall des Nachteilsausgleichs eingreifenden **Anfechtungsausschluss gem. § 243 II 2** ausnahmsweise auch auf § 243 I, weil man annahm, dass diese Privilegierung sonst ins Leere gehe (KK-AktG/Koppensteiner Rn. 25; S/L/Schwab § 243 Rn. 25). Heute wohl hM lehnt diese Ausdehnung dagegen zu Recht ab, da Mehrheitsaktionär anderenfalls Gesellschaftsvermögen ohne angemessenes Entgelt an sich ziehen könnte, solange er Minderheitsaktionäre nur abfindet (MüKoAktG/Altmeppen Rn. 122; Emmerich/Habersack/Emmerich Rn. 51a; S/L/Langenbucher Rn. 55; BeckOGK/Veil/Walla Rn. 45). Daneben kann auch ein Sondervorteil iSd § 243 II 1 zu bejahen sein, wenn Gegenleistung zwar angemessen ist, aber bessere Vertragsofferte von dritter Seite (insbes. Minderheitsaktionär) vorliegt (MüKoAktG/Altmeppen Rn. 121; GK-AktG/Mülbert Rn. 41).

31 **3. Anfechtung, Verlust- und Nachteilsausgleich.** Neben Anfechtung des Zustimmungsbeschlusses kommt Anwendung der §§ 302, 311 ff. in Betracht. Ohne Beherrschungsvertrag gilt Gesellschafts- und Gläubigerschutz nach **§ 302 II,** sonst und auch bei Kombination von Verträgen iSd § 292 I Nr. 3 mit isoliertem Gewinnabführungsvertrag nach **§ 302 I;** die zuletzt genannte Norm hat ggf. Vorrang. Anzuwenden sind bei Fehlen eines Beherrschungsvertrags ferner §§ 311 ff., wenn Vertrag mit abhängiger Gesellschaft geschlossen wird; ganz hM, s. OLG Frankfurt AG 1973, 136; KK-AktG/Koppensteiner Rn. 29 mwN; aA Oesterreich, Die Betriebsüberlassung, 1979, 122 ff. Anwendbarkeit der §§ 311 ff. schließt Anfechtung nach §§ 243, 292 III 2 nicht aus (hM, s. MüKoAktG/Altmeppen Rn. 126 f.; KK-AktG/Koppensteiner Rn. 31; aA [nachträgliche Legalisierung durch Nachteilsausgleich] Martens AG 1974, 9, 13).

Zweiter Abschnitt. Abschluß, Änderung und Beendigung von Unternehmensverträgen

Zustimmung der Hauptversammlung

293 (1) [1] **Ein Unternehmensvertrag wird nur mit Zustimmung der Hauptversammlung wirksam.** [2] **Der Beschluß bedarf einer Mehrheit, die mindestens drei Viertel des bei der Beschlußfassung vertretenen Grundkapitals umfaßt.** [3] **Die Satzung kann eine größere Kapitalmehrheit und weitere Erfordernisse bestimmen.** [4] **Auf den Beschluß sind die Bestimmungen des Gesetzes und der Satzung über Satzungsänderungen nicht anzuwenden.**

(2) [1] **Ein Beherrschungs- oder ein Gewinnabführungsvertrag wird, wenn der andere Vertragsteil eine Aktiengesellschaft oder Kommanditgesellschaft auf Aktien ist, nur wirksam, wenn auch die Hauptversammlung dieser Gesellschaft zustimmt.** [2] **Für den Beschluß gilt Absatz 1 Satz 2 bis 4 sinngemäß.**

(3) **Der Vertrag bedarf der schriftlichen Form.**

Übersicht

I. Regelungsgegenstand und -zweck

1 § 293 betr. Wirksamkeitserfordernisse beim Abschluss von Unternehmensverträgen und bezweckt in § 293 I **Mitwirkung der Aktionäre** durch HV-Beschluss auf Seiten der Untergesellschaft (RegBegr. Kropff S. 380). Entspr. gilt nach § 293 II für die Obergesellschaft, soweit es sich um Beherrschungs- oder Gewinnabführungsverträge handelt. Insoweit ist Erwägung leitend, dass Belastungen der Gesellschaft aus §§ 302 f., 304 f. (Verlustübernahmepflicht, Ausgleichs- und Abfindungszahlungen) eine Alleinzuständigkeit der Verwaltung als unangemessen erscheinen lassen (RegBegr. Kropff S. 381). Der eigentliche Abschluss von Unternehmensverträgen (→ Rn. 22 ff.) wird nur verkürzt in § 293 III angesprochen; dort angeordnete Schriftform dient der **Publizität** (RegBegr. Kropff S. 381). **Sachgerechte Wahrnehmung der Aktionärsrechte und Information** über den Vertragsinhalt und die wesentlichen Angelegenheiten des Vertragspartners gewährleisten § 293f I Nr. 1, § 293g.

II. Zustimmungsbeschluss der Hauptversammlung (§ 293 I)

2 **1. Zustimmungserfordernis. a) Unternehmensvertrag als Zustimmungsgegenstand.** Gem. § 293 I 1 wird Unternehmensvertrag nur mit Zustimmung der HV wirksam. Vorschrift meint jeden **Unternehmensvertrag,** also nicht nur Beherrschungs- und Gewinnabführungsverträge (§ 291), sondern auch andere Unternehmensverträge (§ 292), nicht jedoch vor 1965 geschlossene Altverträge (KG AG 2001, 186, 187; LG Berlin AG 1999, 188 f.). Zustimmungsgegenstand ist der Unternehmensvertrag in seiner Gesamtheit (→ Rn. 5, s. nur OLG München AG 2009, 675, 675 f.; GK-AktG/Mülbert Rn. 50).

3 **b) Hauptversammlung der in vertragstypischer Weise verpflichteten Gesellschaft.** § 293 I 1 spricht nur von HV. Für Beherrschungs- und Gewinnabführungsverträge folgt schon aus § 293 II, dass AG oder KGaA als Untergesellschaft (bzw. abhängige oder zur Gewinnabführung verpflichtete) Gesellschaft gemeint sind. Entspr. muss bei Unternehmensverträgen iSd § 292 HV derjenigen Gesellschaft zustimmen, die vertragstypische Leistung erbringt, zB den Betrieb ihres Unternehmens verpachtet (§ 292 I 3). Da bei **Gewinngemeinschaft** jede Gesellschaft vertragstypische Leistungen schuldet, ist auch auf allen Seiten Zustimmung der HV erforderlich (Emmerich/Habersack/Emmerich Rn. 5). Bei KGaA folgt aus § 285 II 1, dass HV-Beschluss seinerseits der Zustimmung des Komplementärs bedarf (MüKoAktG/Altmeppen Rn. 32; → § 285 Rn. 2).

4 **c) Einwilligung oder Genehmigung.** Nach § 293 I 1 erforderliche Zustimmung der HV kann dem Abschluss des Unternehmensvertrags als Einwilligung oder Ermächtigung vorangehen (§ 183 BGB) oder seinem Abschluss als Genehmigung nachfolgen (§ 184 BGB); so ganz hM, s. RegBegr. Kropff S. 383; MüKoAktG/Altmeppen Rn. 34; KK-AktG/Koppensteiner Rn. 6; BeckOGK/Veil/Walla Rn. 17. Der hM ist beizutreten. Wortlaut des Ges. spricht für sie, überzeugende Gegenargumente gibt es nicht. Den Informationsansprüchen der Aktionäre (§§ 293f, 293g) lässt sich auf der Basis eines schriftlichen Vertragsentwurfs Rechnung tragen, der allerdings schlechthin vollständig sein und im Zeitpunkt der Entscheidung vorliegen muss (hM, s. nur GK-AktG/Mülbert Rn. 65; sa BGHZ 82, 188, 194 f. = NJW 1982, 933 zu § 361 aF; Windbichler AG 1981, 169, 174 f.). HV-Beschluss deckt aber nur den vorliegenden Entwurf ab. Wenn er geändert, verkürzt oder erweitert wird, ist auch neuer HV-Beschluss erforderlich.

4a **d) Anwendung auf GmbH als Untergesellschaft.** Zustimmungserfordernis besteht auch bei Beherrschungs- und/oder Gewinnabführungsverträgen mit **GmbH als Untergesellschaft** (BGHZ 105, 324, 338 = NJW 1989, 295; BGHZ 236, 123 Rn. 16 = NZG 2023, 508; BayObLGZ 1988, 201, 205 ff. = NJW 1989, 128 Ls.; LG Konstanz AG 1993, 237; MüKoGmbHG/Liebscher Anh. GmbH-Konzernrecht Rn. 732; HCL/Leuschner GmbHG Anh. § 77 Rn. 168 ff.; → § 291 Rn. 6, 17). Zustimmen muss insoweit Gesellschafterversammlung nach den für Satzungsänderung geltenden Regeln (§ 53 GmbHG, vgl. MüKoGmbHG/Liebscher Anh. GmbH-KonzernR Rn. 732; HCL/Leuschner GmbHG Anh. § 77 Rn. 168 f.). Ältere entgegenstehende Rspr. (s. noch OLG Düsseldorf NJW 1987, 3208 f.; OLG Celle AG 1988, 82) ist überholt, im Schrifttum noch vorgetragene Kritik (Gäbelein GmbHR 1989, 503; Venzmer WPg 1990, 309) nicht überzeugend. Str. ist allerdings, ob **qualifizierte Mehrheit** ausreicht oder Zustimmung aller Gesellschafter erforderlich ist (s. Überblick dazu bei Grigoleit/Servatius Rn. 10 ff.). Frage steht im größeren Gesamtkontext der analogen Anwendung der §§ 291–310 auf GmbH, die zwar im Grundsatz anerkannt ist, aber angesichts verbleibender Strukturunterschiede zwischen AG und GmbH doch nur nach genauer teleologischer Auswertung der Einzelvorschrift zulässig ist (BGHZ 206, 74 Rn. 14 = NZG 2015, 912: entspr. Anwendung „soweit der Schutzzweck der Vorschriften bei einer abhängigen GmbH gleichermaßen zutrifft und sie nicht auf Unterschieden der Binnenverfassung zwischen der Aktiengesellschaft und der GmbH beruhen“; sa BGHZ 105, 324, 333 f.; BGH NJW 1992, 1452; MüKoAktG/Altmeppen § 291 Rn. 19; HCL/Leuschner GmbHG Anh. § 77 Rn. 145 ff.; Emmerich/Habersack/Emmerich § 291 Rn. 59 ff.; BeckOGK/Veil/Walla § 291 Rn. 68). Bzgl. des Vertragsabschlusses ist § 293 nur modifiziert in dem Sinne zu übertragen, dass mit hM **Zustimmung aller Gesellschafter** zu verlangen ist (sa HCL/Leuschner GmbHG Anh. § 77 Rn. 170; Göhmann/Winnen RNotZ 2015, 53, 54; nur für idealtypisch personalistisch strukturierte GmbH zust. MüKoGmbHG/Liebscher

Anh. GmbH-KonzernR Rn. 740 ff.; aA Stephan Konzern 2015, 349, 352; Hegemann GmbHR 2012, 315, 316 ff., 318: qualifizierte Mehrheit ausreichend). BGH hat sich insofern nicht festgelegt, doch lassen Äußerungen zum Mehrheitserfordernis bei Kündigung (BGHZ 190, 45 Rn. 12 = NZG 2011, 902) Tendenz zur qualifizierten Mehrheit erkennen (MüKoGmbHG/Liebscher Anh. GmbH-KonzernR Rn. 735; Hegemann GmbHR 2012, 315, 321 f.; Müller-Eising/Schmitt NZG 2011, 1100, 1101; Stephan Konzern 2015, 349, 352) Ebenso ist es noch nicht abschließend geklärt, inwieweit Lösung (entspr. Regeln zur Satzungsänderung) auch für andere Unternehmensverträge der GmbH gilt (diff., iE aber weitgehend bejahend HCL/Ulmer/Casper GmbHG § 53 Rn. 161 f.).

2. Beschlussinhalt; Mehrheitserfordernisse und Stimmrecht. a) Inhalt. 5
Beschluss muss Zustimmung der HV (→ Rn. 4) zum ganzen Inhalt des Vertragswerks zum Ausdruck bringen. Das ist die **Summe aller getroffenen Vereinbarungen,** soweit sie nach dem Willen der vertragsschließenden Unternehmen ein einheitliches Rechtsgeschäft iSd § 139 BGB bilden. **Aufspaltung** in mehrere Schriftstücke oder auch in mehrere (Teil-)Verträge **ändert nichts;** sie müssen der HV sämtlich zur Beschlussfassung vorgelegt werden, und zwar auch dann, wenn mehr als zwei Vertragsparteien beteiligt sind (heute allgM, s. BGHZ 82, 188, 196 ff. = NJW 1982, 933; MüKoAktG/Altmeppen Rn. 56 f.; Hölters/Weber/Deilmann Rn. 16; KK-AktG/Koppensteiner Rn. 32 ff.; aA noch OLG Hamm BB 1980, 1653; Vollmer BB-Beil. 4/1977, 1, 5 ff.). HV kann sich ihrer Zuständigkeit auch nicht begeben, indem sie Regelung von Einzelpunkten der Verwaltung vorbehält (GK-AktG/Mülbert Rn. 52 mwN: Verstoß gegen § 23 V iVm § 293 I sowie gegen Informationspflichten der Aktionäre nach §§ 293a, 293f, 293g III; aA MüKoAktG/Altmeppen Rn. 58 ff.: Wille der HV entscheidend; sa Semler BB 1983, 1566, 1567 f.). Vertragsteile, die ihr nicht vorgelegen haben, bleiben unwirksam, was nach § 139 BGB zu Unwirksamkeit des gesamten Vertragswerks führen kann (→ Rn. 12). Auch Berücksichtigung von sog Ausführungsbestimmungen, die nicht von Zustimmungsbeschluss gedeckt sind, als Interpretationshilfe ist abzulehnen (OLG München AG 2009, 675, 675 f.; KK-AktG/Koppensteiner Rn. 34; so auch MüKoAktG/Altmeppen Rn. 62; aA v. Godin/Wilhelmi Anm. 3). Bzgl. Zusatzvereinbarungen, die nach der Zustimmung der HV getroffen worden sind, kommt § 295 zur Anwendung (GK-AktG/Mülbert Rn. 51).

b) Sachliche Rechtfertigung? Aus Verbot der Ungleichbehandlung (§ 53a) 6
und mitgliedschaftlichen Treubindungen ergeben sich bewegliche Schranken der Stimmrechtsmacht (→ § 53a Rn. 10 f., 21), die sich ua in der am Erfordernis sachlicher Rechtfertigung ausgerichteten materiellen Beschlusskontrolle niederschlagen (→ § 243 Rn. 21 ff.). Fraglich ist, ob auch Zustimmungsbeschluss der HV nach § 293 der sachlichen Rechtfertigung bedarf, sich also als im Gesellschaftsinteresse erforderlich und verhältnismäßig darstellen muss. Das wurde von älterer Literaturmeinung, vor allem in Anknüpfung an BGHZ 71, 40 = NJW 1978, 1316, bejaht (Wiedemann GesR I § 8 III 2a; Emmerich AG 1991, 303, 307 [abw. nun aber Emmerich/Habersack/Emmerich Rn. 35]; Martens FS Rob Fischer, 1979, 437, 446; Wiedemann ZGR 1980, 147, 156 f.). Entscheidungen zu ähnlichen Sachkomplexen belegen aber, dass BGH **differenzierenden Ansatz** verfolgt, Erfordernis sachlicher Rechtfertigung also nicht auf alle Grundlagenbeschlüsse erstreckt (vgl. BGHZ 70, 117, 121 f. = NJW 1978, 540; BGHZ 76, 352, 353 = NJW 1980, 1278 zur GmbH; BGHZ 103, 184, 190 = NJW 1988, 1579; ebenso zu § 293 LG München I AG 2009, 918, 920; sa OLG Frankfurt AG 1991, 208, 210; aus dem Schrifttum ähnlich: MüKoAktG/Altmeppen Rn. 51 ff.; BeckOGK/Veil/Walla Rn. 24; MHdB AG/Krieger § 71 Rn. 51; Lutter ZGR 1981, 171, 180; M. Winter, Mitgliedschaftliche Treubindungen,

1988, 135 ff.). Andere Unterscheidung, nämlich zwischen Verträgen iSd § 291 und solchen iSd § 292 bei KK-AktG/Koppensteiner Rn. 62 f. (krit. dazu MüKoAktG/Altmeppen Rn. 53 f.).

7 **Am differenzierenden Ansatz iSd Rspr. ist festzuhalten** (→ § 243 Rn. 27). Zwar ist das aus mitgliedschaftlicher Treupflicht folgende Erfordernis sachlicher Rechtfertigung nicht von vornherein auf bestimmte Beschlussinhalte beschränkt. Es muss jedoch als allg. Prinzip hinter spezielle ges. Entscheidungen zurücktreten. Eine solche Entscheidung liegt in der grds. Zulassung von Unternehmensverträgen durch §§ 291 ff. unter gleichzeitiger Einführung von Sicherungsvorschriften in §§ 300 ff., 304 ff. Es kann **keine außerges. Nachbesserung** für ein in sich geschlossenes Regelungssystem geben, in dem der Gesetzgeber bereits „Grundzüge einer Konzernverfassung" (RegBegr. Kropff S. 374; → § 291 Rn. 3 f.) verwirklicht sieht (LG München I AG 2009, 918, 920; zust. GK-AktG/Mülbert Rn. 70 ff. mwN). Das schließt nicht aus, dass der Zustimmungsbeschluss der HV im Einzelfall wegen Verstoßes gegen § 53a, wegen Verletzung der mitgliedschaftlichen Treubindungen oder wegen unzulässiger Verfolgung von Sondervorteilen nach § 243 II anfechtbar ist. Er bedarf aber keiner sachlichen Rechtfertigung, die AG von sich aus zu leisten hätte. Treupflichtverletzung kann nach LG München I AG 2009, 918, 920 f. nicht schon aus geringer Mindestkapitalausstattung der Obergesellschaft abgeleitet werden, sondern nur, wenn Finanzierung „nahezu ausgeschlossen" erscheint. Anderweitige Besicherung, etwa durch Patronatserklärung oder Garantie, kann indes auch in diesem Fall Vorwurf treuwidrigen Verhaltens ausräumen (Stephan Konzern 2014, 1, 21).

8 **c) Mehrheitserfordernisse.** HV entscheidet durch Beschluss im Verfahren der §§ 121–141. Beschluss bedarf der **einfachen Stimmenmehrheit** des § 133 I und zusätzlich nach § 293 I 2 einer Mehrheit von mindestens ¾ **des vertretenen Grundkapitals** (doppelte Mehrheit; tendenziell für Verschärfung Sonnenschein ZGR 1981, 429, 440). Aus § 140 II 2 folgt, dass Vorzugsaktien grds. abzusetzen sind (Ausnahme, wenn Rückstände bei der Bezahlung der Vorzugsdividende vorliegen, § 140 II). Nach § 293 I 3 kann **Satzung** das Zustandekommen des Beschlusses erschweren, aber nicht erleichtern. In Betracht kommt vor allem eine höhere Stimmen- und/oder Kapitalmehrheit oder Zustimmung einzelner Aktionäre; Einstimmigkeit ist ebenso zulässig (s. zu Einzelheiten MüKoAktG/Altmeppen Rn. 38 f.; KK-AktG/Koppensteiner Rn. 28). Dass ein Verbot von Unternehmensverträgen in der Satzung durch § 293 I 3 gedeckt und dadurch gem. § 23 V 1 zulässig wird, ist nicht anzunehmen (MüKoAktG/Altmeppen Rn. 39; KK-AktG/Koppensteiner Fn. 90; MHdB AG/Krieger § 71 Rn. 50).

9 **d) Stimmrecht.** Stimmrecht steht jedem Aktionär zu, der auch sonst stimmberechtigt ist, insbes. auch dem **Mehrheitsaktionär,** der Partei des Unternehmensvertrags ist; denn einen bes. Stimmrechtsausschluss sieht § 293 nicht vor, und der allg. Ausschlusstatbestand des § 136 I greift nicht ein. Mehrheitsaktionär kann Beschluss auch allein mit seinen Stimmen zustande bringen (MüKoAktG/Altmeppen Rn. 41; BeckOGK/Veil/Walla Rn. 21; zust., aber krit. Emmerich/Habersack/Emmerich Rn. 30: Zustimmungsbeschluss als sachlich bedeutungsloser Formalakt). Frühere rechtspolitische Kritik gegen unzureichenden Minderheitenschutz (ausf. Immenga FS Böhm, 1975, 253, 257 und 262; Sonnenschein ZGR 1981, 429, 440), ist heute weitgehend verstummt (BeckOGK/Veil/Walla Rn. 21 mwN). In der Sache ist abzuwägen zwischen der Verfälschung des Verbandswillens durch die dominierenden Sonderinteressen des Vertragspartners einerseits und den Risiken eines möglicherweise überzogenen Minderheitenschutzes andererseits. Abwägung schlägt dann zugunsten des Stimmrechts aus, wenn Sonderinteressen durch brauchbare konzernrechtl. Regelung des Vertrags-

verhältnisses neutralisiert werden (so iE auch KK-AktG/Koppensteiner Rn. 30), was für AG bejaht werden muss.

e) Stimmrechte des Mehrheitsgesellschafters einer GmbH. Ob diese Lösung (→ Rn. 9) auf **GmbH** übertragen werden kann, ist nicht abschließend geklärt (generell zur analogen Anwendung → Rn. 4a). Unmittelbar einschlägige höchstrichterliche Rspr. zu dieser Frage fehlt, doch hat BGH entschieden, dass Mehrheitsgesellschafter beim Beschluss über ordentliche Kündigung eines Beherrschungs- und Gewinnabführungsvertrages nicht dem Stimmverbot nach § 47 IV 2 Fall 1 GmbHG unterliegt (BGHZ 190, 45 Rn. 17 ff. = NZG 2011, 902). Das spricht dafür, ihn auch beim Zustimmungsbeschluss an Abstimmung teilnehmen zu lassen (MüKoGmbHG/Liebscher Anh. GmbH-KonzernR Rn. 748; Lutter/Hommelhoff/Hommelhoff GmbHG Anh. § 13 Rn. 75; Grigoleit/Servatius Rn. 13; aA Hüffer FS Heinsius, 1991, 337, 355). 10

3. Nicht anwendbar: Bestimmungen über Satzungsänderungen. Nach § 293 I 4 sind Bestimmungen des Ges. oder der Satzung über Satzungsänderungen auf den Zustimmungsbeschluss nicht anzuwenden. Klarstellung ist durch den organisationsrechtl. Charakter der Beherrschungs- und Gewinnabführungsverträge und Meinungsverschiedenheiten zum AktG 1937 (s. dazu GK-AktG/Mülbert Rn. 56) veranlasst (RegBegr. Kropff S. 381). Wesentliche materielle Bedeutung hat sie wegen der in §§ 293–294 getroffenen Regelungen nicht (s. ausf. zum materiellen Regelungsgehalt des § 293 I 4 GK-AktG/Mülbert Rn. 57 ff. mwN). 11

4. Rechtsfolgen. a) Bedeutung des Beschlusserfordernisses. Zustimmungsbeschluss der HV ist **Wirksamkeitserfordernis** für Unternehmensverträge. Sie sind schwebend unwirksam, solange HV noch nicht beschlossen hat, und werden endgültig unwirksam, wenn HV Zustimmung versagt (KG AG 2000, 183, 185). Zur Rechtslage bei erteilter Zustimmung (noch keine Wirksamkeit des Vertrags) → Rn. 15. Schwierigkeiten entstehen, wenn Zustimmungsbeschluss zwar vorliegt, Zustimmung aber den Inhalt des Unternehmensvertrags nicht voll abdeckt (→ Rn. 5). Sein Gegenstand ist nämlich der Unternehmensvertrag in seiner Gesamtheit (→ Rn. 2; OLG München AG 2009, 675, 675 f.; GK-AktG/Mülbert Rn. 50). Vertragsteile, die der HV nicht vorgelegen haben, können jedenfalls nicht wirksam werden. Auf den übrigen Vertragsinhalt ist § 139 BGB anzuwenden, so dass Vertrag iZw insges. keine Wirksamkeit erlangt (OLG München AG 1991, 358, 360; MüKoAktG/Altmeppen Rn. 56; KK-AktG/Koppensteiner Rn. 36; aA OLG Hamburg NJW 1990, 3024, 3025; Emmerich/Habersack/Emmerich Rn. 26). Organisationsrechtl. Charakter der Unternehmensverträge nach § 291 kann daran nichts ändern. Zwar ist § 139 BGB nach zutr. Ansicht auf die Satzung nicht anzuwenden (→ § 23 Rn. 41). Gründungsfehler und Verletzung der Mitwirkungszuständigkeit der HV sind jedoch in der Sache nicht vergleichbar. 12

Schwierigkeiten entstehen ferner, wenn **HV nur unter Änderung des Vertragstextes zustimmt.** HV kann nur zustimmen oder ablehnen, hat also keine Abänderungsbefugnis, was bloß redaktionelle Änderungen nicht ausschließt (GK-AktG/Mülbert Rn. 66; Deilmann/Messerschmidt NZG 2004, 977, 984). Vertragsinhalt zu bestimmen, fällt dagegen in Kompetenz der Verwaltung (→ Rn. 23, 25). Also bedeutet Zustimmung unter Änderung des Vertragstextes rechtl. Ablehnung der Verwaltungsvorlage. Schon geschlossener Vertrag ist endgültig unwirksam (→ Rn. 12). Vorstand kann nur versuchen, neuen, dem HV-Beschluss inhaltlich entspr. Vertrag zu schließen und diesen erneut zur Beschlussfassung vorzulegen. Dass er dazu nach § 83 I 1 und 2 schlechterdings verpflichtet ist (KK-AktG/Koppensteiner Rn. 38; Deilmann/Messerschmidt NZG 2004, 977, 984 f.), kann nicht angenommen werden. Vielmehr geht es um eine Tatfrage 13

(MüKoAktG/Altmeppen Rn. 35), weil denkbar ist, dass HV den Vertrag allenfalls mit dem von ihr beschlossenen Inhalt will, also auch das Scheitern des Projekts ihre Billigung findet.

14 Schwierigkeiten sollen schließlich entstehen, wenn HV-Beschluss (zunächst also: der Beschlussantrag) **keine Bezeichnung des Vertragstyps** enthält. Zur vorgelagerten (und zu verneinenden) Frage, ob schon Beherrschungs- und Gewinnabführungsverträge entspr. Bezeichnung enthalten müssen → § 291 Rn. 12 f., 23. Entspr. Beschlussinhalt fordert KK-AktG/Koppensteiner Rn. 37. Von entspr. Erfordernissen steht jedoch nichts im Ges. und auch in der Sache sind sie nicht derart evident, dass man sie hineinlesen dürfte (zutr. MüKoAktG/Altmeppen Rn. 76; GK-AktG/Mülbert Rn. 69; MHdB AG/Krieger § 71 Rn. 50; offenlassend LG Hamburg AG 1991, 365, 366). Aktionäre können sich gem. § 293f informieren und überdies in der HV um Auskunft nachsuchen. Wenn sie davon keinen Gebrauch machen, sollten sie nicht nachträglich mit dem Argument gehört werden, sie hätten den Vertragstyp nicht erkannt. Den Interessen des Publikums wird durch Anmeldung der Vertragsart Rechnung getragen, die in § 294 I vorgeschrieben ist (→ § 294 Rn. 5).

15 **b) Wirkungen erteilter Zustimmung.** Ohne Zustimmungsbeschluss kann Unternehmensvertrag zwar nicht wirksam werden (→ Rn. 12), doch genügt Beschluss für seine Wirksamkeit noch nicht. Erforderlich ist überdies Eintragung in das HR (§ 294 II), unter den Voraussetzungen des § 293 II auch Zustimmung der HV des anderen Vertragsteils (→ Rn. 17 ff.). Vorstand ist ggü. seiner Gesellschaft gem. § 83 II verpflichtet, die entspr. Schritte zu unternehmen. Gesellschaft ist ggü. dem anderen Vertragsteil schon in dem Sinne gebunden, dass sie Anmeldung des Vertrags zur Eintragung vornehmen muss und keine einseitige Aufhebung mehr möglich ist (str., wie hier GK-AktG/Mülbert Rn. 83 ff.; BeckOGK/Veil/Walla Rn. 28, § 294 Rn. 24; MHdB AG/Krieger § 71 Rn. 52; aA MüKoAktG/Altmeppen Rn. 67 ff.; Emmerich/Habersack/Emmerich Rn. 32; sa S/L/Langenbucher § 294 Rn. 24: HV ist bis zur HR-Eintragung grds. berechtigt, wegen Eintragungsmangels vom Vertrag Abstand zu nehmen; andere Gründe sind nicht ausreichend). Pflichtverletzung macht jedenfalls schadensersatzpflichtig (KK-AktG/Koppensteiner Rn. 39; MHdB AG/Krieger § 71 Rn. 52). Gegen **Leistungsklage auf Anmeldung** bestehen keine durchgreifenden Bedenken, wenn nur noch die Eintragung fehlt (sa KK-AktG/Koppensteiner Rn. 39; GK-AktG/Mülbert Rn. 85). Nach Rechtskraft der Entscheidung des Prozessgerichts kann gem. § 16 I 1 HGB verfahren werden. Weiterhin heilt der Zustimmungsbeschluss nicht die Mängel des Vertrages (OLG Celle AG 2000, 280, 281; Emmerich/Habersack/Emmerich Rn. 19; MHdB AG/Krieger § 71 Rn. 52).

16 **5. Beschlussmängel.** Es gelten allg. Grundsätze (§§ 241 ff.). Nichtigkeit des HV-Beschlusses wegen fehlender Bezeichnung des Vertragstyps kann nicht anerkannt werden (→ Rn. 14). Anfechtbar ist Beschluss insbes. dann, wenn Informations- oder Auskunftspflichten aus §§ 293f, 293g verletzt sind. Für **Ausgleichs- und Abfindungsregelungen** gilt: Fehlen jeglicher Ausgleichsregelung macht Beherrschungs- und/oder Gewinnabführungsvertrag (§ 134 BGB iVm § 304 III 1) und ihm zustimmenden Beschluss (§ 241 Nr. 3) nichtig. Unangemessene Ausgleichsregelung begründet keine Anfechtung; an ihre Stelle tritt Verfahren nach SpruchG (§ 304 III 3). Fehlen einer Abfindungsregelung führt nicht zur Nichtigkeit. Vielmehr findet ebenfalls Spruchverfahren statt; dasselbe gilt bei Unangemessenheit (§ 305 V 2). Ausf. zu mangelhaften Beschlüssen GK-AktG/Mülbert Rn. 133 ff.

III. Zustimmungsbeschluss der Hauptversammlung der Obergesellschaft (§ 293 II)

1. Allgemeines. Nach § 293 II 1 ist auch Zustimmung der HV des anderen Vertragsteils erforderlich, wenn es sich um Beherrschungs- und/oder Gewinnabführungsvertrag handelt und anderer Vertragsteil (Obergesellschaft) die Rechtsform einer AG oder KGaA hat. Ohne diese Zustimmung kann Vertrag nicht wirksam werden (→ Rn. 12 ff.). Aktionäre der Obergesellschaft sollen wegen durch den Vertrag begründeter weitgehender Pflichten (§§ 302 f., 304 f.) durch HV-Beschluss mitwirken (vgl. RegBegr. Kropff S. 381). Tragende Bedeutung hat dabei das erhöhte Risiko, das Obergesellschaft mit **Verlustausgleichspflicht des § 302** übernimmt (BGHZ 105, 324, 335 f. = NJW 1989, 295; BGH NJW 1992, 1452 f.; KK-AktG/Koppensteiner Rn. 40; GK-AktG/Mülbert Rn. 92; BeckOGK/Veil/Walla Rn. 37; anders MüKoAktG/Altmeppen Rn. 99, 107 ff.; zu eng OLG Düsseldorf AG 1992, 60, 61). Kritik an der Vorschrift und Versuch teleologischer Reduktion (dazu KK-AktG/Koppensteiner Rn. 41) erscheinen nicht gerechtfertigt. Insbes. findet Norm auch dann Anwendung, wenn Obergesellschaft **keine außenstehenden Aktionäre** hat (ganz hM, s. BGHZ 105, 324, 335 f.; BGH NJW 1992, 1452 f.; MüKoAktG/Altmeppen Rn. 107; Hölters/Weber/Deilmann Rn. 7). 17

AG oder KGaA als anderer Vertragsteil muss **Sitz im Inland** haben. Auf ausländische Obergesellschaft ist § 293 II nicht anwendbar, weil deutsches Konzernrecht ihren Schutz nicht bezweckt (ganz hM, vgl. OLG Stuttgart AG 2013, 724, 725; MüKoAktG/Altmeppen Rn. 124; Hölters/Weber/Deilmann Rn. 4 f.; GK-AktG/Mülbert Rn. 97; Bärwaldt/Schabacker AG 1998, 182, 186; → § 291 Rn. 5). Ferner wird für **ausländische Untergesellschaft** angenommen, dass § 293 II mangels Schutzzwecks nicht zur Anwendung komme, wenn maßgebliches ausländisches Recht den §§ 302 f., 304 f. entspr. Rechtsregeln nicht kenne (Emmerich/Habersack/Emmerich Rn. 6a; KK-AktG/Koppensteiner Rn. 43; Wiedemann GesR I 807 f.; aA GK-AktG/Mülbert Rn. 97: maßgebliches ausländisches Recht ist vom deutschen Aktienrecht zu respektieren). Das ist im dogmatischen Ansatz zutr., sollte aber wegen kaum überschaubarer Vielgestaltigkeit ausländischer Ersatzregeln nur mit der Maßgabe gelten, dass deutsche Obergesellschaft für eine „ungefährliche" ausländische Rechtslage die Beibringungslast trägt. 18

2. Anwendung auf Unternehmen anderer Rechtsformen, insbes. GmbH. Wegen der entscheidenden Bedeutung der Verlustausgleichspflicht ist entspr. § 293 II 1 auch Zustimmung der **Gesellschafterversammlung einer GmbH** erforderlich (BGHZ 105, 324, 335 f. = NJW 1989, 295; BGH NJW 1992, 1452 f.; HCL/Leuschner GmbHG Anh. § 77 Rn. 175 f. [m. abw. Konstruktion]; MüKoGmbHG/Liebscher Anh. GmbH-KonzernR Rn. 751). Maßgebliche Analogiegrundlage sind insofern die Risiken, die für herrschendes Unternehmen mit Abschluss des Unternehmensvertrags verbunden sind (insbes. Verlustausgleich; BGH NJW 1992, 1452 f.). Norm ist deshalb ebenfalls anzuwenden, wenn Obergesellschaft AG ist und Untergesellschaft Rechtsform der GmbH hat (BGH NJW 1992, 1452 f.; LG Frankfurt AG 2013, 529 Rn. 82; Hoffmann-Becking WiB 1994, 57, 60; krit. E. Vetter AG 1993, 168, 169 ff.). Dasselbe gilt für KG (LG Mannheim AG 1995, 142, 143). OLG Celle AG 2014, 909 f. hat Zustimmungserfordernis auch für Träger einer Sparkasse (rechtsfähige Anstalt öffentlichen Rechts) bejaht (aA aber OLG München NZG 2014, 1147, 1148). 18a

3. Gemeinschaftsunternehmen; mehrstufige Konzerne. Mehrere Muttergesellschaften können Beherrschungsvertrag mit ihrem Gemeinschaftsunternehmen abschließen; sie müssen dabei selbst Vertragspartner sein (→ § 291 19

Rn. 16). Also muss auch HV jeder Muttergesellschaft gem. § 293 II zustimmen, weil sich vertragstypisches Risiko (→ Rn. 17) bei jeder von ihnen ergibt (aA MüKoAktG/Altmeppen Rn. 121).

20 Bei mehrstufigen Konzernen kommt es auf die **zeitliche Abfolge der Beherrschungs- und/oder Gewinnabführungsverträge** an (zu ihrer Zulässigkeit → § 291 Rn. 15). Wenn solche Verträge zwischen Tochter- und Enkelgesellschaft schon geschlossen sind und jetzt Vertrag zwischen Mutter- und Tochtergesellschaft nachfolgt, deckt Zustimmung der HV der Muttergesellschaft die bereits bestehenden Verträge ab (allgM, s. BeckOGK/Veil/Walla Rn. 41; Emmerich/Habersack/Emmerich Rn. 12; GK-AktG/Mülbert Rn. 197). Dagegen wird für Umkehrfall vertreten, dass nicht nur HV der Tochter-, sondern analog § 293 II auch HV der Muttergesellschaft dem Vertrag zustimmen müsse (Emmerich/Habersack/Emmerich Rn. 12; GK-AktG/Mülbert Rn. 201; Pentz, Rechtsstellung der Enkel-AG, 1996, 130; Timm, Die Aktiengesellschaft als Konzernspitze, 1980, 171 f.). Das ist jedoch wegen der eigenen Verpflichtungsfähigkeit der Tochtergesellschaft eine Art Zustimmungsdurchgriff, für den keine hinreichenden Gründe bestehen (zu Recht abl. KK-AktG/Koppensteiner Rn. 45; BeckOGK/Veil/Walla Rn. 41; MHdB AG/Krieger § 70 Rn. 45, § 71 Rn. 23; abw. MüKoAktG/Altmeppen Rn. 118 ff. für „krasse Ausnahmefälle entspr. Holzmüller-Grundsätzen" [→ § 119 Rn. 16 ff.]). Auch Abschluss des Vertrags zwischen Mutter- und Enkelgesellschaft bedarf keiner Zustimmung der HV der **zwischengeschalteten Tochtergesellschaft** (LG Düsseldorf DB 2004, 428; Pentz, Rechtsstellung der Enkel-AG, 1996, 131; Pentz DB 2004, 1543, 1544 f.), und zwar in aller Regel auch nicht nach sog Holzmüller-Grundsätzen (S/L/Langenbucher Rn. 31 f.; GK-AktG/Mülbert Rn. 207 ff.; Pentz DB 2004, 1543, 1545 ff.).

21 **4. Sinngemäße Geltung des § 293 I 2–4.** Für den Beschluss der HV der Obergesellschaft gelten die Vorschriften des § 293 I 2–4 sinngem. (§ 293 II 2) → Rn. 5 ff. Vorstand der Untergesellschaft muss den Beschluss gem. § 294 I 2 seiner Anmeldung zum HR beifügen. Obergesellschaft nimmt aber am Registerverfahren nicht selbst teil.

IV. Vertragsschluss und Schriftform (§ 293 III)

22 **1. Vertragsabschluss. a) Allgemeines.** Gem. § 293 III bedürfen Unternehmensverträge der Schriftform. Weitere aktienrechtl Vorschriften zum Abschlusstatbestand gibt es, abgesehen von § 294, nicht. Folglich gelten die Bestimmungen des BGB, bes. **§§ 145 ff. BGB** (→ Rn. 5 ua zu § 139 BGB), soweit sich nicht aus der Eigenart der Unternehmensverträge, bes. aus dem organisationsrechtl. Charakter der Beherrschungs- und Gewinnabführungsverträge (→ § 291 Rn. 17 f., 23), Besonderheiten ergeben (Überblick bei GK-AktG/Mülbert Rn. 24 ff.). Vertrag kann Anfangs- und Endtermin vorsehen (Hölters/Weber/Deilmann Rn. 35; BeckOGK/Veil/Walla Rn. 9). Aus Gründen der Rechtssicherheit ist Vertrag grds. bedingungsfeindlich. Zulässig ist allerdings aufschiebende Bedingung, doch ist Unternehmensvertrag erst nach Bedingungseintritt eintragungsfähig, da aus HR eindeutig hervorgehen muss, ob Unternehmensvertrag besteht oder nicht (vgl. BGHZ 122, 211, 219; sa MüKoAktG/Altmeppen Rn. 26; Grunewald AG 1990, 133, 138). Anstelle auflösender Bedingungen kommen nur Kündigung und Aufhebung des Vertrages in Betracht (MüKoAktG/Altmeppen Rn. 26; Hölters/Weber/Deilmann Rn. 35).

23 **b) Vorstandskompetenzen.** Zu unterscheiden ist zwischen Vertragsabschluss als Leitungsaufgabe und Geschäftsführungsmaßnahme einerseits (§ 76 I, § 77) und der dabei erforderlichen Vertretung der AG andererseits (§ 78; → Rn. 24).

Die Grundentscheidung über das Ob des einen oder des anderen Unternehmensvertrags, die Entscheidung über den konkreten Inhalt und die Vertragsvorbereitungen fallen grds. in die **Leitungskompetenz** des Vorstands (vgl. LG München I AG 2009, 918, 920: unternehmerische Entscheidung). Die HV der vertragstypisch verpflichteten Gesellschaft hat jedoch ein eigenes **Initiativrecht** nach § 83 I 2, das aus ihrer Mitwirkungsbefugnis gem. § 293 I resultiert. Dann ist der Vorstand zur Vorbereitung und zum Abschluss eines Vertrags verpflichtet, wenn HV einen entspr. Beschluss gefasst hat (§ 83 I 2), und zwar mit der für den Zustimmungsbeschluss erforderlichen Mehrheit (§ 83 I 3; → Rn. 8; allgM, s. nur BGHZ 82, 188, 195; BGHZ 122, 211, 217; MüKoAktG/Altmeppen Rn. 6; GK-AktG/Mülbert Rn. 6). Ungeklärt ist, ob solches Initiativrecht auch HV der anderen Vertragspartei aus § 293 II zusteht. ZT wird dies mit der Begr. verneint, dass § 293 II der HV nur Kontroll-, aber keine Mitwirkungsbefugnis zuweist (KK-AktG/Koppensteiner Rn. 9). Vorzugswürdig erscheint jedoch auch insofern Initiativzuständigkeit der HV, da § 83 I 2 es ihr ermöglichen soll, ihre Zuständigkeiten effektiv wahrzunehmen. Warum dieser Zweck iRd § 293 II nicht einschlägig sein soll, ist nicht erkennbar (so auch die hM – vgl. MüKoAktG/Altmeppen Rn. 7; Emmerich/Habersack/Emmerich Rn. 16; GK-AktG/Mülbert Rn. 7; BeckOGK/Veil/Walla Rn. 4; MHdB AG/Krieger § 71 Rn. 14). Zustimmung der HV unter Änderung des Vertragstextes bedeutet nach richtiger Ansicht nicht notwendig einen Beschluss iSd § 83 I 2 (→ Rn. 13). **Pflichtverletzung** (zB durch mangelhafte Bonitätsprüfung des Vertragspartners) kann Schadensersatzpflicht nach § 93 I, II begründen (ebenso MüKoAktG/Altmeppen Rn. 28). § 93 IV 1 hilft nur, wenn die Initiative (§ 83 I 2) von HV ausgegangen ist, sie also den Abschluss des Vertrags verlangt hat (→ § 93 Rn. 154; Geßler ZHR 140 [1976], 433, 434 mit Fn. 3; aA MüKoAktG/Altmeppen Rn. 29; Canaris ZGR 1978, 207, 215). Geringe Mindestkapitalausstattung der Obergesellschaft steht Abschluss indes nicht entgegen (s. schon aus Treupflichtperspektive → Rn. 7 mwN).

Vertretungskompetenz des § 78 bleibt in dem Sinne erhalten, dass nur Vorstand den Vertrag abschließen kann. Möglich ist auch unechte Gesamtvertretung (→ § 78 Rn. 17). HV kann Vertretung nicht an sich ziehen. **Zustimmungserfordernisse** nach § 293 I, II haben aber **Außenwirkung,** beschränken also Vertretungsmacht und nicht auch Geschäftsführungskompetenz des Vorstandes. Vertrag kann ohne Zustimmung der HV nicht wirksam werden (→ Rn. 12). Vorstand hat dabei die erforderliche Sorgfalt zu beachten (§ 93 I 1). Haftung von Vorstandsmitgliedern aus § 179 I BGB ist aber gem. § 179 III 1 BGB ausgeschlossen, da andere Vertragspartei Zustimmungserfordernis kennt oder zumindest kennen muss (KK-AktG/Koppensteiner Rn. 11). Wahrnehmung der Vertretungsmacht bestimmt sich nach allg. Grundsätzen (→ § 78 Rn. 11 ff., 14 ff.). 24

c) Mitwirkung des Aufsichtsrats. Vertretungszuständigkeit kommt dem AR beim Abschluss von Unternehmensverträgen nicht zu. Er kann bzgl. des Vertragsschlusses auch nicht die Initiative ergreifen (§ 111 IV 1; → § 111 Rn. 51); es bleibt ihm nur die Überwachungsaufgabe. Durch Satzung oder AR-Beschluss kann jedoch **Zustimmungsbedürftigkeit** nach § 111 IV 2 für Regelfall begründet werden, dass Vertragsinitiative vom Vorstand ausgeht (ganz hM, vgl. zB MüKoAktG/Altmeppen Rn. 11; KK-AktG/Koppensteiner Rn. 7; Martens ZHR 147 [1983], 377, 386; Streyl/Schaper ZIP 2017, 410, 411 f.; aA Timm DB 1980, 1201, 1202 ff.; zu den zugrunde liegenden allg. Grundsätzen → § 83 Rn. 5). Geht Initiative dagegen ausnahmsweise von HV aus, kann AR dann gebotene Durchführung nach § 83 II nicht durch Zustimmungsverweigerung blockieren (MüKoAktG/Altmeppen Rn. 11; KK-AktG/Koppensteiner Rn. 7; Streyl/Schaper ZIP 2017, 410, 411 f.; aA GK-AktG/Mülbert Rn. 116; MHdB 25

AG/Krieger § 71 Rn. 14; sa → § 83 Rn. 5). Wenn danach erforderliche Zustimmung verweigert wird, kann sie gem. § 111 IV 3 durch **HV-Beschluss** ersetzt werden. Dafür erforderliche Mehrheit ist str. Nach einer Ansicht bedarf es gem. § 111 IV 4 der Stimmenmehrheit von drei Vierteln, nicht aber einer qualifizierten Kapitalmehrheit nach § 293 I 2, § 83 I 2 (MHdB AG/Krieger § 71 Rn. 14), nach Gegenmeinung nur der einfachen Stimmenmehrheit, weil diese (abgesehen von der Kapitalmehrheit) auch für § 83 I 3, § 293 I genügt (→ Rn. 8; KK-AktG/Koppensteiner Rn. 8; BeckOGK/Veil/Walla Rn. 5; diff. aber iE auch GK-AktG/Mülbert Rn. 121 f.). Anzunehmen ist mit der erstgenannten Ansicht, dass HV das Votum des AR (neben der qualifizierten Kapitalmehrheit) nur mit qualifizierter Stimmenmehrheit nach § 111 IV 4 überwinden kann (ebenso Hölters/Weber/Deilmann Rn. 24; Emmerich/Habersack/Emmerich Rn. 34). Dabei ist § 32 MitbestG zu beachten, wenn Voraussetzungen vorliegen (ausf. Hölters/Weber/Deilmann Rn. 25).

26 **2. Schriftform.** Nach § 293 III bedürfen Unternehmensverträge der Schriftform (§ 126 I und II BGB). Nur mündliche Abreden sind formnichtig (§ 125 1 BGB). Notarielle Beurkundung ersetzt Schriftform (§ 126 IV BGB; zu Einzelheiten der notariellen Beurkundung vgl. Hermanns RNotZ 2015, 632 ff.). Ebenso kann auch die elektronische Form die Schriftform gem. §§ 126a, 126 III BGB ersetzen; § 293 III sieht nichts anderes vor. Schriftformerfordernis dient der Rechtsklarheit und verschafft dem Vertrag Publizität (→ Rn. 1), die ihrerseits die Basis für die Erfüllung der Informationspflichten ggü. den Aktionären abgibt (§ 293f I Nr. 1, II, § 293g I); vgl. RegBegr. Kropff S. 381; GK-AktG/Mülbert Rn. 24. Schriftform ist **für buchstäblich alle Vereinbarungen** erforderlich (OLG Celle AG 2000, 280 f.; OLG Stuttgart NZG 2000, 93, 94; → Rn. 5). Mündliche Nebenabreden bleiben nichtig und können gem. § 139 BGB zur Nichtigkeit des Gesamtvertrags führen. Urkunde und Anlagen sind gem. § 126 BGB derart zu verbinden, dass sich Einheit aus fortlaufender Paginierung, Nummerierung, einheitlicher Textgestaltung, inhaltlichem Zusammenhang oder vergleichbaren Merkmalen eindeutig ergibt (BGHZ 136, 357, 361 ff. = NJW 1998, 58). Feste Verbindung der Seiten ist nicht erforderlich.

Bericht über den Unternehmensvertrag

293a

(1) [1] **Der Vorstand jeder an einem Unternehmensvertrag beteiligten Aktiengesellschaft oder Kommanditgesellschaft auf Aktien hat, soweit die Zustimmung der Hauptversammlung nach § 293 erforderlich ist, einen ausführlichen schriftlichen Bericht zu erstatten, in dem der Abschluß des Unternehmensvertrags, der Vertrag im einzelnen und insbesondere Art und Höhe des Ausgleichs nach § 304 und der Abfindung nach § 305 rechtlich und wirtschaftlich erläutert und begründet werden; der Bericht kann von den Vorständen auch gemeinsam erstattet werden.** [2] **Auf besondere Schwierigkeiten bei der Bewertung der vertragschließenden Unternehmen sowie auf die Folgen für die Beteiligungen der Aktionäre ist hinzuweisen.**

(2) [1] **In den Bericht brauchen Tatsachen nicht aufgenommen zu werden, deren Bekanntwerden geeignet ist, einem der vertragschließenden Unternehmen oder einem verbundenen Unternehmen einen nicht unerheblichen Nachteil zuzufügen.** [2] **In diesem Falle sind in dem Bericht die Gründe, aus denen die Tatsachen nicht aufgenommen worden sind, darzulegen.**

(3) **Der Bericht ist nicht erforderlich, wenn alle Anteilsinhaber aller beteiligten Unternehmen auf seine Erstattung durch öffentlich beglaubigte Erklärung verzichten.**

Übersicht

I. Grundlagen

1. Regelungsgegenstand und -zweck. Norm begründet Pflicht des Vorstands, über Unternehmensverträge einen schriftlichen Bericht zu erstatten, soweit sie gem. § 293 der Zustimmung der HV bedürfen (§ 293a I). Dazu enthält sie eine § 131 III 1 Nr. 1 vergleichbare Sonderregelung für drohende Nachteilszufügung (§ 293a II) und führt schließlich den Verzichtstatbestand in § 293a III ein. Wie namentl. Verzichtbarkeit deutlich macht, bezweckt § 293a **Schutz der Aktionäre durch Information** auch schon vor der HV, da Auswirkungen eines Unternehmensvertrages iSv §§ 291 ff. höheres Informationsbedürfnis für Aktionäre und Gesellschaft begründen (Begr. BT-Drs. 12/6699, 83: „formalisiertes Informationsrecht"; LG Frankfurt AG 2013, 529 Rn. 87; MüKoAktG/Altmeppen Rn. 2; GK-AktG/Mülbert Rn. 6; Decher FS Hoffmann-Becking, 2013, 295, 297: „Herzstück" der Aktionärsinformation). Norm ergänzt insoweit Zustimmungserfordernisse nach § 293 (→ § 293 Rn. 1). Regelungsvorbild des § 293a ist § 8 UmwG. 1

2. Bericht und Prüfung – sinnvolle Elemente des Unternehmensvertragsrechts? Berichts- und Prüfungspflicht der §§ 293a ff. gehen auf Annahme zurück, Verschmelzung und Unternehmensvertrag seien im Wesentlichen austauschbare rechtl. Instrumente; sie dienten nämlich beide dem Zweck der organisatorischen Eingliederung und der Unterwerfung unter fremde Herrschaft mit ebenfalls vergleichbaren Einzelfolgen (Begr. BT-Drs. 12/6699, 178). Wegen solcher Vergleichbarkeit der Sachverhalte sei Unternehmensvertragsrecht dem Verschmelzungsrecht anzupassen, um Schutzdefizite zu vermeiden, wie sie im Schrifttum früher als Defizite des Verschmelzungsrechts ggü. dem Recht des Vertragskonzerns kritisiert worden seien (Begr. BT-Drs. 12/6699, 178). 2

3 **Kritik.** Frühzeitig zur Diskussion gestellte (vgl. BMJ, Diskussionsentwurf, 1989, 215 ff., 343 f.), aber wohl nicht nachhaltig genug zur Kenntnis genommene Regelung vermag in ihren Grundannahmen und in ihrer Ausgestaltung nicht zu überzeugen. Das angesprochene Schrifttum (→ Rn. 2) befasste sich mit **Konzernverschmelzung** (dazu mit Unterschieden iE Günther AG 1968, 98, 103 ff.; Immenga BB 1970, 629, 632 ff.; Timm JZ 1982, 403, 410; Wiedemann ZGR 1978, 477, 490 f.). Deren Probleme haben zwar gezeigt, dass Verschmelzung und Konzernierung zusammenfassend betrachtet werden müssen, wenn Schutzdefizite des einen oder des anderen Bereichs vermieden werden sollen. Dass Unternehmen, die eigentlich Verschmelzung wollen, stattdessen einen Unternehmensvertrag schließen, um Bericht und Prüfung zu vermeiden, ist dadurch aber nicht belegt.

4 Auch sonst vorgetragene **Argumente** erscheinen **wenig tragfähig:** Abhängigkeit ist nicht Folge eines Unternehmensvertrags (aA offenbar Begr. BT-Drs. 12/6699, 178), sondern geht ihr idR voraus. Gesteigerte Anforderungen an Abschluss eines Beherrschungsvertrags (§ 291 I 1 Fall 1) mindern ohnehin nicht hohe Akzeptanz des Vertragskonzerns (→ § 291 Rn. 4) und fördern deshalb Fortdauer vertragsloser Abhängigkeit oder faktischer Konzernierung (§§ 311 ff.). Soweit es um Vergleichbarkeit der Ergebnisse geht, können der Verschmelzung die Organschaft und auch die übrigen Vertragsverhältnisse des § 291 (Altmeppen ZIP 1998, 1853, 1854) teilw. gegenübergestellt werden. Bericht und Prüfung bei anderen Unternehmensverträgen (§ 292) werden dadurch nicht gerechtfertigt (ebenso Emmerich/Habersack/Emmerich Rn. 7; positive Würdigung dagegen bei S/L/Langenbucher Rn. 2; BeckOGK/Veil/Walla Rn. 9). Zur **Ausgestaltung der §§ 293a ff.** bleibt anzumerken: Sinnvolle Informationsverbesserung hätte sich auch durch Bericht ohne externe Prüfung erreichen lassen (so wohl auch Lutter FS Fleck, 1988, 169, 176 f.). In den Fällen des § 293 II wäre Bagatellgrenze vernünftig gewesen. Die schlicht aus § 8 I UmwG übernommenen Berichtsanforderungen verdecken, dass es entspr. den unterschiedlichen Verträgen um ganz unterschiedliche Berichtsinhalte gehen kann, zu deren Präzisierung die Norm wenig beiträgt. Schließlich ist § 293a I 2 irreführend formuliert; dort vorausgesetzte Bewertung ergibt nämlich nur für §§ 304, 305 und nur unter deren Voraussetzungen einen Sinn (→ § 293b Rn. 6; → § 293e Rn. 8). Insges. liegt Überregulierung vor (Bungert DB 1995, 1384, 1385 f.), die sich aber nicht durch teleologische Reduktion auf Verträge iSd § 291 zurückführen lässt (wie hier LG München I ZIP 2010, 522, 523; Emmerich/Habersack/Emmerich Rn. 6 f.; GK-AktG/Mülbert Rn. 9; sa KG AG 2003, 99, 101: Anwendung des § 293g III auf Teilgewinnabführungsvertrag; aA B/K/L/Schenk Rn. 5; Altmeppen ZIP 1998, 1853, 1855 f.; Bungert DB 1995, 1384, 1386). Sollte es zutreffen, dass Gesetzesformulierung durch terminologisches Missgeschick bedingt ist (Altmeppen ZIP 1998, 1853, 1855), so wäre Korrektur durch Gesetzgeber leicht möglich und in der Sache zu begrüßen.

5 **3. Berichts- und Prüfungspflicht im GmbH-Bereich?** Für Frage, ob Berichts- und Prüfungspflicht auch bei Unternehmensverträgen der GmbH bestehen sollen, gibt es einen Diskussionsstand nur in Ansätzen (vgl. Bungert DB 1995, 1449, 1452 ff.; dieser im Wesentlichen, aber mit einigen Differenzierungen, wie hier). Richtschnur muss sein, ohnehin nicht gut geratene und überzogene Regelung (→ Rn. 3 f.) nicht auch noch breitflächig auf Vielzahl von Unternehmensverträgen im GmbH-Bereich zu erstrecken.

6 Einzelfragen: Für **GmbH als Untergesellschaft** (→ § 293 Rn. 4a) erscheint Analogie insofern nicht angezeigt, weil es nicht nur eines mit satzungsändernder Mehrheit gefassten Beschlusses der Gesellschafterversammlung bedarf, sondern überdies der Einzelzustimmung jedes Gesellschafters (hM, s. zB HCL/Leuschner

GmbHG Anh. § 77 Rn. 170). Wer sich in dieser Position befindet, kann selbst entscheiden, was er an Berichten wünscht, zumal Gesellschafter hier auch über Auskunfts- und Einsichtsrecht nach § 51a GmbHG verfügt (MüKoGmbHG/Liebscher Anh. GmbH-KonzernR Rn. 765; Noack/Servatius/Haas/Beurskens GmbHG KonzernR Rn. 104; sa Altmeppen ZIP 1998, 1853, 1857 f.; Stephan Konzern 2015, 349, 353). Weil nach zutr. hM auch §§ 304, 305 keine analoge Anwendung finden (auch dazu HCL/Casper GmbHG Anh. § 77 Rn. 216), fällt überdies der zentrale Berichtskomplex weg. Soweit es dagegen um **AG als Obergesellschaft** geht (→ § 293 Rn. 17), wäre es allerdings nicht gerechtfertigt, auf Bericht nur deshalb zu verzichten, weil nicht AG, sondern GmbH Partei des Beherrschungs- und/oder Gewinnabführungsvertrags ist (vgl. auch LG Frankfurt AG 2013, 529 Rn. 98; ebenso Noack/Servatius/Haas/Beurskens GmbHG KonzernR Rn. 104; im Wesentlichen auch Emmerich/Habersack/Emmerich Rn. 13; aA Altmeppen ZIP 1998, 1853, 1859 f.). Verlustausgleichspflicht des anderen Vertragsteils (§ 302) besteht in beiden Fällen, so dass unterschiedliche Infomationen über die wirtschaftlichen Verhältnisse der abhängigen Gesellschaft nicht zu rechtfertigen sind. Dasselbe wird für GmbH als Obergesellschaft gelten müssen (aA Stephan Konzern 2015, 349, 353). In solchen Fällen, in denen § 293a bei GmbH einschlägig ist, findet § 51a GmbHG weiterhin Anwendung (ebenso Emmerich/Habersack/Emmerich Rn. 13).

II. Berichtspflicht (§ 293a I)

1. Voraussetzungen. Nach § 293a I 1 Hs. 1 besteht Berichtspflicht, wenn 7 Unternehmensvertrag geschlossen wird und dafür gem. § 293 Zustimmung der HV erforderlich ist. Wie § 293 (→ § 293 Rn. 2) meint Norm jeden Unternehmensvertrag iSd §§ 291, 292 (zur Kritik → Rn. 4). Nur für Zustimmungsbedürftigkeit ist weiter zu unterscheiden: Soweit mit Bericht HV der Untergesellschaft informiert werden soll, bleibt es dabei, dass bei jedem Unternehmensvertrag Berichtspflicht besteht (§ 293 I; → § 293 Rn. 2 f., 4a). Soweit es dagegen um HV der Obergesellschaft geht, sind nur Beherrschungs- und/oder Gewinnabführungsverträge berichtspflichtig, weil nur sie der Zustimmung der HV bedürfen (§ 293 II; → § 293 Rn. 17 ff.; ebenso Bungert DB 1995, 1384, 1387).

2. Berichtspflichtige. a) Allgemeines. Berichtspflichtig ist gem. § 293a I 1 8 Hs. 1 nicht AG, sondern wie bei § 90 (→ § 90 Rn. 1) **Vorstand als Kollegialorgan.** Er muss gem. § 77 über Bericht beschließen. Zur Mitwirkung ist jedes Vorstandsmitglied kraft seiner organschaftlichen Stellung und seines Anstellungsvertrags verpflichtet (Emmerich/Habersack/Emmerich Rn. 16; KK-AktG/Koppensteiner Rn. 17; teilw. aA MüKoAktG/Altmeppen Rn. 29), aber auch berechtigt (Keil, Der Verschmelzungsbericht, 1990, 31 f.). Vorstand übernimmt damit die Gesamtverantwortung für den Bericht. Vertretung ist ausgeschlossen (hM, s. statt aller GK-AktG/Mülbert Rn. 21 f.; aA MüKoAktG/Altmeppen Rn. 29), ebenso Durchsetzung im Wege der Zwangsvollstreckung (§ 888 II ZPO). Notfalls bleibt nur Abberufung nach § 84 IV, sofern sich Weigerung als wichtiger Grund darstellt (→ § 84 Rn. 53 ff.). Soweit es um **KGaA** geht, treten ihre **Komplementäre** an die Stelle des Vorstands (§ 278 II; → § 278 Rn. 11 ff.), so dass Bericht von ihnen zu erstatten ist. Wortlaut des § 293a I 1 ist insoweit missglückt.

b) Gemeinsame Berichterstattung. § 293a I 1 Hs. 2 lässt zu, dass Bericht 9 von Vertretungsorganen der beteiligten Gesellschaften gemeinsam erstattet wird. Darin liegt dem Vorbild des § 8 I 1 Hs. 2 UmwG folgende Klarstellung (Begr. BT-Drs. 12/6699, 84). Sie war veranlasst, weil gemeinsame Erstattung des Verschmelzungsberichts (s. ZIP-Dokumentation ZIP 1990, 270) teilw. praktiziert und auch von der hM getragen wurde (LG Frankenthal AG 1990, 549; LG

Frankfurt WM 1990, 592, 594 [beide Hypothekenbank-Schwestern]; LG Mannheim AG 1988, 248, 249; MüKoAktG/Altmeppen Rn. 30; Mertens AG 1990, 20 f.; Möller, Der aktienrechtliche Verschmelzungsbeschluss, 1991, 115 ff.). Angesichts eindeutiger Gesetzeslage erledigt sich Frage, ob die Sachgründe, die bei Verschmelzung für gemeinsame Berichterstattung sprechen, in gleicher Weise auch bei Unternehmensverträgen vorliegen. Inhaltlich ist gemeinsamer Bericht so zu gestalten, dass Interessen und Informationsbedarf beider Vertragsparteien einbezogen werden (KK-AktG/Koppensteiner Rn. 18; GK-AktG/Mülbert Rn. 23).

10 **3. Form.** Bericht über den Unternehmensvertrag ist gem. § 293a I 1 Hs. 1 **schriftlich** abzufassen. Nach § 126 BGB ist eigenhändige Unterschrift der Vorstandsmitglieder erforderlich (hM, s. nur MüKoAktG/Altmeppen Rn. 32; GK-AktG/Mülbert Rn. 42; aA S/L/Langenbucher Rn. 7; Fuhrmann AG 2004, 135, 136 ff.). Nach § 126 III BGB kann Schriftform durch elektronische Form ersetzt werden (MüKoAktG/Altmeppen Rn. 35; S/L/Langenbucher Rn. 9). Nach mittlerweile wohl hM kann Bericht von Vorstandsmitgliedern in vertretungsberechtigter Zahl unterschrieben werden, ohne dass seine Informationsfunktion beeinträchtigt wird; zT befürchtete Abweichung vom Mehrheitswillen erscheint angesichts Erörterungsvorgabe des § 293g II lebensfremd (so für den Verschmelzungsbericht BGH AG 2007, 625 Rn. 27 f.; sa KG AG 2005, 205, 205; GK-AktG/Mülbert Rn. 42; BeckOGK/Veil/Walla Rn. 9; Fuhrmann AG 2004, 135, 138 f.; offen aA MüKoAktG/Altmeppen Rn. 34; KK-AktG/Koppensteiner Rn. 19; Bungert DB 1995, 1384, 1389; Hüffer FS Claussen, 1997, 171, 179 ff.; Keil, Der Verschmelzungsbericht, 1990, 33). Der Praxis ist allseitige Unterzeichnung allerdings aus Vorsichtsgründen weiterhin zu empfehlen (Hölters/Weber/Deilmann Rn. 4). Im Falle des § 293a I 1 Hs. 2 sind die Vorstandsunterschriften von beiden Gesellschaften erforderlich.

11 **4. Inhalt. a) Allgemeines.** Bericht muss nach § 293a I 1 Hs. 1 „ausführlich" sein und drei Sachkomplexe umfassen: den Vertragsabschluss; den Vertrag selbst, und zwar „im Einzelnen"; hier insbes. Art und Höhe von Ausgleich und Abfindung nach §§ 304, 305. Zu den drei Komplexen sind Erl. und Begr. in rechtl. und wirtschaftlicher Hinsicht erforderlich. § 293a I 2 erweitert den Inhalt der Berichtspflicht. Danach ist auf bes. Bewertungsschwierigkeiten hinzuweisen, ferner auf Folgen des Unternehmensvertrags für Beteiligungen der Aktionäre. Das Ganze folgt dem Vorbild des § 8 I 1 Hs. 1 und 2 UmwG. Diese Anforderungen zu konkretisieren, ist schon für Verschmelzung schwierig, was darauf aufbauende HV-Beschlüsse in problematischer Weise anfechtungsgefährdet erscheinen lässt. Erfahrungsbasis zu Verschmelzungsberichten ist für Unternehmensverträge nutzbar zu machen (Decher FS Hoffmann-Becking, 2013, 295, 298). Formulierungsbsp. MVH I/Hoffmann-Becking Form X. 3 (S. 1525 ff.). Schließlich muss der Bericht in deutscher Sprache und auf zeitnaher Erkenntnisgrundlage erfasst werden (OLG München AG 2009, 451, 453; Emmerich/Habersack/Emmerich Rn. 21; GK-AktG/Mülbert Rn. 25).

12 **b) Berichtsgegenstände. aa) Vertragsabschluss.** Erl. und Begr. des Vertragsabschlusses sollen Aktionären in Anknüpfung an § 186 IV 2 (→ § 186 Rn. 23 f.) darlegen, „welche rechtlichen und wirtschaftlichen Gründe" ihn „als das geeignete Mittel zur Verfolgung des Unternehmenszwecks erscheinen lassen" (Begr. BT-Drs. 12/6699, 83 f.). Im zitierten Text heißt es statt „ihn" Verschmelzung; iRd § 293a ist als Vertragsabschluss zu lesen. Sofern man weiterhin sog Unternehmenszweck als sprachliche Abkürzung für die in der Gesellschaft und ihren Unternehmen zusammentreffenden unterschiedlichen Interessen der Aktionäre, der AN und der Öffentlichkeit versteht (→ § 76 Rn. 63 ff.), gibt Begr. BT-

Drs. 12/6699, 83 f. eine brauchbare Zielvorgabe (krit. dazu KK-AktG/Koppensteiner Rn. 23). Erforderlich ist, dass Vorstand (1) mit erforderlicher Sorgfalt nach § 93 I 1 Zweck der Maßnahme offengelegt, dabei (2) die für und gegen den Vertragsschluss sprechenden rechtl., wirtschaftlichen und steuerlichen Gründe gegenüberstellt, (3) denkbare Alternative (wie Abschluss eines anderen Unternehmensvertrags oder Auswirkungen eines Nichtabschlusses des Vertrages) sowie wirtschaftlich angestrebte Synergieeffekte anspricht, (4) Vor- und Nachteile der verschiedenen Maßnahmen abwiegt und schließlich (5) auf die evtl. gefährdete Existenzfähigkeit der Gesellschaft nach Vertragsbeendigung eingeht (LG Frankfurt AG 2013, 529 Rn. 87 ff.; LG München I ZIP 2010, 522, 523; s. ausf. statt aller GK-AktG/Mülbert Rn. 26 ff. mwN; s. zur Zweckmäßigkeit als Berichtsgegenstand H. P. Westermann FS Semler, 1993, 651, 654 f.). Es ist über wirtschaftliche Ausgangslage der beteiligten Gesellschaften zu berichten (einschließlich Ertrags- und Vermögenslage mit ihren potenziellen Entwicklungen), damit Aktionäre Bonität des Vertragspartners (insbes. der zahlungspflichtigen Gesellschaft, vgl. §§ 302, 304, 305) ausreichend beurteilen können (OLG München AG 2009, 450, 453; MüKoAktG/Altmeppen Rn. 40; GK-AktG/Mülbert Rn. 28). Verweis auf andere Informationen wie etwa Jahresabschluss genügt nicht (OLG München AG 2009, 450, 453; GK-AktG/Mülbert Rn. 28).

bb) Vertragsinhalt. Bezeichnung des Vertragstyps in der gem. § 293 III zu errichtenden Urkunde gehört zwar nach zutr. hM nicht zu den Wirksamkeitserfordernissen des Vertrags (→ § 291 Rn. 12 f., 23); die rechtl. Erl. seines Inhalts ist aber ohne korrekte Bezeichnung des Vertragstyps nicht denkbar (Emmerich/Habersack/Emmerich Rn. 21). Vertragsinhalt ist so zu erläutern, dass rechtl. und wirtschaftliche Auswirkungen und Hintergründe einem nicht juristisch ausgebildeten Durchschnittsaktionär verständlich werden (MüKoAktG/Altmeppen Rn. 42; GK-AktG/Mülbert Rn. 30). IÜ sollte Umfang der Berichtspflicht davon abhängen, ob Besonderheiten bestehen oder nicht. Wiedergabe der ohnehin vorhandenen ges. Vorschriften oder des bloßen Vertragstextes ist nicht veranlasst (MüKoAktG/Altmeppen Rn. 42; Emmerich/Habersack/Emmerich Rn. 21). Erläuterungspflichtig können aber zB bes. Kündigungsregelungen sein (vgl. OLG Frankfurt AG 2010, 368, 373; LG München I ZIP 2010, 522, 523 f.; weitergehend Bungert DB 1995, 1384, 1388). 13

cc) Ausgleich und Abfindung. Nach seinem Wortlaut verlangt § 293a I 1 Hs. 1 Angaben zu Art und Höhe des Ausgleichs und der Abfindung (§§ 304, 305) für jeden Unternehmensvertrag; damit können aber nur Beherrschungs- und/oder Gewinnabführungsverträge einschließlich der Geschäftsführungsverträge gemeint sein, weil §§ 304, 305 sonst nicht eingreifen. Eine Art Fehlanzeige („Ausgleichs- und Abfindungspflichten bestehen nicht") ist nicht erforderlich. Vielmehr genügt richtige Bezeichnung eines Vertragstyps (→ Rn. 13), bei dem es Ausgleich und Abfindung nicht gibt. Zu Art und Höhe des Ausgleichs → § 304 Rn. 6, 8 ff., 14 ff., der Abfindung → § 305 Rn. 13 ff., 21 ff. Höhe von Ausgleich und Abfindung bestimmen sich nach der **Verschmelzungswertrelation,** die ihrerseits Unternehmensbewertung voraussetzt (→ § 304 Rn. 16; → § 305 Rn. 21 ff.). In diesem Rahmen (sonst nicht → Rn. 4) gehören Angaben zur Unternehmensbewertung zum notwendigen Berichtsinhalt (→ Rn. 15; ausf. GK-AktG/Mülbert Rn. 34 f.). In der Praxis üblicherweise eingeholter Bewertungsgutachten wird somit zum Bestandteil des Berichts (s. GK-AktG/Mülbert Rn. 34; Decher FS Hoffmann-Becking, 2013, 295, 299). Auch müssen Aktionäre aufgrund des Berichts beurteilen können, ob herrschendes Unternehmen seinen Zahlungspflichten nachkommen kann und wird (OLG München AG 2009, 450, 453). 14

15 **c) Berichtsintensität.** Wie konkret und präzise Bericht, insbes. bzgl. Bewertung, zu sein hat, gehörte für § 340 aF zu den umstrittenen Fragen. Auch 293a I 1 schreibt vor, dass Vorstand Bericht „ausführlich" zu erstatten hat. Zu Recht hat sich zu Bewertungsfragen die Auffassung durchgesetzt, dass Angabe von Bewertungsgrundsätzen und -methoden nicht genügt. Vielmehr muss **Anwendung im Einzelfall,** aus der sich letztlich konkretes Umtauschverhältnis ergibt, für Aktionäre so nachvollziehbar dargestellt werden, dass sie sich ein erstes, ggf. in der HV zu **vertiefendes Plausibilitätsurteil** bilden können (BGHZ 107, 296, 302 ff. = NJW 1989, 2689; BGH AG 1990, 259 f.; 1991, 102, 103; OLG Düsseldorf AG 2010, 711, 714; OLG Frankfurt AG 2010, 368, 373; LG München I AG 2009, 918, 921; MüKoAktG/Altmeppen Rn. 44; GK-AktG/Mülbert Rn. 34; aA noch LG Mannheim AG 1988, 248, 249; Nirk FS Steindorff, 1990, 187, 190 ff.). Diesen Anforderungen muss auch der Vertragsbericht des § 293a I genügen, soweit es für Ausgleich und Abfindung auf die Verschmelzungswertrelation ankommt (→ Rn. 14). Als Maßstab soll gelten, dass bedeutsame Umstände und Hintergründe des Unternehmensvertrages so nachvollziehbar dargestellt werden, dass vernünftiger Durchschnittsaktionär sachgerecht über Vertragsschluss entscheiden und ihn einer Plausibilitätskontrolle unterziehen kann (so KK-AktG/Koppensteiner Rn. 24; GK-AktG/Mülbert Rn. 25, 40; Decher FS Hoffmann-Becking, 2013, 295, 303). Allerdings darf Vorstandsbericht auch nicht zum Informationsüberfluss führen (OLG Frankfurt AG 2010, 368, 373). Begrenzt wird Berichtsintensität durch Vertragsprüfung nach § 293b und Auskunftsrecht nach § 293g III (s. ausf. dazu GK-AktG/Mülbert Rn. 41; aA KK-AktG/Koppensteiner Rn. 24).

16 **d) Ergänzende Hinweise nach § 293a I 2.** Gem § 293a I 2 muss Bericht auf **bes. Bewertungsschwierigkeiten** sowie auf Folgen für die Beteiligungen der Aktionäre hinweisen. Das ist mit geringen sprachlichen Abweichungen aus § 8 I 2 UmwG übernommen und zunächst insofern unglücklich formuliert, als der unzutr. Eindruck entsteht, es bedürfe stets einer Bewertung der Unternehmen der vertragschließenden Gesellschaften (→ Rn. 4, 14). Soweit es einer Bewertung bedarf, ist konkret anzugeben, welche Schwierigkeiten aufgetreten und wie sie gelöst worden sind; damit sind nicht die jedem Bewertungsvorgang innewohnenden Unsicherheiten gemeint (KK-AktG/Koppensteiner Rn. 34). Unbestimmter Rechtsbegriff bes. Bewertungsschwierigkeiten ist dahin zu konkretisieren, dass entweder durchgängig angewandte Ertragswertmethode (→ § 305 Rn. 24 ff.) nicht passt oder ihre Ergebnisse um Sondereinflüsse wie außerordentliche Erträge oder Verluste (BGH AG 1991, 102, 103: Ertragseinbruch) bereinigt werden müssen. Auch auf bes. Prognoseschwierigkeiten ist hinzuweisen (zu weiteren Beispielen s. GK-AktG/Mülbert Rn. 37).

17 Was **Folgen für die Beteiligungen** der Aktionäre anbetrifft, so scheint mit § 293a I 2 Fehlgriff des Gesetzgebers vorzuliegen. Solche Folgen gibt es bei Verschmelzung wegen Veränderungen der Beteiligungsquote (Begr. BT-Drs. 12/6699, 84) und auch bei Formwechsel wegen Veränderungen der aus der Mitgliedschaft folgenden Einzelbefugnisse, aber nicht bei Abschluss von Unternehmensverträgen, weil Gesellschaften dadurch rechtl. nicht verändert werden. Insoweit wird also auch nichts zu berichten sein. Schon aus §§ 302, 308 folgende Konsequenzen müssen nicht eigens hervorgehoben werden (aA Emmerich/Habersack/Emmerich Rn. 29).

III. Schutzklausel (§ 293a II)

18 **1. Allgemeines.** § 293a II bestimmt in Anlehnung an § 8 II UmwG, dass die Vertragschließenden nicht zur Selbstschädigung durch Berichterstattung ver-

pflichtet sind (S. 1), aber die Gründe für daraus resultierende Berichtslücken darzulegen haben (S. 2). Ob solche Besorgnisse entstehen können, hängt von der gebotenen Berichtsintensität ab (→ Rn. 15). § 293a II bestätigt also mittelbar, dass über die Anwendung der Bewertungsgrundsätze im Einzelfall zu berichten ist. Der Sache nach entspr. der Ausnahmetatbestand den Grundsätzen, die sich in Rspr. und Schrifttum zu § 340a aF ergeben hatten. Danach war anerkannt, dass es jedenfalls der jetzt in § 293a II 2 vorgeschriebenen Begr. bedürfe (BGHZ 107, 296, 305 f. = NJW 1989, 2689; BGH AG 1990, 259, 261; vgl. dazu auch Begr. BT-Drs. 12/6699, 84).

2. Ausnahme von der Berichtspflicht. § 293a II 1 knüpft an § 131 III 1 Nr. 1 an und ist entspr. auszulegen (→ § 131 Rn. 88 ff.). Erforderlich und genügend ist auch hier die Eignung, nicht die als notwendige Folge des Bekanntwerdens absehbare Nachteilszufügung. Eignung muss nach vernünftiger kaufmännischer Beurteilung (obj. Maßstab) zu bejahen sein (ebenso Emmerich/Habersack/Emmerich Rn. 32; KK-AktG/Koppensteiner Rn. 45). Um einen Ausgleich zwischen Informationsinteressen der Aktionäre und Geheimhaltungsinteressen der Gesellschaft zu schaffen, ist Interessenabwägung erforderlich, die obj. gerichtl. Nachprüfung unterliegt. Dabei hat Geheimhaltungsinteresse Vorrang, wenn die Offenlegung überwiegend nachteilig wäre (s. BGHZ 180, 9 Rn. 41 = NJW 2009, 2207 zu § 131 III 1; MüKoAktG/Altmeppen Rn. 62; Emmerich/Habersack/Emmerich Rn. 32 f.). Das liegt dann nahe, wenn es um Einzelheiten der Ertragsprognose und (vergangenheitsbezogen) um Aufdeckung stiller Reserven geht (arg. § 131 III 1 Nr. 3) oder um solche Prognosen und Daten, durch deren Offenlegung es Konkurrenten möglich wäre, Wettbewerbsfähigkeit der Gesellschaft, ihre Strategien und geplanten Investitionen zu beeinträchtigen (GK-AktG/Mülbert Rn. 46; Bungert DB 1995, 1384, 1389). 19

3. Begründungspflicht. Für § 131 III 1 Nr. 1 ist str., ob Auskunftsverweigerung in der HV zu begründen ist (→ § 131 Rn. 89). Für die vor HV zu erstattenden Vorstandsberichte und damit auch für den Vertragsbericht des § 293a I ist solche Begr. schon deshalb unverzichtbar, weil sonst für Aktionäre der Eindruck eines vollständigen Berichts erweckt wird. Darlegung der Gründe erfordert deshalb zunächst, dass Berichtslücke kenntlich gemacht, sodann, dass (schriftlich) dargestellt wird, welche Nachteile bei Offenlegung der zurückgehaltenen Information eintreten können. Das muss nicht so genau sein, dass schließlich der befürchtete Nachteil infolge der Begr. eintritt. Es muss für verständigen Aktionär nur plausibel werden, dass Offenlegung zB bestimmter Teile des Zahlenwerks oder von Prognosegrundlagen das Gesellschaftsinteresse spürbar beeinträchtigen kann (ebenso Emmerich/Habersack/Emmerich Rn. 33). Bloßer Hinweis auf generelle Geheimhaltungsbedürftigkeit etwa von Planzahlen erlaubt keine Plausibilitätskontrolle und genügt deshalb nicht. 20

IV. Entbehrlichkeit der Berichterstattung (§ 293a III)

Gem. § 293a III ist Bericht nicht erforderlich, wenn **alle Anteilsinhaber** aller beteiligten Unternehmen **öffentl. beglaubigte Verzichtserklärungen** abgeben. Das entstammt § 8 III UmwG und soll verhindern, dass Aktionäre mit Berichten versehen werden, die sie nicht brauchen oder wenigstens nicht wollen. Praktisch wirksame Entlastung von Berichtspflicht ist davon auch beim Vertragsschluss mit Tochterunternehmen ohne außenstehende Aktionäre nur zu erwarten, wenn es sich um andere Unternehmensverträge (§ 292) handelt. Bei Beherrschungs- und/oder Gewinnabführungsverträgen (§ 291) müssen dagegen wegen § 293 II iVm § 293a I 1 Hs. 1 auch die Gesellschafter der Obergesellschaft verzichten (ebenso Hölters/Weber/Deilmann Rn. 18; Emmerich/Habersack/Em- 21 merich Rn. 36 f.). Das ist zwar wenig einsichtig, aber wohl nicht durch teleologische Reduktion (dafür Altmeppen ZIP 1998, 1853, 1860 ff.; sa GK-AktG/Mülbert Rn. 52 f.) zu vermeiden, zumal zu § 340a aF angenommen wurde, dass Verschmelzungsbericht überhaupt unverzichtbar sei (vgl. noch Geßler/Hefermehl/Grunewald § 340a aF Rn. 2). Verzichtserklärung ist ggü. Gesellschaft abzugeben. Anders als § 8 III 2 UmwG lässt § 293a III im Wesentlichen aus Kostengründen öffentl. Beglaubigung genügen (zur Auslandsbeglaubigung → § 23 Rn. 12). Wegen der nach § 129 I 1 BGB erforderlichen Unterschrift des Erklärenden könnte an sich auch in einem beurkundeten einstimmigen Beschluss (§ 129 II BGB) keine formgerechte Verzichtserklärung der Gesellschafter gefunden werden (str. – s. nur Emmerich/Habersack/Emmerich Rn. 35 mwN). Das entspr. dem auf Kostenersparnis gerichteten Regelungszweck jedoch nicht (hM – s. statt aller MüKoAktG/Altmeppen Rn. 57 ff.; GK-AktG/Mülbert Rn. 55). Beglaubigungserfordernis besteht deshalb nur, wenn unabhängig von Beschlussfassung verzichtet wird, so dass beide Wege zur Verfügung stehen (Altmeppen ZIP 1998, 1853, 1862 f.). Schließlich kann Verzicht nicht allg. im Vorhinein (bspw. in der Satzung) erklärt werden; er bedarf einer Anknüpfung an konkreten Unternehmensvertrag (Hölters/Weber/Deilmann Rn. 18; BeckOGK/Veil/Walla Rn. 24).

22 Nicht an § 8 III UmwG angelehnt ist § 293a III insoweit, als er für **100 %-Besitz** keine Ausnahme vorsieht. Das ist in der Sache nicht recht verständlich (krit. auch Bungert DB 1995, 1384, 1388 f.), widerspricht der für die Prüfung getroffenen Ausnahmeregelung in § 293b I Hs. 2 (→ § 293b Rn. 9) und sollte geändert werden.

V. Rechtsfolgen eines fehlerhaften Vorstandsberichts

23 Ein fehlender, fehlerhafter oder unvollständiger Vorstandsbericht über den Unternehmensvertrag bildet nicht nur eine organschaftliche Pflichtverletzung des Vorstands sondern kann auch zur Anfechtung des Zustimmungsbeschlusses der HV (§ 293 I, II) nach § 243 I, IV 1 führen. Desgleichen können Informationsmängel bzgl. Höhe und Angemessenheit von Ausgleich und Abfindung (§§ 304, 305) Anfechtung des Beschlusses begründen. Anfechtungsausschluss nach § 243 IV 2 (iVm § 304 III 2 und § 305 V 1, 2) steht dem nicht entgegen, da dieser nur Informationen „in der HV" betr. (→ § 243 Rn. 47c) und somit nicht den Unternehmensvertragsbericht, dessen Hauptziel ist, Aktionäre im Vorfeld der HV so zu informieren, dass sie Plausibilitätskontrolle der rechtl. Zulässigkeit und wirtschaftlichen Zweckmäßigkeit des Vertrages vornehmen und Teilhaberrechte in der HV entspr. ausüben können (hM – vgl. LG Frankfurt AG 2013, 529, 531 f.; LG München AG 2009, 918, 921 f.; MüKoAktG/Altmeppen Rn. 70; sa Hölters/Weber/Deilmann Rn. 19 ff.; Emmerich/Habersack/Emmerich Rn. 40; GK-AktG/Mülbert Rn. 62; Grigoleit/Servatius Rn. 13; aA OLG Frankfurt AG 2010, 368, 374; teilw. aA S/L/Langenbucher Rn. 28). Als Maßstab für Mangelhaftigkeit des Berichtes ist § 243 IV 1 heranzuziehen (GK-AktG/Mülbert Rn. 63; Decher FS Hoffmann-Becking, 2013, 295, 303).

24 Heilung von Berichtsmängeln in der HV ist ebenso wie nachträgliche Erstattung des Berichts angesichts der Vorab-Informationsfunktion ausgeschlossen (str., wie hier MüKoAktG/Altmeppen Rn. 67; Emmerich/Habersack/Emmerich Rn. 41; KK-AktG/Koppensteiner Rn. 49; S/L/Langenbucher Rn. 29; Grigoleit/Servatius Rn. 14; aA Bayer AG 1988, 323, 330; Mertens AG 1990, 20, 29, beide hinsichtlich des Verschmelzungsberichts). Nur so können Aktionäre ihr Fragerecht sachkundig ausüben (GK-AktG/Mülbert Rn. 59 f.). Fehlerhafter Bericht stellt außerdem ein Eintragungshindernis für Unternehmensvertrag in das HR bzw. faktische Registersperre dar, wenn der HV-Beschluss aus diesem Grund

anfechtbar ist (Emmerich/Habersack/Emmerich Rn. 41; KK-AktG/Koppensteiner Rn. 50; GK-AktG/Mülbert Rn. 65; ähnlich MüKoAktG/Altmeppen Rn. 71; aA Grigoleit/Servatius Rn. 14). Freigabeverfahren gem. § 246a steht jedoch offen (GK-AktG/Mülbert Rn. 65; Decher FS Hoffmann-Becking, 2013, 295, 308 f.).

Prüfung des Unternehmensvertrags

293b (1) **Der Unternehmensvertrag ist für jede vertragschließende Aktiengesellschaft oder Kommanditgesellschaft auf Aktien durch einen oder mehrere sachverständige Prüfer (Vertragsprüfer) zu prüfen, es sei denn, daß sich alle Aktien der abhängigen Gesellschaft in der Hand des herrschenden Unternehmens befinden.**

(2) **§ 293a Abs. 3 ist entsprechend anzuwenden.**

I. Regelungsgegenstand und -zweck

§ 293b betr. zusammen mit §§ 293c–293e Prüfung des Unternehmensvertrags. 1
Norm begründet ergänzend zu § 293a (Unternehmensvertragsbericht des Vorstandes) Pflicht zur Prüfung, die von unabhängigen Sachverständigen durchzuführen ist, und nennt Ausnahmen. Bezweckt ist, **gerichtl. Überprüfung** der Angemessenheit von Ausgleich und Abfindung (§§ 304, 305) im Spruchverfahren (→ SpruchG § 1 Rn. 1 ff.) möglichst **überflüssig zu machen** (Entlastungsfunktion), s. Begr. BT-Drs. 12/6699, 178. Weiterhin wird dadurch zum Schutz der Aktionäre beigetragen, dass Gesetzeskonformität des Unternehmensvertrages und Sachgerechtigkeit des darin enthaltenen Interessenausgleichs geprüft werden. Prüfung erfüllt damit auch Informationsfunktion (ausf. zum Normzweck GK-AktG/Mülbert Rn. 5 ff.). Regelung ist an §§ 9, 60 UmwG angelehnt.

II. Prüfungspflicht

1. Zum Gegenstand der Prüfung. Entspr. den Vorschriften zur Verschmel- 2
zungsprüfung bezeichnet § 293b I Hs. 1 den **Unternehmensvertrag** als Prüfungsgegenstand. Es kann auch Vertragsentwurf sein, wenn er alle prüfungsrelevanten Informationen zum Inhalt hat und keine bedeutsamen Abweichungen ggü. tats. abgeschlossenem Vertrag bestehen (GK-AktG/Mülbert Rn. 12). Wie in § 293a I 1 sind alle Verträge iSd §§ 291, 292 erfasst (str. → § 293a Rn. 4). Weil sich mit Beherrschungs- und/oder Gewinnabführungsverträgen einerseits (§ 291) und den sonstigen Unternehmensverträgen andererseits (§ 292) unterschiedliche Rechtsfolgen verbinden, ist jedoch für die erforderlichen Prüfungsaussagen zwischen diesen Vertragsgruppen zu unterscheiden (→ Rn. 4 ff., vgl. etwa zum Vertrags- und Prüfungsbericht beim Betriebsführungsvertrag Köhn Konzern 2013, 323). Fehlende Vertragsprüfung führt zur Anfechtbarkeit des HV-Beschlusses (statt aller GK-AktG/Mülbert Rn. 28 mwN).

Str. ist, ob und inwieweit neben Unternehmensvertrag auch darüber erstatteter 3
Vorstandsbericht Prüfungsgegenstand ist. Auch für entspr. Frage zur **Verschmelzungsprüfung** gibt es keine einheitliche Meinung (für Prüfung des Vorstandsberichts mit Unterschieden iE: Emmerich/Habersack/Emmerich Rn. 15; Bayer AG 1988, 323, 328; Ganske DB 1981, 1551, 1553; Hoffmann-Becking FS Fleck, 1988, 105, 122; Priester NJW 1983, 1459, 1462; Priester ZGR 1990, 420, 430; dagegen: Mertens AG 1990, 20, 31; Möller, Der aktienrechtliche Verschmelzungsbeschluss, 1991, 138). In der Betriebswirtschaftslehre hat sich der verneinende Standpunkt durchgesetzt (vgl. etwa IdW Stellungnahme HFA 6/1988 Slg. IdW/HFA S. 181 = WPg 1989, 42; Meyer zu Lösebeck WPg 1989,

499 f.; Schedlbauer WPg 1984, 33, 42; Schmitz Die Verschmelzungsprüfung, 1987, 190; aA [bejahend] Dirrigl WPg 1989, 413, 417). Der bejahenden Ansicht ist für Verschmelzungsprüfung beizutreten. Sie ist auch für **Prüfung nach § 293b** zu übernehmen (LG Berlin AG 1996, 230, 232 [zur Eingliederung → § 320 Rn. 12]; Emmerich/Habersack/Emmerich Rn. 15; ähnlich [kein Prüfungsgegenstand, aber er ist als Beurteilungsgrundlage für die Prüfung heranzuziehen] S/L/Langenbucher Rn. 5; GK-AktG/Mülbert Rn. 14; BeckOGK/Veil/Walla Rn. 4; grds. auch MüKoAktG/Altmeppen Rn. 10 f., der auf pflichtgem. Ermessen abstellt; aA Humbeck BB 1995, 1893, 1896). Dafür spricht Entlastungsfunktion der Prüfung (→ Rn. 1). Wortlaut des § 293b I steht nicht entgegen. Vgl. § 33 I, § 38 II 1: externe Gründungsprüfung erstreckt sich auch auf Bericht der Verwaltungsmitglieder (→ § 34 Rn. 2). Werden fehlerhafte oder untragbare Angaben in dem Vertragsbericht von Prüfern festgestellt, unterliegen sie in ihrem Prüfungsbericht einer Beanstandungspflicht (s. KG Berlin AG 2009, 30, 35; MüKoAktG/Altmeppen Rn. 11; Emmerich/Habersack/Emmerich Rn. 15).

4 **2. Erforderliche Prüfungsaussagen. a) Keine Prüfung der Zweckmäßigkeit.** Für Verschmelzung ist anerkannt, dass ihre wirtschaftliche Zweckmäßigkeit zwar Berichts-, aber nicht Prüfungsgegenstand ist (vgl. RegBegr. BT-Drs. 9/1065, 16). Dem ist auch für Vertragsprüfung beizutreten (MüKoAktG/Altmeppen Rn. 3; Emmerich/Habersack/Emmerich Rn. 19; GK-AktG/Mülbert Rn. 22). Über Zweckmäßigkeit des Unternehmensvertrags entscheidet Vorstand vorbehaltlich der Zustimmung der HV abschließend iR seines Ermessens. Prüfung des Vorstandsberichts (→ Rn. 3) ist entspr. eingeschränkt (klar zB Hoffmann-Becking FS Fleck, 1988, 105, 122 zur Verschmelzung; ebenso Humbeck BB 1995, 1893, 1896).

5 **b) Prüfung des Vertragsinhalts.** Im Unterschied zum Verschmelzungsvertrag, für dessen Inhalt § 5 I UmwG katalogartig einen **Mindeststandard** vorschreibt, dessen Vollständigkeit und Richtigkeit Gegenstand der Verschmelzungsprüfung ist (unstr., s. RegBegr. BT-Drs. 9/1065, 16), gibt es für Unternehmensverträge keinen ges. Mindeststandard (→ § 291 Rn. 10 f.; MüKoAktG/Altmeppen Rn. 6). Daher können ges. Mindestvorgaben für Unternehmensverträge allenfalls in einem formal-vordergründigen Sinne übernommen werden (sa Emmerich/Habersack/Emmerich Rn. 19). Unter diesem Aspekt bleibt der Sinn einer Vertragsprüfung jedoch im Dunkeln. Zu beachten ist allerdings, dass Vertragsprüfer als Wirtschaftsprüfer (§ 293d iVm § 319 I HGB, → Rn. 8) nicht die rechtl. Vorgaben der §§ 291 ff. auf Richtigkeit und Wahrung überprüfen und bestätigen können. Prüfung ist daher begrenzt auf betriebswirtschaftliche Kontrolle der Angemessenheit von Ausgleichs- und Abfindungsregelungen (→ Rn. 6; ebenso MüKoAktG/Altmeppen Rn. 7 f.; GK-AktG/Mülbert Rn. 16).

6 **c) Prüfung der Angemessenheit von Ausgleich und Abfindung.** Die wesentliche Aufgabe der Verschmelzungsprüfung besteht darin, die Angemessenheit des vorgeschlagenen Umtauschverhältnisses zu kontrollieren. Das gilt, wie § 293e I 2 zeigt, für Vertragsprüfung entspr, und zwar mit der Maßgabe, dass Ausgleich und Abfindung an die Stelle des Umtauschverhältnisses treten. Zu Einzelheiten der danach gebotenen Prüfung → § 293e Rn. 4. Im Einzelnen ist allerdings zu unterscheiden: Weil Ausgleich und Abfindung nur für Beherrschungs- und/oder Gewinnabführungsverträge vorgesehen sind (§§ 304, 305), können sie auch nur für solche Verträge geprüft werden. Dabei genügt es, wenn vorhandene Bewertungsgutachten sachkundiger Plausibilitätskontrolle unterzogen werden; eigenständige Unternehmensbewertung ist nicht durchzuführen (KG AG 2009, 30, 35; Decher FS Hoffmann-Becking, 2013, 295, 300). Für die

anderen Unternehmensverträge (§ 292) ist insoweit nichts zu prüfen (aA GK-AktG/Mülbert Rn. 21). Weil die Zweckmäßigkeit keinesfalls zu kontrollieren ist (→ Rn. 4) und ein prüfbarer ges. Mindeststandard für Unternehmensverträge nicht existiert (→ Rn. 5), stellt sich damit allerdings die Frage, was die Prüfung bei anderen Unternehmensverträgen (§ 292) überhaupt soll.

3. Prüfung für jede vertragschließende Gesellschaft. Prüfung ist nach § 293b I Hs. 1 für jede vertragschließende AG oder KGaA durchzuführen. Formulierung geht auf § 340b I aF zurück, ist aber iRd Vertragsprüfung ohne rechten Sinn, weil sie Prüfungspflicht ohne Rücksicht auf **Mitwirkungszuständigkeit der HV** zu begründen scheint, während § 293a I 1 für Berichterstattung durch Verweisung auf § 293 gerade an Mitwirkungszuständigkeit anknüpft. Sinnvoll kann nur angenommen werden, dass Berichts- und Prüfungspflicht identische Anwendungsbereiche haben (überzeugend Emmerich/Habersack/Emmerich Rn. 10; sa Hölters/Weber/Deilmann Rn. 10; KK-AktG/Koppensteiner Rn. 8; GK-AktG/Mülbert Rn. 8), so dass Prüfungspflicht stets für die zur vertragstypischen Leistung verpflichtete AG oder KGaA besteht, sich aber für Obergesellschaft auf Zustimmungsfälle nach § 293 II beschränkt (→ § 293a Rn. 7). Auch soweit Prüfung danach auf beiden Vertragsseiten zu erfolgen hat, gibt es keine getrennte Prüferbestellung. Vielmehr verbleibt es bei § 293c I (→ § 293c Rn. 2). 7

4. Vertragsprüfer. Prüfung ist durch einen oder mehrere sachverständige Prüfer durchzuführen, die § 293b I Hs. 1 als Vertragsprüfer definiert. Sachkunde wird durch § 319 I 1 HGB iVm § 293d I sichergestellt. Danach können nur Wirtschaftsprüfer und Wirtschaftsprüfungsgesellschaften Vertragsprüfer der AG sein (ausf. §§ 293c, 293d). 8

5. Ausnahme bei Einmann-Aktiengesellschaft. Gem. § 293b I Hs. 2 besteht keine Prüfungspflicht, wenn Unternehmensvertrag mit einer AG geschlossen wird, die sich zu 100 % im Besitz des anderen Vertragsteils befindet. AG hat dann keine außenstehenden Aktionäre, so dass §§ 304, 305 ins Leere gehen und das Hauptziel der Vertragsprüfung (→ Rn. 6) nicht verwirklicht werden kann. § 16 IV findet keine Anwendung. Vertragsprüfung muss deshalb stattfinden, wenn sich Alleinbesitz nur durch Zurechnung begründen lässt (MüKoAktG/Altmeppen Rn. 18; Emmerich/Habersack/Emmerich Rn. 12; GK-AktG/Mülbert Rn. 11). Andere Beurteilung scheitert daran, dass sich Aktien „in der Hand" des herrschenden Unternehmens befinden müssen, was nicht §§ 20 IV, 21 II entspr. (→ § 20 Rn. 6 bzw. → § 21 Rn. 3), sondern § 319 I 1, § 320 I 1 (→ § 319 Rn. 4 bzw. → § 320 Rn. 3). Ausnahme nach § 293b I Hs. 2 muss auch bei **Mehrmütterherrschaft** gelten, sofern den anderen Vertragsteil bildende Gesellschaften alle Aktien in ihren Händen halten (MüKoAktG/Altmeppen Rn. 19; Emmerich/Habersack/Emmerich Rn. 12; Bungert DB 1995, 1384, 1391 f.). Schließlich besteht auch dann keine Pflicht zur Vertragsprüfung, wenn außenstehende Aktionäre auf Ausgleich und Abfindung wirksam verzichtet haben (OLG Hamburg AG 2011, 48 f.). Prüfung wäre ebenso funktionslos wie beim Fehlen außenstehender Aktionäre. Wie von Prüfungspflicht sollte bei Einmann-AG auch von Berichtspflicht dispensiert werden, was jedoch in § 293a III nicht vorgesehen ist (→ § 293a Rn. 22). 9

III. Verzicht auf Prüfung

In § 293b II vorgesehene entspr. Anwendung des § 293a III bedeutet, dass Aktionäre nicht nur auf den Vorstandsbericht, sondern auch auf die Prüfung des 10

Vertrags verzichten können. Auch hier müssen alle Anteilsinhaber verzichten und ihre Erklärungen öffentl. beglaubigen lassen. Einzelheiten: → § 293a Rn. 21.

Bestellung der Vertragsprüfer

293c (1) [1] **Die Vertragsprüfer werden jeweils auf Antrag der Vorstände der vertragschließenden Gesellschaften vom Gericht ausgewählt und bestellt.** [2] **Sie können auf gemeinsamen Antrag der Vorstände für alle vertragschließenden Gesellschaften gemeinsam bestellt werden.** [3] **Zuständig ist das Landgericht, in dessen Bezirk die abhängige Gesellschaft ihren Sitz hat.** [4] **Ist bei dem Landgericht eine Kammer für Handelssachen gebildet, so entscheidet deren Vorsitzender an Stelle der Zivilkammer.** [5] **Für den Ersatz von Auslagen und für die Vergütung der vom Gericht bestellten Prüfer gilt § 318 Abs. 5 des Handelsgesetzbuchs.**

(2) **§ 10 Abs. 3 bis 5 des Umwandlungsgesetzes gilt entsprechend.**

I. Regelungsgegenstand und -zweck

1 § 293c regelt **gerichtl. Bestellung** der Vertragsprüfer. Auch dadurch (→ § 293b Rn. 1) soll Spruchverfahren entlastet werden, weil Ergebnis eines gerichtl. bestellten Vertragsprüfers von den Beteiligten eher angenommen wird als eine vom Vorstand veranlasste Begutachtung (Begr. BT-Drs. 12/6699, 85). Parallelvorschrift ist § 10 UmwG.

II. Gerichtliche Bestellung

2 **1. Notwendigkeit.** Vertragsprüfer werden nur vom Gericht ausgewählt und bestellt. Dadurch soll dem Eindruck von „Parteinähe" vorgebeugt werden (RegBegr. BT-Drs. 15/371, 18). Das ist notwendig wegen der **Aufwertung des Vertragsprüfers** und anderer sachverständiger Prüfer zu sachkundigen gerichtl. Auskunftspersonen durch § 7 VI SpruchG (→ SpruchG § 7 Rn. 7) und § 8 II SpruchG (→ SpruchG § 8 Rn. 3 ff.), deren Anhörung wenigstens den Umfang eines gerichtl. veranlassten Bewertungsgutachtens reduzieren kann. Erforderliche Unvoreingenommenheit soll durch gerichtl. Bestellungsmonopol gesichert werden.

3 **2. Zuständigkeit.** Sachliche Zuständigkeit liegt gem. § 293c I 3 beim Landgericht. Örtl. Zuständigkeit bestimmt sich nach Gesellschaftssitz (§ 5) des verpflichteten („abhängigen") Vertragsteils. Funktionell zuständig ist KfH, soweit gebildet, sonst Zivilkammer (§ 293c I 4). KfH entscheidet gem. § 293c I 4 durch ihren Vorsitzenden. Das ist in der Sache sinnvoll, weil ohne bes. Regelung § 105 I GVG, § 349 ZPO gelten würden und KfH danach in voller Besetzung zu entscheiden hätte. § 293c II eröffnet Möglichkeit der Verfahrenskonzentration (→ Rn. 6).

4 **3. Verfahren.** Mangels bes. Bestimmung wird Landgericht gem. § 10 III UmwG iVm § 293c II (→ Rn. 6) im Verfahren nach FamFG tätig (wie bei Bestellung von Sonderprüfern nach § 142 II, VIII; → § 142 Rn. 36), nicht dagegen im Streitverfahren der fG nach Vorbild der §§ 99, 132 oder des SpruchG. Zuweisung zu dieser bes. Verfahrensart kann der Zuständigkeitsregelung des § 293c I 2 und 3 nicht entnommen werden. Auch materiell liegt Streitsache schon mangels Gegners nicht vor. Unverzichtbar ist jedoch verfahrenseinleitender **Antrag** (§ 293c I 1), der zumindest eine knappe Sachverhaltsschilderung umfassen sollte. Antrag kann auch Vorschläge zur Prüfungsperson enthalten, doch sind diese für das Gericht nicht bindend, das vielmehr nach freier Überzeugung (§ 37

FamFG) entscheidet (vgl. BGH AG 2006, 887 Rn. 29 [zu § 327c II]; OLG Düsseldorf AG 2006, 754, 754). In der Praxis folgen Gerichte aber ganz überwiegend diesen Vorschlägen (Emmerich/Habersack/Emmerich Rn. 5; Sturm/Stottmann NZG 2020, 974, 975; Engel/Puszkajler BB 2012, 1687, 1689: 60% folgen grds., 15% gelegentlich). Gem. § 41 FamFG ist gerichtl. Entscheidung den Antragsstellern und den bestellten Prüfern bekannt zu machen. Wenn Antrag auf Bestellung der Prüfungsperson abgewiesen wird, ist entspr. Begr. erforderlich. Dies gilt nicht, wenn ein anderer als vom Vorstand vorgeschlagene Prüfer bestellt worden ist (s. GK-AktG/Mülbert Rn. 12 ff.). Gericht darf dem Prüfer aber keine inhaltlichen Anweisungen für die Durchführung der Prüfung erteilen. Anders als gerichtl. Sachverständiger handelt Prüfer allein aufgrund gerichtl. Bestellung, nicht in gerichtl. Auftrag (OLG Düsseldorf AG 2016, 142, 143 f. [zu § 10 UmwG]). **Gemeinsame Bestellung** für mehrere Gesellschaften setzt gemeinsamen Antrag der Vorstände voraus (§ 293c I 2). Gemeinsamkeit erfordert inhaltliche Übereinstimmung der Anträge, nicht auch gemeinsame Antragsschrift. **Rechtsmittel:** Beschwerde mit Monatsfrist des § 63 FamFG gem. § 10 IV UmwG iVm § 293c II (→ Rn. 6).

4. Auslagenersatz und Vergütung. § 293c I 5 regelt Auslagenersatz und Vergütung durch Verweis auf § 318 V HGB. Diese Norm entspr. voll der für Sonderprüfer im AktG selbst enthaltenen Regelung, nämlich § 142 VI (→ § 142 Rn. 33). Wenn Vertragsprüfer für mehrere Gesellschaften bestellt wird, haften sie ihm wegen seiner Ansprüche als Gesamtschuldner (§§ 421 ff. BGB). 5

III. § 10 III–V UmwG

§ 293c II ordnet entspr. Anwendung von § 10 III–V UmwG an. § 10 III UmwG sieht grds. **Maßgeblichkeit des FamFG** vor (→ Rn. 4). Im Einzelnen gilt: § 10 IV und V UmwG betr. Rechtsmittel der Beschwerde mit Monatsfrist des § 63 FamFG und Verfahrenskonzentration für Beschwerdeinstanz. Regelung entspr. § 12 SpruchG (→ SpruchG § 12 Rn. 1 ff.). Sinnvoll ist es, die Verfahren nach § 293c I bei den Landgerichten zu konzentrieren, die auch für Spruchverfahren zuständig sind. Von der Ermächtigung des § 71 IV GVG muss auch für Verfahren nach § 293c Gebrauch gemacht werden. Zuständigkeitskonzentration für Spruchverfahren oder Umwandlungssachen genügt als solche auch dann nicht, wenn man § 293c II der Sache nach als Verweisungsnorm auffasst; denn eine dynamische Verweisung gibt es nicht (vgl. BGH AG 1987, 377; BayObLGZ 1986, 180, 181 ff.; OLG Hamm ZIP 1982, 840 f.; OLG Karlsruhe OLGZ 1985, 41, 42). 6

Auswahl, Stellung und Verantwortlichkeit der Vertragsprüfer

293d (1) [1]**Für die Auswahl und das Auskunftsrecht der Vertragsprüfer gelten § 319 Abs. 1 bis 4, § 319b Abs. 1, § 320 Abs. 1 Satz 2 und Abs. 2 Satz 1 und 2 des Handelsgesetzbuchs entsprechend.** [2]**Bei einer Gesellschaft, die Unternehmen von öffentlichem Interesse nach § 316a Satz 2 des Handelsgesetzbuchs ist, gilt für die Auswahl des Vertragsprüfers neben Satz 1 auch Artikel 5 Absatz 1 der Verordnung (EU) Nr. 537/2014 entsprechend mit der Maßgabe, dass an die Stelle der in Artikel 5 Absatz 1 Unterabsatz 1 Buchstabe a und b der Verordnung (EU) Nr. 537/2014 genannten Zeiträume der Zeitraum zwischen dem Beginn des Geschäftsjahres, welches dem Geschäftsjahr vorausgeht, in dem der Unternehmensvertrag geschlossen wurde, und dem Zeitpunkt, in dem der Vertragsprüfer den Prüfungsbericht nach § 293e erstattet hat,**

tritt. ³Das Auskunftsrecht besteht gegenüber den vertragschließenden Unternehmen und gegenüber einem Konzernunternehmen sowie einem abhängigen und einem herrschenden Unternehmen.

(2) **¹Für die Verantwortlichkeit der Vertragsprüfer, ihrer Gehilfen und der bei der Prüfung mitwirkenden gesetzlichen Vertreter einer Prüfungsgesellschaft gilt § 323 des Handelsgesetzbuchs entsprechend. ²Die Verantwortlichkeit besteht gegenüber den vertragschließenden Unternehmen und deren Anteilsinhabern.**

I. Regelungsgegenstand und -zweck

1 § 293d I enthält Vorschriften über **Auswahl** und **Auskunftsrecht** der Vertragsprüfer. § 293d II regelt ihre **Haftung.** Norm sieht entspr. Geltung der für Abschlussprüfer bestehenden Vorschriften vor, insbes. Bestellungsverbote aufgrund personeller oder sachlicher Interessenkonflikte. Bis auf die Überschrift ist sie § 11 UmwG nachgebildet. Mit § 293d soll sichergestellt werden, dass Unternehmensvertragsprüfung von fachlich qualifizierten, unabhängigen und objektiven Prüfern durchgeführt wird, um somit Aktionärsschutz durch umfassende (Vorab-)Informationen und evtl. folgendes Spruchverfahren zu entlasten (vgl. RegBegr. BT-Drs. 9/1065, 16 f.; GK-AktG/Mülbert Rn. 4).

II. Auswahl der Vertragsprüfer

2 Prüferbefähigung und Bestellungsverbote beurteilen sich auch bei Vertragsprüfung nach § 319 I–IV HGB. Unmittelbar für Abschlussprüfer geltende Ausschlussgründe einschließlich der Besorgnis der Befangenheit (§ 319 II HGB) sind also auf Vertragsprüfer entspr. anwendbar. Soweit es um Prüferbefähigung geht, kommen für AG nur Wirtschaftsprüfer und Wirtschaftsprüfungsgesellschaften als Vertragsprüfer in Betracht (§ 319 I 1 HGB). Auf davon abw. Regelung für Sonderprüfer in § 143 I kann nicht zurückgegriffen werden (zust. GK-AktG/Mülbert Rn. 5).

3 **Bestellungsverbote** richten sich wie gem. § 143 II nach § 319 II und III HGB, 319b I HGB bzw. (Prüfungsgesellschaften) nach § 319 IV HGB (vgl. dazu mit Gesetzestext → § 143 Rn. 3 f.). Mit der bislang ebenfalls in Verweisung einbezogenen Vorschrift des § 319a HGB aF wurden von Abschlussprüfer-VO eingeräumte Mitgliedstaatenwahlrechte ausgeübt. Im Nachgang des Wirecard-Skandals 2020 wurde die Regelung durch FISG 2021 aufgehoben, was redaktionelle Anpassung in § 293d I erforderlich machte. Verweisung auf § 319b I HGB soll Unabhängigkeit des Prüfers auch unter Berücksichtigung seines Netzwerks gewährleisten (→ § 143 Rn. 3; s. zum Begriff „Netzwerk" RegBegr. BT-Drs. 16/10067, 90 f.). Wenn Bestellungsverbot bzgl. des anderen („herrschenden") Vertragsteils eingreift, kann Prüfer oder Prüfungsgesellschaft auch von der verpflichteten („abhängigen") AG nicht gültig bestellt werden, weil Vertragsprüfer ggü. beiden Parteien des Unternehmensvertrags unbefangen zu sein hat (vgl. RegBegr. BT-Drs. 9/1065, 16; MüKoAktG/Altmeppen Rn. 4; KK-AktG/Koppensteiner Rn. 7; GK-AktG/Mülbert Rn. 8). Tätigkeit als Abschlussprüfer hier oder dort sowie frühere Tätigkeit ist dagegen grds. kein Bestellungshindernis (OLG München AG 2007, 287, 289; Konzern 2007, 356, 359; AusschussB BT-Drs. 9/1785, 23; MüKoAktG/Altmeppen Rn. 5; KK-AktG/Koppensteiner Rn. 5; GK-AktG/Mülbert Rn. 9). **Verletzung des Bestellungsverbots** (etwa des § 319 HGB) innerhalb des der Prüfung zugrunde liegenden Rechtsverhältnisses zwischen Gesellschaft und Vertragsprüfer führt zur Nichtigkeit gem. § 134 BGB. Verletzung des Bestellungsverbots macht gerichtl. Bestellungsbeschluss (§ 293c I) dagegen nur rechtl. fehlerhaft (Folge: anfechtbar mit Beschwerde gem.

§§ 58 ff. FamFG), nicht nichtig (hM → § 143 Rn. 6; Emmerich/Habersack/Emmerich Rn. 4; KK-AktG/Koppensteiner Rn. 10; GK-AktG/Mülbert Rn. 10; aA MüKoAktG/Altmeppen Rn. 11).

Ebenfalls durch FISG 2021 neu eingeführt wurde § 293d I 2, wonach bei **Unternehmen von öffenl. Interesse** iSd § 316a S. 2 HGB (→ § 100 Rn. 23) für Auswahl des Vertragsprüfers auch Verbot der Erbringung von Nichtprüfungsleistungen nach Art. 5 I Abschlussprüfer-VO gilt. Dieser Ausdehnung bedarf es, da Abschlussprüfer-VO auf Vertragsprüfungen nicht unmittelbar anwendbar ist. Indem § 293d I 2 entspr. Anwendung anordnet, soll Unabhängigkeit auch des Vertragsprüfers gestärkt werden (RegBegr. BT-Drs. 19/26966, 117). Nähere Vorgaben enthält § 293d I 2 für zeitl. Eingrenzung. Angeknüpft wird an Abschluss des Unternehmensvertrags einerseits und Prüfungsbericht nach § 293e andererseits. Für **Anfangszeitpunkt** ist aber nicht Vertragsschluss selbst maßgeblich, sondern Beginn des Geschäftsjahres, das dem Geschäftsjahr vorausgeht, in dem Unternehmensvertrag geschlossen wurde. Damit soll berücksichtigt werden, dass auch solche Leistungen, die zeitl. vor Abschluss des Unternehmensvertrags erbracht wurden, noch zeitl. Nähe zur Prüfung aufweisen können (RegBegr. BT-Drs. 19/26966, 117). Durch zeitl. Anknüpfung werden weiterhin solche Konstellationen erfasst, in denen Bericht ausnahmsweise bereits vor Beginn des Geschäftsjahres erstattet wurde, in dem Unternehmensvertrag geschlossen wurde. Entscheidend ist Zeitpunkt des tats. Vertragsschlusses; abw. Eintritt der Wirksamkeit (zB § 158 BGB: aufschiebende Bedingung) ist unbeachtlich (RegBegr. BT-Drs. 19/26966, 117). Auch Formmängel oder inhaltl. Fehler sind für zeitl. Anknüpfung unschädlich (RegBegr. BT-Drs. 19/26966, 117). Als **Endzeitpunkt** ist Prüfungsbericht maßgeblich. Er gilt als erstattet, sobald er vom Vertragsprüfer entweder AG oder betroffenen Aktionären zur Verfügung gestellt wird (RegBegr. BT-Drs. 19/26966, 117). Wird ausnahmsweise auf schriftl. Erstattung verzichtet, ist Prüfung selbst aber gleichwohl erforderlich, ist auf Zeitpunkt abzustellen, in dem Ergebnisse der Prüfung den betroffenen Aktionären ggü. dargestellt werden. Nach diesem Zeitpunkt erbrachte Nichtprüfungsleistungen führen nicht mehr zum Ausschluss des Vertragsprüfers (RegBegr. BT-Drs. 19/26966, 117). Vorschrift gilt nach § 26k V EGAktG für die Prüfung von Unternehmensverträgen, die nach dem 31.12.2021 geschlossen wurden. **3a**

III. Auskunftsrecht

§ 320 I 2 HGB iVm § 293d I 1 gibt Vertragsprüfern das eigentliche Prüfungsrecht, ohne dafür bes. Schranken aufzustellen (ADS § 320 HGB Rn. 8 ff.), § 320 II 1 HGB iVm § 293d I 1 das ergänzende Auskunftsrecht in den Grenzen des für eine sorgfältige Prüfung Notwendigen. Anwendung des § 320 II 2 HGB dürfte bei Vertragsprüfung bedeutungslos sein (aA MüKoAktG/Altmeppen Rn. 12; GK-AktG/Mülbert Rn. 12). Der Sache nach entspr. die in Bezug genommenen Vorschriften der in § 145 I und II getroffenen Regelung mit der Maßgabe, dass iRd Vertragsprüfung keine Auskunftspflicht der AR-Mitglieder besteht, weil sie nicht ges. Vertreter iSd § 320 II HGB sind (deshalb ergänzend → § 145 Rn. 1–4). § 293d I 3 stellt klar, dass beide Parteien des Unternehmensvertrags auskunftspflichtig sind, und erstreckt Auskunftspflicht wie § 145 III auf Konzernunternehmen, abhängige und herrschende Unternehmen (→ § 145 Rn. 5). **4**

IV. Verantwortlichkeit

Soweit es um § 293d II 1 geht, sagt § 144 dasselbe kürzer (→ § 144 Rn. 1; vgl. zur Haftung des Abschlussprüfers auch → § 49 Rn. 2 und 4). Strafvorschriften **5** der §§ 403, 404 gelten auch für Vertragsprüfer, weil die Vorschriften auf weitere Eingrenzung der Prüfereigenschaft verzichten. § 293d II 2 erstreckt Prüferpflichten auf beide Parteien des Unternehmensvertrags. Soweit es um **Anteilsinhaber** geht, bedeutet § 293d II 2 vor allem, dass Aktionäre bei schuldhafter Verletzung von Prüferpflichten Anspruch auf Ersatz ihnen erwachsenen Schadens haben (zB Ausgleich oder Abfindung infolge Bewertungsfehlers zu niedrig; OLG Düsseldorf NZG 2020, 1072 Rn. 31). Zivilrechtl. Haftung der Prüfer ist für Verschmelzung durch Art. 107 GesR-RL als Mindeststandard mitgliedstaatlicher Regelung vorgeschrieben. Haftung der Prüfer bedeutet eine versteckte, aber nicht unwichtige Ergänzung der § 304 und § 305.

Prüfungsbericht

293e (1) [1] **Die Vertragsprüfer haben über das Ergebnis der Prüfung schriftlich zu berichten.** [2] **Der Prüfungsbericht ist mit einer Erklärung darüber abzuschließen, ob der vorgeschlagene Ausgleich oder die vorgeschlagene Abfindung angemessen ist.** [3] **Dabei ist anzugeben,**

1. **nach welchen Methoden Ausgleich und Abfindung ermittelt worden sind;**
2. **aus welchen Gründen die Anwendung dieser Methoden angemessen ist;**
3. **welcher Ausgleich oder welche Abfindung sich bei der Anwendung verschiedener Methoden, sofern mehrere angewandt worden sind, jeweils ergeben würde; zugleich ist darzulegen, welches Gewicht den verschiedenen Methoden bei der Bestimmung des vorgeschlagenen Ausgleichs oder der vorgeschlagenen Abfindung und der ihnen zugrunde liegenden Werte beigemessen worden ist und welche besonderen Schwierigkeiten bei der Bewertung der vertragschließenden Unternehmen aufgetreten sind.**

(2) **§ 293a Abs. 2 und 3 ist entsprechend anzuwenden.**

I. Regelungsgegenstand und -zweck

1 § 293e betr. Prüfungsbericht und schreibt Berichtsinhalt vor. Die notwendige **Schlusserklärung** muss sich über Angemessenheit von Ausgleich oder Abfindung äußern (§ 293e I 2). Das entspr. der Entlastungsfunktion der Prüfung (→ § 293b Rn. 1), die sie nur erfüllen kann, wenn ihr Ergebnis den Anforderungen der §§ 304, 305 Rechnung trägt. § 293e I 3 schreibt als weiteren Berichtsinhalt die wesentlichen Teilaussagen vor, aus denen sich das Angemessenheitsurteil ableitet. Norm entspr. § 12 UmwG, der seinerseits auf § 340b IV aF zurückgeht, diesen aber um die Verzichtsmöglichkeit nach § 293a III, § 293e II erweitert hat. Die Norm dient wie § 293a dem Zweck, Aktionäre umfassend über Inhalt und Auswirkungen des Unternehmensvertrages zu informieren, insbes. bzgl. Angemessenheit von Ausgleich und Abfindung (s. GK-AktG/Mülbert Rn. 4).

II. Berichtspflicht

2 Vertragsprüfer sind nach § 293e I 1 berichtspflichtig; wird Prüfungsbericht nicht erstellt, ist HV-Beschluss über Unternehmensvertrag nach § 243 I anfechtbar (s. nur Grigoleit/Servatius Rn. 9). Aus Schriftform folgt, dass Vertragsprüfer ihren Bericht zu unterzeichnen haben (§ 126 I BGB; sa § 321 V 1 HGB, § 313 II 3). Bericht ist dem Vorstand der vertragschließenden („abhängigen")

Gesellschaft vorzulegen (Emmerich/Habersack/Emmerich Rn. 5a); denn nur Vorstand kann Pflichten zur Auslegung nach § 293f I Nr. 3, § 293g I erfüllen und Erteilung von Abschriften (§ 293f II) veranlassen. Vorstand kann dazu Weiterleitung des Berichts an die andere Partei bewirken. Bei gemeinsamer Bestellung der Prüfer ist Bericht allen vertragsschließenden Gesellschaften zuzuleiten (Emmerich/Habersack/Emmerich Rn. 5a).

III. Berichtsinhalt

1. Bei Beherrschungs- und/oder Gewinnabführungsverträgen. Schlusserklärung nach § 293e I 2 und Zusatzangaben nach § 293e I 3 setzen voraus, dass Unternehmensvertrag Ausgleich und Abfindung regelt, wie das bei Beherrschungs- und/oder Gewinnabführungsverträgen der Fall ist (§§ 304, 305). Wie Mindestangaben in den schriftlich erfassten Bericht zu integrieren sind und wie Bericht darüber hinaus zu gestalten ist, sagt Ges. nicht, sondern überlässt Einzelheiten **pflichtgem. Ermessen des Prüfers.** Muster des Prüfungsberichts bei Happ/Liebscher KonzernR/UmwR 1.01 lit. d; Gliederungsvorschlag für Bericht nach § 293e bei Humbeck BB 1995, 1893, 1897; zur Gestaltung in der Praxis Decher FS Hoffmann-Becking, 2013, 295, 300 f. IÜ kann auf Grundsätze zurückgegriffen werden, die zum Verschmelzungsprüfungsbericht entwickelt worden sind (vgl. dazu Schedlbauer WPg 1984, 33, 41 ff.; Schmitz, Die Verschmelzungsprüfung, 1987, 326 ff.). Ein von den Prüfern fehlerhaft erstellter Bericht führt grds. nicht zur Anfechtung des HV-Beschlusses, denn pflichtwidriges Verhalten des Vertragsprüfers begründet keine Haftung der Gesellschaft (s. nur GK-AktG/Mülbert Rn. 26 mwN). 3

Mindestinhalt des Berichts ist in § 293e I 3 vorgegeben. Danach muss Bericht zunächst Angaben über die **Methoden** enthalten, nach denen Ausgleich und Abfindung ermittelt worden sind (Nr. 1). Das sind in erster Linie die Methoden, nach denen Verschmelzungswertrelation ermittelt worden ist, soweit Aktionäre variablen Ausgleich nach § 304 II 2 (→ § 304 Rn. 14 ff., 16) oder Abfindung in Aktien nach § 305 II Nr. 1, 2 (§ 305 II Nr. 1; → § 305 Rn. 21 ff.) erhalten. Bei Barabfindung nach § 305 II Nr. 2, 3 verbleibt es bei Bewertung des von der „abhängigen" Gesellschaft geführten Unternehmens (→ § 305 Rn. 51). Ob Gesetzgeber bei den „Methoden" der Ausgleichsermittlung weitergehend auch an die Grundsätze gedacht hat, nach denen ein fester Ausgleich (§ 304 II 1) oder bei isolierten Beherrschungsverträgen (§ 304 I 2) eine Garantiedividende zu zahlen ist (→ § 304 Rn. 6, 8 ff.), ist wegen der von Verschmelzung übernommenen Gesetzesformulierung nicht ganz klar, doch wird man Frage bejahen müssen, weil sonst Entlastungszweck der Prüfung (→ § 293b Rn. 1) in wesentlichen Fällen nicht erreicht würde. Soweit Unternehmensbewertung vorzunehmen ist, dominieren Ertragswertmethoden in verschiedenen Ausprägungen (→ § 305 Rn. 24 ff.). Maßgeblicher Stichtag ist Tag der gem. § 293 I beschließenden HV (→ § 304 Rn. 10; → § 305 Rn. 34). 4

§ 293e I 3 Nr. 2 verlangt **Begr.** für Angemessenheit der angewandten Methode, § 293e I 3 Nr. 3 **Vergleichsrechnungen** bei Anwendung verschiedener Methoden (Ertragswert für x, Stuttgarter Verfahren für y) sowie Zusatzangaben, durch die Auswirkungen verschiedener Methoden für Wertfindung deutlich gemacht werden sollen. Für den Verschmelzungsprüfungsbericht wird Bedeutung dieser Vorgaben mit der Begr. relativiert, dass ohnehin nur Ertragswertmethode oder DCF-Methode zur Anwendung komme (IdW Stellungnahme HFA 6/1988 Slg. IdW/HFA S 181, 182 = WPg 1989, 42). Für Beherrschungs- und/oder Gewinnabführungsverträge muss das bei grds. unterschiedlicher Situation der rechtl. weiter getrennt bestehenden Unternehmen, zB bei ertragsschwacher Tochter, nicht in gleicher Weise gelten (MüKoAktG/Altmeppen Rn. 10). Ferner 5 wird man im Hinblick auf Normzweck zu verlangen haben, dass unterschiedliche Methoden bei Ermittlung des Ertragswerts (zB pauschal oder analytisch, → § 305 Rn. 24 ff.) dokumentiert werden.

6 Für Verschmelzungsprüfungsbericht ist str., ob er Einzelangaben über Tatsachen enthalten muss, die Angemessenheitsurteil der Prüfer tragen. Das ist nach hM, die Prüfungsbericht als **Ergebnisbericht** sieht, nicht der Fall (vgl. OLG Düsseldorf AG 2010, 711, 714; OLG Hamm AG 1989, 31, 33; LG Frankfurt WM 1990, 592, 594; LG Mannheim AG 1988, 248, 251; Decher FS Hoffmann-Becking, 2013, 295, 300; Hoffmann-Becking FS Fleck, 1988, 105, 123; Mertens AG 1990, 20, 32; Möller, Der aktienrechtliche Verschmelzungsbeschluss, 1991, 141 f.; Rodewald BB 1992, 237, 240 f.; Stephan Konzern 2014, 1, 14; ähnlich auch GK-AktG/Mülbert Rn. 9, 20, der jedoch Ausnahmen in Einzelfällen zulässt). Gegenansicht will Aktionären eigenes Urteil bzw. Plausibilitätskontrolle ermöglichen und zieht Umkehrschluss aus § 340b IV 5 aF (OLG Karlsruhe AG 1990, 35, 37 f.; zuneigend LG Frankenthal AG 1990, 549, 550 f.; MüKoAktG/Altmeppen Rn. 11–13; Emmerich/Habersack/Emmerich Rn. 16; Bayer AG 1988, 323, 328; Bayer WM 1989, 121, 123; Dirrigl WPg 1989, 413, 418 f.; Dirrigl WPg 1989, 617, 618). Beizupflichten ist der hM. Aktionäre sollen sich zwar eigenes Urteil bilden können. Dessen Basis ist aber Vorstandsbericht nach § 293a, während sich Prüfungsbericht wie auch sonst auf Rechtmäßigkeitsurteil beschränkt und das Ergebnis der Vertragsprüfung mit entspr. Testat nach § 293e I 2 darstellt.

7 **Schlusserklärung** des § 293e I 2 ist unverzichtbar. Sie wirft nur dann Probleme auf, wenn Vertragsprüfer Angemessenheit nicht oder nur mit Einschränkungen testieren können. Mangels ges. Vorgabe steht Formulierung in ihrem pflichtgem. Ermessen. § 293e I 2 lässt auch unterschiedliche Beurteilung von Ausgleich und Abfindung zu. Aktionäre können allerdings trotz fehlender Angemessenheit von Ausgleich oder Abfindung frei über Unternehmensvertrag entscheiden; sie sind an den Prüfungsbericht nicht gebunden. Der Minderheit steht außerdem das Recht zu, ein Spruchverfahren einzuleiten (s. Emmerich/Habersack/Emmerich Rn. 21; GK-AktG/Mülbert Rn. 27).

8 **2. Andere Unternehmensverträge.** Bei anderen Unternehmensverträgen (§ 292) gibt es weder Ausgleich noch Abfindung, so dass Schlusserklärung des § 293e I 2 nicht abgegeben werden und Bericht auch nicht Mindestinhalt des § 293e I 3 haben kann (→ § 293b Rn. 6). Weil auch Vollständigkeit und sachliche Richtigkeit des Unternehmensvertrags mangels ges. Mindeststandards nicht vernünftig prüfbar sind (→ § 293b Rn. 5), bleibt für Bericht, abgesehen von Formalien, nur Feststellung, dass Ausgleich und Abfindung nicht vorgesehen sind und nach dem Inhalt des Vertrags auch nicht geschuldet werden. Gesetzgeber sollte erwägen, diese Form der Vertragsprüfung wieder abzuschaffen (GK-AktG/Mülbert Rn. 22).

IV. Schutzklausel

9 Gem. § 293e II gilt § 293a II entspr., so dass Prüfungsbericht zur Nachteilszufügung geeignete Tatsachen nicht zu enthalten braucht (§ 293a II 1), das Fehlen entspr. Angaben aber begründen muss (§ 293a II 2) → § 293a Rn. 18 ff. Jedenfalls idR geht Vorschrift schon deshalb ins Leere, weil Einzelangaben nach § 293e I ohnehin nicht erforderlich sind (→ Rn. 6). Bedeutung kann aber namentl. § 293a II 2 erlangen, wenn Prüfungsbericht ausnahmsweise tats. Einzelangaben enthält. Wird so verfahren, darf Prüfungsbericht nicht durch Weglassen anderer Tatsachen irreführend werden. Wenn sie wegen Eignung zur Nachteilszufügung fehlen sollen, ist Begr. notwendig, da Geheimhaltungsbedürftigkeit und

ihre Begr. nach pflichtgem. Ermessen der Prüfer beurteilt werden (MüKoAktG/Altmeppen Rn. 20).

V. Verzicht auf Prüfungsbericht

In § 293e II vorgesehene entspr. Anwendung des § 293a III ergibt, dass Prüfungsbericht entbehrlich ist, wenn sämtliche Anteilsinhaber aller beteiligten Gesellschaften darauf in öffentl. beglaubigter Form verzichten (→ § 293a Rn. 21). Weil sie schon auf Prüfung insges. verzichten können (§ 293b II → § 293b Rn. 10), erlangt § 293e II nur dann Bedeutung, wenn Prüfung zunächst stattfindet, ihr Ergebnis aber ohne förmlichen Bericht von den Aktionären akzeptiert wird. Sie sollen dann die Möglichkeit haben, noch die Berichtskosten zu sparen (Begr. BT-Drs. 12/6699, 85). 10

Vorbereitung der Hauptversammlung

293f (1) **Von der Einberufung der Hauptversammlung an, die über die Zustimmung zu dem Unternehmensvertrag beschließen soll, sind in dem Geschäftsraum jeder der beteiligten Aktiengesellschaften oder Kommanditgesellschaften auf Aktien zur Einsicht der Aktionäre auszulegen**

1. **der Unternehmensvertrag;**
2. **die Jahresabschlüsse und die Lageberichte der vertragschließenden Unternehmen für die letzten drei Geschäftsjahre;**
3. **die nach § 293a erstatteten Berichte der Vorstände und die nach § 293e erstatteten Berichte der Vertragsprüfer.**

(2) **Auf Verlangen ist jedem Aktionär unverzüglich und kostenlos eine Abschrift der in Absatz 1 bezeichneten Unterlagen zu erteilen.**

(3) **Die Verpflichtungen nach den Absätzen 1 und 2 entfallen, wenn die in Absatz 1 bezeichneten Unterlagen für denselben Zeitraum über die Internetseite der Gesellschaft zugänglich sind.**

I. Regelungsgegenstand und -zweck

§ 293f setzt voraus, dass Unternehmensvertrag (§§ 291, 292) der Zustimmung der HV bedarf, um wirksam zu werden. Norm bezieht sich also stets auf HV der Untergesellschaft (§ 293 I) und weitergehend auch auf HV der Obergesellschaft, wenn es sich um Beherrschungs- und/oder Gewinnabführungsverträge handelt (§ 293 II). Bezweckt ist wie auch in § 293g **Information der Aktionäre,** die sonst ihre Rechte nicht sinnvoll ausüben, bes. an Beschlussfassung der HV nicht verantwortlich mitwirken können. 1

II. Auslegungspflicht

§ 293f I regelt Auslegung **vor HV** und ist § 175 II 1 nachgebildet; auf Erl. in → § 175 Rn. 5 ff. wird verwiesen. „Beteiligte" AG oder KGaA ist entspr. der genaueren Gesetzesfassung in § 293 III 2 aF die Gesellschaft, deren HV zustimmen soll. In den Fällen des § 293 II müssen also Unter- und Obergesellschaft auslegen, bei anderen Unternehmensverträgen nur die Untergesellschaft (§ 293 I). Pflicht aus § 293f I, II bezieht sich auf alle Unternehmensverträge iSd §§ 291, 292 (Emmerich/Habersack/Emmerich Rn. 1; GK-AktG/Mülbert Rn. 7). Wird § 293f verletzt (bspw. verspätete oder nicht ordnungsgem. Auslage der in § 293f I genannten Unterlagen oder Abschrifterteilung), ist Zustimmungsbeschluss nach 2

§ 293 I, II anfechtbar (MüKoAktG/Altmeppen Rn. 12; GK-AktG/Mülbert Rn. 35).

3 Die in den Geschäftsräumen (ausf. dazu GK-AktG/Mülbert Rn. 10 f.) jeder beteiligten Gesellschaften **auslegungspflichtigen Unterlagen** sind der Unternehmensvertrag (§ 293f I Nr. 1), weitergehend aber auch Jahresabschlüsse und Lageberichte der vertragschließenden Unternehmen für die letzten drei Geschäftsjahre (§ 293f I Nr. 2) und schließlich Vorstands- und Prüfungsberichte nach § 293a bzw. § 293e (§ 293f I Nr. 3). Stets genügend sind einfache Abschriften. **Letzte drei Geschäftsjahre** sind die, für die Rechnungslegung tats. vorliegt oder vorliegen müsste, nicht auch das nur kalendarisch abgelaufene Geschäftsjahr (str., s. KG BeckRS 2023, 29426 Rn. 70; OLG Hamburg AG 2003, 441, 443; MüKoAktG/Altmeppen Rn. 7; Emmerich/Habersack/Emmerich Rn. 8; S/L/Langenbucher Rn. 6; BeckOGK/Veil/Walla Rn. 5; J. Vetter NZG 1999, 925, 929; MHdB AG/Krieger § 71 Rn. 46; aA LG Hamburg AG 2003, 109). Parallelvorschrift ist ua § 327c III Nr. 2. Nicht auslegungspflichtig sind Konzernabschlüsse und Konzernlageberichte (KG AG 2009, 30, 36; Emmerich/Habersack/Emmerich Rn. 8a; S/L/Langenbucher Rn. 7; GK-AktG/Mülbert Rn. 20; aA zu § 327c OLG Celle AG 2004, 206, 207; → § 327c Rn. 6). Soweit Unterlagen nur als fremdsprachiger Text vorhanden sein sollten, ist zusätzlich deutsche Übersetzung auszulegen (OLG Dresden AG 2003, 433, 434; OLG München AG 2009, 450, 453; LG München I Konzern 2008, 295, 302 f.; S/L/Langenbucher Rn. 5; Deilmann/Messerschmidt NZG 2004, 977, 980). Jahresabschlüsse und Lageberichte sind so auszulegen, wie sie festgestellt wurden (Emmerich/Habersack/Emmerich Rn. 8a; GK-AktG/Mülbert Rn. 19). Hinw. in Einberufung ist zweckmäßig, aber nicht erforderlich (→ § 124 Rn. 13).

4 Für **Nr. 2 und 3** verweist Begr. BT-Drs. 12/6699, 179 auf **Regelung des Verschmelzungsbeschlusses** in § 63 UmwG. Keinesfalls erforderlich ist Auslegung einer Zwischenbilanz wie nach § 63 I Nr. 3 UmwG. Soweit es iÜ um § 293f I Nr. 2 geht, dürften Verschmelzungsanforderungen unkritisch für Unternehmensverträge übernommen worden sein. Warum die Rechnungslegungsunterlagen beider Unternehmen bei jeglichem Unternehmensvertrag für sinnvolle Unterrichtung der Aktionäre erforderlich sein sollen, ist nicht gut einsichtig (einschr. Altmeppen ZIP 1998, 1853, 1865). Folgerichtig ist dagegen § 293f I Nr. 3. Erl. und Begr. der Vorstände oder Prüfungsberichte würden ihren Sinn verfehlen, wenn sie den Aktionären nicht rechtzeitig zur Kenntnis gebracht würden. Zur Frage, inwieweit Bericht und Prüfung für sich genommen sinnvoll erscheinen (folgerichtig [→ § 293a Rn. 4 aE] auch hier einschr. Altmeppen ZIP 1998, 1853, 1865) → § 293a Rn. 2 ff.; → § 293b Rn. 5. Soweit Bericht und Prüfung nach § 293a III, § 293b II ausnahmsweise nicht erforderlich sind, ist auch nach § 293f I Nr. 3 nichts auszulegen.

III. Erteilung von Abschriften

5 Nach § 293f II hat jeder Aktionär Anspruch auf kostenlose Erteilung von einfachen Abschriften sämtlicher in § 293f I genannter Unterlagen, wenn er Erteilung verlangt. Norm ist § 175 II 2 nachgebildet (→ § 175 Rn. 7). Bei Gesellschaften mit großem Aktionärskreis sollten Vorkehrungen dafür getroffen werden, dass Jahresabschlüsse und Lageberichte (§ 293f I Nr. 2) in genügender Anzahl vorgehalten oder nachgedruckt werden können.

IV. Internetseite

6 Wie nach § 52 II 4, § 179a II 3, § 319 III 3, § 327c V, so entfallen auch nach § 293f III die Verpflichtungen zur Auslegung von Unterlagen und zur Erteilung

von Abschriften (§ 293f I, II), wenn die Unterlagen von der Einberufung der HV an über die Internetseite der AG zugänglich sind. AG kann von dieser Informationsmöglichkeit Gebrauch machen, muss es aber nicht (RegBegr. ARUG BT-Drs. 16/11642, 24, 42). Fehlende Internetpublizität ist deshalb als solche kein Anfechtungsgrund (→ § 52 Rn. 13).

Durchführung der Hauptversammlung

293g (1) **In der Hauptversammlung sind die in § 293f Abs. 1 bezeichneten Unterlagen zugänglich zu machen.**

(2) [1]**Der Vorstand hat den Unternehmensvertrag zu Beginn der Verhandlung mündlich zu erläutern.** [2]**Er ist der Niederschrift als Anlage beizufügen.**

(3) **Jedem Aktionär ist auf Verlangen in der Hauptversammlung Auskunft auch über alle für den Vertragschluß wesentlichen Angelegenheiten des anderen Vertragsteils zu geben.**

I. Regelungsgegenstand und -zweck

Norm bezieht sich wie § 293f stets auf HV der Untergesellschaft (§ 293 I), bei Beherrschungs- und/oder Gewinnabführungsverträgen auch auf HV der Obergesellschaft (§ 293 II). Bezweckt ist auch hier **Information der Aktionäre** (→ § 293f Rn. 1). Vorschrift entspr. § 293 III 4–6, IV aF. Erweiterung des Kreises vor HV auszulegender Unterlagen durch § 293f I Nr. 2 und 3 (→ § 293f Rn. 3 f.) wirkt sich aber entspr. bei den in der HV auszulegenden Unterlagen aus. 1

II. Zugang zu Dokumenten; Erläuterung; Anlage zur Niederschrift

§ 293g I und II stimmt weitgehend mit § 176 I 1 und 3 überein. Erl. in → § 176 Rn. 3 ff. gilt deshalb auch hier mit der Maßgabe, dass Vorstand den Vertrag nicht nur erläutern soll, sondern erläutern muss (§ 293g II 1). Wie § 176 I 1 (und § 52 II 4, § 175 III 1, § 179a II 4, § 319 III 4, § 327d S. 1), so verlangt auch § 293g I nicht mehr, dass Vorstand die in § 293f I genannten Dokumente vor- oder auslegt. Vielmehr genügt es, dass der Zugang zu ihnen in der HV eröffnet wird. Aktionäre müssen bedingungsfreie und uneingeschränkte Möglichkeit haben, in den Räumen der HV von ihrem Beginn bis zur Fassung des Beschlusses über den Unternehmensvertrag (aA bzgl. Zeitraum Emmerich/Habersack/Emmerich Rn. 5; Deilmann/Messerschmidt NZG 2004, 977, 982) von den Unterlagen Kenntnis zu nehmen (s. statt aller GK-AktG/Mülbert Rn. 9, 11 mwN). Danach bleibt bisherige Auslegung in **Papierform** zwar zulässig, kann aber durch **elektronische Information** ersetzt werden, namentl. durch Bereitstellung von Monitoren (→ § 52 Rn. 13; RegBegr. BT-Drs. 16/11642, 25, 42). 2

Von § 293g II 1 geforderte **Erläuterung** ist aus § 176 I 1 und 2 sinngem. übernommen. Erl. in → § 176 Rn. 3 ff. gilt entspr. (→ Rn. 1; vgl. § 293g II 1). Erläuterung ist zusammenhängender mündlicher Vortrag des wesentlichen Vertragsinhalts, der Gründe und Folgen des Vertragsschlusses (rechtl. und wirtschaftliche) sowie der Ausgleichs- und Abfindungsregelung und ihrer Angemessenheit (§§ 304, 305; vgl. MüKoAktG/Altmeppen Rn. 6; Emmerich/Habersack/Emmerich Rn. 6; KK-AktG/Koppensteiner Rn. 6–8). Unternehmensvertrag ist der Niederschrift gem. § 293g II 2 als **Anlage** beizufügen. Norm will sicherstellen, dass Identität des Vertragstextes, dem HV zugestimmt hat, festgestellt werden kann (BGH NJW 1992, 1452 zu § 293 III 6 aF). Notwendig ist notarielle 2a

Niederschrift, weil § 293 I 2 für Beschlussfassung eine Mehrheit von mindestens ¾ des vertretenen Grundkapitals vorschreibt (§ 130 I 3; → § 130 Rn. 14b). Nochmalige Vorlage gem. § 294 I 2 ist entbehrlich; stattdessen genügt Bezugnahme (→ § 294 Rn. 7).

III. Auskunftsrecht

3 § 293g III entspr. § 293 IV aF. Abweichung im Wortlaut (Angelegenheiten „des anderen Vertragsteils") geht auf Regelungsvorbild in § 64 II UmwG zurück und ist ohne sachliche Bedeutung. Norm **erweitert** aus § 131 folgendes **allg. Auskunftsrecht** der Aktionäre, wenn es um Zustimmung zu einem Beherrschungs- und/oder Gewinnabführungsvertrag oder mangels ges. Einschränkung zu einem anderen Unternehmensvertrag iSd §§ 291, 292 geht (KG AG 2003, 99, 101 für Teilgewinnabführung; folgerichtig aA Altmeppen ZIP 1998, 1853, 1865). In darüber beschließender HV kann jeder Aktionär (unabhängig von seiner Beteiligungsgröße) verlangen, Auskunft auch über alle Angelegenheiten des Unternehmens zu erhalten, die für den Vertragsschluss wesentlich sind. Das erweiterte Auskunftsrecht besteht **gleichermaßen in den Fällen des § 293 I und II,** bezieht sich also auf Angelegenheiten des jeweiligen Vertragspartners. Zum Schutz der Aktionäre ist § 293g III weit auszulegen (Hölters/Weber/Deilmann Rn. 16; GK-AktG/Mülbert Rn. 25). **Bsp.:** Kapitalverhältnisse des Unternehmens einschließlich geplanter Kapitalerhöhungen oder Bewertung von Sacheinlagen (BGHZ 119, 1, 15 f. = NJW 1992, 2760); bezifferter Wertansatz in Bilanz des herrschenden Unternehmens für Beteiligung an abhängiger Gesellschaft, bes. bei Fortführung von Anschaffungskosten trotz fehlenden Ertragswerts (BGH NJW 1995, 3115, 3116; sa [Vorentscheidungen] BGHZ 122, 211, 237 f. = NJW 1993, 1976; OLG München AG 1994, 418 f.); Zusammensetzung des Aktionärskreises; rechtl. und geschäftliche Beziehungen zu anderen verbundenen Unternehmen, soweit für die Beurteilung wesentlich (BGH AG 2003, 625, 627); Überschüsse der letzten fünf Jahre, Art und Höhe des nicht betriebsnotwendigen Vermögens (OLG Koblenz ZIP 2001, 1093, 1094); Ertragsentwicklung, uU auch Einzelheiten eines Bewertungsgutachtens (LG Heilbronn AG 1971, 372, 373); Umstände von Bedeutung für Angemessenheit von Ausgleich und Abfindung (LG Hanau AG 1996, 184, 185); weitere Bsp. bei GK-AktG/Mülbert Rn. 27 mwN.

4 **Auskunftspflichtig ist Vorstand der eigenen Gesellschaft.** Es ist seine Aufgabe, erforderliche Informationen über Vertragspartner zu beschaffen (allgM, s. BayObLGZ 1974, 484, 488 f. = NJW 1975, 740 f.; BayObLGZ 1975, 239, 242 f.; OLG Koblenz ZIP 2001, 1093, 1094; RegBegr. Kropff S. 382; MüKoAktG/Altmeppen Rn. 17). Gelingt das nicht, so kann Vorstand gem. § 275 BGB von Auskunftspflicht befreit sein (ebenso GK-AktG/Mülbert Rn. 30; diff. Emmerich/Habersack/Emmerich Rn. 18). Ob Vorstand unter diesen Umständen noch empfehlen darf, Vertrag abzuschließen, ist Frage des Einzelfalls. Sie ist, abgesehen von Sonderlagen, zu bejahen, wenn erhaltene Informationen zur Erstellung ordnungsgem. Vertragsberichts (→ § 293a Rn. 11 ff.) genügt haben (MüKoAktG/Altmeppen Rn. 17; KK-AktG/Koppensteiner Rn. 17; aA Emmerich/Habersack/Emmerich Rn. 18).

5 **Auskunftsverweigerungsrecht** des § 131 III besteht nach einer Ansicht auch in den Fällen des § 293g III (BayObLGZ 1974, 208, 212 = NJW 1974, 2094; Hölters/Weber/Deilmann Rn. 17; GK-AktG/Mülbert Rn. 32; BeckOGK/Veil/Walla Rn. 15; MHdB AG/Krieger § 71 Rn. 49; Ebenroth, Das Auskunftsrecht des Aktionärs, 1970, 62 f.; Spitze/Diekmann ZHR 158 [1994], 447, 450 f.; einschr. KK-AktG/Koppensteiner Rn. 16, 19). Das ist jedoch zweifelhaft. Wortlaut der Vorschrift spricht dafür, dass nach § 293g III verlangte Auskünfte grds.

nicht verweigert werden dürfen (vgl. zB Emmerich/Habersack/Emmerich Rn. 23; offenlassend BGHZ 119, 1, 16 f. = NJW 1992, 2760; diff. MüKoAktG/Altmeppen Rn. 21). Anders liegt es bei § 131 III 1 Nr. 7. Darauf darf sich Vorstand auch ggü. § 293g III berufen (→ § 131 Rn. 98; RegBegr. BR-Drs. 3/05, 34), weil es insoweit nicht um bes. Auskunftsgegenstände, sondern um mangelnde Erforderlichkeit oder um Ausnahmen vom Mündlichkeitsgrundsatz geht. Verletzung der Auskunftspflicht macht Zustimmungsbeschluss gem. § 243 anfechtbar, soweit sich begehrte Auskünfte nicht nur auf Ausgleich oder Abfindung beziehen (→ § 304 Rn. 21; → § 305 Rn. 57).

Eintragung. Wirksamwerden

294 (1) [1] **Der Vorstand der Gesellschaft hat das Bestehen und die Art des Unternehmensvertrages sowie den Namen des anderen Vertragsteils zur Eintragung in das Handelsregister anzumelden; beim Bestehen einer Vielzahl von Teilgewinnabführungsverträgen kann anstelle des Namens des anderen Vertragsteils auch eine andere Bezeichnung eingetragen werden, die den jeweiligen Teilgewinnabführungsvertrag konkret bestimmt.** [2] **Der Anmeldung sind der Vertrag sowie, wenn er nur mit Zustimmung der Hauptversammlung des anderen Vertragsteils wirksam wird, die Niederschrift dieses Beschlusses und ihre Anlagen in Urschrift, Ausfertigung oder öffentlich beglaubigter Abschrift beizufügen.**

(2) **Der Vertrag wird erst wirksam, wenn sein Bestehen in das Handelsregister des Sitzes der Gesellschaft eingetragen worden ist.**

Übersicht

I. Regelungsgegenstand und -zweck

1 Norm schreibt Anmeldung und Eintragung von Unternehmensverträgen vor und legt ihrer Eintragung in das HR konstitutive Wirkung bei (§ 294 II). Regelung will **Publizität** schaffen. Sie bezweckt Unterrichtung der Gläubiger, der künftigen Aktionäre und überhaupt der Öffentlichkeit über die mit dem Abschluss des Unternehmensvertrages übernommenen Verpflichtungen (RegBegr. Kropff S. 382). Erstrebt wird ferner **Rechtssicherheit** (RegBegr. Kropff S. 382; AusschussB Kropff S. 384). Im Interesse aller Beteiligten, auch der Gesellschaften selbst, soll Unternehmensvertrag erst nach registergerichtl. Prüfung und daher erst mit Eintragung Wirksamkeit erlangen. Soweit **GmbH** verpflichtete Partei eines Beherrschungs- oder Gewinnabführungsvertrags ist, folgt Eintragungspflicht im HR der Untergesellschaft mit Inhalt des § 294 aus entspr. Anwendung des § 54 GmbHG (BGHZ 105, 324, 342 ff. = NJW 1989, 295; BGH NJW 1992, 1452, 1453 f.; OLG München ZIP 2009, 1520 f.; OLG Zweibrücken AG 1999, 328, 329; MüKoGmbHG/Liebscher Anh. GmbH-Konzernrecht Rn. 772; aA zu Unrecht OLG Düsseldorf AG 1992, 60, 61 f.). Eintragung auch im **HR der Obergesellschaft** ist dagegen weder erforderlich noch möglich (BGHZ 236, 123 Rn. 9 ff. = NZG 2023, 508 m. ausf. Nachw. zum vorherigen Streitstand; zust. Denninger NZG 2023, 504 ff.; Schirrmacher AG 2023, 374 Rn. 1 ff.). BGH-Entscheidung ist zwar zur GmbH ergangen, doch ist inhaltliche Begründung auf AG übertragbar (Metzen NZG 2023, 511, 512). Str. ist ferner, ob auch Teilgewinnabführungsverträge ins HR der verpflichteten GmbH eingetragen werden müssen; abl. BayObLGZ 2003, 21, 23 ff. für Abführungspflichten im Zusammenhang mit Austauschvertrag (dort Meinungsübersicht; vgl. auch abl. OLG München ZIP 2011, 811, 811 für stille Gesellschaft mit einer GmbH als Handelsgewerbeinhaberin; KG NZG 2014, 668, 669 f. mAnm Berninger GWR 2014, 241 für Teilgewinnabführungsvertrag in Form der atypisch stillen Gesellschaft, s. ausf. dazu K. Schmidt NZG 2014, 881). Zur Wirkung der Eintragung für die GmbH → Rn. 17.

II. Anmeldung zur Eintragung (§ 294 I)

2 **1. Anmeldung durch den Vorstand.** Anmeldung des Unternehmensvertrags ist Sache des Vorstands der zur vertragstypischen Leistung verpflichteten Gesellschaft (§ 294 I 1); Anmeldeobliegenheit der „anderen Vertragspartei" besteht nicht (so GK-AktG/Mülbert Rn. 12). Vorstand handelt nicht im eigenen Namen, sondern **im Namen der Gesellschaft** (BGHZ 105, 324, 327 f. = NJW 1989, 295 zur GmbH; → § 181 Rn. 4 mwN). Erforderlich und genügend ist Handeln von Vorstandsmitgliedern in vertretungsberechtigter Zahl. Unechte Gesamtvertretung (§ 78 III; → § 78 Rn. 16) ist zulässig, ebenso Bevollmächtigung, die sich aber gerade auf Anmeldung richten muss (→ § 181 Rn. 4; ebenso Hölters/Weber/Deilmann Rn. 5; aA noch Baumbach/Hueck Rn. 3). Es besteht **keine zwangsweise durchsetzbare öffentl.-rechtl. Pflicht** zur Anmeldung (allgM – s. BGHZ 105, 324, 327 f.; GK-AktG/Mülbert Rn. 15 f.). Vorstand ist jedoch aus dem Organverhältnis ggü. AG zur Anmeldung verpflichtet (→ § 181 Rn. 5), ferner ungeachtet seiner schwebenden Unwirksamkeit (→ § 293 Rn. 12) aus dem Vertrag ggü. anderem Vertragsteil (BeckOGK/Veil/Walla Rn. 6; aA

Emmerich/Habersack/Emmerich Rn. 27; offengelassen in BGHZ 223, 13 Rn. 32 = NZG 2019, 1149).

3 **2. Form und Inhalt der Anmeldung. a) Allgemeines.** Anmeldung muss elektronisch in **öffentl. beglaubigter Form** erfolgen (§ 12 I HGB); vgl. dazu § 129 BGB, § 39a BeurkG; zur durch DiRUG 2021 neu geschaffenen Möglichkeit der Beglaubigung mittels Videokommunikation → § 36 Rn. 2; zur Auslandsbeglaubigung → § 23 Rn. 12. Anzumelden sind **Bestehen und Art des Unternehmensvertrags,** ferner der **Name des anderen Vertragsteils** (§ 294 I 1). Das Erste ist erfüllt, wenn Vorstand den Vertragsschluss unter Angabe des Datums anmeldet und dabei den Unternehmensvertrag iSd §§ 291, 292 näher qualifiziert (→ Rn. 5). Das Zweite erfordert über die Angabe des Namens (bei firmenführenden Vertragspartnern: Angabe der Firma [§ 17 HGB]) hinaus die Angabe von Wohnort, Gesellschaftssitz oder (bei Einzelkaufleuten) Hauptniederlassung, soweit zur Individualisierung des Vertragspartners erforderlich (s. MüKoAktG/Altmeppen Rn. 20; GK-AktG/Mülbert Rn. 21). Tritt nach Eintragung **Änderung** ein, etwa aufgrund von Umfirmierung, Sitzverlegung oder Umwandlung des anderen Teils, muss auch diese zur Eintragung angemeldet werden (GK-AktG/Mülbert Rn. 11, 63). Dagegen erhobener Einwand, dass es sich um konstitutive Eintragung handele, bei der Anmeldepflicht nicht bestehe (Arens NZG 2021, 223, 224), übersieht, dass konstitutiver Charakter der schon erfolgten Eintragung Anmeldung nicht mittelbar erzwingen kann (→ § 407 Rn. 10). Eintragungspflicht folgt hier aus handelsrechtl. Interesse an zutr. Wiedergabe der eingetragenen Rechtsverhältnisse (ausf. GK-HGB/J. Koch/Harnos § 8 Rn. 45 ff.).

4 **b) Einzelfragen.** Bei **Mehrmütter-Unternehmensverträgen** ist zu unterscheiden, ob Mütter selbst oder die zwischen ihnen bestehende GbR Vertragspartner ist, was nach mittlerweile hM auch dann zulässig ist, wenn sie selbst keine anderweitige unternehmerische Beteiligung aufweist (str., → § 291 Rn. 16). Auch im zweiten Fall wird es in Anlehnung an § 47 II 1 GBO aber nach allgM zu Recht als geboten angesehen, dass sämtliche Gesellschafter unter Hinweis auf die zwischen ihnen bestehende GbR eingetragen werden (MüKoAktG/Altmeppen Rn. 20; Emmerich/Habersack/Emmerich Rn. 24).

5 **Anmeldung der Vertragsart** erfordert, dass Vorstand den Vertrag anhand der **Vertragstypen der §§ 291, 292** qualifiziert und in der Terminologie dieser Vorschriften ggü. dem Registergericht erklärt, um welchen Vertragstyp es sich handelt. Ges. Terminologie einzuhalten, ist nicht nur empfehlenswert (so Baumbach/Hueck Rn. 4), sondern im Interesse der Rechtsklarheit notwendig (MüKoAktG/Altmeppen Rn. 19). Betriebsführungsverträge (→ § 292 Rn. 17, 20) sollten als solche mit dem Zusatz „Betriebsüberlassungsvertrag" angemeldet werden (KK-AktG/Koppensteiner Rn. 9). Fällt ein Vertrag unter mehrere Vertragsarten, so sind alle anzugeben. Weil Anmeldung Sache des Vorstands ist, ist es seine Aufgabe, sich über die Vertragsart schlüssig zu werden. IdR wird er dabei auf die Bezeichnung zurückgreifen, die sich im Vertrag und/oder im Zustimmungsbeschluss der HV findet. Ges. notwendig ist solche Bezeichnung indessen nicht; es entscheidet der Vertragsinhalt (str.; → § 291 Rn. 12 f., 23; → § 293 Rn. 14). Etwa von HV gewählte unzutr. Bezeichnung bindet Vorstand nicht. Gelangt Registergericht zu anderer rechtl. Beurteilung als Vorstand, so hat Eintragung zu unterbleiben (→ Rn. 11 f.; MüKoAktG/Altmeppen Rn. 19).

6 Für **Teilgewinnabführungsverträge** (→ § 292 Rn. 12 ff.) gelten zunächst in → Rn. 5 zusammengefasste Grundsätze. Als Besonderheit ist zu beachten, dass beim **Bestehen einer Vielzahl** von Teilgewinnabführungsverträgen anstelle des Namens des anderen (berechtigten) Vertragsteils (→ Rn. 3) auch andere den jeweiligen Vertrag individualisierende Bezeichnung in das HR eingetragen, folglich auch zur Eintragung angemeldet werden darf. Neufassung betr. **stille Betei-**

ligung an AG (s. zu deren Charakter als Teilgewinnabführungsvertrag → § 292 Rn. 15), bei der es zur vorausgesetzten Vielzahl kommen kann, weil jede stille Beteiligung durch neuen Vertragsschluss erfolgt. Statt jeden Einzelvertrag durch Namen des Partners zu bezeichnen, genügt nunmehr projektbezogene Bezeichnung, die jeweiligen Teilgewinnabführungsvertrag konkret bestimmt. Wenig klarer Wortlaut meint offenbar Sammelbezeichnungen mit Namensfunktion, sofern sie für Rechtsverkehr deutlich machen, um was es geht (etwa: Errichtung, Betrieb und Vermietung der xy-Immobilie iRd Beteiligungsfonds Nr. 2 im Gesamtvolumen von 10 Mio. Euro mit einer Mindestzeichnungssumme von 10.000 Euro). Vielzahl ist entspr. dem Entlastungszweck der Neufassung anzunehmen, wenn Aufführung der Namen der stillen Gesellschafter in Sp. 6 des Registerblatts unverhältnismäßigen Raum beanspruchen würde.

7 **3. Beizufügende Schriftstücke. a) Vertrag.** Gem. § 294 I 2 Fall 1 muss der Anmeldung der Unternehmensvertrag beigefügt werden, und zwar vollen Wortlauts in Urschrift, Ausfertigung oder öffentl. beglaubigter Abschrift. Nicht erforderlich ist, dass auch die Niederschrift über den Zustimmungsbeschluss der HV der anmeldepflichtigen Gesellschaft vorgelegt wird (aA noch Baumbach/Hueck Rn. 5). Ges. geht vielmehr davon aus, dass **Niederschrift** dem Gericht **gem. § 130 V schon vorliegt.** Wenn nicht, ist Einreichungspflicht spätestens mit der Anmeldung zu erfüllen. Zugleich mit der Niederschrift wird idR auch der Unternehmensvertrag als seine Anlage (§ 293g II 2) bereits eingereicht sein. Dann genügt Bezugnahme (MüKoAktG/Altmeppen Rn. 24; KK-AktG/Koppensteiner Rn. 11; GK-AktG/Mülbert Rn. 26). Regelung des § 294 I 2 Fall 1 ist deshalb wohl überflüssig (KK-AktG/Koppensteiner Rn. 11), aber wegen der Möglichkeit der Bezugnahme unschädlich. Zwangsgeldverfahren gem. § 14 HGB ist grds. unzulässig (→ Rn. 2; aA wohl MüKoAktG/Altmeppen Rn. 24; GK-AktG/Mülbert Rn. 28). Ausnahme nur, wenn trotz Fehlens von Unterlagen zu Unrecht eingetragen wurde (→ § 407 Rn. 9).

8 **b) Niederschrift der Hauptversammlung des anderen Vertragsteils.** Wenn Unternehmensvertrag nur mit Zustimmung der HV des anderen Vertragsteils wirksam wird (§ 293 II; → § 293 Rn. 17 ff.), ist auch Niederschrift ihres Zustimmungsbeschlusses in Urschrift, Ausfertigung oder öffentl. beglaubigter Abschrift beizufügen (§ 294 I 2 Fall 2). Damit wird zum Schutz der Aktionäre der anderen Vertragspartei nachgewiesen, dass Zustimmung erteilt ist und der HV beider Vertragsteile identische Vertragstexte vorgelegen haben. Soweit für beide Gesellschaften dasselbe Registergericht zuständig ist und der andere Vertragsteil seine Einreichungspflicht aus § 130 V bereits erfüllt hat, genügt Bezugnahme; nicht aber bei Zuständigkeit verschiedener Registergerichte.

9 **c) Staatliche Genehmigung und vergleichbare Sachverhalte.** Die früher str. Frage, ob für Unternehmensvertrag etwa erforderliche staatliche Genehmigung analog § 181 I 3 aF der Anmeldung beizufügen war, hat sich erledigt, weil § 181 I 3 aF durch ARUG 2009 aufgehoben worden ist. Entfallen ist damit aber nur Vorlagepflicht, die Anmelder von sich aus zu erfüllen hatte. Registergericht kann urkundlichen Nachweis anderweitig vorgeschriebener staatlicher Genehmigung, Unbedenklichkeitsbescheinigung oder dergl. unverändert von Amts wegen nachfordern und muss es tun, soweit es dazu nach anderen Vorschriften verpflichtet ist (OLG München AG 2009, 706, 707 zur Genehmigung der Kommunalaufsicht; GK-AktG/Mülbert Rn. 41; ähnlich MüKoAktG/Altmeppen Rn. 26).

III. Registerkontrolle (§ 294 I)

1. Zuständiges Gericht. Sachlich zuständig ist Amtsgericht (§ 23a II Nr. 3 GVG). Örtl. Zuständigkeit folgt aus Satzungssitz (§§ 5, 14) der anmeldepflichtigen Gesellschaft. Funktional zuständig ist ohne Ausnahme der Richter (§ 17 Nr. 1 lit. d RPflG). 10

2. Formelle und materielle Prüfung. a) Allgemeines. Gericht prüft Anmeldung in formeller (zB Zuständigkeit; Form der Anmeldung; Vollständigkeit der beizufügenden Schriftstücke) und materieller Hinsicht (→ § 181 Rn. 12 ff.). Prüfung in materieller Hinsicht erstreckt sich auf **Wirksamkeit des Unternehmensvertrags** (OLG München AG 2009, 706, 706 f.) einschließlich der dafür vorausgesetzten Wirksamkeit des Zustimmungsbeschlusses der HV (§ 293 I), bei Beherrschungs- oder Gewinnabführungsverträgen auch des Zustimmungsbeschlusses der HV des anderen Vertragsteils (§ 293 II). Unwirksamkeit des Unternehmensvertrags kann bes. gegeben sein, weil ihm die Schriftform (§ 293 III) ganz oder auch nur teilw. fehlt (→ § 293 Rn. 26); ferner, weil er keine Ausgleichsregelung enthält (§ 304 III 1); weil er gem. § 41 I GWB nicht vollzogen werden darf. Eintragungshindernis besteht auch bei teilnichtigen Unternehmensverträgen, da Eintragung den Eindruck ihrer Vollgültigkeit wecken würde (KK-AktG/Koppensteiner Rn. 15; GK-AktG/Mülbert Rn. 34). Kein Unwirksamkeitsgrund ist nach richtiger, wenngleich umstr. Ansicht, dass der Vertrag die Vertragsart nicht bezeichnet (→ § 291 Rn. 12 f., 23; → § 293 Rn. 14). Hat auch der Vorstand die Vertragsart nicht benannt (→ Rn. 5), so ist Anmeldung schon nicht ordnungsgem. Zur Prüfung in materieller Hinsicht gehört, ob Angabe der Vertragsart durch den Vorstand zutrifft. Wenn nicht, besteht Eintragungshindernis. 11

b) Insbesondere: Mängel des Zustimmungsbeschlusses. Zustimmungsbeschluss (§ 293 I und II) kann überhaupt fehlen oder zwar vorhanden, aber unwirksam, nichtig oder anfechtbar sein. Das Erste ist praktisch nur vorstellbar bei Irrtum über die Eigenschaft als Beherrschungs- oder Gewinnabführungsvertrag und deshalb unterbliebener Beschlussfassung der HV des anderen Vertragsteils (§ 293 II). Registergericht muss Eintragung ablehnen. Dasselbe gilt bei Unwirksamkeit, etwa wegen Fehlens eines nach der Satzung notwendigen weiteren Erfordernisses (§ 293 I 3), und bei Nichtigkeit gem. § 241 einschließlich rechtskräftigen Anfechtungsurteils (§ 241 Nr. 5). Andere Gesetzesverletzungen, also bloße Anfechtungsgründe, rechtfertigen es entgegen registergerichtl. Rspr., Anmeldung zurückzuweisen, wenn Drittinteressen (Gesellschaftsgläubiger, künftige Aktionäre) betroffen sind (→ § 243 Rn. 56 mwN; aA GK-AktG/Mülbert Rn. 40; MHdB AG/Krieger § 71 Rn. 57). 12

3. Registerverfahren und Anfechtungsklage. a) Aussetzungsbefugnis (§§ 21 I, 381 FamFG). Anfechtungsklage begründet zunächst **keine Registersperre,** wie sie für Eingliederung und Verschmelzungsbeschlüsse aufgrund der in § 319 V (→ § 319 Rn. 15 ff.) bzw. in § 16 II UmwG vorgeschriebenen Negativerklärung im Prinzip, wenngleich nicht ausnahmslos, besteht (§ 319 VI; § 16 III UmwG; grundlegend BGHZ 112, 9, 12 ff. = NJW 1990, 2747 [Hypothekenbank-Schwestern]; sa OLG Hamm AG 1988, 246; OLG Frankfurt AG 1990, 263, 264). Entspr. Regelung war im RegE zu § 294 zwar vorgesehen, ist aber nicht Ges. geworden, weil Wirtschaft seinerzeit Bedenken äußerte, Registersperre könne insbes. bei missbräuchlichen Anfechtungsklagen zu unzumutbaren Verzögerungen führen (vgl. AusschussB Kropff S. 383 f.; sa BGHZ 112, 9, 15 ff. zu § 345 II aF). 13

14 Folglich verbleibt es bei Aussetzungsbefugnis des Registergerichts gem. § 21 I FamFG, § 381 FamFG. Registergericht muss **Erfolgsaussichten der Anfechtungsklage** und **Interesse der AG an baldiger Eintragung** abwägen und danach entscheiden, ob Eintragung auszusetzen oder zu verfügen ist. Eintragung sollte dann verfügt werden, wenn Anfechtungsklage ohne ernsthaften Zweifel unzulässig oder unschlüssig oder aus anderen Gründen offenbar unbegründet ist; so insbes. auch dann, wenn sie rechtsmissbräuchlich erhoben ist (klärend und zutr. BGHZ 112, 9, 23 ff. = NJW 1990, 2747 [Hypothekenbank-Schwestern] gegen OLG Frankfurt AG 1990, 263). Für analoge Anwendung des § 319 VI oder des § 16 III UmwG ist schon mangels Registersperre kein Raum (iE zutr. LG Hanau AG 1996, 90, 91; GK-AktG/Mülbert Rn. 45 mwN).

15 **b) Einstweiliger Rechtsschutz.** Gem. § 16 II HGB darf Eintragung nicht erfolgen, wenn sie durch rechtskräftige oder vollstreckbare Entscheidung des Prozessgerichts für unzulässig erklärt worden ist und der obsiegende Kläger oder Antragsteller ihr widerspricht. Registergericht ist insoweit gebunden; für Abwägung nach § 21 I FamFG, § 381 FamFG ist kein Raum mehr (GK-HGB/J. Koch/Harnos § 16 Rn. 36). Vollstreckbare Entscheidung kann auch einstweilige Verfügung sein (BVerfG WM 2004, 2354; LG Heilbronn AG 1971, 372). Während demnach einstweiliger Rechtsschutz **für Anfechtungskläger** in Betracht kommt, lässt sich das Ganze nicht dahin umkehren, dass AG Eintragung durch einstweilige Verfügung erwirken könnte (so aber wohl Timm, Mißbräuchliches Aktionärsverhalten, 1990, 1, 25 ff.; modifizierend und nur de lege ferenda Baums ebda. S. 87 – wie hier MüKoHGB/Krafka HGB § 16 Rn. 15). Das ist verfahrensrechtl. nicht darstellbar (vgl. zum Verhältnis von § 16 II HGB und § 21 I FamFG, § 381 FamFG Baur ZGR 1972, 421, 426) und auch iE (Vollzug der Eintragung aufgrund summarischer Prüfung gegen Aussetzungsverfügung des zunächst zuständigen Registergerichts) nicht angemessen.

16 **4. Eintragung und Bekanntmachung.** Wenn formelle und materielle Prüfung der Anmeldung (→ Rn. 10 ff.) keine Beanstandungen ergibt, verfügt Registergericht die Eintragung. Einzutragen sind mit dem durch die Anmeldung vorgegebenen näheren Inhalt Bestehen und Art des Unternehmensvertrags, Firma oder sonstiger Name des anderen Vertragsteils, ferner, wenn seine Identität sonst nicht zweifelsfrei feststeht, auch Sitz oder Hauptniederlassung oder Wohnort. Eintragung erfolgt in Abteilung B Sp. 6 (§ 43 Nr. 6 lit. b cc HRV). Stets anzugeben ist Tag der Eintragung (§ 382 II FamFG). Bekanntmachung wird vom Gericht veranlasst und erfolgt gem. § 10 HGB durch den BAnz. und mindestens ein weiteres Blatt, und zwar im vollen Wortlaut der Eintragung. IÜ gilt § 9 I HGB, wonach Einsicht in das HR und in die zum HR eingereichten Dokumente jedermann offensteht.

IV. Wirkungen der Eintragung (§ 294 II)

17 **1. Allgemeines.** Erst mit Eintragung in das HR wird Unternehmensvertrag wirksam (§ 294 II). Eintragung hat also **konstitutive Bedeutung.** Entspr. gilt in sinngem. Anwendung des § 54 III GmbHG auch für die GmbH (BGHZ 105, 324, 338 ff. = NJW 1989, 295; BGHZ 116, 37, 39 = NJW 1992, 505; BFH ZIP 2011, 710 Rn. 34; anders bei Übergang im Wege der Gesamtrechtsnachfolge; vgl. BGHZ 223, 13 Rn. 31 = NZG 2019, 1149). Bei Gewinngemeinschaft muss in das HR aller Gesellschaften eingetragen werden, so dass Vertrag erst mit der zeitlich letzten Eintragung wirksam werden kann (hM, vgl. statt aller GK-AktG/Mülbert Rn. 62). Wirksamkeit tritt also nicht sukzessiv für die Gesellschaften ein, für die Eintragung erfolgt ist; § 139 BGB ist unanwendbar (aA Baumbach/Hueck Rn. 2). Eintragung entfaltet **keine heilende Wirkung.** Unwirksame oder nich-

tige Verträge bleiben daher trotz Eintragung unwirksam oder nichtig (→ Rn. 21). Erfolgte Eintragung steht späterer Anfechtung des Unternehmensvertrages nach §§ 119 ff. BGB oder Anfechtungsklage gegen Zustimmungsbeschluss nach § 293 I, II nicht entgegen (GK-AktG/Mülbert Rn. 68; vgl. zur Wirkung der Anfechtung des Zustimmungsbeschlusses → § 248 Rn. 5 ff. mwN; zur Eröffnung des Freigabeverfahrens → § 246a Rn. 11). Wenn formelle Anmeldevoraussetzungen, wie etwa Bezeichnung des Vertrages nicht erfüllt sind, wirkt Eintragung des Unternehmensvertrages weiterhin konstitutiv (GK-AktG/Mülbert Rn. 64).

2. Zeitpunkt des Wirksamwerdens. a) Grundsatz. Wenn nichts anderes vereinbart wird, tritt Wirksamkeit des Unternehmensvertrags mit dem **Datum der HR-Eintragung,** bei Gewinngemeinschaft mit dem Datum der letzten HR-Eintragung (→ Rn. 17), ein. Stets zulässig ist Vereinbarung eines späteren Anfangstermins (allgM, s. MüKoAktG/Altmeppen Rn. 67; GK-AktG/Mülbert Rn. 67). Grds. können die Vertragsparteien auch Rückwirkung von Unternehmensverträgen vereinbaren, sofern zugleich Rückwirkung entspr. minderheiten- und gläubigerschützender Regeln beachtet wird. Gesetzgeber hat insoweit bewusst keine spezielle Regelung getroffen, sondern Frage der Anwendung allg. Grundsätze überlassen (RegBegr. Kropff S. 383; AusschussB Kropff S. 384). Ausnahme besteht vor allem für Beherrschungsverträg (→ Rn. 19). Steuerlich wird der Unternehmensvertrag durch das Finanzamt erst ab dem Zeitpunkt der konstitutiv wirkenden Eintragung anerkannt (Danelsing in Blümich EStG – KStG – GewStG, § 14 Rn. 103). 18

b) Keine Rückwirkung des Beherrschungsvertrags. Beherrschungsverträge können mit Blick auf ihren Vertragsinhalt (Weisungsrecht) keine Rückwirkung entfalten (→ § 291 Rn. 11; allgM, vgl. OLG Hamburg NJW 1990, 521; 1990, 3024; OLG Karlsruhe AG 1994, 283; LG Hamburg ZIP 1990, 376, 377; LG Kassel AG 1997, 239; GK-AktG/Mülbert § 291 Rn. 93 f.; BeckOGK/Veil/Walla Rn. 27; MHdB AG/Krieger § 71 Rn. 59; § 72 Rn. 14; Hirte ZGR 1994, 644, 663; aA MüKoAktG/Altmeppen Rn. 56 ff.; offenlassend BGHZ 122, 211, 223 = NJW 1993, 1976). Nachträglicher Abschluss könnte deshalb lediglich darauf abzielen, bereits eingetretene Rechtsfolgen der §§ 311 ff. zu modifizieren, was namentl. mit Schranken der §§ 93 IV, V kaum zu vereinbaren wäre (GK-AktG/Mülbert § 291 Rn. 94). Naheliegend ist jedoch, dass Rückwirkungsklausel vom übrigen Inhalt des Beherrschungsvertrags abgetrennt werden kann, so dass sich Unwirksamkeit entspr. beschränkt und insbes. auch gleichzeitig geschlossenen Gewinnabführungsvertrag nicht infiziert (BayObLG AG 2003, 631, 632; OLG Hamburg NJW 1990, 3024, 3025; GK-AktG/Mülbert § 291 Rn. 93). 19

c) Rückwirkung von Gewinnabführungs- und anderen Unternehmensverträgen. Zu unterscheiden ist zwischen handels- und steuerrechtl. Beurteilung, die voneinander abweichen können. **Steuerrechtl.** war Rückwirkung bis 2003 nach § 14 I Nr. 3 KStG aF auf den Beginn des vorherigen Geschäftsjahrs zulässig, wenn Vertrag im nachfolgenden Geschäftsjahr durch Eintragung in das HR Wirksamkeit erlangte. Seit StVergAbbG 2003 erlaubt § 14 I Nr. 2 KStG nur noch Rückwirkung auf Beginn des Eintragungsjahres (Einzelheiten: Emmerich/Habersack/Emmerich § 291 Rn. 78). **Handelsrechtl.** wird Rückwirkung nur für laufendes Geschäftsjahr allg. anerkannt (BGHZ 122, 211, 223 f. = NJW 1993, 1976; darauf beschränkend Emmerich/Habersack/Emmerich § 291 Rn. 76; zutr. dagegen S/L/Langenbucher § 291 Rn. 54), ist darüber hinaus aber str. HM lässt sie jedenfalls auch für frühere Geschäftsjahre zu, für die Jahresabschluss noch nicht festgestellt wurde (LG Kassel AG 1997, 239; KK-AktG/Koppensteiner Rn. 32; S/L/Langenbucher § 291 Rn. 54; Grigoleit/Servatius Rn. 8; BeckOGK/Veil/Walla Rn. 27), doch erscheint sie darüber hinaus auch dann noch unbedenklich, 20 wenn Jahresabschluss schon festgestellt wurde, aber Gewinnverwendungsbeschluss noch aussteht (GK-AktG/Mülbert § 291 Rn. 159; MHdB AG/Krieger § 72 Rn. 14; Schaber/Herstein Konzern 2004, 6, 7 ff.; noch weitergehend OLG Frankfurt GmbHR 1996, 859; MüKoAktG/Altmeppen Rn. 64 ff.), weil Aktionär erst dann konkreten und unentziehbaren Dividendenauszahlungsanspruch erhält (→ § 58 Rn. 26, 28). Rückwirkung muss handels- wie steuerrechtl. jedenfalls vereinbart werden; eine von selbst eintretende Rückwirkung von Unternehmensverträgen gibt es nicht (LG Kassel AG 1997, 239; MüKoAktG/Altmeppen Rn. 66; KK-AktG/Koppensteiner Rn. 35).

21 **3. Unrichtige Eintragung.** Mängel des Vertrags werden durch die Eintragung nicht geheilt (→ Rn. 17). Unwirksamkeit oder Nichtigkeit des Unternehmensvertrags bedeutet deshalb Fehlen einer wesentlichen Eintragungsvoraussetzung, so dass **Amtslöschung gem. § 395 FamFG** stattfindet (OLG Hamm AG 2010, 216, 217 f.; Krafka RegisterR Rn. 1607). Die speziellere Vorschrift des § 397 FamFG kommt mangels Tatbestands nicht zum Tragen. Bei einem erfolgreichen Freigabeverfahren kommt Amtslöschung wegen § 246a IV jedoch nicht mehr in Betracht (S/L/Langenbucher Rn. 27; GK-AktG/Mülbert Rn. 54). Soweit der durchgeführte Unternehmensvertrag trotz seines Mangels nach den **für die fehlerhafte Gesellschaft geltenden Grundsätzen** als vollwirksam zu behandeln ist (→ § 291 Rn. 20 f., 23), verbleibt es bis zur Amtslöschung bei Anwendung der für ihn geltenden Vorschriften. Von Köhler ZGR 1985, 307, 320 f. erörterte Anwendung des § 15 III HGB kommt auf dieser Basis schon deshalb nicht in Betracht, weil nichts unrichtig eingetragen worden ist, vielmehr Unternehmensvertrag in der Vergangenheit trotz seines Mangels bestand. Anwendung des § 15 III HGB ist aber mangels tatbestandlicher Voraussetzungen auch darüber hinaus abzulehnen (OLG Hamm AG 2010, 216; KK-AktG/Koppensteiner Rn. 39; S/L/Langenbucher Rn. 28; GK-AktG/Mülbert Rn. 70).

Änderung

295 (1) [1]**Ein Unternehmensvertrag kann nur mit Zustimmung der Hauptversammlung geändert werden.** [2]**§§ 293 bis 294 gelten sinngemäß.**

(2) [1]**Die Zustimmung der Hauptversammlung der Gesellschaft zu einer Änderung der Bestimmungen des Vertrags, die zur Leistung eines Ausgleichs an die außenstehenden Aktionäre der Gesellschaft oder zum Erwerb ihrer Aktien verpflichten, bedarf, um wirksam zu werden, eines Sonderbeschlusses der außenstehenden Aktionäre.** [2]**Für den Sonderbeschluß gilt § 293 Abs. 1 Satz 2 und 3.** [3]**Jedem außenstehenden Aktionär ist auf Verlangen in der Versammlung, die über die Zustimmung beschließt, Auskunft auch über alle für die Änderung wesentlichen Angelegenheiten des anderen Vertragsteils zu geben.**

Übersicht

I. Regelungsgegenstand und -zweck

1 Norm betr. Änderung von Unternehmensverträgen. **§ 295 I** soll **Mitwirkungszuständigkeit der HV** beim Abschluss von Unternehmensverträgen (§ 295 I und II) vor Umgehungsversuchen schützen (OLG Schleswig ZIP 2011, 517, 521; MüKoAktG/Altmeppen Rn. 1). Umgehung käme in Betracht, wenn Änderung des Vertrags an geringere Erfordernisse gebunden wäre als Abschluss. § 295 I begründet deshalb Zustimmungserfordernis wie beim Abschluss und erstreckt auch die sonstigen Erfordernisse der §§ 293–294 auf Vertragsänderungen. Außerdem wird klargestellt, dass Änderungen iSd § 295 als Begr. des Unternehmensvertrags und nicht als Aufhebung (§ 296) oder Kündigung (§ 297) zu behandeln sind (MüKoAktG/Altmeppen Rn. 1 Fn. 2; GK-AktG/Mülbert Rn. 4).

2 **§ 295 II** dient gegenläufigen Zwecken. Einerseits kommt Regelung dem **Interesse der Vertragsparteien** an praktischer Durchsetzung der Vertragsänderung entgegen; nach allg. Grundsätzen wäre nämlich Zustimmung jedes außenstehenden Aktionärs erforderlich, wenn ihn begünstigende Vertragsregelung geändert werden soll. Das ergibt sich aus dem Zweck von unternehmensvertraglichen Ausgleichs- und Abfindungsregelungen, die Individualinteressen der außenstehenden Aktionäre Rechnung tragen (→ § 304 Rn. 1; → § 305 Rn. 1) und drittbegünstigende Wirkung haben (§ 328 BGB). Andererseits schützt Regelung **Interessen der außenstehenden Aktionäre,** indem Sonderbeschluss erforderlich ist; sie können also nicht durch Stimmenmehrheit des anderen Vertragsteils majorisiert werden (→ Rn. 12). RegBegr. Kropff S. 385 spricht von einem vermittelnden Weg.

II. Änderung von Unternehmensverträgen (§ 295 I)

3 **1. Vertragsänderung als Regelungsgegenstand. a) Allgemeines.** Anwendungsbereich des § 295 wird durch Begriff der Vertragsänderung bestimmt. Vertragsänderung ist zweiseitige rechtsgeschäftliche Vereinbarung der Parteien, die noch während der Laufzeit des durch HV bereits gebilligten Vertrags wirksam werden soll (BGH AG 2013, 92 Rn. 27; NJW 1979, 2103; KK-AktG/Koppensteiner Rn. 5; Stephan Konzern 2014, 1, 16; Muster bei Happ/Liebscher KonzernR/UmwR 1.08 lit. a). Änderungskündigung als einseitige Maßnahme fällt also nicht unter § 295 (→ Rn. 7). Ob Änderung nur redaktionelle oder sachliche Bedeutung hat, ob sie wesentlich oder unwesentlich ist, bleibt gleich (BGH AG 2013, 92 Rn. 27; vgl. OLG Schleswig ZIP 2011, 517, 521). Ges. trifft insbes. die zweite Unterscheidung nicht, um rechtl. Unsicherheiten zu vermeiden (RegBegr. Kropff S. 384; sa MüKoAktG/Altmeppen Rn. 3; GK-AktG/Mülbert Rn. 8). Rein textliche Anpassungen, die sich nicht auf eine Vereinbarung gründen, wie etwa Änderungen des Gesellschaftssitzes oder der Firma einer Partei, sind nicht vom § 295 erfasst (MüKoAktG/Altmeppen Rn. 3; GK-AktG/Mülbert

Rn. 10; mit Blick auf schwierige Abgrenzung krit. Emmerich/Habersack/Emmerich Rn. 7).

4 **Sog faktische Vertragsänderung** iSe abw. tats. Handhabung des Unternehmensvertrages gibt es als bes. rechtl. Kategorie nicht. Wenn einverständliche vom Vertrag abw. Praxis der Parteien rechtsgeschäftlichen Charakter hat, greift § 295 ein (BGH AG 2013, 92 Rn. 27). Es müssen also die in → Rn. 8 f. näher dargestellten Voraussetzungen erfüllt werden, wenn Vertragsänderung wirksam sein soll (vgl. § 125 S. 1 BGB). Anderenfalls liegt bloße Vertragsverletzung vor, die entspr. Folgen nach sich zieht, insbes. Organhaftung begründen (§§ 93, 116, 309, 310, 317, 318) oder zur Einschränkung oder Versagung von Testaten führen kann (OLG Hamburg AG 2011, 339, 342; MüKoAktG/Altmeppen Rn. 15; BeckOGK/Veil/Walla Rn. 15).

5 **b) Insbesondere: Auswechselung eines Vertragspartners; Vertragsbeitritt.** Vertragspartner des Unternehmensvertrags, bes. der (herrschende) andere Vertragsteil, kann nur nach den für Vertragsübernahme geltenden Regeln ausgewechselt werden (→ § 308 Rn. 6). Darin liegt nach allg. Grundsätzen ohne Rücksicht auf die gewählte Konstruktion notwendig eine Änderung des bisherigen Vertrags (vgl. BGHZ 65, 49, 53 = NJW 1976, 1653; BGHZ 72, 394, 398 f. = NJW 1979, 369). Für Unternehmensverträge ergibt sich ungeachtet ihres organisationsrechtl. geprägten Inhalts insoweit keine Besonderheit, so dass jedenfalls § 295 I (zu § 295 II → Rn. 11) eingreift (BGHZ 119, 1, 6 ff., 15 ff. = NJW 1992, 2760; OLG Karlsruhe AG 1991, 144, 145; GK-AktG/Mülbert Rn. 20; MHdB AG/Krieger § 71 Rn. 192; Exner, Beherrschungsvertrag, 1984, 165 ff.; Priester ZIP 1992, 293, 300; aA Wilhelm, Beendigung des Unternehmensvertrags, 1975, 23). Entspr. gilt für Vertragsbeitritt (BGHZ 119, 1, 6 ff., 15 ff.; OLG Karlsruhe AG 1991, 144, 145; GK-AktG/Mülbert Rn. 20; Priester ZIP 1992, 293, 300). Wenn **Mehrmütterherrschaft** in Form der GbR organisiert ist und deren Mitgliederbestand wechselt, hängt Erfordernis einer Vertragsänderung nach § 295 von konkreter Ausgestaltung des Vertragsverhältnisses ab. Nach mittlerweile hM ist es zulässig, Vertrag unmittelbar mit der als Zwischenholding eingesetzten GbR abzuschließen, und zwar auch dann, wenn sie keine anderweitige unternehmerische Bindung aufweist (str.; → § 291 Rn. 16). In diesem Fall wird Vertrag vom Wechsel nicht berührt (MüKoAktG/Altmeppen Rn. 6; Emmerich/Habersack/Emmerich Rn. 14a; BeckOGK/Veil/Walla Rn. 12; aA GK-AktG/Mülbert Rn. 30; Priester ZIP 1992, 293, 302). Sind dagegen Muttgesellschaften allein oder – entspr. verbreiteter kautelarjuristischer Praxis (→ § 291 Rn. 16) – neben der GbR Vertragspartner, liegt entweder Vertragsübernahme vor (bei Anteilsübertragung) oder Vertragsbeitritt (bei Aufnahme), so dass auch insoweit § 295 I anzuwenden ist (Emmerich/Habersack/Emmerich Rn. 14a; in diesem zweiten Punkt wie hier GK-AktG/Mülbert Rn. 30; Priester ZIP 1992, 293, 302). Aufhebung fällt auch dann unter § 296, wenn zugleich neuer Vertrag geschlossen wird (→ § 296 Rn. 2).

6 **2. Keine Vertragsänderung.** Keine Vertragsänderung tritt **bei Gesamtrechtsnachfolge ein, bes. bei Verschmelzung** (§§ 2 ff., 60 ff. UmwG). Verschmelzung des anderen (herrschenden) Vertragsteils mit dritter Gesellschaft führt vielmehr zur Rechtsnachfolge kraft Ges. (§ 20 I Nr. 1 UmwG), so dass für Vereinbarungen kein Raum, § 295 I mithin unanwendbar ist (LG Bonn GmbHR 1996, 774 f.; LG München I AG 2011, 801, 802 f.; KK-AktG/Koppensteiner Rn. 8; GK-AktG/Mülbert 24 f.; Fedke Konzern 2008, 533, 533 f.; Krieger ZGR 1990, 517, 540; Priester ZIP 1992, 293, 301; aA Bayer ZGR 1993, 599, 603 ff.). Verschmelzung der Untergesellschaft mit dritter Gesellschaft führt nach hM zum Erlöschen des Unternehmensvertrags (LG Mannheim AG 1995, 89; MüKoAktG/Altmeppen Rn. 16, § 297 Rn. 130; MHdB AG/Krieger § 71 Rn. 208),

bewirkt also keine Veränderung während der Laufzeit und scheidet deshalb aus § 295 I aus. Eingliederung ist nach denselben Grundsätzen wie Verschmelzung zu behandeln (MHdB AG/Krieger § 71 Rn. 217), so dass § 295 I ebenfalls nicht zur Anwendung kommt (so GK-AktG/Mülbert Rn. 27, 33). Auch bei **Formwechsel** besteht Vertrag mit Rechtsträger in geänderter Rechtsform unverändert fort, es sei denn, Vertragsverhältnis ist mit Rechtsform der verpflichteten Gesellschaft nicht vereinbar (BGHZ 223, 13 Rn. 30 = NZG 2019, 1149; zust. Lieder/Wernert NZG 2020, 361, 367 f.).

Änderungskündigung beruht nicht auf Vereinbarung, sondern ist einseitiges Rechtsgeschäft. Sie unterliegt deshalb nicht § 295, sondern § 297 (BGH NJW 1979, 2103; OLG Düsseldorf AG 1990, 490, 491; Timm FS Kellermann, 1991, 461, 462 f.). **Wechsel der Art des Unternehmensvertrags** ist nicht Änderung des Inhalts, sondern Aufhebung des alten (§ 296) verbunden mit Abschluss eines neuen Vertrags gem. § 293 (hM, s. OLG Frankfurt AG 2005, 353, 354; OLG Jena RNotZ 2021, 539 Rn. 18 ff.; MüKoAktG/Altmeppen Rn. 7 f.; BeckOGK/Veil/Walla Rn. 12; MHdB AG/Krieger § 71 Rn. 183; iE auch S/L/Langenbucher Rn. 15; aA Emmerich/Habersack/Emmerich Rn. 12; GK-AktG/Mülbert Rn. 15; Priester FS 10 Jahre Österberg, 2018, 205, 209: Wahlfreiheit der Parteien zwischen § 295 und §§ 296, 293). **Verlängerung befristeten Vertrags** ist Neuabschluss, nicht Änderung (OLG Frankfurt AG 2005, 353, 354; MüKoAktG/Altmeppen Rn. 12; KK-AktG/Koppensteiner Rn. 16; aA Emmerich/Habersack/Emmerich Rn. 11; GK-AktG/Mülbert Rn. 19; Priester FS 10 Jahre Österberg, 2018, 205, 208). Wegen der Beurteilung von Kündigungsklauseln → § 297 Rn. 8, 11 ff. 7

3. Sinngemäße Geltung der §§ 293–294. a) Zustimmung der Hauptversammlung. Nach § 295 I 2 gelten §§ 293–294 für Vertragsänderungen sinngem. Vertragsänderung wird also nur wirksam, wenn HV der Untergesellschaft mit qualifizierter Mehrheit zustimmt (§ 293 I); Vertretungsmacht des Vorstands ist entspr. beschränkt. Wegen der Einzelheiten → § 293 Rn. 3 ff. Unter den Voraussetzungen des § 293 II ist auch für Vertragsänderungen überdies Zustimmung der HV des anderen Vertragsteils erforderlich (RegBegr. Kropff S. 384). Vertragsänderung muss schriftlich erfolgen (§ 293 III iVm § 295 I 2). Verweis deckt auch Berichtspflicht (§ 293a) und Prüfungspflicht (§§ 293b ff.) ab, doch werden Bericht und Prüfung vielfach sinnlos sein, bes. bei nur redaktionellen Änderungen. „Restriktive Teleologie" (Bungert DB 1995, 1449 f.) ist aber kaum zu rechtfertigen. Solange Vorschriften nicht geändert werden, liegt es näher, Bericht auf Dokumentation bloßer Fassungsänderung zu beschränken und (jedenfalls aus Vorsichtsgründen) diesen Umstand vom Prüfer bestätigen zu lassen (zust. GK-AktG/Mülbert Rn. 39). Ferner sind Informationspflichten (§§ 293f, 293g) zu erfüllen. Schließlich haben Aktionäre das erweiterte Auskunftsrecht des § 293g III (→ § 293g Rn. 3 f.). Sie müssen so informiert werden, dass sie von Inhalt und Grund der Vertragsänderung ein klares Bild gewinnen. Beschränkung auf Textauszüge ist nur zulässig, wenn Gesamtverständnis dadurch nicht erschwert wird, etwa bei bloß redaktionellen Änderungen. In anderen Fällen ist Offenlegung des gesamten Vertragswerks in ursprünglicher und in geänderter Fassung erforderlich (KK-AktG/Koppensteiner Rn. 24; GK-AktG/Mülbert Rn. 44). 8

b) Anmeldung und Eintragung. Aus sinngem. Anwendung des § 294 folgt, dass **Vertragsänderung** zur Eintragung in das HR angemeldet werden muss und erst mit diesem Zeitpunkt wirksam wird (→ § 294 Rn. 2 ff., 17 ff.). Grds. ist nur die Tatsache der Vertragsänderung anzumelden und einzutragen. Inhalt der Änderung ergibt sich aus dem beizufügenden Änderungsvertrag (§ 294 I 2); allgM – s. statt aller GK-AktG/Mülbert Rn. 51 mwN. Ausnahme bei Teilgewinnabführungsverträgen (§ 294 I 1; → § 294 Rn. 6) ist auch hier zu beachten. 9

Wechsel des Vertragstyps fällt als Neuabschluss direkt unter § 294 (aA KK-AktG/Koppensteiner Rn. 27). Bei **Vertragsübernahme** muss der neue Vertragspartner angemeldet und eingetragen werden, weil auch der bisherige eingetragen ist. Dasselbe ist analog §§ 294, 295 I 2 bei Verschmelzung und sonstiger **Gesamtrechtsnachfolge** (→ Rn. 6) anzunehmen, damit HR nicht unrichtig wird (hM, s. MüKoAktG/Altmeppen Rn. 26; Emmerich/Habersack/Emmerich Rn. 36; KK-AktG/Koppensteiner Rn. 27; aA Hohner DB 1973, 1487, 1491).

III. Sonderbeschluss außenstehender Aktionäre (§ 295 II)

10 **1. Voraussetzungen. a) Änderung der Ausgleichs- oder Abfindungsregelung.** Zust. Sonderbeschluss außenstehender Aktionäre (→ Rn. 12) ist gem. § 295 II 1 erforderlich, wenn Ausgleichs- oder Abfindungsregelung des Unternehmensvertrags geändert wird (vgl. dazu §§ 304, 305 → Rn. 2). Norm gilt auch bei nicht ges. gebotener Regelung dieser Art (MüKoAktG/Altmeppen Rn. 29; GK-AktG/Mülbert Rn. 54). Erforderlich ist aber, dass sich Änderung gerade auf die Ausgleichs- und Abfindungsregelung (direkt oder indirekt) bezieht, so dass materiell ein Eingriff in die Rechtsstellung der außenstehenden Aktionäre vorliegt (BGH AG 1974, 320, 323 [insoweit nicht in NJW 1974, 1557]; BGHZ 119, 1, 8 ff. = NJW 1992, 2760; OLG Frankfurt AG 2005, 353, 354; OLG Karlsruhe AG 1991, 144, 145 f.; Emmerich/Habersack/Emmerich Rn. 26). Nicht vorausgesetzt ist eine nachteilige Veränderung (Hölters/Weber/Deilmann Rn. 21; Emmerich/Habersack/Emmerich Rn. 26; Priester ZIP 1992, 293, 296; Röhricht ZHR 162 [1998], 149, 250 f.; aA Säcker DB 1988, 271, 272).

11 Auswechselung des anderen (herrschenden) Vertragsteils durch **Vertragsübernahme** ist nicht nur Fall des § 295 I (→ Rn. 5), sondern auch des § 295 II, weil sich Schuldner der Ausgleichs- oder Abfindungsleistung ändert (GK-AktG/Mülbert Rn. 56; Bayer ZGR 1993, 599, 608; Priester ZIP 1992, 293, 296 aE). Das Sonderbeschlusserfordernis gem. § 295 II gilt auch für konzerninterne Umstrukturierungen im Rahmen mehrstufiger Unternehmensverbindungen (ausf. GK-AktG/Mülbert Rn. 57). Unklar ist, ob Anderes für **Vertragsbeitritt** auf Seiten des anderen Vertragsteils gilt. Nach hM ist insoweit zwar § 295 I (→ Rn. 5), aber nicht § 295 II anwendbar; denn anderer Vertragsteil bleibt Schuldner der außenstehenden Aktionäre, so dass deren Ansprüche nicht berührt werden (BGHZ 119, 1, 7 ff. = NJW 1992, 2760; OLG Karlsruhe AG 1991, 144, 146; MüKoAktG/Altmeppen Rn. 35, 37; Priester ZIP 1992, 293, 301. Restriktive Auffassung wendet hier grds. § 295 II an (Hölters/Weber/Deilmann Rn. 22; Hirte ZGR 1994, 644, 658 mit Fn. 50). Zuzustimmen ist dagegen differenzierender Auffassung, wonach Sonderbeschluss nach § 295 II aufgrund der Änderungen der Rechtsposition der außenstehenden Aktionären dann erforderlich ist, wenn Abfindungsangebot in Aktien (§ 305 II Nr. 1) noch läuft oder variabler Ausgleich (§ 304 II 2) festgelegt wurde. In diesen Fällen werden konkrete Ansprüche beeinträchtigt: variabler Ausgleich muss grds. angepasst werden und Abfindungsanspruch muss sich alternativ auf Aktien der beitretenden Gesellschaft richten. Demgegenüber kommt § 295 II bei laufendem Barabfindungsangebot sowie bei festem Ausgleich nicht zur Anwendung (s. GK-AktG/Mülbert Rn. 59 ff.; BeckOGK/Veil/Walla Rn. 24; Pentz FS Kropff, 1997, 225, 237 f., 240 f.; Röhricht ZHR 162 [1998], 249, 251 f.; noch weitergehend Emmerich/Habersack/Emmerich Rn. 27). Es ist auch hier auf Normzweck (Schutz der außenstehenden Aktionäre) abzustellen und zu fragen, ob Vertragsbeitritt (eines weiteren herrschenden Unternehmens) formale Änderungen in den ursprünglichen Abfindungs- und Ausgleichsansprüchen oder materielle Beeinträchtigung mit sich bringt (ausf. GK-AktG/Mülbert Rn. 59 ff.; vgl. auch Röhricht ZHR 162 [1998], 249, 250 f.). Dies entspricht auch Aussage in BGHZ 119, 1, 8, dass Sonder-

beschluss nach § 295 II nicht erforderlich sei, wenn Beitritt eines weiteren herrschenden Unternehmens die begründeten Ausgleichs- und Abfindungsansprüche in jeder Beziehung unberührt lasse. Zur Frage einer Ausgleichs- und Abfindungsregelung im Änderungsvertrag → § 304 Rn. 6; → § 305 Rn. 2.

b) Außenstehende Aktionäre. Ausgleichs- oder Abfindungsregelung muss außenstehende Aktionäre betr.; nur sie sind berechtigt, bei Sonderbeschlussfassung mitzustimmen. Ges. hat bewusst davon abgesehen, Kreis außenstehender Aktionäre iE festzulegen (RegBegr. Kropff S. 385). Begriff ist zunächst iSd §§ 304, 305 zu interpretieren, bezeichnet also alle Aktionäre mit Ausnahme des anderen Vertragsteils und derjenigen Aktionäre, die aufgrund rechtl. fundierter wirtschaftlicher Verknüpfung mit anderem Vertragsteil von Gewinnabführung oder Leitungsmacht unmittelbar oder mittelbar in ähnlicher Weise profitieren wie dieser (BGHZ 167, 299 Rn. 10 = NJW 2006, 3146; → § 304 Rn. 2 f. mN). Für § 295 II ist jedoch insofern engere Begriffsfassung veranlasst, als es um **Abhängigkeitsverhältnisse** (§ 17) geht. Bloße Abhängigkeit des Aktionärs vom anderen Vertragsteil rechtfertigt es zwar nach richtiger Ansicht nicht, ihm Ausgleichsoder Abfindungsansprüche zu versagen (→ § 304 Rn. 3). Zweck des Sonderbeschlusses, Majorisierung der außenstehenden Aktionäre durch Stimmenmehrheit des anderen Vertragsteils zu verhindern (→ Rn. 2), führt jedoch für § 295 II zu abw. Beurteilung (OLG Nürnberg AG 1996, 228, 229; LG Essen AG 1995, 189, 191; MüKoAktG/Altmeppen Rn. 45 f.; KK-AktG/Koppensteiner Rn. 47; MHdB AG/Krieger § 71 Rn. 187; sa Hüchting, Abfindung und Ausgleich, 1972, 110 f. sowie Kley, Die Rechtsstellung der außenstehenden Aktionäre, 1986, 43, die ähnliches Ergebnis durch Stimmverbot gem. § 136 erzielen). Wer vom anderen Vertragsteil abhängig ist, nimmt also an Sonderbeschlussfassung nicht teil. § 295 II (oder § 296 II) darf auch nicht umgangen werden, indem Aktien auf einen zwar nicht abhängigen, aber sonstwie eingebundenen Dritten übertragen werden, der mit dadurch erlangten Stimmen erforderlichen Sonderbeschluss gegen die bisherigen außenstehenden Aktionäre zustande bringt (LG Essen AG 1995, 189, 190 f.; GK-AktG/Mülbert Rn. 69; aA MHdB AG/Krieger § 71 Rn. 187). Dagegen ist stimmberechtigt, wer Aktien vom anderen Vertragsteil erworben hat, ohne von diesem abhängig oder ihm sonst zurechenbar zu sein (OLG Nürnberg AG 1996, 228, 229; GK-AktG/Mülbert Rn. 69). 12

Erforderlich ist schließlich, dass **Eigenschaft als Aktionär im Zeitpunkt der Sonderbeschlussfassung** noch besteht. Die bis zu diesem Zeitpunkt bereits abgefundenen Aktionäre sind grds. nicht mehr an der Beschlussfassung teilnahmeberechtigt (MüKoAktG/Altmeppen Rn. 52; Emmerich/Habersack/Emmerich Rn. 29). Wer allerdings Aktien gegen Abfindung übertragen hat (§ 305), kann auch dann mitstimmen, wenn im Spruchverfahren (→ SpruchG § 1 Rn. 1 ff.) höhere Abfindung festgesetzt wird und ihm daraus Abfindungsergänzungsanspruch erwächst (→ § 305 Rn. 60; str., wenn Spruchverfahren anhängig ist, wie hier die mittlerweile hM – s. MüKoAktG/Altmeppen Rn. 53 f.; Emmerich/Habersack/Emmerich Rn. 29; GK-AktG/Mülbert Rn. 70; aA KK-AktG/Koppensteiner Rn. 51; MHdB AG/Krieger § 71 Rn. 188). 13

2. Verfahren. Maßgeblich ist § 138, der jedoch hinsichtlich der Mehrheitserfordernisse durch § 293 I 2 und 3 iVm § 295 II 2 überlagert wird. Sonderbeschluss bedarf also neben der einfachen Stimmenmehrheit der außenstehenden Aktionäre (→ Rn. 12 f.) noch einer Mehrheit von mindestens ¾ des von ihnen vertretenen Grundkapitals → § 293 Rn. 8. Hinsichtlich dieses qualifizierten Mehrheitserfordernis gem. § 295 II bestehen auch keine verfassungsrechtl. Bedenken (allgA, s. nur GK-AktG/Mülbert Rn. 6). § 295 II 3 gibt jedem außenstehenden Aktionär ein ggü. § 131 erweitertes Auskunftsrecht. Vorschrift entspr. § 293g III; → § 293g Rn. 3 f. 14

15 **3. Rechtsfolgen.** Sonderbeschluss ist Wirksamkeitserfordernis für den der Vertragsänderung zust. HV-Beschluss (§ 295 II 1), mittelbar also auch für Vertragsänderung selbst (§ 295 I 1). Bis zur Sonderbeschlussfassung ist Vertragsänderung schwebend, bei Ablehnung des Antrags endgültig unwirksam. Niederschrift des Sonderbeschlusses ist der Registeranmeldung analog § 294 I 2 beizufügen. Sein Fehlen ist Eintragungshindernis für Vertragsänderung. Heilung durch Eintragung tritt bei fehlenden materiellen Wirksamkeitsvoraussetzungen nicht ein (MüKoAktG/Altmeppen Rn. 60; BeckOGK/Veil/Walla Rn. 29). Für Sonderbeschluss gelten gem. § 138 S. 2, 2. Satzteil dieselben **Anfechtungsbeschränkungen** wie für zust. HV-Beschluss. Anfechtung kann also nicht darauf gestützt werden, dass Ausgleich oder Abfindung nicht mehr angemessen seien (§ 304 III 2, § 305 V 1; → § 304 Rn. 21 f. bzw. → § 305 Rn. 58); stattdessen findet Spruchverfahren statt (unstr., s. MüKoAktG/Altmeppen Rn. 58; Hölters/Weber/Deilmann Rn. 27).

Aufhebung

296 (1) [1] **Ein Unternehmensvertrag kann nur zum Ende des Geschäftsjahrs oder des sonst vertraglich bestimmten Abrechnungszeitraums aufgehoben werden.** [2] **Eine rückwirkende Aufhebung ist unzulässig.** [3] **Die Aufhebung bedarf der schriftlichen Form.**

(2) [1] **Ein Vertrag, der zur Leistung eines Ausgleichs an die außenstehenden Aktionäre oder zum Erwerb ihrer Aktien verpflichtet, kann nur aufgehoben werden, wenn die außenstehenden Aktionäre durch Sonderbeschluß zustimmen.** [2] **Für den Sonderbeschluß gilt § 293 Abs. 1 Satz 2 und 3, § 295 Abs. 2 Satz 3 sinngemäß.**

I. Regelungsgegenstand und -zweck

1 Während § 295 Änderung des Unternehmensvertrags erfasst, bezieht sich § 296 auf seine Aufhebung, und zwar, wie Vergleich mit § 297 zeigt, nur auf seine vertragliche Aufhebung. Regelungsschwerpunkte sind in **§ 296 I Fixierung des Aufhebungszeitpunkts, Rückwirkungsverbot und Schriftformerfordernis.** Bezweckt ist damit Schutz der Gesellschaft, ihrer Aktionäre und Gläubiger vor rückwirkender Beseitigung unternehmensvertraglicher Ansprüche (BGH NJW 2002, 822, 823) sowie (Formerfordernis) Rechtssicherheit und -klarheit (RegBegr. Kropff S. 385; zur rechtspolitischen Kritik der Regelung → Rn. 5; sa GK-AktG/Mülbert Rn. 5 f. mwN). **§ 296 II verlangt Sonderbeschluss** außenstehender Aktionäre, wenn Vertrag Ausgleichs- oder Abfindungsregelung enthält, bes. also in den Fällen der §§ 304, 305 (Beherrschungs- oder Gewinnabführungsvertrag). Das beruht auf ähnlichen Erwägungen wie § 295 II (→ § 295 Rn. 2), wobei für den Argumentationszusammenhang an die Stelle der Stimmenmehrheit des anderen Vertragsteils die Willensbildung seiner ges. Vertreter tritt; denn Zustimmung der HV wird anders als dort bei § 296 nicht verlangt. Die Vorschriften des § 296 sind zwingend (allgM, s. nur MüKoAktG/Altmeppen Rn. 3). ZT können aufsichtsrechtl. Vorgaben, namentl. Genehmigungserfordernisse, hinzutreten, die im regulierten Bereich sicherstellen sollen, dass nicht durch Ende der Verlustausgleichspflicht Schieflage der bislang abhängigen AG eintritt (vgl. § 12 I 1 VAG und dazu Niemeyer VersR 2020, 1500 ff.).

II. Aufhebungsvertrag

1. Zulässiger Inhalt. Gegenstand des Aufhebungsvertrags ist **Beendigung unternehmensvertraglicher Bindung** durch übereinstimmende Erklärung der Vertragsparteien (s. Muster bei Happ/Liebscher KonzernR/UmwR 1.11 lit. a). Sie liegt auch dann vor, wenn zugleich neuer Vertrag mit anderem Unternehmen (Tochter statt Mutter) geschlossen wird (LG Essen AG 1995, 189, 190; Grigoleit/Servatius Rn. 2). Aufhebung kann gem. § 296 I 1 nur **zum Ende des Geschäftsjahrs** der verpflichteten Gesellschaft vereinbart werden; statt des Geschäftsjahrs kann bei abw. unternehmensvertraglicher Regelung auch Aufhebung **zum Ende der jeweiligen Abrechnungsperiode** vorgesehen werden. Ebenso kann ein Rumpfgeschäftsjahr bei unterjährigem Stichtag eingeschaltet werden, um ges. Vorgaben des § 296 zu entspr. (GK-AktG/Mülbert Rn. 16; Deilmann NZG 2015, 460, 462 f.; Link/Greve M&A Review 2010, 285, 288 und 356). Haben sich mehrere Gesellschaften unternehmensvertraglich verpflichtet (zB Gewinngemeinschaft), ist Aufhebung zum Ende des Geschäftsjahrs einer Gesellschaft zulässig (MüKoAktG/Altmeppen Rn. 22; KK-AktG/Koppensteiner Rn. 13). In diesen Fällen wird idR aber für alle Gesellschaften einheitlicher Abrechnungszeitraum vereinbart sein. Regelungszweck ist, Abrechnungsschwierigkeiten und Gewinnmanipulationen vorzubeugen (Windbichler, Unternehmensverträge und Zusammenschlusskontrolle, 1977, 64). Dass Aufhebungszeitpunkt ausdr. vereinbart wird, ist nicht notwendig. Ergibt Vertrag insoweit nichts anderes, ist idR von Aufhebung zum nächstmöglichen Beendigungstermin auszugehen (BGH NJW 2002, 822, 823; OLG Jena RNotZ 2021, 539 Rn. 34; MüKoAktG/Altmeppen Rn. 26). Den Parteien steht es jedoch frei, Aufhebung für Ende eines späteren als des laufenden Geschäftsjahrs zu wählen (MüKoAktG/Altmeppen Rn. 21). 2

Vereinbarung eines unzulässigen Aufhebungszeitpunkts ist wegen Verstoßes gegen § 296 I 1 **nichtig** gem. § 134 BGB (OLG Jena RNotZ 2021, 539 Rn. 33). Wirksamkeit des Aufhebungsvertrags iÜ ist nach § 139 BGB zu beurteilen (KK-AktG/Koppensteiner Rn. 16; Windbichler, Unternehmensverträge und Zusammenschlusskontrolle, 1977, 65; aA MHdB AG/Krieger § 71 Rn. 196 aE, der § 140 BGB anwenden will; wohl auch MüKoAktG/Altmeppen Rn. 25; offenlassend BGH NJW 2002, 822, 823). 3

§ 296 I 2 enthält **Verbot rückwirkender Aufhebung** (zum Zweck → Rn. 1). Verbot gilt ausnahmslos, auch hinsichtlich aller Unternehmensverträge. Verstöße führen ebenfalls zur Nichtigkeit der Klausel gem. § 134 BGB. Auch hier ist Wirksamkeit des Aufhebungsvertrags iÜ nach § 139 BGB zu beurteilen (→ Rn. 3). 4

2. Vertragsschluss. Aufhebung des Unternehmensvertrags ist **Geschäftsführungsmaßnahme** und fällt damit in Zuständigkeit des Vorstands (§§ 77, 78). Im Innenverhältnis kann Zustimmung des AR gem. § 111 IV 2 erforderlich sein. Wenn Zustimmung verweigert wird, kann dies durch Zustimmungsbeschluss der HV überwunden werden (§ 111 IV 3). IÜ besteht keine Notwendigkeit, HV mit Aufhebung des Unternehmensvertrags zu befassen (RegBegr. Kropff S. 385). Regelung ist rechtspolitisch fragwürdig (KK-AktG/Koppensteiner Rn. 9; GK-AktG/Mülbert Rn. 5; Wilhelm, Beendigung des Beherrschungs- und Gewinnabführungsvertrags, 1975, 20; aA E. Vetter ZIP 1995, 345, 346), weil Existenzfähigkeit der in die Selbständigkeit entlassenen Gesellschaft nicht ohne weiteres gegeben ist. Kritik führt jedoch de lege lata nicht weiter, weil sich Gesetzgeber der Problematik bewusst war; ges. Entscheidung ist also hinzunehmen (MüKoAktG/Altmeppen Rn. 11; Geßler ZHR 140 [1976], 433, 438). Nichts anderes folgt aus Holzmüller-Grundsätzen (→ § 119 Rn. 16 – s. Hölters/Weber/Deil- 5 mann Rn. 6; GK-AktG/Mülbert Rn. 10). HV kann Vorstand auch nicht zum Vertragsabschluss verpflichten; § 83 II ergibt nichts anderes. Weisung des anderen Vertragsteils an Vorstand der Gesellschaft zur Vertragsaufhebung ist ausgeschlossen (§ 299). Wie Unternehmensvertrag (→ § 291 Rn. 17) hat auch spiegelbildlicher Aufhebungsvertrag nicht nur schuldrechtl., sondern körperschaftsrechtl. Charakter (BGH NZG 2022, 658 Rn. 17).

6 Aufhebungsvertrag bedarf gem. § 296 I 3 der **Schriftform** (§§ 126, 126a BGB). Bei Verstoß ist Vertrag formnichtig gem. § 125 BGB. Unternehmensvertrag bleibt dann bis zur gültigen Neuvornahme des Aufhebungsvertrags in Kraft. Wenn inzwischen Geschäftsjahr oder Abrechnungsperiode abgelaufen sind (→ Rn. 2), kann Aufhebung nur zum Ende des jetzt laufenden Geschäftsjahrs oder der jetzt maßgeblichen Abrechnungsperiode vereinbart werden.

III. Sonderbeschluss außenstehender Aktionäre

7 **1. Allgemeines.** Sonderbeschluss außenstehender Aktionäre (→ § 295 Rn. 12, dort auch zur Umgehung) ist nach § 296 II 1 erforderlich, wenn Unternehmensvertrag aufgehoben werden soll, der Leistung eines Ausgleichs oder einer Abfindung vorsieht. Sonderbeschluss ist Wirksamkeitsvoraussetzung des Aufhebungsvertrags; solange er nicht gefasst ist, bleibt Aufhebungsvertrag schwebend unwirksam (OLG München NZG 2015, 311 Rn. 6; MüKoAktG/Altmeppen Rn. 32; MHdB AG/Krieger § 71 Rn. 197). Bei Unkenntnis vom fehlenden Sonderbeschluss steht der anderen Vertragspartei ein Widerrufsrecht nach § 178 BGB analog zu; im Falle positiver Kenntnis ist sie an den Aufhebungsvertrag gebunden, solange Sonderbeschluss zu erwarten ist (idR bis zur nächsten ordentlichen HV); vgl. MüKoAktG/Altmeppen Rn. 34; GK-AktG/Mülbert Rn. 30. Danach besteht Widerrufsrecht gem. § 178 BGB analog (MüKoAktG/Altmeppen Rn. 34; Emmerich/Habersack/Emmerich Rn. 20; Grigoleit/Servatius Rn. 7; aA GK-AktG/Mülbert Rn. 30: Rechtsgedanke der § 108 II BGB, § 177 II BGB). Für Zustandekommen des Sonderbeschlusses gelten gem. § 296 II 2 dieselben Anforderungen wie bei Zustimmung zur Vertragsänderung (→ § 295 Rn. 14). Anders als Beschluss nach § 295 II (→ § 295 Rn. 15) ist jedoch Sonderbeschluss nach § 296 II **anfechtbar,** weil § 304 III 2, § 305 V 1 insoweit keine verdrängende Sonderregelung enthalten (MüKoAktG/Altmeppen Rn. 39; MHdB AG/Krieger § 71 Rn. 197). Bei Verschmelzung oder Eingliederung bedarf es keines Sonderbeschlusses entspr. § 296 II (BGH AG 1974, 320, 323 [insoweit nicht in NJW 1974, 1557]; OLG Celle WM 1972, 1004, 1012; KK-AktG/Koppensteiner Rn. 20).

8 **2. Zeitpunkt des Sonderbeschlusses.** Sonderbeschluss kann nach dem Grundgedanken der §§ 182 ff. BGB **vor oder nach Abschluss des Aufhebungsvertrags** gefasst werden (allgM, s. zB LG Essen AG 1995, 189, 191). Vielfach wird allerdings angenommen, dass Aufhebungsvertrag unwirksam bleibt, wenn Sonderbeschluss erst nach Eintritt des Aufhebungszeitpunkts gefasst wird; Ergebnis soll aus Rückwirkungsverbot des § 296 I 2 folgen (so GK-AktG/Mülbert Rn. 27; MHdB AG/Krieger § 71 Rn. 197). Für diese Einschränkung besteht jedoch kein hinreichender Anlass, weil das Rückwirkungsverbot für die vertragliche Regelung, aber nicht für den Sonderbeschluss gilt (iE wie hier OLG München NZG 2015, 311 Rn. 5 ff.; LG Essen AG 1995, 189, 191; KK-AktG/Koppensteiner Rn. 21; E. Vetter ZIP 1995, 345, 348).

IV. Rechtsfolgen

9 Mit Eintritt des Aufhebungszeitpunkts (→ Rn. 3 f.) enden die unternehmensvertraglichen Bindungen. Eintragung der Aufhebung in das HR (§ 298) hat nur

deklaratorische Bedeutung. Anderer Vertragsteil muss weder künftige Verluste (§ 302) übernehmen noch künftig Ausgleichs- oder Abfindungsleistungen (§§ 304, 305) erbringen. Bis zum Aufhebungszeitpunkt entstandene **Ausgleichsansprüche** bleiben jedoch unberührt. Abgefundene Aktionäre sind auch nicht zur Rückgabe der **Abfindungsleistungen** verpflichtet (MüKoAktG/Altmeppen Rn. 41). Aus Störung der Geschäftsgrundlage (§ 313 BGB) oder aus Wegfall des Rechtsgrundes der Abfindungsleistung (§ 812 I 2 BGB) kann nichts anderes hergeleitet werden (MüKoAktG/Altmeppen Rn. 41; GK-AktG/Mülbert Rn. 32). Bei Aufhebung von Beherrschungs- oder Gewinnabführungsverträgen entsteht Verpflichtung zur **Sicherheitsleistung** gem. § 303. Kontrovers diskutiert wird die Frage, ob anderer Vertragsteil einen über Schutzmechanismen der §§ 300 ff. hinausgehenden **Konzernausgangsschutz** gewähren muss (monographisch Berger, Konzernausgangsschutz, 2016; vgl. zu alternativen Sicherungen auch Servatius ZGR 2015, 754, 762 ff.). Als Ausprägungen eines solchen Schutzes werden namentl. sog **Wiederaufbauhilfen** vorgeschlagen (Martens, Die existentielle Wirtschaftsabhängigkeit, 1979, 42 ff.; H. Wilhelm, Beendigung des Beherrschungs- und Gewinnabführungsvertrags, 1975, 120 f.: Haftung aus nachwirkender Treupflicht). Alternativ wird auch Pflicht zur **Unterbreitung eines erneuten Abfindungsangebots analog § 305** bei Beendigung des Unternehmensvertrags erwogen (dafür Berger, Konzernausgangsschutz, 2016, 241 ff.). Beide Konzepte scheitern indes an der bewusst abschließend gedachten Ausgestaltung der §§ 300 ff., 304 ff. (ebenso Priester ZIP 1989, 1301, 1305; sa OLG Düsseldorf AG 1990, 490, 492; iE auch Beurskens Konzern 2017, 429 ff.; Burg/Hützen Konzern 2010, 20, 23 ff.; offenlassend BGH NZG 2022, 658 Rn. 19). Gesetzgeber hat Problem des eigenmächtigen Entzugs des Ausgleichsanspruchs gesehen (RegBegr. Kropff S. 386) und der in §§ 300 ff. vorgesehenen Lösung zugeführt. Behauptung, dass er dabei von „nicht überzeugenden Prämissen" ausgegangen sei (Berger Konzernausgangsschutz, 2016, 164), kann – selbst wenn man sie als richtig unterstellt – keine Korrektur durch den Gesetzesanwender, sondern nur durch den Gesetzgeber begründen, zumal sich vorgeschlagene Lösungsmechanismen weit von den herkömmlichen ges. Lösungsansätzen unterscheiden, die als Analogiegrundlage herangezogen werden könnten (abl. deshalb auch KK-AktG/Koppensteiner § 297 Rn. 63; GK-AktG/Mülbert Rn. 33; Altmeppen ZHR 171 [2007], 320, 328 f. [jew. zu Wiederaufbauhilfen]; Habersack AG 2016, 691, 694 [zu erneutem Abfindungsangebot]). Im Gegenschluss folgt aus der Verweigerung eines solchen über das Gesetz hinausreichenden Konzernausgangsschutzes die Unzulässigkeit existenzgefährdender Weisungen während der Laufzeit des Unternehmensvertrags (→ § 308 Rn. 19 mwN; vgl. auch Emmerich/Habersack/Emmerich Rn. 25 f.). Prognose hinsichtlich künftiger Überlebensfähigkeit über Vertragsdauer hinaus kann dagegen in diesem Zusammenhang noch nicht gefordert werden (ausf. → § 308 Rn. 19). Trotzdem bleibt es Obergesellschaft unbenommen, freiwillig Hilfen zu gewähren oder zuzusagen, um Lebensfähigkeit zu gewährleisten (BGH NZG 2022, 658 Rn. 19; zur fehlenden Berücksichtigung bei Berechnung des fiktiven Jahresfehlbetrags iRd § 302 → § 302 Rn. 11).

V. GmbH-Konzern

10 Während bislang hM auch bei GmbH entspr. § 296 Aufhebungskompetenz allein beim Geschäftsführer gesehen und Zustimmungserfordernis seitens der Gesellschafterversammlung verneint hat (OLG Karlsruhe AG 1995, 38 f.; OLG Frankfurt OLGZ 1994, 286, 287 f.; MüKoAktG/Altmeppen Rn. 17; Bungert NJW 1995, 1118, 1120; Timm/Geuting GmbHR 1996, 229, 230 ff., 233 ff.; Ulrich GmbHR 2004, 1000, 1002 ff.; E. Vetter ZIP 1995, 345, 350 ff.), sollen nach BGHZ 190, 45 Rn. 19 (= NZG 2011, 902) Aufhebung und Kündigung eines Unternehmensvertrags als innergesellschaftliche Organisationsakte **Gesellschafterbeschluss** jedenfalls der beherrschten GmbH erfordern (zust. HCL/Leuschner GmbHG Anh. § 77 Rn. 190, 193; Noack/Servatius/Haas/Beurskens GmbHG KonzernR Rn. 128; Göhmann/Winnen RNotZ 2015, 53, 58 f.; Wicke GmbHR 2017, 686, 688). Frage nach **Beschlussmehrheit** wurde allerdings vom BGH offengelassen (für einfache Mehrheit Noack/Servatius/Haas/Beurskens GmbHG KonzernR Rn. 128; für qualifizierte Mehrheit Emmerich/Habersack/Emmerich Rn. 30). Nach zutr. hM ist Aufhebung des Unternehmensvertrags mit abhängiger GmbH aus Gründen der Rechtssicherheit und zur Vermeidung von Manipulationen entspr. § 296 I 1 nur **zum Ende des Geschäftsjahres** oder des sonst vertraglich bestimmten Abrechnungszeitraums möglich (BGHZ 206, 74 Rn. 13, 15 = NZG 2015, 912; OLG München ZIP 2014, 1067, 1069 f.; OLG Münschen NZG 2012, 590, 590; MüKoGmbHG/Liebscher Anh. GmbH-KonzernR Rn. 985 mwN; aA Noack/Servatius/Haas/Beurskens GmbHG KonzernR Rn. 134; Priester NZG 2012, 641, 643 f.). Sofortige Aufhebung kann allerdings idR auch durch eine Änderung des Geschäftsjahrs und Aufhebung zum Ende des neu gebildeten Rumpfgeschäftsjahrs erreicht werden (BGHZ 206, 74 Rn. 17), was die mit entspr. Anwendung von § 296 I 1 verbundene Beeinträchtigung der Vertragsfreiheit abschwächt (Stephan Konzern 2015, 349, 351; Wicke GmbHR 2017, 686, 689; ausf. Walter GmbHR 2015, 965 ff.). Zulässig ist rückwirkende Aufhebung des Unternehmensvertrags entspr. § 296 I 2 (→ Rn. 4; vgl. dazu OLG München NZG 2015, 311 Rn. 4 ff. m. zust. Anm. Harnos MittBayNot 2015, 334, 335 f.; OLG Zweibrücken NZG 2015, 319, 320 für Betriebspachtvertrag; aA MüKoGmbHG/Liebscher Anh. GmbH-KonzernR Rn. 986).

Kündigung

297 (1) [1] **Ein Unternehmensvertrag kann aus wichtigem Grunde ohne Einhaltung einer Kündigungsfrist gekündigt werden.** [2] **Ein wichtiger Grund liegt namentlich vor, wenn der andere Vertragsteil voraussichtlich nicht in der Lage sein wird, seine auf Grund des Vertrags bestehenden Verpflichtungen zu erfüllen.**

(2) [1] **Der Vorstand der Gesellschaft kann einen Vertrag, der zur Leistung eines Ausgleichs an die außenstehenden Aktionäre der Gesellschaft oder zum Erwerb ihrer Aktien verpflichtet, ohne wichtigen Grund nur kündigen, wenn die außenstehenden Aktionäre durch Sonderbeschluß zustimmen.** [2] **Für den Sonderbeschluß gilt § 293 Abs. 1 Satz 2 und 3, § 295 Abs. 2 Satz 3 sinngemäß.**

(3) **Die Kündigung bedarf der schriftlichen Form.**

Übersicht

I. Regelungsgegenstand und -zweck

1 § 297 regelt **Einzelaspekte der Kündigung** von Unternehmensverträgen, nämlich **Zulässigkeit der Kündigung aus wichtigem Grund** (§ 297 I); **Erfordernis eines Sonderbeschlusses** der außenstehenden Aktionäre in den Fällen der §§ 304, 305, wenn Unternehmensvertrag ohne wichtigen Grund gekündigt werden soll (§ 297 II); Erfordernis der **Schriftform,** und zwar ohne Rücksicht auf den Kündigungsgrund (§ 297 III). § 297 I enthält Klarstellung des für Dauerrechtsverhältnisse generell geltenden Prinzips; Unternehmensvertrag kann Kündigung aus wichtigem Grund nicht ausschließen (RegBegr. Kropff S. 386). § 297 II entspr. § 295 II, § 296 II und bezweckt wie diese Vorschriften, Kündigung durch Erklärung der Gesellschaft unter gleichzeitiger Wahrung der Aktionärsbelange zuzulassen (→ § 295 Rn. 2). Schließlich sollen Rechtssicherheit und -klarheit durch Schriftformerfordernis (§ 297 III) gewährleistet werden (RegBegr. Kropff S. 386).

2 Norm enthält **keine abschließende Regelung der Vertragsbeendigung** und erfasst auch die Rechtsfragen der Kündigung nicht vollständig. Vgl. zur einverständlichen Aufhebung des Unternehmensvertrags § 296, zu weiteren Beendigungsgründen → Rn. 22 f. Bes. Kündigungsfälle sind in § 304 IV, § 305 V 4 geregelt (→ § 304 Rn. 23 bzw. → § 305 Rn. 61). Ausdr. der Vertragsfreiheit überlassen sind die in § 297 nicht geregelten Fragen der Kündigung von Unternehmensverträgen (RegBegr. Kropff S. 386). Danach ist es **insbes. zulässig,** die **ordentliche Kündigung** vertraglich vorzusehen und ihre Modalitäten zu regeln (→ Rn. 10 ff., 15 f.). Zu aufsichtsrechtl. Ergänzungen → § 296 Rn. 1.

II. Außerordentliche Kündigung (§ 297 I)

3 **1. Allgemeines.** Gem. § 297 I kann Unternehmensvertrag fristlos gekündigt werden, wenn dafür wichtiger Grund vorliegt. Unter dieser Voraussetzung ist jeder Unternehmensvertrag (§§ 291, 292) kündbar, gleichgültig, ob er befristet oder unbefristet geschlossen ist (MüKoAktG/Altmeppen Rn. 15). Kündigungsrecht steht notwendig **beiden Vertragsteilen** zu (GK-AktG/Mülbert Rn. 20; MHdB AG/Krieger § 71 Rn. 201). Kündigung erfolgt durch einseitige empfangsbedürftige (§ 130 BGB) Willenserklärung des vom wichtigen Grund betroffenen Vertragsteils (→ Rn. 19). Sie hat zur Folge, dass Unternehmensvertrag ex nunc beendet wird; eine Kündigung mit Rückwirkung gibt es nicht. Abmahnung ist nach § 314 II BGB idR erforderlich (GK-AktG/Mülbert Rn. 62). Wichtiger Grund liegt vor, wenn für den Vertragsteil, der Kündigung erklärt, weitere Fortsetzung des Vertragsverhältnisses wegen ernsthafter und nicht oder nicht in angemessener Art und Weise behebbarer Schwierigkeiten unzumutbar ist (BGHZ 190, 45 Rn. 10 = AG 2011, 668; BGHZ 206, 74 Rn. 19 = NZG 2015, 912;

BGHZ 223, 13 Rn. 35 = NZG 2019, 1149 Rn. 35; OLG München WM 2009, 1038, 1041; NZG 2011, 867, 868; Link/Greven M&A Review 2010, 285, 290). Liegen die Gründe, aus denen sich Vertragspartei vom Vertrag lösen möchte, in der ihr durch Ges. oder Vertrag zugewiesenen **Risikosphäre,** ist Kündigung nur ausnahmsweise gerechtfertigt (BGHZ 223, 13 Rn. 35 mwN). Wegen der notwendigen Konkretisierung → Rn. 4 ff. Ist Vertrag Grundlage steuerlicher Organschaft (→ § 291 Rn. 38 f.), muss darauf geachtet werden, dass Kündigung auch den steuerrechtl. Vorgaben an einen wichtigen Grund genügt, die mit den zivilrechtl. nicht notwendigerweise übereinstimmen (→ § 291 Rn. 39).

4 **2. Kündigung aus wichtigem Grund. a) Voraussichtliche Leistungsunfähigkeit.** § 297 I 2 nennt als Bsp. eines wichtigen Grundes, dass anderer (herrschender) Vertragsteil voraussichtlich nicht in der Lage sein wird, seine Vertragspflichten zu erfüllen. Ob diese Pflichten ggü. der Gesellschaft bestehen (§ 302; Pachtzins bei Betriebspachtvertrag) oder ggü. ihren Aktionären (§§ 304, 305), spielt dabei keine Rolle (RegBegr. Kropff S. 386; unstr.). Wer kündigen will, braucht nicht zu warten, bis sich Erfüllungsunfähigkeit in konkreten Leistungsausfällen niederschlägt. Vielmehr genügt entspr. **Prognose** („voraussichtlich"). Andererseits rechtfertigen kurzfristige Schwierigkeiten noch nicht das Urteil, anderer Vertragsteil sei zur Leistung nicht in der Lage (GK-AktG/Mülbert Rn. 26; MHdB AG/Krieger § 71 Rn. 202; einschr. MüKoAktG/Altmeppen Rn. 20). Es muss sich vielmehr um längerfristige, zeitlich nicht ohne weiteres eingrenzbare oder sich unzumutbar hinziehende Störungen handeln. Dass sie zu vertreten sind (§ 276 BGB), wird von § 297 II 2 nicht vorausgesetzt. Störungen müssen jedoch obj. vorliegen. Mangelnder Erfüllungswille allein genügt nicht, um Unfähigkeit zur Leistung anzunehmen.

5 Wenn dargestellte Voraussetzungen erfüllt sind, **kann nach hM jeder Vertragsteil fristlos kündigen,** also nicht nur die AG, sondern auch der andere (herrschende) Vertragsteil (Emmerich/Habersack/Emmerich Rn. 22; KK-AktG/Koppensteiner Rn. 18; MHdB AG/Krieger § 71 Rn. 202; Kley, Die Rechtsstellung der außenstehenden Aktionäre, 1986, 54 f.; Stephan Konzern 2014, 1, 5). Das wird zT in Zweifel gezogen, da eigenes Unvermögen grds. nicht zur Befreiung führen kann (MüKoAktG/Altmeppen Rn. 35; S/L/Langenbucher Rn. 5; GK-AktG/Mülbert Rn. 27). Dennoch ist der hM beizupflichten. Wortlaut des § 297 I 2 lässt zwar zunächst nur an Kündigung durch die Gesellschaft denken, doch kann dem anderen Vertragsteil nicht angesonnen werden, bis zum eigenen Untergang zu erfüllen (KK-AktG/Koppensteiner Rn. 18; Hengeler/Hoffmann-Becking FS Hefermehl, 1976, 283, 303). Dagegen versteht sich, dass anderer Vertragsteil nicht schon deshalb aus wichtigem Grund kündigen kann, weil er die wirtschaftlichen Erwartungen enttäuscht sieht, die er in den Vertrag gesetzt hat.

6 **b) Weitere Fälle. Als wichtiger Grund einzustufen** sind ferner: schwerwiegende Vertragsverletzungen in der Vergangenheit, die ein weiteres Festhalten am Vertrag für den vertragstreuen Teil wegen ihres Gewichts unzumutbar machen (LG Frankenthal AG 1989, 253, 254; MüKoAktG/Altmeppen Rn. 22; KK-AktG/Koppensteiner Rn. 18); ernsthafte, aus gegenwärtigen Umständen ableitbare und obj. nachvollziehbare Besorgnis, dass es in der Zukunft nicht zur Erfüllung kommen werde, zB anfängliche Erfüllungsverweigerung; andauernde Erteilung nach § 308 unzulässiger Weisungen (→ § 308 Rn. 16 ff., 19; vgl. MüKoAktG/Altmeppen Rn. 27); Eröffnung des Insolvenzverfahrens (→ Rn. 7 aE, → Rn. 22) über einen der Vertragspartner (Hengeler/Hoffmann-Becking FS Hefermehl, 1976, 283, 304; K. Schmidt ZGR 1983, 513, 528; offenlassend BGHZ 103, 1, 8 = NJW 1988, 1326 zur GmbH); kartellrechtl. Untersagungsverfügung (Windbichler, Unternehmensverträge und Zusammenschlusskontrolle, 1977, 26, 80 ff.).

7 **Kein wichtiger Grund iSd § 297 I** liegt vor, wenn Sachverhalt zur fristlosen Kündigung nicht ausreicht oder wenn für Kündigung kein Raum ist, weil Unternehmensvertrag von Rechts wegen endet. In die erste Untergruppe gehören: angebliche Verluste einer Gesellschaft, die sich ganz in der Hand ihres die Kündigung aussprechenden Alleingesellschafters befindet (OLG München NZG 2011, 867, 868 f.); kurzfristige Leistungsstockungen beim anderen Vertragsteil (→ Rn. 4); Verschlechterung der Ertragslage der Gesellschaft (hM, s. KK-AktG/Koppensteiner Rn. 18; aA bei Eintritt untragbarer Risiken für anderen Vertragsteil Krieger in Beiträge zum Wirtschafts- und Bankrecht, Bd. I, 1989, 99, 107; Timm GmbHR 1987, 8, 13; diff. Ebenroth/Parche BB 1989, 637, 642); aber zwecks Gleichbehandlung und wegen Stichtagsprinzips (→ § 304 Rn. 10 f.; → § 305 Rn. 34) auch nicht Verbesserung ihrer Ertragslage (Riegger/Mutter DB 1997, 1603, 1604 ff.); Veräußerung der Beteiligung an der Gesellschaft (str., wie hier OLG Düsseldorf AG 1995, 137, 138; LG Duisburg AG 1994, 379 f.; LG Frankenthal AG 1989, 253, 254; GK-AktG/Mülbert Rn. 37; Rix MittRhNotK 1986, 29, 41; Schwarz DNotZ 1996, 68, 71; aA LG Bochum ZIP 1986, 1386 [insoweit nicht in AG 1987, 322]; Knott/Rodewald BB 1996, 472, 473; Krieger/Jannott DStR 1995, 1473, 1476; Laule AG 1990, 145, 152), sofern dadurch Unternehmenseigenschaft nicht entfällt (→ Rn. 22 aE). In die zweite Untergruppe fallen die sog sonstigen Beendigungsgründe, darunter namentl. die Auflösung eines Vertragspartners durch Insolvenzeröffnung (BGHZ 103, 1, 6 f. = NJW 1988, 1326 zur GmbH → Rn. 22).

8 **c) Wichtiger Grund kraft Vertrags.** Fraglich ist, ob die Parteien im Unternehmensvertrag den Eintritt bestimmter Sachverhalte als wichtigen Grund festlegen können, obwohl darin kein wichtiger Grund iSd § 297 I liegt. **Bsp:** Isolierter Beherrschungsvertrag enthält Klausel, nach der er fristlos gekündigt werden kann, wenn später Gewinnabführungsvertrag und neuer Beherrschungsvertrag mit darauf abgestimmtem Inhalt zustande kommen (BGHZ 122, 211 = NJW 1993, 1976). Oder: Veräußerung der Beteiligung an Untergesellschaft wird, weil sie nicht unter § 297 I fällt (→ Rn. 7), als wichtiger Grund vereinbart (Gestaltungsvorschlag bei König/Winkler ZIP 2022, 1635 ff.; Schwarz DNotZ 1996, 68, 82 f.). HM bejaht **Zulässigkeit solcher Gestaltungen** zu Recht (BGHZ 122, 211, 227 ff.; OLG Frankfurt AG 2008, 826; OLG München AG 1991, 358, 360; WM 2009, 2013, 2014; 2009, 1038, 1042; KG AG 2009, 30, 34; MüKo-AktG/Altmeppen Rn. 49; GK-AktG/Mülbert Rn. 55 ff.; Deilmann NZG 2015, 460, 461 f. [mit Darstellung steuerrechtl. Folgen]; Stephan Konzern 2015, 349, 351; Timm FS Kellermann, 1991, 461, 466 ff.; verneinend dagegen LG Ingolstadt AG 1991, 24, 25; KK-AktG/Koppensteiner Rn. 20). Verbotstatbestand lässt sich nicht aus analoger Anwendung des § 296 I 1 herleiten, weil keine Regelungslücke besteht. Festlegung des Beendigungszeitpunkts ist ausdr. der Vertragsfreiheit überlassen (RegBegr. Kropff S. 386; → Rn. 16). Auch aus § 297 II 1 folgt nichts anderes, weil Sonderbeschluss danach nicht generell, sondern nur unter bestimmten Voraussetzungen erforderlich ist. Liegen sie vor, so ist allerdings auch für Kündigung aus vertraglich fixiertem wichtigem Grund zust. Sonderbeschluss notwendig (BGHZ 122, 211, 232 aE). Noch nicht abschließend geklärt ist, ob Kündigung in diesen Fällen schon **vor Anteilsübergang** nach Abschluss des Kaufvertrags ausgesprochen werden kann mit Wirkung auf den Zeitpunkt, zu dem der Anteilsübergang erfolgt. Da auch schon in diesem Stadium gewichtige Interessen von Veräußerer und Erwerber für eine solche Gestaltung sprechen, gegenläufige Schutzinteressen aber nicht erkennbar sind, sollte Frage zu bejahen sein (Deilmann NZG 2015, 460, 462; zust. König/Winkler ZIP 2022, 1635, 1636 ff.).

9 **3. Befristete außerordentliche Kündigung.** Außerordentliche Kündigung erfolgt idR, aber nicht immer fristlos. Befristete Variante kennen §§ 569, 581 II BGB, § 584a II BGB bei Tod des Pächters; seine Erben können kündigen. Das ist bei Betriebspacht- und Betriebsüberlassungsverträgen denkbar, zumal Pächter nicht Unternehmenseigenschaft haben muss (→ § 292 Rn. 3 aE). Kündigungsmöglichkeit ist in § 297 I nicht erwähnt, befristete außerordentliche Kündigung aber trotzdem zulässig. RegBegr. Kropff S. 386 geht davon aus, dass Kündigungsvorschriften des BGB eingreifen können.

III. Ordentliche Kündigung, besonders in den Fällen der §§ 304, 305 (§ 297 II)

10 **1. Allgemeines.** Ordentliche Kündigung ist einseitige fristgebundene Vertragsauflösung mit Wirkung ex nunc, die sich nicht auf einen wichtigen Grund stützt. Sie ist weder in § 297 II noch anderwärts ges. geregelt. § 297 II 1 setzt jedoch voraus, dass ordentliche Kündigung möglich ist. Norm betr. nämlich den Fall, dass ohne wichtigen Grund gekündigt wird, und verlangt dafür bei Hinzutreten weiterer Voraussetzungen Sonderbeschluss außenstehender Aktionäre. IÜ verweist RegBegr. Kropff S. 386 auf Vertragsfreiheit, soweit nicht Kündigungsvorschriften anderer Ges., bes. des BGB, eingreifen. Danach ist zu klären, unter welchen Voraussetzungen ordentliche Kündigung zulässig ist (→ Rn. 11 ff.), welche Frist ggf. besteht (→ Rn. 15 f.) und schließlich, in welchen Fällen es eines Sonderbeschlusses außenstehender Aktionäre bedarf (→ Rn. 17).

11 **2. Zulässigkeit. a) Vertragliche Regelungen.** Parteien können Laufzeit von Unternehmensverträgen iSd §§ 291, 292 durch Vereinbarung regeln, und zwar in jeder Hinsicht. Sie können also den Vertrag befristen und ordentliche Kündigung bis Fristablauf ausschließen (MüKoAktG/Altmeppen Rn. 53 f.); sie können Befristung mit Recht zur ordentlichen Kündigung derart verbinden, dass Frist die Höchstdauer ergibt (MüKoAktG/Altmeppen Rn. 55); sie können Befristung, Verlängerungs- und Kündigungsklausel so verknüpfen, dass Vertrag erst nach Ablauf der Grundzeit kündbar wird (MüKoAktG/Altmeppen Rn. 57 f.; MHdB AG/Krieger § 71 Rn. 180). Parteien können den Vertrag auch auf unbestimmte Zeit schließen und ordentliche Kündigung vertraglich festschreiben (MüKoAktG/Altmeppen Rn. 56; KK-AktG/Koppensteiner Rn. 7). Dabei können sie insbes. auch die Kündigungsfrist regeln (KK-AktG/Koppensteiner Rn. 6). Recht zur ordentlichen Kündigung kann auch ausgeschlossen werden, bes. auch zu Lasten des anderen (herrschenden) Vertragsteils. Ferner wird für zulässig gehalten, dass Kündigung durch den anderen Vertragsteil an Zustimmung außenstehender Aktionäre der Gesellschaft gebunden wird.

12 **b) Fehlen vertraglicher Regelung.** Wenn Vertrag keine Kündigungsklausel enthält, ist zwischen Beherrschungs- und Gewinnabführungsverträgen (§ 291) einerseits, anderen Unternehmensverträgen (§ 292) andererseits zu unterscheiden. **In den Fällen des § 291** gibt es nach hM kein Recht zur ordentlichen Kündigung, wenn Vertrag es nicht vorsieht (vgl. KK-AktG/Koppensteiner Rn. 10; GK-AktG/Mülbert Rn. 77 ff.; MHdB AG/Krieger § 71 Rn. 198; Gerth BB 1978, 1497). Beachtliche Gegenmeinung will ordentliche Kündigung auch ohne Vertragsklausel zulassen (vgl. Timm FS Kellermann, 1991, 461, 470 f.; Windbichler, Unternehmensverträge und Zusammenschlusskontrolle, 1977, 68 ff.; diff. MüKoAktG/Altmeppen Rn. 68 ff. nach „bewusster" und „unbewusster" Nichtvereinbarung, wobei das Zweite Regelfall sein soll [zweifelhaft; sa GK-AktG/Mülbert Rn. 78]).

13 IdR gibt es für Verträge iSd § 291 **keine ordentliche Kündigung ohne Kündigungsklausel;** der hM ist also beizupflichten. Mangels ges. Regelung

etwa nach Vorbild der § 725 BGB; 132 HGB, 139 HGB ist Vertragswille der Parteien entscheidend, der seinerseits durch Auslegung (§§ 133, 157 BGB) unter Berücksichtigung der Besonderheiten von Beherrschungs- und/oder Gewinnabführungsverträgen im Allgemeinen und im Einzelfall zu ermitteln ist. Schweigt Vertrag, dann ist mangels bes. Anhaltspunkte davon auszugehen, dass Parteien nichts vereinbart haben. Dann hat aber das von manchen postulierte Recht zur ordentlichen Kündigung (→ Rn. 12) keine Basis. Konkludente Vereinbarung eines Rechts zur ordentlichen Kündigung ist zwar grds. möglich, bedarf aber hinlänglicher Anhaltspunkte, die im bloßen Schweigen gerade nicht zu finden sind. Im Gegenteil spricht strukturändernder Charakter der in Frage stehenden Verträge tendenziell dafür, dass eine Langfristbindung gewollt ist (zust. GK-AktG/Mülbert Rn. 78). Andere Beurteilung wäre nur möglich, wenn es allg. Grundsatz gäbe, nach dem Dauerrechtsverhältnisse nicht nur aus wichtigem Grund, sondern notwendig auch ordentlich gekündigt werden können (so Timm FS Kellermann, 1991, 461, 471). Rspr. verneint jedoch derartigen Grundsatz explizit (BGHZ 64, 288, 290 ff. = NJW 1975, 1268; BGHZ 100, 1, 3 = NJW 1987, 1622) und hat damit in der Sache Recht.

Für **Verträge iSd § 292** ist ges. Ausgangslage anders, weil insoweit bei Fehlen vertraglicher Regelung auf Vorschriften des BGB zurückgegriffen werden muss. Für Gewinngemeinschaften gilt § 723 I Nr. 2 BGB, § 725 BGB, auf Betriebspacht- oder Betriebsüberlassungsverträge sind §§ 595, 584 BGB anzuwenden, Kündigung von Betriebsführungsverträgen ist je nach Sachlage gem. § 627 BGB oder nach § 671 BGB zu beurteilen (s. MüKoAktG/Altmeppen Rn. 72; GK-AktG/Mülbert Rn. 79). 14

3. Kündigungsfrist und -termin. Soweit ordentliche Kündigung möglich ist (→ Rn. 11 ff.), stellt sich Frage nach Kündigungsfrist und etwaigen Beschränkungen bei Wahl des Zeitpunkts, auf den gekündigt wird. Auch insoweit trifft § 297 II keine Bestimmung; RegBegr. Kropff S. 386 verweist auf vertragliche Regelung. Danach gilt: Grds. bestimmt sich **Kündigungsfrist** nach der getroffenen vertraglichen Regelung. Speziell für Gewinnabführungsvertrag sind insofern steuerliche Voraussetzungen der Organschaft zu beachten, wonach insbes. fünfjährige Mindestlaufzeit erforderlich ist (→ § 291 Rn. 38 f.), so dass Kündigung vor diesem Zeitpunkt üblicherweise ausgeschlossen wird (Nodoushani DStR 2017, 399, 401). Wenn Vertrag die ordentliche Kündigung zulässt, aber die Frist nicht bestimmt, sind Vorschriften des BGB in ihrem jeweiligen Geltungsbereich anwendbar, bes. §§ 584, 725 BGB. Für **Beherrschungs- und Gewinnabführungsverträge** kann jedoch wegen ihres strukturändernden Charakters nicht einfach auf § 725 II BGB zurückgegriffen werden. Regelung ist singulär und auf den Typus kurzlaufender Gelegenheitsgesellschaft zugeschnitten. Kündigungsfrist sollte **in Analogie zu § 132 I HGB** bestimmt werden, also mindestens sechs Monate betragen; § 132 I HGB enthält sachgerechte Abwandlung des § 725 I BGB für die organisatorisch verfestigte Dauergesellschaft, passt also auf die Verträge des § 291 besser als § 725 I BGB (zust. KK-AktG/Koppensteiner Rn. 6; GK-AktG/Mülbert Rn. 86). 15

Für den **Kündigungstermin** will früher hM Vertragsfreiheit nicht gelten lassen. Vielmehr soll analog § 296 I nur zum Ende des Geschäftsjahrs oder Abrechnungszeitraums gekündigt werden können (s. noch KK-AktG/Koppensteiner Rn. 5; Windbichler, Unternehmensverträge und Zusammenschlusskontrolle, 1977, 74 f.). Dem ist nicht zu folgen. Weil Ges. Privatautonomie gelten lassen will (RegBegr. Kropff S. 386), besteht für Analogie erforderliche Regelungslücke nicht (→ Rn. 8; wie hier BGHZ 122, 211, 228 ff. = NJW 1993, 1976; LG München I AG 2009, 918, 919; MüKoAktG/Altmeppen Rn. 78 f.; GK-AktG/Mülbert Rn. 87; MHdB AG/Krieger § 71 Rn. 199; Timm FS Kellermann, 16

1991, 461, 467 f.). **Maßgeblich** ist also, **was die Parteien vereinbaren.** Nur wenn sie nichts vereinbaren, stellt sich Frage, ob **dispositive Norm über den Kündigungstermin** durch Analogie gewonnen werden kann. Dafür bietet sich rechtsanaloge Anwendung des § 132 HGB (→ Rn. 15) und des § 296 I 1 an, so dass mangels abw. Vertragsregelung mit sechs Monaten Frist zum Ende des Geschäftsjahrs zu kündigen ist.

17 **4. Sonderbeschluss außenstehender Aktionäre.** Nach § 297 II kann **Vorstand der Gesellschaft** ordentliche Kündigung wirksam nur mit Sonderbeschluss der außenstehenden Aktionäre aussprechen, wenn Vertrag Ausgleichs- oder Abfindungsleistung zu ihren Gunsten vorsieht. Bei Kündigung aus wichtigem Grund soll wegen Eilbedürftigkeit nicht bis zu einem Sonderbeschluss gewartet werden; bei ordentlicher Kündigung sind Aktionärsbelange (→ Rn. 1; → § 295 Rn. 2) dagegen zu wahren (RegBegr. Kropff S. 386). Wegen der vorausgesetzten Ausgleichs- oder Abfindungsregelung (vor allem: §§ 304, 305; aber auch ges. nicht gebotene Vertragsleistungen) → § 295 Rn. 10, wegen des Begriffs der außenstehenden Aktionäre → § 295 Rn. 12. Das Verfahren der Sonderbeschlussfassung bestimmt sich nach § 138 mit den aus sinngem. Anwendung der § 293 I 2 und 3, § 295 II 3 folgenden Besonderheiten (§ 297 II 2); → § 293 Rn. 8; → § 295 Rn. 14.

18 Auf **ordentliche Kündigung durch den anderen (herrschenden) Vertragsteil** kann § 297 II nicht erstreckt werden, selbst nicht bei Änderungskündigung (BGHZ 122, 211, 233 = NJW 1993, 1976; BGH NJW 1979, 2103; OLG Düsseldorf AG 1990, 490, 491). Regelung überzeugt nicht (krit. Emmerich/Habersack/Emmerich Rn. 9; KK-AktG/Koppensteiner Rn. 4 aE; Timm FS Kellermann, 1991, 461, 463: „Schlupfloch"), muss aber angesichts klaren Gesetzeswortlauts und ausdr. Rechtfertigung in RegBegr. Kropff S. 386 aE („keine unbillige Beeinträchtigung") hingenommen werden. Unanwendbar ist § 297 II auch bei Kündigung durch anderen Vertragsteil aus vertraglich fixiertem wichtigem Grund (BGHZ 122, 211, 232 ff.; krit. Hirte ZGR 1994, 644, 655 ff.).

IV. Kündigungserklärung einschließlich Schriftform (§ 297 III)

19 **1. Begriff der Kündigung; Erklärungszuständigkeit.** Kündigungserklärung ist in § 297 III nur rudimentär geregelt. Nach allg. Grundsätzen gilt: Kündigung erfolgt durch einseitige empfangsbedürftige Willenserklärung, die nicht vor Zugang wirksam werden kann (§ 130 BGB). Sie muss, um wirksam zu sein, gem. § 314 III BGB innerhalb angemessener Frist ausgesprochen werden (OLG München AG 2011, 467, 468; MüKoAktG/Altmeppen Rn. 50 mwN). Kündigungserklärung ist vom jeweiligen Vertragsteil abzugeben. Gesellschaft wird dabei durch ihren Vorstand vertreten (§ 78). Für den anderen Vertragsteil handelt das jew. zuständige Vertretungsorgan (Vorstand, Geschäftsführer usw). Ein Zustimmungserfordernis gem. § 111 IV 2 hat keine Außenwirkung. Da ordentliche Kündigung ganz ausgeschlossen werden kann (→ Rn. 11), darf sie (a maiore ad minus) nach richtiger Ansicht auch von Zustimmung Dritter, etwa der Obergesellschaft, abhängig gemacht werden (MüKoAktG/Altmeppen Rn. 12; GK-AktG/Mülbert Rn. 75; BeckOGK/Veil/Walla Rn. 24; aA Timm FS Kellermann, 1991, 461, 474 f.).

20 **2. Form der Kündigung.** § 297 III verlangt **Schriftform** (§ 126 BGB), und zwar für jede Art der Kündigung (ordentliche wie außerordentliche). Verstöße führen gem. § 125 BGB zur Nichtigkeit der Erklärung. Bloße Übergabe der Niederschrift eines Gesellschafterbeschlusses genügt nicht (OLG München AG 2011, 467, 468). Regelung ist im Hinblick auf ihren Zweck (→ Rn. 1 aE) in dem Sinne zwingend, dass Unternehmensvertrag auf das Formerfordernis nicht ver-

zichten kann. Dagegen sind Verschärfungen als zulässig anzusehen (Emmerich/Habersack/Emmerich Rn. 10).

V. Kündigungsfolgen

Kündigung bewirkt **Beendigung des Unternehmensvertrags,** und zwar ohne Rücksicht auf deren Eintragung in das HR; Eintragung gem. § 298 hat nur deklaratorische Bedeutung (→ § 298 Rn. 5). Kündigungsfolge ist allerdings nach dieser Vorschrift bestehende **Anmeldepflicht.** Außerordentliche Kündigung beendet Vertrag stets mit Erklärungszugang (§ 130 BGB). Ordentliche Kündigung wird, soweit Sonderbeschluss gem. § 297 II erforderlich ist (→ Rn. 17), mit Zugang wirksam, wenn Sonderbeschluss schon vorliegt; sonst, sobald Beschluss nachfolgt. Wirksamkeit heißt hier zunächst nur Bindung der Beteiligten. Beendigung des Unternehmensvertrags tritt nach Ablauf der Kündigungsfrist im nächstzulässigen Kündigungstermin ein (→ Rn. 15 f.). Wenn Beherrschungs- oder Gewinnabführungsvertrag (§ 291) während des Geschäftsjahrs endet, besteht **Verlustausgleichspflicht** gem. § 302 noch für zeitanteiligen fiktiven Jahresfehlbetrag (str.; → § 302 Rn. 11). Gläubiger der Gesellschaft können vom anderen Vertragsteil **Sicherheitsleistung** gem. § 303 verlangen. **Ausgleich gem. § 304** ist zeitanteilig zu leisten, danach nicht mehr. Leitungsmacht gem. § 308 geht mit Ende des Beherrschungsvertrags unter. 21

VI. Weitere Beendigungsgründe

Unternehmensvertrag kann nicht nur durch einverständliche Aufhebung (§ 296) oder durch einseitige Kündigung (§§ 297, 304 IV, § 305 V 4), sondern auch **ohne weiteres Zutun von Rechts wegen** enden (→ Rn. 2). Hierhin gehören: Zeitablauf bei befristeten Verträgen ohne Verlängerungsklausel; nachträgliche Beteiligung eines oder mehrerer außenstehender Aktionäre (§ 307); Auflösung eines Vertragsteils (§ 262), bes. durch Insolvenzeröffnung, jedenfalls, soweit es um Beherrschungs- oder Gewinnabführungsvertrag geht (BGHZ 103, 1, 6 f. = NJW 1988, 1326 [→ Rn. 22a]); gerichtl. Bestätigung des Insolvenzplans mit Liquidationsregelung (Hengeler/Hoffmann-Becking FS Hefermehl, 1976, 283, 298; Kley, Die Rechtsstellung der außenstehenden Aktionäre, 1986, 216); Verschmelzung oder Eingliederung der beherrschten Gesellschaft (→ § 295 Rn. 6; zur Eingliederung BGH WM 1974, 713, 715 [insoweit nicht in NJW 1974, 1557]; OLG Köln AG 2010, 336, 337); Wegfall der Unternehmenseigenschaft des anderen Vertragsteils (GK-AktG/Mülbert Rn. 106), soweit von §§ 291, 292 vorausgesetzt (→ § 292 Rn. 3 aE). Anders als bei Eingliederung ist Erwerb aller Aktien durch **Squeeze-Out** kein Beendigungsgrund, weil es insoweit nicht kraft Ges. (vgl. § 323) zu einem neuen Beherrschungsverhältnis kommt (OLG Köln AG 2010, 336, 337; GK-AktG/Mülbert Rn. 143). Zu den Konsequenzen von **Umwandlungsgestaltungen** → § 295 Rn. 6. 22

Automatische Beendigung durch **Eröffnung des Insolvenzverfahrens** über Vermögen des anderen Vertragsteils entsprach zur Konkursordnung der hM (s. etwa BGHZ 103, 1, 6 f. = NJW 1988, 1326). Auch zur InsO ist an dieser Ansicht festzuhalten, da sich Zweck der Liquidation nicht mit Fortbestand des Unternehmensvertrags in Einklang bringen lässt (MüKoAktG/Altmeppen Rn. 102 ff.; Emmerich/Habersack/Emmerich Rn. 52b; S/L/Langenbucher Rn. 30; GK-AktG/Mülbert Rn. 135 f.; NK-AktR/Peres Rn. 34; BeckOGK/Veil/Walla Rn. 37 ff.; Thole ZIP 2020, 389, 390; aA KK-AktG/Koppensteiner Rn. 47 ff.; Freudenberg ZIP 2009, 2037, 2039 ff.; H.-F. Müller ZIP 2008, 1701 f.; Trendelenburg NJW 2002, 647 ff.; v. Wilmowsky Konzern 2016, 261 ff.; Zeidler NZG 1999, 692, 696 f.). Beherrschung und Gewinnabführung sind nach ges. Konzep- 22a tion zwingend daran geknüpft, dass Obergesellschaft wirtschaftliche Existenz der abhängigen AG gewährleistet (vgl. §§ 300–303). Diese Gewähr ist mit Eröffnung des Insolvenzverfahrens nicht mehr gegeben (MüKoAktG/Altmeppen Rn. 106). Allenfalls bei Eigenverwaltung (§§ 270 ff. InsO) ist andere Lösung diskutabel (Emmerich/Habersack/Emmerich Rn. 52b; Trendelenburg NJW 2002, 647, 648 f.). Insolvenz der beherrschten AG sollte zumindest bei Beherrschungsvertrag wegen § 302 im Regelfall nur relevant werden können, wenn zugleich auch herrschendes Unternehmen insolvent ist (Einzelheiten bei MüKoAktG/Altmeppen Rn. 117 ff.).

23 Ob und in welchen Grenzen ein **Rücktritt vom Unternehmensvertrag** möglich ist, hat Gesetzgeber der Rspr. überlassen (AusschussB Kropff S. 387). Rücktrittsprobleme sind aber bisher kaum praktisch geworden. **Ges. Rücktrittsrecht** besteht nach ganz hM nur, bis Unternehmensvertrag in Vollzug gesetzt wird; später kann nur aus wichtigem Grund gekündigt werden (MüKoAktG/Altmeppen Rn. 92; Emmerich/Habersack/Emmerich Rn. 31). Maßgeblicher Zeitpunkt ist für Beherrschungs- und Gewinnabführungsverträge spätestens Eintragung des Vertrags in das HR (vgl. die Genannten; ferner Kley, Die Rechtsstellung der außenstehenden Aktionäre, 1986, 59 f.; Windbichler, Unternehmensverträge und Zusammenschlusskontrolle, 1977, 49 f.). Für andere Unternehmensverträge (§ 292) sind tats. Vollzugshandlungen zu fordern (KK-AktG/Koppensteiner Rn. 30). **Vertraglicher Rücktrittsvorbehalt** ist jedenfalls in Beherrschungs- oder Gewinnabführungsverträgen nur zulässig, wenn sich Vorbehalt auf Zeit bis Registereintragung bezieht (BGHZ 122, 211, 225 f. = NJW 1993, 1976; LG Ingolstadt AG 1991, 24, 26; weitergehend [schon keine Bindungswirkung] MüKoAktG/Altmeppen Rn. 95). Danach kommt nur Umdeutung in Kündigungsrecht in Betracht (KK-AktG/Koppensteiner Rn. 31). Dabei ist vorbehaltener Rücktrittsgrund als wichtiger Grund für die Kündigung kraft Vereinbarung (→ Rn. 8) aufzufassen (KK-AktG/Koppensteiner Rn. 31).

Anmeldung und Eintragung

298 Der Vorstand der Gesellschaft hat die Beendigung eines Unternehmensvertrags, den Grund und den Zeitpunkt der Beendigung unverzüglich zur Eintragung in das Handelsregister anzumelden.

I. Regelungsgegenstand und -zweck

1 Norm betr. Anmeldung und Eintragung der Beendigung von Unternehmensverträgen in das HR. Vorschrift steht im Zusammenhang mit § 294 I und dient der **Publizitätsfunktion des HR.** Weil Bestehen des Unternehmensvertrags anzumelden und einzutragen ist, muss Entspr. auch für Beendigung gelten, um zu verhindern, dass HR unrichtig wird (KK-AktG/Koppensteiner Rn. 1). Überdies ist Unterrichtung aller bezweckt, für die Vertrag Bedeutung hat (RegBegr. Kropff S. 387).

II. Anmeldung

2 Anmeldung der Beendigung erfolgt in der Form des § 12 HGB durch den Vorstand der zur vertragstypischen Leistung verpflichteten Gesellschaft, der dabei nicht im eigenen, sondern im Namen der Gesellschaft tätig wird (→ § 294 Rn. 2 mN; Muster der Anmeldung zur Beendigung des Unternehmensvertrages bei Happ/Liebscher KonzernR/UmwR 1.10 lit. d). Anmeldung hat unverzüglich (§ 121 I 1 BGB) zu erfolgen; Pflicht zur Anmeldung entsteht jedoch im Zeitpunkt der Beendigung des Unternehmensvertrages (krit. GK-AktG/Mülbert

Rn. 8). Vorstand kann im **Zwangsgeldverfahren** des § 14 HGB dazu angehalten werden (RegBegr. Kropff S 387). Nichtigkeit des Unternehmensvertrags und gleichstehende Sachverhalte begründen nach hM Anmeldepflicht analog § 298 (zB MüKoAktG/Altmeppen Rn. 5; KK-AktG/Koppensteiner Rn. 7 mwN). Dies ist nicht zweifelsfrei wegen Möglichkeit der Amtslöschung nach § 395 FamFG, die jedenfalls bestehen bleibt (sa Emmerich/Habersack/Emmerich Rn. 2; GK-AktG/Mülbert Rn. 6).

Gegenstand der Anmeldung sind die Beendigung des Unternehmensvertrags, ihr Grund und ihr Zeitpunkt. Grds. ist jede Beendigung ohne Rücksicht auf ihren Grund (zB Aufhebung, Kündigung, Eingliederung) anzumelden und unabhängig davon, welcher Vertragsteil die Beendigung ausgelöst hat (vgl. GK-AktG/Mülbert Rn. 4). **Ausnahme** besteht **bei Verschmelzung.** Deren Anmeldung (§ 16 UmwG) muss schon deshalb genügen, weil übertragende Gesellschaft als Normadressat des § 298 mit Eintragung der Verschmelzung gem. § 20 I Nr. 2 UmwG erlischt (sa KK-AktG/Koppensteiner Rn. 3; GK-AktG/Mülbert Rn. 5; MHdB AG/Krieger § 71 Rn. 218; Hohner DB 1973, 1487, 1491; aA Emmerich/Habersack/Emmerich Rn. 3). Anmeldung der Verschmelzung schließt jedoch Anmeldung der Beendigung ein, weil sie notwendige Verschmelzungsfolge ist. Beendigung ist daher auch in diesem Fall einzutragen und bekanntzumachen (→ Rn. 5; insoweit zutr. Emmerich/Habersack/Emmerich Rn. 3; aA Krafka RegisterR Rn. 1618). Unternehmensvertrag ist konkret zu bezeichnen, sinnvollerweise so, wie er gem. § 43 Nr. 6 lit. b sublit. cc HRV in das HR eingetragen ist. Angabe des Grundes dient der materiellen Prüfung der Anmeldung durch das Registergericht. Angabe des Zeitpunkts ist erforderlich, weil Eintragung nicht konstitutiv wirkt, sondern nur deklaratorische Bedeutung hat (→ Rn. 5). 3

Über **beizufügende Unterlagen** sagt § 298 anders als § 294 I 2 nichts. Unterlagen, aus denen sich die sachliche Richtigkeit der Anmeldung ergibt, kann Registergericht jedenfalls gem. § 26 FamFG anfordern, weil es zur materiellen Prüfung der Anmeldung verpflichtet ist (ebenso Hölters/Weber/Deilmann Rn. 7). Weitergehend ist analog § 294 I 2 anzunehmen, dass Vorstand von sich aus die Schriftstücke beizufügen hat, aus denen sich die Beendigung und ihr Zeitpunkt ergeben (GK-AktG/Mülbert Rn. 14; iE ebenso KK-AktG/Koppensteiner Rn. 5), zB schriftlicher Aufhebungsvertrag (§ 296 I 3) oder das Kündigungsschreiben (§ 297 III), und zwar nach seiner Wahl in Urschrift, Ausfertigung oder öffentl. beglaubigter Abschrift. Wenn Wirksamkeit der Beendigung von **Sonderbeschluss** außenstehender Aktionäre abhängt (§ 296 II, § 297 II), kann Niederschrift des Sonderbeschlusses vorgelegt werden, doch ist es nicht notwendig. Es genügt Bezugnahme auf die in den Registerakten gem. § 130 V, § 138 vorhandene Niederschrift (MüKoAktG/Altmeppen Rn. 7; KK-AktG/Koppensteiner Rn. 5). 4

III. Eintragung und Bekanntmachung

Registergericht verfügt Eintragung mit dem aus der Anmeldung ersichtlichen Inhalt (OLG Jena RNotZ 2021, 539 Rn. 39), auch Beendigung des Unternehmensvertrags als ges. Verschmelzungsfolge (→ Rn. 3). Voraussetzung ist, dass formelle und materielle Prüfung keine Beanstandung ergibt. Dem tats. Vorliegen eines wichtigen Grundes muss Gericht nicht von sich aus nachgehen. Bestehen jedoch für Fehlen des Kündigungsgrundes tats. Anhaltspunkte, so ist auch diese Frage zu prüfen (OLG Düsseldorf AG 1995, 137, 138; OLG München WM 2009, 1013; 2009, 1038, 1040; MüKoAktG/Altmeppen Rn. 12). Eintragung erfolgt in Abteilung B Sp. 6 und umfasst wie die Anmeldung (→ Rn. 3) die Beendigung, ihren Grund und Zeitpunkt (§ 43 Nr. 6 lit. b sublit. cc HRV). Sie 5 hat nur **deklaratorische Bedeutung** (RegBegr. Kropff S. 387; OLG Jena RNotZ 2021, 539 Rn. 36; OLG München NZG 2015, 311 Rn. 8). Beendigung des Unternehmensvertrags tritt also unabhängig von Eintragung ein. Deshalb darf Anmeldung auch erst nach eingetretener Beendigung erfolgen (OLG Jena RNotZ 2021, 539 Rn. 42). Rechtsgedanke des § 298 gilt auch bei GmbH als Untergesellschaft (BGHZ 116, 37, 43 f. = NJW 1992, 505; OLG München NZG 2015, 311 Rn. 8 m. zust. Anm. Harnos MittBayNot 2015, 334, 336; BayObLG NZG 2003, 479, 480; Bungert NJW 1995, 1118, 1121 mwN; Stephan Konzern 2015, 349, 354). Bek. erfolgt gem. § 10 HGB, umschreibt nach neuer Begrifflichkeit aber nur noch erstmalige elektronische Abrufbarkeit der Eintragung (§ 10 I HGB; zur Neuordnung des Bekanntmachungswesens durch DiRUG 2021 → § 39 Rn. 7 ff.). Sobald Beendigung danach als bekanntgemacht gilt, laufen die Fristen gem. § 302 III, § 303 I.

Ausschluß von Weisungen

299 Auf Grund eines Unternehmensvertrags kann der Gesellschaft nicht die Weisung erteilt werden, den Vertrag zu ändern, aufrechtzuerhalten oder zu beendigen.

I. Regelungsgegenstand und -zweck

1 § 299 schließt es aus, die Gesellschaft kraft Unternehmensvertrags anzuweisen, den Vertrag zu ändern (§ 295), fortzuführen oder zu beendigen (§§ 296, 297). Norm bezweckt **eigenverantwortliche Entscheidung des Vorstands** der abhängigen Gesellschaft über inhaltlichen Bestand und zeitliche Geltung von Unternehmensverträgen (RegBegr. Kropff S. 387). Zweck wird wegen tats. Einflussmöglichkeiten herrschender Unternehmen nicht erreicht. Es verbleibt nur eine begrenzte haftungsrechtl. Bedeutung iRd §§ 309, 310 (→ Rn. 4); s. MüKoAktG/Altmeppen Rn. 2; KK-AktG/Koppensteiner Rn. 1.

II. Unzulässige Weisungen

2 **1. Voraussetzungen.** Es muss ein **Beherrschungsvertrag** (§ 291 I 1 Fall 1) vorliegen (unstr., s. MüKoAktG/Altmeppen Rn. 3). Norm spricht zwar weitergehend von Unternehmensvertrag. Das vorausgesetzte Weisungsrecht gibt es jedoch nur beim Beherrschungsvertrag (§ 308 I 1, II 1). § 323 bleibt außer Betracht, weil Eingliederung nicht auf Vertrag beruht (→ § 319 Rn. 1; ebenso GK-AktG/Mülbert Rn. 4). Unzulässig sind zunächst Weisungen, die sich auf Änderung, Fortführung oder Beendigung des Beherrschungsvertrags selbst beziehen. Wenn neben ihm ein Gewinnabführungsvertrag (§ 291 I 1 Fall 2) oder ein anderer Unternehmensvertrag (§ 292) besteht, erfasst das Weisungsverbot aber auch die Änderung, Fortführung oder Beendigung dieser Verträge, und zwar ohne Rücksicht darauf, ob sie mit dem Beherrschungsvertrag zu einem einheitlichen Rechtsgeschäft verbunden sind oder nicht (MüKoAktG/Altmeppen Rn. 5; GK-AktG/Mülbert Rn. 5).

3 Weisungsverbot gilt **nur für Verhältnis der Vertragsparteien zueinander** und nicht bzgl. Dritter (aA Grigoleit/Servatius Rn. 3). Im mehrstufigem Konzern ist also Weisung der Mutter an die Tochter möglich, einen von dieser mit der Enkelgesellschaft geschlossenen Unternehmensvertrag zu ändern, fortzuführen oder zu beenden (hM, s. GK-AktG/Mülbert Rn. 6; MHdB AG/Krieger § 71 Rn. 184, 195; grds. auch OLG Karlsruhe AG 1991, 144, 146).

2. Rechtsfolgen. Verbotene Weisung kann nicht erteilt werden, ist also **nichtig** gem. § 134 BGB (→ § 308 Rn. 11) und damit rechtl. wirkungslos. Folgepflicht des Vorstands der abhängigen Gesellschaft wird nicht begründet (→ § 308 Rn. 12, 20). Wenn der Gesellschaft aus der Erteilung einer unzulässigen Weisung ein Schaden erwächst, sind ges. Vertreter des herrschenden Unternehmens unter den weiteren Voraussetzungen des § 309 nach dieser Vorschrift schadensersatzpflichtig (→ § 309 Rn. 13 ff.), ebenso das herrschende Unternehmen selbst (→ § 309 Rn. 26 f.). Dasselbe gilt gem. § 310 I für Organmitglieder der abhängigen Gesellschaft. Ausführung unzulässiger Weisung ist haftungsbegründende Pflichtwidrigkeit (→ § 310 Rn. 3). 4

III. Nicht erfasste Gestaltungen

Änderung, Fortführung oder Beendigung von Unternehmensverträgen können gem. § 111 IV 2 von **Zustimmung des AR** der Gesellschaft abhängig sein. Entspr. Gestaltungen werden durch § 299 nicht berührt (RegBegr. Kropff S. 387), obwohl Zustimmungsverweigerung iE einer Weisung nahekommt (MüKoAktG/Altmeppen Rn. 16; GK-AktG/Mülbert Rn. 14). 5

Für **Einflussmöglichkeiten der HV**, die sich grds. nach allg. Vorschriften richten (RegBegr. Kropff S. 387), ist zwischen Änderung von Unternehmensverträgen einerseits, ihrer Fortführung oder Beendigung andererseits zu unterscheiden. Änderung fällt in Zuständigkeit der HV (§ 295). Also muss Vorstand entspr. Beschluss gem. § 83 I 2 ausführen, soweit er nicht nach § 243 I oder II anfechtbar ist und einen gesellschaftsschädlichen Inhalt hat; Vorstand ist unter diesen Prämissen verpflichtet, von seiner Anfechtungsbefugnis aus § 245 S. 1 Nr. 4 Gebrauch zu machen (MüKoAktG/Altmeppen Rn. 17; KK-AktG/Koppensteiner Rn. 4). Fortführung oder Beendigung von Unternehmensverträgen sind dagegen Geschäftsführungsmaßnahmen, fallen also nicht in die Zuständigkeit der HV, so dass § 83 I 2 nicht einschlägig ist. Möglich bleibt jedoch, dass Vorstand Maßnahme von sich aus gem. § 119 II der HV vorlegt (MüKoAktG/Altmeppen Rn. 19; KK-AktG/Koppensteiner Rn. 5). Dagegen ist nicht anzunehmen, dass er zur Vorlage gem. § 308 angewiesen werden kann; denn solche Weisung fällt schon in den Verbotsbereich des § 299 (wie hier MüKoAktG/Altmeppen Rn. 18; KK-AktG/Koppensteiner § 308 Rn. 34 f.). 6

Dritter Abschnitt. Sicherung der Gesellschaft und der Gläubiger

Gesetzliche Rücklage

300 In die gesetzliche Rücklage sind an Stelle des in § 150 Abs. 2 bestimmten Betrags einzustellen,

1. **wenn ein Gewinnabführungsvertrag besteht, aus dem ohne die Gewinnabführung entstehenden, um einen Verlustvortrag aus dem Vorjahr geminderten Jahresüberschuß der Betrag, der erforderlich ist, um die gesetzliche Rücklage unter Hinzurechnung einer Kapitalrücklage innerhalb der ersten fünf Geschäftsjahre, die während des Bestehens des Vertrags oder nach Durchführung einer Kapitalerhöhung beginnen, gleichmäßig auf den zehnten oder den in der Satzung bestimmten höheren Teil des Grundkapitals aufzufüllen, mindestens aber der in Nummer 2 bestimmte Betrag;**
2. **wenn ein Teilgewinnabführungsvertrag besteht, der Betrag, der nach § 150 Abs. 2 aus dem ohne die Gewinnabführung entstehenden, um**

einen Verlustvortrag aus dem Vorjahr geminderten Jahresüberschuß in die gesetzliche Rücklage einzustellen wäre;
3. wenn ein Beherrschungsvertrag besteht, ohne daß die Gesellschaft auch zur Abführung ihres ganzen Gewinns verpflichtet ist, der zur Auffüllung der gesetzlichen Rücklage nach Nummer 1 erforderliche Betrag, mindestens aber der in § 150 Abs. 2 oder, wenn die Gesellschaft verpflichtet ist, ihren Gewinn zum Teil abzuführen, der in Nummer 2 bestimmte Betrag.

Übersicht

I. Regelungsgegenstand und -zweck

1 Norm betr. Dotierung der ges. Rücklage und modifiziert die dafür grds. einschlägige Vorschrift des § 150 II, um den Besonderheiten von Unternehmensverträgen Rechnung zu tragen, die auf Gewinnabführung, Teilgewinnabführung und/oder Beherrschung gerichtet sind. Bezweckt ist **Schutz der AG und ihrer Gläubiger** (reflexartig auch: der außenstehenden Aktionäre) **gegen Aushöhlung** der bilanziell darstellbaren Gesellschaftssubstanz (RegBegr. Kropff S. 388). Dem dienen anders als in § 150 II gefasste Definitionen der einzustellenden Beträge und bes. die Fünfjahresfrist (→ Rn. 7 ff.), die zu schnellerer Auffüllung der ges. Rücklage führt als in § 150 II vorgesehen. Erreicht wird Risikovorsorge, die bes. bei Auslaufen des Unternehmensvertrags Bedeutung hat (BeckOGK/Euler/Sabel Rn. 3). Dem Schutzzweck der Norm entspr. es, dass Satzung die Pflicht zur Dotierung der ges. Rücklage nicht erleichtern kann.

II. Dotierung der gesetzlichen Rücklage: Überblick

2 **Regelungsmodell** der wenig übersichtlichen Vorschrift ist, wie auch Fünfjahresfrist zeigt, die **steuerliche Organschaft** (→ § 291 Rn. 38 f.), bei der Abführung des Ergebnisses im Vordergrund steht. Norm geht daher nicht in der Systematik der §§ 291, 292 vor, sondern schreitet vom Gewinnabführungsvertrag (Nr. 1) über den Teilgewinnabführungsvertrag (Nr. 2) zum isolierten oder mit Teilgewinnabführung verknüpften Beherrschungsvertrag (Nr. 3) fort.

3 Begriff der ges. **Rücklage** ist in Eingangsworten des § 300 vorausgesetzt. Er ist ebenso zu bestimmen wie für § 150, bezeichnet also den aus einbehaltenen Gewinnen gebildeten Passivposten des § 266 III A III 1 HGB (→ § 150 Rn. 2 f.). ges. **Obergrenze** ist erreicht, wenn der in ges. Rücklage eingestellte Betrag und

die nach § 272 II Nr. 1–3 HGB in Kapitalrücklage eingestellten Beträge zusammen 10% des Grundkapitals ausmachen. Zuzahlungen (§ 272 II Nr. 4 HGB) sind nicht zu berücksichtigen (BeckOGK/Euler/Sabel Rn. 16). Für § 300 Nr. 1 ist also dieselbe Auslegung maßgeblich wie für § 150 II; → Rn. 6.

Für **Dotierung** der ges. Rücklage gilt nicht § 150 II, sondern speziellere Regelung des § 300. Der Sache nach bleiben jedoch Anforderungen des **§ 150 II als Mindesterfordernisse** erhalten, wobei an die Stelle des tats. der fiktive Jahresüberschuss tritt, wenn AG ganz oder teilw. zur Abführung ihres Gewinns verpflichtet ist. Fiktiver Jahresüberschuss ist der Betrag, der sich ohne Gewinnabführungspflicht ergäbe (→ Rn. 6; → § 291 Rn. 26). Für **Verwendung** der ges. Rücklage verbleibt es mangels bes. Regelung bei § 150 III und IV (→ § 150 Rn. 8 ff., 11 f.). 4

III. Gewinnabführungsvertrag (Nr. 1)

1. Begriff; Geschäftsführungsvertrag. Von § 300 Nr. 1 vorausgesetzter Gewinnabführungsvertrag ist zunächst iSd § 291 I 1 Fall 2 zu verstehen. Gesellschaft muss also verpflichtet sein, ihren ganzen Gewinn abzuführen (→ § 291 Rn. 23, 26). Zu beachten ist ferner Fiktion des § 291 I 2, so dass § 300 Nr. 1 auch dann gilt, wenn sich AG verpflichtet hat, ihre gesamte geschäftliche Tätigkeit für Rechnung des anderen Unternehmens zu entfalten, und zwar unentgeltlich (hM → § 291 Rn. 31; BeckOGK/Euler/Sabel Rn. 6). Dass § 300 Nr. 1 ohne Rücksicht auf zutr. Auslegung des § 291 I 2 auch bei entgeltlicher Geschäftsführung anzuwenden sei (so ADS Rn. 13), kann nicht angenommen werden. Bei **Gesetzesumgehung durch unangemessen niedriges Entgelt** ist § 300 Nr. 1 allerdings nach allg. Grundsätzen so anzuwenden, als ob Unentgeltlichkeit vorläge; Umgehungshandlung kann keine rechtl. Beachtung finden (ähnlich Emmerich/Habersack/Emmerich Rn. 15). Ob es sich um isolierten Gewinnabführungsvertrag handelt (zu seiner Zulässigkeit → § 291 Rn. 24) oder ob er mit Beherrschungsvertrag verknüpft ist, bleibt gleich; § 300 Nr. 1 ist in beiden Fällen anzuwenden (→ Rn. 12 ff.). 5

2. Pflicht zur Rücklagendotierung. Pflicht zur Dotierung der ges. Rücklage setzt nach § 300 Nr. 1 voraus, dass sich bei Vernachlässigung der Gewinnabführung ein **(fiktiver) Jahresüberschuss** ergibt. Dieser ist um Verlustvortrag (→ § 158 Rn. 2) aus Vorjahr zu mindern (→ § 150 Rn. 5). Aus dem danach verbleibenden positiven Betrag ist ges. Rücklage zu dotieren, und zwar durch den **Vorstand** (→ § 150 Rn. 4). Wenn nichts verbleibt, kann auch nichts eingestellt werden. Pflicht zur Rücklagendotierung hängt also davon ab, dass Gewinn erwirtschaftet wird (MüKoAktG/Altmeppen Rn. 11). Mangels zureichenden Gewinns ausgefallene Dotierung ist nachzuholen (RegBegr. Kropff S. 388 aE). Bei Geschäftsführungsverträgen (→ Rn. 5) ist das Ergebnis nach zutr. hM ebenfalls fiktiv zu ermitteln; → § 291 Rn. 30. Zu sonst entstehenden Problemen vgl. ADS Rn. 17 f.; KK-AktG/Koppensteiner Rn. 7. 6

3. Zuführungsbeträge. a) Regelzuführung. Soweit Pflicht zur Rücklagendotierung besteht (→ Rn. 6), ist zwischen Regelzuführung und Mindestzuführung zu unterscheiden. Regelzuführung beträgt 20% der Differenz, die bei Abschluss des Vertrags zwischen schon gebildeter und ges. Rücklage (→ Rn. 3) besteht. Berechnungsbsp. bei MüKoAktG/Altmeppen Rn. 13; BeckOGK/Euler/Sabel Rn. 10 f.; Veit DB 1974, 1245 ff. Der Satz von 20% ergibt sich aus **Frist von fünf Geschäftsjahren** und **Erfordernis gleichmäßiger Auffüllung.** Frist beginnt mit Wirksamwerden des Gewinnabführungsvertrags, im ges. Regelfall also mit seiner Eintragung in das HR (§ 294 II). Soweit Vertrag zulässig 7 zurückwirkt (→ § 294 Rn. 18, 20), rechnet Frist ab dem vereinbarten Geschäftsjahr (MüKoAktG/Altmeppen Rn. 16; KK-AktG/Koppensteiner Rn. 10).

8 **Kapitalerhöhung.** Wenn sich Betrag der ges. Rücklage wegen Erhöhung des Grundkapitals erhöht, läuft ab Durchführung der Kapitalerhöhung (maßgeblich ist hier Wirksamwerden, idR also mit Eintragung der Durchführung gem. § 189) **neue Fünfjahresfrist,** und zwar auch dann, wenn seit Abschluss des Gewinnabführungsvertrags noch keine fünf Jahre vergangen sind (MüKoAktG/Altmeppen Rn. 17 ff.; Havermann WPg 1966, 90, 95). Fraglich ist, wie Regelzuführung in diesen Fällen berechnet werden muss. Dafür bieten sich zwei Wege an: Zum einen kann noch bestehende Differenz zwischen Soll- und Istbetrag der ursprünglichen ges. Rücklage auf neue Fünfjahresfrist verteilt und mit Dotierung des Erhöhungsbetrags zu einer neuen Regelzuführung zusammengefasst werden (dafür zB ADS Rn. 27 f. mit Berechnungsbsp.). Daneben ist es möglich, bisherige ges. Rücklage mit bisherigen Beträgen bis zu ihrer Auffüllung weiterzudotieren und neue Fünfjahresfrist nur für Erhöhungsbetrag in Anspruch zu nehmen (ADS Rn. 28). Das Erste entspr. dem Erfordernis gleichmäßiger Auffüllung, das Zweite trägt der Fünfjahresfrist und dem Gebot schneller Rücklagenbildung besser Rechnung (MüKoAktG/Altmeppen Rn. 19). Heute hM hält in Ermangelung ges. Vorgaben zu Recht beide Verfahren für zulässig (MüKoAktG/Altmeppen Rn. 19; Emmerich/Habersack/Emmerich Rn. 14; S/L/Stephan Rn. 15; MHdB AG/Krieger § 71 Rn. 63).

9 **b) Mindestzuführung.** Wenn ges. Rücklage bei Abschluss des Gewinnabführungsvertrags schon weitgehend gebildet ist, kann aus der Differenz berechnete Regelzuführung (→ Rn. 7) unter dem Betrag liegen, der nach § 150 II abzuführen wäre, wenn man (fiktive Betrachtung → Rn. 6) Gewinnabführung vernachlässigt. Dann ergibt dieser Betrag die Mindestzuführung. Rücklagendotierung darf also **nicht unter die Grenze von 5 %** fallen (RegBegr. Kropff S. 389; ADS Rn. 19 f.). Schlussteil des § 300 Nr. 1 bringt das durch Verweisung auf § 300 Nr. 2 zum Ausdruck.

IV. Teilgewinnabführungsvertrag (Nr. 2)

10 **1. Begriff.** Zuführung zur ges. Rücklage ist nach § 300 Nr. 2 **aus fiktivem Jahresüberschuss** zu berechnen, wenn Teilgewinnabführungsvertrag besteht. Begriff ist iSd § 292 I Nr. 2 (→ § 292 Rn. 12 ff.) unter Ausklammerung der von § 292 II erfassten Sachverhalte (→ § 292 Rn. 26 ff.) zu verstehen. Teilw. anzutreffendes engeres Verständnis entbehrt der Grundlage. Das gilt zunächst für RegBegr. Kropff S. 389, nach der § 300 Nr. 2 bei Abführung des Gewinns einzelner Betriebe nicht gelten soll. Weder enthält das Ges. eine solche Einschränkung noch ergäbe sie einen vernünftigen Sinn (wie hier ADS Rn. 40; MüKoAktG/Altmeppen Rn. 24; aA KK-AktG/Koppensteiner Rn. 14). Das gilt ferner für die Ansicht, § 300 Nr. 2 greife nicht ein, wenn Gewinnabführung nicht an Jahresüberschuss, sondern an Bilanzgewinn anknüpfe (zutr. dazu ADS Rn. 41; MüKoAktG/Altmeppen Rn. 25; KK-AktG/Koppensteiner Rn. 15).

11 **2. Pflicht zur Rücklagendotierung und Zuführungsbetrag.** Weil § 300 Nr. 2 an § 150 II anknüpft, besteht Pflicht zur Dotierung der ges. Rücklage auch hier (→ Rn. 6) nur insoweit, als **Gewinn erwirtschaftet** wird und nach Abzug eines Verlustvortrags (→ § 158 Rn. 2) aus Vorjahr ein positiver Betrag verbleibt. Maßgeblich ist Jahresüberschuss, wie er sich ohne Gewinnabführung ergäbe. Daraus ist Zuführungsbetrag nach Maßgabe des § 150 II zu berechnen. Es verbleibt also bei 5 %. Eine abweichende, auf schnellere Rücklagenbildung zielende Regelzuführung (→ Rn. 7 f.) ist nicht vorgesehen.

V. Beherrschungsvertrag (Nr. 3)

1. Begriff. § 300 Nr. 3 regelt Dotierung der ges. Rücklage bei Bestehen eines Beherrschungsvertrags. Maßgeblich ist der in § 291 I 1 Fall 1 umschriebene Begriff. Vertrag muss also Leitung der Untergesellschaft zum Gegenstand haben und diese dem anderen Unternehmen unterstellen (→ § 291 Rn. 5 ff., 10 f.). Bezweckt ist, Möglichkeiten des herrschenden Unternehmens zu begrenzen, durch Ausübung seines Weisungsrechts (§ 308) oder in anderer Weise Gewinne der Untergesellschaft zu Lasten ihrer Substanzbildung an sich zu ziehen (ADS Rn. 46 f.; KK-AktG/Koppensteiner Rn. 21). Im Einzelnen ist nach § 300 Nr. 3 zu unterscheiden, ob es sich um einen isolierten Beherrschungsvertrag handelt (→ Rn. 13), ob er mit einem Gewinnabführungsvertrag verknüpft ist (→ Rn. 14) oder mit einem Teilgewinnabführungsvertrag zusammentrifft (→ Rn. 15). 12

2. Isolierter Beherrschungsvertrag. Für isolierten Beherrschungsvertrag ordnet § 300 Nr. 3 an, dass Vorstand der AG die ges. Rücklage mit dem nach § 300 Nr. 1 erforderlichen Betrag, mindestens aber mit dem in § 150 II vorgeschriebenen Betrag dotiert. Soweit es um die Regelzuführung entspr. § 300 Nr. 1 geht (→ Rn. 7), fällt auf, dass § 300 Nr. 3 anders als § 300 Nr. 1 und 2 **keinen (fiktiven) Jahresüberschuss voraussetzt.** Gleichwohl wird verbreitet angenommen, dass Pflicht zur Rücklagendotierung solchen Jahresüberschuss erfordert (Emmerich/Habersack/Emmerich Rn. 20; KK-AktG/Koppensteiner Rn. 20; S/L/Stephan Rn. 27 ff.; jetzt auch MüKoAktG/Altmeppen Rn. 29 ff.). Gegenansicht will darauf erklärtermaßen verzichten (ADS Rn. 53 mit eingehender Begr.; BeckOGK/Euler/Sabel Rn. 24; GK-AktG/Hirte Rn. 52 f.; Mylich AG 2016, 529, 533 f.). Dem dürfte zuzustimmen sein, weil fiktiver Jahresüberschuss iSd ohne Beherrschungsvertrag bestehenden Ergebnisses praktisch gar nicht zu ermitteln ist (ADS Rn. 53). 13

3. Beherrschungs- und Gewinnabführungsvertrag. Aus § 300 Nr. 1 iVm § 300 Nr. 3 folgt, dass es in diesem Fall bei der **für den Gewinnabführungsvertrag geltenden Rücklagendotierung** (→ Rn. 6 ff.) bleibt (→ Rn. 5 aE; ganz hM, vgl. statt aller MüKo/Altmeppen Rn. 27; aA neuerdings Mylich AG 2016, 529, 534 f. unter bedenklicher Strapazierung des Wortlauts; dagegen auch MüKoAktG/Altmeppen Rn. 27, 36). Dh auch, dass Pflicht zur Rücklagendotierung nur besteht, wenn entspr. (fiktiver) Jahresüberschuss erzielt worden ist. Unterschiedliche Behandlung dieser Konstellation und des isolierten Beherrschungsvertrags (→ Rn. 13) ist in der Tat unbefriedigend (vgl. KK-AktG/Koppensteiner Rn. 20). Sie ist offenbar darauf zurückzuführen, dass der von steuerlicher Organschaft statt von konzernspezifischem Gefährdungspotenzial ausgehende Gesetzgeber (→ Rn. 2) die durch den Beherrschungsvertrag begründeten Möglichkeiten des herrschenden Unternehmens (→ Rn. 12) für diesen Zusammenhang nicht berücksichtigt hat. De lege lata muss Konstruktionsschwäche der Norm wohl hingenommen werden. De lege ferenda spricht vieles für Rücklagendotierung ohne Rücksicht auf Jahresüberschuss (ADS Rn. 49). 14

4. Beherrschungsvertrag mit Teilgewinnabführung. Welche Bedeutung § 300 Nr. 3 für diese Konstellation hat, ist str. Nach einer Ansicht beginnt mit dem Wort „oder" ein selbständiger Normteil, so dass es bei den in → Rn. 10 f. für den isolierten Teilgewinnabführungsvertrag entwickelten Grundsätzen verbliebe (BeckOGK/Euler/Sabel Rn. 27; Havermann WPg 1966, 90, 96). Gegenmeinung will zunächst § 300 Nr. 1 anwenden und § 300 Nr. 3 aE nur als **Mindestregelung** interpretieren (Emmerich/Habersack/Emmerich Rn. 21; KK-AktG/Koppensteiner Rn. 19; S/L/Stephan Rn. 32 f.; jetzt auch MüKo- 15

AktG/Altmeppen Rn. 37 ff. in Abw. von Voraufl.). Das entspr. dem Wortlaut besser. Für Anwendung des § 300 Nr. 1 verbleibt es aber bei den in → Rn. 13 entwickelten Grundsätzen (gewinnabhängige Regelzuführung; insoweit aA KK-AktG/Koppensteiner Rn. 19).

Höchstbetrag der Gewinnabführung

301 [1] **Eine Gesellschaft kann, gleichgültig welche Vereinbarungen über die Berechnung des abzuführenden Gewinns getroffen worden sind, als ihren Gewinn höchstens den ohne die Gewinnabführung entstehenden Jahresüberschuss, vermindert um einen Verlustvortrag aus dem Vorjahr, um den Betrag, der nach § 300 in die gesetzlichen Rücklagen einzustellen ist, und den nach § 268 Abs. 8 des Handelsgesetzbuchs ausschüttungsgesperrten Betrag, abführen.** [2] **Sind während der Dauer des Vertrags Beträge in andere Gewinnrücklagen eingestellt worden, so können diese Beträge den anderen Gewinnrücklagen entnommen und als Gewinn abgeführt werden.**

I. Regelungsgegenstand und -zweck

1 § 301 setzt Vertragspflicht zur Gewinnabführung voraus (→ Rn. 2), belässt es für die Höhe des abzuführenden Gewinns auch grds. bei der Vereinbarung der Vertragsparteien, bestimmt aber eine Obergrenze. Bezweckt ist **Kapitalerhaltung im Interesse der Gesellschaft und ihrer Gläubiger.** Kapital wäre gefährdet, wenn AG kraft Vertrags mehr Gewinn abführen müsste, als sie aktienrechtl. als Jahresüberschuss ausweisen darf, und es deshalb ständig zu Verlustausweisen käme (RegBegr. Kropff S. 389; allgM, s. zB Baldamus Ubg 2009, 484, 486). Regelung ist zwingend, weil Schutzzweck sonst verfehlt würde.

II. Anwendungsbereich

2 § 301 setzt Pflicht zur Gewinnabführung voraus und kann daher nur für Verträge gelten, die solche Pflicht begründen. Norm gilt daher jedenfalls für **Gewinnabführungsverträge** iSd § 291 I 1 Fall 2 und keinesfalls für isolierte Beherrschungsverträge iSd § 291 I 1 Fall 1 (hM, s. KK-AktG/Koppensteiner Rn. 7 mwN). Auf **Teilgewinnabführungsverträge** (§ 292 I Nr. 2) ist § 301 nach zutr. hM ebenfalls anzuwenden (LG Bonn AG 2006, 465; MüKoAktG/Altmeppen Rn. 8; KK-AktG/Koppensteiner Rn. 5; sa Apfelbacher FS Hoffmann-Becking, 2013, 13, 16 ff. aber mit zu weiter Erfassung eines festen Zinssatzes auf stille Beteiligung [→ § 292 Rn. 13, 15]). Das gilt allerdings nur, wenn sich Abführungspflicht auf Unternehmensgewinn bezieht; Fest- oder Mindestvergütungen (LG Bonn AG 2006, 465 f.) oder Abführung des Gewinns einzelner Betriebe genügen für § 301 nicht (RegBegr. Kropff S. 390; MüKoAktG/Altmeppen Rn. 10; KK-AktG/Koppensteiner Rn. 6; aA Emmerich/Habersack/Emmerich Rn. 5 f.). Umstr. ist Anwendung auf **Geschäftsführungsverträge** (§ 291 I 2). Sie wurde von früher hM verneint, weil ein solcher Vertrag gerade darauf abziele, Gewinn von vornherein nur bei dem anderen Unternehmen entstehen zu lassen, so dass Gewinnabführung weder erforderlich noch möglich sei (KK-AktG/Koppensteiner Rn. 4). Mittlerweile hM wendet § 301 dagegen zu Recht auch hier an, da Anwendung über § 291 I 2 vom Wortlaut des Ges. gedeckt ist und keine zwingenden teleologischen Gründe bestehen, von dieser Anordnung abzuweichen. Geschäftsführungsbedingt fehlender Jahresüberschuss kann hier – wie bei Gewinnabführungsvertrag (→ Rn. 3) – durch fiktive Berechnung ersetzt werden (MüKoAktG/Altmeppen Rn. 6; Hölters/Weber/Deilmann

Rn. 2; GK-AktG/Hirte Rn. 31; S/L/Stephan Rn. 13). Zur analogen Anwendung auf die Eingliederung → § 324 Rn. 5 f.).

III. Höchstbetrag der Gewinnabführung

1. Ausgangsgröße: Jahresüberschuss. Für Berechnung des Höchstbetrags ist 3
nach § 301 S. 1 von Jahresüberschuss auszugehen, wie er sich ohne Pflicht zur Gewinnabführung ergäbe (fiktive Betrachtung); Basiszahl ist also der **Betrag nach Posten 17 bzw. 16 der GuV** (§ 275 II, III HGB). Insoweit zu beachtende ges. Vorgaben setzen sich also gegen etwa abw. Vertragsregelung durch. In den Jahresüberschuss gehen auch Erträge aus Auflösung vorvertraglich gebildeter stiller Reserven ein (→ Rn. 4). Im Zuge des BilMoG abgeschaffte **Sonderposten mit Rücklageanteil,** die vor dem BilMoG gebildet und gem. Art. 67 III 1 EGHGB beibehalten wurden (→ § 150 Rn. 9) gehen ebenfalls in Jahresüberschuss ein wie aus § 275 II Nr. 4 bzw. III Nr. 6 iVm § 281 II 2 HGB folgt (S/L/Stephan Rn. 16). Auf der Grundlage der so ermittelten Basiszahl ist durch Abzüge und Zurechnungen weiterzurechnen; → Rn. 5 ff. Daraus folgendes Endergebnis begrenzt Gewinnabführung auch ggü. etwa bestehender Regressforderung des herrschenden Unternehmens wegen nachentrichteter Steuern (BGH AG 2004, 205, 206).

2. Insbesondere: Auflösung stiller Reserven. Auflösung vorvertraglich ge- 4
bildeter stiller Reserven führt zu Erträgen, die **in den (fiktiven) Jahresüberschuss eingehen** und daher als Gewinn abgeführt werden können (ganz hM, s. BGHZ 135, 374, 378 = NJW 1997, 2514; OLG Düsseldorf AG 1990, 490, 493; MüKoAktG/Altmeppen Rn. 35 ff.; KK-AktG/Koppensteiner Rn. 22). § 301 steht dem schon nach seinem Wortlaut, aber auch nach seinem Zweck nicht entgegen, weil Erhaltung des Grundkapitals (→ Rn. 1) durch Auflösung stiller Reserven nicht gefährdet wird (sa H.-P. Müller FS Goerdeler, 1987, 375, 390). Rechtspolitisch wird Regelungsverzicht des Gesetzgebers meist als unbefriedigend empfunden (vgl. etwa KK-AktG/Koppensteiner Rn. 22; BeckOGK/Veil/Walla Rn. 8). Frage ist jedoch nicht ausdiskutiert und findet auch andere Beurteilungen (s. H.-P. Müller FS Goerdeler, 1987, 375, 390; Sonnenschein ZGR 1981, 429, 441 f.).

3. Abzugsposten. Vom Betrag des fiktiven Jahresüberschusses (→ Rn. 3 f.) 5
sind gem. § 301 S. 1 abzuziehen: Verlustvortrag aus Vorjahr; nach § 300 in die ges. Rücklage einzustellender Betrag; Beträge, die der Ausschüttungssperre nach § 268 VIII HGB unterliegen. **Verlustvortrag** (§ 158 I Nr. 1; → § 158 Rn. 2) kann wegen § 302 nur aus dem letzten vor Inkrafttreten des Unternehmensvertrags aufgestellten Jahresabschluss stammen (Emmerich/Habersack/Emmerich Rn. 17), sofern es sich dabei um Gewinnabführungsvertrag iSd § 291 I 1 Fall 2 handelt. Wenn Verrechnung unterbleibt, ist Organschaft nicht tats. durchgeführt (BFH AG 2011, 87 f.). Weil § 301 auch bei Teilgewinnabführung gilt (→ Rn. 2), darauf gerichteter Vertrag die Folge des § 302 aber nicht auslöst, sind insoweit Verlustvorträge (→ § 158 Rn. 2) auch während der Laufzeit des Vertrags nicht ausgeschlossen und vor Gewinnabführung abzubauen (Emmerich/Habersack/Emmerich Rn. 18). Wegen der **Zuführung zur ges. Rücklage** → § 300 Rn. 1 ff. Abzug ist geboten, weil Rücklage nach § 300 bei Abführung des entspr. Betrags an das andere Unternehmen sonst nur auf dem Papier stände. **Ausschüttungssperre nach § 268 VIII HGB:** Ausdehnung der Abzugsposten auf Fälle des § 268 VIII HGB geht auf BilMoG 2009 zurück und flankiert dort vorgesehenes Aktivierungswahlrecht für selbstgeschaffene immaterielle Vermögensgegenstände (§ 248 II HGB) oder latente Steuern (§ 274 HGB); s. dazu RegBegr. BT-Drs. 16/10067, 64; Ernst/Seidler ZGR 2008, 631, 636 ff.; Kropff FS Hüffer,

2010, 539 f. Während sie nach früherer Rechtslage gar nicht aktiviert werden durften, besteht nach neuer Rechtslage Aktivierungswahlrecht. Macht AG davon Gebrauch, muss Sicherung durch entspr. Rücklagen erfolgen, die folglich der Ausschüttung durch § 268 VIII HGB entzogen werden. Diesen Rechtsgedanken verlängert § 301: Was nicht an Inhaber oder Gesellschafter ausgekehrt werden darf, darf zwecks Kapitalerhaltung (→ Rn. 1) auch nicht an den Gläubiger einer Gewinnabführung (→ Rn. 2) fließen (RegBegr. BT-Drs. 16/10067, 64, 105; Kropff FS Hüffer, 2010, 539, 550 f.). Zur Frage der Anwendbarkeit auf Hybridkapital von Aktiengesellschaften vgl. Apfelbacher FS Hoffmann-Becking, 2013, 13 ff. Nicht in § 301 erwähnt ist Ausschüttungssperre des § 272 V HGB, obwohl Gewinnabführung auch in dieser Konstellation bedenklich erscheint (Mylich ZHR 181 [2017], 87, 113).

IV. Entnahme aus Rücklagen

6 **1. Andere Gewinnrücklagen.** Gem. § 301 S. 2 können Beträge, die während der Laufzeit des Vertrags in sog andere Gewinnrücklagen eingestellt worden sind, entnommen und als Gewinn abgeführt werden. Gemeint sind die **gem. § 158 I 1 Nr. 4d ausgewiesenen Beträge.** Sie können den Jahresüberschuss zwar nicht erhöhen, weil sie nicht in seine Berechnung eingehen (§ 158 betr. Fortführung der GuV nach dem Posten „Jahresüberschuss/Jahresfehlbetrag"), sind ihm aber hinzuzurechnen, soweit es um Höhe des abführbaren Gewinns geht. Ges. lässt Gewinnabführung insoweit zu, weil sonst damit zu rechnen wäre, dass freie Rücklagen von vornherein nicht gebildet werden (RegBegr. Kropff S. 390; sa MüKoAktG/Altmeppen Rn. 28; Emmerich/Habersack/Emmerich Rn. 28). Über Zulässigkeit der Rücklagendotierung sagt § 301 S. 2 nichts aus. Sie richtet sich grds. nach dem Vertrag (genauer → § 58 Rn. 15), der seinerseits auf steuerliche Unschädlichkeit Bedacht zu nehmen hat (dazu Emmerich/Habersack/Emmerich Rn. 29; KK-AktG/Koppensteiner Rn. 16). Vorvertraglich gebildete andere Gewinnrücklagen können nicht zur Gewinnabführung herangezogen werden. Wortlaut des § 301 S. 2 steht entgegen; auch Regelungsgrund würde diese Gestaltung nicht abdecken.

7 **2. Verwendung eines Gewinnvortrags.** Auch Gewinnvortrag (§ 158 I 1 Nr. 1; → § 58 Rn. 24) gehört nicht zum Jahresüberschuss. § 301 S. 2 trifft insoweit keine Regelung, doch kann nach Sinn und Zweck der Norm (→ Rn. 6) nur eine Behandlung wie die von anderen Gewinnrücklagen (§ 158 I 1 Nr. 4d) in Betracht kommen. **Analog § 301 S. 2** darf daher innervertraglich vorgetragener Gewinn dem Jahresüberschuss für die Berechnung des abführbaren Gewinns hinzugerechnet werden; nicht dagegen ein Gewinnvortrag, der schon bei Inkrafttreten des Vertrags bestand (allgM, s. nur MüKoAktG/Altmeppen Rn. 22 f.).

8 **3. Keine Berücksichtigung sonstiger Rücklagen.** Sonstige, dh nicht unter § 301 S. 2 subsumierbare Kapital- oder Gewinnrücklagen können zur Gewinnabführung nicht herangezogen werden. In die Berechnung des Jahresüberschusses gehen sie nicht ein und ihre ausnahmsweise Hinzurechnung (→ Rn. 6) ist weder vorgesehen noch sinnvoll (sa KK-AktG/Koppensteiner Rn. 13 f.). Nicht abschließend geklärt ist, ob Ausnahme für (andere) Zuzahlungen in das Eigenkapital der Gesellschaft zu gelten hat, die während der Laufzeit des Gewinnabführungsvertrags geleistet worden und gem. **§ 272 II Nr. 4 HGB** in der Kapitalrücklage ausgewiesen sind. Früher hM hat in diesem Fall Auflösung zugunsten des Jahresüberschusses und Abführung an anderen Vertragsteil zugelassen (OLG Frankfurt NZG 2000, 603, 604; BMF-Schreiben v. 11.10.1990, DB 1990, 2142; aA aber schon Priester ZIP 2001, 725, 727 f.). Diese Praxis ist indes auf Widerspruch von BFHE 196, 485, 489 ff. gestoßen. Danach soll Abführungsverpflichtung nicht

greifen. Vielmehr sollen durch Auflösung der Kapitalrücklage gem. § 272 II Nr. 4 HGB gewonnene Erträge als Bilanzgewinn neben der Gewinnabführung verwandt werden können. BMF-Schreiben v. 27.11.2003 – IV A 2 – S 2770 - 31/03 – schließt sich dieser Rspr. an, die mittlerweile auch im Aktienrecht hM ist (MüKoAktG/Altmeppen Rn. 21; GK-AktG/Hirte Rn. 13; S/L/Stephan Rn. 27; BeckOGK/Veil/Walla Rn. 18). Auch wenn rechtl. Vorgaben damit für Praxis geklärt sind, verbleiben doch Zweifel an dieser Rspr. Sie beruhen zum einen auf der bes. Entstehungsgeschichte des § 272 II Nr. 4 HGB (dazu Hüffer FS U. H. Schneider, 2011, 559, 564 ff.; Küting/Kessler BB 1989, 25, 26 f.) und werden zum anderen durch teleologische Überlegung bekräftigt, dass solche Handhabung dem herrschenden Vertragsteil nahelegt, auf freiwillige Zuzahlungen iSd § 272 II Nr. 4 HGB von vornherein zu verzichten (Hüffer FS U. H. Schneider, 2011, 559, 568).

V. Übermäßige Gewinnabführung

Welche Rechtsfolgen eintreten, wenn abhängige AG größeren Betrag als angeblichen Gewinn abführt als nach § 301 zulässig ist (→ Rn. 3 ff.), ist ohne konzernrechtl. Sonderregelung geblieben. Nach hM besteht **verschuldensunabhängiger Rückgewähranspruch,** der teils auf § 62 I (GK-AktG/Hirte Rn. 25; KK-AktG/Koppensteiner Rn. 24; Apfelbacher FS Hoffmann-Becking, 2013, 13, 15 f.; Brandes GS M. Winter, 2011, 43, 50 ff.; Gärtner AG 2014, 793, 796 ff.), teils unmittelbar auf den Vertrag iVm § 301 gestützt wird (MüKoAktG/Altmeppen Rn. 26). Nach Gegenmeinung soll sich Rückforderung nach §§ 280, 276 I BGB, § 249 BGB bestimmen, womit ein Verschuldenserfordernis eingeführt würde (BeckOGK/Veil/Walla Rn. 21), was aber nicht überzeugen kann. Geboten ist wie bei Entstehung von Verlusten Kapitalschutz (→ § 302 Rn. 3), mit dem Übermaßfälle der Fiktion des § 291 III entzogen werden. Deshalb besteht der aktienrechtl. Rückgewähranspruch des § 62, zu dem im Einzelfall Ansprüche aus Vertragsverletzung in Konkurrenz treten können (Brandes GS M. Winter, 2011, 43, 50 ff.; aA Grigoleit/Servatius Rn. 10: §§ 812 ff. BGB). Wertungstransfer ist allerdings nicht problemlos, da § 62 nicht auf Besonderheiten der konzernzrechtl. Gewinnabführung zugeschnitten ist. Insbes. Gutglaubensschutz nach § 62 I 2 ist in dieser Konstellation nicht geboten (Gärtner AG 2014, 793, 798 f.; aA Reichert GS M. Winter, 2011, 541, 547 f.). Erwägenswert ist auch, Verjährungsfrist des § 302 IV auf Anspruch zu übertragen, was durch eine modifizierte Anwendung oder alternativ durch eine (konstruktiv aber sperrigere) konkurrierend analoge Anwendung des § 302 (dafür Gärtner AG 2014, 793, 800 ff.; zust. Emmerich/Habersack/Emmerich Rn. 24 f.) erreicht werden kann (zur Verzinsung des Anspruchs aus § 62 → § 62 Rn. 11; zust. Gärtner AG 2014, 793, 803). Wie für Verlustausgleichsanspruch (ausf. → § 302 Rn. 9) ist maßgebliche **Berechnungsgrundlage** des Rückgewähranspruchs **obj. ordnungsgemäße Bilanzierung** und nicht festgestellter Jahresabschluss (sa → § 291 Rn. 26a); nur so kann abhängige AG vor Einflussnahme durch herrschendes Unternehmen hinreichend geschützt werden (ausf. Gärtner AG 2014, 793 ff.; sa Emmerich/Habersack/Emmerich Rn. 21). 9

Verlustübernahme

302 (1) **Besteht ein Beherrschungs- oder ein Gewinnabführungsvertrag, so hat der andere Vertragsteil jeden während der Vertragsdauer sonst entstehenden Jahresfehlbetrag auszugleichen, soweit dieser nicht dadurch ausgeglichen wird, daß den anderen Gewinnrücklagen Beträge entnommen werden, die während der Vertragsdauer in sie eingestellt worden sind.**

(2) **Hat eine abhängige Gesellschaft den Betrieb ihres Unternehmens dem herrschenden Unternehmen verpachtet oder sonst überlassen, so hat das herrschende Unternehmen jeden während der Vertragsdauer sonst entstehenden Jahresfehlbetrag auszugleichen, soweit die vereinbarte Gegenleistung das angemessene Entgelt nicht erreicht.**

(3) [1]**Die Gesellschaft kann auf den Anspruch auf Ausgleich erst drei Jahre nach dem Tage, an dem die Eintragung der Beendigung des Vertrags in das Handelsregister nach § 10 des Handelsgesetzbuchs bekannt gemacht worden ist, verzichten oder sich über ihn vergleichen.** [2]**Dies gilt nicht, wenn der Ausgleichspflichtige zahlungsunfähig ist und sich zur Abwendung des Insolvenzverfahrens mit seinen Gläubigern vergleicht oder wenn die Ersatzpflicht in einem Insolvenzplan oder Restrukturierungsplan geregelt wird.** [3]**Der Verzicht oder Vergleich wird nur wirksam, wenn die außenstehenden Aktionäre durch Sonderbeschluß zustimmen und nicht eine Minderheit, deren Anteile zusammen den zehnten Teil des bei der Beschlußfassung vertretenen Grundkapitals erreichen, zur Niederschrift Widerspruch erhebt.**

(4) **Die Ansprüche aus diesen Vorschriften verjähren in zehn Jahren seit dem Tag, an dem die Eintragung der Beendigung des Vertrags in das Handelsregister nach § 10 des Handelsgesetzbuchs bekannt gemacht worden ist.**

Übersicht

I. Grundlagen

1 **1. Regelungsgegenstand und -zweck.** Norm betr. Jahresfehlbeträge durch Unternehmensvertrag gebundener Gesellschaften und begründet Pflicht des anderen Vertragsteils, solche Fehlbeträge auszugleichen; zugleich werden Voraussetzungen der sog **Verlustübernahmepflicht** normiert, nämlich Bestand eines Beherrschungs- oder Gewinnabführungsvertrags (§ 302 I) oder Abhängigkeit iVm Betriebspacht- oder Betriebsüberlassungsvertrag (§ 302 II). § 302 III schränkt Befugnis der Gesellschaft ein, durch Verzicht oder Vergleich über ihren Anspruch zu disponieren; damit soll seiner alsbaldigen Entwertung vorgebeugt werden. Regelung ist mit Rücksicht auf ihren Schutzzweck (→ Rn. 2 f.) in allen Teilen zwingend.

2 Regelungszweck des § 302 wird nicht einheitlich beurteilt. RegBegr. Kropff S. 375, 390 f. spricht knapp und pauschal vom **Schutz der Gesellschaft und ihrer Gläubiger,** denen durch Vollstreckung in den Anspruch der Gesellschaft geholfen werden solle (sa K. Schmidt ZGR 1983, 513, 515). Überdies heißt es: „Wer die Geschicke der Gesellschaft bestimmen kann oder ihren ganzen Gewinn erhält, muss auch für Verluste einstehen" (RegBegr. Kropff S. 391). Das erinnert an Formel von Herrschaft und Haftung, die zwar vielfach auf Zustimmung stößt (s. zB KK-AktG/Koppensteiner Rn. 6), indessen mehr eingängig als nützlich ist. Schärfere Formulierung des Normzwecks wurde von Verfassern des Ges. offenbar für entbehrlich gehalten, weil sie von einer Verlustübernahmepflicht ausgingen, die schon vor dem AktG 1965 „aus allgemeinen Rechtsgrundsätzen" (RegBegr. Kropff S. 390) folgen sollte, und ihre Aufgabe deshalb vorrangig in tatbestandlicher Präzisierung der Verpflichtungsvoraussetzungen fanden (MüKoAktG/Altmeppen Rn. 4).

3 Nach heute wohl hM liegt Normzweck in **Kapitalerhaltungsschutz;** es geht darum, die durch § 291 III angeordnete weitgehende Lockerung der Vermögensbindung (→ § 291 Rn. 36 f.) im Interesse der Gesellschaft und ihrer Gläubiger zu kompensieren (BGHZ 103, 1, 10 = NJW 1988, 1326; BGHZ 107, 7, 18 = NJW 1989, 1800; Emmerich/Habersack/Emmerich Rn. 3 f.; Stimpel ZGR 1991, 144, 151 ff.; aA MüKoAktG/Altmeppen Rn. 13 [Verlustübernahme als Weiterentwicklung eines auftragsrechtl. Prinzips]; Priester BB 2005, 2483, 2484 f.). Der hM ist beizupflichten, weil sie mehr oder minder unscharf gefasste Schutzkonzeptionen durch eine konzernrechtl. Erweiterung des für AG (und GmbH) prägenden Kapitalerhaltungsschutzes ersetzt. Nicht vorrangig bezweckt, aber mitbewirkt ist Schutz etwa vorhandener außenstehender Aktionäre (→ § 300 Rn. 1; str., vgl. einerseits [für Minderheitenschutz] KK-AktG/Koppensteiner Rn. 9; andererseits Ulmer AG 1986, 123, 125). Nicht zu folgen ist dem Gedanken, umgekehrt unter Voraussetzung eines Beherrschungsvertrags auch Tochter analog § 31 BGB für Verstöße der Mutter haften zu lassen (Servatius ZIP 2021, 1144, 1147 ff.). In dieser Konstruktion müsste Tochter für Handeln übergeordneter Personen einstehen, die in ihre Organisationsstruktur in keiner Weise eingegliedert sind. Gerade das ist aber gedankliche Voraussetzung des § 31 BGB (implizit abl. auch BGH NJW 2021, 1669 Rn. 23 ff.; vgl. ferner Krieger FS Henssler, 2023, 1019, 1021 ff.; Seulen/Krebs DB 2021, 1592).

4 **2. Dogmatische Strukturen.** Verlustübernahmepflicht des § 302 ist entspr. dem bezweckten Kapitalerhaltungsschutz (→ Rn. 3) **ges. Schuldverhältnis,** nicht Vertragshaftung; Beherrschungs- und/oder Gewinnabführungsvertrag sind Tatbestandsmerkmale ges. Verpflichtung, nicht selbst Verpflichtungsgrund (zutr. bes. K. Schmidt ZGR 1983, 513, 516 ff.; sa Kusterer DStR 1996, 114, 117 ff.). Genauer handelt es sich um ein ges. **Dauerschuldverhältnis,** das mit Inkraft-

treten des jeweiligen Vertrags entsteht und mit seinem Auslaufen endet (K. Schmidt ZGR 1983, 513, 516 ff.), klagbare, auf Ausgleich des Jahresfehlbetrags gerichtete Zahlungsansprüche freilich nur jährlich wiederkehrend in Abhängigkeit von der Rechnungslegung zu begründen vermag (K. Schmidt ZGR 1983, 513, 520 ff.; W. Müller FS Rowedder, 1994, 277, 281; für weitergehenden Liquiditäts- und Bestandsschutz Kleindiek Strukturvielfalt, 1991, 185 ff. iVm 171 ff.).

5 Gläubiger des Dauerschuldverhältnisses und der aus ihm resultierenden Einzelansprüche ist die AG; es handelt sich also um eine Art **Innenhaftung,** keineswegs um Außenhaftung nach Art einer Durchgriffskonzeption (→ § 1 Rn. 15 ff., 21; sa Stimpel FS Goerdeler, 1987, 601, 603 ff.). Weitergehende Außenhaftung kann **rechtsgeschäftlich** begründet werden. In der Praxis begegnen neben herkömmlichen Sicherungsmitteln der Bürgschaft, der Garantie und des Schuldbeitritts namentl. harte oder weiche Patronatserklärungen (Emmerich/Habersack/Emmerich Rn. 8 ff.; monographisch J. Koch Patronatserklärung, 2005; → § 1 Rn. 31). Eine Außenhaftung aus Konzernvertrauen ist als eigenständige Haftungskategorie abzulehnen (→ § 1 Rn. 31).

6 **Zustands- oder Handlungshaftung.** Ob man den Haftungsgrund des § 302 darin erblickt, dass die Obergesellschaft einen die Kapitalgrundlagen der Gesellschaft gefährdenden Zustand geschaffen hat (Ulmer AG 1986, 123, 127 f.) oder ob man sie als Haftung aus fehlerhafter Konzernleitung versteht (Lutter ZIP 1985, 1425, 1433 f.), ist im unmittelbaren Anwendungsbereich der Norm angesichts der klaren Rechtsfolgenanordnung gleichgültig. Bei Fragen der Analogiebildung kann Einordnung aber relevant werden und war in der Vergangenheit namentl. für Konzept der qualifiziert faktischen Konzernierung von maßgeblicher Bedeutung (→ Rn. 7; → § 1 Rn. 22 ff.). Da § 302 tatbestandlich keinerlei Handlungs- oder Verschuldenselemente vorsieht, kann zutr. insoweit nur Einordnung als Zustandshaftung sein.

7 **3. Pauschaler Verlustausgleich bei sog. qualifizierter Nachteilszufügung?** Analoge Anwendung des § 302 wird zT angenommen in Fällen sog qualifiziert-faktischer Konzernierung, die dann vorliegen soll, wenn AG als Untergesellschaft einer derart **verdichteten Leitungsmacht** unterworfen wird, dass sich ausgleichspflichtige Nachteilszufügungen (→ § 311 Rn. 24 ff., 52) nicht mehr isolieren lassen (→ § 1 Rn. 29). Dieses Konzept wurde ursprünglich zur GmbH mangels eigenständigen Regelungsregimes faktischer Konzernierung entwickelt (→ § 1 Rn. 22 f.), vom BGH aber verworfen und durch Konzept existenzvernichtenden Eingriffs ersetzt (→ § 1 Rn. 23 ff.). Dass aufgrund gänzlich abw. Gesetzeslage für GmbH konzipierte und dort aufgegebene Konstruktion im Aktienrecht weiterleben soll, erscheint wenig überzeugend, wird aber dennoch verbreitet vertreten, um Fällen Rechnung zu tragen, in denen Schutzsystem der §§ 311 ff. vermeintlich an seine Grenzen stößt (→ § 1 Rn. 29). Tats. lässt sich überlegene Lösung aber im Rahmen dieses Systems entwickeln (→ § 1 Rn. 29; → § 311 Rn. 9a). Für GmbH entwickelte Existenzvernichtungshaftung tritt auch hier flankierend hinzu (→ § 1 Rn. 30).

II. Verlustübernahme bei Beherrschungs- und/oder Gewinnabführungsverträgen (§ 302 I)

8 **1. Voraussetzungen der Pflicht zur Verlustübernahme. a) Beherrschungs- und/oder Gewinnabführungsvertrag.** Unmittelbare Anwendung des § 302 I setzt als erstes voraus, dass Beherrschungs- oder Gewinnabführungsvertrag besteht (§ 291 I 1; → § 291 Rn. 5 ff., 23 ff.), wobei fehlerhafter Vertrag genügt (→ § 291 Rn. 20 f.). **Fiktion** des Geschäftsführungsvertrags als Gewinn-

abführungsvertrag durch § 291 I 2 geht für § 302 I ins Leere, weil Gesellschaft ihr Unternehmen für Rechnung des anderen Vertragsteils führt, so dass nicht nur Gewinne (→ § 291 Rn. 30 f.), sondern auch Verluste diesen direkt treffen (MüKoAktG/Altmeppen Rn. 15; aA Emmerich/Habersack/Emmerich Rn. 20). Andere Unternehmensverträge (§ 292) genügen nicht, auch nicht Gleichordnungskonzernvertrag (§ 291 II).

b) Jahresfehlbetrag. Zweite Voraussetzung des § 302 I ist ein „sonst entstehender Jahresfehlbetrag", der nach HGB (nicht IFRS) zu ermitteln ist (BeckOGK/Veil/Walla Rn. 18). Das ist der **negative Saldo,** der (**fiktive Betrachtung** – BGH NZG 2005, 481 Ls.; NZG 2022, 658 Rn. 25) nach § 275 II Nr. 17 HGB (Gesamtkostenverfahren) bzw. § 275 III Nr. 16 HGB (Umsatzkostenverfahren) in GuV auszuweisen wäre, wenn ihm nicht der Anspruch der AG auf Verlustübernahme gegenüberstände (allgM – s. nur MüKoAktG/Altmeppen Rn. 17). Tats. kann sich Jahresfehlbetrag nicht ergeben, weil aus § 277 III 2 HGB folgt, dass Ertrag aus Verlustübernahme in GuV eingeht (BGH NZG 2022, 658 Rn. 26). Woraus (fiktiver) Jahresfehlbetrag folgt, ist für § 302 I gleichgültig; insbes. muss er nicht auf Maßnahmen der Unternehmensleitung durch das herrschende Unternehmen beruhen (→ Rn. 6; MüKoAktG/Altmeppen Rn. 19; KK-AktG/Koppensteiner Rn. 18). Jahresfehlbetrag vermindert sich durch **Verlustsaldierung.** Sie ist möglich, soweit nach § 301 Gewinnabführung zulässig wäre (→ § 301 Rn. 3 ff., 6 ff.). Hauptfall: Entnahme aus anderen Gewinnrücklagen (→ Rn. 12). Obwohl **§ 268 VIII HGB** in § 302 – anders als in § 301 – nicht ausdr. in Bezug genommen wird, darf Bilanzierung der dort genannten Werte auch hier nicht verlustmindernd berücksichtigt werden, da vollständige Verlustübernahme nur dann angenommen werden kann, wenn AG auch frei verfügbare Eigenkapitalbestandteile zur Verfügung stehen, um etwaige Aufwendungen tragen zu können, mit denen Wertminderung der kritischen Posten ausgeglichen wird (str. – wie hier MüKoAktG/Altmeppen Rn. 17; Link, Die Ausschüttungssperre des § 268 Abs. 8 HGB, 2014, 250 ff.; Mylich ZHR 181 [2017], 87, 113 f.; Pentz FS Krieger, 2020, 701, 703 ff.; aA aber die hM – vgl. Hopt/Merkt HGB § 268 Rn. 9; S/L/Stephan Rn. 18; MHdB AG/Krieger § 71 Rn. 65; Baldamus Ubg 2009, 484, 490; Simon NZG 2009, 1081, 1086 f.). Dieselben Grundsätze müssen für Ausschüttungssperre nach § 272 V HGB gelten (Mylich ZHR 181 [2017], 87, 114). Bei Bilanzerstellung zur Ermittlung des Fehlbetrags können **bilanzrechtl. Ermessensspielräume** ausgenutzt werden; Weisungsrecht nach § 308 I 1 gilt auch hier (→ § 308 Rn. 12, 14). Werden Ermessensgrenzen überschritten, ist aber – ungeachtet der Voraussetzungen des § 256 – obj. zutreffende Bilanz maßgeblich (BGHZ 142, 382 = NJW 2000, 210; BGH NZG 2005, 481, 482; Emmerich/Habersack/Emmerich Rn. 29; BeckOGK/Veil/Walla Rn. 18; Gärtner AG 2014, 793 ff.; enger Hennrichs ZHR 174 [2010], 683, 692 f.; Krieger NZG 2005, 787 ff.). Andere Ansicht bietet verpflichteter AG keinen hinreichenden Schutz davor, dass herrschendes Unternehmen Jahresabschluss zu seinen Gunsten beeinflusst (zu den Konsequenzen einer etwaigen Korrektur beim Verkauf einer Tochtergesellschaft s. Goldschmidt/Laeger NZG 2012, 1201 ff.). Zur Geltung des obj. Maßstabs für originären Gewinnabführungsanspruch → § 291 Rn. 26a; zur Frage einer bilanziellen Pflicht zur Bildung entspr. Rückstellungen vgl. Mujkanovic AG 2022, 685 ff. 9

c) Während der Vertragsdauer. Fiktiver Jahresfehlbetrag (→ Rn. 9) muss drittens während der Vertragsdauer entstanden sein (OLG Jena AG 2005, 405, 406). Im Einzelnen ist zwischen Beginn und Ende der Pflicht zur Verlustübernahme zu unterscheiden. **Beginn.** Maßgeblich ist Zeitpunkt des Inkrafttretens des Unternehmensvertrags. Das ist für Beherrschungsvertrag der Tag des Wirksamwerdens durch Eintragung in das HR (§ 294 II; → § 294 Rn. 16 f.). Für 10

Gewinnabführungsvertrag gilt das nur, wenn keine Rückwirkung vorgesehen ist (→ § 294 Rn. 20). IdR ist Rückwirkung auf den Beginn des Geschäftsjahrs vereinbart, so dass Haftung nur für während der Vertragszeit entstehende Verluste begründet sein kann. Wenn es an solcher Koordinierung fehlt, erfasst Haftung aus § 302 I den beim nächsten Abschlussstichtag vorhandenen (fiktiven) Jahresfehlbetrag ohne Rücksicht darauf, ob dafür ursächliche Verluste vor oder nach Inkrafttreten des Vertrags entstanden sind (ganz hM, vgl. MüKoAktG/Altmeppen Rn. 22; KK-AktG/Koppensteiner Rn. 28). Praxis behilft sich hier mit Bildung eines Rumpfgeschäftsjahrs (KK-AktG/Koppensteiner Rn. 28; BeckOGK/Veil/Walla Rn. 20; K. Schmidt ZGR 1983, 513, 523; Häller AG 2020, 611 Rn. 5). Keinesfalls erstreckt sich Haftung auf Verlustvortrag (→ § 158 Rn. 2) aus Geschäftsjahren, die bei Inkrafttreten des Vertrags schon abgeschlossen waren (unstr.).

11 **Ende der Verlustdeckungspflicht.** Maßgeblich ist Zeitpunkt, in dem Unternehmensvertrag außer Kraft tritt, bes. durch Aufhebung oder Kündigung (§§ 296, 297). Das ist problemlos, wenn Zeitpunkt auf **Abschlussstichtag** fällt. Gem. § 302 I wird dann noch für (fiktiven) Jahresfehlbetrag gehaftet, der sich zum Stichtag ergibt, obwohl Jahresabschluss erst später aufgestellt wird (allgM, s. MüKoAktG/Altmeppen Rn. 24 f.). Zeigt sich dagegen Gewinn iSd § 301, so steht er noch dem anderen Vertragsteil zu. Entspr. gilt, wenn Vertrag, etwa bei Kündigung aus wichtigem Grund (§ 297), **während des Geschäftsjahrs** endet. An dessen Stelle tritt der bis zum Tag der Beendigung abgelaufene Zeitraum. Ein bis dahin entstandener Fehlbetrag ist auszugleichen (heute allgM, s. BGHZ 103, 1, 9 f. = NJW 1988, 1326; BGH NZG 2022, 658 Rn. 25; MüKoAktG/Altmeppen Rn. 24 f.; KK-AktG/Koppensteiner Rn. 32). Spiegelbildlich gebührt bis dahin aufgelaufener Gewinn dem anderen Vertragsteil. Das Erste ist erforderlich, weil bezweckte Kapitalerhaltung (→ Rn. 3) sonst nicht hinreichend gewährleistet wäre. Beides entspr. der zutr. Annahme eines ges. Dauerschuldverhältnisses (→ Rn. 4). Fehlbetrag oder Gewinn sind durch **Zwischenbilanz** zu ermitteln (Häller AG 2020, 611 Rn. 6). Bilanzstichtag ist Tag der Beendigung. Abrechnungsperiode ist nicht Rumpfgeschäftsjahr, das gem. §§ 242 ff., 316 ff. HGB abzuschließen und zu prüfen wäre (H. P. Müller FS Goerdeler, 1987, 375, 395; unscharf zB MüKoAktG/Altmeppen Rn. 26). Stattdessen genügende Zwischenbilanz ist **Sonderbilanz** mit dem Hauptzweck, den auf die unterjährige Abrechnungsperiode entfallenden Fehlbetrag zu ermitteln. Im Ablauf des Geschäftsjahrs anwachsende, aber erst mit seinem Ende voll entstehende oder fällige Forderungen der Gesellschaft sind zeitanteilig anzusetzen, was zur Verneinung eines Fehlbetrags führen kann. Dagegen darf eine anlässlich der Aufhebung des Unternehmensvertrags vereinbarte finanzielle Absicherung für Zeit nach Vertragsbeendigung nicht bei Berechnung des fiktiven Jahresfehlbetrags berücksichtigt werden (BGH NZG 2022, 658 Rn. 29). Zu Sonderproblemen bei Auflösung und Insolvenz vgl. KK-AktG/Koppensteiner Rn. 34 ff.; K. Schmidt ZGR 1983, 513, 526 ff.

12 **d) Kein Ausgleich aus anderen Gewinnrücklagen.** Pflicht zur Verlustübernahme setzt schließlich negativ voraus, dass Jahresfehlbetrag nicht durch Entnahme aus anderen Gewinnrücklagen ausgeglichen wird. Sie ist allerdings nur insoweit zulässig, als auch die **Einstellung während der Vertragsdauer** erfolgt ist und keine Zweckbindung besteht bzw. aufgehoben wurde. Mit anderen Gewinnrücklagen ist wie in § 301 (→ § 301 Rn. 6) nur ein gem. § 158 I 1 Nr. 4d ausgewiesener Betrag gemeint; ges. Rücklage nach § 150 I ist ebenso wie Kapitalrücklage iSd § 272 II Nr. 1 – 4 HGB und satzungsmäßige Rücklage nach § 272 III 2 HGB nicht erfasst (BeckOGK/Veil/Walla Rn. 35; so zu § 272 II Nr. 4 HGB auch BFH NZG 2002, 832, 833 f.; krit. zum letzten Punkt Häller

AG 2020, 611 Rn. 17). Rücklagen, die vor Inkrafttreten des Vertrags gebildet wurden, scheiden als Verfügungsmasse für den Ausgleich von Fehlbeträgen gänzlich aus, also auch dann, wenn sie nicht unter § 158 I 1 Nr. 4 lit. d fallen (RegBegr. Kropff S. 391; MüKoAktG/Altmeppen Rn. 49; KK-AktG/Koppensteiner Rn. 23; BeckOGK/Veil/Walla Rn. 35). Dasselbe gilt für einen vor Inkrafttreten des Vertrags gebildeten **Gewinnvortrag** (MüKoAktG/Altmeppen Rn. 51). Dagegen ist es aus den in → § 301 Rn. 7 genannten Gründen zuzulassen, dass während der Laufzeit des Vertrags vorgetragener Gewinn zum Ausgleich von Fehlbeträgen herangezogen wird (KK-AktG/Koppensteiner Rn. 24). Andernfalls entstände nur ein Anreiz, Gewinn abzuführen statt vorzutragen. Da Entscheidung über Bildung und Auflösung von Rücklagen Geschäftsführungsangelegenheit ist, obliegt sie zunächst Vorstand der abhängigen AG, doch kann herrschendes Unternehmen ihm auch insofern Weisung nach § 308 I 1 erteilen (ganz hM – vgl. etwa MüKoAktG/Altmeppen Rn. 52 f.; Emmerich/Habersack/Emmerich Rn. 34; KK-AktG/Koppensteiner Rn. 33; Kleefass NZG 2018, 374, 377; aA noch → 14. Aufl. 2020, Rn. 12; BeckOGK/Veil/Walla § 291 Rn. 86).

2. Einzelheiten zur Rechtsfolge. a) Zahlungsanspruch der Gesellschaft. 13
§ 302 I gibt der Gesellschaft Anspruch auf Zahlung des Geldbetrags, der zum Ausgleich des (fiktiven) Jahresfehlbetrags erforderlich ist (zu seiner bilanziellen Ermittlung s. W. Müller FS Kropff, 1997, 517, 522 ff.). Anspruch ist zwar auf Zahlung, aber trotz seiner Kapitalerhaltungsfunktion (→ Rn. 3) nicht notwendig auf Barzahlung gerichtet (BGHZ 168, 285 Rn. 7 ff. = NJW 2006, 3279; OLG München ZIP 2014, 1067, 1068; Baldamus Ubg 2009, 484, 493). Auch **Aufrechnung** ist deshalb wirksam, sofern Gegenanspruch des herrschenden Unternehmens vollwertig ist (BGHZ 168, 285 Rn. 7 ff.; Kessler FS A. Reuter, 2021, 165, 170 ff.; Liebscher ZIP 2006, 1221, 1223 ff.; Reuter DB 2005, 2339, 2340 ff.; einschr. Verse ZIP 2005, 1627, 1630 ff.; aA noch OLG Jena AG 2005, 405, 406; GK-AktG/Hirte Rn. 63). Beweislast für Werthaltigkeit trifft Anspruchsgegner (BGHZ 168, 385 Rn. 7 ff.). Entspr. gilt für Leistungen an Erfüllungs statt (BGHZ 168, 285 Rn. 7, 12 f.). Vgl. zu beiden Erfüllungssurrogaten BMF-Rundschreiben v. 25.8.2006 – IV B 7 – 2770 12/06, Konzern 2006, 651. Häufigstes Praxisbsp. für Aufrechnung ist negativer Cash-Pool-Saldo (Emmerich/Habersack/Emmerich Rn. 40f; Hentzen AG 2017, 885, 886). Auch Anrechnung vorab erbrachter Leistungen ist zulässig, wenn sie vorab vereinbart wird (BGHZ 206, 74 Rn. 21 = NZG 2015, 912; sa Kessler FS A. Reuter, 2021, 165, 167 ff.). Dass Gegenanspruch erst durch Auflösung vorvertraglich gebildeter Gewinnrücklagen geschaffen wird (Kleefass NZG 2018, 374 ff.), ist mit Wortlaut des § 302 I, letzter Hs. nur schwer zu vereinbaren und schmälert über Gebühr Gewinnansprüche außenstehender Aktionäre. **Entstehung und Fälligkeit** des Anspruchs waren früher str. ZT wurden sie erst im Zeitpunkt der Feststellung des Jahresabschlusses angenommen (OLG Schleswig AG 1988, 382, 383; Kleindiek ZGR 2001, 479, 485 ff.). Nach heute hM entsteht fälliger Anspruch dagegen mit Bilanzstichtag (BGHZ 142, 382, 385 f. = NJW 2000, 210; BGH NZG 2005, 481, 482; MüKoAktG/Altmeppen Rn. 74; Hennrichs ZHR 174 [2010], 683, 688 f.; sa BFHE 127, 56, 58). Dem ist zuzustimmen. Für Abweichung von der Regel des § 271 I BGB bedürfte es bes. Gründe, die nicht ersichtlich sind. Maßgeblich ist nicht rechtsgeschäftliche Verbindlichkeit durch Feststellung, sondern nach Bilanzrecht zum maßgeblichen Stichtag richtig ausgewiesener Jahresfehlbetrag (BGHZ 142, 382, 385 f.; BGH NZG 2005, 481, 482; → Rn. 9). Anderenfalls könnte abhängige AG veranlasst werden, Anspruchsentstehung durch Verschleppung der Jahresabschlussfeststellung zu verzögern (BGHZ 142, 382, 385 f.). AG hat daher bei Fehlen eines festgestellten Jahresabschlusses Zwischenbilanz aufzustellen und kann auf dieser Grundlage Ausgleich verlangen. Ist AG dazu nicht

in der Lage, wird uU auch Schätzung nach § 287 ZPO zugelassen (BGH NZG 2002, 128, 130; ausf. Häller AG 2020, 611 Rn. 19 f.). Erweist sich Betrag im Lichte festgestellten Jahresabschlusses (auch unter Ausübung von Wahlrechten) nachträglich als überhöht, kann Rückzahlung verlangt werden (BGHZ 142, 382, 386). Bei Existenzbedrohung der abhängigen AG kann auch schon vor Abschluss der Rechnungsperiode **insolvenzabwendende Abschlagszahlung** erforderlich sein. Das ist zwar im Gesetzeswortlaut nicht angelegt, entspricht aber ges. Grundgedanken, dass herrschendes Unternehmen mit Vertragsschluss für existenzsichernde Ausstattung zu sorgen hat (wie hier OLG Düsseldorf NZG 2023, 1128 Rn. 21; MüKoAktG/Altmeppen Rn. 38, 75; Emmerich/Habersack/Emmerich Rn. 41; BeckOGK/Veil/Walla Rn. 28; Nodoushani NZG 2017, 728 ff.; Priester ZIP 1989, 1301, 1307 f.; aA Hölters/Weber/Deilmann Rn. 23; GK-AktG/Hirte Rn. 62; MHdB AG/Krieger § 71 Rn. 75; Kiefner FS E. Vetter, 2019, 293, 295 ff.). Bedrohung kann namentl. aus Zahlungsunfähigkeit oder Kreditunwürdigkeit resultieren (ausf. zur Feststellung der Zahlungsunfähigkeit im Kontext des § 302 Bitter/Berberich ZIP 2022, 2577 ff.); Überschuldung ist wegen Verlustübernahmeanspruchs idR ausgeschlossen (Emmerich/Habersack/Emmerich Rn. 52), und zwar auch im Lichte modifiziert zweigliedrigen Überschuldungsbegriffs (→ Rn. 16), weil Erfordernis der Abschlagszahlung grds. zu positiver Fortführungsprognose führen wird (aA Schluck-Amend FS Marsch-Barner, 2018, 491, 497 ff. aufgrund abw. Beurteilung zum Erfordernis von Abschlagszahlungen).

14 **Fälligkeitszinsen** werden gem. §§ 352, 353 HGB geschuldet, ohne dass zwischen Beherrschungs- und Gewinnabführungsvertrag zu differenzieren wäre (BGHZ 142, 382, 386 = NJW 2000, 210; OLG Oldenburg NZG 2000, 1138, 1140; MüKoAktG/Altmeppen Rn. 77; S/L/Stephan Rn. 43; Baldamus Ubg 2009, 484, 487). Gegenansicht, nach der es an einem Handelsgeschäft iSd § 343 HGB fehlen soll (MüKoHGB/Maultzsch HGB § 343 Rn. 9; Thoß DB 2007, 206 f.), läuft auf Reduktion des § 343 HGB hinaus, für die es keine zureichenden Gründe gibt. Dass Verzinsung des Verlustausgleichsanspruchs abbedungen werden kann (Prokopf DB 2007, 900, 901 f.), ist ebenfalls nicht anzunehmen (Philippi/Fickert BB 2006, 1809, 1811; Wernicke/Schennemann DStR 2006, 1399, 1401). Schutzzweck des § 302 (→ Rn. 1, 3) und sonst eintretende kompensationslose Selbstbereicherung des herrschenden Unternehmens sowie Weisungsgebundenheit des Vorstands der abhängigen Gesellschaft stehen dem entgegen. Anspruch hat nach Vertragsbeendigung auch praktische Bedeutung. Nebenforderung auf Zinsen dürfte sich aber im Rahmen üblicher Vereinbarungen zum Cash Management im Vertragskonzern bis zum Ende des Unternehmensvertrags stunden lassen. Für **spätere Verwendung** gezahlter Verlustausgleichsleistungen enthält Ges. keine speziellen Vorgaben. Auch Wiederanlage in konzernweitem Cash-Pool ist danach möglich, sofern dafür geltende Anforderungen (→ § 57 Rn. 40 ff.) erfüllt sind (ausf. Hentzen AG 2017, 885 ff.; zweifelnd S/L/Stephan Rn. 55).

15 **b) Zession; Sicherungsgeschäfte; Zwangsvollstreckung und Insolvenz.** Anspruch aus § 302 I ist grds. verkehrsfähig, kann also gem. §§ 398 ff. BGB abgetreten werden. Erforderlich ist jedoch (sonst: § 134 BGB), dass Gesellschaft für den Anspruch **vollen Gegenwert** erhält (iErg unstr, s. MüKoAktG/Altmeppen Rn. 106). Ob das etwas mit § 50 oder mit § 302 III zu tun hat, mag dahinstehen. Jedenfalls folgt Resultat aus der Erwägung, dass bezweckte Kapitalerhaltung (→ Rn. 3) sonst verfehlt würde (zust. MüKoAktG/Altmeppen Rn. 106). Verpfändung oder Sicherungszession sind gleichfalls unter der genannten Prämisse möglich. Dabei ist voller Gegenwert zu bejahen, wenn Kreditsicherung angemessen ist (keine Übersicherung, vgl. KK-AktG/Koppensteiner Rn. 39).

16 Gläubiger der AG können auf Anspruch aus § 302 I durch **Pfändung und Überweisung** (§§ 829, 835 ZPO) zugreifen (→ Rn. 2; RegBegr. Kropff S. 390; MüKoAktG/Altmeppen Rn. 80). Kapital der Gesellschaft bleibt infolge Ausbuchung der durch Zwangsbefriedigung erledigten Verbindlichkeit erhalten (KK-AktG/Koppensteiner Rn. 39). Bei Insolvenz der Gesellschaft unterliegt Anspruch gem. § 35 InsO dem Insolvenzbeschlag. Anspruchsverfolgung ist nicht mehr Sache des Vorstands, sondern des Verwalters (Meister WM 1976, 1182, 1189).

17 **c) Rückgewährklausel?** Als Rückgewährklausel wird Klausel eines (isolierten) Beherrschungsvertrags bezeichnet, nach der gem. § 302 I von dem herrschenden Unternehmen übernommene Verluste von der Untergesellschaft aus späteren Gewinnen zu erstatten sind. Sie wird teilw. für zulässig gehalten (van Venrooy DB 1981, 1003, 1005), begegnet aber wegen des der Verlustübernahmepflicht zugrunde liegenden „Jährlichkeitsprinzips" und der Vermischung von Beherrschungs- und Gewinnabführungsvertrag **durchgreifenden Bedenken** (MüKoAktG/Altmeppen Rn. 107 f.; MHdB AG/Krieger § 71 Rn. 77).

18 **3. Gläubiger und Schuldner; Klagerechte.** Nur die **AG selbst ist Gläubiger.** Den Anspruch geltend zu machen, ist Aufgabe ihres Vorstands. Wie Rückschluss aus § 302 III ergibt (→ Rn. 25), kommt ihm dabei kein unternehmerisches Ermessen zu, sondern Anspruch ist im Regelfall geltend zu machen (Häller AG 2020, 611 Rn. 26 f.). Zu Zwangsvollstreckung und Insolvenz → Rn. 16. Eigene Klagerechte der Aktionäre und der Gläubiger sieht Ges. nicht vor. Während es hM für die Gläubiger zutr. dabei belässt (MüKoAktG/Altmeppen Rn. 80 f.); Emmerich/Habersack/Emmerich Rn. 44; aA Kl. Müller ZGR 1977, 1, 5 f.), wird Aktionären verbreitet ein Klagerecht analog § 309 IV, § 317 IV eingeräumt (KK-AktG/Koppensteiner Rn. 41; Emmerich/Habersack/Emmerich Rn. 44). HM lehnt solche Konstruktion zu Recht ab (MüKoAktG/Altmeppen Rn. 81 f.; Hölters/Weber/Deilmann Rn. 24; MHdB AG/Krieger § 71 Rn. 74; S/L/Stephan Rn. 58). **Actio pro socio** bleibt angesichts differenzierender Regelung des Ges. fragwürdig und drängt sich auch für eine am Normzweck (→ Rn. 3) orientierte Betrachtung nicht auf, weil Belange der Aktionäre nur reflexartig mitgeschützt werden (aA KK-AktG/Koppensteiner Rn. 42). Erwägenswert ist stattdessen Anwendung der §§ 147 ff. (→ § 147 Rn. 6; zust. GK-AktG/Schmolke § 147 Rn. 114).

19 **Schuldner** ist der **andere Vertragsteil,** zB das herrschende Unternehmen, auch Unternehmen mit ausländischem Gesellschaftsstatut (unstr., s. MüKoAktG/Altmeppen Rn. 84), auch öffentl. Hand (Gebietskörperschaften); → § 15 Rn. 16 ff. Wenn mehrere Unternehmen anderer Vertragsteil sind, sind sie auch sämtlich Schuldner (unstr.), und zwar – namentl. **bei Mehrmütterherrschaft** – nicht Teil-, sondern **Gesamtschuldner** iSd §§ 421 ff. BGB (hM, s. MüKoAktG/Altmeppen Rn. 85; KK-AktG/Koppensteiner Rn. 44; Hommelhoff FS Goerdeler, 1987, 221, 237 ff.; Noack, Gesellschaftervereinbarungen, 1994, 267 ff., 270; aA K. Schmidt DB 1984, 1181, 1184). Begr. folgt nicht aus § 427 BGB, sondern aus dem Umstand, dass jede Mutter für sich den Tatbestand des § 302 I voll ausfüllt. Für diesen Zustand muss sie auch voll und nicht quotal haften (ähnlich Hommelhoff FS Goerdeler, 1987, 221, 237 ff.). Auf mehrstufige Unternehmensverbindung mit durchgehender Vertragskette ist dieses Ergebnis nicht ohne weiteres übertragbar (für grds. gestufte Haftung Pentz, Rechtsstellung der Enkel-AG, 1994, 51 f.).

III. Verlustübernahme bei Betriebspacht- oder Betriebsüberlassungsvertrag (§ 302 II)

20 **1. Voraussetzungen der Pflicht zur Verlustübernahme. a) Betriebspacht- oder Betriebsüberlassungsvertrag.** Gem. § 302 II kann Pflicht zur Verlustübernahme auch dann begründet sein, wenn Betriebspacht- oder Betriebsüberlassungsvertrag besteht. Begriffe sind iSd § 292 I Nr. 3 zu verstehen (→ § 292 Rn. 17 ff.). Nicht anzuwenden ist § 302 II auf **Betriebsführungsvertrag** (KK-AktG/Koppensteiner Rn. 59; aA Veelken, Der Betriebsführungsvertrag, 1975, 247 f.). Rechtsfolge passt insoweit schon deshalb nicht, weil Gesellschaft kein Entgelt vom anderen Vertragsteil erhält (→ § 292 Rn. 20). Unanwendbar ist § 302 II auch dann, wenn zusätzlich ein Beherrschungs- und/oder Gewinnabführungsvertrag bestehen sollte; in diesem Fall verbleibt es bei § 302 I (→ § 292 Rn. 31; allgM, s. MüKoAktG/Altmeppen Rn. 57). Betriebsführungsvertrag mit abhängiger Eigentümergesellschaft kann Beherrschungsvertrag sein und Haftung nach § 302 I auslösen; meist lässt sich dieser Weg jedoch wegen Unwirksamkeit des Beherrschungsvertrags nicht beschreiten (→ § 292 Rn. 24). § 302 II ist dogmatisch bedenklich, da hinreichend anderweitige Sanktionsmechanismen für unangemessene Gegenleistung zur Verfügung stehen (S/L/Stephan Rn. 60; → § 292 Rn. 20).

21 **b) Abhängigkeit.** Betriebspacht- oder Betriebsüberlassungsvertrag führen nur dann zur Haftung nach § 302 II, wenn Gesellschaft als Verpächterin oder Überlasserin abhängig und der andere Vertragsteil herrschendes Unternehmen ist. Begriffe sind iSd § 17 auszulegen (→ § 17 Rn. 4 ff.). Auch die nicht ausgeräumte Abhängigkeitsvermutung des § 17 II (→ § 17 Rn. 17 ff.) genügt. Regelungsgrund liegt in der Befürchtung, dass das herrschende Unternehmen die abhängige Gesellschaft zu unangemessenen Konditionen bindet (RegBegr. Kropff S. 391). Deshalb muss Abhängigkeit schon bei Abschluss des Vertrags bestehen (MüKoAktG/Altmeppen Rn. 60; S/L/Stephan Rn. 61).

22 **c) Unangemessene Gegenleistung.** Erforderlich ist drittens, dass vom herrschenden Unternehmen vertraglich geschuldete Gegenleistung das angemessene Entgelt nicht erreicht. Angemessenheit richtet sich nach **Marktpreis.** Lässt sich dieser nicht feststellen, ist Entgelt angemessen, wenn es genügt, um Ertragswert des verpachteten oder überlassenen Unternehmens langfristig zu erhalten (→ § 292 Rn. 25 mwN). Nur der **Gesellschaft selbst geschuldete Leistungen** sind zu berücksichtigen, nicht auch Verpflichtungen ggü außenstehenden Aktionären, zB aus Dividendengarantie (ganz hM, vgl. MüKoAktG/Altmeppen Rn. 66; KK-AktG/Koppensteiner Rn. 33).

23 **d) Jahresfehlbetrag.** Wie § 302 I setzt schließlich auch § 302 II **während der Vertragsdauer** entstandenen Jahresfehlbetrag voraus (→ Rn. 9–11). Anders als § 302 I lässt es § 302 II jedoch nicht zu, Jahresfehlbetrag aus anderen Gewinnrücklagen (→ Rn. 12) auszugleichen; dasselbe gilt für einen Gewinnvortrag (→ § 58 Rn. 24). Etwa vorhandene Gewinnrücklagen aufzulösen, bleibt zulässig, befreit aber nicht von der Haftung (MüKoAktG/Altmeppen Rn. 70; KK-AktG/Koppensteiner Rn. 61).

24 **2. Rechtsfolge; Gläubiger und Schuldner.** Anspruch aus § 302 II richtet sich auf Zahlung des Geldbetrags, der erforderlich ist, um Differenz zwischen geschuldeter und angemessener Gegenleistung auszugleichen (→ Rn. 22), allerdings nur nach Maßgabe des Jahresfehlbetrags (→ Rn. 23). Wegen der Einzelheiten ist auf → Rn. 13 ff. zu verweisen. Gläubiger ist die Gesellschaft, Schuldner der andere Vertragsteil. **Klagerechte** der Aktionäre oder der Gläubiger sind wie

für § 302 I zu verneinen (→ Rn. 18), bestehen aber gem. § 309 IV iVm § 317 IV für den in aller Regel neben § 302 II aus § 317 I folgenden Schadensersatzanspruch (KK-AktG/Koppensteiner Rn. 64).

IV. Verzicht und Vergleich (§ 302 III)

1. Beschränkungen der Regelungsbefugnis. Nach § 302 III 1 kann Gesellschaft auf ihren Anspruch aus § 302 I (→ Rn. 8 ff.) oder aus § 302 II (→ Rn. 20 ff.) erst nach Ablauf einer **Dreijahresfrist** verzichten, sich vorher auch nicht darüber vergleichen. Vorschrift ist anderen Haftungsnormen (vgl. etwa §§ 50, 93 IV) nachgebildet und dient dem Zweck der Kapitalerhaltung (→ Rn. 3). AG darf erst disponieren, nachdem durch Zeitablauf Klarheit über die Auswirkungen der durch den Unternehmensvertrag geschaffenen Struktur entstanden ist und auch dann nur, wenn die außenstehenden Aktionäre damit einverstanden sind (→ Rn. 27; vgl. MüKoAktG/Altmeppen Rn. 96; KK-AktG/Koppensteiner Rn. 12). Vorschrift entspr. namentl. im M&A-Geschäft häufig nicht den Gestaltungsvorstellungen der Parteien, da Veräußerer idR verlangen wird, dass ihn nach der Veräußerung keine Nachforderungen der Untergesellschaft mehr treffen. Da § 302 III 1 jedoch nicht zur Disposition der Parteien steht, wird diesem Anliegen zumeist durch Freistellungsvereinbarung mit dem Erwerber Rechnung getragen (Deilmann NZG 2015, 460, 465). Mit Verzicht meint § 302 III 1 Erlassvertrag (§ 397 BGB). Vergleich ist iSd § 779 BGB, auch als Prozessvergleich zu verstehen. Unzulässig ist nach hM auch **Stundung** des Anspruchs auf Verlustausgleich (MüKoAktG/Altmeppen Rn. 76), was aber nach Wortlaut und Zweck des § 302 I nicht zwingend sein dürfte (s. Bärenz/Fragel FS Görg, 2010, 13, 16 ff.: Stundung für höchstens drei Wochen ohne Abwendungsvergleich zulässig). Verzicht oder Vergleich vor Fristablauf sind gem. § 134 BGB nichtig, bleiben also wirkungslos. Dreijahresfrist beginnt mit dem Tag, der auf Bek. der Registereintragung der Vertragsbeendigung (§ 10 HGB) folgt (§ 187 I BGB). Bek. bestimmt sich nach § 10 HGB, umschreibt nach neuer Begrifflichkeit aber nur noch erstmalige elektronische Abrufbarkeit der Eintragung (§ 10 I HGB; zur Neuordnung des Bekanntmachungswesens durch DiRUG 2021 → § 39 Rn. 7 ff.). Frist endet gem. § 188 II Fall 1 BGB. 25

2. Ausnahme bei Zahlungsunfähigkeit. § 302 III 2 nimmt Insolvenzfälle von Dreijahresfrist aus. Neufassung durch EGInsO (BGBl. 1994 I 2911) berücksichtigt vor allem Insolvenzplanverfahren. Übereinstimmend: § 50 S. 2, § 93 IV 4, § 309 III 2. Sperrfrist gilt danach nicht, wenn anderer Vertragsteil zahlungsunfähig ist und sich zur **Insolvenzabwendung oder -beseitigung** (zur Nachhaltigkeit vgl. einerseits Bärenz/Fragel FS Görg, 2010, 13, 25 ff.; andererseits Hirte FG Happ, 2006, 65, 73 f. und 76 f.) mit seinen Gläubigern vergleicht (sog Abwendungsvergleich). Drohende Zahlungsunfähigkeit (§ 18 InsO) ist nicht gleichzustellen (unstr.), doch ist bei Überschuldung (§ 19 InsO) § 302 III 2, 3 entspr. anzuwenden (str., s. Schluck-Amend FS Marsch-Barner, 2018, 491, 505 f.; aA Hirte FG Happ, 2006, 65, 72). Gesellschaft kann also Vergleich mit herrschendem Unternehmen (auch allein → § 93 Rn. 169; Bärenz/Fragel FS Görg, 2010, 13, 21 f.; Schluck-Amend FS Marsch-Barner, 2018, 491, 507 f.) abschließen und damit zu seiner Erhaltung beitragen, statt Insolvenzquote zu realisieren (KK-AktG/Koppensteiner Rn. 72). Eine Änderung hat § 302 III 2 durch **SanInsFoG 2020** erfahren. Nach Art. 15 Nr. 3 SanInsFoG wird die Vorschrift damit neben dem Insolvenzplanverfahren auch auf Restrukturierungspläne (→ § 92 Rn. 29 ff.) ausgedehnt. Damit wird der rechtskräftig bestätigte Restrukturierungsplan einem rechtskräftig bestätigten Insolvenzplan gleichgestellt. Die abhängige Gesellschaft soll auch iR eines Restrukturierungsplans zu einer Insol- 26 venzabwendung bei dem herrschenden Unternehmen beitragen können (RegBegr. BT-Drs. 19/24181, 221).

27 **3. Sonderbeschluss; kein Widerspruch.** Gesellschaft wird bei Verzicht oder Vergleich durch Vorstand vertreten (§ 78). Zur wirksamen Vertretung bedarf Vorstand jedoch gem. § 302 III 3 eines Sonderbeschlusses (§ 138) der außenstehenden Aktionäre. Damit wird zunächst erreicht, dass Aktionäre überhaupt mitwirken müssen, ferner majorisierender Einfluss des anderen Vertragsteils ausgeschlossen. Vorschrift beruht **auf demselben Rechtsgedanken wie Stimmverbot** des § 136 I 1 (RegBegr. Kropff S. 392). Erforderlich und genügend ist einfache Stimmenmehrheit der an Sonderbeschlussfassung teilnehmenden Aktionäre. Sonderbeschluss bleibt jedoch wirkungslos, hebt also Vertretungsbeschränkung nicht auf, wenn **Minderheit von 10 %** des bei der Sonderbeschlussfassung vertretenen Grundkapitals Widerspruch zur Niederschrift erklärt. Anfechtung ist also entbehrlich, wenn Quorum erreicht wurde.

V. Verjährung (§ 302 IV)

28 Nach § 302 IV verjähren Ansprüche der Gesellschaft aus § 302 I–III **in zehn Jahren** seit dem Tag, an dem Eintragung der Vertragsbeendigung in das HR bekannt gemacht worden ist. Maßgebend für Bek. ist § 10 HGB. An dessen Neufassung ist § 302 IV durch EHUG 2006 angepasst worden (Übergangsregelung für Altverträge aus Zeit vor dem 15.12.2004 in § 6 und § 11 zu Art. 229 EGBGB; zur abermaligen Neuordnung des Bekanntmachungswesens durch DiRUG 2021 → § 39 Rn. 7 ff.). Aktienrechtl. Sonderverjährung tritt an die Stelle der Regelverjährung nach §§ 195, 199 BGB, die der **gläubigerschützenden Funktion** der Verlustübernahmepflicht nicht ausreichend Rechnung tragen würde (RegBegr. BT-Drs. 15/3653, 22 f.; Thiessen ZHR 168 [2004], 503, 534 ff.). Insbes. entspräche subj. Anknüpfung an Kenntnis oder grob fahrlässige Unkenntnis der Gesellschaft nicht der kapitalschützenden Bedeutung des § 302 (→ Rn. 3). Frist beginnt nicht schon mit Fälligkeit des Anspruchs, sondern erst mit Bek. Dem Schuldner kommt die Verjährung also nicht zugute, weshalb auf Ablaufhemmung in Insolvenzfällen verzichtet wurde (Thiessen ZHR 168 [2004], 503, 534 ff.). Fristablauf: § 188 II BGB. Ist GmbH Organgesellschaft, so setzt körperschaftsteuerliche Organschaft voraus, dass Verjährung entspr. § 302 IV vereinbart wird (BFH AG 2011, 298 Rn. 13 ff.).

Gläubigerschutz

303

(1) [1]**Endet ein Beherrschungs- oder ein Gewinnabführungsvertrag, so hat der andere Vertragsteil den Gläubigern der Gesellschaft, deren Forderungen begründet worden sind, bevor die Eintragung der Beendigung des Vertrags in das Handelsregister nach § 10 des Handelsgesetzbuchs bekannt gemacht worden ist, Sicherheit zu leisten, wenn sie sich binnen sechs Monaten nach der Bekanntmachung der Eintragung zu diesem Zweck bei ihm melden.** [2]**Die Gläubiger sind in einer Bekanntmachung zu der Eintragung auf dieses Recht hinzuweisen.**

(2) **Das Recht, Sicherheitsleistung zu verlangen, steht Gläubigern nicht zu, die im Fall des Insolvenzverfahrens ein Recht auf vorzugsweise Befriedigung aus einer Deckungsmasse haben, die nach gesetzlicher Vorschrift zu ihrem Schutz errichtet und staatlich überwacht ist.**

(3) [1]**Statt Sicherheit zu leisten, kann der andere Vertragsteil sich für die Forderung verbürgen.** [2]**§ 349 des Handelsgesetzbuchs über den Ausschluß der Einrede der Vorausklage ist nicht anzuwenden.**

I. Regelungsgegenstand und -zweck

Norm betr. Pflicht zur Sicherheitsleistung bei Beendigung eines Beherrschungs- oder Gewinnabführungsvertrags. Zu solcher Beendigung kann es etwa kommen, wenn Tochter verkauft, abgespalten oder an die Börse gebracht werden soll (zur möglichen Auswirkung als „Marktzutrittsschranke im M&A-Geschäft" s. Ekkenga FS Krieger, 2020, 237). Bezweckt ist **Gläubigerschutz** (RegBegr. Kropff S. 392 f.). Dieser ist grds. (Ausnahme: § 303 II) erforderlich, weil durch Verlustübernahmepflicht des § 302 angestrebte Kapitalerhaltung (→ § 302 Rn. 3) mit dem Ende des Unternehmensvertrags ausläuft und dadurch bedingte Strukturänderung Lebensfähigkeit der Gesellschaft in Frage stellen kann; bisherige Ausrichtung auf Interessen des herrschenden Unternehmens lässt neue Eigenständigkeit der Gesellschaft wirtschaftlich fragwürdig erscheinen (BGHZ 95, 330, 346 = NJW 1986, 188; BGHZ 202, 317 Rn. 13 = NZG 2014, 1340). Recht des anderen Vertragsteils, sich zu verbürgen und dadurch sonst erforderliche Sicherheitsleistung abzuwenden (§ 303 III), soll seinen Interessen (→ Rn. 9) Rechnung tragen (näher RegBegr. Kropff S. 393). Entspr. ihrem Schutzzweck ist Regelung zwingend. Auch über dieses ges. Konzept hinausgehende Modelle eines rechtsfortbildend weiterentwickelten **Konzernausgangsschutzes** sind nicht anzuerkennen (ausf. dazu → § 296 Rn. 9; → § 308 Rn. 19). 1

II. Pflicht zur Sicherheitsleistung (§ 303 I)

1. Voraussetzungen. Anwendungsbereich ist nach Wortlaut auf **unmittelbaren Vertragspartner** beschränkt, so dass im mehrstufigen Konzern Gläubiger der Enkelin keinen Anspruch gegen Mutter hat. HM lehnt auch Analogieschluss ab (MüKoAktG/Altmeppen Rn. 37; Emmerich/Habersack/Emmerich Rn. 4; GK-AktG/Hirte Rn. 25). Das ist im Hinblick auf Gefährdungspotenzial mehrstufiger Konzernierungskette nicht unbedenklich (Leinekugel/Winstel AG 2012, 389 ff.), iE aber zutr., um uferlose Haftungsausdehnung zu vermeiden. Voraussetzungen des § 303 I sind: Beendigung des Beherrschungs- oder Gewinnabführungsvertrags; Begr. einer Forderung, bevor Eintragung nach § 10 HGB als bekanntgemacht gilt; Meldung des Gläubigers innerhalb einer Sechsmonatsfrist. **Vertragsbeendigung.** Wie iRd § 302 I (→ § 302 Rn. 8) ist zunächst erforderlich, dass Beherrschungs- oder Gewinnabführungsvertrag iSd § 291 I 1 (→ § 291 Rn. 5 ff., 23 ff.) bestand. Anders als für § 302 I ist **Fiktion des Geschäftsführungsvertrags** als Gewinnabführungsvertrag durch § 291 I 2 für § 303 I beachtlich; denn Gesellschaftsgläubiger werden durch Wegfall der direkten Verlusttragungspflicht ebenso gefährdet wie durch das Ende der Verlustübernahmepflicht nach § 302 I. Vertrag endet mit seinem Außerkrafttreten. Wenn Vertrag zwar bestehen bleibt, aber Verlustübernahmepflicht suspendiert wird (so bei Auflösung der Obergesellschaft), ist durch analoge Anwendung des § 303 zu helfen (KK-AktG/Koppensteiner Rn. 10; K. Schmidt ZGR 1983, 513, 530). 2

Forderung ist iSd schuldrechtl. Anspruchs zu verstehen. Ihr Rechtsgrund (zB Vertrag oder Delikt) bleibt gleich. Forderung ist begründet, wenn ihr **Entstehungsgrund gelegt** ist. Es schadet nicht, wenn noch einzelne Tatbestandselemente (wie Fristablauf oder Bedingung, Schadenseintritt bei Ersatzansprüchen) fehlen (im Grundsatz unstr., vgl. BAG 2009, 829, 830; MüKoAktG/Altmeppen Rn. 16; zu Parallelen in anderen Problemkreisen Servatius ZGR 2015, 754, 756 f.). Weder erforderlich noch schädlich ist Fälligkeit (OLG Frankfurt AG 2001, 139, 140; LAG Frankfurt AG 1989, 256, 257). Sicherheitsleistung kann Gläubigern fälliger Forderungen nicht mit dem Argument verwehrt werden, sie könnten sich an die Gesellschaft halten (KK-AktG/Koppensteiner 3

Rn. 17). Forderungen aus **Dauerschuldverhältnissen** (zB Miete oder Pacht) sind begründet, wenn das Verhältnis selbst entstanden ist; auf Einzelanspruch ist prinzipiell nicht abzuheben (OLG Frankfurt AG 2001, 139, 140; LAG Frankfurt AG 1989, 256, 257; KK-AktG/Koppensteiner Rn. 16). Daraus entsteht Problem einer Endloshaftung, so dass dem Interesse des anderen Vertragsteils an angemessener Begrenzung der Sicherheitsleistung Rechnung zu tragen ist. Nach BGH NJW 1996, 1539, 1540 ist künftig fällig werdender Gesamtbetrag zumindest Obergrenze, hinter der im Einzelfall konkret zu bestimmendes Sicherungsinteresse aber zurückbleiben kann (OLG Frankfurt AG 2001, 139, 141; OLG Hamm AG 2008, 898, 899; → § 225 Rn. 4 aE). Heute hM, der sich mittlerweile auch BGH angeschlossen hat, begrenzt Sicherungsanspruch durch **analoge Anwendung der §§ 26, 160 HGB** (BGHZ 202, 317 Rn. 9 ff. = NZG 2014, 1340; Emmerich/Habersack/Emmerich Rn. 13b f.; S/L/Stephan Rn. 11; BeckOGK/Veil/Walla Rn. 17; Goldschmidt/Laeger NZG 2012, 1201, 1205 f.; Jaeger DB 1996, 1070 f.; Servatius ZGR 2015, 754, 757 ff.; krit. Ekkenga FS Krieger, 2020, 237 ff. mit Gegenkonzept einer bilanzrechtl. geprägten Interpretation). Das ist im Hinblick auf uU tiefgreifende Beeinträchtigung der Überlebensfähigkeit der Tochter nicht unbedenklich (Henssler/Heiden NZG 2010, 328, 330 ff.; abl. für Versorgungsansprüche deshalb OLG Hamm AG 2008, 898, 899 f.; Mutschler FS Säcker, 2011, 429 ff.; Schäfer/Kauffmann-Lauven FS Küttner, 2006, 337, 343 f.; krit. auch weiterhin MüKoAktG/Altmeppen Rn. 31 ff.), verdient aber doch Zustimmung im Lichte des § 327 IV, der selbst für noch intensivere Eingliederung zeitliche Begrenzung des Gläubigerschutzes vorsieht (→ § 327 Rn. 7). Zumindest für befristete (und deshalb nicht ordentlich kündbare) Dauerschuldverhältnisse fehlt auch überzeugendes Alternativkonzept. Bei **unbefristeten Dauerschuldverhältnissen** wäre es dagegen erwägenswert, 5-Jahres-Schwelle nur als Höchstgrenze anzusehen, von der abzuweichen ist, wenn herrschendes Unternehmen geringeres Sicherungsinteresse darlegen kann, namentl. durch frühere ordentliche Kündigungsmöglichkeit (Goldschmidt/Laeger NZG 2012, 1201, 1206; Jaeger DB 1996, 1069, 1071; insoweit zutr. MüKoAktG/Altmeppen Rn. 32). BGH ist dieser differenzierenden Sichtweise indes nicht gefolgt, da Unternehmen nach § 303 nur Sicherheit leisten müsse und nicht unmittelbar von Gläubigern der AG in Anspruch genommen werden könne. Wenn das ursprünglich beherrschte Unternehmen oder sein Vertragspartner die Kündigungsmöglichkeit wahrnehme, werde die Sicherheit frei (BGHZ 202, 317 Rn. 18). Ob auch Verlustausgleichsansprüche von Enkel- gegen Tochtergesellschaft für künftige Geschäftsjahre unter § 302 I fallen können, ist nicht geklärt, doch sprechen bessere Gründe dafür, in Anlehnung an hM zu § 225 auch hier bereits hinreichende Konkretisierung (→ § 225 Rn. 4) zu verlangen (Zenner/Raapke NZG 2018, 681 ff.; MüKoAktG/Altmeppen Rn. 17; speziell zu Ansprüchen des Pensions-Sicherungs-Vereins nach Insolvenzeröffnung Thole ZIP 2020, 389 ff.).

4 Für Begr. der Forderung **maßgeblicher Zeitpunkt folgt aus § 10 I 1 HGB.** Maßgebend ist danach Ablauf des Tages, an dem elektronische Bek. durch Registergericht der abhängigen AG erfolgt ist. Bei dieser Regelung ist es auch nach Neuordnung des Bekanntmachungswesens durch DiRUG 2021 (→ § 39 Rn. 7 ff.) verblieben. Auch wenn danach eigenständige Bek. aufgegeben wurde, wird Begriff durch § 10 I HGB nF mit neuem Inhalt gefüllt und umschreibt künftig erstmalige Abrufbarkeit im HR (→ § 39 Rn. 9). Weil es auf Bek. ankommt, besteht Pflicht zur Sicherheitsleistung auch dann, wenn Forderung erst nach Vertragsbeendigung oder gar nach deren Eintragung begründet wird. Weder § 15 I HGB (BGHZ 116, 37, 44 = NJW 1992, 505; aA noch Peltzer AG 1975, 309, 312) noch § 15 II HGB sind anwendbar (MüKoAktG/Altmeppen Rn. 20; KK-AktG/Koppensteiner Rn. 13) sind anwendbar. Risiko verzögerter Anmel-

dung (und deshalb verzögerter Eintragung und Bek.) trägt der andere Vertragsteil. Wortlaut des § 303 I lässt andere Deutung nicht zu.

5 Gläubiger müssen zwingende materiell-rechtl. **Ausschlussfrist von sechs Monaten** beachten. Sie müssen sich innerhalb der Frist bei dem anderen Vertragsteil gemeldet und Sicherung verlangt haben. Dazu müssen zumindest der zugrunde liegende Lebenssachverhalt und die daraus abgeleitete Forderung hinreichend substanziiert umschrieben werden (Heeg NZG 2017, 573, 574). Anspruch ist, soweit dies möglich ist, zu beziffern, hilfsweise zumindest schätzungsweise bestmöglich anzugeben (MüKoAktG/Altmeppen Rn. 23; Emmerich/Habersack/Emmerich Rn. 17; BeckOGK/Veil/Walla Rn. 19; Heeg NZG 2017, 573, 575 ff.). Bei bestrittener Forderung weist hM Darlegungs- und Beweislast dem Anspruchsteller zu (OLG Köln BeckRS 2008, 10365; MüKoAktG/Altmeppen Rn. 19; Heeg NZG 2017, 573, 575), was im Lichte des Sicherungszwecks, aber auch der Parallele zu § 225 (→ § 225 Rn. 5) nicht unbedenklich ist (aA deshalb BeckOGK/Veil/Walla Rn. 21; Schuback BB 2008, 1141). Bes. Form ist nicht vorgeschrieben, Schriftform empfehlenswert. Gefährdung des Anspruchs muss – anders als in § 22 I 2 UmwG – nicht dargelegt werden. Insbes. kann herrschendes Unternehmen Sicherheitsleistung nicht mit Hinweis ablehnen, dass AG bei Beendigung nicht unterkapitalisiert war (so aber BeckOGK/Veil/Walla Rn. 5; aA die ganz hM – vgl. nur Emmerich/Habersack/Emmerich Rn. 15; Heeg NZG 2017, 573, 574). Analog § 130 I BGB genügt rechtzeitiger Zugang. Bis DiRUG 2021 begann Fristrechnung ab Tag der (letzten, vgl. § 10 S. 1 HGB aF) Bek. § 303 I 2 musste in diesem Punkt aber an neu geordnetes Bekanntmachungswesen gem. § 10 HGB und §§ 27, 33 HRV nF angepasst werden, um Gläubigerschutz auf unverändertem Niveau zu gewährleisten. Da es eigenständige Bek. als regelmäßiges Eintragungspendant nicht mehr gibt, sondern darunter grds. allein erstmalige Abrufbarkeit der Eintragung verstanden wird (→ § 39 Rn. 9), können damit nicht ohne weiteres eigenständige Inhalte verbunden werden. Vielmehr bedarf es dazu gesonderter Bek., für die im neu gefassten Registerwesen Format der **Registerbekanntmachung** vorgesehen ist (→ § 39 Rn. 10). An dieses Format wird in § 303 I 2 nF angeknüpft. In der Bek. sind die Gläubiger gem. § 303 I 2 auf ihr Recht aus § 303 I 1 hinzuweisen. Präklusionswirkung tritt aber auch dann ein, wenn Hinweis unterblieben ist; denn Fehler des Gerichts kann anderem Vertragsteil nicht zugerechnet werden. In Betracht kommt für solche Fälle Anspruch aus Staatshaftung (MüKoAktG/Altmeppen Rn. 24).

6 **2. Art und Weise der Sicherheitsleistung.** Anzuwenden sind §§ 232 ff. BGB. Grds. ist also **Realsicherheit** erforderlich (§ 232 I BGB). Subsidiär kommt **Bürgschaft eines Dritten** in Betracht (§ 232 II BGB), der auf Einrede der Vorausklage gem. § 239 II BGB verzichten muss. Auf Sicherheitsleistung besteht klagbarer Anspruch ohne Rücksicht auf Durchsetzbarkeit der zu sichernden Forderung. Praktisch dürften §§ 232 ff. BGB durch Bürgschaft gem. § 303 III überlagert werden (→ Rn. 9). Zu etwaigen Freigabeansprüchen s. Goldschmidt/Laeger NZG 2012, 1201, 1207 f. Erfolgt Beendigung des Vertrags im Zuge einer Beteiligungsveräußerung, wird Veräußerer häufig verlangen, dass Erwerber Verpflichtung zur Sicherheitsleistung an Neugläubiger übernimmt. Das kann – wie bei Verlustübernahme (→ § 302 Rn. 25) – durch Freistellungsvereinbarung mit Erwerber bewerkstelligt werden (Deilmann NZG 2015, 460, 466).

7 **3. Zahlungsanspruch bei Vermögenslosigkeit oder Insolvenz.** BGHZ 95, 330, 347 = NJW 1986, 188 hat für den Fall einer insolvent gewordenen, formlos (insbes.: ohne Insolvenzverfahren) untergegangenen abhängigen GmbH angenommen, Gläubiger könne vom herrschenden Unternehmen unmittelbar Zahlung verlangen, weil **Sicherheitsgewährung** unter diesen Prämissen **sinnlos** sei; praktisch war das die Regel (vgl. BGHZ 105, 168, 183 = NJW 1988, 3143;

BGHZ 115, 187, 200 = NJW 1991, 3142; BGHZ 116, 37, 42 = NJW 1992, 505). Fragestellung war ursprünglich in Problemfeld des qualifiziert faktischen Konzerns eingebettet (→ § 1 Rn. 22 ff.; → § 302 Rn. 7), ist aber auch im veränderten rechtl. Umfeld einer deliktischen Innenhaftung gem. § 826 BGB (→ § 1 Rn. 22 ff.) aktuell geblieben (wenngleich mehr für das GmbH-Recht als für die AG – S/L/Stephan Rn. 28 f.). Auch bei AG ist Zahlungsanspruch zu bejahen, und zwar sowohl bei Vermögenslosigkeit (unstr.) als auch bei **Insolvenzeröffnung,** da damit Sicherungsfall eingetreten ist (str.; ausf. wie hier MüKoAktG/Altmeppen Rn. 45 ff.; s. ferner Hölters AktG/Deilmann Rn. 14 f.; BeckOGK/Veil/Walla Rn. 23 ff.; Bork ZIP 2012, 1001, 1004; Klöckner ZIP 2011, 1454, 1455 ff. mit weiteren Praxishinweisen zum Fall der Doppel-Insolvenz; aA GK-AktG/Hirte Rn. 12 f.). Verlustausgleichsanspruch nach § 302 kann Insolvenzgrund (namentl. Überschuldung) beseitigen, sperrt aber nicht eigenständigen Zahlungsanspruch analog § 303 (MüKoAktG/Altmeppen Rn. 50; Bork ZIP 2012, 1001, 1004; Klöckner ZIP 2011, 1454, 1456; aA KK-AktG/Koppensteiner Rn. 25). Auch Gleichbehandlung der Insolvenzgläubiger steht nicht entgegen, da im Hinblick auf Insolvenzmasse selbst keine Bevorzugung erfolgt und Masse nicht geschmälert, sondern durch Gläubigerreduzierung mittelbar erweitert wird (Klöckner ZIP 2011, 1454, 1456). Sehr umstr. ist, ob Ansprüche durch Gläubiger selbst oder nach § 93 InsO analog durch Insolvenzverwalter geltend zu machen sind. Bewusst eingrenzende Tatbestandsfassung des § 93 InsO scheint eher gegen analoge Ausdehnung zu sprechen (so auch Emmerich/Habersack/Emmerich Rn. 25; S/L/Stephan Rn. 29; Klöckner ZIP 2011, 1454, 1455; Schuster/Dirmeier ZIP 2018, 308 ff.; aA Bork ZIP 2012, 1001, 1004 ff.; GK-AktG/Hirte Rn. 12, 33). Auch BGH steht Verallgemeinerung dieser Norm augenscheinlich eher skeptisch ggü. (BGH NZG 2013, 1072, 1073).

III. Keine Sicherheitsleistung bei Recht auf vorzugsweise Befriedigung (§ 303 II)

8 Keinen Anspruch auf Sicherheitsleistung haben nach § 303 II solche Gläubiger, die im Insolvenzfall aus einer Deckungsmasse vorzugsweise zu befriedigen sind, wenn diese Masse kraft Ges. zu ihrem Schutz errichtet und staatlich überwacht ist. Wer für Insolvenzfall schon hinlänglich gesichert ist, soll nicht noch einmal Sicherheitsleistung verlangen dürfen. **Anwendungsfälle** sind insbes. Pfandbriefe nach § 1 PfandbG, gedeckte Schuldverschreibungen nach §§ 13, 14 LwRentBkG sowie Versicherungsansprüche nach §§ 125, 128, 315 VAG. Analogie ist überdies geboten für Pensionssicherungsansprüche, soweit sie Insolvenzschutz nach §§ 7 ff. BetrAVG genießen (Emmerich/Habersack/Emmerich Rn. 28; wN → § 225 Rn. 10), sowie ges. (nicht aber private) Einlagensicherung bei Kreditinstituten (S/L/Stephan Rn. 24). Weitergehend nimmt hL zu Recht an, dass bereits hinlänglich gesicherte Gläubiger gem. § 242 BGB nicht noch einmal Sicherheitsleistung verlangen können (OLG Zweibrücken AG 2004, 568, 569; MüKoAktG/Altmeppen Rn. 60; KK-AktG/Koppensteiner Rn. 20; → § 225 Rn. 11; ferner BAG AG 2009, 829, 831: keine Sicherheitsleistung bei fehlendem Sicherungsinteresse). Ob dafür Insolvenzvorrechte oder Absonderungsrechte genügen (s. KK-AktG/Koppensteiner Rn. 20), erscheint jedoch angesichts der Spezialvorschrift des § 303 II fragwürdig (zweifelnd auch MüKo-AktG/Altmeppen Rn. 60; Emmerich/Habersack/Emmerich Rn. 28).

IV. Bürgschaft statt Sicherheit (§ 303 III)

9 Gem. § 303 III 1 darf der andere Vertragsteil die Sicherheitsleistung dadurch abwenden, dass er sich für die Forderung verbürgt. § 303 III 2 will ihm für diesen

Fall die **Einrede der Vorausklage** (§ 771 BGB) belassen; Verhältnis zu § 239 II BGB ist ungeklärt. Ges. will damit dem Umstand Rechnung tragen, dass Unternehmensverträge auch gegen den Willen des anderen Vertragsteils beendet werden können und es nicht um Sicherheit für eigene, sondern fremde Verbindlichkeit geht (RegBegr. Kropff S. 393). Den für Realsicherheit oder zB für Bankbürgschaft (→ Rn. 6) erforderlichen Einsatz eigener Mittel kann anderer Vertragsteil also vermeiden, indem er selbst ein Zahlungsobligo übernimmt (Werner FS Goerdeler, 1987, 677, 686). Die Wirtschaftspraxis macht von dieser Möglichkeit im Regelfall Gebrauch. Einen darauf gerichteten Anspruch hat Gläubiger jedoch nicht, wohingegen er umgekehrt Bürgschaftsversprechen annehmen muss, will er Sicherungsanspruch nicht verlieren (Emmerich/Habersack/Emmerich Rn. 22). Konzernaußenhaftung bei Vermögenslosigkeit (→ Rn. 7) beruht auf anderen gedanklichen Grundlagen.

Vierter Abschnitt. Sicherung der außenstehenden Aktionäre bei Beherrschungs- und Gewinnabführungsverträgen

Angemessener Ausgleich

304 (1) [1]**Ein Gewinnabführungsvertrag muß einen angemessenen Ausgleich für die außenstehenden Aktionäre durch eine auf die Anteile am Grundkapital bezogene wiederkehrende Geldleistung (Ausgleichszahlung) vorsehen.** [2]**Ein Beherrschungsvertrag muß, wenn die Gesellschaft nicht auch zur Abführung ihres ganzen Gewinns verpflichtet ist, den außenstehenden Aktionären als angemessenen Ausgleich einen bestimmten jährlichen Gewinnanteil nach der für die Ausgleichszahlung bestimmten Höhe garantieren.** [3]**Von der Bestimmung eines angemessenen Ausgleichs kann nur abgesehen werden, wenn die Gesellschaft im Zeitpunkt der Beschlußfassung ihrer Hauptversammlung über den Vertrag keinen außenstehenden Aktionär hat.**

(2) [1]**Als Ausgleichszahlung ist mindestens die jährliche Zahlung des Betrags zuzusichern, der nach der bisherigen Ertragslage der Gesellschaft und ihren künftigen Ertragsaussichten unter Berücksichtigung angemessener Abschreibungen und Wertberichtigungen, jedoch ohne Bildung anderer Gewinnrücklagen, voraussichtlich als durchschnittlicher Gewinnanteil auf die einzelne Aktie verteilt werden könnte.** [2]**Ist der andere Vertragsteil eine Aktiengesellschaft oder Kommanditgesellschaft auf Aktien, so kann als Ausgleichszahlung auch die Zahlung des Betrags zugesichert werden, der unter Herstellung eines angemessenen Umrechnungsverhältnisses auf Aktien der anderen Gesellschaft jeweils als Gewinnanteil entfällt.** [3]**Die Angemessenheit der Umrechnung bestimmt sich nach dem Verhältnis, in dem bei einer Verschmelzung auf eine Aktie der Gesellschaft Aktien der anderen Gesellschaft zu gewähren wären.**

(3) [1]**Ein Vertrag, der entgegen Absatz 1 überhaupt keinen Ausgleich vorsieht, ist nichtig.** [2]**Die Anfechtung des Beschlusses, durch den die Hauptversammlung der Gesellschaft dem Vertrag oder einer unter § 295 Abs. 2 fallenden Änderung des Vertrags zugestimmt hat, kann nicht auf § 243 Abs. 2 oder darauf gestützt werden, daß der im Vertrag bestimmte Ausgleich nicht angemessen ist.** [3]**Ist der im Vertrag bestimmte Ausgleich nicht angemessen, so hat das in § 2 des Spruchverfahrensgesetzes bestimmte Gericht auf Antrag den vertraglich geschuldeten Ausgleich zu bestimmen, wobei es, wenn der Vertrag einen nach Absatz 2 Satz 2**

berechneten Ausgleich vorsieht, den Ausgleich nach dieser Vorschrift zu bestimmen hat.

(4) **Bestimmt das Gericht den Ausgleich, so kann der andere Vertragsteil den Vertrag binnen zwei Monaten nach Rechtskraft der Entscheidung ohne Einhaltung einer Kündigungsfrist kündigen.**

Übersicht

I. Regelungsgegenstand und -zweck

1 Norm betr. Anspruch außenstehender Aktionäre (→ Rn. 2 f.) auf Ausgleichszahlung nach Grund sowie Art und Höhe (§ 304 I, II), ferner dessen Durchsetzung (§ 304 III–V). Bezweckt ist **Sicherung** der außenstehenden Aktionäre **durch Kompensation** der Verluste, die infolge von Gewinnabführungs- oder Beherrschungsverträgen bei ihnen eintreten (RegBegr. Kropff S. 394; MüKoAktG/van Rossum Rn. 7 f.). Gewinnabführungsvertrag verhindert nämlich Entstehung von Bilanzgewinn und lässt damit das mitgliedschaftliche Dividendenrecht leerlaufen (§ 58 IV). Vergleichbare Folgen kann aus Beherrschungsvertrag resultierende Weisungsbindung (§ 308) haben. Regelung ist zwingend. Sie erlaubt dem außenstehenden Aktionär, in der Gesellschaft zu verbleiben (keine Aushungerung). Er muss es jedoch nicht, sondern kann auch von Abfindungsregelung des § 305 Gebrauch machen, also den Wert seiner Aktien realisieren und aus AG ausscheiden (Windbichler FS Grunewald, 2021, 1355, 1357: „Raus oder Rentner"). Für Streitigkeiten über Ausgleich und Abfindung stellt SpruchG das Spruchverfahren zur Verfügung (→ SpruchG § 1 Rn. 1 ff.). Schließlich werden künftige Aktionäre durch § 307 geschützt (→ § 307 Rn. 1).

II. Ausgleichspflicht (§ 304 I)

1. Bei Gewinnabführungsvertrag. a) Außenstehende Aktionäre als Gläubiger. § 304 ordnet Ausgleichspflicht für Gewinnabführungs- und Beherrschungsvertrag an (zur Möglichkeit einer analogen Anwendung auf Genussscheininhaber → § 221 Rn. 68b f.). Pflicht ergibt sich danach nicht aus Ges., sondern gem. § 304 I 1 muss Gewinnabführungsvertrag (§ 291 I 1 Fall 2, II; → § 291 Rn. 23 ff., 30 ff.) angemessenen Ausgleich für außenstehende Aktionäre vorsehen. Anderenfalls ist Vertrag unwirksam. Ausgleichspflicht gilt aber nicht für Zeitraum vor Registereintragung (LG Hamburg AG 1991, 365, 366). Außenstehende Aktionäre sind im **Grundsatz** alle Aktionäre der Gesellschaft mit Ausnahme des anderen Vertragsteils und derjenigen Aktionäre, die aufgrund rechtl. fundierter wirtschaftlicher Verknüpfung mit dem anderen Vertragsteil von Gewinnabführung unmittelbar oder mittelbar in ähnlicher Weise profitieren wie dieser (BGHZ 167, 299 Rn. 10 = NJW 2006, 3146; OLG Nürnberg AG 1996, 228 f.; RegBegr. Kropff S. 385 zu § 295; MüKoAktG/van Rossum Rn. 28 ff.; Baldamus ZGR 2007, 819, 820 ff.; grds. aA Pentz AG 1996, 97, 99 ff. [Ergebnis S. 104]: alle Aktionäre mit Ausnahme des anderen Vertragsteils; also keine Zurechnung). Daneben gilt Ausübungssperre des § 71b, die bei eigenen Aktien auch Ausgleichsanspruch sperrt (Emmerich/Habersack/Emmerich Rn. 22). Beanspruchen kann Ausgleich nur, wer bei Entstehung des Ausgleichsanspruchs (→ Rn. 13) Aktionär des abhängigen Unternehmens ist (BGHZ 189, 261 Rn. 9 = AG 2011, 514; OLG Stuttgart AG 2011, 601, 602). **Zeitpunkt des Aktienerwerbs** ist belanglos. Auch wer nach Abschluss oder Inkrafttreten des Gewinnabführungsvertrags Aktionär geworden ist, kann also Ausgleich verlangen (Baldamus ZGR 2007, 819, 833 ff.). Anspruch erlischt jedoch mit Veräußerung der Aktie und entsteht beim Erwerber neu, ohne dass Ausgleichsansprüche pro rata tempore nach § 101 Nr. 2 BGB geltend gemacht werden können (BGHZ 189, 261 Rn. 19 ff.); entscheidend ist allein, wer im Zeitpunkt der Fälligkeit Aktionär ist (Emmerich/Habersack/Emmerich Rn. 24). Ebenso endet Ausgleichsanspruch mit Verschmelzung auf herrschendes Unternehmen, da in diesem Fall Unternehmensvertrag mit Vereinigung der Vertragspartner durch Konfusion endet und damit auch Ausgleichsanspruch erlischt (Emmerich/Habersack/Emmerich Rn. 102; GK-AktG/Hasselbach/Hirte Rn. 54; GK-AktG/Mülbert § 297 Rn. 115; MüKoAktG/van Rossum Rn. 134; aA aber OLG Düsseldorf AG 1990, 490 f.; Meilicke AG 1995, 181, 182 f.). Bei davon zu unterscheidender Drittverschmelzung bleibt Anspruch dagegen erhalten (OLG Karlsruhe AG 1995, 139 f.; LG Mannheim AG 1995, 89; MüKoAktG/van Rossum Rn. 134; Butzke FS Hüffer, 2010, 97, 109 f.). Ebenso endet Ausgleichsanspruch mit Squeeze-Out und wird durch Barabfindung nach § 327b ersetzt (zu den Einzelheiten der Berechnung in diesem Fall → § 327b Rn. 15 ff.). **Verzicht** außenstehender Aktionäre auf Gewinnabführung ändert nichts daran, dass sie außenstehend sind; deshalb bleibt es bei Nichtigkeitsfolge des § 304 III 1, wenn wegen Verzichts kein Ausgleich gewährt wird (MüKoAktG/van Rossum Rn. 177; aA S/L/Stephan Rn. 74; Baldamus ZGR 2007, 819, 837 ff.). 2

Einzelheiten der Frage, welche Aktionäre dem anderen Vertragsteil zuzurechnen und damit nicht außenstehend sind, müssen unter Beachtung des Sicherungszwecks der Norm (→ Rn. 1) entschieden werden. Dem anderen Vertragsteil zuzurechnen sind danach jedenfalls Aktionäre, die an ihm zu 100 % beteiligt sind (zu Minderheitsbeteiligungen s. Brauksiepe BB 1966, 144, 145), ferner Aktionäre, die ihrerseits Gesellschaft oder Stiftung sind und deren Kapital zu 100 % von dem anderen Vertragsteil gehalten wird (ganz hM, s. KK-AktG/Koppensteiner § 295 Rn. 42; MüKoAktG/van Rossum Rn. 29; Baldamus ZGR 2007, 819, 3

822 f.; aA Kley, Die Rechtsstellung der außenstehenden Aktionäre, 1986, 34 ff., 38 f.). Schwierig zu beurteilen sind Fälle, in denen Aktionäre und anderer Vertragsteil **verbundene Unternehmen** sind. Während im älteren Schrifttum noch angenommen wurde, es könne schon Mehrheitsbeteiligung (§ 16), bloßes Abhängigkeitsverhältnis (§ 17) oder doch zumindest Konzerneigenschaft genügen (s. noch v. Godin/Wilhelmi Anm. 7), geht heute hM davon aus, dass nur Beherrschungs- oder Gewinnabführungsvertrag (§ 291) oder Eingliederung (§§ 319 ff.) entspr. Zurechnung rechtfertigen kann (Emmerich/Habersack/Emmerich Rn. 20; KK-AktG/Koppensteiner § 295 Rn. 43; MüKoAktG/van Rossum Rn. 30 f.; Hüchting, Abfindung und Ausgleich, 1972, 107 ff.; Baldamus ZGR 2007, 819, 829; weiter diff. Krieger FS K. Schmidt, 2009, 999, 1015 ff.). Dieser hM ist mit Rücksicht auf den Sicherungszweck (→ Rn. 1) und wegen ihrer gut praktizierbaren **Trennschärfe** zu folgen, soweit es um eigentlichen Anwendungsbereich des § 304 geht, verpflichteter Vertragsteil also AG ist. Im Analogiebereich bedarf es keines Ausgleichsanspruchs, weshalb Beherrschung insoweit unerheblich bleibt.

4 **b) Schuldner der Ausgleichsleistung.** Als Schuldner des Anspruchs aus § 304 I 1 kommen mangels klaren Gesetzeswortlauts **der andere Vertragsteil** und die AG selbst in Betracht. Erste Lösung entspr. heute ganz hM, die auch in § 5 Nr. 1 SpruchG Bestätigung findet (LG Mannheim AG 1995, 89, 90; Emmerich/Habersack/Emmerich Rn. 28; KK-AktG/Koppensteiner Rn. 22 f.; MüKoAktG/van Rossum Rn. 38 f.; MHdB AG/Krieger § 71 Rn. 82; aA noch v. Godin/Wilhelmi Rn. 2; Möhring FS Hengeler, 1972, 216, 220). Sicherungszweck des § 304 (→ Rn. 1) erfordert, dass sich Ausgleichsansprüche gegen den richten, bei dem Gewinne anfallen. Ansprüche gegen die Gesellschaft, bei der sie abfließen, genügen nicht. Dadurch wird allerdings nicht ausgeschlossen, dass die Gesellschaft für den anderen Vertragsteil als Zahlstelle fungiert (Emmerich/Habersack/Emmerich Rn. 29).

5 **c) Angemessener Ausgleich.** Außenstehende Aktionäre (→ Rn. 2 f.) haben gegen anderen Vertragsteil (→ Rn. 4) Anspruch auf angemessenen Ausgleich, und zwar durch **wiederkehrende Geldleistung,** die auf ihre Anteile am Grundkapital bezogen ist (§ 304 I 1). Anteil bestimmt sich nach § 8 IV (→ § 8 Rn. 25). Ausgleich tritt bei Gewinnabführungsvertrag an die Stelle der Dividende, die mangels Bilanzgewinns notwendig ausfällt (→ Rn. 1). Was **angemessen** ist, kann daher nur anhand der Dividende beurteilt werden, die ohne Gewinnabführungsvertrag voraussichtlich verteilt worden wäre. Konkretisierung erfordert Prognose (dazu § 304 II 1; → Rn. 8 ff.). Gem. § 304 II 2 kommt auch variabler Ausgleich in Betracht, wenn anderer Vertragsteil AG oder KGaA ist (→ Rn. 14 ff.). Fester Ausgleich ist nicht Dividendengarantie und sollte auch nicht so bezeichnet werden (MüKoAktG/van Rossum Rn. 45). Es handelt sich vielmehr um das vertragliche Versprechen wiederkehrender Geldleistung, das, weil die außenstehenden Aktionäre eigene Ansprüche erhalten, als Vertrag zugunsten Dritter iSd §§ 328 ff. BGB zu qualifizieren ist (RGZ 147, 42, 47; BeckOGK/Veil/Preisser Rn. 7).

5a Hat AG Aktien verschiedener Gattungen mit unterschiedlicher Gewinnteilhabe ausgegeben, bes. **Stamm- und Vorzugsaktien,** so ist Ausgleich nur dann angemessen, wenn er den unterschiedlichen Gewinnberechtigungen entspr. (RegBegr. Kropff S. 401; MüKoAktG/van Rossum Rn. 101; MHdB AG/Krieger § 71 Rn. 85; Roth Konzern 2005, 685, 686 ff.). Das gilt insbes. für Mehrdividende bei Vorzugsaktien (Roth Konzern 2005, 685, 686 ff.). Beim variablen Ausgleich (§ 304 II 2) gilt nicht deshalb anderes, weil es auf Dividende des anderen Vertragsteils ankommt (MüKoAktG/van Rossum Rn. 101; MHdB AG/Krieger § 71 Rn. 85; aA OLG Frankfurt AG 1989, 442, 443).

2. Bei Beherrschungsvertrag. Isolierter Beherrschungsvertrag ist in § 304 I 2 bes. geregelt. Vertrag muss außenstehenden Aktionären (→ Rn. 2 f.) bestimmten jährlichen Gewinnanteil garantieren, und zwar nach der für Ausgleichszahlung bestimmten Höhe. Gemeint ist: Anders als beim Gewinnabführungsvertrag kann AG Bilanzgewinn erwirtschaften und Dividende ausschütten (§ 58 IV). Entspr. Rechte bleiben den Aktionären erhalten. Erforderlich ist jedoch **Vergleichsrechnung,** in der ermittelt wird, welche Ausgleichszahlung bei Abschluss eines Gewinnabführungsvertrags geschuldet würde (OLG Frankfurt AG 2002, 404). Wenn Dividende hinter Betrag der Ausgleichszahlung zurückbleibt, schuldet anderer Vertragsteil Ergänzungszahlung in Höhe der Differenz. Das entspr. festem Ausgleich iSd § 304 I 1 und kann als Dividendengarantie bezeichnet werden. Zulässig ist auch beim isolierten Beherrschungsvertrag, variablen Ausgleich iSd § 304 II 2 zu vereinbaren, wenn anderer Vertragsteil AG oder KGaA ist (MüKoAktG/van Rossum Rn. 55; MHdB AG/Krieger § 71 Rn. 84). Wegen Verstoßes gegen § 58 IV unzulässig wäre es, Ergänzungszahlung mit Festlegung einer Höchstdividende zu verbinden (allgM, s. MüKoAktG/van Rossum Rn. 53). Bei Änderung bestehenden Beherrschungsvertrags durch **Beitritt** eines neuen herrschenden Unternehmens (→ § 295 Rn. 5, 11) muss Änderungsvertrag keine neue Ausgleichsregelung enthalten, soweit es um festen Ausgleich geht (Dividendengarantie); s. BGHZ 119, 1, 10 f. = NJW 1992, 2760; BGHZ 138, 136, 139 ff. = NJW 1998, 1866; Geng NZG 1998, 715 f.; Pentz FS Kropff, 1997, 225, 234 ff. (weitergehend); Röhricht ZHR 162 (1998), 249, 252; aA Vorlagebeschluss OLG Karlsruhe AG 1997, 270, 271 f.; Hommelhoff FS Claussen, 1997, 129, 139 f.; → § 305 Rn. 2 zur Abfindung. Nur **scheinbare Vertragsänderung** ist so bezeichneter Übergang von isolierter Gewinnabführung zu isolierter Beherrschung. Es liegt neuer Vertragsschluss vor, weshalb Ausgleich und Abfindung neu geregelt werden müssen und neues Spruchverfahren stattfindet (LG München I AG 2001, 318 f.). 6

3. Ausnahme bei Fehlen außenstehender Aktionäre. Gem. § 304 I 3 kann von vertraglicher Bestimmung angemessenen Ausgleichs iSd § 304 I 1 oder 2 nur abgesehen werden, wenn Gesellschaft keine außenstehenden Aktionäre hat, und zwar im **Zeitpunkt der Beschlussfassung** ihrer HV über den Vertrag (§ 293 I). Es müssen sich also sämtliche Aktien in der Hand des anderen Vertragsteils oder ihm zuzuordnender Aktionäre befinden (→ Rn. 2 f.). Liegt es so, dann ist Bestimmung angemessenen Ausgleichs nicht nur entbehrlich, sondern auch zwecklos, weil Vertrag trotz vorsorglicher Regelung gem. § 307 spätestens zum Ende des Geschäftsjahrs ausläuft, in dem außenstehender Aktionär beteiligt ist (→ § 307 Rn. 1). 7

III. Art und Höhe des Ausgleichs (§ 304 II)

1. Fester Ausgleich. a) Voraussichtlicher durchschnittlicher Gewinnanteil. aa) Grundsatz. § 304 II 1 umschreibt als festen Ausgleich (→ Rn. 5) voraussichtlichen durchschnittlichen Gewinnanteil je Aktie und legt die Maßstäbe fest, nach denen verteilbarer Gewinn der Gesellschaft ermittelt werden soll. Dabei stehen im Wortlaut des Ges. die bisherige Ertragslage und die künftigen Ertragsaussichten gleichrangig nebeneinander. Entscheidend ist jedoch **zukunftsorientierte Betrachtung,** weil Aktionäre so gestellt werden sollen, wie wenn Vertrag nicht bestände (RegBegr. Kropff S. 394 f.; allgM, s. zB KK-AktG/Koppensteiner Rn. 50). Erforderlich ist also Ertragsprognose auf Basis der Vergangenheitswerte. Üblicherweise wird angemessene Ausgleichszahlung dadurch ermittelt, dass aus Unternehmenswert als Verrentungsbasis mit einem Verrentungszinssatz eine An- 8 nuität abgeleitet wird (Bungert/Strothotte DB 2023, 1332, 1335; Popp AG 2023, 801 Rn. 12; Einzelheiten → Rn. 8d ff.).

8a Angesichts **abweichender Schutzrichtungen** des § 304 einerseits (Ersatz für Dividende) und § 305 andererseits (Ersatz für Beteiligungswert) spricht erster Eindruck dagegen, beide Ansprüche nach übereinstimmenden Methoden zu bewerten. Unterschied verschwimmt aber, wenn man berücksichtigt, dass auch Unternehmenswert nach herkömmlicher Methode aus Ertragswert hergeleitet wird (→ § 305 Rn. 24 ff.). Nichts anderes gilt, wenn man für Abfindungsberechnung Börsenkurs heranzieht, der ebenfalls als Summe der abgezinsten erwarteten Dividenden und anderen Zahlungsströmen aus Aktie verstanden werden kann (OLG Frankfurt NZG 2021, 979 Rn. 51; Bungert/Strothotte DB 2023, 1332, 1336). Weil beide Bewertungen damit an gedanklichen Ausgangspunkt der Erträge anknüpfen (so auch BGHZ 236, 180 Rn. 47, 54= NZG 2023, 937), werden sie vielfach zu dem Ergebnis führen, dass **Ausgleich und Abfindung wertmäßig vergleichbar** sind. Entspr. hat auch BGH anerkannt, dass gemeinsamer Bewertungsanlass es nahelege, auch **Gleichlauf der Methoden** herzustellen (BGHZ 236, 180 Rn. 454).

8b ZT wird aus dieser richtigen Erkenntnis allerdings der tendenziell überschießende Schluss gezogen, dass Ausgleich letztlich verrentete Abfindung sei und deshalb **aus Abfindungswert berechnet** werden könne (Emmerich/Habersack/Emmerich Rn. 31 ff.; KK-AktG/Koppensteiner Rn. 60; Hecker/Wenger ZBB 1995, 321, 335 ff.; Maul FS Drukarczyk, 2003, 255, 274 ff.; nicht eindeutig die von Emmerich aaO angeführte Rspr. des OLG Stuttgart AG 2011, 420, 422 f.; 2011, 601, 602 f., das gerade in Folgeentscheidungen Gleichsetzung deutlich relativiert – vgl. OLG Stuttgart AG 2012, 49, 53: „im Grundsatz" – „Unterschiede zu berücksichtigen", namentl. bei nicht betriebsnotwendigem Vermögen; ähnlich OLG Stuttgart v. 17.10.2011 – 20 W 7/11, juris Rn. 479 ff., insbes. 482 = BeckRS 2011, 24586 [insofern nicht in NZG 2011, 1346]). Richtig an dieser Auffassung ist, dass für beide Berechnungen künftige Erträge maßgeblich sind, doch ist der daraus abzuleitende Wert ein anderer, nämlich einmal die Ausschüttungserwartung, einmal der Unternehmenswert.

8c Angesichts dieses **abweichenden Berechnungsgegenstands** sind Differenzierungen vorzunehmen, und zwar namentl. dann, wenn Ertragswertmethode ergänzt werden muss, etwa wegen Existenz nicht betriebsnotwendigen Vermögens (→ § 305 Rn. 19) oder bei Feststellung eines Liquidationswerts (bei Fortführungszwang: Substanzwerts) ertragsloser Unternehmen (Null-Ausgleich, → Rn. 12). Entspr. Unterschiede sind deshalb auch in Rspr. anerkannt (BGHZ 152, 29, 35 = NJW 2002, 3467; BGHZ 166, 195 Rn. 10 ff. = NJW 2006, 1663; OLG Düsseldorf AG 2009, 667, 670; OLG Frankfurt AG 2003, 581, 582; 2016, 551, 555; MüKoAktG/van Rossum Rn. 79; S/L/Stephan Rn. 80; Hüffer FS Priester, 2007, 285, 289 ff.; Lutter/Drygala AG 1995, 49, 50 ff.; ähnlich W. Baums, Der Ausgleich, 2007, 51 ff.). Gleiches gilt für abw. Berechnung des Kapitalisierungszinssatzes, der verbreitet – anders als bei Abfindung – als **Mischzinssatz** aus risikofreiem Basiszinssatz und risikoadjustiertem Kapitalisierungszinssatz errechnet wird (ausf. MüKoAktG/van Rossum Rn. 79 mwN; zu Einzelheiten s. Popp AG 2023, 801 Rn. 16 ff.; sa BGHZ 236, 180 Rn. 56 ff.). Es gilt aber auch **Umkehrung;** Ausgleichspflicht aus vorangehendem Unternehmensvertrag taugt also nicht als Rechnungsgrundlage für Abfindung (LG Dortmund Konzern 2008, 238, 239 f.), ist aber für deren Höhe schätzungsrelevant und deshalb als Plausibilitätskriterium für Mindestbetrag geeignet (OLG Frankfurt AG 2011, 629, 631; → § 327b Rn. 10 ff.; zum dafür zugrunde zu legenden Nachsteuerwert vgl. OLG Düsseldorf AG 2019, 732, 735 f.; AG 2020, 254, 256; OLG Stuttgart NZG 2018, 944 Rn. 44 ff.).

bb) Herkömmliche Methode. Um Ausgleich zu ermitteln, ist zunächst **Verrentungsbasis** (→ Rn. 8) festzulegen. Das erfolgt nach bisheriger Praxis auf Grundlage des Ertragswerts (zu neueren Tendenzen, Börsenkurs heranzuziehen → Rn. 11a). Als herkömmliches Mittel zur Ertragsprognose hatte sich in der Praxis **Phasenmethode** durchgesetzt. Sie begnügt sich nicht damit, aus vergangenem Referenzzeitraum Rückschlüsse auf künftigen Ertragswert zu ziehen (so noch die ältere Pauschalmethode, sondern stellt aufgrund aktueller Planungen zukunftsgerichtete Prognose (für verschiedene Phasen) auf: Detailplanungsphase für 3–5 Jahre, ewige Rente aufgrund langfristiger Entwicklungstendenzen für Folgezeit (ausf. → § 305 Rn. 25; s. speziell zu § 304 auch Emmerich/Habersack/Emmerich Rn. 60). Klassischer Bewertungsansatz ist auch insofern – wie bei Abfindung – **Ertragswertmethode** (→ § 305 Rn. 24 ff.), die aber mit Blick auf unterschiedliche Schutzrichtung (→ Rn. 8a f.) iRd § 304 zu modifizieren ist (→ Rn. 8c). 8d

Die auch nach Phasenmethode (→ Rn. 8d) zunächst maßgeblichen **Vergangenheitswerte** sind im Allgemeinen für Zeitraum von drei bis fünf Jahren zu ermitteln (ganz hM, s. OLG Celle AG 1981, 234; OLG Frankfurt AG 2002, 404; LG Dortmund AG 1981, 236, 238; MüKoAktG/van Rossum Rn. 80; MHdB AG/Krieger § 71 Rn. 88). Dabei ist zwar vom Ertragsausweis der Jahresabschlüsse auszugehen, doch sind diese entspr. dem Zweck des Verfahrens in mehrfacher Hinsicht zu korrigieren, nämlich um außerordentliche Erträge und Verluste, um stille Reserven (LG Dortmund AG 1996, 278, 279), soweit sie nicht auf Wertsteigerungen zurückgehen, und vor allem um Nachteile, die sich aus vorher schon bestehender Abhängigkeit ergeben haben (OLG Hamburg AG 1980, 163, 164; vgl. zu Einzelheiten KK-AktG/Koppensteiner Rn. 58; MüKoAktG/van Rossum Rn. 81 ff.). 9

Maßgeblich für **Ertragsprognose** ist **Stichtag** der gem. § 293 I beschließenden HV (BGHZ 138, 136, 139 f. = NJW 1998, 1866; OLG Celle AG 1981, 234; OLG Düsseldorf AG 1998, 236, 237; OLG Frankfurt AG 2002, 404; OLG Stuttgart AG 1994, 564; MüKoAktG/van Rossum Rn. 75; BeckOGK/Veil/Preisser Rn. 55). Auch gerichtl. Entscheidung im Spruchverfahren ist auf diesen Zeitpunkt zurückzubeziehen. Vorverlegung ist erwägenswert, wenn dem Vertragsschluss ein Zustand vorausgegangen ist, der Haftung wegen existenzvernichtenden Eingriffs (→ § 1 Rn. 22 ff.) begründen würde (OLG Stuttgart AG 1994, 564 f.; GK-AktG/Hasselbach/Hirte Rn. 96; BeckOGK/Veil/Preisser Rn. 56; aA MüKoAktG/van Rossum Rn. 76; MHdB AG/Krieger § 71 Rn. 92). **Spätere Entwicklungen** dürfen und müssen berücksichtigt werden, soweit sie in den am Stichtag bestehenden Verhältnissen bereits angelegt und absehbar sind (BGH NJW 1973, 509, 511 zur Unternehmensbewertung; OLG Düsseldorf AG 1984, 216; 1998, 236, 237; BeckRS 2015, 01650; OLG Frankfurt AG 2012, 513, 515 [bes. Betonung der Vorhersehbarkeit]; OLG Karlsruhe AG 1998, 288, 289; OLG Frankfurt ZIP 2012, 524, 530; OLG München AG 2019, 357, 358 f.; Emmerich/Habersack/Emmerich Rn. 35; BeckOGK/Veil/Preisser Rn. 57 [„Wurzeltheorie"]; teilw. krit. KK-AktG/Koppensteiner § 305 Rn. 61). Griffig klingende Formel erweist sich in praktischer Anwendung als schwierig, weshalb in instanzgerichtl. Rspr. zT Tendenzen erkennbar sind, Wurzeltheorie um subj. Elemente anzureichern (Nachw. und daran anknüpfende grdl. Kritik bei A. Meyer AG 2015, 16, 19 ff.; vgl. auch Hüttemannn CF 2016, 467, 472 f.). **Maßgeblicher Zeitraum** für Prognose ist vorgesehene Vertragsdauer (s. zB W. Meilicke DB 1974, 417); zur Anpassungsproblematik → Rn. 19. **Nicht betriebsnotwendiges Vermögen** bleibt grds. außer Ansatz, weil es auf die zu erwartenden laufenden Erträge keinen Einfluss hat (BGHZ 156, 57, 64 = NJW 2003, 3272). Ausnahme wird in Rspr. nur anerkannt, wenn Erträge daraus absehbar tats. erzielt werden können, etwa wenn es zum Stichtag schon veräußert ist (OLG 10

Frankfurt AG 2015, 241, 246; 2017, 832, 836; OLG München AG 2008, 28, 32; sa S/L/Stephan Rn. 82; BeckOGK/Veil/Preisser Rn. 65; MHdB AG/Krieger § 71 Rn. 89). In jüngerer Zeit mehren sich indes die Stimmen, die solches Vermögen noch weitergehend in Ausgleichsberechnung einfließen lassen wollen, um prinzipielle Gleichwertigkeit von Ausgleich und Abfindung (in die neutrales Vermögen einfließt, → § 305 Rn. 27) nicht zu stark zu durchbrechen (Emmerich/Habersack/Emmerich Rn. 62; GK-AktG/Hirte/Hasselbach Rn. 74; MüKoAktG/van Rossum Rn. 91). Ob derartiges Prinzip indes stark genug im Ges. ausgeprägt ist, um ges. deutlich definiertere Ausrichtung auf Ertragslage zu überlagern, bleibt fraglich (ausf. dazu → Rn. 8 ff. mwN).

11 Für Ertragsprognose ist der Sache nach **fiktive Betrachtung** erforderlich, die Ertragsentwicklung der Vergangenheit (→ Rn. 9) auf eine als unabhängig gedachte und weder durch Gewinnabführungs- noch Beherrschungsvertrag gebundene Gesellschaft projiziert (BGHZ 138, 136, 140 = NJW 1998, 1866; BGHZ 156, 57, 60 = NJW 2003, 3272; OLG München AG 2007, 411, 414). Dabei ist Gewinndynamik der Vergangenheit zu berücksichtigen (keine bloßen Durchschnittsbeträge). Auch gestaffelter Ausgleich ist möglich, aber jedenfalls idR nicht von Rechts wegen geboten (OLG Hamburg AG 2001, 479, 481; Lutter/Drygala AG 1995, 49, 54 ff.). Maßgeblich ist **Prinzip der Vollausschüttung** (OLG Stuttgart AG 1994, 564, 565; 2012, 49, 53; 2019, 255, 262). Dh: Es sind zwar ges. Rücklagen zu bilden und angemessene Abschreibungen und Wertberichtigungen einzurechnen, aber nicht die Bildung anderer (gemeint: freier, vgl. RegBegr. Kropff S. 395) Gewinnrücklagen (s. ausdr. § 304 II 1). Dadurch sollen außenstehende Aktionäre dafür einen Ausgleich erhalten, dass Beträge, die sonst als Einstellung in freie Rücklagen auch ihnen zugute kämen, in Gewinnabführung eingehen und damit nur dem herrschenden Unternehmen zufallen (Hüffer FS Kruse, 2001, 651, 666 bei Fn. 37).

11a **cc) Börsenkurs.** Lange ungeklärt und umstr. war, ob auch Börsenkurs beim festen Ausgleich (ebenso wie beim variablen Ausgleich [→ Rn. 16] und bei der Abfindung [→ § 305 Rn. 36 ff.]) zur Bewertung herangezogen werden darf. Bislang hM hat das verneint, weil es auf Ertragskraft und nicht auf deren Ausdruck in Börsenbewertung ankomme (vgl. etwa OLG Frankfurt AG 2015, 504 Rn. 70; OLG Hamburg NZG 2003, 89, 91; KK-AktG/Koppensteiner Rn. 55). Nachdem sich zunehmend Erkenntnis wertmäßiger Vergleichbarkeit von Ausgleich und Abfindung durchgesetzt hat (→ Rn. 8 ff.), hat dagegen auch **BGH** im Anschluss an neuere Tendenzen in instanzgerichtl. Rspr. und Schrifttum klargestellt, dass Börsenwert durchaus geeignet sein kann, sowohl bisherige Ertragslage als auch künftige Ertragsaussichten im Einzelfall hinreichend abzubilden, und damit als Grundlage für gem. § 304 II 1 zu bestimmenden festen Ausgleich herangezogen werden kann (BGHZ 236, 180 Rn. 44 ff. = NZG 2023, 937; zuvor bereits OLG Frankfurt BeckRS 2021, 10278 Rn. 73 ff. [insofern nicht in NZG 2021, 979]; OLG München AG 2022, 503, 511 f.; LG Frankfurt BeckRS 2019, 15231 Rn. 87 ff.; LG Stuttgart BeckRS 2019, 23342 Rn. 217 ff., 309 ff.; Emmerich/Habersack/Emmerich Rn. 9; Bungert/Strothotte DB 2021, 2335, 2338 ff.; Decher AG 2023, 106 Rn. 81 ff.). **Wortlaut** des § 304 II 1 mag zwar eher auf Ertragswertverfahren hindeuten (so auch Decher AG 2023, 106 Rn. 81), aber nicht mit einer solchen Zwangsläufigkeit, dass es nicht möglich wäre, neueren Erkenntnissen zur (mindestens) vergleichbaren Aussagekraft einer im Börsenkurs gespiegelten Marktbewertung (→ § 305 Rn. 36 ff.) hier ebenfalls Rechnung zu tragen (ausf. zur Vereinbarkeit mit dem Wortlaut BGHZ 236, 180 Rn. 45). Auch **unterschiedliches Bewertungsziel** der Ertragskraftermittlung steht dem nicht entgegen, da künftige Ertragsaussichten der AG als Teil ihrer Ertragskraft in funktionierendem Kapitalmarkt durch Vielzahl von Marktteilnehmern durch reale Transaktionen zutr. bewertet werden (BGHZ 236, 180 Rn. 46; in diese Richtung zuvor bereits BGHZ 208, 265 Rn. 23 = NZG 2016, 461). Auch mit Börsenkursberechnung einhergehende Einbeziehung des (sonst unberücksichtigten) nicht betriebsnotwendigen Vermögens (→ Rn. 10) steht marktorientierter Bewertung nicht entgegen, da sie sich für außenstehende Aktionäre allenfalls anspruchserhöhend auswirken könne (ausf. BGHZ 236, 180 Rn. 49 f.). Starke Vorzüge hat Herangehensweise namentl. auch unter Gesichtspunkt der **Prozessökonomie,** da sonst iRd § 305 erhoffte Entlastungswirkung für Unternehmen iRd § 304 wieder zunichte gemacht würde (OLG Frankfurt NZG 2021, 979 Rn. 79). Voraussetzung ist allerdings – wie auch in Abfindungssituationen – (→ § 305 Rn. 41) – **funktionierender Kapitalmarkt,** was dann nicht gegeben ist, wenn über längeren Zeitraum praktisch kein Handel mit Aktien der AG stattgefunden hat bzw. Marktenge vorliegt (so speziell zu § 304 BGHZ 236, 180 Rn. 51 ff. unter Bezugnahme auf Rspr. zu § 305; → § 305 Rn. 41).

b) Angemessene Verzinsung als Untergrenze? Berechnung festen Ausgleichs nach den in → Rn. 8 ff. dargestellten Grundsätzen kann zum Ergebnis eines **Null-Ausgleichs** führen, nämlich bei chronisch defizitären Gesellschaften. Im Schrifttum ist für solche Fälle vorgeschlagen worden, dass AG zumindest angemessene oder marktübliche Verzinsung des zum Liquidationswert berechneten Gesellschaftsvermögens schulde (NK-AktR/Meilicke/Kleinertz Rn. 51; KK-AktG/Koppensteiner Rn. 60; W. Meilicke DB 1974, 417, 418 f.). Diese Auffassung hat sich indes weder in Rspr. noch Lit. durchgesetzt (vgl. BGHZ 166, 195 Rn. 8 ff. = NJW 2006, 1663; BayObLG AG 1995, 509, 511 f.; OLG Düsseldorf AG 1999, 89, 90; 2009, 667, 669; LG Frankfurt AG 1996, 187, 189; Emmerich/Habersack/Emmerich Rn. 46; MüKoAktG/van Rossum Rn. 95 f.; MHdB AG/Krieger § 71 Rn. 90; W. Baums, Der Ausgleich, 2007, 57 ff.; Hüffer FS Priester, 2007, 285, 296; Lutter/Drygala AG 1995, 49, 51; wohl auch OLG Hamburg AG 1980, 163, 165. Wortlaut des Ges. ist eindeutig und auch seine gedankliche Konzeption in sich schlüssig. Wo keine Dividende erwirtschaftet werden kann, besteht kein Bedarf für Sicherung der Aktionäre gegen Dividendenausfall. Auf Verzinsung des Gesellschaftsvermögens haben sie auch sonst keinen Anspruch. Ebenso können sie nicht verlangen, dass ein hypothetischer Ertrag ermittelt und der Ausgleichsberechnung zugrunde gelegt wird, der sich bei Ausklammerung der defizitären Unternehmensleistungen (Personennahverkehr) ergeben mag (LG Dortmund Konzern 2008, 241, 242). Abzulehnen ist weiterhin der Vorschlag, im Falle eines Null-Ausgleichs in regelmäßigen Abständen Verbesserungen der Ertragslage zu prüfen (Emmerich/Habersack/Emmerich Rn. 46; GK-AktG/Hirte/Hasselbach Rn. 97 f.), da damit Prinzip der Ausgleichsbemessung zu festem Stichtag durchbrochen wird; auch bei sonstigen nachträglichen Veränderungen findet keine Neubewertung statt (S/L/Stephan Rn. 81; MHdB AG/Krieger § 71 Rn. 90). 12

c) Einzelheiten zum Anspruch. Anspruch auf jährlich wiederkehrenden festen Ausgleich (§ 304 I 1, II 1) wird nach üblichem Inhalt des Gewinnabführungsvertrags am Tag der ordentlichen HV oder dem ihr nachfolgenden ersten Bankarbeitstag fällig. Mangels bes. Regelung kommt es auf den Willen der Vertragsparteien an. Auch danach ist auf Tag der ordentlichen HV abzustellen (BGHZ 189, 261 Rn. 12 = AG 2011, 514; LG München I AG 2009, 918, 919 f.; Tebben AG 2003, 600, 601), weil sonst an diesem Tag Gewinnverwendungsbeschluss gefasst und damit Dividendenzahlungsanspruch fällig geworden wäre (→ § 58 Rn. 28 ff.); ähnlich [Entgegennahme des festgestellten Jahresabschlusses] MüKoAktG/van Rossum Rn. 111; aA GK-AktG/Hasselbach/Hirte Rn. 42). Unbedenklich ist es jedoch, wenn Vertrag den Tag nach der ordentlichen HV als Fälligkeitszeitpunkt bestimmt (BGHZ 189, 261 Rn. 15; OLG Frankfurt AG 13

2010, 408, 409 f.). Für Anspruch auf Dividendenergänzung bei isoliertem Beherrschungsvertrag (→ Rn. 6) ist auf tats. gefassten Gewinnverwendungsbeschluss der Gesellschaft abzuheben (BGHZ 189, 261 Rn. 13; MüKoAktG/van Rossum Rn. 112). Etwaige an die Fälligkeit anknüpfende Streitigkeiten können nur auf Leistungsklage geklärt werden, nicht auf Anfechtungsklage oder im Spruchverfahren (BGH NZG 2010, 905). Für **Fälligkeitszinsen** gibt § 304 nichts her, auch nicht durch Angemessenheitspostulat; für analoge Anwendung des § 305 III 3 (→ § 305 Rn. 52 ff.) fehlt schon Regelungslücke (OLG Düsseldorf BeckRS 2015, 01650; OLG Hamm AG 2012, 598, 599; LG Frankfurt AG 1996, 187, 190; MHdB AG/Krieger § 71 Rn. 86; aA KK-AktG/Koppensteiner Rn. 10; Busch AG 1993, 1, 4 f., 11). Möglich bleiben Verzugszinsen, für die grds. Mahnung erforderlich ist, die uU nach § 286 II Nr. 1 BGB, nicht aber nach § 286 II Nr. 4 BGB entbehrlich sein kann (OLG Hamm AG 2012, 598, 599; Emmerich/Habersack/Emmerich Rn. 45). Anspruch ist **selbständig verkehrsfähig,** kann also abgetreten, gepfändet oder verpfändet werden. Mit Veräußerung der Aktie wechselt Ausgleichsberechtigung. Bes. Abtretung bedürfen nur bereits entstandene und noch bestehende Einzelansprüche (Tebben AG 2003, 600, 602). Pfandrecht am Dividendenzahlungsanspruch erfasst nicht ohne weiteres den Ausgleichsanspruch (hM, s. KK-AktG/Koppensteiner Rn. 19; MüKoAktG/van Rossum Rn. 123; MHdB AG/Krieger § 71 Rn. 86). Verjährung: drei Jahre gem. §§ 195, 199 BGB. **Körperschaftsteuerbelastung** ist schon bei Festsetzung zu berücksichtigen, und zwar durch Bestimmung des Bruttogewinnanteils je Aktie abzüglich Körperschaftsteuer in Höhe des jeweiligen Steuertarifs (BGHZ 156, 57, 61 = NJW 2003, 3272; OLG München AG 2018, 753, 757; OLG Stuttgart AG 2019, 255, 260; Großfeld NZG 2004, 74, 75).

14 **2. Variabler Ausgleich. a) Voraussetzungen.** Anstelle des festen Ausgleichs gem. § 304 I 1, II 1 und bei isolierten Beherrschungsverträgen auch anstelle des auf Dividendenergänzung gerichteten Anspruchs (→ Rn. 6) kann Vertrag gem. § 304 II 2 variablen, dh an der jeweiligen Dividende des anderen Vertragsteils orientierten Ausgleich vorsehen. Vorausgesetzt ist, dass anderer Vertragsteil **Rechtsform einer AG oder KGaA** hat. Nach hM kann es sich dabei wegen Umkehrschlusses aus § 305 II aF, der früher zwingend deutsche Obergesellschaft vorsah, auch um Gesellschaft mit ausländischem Personalstatut handeln (Emmerich/Habersack/Emmerich Rn. 68; MüKoAktG/Paulsen Rn. 55; MHdB AG/Krieger § 71 Rn. 95; Schnorbus ZHR 181 [2017], 902, 918 ff.; aA KK-AktG/Koppensteiner Rn. 42). Anderer Vertragsteil muss aber eine einzige Obergesellschaft sein. Wenn Verträge mit mehreren Müttern geschlossen werden (**Gemeinschaftsunternehmen** → § 17 Rn. 13 ff.; → § 291 Rn. 16), sind maßgebliche Dividende und Verschmelzungswertrelation nicht feststellbar, so dass außenstehende Aktionäre insoweit durch festen Ausgleich gesichert werden müssen (Emmerich/Habersack/Emmerich Rn. 68; KK-AktG/Koppensteiner Rn. 22; aA Exner, Beherrschungsvertrag, 1984, 296). Soweit variabler Ausgleich danach zulässig ist, entscheiden Vertragsparteien, praktisch also Obergesellschaft, ob außenstehende Aktionäre festen oder variablen Ausgleich erhalten. Ein Mitspracherecht haben betroffene Aktionäre nicht. **In der Praxis** spielt variabler Ausgleich kaum eine Rolle, wenngleich er durchaus interessante Gestaltungsmöglichkeiten eröffnet (Schnorbus ZHR 181 [2017], 902 ff.). Insbes. kann auf diesem Weg auch Beeinflussung künftiger Abfindungshöhe (namentl. im Gefolge eines Squeeze-Out) durch feste Ausgleichszahlungen vermieden werden (ausf. mwN → § 327b Rn. 14).

15 **b) Maßgeblich: Dividende der Obergesellschaft.** Nach § 304 II 2 muss Zahlung des Betrags vertraglich zugesichert werden, der auf Aktien der Obergesellschaft jew. als Gewinnanteil entfällt. Bleibt ausgezahlte Dividende hinter

diesem Betrag zurück, haben außenstehende Aktionäre Anspruch auf Zahlung des Differenzbetrags („Dividendengarantie" – sa OLG München AG 2019, 400, 401). Maßgeblich ist auf Seiten der Obergesellschaft **tats. gezahlte Dividende** (hM, vgl. OLG Düsseldorf NJW 1978, 827; AG 1984, 216, 219; LG Dortmund AG 1981, 236, 239 f.; LG Frankfurt AG 1987, 315, 317 f.; S/L/Stephan Rn. 95; MHdB AG/Krieger § 71 Rn. 97; Exner, Beherrschungsvertrag, 1984, 187 ff.; Schnorbus ZHR 181 [2017], 902, 906 f.), nicht ein Anteil an ihrem Jahresüberschuss (s. aber Emmerich/Habersack/Emmerich Rn. 73; KK-AktG/Koppensteiner Rn. 81; MüKoAktG/van Rossum Rn. 72 f.; BeckOGK/Veil/Preisser Rn. 69 ff.). Ergebnis ist bis zu einer nach dem Rechtsgedanken des § 162 I BGB zu bestimmenden Missbrauchsschwelle verfassungsrechtl. hinnehmbar (BVerfG AG 2000, 40, 41; s. dazu E. Vetter ZIP 2000, 561, 563 ff.) und auf der Ebene des einfachen Rechts nach Wortlaut des Ges. und Materialien (RegBegr. Kropff S. 395) unvermeidlich, wenn auch wegen Abhängigkeit der Ausgleichszahlung von **Dividenden- und Rücklagenpolitik der Obergesellschaft** schwerlich glücklich. Andere Vorschläge, die Rechtsstellung der außenstehenden Aktionäre verbessern sollen (Hüchting, Abfindung und Ausgleich, 1972, 62 ff.), entfernen sich vollends vom Ges. Möglich sind jedoch in extremen Fällen vertragsrechtl. Konsequenzen (zu Einzelheiten vgl. Schnorbus ZHR 181 [2017], 902, 944 ff.). Weil es auf die Dividende ankommt, die Obergesellschaft tats. zahlt, kann Anspruch auf variablen Ausgleich erst mit dem von ihrer HV gefassten Gewinnverwendungsbeschluss (§ 174) fällig werden; dagegen zur Fälligkeit beim festen Ausgleich → Rn. 13.

c) Angemessene Umrechnung. Aktien der Obergesellschaft und der gewinnabführungspflichtigen (beherrschten) AG können für Ermittlung der Ausgleichszahlung nicht 1:1 gerechnet werden. Vielmehr muss nach § 304 II 2 der Betrag zugesichert werden, der sich unter Herstellung eines angemessenen Umrechnungsverhältnisses ergibt, wobei sich die Angemessenheit gem. § 304 II 3 nach der **Verschmelzungswertrelation** bestimmt (vgl. dazu OLG Düsseldorf NJW 1978, 827 f.; AG 1992, 202, 205; Emmerich/Habersack/Emmerich Rn. 70). Regelung erfordert Unternehmensbewertung und entspr. der in § 305 III für die Abfindung getroffenen. Gebotene Unternehmensbewertung folgt den in → § 305 Rn. 19 ff. dargestellten Grundsätzen. Bei Unternehmen der abhängigen Gesellschaft ergibt etwa vorhandener **Börsenkurs** idR jedenfalls die Wertuntergrenze (→ § 305 Rn. 29 f.), kann nach heute hM aber auch der Unternehmensbewertung generell zugrunde gelegt werden (→ § 305 Rn. 37 ff.). 16

3. Besondere Problemlagen. a) Mehrstufige Konzerne. Zu unterscheiden ist, ob Gewinnabführungs- oder Beherrschungsvertrag auf allen Stufen geschlossen wird (Mutter-Tochter; Mutter-Enkel; Tochter-Enkel) oder ob Vertrag nur zwischen Mutter und Enkel besteht. **Bei vertraglicher Bindung auf allen Stufen** fragt sich zunächst, ob variabler Ausgleich iSd § 304 II 2 für außenstehende Aktionäre der Enkelgesellschaft unter Anknüpfung an Dividende der Tochter (→ vgl. Rn. 15) vorgesehen werden kann. Das ist bei Gewinnabführungsvertrag zwischen Tochter und Mutter ohne weiteres (keine Dividende), aber auch sonst zu verneinen (KK-AktG/Koppensteiner Rn. 36). Als taugliche Ersatzlösung sollte es aber zulässig sein, an Dividende der Mutter anzuknüpfen (OLG Düsseldorf AG 1992, 200, 204 f.; Emmerich/Habersack/Emmerich Rn. 82; MüKoAktG/van Rossum Rn. 60; MHdB AG/Krieger § 71 Rn. 100; Kamprad AG 1986, 321, 323 ff.; abl. KK-AktG/Koppensteiner Rn. 36). Wortlaut des § 304 steht nicht entgegen, da Gesetzgeber Problem der mehrstufigen Verbindungen generell ausgeblendet hat (Emmerich/Habersack/Emmerich Rn. 82). Da Lösung von Rspr. aber noch nicht hinreichend abgesichert ist, empfiehlt es sich aus Gründen kautelarjuristischer Vorsicht, festen Ausgleich zu wählen. 17

18 **Bei Vertrag nur zwischen Mutter- und Enkelgesellschaft** erlangen deren außenstehende Aktionäre Anspruch auf festen oder variablen Ausgleich gegen die Mutter. Fraglich ist, ob die Tochter zu den außenstehenden Aktionären gehört. Entspr. allg. Regeln (→ Rn. 3) ist dies nur zu verneinen bei 100 %-Besitz sowie bei Beherrschungs- oder Gewinnabführungsvertrag oder bei Eingliederung (str. – wie hier Emmerich/Habersack/Emmerich Rn. 86; KK-AktG/Koppensteiner § 295 Rn. 44; BeckOGK/Veil/Preisser Rn. 28; aA S/L/Stephan Rn. 69; Krieger FS K. Schmidt, 2009, 999, 1015 ff.). Jenseits solcher Ausnahmefälle ist auf dieser Basis zugunsten der Tochter § 304 direkt anzuwenden. Nach Gegenmeinung entstehende Schutzlücke kann nur durch analoge Anwendung geschlossen werden.

19 **b) Wesentliche Veränderungen der maßgeblichen Verhältnisse.** Fester oder variabler Ausgleich sind aufgrund der Verhältnisse am Stichtag der gem. § 293 I beschließenden HV (→ Rn. 10) für Laufzeit des Vertrags festzulegen. Frage, ob und inwieweit späteren Veränderungen durch Anpassung Rechnung zu tragen ist, erscheint vielschichtig und wenig geklärt, was von der Praxis durch entspr. kautelarjuristische Anpassungsklauseln aufgefangen wird (vgl. dazu Schnorbus ZHR 181 [2017], 902, 948 ff.). Fehlt es an solchen Klauseln ist Rechtslage str. Anerkannt ist, dass **Kapitalveränderungen** dann ohne Belang sind, wenn es um festen Ausgleich geht. Für variablen Ausgleich werden dagegen vielfach Lösungen in Anlehnung an § 216 III gesucht. Das ist für **Kapitalerhöhung aus Gesellschaftsmitteln,** bei der ohne Erweiterung der Vermögenssubstanz Gewinn auf mehr Aktionäre verteilt wird, weitgehend anerkannt (vgl. etwa GK-AktG/Hasselbach/Hirte Rn. 110; MüKoAktG/van Rossum Rn. 163; S/L/Stephan Rn. 120). Bei **sonstigen Maßnahmen mit Verwässerungspotenzial,** wie etwa Kapitalerhöhung gegen Einlagen (vgl. zur möglichen Verwässerung in dieser Konstellation → § 216 Rn. 19; zu weiteren Szenarien vgl. S/L/Stephan Rn. 126 ff.; Schnorbus ZHR 181 [2017], 902, 937 ff.), ist es schon im Hinblick auf Art. 14 I 1 GG ebenfalls verwehrt, Verwässerung ohne Einschränkung zuzulassen (BVerfG AG 2000, 40, 41; E. Vetter ZIP 2000, 561, 566). § 216 III lässt sich – entgegen zT extensiver Tendenzen im Schrifttum – allerdings nicht ohne weiteres im Wege des Analogieschlusses auf sonstige Verwässerungsszenarien übertragen, da namentl. Rechtsfolgenmechanismus, der sich im originären Anwendungsbereich des § 216 III in reiner Rechenoperation erschöpft, auf andere Maßnahmen nicht passt (→ § 216 Rn. 19). Stattdessen wird dort, wo zumindest Vertragsverhältnis iSd § 216 III vorliegt (Vertrag zwischen AG und Drittem), Korrektur über vertragliche Anpassungsmechanismen, wie namentl. ergänzende Vertragsauslegung und § 313 BGB erwogen (ausf. → § 216 Rn. 19; dafür auch iRd § 304 MüKoAktG/van Rossum Rn. 158; Schnorbus ZHR 181 [2017], 902, 943 f.; offenlassend S/L/Stephan Rn. 119). Auch diese Lösung passt auf § 304 aber nicht, weil Aktionär (anders als bei § 216 III) am Vertrag nicht beteiligt ist und vertragliche Gestaltung seiner Position nicht fremden Parteien überlassen werden kann. Am ehesten überzeugt daher eine unmittelbar aus § 304 selbst abgeleitete Anpassung; an diesem Maßstab sind auch kautelarjuristische Anpassungsklauseln zu messen. Jenseits solcher Verwässerungsszenarien führt eine unvorhergesehene **grdl. Verbesserung der Ertragslage** nicht zu einer Erhöhung der Ausgleichszahlung; das Stichtagsprinzip dient gerade der angemessenen Verteilung derzeit noch nicht erkennbarer Risiken (überzeugend Verse FS Seibert, 2019, 989 ff.; zust. Windbichler FS Grunewald, 2021, 1355, 1363; aA Schwenn, Ausgleichs- und Abfindungsanspruch der außenstehenden Aktionäre im Unternehmensvertrag bei Eintritt neuer Umstände, 1998, 139 ff.). Zu Veränderungen der Struktur im mehrstufigen Konzern (→ Rn. 17 f.) vgl. Säcker DB 1988, 271 ff.

IV. Rechtsfolgen fehlender oder unangemessener Ausgleichsregelung (§ 304 III)

1. Kein Ausgleich. Nach § 304 III ist zu unterscheiden, ob Vertrag überhaupt keinen Ausgleich vorsieht oder ob vorgesehener Ausgleich nicht angemessen ist. Im ersten Fall ist **Beherrschungs- oder Gewinnabführungsvertrag nichtig** (§ 304 III 1). Das gilt gem. § 304 I 3 nur dann nicht, wenn AG keine außenstehenden Aktionäre hat (→ Rn. 7), weil dann kein Verstoß gegen § 304 I vorliegt. Ausgleichsverzicht ändert nichts an Verletzung des § 304 I, also auch nichts an Nichtigkeitsfolge (str., → Rn. 2). Nichtigkeit tritt auch ein, wenn Schuldner der Ausgleichspflicht nicht der andere Vertragsteil, sondern entgegen den in → Rn. 4 dargelegten Grundsätzen nur die Gesellschaft sein soll; denn darin liegt kein Ausgleich iSd § 304 I (Emmerich/Habersack/Emmerich Rn. 108; MHdB AG/Krieger § 71 Rn. 109). Im Fall des Vertragsbeitritts (→ § 295 Rn. 5) ist jedenfalls dann kein neues Ausgleichsangebot erforderlich, wenn der bestehende Vertrag einen festen Ausgleich (→ Rn. 5) vorsieht (→ Rn. 6; BGHZ 119, 1, 10 f. mwN = NJW 1992, 2760; BGHZ 138, 136, 139 ff. = NJW 1998, 1866). 20

2. Kein angemessener Ausgleich. a) Keine Auswirkung auf Gültigkeit des Beschlusses. Verstöße gegen § 304 I oder II, die aus Unangemessenheit eines vereinbarten Ausgleichs resultieren, sind nach § 304 III 2 kein Grund, Zustimmungsbeschluss der HV (§ 293 I) anzufechten. Auch Anfechtung gem. § 243 II kommt nicht in Betracht. Dabei ist vorausgesetzt, dass Beschluss der HV nicht nichtig und auch Vertrag, dem zugestimmt wird, gültig ist (anders als in dem in → Rn. 20 erörterten Fall). Ges. will die schwierigen Fragen angemessener oder unangemessener Ausgleichshöhe nicht im Nichtigkeits- oder Anfechtungsprozess geprüft sehen, Frage der Gültigkeit von HV-Beschlüssen und Frage angemessenen Ausgleichs also verfahrensmäßig trennen. Daher kann Höhe des Ausgleichs nur im **Spruchverfahren** geprüft werden (→ Rn. 22). Ausgeschlossen sind damit sämtliche Bewertungsrügen, dh Rügen, die die Höhe des Ausgleichs betreffen, wozu auch Planung des Vorstands als wesentliches Bewertungselement (→ § 305 Rn. 25) zu zählen ist (OLG Stuttgart AG 2015, 163, 166 f. zur Rüge einer anlassbezogenen Negativplanung als methodisch fehlerhafter Grundlage). Verletzung der **Auskunftspflicht bzgl. bewertungsrelevanter Informationen** mit der Folge, dass Aktionäre Angemessenheit des Ausgleichs vor Zustimmung nicht beurteilen können, konnte nach früher hM hingegen Anfechtung tragen (s. noch BGHZ 122, 211, 238 f. = NJW 1993, 1976). In Übernahme veränderter BGH-Rspr. (BGHZ 146, 179, 181 = NJW 2001, 1425) ist durch § 243 IV nunmehr geklärt, dass Anfechtung nicht mehr in Betracht kommt (→ § 305 Rn. 29; → § 320b Rn. 8; → § 327f Rn. 2). Diese Wertung kann auch nicht dadurch umgangen werden, dass Vorstand unterlassener Hinweis auf Fehlplanung im Vertragsbericht vorgeworfen wird (OLG Stuttgart AG 2015, 163, 167 f.). 21

b) Gerichtliche Bestimmung. An die Stelle von Anfechtungsklage und -urteil treten gem. § 304 III 3 Antrag auf gerichtl. Entscheidung und entspr. Bestimmung angemessenen Ausgleichs durch Beschluss im **Spruchverfahren** nach SpruchG (→ SpruchG § 1 Rn. 1 ff.). Gerichtl. Bestimmung setzt voraus, dass im Vertrag vorgesehener Ausgleich nicht angemessen ist. Nicht angemessen ist zunächst Ausgleich, den § 304 schon seiner Art nach für jeweiligen Sachverhalt nicht vorsieht, zB variabler Ausgleich ohne Vorliegen seiner Voraussetzungen (§ 304 II 2). Gericht muss dann Ausgleichsart bestimmen (MüKoAktG/van Rossum Rn. 189) und auf dieser Basis angemessenen Betrag festsetzen. Nicht angemessen ist Ausgleich ferner, wenn Mindestbetrag des § 304 II 1 unterschritten 22 wird, und schließlich, wenn höherer als der Mindestbetrag anzusetzen ist. Nicht zulässig wäre es, einen von den Parteien in Übereinstimmung mit dem ges. vorgesehenen variablen Ausgleich (§ 304 II 2) durch festen Ausgleich zu ersetzen. Gericht kann nur eine Bestimmung treffen, die iR variablen Ausgleichs angemessen ist. Umgekehrt kann Gericht auch nicht auf variablen Ausgleich anstelle vereinbarten Festausgleichs erkennen (RegBegr. Kropff S. 395; LG Dortmund AG 1977, 234, 235; KK-AktG/Koppensteiner Rn. 114 f.; MüKoAktG/van Rossum Rn. 192). Gerichtl. Bestimmung angemessenen Ausgleichs wirkt vertragsgestaltend und entfaltet Rückwirkung auf Zeitpunkt des Inkrafttretens des Vertrags (KK-AktG/Koppensteiner Rn. 117; im Grundsatz auch MüKoAktG/van Rossum Rn. 193 ff.). Bei seiner Beendigung vor Sachentscheidung im Spruchverfahren gelten in → § 305 Rn. 4a, 4b dargelegte Grundsätze sinngem.; Sachentscheidung bleibt also zulässig und geboten (BGHZ 147, 108, 111 ff. = NJW 2001, 2080). Änderung des Vertrags, die nicht unter § 295 II fällt, eröffnet kein neues Spruchverfahren (BayObLG AG 2003, 631, 632).

V. Kündigungsrecht des anderen Vertragsteils (§ 304 IV)

23 § 304 IV gewährt anderem Vertragsteil Recht zur **fristlosen Kündigung,** wenn Gericht vertraglich vereinbarten Ausgleich bestimmt, also höhere Leistungen vorsieht (→ Rn. 22). Daraus resultierende Mehrbelastung soll anderer Vertragsteil abwenden können (RegBegr. Kropff S. 396). Kündigung muss innerhalb von zwei Monaten seit Rechtskraft der Entscheidung erfolgen. Erforderlich und genügend ist rechtzeitiger Zugang (§ 130 I BGB). Wie sonst auch, wirkt Kündigung nur ex nunc. Für die Vergangenheit sind also vom Gericht bestimmte höhere Leistungen zu erbringen (allgM, s. KK-AktG/Koppensteiner Rn. 118; MüKoAktG/van Rossum Rn. 201; zur Rückwirkung der Entscheidung → Rn. 22). Regelung ist zwingend und kann insbes. nicht durch vertragliche Rücktrittsklausel ersetzt werden, die auf Wegfall der (erhöhten) Leistungspflicht für die Vergangenheit hinausliefe (Emmerich/Habersack/Emmerich Rn. 114).

Abfindung

305 (1) **Außer der Verpflichtung zum Ausgleich nach § 304 muß ein Beherrschungs- oder ein Gewinnabführungsvertrag die Verpflichtung des anderen Vertragsteils enthalten, auf Verlangen eines außenstehenden Aktionärs dessen Aktien gegen eine im Vertrag bestimmte angemessene Abfindung zu erwerben.**

(2) **Als Abfindung muß der Vertrag,**

1. **wenn der andere Vertragsteil eine nicht abhängige und nicht in Mehrheitsbesitz stehende Aktiengesellschaft oder Kommanditgesellschaft auf Aktien mit Sitz in einem Mitgliedstaat der Europäischen Union oder in einem anderen Vertragsstaat des Abkommens über den Europäischen Wirtschaftsraum ist, die Gewährung eigener Aktien dieser Gesellschaft,**
2. **wenn der andere Vertragsteil eine abhängige oder in Mehrheitsbesitz stehende Aktiengesellschaft oder Kommanditgesellschaft auf Aktien und das herrschende Unternehmen eine Aktiengesellschaft oder Kommanditgesellschaft auf Aktien mit Sitz in einem Mitgliedstaat der Europäischen Union oder in einem anderen Vertragsstaat des Abkommens über den Europäischen Wirtschaftsraum ist, entweder die Ge-**

währung von Aktien der herrschenden oder mit Mehrheit beteiligten Gesellschaft oder eine Barabfindung,

3. in allen anderen Fällen eine Barabfindung

vorsehen.

(3) [1]**Werden als Abfindung Aktien einer anderen Gesellschaft gewährt, so ist die Abfindung als angemessen anzusehen, wenn die Aktien in dem Verhältnis gewährt werden, in dem bei einer Verschmelzung auf eine Aktie der Gesellschaft Aktien der anderen Gesellschaft zu gewähren wären, wobei Spitzenbeträge durch bare Zuzahlungen ausgeglichen werden können.** [2]**Die angemessene Barabfindung muß die Verhältnisse der Gesellschaft im Zeitpunkt der Beschlußfassung ihrer Hauptversammlung über den Vertrag berücksichtigen.** [3]**Sie ist nach Ablauf des Tages, an dem der Beherrschungs- oder Gewinnabführungsvertrag wirksam geworden ist, mit jährlich 5 Prozentpunkten über dem jeweiligen Basiszinssatz nach § 247 des Bürgerlichen Gesetzbuchs zu verzinsen; die Geltendmachung eines weiteren Schadens ist nicht ausgeschlossen.**

(4) [1]**Die Verpflichtung zum Erwerb der Aktien kann befristet werden.** [2]**Die Frist endet frühestens zwei Monate nach dem Tage, an dem die Eintragung des Bestehens des Vertrags im Handelsregister nach § 10 des Handelsgesetzbuchs bekannt gemacht worden ist.** [3]**Ist ein Antrag auf Bestimmung des Ausgleichs oder der Abfindung durch das in § 2 des Spruchverfahrensgesetzes bestimmte Gericht gestellt worden, so endet die Frist frühestens zwei Monate nach dem Tage, an dem die Entscheidung über den zuletzt beschiedenen Antrag im Bundesanzeiger bekanntgemacht worden ist.**

(5) [1]**Die Anfechtung des Beschlusses, durch den die Hauptversammlung der Gesellschaft dem Vertrag oder einer unter § 295 Abs. 2 fallenden Änderung des Vertrags zugestimmt hat, kann nicht darauf gestützt werden, daß der Vertrag keine angemessene Abfindung vorsieht.** [2]**Sieht der Vertrag überhaupt keine oder eine den Absätzen 1 bis 3 nicht entsprechende Abfindung vor, so hat das in § 2 des Spruchverfahrensgesetzes bestimmte Gericht auf Antrag die vertraglich zu gewährende Abfindung zu bestimmen.** [3]**Dabei hat es in den Fällen des Absatzes 2 Nr. 2, wenn der Vertrag die Gewährung von Aktien der herrschenden oder mit Mehrheit beteiligten Gesellschaft vorsieht, das Verhältnis, in dem diese Aktien zu gewähren sind, wenn der Vertrag nicht die Gewährung von Aktien der herrschenden oder mit Mehrheit beteiligten Gesellschaft vorsieht, die angemessene Barabfindung zu bestimmen.** [4]**§ 304 Abs. 4 gilt sinngemäß.**

Übersicht

I. Regelungsgegenstand und -zweck

1 § 305 regelt Anspruch außenstehender Aktionäre auf angemessene Abfindung. Kernstück ist Antragsrecht der Aktionäre nach § 305 V 2. Norm bezweckt wie § 304 **Sicherung der außenstehenden Aktionäre,** und zwar **gegen Beeinträchtigung ihrer** aus der Mitgliedschaft folgenden **Herrschaftsrechte** (BGHZ 135, 374, 379 = NJW 1997, 2242; BGHZ 138, 136, 139 = NJW 1998, 1866; RegBegr. Kropff S. 397; Röhricht ZHR 162 [1998], 249, 254 ff.). Solche Beeinträchtigung ist mit Beherrschungs-, aber auch mit Gewinnabführungsverträgen zwangsläufig verbunden und kann durch den in § 304 vorgesehenen Ausgleich nicht kompensiert werden. Auch § 305 schafft allerdings keine Kompensation, sondern erlaubt dem Aktionär lediglich, die Konsequenzen aus fremd beherrschter Konzernierung zu ziehen und gegen Abfindung durch den anderen Vertragsteil **auszuscheiden,** was freilich nur das wirtschaftliche Ergebnis beschreibt. Rechtl. genau haben außenstehende Aktionäre Anspruch auf Erwerb ihrer Aktien durch anderen Vertragsteil gegen angemessene Abfindung (§ 305 I; s. Butzke FS Hüffer, 2010, 97, 101 f.). Der Rechtsstellung des Aktionärs als Eigentümer iwS wird dadurch Rechnung getragen, dass er grds. in Aktien der anderen Vertragspartei abzufinden ist und dadurch mittelbar weiterhin unternehmerisch beteiligt bleibt (§ 305 II). Er erhält also **Primärschutz, nicht nur Vermögensausgleich** (AusschussB Kropff S. 398). Regelung ist zwingend. Vergleichbare Vorschrift ist für Eingliederung in § 320b enthalten. §§ 305, 320b finden keine analoge Anwendung bei Änderung des Unternehmensgegenstands, auch nicht bei gleichzeitiger Vermögensübertragung gem. § 179a (→ § 179a Rn. 22) oder zugunsten

der Altaktionäre bei Bezugsrechtsausschluss zwecks Börseneinführung (→ § 186 Rn. 31; aA GK-AktG/Wiedemann § 186 Rn. 159). Zu etwaigen Kollisionen der Erwerbspflicht eines herrschenden Drittstaataktionärs mit der außenwirtschaftsrechtl. Erwerbskontrolle vgl. Schuelken/Sichla BB 2021, 1480.

II. Abfindungspflicht als notwendiger Vertragsbestandteil (§ 305 I)

1. Anspruchsbegründung. a) Vertrag. Regelmäßig erwachsen Abfindungsansprüche aus **Beherrschungs- oder Gewinnabführungsvertrag** (Ausnahmen: → Rn. 5 f.); denn § 305 I schreibt vor, dass solche Verträge eine Abfindungspflicht und entspr. Ansprüche der außenstehenden Aktionäre begründen. Beherrschungsvertrag ist iSd § 291 I 1 Fall 1 zu verstehen (→ Rn. 5 ff.). Gewinnabführungsvertrag deckt Gestaltungen iSd § 291 I 1 Fall 2 (→ Rn. 23 ff.) und den Geschäftsführungsvertrag des § 291 I 2 (→ § 291 Rn. 30 ff.) ab. Bei Abschluss anderer Unternehmensverträge (§ 292) besteht keine Pflicht zur Begr. eines Abfindungsanspruchs. **Beitritt** eines weiteren herrschenden Unternehmens zum bestehenden Beherrschungsvertrag (→ § 295 Rn. 5) rechtfertigt wegen des Stichtagsprinzips und der Unerheblichkeit von Verbundeffekten (→ Rn. 33 f.) nicht als solcher eine Neufestsetzung der Abfindung (BGHZ 138, 136, 139 ff. = NJW 1998, 1866; krit. dazu Geng NZG 1998, 715, 717), verändert aber die Herrschaftsverhältnisse und muss deshalb wohl grds. neues Abfindungsangebot (nicht auch: Ausgleichsregelung, → § 304 Rn. 6) enthalten, um Aktionären zu ermöglichen, aus diesem Anlass auszuscheiden (OLG Karlsruhe AG 1997, 270, 271 f.; LG Mannheim ZIP 1996, 22, 24 f.; offenlassend BGHZ 119, 1, 9 f. = NJW 1992, 2760; BGHZ 138, 136, 141 f.; aA Pentz FS Kropff, 1997, 225, 234 ff.). Ausnahme gilt aber wiederum, soweit Aktionäre ohnehin gegen noch festzusetzende Abfindung ausscheiden können, weil Spruchverfahren aus Anlass des ersten Beherrschungsvertrags noch anhängig ist (→ Rn. 55; BGHZ 138, 136, 141 f.; LG Mannheim ZIP 1996, 22, 25; Hommelhoff FS Claussen, 1997, 129, 144). Übergang von isolierter Gewinnabführung zu isolierter Beherrschung erfordert neue Abfindungsregelung (→ § 304 Rn. 6; LG München I AG 2001, 318 f.). 2

Vertrag muss Abfindungsangebot selbst enthalten und zwar derart, dass es nur noch von Erklärung der außenstehenden Aktionäre abhängt, ob sie anstelle des Ausgleichsanspruchs (§ 304) den Abfindungsanspruch haben (KK-AktG/Koppensteiner Rn. 12). Aktionäre erwerben **Abfindungsoption** (BGHZ 135, 374, 380 = NJW 1997, 2242; BGHZ 167, 299 Rn. 11 = NJW 2006, 3146; BGHZ 176, 43 Rn. 17 = NZG 2008, 391; Emmerich/Habersack/Emmerich Rn. 4 f.). Beherrschungs- oder Gewinnabführungsvertrag ist insoweit **Vertrag zugunsten Dritter** iSd §§ 328 ff. BGB (ganz hM, vgl. BGHZ 135, 374, 380; BGHZ 167, 299 Rn. 18; Habersack AG 2005, 709, 710). Abfindungspflicht selbst entsteht erst durch Ausübung der Option, die ihrerseits durch Annahme des im Vertrag begründeten Abfindungsangebots erfolgt (BayObLGZ 1978, 209, 212 f.; Emmerich/Habersack/Emmerich Rn. 33). Für Ausübung der Option kann anderer Vertragsteil gem. § 305 IV eine Frist setzen (→ Rn. 55 f.). 3

Option erlischt nicht schon durch **Entgegennahme von Ausgleichszahlungen** gem. § 304. Ges. sieht derartigen Erlöschensgrund nicht vor und eine Art Optionsverzicht ist mangels darauf gerichteten rechtsgeschäftlichen Willens außenstehender Aktionäre nicht begründbar. Sie können den Verzicht nicht wollen, weil sie sonst die Ausgleichszahlungen zurückweisen müssten und damit bis zur Durchführung der Abfindung ohne Kompensation für Dividendenausfälle blieben (wie hier hM, vgl. BGHZ 138, 136, 142 = NJW 1998, 1866; KK-AktG/Koppensteiner Rn. 27; Koppensteiner BB 1978, 769, 771; aA Lehmann/Tolkemitt WM 1972, 990). 4

5 **b) Gesetzliches Schuldverhältnis.** Soweit Abfindungsanspruch vertragliche Basis hat (→ Rn. 2 ff.), bleibt ohne Bedeutung, ob auch ges. Abfindungspflicht besteht und wie sich vertragliche und ges. Anspruchsbegründung zueinander verhalten. Vertragsbasis kann aber von vornherein fehlen oder nachträglich entfallen. Sie fehlt, wenn Vertrag entgegen § 305 I überhaupt **keine Abfindung** vorsieht (§ 305 V 2 Fall 1), und entfällt, wenn Abfindungsregelung durch Antrag auf gerichtl. Entscheidung nicht wirksam geworden ist (§ 305 V 2 Fall 2) und Vertrag vor rechtskräftiger Sachentscheidung endet, namentl. durch seine **Kündigung,** aber wegen § 320a I auch durch Eingliederung der beherrschten Gesellschaft (vgl. BGHZ 147, 108, 112 = NJW 2001, 2080). Im ersten Fall hat Gericht angemessene Abfindung gleichwohl festzusetzen (§ 305 V 2). Dasselbe gilt im zweiten Fall. Abfindungspflicht erlischt also nicht durch (vorzeitige) Beendigung des Beherrschungs- oder Gewinnabführungsvertrags. Diese stellt mithin kein der Sachentscheidung entgegenstehendes erledigendes Ereignis dar. Das ist iErg geklärt durch BGHZ 135, 374, 377 ff. = NJW 1997, 2242; für Sachentscheidung trotz Vertragsbeendigung seither auch BGHZ 147, 108, 111 ff. (Eingliederung); BayObLGZ 1998, 231, 234 f. (Insolvenzeröffnung); BayObLGZ 2004, 200, 206; OLG Düsseldorf ZIP 2006, 2379, 2382; OLG Hamm AG 2003, 585, 586 (Verschmelzung); OLG Karlsruhe AG 2005, 45, 46 (Verschmelzung); iErg zust., in der Begr. teilw. weitergehend Altmeppen FS Ulmer, 2003, 3, 7; Ammon FGPrax 1998, 121, 122 f.; Luttermann JZ 1997, 1183; Meilicke AG 1995, 181, 183 ff. Anders, nämlich für Erledigung der Hauptsache, noch OLG Karlsruhe AG 1995, 139, 140 (Verschmelzung); OLG Zweibrücken AG 1994, 563 f. (Vertragsaufhebung und Kündigung). Vgl. zu Folgeproblemen Auxel/Weber WM 2004, 857, 859 ff.

6 Noch nicht voll geklärt sind **dogmatische Grundlagen** der Abfindungspflicht und weitergehend der Entscheidungsbefugnis nach § 305 V 2 Fall 1. Anspruchsgrundlage kann mangels vertraglichen Abfindungsangebots wie in den Fällen des § 320b I 1 nur in ges. **Schuldverhältnis** gefunden werden (sa Ammon FGPrax 1998, 121, 123; Luttermann JZ 1997, 1183; aA Bilda FS Hüffer, 2010, 49, 58 ff. mit der Hauptthese einer ergänzungsfähigen Vertragslücke; KK-AktG/Koppensteiner Rn. 22). Naheliegende Annahme, dass ges. Schuldverhältnis infolge Abschlusses und tatsächlicher Durchführung des Vertrags entsteht, greift noch zu kurz. Ges. Schuldverhältnis entsteht vielmehr, wie namentl. § 305 V 2 Fall 1 zeigt, **schon mit Abschluss des Unternehmensvertrags,** und zwar als Schutzpflichtverhältnis, das, soweit es um Abfindung geht, den Herrschaftsrechten des Aktionärs Rechnung tragen soll (→ Rn. 1; BGHZ 138, 136, 138 f. = NJW 1998, 1866; Röhricht ZHR 162 [1998], 249, 257). Daraus folgender Abfindungsanspruch ist aber noch verhalten oder unentwickelt, soweit und solange die Vertragsparteien den Schutz der Aktionäre im Unternehmensvertrag zu ihrer Sache machen. Unterlassen sie das jedoch oder endet Vertrag vorzeitig, so aktualisiert sich der ges. Abfindungsanspruch (ähnlich MüKoAktG/van Rossum Rn. 13). Dem steht auch nicht entgegen, dass Gericht nach § 305 V 2 die „vertraglich zu gewährende" Abfindung zu bestimmen hat. Darin liegt nur Rückverweis auf die angemessene Abfindung des § 305 I, deren Bestimmung Aufgabe der Vertragsparteien ist. Scheitert Vertragslösung jedoch, so muss sich ges. Schutzpflicht realisieren, um sonst eintretende grundrechtsrelevante (Art. 14 GG) Schutzlücke zu vermeiden; diese wäre nicht hinnehmbar (BVerfG NJW 1999, 1701, 1702; 1999, 1699, 1700 f.; BGH NJW 2001, 2080 f.).

7 Von vorzeitiger Beendigung des Unternehmensvertrags ist seine **anfängliche Unwirksamkeit** infolge Anfechtung des Zustimmungsbeschlusses der HV (§ 293) zu unterscheiden. Ausgleich und Abfindung finden dann mangels wirksamen Beherrschungs- oder Gewinnabführungsvertrags nicht statt (OLG Zweibrücken FGPrax 2004, 246, 248; Köhler ZGR 1985, 307, 319; teilw. str.).

Sonderrecht der fehlerhaften Gesellschaft, aus dem sich anderes ergeben könnte, greift nicht ein (→ § 291 Rn. 21). Rechtskraft des Anfechtungsurteils erledigt anhängiges Spruchverfahren in der Hauptsache (→ SpruchG § 11 Rn. 4).

8 **2. Gläubiger und Schuldner der Abfindung.** Abfindungspflicht muss zugunsten **außenstehender Aktionäre** begründet werden. Insoweit gilt im Wesentlichen dasselbe wie zu § 304 I (→ § 304 Rn. 2 f.; BGHZ 167, 299 Rn. 10 f. = NJW 2006, 3146; Emmerich/Habersack/Emmerich Rn. 23; aA Pentz AG 1996, 97, 104 ff.). Problematisch ist vor allem, ob Abfindungsanspruch auch noch nach Squeeze-Out besteht, weil betroffene (ehemalige) Aktionäre dem anderen Vertragsteil nichts zum Erwerb iSd § 305 I anbieten können. Gleichwohl bejahend OLG Düsseldorf AG 2007, 325, 327 f. wegen schuldrechtl. Charakters des Abfindungsanspruchs; MüKoAktG/van Rossum Rn. 42; verneinend S/L/Stephan Rn. 18; Butzke FS Hüffer, 2010, 97, 100 ff. wegen notwendiger Verkoppelung von Aktie und Abfindung. Als Schuldner bezeichnet § 305 I ausdr. den **anderen Vertragsteil.** Aufgrund unscharfer Fassung des § 304 I 1 für Ausgleichsleistungen str. Frage, ob auch die AG Schuldnerin sein könne (→ § 304 Rn. 4), stellt sich für Abfindung nicht (unstr., vgl. OLG Hamm AG 1976, 19; Emmerich/Habersack/Emmerich Rn. 30; KK-AktG/Koppensteiner Rn. 34). Gesellschaft kann aber mit Abwicklung beauftragt werden und insoweit auch mit Vollmacht des anderen Vertragsteils für diesen handeln. Soweit anderer Vertragsteil danach eigene Aktien anbieten muss (§ 305 II Nr. 1), ist es seine Sache, sich diese zu verschaffen → Rn. 15.

9 **3. Angemessene Abfindung.** Anderer Vertragsteil muss angemessene Abfindung anbieten. Ihrer **Art** nach besteht angemessene Abfindung grds. in Aktien des anderen Vertragsteils (§ 305 II Nr. 1); wenn dieser abhängig ist oder in Mehrheitsbesitz steht, in Aktien der herrschenden oder mit Mehrheit beteiligten Gesellschaft oder in einer Barabfindung (§ 305 II Nr. 2); sonst, insbes. dann, wenn anderer Vertragsteil nicht die Rechtsform einer AG oder KGaA oder seinen Sitz außerhalb der EU oder des EWR hat, bleibt nur Barabfindung (§ 305 II Nr. 3). Regelung ist zwingend, lässt aber Raum für Ergänzungen (unstr; vgl. RegBegr. Kropff S. 397 zum Substanzkopplungsvertrag). Den **Abfindungsumfang** regelt § 305 III nach Maßgabe der Verschmelzungswertrelation, die Unternehmensbewertung erforderlich macht (→ Rn. 21 ff.). Rechtsdurchsetzung erfolgt ausschließlich im Spruchverfahren (§ 305 V) → Rn. 57 ff.

10 **4. Einzelheiten zum Anspruch.** Abfindungsanspruch entsteht als Vertragsanspruch (→ Rn. 3) mit Zugang (§ 130 I BGB) der Annahmeerklärung des außenstehenden Aktionärs beim anderen Vertragsteil oder bei von ihm bestimmtem Vertreter, der auch die Gesellschaft sein kann (→ Rn. 8). Zum Beginn der Zinspflicht → Rn. 52. Verjährung: §§ 195, 199 I BGB. Anspruch ist jedenfalls in dem Sinne **verkehrsfähig,** dass er bei Übertragung der Aktie mit dieser auf Erwerber übergeht, sofern auch er außenstehender Aktionär ist (OLG Jena AG 2005, 619 f.; KK-AktG/Koppensteiner Rn. 32; MüKoAktG/van Rossum Rn. 35; Altmeppen FS Ulmer, 2003, 3, 12; Bilda NZG 2005, 375, 377 f.; Habersack AG 2005, 709, 711) und der die Abfindungspflicht auslösende Unternehmensvertrag im Übertragungszeitpunkt noch besteht. Nach dessen Beendigung, also bei **vertragsüberdauernden Spruchverfahren** (→ Rn. 5 f.), sollen nach BGHZ 167, 299 Rn. 17 ff. = NJW 2006, 3146 weder Veräußerer noch Erwerber berechtigt sein, gegen Abfindung auszuscheiden. Das ist nach BVerfG AG 2007, 483 zwar verfassungsrechtl. unbedenklich, aber dennoch umstr. (wie BGH Bayer ZIP 2005, 1053, 1058 f.; Bungert/Bednarz BB 2006, 1865, 1866 ff.; aA noch OLG Jena AG 2005, 619, 620 f.; Altmeppen FS Ulmer, 2003, 3, 12; Hirte FS Hadding, 2004, 427, 431 f.; Lehmann WM 2007, 771, 773 ff.). Man-

gelnde Berechtigung auf Erwerberseite gilt freilich nur für derivativen Erwerb einer Abfindungsberechtigung. Ist Erwerber dagegen als außenstehender Aktionär originär berechtigt und kann er dies beweisen (entscheidend ist Erwerbszeitpunkt), so verbleibt es auch nach BGHZ 167, 299 Rn. 23 ff. bei seiner Abfindungsoption. Anders, nämlich für derivativen (Folge-)Erwerb von Wahlrecht und Annahmebefugnissen Bilda AG 2008, 641, 642 f.; wohl auch Rezori NZG 2008, 812, 813 (Übergang der abstrakten Berechtigung). Auf dieser Basis nicht konstruierbarer Erwerb vom anderen (herrschenden) Vertragsteil soll entgegen BGHZ 167, 299 Rn. 23 ff. auch originär nicht möglich sein, weil Aktionäre, die erst nachträglich außenstehend werden, ohnehin nicht in Schutzbereich der §§ 304, 305 fielen (Bilda AG 2008, 641, 644 ff.).

11 **Fälligkeit** des Abfindungsanspruchs tritt nicht sofort ein. Vielmehr folgt aus den Umständen (§ 271 I BGB), dass Abfindung erst mit Einlieferung der Aktienurkunden bei anderem Vertragsteil oder mit Abwicklung beauftragter Stelle fällig wird; denn anders ist Abfindungsberechtigung nicht zweifelsfrei feststellbar (iE unstr, s. LG Stuttgart AG 1998, 103, 104; Emmerich/Habersack/Emmerich Rn. 39; KK-AktG/Koppensteiner Rn. 17). Bei Fälligkeit mit Einlieferung verbleibt es auch, wenn Antrag auf gerichtl. Entscheidung nach § 305 V gestellt ist (MüKoAktG/van Rossum Rn. 32). Daran kann auch der Vertrag nichts ändern. Für Klausel, nach der Fälligkeit erst mit endgültiger Festlegung des Leistungsumfangs eintritt, lässt § 305 schon wegen ihrer prohibitiven Wirkung keinen Raum (KK-AktG/Koppensteiner Rn. 19; Koppensteiner BB 1978, 769, 772).

12 **5. Kein Wegfall des Abfindungsanspruchs bei Insolvenz des anderen Vertragsteils.** Gerät anderer (herrschender) Vertragsteil und damit Abfindungsschuldner (→ Rn. 8) in die Insolvenz, so erledigt sich damit bereits begründeter Abfindungsanspruch nicht. Entscheidend sind insoweit nicht volle Verwirklichung der Anspruchsvoraussetzungen und Eintritt der Fälligkeit (→ Rn. 10 f.), sondern der Verfahrenseröffnung vorausgehendes **Wirksamwerden des Unternehmensvertrags** (BGHZ 176, 43 Rn. 13 = NZG 2008, 391; H.-F. Müller ZIP 2008, 1701, 1702). Abfindungsgläubiger kann Insolvenzverwalter aber nur nach insolvenzrechtl. Regeln in Anspruch nehmen. Deshalb besteht Andienungsrecht analog § 103 InsO und bei (idR zu erwartender) Zurückweisung der Aktien durch Insolvenzverwalter Schadensersatzanspruch wegen Nichterfüllung, der gem. §§ 174 ff. InsO zur Tabelle angemeldet werden kann (BGHZ 176, 43 Rn. 18; H.-F. Müller ZIP 2008, 1701, 1702 ff.). Bei einer Mehrheit von Insolvenzverfahren sind die Insolvenzschuldner Gesamtschuldner (BGHZ 176, 43 Rn. 27). **Abfindungszinsen** (→ Rn. 52) sind gem. § 39 I Nr. 1 InsO nachrangig, soweit sie nach Verfahrenseröffnung anfallen (H.-F. Müller ZIP 2008, 1701, 1705; sa Goette DStR 2008, 2483, 2486).

III. Abfindungsarten (§ 305 II)

13 **1. Wirtschaftlich selbständige AG oder KGaA als anderer Vertragsteil. a) Aktien als Regelabfindung.** § 305 II regelt Abfindungsart und differenziert dabei nach Eigenschaften des anderen Vertragsteils (vgl. schon Überblick in → Rn. 9). Ges. Regelfall ist in § 305 II Nr. 1 enthalten. Danach muss anderer Vertragsteil eigene Aktien als Abfindung anbieten, wenn er AG oder KGaA ist, nicht in Abhängigkeit oder Mehrheitsbesitz steht und seinen Sitz im Inland, in der EU oder im EWR hat. Ges. will dem Aktionär **Primärschutz** gewähren (→ Rn. 1) und schließt es daher grds. aus, ihn auf Barabfindung zu verweisen. Aktien des anderen Vertragsteils genügen nicht, wenn dieser selbst abhängige (§ 17) oder in Mehrheitsbesitz (§ 16) stehende Gesellschaft ist. Dem außenstehenden Aktionär soll nicht angesonnen werden, seine Beteiligung an fremd-

gesteuerter Gesellschaft gegen die Beteiligung an einer anderen Gesellschaft einzutauschen, die ihrerseits schon abhängig oder jedenfalls abhängigkeitsgefährdet ist. Auf Rechtsform des herrschenden oder mehrheitlich beteiligten Unternehmens kommt es insoweit nicht an. Es kann sich dabei insbes. auch um eine Gebietskörperschaft (Bund, Land, Gemeinde) handeln (→ § 15 Rn. 14, 16 ff.).

Bei **ausländischer AG** als Abfindungsschuldner ist zu unterscheiden: Wenn anderer Vertragsteil seinen Sitz in der EU oder im EWR hat, steht er seit Änderung des § 305 II Nr. 1 durch UMAG 2005 einer Inlandsgesellschaft gleich, um angebliche Verletzung des Diskriminierungsverbots (Art. 18 AEUV) zu vermeiden (Emmerich/Habersack/Emmerich Rn. 3, 19). Sonst, also bei Sitz außerhalb der EU oder des EWR, bleibt es dabei, dass sich Aktionär nicht auf **Beteiligung an ausländischer AG** verweisen lassen muss (KK-AktG/Koppensteiner Rn. 38). 14

AG muss für **Umtauschaktien** sorgen. Das kann durch Erwerb eigener Aktien geschehen, den § 71 I Nr. 3 für Abfindungszwecke ausdr. erlaubt (→ § 71 Rn. 14 f.). Der regelmäßig beschrittene Weg liegt jedoch darin, bedingtes Kapital zu schaffen. Bereitstellung von Umtauschaktien ist Vorbereitung eines Zusammenschlusses iSd § 192 II Nr. 2 (→ § 192 Rn. 14). Nicht ausdr. geregelt ist Fall der **Gattungsverschiedenheit** (→ § 320b Rn. 4). Es gilt Gleichbehandlungsprinzip unter Einschluss der Aktionäre beider Vertragsteile (MHdB AG/Krieger § 71 Rn. 120; Emmerich/Habersack/Emmerich Rn. 17; Lutter FS Mestmäcker, 1996, 943, 949). Grds. sind außenstehende Stammaktionäre in Stammaktien (dafür spricht auch bezweckter Primärschutz), außenstehende Vorzugsaktionäre in Vorzugsaktien abzufinden. Im Einzelnen können sich allerdings nicht ausdiskutierte Schwierigkeiten ergeben: Hat anderer Vertragsteil Stamm- und Vorzugsaktien, künftig vertragsabhängige Gesellschaft dagegen nur Stammaktien, so bewirkt voller Umtausch in Stämme Verschiebung der Stimmrechtsverhältnisse zum Nachteil der Aktionäre des anderen Vertragsteils; Umtauschverhältnisse sind deshalb so zu wählen, dass deren Ungleichbehandlung möglichst vermieden wird (Lutter FS Mestmäcker, 1996, 943, 950 ff.; zust. MHdB AG/Krieger § 71 Rn. 120). Hat anderer Vertragsteil keine Vorzugsaktien, so muss er sie nicht durch bedingte Kapitalerhöhung schaffen, sondern darf in Stammaktien abfinden (OLG Düsseldorf AG 2003, 329, 334; BeckOGK/Veil/Preisser Rn. 38; Kiem ZIP 1997, 1627, 1632). Dafür spricht, dass Vorzug gem. § 141 I grds. aufgehoben werden kann (→ § 141 Rn. 6). Auch insoweit eintretende Veränderung der Stimmrechtsverhältnisse ist wegen Wahlmöglichkeit des anderen Vertragsteils und im Hinblick auf §§ 179 III, 293 II hinnehmbar (aA Timm/Schöne FS Kropff, 1997, 315, 328 ff., 330). 15

b) Mehrmütterherrschaft. Str. ist, ob den Aktionären eines Gemeinschaftsunternehmens eine Abfindung in Aktien angeboten werden muss (§ 305 II Nr. 1) oder ob es sich dabei um einen anderen Fall iSd § 305 II Nr. 3 handelt, so dass Barabfindung der richtige Weg ist. Die zweite Lesart entspr. heute ganz hM (Emmerich/Habersack/Emmerich Rn. 22; KK-AktG/Koppensteiner Rn. 43; MüKoAktG/van Rossum Rn. 67; BeckOGK/Veil/Preisser Rn. 37; MHdB AG/Krieger § 71 Rn. 124; aA nur Exner, Beherrschungsvertrag, 1984, 290 ff.). Dem ist schon deshalb zuzustimmen, weil Bestimmung der angemessenen Abfindung nach der Verschmelzungswertrelation (§ 305 III) vom Regelungsmodell eines herrschenden Unternehmens ausgeht und bei mehreren Müttern nicht gut vorstellbar ist (→ § 304 Rn. 14 zur ähnlich liegenden Frage variablen Ausgleichs). 16

2. Abhängige oder in Mehrheitsbesitz stehende AG oder KGaA als anderer Vertragsteil. a) Aktien der Obergesellschaft. Gem. § 305 II Nr. 2 sind den außenstehenden Aktionären einer abhängigen (§ 17) oder im Mehrheitsbesitz (§ 16) stehenden AG oder KGaA Aktien der Obergesellschaft oder 17 eine Barabfindung (→ Rn. 18 f.) anzubieten, wenn Obergesellschaft AG oder KGaA mit Sitz in der EU oder im EWR ist (→ Rn. 14). Obergesellschaft deckt Beherrschung (§ 17) und Mehrheitsbesitz (§ 16) ab. Gesetzeswortlaut, der letztgenannte Konstellation nicht ausdr. erfasst, ist entspr. zu ergänzen (unstr). Ges. will offenbar Grundgedanken des Primärschutzes (→ Rn. 1, 13) unter Bedingungen **dreistufiger Konzernierung** verwirklichen. Sind vier oder mehr Konzernstufen vorhanden, so erfordert analoge Anwendung der Norm, dass Aktien der Spitzengesellschaft angeboten werden (MHdB AG/Krieger § 71 Rn. 121; wohl auch KK-AktG/Koppensteiner Rn. 45). Mit Aktien **ausländischer Obergesellschaft** kann aus den in → Rn. 14 genannten Gründen nicht abgefunden werden, wenn Sitz außerhalb der EU oder des EWR liegt. Gesellschaften mit Sitz innerhalb dieser Gebiete stehen dagegen Inlandsgesellschaften gleich (→ Rn. 14), so dass ihre Aktien abfindungstauglich sind. Abfindungsschuldner bleibt anderer Vertragsteil. Er muss zum Umtausch bestimmte Aktien der Obergesellschaft besorgen, was durch §§ 71 I Nr. 3 oder 8, § 71d 2 oder durch bedingtes Kapital gem. § 192 II Nr. 2 möglich ist (MüKoAktG/van Rossum Rn. 26).

18 **b) Barabfindung.** Zulässige Abfindungsart ist unter den Voraussetzungen der → Rn. 17 auch Barabfindung, genauer Abfindung durch Geldleistung. Sie bietet sich an, wenn anderer Vertragsteil Umtauschaktien nur mit Schwierigkeiten beschaffen kann, und dürfte aus Gründen sicherer Vertragsgestaltung auch bei vier- oder mehrstufiger Konzernierung sinnvoll zu wählen sein (MHdB AG/Krieger § 71 Rn. 121). Barabfindung sollte nicht als Lösung zweiter Klasse verstanden werden. **Primärschutz unter Wechsel der Gesellschaft** (→ Rn. 17) ist ohnehin problematisch. Desinvestition und damit erlangte Freiheit der Anlageentscheidung bietet außenstehenden Aktionären durchaus gleichwertigen Schutz.

19 **c) Bestimmung der Abfindungsart.** Nach § 305 II Nr. 2 müssen Aktien der Obergesellschaft (→ Rn. 17) oder Barabfindung (→ Rn. 18) angeboten werden. Fraglich ist, ob danach die **Vertragsparteien** zwischen den Abfindungsarten wählen dürfen oder ob sie beides alternativ anbieten müssen, so dass **außenstehende Aktionäre** Abfindungsart bestimmen können. Wortlaut der Norm lässt beide Auslegungen zu. Nach hM ist das Erste richtig (vgl. Emmerich/Habersack/Emmerich Rn. 20; KK-AktG/Koppensteiner Rn. 46; MüKoAktG/van Rossum Rn. 64; MHdB AG/Krieger § 71 Rn. 121; Exner, Beherrschungsvertrag, 1984, 238 ff.; aA Hüchting, Abfindung und Ausgleich, 1972, 18 ff.; Mestmäcker FG Kronstein, 1967, 129, 138 Fn. 20). Der hM ist beizupflichten. Für sie sprechen Umkehrschluss aus § 320b I 3, Bestimmungsrecht der Vertragsparteien in der Frage festen oder variablen Ausgleichs iRd § 304 (→ § 304 Rn. 14) und der Umstand, dass Barabfindung als grds. gleichwertig eingestuft werden muss (→ Rn. 18).

20 **3. Andere Fälle.** Für alle anderen, also nicht von § 305 II Nr. 1 oder 2 erfassten Fälle schreibt § 305 II Nr. 3 **ausschließlich Barabfindung** vor. So liegt es, wenn der andere Vertragsteil nicht die Rechtsform einer AG oder KGaA hat oder sich der Gesellschaftssitz im Ausland befindet oder wenn die Obergesellschaft des anderen Vertragsteils nicht AG oder KGaA ist oder ihr Gesellschaftssitz im Ausland liegt. Nach diesen Grundsätzen ist insbes. auch dann eine Barabfindung anzubieten, wenn der andere Vertragsteil im Mehrheitsbesitz der BRD oder einer anderen Gebietskörperschaft steht oder von ihr abhängig ist (BGHZ 69, 334, 335 ff. = NJW 1978, 104; sa BGHZ 105, 168, 176 f. = NJW 1988, 3143).

IV. Angemessenheit der Abfindung (§ 305 III)

1. Allgemeines. § 305 I verlangt angemessene Abfindung. § 305 III regelt Umfang des Angemessenen in sprachlicher Differenzierung zwischen Abfindung in Aktien (§ 305 III 1) und Barabfindung (§ 305 III 2). Kern der Vorschrift liegt darin, dass sie die sog **Verschmelzungswertrelation** für maßgeblich erklärt. Entscheidend ist also das Umtauschverhältnis, das bei Verschmelzung der beiden Unternehmen (Gesellschaft und anderer Vertragsteil) angemessen wäre (MüKoAktG/van Rossum Rn. 78). Folglich ist es erforderlich, zu einem bestimmten Stichtag (→ Rn. 34) beide Unternehmen zu bewerten und aus dem Unternehmenswert den Anteilswert abzuleiten (→ Rn. 35). Gegenstand der Angemessenheitsprüfung im Spruchverfahren ist angebotene Abfindung. IR eines **Vergleichs** mit Abfindungsschuldner erhöhte Kompensationsleistung bildet nur dann Gegenstand der Angemessenheitsprüfung, wenn sie mit Wirkung für alle Aktionäre zugesagt wurde (BGHZ 186, 229 Rn. 32 = NJW 2010, 2657; BGHZ 207, 114 Rn. 51 = NZG 2016, 139; OLG Düsseldorf AG 2020, 254, 255). Bestimmung der angemessenen Abfindung und darauf ausgerichtete Unternehmensbewertung sind primär **rechtl. Aufgaben** (BGHZ 207, 114 Rn. 10 ff.; BayObLG AG 1996, 127, 128; OLG Celle AG 1999, 128, 130; OLG Stuttgart AG 2015, 580; OLG Zweibrücken AG 2021, 29, 31; BeckOGK/Drescher SpruchG § 8 Rn. 5; Emmerich/Habersack/Emmerich Rn. 69; Hüttemann in Fleischer/Hüttemann UB-HdB § 1; Fleischer AG 2016, 185, 199 ff.), die allerdings ohne sachverständige Unterstützung durch Prüfungspraxis und Betriebswirtschaftslehre idR nicht gelöst werden können (zu Ausnahmen → Rn. 29 f.; → SpruchG § 8 Rn. 5; gegen zu weite Anlehnung an Prüfungspraxis Emmerich FS Stilz, 2014, 135 ff.; sa Fleischer AG 2016, 185, 189; wohlwollender Schüppen ZIP 2016, 393, 395: „antizipierte Sachverständigengutachten"; ähnlich OLG Düsseldorf AG 2016, 504, 507; 2016, 864, 867). Genauer **Einordnung als Rechts- oder Tatfrage** kommt Bedeutung zu, um zum einen Aufgabenbereiche von Gericht und Sachverständigem abzugrenzen, zum anderen aber auch, um Tatsachen- und Revisionsinstanz zu trennen (Hüttemann FS Schilken, 2015, 317, 318 f.). Nach Stinnes-Beschluss des BGH erfolgt Abgrenzung in der Weise, dass es zunächst Aufgabe des Rechts ist, das Ziel der Bewertung zu bestimmen, weil diese Festlegung Auswirkung auf die Methode haben kann (BGHZ 207, 114 Rn. 14 im Anschluss an Hüttemann in Fleischer/Hüttemann UB-HdB Rn. 1.47; ähnlich auch BGHZ 208, 265 Rn. 11 ff. = NZG 2016, 461). Dem liegt implizites Anerkenntnis zugrunde, dass Bewertung stets **normorientierte Bewertung** ist, die je nach konkretem Normkontext verbindlichen rechtl. Vorgaben unterliegt, die Richter durch Auslegung der betreffenden Norm zu konkretisieren hat (vgl. dazu Fleischer AG 2016, 185, 189 f.). Danach gebotene Rechtsfrage erstreckt sich namentl. darauf, ob eine vom Tatrichter gewählte Bewertungsmethode oder ein innerhalb der Bewertungsmethode gewähltes Berechnungsverfahren ges. Bewertungszielen entspr. (BGHZ 207, 114 Rn. 14; BGHZ 236, 180 Rn. 17 = NZG 2023, 937; MüKoAktG/van Rossum Rn. 82 ff.; Hüttemann in Fleischer/Hüttemann UB-HdB Rn. 1.49). Die Frage nach der geeigneten Bewertungsmethode ist dagegen keine Rechtsfrage, sondern Teil der Tatsachenfeststellung und beurteilt sich nach der wirtschaftswissenschaftlichen oder betriebswirtschaftlichen Bewertungstheorie und -praxis (BGHZ 207, 114 Rn. 12; BGHZ 208, 265 Rn. 14; BGHZ 236, 180 Rn. 17; OLG Zweibrücken AG 2018, 200, 202 f.; Hüttemann in Fleischer/Hüttemann UB-HdB Rn. 1.48; sa OLG Zweibrücken NZG 2017, 308 f.; ähnlich auch bereits KK-AktG/Koppensteiner Rn. 70; Lutter ZGR 1979, 401, 416 ff.; Ränsch AG 1984, 202, 205 f.). BGH stützt seine Aussagen zT auf Kali+Salz-Entscheidung (BGH NJW 1978, 1316, 1318 f. [insoweit nicht in 21

BGHZ 71, 40], trägt aber daran zu Recht geübter Kritik (vgl. Lutter ZGR 1979, 401, 416 ff.) durch Klarstellungen zu verbleibenden rechtl. Prüfungsaufgaben Rechnung (vgl. Fleischer AG 2016, 185, 189; Hüttemannn CF 2016, 467, 470). Im Einzelnen sind zu den revisiblen Rechtsfragen daher zu zählen: Grundsatz der indirekten Anteilsbewertung, Bewertungsstichtag, (Nicht-)Berücksichtigung bestimmter Bewertungsabschläge, Behandlung des Liquidationswertes als Wertuntergrenze, verfassungsrechtl. gebotene Berücksichtigung des Börsenkurses als Bewertungsuntergrenze (Aufzählung nach Fleischer AG 2016, 185, 191, der zusätzlich auch noch – von hM abgelehnte [→ Rn. 33] – Berücksichtigung von Verbundvorteilen nennt). Nicht dazu zählen Einzelheiten der Bewertungstechnik oder der fallbezogenen Auswahl zwischen verschiedenen normzweckadäquaten Bewertungsmethoden (OLG Zweibrücken AG 2018, 200, 202 f.; Fleischer AG 2016, 185, 191; Hüttemannn CF 2016, 467, 470 f.).

22 Schätzung des Unternehmenswerts gem. **§ 287 ZPO** ist zulässig und sinnvoll, soweit nach Wertermittlung und Erörterung mit den Verfahrensbeteiligten Restfragen offen bleiben und deren vollständige Aufklärung wegen zeitlichen oder finanziellen Aufwands außer Verhältnis zum erwartbaren Ergebnis steht; übereinstimmende Vorstellungen der Verfahrensbeteiligten sind schätzungsrelevant (BGHZ 147, 108, 116 = NJW 2001, 2080; BayObLG AG 2006, 41, 42; OLG Düsseldorf BeckRS 2015, 01650; OLG Frankfurt AG 2010, 751; OLG Karlsruhe AG 2009, 47, 48; stRspr des OLG München, vgl. etwa AG 2007, 287, 288 f.; AG 2015, 508 Rn. 36; stRspr des OLG Stuttgart, vgl. etwa AG 2004, 43, 45 und 47; AG 2011, 49 Rn. 71; AG 2011, 420, 423; AG 2011, 560 f.; Hüffer/Schmidt-Aßmann/Weber, Anteilseigentum, Unternehmenswert und Börsenkurs, 2005, 64 f., 140 f.; Stilz ZGR 2001, 875, 883 ff.). Daneben wurde mit durch UmRUG 2023 neu eingeführtem § 11a SpruchG auch Möglichkeit eröffnet, **mehrheitskonsensuale Schätzung** in Wertbestimmung einzubeziehen (→ SpruchG § 11a Rn. 1 ff.). Als Schätzungsgrundlage können neben § 287 ZPO dafür auch § 260 II 3 (→ § 260 Rn. 7) und § 728 II BGB herangezogen werden (OLG Stuttgart AG 2010, 510, 511). Als weitere Alternative wird für Verschmelzung in instanzgerichtl. Rspr. und Lit. **Vertrags- oder Verhandlungsmodell** favorisiert, nach dem vertraglich festgesetztes Umtauschverhältnis grds. als angemessen zu beurteilen und nicht durch eigenständige gerichtl. Bewertung zu ersetzen ist, sondern nur einer von konkreten Bewertungsrügen abhängigen Ergebniskontrolle unterliegt (OLG Frankfurt ZIP 2010, 729, 730; OLG Stuttgart AG 2006, 420, 423 f.; 2011, 49 Rn. 90 ff.; sa LG Frankfurt AG 2009, 749, 751; Stilz FS Mailänder, 2006, 423, 427 ff.; Stilz FS Goette, 2011, 529, 540; Klöhn/Verse AG 2013, 2, 4 ff.; relativierend LG Stuttgart AG 2007, 52, 53; wohl aA OLG Frankfurt ZIP 2010, 1947, 1948 f.). BVerfG hat dieses Modell jedoch als verfassungswidrig verworfen (BVerfG AG 2012, 674, 675; zur Einschränkung bei voneinander unabhängigen Gesellschaften → Rn. 49). Richtigkeit dieser nicht unbedenklichen Entscheidung (vgl. Klöhn/Verse AG 2013, 2 ff.; Reichert FS Stilz, 2014, 479, 493 f.) braucht für Abfindung nicht weiter hinterfragt zu werden; auf Beherrschungs- und Gewinnabführungsverträge lässt sich Lösung auch nach Auffassung ihrer Befürworter ohnehin nicht übertragen, da idR **vorangehende Abhängigkeit** des verpflichteten Vertragsteils Verhandlungsparität ausschließt (Klöhn/Verse AG 2013, 2, 4). Das gilt erst recht beim Squeeze-Out, weil Hauptaktionär Abfindung gem. § 327b einseitig festsetzt (OLG Frankfurt AG 2007, 449, 450).

23 Bewertungszweck folgt aus Normzweck des § 305. Weil außenstehenden Aktionären das Ausscheiden ermöglicht werden soll (→ Rn. 1), ist der **Grenzpreis** zu ermitteln, zu dem sie ohne wirtschaftliche Nachteile aus der AG ausscheiden können (BGHZ 138, 136, 140 = NJW 1998, 1866; OLG Düsseldorf AG 2019, 92, 94; OLG Frankfurt AG 2015, 205 Rn. 17; OLG München AG 2007, 287,

288; 2008, 28, 29; 2008, 37; MüKoAktG/van Rossum Rn. 78; gegen dieses Konzept Hüttemann FS Hoffmann-Becking, 2013, 603 ff.; dagegen wiederum Ruthardt/Hachmeister NZG 2014, 885 ff.). Es gilt insofern **Grundsatz der indirekten Anteilsbewertung,** wonach Grenzpreis aus „wahrem Wert" des Unternehmens abzuleiten ist (vgl. aus jüngerer Zeit BGH NZG 2016, 136 Rn. 42; BGHZ 236, 180 Rn. 19 = NZG 2023, 937). Verbreiteter Forderung nach Ersetzung dieses Wertes durch Marktpreis einzelner Wertpapiere (vgl. etwa W. Müller FS G. Roth, 2011, 517, 529) ist Rspr. zu Recht nicht gefolgt (zu Auswirkungen unterschiedlicher Berechnungsmethoden → Rn. 31 ff. mwN). Maßgeblich ist also der Wert, den das Gesellschaftsunternehmen ohne Abschluss des Beherrschungs- oder Gewinnabführungsvertrags hätte. Abstriche von diesem Wert sind unzulässig. Angemessen ist vielmehr nur an diesen Grundsätzen ausgerichteter **voller Wert** (BVerfGE 14, 263, 284 = NJW 1962, 1667; BVerfG AG 2003, 624, 625; 2007, 697, 698; BGHZ 71, 40, 51 = NJW 1978, 1316; BayObLGZ 2001, 259, 263; OLG Düsseldorf ZIP 2006, 2379, 2381; OLG Frankfurt AG 2015, 547, 548; OLG Hamburg AG 2002, 406, 407; OLG München AG 2007, 411; OLG Stuttgart AG 2015, 580; MüKoAktG/van Rossum Rn. 9, 80); zur Bagatellgrenze für gerichtliche Überprüfung → Rn. 58. Das gilt **gleichermaßen für Abfindung in Aktien und Barabfindung,** und zwar schon deshalb, weil beide vermögensmäßig gleichwertige Alternativen darzustellen haben (→ Rn. 18 f.). Sprachliche Differenzierung in § 305 III (→ Rn. 17) bedeutet also keine sachlich unterschiedliche Behandlung, soweit es um maßgeblichen Wert geht. Staatshaftung bei Insolvenz des Abfindungsschuldners lässt sich aus Prinzip des vollen Wertes nicht herleiten (OLG Köln AG 2002, 94 ff.). Bewertungsgrundsätze gelten auch im Anwendungsbereich des § 14 IV WStBG (LG München I ZIP 2013, 1664, 1665 – zur Vorgängervorschrift des § 12 IV FMStBG aF). Sonderproblem folgt aus **Kursverlust,** die Aktien des Abfindungsberechtigten nach Ende des Organschaftsverhältnisses erleiden. Dieses Ende lässt Abfindungsanspruch dem Grunde nach unberührt (→ Rn. 5). Zur Höhe wird angenommen, dass Abfindungsberechtigter sich nachvertraglichen Kursverlust anrechnen lassen müsse (Altmeppen FS Ulmer, 2003, 3, 14 ff.). Das bleibt insges. zweifelhaft und kann wohl nur für den Fall erwogen werden, dass Kursverlust eine Abnahme des inneren oder vollen Werts ausdrückt.

2. Abfindung in Aktien. a) Bewertungsgrundsätze. aa) Ertragswertmethode. Art. 14 GG schreibt keine bestimmte Methode zur Ermittlung des Werts der Unternehmensbeteiligung vor (BVerfG AG 2012, 625, 626). Auf dieser Grundlage hat sich in jüngerer Zeit deutlicher Anschauungswandel vollzogen, da Rspr. von bisheriger Bewertung nach betriebswirtschaftlichen Grundsätzen zunehmend zur Heranziehung von Börsenkursen tendiert, was allerdings voraussetzt, dass AG überhaupt börsennotiert ist und Kurs hinreichende Aussagekraft hat, was namentl. von Marktliquidität abhängt (zu Einzelheiten → Rn. 41). Ist das nicht der Fall, erfolgt Feststellung des Grenzpreises für außenstehenden Aktionär nach gefestigter und grds. auch weiterhin zulässiger Praxis nach Ertragswertmethode, die ihrerseits in verschiedenen Varianten begegnet (Einzelheiten → Rn. 31 ff.; Überblick bei Böcking/Nowak in Fleischer/Hüttemann UB-HdB § 4). Praktische **Dominanz der Ertragswertmethode** findet ihre Grundlage in erster Linie in entspr. Festlegung in IdW Standard S 1 von 2008 (zur praktischen Bedeutung vgl. Emmerich/Habersack/Emmerich Rn. 69 ff.; Fleischer AG 2014, 97 ff.; sa Hüttemann/Meinert JZ 2023, 823, 827: „faktisches Methodenmonopol"). BGH hat Heranziehung dieser Methode als grds. geeignete Methode anerkannt, ohne aber Anwendung anderer Methoden auszuschließen (vgl. aus neuerer Zeit BGH NZG 2016, 136 Rn. 33 mwN; BGHZ 208, 265 Rn. 21 = NZG 2016, 461; BGHZ 227, 137 Rn. 20 = NZG 2020, 1386). Auswahl der 24 geeigneten Methode obliegt vornehmlich dem Prüfer; das Gericht kann insofern nur **Vertretbarkeitsurteil** treffen, zu wirtschaftswissenschaftlichen Details der Unternehmensbewertung aber nicht Stellung beziehen (OLG Zweibrücken AG 2018, 200, 202; AG 2021, 29, 32; Katzenstein AG 2018, 739, 741; strenger OLG München AG 2018, 753, 756; AG 2021, 715, 716 f.). Erfolgt Bewertung nach IDW-Standards, so sind auch Altfälle bei **Standardneufassung** an Neufassung zu überprüfen, sofern diese nicht auf Veränderung der wirtschaftlichen oder rechtl. Verhältnisse beruht (BGHZ 207, 114 Rn. 29 ff., 42 = NZG 2016, 139; OLG Düsseldorf AG 2018, 399, 400 f.; OLG Frankfurt AG 2017, 832, 834; s. dazu Fleischer AG 2016, 185, 193 ff.; Hüttemann CF 2016, 467, 471 f.; krit. Mock WM 2016, 1261, 1264 ff.; zur Reichweite der Einschränkungen vgl. Schüppen ZIP 2016, 393, 396; zur unüberschaubaren vorausgegangenen Rspr. vgl. Nachw. bei Fleischer in Fleischer/Hüttemann UB-HdB Rn. 15.5 ff.). Überlegungen des Vertrauensschutzes stehen schon aufgrund des im Spruchverfahren geltenden Grundsatzes der reformatio in peius (→ SpruchG § 11 Rn. 2) nicht entgegen (Fleischer AG 2016, 185, 193). Berücksichtigung neuer Standards ist nicht nur richterliches Recht, sondern im Lichte bewertungsrechtl. Optimierungsgebots richterliche Pflicht (Fleischer AG 2016, 185, 196 unter Berufung auf OLG Stuttgart AG 2011, 420, 426), die vom BGH allerdings unter den Vorbehalt eines verfahrensökonomisch vertretbaren Aufwands gestellt wird (BGHZ 207, 114 Rn. 44; sa OLG Zweibrücken AG 2018, 200, 201; AG 2021, 29, 31; Stilz FS Goette, 2011, 529, 540). Als Spielart der Ertragswertmethode mit ihr eng verwandt ist an Zahlungsströme anknüpfendes **Discounted Cash Flow- oder DCF-Verfahren,** das vom IdW ebenfalls anerkannt (s. IdW Standard S 1 [2008], FN-IdW 2008, 271 Rn. 101, 124 ff.), von Bewertungs- und Gerichtspraxis aber nicht gleichermaßen angenommen wird (Jonas/Wieland-Blöse in Fleischer/Hüttemann UB-HdB § 10; zur grds. Zulässigkeit aber BGH NZG 2016, 139 Rn. 33; BGHZ 236, 180 Rn. 19 = NZG 2023, 937; OLG Karlsruhe AG 2013, 765, 766; OLG München AG 2020, 56, 58). Sein Anwendungsfeld findet es vorwiegend im M&A-Bereich (Mattes/v. Maldeghem BKR 2003, 531, 534 f.). Es ähnelt Ertragswertmethode, weil es ebenfalls auf künftige Überschüsse abstellt, deren Ermittlung aber nicht potenzielle Erträge, sondern Cashflows zugrunde legt, wovon man sich geringere Anfälligkeit ggü. Bilanzkosmetik verspricht (Mattes/v. Maldeghem BKR 2003, 531, 534 f.). Zu alternativen Verfahren → Rn. 28 ff.; umfassender rechtsvergleichender Überblick bei Fleischer AG 2014, 97 ff.

25 Rspr. und Schrifttum zu Einzelheiten der Bewertung nach Ertragswertmethode sind kaum übersehbar (Überblick bei Emmerich/Habersack/Emmerich Rn. 69 ff.; GK-AktG/Hirte/Hasselbach Rn. 111 ff.). Während Rspr. früher **pauschale Methode** oder Kombinationsmethode favorisierte (s. etwa BGHZ 140, 35, 38 = NJW 1999, 283), die aufgrund eines vergangenen Referenzzeitraums Rückschlüsse auf künftigen Ertragswert zu ziehen sucht (vgl. Seetzen WM 1994, 45, 47 f.), dominiert heute im Anschluss an vorherrschende Tendenz in Wirtschaftsprüfung und Betriebswirtschaftslehre die anspruchsvollere und aufwendigere **Phasenmethode,** die aufgrund aktueller Planungen zukunftsgerichtete Prognose (für verschiedene Phasen) aufstellt: Detailplanungsphase für 3–5 Jahre, ewige Rente aufgrund langfristiger Entwicklungstendenzen für Folgezeit (vgl. IdW Standard S 1 [2008], FN-IdW 2008, 271 Rn. 75 ff.; OLG Frankfurt AG 2012, 417, 418 f.; OLG Stuttgart AG 2013, 840, 842; LG München I ZIP 2015, 2124, 2127 ff. [insoweit nicht in AG 2016, 51]; MüKoAktG/van Rossum Rn. 125 ff.; ausf. Franken/Schulte in Fleischer/Hüttemann UB-HdB Rn. 5.11 ff.). Als Planungsgrundlage ist grds. die im Unternehmen verfügbare Unternehmensplanung zu verwenden (OLG Düsseldorf BeckRS 2016, 21367 Rn. 43; AG 2021, 25, 27; AG 2022, 705, 708; AG 2023, 284, 287 f.; MüKoAktG/van Rossum Rn. 128: Vorrang der unternehmenseigenen Planung; ausf.

Hasselbach Konzern 2023, 814 ff.), nicht aber ausschließlich für Bewertung aufgestellte „Sonderplanung“ (OLG Düsseldorf AG 2018, 399, 401; AG 2019, 884, 885; AG 2020, 593, 594; AG 2021, 25, 27; AG 2022, 705, 708 f.; MüKoAktG/van Rossum Rn. 128 mwN). Planung durch Konzernspitze genügt (OLG München AG 2020, 133, 134 f.). Rahmenbedingungen und rechtl. Ausgleichsfolgen einer vorangehenden faktischen Konzernierung (§§ 311 ff.) sind in Entwicklungsprognose einzubeziehen (OLG Stuttgart AG 2014, 208, 209 f.). IRd Ertragsprognose ist der Aufbau **stiller Reserven** nicht generell als Ertrag zu behandeln (OLG Düsseldorf AG 2000, 323, 325). Vielmehr sind branchenspezifisch vorgeschriebene Rückstellungsbildungen ertragsmindernd zu berücksichtigen und nicht für Zwecke der Bewertung aufzulösen (OLG Frankfurt AG 2013, 566 Rn. 46 – für Versicherungsunternehmen [§§ 341e ff. HGB]; S/L/Stephan Rn. 75 f.). Danach für Bewertung maßgebliche unternehmensinterne Planung kann von Gericht nicht durch eigene fiktive Planung ersetzt, sondern allenfalls **auf Plausibilität überprüft** werden (BGHZ 236, 180 Rn. 35 = NZG 2023, 937; stRspr des OLG Düsseldorf, vgl. etwa ZIP 2016, 71, 72; AG 2016, 504, 506; AG 2016, 864, 865 f.; AG 2020, 593, 594; AG 2021, 23, 24; stRspr des OLG Frankfurt, vgl. etwa AG 2012, 417, 418 f.; AG 2013, 647, 649; AG 2017, 832, 835; OLG Karlsruhe AG 2013, 353, 354; AG 2013, 765, 767; stRspr des OLG München, vgl. etwa AG 2014, 453, 454; AG 2018, 753, 754; AG 2019, 357, 358 f.; AG 2020, 133, 134; AG 2021, 715, 717; NZG 2022, 362 Rn. 31; NZG 2022, 606 Rn. 74; stRspr des OLG Stuttgart, vgl. etwa AG 2010, 510, 511; AG 2011, 795, 796 f.; AG 2012, 49 f.; AG 2013, 724, 726 f.; AG 2013, 840, 842; AG 2014, 208, 210; OLG Zweibrücken AG 2021, 29, 33 f.; LG München I AG 2016, 95, 96). Das ist wegen offenkundiger Missbrauchsgefahr nicht unbedenklich (krit. Emmerich/Habersack/Emmerich Rn. 91 ff.; Knoll DStR 2010, 615 ff.), aber als eine der Ertragswertmethode immanente Schwäche hinzunehmen (BVerfG NJW 2012, 3020, 3022: verfassungsrechtl. unbedenklich; sa BGHZ 207, 114 Rn. 36 = NZG 2016, 139). Reine Fokussierung auf Vergangenheitswerte ist jedenfalls nicht von größerer Überzeugungskraft. Sind Unternehmensplanungen lückenhaft oder nicht belastbar, hat gerichtlich bestellter Gutachter eigene Prüfung vorzunehmen (OLG Düsseldorf BeckRS 2016, 12911 Rn. 47 ff. [insofern nicht in AG 2016, 862]; AG 2020, 593, 594). Gelangt Gericht trotz eingeschränkter Überprüfungsmöglichkeiten zu (mehr als nur geringfügiger, → SpruchG § 11 Rn. 2) abw. Beurteilung, hat es diese seiner Schätzung zugrunde zu legen, sollte Vorstand aber zunächst Gelegenheit geben, seine Planung zu korrigieren (OLG Düsseldorf ZIP 2016, 71, 72; AG 2021, 23, 24). Dabei kann es auch Abweichungen zu Ungunsten der Antragsteller berücksichtigen, nicht aber Abfindungshöhe zu ihren Lasten nach unten korrigieren (OLG Stuttgart AG 2013, 840, 842).

Unabhängig von methodischem Ansatz ist nächster Berechnungsschritt nach 26
Prognose zu erwartender Erträge Umrechnung auf angemessene Alternativanlage, die vergleichbare Erträge erwarten lässt, sog **Kapitalisierungszinssatz.** Der Betrag, den Aktionär für entspr. Alternativanlage investieren muss, ergibt **Barwert** (zu den Einzelheiten IdW Standard S 1 [2008], FN-IdW 2008, 271 Rn. 85 ff.; Großfeld/Egger/Tönnes Unternehmensbewertung Rn. 559 ff.). Als Alternativanlage wird idR Basiszins als durchschnittliche Verzinsung öffentl. Anleihen herangezogen (vgl. dazu IdW Standard S 1 [2008], FN-IdW 2008, 271 Rn. 116; OLG Frankfurt AG 2015, 241, 243; OLG Saarbrücken AG 2014, 866 Rn. 54 ff.; stRspr des OLG Stuttgart – vgl. etwa AG 2015, 580, 582 mwN; Großfeld/Egger/Tönnes Unternehmensbewertung Rn. 578 ff.), der aber in Gestalt von **Zu- und Abschlägen** korrigiert werden muss, um den Unterschieden einer Unternehmensbeteiligung ggü. öffentl. Anleihen Rechnung zu tragen: höheres Risiko und höherer Inflationsschutz (OLG Frankfurt AG 2015, 241, 244; OLG Frankfurt AG 2015, 503, 506; OLG Stuttgart AG 2014, 208, 211 f.; ausf.

zum höheren Risiko OLG Düsseldorf BeckRS 2015, 01650; Emmerich/Habersack/Emmerich Rn. 100). Diese Anpassung erfolgte früher nach sog Risikozuschlagsmethode, die Risikozuschlag und Informationsabschlag auf Grundlage freier Schätzung veranschlagte. In Rspr. hat sich mittlerweile aber sog **Capital Asset Pricing Modell** (CAPM) durchgesetzt (OLG Düsseldorf AG 2016, 504, 506 f.; AG 2022, 705, 710; OLG Frankfurt AG 2012, 417, 419 f.; AG 2012, 828, 829 ff.; NZG 2020, 339 Rn. 63; OLG Stuttgart AG 2010, 510, 512; AG 2011, 205, 209; BeckRS 2014, 20592), das diese Werte mathematisch ermittelt (ausf. Emmerich/Habersack/Emmerich Rn. 105 f.; Großfeld/Egger/Tönnes Unternehmensbewertung, Rn. 668 ff.), und zwar mittlerweile in modifizierter Form als Tax-CAPM, das von Rspr. ebenfalls als zulässig angesehen wird (OLG Düsseldorf AG 2017, 709, 711; OLG Frankfurt AG 2013, 647, 649 f.; AG 2015, 205 Rn. 44; OLG Karlsruhe AG 2013, 765, 766; OLG Stuttgart AG 2013, 840, 844). Auch diese Modelle können der Anteilsbewertung als anerkannte und gebräuchliche Methoden zugrunde gelegt werden (Katzenstein AG 2018, 729, 742 f.). Auf- oder Abrundung des Basiszinssatzes ist aufgrund Schätzungscharakters möglich (OLG Karlsruhe AG 2015, 549, 551; OLG München AG 2019, 887, 889 f.; krit. LG München I AG 2016, 95, 99). Auch die zur Berechnung des Zinssatzes zu ermittelnde Marktrisikoprämie (ausf. dazu Franken/Schulte in Fleischer/Hüttemann UB-HdB Rn. 6.43 ff.) lässt sich nicht empirisch genau festlegen, so dass auf Bestellung eines gerichtlichen Sachverständigen verzichtet werden kann (OLG Karlsruhe AG 2016, 220, 221 f.; → SpruchG § 8 Rn. 5). Inwiefern Empfehlung des IDW-Fachausschusses Unternehmensbewertung und Betriebswirtschaft (FAUB) zugrunde zu legen ist, wird von Instanzgerichten abw. beurteilt (dafür OLG Frankfurt AG 2017, 790; Katzenstein AG 2018, 739, 743 f. mwN; dagegen OLG München AG 2018, 753, 755 f.; NZG 2022, 606 Rn. 80 ff.; LG München I AG 2016, 51, 55 f.; vgl. dazu auch Krenek CF 2016, 461, 464 f.). Zur Anwendung sog Svensson Methode vgl. OLG München AG 2019, 887, 889; AG 2020, 630, 631 f.; OLG Zweibrücken AG 2021, 29, 34.

27 Schließlich ist in drittem Schritt **nicht betriebsnotwendiges Vermögen** wie Grundbesitz ohne Nutzung gesondert zu bewerten (Einzelveräußerungswerte) und dem Ertragswert hinzuzusetzen. Notwendigkeit gesonderter Bewertung folgt daraus, dass solches Vermögen zu den Erträgen nicht oder nicht in der Weise beiträgt, die von Ertragswertmethode vorausgesetzt wird (OLG Celle AG 1979, 230, 232 f.; OLG Düsseldorf AG 2014, 817, 821; OLG Stuttgart AG 2015, 580, 585; ausf. Hüttemann/Meinert in Fleischer/Hüttemann UB-HdB § 8). Abgrenzung nicht betriebsnotwendigen Vermögens kann allerdings problematisch sein (Hüttemann/Meinert in Fleischer/Hüttemann UB-HdB Rn. 8.4 ff.; vgl. etwa LG München I AG 2017, 501, 506 f. zu Verwaltungsgebäuden und Werkswohnungen). Umstr. ist etwa, ob und – wenn ja – unter welchen Voraussetzungen **Schadensersatzansprüche** der AG nicht betriebsnotwendiges Vermögen sein können (dafür OLG Düsseldorf AG 1991, 106, 107 f.; OLG Frankfurt AG 2010, 798, 801 f.; aA OLG Stuttgart NZG 2000, 744, 746). Zutr. dürfte sein, ihre Berücksichtigung grds. zuzulassen, Vorstand hinsichtlich Durchsetzung aber weiten Beurteilungsspielraum zuzugestehen (OLG Frankfurt AG 2010, 798, 801; ausf. H.-P. Schröder/Habbe NZG 2011, 845 ff.; zust. Decher FS E. Vetter, 2019, 95, 107 ff.). Besteht mangels operativen Geschäfts nur nicht betriebsnotwendiges Vermögen, so tritt Liquidationswert an die Stelle des nicht existenten Ertragswerts (OLG Düsseldorf ZIP 2006, 2379, 2381 f.; AG 2008, 498, 499 f.).

28 Von durchgängiger Praxis zu unterscheiden ist Frage, ob Ertragswertmethode in dem Sinne rechtsverbindlich ist, dass Anwendung anderen Verfahrens als rechtl. fehlerhaft erscheint. Rspr. vermeidet derartige Festlegung (s. zB BVerfG AG 2012, 674, 675; BGH NJW 1978, 1316, 1318 f.; BayObLG AG 1996, 176, 177; OLG Düsseldorf AG 1984, 216; OLG Zweibrücken AG 1995, 421). Lösung kann mangels ges. Vorgaben **nur differenziert** erfolgen. Ermittlung des Grenzpreises für außenstehende Aktionäre als maßgebliches Bewertungsziel (→ Rn. 23) würde jedenfalls mit **Buchwert** der Unternehmen oder daran anknüpfenden Berechnungsmethoden verfehlt (KK-AktG/Koppensteiner Rn. 71; MüKoAktG/van Rossum Rn. 90). Solche Methoden passen nicht zum Zweck und sind daher rechtl. fehlerhaft. Auch früher gebräuchliches **Substanzwertverfahren** (Übersicht bei Piltz, Die Unternehmensbewertung in der Rechtsprechung, 3. Aufl. 1994, 34 ff.) spielt in der heutigen Praxis zu Recht keine Rolle mehr, da Wert eines lebenden Unternehmens nicht durch Addition der Substanzwerte bemessen werden kann (LG München I ZIP 2013, 1664, 1671; MüKoAktG/van Rossum Rn. 111; Hüttemann in Fleischer/Hüttemann UB-HdB Rn. 1.57 f.). Dasselbe gilt grds. für auf Mittelwerte abzielende Kombinationen zwischen Substanz- und Ertragswertverfahren, darunter insbes. das **Stuttgarter Verfahren,** doch können sie nicht durchgängig als rechtl. fehlerhaft bezeichnet werden, sondern zumindest in Sondersituationen noch herangezogen werden (BayObLG AG 1995, 509, 510; LG München I AG 1990, 404, 405 f. für Gaststättengrundstücke einer Brauerei; KK-SpruchG/Riegger/Gayk Anh. § 11 Rn. 4; Weiss FS Semler, 1993, 631, 639 f.; wohl großzügiger KK-AktG/Koppensteiner Rn. 92 f.). Speziell für Immobiliengesellschaften ist auch sog **Net Asset Value-Methode** anerkannt und verbreitet (vgl. etwa BayObLG BeckRS 2022, 11815 Rn. 36 ff.; NZG 2023, 1458 Rn. 43 ff.; OLG Frankfurt NZG 2017, 622 Rn. 29 ff.; NZG 2021, 72 Rn. 19 ff.; OLG Karlsruhe AG 2020, 755, 756; OLG München AG 2020, 56, 57 f.; Popp/Ruthardt in Fleischer/Hüttemann UB-HdB Rn. 12.175), doch besteht keine Pflicht, sie heranzuziehen (OLG München AG 2019, 401, 402).

bb) Berücksichtigung von Börsenkursen: Vorgaben des BVerfG. Nach tradierter aktienrechtl. Auffassung war Börsenkurs der Aktien generell nicht geeignet, Abfindungswert (→ Rn. 23) zu ermitteln (BGH AG 1967, 264; BayObLG AG 1995, 509, 510; OLG Celle AG 1999, 128, 129; OLG Düsseldorf AG 1995, 85, 86; AusschussB Kropff S. 399). Das wurde von einem Teil des Schrifttums kritisiert; danach war Börsenkurs Untergrenze, die Abfindungsangebot nicht unterschreiten durfte (Aha AG 1997, 26, 27 f.; Ammon FGPrax 1998, 121, 122; Luttermann ZIP 1999, 45, 46 und 51 f.). Dieser Auffassung hat sich BVerfGE 100, 289 = NJW 1999, 3769 grds. angeschlossen und festgestellt, dass §§ 291 ff., 320 ff. als **Inhalts- und Schrankenbestimmungen** des Eigentums mit Art. 14 I GG vereinbar sind, sofern berechtigte Interessen der Minderheitsaktionäre durch wirksame Rechtsbehelfe und durch Entschädigung geschützt werden, die volle Abfindung darstellt (BVerfGE 100, 289, 302 f.). **Volle Abfindung** dürfe bei börsennotierten Gesellschaften nicht unter Verkehrswert liegen; deshalb dürfe sie **nicht ohne Rücksicht auf Börsenkurs** festgesetzt werden (BVerfGE 100, 289, 305 ff.; ebenso BVerfG AG 2007, 697, 698; 2011, 128, 129; 2012, 625, 626). Verkehrsfähigkeit, die das Aktieneigentum inhaltlich präge, erfordere, dass außenstehende Aktionäre neben voller Vermögensteilhabe wenigstens das erhalten, was sie bei freier Desinvestitionsentscheidung erlöst hätten (BVerfGE 100, 289, 306). Gegen Unternehmensbewertung nach Ertragswertmethode beständen keine prinzipiellen verfassungsrechtl. Bedenken (BVerfGE 100, 289, 307), doch müsse Bewertung, damit der Eigenart des Bewertungsobjekts Rechnung getragen werde, auch Kurswert der Aktien in Betracht ziehen (BVerfGE 100, 289, 308). Daraus folge nicht, dass der Börsenkurs stets allein maßgeblich sei. Ihn zu überschreiten, sei immer verfassungsrechtl. unbedenklich. IÜ bestimme der Börsenkurs nicht schlechthin, aber für den Regelfall die Untergrenze; für tats. Umstände, aus denen sich Unterschreitungen rechtfertigen sollten, sei aber das herrschende Unternehmen darlegungs- und beweispflichtig (BVerfGE 100, 289, 309). Den maßgeblichen Stichtag sachgerecht zu bestimmen, gehöre zur 29

Auslegung und Anwendung des einfachen Rechts, welches auch auf Durchschnittskurs im Vorfeld der Bekanntgabe des Unternehmensvertrags zurückgreifen könne (BVerfGE 100, 289, 309 f.). Soweit Abfindung durch Aktien der Obergesellschaft erfolge, seien dargestellte Grundsätze maßgeblich, soweit es um Bewertung des Unternehmens der abhängigen Gesellschaft gehe. Dagegen verlange Verfassung nicht, etwa vorhandenen Börsenkurs der Obergesellschaft als Höchstgrenze bei der Bewertung ihres Unternehmens heranzuziehen; denn der Erwerb solcher Aktien zum Börsenkurs sei nicht Bestandteil des von Art. 14 I GG geschützten an den Aktien der abhängigen Gesellschaft begründeten Anteilseigentums (BVerfGE 100, 289, 310).

30 Vorgaben des BVerfG, die das Gericht seither teilw. noch vertiefen konnte (s. BVerfG AG 2000, 40, 41; NJW 2001, 279; AG 2011, 128 Rn. 8 ff.; NJW 2011, 2497 Rn. 21 ff.; NZG 2012, 907 Rn. 18 ff.), sind im Schrifttum auf **unterschiedliche Resonanz** gestoßen (Überblick etwa bei Emmerich/Habersack/Emmerich Rn. 59 ff.; umfassende verfassungsrechtl. Würdigung bei Schoppe, Aktieneigentum, 2011, 394 ff.). Praxis hat Vorgaben jedenfalls hinzunehmen und die aufgestellten Anforderungen in den Kontext namentl. der §§ 304, 305 einzubauen und iRd Notwendigen zu konkretisieren (→ Rn. 36 ff.). Für bislang dominierende **Ertragswertmethode** ist ausdr. festgestellt, dass sie keinen prinzipiellen verfassungsrechtl. Bedenken ausgesetzt ist. Vielmehr ist es „ein verfassungsrechtlich unbedenklicher Ansatz", an Fähigkeit anzuknüpfen, künftig Erträge zu erwirtschaften (BVerfGE 100, 289, 307 = NJW 1999, 3769; OLG Düsseldorf AG 2009, 907, 908 f.; OLG Stuttgart AG 2008, 510, 512 mwN; zurückhaltendere Formulierung in BVerfG NJW 2011, 2497 Rn. 23).

31 **b) Einzelfragen zur Ermittlung des Ertragswerts. aa) Erwerbspreis des anderen Vertragsteils, Paketzuschlag, Minderheiten- und Fungibilitätsabschlag.** Da Ertragswertmethode nicht zwingend ist (→ Rn. 28), stellt sich die Frage, ob alternativ oder ergänzend auch Besonderheiten der konkreten Abfindungssituation zu abw. Bewertung führen können. Insofern wird insbes. diskutiert, ob in Ermittlung der angemessenen Abfindung der **Preis für Aktien** der Gesellschaft eingehen darf oder muss, **den anderer Vertragsteil bei anderer Gelegenheit angeboten oder gezahlt hat.** Ähnliche Problemstellung – wenngleich tendenziell etwas weiter gefasst, da von konkretem Angebot gelöst – verbirgt sich hinter Frage nach Zulässigkeit von **Paketzuschlägen,** also der Frage, ob sich Bereitschaft des Marktes, höheren Preis für Aktienpaket zu zahlen als für Einzelaktien, in der Bewertung niederschlagen muss. HM lehnt einen solchen Zuschlag zu Recht ab (vgl. BGHZ 186, 229 Rn. 31 = NJW 2010, 2657; OLG Celle AG 1999, 128, 129; OLG Düsseldorf AG 1998, 236, 237; AG 2018, 399, 402; AG 2019, 92, 94; AG 2019, 732, 735; NZG 2023, 1171 Rn. 182; OLG Frankfurt AG 2012, 513, 514; AG 2020, 954, 955; AG 2022, 83, 84; OLG Stuttgart AG 2011, 420, 423; LG München I ZIP 2013, 1664, 1671; KK-AktG/Koppensteiner Rn. 73; MüKoAktG/van Rossum Rn. 91; S/L/Stephan Rn. 111; BeckOGK/Veil/Preisser Rn. 71 f.; Bode Konzern 2010, 529, 530 ff.; Herfs/Goj DB 2021, 772, 776 f.; aA Emmerich/Habersack/Emmerich Rn. 68; Hüttemann FS Hoffmann-Becking, 2013, 603 ff.; Lutter JZ 1976, 225; H. P. Westermann AG 1976, 309). Tats. Erwerbspreis zu berücksichtigen, ist jedenfalls nicht verfassungsrechtl. geboten, weil dafür maßgeblicher Grenznutzen der Obergesellschaft nicht den Wert des von außenstehenden Aktionären gehaltenen Anteilseigentums bestimmt (BVerfGE 100, 289, 306 f. = NJW 1999, 3769; OLG Düsseldorf AG 2016, 504, 507; OLG Frankfurt AG 2020, 954, 955). Auch aktienrechtl. muss Frage verneint werden, weil zwischen Preis einzelner Aktien oder auch Aktienpakete und Wert des Gesellschaftsunternehmens kein unmittelbarer Zusammenhang besteht. Andere Lösung wäre nur diskutabel, wenn es nicht

auf Grenzpreis für außenstehenden Aktionär, sondern auf Schiedswert ankäme, der gegenläufige Interessen ausgleichen soll und auch Ableitungen aus Hilfsgrößen zulässt. Das ist jedoch nicht der Fall (→ Rn. 23). Möglich ist allenfalls, Vorerwerbspreise in Einzelfällen in richterliche Schätzung nach § 287 ZPO (→ Rn. 22) einfließen zu lassen (so hilfsweise bei nicht feststellbarem Ertragswert OLG Frankfurt AG 2022, 83, 84; LG Frankfurt BeckRS 2015, 09089 Rn. 81 ff.), doch muss dabei unterschiedlicher Bewertungsgegenstand bewusst bleiben. Insbes. wenn Grund zur Annahme besteht, dass Vorerwerb nicht mit Paketzuschlägen erfolgte, sondern im normalen Geschäftsverkehr, kann solche Vorgehensweise naheliegen (OLG Frankfurt AG 2022, 83, 85).

Spiegelbildlich darf nach ganz hM auch nicht sog **Minderheitenabschlag** 32 veranschlagt werden, mit dem nach vereinzelter Auffassung geringerer Marktbewertung einer Minderheitenbeteiligung mit begrenzter Einflussmöglichkeit Rechnung getragen werden soll (wie hier KG AG 1964, 217, 219; OLG Düsseldorf AG 1973, 282, 284; OLG Köln NZG 1999, 1222, 1227; Emmerich/Habersack/Emmerich Rn. 119; KK-AktG/Koppensteiner Rn. 95; MüKoAktG/van Rossum Rn. 184; Grigoleit/Servatius Rn. 26; Ruthardt NZG 2014, 972 ff.; aA Busse v. Colbe AG 1964, 263, 265). Dem stehen nicht nur Gleichbehandlungsgrundsatz (§ 53a) und Prinzip der indirekten Anteilsbewertung entgegen (→ Rn. 40), sondern auch Überlegung, dass sich Minderheitenabschlag vornehmlich in Veräußerungssituation aufdrängen könnte, Abfindung aber auch Aktionär ohne Verkaufsabsicht Rechnung tragen muss (Fleischer FS Hoffmann-Becking, 2013, 331, 343 f. [zum Fungibilitätsabschlag]). Dieselben Grundsätze müssen für **Fungibilitätsabschlag** gelten, der nach MM bei nicht börsennotierter AG erschwerter Wiederverkaufsmöglichkeit Rechnung tragen soll (abl. die hM – vgl. OLG Düsseldorf BeckRS 2007, 06686; OLG München AG 2007, 701, 704 [Verschmelzung]; OLG Frankfurt AG 2010, 751, 755; LG Dortmund NZG 2004, 723, 726 [Eingliederung]; ausf. Fleischer ZIP 2012, 1633, 1637 ff.; Fleischer FS Hoffmann-Becking, 2013, 331 ff.; aA OLG Düsseldorf BeckRS 2006, 07149 unter 2.3.2 [Eingliederung]; LG Frankfurt/Main AG 1983, 136, 138; Beck-HdB AG/Göckeler § 24 Rn. 70 f.). Da Minderheitsaktionär nur aufgrund Initiative des Hauptaktionärs mit Fungibilitätsrisiko belastet wird, kann es ihm schlechterdings nicht zum Nachteil gereichen (vgl. zu diesem Argument Fleischer FS Hoffmann-Becking, 2013, 331, 344). Zu Zweifeln an der grds. Berechtigung eines Fungibilitätsabschlags im Zuge der neueren Delisting-Rspr. → § 119 Rn. 32.

bb) Verbundeffekte. Unterschiedlich beurteilt wird ferner Behandlung von 33 Verbundeffekten. Damit sind Auswirkungen regelmäßig vorteilhafter Art gemeint, die nur durch **Hinzutritt des anderen Vertragsteils** entstehen. Rspr. zur Ermittlung des Ertragswerts verhält sich abl. (BGHZ 138, 136, 140 = NJW 1998, 1866; BayObLG AG 1996, 127, 128; OLG Celle AG 1999, 128, 130; OLG Düsseldorf AG 2000, 323 f.; OLG Frankfurt AG 2011, 717, 718 [zu § 327b]; AG 2014, 822, 825; OLG Hamburg AG 1980, 163, 165; OLG München AG 2018, 753, 755; OLG Stuttgart AG 2011, 420, 421; OLG Stuttgart AG 2013, 724, 727; ebenso KK-AktG/Koppensteiner Rn. 65; KK-SpruchG/Riegger/Gayk Anh. § 11 Rn. 6; S/L/Stephan Rn. 68.; MüKoAktG/van Rossum Rn. 179 f.; BeckOGK/Veil/Preisser Rn. 87; Decher FS Hommelhoff, 2012, 115, 122 ff.; Werner FS Steindorff, 1990, 303, 314 ff.; dagegen für Berücksichtigung von Verbundeffekten Emmerich/Habersack/Emmerich Rn. 109 ff.; Winner in Fleischer/Hüttemann UB-HdB Rn. 16.26 ff.; MHdB AG/Krieger § 71 Rn. 135; Fleischer ZGR 2001, 1, 27; Gansweid AG 1977, 334, 338 f.). Der abl. Ansicht der Rspr. ist nach der hier vertretenen Grundposition beizutreten. Verbundeffekte fallen nicht mehr in den Grenzpreis für außenstehende Aktionäre.

Dieser ist aber maßgeblich (→ Rn. 23). Da Aktionäre auch an negativen Verbundeffekten nicht partizipieren (allg. Auffassung – vgl. MüKoAktG/van Rossum Rn. 177), wäre es einseitige und inkonsequente Besserstellung, sie an positiven Verbundeffekten teilnehmen zu lassen. Anderenfalls würde auch offenkundige Abweichung von Bewertung nach Börsenkursen eingreifen, da dieser ein Zeitraum vor Bekanntmachung der Strukturmaßnahme zugrunde gelegt wird (→ Rn. 43), so dass Synergieeffekte auch in Börsenkurs noch nicht eingepreist sein werden (sa Decher FS Hommelhoff, 2012, 115, 124). Etwas anderes gilt nur für sog unechte Verbundeffekte, die sich nicht aus konkretem Zusammenschluss ergeben, sondern sich ohne Berücksichtigung der konkreten Maßnahme auch in anderen Konstellationen realisieren lassen (OLG Frankfurt AG 2014, 822, 825 f.; OLG Stuttgart AG 2013, 724, 727; LG München I ZIP 2015, 2124, 2129 [insoweit nicht in AG 2016, 51]; S/L/Stephan Rn. 69; vgl. zur schwierigen Abgrenzung aber Decher FS Hommelhoff, 2012, 115, 129 ff.).

34 **cc) Bewertungsstichtag.** Für Barabfindung hebt § 305 III 2 auf **Zeitpunkt** ab, **in dem HV der AG** nach § 293 I über Beherrschungs- oder Gewinnabführungsvertrag **beschließt** (allg. Auffassung – vgl. BGHZ 138, 136, 139 f. = NJW 1998, 1866; BayObLG AG 1995, 509 f.; OLG Celle AG 1999, 128, 129; OLG München AG 2008, 28, 31 f.; MüKoAktG/van Rossum Rn. 112 f. mwN; zur technischen Durchführung vgl. Herfs/Nitschmann AG 2023, 435 Rn. 1 ff.). Das entspr. der für Ausgleichsregelung geltenden Lage (→ § 304 Rn. 10) und trifft auch für Abfindung in Aktien schon deshalb zu, weil maßgeblicher Wert für beide Abfindungsarten nach sachlich übereinstimmenden Grundsätzen zu ermitteln ist (→ Rn. 23). Frühere Auflösung stiller Reserven unter Geltung eines anderen Beherrschungs- oder Gewinnabführungsvertrags ist unerheblich (BVerfG AG 2003, 624, 625). **Nachträglich eintretende Entwicklungen** sind zu berücksichtigen, soweit sie in Verhältnissen am Bewertungsstichtag schon angelegt, „verwurzelt" sind (BGH NJW 1973, 509, 511; BayObLG AG 2001, 138, 139; OLG Celle NZG 1998, 987, 988; OLG Düsseldorf AG 2000, 323 f.; AG 2016, 864, 866; OLG München AG 2015, 508 Rn. 40 ff.; NZG 2022, 362 Rn. 36 ff.; OLG Stuttgart AG 2013, 724, 727; OLG Zweibrücken AG 1995, 421, 422 f.; LG München I ZIP 2013, 1664, 1668; für großzügige Handhabung Emmerich/Habersack/Emmerich Rn. 82 ff.). Umschreibung ist unscharf (KK-AktG/Koppensteiner Rn. 31), Ergebnis gleichwohl richtig. Letztlich geht es nur um Rückschluss aus späteren Entwicklungen (zB Sanierungskosten) auf Verhältnisse am Stichtag (zB ruhende Altlasten). Auch später bei Veräußerung des Unternehmens erzielter Verkaufspreis kann nur unter diesen Voraussetzungen in Schätzung des maßgebenden Verkehrswertes einfließen (OLG Stuttgart NZG 2014, 140, 141 f. [320 % über gerichtl. angenommenem Wert]). Sonstige nachträgliche Entwicklungen können zwar zugunsten der Minderheit berücksichtigt werden, um Spruchverfahren zu vermeiden, aber nicht zu Lasten der Minderheit (GK-AktG/Hasselbach/Hirte Rn. 100; ausführlicherer Streitstand zu § 327b [→ § 327b Rn. 19]; abw. – namentl. mit Blick auf Änderung des risikolosen Basiszinssatzes – Herfs/Nitschmann AG 2023, 435 Rn. 1 ff.; sa S/L/Stephan Rn. 118). Gegenläufig zur Verwurzelung ist auch **Entwurzelung** denkbar, wenn künftige Entwicklung untrennbar mit geplanter Strukturmaßnahme verknüpft ist, so dass sie aufgrund maßgeblicher Stand-Alone-Betrachtung nicht zum ursprünglichen Unternehmenswert gerechnet werden darf. Erforderlich ist dafür aber untrennbare jur. Verknüpfung, etwa durch aufschiebende Bedingung; bloßes Rücktrittsrecht genügt nicht (so zum Squeeze-Out OLG München NZG 2022, 362 Rn. 40; zust. Hoppe NZG 2022, 370, 371; sa schon OLG Frankfurt BeckRS 2014, 1047 [unter II 2b bb ccc]; OLG München AG 2015, 508 Rn. 43).

dd) Überleitung zum Anteilswert. Ergebnisse der Unternehmensbewertungen (→ Rn. 21 ff.) sind auf Aktien umzurechnen. Maßstab für die Einzelaktie ist ihr Anteil am Grundkapital (§ 8 IV). Berechnung ist für Aktien beider Gesellschaften erforderlich. Umtauschverhältnis ergibt sich aus Verhältnis der Anteilswerte. Gelegentlich befürworteter **Minderheitsabschlag** ist unzulässig (→ Rn. 32). Dagegen liegt kein Verstoß gegen § 53a vor, wenn **unterschiedliche Stimmrechtsausstattung der Aktien** (Mehrstimmrechtsaktien einerseits, stimmrechtslose Vorzüge andererseits) berücksichtigt wird (OLG Düsseldorf AG 1973, 282, 284; LG Frankfurt AG 1987, 315, 317; KK-AktG/Koppensteiner Rn. 97; MüKoAktG/van Rossum Rn. 185). Das folgt schon aus dem Zweck des § 305, außenstehende Aktionäre gegen Beeinträchtigung ihrer Herrschaftsrechte zu schützen (→ Rn. 1). Erforderliche Quantifizierung bereitet jedoch offenbare Schwierigkeiten und bedingt behutsamen Umgang (einleuchtend deshalb OLG München Konzern 2007, 356, 362 f.). 35

c) Einzelfragen zur Berücksichtigung von Börsenkursen. aa) Problemaufriss. Ist AG börsennotiert, kommt neben herkömmlicher Ertragswertmethode (→ Rn. 24 ff.) auch Heranziehung des Börsenkurses als alternative Bemessung in Betracht; ist nur ein Teil der Aktien börsennotiert, gilt das zumindest für börsennotierte Papiere (vgl. dazu Riegger/Wasmann FS Stilz, 2014, 509, 510). Gedanklicher Ausgangspunkt sind insofern die in **BVerfGE** aufgestellten Anforderungen (→ Rn. 29 f.). Für ihre aktienrechtl. Umsetzung ist zu unterscheiden zwischen Bewertung der Aktien der abhängigen Gesellschaft, zu deren Übernahme sich das herrschende Unternehmen gem. § 305 I verpflichten muss, und Bewertung der Aktien des herrschenden Unternehmens, soweit die außenstehenden Aktionäre in seinen Aktien abzufinden sind. Ferner ist wesentlich, inwieweit die gewonnenen Ergebnisse auf andere Konstellationen übertragen werden können oder müssen. Den bisherigen Diskussionsschwerpunkt bilden die Fragen, die sich auf Aktien der abhängigen Gesellschaft beziehen. Dabei ist weiter zu differenzieren zwischen Bedeutung des Börsenkurses einerseits und seiner Definition als Stichtagskurs oder Durchschnittskurs andererseits; für Durchschnittskurs ist insbes. die Länge des Referenzzeitraums wesentlich. 36

bb) Bedeutung des Börsenkurses der abhängigen Gesellschaft. (1) Meinungsstand. Während Börsenkurs für Unternehmensbewertung früher lange Zeit überhaupt keine Bedeutung beigemessen wurde, nahm hM im Lichte der neueren BVerfG-Rspr. an (→ Rn. 29 f.), dass Börsenkurs ausschließlich die **Untergrenze** der Abfindung festlegen könne, die aber bei größerem Ertragswert auch höher festgesetzt werden könne (s. BGHZ 147, 108, 115 = NJW 2001, 2080; BayObLG AG 2006, 41, 45; OLG Düsseldorf AG 2009, 907, 909; OLG Frankfurt AG 2007, 403 f.; OLG Hamburg AG 2001, 479, 480; OLG Karlsruhe AG 2005, 45, 46 f.; OLG Stuttgart NZG 2000, 744, 745; KK-AktG/Koppensteiner Rn. 100; IdW Standard S 1 2008 Rn. 16). Diese Auffassung führt zu einer **Meistbegünstigung** des Aktionärs, macht aber aufwendige zweigleisige Prüfung erforderlich (Stilz ZGR 2001, 875, 893). Nachdem **BVerfG** klargestellt hat, dass Meistbegünstigung des Aktionärs zumindest verfassungsrechtl. nicht geboten ist (BVerfG NJW 2011, 2497; AG 2012, 625, 626; sa OLG Düsseldorf AG 2016, 864, 865; OLG Karlsruhe AG 2013, 765, 766; OLG München NZG 2022, 606 Rn. 78; OLG Stuttgart v. 17.10.2011 – 20 W 7/11, juris-Rn. 187), spricht sich mittlerweile deutlich hM mit zT sehr unterschiedlichen Ausprägungen (insbes. hinsichtlich Regel-/Ausnahme-Verhältnis weiterer Ertragswertprüfung) dafür aus, dass Börsenkurs auch **ausschließlich der Bemessung der Abfindung zugrunde gelegt** werden kann (vgl. BGHZ 207, 114 Rn. 33 f. = NZG 2016, 139; BGHZ 208, 265 Rn. 23 = NZG 2016, 461; BGHZ 227, 137 Rn. 20 = NZG 2020, 1386; BGHZ 236, 180 Rn. 18 ff. = NZG 2023, 937; 37

OLG Düsseldorf AG 2017, 709, 710; NZG 2023, 1171 Rn. 43; stRspr des OLG Frankfurt – vgl. etwa AG 2010, 751 Rn. 51 ff.; AG 2012, 513 ff.; AG 2012, 919, 921; NZG 2014, 464; AG 2016, 667, 670; NZG 2017, 622 Rn. 30; AG 2017, 790, 791 f.; NZG 2021, 979 Rn. 30 ff.; stRspr des OLG München AG 2012, 749, 752; AG 2020, 133, 134; NZG 2022, 606 Rn. 76 ff.; stRspr des OLG Stuttgart – vgl. etwa AG 2011, 795 f.; AG 2013, 840 f., 844 f.; AG 2015, 580, 585; sa LG Frankfurt ZIP 2011, 2469, 2473 f.; LG Frankfurt NZG 2019, 989 Rn. 41; vgl. aus dem unüberschaubaren Schrifttum Adolff in Fleischer/Hüttemann UB-HdB Rn. 16.67 ff.; Fleischer AG 2014, 97, 110 ff.; Gärtner/Handke NZG 2012, 247 ff.; Hüttemann ZGR 2001, 454, 465 ff.; Hüttemann FS Hoffmann-Becking, 2013, 603, 613 ff.; J. Schmidt NZG 2021, 1361, 1363 ff.; Stilz FS Goette, 2011, 529, 537 ff.; Wasmann AG 2021, 179 Rn. 13 ff., 35 ff.; aA Ruthardt/Hachmeister NZG 2014, 41 ff.; stark einschränkend auch FAUB AG 2021, 588 Rn. 3 ff.; Ruiz de Vargas NZG 2021, 1001 ff., 1056 ff.). Fortbestehendes Problem liegt aus Unternehmenssicht allerdings auch nach dieser Lösung in fehlender Vorhersehbarkeit, welche Methode Gericht iR seines Schätzungsermessens (→ Rn. 39) heranziehen wird, weshalb sich neuerdings auch Stimmen mehren, die Abfindung nach Börsenkurs nicht nur als zulässig, sondern als **Regelfall** anerkennen wollen (Emmerich/Habersack/Emmerich Rn. 59 ff.; BeckOGK/Veil/Preisser Rn. 60; MHdB AG/Krieger § 71 Rn. 139; Decher AG 2023, 106 Rn. 36 ff.; J. Schmidt NZG 2020, 1361, 1365; Schnorbus/Rauch/Grimm AG 2021, 391 Rn. 24; Wasmann AG 2021, 179 Rn. 50; zumindest in diese Richtung deutend auch BGHZ 207, 114 Rn. 21 = NZG 2016, 139; BGHZ 236, 180 Rn. 31; krit. aber Ruiz de Vargas NZG 2021, 1001 ff.). In den zahlreichen zitierten Gerichtsentscheidungen findet diese Tendenz hingegen noch keinen Niederschlag, sondern die übliche Formel geht sinngem. dahin, dass Abfindung nach Börsenkurs eine gleichwertige Alternative zum Ertragswertverfahren darstellen könne (vgl. etwa BGHZ 208, 265 Rn. 23 = NZG 2016, 461). In der Praxis tendieren Bewertungsgutachter und gerichtl. bestellte Prüfer weiterhin dazu, Börsenkurs und Ertragswert zu ermitteln und dann auf höheren Wert abzustellen (Schnorbus/Rauch/Grimm AG 2021, 391).

38 Eng mit Frage nach Bewertungsmethode verbunden ist Frage nach **Bewertungsobjekt.** Insofern wird zT auf quotalen Anteil am Gesamtunternehmen, zT auf Marktwert des Anteils abgestellt (für das Erste Hüffer FS Hadding, 2004, 461, 466 ff.; Hüffer/Schmidt-Aßmann/Weber, Anteilseigentum, Unternehmenswert und Börsenkurs, 2005, 23 ff.; Hüttemann ZHR 162 [1998], 563, 573 ff.; Maier-Reimer/Kolb FS W. Müller, 2001, 93, 99 ff.; für das Zweite Mülbert FS Hopt, 2010, 1039, 1067 ff.; W. Müller FS Bezzenberger, 2000, 705, 714 ff.; Stilz FS Goette, 2011, 529, 537 ff.). Wer auf quotalen Anteil abstellt, steht Bewertung nach Börsenkursen zumeist skeptisch ggü., da dieser nur Marktwert des einzelnen Anteils wiedergebe, nicht aber (auch nicht quotal) des Gesamtunternehmens, für das es zumeist keinen Markt gebe (Hüffer ZHR 172 [2008], 572, 577).

39 **(2) Stellungnahme.** Im Streit um **Bewertungsmethode** (→ Rn. 37) ist im Grundsatz der heute hM zu folgen. Während Berücksichtigung des Börsenkurses als Untergrenze verfassungsrechtl. geboten ist, fehlt es für Meistbegünstigungsthese an einem solchen Fundament. Ihr wäre deshalb nur dann zu folgen, wenn Ertragswertmethode Bewertung nach Börsenkursen in einer solchen Weise überlegen wäre, dass sie allein als zuverlässige und damit „richtige“ Methode erschiene, die nur aus verfassungsrechtl. Gründen im Hinblick auf möglichen Desinvestitionserlös durch (unzuverlässigere) Marktbewertung zu ergänzen wäre. Das ist aber nicht der Fall, da zumindest auch funktionierenden Marktmechanismen im Grundsatz Richtigkeitsgewähr innewohnt. Zwar ist das Vertrauen in Rationalität zT deutlich volatiler Märkte in den letzten Jahren völlig zu Recht durch Verhaltensökonomie erschüttert worden (Überblick bei Burger NZG 2012, 281, 285 ff.; sa Ruthardt/Hachmeister NZG 2014, 41, 44 f.), doch beruht auch Ertragswertverfahren auf **subj. Grundlage prognostischer Schätzungen** (→ Rn. 25) und führt deshalb nicht per se zu zuverlässigeren Ergebnissen als Marktbewertung (vgl. BVerfG AG 2012, 625, 627; BGHZ 236, 180 Rn. 35 = NZG 2023, 937; OLG Frankfurt v. 3.9.2010 – 5 W 57/09, juris-Rn. 120 ff. = BeckRS 2010, 21665 – insofern nicht in AG 2010, 751; OLG Stuttgart v. 17.10.2011 – 20 W 7/11, juris-Rn. 180 = BeckRS 2011, 24586; sa die scharfe Kritik von Emmerich/Habersack/Emmerich Rn. 93 an Ertragsschätzung auf Grundlage der Phasenmethode: „Unternehmensplanungen nur allzu oft grundfalsch"). Dennoch erkennen Gerichte Vorrang der Unternehmensplanung an, die nur in sehr geringem Maße gerichtl. überprüft werden darf (→ Rn. 25), was etwaige Fehler weitestgehend gerichtsfest perpetuiert (krit. Emmerich/Habersack/Emmerich Rn. 91 f.). Weitere Aufwertung hat Marktbewertung durch **§ 31 I WpÜG** erfahren, der ausschließlich auf Börsenkurs abstellt (OLG Frankfurt AG 2010, 751 Rn. 60; sa Bungert/Wettich FS Hoffmann-Becking, 2013, 157, 165 f.) und in dieser Form als Vorbild für die neue Delisting-Regelung in § 39 BörsG diente (vgl. dazu Bayer NZG 2015, 1169, 1172 ff.; zu weiteren ges. Bestätigungen Schnorbus/Rauch/Grimm AG 2021, 391 Rn. 20 ff.). Vor diesem Hintergrund ist heute anzunehmen, dass Gericht zwischen zwei gleichermaßen legitimen, aber auch gleichermaßen zweifelbehafteten Methoden zu wählen hat, wobei für die Auswahl **Schätzungsbefugnis nach § 287 Abs. 2 ZPO** gilt (OLG Frankfurt NZG 2014, 464 f.; NZG 2021, 979 Rn. 29 f.; Hüttemann ZGR 2001, 454, 471 ff.; zurückhaltend Happ/Bednarz FS Stilz, 2014, 219, 230 ff.). Gericht muss sich, sofern es über eigene Sachkunde verfügt, bei Auswahl der Bewertungsmethode nicht sachverständig beraten lassen; auch entsprechender förmlicher Hinweis ist insofern entbehrlich (BGHZ 236, 180 Rn. 22 f., 29, 31). Dieser Wahlmöglichkeit steht nicht entgegen, dass Börsenkurs bei nicht börsennotierten Gesellschaften nicht zur Verfügung steht. Gericht muss alle ihm zur Verfügung stehenden Erkenntnisquellen ausschöpfen und wird daran nicht dadurch gehindert, dass bei anderen Gesellschaften weniger Quellen zur Verfügung stehen (zutr. OLG Frankfurt NZG 2021, 979 Rn. 35; J. Schmidt NZG 2020, 1361, 1365). Auch ein zT behaupteter Grundsatz der „Methodentreue", der Gericht an vorangegangene Methodenwahl der Vertragsparteien oder des Prüfers binden soll, ist ohne ges. Grundlage (BGHZ 207, 114 Rn. 32 = NZG 2016, 139; BGHZ 236, 180 Rn. 25; OLG Frankfurt NZG 2021, 979 Rn. 29; Schnorbus/Rauch/Grimm AG 2021, 391 Rn. 29). Noch weitergehende Festlegung auf den **Börsenkurs als Regelfall** ist durch Delisting-Praktiken mancher Unternehmen in kursturbulenten Pandemiezeiten (vgl. dazu J. Koch AG 2021, 249 Rn. 1 ff.) möglicherweise etwas in Misskredit geraten, sollte aber trotzdem nicht vorschnell verworfen werden. Fälle haben jedoch gezeigt, wie wichtig es ist, Gerichte bei Feststellung von Regel/Ausnahme-Verhältnis nicht zu engen Bindungen zu unterwerfen.

Hinsichtlich Frage nach **Bewertungsobjekt** (→ Rn. 38) ist festzustellen, dass **40** für Abfindung entscheidend quotaler Unternehmenswert ist (s. Wortlaut des § 305 III 2), dieser durch Börsenkurs aber selbst unter idealen Marktbedingungen nicht abgebildet wird, da er in der Tat nicht Marktwert des Gesamtunternehmens spiegelt (Ruthardt/Hachmeister NZG 2014, 41 44). Unterschied sollte aber nicht überbewertet werden, da Börsenwert mit Marktwert zwar nicht deckungsgleich sein mag, damit aber doch zumindest in einem derart engen Zusammenhang steht, dass er zumindest als **Schätzungsgrundlage** (→ Rn. 39) herangezogen werden kann (BGHZ 208, 265 Rn. 23 = NZG 2016, 461; OLG Frankfurt AG 2010, 751 Rn. 88; NZG 2014, 464, 465; OLG Stuttgart v. 17.10.2011 – 20 W 7/11, juris-Rn. 178 = BeckRS 2011, 24586; Hüttemann FS Hoffmann-Becking,

2013, 603, 614 f.; die Alternativität der Bewertungsobjekte generell abl. Mülbert FS Hopt, Bd. I, 2010, 1039, 1068 ff.; auch BVerfG AG 2012, 625, 626 scheint von hinreichender Aussagekraft des Börsenkurses auszugehen). Diese Vorgehensweise erscheint insbes. vor dem Hintergrund legitim, dass auch alternativ heranzuziehender Ertragswert nicht nur mit Unsicherheiten behaftet ist (→ Rn. 25, 39), sondern überdies auch selbst keinesfalls mit Marktwert des Unternehmens übereinstimmen muss, sondern ihn allenfalls indizieren kann.

41 Bei Auswahl der Bewertungsmethode (→ Rn. 39) muss Gericht insbes. prüfen, ob Aussagekraft der Marktbewertung durch etwaige **Marktverzerrungen** gemindert wird (Hüttemann/Meinert JZ 2023, 823, 826: für gerichtl. Praxis zentrale Rechtsfrage). Bes. Bedeutung kommt insofern **Marktenge** zu (ausf. dazu Emmerich/Habersack/Emmerich Rn. 65; Schnorbus/Rauch/Grimm AG 2021, 391 Rn. 31 ff.; zur Aussagekraft des Bid-Ask-Spreads s. BGHZ 236 180 Rn. 32 = NZG 2023, 937; OLG Düsseldorf NZG 2023, 1171 Rn. 44, 56 ff.; Decher AG 2023, 106 Rn. 58 f.; zur nochmals gesteigerten Bedeutung dieses Kriteriums iRd § 327b → § 327b Rn. 6). Zur Beurteilung kann § 5 IV WpÜG herangezogen werden (→ Rn. 45), ohne dass Marktenge allein an diesem Maßstab beurteilt wird (OLG Düsseldorf NZG 2023, 1171 Rn. 44 ff.). Um hinreichende Liquidität des Marktes festzustellen, wird Betrachtungszeitraum von 10–12 Monaten vor Bekanntwerden der Maßnahme zugrunde gelegt (OLG Frankfurt NZG 2021, 979 Rn. 40; OLG München AG 2022, 503, 505 f.; ausf. Decher AG 2023, 106 Rn. 47 ff.). Weitere Kriterien sind gezielte Kurspflege, Kursmanipulation (vgl. dazu MHdB AG/Krieger § 71 Rn. 138; J. Schmidt NZG 2020, 1361, 1366) oder unzureichende Marktinformation; mittlerweile in Ges. aufgenommene Kriterien in § 39 III 3 und 4 BörsG (→ § 119 Rn. 40 f.) sowie § 255 V 3 (→ § 255 Rn. 47 ff.) können zur Auslegung herangezogen werden (Wasmann AG 2023, 810 Rn. 2: „Versuchsballon“). Solche Verzerrungen können sodann Anlass für flankierende Ertragswertprüfung sein (vgl. etwa OLG Düsseldorf AG 2017, 709, 710: dotcom-Blase; OLG München AG 2020, 56, 57: langjähriger Beherrschungsvertrag; s. dazu auch Herfs/Goj DB 2021, 772, 774). Auf der anderen Seite darf Gericht von solcher Prüfung aber auch absehen, wenn es keinen Zweifel an zuverlässiger Marktbewertung hat und Aufwand, Kosten und Dauer weiterer Prüfung aus seiner Sicht in keinem angemessenen Verhältnis zu dem zu erwartenden Erkenntnisgewinn steht (s. dazu BVerfG AG 2012, 625, 627 [unter Verweis auf Gebot effektiven Rechtsschutzes]; Hüttemann ZGR 2001, 454, 476 f.). Voraussetzung der Bestimmung nach dem Börsenwert ist aber nicht, dass Kapitalmarkt in Bezug auf Anteile streng allokations- und informationseffizient ist, also Zustand perfekten Wettbewerbs herrscht und alle prinzipiell zugänglichen öffentlichen und nichtöffentlichen Informationen korrekt in den Kursen verarbeitet sind (so aber FAUB AG 2021, 588; Ruthardt/Popp AG 2020, 240 Rn. 22 ff.). Nur wenn im konkreten Fall von Möglichkeit einer effektiven Informationsbewertung durch Marktteilnehmer nicht ausgegangen werden kann, so dass Börsenkurs keine verlässliche Aussage über Verkehrswert erlaubt, kann Anteilswert nicht unter Rückgriff auf Börsenkurs ermittelt werden (BGHZ 147, 108, 115 = NJW 2001, 2080; BGHZ 208, 265 Rn. 23 = NZG 2016, 461; BGHZ 236, 180 Rn. 20; Ruiz de Vargas NZG 2023, 923, 926: „halbstrenge Informationseffizienz“). Im Rahmen dieser Beurteilung ist auch zu berücksichtigen, in welchem **Marktsegment** Börsenkurs gebildet wird. BVerfG hat noch festgestellt, dass Gerichte idR größeres Vertrauen in Handel am regulierten Markt haben als in Handel im Freiverkehr (sa BVerfG AG 2012, 625, 627), doch ist zu berücksichtigen, dass sich ges. Grundlagen seitdem verschoben haben. Seit Inkrafttreten der MAR gelten zahlreiche kapitalmarktrechtl. Regeln auch für Freiverkehr, was Aussagekraft der dort gebildeten Kurse erhöht (Decher AG 2023, 106 Rn. 73; J. Schmidt NZG 2021, 1363, 1366). Wertung obliegt letztlich

ebenfalls gerichtl. Einschätzung; gerade im qualifizierten Freiverkehr wird grds. viel für eine Einbeziehung in die Bewertung sprechen (Bungert/Wettich FS Hoffmann-Becking, 2013, 157, 174; Decher AG 2023, 106 Rn. 73; zu weiteren maßgeblichen Kriterien vgl. Bungert/Leyendecker-Langner BB 2014, 521, 523 ff.; für Berücksichtigung auch OLG Düsseldorf AG 2015, 573, 574; NZG 2023, 1171Rn. 41 f.; AG 2023, 129, 133; OLG Hamburg NZG 2021, 29 Rn. 22 ff.; Herfs/Goj DB 2021, 772, 773 f.; noch sympathisierend OLG München NZG 2014, 1230; eher krit. dann aber OLG München BeckRS 2020, 9359 Rn. 30; abl. auch Riegger/Wasmann FS Stilz, 2014, 509, 510 f.; zwischen Segmenten diff. BeckOGK/Veil/Preisser Rn. 60). Nicht gerechtfertigt ist jedenfalls Annahme, Börsenkurs könne allein bei sog. blue chips, dh bes. umsatzstarken Aktien großer Unternehmen, als Bewertungsgrundlage herangezogen werden (zu Recht abl. OLG Frankfurt NZG 2021, 979 Rn. 33). Noch weitgehend ungeklärt ist Behandlung, wenn Vertragsschluss **Delisting** vorgeschaltet wird, zumal Abstellen auf früheren Börsenkurs im engen Zeitfenster der Stollwerck-Rspr. (→ Rn. 42 ff.) problematisch sein kann (Bungert/Leyendecker-Langner BB 2014, 521, 522; Wasmann/Glock DB 2014, 105, 108 f.; zur Parallelproblematik beim Squeeze-Out → § 327a Rn. 21). Mit Neuordnung des Delistings durch den Gesetzgeber dürfte sich daraus resultierendes Missbrauchspotenzial erledigt haben (→ § 119 Rn. 30 ff., 36 ff.). Angesichts der zT noch ungeklärten Reichweite etwaiger Ausn. wird in Praxis auch weiterhin **Bewertungsgutachten zu Fundamentalwerten empfohlen,** womit zugleich erstmalige Ertragswertbewertung durch gerichtl. Sachverständigen vermieden werden soll (Bungert/Strothotte DB 2023, 1332, 1335; Wasmann AG 2023, 810 Rn. 11 f.).

cc) Stichtagskurs oder Durchschnittskurs. Verfassungsrechtl. kann Börsenkurs als Stichtags- oder Durchschnittskurs bestimmt werden (→ Rn. 29). Maßgeblichkeit eines Durchschnittskurses verträgt sich auch mit § 305 III 2, weil danach nur die Verhältnisse der AG stichtagsbezogen berücksichtigt werden müssen, zu denen ihr durchschnittlicher Börsenkurs während einer Referenzperiode unschwer zu zählen ist (vgl. schon BVerfGE 100, 289, 310 = NJW 1999, 3769). Anknüpfung an Durchschnittskurs ist danach möglich und zur Vermeidung nur zufälliger oder sogar gestaltbarer Ergebnisse auch sinnvoll. Das entspr. der hM, der beizutreten ist (BGHZ 147, 108, 117 f. = NJW 2001, 2080; OLG Düsseldorf ZIP 2006, 2379, 2383 f.; OLG Stuttgart NZG 2000, 744, 745; LG Dortmund AG 2001, 544, 546; Emmerich/Habersack/Emmerich Rn. 61 ff.; Meilicke/Heidel DB 2001, 969, 974; Wilm NZG 2000, 234, 238 f.). Nicht zu folgen ist danach dem Vorlagebeschluss (zu BGHZ 147, 108) OLG Düsseldorf AG 2000, 422, nach dem es auf (unterschiedlich definierten) Stichtagskurs ankommen sollte. Weil dieser Tag wählbar ist und Börsenkurse nach dem vorgängigen Bekanntwerden der geplanten Maßnahme sich weitgehend vom Unternehmenswert abkoppeln (→ Rn. 43), erscheint derartige Lösung als konzeptionell ungeeignet. Soweit nicht nur Börsenkurse, sondern auch Umsatzzahlen zur Verfügung stehen, was bei länger zurückliegenden Abfindungsanlässen vielfach nicht der Fall sein wird, ist entspr. **gewichteter Durchschnittskurs** dem einfachen Durchschnittskurs vorzuziehen (BGHZ 186, 229 Rn. 12 = NJW 2010, 2657; OLG Düsseldorf Konzern 2010, 519, 523; OLG Frankfurt AG 2003, 581, 582; OLG München ZIP 2006, 1722, 1724; OLG Stuttgart AG 2007, 209, 212 f.; 2011, 205, 207; MüKoAktG/van Rossum Rn. 99; Wasmann ZGR 2011, 83, 92; aA OLG Düsseldorf NZG 2003, 588, 591). 42

Ist danach auf Durchschnittskurs abzustellen, so bleibt **Bestimmung der Referenzperiode** fraglich. Dabei geht es erstens um Festlegung des Zeitpunkts, von dem aus die Periode zurückzurechnen ist, und zweitens um ihre Länge. BGH hat es ursprünglich für richtig gehalten, als Rückrechnungszeitpunkt Tag 43 der HV anzunehmen (BGHZ 147, 108, 118 = NJW 2001, 2080; zust. OLG Frankfurt AG 2007, 403, 404; OLG Hamburg NZG 2003, 89, 90; OLG München ZIP 2006, 1722, 1725). Dagegen formte sich zunehmender Widerstand in instanzgerichtlicher Rspr. und Lit., die stattdessen auf **Zeitpunkt der Bekanntgabe** abstellen wollten (OLG Düsseldorf NZG 2009, 1427; OLG Frankfurt Konzern 2011, 59, 63 ff.; KG NZG 2007, 71 f. und bes. OLG Stuttgart AG 2007, 209, 210 ff.). Dieser Auffassung hat sich mittlerweile auch BGH in **Stollwerck-Entscheidung** angeschlossen (BGHZ 186, 229 Rn. 7 ff. = NJW 2010, 2657; sa BGH AG 2011, 590; OLG Stuttgart AG 2011, 795, 800; zust. Bücker NZG 2010, 967, 968 ff.; Decher ZIP 2010, 1673, 1674 ff.; Wasmann ZGR 2011, 83, 87 ff.; Zeeck/Reichard AG 2010, 699, 700 ff.; krit. Wollny DStR 2015, 2682 ff.: ergänzende Stichtagsprüfung an HV-Tag). Bekanntgabe wird häufig – aber nicht zwingend (BGHZ 186, 229 Rn. 20) – Ad-Hoc-Mitteilung nach Art. 17 I MAR sein (vgl. dazu, aber auch zur etwaigen Vorverlagerung auf Bekanntgabe vorgeschalteter Kapitalerhöhung LG München I ZIP 2013, 1664, 1666 f.). Anforderungen an Bekanntgabe dürfen aus Gründen der Rechtssicherheit nicht zu niedrig gesetzt werden. Es genügt nicht jede Verlautbarung, sondern erforderlich ist, dass Umsetzung aus Sicht des Marktes **wahrscheinlich** ist, dh wenn Ankündigung unbedingt ausgesprochen wurde und Umsetzung in absehbarer Zeit erfolgen soll (OLG Frankfurt BeckRS 2011, 3054 Rn. 41 [Squeeze-Out]; ausf. OLG München NZG 2022, 606 Rn. 43 ff.; sa Bungert/Wettich ZIP 2012, 449, 450 f.; Einzelheiten bei Marsch-Barner/Schäfer/Gehling 13.74 ff.). Bloße Gerüchte genügen nicht (OLG Düsseldorf AG 2017, 827, 831 f.). Entscheidend ist, dass Referenztag so festgelegt wird, dass Kurs noch vom Wert des Unternehmens und nicht schon von Abfindungsspekulation anlässlich der konkreten Strukturmaßnahme geprägt ist (OLG München AG 2015, 508 Rn. 26 ff.; NZG 2022, 606 Rn. 43). Unschädlich ist es, wenn beherrschte AG oder Mehrheitsaktionär Bekanntgabe gezielt vornehmen (OLG Karlsruhe AG 2015, 789, 791 f.).

44 Relativiert wird die Maßgeblichkeit der Bekanntgabe allerdings durch Einschränkung für den Fall, dass zwischen Bekanntgabe und HV ein **übermäßig langer Zeitraum** verstreicht und Minderheitsaktionäre deshalb von positiver Entwicklung des Börsenkurses abgeschnitten werden; erforderlich soll dann eine der Kursentwicklung folgende Anpassung sein (sog Hochrechnung – vgl. BGHZ 186, 229 Rn. 29 ff. = NJW 2010, 2657; OLG Düsseldorf AG 2017, 827, 832; OLG München AG 2012, 749, 751; NZG 2022, 606 Rn. 55 ff.; vgl. dazu auch Schilling/Witte Konzern 2010, 477, 480 ff.). Ausnahme ist im Ansatz nachvollziehbar, sollte aber eng gehandhabt werden, um nicht neue Rechtsunsicherheit zu schaffen (s. dazu OLG Frankfurt AG 2020, 837, 838; OLG Saarbrücken AG 2014, 866 Rn. 43 ff.; Bücker NZG 2010, 967, 970 ff.; Bungert/Wettich BB 2010, 2227, 2229 ff.; Bungert/Becker DB 2021, 940 ff.; Decher ZIP 2010, 1673, 1676 f.; Zeeck/Reichard AG 2010, 699, 704 ff.). Nach **BGH** sind 7½ Monate längerer Zeitraum (BGHZ 186, 229 Rn. 30), aber nicht 2–3½ Monate (BGH AG 2011, 590 Rn. 8; AG 2011, 590 Rn. 6 f.). **Instanzgerichtl. Rspr.** ist uneinheitlich. OLG Frankfurt hat „längeren Zeitraum" ausdr. verneint für Frist von vier Monaten (OLG Frankfurt AG 2011, 832 Rn. 17 ff.) und von fünf Monaten (OLG Frankfurt v. 24.11.2011 – 21 W 7/11, juris-Rn. 31 = BeckRS 2012, 2278 [insoweit nicht in AG 2012, 513]) und sie ausdr. bejaht für acht Monate und einen Tag (BeckRS 2011, 3054 Rn. 52) sowie zehn Monate und sieben Tage (BeckRS 2014, 11112), in neuerer Entscheidung aber auch für Frist von sieben Monaten und acht Tagen (OLG Frankfurt AG 2021, 837 f.; krit. Bungert/Becker DB 2021, 940 ff.). OLG Karlsruhe hat Frist von zwölf Monaten als längeren Zeitraum eingeordnet (AG 2015, 789, 791). OLG Saarbrücken hält Hochrechnung bei weniger als sieben Monaten nicht für erforderlich (AG 2014, 866 Rn. 38 ff.). OLG Stuttgart hält in stRspr Zeitraum von weniger als sechs

Monaten für unbedenklich (vgl. etwa AG 2011, 205, 207; AG 2011, 420, 422; AG 2011, 795, 800; AG 2012, 49, 53; BeckRS 2014, 20592). Übersicht über vielfältige Ansätze in Lit. bei Bungert/Becker DB 2021, 940, 941. Zeitraum von sechs Monaten dürfte danach als sicher gelten. Weitere Flexibilität schafft BGH dadurch, dass Anpassung bei Überschreitung dieses Zeitraums nicht pauschal eingreift, sondern nur unter **Voraussetzung der Gebotenheit** (vgl. BGHZ 186, 229 Rn. 29), was namentl. dann verneint werden sollte, wenn Verzögerung sachlich nachvollziehbar erscheint und Veränderung des Börsenkurses Erheblichkeitsschwelle von 5–10 % nicht übersteigt (vgl. dazu etwa Bungert/Wettich ZIP 2012, 449, 452 f.; Bungert/Becker DB 2021, 940, 942 mw Ausführungen auch zur Hochrechnungsmethodik).

Länge der Frist hat BGHZ 147, 108, 118 = NJW 2001, 2080 mit drei Monaten angenommen und sich zur Begr. auf Stichtagsprinzip des § 305 III 2 bezogen (sa BGHZ 186, 229 Rn. 12 = NJW 2010, 2657; OLG Düsseldorf AG 2003, 329, 330 f.; OLG Karlsruhe AG 2005, 45, 47). An Dreimonatsfrist hat sich auch durch BGHZ 186, 229 nichts geändert. Frist von drei Monaten wird im Schrifttum zT als zu kurz kritisiert, um Sondereinflüsse zu eliminieren (BeckOGK/Veil/Preisser Rn. 66; Piltz ZGR 2001, 185, 200), im ökonomischen Schrifttum aber auch als zu lang angesehen (vgl. M. Weber ZGR 2004, 280, 290 ff.: Fristen von allenfalls wenigen Tagen). Ihr Vorteil liegt aber darin, dass sie zum einen in § 5 I WpÜG-AV ges. Referenzpunkt findet und überdies ohne großen Aufwand bei BaFin abgefragt werden kann (sa S/L/Stephan Rn. 103 – zur Ermittlung durch BaFin Assmann/Pötzsch/Schneider/Krause WpÜG-AV § 5 Rn. 12). Zumindest als Richtschnur ist **Dreimonatsfrist** daher sachgerecht, doch sollte bei Vorliegen bes. Umstände davon abgewichen werden. Auch aus anderen Gründen kann Börsenkurs nicht hinreichend aussagefähig sein. Kann Obergesellschaft entspr. Tatsachen beibringen (ungenügender Handel, Insiderkäufe in engen Märkten, Verzerrung durch Währungsprobleme, Kriegsausbruch usw.), so darf Börsenkurs unterschritten werden (BVerfGE 100, 289, 309 = NJW 1999, 3769; OLG Karlsruhe AG 2013, 353, 354; OLG München AG 2012, 749, 752). Wichtigste Orientierung namentl. für Marktenge und unzureichenden Handel bieten insofern § 5 IV WpÜG-AV, § 39 III 4 BörsG (→ § 119 Rn. 39 ff.) und neuerdings auch § 255 V 3 (→ § 255 Rn. 47 ff.; vgl. zum ersten Bezugspunkt OLG Hamburg NZG 2021, 29 Rn. 29 ff. [auch im Freiverkehr]; OLG Karlsruhe AG 2015, 789, 792 f.; ZIP 2018, 122, 123; OLG München NZG 2022, 606 Rn. 40; Bayer NZG 2015, 1169, 1175; Happ/Bednarz FS Stilz, 2014, 219, 227 f.; Land/Hallermayer AG 2015, 659, 663 f.; Riegger/Wasmann FS Stilz, 2014, 509, 511 f.). Bsp. für ungenügenden Handel: Notierung im Freiverkehr, die innerhalb der Referenzperiode des BGH nur einen Umsatz von weniger als 1 % des Gesamtkapitals (14 Stück) zeigt (OLG Düsseldorf AG 2008, 498, 502). Umgekehrt kann auch Aktionär Nachweis führen, dass AG Aktienkurs beeinflusst oder durch gezielte Wahl des Zeitpunktes Gebot angemessener Abfindung unterlaufen hat (BGHZ 186, 229 Rn. 27). 45

dd) Konsequenzen für die Bewertung des Unternehmens der Obergesellschaft. Zu unterscheiden ist zunächst nach der bei der abhängigen Gesellschaft angewandten Methode. Soweit es für sie bei dem höheren Ertragswert verbleibt (→ Rn. 37 f.), ist Ertragswertmethode auch auf Obergesellschaft anzuwenden (akzessorische Bewertung; zutr. OLG Düsseldorf AG 2003, 688, 693). Ist bei abhängiger Gesellschaft dagegen der Börsenkurs angesetzt worden und ist auch Obergesellschaft börsennotiert, so ist fraglich, ob in → Rn. 37 ff. entwickelte Grundsätze auch für sie gelten. Darauf kommt es an, soweit diese ihre Aktien als Abfindung anzubieten hat (→ Rn. 13 ff., 17); denn maßgebliche **Verschmelzungswertrelation** (§ 305 III 1) kann sich nur aus einer Bewertung beider 46

Unternehmen ergeben. BVerfG hat dazu festgestellt, dass es bei Berücksichtigung des Börsenkurses zwar verbleibe, soweit es um das Unternehmen der abhängigen Gesellschaft gehe, dass es jedoch **von Verfassungs wegen nicht geboten** sei, bei Obergesellschaft deren Börsenkurs als Höchstgrenze ihres Unternehmenswerts heranzuziehen (BVerfGE 100, 289, 310 = NJW 1999, 3769; BVerfG AG 2000, 40, 41; AG 2011, 128 Rn. 10; krit. Reichert FS Stilz, 2014, 479, 491 ff.; Riegger/Wasmann FS Stilz, 2014, 509, 513 ff.). Gleichwohl hat BGHZ 147, 108, 121 f. = NJW 2001, 2080 angenommen, dass auch für Unternehmen der Obergesellschaft grds. (relativierend Martens AG 2003, 593, 596) auf den Börsenwert abzuheben sei, weil er sich unter den **gleichen Marktverhältnissen** ergebe (ebenso OLG Düsseldorf AG 2003, 329, 330, 333 f.; AG 2003, 507, 508 f.; OLG München AG 2012, 749, 752; LG Dortmund AG 2001, 544, 547; Emmerich/Habersack/Emmerich Rn. 67; Bungert/Wettich FS Hoffmann-Becking, 2013, 157, 181 f.; Busse v. Colbe FS Lutter, 2000, 1053, 1066 f.; Hüttemann ZGR 2001, 454, 464; W. Müller FS Röhricht, 2005, 1015, 1029; Piltz ZGR 2001, 184, 203 f.). Gegenauffassung will dagegen auch für Obergesellschaft **Meistbegünstigungsprinzip** (→ Rn. 37) heranziehen, um Benachteiligung ihrer Aktionäre zu vermeiden (Hüffer/Schmidt-Aßmann/Weber, Anteilseigentum, Unternehmenswert und Börsenkurs, 2005, 66 f.; E. Vetter ZIP 2000, 561, 566; Wilm NZG 2000, 234, 239; unter Beschränkung auf Beibringungslast auch KK-AktG/Koppensteiner Rn. 111).

47 **Stellungnahme.** Wer mit hier vertretener Auffassung Meistbegünstigungsprinzip für Untergesellschaft aufgibt (→ Rn. 39), kann es auch auf Obergesellschaft nicht anwenden. Da überdies – anders als bei Untergesellschaft (→ Rn. 29) – auch keine verfassungsrechtl. Vorgabe besteht, ist entscheidendes Kriterium allein **Grundsatz der Methodengleichheit** (BGHZ 147, 108, 121 f. = NJW 2001, 2080; sa OLG Düsseldorf AG 2003, 329, 334; AG 2003, 688, 693; AG 2017, 827, 829; OLG München AG 2012, 749, 752; sa Bungert/Wettich FS Hoffmann-Becking, 2013, 157, 181 f.), von dem nur dann abgerückt werden kann, wenn die auf Untergesellschaft angewandte Methode sich für Obergesellschaft nicht als geeignete Schätzungsgrundlage erweist, etwa weil für sie aufgrund bes. Marktverhältnisse Börsenkurs keine hinreichende Aussagekraft hat (→ Rn. 45).

48 **ee) Übertragung auf andere Konstellationen.** Soweit es in anderen Fällen als denen des § 305 für außenstehende Aktionäre auf Unternehmenswerte ankommt, ist Übertragung der vom BVerfG entwickelten Vorgaben zu prüfen. Werterhöhende Berücksichtigung des Börsenkurses der abhängigen Gesellschaft ist zunächst erforderlich, soweit außenstehenden Aktionären nach § 304 II 2 und 3 **variabler Ausgleich** durch Zahlung eines an Dividende der Obergesellschaft orientierten Betrags gewährt werden soll und deshalb das angemessene Verhältnis zwischen den Aktien beider Gesellschaften festgestellt werden muss (→ § 304 Rn. 15 f.; für werterhöhende Berücksichtigung namentl. BVerfGE 100, 289, 310 f. = NJW 1999, 3769; BGHZ 147, 108, 114 f. = NJW 2001, 2080). Bei **Mehrheitseingliederung** folgt Abfindung außenstehender Aktionäre der eingegliederten Gesellschaft gem. § 320b I 4 und 5 denselben Regeln wie bei vertraglicher Konzernierung (→ § 320b Rn. 2). Deshalb gelten Vorgaben des BVerfG zum Börsenkurs als Untergrenze der Abfindung auch hier (BVerfG 100, 289, 310). Dasselbe gilt beim **Squeeze-Out** für Abfindung nach § 327b I 1, wobei Besonderheiten des Zwangsausschlusses zT Abweichungen rechtfertigen können (→ § 327b Rn. 6 ff.).

49 Umstr. war bislang Übertragbarkeit auf **Verschmelzungsfälle,** die BVerfGE 100, 289 = NJW 1999, 3769 noch bewusst offengelassen hatte (ebenso BVerfG AG 2007, 697, 698; für Zulässigkeit, nicht aber Notwendigkeit dann BVerfG AG

2011, 128 Rn. 11; NJW 2011, 2497 Rn. 22 ff.: Bewertung beider Rechtsträger allein nach Börsenkursen [dafür OLG Frankfurt AG 2010, 751] verfassungsrechtl. unbedenklich). Rspr. der **Fachgerichte** neigte bislang dazu, Börsenkurs-Rspr. nicht zu übertragen (BayObLGZ 2002, 400, 404 ff.: Börsenkurse „jedenfalls" bei einem „merger of equals" nicht gem. Art. 14 I GG maßgeblich; wohl ebenso OLG München AG 2007, 701, 704; 2012, 749, 751; klar für Unmaßgeblichkeit der Börsenkursrelation OLG Stuttgart AG 2007, 705, 711 f.; OLG Stuttgart v. 14.10.2010 – 20 W 16/06, juris-Rn. 394 ff. = BeckRS 2010, 25689; aA OLG Frankfurt AG 2010, 751 f.; LG Frankfurt AG 2009, 749, 752 ff.). Schrifttum ist dem überwiegend gefolgt (Schmitt/Hörtnagl/Winter UmwG § 5 Rn. 49 ff.; Bungert/Eckert BB 2000, 1845 ff.; Hüttemann ZGR 2001, 454, 465; Wilm NZG 2000, 234, 235 ff.; sa Paschos ZIP 2003, 1017, 1022 ff.; aA Baums GS Schindhelm, 2009, 63, 102 ff.; Piltz ZGR 2001, 185, 205 ff.; E. Vetter AG 1999, 572; Weiler/Meyer NZG 2003, 669 ff.). Grund für überwiegende Skepsis lag darin, dass zumindest außerhalb von Konzernverschmelzungen der für Konzernierungsfälle typische **Interessenkonflikt im Aktionärskreis fehlt** (ausf. OLG München AG 2012, 749, 751; Bungert/Wettich FS Hoffmann-Becking, 2013, 157, 182 ff. mwN). Nach **BVerfG** NJW 2012, 3020, 3021 (Daimler/Chrysler) sollen die für Beherrschungsvertrag und Eingliederung geltenden Regeln auch für Verschmelzung durch Aufnahme gelten, was zu Recht dahingehend verstanden wird, dass Börsenkurs bei Verschmelzung durch Aufnahme zwingend zu berücksichtigen ist (so – wenngleich krit. – Bungert/Wettich FS Hoffmann-Becking, 2013, 157, 182 ff.; andere Deutung bei Klöhn/Verse AG 2013, 2, 9). Damit ist **Streit für Praxis erledigt** (§ 31 I BVerfGG), jedenfalls soweit – wie in Konstellation der BVerfG-Entscheidung – zwei konzernverbundene Gesellschaften betroffen sind (krit. aber Bungert/Wettich FS Hoffmann-Becking, 2013, 157, 182 ff.; zur damit verbundenen Ablehnung des sog Verhandlungsmodells → Rn. 22). Für die Verschmelzung zweier voneinander unabhängiger Gesellschaften soll dagegen nach OLG Düsseldorf AG 2017, 827, 830 f. etwas anderes gelten.

d) Spitzenbeträge. Gem. § 305 III 1 aE können Spitzenbeträge durch **bare** 50
Zuzahlung ausgeglichen werden. Spitzenbeträge ergeben sich, wenn wie regelmäßig glatter Umtausch an dem dafür maßgeblichen Verhältnis scheitert (→ Rn. 35). Soweit Umtauschaktien durch (bedingte) Kapitalerhöhung geschaffen werden, ist anderer Vertragsteil iRd Zumutbaren verpflichtet, Stückelung so zu wählen, dass Spitzenbeträge möglichst vermieden werden (OLG Düsseldorf BeckRS 2015, 01650; LG Berlin AG 1996, 230, 232; Emmerich/Habersack/Emmerich Rn. 125; MüKoAktG/van Rossum Rn. 187; MHdB AG/Krieger § 71 Rn. 1066; aA KK-AktG/Koppensteiner Rn. 41 f.). Soweit Ausgleich in bar danach erforderlich ist, muss er von anderem Vertragsteil angeboten werden. Aktionäre können also nicht auf Zukauf oder Veräußerung von Aktien verwiesen werden (MüKoAktG/van Rossum Rn. 187; Exner, Beherrschungsvertrag, 1984, 245 ff.). Umgekehrt wäre es dagegen nicht zulässig, Aktionäre zum Spitzenausgleich zu verpflichten (KK-AktG/Koppensteiner Rn. 41f; Exner, Beherrschungsvertrag, 1984, 246). Nicht zulässig ist, bare Zuzahlung zwecks bloßer Vereinfachung des Umtauschverhältnisses bei Abfindung in Aktien vorzusehen (BGH AG 2010, 910 Rn. 14; GK-AktG/Hirte/Hasselbach Rn. 52; MüKoAktG/van Rossum Rn. 187). Gegenansicht von J. Vetter AG 1997, 6, 10 ff. kann nicht überzeugen, weil Spitzenbeträge möglichst vermieden werden sollen. Unbefriedigend bleibt allerdings damit einhergehende unterschiedliche Behandlung der Abfindungsfälle (vgl. § 54 IV UmwG, § 68 III UmwG). Wer Zahlung durch Aufteilung seiner Aktien erschlichen hat, kann nicht nach Verbesserung des

Umtauschverhältnisses im Spruchverfahren Aktien verlangen und damit auf Kosten des Abfindungspflichtigen spekulieren (BGH AG 2010, 910 Rn. 18).

51 **3. Barabfindung. a) Angemessene Höhe.** § 305 III 2 verweist auf Verhältnisse der Gesellschaft, wie sie im Zeitpunkt des HV-Beschlusses gem. § 293 I bestehen. Damit ist zunächst **Bewertungsstichtag** festgelegt (→ Rn. 34). Statt von Verhältnissen der Gesellschaft sprach § 305 III 2 aF von Vermögens- und Ertragslage. Jetzige Gesetzesfassung ist unter redaktioneller Anpassung an § 30 I 1 UmwG gewählt worden, um ges. Festlegung der Bewertungsgrundsätze zu vermeiden (BayObLG AG 1995, 509; Begr. BT-Drs. 12/6699, 94). In der Tat wirkte § 305 III 2 aF insofern unglücklich, als Eindruck entstehen konnte, dass für Ermittlung der Barabfindung Besonderheiten gelten. Auch 1965 bezweckte Klarstellung, dass es „für die Bemessung der Abfindung nicht allein auf den Kurswert" ankomme (AusschussB Kropff S. 399), greift noch gedanklich zu kurz. Maßgeblich für die Höhe der Barabfindung ist der **volle Wert** des Gesamtunternehmens (→ Rn. 23). Für seine Ermittlung gelten die gleichen Grundsätze wie bei Abfindung in Aktien (→ Rn. 24 ff.), allerdings mit der Maßgabe, dass nur das Unternehmen der Gesellschaft und nicht auch das des anderen Vertragsteils zu bewerten ist; vgl. zu Einzelheiten OLG Düsseldorf AG 1992, 200, 203 f.). Sonderdividende aus Auflösung vorvertraglicher Gewinnrücklagen ist nicht abzusetzen (BGH ZIP 2003, 1933, 1934).

52 **b) Verzinsung.** Gem. § 305 III 3 Hs. 1 ist Barabfindung **mit 5 % über Basiszins nach § 247 BGB** zu verzinsen. Maßgeblich für Beginn der Zinspflicht ist Wirksamwerden (§ 294 II) des Beherrschungs- oder Gewinnabführungsvertrags (OLG Düsseldorf AG 2008, 822, 825; OLG Hamm AG 2012, 598). Erster Zinstag ist also Tag nach Eintragung. Zinsanspruch des einzelnen Aktionärs entsteht aber erst, wenn er Wahlrecht zugunsten Barabfindung ausgeübt hat (OLG Hamm AG 2012, 598). Regelung folgt Vorbild der § 15 II UmwG, § 30 I 2 UmwG, § 208 UmwG und findet Entsprechung in § 320b I 6, § 327b II. Sie ist im Hinblick auf sog **Zinslücke** zwischen Beschluss und Eintragung zT verfassungsrechtl. Kritik ausgesetzt, die aber unbegründet ist. Es handelt sich um zulässige Inhalts- und Schrankenbestimmung, die eine prinzipiell volle wirtschaftliche Entschädigung nicht gefährdet (vgl. BVerfG AG 2013, 255 Rn. 14 f.; BGHZ 189, 261 Rn. 29 = AG 2011, 514 [zu § 327b II]). Zinsen sind Nebenforderung, die nicht in Geschäftswert eingeht. **Höhe des Zinsfußes** rechtfertigt sich in der Vorstellung des Gesetzgebers aus dem Anliegen, Verzögerungen des Spruchverfahrens durch Abfindungsschuldner entgegenzuwirken (OLG Düsseldorf AG 2008, 822, 825; RegBegr. BT-Drs. 16/11642, 42 f. mit zusätzlichem Hinweis auf Regelung von Verzugs- oder Prozesszinsen in § 288 I 2 BGB, § 291 S. 2 BGB). Das ist einseitig und geht dogmatisch fehl. Einseitig, weil überlange Dauer von Spruchverfahren weitgehend andere, von AG nicht zu beeinflussende Ursachen hat. Dogmatisch fehlgehend, weil Zinsen nach § 305 III 2 Fälligkeitszinsen sind, weshalb Vergleichbarkeit mit § 288 I 2 BGB, § 291 S. 2 BGB fehlt. Entspr. variable Zinshöhe ist in § 320b I 6 vorgesehen. Zinspflicht folgt aus Ges., nicht aus gerichtl. Gestaltung; Zinsanspruch ist deshalb auch nicht in Beschluss gem. § 11 I SpruchG aufzunehmen (str.; → SpruchG § 11 Rn. 2).

53 Schwierigkeiten bereitet Verhältnis zwischen rückwirkend ab Wirksamwerden des Vertrags (→ Rn. 52) angeordneter **Verzinsung der Abfindung und Ausgleichsleistung** gem. § 304, die Aktionäre zu Recht entgegengenommen haben (→ Rn. 4). Kumulation von Zinsen und Ausgleich scheidet aus (anders nur Knoll ZIP 2003, 2329, 2332 f.; zutr. dagegen Riegger/Roskop BB 2003, 1026; sa Emmerich/Habersack/Emmerich Rn. 43). Für danach gebotene Berücksichtigung von Ausgleichszahlungen gilt nach Rspr. als **Grundsatz,** dass Ausgleichs-

leistungen (diese unverzinst) auf Abfindungszinsen angerechnet werden, und zwar nur auf diese, nicht auch auf Abfindungskapital (BGHZ 152, 29, 32 ff. = NJW 2002, 3467; BGH ZIP 2003, 1933; BGHZ 155, 110, 116 ff.; BGHZ 174, 378 Rn. 8; OLG Düsseldorf AG 1999, 89, 92; OLG Hamm NZG 2002, 51, 52; OLG Stuttgart NZG 2000, 744, 748; LG Bremen AG 2003, 214, 216). Ebenso äußert sich ein Teil des Schrifttums (Emmerich/Habersack/Emmerich Rn. 43; NK-AktR/Meilicke/Kleinertz Rn. 109; MüKoAktG/van Rossum Rn. 192 ff.; Riegger/Rosskopf BB 2003, 1026, 1027 ff. [teilw. mit rechtspolitischer Kritik]; Sinewe NJW 2003, 270, 271). Andere Anrechnungsmethoden haben sich durch stRspr praktisch erledigt. Zu erwähnen sind noch: Ruhen des Zinsanspruchs (OLG Celle AG 1999, 128, 131); Verrechnung auch mit Abfindungskapital (BayObLG ZIP 1998, 1872, 1876; OLG München AG 1998, 239, 240; GK-AktG/Hirte/Hasselbach Rn. 31 f.); Verzinsung der um Ausgleichszahlungen verminderten jeweiligen Restabfindungen (OLG Hamburg AG 2002, 409, 410 f.; LG Hamburg AG 2002, 100, 101).

Folgt man BGH, so bleibt **Referenzzeitraum** zu bestimmen, für den Ausgleichszahlungen und Abfindungszinsen zu verrechnen sind. Dieser entspr. nicht dem Zeitablauf seit Beginn der Zinspflicht (→ Rn. 52) insgesamt (Saldierungsmethode oder Gesamtabrechnung). Vielmehr ist maßgebend, dass § 304 II geschuldeten Ausgleich als Jahreszahlung definiert. Referenzzeitraum ist deshalb das Jahr, auf das sich Ausgleichszahlung bezieht (BGHZ 155, 110, 116 ff.; BGHZ 174, 378 Rn. 9 ff.). Abfindungszinsen des jeweiligen Jahres sind danach iE das Minimum der dem Aktionär zustehenden Nutzungsvergütung. Liegt jährliche Ausgleichszahlung höher, so verbleiben dem Aktionär die jeweiligen übersteigenden Jahresbeträge (BGHZ 155, 110, 118; BGHZ 174, 378 Rn. 10 f.; sa Goette DStR 2008, 2483). Lösung des BGH ist von seinem Ausgangspunkt aus (→ Rn. 53) konsequent. Ob von ihm praktizierter gänzlicher Verzicht auf Verrechnung gegen Abfindungskapital überzeugen kann, bleibt indessen fraglich (sa MHdB AG/Krieger § 71 Rn. 117). 54

V. Befristung der Erwerbspflicht des anderen Vertragsteils (§ 305 IV)

Gem. § 305 IV 1 kann Verpflichtung des anderen Vertragsteils zum Erwerb der Aktien außenstehender Aktionäre befristet werden. Befristung muss **im Vertrag vereinbart** sein; keine ges. Frist. Frist beträgt nach § 305 IV 2 mindestens zwei Monate und beginnt mit Bek. der Eintragung des Vertrags gem. § 10 HGB (zur Neuordnung des Bekanntmachungswesens durch DiRUG 2021 → § 39 Rn. 7 ff.). An die Stelle der Bek. der Vertragsbeendigung tritt gem. § 305 IV 3 Bek. der **gerichtl. Entscheidung** im BAnz., wenn Bestimmung des Ausgleichs oder der Abfindung im Spruchverfahren (→ SpruchG § 14 Rn. 2) beantragt worden ist. Wenn beides beantragt worden ist, kommt es auf Bek. der später ergangenen Entscheidung an. § 305 IV 3 gilt analog, wenn Verfahren durch **Antragsrücknahme** infolge außergerichtlichen Vergleichs (→ SpruchG § 11 Rn. 3 f.) endet (BGHZ 112, 382, 384 ff. = NJW 1991, 566; Emmerich/Habersack/Emmerich Rn. 26a). 55

Fristsetzung ist **rechtsgeschäftliche Modifikation des Abfindungsangebots,** das nach Fristablauf nicht mehr angenommen werden kann (sa § 148 BGB). Wiedereinsetzung in den vorigen Stand ist wegen materiell-rechtl. Charakters der Frist ausgeschlossen (Emmerich/Habersack/Emmerich Rn. 28; MüKoAktG/van Rossum Rn. 208). Sie wird durch rechtzeitigen Zugang (§ 130 I BGB) der Annahmeerklärung (→ Rn. 3) gewahrt. Einlieferung der Aktienurkunden innerhalb der Frist ist zur Rechtswahrung nicht erforderlich (Emmerich/Habersack/Emmerich Rn. 28; MüKoAktG/van Rossum Rn. 201). Ohne Einlieferung kann 56 der entstandene Abfindungsanspruch jedoch nicht fällig werden (→ Rn. 10). Entgegennahme von Ausgleichszahlungen steht Abfindungsanspruch nach zutr. hM nicht entgegen (→ Rn. 4).

VI. Rechtsfolgen fehlender oder unangemessener Abfindungsregelung (§ 305 V)

57 **1. Keine Nichtigkeit des Vertrags oder des Zustimmungsbeschlusses der Hauptversammlung.** Beherrschungs- oder Gewinnabführungsverträge, die entgegen § 305 I **überhaupt keine oder keine angemessene Abfindung** vorsehen, sind gleichwohl gültig (BGHZ 119, 1, 9 f. = NJW 1992, 2760; BGHZ 135, 374, 380 = NJW 1997, 2242; MüKoAktG/van Rossum Rn. 210). Nichtigkeitsfolge ist nicht ausdr. ausgesprochen, und zwar, anders als nach § 304 III 1 (→ § 304 Rn. 20), auch nicht für den Fall, dass Abfindungsangebot ganz fehlt (zur daraus ableitbaren dogmatischen Konzeption → Rn. 5 f.). Nichtigkeitsfolge kann auch nicht aus § 134 BGB abgeleitet werden. Dem stehen Wortlaut des § 305 V 2, Umkehrschluss aus § 304 III 1 und Gesetzesmaterialien (RegBegr. Kropff S. 399) entgegen. Auch Zustimmungsbeschluss der HV ist gültig. Weil § 305 V 1 **Anfechtungsausschluss** enthält, könnte Nichtigkeit gem. § 241 selbst dann nicht bejaht werden, wenn Subsumtion unter § 241 möglich wäre. Anfechtungsausschluss erfasst Gründe des § 243 I und II, obwohl § 305 V 1 anders als § 304 III 2 auf § 243 II nicht ausdr. Bezug nimmt (hM, vgl. KK-AktG/Koppensteiner Rn. 138; MüKoAktG/van Rossum Rn. 211). Unterschiedliche Behandlung wäre wegen des Rechtsschutzes, den außenstehende Aktionäre im Spruchverfahren erhalten können, nicht gerechtfertigt. Schon nach § 243 IV 2 ist Anfechtung ausgeschlossen, die sich auf Verletzung von Informationspflichten stützen soll.

58 **2. Gerichtliche Bestimmung. a) Voraussetzungen und Inhalt der Entscheidung.** Gem. § 305 V 2 treten wie nach § 304 III 3 Antrag auf gerichtl. Entscheidung im Spruchverfahren und entspr. Bestimmung durch gerichtl. Beschluss an die Stelle von Anfechtungsklage und -urteil. Antrag ist begründet, wenn Unternehmensvertrag überhaupt **keine Abfindung** vorsieht oder **vorgesehene Abfindung gegen § 305 I–III verstößt.** Verstoß gegen § 305 I läge vor, wenn nach dem Vertrag nicht anderer Vertragsteil, sondern AG die Abfindung als Schuldnerin zu erbringen hätte (→ Rn. 8). Verletzung des § 305 II ist Verfehlung der gebotenen Abfindungsart. Als Verstöße gegen § 305 III kommen Bewertungsfehler in Betracht. Gericht muss insbes. prüfen, ob die in → Rn. 21 ff. dargelegten rechtl. Vorgaben beachtet sind (sa KK-AktG/Koppensteiner Rn. 143). IÜ sind die tats. Prämissen der Unternehmensbewertung und die daraus gezogenen Folgerungen zu würdigen (KK-AktG/Koppensteiner Rn. 143), wobei allerdings **Bagatellgrenze** anzuerkennen ist (vgl. BGHZ 236, 180 Rn. 27 = NZG 2023, 937 sowie Nachw. im Folgenden). Konkrete Bezifferung der Bagatellgrenze ist im Ges. nicht festgelegt und daraus auch nicht ableitbar, so dass es sich zwangsläufig um **gegriffene Größen** handelt, die als judikative Quantifizierungen methodisch gleichwohl zulässig sind, wenn und weil sie als bloße Regelkonkretisierung unter Vorbehalt der bes. Umstände des Einzelfalls stehen (ausf. dazu und zum Folgenden Fleischer DB 2023, 1844, 1849 ff.). Nach instanzgerichtl. Rspr. gelten Abweichungen von unter 1 % (OLG Karlsruhe AG 2013, 353, 354; OLG Stuttgart v. 17.3.2010 – 20 W 9/08, juris-Rn. 241 = BeckRS 2010, 9848 [insoweit nicht in AG 2010, 510]) bis 2 % (OLG Düsseldorf AG 2019, 840, 843; AG 2023, 129, 134; OLG Frankfurt AG 2015, 504 Rn. 81) praktisch stets als geringfügig und solche bis zu 5 % idR als akzeptabel (OLG Düsseldorf AG 2023, 129, 134; OLG Karlsruhe ZIP 2018, 122, 125 f.; OLG

Stuttgart AG 2011, 795, 800). Abweichungen zwischen 5 % bis 10 % können nur (aber immerhin) bei Vorliegen bes. Umstände als vernachlässigenswert angesehen werden (OLG Düsseldorf AG 2019, 840, 843; OLG München AG 2020, 133, 138; OLG Stuttgart AG 2011, 205, 210 f.). Jenseits von 10 % ist Bagatellcharakter in aller Regel zu verneinen (OLG Frankfurt AG 2015, 504 Rn. 81). Gedanklicher Ausgangspunkt dieser Rspr. ist, dass Spruchverfahren keine Richtigkeits-, sondern **Vertretbarkeitskontrolle** eröffnet (BGHZ 236, 180 Rn. 17; OLG Frankfurt AG 2012, 513, 514; KG AG 2011, 627, 628; OLG Zweibrücken AG 2021, 29, 32; ähnlich wohl auch OLG Bremen AG 2013, 460, 462; LG Frankfurt NZG 2015, 1028, 1029; AG 2022, 548, 549; aA Lochner AG 2011, 692, 693 f.; krit. auch Krafczyk WM 2012, 1992, 1995 f.). Vertretbarkeitsmaßstab lässt aber keine centgenaue Überprüfung zu (zur Ableitung der Bagatell-Rspr. aus dem Vertretbarkeitsmaßstab sa OLG Düsseldorf AG 2023, 129, 134; Fleischer DB 2023, 1844, 1845 ff.). In den Fällen des § 305 II Nr. 2 ist das Gericht gem. § 305 IV 3 gehalten, es bei der im Unternehmensvertrag festgelegten Abfindungsart zu belassen. Es kann also nur das Umtauschverhältnis ändern oder die Barabfindung erhöhen, aber nicht anstelle der Abfindung in Aktien Barabfindung bestimmen oder umgekehrt.

b) Entscheidungswirkungen im Allgemeinen. Gerichtl. Bestimmung der Abfindung wirkt wie die des Ausgleichs (→ § 304 Rn. 22) **vertragsgestaltend.** Rechtslage ist so, wie wenn Vertrag **von Anfang an** ein den Vorgaben des § 305 I–III entspr. Abfindungsangebot enthalten hätte (→ SpruchG § 13 Rn. 3; OLG Schleswig AG 2008, 828, 829). Dieses Angebot kann nunmehr von den Aktionären angenommen werden (OLG Frankfurt ZIP 2010, 370, 371; OLG Karlsruhe AG 2008, 716, 717). Annahme hat zur Folge, dass Abfindungsanspruch in entspr. Höhe ensteht (→ Rn. 3). 59

c) Abfindungsergänzungsanspruch. Nach **§ 13 S. 2 SpruchG** gilt Entscheidung im Spruchverfahren erga omnes. Damit wurde früher umstr. Frage geklärt, ob außenstehende Aktionäre, die vom Abfindungsangebot des anderen Vertragsteils bereits Gebrauch gemacht haben, also ausgeschieden sind, nach gerichtl. Bestimmung einer höheren Abfindung eine Ergänzung der bereits erhaltenen Abfindung (Aktien oder Geld) fordern können. 60

3. Sinngemäße Geltung des § 304 IV. Nach § 305 V 4 gilt § 304 IV bei Abfindungsstreitigkeiten sinngem. Auch bei gerichtl. Bestimmung der Abfindung soll sich anderer Vertragsteil durch Kündigung gegen unvorhergesehene Belastungen schützen können (OLG Zweibrücken AG 1994, 563, 564; RegBegr. Kropff S. 396; MüKoAktG/van Rossum Rn. 233). Nach hM **wirkt Kündigung erst ab Erklärungszugang,** für den Zweimonatsfrist gilt (Emmerich/Habersack/Emmerich Rn. 133; MüKoAktG/van Rossum Rn. 234 f.). Danach kann Abfindungsergänzungsanspruch (→ Rn. 60) nicht mehr durch Kündigung zu Fall gebracht werden, wodurch Schutzzweck der Norm teilw. leerläuft. Das ist jedoch wegen bes. Bedeutung des Abfindungsrechts hinzunehmen (iE zutr. Kübler FS Goerdeler, 1987, 279, 286 ff., 293; Meilicke AG 1995, 181, 185 ff.). Früher ebenfalls durch Verweisung in § 305 V 4 geregelte Antragsbefugnis und -frist bestimmt sich jetzt nach §§ 3, 4 SpruchG (näher → SpruchG § 3 Rn. 1 ff.; → SpruchG § 4 Rn. 1 ff.). 61

Gesetz über das gesellschaftsrechtliche Spruchverfahren (Spruchverfahrensgesetz – SpruchG)

vom 12. Juni 2003 (BGBl. 2003 I 838)

zuletzt geändert durch Art. 1 Gesetz zur Finanzierung von zukunftssichernden Investitionen v. 11.12.2023 (BGBl. 2023 I Nr. 354)

§ 1 SpruchG Anwendungsbereich

Dieses Gesetz ist anzuwenden auf das gerichtliche Verfahren für die Bestimmung

1. der Ausgleichszahlung oder der zusätzlich zu gewährenden Aktien für Aktionäre bei Kapitalerhöhungen (§ 255 Absatz 4 bis 7 und § 255a des Aktiengesetzes);
2. des Ausgleichs für außenstehende Aktionäre und der Abfindung solcher Aktionäre bei Beherrschungs- und Gewinnabführungsverträgen (§§ 304 und 305 des Aktiengesetzes);
3. der Abfindung von ausgeschiedenen Aktionären bei der Eingliederung von Aktiengesellschaften (§ 320b des Aktiengesetzes);
4. der Barabfindung von Minderheitsaktionären, deren Aktien durch Beschluss der Hauptversammlung auf den Hauptaktionär übertragen worden sind (§§ 327a bis 327f des Aktiengesetzes);
5. der Zuzahlung oder der zusätzlich zu gewährenden Aktien an Anteilsinhaber oder der Barabfindung von Anteilsinhabern (§§ 15, 34, 72a, 125 Absatz 1 Satz 1, §§ 176 bis 181, 184, 186, 196, 212, 305 Absatz 2, §§ 313, 320 Absatz 2, §§ 327 und 340 des Umwandlungsgesetzes);
6. der Zuzahlung oder der zusätzlich zu gewährenden Aktien an Anteilsinhaber oder der Barabfindung von Anteilsinhabern bei der Gründung oder Sitzverlegung einer SE (§§ 6, 7, 9, 11 und 12 des SE-Ausführungsgesetzes);
7. der Zuzahlung an Mitglieder bei der Gründung einer Europäischen Genossenschaft (§ 7 des SCE-Ausführungsgesetzes).

I. Regelungsgegenstand und -zweck

1 Norm regelt als Spitzenvorschrift des Spruchverfahrensrechts (→ Rn. 2) dessen Anwendungsbereich. Bezweckt ist **Klarstellung** (RegBegr. BT-Drs. 15/371, 12) durch Zusammenfassung der wesentlichen Vorschriften, die Streitigkeiten in das bes. Verfahren verweisen. Nicht beabsichtigt ist dagegen abschließende Regelung (RAusschuss BT-Drs. 15/838, 16). Das zeigt schon § 5 V EGAktG, der sinngem. Geltung des SpruchG anordnet, ohne dass dieser Anwendungsfall in § 1 SpruchG genannt wäre (→ Rn. 6). Vorschrift ist nicht abschließend (→ Rn. 6 f.), aber in dem Sinne **zwingend,** dass Spruchverfahren weder durch Gesellschafterbeschluss oder Satzung ausgeschlossen noch durch andere Rechtsbehelfe (zB Leistungs- oder Feststellungsklagen) verdrängt werden kann (Hölters/Weber/Simons Rn. 25 f.). § 1 Nr. 6 und 7 SpruchG ist angefügt durch SEAG v. 22.12.2004 (BGBl. 2004 I 3675) bzw. durch Ges. zur Einführung der Europ. Genossenschaft und zur Änderung des Genossenschaftsrechts v. 14.8.2006 (BGBl. 2006 I 1911); → Rn. 5. § 1 Nr. 5 und 6 wurde neu gefasst durch UmRUG 2023 (→ Rn. 4 f.); dabei handelt es sich um konsequente Folgeänderungen zu Neuregelungen des UmwG (RegBegr. BT-Drs. 20/3822, 123).

II. Spruchverfahrensrecht: Anlässe und Grundzüge

2 Spruchverfahren ist als bes. Verfahren für **Streit um bewertungsabhängige Abfindung** an die Stelle der § 306 AktG, §§ 305 ff. UmwG getreten (Überblick zur Rechtsentwicklung: Behnke, Das Spruchverfahren nach § 306 AktG,

§§ 305 ff. UmwG, 2001, 33 ff.) Wie diese soll SpruchG speziell zugeschnittenes Verfahren einführen, das Aktionären angemessenen Rechtsschutz bietet, zugleich aber aktienrechtl. Beschlussanfechtung von Streit um Abfindungshöhe freihält und auf diese Weise Weg für Strukturmaßnahmen frei macht (Emmerich/Habersack/Emmerich Vor § 1 Rn. 6; Hölters/Weber/Simons Rn. 1). Gegenstand der §§ 1 ff. SpruchG sind aber nur **verfahrensrechtl. Regeln;** materiell-rechtl. Anspruchsberechtigung ergibt sich allein aus jew. Verweisungsquellen im AktG, UmwG etc. (Hölters/Weber/Simons Rn. 1). Neuregelung war einerseits veranlasst durch Effizienzdefizite (s. zB Emmerich FS Tilmann, 2003, 925, 926 f.), bes. **Überlänge,** des früheren Spruchverfahrens (BVerfG NJW 1999, 2582; Meilicke/Heidel DB 2003, 2267 ff.; Puszkajler ZIP 2003, 518 ff.), andererseits durch **zunehmende praktische Bedeutung** solcher Verfahren (s. zu beiden Gesichtspunkten RegBegr. BT-Drs. 15/371, 11; Neye FS Wiedemann, 2002, 1127 f.). Für gesteigerte Relevanz ist zunächst § 327f AktG ursächlich (→ AktG § 327f Rn. 1), da Mehrzahl aller Spruchverfahren aus Squeeze-Out-Beschlüssen resultiert (Lorenz AG 2012, 284, 285), was sich durch Einführung des verschmelzungsrechtl. Squeeze-Out (§ 62 V UmwG) noch verstärkt hat (zur Anwendbarkeit des SpruchG → Rn. 6). Darüber hinaus besteht für Aktionäre auch in der Sache verbreitet Anlass zur Klage, da ausweislich empirischer Erhebungen angebotene Kompensationsleistungen tats. systematisch zu niedrig auszufallen scheinen (Hölters/Weber/Simons Rn. 4; Baums/Drinhausen ZIP 2008, 145, 156; vorsichtiger BeckOGK/Drescher Rn. 7). Aktionäre werden überdies durch **Verschlechterungsverbot nach § 11 SpruchG** und hohe Vergleichsbereitschaft zu Klagen motiviert (Hölters/Weber/Simons Rn. 4). Andere als Bewertungsfragen werden im Spruchverfahren nicht überprüft, so dass sonstige Einwände bzgl. Voraussetzungen der §§ 293a ff. AktG nicht Verfahrensgegenstand sein können (OLG Stuttgart AG 2013, 724, 725).

Ges. Regelung belässt es zu Recht dabei, die Verfahren des § 1 SpruchG als 3 **Streitverfahren der fG** zu führen (→ AktG § 99 Rn. 1 f.), will dieses jedoch mit dem Hauptziel der Verfahrensbeschleunigung (→ Rn. 2) teilw. anders ordnen (RegBegr. BT-Drs. 15/371, 11 f.), was namentl. zu Durchbrechungen des Amtsermittlungsgrundsatzes (§ 26 FamFG) führt. Diese Durchbrechung ist sinnvoll, um strukturelle Unterlegenheit der Aktionäre ggü. AG zu kompensieren (OLG Düsseldorf AG 2013, 807, 809). Dem **Beschleunigungszweck** dienen hauptsächlich die Begründungspflicht in § 4 II SpruchG, hier namentl. die Notwendigkeit einer konkreten Bewertungsrüge (§ 4 II 2 Nr. 4 SpruchG), die detaillierte Regelung zur Vorbereitung der mündlichen Verhandlung (§ 7 SpruchG), deren Notwendigkeit im Regelfall (Sollvorschrift des § 8 SpruchG), die Regelung der Verfahrensförderpflicht unter Anlehnung an §§ 282, 296 ZPO in §§ 9 f. SpruchG und schließlich die gerichtl. Auswahl und Bestellung der Vertragsprüfer (§ 293c I AktG, § 10 I UmwG). Daneben ist frühere Kostenregelung in § 306 VII AktG aF durch § 15 SpruchG modifiziert worden. Nur wo SpruchG keine Sonderregelung trifft, greift gem. § 17 I SpruchG subsidiär FamFG (→ SpruchG § 17 Rn. 2). Auch wenn Beschleunigungszweck zT erreicht wurde (Puszkajler/Sekera-Terplan NZG 2015, 1055 ff.; Wasmann AG 2021, 179 Rn. 13 ff.), bleibt Länge von Spruchverfahren in vielen Fällen doch unbefriedigend (Durchschnitt sieben Jahre – Lorenz AG 2012, 284, 286; weitere Angaben bei M. Noack, Spruchverfahren, 2014, 40 f.) und kann sogar gegen **Justizgewährungsanspruch** (Art. 20 III GG) verstoßen (vgl. etwa BVerfG AG 2012, 86: 18 Jahre in 1. Instanz; WM 2012, 76; → SpruchG § 2 Rn. 2). Wesentliche Verfahrensentlastung kann sich aus **Unternehmensbewertung nach Börsenkurs** ohne flankierende Ertragswertberechnung (→ AktG § 305 Rn. 36 ff.) sowie bloße Plausibilitätskontrolle durch Gericht (→ AktG § 305 Rn. 25) ergeben, sofern diese sich in Rspr. durchsetzen wird (zu weiteren Abkürzungstendenzen in Gerichtspraxis s. Lorenz AG 2012, 284, 286; Wasmann AG 2021, 179 Rn. 13 ff.).

III. Rechtspolitische Würdigung

4 Während Spruchverfahren als solches rechtspolitisch grds. positiv gewürdigt wird, fällt Detailanalyse deutlich kritischer aus (Zusammenfassung der Vor- und Nachteile bei M. Noack, Spruchverfahren, 2014, 34 ff., 39 ff.; sa Wasmann AG 2021, 179 Rn. 1 ff.; zum beachtlichen Missbrauchspotenzial Gotthardt/Krengel AG 2018, 875 ff.; Wasmann AG 2021, 179 Rn. 3 ff.; Wollin AG 2022, 474 Rn. 16 ff.). Im Mittelpunkt der Kritik steht lange Verfahrensdauer (→ Rn. 3). Mit Reform des Spruchverfahrens durch UmRUG 2023 ist diesem Umstand entgegengewirkt worden (RegBegr. BT-Drs. 20/3882, 47); zentrale Maßnahmen sind Einführung der Pflicht anwaltlicher Vertretung in § 5a SpruchG (→ SpruchG § 5a Rn. 1), Aufgabe des Abhilfeverfahrens (→ SpruchG § 12 Rn. 6) sowie Möglichkeit „mehrheitskonsensualer" Schätzung (→ § 11a SpruchG Rn. 1). Nicht übernommen wurde dagegen vielfach geäußerter Vorschlag, **Eingangszuständigkeit des Oberlandesgerichts** zu begründen (vgl. Gesetzesentwurf BR, BT-Drs. 16/9020; DAV-HRA NZG 2002, 119, 120; DAV-HRA NZG 2013, 694, 698; zurückhaltend dagegen Neye FS Wiedemann, 2002, 1127, 1131 f.; krit. auch Dreier/Riedel BB 2013, 326 f.; Lochner/Schödel AG 2013, R 59 ff.; M. Noack ZRP 2015, 81 f.; Puszkajler/Sekera-Terplan NZG 2015, 1055, 1060; Wasmann AG 2021, 179 Rn. 16 ff.). Darin hätte jedoch ggü. instanzieller und funktioneller Zuständigkeit der KfH des LG (§ 2 I und III SpruchG) ein wesentlicher Reformschritt gelegen (ausf. → SpruchG § 2 Rn. 2). Jedenfalls positive Erfahrungen mit Eingangszuständigkeit des OLG in Freigabesachen (→ AktG § 246a Rn. 11) hätte zu Umdenken führen sollen. Auch eine deutliche ges. Klarstellung, dass **§ 287 ZPO** bei Ermittlung des Unternehmenswerts anwendbar ist (→ AktG § 305 Rn. 22; BGHZ 147, 108, 116 = NJW 2001, 2080), hätte zur Vermeidung überlanger Verfahren (→ Rn. 2) beitragen können, wurde durch UmRUG-Gesetzgeber aber nicht vorgenommen. Weiterer Schwachpunkt des Verfahrens wird in den für den Antragsteller sehr vorteilhaften **Verzinsungsregeln** des materiellen Rechts gesehen (5 % über Basiszinssatz – vgl. etwa § 327b II AktG), die Anreiz setzen, das Verfahren zu verschleppen (M. Noack, Spruchverfahren, 2014, 146 ff.). Diese Anreizstruktur wird durch **geringes Kostenrisiko** des Antragstellers (→ SpruchG § 6 Rn. 7; → SpruchG § 15 Rn. 2 ff.) verbunden mit dem im Spruchverfahren geltenden Verbot der **reformatio in peius** (→ SpruchG § 11 Rn. 2) weiter verfestigt (M. Noack, Spruchverfahren, 2014, 133 ff.). Ausf. zu langjähriger Reformdiskussion M. Noack, Spruchverfahren, 2014, passim; sa M. Noack ZRP 2015, 81 ff.; Gotthardt/Krengel AG 2018, 875, 877 ff.; Puszkajler/Sekera-Terplan NZG 2015, 1055, 1059 ff.; für Ausweitung der Satzungsfreiheit hinsichtlich der Abfindungsbestimmung Grunewald FS Hoffmann-Becking, 2013, 413 ff.

IV. Ausdrücklich genannte Verfahrensanlässe

5 § 1 SpruchG stellt Geltung des Ges. für **sieben Fallgruppen** klar: (1) Bestimmung der angemessenen Ausgleichszahlung nach § 255 IV AktG (→ AktG § 255 Rn. 25 ff.) oder der zusätzlich zu gewährenden Aktien nach § 255a AktG (→ AktG § 255a Rn. 1 ff.); (2.) Bestimmung des Ausgleichs für außenstehende Aktionäre bei Abschluss von Beherrschungs- und Gewinnabführungsverträgen nach § 304 I und II AktG, ebenso Bestimmung der Höhe des ihnen zu unterbreitenden Abfindungsangebots nach § 305 I und II AktG (zur nicht anzuerkennenden Kategorie atypischer bzw. verdeckter Beherrschungsverträge → AktG

§ 291 Rn. 14 f. und unten → Rn. 6). (3.) Bestimmung der Höhe des Abfindungsangebots bei Mehrheitseingliederung gem. § 320b AktG. (4.) Bestimmung der Höhe der Barabfindung beim Ausschluss von Minderheitsaktionären nach § 327b AktG. (5.) Bestimmung des Ausgleichs bei Maßnahmen nach dem UmwG, wobei UmRUG 2023 praxisrelevante Neuerung gebracht hat, dass nach neu gefasstem 14 II UmwG iVm § 15 I 2 UmwG auch **Anteilseigner des Zielrechtsträgers** den Umwandlungsbeschluss nicht mehr mit Verweis auf ein unangemessenes Umtauschverhältnis anfechten können (über § 69 III UmwG erweitert auf flankierenden Kapitalerhöhungsbeschluss – vgl. Heckschen/Knaier ZIP 2022, 2205, 2212), sondern – wie Anteilseigner des übertragenden Unternehmens – in das Spruchverfahren verwiesen werden (vgl. dazu Bungert/Reidt DB 2022, 1369, 1372; Drescher AG 2023, 337 Rn. 5; Drinhausen/Keinath BB 2022, 1923 f.). Ebenso bedeutsam ist, dass Verbesserung des Umtauschverhältnisses nach § 15 I UmwG gem. § 72a UmwG künftig auch durch **Gewährung zusätzlicher Aktien** erfolgen kann (ausf. dazu Bungert/Reidt DB 2022, 1369, 1374 ff.; Drinhausen/Keinath BB 2022, 1923, 1924 ff.; Habrich AG 2022, 567 Rn. 1 ff.; Heckschen/Knaier ZIP 2022, 2205, 2207 f.), deren Wertbestimmung nach neu gefasstem § 1 Nr. 5 SpruchG ebenfalls im Spruchverfahren zu erfolgen hat (RegBegr. BT-Drs. 20/3822, 123). Durch Verweis auf §§ 313, 327, 340 UmwG ebenfalls in den Anwendungsbereich einbezogen werden Ausgleichsansprüche und Ansprüche auf angemessene Barabfindung betreffend grenzüberschreitende Umwandlungen (RegBegr. BT-Drs. 20/3882, 123). (6.) Ausgleichs- und Abfindungsfälle nach SEAG (→ Rn. 1). Spruchverfahrensrecht soll auch dann anwendbar sein, wenn Ausgleich oder Abfindung dem Schutz von Minderheitsaktionären bei Entstehung einer SE oder Holding-SE oder ihrem Wegzug dienen (RegBegr. BT-Drs. 15/3405, 58). Grundlage in VO (EG) 2157/2001 (SE-VO) v. 8.10.2001 (ABl. EG 2001 L 294, 1) sind insoweit Art. 8 V SE-VO, Art. 24 II SE-VO, Art. 34 SE-VO. Wie § 1 Nr. 5 SpruchG war auch Nr. 6 ursprünglich beschränkt auf bare Zuzahlung nach §§ 6, 11 SEAG und Barabfindung nach §§ 7, 9, 12 SEAG, wurde aber mit Neufassung des § 1 Nr. 6 SpruchG ebenfalls auf Gewährung zusätzlicher Aktien erweitert; diese Möglichkeit wird durch neu geschaffenen § 6 V SEAG eingeführt. (7.) Spruchverfahren soll auch zugänglich sein, soweit durch Verschmelzung Europ. Genossenschaft entsteht (RegBegr. BT-Drs. 16/1025, 98); genauer dazu BeckOGK/Drescher Rn. 15.

V. Keine abschließende Regelung

§ 1 SpruchG mag sich abschließend lesen, ist aber nicht so gemeint (→ Rn. 1: Klarstellungsfunktion). SpruchG gilt deshalb nicht nur für die ausdr. genannten Verfahren (→ Rn. 5), sondern weitergehend auch für solche Streitigkeiten, die ihnen vergleichbar sind, und zwar wegen der bewertungsabhängigen Höhe der Ansprüche. Daher ist § 1, 1. Satzteil SpruchG gedanklich um ein „namentlich" oder „insbes." zu ergänzen (sachlich übereinstimmend BeckOGK/Drescher Rn. 17; KK-SpruchG/Wasmann Rn. 16; DAV-HRA NZG 2003, 316; ausf. zu Möglichkeit und Grenzen einer analogen Anwendung J. Hoffmann FS Stilz, 2014, 267 ff.). Dafür bislang anerkannter Hauptanwendungsfall des **Delisting** ist allerdings weggefallen, nachdem BGH Macrotron-Rspr. aufgegeben und Gesetzgeber Erfordernis eines Spruchverfahrens bei legislativer Neuordnung nicht wieder aufgegriffen hat (ausf. → AktG § 119 Rn. 30 ff., 39). Als verbleibende Anwendungsfälle sind heute vor allem Spruchverfahren gem. § 5 V EGAktG für Fälle der § 5 III 1 und IV 2 EGAktG zu nennen (Hölters/Weber/Simons Rn. 16). Auch auf **übertragende Auflösung** nach MotoMeter-Verfahren findet Spruchverfahren nach heute hM entspr. Anwendung (ausf. → AktG § 179a Rn. 21 f.). Für **verschmelzungsrechtl. Squeeze-Out** ergibt sich Anwendbar- 6 keit aus § 62 V 8 UmwG iVm § 327f AktG (Schockenhoff/Lumpp ZIP 2013, 749, 756). Weiterhin erwägenswert bleibt Eröffnung des Spruchverfahrens für Streitigkeiten über **Angemessenheit des Einziehungsentgelts** (→ AktG § 237 Rn. 18); weitergehende Überlegungen bei J. Vetter ZHR 168 (2004), 8, 16ff. **Unstatthaft** ist Spruchverfahren dagegen, wenn in den Fällen des § 311 AktG Business Combination Agreement oder ähnliche Vereinbarung geschlossen wird; auch Etikettierung als atypischer oder faktischer Beherrschungsvertrag hilft nicht (→ AktG § 291 Rn. 14f.; OLG München AG 2008, 672f.; OLG Schleswig NZG 2008, 868, 872ff.; LG München I Konzern 2007, 763f.). Ebenso besteht kein Bedarf für Anwendung des Spruchverfahrens auf Pflicht-, Übernahme- und Kaufangebote nach §§ 35, 29, 10 WpÜG, da Eigentumsposition des Aktionärs nicht ohne seine Mitwirkung beeinträchtigt werden kann (BeckOGK/Drescher Rn. 27; Hölters/Weber/Simons Rn. 23; KK-AktG/Wasmann Rn. 27; aA Seibt ZIP 2003, 1865, 1874). Ferner steht Spruchverfahren wegen abschließender Regelung in § 39a WpÜG beim übernahmerechtl. Squeeze-Out nicht zur Verfügung (OLG Celle AG 2010, 456; OLG Stuttgart NZG 2009, 950; Assmann/Pötzsch/Schneider/Seiler WpÜG § 39a Rn. 110ff.; aA J. Hoffmann FS Stilz, 2014, 267, 284f.). Ebenso ist Spruchverfahren unstatthaft, wenn wie bei konzerninterner Umstrukturierung durch Gesamtrechtsnachfolge keine Abfindungspflicht besteht (LG München I AG 2011, 801, 802). Keine Ausdehnung des Spruchverfahrens ist durch Ausschluss der Anfechtung nach § 243 IV 2 AktG bei **bewertungsbezogenen Informationsstreitigkeiten** erfolgt. Tats. wird Spruchverfahren in diesen Fällen nicht für statthaft erklärt, sondern es wird anderweitig eröffnete Statthaftigkeit vorausgesetzt, um Anfechtungsklage für unzulässig zu erklären (zutr. BeckOGK/Drescher Rn. 17; MüKoAktG/Krenek Rn. 25). Auch nicht zulässig ist Verfolgung anderweitiger damit verbundener Streitstände, wie etwa Ersatzanspruch wegen überlanger Verfahrensdauer (OLG Karlsruhe v. 13.5.2013 – 12 W 77/08, juris-Rn. 114ff. = BeckRS 2013, 14368).

§ 2 SpruchG Zuständigkeit

(1) Zuständig ist das Landgericht, in dessen Bezirk der Rechtsträger, dessen Anteilsinhaber antragsberechtigt sind, seinen Sitz hat oder hatte.

(2) [1] Sind nach Absatz 1 mehrere Gerichte zuständig oder sind bei verschiedenen Landgerichten Spruchverfahren anhängig, die in einem sachlichen Zusammenhang stehen, so ist das Gericht zuständig, das zuerst mit der Angelegenheit befasst ist. [2] Besteht Streit oder Ungewissheit über das zuständige Gericht nach Satz 1, so ist § 5 des Gesetzes über das Verfahren in Familiensachen und in den Angelegenheiten der freiwilligen Gerichtsbarkeit entsprechend anzuwenden.

(3) Ist bei dem Landgericht eine Kammer für Handelssachen gebildet, so entscheidet diese anstelle der Zivilkammer.

(4) Die Länder können vereinbaren, dass Entscheidungen in Verfahren nach diesem Gesetz für mehrere Länder den Landgerichten eines Landes zugewiesen werden.

(5) [1] Der Vorsitzende einer Kammer für Handelssachen entscheidet

1. über die Abgabe von Verfahren;
2. im Zusammenhang mit öffentlichen Bekanntmachungen;
3. über Fragen, welche die Zulässigkeit des Antrags betreffen;
4. über alle vorbereitenden Maßnahmen für die Beweisaufnahme und in den Fällen des § 7;
5. in den Fällen des § 6;
6. über Geschäftswert, Kosten, Gebühren und Auslagen;
7. über die einstweilige Einstellung der Zwangsvollstreckung;
8. über die Verbindung von Verfahren.

[2] Im Einverständnis der Beteiligten kann der Vorsitzende auch im Übrigen an Stelle der Kammer entscheiden.

I. Regelungsgegenstand und -zweck

Norm betr. sachliche und örtliche **Eingangszuständigkeit** im Spruchverfahren (§ 2 I – IV SpruchG) und bei Zuständigkeit der KfH **Entscheidungsbefugnisse des Vorsitzenden** (§ 2 V SpruchG). Vorbild für Textgestaltung war § 306 UmwG aF. Inhaltsgleiche Regelung enthielt aber auch § 306 I AktG aF. § 2 SpruchG hat weitgehende Neufassung durch **UmRUG 2023** erfahren (→ Rn. 3 ff.), auf dessen Grundlage – obwohl bei Drucklegung noch nicht erlassen – die folgende Kommentierung basiert. 1

II. Sachliche, örtliche und internationale Zuständigkeit (§ 2 I SpruchG)

Gem. § 2 I SpruchG liegt **sachliche Zuständigkeit** für Spruchverfahren ausschließlich beim **Landgericht.** Wiederholt ausgesprochene Empfehlung (Nachw. → SpruchG § 1 Rn. 4) einer Eingangszuständigkeit des OLG ist nicht durchgedrungen und wurde auch jüngst von UmRUG-Gesetzgeber nicht übernommen, obwohl dagegen erhobene verfassungsrechtl. Bedenken unberechtigt sind; GG gewährleistet zwar Rechtsweg, aber keinen Instanzenzug (BVerfGE 89, 381, 390 = NJW 1994, 1053; BVerfGE 54, 277, 291 = NJW 1981, 39, 41). Grundrechtl. relevanter Eingriff liegt daher nicht in Verkürzung des Instanzenzugs, sondern gerade umgekehrt in überlanger Verfahrensdauer (→ SpruchG § 1 Rn. 4), die **Justizgewährungsrecht** aus Art. 6 I EMRK und Art. 20 III GG verletzen kann (EGMR NJW 2010, 3355 Rn. 41 ff.; BVerfG AG 2012, 86 Rn. 6 ff.; WM 2012, 76). In danach zu treffender Abwägungsentscheidung zwischen Richtigkeitsgewähr eines mehrstufigen Instanzenzugs und zeitlicher Effizienz der Justizgewähr spricht Umstand, dass Rechtsmittelquote ohnehin bei fast 100 % liegt (s. schon Gesetzesentwurf BR BT-Drs. 16/9020, 12; Bungert/Mennicke BB 2003, 2021, 2023), deutlich für Rechtswegverkürzung (MüKoAktG/Kubis, 5. Aufl. 2020, Rn. 1; dezidiert aA Dreier/Riedel BB 2013, 326 f.), die auch nicht ohne Vorläufer ist, sondern Vorbilder in § 246a I 3 AktG, § 63 IV GWB, § 48 IV WpÜG findet. Von Landesjustizverwaltungen erhobener Einwand knapper Ressourcen auf OLG-Ebene steht ebenfalls nicht entgegen, da effektiver Rechtsschutz nicht an Fragen der Ressourcenallokation scheitern darf, die innerhalb der Gerichtsbarkeit nachjustiert werden kann (sa Gesetzesentwurf BR BT-Drs. 16/9020, 14 f.). Eingangszuständigkeit des LG mit nur einem Berufsrichter (→ Rn. 5) ist bei derart komplexem Verfahren so gewichtigen Bedenken ausgesetzt, dass sie ebenfalls kaum als Ideallösung angesehen werden kann; OLG ist aufgrund der **Senatsbesetzung mit drei Berufsrichtern** insofern besser geeignet (sa Gesetzesentwurf BR BT-Drs. 16/9020, 11 f.). Erhalten bleiben muss aber jedenfalls **Rechtsbeschwerde** nach §§ 70 ff. FamFG, um durch Letztentscheidungsbefugnis des BGH Rechtszersplitterung entgegenzuwirken (insofern zutr. Dreier/Riedel BB 2013, 326, 327). 2

Örtliche Zuständigkeit bestimmt sich nach **Sitz des Rechtsträgers** (§ 2 I SpruchG), und zwar ebenfalls grds. ausschließlich. Begriff des Rechtsträgers wird wegen rechtsformneutraler Anwendung des SpruchG in umwandlungsbedingten Spruchsachen verwandt (§ 1 Nr. 5 SpruchG). In aktienrechtl. Spruchsachen (§ 1 Nr. 1–4 SpruchG) kommt es auf Gesellschaftssitz an (§ 5 AktG). Maßgeblich ist Sitz derjenigen Gesellschaft, deren außenstehende oder ausgeschiedene Aktionäre antragsberechtigt sind, insbes. nach § 3 SpruchG; unerheblich ist also Sitz des Antragsgegners (MüKoAktG/Krenek Rn. 4). Durch **UmRUG 2023** neu eingeführt wurde Zusatz, dass es auch auf ehemaligen Sitz des Rechtsträgers ankommen kann („oder hatte"), um der Situation Rechnung zu tragen, dass sich Sitz 3 des Ausgangsrechtsträgers oder der Ausgangsrechtsform von dem Sitz des Zielrechtsträgers oder der Zielrechtsform unterscheidet (RegBegr. BT-Drs. 20/3822, 123). Wenn in Fällen der Verschmelzung oder Aufspaltung übertragender Rechtsträger erloschen und ehemaliger Anteilsinhaber antragsberechtigt ist, kommt es auf Gesellschaftssitz im Zeitpunkt des Erlöschens an; Ergänzung dient insofern allein Klarstellung des bereits zuvor gültigen Normverständnisses (RegBegr. BT-Drs. 20/3822, 123; vgl. dazu KK-SpruchG/Wasmann Rn. 3; Drescher AG 2023, 337 Rn. 6 ff.). Für Anteilsinhaber eines übernehmenden oder abspaltenden Rechtsträgers verbleibt es dagegen bei Zuständigkeit des Gerichts, in dessen Bezirk der Rechtsträger bei Antragstellung seinen Sitz hat (RegBegr. BT-Drs. 20/3822, 123). **Internationale Zuständigkeit** folgt nach § 105 FamFG der örtlichen Zuständigkeit, besteht also am Sitz der AG, soweit keine verdrängende Sonderregelung eingreift (LG München I NZG 2009, 143, 148; MüKoAktG/Krenek Rn. 7). Als solche kommt vor allem Brüssel Ia-VO in Betracht. Auch insoweit bleibt es aber bei Zuständigkeit des Sitzgerichts, wobei fraglich ist, ob das aus Art. 24 Nr. 2 Brüssel Ia-VO oder aus Art. 7 Nr. 1a Brüssel Ia-VO folgt. Die erste Lösung liegt wegen der funktionalen Austauschbarkeit von Spruchverfahren und Anfechtungsklage näher (ebenso öOGH AG 2010, 49, 50 f.; BeckOGK/Drescher Rn. 8; Emmerich/Habersack/Emmerich Rn. 15 f.; KK-SpruchG/Wasmann Rn. 15; aA MüKoAktG/Krenek Rn. 7; Nießen NZG 2006, 441, 442 ff.). Auch bei grenzüberschreitenden Umwandlungen ist gem. § 2 I SpruchG örtliche Zuständigkeit abweichend von Zeitpunkt der Antragstellung nach Sitz des übertragenden Rechtsträgers zum Erlöschenszeitpunkt zu beurteilen (RegBegr. BT-Drs. 20/3822, 123 unter Verweis auf Einklang mit Art. 86i V, 126a V, VI UAbs. 1, 160i V, VI UAbs. 1 GesRRL).

III. Doppel- oder Mehrfachsitz (§ 2 II SpruchG)

4 Str. war früher, wie Zuständigkeit bei **Doppel- oder Mehrfachsitz** (→ SpruchG § 5 Rn. 10) zu bestimmen sei. § 2 II 1 Fall 1 SpruchG (nur redaktionell neu geordnet durch UmRUG 2023) schreibt in dieser Situation Zuständigkeit des **zuerst befassten Gerichts** vor; andere Gerichte sind abgabepflichtig (KK-SpruchG/Wasmann Rn. 8; Bungert/Reidt DB 2022, 1369, 1373). Gem. § 2 II 1 Fall 2 SpruchG ist ebenso zu verfahren, wenn **sachlich zusammenhängende Verfahren** bei verschiedenen Landgerichten anhängig sind, was namentl. bei Simultanverschmelzung mehrerer Rechtsträger unterschiedlichen Sitzes vorkommt (MüKoAktG/Krenek Rn. 5; Drescher AG 2023, 337 Rn. 7 f.). Sachlicher Zusammenhang ergibt sich vor allem, wenn die mehreren Verfahren die Bewertung desselben Rechtsträgers betr. (Emmerich/Habersack/Emmerich Rn. 8). Nachdem im Zuge des UmRUG 2023 modifizierter § 14 II UmwG iVm § 15 I 1 UmwG auch Anteilsinhabern des Zielrechtsträgers Anspruch auf Verbesserung des Umtauschverhältnisses gibt und damit zugleich Weg ins Spruchverfahren eröffnet (→ SpruchG § 1 Rn. 5), kann sich auch hier entspr. Doppelung ergeben, die von § 2 II 1 Fall 2 SpruchG erfasst wird (RegBegr. BT-Drs. 20/3822, 124). Für entspr. Anwendung des § 5 FamFG bleibt gem. § 2 II 2 SpruchG nur Raum, wenn über das nach § 2 I SpruchG zuständige Gericht **Streit oder Ungewissheit** besteht, etwa weil sich erste Befassung nicht feststellen lässt. Lösung des § 2 II SpruchG versagt bei **Divergenz internationaler Zuständigkeit,** was problematisch ist (RegBegr. BT-Drs. 20/3822, 127); Gesetzgeber versucht, durch Koordinationsvorgaben in § 6c SpruchG gewisse Abhilfe zu schaffen (→ SpruchG § 6c Rn. 1).

IV. Funktionelle Zuständigkeit (§ 2 III SpruchG)

Funktionell ist nach § 2 III SpruchG **KfH** zuständig, soweit bei dem LG existent. Umstr. war unter früherer Rechtslage aufgrund ungenauer Verweisung auf GVG, ob Zuständigkeit **ausschließlich** ist oder ob KfH nur entscheidet, wenn entspr. Antrag gestellt wurde (vgl. zum Streitstand → 16. Aufl. 2022, SpruchG § 2 Rn. 5). Durch UmRUG 2023 wurde deshalb funktionelle Zuständigkeit der KfH ausdr. ges. festgeschrieben (RegBegr. BT-Drs. 20/3822, 124: wird klargestellt). Streit ist damit für SpruchG aufgelöst, nicht aber für Parallelfragestellung in → AktG § 98 Rn. 2; → AktG § 132 Rn. 3; → AktG § 142 Rn. 31; → AktG § 145 Rn. 6; → AktG § 258 Rn. 18; → AktG § 260 Rn. 4; → AktG § 315 Rn. 4 mit jew. unterschiedlichem Meinungsstand. Wird Verfahren fälschlicherweise vor Zivilkammer zur Verhandlung gebracht, ist es von Amts wegen an KfH abzugeben; § 98 III GVG, der solche Verweisung von Amts wegen nicht zulässt, findet gerade keine Anwendung (RegBegr. BT-Drs. 20/3822, 124). 5

V. Zuständigkeitskonzentration (§ 2 IV SpruchG)

§ 2 IV SpruchG ist im Kontext des § 71 II Nr. 4e); IV 1 GVG zu verstehen. Durch diese Vorschrift werden Landesregierungen **länderintern** ermächtigt, durch VO Zuständigkeit für Spruchsachen bei einem der Landgerichte zu konzentrieren, sofern dies Sicherung einer einheitlichen Rechtsprechung dient (§ 71 IV 2 GVG); Landesregierungen können diese Ermächtigung auf Landesjustizverwaltungen übertragen, § 71 IV 3 GVG. Regelung entspr. ursprünglichem § 2 IV SpruchG aF, der deshalb entfallen ist (RegBegr. BT-Drs. 16/6308, 330). Weil § 71 IV GVG in der Nachfolge des § 2 IV SpruchG aF steht, ist von **Fortgeltung darauf gestützten VO-Rechts** (Übersicht bei BeckOGK/Drescher Rn. 7) auszugehen (so auch Weber/Kersjes, Hauptversammlungsbeschlüsse, 2010, § 5 Rn. 56; aA Simons NZG 2012, 609, 612). Ob das ohne Anpassung an § 2 IV SpruchG aF auch für VO-Recht gilt, das noch auf § 132 I 3, 4 AktG aF iVm § 306 I 2 AktG aF zurückgeht (dafür Emmerich/Habersack/Emmerich Rn. 14; Gude AG 2005, 233, 237), ist allerdings nicht zweifelsfrei (Bungert/Mennicke BB 2003, 2021, 2024). Vorsorgliche Anpassung muss nunmehr auf § 71 II Nr. 4e), IV 1 GVG Bezug nehmen. Durch UmRUG 2023 neu eingefügter **§ 2 IV SpruchG** ergänzt § 71 II Nr. 4e), IV 1 GVG dahingehend, dass Zuständigkeitskonzentration nunmehr auch **landesübergreifend** möglich ist. Damit soll es insbes. bevölkerungsarmen Ländern ermöglicht werden, gerichtl. Expertise zu konzentrieren (RegBegr. BT-Drs. 20/3822, 124). 6

VI. Entscheidung des Vorsitzenden der KfH (§ 2 V SpruchG)

Ist KfH funktionell zuständig (→ Rn. 5), so entscheidet gem. § 2 V 1 SpruchG in Abweichung von § 105 GVG allein ihr Vorsitzender, also ohne Mitwirkung der Handelsrichter, in den dort enumerierten acht Fallgruppen. Das folgt dem **Vorbild des § 349 II ZPO** und entspr. im Wesentlichen § 306 II 2 und 3 UmwG aF iVm § 306 I 2 AktG aF. Ergänzt wurde lediglich § 2 V 1 Nr. 8 SpruchG; danach entscheidet Vorsitzender auch über Verbindung von Verfahren. § 2 V 2 SpruchG lässt wie § 349 III ZPO Entscheidung des Vorsitzenden auch außerhalb der Katalogsachen zu, wenn die Beteiligten damit einverstanden sind. Einverständnis begründet umfassende Entscheidungsbefugnis. Dem Vorsitzenden bleibt jedoch überlassen, ob er davon Gebrauch macht. Auf Verfahren einer ausnahmsweise funktionell zuständigen Zivilkammer (→ Rn. 5) ist § 2 V SpruchG weder unmittelbar noch analog anzuwenden. 7

§ 3 SpruchG Antragsberechtigung

[1] Antragsberechtigt für Verfahren nach § 1 ist in den Fällen

1. der Nummer 1 jeder Aktionär, dessen Bezugsrecht ganz oder teilweise ausgeschlossen worden ist;
2. der Nummer 2 jeder außenstehende Aktionär;
3. der Nummern 3 und 4 jeder ausgeschiedene Aktionär;
4. der Nummer 5 jeder in den dort angeführten Vorschriften des Umwandlungsgesetzes bezeichnete Anteilsinhaber;
5. der Nummer 6 jeder in den dort angeführten Vorschriften des SE-Ausführungsgesetzes bezeichnete Anteilsinhaber;
6. der Nummer 7 jedes in der dort angeführten Vorschrift des SCE-Ausführungsgesetzes bezeichnete Mitglied.

[2] In den Fällen der Nummern 1, 2, 4, 5 und 6 ist die Antragsberechtigung nur gegeben, wenn der Antragsteller zum Zeitpunkt der Antragstellung Anteilsinhaber ist; dies gilt nicht für die Bestimmung der Barabfindung bei grenzüberschreitenden Umwandlungen (§§ 313, 327 und 340 des Umwandlungsgesetzes) gemäß § 1 Nummer 4. [3] Die Stellung als Aktionär ist dem Gericht ausschließlich durch Urkunden nachzuweisen.

Übersicht

I. Regelungsgegenstand und -zweck

1 Spruchverfahren findet nur auf Antrag statt (s. zB § 304 III 3 AktG, § 305 IV 3 und V 2 AktG, § 327f S. 2 AktG), was seiner Eigenart als Streitverfahren Rechnung trägt. Damit stellt sich **Frage der Antragsberechtigung,** die in § 3 S. 1 SpruchG geregelt wird. Soweit sie besteht, ist idR auch Rechtsschutzbedürfnis zu bejahen. Es kann aber auch fehlen, zB dann, wenn feststeht, dass Angemessenheitsprüfung schon in anderem Spruchverfahren stattfindet (OLG Stuttgart AG 2011, 601 ff.) und Personenkreis der Antragsteller identisch ist (OLG Stuttgart AG 2012, 839 Ls.). Das auf Doppelprüfung hinauslaufende zweite Verfahren ist dann unzulässig. Dagegen fehlt Rechtsschutzbedürfnis nicht schon dann, wenn Squeeze-Out an Unternehmensvertrag anschließt und Angemessenheit der Abfindung bereits iRd § 305 AktG geprüft wurde, weil Bewertung – insbes. bei abweichendem Antragstellerkreis – nicht zwangsläufig identisch ausfallen muss (OLG Frankfurt AG 2013, 566 Rn. 23 f.). Bei Namensaktien bestimmt sich vorausgesetzte Aktionärseigenschaft nach § 67 II (→ AktG § 67 Rn. 14; OLG Hamburg AG 2003, 694; LG Frankfurt AG 2005, 666; LG Frankfurt DB 2005, 1449, 1450; BeckOGK/Drescher Rn. 6; Lieder NZG 2005, 159, 163; aA Dißars BB 2004, 1293, 1294 f.). § 3 S. 2 SpruchG enthält Klarstellung, dass es für Aktienbesitz oder sonstige Mitgliedschaft auf **Zeitpunkt der Antragstellung** ankommt; durch UmRUG 2023 neu eingefügter 2. Hs. enthält Ausnahme für Fälle grenzüberschreitender Umwandlung (→ Rn. 6). Eigenschaft

als Aktionär kann dem Gericht nur durch **Urkunden** nachgewiesen werden (§ 3 S. 3 SpruchG). Fehlt Antragsberechtigung oder ist sie jedenfalls nicht nachgewiesen, so ist Spruchverfahren schon **unzulässig** (OLG Frankfurt DB 2005, 1449; OLG Stuttgart NZG 2004, 1162, 1164; Klöcker/Frowein SpruchG Rn. 2). Prüfung erfolgt gem. § 26 FamFG von Amts wegen (Hölters/Weber/Simons Rn. 2).

II. Antragsberechtigung

1. Beherrschungs- und/oder Gewinnabführungsvertrag. Für Antragsberechtigung nach § 3 S. 1 SpruchG ist **nach Verfahrensanlass zu unterscheiden:** In den Fällen der §§ 255 f. AktG ist jeder vom Bezugsrecht ganz oder teilweise ausgeschlossene Aktionär (§ 1 Nr. 1 SpruchG), in den Fällen der §§ 304, 305 AktG (§ 1 Nr. 2 SpruchG) ist jeder außenstehende Aktionär antragsberechtigt. Wie zur Begr. der Anfechtungsbefugnis nach § 245 S. 1 Nr. 1–3 AktG genügt eine (einzige) Aktie (unstr.), auch eine stimmrechtslose Vorzugsaktie. Zum Begriff des außenstehenden Aktionärs gelten die in → AktG § 304 Rn. 2 f. entwickelten Grundsätze. Auch Aktionäre, die bei Beschlussfassung nach § 293 I AktG für den Vertrag gestimmt haben, sind antragsberechtigt (allgM, KK-AktG/Koppensteiner § 304 Rn. 62; MüKoAktG/Krenek Rn. 8). Keinesfalls antragsberechtigt sind der andere Vertragsteil oder seine Aktionäre. Damit scheitert jeder Versuch, vertraglich zugesagte Ausgleichs- oder Abfindungsleistungen im Spruchverfahren herabzusetzen (KK-AktG/Koppensteiner AktG Anh. § 327f Rn. 8). Widerspruchslose Entgegennahme des als zu niedrig beanstandeten Ausgleichs gem. § 304 AktG schadet nicht, wohl aber der Abfindung nach § 305 AktG, weil damit Gesellschafterstellung und deshalb auch Antragsbefugnis erlischt (OLG Düsseldorf AG 2001, 596; Hölters/Weber/Simons Rn. 4). Unschädlich ist dagegen Annahme des Abfindungsangebots nach Antragstellung und vor Abschluss des Spruchverfahrens (KK-SpruchG/Wasmann Rn. 7). 2

2. Eingliederung; Ausschluss von Minderheitsaktionären. In den Fällen der **§§ 320b, 327b** AktG **(§ 1 Nr. 3 und 4 SpruchG)** ist jeder (einzelne) ausgeschiedene Aktionär antragsberechtigt. Antragsteller muss also im Zeitpunkt der Eintragung der Eingliederung oder des Übertragungsbeschlusses in das HR Aktionär gewesen sein; denn das ist der Zeitpunkt des Ausscheidens (OLG Frankfurt AG 2013, 566 Rn. 22; sa → AktG § 320a Rn. 2; → AktG § 327e Rn. 4). Ihm stehen nur Gesamtrechtsnachfolger gleich (Emmerich/Habersack/Habersack § 320b Rn. 17; weitergehend [auch Einzelrechtsnachfolge] Timm/Schick WM 1994, 185, 187 f.). Weil es auf Eintragungszeitpunkt ankommt, schiebt Registersperre durch Anfechtungsklage (→ AktG § 319 Rn. 17 ff.) auch das Spruchverfahren und mit ihm den für die Antragsberechtigung maßgeblichen Zeitpunkt hinaus. Verfrühte Anträge sind unzulässig und idR abzuweisen (LG Berlin AG 2003, 647; → SpruchG § 4 Rn. 5). Nicht antragsberechtigt ist Hauptaktionär iSd § 327a I AktG, da er selbst die Abfindungshöhe festsetzt (OLG Bremen AG 2013, 643, 645). 3

3. Maßnahmen nach UmwG. Für Verschmelzung und andere Maßnahmen nach UmwG verweist § 3 S. 1 Nr. 4 SpruchG auf **§ 1 Nr. 5 SpruchG** und damit auf §§ 15, 34, 72a, 125 I 1, 176–181, 184, 186, 196, 212, 305 II, 313, 320 II, 327, 340 UmwG. Im Fall des **§ 15 UmwG** geht es (nur) um Ausgleich durch bare Zuzahlung; denn Mitgliedsrechte der Aktionäre oder anderen Anteilsinhaber gehen mit der Verschmelzung nicht unter, sondern setzen sich gem. § 20 I Nr. 3 UmwG als Mitgliedschaften im übernehmenden Rechtsträger fort. Durch Änderung der §§ 14 II, 15 II UmwG im Zuge des UmRUG 2023 (→ § 1 SpruchG Rn. 5) sind nunmehr auch Anteilsinhaber übernehmender Rechtsträger antrags- 4 berechtigt. Für die Einzelheiten sind die zu §§ 304, 305 AktG geltenden Grundsätze (→ Rn. 2) maßgeblich, es bedarf insbes. keines Widerspruchs zu Protokoll gegen Zustimmungsbeschluss der HV (insoweit allgM, s. MüKoAktG/Krenek Rn. 8). Im Fall des **§ 34 UmwG** ist Ausgangslage insofern anders, als § 34 UmwG an § 29 UmwG anknüpft, der für Verschmelzung unter Änderung der Rechtsform Abfindung gewährt, dafür aber Widerspruch zur Niederschrift oder gleichstehenden Sachverhalt voraussetzt (§ 29 I 1 und II UmwG). Nach hM (s. MüKoAktG/Krenek Rn. 9 mwN) hängt deshalb auch Antragsberechtigung für Spruchverfahren von ablehnender Stimmabgabe (insoweit aA KK-SpruchG/Wasmann Rn. 14) und Widerspruch zur Niederschrift ab, soweit nicht § 29 II UmwG eingreift. Das hat den systematischen Zusammenhang der §§ 29, 34 UmwG für sich. Weniger glücklich ist allerdings, dass gegen die Verschmelzung stimmen muss, wer nur höhere Abfindung erstreiten will. Ebenso ist Rechtslage bei **formwechselnder Umwandlung** (§§ 207 I 1, 212 UmwG). Bei Veräußerung nach Beschlussfassung, aber vor Antragstellung ist Veräußerer wegen Aufgabe seiner Mitgliedschaft, Erwerber mangels eigenen Widerspruchs nicht antragsbefugt (LG Dortmund AG 2004, 623; Emmerich/Habersack/Emmerich Rn. 17 aE). Gleichwohl gestellter Antrag ist als unzulässig abzuweisen (→ Rn. 1).

4a **4. Maßnahmen nach SEAG oder SCAG.** Antragsberechtigt ist jeder Anteilsinhaber, den **§§ 6, 7, 9, 11 und 12 SEAG** bezeichnet, wenn es um die in § 1 Nr. 6 SpruchG zusammengestellten Verfahrensanlässe geht. Unterschiedliche Ausgestaltung der materiellen Berechtigung für Ausgleich durch bare Zuzahlung (§§ 6, 11 SEAG) und für Abfindung (§§ 7, 9, 12 SEAG) setzt sich wie nach §§ 15, 34 UmwG (→ Rn. 4) auf der verfahrensrechtl. Ebene fort. Ausdehnung der Antragsbefugnis in § 3 Nr. 5 SpruchG durch Ges. zur Einführung der Europ. Genossenschaft und zur Änderung des Genossenschaftsrechts (→ Rn. 1) bezieht sich auf die Europ. Genossenschaft. Deren Einbeziehung in das Spruchverfahren durch § 1 Nr. 7 SpruchG wird also fortgeführt. Die antragsberechtigten Mitglieder ergeben sich aus § 7 IV SCEAG.

III. Maßgeblicher Zeitpunkt

5 § 3 S. 2 SpruchG regelt den für Aktionärseigenschaft oder sonstige Stellung als Anteilsinhaber für Antragsberechtigung nach § 3 S. 1 Nr. 1, 2, 4, 5 und 6 SpruchG maßgeblichen Zeitpunkt; für § 3 S. 1 Nr. 3 SpruchG verbleibt es bei allg. Grundsätzen. Im Einzelnen gilt: Maßgeblicher Zeitpunkt war für **§§ 304, 305 AktG** nach früherem Recht str. Frage ist nunmehr in dem Sinne entschieden, dass es auf Aktionärseigenschaft im Zeitpunkt der Antragstellung ankommt. Dasselbe galt und gilt bei Squeeze-Out. Veräußerung **vor Antragstellung** führt also zum Untergang der Antragsberechtigung (OLG Stuttgart AG 2008, 510; Emmerich/Habersack/Emmerich Rn. 7).

5a Für vertragliche Übertragung **nach Antragstellung** sind drei Meinungen anzutreffen: Untergang der Antragsbefugnis (KG OLGZ 1971, 260, 264; OLG Frankfurt NJW 1972, 641, 642; wohl auch Bilda NZG 2005, 375, 378); Verlust der Antragsbefugnis durch Veräußerer, aber Berechtigung des außenstehenden Erwerbers, auf Antrag verfahrensbeteiligt zu werden (BeckOGK/Drescher Rn. 24; KK-AktG/Koppensteiner AktG Anh. § 327f Rn. 9); Fortführung des Verfahrens durch Veräußerer analog § 265 II ZPO (OLG Düsseldorf AG 1999, 321; OLG Stuttgart AG 2008, 510 f.; LG Köln AG 1998, 538; Emmerich/Habersack/Emmerich Rn. 9; MüKoAktG/Krenek Rn. 14; Simon SpruchG Rn. 19 ff.; KK-SpruchG/Wasmann Rn. 6; Büchel NZG 2003, 793, 795). Überzeugend erscheint dritte Meinung, da sie sich auf ges. Vorschrift des **§ 265 II ZPO** stützen kann, dessen Anwendung in fG-Verfahren anerkannt ist (Simon

SpruchG Rn. 22). Lösung entspr. nicht nur der Prozessökonomie, sondern steht auch im Einklang mit Rspr. des BGH zur Anfechtungsbefugnis gegen Squeeze-Out, die ebenfalls auf § 265 II ZPO gestützt wird (BGHZ 169, 221 = NJW 2007, 300; → AktG § 245 Rn. 8a; OLG Frankfurt AG 2007, 403; 2010, 798 f.; OLG München AG 2009, 912, 913 [dort auch zum Wegfall des Fortführungsinteresses]; GK-AktG/Fleischer § 327e Rn. 56). Von Erlöschen der Antragsbefugnis (s. noch BayObLG NZG 2005, 312, 314 f.; LG Mainz NZG 2004, 1118; LG München I AG 2004, 393, 395) ist nicht mehr auszugehen.

In den Fällen der **§§ 320b, 327b AktG (§ 1 Nr. 3 und 4 SpruchG)** verbleibt 6
es mangels bes. Regelung bei Maßgeblichkeit der Eintragung der Eingliederung oder des Übertragungsbeschlusses in das HR (→ Rn. 3). Antragsteller muss also zu diesem Zeitpunkt Minderheitsaktionär gewesen (OLG Frankfurt AG 2017, 832, 833; auch Legitimationsaktionär, s. OLG Stuttgart AG 2002, 353, 355) oder als Gesamtrechtsnachfolger in seine Stellung eingerückt sein. Für **Maßnahmen nach UmwG** (§ 1 Nr. 5 SpruchG) stellt § 3 S. 2 SpruchG auf Innehabung des jeweiligen Anteils im Zeitpunkt der Antragstellung ab. Im Hinblick auf Verschmelzungswirkungen wenig klare Vorschrift will darauf abstellen, dass Antragsteller bei Einleitung des Verfahrens Aktionär des übernehmenden Rechtsträgers (§ 15 UmwG) oder des Rechtsträgers neuer Rechtsform (§ 34 UmwG) ist; daher muss Mitgliedschaft aus bisheriger Beteiligung hervorgegangen sein (Bungert/Mennicke BB 2003, 2021, 2025). Mit **UmRUG 2023** neu eingefügter § 3 S. 2 Hs. 2 SpruchG trägt Besonderheiten grenzüberschreitender Umwandlung Rechnung. Da in diesem Fall Anteilsinhaber, die das Barabfindungsangebot angenommen haben, ex lege aus AG ausscheiden, wären diese bei Antragstellung nach Wirksamwerden der Umwandlung nicht mehr Anteilsinhaber. § 3 S. 2 Hs. 2 SpruchG stellt deshalb klar, dass auch solche Anteilsinhaber antragsberechtigt sind, die Barabfindungsangebot angenommen haben und mit Wirksamwerden der Umwandlung aus übertragender AG ausgeschieden sind (RegBegr. BT-Drs. 20/3822, 125).

IV. Urkundlicher Nachweis

Ohne Vorbild im früheren Recht ist § 3 S. 3 SpruchG. Danach ist Aktionärs- 7
eigenschaft, bei Namensaktien auch die Eintragung in das Aktienregister (LG Frankfurt DB 2005, 2069 f.), dem Gericht in den Fällen von § 3 S. 1 Nr. 1, 3 und 4 SpruchG nachzuweisen, und zwar ausschließlich durch Urkunden. Seit BGHZ 177, 131 Rn. 13 ff. = NJW 2008, 2993 Ls. ist für Praxis geklärt, dass urkundlicher Nachweis nicht schon bei Antragstellung oder innerhalb der Antragsfrist erfolgen muss, sondern dass insoweit Darlegung der Antragsberechtigung durch Angabe der Aktionärseigenschaft genügt, erforderlicher Nachweis also später, und zwar auch noch im Beschwerdeverfahren (OLG München AG 2012, 749, 750) beigebracht werden kann (sa OLG Düsseldorf NZG 2005, 895; OLG Frankfurt AG 2008, 452 f.; OLG Stuttgart NZG 2004, 1162 f.; Emmerich/Habersack/Emmerich Rn. 21; aA noch KG AG 2008, 295, 298 f.; LG Frankfurt Konzern 2005, 451, 452 f.; krit. Wasmann AG 2021, 179 Rn. 30). Zum Nachweis **geeignete Urkunden** sind effektive Stücke oder Depotauszug (konkretisierend LG Frankfurt NZG 2008, 665, 666) des KI (RegBegr. BT-Drs. 15/371, 13), bei Namensaktien Auszug aus dem Register oder Auskunft gem. § 67 VI AktG (→ AktG § 67 Rn. 29; OLG Frankfurt AG 2006, 293; 2008, 550, 551; LG Frankfurt DB 2005, 1449, 1450; KK-SpruchG/Wasmann Rn. 24). Schriftform (§ 126 BGB) ist nicht erforderlich, so dass auch Computerausdruck genügt (S/L/Klöcker/Wittgens Rn. 23; MüKoAktG/Krenek Rn. 30).

V. Missbrauchsprobleme

8 **1. Missbrauch der Antragsbefugnis.** Wie Anfechtungsbefugnis kann auch Antragsbefugnis im Spruchverfahren missbraucht werden. So liegt es, wenn Antrag gestellt wird, um sog **Lästigkeitswert** aufzubauen und gegen Antragsrücknahme im Wege außergerichtl. Vergleichs **Sonderzahlung** oder anderweitige Vorteile zu erhalten (vgl. dazu OLG Stuttgart AG 2010, 758, 759 f.; Diekgräf, Sonderzahlungen an opponierende Kleinaktionäre, 1990, 12 ff., 271 f.; Lehmann in Timm, Mißbräuchliches Aktionärsverhalten, 1990, 51, 58 ff.). Dabei ist das Erpressungspotenzial allerdings geringer zu veranschlagen als bei Anfechtungsklagen gegen eintragungsbedürftige HV-Beschlüsse, da Spruchverfahren Eintragung gerade nicht verzögert und deshalb vergleichbarer Lästigkeitswert zumeist nicht besteht (BeckOGK/Drescher Rn. 23). Auch fehlt dem Antragsteller die Verfügungsmöglichkeit über die Verfahrensbeendigung, sobald gemeinsamer Vertreter nach § 6 III SpruchG bestellt wurde (Hölters/Weber/Simons Rn. 29).

9 Lösung des hier nicht voll diskutierbaren Problems könnte, soweit es um Antragsbefugnis geht, in **Verneinung des Rechtsschutzbedürfnisses** oder im materiell-rechtl. **Verlust des** in der Antragsbefugnis enthaltenen **Rechts auf richterliche Vertragsgestaltung** (→ AktG § 304 Rn. 22 aE; → AktG § 305 Rn. 31 f.) liegen. Im ersten Fall ist Antrag als unzulässig, im zweiten als unbegründet abzuweisen (für das Erste die ganz hM – vgl. nur BeckOGK/Drescher Rn. 24; KK-AktG/Koppensteiner § 306 aF Rn. 7; KK-SpruchG/Wasmann Rn. 3; wohl auch KG OLGZ 1971, 260, 264 f.; für das Zweite Diekgräf, Sonderzahlungen an opponierende Kleinaktionäre, 1990, 304). **Praktische Folgen** dieser Festlegung sind nicht zu unterschätzen, weil Antrag, der zwar unbegründet, aber doch zulässig ist, nach § 6 I 1 Hs. 1 SpruchG noch Bestellung eines gemeinsamen Vertreters auslöst, der eigenen Antrag stellen und Verfahren fortführen könnte (M. Noack, Spruchverfahren, 2014, 213 f.). In → 12. Aufl. 2016, Rn. 9 wurde in Anlehnung an Rspr. zur missbräuchlichen Anfechtungsklage (→ AktG § 245 Rn. 30 mwN) für materiellen Rechtsverlust und damit für Abweisung als unbegründet plädiert. Im Schrifttum ist dagegen zu Recht eingewandt worden, dass beide Rechtsbehelfe nicht vergleichbar seien, weil bei Anfechtungsklage materielles Recht unmittelbar auf Aufhebung des Beschlusses gerichtet sei, im Spruchverfahren dagegen nur Festsetzung einer angemessenen Kompensation angestrebt werde (M. Noack, Spruchverfahren, 2014, 214). Richtig und auch angesichts der praktischen Folgen vorzugswürdig ist deshalb Abweisung als unzulässig. Wie bei Anfechtungsklage ist Neigung der Gerichte, Antragstellern rechtsmissbräuchliches Verhalten zu attestieren, aber auch hier gering und sind die entspr. **Anforderungen an den Nachweis** solchen Missbrauchs deshalb hoch gesteckt. Rechtspolitischer Vorschlag zur Missbrauchsbekämpfung durch Einführung eines qualifizierten Mehrheitsvergleichs bei M. Noack NZG 2014, 92 ff.; zust. Puszkajler/Sekera-Terplan NZG 2015, 1055, 1060; Wasmann AG 2021, 179 Rn. 32.

10 **2. Sogenanntes „Auskaufen".** Mehr Interesse als die in → Rn. 8 f. erörterte Gestaltung hat in der Vergangenheit der Fall gefunden, dass betroffene Unternehmen den oder die Antragsteller aus eigener Initiative durch Zahlungen oder sonstige Zuwendung **zur Antragsrücknahme** (→ Rn. 6) **veranlassen** (s. dazu BayObLGZ 1973, 106, 110; KG OLGZ 1974, 430, 432; OLG Düsseldorf AG 1972, 248, 249; AG 1977, 763; AG 1986, 293 f.; Diekgräf, Sonderzahlungen an opponierende Kleinaktionäre, 1990, 271 ff.). Entspr. Besorgnisse haben dazu geführt, dass gemeinsamer Vertreter Verfahren gem. § 6 III SpruchG trotz Antragsrücknahme fortführen kann (RegBegr. BT-Drs. 12/6699, 170). Dadurch ist

praktische Bedeutung dieser Fallgestaltung deutlich reduziert (Hölters/Weber/Simons Rn. 29). Problematik ist jedenfalls nicht durch aktive Gleichbehandlung in dem Sinne zu lösen, dass die Auskaufsumme pro Aktie anderen Aktionären als Abfindung zugesprochen werden müsste (OLG Düsseldorf AG 1992, 200, 202 f.; Hölters/Weber/Simons Rn. 29).

§ 4 SpruchG Antragsfrist und Antragsbegründung

(1) [1] Der Antrag auf gerichtliche Entscheidung in einem Verfahren nach § 1 kann nur binnen drei Monaten seit dem Tag gestellt werden, an dem in den Fällen

1. der Nummer 1 die Eintragung der Durchführung der Kapitalerhöhung;
2. der Nummer 2 der Unternehmensvertrag oder seine Änderung;
3. der Nummer 3 die Eingliederung;
4. der Nummer 4 der Übergang aller Aktien der Minderheitsaktionäre auf den Hauptaktionär;
5. der Nummer 5 die Umwandlung;
6. der Nummer 6 die Gründung oder Sitzverlegung der SE oder
7. der Nummer 7 die Gründung der Europäischen Genossenschaft

wirksam geworden ist. [2] Die Frist wird in den Fällen des § 2 Absatz 2 durch Einreichung bei jedem zunächst zuständigen Gericht gewahrt. Die Frist wird auch dann gewahrt, wenn der Antrag bei einem sachlich oder örtlich unzuständigen Gericht eingereicht wird.

(2) [1] Der Antragsteller muss den Antrag innerhalb der Frist nach Absatz 1 begründen. [2] Die Antragsbegründung hat zu enthalten:

1. die Bezeichnung des Antragsgegners;
2. die Darlegung der Antragsberechtigung nach § 3;
3. Angaben zur Art der Strukturmaßnahme und der vom Gericht zu bestimmenden Kompensation nach § 1;
4. konkrete Einwendungen gegen die Angemessenheit der Kompensation nach § 1 oder gegebenenfalls gegen den als Grundlage für die Kompensation ermittelten Unternehmenswert, soweit hierzu Angaben in den in § 7 Abs. 3 genannten Unterlagen enthalten sind. Macht der Antragsteller glaubhaft, dass er im Zeitpunkt der Antragstellung aus Gründen, die er nicht zu vertreten hat, über diese Unterlagen nicht verfügt, so kann auf Antrag die Frist zur Begründung angemessen verlängert werden, wenn er gleichzeitig Abschrifterteilung gemäß § 7 Abs. 3 verlangt.

[3] Aus der Antragsbegründung soll sich außerdem die Zahl der von dem Antragsteller gehaltenen Anteile ergeben.

I. Regelungsgegenstand und -zweck

Norm begründet **Antragsfrist** von drei Monaten ohne früher bestehende Zusatzfrist für Anschlussanträge (§ 4 I SpruchG) und führt Pflicht des Antragstellers ein, seinen Antrag innerhalb der genannten Frist zu **begründen** (§ 4 II SpruchG), insbes. konkrete Bewertungsrüge zu erheben (§ 4 II Nr. 4 SpruchG). Wegfall der Anschlussanträge soll **Zeitersparnis** bewirken (RegBegr. BT-Drs. 15/371, 13), Begründungspflicht dem früheren Missstand abhelfen, dass Spruchverfahren ins Blaue hinein eingeleitet werden konnten (RegBegr. BT-Drs. 15/371, 13). Vorschrift hat durch UmRUG 2023 umfassende Neugestaltung erfahren (→ Rn. 4), auf deren Grundlage – obwohl bei Drucklegung noch nicht erlassen – die folgende Kommentierung basiert. 1

II. Antragsfrist

1. Dreimonatsfrist. Spruchverfahren setzt als **echtes Streitverfahren** der freiwilligen Gerichtsbarkeit Antragstellung voraus (Hölters/Weber/Simons Rn. 2). Für Antragstellung gilt nach § 4 I 1 SpruchG Frist von drei Monaten seit Wirksamwerden der Maßnahme (→ Rn. 4). Frist war nach hM zur 2 früheren Gesetzeslage zwingende materiell-rechtl Ausschlussfrist (BayObLGZ 2002, 56, 59; BayObLG NZG 2005, 312, 314). Heute wird verfahrens-/materiell-rechtl. **Doppelnatur** angenommen, die Abweisung des verfristeten Antrags als unzulässig erlaubt (BeckOGK/Drescher Rn. 10; Emmerich/Habersack/Emmerich Rn. 5). Wird gar kein Antrag gestellt, erlöschen alle Kompensationsansprüche; stellt anderer Aktionär Antrag, verliert Aktionär nur eigene Antragsbefugnis, behält aber nach § 13 S. 2 SpruchG Anspruch auf Kompensation (BeckOGK/Drescher Rn. 10). Hemmung oder Neubeginn finden nicht statt (BayObLG NZG 2005, 312, 314). Auch gibt es bei Versäumnis keine Wiedereinsetzung in den vorigen Stand (OLG Düsseldorf NZG 2005, 719 f.; BeckOGK/Drescher Rn. 12; Emmerich/Habersack/Emmerich Rn. 5; Simon/Leuering SpruchG Rn. 20; aA LG Dortmund Konzern 2005, 112 f.). Bestellung gemeinsamen Vertreters (§ 6 SpruchG) ist bei verfristetem Antrag entbehrlich, weil Verfahren überhaupt nicht stattfindet.

3 Mit Frist von drei Monaten statt früherer zwei Monaten (§ 304 IV 2 aF AktG) trägt § 4 I 1 SpruchG dem Umstand Rechnung, dass außenstehende Aktionäre nach Spruchverfahrensrecht **keine Anschlussanträge** mehr stellen können, wie das nach § 306 III 2 aF AktG der Fall war. Insoweit früher bestehende Zusatzfrist von zwei Monaten nach Ablauf der Antragsfrist, bei welcher Fristbeginn durch Erfordernis der Bek. hinausgeschoben wurde (→ Rn. 4), führte zu deutlichen Verfahrensverzögerungen. Jetzige Regelung, die auf Vorschläge des DAV-HRA zurückgeht (NZG 2002, 119, 121; NZG 2003, 316, 317), ist deshalb unter praktischen Gesichtspunkten zu begrüßen (ebenso zB Büchel NZG 2003, 793, 795). Wer Frist versäumt, muss hinnehmen, dass er in der Wahrung seiner Belange durch gemeinsamen Vertreter (§ 6 SpruchG) verdrängt wird (OLG Düsseldorf NZG 2005, 719, 720). Dagegen sind unter Berücksichtigung der Verlängerung der Antragsfrist von zwei auf drei Monate auch unter dem Blickwinkel des Art. 103 I GG keine Bedenken zu erheben.

4 **2. Fristlauf und -berechnung.** Maßgeblich für Fristbeginn war nach Rechtslage vor UmRUG 2023 elektronische Bek. (§ 10 HGB). Mit UmRUG 2023 wurde von dieser Regelung abgewichen und stattdessen auf Zeitpunkt abgestellt, in dem Strukturmaßnahme wirksam wird. Das wird häufig zu denselben Ergebnissen führen, da nach § 10 I HGB idF des DiRUG 2021 Maßnahme mit erstmaliger Abrufbarkeit als bekanntgemacht gilt und Wirksamwerden der erfassten Strukturmaßnahmen Registereintragung und Bekanntmachung voraussetzt (RegBegr. BT-Drs. 20/3822, 125). Dennoch bedurfte es entspr. Klarstellung, da Vollzug jedes Umwandlungsvorgangs **mehrere Registereintragungen** erfordert und sich diejenige Eintragung, welche die Wirkungen der Umwandlung auslöst, zwischen den verschiedenen Umwandlungsarten unterscheidet; auch bei **grenzüberschreitenden Umwandlungen** war bisherige Gestaltung nicht zweckmäßig (weitere Einzelheiten: RegBegr. BT-Drs. 20/3822, 125). Maßgeblich für Fristbeginn soll stattdessen stets der **maßnahmenspezifische Zeitpunkt des Wirksamwerdens** sein (RegBegr. BT-Drs. 20/3822, 125). Fristberechnung bestimmt sich nach § 187 I BGB, § 188 II BGB iVm § 222 I ZPO, § 16 II FamFG und beginnt damit am Tag nach Wirksamwerden der Maßnahme. Gem. § 222 II ZPO, § 16 II FamFG endet Frist mit Ablauf des nächsten Werktags, wenn der nach § 188 II BGB maßgebliche Tag auf einen Sonntag, Sonnabend oder Feiertag fällt.

5 **3. Fristwahrung.** Frist ist gewahrt, wenn Antragsschrift, die auch den Anforderungen des § 4 II SpruchG Rechnung trägt (→ Rn. 6 ff.), vor Fristablauf bei dem zuständigen Gericht eingeht. Verfrühte Einreichung (vor Fristbeginn; → Rn. 4) wurde früher in Delisting-Fällen für fristwahrend gehalten (vgl. etwa BayObLG AG 2005, 288, 291), die allerdings dadurch gekennzeichnet waren,

dass Delisting-Beschluss schon vor Fristablauf wirksam werden konnte. Nach Wegfall dieses Sonderfalls (→ SpruchG § 1 Rn. 6) hängt Fristlauf gem. § 4 I SpruchG dagegen regelmäßig von Wirksamwerden der Maßnahme ab, so dass verfrühte Einreichung ins Leere geht (BeckOGK/Drescher Rn. 6). Fristverlängerung ist unzulässig (anders Begründungsfrist → Rn. 8); bei Fristversäumnis ist Wiedereinsetzung in vorigen Stand ausgeschlossen (Hölters/Weber/Simons Rn. 10). In den Fällen des **§ 2 II SpruchG** (→ SpruchG § 2 Rn. 4) soll Zuständigkeit mehrerer Landgerichte nach § 4 I 2 SpruchG nicht zu Lasten des Antragstellers gehen. Umstr. war bis zum UmRUG 2023, ob nur Eingang bei **sachlich und örtlich zuständigem Gericht** genügt (zum Streitstand → 16. Aufl. 2022, SpruchG § 4 Rn. 5). Mit UmRUG 2023 eingefügter § 4 I 3 SpruchG stellt nunmehr klar, dass Antragsfrist auch dann gewahrt wird, wenn Antrag innerhalb der Frist bei sachlich oder örtlich unzuständigem Gericht eingereicht und anschließend an das nach § 2 SpruchG zuständige Gericht verwiesen wird (§ 3 I FamFG – zur näheren Begründung vgl. RegBegr. BT-Drs. 20/3822, 125). Bes. Vorschriften für Antragstellung bestehen nicht. Antrag ist gem. § 25 I FamFG schriftlich zu stellen, was aber keine Unterschrift voraussetzt (arg e § 23 I 2 FamFG: „soll"; vgl. Hölters/Weber/Simons Rn. 2). Nach durch UmRUG 2023 neu eingefügtem § 5a SpruchG besteht nunmehr aber auch im Spruchverfahren Anwaltszwang (→ § 5a Rn. 1 ff.), was zur Folge hat, dass Antrag gem. § 14b I 1 FamFG nur als elektronisches Dokument eingereicht werden kann; bisherige Möglichkeit, Antrag zur Niederschrift beim Gericht einzulegen, ist damit entfallen (Drescher AG 2023, 337 Rn. 18).

III. Antragsbegründung

1. Begründungspflicht. Inhaltlich ist Antrag auf Überprüfung und Anpassung der angebotenen Kompensation gerichtet. **Betragsmäßige Bezifferung** ist nicht erforderlich (→ Rn. 7); wo sie dennoch erfolgt, wird Entscheidungsspielraum des Gerichts dadurch nicht begrenzt und auch keine negative Kostenfolge ausgelöst (BeckOGK/Drescher Rn. 8; Hölters/Weber/Simons Rn. 3). § 4 II 1 SpruchG verlangt aber, dass Antragsteller seinen Antrag fristgerecht begründet. Regelung geht auf Empfehlungen des DAV-HRA zurück (NZG 2002, 119, 122; NZG 2003, 316, 317 f.) und soll verhindern, dass umfangreiche und kostenträchtige Prüfungsverfahren mehr oder minder begründungslos eingeleitet werden können (BGH AG 2012, 173 Rn. 23; OLG München AG 2009, 337, 338; Simon/Leuering SpruchG Rn. 34). Amtsermittlungsgrundsatz (§ 26 FamFG) tritt insoweit zurück (Kubis FS Hüffer, 2010, 567, 576 ff.; Winter/Nießen NZG 2005, 13, 15 f.). Gefahr formelhafter Standardbegründungen (Puszkajler ZIP 2003, 518, 520) mag nicht von der Hand zu weisen sein. Insbes. Notwendigkeit einer konkreten Bewertungsrüge (§ 4 II 1 Nr. 4 SpruchG) sollte aber doch für substanzhaltiges Vorbringen sorgen, weil unzureichende Begründungen zur Unzulässigkeit des Antrags führen (→ Rn. 9) und Gericht grds. nur den Einwendungen nachzugehen braucht, die Antragsteller rechtzeitig erhoben hat (Büchel NZG 2003, 793, 795). 6

Mindestinhalt der Antragsbegründung ist nach § 4 II 2 SpruchG: Bezeichnung des Gegners ggf. nach Firma und Sitz (Nr. 1), Darlegung der Antragsberechtigung nach § 3 SpruchG (Nr. 2), jedoch bei Aktionärsanträgen nach hM ohne urkundlichen Nachweis der Aktionärseigenschaft (→ SpruchG § 3 Rn. 7), Angaben zur Art der Strukturmaßnahme und der vom Gericht zu bestimmenden Kompensation (Nr. 3) und schließlich die konkrete Bewertungsrüge (→ Rn. 8). Antragsgegner bestimmt sich nach § 5 SpruchG. Bezeichnung eines falschen Antragsgegners macht Antrag nach hM unzulässig, da Spruchverfahren reines Antragsverfahren und SpruchG reines Verfahrensgesetz ist (LG München I ZIP 7

2010, 1995, 1996; LG München I AG 2017, 501, 502; MüKoAktG/Krenek Rn. 15; Hölters/Weber/Simons Rn. 33; KK-SpruchG/Wasmann § 5 Rn. 2; aA MüKoAktG/Kubis, 5. Aufl., 2020, Rn. 13); bloße Ungenauigkeiten in Bezeichnung sollten dagegen großzügig gehandhabt werden (Simon/Leuering SpruchG Rn. 36). Strukturmaßnahmen und deren Art ergeben sich aus § 1 SpruchG. Bei Maßnahmen nach UmwG (§ 1 Nr. 5 SpruchG) kann deren weitergehende Konkretisierung wohl nicht gefordert werden. Auch die Kompensation ist ihrer Art nach zu bezeichnen (Ausgleich oder Abfindung; soweit dies in Betracht kommt: Barabfindung oder Abfindung in Aktien). Eines bezifferten Antrags bedarf es nicht (→ Rn. 6). Soweit Abfindung (§§ 207, 212 UmwG) und Ausgleich (§ 196 UmwG) in Betracht kommen, kann kumulative Festsetzung beantragt werden; Entscheidung zwischen Ausscheiden (Abfindung) und Verbleib in Gesellschaft (Ausgleich) muss erst nach Abschluss des Spruchverfahrens getroffen werden (OLG Schleswig ZIP 2004, 2433, 2434 f.). Zum **Sollinhalt** der Begr. gehört gem. § 4 II 3 SpruchG, dass sich aus ihr die Zahl der Anteile (der Aktien) ergibt, die Antragsteller hält oder vor seinem Ausscheiden hielt. Das steht im Zusammenhang mit § 31 RVG (ausf. dazu OLG Düsseldorf NZG 2018, 351 Rn. 4 ff.). Danach gilt Prinzip des gespaltenen Geschäftswerts, wobei sich maßgebliche Quote grds. nach dem Verhältnis bestimmt, in dem Anzahl der Anteile des Antragstellers zur Gesamtzahl der am Verfahren teilnehmenden Anteile steht (→ § 15 SpruchG Rn. 7 f.). Erforderliche Information soll Antragsteller gem. § 4 II 3 SpruchG liefern (RegBegr. BT-Drs. 15/371, 13, 19 f.).

8 **2. Insbesondere: Konkrete Bewertungsrüge.** Von § 4 II 2 Nr. 4 SpruchG geforderte konkrete Einwendungen sind **Kernstück des Begründungszwangs.** Antragsteller muss geltend machen, dass und warum Ausgleich oder Abfindung iSd § 1 SpruchG, ggf. selbst vergleichsweise erhöhte Abfindung (KG ZIP 2009, 1714, 1715), oder, soweit es für Kompensation darauf ankommt, der Unternehmenswert unzutr. mit der Folge des geltend gemachten Kompensationsbedarfs ermittelt worden ist. In Betracht kommen etwa Einwendungen wegen fehlender Berücksichtigung wesentlicher Vermögensbestandteile, fehlerhafte Berechnungsmethode, fehlerhafte Prognosen bei Phasenmodell (zur eingeschränkten Überprüfbarkeit → AktG § 305 Rn. 25), fehlerhafter Kapitalisierungszinssatz (→ AktG § 305 Rn. 26), fehlerhafter Abgrenzung betriebsnotwendigen und nicht notwendigen Vermögens (→ AktG § 305 Rn. 27) etc.; vgl. Emmerich/Habersack/Emmerich Rn. 20. Pauschale Behauptungen oder formelhafte Wendungen genügen als Bewertungsrüge nicht (OLG Frankfurt AG 2006, 660, 661; 2007, 448, 449; KG AG 2008, 451 f.; ZIP 2009, 1714, 1716; AG 2016, 790, 792; LG München I ZIP 2015, 2124, 2126 [insoweit nicht in AG 2016, 51]; Wasmann WM 2004, 819, 823 f.). Vielmehr bedarf es **substanziierten Vorbringens** (KK-SpruchG/Wasmann Rn. 16; Wittgens NZG 2007, 853 ff.; krit. Emmerich/Habersack/Emmerich Rn. 21 ff.), wobei Verweis auf schon vorliegende Begründungen genügt (BeckOGK/Drescher Rn. 23). Nicht genügend ist daher, wenn Basiszins als viel zu hoch und Wachstumsabschlag als viel zu niedrig beanstandet werden, beides ohne nähere Begr. (BGH AG 2012, 173 Rn. 24; KG ZIP 2009, 1714, 1715). Anforderungen dürfen aber auch nicht überspannt werden, sondern es ist zu berücksichtigen, dass AG bzw. Hauptaktionär über wesentlich mehr Detailinformationen verfügen (LG München I ZIP 2015, 2124, 2126). Aufgrund Ausgestaltung als **formale Zulässigkeitsvoraussetzung** ist Maßstab der Substantiierung die Konkretheit des Antrags, nicht seine Schlüssigkeit, die erst in der Begründetheit zu prüfen ist (Simon/Leuering SpruchG Rn. 35; Hölters/Weber/Simons Rn. 22). Vorausgesetzt ist, dass Antragsteller über erforderliche tats. Informationen verfügt, und zwar aus den in § 7 III SpruchG genannten Unterlagen (Land/Hennings AG 2005, 380, 382). Macht Antragsteller glaubhaft (§ 31

FamFG), dass ihm diese Unterlagen nicht zur Verfügung stehen und dass er dies auch nicht zu vertreten hat (trotz zB § 293f II AktG, § 319 III AktG, § 320 IV AktG, § 327c IV AktG; s. OLG München AG 2009, 337, 338), so kann **Frist** zur Begr. des Antrags **angemessen verlängert** werden, sofern auch insoweit ein Antrag gestellt und mit dem Verlangen gem. § 7 III 3 SpruchG verbunden wird, Abschriften der fehlenden Unterlagen zu erteilen (Hölters/Weber/Simons Rn. 24).

3. Rechtsfolgen fehlender oder unzureichender Begründung. Anträge, die § 4 II 2 SpruchG nicht genügen, sind als **unzulässig** zurückzuweisen (OLG Frankfurt AG 2007, 448; OLG München AG 2009, 337, 338; OLG Stuttgart NZG 2004, 1162, 1163; RegBegr. BT-Drs. 15/371, 13; Land/Hennings AG 2005, 380, 382 f.). Vorausgesetzt ist Ablauf der Antragsfrist (§ 4 I SpruchG). Antrag kann also zunächst ohne Begr. gestellt werden; sie muss aber innerhalb der Dreimonatsfrist eingereicht werden. Bei Prüfung des Antrags dürfen nur zumutbare Mindestanforderungen gestellt werden, die nicht zu überspannen sind (BGH AG 2012, 173 Rn. 23; KG AG 2012, 795; RegBegr. BT-Drs. 15/371, 13). Das lässt Raum, Begründungstiefe flexibel zu bemessen, etwa im Hinblick auf unterschiedliche Professionalität der Antragsteller oder Informationsniveau der nach § 7 III SpruchG einzureichenden Unterlagen, auf die Begr. idR nur gestützt werden kann (KG AG 2012, 795, 796; Emmerich/Habersack/Emmerich Rn. 21 ff; Simon/Leuering SpruchG Rn. 47 f.; aA Hölters/Weber/Simons Rn. 18). Zulässige Anträge können noch später durch ergänzendes Vorbringen untermauert werden. Ablauf der Antragsfrist bewirkt also **keine Präklusion.** Sie kann in Ermangelung entspr. ges. Regelung auch nicht in der Weise konstruiert werden, dass Beschränkung des Verfahrensgegenstandes auf rechtzeitige Einwendungen angenommen wird, in dessen Rahmen sich neues Vorbringen halten muss (so aber NK-AktR/Weingärtner Rn. 14; Kubis FS Hüffer, 2010, 567, 571). Gesetzgeber hat sich auf Ausgestaltung als Zulässigkeitserfordernis beschränkt und von Möglichkeit einer Präklusionsvorschrift abgesehen; diese Entscheidung kann nicht unter Verweis auf Beschleunigungszweck ausgehöhlt werden (wie hier BeckOGK/Drescher Rn. 23; Emmerich/Habersack/Emmerich Rn. 28; Hölters/Weber/Simons Rn. 27). 9

IV. Antragsrücknahme

Antrag kann **bis zur Rechtskraft** einseitig zurückgenommen werden. Das folgt aus allg. Grundsätzen für Streitsachen der fG (§ 22 FamFG) und wird durch § 6 III 1 SpruchG bestätigt (OLG Stuttgart FGPrax 2004, 84, 85; Hölters/Weber/Simons Rn. 28). Rücknahme aller Anträge führt, wenn auch gemeinsamer Vertreter Verfahren nicht fortsetzt, zur Beendigung der Rechtshängigkeit der Hauptsache. Dann ist nur noch Raum für Kostenentscheidung; Geschäftswert: → SpruchG § 15 Rn. 3. 10

§ 5 SpruchG Antragsgegner

[1] Der Antrag auf gerichtliche Entscheidung in einem Verfahren nach § 1 ist in den Fällen

1. der Nummer 1 gegen die Gesellschaft, deren Kapital erhöht worden ist;
2. der Nummer 2 gegen den anderen Vertragsteil des Unternehmensvertrags;
3. der Nummer 3 gegen die Hauptgesellschaft;
4. der Nummer 4 gegen den Hauptaktionär;
5. der Nummer 5 gegen die übernehmenden oder neuen Rechtsträger oder gegen den Rechtsträger neuer Rechtsform;
6. der Nummer 6 gegen die SE, aber im Fall des § 9 des SE-Ausführungsgesetzes gegen die die Gründung anstrebende Gesellschaft;

7. der Nummer 7 gegen die Europäische Genossenschaft

zu richten. [2] In den Fällen des § 1 Nummer 1 ist auf Antrag der Gesellschaft der neue Aktionär als Beteiligter hinzuzuziehen. [3] In den Fällen des Satzes 1 Nummer 5 kann bei einer Abspaltung ein Antrag auf Bestimmung der Barabfindung wahlweise auch gegen den übertragenden Rechtsträger gerichtet werden.

I. Regelungsgegenstand und -zweck

1 Norm bestimmt, wer Antragsgegner des Spruchverfahrens ist und dementspr. in Begr. nach § 4 II 2 Nr. 1 SpruchG zu bezeichnen ist. Darin liegt für aktienrechtl. Spruchverfahren (§ 5 Nr. 1–4 SpruchG) bloße **Klarstellung,** für umwandlungsrechtl. Spruchverfahren (§ 5 Nr. 5 SpruchG) **Fortführung des § 307 II UmwG aF** mit der Maßgabe, dass nunmehr auch GbR beteiligtenfähig ist (RegBegr. BT-Drs. 15/371, 13).

II. Antragsgegner in aktienrechtlichen Spruchsachen

2 Antragsgegner ist, wer Ausgleich oder Abfindung schuldet. Das ist in Fällen der §§ 255 f. AktG kapitalerhöhende AG (§ 5 S. 1 Nr. 1 SpruchG). Speziell für diese Fälle ordnet mit ZuFinG 2023 neu eingefügter **§ 5 S. 2 SpruchG** an, dass auf Antrag der AG auch neuer Aktionär als Beteiligter hinzuzuziehen ist. In Fassung der RegE BT-Drs. 20/8292 erklärte sich das noch selbstverständlich daraus, dass Inferent nach § 255 IV 3 AktG-RegE letztlich für Ausgleichszahlung einstehen sollte. Auch nach Streichung hat Gesetzgeber an Vorschrift festgehalten, da angenommen wurde, sie könne auch ohne Freistellungsanspruch im Einzelfall sinnvoll sein (FinanzA BT-Drs. 20/9363, 128 [nicht lektorierte Vorabfassung]). In den Fällen der §§ 304, 305 ist dagegen nicht AG Antragsgegner, sondern anderer Vertragsteil des Beherrschungs- und/oder Gewinnabführungsvertrags (→ AktG § 304 Rn. 4; → AktG § 305 Rn. 5). Nur diese Verträge will § 5 S. 1 Nr. 2 SpruchG mit der Bezeichnung Unternehmensvertrag erfassen. Bei Mehrheitseingliederung richtet sich Abfindungsanspruch gegen Hauptgesellschaft (→ AktG § 320b Rn. 2), weshalb sie nach § 5 S. 1 Nr. 3 SpruchG auch Antragsgegnerin des Spruchverfahrens ist (so schon zum alten Recht OLG Düsseldorf AG 2004, 212, 213). Bei Ausschluss von Minderheitsaktionären durch Übertragung auf Hauptaktionär ergibt sich mittelbar aus § 327b III AktG (→ AktG § 327b Rn. 1), dass entspr. allg. Grundsätzen Hauptaktionär Abfindungsschuldner ist (so auch OLG Düsseldorf AG 2012, 716, 717: gilt auch für Altfälle vor Inkrafttreten des SpruchG). § 5 S. 1 Nr. 4 SpruchG zieht entspr. verfahrensrechtl. Konsequenz. AG ist am Verfahren nicht zu beteiligen (BGHZ 207, 114 Rn. 25 = NZG 2016, 139). Eröffnung des **Insolvenzverfahrens** über das Vermögen des Ausgleichs- oder Abfindungsschuldners führt nicht zum Wegfall des Rechtsschutzbedürfnisses (OLG Frankfurt AG 2016, 667, 668 f.), sondern zur Beteiligung des Insolvenzverwalters am Spruchverfahren anstelle der bisherigen Antragsgegnerin; Unterbrechung analog § 240 ZPO tritt nicht ein (BGH NZG 2019, 470 Rn. 20 ff. mwN zum bisherigen Streitstand).

III. Antragsgegner in umwandlungsrechtlichen Spruchsachen

3 Weil § 307 II UmwG aF Antragsgegner schon früher bestimmte und ihm nachfolgendes Verfahrensrecht nicht hinter diesem Standard zurückbleiben sollte, bedurfte es der Regelung in § 5 S. 1 Nr. 5 SpruchG. Damit bot sich auch Veranlassung zu den aktienrechtl. Klarstellungen (→ Rn. 2). Antragsgegner sind zum einen übernehmender oder neuer Rechtsträger oder Rechtsträger neuer Rechtsform. Mit UmRUG 2023 neu eingefügter § 5 S. 3 SpruchG stellt klar, dass in Fällen des § 5 S. 1 Nr. 5 bei Abspaltung Antrag auf Bestimmung der

Barabfindung wahlweise auch gegen übertragenden Rechtsträger gerichtet werden kann. Das ist **Folgeänderung zu § 125 I 3 UmwG** (RegBegr. BT-Drs. 20/3822, 126), der durch Verweis auf § 133 UmwG gesamtschuldnerische Haftung der beteiligten Rechtsträger klarstellt (RegBegr. BT-Drs. 20/3822, 83; sa Drescher AG 2023, 337 Rn. 21). Für Anteilsinhaber ergibt sich daraus Vorteil, dass jedenfalls bei Abspaltung auf mehrere Rechtsträger Antrag im Spruchverfahren nicht gegen sämtliche übernehmenden Rechtsträger gerichtet sein muss, was vor allem bei grenzüberschreitender Abspaltung vorteilhaft ist (RegBegr. BT-Drs. 20/3822, 83). Vor Änderung durch UmRUG 2023 galt, dass in allen Spaltungsfällen mit mehreren übernehmenden Rechtsträgern sämtliche dieser Rechtsträger auch Antragsgegner sind (→ 16. Aufl. 2022 SpruchG § 5 Rn. 3; BeckOGK/Drescher Rn. 6; MüKoAktG/Kubis, 5. Aufl., 2020, Rn. 3).

IV. Antragsgegner in Spruchsachen nach SEAG und SCEAG

§ 5 S. 1 Nr. 6 SpruchG legt fest, wer in Spruchsachen nach §§ 6, 7, 9, 11, 12 SEAG Antragsgegner ist. Das ist **grds. SE,** aber bei Gründung einer Holding-SE diejenige AG, welche die Gründung anstrebt. Davon betroffen ist nach § 9 I 1 SEAG nur Errichtung einer Holding-SE mit Auslandssitz oder im Abhängigkeitsverhältnis. Im Wesentlichen hat Norm klarstellende, die gedankliche Linie des § 5 S. 1 Nr. 1–5 SpruchG fortsetzende Bedeutung (RegBegr. BT-Drs. 15/3405, 58). § 5 S. 1 Nr. 7 SpruchG setzt diese Linie fort, indem **Europ. Genossenschaft** zur Antragsgegnerin bestimmt wird. Wie aus § 4 I Nr. 7 SpruchG folgt, ist nur die eingetragene Europ. Genossenschaft gemeint (RegBegr. BT-Drs. 16/1025, 98). 4

§ 5a SpruchG Vertretung durch einen Rechtsanwalt

[1] Vor den Landgerichten, den Oberlandesgerichten und einem Obersten Landesgericht müssen sich die Beteiligten durch einen Rechtsanwalt vertreten lassen. [2] Vor dem Bundesgerichtshof müssen sich die Beteiligten durch einen bei dem Bundesgerichtshof zugelassenen Rechtsanwalt vertreten lassen. [3] Satz 1 ist auf den gemeinsamen Vertreter nicht anzuwenden.

Während bis UmRUG 2023 Spruchverfahren ohne anwaltliche Vertretung betrieben werden konnte, führt neu eingefügter § 5a S. 1 SpruchG **Anwaltszwang** ein, um damit bes. Komplexität der verfahrensgegenständlichen Rechts- und Bewertungsfragen Rechnung zu tragen; zugleich soll damit Zustellungsproblemen entgegengewirkt werden (RegBegr. BT-Drs. 20/3822, 126). Anwaltszwang soll Qualität der Prozessführung steigern und Verfahren beschleunigen (RegBegr. BT-Drs. 20/3822, 126). Vertretungserfordernis gilt für Eingangsinstanz vor LG (§ 2 I 1 SpruchG), für Beschwerdeinstanz vor OLG (§ 119 I Nr. 2 GVG) oder Oberstem Landgericht (§ 12 II SpruchG; → SpruchG § 12 Rn. 8). Vor **BGH** bedarf es nach § 5a S. 2 SpruchG Vertretung durch beim BGH zugelassenen Rechtsanwalt, was bisheriger Rechtslage gem. § 17 I SpruchG iVm § 10 IV FamFG grds. entspricht (RegBegr. BT- Drs. 20/3822, 126). Ausn. von § 5a S. 1 SpruchG wird nach § 5a S. 3 SpruchG für **gemeinsamen Vertreter** gemacht, der nach § 6 I 1, § 6a S. 1, § 6b S. 1, § 6c I 1 SpruchG selbst als Rechtsanwalt zugelassen sein muss (RegBegr. BT-Drs. 20/3822, 126). Folge des Anwaltszwangs ist, dass alle Anträge und Erklärungen, die schriftlich einzureichen sind, nach § 14b I FamFG nur noch als elektronisches Dokument übermittelt werden dürfen (zu Einzelheiten Drescher AG 2023, 337 Rn. 13). 1

§ 6 SpruchG Gemeinsamer Vertreter

(1) [1] Das Gericht hat den Antragsberechtigten, die nicht selbst Antragsteller sind, zur Wahrung ihrer Rechte frühzeitig einen Rechtsanwalt als gemeinsamen Vertreter zu bestellen; dieser hat die Stellung eines gesetzlichen Vertreters. [2] Werden die Festsetzung des angemessenen Ausgleichs und die Festsetzung der angemessenen Abfindung beantragt, so hat es für jeden Antrag einen gemeinsamen Vertreter zu bestellen, wenn aufgrund der konkreten Umstände davon auszugehen ist, dass die Wahrung der Rechte aller betroffenen Antragsberechtigten durch einen einzigen gemeinsamen Vertreter nicht sichergestellt ist. [3] Die Bestellung eines gemeinsamen Vertreters kann vollständig unterbleiben, wenn die Wahrung der Rechte der Antragsberechtigten auf andere Weise sichergestellt ist. [4] Das Gericht hat die Bestellung des gemeinsamen Vertreters im Bundesanzeiger bekannt zu machen. [5] Wenn in den Fällen des § 1 Nr. 1 bis 4 die Satzung der Gesellschaft, deren außenstehende oder ausgeschiedene Aktionäre antragsberechtigt sind, oder in den Fällen des § 1 Nr. 5 der Gesellschaftsvertrag, der Partnerschaftsvertrag, die Satzung oder das Statut des übertragenden, übernehmenden oder formwechselnden Rechtsträgers noch andere Blätter oder elektronische Informationsmedien für die öffentlichen Bekanntmachungen bestimmt hatte, so hat es die Bestellung auch dort bekannt zu machen.

(2) [1] Der gemeinsame Vertreter kann von dem Antragsgegner in entsprechender Anwendung des Rechtsanwaltsvergütungsgesetzes den Ersatz seiner Auslagen und eine Vergütung für seine Tätigkeit verlangen; mehrere Antragsgegner haften als Gesamtschuldner. [2] Die Auslagen und die Vergütung setzt das Gericht fest. [3] Gegenstandswert ist der für die Gerichtsgebühren maßgebliche Geschäftswert. [4] Das Gericht kann den Zahlungsverpflichteten auf Verlangen des Vertreters die Leistung von Vorschüssen aufgeben. [5] Aus der Festsetzung findet die Zwangsvollstreckung nach der Zivilprozessordnung statt.

(3) [1] Der gemeinsame Vertreter kann das Verfahren auch nach Rücknahme eines Antrags fortführen. [2] Er steht in diesem Falle einem Antragsteller gleich.

I. Regelungsgegenstand und -zweck

1 Norm regelt Bestellung und Rechtsstellung des gemeinsamen Vertreters in Anlehnung an § 306 IV 2–10 aF AktG, § 308 UmwG aF mit einzelnen, zT auch wesentlichen Änderungen. Sinn des Rechtsinstituts und Aufgabe des gemeinsamen Vertreters ist **Wahrung der Rechte der Drittbeteiligten,** also derjenigen, die antragsberechtigt sind (§ 3 SpruchG), sich aber am Verfahren nicht beteiligt haben. Weil die rechtskräftige Entscheidung auch gegen sie wirkt (§ 13 S. 2 SpruchG), ist solche Rechtswahrung geboten. Änderungen ggü. früherem Recht betr. vor allem das Erfordernis frühzeitiger Bestellung des gemeinsamen Vertreters (§ 6 I 1 SpruchG), den grds. Verzicht auf die Bestellung eines gemeinsamen Vertreters für jede Antragsart (Ausgleich oder Abfindung, s. § 6 I 2 SpruchG) und schließlich die Bek. der Bestellung im BAnz. (§ 6 I 4 SpruchG). Insges. ist auch hier Beschleunigung und Straffung des Verfahrens bezweckt (RegBegr. BT-Drs. 15/371, 13 f.), doch äußert sich Praxis hinsichtlich inhaltlicher Bereicherung des Verfahrens eher skeptisch und bemängelt stattdessen gesteigerte Komplexität (Simon/Leuering SpruchG Rn. 3; Hoffmann-Becking ZGR 1990, 482, 500; rechtstats. Auswertung bei Bayer/Hoffmann AG 2013, R 79 f.). Änderung hat Vorschrift durch UmRUG 2023 erfahren, mit dem insbes. Qualifikationsanforderung als Rechtsanwalt (→ Rn. 2) eingefügt wurde.

II. Bestellung

2 **1. Gerichtliche Entscheidung.** Gem. **§ 6 I 1 SpruchG** hat das Gericht den Antragsberechtigten (§ 3 SpruchG), die das Verfahren nicht durch eigene Anträge eingeleitet haben, zur Wahrung ihrer Rechte einen gemeinsamen Vertreter zu bestellen. Ob Antragsberechtigte vorhanden sind, die sich am Verfahren nicht

beteiligt haben, hat Gericht vor der Bestellung gem. § 26 FamFG von Amts wegen festzustellen (MüKoAktG/Krenek Rn. 3; Rowedder FS Rittner, 1991, 509, 512 f.). Nicht richtig ist allerdings, dass die Berechtigten dem Gericht auch mitgeteilt haben müssten, sie wünschten gerichtl. Nachprüfung von Ausgleich oder Abfindung (so aber Rowedder FS Rittner, 1991, 509, 513 f.). Bestellung soll nach § 6 I 1 SpruchG **frühzeitig,** nach RegBegr. BT-Drs. 15/371, 14 so früh wie möglich erfolgen. Gericht erfüllt seine Amtspflicht, wenn es Bestellung nach alsbaldiger Klärung der Zulässigkeit wenigstens eines Antrags vornimmt (Simon/Leuering SpruchG Rn. 11; KK-SpruchG/Wasmann Rn. 24; DAV-HRA NZG 2002, 119, 121; aA Bungert/Mennicke BB 2003, 2021, 2025). Bis dahin kann (und sollte zwecks Kostenvermeidung) Bestellung unterbleiben (s. zur früheren Gesetzeslage OLG Frankfurt NJW 1972, 641, 644). Werden vor Bestellung **Anträge zurückgenommen** oder für erledigt erklärt, erfolgt keine Bestellung (Hölters/Weber/Simons Rn. 8; aA KK-AktG/Wasmann Rn. 25; zur Situation nach Bestellung → Rn. 9). Als **Person des gemeinsamen Vertreters** kommen nach hM allein natürliche Personen in Betracht (BeckOGK/Drescher Rn. 9; aA MüKoAktG/Krenek Rn. 7), die über erforderliche Sachkunde verfügen. Funktion wurde schon in der Vergangenheit meist von Rechtsanwälten eingenommen (zu Einzelheiten Hölters/Weber/Simons Rn. 10). Da durch UmRUG 2023 in § 5a SpruchG generell **Anwaltszwang** eingeführt wurde, wird diese Qualifikationsvorgabe durch Änderung des § 6 I 1 SpruchG auch auf gemeinsamen Vertreter übertragen. Insbes. soll damit vermieden werden, dass zusätzliche Kosten entstehen, weil sich auch gemeinsamer Vertreter nach § 5a SpruchG durch Rechtsanwalt vertreten lassen müsste (RegBegr. BT-Drs. 20/3822, 126). Zu bestellen ist Rechtsanwalt persönlich, nicht Anwaltsgesellschaft, der er angehört (Drescher AG 2023, 337 Rn. 22).

Gem. **§ 6 I 2 SpruchG** bedarf es, wenn sich Anträge sowohl auf Festsetzung **3** angemessenen Ausgleichs als auch auf Festsetzung angemessener Abfindung richten, grds. nur der Bestellung eines gemeinsamen Vertreters. Das weicht von früherer Gesetzeslage ab, nach der für jede Antragsart ein gemeinsamer Vertreter zu bestellen war. Interessenwiderstreit zwischen den beiden Gruppen von Antragsberechtigten wird zu Recht als nicht derart ausgeprägt angesehen, dass es notwendig der getrennten Vertreterbestellung bedürfte (RegBegr. BT-Drs. 15/371, 14 f.). Pflicht zur getrennten Vertreterbestellung besteht danach nur, wenn konkrete Umstände zur Überzeugung des Gerichts nahelegen, dass entgegen der Regelerwartung die angemessene Rechtswahrnehmung durch nur einen Vertreter nicht sichergestellt ist. Nach bisheriger Rechtslage war das kaum einmal der Fall (KK-SpruchG/Wasmann Rn. 28; Hölters/Weber/Simons Rn. 11). Dieser Befund wird sich allerdings ändern: Durch Neufassung der §§ 14 II, 15 I 1 UmwG im Zuge des UmRUG 2023 sind nunmehr auch Anteilsinhaber übernehmender Rechtsträger in Spruchverfahren anspruchsberechtigt (→ SpruchG § 1 Rn. 5), was praktisch relevanten Anwendungsfall für Bestellung mehrerer gemeinsamer Vertreter bei Verschmelzung und Spaltung durch Aufnahme eröffnet (vgl. RegBegr. BT-Drs. 20/3822, 124: Interessen der Anteilseigner verschiedener verschmelzungs- und spaltungsbeteiligter Rechtsträger sind grds. gegenläufig, weil sich Bewertung der jeweiligen Ansprüche gegenseitig nachteilig beeinflusst). Gegenläufig kann Bestellung auch nur eines gemeinsamen Vertreters nach **§ 6 I 3 SpruchG** dann unterbleiben, wenn anders sichergestellt ist, dass die Rechte der Antragsberechtigten gewahrt werden. Wie das geschehen soll, ist jedoch kaum ersichtlich (s. dazu OLG Düsseldorf OLGZ 1971, 279, 281 [„strenge Anforderungen"]; MüKoAktG/Krenek Rn. 12; Wasmann/Mielke WM 2005, 822, 824). Zulässig ist Abberufung aus wichtigem Grund (BayObLGZ 1991, 358, 360; MüKoAktG/Krenek Rn. 13; Wasmann/Mielke WM 2005, 822, 825).

4 **2. Bekanntmachung.** Gericht bestellt gemeinsamen Vertreter durch Beschluss, der keiner Begr. bedarf. Die Bestellung hat Gericht bekanntzumachen, und zwar gem. **§ 6 I 4 SpruchG** im **BAnz.** (§ 25 AktG; s. Erl. dort). Dieser ist das ausschließliche ges. Publikationsorgan (RegBegr. BT-Drs. 15/371, 14). § 6 I 5 SpruchG regelt Bek. in Fällen, in denen Satzung oder in den Fällen des § 1 Nr. 5 SpruchG auch eine ihr entspr. Grundordnung, neben dem BAnz. noch andere Blätter oder elektronische Informationsmedien als Publikationsorgane vorsehen. In diesem Fall hat das Gericht nach **§ 6 I 5 SpruchG** die Bestellung auch in diesen Organen bekanntzumachen. Nach Streichung des § 25 S. 2 AktG im Zuge der Aktienrechtsnovelle 2016 (→ AktG § 25 Rn. 1) entfällt in erstgenannter Konstellation (Satzung) indes diese Bekanntmachungspflicht.

5 **3. Rechtsmittel.** Zu unterscheiden ist zwischen Alt- und Neuverfahren (Beginn ab 1.9.2009). **Altverfahren:** Gegen den Bestellungsbeschluss steht den außenstehenden Aktionären, die vertreten werden sollen, also nicht den Antragstellern, und wegen der aus § 6 II SpruchG folgenden Kostenlast auch der Gesellschaft oder dem sonstigen Rechtsträger das Rechtsmittel der (nach zutr. hM: einfachen) Beschwerde zu (BayObLGZ 1975, 305, 307; OLG Düsseldorf OLGZ 1971, 279, 280; KG OLGZ 1972, 146, 147 f. Mangels Betroffenheit nicht beschwerdebefugt ist dagegen in den Fällen des § 1 Nr. 2 SpruchG der andere Vertragsteil, KG OLGZ 1972, 146, 147 f.; aA im 3. Ls. OLG Düsseldorf OLGZ 1971, 279, 280). **Neuverfahren:** Gem. § 58 I FamFG sind nur noch Endentscheidungen iSd § 38 FamFG rechtsmittelfähig. Bestellung des gemeinsamen Vertreters und vergleichbare Maßnahmen erfolgen aber durch Zwischenentscheidung (OLG Frankfurt AG 2012, 42, 43), weshalb Beschwerde nicht mehr statthaft ist (BeckOGK/Drescher Rn. 13; Hölters/Weber/Simons Rn. 21). Bestellungsbeschluss ist also unanfechtbar, was für Antragsgegner angesichts Kostentragungspflicht aus § 6 II 1 SpruchG zwar belastend ist, ohne dass dies ein abw. Ergebnis rechtfertigen könnte (OLG Frankfurt AG 2012, 42 ff.).

III. Rechtsstellung

6 Gemeinsamer Vertreter ist nach § 6 I 1 Hs. 2 SpruchG ges. **Vertreter** der Antragsberechtigten (§ 3 SpruchG), die nicht selbst Antragsteller sind. Er kann insbes. in ihrem Namen Anträge stellen, Rechtsmittel einlegen und auch Vergleiche schließen. Dagegen kann er angebliche Verletzung von Grundrechten der Aktionäre nicht durch Verfassungsbeschwerde rügen (BVerfG AG 2007, 697 f.). Vertretungsmacht beschränkt sich auf **Verfahren,** wie es von den Antragstellern durch deren Anträge bestimmt wird (BVerfG NJW 1992, 2076, 2077; BayObLGZ 1992, 91, 94 f.). An deren Einwendungen ist er jedoch nicht gebunden. Vielmehr kann er Unangemessenheit der Kompensation iRd Anträge auch anders begründen (BeckOGK/Drescher § 7 SpruchG Rn. 6; Büchel NZG 2003, 793, 798; Puszkajler Konzern 2006, 256 f.; Wasmann/Mielke WM 2005, 822, 825; Winter/Nießen NZG 2007, 13, 16; aA NK-AktR/Krenek SpruchG § 7 Rn. 16; Weingärtner Konzern 2005, 694 f.). Rechtsgeschäftlich verpflichten kann gemeinsamer Vertreter die von ihm repräsentierten Antragsberechtigten nicht (allgM, s. zB MüKoAktG/Krenek Rn. 16). Sie werden von ihm nur mittelbar am Verfahren beteiligt, was wegen der allseitigen Wirkung der rechtskräftigen Entscheidung gem. § 13 SpruchG geboten ist (vgl. BayObLGZ 1991, 358 f.). Auftragsverhältnis (§§ 662 ff. BGB) besteht zwischen dem gemeinsamen Vertreter und von ihm Vertretenen schon deshalb nicht, weil kein Vertrag zustande kommt. § 6 I 1 Hs. 2 SpruchG begründet aber auch kein inhaltsgleiches ges. Schuldverhältnis. Gemeinsamer Vertreter ist deshalb weder weisungsgebunden noch rechenschaftspflichtig (OLG München NZG 2010, 1233, 1235), soll aber

bei schuldhafter Verletzung seiner Pflichten ggü. den von ihm Vertretenen schadensersatzpflichtig sein (MüKoAktG/Krenek Rn. 18). Dem ist jedenfalls unter den Voraussetzungen des § 826 BGB (BeckOGK/Drescher Rn. 4), aber auch für Fälle zu folgen, die sich unter § 280 I BGB, § 241 II BGB, § 311 II Nr. 3 BGB subsumieren lassen; entscheidend ist dafür Sonderverbindung, nicht Kontakt (aA BeckOGK/Drescher Rn. 4; Wasmann/Mielke WM 2005, 822, 827; offenlassend BGH NZG 2014, 33 Rn. 19: aufgrund weiten Ermessens ist Haftung „praktisch kaum vorstellbar"). Nicht weiterführend ist dagegen mangels Vertragsverhältnisses § 675 I BGB (KK-SpruchG/Wasmann Rn. 21; Wasmann/Mielke WM 2005, 822, 827).

IV. Auslagenersatz und Vergütung

Gemeinsamer Vertreter hat nach § 6 II 1 SpruchG Anspruch auf Auslagenersatz und Vergütung. Anspruch richtet sich nur gegen Antragsgegner iSd § 5 SpruchG (bei mehreren: §§ 421 ff. BGB), woraus sich bei Altverfahren seine Beschwer ergibt; in Neuverfahren nach Einführung des SpruchG ist die Bestellung ohnehin unanfechtbar (→ Rn. 5). **Auslagen** müssen angemessen sein, also dem Verfahrenszweck entspr. Daran fehlt es zB bei überflüssigen Übersetzungskosten (OLG Düsseldorf AG 1996, 426; auch iÜ zutr.). Unproblematisch sind dagegen dem Grunde nach Porto, Telefonkosten, Reisespesen uÄ. **Anwaltskosten** sind nur dann zu ersetzen, sofern gemeinsamer Vertreter ausnahmsweise nicht selbst Anwalt ist und wegen konkreter rechtl. Schwierigkeiten ohne anwaltliche Unterstützung nicht angemessen tätig werden kann (ähnlich BeckOGK/Drescher Rn. 18; Emmerich/Habersack/Emmerich Rn. 30; Hölters/Weber/Simons Rn. 30; strenger MüKoAktG/Kubis, 5. Aufl. 2020, Rn. 17). Das kommt wegen UmRUG 2023 ohnehin nur für Spruchverfahren in Betracht, in denen ein Antrag auf gerichtliche Entscheidung vor dem ges. festgelegten Übergangsdatum gestellt wurde (zur Übergangsregelung → SpruchG § 17 Rn. 4); ab dann gilt neu gefasster § 6 I 1 SpruchG, wonach gemeinsamer Vertreter selbst Anwalt sein muss Auslagen sind auch Honorare, die gemeinsamer Vertreter an von ihm beauftragte Dritte gezahlt hat, doch ist auch hier Erforderlichkeit streng zu prüfen. Namentl. Bestellung von **Gutachtern,** insbes. zur weiteren Unternehmensbewertung, ist idR nicht als erforderlich anzusehen, da SpruchG durch Geltung des Amtsermittlungsgrundsatzes gerade auch solche Feststellungskosten beschränken soll (BGH AG 2011, 754; BeckOGK/Drescher Rn. 18; Simon/Leuering SpruchG Rn. 46). Unabhängig davon, ob Gutachterkosten ausnahmsweise doch erstattungsfähig sind (zu Ausnahmefällen sa BGH AG 2011, 754, 755), bleibt Schuldner des Gutachters jedenfalls gemeinsamer Vertreter; weder Antragsgegner noch außenstehende Aktionäre (→ Rn. 6) werden verpflichtet. **7**

Auch **Vergütung** des gemeinsamen Vertreters erfolgt nach § 6 II 1 SpruchG in entspr. Anwendung des RVG (BGBl. 2004 I 717, 788); Auslagen (→ Rn. 7) und Vergütung setzt Gericht fest (§ 6 II 2 SpruchG). Gegenstandswert ist nach § 6 II 3 SpruchG der für Gerichtsgebühren maßgebliche (volle, s. DAV-HRA NZG 2003, 316, 318) **Geschäftswert,** der sich in Betragsgrenzen des § 15 I 2 SpruchG nach Verfahrenserfolg aller Antragsberechtigten bestimmt (OLG Düsseldorf v. 4.7.2012 – I-26 W 11/11, juris-Rn. 58 ff. = BeckRS 2012, 17818 [insofern nicht in AG 2012, 716]); Höhe der verlangten Kompensation ist also unerheblich (→ SpruchG § 15 Rn. 3). Vertreter hält idR 1,3-fache Verfahrensgebühr (VV 3100 RVG), 1,2-fache Terminsgebühr (VV 3104 RVG) sowie bei einvernehmlicher Beendigung 1,0-fache Einigungsgebühr (VV 1000, 1003 RVG; sa BeckOGK/Drescher Rn. 19). Er erhält keine Verfahrensgebühr für Einzeltätigkeit nach VV 3403 RVG (BGH NZG 2014, 33 Rn. 14 f.) und keine Geschäftsgebühr (OLGR Stuttgart 2006, 805; BeckOGK/Drescher Rn. 19). Auch **8**

Erhöhung für Vertretung mehrerer Aktionäre entspr. VV 1008 RVG ist nach klarer Vorgabe des § 6 II 3 SpruchG ausgeschlossen (BGH NZG 2014, 33 Rn. 16 ff.; Deiß NZG 2013, 248, 51; Günal/Kemmerer NZG 2013, 16, 17 ff.). **Verzinsung** nach § 104 I 2 ZPO analog (BGH NZG 2022, 361 Rn. 7 ff.). Vorschüsse: § 6 II 4 SpruchG. Festsetzungsbeschluss ist **vollstreckbarer Titel** kraft bes. Vorschrift in § 6 II 5 SpruchG. Gegen Beschluss ist in entspr. Anwendung von § 85 FamFG iVm § 104 III ZPO sofortige Beschwerde nach §§ 567 ff. ZPO, gegen Beschwerdeentscheidung – im Fall der Zulassung – die Rechtsbeschwerde nach §§ 574 ff. ZPO statthaft (BGH NZG 2014, 33 Rn. 9 ff.).

V. Verfahrensfortführung nach Rücknahme aller Anträge

9 Gem. § 6 III SpruchG kann gemeinsamer Vertreter Spruchverfahren nach Rücknahme „eines", aber auch und gerade nach Rücknahme aller Anträge weiterführen; speziell die zweite Konstellation ist mit wenig gelungener Textfassung gemeint (RegBegr. BT-Drs. 12/6699, 170; MüKoAktG/Krenek Rn. 25). Ges. will damit Ungleichbehandlung von Aktionären verhindern, die bei Auskauf der Antragsteller (→ SpruchG § 3 Rn. 10) befürchtet wird (RegBegr. BT-Drs. 15/371, 14). Recht zur Fortführung des Verfahrens besteht auch **nach vergleichsweiser Erledigung.** In allen Fällen handelt es sich nur um Befugnis, nicht um Verpflichtung des Vertreters. Bei Vergleichen (nicht jeder ist unvernünftig oder gar missbräuchlich) ist auf Beitritt des gemeinsamen Vertreters zu achten, auch dann, wenn Vergleich in parallel laufendem Anfechtungsprozess geschlossen werden soll. Gem. § 6 III 2 SpruchG steht gemeinsamer Vertreter bei Rücknahme aller Anträge einem Antragsteller gleich. Deshalb kann er das Verfahren, bes. in den angesprochenen Vergleichsfällen, durch Antragsrücknahme beenden (RegBegr. BT-Drs. 15/371, 14).

§ 6a SpruchG Gemeinsamer Vertreter bei Gründung einer SE

[1] Wird bei der Gründung einer SE durch Verschmelzung oder bei der Gründung einer Holding-SE nach dem Verfahren der Verordnung (EG) Nr. 2157/2001 des Rates vom 8. Oktober 2001 über das Statut der Europäischen Gesellschaft (SE) (ABl. EG Nr. L 294 S. 1) gemäß den Vorschriften des SE-Ausführungsgesetzes ein Antrag auf Bestimmung einer Zuzahlung, zusätzlichen Gewährung von Aktien oder Barabfindung gestellt, bestellt das Gericht auf Antrag eines oder mehrerer Anteilsinhaber einer sich verschmelzenden oder die Gründung einer SE anstrebenden Gesellschaft, die selbst nicht antragsberechtigt sind, zur Wahrung ihrer Interessen einen Rechtsanwalt als gemeinsamen Vertreter, der am Spruchverfahren beteiligt ist. [2] § 6 Abs. 1 Satz 4 und Abs. 2 gilt entsprechend.

I. Regelungsgegenstand und -zweck

1 § 6a SpruchG betr. gemeinsamen Vertreter ausländischer Anteilsinhaber in deutschen Spruchverfahren nach Gründung einer SE oder Holding-SE. Norm beruht auf SEEG v. 22.12.2004 (BGBl. 2004 I 3675). Sie knüpft an Art. 25 III SE-VO (VO (EG) 2157/2001 v. 8.10.2001, ABl. EG 2001 L 294, 1) an und bezweckt, **Akzeptanz** des deutschen Spruchverfahrens bei Anteilsinhabern anderer beteiligter Gesellschaften zu fördern (RegBegr. BT-Drs. 15/3405, 58). Darauf kommt es an, weil Spruchverfahren ohne Zustimmung der anderen Anteilsinhaber gem. Art. 23 I SE-VO, Art. 25 III SE-VO nicht stattfinden kann (KK-SpruchG/Wasmann Rn. 1).

II. Voraussetzungen der Vertreterbestellung

2 Gericht bestellt Rechtsanwalt (→ SpruchG § 6 Rn. 2) als gemeinsamen Vertreter, wenn ihm ein Antrag auf Bestimmung des Ausgleichs durch bare Zu-

zahlung oder zusätzliche Gewährung von Aktien (→ SpruchG § 1 Rn. 5) vorliegt und betroffene, aber nicht selbst antragsberechtigte Anteilsinhaber Bestellung des Vertreters beantragt haben. Für Verständnis der schlecht gefassten Norm ist wichtig, zwischen beiden Anträgen zu unterscheiden: **Antrag auf Ausgleich** durch bare Zuzahlung oder zusätzliche Gewährung von Aktien ist in §§ 6, 11 SEAG v. 8.10.2001 (BGBl. 2001 I 3675) vorgesehen (sa § 1 Nr. 6 SpruchG). Hinzutreten muss **Antrag auf Bestellung** des gemeinsamen Vertreters nach § 6a SpruchG. Gericht wird also anders als nach § 6 I 1 SpruchG nicht von Amts wegen tätig. Dieser Antrag muss von einem oder mehreren Anteilsinhabern gestellt werden, die ein Spruchverfahren nach ihrem Heimatrecht nicht betreiben können. Zweck: Verfahrensakzeptanz wegen der nach Art. 23 I SE-VO, Art. 25 III SE-VO erforderlichen Zustimmung (→ Rn. 1).

III. Rechtsstellung des gemeinsamen Vertreters

Rechte und Pflichten des nach § 6a SpruchG eingesetzten gemeinsamen Vertreters sind nur rudimentär geregelt. Seine Aufgabe ist, die Interessen der ausländischen Anteilsinhaber (→ Rn. 2) wahrzunehmen, soweit sie durch das deutsche Spruchverfahren betroffen sind. Zu diesem Zweck ist er zwar nicht ihr ges. Vertreter (Umkehrschluss aus § 6 I 1 Hs. 2 SpruchG), aber doch am Spruchverfahren beteiligt, worunter die **formelle Verfahrensbeteiligung** zu verstehen ist. § 6 I 4 und II SpruchG gelten gem. § 6a S. 2 SpruchG entspr. Keine sinngem. Anwendung findet dagegen § 6 III SpruchG. Wollen die deutschen Aktionäre das Spruchverfahren nämlich nicht mehr betreiben, so besteht keine Veranlassung, seine Akzeptanz für die Anteilsinhaber der beteiligten ausländischen Gesellschaften zu befördern. Das beendete Verfahren vermag auch die Interessen der sonst mittelbar betroffenen Anteilsinhaber ausländischer Gesellschaften nicht mehr zu berühren. 3

§ 6b SpruchG Gemeinsamer Vertreter bei Gründung einer Europäischen Genossenschaft

[1] Wird bei der Gründung einer Europäischen Genossenschaft durch Verschmelzung nach dem Verfahren der Verordnung (EG) Nr. 1435/2003 des Rates vom 22. Juli 2003 über das Statut der Europäischen Genossenschaft (SCE) (ABl. EU Nr. L 207 S. 1) nach den Vorschriften des SCE-Ausführungsgesetzes ein Antrag auf Bestimmung einer baren Zuzahlung gestellt, bestellt das Gericht auf Antrag eines oder mehrerer Mitglieder einer sich verschmelzenden Genossenschaft, die selbst nicht antragsberechtigt sind, zur Wahrung ihrer Interessen einen Rechtsanwalt als gemeinsamen Vertreter, der am Spruchverfahren beteiligt ist. [2] § 6 Abs. 1 Satz 4 und Abs. 2 gilt entsprechend.

Wie § 6a SpruchG betr. auch § 6b SpruchG **gemeinsamen Vertreter ausländischer Verbandsmitglieder** (Genossen). Norm ist eingefügt durch Ges. zur Einführung der Europ. Genossenschaft und zur Änderung des Genossenschaftsrechts v. 14.8.2006 (BGBl. 2006 I 1911). Sie knüpft an Art. 29 III VO (EG) 1435/2003 v. 22.7.2003 an (ABl. EG 2003 L 207, 1) an und bezweckt nach Vorbild des § 6a SpruchG, **Akzeptanz** des deutschen Spruchverfahrens bei Mitgliedern ausländischer Genossenschaften zu fördern (RegBegr. BT-Drs. 16/1025, 98). Zu Einzelheiten → SpruchG § 6a Rn. 1 ff. 1

§ 6c SpruchG Grenzüberschreitende Umwandlung

(1) [1] Wird bei einer grenzüberschreitenden Umwandlung (§§ 305, 320 und 333 des Umwandlungsgesetzes) ein Antrag auf Bestimmung einer Zuzahlung, zusätzlich zu gewährender Aktien oder einer Barabfindung gestellt, so bestellt das Gericht auf Antrag eines

oder mehrerer Anteilsinhaber einer beteiligten Gesellschaft, die selbst nicht antragsberechtigt sind, zur Wahrung ihrer Interessen einen Rechtsanwalt als gemeinsamen Vertreter, der am Spruchverfahren beteiligt ist. [2] § 6 Absatz 1 Satz 4 und Absatz 2 gilt entsprechend.

(2) [1] Wird bei einer grenzüberschreitenden Umwandlung ein Antrag auf Bestimmung einer Zuzahlung oder zusätzlich zu gewährender Aktien gestellt, so soll das Gericht mit jeder Stelle, die nach dem Recht eines anderen Mitgliedstaats der Europäischen Union oder eines anderen Vertragsstaats des Abkommens über den Europäischen Wirtschaftsraum, dem eine andere an der grenzüberschreitenden Umwandlung beteiligte Gesellschaft unterliegt, und die für einen Antrag auf Bestimmung einer Zuzahlung oder zusätzlich zu gewährender Anteile zuständig ist, zusammenarbeiten. [2] Ist anlässlich der grenzüberschreitenden Umwandlung vor der zuständigen ausländischen Behörde oder Stelle ein Verfahren nach Satz 1 eingeleitet worden, so kann das Gericht insbesondere

1. Informationen austauschen und
2. nach Maßgabe des § 404 der Zivilprozessordnung dieselbe Person als Sachverständigen bestimmen.

1 Norm betr. **grenzüberschreitende Verschmelzung,** hier Antrag auf Bestellung eines gemeinsamen Vertreters der Anteilsinhaber, die Spruchverfahren nach ihrem Heimatrecht nicht betreiben können und deshalb auf Beteiligung am deutschen Verfahren angewiesen sind. Bezweckt ist, **Akzeptanz** des deutschen Verfahrens bei solchen Anteilsinhabern zu erhöhen. Regelung findet ihr Vorbild in § 6a SpruchG (Erl. → SpruchG § 6a Rn. 1 ff.). § 6c I SpruchG beruht auf Zweitem Ges. zur Änderung des Umwandlungsges. v. 19.4.2007 (BGBl. 2007 I 542) und wurde mit UmRUG 2023 an erweiterten Anwendungsbereich des Spruchverfahrens (→ SpruchG § 1 Rn. 5) angepasst. Neu eingefügter § 6c II SpruchG soll Grundlage für **Zusammenarbeit zwischen in- und ausländischem Gericht** schaffen, um Gefahr widersprechender Entscheidungen entgegenzuwirken (ausf. → RegBegr. BT-Drs. 20/3822, 127; Bungert/Reidt DB 2022, 1369, 1373). In Lit. wird erwogen, ob auch Parteien auf prozessuale Vereinfachung hinwirken können, indem sie im Verschmelzungsplan **Gerichtstandsvereinbarung** abschließen, wonach Zuständigkeit für Spruchverfahren dem Gericht am Sitz der übernehmenden Gesellschaft zuweist; rechtl. Zulässigkeit ist aber ungeklärt (vgl. Bungert/Reidt DB 2022, 1369, 1373; Habrich AG 2022, 567 Rn. 11 f.; M. Noack/Habrich AG 2019, 908, 914 ff.; J. Schmidt NZG 2022, 579, 585).

§ 7 SpruchG Vorbereitung der mündlichen Verhandlung

(1) Das Gericht stellt dem Antragsgegner und dem gemeinsamen Vertreter die Anträge der Antragsteller unverzüglich zu.

(2) [1] Das Gericht fordert den Antragsgegner zugleich zu einer schriftlichen Erwiderung auf. [2] Darin hat der Antragsgegner insbesondere zur Höhe des Ausgleichs, der Zuzahlung oder der Barabfindung oder sonstigen Abfindung Stellung zu nehmen. [3] Für die Stellungnahme setzt das Gericht eine Frist, die mindestens einen Monat beträgt und drei Monate nicht überschreiten soll.

(3) [1] Außerdem hat der Antragsgegner den Bericht über den Unternehmensvertrag, den Eingliederungsbericht, den Bericht über die Übertragung der Aktien auf den Hauptaktionär oder den Umwandlungsbericht nach Zustellung der Anträge bei Gericht einzureichen. [2] In den Fällen, in denen der Beherrschungs- oder Gewinnabführungsvertrag, die Eingliederung, die Übertragung der Aktien auf den Hauptaktionär oder die Umwandlung durch sachverständige Prüfer geprüft worden ist, ist auch der jeweilige Prüfungsbericht einzureichen. [3] Auf Verlangen des Antragstellers oder des gemeinsamen Vertreters gibt das Gericht dem Antragsgegner auf, dem Antragsteller oder dem gemeinsamen Vertreter unverzüglich und kostenlos eine Abschrift der genannten Unterlagen zu erteilen.

(4) [1] Die Stellungnahme nach Absatz 2 wird dem Antragsteller und dem gemeinsamen Vertreter zugeleitet. [2] Sie haben Einwendungen gegen die Erwiderung und die in Absatz 3 genannten Unterlagen binnen einer vom Gericht gesetzten Frist, die mindestens einen Monat beträgt und drei Monate nicht überschreiten soll, schriftlich vorzubringen.

(5) [1] Das Gericht kann weitere vorbereitende Maßnahmen erlassen. [2] Es kann den Beteiligten die Ergänzung oder Erläuterung ihres schriftlichen Vorbringens sowie die Vorlage von Aufzeichnungen aufgeben, insbesondere eine Frist zur Erklärung über bestimmte klärungsbedürftige Punkte setzen. [3] In jeder Lage des Verfahrens ist darauf hinzuwirken, dass sich die Beteiligten rechtzeitig und vollständig erklären. [4] Die Beteiligten sind von jeder Anordnung zu benachrichtigen.

(6) Das Gericht kann bereits vor dem ersten Termin eine Beweisaufnahme durch Sachverständige zur Klärung von Vorfragen, insbesondere zu Art und Umfang einer folgenden Beweisaufnahme, für die Vorbereitung der mündlichen Verhandlung anordnen oder dazu eine schriftliche Stellungnahme des sachverständigen Prüfers einholen.

(7) [1] Sonstige Unterlagen, die für die Entscheidung des Gerichts erheblich sind, hat der Antragsgegner auf Verlangen des Antragstellers oder des Vorsitzenden dem Gericht und gegebenenfalls einem vom Gericht bestellten Sachverständigen unverzüglich vorzulegen. [2] Der Vorsitzende kann auf Antrag des Antragsgegners anordnen, dass solche Unterlagen den Antragstellern nicht zugänglich gemacht werden dürfen, wenn die Geheimhaltung aus wichtigen Gründen, insbesondere zur Wahrung von Fabrikations-, Betriebs- oder Geschäftsgeheimnissen, nach Abwägung mit den Interessen der Antragsteller, sich zu den Unterlagen äußern zu können, geboten ist. [3] Gegen die Entscheidung des Vorsitzenden kann das Gericht angerufen werden; dessen Entscheidung ist nicht anfechtbar.

(8) Für die Durchsetzung der Verpflichtung des Antragsgegners nach Absatz 3 und 7 ist § 35 des Gesetzes über das Verfahren in Familiensachen und in den Angelegenheiten der freiwilligen Gerichtsbarkeit entsprechend anzuwenden.

I. Regelungsgegenstand und -zweck

Norm regelt gerichtl. Verfahren und Pflichten der Beteiligten im Hinblick auf bevorstehende mündliche Verhandlung (zu dieser § 8 I SpruchG). Gemeinsam mit §§ 8–10 SpruchG soll § 7 SpruchG Struktur des Spruchverfahrens vorgeben und für nachhaltige **Verfahrensbeschleunigung** sorgen (RegBegr. BT-Drs. 15/371, 14). RegBegr. spricht von einem Kernpunkt damaliger Neuregelung, was aber eher auf die Zielsetzung als auf dafür eingesetzte Verfahrensregeln zutrifft, die weithin früherer Praxis entspr. (Büchel NZG 2003, 793, 797), allerdings einzelne Elemente des streitigen Verfahrens stärker betonen, ohne vom fG-Verfahren gänzlich abzurücken (Winter/Nießen NZG 2007, 13, 15 f.; krit. Puszkajler ZIP 2003, 518, 520). 1

Umfänglich geratene Norm sieht im Wesentlichen **vier Verfahrensschritte** vor: erste Maßnahmen des Gerichts in Anlehnung an §§ 275, 277 ZPO (§ 7 I und II SpruchG); Einreichungspflichten des Antragsgegners und schriftliche Einwendungen (Replik) der Antragsteller (§ 7 III und IV SpruchG); weitere gerichtl. Maßnahmen einschließlich Anordnung einer Beweisaufnahme nach Vorbild der §§ 273, 358a ZPO (§ 7 V und VI SpruchG); Vorlage weiterer Unterlagen durch den Antragsgegner (§ 7 VII SpruchG). Schließlich ergänzt § 7 VIII SpruchG die Verpflichtungen des Antragsgegners nach § 7 III und VII SpruchG durch Einführung eines Zwangsgeldverfahrens. 2

II. Erste Maßnahmen des Gerichts

Gericht stellt Anträge der Antragsteller einschließlich ihrer Begr. nach § 4 II SpruchG gem. § 7 I SpruchG dem Antragsgegner (§ 5 SpruchG) und nach seiner Bestellung dem gemeinsamen Vertreter (§ 6 SpruchG) zu. Nachgereichte Begründungen (§ 4 II 1 SpruchG) lösen erneute Zustellungspflicht aus. **Zustellung** ist unverzüglich zu veranlassen, also ohne schuldhaftes Zögern (§ 121 I 1 BGB). 3

Damit wäre es zwar nicht vereinbar, zunächst den Ablauf der Antrags- und Begründungsfrist von drei Monaten (§ 4 I 1 und II 1 SpruchG) abzuwarten (Büchel NZG 2003, 793, 797). Gericht darf aber für angemessene Zeit Eingänge sammeln und Zustellung in einer Verfügung veranlassen (str.; wie hier MüKoAktG/Krenek Rn. 8; NK-AktR/Krenek Rn. 8; aA BeckOGK/Drescher Rn. 4; Hölters/Weber/Simons Rn. 9). Anträge werden wie Klageschrift zugestellt (RegBegr. BT-Drs. 15/371, 14), also im Amtsbetrieb nach §§ 166 ff. ZPO, die gem. § 15 II FamFG iVm § 17 I SpruchG anzuwenden sind.

4 Zugleich mit Zustellung, also in einer Verfügung, fordert Gericht Antragsgegner zu **schriftlicher Erwiderung** auf (§ 7 II 1 SpruchG). Dieser hat sich insbes. zur Höhe der jeweiligen Kompensation zu äußern (§ 7 II 2 SpruchG). Für die Äußerung setzt Gericht eine Frist von mindestens einem und (Sollvorschrift) höchstens drei Monaten (§ 7 II 3 SpruchG), was insbes. im Hinblick auf Präklusion nach § 10 I SpruchG von Bedeutung ist. Gerade vor diesem Hintergrund ist ein Monat recht kurz (DAV-HRA NZG 2002, 119, 122; NZG 2003, 316, 318). Gericht (Vorsitzender) kann deshalb von ihm gesetzte Frist nach Maßgabe der §§ 224, 225 ZPO iVm § 16 II FamFG verlängern, und zwar bei Vorliegen bes. Umstände auch über drei Monate hinaus (RegBegr. BT-Drs. 15/371, 14; KK-SpruchG/Dorn Rn. 19). Wenn bei Fristsetzung noch mit weiteren Anträgen gerechnet werden muss, sollte Erwiderungsfrist so gesetzt werden, dass sich Antragsgegner möglichst zusammenfassend zu allen Anträgen äußern kann. Das dient der Verfahrensökonomie und damit letztlich der bezweckten Beschleunigung (→ Rn. 1).

III. Einreichungspflichten des Antragsgegners und Einwendungen des Antragstellers

5 Nach § 7 III 1 und 2 SpruchG ist Antragsgegner verpflichtet, die bei jeweiliger Maßnahme angefallenen **Berichte** (§§ 293a, 319 III Nr. 3 AktG, § 327c II 1 AktG, § 8 UmwG) bei Gericht einzureichen, ggf. auch den zugehörigen **Prüfungsbericht.** Erwiderungsfrist (§ 7 II 2 SpruchG) gilt insoweit nicht (zust. Hölters/Weber/Simons Rn. 14; aA Simon/Winter SpruchG Rn. 26). Gericht kann aber von sich aus Frist setzen und sollte das der Klarheit halber tun (BeckOGK/Drescher Rn. 9; KK-SpruchG/Dorn Rn. 26). Etwa bisher anzutreffende retardierende Gesellschaftspraxis (Büchel NZG 2003, 793, 797) ist aufzugeben. Über Einreichungspflicht ist Antragsgegner zu belehren. Prüfungsberichte stammen seit Geltung des Spruchverfahrensrechts von gerichtl. ausgewählten und bestellten Prüfern. Begründungspflicht nach § 4 II SpruchG sowie die genannten Prüfungsberichte können Gericht in die Lage versetzen, weitere Gutachten nur noch gezielt zur Klärung verbliebener Streitpunkte in Auftrag zu geben (RegBegr. BT-Drs. 15/371, 14 f.). Davon sollte möglichst Gebrauch gemacht werden. **Abschriften** der Berichte und Prüfungsberichte muss Antragsgegner dem Antragsteller oder dem gemeinsamen Vertreter unverzüglich und kostenlos erteilen, wenn Gericht das auf deren Verlangen verfügt hat (§ 7 III 3 SpruchG). Abschriften für gemeinsamen Vertreter sollten schon zuvor angefordert und diesem bei seiner Bestellung (§ 6 I 1 SpruchG) übersandt werden (Büchel NZG 2003, 793, 797 f.).

6 Weiteres Vorgehen des Gerichts nach § 7 IV SpruchG zielt darauf, **Replik der Antragsteller** und erste **Stellungnahme des gemeinsamen Vertreters** zeitnah herbeizuführen. Ihrer Funktion nach entspr. Norm § 275 IV ZPO. Dass Gericht Stellungnahme nach § 7 II SpruchG an die anderen Beteiligten weiterleitet (§ 7 IV 1 SpruchG), versteht sich von selbst. Weitergehend hat es auch unter Fristsetzung aufzugeben, Einwendungen gegen die Erwiderung (§ 7 II SpruchG) und/oder gegen die Berichte und Prüfungsberichte (§ 7 III SpruchG) schriftlich vorzubringen. Gemeinsamer Vertreter ist nicht auf Einwendungen beschränkt, sondern nimmt erstmals so Stellung, wie es seiner Vertretungsaufgabe entspr. (hM, s. → SpruchG § 6 Rn. 6). Frist (ein Monat bis idR höchstens drei Monate, § 7 IV 2 SpruchG) ist auch hier (→ Rn. 4 zu § 7 II 3 SpruchG) richterliche Frist, kann also verlängert werden.

IV. Weitere gerichtliche Maßnahmen

Gericht kann vor der mündlichen Verhandlung (§ 8 I SpruchG) weitere vor- 7
bereitende Maßnahmen veranlassen, wie in § 7 V 1 SpruchG berichtigend zu lesen ist (vgl. § 273 I ZPO), insbes. durch **Auflagen** auf weitere Aufklärung der str. Punkte hinwirken (§ 7 V 2–4 SpruchG in Anlehnung an § 273 II ZPO), eine Beweisaufnahme anordnen oder eine schriftliche Stellungnahme des sachverständigen Prüfers einholen (§ 7 VI SpruchG). Gericht muss diesen Weg allerdings nicht gehen, sondern kann stattdessen Klärung der offenen Punkte auch in alsbald angesetzter mündlicher Verhandlung betreiben (KK-SpruchG/Dorn Rn. 48; Büchel NZG 2003, 793, 798).

Nur teilw. gelungen ist Regelung zur **Anordnung einer Beweisaufnahme** 8
in § 7 VI SpruchG. Geklärt ist danach nur, dass Gericht Beweisaufnahme schon vor mündlicher Verhandlung anordnen kann, insbes., um durch Klärung von Vorfragen späteren (gegenständlich sinnvoll beschränkten) Beweisbeschluss vorzubereiten (RegBegr. BT-Drs. 15/371, 15; Büchel NZG 2003, 793, 798; Bungert/Mennicke BB 2003, 2021, 2027). Sachverständiger Prüfer muss vorher nicht angehört werden (OLG Düsseldorf FGPrax 2013, 89, 90). Nach § 358a ZPO, auf den RegBegr. BT-Drs. 15/371, 15 Bezug nimmt, sind aber weitergehend ein Beweisbeschluss zur Hauptfrage und seine Ausführung durch sachverständige Begutachtung schon vor der mündlichen Verhandlung zulässig. Eine solche vorterminliche Beweisaufnahme, die sich auf den Amtsermittlungsgrundsatz stützen lässt, kann durch Antragsbegründung, Erwiderung und Replik ermöglicht werden. Anzunehmen ist, dass § 7 VI SpruchG ihr nicht entgegensteht (BeckOGK/Drescher Rn. 19; Emmerich/Habersack/Emmerich Rn. 17; Hölters/Weber/Simons Rn. 22; strenger KK-SpruchG/Dorn Rn. 53: Vorgehen zwar zulässig, bietet sich aber regelmäßig nicht an; aA Simon/Winter SpruchG Rn. 49), sondern nur das Sonderproblem lösen will, dass Gericht schon für Beweisbeschluss externe Sachkunde benötigt.

V. Vorlage weiterer Unterlagen durch den Antragsgegner

Gem. § 7 VII 1 SpruchG hat Antragsgegner sonstige Unterlagen, die für ge- 9
richtl. Entscheidung potenziell erheblich sind, dem Gericht und/oder ggf. einem gerichtl. bestellten Sachverständigen unverzüglich (§ 121 I 1 BGB) vorzulegen, wenn der Antragsteller das verlangt oder der Vorsitzende es aufgibt. Verlangen muss sich auf konkrete, individualisierbare Unterlagen beziehen und Entscheidungserheblichkeit plausibel darlegen (OLG Stuttgart AG 2019, 262, 266; OLG Zweibrücken AG 2021, 29, 31). Potenzielle **Entscheidungserheblichkeit** hat begrenzende Funktion und kann noch nicht als erfüllt angesehen werden, wenn Unterlage überhaupt mit Bewertung zu tun hat (OLG Düsseldorf AG 2012, 797, 802; Simon/Winter SpruchG Rn. 60). RegBegr. BT-Drs. 15/371, 15 nennt als Bsp. interne Bewertungsgutachten und vorbereitende Arbeitspapiere der Wirtschaftsprüfer. Bsp. sind allerdings problematisch, da grds. nicht Antragsgegner, sondern Prüfer über diese Unterlagen verfügt und keiner Herausgabepflicht ggü. Antragsgegner unterliegt (OLG Zweibrücken AG 2021, 29, 31; LG München I AG 2017, 501; KK-SpruchG/Dorn Rn. 71; DFV/Verfürth/Schulenburg SpruchG Rn. 84). Bei wichtigen **Geheimhaltungsinteressen** des Antragsgeg-

ners kann der Vorsitzende auf dessen Antrag anordnen, dass betroffene Unterlagen den Antragstellern nicht zugänglich gemacht werden (§ 7 VII 2 SpruchG). Gegen die Verfügung des Vorsitzenden kann das Gericht angerufen werden, das durch unanfechtbaren Beschluss entscheidet (§ 7 VII 3 SpruchG). Geheimhaltungsbedürftige Unterlagen soll Gericht auch in seinem Beschluss nicht offenlegen (RegBegr. BT-Drs. 15/371, 15). Geheimhaltungsregelung ist zumindest unglücklich und könnte gegen Art. 103 I GG verstoßen (DAV-HRA NZG 2003, 316, 319; Meilicke/Heidel DB 2003, 2267, 2271). Strafbewehrte Geheimhaltungserklärungen sind der bessere Weg (BeckOGK/Drescher Rn. 13; MüKoAktG/Krenek Rn. 26; DAV-HRA NZG 2003, 316, 319; Meilicke/Heidel DB 2003, 2267, 2271).

VI. Zwangsgeldverfahren

10 Nach § 7 VIII SpruchG findet § 35 FamFG entspr. Anwendung, um Verpflichtungen des Antragsgegners nach § 7 III und VII SpruchG durchzusetzen (→ Rn. 5, 9). Norm eröffnet Zwangsgeldverfahren, um Einreichung oder Vorlage durchzusetzen (→ AktG § 407 Rn. 14 ff., was sinnvoll ist, weil Normverstöße sonst nur nach den Grundsätzen zur Beweisvereitelung sanktioniert werden könnten. Für Festsetzung gilt § 35 FamFG mit Höchstgrenze von 25.000 Euro (§ 35 III FamFG), wobei mehrfache Verhängung aber möglich ist (BeckOGK/Drescher Rn. 18).

§ 8 SpruchG Mündliche Verhandlung

(1) [1] Das Gericht soll aufgrund mündlicher Verhandlung entscheiden. [2] Sie soll so früh wie möglich stattfinden.

(2) [1] In den Fällen des § 7 Abs. 3 Satz 2 soll das Gericht das persönliche Erscheinen der sachverständigen Prüfer anordnen, wenn nicht nach seiner freien Überzeugung deren Anhörung als sachverständige Zeugen zur Aufklärung des Sachverhalts entbehrlich erscheint. [2] Den sachverständigen Prüfern sind mit der Ladung die Anträge der Antragsteller, die Erwiderung des Antragsgegners sowie das weitere schriftliche Vorbringen der Beteiligten mitzuteilen. [3] In geeigneten Fällen kann das Gericht die mündliche oder schriftliche Beantwortung von einzelnen Fragen durch den sachverständigen Prüfer anordnen.

(3) Die §§ 138 und 139 sowie für die Durchführung der mündlichen Verhandlung § 279 Abs. 2 und 3 und § 283 der Zivilprozessordnung gelten entsprechend.

I. Regelungsgegenstand und -zweck

1 Norm bezweckt Beschleunigung und Straffung des Spruchverfahrens (RegBegr. BT-Drs. 15/371, 15 f.; OLG Düsseldorf AG 2012, 459, 460). Deshalb führt sie mündliche Verhandlung zu einem frühen Termin als Regelfall ein (§ 8 I SpruchG), ebenso persönliches Erscheinen der im Vorfeld der gerichtl. Strukturmaßnahme gerichtlich bestellten sachverständigen Prüfer im Termin (§ 8 II SpruchG). §§ 279 II und III ZPO, § 283 ZPO iVm § 8 III SpruchG sollen Verhandlung und Beweisaufnahme strukturieren. In § 8 III SpruchG ebenfalls vorgesehene entspr. Geltung der §§ 138, 139 ZPO verankert Beibringungsgrundsatz zu Lasten der Amtsermittlung des fG-Verfahrens (Winter/Nießen NZG 2007, 13, 15 f.).

II. Mündliche Verhandlung

2 Nach § 8 I 1 SpruchG ist mündliche Verhandlung Regelfall, was sie im früheren fG-Verfahren nicht war. Mündlicher Termin ist nach Beurteilung der

Gesetzesverfasser effektiver als Austausch von Schriftsätzen (RegBegr. BT-Drs. 15/371, 15), was für normalen Zivilprozess zutrifft, speziell für Spruchverfahren aber nicht ausgemacht ist, insbes. dann nicht, wenn Termin **so früh wie möglich** anberaumt werden soll (§ 8 I 2 SpruchG); skeptisch auch KK-SpruchG/Dorn Rn. 10; Büchel NZG 2003, 793, 798. Dabei gilt es zu beachten, dass Festlegung des Termins eine Entscheidung des jeweiligen Einzelfalls ist und dem Gericht dabei ein weites Ermessen zusteht (KK-SpruchG/Dorn Rn. 10; Hölters/Weber/Simons Rn. 4).Wie sich aus § 7 VI SpruchG, § 8 SpruchG ergibt, geht Ges. von dem Modell aus, dass Gericht sich im Vorfeld insoweit sachkundig macht, als dies zur Vorbereitung der mündlichen Verhandlung und des Beweisbeschlusses erforderlich ist, sodann verhandelt und anschließend Beweisbeschluss erlässt, sofern Beweisaufnahme erforderlich ist, und unter Setzung von Nachschubfristen (§ 283 ZPO) zur Entscheidungsreife gelangt. Dem ist jedoch hinzuzusetzen, dass beantragter neuer Termin zur mündlichen Verhandlung unter Ladung des Sachverständigen zur Erörterung des Gutachtens durchweg angemessen und zur Gewährung rechtl. Gehörs wohl auch erforderlich ist (BVerfG NJW 1998, 2273; Büchel NZG 2003, 793, 798). Als alternatives Modell und nach Verfahrensermessen des Vorsitzenden zulässig ist deshalb auch in Betracht zu ziehen, bei entspr. klaren Beweisfragen die schriftliche Begutachtung vor mündlicher Verhandlung durchzuführen, den Sachverständigen dazu zu laden und aufgrund dieser Verhandlung einschließlich der Erörterung des Beweisergebnisses zu entscheiden (→ SpruchG § 7 Rn. 8; Büchel NZG 2003, 793, 798).

III. Mitwirkung des sachverständigen Prüfers

1. Persönliches Erscheinen. Gericht soll nach § 8 II 1, 1. Satzteil SpruchG persönliches Erscheinen der sachverständigen Prüfer anordnen, wenn Fall des § 7 III 2 SpruchG (→ SpruchG § 7 Rn. 5) vorliegt, dh wenn Transaktion (zB Unternehmensvertrag nach § 293c AktG) bereits im Vorfeld der gerichtl. Auseinandersetzung von **gerichtl. bestelltem Prüfer** untersucht worden ist. Damit soll früher vorherrschender Tendenz zu kompletter sachverständiger Neubegutachtung, die zu unnötig langen Verfahrensdauern führte, entgegengewirkt werden (OLG Düsseldorf NZG 2020, 1072 Rn. 28; Sturm/Stottmann NZG 2020, 974). BGH hat klargestellt, dass es einer Beweisaufnahme durch Sachverständigengutachten nur bedarf, wenn Gericht str. Punkte nicht aus eigener Sachkunde beurteilen kann und Begutachtung ggü. bereits vorliegenden Daten Erkenntnisgewinn bringt (BGHZ 236, 180 Rn. 31 = NZG 2023, 937). Gericht kann deshalb von Anordnung gem. § 8 II 1, 2. Satzteil SpruchG absehen, wenn Anhörung des Prüfers als sachverständiger Zeuge keine weitere Aufklärung erwarten lässt (zB bei Klärung reiner Rechtsfragen – Sturm/Stottmann NZG 2020, 974, 975). Wird Prüfer geladen, so sind ihm nach § 8 II 2 SpruchG mitzuteilen: Anträge (§ 4 SpruchG), Erwiderung des Antragsgegners (§ 7 II SpruchG), weiteres schriftliches Vorbringen (§ 7 IV SpruchG). Gesetzgeber verspricht sich von persönlicher Befragung des gerichtl. bestellten Prüfers, dass Beweisfragen für Bestellung eines Gerichtsgutachters leichter formuliert werden können (RegBegr. BT-Drs. 15/371, 15), uU auch dessen Bestellung überflüssig werden kann (RegBegr. BT-Drs. 15/371, 18; → Rn. 5). Befürchtung, dass Prüfer sich nicht selbst korrigieren wird, ist sicher berechtigt, macht Befragung aber nicht überflüssig, da seine mehr oder weniger plausible Einlassung auf Fragen für Gericht bei der Entscheidung maßgeblich sein kann, ob weitere Sachverhaltsaufklärung geboten ist (OLG Frankfurt AG 2011, 828, 829; sa BeckOGK/Drescher Rn. 15). 3

Scheinbar einfache Regelung führt in manchen verfahrensrechtl. Zweifel; 4
insges. scheinen Erwartungen an Einbeziehung auch gerichtl. bestellten Prüfers überzogen (Büchel NZG 2003, 796, 801 f.; Emmerich FS Tilmann, 2003, 925,

933 ff.; Meilicke/Heidel DB 2003, 2267, 2271 f.; eher positiv dazu Land/Hennings AG 2005, 380, 382 f.). Positiv zu bewerten ist aber die in der Praxis zu verzeichnende Tendenz, weitere mit dem Fall nicht betraute Gutachter nur zurückhaltend ergänzend heranzuziehen (Hölters/Weber/Simons Rn. 3; s. etwa OLG München AG 2019, 659, 663; AG 2021, 715, 720 f.). In **Einzelfragen** ist festzuhalten: Rechtl. Grundlage für Anordnung persönlichen Erscheinens kann zwar der ZPO nicht entnommen werden (Büchel NZG 2003, 796, 802), wohl aber § 8 II 1 SpruchG als ergänzender bes. Regelung (ebenso Klöcker/Frowein SpruchG Rn. 6; MüKoAktG/Krenek Rn. 3). Prüfer ist **kein gerichtl. bestellter Sachverständiger** iSd §§ 402 ff. ZPO (OLG Düsseldorf NZG 2020, 1072 Rn. 24; Emmerich/Habersack/Emmerich Rn. 10), weshalb seine Anhörung das Gutachten eines solchen Sachverständigen nicht im strengen Sinne zu ersetzen vermag (s. aber → Rn. 5). Auch liegt **kein Fall der §§ 485, 493 ZPO** vor (Bilda NZG 2000, 296, 300; aA Seetzen WM 1999, 565, 567; Wiesen ZGR 1990, 511, 515). **Sachverständiger Zeuge** iSd § 414 ZPO ist Prüfer idR ebenfalls nicht, weil und soweit es nicht um seine Wahrnehmungen, sondern um Feststellungen und Wertannahmen geht (KK-AktG/Koppensteiner AktG Anh. § 327f Rn. 46; Hölters/Weber/Simons Rn. 9; Sturm/Stottmann NZG 2020, 974, 975 f.). Gericht hört ihn iR formloser Amtsermittlung (§ 26 FamFG) an, für die § 8 III SpruchG Raum lässt. Er ist insoweit **sachkundige Auskunftsperson** (zust. Emmerich/Habersack/Emmerich Rn. 10; KK-SpruchG/Dorn Rn. 22: sachkundige Hilfsperson sui generis; Hölters/Weber/Simons Rn. 9 ff.). Seine Bekundungen können danach jedenfalls insoweit verwertet werden, als es um verfahrensleitende Maßnahmen oder um sachdienliche Formulierung des Beweisthemas geht. Um spätere Verwertung zu erleichtern, wird vorgeschlagen, dass Gericht dem Prüfer schon iR der ursprünglichen Bestellung Hinweise für seine Prüfung an die Hand gibt (Hölters/Weber/Simons Rn. 12a mit Hinweisen zu weiteren Vorfeldstrategien), doch steht instanzgerichtl. Rspr. solcher Weisungs- und Leitungsbefugnis des Gerichts ggü. dem Prüfer skeptisch ggü. (vgl. OLG Düsseldorf NZG 2016, 151 Rn. 16 ff.; M. Noack NZG 2016, 1259 ff.). Ablehnung wegen Befangenheit ist nicht möglich (OLG Düsseldorf NZG 2020, 1072 Rn. 25 ff.; BeckOGK/Drescher Rn. 16; anders bei Bestellung zum gerichtl. Sachverständigen → Rn. 5).

5 **Bestellung zum gerichtlichen Sachverständigen.** Derart umrissene Rolle des seinerzeit bestellten sachverständigen Prüfers kann allerdings dadurch aufgewertet werden, dass er gem. § 404 ZPO iVm § 30 III FamFG, § 17 I SpruchG zum gerichtl. Sachverständigen bestellt wird. Zulässigkeit wird von mittlerweile hM nicht gänzlich bestritten, aber fast durchgängig zurückhaltende Handhabung angemahnt, da Selbstkorrektur nur selten erwartet werden kann (vgl. Simon/Winter SpruchG Rn. 18 ff.; Fuhrmann/Linnerz Konzern 2004, 265, 270; Land/Hennings AG 2005, 380, 385; tendenziell noch restriktiver Emmerich/Habersack/Emmerich Rn. 15; KK-SpruchG/Dorn Vor §§ 7–11 Rn. 54 ff.; Hölters/Weber/Simons Rn. 10; Sturm/Stottmann NZG 2020, 974, 976 ff.; weniger skeptisch OLG München AG 2020, 133, 138 f.). Diese Zurückhaltung ist angesichts offenkundigen Interessenkonflikts verständlich, doch kann grds. Zulässigkeit im Hinblick auf klare Gestattung in RegBegr. BT-Drs. 15/751, 15 auch nicht verneint werden, zumal vermeintliche Befangenheit auch Auskunft nach § 7 VI SpruchG, § 8 II 3 SpruchG nicht entgegensteht (Simon/Winter SpruchG Rn. 19). ZT wird außerdem angeführt, Bestellung des sachverständigen Prüfers zum gerichtl. Sachverständigen lasse wegen Vorbefassung ohnehin keinen Erkenntnisgewinn erwarten (KK-SpruchG/Dorn Vor §§ 7–11 Rn. 56). Gericht sollte deshalb zwar grds. von dieser Möglichkeit absehen, kann aber eine Ausnahme machen, wenn dadurch erhebliche Verfahrensbeschleunigung erreicht werden kann, während Gefahr der Befangenheit gering erscheint. Das ist insbes.

anzunehmen, wenn bloßes Ergänzungsgutachten erstattet werden soll (BeckOGK/Drescher Rn. 15) und in engen Grenzen auch dann, wenn Prüfung sich auf abgrenzbare Einzelfragen des früheren Prüfungsauftrags bezieht (Simon/Winter SpruchG Rn. 20). Von erneuter Bestellung früheren Vertragsprüfers ist Bestellung eines Sachverständigen zu unterscheiden, der früher als Abschlussprüfer in tätiger WP-Gesellschaft angehört. Diese Verbindung ergibt noch keinen Ablehnungsgrund iSd §§ 42, 406 I ZPO (OLG Düsseldorf AG 2006, 754 f.; OLG Düsseldorf AG 2020, 254, 256; zu anderen Befangenheitsgründen vgl. OLG Düsseldorf NZG 2019, 662 Rn. 13).

Bestellung eines anderen gerichtl. Sachverständigen. Will das Gericht aus den in → Rn. 5 genannten Gründen diesen Weg nicht beschreiten, obwohl es weitere Klärung für erforderlich hält, kann es einen anderen gerichtl. Sachverständigen bestellen. Erforderlich ist dies jedoch nicht, sondern es gilt grds. das **Primat des sachverständigen Prüfers** (OLG Düsseldorf NZG 2020, 1072 Rn. 30; AG 2022, 705, 707 f.; Hölters/Weber/Simons Rn. 12). Auch Beschleunigungsgrundsatz kann Zurückhaltung gebieten (OLG München AG 2019, 659, 663 f.). Entscheidung liegt nach § 287 ZPO im Ermessen des Gerichts. Wird weiterer Sachverständiger bestellt, liegt seine Aufgabe vornehmlich darin, die vom Bewertungsgutachter gewählten Bewertungsmethoden auf ihre Gebräuchlichkeit, Anerkennung und methodengerechte Umsetzung zu prüfen (OLG Zweibrücken AG 2018, 200, 203; Katzenstein AG 2018, 739, 741). Darin liegt gedankliche Fortsetzung der Überlegung, dass Gericht im Wesentlichen nur Vertretbarkeitsaussage treffen kann (→ AktG § 305 Rn. 24). 5a

Bestellung eines gerichtl. Sachverständigen kann auch ganz **überflüssig** sein, nämlich dann, wenn nach Vorbringen der Beteiligten, Ergebnis der gerichtl. Erörterung und urkundlichem Verfahrensstoff, bes. Verschmelzungsbericht und Verschmelzungsprüfungsbericht, keine Anhaltspunkte für unrichtige Wertfestsetzung bestehen (stRspr des OLG Düsseldorf – vgl. AG 2002, 398, 399; AG 2004, 614, 615; AG 2015, 573, 575; AG 2016, 504, 505 f.; AG 2017, 584, 589; AG 2020, 254, 255; stRspr des OLG Stuttgart – vgl. AG 2011, 205, 206 f.; AG 2011, 560, 561; AG 2013, 724, 725; AG 2017, 493, 494 f.; OLG Zweibrücken AG 2021, 29, 30 f.; Bilda NZG 2000, 296, 300; Hüffer/Schmidt-Aßmann/Weber, Anteilseigentum, Unternehmenswert und Börsenkurs, 2005, 136). Hierhin gehören neben Unschlüssigkeit der Antragsbegründung (dazu OLG Düsseldorf AG 2004, 614, 615) vor allem drei Fallgruppen. Bestellung des Sachverständigen ist überflüssig, wenn (1.) im Einzelfall unter Berücksichtigung des Gewichts der konkret streitbefangenen Interessen Freibeweis genügt und das Gericht iRd Ermessens, das ihm bei der Beweiswürdigung zusteht, die Anhörung des Prüfers wie die eines Sachverständigen be- und verwertet (OLG Düsseldorf AG 2002, 398, 399; 2004, 324, 325; OLG Frankfurt AG 2011, 828, 829; sa BayObLG NZG 2023, 1458 Rn. 59; OLG München AG 2019, 659, 663 f.: ähnlich Wittgens/Redeke ZIP 2008, 542 f.). (2.), wenn nach Anhörung kein verfahrensrelevanter Streit über die tats. Grundlagen der Bewertung mehr besteht (§ 138 III ZPO iVm § 8 III SpruchG). (3), wenn im Tatsächlichen verbleibende Ungewissheiten durch Schätzung gem. **§ 287 II ZPO, § 738 II BGB** überwunden werden können, was nach bisheriger Rspr. insbes. bei den üblichen Restunschärfen angenommen wurde (→ AktG § 305 Rn. 22; BayObLG AG 2001, 138, 139; OLG Hamburg AG 2002, 406, 408; 2003, 583, 584; wohl auch OLG Frankfurt AG 2002, 404, 405). In **neuerer instanzgerichtl. Rspr.** erlangt daneben zunehmend Bedeutung, dass dem Gericht zu Recht auch die Möglichkeit eingeräumt wird, im Rahmen seines Schätzungsermessens nach § 287 II ZPO **Börsenkurs** unter bestimmten Voraussetzungen als gleichwertig geeignete Methode zur Unternehmensbewertung neben Ertragswertverfahren zugrunde zu legen (ausf. → AktG § 305 Rn. 39; sa OLG Düsseldorf AG 2012, 459, 461 f.; 2012, 5b

797, 800). Daneben hat mit UmRUG 2023 neu eingeführter § 11a SpruchG auch Möglichkeit eröffnet, **mehrheitskonsensuale Schätzung** in Wertbestimmung einzubeziehen (→ SpruchG § 11a Rn. 1 ff.).

6 **2. Beantwortung von Einzelfragen.** Gem. § 8 II 3 SpruchG kann Gericht in geeigneten Fällen anordnen, dass der sachverständige Prüfer einzelne Fragen mündlich oder schriftlich zu beantworten hat. Norm geht auf Initiative des Bundesrats zurück (BR-Stellungnahme BT-Drs. 15/371, 24; AusschussB BT-Drs. 15/838, 17). Sie soll sicherstellen, dass sich Gericht auch auf einzelne Fragen beschränken kann, und soll es für diesen Fall erlauben, von Übersendung umfänglicher **Unterlagen nach § 8 II 2 SpruchG** (→ Rn. 3) abzusehen (BR-Stellungnahme BT-Drs. 15/371, 24). Unterlagen sind dann nur insoweit zu übersenden, wie das zur Beantwortung der Fragen erforderlich ist. Wegen dieses speziellen Aspekts der Verfahrenserleichterung überzeugt von DAV-HRA NZG 2003, 316, 319 geübte Kritik nicht voll.

IV. Beibringungsgrundsatz

7 In § 8 III SpruchG zunächst angeordnete entspr. Anwendung der §§ 138, 139 ZPO läuft auf Einführung des Beibringungsgrundsatzes in Streitverfahren der fG hinaus. Von Ersetzung des Amtsermittlungsgrundsatzes (Büchel NZG 2003, 793, 798 f.) sollte man nicht sprechen, zumal sich die allg. Begr. ausdr. gegen einen reinen Parteiprozess ausspricht (RegBegr. BT-Drs. 15/371, 11 f.). Andererseits greift es eindeutig zu kurz, den Amtsermittlungsgrundsatz nur dann zurücktreten zu lassen, wenn sämtliche Antragsteller und der gemeinsame Vertreter mit ihrem Tatsachenvortrag schuldhaft säumig sind (Meilicke/Heidel DB 2003, 2267, 2273). Vielmehr handelt es sich bei Verweis auf § 138 I und II ZPO um eine Fortwirkung und Erweiterung der Begründungspflicht nach § 4 II SpruchG zur verfahrensrechtl. **Mitwirkungspflicht** mit der Hauptfolge nach § 138 III ZPO, dass das Gericht nicht von Amts wegen zu ermitteln braucht, soweit schon die Beteiligten zu einem Bestreiten keine Veranlassung sehen. Schließlich strukturieren § 279 II und III ZPO, § 283 ZPO iVm § 8 III SpruchG die weitere Vorgehensweise des Gerichts bzgl. der mündlichen Verhandlung und der nachgelassenen Schriftsätze → Rn. 2.

§ 9 SpruchG Verfahrensförderungspflicht

(1) Jeder Beteiligte hat in der mündlichen Verhandlung und bei deren schriftlicher Vorbereitung seine Anträge sowie sein weiteres Vorbringen so zeitig vorzubringen, wie es nach der Verfahrenslage einer sorgfältigen und auf Förderung des Verfahrens bedachten Verfahrensführung entspricht.

(2) Vorbringen, auf das andere Beteiligte oder in den Fällen des § 8 Abs. 2 die in der mündlichen Verhandlung anwesenden sachverständigen Prüfer voraussichtlich ohne vorhergehende Erkundigung keine Erklärungen abgeben können, ist vor der mündlichen Verhandlung durch vorbereitenden Schriftsatz so zeitig mitzuteilen, dass die Genannten die erforderliche Erkundigung noch einziehen können.

(3) Rügen, welche die Zulässigkeit der Anträge betreffen, hat der Antragsgegner innerhalb der ihm nach § 7 Abs. 2 gesetzten Frist geltend zu machen.

I. Regelungsgegenstand und -zweck

1 Norm betr. in bewusster Anlehnung an § 282 ZPO (RegBegr. BT-Drs. 15/371, 16) Rechtzeitigkeit des tats. Vorbringens der Beteiligten. Zweck ist **Verfahrensbeschleunigung,** die nicht nur von der gerichtl. Verfahrensführung, sondern auch von der sachgerechten Mitwirkung der Beteiligten abhängt. Beschleunigungswirkung soll eintreten durch rechtzeitiges Vorbringen im Termin

und bei seiner Vorbereitung (§ 9 I SpruchG), durch vorbereitende Schriftsätze, die vor allem den anderen Beteiligten eine angemessene Reaktion auf tats. Vorbringen erlauben (§ 9 II SpruchG), und durch Befristung von Zulässigkeitsrügen des Antragsgegners (§ 9 III SpruchG). Praktische Bedeutung allg. Verfahrensförderungspflicht ist ggü. speziellen Fristen (zB §§ 4, 7 II 3 SpruchG) gering (Hölters/Weber/Simons Rn. 2).

II. Pflicht zur Verfahrensförderung im Allgemeinen

Allg. Förderpflicht des § 9 I SpruchG trifft jeden im verfahrensrechtl. Sinne **Beteiligten,** also auch Antragsteller (Neye FS Wiedemann, 2002, 1127, 1135) und **gemeinsamen Vertreter.** Sie bezieht sich auf Anträge und weiteres Vorbringen. Weil § 9 I SpruchG anders als § 282 ZPO auch auf schriftliche Vorbereitung der mündlichen Verhandlung abhebt, lässt sich nicht ohne weiteres sagen, dass Sachanträge iSd § 4 SpruchG von Förderpflicht ausgenommen wären. § 9 I SpruchG ist aber insoweit deshalb bedeutungslos, weil § 4 I 1 SpruchG dafür bes. Frist setzt, die nach allg. Grundsätzen auch ausgeschöpft werden darf (BeckOGK/Drescher Rn. 3; KK-SpruchG/Dorn Rn. 8). Entspr. gilt nach § 7 II 3 SpruchG für Erwiderung des Antragsgegners und nach § 7 IV SpruchG für Replik der Antragsteller und ggf. Vorbringen des gemeinsamen Vertreters; vgl. insoweit auch § 10 I SpruchG. 2

Unter § 9 I SpruchG fallen demnach Anträge, Anregungen und sonstige **Erklärungen iSd § 23 FamFG,** vor allem als Verfahrensanträge, zB bzgl. eines Bewertungsgutachtens und seines Umfangs. Wenngleich § 9 I SpruchG das Verteidigungsvorbringen anders als § 282 I ZPO nicht eigens anspricht, fällt auch dieses unter die Förderpflicht, weil auch der Antragsgegner als Verfahrensbeteiligter angesprochen wird. Maßstäbe für **Rechtzeitigkeit** sind obj. Verfahrenslage und subj. sorgfältige sowie auf Förderung bedachte Verfahrensführung. Zur Verfahrenslage gehören vor allem Substantiierung des gegnerischen Vorbringens sowie Komplexität des Verfahrensstoffs. Dieser kann es erlauben, tatsächliches Vorbringen zunächst nur anzukündigen und seine nähere Ausführung von einem Hinweis gem. § 139 ZPO iVm § 8 III SpruchG abhängig zu machen. Für bloße Rechtsausführungen gilt § 9 I SpruchG nicht, weil von Rechtskenntnis des Gerichts auszugehen ist. 3

III. Schriftliche Vorbereitung des Termins

§ 9 II SpruchG verpflichtet erstens zur schriftsätzlichen Vorbereitung des Termins zur mündlichen Verhandlung (§ 8 I SpruchG) und zweitens zur Rechtzeitigkeit des schriftsätzlichen Vorbringens. Beides hängt davon ab, dass mit Erklärung des Gegners auf das Vorbringen sonst vernünftigerweise nicht gerechnet werden kann. Gemeint ist auch hier nur tats. Vorbringen. **Rechtzeitigkeit** ist Frage des Einzelfalls. Gegner muss Zeit haben, erforderliche Informationen einzuholen und seine Stellungnahme vorzubereiten. Beurteilung kann sich an §§ 132, 274 II ZPO orientieren, so dass Einreichung drei Wochen vor Termin durchweg genügen wird. Absehbare Schwierigkeiten der Informationsbeschaffung vor allem durch Rückfrage bei Wirtschaftsprüfern können aber auch wesentlich längere Zeiträume nahelegen, etwa in Anlehnung an Dreimonatsfrist des § 7 II 3 SpruchG. Bei zahlreichen Antragstellern sollte Antragsgegner Schwierigkeiten bei Aufgabe zur Post einrechnen und eher vier als drei Wochen wählen. Verspätung bewirkt, dass Folgen aus § 138 III ZPO iVm § 8 III SpruchG nicht eintreten, wenn anderer Verfahrensteil seine Erklärung verweigert. Stattdessen ist ihm die nachträgliche Erklärung gem. § 283 ZPO iVm § 8 III SpruchG nachzulassen. 4

5 Soweit § 9 II SpruchG auf den **sachverständigen Prüfer** abstellt, geht es nicht um Erklärungen im technischen Sinne; denn der Prüfer ist nicht Beteiligter (Büchel NZG 2003, 796, 799). Insoweit ist darauf abzustellen, ob Prüfer iR seiner Anhörung nach § 8 II SpruchG (→ SpruchG § 8 Rn. 3 f.) ohne Vorbereitung verfahrensfördernde Auskünfte geben kann. Wenn Vorbringen nur unter diesem Blickwinkel verspätet ist, sind allerdings Rechtsnachteile für den Säumigen nicht erkennbar.

IV. Zulässigkeitsrügen

6 § 9 III SpruchG wendet sich an den Antragsgegner (§ 5 SpruchG) und gibt ihm auf, sämtliche Zulässigkeitsrügen innerhalb der Frist geltend zu machen, die ihm nach § 7 II SpruchG gesetzt ist. Dass wie nach § 282 III ZPO mehrere Zulässigkeitsrügen (zB Unzuständigkeit des Gerichts, Verstoß gegen § 4 II SpruchG) gleichzeitig vorgebracht werden müssen, ist dem anders formulierten § 9 III SpruchG nicht zu entnehmen (KK-SpruchG/Dorn Rn. 18) und passt auch nicht mit der Erwiderungsfrist des § 7 II SpruchG zusammen (→ Rn. 2). Genügend ist also, dass Rügen fristgerecht erhoben werden, wenn auch in mehreren Schriftsätzen. Sofern Erwiderungsfrist gem. §§ 224, 225 ZPO iVm § 16 II FamFG verlängert wird (→ SpruchG § 7 Rn. 4), verlängert sich auch an sie gekoppelte Rügefrist. Sanktionen treten bei Fristversäumung nicht ein, soweit von Amts wegen zu berücksichtigender Zulässigkeitsmangel vorliegt (Regelfall). Sofern es ausnahmsweise um ein verzichtbares Verfahrenshindernis gehen sollte, tritt jedoch nach § 9 III SpruchG Verfristung ein.

§ 10 SpruchG Verletzung der Verfahrensförderungspflicht

(1) Stellungnahmen oder Einwendungen, die erst nach Ablauf einer hierfür gesetzten Frist (§ 7 Abs. 2 Satz 3, Abs. 4) vorgebracht werden, sind nur zuzulassen, wenn nach der freien Überzeugung des Gerichts ihre Zulassung die Erledigung des Rechtsstreits nicht verzögern würde oder wenn der Beteiligte die Verspätung entschuldigt.

(2) Vorbringen, das entgegen § 9 Abs. 1 oder 2 nicht rechtzeitig erfolgt, kann zurückgewiesen werden, wenn die Zulassung nach der freien Überzeugung des Gerichts die Erledigung des Verfahrens verzögern würde und die Verspätung nicht entschuldigt wird.

(3) § 26 des Gesetzes über das Verfahren in Familiensachen und in den Angelegenheiten der freiwilligen Gerichtsbarkeit ist insoweit nicht anzuwenden.

(4) Verspätete Rügen, die die Zulässigkeit der Anträge betreffen und nicht von Amts wegen zu berücksichtigen sind, sind nur zuzulassen, wenn der Beteiligte die Verspätung genügend entschuldigt.

I. Regelungsgegenstand und -zweck

1 § 10 SpruchG eröffnet dem Gericht **Sanktionsmöglichkeiten,** wenn Beteiligte gegen ihre Pflicht zur Verfahrensförderung verstoßen (RegBegr. BT-Drs. 15/371, 16), wobei nicht nur praktisch wenig bedeutsame allg. Verfahrensförderungspflicht nach § 9 I, II SpruchG, sondern auch praxisrelevantere spezielle Fristen, wie etwa nach § 7 II 3, IV SpruchG, erfasst sind. Mittelbar geht es auch hier um Verfahrensbeschleunigung, indem Verzögerung sanktioniert wird (Hölters/Weber/Simons Rn. 1). § 10 I, II und IV SpruchG sind § 296 I, II und III ZPO nachgebildet. § 10 III SpruchG enthält Klarstellung, um Sanktion nach § 10 I oder II SpruchG nicht ins Leere laufen zu lassen. § 10 I SpruchG sieht grds. zwingende Zurückweisung vor. Dagegen entscheidet Gericht in den Fällen des § 10 II SpruchG nach pflichtmäßigem Ermessen. Zurückweisung nach § 10 IV SpruchG ist wiederum grds. vorgegeben, aber kaum praxisrelevant (s. schon Putzo NJW 1977, 1, 4 f.).

II. Zurückweisung verfristeten Vorbringens

1. Grundsatz: Zurückweisung. § 10 I SpruchG betr. Vorbringen nach Ablauf der Fristen, die Gericht den Beteiligten gem. § 7 II 3 oder IV SpruchG gesetzt hat (→ SpruchG § 7 Rn. 4, 6). Gemeint sind also Erwiderung des Antragsgegners einschließlich einer Zulässigkeitsrüge nach § 4 II SpruchG (MüKoAktG/Krenek Rn. 2), Replik der Antragsteller und ggf. erstes Vorbringen des gemeinsamen Vertreters, und zwar, wie Wortwahl (Stellungnahmen oder Einwendungen) sowie Klammerzusatz zeigen, ausschließlich (KK-SpruchG/Dorn Rn. 8). Frist muss wirksam gesetzt sein. Dafür kann auf die zu § 296 I ZPO entwickelten Anforderungen (Musielak/Voit/Huber ZPO § 296 Rn. 11) zurückgegriffen werden. Im Regelfall einer Entscheidung durch KfH (§ 2 V SpruchG) entscheidet Vorsitzender jedoch anstelle der Kammer (§ 2 V Nr. 4 SpruchG). Weil es dabei nur um Verfahrenserleichterung geht, ist aber auch deren Fristsetzung wirksam. Vorbringen muss bis Mitternacht des letzten Fristtages bei zuständigem Landgericht eingegangen sein. 2

Ist Vorbringen verspätet und liegt keiner der Ausnahmefälle (→ Rn. 4) vor, so erfolgt **Zurückweisung in den Gründen des Beschlusses** zur Hauptsache. Darauf ist vorab gem. § 139 ZPO iVm § 8 III SpruchG hinzuweisen (Musielak/Voit/Huber ZPO § 296 Rn. 35). Begr. muss dem Beschwerdegericht (§ 12 SpruchG) Prüfung des Einzelfalls ermöglichen. Zurückgewiesenes Vorbringen bleibt unbeachtet. Verstoß gegen § 26 FamFG scheidet insoweit gem. § 10 III SpruchG aus (→ Rn. 7), ohne dass dem Gericht ein Ermessensspielraum zur Verfügung stehen würde. 3

2. Zulassung mangels Verzögerung oder mangels Verschuldens. Vorbringen ist trotz Verspätung beachtlich, wenn seine Zulassung die Erledigung des Verfahrens nicht verzögert oder (alternativ) wenn der Beteiligte die Verspätung entschuldigt. Zu § 296 ZPO praktizierter **absoluter Verzögerungsbegriff** ist für nachgebildeten § 10 SpruchG (→ Rn. 1) zu übernehmen (BeckOGK/Drescher Rn. 4; KK-SpruchG/Dorn Rn. 14). Absolute Verzögerung ist gegeben, wenn Zulassung verspäteten Vorbringens zu nicht ganz unerheblicher Verschiebung führen würde; mangelnde Entscheidungsreife aus anderen Gründen des konkreten Verfahrens bleibt unerheblich (BGHZ 75, 138, 142 = NJW 1979, 1988; BGHZ 86, 31, 34 = NJW 1983, 575; Musielak/Voit/Huber ZPO § 296 Rn. 13). **Entschuldigung** gelingt, wenn für Führung von Spruchverfahren erforderliche Sorgfalt (§ 276 II BGB) trotz Verspätung unter Beachtung des Beschleunigungsanliegens des SpruchG gewahrt ist; am ehesten werden dafür bes. Schwierigkeiten der Informationsbeschaffung in Betracht kommen. Beachtlichkeit verspäteten Vorbringens bedeutet, dass Gericht ihm nachgehen muss, uU auch unter Amtsermittlung oder durch Wiedereintritt in mündliche Verhandlung. 4

III. Zurückweisung bei Verletzung der Pflicht zur Verfahrensförderung

1. Verspätetes Vorbringen. § 10 II SpruchG sanktioniert Verstöße gegen § 9 I oder II SpruchG. Auf Versäumung von Fristen kommt es also insoweit nicht an. Auch muss es sich nicht um Vorbringen iSd § 7 IV SpruchG handeln (Stellungnahme bzw. Einwendungen). Anwendungsbereich des § 10 II SpruchG ist also umfassend. Dem entspr. es, dass § 10 II SpruchG kein Regel-Ausnahme-Verhältnis begründet. Vielmehr muss Gericht nach pflichtmäßigem Ermessen über Verzögerung und Entschuldigung entscheiden. 5

6 **2. Ermessensausübung.** Gericht entscheidet nach seinem Ermessen über Verzögerung und über Entschuldigung der Verspätung. Maßgeblich ist auch hier absoluter Verzögerungsbegriff (→ Rn. 4). Für **Verschulden** genügt anders als nach § 296 II ZPO, der auf grobe Nachlässigkeit abstellt, **jede Fahrlässigkeit** iSd § 276 II BGB. Nach RegBegr. BT-Drs. 15/371, 16 werden für Spruchverfahren gezielt höhere Anforderungen gestellt als für Zivilprozess; das sei aufgrund der Erfahrungen mit erheblichen Verfahrensverzögerungen dringend geboten. Regelung ist in dieser Härte rechtspolitisch und verfassungsrechtl. (Art. 103 I GG) fragwürdig (Büchel NZG 2003, 793, 799; KK-SpruchG/Dorn Rn. 26: nicht unproblematisch) und führt dazu, dass an Fahrlässigkeit hohe Anforderungen zu stellen sind (BeckOGK/Drescher Rn. 5; Marsch-Barner/Schäfer/Mimberg Rn. 40.28; Bungert/Mennicke BB 2003, 2021, 2028; aA Hölters/Weber/Simons Rn. 11). Dabei geht es der Sache nach um Anwendungsbereich des Amtsermittlungsgrundsatzes. RegBegr. BT-Drs. 15/371, 16 verweist insoweit auf Rspr. zur früheren Gesetzeslage (LG Dortmund NZG 2002, 343, 344; LG Düsseldorf AG 2001, 373 f.), der aber nur Ansätze zu entnehmen sind.

IV. Unanwendbarkeit des § 26 FamFG

7 § 10 III SpruchG enthält insofern nur Klarstellung (→ Rn. 1), als Zurückweisung verspäteten Vorbringens und Pflicht zur Amtsermittlung (§ 26 FamFG) bzgl. solchen Vorbringens einander ausschließen. Klarstellung macht deutlich, dass frühere Pflicht zur Amtsermittlung ohne Rücksicht auf verfahrensverlängernde Wirkung so nicht mehr besteht (RegBegr. BT-Drs. 15/371, 16; KK-SpruchG/Dorn Rn. 30). Was ein Beteiligter aus obj. Gründen nach wie vor nicht vortragen kann, ist allerdings zu ermitteln (RegBegr. BT-Drs. 15/371, 16; Winter/Nießen NZG 2007, 13, 16 f.; KK-SpruchG/Dorn Rn. 30).

V. Verspätete Rügen verzichtbarer Verfahrenshindernisse

8 Verspätete Zulässigkeitsrügen sind ohne Rücksicht auf Verfahrensverzögerung zurückzuweisen, wenn es sich nicht um von Amts wegen zu berücksichtigenden Mangel handelt und der Beteiligte die Verspätung nicht genügend entschuldigt. Rüge ist verspätet, wenn sie **nach Ablauf der Erwiderungsfrist** gem. § 7 II 3 SpruchG, § 9 III SpruchG erhoben wird (→ SpruchG § 7 Rn. 4; → SpruchG § 9 Rn. 6). Von Amts wegen sind Zulässigkeitsmängel durchweg zu berücksichtigen, zB Zuständigkeitsmängel oder Fehlen der in § 4 II SpruchG vorgeschriebenen Antragsbegründung (OLG Düsseldorf NZG 2015, 518 Rn. 21). Verzichtbare Verfahrenshindernisse kommen im Spruchverfahren kaum in Betracht. Am ehesten ist an vollmachtlose Vertretung eines Beteiligten zu denken (§ 11 FamFG). Für die Entschuldigung gelten allg. Grundsätze (→ Rn. 4, 6); zB muss Vertretungsmangel für Antragsgegner trotz sorgfältiger Verfahrensführung erst nach Ablauf der Erwiderungsfrist erkennbar geworden sein.

§ 10a SpruchG Gewährung zusätzlicher Aktien

(1) Soweit gemäß § 72a des Umwandlungsgesetzes oder gemäß § 255a des Aktiengesetzes zusätzliche Aktien zu gewähren sind, bestimmt das Gericht

1. in den Fällen des § 72a Absatz 1 und 2 Satz 1 des Umwandlungsgesetzes unter Zugrundelegung des angemessenen Umtauschverhältnisses oder des § 255a Absatz 1 und 2 Satz 1 des Aktiengesetzes unter Zugrundelegung der angemessenen Einlage
   a) den zusätzlich zu gewährenden Nennbetrag oder bei Stückaktien die Zahl der zusätzlich zu gewährenden Aktien und

b) den dem Zinsanspruch gemäß § 72a Absatz 6 Satz 1 Nummer 1 des Umwandlungsgesetzes oder § 255 Absatz 6 Satz 1 in Verbindung mit § 255a Absatz 6 des Aktiengesetzes zugrunde zu legenden Ausgleichsbetrag,
2. im Fall des § 72a Absatz 2 Satz 2 des Umwandlungsgesetzes oder des § 255a Absatz 2 Satz 2 des Aktiengesetzes die Höhe des nachträglich einzuräumenden Bezugsrechts,
3. in den Fällen des § 72a Absatz 3 des Umwandlungsgesetzes oder des § 255a Absatz 3 des Aktiengesetzes die Höhe der baren Zuzahlung und
4. in den Fällen des § 72a Absatz 4 und 5 des Umwandlungsgesetzes oder des § 255a Absatz 4 und 5 des Aktiengesetzes die Höhe der Entschädigung in Geld.

(2) [1] In den Fällen des § 72a Absatz 1 Satz 2 des Umwandlungsgesetzes oder des § 255a Absatz 1 Satz 2 des Aktiengesetzes hat das Gericht den zusätzlich zu gewährenden Nennbetrag oder bei Stückaktien die Zahl der zusätzlich zu gewährenden Aktien unter Zugrundelegung des Umtauschverhältnisses des nachfolgenden Umwandlungsvorgangs zu bestimmen. [2] Antragsgegner ist die Gesellschaft, auf die die Pflicht zur Gewährung zusätzlicher Aktien übergegangen ist.

(3) Die Absätze 1 und 2 gelten für die Gewährung zusätzlicher Aktien gemäß § 248a des Umwandlungsgesetzes entsprechend.

I. Regelungsgegenstand und -zweck

Norm wurde durch UmRUG 2023 eingeführt und ist Folgeänderung zu der ebenfalls mit diesem Ges. eröffneten Möglichkeit, statt barer Zuzahlung gem. § 15 I 1 UmwG zusätzliche Aktien zu gewähren, § 72a UmwG (→ SpruchG § 1 Rn. 5). Für diese Fälle regelt § 10a SpruchG **gerichtl. Durchsetzung.** Mit ZuFinG 2023 wurde Regel auf inhaltsgleiche Gewährung neuer Aktien nach § 255a AktG erstreckt (→ AktG § 255a Rn. 1 ff.). 1

II. Inhalt der Gegenleistung (§ 10a I SpruchG)

§ 10a I SpruchG bestimmt zunächst Inhalt der Gegenleistung. Ziel ist, Aktionäre so zu stellen, wie sie unter Zugrundelegung eines von Beginn an angemessenen Umtauschverhältnisses (§ 72a UmwG) bzw. einer angemessenen Einlage (§ 255a AktG) gestanden hätten (RegBegr. BT-Drs. 20/3822, 127). Das können je nach konkreter Ausgestaltung der Transaktion **zusätzliche Aktien** sein (§ 10a I Nr. 1 lit. a) SpruchG unter Bezugnahme auf § 72a I, II 1 UmwG/ § 255a I, II 1 AktG: Nennbetrags- oder Stückaktien). Sofern Anspruch nach § 72a VI 1 Nr. 1 UmwG bzw. § 255a VI 2 AktG zu verzinsen ist, muss Gericht in diesem Fall nach § 10a I Nr. 1 lit. b) SpruchG auch den dem **Zinsanspruch** zugrunde zu legenden Ausgleichsbetrag bestimmen. In den Fällen des § 72a II UmwG bzw. § 255a II 2 AktG tritt an die Stelle der zusätzlichen Aktien ein nachträglich einzuräumendes **Bezugsrecht** (→ AktG § 255a Rn. 7 ff.), dessen Höhe ebenfalls nach § 10a I Nr. 2 SpruchG vom Gericht zu bestimmen ist. Für die Fälle, dass angemessenes Umtauschverhältnis nicht mehr hergestellt werden kann oder Gewährung zusätzlicher Aktien unmöglich geworden ist, muss gem. § 72a III UmwG bzw. § 255a III AktG doch **bare Zuzahlung** gewährt werden (→ AktG § 255a Rn. 15 ff.), die nach § 10a I Nr. 3 SpruchG gerichtl. festzusetzen ist. Nach § 72a IV und V UmwG bzw. § 255a IV und V AktG kann schließlich Entschädigung in Geld zu leisten sein, wenn Aktionäre anlässlich einer nach Eintragung der Verschmelzung/Kapitalerhöhung erfolgten strukturverändernden Maßnahme aus der AG ausgeschieden sind (§ 72a IV UmwG, § 255a IV AktG; → AktG § 255a Rn. 21 ff.) oder für Gewinne oder Ausgleichszahlungen nach § 304 AktG, die aufgrund unangemessenen Umtauschverhältnisses nicht ausgeschüttet oder geleistet wurden (§ 72a V UmwG, § 255a AktG; → AktG § 255a Rn. 24). Diese Entschädigung kann nach § 10a I Nr. 4 SpruchG Gegenstand der gerichtl. Bemessung sein. 2

III. Nachgelagerter Umwandlungsvorgang (§ 10a II SpruchG)

3 § 10a II SpruchG regelt Sonderfall, dass übernehmende Gesellschaft gem. § 72a I 2 UmwG bzw. kapitalerhöhende Gesellschaft nach § 255a I 2 AktG iVm § 72a I 2 UmwG nach Eintragung der Verschmelzung/Kapitalerhöhung durch nachgelagerten Umwandlungsvorgang, namentl. Verschmelzung oder Spaltung, ihr Vermögen auf AG oder KGaA übertragen oder im Wege eines Formwechsels Rechtsform einer KGaA angenommen hat. In diesem Fall bleibt Anspruch auf Gewährung zusätzlicher Aktien nach § 72a I 2 UmwG (iVm § 255a I 2 AktG) bestehen (→ AktG § 255a Rn. 6). § 10a II 1 SpruchG ordnet für diesen Fall zunächst an, dass Gericht zusätzlich zu gewährenden Nennbetrag bzw. Zahl der zusätzlich zu gewährenden Stückaktien unter **Zugrundelegung des Umtauschverhältnisses des nachfolgenden Umwandlungsvorgangs** zu bestimmen hat. Überdies wird als Antragsgegner die Gesellschaft bestimmt, auf die die Pflicht zur Gewährung zusätzlicher Aktien im Wege der Gesamtrechtsnachfolge übergegangen ist, § 10a II 2 SpruchG. Bei nachgelagerter Abspaltung bleibt daneben auch übernehmende/kapitalerhöhende AG anteilig zur Gewährung zusätzlicher Aktien verpflichtet (RegBegr. BT-Drs. 20/3822, 128). Beim Formwechsel bleibt Verbindlichkeit der Gesellschaft neuer Rechtsform zugeordnet (RegBegr. BT-Drs. 20/3822, 128).

IV. Formwechsel in AG oder KGaA (§ 10a III SpruchG)

4 § 10a III SpruchG ordnet schließlich entspr. Geltung des § 10a II und III SpruchG auch für den Fall an, dass Gewährung zusätzlicher Aktien gem. **§ 248a UmwG** erfolgt. Dort sind die Fälle geregelt, dass zusätzliche Aktien iRe Formwechsels in AG oder KGaA gewährt werden.

§ 11 SpruchG Gerichtliche Entscheidung; gütliche Einigung

(1) Das Gericht entscheidet durch einen mit Gründen versehenen Beschluss.

(2) [1] Das Gericht soll in jeder Lage des Verfahrens auf eine gütliche Einigung bedacht sein. [2] Kommt eine solche Einigung aller Beteiligten zustande, so ist hierüber eine Niederschrift aufzunehmen; die Vorschriften, die für die Niederschrift über einen Vergleich in bürgerlichen Rechtsstreitigkeiten gelten, sind entsprechend anzuwenden. [3] Die Vollstreckung richtet sich nach den Vorschriften der Zivilprozessordnung.

(3) Das Gericht hat seine Entscheidung oder die Niederschrift über einen Vergleich den Beteiligten zuzustellen.

(4) [1] Ein gerichtlicher Vergleich kann auch dadurch geschlossen werden, dass die Beteiligten

1. dem Gericht einen schriftlichen Vergleichsvorschlag unterbreiten oder
2. einen schriftlichen oder zu Protokoll der mündlichen Verhandlung erklärten Vergleichsvorschlag des Gerichts durch Schriftsatz oder durch Erklärung zu Protokoll gegenüber dem Gericht annehmen.

[2] Das Gericht stellt das Zustandekommen und den Inhalt eines nach Satz 1 geschlossenen Vergleichs durch Beschluss fest. [3] § 164 der Zivilprozessordnung gilt entsprechend. [4] Der Beschluss ist den Beteiligten zuzustellen.

I. Regelungsgegenstand und -zweck

1 Norm betr. Form und Zustellung der gerichtl. Entscheidung (§ 11 I und III SpruchG), gütliche Einigung (§ 11 II SpruchG) und Vergleichsverfahren nach Vorbild des § 278 VI ZPO (§ 11 IV SpruchG). Bezweckt ist, **verfahrensabschließende Maßnahmen** zusammenfassend zu regeln. Dabei entspr. § 11 I

SpruchG der Regelung in § 99 III 1 AktG aF iVm § 306 II AktG aF, § 307 V UmwG aF. **Zwischenentscheidungen** sind möglich, etwa analog § 148 ZPO über Aussetzung des Verfahrens, unterliegen aber nicht §§ 11, 12 SpruchG (OLG München AG 2007, 452, 453; → SpruchG § 12 Rn. 1). § 11 IV SpruchG ist auf Anregung des Bundesrats eingefügt worden und übernimmt für Spruchverfahren die seit 1.1.2002 bestehende zivilprozessuale Regelung (Art. 2 I Nr. 41 der Zivilprozessnovelle v. 27.7.2001 [BGBl. 2001 I 1887]; BR-Stellungnahme BT-Drs. 15/371, 24; AusschussB BT-Drs. 15/838, 17). § 11 IV SpruchG wurde durch UmRUG 2023 neu gefasst (→ Rn. 8).

II. Form und Inhalt der Entscheidung

Das LG (idR KfH, → SpruchG § 2 Rn. 7) entscheidet gem. § 11 I SpruchG 2 durch **Beschluss,** der mit Gründen zu versehen ist. Dem Antrag stattgebende Entscheidung bestimmt von Antragsgegnerin zu erbringende Leistung, nämlich in den Fällen der §§ 255 f. AktG (§ 1 Nr. 1 SpruchG) die angemessene Ausgleichszahlung oder die alternativ zu gewährenden Zusatzaktien (§ 255a AktG), in den Fällen der §§ 304, 305 AktG (§ 1 Nr. 2 SpruchG) Ausgleich oder Abfindung, die in Aktien des anderen Vertragsteils oder als Barabfindung geschuldet sein kann (§ 305 II AktG); in den Fällen des § 320b AktG (§ 1 Nr. 3 SpruchG) Abfindung in Aktien der Hauptgesellschaft oder bei deren Abhängigkeit alternativ durch Geldzahlung (§ 320b I 2 und 3 AktG); in den Fällen des § 327b AktG (§ 1 Nr. 4 SpruchG) eine Barabfindung durch den Hauptaktionär; bei Maßnahmen nach UmwG (§ 1 Nr. 5 SpruchG) Ausgleich durch bare Zuzahlung, zusätzlich zu gewährende Aktien oder Barabfindung. In den weiteren Anwendungsfällen des Spruchverfahrens (→ SpruchG § 1 Rn. 6 f.) ist der angemessene Wertausgleich festzusetzen (§ 5 III 1 und IV 2 EGAktG). Korrektur der Unternehmensbewertung setzt Unangemessenheit voraus, die aufgrund Ermittlung im Schätzungswege (→ AktG § 305 Rn. 25) aber nur anzunehmen ist, wenn Abweichung von gerichtl. ermitteltem Wert nicht geringfügig ist (zu dieser Bagatellgrenze → § 305 Rn. 58). Das ist konsequent, wenn man Rspr.-Leitlinie beachtet, dass Wertermittlung angesichts verschiedener prognostischer Schätzungen und methodischer Einzelentscheidungen im Bewertungsvorgang iRd Spruchverfahrens ohnehin nicht auf Richtigkeit, sondern nur auf Vertretbarkeit überprüft werden kann (→ § 305 Rn. 58). **Zinsen,** die gem. § 305 III 3 AktG, § 320b I 6 AktG, § 327b II AktG, § 15 II UmwG, § 30 I 2 UmwG geschuldet werden, folgen aus Ges. und sind deshalb nicht Gegenstand des Spruchverfahrens, das nur die Angemessenheit von vertraglich vereinbartem Ausgleich und Abfindung überprüft. Sie sind also auch nicht zwingend (wohl aber fakultativ – vgl. BGH NJW 2003, 3272, 3273 [insoweit nicht in BGHZ 156, 57]) in Entscheidung gem. § 11 I SpruchG aufzunehmen (OLG Düsseldorf AG 2009, 907, 912; 2012, 716, 719; OLG Hamburg AG 2002, 89; BeckOGK/Drescher Rn. 6; Emmerich/Habersack/Emmerich § 305 Rn. 42; KK-SpruchG/Dorn Rn. 16). Notfalls ist Zahlungsklage geboten (→ SpruchG § 16 Rn. 2). Unzulässige Anträge (einschließlich der unzureichend begründeten, → SpruchG § 4 Rn. 6 ff.) werden verworfen, unbegründete zurückgewiesen. Bei Zurückweisung verbleibt es auch, wenn sich Bewertungen zugunsten der Aktionäre als überhöht herausstellen; **keine reformatio in peius** (BGH AG 2010, 910 Rn. 12; BGHZ 207, 114 Rn. 37 = NZG 2016, 139; BGHZ 236, 180 Rn. 25 = NZG 2023, 937; OLG München NZG 2022, 362 Rn. 67; S/L/Klöcker/Wittgens Rn. 2; Marsch-Barner/Schäfer/Mimberg Rn. 40.29).

III. Anderweitige Formen der Verfahrensbeendigung

3 Spruchverfahren kann auch durch **Antragsrücknahme** enden. Antrag ist also unverzichtbare Voraussetzung für Weiterbetrieb des Verfahrens in der Hauptsache. Ohne ihn bleibt nur Kostenentscheidung. Gleichwohl zur Hauptsache ergangene Entscheidung ist wirkungslos (→ AktG § 99 Rn. 4). Einwilligung des Antragsgegners analog § 269 I ZPO ist bis zur Endentscheidung (vgl. § 22 I FamFG iVm § 17 I SpruchG) entbehrlich (str., → AktG § 99 Rn. 4; ebenso NK-AktR/Krenek Rn. 21). Dass Antrag zurückgenommen werden kann, ist in § 6 III SpruchG vorausgesetzt (vgl. auch § 22 I FamFG) und seit jeher anerkannt (BayObLGZ 1973, 106, 108 ff.; KG OLGZ 1974, 430, 432; OLG Düsseldorf AG 1972, 248, 249 f.; 1986, 293; OLG Stuttgart FGPrax 2004, 84; BeckOGK/Drescher Rn. 18). Damit Verfahren beendet wird, müssen allerdings alle Anträge zurückgenommen sein. Weil gemeinsamer Vertreter in diesem Fall gem. § 6 III 2 SpruchG einem Antragsteller gleichsteht, ist er zu einer Erklärung aufzufordern, ob er das Verfahren fortführen wolle. Auch bei Antragsrücknahme bleibt fristverlängernde Wirkung des § 305 IV 3 AktG erhalten (→ AktG § 305 Rn. 55).

4 Antragsrücknahme kann auch durch **außergerichtl. Vergleich** vereinbart werden. Spruchverfahren ist, wie aus § 11 II und IV SpruchG folgt, auch einem **gerichtl. Vergleich** zugänglich (→ Rn. 5). Schließlich ist auch **Erledigung der Hauptsache** möglich, die zwar nicht schon als Folge vorzeitiger Vertragsbeendigung eintritt (→ AktG § 305 Rn. 5 f.; BGHZ 135, 374, 376 ff. = NJW 1997, 2242; BGHZ 147, 108, 111 ff. = NJW 2001, 2080; KK-SpruchG/Dorn Rn. 65), wohl aber mit Rechtskraft des zustimmenden HV-Beschluss vernichtenden Anfechtungsurteils (→ AktG § 305 Rn. 7; OLG Zweibrücken FGPrax 2004, 246 f.; sa OLG Karlsruhe AG 2011, 673, 674 zur gescheiterten Eingliederung). Eingliederung während laufenden Spruchverfahrens führt nicht zur Erledigung (OLG Düsseldorf AG 2016, 861, 862). Mangels Erledigungserklärung des Antragstellers oder Beschwerdeführers sind Antrag bzw. Rechtsmittel als unzulässig zurückzuweisen (OLG Zweibrücken FGPrax 2004, 246 f.). Bei übereinstimmenden Erledigungserklärungen aller Beteiligten einschließlich des gemeinsamen Vertreters (§ 8 SpruchG) ist nur noch über die Kosten des Verfahrens zu entscheiden (BayObLG AG 1997, 182; Ammon FGPrax 1998, 121, 123). Zu Unterbrechung, Aussetzung und Ruhen des Verfahrens s. KK-SpruchG/Dorn Rn. 27 ff.

IV. Insbesondere: Gütliche Einigung (Vergleich)

5 Nach § 11 II 1 SpruchG soll Gericht in jeder Lage des Verfahrens auf gütliche Einigung bedacht sein. Vorschrift entspricht § 36 I 2 FamFG sowie § 278 I ZPO. Hauptbedeutung der Norm liegt darin, **gerichtl. Vergleich zuzulassen** (RegBegr. BT-Drs. 15/371, 16; MüKoAktG/Krenek Rn. 11) und ihn sogar als vorzugswürdig gegenüber streitiger Entscheidung zu kennzeichnen (Hölters/Weber/Simons Rn. 12; KK-SpruchG/Dorn Rn. 32). Nicht erforderlich ist Güteverhandlung nach Vorbild des § 278 II–V ZPO (Büchel NZG 2003, 793, 799). Vergleich setzt voraus, dass alle Beteiligten zustimmen, wobei beteiligt in diesem Sinne nur Antragsteller und -gegner sind, nicht aber alle Anteilseigner; Mehrheitsvergleich ist nicht zulässig (Emmerich/Habersack/Emmerich Rn. 13; Hölters/Weber/Simons Rn. 14). Allerdings regelt mit UmRUG 2023 neu eingeführter § 11a SpruchG, dass bei Wertbestimmung **mehrheitskonsensuale Schätzung** des Gerichts zulässig ist und Verfahren mit vertretbarem Aufwand beendet werden kann, wenn Zustandekommen eines Vergleichs an fehlender Zustimmung einzelner Antragsteller scheitert (vgl. → SpruchG § 11a Rn. 1). Kommt Vergleich zustande, so ist Zustimmung entspr. § 160 III Nr. 1 ZPO,

§ 162 ZPO zu protokollieren (§ 11 II 2 SpruchG), wenn nicht Weg des § 11 IV SpruchG gewählt wird (→ Rn. 8). Der zT vertretenen Ansicht, Vergleich ohne Beachtung der für Änderung des Unternehmensvertrags geltenden Regeln sei unwirksam (Zimmer/Meese NZG 2004, 201, 203 ff.), entwertet Möglichkeit des Vergleichs und ist deshalb keine überzeugende Annahme (BeckOGK/Drescher Rn. 12; MüKoAktG/Krenek Rn. 11). Ggü. nicht verfahrensbeteiligten Anteilsinhabern entfaltet Vergleich keine inter-omnes-Wirkung, sondern ist echter Vertrag zugunsten Dritter iSd § 328 BGB (BeckOGK/Drescher Rn. 11; Emmerich/Habersack/Emmerich Rn. 16). Stimmt nur ein Teil der Beteiligten zu, kann Teilvergleich geschlossen werden, der übrige Beteiligte nicht bindet (BeckOGK/Drescher Rn. 13; KK-SpruchG/Dorn Rn. 36), nach neu eingefügtem § 13 S. 3 UmwG aber durch erga omnes Wirkung einer späteren gerichtl. Entscheidung nicht mehr berührt wird (→ SpruchG § 13 Rn. 6). Zur veränderten Risikolage bei Abschluss eines Teilvergleichs s. MüKoAktG/Krenek Rn. 11.

Für **Zwangsvollstreckung** verweist § 11 II 3 SpruchG auf ZPO. Weil Vergleich gem. § 794 I Nr. 1 ZPO Vollstreckungstitel sein kann, gilt das auch hier. IdR wird Zwangsvollstreckung aber deshalb scheitern, weil Vergleich wie Entscheidung (§ 13 SpruchG) nur feststellende Bedeutung oder gestaltende Wirkung und deshalb noch keinen vollstreckbaren Inhalt hat. Sofern diese Prämisse jedoch im Einzelfall verwirklicht werden kann wie etwa bei einem unmittelbar aus Vergleich folgenden Zahlungsanspruch, steht es der Vollstreckbarkeit des Vergleichs nicht entgegen, dass gerichtl. Entscheidung selbst nicht Vollstreckungstitel wäre (BeckOGK/Drescher Rn. 15; MüKoAktG/Krenek Rn. 14). 6

V. Zustellung

Gerichtl. Entscheidung (→ Rn. 2) oder Vergleichsniederschrift (→ Rn. 5) sind nach § 11 III SpruchG den Beteiligten zuzustellen. Beteiligte meint **formell Beteiligte** iSv § 7 FamFG. Beteiligte sind somit auf jeden Fall Antragsteller, Antragsgegner und – soweit vorhanden – gemeinsamer Vertreter (BeckOGK/Drescher Rn. 9; Hölters/Weber/Simons Rn. 27). Sonstige außenstehende Aktionäre sind keine Zustellungsadressaten, da vom gemeinsamen Vertreter nach § 6 I 1, 2. HS SpruchG repräsentiert (allgM – vgl. nur Hölters/Weber/Simons Rn. 27). Auch für am Verfahren unbeteiligte Teile eines Unternehmensvertrags bedarf es keiner Zustellung, da sie nicht formell beteiligt und auch in der Sache durch Entscheidung nicht belastet werden (BeckOGK/Drescher Rn. 9; Hölters/Weber/Simons Rn. 27; Wittgens, Spruchverfahrensgesetz, 2006, 240; vgl. zur abw. Beurteilung in älterer instanzgerichtl. Rspr. auch → SpruchG § 12 Rn. 2). Zustellung erfolgt im Amtsbetrieb (§§ 166 ff. ZPO). 7

VI. Vergleich durch Schriftsatz

§ 11 IV SpruchG wurde durch UmRUG 2023 neu gefasst. Vorschrift war ursprünglich **an § 278 VI 1 ZPO angelehnt,** der zwischenzeitlich aber geändert wurde. So wurde dort ein Vorschlagsrecht der Parteien und die Möglichkeit der Annahme des Vergleichs zu Protokoll der mündlichen Verhandlung ggü. Gericht eingeführt. Diese Änderungen waren in § 11 IV SpruchG zunächst nicht übernommen worden. Mit UmRUG 2023 wird dieses Versäumnis nachgeholt (RegBegr. BT-Drs. 20/3822, 128). Wie in § 278 VI 1 ZPO ist es deshalb nunmehr auch iRd Spruchverfahrens vorgesehen, dass **Parteien** dem Gericht schriftlichen Vergleichsvorschlag unterbreiten (schon bisher für analoge Anwendung des § 278 VI 1 ZPO KK-SpruchG/Dorn Rn. 50). Daneben können Beteiligten auch einen schriftlichen oder zu Protokoll der mündlichen Verhandlung erklärten **Vergleichsvorschlag des Gerichts** durch Schriftsatz oder durch Er- 8 klärung zu Protokoll der mündlichen Verhandlung ggü. Gericht annehmen. Gericht stellt in diesem Fall Zustandekommen und Inhalt dieses Vergleichs durch **Beschluss** fest (§ 11 IV 2 SpruchG). So ist auch dann zu verfahren, wenn ein Teil der Beteiligten dem Vergleich im Termin zugestimmt hat und der andere Teil sein Einverständnis durch Schriftsatz erklärt (BeckOGK/Drescher Rn. 14). Gerichtl. Beschluss ist nicht Vollstreckungstitel, idR auch nicht der festgestellte Vergleich, doch kommt es insoweit auf dessen Inhalt an (→ Rn. 6). Berichtigungen: § 164 ZPO iVm § 11 IV 3 SpruchG. Zustellung an alle Beteiligten im Amtsbetrieb (§ 11 IV 4 SpruchG; → Rn. 7).

§ 11a SpruchG Ermittlung der Kompensation durch das Gericht

Einigen sich der Antragsgegner, die gemeinsamen Vertreter und eine Mehrheit von Antragstellern, die mindestens 90 Prozent des von sämtlichen Antragstellern gehaltenen Grund- oder Stammkapitals umfasst, auf eine bestimmte Kompensation, so kann das Gericht deren Höhe im Rahmen seiner Schätzung berücksichtigen.

1 Durch UmRUG 2023 neu eingeführter § 11a SpruchG setzt langjähriges Reformanliegen der Praxis um, indem sog **mehrheitskonsensuale Schätzung** gestattet wird, um auf diese Weise Prozessökonomie zu steigern (RegBegr. BT-Drs. 20/3822, 128). Grundgedanke ist, dass Vergleich über Kompensation in bestimmter Höhe, sofern er von Antragsgegner, gemeinsamem Vertreter und weit überwiegender Mehrheit der Antragsteller (90%) unterstützt wird, für Gericht zwar nicht bindend ist, aber doch wichtiges Indiz iRd gebotenen Schätzung sein kann (RegBegr. BT-Drs. 20/3822, 128). Gericht soll damit in die Lage versetzt werden, Verfahren mit vertretbarem Aufwand abzuschließen, wenn Vergleich an fehlender Zustimmung einzelner Antragsteller scheitert. IÜ bleiben für jede gerichtl. Schätzung geltende Grundsätze unberührt (RegBegr. BT-Drs. 20/3822, 128). Nicht umgesetzt hat Gesetzgeber damit in Lit. zT favorisiertes **Gegenmodell des Mehrheitsvergleichs** (vgl. etwa M. Noack NZG 2014, 92, 93; Puszkajler ZIP 2003, 518, 521; Wasmann AG 2021, 179 Rn. 32), bei dem das Gericht an Vergleichsergebnis gebunden ist (zu den Gründen Wollin AG 2022, 474 Rn. 16 ff.).

2 Formelle Voraussetzung für mehrheitskonsensuale Schätzung ist **Einigung der Beteiligten,** die nicht zwingend, aber doch zweckmäßigerweise in Gestalt eines nach § 11 II und IV SpruchG protokollierten Vergleichs dokumentiert werden sollte (Drescher AG 2023, 337 Rn. 41). In der Praxis bereitet überdies **Feststellung der Mehrheit** zT Probleme, da Antragsteller nicht durchgängig der Sollvorschrift des § 4 II 3 SpruchG nachkommen, Zahl ihrer Anteile mitzuteilen (Drescher AG 2023, 337 Rn. 41). Um zu verhindern, dass Einigung ablehnende Minderheit Anwendung des § 11a SpruchG durch verweigerte Mitteilung torpediert, sollte Gericht auch hinsichtlich Mehrheit Schätzung gestattet sein (Drescher AG 2023, 337 Rn. 41). **Gemeinsamer Vertreter** iSd § 11a SpruchG kann bei grenzüberschreitenden Vorgängen auch ein nach §§ 6a–6c SpruchG bestellter Vertreter sein (Drescher AG 2023, 337 Rn. 42).

3 Sind Voraussetzungen des § 11a SpruchG gegeben, kann Gericht **im Rahmen seiner Schätzung** Einigung berücksichtigen, muss dies aber nicht tun. Als Anlass für eine solche Verweigerung wird Situation genannt, dass Gericht für Vergleichsvorschlag errechnet hat, dass nach fortgeschrittenem Verfahrensstand Anträge zurückzuweisen sind. In diesem Fall kann es auch bei Mehrheitseinigung verbliebene Anträge mit Begründung zurückweisen, dass vereinbarte Erhöhung nur der Vermeidung weiteren Verfahrensaufwands dient (Drescher AG 2023, 337 Rn. 44).

§ 12 SpruchG Beschwerde

(1) [1] Gegen die Entscheidungen nach § 11 findet die Beschwerde statt. [2] Sie ist durch Einreichung einer Beschwerdeschrift bei dem Beschwerdegericht einzulegen; § 68 Absatz 1 des Gesetzes über das Verfahren in Familiensachen und in den Angelegenheiten der freiwilligen Gerichtsbarkeit ist nicht anzuwenden. [3] Die Beschwerde ist zu begründen.

(2) [1] Die Landesregierung kann die Entscheidung über die Beschwerde durch Rechtsverordnung für die Bezirke mehrerer Oberlandesgerichte einem der Oberlandesgerichte oder dem Obersten Landesgericht übertragen, wenn dies zur Sicherung einer einheitlichen Rechtsprechung dient. [2] Die Landesregierung kann die Ermächtigung auf die Landesjustizverwaltung übertragen.

I. Regelungsgegenstand und -zweck

Norm regelt **Rechtsmittel** gegen instanzabschließenden Beschluss des LG 1 (§ 11 I SpruchG; sa § 38 I 1 FamFG). Bloße Zwischenentscheidungen sind gem. § 17 I SpruchG iVm § 58 FamFG grds. nicht beschwerdefähig (OLG Düsseldorf FGPrax 2013, 89 f.; NZG 2015, 518 Rn. 15; NZG 2019, 65 Rn. 20; KK-SpruchG/Wilske/Quinke Rn. 13; zum alten Recht: OLG Frankfurt NZG 2009, 428, 429; OLG München AG 2007, 452, 453; AG 2009, 340, 341). Ausn. wird dann zugelassen, wenn Zwischenentscheidung in erheblichem Maße in Rechte eines Beteiligten eingreift (OLG Düsseldorf AG 2013, 226, 227). Überdies wird Ausn. zT ausdr. angeordnet, ist daneben aber aus Gründen der Prozessökonomie analog § 280 ZPO auch dann anerkannt, wenn Gericht Zwischenentscheidung über Zulässigkeit des Spruchverfahrens trifft (OLG Jena AG 2015, 450 Rn. 29 ff.; OLG Stuttgart AG 2015, 326, 327 mwN; BeckOGK/Drescher Rn. 30; KK-SpruchG/Wilske/Quinke Rn. 14; KK-SpruchG/Dorn § 11 Rn. 24; aA OLG Düsseldorf NZG 2016, 509; Hölters/Weber/Simons Rn. 6). § 12 SpruchG gestaltet Rechtsmittel näher aus; weitere Funktion, Beschwerde dem Anwaltszwang zu unterwerfen, ist mit UmRUG 2023 entfallen (→ Rn. 5). Norm ist durch FGG-ReformG 2008 an Rechtsmittelrecht der §§ 58 ff. FamFG angepasst, die von § 12 SpruchG in Teilbereichen bloß modifiziert werden. So gilt vor allem der Übergang zur Beschwerde mit Monatsfrist des § 63 FamFG (→ Rn. 2, 6 f.). Entgegen früherem Recht (dazu OLG Frankfurt Konzern 2006, 217) ist Monatsfrist auch zu beachten, wenn sich Beschwerde gegen ausnahmsweise (§ 58 I FamFG) rechtsmittelfähige Zwischenentscheidungen wendet. Übergangsregelung s. Art. 111, 112 FGG-ReformG 2008. Für Altfälle s. KK-SpruchG/Wilske/Quinke Rn. 6 ff., 15 ff., 37 f., 46, 53 ff., 59 ff., 68 f., 108 ff. Weitere Änderung hat UmRUG 2023 hinsichtlich des Ablaufs des Beschwerdeverfahrens gebracht (→ Rn. 6).

II. Beschwerde; Beschwerdebefugnis; Einlegung des Rechtsmittels

Statthaft ist Beschwerde mit Monatsfrist (§ 63 FamFG). Rechtl. Ausgestaltung 2 des Beschwerdeverfahrens folgt den Vorgaben des FamFG. Beschwerdebefugnis bestimmt sich nach **§ 59 I FamFG.** Entscheidend ist danach Beeinträchtigung subj. Rechte oder rechtl. geschützter Interessen. Beschwerdebefugnis haben deshalb vorbehaltlich ihrer Beschwer alle Beteiligten des Spruchverfahrens, insbes. Antragsteller und Antragsgegner (§ 5 SpruchG). Für den am Verfahren unbeteiligten Partner eines Unternehmensvertrags wird Beschwerdeberechtigung dagegen heute überwiegend verneint, da er nicht formell beteiligt und auch in der Sache durch Entscheidung nicht belastet wird (BeckOGK/Drescher Rn. 13; Emmerich/Habersack/Emmerich Rn. 12; Hölters/Weber/Simons Rn. 12; Wittgens, Spruchverfahrensgesetz, 2006, 244; aA noch OLG Celle AG 1979, 230,

231; OLG Celle AG 1981, 234). Bei Veräußerung der Aktien gilt, dass beschwerdebefugt ist, wer – nunmehr (→ SpruchG § 3 Rn. 5) – auch antragsbefugt ist (Einzelfragen str.; s. dazu Gude AG 2005, 233, 234). Neben Beschwerdebefugnis ist in seit 1.9.2009 eingeleiteten Verfahren Zulässigkeitsvoraussetzung, dass **Wert des Beschwerdegegenstands** 600 Euro übersteigt (§ 61 I FamFG) oder Beschwerde vom LG zugelassen wurde (§ 61 II, III FamFG); vgl. BGH NZG 2018, 1394 Rn. 9 ff.; OLG Brandenburg NZG 2023, 223 Rn. 38; OLG Düsseldorf AG 2017, 121, 122; OLG Frankfurt AG 2016, 551, 552; KG AG 2016, 790, 791; OLG München AG 2015, 508, 509; OLG Stuttgart AG 2019, 262, 263; BeckOGK/Drescher Rn. 10. § 247 findet daneben keine analoge Anwendung (ausf. dazu und zum Beschwerdewert OLG München AG 2015, 508 Rn. 12 ff.; sa KG AG 2016, 790, 792). Liegen mehrere gleichgerichtete Rechtsmittel mehrerer Beschwerdeführer vor, sind Einzelwerte zu addieren (BGH NZG 2018, 1394 Rn. 24; OLG Düsseldorf AG 2017, 121, 122; OLG Frankfurt AG 2016, 551, 552; OLG München AG 2015, 508 Rn. 18; OLG Zweibrücken AG 2021, 29, 30; BeckOGK/Drescher Rn. 10; offenlassend KG AG 2016, 790, 792 mwN; krit. Wasmann AG 2021, 179 Rn. 23). Ist es aufgrund der Angaben des Beschwerdeführers nicht möglich, das Überschreiten der Mindestbeschwer festzustellen, geht dies zu seinen Lasten (BGH NZG 2018, 1394 Rn. 14, 23 in Abw. von OLG Düsseldorf FGPrax 2000, 218, 219 zum WEG-Verfahren).

3 Beschwerdebefugnis des **gemeinsamen Vertreters** ist str., mittlerweile aber höchstrichterlich geklärt. Nach BGHZ 207, 114 Rn. 20 ff. (= NZG 2016, 139) besteht sie nur dann, wenn Vertreter das Verfahren nach Rücknahme aller Anträge iSv § 6 III SpruchG fortführt (zust. OLG Frankfurt AG 2016, 551, 552; 2016, 667, 668; vgl. auch schon BayObLGZ 1991, 235, 236 ff.; OLG Celle AG 1979, 230, 231; OLG Hamburg AG 1980, 163; KG OLGZ 1974, 430, 431 ff.). Gegenauffassung hat weitergehend auch eine Beschwerdebefugnis angenommen, die von der eigenen Verfahrensfortführung unabhängig ist (OLG Celle AG 2007, 865; OLG Düsseldorf AG 2009, 907, 908; OLG Karlsruhe AG 1995, 139; Gude AG 2005, 233, 234 f.). Zweifel an Entscheidung des BGH verbleiben, da Rechte der Drittbeteiligten (→ SpruchG § 6 Rn. 1) auch im Beschwerdeverfahren zu wahren sind, insbes. im Hinblick auf Auskauf (→ SpruchG § 6 Rn. 6) der Beschwerdeführer (vgl. KK-SpruchG/Wasmann § 6 Rn. 19; KK-SpruchG/Wilske/Quinke Rn. 23).

4 **Unselbständige Anschlussbeschwerde** ist gem. § 66 FamFG (früher: § 567 III ZPO) zuzulassen, weil es um Streitverfahren der fG (→ SpruchG § 1 Rn. 3) geht (BayObLG AG 1996, 127; OLG Stuttgart AG 2007, 453, 454 f.; KK-SpruchG/Wilske/Quinke Rn. 32). Anschließung ist jedoch hier wie auch sonst (§ 524 I 1 ZPO, § 554 I 1 ZPO, § 567 III 1 ZPO) nur an **Rechtsmittel des Antragsgegners** zulässig (OLG Stuttgart AG 2007, 453, 454 f.; BeckOGK/Drescher Rn. 14; KK-SpruchG/Wilske/Quinke Rn. 34). Das verfristete Rechtsmittel kann also nicht durch scheinbare Anschließung an Beschwerde anderer Antragsteller zulässig werden, wenn Antragsgegnerin Entscheidung hinnimmt. Auch allg. Grundsätze zur Verfahrensbeteiligung führen wegen bes. Gestaltung des Spruchverfahrens zu keinem anderen Ergebnis (OLG Stuttgart AG 2007, 453, 454; BeckOGK/Drescher Rn. 20). **Rücknahme** der Beschwerde insbes. durch Vertragsteile eines Beherrschungs- und/oder Gewinnabführungsvertrags bleibt auch bei unselbstständiger Anschlussbeschwerde jedenfalls grds. zulässig (BayObLG FGPrax 2001, 84).

5 Einlegung der Beschwerde bestimmt sich nach § 12 I 2 Hs. 1 SpruchG (→ Rn. 6). Sie muss durch **anwaltliche Beschwerdeschrift** unmittelbar beim Beschwerdegericht erfolgen. Erfordernis anwaltlicher Vertretung war früher in § 12 I 2 SpruchG ausdr. festgestellt, bedarf aber keiner bes. Erwähnung mehr, nachdem nunmehr gem. § 5a SpruchG im Spruchverfahren und damit auch iRd

Beschwerde generell anwaltliche Vertretung erforderlich ist. Anwalt muss bei Beschwerdegericht nicht zugelassen sein. Abw. von bisheriger Rechtslage (Nachw. → 16. Aufl. 2022, SpruchG § 12 Rn. 5) bedarf Beschwerde aus Gründen der Qualitätssicherung gem. § 12 I 3 SpruchG einer **Begründung** (RegBegr. BT-Drs. 20/3822, 129), für deren inhaltliche Ausgestaltung sich Antragsteller an § 4 II SpruchG orientieren kann. Einer Wiederholung des erstinstanzlichen Streitstoffs bedarf es zwar nicht (Gude AG 2005, 233, 236 f.). Beschwerdeschrift sollte aber konkret aufzeigen, welche Fehler Beschluss des LG haben soll, insbes., wieso seine Wertannahmen unter Berücksichtigung des § 287 ZPO unzutreffend sein sollen.

III. Verfahren und Entscheidung des Gerichts

Beschwerdeverfahren hat Änderung durch Neufassung des § 12 I SpruchG im Zuge des UmRUG 2023 erfahren. Abgeschafft wurde damit früher geltendes **Abhilfeverfahren,** bei dem zunächst LG nach § 68 FamFG Möglichkeit erhielt, Ursprungsentscheidung zu korrigieren. Es hat sich in der Praxis als (zeit-)aufwendig erwiesen, ohne aber nennenswerte Verfahrenserleichterung zu bringen (RegBegr. BT-Drs. 20/3822, 128; Wasmann AG 2021, 179 Rn. 19 f.). Beschwerde ist danach nunmehr gem. § 12 I 2 Hs. 1 SpruchG durch Einreichung einer Beschwerdeschrift unmittelbar beim OLG einzulegen; dass § 68 I FamFG keine Geltung mehr beansprucht, stellt § 12 I 2 Hs. 2 SpruchG ausdr. klar. OLG entscheidet durch Beschluss, den es mit Gründen zu versehen hat (§ 69 II FamFG). Bei **Unzulässigkeit** ist Beschwerde zu verwerfen; so, wenn sie nach Erledigung der Hauptsache (→ SpruchG § 11 Rn. 4) im ersten Rechtszug eingelegt wird (OLG Zweibrücken FGPrax 2004, 246 f.). Die Beschwerde (§§ 58 ff. FamFG) ist zu unterscheiden von Rechtsbeschwerde iSd §§ 70 ff. FamFG; iRd Beschwerde sind gem. § 65 III FamFG **neuer Tatsachenvortrag und neue Beweisführung** möglich und beachtlich. Rechtsbeschwerde ist zwar von Regierungskommission Corporate Governance empfohlen worden (Baums [Hrsg.] Bericht, 2001, Rn. 174), doch ist Gesetzgeber dem nach krit. Stellungnahmen (DAV-HRA NZG 2002, 119, 123; sa Neye FS Wiedemann, 2002, 1127, 1137) nicht gefolgt (RegBegr. BT-Drs. 15/371, 16), was zu begrüßen ist: Einerseits ist Beschränkung auf KfH als Tatsacheninstanz in Spruchsachen kaum angemessen, andererseits ist Trennung von rechtl. und tats. Vorbringen in Bewertungsstreitigkeiten schlecht durchführbar und insbes. Zurückverweisung nach Vorbild des § 563 ZPO anstelle eigener Sachentscheidung kein Beitrag zur Verfahrensbeschleunigung. OLG-Senat entscheidet deshalb in der Sache selbst. Zurückverweisung kommt nur ausnahmsweise analog § 538 II Nr. 1 ZPO in Betracht. Änderung des Ausgangsbeschlusses zum Nachteil der beschwerdeführenden Antragsteller setzt Anschlussbeschwerde (→ Rn. 4) des Antragsgegners voraus, ist dann aber auch möglich. 6

Weitere Beschwerde ist mit FamFG ebenso grds. entfallen wie frühere Divergenzvorlage. Entscheidung des Beschwerdegerichts kann aber mit **zulassungsabhängiger Rechtsbeschwerde** (§ 70 FamFG) angegriffen werden. Rechtsbeschwerdegericht ist BGH (§ 133 GVG). Während seine Inanspruchnahme früher praktisch ausgeschlossen war (BGH AG 2004, 610), kommt es jetzt in wenig überzeugender Weise allein auf Zulassung an, deren Voraussetzungen (BeckOGK/Drescher Rn. 26) am ehesten in Divergenzfällen vorliegen können. Praktische Entwicklung wird abzuwarten bleiben. Unselbständige Anschlussrechtsbeschwerde richtet sich nach § 73 FamFG (näher KK-SpruchG/Wilske/Quike Rn. 80). Sprungrechtsbeschwerde ist nach § 75 FamFG statthaft (näher KK-SpruchG/Wilske/Quike Rn. 92). 7

IV. Zuständigkeitskonzentration

8 § 12 II SpruchG enthält VO-Ermächtigung mit Übertragungsklausel, nach der Zuständigkeit für Beschwerdesachen in Spruchverfahren einem OLG übertragen werden kann. Von dieser Möglichkeit hatten bereits unter § 12 III SpruchG aF Bayern (OLG München), Nordrhein-Westfalen (OLG Düsseldorf) und Rheinland-Pfalz (OLG Zweibrücken) Gebrauch gemacht. Anpassung des bisherigen VO-Rechts ist nach hier vertretener, aber umstr. Auffassung wegen bloßer Verschiebung der bisherigen Ermächtigung nicht erforderlich (→ SpruchG § 2 Rn. 6 mwN).

§ 13 SpruchG Wirkung der Entscheidung

[1] Die Entscheidung wird erst mit der Rechtskraft wirksam. [2] Sie wirkt für und gegen alle, einschließlich derjenigen Anteilsinhaber, die bereits gegen die ursprünglich angebotene Barabfindung oder sonstige Abfindung aus dem betroffenen Rechtsträger ausgeschieden sind. [3] Ein Vergleich bleibt unberührt, auch wenn er vom gemeinsamen Vertreter geschlossen wurde.

I. Regelungsgegenstand und -zweck

1 § 13 S. 1 SpruchG betr. **Zeitpunkt,** in dem Entscheidungswirkungen eintreten. § 13 S. 2 SpruchG spricht Wirkung **für und gegen jedermann** aus. Worin Wirkung materiell besteht, muss dagegen allg. Grundsätzen entnommen werden. § 13 S. 3 wurde ergänzt durch UmRUG 2023 (→ Rn. 6).

II. Entscheidungswirkungen

2 Entscheidung in Spruchsachen ist der formellen Rechtskraft (Unangreifbarkeit, § 45 FamFG) und der materiellen Rechtskraft (Bindungswirkung) fähig. UU kann sie auch Gestaltungswirkung haben. In keinem Fall ist sie Vollstreckungstitel für die den Anteilsinhabern nach ihrem Inhalt zustehenden Leistungen (→ Rn. 3). Spruchverfahren wird deshalb auch nicht analog § 240 S. 1 ZPO unterbrochen. Vielmehr tritt Insolvenzverwalter kraft Ges. in Verfahrensrolle der AG ein (hM, → SpruchG § 5 Rn. 2; OLG Schleswig AG 2008, 828, 829).

3 Im Einzelnen: IdR stellt Beschluss lediglich fest, was den Anteilsinhabern, bes. den außenstehenden Aktionären, zusteht. Von dieser Feststellung ausgehende **Bindungswirkung** ist materielle Rechtskraft. **Gestaltungswirkung** tritt ein, soweit Beschluss in den Fällen der §§ 304, 305 AktG (§ 1 Nr. 2 SpruchG) den Inhalt des Unternehmensvertrags rückwirkend abändert; Vertrag bekommt dann den Inhalt des Entscheidungsausspruchs (→ AktG § 304 Rn. 22; → AktG § 305 Rn. 31). Dass Entscheidung **für und gegen alle** wirkt (§ 13 S. 2, 1. Satzteil SpruchG), ist keine selbständige Entscheidungswirkung, sondern bei feststellender Entscheidung die ausnahmsweise eintretende Drittwirkung der materiellen Rechtskraft, bei gestaltender Entscheidung schon Teil der Gestaltungswirkung (→ AktG § 248 Rn. 5 ff.). Sie erstreckt sich nicht nur auf formell Verfahrensbeteiligte, sondern alle materiell Beteiligten (BGHZ 207, 114 Rn. 51 = NZG 2016, 139; OLG Düsseldorf AG 2017, 487, 488). Bindungswirkung gilt allerdings nur in Bezug auf Hauptsacheentscheidung, nicht auch für Kostenentscheidung (OLG München AG 2020, 440 Rn. 127). Um Vollstreckungstitel handelt es sich nicht, weil Feststellung oder Gestaltung der Entscheidung **keinen vollstreckbaren Inhalt** geben (→ SpruchG § 16 Rn. 2; BVerfG NJW 2012, 3773 Rn. 7; OLG Düsseldorf AG 2012, 716, 719; BeckOGK/Drescher Rn. 6). Einer etwa notwendigen Vollstreckung muss deshalb eine Leistungsklage vorausgehen; s.

dazu die Zuständigkeitsregelung in § 16 SpruchG. Das darüber entscheidende Gericht ist arg § 13 S. 2 SpruchG an die Entscheidung im Spruchverfahren gebunden (BeckOGK/Drescher Rn. 6). Verfassungsrechtl. Eilrechtsschutz kann von AG gegen Entscheidung nicht in Anspruch genommen werden (BVerfG NJW 2012, 3773 Rn. 3 ff.).

III. Insbesondere: Ausgeschiedene Anteilsinhaber

Nicht selten haben Anteilsinhaber, bes. außenstehende Aktionäre, Abfindungsangebot in seiner ursprünglichen Gestalt schon angenommen und dabei ihre bisherige Mitgliedschaft schon aufgegeben, bevor im Spruchverfahren entschieden und auf höhere Kompensation erkannt wird. Für diesen Fall nahm hM schon früher zu Recht an, dass Aktionäre, die aufgrund des früheren Angebots ausgeschieden sind, **Abfindungsergänzungsanspruch** haben (BayObLG AG 1996, 176, 180; OLG Celle AG 1979, 230, 233; OLG Düsseldorf AG 1990, 397, 401 f.). Diese Ansicht wird durch § 13 S. 2, 2. Satzteil SpruchG festgeschrieben (BGH AG 2010, 910 Rn. 13; OLG München AG 2021, 766, 767; KK-SpruchG/Wilske/Quinke Rn. 11). Ergänzungsanspruch kommt entspr. § 13 S. 2 SpruchG auch dann in Betracht, wenn Abfindungsschuldner freiwillig und mit Zustimmung des Anteilsinhabers anderweitige zusätzliche Abfindung anbietet (Rechtsgedanke des § 364 BGB, Leistung an Erfüllungs statt) und sich diese nachträglich als zu niedrig bemessen herausstellt (OLG München AG 2021, 766, 767). Voraussetzung ist, dass gerichtl. nachgebessertes Angebot dem Ausscheiden zugrunde liegt; wer schon früher ausgeschieden ist, kann nicht davon profitieren, dass später erneut eine kompensationspflichtige Maßnahme ergriffen wird, etwa Squeeze-Out im Gefolge eines Unternehmensvertrags (DAV-HRA NZG 2002, 119, 123). Dogmatisch handelt es sich bei Abfindungsergänzung um materiellrechtl. Problem (DAV-HRA NZG 2002, 119, 123). Verfahrensrechtl. Standort nimmt der ges. Klärung aber nicht ihren Wert. 4

IV. Maßgeblicher Zeitpunkt

Entscheidungswirkungen (→ Rn. 2 ff.) treten mit Eintritt der (formellen) **Rechtskraft** ein (§ 13 S. 1 SpruchG). Landgerichtl. Entscheidung wird rechtskräftig mit Ablauf der Monatsfrist des § 63 FamFG (→ SpruchG § 12 Rn. 2), zuvor durch Rechtsmittelverzicht aller Beschwerdebefugten (→ SpruchG § 12 Rn. 2 ff.), ferner durch Rücknahme des Rechtsmittels. Entspr. gilt für Beschwerdeentscheidung, sofern Beschwerdegericht die Rechtsbeschwerde gem. § 70 FamFG zugelassen hat. 5

V. Vergleich

§ 13 S. 3 SpruchG wurde durch **UmRUG 2023** eingeführt und stellt klar, dass die in § 13 S. 2 SpruchG angeordnete Wirkung der gerichtl. Entscheidung „für und gegen alle" zuvor wirksam beschlossenen außergerichtl. **Teilvergleich** unberührt lässt, und zwar auch dann, wenn er von gemeinsamem Vertreter mit Wirkung für und gegen nicht verfahrensbeteiligte Anteilsinhaber abgeschlossen wurde (RegBegr. BT-Drs. 20/3822, 129). Das war früher str. (vgl. Wasmann AG 2021, 179 Rn. 32) und soll durch neue Regelung klargestellt werden, um gütliche Beilegung des Spruchverfahrens zu fördern. Abschluss von verbindlichen Teilvergleichen ermöglicht es damit dem Antragsgegner, sein weiteres Verfahrensrisiko abzuschichten (RegBegr. BT-Drs. 20/3822, 129; Wollin AG 2022, 474 Rn. 29 ff.). 6

§ 14 SpruchG Bekanntmachung der Entscheidung

Die rechtskräftige Entscheidung in einem Verfahren nach § 1 ist ohne Gründe nach Maßgabe des § 6 Abs. 1 Satz 4 und 5 in den Fällen

1. der Nummer 1 durch den Vorstand der Gesellschaft, deren Kapital erhöht worden ist;
2. der Nummer 2 durch den Vorstand der Gesellschaft, deren außenstehende Aktionäre antragsberechtigt waren;
3. der Nummer 3 durch den Vorstand der Hauptgesellschaft;
4. der Nummer 4 durch den Hauptaktionär der Gesellschaft;
5. der Nummer 5 durch die gesetzlichen Vertreter jedes übernehmenden oder neuen Rechtsträgers oder des Rechtsträgers neuer Rechtsform;
6. der Nummer 6 durch die gesetzlichen Vertreter der SE, aber im Fall des § 9 des SE-Ausführungsgesetzes durch die gesetzlichen Vertreter der die Gründung anstrebenden Gesellschaft, und
7. der Nummer 7 durch die gesetzlichen Vertreter der Europäischen Genossenschaft

bekannt zu machen.

I. Regelungsgegenstand und -zweck

1 § 14 SpruchG setzt rechtskräftige Entscheidung (§ 13 SpruchG) voraus und regelt Art und Weise ihrer Bek. sowie dafür zuständige Stelle oder Person. Rechtskräftige Entscheidung meint **Entscheidung in der Sache,** namentl. also LG-Entscheidung, sofern Beschwerde nicht eingelegt oder zurückgenommen bzw. vom OLG als unzulässig verworfen oder als unbegründet zurückgewiesen, sonst OLG-Entscheidung in der Sache, sofern keine Rechtsbeschwerde eingelegt wird, oder BGH-Entscheidung, wenn er selbst in der Sache entscheidet (Emmerich/Habersack/Emmerich Rn. 3; Simon SpruchG Rn. 5; sa OLG München v. 24.5.2012 – 31 Wx 553/11, juris-Rn. 8 = BeckRS 2012, 11471 – insofern nicht in AG 2012, 603). Bek. ist **Konsequenz der allseitigen Rechtskraftwirkung** (→ SpruchG § 13 Rn. 3), die Publizität erfordert. Daher kann Bek. wegen § 11 III SpruchG (→ SpruchG § 11 Rn. 7) unterbleiben, wenn alle Anspruchsberechtigten formell bis zur Entscheidung am Verfahren beteiligt waren (BeckOGK/Drescher Rn. 2; Emmerich/Habersack/Emmerich Rn. 2), wenn nicht weitere materiell-rechtl. Folgen wie nach § 305 IV 3 AktG von ihr abhängen (Hölters/Weber/Simons Rn. 3, 7). Norm tritt mit einzelnen sachlichen Änderungen (bzgl. Bekanntgabe → Rn. 2) an die Stelle der § 306 VI UmwG aF, § 310 UmwG aF. Sie ist in Nr. 5 und 6 ergänzt worden durch SEEG v. 22.12.2004 (BGBl. 2004 I 3675) bzw. durch Ges. zur Einführung der Europ. Genossenschaft und zur Änderung des Genossenschaftsrechts v. 14.8.2006 (BGBl. 2006 I 1911); → Rn. 3. Konkurrierende Bekanntmachungspflichten (bspw. nach Art. 17 I MAR) bleiben unberührt (BeckOGK/Drescher Rn. 2; Hölters/Weber/Simons Rn. 6; KK-SpruchG/Wilske/Quinke Rn. 26 ff.).

II. Art und Weise der Bekanntmachung

2 Bekanntzumachen ist der rechtskräftige Beschluss ohne seine Gründe, also Rubrum und Tenor (BeckOGK/Drescher Rn. 3). Rechtskräftig ist der Beschluss des LG, wenn Monatsfrist des § 63 FamFG ohne Einlegung der Beschwerde (§ 12 SpruchG) verstrichen oder Beschwerde zurückgenommen oder endgültig zurückgewiesen worden ist, dagegen bei erfolgreicher Beschwerde der Beschluss des OLG-Senats bei Eintritt seiner Rechtskraft oder bei erfolgreicher Rechtsbeschwerde der Beschluss des BGH-Senats. Gerichtl. Vergleiche iSv § 11 II, IV SpruchG sind aufgrund der durch sie vereinbarten Änderung der Kompensation von bes. Bedeutung für außenstehende Aktionäre, so dass sie in erweiternder

teleologischer Auslegung von § 14 SpruchG ebenfalls nach dieser Vorschrift bekannt zu machen sind (Emmerich/Habersack/Emmerich Rn. 7; aA BeckOGK/Drescher Rn. 3; Hölters/Weber/Simons Rn. 2; KK-SpruchG/Wilske/Quinke Rn. 2; MüKoAktG/Krenek Rn. 1, der einschränkend aber auf „gerichtliche Praxis" verweist, in der Veröffentlichungspflicht zumindest im BAnz. vereinbart werde). Bek. erfolgt nach Maßgabe des § 6 I 4 und 5 SpruchG, also abw. von früherer Rechtslage im **BAnz.** (§ 25 AktG), ggf. auch in anderen Blättern oder elektronischen Informationsmedien, die von Satzung oder vergleichbarer Grundordnung des Rechtsträgers als Publikationsorgan bestimmt werden (→ SpruchG § 6 Rn. 4). Für AG ist allerdings auch in diesem Kontext Streichung des § 25 S. 2 AktG zu beachten, so dass andere Publikationsorgane dort nicht mehr vorgesehen sind (→ AktG § 25 Rn. 1).

III. Zuständigkeit

Für Bek. zuständige Stelle oder Person bestimmt § 14 SpruchG unter **Anknüpfung an die Fallgruppen des § 1 SpruchG.** Danach gilt: In den Fällen der §§ 255 f. AktG (§ 1 I Nr. 1 SpruchG) liegt Bekanntmachungspflicht beim Vorstand der AG, deren Kapital erhöht worden ist. In den Fällen der §§ 304, 305 AktG (§ 1 Nr. 2 SpruchG) hat Vorstand der abhängigen AG bekanntzumachen, deren außenstehende Aktionäre antragsberechtigt waren (Vorstand der Tochtergesellschaft), da bekanntmachungspflichtiger Vorstand der Tochtergesellschaft seinerseits jedoch nicht formell beteiligt war, ist er aufgrund des Beherrschungsvertrages von formell beteiligter herrschender AG gem. § 241 I BGB, § 242 BGB zu informieren (BeckOGK/Drescher Rn. 4; Emmerich/Habersack/Emmerich Rn. 6); in den Fällen des § 320b AktG (§ 1 Nr. 3 SpruchG) obliegt Bek. dem Vorstand der Hauptgesellschaft, in denen des § 327b AktG (§ 1 Nr. 4 SpruchG) dem Hauptaktionär und bei Maßnahmen nach UmwG (§ 1 Nr. 5 SpruchG) dem ges. Vertreter (Vorstand, Geschäftsführer usw.) jedes übernehmenden oder neuen Rechtsträgers oder des Rechtsträgers neuer Rechtsform; in denen der §§ 6, 7, 9, 11, 12 SEAG dem jeweiligen Vertretungsorgan der SE (Grundfall) oder der die Gründung einer Holding-SE anstrebenden Gesellschaft (Sonderfall). Norm korrespondiert mit § 5 Nr. 5 SpruchG (→ § 5 SpruchG Rn. 4); schließlich in denen des § 7 SCEAG (§ 1 Nr. 7 SpruchG) den ges. Vertretern der Europ. Genossenschaft, was deren Verfahrensbeteiligung als Antragsgegnerin (§ 5 Nr. 6 SpruchG) entspr. (RegBegr. BT-Drs. 16/1025, 98). Pflicht zur Bek. trifft also das Vertretungsorgan des jeweiligen Antragsgegners; mangels unterbliebener Folgeanpassung gilt das angesichts des durch UmRUG 2023 neu gefassten § 5 S. 3 SpruchG nicht für Konstellation, dass im Fall einer Abspaltung Antrag gegen übertragenden Rechtsträger gestellt wird (→ SpruchG § 5 Rn. 3). Gleiches gilt in von § 14 SpruchG nicht genannten Fällen, wie etwa Aufhebung von Mehrstimmrechten (Hölters/Weber/Simons Rn. 5; → SpruchG § 1 Rn. 6 f.). Abw. Regelung in den Fällen des § 327b AktG (Bek. durch Hauptaktionär) erklärt sich daraus, dass Ausschluss der Minderheitsaktionäre in seinem Interesse liegt und von ihm betrieben wird; deshalb soll er auch Bek. besorgen (RegBegr. BT-Drs. 15/371, 17). 3

IV. Gesetzliche Verpflichtung

§ 14 SpruchG begründet zwar ges. Verpflichtungen, doch greift bei Verstößen **keine spezifische Sanktion** ein, nachdem durch Ges. zur Neuordnung des gesellschaftsrechtl. Spruchverfahrens v. 12.6.2003 (BGBl. 2003 I 838) in § 407 I AktG die Angabe „§ 306 VI" ersatzlos gestrichen worden ist. Darin liegt auch kein Redaktionsfehler. Vielmehr ist von einer Zwangsgeldbewehrung abgesehen 4 worden, weil in gerichtl. Praxis unter Geltung des früheren Rechts vom Zwangsgeldverfahren praktisch kein Gebrauch gemacht wurde (RegBegr. BT-Drs. 15/371, 19). Antragsteller oder gemeinsamer Vertreter haben mangels Anspruchsgrundlage gegen Verfahrensgegnerin oder beim Squeeze-Out gegen deren Hauptaktionär auch keinen materiell-rechtl. Anspruch auf Bek. Entspr. Leistungsklage ist deshalb, wenn dafür überhaupt ein Rechtsschutzinteresse bestehen sollte, jedenfalls unbegründet (BeckOGK/Drescher Rn. 5; Emmerich/Habersack/Emmerich Rn. 10; Hölters/Weber/Simons Rn. 8; aA KK-SpruchG/Wilske Rn. 33 mwN; vermittelnd MüKoAktG/Krenek Rn. 4, der gemeinsamem Vertreter, nicht dagegen Anspruchstellern Rechtsschutzbedürfnis in Einzelfällen zuspricht).

§ 15 SpruchG Kosten

(1) Die Gerichtskosten können ganz oder zum Teil den Antragstellern auferlegt werden, wenn dies der Billigkeit entspricht.

(2) Das Gericht ordnet an, dass die Kosten der Antragsteller, die zur zweckentsprechenden Erledigung der Angelegenheit notwendig waren, ganz oder zum Teil vom Antragsgegner zu erstatten sind, wenn dies unter Berücksichtigung des Ausgangs des Verfahrens der Billigkeit entspricht.

I. Regelungsgegenstand und -zweck

1 § 15 SpruchG wurde durch 2. Kostenrechtsmodernisierungsgesetzes (2. KostRMoG) v. 23.7.2013 (BGBl. 2013 I 2586) modifiziert. Kostenrechtl. Regelungen in § 15 I, III SpruchG aF wurden, inhaltlich an sonstige Verfahren der GV 13100 ff. GNotKG angepasst, **in GNotKG übernommen** (vgl. RegBegr. BT-Drs. 17/11471, 285). Geschäftswert (→ Rn. 3) ergibt sich aus § 74 GNotKG (früher § 15 I 2, 3 SpruchG aF), Gebühren (→ Rn. 2) aus KV 13500 ff. GNotKG und KV 13610 ff. GNotKG (früher § 15 I 5–7 SpruchG aF). Kostenschuldnerregelung (→ Rn. 4) des § 15 II SpruchG aF ergibt sich inhaltlich unverändert aus § 23 Nr. 14 GNotKG iVm § 15 I SpruchG. Unbedingte Verpflichtung des Antragsgegners zur Zahlung eines Auslagenvorschusses (→ Rn. 5) ergibt sich aus § 14 III 2 GNotKG iVm § 23 Nr. 14 GNotKG (früher § 15 III SpruchG aF). § 15 II SpruchG regelt außergerichtl. Kosten (→ Rn. 6 f.) und ist mit § 15 IV SpruchG aF identisch. Wegen der größtenteils bloß systematischen Umstellungen kann – unter Beachtung der neuen Normstandorte und der verbleibenden inhaltlichen Änderungen – auf Rspr. und Lit. zu § 15 SpruchG aF zurückgegriffen werden. Daher ist Normzweck, wie schon zu § 15 SpruchG aF, über Gebühren **richtige Anreizstrukturen** zu schaffen, um auf der einen Seite effektiven Minderheitenschutz zu eröffnen, der aufgrund Vorgaben des materiellen Rechts – s. etwa § 243 IV 2 AktG – nur in Spruchverfahren geleistet werden kann, zugleich aber von aussichtslosen oder offensichtlich unbegründeten Klagen abzuschrecken (Hölters/Weber/Simons Rn. 2). Namentl. wird das Anliegen verfolgt, nicht durch prohibitive Kostenrisiken von Rechtsverfolgung abzuschrecken, was grds. sinnvoll ist, in der Ausgestaltung des SpruchG aber doch Klagebereitschaft übermäßig zu fördern scheint (ausf. → SpruchG § 1 Rn. 4).

II. Gerichtskosten

2 **1. Überblick.** Gerichtskosten umfassen nach § 1 I GNotKG Gebühren und Auslagen. **Auslagen** bestimmen sich nach tats. Anfall und erfassen insbes. Kosten des Sachverständigen (Einzelheiten → Rn. 5). **Gebührenhöhe** hängt vom Geschäftswert ab, für den § 74 S. 1 GNotKG eine bes. Regelung trifft (→ Rn. 3). Er gilt auch für weitere Instanzen, aber nicht, wenn Zwischenentscheidung mit

Beschwerde angegriffen wird (OLG Düsseldorf NZG 2019, 749 Rn. 1). Geschäftswert setzt Gericht von Amts wegen fest (§ 79 I GNotKG, vgl. KK-SpruchG/Roßkopf Rn. 24; Marsch-Barner/Schäfer/Mimberg Rn. 40.34), und zwar durch mit Gründen versehenen Beschluss (OLG Düsseldorf OLGZ 1972, 245 f.; WM 1976, 92; BeckOGK/Drescher Rn. 12; MüKoAktG/Krenek Rn. 13), der auch in Entscheidung zur Hauptsache aufgenommen werden kann (BeckOGK/Drescher Rn. 12). Neben Geschäftwert ist auch Gebührenzahl für Gebührenhöhe maßgeblich. Insofern ist für Gebührenerhebung zu unterscheiden: Im ersten Rechtszug entsteht 0,5-fache Gebühr, wenn Verfahren ohne Entscheidung zur Hauptsache endet (Antragsrücknahme, Vergleich [→ SpruchG § 11 Rn. 3 ff.]; s. KV 13504 GNotKG). Wird die Hauptsache entschieden (klarstellend: nicht durch Beschluss zur Feststellung eines Vergleichs im schriftlichen Verfahren, § 11 IV 2 SpruchG), wird 2,0-fache Gebühr erhoben (KV 13500 GNotKG), wenn es sich nicht nicht um einen Beschluss zur Feststellung eines Vergleichs im schriftlichen Verfahren gem. § 11 IV 2 SpruchG handelt, dann 1,0-fache Gebühr (KV 13503 GNotKG). Änderungen in den Gebührensätzen ggü. § 15 I 5, 6 SpruchG aF ergeben sich aus Angleichung an allg. unternehmensrechtl. Verfahrensgebühren (vgl. RegBegr. BT-Drs. 17/11471, 204). Für Rechtsmittelverfahren gelten Gebührentatbestände der KV 13600 ff. GNotKG, die ebenfalls von § 15 I 7 SpruchG aF abweichen, da sie an die Gebühren für Rechtmittelverfahren nach den Nr. 1314 ff. KV FamGKG angepasst wurden (vgl. RegBegr. BT-Drs. 17/11471, 196, 202, 204).

2. Geschäftswert. Geschäftswert beträgt nach § 74 S. 1 Hs. 2 GNotKG mindestens 200.000 und höchstens 7,5 Mio. Euro. **Betragsgrenzen** gehen in dieser Höhe auf Vorstoß des Bundesrats zurück (BR-Stellungnahme BT-Drs. 15/371, 24 f. mit teilw. rechtsirrigen Annahmen; AusschussB. BT-Drs. 15/371, 17) und sind als solche ebenfalls fiskalisch motiviert. Begrenzung nach unten hin ist indessen als Gesetzeslage hinzunehmen, Unterschreitung nach gerichtl. Ermessen also unzulässig (OLG Düsseldorf NZG 2004, 1171 f.). Der Sache nach ist eine Begrenzung nach oben hin angemessen, weil die häufig sonst sehr hohen Geschäftswerte zu Gebühren führen, die außer Verhältnis zum Verfahrensaufwand stehen (sa DAV-HRA NZG 2002, 119, 123; NZG 2003, 316, 319). Innerhalb der genannten Grenzen ist **Geschäftswert nach Verfahrenserfolg** zu bestimmen (§ 74 S. 1 Hs. 1 GNotKG), nämlich aus Differenz zwischen unternehmensvertraglich angebotenen und gem. gerichtl. Entscheidung angemessenen Kompensationsleistungen je Aktie multipliziert mit Gesamtzahl der bei Ablauf der Antragsfrist (§ 74 S. 2 GNotKG; s. Büchel NZG 2003, 793, 803) „außenstehenden“ Aktien (§ 3 SpruchG) abzuleiten (Einzelheiten bei Deiß NZG 2013, 248, 249 f.; sa OLG Düsseldorf v. 4.7.2012 – I-26 W 11/11, juris-Rn. 58 = BeckRS 2012, 17818 [insofern nicht in AG 2012, 716]; OLG Karlsruhe BeckRS 2015, 12205 Rn. 71 [insofern nicht in AG 2015, 789]). Das entspr. älterer Praxis (BGH AG 2002, 559; BayObLGZ 2002, 169, 172 f.; OLG Düsseldorf AG 2003, 507, 509 f.), setzt allerdings voraus, dass Antrag wenigstens teilw. erfolgreich war. Bei **unzulässigen oder unbegründeten Anträgen** verbleibt es entgegen früherer Praxis (zB BayObLGZ 2002, 169, 173) nach § 74 S. 1 GNotKG beim Mindestgeschäftswert von 200.000 Euro (OLG Düsseldorf AG 2005, 298; KG NZG 2019, 32 Rn. 12 ff.; OLG Schleswig NZG 2008, 876, 877; OLG Stuttgart AG 2004, 390, 391; OLG Zweibrücken Konzern 2007, 684, 685; BeckOGK/Drescher Rn. 8; aA Marsch-Barner/Schäfer/Mimberg Rn. 40.34: Geschäftswertbestimmung aufgrund Ermessensausübung im Einzelfall). Auch **Antragsrücknahme** mit der Folge der Verfahrensbeendigung (→ SpruchG § 4 Rn. 10) führt zum Ansatz des Mindestgeschäftswerts; Antragsziel bleibt also unberücksichtigt (OLG Stuttgart FGPrax 2004, 84, 85; Emmerich/Habersack/Emmerich Rn. 13; 3

BeckOGK/Drescher Rn. 9). Mindestgeschäftswert ist ferner auch dann anzusetzen, wenn Antrag als unzulässig abgewiesen wird (OLG Frankfurt AG 2005, 890 f.). Selbständig geltend gemachte **Zinsen** waren früher zu berücksichtigen; nunmehr sind sie jedoch bloße Nebenforderung nach § 305 III 3 AktG (→ SpruchG § 11 Rn. 2), die nicht in Geschäftswert eingeht (BayObLG AG 1996, 275, 276; 1996 276, 277; 1999, 273).

4 **3. Kostenschuldner.** Schuldner der Gerichtskosten ist nach § 23 Nr. 14 GNotKG **nur der Antragsgegner** (§ 5 SpruchG; zur Kostenerstattung in der Insolvenz vgl. OLG Frankfurt AG 2019, 433). Das entspr. insofern der früheren Gesetzeslage, als den Antragstellern die Kostenlast grds. abgenommen wird, um ihre Rechtsverfolgung nicht schon am Kostenrisiko scheitern zu lassen (RegBegr. BT-Drs. 15/371, 17). In den Fällen der §§ 304, 305 AktG (§ 1 Nr. 2 SpruchG) ist nur der andere Vertragsteil Antragsgegner (§ 5 Nr. 1 SpruchG; → SpruchG § 5 Rn. 2). Also ist er auch allein Kostenschuldner und nicht mehr wie nach § 306 VII 7 aF AktG gemeinsam mit dem Vertragspartner. Dass der Gesetzgeber etwas anderes gewollt haben könnte, als der Wortlaut aussagt, ist nicht ersichtlich. Den Antragstellern können Gerichtskosten ganz oder teilw. auferlegt werden, wenn dies der **Billigkeit** entspr. (§ 15 I SpruchG), wobei Beurteilung ex ante erfolgt (KG AG 2016, 790, 793). Gemeinsamer Vertreter (§ 6 SpruchG) scheidet hier schon deshalb aus, weil er nicht Antragsteller ist. Billig ist Belastung der Antragsteller mit Gerichtskosten nur ausnahmsweise (BayObLG AG 2004, 99 f.), etwa bei eindeutig verspäteter oder in sonstiger Weise unzulässiger Antragstellung (BGH AG 2012, 173 Rn. 23: offensichtlich unzureichende Begr.; sa OLG Düsseldorf AG 1996, 88; OLG Karlsruhe v. 30.4.2013 – 12 W 5/12, juris-Rn. 62 = BeckRS 2013, 8873 [insofern nicht in AG 2013, 765]; OLG München v. 24.5.2012 – 31 Wx 553/11, juris-Rn. 8 = BeckRS 2012, 11471 [insofern nicht in AG 2012, 603]; NZG 2017, 467 Rn. 7 f. [Verstoß gegen § 12 I 2 SpruchG aF]; OLG Stuttgart AG 2012, 839, 844; AG 2017, 493, 497; AG 2018, 944 Rn. 52; MüKoAktG/Krenek Rn. 18; Bungert/Mennicke BB 2003, 2021, 2030) oder bei missbräuchlicher Verfahrenseinleitung (BGH AG 2012, 173 Rn. 23; BayObLG AG 2004, 99 f.; sa RegBegr. BT-Drs. 15/371, 18), nicht also schon bei bloßer Erfolglosigkeit (KG NZG 2019, 32 Rn. 9 ff.). Auch das Beharren auf der Durchführung des Spruchverfahrens trotz Vergleichsangebots begründet für sich genommen noch keinen Rechtsmissbrauch (OLG Karlsruhe v. 30.4.2013 – 12 W 5/12, juris-Rn. 65 = BeckRS 2013, 8873 [insofern nicht in AG 2013, 765]). Kosten einer von den Antragstellern zurückgenommenen Beschwerde sind von Antragsgegner zu tragen, wenn Rechtsmittel Aussicht auf Erfolg hatte (BGH AG 2011, 591 Rn. 3). Kostenhaftung des Antragsgegners (vgl. Wortlaut von § 23 Nr. 14 GNotKG: „auch") bleibt unberührt, da keine Vorschrift den Wegfall der Haftung im Falle einer Kostenentscheidung vorsieht, so dass beide Seiten der Gerichtskasse als Gesamtschuldner nach § 32 I GNotKG haften (vgl. RegBegr. BT-Drs. 17/11471, 285; Marsch-Barner/Schäfer/Mimberg Rn. 40.34).

5 **4. Vorschusspflicht.** § 14 III 2 GNotKG begründet Vorschusspflicht wegen der Auslagen. Vorschuss ist gem. § 23 Nr. 14 GNotKG von Antragsgegner (§ 5 SpruchG) zu leisten, nicht etwa von Aktionären als Antragstellern, und zwar auch nicht bei absehbarer abw. Kostenverteilung (OLG Düsseldorf FGPrax 2013, 89 f.; OLG Saarbrücken AG 2004, 217, 218); denn diese sind grds. nicht Kostenschuldner (→ Rn. 4). Vorschussanforderung ist als Zwischenentscheidung nicht selbständig anfechtbar (OLG Düsseldorf FGPrax 2013, 89; sa § 13 II 4 JVEG). Zu den Auslagen gehört gem. KV 31005 GNotKG vor allem bes. **Entschädigung** eines Sachverständigen (Bewertungsgutachten). Maßgeblich für seine Entschädigung ist § 13 JVEG, doch sind qualifizierte Gerichtsgutachter zu den Vergütungssätzen des JVEG „praktisch nicht zu finden" (OLG Düsseldorf FGPrax 2013, 89,

90). Entschädigung kann deshalb auch zu erhöhten Stundensätzen festgesetzt werden, auch über den 1,5-fachen Satz hinaus (LG Dortmund DB 2005, 1450, 1451; s. zu § 7 ZSEG [gültig bis 2004] noch OLG Düsseldorf AG 2003, 637; 2004, 390; KG OLGZ 1971, 260, 273 f.; OLG Stuttgart AG 2001, 603 f.; LG Köln AG 1997, 187), was Vereinbarung oder einseitige Erklärung mit Zustimmung des Gerichts voraussetzt (s. OLG Frankfurt AG 2009, 551, 552; OLG Stuttgart AG 2001, 603 f.; RegBegr. BT-Drs. 15/371, 17; Emmerich/Habersack/Emmerich Rn. 28 f.; krit. DAV-HRA NZG 2003, 316, 319 f.; restriktiv BeckOGK/Drescher SpruchG § 8 Rn. 16; Wittgens AG 2007, 106, 111). Dabei genügt idR Zustimmung der Antragsgegnerin oder ihre Ersetzung; auch im zweiten Fall muss sie wenigstens gehört werden (OLG Düsseldorf AG 2004, 390; LG Dortmund DB 2005, 1450, 1451). Erforderlich ist ferner in beiden Fällen grds. genügende Einzahlung in die Gerichtskasse. Gericht kann Sachverständigenkosten aber auch dadurch vermeiden, dass es eigenständige Schätzung nach § 287 ZPO, namentl. durch Rückgriff auf Börsenkurs (→ AktG § 305 Rn. 21 ff., 39) vornimmt (→ SpruchG § 8 Rn. 5 mwN). Eine Blockade der Begutachtung durch Nichtleisten des eingeforderten Vorschusses ist nicht möglich, da Begutachtung von Vorwegleistung des Vorschusses e contrario § 14 I 2 Hs. 1 GNotKG nicht abhängig gemacht werden darf (zur entsprechenden Argumentation bei § 17 III GKG s. Meyer GKG § 17 GKG Rn. 26 mwN). Dem Einzahlungserfordernis ist Rechnung getragen, sobald Gerichtskasse Vorschussforderung beigetrieben hat (RegBegr. BT-Drs. 15/371, 17), so dass bes. Entschädigung spätestens jetzt „gewährt", also ausbezahlt werden kann. Ausnahmsweise kann von Einzahlungserfordernis auch abgesehen werden, nämlich dann, wenn Gericht insoweit bei dem Sachverständigen einen Vertrauenstatbestand geschaffen hat (OLG Düsseldorf AG 2003, 637). Nach § 13 II 4 JVEG ist Entscheidung nicht mit Beschwerde anfechtbar (OLG Frankfurt AG 2009, 551, 552).

III. Außergerichtliche Kosten

1. Kostenlast. § 15 II SpruchG trifft bes. Regelung für außergerichtl. Kosten der Antragsteller, die § 81 FamFG verdrängt. Außergerichtl. Kosten sind insbes. Anwaltskosten (zur Berechnung → Rn. 7) sowie sonstige zur Rechtsverfolgung notwendige Kosten, etwa Reisekosten. Frühere Praxis hatte diese Kosten aufgrund § 13a FGG aF grds. Antragsgegner zugewiesen, was **falsche Klageanreize** setzen und Verfahrensdauer verlängern konnte. Diese Fehlentwicklung wollte Gesetzgeber ausdr. korrigieren, indem auch Antragsteller begrenztes (vgl. BGH AG 2012, 173 Rn. 17) Kostenrisiko zugewiesen wird (RegBegr. BT-Drs. 15/371, 17; Gegenäußerung BReg aaO S. 28), was im Rahmen teleologischer Auslegung bei allen rechtspolitischen Bedenken von Rechtsanwender hinzunehmen ist (OLG München AG 2020, 440 Rn. 118 ff.; zu restriktiv deshalb Emmerich/Habersack/Emmerich Rn. 34 f.). Danach vorzunehmende **Billigkeitsentscheidung** ist vornehmlich **erfolgsorientiert.** Wenn Kompensationsleistungen nicht oder nur geringfügig erhöht werden, spricht das für fortdauernde Kostenlast der Antragsteller; im Umkehrfall ist eher die Erstattungspflicht des Antragsgegners billig (RegBegr. BT-Drs. 15/371, 17 f.; KG AG 2016, 790, 793; OLG Karlsruhe BeckRS 12205 Rn. 68 [insofern nicht in AG 2015, 789]); OLG München AG 2020, 440 Rn. 118 ff.; NZG 2022, 362 Rn. 69 ff.; Marsch-Barner/Schäfer/Mimberg Rn. 40.35; sa Emmerich/Habersack/Emmerich Rn. 30: ab Erhöhung um mehr als 15–20 %). Entspr. Erwägungen gelten für Rechtsmittelkosten (BGH AG 2011, 591 Rn. 5; 2012, 173 Rn. 17). Auch Kostenteilung ist möglich (Bungert/Mennicke BB 2003, 2021, 2030). Sie kann in Quoten ausgedrückt, aber auch so vorgenommen werden, dass überflüssige Kosten von Erstattung ausgenommen werden; dazu zählen idR auch Kosten eines Privatgutachtens (s. 6

BGH AG 2011, 754, 755 [zu Gutachten des gemeinsamen Vertreters]; OLG Düsseldorf AG 1992, 234 f.; OLG Zweibrücken AG 1997, 182 f.; MüKoAktG/Krenek Rn. 25 f.; großzügiger Emmerich/Habersack/Emmerich Rn. 35). Grds. erstattungsfähig sind dagegen Anwaltskosten (MüKoAktG/Krenek Rn. 25), allerdings nicht, wenn Antragsteller selbst Rechtsanwalt ist (BGH NZG 2014, 352 Rn. 7 ff. zu Vorgängervorschrift des § 15 IV SpruchG aF; sa OLG München AG 2020, 634 f. mit abw. Einordnung für Rechtsanwaltsgesellschaft mbH; MüKoAktG/Krenek Rn. 27). Neben Verfahrensausgang kann auch Verfahrensverhalten der Beteiligten in Kostenverteilung einfließen, wobei die in § 81 II FamFG angeführten Verhaltensweisen als Leitlinien dienen können (OLG Düsseldorf NZG 2017, 1386 Rn. 5). Aus einseitiger Kostenregelung für Antragsteller wird im Schrifttum zT gefolgert, dass für **Kosten des Antragsgegners** § 81 FamFG gelte, so dass auch diese uU Antragsteller auferlegt werden könnten, etwa bei offensichtlich unbegründeten Anträgen (s. etwa OLG Frankfurt AG 2012, 513, 518; Simon/Winter SpruchG Rn. 102 f.). BGH hat diese Auffassung zur Rechtslage vor Inkrafttreten des FamFG zu Recht zurückgewiesen, da sie ges. Ausgestaltung des § 15 II SpruchG widerspricht und auch nicht mit Rechtsgedanken in Einklang zu bringen ist, Antragsteller aufgrund ihrer strukturellen Unterlegenheit im Spruchverfahren nur mit überschaubarem Kostenrisiko zu belasten (BGH AG 2012, 173 Rn. 12 ff.; zust. OLG Stuttgart AG 2012, 839, 844; Marsch-Barner/Schäfer/Mimberg Rn. 40.35; Emmerich/Habersack/Emmerich Rn. 36). Umstr. ist, ob nach Inkrafttreten des FamFG im **Beschwerdeverfahren** etwas anderes gilt. Eröffnet wird eine solche Ausnahme durch § 84 FamFG, wonach Gericht die Kosten eines erfolglosen Rechtsmittels dem Beschwerdeführer auferlegen „soll", was Raum für Billigkeitsentscheidung lässt. Da § 81 V FamFG Vorrang des § 15 II SpruchG nicht auch für § 84 FamFG eröffnet, kann nach vorzugswürdiger Ansicht Gericht in Ausnahmeentscheidungen tats. auch die außergerichtlichen Kosten des Antragsgegners einem Antragsteller gem. § 84 FamG auferlegen (OLG München NZG 2017, 467 Rn. 15 ff.; BeckOGK/Drescher Rn. 25; S/L/Klöcker/Wittgens Rn. 22)). Dem ist zuzustimmen, weil der für das erstinstanzliche Verfahren geltende Gedanke eines informationellen Ungleichgewichts im Beschwerdeverfahren nicht mehr gleichermaßen Gültigkeit beanspruchen kann (M. Noack NZG 2017, 653, 654). Nach aA sollen Kostengrundsätze erster Instanz unverändert auch auf Beschwerdeverfahren Anwendung finden (vor Inkrafttreten des FamFG BGH AG 2012, 173 Rn. 21; s. aber auch OLG Hamburg BeckRS 2020, 27988 Rn. 41; Hölters/Weber/Simons Rn. 19; Emmerich/Habersack/Emmerich Rn. 20). Erstattungspflicht des Antragstellers komme deshalb grds. nicht in Betracht (BGH AG 2012, 173 Rn. 26; Hölters/Weber/Simons Rn. 19; offenlassend OLG Stuttgart AG 2018, 944 Rn. 55 f.).

7 **2. Insbes. Anwaltskosten.** Wichtigster Anwendungsfall außergerichtl. Kosten sind Anwaltsgebühren. Dafür maßgeblicher **Gegenstandswert** bestimmt sich nach § 31 RVG am Maßstab eines **gespaltenen Geschäftswerts.** Danach ist Gegenstandswert der Teil des Geschäftswerts, der sich aus der auf den Antragsteller im Zeitpunkt der Antragstellung entfallenden Quote ergibt, wenn Geschäftswert (→ Rn. 3) durch Zahl der auf Antragsteller entfallenden Aktien oder Anteile dividiert wird (sa OLG Düsseldorf AG 2016, 367, 368; MüKoAktG/Krenek Rn. 28; Marsch-Barner/Schäfer/Mimberg Rn. 40.36). § 31 I 4 RVG normiert aber Mindestwert von 5.000 Euro. Als Gebühren erhält Verfahrensbevollmächtigter idR 1,3-fache Verfahrensgebühr (VV 3100 RVG), 1,2-fache Terminsgebühr (VV 3104 RVG) sowie bei einvernehmlicher Beendigung 1,0-fache Einigungsgebühr (VV 1000, 1003 RVG); zutr. Deiß NZG 2013, 248, 249; unzutr. – da von Gerichtsgebühren ausgehend – Günal/Kemmerer NZG 2013, 16, 17.

§ 16 SpruchG Zuständigkeit bei Leistungsklage

Für Klagen auf Leistung des Ausgleichs, der Zuzahlung, zusätzlich zu gewährenden Aktien oder der Abfindung, die im Spruchverfahren bestimmt worden sind, ist das Gericht des ersten Rechtszuges und der gleiche Spruchkörper ausschließlich zuständig, der gemäß § 2 mit dem Verfahren zuletzt inhaltlich befasst war.

I. Regelungsgegenstand und -zweck

Norm betr. Klage auf Leistung der im Spruchverfahren zuerkannten Kompensation (durch UmRUG 2023 erweitert auf zusätzlich zu gewährende Aktien → SpruchG § 1 Rn. 5) und begründet für sie bes. **Gerichtsstand** und bes. **funktionelle Zuständigkeit.** Bezweckt ist, Sachkunde des erstinstanzlichen Gerichts, das im Spruchverfahren tätig war, auch für Leistungsklage nutzbar zu machen (OLG Frankfurt AG 2011, 337, 338; RegBegr. BT-Drs. 15/371, 18). IÜ verbleibt es bei Maßgeblichkeit der ZPO (Meilicke NZG 2004, 547, 548). § 17 I SpruchG betr. nur Spruch-, nicht anschließendes Erkenntnisverfahren. 1

II. Besondere Zuständigkeit

Weil Entscheidung im Spruchverfahren nur feststellende Bedeutung oder gestaltende Wirkung hat (zu eng RegBegr. BT-Drs. 15/371, 18), ist sie mangels vollstreckbaren Inhalts kein Vollstreckungstitel (→ SpruchG § 13 Rn. 2 f.). Deshalb muss, wenn Anspruchsgegner die geschuldete Leistung nicht erbringt, Leistungsklage erhoben werden. Für sie begründet § 16 SpruchG bes. örtl. Zuständigkeit des erstinstanzlichen Gerichts, das aufgrund seiner Zuständigkeit für Spruchverfahren (§ 2 SpruchG) mit der Sache befasst worden ist. Auch funktionell ist der Spruchkörper zuständig, der zuletzt tätig war, idR also die KfH, und zwar auch bei Änderung des Geschäftsplans (s. OLG Frankfurt AG 2011, 337, 338 f.; LG Düsseldorf NZG 2009, 114 f.; KK-SpruchG/Roßkopf Rn. 14 f.). Die Zuständigkeit nach § 16 SpruchG ist ausschließlich (BeckOGK/Drescher Rn. 4). Verfahrenskonzentration nach § 2 III SpruchG bewirkt auch Konzentration der (freilich seltenen) Leistungsklagen. Dem Normzweck (→ Rn. 1) und gebotener Verfahrensökonomie entspr. es, **§ 16 SpruchG erweiternd auszulegen** und auch Klagen auf Nebenleistungen (Zinsen), ferner etwa erhobene Feststellungsklagen, weiterhin Klagen auf Leistung zB der angebotenen, aber nicht erbrachten Abfindung dem bes. Gerichtsstand des § 16 SpruchG zu unterstellen (KK-SpruchG/Roßkopf Rn. 6; Meilicke NZG 2004, 547, 548 ff.). Im **Berufungsverfahren** gilt § 16 SpruchG weder unmittelbar noch entspr. Der Senat, der über sofortige Beschwerde entschieden hat, ist also nicht deshalb für Berufung in anschließender Klagesache zuständig (BeckOGK/Drescher Rn. 6; Büchel NZG 2003, 793, 800). 2

§ 17 SpruchG Allgemeine Bestimmungen; Übergangsvorschrift

(1) Sofern in diesem Gesetz nichts anderes bestimmt ist, finden auf das Verfahren die Vorschriften des Gesetzes über das Verfahren in Familiensachen und in den Angelegenheiten der freiwilligen Gerichtsbarkeit Anwendung.

(2) [1] Für Verfahren, in denen ein Antrag auf gerichtliche Entscheidung vor dem 1. September 2003 gestellt worden ist, sind weiter die entsprechenden bis zu diesem Tag geltenden Vorschriften des Aktiengesetzes und des Umwandlungsgesetzes anzuwenden. [2] Auf Beschwerdeverfahren, in denen die Beschwerde nach dem 1. September 2003 eingelegt wird, sind die Vorschriften dieses Gesetzes anzuwenden.

(3) Die Änderungen der §§ 1 bis 6c, 10a bis 13, 16 und 17 durch das Gesetz zur Umsetzung der Umwandlungsrichtlinie und zur Änderung weiterer Gesetze vom 22. Februar 2023 (BGBl. 2023 I Nr. 51) sind erstmals auf Spruchverfahren anzuwenden, in denen ein Antrag auf gerichtliche Entscheidung ab dem 31. Januar 2023 gestellt wurde.

I. Regelungsgegenstand und -zweck

1 § 17 I SpruchG bezweckt **Ergänzung des SpruchG** durch Verweisung auf FamFG (RegBegr. BT-Drs. 15/371, 18 zum damaligen FGG). § 17 II SpruchG steht damit nicht in sachlichem Zusammenhang, sondern enthält Übergangsvorschrift, die für Altverfahren der **Rechtssicherheit** dienen soll (RegBegr. BT-Drs. 15/371, 18). Dabei ist zwischen erstinstanzlichem Verfahren und Beschwerdeverfahren zu unterscheiden. Letztgenannte Regelung beruht auf Empfehlung des Bundesrats (BR-Stellungnahme BT-Drs. 15/371, 21, 26) und stellt sicher, dass bei Einlegung des Rechtsmittels nach dem Stichtag auch für Altfälle geändertes Recht gilt (→ Rn. 4). Norm ist in § 17 I SpruchG geändert durch FGG-ReformG 2008; → Rn. 2. § 17 III SpruchG enthält ebenfalls Übergangsvorschrift für im Zuge des **UmRUG 2023** geänderte Normen (→ Rn. 4).

II. Subsidiäre Geltung des FamFG

2 Weil Spruchverfahren Streitverfahren der fG bleibt (→ SpruchG § 1 Rn. 3), ordnet § 17 I SpruchG subsidiäre Geltung des FamFG an, das mit seinem Inkrafttreten am 1.9.2009 an die Stelle des vormaligen FGG getreten ist; Verweisung in § 17 I SpruchG ist durch FGG-ReformG 2008 entspr. geändert worden. Auf fG-Verfahren zurückzugreifen, entspr. zwar der gesellschaftsrechtl Tradition. Eingehendere Regelung der §§ 2 ff. SpruchG unter Anlehnung an Zivilprozess lässt für Anwendung des FamFG aber weniger Raum. Vor allem wird zentrale Regelung des § 26 FamFG (Amtsermittlungsgrundsatz) durch §§ 4 II, 8 III und 9 f. SpruchG (Begründungs- und Beibringungs- sowie Verfahrensförderpflicht) deutlich relativiert (Klöcker/Frowein SpruchG Rn. 21 ff.; Kubis FS Hüffer, 2010, 567, 573; krit. Emmerich FS Tilmann, 2003, 925, 932). IÜ kann weitgehend auf Vorschriften des allg. Teils (§§ 1–110 FamFG) zurückgegriffen werden. Auch für **Kosten des Sachverständigen** gelten allg. Grundsätze (→ SpruchG § 15 Rn. 5). Für die Bestimmung des örtl. zuständigen Gerichts trifft § 2 II und IV SpruchG eine bes. Regelung. Nicht mehr heranzuziehen ist § 99 AktG. Namentl. ist § 99 III AktG für Spruchverfahren durch § 11 I SpruchG, § 12 SpruchG ersetzt worden. Neben fG-Regeln finden über Verweisung im SpruchG oder analoge Anwendung zT auch Vorschriften der ZPO Anwendung (iE Simon/Winter SpruchG Rn. 17 ff.). Nicht nach diesen Grundsätzen ist zeitliche Anwendung des Kostenfestsetzungsverfahrensrechts zu beurteilen. Es handelt sich um eigenständiges Verfahren, so dass für das anzuwendende Recht nicht der Zeitpunkt der Einleitung des Spruchverfahrens maßgeblich ist, sondern der Zeitpunkt der Einleitung des Kostenfestsetzungsverfahrens (BGH NZG 2014, 33 Rn. 4 ff.).

3 Für **Einzelfragen** kann wegen grds. Maßgeblichkeit der fG-Grundsätze noch auf frühere Rspr. zurückgegriffen werden. Recht auf Einsichtnahme in Geschäftsunterlagen der Gesellschaften steht den Beteiligten nicht zu (OLG Düsseldorf AG 1999, 89, 90; OLG Frankfurt ZIP 1990, 588; OLG Zweibrücken AG 1995, 421, 422 f.; LG Frankfurt AG 2002, 358, 359; Wasmann ZIP 2003, 1776, 1778). Aktionäre können der AG nicht als Streithelfer beitreten, weil sie an deren Obsiegen nicht das von § 66 I ZPO geforderte rechtl. Interesse haben (OLG Schleswig FGPrax 1999, 237, 238; aA LG Lübeck AG 1999, 575 f.). Zwischenentscheidungen können nach § 58 I, II FamFG nur gemeinsam mit Endentscheidung gerichtl. Prüfung unterworfen werden (OLG Düsseldorf v. 12.12.2013 –

I-26 W 19/12, juris-Rn. 34 = BeckRS 2013, 1940 [insofern nicht in NZG 2013, 304]). Zwischenentscheidung über Zulässigkeit des Verfahrens ist wie bei Zwischenstreit (§ 303 ZPO) möglich (LG München I AG 2001, 318) und soll in diesem Fall auch durch Beschwerde angefochten werden können (→ SpruchG § 12 Rn. 1). Aussetzung kommt nach § 21 FamFG in Betracht und liegt nahe, wenn Unternehmenswert vom Ausgang eines Schadensersatzprozesses abhängt (OLG München AG 2007, 452, 453). Es genügt dagegen nicht, wenn Entscheidung des BGH zu einzelnen möglicherweise relevanten Rechtsfragen zu erwarten steht (OLG Düsseldorf AG 2016, 468, 469 f. unter Berücksichtigung ohnehin schon überlanger Verfahrensdauer).

III. Übergangsrecht

§ 17 II SpruchG trifft bes., zwischen erstinstanzlichem Verfahren und Beschwerdesachen unterscheidende Regelung mit dem 1.9.2003 als Stichtag. Probleme sollten sich durch Zeitablauf weitgehend erledigt haben. § 17 III SpruchG enthält weitere Übergangsregel für durch **UmRUG 2023** neu eingeführte Regelungen, die keine Anwendung auf Spruchverfahren finden sollen, die bereits vor Inkrafttreten dieses Ges. eingeleitet worden sind. Neues Recht findet deshalb nur Anwendung, wenn Antrag auf gerichtl. Entscheidung ab ges. festgelegtem Übergangsdatum gestellt wurde. 4

306 *(aufgehoben)*

Norm betraf **Spruchverfahren** in den in §§ 304, 305 geregelten Sachen. Aufgehoben durch Art. 2 Nr. 4 Ges. zur Neuordnung des gesellschaftsrechtl. Spruchverfahrens v. 12.6.2003 (BGBl. 2003 I 838). Vgl. dazu → SpruchG § 1 Rn. 1 ff. 1

Vertragsbeendigung zur Sicherung außenstehender Aktionäre

307 **Hat die Gesellschaft im Zeitpunkt der Beschlußfassung ihrer Hauptversammlung über einen Beherrschungs- oder Gewinnabführungsvertrag keinen außenstehenden Aktionär, so endet der Vertrag spätestens zum Ende des Geschäftsjahrs, in dem ein außenstehender Aktionär beteiligt ist.**

I. Regelungsgegenstand und -zweck

Norm betr. **nachträgliche Beteiligung eines oder mehrerer außenstehender Aktionäre** an der Gesellschaft und bezweckt ihre Sicherung durch Ausgleich und Abfindung gem. §§ 304 f. Sicherung ist notwendig, weil Gewinnabführungs- und Beherrschungsvertrag von entspr. Regelungen absehen können, wenn bei Beschlussfassung der HV keine außenstehenden Aktionäre vorhanden sind (ausdr. § 304 I 3; vgl. dazu RegBegr. Kropff S. 401 f.). § 307 gilt aber auch dann, wenn Vertrag entspr. Regelung auf Vorrat getroffen hat; denn ihre Angemessenheit konnte mangels eines Antragsberechtigten (§ 304 IV, § 305 V 4) nicht geprüft werden (allgM, s. RegBegr. Kropff S. 402; KK-AktG/Koppensteiner Rn. 3). Regelung ist zwingend. In der Praxis kommt ihr augenscheinlich keine Bedeutung zu (Deilmann NZG 2015, 460). 1

II. Nachträgliche Beteiligung eines außenstehenden Aktionärs

2 AG muss nunmehr wenigstens einen außenstehenden Aktionär haben. Das ist jeder Aktionär mit Ausnahme des anderen Vertragsteils und der ihm kraft Beteiligungsbesitzes oder Unternehmensvertrags iSd § 291 zurechenbaren Aktionäre (wegen der Einzelheiten → § 304 Rn. 2 f.). Wie es zur nachträglichen Beteiligung außenstehender Aktionäre kommt, ist belanglos. Möglich ist Aktienerwerb vom bisher allein beteiligten anderen Vertragsteil, aber auch Beendigung eines Unternehmensvertrags zwischen dem anderen Vertragsteil und einem weiteren Aktionär, durch welche dieser zum Außenstehenden wird (KK-AktG/Koppensteiner Rn. 2; MüKoAktG/van Rossum Rn. 10).

III. Vertragsbeendigung als Rechtsfolge

3 Beherrschungs- oder Gewinnabführungsvertrag endet gem. § 307 kraft Ges. spätestens zum Ende des Geschäftsjahrs, in dem während seiner Laufzeit Beteiligung eines außenstehenden Aktionärs eintritt. „Spätestens“ heißt, dass Vertrag aus anderen Gründen (also nicht aus dem Grund des § 307) auch früher enden kann, zB durch Aufhebung oder außerordentliche Kündigung (§§ 296, 297). **Abschluss eines neuen,** den Vorgaben der §§ 304, 305 entspr. **Vertrags bleibt zulässig** (AusschussB Kropff S. 402). Er kann vor dem Auslaufen des bisherigen Vertrags geschlossen werden, um Beherrschung oder Gewinnabführung ohne zeitliche Unterbrechung fortzusetzen (MüKoAktG/van Rossum Rn. 13).

Zweiter Teil. Leitungsmacht und Verantwortlichkeit bei Abhängigkeit von Unternehmen

Erster Abschnitt. Leitungsmacht und Verantwortlichkeit bei Bestehen eines Beherrschungsvertrags

Leitungsmacht

308 (1) [1] **Besteht ein Beherrschungsvertrag, so ist das herrschende Unternehmen berechtigt, dem Vorstand der Gesellschaft hinsichtlich der Leitung der Gesellschaft Weisungen zu erteilen.** [2] **Bestimmt der Vertrag nichts anderes, so können auch Weisungen erteilt werden, die für die Gesellschaft nachteilig sind, wenn sie den Belangen des herrschenden Unternehmens oder der mit ihm und der Gesellschaft konzernverbundenen Unternehmen dienen.**

(2) [1] **Der Vorstand ist verpflichtet, die Weisungen des herrschenden Unternehmens zu befolgen.** [2] **Er ist nicht berechtigt, die Befolgung einer Weisung zu verweigern, weil sie nach seiner Ansicht nicht den Belangen des herrschenden Unternehmens oder der mit ihm und der Gesellschaft konzernverbundenen Unternehmen dient, es sei denn, daß sie offensichtlich nicht diesen Belangen dient.**

(3) [1] **Wird der Vorstand angewiesen, ein Geschäft vorzunehmen, das nur mit Zustimmung des Aufsichtsrats der Gesellschaft vorgenommen werden darf, und wird diese Zustimmung nicht innerhalb einer angemessenen Frist erteilt, so hat der Vorstand dies dem herrschenden Unternehmen mitzuteilen.** [2] **Wiederholt das herrschende Unternehmen**

nach dieser Mitteilung die Weisung, so ist die Zustimmung des Aufsichtsrats nicht mehr erforderlich; die Weisung darf, wenn das herrschende Unternehmen einen Aufsichtsrat hat, nur mit dessen Zustimmung wiederholt werden.

Übersicht

I. Regelungsgegenstand und -zweck

1 Norm betr. Weisungsrecht des herrschenden Unternehmens (§ 308 I), begründet und begrenzt entspr. Folgepflicht des Vorstands der Untergesellschaft (§ 308 II) und regelt Verhältnis zwischen dieser Folgepflicht und der Bindung des Vorstands an einen durch die Satzung oder vom AR gem. § 111 IV 2 bestimmten Zustimmungsvorbehalt (§ 308 III). Regelungszweck liegt in **Konkretisierung des in § 291 I 1 Fall 1 umschriebenen Vertragsinhalts** (KK-AktG/Koppensteiner Rn. 3; Kort NZG 2009, 364, 365), also der Unterstellung unter die Leitung (→ § 291 Rn. 10 f.) eines anderen Unternehmens. Konkretisierung erfolgt in zwei Richtungen (RegBegr. Kropff S. 403). Erstens bezieht sich Leitungsmacht des herrschenden Unternehmens auf Kompetenzbereich des Vorstands (§§ 76, 77) der Untergesellschaft und nur auf diesen (→ § 291 Rn. 10 aE). Zweitens sind auch nachteilige Weisungen zulässig, wenn auch nicht schrankenlos. Sie müssen vielmehr den Belangen des herrschenden Unternehmens oder konzernverbundener Unternehmen dienen (§ 308 I 2). Zulässigkeit nachteiliger Weisungen kann im Beherrschungsvertrag abbedungen werden. Auch sonst ist es möglich, Weisungsrecht zu beschränken oder seine Ausübung an bes. Form zu binden (→ Rn. 13). IÜ ist Norm zwingend; Weisungsrecht kann insbes. nicht über § 308 hinaus erweitert werden.

II. Weisungsbefugnis des herrschenden Unternehmens (§ 308 I)

2 **1. Voraussetzungen.** Weisungsbefugnis nach § 308 I setzt **Beherrschungsvertrag** iSd § 291 I 1 Fall 1 voraus (→ § 291 Rn. 5 ff.). Ob es sich um isolierten Beherrschungsvertrag handelt, ob er mit Gewinnabführungsvertrag (§ 291 I 1 Fall 2) oder mit anderen Unternehmensverträgen gekoppelt ist, bleibt gleich. Aus dem Vertragserfordernis ergeben sich auch die **zeitlichen Schranken** der Weisungsbefugnis. Sie besteht, solange der Vertrag in Kraft ist, also nicht vor seiner Eintragung in das HR (§ 294 II). Rückwirkung gibt es beim Beherrschungsvertrag im Unterschied zu anderen Unternehmensverträgen nicht (→ § 294 Rn. 19 f.). Bloße Abhängigkeit (§ 17) ermöglicht zwar Beherrschung, berechtigt aber nicht zu Weisungen. § 308 gilt also nicht. Vielmehr sind §§ 311 ff. anzuwenden, die insbes. zum Ausgleich bei nachteiligen Einzelweisungen verpflichten.

3 **2. Weisungsberechtigter und -empfänger. a) Berechtigter.** Träger des Weisungsrechts ist nach § 308 I 1 das herrschende Unternehmen (speziell zu den beteiligten Vertragsparteien → § 291 Rn. 5 f.). Gemeint ist der **andere Vertragsteil,** und zwar **auch bei mehrstufiger Konzernierung.** Es gibt also kein Weisungsrecht der Mutter aus dem zwischen Tochter und Enkel geschlossenen Beherrschungsvertrag (hM, s. BGH AG 1990, 459, 460; Emmerich/Habersack/Emmerich Rn. 6; MHdB AG/Krieger § 71 Rn. 157; aA MüKoAktG/Altmeppen Rn. 58 ff.: Durchgriffsweisung). Wenn eigenes Weisungsrecht der Konzernspitze gewollt ist, muss Beherrschungsvertrag (auch) zwischen Mutter und Enkel geschlossen werden, was möglich ist (→ § 291 Rn. 15). Ähnliche Ergebnisse können erzielt werden, indem Mutter der Tochter die Weisung erteilt, ihre Vorgabe unverändert an die Enkelin durchzuleiten oder indem sie Tochter anweist, deren Weisungsrecht auf sie zu delegieren (S/L/Langenbucher Rn. 19; MHdB AG/Krieger § 71 Rn. 157). Wenn **Vertrag mit mehreren Müttern** geschlossen ist (→ § 291 Rn. 16), sind sie alle weisungsberechtigt. Ausübung der Weisungsbefugnis bedarf dann vertraglicher Regelung, die gemeinsame Rechtsausübung vorsehen, die Erteilung von Weisungen aber auch der Konsortialführerin vorbehalten kann (vgl. Emmerich/Habersack/Emmerich Rn. 7 f.). Für das herrschende Unternehmen handelt sein **Vertretungsorgan** (Vorstand; Geschäftsführer) nach den jew. geltenden Regeln (zB § 78). Das Weisungsrecht von Personengesellschaften wird durch ihre vertretungsberechtigten Gesellschafter ausgeübt (RegBegr. Kropff S. 404 zu § 309; MüKoAktG/Altmeppen Rn. 31; KK-AktG/Koppensteiner Rn. 8). Einzelermächtigung von Vorstandsmitgliedern (§ 78 IV) oder anderen Gesamtvertretern ist iRd auch sonst geltenden Grenzen (→ § 78 Rn. 21) auch bei Erteilung von Weisungen zulässig.

4 **b) Delegation; Übertragung.** Fraglich und nicht abschließend geklärt ist, ob, wie und in welchen Grenzen das herrschende Unternehmen bei Ausübung seines Weisungsrechts andere Personen einschalten oder sich seines Rechts zugunsten Dritter ganz oder teilw. begeben kann. Dabei erweisen sich schon die üblicherweise verwandten **Begriffe** Delegation und Übertragung (vgl. zB KK-AktG/Koppensteiner Rn. 10 ff.) als **wenig gesichert.** Im Folgenden wird unter Delegation der Fall verstanden, dass Weisungsbefugnis bei dem herrschenden Unternehmen verbleibt und andere lediglich zur Ausübung der Befugnis herangezogen werden. Dagegen soll von Übertragung gesprochen werden, wenn das herrschende Unternehmen die Weisungsbefugnis selbst einem Dritten verschaffen will. Diese Unterscheidung würde sich allerdings als unberechtigt erweisen, wenn in Ausübung durch Dritte notwendig eine Übertragung des Weisungsrechts läge. Das ist die früher von Geßler/Hefermehl/Geßler Rn. 17 f. vertretene Position, die sich jedoch nicht durchgesetzt hat (vgl. MüKoAktG/Altmeppen Rn. 41;

KK-AktG/Koppensteiner Rn. 11 f.; MHdB AG/Krieger § 71 Rn. 157) und der auch nicht zu folgen ist, weil ihr Ansatz (Ermessensausübung durch Dritte = Rechtsübertragung auf Dritte) überzogen wirkt.

Delegation iS einer Beiziehung von Drittpersonen bei der Rechtsausübung ist nach zutr. hM jedenfalls dann **zulässig,** wenn es sich dabei um eigene Angestellte des herrschenden Unternehmens, vorzugsweise der zweiten Führungsebene (Prokuristen usw.), handelt; vgl. Emmerich/Habersack/Emmerich Rn. 13; MHdB AG/Krieger § 71 Rn. 157; Exner, Beherrschungsvertrag, 1984, 154 ff. Ob dies konstruktiv in Form einer Bevollmächtigung (§§ 164 ff. BGB) oder einer Ermächtigung (§ 185 BGB) geschieht, bleibt gleich. Entscheidend ist Haftung des herrschenden Unternehmens für Weisungsfehler gem. § 278 BGB, die in beiden Fällen eintritt (Emmerich/Habersack/Emmerich Rn. 14; BeckOGK/Veil/Walla Rn. 13; zur Haftung iE → § 309 Rn. 4). Lässt man danach eine Delegation grds. zu, so besteht kein Grund, diese Möglichkeit auf eigene Angestellte zu beschränken; auch Delegation auf Dritte, vorzugsweise auf andere Unternehmen, ist danach zulässig (Hölters/Weber/Leuering/Goertz Rn. 42). Nur wird es sich in diesen Fällen in aller Regel nicht um Delegation, sondern um Übertragung handeln, die anders zu beurteilen ist; → Rn. 6. 5

Übertragung iS eines Wechsels in der Rechtszuständigkeit kommt praktisch nur in Frage, wenn ein anderes Unternehmen die Leitungsmacht ausüben soll. Solche Übertragung ist aber von Rechts wegen schon deshalb **ausgeschlossen,** weil die Weisungsbefugnis kein selbständig verkehrsfähiges Recht iSd §§ 398 ff., 413 BGB ist. Erreichbar ist das Ergebnis daher nur nach den Regeln einer Vertragsübernahme, die nicht ohne Mitwirkung der Untergesellschaft und nicht ohne Zustimmung ihrer HV (§ 295) erfolgen kann (BGHZ 119, 1, 6 f. = NJW 1992, 2760; Vorinstanzen: OLG Karlsruhe AG 1991, 144; LG Mannheim AG 1991, 26; Emmerich/Habersack/Emmerich Rn. 16). Sog Delegation unterläuft in diesem Bereich Mitwirkungsbefugnisse der Untergesellschaft und ihrer HV und kann deshalb nur zugelassen werden, wenn sich Vorgang durch sachliche und zeitliche Grenzen der Weisungsausübung deutlich von Übertragung unterscheidet (Emmerich/Habersack/Emmerich Rn. 6; Hölters/Weber/Leuering/Goertz Rn. 43). 6

c) Weisungsempfänger. Als Weisungsempfänger bezeichnet § 308 I 1 **Vorstand** der Untergesellschaft, obwohl Beherrschungsvertrag diese und nicht ihren Vorstand bindet. Darin kommt zum einen organisationsrechtl. Überlagerung des § 76 durch den Beherrschungsvertrag zum Ausdruck (MüKoAktG/Altmeppen Rn. 33). Zum anderen will Ges. zwar Überlagerung des § 76, aber nicht Beseitigung der Vorstandsverantwortung, ferner Kanalisierung der Weisungsbeziehungen im Hinblick auf § 308 II 2, 2. Satzteil. Beherrschungsvertrag gibt deshalb **kein Recht zu Weisungen an Mitarbeiter** nachgeordneter Führungsebenen am Vorstand vorbei (RegBegr. Kropff S. 403; MüKoAktG/Altmeppen Rn. 73 ff.; Emmerich/Habersack/Emmerich Rn. 19). Auch an **Mitglieder des AR** können keine Weisungen erteilt werden, da Gesetzgeber Weisungsbefugnis bewusst auf Vorstand beschränkt hat und dies im Wortlaut eindeutig zum Ausdruck kommt (Emmerich/Habersack/Emmerich Rn. 17; GK-AktG/Hirte Rn. 15; S/L/Langenbucher Rn. 20; aA v. Falkenhausen ZIP 2014, 1205, 1206 f., der dies sogar aus „erweiternder Auslegung" herleiten will). 7

Inwieweit **Folgepflicht von Angestellten durch Vorstandsweisung** begründet werden kann, ist nicht vollständig geklärt. RegBegr. Kropff S. 403 nimmt ohne erkennbare Einschränkung an, dass Vorstand entspr. Weisung erteilen darf (dagegen vor allem Ballerstedt ZHR 137 [1973], 388, 399 ff.). Nach heute wohl hM darf Folgepflicht begründet werden, wenn zugleich sichergestellt wird, dass Vorstand von Weisungen iSd § 308 II 2, 2. Satzteil so rechtzeitig 8

Kenntnis erhält, dass er entspr. Maßnahmen unterbinden kann (Emmerich/Habersack/Emmerich Rn. 20; KK-AktG/Koppensteiner Rn. 18; MHdB AG/Krieger § 71 Rn. 158; weitergehend MüKoAktG/Altmeppen Rn. 76 ff.).

9 **d) Bevollmächtigung statt Weisung?** Ähnliche Fragen wie bei unmittelbarer Folgepflicht von Angestellten (→ Rn. 7 f.) ergeben sich, wenn herrschendes Unternehmen kraft Bevollmächtigung durch die Untergesellschaft für diese handeln soll. Keinesfalls kann Vollmacht aus dem Weisungsrecht selbst abgeleitet werden (BGH AG 1990, 459, 460). **Umfassende Vollmacht** würde Kontrollfunktion des Vorstands gem. § 308 II 2, 2. Satzteil missachten und wäre deshalb **nichtig nach § 134 BGB.** Vertretungshandlungen sind daher unwirksam, solange keine Weisung vorliegt (OLG Frankfurt AG 2018, 635, 636 [auch § 181 BGB bleibt anwendbar]; OLG München AG 1980, 272; KK-AktG/Koppensteiner Rn. 24; Hölters/Weber/Leuering/Goertz Rn. 20; Exner, Beherrschungsvertrag, 1984, 117 ff.; Berkenbrock AG 1981, 69, 70 ff.). Ob gem. § 177 I BGB durch Genehmigung, also nachträglich, geholfen werden kann, wenn herrschendes Unternehmen danach ohne Vollmacht tätig geworden ist, erscheint jedenfalls fragwürdig (bejahend zB OLG München AG 1980, 272, 273; Hölters/Weber/Leuering/Goertz Rn. 20; verneinend Emmerich/Habersack/Emmerich Rn. 33; KK-AktG/Koppensteiner Rn. 25; Berkenbrock AG 1981, 69, 70 ff.). Der zweiten Ansicht ist beizutreten, weil unter den Bedingungen des Beherrschungsvertrags die von § 177 I BGB vorausgesetzte freie Willensbildung nicht gegeben ist. Möglich bleibt danach nur Vollmacht für Geschäfte, die derart **begrenzt und überschaubar** sind, dass Vorstand der Untergesellschaft seine Kontrollfunktion schon bei Vollmachtserteilung wahrnehmen kann.

10 **3. Begriff und Rechtsnatur der Weisung.** § 308 setzt Begriff der Weisung voraus, ohne seinen Inhalt zu bestimmen. Darauf kommt es aber an, weil Weisung das **einzige zulässige Leitungsinstrument** ist (→ Rn. 9) und nur sie im Unterschied zu sonstigen Willensäußerungen die grds. Folgepflicht des Vorstands der Untergesellschaft (§ 308 II) begründet. Als Weisung wird man ohne Rücksicht auf ihre äußere Einkleidung (Direktive, Empfehlung, Anregung; mündlich oder schriftlich) jede Willensäußerung des herrschenden Unternehmens betrachten müssen, die aus der Perspektive des Vorstands der Untergesellschaft für den Einzelfall oder generell in der Erwartung erfolgt, dass Vorstand sein Verhalten danach ausrichtet (vgl. MüKoAktG/Altmeppen Rn. 9; Emmerich/Habersack/Emmerich Rn. 23 f.). Dass schon die Ausübung von vertraglichen Zustimmungsvorbehalten eine Weisung darstellt, kann dagegen nicht angenommen werden, weil solche Vorbehalte die Initiative bei der Untergesellschaft belassen (KK-AktG/Koppensteiner Rn. 23; Hölters/Weber/Leuering/Goertz Rn. 11; aA MüKoAktG/Altmeppen Rn. 11 ff.; Emmerich/Habersack/Emmerich Rn. 25).

11 Weisungen unterliegen den für **Willenserklärungen** geltenden Vorschriften, bes. §§ 116 ff., 164 ff. BGB (unstr.). Ob sie als Willenserklärungen aufzufassen sind (so KK-AktG/Koppensteiner Rn. 20) oder ob das Ergebnis aus ihrer Einordnung als geschäftsähnliche Handlungen folgt, ist letztlich ohne Bedeutung; dogmatisch vorzugswürdig ist das Zweite.

12 **4. Gegenstand und Grenzen des Weisungsrechts. a) Leitung der Gesellschaft als Weisungsgegenstand.** Nach § 308 I 1 kann herrschendes Unternehmen dem Vorstand der Untergesellschaft hinsichtlich ihrer Leitung Weisungen erteilen. Leitungsbegriff ist bewusst aus § 76 I übernommen (RegBegr. Kropff S. 403) und ebenso auszulegen wie dort (allgM, s. MüKoAktG/Altmeppen Rn. 87; Emmerich/Habersack/Emmerich Rn. 37). Weisungen sind aber nicht auf zentrale Führungsentscheidungen des Vorstands (→ § 76 Rn. 10 ff.) beschränkt, sondern können darüber hinausgehend Gesamtbereich der Geschäfts-

führung einschließlich der organschaftlichen Vertretung (§ 78) betreffen (→ § 77 Rn. 7 f.). Auch innergesellschaftliche Maßnahmen, die in Zuständigkeitsbereich des Vorstands fallen (zB § 83), können nach zutr. hM Gegenstand von Weisungen sein (GK-AktG/Hirte Rn. 32), und zwar einschließlich der Besetzung von Führungspositionen sowie der Rechnungslegung innerhalb der jeweiligen aktien- und bilanzrechtl. Schranken (→ Rn. 14; BGHZ 135, 374, 377 f. = NJW 1997, 2242; MüKoAktG/Altmeppen Rn. 93 f.; vgl. zur Bildung und Auflösung von Gewinnrücklagen auch → § 302 Rn. 12). Umstr. ist, ob Weisung zulässig ist, Maßnahme nach § 119 II der HV vorzulegen. Das wird von hM abgelehnt, weil es sich in diesem Fall nicht mehr um Maßnahme der Geschäftsführung handele (MüKoAktG/Altmeppen Rn. 91; S/L/Langenbucher Rn. 23), doch wird diese Grenze auch bei anderen innergesellschaftlichen Maßnahmen überschritten. Grund für einschränkende Sichtweise liegt hier in berechtigtem Anliegen, dass Obergesellschaft über solche Weisung nicht ihre Verantwortlichkeit nach § 309 soll verwischen können, was aber auch dadurch erreicht werden kann, dass § 309 entspr. auch auf solche Fälle angewandt wird (so Emmerich/Habersack/Emmerich Rn. 41; GK-AktG/Hirte Rn. 22; → § 309 Rn. 12). An Geschäftsführungscharakter anknüpfende hM gerät dann in Widersprüche, wenn es um gegenläufige Weisung geht, HV nicht anzurufen. Sie wird auch von Vertretern der hM zu Recht gestattet, um dem Umstand Rechnung zu tragen, dass Entscheidungszuständigkeit nach § 308 I 1 auf herrschendes Unternehmen übergegangen ist (MüKoAktG/Altmeppen Rn. 92; S/L/Langenbucher Rn. 23; krit. Habetha ZIP 2017, 652, 655 f.) **Nicht weisungsfähig** ist demggü. Inhalt des Beherrschungsvertrags selbst (→ § 299 Rn. 1 f.). Gegenstand des Weisungsrechts sind ferner nicht Angelegenheiten, die in den Zuständigkeitsbereich des AR oder der HV fallen (OLG Karlsruhe AG 1991, 144, 146), womit auch Gewinnabführung wegen § 174 von Weisungsrecht ausgeschlossen ist (Emmerich/Habersack/Emmerich Rn. 42 f.). Organkompetenzen bleiben insoweit prinzipiell unberührt (→ Rn. 1). Abweichung von § 111 IV ist allerdings in § 308 III enthalten (→ Rn. 23 f.).

Weisungsrecht steht flankierend **Auskunftsanspruch** gegen Tochter zur Seite, der heute allg. anerkannt ist (vgl. etwa Emmerich/Habersack/Emmerich Rn. 39), wenngleich dogmatische Herleitung noch ungeklärt ist. Richtigerweise setzt er nicht selbst eine Weisung voraus, so dass er von etwaigem Schriftformerfordernis (→ Rn. 13) nicht erfasst ist. Vielmehr handelt es sich um Annexkompetenz, die Ausübung des Weisungsrechts erst ermöglicht (zum Konflikt mit § 93 I 3 → § 93 Rn. 66; zur Nichtanwendung des § 131 IV → § 131 Rn. 105). Auskunftsrecht erstreckt sich nach umstr. hM auch auf Informationserteilung, um **Verkauf der Tochter** vorzubereiten (so LG München I AG 1999, 138 f.; Wachter/Rothley Rn. 6). Gegenargument, geplante Maßnahme sei keine der Konzernleitung, sondern der Beendigung des Konzernverhältnisses (s. insbes. Lutter ZIP 1997, 613, 616 f.; sa Verse, Gleichbehandlungsgrundsatz, 2006, 542; Ziemons AG 1999, 492, 496 f.), übersieht, dass es in § 308 I nicht um Konzernleitung, sondern um Leitung der abhängigen AG geht. Sie ist auch berührt, wenn Fortbestand der Beteiligung in Frage steht (umfassend Mader, Der Informationsfluss im Unternehmensverbund, 2016, 77 ff.). Grenzen können dem Informationsfluss im Konzern durch **datenschutzrechtl. Vorgaben** gezogen werden (s. dazu Spindler FS Hoffmann-Becking, 2013, 1185 ff.). Sie sind aber meist überwindbar, weil Mutter idR anonymisierte und aggregierte Daten genügen werden (ausf. Holle, Legalitätskontrolle, 2014, 160 ff.). Auch **Art. 14 lit. c MAR** steht konzerninterner Informationsweitergabe nach nahezu einhelliger Auffassung nicht entgegen (statt aller MüKoAktG/Altmeppen § 311 Rn. 451 ff.), wenngleich dogmatische Herleitung nicht unproblematisch ist (Holle, Legalitätskontrolle, 2014, 152 ff.). 12a

13 **b) Vertragliche und gesetzliche Grenzen.** Weisungen können unzulässig sein, obwohl die in Frage stehende Maßnahme ihrer Art nach in den gegenständlichen Bereich des Weisungsrechts fällt. Unzulässigkeit kann sich aus Beherrschungsvertrag selbst, aus Satzung oder aus ges. Vorschrift ergeben. **Beherrschungsvertrag** kann Weisungsrecht zwar nicht erweitern, aber einschränken (→ Rn. 1), auch an bes. Form, zB Schriftform, binden (vgl. KK-AktG/Koppensteiner Rn. 56 f.; MHdB AG/Krieger § 71 Rn. 155; Exner, Beherrschungsvertrag, 1984, 83 ff.). Soweit Weisung ergeht, die nach Inhalt oder Form keine Grundlage im Beherrschungsvertrag hat, ist sie gem. § 134 BGB (→ Rn. 11) wegen Verstoßes gegen § 76 I nichtig; denn eigenverantwortliche Leitung bleibt erhalten, soweit Überlagerung durch Beherrschungsvertrag nicht eingreift. Dieselben Grundsätze gelten für satzungswidrige Weisungen, namentl. wegen Überschreitung des Unternehmensgegenstands, in dessen Rahmen sich Vorstand und damit auch entspr. Weisung halten muss (Emmerich/Habersack/Emmerich Rn. 56a f.). Ausdehnung ist Sache der HV, so dass sich aus ihrer Kompetenz Grenze der Weisungsbefugnis ergibt (→ Rn. 12).

14 Ges. Grenzen ergeben sich zunächst aus den zwingenden **Vorschriften des Aktienrechts,** soweit nicht Freistellung durch konzernrechtl. Sonderregelung, bes. § 291 III, eingreift (→ § 291 Rn. 36 f.). Gem. § 134 BGB nichtig sind danach Weisungen, die etwa gegen §§ 66, 71 ff., 89, 113 ff., 300, 302 verstoßen (unstr., vgl. statt aller KK-AktG/Koppensteiner Rn. 30 f.). Dasselbe gilt für zwingende **bilanzrechtl. Normen,** bes. §§ 246 ff., 252 ff. HGB. Fraglich ist, ob auch ohne ausdr. ges. Anordnung aus allg. Regeln der Kapitalerhaltung zu entnehmen ist, dass Vermögensabführung an herrschendes Unternehmen nur dann zulässig ist, wenn bei vertraglich nicht gebundener AG Voraussetzungen der Gewinnausschüttung erfüllt wären (dafür Mylich AG 2016, 529, 532 f.). Das ist in der Sache erwägenswert, findet aber im Gesetzeswortlaut, namentl. in Gegenüberstellung der §§ 301, 302, keinen textlichen Rückhalt. Bei abhängigem KI kann sich aus § 25a I KWG Beschränkung des Weisungsrechts ergeben, da anderenfalls aufsichtsrechtl. Alleinverantwortlichkeit des Geschäftsleiters durchbrochen wäre (zu Einzelheiten vgl. BGH AG 2013, 620 Rn. 42 ff.; OLG Frankfurt AG 2012, 217, 218; Emmerich/Habersack/Emmerich Rn. 58a f.; GK-AktG/Hirte Rn. 39; Casper ZIP 2012, 497, 499; ausf. dazu und zu weiteren Überlagerungen des Weisungsrechts durch Bankaufsichtsrecht [namentl. auch § 290 II Nr. 2 KAGB] S/L/Langenbucher Rn. 24a ff.; sa Weber-Rey AG 2014, 884 ff.). Unzulässig und nichtig sind ferner Weisungen, die nach **allg. Vorschriften** nicht ergehen dürfen. Rechtswidrigkeit zB von Wettbewerbsverstößen oder Patentverletzungen (MüKoAktG/Altmeppen Rn. 101; KK-AktG/Koppensteiner Rn. 30) wird nicht durch entspr. Weisung aufgehoben; Vorstand darf sie nicht ausführen. Soweit er der Weisung doch nachkommt und dadurch Dritte iSd §§ 823 ff. BGB geschädigt werden, kommt Mithaftung des herrschenden Unternehmens wegen **Anstiftung** gem. § 830 II BGB in Betracht. Das gilt vor allem, wenn rechtzeitiger Antrag gem. § 15a InsO infolge Weisung unterblieben ist; s. zum angewiesenen GmbH-Geschäftsführer Ehricke ZGR 2000, 351, 355 ff.

15 **5. Nachteilige Weisungen. a) Grundsatz.** Nachteilige Weisungen sind gem. 308 I 2 **zulässig,** wenn sie den Belangen des herrschenden Unternehmens oder der Unternehmen dienen, die mit ihm und der Untergesellschaft konzernverbunden sind. Regelung steht unter dem Vorbehalt abw. Bestimmung des Beherrschungsvertrags, doch ist dieser Vorbehalt praktisch offenbar bedeutungslos. Begriff des Nachteils ist wie iRd § 311 (→ § 311 Rn. 24 ff., 31 f.) auszulegen (GK-AktG/Hirte Rn. 50). Entscheidend ist also, ob ordentlicher und gewissenhafter Geschäftsleiter (§ 93 I 1; → § 93 Rn. 8) einer wirtschaftlich selbständigen Gesellschaft die Maßnahme ergriffen oder als dem Gesellschafts- oder Unternehmens-

interesse (→ § 76 Rn. 63 ff.) nicht dienlich, etwa der dauerhaften Rentabilität des Unternehmens abträglich, unterlassen hätte (ähnlich GK-AktG/Hirte Rn. 50; BeckOGK/Veil/Walla Rn. 25; Sina AG 1991, 1, 5). Zulässigkeit nachteiliger Weisungen und Weisungsfolgepflicht des Vorstands der Untergesellschaft sind aus Praktikabilitätsgründen unterschiedlich definiert, soweit es um rechtfertigende anderweitige Belange geht. Vorstand muss sich grds. an Beurteilung durch das herrschende Unternehmen halten; Folgepflicht endet nach § 308 II 2 erst, wenn Maßnahme offensichtlich nicht den anderweitigen Belangen dient (→ Rn. 21 f.). Dass durch nachteilige Weisung Rechte außenstehender Gläubiger, etwa von Genussrechtsinhabern, beeinträchtigt werden können, führt nicht zu teleologischer Reduktion des § 308 (BGH AG 2013, 620 Rn. 31; → § 221 Rn. 68a mwN).

b) Belange des herrschenden Unternehmens oder konzernverbundener Unternehmen. Dass nachteilige Weisung (→ Rn. 15) Belangen des herrschenden oder konzernverbundenen Unternehmens dienen muss, um zulässig zu sein, beruht auf der Verlagerung des für das Handeln der Gesellschaftsorgane bestimmenden Gesellschafts- oder Unternehmensinteresses (→ § 76 Rn. 63 ff.) von der Untergesellschaft zum herrschenden Unternehmen, die ihrerseits die notwendige Folge der rechtl. Anerkennung des Konzerns als wirtschaftlicher Einheit (→ § 18 Rn. 8 ff.) darstellt. Verbreitet wird in diesem Zusammenhang von **Konzerninteresse** gesprochen (MüKoAktG/Altmeppen Rn. 102 ff.), was aber nur zutrifft, wenn es als sprachliche Abbreviatur für das Interesse der herrschenden Obergesellschaft oder seine mittelbare Förderung durch Interessen der abhängigen Töchter verstanden wird. Ein das Interesse der Einzelgesellschaften überwölbendes und darüber hinausgehendes Konzerninteresse ist hingegen nicht anzuerkennen (→ § 76 Rn. 129; s. ferner öOGH NZG 2021, 647 Rn. 32 ff.; speziell zu § 308 auch Emmerich/Habersack/Emmerich Rn. 47 f.; KK-AktG/Koppensteiner Rn. 37; Hoffmann-Becking FS Hommelhoff, 2012, 433, 441; aA S/L/Langenbucher Rn. 27; Geßler ZHR 140 [1976], 433, 438). 16

Im Einzelnen ist zwischen § 308 I 2 Fall 1 und Fall 2 zu unterscheiden. Weisung dient den **Belangen des herrschenden Unternehmens,** wenn ihr Effekt unmittelbar oder mittelbar seiner Vermögens- oder Ertragslage zugute kommt. Der mit den Sicherungen der §§ 300 ff., 304 ff. „erkaufte" Beherrschungsvertrag erlaubt, darauf gerichtetes Interesse über dasjenige der Untergesellschaft zu stellen. **Bsp.** bieten Konzernverrechnungspreise, die herrschendes Unternehmen begünstigen, Verlagerung von zukunftsträchtigen Aktivitäten auf das herrschende Unternehmen, Beschaffung von Liquidität zu Lasten der Untergesellschaft, bes. ihre Einbeziehung in Cash Pool. Ungeschriebene Voraussetzung für Zulässigkeit der nachteiligen Weisung ist allerdings nach zutr. hM, dass geforderte Maßnahme **nicht unverhältnismäßig** ist (Emmerich/Habersack/Emmerich Rn. 51, 61; KK-AktG/Koppensteiner Rn. 47; MHdB AG/Krieger § 71 Rn. 153; Hommelhoff, Die Konzernleitungspflicht, 1982, 149; Sina AG 1991, 1, 7 f.). Gegenansicht (MüKoAktG/Altmeppen 114 ff., der im Wesentlichen ein Problem des § 309 annimmt) kann nicht überzeugen, weil Nachteil der Untergesellschaft ohne entspr. Vorteil des herrschenden Unternehmens auch nicht in seinem Interesse liegen kann (→ Rn. 16). 17

Gem. § 308 I 2 Fall 2 ist nachteilige Weisung auch dann zulässig, wenn geforderte Maßnahme zwar nicht im Interesse des herrschenden, aber im **Interesse eines mit ihm „konzernverbundenen" Unternehmens** liegt. Nach Gesetzeswortlaut zusätzlich erforderliche Konzernverbindung mit Untergesellschaft hat wegen § 18 I 1 Hs. 2 keine sachliche Bedeutung. Einheitliche Leitung beider macht sie nämlich auch beide zu Konzernunternehmen (MüKoAktG/Altmeppen Rn. 108; KK-AktG/Koppensteiner Rn. 44). Nach mittlerweile ganz 18 hM soll auch **faktische Konzernierung** des anderen Unternehmens genügen (s. MüKoAktG/Altmeppen Rn. 109 f.; GK-AktG/Hirte Rn. 49; S/L/Langenbucher Rn. 28; Hölters/Weber/Leuering/Goertz Rn. 30; BeckOGK/Veil/Walla Rn. 26 f.; MHdB AG/Krieger § 71 Rn. 153; aA KK-AktG/Koppensteiner Rn. 45: zumindest Gewinnführungsvertrag). Beschränkung auf Vertragskonzern oder Gewinnabführungsvertrag ist § 308 I 2 nicht zu entnehmen und wird auch durch Regelungszweck nicht geboten, weil Vorteil des nur faktisch konzernierten Unternehmens auch im Interesse des herrschenden Unternehmens liegen kann. Also genügt faktische Konzernierung. Umstr. ist, ob Weisung auch dann zulässig ist, wenn Obergesellschaft Unternehmen der **öffentl. Hand** ist und Weisung im öffentl. Interesse liegt (dafür MüKoAktG/Altmeppen Rn. 111 ff.; GK-AktG/Hirte Rn. 51; KK-AktG/Koppensteiner Rn. 41; BeckOGK/Veil/Walla Rn. 30; Kiefner/Schürnbrand AG 2013, 789, 793; jetzt auch MHdB AG/Krieger § 71 Rn. 153; aA Emmerich/Habersack/Emmerich Rn. 50; S/L/Langenbucher Rn. 30 – jew. unter zweifelhafter Berufung auf BGHZ 135, 107, 113 f. = NJW 1997, 1855). Bessere Argumente sprechen für erstgenannte Auffassung. Wenn BGH Unternehmenseigenschaft der öffentl. Hand gerade aus Bindung an öffentl. Interesse herleitet (→ § 15 Rn. 16), dann muss es ihr auch möglich sein, diese Interessen im Weisungswege geltend zu machen.

19 **c) Zulässigkeit existenzgefährdender Weisungen?** Existenzgefährdende oder gar -vernichtende Weisungen, also solche, die im Falle ihrer Durchführung zur Auflösung, zur Insolvenz oder zum formlosen Ausscheiden der Untergesellschaft aus dem Rechtsverkehr führen, sind **nach hM unzulässig** (OLG Düsseldorf AG 1990, 490, 492; MHdB AG/Krieger § 71 Rn. 153; Emmerich/Habersack/Emmerich Rn. 60 ff.; GK-AktG/Hirte Rn. 42 ff.; Clemm ZHR 141 [1977], 197, 204 ff.; Immenga ZHR 140 [1976], 301, 304 ff.; Sina AG 1991, 1, 7 f.; Seibt/Cziupka AG 2015, 721, 723 ff.; Ulmer ZHR 148 [1984], 391, 408 ff.; im Grundsatz auch MüKoAktG/Altmeppen Rn. 119 ff.). Gegenansicht will einzelnen Untergesellschaften keinen konzernrechtl. Schutz zubilligen und deshalb selbst existenzvernichtende Weisungen zulassen (KK-AktG/Koppensteiner Rn. 50; BeckOGK/Veil/Walla Rn. 34). IErg ist der hM beizupflichten, obwohl die Grundentscheidung für Zulässigkeit nachteiliger Weisungen überhaupt (→ Rn. 16) auch existenzgefährdende oder -vernichtende Weisungen tragen könnte. Für hM spricht aber entscheidend, dass §§ 300 ff., 304 ff. und hier bes. § 303 von Fortbestand der beherrschten Gesellschaft ausgehen und dies jedenfalls im Interesse des Gläubigerschutzes auch müssen. Genauere Konturierung des existenzgefährdenden Charakters erweist sich indes als ausgesprochen anspruchsvoll (ausf. zum Folgenden Seibt/Cziupka AG 2015, 721, 724 ff.). Anhaltspunkte bieten insofern namentl. **insolvenzrechtl. Kategorien** der Überschuldung und der Zahlungsunfähigkeit, wobei aber zu berücksichtigen ist, dass insbes. Überschuldung durch Verlustausgleichsmechanismus des § 302 abgefangen werden kann und deshalb idR nicht droht, sofern Bonität der Obergesellschaft gesichert ist (Seibt/Cziupka AG 2015, 721, 726 f.; sa schon MüKoAktG/Altmeppen Rn. 122 ff.; Emmerich/Habersack/Emmerich Rn. 62, 64; S/L/Langenbucher Rn. 32). Bejaht man mit hier vertretener Auffassung (→ § 302 Rn. 13) Pflicht zu insolvenzabwendenden Abschlagszahlungen, wird auch Kategorie drohender Zahlungsunfähigkeit grds. entschärft (Seibt/Cziupka AG 2015, 721, 726 ff.), doch ist zu beachten, dass Zahlungsunfähigkeit anders als Überschuldung nicht schon durch bloßen „Anspruch" gegen Obergesellschaft beseitigt werden kann, sondern es eines unmittelbaren Zahlungszuflusses bedarf. Bes. problematisch ist **Umgang mit prognostischen Elementen** bei erst auf längere Sicht existenzbedrohendem Charakter. Da sich prognostische Unsicherheiten mit zunehmendem Zeitablauf potenzieren, wird idR Prognose allenfalls für Zeitraum von ein bis zwei

Jahren zugrunde gelegt werden; ist Existenzbedrohung offensichtlich absehbar, wird man in Gestalt eines beweglichen Systems von enger zeitlicher Begrenzung abrücken (Einzelheiten bei Seibt/Cziupka AG 2015, 721, 727 ff.; zu daraus resultierenden Haftungsfolgen für den Vorstands → Rn. 22). Weitergehend wird im Schrifttum erwogen, als Instrument des sog „Konzernausgangsschutzes" Weisungsrecht so einzuschränken, dass Überlebensfähigkeit auch **über die Vertragsdauer hinaus** gesichert wird (Emmerich/Habersack/Emmerich Rn. 65; zur Einbettung dieses Gedankens in übergeordnetes Konzept des Konzernausgangsschutzes → § 296 Rn. 9). Ansatz hat sich im Schrifttum zu Recht nicht durchgesetzt, da eine solche Prognose mit derart vielen Unsicherheiten behaftet wäre, dass Weisungsbefugnis davon nicht abhängig gemacht werden kann. Verbleibende schutzwürdige Interessen werden deshalb nicht über weitergehende Beschränkung des Weisungsrechts, sondern System des § 303 gewahrt (hM – s. etwa MüKoAktG/Altmeppen Rn. 129 ff.; GK-AktG/Hirte Rn. 45; S/L/Langenbucher Rn. 35; zu alternativen Sicherungen vgl. Servatius ZGR 2015, 754, 762 ff.).

III. Folgepflicht des Vorstands (§ 308 II)

1. Allgemeines. Gem. § 308 II 1 ist Vorstand der Untergesellschaft verpflichtet, Weisungen des herrschenden Unternehmens zu befolgen. Folgepflicht ist nur **Spiegelbild der Weisungsbefugnis** und reicht deshalb im Prinzip auch nicht weiter als diese. Daraus ergibt sich, dass Vorstand verpflichtet ist, Rechtmäßigkeit der Weisung zu prüfen (Emmerich/Habersack/Emmerich Rn. 66; Sina AG 1991, 1, 8 f.). Rechtswidrig ist sie insbes., wenn beherrschungsvertragliche Basis fehlt (→ Rn. 2–6), Angelegenheit nicht weisungsfähig ist (→ Rn. 12) oder Gesetzesverstoß vorliegt (→ Rn. 14). Wenn keine Weisung vorliegt, verbleibt es bei § 76 I. Beherrschungsvertrag begründet aber Pflicht zu „konzernfreundlichem Verhalten" (Emmerich/Habersack/Emmerich Rn. 54; KK-AktG/Koppensteiner Rn. 71 f.; wohl aA MüKoAktG/Altmeppen Rn. 157 ff.); denn man kann ihn nicht von Rechts wegen zulassen und zugleich ignorieren, solange Weisungsbefugnis nicht ausgeübt wird. Daraus resultiert Vorstandspflicht, wichtige Angelegenheiten dem herrschenden Unternehmen so rechtzeitig zu unterbreiten, dass dessen Vertretungsorgan entscheiden kann, ob und in welchem Sinn Weisung erteilt werden soll (unstr., s. zB MüKoAktG/Altmeppen Rn. 159; Emmerich/Habersack/Emmerich Rn. 54). 20

2. Nachteilige Weisungen. a) Grundsatz: Folgepflicht. Vorstand muss auch Weisungen nachkommen, die für Untergesellschaft nachteilig sind (→ Rn. 15 ff.). Das ergibt sich aus § 308 II 1 und ist in § 308 II 2 vorausgesetzt. Danach ist Vorstand selbst dann folgepflichtig, wenn er der Ansicht sein sollte, dass Weisung weder den Belangen des herrschenden Unternehmens (→ Rn. 16 f.) noch denen eines konzernverbundenen Unternehmens (→ Rn. 18) dient. Beurteilungskompetenz liegt also beim herrschenden Unternehmen, was RegBegr. Kropff S. 403 mit mangelnder Information bei der Untergesellschaft rechtfertigt. Vorstand ist aber berechtigt und verpflichtet, herrschendes Unternehmen **auf Nachteile hinzuweisen,** wenn deren Eintritt oder Umfang für Konzernspitze nicht ohne weiteres offenkundig sind (BeckOGK/Veil/Walla Rn. 39; MHdB AG/Krieger § 71 Rn. 161). 21

b) Ausnahme: Recht und Pflicht zur Nichtbefolgung. Nur wenn nachteilige Weisung des herrschenden Unternehmens **offensichtlich** weder seinen Belangen noch denen konzernverbundener Unternehmen dient, ist Vorstand der Untergesellschaft gem. § 308 II 2, 2. Satzteil berechtigt, Weisung nicht zu befolgen. Unter den genannten Prämissen ist er dazu auch verpflichtet (unstr., 22

s. MüKoAktG/Altmeppen Rn. 152; BeckOGK/Veil/Walla Rn. 38). Offensichtlich heißt: für jeden Sachkenner ohne weitere Nachforschungen erkennbar. Dass herrschendes Unternehmen Konzernbelange darlegen muss, kann nicht angenommen werden (MüKoAktG/Altmeppen Rn. 153 ff.; BeckOGK/Veil/Walla Rn. 38). Darlegungs- und Beweislast für tats. Voraussetzungen berechtigter Weigerung liegt beim Vorstand der Untergesellschaft (MüKoAktG/Altmeppen Rn. 155; KK-AktG/Koppensteiner Rn. 70). Mit KK-AktG/Koppensteiner Rn. 70 ist daher anzunehmen, dass Vorstand dann ausnahmsweise nicht pflichtwidrig handelt, wenn ihm die Beweismittel fehlen. Stellen sich nach bisherigen Feststellungen sowohl Weisungsbefolgung als auch Weisungsverweigerung als gleichermaßen pflichtbewehrt dar, wird gerade im Lichte der schwierigen Prognose- und Abwägungselemente deutlich, dass Entscheidung für Vorstand mit **erheblichen Haftungsgefahren** verbunden sein kann (Seibt/Cziupka AG 2015, 721 ff.). Dazu unterbreiteter Vorschlag, Vorstand weite Ermessens- oder Beurteilungsspielräume zuzuweisen (Seibt/Cziupka AG 2015, 721, 731), löst zwar Haftungsproblem sachgerecht auf, führt aber gleichzeitig dazu – was oft übersehen wird – dass damit klageweise Durchsetzung des Weisungsrechts deutlich erschwert wird, da Gericht auch in einer solchen Klagekonstellation kontrollfreie Entscheidungsspielräume respektieren müsste. Sachgerechtere Lösung dürfte sich deshalb auch hier auf Verschuldensebene finden lassen (ausf. → § 93 Rn. 32 mwN).

IV. Zustimmungspflichtige Geschäfte (§ 308 III)

23 **1. Mitteilungspflicht bei fehlender Zustimmung.** § 308 III 1 setzt voraus, dass das Geschäft (nicht notwendig: Rechtsgeschäft), das den Gegenstand der Weisung bildet, einem gem. § 111 IV 2 begründeten Zustimmungsvorbehalt unterliegt (→ § 111 Rn. 58 ff.). Wenn AR Zustimmung erteilt, verbleibt es bei Folgepflicht des Vorstands (→ Rn. 20 f.). Wenn AR Zustimmung nicht in angemessener Frist erteilt oder sie verweigert, darf Vorstand die geforderte Maßnahme zwar nicht ergreifen, aber auch nicht einfach untätig bleiben. Vielmehr muss er den Sachverhalt dem herrschenden Unternehmen mitteilen. Bes. Form ist entbehrlich, unverzügliches Handeln geboten. Ges. will, indem es am Zustimmungserfordernis grds. festhält, Information des AR erreichen (RegBegr. und AusschussB Kropff S. 403 f.). Regelung ist wenig glücklich. Besser Rowedder FS Duden, 1977, 501, 505: Ruhen der Rechte des AR gem. § 111 IV 2, solange Beherrschungsvertrag besteht (sa KK-AktG/Koppensteiner Rn. 78).

24 **2. Erneute Weisung.** Erneute Weisung des herrschenden Unternehmens **überwindet Zustimmungserfordernis** (§ 308 II 2). Sie darf allerdings nur dann ausgesprochen werden, wenn dort bestehender AR zugestimmt hat (vgl. dazu Semler, Leitung und Überwachung der Aktiengesellschaft, 2. Aufl. 1996, 259 f.). Das gilt nach hM auch dann, wenn herrschendes Unternehmen ausländisches Personalstatut hat (MüKoAktG/Altmeppen Rn. 165; KK-AktG/Koppensteiner Rn. 77). Ob erneute Weisung wirksam ist, wenn sie ohne Zustimmung des AR des herrschenden Unternehmens erteilt wird, ist nicht geklärt. Frage ist mit Rücksicht auf Gesetzeswortlaut („darf“) und im Interesse klarer Verhältnisse zu bejahen. Zustimmungserfordernis beseitigt also nicht Vertretungsmacht des dafür im herrschenden Unternehmen zuständigen Organs (sa GK-AktG/Hirte Rn. 63; S/L/Langenbucher Rn. 44).

Verantwortlichkeit der gesetzlichen Vertreter des herrschenden Unternehmens

309 (1) **Besteht ein Beherrschungsvertrag, so haben die gesetzlichen Vertreter (beim Einzelkaufmann der Inhaber) des herrschenden Unternehmens gegenüber der Gesellschaft bei der Erteilung von Weisungen an diese die Sorgfalt eines ordentlichen und gewissenhaften Geschäftsleiters anzuwenden.**

(2) [1] **Verletzen sie ihre Pflichten, so sind sie der Gesellschaft zum Ersatz des daraus entstehenden Schadens als Gesamtschuldner verpflichtet.** [2] **Ist streitig, ob sie die Sorgfalt eines ordentlichen und gewissenhaften Geschäftsleiters angewandt haben, so trifft sie die Beweislast.**

(3) [1] **Die Gesellschaft kann erst drei Jahre nach der Entstehung des Anspruchs und nur dann auf Ersatzansprüche verzichten oder sich über sie vergleichen, wenn die außenstehenden Aktionäre durch Sonderbeschluß zustimmen und nicht eine Minderheit, deren Anteile zusammen den zehnten Teil des bei der Beschlußfassung vertretenen Grundkapitals erreichen, zur Niederschrift Widerspruch erhebt.** [2] **Die zeitliche Beschränkung gilt nicht, wenn der Ersatzpflichtige zahlungsunfähig ist und sich zur Abwendung des Insolvenzverfahrens mit seinen Gläubigern vergleicht oder wenn die Ersatzpflicht in einem Insolvenzplan geregelt wird.**

(4) [1] **Der Ersatzanspruch der Gesellschaft kann auch von jedem Aktionär geltend gemacht werden.** [2] **Der Aktionär kann jedoch nur Leistung an die Gesellschaft fordern.** [3] **Der Ersatzanspruch kann ferner von den Gläubigern der Gesellschaft geltend gemacht werden, soweit sie von dieser keine Befriedigung erlangen können.** [4] **Den Gläubigern gegenüber wird die Ersatzpflicht durch einen Verzicht oder Vergleich der Gesellschaft nicht ausgeschlossen.** [5] **Ist über das Vermögen der Gesellschaft das Insolvenzverfahren eröffnet, so übt während dessen Dauer der Insolvenzverwalter oder der Sachwalter das Recht der Aktionäre und Gläubiger, den Ersatzanspruch der Gesellschaft geltend zu machen, aus.**

(5) **Die Ansprüche aus diesen Vorschriften verjähren in fünf Jahren.**

Übersicht

I. Regelungsgegenstand und -zweck

1 Norm ist im Aufbau und weitgehend auch im Inhalt § 93 nachgebildet. Sie betr. Sorgfaltspflicht und Verantwortlichkeit der ges. Vertreter des herrschenden Unternehmens oder des beherrschenden Einzelkaufmanns (zum herrschenden Unternehmen selbst → Rn. 26 ff.). § 309 I umschreibt allg. Sorgfaltspflicht. § 309 II–V normiert Verantwortlichkeit aus Pflichtverletzung einschließlich der Haftungsmodalitäten. Bezweckt ist **Schadensausgleich und -prävention,** und zwar unter den bes. Bedingungen des Vertragskonzerns. Es geht um **Haftungserstreckung** auf den Personenkreis, der durch Ausübung der aus § 308 I folgenden Weisungsbefugnis die Leitung der Untergesellschaft mehr oder weniger an sich zieht. Der gedankliche Zusammenhang von § 76 und § 93 findet sich also im Zusammenspiel der §§ 308, 309 wieder (vgl. RegBegr. Kropff S. 404; KK-AktG/Koppensteiner Rn. 3; Emmerich GS Sonnenschein, 2003, 651, 652 ff.). Regelung ist zwingend (RegBegr. Kropff S. 404). Sie kann weder durch Beherrschungsvertrag noch durch Anstellungsvertrag der Organmitglieder des herrschenden Unternehmens modifiziert werden (→ § 93 Rn. 2). **§ 117** ist neben § 309 anwendbar (→ § 117 Rn. 14). Haftungsausschluss des § 117 VII Nr. 2 (→ § 117 Rn. 13) setzt zulässige Ausübung von Leitungsmacht voraus, steht also nicht entgegen.

II. Allgemeiner Verhaltensstandard (§ 309 I)

2 **1. Grundlagen.** Gem. § 309 I schulden ges. Vertreter des herrschenden Unternehmens oder der die Untergesellschaft beherrschende Einzelkaufmann der Untergesellschaft die Sorgfalt eines ordentlichen und gewissenhaften Geschäftsleiters, wenn sie ihr Weisungen erteilen. Norm hat wie § 93 I 1 **Doppelfunktion,** indem sie zugleich **Verschuldensmaßstab** und in Form einer Generalklausel **obj. Verhaltenspflichten** in Form von Sorgfaltspflichten (str., → Rn. 13 f.) umschreibt (→ § 93 Rn. 7). Soweit es um den Verschuldensmaßstab geht, hat § 309 I ebenso Konkretisierungsfunktion ggü. § 276 BGB wie § 93 I 1 (→ § 93 Rn. 8).

3 **2. Normadressaten: Schuldner. a) Gesetzliche Vertreter.** Sorgfaltspflichtig sind zunächst ges. Vertreter des herrschenden Unternehmens. Formulierung ist rechtsformneutral gewählt. Sie erfasst diejenigen Personen, die für jeweiligen Unternehmensträger **Geschäftsführungs- und Vertretungsfunktion organschaftlich ausüben,** also Vorstandsmitglieder der AG, Geschäftsführer der GmbH, vertretungsberechtigte Gesellschafter der OHG, Komplementäre der KG, aber nach Anerkennung der Rechtsfähigkeit der GbR und ihrer strukturellen Vergleichbarkeit zu den Personenhandelsgesellschaften auch deren Geschäftsführer (MüKoAktG/Altmeppen Rn. 13; KK-AktG/Koppensteiner Rn. 26). Bei GmbH & Co KG und vergleichbaren Konstellationen sind direkter Anwendung des § 309 I zunächst Komplementär-GmbH und überdies analog § 309 I ihr Geschäftsführer sorgfaltspflichtig (andere Begr. bei MüKoAktG/Altmeppen Rn. 15 f.). Es spricht nichts dafür, die jur. Person als zur Geschäftsführung und

Vertretung berechtigte Gesellschafterin aus der Verantwortung (Haftung) zu entlassen (so auch S/L/Langenbucher Rn. 7).

Mitglieder des AR des herrschenden Unternehmens erfüllen die in → Rn. 3 erörterten Voraussetzungen nicht und gehören deshalb auch nicht zu den Normadressaten des § 309 I (im Grundsatz unstr.; vgl. MüKoAktG/Altmeppen Rn. 18; KK-AktG/Koppensteiner Rn. 35). Andere Beurteilung ist nur erwägenswert, wenn AR des herrschenden Unternehmens der erneuten Weisung gem. § 308 II 2 (→ Rn. 24) zugestimmt hat. Auch für diesen Fall spricht sich hM jedoch gegen Haftung der AR-Mitglieder aus § 309 aus (MüKoAktG/Altmeppen Rn. 19; KK-AktG/Koppensteiner Rn. 35), und zwar zu Recht, weil AR mit seiner Zustimmung keine Leitungsfunktion in der Untergesellschaft ausübt (→ Rn. 1). Nicht voll geklärt ist **Pflichtenlage bei Delegation** von Weisungsbefugnissen (→ § 308 Rn. 4 f.). Wer als Angestellter des herrschenden Unternehmens handelt, fällt nicht unter § 309 I; Haftung allenfalls nach § 117 III oder § 823 II BGB iVm § 266 StGB bzw. §§ 826, 830 BGB (sa Emmerich/Habersack/Emmerich Rn. 35; KK-AktG/Koppensteiner Rn. 36; aA MüKoAktG/Altmeppen § 308 Rn. 48 f.; Hölters/Weber/Leuering/Goertz Rn. 17). Dagegen wird man annehmen müssen, dass Vorstandsmitglieder und andere ges. Vertreter zwar die Erteilung von Weisungen, aber nicht ihre Verantwortung aus § 309 I delegieren können, mithin gem. § 278 BGB haftbar bleiben, wenn mit ihrem Wissen und Wollen andere die Weisungsbefugnis ausüben; ges. Schuldverhältnis besteht aufgrund § 309 I nicht allein zwischen AG und herrschendem Unternehmen, sondern auch zwischen seinem Geschäftsleiter und AG (so zutr. Emmerich/Habersack/Emmerich Rn. 24; aA MüKoAktG/Altmeppen § 308 Rn. 43; Hölters/Weber/Leuering/Goertz Rn. 18; BeckOGK/Veil/Walla Rn. 9). 4

b) Einzelkaufmann. Durch Klammerzusatz stellt § 309 I den Inhaber des einzelkaufmännischen Unternehmens den ges. Vertretern des Gesellschaftsunternehmens gleich. Damit ist in der Sache gemeint, dass der die Untergesellschaft beherrschende Einzelkaufmann denselben obj. Verhaltenspflichten unterliegt wie ein fremdnützig tätiger Unternehmensleiter (→ Rn. 2; → § 93 Rn. 7 f.), soweit er durch Weisungen in die Leitung der Untergesellschaft eingreift. Insoweit ist Norm auch nicht überflüssig (so aber Emmerich/Habersack/Emmerich Rn. 28; wie hier GK-AktG/Hirte Rn. 16). Entbehrlich wäre sie allerdings, wenn es in § 309 nur darum ginge, den Kreis der Ersatzpflichtigen festzulegen (Mertens AcP 168 [1968], 225, 228 f.), was jedoch nicht zutrifft (→ Rn. 13). 5

c) Gebietskörperschaften als herrschende Unternehmen. Wenn herrschendes Unternehmen eine Gebietskörperschaft ist (→ § 15 Rn. 16), fragt sich, ob die für sie handelnden Personen als ihre ges. Vertreter iSd § 309 I angesprochen werden können und entspr. haften. BGHZ 69, 334, 343 = NJW 1978, 104 lässt ausdr. offen, inwieweit Vertragskonzernrecht auf Gebietskörperschaften passt. Bislang hM hat diese Frage für § 309 verneint, da Norm durch Regeln der Amtshaftung überlagert werde (KK-AktG/Koppensteiner Rn. 32; Hölters/Weber/Leuering/Goertz Rn. 12; BeckOGK/Veil/Walla Rn. 11), doch ist diese Überlagerung methodisch bislang nicht weiter untermauert und deshalb in neuerem Schrifttum verstärkt in Frage gestellt worden (insbes. Emmerich/Habersack/Emmerich Rn. 27; sa MüKoAktG/Altmeppen Rn. 20 f.; GK-AktG/Hirte Rn. 17). Der letztgenannten Auffassung ist zuzustimmen, da verdrängende Wirkung des Amtshaftungsrechts dogmatisch nicht abgesichert ist und es deshalb bei ges. Anordnung bleiben muss. Auch nach bislang hM sollen jedenfalls § 309 III–V auf Gebietskörperschaft Anwendung finden (Emmerich/Habersack/Emmerich Rn. 27). 6

7 **d) Sonderlagen.** Regelungsmodell des § 309 ist einstufige Konzernierung mit herrschendem Unternehmen im Singular. Bei **mehrstufiger Konzernierung** greift § 309 unmittelbar nicht ein. Wenn Weisungsrecht der Mutter fehlt, weil Beherrschungsvertrag nur zwischen Tochter und Enkel geschlossen ist (→ § 308 Rn. 3), und Tochter kraft beherrschenden Einflusses veranlasst wird, Weisungen an Enkel zu erteilen, ist analoge Anwendung des § 309 aber sachgerecht (KK-AktG/Koppensteiner Rn. 30). Bestehen auf allen Stufen Beherrschungsverträge und kommt es auf dieser Grundlage zu einer Weisungskette, ist Anwendung des § 309 I auf die Tochter mangels Handlungsautonomie jedenfalls idR nicht zu rechtfertigen. Insoweit durch teleologische Reduktion entstehende Lücke muss geschlossen werden, indem analog § 309 I die Mutter als Schuldnerin der Sorgfaltspflichten angesprochen wird (so iErg auch KK-AktG/Koppensteiner Rn. 30; Hölters/Weber/Leuering/Goertz Rn. 14; aA Emmerich/Habersack/Emmerich Rn. 18; GK-AktG/Hirte Rn. 52). Ges. Vertreter mehrerer Mütter eines **Gemeinschaftsunternehmens** sind sämtlich sorgfaltspflichtig iSd § 309 I, wenn sie Weisungsrecht gemeinsam ausüben. Handelt nur Konsortialführerin, unterliegen auch nur ihre ges. Vertreter der Norm (zu beiden Fällen → § 308 Rn. 3).

8 **3. Normadressaten: Gläubiger.** Sorgfalt eines ordentlichen und gewissenhaften Geschäftsleiters wird von dem in → Rn. 3–7 umschriebenen Personenkreis ggü. AG geschuldet, und zwar nur ggü. ihr, weil durch Weisungen auch nur die Leitung ihres Unternehmens betroffen ist. Die Frage, ob Aktionäre und Gesellschaftsgläubiger eigene Ansprüche haben, stellt sich insoweit nicht. Sie ist erst bei Ersatzansprüchen aus Pflichtverletzung relevant (→ Rn. 21 ff.).

9 **4. Ausübung der Leitungsmacht. a) Erteilung von Weisungen.** Sorgfalt von ordentlichen und gewissenhaften Geschäftsleitern wird nach § 309 I nicht schlechthin, sondern bei Erteilung von Weisungen geschuldet. Das entspr. in § 308 I getroffener Regelung, nach der Weisungen das einzige zulässige Leitungsinstrument darstellen (→ § 308 Rn. 9). Begriff der Weisung ist umfassend auszulegen. Es genügt jede Willensäußerung für das herrschende Unternehmen, die aus der Perspektive des Vorstands der Untergesellschaft in der Erwartung erfolgt, er werde sein Verhalten danach ausrichten (→ § 308 Rn. 10).

10 Weil Sorgfaltspflicht Erteilung von Weisungen voraussetzt, kann **Unterlassung von Weisungen grds. nicht pflichtwidrig** sein. Positives Tun (Weisung) und Unterlassung (gebotene, aber nicht erfolgte Weisung) gleichzustellen, wäre nur gerechtfertigt, wenn herrschendes Unternehmen kraft des Beherrschungsvertrags ggü. Untergesellschaft zur Ausübung der Leitungsmacht verpflichtet wäre. Das ist indessen nicht der Fall; es gibt nach §§ 308, 309 keine Leitungspflicht des herrschenden Unternehmens (MüKoAktG/Altmeppen Rn. 51 f.; KK-AktG/Koppensteiner Rn. 6). **Ausnahmen** sind nur dann systemimmanent begründbar und auch zuzulassen, wenn Repräsentanten des herrschenden Unternehmens durch vorangegangene Weisung eine Lage geschaffen haben, die nunmehr weitere Weisungen erfordert. So kann die unterbliebene Weisung sorgfaltswidrig sein, wenn Vorstand der Untergesellschaft durch vorangehende Weisung blockiert ist und nunmehr Handlungsbedarf besteht, ferner, wenn nur mehrere Weisungen zusammen eine sinnvolle Verhaltensdirektive ergeben und nach Erteilung der Ersten die Zweite ausbleibt, schließlich, wenn zunächst nicht absehbare negative Folgen einer Weisung nunmehr erkennbar werden und noch behoben oder begrenzt werden können (ähnlich MüKoAktG/Altmeppen Rn. 58 f.; KK-AktG/Koppensteiner Rn. 6; S/L/Langenbucher Rn. 17; BeckOGK/Veil/Walla Rn. 15; weitergehend [Haftung für ordnungsmäßige Konzerngeschäftsführung und damit auch für Unterlassungen] Emmerich/Habersack/Emmerich Rn. 44 f.; Emmerich GS Sonnenschein, 2003, 651, 653 ff.).

b) Maßnahmen gleicher Wirkung. Ob Verknüpfung der Sorgfaltspflicht mit Erteilung von Weisungen sachgerecht ist, mag zweifelhaft sein. Insoweit geübte Kritik (Mertens AcP 168 [1968], 225, 227) ist jedoch im Grunde Kritik an dem Versuch des § 308, Ausübung von Leitungsmacht in der Rechtsfigur der Weisung zu kanalisieren. Von der einmal gewählten Prämisse ausgehend, ist Ansatz des § 309 I folgerichtig. 11

Geboten ist jedoch **analoge Anwendung** der Norm, wenn ohne Weisung zulässig oder unzulässig ein Erfolg herbeigeführt wird, den § 308 nur als Weisungsergebnis sehen will. Insoweit steht allerdings Haftung des herrschenden Unternehmens selbst im Vordergrund (→ Rn. 26 ff.). Das gilt für Handeln des herrschenden Unternehmens kraft (unzulässiger) Bevollmächtigung durch die Untergesellschaft (→ § 308 Rn. 9), ferner für (wohl zulässige, → § 308 Rn. 12) Weisung an den Vorstand der Untergesellschaft, Sache gem. § 119 II der HV vorzulegen, wo herrschendes Unternehmen kraft Stimmenmehrheit für entspr. Beschluss sorgen kann. Zum ersten Fall übereinstimmend KK-AktG/Koppensteiner Rn. 8; zum zweiten iE, wenn auch nicht in der Begr. übereinstimmend, MüKoAktG/Altmeppen Rn. 71; KK-AktG/Koppensteiner Rn. 10; Habetha ZIP 2017, 652, 653 ff.; aA Baumbach/Hueck Rn. 6. Zur bloßen Organverflechtung → Rn. 28 f. 12

III. Schadensersatzpflicht (§ 309 II)

1. Grundlagen. Gem. § 309 II haften die ges. Vertreter des herrschenden Unternehmens und der beherrschende Einzelkaufmann der Untergesellschaft auf Schadensersatz, wenn sie ihre Pflichten verletzen. Für Verständnis und praktische Reichweite der Norm wesentlich ist **Frage nach dem inneren Haftungsgrund** oder Unrechtstatbestand. Dazu bestehen zwei Ansichten: Mittlerweile klar hM leitet Rechtswidrigkeitsurteil aus Verstoß gegen obj. verstandene Sorgfaltspflicht ab, geht also von **Doppelfunktion** des § 309 I als Kennzeichnung des Unrechtstatbestands und Verschuldensmaßstab aus (Emmerich/Habersack/Emmerich Rn. 37 ff.; Emmerich GS Sonnenschein, 2003, 651, 656 f.; GK-AktG/Hirte Rn. 5; S/L/Langenbucher Rn. 4 f.; Hölters/Weber/Leuering/Goertz Rn. 26 ff.; BeckOGK/Veil/Walla Rn. 19 ff.; Mertens AcP 168 [1968], 225, 229 f.). Gegenauffassung nimmt an, es handele sich um Haftung wegen nachteiliger und unzulässiger, weil durch Belange des herrschenden Unternehmens oder konzernverbundener Unternehmen nicht gedeckter Weisung; Sorgfaltsstandard des § 309 I wird auf diese Weise zum bloßen Verschuldensmaßstab (vgl. in diesem Sinne MüKoAktG/Altmeppen Rn. 72 ff.; KK-AktG/Koppensteiner Rn. 11 f.). 13

Beizupflichten ist hM, also der Lehre von der Doppelfunktion des § 309 I. Für sie sprechen: die systematische und teils wörtliche **Übereinstimmung mit § 93;** die vergleichbaren Regelungszwecke beider Normen (→ Rn. 1); die von Mertens AcP 168 (1968), 225, 230 aufgezeigten Einzelargumente, darunter bes. die Erwägung zur Schadensfeststellung (→ Rn. 17 f.). Dagegen vernachlässigt an Belangen des herrschenden Unternehmens oder konzernverbundener Unternehmen orientierte Auffassung den gedanklichen Zusammenhang mit § 76 I (Substitution des Vorstands durch ges. Vertreter des herrschenden Unternehmens) und kann vollends nicht erklären, warum es ggü. Untergesellschaft „rechtswidrig" (KK-AktG/Koppensteiner Rn. 11) sein soll, dass nachteilige Weisung dem sog Konzerninteresse (→ § 308 Rn. 16) nicht zu dienen vermag. 14

2. Haftungsvoraussetzungen und -folgen im Überblick. Auf der Basis der Lehre von der Doppelfunktion des § 309 I (→ Rn. 13 f.) ergibt sich: Der obj. Haftungstatbestand liegt darin, dass ges. Vertreter des herrschenden Unterneh- 15 mens oder beherrschende Einzelkaufleute (→ Rn. 2–7) ggü. der Untergesellschaft (→ Rn. 8) bei der Erteilung von Weisungen (→ Rn. 9 f.) oder weisungsgleichen Maßnahmen (→ Rn. 11) die Sorgfalt eines ordentlichen und gewissenhaften Geschäftsleiters außer Acht lassen. Subj. ist Verschulden erforderlich, das sich in der Variante der Fahrlässigkeit ebenfalls am allg. Sorgfaltsstandard orientiert (wegen der Einzelheiten → § 93 Rn. 79). Insbes. findet auch BJR Anwendung (Hölters/Weber/Leuering/Goertz Rn. 33; BeckOGK/Veil/Walla Rn. 22). Hinzutreten muss drittens ein Schaden der Untergesellschaft (→ Rn. 17 f.), für den die schuldhafte Pflichtverletzung adäquat kausal ist. Sind die genannten Voraussetzungen in der Person mehrerer ges. Vertreter erfüllt, so haften sie gem. § 309 II 1 als Gesamtschuldner (§§ 421 ff. BGB).

16 **Darlegungs- und Beweislast** wird von § 309 II 2 im Vergleich zu allg. Grundsätzen umgekehrt, soweit es um Sorgfaltsverstoß geht, und zwar wie bei § 93 II (→ Rn. 53 ff.) sowohl im Sinne obj. Pflichtwidrigkeit wie iSv Verschulden. Danach muss Untergesellschaft Tatsachen behaupten und beweisen, aus denen sich die Weisung als möglicherweise pflichtwidrige Handlung, der Schaden und die adäquate Kausalität ergeben (für Beschränkung der Darlegungs- und Beweislast auf typischen Geschehensablauf aber Emmerich GS Sonnenschein, 2003, 651, 659 f.). Auf Belange des herrschenden Unternehmens oder konzernverbundener Unternehmen kommt es dagegen nach richtiger Ansicht nicht an (→ Rn. 13 f.; wie hier S/L/Langenbucher Rn. 28; aA HdB Managerhaftung/Born Rn. 16.59), so dass sich insoweit ein Tatsachenvortrag erübrigt. Käme es darauf an, so könnte nach dem Wortlaut des § 309 II 2 wohl nicht angenommen werden, dass sich Umkehr der Darlegungs- und Beweislast darauf erstreckt (unter Bedenken auch KK-AktG/Koppensteiner Rn. 23). Sache des Anspruchsgegners bleibt es, Tatsachen zu behaupten und unter Beweis zu stellen, aus denen sich ergibt, dass er nicht pflichtwidrig oder jedenfalls nicht schuldhaft gehandelt hat. Beweiserleichterung nach Prinzip der Tatsachennähe ist allerdings im Einzelfall denkbar (MüKoAktG/Altmeppen Rn. 120).

17 **3. Insbesondere: Schaden der Gesellschaft.** Ob Gesellschaft ersatzfähigen Schaden erlitten hat, bestimmt sich nach §§ 249 ff. BGB. Insoweit stellt sich vor allem die Frage, ob der Gesellschaft überhaupt ein Schaden entstanden ist, wenn sie zwar aus der Weisung vermögenswirksame Nachteile erleidet, aber neben dem Beherrschungsvertrag wie regelmäßig ein Gewinnabführungsvertrag besteht und sich damit entweder der **abzuführende Gewinn um den entspr. Betrag vermindert** oder (insoweit käme es auf den Gewinnabführungsvertrag schon nicht mehr an) der **Anspruch auf Verlustübernahme aus § 302 I entspr. erhöht.** Gesellschaftsschaden wird unter diesem Gesichtspunkt vor allem verneint von KK-AktG/Koppensteiner Rn. 14 ff. Dagegen nimmt die überwiegende Meinung an, dass ersatzfähiger Schaden erhalten bleibt, weil sich Schädiger auf die unternehmensvertraglich bedingten Vorteile nicht berufen dürfe (MüKoAktG/Altmeppen Rn. 91 ff.; Emmerich GS Sonnenschein, 2003, 651, 657 f.; Mertens AcP 168 [1968], 225, 231 f.).

18 Die durch den Unternehmensvertrag bedingten positiven Vermögensentwicklungen bewirken **keine Entlastung des Schädigers;** beizutreten ist also der namentl. von Mertens AcP 168 (1968), 225, 231 f. zutr. entwickelten zweiten Ansicht. Auch iR einer Gesamtschadensbetrachtung oder Differenzhypothese (vgl. zB BGHZ 99, 182, 196 = NJW 1987, 831) bleibt zu prüfen, welche Faktoren in die Schadensberechnung einzustellen sind. Entlastung des Schädigers durch Minderung der Gewinnabführung oder Erhöhung der Verlustübernahmepflicht liefe darauf hinaus, die von § 309 wie von § 93 gewollte persönliche Verantwortlichkeit weitgehend ins Leere laufen zu lassen. Solche **Normzweckverfehlung** gebietet es, dem Schädiger die **Vorteilsausgleichung zu versagen**

(Mertens AcP 168 [1968], 225, 231 f.; iErg auch MüKoAktG/Altmeppen Rn. 91 ff.; Emmerich/Habersack/Emmerich Rn. 52 ff.; BeckOGK/Veil/Walla Rn. 25). Für die hier vertretene Ansicht spricht auch, dass der Ersatzanspruch aus § 309 sogleich mit Vollendung des Tatbestands eintritt, während die angeblichen Schadensminderungen erst mit Feststellung des nächsten Jahresabschlusses greifbar werden (→ § 291 Rn. 26, 30; → § 302 Rn. 13). Und schließlich läuft die Ersatzpflicht des Schädigers auch nicht darauf hinaus, den Anspruch aus § 302 einzuschränken (so jedoch KK-AktG/Koppensteiner Rn. 15). Er bleibt vielmehr erhalten, bis der Schädiger tats. geleistet hat.

IV. Verzicht und Vergleich (§ 309 III)

1. Dreijahresfrist. Nach § 309 III 1 kann die Gesellschaft (gemeint: Untergesellschaft) erst drei Jahre nach Entstehung des Anspruchs auf Ersatzansprüche verzichten oder sich über sie vergleichen. § 309 III 2 nimmt Insolvenzfälle von Dreijahresfrist aus (übereinstimmend: § 50 S. 2, § 93 IV 4, § 302 III 2). Sperrfrist gilt danach nicht, wenn Ersatzpflichtiger zahlungsunfähig ist und sich mit seinen Gläubigern vergleicht, um Insolvenzverfahren abzuwenden oder zu beseitigen (vgl. zu Einzelheiten → § 93 Rn. 158 ff., 169). Dass Regelung des Fristlaufs der Vorschrift des **§ 93 IV 3** und nicht derjenigen des § 302 III 1 entspr., ist folgerichtig, weil § 309 ähnlich wie § 93 Haftung kraft Sorgfaltsverstoßes begründet (→ Rn. 13 f.; so jetzt auch KK-AktG/Koppensteiner Rn. 57). **19**

2. Sonderbeschluss außenstehender Aktionäre. § 309 III 1 verlangt neben dem Ablauf der Sperrfrist einen zust. Sonderbeschluss der außenstehenden Aktionäre, dem nicht eine Minderheit von wenigstens 10 % des vertretenen Grundkapitals zur Niederschrift widersprochen haben darf. Das ist aus § 302 III 3 übernommen (→ Rn. 27). Sonderbeschluss tritt an die Stelle des HV-Beschlusses nach § 93 IV 3, damit nicht herrschendes Unternehmen durch Stimmenmehrheit in der HV die Ersatzpflicht seiner ges. Vertreter beseitigt (→ § 302 Rn. 27; RegBegr. Kropff S. 405; Mertens FS Fleck, 1988, 209, 210 und 217). Zum Begriff des außenstehenden Aktionärs → § 304 Rn. 2 f. **20**

V. Rechte der Aktionäre und Gläubiger (§ 309 IV)

1. Aktionäre. Anders als nach § 93 V (→ Rn. 80 ff.) können Aktionäre gem. § 309 IV 1 Schadensersatzanspruch der Gesellschaft (nicht auch andere Ansprüche, s. LG Bonn Konzern 2005, 455, 456) geltend machen, und zwar jeder einzeln. Sie können jedoch nicht Leistung an sich selbst fordern, sondern haben nur Anspruch auf Leistung an Gesellschaft (§ 309 IV 2). Insoweit bestehendes **Einzelklagerecht** der Aktionäre ergänzt §§ 147, 148, deren Geltung davon nach richtiger Auffassung aber nicht verdrängt wird, sondern auch konzernrechtl. Ansprüche gegen die eigenen Organmitglieder sowie das herrschende Unternehmen und dessen Organmitglieder erfasst (→ § 147 Rn. 6 mwN). **21**

Dogmatische Einordnung. Rechtsnatur des Klagerechts wird kaum erörtert. Weil Aktionär Anspruch der AG im eigenen Namen geltend macht und Leistung an Gesellschaft zu fordern hat, kann § 309 IV 1 und 2 nur als Fall **ges. Prozessstandschaft** verstanden werden (sa GK-AktG/Hirte Rn. 43; KK-AktG/Koppensteiner Rn. 44). Wenn sie darüber hinaus im Schrifttum zT auch als actio pro socio aufgefasst wird (MüKoAktG/Altmeppen Rn. 128 ff.; BeckOGK/Veil/Walla Rn. 32), ist dem zuzustimmen, allerdings nur, wenn die actio pro socio mit zu Recht hM selbst als Fall ges. Prozessstandschaft aufgefasst wird (statt vieler MüKoBGB/Schäfer BGB § 705 Rn. 213 ff.; gerade insofern aber anders MüKoAktG/Altmeppen Rn. 128 ff.: eigene mitgliedschaftliche Betroffenheit). Actio pro socio ist dann der speziellere Begriff, der auf Ursprung der Prozessstandschaft **21a**

in Gesellschafterstellung hindeutet (iE auch Emmerich/Habersack/Emmerich Rn. 67; sa BGH AG 2006, 550 Rn. 13: „eine derartige actio pro socio"). Unabhängig von konkreter Einordnung ist Frage nach Schicksal der Aktionärsklage zu beantworten, wenn es zwischen AG und beklagten ges. Vertretern zu Verzicht oder Vergleich kommt. Sie kann nur dahin beantwortet werden, dass Klage unbegründet wird. Das folgt aus § 309 III 1 iVm § 309 IV 1 und bestätigt sich in RegBegr. Kropff S. 405; ebenso MüKoAktG/Altmeppen Rn. 132. Wer Ergebnis unerträglich findet (Mertens FS Fleck, 1988, 209, 218), ist auf Durchsetzung seiner Position de lege ferenda verwiesen. IÜ ist es nicht richtig, dass Kosten des Rechtsstreits notwendig dem Aktionär aufzuerlegen wären (vgl. Mertens FS Fleck, 1988, 209, 218). Vielmehr bewirken Verzicht oder Vergleich Erledigung der Hauptsache, so dass die Beklagten die Kosten tragen, wenn Klage bis dahin begründet war (zust. MüKoAktG/Altmeppen Rn. 132).

22 Hinsichtlich Kosten befürwortet hM **Streitwertspaltung analog § 247,** um auf diese Weise Kostenrisiko des Aktionärs zu verringern (MüKoAktG/Altmeppen Rn. 133 ff.; KK-AktG/Koppensteiner Rn. 50 f.; Hölters/Weber/Leuering/Goertz Rn. 48; BeckOGK/Veil/Walla Rn. 33; Kropff FS Bezzenberger, 2000, 233, 241 ff.). Vorliegen der Analogievoraussetzungen wird allerdings nicht näher problematisiert, obwohl auch Befürworter darauf hinweisen, dass Gesetzgeber Klage möglicherweise nur deshalb als Individualrecht ausgestaltet hat, weil Missbrauch wegen Kostenrisikos nicht zu befürchten steht (BeckOGK/Veil/Walla Rn. 33). Damit ist aber schon Vergleichbarkeit zweifelhaft. Berücksichtigt man überdies, dass nach Einführung des § 148, der neben § 309 Anwendung findet (→ Rn. 21), auch zwingendes Schutzbedürfnis nicht mehr erkennbar ist (sa S/L/Langenbucher Rn. 33) muss Analogie verneint werden (KK-AktG/Noack/Zetzsche § 247 Rn. 21; iErg auch Grigoleit/Servatius Rn. 14; Mertens AcP 168 [1968], 225, 227). Ggf. kann verbleibenden Zweifelsfällen durch sinnvolle Handhabung der **Generalklausel des § 3 ZPO,** die auf die Grundgedanken des § 247 Bedacht nimmt, abgeholfen werden (ebenso NK-AktR/Peres Rn. 31; Happ/Pfeifer ZGR 1991, 103, 123 f.; → § 317 Rn. 16).

23 **2. Gläubiger.** Nach § 309 IV 3 können auch Gläubiger der Gesellschaft den Ersatzanspruch geltend machen, wenn sie von ihr keine Befriedigung erlangen können. Bloße Zahlungsverweigerung genügt nicht (OLG Stuttgart AG 2021, 119, 122). Verzicht oder Vergleich der Gesellschaft hindert Verfolgung des Anspruchs durch Gläubiger anders als bei Gesellschafterklage (→ Rn. 21) nicht (§ 309 IV 4). Gläubiger muss auch nicht Leistung an Gesellschaft verlangen, sondern **kann fordern, dass an ihn gezahlt wird.** Deshalb handelt es sich hier anders als bei Aktionärsklage (→ Rn. 21) nicht um Fall von Prozessstandschaft. Regelung ist § 93 V nachgebildet. Erl. in → § 93 Rn. 170 ff. gelten deshalb entspr. mit der Maßgabe, dass es auf gröbliche Pflichtverletzung nicht ankommt; iRd § 309 IV 3 genügt jede Fahrlässigkeit.

24 **3. Insolvenz.** Bei Insolvenz der Gesellschaft ruhen gem. § 309 IV 5 das Klagerecht der Aktionäre und das Verfolgungsrecht der Gesellschaftsgläubiger. Neufassung der Norm durch Art. 47 Nr. 18b EGInsO (BGBl. 1994 I 2911) berücksichtigt neben bloß sprachlicher Anpassung die Möglichkeit der Eigenverwaltung (§§ 270 ff. InsO). Rechte werden nämlich durch Insolvenzverwalter oder bei Eigenverwaltung durch Sachwalter ausgeübt. Das entspr. § 93 V 4; s. deshalb → § 93 Rn. 174. Entspr. Vorschriften sind auch in § 62 II 2, § 117 V 3 enthalten.

VI. Verjährung (§ 309 V)

Verjährungsfrist beträgt wie in § 93 VI Fall 2 **fünf Jahre,** und zwar für alle aus § 309 I–IV folgenden Ansprüche, aber auch nur für diese (§ 309 V). Fünfjahresfrist ist im Zuge der Verjährungsneuregelung von 2004 bewusst beibehalten worden (RegBegr. BT-Drs. 15/3653, 12). Auch Verschärfung für börsennotierte AG wurde nicht aus § 93 VI übernommen (→ § 93 Rn. 175). Fristbeginn bestimmt sich obj. nach § 200 BGB; zu den Einzelheiten → § 93 Rn. 175 ff. 25

VII. Haftung des herrschenden Unternehmens

1. Grundlage und Ausgestaltung der Haftung. § 309 betr. Verantwortlichkeit und Haftung der ges. Vertreter des herrschenden Unternehmens, aber, abgesehen vom beherrschenden Einzelkaufmann (→ Rn. 5), nicht dessen eigene Haftung. Nach RegBegr. Kropff S. 404 f. haftet herrschendes Unternehmen „nach allgemeinen Rechtsgrundsätzen auf Grund des Vertrags". Bes. Regelung hielt Gesetzgeber daher nicht für erforderlich. Folglich ist iErg anerkannt, dass nicht nur die ges. Vertreter ersatzpflichtig sind, sondern auch das herrschende Unternehmen selbst Schadensersatz schuldet, wenn Voraussetzungen des § 309 I und II vorliegen (s. zB MüKoAktG/Altmeppen Rn. 143 ff.; KK-AktG/Koppensteiner Rn. 37; Emmerich/Habersack/Emmerich Rn. 29 f.). 26

Str. geblieben ist **Anspruchsgrundlage.** Wohl überwiegend wird sie in § 280 I BGB wegen **Verletzung des Beherrschungsvertrags** gefunden (MüKoAktG/Altmeppen Rn. 144 f.; KK-AktG/Koppensteiner Rn. 37; S/L/Langenbucher Rn. 41 ff.), alternativ wird **§ 309** herangezogen (so zB Mertens AcP 168 [1968], 225, 229; Ulmer FS Stimpel, 1985, 705, 712). Entscheidung zwischen § 280 I BGB und § 309 analog ist praktisch ohne Relevanz, da auch Befürworter einer Haftung nach § 280 I BGB ergänzend § 309 III–V hinzuziehen (S/L/Langenbucher Rn. 42), so dass es letztlich nur darum geht, ob Analogie schon bei Anspruchsgrundlage ansetzt oder erst bei ihrer inhaltlichen Ausgestaltung (sa Emmerich/Habersack/Emmerich Rn. 30). Methodisch zwingend erscheint weder das eine noch das andere, doch will man dem Wortlaut des Ges. so weit wie möglich folgen, dürfte Anwendung des § 280 I BGB vorzugswürdig sein. Zurechnung erfolgt über § 31 BGB analog (str. – nach aA § 278 BGB; s. zu dieser Auseinandersetzung schon K. Schmidt GesR § 10 IV 3). 27

2. Organverflechtungen. Für Praxis ungeklärt ist, ob das herrschende Unternehmen in den Fällen der Organverflechtung für Maßnahmen haftet, die ein Mitglied seines Vorstands oder sonstigen Vertretungsorgans als Mitglied des AR oder des Vorstands der Untergesellschaft zu deren Nachteil trifft. Dabei stellen sich zwei Fragen, nämlich erstens, ob es für den Schadensersatz der Untergesellschaft eine Anspruchsgrundlage gibt (in § 31 BGB kann sie nicht gefunden werden), und zweitens, ob sich das herrschende Unternehmen das die Anspruchsgrundlage ausfüllende pflichtwidrige Handeln seiner Vertreter gem. § 31 BGB mit der Folge eigener Ersatzpflicht zurechnen lassen muss. Beides wird nicht immer deutlich getrennt. Im Schrifttum wird **bei Organverflechtung § 309** verbreitet für anwendbar gehalten, weil eine Konstruktion, die Weisungen und auch sonstige Maßnahmen gleicher Wirkung (→ Rn. 12) entbehrlich mache, haftungsrechtl. nicht ggü. der pflichtwidrigen Weisung privilegiert werden könne (Emmerich/Habersack/Emmerich Rn. 34; KK-AktG/Koppensteiner Rn. 41; zur aA → Rn. 29). Rspr. gibt es nur zur zweiten Frage. **BGH verneint Zurechnung gem. § 31 BGB,** weil Vertreter des herrschenden Unternehmens im AR oder Vorstand der Untergesellschaft gerade als deren Organmitglied und nicht als Organmitglied des herrschenden Unternehmens tätig werde (BGHZ 36, 296, 28

309 ff. = NJW 1962, 864; BGHZ 90, 381, 396 = NJW 1984, 1893; zust. BeckOGK/Veil/Walla Rn. 39; Hoffmann-Becking ZHR 150 [1986], 570, 577; zur aA → Rn. 29).

29 Schon die Frage, ob **§ 309 ohne Weisung der Vertreter des herrschenden Unternehmens** angewandt werden kann, bleibt trotz vieler bejahender Stimmen zweifelhaft. Betrachtungsweise mag formal sein, ist aber gerade in §§ 308, 309 angelegt. Andere Beurteilung ist **nicht mehr Gesetzesanwendung,** sondern Rechtsfortbildung, deren Prämissen bislang nicht überzeugend dargetan sind (MüKoAktG/Altmeppen Rn. 150 ff.; BeckOGK/Veil/Walla Rn. 16; ähnlich Noack FS Hoffmann-Becking, 2013, 847, 851 f. jedoch mit nicht trennscharfer Differenzierung zwischen Anspruchsbegründung und Zurechnung). Es verbleibt dann Haftung nach § 93 (BeckOGK/Veil/Walla Rn. 16). Wiederum zu unterscheiden ist der Fall, dass bei **Vorstandsdoppelmandat** (→ § 76 Rn. 136 f.) ein Vorstandsmitglied seinen Vorstandskollegen Weisung als ges. Vertreter des herrschenden Unternehmens tats. erteilt; seine Haftung bestimmt sich dann nach § 309, nicht nach § 93 (heute allg. Auffassung – s. nur MüKoAktG/Altmeppen Rn. 67; BeckOGK/Veil/Walla Rn. 16). In Fällen dieser Art muss entgegen der Tendenz der Judikatur (→ Rn. 28) **§ 31 BGB anwendbar** sein, so dass sich der Ersatzanspruch auch gegen das herrschende Unternehmen richtet. Wenn die Zulässigkeit eines Vorstandsdoppelmandats es ermöglicht, zugleich Organfunktionen in zwei Gesellschaften zu übernehmen und damit einen Interessenkonflikt zu begründen, ist nicht einsichtig, warum auf Haftungsebene eine strenge Alternativität in der Weise anzunehmen sein soll, dass Organträger nur für die eine oder andere Gesellschaft handeln kann (iE ebenso MüKoAktG/Altmeppen Rn. 150 ff.; S/L/Langenbucher Rn. 47; Ulmer FS Stimpel, 1985, 705, 715 ff.; sa Noack FS Hoffmann-Becking, 2013, 847, 854 ff. mit Konkretisierung der Zurechnungsvoraussetzungen).

Verantwortlichkeit der Verwaltungsmitglieder der Gesellschaft

310 (1) [1]**Die Mitglieder des Vorstands und des Aufsichtsrats der Gesellschaft haften neben dem Ersatzpflichtigen nach § 309 als Gesamtschuldner, wenn sie unter Verletzung ihrer Pflichten gehandelt haben.** [2]**Ist streitig, ob sie die Sorgfalt eines ordentlichen und gewissenhaften Geschäftsleiters angewandt haben, so trifft sie die Beweislast.**

(2) **Dadurch, daß der Aufsichtsrat die Handlung gebilligt hat, wird die Ersatzpflicht nicht ausgeschlossen.**

(3) **Eine Ersatzpflicht der Verwaltungsmitglieder der Gesellschaft besteht nicht, wenn die schädigende Handlung auf einer Weisung beruht, die nach § 308 Abs. 2 zu befolgen war.**

(4) **§ 309 Abs. 3 bis 5 ist anzuwenden.**

I. Regelungsgegenstand und -zweck

1 Norm betr. Sorgfaltspflichten und Verantwortlichkeit der Verwaltungsmitglieder der Untergesellschaft im Vertragskonzern. Bezweckt ist wie in § 309 (→ § 309 Rn. 1) **Schadensausgleich und -prävention.** Haftung ergäbe sich auch schon aus §§ 93, 116. Bedeutung der Vorschrift liegt deshalb in der ausdr. Anordnung eines Gesamtschuldverhältnisses zwischen ges. Vertretern des herrschenden Unternehmens und Verwaltungsmitgliedern der Untergesellschaft durch § 310 I (Kuntz Konzern 2007, 802, 803; → Rn. 4) sowie darin, dass sie in § 310 IV die Regelung des § 309 III–V für anwendbar erklärt (Emmerich/Habersack/Emmerich Rn. 1). Regelung ist zwingend. **Konkurrenzen.** Soweit

§ 310 eingreift, verdrängt er §§ 93, 116. Soweit nicht (zB keine Weisung), bleiben §§ 93, 116 anwendbar. Unanwendbar ist § 117 II, dem § 310 I und II nachgebildet ist (MüKoAktG/Altmeppen Rn. 42), und zwar auch § 117 II 3 (→ Rn. 5).

II. Haftung von Organmitgliedern

1. Normadressaten. § 310 I 1 wendet sich an Mitglieder des Vorstands und des AR der Untergesellschaft. AR kann zwar nicht Empfänger von Weisungen sein (§ 308 I 1; → § 308 Rn. 1, 12), hat aber Zustimmungsrecht des § 111 IV 2 (§ 308 III; → § 308 Rn. 23 f.) und muss überdies Ausführung von Weisungen durch Vorstand überwachen. Bei beidem ist er sorgfaltspflichtig. Nicht unter § 310 I 1 fallen Angestellte der Gesellschaft, auch nicht, soweit Weisungen direkt an sie gerichtet werden dürfen (→ § 308 Rn. 8). Ihre Haftung richtet sich nach Anstellungsvertrag. Für Vorstandsmitglieder kommt insoweit Überwachungsverschulden in Betracht (KK-AktG/Koppensteiner Rn. 4). 2

2. Pflichtverletzung und Verschulden. Organmitglieder (→ Rn. 2) haften nur, wenn sie ihre Pflichten verletzt haben. Verknüpfung von § 310 mit § 309 ergibt, dass es sich für den Vorstand um Pflichten bei **Entgegennahme und Ausführung von Weisungen** handeln muss; sonst verbleibt es bei § 93 (→ Rn. 1). Vorstand muss insbes. Rechtmäßigkeit von Weisungen prüfen (→ § 308 Rn. 20). AR kann pflichtwidrig handeln, indem er einer Maßnahme zu Unrecht zustimmt (§ 111 IV 2 iVm § 308 III 1) oder Vorstand ungenügend überwacht (vgl. Emmerich/Habersack/Emmerich Rn. 21; KK-AktG/Koppensteiner Rn. 5; aA MüKoAktG/Altmeppen Rn. 38: nur § 116). Zur obj. Pflichtwidrigkeit muss Verschulden hinzutreten. Darlegungs- und Beweislast für pflichtgem. und verschuldensfreies Handeln liegt nach § 310 I 2 bei den Organmitgliedern; die übrigen Haftungsvoraussetzungen sind vom Anspruchsteller zu beweisen (Emmerich/Habersack/Emmerich Rn. 15 f.; aA MüKoAktG/Altmeppen Rn. 27 ff.). Zum Haftungsausschluss nach § 310 III → Rn. 6. 3

3. Haftungsfolgen. Wenn Voraussetzungen des § 310 I erfüllt sind, haften Mitglieder des Vorstands und des AR auf **Schadensersatz** (§§ 249 ff. BGB). Zum Schaden der Gesellschaft, bes. bei Gewinnabführungsvertrag, → § 309 Rn. 17 f. Mehrere Ersatzpflichtige haften als **Gesamtschuldner** (§§ 421 ff. BGB), und zwar neben den gem. § 309 Verantwortlichen. Verwaltungsmitglieder der Untergesellschaft können also nichts vorbringen, was einer Einrede der Vorausklage vergleichbar wäre, und sind auch im Innenverhältnis nicht etwa Schuldner zweiter Stufe. 4

III. Kein Haftungsausschluss durch Billigung des Aufsichtsrats

Billigung des AR kann Haftung der Vorstandsmitglieder, die nach § 310 I begründet ist, gem. § 310 II nicht ausschließen. Das ist selbstverständlich, weil Billigung ihrerseits auf Pflichtwidrigkeit beruht, und wiederholt nur § 93 IV 2. Dasselbe gilt nach ganz hM bei **Billigung durch HV-Beschluss** (RegBegr. Kropff S. 406; MüKoAktG/Altmeppen Rn. 17; Emmerich/Habersack/Emmerich Rn. 19; aA Canaris ZGR 1978, 207, 208 ff.). Solche vom Vorstand gem. § 119 II herbeigeführte Billigung darf nicht entlastend wirken, weil zu erwarten steht, dass herrschendes Unternehmen der von seinen ges. Vertretern erteilten Weisung eine zust. HV-Mehrheit verschafft. 5

IV. Keine Haftung bei verbindlicher Weisung

6 Haftungsausschließend für Mitglieder des Vorstands und des AR wirkt gem. § 310 III **Folgepflicht** des Vorstands nach § 308 II. Verwaltungsmitglieder haften also auch bei erkennbarer Schädigung der Gesellschaft nicht, wenn solche Schädigung auf Weisung des herrschenden Unternehmens beruht und den Belangen des herrschenden Unternehmens oder konzernverbundener Unternehmen dient oder zwar nicht dient, dies aber nicht offensichtlich ist. Darlegungs- und Beweislast für fehlende Offensichtlichkeit liegt bei den Verwaltungsmitgliedern (KK-AktG/Koppensteiner Rn. 6; aA MüKoAktG/Altmeppen Rn. 23 ff.).

V. Anwendung des § 309 III–V

7 Für Verzicht auf und Vergleich über Ersatzansprüche gilt § 309 III iVm § 310 IV (→ § 309 Rn. 19 f.). Entspr. folgt Klagerecht der Aktionäre (abw. von § 93 V) und Verfolgungsrecht der Gläubiger aus § 309 IV iVm § 310 IV (→ § 309 Rn. 21 ff.). Schließlich gilt auch die fünfjährige Verjährung gem. § 309 V iVm § 310 IV (→ § 309 Rn. 25).

Zweiter Abschnitt. Verantwortlichkeit bei Fehlen eines Beherrschungsvertrags

Schranken des Einflusses

311 (1) **Besteht kein Beherrschungsvertrag, so darf ein herrschendes Unternehmen seinen Einfluß nicht dazu benutzen, eine abhängige Aktiengesellschaft oder Kommanditgesellschaft auf Aktien zu veranlassen, ein für sie nachteiliges Rechtsgeschäft vorzunehmen oder Maßnahmen zu ihrem Nachteil zu treffen oder zu unterlassen, es sei denn, daß die Nachteile ausgeglichen werden.**

(2) [1] **Ist der Ausgleich nicht während des Geschäftsjahrs tatsächlich erfolgt, so muß spätestens am Ende des Geschäftsjahrs, in dem der abhängigen Gesellschaft der Nachteil zugefügt worden ist, bestimmt werden, wann und durch welche Vorteile der Nachteil ausgeglichen werden soll.** [2] **Auf die zum Ausgleich bestimmten Vorteile ist der abhängigen Gesellschaft ein Rechtsanspruch zu gewähren.**

(3) **Die §§ 111a bis 111c bleiben unberührt.**

Übersicht

I. Regelungsgegenstand und -zweck

1 § 311 betr. faktische Konzernierung, nämlich Einflussnahme des herrschenden Unternehmens auf abhängige Gesellschaft. Sie wird vor kompensationsloser Benachteiligung geschützt, die insbes. nicht dadurch gerechtfertigt wird, dass sie dem Interesse des herrschenden Unternehmens oder des Konzerns dienen mag (RegBegr. Kropff S. 407; zur irreführenden Begrifflichkeit → Rn. 8). Zweck ist Schutz der Gesellschaftsgläubiger und der Minderheitsaktionäre – zusammengefasst: **Außenseiterschutz** – vor solcher Benachteiligung. Norm will jedoch nachteilige Einflussnahme nicht schlechthin verbieten, sondern enthält auch **Zulassung des faktischen Konzerns unter bestimmten Prämissen** (→ Rn. 3 f.). Vorausgesetzt ist, dass sich ausgleichsfähige nachteilige Rechtsgeschäfte oder Maßnahmen als solche isolieren lassen und tats. innerhalb des Geschäftsjahrs ausgeglichen (§ 311 I) oder zum Gegenstand rechtsverbindlicher Regelung gemacht werden (§ 311 II). Faktischer Konzern wird vor allem dadurch zugelassen, dass § 311 für Nachteilsausgleich den umschriebenen **zeitlichen Spielraum** gibt und nicht, wie im Gesetzgebungsverfahren zunächst geplant, nur solche Maßnahmen zulässt, die sich unter Vergleich von Vor- und Nachteilen sogleich als wenigstens vermögensneutral erweisen (s. dazu AusschussB Kropff S. 409 f.; de lege ferenda für Abschaffung des hinausgeschobenen Ausgleichs Kropff FS Kastner, 1992, 279, 290 ff.). § 7d WStBG verdrängt §§ 311 ff. in seinem Anwendungsbereich, und zwar sowohl Vorschriften für herrschende als auch für abhängige Unternehmen (so zur Berichtspflicht nach § 312 OLG Frankfurt AG 2015, 272 Rn. 88 ff. – in Bezug auf Vorgängervorschrift in

§ 7d FMStBG aF; krit. zum Anwendungsausschluss unter Verweis auf Beseitigung der privilegierenden Wirkung des § 311 Ziemons NZG 2009, 369, 375). **Praktische Bedeutung** der faktischen Konzernierung ist hoch; ca. die Hälfte aller börsenotierten Gesellschaften hat einen Aktionär, der mindestens 30 % der Aktien hält, etwa ein Drittel verfügt über Einzelaktionär mit Mehrheitsbeteiligung (Bayer/Hoffmann AG 2015, R 91, 93). ZT ist faktische Konzernierung auch nur Übergangsstadium zu vertraglicher Konzernierung (J. Vetter in 50 Jahre AktG, 2015, 231, 251). Praktische Bedeutung schlägt sich allerdings nicht in Gerichtsentscheidungen zu §§ 311 ff. nieder, was darauf zurückzuführen sein dürfte, dass unter Voraussetzung faktischer Konzernierung auch Neigung zur klageweisen Durchsetzung ggü. Muttergesellschaft gering sein wird (zur vermehrten Beschäftigung mit §§ 311 ff. in Gerichtspraxis seit Mitte der 2000er Jahre vgl. J. Vetter in 50 Jahre AktG, 231, 252).

II. Grundlagen

2 **1. Regelungsmodell der §§ 311 ff. im Überblick.** Anders als §§ 300 ff., bes. § 302, enthalten §§ 311 ff. **kein pauschales Schutzsystem,** sondern knüpfen an nachteilige Einzelmaßnahmen an. Jede Einzelmaßnahme bedarf danach gesonderter Überprüfung mit dem Ziel, von ihr ausgehende Nachteile und deren Ausgleich festzustellen (RegBegr. Kropff S. 409). Regelungsmodell der §§ 311 ff. ist deshalb die **Nachteilszufügung bei bloßer Abhängigkeit** (§ 17) oder bei einer einheitlichen Leitung (§ 18 I 1), die mit solchen Einzelmaßnahmen arbeitet. System des Einzelausgleichs hat seine Basis in § 311 und wird durch § 317 sanktioniert. § 311 enthält die tatbestandlichen Voraussetzungen für eine Verantwortlichkeit des herrschenden Unternehmens und konkretisiert diese als bes. gestaltete Ausgleichspflicht (→ Rn. 37). § 317 setzt die gedankliche Linie fort, indem das herrschende Unternehmen und seine ges. Vertreter einer Schadensersatzpflicht unterworfen werden, wenn Ausgleichspflicht nicht erfüllt wird. Die eingeschobenen **§§ 312–316** begründen **Hilfspflichten** der abhängigen Gesellschaft und ihrer Organe zur Dokumentation der Beziehungen zum herrschenden Unternehmen, soweit sich diese Beziehungen in isolierbaren Einzelmaßnahmen niederschlagen. Erforderlich ist grds. (Ausnahme gem. § 316: Gewinnabführungsvertrag) Abhängigkeitsbericht, der seinerseits durch Abschlussprüfer (§ 313) und AR (§ 314) geprüft werden muss. Daran knüpft Vorschrift des § 318 an, nach der Mitglieder des Vorstands und des AR sich schadensersatzpflichtig machen, wenn sie ihre Berichts- bzw. Prüfungspflichten verletzen und sich nicht exculpieren können. Mittelbar flankiert werden §§ 311 ff. durch **Unabhängigkeitspostulat in C.6 – C.12 DCGK** (→ § 100 Rn. 36 ff.), das Rechte der Minderheitsaktionäre ebenfalls stärkt (vgl. Hommelhoff ZIP 2013, 953, 956 f.; sa J. Vetter in 50 Jahre AktG, 231, 250). Zum Verhältnis zur mitgliedschaftlichen Treupflicht → Rn. 52.

3 **2. Grundverständnis und rechtspolitische Bewertung.** Verständnis und rechtspolitische Bewertung der §§ 311 ff. werden seit jeher kontrovers diskutiert, wobei im Mittelpunkt der früheren Auseinandersetzung die Fragen der Zulässigkeit oder doch zumindest Billigung durch den Gesetzgeber standen sowie die Frage nach einer Konzernleitungspflicht (Überblick zur Diskussion etwa bei MüKoAktG/Altmeppen Rn. 24 ff.). Auch wenn diese Fragen bis heute nicht abschließend gelöst sind, so ist doch zumindest gewisse Konsolidierung des Meinungsstandes festzustellen. Frage der **Zulässigkeit** ist im Wesentlichen entschieden, wenn man aufgrund der §§ 311 ff. auch faktische Konzernierung als gesetzeskonformes Beherrschungsmittel ansieht; denn was gesetzeskonform ist, kann für normative Betrachtung nicht unzulässig sein (vgl. BGH AG 2008, 779,

781; OLG Köln AG 2009, 416, 418 f.; MüKoAktG/Altmeppen Rn. 20 ff.; S/L/J. Vetter Rn. 6; Hommelhoff, Die Konzernleitungspflicht, 1982, 110 ff.).

Folgefrage, ob in Zulässigkeitsurteil die **Billigung einfacher faktischer Konzernierung** zum Ausdruck kommt oder nur ihre Duldung, wird mittlerweile ganz überwiegend im ersten Sinne beantwortet (GK-AktG/Fleischer Rn. 26 ff.; Emmerich/Habersack/Habersack Rn. 8; S/L/J. Vetter Rn. 6; Hommelhoff, Die Konzernleitungspflicht, 1982, 109 ff.; aA noch Geßler FS Westermann, 1974, 145, 150 ff., 155; vgl. auch die Darstellung von Hommelhoff ZGR 2019, 379, 381 ff.). Auch dem ist gerade im Lichte des § 311 I, letzter Hs. zuzustimmen; denn während Verbotsanordnung des § 311 I sich weitgehend bereits aus §§ 57, 117 und mitgliedschaftlicher Treupflicht ergeben würde, liegt in Einschränkung dieser Regeln durch § 311 I, letzter Hs. **Privilegierung des herrschenden Unternehmens,** die durch Beachtung der §§ 312 ff. erkauft werden muss (sa GK-AktG/Fleischer Rn. 10 ff.; S/L/J. Vetter Rn. 4, 6; zur Entwicklungsgeschichte Hommelhoff ZGR 2019, 379, 381 ff.). Frage ist für Anwendung der §§ 311 ff. ohne wesentliche Bedeutung (MüKoAktG/Altmeppen Rn. 26: „graue Theorie"; aA Mülbert ZHR 163 [1999], 1, Rn. 23 Fn. 84). Aus rechtl. Billigung folgt aber, dass §§ 311 ff. nicht nur Schutzvorschriften (→ Rn. 1) sind, sondern einfache vertragslose oder faktische Konzernierung als **Sonderrechtsverhältnis** organisationsrechtl. Inhalts anerkennen (Löbbe, Unternehmenskontrolle im Konzern, 2003, 155 ff., 161 ff.; Hüffer FS Schwark, 2009, 185, 190 nach Fn. 20). Soweit mit Schutzfunktion vereinbar, enthalten §§ 311 ff. also auch die Anerkennung des von den beteiligten Unternehmen selbst geschaffenen Organisationsrechts (ähnlich K. Schmidt GesR § 17 II 1a). Sonderstatus macht etwa § 131 IV unanwendbar (→ § 131 Rn. 105) und führt auch dazu, dass Repräsentanten des herrschenden Unternehmens dessen Interessen im AR der abhängigen Gesellschaft grds. wahrnehmen dürfen, also nicht etwa mangels Unabhängigkeit mandatsunfähig sind (→ § 100 Rn. 36 ff.; Martinek WRP 2008, 51, 65 ff.: Konzernprivileg). 4

Umstr. ist überdies die Frage, ob im faktischen Konzern bes. **Konzernleitungsmacht** oder gar -pflicht in dem Sinne anzuerkennen ist, dass Vorstand der herrschenden AG verpflichtet ist, nicht nur diese und ihr Unternehmen, sondern nach dem Standard des § 76 I auch die Tochterunternehmen umfassend zu leiten. Frage ist von Hommelhoff, Die Konzernleitungspflicht, 1982, 43 ff., 165 ff., 184 ff. aufgeworfen und bejaht worden. Heute ganz hM lehnt dagegen beide Ausprägungen ab (MüKoAktG/Altmeppen Rn. 409; GK-AktG/Fleischer Rn. 57 ff.; S/L/J. Vetter Rn. 7). Dafür spricht, dass § 76 nicht außer Kraft gesetzt wird (→ Rn. 48) und die Entwicklung einer Leitungskonzeption in der Zulässigkeit nachteiliger Einzelmaßnahmen noch keine Rechtfertigung findet. Auch an entspr. Einflussmöglichkeiten fehlt es, weil §§ 311 ff. der Einflussnahme im (einfachen) faktischen Konzern deutliche Grenzen ziehen (→ Rn. 8) und insbes. Eigenverantwortung des Vorstands der abhängigen Gesellschaft grds. erhalten bleibt (→ Rn. 48); Verbot des § 311 steht (trotz Erlaubnisvorbehalts) einheitlicher Konzernleitung entgegen. Auch eine **Konzernleitungspflicht** findet im Ges. keine Stütze und wird deshalb ganz überwiegend abgelehnt (Nachw. wie oben). Vorstand der herrschenden AG entscheidet also nach seinem **Ermessen,** ob und wie er abhängige Unternehmen in seine Leitung nimmt oder in relativer Selbständigkeit arbeiten lässt (s. zB Martens FS Heinsius, 1991, 523, 531). Allerdings ist nicht zu verkennen, dass gerade die schon fast abgeschlossen geglaubte Diskussion um diese Pflicht unter anderem Vorzeichen und auf anderer Grundlage (Pflichtbindungen im Außenverhältnis) unter dem Schlagwort der **Konzern-Compliance** zum Teil wieder aufgegriffen worden ist und in dieser Gestalt – zu Unrecht – zahlreiche Befürworter findet (→ § 76 Rn. 50 ff.). Auch wenn es dabei im dogmatischen Kern um abw. Konzeption geht, kann sie doch, namentl. im 5

Hinblick auf konzernweite Organisationsanforderungen und Erschwernis dezentraler Konzernführung, zu ähnlichen Ergebnissen führen. Etwas anderes kann nur in den Rechtsbereichen gelten, in denen die Rechtsordnung – und idR namentl. das **europ. Aufsichtsrecht** – die Muttergesellschaft unmittelbar für Legalitätsverstöße in die Verantwortung nimmt. Zur damit einhergehenden Durchbrechung des konzernrechtl. Trennungsprinzips → § 1 Rn. 21; zur damit möglicherweise einhergehenden Einschränkung der Weisungsfreiheit → Rn. 48a f.

6 **Rechtspolitisches Urteil** über §§ 311 ff. und hier insbes. über Abhängigkeitsbericht war früher vielfach negativ (Zusammenstellung von Reformvorschlägen bei KK-AktG/Koppensteiner Vor § 291 Rn. 145 ff.; sa Monopolkommission VII. Hauptgutachten 1986/87 [BT-Drs. 11/2677] Rn. 837 ff.; weitere Nachw. bei Timm NJW 1992, 2185, 2193 Fn. 75). In jüngerer Zeit nimmt Urteil eher positive, jedenfalls differenziertere Züge an (s. vor allem MüKoAktG/Altmeppen Vor § 311 Rn. 28 f.; GK-AktG/Fleischer Rn. 67 ff.; Kropff FS Kastner, 1992, 279, 283 ff., 286; Hommelhoff, Gutachten G zum 59. DJT, 1992, 19 ff.). Diese Wendung ist im Wesentlichen darauf zurückzuführen, dass weder in Wirtschafts- noch in Gerichtspraxis unerträgliche Defizite der Regelung zutage getreten sind (S/L/J. Vetter Rn. 8), Praxis aber gegenläufig die Vorzüge einer dezentralen Konzernführung anerkennt, die durch Regelungsmodell der §§ 311 ff. gestattet wird (Emmerich/Habersack/Habersack Rn. 12). Auch wenn Einzelregelungen weiterhin fragwürdig bleiben, erscheint deshalb vollständige Revision nicht geboten (Emmerich/Habersack/Habersack Rn. 12); zumindest auf nationaler Ebene gibt es derzeit auch keine dahingehenden Bestrebungen mehr.

7 **3. Versagen des Einzelausgleichskonzepts.** Regelungsmodell der §§ 311 ff. wird verfehlt, wenn Einzelausgleich nach Art und Intensität der Eingriffe des herrschenden Unternehmens nicht möglich ist. Das bleibt das Kernstück der früher sog **qualifizierten faktischen Konzerne.** Nach jetzt erreichtem Entwicklungsstand (→ § 1 Rn. 22 ff.; → § 302 Rn. 7) ist Lösung nicht in pauschaler Verlustübernahmepflicht nach Vorbild des § 302, sondern in Anwendung allg. Rechtsinstitute zu suchen. Von BGH favorisierte Innenhaftung nach § 826 BGB (→ § 1 Rn. 25) ist aktienrechtl. jedenfalls um § 117 zu ergänzen (→ § 1 Rn. 30). Genügt das nicht, so ist auf Treubindungen zurückzugreifen (→ § 1 Rn. 30; → § 53a Rn. 24). Schon im Vorfeld können aber sowohl abhängige AG selbst als auch außenstehende Aktionäre Unterlassungsansprüche geltend machen (→ Rn. 10, → § 18 Rn. 5).

III. Ausgleich von Nachteilen: Voraussetzungen (§ 311 I)

8 **1. Abhängigkeitsverhältnis.** § 311 I setzt ein herrschendes Unternehmen und eine von ihm abhängige AG oder KGaA voraus. **Herrschendes Unternehmen** ist jeder Gesellschafter ohne Rücksicht auf Rechtsform, wenn er neben der Beteiligung an der AG anderweitige, die Besorgnis nachteiliger Ausübung des Einflusses auf die Gesellschaft rechtfertigende wirtschaftliche Interessenbindung aufweist (→ § 15 Rn. 10 ff.). Ob **Abhängigkeit** besteht, ist nach § 17 zu beurteilen (→ § 17 Rn. 4 ff.). Auch Abhängigkeitsvermutung (§ 17 II; → § 17 Rn. 17 ff.) gilt. Vorliegen eines Konzerns wird zwar gem. § 18 I 3 (→ § 18 Rn. 18 f.) vermutet, ist aber für Anwendung des § 311 nicht erforderlich (→ Rn. 2). Norm greift also auch dann ein, wenn Widerlegung der Konzernvermutung gelingen sollte, sofern es bei Abhängigkeit verbleibt. Darin zeigt sich, dass schlagwortartige Bezeichnung als **faktische Konzernierung** irreführend ist, da Regelungsmodell der §§ 311 ff. – wie Mehrzahl konzernrechtl. Regelungen – nicht an Merkmal der einheitlichen Leitung anknüpft, sondern an Abhängigkeit (GK-AktG/Fleischer Rn. 2; K. Schmidt JZ 1992, 856, 857).

Abhängige Gesellschaft muss **deutschem Gesellschaftsstatut** unterliegen, weil ihr Schutz durch deutsches KonzernR sonst nicht veranlasst ist. Nach Änderung des § 5 (→ § 5 Rn. 1, 3) kann das auch bei AG mit ausländischem Satzungssitz und inländischem Verwaltungssitz der Fall sein, sofern Zuzugsstaat Gründungstheorie folgt (zur Bestimmung des Gesellschaftsstatuts iE → § 1 Rn. 34 ff.). Nicht maßgeblich ist dagegen Gesellschaftsstatut des herrschenden Unternehmens. Es unterliegt also auch bei ausländischem Statut den §§ 311 ff. (GK-AktG/Fleischer Rn. 132; MüKoBGB/Kindler IntGesR Rn. 681 ff.; MHdB AG/Krieger § 70 Rn. 70; sa OLG Frankfurt AG 1988, 267, 272). Für internationale Zuständigkeit bei angeblicher Schädigung deutscher AG durch ausländischen Großaktionär verweist Art. 7 Nr. 3 Brüssel Ia-VO auf deutsches Recht (s. ferner OLG Schleswig AG 2009, 374, 378; OLG Stuttgart AG 2007, 633 f.; LG Kiel IPrax 2009, 164, 165 f.; Grigoleit/Grigoleit Rn. 20; Bachmann IPrax 2009, 140, 141 ff.). Vertragskonzern: → § 291 Rn. 5, 8. 9

Bei **mehrfacher Abhängigkeit** der Gesellschaft (Gemeinschaftsunternehmen → § 17 Rn. 13 ff.) besteht Abhängigkeitsverhältnis ggü. jedem derjenigen Unternehmen, die an Interessenkoordination teilnehmen (BGHZ 62, 193, 197 f. = NJW 1974, 855; BGHZ 74, 359, 366 = NJW 1979, 2401; MüKoAktG/Altmeppen Rn. 64 ff.; Emmerich/Habersack/Habersack Rn. 14). Ob unmittelbare oder mittelbare Abhängigkeit vorliegt (→ § 17 Rn. 6), bleibt unerheblich. Dasselbe gilt bei **mehrstufiger Abhängigkeit** (→ § 17 Rn. 6), sofern auf keiner Stufe ein Beherrschungsvertrag besteht (Emmerich/Habersack/Habersack Rn. 17 f.); zum fehlenden Beherrschungsvertrag → Rn. 11 f.; zu den Folgen → Rn. 16. 10

2. Kein Beherrschungsvertrag; keine Eingliederung. a) Allgemeines. Negative Voraussetzung des § 311 ist, dass kein Beherrschungsvertrag besteht. Gemeint ist rechtstechnischer Begriff des § 291 I 1 Fall 1 (→ § 291 Rn. 9 ff.). Weil Beherrschungsvertrag Konzernleitung erlaubt (§ 308), wäre Anwendung des § 311 sinnwidrig. Dabei bleibt es auch, wenn herrschendes Unternehmen seinerseits aufgekauft wird (LG Frankfurt AG 1999, 238 f.; → Rn. 12). Gewinnabführungsvertrag (§ 291 I 1 Fall 2) hindert Anwendung des § 311 nicht; unanwendbar sind allerdings §§ 312–315 (§ 316). **Andere Unternehmensverträge** (§ 292) stehen der Anwendung der §§ 311 ff. insges. nicht entgegen. Für Eingliederung (§§ 319 ff.) stellt § 323 I 3 klar, dass §§ 311 ff. nicht anzuwenden sind. Das entspr. der in § 323 I 1 vorgesehenen, noch über § 308 hinausgehenden Leitungsmacht (→ § 323 Rn. 3). 11

b) Mehrstufige Abhängigkeit und Beherrschungsvertrag. §§ 311 ff. liegt Vorstellung zweistufiger Unternehmensverbindung zugrunde, doch überwiegt in Praxis regelmäßig vielstufige Abhängigkeit, die zT auf vertraglicher, zT auf faktischer Grundlage beruht (GK-AktG/Fleischer Rn. 136). In solchen Fällen kommt es für Anwendbarkeit des § 311 darauf an, auf welcher Stufe Beherrschungsvertrag besteht. Durchgehende Kette hintereinander geschalteter Beherrschungsverträge führt dazu, dass § 311 insges. unanwendbar bleibt; sonst ist Norm **grds. nur zwischen den Parteien des Beherrschungsvertrags unanwendbar** (GK-AktG/Fleischer Rn. 139; Emmerich/Habersack/Habersack Rn. 18 f.; MHdB AG/Krieger § 70 Rn. 73; E. Rehbinder ZGR 1977, 581, 609 f.). Für **Sonderlagen** gilt: Wenn Beherrschungsvertrag nur zwischen Mutter- und Tochtergesellschaft besteht, gilt für Enkel-AG ggü. beiden § 311 (GK-AktG/Fleischer Rn. 140). Wenn Beherrschungsvertrag nur zwischen Mutter- und Enkelgesellschaft besteht, findet § 311 auch im Verhältnis zwischen Tochter- und Enkelgesellschaft keine Anwendung (MüKoAktG/Altmeppen Anh. § 311 Rn. 52 ff.; Emmerich/Habersack/Habersack Rn. 18; teilw. aA Pentz, Rechtsstellung der Enkel-AG, 1994, 201 ff. iVm 218 aE); dagegen verbleibt es für das Verhältnis zwischen Mutter- und Tochtergesellschaft bei § 311 (GK-AktG/Fleischer 12

Rn. 142; KK-AktG/Koppensteiner Vor § 311 Rn. 29 f.; diff. E. Rehbinder ZGR 1977, 581, 620). Beherrschungsvertrag nur zwischen Tochter- und Enkelgesellschaft macht § 311 nach hM auch im Verhältnis zwischen Mutter- und Enkelgesellschaft unanwendbar, da sonst überzogener kumulativer Schutz zweier Regelungsregime (§§ 300 ff., 311 ff.) einträte (OLG Frankfurt AG 2001, 53; KK-AktG/Koppensteiner Vor § 311 Rn. 30; S/L/J. Vetter Rn. 18 f.; MHdB AG/Krieger § 70 Rn. 73; Paschke AG 1988, 196, 201 f.; aA Emmerich/Habersack/Habersack Rn. 19; Cahn BB 2000, 1477, 1478 ff.; für modifizierte Anwendung Pentz, Rechtsstellung der Enkel-AG, 1994, 201 ff.). Aus vermeintlichem Schutzbedürfnis der Enkelgesellschaft bei Insolvenz der Mutter folgt nichts anderes, da §§ 311 ff. auf solche Schutzbelange nicht ausgerichtet sind und diesen weitgehend auch durch andere Instrumentarien (Kündigungsmöglichkeit, Ersatzansprüche) Rechnung getragen werden kann (Grigoleit/Grigoleit Rn. 19; S/L/J. Vetter Rn. 18 f.). Im Verhältnis Mutter und Tochter bleibt es dagegen bei Anwendung des § 311 (GK-AktG/Fleischer Rn. 141).

13 **3. Veranlassung durch Einflussnahme. a) Art und Weise der Einwirkung.** § 311 I setzt voraus, dass das herrschende Unternehmen die abhängige Gesellschaft durch Benutzung seines Einflusses zu einem nachteiligen Rechtsgeschäft oder einer nachteiligen Maßnahme veranlasst. Ausgenommen ist hoheitliche Tätigkeit der als herrschendes Unternehmen beteiligten öffentlichen Hand (OLG Köln AG 2006, 586, 589). Sonst genügt **jede Einflussnahme,** die zu diesem Ergebnis führt und (dem herrschenden Unternehmen zurechenbar ist (GK-AktG/Fleischer Rn. 147). Gleichgültig ist also, ob sie sich als Ratschlag, Anregung, Erwartung eines bestimmten Verhaltens oder als Weisung darstellt, auch, ob sie sich auf den Einzelfall bezieht oder in Gestalt von Richtlinien erfolgt (LG Köln AG 2008, 327, 331; ADS Rn. 20, 28; KK-AktG/Koppensteiner Rn. 2 f., 16; MHdB AG/Krieger § 70 Rn. 77; monographisch Paul, Informelle und formelle Einflussnahmen des faktisch herrschenden Unternehmens, 2013; vgl. speziell zu Compliance-Richtlinien auch Roßkopf FS Krieger, 2020, 767 ff.). Einflussnahme ist auch bei Datenzugriff möglich (OLG Stuttgart BeckRS 2023, 5754 Rn. 477; Weinbrenner Konzern 2006, 583, 585 ff.). Dass Veranlassung eine gewisse Nachdrücklichkeit aufweist, ist nicht erforderlich (hM, s. KK-AktG/Koppensteiner Rn. 3). Ein Veranlassungsbewusstsein wird idR gegeben sein, ist jedoch keine zwingende Voraussetzung (MüKoAktG/Altmeppen Rn. 80; GK-AktG/Fleischer Rn. 146; MHdB AG/Krieger § 70 Rn. 77; iErg auch S/L/J. Vetter Rn. 27, der neben Veranlassungsbewusstsein auch Alternativkategorie der „Zurechenbarkeit" zulässt und damit auf Linie der hM liegt). Maßgeblich ist nur, ob sich abhängige Gesellschaft veranlasst sehen durfte. Von hM wird diese Beurteilung dahingehend formuliert, dass sie aus der Sicht der Gesellschaft zu erfolgen habe Emmerich/Habersack/Habersack Rn. 24; Hölters/Weber/Leuering/Goertz Rn. 40; BeckOGK/H.-F. Müller Rn. 75), was zT dahingehend aufgefasst wird, es solle eine rein subj. Sichtweise angelegt werden, bei der auch Schein der Veranlassung genüge (so die [krit.] Lesart von Grigoleit/Grigoleit Rn. 23). Das wäre in der Tat falsch, doch dürfte hM so zu verstehen sein, dass **obj. Veranlassung** erforderlich ist, die lediglich vom **Empfängerhorizont** zu beurteilen ist, was das Richtige trifft (GK-AktG/Fleischer Rn. 146; Emmerich/Habersack/Emmerich Rn. 24; sa BeckOGK/H.-F. Müller Rn. 75: „aus Perspektive der abhängigen Gesellschaft objektiv"). Eine Willenserklärung liegt schon deshalb nicht vor, weil die Veranlassung auf das tats. Verhalten der abhängigen Gesellschaft, nicht auf ihre Rechtsbindung ggü. dem herrschenden Unternehmen abzielt (GK-AktG/Fleischer Rn. 146; Emmerich/Habersack/Habersack Rn. 24). Von Veranlassung kann schließlich nur die Rede sein, wenn Verhalten des herrschenden Unternehmens für dasjenige der abhängigen Gesellschaft wenigstens mitursächlich war

(unstr., s. zB LG Bonn Konzern 2005, 455, 458 f.; GK-AktG/Fleischer Rn. 164; KK-AktG/Koppensteiner Rn. 6; → Rn. 23).

b) Beteiligte Stellen. aa) Normadressat. Normadressat des § 311 I ist das **herrschende Unternehmen.** Vorschrift greift also zunächst dann ein, wenn organschaftliche Vertreter (Vorstand, Geschäftsführer) des herrschenden Unternehmens tätig werden, doch ist das nicht notwendig. Veranlassung kann vielmehr auch von Angestellten des herrschenden Unternehmens ausgehen, wenn ihm deren Einflussnahme (→ Rn. 13) aus Perspektive der abhängigen Gesellschaft zuzurechnen ist (MüKoAktG/Altmeppen Rn. 81; MHdB AG/Krieger § 70 Rn. 78). Anwendungsbeispiele bietet das Konzerncontrolling (Weinbrenner Konzern 2006, 583, 587). Veranlassung liegt auch vor, wenn herrschendes Unternehmen nachteiliges Rechtsgeschäft selbst abschließt, und zwar aufgrund einer **Vollmacht** der abhängigen Gesellschaft (Emmerich/Habersack/Habersack Rn. 31; KK-AktG/Koppensteiner Rn. 23). 14

Ferner kann Tatbestand des § 311 I dadurch verwirklicht werden, dass herrschendes Unternehmen in den **Organen** der abhängigen Gesellschaft tätig wird, sei es durch ein seine Interessen repräsentierendes AR-Mitglied (MüKoAktG/Altmeppen Rn. 108 ff.; MHdB AG/Krieger § 70 Rn. 78; → Rn. 22), sei es durch sein **Abstimmungsverhalten in der HV** (BGH AG 2012, 680 Rn. 18; RegBegr. Kropff S. 408; MüKoAktG/Altmeppen Rn. 117 ff.; Emmerich/Habersack/Habersack Rn. 29; Paul, Informelle und formelle Einflussnahmen des faktisch herrschenden Unternehmens, 2013, 123 ff.; H.-F. Müller FS Stilz, 2014, 427 ff.). Nicht anzuerkennen ist Ausnahme in Fällen, in denen Beschluss der Ausführung durch Vorstand bedarf und dieser dabei seiner **Ausführungspflicht nach § 83 II** nachkommt (so aber Emmerich/Habersack/Habersack Rn. 30 im Anschluss an Pfeuffer, Verschmelzungen und Spaltungen, 2006, 124 ff., 152 f.). Wird Veranlassung iSd § 311 auch durch HV-Beschluss zugelassen, ist es widersinnig, bei Frage, wie sich sorgfältiger Vorstand verhalten hätte, diese Veranlassung in Form des HV-Beschlusses zugrunde zu legen. Frage muss vielmehr lauten, ob Vorstand Maßnahme auch ohne Überlagerung des Eigenwillens durch herrschendes Unternehmen vorgenommen hätte (Tillmann/Rieckhoff AG 2008, 486, 489; zust. Streyl/Schaper ZIP 2017, 410, 415). Anwendung des § 311 auf HV-Beschlüsse wird allerdings dadurch eingeschränkt, dass § 311 aus Gründen systematischer Spezialität solche **Strukturmaßnahmen** nicht erfasst, bei denen Schutz der Minderheitsgläubiger und außenstehender Gesellschafter Sonderregelung erfahren hat (statt vieler S/L/J. Vetter Rn. 80; zu den ansonsten auftretenden Wertungswidersprüchen Tillmann/Rieckhoff AG 2008, 486 am Beispiel der Abspaltung im faktischen Konzern). Dazu gehören nach ganz hM Abschluss von Beherrschungs- und Gewinnabführungsvertrag (statt vieler S/L/J. Vetter Rn. 80). Stärker umstr. sind Verschmelzungen und sonstige **Umwandlungsvorgänge,** wo grds. Spezialität anzunehmen ist, wenn zusätzliche Anwendung der §§ 311 ff. Anordnungen des UmwG konterkarieren würde. Wo umgekehrt nach Anwendung des UmwG signifikante Schutzlücken verbleiben, kann flankierende Anwendung der §§ 311 ff. geboten sein (ausf. Verse FS K. Schmidt, 2019, 583, 585 ff.; so iErg auch mit Unterschieden im Detail GK-AktG/Fleischer Rn. 160; Grigoleit/Grigoleit Rn. 30; Emmerich/Habersack/Habersack Rn. 29 ff.; S/L/J. Vetter Rn. 80 f.; H.-F. Müller FS Stilz, 2014, 427, 432; für striktes Spezialitätsverbot bei Abspaltungen Tillmann/Rieckhoff AG 2008, 486 ff.). Auch auf Beschlüsse über **Gewinnverwendung, Auflösung und Änderung des Unternehmensgegenstands** ist § 311 idR nicht anwendbar. Das wird zT darauf zurückgeführt, dass sie als nicht veranlasst gelten (→ 14. Aufl. Rn. 13; KK-AktG/Koppensteiner Rn. 26 ff.), doch handelt es sich tats. eher um Nachteilsfrage (zutr. GK-AktG/Fleischer Rn. 159). Da herrschendes Unterneh- 15 men hier Aktionärsrechte ausübt, die im Rahmen der ges. Grenzen idR keiner inhaltlichen Kontrolle unterliegen (vgl. für Gewinnverwendung → § 254 Rn. 2) und alle Aktionäre in gleicher Weise betreffen, ist Nachteil idR zu verneinen (GK-AktG/Fleischer Rn. 159, 161; sa Emmerich/Habersack/Habersack Rn. 30a; S/L/J. Vetter Rn. 83; strenger MüKoAktG/Altmeppen Rn. 123; H.-F. Müller FS Stilz, 2014, 427, 430 f.). Auch Vorstand verhält sich folgerichtig nicht pflichtwidrig, wenn er diesen Beschluss ausführt, sondern befolgt im Gegenteil Rechtspflicht aus § 83 II (Schnorbus/Plassmann ZGR 2015, 446, 482 f.).

16 Bei **mehrfacher Abhängigkeit** (Gemeinschaftsunternehmen, → Rn. 10) kommen als veranlassende Stelle die organschaftlichen Vertreter, Angestellten usw. jedes der gemeinschaftlich herrschenden Unternehmen in Betracht (MüKoAktG/Altmeppen Rn. 143 ff.; MHdB AG/Krieger § 70 Rn. 81). Zusammenspiel von Veranlassung und Zurechnung sorgt im Schrifttum zT für Verwirrung, da nicht stets hinreichend zwischen Zurechnung unter den gemeinschaftlich herrschenden Unternehmen und zurechenbaren Willensakten als obj. Voraussetzung der Einflussnahme unterschieden wird (daraus resultieren augenscheinlich etwa die Unterschiede bei GK-AktG/Fleischer Rn. 149; Emmerich/Habersack/Habersack Rn. 26 einerseits und MüKoAktG/Altmeppen Rn. 145; Grigoleit/Grigoleit Rn. 31; S/L/J. Vetter Rn. 37 andererseits). Richtigerweise findet Zurechnung unter den gemeinschaftlich herrschenden Unternehmen nicht statt, aber es bedarf einer den einzelnen Unternehmen zurechenbaren Handlung, die sich vom obj. Empfängerhorizont der abhängigen AG (→ Rn. 13) als Veranlassung durch alle darstellt. Unkoordinierter Alleingang genügt daher idR nicht (MüKoAktG/Altmeppen Rn. 145). Ebenso zu behandeln ist **mehrstufige Abhängigkeit** (→ Rn. 10, 12). Es kommt grds. also auch hier darauf an, von welchem Unternehmen die Veranlassung ausgeht. Wenn Vertreter der Tochtergesellschaft die Enkelgesellschaft veranlassen, ist es also nicht ohne weiteres gerechtfertigt, das auch der Muttergesellschaft zuzurechnen. Konzernverhältnis zwischen Mutter und Tochter allein rechtfertigt noch keine abw. Beurteilung. Wenn dagegen Mutter einen ihr zurechenbaren Beitrag gesetzt hat, der dazu führt, dass sich Veranlassung durch Tochter von maßgeblichem obj. Empfängerhorizont der abhängigen Enkelgesellschaft zugleich als Veranlassung der Mutter darstellt, so fällt auch diese unter § 311 I (Grigoleit/Grigoleit Rn. 31; KK-AktG/Koppensteiner Rn. 19; MHdB AG/Krieger § 70 Rn. 80; E. Rehbinder ZGR 1977, 581, 589, 593 und 598 f.; teilw. anders [schon Konzernvermutung des § 18 I 3 rechtfertigt Zurechnung] Kronstein BB 1967, 637, 640; diff. Pentz, Rechtsstellung der Enkel-AG, 1994, 197 f.).

17 **bb) Veranlassungsadressat.** Veranlassung muss sich, um iSd § 311 I tatbestandsmäßig zu sein, nicht an Vorstand der abhängigen Gesellschaft richten (allgM, s. MüKoAktG/Altmeppen Rn. 83; BeckOGK/H.-F. Müller Rn. 79). Vielmehr kommen auch **Mitglieder des AR** (bedeutsam namentl. bei Personalentscheidungen – s. dazu v. Falkenhausen ZIP 2014, 1205, 1206), aber **auch Angestellte** als Adressaten in Betracht. Das folgt schon aus Vergleich des § 311 I mit § 308 I (→ § 308 Rn. 7 f.). Wenn Vorstand und/oder Angestellte der abhängigen Gesellschaft pflichtwidrig handeln, indem sie eine am zuständigen Organ vorbeigehende Einflussnahme zulassen bzw. ihr folgen, ändert das nichts an der Anwendbarkeit des § 311 I (zust. BGHZ 190, 7 Rn. 39 = NJW 2011, 2719).

18 **c) Beweiserleichterung.** Nach allg. Grundsätzen müsste die abhängige Gesellschaft, müssten in den Fällen des § 317 auch Gläubiger und Minderheitsaktionäre Tatsachen darlegen und beweisen, aus denen sich Veranlassung ergibt. Ansprüche würden dann weitgehend leerlaufen. Nach nahezu allgM muss deshalb Beweislage der abhängigen Gesellschaft, ihrer Gläubiger und Minderheitsaktionä-

re verbessert werden (s. zB MüKoAktG/Altmeppen Rn. 87 ff.; KK-AktG/Koppensteiner Rn. 9 ff.; aA noch Säcker ZHR 151 [1987], 59, 63).

Nicht geklärt ist jedoch, wie und unter welchen tatbestandlichen Voraussetzungen Erleichterung der Beweislage zu geschehen hat (insoweit offenlassend BGHZ 190, 7 Rn. 40 = NJW 2011, 2719). Während heute hM von prima facie-Beweis ausgeht (zB OLG Jena AG 2007, 785, 787; GK-AktG/Fleischer Rn. 165 ff.; Emmerich/Habersack/Habersack Rn. 33; KK-AktG/Koppensteiner Rn. 10; Hölters/Weber/Leuering/Goertz Rn. 77; BeckOGK/H.-F. Müller Rn. 86; S/L/J. Vetter Rn. 29 f.), nimmt starke Gegenauffassung eine Vermutung an (MüKoAktG/Altmeppen Rn. 87 ff.; B/K/L/Fett Rn. 15; Grigoleit/Grigoleit Rn. 27; MHdB AG/Krieger § 70 Rn. 79). Beides ist nicht unproblematisch (ausf. zur Abgrenzung der Beweiserleichterungen J. Koch/Rudzio ZZP 122 [2009], 37, 41 ff.). Soll **Vermutung** als ges. Vermutung verstanden werden, so führt sie zwar zur vollständigen Umkehr der Beweislast, bedarf aufgrund des schwerwiegenden Eingriffs in Wertungen des materiellen Rechts aber einer normativen Grundlage, an der es hier fehlt (vgl. dazu J. Koch/Rudzio ZZP 122 [2009], 37, 42 f.). Weder § 18 I 3, § 17 II noch § 312 I 2 kann solche Grundlage entnommen werden (für das Erste aber MüKoAktG/Altmeppen Rn. 91; für das Zweite KK-AktG/Koppensteiner Rn. 19; wie hier GK-AktG/Fleischer Rn. 168). Vermutung einheitlicher Leitung trägt nicht auch Veranlassungsvermutung (zutr. S/L/J. Vetter Rn. 29). Rückschluss aus § 312 I 2 ließe sich angesichts seiner tatbestandlichen Reichweite kaum damit vereinbaren, dass auch Befürworter einer Vermutung diese auf Fälle einheitlicher Leitung beschränken wollen (s. etwa B/K/L/Fett Rn. 15). Möglich wäre allenfalls Einordnung als tats. Vermutung, die keiner normativen Grundlage bedarf, Beweislast aber auch unberührt lässt, sondern auf einem schwächeren Erfahrungssatz ruht und dementspr. in ihren Wirkungen hinter Anscheinsbeweis noch zurückbleibt (Musielak/Voit/Foerste ZPO § 286 Rn. 25). Tats. ist ihre Anerkennung als eigenständige Kategorie der Beweiserleichterung abzulehnen (J. Koch/Rudzio ZZP 122 [2009], 37, 44). 19

Es bleibt dann nur **Anscheinsbeweis,** der aber eine bes. Typizität des Geschehensablaufs voraussetzt (RGZ 130, 357, 359; BGHZ 100, 31, 33 = NJW 1987, 2876), von dem bei bloßer Abhängigkeit ebenfalls nicht die Rede sein kann. Raum für eine solche Vermutung besteht deshalb nur dann, wenn Abhängigkeitstatbestand durch weitere Elemente ergänzt wird, die entspr. Erfahrungssatz tragen können. Konzerntatbestand allein genügt dafür noch nicht, wohl aber Maßnahmen, bei denen Nachteil der Tochter mit **Vorteil innerhalb der Unternehmensgruppe** korrespondiert, was insbes. bei nachteiligen gruppeninternen Verträgen der Fall sein wird (zutr. GK-AktG/Fleischer Rn. 169; Emmerich/Habersack/Habersack Rn. 33; BeckOGK/H.-F. Müller Rn. 86; S/L/J. Vetter Rn. 30; weitergehend MHdB AG/Krieger § 70 Rn. 79). Zu weiterem Erfahrungssatz bei Organverflechtungen → Rn. 21 f. 20

d) Organverflechtungen. Zu unterscheiden ist zwischen Vorstandsdoppelmandaten und einer Organverflechtung über den AR. **Vorstandsdoppelmandate** sind nicht verboten (→ § 76 Rn. 136 f.). Nach bislang hM sollte jedoch § 311 anwendbar sein, wenn Vorstandsmitglieder des herrschenden Unternehmens im Vorstand der abhängigen Gesellschaft Maßnahmen zu deren Nachteil ergreifen (s. Grigoleit/Grigoleit Rn. 29; MHdB AG/Krieger § 70 Rn. 78; Neuhaus DB 1970, 1913, 1916; Säcker ZHR 151 [1987], 59, 66; Semler FS Stiefel, 1987, 719, 760). Das wurde damit begründet, dass Norm nicht ausgerechnet in den Fällen außer Anwendung bleiben dürfe, in denen es wegen der Organisationsstruktur schon keines Außeneinflusses mehr bedürfe. Dogmatisch wurde insofern auf unwiderlegbare Veranlassungsvermutung zurückgegriffen (LG Köln AG 21

2008, 327, 331 f.; Grigoleit/Grigoleit Rn. 29; Bayer/Lieder AG 2010, 885, 886). Mittlerweile hM erkennt an, dass durch Doppelmandat bes. intensive Konzernierung auch ohne Weisung durchgesetzt werden kann, und geht deshalb ebenfalls von **Beweiserleichterung** aus, will diese aber nicht unwiderlegbar, sondern **widerlegbar** gestalten (MüKoAktG/Altmeppen Rn. 107; GK-AktG/Fleischer Rn. 171; Emmerich/Habersack/Habersack Rn. 35; KK-AktG/Koppensteiner Rn. 29 f. m. Fn. 83; Hölters/Weber/Leuering/Goertz Rn. 78; BeckOGK/H. F. Müller Rn. 87; S/L/J. Vetter Rn. 32; Decher, Personelle Verflechtungen, 1990, 174; Noack FS Hoffmann-Becking, 2013, 847, 852). Dem ist zuzustimmen, da zwar bes. Gefahren auf der Hand liegen, aber ebenso zahlreiche Fallkonstellationen denkbar sind, in denen trotz Doppelmandats Veranlassungsvermutung offenkundig unberechtigt ist, etwa bei fehlender Entscheidungsmitwirkung des Doppelmandatsträgers (MüKoAktG/Altmeppen Rn. 107) oder im Holding-Konzern (S/L/J. Vetter Rn. 32). Str. ist auch hier, ob widerlegbare Beweiserleichterung als Vermutung oder Anscheinsbeweis ausgestaltet ist (→ Rn. 19 f.). Aus Gründen systematischer Geschlossenheit, aber auch angesichts fehlender ges. Grundlage ist hier ebenfalls **Anscheinsbeweis** anzunehmen (sa GK-AktG/Fleischer Rn. 171 f.; Emmerich/Habersack/Habersack Rn. 35; S/L/J. Vetter Rn. 32). Organverflechtung begründet also entspr. Erfahrungssatz hinsichtlich Benachteiligung (→ Rn. 20).

22 Diese Lösung gilt im Grundsatz auch für **Organverflechtung über den AR.** Trotz Weisungsfreiheit des Vorstands (§ 76) kann auf Initiative des Hauptaktionärs in AR der Tochter gewähltes Mitglied oftmals derart auf Geschäftsführung Einfluss nehmen, dass Beweiserleichterung gerechtfertigt erscheint. Entspr. Erfahrungssatz, der Anscheinsbeweis trägt, kann aber nur dann formuliert werden, wenn AR (insbes. über § 111 IV 2) tats. auf Geschäftspolitik der Tochter Einfluss genommen hat (Emmerich/Habersack/Habersack Rn. 36; S/L/J. Vetter Rn. 34) Umkehrfall (Vorstandsmitglied der abhängigen Gesellschaft soll dem AR des herrschenden Unternehmens angehören) scheitert für das Aktienrecht schon an § 100 II 1 Nr. 2 (→ § 100 Rn. 9).

23 **4. Veranlassungswirkung: Rechtsgeschäfte oder Maßnahmen.** Veranlassung muss ein für abhängige Gesellschaft nachteiliges Rechtsgeschäft oder nachteilige Maßnahme zur Folge haben (anderes Verständnis bei MüKoAktG/Altmeppen Rn. 153 ff.). Ob das eine oder das andere vorliegt, ist für § 311 (anders als für Berichtspflicht nach § 312) ohne Belang. Es genügt jede Geschäftsführungshandlung, die Auswirkungen auf Ertrags- oder Vermögenslage der Gesellschaft haben kann (KK-AktG/Koppensteiner Rn. 14). Auch Erteilung von Informationen an herrschendes Unternehmen ist Maßnahme iSd § 311 (ausf. → Rn. 36a ff.). Wenn vorteilhafte Maßnahme unterlassen wird, steht dies tats. ergriffener Maßnahme gleich, und zwar trotz insoweit nicht ganz eindeutigen Wortlauts des § 311 I auch dann, wenn es um vorteilhaftes Rechtsgeschäft geht; Maßnahme ist dieses einschließender Oberbegriff (KK-AktG/Koppensteiner Rn. 14; Emmerich/Habersack/Habersack Rn. 37). Kausal für Rechtsgeschäft oder Maßnahme oder Unterlassen des einen oder des anderen muss die Veranlassung sein. Mitursächlichkeit genügt (→ Rn. 13). Kausalität fehlt also nur dann, wenn sich Gesellschaft ohne Veranlassung genauso verhalten hätte. Dass sie auch eigene Interessen verfolgt hat, steht Anwendung des § 311 I mithin nicht entgegen.

24 **5. Nachteiliger Charakter. a) Beeinträchtigung der Vermögens- oder Ertragslage.** Rechtsgeschäfte oder sonstige Maßnahmen (→ Rn. 23) sind nur dann iSd § 311 I relevant, wenn sie nachteiligen Charakter haben. Nachteilsbegriff ist entspr. dem auf Schutz der Gläubiger und Minderheitsaktionäre gerichteten Regelungszweck (→ Rn. 1) zu bestimmen und erfasst daher jede Min-

derung oder konkrete Gefährdung der Vermögens- oder Ertragslage der Gesellschaft **ohne Rücksicht auf Quantifizierbarkeit,** soweit sie als Abhängigkeitsfolge eintritt (sinngleich BGHZ 141, 79, 84 = NJW 1999, 1706; BGHZ 179, 71 Rn. 8 = NJW 2009, 850; BGHZ 190, 7 Rn. 37 = NJW 2011, 2719; OLG Köln AG 2006, 586, 587; KK-AktG/Koppensteiner Rn. 54; S/L/J. Vetter Rn. 40 ff.; Habersack ZIP 2006, 1327, 1330; zur Abhängigkeitsfolge → Rn. 25). Insbes. kommt es nicht darauf an, ob Nachteil selbständig bewertbar ist (vgl. die Genannten; ferner Strohn, Die Verfassung der AG, 1977, 83 f.). Schutzinteressen der Gesellschaftsgläubiger würden damit im Hinblick auf Insolvenzverfahren als Gesamtvollstreckung verkürzt, ebenso Renditeinteressen der Minderheitsaktionäre. Soweit Nachteilsausgleich deshalb nicht gewährt werden kann, ist Maßnahme rechtswidrig; bezifferbare Schäden führen zur Ersatzpflicht nach § 317 (OLG Jena AG 2007, 785, 787; OLG Köln AG 2009, 416, 419; S/L/J. Vetter Rn. 112; MHdB AG/Krieger § 70 Rn. 84). Auch Umstrukturierungen und sonstige konzerninterne Organisationsakte können Nachteil begründen, sofern Tochter nicht auch von dadurch erzielten Synergieeffekten profitiert (vgl. zur Konzernrechtsabteilung Redeke AG 2018, 381, 383).

b) Beeinträchtigung als Abhängigkeitsfolge. Beeinträchtigung der Vermögens- oder Ertragslage (→ Rn. 24) muss sich als Abhängigkeitsfolge darstellen, um Nachteil iSd § 311 I zu sein. Deshalb kommt es nach ganz hM darauf an, ob sich **ordentlicher und gewissenhafter Geschäftsleiter** einer nicht iSd § 17 abhängigen Gesellschaft ebenso oder anders verhalten hätte. Nur im zweiten Fall liegt Nachteil vor (BGHZ 141, 79, 88 f. = NJW 1999, 1706; BGHZ 175, 365 Rn. 9, 11 = NJW 2008, 1583; BGHZ 179, 71 Rn. 9 f. = NJW 2009, 850; GK-AktG/Fleischer Rn. 175; KK-AktG/Koppensteiner Rn. 36 ff.; Emmerich/Habersack/Habersack Rn. 40; BeckOGK/H.-F. Müller Rn. 84; S/L/J. Vetter Rn. 40; Köhler NJW 1978, 2473, 2477 f.; aA MüKo-AktG/Altmeppen Rn. 163 ff.; Will, Nachteilsausgleichsvereinbarungen im faktischen Konzern, 2017, 42 ff.). Dieser Maßstab ist systematisch nicht unbedenklich, weil damit zusätzliches Tatbestandsmerkmal des § 317 II schon in § 311 I hineingelesen wird. Dennoch ist er folgerichtig, wenn man bei Nachteilsbetrachtung auf Zeitpunkt der Vornahme abstellt (→ Rn. 26). Auch sonstige Folgen der §§ 311 ff. erscheinen nicht sachgerecht, wenn es an abhängigkeitsbedingter Beeinträchtigung fehlt; § 317 II wird deshalb als rein materielle Beweislastregel interpretiert (KK-AktG/Koppensteiner Rn. 36; → § 317 Rn. 11 f.). Maßgeblich für Beurteilung des Geschäftsleiterhandelns ist **§ 93 I 1 iS obj. Verhaltensstandards** (→ § 93 Rn. 6 ff.), wobei nach ganz hM im Anschluss an UMTS-Entscheidung des BGH auch § 93 I 2 zur Anwendung gelangt (BGHZ 190, 7 Rn. 32 = NJW 2011, 2719; → 16. Aufl. 2022, Rn. 25; GK-AktG/Fleischer Rn. 177; Emmerich/Habersack/Habersack Rn. 40; S/L/J. Vetter Rn. 40a, 48; Reuter ZHR 146 [1982], 1, 13 f.). Wertungswiderspruch ergibt sich aber zur Behandlung der Angemessenheit iRd § 57, wo ganz hM Heranziehung des § 93 I 2 ablehnt (→ § 57 Rn. 25). Ungleichbehandlung dieser drei Angemessenheitsprüfungen ist sachlich nicht gerechtfertigt (J. Koch ZGR 2022, 337, 365 ff.; Verse FS Hopt, 2020, 1335, 1348 ff.). Richtigerweise dürfte ges. Vorgabe der Angemessenheit und weiteres Anliegen des Gläubigerschutzes in allen drei Konstellationen eher für Einordnung als **Pflichtaufgabe mit Entscheidungsspielraum** sprechen als für Zuordnung zur BJR; insbes. bei marktgängigen Gütern werden obj. Wertmaßstäbe vorhanden sein, die vom Gericht angelegt werden können (zur Unterscheidung → § 93 Rn. 29; ausf. J. Koch ZGR 2022, 337, 369 f.). Wie bei § 57 (→ § 57 Rn. 25) lässt sich Reichweite dieser Beurteilungsspielräume nur **im Lichte der jew. Einzeltransaktion** bestimmen. Wo Transaktion einer klaren Objektivierbarkeit anhand von 25

Marktpreisen zugänglich ist, verengt sich Beurteilungspielraum. Er weitet sich aus, je weniger solche obj. Maßstäbe herangezogen werden können (J. Koch ZGR 2022, 337, 370).

26 **c) Maßgeblicher Zeitpunkt.** Ob Rechtsgeschäft oder sonstige Maßnahme nachteiligen Charakter hat, ist (anders als Höhe der Ausgleichsleistung, → Rn. 40) nach den im Zeitpunkt ihrer **Vornahme** maßgeblichen Verhältnissen zu bestimmen (BGHZ 175, 365 Rn. 11 = NJW 2008, 1583; BGHZ 179, 71 Rn. 13 = NJW 2009, 850; OLG Köln AG 2006, 586, 587; OLG Köln AG 2007, 371, 372; GK-AktG/Fleischer Rn. 183; Emmerich/Habersack/Habersack Rn. 44; S/L/J. Vetter Rn. 45; MHdB AG/Krieger § 70 Rn. 83; aA Altmeppen ZIP 2009, 49, 51; Stöcklhuber Konzern 2011, 253, 255 ff.). Es sind also die Umstände zu berücksichtigen, die ordentlicher und gewissenhafter Geschäftsleiter (→ Rn. 25) kannte oder kennen musste. Eine Maßnahme, die danach vorgenommen werden durfte, wird nicht durch spätere negative Entwicklung nachteilig (aA Kellmann ZGR 1974, 220, 221 ff.). Auch Umkehrung gilt; nachteiliger Charakter entfällt also nicht wegen späterer glücklicher Entwicklung (s. zB MHdB AG/Krieger § 70 Rn. 83). Schon weil es auf Zeitpunkt der Vornahme ankommt, ist Nachteil schließlich **nicht mit Schaden iSd §§ 249 ff. BGB gleichzusetzen;** denn Schadensfeststellung setzt Tatsachenkenntnis am Ende des Kausalverlaufs voraus, erfolgt also aufgrund nachträglicher Beurteilung (GK-AktG/Fleischer Rn. 180). In Abhängigkeit der Schadenshöhe von ungewisser nachträglicher Entwicklung liegt zusätzlicher Anreiz für herrschendes Unternehmen, schon im Vorfeld Nachteilsausgleich anzubieten. Trotz dieser Anreizwirkung ist Nachteil nicht als Mindestschaden anzusehen (dafür Emmerich/Habersack/Habersack Rn. 45), sondern es bleibt bei allg. Grundsätzen der schadensrechtl. Differenzhypothese und des Verlustausgleichs (GK-AktG/Fleischer Rn. 180).

27 **d) Wertungstransfer aus § 57 I.** Nach überwiegender Ansicht ist Feststellung einer Nachteilszufügung anhand der Grundsätze zu überprüfen, die für **verdeckte Einlagenrückgewähr** gelten (KK-AktG/Koppensteiner Rn. 61; MHdB AG/Krieger § 70 Rn. 85; Brezing AG 1975, 225, 231). Gegenmeinung betont unterschiedliche Aufgabenstellung des § 311 einerseits, des Verbots verdeckter Gewinnausschüttung andererseits und steht der Übertragung insoweit entwickelter Grundsätze mehr oder minder abl. ggü. (ADS Rn. 47; Goerdeler WPg 1966, 113, 125). Richtig ist, dass es in § 311 um Ausgleich eines von abhängiger Gesellschaft erlittenen Nachteils geht, während Grundsätze zur verdeckten Gewinnausschüttung einen Vorteil bezeichnen sollen, der dem Aktionär gem. § 57 nicht zusteht. Überwiegende Ansicht beruht deshalb auf der Prämisse, dass sich der Nachteil der Gesellschaft im Vorteil des herrschenden Unternehmens ausdrückt. Das trifft nicht notwendig zu, so dass Grundsätze zur verdeckten Gewinnausschüttung nur mit Vorsicht herangezogen werden können. Insbes. ist denkbar, dass sich Nachteil iSd § 311 ergibt, obwohl rückgewährpflichtiger Vorteil nicht oder nicht in dieser Höhe feststellbar ist; das hindert jedoch nicht, das für verdeckte Gewinnausschüttungen maßgebliche Vergleichskonzept auch für § 311 zu verwenden und entspr. Anschauungsmaterial auch bei Nachteilsfeststellung heranzuziehen (zust. Grigoleit/Grigoleit Rn. 37).

28 Überträgt man Wertung des § 57 I, so ist auch bei § 311 im Kern **obj. Missverhältnis zwischen Leistung und Gegenleistung** festzustellen (→ § 57 Rn. 15 ff.). Erbringt Tochtergesellschaft **Leistungen an herrschendes Unternehmen** (Lieferung, Geld- oder Sachdarlehen), so ist nach § 57 I 3 Hs. 2 bei Vollwertigkeit des Anspruchs auf Gegenleistung oder Rückgewähr (und angemessener Verzinsung) kein Anwendungsfall des § 57 I 1 gegeben (→ § 57 Rn. 40 ff.). Darin liegt nicht nur Beschränkung des Verbots der Einlagenrück-

gewähr, sondern auch Eingrenzung des Nachteilsbegriffs, für den weitgehend parallele Maßstäbe gelten (→ Rn. 27; vgl. BGHZ 179, 71 Rn. 12 = NJW 2009, 850). Wenn wegen nur abstrakter Gefährdung kein Nachteil eingetreten ist, besteht nach jetzigem Stand der Rspr. auch keine Ausgleichspflicht, was für verdrängende Spezialität des § 311 ggü. § 57 Bedeutung hat (→ Rn. 49 f.).

Eingrenzung des Nachteilsbegriffs (→ Rn. 27 f.) ergibt insbes., dass die zu § 57 entwickelten Grundsätze zur Konzernfinanzierung, und zwar namentl. durch Darlehensvergabe an Aktionär, insbes. in Gestalt eines **Cash Pooling** im faktischen Konzern, auch für § 311 gelten (→ § 57 Rn. 40 ff.). Ist eine Leistung der AG in diesem Sinne nicht vollwertig, dann ist sie zugleich auch nachteilig, allerdings – anders als in § 57 I – einem Nachteilsausgleich zugänglich, woraus verdrängende Spezialität des § 311 folgt (Mülbert/Sajnovits WM 2016, 2345, 2351 f.). Den Nachteilsbegriff ausfüllende konkrete Gefährdung der Vermögens- oder Ertragslage (→ Rn. 24) entsteht, wenn aus maßgeblicher ex-ante-Perspektive (→ Rn. 26) mit Tilgung erheblicher kreditierter Beträge vernünftigerweise nicht (mehr) gerechnet werden kann (Ausfallrisiko – Bayer/Lieder AG 2010, 885, 887). Entspr. gilt für Liquiditätsabzug, wenn greifbare Zahlungsschwierigkeiten entstehen, die zur Einschränkung der wirtschaftlichen Betätigung führen (Emmerich/Habersack/Habersack Rn. 47a; Bayer/Lieder AG 2010, 885, 888 f. mwN). Neben konkretem Ausfallrisiko oder eigenen konkreten Zahlungsschwierigkeiten kann – anders als bei § 57 I – Nachteil auch die bloße Selbstgefährdung sein, die aus dem **Fehlen eines** hinreichend funktionstauglichen **Informations- und Frühwarnsystems** resultiert. Cash Management und vergleichbar wesentliche Kreditmaßnahmen bedingen idR Einrichtung eines funktionstauglichen Informations- oder Frühwarnsystems (BGHZ 179, 71 Rn. 14 = NJW 2009, 850; Bayer/Lieder AG 2010, 885, 890 ff.; Habersack ZGR 2009, 347, 361 ff.). Defizite des den Kreditbeziehungen zugrunde liegenden Vertragswerks oder der eigenen Organisation füllen Nachteilsbegriff aus. Zuständig sind Vorstand und AR als Überwachungsorgan (§ 111). Werden vorstehende Kautelen eingehalten, begründet Einbindung in Cash Pool an sich noch keinen Nachteil (Emmerich/Habersack/Habersack Rn. 48). Auch für **Besicherung von Darlehen** ist auf die zu § 57 entwickelten Grundsätze zurückzugreifen (→ § 57 Rn. 50 f.), doch kann als weiterer Anwendungsfall des § 311 der Nachteil hinzukommen, dass AG bei Realsicherheit Gegenstand nicht mehr zur Sicherung eigener Verbindlichkeiten einsetzen kann (Emmerich/Habersack/Habersack Rn. 47c). 29

e) Weitere Einzelfragen. Nachteil kann auch in Entzug von Geschäftschancen (→ § 88 Rn. 4a) gefunden werden (S/L/J. Vetter Rn. 42; ausf. Habersack FS Hoffmann-Becking, 2013, 421, 425 ff.) oder in bloßer Änderung der Zusammensetzung des Gesellschaftsvermögens (ADS Rn. 37; KK-AktG/Koppensteiner Vor § 311 Rn. 6). Auch Ausübung von Bilanzierungswahlrechten in einem bestimmten, nämlich gewinnmaximierenden Sinne, kommt als Nachteil in Betracht (näher H.-P. Müller FS Goerdeler, 1987, 375, 384 f.). Bei mehrstufiger Abhängigkeit kann Einflussnahme auf mehreren Stufen zum Nachteil führen (s. E. Rehbinder ZGR 1977, 581, 595 ff.). Noch kein Nachteil ist sog **passiver (negativer) Konzerneffekt,** der sich aus bloßer Einbindung als abhängiges Glied einer Unternehmensgruppe ergibt (GK-AktG/Fleischer Rn. 234 ff.; Emmerich/Habersack/Habersack Rn. 52; KK-AktG/Koppensteiner Rn. 34). Verlust und Nachteil sind nicht dasselbe; denn Nachteil kann auch darin liegen, dass sonst erzielbarer (höherer) Gewinn nicht eingetreten ist (S/L/J. Vetter Rn. 42). Nachteil kann also auch dann gegeben sein, wenn Verlust nicht zu verzeichnen ist. Negative Auswirkungen auf Börsenkurs beeinträchtigen hingegen zunächst allein Veräußerungsmöglichkeiten auf Sekundärmarkt und stellen daher zwar Nachteil der Aktionäre, aber nicht der AG dar (GK-AktG/Fleischer Rn. 174; 30

Emmerich/Habersack/Habersack Rn. 39; S/L/J. Vetter Rn. 43; aA Grigoleit/ Grigoleit Rn. 32).

31 **f) Nachteilsfeststellung. aa) Bei Rechtsgeschäften.** Gerade aufgrund unternehmerischen Ermessens des Vorstands (→ Rn. 25) kann Nachteilsfeststellung problematisch sein. Beweiserleichterungen wie bei Veranlassung (→ Rn. 18 f.) werden diskutiert, haben sich hier aber noch nicht durchgesetzt und erweisen sich in der Begründung auch als problematisch (GK-AktG/Fleischer Rn. 182; Grigoleit/Grigoleit Rn. 35; S/L/J. Vetter Rn. 47). Zu unterscheiden ist zwischen Rechtsgeschäften und sonstigen Nachteilen. Auch insofern können die zu § 57 I entwickelten Grundsätze herangezogen werden (ausf. GK-AktG/Fleischer Rn. 188 ff.), wobei allerdings zu beachten ist, dass hier durch Aufnahme des Vollwertigkeitskriteriums in § 57 I 3 neuer ges. Maßstab besteht, neben dem Drittvergleich nur noch als indizielles Hilfskriterium herangezogen werden kann (→ § 57 Rn. 15 ff.; insofern aA aber hM zu § 311 – vgl. etwa Emmerich/ Habersack/Habersack Rn. 54 mwN). IdR werden aber beide Maßstäbe zu denselben Ergebnissen führen. Im Einzelnen gilt: Soweit im Rahmen eines Rechtsgeschäfts für Leistungen der abhängigen Gesellschaft **Marktpreise** bestehen, ergeben sie einen wesentlichen Maßstab für die Nachteilsermittlung. Möglich und erforderlich ist dann Vergleich der tats. Konditionen mit hypothetischem Marktgeschäft, wobei auch **Nebenbedingungen** wie Zahlungsziele, Transportkosten, Garantieleistungen, Kosten etwa üblicher Kreditversicherung mit zu berücksichtigen sind. Das gilt insbes., wenn es nicht den einen Marktpreis gibt, sondern unterschiedliche Preise verschiedener Anbieter (vgl. mit weiteren Einzelheiten ADS Rn. 49; GK-AktG/Fleischer Rn. 195 ff.; KK-AktG/Koppensteiner Rn. 62). Ergebnis des Vergleichs kann noch korrekturbedürftig sein, wenn sich darin bes. Umstände des Verhältnisses zwischen herrschendem Unternehmen und abhängiger Gesellschaft nicht hinlänglich ausdrücken (sa Emmerich/Habersack/ Habersack Rn. 55).

32 Wenn Marktpreise für Lieferung oder sonstige Leistung der abhängigen Gesellschaft fehlen, sind **Hilfsrechnungen** erforderlich. Sie sollten so gewählt werden, dass sie sich möglichst eng an andere Marktpreise anschließen und überdies die ohnehin vorhandenen Daten der betrieblichen Kostenrechnung nutzbar machen. Etwa vorhandene **Buchwerte** sind als Rechnungsgrundlage **idR ungeeignet.** Dass sie überhaupt keine Basis abgeben können (ADS Rn. 53; KK-AktG/Koppensteiner Rn. 69; S/L/J. Vetter Rn. 54; Risse DStR 1984, 711, 712), ist dann nicht richtig, wenn der an das herrschende Unternehmen abgegebene Gegenstand, etwa des Anlagevermögens, nicht marktgängig ist und es einen fachlich anerkannten Index gibt, mit dem vom Buchwert auf den als Verkaufspreis maßgeblichen Wiederbeschaffungswert hochgerechnet werden kann. Praktisch wenig geeignet, weil nicht hinlänglich objektivierbar, ist Theorie des gleich großen Transaktionsnutzens (ADS Rn. 52; KK-AktG/Koppensteiner Rn. 68).

33 Am ehesten ist mit Absatzpreismethode oder Kostenaufschlagsmethode weiterzukommen. Bei **Absatzpreismethode** wird der Preis zugrunde gelegt, der unabhängigem Dritten für die Endleistung berechnet wird, wenn sie den Unternehmensverbund verlässt. Von diesem Marktpreis wird durch Abschläge rückwärts gerechnet, um den Wert des Beitrags der abhängigen Gesellschaft zu ermitteln (ADS Rn. 51). **Kostenaufschlagsmethode** geht von den Vorkosten der abhängigen Gesellschaft aus und rechnet vorwärts durch Aufschläge für die bei ihr angefallenen Selbstkosten und angemessene Gewinnspanne (ADS Rn. 50; MüKoAktG/Altmeppen Rn. 214 ff.; GK-AktG/Fleischer Rn. 200; KK-AktG/ Koppensteiner Rn. 66). Soweit im Einzelfall beide Methoden in Frage kommen, sollte diejenige gewählt werden, die am dichtesten an realen Preisen liegt, also

Absatzpreismethode jedenfalls dann, wenn Leistung der abhängigen Gesellschaft nur wenige Stufen von Endleistung entfernt ist (ebenso B/K/L/Fett Rn. 44 aE).

bb) Nachteilsfeststellung bei sonstigen Maßnahmen. Bei sonstigen Maßnahmen wie Aufgabe eines Teilmarkts, Ausgliederung wesentlicher unternehmerischer Funktionen auf herrschendes Unternehmen oder anderes Unternehmen der Gruppe, Investitionsentscheidungen, Bereitstellung von Vermögensgegenständen als Unterlage für Kredit, den herrschendes Unternehmen beansprucht, Veräußerung von Finanzanlagen an Dritte usw. ist darauf abzustellen, ob Vorstand einer iSd § 17 unabhängigen Gesellschaft unter Beachtung des **Pflichtenstandards des § 93 I 1** (→ Rn. 25) vergleichbar entschieden hätte (unstr., vgl. statt vieler LG Köln AG 2008, 327, 332; Lutter FS Steindorff, 1990, 125, 135). Danach begründetes Ermessen ist weit gespannt und kaum konkretisierbar. Insoweit wird Problem durch sprachliche Gleichstellung von Rechtsgeschäften und sonstigen Maßnahmen in § 311 I eher verdeckt als gelöst. Immerhin wird sich sagen lassen, dass **Ermessensüberschreitung** vorliegt und damit Nachteil festgestellt werden kann, wenn Maßnahme Bestand oder dauerhafte Rentabilität des Gesellschaftsunternehmens ernsthaft in Frage stellt (ADS Rn. 56; KK-AktG/Koppensteiner Rn. 71) oder wenn sie unkalkulierbare oder für das Unternehmen erhebliche Risiken ohne entspr. Chancen mit sich bringt (ADS Rn. 56). 34

Rückzug vom Markt wird selbst durch angemessene Gegenleistung nicht ohne weiteres gerechtfertigt (ADS Rn. 56; KK-AktG/Koppensteiner Rn. 71). **Aufgabe von Teilfunktionen** gerät in krit. Bereich, wenn sie Pflicht des Vorstands zu eigenverantwortlicher Unternehmensleitung (§ 76 I) berührt (vgl. Stein ZGR 1988, 163, 189 f.; zum Sachverhalt s. BGHZ 106, 54 = NJW 1989, 979). Für **Investitionsentscheidungen** kann Differenz zwischen erwartbaren Einnahmen und Ausgaben, wie sie sich aus Wirtschaftlichkeitsrechnung ergibt, als Maßstab dienen (MüKoAktG/Altmeppen Rn. 221). Fehlt bei wesentlicher Investition schon die Wirtschaftlichkeitsrechnung, so ist gleichwohl getroffene Entscheidung in jedem Falle fehlerhaft. Anhand des in → Rn. 25 ff., 34 genannten Maßstabs können auch **Konzernumlagen** nicht nachteilig sein, wenn von finanzierter Maßnahme nicht nur Gesamtkonzern profitiert, sondern auch abhängiger AG selbst angemessener Gegenwert zufließt (Emmerich/Habersack/Habersack Rn. 49; Hölters/Weber/Leuering/Goertz Rn. 66 ff.; S/L/J. Vetter Rn. 66; U. H. Schneider/S. H. Schneider/Anzinger FS Seibert, 2019, 775 ff.). Verbreitete **Steuerumlagen** (ausf. Hüttemann ZHR 171 [2007], 451 ff.) finden ihre Berechtigung darin, dass steuerliche Organschaft (→ § 291 Rn. 38 f.) dazu führt, dass Organträger Steuerlast des gesamten Organkreises zu tragen hat und dafür Ausgleichsanspruch nach § 426 I BGB geltend machen kann (BGHZ 120, 50, 59 f. = NJW 1993, 585; BGHZ 141, 79, 85 = NJW 1999, 1706; BGH AG 2013, 222 Rn. 11 ff.). Organträger darf dabei nach sog **Verteilungsmethode** nur effektiven Steueraufwand in betriebswirtschaftlich angemessener Form umlegen, dem Ausgleich aber nicht fiktiven Steueraufwand der abhängigen AG zugrunde legen (sog. Stand-Alone-Verfahren; vgl. BGHZ 141, 79, 85 ff.; Emmerich/Habersack/Habersack Rn. 50a; krit. MüKoAktG/Altmeppen Rn. 286 ff.; Hüttemann ZHR 171 [2007], 451, 464 ff.). Abweichungen von dieser ges. Anordnung sind **Nachteil iSd § 311 I** (BGHZ 141, 79, 84; BGH AG 2013, 222 Rn. 21; Hüttemann ZHR 171 [2007], 451, 465 f.). Das Gleiche gilt für Unterlassung des ebenfalls gebotenen Ausgleichs für Zuweisung des Vorsteuerabzugsrechts (BGH AG 2013, 222 Rn. 13 ff.). Nachdem mittlerweile körperschaft- und gewerbesteuerliche Organschaft Gewinnabführungsvertrag voraussetzen, der für § 311 keinen Raum lässt, stellt sich Problem vornehmlich in Altfällen (MüKoAktG/Altmeppen Rn. 286; Emmerich/Habersack/Habersack Rn. 50). Andere Grundsätze gelten aber für umsatzsteuerliche Organschaft (→ § 291 Rn. 39), deren abw. gefasste 35

Voraussetzungen idR aber ebenfalls Gewinnabführungsvertrag erforderlich machen werden (Emmerich/Habersack/Habersack Einl. Rn. 48; anders aber in BGH AG 2013, 222).

36 **Weitere Einzelfälle.** Nachteil ist bejaht worden bei Belastung der abhängigen, in gewerbesteuerliche Organschaft einbezogenen Gesellschaft mit fiktiver Gewerbesteuer nach sog reiner Belastungsmethode, die vorteilige Effekte nur beim herrschenden Unternehmen eintreten lässt (BGHZ 141, 79, 84 ff. = NJW 1999, 1706; Habersack BB 2007, 1397, 1400 ff.; Kleindiek DStR 2000, 559, 564), ferner bei „Abordnung" eines Vorstandsmitglieds der abhängigen Gesellschaft an herrschendes Unternehmen (OLG Stuttgart AG 1979, 200, 202; LG Düsseldorf AG 2006, 892, 893); verneint worden bei Verpfändung von Aktien der abhängigen Gesellschaft (OLG Düsseldorf AG 1980, 273 f.; aA LG Düsseldorf AG 1979, 290, 291 f.), ferner bei Übertragung der EDV auf verbundenes Unternehmen (LG Darmstadt AG 1987, 218, 220; krit. dazu Stein ZGR 1988, 163, 181 ff.). Nachteil kann auch eine Haftungsübernahme der abhängigen AG zugunsten des herrschenden Unternehmens sein, und zwar auch in mittelbarer Form, wie etwa durch Umplatzierung von Aktien unter Übernahme der Prospektverantwortung (BGHZ 190, 7 Rn. 29 ff. = NJW 2011, 2719; → § 57 Rn. 33 f.; sa Beck NZG 2014, 1410 ff.). **Weitere Sonderkonstellationen:** Veräußerung von Beteiligungsbesitz unter Wert: Lutter FS Steindorff, 1990, 125, 135 ff. Angemessenheit von Konzernverrechnungspreisen: Übersicht bei Becker/Grazé DB-Beil. 1985, 15; Krag BB 1988, 1850, 1852 ff.; sa Scheffler, Konzernmanagement, 1992, 137 f. Entgelte für Nutzungsüberlassungen: Brezing, Verrechnungsentgelt und Umlagen, 1975, 54 ff.

36a **cc) Insbesondere: Informationsweitergabe im Unternehmensverbund.** Bes. Bedeutung für Funktionsfähigkeit des faktischen Unternehmensverbunds hat Informationsfluss (vgl. J. Vetter in 50 Jahre AktG, 2015, 231, 252: in der Praxis die wichtigste Privilegierung des faktischen Konzerns). Nach zu Recht ganz hM tritt **Verschwiegenheitspflicht** hier zurück, weil es nicht im Interesse der abhängigen Gesellschaft liegt, dass herrschendes Unternehmen sein Einflusspotenzial ausübt oder umgekehrt auf solche Ausübung verzichtet, ohne über ihre Verhältnisse ausreichend unterrichtet zu sein (OLG Stuttgart BeckRS 2023, 5754 Rn. 434; Löbbe, Unternehmenskontrolle im Konzern, 2003, 110 ff.; zust. GK-AktG/Fleischer Rn. 253; Hüffer FS Schwark, 2009, 185, 192; Mader, Der Informationsfluss im Unternehmensverbund, 2016, 420 ff.). Da Ges. faktische Konzernierung gestattet, muss es auch **Funktionsbedingungen einheitlicher Leitung** Rechnung tragen. Auch Pflicht zur Nachauskunft gem. § 131 IV wird dadurch nicht ausgelöst (→ § 131 Rn. 105). Zwischen ausgeübter und nicht ausgeübter Leitungsmacht ist in beiden Konstellationen nicht zu unterscheiden, da auch Modell des faktischen Konzerns, dessen Funktionsfähigkeit gewahrt werden soll, entgegen irreführender Umschreibung (→ § 311 Rn. 8) nicht an Ausübung der Leitungsmacht anknüpft, sondern bloße Abhängigkeit genügen lässt (str., → § 131 Rn. 105 mwN; Holle, Legalitätskontrolle, 2014, 140 f.; Mader WM 2015, 2074, 2079).

36b Auch Erteilung von Informationen an herrschendes Unternehmen ist indes **Maßnahme iSd § 311** (GK-AktG/Hopt/Roth § 93 Rn. 288; Hüffer FS Schwark, 2009, 185, 193 f.). HM bejaht insofern nachteiligen Charakter überwiegend mit Blick auf **vielfältige potenzielle Verwendungsmöglichkeiten,** die nicht quantifiziert werden könnten (vgl. Holle, Legalitätskontrolle, 2014, 134 ff.); durch anschließende Informationsverwendung soll Nachteil vertieft werden (S/L/J. Vetter Rn. 72). Ausnahme wird nur für solche Fälle in Betracht gezogen, wo Weitergabe nur zu Zwecken konzerninterner Kontrolle erfolgt (Emmerich/Habersack/Habersack Rn. 51a). Wird Nachteil bejaht, erweist sich

Ausgleich wegen fehlender Quantifizierbarkeit als schwierig. Insbes. scheitert daran auch zT erwogene Kompensation durch vorteilhafte Einbindung in verbundweites Informationssystem (dafür namentl. Lutter, Information und Vertraulichkeit im AR, 3. Aufl. 2006, Rn. 178, 481 Fn. 21; zust. Grundmeier, Rechtspflicht zur Compliance im Konzern, 2011, 92). Hier sind Vor- und Nachteile gleichermaßen nicht einmal im Ansatz bestimmbar, so dass Gleichwertigkeit nicht feststellbar ist (OLG Stuttgart BeckRS 2023, 5754 Rn. 487; Mader WM 2015, 2074, 2077 f.). Größere Zustimmung hat deshalb die Lösung gefunden, einen Ausgleich darin zu sehen, dass **Verpflichtung der Mutter** begründet wird, übersandte Informationen ausschließlich zu Zwecken der Konzernkontrolle und -leitung, aber nicht zu Lasten der Tochter zu verwenden (Löbbe, Unternehmenskontrolle im Konzern, 2003, 112 ff.; Emmerich/Habersack/Habersack Rn. 51a; Holding-HdB/Krieger Rn. 7.24; J. Bauer/Schmidt-Bendun FS Wegen, 2015, 105, 115).

Ob es derartiger Verbot/Ausnahme-Regel und flankierender vertraglicher Gestaltung bedarf, ist indes zweifelhaft, da herrschendes Unternehmen qua **Treupflicht** ohnehin verpflichtet ist, Information nur in einer Weise zu verwenden, die dem abhängigen Unternehmen nicht zum Schaden gereicht. Eine solche Verwendung ist namentl. dann anzunehmen, wenn Information genutzt wird zum Zwecke der Konzernkontrolle und -leitung sowie der Herstellung aufsichtsrechtl. Publizität (Mader, Der Informationsfluss im Unternehmensverbund, 2016, 420 ff.; zur Übertragung auf verfassungsrechtl. Informationspflicht hoheitlicher Anteilseigner ggü. Parlament [→ § 394 Rn. 93] vgl. J. Koch ZHR 183 [2019], 7, 19 ff.). Angesichts dieser Verwendungsbeschränkung wird Nachteil iErg abzulehnen sein. Einer weitergehenden Garantievereinbarung bedarf es dazu nicht, da sie nur privatautonom noch einmal bekräftigen könnte, was sich ohnehin aus Ges. ergibt (ausf. Mader, Der Informationsfluss im Unternehmensverbund, 2016, 364 ff.; verknappte Darstellung auch bei Mader WM 2015, 2074, 2076 ff.; für großzügige Handhabung auch Verse ZHR 175 [2011], 401, 420). Gegen diese Lösung wird allerdings der naheliegende Einwand erhoben, dass bloße Verpflichtung Tochter nicht hinreichend davor schütze, dass Muttergesellschaft die Information pflichtwidrig doch zu Lasten der Tochter verwende, die aufgrund der Abhängigkeit von klageweiser Durchsetzung ihrer Ersatzansprüche absehen werde (Rothweiler, Der Informationsfluss vom beherrschten zum herrschenden Unternehmern, 2008, 80). Tats. ist diese Gefahr nicht von der Hand zu weisen, doch ist sie dem System der §§ 311 ff. in vielfacher Hinsicht immanent (zutr. Mader WM 2015, 2074, 2078). IÜ würde auch vertragliche Verwendungsbeschränkung qua Garantievereinbarung dieser Gefahr nicht besser entgegenwirken können. §§ 311 ff. behindern Informationsfluss im Konzern daher nur in begrenzter Form. Wie im Vertragskonzern sind allerdings weiterhin **datenschutzrechtl. Grenzen** zu beachten (→ § 308 Rn. 12a). Auch für Art. 14 lit. c MAR gelten die in → § 308 Rn. 12a skizzierten Grundsätze. 36c

Informationspflicht der Tochter besteht nur im Vertragskonzern (→ § 308 Rn. 13), nicht aber im faktischen Konzern und kann dort insbes. auch nicht aus § 294 III HGB hergeleitet werden (ganz hM – vgl. nur MüKoAktG/Altmeppen Rn. 438; GK-AktG/Fleischer Rn. 244 ff.; Mader, Der Informationsfluss im Unternehmensverbund, 2016, 226 ff.; Hüffer FS Schwark, 2009, 185, 187 ff.; Verse ZHR 175 [2011], 401, 422 f.; aA J. Semler, Leitung und Überwachung der AG, Rn. 300 ff.; U. H. Schneider/Burgard FS Ulmer, 2003, 579, 597 ff., aber auch die hM zu nahezu identischem Normenbestand im österr. Recht; vgl. MüKoAktG/Doralt/Diregger öKonzernR Rn. 71 ff.). Für anderes Ergebnis besteht keine rechtl. Grundlage; ganz im Gegenteil wäre Annahme einer Informationspflicht mit Systematik des § 311, die von Veranlassung und freiwilliger Übernahme geprägt ist, nicht zu vereinbaren (ausf. Mader, Der Informationsfluss im 36d

Unternehmensverbund, 2016, 270 ff.). Etwas anderes gilt auch nicht – obwohl im Schrifttum zT gefordert – wenn herrschendes Unternehmen Informationen benötigt, um eigenen konzernbezogenen (Publizitäts-)Pflichten nachzukommen (dafür aber S. H. Schneider, Informationspflichten und Informationssystemeinrichtungspflichten im Aktienkonzern, 2006, 152 ff.; Wittmann, Informationsfluss im Konzern, 2008, 86 ff.). An herrschendes Unternehmen adressierte Pflicht ist vielmehr von vornherein auf Informationen beschränkt, die es von der Tochter tats. erhält. Entgegengesetztes Verständnis würde auf Umwegen doch systemwidrigen allg. Informationsanspruch schaffen. Bestätigt wird diese Sichtweise durch Äußerungen des Gesetzgebers bei Erlass des § 90 I 2 (RegBegr. TransPuG, BT-Drs. 14/8769, 14) und durchgängigen Verbandsrechtsvorbehalt im Aufsichtsrecht (zB in § 18 III 2 FKAG; ausf. auch dazu Mader, Der Informationsfluss im Unternehmensverbund, 2016, 270 ff.). Diese Lösung stößt allerdings möglicherweise dann an Grenzen, wenn **Pflicht der Obergesellschaft europarechtl. Ursprung** hat (namentl. im europ. Aufsichtsrecht) und nicht in dem Sinne gedeutet werden kann, dass sie auf vorhandene Informationen beschränkt bleibt (ausf. J. Koch FS Windbichler, 2020, 817 ff.; Poelzig VGR 23 GesR 2017, 83, 106 ff.; J. Vetter FS Krieger, 2020, 1065 ff.). Hier kann nat. Aktienrecht aus normhierarchischen Gründen nicht beschränkend wirken, woraus zT Mitwirkungspflicht der Tochter (Poelzig VGR 23 GesR 2017, 83, 106 ff.), zT Informationsanspruch der Mutter (Schockenhoff NZG 2020, 1001, 1008 ff.) gefolgert wird. Tats. besteht für derart weitreichende Überlagerung nat. Aktienrechts indes kein zwingendes Bedürfnis und folgerichtig auch keine hinreichende methodische Basis in Grundsätzen der Rechtsfortbildung. Europarechtl. Vorgaben begründen **Ergebnisverantwortung,** die es den Konzernobergesellschaften selbst überlässt, wie sie dieser Verantwortung nachkommen (→ Rn. 48a f.). Praxis behilft sich mittlerweile mit sog Konzern-Koordinationsverträgen, die auch Informationsfluss innerhalb des Konzerns erleichtern sollen (→ Rn. 48c).

36e Umgekehrte Konstellation des **Informationsflusses von der Mutter zur Tochtergesellschaft** ist aufgrund fehlenden Einflusspotenzials der Tochter ggü. der Mutter keine Veranlassungsfolge, sondern erfolgt idR auf freiwilliger Basis. Im Einzelfall kann allerdings auch hier Bedürfnis nach entspr. Informationen bestehen, etwa zur Erstellung des Abhängigkeitsberichts oder zur Beurteilung der Bonität der Obergesellschaft mit Blick auf etwaige Verlustübernahmepflicht gem. § 302 I (Pöschke ZGR 2015, 550, 551 ff.). Als Grundlage eines Informationsanspruchs bieten sich – wie bei Vertragskonzern (→ § 291 Rn. 13a) – in erster Linie **schuldrechtl. Sonderverbindungen** an. Entspr. Vereinbarungen können vom Vorstand der abhängigen AG auch als Bedingung gestellt werden, damit er der Veranlassung nachkommt. Möglich ist insofern ausdr. Vereinbarung, Ermittlung kraft Auslegung oder Herleitung aus Treu und Glauben (Pöschke ZGR 2015, 550, 555 ff.). Daneben kann auch aus **mitgliedschaftlicher Treupflicht** (→ § 53a Rn. 13 ff.) Informationsanspruch der Tochter abgeleitet werden, und zwar namentl. dann, wenn sie solche Information zur Erfüllung ges. Pflichten mit Konzernbezug benötigt (Einzelheiten bei Pöschke ZGR 2015, 550, 568 ff.). Anspruch auf sog Konzernierungserklärung kann aus diesen Pflichtgründen jedoch idR nicht abgeleitet werden, sondern es verbleibt insofern bei Mitteilungspflichten nach §§ 20, 21 bzw. auf kapitalmarktrechtl. Grundlage nach §§ 33 ff. WpHG (vgl. Emmerich/Habersack/Habersack Vor § 311 Rn. 1; Pöschke ZGR 2015, 550, 552).

36f Von Informationsansprüchen und -rechten der Konzerngesellschaften untereinander ist die Frage zu unterscheiden, inwiefern auch **einzelne Organwalter** zu eigenständiger Information berechtigt sind. Insofern bleibt es aufgrund Geschäftsführungskompetenz des Vorstands dabei, dass Verschwiegenheitspflicht einzelner Organwalter auch in dieser Konstellation nicht suspendiert wird (Mü-

KoAktG/Altmeppen Rn. 440). Bes. Probleme bereiten insofern **Doppelmandatsträger** im faktischen Konzern. Auch hier besteht indes Einigkeit, dass ihre Verschwiegenheitspflicht sich grds. auch auf die in anderer AG erlangten Informationen erstreckt (J. Bauer/Schmidt-Bendun FS Wegen, 2015, 105, 109). Das gilt insbes. für Mitglieder des AR, da Vorstand der „Herr der Geschäftsgeheimnisse" einer AG ist (BGHZ 64, 325, 329 = NJW 1975, 1412; OLG Stuttgart BeckRS 2023, 5754 Rn. 469; ausf. dazu → § 116 Rn. 12).

IV. Ausgleichspflicht als Rechtsfolge (noch: § 311 I)

1. Rechtsnatur der Ausgleichspflicht. § 311 I dispensiert herrschendes Unternehmen von Pflicht, abhängige Gesellschaft nicht zu nachteiligen Rechtsgeschäften oder sonstigen nachteiligen Maßnahmen zu veranlassen, wenn entstehende Nachteile ausgeglichen werden. Rechtsnatur der Ausgleichspflicht ist zweifelhaft. Nach früher hM sollte es sich um Leistung auf Schadensersatz handeln (so mit Unterschieden im Detail Bälz FS Raiser, 1974, 287, 308; Geßler FS Westermann, 1974, 145, 160 ff.; Kellmann DB 1969, 1509, 1512 ff.). Nach heute hL ist Ausgleichspflicht **Kompensationspflicht eigenen Inhalts;** soweit es um Leistungen der abhängigen Gesellschaft geht, sollen ihr durch Vorteile entspr. wirtschaftliche Gegenwerte zufließen (vgl. zB GK-AktG/Fleischer Rn. 323; Emmerich/Habersack/Habersack Rn. 61; KK-AktG/Koppensteiner Rn. 119; S/L/J. Vetter Rn. 105; Will, Nachteilsausgleichsvereinbarungen im faktischen Konzern, 2017, 74 ff.). Dieser Ansicht ist auch gegen fortdauernde Kritik von MüKoAktG/Altmeppen Rn. 311 ff. (Geschäftsführerhaftung; vgl. zuletzt Altmeppen ZIP 2016, 441, 442 ff.) beizupflichten. Sie entspr. dem Gesetzeswortlaut (§ 311 II 2: „Vorteile"), trägt dem Umstand Rechnung, dass Nachteilsausgleich und Schadensersatz nach Inhalt und Höhe divergieren können und überzeugt vor allem auch deshalb, weil es von Gegenansicht vorausgesetzte Schadensersatzpflicht gar nicht gibt. Die aus § 317 folgende kann es nämlich noch nicht sein (→ Rn. 2) und für eine Ersatzlösung durch Subsumtion des § 311 I Hs. 1 unter § 823 II BGB (dafür Geßler FS Westermann, 1974, 145, 160 ff.) spricht wenig; zumindest wäre dann unvermeidliches Verschuldenserfordernis für Ausgleichspflicht ganz unpassend. 37

2. Kein Rechtszwang. Abhängige Gesellschaft hat auf Nachteilsausgleich keinen durchsetzbaren Rechtsanspruch (ganz hM, s. BGHZ 124, 111, 119 = NJW 1994, 520; Emmerich/Habersack/Habersack Rn. 75; MHdB AG/Krieger § 70 Rn. 89). Dem ist beizupflichten, weil Ausgleich erst zum Ende des Geschäftsjahrs erfolgen muss (§ 311 II 1) und bei Vernachlässigung dieser Pflicht schon Schadensersatzanspruch nach §§ 317, 318 begründet ist. Nicht vollständig klar scheint allerdings, ob es nur an Durchsetzbarkeit, bes. am Rechtsschutzinteresse (KK-AktG/Koppensteiner Rn. 122) oder schon am Anspruch fehlt. Verneinung des Rechtsschutzinteresses trifft nicht das Entscheidende. Ausgleichspflicht ist nach Regelungszusammenhang der §§ 311, 317 **Rechtspflicht minderer Zwangsintensität,** der kein Anspruch gegenübersteht. Sie hat vielmehr Obliegenheitscharakter, da ihre Beachtung nicht zwangsweise durchgesetzt werden kann, aber doch erforderlich ist, um Schadensersatzfolge des § 317 abzuwenden (Will, Nachteilsausgleichsvereinbarungen im faktischen Konzern, 2017, 76 ff.). Mangels Anspruchs erledigt sich auch Frage der Pfändbarkeit. Auch wenn es einen Anspruch gäbe, wäre er allerdings gem. § 851 ZPO iVm § 399 Fall 1 BGB unpfändbar, weil Kompensationszweck (→ Rn. 37) sonst nicht mehr erreicht werden könnte (sa BGHZ 81, 385, 392 = NJW 1982, 98; BGH WM 2001, 1416 [1.]). 38

39 **3. Inhalt der Ausgleichspflicht. a) Eignung zum Nachteilsausgleich.** Nachteil kann durch jeden Vermögensvorteil ausgeglichen werden, der geeignet ist, seine bilanziellen Auswirkungen im nächsten Jahresabschluss zu neutralisieren (hM, s. OLG Jena AG 2007, 785, 787; ADS Rn. 66 f.; Emmerich/Habersack/Habersack Rn. 63; KK-AktG/Koppensteiner Rn. 109 ff.; MHdB AG/Krieger § 70 Rn. 90). Wenn sich Nachteil bilanziell niederschlägt, muss auch Vorteil bilanzierbar sein (BGH AG 2012, 680 Rn. 23; aA GK-AktG/Fleischer Rn. 327; S/L/J. Vetter Rn. 88; Beck BB 2015, 1289, 1290). Ansonsten ist Bilanzierungsfähigkeit nicht zwingend erforderlich, sondern es genügt **Bewertbarkeit** (vgl. Emmerich/Habersack/Habersack Rn. 63). Bei zukunftsgerichteten Maßnahmen ist prognostische Bewertung nur mit Zurückhaltung anzuerkennen (zu weit S/L/J. Vetter Rn. 86: Heranziehung von § 93 I 2). Nicht quantifizierbarer Nachteil kann uU auch durch nicht quantifizierbaren, aber dennoch der Art nach gleichwertigen Vorteil ausgeglichen werden (Hölters/Weber/Leuering/Goertz Rn. 84; S/L/J. Vetter Rn. 87), wobei allerdings zu prüfen ist, ob überhaupt Nachteil gegeben ist (s. dazu Emmerich/Habersack/Habersack Rn. 64). Werthaltigkeitsprüfung in unternehmerisches Ermessen des Vorstands der abhängigen AG zu stellen (dafür S/L/J. Vetter Rn. 103), überzeugt im Hinblick auf faktisches Einflusspotenzial des herrschenden Unternehmens nicht (für obj. Bewertung auch GK-AktG/Fleischer Rn. 330; Emmerich/Habersack/Habersack Rn. 67). Unerheblich ist, ob Ausgleich vom herrschenden Unternehmen selbst oder von einem Dritten gewährt wird, etwa einem (anderen) verbundenen Unternehmen (ADS Rn. 63 aE; MHdB AG/Krieger § 70 Rn. 90). Passive (positive) Konzerneffekte wie zB Steigerung der Kreditwürdigkeit können Nachteil nicht ausgleichen (RegBegr. Kropff S. 409); ebenso sind negative Konzerneffekte noch kein Nachteil (→ Rn. 30). Auch „faire Teilhabe an Verbundeffekten" (dafür v. Werder Konzern 2015, 362, 366 ff.) kann durch Pflicht zum Nachteilsausgleich nicht begründet werden.

40 **b) Höhe der Ausgleichsleistung.** Nachteil und Vorteil müssen sich wenigstens die Waage halten (RegBegr. Kropff S. 409). Zunächst muss also der Nachteil ermittelt werden, und zwar nach den in → Rn. 24 ff., 31 ff. erläuterten Regeln. Maßgeblich für Nachteilsfeststellung ist der **Zeitpunkt,** in dem das fragliche Rechtsgeschäft vorgenommen oder die fragliche Maßnahme ergriffen wurde (→ Rn. 26). Ob Ausgleichsleistung zur Kompensation genügt, bestimmt sich dagegen nach den Verhältnissen im **Zeitpunkt der Vorteilsgewährung** (Emmerich/Habersack/Habersack Rn. 68; KK-AktG/Koppensteiner Rn. 106 f.; MHdB AG/Krieger § 70 Rn. 90). Entwicklungen in der Zwischenzeit sind also zu berücksichtigen. Das folgt aus dem Ziel des Ausgleichs, die abhängige Gesellschaft so zu stellen, als ob sie unabhängig geleitet würde; denn der unabhängige, nach dem Standard des § 93 I 1 handelnde Geschäftsleiter würde sich auf die nachteilige Maßnahme nur einlassen, wenn er für die Zukunft volle Kompensation erwarten könnte.

41 **c) Vereinbarung oder einseitige Bestimmung?** Fraglich ist, ob herrschendes Unternehmen Inhalt und Höhe der Ausgleichsleistung allein bestimmen kann oder ob es dazu einer Vereinbarung mit der abhängigen Gesellschaft bedarf. Nach hM ist das Erste richtig (vgl. Emmerich/Habersack/Habersack Rn. 71; BeckOGK/H.-F. Müller Rn. 119; S/L/J. Vetter Rn. 102). Gegenansicht fordert Vereinbarung oder Abstimmung, die keinen vertraglichen Charakter haben muss, und zwar entweder für Inhalt und Höhe (ADS Rn. 69; MüKoAktG/Altmeppen Rn. 360 ff.; Altmeppen ZIP 2016, 441, 443; Kropff FS Kastner, 1992, 279, 287) oder nur für den Inhalt (so KK-AktG/Koppensteiner Rn. 123 f.; Will, Nachteilsausgleichsvereinbarungen im faktischen Konzern, 2017, 95 ff.). Das findet jedoch im Wortlaut des § 311 keine Stütze und ist auch sonst weder rechtl. noch sachlich

geboten. Gerade aus **Privilegierungsfunktion** des § 311 (→ Rn. 4) folgt, dass es bei Nachteilsausgleich zwar um einen wirtschaftlichen Gegenwert, aber nicht um eine Gegenleistung im technischen Sinne geht. Auch aus neu eingefügten §§ 111a ff. lässt sich kein Argument für Gegenauffassung ableiten (so aber Grigoleit ZGR 2019, 412, 452 ff.), da Gesetzgeber hier europarechtl. Vorgaben bewusst restriktiv umgesetzt und dabei klares Anliegen verfolgt hat, bestehendes nat. System davon möglichst unberührt zu lassen (→ § 111a Rn. 1; wie hier GK-AktG/Fleischer Rn. 346; S/L/J. Vetter Rn. 104a). Richtig ist, dass **Brauchbarkeit des Vorteils** im Unternehmen der abhängigen Gesellschaft nur von deren Vorstand verantwortlich beurteilt werden kann (ADS Rn. 69; KK-AktG/Koppensteiner Rn. 124). Er kann deshalb Gegenvorstellungen erheben. Geht herrschendes Unternehmen darauf nicht ein, ändert sich an Ausgleichsleistung aber nicht schon deshalb etwas, weil Einigung fehlgeschlagen ist. Maßgeblich bleibt obj. Beurteilung. Anderes (nämlich Verrechnungsabrede) kommt nur in Betracht, wenn herrschendes Unternehmen mit Ausgleich in Vorleistung tritt (MHdB AG/Krieger § 70 Rn. 93). Gegenauffassung ist allerdings einzuräumen, dass Vorstand der abhängigen Gesellschaft iR seiner Sorgfaltspflicht (§ 93 I 1) genau zu prüfen hat, ob er nachteiliger Einflussnahme überhaupt nachkommen darf, wenn Art und Weise des Nachteilsausgleichs zu diesem Zeitpunkt noch nicht feststeht (insofern zutr. Altmeppen ZIP 2016, 441, 443).

4. Grenzen des Ausgleichsmodells. § 311 I begründet nicht nur Ausgleichspflicht, sondern erlaubt nachteilige Veranlassung unter der Prämisse der Ausgleichsgewährung. Sie ist mit diesem Vorbehalt nicht rechtswidrig. Das setzt jedoch zunächst voraus, dass **Ausgleich iSd § 311 überhaupt möglich** ist. Veranlassung nicht oder jedenfalls nicht einzeln bewertbarer Nachteile bleibt rechtswidrig, weil dann definitionsgem. nicht ausgeglichen werden kann (→ Rn. 24; OLG Köln AG 2009, 416, 419; Ulmer FS Hüffer, 2010, 999, 1002 ff.); zur Ausnahme bei korrespondierendem nicht quantifizierbaren Vorteil → Rn. 39. Dasselbe gilt, wenn Einzelausgleich nach Art und Intensität der Maßnahme nicht genügen kann (Bsp. bei E. Vetter ZHR 171 [2007], 342, 351 ff.). 42

Weitere Grenze ergibt sich aus dem Erfordernis, dass nachteilige Maßnahme im **Interesse des herrschenden Unternehmens oder** eines (anderen) **mit ihm verbundenen Unternehmens** liegen muss. Nachteilzufügung aus sonstigem Drittinteresse bleibt rechtswidrig, ohne dass es darauf ankäme, ob insoweit ein Ausgleich möglich ist und gewährt wird. Ges. will Beherrschung oder vertragslose Konzernierung nicht verbieten (→ Rn. 1), aber deshalb die Leitung der abhängigen Gesellschaft nicht beliebigen Drittinteressen öffnen. Auch wäre es unstimmig, wenn die nach § 311 zulässige Einflussnahme weiter ginge als die beherrschungsvertraglich begründete Leitungsmacht nach § 308 (wie hier hM, s. ADS Rn. 60; KK-AktG/Koppensteiner Rn. 102). 43

V. Art und Weise der Ausgleichsgewährung (§ 311 II)

1. Tatsächlicher Ausgleich. § 311 II sieht zwei Formen der Ausgleichsgewährung vor: den tats. Ausgleich während des Geschäftsjahrs und die Ausgleichsgewährung durch Begr. eines Rechtsanspruchs (→ Rn. 46 f.). Tats. ausgeglichen ist der Nachteil, wenn der zu seiner Kompensation bestimmte Vorteil **bis zum Bilanzstichtag** derart in das Vermögen der abhängigen Gesellschaft eingegangen ist, dass die Nachteilswirkungen bilanziell neutralisiert werden (→ Rn. 39). Welche Rechtshandlungen dazu iE erforderlich sind, richtet sich nach der Art des Vorteils. Ein sachlicher oder zeitlicher Zusammenhang in dem Sinne, dass die Einzelmaßnahme als vermögensneutral erscheinen muss, ist nicht erforderlich (→ Rn. 1). 44

45 Nach hM ist es auch zulässig, dass mehrere Nachteile und Vorteile **kontokorrentartig zusammengefasst und saldiert** werden; auszugleichen ist dann lediglich ein zu Lasten des herrschenden Unternehmens verbleibender negativer Saldo, etwa durch Schlusszahlung (MüKoAktG/Altmeppen Rn. 347; S/L/J. Vetter Rn. 89). Dem ist mit der Maßgabe beizupflichten, dass jedenfalls der Saldenausgleich und die Anspruchsgewährung deutlich unterscheidbar und die in den Saldenausgleich einbezogenen Einzelposten darstellbar und prüfbar bleiben müssen.

46 **2. Ausgleich durch Begr. eines Rechtsanspruchs. a) Allgemeines.** Wenn Nachteilsausgleich nicht tats. erfolgt ist, muss zum Ende des Geschäftsjahrs bestimmt werden, wann und durch welche Vorteile der Ausgleich erfolgen soll (§ 311 II 1). Abhängige Gesellschaft muss einen entspr. Rechtsanspruch erhalten (§ 311 II 2), was, anders als beim tats. Ausgleich (→ Rn. 41), **nur durch Vertrag** geschehen kann (§ 311 I BGB). Einseitige Erklärungen des herrschenden Unternehmens helfen nichts (GK-AktG/Fleischer Rn. 336; Grigoleit/Grigoleit Rn. 56; Emmerich/Habersack/Habersack Rn. 72; aA S/L/J. Vetter Rn. 96). Schriftform ist nicht erforderlich, zur Dokumentation im Abhängigkeitsbericht aber sinnvoll. Wenn Vertrag nicht oder nicht rechtzeitig zustande kommt, greift § 317 ein. Regelung ist wesentliches Teilelement des 1965 erzielten gesetzgeberischen Kompromisses (→ Rn. 3 f.; AusschussB Kropff S. 409 f.). Seither wird allerdings vorgeschlagen, zeitlich gestreckten Nachteilsausgleich wegen Schwächung des Vorstands der abhängigen Gesellschaft zu streichen (Hommelhoff, Gutachten G zum 59. DJT, 1992, 49; Kropff FS Kastner, 1992, 281, 286 ff.). Jedenfalls für Angemessenheitsfeststellung iRd § 111a II wird man gestreckten Ausgleich nicht genügen lassen können (→ § 111a Rn. 12).

47 **b) Inhalt der Vertragsregelung.** § 311 II verlangt zunächst Angabe der **Leistungszeit** („wann"). Sie muss jedoch nicht nach dem Kalender bestimmt sein; vielmehr genügt jede Form der Zeitbestimmung (S/L/J. Vetter Rn. 97). Durch Hinausschieben entgehende Vorteilsnutzung muss durch Verzinsung oder in gleichwertiger Weise abgegolten werden, weil sonst neuer Nachteil entsteht (ADS Rn. 74). Vorteile müssen nach **Art und Umfang** bestimmt sein. Es gelten insofern dieselben Vorgaben wie für den Nachteilsausgleich; bloß unbezifferter Anspruch auf Ausgleich späterer Nachteile genügt nicht (BGH AG 2012, 680 Rn. 23; eingehend Will, Nachteilsausgleichsvereinbarungen im faktischen Konzern, 2017, 164 ff. mit Vorschlägen zur alternativen Gestaltung auf S. 253 ff. und Mustervereinbarungen auf S. 299 ff.). Ebenso reicht es nicht aus, wenn Nachteilsausgleich nach Grund und Höhe von rechtskräftiger Entscheidung ggü. dem herrschenden Unternehmen abhängig gemacht wird (BGH AG 2012, 680 Rn. 24; sa schon Heidel FS Meilicke, 2010, 125, 129 ff.; aA noch OLG München v. 22.12.2010 – 7 U 1584/10, juris-Rn. 75 = BeckRS 2011, 297; LG München I AG 2010, 173, 175; Wirth GS M. Winter, 2011, 779, 783 ff.; weiterhin krit. M. Arnold/Gärtner FS Stilz, 2014, 7, 16 ff.). **Wahlschuld** mit Bestimmungsrecht der abhängigen Gesellschaft genügt (ADS Rn. 74; Emmerich/Habersack/Habersack Rn. 74). Problematischer ist Wahlschuld mit Bestimmungsrecht des herrschenden Unternehmens, doch angesichts Vertragserfordernisses (→ Rn. 46) steht Schutz der abhängigen AG auch dieser Gestaltung nicht entgegen (Emmerich/Habersack/Habersack Rn. 74; Grigoleit/Grigoleit Rn. 56; KK-AktG/Koppensteiner Rn. 132; S/L/J. Vetter Rn. 100 f.). Erst recht genügt es, wenn der Vertrag ein gemeinsames Bestimmungsrecht vorsieht. Zum Ausgleich bei Nachteilszufügung durch HV-Beschluss → Rn. 48; → § 243 Rn. 43.

VI. Verhältnis zu anderen Vorschriften

1. Organkompetenzen; Sondervorteile. § 76 wird durch § 311 weder durchbrochen noch eingeschränkt (ganz hM, s. KG ZIP 2003, 1042, 1049; KK-AktG/Koppensteiner Rn. 139; aA Wilhelm, Rechtsform und Haftung bei der juristischen Person, 1981, 243 ff.). Daraus folgt zunächst: Vorstand abhängiger Gesellschaft ist nicht gehalten, nachteiliger Veranlassung zu folgen. Er darf es auch nicht, soweit daraus der Gesellschaft ein nicht durch Nachteilsausgleich iSd § 311 gedeckter Schaden erwachsen würde (→ § 76 Rn. 135; → § 93 Rn. 5; OLG Hamm AG 1995, 512, 516; MHdB AG/Krieger § 70 Rn. 31; Ulmer FS Hüffer, 2010, 999, 1002 ff.). Wenn Vorstand nachteiliger Veranlassung gleichwohl folgt, macht er sich **nach § 93 II ersatzpflichtig** (KG ZIP 2003, 1042, 1049; OLG Hamm AG 1995, 512, 513, 515). Nur wenn Voraussetzungen des § 311 vorliegen und mit Ausgleichsgewährung auch nach vernünftiger kaufmännischer Beurteilung tats. gerechnet werden kann, treten §§ 93, 116 hinter § 311 zurück (hM, s. KK-AktG/Koppensteiner Rn. 142, 160; Ulmer FS Hüffer, 2010, 999, 1002 ff.). Aus § 76 ergibt sich weiter: Vorstand abhängiger Gesellschaft ist an **konzernbezogene Zustimmungsvorbehalte** zugunsten des AR des herrschenden Unternehmens (→ § 111 Rn. 74 ff.) rechtl. nicht gebunden. Auch insoweit gilt, dass Vorstand des herrschenden Unternehmens sie nur zum Gegenstand seiner Einflussnahme machen und Vorstand der abhängigen Gesellschaft solcher Einflussnahme auch nur nachkommen darf, soweit etwa eintretender Nachteil voll ausgleichspflichtig ist (→ § 111 Rn. 74 ff.). Ebenso wie Kompetenzen des Vorstands bleiben auch die des AR grds. unberührt. Str. ist, ob § 311 den Anfechtungsgrund des § 243 II (Sondervorteile) verdrängende Sonderregelung enthält. Das ist mit hM zu verneinen (→ § 243 Rn. 43). 48

Danach anzunehmende Weisungsfreiheit des Vorstands einer abhängigen AG wird in neuerer Zeit allerdings durch zunehmende **Aufweichung des Trennungsprinzips** in Frage gestellt, die Vorstand der Obergesellschaft zur Konzernleitung verpflichtet, ohne nach hinreichender Einflussmacht zu fragen (→ § 1 Rn. 21). Daraus wird im Lichte europ. Normenhierarchie und Legalitätspflicht spiegelbildliche Pflicht des Tochtervorstands abgeleitet, an Implementierung der **konzernweiten Legalitätskontrolle** mitzuwirken (Poelzig VGR 23 GesR 2017, 83, 106 ff.; gleichsinnig für den Bereich der Informationserteilung Schockenhoff NZG 2020, 1001, 1008 ff.), was konzernrechtl. Strukturen des Aktienrechts weitgehend aufsprengen würde (vgl. auch Altmeppen NZG 2022, 1227, 1228 ff.; Hommelhoff ZGR 2019, 379 ff.). Spannungsverhältnis zwischen Pflichterstreckung der Mutter und Eigenständigkeit der Tochter ist indes keine neue Erscheinung (vgl. etwa § 90 I 2, III 1, § 131 I 2, 4), ohne dass daraus bislang derart weitreichende Folgerung gezogen wurde. Pflichten wurden vielmehr iR der bestehenden Einwirkungsmöglichkeiten ausgedeutet (vgl. etwa → Rn. 36a ff.; → § 90 Rn. 7a; → § 131 Rn. 18). Ob aus europ. Aufsichtsrecht, das in weiten Zügen keine konkrete Handlungspflicht, sondern lediglich grds. Verantwortungsposition und Sanktionsfolge festschreibt, tats. weitergehende Einwirkungspflicht folgt, bleibt zweifelhaft. Auch RegBegr. BT-Drs. 17/10974 S. 86 zu § 25a III KWG (dazu Poelzig VGR 23 GesR 2017, 83, 106 f.) erweist sich als nicht eindeutig (zurückhaltend auch J. Vetter FS Krieger, 2020, 1065 ff. mit Alternativlösung über Treupflicht der AG [→ Rn. 48d] sowie Diskussionsbeitrag Decher VGR 23 GesR 2017 S. 113). 48a

Näher liegt es, höherrangige europarechtl. Vorgaben so zu handhaben wie **ähnlich gelagerte Kollisionslagen mit höherrangigen Vorgaben des Grundgesetzes** bei Beteiligung der öffentl. Hand (→ § 394 Rn. 14 ff.). Pflichtenposition wird dort iSe Ingerenzgebots (→ § 394 Rn. 17) als reine Ergebnisver- 48b antwortung aufgefasst, die es den Konzernobergesellschaften selbst überlässt, wie sie dieser Verantwortung nachkommen (vgl. insbes. BVerfGE 147, 50 Rn. 225 = NVwZ 2018, 51; ausf. Analyse bei J. Koch ZHR 183 [2019], 7, 13 ff.; zusammenfassend J. Koch FS Windbichler, 2020, 817, 824 ff.). Dieser Mechanismus kann auch auf Unionsrecht übertragen werden (ausf. J. Koch FS Windbichler, 2020, 817 ff.). Denn selbst wo man europarechtl. Pflichtenstellung der Muttergesellschaft annehmen wollte, ist es nicht zwingend, sie in Durchbrechung gesellschaftsrechtl. Befugnisse zur Mitwirkungspflicht der Tochter fortzuschreiben (zust. S/L/J. Vetter Rn. 116a ff.). Vielmehr wäre auch **systemkonforme Lösung,** etwa über Abschluss eines Beherrschungsvertrags, denkbar, was in der Sache allerdings auch kaum wünschenswert wäre. In der Praxis scheint aber auch im faktischen Konzern oft schon freiwillige Kooperation zu genügen (J. Koch FS Windbichler, 2020, 817, 830 f.). Wo diese verweigert wird, eröffnet Praxis mit Möglichkeit der Doppelorganschaft (→ § 76 Rn. 136 f.; → § 100 Rn. 7), strukturändernder Maßnahmen (zB Umwandlung in GmbH) oder gar ultima ratio einer Auflösung der Beteiligungsstruktur weitere Gestaltungsmöglichkeiten, die zwingendes Bedürfnis für breitflächige rechtsfortbildende Überlagerung aktienrechtl. Vorgaben nicht erkennen lassen (ausf. J. Koch FS Windbichler, 2020, 817 ff., 830 ff.).

48c Als weniger tiefgreifende Maßnahmen behilft sich Praxis derzeit mit sog **Konzern-Koordinationsverträgen** (Relationship Agreements), deren Zulässigkeit gerade im Lichte der geschilderten europ. Entwicklung grds. zu bejahen ist, sofern sich Pflichtenprogramm vornehmlich in Informations-, Konsultations- und Koordinationspflichten erschöpft (vgl. dazu insbes. S/L/Seibt § 76 Rn. 36; Seibt FS K. Schmidt, Bd. II, 2019, 431 ff.; zust. S/L/J. Vetter Rn. 116e ff.; Bayer Konzern 2023, 1, 8; Habersack FS Krieger, 2020, 281 ff.; J. Koch ZGR 2020, 183, 199 f.; J. Koch FS Windbichler, 2020, 817, 832 f.; wohl auch GK-AktG/Fleischer Rn. 55; Schockenhoff NZG 2020, 1001, 1009). Damit wird auch etwaige Einordnung als atypischer Beherrschungsvertrag vermieden (→ § 291 Rn. 14 f.). Für verbleibende Einschränkung der Leitungsmacht gelten zu Investorenvereinbarungen entwickelte Grundsätze (→ § 76 Rn. 124 ff.), die hier aufgrund grds. Privilegierung faktischer Konzernierung (→ Rn. 4) und mit Blick auf europarechtl. Durchgriffsszenarien (→ Rn. 48a) aber noch großzügiger angewandt werden sollten (vgl. dazu auch Habersack FS Krieger, 2020, 281, 285 ff.). Kündigungsmöglichkeit bei Veränderung wesentlicher Umstände muss AG aber stets vorbehalten bleiben. IÜ gelten §§ 311 ff. (Habersack FS Krieger, 2020, 281, 285).

48d Ob es neben diesen Möglichkeiten noch Bedürfnis für Konstruktion einer Mitwirkungspflicht der Tochter qua **Treupflicht ggü. Obergesellschaft** gibt und Pflichtenursprung in diesem Verhältnis auch derart weitreichende Bindungen begründen kann, ist zweifelhaft (dafür J. Vetter FS Krieger, 2020, 1065, 1077 ff.; zust. Emmerich/Habersack/Habersack Rn. 87a f.). Es erscheint bedenklich, wenn Tochter qua Treupflicht Bindungen unterworfen wird, die Mutter sich sonst unter Beachtung weiterer Schutzvorkehrungen (zB §§ 293 ff., 300 ff.) erkaufen muss. Vehikel der Treupflicht der AG ggü. Aktionär wurde bislang nur in eher kleinteiligen Zusammenhängen anerkannt (→ § 53a Rn. 18: Anspruch auf Protokollabschriften und Steuerbescheinigungen). Ob sie auch derart weitreichende Überlagerung des konzernrechtl. Normenstands tragen kann, erscheint fragwürdig. In Enkelsituationen, in denen Konzernobergesellschaft nicht unmittelbar beteiligt ist, treten weitere Bedenken hinzu (Schockenhoff NZG 2020, 1001, 1010 f.).

48e Nimmt man – entgegen hier vertretener Auffassung – auf dem einen oder anderen Begründungsweg Durchbrechung des bisherigen Systems in Kauf, bleibt fraglich, ob sie als **Mitwirkungspflicht oder Weisungsrecht** auszugestalten ist;

beide Instrumentarien weisen große Schnittmenge auf, sind aber nicht identisch. Antwort folgt pfadabhängig aus zugrunde liegendem Pflichtenursprung. Weitere Entwicklung bleibt abzuwarten, gibt aber schon jetzt Anlass zur Sorge.

2. Vermögensbindung. §§ 57, 60, 62 einerseits und eine durch die Privilegierung gem. § 311 II zulässige nachteilige Veranlassung andererseits, zB unterpreisige Lieferung an das herrschende Unternehmen, stehen im Widerspruch zueinander. Durchweg würden sich Leistungen der abhängigen Gesellschaft nämlich als unzulässige verdeckte Gewinnausschüttung darstellen (→ Rn. 27; → § 57 Rn. 15 ff.). Lösung ist in **Spezialität des § 311** zu finden, so dass strikte Vermögensbindung insoweit gelockert wird (ganz hM, s. BGHZ 179, 71 Rn. 11 = NJW 2009, 850; BGHZ 190, 7 Rn. 48 = NJW 2011, 2719; LG Düsseldorf AG 1979, 290, 291 f.; MüKoAktG/Bayer § 57 Rn. 144 ff.; Emmerich/Habersack/Habersack Rn. 82 ff.; Hentzen ZGR 2005, 480, 507; aA zB Altmeppen ZIP 1996, 693, 695 ff. [namentl. § 62 anwendbar]). Dabei ist jedoch vorausgesetzt, dass Nachteilsausgleich iSd § 311 I oder II vorgenommen wird (BGHZ 179, 71 Rn. 11; BGHZ 190, 7 Rn. 48; OLG Frankfurt AG 1996, 324, 327; OLG Hamm AG 1995, 512, 516; Ulmer FS Hüffer, 2010, 999, 1008); sonst: § 317 (→ § 317 Rn. 17). Diese Grundsätze gelten auch für Besicherung einer Kreditaufnahme des herrschenden Unternehmens durch abhängige AG (ADS Rn. 77; Sonnenhol/Groß ZHR 159 [1995], 388, 410; aA Schön ZHR 159 [1995], 351, 371 f. unter Gleichsetzung von Nachteiligkeit und Einlagenrückgewähr). 49

Gewährt Tochtergesellschaft dem herrschenden Unternehmen ungesicherten **Kredit** wie namentl., aber nicht nur, bei **Cash Management,** so war früher str., ob Leistung der Tochter durch Spezialität des § 311 dem grds. Verbot des § 57 entzogen wird. Mit BGHZ 179, 71 Rn. 11 = NJW 2009, 850 hat sich Annahme verdrängender Spezialität durchgesetzt (vgl. namentl. Habersack ZGR 2009, 347, 354 ff.), die aber durch Beschränkung des Nachteilsbegriffs auf konkrete Gefährdung der Vermögens- oder Ertragslage (→ Rn. 24) ergänzt werden muss, weil Verdrängungswirkung sonst wegen unerfüllter Ausgleichspflicht nicht einträte (→ Rn. 49; Habersack ZGR 2009, 347, 357). Seit MoMiG 2008 ist verdrängende Spezialität dagegen ohne praktisches Interesse, weil § 57 I 1 ohnehin nicht bei Leistungen gilt, die durch vollwertigen Gegenleistungs- oder Rückgewähranspruch gedeckt sind (§ 57 I 3 Hs. 2), worunter gerade Cash Pooling und andere ungesicherte Kreditierungen fallen (→ § 57 Rn. 40 ff.). Konsequent ist jedoch, auch insofern Verdrängung zu bejahen und für Nachteilsbegriff geforderte konkrete Gefährdung nur eintreten zu lassen, wenn Vollwertigkeit nicht gegeben ist (Altmeppen NZG 2010, 401, 402 ff.). Tochtervorstand hat das bei Vornahme der Leistung und auch in der Folgezeit zu prüfen, was Einrichtung eines Frühwarnsystems erfordern kann (BGHZ 179, 71 Rn. 13 f.; C. Schäfer/Fischbach FS Hellwig, 2011, 293, 300 ff.; J. Vetter/Stadler, Haftungsrisiken beim konzernweiten Cash Pooling, 2003, Rn. 194 ff.). Wenn Vollwertigkeit nicht mehr gegeben ist, muss Vorstand Kredit kündigen oder Sicherheiten nachfordern (BGHZ 179, 71 Rn. 13 f.; Goette WPg 2008, 231, 235 f.). 50

3. Schadensersatz. Nachteilige Veranlassung iSd § 311 würde tatbestandliche **Voraussetzungen schädlicher Einflussnahme iSd § 117** wenigstens idR erfüllen. Folge wäre sofort fällige Schadensersatzpflicht, so dass der zeitliche Rahmen des § 311 II (→ Rn. 44, 46) iErg nicht in Anspruch genommen werden könnte. Deshalb tritt § 117 hinter § 311 zurück (ganz hM, → § 117 Rn. 14 mN; Ulmer FS Hüffer, 2010, 999, 1010). Dagegen sind § 117 und § 317 nebeneinander anwendbar (hM, vgl. ebenfalls → § 117 Rn. 14; Ulmer FS Hüffer, 2010, 999, 1011; aA Brüggemeier AG 1988, 93, 101 f.). 51

52 **4. Treupflicht.** Nach heutigem Verständnis sind §§ 311 ff. gedanklich in übergreifende dogmatische Konzeption der mitgliedschaftlichen Treupflicht eingebunden. Das führt aber nicht dazu, dass Treupflicht überlagernde Wirkung haben kann, sondern umgekehrt muss speziellere ges. Ausgestaltung in ihrem Anwendungsbereich allg. Treupflicht **verdrängen** (→ § 53a Rn. 24 mwN). Gegenauffassung gelangt zT zu ähnlichen Ergebnissen über Annahme, dass Treupflicht zwar fortbesteht, aber konkrete Ausprägungen im Lichte der §§ 311 ff. zu entwickeln sind (so wohl Grigoleit/Grigoleit Rn. 7). Insbes. gibt es danach kein **Wettbewerbsverbot** gegen herrschende Aktionäre; an die Stelle von Prävention tritt also Ausgleich oder Schadensersatz im Einzelfall (→ § 53a Rn. 25 mwN).

52a **5. Related party transactions im faktischen Konzern (§ 311 III).** Mit ARUG II 2019 neu eingeführt wurde § 311 III, der klarstellt, dass Regelungsregime der §§ 111a–111c zu related party transactions auch im faktischen Konzern zur Anwendung gelangt. Im Vorfeld der Gesetzgebung wurde dafür zT weitere Ausn. in § 111a III gefordert (DAV-HRA NZG 2019, 12 Rn. 62; Bungert/Berger DB 2018, 2860, 2862 f.). Gesetzgeber hat Forderung zu Recht nicht aufgegriffen, da – anders als im Vertragskonzern – nat. Regelung der §§ 311 ff. **kein den europ. Vorgaben äquivalentes Schutzsystem** geboten hätte (Lieder/Wernert ZIP 2018, 2441, 2447 f.; J. Schmidt EuZW 2019, 261, 263). Vorschrift ist jedoch nur so zu verstehen, dass §§ 111a ff. nicht generell verdrängt werden. Es bleibt aber dabei, dass sie nicht zur Anwendung gelangen, wo spezieller Ausnahmetatbestand des § 111a II, III einschlägig ist (Emmerich/Habersack/Habersack Rn. 95; H.-F. Müller ZGR 2019, 97, 119). Greift kein Ausnahmetatbestand, bleibt von §§ 311 ff. bereitgestellte Möglichkeit, Nachteile gestreckt auszugleichen (→ Rn. 46), iRd §§ 111a ff. verwehrt (ausf. → § 111a Rn. 12).

VII. Keine analoge Anwendung auf abhängige GmbH

53 Soweit es um abhängige GmbH geht, finden §§ 311 ff. nach heute ganz hM keine analoge Anwendung. Vielmehr verbleibt es bei bloßer Abhängigkeit oder im einfachen faktischen GmbH-Konzern bei **Treubindung** des herrschenden Unternehmens in seiner Eigenschaft als Mitglied der GmbH. Treupflicht zur GmbH erfährt also **keine Durchbrechung durch Nachteilsausgleich** (ganz hM, vgl. BGHZ 95, 330, 340 = NJW 1986, 188; Emmerich/Habersack/Habersack Anh. § 318 Rn. 6, Assmann FS 100 Jahre GmbHG, 1992, 657, 695 ff.; Ulmer ZHR 148 [1984], 391, 411 ff; aA noch Kropff FS Kastner, 1992, 279, 296 ff.). Weder hat GmbH nach Vorbild des § 76 I unabhängiges Leitungsorgan noch verfügt sie über obligatorischen AR, so dass namentl. Konzeption des Abhängigkeitsberichts als zentralem Baustein der §§ 311 ff. auf GmbH nicht übertragen werden kann.

Bericht des Vorstands über Beziehungen zu verbundenen Unternehmen

312

(1) [1]**Besteht kein Beherrschungsvertrag, so hat der Vorstand einer abhängigen Gesellschaft in den ersten drei Monaten des Geschäftsjahrs einen Bericht über die Beziehungen der Gesellschaft zu verbundenen Unternehmen aufzustellen.** [2]**In dem Bericht sind alle Rechtsgeschäfte, welche die Gesellschaft im vergangenen Geschäftsjahr mit dem herrschenden Unternehmen oder einem mit ihm verbundenen**

Unternehmen oder auf Veranlassung oder im Interesse dieser Unternehmen vorgenommen hat, und alle anderen Maßnahmen, die sie auf Veranlassung oder im Interesse dieser Unternehmen im vergangenen Geschäftsjahr getroffen oder unterlassen hat, aufzuführen. [3] Bei den Rechtsgeschäften sind Leistung und Gegenleistung, bei den Maßnahmen die Gründe der Maßnahme und deren Vorteile und Nachteile für die Gesellschaft anzugeben. [4] Bei einem Ausgleich von Nachteilen ist im einzelnen anzugeben, wie der Ausgleich während des Geschäftsjahrs tatsächlich erfolgt ist, oder auf welche Vorteile der Gesellschaft ein Rechtsanspruch gewährt worden ist.

(2) **Der Bericht hat den Grundsätzen einer gewissenhaften und getreuen Rechenschaft zu entsprechen.**

(3) **[1] Am Schluß des Berichts hat der Vorstand zu erklären, ob die Gesellschaft nach den Umständen, die ihm in dem Zeitpunkt bekannt waren, in dem das Rechtsgeschäft vorgenommen oder die Maßnahme getroffen oder unterlassen wurde, bei jedem Rechtsgeschäft eine angemessene Gegenleistung erhielt und dadurch, daß die Maßnahme getroffen oder unterlassen wurde, nicht benachteiligt wurde. [2] Wurde die Gesellschaft benachteiligt, so hat er außerdem zu erklären, ob die Nachteile ausgeglichen worden sind. [3] Die Erklärung ist auch in den Lagebericht aufzunehmen.**

Übersicht

I. Regelungsgegenstand und -zweck

1 Norm betr. Pflicht des Vorstands, Abhängigkeitsbericht aufzustellen (§ 312 I 1), regelt dessen wesentlichen Inhalt (§ 312 I 2–4), umschreibt durch Generalklausel den Pflichtenstandard (§ 312 II) und sieht schließlich Schlusserklärung vor (§ 312 III 1 und 2), die in den Lagebericht (§§ 264 I, 289 HGB) aufzunehmen ist. Als Bestandteil des Lageberichts muss Schlusserklärung der ordentlichen HV (→ § 175 Rn. 1) vorliegen (§ 175 II). Sie nimmt auch an dessen Publizität teil (§ 325 HGB), während Bericht selbst nicht veröffentlicht wird. Regelung ist zwingend; HV kann nichts anderes beschließen. Bezweckt ist **Verbesserung der Informationsbasis** für Gesellschaftsgläubiger und außenstehende Aktionäre, die wiederum der Durchsetzung von Ersatzansprüchen dienen soll (BGHZ 135, 107, 109 f. = NJW 1997, 1855; RegBegr. Kropff S. 411). Darüber hinaus soll Selbstkontrolle des Vorstands verstärkt werden, der sich auch selbst Rechenschaft über die Erfüllung seiner organschaftlichen Pflichten zum Schutz der abhängigen AG ablegen soll; schließlich soll Überprüfung durch Abschlussprüfer und AR erleichtert werden (ausf. GK-AktG/Fleischer Rn. 2 ff.). Wie über §§ 311 ff. insges. (dazu → § 311 Rn. 6), ist auch das rechtspolitische Urteil über den Abhängigkeitsbericht, namentl. aufgrund bloßer Binnenpublizität (→ Rn. 38), nicht selten negativ (umfassende rechtspolitische Würdigung bei GK-AktG/Fleischer Rn. 10 ff.; Fleischer BB 2014, 835 ff.). Das dürfte auch darauf zurückzuführen sein, dass Durchsetzung von Ansprüchen im Vordergrund des Interesses steht. Hebt man stattdessen auf Prävention ab, insbes. darauf, dass Berichtspflicht die Stellung des Vorstands der abhängigen Gesellschaft ggü. dem herrschenden Unternehmen stärkt, zeigen neuere Untersuchungen positive Gesamteinschätzung (MüKoAktG/Altmeppen Rn. 18 ff.; S/L/J. Vetter Rn. 5). Angezeigt ist daher nicht Totalrevision der §§ 312 ff., sondern allenfalls Korrektur bei Offenlegung des Abhängigkeitsberichts (→ Rn. 38 mwN).

II. Pflicht des Vorstands (§ 312 I)

2 **1. Träger der Berichtspflicht.** Nach § 312 I 1 ist Abhängigkeitsbericht vom Vorstand aufzustellen. Das entspr. §§ 242, 264 I HGB, § 91. Gemeint ist, dass Vorstand als Organ der abhängigen AG verpflichtet ist, die ihr auferlegte Berichtspflicht zu erfüllen. Soweit es um die organschaftlichen Aufgaben geht, handelt es sich also um eine Konkretisierung des § 76 I (→ § 91 Rn. 1). Folglich fällt Abhängigkeitsbericht in die **Gesamtverantwortung des Vorstands.** Handeln von Vorstandsmitgliedern in vertretungsberechtigter Zahl (§ 78) genügt nicht. Bericht muss auch von allen Vorstandsmitgliedern, einschließlich der stellvertretenden (§ 94), unterzeichnet werden (arg. § 318 I, § 407 I 1; S/L/J. Vetter Rn. 18). Vorstand kann Hilfspersonen zuziehen, aber die Aufgabe nicht delegieren, auch nicht an den Wirtschaftsprüfer (GK-AktG/Fleischer Rn. 57). Bei vollständigem Vorstandswechsel vor Aufstellung des Abhängigkeitsberichts ist neuer Vorstand berichtspflichtig (MüKoAktG/Altmeppen Rn. 52).

3 **2. Voraussetzungen der Berichtspflicht. a) Allgemeines.** Berichtspflicht setzt nach § 312 I 1 voraus: Abhängigkeitsverhältnis und Fehlen eines Beherrschungsvertrags. Das entspr. den Erfordernissen des Nachteilsausgleichs (→ § 311

Rn. 8–10). Soweit AG mehrfach abhängig ist, ist auch mehrfach zu berichten; einheitlicher Bericht genügt aber (GK-AktG/Fleischer Rn. 42). Dasselbe gilt bei mehrstufiger Abhängigkeit (GK-AktG/Fleischer Rn. 43). Berichtspflicht besteht auch dann, wenn BRD oder andere **Gebietskörperschaft** herrschendes Unternehmen ist. Insoweit kann seit BGHZ 69, 334, 338 ff. = NJW 1978, 104 nicht das Ob, sondern nur der Inhalt der Berichtspflicht fraglich sein (→ Rn. 22). Pflicht zur Berichterstattung entfällt nicht, wenn alle Aktien dem herrschenden Unternehmen gehören, also bei **Einmann-AG** (s. zB MüKoAktG/Altmeppen Rn. 28), woran sich wegen des gebotenen Gläubigerschutzes auch de lege ferenda nichts ändern sollte (insoweit aA J. Götz AG 2000, 498, 499 f.; wie hier GK-AktG/Fleischer Rn. 37). Etwa übertriebener Aufwand (J. Götz AG 2000, 498, 500) lässt sich schon durch Abschluss isolierten Gewinnabführungsvertrags vermeiden (§ 316; → § 316 Rn. 1).

Keine Berichtspflicht besteht bei Eingliederung (§ 323 I 3) und auch nicht, 4 wenn Gewinnabführungsvertrag geschlossen ist (§ 316). Das Erste entspr. der zu § 311 bestehenden Lage (→ § 311 Rn. 11), das Zweite weicht ab. Unanwendbarkeit der §§ 312–315 ist darauf zurückzuführen, dass §§ 300–307 den Schutz der abhängigen Gesellschaft übernehmen (→ § 316 Rn. 1).

b) Abhängige KGaA. § 312 I 1 spricht von abhängiger Gesellschaft und 5 meint jedenfalls abhängige AG. Nach ganz hM wird jedoch auch KGaA erfasst (heute allgM – vgl. nur OLG Stuttgart AG 2003, 527, 530; MüKoAktG/Altmeppen Rn. 23; GK-AktG/Fleischer Rn. 40; S/L/J. Vetter Rn. 10; aA zB noch Gail WPg 1966, 425, 429). Der hM ist beizupflichten, weil jedenfalls § 311 für KGaA gilt und § 312 als Hilfsnorm (→ Rn. 1) kaum anders ausgelegt werden kann, also von abhängigen Gesellschaften offenbar iS eines Oberbegriffs spricht. Ob Abhängigkeit vorliegt, beurteilt sich nach allg. Grundsätzen, und zwar auch im Verhältnis zu einer Komplementär-GmbH (→ § 278 Rn. 8 ff.), die deshalb nicht schon als solche herrschendes Unternehmen ist (GK-AktG/Fleischer Rn. 40; Bertram WPg 2009, 411, 413 f.; aA Strieder DB 2004, 799, 800). Entscheidend bleibt anderweitige Interessenbindung (→ § 311 Rn. 8). Soweit Berichtspflicht besteht, obliegt es nach dem Rechtsgedanken des § 283 den persönlich haftenden Gesellschaftern, sie zu erfüllen (→ § 283 Rn. 3). Zu einem Sonderfall (satzungsmäßige Vermögens- und Ergebnisgemeinschaft der KGaA mit ihrer auch anderweitig tätigen Komplementärin) vgl. Mertens FS Claussen, 1997, 297, 299 ff.

c) Änderung der Verhältnisse während des Geschäftsjahrs. Die tat- 6 bestandlichen Voraussetzungen des § 312 I 1 können im Laufe des Geschäftsjahrs eintreten oder wegfallen, zB durch Begr. von Abhängigkeit oder durch Umwandlung der abhängigen AG in GmbH. Wird **Abhängigkeit** erst im Laufe des Geschäftsjahrs begründet, besteht Berichtspflicht jedenfalls dann, wenn ihre Voraussetzungen am Abschlussstichtag gegeben waren, allerdings beschränkt auf den Zeitraum nach deren Eintritt (ADS Rn. 23 ff.; MüKoAktG/Altmeppen Rn. 31; KK-AktG/Koppensteiner Rn. 14 f.; aA IdW Stellungnahme HFA 3/1991 Slg. IdW/HFA S. 227, 229 Nr. 14 = WPg 1992, 91, s. Ergänzung WPg 1998, 927). Entspr. gilt für den Umkehrfall, also den Wegfall von Berichtsvoraussetzungen während des Geschäftsjahrs; zu berichten ist dann über den Zeitraum bis zum Wegfall (GK-AktG/Fleischer Rn. 47; Emmerich/Habersack/Habersack Rn. 11). Tritt lediglich ein Wechsel der Herrschaftsmacht ein, ist ein Abhängigkeitsbericht ebenfalls ggü. beiden herrschenden Unternehmen erforderlich, der aber zu einheitlichem Bericht zusammengefasst werden kann (GK-AktG/Fleischer Rn. 48). Übertragung dieser Grundsätze auf **Formwechsel,** namentl. von AG in GmbH und umgekehrt, ist noch nicht abschließend geklärt. Weitgehend konsentiert ist, dass Wechsel zwischen zwei berichtspflichtigen Rechtsformen (zB von AG in KGaA oder SE) Berichtspflicht nicht beeinflusst (GK-AktG/Fleischer Rn. 51).

Wird abhängige GmbH in AG umgewandelt, entsteht Berichtspflicht über Vorgänge seit dem Zeitpunkt der Eintragung. Umstr. ist dagegen der Fall, dass eine abhängige AG in eine GmbH umgewandelt wird. Hier wird zT für eine zeitanteilige Berichtspflicht plädiert (Emmerich/Habersack/Habersack Rn. 11; B/K/L/Fett Rn. 5; KK-AktG/Koppensteiner Rn. 16; BeckOGK/H.-F. Müller Rn. 12), während andere die Berichtspflicht ganz entfallen lassen (MüKoAktG/Altmeppen Rn. 46; Grigoleit/Grigoleit Rn. 5; S/L/J. Vetter Rn. 11). Abl. Auffassung stützt sich darauf, dass §§ 311 ff. ihrer Gesamtstruktur nach, namentl. wegen Fehlens eines obligatorischen AR, nicht auf GmbH passen, so dass sich Schutzsystem nicht übertragen lässt (→ § 311 Rn. 53). Das trifft zu, doch bleibt gerade zentrale Informationsfunktion des Berichts sinnvoll. § 51a GmbHG bietet keinen vollwertigen Ersatz, da aktive Unterrichtung durch Geschäftsleiter mehr ist als bloßes Recht zur Selbstinformation auf eigene Initiative. Entspr. Grundsätze gelten für **Verschmelzung** (Emmerich/Habersack/Habersack Rn. 11).

7 **Beherrschungsvertrag; Gewinnabführungsvertrag; Eingliederung.** Für das Ende des jeweiligen Rechtsverhältnisses verbleibt es bei den in → Rn. 6 dargelegten Regeln (→ § 316 Rn. 5). Besonderheiten bestehen jedoch beim Abschluss der genannten Verträge und bei Eingliederungsbeschlüssen. **Berichtspflicht entfällt** nämlich für das ganze Geschäftsjahr, wenn das jeweilige Rechtsverhältnis bis zum Abschlussstichtag durch Eintragung in das HR wirksam geworden ist (MüKoAktG/Altmeppen Rn. 48 f.; Emmerich/Habersack/Habersack Rn. 12; IdW Stellungnahme HFA 3/1991 Slg. IdW/HFA S. 227, 229 Nr. 12 = WPg 1992, 91). Grund: Das herrschende Unternehmen (die Hauptgesellschaft) haftet nach § 302 bzw. § 322 I ohne Rücksicht darauf, ob Verluste bzw. Verbindlichkeiten vor oder nach Beginn des Rechtsverhältnisses entstanden bzw. begründet worden sind (→ § 302 Rn. 10; → § 316 Rn. 4; → § 322 Rn. 5).

8 **d) Negativbericht.** Berichtspflicht entfällt nicht dadurch, dass im Geschäftsjahr **keine berichtspflichtigen Rechtsgeschäfte** oder sonstigen Maßnahmen zu verzeichnen sind. Vielmehr ist Negativbericht zu erstatten, der entspr. Feststellung enthält (AusschussB Kropff S. 415; Emmerich/Habersack/Habersack Rn. 13; IdW Stellungnahme HFA 3/1991 Slg. IdW/HFA 227, 229 Nr. 17 = WPg 1992, 91). Diese Feststellung ist unverzichtbar, weil Regelungszweck des § 312 (→ Rn. 1) sonst verfehlt würde.

9 **3. Stichtag und Frist.** Abhängigkeitsbericht ist mit den aus → Rn. 6 f. folgenden Besonderheiten auf **Stichtag des Jahresabschlusses** aufzustellen. Frist beträgt nach § 312 I 1 drei Monate. Kleine AG (§ 267 I HGB) darf jedoch Höchstfrist von sechs Monaten (§ 264 I 4 HGB) auch für Abhängigkeitsbericht in Anspruch nehmen, wenn sie Jahresabschluss entspr. aufstellt. Beides soll im Zusammenhang erfolgen (ADS Rn. 5). Auch könnte sonst Schlusserklärung nicht zugleich in Lagebericht aufgenommen werden, wie in § 312 III 3 vorgesehen (→ Rn. 37). Dieser durch §§ 313, 314 weiter unterstrichene Zusammenhang zwischen Aufstellung des Jahresabschlusses und Vorlage des Abhängigkeitsberichts rechtfertigt es, Frist für Vorlage auch sonst zu verlängern, wenn für Jahresabschluss **Sonderfristen** bestehen, nämlich vier Monate für Versicherungsunternehmen allg. (§ 341a I HGB) und zehn Monate für Rückversicherungsunternehmen insbes., sofern ihr Geschäftsjahr dem Kalenderjahr entspr. (§ 341a V HGB). § 312 I 1 ist iVm § 264 I 2 HGB verallgemeinernd so zu lesen, dass Jahresabschluss und Abhängigkeitsbericht innerhalb derselben Fristen aufzustellen sind.

10 **4. Folgen der Pflichtverletzung.** Pflicht zur Aufstellung des Abhängigkeitsberichts kann gem. § 407 I 1 im **Zwangsgeldverfahren** durchgesetzt werden, dessen Eröffnung auch von jedem außenstehenden Aktionär beantragt werden kann; Rechtsbehelf: Beschwerde, ggf. Rechtsbeschwerde (§§ 58 ff., 70 ff.

FamFG). Zwangsgeldverfahren steht nach mittlerweile ganz hM zur Verfügung, solange nachträglicher Abhängigkeitsbericht für Durchsetzung von Ansprüchen nach §§ 317, 318, 93 noch dienlich sein kann (BGHZ 135, 107, 111 = NJW 1997, 1855; OLG Braunschweig AG 1996, 271, 272; OLG Düsseldorf AG 2000, 365), idR also bis zum Verjährungseintritt (GK-AktG/Fleischer Rn. 116; Emmerich/Habersack/Habersack Rn. 16, 18; KK-AktG/Koppensteiner Rn. 32). Ältere Gegenansicht (AG Bremen DB 1976, 1760; ADS Rn. 103; Mertens AG 1996, 241, 247 ff.; sa OLG Köln AG 1978, 171, 172), nach der Zwangsgeldverfahren nur bis zur Feststellung des Jahresabschlusses möglich sein soll, überzeugt schon deshalb nicht, weil Verzahnung mit der Rechnungslegung nur durch Aufnahme der Schlusserklärung in den Lagebericht erfolgt (§ 312 III 3), dieser aber an der Feststellung nicht teilnimmt. Argumentation aus § 256 (Mertens AG 1996, 241, 247 ff.; sa J. Götz NZG 2001, 68, 69 f.: analoge Anwendung der Sechsmonatsfrist des § 256 VI 1) geht fehl, weil Rechtssicherheit (→ § 256 Rn. 1) durch nachträgliche Erstattung des Abhängigkeitsberichts nicht beeinträchtigt wird. Wenn Bericht unterbleibt oder unvollständig ist, besteht **Schadensersatzpflicht** der Vorstandsmitglieder unter den weiteren Voraussetzungen der §§ 93, 318 I (→ § 318 Rn. 3, 9 f.). AR hat in seinem Bericht über Prüfung des Jahresabschlusses (§ 171 II) darauf hinzuweisen, dass Abhängigkeitsbericht fehlt (MüKoAktG/Altmeppen Rn. 71; MHdB AG/Krieger § 70 Rn. 101). Abschlussprüfer hat nach § 322 IV HGB **Testat einzuschränken** (ADS Rn. 104; GK-AktG/Fleischer Rn. 120; IdW Stellungnahme HFA 3/1991 Slg. IdW/HFA S. 227, 232 Nr. 3 = WPg 1992, 91). Entlastungsbeschluss der HV ist gem. § 243 I anfechtbar, wenn Abhängigkeitsbericht fehlt (BGHZ 62, 193, 194 f. = NJW 1974, 855; → § 120 Rn. 15). Da Abhängigkeitsbericht aber kein Teil des Jahresabschlusses ist, begründet sein Fehlen noch keine Nichtigkeit iSd § 256, wohl aber die fehlende Aktivierung des Anspruchs aus § 317 gem. § 256 I Nr. 1, V 1 Nr. 2, 3 (BGHZ 124, 111, 119 = NJW 1994, 520 – → § 256 Rn. 26), allerdings nur sofern entspr. Aktivierungspflicht tats. besteht (s. dazu S/L/J. Vetter Rn. 26).

III. Inhalt des Abhängigkeitsberichts (noch: § 312 I)

1. Allgemeines. a) Überblick. § 312 I 1 bezeichnet als Gegenstand der Berichtspflicht die **Beziehungen der Gesellschaft zu verbundenen Unternehmen.** § 312 I 2 konkretisiert die Beziehungen durch Benennung der Berichtsgegenstände. § 312 I 3 schreibt die insoweit erforderlichen Einzelangaben vor. Schließlich knüpft § 312 I 4 an die aus § 311 folgende Ausgleichspflicht an und bestimmt, welche Einzelangaben dazu erforderlich sind. Über die Gliederung und die sonst erforderliche Gestaltung des Berichts enthält § 312 nichts Konkretes. Die Anforderungen sind aus dem Prinzip gewissenhafter und getreuer Rechenschaft (§ 312 II) abzuleiten (→ Rn. 34). 11

b) Grundgedanke. Berichtspflicht nach § 312 I beschränkt sich nicht auf die nach § 311 I wegen ihres nachteiligen Charakters ausgleichspflichtigen Rechtsgeschäfte und sonstigen Maßnahmen. Sie geht weiter. Zu berichten ist nämlich ohne Rücksicht auf ihren nachteiligen Charakter über **alle Rechtsgeschäfte und sonstigen Maßnahmen,** die in der durch § 312 I 2 näher umschriebenen Weise zwischen der abhängigen Gesellschaft und verbundenen Unternehmen, nicht notwendig auf Veranlassung des herrschenden Unternehmens, vorgekommen oder unterblieben sind. Bericht soll die konkrete Handhabung der Beziehungen wegen der von ihnen ausgehenden potenziellen Gefährdung von Außenseiterinteressen (s. RegBegr. Kropff S. 411; MüKoAktG/Altmeppen Rn. 79: „Verdacht einer Veranlassung") transparent machen und damit auch die Basis für 12

Ersatzansprüche nach § 317 schaffen (KK-AktG/Koppensteiner Rn. 41). Vor allem von dieser Transparenz geht überdies die präventive Wirkung aus, die dem Abhängigkeitsbericht zukommt (→ Rn. 1). Andererseits ist auch nur über das zu berichten, was sich unter § 312 I 2–4 subsumieren lässt; die Vorschriften ergeben also auch die Grenzen der Berichtspflicht (ADS Rn. 37).

13 **2. Berichtspflichtige Vorgänge: Rechtsgeschäfte. a) Begriff.** § 312 I 2 Fall 1 bezieht sich auf Rechtsgeschäfte. Das sind die von einer oder mehreren Willenserklärungen getragenen Tatbestände, an deren Verwirklichung die Rechtsordnung den Eintritt des gewollten Erfolges knüpft. Um einen Vertrag muss es nicht gehen. Vielmehr sind **auch Gestaltungserklärungen** (Anfechtung, Rücktritt, Kündigung, Aufrechnung) Rechtsgeschäfte iSd § 312 I 2 Fall 1 (heute unstr. – s. statt aller MüKoAktG/Altmeppen Rn. 85). Einschränkung ist nicht angezeigt, obwohl § 312 I 3 Leistung und Gegenleistung voraussetzt; denn „nachteilsverdächtig" kann zB auch die Kündigung eines die Gesellschaft berechtigenden Vertrags sein. Gleichfalls nicht veranlasst ist Beschränkung der Berichtspflicht auf gegenseitige Verträge (GK-AktG/Fleischer Rn. 70; KK-AktG/Koppensteiner Rn. 43; aA A. Meier WPg 1968, 64, 65; Rasner BB 1966, 1043, 1044), weil sich Gesellschaft gerade **auch durch einseitige Verpflichtung** benachteiligen kann und sonst Aufspaltung wirtschaftlich zusammengehöriger Vorgänge in mehrere Verträge provoziert würde. Auch sonstige denkbare Beschränkungen sind nicht angezeigt, insbes. nicht die auf Zuwendungsgeschäfte. **Einseitige Unterlassungspflicht** der Gesellschaft (zB keine Belieferung konzernfremder Abnehmer) kann nämlich durchaus nachteilig sein (MüKoAktG/Altmeppen Rn. 84; Emmerich/Habersack/Habersack Rn. 28). Auch über **bloßes Angebot** ist nicht zu berichten, auch wenn es für abhängige AG schon Bindungswirkung auslösen kann (B/K/L/Fett Rn. 15; Emmerich/Habersack/Habersack Rn. 23; aA MüKoAktG/Altmeppen Rn. 114 m. Fn. 142; GK-AktG/Fleischer Rn. 74). Angebot ist nach allg. bürgerlich-rechtl. Terminologie kein Rechtsgeschäft. Angesichts ohnehin schon außerordentlich weiter Fassung der Berichtspflicht (→ Rn. 12) sollte sie nicht qua Rechtsfortbildung noch auf weitere Sachverhalte ausgedehnt werden. Späterer Bericht über zustande gekommenen Vertrag ist insofern ausreichend.

14 **Nicht zu berichten** ist nach heute allgM über **bloße Erfüllungsgeschäfte** wie Lieferung aufgrund früher geschlossenen Vertrags (ADS Rn. 58; MüKoAktG/Altmeppen Rn. 87 f.; Emmerich/Habersack/Habersack Rn. 26); denn sie können keine Benachteiligung ergeben, die nicht schon im Kausalgeschäft angelegt wäre, so dass sich Berichtspflicht auf dieses beschränken kann. Das gilt auch bei nicht absehbaren Verhältnissen ohne entspr. Vertragsgestaltung (keine angemessene Sicherung der Kaufpreisforderung, keine Preisanpassung bei Langfristverbindlichkeiten). Nachteilig ist dann schon das Verpflichtungsgeschäft, nicht erst die Lieferung ohne oder gegen zu geringe Bezahlung (GK-AktG/Fleischer Rn. 73). Die in diesem Zusammenhang ebenfalls erörterten **Rahmenverträge** stellen ein Scheinproblem dar (zutr. KK-AktG/Koppensteiner Rn. 62). Zunächst ist über den Rahmenvertrag selbst zu berichten (vgl. zB MüKoAktG/Altmeppen Rn. 89). Wenn noch ein konkretisierendes Verpflichtungsgeschäft erforderlich ist, liegt weiterer berichtspflichtiger Vorgang vor (ADS Rn. 58 aE; KK-AktG/Koppensteiner Rn. 62). Bedarf es eines solchen Geschäfts nicht mehr, ist der Vertrag schon kein Rahmenvertrag mehr. Beim **Cash-Management-Vertrag** ist ebenfalls über die einzelnen Elemente zu berichten (Hüffer AG 2004, 416, 421 f.).

15 **b) Vornahme durch abhängige Gesellschaft.** Berichtspflichtig sind Rechtsgeschäfte, die von der abhängigen Gesellschaft vorgenommen worden sind. Sie selbst muss das Rechtsgeschäft vorgenommen, also die **Willenserklärung abge-**

geben haben (KK-AktG/Koppensteiner Rn. 61; MHdB AG/Krieger § 70 Rn. 106). Einseitige Rechtsgeschäfte des herrschenden Unternehmens ggü. der Gesellschaft wie Rücktritt oder Kündigung sind von dieser nicht zu berichten. Ist die abhängige (Tochter-)Gesellschaft ihrerseits herrschendes Unternehmen ggü. einer anderen (Enkel-)Gesellschaft (mehrstufige Abhängigkeit), so muss sie auch über deren Rechtsgeschäfte nicht berichten, weil es nicht ihre eigenen sind. Ausnahmsweise kann sich Berichtspflicht allerdings unter einem anderen Gesichtspunkt ergeben, nämlich wenn das Rechtsgeschäft der Enkelgesellschaft durch Repräsentanten der Tochter in ihren Organen gefördert oder jedenfalls nicht verhindert worden ist (§ 312 I 2 Fall 2: Maßnahme).

Seinem Wortlaut nach setzt § 312 I 2 Fall 1 die Vornahme von Rechtsgeschäften im Sinne positiven Tuns voraus, während § 312 I 2 Fall 2 die Vornahme und das Unterlassen von Maßnahmen gleich behandelt. Daraus ist jedoch nicht zu schließen, dass für das **Unterlassen von Rechtsgeschäften** keine Berichtspflicht bestände; denn auch Rechtsgeschäfte sind Maßnahmen im Sinne eines Oberbegriffs (→ § 311 Rn. 23). Weil deshalb Pflicht zum Nachteilsausgleich bestehen kann, ist es auch sachlich geboten, über das Unterlassen von Rechtsgeschäften zu berichten, zB über die mögliche, aber bewusst unterbliebene Kündigung nachteiligen Vertrags mit dem herrschenden Unternehmen (unstr. – statt aller Emmerich/Habersack/Habersack Rn. 28). Zu berichten ist allerdings nicht im Kontext der Rechtsgeschäfte, sondern bei den Maßnahmen (ADS Rn. 54; → Rn. 23). 16

c) Im vergangenen Geschäftsjahr. Nur im vergangenen Geschäftsjahr vorgenommene oder unterlassene Rechtsgeschäfte sind Berichtsgegenstand (§ 312 I 2). Einschränkung entspr. dem **Prinzip periodengerechter Berichterstattung.** Maßgeblich ist Zeitpunkt, in dem jeweiliger rechtsgeschäftlicher Tatbestand soweit vollständig ist, dass nach dem Willen der Parteien Rechtsfolge eintritt, zB Bindungswirkung von Verträgen (ähnlich MHdB AG/Krieger § 70 Rn. 110; IdW Stellungnahme HFA 3/1991 Slg. IdW/HFA 227, 230 Nr. 4 = WPg 1992, 91). Bloße Abgabe der Willenserklärung durch die Gesellschaft genügt als solche nicht (→ Rn. 13; wie hier Emmerich/Habersack/Habersack Rn. 33; konsequent aA MüKoAktG/Altmeppen Rn. 114; GK-AktG/Fleischer Rn. 89). Wenn Offerte im Dezember abgegeben, aber erst im Januar angenommen wird und Geschäftsjahr dem Kalenderjahr entspr., ist neues Jahr maßgeblich. Unerheblich ist, wann Rechte aus dem Rechtsgeschäft aktiviert oder entspr. Verbindlichkeiten passiviert werden können (ADS Rn. 55). Wenn berichtspflichtiges Rechtsgeschäft oder sonstige Maßnahme übersehen worden ist und **Versäumnis** wegen Abschluss des Berichtsverfahrens nicht mehr behoben werden kann, lässt sich aus § 312 I 2 keine Berichtspflicht für das folgende Geschäftsjahr herleiten. Pflicht zur Nachholung kann sich aber aus § 76 I, § 93 I 1 ergeben, weil Berichtspflicht Bestandteil der Leitungsaufgabe ist (→ Rn. 2; sa S/L/J. Vetter Rn. 45; iErg auch GK-AktG/Fleischer Rn. 91 mit nur abw. dogmatischer Herleitung aus § 312 II). Dass es sich bei solcher Nachholung stets um freiwillige Berichterstattung handelt, ist nicht anzunehmen (ADS Rn. 57). 17

d) Verbundene Unternehmen. aa) Allgemeines. § 312 I 2 unterscheidet **drei Fallgruppen** berichtspflichtiger Rechtsgeschäfte, nämlich: Rechtsgeschäfte (1.) der abhängigen Gesellschaft mit dem herrschenden Unternehmen; (2.) mit einem Unternehmen, das mit dem herrschenden Unternehmen verbunden ist; (3.) mit einem Dritten, sofern die Rechtsgeschäfte von dem herrschenden oder von einem mit ihm verbundenen Unternehmen veranlasst sind oder in seinem Interesse liegen. Unternehmensbegriff: → § 15 Rn. 10 ff. Beherrschung: → § 17 Rn. 4 ff. Ob Unternehmensverbund vorliegt, ist nach Definitionsnorm des § 15 zu beurteilen (→ § 15 Rn. 21), nicht nach § 271 II HGB (Ulmer FS Goerdeler, 1987, 623, 637 f.). 18

19 Bei **mehrstufiger Abhängigkeit** (Mutter, Tochter, Enkel; → § 17 Rn. 6) ist auch die Enkelgesellschaft mit dem herrschenden Mutterunternehmen verbunden, so dass vorbehaltlich eines Beherrschungsvertrags (→ § 311 Rn. 12) Berichtspflicht nach Fallgruppe (2.) oder (3.) besteht (KK-AktG/Koppensteiner Rn. 56; MüKoAktG/Altmeppen Rn. 99 f.). ZT vorgeschlagene Begrenzung dieser Fallgruppe auf Geschäfte, die im Interesse oder auf Veranlassung der Mutter getätigt wurden (J. Götz AG 2000, 498, 501 ff.; zust. S/L/J. Vetter Rn. 34), mag zweckmäßig sein, um Aufblähen des Berichts zu verhindern, ist aber im Ges. nicht vorgesehen; angesichts verbleibender Missbrauchsgefahren und Abgrenzungsschwierigkeiten sind Voraussetzungen teleologischer Reduktion nicht gegeben. Wenn die abhängige Gesellschaft **Gemeinschaftsunternehmen** ist (→ § 17 Rn. 13 ff.), sind die Beziehungen zu allen herrschenden und mit ihnen verbundenen Unternehmen berichtsrelevant (KK-AktG/Koppensteiner Rn. 57; → § 311 Rn. 10). Keine Berichtspflicht besteht in einer denkbaren (4.) Fallgruppe, nämlich für Rechtsgeschäfte der abhängigen Gesellschaft mit einem Unternehmen, mit dem zwar sie, aber nicht das herrschende Unternehmen verbunden ist (MüKoAktG/Altmeppen Rn. 102; KK-AktG/Koppensteiner Rn. 55), es sei denn, dass die Voraussetzungen von (3.) vorliegen.

20 **bb) Veranlassung.** Soweit es in der (3.) Fallgruppe (→ Rn. 18) auf Veranlassung ankommt, gilt Folgendes: Veranlassung ist für § 312 I 2 grds. ebenso zu bestimmen wie für § 311 I. Es genügt also jede für das Rechtsgeschäft wenigstens mitursächliche Einflussnahme (→ § 311 Rn. 13). Sie kann auch durch **Stimmabgabe in der HV** erfolgen (→ § 311 Rn. 15; ADS Rn. 45; KK-AktG/Koppensteiner Rn. 53; S/L/J. Vetter Rn. 38; aA MüKoAktG/Altmeppen Rn. 112 f.). Teleologische Reduktion bei Maßnahmen, die von unabhängigem Prüfer geprüft worden sind (S/L/J. Vetter Rn. 38), wird bewusst pauschalem Charakter der Berichtspflicht (s. dazu RegBegr. Kropff S. 411) nicht gerecht (wie hier MHdB AG/Krieger § 70 Rn. 109). Bei Repräsentanz im AR und Vorstandsdoppelmandaten gilt die zu § 311 entwickelte **Beweiserleichterung** in Gestalt eines Anscheinsbeweises (Emmerich/Habersack/Habersack Rn. 31; enger Grigoleit/Grigoleit Rn. 15: unwiderlegliche Vermutung bei beiderseitiger Berührung der Interessensphären).

21 **cc) Interesse.** Alternativ zur Veranlassung lässt § 312 I 2 Berichtspflicht in der (3.) Fallgruppe (→ Rn. 18) auch dann entstehen, wenn das mit dem Dritten geschlossene Rechtsgeschäft im Interesse des herrschenden oder eines mit ihm verbundenen Unternehmens vorgenommen worden ist. Str. ist, ob insoweit eine **obj. Beurteilung** entscheidet oder ob es auf das subj. Merkmal einer Begünstigungsabsicht ankommt („um Vorteile zu bringen"). Für das Erste KK-AktG/Koppensteiner Rn. 50; im Grundsatz auch MüKoAktG/Altmeppen Rn. 107 ff.; für das Zweite ADS Rn. 47; IdW Stellungnahme HFA 3/1991 Slg. IdW/HFA S. 227, 231 Nr. 9 = WPg 1992, 91. Richtig ist, in beiden Fällen Berichtspflicht anzunehmen (GK-AktG/Fleischer Rn. 80; Emmerich/Habersack/Habersack Rn. 31; Hölters/Weber/Leuering/Goertz Rn. 36; MHdB AG/Krieger § 70 Rn. 109). Rechtsgeschäfte mit Dritten, die obj. das herrschende oder ein mit ihm verbundenes Unternehmen begünstigen, begründen den Verdacht, dass diesem Vorteil ein Nachteil der abhängigen Gesellschaft entspr., und gehören deshalb in den Bericht. Dasselbe gilt aber auch, wenn Begünstigungsabsicht vorliegen sollte, aus der im Einzelfall nichts Greifbares geworden ist; denn auch die Absicht indiziert die Gefährdungen, denen Abhängigkeitsbericht begegnen soll.

22 **dd) Unternehmen der öffentlichen Hand.** Die Bundesrepublik oder andere Gebietskörperschaften können herrschende Unternehmen sein. Vorstand der von ihnen abhängigen Gesellschaft ist dann gem. § 312 berichtspflichtig (→ Rn. 3).

Rspr. hält es jedoch für möglich, dass insoweit nicht vollen Umfangs, sondern **nur eingeschränkt zu berichten** ist, soweit das der Zweck der §§ 311, 317 erlaubt (BGHZ 69, 334, 343 = NJW 1978, 104). Dem ist für Drittgeschäfte beizupflichten, wenn sie nicht veranlasst sind (→ Rn. 20). Hier kann nicht jedes öffentl. Interesse genügen. Vielmehr ist nur dann zu berichten, wenn obj. Zweifel bleiben, ob Vorstand einer iSd § 17 unabhängigen Gesellschaft das Geschäft unter Beachtung seiner aus § 93 I 1 folgenden Sorgfaltspflicht auch geschlossen hätte. Einzelheiten sind ungeklärt (s. ADS Rn. 51; GK-AktG/Fleischer Rn. 81 f.; Emmerich/Habersack/Habersack Rn. 32; KK-AktG/Koppensteiner Rn. 52; Kropff ZHR 144 [1980], 74, 96).

3. Berichtspflichtige Vorgänge: Andere Maßnahmen. a) Begriff. Nach § 312 I 2 Fall 2 können auch andere Maßnahmen als Rechtsgeschäfte berichtspflichtig sein. Begriff umfasst **alle Dispositionen,** die sich auf die Vermögens- oder Ertragslage der abhängigen Gesellschaft auswirken können, **ohne rechtsgeschäftlichen Charakter** zu haben (GK-AktG/Fleischer Rn. 83; KK-AktG/Koppensteiner Rn. 47; MHdB AG/Krieger § 70 Rn. 105). IdW Stellungnahme HFA 3/1991 Slg. IdW/HFA S. 230 f. = WPg 1992, 91 nennt als **Bsp.:** Änderungen in der Produktion; Investitionen; Finanzierungsmaßnahmen; Stilllegung von Betriebsteilen; Abstimmung im Ein- oder Verkauf; Konzentration auf bestimmte Forschungsrichtungen oder bestimmte Forschungsprojekte; Kündigung oder Anpassung eines Vertrags; Unterlassung von Rechtsgeschäften. Kündigung ist Ausübung eines Gestaltungsrechts und gehört daher schon zu den Rechtsgeschäften (→ Rn. 13). Dasselbe gilt für die Vertragsanpassung jedenfalls dann, wenn sie sich durch Änderungsvereinbarung vollzieht. Zum Unterlassen von Rechtsgeschäften → Rn. 16. Ausnahme von Berichtspflicht wird in den genannten Fällen nur dann zugelassen, wenn Maßnahme eindeutig und offensichtlich keine vermögensmäßigen Auswirkungen haben und die abhängige AG nicht benachteiligen kann (statt vieler GK-AktG/Fleischer Rn. 86). Weitergehende tatbestandliche Eingrenzung der Berichtspflicht wird durch weitgespannten Begriff der Maßnahme kaum geleistet und ist auch nicht bezweckt, weil Bericht umfassend informieren soll (RegBegr. Kropff S. 411). Eingrenzung erfolgt nur durch die weiteren Erfordernisse der Berichtspflicht. 23

b) Weitere Voraussetzungen der Berichtspflicht. aa) Grundsatz. Maßnahmen sind nach § 312 I 2 Fall 2 berichtspflichtig, wenn die abhängige Gesellschaft sie **auf Veranlassung** des herrschenden Unternehmens oder eines mit ihm verbundenen Unternehmens im vergangenen Geschäftsjahr getroffen oder unterlassen hat. Der Veranlassung steht es gleich, wenn abhängige Gesellschaft **im Interesse** dieser Unternehmen handelt oder nicht handelt. Die einzelnen Tatbestandselemente begegnen schon bei der Berichtspflicht für Rechtsgeschäfte (→ Rn. 20 f.). 24

bb) Einzelfragen. Maßnahme muss von abhängiger Gesellschaft selbst, nicht ihr ggü. getroffen worden sein (→ Rn. 15). Gleichbehandlung von positivem Tun und Unterlassen (→ Rn. 16) ist bei Maßnahmen keine Frage, weil in § 312 I 2 Fall 2 ausdr. angeordnet. **Im vergangenen Geschäftsjahr** (→ Rn. 17) ist Maßnahme jedenfalls dann getroffen, wenn mit Ausführung begonnen wurde (ADS Rn. 56 [„Disposition"]; MüKoAktG/Altmeppen Rn. 114; MHdB AG/Krieger § 70 Rn. 110). Es sollte jedoch zwecks Gleichbehandlung mit Verpflichtungsgeschäften schon genügen, dass die zuständigen Gesellschaftsorgane (Vorstand; in den Fällen des § 111 IV 2: Vorstand und AR; bei Personalangelegenheiten des Vorstands: AR) darüber abschließend entschieden haben (ebenso ADS Rn. 56; GK-AktG/Fleischer Rn. 90). Maßgeblich ist also zB grds. das Jahr der Investitionsentscheidung, nicht erst das Jahr ihrer Durchführung. Es muss aber 25 dann neu berichtet werden, wenn die Durchführung nicht der Ausgangsentscheidung entspr. Unterlassung ist auf den Zeitpunkt zu datieren, in dem Vorstand einer iSd § 17 unabhängigen Gesellschaft gehandelt hätte.

26 Zu den Begriffen herrschendes Unternehmen und verbundene Unternehmen → Rn. 18 f. Weil Maßnahmen anders als Rechtsgeschäfte nicht „mit" solchen Unternehmen als Geschäftspartei getroffen werden können, kommt es entscheidend auf die **Veranlassung** (→ Rn. 20) oder darauf an, ob die Maßnahme **im Interesse** des herrschenden oder mit ihm verbundener Unternehmen getroffen wird. Wie in → Rn. 21 dargelegt, genügt auch hier ein **obj.** als Begünstigung verstandenes Interesse (str.). Die obj. Verhältnisse sind aber bei Maßnahmen schwieriger festzustellen als bei Rechtsgeschäften. Deshalb ist es richtig, dass alternativ eine **Begünstigungsabsicht** zur Begr. der Berichtspflicht ausreicht (→ Rn. 21).

27 **4. Einzelangaben zu Rechtsgeschäften und Maßnahmen. a) Rechtsgeschäfte.** Gem. § 312 I 3 sind bei den Rechtsgeschäften Leistung und Gegenleistung anzugeben. Das kommt nur für **gegenseitige Verträge** in Betracht (zu anderen Rechtsgeschäften → Rn. 28). Angaben müssen so vollständig sein, dass Abschlussprüfer (§ 313) und AR (§ 314) die Angemessenheit des Leistungsaustauschs beurteilen können. Daher ist die Leistung näher zu bezeichnen; Art, Umfang, Menge und Kosten (etwa bei Werkleistungen) sind anzugeben. Der Preis ist zu beziffern. Dabei sind unübliche Nachlässe offenzulegen und zu begründen. Wesentliche Nebenabreden wie atypisch lange Zahlungsziele, Verzicht auf branchenübliche Sicherungen oder ungewöhnliche Garantieleistungen sind anzugeben (ebenso: ADS Rn. 66 f.; MüKoAktG/Altmeppen Rn. 116 f.; GK-AktG/Fleischer Rn. 92; MHdB AG/Krieger § 70 Rn. 111; IdW Stellungnahme HFA 3/1991 Slg. IdW/HFA 227, 231 Nr. 10 = WPg 1992, 91. Bei atypischen Geschäften können noch weitere Angaben erforderlich sein. Darstellung kann uU durch zusammenfassende Berichterstattung (Gruppenbildung) erleichtert werden (→ Rn. 34).

28 Bei **anderen Rechtsgeschäften** als gegenseitigen Verträgen ist, soweit abhängige Gesellschaft eine Verpflichtung übernimmt, zunächst anzugeben, dass die Gegenleistung fehlt, sodann, worin das wirtschaftliche Äquivalent liegt, das sie gleichwohl als angemessen erscheinen lässt (GK-AktG/Fleischer Rn. 93). Angabe von Leistung und Gegenleistung (→ Rn. 27) hat insofern Leitbildfunktion. Kündigung, Rücktritt und andere Gestaltungserklärungen sind unter Angabe von Gründen zu erläutern (KK-AktG/Koppensteiner Rn. 73).

29 **b) Maßnahmen.** Für Maßnahmen ohne rechtsgeschäftlichen Charakter verlangt § 312 I 3 Angabe der für sie sprechenden Gründe sowie ihrer Vor- und Nachteile für die abhängige Gesellschaft. Als **Gründe** sind die leitenden Erwägungen der abhängigen Gesellschaft, nicht die Motive des herrschenden Unternehmens anzugeben. **Vorteile und Nachteile** sind je für sich, also nicht als bloßer Überschuss, zu quantifizieren und in Preisen zu bewerten (GK-AktG/Fleischer Rn. 94; Emmerich/Habersack/Habersack Rn. 39; IdW Stellungnahme HFA 3/1991 Slg. IdW/HFA 227, 231 Nr. 10 = WPg 1992, 91), und zwar nach Maßgabe der im Zeitpunkt ihrer Vornahme prognostizierten Entwicklung (MüKoAktG/Altmeppen Rn. 120). Auch insoweit hat die Angabe von Leistung und Gegenleistung (→ Rn. 27) Leitbildfunktion. Soweit Angabe von Zahlen nicht möglich oder für die Beurteilung noch nicht genügend ist, muss Wortbericht erstattet werden, und zwar so ausführlich, dass Prüfung gem. § 313 I 2 Nr. 3 erfolgen kann. Abschlussprüfer muss also in die Lage versetzt werden, die Maßnahmen selbst zu beurteilen.

30 **5. Einzelangaben zum Nachteilsausgleich.** § 312 I 4 verlangt Einzelangaben zum Nachteilsausgleich (§ 311). Vorausgesetzt ist also, dass Leistung und Gegenleistung oder Vor- und Nachteile bei den einzelnen Rechtsgeschäften bzw. Maßnahmen sich nicht neutralisieren und damit die **Ausgleichspflicht des § 311** entsteht (→ § 311 Rn. 24 ff., 31 ff.). Unter dieser Prämisse ist zunächst anzugeben, ob erforderlicher Ausgleich tats. (§ 311 Abs. 1; → § 311 Rn. 44 f.) oder durch Begr. eines Rechtsanspruchs erfolgt ist (§ 311 Abs. 2; → § 311 Rn. 46 f.). Auch die Ausgleichsleistung muss quantifiziert und bewertet werden, und zwar nach den in → Rn. 27 ff. dargelegten Grundsätzen; denn sonst kann nicht festgestellt werden, ob das herrschende Unternehmen seine Pflicht zum Nachteilsausgleich erfüllt hat.

IV. Grundsätze gewissenhafter und getreuer Rechenschaft (§ 312 II)

31 **1. Allgemeines.** § 312 II verlangt, dass der Abhängigkeitsbericht den Grundsätzen einer gewissenhaften und getreuen Rechenschaft entspr. Das ist ähnlich wie § 90 Abs. 4 AktG, § 131 II 1 AktG, § 238 I 1 HGB, § 243 I und II HGB eine ges. **Generalklausel,** die die Beteiligten berechtigt und verpflichtet, vom Ges. nicht geregelte Fragen unter Orientierung an den **Zwecken des Abhängigkeitsberichts** (→ Rn. 1) und sorgfältiger kaufmännischer Praxis selbst zu lösen. Folgerichtig ist anerkannt (→ § 90 Rn. 13), dass der Abhängigkeitsbericht den Geboten der Wahrheit und Vollständigkeit unterliegt, ferner klar und übersichtlich sein muss (GK-AktG/Fleischer Rn. 98 ff.). Zentrales Problem liegt nicht in einzelnen Vorgaben, sondern darin, sie in das rechte Verhältnis zu setzen, da etwa Vollständigkeit nicht nur aufwendig und kostenträchtig ist, sondern auch Übersichtlichkeit und damit Verständlichkeit beeinträchtigen kann (zutr. Emmerich/Habersack/Habersack Rn. 41).

32 Das **Vollständigkeitsgebot** erfordert zunächst strikte Beachtung des § 312 I. Es kann auch weitergehende Angaben notwendig machen, vor allem dann, wenn Bericht sonst nicht aus sich heraus verständlich wäre oder Einzelangaben oder -bewertungen ohne ihren Zusammenhang nicht nachvollzogen werden könnten. Ferner folgt aus dem Vollständigkeitsgebot eine **Dokumentations- und Organisationspflicht** des Vorstands (GK-AktG/Fleischer Rn. 101; BeckOGK/H.-F. Müller Rn. 44; sa RegBegr. Kropff S. 411). Die im Bericht enthaltenen Angaben müssen also aus den Unterlagen der Gesellschaft nachvollziehbar sein, etwa durch zeitnah zu den jeweiligen Maßnahmen erstellte Niederschriften (ADS Rn. 102). Jedenfalls bei absehbar umfangreicher Berichterstattung genügt die Buchführung als Basis nicht. Vielmehr ist gesonderte Organisation aufzubauen, die namentl. auch Maßnahmen ohne rechtsgeschäftlichen Charakter erfasst und auf Feststellung ausgleichspflichtiger Nachteile ausgerichtet ist (umfassende praktische Hinweise bei S/L/J. Vetter Rn. 59 ff.; sa Geiger/Mahr NZG 2021, 216 ff. mw Ausführungen zur Abgleichung mit Reportingprozess nach § 111a II 2).

33 **2. Einzelfragen. a) Angaben zu den verbundenen Unternehmen.** Sowohl aus dem Vollständigkeitsgebot wie auch aus dem Prinzip der Berichtsklarheit ist abzuleiten, dass der Abhängigkeitsbericht das herrschende und die mit ihm verbundenen Unternehmen namentlich aufzuführen hat (ADS Rn. 81; MüKoAktG/Altmeppen Rn. 138; IdW Stellungnahme HFA 3/1991 Slg. IdW/HFA 227, 230 Nr. 2 = WPg 1992, 91). Der Vorbehalt, dass die namentliche Bezeichnung für die Beurteilung von Rechtsgeschäften oder Maßnahmen erforderlich sein muss, hat wohl nur theoretische Bedeutung. Ob es weitergehend einer den Bericht einleitenden **Verbundübersicht** bedarf, hängt von den Verhältnissen ab. Wenn es nur um Beziehungen zu einem herrschenden Unternehmen geht, ist Frage zu verneinen, dagegen bei kompliziertem Gruppenaufbau zu

bejahen, weil sonst kein aus sich heraus verständlicher Bericht entsteht. Meinungsstand ist jedoch nicht eindeutig, vgl. ADS Rn. 81; MüKoAktG/Altmeppen Rn. 138; Emmerich/Habersack/Habersack Rn. 43; HFA 3/1991 aaO Nr. 1. De lege ferenda für Generalberichtsteil Hommelhoff, Gutachten G zum 59. DJT 1992, 54 f.

34 **b) Zusammenfassende Berichterstattung.** Über die Gliederung des Berichts enthält § 312 nichts Konkretes (Muster bei Happ/Happ KonzernR/UmwR 4.01). Es ist so zu gliedern, dass ein **möglichst klares Bild der Verhältnisse** entsteht, etwa nach einer Verbundübersicht (→ Rn. 33) zunächst nach den beteiligten Unternehmen, sodann nach Rechtsgeschäften oder Maßnahmen, schließlich nach der Zeitfolge, wenn es keine anderen Sachgesichtspunkte gibt. Der Berichtsklarheit kann auch eine zusammenfassende Berichterstattung oder Gruppenbildung dienen, weil sie es vermeidet, den Bericht durch zahllose Einzelangaben aufzublähen (OLG München AG 2003, 452, 453; ADS Rn. 69). Zusammenfassung ist zulässig, soweit Rechtsgeschäfte oder Maßnahmen nach Gegenstand, Entgelt und Abwicklungsart gleichartig sind, zB Leistungen nach Tarif oder wiederkehrende Provisionsgeschäfte (ADS Rn. 69, 76; Emmerich/Habersack/Habersack Rn. 43; IdW Stellungnahme HFA 3/1991 Slg. IdW/HFA S. 227, 231 Nr. 10 = WPg 1992, 91). Das ist dahin zu verallgemeinern, dass Gruppenbildung dann zulässig ist, wenn weitere Aufteilung keinen zusätzlichen Informationswert hat (HFA 3/1991 aaO). Auch über sog Bagatellfälle darf zusammenfassend berichtet werden (unstr., s. zB ADS Rn. 70). Insges. sollte Richtschnur sein, den Abhängigkeitsbericht möglichst wenig mit Routinegeschäften zu belasten und stattdessen die wesentlichen Vorgänge des Geschäftsjahrs herauszuheben.

V. Schlusserklärung (§ 312 III)

35 **1. Zweck und Inhalt.** Gem. § 312 III 1 hat Vorstand im Abhängigkeitsbericht eine Schlusserklärung abzugeben. Vorstand soll sich seiner **fortdauernden Aufgabe zur eigenverantwortlichen Leitung** der Gesellschaft (§ 76 I; → § 311 Rn. 48) bewusst bleiben; zugleich soll die Erklärungspflicht seine Stellung ggü. dem herrschenden Unternehmen stärken (RegBegr. Kropff S. 412). Schlusserklärung ist also von wesentlicher Bedeutung für die präventive Wirkung des Abhängigkeitsberichts (→ Rn. 1). Erklärungsinhalt ist in § 312 III 1 nicht formalisiert (Formulierungsvorschläge bei ADS Rn. 91; Happ/Happ KonzernR/UmwR 4.01 V; zur Schlusserklärung des neuen Vorstands bei komplettem Vorstandswechsel s. Döllerer FS Semler, 1993, 441, 450 f.). Erforderlich ist eine **zusammenfassende Erklärung,** ob (1.) die Gesellschaft bei Rechtsgeschäften stets eine angemessene Gegenleistung erhielt und durch Maßnahmen ohne rechtsgeschäftlichen Charakter nicht benachteiligt wurde (§ 312 III 1); ob (2.), wenn (1.) nicht zutrifft, die Nachteile ausgeglichen worden sind oder nicht (§ 312 III 2). Wenn keine Rechtsgeschäfte oder sonstigen Maßnahmen zu verzeichnen sind, muss Vorstand auch das erklären (Negativerklärung; → Rn. 8).

36 **Maßgeblicher Zeitpunkt** für Beurteilung durch den Vorstand ist Vornahme oder Unterlassung des Rechtsgeschäfts oder der sonstigen Maßnahme (§ 312 III 1). Diese Einschränkung ist in den Erklärungsinhalt aufzunehmen. Str. ist, wie es mit Umständen steht, die der Vorstand zwar nicht kannte, bei Anwendung pflichtgem. Sorgfalt (§ 93 I 1) aber hätte kennen müssen (→ § 311 Rn. 25). Nach einer Ansicht soll er solche **nachträglich entdeckten Umstände** nicht offenbaren müssen (ADS Rn. 91 aE; GK-AktG/Fleischer Rn. 111; Emmerich/Habersack/Habersack Rn. 46; S/L/J. Vetter Rn. 67; MHdB AG/Krieger § 70 Rn. 112). Nach Gegenmeinung soll Vorstand dagegen erklärungspflichtig sein

(MüKoAktG/Altmeppen Rn. 147; KK-AktG/Koppensteiner Rn. 80). Sie hat jedoch im Wortlaut des § 312 III 1 keine Stütze, kann das behauptete Redaktionsversehen (KK-AktG/Koppensteiner Rn. 80) nicht belegen und wird auch durch den Zweck der Schlusserklärung (Appell- und Präventivfunktion → Rn. 35) nicht nahegelegt.

2. Aufnahme in den Lagebericht. Schlusserklärung des Vorstands ist nach § 312 III 3 in den Lagebericht (§ 264 I, § 289 HGB) aufzunehmen und gewinnt dadurch **Publizität** (→ Rn. 1; RegBegr. Kropff S. 412). Wenn die Schlusserklärung eine Benachteiligung ohne Ausgleich feststellt, liegt darin ein Grund zur Anordnung einer Sonderprüfung (§ 315 S. 1 Nr. 3). Wenn es nicht zu Benachteiligungen gekommen ist, muss Lagebericht das durch Negativerklärung zum Ausdruck bringen (LG Düsseldorf Konzern 2010, 448, 450). Wenn Schlusserklärung im Lagebericht fehlt, muss Testat (§ 322 HGB) eingeschränkt werden (KK-AktG/Koppensteiner Rn. 86; MHdB AG/Krieger § 70 Rn. 112). Dagegen führt ihr Fehlen nicht zur Nichtigkeit des geprüften Jahresabschlusses (OLG Köln AG 1993, 86, 87). Kleine Kapitalgesellschaften iSd § 267 I HGB, die nach § 264 I 4 HGB keinen Lagebericht aufzustellen brauchen, müssen Erklärung in den Anh. aufnehmen (ganz hM – vgl. statt vieler GK-AktG/Fleischer Rn. 115; aA nur MHdB AG/Krieger § 70 Rn. 112). 37

VI. Publizitäts- und Informationsfragen

Während Schlusserklärung als Bestandteil des Lageberichts publik wird (→ Rn. 37), wird eigentlicher **Abhängigkeitsbericht nicht öffentl.** gemacht. Er bleibt vielmehr vertraulich, weil Vorstand sonst befürchten müsste, mit Bekanntwerden der erforderlichen Detailinformationen der Gesellschaft Nachteil zuzufügen (RegBegr. Kropff S. 411; unstr.). Auch außenstehende Aktionäre oder Gläubiger der Gesellschaft, die Ansprüche gegen das herrschende Unternehmen verfolgen, etwa solche aus § 317, haben keinen Anspruch auf Vorlage des Abhängigkeitsberichts (zutr. OLG Düsseldorf AG 1988, 275, 277; ADS Rn. 95; Schiessl ZGR 1998, 871, 873). Weitergehende **Publizität** kann nur **durch Sonderprüfung** nach § 315 hergestellt werden. Auch dann ist zwar nicht Abhängigkeitsbericht, aber gem. § 145 IV Sonderprüfungsbericht öffentl. zu machen (→ § 315 Rn. 7). Abzulehnen ist schließlich Gedanke von KK-AktG/Koppensteiner Rn. 7 f., das „Konzernspitzenunternehmen" erweiterter Auskunftspflicht des § 131 IV zu unterwerfen. Es verbleibt vielmehr bei den in → § 131 Rn. 105 dargelegten Grundsätzen, nach denen **Auskünfte** an faktisch herrschendes Unternehmen diesem nicht in seiner Aktionärseigenschaft erteilt sind. **De lege ferenda** sind schon seit längerer Zeit Bestrebungen nach verstärkter Publizität zu verzeichnen (s. aus neuerer Zeit insbes. GK-AktG/Fleischer Rn. 15 ff.; Fleischer BB 2014, 835 ff.; J. Vetter in 50 Jahre AktG, 231, 253 ff.; skeptisch dagegen Hommelhoff, Gutachten G zum 59. DJT 1992, 59). Diese Ansätze haben mit den insges. deutlich verstärkten Publizitätsanforderungen im Bilanz- und Kapitalmarktrecht, aber auch in § 111c mittlerweile höhere Plausibilität gewonnen (Emmerich/Habersack/Habersack Rn. 3; Fleischer BB 2014, 835, 836 f.; J. Vetter in 50 Jahre AktG, 231, 254; speziell zum Zusammenspiel mit § 111c auch Florstedt ZHR 184 [2020], 10, 56 f.). Geheimhaltungsinteressen der AG müsste dann aber zumindest durch passgenaue Schutzklausel für Betriebs- und Geschäftsgeheimnisse nach Vorbild des § 131 III 1 Nr. 1 Rechnung getragen werden (ausf. Fleischer BB 2014, 835, 838 ff.). 38

Abzulehnen ist **angebliche Verdrängung des § 131 durch § 312.** Auskunftsrecht der Aktionäre erstreckt sich also unter den übrigen Voraussetzungen des § 131 auch auf einzelne Punkte des Abhängigkeitsberichts wie zB Zahlung 39 einer Konzernumlage oder Konzernverrechnungspreise (→ § 131 Rn. 17). Das wird in Rspr. zwar teilw. anders gesehen (OLG Frankfurt AG 2003, 335 f.; KG NJW 1972, 2307, 2309 f.), entspr. aber der hL (GK-AktG/Fleischer Rn. 13; KK-AktG/Koppensteiner Rn. 6; eingehend Habersack/Verse AG 2003, 300, 303 ff.). Ihr ist schon deshalb beizupflichten, weil Regelungszweck (→ Rn. 1) sonst nicht erreicht würde und Asymmetrie der Informationspflichten im faktischen und im Vertragskonzern (dazu Habersack/Verse AG 2003, 300, 303) nicht einleuchtet. Unberührt bleibt Auskunftsverweigerungsrecht nach § 131 III, bes. Nr. 1, so dass erforderliche Vertraulichkeit im Einzelfall auch gewahrt bleiben kann.

VII. Kosten

40 Kosten des Berichts und seiner Prüfung (§ 313) fallen der **abhängigen Gesellschaft** zur Last, weil sie berichtspflichtig ist und Prüfung zu veranlassen hat. ZT erwogene Korrektur dieses Ergebnisses über §§ 311, 317 analog (vgl. Bode AG 1995, 261, 268 ff.) ist abzulehnen, weil es aufgrund ges. Anordnung der Berichtspflicht an Veranlassung durch herrschendes Unternehmen fehlt und Ges. nicht pauschal an jede Abhängigkeitsfolge pauschale Ausgleichspflicht knüpft, wie sich insbes. an Behandlung passiver Konzernkonflikte (→ § 311 Rn. 30) zeigt (heute ganz hM – s. MüKoAktG/Altmeppen Rn. 57 f.; GK-AktG/Fleischer Rn. 63; S/L/J. Vetter Rn. 21).

Prüfung durch den Abschlußprüfer

313 (1) [1] **Ist der Jahresabschluß durch einen Abschlußprüfer zu prüfen, so ist gleichzeitig mit dem Jahresabschluß und dem Lagebericht auch der Bericht über die Beziehungen zu verbundenen Unternehmen dem Abschlußprüfer vorzulegen.** [2] **Er hat zu prüfen, ob**

1. **die tatsächlichen Angaben des Berichts richtig sind,**
2. **bei den im Bericht aufgeführten Rechtsgeschäften nach den Umständen, die im Zeitpunkt ihrer Vornahme bekannt waren, die Leistung der Gesellschaft nicht unangemessen hoch war; soweit sie dies war, ob die Nachteile ausgeglichen worden sind,**
3. **bei den im Bericht aufgeführten Maßnahmen keine Umstände für eine wesentlich andere Beurteilung als die durch den Vorstand sprechen.**

[3] **§ 320 Abs. 1 Satz 2 und Abs. 2 Satz 1 und 2 des Handelsgesetzbuchs gilt sinngemäß.** [4] **Die Rechte nach dieser Vorschrift hat der Abschlußprüfer auch gegenüber einem Konzernunternehmen sowie gegenüber einem abhängigen oder herrschenden Unternehmen.**

(2) [1] **Der Abschlußprüfer hat über das Ergebnis der Prüfung schriftlich zu berichten.** [2] **Stellt er bei der Prüfung des Jahresabschlusses, des Lageberichts und des Berichts über die Beziehungen zu verbundenen Unternehmen fest, daß dieser Bericht unvollständig ist, so hat er auch hierüber zu berichten.** [3] **Der Abschlussprüfer hat seinen Bericht zu unterzeichnen und dem Aufsichtsrat vorzulegen; dem Vorstand ist vor der Zuleitung Gelegenheit zur Stellungnahme zu geben.**

(3) [1] **Sind nach dem abschließenden Ergebnis der Prüfung keine Einwendungen zu erheben, so hat der Abschlußprüfer dies durch folgenden Vermerk zum Bericht über die Beziehungen zu verbundenen Unternehmen zu bestätigen:**

Nach meiner/unserer pflichtmäßigen Prüfung und Beurteilung bestätige ich/ bestätigen wir, daß

1. die tatsächlichen Angaben des Berichts richtig sind,
2. bei den im Bericht aufgeführten Rechtsgeschäften die Leistung der Gesellschaft nicht unangemessen hoch war oder Nachteile ausgeglichen worden sind,
3. bei den im Bericht aufgeführten Maßnahmen keine Umstände für eine wesentlich andere Beurteilung als die durch den Vorstand sprechen.

[2] Führt der Bericht kein Rechtsgeschäft auf, so ist Nummer 2, führt er keine Maßnahme auf, so ist Nummer 3 des Vermerks fortzulassen. [3] Hat der Abschlußprüfer bei keinem im Bericht aufgeführten Rechtsgeschäft festgestellt, daß die Leistung der Gesellschaft unangemessen hoch war, so ist Nummer 2 des Vermerks auf diese Bestätigung zu beschränken.

(4) **[1] Sind Einwendungen zu erheben oder hat der Abschlußprüfer festgestellt, daß der Bericht über die Beziehungen zu verbundenen Unternehmen unvollständig ist, so hat er die Bestätigung einzuschränken oder zu versagen. [2] Hat der Vorstand selbst erklärt, daß die Gesellschaft durch bestimmte Rechtsgeschäfte oder Maßnahmen benachteiligt worden ist, ohne daß die Nachteile ausgeglichen worden sind, so ist dies in dem Vermerk anzugeben und der Vermerk auf die übrigen Rechtsgeschäfte oder Maßnahmen zu beschränken.**

(5) **[1] Der Abschlußprüfer hat den Bestätigungsvermerk mit Angabe von Ort und Tag zu unterzeichnen. [2] Der Bestätigungsvermerk ist auch in den Prüfungsbericht aufzunehmen.**

Übersicht

I. Regelungsgegenstand und -zweck

§ 313 betr. Prüfung des Abhängigkeitsberichts durch den Abschlussprüfer der Gesellschaft. Sie soll sicherstellen, dass der **Informations- und Präventionszweck** des Abhängigkeitsberichts (→ § 312 Rn. 1) erreicht wird. Insbes. dient die externe Prüfung der **Vorbereitung der AR-Prüfung** nach § 314. AR soll sich auf ein unabhängiges und sachverständiges Urteil stützen können und sich 1 damit auch auseinandersetzen müssen. Namentl. die das herrschende Unternehmen repräsentierenden AR-Mitglieder sollen die Verhältnisse nicht nur aus dessen Perspektive sehen (vgl. RegBegr. Kropff S. 413; Haesen, Der Abhängigkeitsbericht, 1970, 120 ff.). Im Einzelnen nennt § 313 I Voraussetzungen der Prüfungspflicht und Prüfungsgegenstände, regelt § 313 II die Berichtspflicht und § 313 III–V Erteilung, Einschränkung und Versagung des Bestätigungsvermerks.

II. Prüfungspflicht (§ 313 I)

2 **1. Voraussetzungen.** Gem. § 313 I 1 ist Abhängigkeitsbericht dem Abschlussprüfer vorzulegen, wenn Jahresabschluss prüfungspflichtig ist. Prüfungspflicht bzgl. des Abhängigkeitsberichts setzt also **Prüfungspflicht bzgl. des Jahresabschlusses** voraus. Das war nach der ursprünglichen Konzeption des Ges. bei jeder AG der Fall, während nunmehr, nämlich seit BiRiLiG 1985, § 316 I 1 HGB mit der Folge durchschlägt, dass Abhängigkeitsbericht der **kleinen AG** (§ 267 I HGB) keiner Pflichtprüfung mehr unterliegt. Konzernrechtl. Dimension der Gesetzesänderung ist offenbar übersehen worden (dazu Kropff FS Goerdeler, 1987, 259, 272). Nach allgM handelt es sich um eine Fehlleistung (MüKoAktG/Altmeppen Rn. 9; GK-AktG/Fleischer Rn. 14), die alsbald korrigiert werden sollte (Hommelhoff Gutachten G zum 59. DJT, 1992, 55 f.). Auch wenn Änderung nicht hinreichend durchdacht sein sollte, ist ihre legislative Stoßrichtung doch zu eindeutig, als dass sie von Gesetzesanwender korrigiert werden könnte; zT vorgeschlagene eigenständige Prüfungspflicht der abhängigen kleinen AG (Emmerich/Habersack/Habersack Rn. 6 f.) ist deshalb abzulehnen (sa GK-AktG/Fleischer Rn. 16; S/L/J. Vetter Rn. 4; MHdB AG/Krieger § 70 Rn. 114; insofern zust. MüKoAktG/Altmeppen Rn. 20). Auch unmittelbares Informationsrecht des Aktionärs einer kleinen AG (dafür MüKoAktG/Altmeppen Rn. 21) könnte allenfalls vom Gesetzgeber eingeführt werden (GK-AktG/Fleischer Rn. 16; MHdB AG/Krieger § 70 Rn. 114); letztgenannte Regelung erschiene allerdings auch in der Sache nicht unbedenklich. Während Anwendungsbereich der Prüfungspflicht in dieser Form beschnitten wurde, sind umgekehrt (entgegen früherer Rechtslage) mittlere und große AG im **Abwicklungsstadium** gem. § 313 I 1 iVm § 270 auch hinsichtlich des Abhängigkeitsberichts prüfungspflichtig geworden, wenn das Gericht nicht gem. § 270 III von der Prüfung des Jahresabschlusses befreit (→ § 270 Rn. 11 f.).

3 **2. Rechte und Pflichten der Beteiligten. a) Gesellschaft.** Die abhängige Gesellschaft ist nach § 313 I 1 verpflichtet, den aufgestellten Abhängigkeitsbericht gleichzeitig mit dem Jahresabschluss und dem Lagebericht dem Abschlussprüfer vorzulegen. Vorlage erfolgt durch den Vorstand spätestens nach Ablauf der Dreimonatsfrist des § 312 I 1 (→ § 312 Rn. 2, 9). Zu den Folgen der Pflichtverletzung → § 312 Rn. 10. Bei Meinungsverschiedenheiten über die Notwendigkeit eines Abhängigkeitsberichts wurde früher auf Verfahren nach § 324 HGB aF verwiesen, das aber durch BilMoG 2009 mangels praktischer Relevanz abgeschafft wurde (s. dazu GK-HGB/Habersack/Schürnbrand § 324 Rn. 1). Sofern Meinungsunterschiede nicht über berufsständische Gremien oder Einholung von Gutachten ausgeräumt werden können, steht nunmehr für Streit über generelle Pflicht oder Inhalt gleichermaßen allg. Zivilrechtsweg offen (GK-AktG/Fleischer Rn. 32). Wegen der Prüfungskosten → § 312 Rn. 40.

4 **b) Abschlussprüfer.** Aus § 313 I 1 folgt, dass Prüfung des Abhängigkeitsberichts ohne Weiteres Aufgabe des Abschlussprüfers ist. Ein bes. Prüfungsauftrag wird nicht erteilt. Mit der Bestellung zum Abschlussprüfer und ihrer Annahme entsteht auch die Pflicht zur Prüfung des Abhängigkeitsberichts (ADS Rn. 4 ff.; IdW Stellungnahme HFA 3/1991 Slg. IdW/HFA S. 227, 232 Nr. 2 = WPg

1992, 91). Es ist auch nicht möglich, insoweit anderen Prüfer zu beauftragen. Weil sich Aufstellung und Prüfung gegenseitig ausschließen, kann Abschlussprüfer nicht beauftragt werden, den Abhängigkeitsbericht aufzustellen (ADS Rn. 7; HFA 3/1991 aaO). Verantwortlichkeit und Haftung richten sich nach §§ 403, 404 I Nr. 2 AktG, §§ 323, 333 HGB (GK-AktG/Fleischer Rn. 59; S/L/J. Vetter Rn. 6).

3. Prüfungsgegenstände. a) Richtigkeit der tatsächlichen Angaben. Zu prüfen ist zunächst die Richtigkeit der tats. Angaben des Abhängigkeitsberichts (§ 313 I 2 Nr. 1). Mit Tatsachen sind **Vorgänge der Vergangenheit** im Unterschied zu Bewertungen und Prognosen gemeint (MüKoAktG/Altmeppen Rn. 37). Im Wesentlichen geht es darum, ob angegebene Rechtsgeschäfte wirklich und zu den behaupteten Konditionen geschlossen, ob andere im Bericht genannte Maßnahmen wirklich und unter den behaupteten Umständen ergriffen oder unterlassen wurden (KK-AktG/Koppensteiner Rn. 17). Angaben sind unrichtig, wenn sie nicht stimmen oder durch Auslassungen oder Darstellungsart unzutr. Eindruck vermitteln. Wie Wortlaut des § 313 I 2 Nr. 1 zeigt, ist Abschlussprüfer nicht gehalten, die Vollständigkeit der tats. Angaben zum eigentlichen Prüfungsgegenstand zu machen (ganz hM, s. RegBegr. Kropff S. 414; MüKoAktG/Altmeppen Rn. 57; S/L/J. Vetter Rn. 15). Festgestellte Berichtslücken darf er jedoch nicht übergehen (→ Rn. 11, 19). 5

b) Rechtsgeschäfte: Angemessenheit von Leistungen und Nachteilsausgleich. § 313 I 2 Nr. 2 Hs. 1 verlangt vom Abschlussprüfer die Bewertung von Rechtsgeschäften. Er hat nämlich zu prüfen, ob die Leistung der Gesellschaft bei den berichteten Rechtsgeschäften nicht **unangemessen hoch** war, und zwar nach den im Zeitpunkt ihrer Vornahme bekannten Umständen. Genauer lässt sich der Prüfungsgegenstand dahin fassen, ob sich Vor- und Nachteile des Einzelgeschäfts so weit aufheben, dass nach vernünftiger kaufmännischer Beurteilung mangels Nachteilszufügung kein Einzelausgleich erforderlich ist (→ § 311 Rn. 30 ff.; ähnlich ADS Rn. 21 ff.; MüKoAktG/Altmeppen Rn. 43; IdW Stellungnahme HFA 3/1991 Slg. IdW/HFA 227, 232 Nr. 6 = WPg 1992, 91). Dabei hat der Abschlussprüfer, wie die negative Formulierung des § 312 I 2 Nr. 2 zeigt, einen eigenen, praktisch auch unverzichtbaren **Bewertungsspielraum** (RegBegr. Kropff S. 414). Geringfügige Abweichungen bleiben danach unbeachtlich (allgM, s. zB HFA 3/1991 aaO; GK-AktG/Fleischer Rn. 22; Emmerich/Habersack/Habersack Rn. 16). 6

Maßgeblicher Zeitpunkt ist die Vornahme des Rechtsgeschäfts. Der Abschlussprüfer hat danach die Umstände zu berücksichtigen, die dem Vorstand bei Vornahme des Geschäfts bekannt waren, und auch diejenigen, die ihm bei pflichtgem. Amtsführung (§ 93 I 1) bekannt sein mussten; spätere nicht absehbare Entwicklungen bleiben danach unberücksichtigt (MüKoAktG/Altmeppen Rn. 42; Emmerich/Habersack/Habersack Rn. 16). Rechtslage ist also insoweit anders als bei Schlusserklärung des Vorstands (→ § 312 Rn. 36). Das ist auch sachgerecht, weil sich dort der Vorstand selbst bezichtigen würde, während es hier iwS um die Überwachung seiner Tätigkeit geht (zust. GK-AktG/Fleischer Rn. 24). 7

§ 313 I 2 Nr. 2 Hs. 2 setzt voraus, dass sich nach Erklärung des Vorstands (§ 312 III 1) oder bei Prüfung eines Rechtsgeschäfts unangemessen hohe Leistung der Gesellschaft ergibt. Sodann ist zu prüfen, ob darin liegender Nachteil ausgeglichen worden ist. Nachteilsausgleich kann sich tats. (§ 311 I) oder durch rechtzeitige Begr. eines Rechtsanspruchs (§ 311 II) vollzogen haben (statt aller MüKoAktG/Altmeppen Rn. 50 ff.). Ob Vorteilsgewährung zum Nachteilsausgleich reicht, richtet sich nach den in → Rn. 6 entwickelten Grundsätzen. Vertretbare Entscheidungen sind also hinzunehmen. **Erst auf Veranlassung des** 8

Abschlussprüfers erfolgende Leistung an abhängige Gesellschaft kommt **zu spät** und ist kein Nachteilsausgleich (Emmerich/Habersack/Habersack Rn. 17). Teilw. wird es für zulässig gehalten, dass Ausgleichsvertrag bis zum Ende des Geschäftsjahrs geschlossen, aber Konkretisierung des daraus folgenden Anspruchs von den Feststellungen des Abschlussprüfers abhängig gemacht wird (ADS Rn. 27 aE und § 311 Rn. 71; Hölters/Weber/Leuering/Goertz Rn. 20). Angesichts insofern strengerer Tendenz in neuerer BGH-Rspr (BGH AG 2012, 680 Rn. 24 f.; → § 311 Rn. 8, 47), die Vorstand ungeachtet der Schwierigkeiten einer summenmäßigen Fixierung zu eindeutiger Bezifferung anhält, erscheint diese Lösung aber bedenklich (abl. auch hM – s. etwa MüKoAktG/Altmeppen Rn. 55; BeckOGK/H.-F. Müller Rn. 11). Durch Anerkennung von Bewertungsspielräumen wird den verbleibenden Unsicherheiten hinreichend Rechnung getragen. Aus denselben Gründen erscheint auch zT vorgeschlagene bezifferte Zahlungspflicht mit beanstandungsfreier Prüfung der einzelnen Rechtsgeschäfte als auflösender Bedingung problematisch (dafür B/K/L/Fett Rn. 7; abl. Grigoleit/Grigoleit Rn. 8; GK-AktG/Fleischer Rn. 25; Emmerich/Habersack/Habersack Rn. 17).

9 **c) Sonstige Maßnahmen: Beurteilung durch Vorstand.** Bei sonstigen Maßnahmen, also solchen ohne rechtsgeschäftlichen Charakter, ist nach der bewusst zurückgenommenen (s. RegBegr. Kropff S. 414 f.) Formulierung des § 313 I 2 Nr. 3 zu prüfen, ob keine Umstände für eine wesentlich andere Beurteilung als die des Vorstands sprechen (→ § 311 Rn. 34). Abschlussprüfer soll also nicht seine eigene Beurteilung an die Stelle der Ermessensausübung durch den Vorstand setzen; dieser hat wegen seiner Sachnähe das Recht zur Erstbeurteilung. Zu prüfen ist vielmehr, ob Vorstand **im Wesentlichen vertretbare Ermessensentscheidung** getroffen hat (GK-AktG/Fleischer Rn. 26 f.; Emmerich/Habersack/Habersack Rn. 18; IdW Stellungnahme HFA 3/1991 Slg. IdW/HFA S. 227, 232 Nr. 6 = WPg 1992, 91). Maßgeblicher Zeitpunkt folgt auch hier (→ Rn. 7) aus Vornahme oder Unterlassung der jeweiligen Maßnahme. Vorteilsgewährung ist in die erforderliche Abwägung einzubeziehen.

10 **4. Umfang und Durchführung der Prüfung. a) Allgemeines.** Gegenstand der Prüfung ist der Abhängigkeitsbericht, sind nicht die Beziehungen der abhängigen Gesellschaft zu verbundenen Unternehmen als solche. Prüfung erfolgt daher retrograd (MüKoAktG/Altmeppen Rn. 65 ff.). Soweit es um die Richtigkeit der tats. Angaben geht (§ 313 I 2 Nr. 1), genügt grds. eine **Stichprobenprüfung** (RegBegr. Kropff S. 414; ADS Rn. 45; MüKoAktG/Altmeppen Rn. 67; IdW Stellungnahme HFA 3/1991 Slg. IdW/HFA S. 227, 233 Nr. 7 = WPg 1992, 91).

11 **Vollständigkeit der Angaben** ist zwar nicht selbst Prüfungsgegenstand (→ Rn. 5), doch folgt aus auch insoweit bestehender Berichtspflicht des § 313 II 2, dass über Lücken der Berichterstattung nicht hinweggesehen werden darf (ADS Rn. 46 ff.; GK-AktG/Fleischer Rn. 39; KK-AktG/Koppensteiner Rn. 25 f.). Vielmehr muss Abschlussprüfer den Sachverhalt aufklären, wenn sich bei Prüfung des Berichts unter Berücksichtigung der Kenntnisse, die sich aus Prüfung des Jahresabschlusses ergeben, Berichtslücken zeigen. Das ist namentl. auch dann der Fall, wenn Bericht zwar Rechtsgeschäft oder Maßnahme aufführt, aber wesentliche Konditionen oder Umstände fehlen (ADS Rn. 49). In diesem Zusammenhang ist es relevant, in welchem Umfang sich die Gesellschaft **prüfungsbereit** zeigt und ob sie ihrer **Pflicht zur Dokumentation** der einschlägigen Geschäftsvorgänge und zur Organisation des Berichtswesens (→ § 312 Rn. 32) nachgekommen ist, was bereits durch vorgezogene Zwischenprüfungen festgestellt werden kann (GK-AktG/Fleischer Rn. 38). Fehlt es daran, so ist auch Vollständigkeit des Berichts mit Skepsis zu sehen. Umgekehrt kann idR an-

genommen werden, dass ordentlich dokumentierte und separat erfasste Vorgänge auch in den Bericht Eingang finden. Relevante Mängel führen nach § 313 IV 1 zur Einschränkung oder Versagung des Testats (→ Rn. 19 ff.). Nach umstr., aber vorzugswürdiger Auffassung kann Abschlussprüfer von Vorstand auch sog **Vollständigkeitserklärung** verlangen (wie hier MüKoAktG/Altmeppen Rn. 64; S/L/J. Vetter Rn. 28; aA Grigoleit/Grigoleit Rn. 4).

b) Einsichts- und Auskunftsrecht. Gem. § 313 I 3 gilt die in § 320 I 2, II 1 und 2 HGB getroffene Regelung sinngem. Danach muss Vorstand der abhängigen Gesellschaft gestatten, dass der Abschlussprüfer auch für die Prüfung des Abhängigkeitsberichts die Bücher und Schriften der Gesellschaft heranzieht und sich ein eigenes Bild von Gegenständen und Schulden macht (§ 320 I 2 HGB). Ferner kann er vom Vorstand alle Aufklärungen und Nachweise verlangen, die für eine sorgfältige Prüfung notwendig sind (§ 320 II 1 HGB), und zwar auch schon vor der Aufstellung des Abhängigkeitsberichts, also iR einer **Zwischenprüfung** (§ 320 II 2 HGB). Dieses Auskunftsrecht trägt insbes. das Verlangen des Abschlussprüfers, ihm einen Überblick über die verbundenen Unternehmen zu gewähren (sog. Konzernschema); s. ADS Rn. 56; MüKoAktG/Altmeppen Rn. 71; GK-AktG/Fleischer Rn. 41; IdW Stellungnahme HFA 3/1991 Slg. IdW/HFA S. 227, 232 Nr. 4 = WPg 1992, 91. 12

Durch BiRiLiG 1985 ist mit § 313 I 4 eine ausdr. Vorschrift über das Einsichts- und Auskunftsrecht ggü. einem **Konzernunternehmen** sowie ggü. einem **abhängigen oder herrschenden Unternehmen** in das Ges. aufgenommen worden. Für den Begriff des Konzernunternehmens vgl. § 18 I 1 Hs. 2, für den abhängiger und herrschender Unternehmen § 17 I, jew. einschließlich der zugehörigen Vermutungen und ausgehend von der prüfungspflichtigen Gesellschaft. Damit bleibt das Einsichts- und Auskunftsrecht zwar hinter der Abgrenzung berichtspflichtiger Beziehungen durch § 312 I 1 zurück (→ § 312 Rn. 18 ff.), was nicht ohne weiteres einleuchtet, doch ist das Ergebnis angesichts klaren Gesetzeswortlauts unvermeidlich (MüKoAktG/Altmeppen Rn. 74; S/L/J. Vetter Rn. 31). Einsichts- und Auskunftsrecht besteht unter den genannten Voraussetzungen auch ggü. **ausländischen Unternehmen.** Entgegen hM scheitert zwangsweise Durchsetzung in dieser Konstellation auch nicht an fehlender Ordnungsstrafgewalt (so aber MüKoAktG/Altmeppen Rn. 78; Grigoleit/Grigoleit Rn. 11; BeckOGK/H.-F. Müller Rn. 19; KK-AktG/Koppensteiner Rn. 16; S/L/J. Vetter Rn. 32). Tats. ist Verhängung eines Zwangsgeldes gegen ausländisches Unternehmen durchaus möglich, da Territorialitätsprinzip insofern nicht entgegensteht (OLG Köln IPRax 2003, 446 f.; GK-HGB/J. Koch/Harnos § 13d Rn. 60 f.; Emmerich/Habersack/Habersack Rn. 24; EBJS/Pentz HGB § 13e Rn. 50; Maul NZG 1999, 741, 745; Stadler IPRax 2003, 430, 431; Zöllner GmbHR 2006, 1, 4; aA noch BayObLGZ 1978, 121, 127). Nur Vollstreckungsakt ist danach auf fremdem Staatsgebiet nicht zulässig, doch bleibt die Möglichkeit, auf Inlandsvermögen des herrschenden Unternehmens zuzugreifen oder über ggf. bestehendes Vollstreckungsabkommen vorzugehen (ausf. GK-HGB/J. Koch/Harnos § 13d Rn. 60 f. mwN; zust. GK-AktG/Fleischer Rn. 43; Emmerich/Habersack/Habersack Rn. 24). 13

III. Berichtspflicht (§ 313 II)

1. Allgemeines. Der Abschlussprüfer ist gem. § 313 II berichtspflichtig. Der Bericht ist – wie in § 170 I (→ § 170 Rn. 2; → § 314 Rn. 2) – unmittelbar **dem AR vorzulegen.** Bericht ist schriftlich abzufassen (§ 313 II 1) und von dem Abschlussprüfer zu unterzeichnen (§ 313 II 3). Er geht der HV nicht zu und wird mit Ausnahme des Bestätigungsvermerks auch sonst nicht offengelegt. Eine grö- 14 ßere Publizität kann auch im Insolvenzverfahren nicht aus § 321a HGB hergeleitet werden, da Vorschrift nach Wortlaut und Gesetzeszweck deutlich auf Jahresabschluss begrenzt ist, von dem Prüfbericht zu unterscheiden ist (Emmerich/Habersack/Habersack Rn. 28; GK-HGB/Habersack/Schürnbrand § 321a Rn. 8; S/L/J. Vetter Rn. 36; aA Grigoleit/Grigoleit Rn. 12).

15 **2. Berichtsinhalt.** Zu berichten ist über das **Ergebnis der Prüfung** (§ 313 II 1) und, wenn sich bei der Prüfung des Jahresabschlusses, des Lageberichts oder des Abhängigkeitsberichts dessen **Unvollständigkeit** zeigt (→ Rn. 11), auch darüber (§ 313 II 2). Im Einzelnen sind die Anforderungen an den Bericht aus den Prüfungsgegenständen des § 313 I und aus dem Grundsatz gewissenhafter und getreuer Rechenschaft (§ 312 II) abzuleiten (s. dazu ADS Rn. 64 ff.). Im Bericht ist auch darauf einzugehen, wie der Kreis der in die Berichterstattung einbezogenen Unternehmen abgegrenzt wurde (IdW Stellungnahme HFA 3/1991 Slg. IdW/HFA S. 227, 233 Nr. 8 = WPg 1992, 91), worauf sich die Beurteilung des Prüfers stützt (HFA 3/1991 aaO), ob erbetene Unterlagen vorgelegt und Auskünfte erteilt wurden (→ Rn. 12 f.; Einzelheiten GK-AktG/Fleischer Rn. 44 ff.). Schließlich ist der Bestätigungsvermerk in den Prüfungsbericht aufzunehmen (§ 313 V 2).

IV. Bestätigungsvermerk (§ 313 III–V)

16 **1. Allgemeines.** Prüfung und Bericht müssen zu einem **definitiven Ergebnis** führen, das sich in der Erteilung des Bestätigungsvermerks (§ 313 III), in seiner Einschränkung (§ 313 IV) oder in seiner Versagung (§ 313 V) ausdrückt. Der Abschlussprüfer hat den Bestätigungsvermerk gem. § 313 V 1 unter Angabe von Ort und Tag eigenhändig (§ 126 BGB) zu unterzeichnen. Wenn mehrere Abschlussprüfer bestellt worden sind, müssen sie alle unterschreiben (dazu und zu Sonderlagen ADS § 322 HGB Rn. 83). Weil der Bestätigungsvermerk nach § 313 V 2 notwendiger Bestandteil des Prüfungsberichts ist (→ Rn. 15 aE), geht er mit dem Bericht zunächst dem AR zu (§ 314 I 1), der ihn in seinen eigenen **Prüfungsbericht an die HV** (§ 314 II 1) aufzunehmen und eine Versagung des Vermerks in diesem Bericht ausdr. mitzuteilen hat (§ 314 II 3). Dadurch werden der Bestätigungsvermerk, seine Einschränkung oder Versagung der HV bekannt. Bei Einschränkung oder Versagung kann jeder Aktionär gem. § 315 S. 1 Nr. 1 die gerichtl. Bestellung von Sonderprüfern beantragen (→ § 315 Rn. 2 f.).

17 **2. Erteilung.** AG hat **Anspruch auf Erteilung** des uneingeschränkten Bestätigungsvermerks, wenn nach dem Prüfungsergebnis keine Einwendungen zu erheben sind (§ 313 III 1). Der reguläre Wortlaut des Vermerks ist in § 313 III 2 vorgeschrieben. Bei diesem Wortlaut sollte es zumindest für den Regelfall auch bleiben. Eine generelle Ergänzung des formalisierten Textes, wie von KK-AktG/Koppensteiner Rn. 32 bzgl. des Nachteilsausgleichs vorgeschlagen, ist der Klarheit nicht förderlich und deshalb nicht zu befürworten (ADS Rn. 83; GK-AktG/Fleischer Rn. 53; S/L/J. Vetter Rn. 41; MHdB AG/Krieger § 70 Rn. 117; gegen Zusätze auch MüKoAktG/Altmeppen Rn. 93). Tolerabel, wenngleich nicht geboten, ist **im Einzelfall ein erläuternder Zusatz** zum Bestätigungsvermerk, der auf eine bes. Problematik bei der Prüfung hinweist, soweit dadurch die Bestätigung selbst auch für den nicht mit bes. Sachkunde ausgestatteten Leser nicht in Frage gestellt wird (vgl. ADS Rn. 83; S/L/J. Vetter Rn. 42; IdW Stellungnahme HFA 3/1991 Slg. IdW/HFA S. 227, 233 Nr. 10 aE = WPg 1992, 91). Dabei ist am ehesten an die Beurteilung von Maßnahmen zu denken (GK-AktG/Fleischer Rn. 54). Für Erweiterung des Bestätigungsvermerks de lege ferenda Hommelhoff, Gutachten G zum 59. DJT, 1992, 56. Danach soll sich Abschlussprüfer auch dahin erklären, dass Einbeziehung der Gesellschaft in den

Konzernverbund nicht unzulässig eng gewesen ist. Zu solcher Lösung könnte jedoch nur geraten werden, wenn es für die Unzulässigkeit anerkannte Kriterien gäbe. Sodann läge es jedoch nahe, der Erklärung einen entspr. präzisierten Inhalt zu geben.

Textabwandlungen können sich **in Abhängigkeit von Berichtsinhalt und Prüfungsfeststellungen** ergeben. Hierzu gilt: Bei Negativbericht des Vorstands (→ § 312 Rn. 8: weder Rechtsgeschäfte noch Maßnahmen) verbleibt es bei einer Bestätigung nach § 313 III 2 Nr. 1; sie ist auch unverzichtbar (ADS Rn. 84 f.). Fehlt es nach dem Vorstandsbericht an Rechtsgeschäften oder an Maßnahmen, so verbleibt es bei einer Bestätigung nach § 313 III 2 Nr. 1 und 3 oder 2; die jew. unzutr. Variante ist wegzulassen (§ 313 III 3). Wenn über Rechtsgeschäfte berichtet ist und die Prüfung keine Unangemessenheit ergibt, lautet der entspr. Teil des Testats: „2. bei den im Bericht aufgeführten Rechtsgeschäften die Leistung der Gesellschaft nicht unangemessen hoch war“. Zur negativen Schlusserklärung des Vorstands (Nachteilsausgleich erforderlich und nicht gewährt) → Rn. 20. 18

3. Einschränkung. Bestätigungsvermerk ist nach § 313 IV 1 einzuschränken oder zu versagen, wenn nach dem Prüfungsergebnis Einwendungen gegen den Abhängigkeitsbericht zu erheben sind oder wenn sich seine Unvollständigkeit ergibt. Dabei genügt die Einschränkung im Unterschied zur Versagung, wenn sich bei iÜ positivem Gesamtbefund **einzelne abgrenzbare Teilgebiete oder Sachverhalte** als **beanstandungsbedürftig** herausstellen (ADS Rn. 88, 95) und solche Beanstandung mit hinreichender Klarheit für die HV (§ 314 II 3) in die Form einer Einschränkung gebracht werden kann (GK-AktG/Fleischer Rn. 55). Nach mittlerweile zu Recht hM ist Einschränkung entspr. § 322 IV 3 HGB auch zu begründen, weil nur auf diese Weise Tragweite für Aktionäre erkennbar wird (MüKoAktG/Altmeppen Rn. 99; GK-AktG/Fleischer Rn. 56; Grigoleit/Grigoleit Rn. 16; S/L/J. Vetter Rn. 44; für bloße Zweckmäßigkeit ADS Rn. 87; IdW Stellungnahme HFA 3/1991 Slg. IdW/HFA S. 227, 233 Nr. 10 = WPg 1992, 91). In jedem Fall muss eine Begr. im Prüfungsbericht enthalten sein, weil er sonst die Vorbereitung der AR-Prüfung (→ Rn. 1) in einem wesentlichen Punkt nicht leisten würde. Die Einschränkung ist nach § 315 S. 1 Nr. 1 Grund für eine Sonderprüfung. Nicht jeder Zusatz zum Bestätigungsvermerk ist Einschränkung iSd § 313 IV 1. Vielmehr kann es sich auch um bloße Erläuterung handeln. Was gemeint ist, muss durch Auslegung ermittelt werden (OLG Köln FGPrax 2000, 34, 35; als Vorinstanz LG Köln AG 1999, 282 f.). Aus Klarstellungsgründen ist eindeutige Formulierung („mit der Einschränkung, dass“) zu empfehlen (S/L/J. Vetter Rn. 44). 19

Eine bes. Regelung enthält § 313 IV 2 für den Fall, dass **Schlusserklärung des Vorstands negativ** ist, Vorstand also selbst bekundet, die Gesellschaft sei in bestimmter Weise benachteiligt und der Nachteil nicht ausgeglichen worden. Diesen Teil der Schlusserklärung hat der Abschlussprüfer in seinen Bestätigungsvermerk zu übernehmen (wodurch er HV-Publizität erlangt, s. § 314 II 3) und den Vermerk auf die übrigen Rechtsgeschäfte oder Maßnahmen zu beschränken. Zur redaktionellen Gestaltung vgl. ADS Rn. 91. Der Sache nach gehört die Regelung zu § 313 III; denn das Testat kann nicht eingeschränkt werden, weil gegen den Bericht des Vorstands keine Einwendungen zu erheben sind, wenn er Verstöße gegen § 311 selbst offenlegt (zust. GK-AktG/Fleischer Rn. 58). Daher sieht § 315 S. 1 Nr. 3 diesen Fall als eigenständigen Grund für eine Sonderprüfung vor. 20

4. Versagung. Wenn eingeschränkter Bestätigungsvermerk der Sachlage nicht mehr gerecht wird (→ Rn. 19), ist der Vermerk nach § 313 IV 1 zu versagen. Ges. sieht einen als solchen formalisierten Versagungsvermerk für den Abhängigkeitsbericht nicht ausdr. vor, woraus früher hM geschlossen hat, es genüge, wenn 21 sich aus Prüfungsbericht ergebe, dass und warum Bestätigungsvermerk versagt werde (ADS Rn. 94). Heute hM geht hingegen zu Recht davon aus, dass zur hinreichend klaren und vollständigen Information der Aktionäre analog § 322 IV 2, V 2 HGB **ausdr. Versagungsvermerk** aufzunehmen ist (MüKoAktG/Altmeppen Rn. 100; GK-AktG/Fleischer Rn. 57). Versagung des Bestätigungsvermerks rechtfertigt gem. § 315 S. 1 Nr. 1 Anordnung der Sonderprüfung.

Prüfung durch den Aufsichtsrat

314 (1) [1]**Der Vorstand hat den Bericht über die Beziehungen zu verbundenen Unternehmen unverzüglich nach dessen Aufstellung dem Aufsichtsrat vorzulegen.** [2]**Dieser Bericht und, wenn der Jahresabschluss durch einen Abschlussprüfer zu prüfen ist, der Prüfungsbericht des Abschlussprüfers sind auch jedem Aufsichtsratsmitglied oder, wenn der Aufsichtsrat dies beschlossen hat, den Mitgliedern eines Ausschusses zu übermitteln.**

(2) [1]**Der Aufsichtsrat hat den Bericht über die Beziehungen zu verbundenen Unternehmen zu prüfen und in seinem Bericht an die Hauptversammlung (§ 171 Abs. 2) über das Ergebnis der Prüfung zu berichten.** [2]**Ist der Jahresabschluß durch einen Abschlußprüfer zu prüfen, so hat der Aufsichtsrat in diesem Bericht ferner zu dem Ergebnis der Prüfung des Berichts über die Beziehungen zu verbundenen Unternehmen durch den Abschlußprüfer Stellung zu nehmen.** [3]**Ein von dem Abschlußprüfer erteilter Bestätigungsvermerk ist in den Bericht aufzunehmen, eine Versagung des Bestätigungsvermerks ausdrücklich mitzuteilen.**

(3) **Am Schluß des Berichts hat der Aufsichtsrat zu erklären, ob nach dem abschließenden Ergebnis seiner Prüfung Einwendungen gegen die Erklärung des Vorstands am Schluß des Berichts über die Beziehungen zu verbundenen Unternehmen zu erheben sind.**

(4) **Ist der Jahresabschluss durch einen Abschlussprüfer zu prüfen, so hat dieser an den Verhandlungen des Aufsichtsrats oder eines Ausschusses über den Bericht über die Beziehungen zu verbundenen Unternehmen teilzunehmen und über die wesentlichen Ergebnisse seiner Prüfung zu berichten.**

I. Regelungsgegenstand und -zweck

1 § 314 betr. Prüfung des Abhängigkeitsberichts durch AR. Norm begründet **Mitverantwortung des AR,** namentl. seiner das herrschende Unternehmen repräsentierender Mitglieder, für Richtigkeit des Abhängigkeitsberichts (RegBegr. Kropff S. 416). Korrespondiere Haftungsvorschrift enthält § 318 II. Ferner wird **Information der HV** sichergestellt, soweit es um Prüfungsergebnis und um Bestätigungsvermerk des Prüfers oder seine Versagung geht. Auf diese Weise wird Grundlage für etwaige Sonderprüfung nach § 315 S. 1 gelegt. § 314 ist §§ 170, 171 nachgebildet, die AR zur Prüfung des Jahresabschlusses verpflichten (RegBegr. Kropff S. 416; GK-AktG/Fleischer Rn. 1): § 314 I 1 korrespondiert mit § 170 I, § 314 I 2 mit § 170 III, § 314 II–IV im Wesentlichen mit § 171, wobei § 314 IV insbes. § 171 I 2 entspr. Hinsichtlich der praktischen Bedeutung wird der Kontrollwert dieser Prüfung eher gering veranschlagt (MüKoAktG/Altmeppen Rn. 3; GK-AktG/Fleischer Rn. 5).

II. Vorlage an den Aufsichtsrat und Information innerhalb des Aufsichtsrats

1. Vorlage. Nach § 314 I 1 ist Vorstand verpflichtet, von ihm aufgestellten Abhängigkeitsbericht (§ 312 I 1) dem AR vorzulegen. Bericht ist dem AR zusammen mit den in § 170 genannten Unterlagen (Jahresabschluss, Lagebericht, Gewinnverwendungsvorschlag) zuzuleiten. Prüfungsbericht des Abschlussprüfers ist keine Vorstandsvorlage; vielmehr erfolgt Vorlage unmittelbar durch Prüfer (→ § 170 Rn. 2). Aus § 170 I folgt, dass Vorstand **unverzüglich** (§ 121 I 1 BGB) vorzulegen hat, und zwar nach Aufstellung des Abhängigkeitsberichts; auf Prüfungsbericht ist nicht zu warten (Einzelheiten: → § 170 Rn. 3). Verpflichtung kann im **Zwangsgeldverfahren** durchgesetzt werden (§ 407 I 1). Vorlage erfolgt zu Händen des AR-Vorsitzenden, kann aber auch durch Übersendung an alle AR-Mitglieder erfolgen, soweit sich aus § 314 I 3 nichts anderes ergibt (→ Rn. 3; → § 170 Rn. 4). Hat Vorstand zu Prüferbericht Stellungnahme nach § 313 II 3 abgegeben, ist auch diese an AR weiterzuleiten (Emmerich/Habersack/Habersack Rn. 5). 2

2. Information. Jedes AR-Mitglied ist gem. § 314 I 2 berechtigt, von den Berichten Kenntnis zu nehmen. Das schließt auch nach Neufassung des § 170 I und III 1 Prüfungsbericht ein (→ § 170 Rn. 12). Regelung ist zwingend und kennt grds. keine Ausnahme. Zwingend ist allerdings auch **Verschwiegenheitspflicht** der AR-Mitglieder nach § 93 I 3 iVm § 116 (→ § 90 Rn. 3). Nach § 314 I 2 haben AR-Mitglieder auch das Recht auf Übermittlung aller Vorlagen und Berichte, und zwar, ohne dass sie Übermittlung verlangen müssten. AR kann Übermittlung auch nicht gänzlich ausschließen, sondern nur auf Mitglieder eines Ausschusses beschränken. Das entspr. § 170 III 2 (→ § 170 Rn. 13 f.), lässt Kenntnisnahmerecht aber unberührt. Übermittlung kann durch Aushändigung, seit TransPuG 2002 aber auch in elektronischer Form erfolgen (GK-AktG/Fleischer Rn. 10). 3

III. Prüfungs- und Berichtspflicht

1. Prüfung. AR hat Abhängigkeitsbericht zu prüfen (§ 314 II 1). Einem Ausschuss kann Prüfungsaufgabe gem § 107 III 7 nicht überantwortet werden. Die in § 313 I liegenden Beschränkungen gelten für Prüfung des AR nicht. Seine Prüfung umfasst vielmehr ohne Einschränkung **Vollständigkeit und Richtigkeit** des Berichts (allgM, s. GK-AktG/Fleischer Rn. 16; MHdB AG/Krieger § 70 Rn. 120). Für Intensität der Prüfung gelten in → § 171 Rn. 9 dargelegte Grundsätze. Entscheidend ist also, ob sich Anhaltspunkte für Beanstandungen ergeben; wenn das der Fall ist, bedarf es bes. Prüfungsmaßnahmen (KK-AktG/Koppensteiner Rn. 5 f.; MHdB AG/Krieger § 70 Rn. 120). IÜ muss sich AR bei seiner Prüfung insbes. mit den Ergebnissen des Abschlussprüfers auseinandersetzen, aber keine zweite Prüfung mit Intensität der Abschlussprüfung vornehmen (OLG Karlsruhe BeckRS 2019, 49058 Rn. 98; S/L/J. Vetter Rn. 7). Die AR-Mitglieder, auch die Repräsentanten des herrschenden Unternehmens, haben dabei ihre jeweiligen Kenntnisse einzubringen, und zwar auch dann, wenn das den Interessen des herrschenden Unternehmens möglicherweise nicht dienlich ist. Bei der Prüfung müssen sich alle AR-Mitglieder von den Interessen der Gesellschaft leiten lassen (→ § 116 Rn. 8; s. a. KK-AktG/Koppensteiner Rn. 6 mwN). 4

2. Bericht. § 314 II 1 schreibt vor, dass AR über das Ergebnis seiner Prüfung an HV berichtet, und zwar in dem schriftlichen Bericht, den er jährlich gem. 5

§ 171 II über Rechnungslegung, Gewinnverwendung und die Prüfung der Geschäftsführung zu erstatten hat (→ § 171 Rn. 12 f.; LG Hamburg AG 2002, 525, 527). Damit erfolgt auch die weitere Behandlung nach den allg. Regeln über den Bericht des AR: AR muss nach § 171 III binnen Monatsfrist tätig geworden sein (→ § 171 Rn. 26), Vorstand hat den AR-Bericht gem. § 175 II auszulegen und den Aktionären auf Verlangen eine Abschrift zu erteilen (→ § 175 Rn. 5 ff.). **Notwendige Berichtsbestandteile** sind die Stellungnahme zum Prüfungsbericht des Abschlussprüfers (§ 314 II 2) und die wörtliche Wiedergabe seines Bestätigungsvermerks oder die ausdr. Mitteilung über die Versagung des Bestätigungsvermerks (§ 314 II 3). Wörtliche Wiedergabe ist unverzichtbar (BGHZ 153, 47, 53 – NJW 2003, 1032; OLG Dresden AG 2003, 433, 436; LG München I ZIP 2001, 1415, 1417; AG 2006, 170 f.; Konzern 2008, 295, 301). Durch sie wird erreicht, dass zwar nicht der Prüfungsbericht, aber das Prüfungsergebnis als Bestandteil des AR-Berichts der HV bekannt wird. **Berichtsfehler** machen Entlastungsbeschluss anfechtbar (→ § 120 Rn. 12; BGHZ 153, 47, 50 ff.). Anfechtungsbegründender Mangel liegt auch vor, wenn wörtliche Wiedergabe des Testats fehlt (OLG Dresden AG 2003, 433, 435 f.; OLG München ZIP 2009, 718, 720; zweifelnd GK-AktG/Fleischer Rn. 22: unbeachtlicher Bagatellfehler). De lege ferenda wird vorgeschlagen, Berichtspflicht des AR zu intensivieren und ihm insbes. eine Stellungnahme zur Entwicklung der Konzernbeziehungen zur Pflicht zu machen (Hommelhoff, Gutachten G zum 59. DJT, 1992, 57; Hommelhoff FS Fleck, 1988, 125, 139).

IV. Schlusserklärung

6 Nach Vorbild des § 171 II 4 (→ § 171 Rn. 24) verlangt § 314 III eine Schlusserklärung des AR. Er muss sich darüber aussprechen, ob nach dem Ergebnis seiner Prüfung gegen die Schlusserklärung des Vorstands (§ 312 III; → § 312 Rn. 35 ff.) Einwendungen zu erheben sind oder nicht. Formulierung ist derjenigen des § 313 IV 1 nachgebildet. Daraus folgt, dass Einwendungen iSd § 314 III nur dann vorliegen, wenn sie es nach Art und Bedeutung rechtfertigen würden, das Testat einzuschränken oder zu versagen; **kleinere Beanstandungen** hindern den AR also nicht an der Erklärung, dass keine Einwendungen zu erheben sind. Sofern sich solche Einwendungen nach der Schlusserklärung ergeben, liegt darin ein Grund, Sonderprüfung nach § 315 S. 1 Nr. 2 zu beantragen. Auch daraus folgt, dass kleinere Beanstandungen in den Bericht, aber nicht in die Schlusserklärung zu schreiben sind.

V. Teilnahme des Abschlussprüfers

7 Wenn Abhängigkeitsbericht prüfungspflichtig ist (→ § 313 Rn. 2), hat Abschlussprüfer gem. § 314 IV an den Verhandlungen des AR über diesen Bericht teilzunehmen, und zwar, ohne dass es auf Verlangen des AR ankäme. Vielmehr ist Teilnahme wie nach § 171 I 2 obligatorisch (→ § 171 Rn. 11, 11a). Prüfer ist auch zu ergänzender mündlicher Berichterstattung verpflichtet (→ § 171 Rn. 15).

Sonderprüfung

315 [1]**Auf Antrag eines Aktionärs hat das Gericht Sonderprüfer zur Prüfung der geschäftlichen Beziehungen der Gesellschaft zu dem herrschenden Unternehmen oder einem mit ihm verbundenen Unternehmen zu bestellen, wenn**

1. **der Abschlußprüfer den Bestätigungsvermerk zum Bericht über die Beziehungen zu verbundenen Unternehmen eingeschränkt oder versagt hat,**
2. **der Aufsichtsrat erklärt hat, daß Einwendungen gegen die Erklärung des Vorstands am Schluß des Berichts über die Beziehungen zu verbundenen Unternehmen zu erheben sind,**
3. **der Vorstand selbst erklärt hat, daß die Gesellschaft durch bestimmte Rechtsgeschäfte oder Maßnahmen benachteiligt worden ist, ohne daß die Nachteile ausgeglichen worden sind.**

2 Liegen sonstige Tatsachen vor, die den Verdacht einer pflichtwidrigen Nachteilszufügung rechtfertigen, kann der Antrag auch von Aktionären gestellt werden, deren Anteile zusammen den Schwellenwert des § 142 Abs. 2 erreichen, wenn sie glaubhaft machen, dass sie seit mindestens drei Monaten vor dem Tage der Antragstellung Inhaber der Aktien sind. 3 Über den Antrag entscheidet das Landgericht, in dessen Bezirk die Gesellschaft ihren Sitz hat. 4 § 142 Abs. 8 gilt entsprechend. 5 Gegen die Entscheidung ist die Beschwerde zulässig. 6 Hat die Hauptversammlung zur Prüfung derselben Vorgänge Sonderprüfer bestellt, so kann jeder Aktionär den Antrag nach § 142 Abs. 4 stellen.

I. Regelungsgegenstand und -zweck

Norm betr. Sonderprüfung der geschäftlichen Beziehungen der abhängigen 1
Gesellschaft zu dem herrschenden oder einem (bestimmten → Rn. 6) mit ihm verbundenen Unternehmen. Regelung geht von einem Anfangsverdacht pflichtwidriger Nachteilszufügung aus, wenn einer der in § 315 S. 1 Nr. 1–3 aufgeführten Sachverhalte gegeben ist, und bezweckt **Information** der außenstehenden Aktionäre und durch Offenlegung des Sonderprüfungsberichts (§ 145 IV) auch der Gesellschaftsgläubiger mit dem weiteren Ziel, ihnen die **Durchsetzung von Ansprüchen nach §§ 317, 318** zu erleichtern (BGHZ 135, 107, 109 f. = NJW 1997, 1855; OLG München NZG 2021, 1403 Rn. 6; MüKoAktG/Altmeppen Rn. 1 ff.). Das ist notwendig, weil der Abhängigkeitsbericht selbst vertraulich bleibt (→ § 312 Rn. 38). Sonderprüfung nach § 315 ist bes. ausgestaltete Variante der Sonderprüfung nach §§ 142 ff. (OLG München ZIP 2011, 1364, 1365; OLG Stuttgart AG 2010, 717, 718). Während Bedeutung der Sonderprüfung in den letzten Jahren stetig zugenommen hat (→ § 142 Rn. 1), liegen für konzernrechtl. Sonderprüfung keine gleichermaßen aussagekräftigen Befunde vor; in der Vergangenheit wurde ihr zumeist geringe Relevanz attestiert (vgl. GK-AktG/Fleischer Rn. 8 ff.). Präventive Wirkungen können der Sonderprüfung jedenfalls nicht abgesprochen werden (→ § 312 Rn. 1). Sie findet nicht statt, wenn ein Beherrschungsvertrag besteht (§ 312 I 1), auch nicht, wenn ein isolierter Gewinnabführungsvertrag geschlossen ist (§ 316), und schließlich nicht in den Eingliederungsfällen (§ 323 I 3).

II. Voraussetzungen der Sonderprüfung

1. Formalisierte Prüfungsanlässe. a) Antrag. Sonderprüfung findet gem. 2
§ 315 S. 1 nur auf Antrag statt. **Jeder Aktionär** kann den Antrag stellen (GK-AktG/Fleischer Rn. 16). Eine Aktie genügt. Wie bei § 142 II ist jedoch auch hier Verbot missbräuchlicher Rechtsausübung zu beachten (ausf. → § 142 Rn. 21; speziell im Kontext des § 315 auch OLG München NZG 2021, 1403 Rn. 4 ff.). Aktienbesitzzeit ist nicht erforderlich, auch nicht Hinterlegung bis zur Entscheidung über den Antrag (MüKoAktG/Altmeppen Rn. 16, GK-AktG/Fleischer Rn. 17). Rechtslage ist also anders als nach § 315 S. 2 (→ Rn. 3b) oder

nach § 142 II (→ § 142 Rn. 23). Wegen der in § 315 S. 1 klar umschriebenen Tatbestände wird der Zugang zum Sonderprüfungsverfahren erleichtert. Hinterlegungserfordernis passt auf das Individualrecht des § 315 ohnehin nicht, weil es dazu dient, das für den Antrag erforderliche Quorum während des gerichtl. Verfahrens zu erhalten (→ § 142 Rn. 23). Antrag ist nach Maßgabe des § 25 FamFG beim LG des Gesellschaftssitzes anzubringen (§ 315 S. 3; → Rn. 4). Gläubiger haben keine Antragsbefugnis und sollten sie auch nicht erhalten, auch nicht beim Fehlen außenstehender Gesellschafter (MüKoAktG/Altmeppen Rn. 10; GK-AktG/Fleischer Rn. 11, 17; Emmerich/Habersack/Habersack Rn. 7; aA KK-AktG/Koppensteiner Rn. 7; Weinbrenner Konzern 2006, 583, 590 ff.). In dem für die Gläubiger bes. kritischen Insolvenzfall kann Aufgabe des Sonderprüfers von Insolvenzverwalter übernommen werden (GK-AktG/Fleischer Rn. 17). Bis dahin vollzieht sich ihr Schutz (→ Rn. 1) nur durch Publizität des Sonderprüfungsberichts (§ 145 IV). Wegen Einleitung des Verfahrens müssen sie auf Initiative außenstehender Aktionäre vertrauen.

3 **b) Materielle Erfordernisse.** Antrag auf Sonderprüfung nach § 315 S. 1 hat Erfolg, wenn Abschlussprüfer oder Gesellschaftsorgane selbst erklären, dass gegen § 311 verstoßen worden ist: Abhängigkeitsbericht wird nicht oder nur eingeschränkt testiert (§ 313 IV); AR der abhängigen Gesellschaft erhebt Einwendungen gegen die Schlusserklärung des Vorstands (§ 314 III); Vorstand erklärt selbst, dass Gesellschaft ohne Ausgleich benachteiligt wurde (§ 312 III). Einen weitergehenden Prüfungs- oder Entscheidungsauftrag hat das Gericht nicht. Namentl. ist nicht zu prüfen, ob abgegebene Erklärung zutrifft (Emmerich/Habersack/Habersack Rn. 5). Ihr Vorliegen rechtfertigt für sich genommen Sonderprüfung. Solche formalisierten Prüfungsanlässe sind leicht festzustellen, tragen aber nicht zur praktischen Bedeutung des Verfahrens bei.

3a **2. Sonstige Tatsachen. a) Antrag.** Gem. § 315 S. 2 kann auch **qualifizierte Minderheit** Sonderprüfung beantragen, wenn sich Verdacht pflichtwidriger Nachteilszufügung aus Vorliegen sonstiger Tatsachen rechtfertigt. Regelung bezweckt, Effektivität der Sonderprüfung zu erhöhen, indem ihre Voraussetzungen von Formalanlässen (→ Rn. 3) gelöst werden (RegBegr. KonTraG BT-Drs. 13/9712, 25; Emmerich/Habersack/Habersack Rn. 9). Gesetzesformulierung ist nicht voll gelungen, indem sie aus verdachtsbegründenden Tatsachen Antragsbefugnis ableitet. Gemeint ist wie in § 315 S. 1 und im Regelungsvorbild des § 142 II 1, dass Gericht Sonderprüfer zu bestellen hat, wenn Antrag von qualifizierter Minderheit gestellt wird (→ Rn. 3b) und materieller Prüfungsanlass (→ Rn. 3c) besteht (ebenso Emmerich/Habersack/Habersack Rn. 9; KK-AktG/Koppensteiner Rn. 6).

3b Antragsteller müssen Aktionäre sein, deren Aktien zusammen **Schwellenwert des § 142 II** erreichen. Sie müssen also mindestens 1 % des Grundkapitals oder einen Anteilsbesitz von nominal 100.000 Euro auf sich vereinigen. Regelung soll wie Parallelnorm in § 258 II 3 (→ § 258 Rn. 16) Wertungswidersprüche ggü. § 142 II vermeiden (RegBegr. UMAG BT-Drs. 15/5092, 31). Normen sind deshalb auch gleichmäßig auszulegen, so dass stimmrechtslose Vorzüge ebenso mitrechnen wie vom Stimmrecht ausgeschlossene Aktien. Für **Mindestbesitzzeit** von drei Monaten ist vom Tag der Antragstellung an rückwärts zu rechnen; Berechnung erfolgt gem. § 187 I BGB, § 188 II BGB. Für Glaubhaftmachung genügt die eidesstattliche Versicherung vor einem Notar. Antragsteller müssen ihre Aktien auch bis zur Entscheidung über den Antrag halten. Dies kann durch Hinterlegung und entspr. Bescheinigung, aber auch durch Versicherung des depotführenden KI analog § 258 II 4 geschehen (→ § 258 Rn. 17). Haltepflicht folgt aus § 142 I 2. Norm gilt auch hier, weil Sonderprüfung nach § 315 nur bes. ausgestaltete Variante der allg. Sonderprüfung ist (→ Rn. 1; OLG Hamm FGPrax

2001, 208, 209; LG Münster AG 2001, 54; Emmerich/Habersack/Habersack Rn. 3, 12; → Rn. 5 und 9).

b) Materielle Erfordernisse. § 315 S. 2 setzt sonstige Tatsachen voraus, die **Verdacht pflichtwidriger Nachteilszufügung** rechtfertigen. Das ist § 142 II 1 nachgebildet (→ § 142 Rn. 20). Unverzichtbar ist danach Tatsachenbehauptung. Entbehrlich sind Beweisführung oder Glaubhaftmachung. Stattdessen genügt, dass Gericht von hinreichenden Verdachtsmomenten überzeugt ist oder sich zur Amtsermittlung gem. § 26 FamFG veranlasst sieht (ebenso MüKo-AktG/Altmeppen Rn. 18; GK-AktG/Fleischer Rn. 19). Um „sonstige" Tatsachen handelt es sich, wenn sie nicht schon unter § 315 S. 1 fallen. Antrag der qualifizierten Minderheit kann aber auch darauf gestützt werden. Das entspr. dem auf Erweiterung der Sonderprüfung gerichteten Zweck des § 315 S. 2 (→ Rn. 3a). Minderheitenantrag schließt also bei entspr. Vorbringen Einzelantrag ein. Begriff pflichtwidriger Nachteilszufügung bestimmt sich nach § 311. Es muss sich also um ausgleichspflichtige, aber nicht, auch nicht nach § 311 II, ausgeglichene Rechtsgeschäfte oder sonstige Maßnahmen handeln. Dass Vorstand in Aktienoptionsprogramm einbezogen ist, das sich am Börsenkurs des herrschenden Unternehmens orientiert, erlaubt für sich genommen nicht den Schluss auf Nachteilszufügung und reicht deshalb auch dann nicht aus, wenn man die gewählte Vergütung für unzulässig hält (OLG München ZIP 2011, 1364, 1365). 3c

III. Verfahren und Entscheidung des Gerichts

Zuständig ist gem. § 315 S. 3 LG des Gesellschaftssitzes (§ 5). Funktionell zuständig ist KfH, sofern eine solche gebildet wurde (§§ 71 II Nr. 4b, 95 II Nr. 2 GVG). Wie bei Parallelgestaltungen in § 98 (→ § 98 Rn. 2), § 132 (→ § 132 Rn. 3), § 142 (→ § 142 Rn. 31), § 145 (→ § 145 Rn. 6); § 258 (→ § 258 Rn. 18), § 260 (→ § 260 Rn. 4) ist auch hier str. (mit jew. unterschiedlichem Meinungsstand), ob diese Zuständigkeit ausschließlich ist (legislativ geklärt nur für SpruchG → SpruchG § 2 Rn. 5). Speziell zu § 315 wird Frage von hM zu Recht verneint (ausf. Simons NZG 2012, 609, 610; zust. GK-AktG/Fleischer Rn. 28; MHdB AG/Krieger § 70 Rn. 125; aA Grigoleit/Grigoleit Rn. 7; BeckOGK/H.-F. Müller Rn. 10; zur näheren Begründung → § 98 Rn. 2). KfH entscheidet deshalb nur, wenn sie von Antragsteller (§ 96 I GVG) oder Antragsgegner (§ 98 I GVG) angerufen wird. Verfahrenskonzentration ist nach den üblichen Regeln zulässig. Rechtsgrundlage ist auch insoweit das GVG, dort § 71 IV GVG. Str. ist Fortwirken der Konzentrationsermächtigungen, die noch auf Grundlage des § 315 S. 5 aF erlassen und seitdem nicht angepasst worden sind. Weil § 71 IV GVG in der Nachfolge dieser Vorschrift steht, ist von Fortgeltung darauf gestützten VO-Rechts auszugehen (so auch Preuß/Leuering NJW-Spezial 2009, 671; aA Simons NZG 2012, 609, 612). **Beschwerde** kann jedoch nicht auf Entscheidung des falschen Spruchkörpers gestützt werden, sofern Verstoß nicht willkürlich erfolgte (zur näheren Begr. → § 98 Rn. 2). Aus § 142 VII iVm § 315 S. 5 folgt, dass sich gerichtl. Verfahren vorbehaltlich bes. Bestimmung nach dem FamFG richtet. Entscheidung ergeht durch Beschluss, der mit Gründen zu versehen ist (§ 38 III 1 FamFG). Gericht muss Sonderprüfer bestellen, wenn Voraussetzungen des § 315 S. 1 (→ Rn. 2 f.) oder des § 315 S. 2 (→ Rn. 3a ff.) vorliegen. Sonst ist Antrag zurückzuweisen. Wenn Antrag stattgegeben wird, sind Sonderprüfer namentlich zu bezeichnen. Gericht kann einen oder mehrere Sonderprüfer bestellen. Qualifikation ist nach § 143 zu bestimmen. Vornehmlich kommen Wirtschaftsprüfer oder Prüfungsgesellschaften in Betracht (→ § 143 Rn. 2). Bestellungsverbote des § 319 II und III HGB iVm § 143 II sind zu beachten (→ § 143 Rn. 3 f.). Vor Entscheidung sind als Beteiligte der 4

Antragsteller, ferner durch Vorstand vertretene Gesellschaft als Antragsgegnerin, daneben auch ihr AR, anzuhören. Rechtsmittel ist Beschwerde mit Monatsfrist des § 63 FamFG.

IV. Gerichtliche Bestellung anderer Sonderprüfer

5 § 315 S. 6 setzt die in § 142 IV getroffene Regelung voraus und modifiziert sie. Dabei geht es um Ablösung von Sonderprüfern, die schon die HV gem. § 142 I zu demselben Thema bestellt hat. Während § 142 IV 1 das Antragsrecht nur einer Aktionärsminderheit zuspricht, die 1 % des Grundkapitals oder Aktien im anteiligen Betrag von wenigstens 100.000 Euro auf sich vereinigt, kann gem. § 315 S. 6 **jeder Aktionär** den Antrag stellen. Damit ist bezweckt, dass nicht die vom herrschenden Unternehmen dominierte HV durch Einsetzung eines ihr genehmen Sonderprüfers gem. § 142 I eine unvoreingenommene Prüfung verhindert (MüKoAktG/Altmeppen Rn. 36; GK-AktG/Fleischer Rn. 48). **Gründe** für Bestellung eines anderen Sonderprüfers sind § 142 IV 1 zu entnehmen. Der bestellte Sonderprüfer ist vor der Entscheidung gem. § 142 V 1 zu hören (→ § 142 Rn. 29) und ist bei seiner Abberufung beschwerdeberechtigt (→ § 142 Rn. 30). Gericht muss durch Auslegung oder Nachfrage klären, ob Antrag nach § 315 S. 6 nur darauf abzielt, den Sonderprüfer auszuwechseln, oder ob auch die Erweiterung des Prüfungsauftrags von einzelnen Gegenständen auf die geschäftlichen Beziehungen zum herrschenden oder einem mit ihm verbundenen Unternehmen gewollt ist; ggf. ist Prüfungsauftrag entspr. zu erstrecken (MüKoAktG/Altmeppen Rn. 39).

V. Durchführung der Sonderprüfung; Sonderprüfungsbericht

6 Für die Durchführung der Sonderprüfung gibt § 315 keine speziellen Regeln. Maßgeblich sind also §§ 142 ff. Prüfung beschränkt sich auf die geschäftlichen Beziehungen der abhängigen Gesellschaft „zu dem herrschenden Unternehmen oder einem mit ihm verbundenen Unternehmen", das vom Gericht im Prüfungsauftrag bezeichnet worden ist. Es gibt nach klarem Wortlaut also **keine Prüfung des gesamten Unternehmensverbunds,** es sei denn, dass das Gericht sämtliche Unternehmen als Prüfungsobjekte bestimmt, weil es die Voraussetzungen des § 315 S. 1 oder 2 bei allen feststellt (str. – wie hier Emmerich/Habersack/Habersack Rn. 16; GK-AktG/Fleischer Rn. 33; S/L/J. Vetter Rn. 21; MHdB AG/Krieger § 70 Rn. 127; aA MüKoAktG/Altmeppen Rn. 32; Grigoleit/Grigoleit Rn. 9). In diesem Rahmen ist Prüfung jedoch umfassend. Sie erstreckt sich also auf alle Sachverhalte, aus denen sich Nachteilszufügungen ergeben können (unstr., s. zB Emmerich/Habersack/Habersack Rn. 17; Noack WPg 1994, 225, 227 ff.). Erforderliche Aufklärungen und Nachweise können von den in § 145 III genannten Unternehmen verlangt werden. Auslagenersatz und Vergütung bestimmen sich nach § 142 VI (→ § 142 Rn. 31). Kostenschuldnerin ist die AG unbeschadet der ihr zustehenden Ersatzansprüche (§ 146). Regress gegen Antragsteller kommt praktisch nicht, gegen Verwaltungsmitglieder uU in Betracht (→ § 146 Rn. 3; Bode AG 1995, 261, 264 f.; Noack WPg 1994, 225, 236).

7 Über das **Ergebnis der Sonderprüfung** ist nach § 145 VI 1 schriftlich zu berichten (zu den Berichtstandards Noack WPg 1994, 225, 234). Hervorzuheben ist, dass es für den Sonderprüfungsbericht gem. § 145 VI 2 **keine Schutzklausel** gibt (→ § 145 Rn. 7). Die weitere Behandlung des Sonderprüfungsberichts nach § 145 VI 3–5 zielt darauf ab, ihm unter den Aktionären und durch Einreichung zum HR auch weitergehend Publizität zu verschaffen (→ § 145 Rn. 9). Das bietet einen Ausgleich für die Vertraulichkeit des Abhängigkeitsberichts (OLG Düsseldorf AG 1988, 275, 277; → § 312 Rn. 38). Entspr. Interessen der Gesell-

schaft bleiben also gewahrt, wenn sich nach dem Abhängigkeitsbericht und seiner Prüfung keine Beanstandungen ergeben. Unter den Prämissen des § 315 1 oder 2 sind Verhältnisse jedoch im Sonderprüfungsbericht offenzulegen, soweit das für sachgerechte Beurteilung durch HV erforderlich ist (§ 145 VI 2). Ausnahmen von voller Berichterstattung können sich nur gem. § 145 IV kraft bes. gerichtl. Entscheidung ergeben (→ § 145 Rn. 6).

Kein Bericht über Beziehungen zu verbundenen Unternehmen bei Gewinnabführungsvertrag

316 **§§ 312 bis 315 gelten nicht, wenn zwischen der abhängigen Gesellschaft und dem herrschenden Unternehmen ein Gewinnabführungsvertrag besteht.**

I. Regelungsgegenstand und -zweck

Norm betr. isolierten Gewinnabführungsvertrag und bezweckt **Freistellung der abhängigen Gesellschaft** von der Pflicht zur Aufstellung eines Abhängigkeitsberichts (§ 312). Folglich gelten auch §§ 313–315 nicht (→ Rn. 6). Regelung wird von dem Gedanken getragen, dass durch Gewinnabführungsvertrag verpflichtete Gesellschaft den §§ 300–307 unterliegt und das für den Schutz der Gesellschaft, ihrer Gläubiger und Minderheitsaktionäre ausreicht (RegBegr. Kropff S. 418; GK-AktG/Fleischer Rn. 3). Ob die Anwendung der dann verbleibenden Vorschriften, bes. des § 311, noch sinnvoll ist, wird zu Recht bezweifelt (GK-AktG/Fleischer Rn. 5; KK-AktG/Koppensteiner Rn. 1; ausf. dazu Cahn/Simon Konzern 2003, 1, 17 ff.). 1

II. Bestand eines Gewinnabführungsvertrags

1. Allgemeines. § 316 setzt isolierten Gewinnabführungsvertrag voraus (zu seiner Zulässigkeit → § 291 Rn. 24). Soweit Beherrschungs- und Gewinnabführungsvertrag zusammentreffen, sind §§ 311 ff. von vornherein nicht anwendbar (→ § 311 Rn. 11). Gemeint ist Begriff des Gewinnabführungsvertrags iSd § 291 I 1 Fall 2 (→ § 291 Rn. 23). Für **andere Unternehmensverträge** mit teilw. ähnlichen Ergebnissen (Gewinngemeinschaft, Teilgewinnabführung; → § 292 Rn. 4, 12) gilt § 316 nicht, ferner nicht (auch nicht analog) für **Verlustübernahmevertrag,** dem schon Eigenschaft als Unternehmensvertrag fehlt (→ § 291 Rn. 28); so die heute allgM, s. zB MüKoAktG/Altmeppen Rn. 8; GK-AktG/Fleischer Rn. 7. 2

2. Mehrstufige Unternehmensverbindung. Bei mehrstufiger Unternehmensverbindung ist § 316 schon dann anwendbar, wenn **Gewinnabführungsvertrag zwischen Tochter- und Enkelgesellschaft** geschlossen ist; zusätzlicher Gewinnabführungsvertrag zwischen herrschendem Unternehmen und Tochtergesellschaft ist nicht erforderlich (MüKoAktG/Altmeppen Rn. 15; GK-AktG/Fleischer Rn. 10; KK-AktG/Koppensteiner Rn. 3; S/L/J. Vetter Rn. 4; aA Emmerich/Habersack/Habersack Rn. 7; ölters/Hölters/Weber/Leuering/Goertz Rn. 9). Frage kann nicht anders entschieden werden als beim Beherrschungsvertrag (→ § 311 Rn. 12). Lösung ist auch der Sache nach gerechtfertigt, weil es für die Tochter bei §§ 300 ff. und für Mutter und Tochter überdies bei §§ 311, 317 verbleibt. 3

3. Vertragsbeginn oder -ende während des Geschäftsjahrs. Wenn **Beginn des Gewinnabführungsvertrags** in den Lauf eines Geschäftsjahrs fällt, greift Befreiungswirkung des § 316 für das ganze Geschäftsjahr ein, weil fiktiver 4

Jahresfehlbetrag, der sich am nächsten Abschlussstichtag ergibt, nach zutr. hM ohne Rücksicht darauf auszugleichen ist, ob entspr. Verluste vor oder nach Vertragsbeginn eingetreten sind (→ § 302 Rn. 10); str., wie hier ADS § 312 Rn. 27; MüKoAktG/Altmeppen Rn. 11 f.; KK-AktG/Koppensteiner § 312 Rn. 18 (anders aber KK-AktG/Koppensteiner Rn. 2: nur für verbleibenden Jahresteil). Ebenso ist zu entscheiden, wenn Gewinnabführungsvertrag mit **Rückwirkung** für abgelaufenes Geschäftsjahr (→ § 294 Rn. 20) geschlossen wird (MüKoAktG/Altmeppen Rn. 11; GK-AktG/Fleischer Rn. 8).

5 Wenn **Vertragsende** in den Lauf des Geschäftsjahrs fällt (→ § 297 Rn. 5 f.), ist Rechtslage anders als bei entspr. Beginn, weil sich Verlustausgleichspflicht des § 302 nur auf Rumpfgeschäftsjahr bis zum Vertragsende bezieht (→ § 302 Rn. 11). Weil Sicherung der Gesellschaft und ihrer Gläubiger in diesem Zeitpunkt ausläuft, wird § 316 unanwendbar und ist **Berichtspflicht** begründet, sobald Gewinnabführungsvertrag nicht mehr in Kraft ist. Das gilt jedoch nur für dann einsetzendes neues **Rumpfgeschäftsjahr** (MüKoAktG/Altmeppen Rn. 14; Emmerich/Habersack/Habersack Rn. 6; aA GK-AktG/Fleischer Rn. 9).

III. Rechtliche Behandlung

6 §§ 312–315 gelten nicht. **§ 311** bleibt anwendbar; kompensationslose nachteilige Einflussnahme ist also unzulässig. Auch **§ 317** ist anzuwenden. Seine praktische Funktion wird allerdings durch Fehlen eines Abhängigkeitsberichts deutlich gemindert. **§ 318** bleibt nach Wortlaut des § 316 nur scheinbar in Anwendung. Haftung wegen unzureichenden oder unrichtigen Abhängigkeitsberichts kann nicht eingreifen, weil dieser überhaupt nicht zu erstatten ist (GK-AktG/Fleischer Rn. 12; KK-AktG/Koppensteiner Rn. 1). Entgegen Wortlaut ist aber **§ 315 S. 2 und 6** anzuwenden, der anders als § 315 S. 1 nicht auf Abhängigkeitsbericht abstellt; Nichterfassung der auf KonTraG 1998 zurückgehenden Norm dürfte Redaktionsversehen sein (ausf. Habersack FS Peltzer, 2001, 139, 147 ff; sa MüKoAktG/Altmeppen Rn. 17; GK-AktG/Fleischer Rn. 11; Emmerich/Habersack/Habersack Rn. 9; Hölters/Weber/Leuering/Goertz Rn. 11; aA S/L/J. Vetter Rn. 2).

Verantwortlichkeit des herrschenden Unternehmens und seiner gesetzlichen Vertreter

317 (1) [1]**Veranlaßt ein herrschendes Unternehmen eine abhängige Gesellschaft, mit der kein Beherrschungsvertrag besteht, ein für sie nachteiliges Rechtsgeschäft vorzunehmen oder zu ihrem Nachteil eine Maßnahme zu treffen oder zu unterlassen, ohne daß es den Nachteil bis zum Ende des Geschäftsjahrs tatsächlich ausgleicht oder der abhängigen Gesellschaft einen Rechtsanspruch auf einen zum Ausgleich bestimmten Vorteil gewährt, so ist es der Gesellschaft zum Ersatz des ihr daraus entstehenden Schadens verpflichtet.** [2]**Es ist auch den Aktionären zum Ersatz des ihnen daraus entstehenden Schadens verpflichtet, soweit sie, abgesehen von einem Schaden, der ihnen durch Schädigung der Gesellschaft zugefügt worden ist, geschädigt worden sind.**

(2) **Die Ersatzpflicht tritt nicht ein, wenn auch ein ordentlicher und gewissenhafter Geschäftsleiter einer unabhängigen Gesellschaft das Rechtsgeschäft vorgenommen oder die Maßnahme getroffen oder unterlassen hätte.**

(3) **Neben dem herrschenden Unternehmen haften als Gesamtschuldner die gesetzlichen Vertreter des Unternehmens, die die Gesellschaft zu dem Rechtsgeschäft oder der Maßnahme veranlaßt haben.**

(4) **§ 309 Abs. 3 bis 5 gilt sinngemäß.**

Übersicht

I. Regelungsgegenstand und -zweck

1 § 317 betr. Verantwortlichkeit des herrschenden Unternehmens für kompensationslose nachteilige Einflussnahme auf abhängige Gesellschaft. Bezweckt ist, Verstöße gegen § 311 zu sanktionieren (→ § 311 Rn. 2; RegBegr. Kropff S. 418); es geht also wie dort (→ § 311 Rn. 1) um **Schutz der Gesellschaft, ihrer Gläubiger und Minderheitsaktionäre.** Diesem Zweck dient die Schadensersatzpflicht des herrschenden Unternehmens (§ 317 I) und seiner ges. Vertreter (§ 317 III). **Innerer Haftungsgrund** wird zT in Sonderhaftung wegen organähnlicher faktischer Verantwortlichkeit (MüKoAktG/Altmeppen Rn. 8 ff.; GK-AktG/Fleischer Rn. 5; KK-AktG/Koppensteiner Rn. 5; Voigt, Haftung aus Einfluss, 2004, 324 ff., 357 f.), zT in deliktischer Haftung gesehen (Emmerich/Habersack/Habersack Rn. 11). Angesichts grds. gedanklicher Einbindung der §§ 311 ff. in übergreifende dogmatische Konzeption der mitgliedschaftlichen Treupflicht (→ § 311 Rn. 52) erscheint es vorzugswürdig, von **ges. Sonderrechtsverhältnis** zwischen faktisch herrschendem und abhängigem Unternehmen auszugehen und § 317 als Sanktion wegen Verletzung der daraus folgende **Treupflicht** aufzufassen (S/L/J. Vetter Rn. 3 im Anschluss an Wimmer-Leonhardt, Konzernhaftungsrecht, 2004, 138 ff.; zust. Grigoleit/Grigoleit Rn. 1; Paul, Informelle und formelle Einflussnahmen des faktisch herrschenden Unternehmens, 2013, 120 f.; → Rn. 5). Praktische Bedeutung der Vorschrift ist – vorbehaltlich einer nicht zu unterschätzenden präventiven Wirkung – gering geblieben, doch sind in jüngerer Vergangenheit mehrere grundlegende höchstrichterli-

che Entscheidungen zu verzeichnen (BGHZ 175, 367 = NJW 2008, 1583; BGHZ 179, 71 = NJW 2009, 850; BGHZ 190, 7 = NJW 2011, 2719; BGH AG 2013, 165; GK-AktG/Fleischer Rn. 1). De lege ferenda wird fG-Verfahren statt Einzelklagebefugnis von Aktionären erörtert (Hommelhoff, Gutachten G zum 59. DJT, 1992, 67). Alternativ wird in neuerer Zeit vorgeschlagen, Einzelklagebefugnis durch Minderung des Kostenrisikos für Aktionäre attraktiver zu gestalten (Habersack, Gutachten D zum 69. DJT, 2012, 94 ff.).

II. Haftung des herrschenden Unternehmens (§ 317 I)

2 **1. Gläubiger und Schuldner. a) Allgemeines.** Gläubiger des aus § 317 I 1 folgenden Schadensersatzanspruchs ist die abhängige Gesellschaft, weil und soweit sie auch die Geschädigte ist. Ihre Aktionäre können gem. § 317 I 2 Gläubiger sein; das setzt jedoch voraus, dass sie eine vom Gesellschaftsschaden unabhängige Einbuße erlitten haben (→ Rn. 8). Den Anspruch der Gesellschaft können ihre Aktionäre und Gläubiger nach Maßgabe des § 309 IV iVm § 317 IV verfolgen (→ Rn. 16). **Schuldner** des Ersatzanspruchs ist grds. das herrschende Unternehmen, uU unter Mithaftung seiner ges. Vertreter (§ 317 III; → Rn. 13 f.). Wer nicht als herrschendes Unternehmen qualifiziert werden kann (→ § 15 Rn. 10 ff.), kann auch nicht Schuldner sein (OLG Düsseldorf AG 1991, 106, 108).

3 **b) Mehrfache oder mehrstufige Abhängigkeit.** Bei mehrfacher Abhängigkeit (Gemeinschaftsunternehmen, → § 17 Rn. 13 f.) haftet jedenfalls dasjenige herrschende Unternehmen, von dem nachteilige Veranlassung ausgeht; maßgeblich ist Perspektive der abhängigen Gesellschaft. Die anderen haften nur, wenn sie sich die **haftungsbegründende Veranlassung zurechnen** lassen müssen (unmittelbare oder analoge Anwendung der § 164 I BGB, § 720 BGB. Die eigenmächtige Veranlassung rechtfertigt dagegen keine Haftung der anderen Unternehmen (heute allgM – vgl. nur GK-AktG/Fleischer Rn. 14; KK-AktG/Koppensteiner Rn. 41; MHdB AG/Krieger § 70 Rn. 132; Maul NZG 2000, 470, 472; aA noch Gansweid, Gemeinsame Tochtergesellschaften im deutschen Konzern- und Wettbewerbsrecht, 1976, 174 f.), es sei denn, dass aus den für Duldungs- und Anscheinsvollmacht geltenden Grundsätzen etwas anderes folgt. Mehrere Unternehmen haften als Gesamtschuldner (§§ 421 ff. BGB). Bei mehrstufiger Abhängigkeit (→ § 17 Rn. 6) gelten entspr. Grundsätze. Es kommt also darauf an, ob die Veranlassung der Enkelgesellschaft vom herrschenden (Mutter-) Unternehmen oder von der Tochtergesellschaft ausging. Waren es beide, haften sie nach §§ 421 ff. BGB.

4 **2. Haftungstatbestand. a) Objektive Elemente.** § 317 I 1 nimmt vollen Tatbestand des § 311 I in seinen Wortlaut auf (→ § 311 Rn. 8 ff.) und verlangt überdies, dass Ausgleich weder tats. (→ § 311 Rn. 44 f.) noch durch Begr. eines Rechtsanspruchs (→ § 311 Rn. 46 f.) erfolgt ist. Wenn daraus Schaden erwächst (→ Rn. 7), ist Anspruch begründet. Er entsteht also idR mit Ablauf des Geschäftsjahrs (eher strenger MüKoAktG/Altmeppen Rn. 22), ausnahmsweise auch schon vorher, wenn Nachteil seiner Art nach nicht ausgleichsfähig ist (→ § 311 Rn. 24, 42).

5 **b) Subjektive Erfordernisse.** Str. ist, ob Haftung aus § 317 Verschulden des Veranlassenden voraussetzt (dafür insbes. MüKoAktG/Altmeppen Rn. 29 ff.; Altmeppen ZHR 171 [2007], 320, 331 f.; sa Fischbach, Haftung des Vorstands im Aktienkonzern, 2009, 171 ff.; Brüggemeier AG 1988, 93, 100; Stöcklhuber Konzern 2011, 253, 255 ff.). Diese Sichtweise beruht auf dogmatischer Einordnung als Sonderhaftung wegen organähnlicher faktischer Verantwortlichkeit

(→ Rn. 1) und findet zusätzliche Stütze in weiterhin nicht befriedigend geklärtem Verhältnis des allg. Nachteilsbegriffs zu § 317 II (sa MüKoAktG/Altmeppen Rn. 10, 30). Dennoch ist mit heute hM ein solches **Verschuldenserfordernis abzulehnen** (Emmerich/Habersack/Habersack Rn. 5, 7; B/K/L/Fett Rn. 7; GK-AktG/Fleischer Rn. 22; Grigoleit/Grigoleit Rn. 4; KK-AktG/Koppensteiner Rn. 11; Hölters/Weber/Leuering/Goertz Rn. 9; BeckOGK/H.-F. Müller Rn. 5; S/L/J. Vetter Rn. 7). Es findet in §§ 311, 317 keine Grundlage, und zwar auch nicht in **§ 317 II,** der gerade nicht an Verschulden des herrschenden Unternehmens anknüpft, sondern auf Vorstand der abhängigen AG abstellt, was sich nur schwer als herkömmliche Exculpationsmöglichkeit für herrschendes Unternehmen auffassen lässt (so aber MüKoAktG/Altmeppen Rn. 30). Es handelt sich vielmehr um **obj. Haftungsausschluss** (→ Rn. 11). Damit auch nach hier vertretenem Treupflichtkonzept (→ Rn. 1) verbundene Abweichung von allg. Grundsätzen kann daraus erklärt werden, dass in speziellerer Ausprägung der §§ 311 ff. (→ Rn. 52) herrschendes Unternehmen schon deshalb sanktioniert wird, weil es durch faktische Konzernierung höhere Risikoneigung begründet hat (zutr. Grigoleit/Grigoleit Rn. 4).

c) Unterbliebener Nachteilsausgleich als haftungsbegründendes Tatbestandsmerkmal. Es kann iErg nicht fraglich sein, dass herrschendes Unternehmen haftet, wenn es den Tatbestand des § 317 I 1 verwirklicht und ihm eine Entlastung nach § 317 II nicht gelingt. Gleichwohl ist str., ob innerer Haftungsgrund schon in nachteiliger Veranlassung zu finden ist oder erst in kompensationsloser Nachteilszufügung. Früher hM legte die erste Lesart zugrunde, wobei auf dieser Basis teilw. weiter vertreten wurde, die nachteilige Veranlassung sei bis zum Ausgleich schwebend rechtswidrig (so zB KK-AktG/Koppensteiner Rn. 8; Beuthien DB 1969, 1781, 1783; Möhring FS Schilling, 1973, 253, 261), teilw. für richtig gehalten wurde, die nachteilige Veranlassung sei rechtswidrig und die Haftung dafür entfalle nur durch Vorteilsausgleichung (so vor allem GK-AktG/Würdinger, 3. Aufl. 1975, Rn. 2). Durchgesetzt hat sich mittlerweile Verständnis des unterbliebenen Nachteilsausgleichs als **haftungsbegründendes Tatbestandsmerkmal** (MüKoAktG/Altmeppen Rn. 19; B/K/L/Fett Rn. 5; GK-AktG/Fleischer Rn. 23 f.; Emmerich/Habersack/Habersack Rn. 9). Dem ist zuzustimmen. Annahme von Rechtswidrigkeit trotz Nachteilsausgleichs beruht noch auf früherer Annahme grds. Unzulässigkeit faktischer Konzernierung, die heute überkommen ist (→ § 311 Rn. 3). Frage hat aber mehr dogmatische als praktische Bedeutung. 6

3. Nachteil und Gesellschaftsschaden. Abhängige Gesellschaft kann nur Ersatz verlangen, soweit ihr aus kompensationsloser nachteiliger Veranlassung ein Schaden erwachsen ist. Nachteil (→ § 311 Rn. 24 f.) und Schaden können übereinstimmen, wenn man beide als Vermögensdifferenz ausdrückt, doch ist das nicht notwendig, und zwar namentl. deshalb, weil Nachteil aus ex-ante-Perspektive, Schaden aus ex-post-Perspektive bestimmt wird. Das kann dazu führen, dass tats. Vermögenseinbuße infolge günstiger Entwicklung hinter dem entstandenen Nachteil zurückbleibt. Dann ergibt dieser den **Mindestschaden** (Emmerich/Habersack/Habersack Rn. 17; B/K/L/Fett Rn. 4; BeckOGK/H.-F. Müller Rn. 11; MHdB AG/Krieger § 70 Rn. 130; aA MüKoAktG/Altmeppen Rn. 40; GK-AktG/Fleischer Rn. 21; Grigoleit/Grigoleit Rn. 6; KK-AktG/Koppensteiner Rn. 17; S/L/J. Vetter Rn. 8). Das ist ohne Rücksicht auf das Verständnis des Haftungsgrundes (→ Rn. 6) aus Sanktionszweck (→ Rn. 1) und sog normativem Schadensbegriff abzuleiten. Dieser verbietet es, in die Schadensberechnung entlastende Faktoren einzustellen, deren Berücksichtigung dem Normzweck nicht entspr. Anderes Verständnis würde Anreiz für herrschendes Unternehmen, schon im Vorfeld Ausgleich anzubieten, mindern, weil es von uU positiver Entwicklung 7 profitieren könnte. Geht Schaden über Nachteil hinaus, ist er ebenfalls zu ersetzen (KK-AktG/Koppensteiner Rn. 16; MHdB AG/Krieger § 70 Rn. 130; aA Möhring FS Schilling, 1973, 253, 265). Einwand rechtmäßigen Alternativverhaltens kann nicht auf hypothetische höhere Gewinnausschüttung oder Kapitalherabsetzung gestützt werden (Emmerich/Habersack/Habersack Rn. 17; S/L/J. Vetter Rn. 9; zweifelnd GK-AktG/Fleischer Rn. 27).

8 **4. Eigene Ersatzberechtigung geschädigter Aktionäre.** Gem. § 317 I 2 sind auch Aktionäre ersatzberechtigt, wenn ihnen aus kompensationsloser nachteiliger Einflussnahme auf die abhängige Gesellschaft ein **eigener Schaden** im Schutzbereich ihrer Mitgliedschaft erwächst, der nicht über die Wertminderung der Aktien vermittelt wird und deshalb nicht durch Ersatzleistung in das Gesellschaftsvermögen ausgeglichen werden kann. Norm ist § 117 I 2 nachgebildet (zu den Einzelheiten → § 117 Rn. 9 und aus der Rspr. bes. BGHZ 105, 121, 132 = NJW 1988, 2794; BGH NJW 1992, 3167, 3171). Als solche Schädigung kommt etwa in Betracht, dass durch nachteilige Veranlassung Dividende des Aktionärs verkürzt wird (BGH NJW 1992, 3167; AG 2013, 165 Rn. 33). Nebenintervention auf Klägerseite wegen angeblich auch beim Intervenienten aufgetretenen eigenen Schadens bleibt unzulässig, weil daraus nicht das von § 66 I ZPO vorausgesetzte rechtl. Interesse am Obsiegen des Klägers folgen kann (BGH NZG 2006, 545 Rn. 10 ff.).

9 **5. Rechtsfolgen. a) Schadensersatz.** Maßgeblich sind §§ 249 ff. BGB. Dabei kommt insbes. auch Schutz des Integritätsinteresses durch Naturalrestitution in Betracht (§ 249 S. 1 BGB), zB durch Aufhebung nachteiliger Verträge (Emmerich/Habersack/Habersack Rn. 15; GK-AktG/Fleischer Rn. 25). Verbleibende Vermögensschäden sind gem. § 251 I BGB in Geld zu ersetzen. Etwaiges Mitverschulden der abhängigen AG führt nicht zur Anwendung des § 254 BGB, da §§ 311, 317 Gedanke zugrunde liegt, dass AG aufgrund Abhängigkeit gerade nicht mehr zur unbeeinflussten Willensbildung in der Lage ist (S/L/J. Vetter Rn. 18; vgl. zur parallelen Diskussion bei der Einlagenrückgewähr → § 62 Rn. 11 mwN). Ersatzanspruch ist **aktivierungspflichtig;** unterbliebener Ansatz kann Jahresabschluss nichtig machen (str.; s. BGHZ 124, 111, 119 f. = NJW 1994, 520; → § 312 Rn. 10; näher → § 256 Rn. 26 f.).

9a Für Schadensfeststellung ist **§ 287 ZPO** anwendbar. Umstr. ist aber, ob er Grundlage für Schadenspauschalierung in dem Sinne sein kann, dass wegen breitflächiger Schädigung der Jahresverlust zu ersetzen ist. Das wird im Schrifttum zT angenommen in Fällen sog **qualifizierter Nachteilszufügung** (→ § 1 Rn. 22 ff.), wenn also Einflussnahme derart verdichtet ist, dass Schutzkonzept der §§ 311, 317 versagt (MüKoAktG/Altmeppen Anh. § 317 Rn. 22 ff.; Grigoleit/Grigoleit Rn. 7; KK-AktG/Koppensteiner Rn. 22; iE ähnlich S/L/J. Vetter Rn. 53 ff.: Rechtsfortbildung des § 317). Daran ist zutr., dass es sich bei Problem der qualifizierten Nachteilszufügung nicht so sehr um Lückenhaftigkeit des Ges. handelt (so aber die Befürworter einer Analogie zu §§ 302, 303 – → § 1 Rn. 29), sondern um schlichtes **Beweisproblem** (zutr. MüKoAktG/Altmeppen Anh. § 317 Rn. 22), für dessen Bewältigung § 287 ZPO eher einschlägig erscheint als Auswechslung der Anspruchsgrundlage. Ggü. Analogie zu §§ 302, 303 hat Lösung den weiteren Vorzug, dass sie die durch Video-Entscheidung (BGHZ 115, 187, 193 f. = NJW 1991, 3142 [→ § 1 Rn. 23]) zutage getretene **Diskrepanz** zwischen Ausgestaltung des § 302 als Zustandshaftung und dem von hM für angemessen erachteten Erfordernis der Nachteilszufügung (→ § 1 Rn. 23) aufzulösen vermag, da auch § 317 Verhaltenshaftung ist. Überdies erlaubt sie Minderheitsaktionären und Gläubigern Geltendmachung nach § 317 IV, § 318 IV iVm § 309 IV, was sachgerecht erscheint (S/L/J. Vetter Rn. 56 ff.). Problematisch bleibt, dass Konstruktion des qualifiziert faktischen Konzerns gerade auch daran gescheitert ist, dass sich Tatbestand qualifizierter Nachteilszufügung nicht subsumtionsfähig umschreiben lässt (→ § 1 Rn. 29), weshalb Lösung tats. nur in extrem gelagerten Ausnahmefällen zur Anwendung gelangen sollte, in denen herkömmliche Schadensfeststellung schlechterdings nicht möglich ist (zurückhaltend auch KK-AktG/Koppensteiner Rn. 22). Kläger darf sich nicht durch Flucht in vermeintlich qualifizierte Nachteilszufügung der Darlegungs- und Beweislast entledigen (→ § 1 Rn. 29). Es verbleibt Einwand, dass Rechtsfolge der Verlustübernahme gedanklich erkennbar noch überkommenem Konzept des qualifiziert faktischen Konzerns verhaftet ist, als „Schadensberechnungsmethode" aber ungeeignet erscheint (Zöllner GS Knobbe-Keuk, 1997, 369, 376). Dieses Unbehagen ist nicht ganz zu beseitigen, doch erscheint Verständnis als **Mindestschaden** tragfähig (KK-AktG/Koppensteiner Rn. 22 ff.; zust. MüKoAktG/Altmeppen Anh. § 317 Rn. 25) und zumindest ggü. Alternativkonzept analog §§ 302, 303 überlegen.

b) Unterlassungsansprüche. Nach hM kann abhängige Gesellschaft vom herrschenden Unternehmen auch verlangen, rechtswidrige nachteilige Einflussnahme zu unterlassen; das kommt etwa in Betracht, wenn Ausgleich mangels Quantifizierbarkeit von Nachteilen nicht möglich oder herrschendes Unternehmen zum Ausgleich außerstande oder ersichtlich nicht bereit ist, bei Beeinträchtigung, wenn vergangenheitsorientierter Schadensersatz (→ Rn. 9 f.) nicht ausreicht. Anspruch soll aus § 317 selbst (LG Köln AG 2008, 327, 334; MüKoAktG/Altmeppen Rn. 48; Emmerich/Habersack/Habersack Rn. 19) oder §§ 1004, 823 II BGB und Schutzgesetzcharakter des § 311 folgen (KK-AktG/Koppensteiner Rn. 26 ff.). Das ist begründbar. Näher liegt es jedoch nach dem inzwischen erreichten Entwicklungsstand, den Unterlassungsanspruch aus der **Treupflicht** des herrschenden Unternehmens ggü. der abhängigen Gesellschaft abzuleiten, der es als Aktionär angehört (→ § 53a Rn. 24; ähnlich S/L/J. Vetter AktG Rn. 22). Entspr. kann in den Fällen des § 317 I 2 (→ Rn. 8) Unterlassungsanspruch von Aktionären gegen das herrschende Unternehmen aus Treubindung der Aktionäre untereinander abgeleitet werden (→ § 53a Rn. 19 ff.). Neben Unterlassungsanspruch bedarf es nicht der Annahme eines ungeschriebenen Beseitigungsanspruchs (so aber MüKoAktG/Altmeppen Rn. 49), da Beseitigung von Ersatzanspruch umfasst ist und anders als in § 1004 BGB nicht an niedrigere Voraussetzungen geknüpft ist (GK-AktG/Fleischer Rn. 32; Emmerich/Habersack/Habersack Rn. 19). 10

III. Haftungsausschluss; Beweislast (§ 317 II)

1. Pflichtgemäßes Handeln als Tatbestandsausschluss. Gem. § 317 II ist herrschendes Unternehmen für den von abhängiger Gesellschaft erlittenen Schaden dann nicht ersatzpflichtig, wenn das für den Schaden kausale Rechtsgeschäft oder die sonstige Maßnahme auch von dem Geschäftsleiter einer iSd § 17 unabhängigen Gesellschaft ergriffen oder unterlassen worden wäre. Materiell-rechtl. ist Tatbestandsmerkmal ohne eigenständige Relevanz, weil es bereits in Nachteilsbegriff nach § 311 I hineingelesen wird: Beeinträchtigung der Vermögens- oder Ertragslage (→ Rn. 25 f.) muss sich als Abhängigkeitsfolge darstellen, um Nachteil iSd § 311 I zu sein. Zum inhaltlichen Verständnis sowie zu systematischen Bedenken vgl. deshalb bereits die Ausführungen in → § 311 Rn. 25. § 317 II wird deshalb nur noch eigenständige Bedeutung als **materielle Beweislastregel** zugewiesen (→ § 311 Rn. 25; → Rn. 12). Im Kontext des § 317 begründet Abs. 2 **keine Exculpationsmöglichkeit,** sondern enthält einen Tatbestandsausschluss (LG Bonn AG 2005, 542, 543; → Rn. 5). 11

12 **2. Beweislast.** Aufgrund § 317 II – verstanden als materielle Beweislastregel (→ Rn. 11) – trägt **herrschendes Unternehmen** als Beklagter für den Tatbestandsausschluss die Beweislast (unstr., s. zB OLG Koblenz AG 2007, 408, 409; GK-AktG/Fleischer Rn. 37). Soweit es iÜ um den Tatbestand des § 317 I geht, muss Kläger darlegen und beweisen: die Abhängigkeit (vgl. aber § 17 II), die Veranlassung, bei der jedoch Beweiserleichterungen zu seinen Gunsten eingreifen (→ § 311 Rn. 18 ff.), und den Schadenseintritt (BGH AG 2008, 779 Rn. 5; LG Bonn AG 2005, 542, 543 f.; aA KK-AktG/Koppensteiner Rn. 34), soweit nicht § 287 ZPO weiterhilft (→ Rn. 9 f.). Sache des herrschenden Unternehmens ist es, den nachteiligen Charakter der Veranlassung zu widerlegen (der Sache nach identisch mit § 317 II) oder die Ausgleichsgewährung unter Beweis zu stellen (MüKoAktG/Altmeppen Rn. 78; GK-AktG/Fleischer Rn. 33; aA KK-AktG/Koppensteiner Rn. 34, der auch nach seinem Verständnis des Haftungsgrundes [→ Rn. 6] nicht Recht hat; denn auch als Rechtswidrigkeitsausschluss wäre Ausgleichsgewährung ein erheblicher Umstand).

IV. Mithaftung der gesetzlichen Vertreter (§ 317 III)

13 **1. Normadressaten.** Nach § 317 III haften als Gesamtschuldner (§§ 421 ff. BGB) neben dem herrschenden Unternehmen die ges. Vertreter, von denen nachteilige Veranlassung ausgegangen ist. Obwohl Wortlaut nicht eindeutig ist, ergibt sich aus RegBegr, aber auch aus Zusammenspiel von Unternehmens- und Gesellschaftsbegriff und aus systematischen Kontext zu § 318, dass es sich um die **ges. Vertreter des herrschenden Unternehmens** handeln muss (unstr. – s. RegBegr. Kropff S. 419; Emmerich/Habersack/Habersack Rn. 22). Ges. Vertreter sind die Mitglieder des nach der jeweiligen Rechtsform zur Geschäftsführung und Vertretung berufenen Organs (→ § 309 Rn. 3 f.), also zB Vorstandsmitglieder oder Geschäftsführer, aber nicht Mitglieder des AR (heute allgM, s. nur MüKoAktG/Altmeppen Rn. 101; GK-AktG/Fleischer Rn. 41). Prokuristen oder Handlungsbevollmächtigte haben keine organschaftliche Vertretungsmacht und scheiden deshalb als Schuldner nach § 317 III aus, können jedoch nach anderen Vorschriften, bes. § 117, haftbar sein (RegBegr. Kropff S. 419). Ist ges. Vertreter selbst jur. Person (zB GmbH & Co KG), haften auch deren ges. Vertreter (Emmerich/Habersack/Habersack Rn. 23). Bei ausländischen Unternehmen gelten allg. Substitutionsgrundsätze; es haften also die Personen, die dem Vorstand funktional vergleichbare Stellung einnehmen (GK-AktG/Fleischer Rn. 40; S/L/J. Vetter Rn. 36).

14 **2. Haftungstatbestand.** Ges. Vertreter (→ Rn. 13) muss abhängige Gesellschaft zu Rechtsgeschäft oder sonstiger Maßnahme **veranlasst** haben; unbeteiligte Organmitglieder bleiben haftungsfrei (MüKoAktG/Altmeppen Rn. 89 f.; S/L/J. Vetter Rn. 37). Maßgeblich ist Begriff der **Veranlassung** wie in § 311 I, § 317 I 1 (→ § 311 Rn. 13 ff.). Dementspr. kann auch hier kein Verschulden verlangt werden; erst recht ist vorsätzliches Handeln nicht erforderlich (Emmerich/Habersack Rn. 24; GK-AktG/Fleischer Rn. 44; aA S/L/J. Vetter Rn. 37). Veranlassung kann insbes. auch bei **Organverflechtung** anzunehmen sein, wobei die dazu entwickelten Beweiserleichterungen auch in diesem Kontext Gültigkeit erlangen (→ § 311 Rn. 18 ff.). Ges. Vertreter ist auch dann nach § 317 III haftbar, wenn er nur mittelbar tätig wird, indem er Angestellte, die selbst nicht haften (→ Rn. 13), vorschickt. Es greift aber keine pauschale Zurechnung nach § 278 BGB (S/L/J. Vetter Rn. 37). Keine Veranlassung sind auch mangelhafte Überwachung oder unzureichende Organisation (hM, B/K/L/Fett AktG Rn. 14; GK-AktG/Fleischer Rn. 43; S/L/J. Vetter Rn. 37; aA Grigoleit/Grigoleit Rn. 13; KK-AktG/Koppensteiner Rn. 44). Andere Sichtweise legt Maßstäbe

des § 93 zugrunde, doch muss Ausgangspunkt konkrete tatbestandliche Ausgestaltung des § 317 III sein, der von Veranlassung und nicht von reinem Sorgfaltsverstoß ausgeht. Auch BJR gelangt nicht zur Anwendung. Im Innenverhältnis zwischen Geschäftsleiter und herrschendem Unternehmen wird dieser aber auch für Organisationsdefizite haften (Emmerich/Habersack/Habersack Rn. 24). Bei § 317 III findet pauschale Zurechnung nach § 278 BGB aber nicht statt. Veranlassung durch pflichtwidriges Unterlassen liegt aber vor, wenn ges. Vertreter entspr. Tätigwerden von Angestellten erkennt und nicht dagegen tätig wird (MüKoAktG/Altmeppen Rn. 95; S/L/J. Vetter Rn. 37).

V. Sinngemäße Anwendung des § 309 III–V (§ 317 IV)

1. Verzicht und Vergleich; Verjährung. § 317 IV verweist zunächst auf § 309 III. Abhängige Gesellschaft ist also grds. an Dreijahresfrist gebunden (→ § 309 Rn. 19). Zusätzlich ist **Sonderbeschluss der außenstehenden Aktionäre** erforderlich, dem nicht eine Minderheit von wenigstens 10 % des vertretenen Grundkapitals widersprochen haben darf (→ § 309 Rn. 20). Ungeklärt ist, ob Zustimmung auch dann erforderlich ist, wenn nach Entstehung des Anspruchs **Abhängigkeit nachträglich wegfällt** (etwa aufgrund Beteiligungsveräußerung). Nach Wortlaut ist Zustimmung gem. § 309 III 1 in diesem Fall nicht erforderlich, da es keine außenstehenden Aktionäre mehr gibt, doch könnte Analogie in Betracht kommen. Ihre methodische Berechtigung ist indes zweifelhaft, da von zwei Zielsetzungen, Beißhemmung des AR ggü. herrschendem Unternehmen einerseits, Interesse an Vertuschung eigener Pflichtversäumnisse andererseits, hier nur die zweite noch einschlägig sein kann. Jedenfalls in Fallgestaltungen, wo amtierende AR-Mitglieder an möglicherweise pflichtwidriger Nachteilszufügung noch nicht beteiligt waren, wird man teleologisches Bedürfnis für Analogieschluss zu verneinen haben. Für Verjährung gilt § 309 V sinngem. (→ § 309 Rn. 25). 15

2. Rechte der Aktionäre und Gläubiger. Maßgeblich ist § 309 IV. Für Aktionäre gilt das jedoch nur, soweit sie Ansprüche der Gesellschaft aus § 317 I 1 geltend machen. Auf eigene Ansprüche aus § 317 I 2 (→ Rn. 8) bezieht sich § 309 IV nicht, so dass sie Leistung des Schadensersatzes an sich selbst fordern können. IÜ, also wegen des Gesellschaftsschadens, verbleibt es bei Einzelklagerecht, das nach umstr., heute aber ganz hM neben §§ 147, 148 tritt, diese aber nicht verdrängt (→ § 147 Rn. 6). Aktionär muss im eigenen Namen auf Leistung an die Gesellschaft klagen, so dass **ges. Prozessstandschaft** vorliegt (→ § 309 Rn. 21; aA Mertens FS Fleck, 1988, 209, 218). Insoweit bestehende Prozessführungsbefugnis rechtfertigt keine Nebenintervention auf Seiten des einen angeblichen Eigenschaden verfolgenden Klägers (BGH WM 2006, 1252 Rn. 13; → Rn. 8). **Analoge Anwendung des § 247** ist weder begründbar noch erforderlich (→ § 309 Rn. 22 mwN). Wenn Gläubiger keine Befriedigung von Gesellschaft erlangen können, sind sie nach § 309 IV 3 auch selbst befugt, Ersatzanspruch geltend zu machen (zu den Einzelheiten → § 309 Rn. 23 sowie Ausführungen zu weitgehend parallel gestaltetem § 93 V; → § 93 Rn. 170 ff.). Gläubiger kann fordern, dass an ihn selbst geleistet wird. 16

VI. Verhältnis zu anderen Vorschriften

§ 317 setzt im Tatbestand voraus, dass in § 311 vorgeschriebener Nachteilsausgleich nicht gewährt worden ist (andere Konstruktion bei Voigt, Haftung aus Einfluss, 2004, 359), und gibt in der Rechtsfolge nur Schadensersatz. Zu **§ 311** geltende Grundsätze sind deshalb nicht übertragbar (ebenso KK-AktG/Koppensteiner Rn. 50). Im Einzelnen gilt: Schadensersatzanspruch der abhängigen Ge- 17 sellschaft hat von vornherein keinen Einfluss auf die Kompetenzen ihrer Organe, bes. **§ 76;** eigenverantwortliche Leitung kann nicht abgekauft werden. Anfechtung nach **§ 243** ist möglich (→ § 243 Rn. 43; → § 311 Rn. 48), aber nur von theoretischem Interesse (insoweit ebenso KK-AktG/Koppensteiner Rn. 53). **§§ 57, 60, 62** sind neben § 317 anwendbar (OLG Frankfurt AG 1996, 324, 327; GK-AktG/Fleischer Rn. 55; S/L/J. Vetter Rn. 42; aA Michalski AG 1980, 261, 264). Abweichende Beurteilung zu § 311 (→ § 311 Rn. 49) beruht auf Zulässigkeit zeitlich gestreckten Nachteilsausgleichs, auf die es für § 317 nicht mehr ankommt. Aus demselben Grund ist auf **§ 117** konkurrierend zurückzugreifen (→ § 117 Rn. 14). Auch allg. zivilrechtl. Haftungsnormen (§§ 823 ff., §§ 31, 831 BGB) werden durch § 317 nicht verdrängt.

Verantwortlichkeit der Verwaltungsmitglieder der Gesellschaft

318 (1) [1] **Die Mitglieder des Vorstands der Gesellschaft haften neben den nach § 317 Ersatzpflichtigen als Gesamtschuldner, wenn sie es unter Verletzung ihrer Pflichten unterlassen haben, das nachteilige Rechtsgeschäft oder die nachteilige Maßnahme in dem Bericht über die Beziehungen der Gesellschaft zu verbundenen Unternehmen aufzuführen oder anzugeben, daß die Gesellschaft durch das Rechtsgeschäft oder die Maßnahme benachteiligt wurde und der Nachteil nicht ausgeglichen worden war.** [2] **Ist streitig, ob sie die Sorgfalt eines ordentlichen und gewissenhaften Geschäftsleiters angewandt haben, so trifft sie die Beweislast.**

(2) **Die Mitglieder des Aufsichtsrats der Gesellschaft haften neben den nach § 317 Ersatzpflichtigen als Gesamtschuldner, wenn sie hinsichtlich des nachteiligen Rechtsgeschäfts oder der nachteiligen Maßnahme ihre Pflicht, den Bericht über die Beziehungen zu verbundenen Unternehmen zu prüfen und über das Ergebnis der Prüfung an die Hauptversammlung zu berichten (§ 314), verletzt haben; Absatz 1 Satz 2 gilt sinngemäß.**

(3) **Der Gesellschaft und auch den Aktionären gegenüber tritt die Ersatzpflicht nicht ein, wenn die Handlung auf einem gesetzmäßigen Beschluß der Hauptversammlung beruht.**

(4) **§ 309 Abs. 3 bis 5 gilt sinngemäß.**

I. Regelungsgegenstand und -zweck

1 Norm betr. Verantwortlichkeit der Verwaltungsmitglieder der abhängigen Gesellschaft für die Verletzung von Berichts- und Prüfungspflichten (§§ 312, 314). Ähnlich wie § 317 in seinem Verhältnis zu § 311 ist § 318 Sanktionsnorm im Verhältnis zu §§ 312, 314. Auch diese Vorschrift dient also der **Sicherung der AG, ihrer Gläubiger und Minderheitsaktionäre** durch Schadensausgleich und -prävention. Das alles würde allerdings schon aus §§ 93, 116 folgen. Norm ist daher in ihrer Grundaussage **überflüssig** und birgt eigenständige Relevanz nur in dem Verweis auf § 309 in § 318 IV. Darüber hinaus ist Vorschrift aber auch **irreführend,** da sie Verantwortlichkeit auf Berichts- und Prüfungspflichten beschränkt und damit den Eindruck erweckt, sie schließe als lex specialis zu §§ 93, 116 Haftung für sonstige Pflichtverstöße aus. Tats. hatte Gesetzgeber ursprünglich weitere Haftung geplant, meinte dann aber, durch weitergehende Beschränkung der Privilegierungsfunktion bei Nachteilsausgleich Rechnung tragen zu müssen (RegBegr. u. AusschussB Kropff S. 420). Da nach heutigem Verständnis auch dadurch Pflichten des Vorstands der abhängigen AG nur modi-

fiziert, aber keinesfalls breitflächig suspendiert werden, ist ergänzende Anwendung der §§ 93, 116 anerkannt (→ Rn. 9 f.). § 318 gilt allg. als missglückt (vgl. MüKoAktG/Altmeppen Rn. 1 ff.; S/L/J. Vetter Rn. 1 ff.).

II. Haftung der Vorstandsmitglieder (§ 318 I)

1. Gläubiger und Schuldner. Gläubiger der aus § 318 I folgenden Ersatzansprüche ist wie bei § 317 I (→ § 317 Rn. 2) in erster Linie die abhängige Gesellschaft als die Geschädigte. Unter den Prämissen des § 317 I 2, also bei eigenem, nicht über das Gesellschaftsvermögen ausgleichbaren Schaden (→ § 317 Rn. 8), können jedoch auch Aktionäre die Vorstandsmitglieder in Anspruch nehmen, obwohl § 318 I den Gedanken des § 317 I 2 nicht ausdr. wiederholt. Rechtsfolge kommt in Anordnung gesamtschuldnerischer Haftung mit den nach § 317 Ersatzpflichtigen zum Ausdruck (RegBegr. Kropff S. 420). **Ersatzschuldner** sind die Vorstandsmitglieder der abhängigen Gesellschaft, sofern sie den Haftungstatbestand (→ Rn. 3 f.) verwirklichen. Probleme mehrfacher oder mehrstufiger Abhängigkeit ergeben sich bei § 318 anders als bei § 317 (→ § 317 Rn. 3) nicht. 2

2. Haftungstatbestand. a) Objektive Elemente. Tatbestand des § 318 I 1 ist **zweigliedrig.** Zunächst muss das herrschende Unternehmen nach § 317 haftbar sein (→ § 317 Rn. 4 f.); denn sonst wäre gesamtschuldnerische Haftung mit den danach Verantwortlichen nicht denkbar. Daraus folgt insbes., dass auch Haftung nach § 318 nur eintritt, wenn Nachteilsausgleich unterblieben ist (unstr., s. Emmerich/Habersack/Habersack Rn. 4). Dass Ansprüche aus § 317 tats. geltend gemacht werden, ist nicht erforderlich. Ferner muss Vorstand gegen Berichtspflicht des § 312 verstoßen haben: Bericht fehlt ganz (MüKoAktG/Altmeppen Rn. 9) oder ist unvollständig (nachteilige Maßnahmen fehlen; sind nicht als nachteilig ausgewiesen; ihr Nichtausgleich wird verschwiegen) oder unrichtig (Emmerich/Habersack/Habersack Rn. 5). Erfordernisse aus § 317 und Verletzung der Berichtspflicht müssen für § 318 I 1 kumulativ erfüllt sein. 3

b) Verschuldenserfordernis. Aus § 318 I 2 folgt, dass Haftung der Vorstandsmitglieder anders als Haftung des herrschenden Unternehmens und seiner ges. Vertreter nach § 317 (→ § 317 Rn. 5) verschuldensabhängig ist; Fahrlässigkeit genügt. Sorgfaltsstandard wie bei § 93. Darlegungs- und Beweislast für fehlendes Verschulden liegt bei den Vorstandsmitgliedern. 4

3. Haftungsfolge. Vorstandsmitglieder schulden Schadensersatz nach Maßgabe der §§ 249 ff. BGB. Zu beachten ist allerdings, dass Ersatzfolge hier nur an Berichtsfehler anknüpft, nicht generell an nachteilige Einflussnahme. Insofern sind §§ 93, 116 heranzuziehen (→ Rn. 9). Zum eigenen Schaden der Aktionäre → Rn. 2. 5

III. Haftung der Aufsichtsratsmitglieder (§ 318 II)

Gem. § 318 II sind Mitglieder des AR schadensersatzpflichtig, wenn das herrschende Unternehmen haftbar ist (→ Rn. 3) und sie ihrer Pflicht zur Prüfung oder Berichterstattung ggü. der HV (§ 314) nicht oder nicht ordnungsgem. nachgekommen sind. Pflicht zur Berichterstattung ist auch dann verletzt, wenn Vorstand keinen Abhängigkeitsbericht aufgestellt hat, AR das für unrichtig hält und über diesen Umstand nicht an HV berichtet (MüKoAktG/Altmeppen Rn. 10; GK-AktG/Fleischer Rn. 19). Haftung der AR-Mitglieder ist wie die der Vorstandsmitglieder (→ Rn. 4) **Haftung aus vermutetem Verschulden** (OLG Jena AG 2007, 785, 788). Exculpation misslingt, wenn Bericht des Abschlussprüfers Vergabe ungesicherter Darlehen an herrschendes Unternehmen 6 festhält und AR nichts unternimmt (OLG Jena AG 2007, 785, 788). AR-Mitglieder haften mit den anderen Ersatzpflichtigen als Gesamtschuldner (§§ 421 ff. BGB).

IV. Haftungsausschluss (§ 318 III)

7 Nach § 318 III sind Vorstandsmitglieder und AR-Mitglieder der abhängigen Gesellschaft und ihren Aktionären (→ Rn. 2) dann nicht haftbar, wenn ihre Handlung auf **gesetzmäßigem Beschluss der HV** beruht. Das entspr. der in § 93 IV 1, § 117 II 3 getroffenen Regelung, unterscheidet sich von § 310 II und sollte dem Gewicht der HV in der nicht durch Beherrschungsvertrag gebundenen AG Rechnung tragen (RegBegr. Kropff S. 420). Norm ist nach Umgestaltung des § 318 I, II (→ Rn. 1) gegenstandslos, weil HV über Aufstellung und Prüfung des Abhängigkeitsberichts nichts zu beschließen hat (MüKoAktG/Altmeppen Rn. 21; Emmerich/Habersack/Habersack Rn. 8). Wenn sie zu beschließen hätte, wäre Regelung überdies verfehlt, weil HV dem herrschenden Unternehmen zur Ausübung seiner Stimmrechte dient (KK-AktG/Koppensteiner Rn. 7).

V. Sinngemäße Anwendung des § 309 III–V (§ 318 IV)

8 Für **Verzicht** auf und **Vergleich** über Ersatzansprüche gilt § 309 III iVm § 318 IV (→ § 317 Rn. 15; → § 309 Rn. 19 f.). Für **Verjährung** ergibt sich aus § 309 V iVm § 318 IV Fünfjahresfrist (Einzelheiten in → § 93 Rn. 175 ff.). Rechte der Aktionäre (wegen des Gesellschaftsschadens) und der Gläubiger bestimmen sich nach § 309 IV iVm § 318 IV (→ § 317 Rn. 16; → § 309 Rn. 21 ff.).

VI. Verhältnis zu §§ 93, 116

9 **1. Keine Verdrängung durch § 318.** Es fragt sich erstens, ob §§ 93, 116 durch § 318 verdrängt werden, und, falls nicht, zweitens, ob Haftung nach den allg. Vorschriften durch Sonderregeln des § 318 modifiziert wird (→ Rn. 10). Verdrängung wäre nur denkbar kraft Spezialität des § 318, die jedoch voraussetzen würde, dass die Norm die Pflichtenstellung des Vorstands in der abhängigen Gesellschaft umfassend regelt. Davon kann schon deshalb nicht die Rede sein, weil von ursprünglich weitergehender Konzeption nur Verstöße gegen Berichts- und Prüfungspflicht übriggeblieben sind (→ Rn. 1, 3). Andere Beurteilung wäre nur auf der Basis einer Konzernleitungsmacht denkbar, die es indessen ohne Beherrschungsvertrag nicht gibt (→ § 311 Rn. 5). Vielmehr bleibt § 76 I grds. anwendbar (→ § 311 Rn. 48 ff.), mit ihm auch die Haftung nach § 93 und bei ungenügender Überwachung diejenige nach § 116 (wie hier die heute allgM, vgl. nur BGHZ 179, 71 Rn. 14 = NJW 2009, 850; MüKoAktG/Altmeppen Rn. 23; GK-AktG/Fleischer Rn. 30). Allerdings ist Tatbestand des § 93 I 1 nicht gegeben, wenn Vorstand ordnungsgem. berichtet (§ 312) und auch auf Nachteilsausgleich vertrauen darf (GK-AktG/Fleischer Rn. 30; Ulmer FS Hüffer, 2010, 999, 1013 f.).

10 **2. Modifikation durch § 318.** Soweit Organmitglieder der abhängigen Gesellschaft nach §§ 93, 116 ersatzpflichtig sind (→ Rn. 9), unterliegt ihre Ersatzpflicht nach ganz hM grds. den in § 318 enthaltenen Sonderregeln (vgl. nur MüKoAktG/Altmeppen Rn. 24 f.; GK-AktG/Fleischer Rn. 31). Der hM ist beizutreten, weil sie für die Ausgestaltung der Haftung die ursprüngliche, im Gesetzgebungsverfahren verlorengegangene Konzeption (→ Rn. 1) in sachgerechter Weise wiederherstellt. Im Einzelnen gilt: Nach §§ 93, 116 haftende Verwaltungsmitglieder sind analog § 318 Gesamtschuldner neben den gem. § 317

Ersatzpflichtigen; Aktionäre der abhängigen Gesellschaft können ihren nicht über das Gesellschaftsvermögen ausgleichbaren Schaden (→ Rn. 2; → § 317 Rn. 8) analog § 317 I 2, § 318 I 1 gem. §§ 93, 116 geltend machen. § 309 III–V ist entspr. § 318 IV heranzuziehen. Das wird zwar zT unter Berufung auf §§ 147 f. in der Fassung des UMAG 2005 in Zweifel gezogen, da in diesen Änderungen Skepsis gegen voraussetzungsloses Individualklagerecht zum Ausdruck komme (S/L/J. Vetter Rn. 16 f.), doch ist hM auch insofern zu folgen, da jedenfalls Differenzierung zwischen Berichtsfehlern und sonstigen Sorgfaltsverstößen unter diesem Gesichtspunkt kaum sachgerecht erscheint. IÜ ist Berufung auf UMAG aber auch deshalb zweifelhaft, weil es in der Gesamttendenz Individualklagerechte gestärkt und nicht geschwächt hat (so auch Emmerich/Habersack/Habersack Rn. 11).

Dritter Teil. Eingegliederte Gesellschaften

Eingliederung

319 (1) [1]**Die Hauptversammlung einer Aktiengesellschaft kann die Eingliederung der Gesellschaft in eine andere Aktiengesellschaft mit Sitz im Inland (Hauptgesellschaft) beschließen, wenn sich alle Aktien der Gesellschaft in der Hand der zukünftigen Hauptgesellschaft befinden.** [2]**Auf den Beschluß sind die Bestimmungen des Gesetzes und der Satzung über Satzungsänderungen nicht anzuwenden.**

(2) [1]**Der Beschluß über die Eingliederung wird nur wirksam, wenn die Hauptversammlung der zukünftigen Hauptgesellschaft zustimmt.** [2]**Der Beschluß über die Zustimmung bedarf einer Mehrheit, die mindestens drei Viertel des bei der Beschlußfassung vertretenen Grundkapitals umfaßt.** [3]**Die Satzung kann eine größere Kapitalmehrheit und weitere Erfordernisse bestimmen.** [4]**Absatz 1 Satz 2 ist anzuwenden.**

(3) [1]**Von der Einberufung der Hauptversammlung der zukünftigen Hauptgesellschaft an, die über die Zustimmung zur Eingliederung beschließen soll, sind in dem Geschäftsraum dieser Gesellschaft zur Einsicht der Aktionäre auszulegen**

1. **der Entwurf des Eingliederungsbeschlusses;**
2. **die Jahresabschlüsse und die Lageberichte der beteiligten Gesellschaften für die letzten drei Geschäftsjahre;**
3. **ein ausführlicher schriftlicher Bericht des Vorstands der zukünftigen Hauptgesellschaft, in dem die Eingliederung rechtlich und wirtschaftlich erläutert und begründet wird (Eingliederungsbericht).**

[2]**Auf Verlangen ist jedem Aktionär der zukünftigen Hauptgesellschaft unverzüglich und kostenlos eine Abschrift der in Satz 1 bezeichneten Unterlagen zu erteilen.** [3]**Die Verpflichtungen nach den Sätzen 1 und 2 entfallen, wenn die in Satz 1 bezeichneten Unterlagen für denselben Zeitraum über die Internetseite der zukünftigen Hauptgesellschaft zugänglich sind.** [4]**In der Hauptversammlung sind diese Unterlagen zugänglich zu machen.** [5]**Jedem Aktionär ist in der Hauptversammlung auf Verlangen Auskunft auch über alle im Zusammenhang mit der Eingliederung wesentlichen Angelegenheiten der einzugliedernden Gesellschaft zu geben.**

(4) [1]**Der Vorstand der einzugliedernden Gesellschaft hat die Eingliederung und die Firma der Hauptgesellschaft zur Eintragung in das Han-**

delsregister anzumelden. [2] Der Anmeldung sind die Niederschriften der Hauptversammlungsbeschlüsse und ihre Anlagen in Ausfertigung oder öffentlich beglaubigter Abschrift beizufügen.

(5) **[1] Bei der Anmeldung nach Absatz 4 hat der Vorstand zu erklären, daß eine Klage gegen die Wirksamkeit eines Hauptversammlungsbeschlusses nicht oder nicht fristgemäß erhoben oder eine solche Klage rechtskräftig abgewiesen oder zurückgenommen worden ist; hierüber hat der Vorstand dem Registergericht auch nach der Anmeldung Mitteilung zu machen. [2] Liegt die Erklärung nicht vor, so darf die Eingliederung nicht eingetragen werden, es sei denn, daß die klageberechtigten Aktionäre durch notariell beurkundete Verzichtserklärung auf die Klage gegen die Wirksamkeit des Hauptversammlungsbeschlusses verzichten.**

(6) **[1] Der Erklärung nach Absatz 5 Satz 1 steht es gleich, wenn nach Erhebung einer Klage gegen die Wirksamkeit eines Hauptversammlungsbeschlusses das Gericht auf Antrag der Gesellschaft, gegen deren Hauptversammlungsbeschluß sich die Klage richtet, durch Beschluß festgestellt hat, daß die Erhebung der Klage der Eintragung nicht entgegensteht. [2] Auf das Verfahren sind § 247, die §§ 82, 83 Abs. 1 und § 84 der Zivilprozessordnung sowie die im ersten Rechtszug für das Verfahren vor den Landgerichten geltenden Vorschriften der Zivilprozessordnung entsprechend anzuwenden, soweit nichts Abweichendes bestimmt ist. [3] Ein Beschluss nach Satz 1 ergeht, wenn**

1. **die Klage unzulässig oder offensichtlich unbegründet ist,**
2. **der Kläger nicht binnen einer Woche nach Zustellung des Antrags durch Urkunden nachgewiesen hat, dass er seit Bekanntmachung der Einberufung einen anteiligen Betrag von mindestens 1 000 Euro hält oder**
3. **das alsbaldige Wirksamwerden des Hauptversammlungsbeschlusses vorrangig erscheint, weil die vom Antragsteller dargelegten wesentlichen Nachteile für die Gesellschaft und ihre Aktionäre nach freier Überzeugung des Gerichts die Nachteile für den Antragsgegner überwiegen, es sei denn, es liegt eine besondere Schwere des Rechtsverstoßes vor.**

[4] Der Beschluß kann in dringenden Fällen ohne mündliche Verhandlung ergehen. [5] Der Beschluss soll spätestens drei Monate nach Antragstellung ergehen; Verzögerungen der Entscheidung sind durch unanfechtbaren Beschluss zu begründen. [6] Die vorgebrachten Tatsachen, aufgrund derer der Beschluß nach Satz 3 ergehen kann, sind glaubhaft zu machen. [7] Über den Antrag entscheidet ein Senat des Oberlandesgerichts, in dessen Bezirk die Gesellschaft ihren Sitz hat. [8] Eine Übertragung auf den Einzelrichter ist ausgeschlossen; einer Güteverhandlung bedarf es nicht. [9] Der Beschluss ist unanfechtbar. [10] Erweist sich die Klage als begründet, so ist die Gesellschaft, die den Beschluß erwirkt hat, verpflichtet, dem Antragsgegner den Schaden zu ersetzen, der ihm aus einer auf dem Beschluß beruhenden Eintragung der Eingliederung entstanden ist. [11] Nach der Eintragung lassen Mängel des Beschlusses seine Durchführung unberührt; die Beseitigung dieser Wirkung der Eintragung kann auch nicht als Schadenersatz verlangt werden.

(7) **Mit der Eintragung der Eingliederung in das Handelsregister des Sitzes der Gesellschaft wird die Gesellschaft in die Hauptgesellschaft eingegliedert.**

Übersicht

I. Regelungsgegenstand

1 **1. Begriff, Zweck und Rechtsnatur der Eingliederung.** § 319 betr. Eingliederung einer AG, deren Aktien schon zu 100 % der (künftigen) Hauptgesellschaft gehören. Flankierend regeln §§ 320–320b Mehrheitseingliederung, die als Variante des in § 319 geregelten Grundfalls ausgestaltet ist und deshalb in ihren Voraussetzungen im Wesentlichen auf § 319 verweist (§ 320 I 3). Eingliederung ist korporationsrechtl. Vorgang, der es bei **rechtl. Selbständigkeit** der Tochter-AG belässt, jedoch Konzernverhältnis zwischen ihr und der Hauptgesellschaft begründet (§ 18 I 2; → § 18 Rn. 17), das aufgrund umfassender Leitungsmacht iSd § 323 (→ § 323 Rn. 2 ff.) in seinen Wirkungen einer Verschmelzung (§§ 2 ff. UmwG) nahekommt (RegBegr. Kropff S. 421; MüKoAktG/Grunewald Vor § 319 Rn. 3). IErg soll es der Hauptgesellschaft ermöglicht werden, Tochter umfassend zu leiten, ohne auf Vorteile ihrer rechtl. Selbständigkeit (insbes. Fortbestand der Firma und Organisationsstruktur) zu verzichten. RegBegr. Kropff S. 429 und 431 spricht davon, dass eingegliederte Gesellschaft **wirtschaftlich einer Betriebsabteilung der Hauptgesellschaft** nahestehe (krit. ggü. dieser Gleichsetzung MüKoAktG/Grunewald Vor § 319 Rn. 3). Ggü. alternativem Instrument des Beherrschungsvertrags zeichnet sich Eingliederung dadurch aus, dass Weisungsrecht gem. § 323 umfassender ist als das des § 308 (→ § 308 Rn. 15 ff.) und auch Weisungen zulässt, die nicht übergeordneten Interessen der Obergesellschaft oder des Konzerns dienen (→ § 323 Rn. 3). Daneben ist auch Kapitalbindung nach § 323 II, § 324 I gelockert (→ § 323 Rn. 8; → § 291 Rn. 36; → § 324 Rn. 2 f.). Auf die Eingliederung sind nicht nur §§ 319 ff. und an Konzernbegriff anknüpfende Normen anzuwenden, sondern auch Vorschriften über verbundene Unternehmen. Das ergibt sich aus den in §§ 319, 320 vorausgesetzten Mehrheitserfordernissen (vgl. § 15; → § 15 Rn. 21). Regelungsschwerpunkt der §§ 319 ff. liegt neben inhaltlicher Ausgestaltung auf Gläubigerschutz und erfolgt über Haftung (§ 322) und Verlustausgleichspflicht (§ 324 III); Minderheitenschutz ist dagegen nur bei Mehrheitseingliederung iSd § 320, nicht aber bei § 319 erforderlich. **Praktische Bedeutung** der Eingliederung war schon früher gering und ist namentl. für Mehrheitseingliederung gem. § 320 durch Einführung des Squeeze-Out (§§ 327a ff.) noch weiter geschmälert worden (GK-AktG/Schmolke Vor § 319 Rn. 8; MHdB AG/Krieger § 74 Rn. 2; für

Streichung J. Vetter in 50 Jahre AktG, 231, 259). Auch steuerlicher Vorteil der Organschaft iSd § 14 KStG (→ § 291 Rn. 38 f.) wird durch Eingliederung nicht begründet (GK-AktG/Schmolke Vor § 319 Rn. 8). Da einzelne Vorschriften (namentl. § 319 V, VI–§ 327e II) als Verweisungsziel für Squeeze-Out in Bezug genommen werden, kommt ihnen auf diesem Wege doch gesteigerte Relevanz zu.

2 **2. Regelungssystematik.** § 319 I normiert **Eingliederungserfordernisse** auf Seiten der Tochtergesellschaft. § 319 II begründet **Mitwirkungszuständigkeit der HV** der (künftigen) Hauptgesellschaft. Informationspflichten, die vor und in HV zu erfüllen sind, regelt § 319 III. Ausf. geratene Bestimmungen in § 319 IV–VII betr. **Registerverfahren.** Hervorzuheben sind Erfordernis der Negativerklärung und bei ihrem Fehlen grds. bestehende Registersperre (§ 319 V) sowie deren Überwindung durch im Freigabeverfahren ergangenen gerichtlichen Beschluss (§ 319 VI). § 319 VII bestimmt konstitutive Wirkung der Eintragung. **Art. 6 Nr. 10 UmwBerG 1994** hat §§ 319–320b umgestaltet und teilw. neu geschaffen. Schwerpunkte der auf Art. 6 Nr. 10 UmwBerG zurückgehenden Regelung sind neben Registersperre und deren Überwindung das Erfordernis eines Eingliederungsberichts (§ 319 III 1 Nr. 3) sowie bei Mehrheitseingliederung die Eingliederungsprüfung (§ 320 III).

II. Beschluss über die Eingliederung (§ 319 I)

3 **1. Bedeutung und Voraussetzungen des Beschlusses.** Ges. kennt keinen Eingliederungsvertrag, deshalb auch keine Mitwirkung des Vorstands der einzugliedernden AG. Willensbildung und -äußerung der einzugliedernden AG vollziehen sich gem. § 319 I 1 vielmehr durch Beschluss ihrer HV, der seinerseits dadurch zustande kommt, dass Vorstand der künftigen Hauptgesellschaft deren Stimmrechte ausübt. RegBegr. Kropff S. 422 spricht von „Formalakt", was jedoch nicht weiterhilft und der rechtl. Selbständigkeit der Tochter-AG nicht gerecht wird. Beschluss ist vielmehr die auf Eingliederung gerichtete, die bisherige Satzung überlagernde Willensbildung der Korporation (zum Ganzen Praël, Eingliederungs- und Beherrschungsvertrag, 1978, 104 ff., 155 ff.). Dass Beschluss der Tochter eine Art Willenserklärung der Hauptgesellschaft sei (KK-AktG/Koppensteiner Rn. 2; Praël, Eingliederungs- und Beherrschungsvertrag, 1978, 107), ist allenfalls in einem sehr übertragenen Sinne richtig und dem Verständnis jedenfalls nicht förderlich.

4 Beide Gesellschaften müssen **Rechtsform einer AG** haben; Gleichstellung der SE folgt aus Art. 9 I lit. c Ziff. ii SE-VO (Emmerich/Habersack/Habersack Rn. 5; GK-AktG/Schmolke Vor § 319 Rn. 9; BeckOGK/Singhof Rn. 4). KGaA ist dagegen nach zutr. hM sowohl als Hauptgesellschaft als auch als einzugliedernde AG ausgeschlossen (s. Grigoleit/Grigoleit/Rachlitz Rn. 6; BeckOGK/Singhof Rn. 4; S/L/Ziemons Rn. 6; aA Emmerich/Habersack/Habersack Rn. 5 f.; GK-AktG/Schmolke Vor § 319 Rn. 10 f.; Pfeiffer DZWIR 2005, 452, 457; Pfeiffer Konzern 2006, 122, 123 ff.). Angesichts des klaren Wortlauts wäre eine solche Ausdehnung entgegen Emmerich/Habersack/Habersack Rn. 6 nicht schon im Wege einer „erweiternden Auslegung" möglich, sondern nur durch Analogieschluss, für den gewisse teleologische Parallelen nicht genügen, sondern planwidrige Lücke und Vergleichbarkeit nachgewiesen werden müssen. An Lücke fehlt es im Hinblick auf ausdr. Einbeziehung in § 291 I, § 311 I, § 327a I, an Vergleichbarkeit insbes. wegen Umwandlung der Rechtsposition des Aktionärs in die eines Kommanditaktionärs.

4a Beide Gesellschaften müssen **inländisches Personalstatut** haben (maßgebend Satzungssitz, vgl. § 5); vgl. KK-AktG/Koppensteiner Vor § 319 Rn. 10 bzgl.

Hauptgesellschaft; vgl. MHdB AG/Krieger § 74 Rn. 3), obwohl § 319 I 1 das nur für künftige Hauptgesellschaft ausspricht. Für einzugliedernde Gesellschaft mit Sitz im Ausland bedarf es keiner Vorschrift, weil Vorgang nicht deutschem Recht unterliegt. Mittlerweile hM schließt aus EU-Niederlassungsfreiheit (Art. 49, 54 AEUV), dass AG mit Satzungssitz in Deutschland entgegen Wortlaut in **Hauptgesellschaft aus EU-Mitgliedstaat** eingegliedert werden kann (dafür Emmerich/Habersack/Habersack Rn. 7; MüKoAktG/Grunewald Rn. 7; BeckOGK/Singhof Rn. 4; aA Grigoleit/Grigoleit/Rachlitz Rn. 5). Das erscheint auf ersten Blick wenig plausibel, da Eingliederung nur faktische Leitungsmacht zu Weisungsrecht intensiviert (§ 323 I 1), ohne dass AG rechtl. Selbständigkeit verliert, so dass weder faktische Grenzüberschreitung noch Rechtsformwechsel stattfindet. Dennoch ist hM zuzustimmen. In heutigem, durch EuGH-Rspr. extensiv fortgeschriebenen Entwicklungsstand erfasst **Niederlassungsfreiheit** auch die grenzüberschreitende Konzernbildung, und zwar unabhängig davon, ob sie sich durch Gründung einer Tochtergesellschaft, Erwerb von Betriebseinheiten und Geschäftsanteilen oder Intensivierung einer schon bestehenden Beteiligung vollzieht, sofern diese nur hinreichenden Einfluss auf die Geschicke der Gesellschaft vermittelt (vgl. Dauses/Roth, EU-Wirtschaftsrecht, 36. EL, 2014 E. I. Rn. 12, 61, 118; Eyles, Das Niederlassungsrecht der Kapitalgesellschaften in der Europäischen Gemeinschaft, 1990, 109 ff.). Folgefrage, ob dann spiegelbildlich auch §§ 322, 324 III auf ausländische Hauptgesellschaft anzuwenden sind, ist **Rechtfertigungsfrage,** die im Hinblick auf unabweisbares Schutzbedürfnis der Gläubiger aber ebenfalls zu bejahen ist.

Alle Aktien der einzugliedernden AG müssen sich **in der Hand der künftigen Hauptgesellschaft** befinden. Sie muss also Inhaberin aller Mitgliedsrechte sein. Es gibt hier keine Zurechnung nach § 16 IV (unstr., s. schon RegBegr. und AusschussB Kropff S. 422 bzw. 423; MüKoAktG/Grunewald Rn. 12; GK-AktG/Schmolke Rn. 4). Auch eigene Aktien der einzugliedernden Gesellschaft schließen Anwendung des § 319 aus. Genügend ist nach hM Sicherungseigentum, Verpfändung, auch Eigentum, das schon verkauft ist (MüKoAktG/Grunewald Rn. 13; MHdB AG/Krieger § 74 Rn. 8). Eingliederungsbeschluss ohne die genannten Voraussetzungen ist nach zutr. hM wegen der bedeutsamen Rechtsfolgen einer Eingliederung nicht nur anfechtbar, sondern nichtig gem. § 241 Nr. 3 (s. nur MüKoAktG/Grunewald Rn. 17; Emmerich/Habersack/Habersack Rn. 9; GK-AktG/Schmolke Rn. 7; S/L/Ziemons Rn. 15; Praël, Eingliederungs- und Beherrschungsvertrag, 1978, 113; aA OLG Hamm NJW-RR 1994, 548, 550; offengelassen BGHZ 189, 32 Rn. 27 = NZG 2011, 669 [zu § 327a; → § 327a Rn. 19]). Heilung des Beschlusses ist ausgeschlossen (hM, s. statt aller Emmerich/Habersack/Habersack Rn. 9). Für die Frage, wann erforderliche Beteiligungshöhe vorhanden sein muss, wird zT auf **Zeitpunkt** des Eingliederungsbeschlusses abgestellt, was den Vorzug eines Gleichlaufs zum ähnlich gestalteten Squeeze-Out hat (KK-AktG/Koppensteiner Vor § 319 Rn. 17; BeckOGK/Singhof Rn. 5). Aus unterschiedlichem Wortlaut von § 319 und § 327a I sowie Sonderregelung des § 327 I Nr. 3, wonach Eingliederung endet, wenn nicht mehr alle Aktien in Hand der Hauptgesellschaft sind, folgt aber, dass Mehrheit hier **bis zur Eintragung** fortbestehen muss (so auch Emmerich/Habersack/Habersack Rn. 8; GK-AktG/Schmolke Rn. 6; S/L/Ziemons Rn. 9; wieder anders Grigoleit/Grigoleit/Rachlitz Rn. 9: Anmeldung). Praktische Bedeutung des Streits ist gering, da auch nach Gegenauffassung § 327 I 3 Anwendung findet (BeckOGK/Singhof Rn. 5). 4b

2. Rechtliche Behandlung. Nicht anzuwenden sind gem. § 319 I 2 Bestimmungen des Ges. (§§ 179 ff.) oder der Satzung über Satzungsänderungen. Norm ist § 293 I 4 nachgebildet. Es gelten also allg. Regeln über HV-Beschlüsse. 5

Einberufung kann gem. § 121 IV durch eingeschriebenen Brief oder zB durch Telefax erfolgen, wenn Satzung das zulässt (→ § 121 Rn. 11a ff., 11f). HV der einzugliedernden Einmann-AG ist notwendig **Vollversammlung** (§ 121 VI; → § 121 Rn. 19 ff.). Verstoß gegen förmliche Beschlussvoraussetzungen (Einberufungsmängel) ist also unschädlich (MüKoAktG/Grunewald Rn. 15). Teilnehmerverzeichnis ist nicht erforderlich (Emmerich/Habersack/Habersack Rn. 11; GK-AktG/Schmolke Rn. 10; aA MüKoAktG/Grunewald Rn. 15). Zwar gehört § 129 nicht zu den nach § 121 VI dispensierten Vorschriften, doch gilt hier Ausnahme für Einmann-AG (→ § 129 Rn. 5). Notarielle Beurkundung ist für Eingliederungsbeschluss (anders als für Zustimmungsbeschluss nach § 319 II) gem. § 130 I 3 nicht erforderlich (→ § 130 Rn. 14a ff.). Es genügt demnach iE, dass Vorstand für künftige Hauptgesellschaft Eingliederungserklärung als Beschlussinhalt zur Niederschrift abgibt und HV-Leiter Niederschrift unterzeichnet (KK-AktG/Koppensteiner Rn. 3; GK-AktG/Schmolke Rn. 10; MHdB AG/Krieger § 74 Rn. 10). Erklärung zur notariellen Niederschrift bleibt aber möglich. Bes. inhaltliche Anforderungen an den Beschluss stellt § 319 I nicht auf. Er muss deshalb auch nicht eine Art Organisationsstatut des Eingliederungskonzerns enthalten (MüKoAktG/Grunewald Rn. 16; KK-AktG/Koppensteiner Rn. 5 f.; aA Hommelhoff, Die Konzernleitungspflicht, 1982, 349 ff.). Eingliederung kann nur als Ganzes erfolgen; Teileingliederung (des Unternehmens oder der einzelnen Betriebe) würde zu Aufspaltung führen und ist demnach nicht möglich (MüKoAktG/Grunewald Rn. 16; zust. Emmerich/Habersack/Habersack Rn. 12; GK-AktG/Schmolke Rn. 11). Sachliche Rechtsfertigung des Beschlusses ist nicht erforderlich (allgM, s. Hölters/Weber/Leuering/Goertz Rn. 10).

III. Beschluss über die Zustimmung (§ 319 II)

6 **1. Zustimmung als Wirksamkeitsvoraussetzung.** Gem. § 319 II 1 wird Eingliederungsbeschluss, den Tochtergesellschaft gefasst hat (→ Rn. 1), nur wirksam, wenn er die Zustimmung der HV der künftigen Hauptgesellschaft findet. Ihr Vorstand soll nicht, indem er die Stimmrechte in der HV der Tochtergesellschaft ausübt, im Alleingang über die Eingliederung befinden können. Gesamtschuldnerische Mithaftung der Hauptgesellschaft für Altverbindlichkeiten ihrer Tochter (§ 322) und Pflicht zur Verlustübernahme nach § 324 III erfordern Zustimmung der Aktionäre (RegBegr. Kropff S. 422; KK-AktG/Koppensteiner Rn. 5; GK-AktG/Schmolke Rn. 13; Sonnenschein BB 1975, 1088). In welcher Reihenfolge die Beschlüsse gefasst werden, bleibt gleich; Zustimmungsbeschluss kann dem Eingliederungsbeschluss also nachfolgen, aber auch vorangehen (OLG München AG 1993, 430; MüKoAktG/Grunewald Rn. 20; GK-AktG/Schmolke Rn. 14). Muster für HV-Einberufung bei Happ/Groß KonzernR/UmwR 6.03 lit. a.

7 Bildung eines **mehrstufigen Eingliederungskonzerns** durch Eingliederung der Enkelin erfordert jedenfalls Zustimmung der HV der Tochter, die schon in die Mutter als Hauptgesellschaft eingegliedert ist. Str. ist, ob überdies HV der Mutter analog § 319 II 1 zustimmen muss. HM bejaht diese Frage allerdings aufgrund abw. dogmatischer Grundlage und in der Konsequenz auch unter abw. Voraussetzungen. So wird als Grundlage zT auf Holzmüller-Rspr. (→ § 119 Rn. 16 ff.) abgestellt (Emmerich/Habersack/Habersack Rn. 16; zumindest für Mehrheitsbeteiligung auch Grigoleit/Grigoleit/Rachlitz Rn. 26), zT auf Analogie zu § 319 II (KK-AktG/Koppensteiner Rn. 7; Rehbinder ZGR 1977, 581, 617 f.; wohl auch GK-AktG/Schmolke Rn. 16). Vertreter der ersten Auffassung beschränken Beschlusserfordernis auf Fälle, in denen Eingliederung der Enkel-AG wesentliche Bedeutung für Gesamtkonzern hat (Emmerich/Habersack/Habersack Rn. 16; BeckOGK/Singhof Rn. 11; konsequent aA KK-AktG/Koppen-

steiner Rn. 7). Einigkeit besteht darin, dass Zustimmungspflicht nur iS einer internen Vorlagepflicht des Vorstands ggü. HV besteht, deren Missachtung im Außenverhältnis aber nicht zur Unwirksamkeit der Eingliederung führt (statt aller Emmerich/Habersack/Habersack Rn. 16). Gemeinsame Grundüberlegung der hM ist, dass Eingliederung der Enkelin auch hinsichtlich dieser Gesellschaft mittelbar Belastungen der §§ 322, 324 III auslösen kann und deshalb denselben Kautelen unterworfen werden muss wie Eingliederung der Tochter. Tats. ist Gefahr einer unüberschaubaren Haftung und Verlustübernahme aber bereits mit Eingliederung der Tochter entstanden und kann nur noch durch Weisungsrecht des § 323 beherrscht werden. Ob sich diese Gefahr in der Tochter durch Eingliederung einer weiteren Gesellschaft realisiert oder durch andere unternehmerische Maßnahmen (zB Abgabe einer Garantie oder Patronatserklärung), ist aus Sicht der Hauptgesellschaft gleichgültig. Da mit Eingliederungsakt auch keine Mediatisierung von Aktionärsrechten einhergeht (so zutr. S/L/Ziemons Rn. 29), ist auf Ebene der Hauptgesellschaft **Beschlusserfordernis abzulehnen** (so auch MüKoAktG/Grunewald Rn. 22; S/L/Ziemons Rn. 29).

2. Beschlusserfordernisse. Einschlägig ist § 319 II 2–4; danach sind insbes. die für Satzungsänderungen geltenden Regeln nicht anzuwenden. IÜ entspr. Vorschriften der für Zustimmungsbeschluss der HV des anderen Vertragsteils bei Beherrschungs- oder Gewinnabführungsverträgen getroffenen Regelung (§ 293 I 2–4, II 2), dh Zustimmungsbeschluss bedarf Dreiviertelmehrheit des vertretenen Grundkapitals, wenn Satzung keine größere Kapitalmehrheit oder weitere Erfordernisse bestimmt; → § 293 Rn. 5 ff., 21. Bes. inhaltliche Anforderungen sind an den Beschluss über die Zustimmung so wenig zu stellen wie an den über die Eingliederung (→ Rn. 5; MüKoAktG/Grunewald Rn. 20, 21; KK-AktG/Koppensteiner Rn. 8; aA Hommelhoff, Die Konzernleitungspflicht, 1982, 354 ff.). Auch Zustimmung bedarf keiner sachlichen Rechtfertigung (→ Rn. 5; Hölters/Weber/Leuering/Goertz Rn. 10; GK-AktG/Schmolke Rn. 20) und keines Sonderbeschlusses der Vorzugsaktionäre (Emmerich/Habersack/Habersack § 320 Rn. 11). 8

IV. Informationspflichten (§ 319 III)

1. Allgemeines. § 319 III (→ Rn. 2) regelt Informationspflichten, die ggü. Aktionären der künftigen Hauptgesellschaft bestehen. Norm geht über Auskunftsrecht des § 319 II 5 aF (jetzt: § 319 III 4; → Rn. 12) hinaus, indem sie Regelung für Unternehmensverträge in §§ 293f, 293g sinngem. und teilw. wortgleich übernimmt. Mangels korrespondierenden Eingliederungsvertrags bleibt nur § 293g II ohne Entsprechung. IÜ kann im Wesentlichen auf Erl. zu §§ 293f, 293g verwiesen werden. Namentl. entfällt auch hier weitergehende Publizitätspflicht (§ 319 III 1, 2), wenn Unterlagen nach § 319 III 1 über Internetseite der künftigen Hauptgesellschaft zugänglich sind (§ 319 III 3). Dem Unternehmensvertrag des § 293f I Nr. 1 entspr. nach § 319 III 1 Nr. 1 der Entwurf des Eingliederungsbeschlusses (§ 319 I). 9

2. Eingliederungsbericht. Gem. § 319 III 1 Nr. 3 ist im Geschäftsraum der künftigen Hauptgesellschaft von Einberufung der HV an Eingliederungsbericht auszulegen; auf Verlangen muss künftige Hauptgesellschaft nach § 319 III 2 Abschriften erteilen. Bericht ist auch in der HV zugänglich zu machen (§ 319 III 4). Bisher engere Gesetzesfassung, nach der auszulegen war, ist geändert durch ARUG 2009, um Festlegung auf Papierform abzuschaffen. Elektronische Medien genügen, vor allem auf bereitgestellten Monitoren (RegBegr. BT-Drs. 16/11642, 25, 43). Vorausgesetzt ist dem bisherigen Recht fremde Berichtspflicht. § 319 III folgt insoweit dem Vorbild des § 293a für Unternehmensverträge und 10 des § 8 UmwG zum Verschmelzungsbericht. Eingliederungsprüfung ist dagegen nicht für die Fälle des § 319, sondern nur für Mehrheitseingliederung vorgesehen (§ 320 III). Zur Berichtspflicht → § 293a Rn. 7 ff. (mit der Maßgabe, dass nur Vorstand der Hauptgesellschaft zu berichten hat), zur Form → § 293a Rn. 10.

11 Was den **Berichtsinhalt** anbelangt, so ist § 319 III 1 Nr. 3 zwar sprachlich und teilw. auch sachlich an Formulierung in § 293a I angelehnt (→ § 293a Rn. 11). Berichtsgegenstand ist aber nur die Eingliederung, was in den Fällen des § 319, also bei Fehlen außenstehender Aktionäre, ohne weiteres einleuchtet. Auch insoweit ist der Zweck offenzulegen, sind andere Möglichkeiten anzusprechen und Vor- sowie Nachteile der verschiedenen Maßnahmen abzuwägen (→ § 293a Rn. 12). IÜ muss die für Aktionäre der künftigen Hauptgesellschaft wesentliche Eingliederungsfolge, nämlich Haftung für Altverbindlichkeiten nach § 322, für Berichtsinhalt bestimmend sein. Aktionäre müssen sich also ein Bild davon machen können, ob und in welchem Umfang ihre Aktien von Verwässerung bedroht sind. Dem hat auch **Berichtsintensität** zu entspr. (Plausibilitätsurteil, → § 293a Rn. 15). Berichtsmuster bei Happ/Groß KonzernR/UmwR 6.03 lit. b. Warum § 319 III anders als § 8 II UmwG und § 293a II keine **Schutzklausel** enthält, ist nicht recht verständlich. Begr. BT-Drs. 12/6699, 179 schweigt dazu. Gut vertretbar ist analoge Anwendung der genannten Vorschriften, mit der wohl durch Formulierungsvorbild des § 293f I (→ § 293a Rn. 18 ff.) bedingte Regelungslücke geschlossen werden könnte.

12 **3. Auskunftsrechte der Aktionäre.** Nach § 319 III 5 haben Aktionäre der künftigen Hauptgesellschaft in HV Anspruch auf Auskunft über alle Angelegenheiten der einzugliedernden Gesellschaft, die im Zusammenhang der Eingliederung wesentlich sind. Norm ist § 293g III nachgebildet und erweitert wie diese Vorschrift das aus § 131 folgende allg. Auskunftsrecht der Aktionäre. Auf → § 293g Rn. 3 ff. wird verwiesen. Zweifelhaft ist auch in diesem Zusammenhang, ob und in welchen Grenzen das **Auskunftsverweigerungsrecht** des § 131 III 1 Nr. 1 besteht (Auskunftsverweigerungsrecht grds. bejahend MüKoAktG/Grunewald Rn. 34; GK-AktG/Schmolke Rn. 30; MHdB AG/Krieger § 74 Rn. 14; verneinend KK-AktG/Koppensteiner Rn. 16). Mit Rücksicht auf Haftungsfolge der §§ 322, 324 III dürfen dem Aktionär jedenfalls solche Auskünfte nicht verweigert werden, die erforderlich sind, um die daraus resultierenden Gefahren sachgerecht einzuschätzen. Sofern sensible Daten hierfür nicht erforderlich sind, kann die Offenlegung aber unterbleiben (Emmerich/Habersack/Habersack Rn. 23; GK-AktG/Schmolke Rn. 30; MHdB AG/Krieger § 74 Rn. 14). Einzelheiten des Entstehungstatbestands müssen jedenfalls nicht offengelegt werden. Anzuwenden ist § 131 III 1 Nr. 7 (→ § 131 Rn. 98). Unabhängig von Auskunftspflicht ist **Erläuterungspflicht des Vorstands** analog § 293g II 1 (→ § 293g Rn. 2) anzunehmen, bei der Eingliederungsvorhaben an die Stelle des nichtexistenten Eingliederungsvertrags (→ Rn. 3) tritt (KK-AktG/Koppensteiner Rn. 12; MüKoAktG/Grunewald Rn. 31). Dabei sind rechtl. und wirtschaftliche Folgen sowie Bedeutung der Eingliederung mündlich darzustellen und Eingliederungsbericht bei Bedarf zu aktualisieren. Das Fehlen der gebotenen Erläuterungen kann zur Anfechtbarkeit des Eingliederungsbeschlusses (§ 243 I, IV 1) führen (MüKoAktG/Grunewald Rn. 31 f.; GK-AktG/Schmolke Rn. 28).

V. Anmeldung zur Eintragung (§ 319 IV)

13 Gem. § 319 IV 1 hat Vorstand der einzugliedernden Gesellschaft die **Eingliederung** und die **Firma der Hauptgesellschaft** zur Eintragung in das HR anzumelden (zu den Folgen der Eingliederung → Rn. 18). Anmeldung erfolgt bei dem für die einzugliedernde Gesellschaft zuständigen Registergericht, nicht

auch bei dem Registergericht der Hauptgesellschaft (MüKoAktG/Grunewald Rn. 36; GK-AktG/Schmolke Rn. 33). Zwangsgeldverfahren findet nicht statt (§ 407 II 1). Der Anmeldung beizufügen sind Niederschriften beider HV-Beschlüsse (→ Rn. 3 ff., 6 ff.) und ihre Anlagen in (wahlweise) Ausfertigung oder öffentl. beglaubigter Abschrift (§ 319 IV 2) sowie Negativerklärung-, Klageverzichtserklärung oder gerichtl. Freigabebeschluss (→ Rn. 14 ff.). Muster bei Happ/Groß KonzernR/UmwR 6.03 lit. e.

VI. Klage und Registerverfahren (§ 319 V und VI)

1. Negativerklärung. Nach § 319 V 1 Hs. 1 ist bei Anmeldung zur Eintragung (→ Rn. 13) sog Negativerklärung erforderlich, mit der verhindert werden soll, dass durch Vollzug eines fehlerhaften und deshalb anfechtbaren Eingliederungsbeschlusses vollendete Tatsachen geschaffen werden. Jetzige Fassung entspr. § 16 II 1 UmwG und deckt Anfechtungsklage (§§ 243, 248), Nichtigkeitsklage (§ 249) und Klage auf Feststellung der Unwirksamkeit von HV-Beschlüssen (→ § 249 Rn. 21) ab (im letzten Punkt aA Henssler/Strohn/Drescher § 246a Rn. 12; wie hier MüKoAktG/Grunewald Rn. 38; Emmerich/Habersack/Habersack Rn. 27; BeckOGK/Singhof Rn. 19; MHdB AG/Krieger § 74 Rn. 18). Bei Squeeze-Out gilt § 319 V sinngem. (§ 327e II), worin Vorschrift ihren wesentlichen praktischen Anwendungsbereich findet (→ Rn. 1). Nicht fristgem. erhoben ist vor allem Anfechtungsklage, wenn Monatsfrist des § 246 I versäumt wurde (→ § 246 Rn. 21 ff.), ferner Nichtigkeitsklage, wenn Dreijahresfrist des § 242 II abgelaufen ist (→ § 242 Rn. 3 ff.). Einheitsfrist wie nach § 14 I UmwG ist nicht vorgesehen. Zur rechtskräftigen Abweisung der Klage → § 248 Rn. 13 ff., zur Klagerücknahme (§ 269 ZPO) und zur Erledigung der Hauptsache → § 248 Rn. 16. Erledigung ist der Klagerücknahme für § 319 V gleichzustellen, weil § 91a ZPO ein der Klage stattgebendes Sachurteil nicht zulässt. Pflicht zur Mitteilung nach Anmeldung gem. § 319 V 1 Hs. 2 soll den Fällen Rechnung tragen, in denen Klage nachträglich erhoben wird. Bezweckt ist, Stellung der Kläger zu stärken (Begr. BT-Drs. 12/6699, 88). Aus § 319 V 1 Hs. 2 folgt, dass Lauf der Anfechtungsfrist (§ 246 I) Eintragungshindernis darstellt (BGH NJW 2007, 224 Rn. 17 [zu § 16 II UmwG]; OLG Karlsruhe FGPrax 2001, 161, 162; Emmerich/Habersack/Habersack Rn. 28; MüKoAktG/Grunewald Rn. 44; zu Folgen einer vorzeitigen Eintragung s. Goette FS K. Schmidt, 2009, 469 ff.). 14

2. Registersperre. Wenn Negativerklärung fehlt, darf Eingliederung gem. § 319 V 2 Hs. 1 nicht eingetragen werden (Registersperre). Sonst nach § 21 I, 381 FamFG bestehender Beurteilungsspielraum ist also nicht gegeben (→ § 243 Rn. 57). Registersperre ist damit wie auch in § 16 II 2 UmwG für Verschmelzung (dazu Lutter/Bork, Verschmelzung/Spaltung/Formwechsel, 1995, 261 ff.) und anders als noch in § 345 II aF ausdr. angeordnet. Sie war im Prinzip schon zu § 345 II aF durchweg anerkannt (BGHZ 112, 9, 12 ff. = NJW 1990, 2747 [Hypothekenbank-Schwestern]; sa OLG Frankfurt AG 1990, 263, 264; OLG Hamm AG 1988, 246; Hommelhoff ZGR 1990, 447, 462; wohl auch H. P. Westermann FS Semler, 1993, 651, 654; aA ausführlich Kiem, Die Eintragung der angefochtenen Verschmelzung, 1991, 109 ff., 181 ff., 215 f. [dort Meinungsübersicht S. 8 ff.]; W. Lüke ZGR 1990, 657, 678). Ausdr. Anordnung soll sicherstellen, dass Prinzip der Registersperre auch für die Zukunft Bestand hat (Begr. BT-Drs. 12/6699, 88). Regelung ist nicht nur eindeutig, sondern auch in der Sache angemessen. Im Grundsatz ist es richtig, dass die durch Klage in Frage gestellte Eingliederung nicht durch Eintragung vollzogen werden darf (→ § 243 Rn. 57; Bork ZGR 1993, 343, 359 f.; Hirte DB 1993, 77). Etwa zu Unrecht 15 erfolgte Eintragung bei Nichtbeachtung der Registersperre unterliegt nach allgM **keiner Amtslöschung** nach § 398 FamFG, da diese Gesetzesverletzung durch materiellen Inhalt des HV-Beschlusses selbst voraussetzt und Registersperre ausschließlich das Verfahren des Registergerichts betrifft (BGH NJW 2007, 224 Rn. 23 zu § 16 II UmwG; OLG Hamm ZIP 2001, 569, 571 zu § 16 II UmwG; OLG Karlsruhe FGPrax 2001, 161, 162; sa GK-AktG/Schmolke Rn. 39; S/L/Ziemons Rn. 35). Ob Löschung in diesem Fall gem. § 395 FamFG erfolgen kann, ist umstr. (→ § 243 Rn. 57). Grds. ist § 398 FamFG als lex specialis ggü. § 395 FamFG zu qualifizieren, was dessen Anwendung ausschließen würde. Beschränkung dieses Vorrangs erscheint daher nur im Hinblick auf bes. schwerwiegende Verfahrensverstöße iR einer verfassungskonformen Auslegung der Norm möglich (sa BVerfG NZG 2010, 902, 904 für Missachtung einer Registersperre im Fall des § 327e; so auch Emmerich/Habersack/Habersack Rn. 29; MüKoFamFG/Krafka FamFG § 398 Rn. 6).

16 Entbehrlich ist Negativerklärung, von § 319 VI abgesehen, nur ausnahmsweise, nämlich dann, wenn **Anfechtungsverzicht** aller klageberechtigten Aktionäre in notariell beurkundeter Form (§ 128 BGB) vorliegt (§ 319 V 2 Hs. 2). Dadurch soll Beschleunigung der Eingliederung bei Gesellschaften mit kleinem Aktionärskreis ermöglicht werden; insbes. können Anmeldung und Eintragung bei allseitigem Klageverzicht vor Ablauf der Monatsfrist des § 246 I erfolgen. Gemeint ist mit dem mehrdeutigen Begriff des Klageverzichts nicht die Prozesshandlung des § 306 ZPO, sondern die materiell-rechtl. Erklärung, das aus der Mitgliedschaft folgende Recht, etwa gegebene Beschlussmängel geltend zu machen, nicht ausüben zu wollen (s. nur GK-AktG/Schmolke Rn. 40). Gleichwohl erhobene Klage ist wegen missbräuchlicher Rechtsausübung (§ 242 BGB) unbegründet.

17 **3. Entscheidung des Gerichts.** Gem. § 319 VI 1 steht der Negativerklärung (→ Rn. 14) durch Beschluss ergangene Feststellung gleich, dass gegen Wirksamkeit des HV-Beschlusses nach § 319 I oder II erhobene Klage seiner Eintragung nicht entgegensteht (→ § 243 Rn. 57). Norm gilt bei Squeeze-Out entspr. (§ 327e II). § 319 VI ist durch ARUG 2009 umgestaltet und der Sache nach vollständig der in § 246a getroffenen Regelung angepasst worden (RegBegr. BT-Drs. 16/11642, 43). Zusammenführung in einer Regelung wäre sinnvoll. Wo Anpassung nicht gelungen ist, können Regelungslücken aufgrund klaren Vereinheitlichungswillens im Analogieweg geschlossen werden. Ferner erfährt eingetragene Eingliederung nach § 319 VI 11 infolge der Freigabeentscheidung ungeachtet etwaiger Mängel vollen Bestandsschutz (→ § 246a Rn. 4, 11, 26). Entspr. gilt gem. § 327e II bei Squeeze-Out (→ § 327e Rn. 3 ff.). Wegen weiterer Einzelheiten vgl. Erl. zu § 246a.

VII. Eintragung (§ 319 VII)

18 Mit Eintragung ist Gesellschaft gem. § 319 VII eingegliedert. Eingliederung wirkt also **konstitutiv.** Bek. erfolgt vollen Wortlauts mit dem zusätzlichen in § 321 I 2 vorgeschriebenen Hinweis, und zwar nach vollständiger Neuordnung des Bekanntmachungswesens durch DiRUG 2021 → § 39 Rn. 7 ff.) in Gestalt der neu eingeführten Registerbekanntmachungen gem. § 10 III HGB (→ § 39 Rn. 10). Ist Eingliederung eingetragen, unterliegt sie unter den strengen Voraussetzungen der Amtslöschung nach § 398 FamFG (zwingende Gesetzesverletzung, Beseitigung des Beschlusses im öffentl. Interesse); § 395 FamFG wird von spezielerem § 398 FamFG verdrängt (ausf. zu § 398 FamFG → § 241 Rn. 23 ff. mN; → § 243 Rn. 57).

Eingliederung durch Mehrheitsbeschluß

320 (1) [1]**Die Hauptversammlung einer Aktiengesellschaft kann die Eingliederung der Gesellschaft in eine andere Aktiengesellschaft mit Sitz im Inland auch dann beschließen, wenn sich Aktien der Gesellschaft, auf die zusammen fünfundneunzig vom Hundert des Grundkapitals entfallen, in der Hand der zukünftigen Hauptgesellschaft befinden.** [2]**Eigene Aktien und Aktien, die einem anderen für Rechnung der Gesellschaft gehören, sind vom Grundkapital abzusetzen.** [3]**Für die Eingliederung gelten außer § 319 Abs. 1 Satz 2, Abs. 2 bis 7 die Absätze 2 bis 4.**

(2) [1]**Die Bekanntmachung der Eingliederung als Gegenstand der Tagesordnung ist nur ordnungsgemäß, wenn**
1. **sie die Firma und den Sitz der zukünftigen Hauptgesellschaft enthält,**
2. **ihr eine Erklärung der zukünftigen Hauptgesellschaft beigefügt ist, in der diese den ausscheidenden Aktionären als Abfindung für ihre Aktien eigene Aktien, im Falle des § 320b Abs. 1 Satz 3 außerdem eine Barabfindung anbietet.**

[2]**Satz 1 Nr. 2 gilt auch für die Bekanntmachung der zukünftigen Hauptgesellschaft.**

(3) [1]**Die Eingliederung ist durch einen oder mehrere sachverständige Prüfer (Eingliederungsprüfer) zu prüfen.** [2]**Diese werden auf Antrag des Vorstands der zukünftigen Hauptgesellschaft vom Gericht ausgewählt und bestellt.** [3]**§ 293a Abs. 3, §§ 293c bis 293e sind sinngemäß anzuwenden.**

(4) [1]**Die in § 319 Abs. 3 Satz 1 bezeichneten Unterlagen sowie der Prüfungsbericht nach Absatz 3 sind jeweils von der Einberufung der Hauptversammlung an, die über die Zustimmung zur Eingliederung beschließen soll, in dem Geschäftsraum der einzugliedernden Gesellschaft und der Hauptgesellschaft zur Einsicht der Aktionäre auszulegen.** [2]**In dem Eingliederungsbericht sind auch Art und Höhe der Abfindung nach § 320b rechtlich und wirtschaftlich zu erläutern und zu begründen; auf besondere Schwierigkeiten bei der Bewertung der beteiligten Gesellschaften sowie auf die Folgen für die Beteiligungen der Aktionäre ist hinzuweisen.** [3]**§ 319 Abs. 3 Satz 2 bis 5 gilt sinngemäß für die Aktionäre beider Gesellschaften.**

Übersicht

I. Regelungsgegenstand und -zweck

1 § 320 begründet **Zulässigkeit der Mehrheitseingliederung** (§ 320 I 1 und 2) und ordnet ihr Verfahren (§ 320 I 3, II–IV). Mehrheitseingliederung ist dadurch gekennzeichnet, dass Minderheitsaktionäre ihre Mitgliedschaft verlieren (§ 320a) und dafür durch angemessene Abfindung – grds. in Aktien der Hauptgesellschaft – entschädigt werden (§ 320b). Eingliederung dient auch in dieser Form denselben Zwecken wie Eingliederung nach § 319 (zu den Motiven → § 319 Rn. 1). Ges. will durch ergänzende Zulassung der Mehrheitseingliederung verhindern, dass Eingliederung an einer „kleinen Minderheit" von bekannten oder unbekannten anderen Aktionären scheitert (RegBegr. Kropff S. 424). Verfassungsrechtl. Bedenken wegen des Verlustes der Mitgliedschaft (Art. 3, 14 GG) werden nicht mehr erhoben (BVerfGE 14, 263, 273 ff. = NJW 1962, 1667; BGH AG 1974, 320, 323 f.; MüKoAktG/Grunewald Rn. 2; zur verfassungsrechtl. Zulässigkeit der noch einschneidenderen §§ 327a ff. → § 327a Rn. 6 f.). Zum Bedeutungsverlust nach Einführung des Squeeze-Out → § 319 Rn. 1.

II. Zulässigkeit und Erfordernisse der Mehrheitseingliederung (§ 320 I)

2 **1. Grundlagen.** § 320 I 1 knüpft an § 319 I 1 an und lässt Beschluss über die Eingliederung auch dann zu, wenn sich 95 % des Aktienkapitals in der Hand der künftigen Hauptgesellschaft befinden. Insbes. aus dem Wort „auch" folgt, dass die Mehrheitseingliederung als **Variante des in § 319 geregelten Grundfalls** aufgefasst wird, so dass die Verfahren strukturell übereinstimmen (→ § 319 Rn. 1 ff.; sa OLG Stuttgart AG 2021, 119, 121). Insbes. gibt es auch hier keinen Eingliederungsvertrag, sondern lediglich die HV-Beschlüsse über die Eingliederung und über die Zustimmung dazu. Die einschlägige Regelung in § 320 I–III beschränkt sich daher auf die Beteiligungserfordernisse (§ 320 I 1 und 2; → Rn. 3 f.), auf eine Klarstellung der anwendbaren Normen, bes. des § 319 (§ 320 I 3; → Rn. 5 f.), und auf mit Rücksicht auf die Minderheitsaktionäre erforderliche Ergänzungen (§ 320 II–IV; → Rn. 7 ff.).

3 **2. Beteiligungserfordernisse.** Eingliederung durch Mehrheitsbeschluss setzt nach § 320 I 1 voraus, dass beide Gesellschaften Rechtsform einer AG und Sitz im Inland haben → § 319 Rn. 4 f. 95 % der Aktien der einzugliedernden AG müssen der künftigen Hauptgesellschaft gehören. Maßgeblich ist bei Nennbetragsaktien (§ 8 II) der Gesamtnennbetrag, bei Stückaktien (§ 8 III) die Zahl der gehaltenen Aktien. Künftige Hauptgesellschaft muss auch hier (→ § 319 Rn. 4b) Aktien der einzugliedernden Gesellschaft in der Hand haben, also selbst deren Inhaberin sein; Zurechnung entspr. § 16 IV findet wie bei § 319 nicht statt (MüKoAktG/Grunewald Rn. 3; MHdB AG/Krieger § 74 Rn. 24). Anders als iRd § 319 (→ § 319 Rn. 4b) sind gem. § 320 I 2 **eigene Aktien** der einzugliedernden Gesellschaft und solche Aktien, die einem anderen für ihre Rechnung gehören, vom Grundkapital abzusetzen. Darin liegt eine Milderung des Beteiligungserfordernisses, die sachgerecht ist, weil Drittinteressen nicht berührt werden und die künftige Hauptgesellschaft auch von der Tochter oder für ihre Rechnung gehaltene Aktien gem. § 320a erwirbt.

4 Str. ist, ob weitergehend **in § 71d umschriebene Aktien** insges. vom Grundkapital abzusetzen sind (KK-AktG/Koppensteiner Rn. 4 f.; dagegen Emmerich/Habersack/Habersack Rn. 9; MüKoAktG/Grunewald Rn. 3). Frage muss verneint werden, weil Wortlaut des § 320 I 1 dafür nichts hergibt und vorgetragene Argumentation aus § 71b (zB KK-AktG/Koppensteiner Rn. 4 f.) nicht überzeu-

gen kann; denn es geht nicht um Ausübung von Mitgliedsrechten der einzugliedernden Gesellschaft, sondern nur um Festsetzung der Beteiligungsquote der Hauptgesellschaft (MüKoAktG/Grunewald Rn. 3). Während insoweit das Beteiligungserfordernis nicht abgeschwächt werden kann, gibt es aber andererseits auch **kein zusätzliches ungeschriebenes Erfordernis einer Stimmenmehrheit von 95 %** (so jedoch KK-AktG/Koppensteiner Rn. 7; offenlassend OLG Hamm OLGZ 1994, 415, 418). Allein die Tatsache, dass Ges. keine bes. Stimmenmehrheit vorschreibt, trägt nicht den Schluss, dass es auch insoweit einer 95 %-Mehrheit bedürfe (MüKoAktG/Grunewald Rn. 9; MHdB AG/Krieger § 74 Rn. 24). Es schadet also nicht, wenn Kapital- und Stimmenmehrheit infolge von Mehrstimmrechtsaktien oder stimmrechtslosen Vorzügen (vgl. § 12 S. 2) auseinanderfallen. Für Zeitpunkt der Kapitalmehrheit und die Folgen ihres Fehlens gelten dieselben Grundsätze wie zu § 319 (→ § 319 Rn. 4b).

3. Geltung von Teilen des § 319. § 320 I 3 bestätigt Geltung des § 319 I 2, II–VII. Daraus folgt: HV-Beschluss über die Eingliederung in der Tochtergesellschaft unterliegt nicht den für Satzungsänderungen geltenden Regeln (§ 319 I 2). Erforderlich und genügend ist einfacher HV-Beschluss. Dabei sind jedoch anders als im Fall des § 319 (→ § 319 Rn. 5) alle förmlichen Voraussetzungen zu beachten, weil es sich wegen Vorhandenseins von Minderheitsaktionären nicht per se um Vollversammlung handelt. Zur Frage des Mehrheitserfordernisses → Rn. 4. Der Eingliederungsbeschluss muss die Zustimmung der HV der künftigen Hauptgesellschaft nach den in § 319 II zusammengefassten Regeln finden → § 319 Rn. 6 ff. Vor und in dieser HV sind Informationspflichten des § 319 III zu beachten (→ § 319 Rn. 9 ff.). Insbes. ist Eingliederungsbericht zu erstatten (→ § 319 Rn. 10 f.), dessen notwendiger Inhalt noch durch § 320 IV 2 erweitert wird (Muster bei Happ/Groß KonzernR/UmwR 6.04 lit. b). Ferner ist auch die Mehrheitseingliederung anmeldepflichtig (§ 319 IV). Auch bei ihr wirkt Eintragung in das HR konstitutiv, treten Rechtswirkungen der Eingliederung also erst mit der Eintragung ein (→ § 319 VII; vgl. → § 319 Rn. 18). **Rechtskräftiges Anfechtungsurteil** gegen Eingliederungsbeschluss entfaltet Rückwirkung (→ § 248 Rn. 6 ff.). Ob Eingliederungswirkungen gleichwohl nach zur fehlerhaften Gesellschaft geltenden Grundsätzen bis zur Rechtskraft des Urteils aufrechterhalten werden können (→ § 248 Rn. 7a), ist fraglich, sollte aber wohl (anders als beim nichtigen Zustimmungsbeschluss nach § 293, → § 291 Rn. 21) bejaht werden (aA OLG Karlsruhe AG 2011, 673, 674 f.). Abfindungsansprüche sind trotzdem zu verneinen, weil Eingliederung jedenfalls ab Rechtskraft des Urteils keinen Bestand haben kann, also kein endgültiges Ausscheiden iS des § 320b vorliegt. Für bis dahin entstandene Schäden kommen Ersatzansprüche der Aktionäre in unmittelbarer oder analoger Anwendung des § 319 VI 10 in Betracht. 5

4. Insbesondere: Negativerklärung. Aus § 319 V iVm § 320 I 3 ergibt sich, dass Vorstand bei der Anmeldung Negativerklärung abzugeben hat (→ § 319 Rn. 14). Wenn die erforderliche Erklärung nicht abgegeben werden kann, besteht grds. **Registersperre,** darf Eintragung also nicht erfolgen; für bloße Aussetzungsbefugnis gem. § 21 I, 381 FamFG besteht schon nach Sinn und Zweck der Negativerklärung kein Raum (klarstellend § 319 V 2 Hs. 1 iVm § 320 I 3; → § 319 Rn. 15 f.). Registersperre kann auch bei Mehrheitseingliederung durch rechtskräftigen Beschluss des Prozessgerichts nach § 319 VI iVm § 320 I 3 überwunden werden; s. dazu iE → § 319 Rn. 17. 6

III. Bekanntmachung der Tagesordnung (§ 320 II)

7 **1. Hauptversammlung der einzugliedernden Gesellschaft.** § 320 II 1 setzt voraus, dass HV der einzugliedernden Gesellschaft ordnungsgem. einberufen wird (→ Rn. 5: keine Vollversammlung); Muster bei Happ/Groß KonzernR/UmwR 6.03 lit. a. Erforderlich ist also Bek. der Tagesordnung (§ 124). Diese Grundsätze werden durch § 320 II 1 ergänzt. Danach muss Bek. **Firma und Sitz der künftigen Hauptgesellschaft** enthalten (§ 320 II 1 Nr. 1). Ferner ist Erklärung der künftigen Hauptgesellschaft beizufügen, die das Angebot auf Abfindung in eigenen Aktien der Hauptgesellschaft, unter den Voraussetzungen des § 320b I außerdem nach Wahl der Aktionäre auf Barabfindung, enthält (§ 320 II 1 Nr. 2). Bezweckt ist frühzeitige Information der Aktionäre über Identität des Abfindungsschuldners; auch sollen sie frühzeitig entscheiden können, ob sie gerichtl. Entscheidung über die Abfindung (§ 320b II) beantragen wollen (BGH AG 1974, 320, 322 zu § 320 aF; RegBegr. Kropff S. 424). Deshalb ist **konkretes Abfindungsangebot** (Umtauschverhältnis; Höhe der Barabfindung) unverzichtbar (MüKoAktG/Grunewald Rn. 6; KK-AktG/Koppensteiner Rn. 9). Spätere Erhöhung in HV wegen geplanter Kapitalerhöhung der künftigen Hauptgesellschaft ist unschädlich (BGH AG 1974, 320, 322; OLG Celle WM 1972, 1004, 1009 f.; KK-AktG/Koppensteiner Rn. 9; sa GK-AktG/Schmolke Rn. 21: Entscheidend ist, dass Minderheitsaktionäre durch die Änderungen „nicht vor einem neuen Sachverhalt stehen"), wohl auch spätere Erhöhung aus anderen Gründen (MüKoAktG/Grunewald Rn. 7; MHdB AG/Krieger § 74 Rn. 29). Abfindungsangebot muss auch **vollständig** sein. Daran fehlt es, wenn Spitzenbeträge möglich sind und ihre Behandlung nicht geregelt oder vorgesehene Handhabung nicht in das Angebot aufgenommen ist (LG Berlin AG 1996, 230, 232); zur Klagemöglichkeiten der Aktionäre aufgrund unangemessener Abfindung → § 320b Rn. 8 f.

8 Wenn Tagesordnung die erforderlichen Angaben nicht oder nicht vollständig enthält, darf nach § 124 IV 1 nicht über die Eingliederung beschlossen werden. Gleichwohl gefasster Beschluss ist **gem. § 243 I anfechtbar** (BGH AG 1974, 320, 322 f.; OLG Celle WM 1972, 1004, 1009; LG Mosbach AG 2001, 206, 209; RegBegr. Kropff S. 424; unstr. → § 320b Rn. 8).

9 **2. Hauptversammlung der künftigen Hauptgesellschaft.** Eine Erklärung über die geplante Abfindung (§ 320 II 1 Nr. 2) ist auch der Tagesordnung der HV der künftigen Hauptgesellschaft beizufügen (§ 320 II 2). Das dient frühzeitiger Information ihrer Aktionäre über die Höhe der jedenfalls für die Gesellschaft erwartbaren Belastung, also der Vorbereitung ihres Abstimmungsverhaltens (RegBegr. Kropff S. 424 f.). Verstöße machen auch hier gleichwohl gefassten Beschluss anfechtbar nach § 243 I.

IV. Eingliederungsprüfung (§ 320 III)

10 **1. Pflichtprüfung.** Anders als für Eingliederung einer AG, deren Aktien der künftigen Hauptgesellschaft schon zu 100 % gehören (→ § 319 Rn. 10), ist für Mehrheitseingliederung Pflichtprüfung vorgesehen (§ 320 III 1). Das war dem bisherigen Recht fremd (OLG Hamm AG 1993, 93), entspr. aber der in §§ 9, 60 UmwG, § 293b getroffenen Regelung. Unterschiedliche Behandlung der beiden Eingliederungsformen ist folgerichtig, weil nur bei Mehrheitseingliederung Abfindungsansprüche (§ 320b) bestehen (vgl. Begr. BT-Drs. 12/6699, 179). In Betracht kommt insbes. auch hier Entlastungsfunktion der Prüfung (→ § 293b Rn. 1), also ein Schutz der Aktionäre, der Spruchverfahren entbehrlich macht oder wenigstens abkürzt. Unterbleiben darf Prüfung nach § 293a III iVm

§ 320 III 3 nur bei öffentl. beglaubigter **Verzichtserklärung** sämtlicher Aktionäre der einzugliedernden AG und der künftigen Hauptgesellschaft (→ § 293a Rn. 21; → § 293b Rn. 10). Entspr. § 9 I UmwG genügt auch hier ein Eingliederungsprüfer für beide Gesellschaften (AusschussB BT-Drs. 13/10038, 26).

2. Bestellung der Eingliederungsprüfer. Eingliederungsprüfer werden nach § 320 III 2 von Gericht ausgewählt und bestellt. Zuständig dafür ist LG, in dessen Bezirk die einzugliedernde AG ihren Sitz hat; idR entscheidet darüber Vorsitzender der Handelskammer basierend auf Antrag des Vorstands der künftigen Hauptgesellschaft (§ 320 III 2, 3 AktG, § 293c I 3, 4, II AktG, § 293d I AktG; § 10 III–V UmwG). Durch Verweis auf § 293d I gelten auch für Eingliederungsprüfer dort eingefügte Neuregelungen des FISG 2021, namentl. zu Prüfer, der bei Unternehmen von öffentl. Interesse iSd § 316a S. 2 HGB (→ § 100 Rn. 23) Nichtprüfungsleistungen iSd Art. 5 I Abschlussprüfer-VO erbracht hat (→ § 293d Rn. 3 f.). Vorstand der früheren Hauptgesellschaft, der ursprünglich zur Bestellung befugt war und sie auch allein vornehmen konnte, ist jetzt auf Antragsbefugnis beschränkt. Alleinige gerichtl. Zuständigkeit soll Unvoreingenommenheit des Prüfers sichern und Eindruck von „Parteinähe" nicht aufkommen lassen; zum Ganzen → § 293c Rn. 2 ff. 11

3. Prüfung; Prüfungsbericht. § 320 III 3 verweist insoweit auf §§ 293d, 293e. Prüfungsgegenstände sind das Eingliederungsvorhaben und nach richtiger, wenngleich umstrittener Ansicht auch der Eingliederungsbericht (LG Berlin AG 1996, 230, 232; Emmerich/Habersack/Habersack Rn. 20; GK-AktG/Schmolke Rn. 35; → § 293b Rn. 3). Prüfungsaussagen müssen sich auf die ges. Voraussetzungen der Mehrheitseingliederung (→ Rn. 2 ff.) und insbes. auf Angemessenheit der Abfindung erstrecken (→ § 293b Rn. 6). Ihre Zweckmäßigkeit ist dagegen nicht Gegenstand des Prüfungsberichts (→ § 293b Rn. 4). Inhalt des Prüfungsberichts bestimmt sich nach § 293e; → § 293e Rn. 3 ff. Prüfungsbericht ist auch bei der Eingliederung Ergebnisbericht (→ § 293e Rn. 6). Schutzklausel des § 293a II gilt über § 293e III auch für Bericht über Eingliederungsprüfung (→ § 293e Rn. 9). Prüfungsbericht ist gem. § 293a III, § 293e II, § 320 III 3 verzichtbar (→ § 293e Rn. 10). Berichtsmuster bei Happ/Groß KonzernR/UmwR 6.04 lit. c. 12

V. Informationspflichten (§ 320 IV)

1. Allgemeines. § 320 IV knüpft an § 319 III an und erweitert dort geregelte Informationspflichten → § 319 Rn. 9–12. Durch § 320 IV 1 wird Pflicht zur Auslegung, wie sie schon nach § 319 III 1 zu Lasten der künftigen Hauptgesellschaft besteht, zunächst auf die eingegliederte Gesellschaft erstreckt, damit auch deren außenstehende Aktionäre vor der HV von den Unterlagen Kenntnis nehmen können. Weiter werden die auszulegenden Unterlagen für beide Gesellschaften um den Prüfungsbericht ergänzt, dessen Notwendigkeit aus § 293e iVm § 320 III 3 folgt (→ Rn. 12). § 320 IV 2 enthält einen gedanklichen Einschub, indem dort der notwendige Inhalt des Eingliederungsberichts erweitert wird (→ Rn. 15). Regelung der Informationspflichten wird fortgesetzt durch § 320 IV 3, dessen wesentliche Bedeutung wiederum darin besteht, die weiteren Ansprüche des § 319 III 2–5 auf Erteilung von Abschriften oder auf Information über die Internetseite der AG (§ 319 III 2, 3), auf Zugänglichkeit von Dokumenten (§ 319 III 4) und Auskunft (§ 319 III 5) den Aktionären beider Gesellschaften zu geben. 13

2. Auskunftsanspruch. Soweit es um den Auskunftsanspruch geht, den Aktionäre der einzugliedernden Gesellschaft nach § 320 III aF über alle im Zusam- 14 menhang der Eingliederung wesentlichen Angelegenheiten der künftigen Hauptgesellschaft hatten, ist nach Aufhebung der Vorschrift durch Art. 6 Nr. 11 lit. d UmwBerG auf § 319 III 4 iVm § 320 IV 3 zurückzugreifen. Sinngem. Geltung heißt also für Aktionäre der einzugliedernden Gesellschaft, dass es nicht nur auf die Angelegenheiten ihrer Gesellschaft, sondern auch auf die der künftigen Hauptgesellschaft ankommt (→ § 293g Rn. 3 ff.; → § 319 Rn. 12).

15 **3. Erweiterter Eingliederungsbericht.** § 320 IV 2 enthält gedankliche Fortführung des § 319 III 1 Nr. 3. Dort begründete Pflicht des Vorstands der künftigen Hauptgesellschaft (nicht auch: der einzugliedernden Gesellschaft; → Rn. 11), Eingliederungsbericht zu erstatten, wird vorausgesetzt und nach dem Regelungsvorbild des § 293a I inhaltlich erweitert. Damit soll den Abfindungsansprüchen außenstehender Aktionäre gem. § 320b und den daraus resultierenden Bewertungsnotwendigkeiten Rechnung getragen werden. Wegen des Berichtsinhalts → § 293a Rn. 11 ff.; insbes. ist auch hier die Anwendung der Bewertungsgrundsätze im Einzelfall so darzulegen, dass Aktionäre ein Plausibilitätsurteil gewinnen können (→ § 293a Rn. 15).

Wirkungen der Eingliederung

320a **[1]Mit der Eintragung der Eingliederung in das Handelsregister gehen alle Aktien, die sich nicht in der Hand der Hauptgesellschaft befinden, auf diese über. [2]Sind über diese Aktien Aktienurkunden ausgegeben, so verbriefen sie bis zu ihrer Aushändigung an die Hauptgesellschaft nur den Anspruch auf Abfindung.**

I. Regelungsgegenstand und -zweck

1 § 320a setzt konstitutive Wirkung der Eintragung in das HR voraus; sie folgt aus § 319 VII iVm § 320 I 3 (→ § 319 Rn. 18; → § 320 Rn. 5 aE). Geregelt sind Wirkungen der Eingliederung für Mitgliedschaften außenstehender Aktionäre der eingegliederten Gesellschaft (§ 320a S. 1) und für ihre Aktienurkunden (§ 320a S. 2), woraus sich ergibt, dass § 320a allein für § 320, nicht aber für § 319 Bedeutung hat, da es hier begriffsnotwendig keine Minderheitsaktionäre gibt.

II. Mitgliedschaften

2 Mit Eintragung der Eingliederung gehen gem. § 320a S. 1 alle Aktien, die sich bisher noch in anderen Händen befanden, auch eigene Aktien der Tochter, auf die Hauptgesellschaft über. Gemeint sind die **Mitgliedschaftsrechte,** so dass eingegliederte Gesellschaft notwendig Einmann-AG wird. Das entspr. dem Regelungsmodell der Eingliederung, die eigentlich von 100 %-Tochtergesellschaft ausgeht und die Mehrheitseingliederung nur zulässt, um das Verfahren nicht an einer Minderheit scheitern zu lassen (→ § 320 Rn. 1). Übergang der Mitgliedschaft vollzieht sich kraft Ges. Ein Übertragungsgeschäft ist weder erforderlich noch möglich. Ebenfalls kraft Ges. entsteht der Abfindungsanspruch der Aktionäre (§ 320b I 1). Er bezweckt, den von ihnen erlittenen Rechtsverlust zu kompensieren. Verlust der Mitgliedschaft der bisherigen Aktionäre führt nicht zum Wegfall ihrer Sachbefugnis in Spruchverfahren, die sich vor Eingliederung aufgrund Beherrschungs- oder Gewinnabführungsvertrags ergeben haben (→ § 304 Rn. 22; → § 305 Rn. 5; BGHZ 147, 108, 111 ff. = NJW 2001, 2080; GK-AktG/Schmolke Rn. 4; aA Tebben AG 2003, 600, 604 ff., der erst im Innenverhältnis für Ausgleich sorgen will).

III. Aktienurkunden

Nach allg. Grundsätzen würden ausgegebene Urkunden ihre Eigenschaft als Inhaber- oder Orderpapier verlieren, weil sie keine Mitgliedschaft verbriefen. Sie würden demnach gem. § 952 II BGB in das Eigentum der Hauptgesellschaft fallen. Gem. § 320a S. 2 wird jedoch das **verbriefte Recht vorübergehend ausgewechselt.** An die Stelle der Mitgliedschaft tritt nämlich kraft Ges. der Abfindungsanspruch, und zwar in voller Höhe, dh einschließlich einer etwaigen Differenz zwischen der von der Hauptgesellschaft festgelegten und der in einem nachfolgenden Spruchverfahren ermittelten (höheren) Abfindung (BGH NZG 2017, 341 Rn. 15 [zum Squeeze-Out]; sa OLG Koblenz AG 2015, 828 f.). Rechtsfolge ist, dass die bisherigen Aktionäre Eigentümer der Urkunden bleiben und nur Zug um Zug gegen Gewährung der Abfindung (§§ 273, 274 BGB) zur Aushändigung an die Hauptgesellschaft verpflichtet sind (BGH NZG 2017, 341 Rn. 15; GK-AktG/Schmolke Rn. 8; MHdB AG/Krieger § 74 Rn. 35; Weißhaupt/Özdemir ZIP 2007, 2110, 2111). Diese erwirbt mit Aushändigung analog § 797 S. 2 BGB Eigentum an den Urkunden (Timm/Schick WM 1994, 185, 186 f.; zur Konstruktion des Erwerbs genauer MüKoBGB/Habersack BGB § 797 Rn. 6; bloße Vorlage zum Erhalt einer Teilleistung genügt nicht – zu Einzelheiten vgl. BGH NZG 2017, 341 Rn. 22 ff.). Nunmehr wird wiederum die Mitgliedschaft, nämlich in der Hauptgesellschaft, verbrieft (KK-AktG/Koppensteiner Rn. 6). Zugleich erlischt damit Legitimationswirkung der Aktienurkunde hinsichtlich des Abfindungsanspruchs (BGH NZG 2017, 341 Rn. 21; OLG Koblenz AG 2015, 828, 829). Auf Zwischenscheine (→ § 8 Rn. 28) ist § 320a S. 2 analog anzuwenden. Dass Aktienurkunden gem. § 73 für kraftlos erklärt werden können, wenn sie nicht zwecks Abfindung eingereicht werden (MüKo-AktG/Grunewald Rn. 5; S/L/Ziemons Rn. 10; sa Weppner/Groß-Bölking BB 2012, 2196, 2198 ff.; König NZG 2006, 606, 607 f. für Sonderfälle beim gleichliegenden § 327e III 2), erscheint nicht zutr. (wie hier Emmerich/Habersack/Habersack Rn. 6; NK-AktR/Plumeyer/Jaursch Rn. 3; GK-AktG/Schmolke Rn. 17; BeckOGK/Singhof Rn. 6; Weißhaupt/Özdemir ZIP 2007, 2110, 2111 ff.). Beweisprobleme (König NZG 2006, 606, 607 f.) können wegen § 320a S. 1, § 327e III 1 keine andere Beurteilung rechtfertigen. Ges. Auswechselung des verbrieften Rechts und Unrichtigkeit der Urkunde (→ § 73 Rn. 2) schließen einander aus. Auch Rechtsfolgen des § 73 III passen nicht. Hauptgesellschaft kann aber auf Übereignung und Aushändigung der Urkunde gegen Zahlung der Abfindung klagen. 3

Abfindung der ausgeschiedenen Aktionäre

320b (1) [1] **Die ausgeschiedenen Aktionäre der eingegliederten Gesellschaft haben Anspruch auf angemessene Abfindung.** [2] **Als Abfindung sind ihnen eigene Aktien der Hauptgesellschaft zu gewähren.** [3] **Ist die Hauptgesellschaft eine abhängige Gesellschaft, so sind den ausgeschiedenen Aktionären nach deren Wahl eigene Aktien der Hauptgesellschaft oder eine angemessene Barabfindung zu gewähren.** [4] **Werden als Abfindung Aktien der Hauptgesellschaft gewährt, so ist die Abfindung als angemessen anzusehen, wenn die Aktien in dem Verhältnis gewährt werden, in dem bei einer Verschmelzung auf eine Aktie der Gesellschaft Aktien der Hauptgesellschaft zu gewähren wären, wobei Spitzenbeträge durch bare Zuzahlungen ausgeglichen werden können.** [5] **Die Barabfindung muß die Verhältnisse der Gesellschaft im Zeitpunkt der Beschlußfassung ihrer Hauptversammlung über die Eingliederung**

berücksichtigen. [6]Die Barabfindung sowie bare Zuzahlungen sind von der Bekanntmachung der Eintragung der Eingliederung an mit jährlich 5 Prozentpunkten über dem jeweiligen Basiszinssatz nach § 247 des Bürgerlichen Gesetzbuchs zu verzinsen; die Geltendmachung eines weiteren Schadens ist nicht ausgeschlossen.

(2) [1]**Die Anfechtung des Beschlusses, durch den die Hauptversammlung der eingegliederten Gesellschaft die Eingliederung der Gesellschaft beschlossen hat, kann nicht auf § 243 Abs. 2 oder darauf gestützt werden, daß die von der Hauptgesellschaft nach § 320 Abs. 2 Nr. 2 angebotene Abfindung nicht angemessen ist. [2]Ist die angebotene Abfindung nicht angemessen, so hat das in § 2 des Spruchverfahrensgesetzes bestimmte Gericht auf Antrag die angemessene Abfindung zu bestimmen. [3]Das gleiche gilt, wenn die Hauptgesellschaft eine Abfindung nicht oder nicht ordnungsgemäß angeboten hat und eine hierauf gestützte Anfechtungsklage innerhalb der Anfechtungsfrist nicht erhoben oder zurückgenommen oder rechtskräftig abgewiesen worden ist.**

I. Regelungsgegenstand und -zweck

1 Ausgeschiedene Aktionäre haben gem. § 320b I 1 Anspruch auf angemessene Abfindung. Bezweckt ist **Vermögensausgleich** für den mit Mehrheitseingliederung notwendig verbundenen Verlust der Mitgliedschaft in der eingegliederten Gesellschaft (→ § 320a Rn. 2). § 320b I regelt Einzelheiten des Anspruchs. § 320b II betr. Anfechtung des Eingliederungsbeschlusses.

II. Angemessene Abfindung

2 **1. Allgemeines.** Ausgeschiedene Aktionäre haben gem. § 320b I 1 Anspruch auf angemessene Abfindung. Anspruch entsteht kraft Ges. mit Wirksamwerden der Eingliederung als Pendant zum Verlust der Mitgliedschaft (→ § 320a Rn. 2; OLG Düsseldorf AG 2004, 212, 213). Eines Abfindungsvertrags bedarf es nicht (Emmerich/Habersack/Habersack Rn. 3; KK-AktG/Koppensteiner Rn. 3; GK-AktG/Schmolke Rn. 6). Er bildet auch in den Fällen des § 305 I nur die regelmäßige, nicht die notwendige Grundlage des Anspruchs (→ § 305 Rn. 2 f., 5 ff.). Gläubiger sind die aus der eingegliederten Gesellschaft ausgeschiedenen Aktionäre, Schuldner ist die Hauptgesellschaft (OLG Düsseldorf AG 2004, 212, 213; LG Dortmund NZG 2004, 723, 724). Wenn eingegliederte Gesellschaft eigene Aktien gehalten hat, steht ihr auch die Abfindung zu (MüKoAktG/Grunewald Rn. 2; Emmerich/Habersack/Habersack Rn. 4; B/K/L/Fett Rn. 1; GK-AktG/Schmolke Rn. 7; aA BeckOGK/Singhof Rn. 5; S/L/Ziemons Rn. 4; MHdB AG/Krieger § 74 Rn. 35). Andere Lösung ist mit fortdauernder rechtl. Selbständigkeit der eingegliederten Gesellschaft nicht zu vereinbaren, so dass für teleologische Reduktion wegen mangelnden Schutzbedürfnisses kein Raum bleibt (zur Art der Abfindung → Rn. 3). Praktische Bedeutung dürfte Frage kaum haben, da herrschende Gesellschaft ohnehin weitgehenden Zugriff auf Vermögen der eingegliederten AG hat (MüKoAktG/Grunewald Rn. 2). Abfindung muss angemessen sein. Das ist sie, wenn sie Vorgaben des § 320b I 4 und 5 entspr. Danach kommt es im Wesentlichen auf sog **Verschmelzungswertrelation** an. Regelung ist § 305 III nachgebildet. Vgl. deshalb wegen der Einzelheiten → § 305 Rn. 17–28; speziell zur Eingliederung OLG Düsseldorf AG 1995, 84 f.; 2004, 212, 213; LG Dortmund NZG 2004, 723, 724 ff. **Börsenkurs** ist auch hier zumindest als Untergrenze heranzuziehen, kann nach neuerer OLG-Rspr. aber auch der Unternehmensbewertung zugrunde gelegt werden (→ § 305 Rn. 37). Aufgrund der bei Mehrheitseingliederung nach § 320 begriffsnotwendig engen

Marktverhältnissen wird Aussagekraft des Börsenkurses aber oft zweifelhaft sein. Abfindungsanspruch verjährt gem. §§ 195, 199 I BGB.

2. Abfindungsarten. a) Aktien der Hauptgesellschaft als Regelabfindung. Grds. besteht Abfindung der ausgeschiedenen Aktionäre in Aktien der Hauptgesellschaft (§ 320b I 2), und nur darin (OLG Hamm AG 1993, 93, 94). Hauptgesellschaft kann dafür benötigte eigene Aktien erwerben (§ 71 I Nr. 3) oder durch bedingte Kapitalerhöhung schaffen (§ 192 II Nr. 2). In Betracht kommt auch Ausnutzung eines genehmigten Kapitals (→ § 192 Rn. 14), sofern notwendiger Erhöhungsbetrag bekannt ist (Einzelheiten bei Kowalski AG 2000, 555 ff.). Wenn Ermächtigung Sacheinlagen abdeckt (§ 205 I), können Aktien der abzufindenden Aktionäre, die junge Aktien der Hauptgesellschaft erhalten, auf die Einlagenschuld angenommen werden. § 320a S. 1 steht nach dem Rechtsgedanken des § 69 UmwG nicht entgegen. Anforderungen des § 205 sind jedoch zu beachten. Wenn Abfindung der eingegliederten Gesellschaft zusteht (→ Rn. 2), ergeben sich Probleme aus § 71d S. 2 (darin zutr. MHdB AG/Krieger § 74 Rn. 35). Durch Übergang auf Barabfindung (dafür MüKoAktG/Grunewald Rn. 2) können sie nicht gelöst werden, weil Ges. insoweit keine Barabfindung vorsieht. Lösung kann aber in erweiternder Auslegung des rechtfertigenden Erwerbsanlasses (§ 71 I Nr. 3) gefunden werden (zust. Emmerich/Habersack/Habersack Rn. 5a). 3

b) Sonderfälle. § 320b I 2 sagt nichts zum Fall der **Gattungsverschiedenheit.** Rechtslage entspr. derjenigen bei § 305 II Nr. 1 und 2 (Emmerich/Habersack/Habersack Rn. 6; aA Kiem ZIP 1997, 1627, 1629); → § 305 Rn. 15. Dass Hauptgesellschaft den ausgeschiedenen Gesellschaftern notwendig gattungsgleiche Aktien gewähren müsse (MüKoAktG/Grunewald Rn. 4; Timm/Schöne FS Kropff, 1997, 315, 328 ff.), trifft in dieser Allgemeinheit nicht zu. Schwierigkeiten entstehen weiter, wenn eingegliederte Gesellschaft **Umtausch- oder Optionsrechte** (→ § 221 Rn. 4, 6) begeben hat. Sie sind analog §§ 23, 36 I UmwG (zuvor: §§ 347a, 353 aF) durch entspr. Rechte gegen die Hauptgesellschaft zu ersetzen (iE ebenso BGH NJW 1998, 2146; grundlegend Martens AG 1992, 209, 211 ff.; sa Emmerich/Habersack/Habersack Rn. 8; Fleischer ZGR 2002, 757, 776); Fälle von Gattungsverschiedenheit sind ebenfalls unter Wahrung des Gleichbehandlungsprinzips zu lösen (zust. GK-AktG/Schmolke Rn. 12 f. mwN). 4

c) Wahlrecht bei Abhängigkeit der Hauptgesellschaft. Wenn Hauptgesellschaft ihrerseits von einem herrschenden Unternehmen abhängig ist (§ 17), müssen den ausgeschiedenen Aktionären entweder Aktien der Hauptgesellschaft oder eine Barabfindung gewährt werden. Das gilt auch dann, wenn die Bundesrepublik oder eine andere Gebietskörperschaft herrschendes Unternehmen ist (BGHZ 69, 334, 338 ff. = NJW 1978, 104; → § 15 Rn. 16). Ges. will die ausgeschiedenen Aktionäre nicht in erneute Abhängigkeit zwingen (RegBegr. Kropff S. 425). Abfindung der einen und der anderen Art ist den Aktionären gem. § 320b I 3 nach deren Wahl anzubieten. Hauptgesellschaft muss also, anders als die Vertragsparteien im Fall des § 305 II Nr. 2 (→ § 305 Rn. 19), eine **Abfindungsalternative anbieten.** Für die Ausübung des Wahlrechts setzt Ges. keine bes. Frist. Es ist also grds. Sache der Hauptgesellschaft, das Angebot entspr. auszugestalten. Frist darf aber nicht zu kurz sein. Nach zutr. hM ist auf die zu § 305 IV anerkannten Grundsätze (Zweimonatsfrist, → § 305 Rn. 55 f.) zurückzugreifen (MüKoAktG/Grunewald Rn. 10; KK-AktG/Koppensteiner Rn. 15; GK-AktG/Schmolke Rn. 15). 5

§ 320b I 3 weist nicht nur bzgl. des Wahlberechtigten (→ Rn. 5), sondern auch sonst charakteristische **Unterschiede ggü. § 305 II Nr. 2** auf, ohne dass 6 dafür hinreichende Gründe erkennbar wären: kein Wahlrecht, wenn Hauptgesellschaft in Mehrheitsbesitz (§ 16) steht; nur Aktien der Hauptgesellschaft, nicht Aktien der sie beherrschenden oder an ihr mit Mehrheit beteiligten Gesellschaft als Abfindung; vgl. dazu MüKoAktG/Grunewald Rn. 6; KK-AktG/Koppensteiner Rn. 5; Kamprad/Römer AG 1990, 486, 487 ff. Für das geltende Recht sind diese Unterschiede hinzunehmen, obwohl differenzierende Regelung in der Sache nicht überzeugen kann. Insbes. kommt nicht in Betracht, dass statt Aktien der Hauptgesellschaft solche der sie beherrschenden oder an ihr mehrheitlich beteiligten Gesellschaft anzubieten sind und Aktionäre, die dieses Angebot verweigern, dem Vorwurf des Rechtsmissbrauchs ausgesetzt werden (wie hier Emmerich/Habersack/Habersack Rn. 9; MüKoAktG/Grunewald Rn. 6; aA Kamprad/Römer AG 1990, 486, 487 ff.). Lediglich bei **mehrstufiger Eingliederung** kann, wenn es um Eingliederung der Enkelgesellschaft in bereits eingegliederte Tochter geht, nach zutr. hM Abfindung in Aktien der Mutter gewährt werden (BGHZ 138, 224, 225 ff. = NJW 1998, 3202; OLG Nürnberg AG 1996, 229, 230; OLG Nürnberg AG 1997, 136; LG Dortmund AG 1995, 518, 519; LG Dortmund AG 1996, 426 f.; Emmerich/Habersack/Habersack Rn. 10; MüKoAktG/Grunewald Rn. 7; GK-AktG/Schmolke Rn. 17).

III. Verzinsung bei Barabfindung

7 Barabfindungen und bare Zuzahlungen (Ausgleich von Spitzenbeträgen) sind gem. § 320b I 6 **mit jährlich 5 % über Basiszins gem. § 247 BGB** zu verzinsen (→ § 305 Rn. 52), und zwar anders als nach § 305 III 3 Hs. 1 vom Tag der Bek. (§§ 10, 11 HGB) der Eintragung der Eingliederung an (OLG Düsseldorf AG 2003, 507, 508). Auch hier auftretende Zinslücke (→ § 305 Rn. 52) ist verfassungsrechtl. nicht zu beanstanden (vgl. BVerfG AG 2013, 255 Rn. 14 f.; BGHZ 189, 261 Rn. 29 = AG 2011, 514). Auf Schuldnerverzug kommt es nicht an. Zinsen werden als Entschädigung für den gem. § 320a S. 1 erlittenen Rechtsverlust auch für den Zeitraum geschuldet, in dem Aktionäre ihr Wahlrecht (→ Rn. 5) noch nicht ausgeübt haben (MüKoAktG/Grunewald Rn. 13; GK-AktG/Schmolke Rn. 21). Dass gem. § 320b I 6 Hs. 2 **Schadensersatz** ohne Rücksicht auf Verzug gefordert werden kann, ist dagegen nicht anzunehmen. Es verbleibt vielmehr bei § 280 I und II BGB, § 286 BGB (zust. Emmerich/Habersack/Habersack Rn. 13).

IV. Beschlussmängel; unangemessene Abfindung

8 **1. Anfechtung.** Zu unterscheiden ist zwischen Eingliederungsbeschluss iSd § 319 I und Zustimmungsbeschluss iSd § 319 II. Für Zustimmungsbeschluss ist Anfechtung mangels bes. Regelung nach §§ 243 ff. möglich. Dagegen schließt § 320b II 1 **Anfechtung des Eingliederungsbeschlusses** aus, die auf § 243 II oder auf Unangemessenheit der Abfindungsregelung gestützt wird (OLG Hamm AG 1993, 93). Stattdessen können Aktionäre verlangen, dass angemessene Abfindung im Spruchverfahren festgesetzt wird (→ Rn. 9). Möglich bleibt Anfechtung des Eingliederungsbeschlusses nach § 243 I. Er bedarf aber nach zutr. Ansicht keiner sachlichen Rechtfertigung (→ § 293 Rn. 6 f. mwN zur Parallelfrage bei Unternehmensverträgen). Anfechtung kommt jedoch in Betracht, wenn überhaupt kein Angebot unterbreitet worden ist und insbes. auch dann, wenn Angebot nicht ordnungsgem. vorgelegt worden ist (LG Mosbach AG 2001, 206, 209; → § 320 Rn. 7 f.). Umstr. ist, ob danach auch **Informationsmängel** in Gestalt von Bekanntmachungs- und Berichtsmängeln es rechtfertigen, Angebot als „nicht ordnungsgem." zu qualifizieren und Anfechtung zuzulassen. Das würde voraussetzen, dass § 243 IV 2 allein auf solche Informationen Anwendung findet, die in

der HV gegeben werden (so in der Tat Emmerich/Habersack/Habersack Rn. 20; GK-AktG/Schmolke Rn. 32). Nachdem BGH dieses restriktive Verständnis für Parallelnorm des § 327f S. 3 verworfen hat (→ § 327f Rn. 2), ist diese Auffassung auch für § 320b II 1 nicht mehr aufrechtzuerhalten. Ist Anfechtungsklage erhoben, so führt Erfordernis einer Negativerklärung (§ 319 V 1 iVm § 320 I 3) zur Registersperre, kann Eingliederung also bis zur rechtskräftigen Erledigung der Sache nicht wirksam werden, wenn nicht das Prozessgericht die Feststellung nach § 319 VI 1 trifft (→ § 319 Rn. 17 ff.).

2. Spruchverfahren. Nach § 320b II 2 wird angemessene Abfindung auf 9
Antrag durch das in § 2 SpruchG bestimmte Gericht festgesetzt, wenn Abfindungsangebot nicht angemessen ist. Gleiches gilt nach § 320b II 3, wenn Anfechtung des Eingliederungsbeschlusses möglich wäre (kein oder kein ordnungsgem. Angebot; → Rn. 8), aber Klage innerhalb der Monatsfrist des § 246 I nicht erhoben oder zwar erhoben, aber zurückgenommen oder rechtskräftig abgewiesen ist. Das Spruchverfahren steht also auch in diesen Fällen zur Verfügung, aber nur subsidiär ggü. dem Anfechtungsprozess. Regelung der Antragsberechtigung findet sich in § 3 S. 1 Nr. 3 SpruchG, die der Antragsfrist in § 4 I Nr. 3 SpruchG. **Abfindungsergänzungsanspruch** (→ § 305 Rn. 60) steht Aktionären zu, die ihre Urkunden schon gem. § 320a S. 2 an Hauptgesellschaft ausgehändigt haben; für Eingliederung ganz hM, s. BGH AG 2010, 910 Rn. 9 ff.; KK-AktG/Koppensteiner Rn. 19; GK-AktG/Schmolke Rn. 39; MHdB AG/Krieger § 74 Rn. 43.

Gläubigerschutz

321 (1) [1] **Den Gläubigern der eingegliederten Gesellschaft, deren Forderungen begründet worden sind, bevor die Eintragung der Eingliederung in das Handelsregister bekanntgemacht worden ist, ist, wenn sie sich binnen sechs Monaten nach der Bekanntmachung zu diesem Zweck melden, Sicherheit zu leisten, soweit sie nicht Befriedigung verlangen können.** [2] **Die Gläubiger sind in einer Bekanntmachung zu der Eintragung auf dieses Recht hinzuweisen.**

(2) **Das Recht, Sicherheitsleistung zu verlangen, steht Gläubigern nicht zu, die im Falle des Insolvenzverfahrens ein Recht auf vorzugsweise Befriedigung aus einer Deckungsmasse haben, die nach gesetzlicher Vorschrift zu ihrem Schutz errichtet und staatlich überwacht ist.**

I. Regelungsgegenstand und -zweck

Norm betr. Sicherheitsleistung und bezweckt **Schutz der Altgläubiger** der 1
eingegliederten Gesellschaft (BR-Stellungnahme Kropff S. 425 f.). Schutz ist im Hinblick auf § 323 erforderlich. Gläubiger sollen nicht auf gesamtschuldnerische Mithaftung der Hauptgesellschaft nach § 322 und damit auf deren Bonität angewiesen sein. Ähnliche Regelung trifft im Konzernrecht § 303. Vgl. auch § 225 I (Kapitalherabsetzung) und § 22 UmwG (Verschmelzung). Regelung ist zwingend (§ 23 V).

II. Pflicht zur Sicherheitsleistung

1. Voraussetzungen. § 321 I setzt voraus: Eingliederung; Begr. einer Forde- 2
rung, bevor Eintragung der Eingliederung gem. § 10 HGB als bekanntgemacht gilt; Meldung des Gläubigers innerhalb einer Sechsmonatsfrist. Eingliederung ist gem. § 319 VII, § 320 I 3 mit ihrer Eintragung in das HR des Gesellschaftssitzes

erfolgt. Die übrigen Erfordernisse entspr. denen des § 303 I (→ § 303 Rn. 3 ff.). Auf ihr Recht sind die Gläubiger in einer Bek. des Registergerichts hinzuweisen (§ 321 I 2). Durch **DiRUG 2021** ist § 321 I 2 allerdings neu gefasst worden, um Vorschrift an neu geordnetes Bekanntmachungswesen gem. § 10 HGB und §§ 27, 33 HRV (→ § 39 Rn. 7 ff.) anzupassen und Gläubigerschutz auf unverändertem Niveau zu gewährleisten. Da es eigenständige Bek. als regelmäßiges Eintragungspendant nicht mehr gibt, sondern darunter grds. allein erstmalige Abrufbarkeit der Eintragung verstanden wird (→ § 39 Rn. 9), können damit nicht ohne weiteres eigenständige Inhalte verbunden werden. Vielmehr bedarf es dazu gesonderter Bek., für die im neu gefassten Registerwesen Format der **Registerbekanntmachung** vorgesehen ist (→ § 39 Rn. 10). An dieses Format wird in § 321 I 2 nunmehr angeknüpft. Sechsmonatsfrist läuft jedoch ohne Rücksicht darauf, ob dieser Hinweis erfolgt ist oder nicht; ggf. kommen Ansprüche aus Amtshaftung in Betracht. Keinen Anspruch auf Sicherheitsleistung hat, wer schon Befriedigung verlangen kann (§ 321 I 1 aE). Solche Gläubiger brauchen keine Sicherheitsleistung, weil sie ihre Forderung schon durchsetzen können (MüKoAktG/Grunewald Rn. 4; GK-AktG/Schmolke Rn. 10).

3 **2. Gläubiger und Schuldner.** Jeder Gläubiger der eingegliederten Gesellschaft (nicht auch der Hauptgesellschaft), der die in → Rn. 2 zusammengefassten Anforderungen erfüllt, kann verlangen, dass ihm Sicherheit geleistet wird. Ob Schuldner der Verpflichtung die eingegliederte Gesellschaft oder die Hauptgesellschaft ist, ergibt sich nicht aus dem bloßen Text des § 321 I. Nach ganz hM ist **Schuldner die eingegliederte Gesellschaft** (vgl. Emmerich/Habersack/Habersack Rn. 6; GK-AktG/Schmolke Rn. 3). Dem ist beizutreten, weil die eingegliederte Gesellschaft auch Schuldnerin der Hauptforderung bleibt. Allerdings erstreckt sich die gesamtschuldnerische Mithaftung der Hauptgesellschaft nach § 322 auch auf die Sicherheitsleistung. Wird Forderung erfüllt, ist Sicherheit zurückzugewähren (s. MüKoAktG/Grunewald Rn. 14).

4 **3. Art und Weise der Sicherheitsleistung.** Wie bei § 303 I sind §§ 232 ff. BGB maßgeblich; → § 303 Rn. 6. Bürgschaft eines Dritten (§§ 232 II, 239 II BGB) ist als Sicherheit subsidiär zulässig, doch darf der Dritte nicht die Hauptgesellschaft sein. Ihre Bürgschaft gäbe dem Gläubiger wegen § 322 nämlich nichts, was er nicht schon hätte (unstr., s. zB MüKoAktG/Grunewald Rn. 12; KK-AktG/Koppensteiner Rn. 4). Folgerichtig enthält § 321 auch keine § 303 III entspr. Vorschrift.

III. Keine Sicherheitsleistung bei Recht auf vorzugsweise Befriedigung

5 Regelung entspr. nach Wortlaut und Zweck der in § 225 I 3, § 303 II getroffenen. Zu Einzelheiten → § 225 Rn. 10; → § 303 Rn. 8.

Haftung der Hauptgesellschaft

322 (1) [1] **Von der Eingliederung an haftet die Hauptgesellschaft für die vor diesem Zeitpunkt begründeten Verbindlichkeiten der eingegliederten Gesellschaft den Gläubigern dieser Gesellschaft als Gesamtschuldner.** [2] **Die gleiche Haftung trifft sie für alle Verbindlichkeiten der eingegliederten Gesellschaft, die nach der Eingliederung begründet werden.** [3] **Eine entgegenstehende Vereinbarung ist Dritten gegenüber unwirksam.**

(2) **Wird die Hauptgesellschaft wegen einer Verbindlichkeit der eingegliederten Gesellschaft in Anspruch genommen, so kann sie Einwendungen, die nicht in ihrer Person begründet sind, nur insoweit geltend machen, als sie von der eingegliederten Gesellschaft erhoben werden können.**

(3) [1] **Die Hauptgesellschaft kann die Befriedigung des Gläubigers verweigern, solange der eingegliederten Gesellschaft das Recht zusteht, das ihrer Verbindlichkeit zugrunde liegende Rechtsgeschäft anzufechten.** [2] **Die gleiche Befugnis hat die Hauptgesellschaft, solange sich der Gläubiger durch Aufrechnung gegen eine fällige Forderung der eingegliederten Gesellschaft befriedigen kann.**

(4) **Aus einem gegen die eingegliederte Gesellschaft gerichteten vollstreckbaren Schuldtitel findet die Zwangsvollstreckung gegen die Hauptgesellschaft nicht statt.**

Übersicht

I. Regelungsgegenstand und -zweck

Norm betr. gesamtschuldnerische Mithaftung der Hauptgesellschaft für Verbindlichkeiten der eingegliederten Gesellschaft, und zwar nach dem Vorbild der §§ 128, 129 HGB (→ Rn. 2f.). Mit dieser Durchbrechung des § 1 I 2 ist **Schutz der Gläubiger der eingegliederten Gesellschaft** bezweckt. § 322 ist damit Kernstück der Eingliederungsvorschriften, weil nur die Mithaftung es sachlich rechtfertigt, die weitgehenden Einwirkungsmöglichkeiten des § 323 zu eröffnen und zugleich durch § 324 auf eine Sicherung des Gesellschaftsvermögens und der Gesellschaftsgläubiger nach dem Vorbild der §§ 300–303 im Wesentlichen zu verzichten (RegBegr. Kropff S. 426). § 322 I regelt Inhalt und Umfang der Haftung. § 322 II betr. persönliche und von der eingegliederten Gesellschaft abgeleitete Einwendungen. § 322 III begründet Leistungsverweigerungsrechte in Anfechtungs- und Aufrechnungslagen. Schließlich verlangt § 322 IV für die Zwangsvollstreckung gegen die Hauptgesellschaft einen gegen diese gerichteten Schuldtitel. 1

II. Gesamtschuldnerische Mithaftung (§ 322 I)

1. Grundlagen. Vorschrift des § 322 ist bewusst an „gesetzliche Regelung vergleichbarer Gesamtschuldverhältnisse“, namentl. an §§ 128, 129 HGB, angelehnt worden (RegBegr. Kropff S. 426; sa Geßler ZGR 1978, 251, 255f.). Diese 2 in den Materialien noch unterstrichene Anlehnung musste Irritationen auslösen. Erstens ist der Inhalt der Gesellschafterverbindlichkeit nämlich seit jeher umstritten. Dabei geht es schlagwortartig um die sog **Erfüllungstheorie** einerseits, die sog **Haftungstheorie** andererseits. Herrschend und nach dem Zweck des § 128 HGB zutr. ist Erfüllungstheorie; danach schuldet der Gesellschafter inhaltlich dasselbe wie die OHG, hat das Erfüllungsinteresse des Gläubigers also nicht nur in Geld zu befriedigen (so iErg BGHZ 23, 302, 305 f. = NJW 1957, 871; BGHZ 73, 217, 221 f. = NJW 1979, 1361; vgl. aus dem Schrifttum zB GK-HGB/Habersack § 128 Rn. 27 ff. mwN). Zweitens besteht nach § 128 S. 1 HGB zwar ein **Gesamtschuldverhältnis** zwischen den Gesellschaftern, nach zutr. hM jedoch **nicht zwischen OHG und Gesellschafter** (BGHZ 39, 319, 323 = NJW 1963, 1873; BGHZ 47, 376, 378 = NJW 1967, 2155; BGHZ 146, 341, 358 f. = NJW 2001, 1056; vgl. aus dem Schrifttum zB GK-HGB/Habersack § 128 Rn. 20 mwN). Nur das Verhältnis zwischen OHG und Gesellschafter kann aber sinnvoll den Vergleichsfall des § 322 abgeben (insoweit zust. Emmerich/Habersack/Habersack Rn. 3).

3 Teile des Schrifttums tendieren dazu, § 322 aufgrund dieser Aussage in den Materialien in enger Anlehnung an §§ 128, 129 HGB auszulegen (vgl. etwa Emmerich/Habersack/Habersack Rn. 3 ff.; Grigoleit/Grigoleit/Rachlitz Rn. 2; GK-AktG/Schmolke Rn. 5; im Ansatz ähnlich, aber mit anderen Ergebnissen KK-AktG/Koppensteiner Rn. 7 ff.). Ein solcher Wertungstransfer aus dem Personengesellschaftsrecht mag als erste Orientierung hilfreich sein, erweist sich in den Details letztlich aber als nicht weiterführend, da die ges. Ausgestaltung des § 322 zT in direktem Widerspruch zur Rechtslage bei OHG steht. Geboten ist vielmehr, **§ 322 aus sich selbst heraus auszulegen,** also nach seinem Wortlaut und Zweck (überzeugend S/L/Ziemons Rn. 3 ff.; iErg ähnlich MüKoAktG/Grunewald Rn. 3 ff.). Danach ergibt sich, dass die Hauptgesellschaft inhaltlich dasselbe schuldet wie die eingegliederte Gesellschaft; dass der Gläubiger nach seiner Wahl auf die eine oder die andere zugreifen kann (§ 421 BGB); dass Einwendungen der Hauptgesellschaft vorrangig nach § 322 II und III zu beurteilen sind, obwohl das mit der grds. Wertung des § 425 BGB nicht übereinstimmt; dass schließlich der Regress der in Anspruch genommenen Hauptgesellschaft nach § 426 BGB (nicht etwa: § 105 III HGB iVm § 716 I BGB; GoA) zu beurteilen ist. Das ist im Folgenden iE zu erläutern.

4 **2. Haftungsinhalt.** Die **Hauptgesellschaft schuldet** inhaltlich so **wie die eingegliederte Gesellschaft,** insbes. auch Erfüllung von Verpflichtungen, die nicht auf Leistung von Geld gerichtet sind (hM, s. Emmerich/Habersack/Habersack Rn. 6; MüKoAktG/Grunewald Rn. 5; GK-AktG/Schmolke Rn. 10; BeckOGK/Singhof Rn. 8; MHdB AG/Krieger § 74 Rn. 46; Geßler ZGR 1978, 251, 260 ff.; aA KK-AktG/Koppensteiner Rn. 7 ff.; Kley/Lehmann DB 1972, 1421, 1422: nur Einstandspflicht). Ergebnis folgt zunächst aus Wortlaut des § 322 I, weil dort gesamtschuldnerische Haftung angeordnet ist. Wenn demggü. ausgeführt wird, es gebe Gesamtschuld auch ohne Leistungsidentität, erforderlich und genügend sei übereinstimmendes Leistungsinteresse (KK-AktG/Koppensteiner Rn. 9; sa MüKoAktG/Grunewald Rn. 4), so ist das zwar richtig, aber nicht schlüssig iSd Argumentationskette; denn diese Ansicht hat sich jedenfalls für die Praxis erst seit BGHZ 43, 227, 232 = NJW 1965, 1175 durchgesetzt, dies auch nur zögerlich. Für Gesetzgeber von 1965 gehörte Leistungsidentität also noch zum Begriff der Gesamtschuld (s. Nachw. bei BGHZ 43, 227, 232), und eben darauf fußt auch noch zB Geßler ZGR 1978, 251, 259. Das Ergebnis entspr. auch dem auf Gläubigerschutz gerichteten Regelungszweck (→ Rn. 1). Die heute im Personengesellschaftsrecht zu § 126 HGB deutlich hM stützt dieses Ergebnis (→ Rn. 2).

3. Haftungsumfang. Gem. § 322 I 1 haftet Hauptgesellschaft für alle Verbindlichkeiten der eingegliederten Gesellschaft, die **vor der Eingliederung** begründet waren. Eingliederung ist mit ihrer Eintragung in das HR erfolgt (§ 319 VII, § 320 I 3). Auf Bek. hebt Ges. hier anders als in § 303 I 1 nicht ab. Vorher begründet sind Verbindlichkeiten, deren Entstehungsgrund vorher gelegt ist, mögen auch noch einzelne Tatbestandselemente fehlen (→ § 303 Rn. 3). Haftung erstreckt sich nach § 322 I 2 ferner auf alle Verbindlichkeiten, die **nach der Eingliederung und vor ihrem Ende** (sa § 327 IV) begründet werden. Eine abw. Vereinbarung können die Gesellschaften zwar treffen, doch wirkt sie nicht ggü. den Gläubigern (§ 322 I 3). Intern behält die Vereinbarung die klarstellende Funktion, dass der Hauptgesellschaft Freistellungs- und Ausgleichsansprüche erwachsen, doch lassen sich solche Ansprüche auch ohne bes. Vereinbarung begründen (→ Rn. 6). 5

4. Gesamtschuld; Ausgleichsanspruch. Weil die Gesellschaften als Gesamtschuldner haften, sind **§§ 421 ff. BGB grds. anwendbar** (so auch B/K/L/Fett Rn. 4; MüKoAktG/Grunewald Rn. 18; NK-AktR/Plumeyer/Jaursch Rn. 5; S/L/Ziemons Rn. 4 f.). Abw. von § 425 BGB gelten jedoch die aus § 128 HGB übernommenen Regeln des § 322 II und III (→ Rn. 8 ff.). Darin liegt nicht nur eine ausnahmsweise eintretende abw. Gestaltung des Schuldverhältnisses iSd § 425 BGB, sondern ein Wechsel der Haftungsstruktur; an die Stelle der grds. selbständigen Entwicklung der einzelnen Verbindlichkeiten iRd Gesamtschuld tritt das **Prinzip akzessorischer Haftung** (sa Bülow ZGR 1988, 192, 205). Insoweit ist Regelung des § 322 I durch die Zusammenfassung von Gesamtschuld und akzessorischer Haftung missglückt, aber hinzunehmen. Weitergehende Auffassung, die Anordnung der Gesamtschuld in Anlehnung an heutiges Verständnis des § 126 S. 1 HGB gänzlich beiseiteschieben will (Emmerich/Habersack/Habersack Rn. 3; Grigoleit/Grigoleit/Rachlitz Rn. 2; BeckOGK/Singhof Rn. 19), ist rechtspolitisch sicher erwägenswert, dogmatisch aber bedenklich, da nicht nur einzelne Fallkonstellationen im Wege teleologischer Reduktion aus überschießendem Wortlaut des § 322 I 1 ausgeklammert werden sollen, sondern Kernaussage geradezu in ihr Gegenteil verkehrt wird. In heute durchgedrungenem Verständnis des Verhältnisses von OHG und Gesellschafterhaftung findet solch weitgehende Missachtung der ges. Anordnung keine Stütze, da schon 1965 anerkannt war, dass in diesem Verhältnis keine Gesamtschuld besteht (S/L/Ziemons Rn. 4). Aus diesem Grund muss etwaige Korrektur Gesetzgeber vorbehalten bleiben. Folgt man dem, so richtet sich auch **Regress der in Anspruch genommenen Hauptgesellschaft** gegen die eingegliederte Gesellschaft nach § 426 BGB (MüKoAktG/Grunewald Rn. 18; S/L/Ziemons Rn. 20; Kley/Lehmann DB 1972, 1421; aA Emmerich/Habersack/Habersack Rn. 7). Anspruchsgrundlagen sind § 426 I BGB und die befriedigte Gläubigerforderung iVm § 426 II BGB. Kopfteilregel des § 426 I BGB tritt hinter die bes. Rechtsbeziehungen zwischen den Gesellschaften zurück. IdR und insbes. dann, wenn Verbindlichkeit ohne Zutun der Hauptgesellschaft begründet worden ist, kann diese in vollem Umfang Ausgleichung fordern. 6

5. Ausweis im Jahresabschluss. Wenn Inanspruchnahme der Hauptgesellschaft gem. § 322 I droht, ist Verbindlichkeit in der Bilanz zu passivieren. Sonst handelt es sich um sonstige finanzielle Verpflichtungen, die jedoch nicht unter § 251 HGB fallen, also nicht zu vermerken, sondern als **Pflichtangabe nach § 285 Nr. 3a HGB** in den Anh. aufzunehmen sind (Grigoleit/Grigoleit/Rachlitz Rn. 6; MüKoHGB/Poelzig HGB § 285 Rn. 86; GK-AktG/Schmolke Rn. 15; ohne sachliche Abweichung für Angabe nach § 285 Nr. 3 HGB B/K/L/Fett Rn. 5; Emmerich/Habersack/Habersack Rn. 9). Frühere Streitfrage, ob Mithaftung im Bilanzvermerk (so AusschussB Kropff S. 426) oder im Geschäfts- 7 bericht Ausdruck zu finden hat (dafür Kley/Lehmann DB 1972, 1421, 1422 f.), hat sich seit BiRiLiG erledigt. Generelle Passivierungspflicht hielt Gesetzgeber wegen der dann zugleich gebotenen Aktivierung der – als vollwertig unterstellten – Ausgleichsansprüche für entbehrlich, weil sich daraus lediglich eine Bilanzverlängerung ergibt (AusschussB Kropff S. 426).

III. Persönliche und abgeleitete Einwendungen (§ 322 II)

8 **1. Persönliche Einwendungen.** § 322 II ist § 127 HGB nachgebildet. Danach kann Hauptgesellschaft zunächst die Einwendungen geltend machen, die ihr persönlich zustehen. Das ist in § 322 II zwar nicht eigentlich geregelt, aber vorausgesetzt. Hierhin gehören zB Erlassvertrag (§ 397 BGB) oder Stundung, ferner eine Abrede zwischen Gläubiger und eingegliederter Gesellschaft, nach der Hauptgesellschaft gem. § 328 BGB von ihrer Haftung freigestellt wird (MüKoAktG/Grunewald Rn. 13; KK-AktG/Koppensteiner Rn. 19).

9 **2. Abgeleitete Einwendungen.** Ferner kann Hauptgesellschaft Einwendungen geltend machen, soweit sie von eingegliederter Gesellschaft erhoben werden können. Das entspr. der akzessorischen Natur ihrer Haftung (→ Rn. 6). In Betracht kommen Erfüllung (§ 362 I BGB), Erlassvertrag (§ 397 BGB), Stundung, Anfechtung (§ 142 BGB), Rücktritt (§ 346 BGB) usw. Ein Erlassvertrag der eingegliederten Gesellschaft mit dem Gläubiger, der diesem die Forderung gegen die Hauptgesellschaft vorbehält, ist jedenfalls ihr ggü. und regelmäßig insges. unwirksam (BGHZ 47, 376, 378 = NJW 1967, 2155 zu § 128 HGB; MüKoAktG/Grunewald Rn. 11; MHdB AG/Krieger § 74 Rn. 47). Gegenläufig kann Hauptgesellschaft **Verjährungseinrede** nicht erheben, wenn ihr ggü. Voraussetzungen des Neubeginns nach § 212 BGB bestehen, mag auch ggü. der eingegliederten Gesellschaft Verjährung eingetreten sein (s. noch zur Unterbrechung nach § 208 BGB aF BGHZ 104, 76, 80 f. = NJW 1988, 1976 zu § 128 HGB; MüKoAktG/Grunewald Rn. 11; GK-AktG/Schmolke Rn. 18; aA Emmerich/Habersack/Habersack Rn. 12). Verzichtet eingegliederte Gesellschaft auf Verjährungseinrede, so wirkt dieser Verzicht auch gegen Hauptgesellschaft (hM, vgl. zB Emmerich/Habersack/Habersack Rn. 11; KK-AktG/Koppensteiner Rn. 18; aA Geßler ZGR 1978, 251, 267).

IV. Anfechtung und Aufrechnung (§ 322 III)

10 **1. Anfechtung.** Aus einer zugunsten der eingegliederten Gesellschaft bestehenden Anfechtungslage kann Hauptgesellschaft gem. § 322 III 1, der § 128 II HGB entspr., ein zeitweiliges Leistungsverweigerungsrecht ableiten. Anfechtungsgrund (§§ 119, 123 BGB) bleibt gleich. Entscheidend ist die Erwägung, dass Gläubiger nicht von dem einen Schuldner fordern soll, was er nach Anfechtung durch den anderen gem. § 812 I 2 Fall 1 BGB zurückgewähren müsste. Befugnis, die Anfechtung zu erklären, steht aber nicht Hauptgesellschaft, sondern allein der eingegliederten Gesellschaft zu (Emmerich/Habersack/Habersack Rn. 13). Allerdings könnte Hauptgesellschaft den Vorstand der eingegliederten Gesellschaft anweisen, Anfechtung zu erklären (§ 323 I 1), so dass es der Vorschrift im Unterschied zu § 128 II HGB wohl nicht bedurft hätte (zutr. Emmerich/Habersack/Habersack Rn. 13; KK-AktG/Koppensteiner Rn. 20).

11 **2. Aufrechnung.** § 322 III 2 ist § 128 II HGB nachgebildet und übernimmt dessen Formulierungsschwäche. Zu unterscheiden ist zwischen beiderseitiger Aufrechnungslage, einseitiger Aufrechnungslage zugunsten des Gläubigers und einseitiger Aufrechnungslage zugunsten der eingegliederten Gesellschaft. Im ersten Fall erwächst der Hauptgesellschaft aus § 322 III 2 ein Leistungsverweige-

rungsrecht. **Einseitige Aufrechnungslagen** können sich aus §§ 393, 394 BGB ergeben. Wenn nur der Gläubiger aufrechnen kann, aber Aufrechnung durch die eingegliederte Gesellschaft nicht hinzunehmen braucht, ergibt sich für die Hauptgesellschaft entgegen dem Wortlaut des § 322 III 2 kein Leistungsverweigerungsrecht; Norm ist insoweit einschr. auszulegen (BGHZ 42, 396, 397 = NJW 1965, 627 zu § 128 HGB; MüKoAktG/Grunewald Rn. 15; Bülow ZGR 1988, 192, 208 f.). Kann umgekehrt die eingegliederte Gesellschaft aufrechnen, nicht aber der Gläubiger, so ist, obwohl Hauptgesellschaft gem. § 323 I 1 Weisung zur Aufrechnung erteilen könnte, wie bei § 128 II HGB erweiternde Auslegung geboten, die Hauptgesellschaft das Leistungsverweigerungsrecht gibt (Emmerich/Habersack/Habersack Rn. 14; K. Schmidt GesR § 49 II 3c; Schlüter FS Westermann, 1974, 509).

V. Zwangsvollstreckung (§ 322 IV)

Ein gegen die eingegliederte Gesellschaft gerichteter vollstreckbarer Schuldtitel (§§ 704, 794 ZPO) erlaubt die Vollstreckung gegen diese, aber nicht gegen die Hauptgesellschaft (§ 322 IV). **Hauptgesellschaft ist selbst Partei und muss selbst verklagt werden** (sa BGHZ 62, 131 f. = NJW 1974, 750 zur OHG). Andere Beurteilung wäre nur möglich, wenn aus dem Prinzip akzessorischer Haftung (→ Rn. 6) in Abweichung von § 425 II BGB abgeleitet werden könnte, dass Titulierung gegen den einen Schuldner zugleich gegen den anderen wirkt. Damit würde der Hauptgesellschaft jedoch das Recht abgeschnitten, der Forderung mit eigenen Einwendungen (→ Rn. 8, 10 f.) zu begegnen, so dass diese Lösung nicht in Frage kommt. 12

Leitungsmacht der Hauptgesellschaft und Verantwortlichkeit der Vorstandsmitglieder

323 (1) [1]**Die Hauptgesellschaft ist berechtigt, dem Vorstand der eingegliederten Gesellschaft hinsichtlich der Leitung der Gesellschaft Weisungen zu erteilen.** [2]**§ 308 Abs. 2 Satz 1, Abs. 3, §§ 309, 310 gelten sinngemäß.** [3]**§§ 311 bis 318 sind nicht anzuwenden.**

(2) **Leistungen der eingegliederten Gesellschaft an die Hauptgesellschaft gelten nicht als Verstoß gegen die §§ 57, 58 und 60.**

I. Regelungsgegenstand und -zweck

Norm betr. Weisungsbefugnis der Hauptgesellschaft und Verantwortlichkeit ihrer Vorstandsmitglieder sowie diejenige der Verwaltungsmitglieder der eingegliederten Gesellschaft (§ 323 I). Bezweckt ist vor allem ges. **Konkretisierung** der durch die Eingliederung geschaffenen **korporationsrechtl. Beziehung zwischen Hauptgesellschaft und eingegliederter Gesellschaft** (→ § 319 Rn. 1). Kennzeichnend ist die umfassende, keiner Rechtfertigung aus einem Konzerninteresse (→ § 308 Rn. 16 ff.) bedürftige Leitung der Tochtergesellschaft nach Art einer Betriebsabteilung (s. RegBegr. Kropff S. 427). Dem entspr., dass § 323 II nach Vorbild des § 291 III die sonst durch §§ 57, 58, 60 gewährleistete Vermögensbindung in der eingegliederten Gesellschaft zugunsten der Hauptgesellschaft aufhebt. Kompensiert wird umfassende Leitungsbefugnis der Hauptgesellschaft bes. durch ihre eigene Haftung ggü. den Gläubigern der eingegliederten Gesellschaft nach § 322. 1

II. Leitungsmacht der Hauptgesellschaft

2 **1. Weisungsbefugnis.** Hauptgesellschaft ist weisungsberechtigt und wird dabei durch ihren Vorstand vertreten (§ 78). Zu **Delegation** und Übertragung des Weisungsrechts → § 308 Rn. 4 ff. Nach wohl noch hM ist es zulässig, Ausübung des Weisungsrechts ggü. Enkelgesellschaft bei mehrstufiger Eingliederung von Tochter auf Mutter zu delegieren (B/K/L/Fett Rn. 3; KK-AktG/Koppensteiner Rn. 9; BeckOGK/Singhof Rn. 5; MHdB AG/Krieger § 74 Rn. 49; Rehbinder ZGR 1977, 581, 616 f.). Das ist jedoch abzulehnen, da Vorstand der Tochter sonst weder Prüfungskompetenz noch -pflicht hätte (zutr. daher MüKoAktG/Grunewald Rn. 7; Emmerich/Habersack/Habersack Rn. 4; S/L/Ziemons Rn. 9). Weisungsempfänger ist Vorstand der eingegliederten Gesellschaft. **Folgepflicht von Angestellten** kann nur durch seine Weisung begründet werden (→ § 308 Rn. 7 f.). Dabei muss allerdings nicht sichergestellt werden, dass Vorstand von Weisungen iSd § 308 II 2, 2. Satzteil rechtzeitig Kenntnis erhält. Weil § 323 I Folgepflicht nicht entspr. einschränkt, wäre derartiger Vorbehalt funktionslos (iE ebenso KK-AktG/Koppensteiner Rn. 10; MHdB AG/Krieger § 74 Rn. 49; wohl aA MüKoAktG/Grunewald Rn. 8). Überwiegend für unzulässig wird es mittlerweile gehalten, wenn Hauptgesellschaft – statt Weisung zu erteilen – sich umfassende **Bevollmächtigung** erteilen lässt, unmittelbar im Namen der eingegliederten Gesellschaft tätig zu werden (MüKoAktG/Grunewald Rn. 8; Emmerich/Habersack/Habersack Rn. 5; GK-AktG/Schmolke Rn. 11; aA B/K/L/Fett Rn. 3; KK-AktG/Koppensteiner Rn. 11; offen MHdB AG/Krieger § 74 Rn. 49). Dem ist zuzustimmen, weil Vorstand der eingegliederten Gesellschaft damit jegliche Kontrolle verlieren würde (→ Rn. 4). Nicht anzuerkennen ist Weisungspflicht der Hauptgesellschaft ggü. eingegliederter Gesellschaft.

3 **Umfang der Weisungsbefugnis** ist nach § 323 I nicht inhaltlich begrenzt; insbes. müssen nachteilige Weisungen anders als iRd § 308 (→ § 308 Rn. 15 ff.) nicht durch Belange der Hauptgesellschaft oder mit ihr konzernverbundener Unternehmen gedeckt sein (unstr.). Weisung darf aber nicht gesetzwidrig sein (→ § 308 Rn. 14). Ob existenzgefährdende oder -vernichtende Weisungen zulässig sind, ist nicht zweifelsfrei, weil § 322 nur Gläubigerbelangen Rechnung trägt. Frage wird aber von ganz hM bejaht (s. nur MüKoAktG/Grunewald Rn. 3; MHdB AG/Krieger § 74 Rn. 48). Für Maßnahmen, die der Zustimmung des AR bedürfen, verbleibt es gem. § 323 I 2 bei § 308 III; → § 308 Rn. 23 f.

4 **2. Folgepflicht.** Folgepflicht des Vorstands der eingegliederten Gesellschaft ergibt sich aus § 308 II 1 iVm § 323 I 2. Ihr Umfang entspr. spiegelbildlich dem der Weisungsbefugnis der Hauptgesellschaft (→ Rn. 3). Weil § 308 I 2 keine sinngem. Anwendung findet, besteht Folgepflicht auch dann, wenn es offensichtlich ist, dass eine nachteilige Weisung auch nicht den Belangen der Hauptgesellschaft oder mit ihr konzernverbundener Unternehmen dient; allerdings wird eine derartige Weisung in aller Regel pflichtwidrig ggü. eingegliederter Gesellschaft sein. **Gesetzwidrige Weisungen** darf Vorstand jedoch nicht ausführen, so dass ihm ein Rest von Prüfungskompetenz verbleibt. Daher kann umfassende Bevollmächtigung der Hauptgesellschaft nicht als zulässig beurteilt werden (→ Rn. 2). Wird keine Weisung erteilt, bleibt Vorstand der eingegliederten AG nur ihren Interessen verpflichtet (Emmerich/Habersack/Habersack Rn. 7).

III. Verantwortlichkeit

5 **1. Hauptgesellschaft.** § 323 I 2 schreibt vor, § 309 sinngem. anzuwenden. Daraus ergibt sich, dass **Vorstandsmitglieder** der Hauptgesellschaft ggü. eingegliederter Gesellschaft Sorgfalt eines ordentlichen und gewissenhaften Geschäfts-

leiters zu beachten haben, wenn sie Weisungsbefugnis ausüben, ferner, dass sie Schadensersatz leisten müssen, wenn sie diese Pflicht schuldhaft verletzen. Regelungen des § 309 gelten auch für Einzelheiten des Anspruchs (§ 309 III–V). Haftung der **Hauptgesellschaft** selbst wird nur selten erörtert. Praktische Bedeutung der Frage wird durch § 322 minimiert. Im Grundsatz sollte Haftung wegen fortdauernder rechtl. Selbständigkeit der eingegliederten Gesellschaft ebenso außer Zweifel stehen wie bei Beherrschungsverträgen. Wer Anspruchsgrundlage dort in § 280 I BGB wegen Verletzung des Beherrschungsvertrags findet (→ § 309 Rn. 26 f.), gerät hier mangels Vertrags in Begründungsschwierigkeiten. Stattdessen kann auf durch HV-Beschlüsse geschaffene korporationsrechtl. Sonderbeziehung zwischen den Gesellschaften abgestellt werden (so GK-AktG/Schmolke Rn. 13), doch ist es auch möglich – und eher in allg. Grundsätze einzufügen – auf mitgliedschaftliche Treupflicht der Hauptgesellschaft abzustellen, deren Verletzung nach § 280 I BGB sich Hauptgesellschaft über § 31 BGB zurechnen lassen muss (so auch MüKoAktG/Grunewald Rn. 16; Emmerich/Habersack/Habersack Rn. 9; BeckOGK/Singhof Rn. 11; S/L/Ziemons Rn. 19; aA KK-AktG/Koppensteiner Rn. 17).

2. Eingegliederte Gesellschaft. In § 323 I 2 angeordnete sinngem. Anwendung des § 310 begründet Haftung der Vorstandsmitglieder der eingegliederten Gesellschaft, wenn sie ihre Pflichten bei der Ausführung von Weisungen schuldhaft verletzen. Sie haften als Gesamtschuldner neben der Hauptgesellschaft und ihren Vorstandsmitgliedern (→ Rn. 5). Billigung der Maßnahme durch AR oder HV-Beschluss schließt Haftung nicht aus (→ § 310 Rn. 5). Anzuwenden ist § 310 nur, wenn Pflichtverletzung mit Ausführung von Weisungen im Zusammenhang steht, was wegen § 310 III (→ § 310 Rn. 6) deren Unverbindlichkeit voraussetzt. Lag keine Weisung vor, bleibt es bei § 93 (→ § 310 Rn. 1). § 310 kann auch zur Haftung der AR-Mitglieder führen → § 310 Rn. 3. 6

3. Nicht anwendbar: §§ 311 bis 318. § 323 I 3 schließt Anwendung der §§ 311–318 aus. Darin liegt bloße Klarstellung (AusschussB Kropff S. 427), die entbehrlich gewesen wäre; denn es ist selbstverständlich, dass der Eingliederungskonzern nicht den Vorschriften über den faktischen Konzern unterliegen kann. Für §§ 317, 318 folgt das überdies aus sinngem. Anwendung der §§ 309, 310 (RegBegr. Kropff S. 427). 7

IV. Lockerung der Vermögensbindung

§ 323 II entspr. § 291 III. Vorschrift ist rechtssystematisch notwendig, weil Eingliederung nicht auf Unternehmensvertrag iSd § 291 beruht. Der Sache nach bringt Norm nichts Neues; → § 291 Rn. 36. 8

Gesetzliche Rücklage. Gewinnabführung. Verlustübernahme

324 (1) **Die gesetzlichen Vorschriften über die Bildung einer gesetzlichen Rücklage, über ihre Verwendung und über die Einstellung von Beträgen in die gesetzliche Rücklage sind auf eingegliederte Gesellschaften nicht anzuwenden.**

(2) [1] **Auf einen Gewinnabführungsvertrag, eine Gewinngemeinschaft oder einen Teilgewinnabführungsvertrag zwischen der eingegliederten Gesellschaft und der Hauptgesellschaft sind die §§ 293 bis 296, 298 bis 303 nicht anzuwenden.** [2] **Der Vertrag, seine Änderung und seine Aufhebung bedürfen der schriftlichen Form.** [3] **Als Gewinn kann höchstens der ohne die Gewinnabführung entstehende Bilanzgewinn abgeführt**

werden. [4]Der Vertrag endet spätestens zum Ende des Geschäftsjahrs, in dem die Eingliederung endet.

(3) **Die Hauptgesellschaft ist verpflichtet, jeden bei der eingegliederten Gesellschaft sonst entstehenden Bilanzverlust auszugleichen, soweit dieser den Betrag der Kapitalrücklagen und der Gewinnrücklagen übersteigt.**

I. Regelungsgegenstand und -zweck

1 Norm betr. **Vermögen** (§ 324 I und III) **und Gewinn** (§ 324 II) **der eingegliederten Gesellschaft.** Sie beruht auf dem Grundgedanken, dass Hauptgesellschaft bis zur Grenze des durch die Grundkapitalziffer gebundenen Vermögens grds. frei über das Vermögen der eingegliederten Gesellschaft verfügen kann (zutr. KK-AktG/Koppensteiner Rn. 1). Vorschrift enthält damit ein Seitenstück zu § 323. Wenn Begriffe nicht steuerrechtl. schon anderweitig besetzt wären, ließe sich für § 323 von organisatorischer, für § 324 von finanzieller Eingliederung sprechen. Regelung muss vor dem Hintergrund gesehen werden, dass eingegliederte Gesellschaft entweder von vornherein (§ 319) oder mit Eintragung der Eingliederung in das HR (§ 319 VII iVm § 320 I 3) 100%-Tochter ist bzw. wird und Gläubiger gem. § 322 Hauptgesellschaft in Anspruch nehmen können. Dass wenigstens ein dem Grundkapital entspr. Vermögen vorhanden sein soll, geht auf das rechtspolizeiliche Interesse zurück, vermögenslose Gesellschaften nicht am Rechtsverkehr teilnehmen zu lassen. Dass dies ohne eigentlichen rechtspolitischen Sinn sei (so KK-AktG/Koppensteiner Rn. 3 aE; sa Emmerich/Habersack/Habersack Rn. 2), lässt sich nicht sagen.

II. Keine Pflicht zur Bildung oder Erhaltung einer gesetzlichen Rücklage

2 § 324 I spricht die in § 150 getroffene Regelung an und setzt sie für eingegliederte Gesellschaften außer Kraft. Diese sind also nicht verpflichtet, eine ges. Rücklage zu bilden (§ 150 I; → § 150 Rn. 4) oder solche Rücklagen zu dotieren (§ 150 II; → § 150 Rn. 5 ff.). Auch die Vorschriften über die Verwendung bei der Eingliederung etwa vorhandener ges. Rücklagen (§ 150 III und IV; → § 150 Rn. 8 ff.) gelten nicht. Rücklagen können also zu anderen Zwecken, auch zur Gewinnausschüttung, verwandt werden. Weil ges. Rücklagen überhaupt nicht dotiert werden müssen, besteht auch keine Pflicht zur erhöhten Rücklagenzuführung gem. § 300 Nr. 1 oder 2, und zwar ohne Rücksicht darauf, ob tatbestandliche Voraussetzungen der Norm erfüllt sind oder nicht. § 300 Nr. 3 scheidet von vornherein aus, weil Beherrschungsvertrag und Eingliederung nicht nebeneinander bestehen können. Etwa vorhandene Bestimmungen der **Satzung** zur ges. Rücklage (Verwendungsbindungen) werden von § 324 I nicht berührt, sind also zu beachten, bis sie geändert oder aufgehoben werden (RegBegr. Kropff S. 428; MüKoAktG/Grunewald Rn. 2; GK-AktG/Schmolke Rn. 6).

3 Auf **Kapitalrücklagen** (§ 272 II HGB; → § 150 Rn. 2 f.) ist Regelung des § 324 I nicht, auch nicht analog, anzuwenden (MüKoAktG/Grunewald Rn. 3; Emmerich/Habersack/Habersack Rn. 4). Begriff hat seit BiRiLiG nämlich andere rechtstechnische Bedeutung und § 324 I und III knüpft an diese Unterscheidung an. Wegen § 324 III ist Frage aber ohne bes. praktische Bedeutung (MHdB AG/Krieger § 74 Rn. 56).

III. Gewinnabführungspflichten

1. Unternehmensvertragliche Regelung. Eingliederung begründet als solche keine Pflicht zur Gewinnabführung. Hauptgesellschaft kann aber durch Weisung nach § 323 I 1 den Gewinn ganz oder teilw. an sich ziehen. § 324 II bedeutet also nicht, dass einer der dort angeführten Unternehmensverträge gesellschaftsrechtl. für eine Gewinnverlagerung erforderlich wäre. Abschluss und Handhabung solcher Verträge sollen durch § 324 II 1 nur erleichtert werden, soweit sie **im Hinblick auf steuerliche Organschaft** (§ 14 KStG) im Einzelfall erforderlich sind; unstr., vgl. KK-AktG/Koppensteiner Rn. 9; MHdB AG/Krieger § 74 Rn. 57; wohl auch RegBegr. Kropff S. 428, nach der ein Gewinnabführungsvertrag jedoch „verlangt" wird. Im Interesse der Rechtsklarheit ist nach § 324 II 2 Schriftform, aber auch nicht mehr (also insbes. nicht Registereintragung nach § 294 II), erforderlich. 4

2. Höchstgrenze: fiktiver Bilanzgewinn. § 324 II 3 ist im Zusammenhang mit § 324 II 1 zu lesen, besagt also, dass eine etwa getroffene unternehmensvertragliche Regelung zur Gewinnabführung ihre Höchstgrenze im Bilanzgewinn findet, wie er sich ohne entspr. Vertragspflicht ergäbe; vgl. zum Bilanzgewinn § 158 I 1 Nr. 5; → § 158 Rn. 6. Anders als nach § 301 bedarf es keiner Verminderung um Verlustvortrag (→ § 158 Rn. 2) aus Vorjahr (insofern aA S/L/Ziemons Rn. 12; wie hier Emmerich/Habersack/Habersack Rn. 6) und keiner Dotierung der ges. Rücklage; im Gegenteil können ges. Rücklagen aufgelöst und dem Bilanzgewinn zugeführt werden (→ Rn. 2; unstr., s. zB KK-AktG/Koppensteiner Rn. 10). Ausschüttungssperre des § 268 VIII HGB ist in § 324 II 3 anders als in § 301 1 (→ § 301 Rn. 5) zwar nicht genannt. Da in § 324 II 1 auch Anwendung des § 301 ausgeschlossen ist, scheint Sperre hier nicht zu bestehen; naheliegend ist jedoch Annahme eines Redaktionsversehens und Anwendung des § 301, soweit dort gesperrte Beträge (§ 268 VIII HGB; ausf. dazu von der Laage WM 2012, 1322) von Gewinnabführung ausgenommen werden; Ungleichbehandlung von Ausschüttungen und Abführungen von eingegliederten Gesellschaften sind nicht gerechtfertigt (ausf. Kropff FS Hüffer, 2010, 539, 552; sa BeckOGK/Singhof Rn. 6; S/L/Ziemons Rn. 11). Unberührt von § 324 II 3 bleibt Umfang der Weisungsbefugnis (→ Rn. 4). Gewinnverlagerung durch Weisung kann, wie durch Nichtanwendung des § 58 IV bestätigt wird (§ 323 II), noch über Bilanzgewinn hinausgehen. 5

3. Beendigung. Nach § 324 II 3 endet etwa geschlossener Gewinnabführungsvertrag (Gewinngemeinschaft, Teilgewinnabführungsvertrag) spätestens **zum Ende des Geschäftsjahrs,** in dem die Eingliederung endet. Vertragsbeendigung tritt **kraft Ges.** ein. Regelung ist zwingend. Sie erklärt sich aus dem unverzichtbaren Zusammenhang zwischen erweiterter, selbst die Substanz der eingegliederten Gesellschaft angreifender Gewinnabführung (→ Rn. 5) und Haftung der Hauptgesellschaft gem. § 322 (RegBegr. Kropff S. 428). Nach Vertragsende kann Gewinnabführung nur unter Beachtung der allg. Vorschriften über Unternehmensverträge (§§ 293 ff.) neu vereinbart werden. Verlängerungsklausel des Inhalts, dass Gewinnabführung in dem ohne Eingliederung zulässigen Umfang andauern soll, wäre nichtig (MüKoAktG/Grunewald Rn. 6; Emmerich/Habersack/Habersack Rn. 6). Vertrag kann auch durch schriftliche Kündigung aus wichtigem Grund enden (§ 297 I und III), weil § 324 I 1 es bei der Anwendung von § 297 belässt. Praktische Bedeutung ist jedoch nicht erkennbar. Näher liegt stattdessen einverständliche Vertragsaufhebung, die Hauptgesellschaft, weil § 299 gem. § 324 II 1 nicht gilt, auch zum Gegenstand einer Weisung machen kann. 6

IV. Verlustausgleichspflicht

7 Gem. § 324 III ist Hauptgesellschaft verpflichtet, jeden bei der eingegliederten Gesellschaft sonst entstehenden Bilanzverlust auszugleichen, allerdings nur, **soweit Bilanzverlust den Betrag der Kapital- und der Gewinnrücklagen übersteigt.** Damit ist sichergestellt, dass während der Eingliederung ein dem Grundkapital entspr. Vermögen erhalten bleibt; zum Sinn der Regelung → Rn. 1. Fälligkeit des Verlustausgleichs tritt mit Feststellung des Jahresabschlusses ein. Im Unterschied zu § 302 dürfen nicht nur Kapitalrücklagen, sondern insbes. auch vor der Eingliederung gebildete Gewinnrücklagen zum Ausgleich von Fehlbeträgen aufgelöst werden (dagegen → § 302 Rn. 12). Verlustausgleichspflicht kann iRd § 324 (anders als bei § 302) auch durch **vereinfachte Kapitalherabsetzung** (§ 229) vermieden werden (RegBegr. Kropff S. 429; unstr., s. zB MüKoAktG/Grunewald Rn. 10).

325 *(aufgehoben)*

1 § 325 enthielt **Ausnahme von Einreichungs- und Bekanntmachungspflicht** des § 177 aF, soweit eingegliederte Gesellschaft in einen von der Hauptgesellschaft aufgestellten Konzernabschluss oder Teilkonzernabschluss einbezogen wurde. Aufgehoben durch Art. 2 BiRiLiG v. 19.12.1985 (BGBl. 1985 I 2335). Vgl. nunmehr § 291 HGB.

Auskunftsrecht der Aktionäre der Hauptgesellschaft

326 **Jedem Aktionär der Hauptgesellschaft ist über Angelegenheiten der eingegliederten Gesellschaft ebenso Auskunft zu erteilen wie über Angelegenheiten der Hauptgesellschaft.**

I. Regelungsgegenstand und -zweck

1 Norm betr. Auskunftsrecht der Aktionäre der Hauptgesellschaft, **ergänzt § 131** und bezweckt, Aktionäre der Hauptgesellschaft über Angelegenheiten der eingegliederten Gesellschaft so zu informieren, als ob sie deren Mitglieder wären (RegBegr. Kropff S. 431). Das entspr. der Führung der eingegliederten Gesellschaft, die ungeachtet ihrer fortdauernden rechtl. Selbständigkeit wie unselbständige Betriebsabteilung der Hauptgesellschaft behandelt wird (→ § 319 Rn. 1). Auf eine Parallelnorm zu § 90 (Berichtspflicht des Vorstands ggü. dem AR) hat Gesetzgeber zu Recht verzichtet, weil Berichtspflicht über Angelegenheiten der wie Betriebsabteilung geführten Gesellschaft selbstverständlich ist (RegBegr. Kropff S. 431).

II. Gläubiger und Schuldner des Auskunftsrechts

2 Gläubiger des Auskunftsrechts sind Aktionäre der Hauptgesellschaft, und zwar alle und nur sie. Auskunftspflichtig ist Hauptgesellschaft. Für sie handelt ihr Vorstand. Erforderliche Informationen kann er sich, wenn es dessen bedarf, durch Weisung an Vorstand der eingegliederten Gesellschaft (§ 323 I 1) besorgen. Vorstand der Hauptgesellschaft kann an seiner Stelle auch den der eingegliederten Gesellschaft sprechen lassen, wenn klar ist, dass er sich dessen Informationen als seine Auskunft zurechnen lässt. Dass Aktionäre dem widersprechen könnten oder gar zustimmen müssten (KK-AktG/Koppensteiner Rn. 2), ist nicht anzunehmen

(MüKoAktG/Grunewald Rn. 5; Emmerich/Habersack/Habersack Rn. 2; GK-AktG/Schmolke Rn. 3), weil dafür maßgebliche Regel des § 131 I 1 nur Zuständigkeit betr., nicht den Verpflichteten bestimmt.

III. Inhalt des Auskunftsrechts

Maßgeblich ist Gesamtregelung des § 131 (s. Erl. dort). Auch das Recht zur **Auskunftsverweigerung** ist gem. § 131 III zu beurteilen (RegBegr. Kropff S. 431; MüKoAktG/Grunewald Rn. 4). Insbes. ist § 131 III 1 Nr. 7 anzuwenden (→ § 131 Rn. 98). Im mehrstufigen Eingliederungskonzern erstreckt sich Auskunftsanspruch auch auf Angelegenheiten der Enkel-AG, sofern auch diese eingegliedert ist (MüKoAktG/Grunewald Rn. 3; Emmerich/Habersack/Habersack Rn. 3). Bei schwächeren Konzernierungsformen bleibt es dagegen bei § 131 I 2 (Informationen nicht über Enkel-AG, sondern nur über rechtl. und geschäftliche Beziehungen zur Enkel-AG; → § 131 Rn. 15 ff.). 3

Ende der Eingliederung

327 (1) **Die Eingliederung endet**

1. **durch Beschluß der Hauptversammlung der eingegliederten Gesellschaft,**
2. **wenn die Hauptgesellschaft nicht mehr eine Aktiengesellschaft mit Sitz im Inland ist,**
3. **wenn sich nicht mehr alle Aktien der eingegliederten Gesellschaft in der Hand der Hauptgesellschaft befinden,**
4. **durch Auflösung der Hauptgesellschaft.**

(2) **Befinden sich nicht mehr alle Aktien der eingegliederten Gesellschaft in der Hand der Hauptgesellschaft, so hat die Hauptgesellschaft dies der eingegliederten Gesellschaft unverzüglich schriftlich mitzuteilen.**

(3) **Der Vorstand der bisher eingegliederten Gesellschaft hat das Ende der Eingliederung, seinen Grund und seinen Zeitpunkt unverzüglich zur Eintragung in das Handelsregister des Sitzes der Gesellschaft anzumelden.**

(4) [1]**Endet die Eingliederung, so haftet die frühere Hauptgesellschaft für die bis dahin begründeten Verbindlichkeiten der bisher eingegliederten Gesellschaft, wenn sie vor Ablauf von fünf Jahren nach dem Ende der Eingliederung fällig und daraus Ansprüche gegen die frühere Hauptgesellschaft in einer in § 197 Abs. 1 Nr. 3 bis 5 des Bürgerlichen Gesetzbuchs bezeichneten Art festgestellt sind oder eine gerichtliche oder behördliche Vollstreckungshandlung vorgenommen oder beantragt wird; bei öffentlich-rechtlichen Verbindlichkeiten genügt der Erlass eines Verwaltungsakts.** [2]**Die Frist beginnt mit dem Tag, an dem die Eintragung des Endes der Eingliederung in das Handelsregister nach § 10 des Handelsgesetzbuchs bekannt gemacht worden ist.** [3]**Die für die Verjährung geltenden §§ 204, 206, 210, 211 und 212 Abs. 2 und 3 des Bürgerlichen Gesetzbuchs sind entsprechend anzuwenden.** [4]**Einer Feststellung in einer in § 197 Abs. 1 Nr. 3 bis 5 des Bürgerlichen Gesetzbuchs bezeichneten Art bedarf es nicht, soweit die frühere Hauptgesellschaft den Anspruch schriftlich anerkannt hat.**

I. Regelungsgegenstand und -zweck

1 Norm regelt das Ende der Eingliederung. Ihr Schwerpunkt liegt in § 327 I, der **Beendigungsgründe** grds. abschließend zusammenfasst (→ Rn. 2, 4). § 327 II und III nennt die an die Beendigung anknüpfenden **Pflichten der Beteiligten,** bes. ggü. Registergericht. § 327 IV betr. **Nachhaftung** der Hauptgesellschaft und Verjährung daraus folgender Ansprüche, und zwar nach dem Vorbild des § 159 HGB aF (→ Rn. 7). Mit Nachhaftung trägt § 327 Umstand Rechnung, dass Ges. Existenzfähigkeit der AG nach Ende der Eingliederung nicht sichert, so dass Gläubigerinteressen bes. gefährdet sind (MüKoAktG/Grunewald Rn. 1).

II. Beendigungsgründe

2 **1. Allgemeines.** Wenn einer der in § 327 I genannten Gründe vorliegt, endet Eingliederung kraft Ges. Das gilt auch dann, wenn der Grund während des Geschäftsjahrs eintritt. Registereintragung (§ 327 III) hat dabei nur deklaratorische Bedeutung. Maßgeblich ist also stets der Zeitpunkt, in dem der jeweilige ges. Tatbestand verwirklicht ist. Regelung ist zwingend und in dem Sinne abschließend, dass Satzung der Hauptgesellschaft oder Satzung der eingegliederten Gesellschaft oder ein etwa zwischen ihnen bestehender Vertrag keine Beendigungsgründe hinzufügen oder sie abbedingen können (unstr., s. zB MüKoAktG/Grunewald Rn. 15 f.; KK-AktG/Koppensteiner Rn. 5 f.). Ges. Auflösungsgründe sind jedoch in § 327 I nicht vollständig genannt → Rn. 4.

3 **2. Einzeltatbestände.** Nach § 327 I Nr. 1 endet Eingliederung durch **Beschluss der HV** der eingegliederten Gesellschaft. Weil sie Einmann-AG ist, entscheidet der Sache nach Vorstand der Hauptgesellschaft in Form einer Vollversammlung. Zustimmung der HV der Hauptgesellschaft ist nicht erforderlich (unstr.; vgl. RegBegr. Kropff S. 432; MüKoAktG/Grunewald Rn. 2; KK-AktG/Koppensteiner Rn. 7). Beendigung kann auch aufschiebend bedingt beschlossen werden, aber nicht mit Rückwirkung (MüKoAktG/Grunewald Rn. 3; GK-AktG/Schmolke Rn. 5). Gem. § 327 I Nr. 2 endet Eingliederung, wenn **Hauptgesellschaft nicht mehr AG mit Sitz im Inland** ist. Grund: Eingliederungsfolgen sind für Gläubiger nur hinnehmbar, wenn sie ihre Ansprüche gem. § 322 gegen eine AG deutschen Rechts richten können (MükoAktG/Grunewald Rn. 4). Sitzverlegung in das Ausland führt dagegen nur ausnahmsweise zur Auflösung der Gesellschaft, nämlich wenn tats. Verwaltungssitz in Zuzugsstaat verlegt wird, der Sitztheorie folgt; ist das nicht der Fall, greift also § 327 I Nr. 4 idR nicht ein (→ § 5 Rn. 12; → § 262 Rn. 10; aA KK-AktG/Koppensteiner Rn. 10). Weiter sieht § 327 I Nr. 3 vor, dass Eingliederung endet, wenn sich **nicht mehr alle Aktien in der Hand der Hauptgesellschaft** befinden. Damit gegebener Eintritt von Minderheitsaktionären muss zum Ende der Eingliederung führen, weil §§ 319 ff. keine Vorschriften zu ihrem Schutz enthalten (MüKoAktG/Grunewald Rn. 6; KK-AktG/Koppensteiner Rn. 12). Schließlich endet Eingliederung nach § 327 I Nr. 4 bei **Auflösung** der Hauptgesellschaft; vgl. dazu § 262; → § 262 Rn. 8 ff., ferner § 396. Die auf Abwicklung gerichtete AG soll keine Leitungsmacht iSd § 323 mehr haben können (RegBegr. Kropff S. 432).

4 **3. Formwechsel und Verschmelzung.** Von bes. Regelung für Umwandlungsvorgänge hat Gesetzgeber abgesehen. Es ist insofern zwischen Umwandlung der Hauptgesellschaft und der eingegliederten Gesellschaft zu unterscheiden. Umwandlung, insbes. **Formwechsel der eingegliederten AG** führt dazu, dass die Voraussetzungen der § 319 I 1, § 320 I 1 nicht mehr erfüllt sind, und bewirkt deshalb nach zutr. hM das Ende der Eingliederung (MüKoAktG/Grunewald

Rn. 11; MHdB AG/Krieger § 74 Rn. 63). Ihre **Verschmelzung** ist idR ebenso Beendigungsgrund (s. zB MüKoAktG/Grunewald Rn. 12; KK-AktG/Koppensteiner Rn. 16; MHdB AG/Krieger § 74 Rn. 66), doch wird zT Ausnahme zugelassen, wenn auch aufnehmende Gesellschaft eine 100%-AG-Tochter der Hauptgesellschaft ist (Emmerich/Habersack/Habersack Rn. 10). Angesichts umfassender Strukturänderung und Verlust der Leitungsmacht für übernehmende AG erscheint derart weitreichende Verschmelzungsfolge aber zweifelhaft (abl. auch MüKoAktG/Grunewald Rn. 12). Durch verschmelzungsbedingte Beendigung werden Rechte der Hauptgesellschaft nicht verletzt, weil ihr Vorstand in HV der eingegliederten Gesellschaft für Verschmelzung gestimmt haben muss (§ 13 I UmwG). Dagegen nimmt **Formwechsel der Hauptgesellschaft** die Rechtsform der AG und fällt deshalb schon unter § 327 I Nr. 2; dasselbe gilt für **Verschmelzung** der Hauptgesellschaft auf Gesellschaft anderer Rechtsform (§ 2 UmwG). Bei Verschmelzung auf andere AG wird zT ebenfalls angenommen, dass Eingliederung beendet wird, weil übertragende Gesellschaft erlischt (§ 20 I Nr. 2 UmwG; sa RegBegr. Kropff S. 432; KK-AktG/Koppensteiner Rn. 15; S/L/Ziemons Rn. 9). Dem liegt jedenfalls nach RegBegr. Kropff S. 432 Vorstellung zugrunde, dass es sich um liquidationslose Vollbeendigung handelt. Eben das ist jedoch wegen der Rechtsnachfolgeregelung des § 20 I Nr. 1 UmwG fraglich, weshalb heute hM zu Recht annimmt, dass übernehmende AG von Rechts wegen Hauptgesellschaft wird (MüKoAktG/Grunewald Rn. 9; zust. Grigoleit/Grigoleit/Rachlitz Rn. 3; Emmerich/Habersack/Habersack Rn. 8; Hölters/Weber/Leuering/Görtz Rn. 8; GK-AktG/Schmolke Rn. 14; MHdB AG/Krieger § 74 Rn. 65). **Abspaltungen** und **Ausgliederungen** sowohl bei der eingegliederten Gesellschaft als auch bei der Hauptgesellschaft wirken sich nicht auf die Eingliederung aus (s. nur MüKoAktG/Grunewald Rn. 9, 13).

III. Mitteilungspflicht

Eine bes. Mitteilungspflicht legt § 327 II der Hauptgesellschaft **nur für den Fall des § 327 I Nr. 3** auf. Sie muss der eingegliederten Gesellschaft schriftlich und unverzüglich (§ 121 I 1 BGB) mitteilen, dass sich nicht mehr alle Aktien in ihrer Hand befinden. Mitteilung ist im Hinblick auf die in § 327 III vorgeschriebene Registeranmeldung erforderlich. Maßgeblich ist der Zeitpunkt, in dem die Hauptgesellschaft die erste Aktie verliert (allgM, s. MüKoAktG/Grunewald Rn. 7; KK-AktG/Koppensteiner Rn. 13; GK-AktG/Schmolke Rn. 18). Für die übrigen Beendigungsgründe gibt es keine bes. Mitteilungspflicht, weil eingegliederte Gesellschaft durch Beschluss ihrer HV schon Kenntnis hat (§ 327 I Nr. 1) oder durch Bek. des Registergerichts unschwer erlangen kann (§ 327 I Nr. 2, 4); vgl. RegBegr. Kropff S. 432 (zur Neuordnung des Bekanntmachungswesens durch DiRUG 2021 → § 39 Rn. 7 ff.). Für den Fall des § 327 I Nr. 2 wird allerdings ungeschriebene Pflicht zur Mitteilung kraft korporationsrechtl. Sonderbeziehung vertreten (MüKoAktG/Grunewald Rn. 5). Das ist an sich erwägenswert, hat aber keine erkennbare praktische Bedeutung. 5

IV. Anmeldung zum Handelsregister

Ende der Eingliederung ist vom Vorstand der bisher eingegliederten Gesellschaft für diese zur Eintragung in das HR anzumelden (§ 327 III). Anmeldung muss Tatsache der Beendigung, Grund und Zeitpunkt enthalten. Angabe des Grundes erleichtert materielle Prüfung durch das Registergericht. Angabe des Zeitpunkts ist erforderlich, weil Eingliederung kraft Ges. mit Vollendung des jeweiligen Tatbestands ausläuft, Eintragung also nur deklaratorische Bedeutung hat (→ Rn. 2). Anmeldung hat unverzüglich (§ 121 I 1 BGB) zu erfolgen und 6 kann gem. § 14 HGB im Zwangsgeldverfahren durchgesetzt werden. **§ 15 HGB ist anwendbar,** woraus bislang hM den Schluss gezogen hat, dass Hauptgesellschaft gem. § 322 verpflichtet wird, wenn Verbindlichkeit nach dem Ende der Eingliederung, aber vor den nach § 15 I oder II HGB maßgeblichen Zeitpunkten begründet wurde (vgl. BeckOGK/Singhof Rn. 9). Tats. greift diese Folge indes nicht ein, weil Beendigung der Eingliederung nicht „in den Angelegenheiten" der Hauptgesellschaft einzutragen ist (zutr. GK-AktG/Schmolke Rn. 23; zust. Emmerich/Habersack/Habersack Rn. 13). Im HR der Hauptgesellschaft ist Eingliederung nicht einzutragen (§ 319 VII, § 320 I 3). Also bedarf es insoweit auch keiner Anmeldung der Beendigung.

V. Nachhaftung und Verjährung

7 § 327 IV knüpft an § 322 an und setzt Nachhaftung der früheren Hauptgesellschaft für Verbindlichkeiten der bisher eingegliederten Gesellschaft voraus. Erforderlich und genügend ist, dass Forderung vor Bek. der Eintragung des Endes der Eingliederung oder vor dem nach § 15 II HGB maßgeblichen Zeitpunkt (→ Rn. 6 aE) begründet wurde (zur Neuordnung des Bekanntmachungswesens durch DiRUG 2021 → § 39 Rn. 7 ff.). Es genügt, dass Entstehungsgrund gelegt ist (→ § 303 Rn. 3). Nachhaftung unterliegt der **§ 137 HGB nachgebildeten Regelung** (s. RegBegr. BT-Drs. 15/3653, 23). Entscheidend sind Fälligkeit innerhalb der Frist von fünf Jahren und Feststellung des Anspruchs durch rechtskräftige Entscheidung (§ 197 I Nr. 3 BGB) oder gleichbedeutende Maßnahmen. Maßgeblich für Fristbeginn ist nicht wie nach § 137 HGB Tag der Eintragung, sondern Tag ihrer elektronischen Bek. gem. § 10 HGB (→ § 302 Rn. 28; s. RegBegr. BT-Drs. 15/3653, 23). Fristende: § 188 II BGB.

Vierter Teil. Ausschluss von Minderheitsaktionären

Übertragung von Aktien gegen Barabfindung

327a (1) [1] **Die Hauptversammlung einer Aktiengesellschaft oder einer Kommanditgesellschaft auf Aktien kann auf Verlangen eines Aktionärs, dem Aktien der Gesellschaft in Höhe von 95 vom Hundert des Grundkapitals gehören (Hauptaktionär), die Übertragung der Aktien der übrigen Aktionäre (Minderheitsaktionäre) auf den Hauptaktionär gegen Gewährung einer angemessenen Barabfindung beschließen.** [2] **§ 285 Abs. 2 Satz 1 findet keine Anwendung.**

(2) **Für die Feststellung, ob dem Hauptaktionär 95 vom Hundert der Aktien gehören, gilt § 16 Abs. 2 und 4.**

Übersicht

I. Regelungsgegenstand und -zweck

1 § 327a betr. als Spitzenvorschrift des Vierten Teils (§§ 327a–327f) Ausschluss von Minderheitsaktionären; sog Squeeze-Out. Seit 2001 bestehende Regelung gestattet dem mit 95 % des Grundkapitals an AG oder KGaA beteiligten Hauptaktionär, Minderheitsaktionäre auch ohne ihre Zustimmung gegen Barabfindung aus Gesellschaft zu verdrängen. Bezweckt ist, auf diesem Wege **Entfaltung der unternehmerischen Initiative** des Hauptaktionärs zu stärken (RegBegr. BT-Drs. 14/7034, 32; sa BGHZ 180, 154 Rn. 9 = NZG 2009, 585). Weil er mit Eintragung des Übertragungsbeschlusses in das HR gem. § 327e III zum Alleinaktionär wird, ist HV künftig Vollversammlung, so dass gem. § 121 VI Versammlungsformalien der §§ 121–128 nicht mehr beachtet werden müssen (→ § 121 Rn. 19 ff.). Minderheitenschutz erledigt sich mangels Minderheit, womit auch Gefahr der missbräuchlichen Ausnutzung von Minderheitenrechten, insbes. im Wege der Anfechtungsklage, nicht mehr besteht; minderheitsbedingte Gesellschaftskosten entfallen (vgl. zu diesen Gesichtspunkten Ph. Baums, Ausschluss von Minderheitsaktionären, 2001, 24 ff.). Rückstellung der Aktionärsinteressen wird deshalb für hinnehmbar erachtet, weil derart kleine Minderheit von nicht mehr als 5 % auf unternehmerische Ausrichtung ohnehin keinen Einfluss nehmen kann (BVerfG AG 2007, 544, 545 f.). Darin kommt ein über den Squeeze-Out hinausreichender Perspektivwechsel von verbandsrechtl. zu stärker kapitalmarktrechtl. Verständnis des Aktieneigentums zum Ausdruck, der auch in anderen Zusammenhängen Bedeutung erlangen kann (ausf. Mülbert FS Ulmer, 2003, 433 ff.). Speziell in der praktisch häufigen Konstellation eines vorangehenden Übernahmeverfahrens erfüllt Squeeze-Out auch sinnvolle Funktion, Gegengewicht zu Pflichtangebot des Erwerbers nach §§ 35 ff. WpÜG zu begründen. Wenn er danach zum Zwangskauf sämtlicher Aktien veranlasst wird, soll ihm auch vollständiger Erwerb ermöglicht werden (GK-AktG/Fleischer Rn. 11). Vor Einführung des Squeeze-Out hatten Unternehmen versucht, über sog übertragende Auflösung nach MotoMeter-Methode zu ähnlichen Ergebnissen zu gelangen; dieser Weg steht weiterhin offen, hat seine praktische Relevanz aber weitgehend verloren (→ § 179a Rn. 21 ff.). Alternativ wird für geschlossene Gesellschaften im Schrifttum noch Ausschluss von Minderheitsaktionären auch ohne entspr. Satzungsklausel iSd § 237 erwogen (ausf. → § 237 Rn. 15). §§ 327a ff. gehen zurück auf Ges. zur Regelung von öffentl. Angeboten zum Erwerb von Wertpapieren und von Unternehmensübernahmen v. 20.12.2001 (BGBl. 2001 I 3822). Neben aktienrechtl. Squeeze-Out nach §§ 327a ff. besteht seit 2006 vergleichbares **übernahmerechtl. Verfahren** samt Andienungsrecht der Minderheitsaktionäre nach §§ 39a ff. WpÜG (→ Rn. 2). Als zweite Sonderform eines

Squeeze-Out ist 2011 die verschmelzungsrechtl. Variante des § 62 V UmwG hinzugekommen (→ Rn. 3). Zur praktischen Bedeutung → Rn. 7. Zur rechtspolit. Gestaltungsalternative sog. redeemable shares vgl. Habersack FS Lutter, 2000, 1329 ff.; Fleischer ZGR 2002, 757, 772 f.).

II. Sonderformen des Squeeze-Out

2 **1. Übernahmerechtlicher Squeeze-Out.** Von Squeeze-Out nach §§ 327a ff. sind Ausschlussverfahren und Andienungsrecht nach **§§ 39a–39c WpÜG** zu unterscheiden. Sie gehen auf ÜbernahmeRL-Umsetzungsges. v. 8.7.2006 (BGBl. 2006 I 1426) zurück und sind durch Art. 15 der ÜbernahmeRL veranlasst (Überblick zum weitergehenden Squeeze-Out in Österreich bei Koppensteiner GeS 2006, 143 ff.). Ihr Zweck entspr. dem des aktienrechtl. Verfahrens (→ Rn. 1), doch sehen §§ 39a ff. WpÜG Modifizierungen vor, die den Besonderheiten eines vorangegangenen Übernahmeverfahrens Rechnung tragen. So soll insbes. **Angemessenheit der Abfindung vermutet** werden, wenn entspr. Gegenleistung im Übernahme- oder Pflichtangebot zu einem Aktienerwerb von mindestens 90 % geführt hat (§ 39a III 3 WpÜG; zu den Voraussetzungen vgl. LG Frankfurt AG 2013, 433 Rn. 52 ff.). Akzeptanz bei den Marktteilnehmern indiziert Angemessenheit, was als Rechtsgedanke auch iR der Schätzung von Unternehmenswerten nach § 287 ZPO Berücksichtigung finden sollte (→ § 305 Rn. 17). IÜ gilt auch hier Schwellenwert von 95 % (zum Zeitpunkt s. BGH AG 2013, 262 Rn. 18 ff. m. krit. Anm. Hentzen/Rieckers DB 2013, 1159, 1160 ff.; Seiler/Rath AG 2013, 252 ff.). Da doppelter Schwellenwert in der Praxis nur selten erreicht wird und übernahmerechtl. Squeeze-Out ohne Angemessenheitsvermutung wegen Fehlens eines Spruchverfahrens wenig attraktiv ist (Assmann/Pötzsch/Schneider/Seiler WpÜG § 39a Rn. 6), hat Regelung **keine nennenswerte praktische Bedeutung** erlangt (Schockenhoff/Lumpp ZIP 2013, 749; Hentzen/Rieckers DB 2013, 1159: durch unberechenbare BGH-Rspr. „faktisch abgeschafft“). Wird 90 %-Schwelle erreicht, kann Vermutung des § 39a III 3 WpÜG nach umstr., aber zutr. hM nicht widerlegt werden (OLG Stuttgart NZG 2009, 950, 951; KK-WpÜG/Hasselbach § 39a Rn. 68 ff.; Assmann/Pötzsch/Schneider/Seiler WpÜG § 39a Rn. 83 ff.; Austmann ZGR 2009, 277, 303 f.; Grunewald NZG 2009, 332, 334 f.; Hasselbach CFL 2010, 24, 32 f.; Seibt/Heiser AG 2006, 301, 318 f.; Steinmeyer/Santelmann BB 2009, 674, 675 f. [vorbehaltlich einer Missbrauchskontrolle]; aA LG Frankfurt Konzern 2008, 660, 662 ff.; NK-AktR/Lochner § 39a WpÜG Rn. 43 ff.; Mülbert NZG 2004, 633, 634; Schüppen BB 2006, 165, 168; offenlassend OLG Frankfurt ZIP 2009, 74, 76 ff.; LG Frankfurt AG 2013, 434 Rn. 52). Verfassungswidrigkeit der §§ 39a ff. WpÜG kann daraus nicht abgeleitet werden (BVerfG AG 2012, 625 ff.; OLG Frankfurt AG 2012, 635, 639 ff.). Weitere Besonderheit liegt darin, dass Übertragung der ausstehenden Aktien nicht wie nach § 327a I (→ Rn. 12) durch Beschluss der HV erfolgt, sondern durch **Gerichtsbeschluss** (§ 39a I 1 WpÜG). Ausschließlich zuständig ist LG Frankfurt (§ 39a V WpÜG; s. dazu OLG Frankfurt AG 2012, 635, 636); Verfahren richtet sich gem. § 39b I WpÜG nach FamFG. Bieter hat **Wahlrecht** zwischen aktienrechtl. und übernahmerechtl. Squeeze-Out; erst nach Stellung des Antrags gem. § 39a IV WpÜG ist aktienrechtl. Parallelverfahren unzulässig (§ 39a VI WpÜG; vgl. dazu Assmann/Pötzsch/Schneider/Seiler WpÜG § 39a Rn. 142 f.).

3 **2. Verschmelzungsrechtlicher Squeeze-Out.** Weitere Sonderform des Squeeze-Out besteht bei Konzernverschmelzung, genauer bei **Upstream-Verschmelzung** einer AG (auch: KGaA, inländische SE; nicht: GmbH) auf herrschendes Unternehmen, das nach § 62 I, V UmwG ebenfalls AG (KGaA, SE)

sein muss (Bungert/Wettich DB 2011, 1500, 1501). Maßgeblich ist § 62 V UmwG nF, der auf Ges. zur Änderung des UmwG (UmwÄndG) v. 11.7.2011 (BGBl. 2011 I 1338) zurückgeht und der Durchführung der ÄnderungsRL 2009/109/EG v. 16.9.2009 (ABl. EG 2009 L 259, 14) dient (Neye/Kraft NZG 2011, 681 f.). Nach § 62 V verbleibt es zwar beim Nebeneinander von Verschmelzung und etwa gewollter Ausschließung (Freytag/Müller-Etienne BB 2011, 1731, 1732), doch wird diese dadurch erleichtert, dass nach § 62 V 1, 2 UmwG das herrschende Aktienunternehmen schon dann ausschließungsberechtigter Hauptaktionär ist, wenn ihm **90 % des Grundkapitals** gehören (zur Verfassungsmäßigkeit s. OLG Hamburg AG 2012, 639, 640 f.). Generelle Absenkung der Mindestbeteiligung auf 90 % wird vielfach befürwortet (zB Bayer/Schmidt ZIP 2010, 953, 960 f.), ist vom Gesetzgeber aber nicht gewollt (Neye/Kraft NZG 2011, 681, 682). Während Voraussetzungen insofern niedriger gesteckt sind als bei normalem Squeeze-Out, kommt bei § 62 V UmwG erschwerend hinzu, dass er mit Abschluss des Verschmelzungsvertrags zeitlich und sachlich zusammenhängen muss (§ 62 V 1, 2 UmwG) und nur wirksam wird, wenn es tats. zur Verschmelzung kommt (§ 62 V 7 UmwG; s. Bungert/Wettich DB 2011, 1500; Neye/Kraft NZG 2011, 681, 683). Zweistufiges Verfahren ermöglicht es, dass Gesellschafterkreis des herrschenden Unternehmens unverändert bleibt, erfordert allerdings Abfindung aus Barmitteln (Kiefner/Brügel AG 2011, 525, 527). Bei Berechnung der 90 % zählen nur eigene Aktien mit, gibt es also keine Zurechnung entspr. § 16 IV, § 327a II, weil § 62 I UmwG auf Aktien „in der Hand" der Übernehmerin abstellt (Austmann NZG 2011, 684, 689). Abgesehen von einigen Verfahrensbesonderheiten (§ 62 V 3–6 UmwG) verbleibt es iÜ bei Geltung der §§ 327a–327f (§ 62 V 8 UmwG); zu Übereinstimmungen und Abweichungen vgl. Schockenhoff/Lumpp ZIP 2013, 749 ff. Im Kern handelt es sich deshalb unverändert (anders als beim übernahmerechtl. Squeeze-Out, → Rn. 2) um die aktienrechtl. Ausschließung mit abgesenkter Mindestbeteiligung. Als problematisch erweist sich in der Praxis Beschränkung auf AG, KGaA und SE unter Ausklammerung der GmbH, die sowohl als Rechtsform des Hauptaktionärs als auch der Tochter verbreitet ist (vgl. Schockenhoff/Lumpp ZIP 2013, 749, 750). Problem kann durch **Rechtsformwechsel** gelöst werden, doch kann sich aufgrund insofern unklarer Rechtslage auf beiden Seiten (Hauptaktionär und AG) Anfechtungsgefahr wegen Rechtsmissbrauchs ergeben (→ Rn. 21).

III. Grundlagen

1. Ausschlussverfahren und Mehrheitseingliederung im Vergleich. Ausschlussverfahren der §§ 327a ff. bewirkt wie Mehrheitseingliederung (§§ 320, 320a), dass Hauptaktionär zum Alleingesellschafter wird (§ 327e III), unterscheidet sich aber von ihr in wesentlichen Punkten. Zu den Voraussetzungen des Ausschlussverfahrens gehört namentl. nicht, dass Hauptaktionär wie nach § 319 I 1, § 320 I 1 (→ § 319 Rn. 4, → § 320 Rn. 3) AG mit Sitz im Inland ist. Auch Einzelpersonen und Unternehmen anderer Rechtsform oder mit ausländischem Heimatrecht können also Ausschlussverfahren betreiben. Dessen Rechtsfolgen weichen darin von Mehrheitseingliederung ab, dass ausgeschlossene Aktionäre anders als nach § 320b I 1 (→ § 320b Rn. 3 ff.) nur Barabfindung verlangen können, nicht auch Abfindung mit Anteilen des Hauptaktionärs (§ 327a I 1, § 327b). Ausschließung bewirkt also **Verlust jeder mitgliedschaftlichen Beteiligung** gegen vermögensmäßige Entschädigung. Das ist aus Sicht des Hauptaktionärs zumeist erwünscht, da sonst Minderheitskonflikt nicht gelöst, sondern lediglich auf höhere Konzernebene verschoben wird (Emmerich/Habersack/Habersack § 327a Rn. 4 f., 8). Trotz dieser Abweichungen hat sich Gesetzgeber bei Ausgestaltung des Squeeze-Out in vielerlei Hinsicht an Eingliederung orientiert, 4 was sich etwa in systematischer Stellung, 95%-Schwelle oder Verweis in § 327e II auf § 319 V, VI niederschlägt. Obwohl dieser Gleichlauf nicht in jeder Hinsicht sinnvoll ist, können sich daraus bei Zweifelsfragen systematische Hinweise ergeben (GK-AktG/Fleischer Rn. 19 f.).

5 **2. Konzernrechtliche Fragen.** Während Eingliederung zur unwiderlegbaren Konzernvermutung nach § 18 I 2 führt (→ § 18 Rn. 17; → § 319 Rn. 2), ist Ausschlussverfahren konzernrechtsneutral. Es begründet also **keine Konzernvermutung** (Emmerich/Habersack/Habersack Rn. 6, 9). Auch besteht **kein Gläubigerschutz** nach Art der §§ 321, 322, allerdings auch **keine Leitungsmacht** wie nach § 323. Der rechtssystematische Standort der §§ 327a ff. ist unter diesem Blickwinkel nicht problemfrei (KK-AktG/Koppensteiner Vor § 327a Rn. 3: Fremdkörper); unveränderte und nicht mehr ganz zutr. Überschrift des Dritten Buches („Verbundene Unternehmen") darf nicht zu Fehlschlüssen verleiten. Naheliegend ist nur, dass bisheriger Haupt- und künftiger Alleinaktionär der Gesellschaft nach allg. Grundsätzen (§ 17 II, § 18 I 3) als herrschendes Unternehmen gegenübertritt, was allerdings seine Unternehmenseigenschaft aufgrund anderweitiger Interessenbindung voraussetzt (→ § 15 Rn. 10 ff.). Auch wenn sie besteht, begründet sie nur Abhängigkeit oder faktische Konzernierung. Insgesamt überwiegen Vorzüge des Squeeze-Out heute in einem solchen Maße, dass Mehrheitseingliederung daneben praktische Bedeutung weitgehend verloren hat (→ § 319 Rn. 1).

6 **3. Verfassungsmäßigkeit.** §§ 327a ff. sind zunächst von verfassungsrechtl. Interesse, weil Minderheitsaktionäre ihr Anteilseigentum verlieren. Gleichwohl sind verfassungsrechtl. Bedenken nicht zu erheben. Namentl. liegt **kein Verstoß gegen Art. 14 I GG** vor. Das ist zur Mehrheitseingliederung anerkannt (→ § 320 Rn. 1) und darf nach mehreren BVerfG-Entscheidungen auch für Squeeze-Out als geklärt angesehen werden (s. BVerfG AG 2007, 544, 545; WM 2007, 1884; AG 2008, 27 f. [auch im Abwicklungsstadium]; BGH ZIP 2005, 2107 f.; umfassender Überblick über Meinungsstand bei Schoppe Aktieneigentum, 2012, 281 ff.; sa Emmerich/Habersack/Habersack Rn. 7; aA noch LG Wuppertal AG 2004, 161 f.; H. Hanau NZG 2002, 1040, 1042 ff.). Verfassungsmäßigkeit ist mit hM zu bejahen, weil Anteilseigentum nicht gegen Verlust der Mitgliedschaft und der aus ihr folgenden Herrschaftsrechte schützt (BVerfG NJW 2001, 279 [MotoMeter]). Unverzichtbar ist allerdings **angemessene Barabfindung,** die vollen Ausgleich des verlorenen Vermögenswerts erfordert (→ § 327b Rn. 4 ff.). ZT vorgebrachte Kritik an vorschneller Heranziehung des Eigentumsrechts verfolgt berechtigtes Anliegen, einer Überlagerung des Privatrechts durch ausufernd interpretierten verfassungsrechtl. Eigentumsschutz entgegenzuwirken (Leuschner NJW 2007, 3248, 3249 f.; Mülbert/Leuschner ZHR 170 [2006], 615 ff.). Auch neuere Delisting-Rspr. des BVerfG (→ § 119 Rn. 32) lässt zurückhaltende Tendenz erkennen. Stattdessen herangezogener rechtl. Maßstab des Art. 2 I GG lässt aber zumindest im Squeeze-Out-Kontext keine anderen Ergebnisse erwarten. Anfechtungsklagen, die auf Verfassungsverstoß gestützt werden, sind demnach unbegründet, und zwar offensichtlich unbegründet, was für Freigabeverfahren von Bedeutung ist (→ § 327e Rn. 3b).

7 **4. Rechtspolitische Würdigung und praktische Bedeutung.** Einführung des Squeeze-Out ist in Praxis und Schrifttum rechtspolitisch ganz überwiegend **positiv gewürdigt** worden (vgl. nur DAV-HRA NZG 2001, 420, 430 f.). Verbleibende Kritik richtet sich eher gegen Einzelaspekte der rechtl. Ausgestaltung, namentl. gegen Ausdehnung auf nicht börsennotierte Gesellschaften und gegen Verzicht auf Erfordernis vorangehenden Übernahmeverfahrens (vgl. zur Kritik etwa Drygala AG 2001, 291, 297 f.; Fleischer ZGR 2002, 757, 770 ff.; Habersack

ZIP 2001, 1230, 1232 ff.). Diese Kritik ist gedanklich in übergreifende Diskussion um verstärkte Zweiteilung des Aktienrechts in Regelungen für börsennotierte und geschlossene Gesellschaften einzuordnen (→ § 23 Rn. 34). Speziell für Squeeze-Out mag sich weite Fassung des § 327a aber auch daraus erklären, dass Gesetzgeber nicht so sehr geschlossene Gesellschaften vor Augen hatte, sondern in erster Linie „nicht mehr" börsennotierte Gesellschaften, bei denen Börsenzulassung angesichts der kleinen Restquote außenstehender Aktionäre aufgegeben wurde (entspr. Hinweis bei DAV-HRA NZG 1999, 850, 852). Aus dieser Berücksichtigung von Altfällen kann möglicherweise auch der ebenfalls problematische Verzicht auf zeitliche Beschränkung erklärt werden (krit. insofern Fleischer ZGR 2002, 769 ff., der Übergangsregelung als alternative Gestaltungsmöglichkeit nennt). Zum Zeitpunkt der Einführung bes. virulentes Phänomen missbräuchlicher Anfechtungsklagen (→ § 245 Rn. 22 ff.) wird ein weiteres dazu beigetragen haben, großzügige Tatbestandsfassung nahezulegen. Zur Kritik am Erfordernis des HV-Beschlusses → Rn. 12. Ungeachtet dieser Detailkritik belegt große Beliebtheit des Squeeze-Out in der **Praxis,** dass für derartige Gestaltung auf Seiten der Unternehmen in der Tat Bedarf bestand. Seit seiner Einführung wurden weit über 400 Verfahren durchgeführt (Schockenhoff/Lumpp ZIP 2013, 749). Unter den rechtl. Rahmenbedingungen der Macrotron-Rspr. (→ § 119 Rn. 31) hat er sich überdies auch als spezielle Methode zum Rückzug von der Börse (→ § 119 Rn. 30 ff.) etabliert (Süßmann AG 2013, 158). Ob ein solcher Gestaltungsbedarf auch unter neuen rechtl. Voraussetzungen des § 39 BörsG nF (→ § 119 Rn. 36 ff.) besteht, bleibt abzuwarten, doch dürfte entspr. Bedürfnis eher abnehmen, nachdem auch Delisting HV-Beschluss nicht mehr voraussetzt. In neuerer Zeit sind Squeeze-Out-Zahlen rückläufig, nachdem angestauter „Altbedarf" abgebaut zu sein scheint (MüKoAktG/Grunewald Vor § 327a Rn. 16; Austmann NZG 2011, 684: jährlich etwa 25 Verfahren, von denen knapp 80 % angefochten werden). Durchschnittliche Dauer des Verfahrens beträgt drei bis sechs Monate (vorbehaltlich etwaiger Anfechtungsklagen – S/L/Schnorbus Vor §§ 327a–327f Rn. 4).

IV. Voraussetzungen des Ausschlussverfahrens (§ 327a I)

1. Allgemeines. Ausschlussverfahren setzt nach § 327a I voraus: AG oder KGaA; Existenz eines Hauptaktionärs, der durch Klammerzusatz als mit wenigstens 95 % des Grundkapitals beteiligter Aktionär definiert wird; dessen Verlangen nach Übertragung der Anteile der Minderheitsaktionäre gegen Abfindung; entspr. Beschlussfassung der HV. AG oder KGaA müssen nicht börsennotiert sein (→ Rn. 7; RegBegr. BT-Drs. 14/7034, 2). Auch ist nicht erforderlich, dass Eigenschaft als Hauptaktionär infolge eines vorausgegangenen Übernahmeangebots erlangt worden ist (RegBegr. BT-Drs. 14/7034, 32); → Rn. 10. 8

2. Beteiligte. a) AG oder KGaA. Betroffene Gesellschaft muss als AG entstanden sein (§ 41 I). Bei **Vor-AG** ist Squeeze-Out deshalb nicht möglich. Entspr. Anwendung ist mit der speziellen Zweckausrichtung dieser Gesellschaft (sui generis; → § 41 Rn. 4) auf Vollendung des Gründungsaktes nicht zu vereinbaren (vgl. statt aller GK-AktG/Fleischer Rn. 3). **Auflösung** (§ 262) bewirkt dagegen nur Zweckänderung (→ § 262 Rn. 2) und hindert Ausschlussverfahren deshalb nicht (BGH AG 2006, 887 Rn. 10; Emmerich/Habersack/Habersack Rn. 12; MüKoAktG/Grunewald Rn. 4; Buchta/Sasse DStR 2004, 958, 960 f.; aA KK-AktG/Koppensteiner Rn. 2). Selbst im **Insolvenzverfahren** ist Squeeze-Out noch möglich, da Gläubigerbelange dadurch nicht berührt werden (GK-AktG/Fleischer Rn. 6). Bestehende Unternehmensverträge hindern Squeeze-Out ebenfalls nicht (GK-AktG/Fleischer Rn. 6). Während **KGaA** nicht einge- 9 gliedert werden kann (→ § 319 Rn. 4; → § 320 Rn. 3), ist Ausschlussverfahren gem. § 327a I auch bei ihr möglich. Weil Gesellschaft nicht unter die Leitungsmacht des Hauptaktionärs gerät (→ Rn. 5), ist unterschiedliche Behandlung gerechtfertigt (DAV-HRA NZG 2001, 420, 431; GK-AktG/Fleischer Rn. 7). Nur auf KGaA bezieht sich **Sonderregelung in § 327a I 2.** Zustimmung der Komplementäre, die § 285 II 1 sonst für Grundlagenbeschlüsse fordert (→ § 285 Rn. 2), ist danach entbehrlich; RegBegr. BT-Drs. 14/7034, 72 bezeichnet das als Klarstellung. Es kommt also nur auf Beschlussfassung der Kommanditaktionäre gem. § 285 I an.

10 **b) Hauptaktionär.** Hauptaktionär kann sein, wer Aktionär sein kann. Unternehmenseigenschaft ist nach allg. Grundsätzen möglich (→ Rn. 5), bildet aber keine Voraussetzung des Ausschlussverfahrens. Anders als bei Eingliederung sind auch **Rechtsform und Inlandssitz unerheblich** (→ Rn. 4). Das ist sachgerecht, weil Minderheitsaktionäre ohnehin nur Barabfindung erhalten und ihre Zahlungsansprüche durch Garantie eines im Inland zugelassenen KI gesichert werden (§ 327b III; → § 327b Rn. 22 f.). Als Hauptaktionär kommt also jede natürliche oder jur. Person in Betracht, ferner jede rechtsfähige Gesellschaft einschließlich der Außen-GbR (§ 14 II BGB), nach richtiger, wenn auch teilw. bestrittener Ansicht überdies die vergleichbaren Vorgesellschaften sowie Erben- und Gütergemeinschaften (→ § 2 Rn. 10 f.; KK-AktG/Koppensteiner Rn. 4). Verpfändung von Aktien lässt Bestand der Mitgliedschaft unberührt und steht deshalb einem Squeeze-Out nicht entgegen (LG München I NZG 2008, 143, 145). Neben der Aktionärseigenschaft muss nur Kapitalmehrheit von (mindestens) 95 % gegeben sein. Wie sie zustande gekommen ist, bleibt unerheblich. Kapitalmehrheit von 95 % kann also durch öffentliches Übernahmeangebot, aber auch auf anderem Wege entstanden sein (→ Rn. 8), zB durch Paketkauf, durch Zukauf an der Börse oder durch Kapitalerhöhung mit Bezugsrechtsausschluss (s. dazu Ph. Baums WM 2001, 1843 ff.). Erreicht Hauptaktionär 95 %-Schwelle, wird dadurch idR keine bes. **kapitalmarktrechtl. Meldepflicht** ausgelöst, da 95 %-Schwelle in § 33 I WpHG nicht genannt ist (zu möglichen Pflichtengründen vgl. GK-AktG/Fleischer Rn. 22). Auch aus Treupflicht kann solche Pflicht nicht abgeleitet werden (so aber GK-AktG/Fleischer Rn. 22 f.), da unterlassene Offenlegung kaum als rücksichtsloses Verhalten qualifiziert werden kann, sofern Ges. sie nicht vorschreibt. Formulierung einer entspr. Pflicht muss deshalb Gesetzgeber vorbehalten bleiben. Aus verfahrensrechtl. Sicht ist – in Abweichung von sonst bestehender Leitungsverantwortung des Vorstands – **Hauptaktionär Protagonist des Squeeze-Out-Verfahrens,** was sich namentl. in Initiativrecht (→ Rn. 11), Recht zur Festlegung der Barabfindung (§ 327b) und Informations- und Berichtspflichten nach § 327c und § 327d niederschlägt. Da sich diese Pflichtenstellung indes in allg. Organisationsabläufe einer AG einfügen muss, ergibt sich eigentümliche „Patchwork-Zuständigkeit", die in vielerlei Hinsicht zu Unsicherheiten führt (vgl. etwa → Rn. 11; → § 327b Rn. 20; → § 327d Rn. 3 f.; → § 327e Rn. 3). Erst mit Beginn der gerichtl. Auseinandersetzung rückt Vorstand wieder zurück in den Pflichtenfokus (ausf. und zT krit. RWS-Forum/Kiem 20 [2001], 329, 341 ff.). Vgl. zur Feststellung der Kapitalmehrheit → Rn. 15 ff.

11 **3. Verlangen des Hauptaktionärs.** HV kann Übertragung der Aktien nach § 327a I 1 nur beschließen, wenn Hauptaktionär das verlangt hat. Darin liegt **korporationsrechtl. Rechtsgeschäft** ggü. der durch ihren Vorstand vertretenen AG (OLG Düsseldorf AG 2010, 711, 713; Emmerich/Habersack/Habersack Rn. 19; teilw. aA KK-AktG/Koppensteiner Rn. 14). Analog § 78 II 2 wird Verlangen wirksam, sobald es auch nur einem Vorstandsmitglied zugegangen ist. Bes. Form ist nach § 327a I 1 nicht erforderlich. Verlangen kann also auch mündlich oder konkludent gestellt werden (OLG Schleswig AG 2022, 747, 751). Wirk-

samkeitsvoraussetzung ist aber, dass Hauptaktionär schon in dem **Zeitpunkt** über 95%-Kapitalbeteiligung verfügt, in dem Verlangen dem Vorstand zugeht; es genügt nicht, wenn Mehrheit erst bei Einberufung oder Beschlussfassung der HV vorliegt (BGHZ 189, 32 Rn. 26 = NZG 2011, 669; sa OLG Düsseldorf AG 2009, 535, 536; Emmerich/Habersack/Habersack Rn. 18; B/K/L/Holzborn/Müller Rn. 12; aA MüKoAktG/Grunewald Rn. 10; BeckOGK/Singhof Rn. 23); auch Heilung durch Bestätigungsbeschluss (§ 244) ist nicht möglich (BGHZ 189, 32 Rn. 27; zu beiden Punkten krit. Kocher/Heidel BB 2012, 401 ff.). Verlangen kann unter Widerrufsvorbehalt gestellt werden (LG Frankfurt BeckRS 2008, 03381); auch ohne solchen Vorbehalt ist Widerruf bis zur Bekanntgabe der HV-Tagesordnung zulässig (S/L/Schnorbus Rn. 16).

Umstr. ist, ob Übertragungsverlangen auch schon **bestimmten Abfindungsbetrag** enthalten muss. Bislang HM bejaht diese Frage (GK-AktG/Fleischer Rn. 58; KK-AktG/Koppensteiner Rn. 14; Grigoleit/Rieder § 327b Rn. 4), was indes nicht unproblematisch ist, da Aktionär dazu Informationen über die AG benötigt, auf die er vor Einleitung des Verfahrens keinen Zugriff hat. Erst nach Eröffnung des Verfahrens eben durch das Verlangen verdrängt § 327b I 2 Verschwiegenheitspflicht aus § 93 I 3 (→ § 327b Rn. 20). Vorzugswürdig ist deshalb mittlerweile herrschende Gegenansicht, wonach bei Übertragungsverlangen entspr. Angabe noch nicht erforderlich ist, Angebot dann aber noch vor Einberufung der HV konkretisiert werden muss (NK-AktR/Lochner Rn. 11; B/K/L/Holzborn/Müller Rn. 13; S/L/Schnorbus § 327b Rn. 9; BeckOGK/Singhof Rn. 24; MHdB AG/Austmann § 75 Rn. 34; Marsch-Barner/Schäfer/Drinkuth Rn. 64.29; jetzt auch Emmerich/Habersack/Habersack § 327b Rn. 4; ähnlich über Konstruktion eines „vorläufigen Verlangens" MüKoAktG/Grunewald Rn. 11). Nur dieser Endzeitpunkt kann auch aus dem teilw. herangezogenen Rückschluss aus § 327c I Nr. 2 (vgl. MüKoAktG/Grunewald Rn. 11) abgeleitet werden. Nach diesem Verständnis löst Verlangen mit unsubstanziiertem Abfindungsbetrag zunächst nur Informationspflicht des Vorstands nach § 327b I 2 aus (→ § 327b Rn. 20). Erst um konkreten Abfindungsbetrag präzisiertes Verlangen verpflichtet Vorstand dann, ungeachtet seiner sonst bestehenden Weisungsfreiheit (§ 76 I) und im Widerspruch zu sonst geltenden konzernrechtl. Grundsätzen (→ Rn. 5; → § 311 Rn. 48; sa Habersack ZIP 2001, 1230, 1237), die ordentliche oder außerordentliche HV einzuberufen (§ 121 I und II), und zwar mit dem Verlangen des Hauptaktionärs als Gegenstand der Beschlussfassung (§ 124 I). Verbreitete Formulierung, dass Einberufung „unverzüglich" iSd § 121 I 1 BGB zu erfolgen habe (→ 11. Aufl. 2014, Rn. 11), ist missverständlich. Vorstand handelt auch hier nach pflichtgem. Ermessen (maßgeblich: Gesellschaftsinteresse), so dass er insbes. abwägen darf, ob außerordentliche HV einzuberufen ist oder ordentliche HV abgewartet werden kann. Hauptaktionär kann durch Kostenübernahme für außerordentliche HV auf Entscheidung Einfluss nehmen (GK-AktG/Fleischer Rn. 61; S/L/Schnorbus Rn. 20). Wenn Vorstand nicht oder nicht pflichtgem. tätig wird, kann Hauptaktionär nach § 122 vorgehen. 11a

Umstr. ist weiterhin, ob Vorstand und AR zur Beschlussfassung einen **Vorschlag** zu unterbreiten haben (dafür LG Frankfurt NZG 2004, 672, 673 f.; MüKoAktG/Grunewald Rn. 12; Emmerich/Habersack/Habersack Rn. 20; E. Vetter AG 2002, 176, 186; Vossius ZIP 2002, 511, 515; aA S/L/Schnorbus § 327c Rn. 3; BeckOGK/Singhof Rn. 24; Angerer BKR 2002, 260, 265; Krieger BB 2002, 53, 59; v. der Linden AG 2016, 280, 283 f.). Versteht man „Minderheit" iSd § 124 III 3 Fall 2 zutr. nicht als Gegenbegriff zur „Mehrheit", sondern als Hinweis auf Schwellenwerte in § 124 I iVm § 122 II (ausf. → § 124 Rn. 32), muss Frage auch hier verneint werden. Aus Sicherheitsgründen ist angesichts unklaren Meinungsstands Vorschlag aber auch hier zu empfehlen. Während Vorstand zur Einberufung der HV verpflichtet ist, sind er und AR nicht 11b gehalten, Beschlussantrag auch zur Annahme vorzuschlagen. Vielmehr verbleibt es insoweit bei eigenverantwortlicher Leitung der Gesellschaft (§ 76 I). Daher hat Vorstand zu prüfen, ob Squeeze-Out im Gesellschaftsinteresse liegt und deshalb auch von ihm getragen werden kann (ebenso Emmerich/Habersack/Habersack Rn. 20) oder, abgesehen von Anfechtung des HV-Beschlusses, nur als Durchsetzung der Mehrheitsmacht hingenommen werden muss. Auch ansonsten bestehen – vorbehaltlich etwaiger konzernrechtl. Weisungsgebundenheit (§ 308 I, II) – keine Folgepflichten des Vorstands ggü. Hauptaktionär; auch pers. Haftung des Vorstands ihm ggü. kommt nicht in Betracht (S/L/Schnorbus Vor §§ 327a–327f Rn. 22 f.).

12 **4. Beschluss über den Ausschluss. a) Beschlusserfordernis.** Nicht schon Verlangen des Hauptaktionärs, sondern erst zustimmender Beschluss der HV stellt rechtsgeschäftliche Grundlage für Ausschluss der Minderheitsaktionäre dar; zusätzliches Wirksamkeitserfordernis ist Eintragung des Beschlusses in das HR (§ 327e III). Beschlusserfordernis ist mit Blick auf eindeutige Mehrheitsverhältnisse **rechtspolitisch umstritten** (krit. Habersack ZIP 2001, 1230, 1236 ff.; E. Vetter DB 2001, 743 ff.) und als Parallele zur Eingliederung auch nur teilw. passend, stellt aber insges. den einfachsten Weg dar, um Ausschluss der Minderheitsaktionäre in **geordnete gesellschaftsrechtl. Bahnen** zu lenken, wobei ungeachtet der Mehrheitsverhältnisse auch durch Anfechtungsklage veranlasste Beschlusskontrolle zu bedenken ist. Auch für sachgerechte Information der Aktionäre stellt HV geeignete Form dar. Kritik überzeugt deshalb letztlich nicht (sa KK-AktG/Koppensteiner Rn. 18; DAV-HRA NZG 1999, 850, 851 f.; RWS-Forum/Kiem 20 [2001], 329, 335 ff.). Insbes. erscheint auch Abweichung vom Modell des § 39a I WpÜG keinesfalls unplausibel, da in diesem Verfahren Angemessenheit zumindest unter bestimmten Umständen unwiderleglich vermutet wird (→ Rn. 2), so dass es einer Information der Aktionäre über Abfindungsbemessung nicht bedarf. Muster für Einberufung bei Happ/Groß KonzernR/UmwR 6.01 lit. b.

13 **b) Beschlussinhalt.** Zum Beschlussinhalt gehört neben Übertragung der Aktien der übrigen Aktionäre (Minderheitsaktionäre) Gewährung angemessener Barabfindung. Als **Übertragung** bezeichnet § 327a I 1 ges. Übergang, der nach § 327e III mit Eintragung des Beschlusses in das HR eintritt. Beschluss überträgt die Aktien also nicht selbst, sondern ist rechtsgeschäftliches Tatbestandsmerkmal eines ges. Erwerbsvorgangs (zust. Emmerich/Habersack/Habersack Rn. 22). Beschluss kann nicht mit Auflagen oder Bedingungen versehen werden (OLG München AG 2011, 840, 842; MüKoAktG/Grunewald Rn. 14). **Barabfindung** bezweckt Vermögensausgleich für Verlust der Mitgliedsrechte. Gläubiger sind deshalb nur Minderheitsaktionäre, nicht auch Aktionäre, deren Besitz dem das Verfahren betreibenden Aktionär gem. § 16 II und IV zugerechnet wird (RegBegr. BT-Drs. 14/7034, 72: schon begrifflich nicht Minderheitsaktionäre; ebenso Emmerich/Habersack/Habersack Rn. 23). Squeeze-Out beendet Mitgliedschaft und damit auch Ausgleichsansprüche aufgrund zuvor bestehenden Organschaftsvertrags (§ 304) typischerweise, bevor sie entstanden sind. Ausgleichszahlung kann dann nicht mehr gefordert werden (→ § 327b Rn. 15 ff. mwN). **Abfindungsschuldner** ist Hauptaktionär, nicht AG (iE zutr. OLG Hamburg AG 2004, 622, 623). Insoweit mehrdeutiger Wortlaut des § 327a I 1 ist unter Berücksichtigung des § 327b III auszulegen, der Verpflichtung des Hauptaktionärs voraussetzt. Wegen der Einzelheiten vgl. § 327b und Erl. dazu.

14 **c) Rechtliche Behandlung.** Maßgeblich sind allg. Regeln über HV-Beschlüsse, soweit sie nicht durch §§ 327c ff. modifiziert werden. Insbes. genügt **einfache Mehrheit,** sofern Satzung nicht andere Mehrheit vorsieht (§ 133 I).

Kapitalmehrheit von 95 % bezieht sich also nur auf Antragsberechtigung, ist mithin kein weiteres Erfordernis iSd § 133 I (→ § 320 Rn. 4 zur gleichliegenden Frage bei der Mehrheitseingliederung; OLG Düsseldorf AG 2005, 293, 297; MüKoAktG/Grunewald Rn. 15; DAV-HRA NZG 1999, 850, 851). Vorzugsaktionäre haben auch bei Beschlussfassung nach § 327a kein Stimmrecht (BVerfG WM 2007, 1884; OLG Düsseldorf AG 2005, 293, 297). Auch eines Sonderbeschlusses etwa nach § 141 I, § 179 III bedarf es nicht (Happ/Groß KonzernR/UmwR 6.01 Rn. 11.2). Weil § 136 I nicht eingreift, darf Hauptaktionär mitstimmen (ebenso Happ/Groß KonzernR/UmwR 6.01 Rn. 11.2). Bei vorausgegangenem Übernahmeangebot ist Einhaltung der Meldepflichten nach §§ 33 ff. WpHG zu beachten, um Verlust des Stimmrechts nach § 44 WpHG zu vermeiden (S/L/Schnorbus Rn. 22). Ausschluss der Minderheitsaktionäre bedarf trotz nachhaltigen Eingriffs in ihre Mitgliedschaften auch **keiner sachlichen Rechtfertigung** nach Maßstäben der Erforderlichkeit und Verhältnismäßigkeit (→ § 243 Rn. 24). Ausgestaltung des Verfahrens lässt erkennen, dass Ges. erforderliche Abwägung selbst zugunsten des Hauptaktionärs vorgenommen hat; in anderer Formulierung: Beschluss trägt seine Rechtfertigung in sich (BGHZ 180, 154 Rn. 14 = NZG 2009, 585; OLG Düsseldorf AG 2006, 202, 203 f.; OLG Frankfurt AG 2010, 39, 41; OLG Karlsruhe AG 2007, 92, 93; OLG Köln AG 2004, 39, 40; OLG Stuttgart AG 2009, 204, 212; Emmerich/Habersack/Habersack Rn. 26). Möglich bleibt jedoch, dass Beschluss wegen bes. Umstände missbräuchlichen und damit auch treuwidrigen Inhalt hat (→ Rn. 20 f.).

5. Die Kapitalmehrheit und ihre Feststellung (§ 327a II). a) Dingliche Zuordnung von Aktien (§ 16 II). Hauptaktionär ist nach § 327a I 1, wem Aktien in Höhe von mindestens 95 % des Grundkapitals gehören (→ Rn. 10; Modifizierung in § 14 IV 1 WStBG für Übertragungsverlangen des Wirtschaftsstabilisierungsfonds und über modifizierenden Verweis in § 29 II 1 Nr. 11 EnSiG für Verlangen des Bundes: 90 % [zur Verfassungsmäßigkeit s. OLG München AG 2011, 840, 841 – bezogen auf Vorgängerregelung in § 12 IV 1 FMStBG aF]). Mehrheit muss schon im **Zeitpunkt** des Verlangens nach Beschlussfassung vorliegen (→ Rn. 10) und zumindest bis Übertragungsbeschluss fortbestehen (BGHZ 189, 32 Rn. 26 = NZG 2011, 669). Im Zeitpunkt der Eintragung muss Mehrheit nicht mehr bestehen und könnte von Registerrichter nachträglich auch nicht mehr festgestellt werden (str. – wie hier OLG München AG 2009, 589, 592; LG München AG 2008, 904, 906 f.; GK-AktG/Fleischer Rn. 21; S/L/Schnorbus Rn. 15; Statz/Albert NZG 2023, 1295, 1296; aA Emmerich/Habersack/Habersack Rn. 18; BeckOGK/Singhof Rn. 23; zur abw. Wertung bei § 319 → § 319 Rn. 4). Für Feststellung der Kapitalmehrheit ist auf **formale Eigentümerposition** abzustellen (BGHZ 180, 154 Rn. 8 = NZG 2009, 585 → Rn. 22). Bloße Übertragungsansprüche genügen daher weder auf Hauptaktionärs- noch auf Minderheitenseite; Kapitalmaßnahmen entfalten erst mit Eintragung Wirksamkeit (S/L/Schnorbus Rn. 8). Auch Aktienoptionen bleiben unberücksichtigt (hM – ausf. Nachw. bei Statz/Albert NZG 2023, 1295). IÜ gilt nach § 327a II allg. Regelung in § 16 II und IV. Zu § 16 II ist festzuhalten: Dem Aktionär gehören wie sonst auch nur solche Aktien, bei denen er **Inhaber des Vollrechts** ist (OLG Düsseldorf AG 2009, 535, 536); → § 16 Rn. 6 f. Verpfändung schadet nicht (OLG München NZG 2009, 506, 508). Bei sog Wertpapierleihe (Sachdarlehen → § 118 Rn. 27) ist Entleiher (Darlehensnehmer) Inhaber des Vollrechts; Pflicht zur Rückgewähr vergleichbarer Aktien nach § 607 I 2 BGB ändert daran nichts. Durch Wertpapierleihe kann Eigenschaft als Hauptaktionär also begründet werden (BGHZ 180, 154 Rn. 9; OLG München AG 2007, 173, 176; GK-AktG/Fleischer Rn. 36; BeckOGK/Singhof Rn. 21; Hasselbach CFL 2010, 24, 26 f.; aA wegen angeblicher Gesetzesumgehung Ph. Baums WM 2001, 1843, 15

1845 ff.). Art des Erwerbsvorgangs ist unerheblich (GK-AktG/Fleischer Rn. 16). Hauptaktionär ist bei Erwerb auch nicht an § 53a gebunden, da Gebot der Gleichbehandlung nur im Verhältnis von AG zu ihren Aktionären, nicht aber zwischen Aktionären gilt (→ § 53a Rn. 4; speziell zum Squeeze-Out OLG München NZG 2021, 1594 Rn. 91). Etwaige **missbräuchliche Motivation** des Hauptaktionärs kann zur Unwirksamkeit des Squeeze-Out-Beschlusses führen (→ Rn. 20 f.), lässt vorgelagerten Erwerb aber im Regelfall unberührt (so auch Emmerich/Habersack/Habersack Rn. 16; MüKoAktG/Grunewald Rn. 8).

16 **Mehrheit von Beteiligten** kann als solche nur Hauptaktionärin sein, wenn sie zuordnungsfähig ist und die Aktien auch in ihr Vermögen eingebracht worden sind. Aktien müssen also in Vermögen einer jur. Person oder einer Gesamthand eingelegt sein (→ Rn. 7). Aus der ursprünglichen Mehrheit von Beteiligten wird dann Einheit des neuen Rechtsträgers. Bei **Konsortialverträgen** (Poolverträgen, Stimmbindungsverträgen) ist zu unterscheiden: Bloßer Stimmrechtspool oder bloßes Stimmrechtskonsortium belässt es bei Zuordnung der Mitgliedschaften zu den Poolmitgliedern oder Konsorten (→ § 133 Rn. 6). Pool oder Konsortium kann dann nicht Hauptaktionär sein (GK-AktG/Fleischer Rn. 35; Maslo NZG 2004, 163, 165). Selten, aber möglich ist allerdings auch, dass Aktien selbst in Gesamthandsvermögen des Pools oder Konsortiums überführt werden; damit begründete Gesamthandsgesellschaft kommt als Hauptaktionärin in Betracht (GK-AktG/Fleischer Rn. 35). Werden auf diese Weise Anteile mehrerer Rechtsträger vorübergehend vereint, um Squeeze-Out vorzunehmen, so ist darin – wie bei Wertpapierleihe (→ Rn. 20 f.) – kein Rechtsmissbrauch zu sehen (BGHZ 180, 154 Rn. 10 = NZG 2009, 585).

17 Für **Einzelheiten der Berechnung** gilt (→ § 16 Rn. 8): Maßgeblich ist bei Nennbetragsaktien (§ 8 II) das Verhältnis des Gesamtnennbetrags, den verfahrensbetreibender Aktionär auf sich vereinigt, zum Grundkapital. Bei Stückaktien (§ 8 III) ist stattdessen auf Aktienanzahl des Verfahrensbetreibers im Verhältnis zur Gesamtzahl abzustellen. Maßgeblich ist Betrag des in das HR eingetragenen Grundkapitals; genehmigtes oder bedingtes Kapital bleibt also außer Ansatz. Auch zwischen Gattungen wird nicht unterschieden (GK-AktG/Fleischer Rn. 17). Eigene Aktien der Gesellschaft und solche, die einem anderen für ihre Rechnung gehören, sind gem. § 16 II 2 und 3 vom Grundkapital abzusetzen (→ § 16 Rn. 9). Regelung entspr. § 320 I 2 und stellt sachgerechte Milderung des Beteiligungserfordernisses dar (→ § 320 Rn. 3).

18 **b) Zurechnung von Aktien (§ 16 IV).** Anders als nach §§ 319, 320 (→ § 319 Rn. 4 bzw. → § 320 Rn. 3) erfolgt gem. § 16 IV iVm § 327a II Zurechnung von Aktien in drei Fallgruppen (→ § 16 Rn. 12 f.; Maslo NZG 2004, 163, 166 ff.): (1.) Aktien, die einem abhängigen Unternehmen gehören; (2.) Aktien, die einem anderen für Rechnung des Unternehmens oder eines von ihm abhängigen Unternehmens gehören; (3.) Aktien des an AG beteiligten Einzelkaufmanns, die er in seinem Privatvermögen hält. Zurechnung trägt häufig anzutreffenden tats. Gegebenheiten Rechnung und soll „Umhängen" der Beteiligungen samt damit verbundener Kosten überflüssig machen (LG Dortmund DB 2005, 1449; RegBegr. BT-Drs. 14/7034, 72). Abweichung von §§ 319, 320 ist sinnvoll, weil bei Eingliederung Unklarheiten als Folge von Anteilsveräußerungen befürchtet werden müssen (AusschussB Kropff S. 423), die schon im Hinblick auf § 327 I Nr. 3 vermieden werden sollten. Solche Gefahren bestehen beim Ausschluss von Minderheitsaktionären nicht, weil er konzernrechtsneutral ist (→ Rn. 5). Eigenschaft als Hauptaktionär kann auch **ausschließlich durch Zurechnung** begründet sein. Unmittelbarer Besitz wenigstens einer Aktie ist also wie bei § 16 IV (→ § 16 Rn. 13) nicht erforderlich (hM, s. OLG Köln AG 2004, 39, 41; OLG Stuttgart AG 2009, 204, 207; KK-AktG/Koppensteiner Rn. 7;

GK-AktG/Fleischer Rn. 52; Fleischer ZGR 2002, 757, 775; Fuhrmann Konzern 2004, 1, 4; aA MüKoAktG/Grunewald Rn. 7; Emmerich/Habersack/Habersack Rn. 17). Verweisung auf § 16 IV ist dahingehend zu korrigieren, dass Unternehmenseigenschaft des herrschenden Unternehmens nicht vorausgesetzt wird (GK-AktG/Fleischer Rn. 24, 42: partielle Rechtsgrundverweisung). Begriff des abhängigen Unternehmens wird auch hier rechtsformneutral verwandt (→ § 15 Rn. 14), schließt also Personengesellschaften und GmbH ein (OLG Hamburg AG 2003, 698, 699).

6. Beschlussmängel. § 327f S. 1 schließt Anfechtung wegen Verfolgung von Sonderinteressen nach § 243 II und Bewertungsrügen aus (→ § 327f Rn. 2) und setzt damit voraus, dass Übertragungsbeschluss grds. nach § 243 I angefochten werden kann (ebenso GK-AktG/Fleischer § 327f Rn. 1). Vor allem ist **Anfechtung wegen Verfahrensmangels** möglich (Überblick bei Dißars BKR 2004, 389, 391 f.), zB wegen Einberufungs- oder Ankündigungsfehlers. Anfechtung wegen Informationsmängeln ist grds. ebenfalls zulässig (BGHZ 180, 154 Rn. 36 = NZG 2009, 585), steht aber nicht nur unter generellem Vorbehalt des § 243 IV 1, sondern es gilt überdies Ausschluss des § 243 IV 2 für **bewertungsbezogene Informationsmängel,** da § 327f Bewertungsrüge insofern in Spruchverfahren verweist (sa BGHZ 180, 154 Rn. 36; zur konkreten Reichweite dieser Ausklammerung → § 327f Rn. 2). Anfechtungsgrund kann des Weiteren sein, dass HV ohne genügende Bankgarantie beschließt (→ § 327b Rn. 22). Für den Fall, dass Verfahrensbetreiber nicht über **erforderliche Kapitalmehrheit** verfügt, nimmt hM sogar Nichtigkeit iSd § 241 Nr. 3 (Wesen der AG) an, was schon nach allg. Begrifflichkeit keinesfalls selbstverständlich ist (nachvollziehbare Zweifel deshalb bei MHdB CL/Grigoleit/Berger § 28 Rn. 11), aber herrschendem Verständnis der Parallelregelung in § 319 entspr. (→ § 319 Rn. 4) und Rechtfertigung in bes. Schwere des Eingriffs finden kann (KG AG 2010, 166, 168; OLG München AG 2004, 455; NZG 2007, 192, 193; GK-AktG/Fleischer § 327f Rn. 6; Emmerich/Habersack/Habersack § 327f Rn. 3; offengelassen in BGHZ 189, 32 Rn. 27 = NZG 2011, 669). Wenn Vertragsprüfer Angemessenheit nicht oder nur eingeschränkt testieren (§ 293e I 2 iVm § 327c II 4), liegt darin allein noch kein Mangel, der zur Nichtigerklärung oder zur Registersperre führen könnte; entscheidend ist, ob der Sache nach unangemessene Barabfindung vorliegt, was aber ins Spruchverfahren gehört (→ § 327f Rn. 2 – OLG Hamm AG 2011, 136, 137; OLG Karlsruhe AG 2007, 92, 93; MüKoAktG/Grunewald § 327c Rn. 15; Ott DB 2003, 1615, 1616 f.; aA OLG Bremen AG 2013, 643, 644 f. [vgl. dazu → § 327b Rn. 9]); dasselbe gilt für Mängel des Prüfberichts (KG AG 2010, 166, 169). Etwas anderes gilt, wenn Barabfindung nicht von gerichtl. bestelltem Prüfer geprüft oder Prüfbericht nicht von ihm unterzeichnet wurde oder Prüfbericht ganz fehlt (BGHZ 180, 154 Rn. 36). 19

Auch **Anfechtung nach § 243 I wegen Inhaltsmangels** kommt in Betracht (Dißars BKR 2004, 389, 390 f.). Wer angebliche Verfassungswidrigkeit der §§ 327a ff. geltend machen will, muss diesen Weg beschreiten (Subsidiarität der Verfassungsbeschwerde, s. BVerfG NZG 2003, 31). Verfassungswidrigkeit ist aber trotz Häufigkeit darauf gerichteten Vorbringens nicht anzuerkennen (→ Rn. 6). Auf fehlende sachliche Rechtfertigung kann Klage nicht gestützt werden, da Klageausschluss im Squeeze-Out-Verfahren einer solchen Rechtfertigung nicht bedarf (→ Rn. 14; sa GK-AktG/Fleischer § 327f Rn. 10). Auch iU sind bestimmte Umstände, wie etwa Verfolgung von Sondervorteilen (deshalb Anfechtungsausschluss in § 327f S. 1), aber auch gezielte Benachteiligung der Minderheitsaktionäre schon naturgem. in Squeeze-Out angelegt und können deshalb keine Anfechtung begründen. **Vorwurf des Rechtsmissbrauchs** ist danach zwar nicht gänzlich ausgeschlossen (s. dazu etwa KG BeckRS 2023, 29426 20

Rn. 35 ff.; OLG Köln AG 2023, 45, 47 ff.; OLG München AG 2007, 173, 175; NZG 2021, 1594 Rn. 85 ff.; LG Landshut NZG 2006, 400; MüKoAktG/Grunewald Rn. 18; Emmerich/Habersack/Habersack Rn. 27 ff.; Kort AG 2006, 557, 560; Bühler BB 2018, 2886 ff.; Maslo NJW 2004, 163, 164 f.), kann aber nur in Ausnahmefällen zur Anfechtung berechtigen (sehr restriktiv BGHZ 180, 154 Rn. 9 ff. = NZG 2009, 585: Beurteilung des Rechtsmissbrauchs nicht nur im Lichte der Ziele des Vorgehens, sondern in Relation zu der gesetzgeberischen Zielsetzung [aaO Rn. 12]). Erforderlich ist, dass Instrument zweckentfremdet, anderweitig aufgestelltes Verbot unterlaufen wird oder Belastung der Minderheit über das im Ges. vorgesehene Maß hinausgeht (OLG Köln NZG 2018, 459 Rn. 28; ähnlich KG BeckRS 2023, 29426 Rn. 35 ff.; vgl. dazu → § 147 Rn. 22).

21 Vorwurf der Treuwidrigkeit kann sich zunächst aus Beziehung der Gesellschafter untereinander ergeben, etwa aus Vorwurf des **venire contra factum proprium,** wenn Aktionäre gerade erst in AG aufgenommen wurden (Emmerich/Habersack/Habersack Rn. 30; MüKoAktG/Grunewald Rn. 28). Nach umstr. Rspr. des BGH kann daneben auch Verletzung einer alle Gesellschafter bindenden **Aktionärsabsprache** zur Anfechtung berechtigen (→ § 243 Rn. 9; speziell zu § 327a sa Emmerich/Habersack/Habersack Rn. 31; MüKoAktG/Grunewald Rn. 25). Diskutiert wird Rechtsmissbrauch daneben insbes. in der Konstellation, dass zuvor **Formwechsel** stattgefunden hat, um so Squeeze-Out zu ermöglichen, der in Ausgangsrechtsform nicht möglich gewesen wäre (für Rechtsmissbrauch in diesem Fall Emmerich/Habersack/Habersack Rn. 29; MüKoAktG/Grunewald Rn. 24; BeckOGK/Singhof Rn. 32; generell zu „vorbereitenden Sachverhaltsgestaltungen" Florstedt ZIP 2018, 1661 ff.; aA OLG Hamburg BB 2008, 2199, 2200 f.; OLG Köln AG 2023, 45, 48 f.; S/L/Schnorbus § 327f Rn. 18; Rieder ZGR 2009, 981, 995; Schröder/Wirsch ZGR 2012, 660 ff.). Diese Fallgruppe wurde bislang vorwiegend für Formwechsel der AG diskutiert, stellt sich seit Einführung des verschmelzungsrechtl. Squeeze-Out aber auch auf Seiten des Hauptaktionärs (→ Rn. 3 – insofern die Zulässigkeit bejahend OLG Hamburg AG 2012, 639, 641 f.; Austmann NZG 2011, 684, 690; Schockenhoff/Lumpp ZIP 2013, 749, 750 f.; Stephanblome AG 2012, 814, 817 ff.). Im Lichte der deutlich restriktiveren neueren BGH-Rspr. (→ Rn. 20) wird man Rechtsmissbrauch indes in beiden Fällen **nur in Ausnahmekonstellationen** aufrechterhalten können, wenn Formwechsel etwa in personalistisch geprägter AG gezielt genutzt werden soll, um missliebige Mitgesellschafter aus AG zu drängen (insofern zust. Emmerich/Habersack/Habersack Rn. 29). Enger zeitl. Zusammenhang allein genügt dagegen noch nicht, da Formwechsel nicht allein Vehikel des eigentlich gewollten Squeeze-Out sein kann, sondern gerade umgekehrt Squeeze-Out uU nur Konsequenz des in erster Linie intendierten Formwechsels ist, weil Belastungen durch Minderheit in AG stärker zutage treten als in GmbH (so zutr. Schröder/Wirsch ZGR 2012, 660, 673 ff.; zust. MüKoAktG/Grunewald Rn. 24; für Vermutung der Missbräuchlichkeit dagegen Emmerich/Habersack/Habersack Rn. 29). Wenn Squeeze-Out dazu dient, Inanspruchnahme durch bes. Vertreter abzuwehren, kommt Missbrauch ebenfalls in Betracht, doch wird man an Nachw. entspr. Absicht hohe Anforderungen zu stellen haben (großzügig OLG Köln NZG 2018, 459 Rn. 30 ff.: zeitlicher und sachlicher Zusammenhang; zur Kritik → § 147 Rn. 22). Neues Missbrauchspotenzial hat sich eröffnet, nachdem BGH gesellschaftsrechtl. Anforderungen an **Delisting** aufgegeben hat (→ § 119 Rn. 33). Hier war es nach Frosta-Rspr. (→ § 119 Rn. 33) möglich geworden, dem Squeeze-Out Delisting vorzuschalten, um Mindestabfindung nach Börsenkurs zu umgehen (M. Arnold/Rothenburg DStR 2014, 150, 155; Bungert/Leyendecker-Langner BB 2014, 521 ff.; Wasmann/Glock DB 2014, 105, 108; zu einem ähnlichen WpÜG-Missbrauchsszenario sa Schockenhoff ZIP 2013, 2429, 2433 f.; zur Parallelproblematik bei § 305

→ § 305 Rn. 41). Auch einer solchen Vorgehensweise konnte indes über Einwand des Rechtsmissbrauchs begegnet werden (BeckOGK/J. Hoffmann § 119 Rn. 66; aA Brellochs AG 2014, 633, 643). Sofern der Missbrauchseinwand nicht eingriff, konnten sich bei Kombination von Delisting und anschließendem Squeeze-Out bes. Schwierigkeiten in Abstimmung zur Stollwerck-Rspr. des BGH (→ § 305 Rn. 42 ff.) ergeben (→ § 305 Rn. 41 mwN). Mit **Neufassung des kapitalmarktrechtl. Delisting-Tatbestands** in § 39 II BörsG dürfte sich zumindest für Neufälle auch Missbrauchsproblematik erledigt haben (ausf. → § 119 Rn. 36 ff.).

Übertragungsbeschluss ist nicht schon deshalb missbräuchlich, weil Hauptaktionär sich erforderliche Mehrheit zT durch **Wertpapierleihe** (→ Rn. 15) verschafft hat (BGHZ 180, 154 Rn. 9 ff. = NZG 2009, 585; Emmerich/Habersack/Habersack Rn. 28; aA Ph. Baums WM 2001, 1843, 1847). Vorübergehende Berechtigung steht nicht entgegen, da es nur auf formale Eigentümerposition ankommt und dem Gesetz ein „Haltefristerfordernis" nicht entnommen werden kann (BGHZ 180, 154 Rn. 15; Krieger BB 2002, 53, 62; Markwardt BB 2004, 277, 285; für Ausnahme in extrem gelagerten Fällen MüKoAktG/Grunewald Rn. 21). Dasselbe gilt für andere Fälle eines nur vorübergehenden Erwerbs (Emmerich/Habersack/Habersack Rn. 28). Ebenso wenig wie Haltefristerfordernis sieht Ges. Gebot zur umgehenden Durchführung eines Squeeze-Out vor, sobald erforderliche Mehrheit erreicht wird; längere Frist zwischen Erwerb und Verlangen des Hauptaktionärs (→ Rn. 11) begründet deshalb ebenfalls keine Anfechtung (Emmerich/Habersack/Habersack Rn. 30; MüKoAktG/Grunewald Rn. 26; krit. Fleischer ZGR 2002, 757, 786). Zusammenstellung aussichtsloser Standardrügen bei Sikora NWB Fach 18 S. 4557, 4565. 22

Barabfindung

327b (1) [1] **Der Hauptaktionär legt die Höhe der Barabfindung fest; sie muss die Verhältnisse der Gesellschaft im Zeitpunkt der Beschlussfassung ihrer Hauptversammlung berücksichtigen.** [2] **Der Vorstand hat dem Hauptaktionär alle dafür notwendigen Unterlagen zur Verfügung zu stellen und Auskünfte zu erteilen.**

(2) **Die Barabfindung ist von der Bekanntmachung der Eintragung des Übertragungsbeschlusses in das Handelsregister an mit jährlich 5 Prozentpunkten über dem jeweiligen Basiszinssatz nach § 247 des Bürgerlichen Gesetzbuchs zu verzinsen; die Geltendmachung eines weiteren Schadens ist nicht ausgeschlossen.**

(3) **Vor Einberufung der Hauptversammlung hat der Hauptaktionär dem Vorstand die Erklärung eines im Geltungsbereich dieses Gesetzes zum Geschäftsbetrieb befugten Kreditinstituts zu übermitteln, durch die das Kreditinstitut die Gewährleistung für die Erfüllung der Verpflichtung des Hauptaktionärs übernimmt, den Minderheitsaktionären nach Eintragung des Übertragungsbeschlusses unverzüglich die festgelegte Barabfindung für die übergegangenen Aktien zu zahlen.**

Übersicht

I. Regelungsgegenstand und -zweck

1 § 327b betr. Höhe, Verzinsung und Sicherstellung der vom Hauptaktionär zu zahlenden Barabfindung. Regelung soll **angemessene Entschädigung** der Minderheitsaktionäre für Verlust ihrer Mitgliedschaft erreichen. Sie beruht auf Ges. zur Regelung von öffentl. Angeboten zum Erwerb von Wertpapieren und von Unternehmensübernahmen v. 20.12.2001 (BGBl. 2001 I 3822). Noch im RegE als § 327b I 3 vorgesehene Vermutungsregelung (dazu etwa Heidel/Lochner DB 2001, 2031 ff.; Rühland NZG 2001, 448 ff.) ist nicht Ges. geworden. Danach wäre iR eines Übernahmeverfahrens angebotene Geldleistung per se als angemessene Abfindung anzusehen gewesen, wenn mindestens 90 % der nach Köpfen gezählten Aktionäre darauf eingegangen sind. Regelung scheiterte aber an nachhaltiger verfassungsrechtl. Kritik (Finanzausschuss ZIP 2001, 2102, 2104). Ähnlich ausgestaltete, wenngleich nicht deckungsgleiche Regelung findet sich heute in § 39a III WpÜG (→ § 327a Rn. 2).

II. Bemessung der Barabfindung (§ 327b I)

2 **1. Abfindungsberechtigung.** Abfindungsberechtigt ist, wer der AG oder KGaA als Aktionär angehört und seine Mitgliedschaft mit Eintragung des Übertragungsbeschlusses in das HR gem. § 327e III verliert. § 327a I 1, § 327e III 1 sprechen insoweit von Minderheitsaktionären und meinen damit die „übrigen Aktionäre“, also alle Aktionäre neben dem Hauptaktionär und den ihm gem. § 16 II und IV zuzurechnenden Aktionären (→ § 327a Rn. 18), nicht aber die AG selbst wegen etwa von ihr gehaltener **eigener Aktien** (str. – s. zum Meinungsstand → § 327e Rn. 4). Anspruch entsteht und wird fällig mit Eintragung des Übertragungsbeschlusses (BGHZ 189, 32 Rn. 19 = NZG 2011, 669).

3 Für **Umtausch- oder Optionsrechte** (→ § 221 Rn. 4, 6) gilt zunächst wie zur Mehrheitseingliederung, dass sie sich nunmehr gegen Hauptaktionär wenden (→ § 320b Rn. 4), nach mittlerweile ganz hM aber analog § 327a I 1 nur noch auf Barabfindung gerichtet sind, die an die Stelle der Aktien tritt (LG Düsseldorf NZG 2004, 1168, 1170; Emmerich/Habersack/Habersack Rn. 7; MHdB AG/Austmann § 75 Rn. 113; DAV-HRA NZG 2001, 420, 431; Engelhardt, Convertible Bonds im Squeeze-Out, 2007, 108 ff.; Statz/Albert NZG 2023, 1295, 1296 f.; Süßmann AG 2013, 158 f.; Wilsing/Kruse ZIP 2002, 1465, 1467 ff.; dagegen für Fortbestand der Bezugsrechte Ph. Baums, Ausschluss von Minderheitsaktionären, 2001, 156 ff.; Ph. Baums WM 2001, 1843, 1847 ff.; Schüppen WPg 2001, 958, 975 f.; Ziemons FS K. Schmidt, 2009, 1777, 1783 ff.). Fortbestand von Bezugsrechten gäbe ihren Inhabern bessere Rechtsstellung als den Aktionären selbst und würde Erfolg des Ausschlussverfahrens von seiner (ggf. mehrfachen) Wiederholung abhängig machen. Das überzeugt nicht, zumal auch Optionsinhaber wenig Interesse an Bezugsrecht haben dürften, wenn Markt zur

angemessenen Verwertung fehlt (Süßmann AG 2013, 158, 159). Umstr. ist, ob Übertragung des § 327a nur auf Rechtsfolgen beschränkte Teilanalogie ist oder Vollanalogie, die insbes. auch voraussetzt, dass Bezugsrechte im Fall ihrer Ausübung nicht mehr als 5 % ausmachen. Entgegen gewichtiger Stimmen in der Lit. geht hM zu Recht von Teilanalogie aus (MüKoAktG/Grunewald Rn. 14 f.; S/L/Schnorbus Rn. 13 f.; BeckOGK/Singhof Rn. 10; MHdB AG/Austmann § 75 Rn. 113; aA GK-AktG/Fleischer Rn. 31; Emmerich/Habersack/Habersack Rn. 7; Fuchs, Der aktienrechtliche Squeeze-out, 2009, 379 ff.). Da Übertragung ohnehin nur im Analogiewege erfolgt, ist es methodisch zulässig, der bes. Interessenlage aller beteiligten Akteure durch eine interessengerecht zugeschnittene Anwendung Rechnung zu tragen. Insbes. vor dem Hintergrund, dass Ausgabe von Aktien nicht nur den Interessen der AG und des Hauptaktionärs, sondern in den meisten Fällen auch den Interessen der Bezugsberechtigten gerade zuwiderlaufen wird (MüKoAktG/Grunewald Rn. 14), erscheint Gleichbehandlung von Aktionären und Bezugsberechtigten nicht sachgerecht, zumal Ausübung der Rechte im Beschlusszeitpunkt auch noch keinesfalls feststeht (MHdB AG/Austmann § 75 Rn. 113). Zur Herstellung eines Schutzniveaus, das mit Rechtsstellung der Aktionäre vergleichbar ist, Fuchs, Der aktienrechtliche Squeeze-out, 2009, 394 ff.; Fehling/Arens AG 2010, 735, 736 ff.; Statz/Albert NZG 2023, 1295; Süßmann AG 2013, 158 ff., 162 ff. In der **Praxis** dürften diese im Schrifttum heftig umstr. Probleme indes nur noch wenig Bedeutung haben, da idR Kautelarpraxis Möglichkeit eines Squeeze-Out iR der Anleihebedingungen berücksichtigen wird (s. schon RWS-Forum/Kiem 20 [2001], 329, 350).

2. Angemessene Höhe. a) Grundsatz. Barabfindung in angemessener Höhe 4 gehört gem. § 327a I 1 zum Inhalt des auf Übertragung der Aktien gerichteten HV-Beschlusses (→ § 327a Rn. 13). Angemessene Höhe festzulegen, ist nach § 327b I 1 Hs. 1 **Aufgabe des Hauptaktionärs** (→ Rn. 19). Angemessenheit bestimmt sich, nachdem geplante Vermutungsregelung gescheitert ist (→ Rn. 1), nach allg. Grundsätzen. Wie nach § 305 III 2 (→ § 305 Rn. 51) sind Verhältnisse der Gesellschaft im Zeitpunkt des HV-Beschlusses maßgeblich (§ 327b I 1 Hs. 2). Damit ist **Bewertungsstichtag** festgelegt. Zu den maßgebenden Verhältnissen gehört auch der vielfach schon bestehende Beherrschungsvertrag, so dass für Prognose künftiger Erträge vom Beherrschungssachverhalt, nicht von fiktiver Planung einer unabhängigen Gesellschaft auszugehen ist (OLG Stuttgart AG 2010, 510, 511).

Maßgeblich für Abfindungshöhe ist **voller Wert des Unternehmens,** aus 5 dem sodann voller Beteiligungswert abgeleitet werden kann. Es gelten insofern in → § 305 Rn. 23, 51 dargestellte Grundsätze. Traditionell erfolgt Bewertung auch hier iRd sog. **Ertragswertverfahrens** (→ § 305 Rn. 24 ff. mwN zu alternativen Bewertungsverfahren). Ausschließungsbedingte Kostenersparnisse bleiben allerdings unberücksichtigt (OLG Frankfurt AG 2011, 717, 718 mwN; Popp AG 2010, 1, 2 ff.). **Vorerwerbspreise** finden bei Berechnung der Abfindung keine Berücksichtigung (→ § 305 Rn. 31).

b) Börsenkurs. Während nach früher hM Ertragswertverfahren alternativlos 6 als traditionelle Methode der Unternehmensbewertung anzulegen war (statt vieler KG AG 2011, 627, 628), unterliegt nach mittlerweile zu Recht herrschender Rspr. und Lit. neuerer Rspr. auch Methodenwahl dem **Schätzungsermessen des Gerichts,** das danach auch ausschließlich Börsenkurs heranziehen kann, wenn es zu der Auffassung gelangt, dass auf dieser Grundlage Unternehmenswert ähnlich zuverlässig bestimmt werden kann (→ § 305 Rn. 37 ff. mwN). Speziell zum Squeeze-Out hat auch BVerfG festgestellt, dass **Meistbegünstigungsgrundsatz** (→ § 305 Rn. 37) verfassungsrechtl. nicht geboten ist (BVerfG AG 2012, 625, 626 f.). BGH hat sich dem angeschlossen (→ § 305 Rn. 37), und zwar gerade auch im Kontext des Squeeze-Out (vgl. BGHZ 208, 265 Rn. 21 ff. = NZG 2016, 461; BGHZ 227, 137 Rn. 20 = NZG 2020, 1386).

7 Besteht ein Börsenkurs, so ergibt dieser grds. zumindest die **Untergrenze** der anzubietenden Abfindung (→ § 305 Rn. 29 ff.). Diese vom BVerfG für Unternehmensvertragsrecht entwickelte Vorgabe (BVerfGE 100, 289, 309 = NJW 1999, 3769) trägt den Herrschaftsrechten der Minderheitsaktionäre Rechnung (vgl. RegBegr. BT-Drs. 14/7034, 72) und ist auch bei ihrem Ausschluss maßgeblich (GK-AktG/Fleischer Rn. 14 ff.; Emmerich/Habersack/Habersack Rn. 9a). Hauptaktionär tritt ihnen zwar nicht als herrschendes Unternehmen entgegen (→ § 327a Rn. 3); § 327a I 1 verleiht ihm aber eine Rechtsmacht, die vergleichbaren Vermögensschutz des Anteilseigentums erfordert (ebenso BVerfGE 100, 289, 310 zur Mehrheitseingliederung als Regelungsvorbild der §§ 327a ff.).

8 Besonderheit für Abfindung nach Börsenkursen besteht im Hinblick auf hier definitionsgem. (→ § 327a Rn. 15 ff.) bestehende **Marktenge.** Sie mindert Aussagekraft des Börsenkurses und führt deshalb dazu, dass Gerichte bei Heranziehung des Börsenkurses zurückhaltender sein müssen (insofern zutr. Burger NZG 2012, 281, 287; beispielhaft zu Indizien für solche Marktenge OLG München NZG 2014, 1230 f.; sa OLG Karlsruhe ZIP 2018, 122, 124 f.; wN → § 305 Rn. 41, 46). Ausnahmsweise wird es deshalb auch als zulässig angesehen, von der Regel, dass Börsenkurs stets Untergrenze der Abfindung sein müsse (→ Rn. 7), abzuweichen (so auch BVerfGE 100, 289, 309 = NJW 1999, 3769). Regel beruht auf der Annahme, dass dem Aktionär der Wert zu ersetzen sei, den er jederzeit bei freiwilliger Desinvestition auf dem Markt hätte erzielen können (→ § 305 Rn. 29). Wo diese Möglichkeit tats. aber nicht besteht, weil in Situation der Marktenge gebildeter Börsenkurs das maßgebliche quotale Unternehmenseigentum zu teuer abbildet, verliert Regel ihre Gültigkeit (sa MüKoAktG/Grunewald Rn. 10; S/L/Schnorbus Rn. 3a; Schiessl AG 1999, 442, 451 f.; Schüppen ZIP 2016, 1413, 1417; sa OLG Düsseldorf AG 2012, 716, 719: Börsenkurs nicht feststellbar; ähnlich OLG Düsseldorf AG 2023, 129, 133). Sofern Hauptaktionär dies darlegen und beweisen kann, kommt deshalb Unterschreitung des Börsenkurses in Betracht (→ § 305 Rn. 29; BVerfGE 100, 289, 309 f.).

9 IÜ sind die zu § 305 in → § 305 Rn. 37 ff. dargestellten Grundsätze grds. auf Squeeze-Out zu übertragen, solange sich aus bes. Situation des Zwangsausschlusses nicht Abweichungen ergeben (vgl. Nachw. zu → § 305 Rn. 37 ff.; ausf. zu Besonderheiten des Squeeze-Out etwa OLG Frankfurt NZG 2014, 464 ff.; 2016, 862, 864). So ist etwa für **Berechnung der Referenzperiode** (→ § 305 Rn. 42 f.) maßgebliche Bekanntgabe (→ § 305 Rn. 43) nicht auf formelles Übertragungsverlangen des Hauptaktionärs nach § 327a I abzustellen, sondern auf zeitlich früheres erstmaliges Übertragungsverlangen (OLG Frankfurt v. 21.12.2010 – 5 W 15/10, juris-Rn. 30 ff. = BeckRS 2011, 3054; s. zu diesem vorläufigen Übertragungsverlangen auch Schockenhoff/Lumpp AG 2013, 749, 752 mit Fn. 33; ähnlich BeckOGK/Singhof Rn. 7: Ad-hoc-Mitteilung über Zugang des Übertragungsverlangens). Wie bei Abfindung ist gerichtl. Kontrolle auch hier keine Richtigkeits-, sondern **Vertretbarkeitskontrolle** (→ § 305 Rn. 58), doch muss Abweichendes gelten, wenn sachverständiger Prüfer Festlegung des Hauptaktionärs (→ Rn. 19) nicht bestätigt, sondern ihr widersprochen hat (auf diese Weise – nicht durch Anfechtbarkeit [→ § 327a Rn. 19] – ist den Einwänden des OLG Bremen AG 2013, 643, 644 f. gegen Eignung des Spruchverfahrens Rechnung zu tragen).

10 **c) Ausgleichsansprüche (§ 304) als weiterer Bewertungsfaktor.** Bes. Schwierigkeiten bei Bemessung des Unternehmenswerts ergeben sich überdies daraus, dass Squeeze-Out regelmäßig aus bestehender Konzernierungssituation,

und zwar häufig auch **aus Vertragskonzern vollzogen** wird. In dieser Konstellation stellt sich Frage nach Verhältnis der Barabfindung zu bisherigen Ausgleichsansprüchen nach § 304. Insbes. wird seit Jahren diskutiert, ob Barwert von Ausgleichszahlungen iSd § 304, die kraft Beherrschungs- und/oder Gewinnabführungsvertrags geschuldet werden, als weiterer Bewertungsfaktor neben Börsenkurs (→ Rn. 6 ff.) anzuerkennen ist. Insofern ist mittlerweile höchstrichterlich geklärt, dass Ertragswert iSd anteiligen Unternehmenswerts nicht durch solchen Barwert ersetzt werden kann; denn damit würde **nicht das Unternehmen, sondern die einzelne Aktie bewertet** (→ § 305 Rn. 38; BGHZ 208, 265 Rn. 24 ff. = NZG 2016, 461; OLG Düsseldorf AG 2012, 716, 718 f.; AG 2015, 573, 574 f.; 2017, 672, 673 ff.; OLG München ZIP 2007, 375, 376 f.; Emmerich/Habersack/Habersack Rn. 9b; S/L/Schnorbus Rn. 6; Riegger FS Priester, 2007, 661, 669; aA OLG Frankfurt NZG 2010, 664, 665; NZG 2011, 990, 991 f.; AG 2012, 513, 516 f.; AG 2013, 566 Rn. 87; AG 2015, 205 Rn. 21 ff.; NZG 2016, 862, 863; OLG Stuttgart AG 2010, 510, 513; AG 2012, 135, 136; MHdB AG/Austmann § 75 Rn. 99; Leyendecker NZG 2010, 927 ff.). Selbst die Bewertung der Aktie bliebe unvollständig, da Ausgleichsanspruch **allein die jährliche Gewinnbeteiligung** substituiert, aber nicht weitere mitgliedschaftliche Herrschaftsrechte (OLG Düsseldorf AG 2012, 716, 718) und den ebenfalls in Aktie verkörpertem Anspruch auf Liquidationserlös (BGHZ 227, 137 Rn. 29 = NZG 2020, 1386). Sie bleiben auch dann erhalten und sind in die Bewertung einzubeziehen, wenn sie durch Unternehmensvertrag überlagert und eingeschränkt werden (BGHZ 208, 265 Rn. 28). Entgegennahme der Ausgleichszahlung ist danach lediglich Fruchtziehung, während erst die Barabfindung gem. § 305 den Stamm des Vermögens repräsentiert, der durch die Ausgleichszahlung nicht berührt wird (BGHZ 208, 265 Rn. 27; BGHZ 227, 137 Rn. 21).

Ausgleichszahlungen sind aber **schätzungsrelevant** und können der Plausibilisierung dienen (→ § 304 Rn. 8 ff.). Darüber hinaus kann Barwert der Ausgleichszahlungen ähnlich dem Börsenkurs (→ Rn. 6 ff.) auch als **Mindestwert** der angemessenen Abfindung zugrunde zu legen sein, sofern der Unternehmensvertrag zu dem nach § 327b I 1 maßgeblichen Zeitpunkt bestand und von seinem Fortbestand auszugehen war (BGHZ 227, 137 Rn. 24 ff. = NZG 2020, 1386; sa OLG Düsseldorf AG 2022, 705, 707, 711 f.; so zuvor bereits OLG Frankfurt NZG 2020, 339 Rn. 25 ff.; Krenek CF 2016, 461, 462; Schüppen ZIP 2016, 1413, 1418; Tebben AG 2003, 600, 606; aA noch OLG Düsseldorf AG 2017, 672, 675 f.; OLG München ZIP 2007, 375, 377; Schnorbus ZHR 181 [2017], 902, 913 ff.; Wasmann DB 2017, 1433 ff.). Das wird damit begründet, dass Unternehmensvertrag, auf dem Ausgleichszahlungen beruhen, zu den Verhältnissen der AG im nach § 327b I 1 maßgeblichen Zeitpunkt des HV-Beschlusses zählt (BGHZ 227, 137 Rn. 28). Wenn der außenstehende Aktionär aufgrund des Squeeze-Out den Anspruch auf die Garantiedividende verliere, müsse dieser Verlust aufgrund der verfassungsrechtl. Vorgabe der vollen wirtschaftlichen Kompensation in Abfindung berücksichtigt werden (BGHZ 227, 137 Rn. 31). 11

Noch ungeklärt ist, wie sich **laufendes Spruchverfahren** zur Klärung der Ausgleichshöhe auswirkt. ZT wird dafür plädiert, dass nach Stichtagsprinzip ursprüngliche Festlegung maßgeblich sein müsse (Brandenstein/Höfling AG 2020, 942 Rn. 22), zT mit Blick auf rückwirkende Gestaltungswirkung Berücksichtigung späterer Erhöhung als geboten angesehen (Herfs/Goj DB 2021, 772, 775 f. mw Ausf. auch zu Vergleichswirkung und kautelarjur. Gestaltungsmöglichkeiten; so auch Ruthardt/Popp AG 2021, 296 Rn. 25). Berücksichtigung der Ausgleichszahlungen ist allerdings nicht geboten, wenn im Zeitpunkt der Beschlussfassung die **Beendigung des Unternehmensvertrags schon feststeht.** In diesem Fall spielt Höhe der Ausgleichszahlungen für Barabfindung keine Rolle mehr (OLG Frankfurt NZG 2016, 862, 863 f.). 12

13 Noch ungeklärt ist, wann **Vertragsende hinreichend absehbar** ist (→ Rn. 12), um Barwert der Ausgleichszahlungen als weitere Untergrenze der Abfindung unbeachtet lassen zu dürfen. BGHZ 227, 137 Rn. 33 stellt auf konkrete Unternehmensplanung ab. Jedenfalls als genügend wird konkret gefasster wirksamer Aufhebungsvertrag mit Mehrheitsgesellschafter gem. § 296 oder unangefochtene Kündigung nach § 297 I und II am Bewertungsstichtag anzusehen sein (Ruiz de Vargas/Göz NZG 2021, 21, 23), doch kann fünfjährige Mindestlaufzeit des Gewinnabführungsvertrags nach § 14 I 1 Nr. 3 S. 1 KStG kautelarjur. Gestaltung insofern Grenzen ziehen (Krengel/Küllmer/Kern AG 2021, 661 Rn. 39 ff.; Wicke DStR 2021, 998, 999). Bietet konkrete Unternehmensplanung keine Anhaltspunkte für Vertragsbeendigung, kann ewige Laufzeit des Unternehmensvertrags anzunehmen sein (BGHZ 227, 137 Rn. 33: „stark vereinfachte Annahme", die aber dennoch für generell vereinfachende Grundsätze der Unternehmensplanung zulässig sei). Annahme einer unbegrenzten Laufzeit wird damit – wenngleich womöglich durchaus „lebensfremd" (Schnorbus ZHR 181 [2017], 902, 914) – als „eine Art widerlegbare Vermutung" etabliert, die von AG zu widerlegen ist (Ruiz de Vargas/Göz NZG 2021, 21, 23).

14 Bloßer Umstand, dass **erwartete Dividenden Ausgleichszahlungen erheblich unterschreiten,** soll dagegen augenscheinlich noch nicht genügen, um Vertragsbeendigung hinreichend wahrscheinlich werden zu lassen, obwohl BGH selbst konstatiert, dass solcher Vertrag „nicht dauerhaft von Bestand sein wird" (BGHZ 227, 137 Rn. 36; krit. deshalb BeckOGK/Singhof Rn. 6: „widersprüchlich"; ebenso Mennicke DB 2020, 2569, 2570; andere Lesart aber bei Ruthardt/Popp AG 2021, 296 Rn. 21 f.: „starkes Indiz für die sachgerechte Annahme einer begrenzten Laufzeit"). Kautelarpraxis erwägt verstärkte Nutzung variablen Ausgleichs (→ § 304 Rn. 14 ff.), um auf diesem Weg Einfluss auf Abfindungsbemessung zu vermeiden (Krengel/Küllmer/Kern AG 2021, 661 Rn. 14; Ruiz de Vargas/Göz NZG 2021, 21, 25).

15 **d) Behandlung nicht entstandener Ausgleichsansprüche.** In der Konstellation vorangegangener vertraglicher Konzernierung (aber nicht nur hier → Rn. 18) kann sich überdies Frage stellen, wie Ausgleichsansprüche nach § 304 zu behandeln sind, deren Voraussetzungen infolge Squeeze-Out nicht mehr (voll) entstanden sind (→ § 327a Rn. 13). Insofern ist anerkannt, dass schon gezahlte Ausgleichsleistungen bei Aktionären verbleiben. Problematisch ist allein Ausgleichsanspruch für noch **laufendes Geschäftsjahr,** in dem Übertragungsbeschluss gefasst wird. In instanzgerichtl. Rspr. und Lit. ist insofern aufgrund § 101 Nr. 2 BGB oder ergänzender Vertragsauslegung anteiliger Ausgleichsanspruch für die Zeitspanne erwogen worden, die Übertragungsbeschluss vorausgeht (LG Frankfurt BeckRS 2011, 14776; Altmeppen ZIP 2010, 1773 ff.; Meilicke AG 2010, 561, 562 ff.).

16 BGH hat diese Lösungen zugunsten eines **strengen Stichtagsprinzips** zu Recht mit der Begr. verworfen, dass Ausgleich insofern nicht anders behandelt werden könne als Dividendenanspruch, an dessen Stelle er trete; vermögensmäßige Benachteiligung der Aktionäre werde dadurch vermieden, dass Ausgleichsanspruch in Unternehmensbewertung einfließe, und zwar sowohl nach Ertragswertmethode als bei auch Berechnung nach Börsenkurs (BGHZ 189, 261 Rn. 7 ff. = AG 2011, 514; BGH NZG 2011, 780 Rn. 7 ff.; OLG Frankfurt AG 2010, 368, 375 f.; OLG Hamm AG 2010, 787, 788; OLG München AG 2007, 334, 335; OLG Stuttgart AG 2011, 599, 600; S/L/Stephan § 304 Rn. 43).

17 Verfassungsrechtl. ist diese Rspr. nicht zu beanstanden (BVerfG AG 2013, 255 Rn. 10 ff.). Anderes Ergebnis folgt auch nicht aus **§ 101 Nr. 2 BGB,** der als Regelung des zeitlichen Aufeinanderfolgens mehrerer Nutzungsberechtigter weder seinem Wortlaut noch seinem Sinn nach eingreift (BGHZ 189, 261

Rn. 20 ff.; Bödeker/Fink NZG 2011, 816, 817 f.; Bungert/Janson FS U. H. Schneider, 2011, 159, 170 ff.; aA Altmeppen ZIP 2010, 1773, 1776 f.; Meilicke AG 2010, 561, 562 ff.). Sog **Zinslücke,** aus der sich anderes ergeben soll, scheitert an ausdr. ges. Regelung des Zinslaufs (BGHZ 189, 261 Rn. 27) als verfassungsmäßiger Inhalts- und Schrankenbestimmung (BVerfG AG 2013, 255 Rn. 15 f.). Sie kann § 327b II und vergleichbaren Vorschriften auch deshalb nicht entgegengehalten werden, weil es nur bei erfolglosen Anfechtungsklagen zu Zahlungsverzögerungen kommen kann, deren Folgen dann aber auch von den unterliegenden Klägern zu tragen sind (Bungert/Janson FS U. H. Schneider, 2011, 159, 171 ff.).

Anders liegt es, wenn Ausgleichsansprüche nach Abfindungsstichtag, aber **vor Squeeze-Out** (voll) entstanden sind. Solche Ansprüche müssen bedient werden, ohne dass deshalb Abfindung gekürzt werden dürfte (OLG Hamburg NZG 2003, 539, 540; KK-AktG/Koppensteiner Rn. 7; MüKoAktG/van Rossum § 304 Rn. 126). Entspr. gilt für **Dividenden,** also bei Squeeze-Out ohne vorvertragliche Phase (§ 304). Wenn vor Wirksamwerden des Squeeze-Out kein Beschluss gem. § 174 gefasst wird, gibt es also weder eine Dividende noch eine Ersatzzahlung. Der entstandene Dividendenzahlungsanspruch ist jedoch zu erfüllen, ohne dass Anrechnung auf Abfindung zulässig wäre. 18

3. Festlegung durch Hauptaktionär. Vorbehaltlich der Prüfung im Spruchverfahren (§ 327f) bestimmt Hauptaktionär die Höhe der Barabfindung (§ 327a I 1 Hs. 1). Zwar mag es auf den ersten Blick eigentümlich erscheinen, in einem Erwerbsvorgang die Bestimmung der Gegenleistung einseitig einer Partei zuzubilligen, doch hat sich Gesetzgeber auch insofern an Mehrheitseingliederung orientiert (§ 320b), wenngleich die beiden Vorgänge mit Blick auf die Transaktionspartner nicht ohne weiteres vergleichbar sind. Bestimmung des Hauptaktionärs kann daher erst in relativ spätem Stadium, nämlich iR gerichtl. Auseinandersetzung, überprüft werden. Die zum Teil wenig gesellschaftsfreundliche Ausgestaltung des Spruchverfahrens (→ SpruchG § 1 Rn. 4) gibt Hauptaktionär aber doch hinreichend Anlass, sich um angemessene Festlegung zu bemühen. Heranziehung außenstehender Prüfer bietet weitere Gewährleistung. Abfindungsanspruch entsteht wie bei Mehrheitseingliederung kraft Ges. als Pendant zum Verlust der Mitgliedschaft, ohne dass es eines Abfindungsvertrags bedürfte (→ § 320b Rn. 2). Erklärung des Hauptaktionärs konkretisiert also den Inhalt eines ges. Schuldverhältnisses (ebenso BGH NZG 2017, 341 Rn. 17; OLG München AG 2008, 37, 38; Emmerich/Habersack/Habersack Rn. 4). Erklärung muss – entgegen bislang hM – nicht schon in dem Verlangen enthalten sein, das Hauptaktionär gem. § 327a I 1 an Vorstand richtet, sondern es genügt, wenn bis zur Einladung der HV konkretisiertes Verlangen vorliegt (→ § 327a Rn. 11). Spätestens ab Bek. der Tagesordnung (§§ 121, 124) kann Festlegung nicht mehr zum Nachteil der Minderheitsaktionäre geändert werden, ohne gleichwohl gefassten Beschluss der HV anfechtbar zu machen (OLG Brandenburg AG 2023, 123, 124 [insofern nicht in NZG 2023, 223]; Emmerich/Habersack/Habersack Rn. 4a; NK-AktR/Lochner Rn. 5; B/K/L/Holzborn/Müller Rn. 10; krit. Herfs/Nitschmann AG 2023, 435 Rn. 1 ff.). Zulässig ist dagegen **nachträgliche Erhöhung** der Barabfindung, um Spruchverfahren abzuwenden (OLG Brandenburg AG 2023, 123, 124 [insofern nicht in NZG 2023, 223]: auch in Beschlussanfechtungsverfahren oder Vergleich). Squeeze-Out kann auf dieser Grundlage in der einberufenen HV beschlossen werden (hM, s. GK-AktG/Fleischer Rn. 6; MüKoAktG/Grunewald Rn. 7; Emmerich/Habersack/Habersack Rn. 4a; H. Schmidt GS M. Winter, 2011, 585, 589 ff.), wofür auch spricht, dass beschlossene Maßnahme für Aktionäre günstiger ist als angekündigte (s. GK-AktG/Werner, 4. Aufl. 1993, § 124 Rn. 94 zur Bekanntmachungsfreiheit; Werner FS 19

Fleck, 1988, 401, 416 f.). Genügend sind in diesem Fall mündliche Aktualisierungen von Übertragungs- und Prüfungsbericht (H. Schmidt GS M. Winter, 2011, 585, 597 ff.). Unabhängig von konkreter Festlegung durch Hauptaktionär entsteht Abfindungsanspruch von vornherein iH der geschuldeten angemessenen Barabfindung, die nach dem wirklichen Wert bemessen wird (BGH NZG 2017, 341 Rn. 17). Bestimmung der Abfindungshöhe durch Hauptaktionär gibt damit letztlich nur Parteirollen im Spruchverfahren vor (BGH NZG 2017, 341 Rn. 17).

20 **4. Informationspflichten des Vorstands.** Hauptaktionär kann Barabfindung nur brauchbar festlegen, wenn er über dazu erforderliche Informationen verfügt. Das gilt vor allem, wenn Unternehmensbewertung erforderlich ist (→ Rn. 4 f.). § 327b I 2 gibt ihm deshalb Anspruch auf Vorlage aller dafür notwendigen Unterlagen (nämlich des Rechnungs- und Kostenwesens, Übersichten zum betriebsnotwendigen und sonstigen Vermögen, Planungsrechnungen usw) sowie auf Erteilung von Auskünften. Anspruch ist von Vorstand zu erfüllen. § 327b I 2 ist **lex specialis ggü. § 93 I 3,** dispensiert Vorstand also von sonst geltender Verschwiegenheitspflicht. Das ist weitgehend und bedingt nach Vorbild der §§ 394, 395 (→ § 395 Rn. 1) **verlagerte Verschwiegenheitspflicht,** nämlich des Hauptaktionärs, die auf seine mitgliedschaftliche Treupflicht zur AG gestützt werden kann (→ § 53a Rn. 19; Emmerich/Habersack/Habersack Rn. 5). Auskünfte, die dem Hauptaktionär gegeben werden, erhält er in dieser bes. Eigenschaft. Sie begründen also keine erweiterte Auskunftspflicht gem. § 131 IV (→ § 131 Rn. 104 f.; OLG Düsseldorf ZIP 2004, 1012, 1013; LG Saarbrücken NZG 2004, 1012, 1013; LG Saarbrücken AG 2006, 89, 90; Emmerich/Habersack/Habersack Rn. 5; KK-AktG/Koppensteiner Rn. 6; aA NK-AktR/Lochner Rn. 6).

III. Verzinsung (§ 327b II)

21 Barabfindung ist gem. § 327b II Hs. 1 **mit 5 % über Basiszins gem. § 247 BGB** zu verzinsen, und zwar ab Bek. (§ 10 HGB) der Eintragung des Übertragungsbeschlusses (§ 327e). Auf Schuldnerverzug kommt es nicht an (Fälligkeitszinsen). Regelung entspr. § 305 III 3 Hs. 1 und § 320b I 6 Hs. 1 und ist wie diese Regelungen (→ § 305 Rn. 52) trotz „Zinslücke" von Beschluss bis Eintragung verfassungsrechtl. unbedenklich (vgl. BVerfG AG 2013, 255 Rn. 14 f.; BGHZ 189, 261 Rn. 29 = AG 2011, 514; → Rn. 17). Zinshöhe ist durch ARUG 2009 einheitlich von 2 % auf 5 % über Basiszins angehoben worden, was nicht unproblematisch ist (→ § 305 Rn. 52; → § 320b Rn. 7). In § 327b II Hs. 2 vorbehaltene Geltendmachung weiteren Schadens setzt Verwirklichung einer entspr. Anspruchsgrundlage voraus, etwa des § 280 I und II iVm § 286 BGB. Zur Zahlungsabwicklung vgl. Happ/Groß Konzern/UmwR 6.01 Rn. 16. Hinterlegung bestimmt sich nach § 372 BGB; §§ 214, 226 III 6 gelten nicht analog (zutr. Happ/Groß KonzernR/UmwR 6.01 Rn. 16.4).

IV. Gewährleistung durch Kreditinstitut (§ 327b III)

22 **1. Allgemeines.** Weil Aktien mit Eintragung des Übertragungsbeschlusses kraft Ges. und ohne Rücksicht auf Rechtsform oder Sitz des Hauptaktionärs auf diesen übergehen (§ 327e III 1), muss vorher sichergestellt sein, dass Abfindung tats. bezahlt wird (OLG Düsseldorf AG 2010, 711, 713; Emmerich/Habersack/Habersack Rn. 11). Deshalb verpflichtet § 327b III den Hauptaktionär, dem Vorstand **vor Einberufung der HV** eine Gewährleistungserklärung zu übermitteln; verkürzend: Hauptaktionär muss für Bankgarantie sorgen, die Aktionär aufgrund Sicherungen des KWG typischerweise solventen Ersatzschuldner ver-

schafft (Muster bei Happ/Groß KonzernR/UmwR 6.01 lit. c Anl. 1). Fehlt sie, darf Vorstand nicht einberufen. Verstoß kann seine Mitglieder nach § 93 II schadensersatzpflichtig machen, etwa wegen überflüssiger HV-Kosten. Beschließt HV, ohne dass Bankgarantie vorliegt, so ist Übertragungsbeschluss gem. § 243 I anfechtbar (Schüppen WPg 2001, 958, 975 Fn. 64). Ausnahme von § 327b III gilt nach **§ 14 IV 2 WStBG** für Squeeze-Out-Verfahren durch Wirtschaftsstabilisierungsfonds sowie über Verweis in § 29 II 1 Nr. 11 EnSiG für entspr. Verfahren durch Bund.

2. Einzelfragen. Garantiegeber muss KI (§ 1 I KWG) sein und Geschäfts- 23
erlaubnis für das Inland (§ 32 KWG) haben (Gleichstellung nach §§ 53b, 53c KWG). Minderheitsbeteiligung des KI an AG oder ihrem Hauptaktionär oder umgekehrt deren Minderheitsbeteiligung an KI schaden nicht (OLG Stuttgart AG 2009, 204, 208). Ihrem Inhalt nach muss Erklärung auf Gewährleistung gerichtet sein. Nicht genügend wäre Bestellung von Sicherheiten (Emmerich/Habersack/Habersack Rn. 12; KK-AktG/Koppensteiner Rn. 10; aA MüKoAktG/Grunewald Rn. 19). Erforderlich ist vielmehr **Zahlungsversprechen** (OLG Düsseldorf WM 2005, 1948, 1951: Garantie, Bürgschaft, Schuldbeitritt, abstraktes Anerkenntnis; sa GK-AktG/Fleischer Rn. 44) des KI für den Fall, dass Hauptaktionär von ihm festgelegte Barabfindung nicht oder nicht rechtzeitig bezahlt, nämlich unverzüglich (§ 121 I 1 BGB) nach Eintragung des Übertragungsbeschlusses (§ 327e). Von weiteren Bedingungen, etwa einer Einrede der Vorausklage, oder Befristungen darf Zahlung des KI nicht abhängen; abstrakte Bankgarantie oder Bürgschaft auf erstes Anfordern ist nicht erforderlich (BGHZ 189, 32 Rn. 18 = NZG 2011, 669). Gewährleistung muss auch etwaige Abfindungserhöhung durch HV (→ Rn. 19) erfassen (MüKoAktG/Grunewald Rn. 23). Wenn Gericht **im Spruchverfahren höhere Barabfindung** als angemessen bestimmt (§ 327f I 2), erlangen Aktionäre zwar Ansprüche gegen den Hauptaktionär; diese sind aber von Garantie nach § 327b III nicht gedeckt. Erklärung des KI muss also nur dem Wortlaut der Vorschrift entspr. (BGH ZIP 2005, 2107, 2108; NZG 2017, 341 Rn. 18; OLG Düsseldorf WM 2005, 1948, 1951; OLG Hamburg AG 2003, 696, 697; OLG Hamm AG 2011, 136, 137; OLG Karlsruhe AG 2007, 92 f.; OLG Stuttgart AG 2009, 204, 208). Wortlautkonform und daher genügend ist auch eine Höchstbetragsgarantie (Emmerich/Habersack/Habersack Rn. 15; Dißars/Kocher NZG 2004, 856, 857; aA LG Frankfurt NZG 2004, 672, 674 f.). Durch Garantie sollen Minderheitsaktionäre **unmittelbare Ansprüche gegen KI** erwerben (RegBegr. BT-Drs. 14/7034, 72). Weil sie am Vertragsschluss mit KI nicht selbst beteiligt sind, muss er als echter Vertrag zu ihren Gunsten (§ 328 BGB) ausgestaltet werden (ebenso GK-AktG/Fleischer Rn. 47; MüKoAktG/Grunewald Rn. 21). Vertragspartner des KI ist zumindest idR Hauptaktionär, nicht AG; zumindest fallen ihm und nicht ihr Provision und sonstige **Vertragskosten** zur Last. Zahlt AG gleichwohl, greifen §§ 57, 62 ein. Erklärung des KI muss von Hauptaktionär an Vorstand übermittelt werden. Schriftform ist nicht erforderlich; auch an Authentizitätsnachweis werden keine gesteigerten Anforderungen gestellt (kein Briefkopf, Dienstsiegel, Telefonnummer erforderlich), sofern nicht konkrete Zweifel bestehen (OLG München v. 6.7.2011 – 7 AktG 1/11, juris-Rn. 63 = BeckRS 2011, 20057 [insofern nicht in AG 2012, 45]). Statt Übermittlung durch Hauptaktionär genügt auch unmittelbar an AG gerichtete Garantieerklärung des KI, wenn für Vorstand ersichtlich ist, dass sie für Hauptaktionär und auf dessen Rechnung abgegeben wird.

Vorbereitung der Hauptversammlung

327c (1) **Die Bekanntmachung der Übertragung als Gegenstand der Tagesordnung hat folgende Angaben zu enthalten:**
1. **Firma und Sitz des Hauptaktionärs, bei natürlichen Personen Name und Adresse;**
2. **die vom Hauptaktionär festgelegte Barabfindung.**

(2) [1] **Der Hauptaktionär hat der Hauptversammlung einen schriftlichen Bericht zu erstatten, in dem die Voraussetzungen für die Übertragung dargelegt und die Angemessenheit der Barabfindung erläutert und begründet werden.** [2] **Die Angemessenheit der Barabfindung ist durch einen oder mehrere sachverständige Prüfer zu prüfen.** [3] **Diese werden auf Antrag des Hauptaktionärs vom Gericht ausgewählt und bestellt.** [4] **§ 293a Abs. 2 und 3, § 293c Abs. 1 Satz 3 bis 5, Abs. 2 sowie die §§ 293d und 293e sind sinngemäß anzuwenden.**

(3) **Von der Einberufung der Hauptversammlung an sind in dem Geschäftsraum der Gesellschaft zur Einsicht der Aktionäre auszulegen**
1. **der Entwurf des Übertragungsbeschlusses;**
2. **die Jahresabschlüsse und Lageberichte für die letzten drei Geschäftsjahre;**
3. **der nach Absatz 2 Satz 1 erstattete Bericht des Hauptaktionärs;**
4. **der nach Absatz 2 Satz 2 bis 4 erstattete Prüfungsbericht.**

(4) **Auf Verlangen ist jedem Aktionär unverzüglich und kostenlos eine Abschrift der in Absatz 3 bezeichneten Unterlagen zu erteilen.**

(5) **Die Verpflichtungen nach den Absätzen 3 und 4 entfallen, wenn die in Absatz 3 bezeichneten Unterlagen für denselben Zeitraum über die Internetseite der Gesellschaft zugänglich sind.**

I. Regelungsgegenstand und -zweck

1 Norm betr. Vorbereitung der HV und bezweckt **Information der Aktionäre** über Eckpunkte des zur Beschlussfassung anstehenden Ausschlussverfahrens (RegBegr. BT-Drs. 14/7034, 72). Informationen vor HV dienen sachgerechter Wahrnehmung der Versammlungsrechte und sollen Minderheitsaktionären auch frühzeitige Entscheidung über Einleitung eines Spruchverfahrens (§ 327f) ermöglichen (→ § 320 Rn. 7 zur Mehrheitseingliederung). Zur Vorbereitung der HV gehören ferner **Bericht** des Hauptaktionärs über das Ausschlussvorhaben und **Prüfung** der Angemessenheit der Barabfindung. In § 327c geregelte Informationspflichten sind allerdings insofern nicht abschließend, als sie allein Information ggü. Minderheitsaktionären regeln, nicht ggü. Kapitalmarkt insges. Insofern kann **Ad-hoc-Pflicht** nach Art. 17 I MAR eingreifen. Muster für Ad-hoc-Mitteilung bei Happ/Groß KonzernR/UmwR 6.01.

II. Bekanntmachung der Tagesordnung (§ 327c I)

2 § 327c I setzt Bek. der Tagesordnung gem. § 124 voraus und verlangt in Anlehnung an § 320 II 1 (→ § 320 Rn. 7) zusätzliche Angaben. Bek. muss zunächst **Hauptaktionär bezeichnen** (§ 327c I Nr. 1), und zwar durch Firma (§ 17 HGB) und Sitz (zB § 5; bei Einzelkaufleuten: Hauptniederlassung), bei natürlichen Personen durch Namen (bei Kaufmannseigenschaft: Firma) und Adresse, was nach allg. Sprachgebrauch Straße und Hausnummer einschließt. Genügend sollte jedoch bei Privatpersonen mangels weiterreichenden öffentl. Interesses auch eine (von Wohnanschrift abw.) Geschäftsadresse am allg. Gerichts-

stand (§ 13 ZPO) sein, sofern dort zugestellt werden kann. Bei GbR (→ § 327a Rn. 10) genügt Gesamtname, wenn sie einen solchen führt; sonst und bei Erben- oder Gütergemeinschaften (→ § 327a Rn. 10) sind sämtliche Namen anzugeben. Ferner muss Bek. vom Hauptaktionär festgelegte **Barabfindung** enthalten (§ 327c I Nr. 2), also den Betrag, mit dem Minderheitsaktionäre pro Aktie für Verlust der Mitgliedschaft entschädigt werden sollen. Wenn erforderliche Angaben fehlen, darf nicht beschlossen werden (§ 124 IV 1). Gleichwohl gefasster Beschluss ist gem. § 243 I anfechtbar (→ § 320 Rn. 8). Wenn Subtilitäten zur Bezeichnung des Hauptaktionärs nicht gelungen sind, kann **Relevanz des Normverstoßes** fehlen (→ § 243 Rn. 13).

III. Bericht und Prüfung (§ 327c II)

1. Berichtspflicht. Nach § 327c II 1 muss Hauptaktionär der HV schriftlichen Bericht erstatten. Berichtspunkte sind Voraussetzungen für Übertragung der Aktien der Minderheitsaktionäre auf Hauptaktionär und Angemessenheit der Barabfindung. Regelungsvorbilder sind § 293a I, § 319 III Nr. 3, § 320 IV 2 und § 8 I 1 UmwG (RegBegr. BT-Drs. 14/7034, 73); → § 293a Rn. 10 ff., 14; → § 319 Rn. 10 f.; → § 320 Rn. 15. Hervorzuheben bleibt: Berichtspflicht obliegt nicht Vorstand, sondern Hauptaktionär. Ausführlichkeit des Berichts wird in § 327c II 1 anders als in § 293a I, § 319 III Nr. 3, § 320 IV 2 und in § 8 I 1 UmwG nicht verlangt (OLG Frankfurt AG 2010, 39, 41). **Schriftform:** § 126 BGB. Ist Hauptaktionär jur. Person, so genügen zur Formwahrung Unterschriften von Mitgliedern des Vertretungsorgans in vertretungsberechtigter Zahl (OLG Stuttgart AG 2004, 105, 106; offenlassend OLG Stuttgart AG 2009, 204, 208). Rechtslage ist anders als bei § 293a (→ § 293a Rn. 10), weil es sich um Bericht des Hauptaktionärs, nicht des Vorstands oder eines anderen Organs handelt. Darlegung der **Übertragungsvoraussetzungen** muss für Minderheitsaktionäre nachvollziehbar machen, dass und warum von § 327a I 1 geforderter Schwellenwert von 95 % des Kapitals erreicht ist (→ § 327a Rn. 10, 15 ff.). **Angemessenheit der Barabfindung** wird durch Angaben zur Unternehmensbewertung begründet und erläutert (→ § 327b Rn. 4 ff.). Minderheitsaktionäre müssen Plausibilität des Abfindungsbetrags beurteilen können (OLG Düsseldorf AG 2009, 535, 537). Wird Börsenkurs angeboten, so ist darzulegen, dass keine Gründe für höheren Ertragswert sprechen (→ § 305 Rn. 29 ff., 36 ff.). Wenn Börsenkurs unterschritten wird, ist über dafür maßgebende Gründe zu berichten (→ § 327b Rn. 7). Gem. § 327c II 4 ist schließlich § 293a II und III anzuwenden. Das bezieht sich auf Schutzklausel und auf Verzicht (→ § 293a Rn. 18 ff.). 3

2. Prüfung der Angemessenheit der Barabfindung. Angemessenheit der Barabfindung ist gem. § 327c II 2 durch einen oder mehrere **sachverständige Prüfer** zu prüfen (Überblick: Marten/Müller FS Röhricht, 2005, 963, 972 ff.), und zwar ohne Ausnahme. § 327c II 2 entspr. § 293b I, § 320 III 1, § 60 UmwG (→ § 293b Rn. 1–8; → § 320 Rn. 10–12). Anders als noch in RegE vorgesehen, werden Prüfer nicht vom Hauptaktionär bestellt, sondern auf seinen Antrag vom Gericht (§ 327c II 3). Darin liegt Modifikation des § 320 III 2, die in abw. Abfindungsschuldner ihre Erklärung findet. 4

Für **Bestellung der Prüfer,** für **Einzelheiten ihres Rechtsverhältnisses** und für von ihnen zu erstattenden schriftlichen **Bericht** verweist § 327c II 4 auf § 293c I 3–5 sowie auf §§ 293d, 293e (→ § 293c Rn. 3–5; → § 293d Rn. 2 ff.; → § 293e Rn. 3 ff.). Ohnehin mühsame Regelung wird nicht dadurch klarer, dass § 293d seinerseits auf § 319 I–III HGB, § 320 I 2 und II 1, 2 HGB weiterverweist. Gemeint ist: Prüfer kann nicht werden, wer schon an Aufstellung des Berichts des Hauptaktionärs (→ Rn. 3) mitgewirkt hat (OLG München AG 2012, 5

45, 48 f.). Dagegen begründet sog **Parallelprüfung,** also Prüfung, die vor Abschluss der Unternehmensbewertung und der Berichterstattung des Hauptaktionärs einsetzt, kein Bestellungsverbot (BGH AG 2006, 887 Rn. 14; BGHZ 180, 154 Rn. 32 = NZG 2009, 585; OLG Düsseldorf Konzern 2006, 768, 778; OLG Frankfurt AG 2008, 826, 827; OLG Hamburg NZG 2005, 86, 87; OLG Karlsruhe AG 2007, 92, 93; OLG München AG 2012, 45, 49; OLG Stuttgart AG 2011, 420, 421; Emmerich/Habersack/Habersack Rn. 11; Leuering NZG 2004, 606, 608 ff.). Zu beachten ist, dass durch Verweis auf § 293d I auch iRd § 327c II künftig dort eingefügte Neuregelungen des FISG 2021gelten, namentl. zu Prüfer, der bei Unternehmen von öffentl. Interesse iSd § 316a S. 2 HGB (→ § 100 Rn. 23) Nichtprüfungsleistungen iSd Art. 5 I Abschlussprüfer-VO erbracht hat (→ § 293d Rn. 3 f.). Schließlich ist auch hier **Verfahrenskonzentration** zulässig. Das folgt aus § 327c II 4 iVm § 293c II iVm § 10 V UmwG. Sie tritt aber nur ein, wenn nach Landesrecht zuständige Stelle von Verordnungsermächtigung auch für Ausschlussverfahren nach §§ 327a ff. Gebrauch gemacht hat (keine dynamische Verweisung, → § 293c Rn. 6). § 327c II 4 stellt klar, dass es dafür genügt, bestehende Ermächtigungen zu erweitern. Inhaltliche Mängel des Prüfungsberichts berechtigen nicht zur Anfechtung des Squeeze-Out-Beschlusses (Hasselbach CFL 2010, 24, 28).

IV. Informationspflichten (§ 327c III–V)

6 § 327c III regelt **Auslegung** von Unterlagen ab Einberufung der HV. Auslegung muss nicht am Satzungssitz erfolgen, sondern es genügt Auslegung am Ort der Hauptverwaltung (BGHZ 189, 32 Rn. 16 = NZG 2011, 669; → § 175 Rn. 6). § 327c IV gewährt Aktionären Recht auf Abschrift der auszulegenden Unterlagen. Beide Vorschriften knüpfen an vorhandene Regelungen an, nämlich zunächst § 327c III an § 293f I, § 319 III 1, § 320 IV 1 (vgl. insbes. → § 293f Rn. 1–4). Letztes Geschäftsjahr setzt Rechnungslegung (Feststellung des Jahresabschlusses) oder Ablauf dafür bestehender Fristen voraus (str., → § 293f Rn. 3; GK-AktG/Fleischer Rn. 50; Wartenberg AG 2004, 539, 541). Wie nach § 293f I Nr. 2 erstreckt sich Pflicht zur Auslegung nicht auf Konzernabschlüsse und Konzernlageberichte. Aufzählungen in § 327c III und Parallelvorschriften sind abschließend (OLG Düsseldorf AG 2010, 711, 714) und zwischen Einzel- und Konzernrechnungslegung weiß Ges. zu unterscheiden (vgl. § 170 I, § 171 I, § 175 II 3). Das ist str., entspr. aber hM (s. BGHZ 180, 154 Rn. 29 = NZG 2009, 585; OLG Düsseldorf ZIP 2005, 441; OLG Hamburg AG 2003, 696, 697; GK-AktG/Fleischer Rn. 53; Emmerich/Habersack/Habersack Rn. 14; Kort NZG 2006, 604; aA OLG Celle AG 2004, 206, 207). Mit Auslegung eines Entwurfs des Übertragungsbeschlusses (§ 293f I Nr. 1) wird Regelung des § 319 III 1 Nr. 1 übernommen; gemeint ist ausformulierter Beschlussantrag, wie er idR schon in Bek. der Tagesordnung enthalten ist. Erteilung von **Abschriften** nach § 327c IV entspr. den Aktionärsrechten nach § 293f II (→ § 293f Rn. 5) und nach § 319 III 2 (→ § 319 Rn. 9). Pflichten zur Auslegung von Unterlagen und zur Erteilung von Abschriften nach § 327c III, IV entfallen nach § 327c V, wenn in § 327c III genannte Unterlagen von Einberufung der HV an auf **Internetseite** der AG zugänglich sind. Das entspr. der in § 52 II 4, § 179a II 3 getroffenen Regelung und gibt AG eine zusätzliche Möglichkeit, ihren Informationspflichten nachzukommen; eine Verpflichtung zur Herstellung von Internetpublizität besteht nicht (→ § 52 Rn. 13; RegBegr. BT-Drs. 16/11642, 24, 43).

Durchführung der Hauptversammlung

327d **[1]In der Hauptversammlung sind die in § 327c Abs. 3 bezeichneten Unterlagen zugänglich zu machen. [2]Der Vorstand kann dem Hauptaktionär Gelegenheit geben, den Entwurf des Übertragungsbeschlusses und die Bemessung der Höhe der Barabfindung zu Beginn der Verhandlung mündlich zu erläutern.**

I. Regelungsgegenstand und -zweck

Norm betr. Durchführung der HV, hier **Information der Aktionäre** über wesentliche Aspekte des Ausschlussvorhabens während der Versammlung. § 327d S. 1 entspr. § 293g I. § 327d S. 2 enthält Abwandlung des § 293g II. Hinsichtlich des Auskunftsrechts verbleibt es mangels bes. Regelung bei § 131 (GK-AktG/Fleischer Rn. 10 ff.). 1

II. Zugang zu Dokumenten

In § 327c III aufgeführte Dokumente sind der HV zugänglich zu machen (§ 327d S. 1). § 327d S. 1 führt damit wie schon § 293g I, § 319 III 3, § 320 I 3 die Informationspflichten fort, die § 176 I 1 für ordentliche HV begründet. Bisherige **Auslegung** in Papierform bleibt zulässig, kann aber durch **elektronische Information** ersetzt werden (→ § 52 Rn. 13; → § 176 Rn. 2; → § 293g Rn. 2). Auslegung erfolgt auch hier durch Mehrfertigungen in ausreichender Zahl, die im Versammlungsraum bis zum Schluss der HV zur Einsichtnahme der Aktionäre bereitzuhalten sind (Wortmeldetisch, gesonderter Informationsstand). Verlesung ist überflüssig (Emmerich/Habersack/Habersack Rn. 2); → § 176 Rn. 2. 2

III. Erläuterungen durch Vorstand und Hauptaktionär

§ 327d S. 2 sieht eigene Erläuterungen des Vorstands dem Wortlaut nach nicht vor. Vielmehr darf danach Hauptaktionär das Ausschlussvorhaben erläutern, sofern Vorstand ihm dazu nach seinem Ermessen („kann") Gelegenheit gibt. Damit soll Umstand Rechnung getragen werden, dass **Hauptaktionär eigentlicher Transaktionspartner** der Minderheitsaktionäre ist. Seine Eigenschaft als Hauptaktionär braucht er nicht nachzuweisen (OLG Stuttgart AG 2009, 204, 210 f.). In RegBegr. BT-Drs. 14/7034, 73 nur umschriebene Regelung ist misslungen (krit. auch Kiem in RWS-Forum 20, 2001, 329, 341 ff.) und so auszulegen, dass sie sich in die Organpflichten einfügt, die auch sonst ggü. HV zu beachten sind (zur eigentümlichen Rollenverteilung zwischen Hauptaktionär und Vorstand → § 327a Rn. 10). 3

Danach gilt: Pflicht des Vorstands zur Erl. seiner Vorlagen ist **allg. Rechtsgrundsatz** (§ 176 I 2, § 293g II 1, § 320 III 3); iErg auch GK-AktG/Fleischer Rn. 8. Das Fehlen einer entspr. Wiederholung in § 327d macht Norm unbewusst lückenhaft, weil danach in § 327c bezeichnete Unterlagen weitgehend überhaupt nicht erläutert werden müssten. Norm ist deshalb zu ergänzen: Unterlagen sind auszulegen und vom Vorstand zu Beginn der Verhandlung (wie etwa nach § 293g II 1) mündlich zu erläutern (zust. OLG Hamburg ZIP 2003, 1344, 1348; MüKoAktG/Grunewald Rn. 3; Emmerich/Habersack/Habersack Rn. 3; H. Schmidt FS Ulmer, 2003, 543, 544; einschr. KK-AktG/Koppensteiner Rn. 4; aA S/L/Schnorbus Rn. 6). § 327d S. 2 erlaubt ihm nur, hinsichtlich des Beschlussentwurfs und der Höhe der Barabfindung nach seinem pflichtmäßigen Ermessen hinter Hauptaktionär zurückzutreten, indem er diesem die Erl. überlässt (ähnlich OLG Stuttgart AG 2004, 105, 106). Nach Erklärungen des Haupt- 4 aktionärs verbleibende Lücken hat wieder Vorstand auszufüllen, soweit er dazu tats. in der Lage ist. Aktualisierungsbedarf (RegBegr. BT-Drs. 14/7034, 73) ist nach diesen Grundsätzen vom Vorstand oder vom Hauptaktionär zu decken. Worterteilungen obliegen auch in den Fällen des § 327d S. 2 dem HV-Leiter. Norm betr. also Verhältnis zwischen Vorstand und Hauptaktionär, ohne diesem eigene Versammlungsrechte zu geben. Ähnliche Grundsätze gelten für **Auskunftsrecht** nach § 131, das ebenfalls ggü. AG besteht; Vorstand kann sich Ausführungen des Hauptaktionärs zu Eigen machen (Emmerich/Habersack/Habersack Rn. 5). Nicht von Auskunftsrecht gedeckt sind idR Fragen zu Motiven oder im Anschluss an Squeeze-Out beabsichtigte Strukturmaßnahmen (OLG München AG 2011, 840, 844).

Eintragung des Übertragungsbeschlusses

327e (1) [1] **Der Vorstand hat den Übertragungsbeschluss zur Eintragung in das Handelsregister anzumelden.** [2] **Der Anmeldung sind die Niederschrift des Übertragungsbeschlusses und seine Anlagen in Ausfertigung oder öffentlich beglaubigter Abschrift beizufügen.**

(2) **§ 319 Abs. 5 und 6 gilt sinngemäß.**

(3) [1] **Mit der Eintragung des Übertragungsbeschlusses in das Handelsregister gehen alle Aktien der Minderheitsaktionäre auf den Hauptaktionär über.** [2] **Sind über diese Aktien Aktienurkunden ausgegeben, so verbriefen sie bis zu ihrer Aushändigung an den Hauptaktionär nur den Anspruch auf Barabfindung.**

I. Regelungsgegenstand und -zweck

1 Norm betr. Anmeldung zur Eintragung, Bedeutung von Anfechtungs- und/oder Nichtigkeitsklagen im Registerverfahren sowie Eintragungswirkungen. Bezweckt ist vor allem **Publizität und Rechtssicherheit.** Ausschluss der Minderheitsaktionäre und damit Übergang zur Einmann-AG sind auch von öffentl. Interesse. Ferner sind Übergang der Mitgliedsrechte und Entstehung einer Vielzahl von Abfindungsansprüchen so wesentlich, dass sie nur nach vorgängiger Kontrolle durch Registergericht wirksam erfolgen sollen. § 327e ist zusammengesetzt aus Eingliederungsvorschriften, nämlich aus § 319 IV (§ 327e I), aus § 319 V und VI, auf die § 327e II selbst verweist, und aus § 320a (§ 327e III).

II. Anmeldung zur Eintragung (§ 327e I)

2 Gem. § 327e I hat Vorstand Übertragungsbeschluss zur Eintragung in das HR anzumelden (Muster bei Happ/Groß KonzernR/UmwR 6.01 lit. e). Zuständig ist Registergericht des Gesellschaftssitzes (§ 14), nicht das für Hauptaktionär zuständige Registergericht (→ § 319 Rn. 13). **Zwangsgeldverfahren** findet nicht statt (zust. GK-AktG/Fleischer Rn. 4; Emmerich/Habersack/Habersack Rn. 2; S/L/Schnorbus Rn. 2). Anmeldung nach § 327e I ist zwar in § 407 II 1 nicht genannt, doch liegt darin offenbares Redaktionsversehen. § 327e I steht Vorbildnorm in § 319 IV gleich, die in § 407 II 1 zwar gleichfalls nicht genannt, aber mit dort angeführtem § 319 III gemeint ist; § 319 III aF (→ § 319 Rn. 1, 9) ist nämlich heute § 319 IV. Der Anmeldung beizufügen ist **Niederschrift** des Übertragungsbeschlusses. Weil § 327a dafür einfache Stimmenmehrheit genügen lässt (→ § 327a Rn. 14), kann bei nichtbörsennotierten Gesellschaften (§ 3 II) die vom HV-Leiter unterzeichnete Niederschrift eingereicht werden (vgl. § 130 I 3; wie hier Emmerich/Habersack/Habersack Rn. 3; BeckOGK/Singhof Rn. 4;

Gotthardt/Krengel NZG 2016, 1411 ff.; aA Vossius ZIP 2002, 511, 514). Beizufügende Anlagen müssen allerdings wie bei § 319 IV 2 in Ausfertigung oder öffentl. beglaubigter Abschrift beigefügt werden. Vorschrift sollte aber schon aus Vorsichtsgründen formal gehandhabt werden. Als **Anlagen** in diesem Sinne sind in jedem Fall Belege über HV-Einberufung gem. § 130 III erfasst; ob weitere Anlagen einzureichen sind, ist str. (verneinend die hM – s. GK-AktG/Fleischer Rn. 33; MüKoAktG/Grunewald Rn. 2; Grigoleit/Rieder Rn. 4; aA Emmerich/Habersack/Habersack Rn. 3 [Bericht des Hauptaktionärs und Prüfbericht]; S/L/Schnorbus Rn. 4 [alle Unterlagen nach § 327c III Nr. 2–4]). Da Wortlaut und Teleologie zu gleichermaßen unsicheren Ergebnissen führen, können nur Minimalanforderungen des § 130 III gestellt werden, doch ist Einreichung weiterer Unterlagen zweckmäßig und angesichts unsicherer Rechtslage auch aus Gründen kautelarjuristischer Vorsicht zu empfehlen. Gericht prüft Anmeldung in formeller und materieller Hinsicht, aber nicht Angemessenheit der Barabfindung. Materielle Prüfung erstreckt sich stattdessen vor allem auf Kapitalmehrheit von 95 %, bei deren Verfehlung Beschluss nichtig ist (→ § 319 Rn. 4; → § 327a Rn. 19).

III. Klage und Registerverfahren (§ 327e II)

Sinngem. Geltung des § 319 V und VI bedeutet, dass Vorstand ggü. Registergericht sog **Negativerklärung** abzugeben hat, ferner, dass Fehlen der Erklärung, bes. wegen Anfechtungs- oder Nichtigkeitsklage gegen Übertragungsbeschluss, grds. zur sog Registersperre führt, schließlich, dass Registersperre durch rechtskräftigen Beschluss des OLG überwunden werden kann, nach dem Klage der Eintragung nicht entgegensteht. Voraussetzung ist, dass Klage unzulässig oder offenbar unbegründet ist (§ 319 VI 3 Nr. 1) oder rechtzeitiger Nachweis des Mindestanteilsbesitzes nicht gelingt (§ 319 VI 3 Nr. 2) oder alsbaldiges Wirksamwerden des Squeeze-Out-Beschlusses als vorrangig erscheint (§ 319 VI 3 Nr. 3); → § 246a Rn. 14 ff., → § 319 Rn. 17. Regelung ist verhältnismäßig und auch sonst verfassungsgem. (BVerfG AG 2007, 544, 545 ff.). **Verfahrensgegner** des Anfechtungsklägers ist AG, nicht ihr Hauptaktionär, obwohl es materiell um sein Durchführungsinteresse geht (Emmerich/Habersack/Habersack Rn. 6 f.; MüKoAktG/Grunewald Rn. 6; krit. Kiem in RWS-Forum 20, 2001, 329, 344 ff.; aA KK-AktG/Koppensteiner Rn. 5; zur eigentümlichen Rollenverteilung von Hauptaktionär und Vorstand → § 327a Rn. 10). Rechtslage ist insoweit nicht grundlegend anders als bei anderen von Mehrheitsaktionären zustande gebrachten HV-Beschlüssen, so dass Kritik wohl nicht überzeugt. Sonderfall ist **verfrühte und damit unberechtigte Eintragung.** Insoweit stellt sich (1.) Frage nach Amtslöschung, (2.) Frage nach Rechtsschutz gegen Squeeze-Out-Beschluss, nachdem Rechtsübergang gem. § 327e III 1 eingetreten ist. Zu (1.): Unberechtigte Eintragung kann keinen Bestand haben, sondern unterliegt der Amtslöschung nach § 395 FamFG, der insoweit nicht hinter § 398 FamFG zurücktritt (überzeugend BVerfG AG 2010, 160 Rn. 18 ff., 23; Emmerich/Habersack/Habersack Rn. 8b; aA OLG Düsseldorf FGPrax 2004, 294, 295; S/L/Schnorbus Rn. 35; Goette FS K. Schmidt, 2009, 469, 471; sa → § 319 Rn. 15; → § 243 Rn. 57). Zu (2.): Für **Anfechtungsbefugnis** erforderliche Aktionärseigenschaft (→ § 245 Rn. 5 ff.) entsteht rückwirkend mit Amtslöschung gem. § 395 FamFG. Primärrechtsschutz muss aber unabhängig vom Löschungsverfahren gewährt werden. Deshalb besteht Anfechtungsbefugnis in verfassungskonformer Auslegung des § 245 S. 1 Nr. 1 auch nach Eintragung des Übertragungsbeschlusses, sofern sich Klage gerade gegen diesen richtet (BVerfG AG 2010, 160 Rn. 25 f.; BGHZ 189, 32 Rn. 6 ff. = NZG 2011, 669; OLG Schleswig AG 2022, 747, 748; Emmerich/Habersack/Habersack Rn. 11; vgl. zur GmbH auch BGHZ 192, 236 3

Rn. 24 = NZG 2012, 259; BGHZ 222, 323 Rn. 41 = NZG 2019, 979; BGH NZG 2021, 831 Rn. 16; aA noch OLG Köln AG 2010, 298 f.; Goette FS K. Schmidt, 2009, 469, 474). Rechtl. Interesse kann selbst dann nicht bestritten werden, wenn Rückübertragung der Aktien (→ Rn. 3a) infolge Formwechsels nicht mehr möglich ist, da erfolgreiche Klage zumindest Grundlage eines Schadensersatzanspruchs sein kann (BGHZ 189, 32 Rn. 10).

3a Anspruch auf **Schadensersatz** nach § 319 VI 10 bestimmt sich zwar grds. nach §§ 249 ff. BGB, doch lässt § 319 VI 11 für Naturalrestitution keinen Raum, soweit damit Durchführung des HV-Beschlusses rückgängig gemacht werden soll (→ § 246a Rn. 26; S/L/Schnorbus Rn. 19; BeckOGK/Singhof Rn. 12; Petersen/Habbe NZG 2010, 1091 f.; Riehmer Konzern 2009, 273, 276 f.). Auf die für fehlerhafte Gesellschaften geltenden Grundsätze (dazu noch Goette FS K. Schmidt, 2009, 469, 480 ff.; Lieder/Stange Konzern 2008, 617, 625 ff.) kann auch dann nicht mehr zurückgegriffen werden, wenn übertragene Aktien noch beim Hauptaktionär vorhanden sind. Früher erörterte Rückübertragung der Aktien im Wege der Teilauseinandersetzung nach für fehlerhafte Gesellschaften geltenden Grundsätzen (vgl. zB Lieder/Stange Konzern 2008, 617, 627 f.) ist seit Anpassung des § 319 VI an § 246a durch ARUG 2009 überholt.

3b **Offenbar unbegründet** ist Klage, mit der lediglich angebliche Verfassungswidrigkeit der §§ 327a ff. geltend gemacht wird (OLG Düsseldorf AG 2004, 207, 208; OLG Oldenburg AG 2002, 682; LG Osnabrück AG 2002, 527; Wirth/Arnold AG 2002, 503, 506; aA LG Hamburg AG 2003, 279). Rechtspolitische Kritik mag an Neuregelung geübt werden; Verfassungswidrigkeit ist aber nach bekannter Argumentationslinie des BVerfG nicht begründbar (→ § 327a Rn. 6). Etwas anderes gilt für Anfechtungsklage mit der Begr., dass Barabfindung nach Auffassung des sachverständigen Prüfers unangemessen ist. Zwar gehört Beanstandung nach richtiger Auffassung ins Spruchverfahren (→ § 327a Rn. 19), doch ist Rechtslage nicht hinreichend klar, als dass offensichtliche Unbegründetheit angenommen werden könnte (OLG Bremen AG 2013, 643, 644 f.; aA MüKoAktG/Grunewald Rn. 8). Einzelheiten zum fristgerechten Nachweis hinreichenden **Anteilsbesitzes:** → § 246a Rn. 19 f. Bei **Interessenabwägung** (§ 319 VI 3 Nr. 3) kommt es iR sinngem. Anwendung vornehmlich auf Interessen des Hauptaktionärs an, während Interesse der AG selbst eher nachrangig zu gewichten ist (Emmerich/Habersack/Habersack Rn. 7; S/L/Schnorbus Rn. 15; weitergehend MHdB AG/Austmann § 75 Rn. 88). Interesse an Vereinfachung der Entscheidungsabläufe genügt aber noch nicht, um Eintragung zu rechtfertigen, da diese Vereinfachung naturgem. mit jedem Squeeze-Out verbunden ist (zutr. OLG Bremen AG 2013, 643, 647; vgl. zur Interessenabwägung auch KG BeckRS 2023, 29426 Rn. 23 ff.). Vielmehr muss Aufschub für Hauptaktionär oder AG mit erheblichen Nachteilen verbunden sein (OLG Köln NZG 2018, 459 Rn. 41 ff.; LG Saarbrücken NZG 2004, 1012, 1014; E. Vetter AG 2002, 176, 190; sa RegBegr. BT-Drs. 14/7034, 73: Ausschlussverfahren iR einer vom Hauptaktionär geplanten umfassenden Umstrukturierung; weitergehend MHdB AG/Austmann § 75 Rn. 88). Als solche Nachteile können aber auch Kosten künftiger Hauptversammlungen berücksichtigt werden (→ § 246a Rn. 21). Auf Seiten der Aktionäre ist Interessenschutz durch angemessene Barabfindung zu berücksichtigen (KG BeckRS 2023, 29426 Rn. 29 ff.), der ggf. durch freiwillige Zusatzzahlung noch gestärkt werden kann (OLG Köln NZG 2018, 459 Rn. 44 ff.; krit. insofern aber Florstedt ZIP 2018, 1661, 1667 f.). Soll Squeeze-Out zum Zweck des Delisting durchgeführt werden, kann aus Zulassungsfolgekosten der Börsennotierung allein kein wesentlicher Nachteil iSd § 319 VI 3 Nr. 3 abgeleitet werden (OLG Bremen AG 2013, 643, 646 f.).

IV. Rechtsfolgen der Eintragung (§ 327e III)

§ 327e III 1 regelt Übergang der Aktien auf Hauptaktionär. § 327e III 2 betr. Schicksal der Aktienurkunden, soweit solche ausgegeben sind (Einzelverbriefung). Übergang vollzieht sich kraft Ges. mit Eintragung (→ § 327a Rn. 13), der also konstitutive Wirkung zukommt (RegBegr. BT-Drs. 14/7034, 73), sofern Voraussetzungen des § 327a gegeben sind. **Minderheitsaktionär** iSd § 327e III ist jeder Aktionär neben dem Hauptaktionär und den ihm gem. § 16 IV zuzurechnenden Aktionären (→ § 327a Rn. 18), nicht aber AG selbst, sofern ihr **eigene Aktien** zustehen (str. – wie hier die hM – s. LG München I BeckRS 2018, 18223 Rn. 173; GK-AktG/Fleischer Rn. 44; MüKoAktG/Grunewald Rn. 12; KK-AktG/Koppensteiner Rn. 12; Grigoleit/Rieder § 327a Rn. 24; S/L/Schnorbus Rn. 25 ff.; BeckOGK/Singhof § 327b Rn. 9; Lieder/Stange Konzern 2008, 617, 623 ff.; Riegger DB 2003, 541, 542 ff.; aA Emmerich/Habersack/Habersack Rn. 9; Habersack ZIP 2001, 1230, 1236; NK-AktR/Lochner Rn. 12). Ausschluss eigener Aktien ergibt sich schon aus eindeutigem Zuschnitt der Vorschriften auf Minderheitenschutz (S/L/Schnorbus Rn. 25) und findet Bestätigung in Interessenlage der Parteien, da Hauptaktionär an diesen Anteile kein Interesse hat und Zahlung einer Abfindung vor diesem Hintergrund sinnlos wäre (LG München I BeckRS 2018, 18223 Rn. 173; BeckOGK/Singhof § 327b Rn. 9; Lieder/Stange Konzern 2008, 617, 624 f.). Da Gesetzgeber mit § 327a II hinsichtlich zuzurechnender Anteile nach § 16 IV gerade „Umhängen" vermeiden wollte (RegBegr. BT-Drs. 14/7034, 72), wäre es sinnlos, ein solches bei eigenen Aktien zu erzwingen (Lieder/Stange Konzern 2008, 617, 624). Auch Gleichsetzung mit Eingliederung fordert kein anderes Ergebnis, da sich dazu aus § 327 I Nr. 3 ergibt, dass Hauptaktionär zwingend Alleinaktionär sein muss, was bei Squeeze-Out nicht gefordert wird (Lieder/Stange Konzern 2008, 617, 625). IÜ entspr. Rechtslage derjenigen nach § 320a. Das gilt namentl. für Aktienurkunden und das in ihnen verbriefte Recht. Insoweit kann voll auf → § 320a Rn. 3 verwiesen werden. Belastungen der übergehenden Aktien (Nießbrauch, Pfandrecht) erlöschen analog § 1287 S. 1 BGB, soweit es um Mitgliedschaften als Belastungsgegenstand geht; sie setzen sich aber am Abfindungsanspruch fort (Habersack ZIP 2001, 1230, 1236 f.). Eine § 20 II UmwG entspr. Vorschrift gibt es nicht (krit. DAV-HRA NZG 2001, 1003, 1008). Ggf. muss mit allg. Rechtsgrundsätzen geholfen werden. 4

Wenn **Eintragung ohne gültigen Beschluss** der HV erfolgt ist, namentl., wenn sich Nichtigkeits- oder Anfechtungsklage nachträglich als begründet erweisen, ist für die Rechtsfolgen danach zu unterscheiden, ob Freigabeentscheidung vorliegt oder nicht. Im ersten Fall bleibt Beschluss bestandskräftig (→ Rn. 3a). Im zweiten Fall bewirkt Eintragung keine Bestandskraft, doch sind die für fehlerhafte Gesellschaften geltenden Grundsätze entspr. heranzuziehen (Emmerich/Habersack/Habersack Rn. 8a; S/L/Schnorbus Rn. 32 f.; BeckOGK/Singhof Rn. 12; Petersen/Habbe NZG 2010, 1091, 1092 ff.). Es liegt nahe, es auf dieser Basis bei einer nach § 241 Nr. 3 eingetretenen Nichtigkeit des HV-Beschlusses wegen des Gewichts seiner Mängel zu belassen (wohl aA Petersen/Habbe NZG 2010, 1091, 1092 ff.), aber bei erfolgreicher Anfechtung zwar keine rückwirkende Vernichtung, jedoch einen Anspruch der ausgeschiedenen Aktionäre auf Wiederbegründung ihrer Mitgliedschaft gegen den Hauptaktionär anzunehmen (S/L/Schnorbus Rn. 32 f.; BeckOGK/Singhof Rn. 12). BGHZ 189, 32 Rn. 9 = NZG 2011, 669 lässt Entscheidung zwischen rückwirkender Vernichtung und Anspruchslösung offen, hält aber zumindest Anspruch für zwingend geboten). Wollte man auch Anspruch auf Wiederbegründung ausschließen, hätte man Bestandskraft nicht an Erfolg des Freigabeverfahrens knüpfen dürfen. 5

Gerichtliche Nachprüfung der Abfindung

327f **[1] Die Anfechtung des Übertragungsbeschlusses kann nicht auf § 243 Abs. 2 oder darauf gestützt werden, dass die durch den Hauptaktionär festgelegte Barabfindung nicht angemessen ist. [2] Ist die Barabfindung nicht angemessen, so hat das in § 2 des Spruchverfahrensgesetzes bestimmte Gericht auf Antrag die angemessene Barabfindung zu bestimmen. [3] Das Gleiche gilt, wenn der Hauptaktionär eine Barabfindung nicht oder nicht ordnungsgemäß angeboten hat und eine hierauf gestützte Anfechtungsklage innerhalb der Anfechtungsfrist nicht erhoben, zurückgenommen oder rechtskräftig abgewiesen worden ist.**

I. Regelungsgegenstand und -zweck

1 Norm setzt grds. Anfechtungsmöglichkeit voraus (→ § 327a Rn. 19 ff.), schränkt sie aber ein, sofern sie sich auf Mängel der angebotenen Abfindung bezieht (§ 327f S. 1), und verweist Minderheitsaktionäre insofern auf **Spruchverfahren** (§ 327f S. 2). Anfechtungsausschluss soll sicherstellen, dass Durchführung des Ausschlusses nicht an bloßen Bewertungsstreitigkeiten scheitert, Minderheitsaktionäre aber dennoch angemessene Abfindung erhalten. Das wird über Regelung erreicht, da Spruchverfahren keine Registersperre bewirkt (→ § 327e Rn. 3). § 327f entspr. § 320b II, der seinerseits auf § 305 V zurückgeht.

II. Ausschluss der Anfechtung

2 Anfechtungsausschluss erfasst wie bei § 320b II 3 (→ § 320 Rn. 8) Verfolgung von Sondervorteilen (§ 243 II; → § 327a Rn. 19 f.) und **fehlende Angemessenheit** der Barabfindung. § 243 IV 2 ergänzt, dass Anfechtung in diesem Fall auch nicht auf unrichtige, unvollständige oder unzureichende **HV-Information** gestützt werden kann (→ § 243 Rn. 45 ff.). Diese letztgenannte Einschränkung ist allerdings insofern zu relativieren, als sie sich allein auf informationsbezogene Mängel in der HV bezieht und überdies – obwohl nicht ausdr. erwähnt – auch Fälle der Totalverweigerung ausgeklammert sind (→ § 243 Rn. 47c mwN). Informationsbezogene Mängel in der HV und damit von Anfechtungsausschluss erfasst sind Auskunftsfehler nach § 131 und unzureichende Erläuterung des Hauptaktionärs nach § 327d S. 2 (→ § 327d Rn. 3 ff.), aber auch in Bezug auf Bewertungsfragen **inhaltlich fehlerhafte Unterlagen nach § 327d S. 1,** namentl. inhaltlich mangelhafter Prüfbericht (BGHZ 180, 154 Rn. 36 = NZG 2009, 585; OLG Frankfurt AG 2010, 39, 41 f.; KG AG 2010, 166, 169; S/L/Schnorbus Rn. 10; dagegen Emmerich/Habersack/Habersack Rn. 4 f.; offenlassend GK-AktG/Fleischer Rn. 18; zu Fehlern des Prüfberichts oder Einschränkungen des Prüftestats bereits → § 327a Rn. 19). Gegenteiliger Rückschluss von Emmerich/Habersack/Habersack Rn. 4a aus § 327f S. 3 überzeugt deshalb nicht, weil dort vorgesehener Passus „nicht ordnungsgemäß angeboten" keinesfalls auf inhaltliche Informationsmängel zugeschnitten ist, sondern auch originären Anwendungsbereich behält, wenn man diese entspr. der Anordnung in § 243 IV 2 ausklammert.

3 **Spruchverfahren** findet statt, wenn (1.) Barabfindung angeboten, aber nicht angemessen ist (§ 327f S. 2), ferner, wenn (2.) Barabfindung nicht angeboten oder vorhandenes Angebot nicht ordnungsgemäß ist (§ 327f S. 3). Das entspr. § 320b II 3 (→ § 320b Rn. 9). Wie bei Mehrheitseingliederung ist Spruchverfahren auch hier in der zweiten Fallgruppe subsidiär ggü. Anfechtungsklage, die auf fehlendes oder nicht ordnungsmäßiges Angebot gestützt ist. Klage bleibt insofern also zulässig und darf nicht oder nicht mehr rechtshängig sein (Rück-

nahme; rechtskräftige Abweisung). Legt man mit hier vertretener Auffassung Anfechtungsausschluss bei Informationsmängel weit aus (→ Rn. 2), wird Anwendungsbereich des § 327f S. 3 gegenläufig eingeschränkt. Für Vorschrift bleibt aber hinreichender Anwendungsbereich, etwa wenn Formalien des Angebots nicht eingehalten werden, wenn Bankgarantie, Prüfbericht (→ § 327a Rn. 19) oder Bericht des Hauptaktionärs gänzlich fehlt, statt Barabfindung Aktien angeboten werden oder Höhe nicht bestimmt ist (OLG Bremen AG 2013, 643, 644; MüKoAktG/Grunewald Rn. 3). Ebenfalls unter § 327f S. 3 fallen Gestaltungen, in denen unzulässige Abzüge von Abfindungssumme vorgenommen werden (OLG Hamburg AG 2003, 441 f.; LG Hamburg AG 2003, 109 f.; Emmerich/Habersack/Habersack Rn. 6; S/L/Schnorbus Rn. 9; aA MüKoAktG/Grunewald Rn. 3: Fall des S. 1, da bewertungsbezogen).

Maßgeblich für Verfahren ist **SpruchG.** Antragsberechtigung und -frist bestimmen sich nach §§ 3, 4 SpruchG (→ SpruchG § 3 Rn. 1 ff.). **Verfahrensgegner** ist nach § 5 Nr. 3 SpruchG der Hauptaktionär (Emmerich/Habersack/Habersack Rn. 8). Er ist auch Kostenschuldner und damit vorschusspflichtig (§ 15 II, III SpruchG; → SpruchG § 15 Rn. 4 f.). Obwohl sich Verfahren gegen Hauptaktionäre und nicht gegen AG richtet, ist bei Namensaktien nur antragsberechtigt, wer im Aktienregister eingetragen ist (→ § 67 Rn. 29; OLG Hamburg AG 2003, 694; Lieder NZG 2005, 159, 162 ff.; aA Dißars BB 2004, 1293 ff.). Entscheidend ist nämlich nicht förmliche Verfahrensbeteiligung der AG, an der es gem. § 5 Nr. 3 SpruchG fehlt, sondern mitgliedschaftlicher Charakter der Antragsbefugnis. 4

Fünfter Teil. Wechselseitig beteiligte Unternehmen

Beschränkung der Rechte

328 (1) [1] **Sind eine Aktiengesellschaft oder Kommanditgesellschaft auf Aktien und ein anderes Unternehmen wechselseitig beteiligte Unternehmen, so können, sobald dem einen Unternehmen das Bestehen der wechselseitigen Beteiligung bekannt geworden ist oder ihm das andere Unternehmen eine Mitteilung nach § 20 Abs. 3 oder § 21 Abs. 1 gemacht hat, Rechte aus den Anteilen, die ihm an dem anderen Unternehmen gehören, nur für höchstens den vierten Teil aller Anteile des anderen Unternehmens ausgeübt werden.** [2] **Dies gilt nicht für das Recht auf neue Aktien bei einer Kapitalerhöhung aus Gesellschaftsmitteln.** [3] **§ 16 Abs. 4 ist anzuwenden.**

(2) **Die Beschränkung des Absatzes 1 gilt nicht, wenn das Unternehmen seinerseits dem anderen Unternehmen eine Mitteilung nach § 20 Abs. 3 oder § 21 Abs. 1 gemacht hatte, bevor es von dem anderen Unternehmen eine solche Mitteilung erhalten hat und bevor ihm das Bestehen der wechselseitigen Beteiligung bekannt geworden ist.**

(3) **In der Hauptversammlung einer börsennotierten Gesellschaft kann ein Unternehmen, dem die wechselseitige Beteiligung gemäß Absatz 1 bekannt ist, sein Stimmrecht zur Wahl von Mitgliedern in den Aufsichtsrat nicht ausüben.**

(4) **Sind eine Aktiengesellschaft oder Kommanditgesellschaft auf Aktien und ein anderes Unternehmen wechselseitig beteiligte Unternehmen, so haben die Unternehmen einander unverzüglich die Höhe ihrer Beteiligung und jede Änderung schriftlich mitzuteilen.**

I. Regelungsgegenstand und -zweck

1 § 328 betr. einfache wechselseitige Beteiligung unter Teilnahme einer AG oder KGaA, also solche Beteiligung, die nicht durch Mehrheitsbesitz oder Abhängigkeitsbeziehungen qualifiziert wird (§ 19 IV; → § 19 Rn. 9). Vorschrift knüpft damit an § 19 I an, bezweckt **Einschränkung des Verwaltungseinflusses,** der aus wechselseitiger Beteiligung folgt (RegBegr. Kropff S. 433 f.), und begrenzt deshalb grds. die Ausübung der Rechte auf 25 % aller Anteile des anderen Unternehmens. Norm beugt ferner der **Kapitalverwässerung** vor (→ § 19 Rn. 1). Mittelbar erwartet Gesetzgeber von Rechtsbeschränkung, dass wechselseitige Beteiligungen mangels Attraktivität nicht begründet oder abgebaut werden (RegBegr. Kropff S. 434). Regelung ist missglückt, weil sie entgegen der Intention des Gesetzgebers den Erwerb einer **Mehrheitsbeteiligung herausfordern** kann, um sich damit über § 19 IV Beschränkungen des § 328 zu entledigen und zugleich bei anderem Unternehmen Beschränkungen des § 71d S. 4 iVm § 71b und § 71c auszulösen (s. KK-AktG/Koppensteiner Rn. 3). Damit ausgelöste Veräußerungspflicht nach § 71d S. 4 iVm § 71c sorgt dafür, dass nennenswerte gegenseitige Beteiligung im Abhängigkeitsverhältnis nur vorübergehender Zustand sein kann, und relativiert damit dieses Problem (Emmerich/Habersack/Emmerich Rn. 7a; MüKoAktG/Grunewald Rn. 1), ohne es aber grds. zu beseitigen. In M&A-Praxis wurde daraus etwa sog pac man-defense entwickelt, bei der in Situation feindlicher Übernahme eigene Beteiligung aufgebaut wird, um damit Abschreckungspotenzial des § 328 nutzbar zu machen (s. dazu MüKoAktG/Schlitt § 33 WpÜG Rn. 111 ff.). **Praktische Bedeutung** des § 328 wird durch Entflechtung der Deutschland-AG (BeckOGK/Schall § 19 Rn. 1) gemindert (zur verbleibenden rechtstats. Bedeutung MüKoAktG/Bayer § 19 Rn. 7 f.), aber auch durch hohe tatbestandl. Anforderungen der §§ 19, 328 und Ausschluss qualifizierter Formen in § 19 IV (vgl. S/L/J. Vetter Rn. 7 ff.). Zur Diskussion über Mehrleistungspflicht bei Kapitalerhöhung → § 54 Rn. 5a; zur Übergangsregelung nach §§ 6, 7 EGAktG → § 19 Rn. 10.

II. Rechtsbeschränkung

2 **1. Objektiver Tatbestand: wechselseitige Beteiligung.** § 328 I 1 setzt den **in § 19 I umschriebenen Begriff** wechselseitiger Beteiligung voraus. Unternehmen müssen also Kapitalgesellschaften mit inländischem Satzungssitz sein und am jew. anderen Unternehmen mehr als 25 % der Anteile halten; maßgeblich ist Kapitalbeteiligung (→ § 19 Rn. 2 f.). Zusätzlich erfordert § 328 I 1, dass eines der beiden Unternehmen AG oder KGaA ist. Schließlich folgt aus Weichenstellernorm des § 19 IV, dass es sich nicht um einseitig oder beidseitig qualifizierte wechselseitige Beteiligung (§ 19 II bzw. III) handeln darf (→ § 19 Rn. 4 ff., 7, 9).

3 **2. Kenntnis; Empfang einer Mitteilung.** Subj. erforderlich und auch genügend ist gem. § 328 I 1 Fall 1 Kenntnis des einen Unternehmens von der wechselseitigen Beteiligung. Erforderlich ist positive Kenntnis. Wie sie erlangt wird, ist gleichgültig; jedenfalls bei Inhaberaktien wird dieser Fall idR mit der in § 328 I 1 Fall 2 gesondert genannten Mitteilung zusammentreffen (KK-AktG/Koppensteiner Rn. 6 aE). Tatbestandsausfüllend sind nur Mitteilungen nach § 20 III oder § 21 I; → § 20 Rn. 5 bzw. → § 21 Rn. 2. **Mitteilung einer Schachtelbeteiligung nach § 20 I genügt nicht,** weil dabei Zurechnungen nach § 20 II Berücksichtigung finden (→ § 20 Rn. 4; Emmerich/Habersack/Emmerich Rn. 14). Nicht erforderlich ist **unverzügliche** (§ 121 I 1 BGB) Mitteilung (so aber BeckOGK/Schall Rn. 17), da nur Mitteilung als solche, nicht auch Mitteilungsmodus in Bezug genommen wird. Weil auch nachgeholte Mel-

dung Rechtsverlust nach § 328 – anders als bei § 20 VII – nicht aufhebt, würde anderes Verständnis für wesentlich schärfere Sanktion als bei Verstoß gegen § 20 I führen, was in der Sache nicht angemessen ist (wie hier Grigoleit/Grigoleit/Rachlitz Rn. 6; MüKoAktG/Grunewald Rn. 6). Dagegen spricht auch nicht gesetzgeberische Skepsis ggü. wechselseitigen Beteiligungen (so aber BeckOGK/Schall Rn. 17), weil mit Unverzüglichkeitserfordernis nicht Beteiligung, sondern nur verzögerte Mitteilung sanktioniert würde. Verstoß gegen § 20 III wird in **§ 20 VII** nicht ausdr. Rechtsverlust unterworfen, sondern Ausbleiben der Meldung wird als gleichzeitiger Verstoß gegen § 20 I „mitsanktioniert" (ausf. → § 20 Rn. 10); daraus resultierender Rechtsverlust betr. – über § 328 I hinausgehend (nur über 25 %) – sämtliche Anteilsrechte. In § 328 I 1 nicht berücksichtigt ist Mitteilungspflicht nach **§ 33 WpHG.** Das ist nach allgM dahingehend zu korrigieren, dass auch solche Meldung iRd § 328 genügt (s. etwa S/L/J. Vetter Rn. 12). Das ist in § 328 I wegen alternativen Anknüpfungspunktes des Bekanntwerdens irrelevant (RegBegr. BT-Drs. 13/9712, 25), kann aber iRd § 328 II Hs. 1 Bedeutung erlangen, wo dies nicht genügt (Grigoleit/Grigoleit/Rachlitz Rn. 4).

3. Folgen. Sobald Tatbestand des § 328 I 1 verwirklicht ist, kann das betroffe- 4
ne Unternehmen seine Rechte aus den Anteilen an dem anderen Unternehmen nur bis zur Höhe von 25 % ausüben. Rechte aus überschießender Beteiligung unterliegen einer **Ausübungssperre,** bis Anteilsbesitz auf maximal 25 % abgebaut ist. Erfasst werden alle Rechte mit Ausnahme des Bezugsrechts bei Kapitalerhöhung aus Gesellschaftsmitteln (§ 328 I 2), weil sonst Beteiligungswert verloren ginge (MüKoAktG/Grunewald Rn. 9). Um Substanzeingriff zu vermeiden, gilt ungeschriebene Ausn. nach hM weiter für Liquidationserlös; abw. Behandlung ggü. Dividendenanspruch rechtfertigt sich damit, dass mit Liquidation wechselseitige Beteiligung zum Ende kommt (vgl. etwa MüKoAktG/Grunewald Rn. 9; jetzt auch KK-AktG/Koppensteiner 13 [in Abw. von Voraufl.]; aA S/L/J. Vetter Rn. 15; zur verwandten rechtspolit. Diskussion iRd § 20 VII → § 20 Rn. 13). Wegen der Einzelheiten → § 20 Rn. 12 ff.; zur Kapitalerhöhung gegen Einlagen BGHZ 114, 203, 214 ff. = NJW 1991, 2765 betr. § 20 VII.

4. Gleichstehende Anteile. Nach § 328 I 3 können über § 16 IV zum Zwe- 5
cke des **Umgehungsschutzes** auch Anteile nahestehender Dritter wie eigene zugerechnet werden (zu Einzelheiten → § 16 Rn. 12 f.). Das kann Frage aufwerfen, wessen Anteile von Ausübungssperre (→ Rn. 4) betroffen sind. Nach allgM sind insofern vornehmlich Vereinbarungen oder verbindliche Weisungen im Innenverhältnis maßgeblich (S/L/J. Vetter Rn. 17). Liegen sie nicht vor, ist nach hM quotal auf eigene und zugerechnete Anteile aufzuteilen (grdl. Kropff DB 1959, 15, 19; zust. MüKoAktG/Bayer § 19 Rn. 42; KK-AktG/Koppensteiner Rn. 15). Das erscheint aber vor dem Hintergrund nicht sachgerecht, dass damit unbeteiligter und ggfs. auch unwissender Dritter in seinen Eigentumsrechten betroffen werden könne, weshalb es vorzugswürdig erscheint, Ausübungssperre allein auf Unternehmen zu beziehen, das sich fremde Anteile zurechnen lassen muss (S/L/J. Vetter Rn. 17; zust. MüKoAktG/Grunewald Rn. 13; aA noch → 16. Aufl. 2022, Rn. 5).

III. Ausnahme bei rechtzeitiger Mitteilung

Rechtsbeschränkung (→ Rn. 4 f.) tritt nicht ein zu Lasten desjenigen Unter- 6
nehmens, das seine **Mitteilungspflicht aus § 20 III oder § 21 I erfüllt** hat, bevor ihm das andere Unternehmen eine entspr. Mitteilung machte und bevor es anderweitig von dem Bestehen der wechselseitigen Beteiligung Kenntnis erhielt (§ 328 II). Ziel ist **Gutglaubensschutz** aus Gründen der Rechtssicherheit;

zugleich soll bewusst „Wettlauf" um ordnungsgem. Pflichterfüllung initiiert werden (RegBegr. Kropff S. 434 m. ausf. Darstellung des Pflichtenmechanismus). Dasjenige Unternehmen, das als erstes eine Schachtelbeteiligung hält und seine Mitteilungspflicht erfüllt, kann also die Beteiligung über die Grenze von 25 % aufstocken und die daraus folgenden Rechte gleichwohl ausüben (Einzelheiten: Emmerich/Habersack/Emmerich Rn. 12 – 18). Anderes Unternehmen ist durch Mitteilung vor drohendem Rechtsverlust nach § 328 I gewarnt.

IV. Keine Ausübung des Stimmrechts bei Wahlen zum Aufsichtsrat

7 Durch KonTraG 1998 eingefügte Sonderregelung für AR-Wahlen bezweckt, sog **Eigentümerkontrolle** ungeschmälert durchzusetzen, soweit es um Besetzung des Organs geht, dem namentl. Bestellung und Überwachung der Vorstandsmitglieder obliegen (§§ 84, 111; s. RegBegr. BT-Drs. 13/9712, 25). Zu diesem Zweck soll Stimmrechtseinfluss des Beteiligungsunternehmens, auf das Vorstand seinerseits kraft der Beteiligung Einfluss nehmen kann, neutralisiert werden. Von Ausübungssperre sind Unternehmen betroffen, die unter § 328 I 1 und damit auch unter § 19 I fallen (Kapitalgesellschaft mit Inlandssitz; → Rn. 2). Auf Börsennotierung kommt es nicht an (RegBegr. BT-Drs. 13/9712, 25). Erforderlich ist wie auch immer erlangte positive Kenntnis der wechselseitigen Beteiligung (→ Rn. 3). Durch Mitteilung nach § 328 II (→ Rn. 6) kann sich Unternehmen von Ausübungssperre befreien. Das ist zwar im Wortlaut nicht explizit vorgesehen, folgt aber daraus, dass § 328 III ausweislich RegBegr. (BT-Drs. 13/9712, 25) Schutz des § 328 I lediglich ausdehnen soll und sonst bezweckter Gutglaubensschutz (→ Rn. 6) nur unvollständig erreicht würde (Emmerich/Habersack/Emmerich Rn. 23a; MüKoAktG/Grunewald Rn. 10; KK-AktG/Koppensteiner Rn. 7, 17; S/L/J. Vetter Rn. 24; aA BeckOGK/Schall Rn. 31). Beteiligung des Unternehmens muss an börsennotierter Gesellschaft bestehen (§ 3 II; → § 3 Rn. 5 f.) und ihm selbst gehören. Obwohl § 328 III das anders als § 328 I 3 (→ Rn. 5) nicht vorsieht, ist auch § 16 IV anzuwenden, um offenkundige Umgehungsgefahren auszuschließen (allgM – vgl. nur Emmerich/Habersack/Emmerich Rn. 23). Ausübungssperre erfasst sämtliche Stimmrechte, nicht nur wie nach § 328 I 1 die Stimmrechte aus dem 25 % übersteigenden Anteilsbesitz, aber auch nur Stimmrechte. Andere Verwaltungsrechte und Vermögensrechte unterliegen nach § 328 III keiner Ausübungssperre (so jetzt auch Grigoleit/Grigoleit/Rachlitz Rn. 13 unter Aufgabe der in Voraufl., 2013, vertretenen Auffassung).

V. Erweiterte Mitteilungspflichten

8 § 328 IV knüpft an den objektiven Tatbestand des § 328 I 1 (→ Rn. 2) an und erweitert für diesen Fall Mitteilungspflichten über §§ 20, 21 hinausgehend dahin, dass beide Unternehmen einander unverzüglich (§ 121 I 1 BGB) auch die **Höhe ihrer Beteiligung und jede Änderung** schriftlich mitzuteilen haben. Nach RegBegr. Kropff S. 435 soll dadurch erreicht werden, dass jedes Unternehmen über das Gefahrenpotenzial (→ Rn. 1) unterrichtet ist und auf Abbau der Beteiligungsquote hinwirken kann. Mangels bes. Sanktionen ist Effizienz der erweiterten Mitteilungspflicht im Sinne eines Abbaus der Beteiligungsquote allerdings schwerlich gegeben (Emmerich/Habersack/Emmerich Rn. 25; KK-AktG/Koppensteiner Rn. 18). Selbst wenn man entgegen hier vertretener Auffassung (→ § 20 Rn. 11a) mit hM Schutzgesetzeigenschaft iSd § 823 II BGB annimmt (vgl. MüKoAktG/Grunewald Rn. 14), wird Schadensnachweis kaum möglich sein.

Sechster Teil. Rechnungslegung im Konzern

329-336 *(aufgehoben)*

Vorschriften betrafen **Konzernrechnungslegung** und regelten sie **in Anlehnung an §§ 148 ff. aF:** §§ 329, 330 aF begründeten Aufstellungspflicht, § 331 aF gab Inhalt der Konzernbilanz vor, §§ 332, 333 aF normierten Konzern-GuV, § 334 aF betraf Konzerngeschäftsbericht, § 335 aF verpflichtete Konzernunternehmen zur Einreichung von Unterlagen bei der Obergesellschaft. Schließlich regelte § 336 aF die Konzernabschlussprüfung. Aufgehoben durch Art. 2 BiRiLiG v. 19.12.1985 (BGBl. 1985 I 2335). Einschlägig sind nunmehr §§ 290–315 HGB, die Konzernrechnungslegung unter deutlicher Erweiterung des Regelungsstoffs und mit sachlichen Änderungen normieren. 1

337 *(aufgehoben)*

§ 337 betraf Vorlage des aufgestellten **Konzernabschlusses** und des **Konzernlageberichts** an AR und HV. Norm ist aufgehoben durch TransPuG 2002. Bisherige Regelung ist verteilt worden auf § 131 I 4; § 170 I 2; § 175 I 1, II 3, III 1. Früherer Sechster Teil über Konzernrechnungslegung (§§ 329–338) ist damit insges. aufgehoben, was auf Textbereinigung hinausläuft. 1

338 *(aufgehoben)*

§ 338 betraf Bek. des Konzernabschlusses. Aufgehoben durch Art. 2 BiRiLiG v. 19.12.1985 (BGBl. 1985 I 2335). Regelung ist nunmehr enthalten in § 325 III–V, §§ 328, 329 HGB. 1

339-393 *(aufgehoben)*

§§ 339–393 (Viertes Buch aF) betrafen **Verschmelzung, Vermögensübertragung** sowie **Umwandlung.** Aufgehoben durch Art. 6 Nr. 13 UmwBerG 1994 (BGBl. 1994 I 3210). Nachfolgeregelung im UmwG 1994. Ausnahme: § 361, an dessen Stelle § 179a getreten ist; vgl. Erl. dort. Änderungen des AktG durch Art. 6 UmwBerG 1994 (bes. §§ 293a ff., 320 ff.) sind im jeweiligen Zusammenhang erläutert. 1

Viertes Buch. Sonder-, Straf- und Schlußvorschriften

Erster Teil. Sondervorschriften bei Beteiligung von Gebietskörperschaften

Besetzung von Organen bei Aktiengesellschaften mit Mehrheitsbeteiligungen des Bundes

393a (1) [1] **Aktiengesellschaften mit Mehrheitsbeteiligung des Bundes sind Aktiengesellschaften mit Sitz im Inland,**

1. deren Anteile zur Mehrheit vom Bund gehalten werden oder
2. die große Kapitalgesellschaften (§ 267 Absatz 3 des Handelsgesetzbuchs) sind und deren Anteile zur Mehrheit von Gesellschaften gehalten werden, deren Anteile ihrerseits zur Mehrheit vom Bund gehalten werden, oder
3. die in der Regel mehr als 500 Arbeitnehmerinnen und Arbeitnehmer haben und deren Anteile zur Mehrheit von Gesellschaften gehalten werden, deren Anteile ihrerseits zur Mehrheit
   a) vom Bund gehalten werden oder
   b) von Gesellschaften gehalten werden, bei denen sich die Inhaberschaften an den Anteilen in dieser Weise bis zu Gesellschaften fortsetzen, deren Anteile zur Mehrheit vom Bund gehalten werden.

[2] **Anteile, die über ein Sondervermögen des Bundes gehalten werden, bleiben außer Betracht.** [3] **Dem Bund stehen öffentlich-rechtliche Anstalten des Bundes, die unternehmerisch tätig sind, gleich.**

(2) **Für Aktiengesellschaften mit Mehrheitsbeteiligung des Bundes gelten**

1. § 76 Absatz 3a unabhängig von einer Börsennotierung und einer Geltung des Mitbestimmungsgesetzes, des Montan-Mitbestimmungsgesetzes oder des Mitbestimmungsergänzungsgesetzes, wenn der Vorstand aus mehr als zwei Personen besteht, sowie
2. § 96 Absatz 2 unabhängig von einer Börsennotierung und einer Geltung des Mitbestimmungsgesetzes, des Montan-Mitbestimmungsgesetzes oder des Mitbestimmungsergänzungsgesetzes.

(3) [1] **Die Länder können die Vorgaben des Absatzes 2 durch Landesgesetz auf Aktiengesellschaften erstrecken, an denen eine Mehrheitsbeteiligung eines Landes entsprechend Absatz 1 besteht.** [2] **In diesem Fall gelten für Gesellschaften mit Mehrheitsbeteiligung eines Landes, die der Mitbestimmung unterliegen, die gesetzlichen Regelungen und Wahlordnungen zur Mitbestimmung in Unternehmen mit Mehrheitsbeteiligung des Bundes entsprechend.**

I. Regelungsgegenstand und -zweck

1 § 393a wurde neu eingeführt durch FüPoG II 2021 und soll bes. Verantwortung des Bundes für **Gleichstellungsbelange** Rechnung tragen. Durch repräsentative Teilhabe von Frauen in vom Bund mehrheitlich beherrschten AG sollen zugleich allg. Maßstäbe für Privatwirtschaft gesetzt werden (RegBegr. BT-Drs. 19/26689, 86: „Vorbildfunktion"). Norm ist so aufgebaut, dass § 393a I Adressatenkreis der Vorschrift umreißt und § 393a II Rechtsfolge enthält. Diese Rechtsfolge wird aber nicht eigenständig formuliert, sondern es wird **Geltung der § 76 IIIa, § 96 II** auch für solche Unternehmen angeordnet, in denen tatbestandl. Voraussetzungen nicht voll erfüllt sind, weil es an Voraussetzungen der Börsennotierung und/oder Mitbestimmung fehlt. § 393a III eröffnet Ländern die Möglichkeit, entspr. Erstreckung bei mehrheitl. Beteiligung eines Landes qua Landesgesetz anzuordnen.

II. Adressatenkreis (§ 393a I)

Regelung des Adressatenkreises in § 393a I ist angelehnt an Public Corporate Governance Kodex des Bundes (→ § 394 Rn. 4). § 393a gilt danach für AG oder – in Bezug auf § 96 II – KGaA mit (Satzungs-)Sitz im Inland. Weiteres **Erfordernis mehrheitlicher Beteiligung** richtet sich nicht nach § 16, sondern wird eigenständig in § 393a I umschrieben. § 393a I 1 Nr. 1 erfasst zunächst Mehrheitsbeteiligung. Auch hier läge zur weiteren Aufschlüsselung Anlehnung an § 16 I nahe, doch würde Anwendung der Vorschrift mit weiterer Konkretisierung in § 393a I Nr. 2 in Konflikt geraten, was es nahelegt, von Rückgriff auf § 16 ganz abzusehen und allein eigenständige Definition in § 393a I zugrunde zu legen. Damit ist aber Frage aufgeworfen, ob Mehrheitsbeteiligung wie in § 16 I neben Kapitalbeteiligung auch bloße Stimmenmehrheit erfasst (→ § 16 Rn. 2). Formulierung in § 393 I 1 1 Nr. 1 scheint eher von Beschränkung auf Kapitalmehrheit auszugehen (sa RegBegr. BT-Drs. 19/26689, 86: „wenn der Bund mehr als 50 Prozent der Anteile unmittelbar hält"). 2

Weiterhin erfasst ist nach § 393a I 1 Nr. 2 **einstufig mittelbare Mehrheitsbeteiligung,** sofern diese an großer Kapitalgesellschaft iSd § 267 III HGB besteht. Voraussetzung ist auch hier jew. Kapitalmehrheit (→ Rn. 2). Mehrstufig mittelbare Mehrheitsbeteiligungen werden nach § 393a I 1 Nr. 3 erfasst, die in der Regel mehr als 500 AN haben, also DrittelbG unterfallen. Auch Formulierung „in der Regel" orientiert sich an besser ausgeleuchteter Parallelauslegung im DrittelbG (RegBegr. BT-Drs. 19/26689, 86; → § 96 Rn. 10). Für solche Gesellschaft kommt es auf Größenkategorie des § 267 III HGB nicht an, sondern lediglich darauf, dass sich neben Mitarbeiterzahl auch Kette von Mehrheitsbeteiligungen bis zum Bund zurückführen lässt. Sowohl in Nr. 2 als auch in Nr. 3 erfasst Begriff der Gesellschaft solche jeglicher Rechtsform (RegBegr. BT-Drs. 19/26689, 86). Ausgenommen sind nach § 393a I 2 nur solche, die durch Sondervermögen des Bundes gehalten werden. Umgekehrt stehen dem Bund öffentl.-rechtl. Anstalten des Bundes nach § 393a I 3 gleich, die unternehmerisch tätig sind. Für sie gelten also gleichermaßen Nr. 1 bis 3, also Fälle der unmittelbaren, aber auch der mittelbaren Beteiligung (RegBegr. BT-Drs. 19/26689, 86). 3

III. Rechtsfolge (§ 393a II)

Ist Adressatenkreis eröffnet, so werden in § 393a II Anforderungen für Anwendung des Beteiligungsgebots nach § 76 IIIa (→ § 76 Rn. 153 ff.) in der Weise abgesenkt, dass es weder auf Börsennotierung noch auf Mitbestimmung ankommt (→ § 76 Rn. 153 f.) und Vorschrift überdies schon dann greift, wenn Vorstand aus mehr als zwei Personen besteht (sonst: drei – vgl. § 76 IIIa 1). Anforderungen für Anwendung der Geschlechterquote nach § 96 II werden in der Weise abgesenkt, dass es auch hier weder auf Börsennotierung noch auf Mitbestimmung ankommt. 4

IV. Landesbeteiligung (§ 393a III)

5 § 393a III war in RegBegr. FüPoG II 2021 noch nicht vorgesehen, sondern ist erst durch Beschlussempfehlung FamAusschuss BT-Drs. 19/30514, 22 in Ges. aufgenommen worden, um auch in Unternehmen mit mehrheitl. Landesbeteiligung Gleichstellungsanliegen zu fördern. Einer solchen **Öffnungsklausel** bedurfte es, weil Landesgesetz sonst nach Art. 31 GG höherrangiges Bundesrecht nicht hätte durchbrechen dürfen. Sieht das Landesrecht eine solche Parallelregelung vor und unterliegt AG der Mitbestimmung, sind auch entspr. Vorschriften der Mitbestimmungsgesetze und der jew. Wahlordnungen für „Unternehmen mit Mehrheitsbeteiligung des Bundes" entspr. anwendbar (Beschlussempfehlung FamAusschuss BT-Drs. 19/30514, 22).

V. Übergangsregelung (§ 26l I, III EGAktG)

6 § 26l I, III EGAktG enthält Übergangsregelung. § 393a II Nr. 1 bezieht sich auf neu eingeführten § 76 IIIa, für den generelle Übergangsfrist bis zum 1.8.2022 gilt. Von diesem Zeitpunkt an sind neue Regelungen bei Bestellungen einzuhalten, doch bleiben Altmandate unberührt. § 26l I 2 EGAktG überträgt Regelung auch auf § 393a II Nr. 1. Für § 393a II Nr. 2, der auf § 96 II Bezug nimmt, ordnet § 26l III EGAktG Geltung ab 1.4.2022 an. Reicht Anzahl der zu besetzenden Sitze nicht aus, um Mindestanteil zu erreichen, sind Sitze mit Personen des unterrepräsentierten Geschlechts zu besetzen, um dessen Anteile sukzessive zu steigern. Bestehende Mandate können nach § 26l III 3 EGAktG aber auch hier bis zu ihrem vorgesehenen Ende wahrgenommen werden.

Berichte der Aufsichtsratsmitglieder

394 [1] **Aufsichtsratsmitglieder, die auf Veranlassung einer Gebietskörperschaft in den Aufsichtsrat gewählt oder entsandt worden sind, unterliegen hinsichtlich der Berichte, die sie der Gebietskörperschaft zu erstatten haben, keiner Verschwiegenheitspflicht.** [2] **Für vertrauliche Angaben und Geheimnisse der Gesellschaft, namentlich Betriebs- oder Geschäftsgeheimnisse, gilt dies nicht, wenn ihre Kenntnis für die Zwecke der Berichte nicht von Bedeutung ist.** [3] **Die Berichtspflicht nach Satz 1 kann auf Gesetz, auf Satzung oder auf dem Aufsichtsrat in Textform mitgeteiltem Rechtsgeschäft beruhen.**

Übersicht

I. Regelungsgegenstand und -zweck

§§ 394, 395 betr. AG mit Beteiligung von Gebietskörperschaften, sind also im schwierigen **Spannungsfeld** zwischen privatrechtl. geordnetem Gesellschaftsrecht und öffentl. Recht angesiedelt (zur rechtstats. Bedeutung vgl. GK-AktG/P. H. Huber/Fröhlich Rn. 6 ff.). Dieses Spannungsverhältnis wird im AktG nur punktuell geregelt. Weitere ges. Vorgaben finden sich in öffentl.-rechtl. Vorschriften, namentl. des Haushaltsrechts und des Beamtenrechts (→ Rn. 8 ff.), aber auch des kommunalen Wirtschaftsrechts (→ Rn. 11 ff.). Da diese Regelungen auf aktienrechtl. Normbestand nicht immer hinreichend abgestimmt und zT auch auf anderer Ebene der Normenhierarchie angesiedelt sind, stellt sich Rechtslage insges. undurchsichtig dar (→ Rn. 14 ff.; zu weiteren spezialges. Regelungen in Krisensituationen nach WStGB → § 182 Rn. 5a ff.). 1

In diesem Spannungsfeld regelt § 394 nur **Teilausschnitt** insofern, als er keine Berichtspflicht für Vertreter von Gebietskörperschaften im AR normiert, sondern voraussetzt, dass sie anderweitig begründet ist (→ Rn. 77 ff.). Für diesen Fall regelt § 394 Verhältnis von Berichts- und Verschwiegenheitspflicht nach § 93 I 3, § 116. Bezweckt ist klarstellende **Begrenzung der Verschwiegenheitspflicht** (AusschussB Kropff S. 496), die diese im Prinzip unberührt lässt, aber so weit auflockert, dass sachgerechte Berichterstattung ggü. Gebietskörperschaft möglich ist. Der Begrenzung der Verschwiegenheitspflicht in § 394 entspricht ihre Erstreckung durch § 395 auf den Personenkreis, der mit Beteiligungsverwaltung oder Prüfung betraut ist; Gesellschaftsverhältnisse sollen nicht weiter bekannt werden als für Verwaltung und Prüfung von Beteiligungen notwendig. 2

§§ 394, 395 sind ohne Vorbild im AktG 1937. Sie gehen auf eine Initiative des Haushaltsausschusses zurück. Vereinbarkeit mit **Kapitalverkehrsfreiheit** gem. Art. 63 AEUV ist im Lichte der Golden Shares-Rspr. des EuGH (s. etwa EuGH Slg. 2002, I-4731 = NZG 2002, 632; Slg. 2006, I-9141 = AG 2006, 850) nicht unbedenklich, wird von hM aber – ebenso wie für §§ 53, 54 HGrG (→ Rn. 32 ff.) – bejaht (ausf. GK-AktG/P. H. Huber/Fröhlich Vor §§ 394, 395 Rn. 37 f.; MüKoAktG/Schockenhoff Vor § 394 Rn. 70; Traut, Corporate Go- 3 vernance von Kapitalgesellschaften der öffentl. Hand, 2013, 181 ff.; aA KK-AktG/Kersting Rn. 101 ff. mit Konsequenz der Unanwendbarkeit [Rn. 105]; skeptisch im Lichte neuerer BVerfG-Rspr. auch Schockenhoff NZG 2018, 521, 527 f.).

4 Für **Beteiligungspraxis des Bundes** maßgebliche Konkretisierung findet sich in den am 1.7.2009 vom Bundeskabinett verabschiedeten und am 16.9.2020 neu gefassten „Grundsätzen guter Unternehmens- und aktiver Beteiligungsführung im Bereich des Bundes" („Grundsätze"), die unterteilt sind in Teil I „Public Corporate Governance Kodex des Bundes" („PCGK" → Rn. 29) und Teil II „Richtlinien für eine aktive Beteiligungsführung bei Unternehmen mit Bundesbeteiligung" („Richtlinien") – abrufbar unter www.bmf.bund.de (vgl. zur aF Hartmann/Zwirner, PCGK, 2015 sowie zur Reform 2020 Lindenlauf NZG 2021, 149 ff.; Ramge/Kerst NZG 2020, 1124 ff.; allg. zu Inhalt und Wirkung von Public Corporate Governance Kodices Weber-Rey/Buckel ZHR 177 [2013], 13, 35 ff). Sie sind an die Stelle der früheren Hinweise für die Verwaltung von Bundesbeteiligungen (GMinBl. 2001, 950 ff.) getreten. Zur empirischen Verbreitung hoheitlicher Beteiligungen s. Bayer/Hoffmann AG 2018, R 84 ff.; Kalss/Fleischer/Vogt/Bayer, Der Staat als Aktionär, 2019, 103 ff.; zu weiteren Public Corporate Governance Kodices Hopt FS Böcking, 2021, 119 ff.

5 §§ 394, 395 sind nach ihrer bewusst gewählten Überschrift (dazu Rob. Fischer AG 1982, 85, 90) „Sondervorschriften". Soweit sie nicht eingreifen, verbleibt es daher, abgesehen von §§ 53, 54 HGrG (→ Rn. 32 ff.), bei allg. Regelung (BGHZ 69, 334, 340 = NJW 1978, 104; MüKoAktG/Schockenhoff Vor § 394 Rn. 36 ff.; Berkemann, Die staatliche Kapitalbeteiligung, 1966, 75 ff.; zurückhaltend Stober NJW 1984, 449, 455; aA bei anderer Gesetzeslage noch Ipsen JZ 1955, 593, 598 [„öffentlich-rechtliche Indienstnahme"]). Namentl. gibt es keinen Sonderstatus der öffentl. Hand als Gesellschafterin, sofern ihn Ges. nicht selbst begründet, was nur durch Bundesrecht erfolgen kann (Art. 31 GG). Für Recht der verbundenen Unternehmen folgt aus Geltung der allg. Regelung: Gebietskörperschaften können **herrschende Unternehmen** sein (→ § 15 Rn. 16 ff.) und unterliegen dann Bindungen des Konzernrechts (MüKoAktG/Schockenhoff Vor § 394 Rn. 60 ff.); vor allem ist Beteiligungsgesellschaft verpflichtet, Abhängigkeitsbericht aufzustellen (prononciert BGHZ 135, 107, 111 ff. = NJW 1997, 1855; → § 312 Rn. 3, 22). Aus Unternehmenseigenschaft folgt auch **Mitteilungspflicht** nach §§ 20 ff. Für §§ 33 ff. WpHG kommt es auf Unternehmenseigenschaft nicht einmal an. Mitteilungspflichtig iSd § 33 I 1 WpHG ist nämlich, „wer" Schwellenzahlen berührt, darunter insbes. auch jur. Personen des öffentl. Rechts (RegBegr. BT-Drs. 12/6679, 52); Gebietskörperschaften bilden Hauptfall.

II. Rechtsfragen bei Beteiligung der öffentlichen Hand

6 **1. Aktienrecht und öffentlich-rechtliche Vorgaben. a) Öffentlich-rechtliche Vorgaben. aa) Verfassungsrecht.** BVerfG leitet in st. Rspr. aus Art. 20 II GG ab, dass jedes staatl. Handeln „mit Entscheidungscharakter" **demokratischer Legitimation** bedarf (BVerfGE 77, 1, 40 = NJW 1988, 890; BVerfGE 93, 37, 66 f. = NVwZ 1996, 574; BVerfGE 130, 76, 123 = NJW 2012, 1563; BVerfGE 147, 50 Rn. 218 = NVwZ 2018, 51). Beteiligt sich Staat mehrheitlich an privatwirtschaftlich organisierten Unternehmen, gilt nicht nur Beteiligungsverwaltung, sondern auch Tätigkeit der Unternehmen selbst als legitimationsbedürftiges staatliches Handeln (so eindeutig BVerfGE 147, 50 Rn. 218). Richtigerweise ist hoheitliche Beteiligungsmehrheit für Zurechnung zu staatlicher Sphäre aber nicht zwingend; vielmehr kommt es darauf an, ob **Unternehmen staatlich beherrscht** wird (Burgi/Habersack/J. Koch § 16 Rn. 10 ff.;

Tayaranian, Vertraulichkeitsschutz bei öffentl. beherrschten AG, 2023, 40 f.; aA in Anlehnung an BVerfGE 147, 50 dagegen Neudenberger, Aufsichtsrat, 2023, 68 f.; vertiefend → Rn. 26).

Erfordernis demokratischer Legitimation setzt neben ununterbrochener personell-organisatorischer Legitimationskette auch sachlich-inhaltliche Legitimation in Form von Rückkoppelung an Volkswillen durch **Einflussnahme auf Entscheidungsprozess** sowie umfangreiche Kontrollmöglichkeiten voraus (ausf. Burgi/Habersack/Burgi § 18 Rn. 37 ff., 53 ff.; Kapteina, Öffentliche Unternehmen in Privatrechtsform, 2017, 65 ff.). Einflussnahme bedeutet dabei nicht Steuerung der konkreten Geschäftstätigkeit, vielmehr genügt Letztentscheidungskompetenz bei grdl. Fragen (Burgi/Habersack/Burgi § 18 Rn. 40; Th. Mann, Die öffentlich-rechtliche Gesellschaft, 2002, 67). Die schlagwortartig als **Ingerenzgebot** bezeichnete Verpflichtung gilt iRd Homogenitätsgebots des Art. 28 GG auch auf Landes- und Gemeindeebene (BVerfG NJW 1991, 159 Ls. 1). Gedanklicher Ausgangspunkt des Ingerenzgebots ist, dass öffentl.-rechtl. Körperschaft sich nicht selbst durch Rechtsformwahl von ihrem Mandat soll entbinden dürfen; alle öffentl. Angelegenheiten sind deshalb gemeinwohlbezogen zu erledigen. Daraus wird verbreitet hergeleitet, Gemeinwohlbindung müsse auch auf Betätigung in privatrechtl. Formen ausstrahlen (Burgi/Habersack/Burgi § 18 Rn. 41; v. Danwitz AöR 120 [1995], 595, 616 f.; Ossenbühl ZGR 1996, 504, 512 f.). Ingerenzpflicht lässt sich überdies aus Rechtsstaatsprinzip ableiten; danach ist allg. anerkannt, dass staatliche Beteiligung an privatrechtlich organisiertem Unternehmen unter dem Vorbehalt steht, dass hiermit (auch) **öffentl. Zwecke** verfolgt werden (Burgi/Habersack/Burgi § 18 Rn. 42, 52; Th. Mann, Die öffentlich-rechtliche Gesellschaft, 2002, 80 ff.; Tayaranian NZG 2023, 1353 f.). 7

bb) Verwaltungsrechtliche Vorgaben für Bundes- und Landesbeteiligungen. Verwaltungsrechtl. Organisationvorgaben für staatliche Unternehmensbeteiligungen enthalten **Haushaltsordnungen** des Bundes und der Länder, Gemeindeordnungen sowie **HGrG.** Dabei schreibt HGrG einheitliche Grundsätze vor, die durch jew. Haushaltsordnung auf Bundes- oder Landesebene konkretisiert werden (Burgi/Habersack/Mann § 19 Rn. 4). Organisation staatlicher Unternehmensbeteiligungen richtet sich dabei zum einen nach den gem. § 49 HGrG unmittelbar und einheitlich geltenden §§ 53, 54 HGrG (→ Rn. 32 ff.), zum anderen nach jew. einschlägiger Haushaltsordnung. Maßgeblich ist dabei **§ 65 BHO,** der vorgibt, unter welchen Anforderungen Bundesbeteiligung an privatrechtl. organisiertem Unternehmen zulässig ist und der in Haushaltsordnungen der Bundesländer inhaltsgleich gespiegelt wird. 8

Erste Voraussetzung nach § 65 I Nr. 1 BHO ist, dass **wichtiges öffentl. Interesse** an Bundesbeteiligung vorliegen muss, das sich nicht besser und wirtschaftlicher auf andere Weise erreichen lässt. Bereich öffentl. Zwecke ist dabei denkbar weit gefasst, unterliegt in konkreter Ausgestaltung Einschätzungsprärogative des öffentl. Trägers und stellt daher keine nennenswerte Hürde für wirtschaftl. Betätigung einer Gebietskörperschaft dar (Burgi/Habersack/Teichmann § 25 Rn. 57; zur Einschätzungsprärogative auf kommunalrechtl. Ebene BVerwG VerwRspr 1973, 215, 218). Nach § 65 I Nr. 2 BHO muss Gebietskörperschaft Einzahlungspflicht auf bestimmten Betrag begrenzen (zur Zulässigkeit eines Vertragskonzerns mit hoheitlicher Beteiligung angesichts unbeschränkter Verlustübernahmepflicht → Rn. 22). Als zulässige Gesellschaftsformen kommen daher vor allem GmbH, AG, GmbH & Co. KG sowie Genossenschaften in Betracht (Burgi/Habersack/Mann § 19 Rn. 42). Zudem muss Jahresabschluss und Lagebericht entspr. Vorgaben des HGB für große Kapitalgesellschaften aufgestellt und geprüft werden (§ 65 I Nr. 4 BHO). 9

10 Anknüpfend an verfassungsrechtl. begründetes Ingerenzgebot (→ Rn. 7) von zentraler Bedeutung ist § 65 I Nr. 3 BHO, wonach Zulässigkeit der Beteiligung davon abhängt, dass Bund **angemessenen Einfluss,** insbes. in AR oder entspr. Überwachungsorgan erhält. Angemessenheit setzt keine beherrschende Stellung voraus, sondern fordert lediglich Ausrichtung an konkreter Beteiligungsquote (Burgi/Habersack/J. Koch § 16 Rn. 36; Gröpl/Wernsmann BHO § 65 Rn. 11; Altmeppen NJW 2003, 2561, 2563; aA v. Lewinski/Burbat BHO § 65 Rn. 10; zur Frage der Zulässigkeit von Minderheitsbeteiligungen → Rn. 26). Während §§ 53, 54 HGrG der Sache nach aktienrechtl. Sondervorschriften enthalten (→ Rn. 32), stellen §§ 65–69 BHO/LHO **Verwaltungsinnenrecht** dar, das Gebietskörperschaft bindet, aber nicht für ihre Mitgliedschaft in der AG gilt (allgM, s. MüKoAktG/Schockenhoff Vor § 394 Rn. 32 ff.; Burgi/Habersack/Mann § 19 Rn. 10).

11 **cc) Kommunalrecht.** Bes. ausgeprägt ist Regelungskomplex in Gemeindeordnungen der Länder (dazu ausf. Burgi/Habersack/Gaß § 21). Obwohl sich **kommunales Wirtschaftsrecht** je nach Bundesland unterscheidet, lassen sich doch einheitliche Prinzipien erkennen. So findet sich vielfach Differenzierung zwischen allg. Vorgaben für wirtschaftliche Betätigung der Gemeinde sowie konkreten Organisationsvorgaben für Beteiligung an privatrechtl. strukturierten Unternehmen. Beteiligungsvorgaben richten sich dabei grds. nicht an Unternehmen selbst, sondern adressieren wie § 65 BHO/LHO (→ Rn. 8 f.) öffentl. Träger (Burgi/Habersack/Gaß § 21 Rn. 33). Auch auf inhaltlicher Ebene lässt sich **weitgehende Übereinstimmung zu § 65 BHO/LHO** feststellen. So muss auch auf kommunaler Ebene Unternehmensbeteiligung öffentl. Zweck dienen, wobei dieser in Gesellschaftsvertrag oder Satzung festzuschreiben ist (vgl. etwa § 108 I Nr. 1, 7 GO NRW; Art. 92 I 1 Nr. 1 BayGO; § 96 I Nr. 1 SächsGemO).

12 Auch auf **kommunaler Ebene** ist zumeist vorgesehen, dass Jahresabschluss und Lagebericht entspr. Vorgaben des HGB für große Kapitalgesellschaften aufgestellt und geprüft werden muss (vgl. etwa § 108 I Nr. 8 GO NRW; § 103 I Nr. 5 lit. b GO BW). Beteiligung der Kommune ist überdies nur zulässig, wenn Haftung auf einen ihrer Leistungsfähigkeit entspr. Betrag begrenzt ist (vgl. § 108 I Nr. 3, 4 GO NRW; Art. 92 I 1 Nr. 3 BayGO; § 96 I Nr. 3 SächsGemO) und Gemeinde angemessenen Einfluss, insbes. in Überwachungsorgan, erhält (vgl. § 108 I Nr. 6 GO NRW; Art. 92 I 1 Nr. 2 BayGO; § 96 I Nr. 2 SächsGemO). Sofern darüber hinausgehende Vorgaben teils Organisationsgefüge des Unternehmens selbst betreffen, indem sie etwa Informationspflicht oder Weisungsbindung der staatlichen Repräsentanten in Überwachungsorgan statuieren, steht dies regelmäßig unter Vorbehalt der Vereinbarkeit mit einschlägigem Gesellschaftsrecht (vgl. etwa § 113 I 2, 4 GO NRW; § 88 I 4, III GemO RhPf; zur Weisungsbindung → Rn. 61; zur Informationspflicht → Rn. 78, 90).

13 Grds. kann Gemeinde frei zwischen zur Verfügung stehenden öffentl.-rechtl. und privatrechtl. **Organisationsformen** entscheiden (Burgi/Habersack/Gaß § 21 Rn. 8 ff.; Erbguth/Stollmann DÖV 1993, 798, 799; allg. zur Wahlfreiheit zwischen Mitteln des privaten und öffentl. Rechts BVerwG NJW 1993, 2695, 2697); zumeist ist mit Wahl privatrechtl. Organisationsform aber **gesteigerter Begründungsaufwand** verbunden (s. zu verschiedenen Gestaltungsvarianten der Gemeindeordnungen Burgi/Habersack/Gaß § 21 Rn. 81 f.). ZT sehen Gemeindeordnungen überdies ausdr. Nachrang der AG (insbes. ggü. GmbH) vor (§ 108 IV GO NRW; § 87 II GemO RhPf; § 96 II SächsGemO); vereinzelt wird kommunale Beteiligung an AG sogar generell für unzulässig erklärt (§ 68 IV 2 KV MV).

b) Vorrang des Gesellschaftsrechts. aa) Verwaltungsgesellschaftsrecht. 14
Im öffentl.-rechtl. Schrifttum ist unter Stichwort Verwaltungsgesellschaftsrecht These entwickelt worden, gesellschaftsrechtl. Ordnung könne im Wege **verfassungskonformer Auslegung** (demokratische Legitimationskette; Ingerenzgebot; → Rn. 7) umgestaltet und Leitungsorgan verstärkter Einflussnahme des öffentl. Gesellschafters unterworfen werden, die ihrerseits Organisationsprivatisierung bei fortdauernder Aufgabenverantwortung erleichtern würde (GK-AktG/P. H. Huber/Fröhlich Rn. 23; Becker NVwZ 2019, 1385, 1391; v. Danwitz AöR 120 [1995], 595, 622; Ossenbühl ZGR 1996, 504, 511 ff.). In gesellschaftsrechtl. Lit. werden diese Ansätze teilw. dahingehend aufgefasst, öffentl.-rechtl. Schrifttum befürworte weitgehende Überlagerung des Gesellschaftsrechts durch das öffentl. Recht, was sich namentl. in Annahme einer **Weisungsbindung** der Vertreter des öffentl. Interesses manifestiere (s. etwa Emmerich/Habersack/Emmerich § 15 Rn. 30 ff.; S/L/Oetker Vor §§ 394, 395 Rn. 13).

bb) Bundesgesellschaftsrecht bricht Landesrecht. Tats. ist öffentl.-rechtl. 15
Meinungsbild wesentlich ausdifferenzierter und weniger taub für gesellschaftsrechtl. Belange, als es im gesellschaftsrechtl. Schrifttum zT wahrgenommen wird. Öffentl.-rechtl. Überlagerung des Gesellschaftsrechts wurde verbreitet noch auf der Grundlage des § 70 der Deutschen Gemeindeordnung 1935 angenommen, die den Rang eines Reichsgesetzes hatte, so dass das Verhältnis zum bundesrechtl. geregelten Aktienrecht in der Tat fragwürdig war (s. noch Ipsen JZ 1955, 593, 597 f.; weitere Nachw. in BGHZ 36, 296, 305 f. = NJW 1962, 864; Lieschke, Die Weisungsbindungen der Gemeindevertreter in Aufsichtsräten kommunaler Unternehmen, 2002, 60 ff., 72 ff.). Dagegen ist heute sowohl im gesellschaftsrechtl. als auch im öffentl.-rechtl. Schrifttum ganz überwiegend anerkannt, dass solche Überlagerung zumindest hinsichtlich der bes. praxisrelevanten landesrechtl. Regelungen schon an **Art. 31 GG** scheitern muss (s. zB KK-AktG/Kersting Rn. 59 ff.; Schön ZGR 1996, 429, 432 f.; Schwintowski NJW 1995, 1316, 1317; Steiner FS Hufen, 2015, 561, 564 f.).

Dieser Vorrang wird auch in **gemeindewirtschaftsrechtl. Vorschriften** zT 16
ausdr. festgeschrieben, wobei Regelungstechnik oft unübersichtlich ist (s. dazu bereits → Rn. 12). So bindet etwa § 113 I GO NW kommunale AR-Mitglieder an Gemeindeinteressen sowie Beschlüsse des Rates und seiner Ausschüsse und verpflichtet sie, ihr Amt auf Beschluss des Rates niederzulegen. Diese für die Beteiligung an einer AG allesamt unzulässigen Vorgaben (→ Rn. 28 ff, 61 f., 64) werden sodann durch § 113 I 4 GO NW dahingehend relativiert, dass sie nur gelten, sofern Ges. nichts anderes bestimmt. Damit kommt aktienrechtl. Vorrang letztlich zur Geltung, doch ist **Irreführung der Normadressaten** geradezu vorprogrammiert. Zur Frage, ob Repräsentanten der Gemeinde im AR nach § 113 V 1 GO NW dem Gemeinderat ggü. berichtspflichtig sind oder ob auch insofern durch Aktienrecht iSd § 113 V 2 GO NW etwas anderes bestimmt ist, s. ausf. → Rn. 89 f.

cc) Ingerenzpflicht iSe vorgeschalteten Eingangskontrolle. Die auf die 17
Normenhierarchie gestützte Argumentation versagt allerdings ggü. **verfassungsrechtlichen Vorgaben.** In diesem Zusammenhang wird für Staatsbeteiligung namentl. aus Art. 20 II GG abgeleitete Ingerenzpflicht relevant (→ Rn. 7). Auch daraus kann aber nach der heute auch im öffentl. Recht ganz hM dennoch nicht der Schluss gezogen werden, dass aktienrechtl. Vorgaben überlagert werden, da Notwendigkeit der Einflussnahme noch nichts über ihre gesellschaftsrechtl. Ausformung aussagt (VGH Kassel AG 2013, 35, 37 f.; OVG Koblenz DVBl 2016, 1274 Rn. 82; Spannowsky ZGR 1996, 400, 421 ff.; Tayaranian, Vertraulichkeitsschutz bei öffentl. beherrschten AG, 2023, 54 ff.; ähnlich Th. Mann, Die Verwaltung 2002, 463, 473 ff.; Th. Mann GS Tettinger, 2007, 295, 301; speziell zur

bes. praxisrelevanten Frage des Weisungsrechts sa noch weitere Nachw. in → Rn. 59 ff.). Vielmehr wird Ingerenzprinzip zu Recht ganz überwiegend nur iSe **der Gesellschaftsbeteiligung vorgeschalteten Eingangskontrolle** der Körperschaft verstanden, die sie dazu verpflichtet, sich ausschließlich solcher Rechtsformen zu bedienen, in denen ihr hinreichender Einfluss eingeräumt werden kann (paradigmatisch § 65 I Nr. 3 BHO – vgl. BVerfGE 147, 50 Rn. 225 = NVwZ 2018, 51; VGH Kassel AG 2013, 35, 37 f.; Burgi/Habersack/Burgi § 18 Rn. 64; Ehlers, Verwaltung in Privatrechtsform, 1984, 109 ff.; Engellandt, Die Einflußnahme der Kommunen auf ihre Kapitalgesellschaften über das Anteilseignerorgan, 1995, 24 ff.; Th. Mann, Die öffentlich-rechtliche Gesellschaft, 2002, 173 ff.; Spannowsky ZGR 1996, 400, 421 ff.; Tayaranian, Vertraulichkeitsschutz bei öffentl. beherrschten AG, 2023, 57). Weitergehende Überlagerung des Aktienrechts durch öffentl.-rechtl. Belange wäre auch in der Sache kaum wünschenswert, da sie zur Benachteiligung außenstehender privater Aktionäre führen würde (BGHZ 69, 334, 341; abl. auch Habersack ZGR 1996, 544, 555 f. mwN in Fn. 54; Schön ZGR 1996, 429, 431 ff.).

18 Weniger eindeutig ist Meinungsstand dagegen im Bereich der **Informationsordnung** innerhalb öffentl. Unternehmen. Namentl. in Bezug auf Kreis tauglicher Berichtsadressaten wird zT vertreten, dass § 394 angesichts des dort festgeschriebenen Sonderrechts der Gebietskörperschaft im Interesse effektiver Steuerung und Kontrolle verfassungskonform auszulegen sei, so dass in diesem Fall Überlagerung gesellschaftsrechtl. Belange erfolgen könne (ausf. noch → Rn. 87 ff.).

19 Während Überlagerung des Gesellschaftsrechts durch Gemeinwohlbelange zumindest für AG mit gemischtem Aktionärskreis mittlerweile ganz überwiegend abgelehnt wird, wird Durchbrechung dieser Regel vereinzelt doch dort befürwortet, wo öffentl.-rechtl. Körperschaft **100%ige Beteiligung** an Gesellschaft hält (Eigengesellschaft), was vornehmlich allerdings im GmbH-Recht begegnet (s. dazu v. Danwitz AöR 120 [1995], 595, 615; Ossenbühl ZGR 1996, 504, 510 ff.; Spannowsky ZGR 1996, 400 ff.; aus gesellschaftsrechtl. Sicht auch Emmerich/Habersack/Emmerich § 15 Rn. 27b). Tats. ist aber auch in dieser Konstellation öffentl.-rechtl. Überlagerung abzulehnen, da sie auf gesellschaftsrechtl. eingekleidete Anstalten hinausliefe, deren Statut bei Aufnahme auch nur eines weiteren Aktionärs nicht beibehalten werden könnte (zust. MüKoAktG/Schockenhoff Vor § 394 Rn. 26; sa Weber-Rey/Buckel ZHR 177 [2013], 13, 21). Nicht nur Aktionäre, sondern alle Beteiligten des Rechtsverkehrs sollen sich darauf verlassen können, dass AG, sofern andere Zielsetzung nicht satzungsmäßig vorgegeben ist (→ Rn. 20), in erster Linie an Zielen der Rentabilität und Schuldendeckungsfähigkeit ausgerichtet ist (MüKoAktG/Schockenhoff Vor § 394 Rn. 37). Mit diesem Befund ist aber durchaus vereinbar, öffentl. Belangen iRd Auslegung des Unternehmensinteresses bei Eigengesellschaften der öffentl. Hand stärkeres Gewicht beizumessen (s. dazu im Kontext parlamentarischer Auskunftsbegehren J. Koch ZHR 183 [2019], 7, 20 ff.).

20 **c) Einflusssicherung anhand aktienrechtlicher Werkzeuge. aa) Zweckprogrammierung.** Da verfassungs- und haushaltsrechtl. vorgegeben wird, dass Unternehmensbeteiligung öffentl. Zweck dienen muss, ist es **rechtsformübergreifend** ratsam, entspr. Zweckprogrammierung in Satzung oder Gesellschaftsvertrag vorzunehmen. Auf kommunaler Ebene ist Gestaltung sogar als zwingende Zulässigkeitsanforderung vorgegeben (→ Rn. 11). Dabei sollte **Gesellschaftszweck** in Abkehr von reiner Gewinnerzielungsabsicht zumindest auch öffentl. Belange erfassen und **Unternehmensgegenstand** nach § 23 III Nr. 2 wiederum auf Förderung öffentl. Belange hin ausgerichtet sein, indem Aufgaben näher umrissen werden (vgl. dazu MüKoAktG/Schockenhoff Vor § 394 Rn. 108 ff.;

Burgi/Habersack/Teichmann § 25 Rn. 59, 60 ff.; Tayaranian, Vertraulichkeitsschutz bei öffentl. beherrschten AG, 2023, 59 ff.; Traut, Corporate Governance von Kapitalgesellschaften der öffentlichen Hand, 2013, 42 ff.). Dadurch wird Unternehmensinteresse zugunsten öffentl. Belange modifiziert (vgl. Burgi/Habersack/Teichmann § 25 Rn. 59, 60 ff.; Th. Mann VBlBW 2010, 7, 9; Traut, Corporate Governance von Kapitalgesellschaften der öffentlichen Hand, 2013, 45 ff., 87 ff.). Voraussetzung für Änderung des Gesellschaftszwecks ist analog § 33 I 2 BGB allerdings einstimmige Satzungsänderung (Th. Mann VBlBW 2010, 7, 9 f. – ausf. → § 179 Rn. 33 mwN). Rechtstats. wird Zweckprogrammierung nur bedingt umgesetzt (Mann/Püttner Kommunale Wissenschaft-HdB/Mann § 46 Rn. 12; Burgi/Habersack/Teichmann § 25 Rn. 64 f.). Oftmals wird Unternehmensgegenstand in öffentl. Unternehmen so weit gefasst, dass sich Formulierung kaum von derjenigen einer privatwirtschaftlichen Gesellschaft unterscheidet (Burgi/Habersack/Teichmann § 25 Rn. 65; vgl. auch Burgi/Habersack/Burgi § 18 Rn. 54, der auf allg. gehaltene Formulierungen verweist). **Gesellschaftszweck** wird zumeist gar nicht erwähnt und folglich auch nicht auf öffentl. Belange ausgerichtet, so dass es nach obj. Betrachtung bei Gewinnerzielungsabsicht verbleibt (Mann/Püttner Kommunale Wissenschaft-HdB/Mann § 46 Rn. 12; s. die Bsp. bei Traut, Corporate Governance von Kapitalgesellschaften der öffentlichen Hand, 2013, 42 f.; zu den Rechtsfolgen unterbliebener Zweckprogrammierung Burgi/Habersack/Teichmann § 25 Rn. 64 ff.).

bb) Rechtsformwahl, Vertragskonzern und Satzungsgestaltung. Weiteres zentrales Steuerungselement ist **Einwirkung über Aufsichtsorgan** (umfassend zu Einwirkungsmöglichkeiten Burgi/Habersack/Burgi § 18 Rn. 58 f.). Insoweit bes. geeignet ist **GmbH mit fakultativem AR,** weil in dieser Konstellation AR-Mitglieder weisungsgebunden sind (vgl. dazu BVerwGE 140, 300 Rn. 20 ff. = NJW 2011, 3735; OVG Münster ZIP 2009, 1718, 1719 ff.; Pauly/Schüler DÖV 2012, 339, 341 ff.; krit. Kessler GmbHR 2000, 71, 76 f.). Überdies sind Geschäftsführer gem. § 37 I GmbHG an Beschlüsse der Gesellschafterversammlung gebunden, so dass mehrheitlich beteiligte Gebietskörperschaft Geschicke des Unternehmens effektiv steuern kann. 21

IRd **Rechtsform AG** lässt kombinierte Weisungsfreiheit sowohl der AR-Mitglieder als auch des Vorstands solche Steuerung ohne zusätzliche Einflusssicherung nicht ohne weiteres zu. **Beteiligung an AG** ist angesichts Formwahlfreiheit aber dennoch grds. zulässig (s. zur teils abw. Rechtslage auf kommunaler Ebene → Rn. 13) und kann je nach Interessenlage ggü. GmbH auch vorzugswürdig sein, insbes. wenn Privatisierung beabsichtigt ist (MüKoAktG/Schockenhoff Vor § 394 Rn. 5). Um **Ingerenzpflicht** zu erfüllen, wird daher neben Zweckprogrammierung erwogen, öffentl. Körperschaft durch konzernrechtl. **Beherrschungsvertrag** hinreichenden Einfluss auf Geschäftsführung der AG einzuräumen, was aber im Lichte der Verlustübernahmepflicht aus § 302 zumindest bei unmittelbarer Beteiligung idR an einschlägigen kommunalrechtl. Vorschriften zur erforderlichen Haftungsbegrenzung (zB § 103 I 4 GO BW; § 108 I Nr. 5 GO NW; → Rn. 12) scheitern wird (Gundlach/Frenzel/Schmidt LKV 2001, 246, 248 f.; Oebbecke VBlBW 2010, 1, 3; tendenziell – je nach Ausgestaltung der konkreten kommunalrechtl. Vorgabe – großzügiger MüKoAktG/Schockenhoff Vor § 394 Rn. 63 ff.; Ehlers DVBl 1997, 137, 140; Kiefner/Schürnbrand AG 2013, 789, 790 f.; zur Frage der Vereinbarkeit eines Beherrschungsvertrags mit § 60 I Nr. 2 BHO ausf. und iE zust. Burgi/Habersack/Th. Mann § 19 Rn. 43; abl. dagegen Grigoleit/Rachlitz Rn. 14). Aussichtsreicher erscheint insofern mittelbare Beteiligung über **Zwischen-Holding** in Rechtsform einer GmbH, die wiederum Beherrschungsvertrag mit AG abschließt, doch begegnen auch hier zahlreiche konstruktive Schwierigkeiten (ausf. Kiefner/Schürnbrand 22

AG 2013, 789, 791 ff.; skeptisch auch Th. Mann, Die öffentlich-rechtliche Gesellschaft, 2002, 222 f.). Gerade kommunale Praxis macht von Holdingstruktur jedoch durchaus Gebrauch (MüKoAktG/Schockenhoff Vor § 394 Rn. 64; sa Burgi/Habersack/Th. Mann § 19 Rn. 44, der aber auch Widersprüchlichkeit der Konstruktion hervorhebt).

23 Weiterhin kann Stimmgewicht und damit Einwirkungsmöglichkeit der Gebietskörperschaft auch durch **Vorzugsaktien** erweitert (§§ 139 ff.) oder durch **Höchststimmrechtsaktien** (→ § 134 Rn. 4 ff.) zementiert werden, wobei Höchststimmrechtsaktien nur bei nichtbörsennotierten Gesellschaften zulässig sind (§ 134 I 2 AktG) und ihre Vereinbarkeit mit Kapitalverkehrsfreiheit im Kontext öffentl. Unternehmensbeteiligungen nicht abschließend geklärt ist (Burgi/Habersack/J. Koch § 16 Rn. 57 ff.). Seit Wiederzulassung von **Mehrstimmrechtsaktien** durch ZuFinG 2023 kann auch auf diesem Wege kommunaler Einfluss gesichert werden (→ § 12 Rn. 7 ff.; → § 135a Rn. 1 ff.), wobei sich allerdings ähnliche unionsrechtl. Bedenken stellen wie bei Höchststimmrechten.

24 **cc) Schuldrechtliche Alternativen.** Bes. effektiv und derzeit deshalb häufig genutzt ist Möglichkeit, Einfluss über **schuldrechtliche Vereinbarungen** zu sichern, die im Ausgangspunkt keinen gesellschaftsrechtl. Einschränkungen unterliegen, aber aus anderen Gründen Stolperfallen ausgesetzt sein können (→ § 101 Rn. 9; ausf. Burgi/Habersack/J. Koch § 16 Rn. 60 ff., 73, 75). Absprachen können insbes. Alternative zum Entsendungsrecht gem. § 101 AktG darstellen (J. Koch FS Henssler, 2023, 1005, 1010 ff.; im Zusammenhang mit staatlicher Minderheitsbeteiligung ausf. → Rn. 27). In Betracht kommen zunächst Vereinbarungen mit privaten Aktionären in Gestalt sog **Shareholder Agreements,** um Stimmkraft in HV zu bündeln, was gerade dann sinnvoll erscheint, wenn öffentl. Träger selbst nicht Mehrheit der Anteile hält (Burgi/Habersack/J. Koch § 16 Rn. 60 ff.; J. Koch FS Henssler, 2023, 1005, 1010; Korte/Seidel BB 2021, 2691 ff.).

25 Als Instrument zur Umsetzung und Absicherung krisenbedingt erforderlicher Rekapitalisierungsmaßnahmen nach § 22 StFG (→ § 182 Rn. 5a ff.) sind außerdem schuldrechtl. Absprachen zwischen staatlichem Aktionär und Unternehmen selbst in Erscheinung getreten (zu den sog **Rahmenverträgen** etwa Burgi/Habersack/J. Koch § 16 Rn. 64 f., 73, 75; Burgi/Habersack/J. Koch/Linnartz § 17 Rn. 20 f.; J. Koch FS Henssler, 2023, 1005, 1010). Darüber hinaus bietet es sich an, Einwirkungs- und Kontrollrechte des staatlichen Trägers auch krisenunabhängig auf schuldrechtl. Grundlage zu stellen. Ausgestaltung kann in Anlehnung an sog Relationship Agreements erfolgen, die sich in privatwirtschaftlichen Konzernstrukturen zunehmend etablieren (→ § 311 Rn. 48c; Koch/Linnartz BOARD 2023, 234 ff.: **Public Relationship Agreements**). Reichen aktienrechtl. Instrumentarien dennoch nicht aus, um öffentl.-rechtl. Pflichtenkanon zu erfüllen, muss Hoheitsträger auf geeignetere Gesellschaftsform ausweichen (Burgi/Habersack/Gaß § 21 Rn. 15). Sofern Hoheitsträger trotz der ihm zur Verfügung stehenden Instrumentarien Ingerenzverantwortung nicht nachkommt und dadurch Konflikt mit öffentl. Recht provoziert, der (namentl. bei verfassungsrechtl. Grundlage) zu Lasten des Aktienrechts aufgelöst werden muss (→ Rn. 92), kann er **Schadensersatzansprüchen** ausgesetzt sein (vgl. dazu J. Koch ZHR 183 [2019], 7, 28 ff.; ähnlich Kersting WPg 2018, 392, 396).

26 **d) Minderheitsbeteiligung der öffentlichen Hand.** Im Mittelpunkt bisheriger Diskussion steht staatliche Mehrheitsbeteiligung, doch begegnen in der Praxis oft auch Minderheitsbeteiligungen, die wissenschaftlich kaum durchleuchtet sind (ausf. zur staatlichen Minderheitsbeteiligung Burgi/Habersack/J. Koch § 16). Namentl. OVG Lüneburg hat grds. **Zulässigkeit** solcher Beteiligung im Lichte des Demokratieprinzips verneint; aus Minderheitsposition heraus könne

demokratische Legitimation nicht sichergestellt werden (OVG Lüneburg BeckRS 2020, 6560 Rn. 23; ähnlich bereits Gersdorf AfP 1998, 470, 474). Ansatz ist jedoch abzulehnen, da bei Minderheitsbeteiligung schon kein staatliches Handeln mit Entscheidungscharakter iSd Art. 20 II GG vorliegt (BVerfGE 147, 50 Rn. 216 ff. = NVwZ 2018, 51; Zeis KommJur 2020, 407, 409). Weil Unternehmen selbst somit nicht staatlicher Sphäre zuzuordnen ist, ist auch Ansatz abzulehnen, der demokratische Legitimation in verringertem Umfang für erforderlich hält (so aber Lehnert, Befreiung von der Verschwiegenheitspflicht, 2021, 36 f.; dagegen Burgi/Habersack/J. Koch § 16 Rn. 19). Vielmehr beschränkt sich Legitimationserfordernis in diesem Fall auf **Verwaltung staatlicher Beteiligungsrechte** (Dreier GG Art. 20 [Demokratie] Rn. 135; Burgi/Habersack/J. Koch § 16 Rn. 22). Maßgebliches Differenzierungskriterium für Zuordnung des Unternehmens zur staatlichen Sphäre ist dabei allerdings nicht, ob staatlicher Träger rechnerische Mehrheit der Anteile hält, sondern ob AG staatlich beherrscht wird (Dreier GG Art. 20 [Demokratie] Rn. 134 f.; Burgi/Habersack/J. Koch § 16 Rn. 12; Ziekow Öffentliches Wirtschaftsrecht § 7 Rn. 7, 33; anders wohl BVerfGE 147, 50 Rn. 216 ff. = NVwZ 2018, 51; ebenso Neudenberger, Aufsichtsrat, 2023, 69). Entscheidend für Zuordnung zu staatlicher Sphäre ist schließlich potenzielle Einflussmöglichkeit, was sich allein anhand Beherrschung messen lässt; Anteilsmehrheit hat dagegen nur Indizwirkung (Burgi/Habersack/J. Koch § 16 Rn. 12; vgl. auch Ruthig/Storr, Öffentliches Wirtschaftsrecht, Rn. 665 f.).

Uneingeschränkte Geltung beanspruchen dagegen einfachges. Vorgaben, die Sicherung **angemessenen Einflusses** voraussetzen (vgl. § 65 I Nr. 3 BHO, § 108 I Nr. 6 GO NRW; → Rn. 8 ff.). Dafür genügt, wenn sich Repräsentanz in zentralem Unternehmensorgan, namentl. AR, an Quote der Beteiligung orientiert (Bay LT-Drs. 13/1182, 9; Gröpl/Wernsmann BHO § 65 Rn. 11; Altmeppen NJW 2003, 2561, 2563; aA dagegen v. Lewinski/Burbat BHO § 65 Rn. 10: angemessener Einfluss setzt Beherrschung voraus). Da AR-Wahl Mehrheitswahl iSd § 133 I ist, bedarf es aber auch dafür bes. Vorkehrungen, um unzureichende Stimmkraft des Hoheitsträgers auszugleichen, was durch Entsendungsrechte iSd § 101, aber auch durch **schuldrechtl. Absprachen** möglich ist (→ Rn. 25; → § 101 Rn. 9; vertiefend J. Koch FS Henssler, 2023, 1005, 1010 ff.). Dabei gilt es aber zu beachten, dass gerade Absprachen mit anderen Aktionären je nach Ausgestaltung Publizitätspflichten nach §§ 34 II WpHG oder gar Angebotspflicht nach § 35 II, § 39 iVm § 30 II WpÜG auslösen und über Figur der Mehrmütterherrschaft staatliches Herrschaftsverhältnis begründen können (Burgi/Habersack/J. Koch § 16 Rn. 62; J. Koch FS Henssler, 2023, 1005, 1013 ff.). Weitere **juristische Fallstricke** ergeben sich aus Unsicherheit, ob schuldrechtl. Absprachen mit Kapitalverkehrsfreiheit vereinbar sind (Burgi/Habersack/J. Koch § 16 Rn. 62; ausf. und restriktiv Korte/Seidel BB 2021, 2691, 2693 ff.). Für Vereinbarkeit spricht, dass Shareholder Agreement Ergebnis privatautonomer Gestaltung ist und anders als Entsendungsrecht in Satzung lediglich relative Wirkung entfaltet (J. Koch FS Henssler, 2023, 1005, 1011). 27

e) Aktienrechtliche Kompetenzordnung. Allg. Regelung gilt ungeachtet einer Beteiligung der öffentl. Hand und ohne Rücksicht auf ihre Höhe auch für aktienrechtl. **Kompetenzordnung** (MüKoAktG/Schockenhoff Vor § 394 Rn. 38 ff.). Namentl. verbleibt es bei Recht und Pflicht des **Vorstands,** seine Leitungsentscheidungen nach eigenem Ermessen unter Abwägung aller relevanten Interessen (→ § 76 Rn. 63 ff.) auszuüben. Danach unterliegt er insbes. keiner Weisungsbindung (allg. Meinung, vgl. MüKoAktG/Schockenhoff Vor § 394 Rn. 39; Brenner AöR 127 [2002], 222, 241; Brüning DVBl. 2004, 1451, 1456; M. Mann AG 2018, 57, 58; Paschke ZGR 152 [1988], 263, 273). Es besteht aber auch kein ges. Vorrang eines wie auch immer definierten öffentl. Interesses bei 28 gemischtwirtschaftlichen Unternehmen (BGHZ 69, 334, 346 = NJW 1978, 104; weitergehend BGHZ 135, 107, 113 f. = NJW 1997, 1855: öffentl. Interesse ersetzt anderweitige wirtschaftliche Interessenbindung [→ § 15 Rn. 16]; wie hier BeckOGK/Schall Rn. 4).

29 Auch Versuche, Vorstand durch sog **Public Corporate Governance Kodizes** (→ Rn. 4) an Gemeinwohlinteressen zu binden, bleiben problematisch. Sie haben als solche, also unabhängig von der Satzung, keine Geltung (Raiser ZIP 2011, 353, 354; bedenklich deshalb BGH GmbHR 2018, 909 Rn. 21: Untreue bei Verstoß) und auch der Integration in die Satzung sind enge Grenzen gesetzt (K. Hommelhoff FS P. Hommelhoff, 2012, 447, 451; Raiser ZIP 2011, 353, 354 ff.; Traut, Corporate Governance von Kapitalgesellschaften der öffentlichen Hand, 2013, 82 f.; Weber-Rey/Buckel ZHR 177 [2013], 13, 40; weitergehend MüKoAktG/Schockenhoff Vor § 394 Rn. 14; Schürnbrand ZIP 2010, 1105, 1109 f.). Entsprechenserklärung kann mangels § 161 vergleichbarer Norm schon gar nicht gefordert werden (Raiser ZIP 2011, 353, 356 f.; Weber-Rey/Buckel ZHR 177 [2013], 13, 39).

30 Gebietskörperschaft macht sich wegen verbotener Einflussnahme, die nicht auf Aktienbesitz gestützt sein muss, nach § 117 schadensersatzpflichtig, wenn Einflussnahme zur Schädigung der AG führt (→ § 117 Rn. 3 ff.). Verfolgung öffentl. Interessen schließt Rechtswidrigkeit der schädigenden Einflussnahme nicht aus, kann allerdings in gebotene Interessenabwägung (→ § 117 Rn. 6) eingehen. Neben § 117 kommt Konzernhaftung, bes. nach § 317, in Betracht. Auch Weisungsbindung von **AR-Mitgliedern** ggü. Gebietskörperschaft als Aktionärin gibt es nach richtiger Ansicht nicht (str.; → Rn. 60 ff.). Möglich ist nur, Vertreter der öffentl. Hand für Wahrnehmung der Aktionärsrechte in **HV** mit Weisungen auszustatten (Erichsen, Die Vertretung der Kommunen in den Mitgliederorganen von juristischen Personen des Privatrechts, 1990, 27 ff.; Burgi/Habersack/Gaß § 21 Rn. 101; Th. Mann VBlBW 2010, 7, 12 f.).

31 **f) Verwaltungsgesellschaftsrecht mit umgekehrten Vorzeichen.** Bislang erst oberflächlich andiskutiert ist Gedanke eines Verwaltungsgesellschaftsrechts mit umgekehrten Vorzeichen. Unter diesem Schlagwort wird Beschränkung der gesellschaftsrechtl. Befugnisse der öffentl. Hand diskutiert, die damit begründet wird, dass in dieser Konstellation keine hinreichende Kontrolle durch Eigentümer erfolgt. Vertreter öffentl. Hand hätten kein wirtschaftliches Eigeninteresse, woraus **Bruch in der Corporate-Governance-Struktur** entstehen könne, die durch punktuelle Korrekturen auszugleichen sei (Kersting FS Krieger, 2020, 465 ff.). Dafür muss aber in einem ersten Schritt Nachw. erbracht werden, dass Eigentümerinteressen durch Vertreter der öffentl. Hand tats. weniger intensiv durchgesetzt werden als in anderen Intermediärsstrukturen (vgl. etwa → § 134a Rn. 1), was keineswegs zweifelsfrei ist. Selbst wenn dieser Nachw. gelingt, wären Korrekturen eher vom Gesetzgeber als vom Rechtsanwender vorzunehmen (so im Grundsatz auch Kersting FS Krieger, 2020, 465 ff.).

32 **2. Aktienrecht und Haushaltsrecht: Bund und Länder. a) Allgemeines. §§ 53, 54 HGrG** gelten einheitlich für Bund und Länder (§ 49 HGrG). Sie greifen unmittelbar in allg. aktienrechtl. Regelung ein und können der Sache nach als **Ergänzungen der in §§ 394, 395** enthaltenen Sondervorschriften gelesen werden (GK-AktG/Henze/Notz § 53a Rn. 54; MüKoAktG/Schockenhoff Vor § 394 Rn. 68; krit. GK-AktG/P. H. Huber/Fröhlich Anh. §§ 53, 54 HGrG Rn. 2). Gebietskörperschaften haben, soweit §§ 53, 54 HGrG eingreifen, den Gleichbehandlungsgrundsatz des § 53a relativierende **mitgliedschaftliche Vorzugsrechte** (→ Rn. 47). Bezweckt ist, bei Beteiligungsverwaltung die bes. Interessen der öffentl. Hand durch verstärkte Kontrolle zur Geltung zu bringen (unstr., s. zB Lutter/Grunewald WM 1984, 385, 386). Vgl. dazu § 68 BHO

sowie die Richtlinien für eine aktive Beteiligungsführung bei Unternehmen mit Bundesbeteiligung (→ Rn. 4) Tz. 109 ff. Prüfungsergebnisse nach § 53 HGrG fließen in Berichte der Rechnungsprüfungsbehörden (idR Rechnungshöfe) ein und bilden so Grundlage für parlamentarische Rechnungsprüfung und Entlastung (GK-AktG/P. H. Huber/Fröhlich Anh. §§ 53, 54 HGrG Rn. 4). Sonderrechte sind nach hM mit **Kapitalverkehrsfreiheit** gem. Art. 63 AUEV vereinbar, da Geheimnisschutz nicht gefährdet und Investitionsentscheidung daher nicht beeinträchtigt wird (MüKoAktG/Schockenhoff Vor § 394 Rn. 70; Traut, Corporate Governance von Kapitalgesellschaften der öffentlichen Hand, 2013, 279; aA KK-AktG/Kersting Rn. 106).

Gesetzestext. Die Vorschriften haben folgenden Wortlaut: 33

§ 53 HGrG Rechte gegenüber privatrechtlichen Unternehmen

(1) Gehört einer Gebietskörperschaft die Mehrheit der Anteile eines Unternehmens in einer Rechtsform des privaten Rechts oder gehört ihr mindestens der vierte Teil der Anteile und steht ihr zusammen mit anderen Gebietskörperschaften die Mehrheit der Anteile zu, so kann sie verlangen, daß das Unternehmen

1. im Rahmen der Abschlußprüfung auch die Ordnungsmäßigkeit der Geschäftsführung prüfen läßt;
2. die Abschlußprüfer beauftragt, in ihrem Bericht auch darzustellen
   a) die Entwicklung der Vermögens- und Ertragslage sowie die Liquidität und Rentabilität der Gesellschaft,
   b) verlustbringende Geschäfte und die Ursachen der Verluste, wenn diese Geschäfte und die Ursachen für die Vermögens- und Ertragslage von Bedeutung waren,
   c) die Ursachen eines in der Gewinn- und Verlustrechnung ausgewiesenen Jahresfehlbetrages;
3. ihr den Prüfungsbericht der Abschlußprüfer und, wenn das Unternehmen einen Konzernabschluß aufzustellen hat, auch den Prüfungsbericht der Konzernabschlußprüfer unverzüglich nach Eingang übersendet.

(2) [1] Für die Anwendung des Absatzes 1 rechnen als Anteile der Gebietskörperschaft auch Anteile, die einem Sondervermögen der Gebietskörperschaft gehören. [2] Als Anteile der Gebietskörperschaft gelten ferner Anteile, die Unternehmen gehören, bei denen die Rechte aus Absatz 1 der Gebietskörperschaft zustehen.

§ 54 HGrG Unterrichtung der Rechnungsprüfungsbehörde

(1) In den Fällen des § 53 kann in der Satzung (im Gesellschaftsvertrag) mit Dreiviertelmehrheit des vertretenen Kapitals bestimmt werden, daß sich die Rechnungsprüfungsbehörde der Gebietskörperschaft zur Klärung von Fragen, die bei der Prüfung nach § 44 auftreten, unmittelbar unterrichten und zu diesem Zweck den Betrieb, die Bücher und die Schriften des Unternehmens einsehen kann.

(2) Ein vor dem Inkrafttreten dieses Gesetzes begründetes Recht der Rechnungsprüfungsbehörde auf unmittelbare Unterrichtung bleibt unberührt.

b) Erweiterte Abschlussprüfung und Informationsrechte (§ 53 HGrG). aa) Voraussetzungen. § 53 HGrG setzt **Mehrheitsbesitz** der Gebietskörperschaft an einem Unternehmen, dessen Prüfungspflichtigkeit und ein entspr. Verlangen der Gebietskörperschaft voraus. Mehrheitsbesitz der Gebietskörperschaft (Bund, Land) ist nach § 53 I HGrG Anteilsmehrheit. Norm ist im Zusammenhang mit § 16 zu lesen. Anteilsmehrheit ist daher Mehrheit der **Kapitalanteile** (→ § 16 Rn. 2). Stimmenmehrheit ist weder erforderlich noch (Mehrstimmrechtsaktien) genügend. Für Berechnung der Kapitalmehrheit gilt § 16 II (→ § 16 Rn. 8 ff.). Dem Mehrheitsbesitz einer Gebietskörperschaft steht es gleich, wenn sie wenigstens 25 % der Kapitalanteile hält und weitere Gebietskörperschaften derart beteiligt sind, dass sie zusammen eine Kapitalmehrheit auf sich vereinigen. Wenn die Gebietskörperschaften X und Y mit je 25 % beteiligt sind, haben weder 34

X noch Y die Rechte aus § 53 HGrG, weil sie auch zusammen keine Mehrheit haben. Wenn weitere 10% bei der Gebietskörperschaft Z liegen, sind X und Y berechtigt, dagegen mangels Mindestbeteiligung nicht auch Z. Anteile eines Sondervermögens (zB Eigenbetriebs; vgl. § 113 BHO/LHO) rechnen nach § 53 II 1 HGrG wie Anteile der vermögenstragenden Gebietskörperschaft.

35 Zurechnungsnorm des § 53 II 2 HGrG betr. **mittelbare Beteiligungen.** Wenn Gebietskörperschaft allein oder zusammen mit anderen Gebietskörperschaften an einem Unternehmen iSd § 53 I HGrG mehrheitlich beteiligt ist (→ Rn. 34), hat sie das Recht auf erweiterte Abschlussprüfung **kraft Fiktion** auch dann, wenn nicht sie selbst, sondern das Unternehmen (A) an einem anderen Unternehmen (B) eine Mehrheitsbeteiligung hält. Körperschaft ist so zu behandeln, als ob sie direkt an B beteiligt wäre; Anspruch richtet sich also nicht gegen A, sondern gegen B (MüKoAktG/Schockenhoff Vor § 394 Rn. 74; Lutter/Grunewald WM 1984, 385, 388). Ist Unternehmen B seinerseits allein oder zusammen mit anderen Unternehmen oder Gebietskörperschaften iSd § 53 I HGrG am Enkelunternehmen C beteiligt, so kann an der Verbundspitze stehende Körperschaft die Rechte gegen C geltend machen. Umgekehrt ist sie nicht ggü. A bzw. A und B in dem Sinne berechtigt, dass die Beteiligungsunternehmen die Durchsetzung von Prüfungs- und Informationsrechten auf den nachgeordneten Stufen zu leisten hätten (Lutter/Grunewald WM 1984, 385, 388 f.).

36 **Unternehmensbegriff** ist **rechtsformneutral** iSd §§ 15 ff. zu verstehen (→ § 15 Rn. 8). Es muss sich um Unternehmen mit Sitz im Inland handeln, weil die dem öffentl. Interesse bei Durchsetzung der Beteiligungsverwaltung (→ Rn. 32) dienende Erweiterung der Abschlussprüfung hoheitliche Gebundenheit voraussetzt, die bei Auslandsunternehmen fehlt (GK-AktG/P. H. Huber/Fröhlich Anh. §§ 53, 54 HGrG Rn. 8; KK-AktG/Kersting Rn. 23). § 53 HGrG begründet kein eigenständiges Prüfungsrecht, sondern bindet haushaltsrechtl. Sonderinformationsrecht an **gesellschaftsrechtl. Jahresabschlussprüfung** an, um Sachverstand externer Wirtschaftsprüfung für hoheitliches Beteiligungsmanagement nutzbar zu machen (GK-AktG/P. H. Huber/Fröhlich Anh. §§ 53, 54 HGrG Rn. 15). Das führt allerdings dazu, dass tatbestandliche Einschränkungen der Prüfungspflicht sich bei haushaltsrechtl. Sonderinformationsrecht fortsetzen, obwohl sich die Teleologie beider Bereiche unterschiedlich darstellt. IdR, aber nicht notwendig, folgt **Prüfungspflichtigkeit** aus dem Ges., wenn Unternehmen in Rechtsform der AG betrieben wird; sie entfällt gem. § 316 I 1 HGB, wenn AG kleine Kapitalgesellschaft iSd § 267 I HGB ist (→ § 170 Rn. 2). Prüfungspflicht folgt auch nicht aus § 65 I Nr. 4 BHO/LHO (MüKoAktG/Schockenhoff Vor § 394 Rn. 78), kann aber in einer für Anwendung des § 53 HGrG genügenden Weise durch **Satzung** begründet werden, worauf Bund und Länder nach § 65 I Nr. 4 BHO/LHO schon iRd Eingangsprüfung (→ Rn. 17) hinzuwirken haben (→ Rn. 9; GK-AktG/P. H. Huber/Fröhlich Anh. §§ 53, 54 HGrG Rn. 15; großzügiger MüKoAktG/Schockenhoff Vor § 394 Rn. 77 f.: Prüfungspflicht muss nicht in Satzung festgeschrieben, sofern Durchführung rein tats. gewährleistet sein). Auch Gemeindeordnungen der Länder enthalten überwiegend vergleichbare Anordnungen (→ Rn. 12).

37 Von § 53 I HGrG schließlich vorausgesetztes **Verlangen,** Abschlussprüfung zu erweitern oder Prüfungsbericht zu übersenden, erfolgt durch Erklärung des Vertreters der Gebietskörperschaft (für Bund und Länder nach § 68 I BHO/LHO: Ministerium) ggü. dem zur Rechnungslegung verpflichteten Unternehmen. Es kann „bis auf weiteres" gestellt werden, da § 53 HGrG zeitliche Grenze nicht vorsieht; Begrenzung auf fünf Jahre ist empfehlenswert (MüKoAktG/Schockenhoff Vor § 394 Rn. 79; aA KK-AktG/Kersting Rn. 37: jährliche Wiederholung). Von den Rechten aus § 53 HGrG soll Gebrauch gemacht werden (Richtlinien für eine aktive Beteiligungsführung bei Unternehmen mit Bundes-

beteiligung [→ Rn. 4] Tz. 108; sa Zavelberg FS Forster, 1992, 723, 734). Weitergehende Pflicht zur Rechtsausübung wird man auch aus Demokratieprinzip nicht gegen den Wortlaut der Norm herleiten können (so aber GK-AktG/P. H. Huber/Fröhlich Anh. §§ 53, 54 HGrG Rn. 17; Tayaranian, Vertraulichkeitsschutz bei öffentl. beherrschten AG, 2023, 153; tendenziell auch MüKoAktG/Schockenhoff Vor § 394 Rn. 72; im Umkehrschluss aus § 68 II BHO auch Lehnert, Befreiung von der Verschwiegenheitspflicht, 2021, 73; wie hier KK-AktG/Kersting Rn. 39). Verzicht auf Sonderrechte muss beteiligungsverwaltendes Ministerium gem. § 68 II BHO aber mit weiteren Stellen (Finanzministerium, Präsidenten des Bundesrechnungshofes) einvernehmlich erklären. In der Praxis wird Sonderrecht durchweg wahrgenommen (vgl. Burgi/Habersack/Mann § 19 Rn. 124).

AR ist verpflichtet, Prüfungsauftrag, den er gem. § 111 II 3, § 318 I 4 HGB zu erteilen hat, entspr. zu erweitern. Wahl der Abschlussprüfer fällt ungeachtet des Verlangens in Zuständigkeit der HV. Gebietskörperschaft kann dabei nur durch Stimmabgabe Einfluss nehmen. Auch wenn Umfang der Prüfung nach § 53 HGrG nur auf Verlangen der Gebietskörperschaft erweitert wird, beruht sie doch auf ges. Grundlage, so dass **§§ 316 ff. HGB** Anwendung finden, und zwar insbes. auch Prüferhaftung nach § 323 HGB (MüKoHGB/Ebke HGB § 323 Rn. 17; MüKoAktG/Schockenhoff Vor § 394 Rn. 90; Gelhausen/Hermesmeier WPg 2015, 629, 640; Schüppen ZIP 2015, 814 ff.; aA Kersting ZIP 2014, 2420 ff.; ZIP 2015, 817 ff.; ausf. zur Prüferhaftung → § 49 Rn. 2 und 4). 38

bb) Ordnungsmäßigkeit der Geschäftsführung. Während reguläre Abschlussprüfung im Kern darauf gerichtet und beschränkt ist, die Übereinstimmung des Jahresabschlusses und des Lageberichts mit den dafür gegebenen ges. Vorschriften, den GoB und ergänzendem Satzungsrecht zu prüfen (§ 317 I 2 und 3 HGB), erstreckt sich Prüfung nach § 53 I Nr. 1 HGrG auf Ordnungsmäßigkeit der Geschäftsführung. Darin liegt wie bei Überwachung durch AR gem. § 111 I **vergangenheitsbezogene Kontrolle** des Vorstandshandelns, die ihren Schwerpunkt in sinnvoller Organisation des Planungs- und Rechnungswesens findet (→ § 111 Rn. 5) und sich an Sorgfaltsmaßstab des ordentlichen und gewissenhaften Geschäftsleiters ausrichtet (MüKoAktG/Schockenhoff Vor § 394 Rn. 82). 39

Konkretisierung der Prüfungsstandards enthält Anlage zur VV Nr. 2 zu § 68 BHO (Grundsätze für die Prüfung von Unternehmen nach § 53 HGrG), auf die auch in Tz. 109 der „Richtlinien für aktive Beteiligungsführung bei Unternehmen mit Bundesbeteiligung" (→ Rn. 4) verwiesen wird. Danach soll neben geeigneter Organisation auch geprüft werden, „ob ungewöhnliche, risikoreiche oder nicht ordnungsgem. abgewickelte Geschäftsvorfälle und erkennbare Fehldispositionen vorliegen", ferner, ob größere Investitionsvorhaben durch etwa erforderliche Genehmigung des AR gedeckt sind, sich iR von Wirtschaftlichkeitsrechnungen halten und ordnungsgem. abgewickelt worden sind. Geschäftsführung soll dabei nicht in allen Einzelheiten geprüft, sondern auf „wesentliche, grobfehlsame oder missbräuchliche kaufmännische Ermessensentscheidungen" untersucht werden, wobei **stichprobenweise Prüfung** idR ausreicht (weitere Angaben bei Bierwirth FS Ludewig, 1996, 123, 131 ff.; Forster FS Schäfer, 1975, 289, 300 ff.). IÜ gilt **IDW-Standard PS 720,** der umfangreichen und gemeinsam mit Bundesrechnungshof, Landesrechnungshöfen und Finanzministerium entwickelten Fragenkatalog enthält (MüKoAktG/Schockenhoff Vor § 394 Rn. 84). Weder „Grundsätze" noch IDW-Standard haben unmittelbare Geltung, doch ist ihnen erhebliche praktische Bedeutung beizumessen (MüKoAktG/Schockenhoff Vor § 394 Rn. 84). Bericht über Ordnungsmäßigkeit der Geschäftsführung erleichtert Überwachungsaufgabe des AR nach § 111 I. Pflicht zur 40

Stellungnahme gem. § 171 II 3 (→ § 171 Rn. 22) bezieht sich auch auf Ergebnis erweiterter Abschlussprüfung.

41 **cc) Besondere Berichtspunkte.** Gem. § 53 I Nr. 2 HGrG kann Gebietskörperschaft auch verlangen, dass Vorstand die Abschlussprüfer mit **erweiterter Berichterstattung** beauftragt, nämlich (auch) über (a) Entwicklung der Vermögens- und Ertragslage, Liquidität, Rentabilität; (b) verlustbringende Geschäfte und Verlustquellen, soweit ergebnisrelevant; (c) Ursachen eines ausgewiesenen Jahresfehlbetrags (wegen der Einzelheiten vgl. Anlage zur VV Nr. 2 zu § 68 BHO [Grundsätze für die Prüfung von Unternehmen nach § 53 HGrG]; zu Modalitäten erweiterter Berichterstattung vgl. MüKoAktG/Schockenhoff Vor § 394 Rn. 86 f.). Bericht soll Bedürfnissen einer Finanzkontrolle entsprechen und Klarheitsgebot (§ 321 I 1 HGB) erfüllen (MüKoAktG/Schockenhoff Vor § 394 Rn. 86 f.). Berichterstattung erfasst auch Prüfungsergebnisse nach § 53 I Nr. 1 HGrG bzgl. Ordnungsmäßigkeit der Geschäftsführung, obwohl dort lediglich Prüf- und nicht Berichtspflicht ausdrücklich benannt ist (Wortlautargument: „auch" in Nr. 2, vgl. KK-AktG/Kersting Rn. 34; MüKoAktG/Schockenhoff Vor § 394 Rn. 86). Denklogisch geht mit Norm nicht nur erweiterte Berichterstattung, sondern auch vorgeschaltete Prüfung einher (KK-AktG/Kersting Rn. 34). **Praktische Bedeutung** dieser Erweiterung ist mit Einführung des § 321 II 3 HGB, der ähnliches Pflichtenprogramm vorsieht, weitgehend reduziert (GK-AktG/P. H. Huber/Fröhlich Anh. §§ 53, 54 HGrG Rn. 20; MüKo-AktG/Schockenhoff Vor § 394 Rn. 72).

42 Sog **Bezügebericht** (Richtlinien für aktive Beteiligungsführung bei Unternehmen mit Bundesbeteiligung [→ Rn. 4] Tz. 110) ist Zusatzbericht, der üblich und in Anlage zur VV Nr. 2 zu § 68 BHO auch vorgesehen ist, mangels Grundlage in § 53 HGrG aber nicht in Auftrag gegeben werden muss (GK-AktG/P. H. Huber/Fröhlich Anh. §§ 53, 54 HGrG Rn. 21). Seit durch ARUG II eingeführter Pflicht zur Erstellung eines Vergütungsberichts nach § 162 hat Bezügebericht bei börsennotierter AG allenfalls in Bezug auf leitende Angestellte eigenständige Bedeutung (vgl. MüKoAktG/Schockenhoff Vor § 394 Rn. 88: ist entbehrlich).

43 **dd) Übersendung des Prüfungsberichts.** Nach § 53 I Nr. 3 HGrG kann Gebietskörperschaft schließlich verlangen, dass ihr der Prüfungsbericht, ggf. auch der Konzernprüfungsbericht, von dem Unternehmen übersandt wird. Übersendung ist **Sache des Vorstands,** nicht der Abschlussprüfer und auch nicht des AR, obwohl dieser gem. § 321 V 2 HGB Empfänger des Prüfungsberichts ist (MüKoAktG/Schockenhoff Vor § 394 Rn. 89). Sie hat unverzüglich (§ 121 I 1 BGB) nach Eingang zu erfolgen. Darin liegt **Vorzugsrecht** der Gebietskörperschaft (Bierwirth FS Ludewig, 1996, 123, 135; Lutter/Grunewald WM 1984, 385, 392), dessen Erfüllung nicht die erweiterte Auskunftspflicht ggü. anderen Aktionären nach § 131 IV (→ § 131 Rn. 103 ff.) nach sich zieht, da Gebietskörperschaft Information nicht aufgrund ihrer Aktionärsstellung, sondern auf Basis des privilegierenden Sonderrechts erhält (KK-AktG/Kersting Rn. 35; MüKoAktG/Schockenhoff Vor § 394 Rn. 89). Vertraulicher Umgang mit Berichten ist durch § 395 gesichert (MüKoAktG/Schockenhoff Vor § 394 Rn. 89).

44 **c) Unmittelbare Unterrichtung der Rechnungsprüfungsbehörde (§ 54 HGrG). aa) Notwendig: Satzungsgrundlage. (1) Grundsatz.** Ges. Befugnis der Rechnungsprüfungsbehörde (Rechnungshöfe des Bundes und der Länder), sich unmittelbar (örtl.) bei der AG oder einem anderen Unternehmen zu unterrichten, gibt es entgegen früherer Gesetzeslage und ursprünglichen Regelungsabsichten (dazu Lohl AG 1970, 159, 164 f.) nicht. Sie kann gem. § 54 HGrG nur

durch Satzung geschaffen werden, und auch das nur, wenn beteiligte Gebietskörperschaft iSd § 53 I und II HGrG **Mehrheitsaktionärin** ist (→ Rn. 34 ff.). Vor Inkrafttreten des HGrG begründete Satzungsrechte bleiben jedoch unberührt (§ 54 II HGrG). Ist Gebietskörperschaft Mehrheitsaktionärin, so hat sie deshalb noch keinen Anspruch auf Satzungsänderung. Wenn Recht auf Unterrichtung nicht schon in Gründungssatzung enthalten ist, bedarf es vielmehr eines satzungsändernden Beschlusses. Nach § 66 BHO und vergleichbaren kommunalrechtl. Vorgaben (§ 112 I Nr. 2 GO NRW) muss Gebietskörperschaft auf entspr. Satzungsänderung hinwirken.

(2) Einzelheiten zur Satzungsänderung. Satzungsändernder Beschluss kann nur mit **Dreiviertelmehrheit** des vertretenen Grundkapitals gefasst werden (§ 54 I HGrG). Zusätzlich ist einfache Stimmenmehrheit des § 133 I erforderlich (→ § 179 Rn. 14; MüKoAktG/Schockenhoff Vor § 394 Rn. 97). Wenn Gebietskörperschaft nicht selbst über entspr. Mehrheiten verfügt, ist sie also darauf angewiesen, dass ein Teil der anderen Aktionäre für die Satzungsänderung stimmt. Abweichende oder zusätzliche Beschlusserfordernisse nach § 179 I 2 und 3 gelten nicht für Begr. des Unterrichtungsrechts, weil sie in abschließende Sonderregelung des § 54 I HGrG nicht übernommen worden sind. Anzuwenden ist aber § 181 III. Änderung wird also erst mit ihrer **Eintragung in das HR** wirksam (→ § 181 Rn. 24). Verlust der in § 53 I und II HGrG bestimmten Mehrheit lässt Satzungsbestimmung außer Kraft treten, weil ihre ges. Voraussetzungen nicht mehr vorliegen (MüKoAktG/Schockenhoff Vor § 394 Rn. 96). Anfechtung des Beschlusses gem. § 243 I wegen Verstoßes gegen § 53a oder wegen Verletzung mitgliedschaftlicher Treupflicht mangels Erforderlichkeit der Unterrichtungsbefugnis ist ausgeschlossen (MüKoAktG/Schockenhoff Vor § 394 Rn. 97), weil § 54 HGrG normative Abwägung gegen Interessen der Minderheitsaktionäre enthält (→ § 243 Rn. 24 sowie → § 293 Rn. 6 f.). 45

(3) Mittelbare Beteiligungen. Auch mittelbare Beteiligung kann über § 54 I, § 53 II HGrG Sonderrecht eröffnen. Unmittelbare Unterrichtung bei Tochter-AG der Beteiligungsgesellschaft setzt allerdings voraus, dass **Satzung der Tochter** das zulässt. Regelung in Satzung der Beteiligungsgesellschaft genügt nicht (MüKoAktG/Schockenhoff Vor § 394 Rn. 98). Deren Vorstand ist auch nicht kraft Ges. verpflichtet, in der HV der Tochter für Einführung eines satzungsmäßigen Unterrichtungsrechts zu stimmen (Lutter/Grunewald WM 1984, 385, 394). AR kann Ausgründung oder Beteiligungserwerb aber seiner Zustimmung unterwerfen (§ 111 IV 2; → § 111 Rn. 58 ff.) und deren Erteilung von entspr. Satzungsgestaltung abhängig machen (MüKoAktG/Schockenhoff Vor § 394 Rn. 98). Wenn so verfahren wird, ist Vorstand ggü. AG aus § 82 II, § 111 IV 2 verpflichtet, Gründungssatzung einer Tochter mit Unterrichtungsrecht auszustatten bzw. in deren HV für Satzungsergänzung zu stimmen. 46

bb) Rechtsnatur und Träger der Unterrichtungsbefugnis. Recht zur örtl. Unterrichtung nach § 54 HGrG ist keine hoheitliche Befugnis der Finanzkontrolle (§ 1 BRHG) ggü. der AG (darin zust. Lohl AG 1970, 159, 165; Zavelberg FS Forster, 1992, 723, 739). § 44 I HGrG, § 92 BHO/LHO betr. Betätigung des Bundes oder eines Landes und ergeben daher nichts anderes. Unterrichtungsbefugnis ist vielmehr **mitgliedschaftliches,** Gleichbehandlungsgebot des § 53a relativierendes **Vorzugsrecht** (GK-AktG/Henze/Notz § 53a Rn. 53; MüKo-AktG/Schockenhoff Vor § 394 Rn. 93; Th. Mann, Die öffentlich-rechtliche Gesellschaft, 2002, 236; Steiner FS Hufen, 2015, 561, 563; aA GK-AktG/P. H. Huber/Fröhlich Anh. §§ 53, 54 HGrG Rn. 6, 28). Als solches kann Befugnis nicht der Rechnungsprüfungsbehörde zustehen, weil sie nicht Aktionärin ist. Trägerin der Befugnis ist vielmehr die **Gebietskörperschaft.** Nur die **Wahr-** 47

nehmungszuständigkeit ist den Rechnungshöfen überantwortet, ohne dass dadurch der Charakter des Rechts verändert würde (Burgi/Habersack/Mann § 19 Rn. 125). Das folgt aus dem systematischen Zusammenhang des § 54 HGrG mit Norm des § 53 HGrG, die Rechte der Gebietskörperschaft regelt, ferner aus der satzungsrechtl. Grundlage der Befugnis und schließlich aus dem Gesamtkonzept der §§ 394, 395, §§ 53, 54 HGrG, nach dem allg. Regelung des Aktienrechts grds. unberührt bleibt (→ Rn. 5). Notwendige Satzungsgrundlage ist daher auch nicht „Eingangsvoraussetzung" einer (hoheitlich strukturierten) örtl. Unterrichtung (so aber wohl Zavelberg FS Forster, 1992, 723, 740), sondern rechtsgeschäftliche Wurzel mitgliedschaftlicher Befugnis, die der Gebietskörperschaft als bevorzugter Aktionärin unter den Voraussetzungen des § 53 HGrG eingeräumt werden darf. Gerade dieses zusätzliche gesellschaftsrechtl. Erfordernis widerlegt die These eines rein hoheitsrechtl. Charakters, da Ausübung des Hoheitsrechts nicht von rechtsgeschäftlicher Gestattung abhängig gemacht werden könnte (Schwierigkeiten in der konstruktiven Einordnung deshalb auch bei GK-AktG/P. H. Huber/Fröhlich Anh. §§ 53, 54 HGrG Rn. 7: „nicht ganz konsequent"). Sachgrund der Bevorzugung liegt in den öffentl. Interessen, denen Gebietskörperschaft verpflichtet ist.

48 **cc) Inhalt und Ausübung der Unterrichtungsbefugnis.** Örtl. Unterrichtung ist nach § 54 I HGrG zulässig zur Klärung von Fragen, die bei der Prüfung nach § 44 HGrG (übereinstimmend: § 92 BHO/LHO) auftreten. **Prüfungsgegenstand** ist danach nicht etwa die Betätigung des Unternehmens selbst, sondern einzig und allein die **Betätigung der Gebietskörperschaft** bei Beteiligungsgesellschaft unter Beachtung kaufmännischer Grundsätze (sa Burgi DÖV 2020, 121, 125 f.; vgl. auch Burgi/Habersack/Mann § 19 Rn. 125: hat „Ansätze einer Aufgabenerfüllungskontrolle"; Steiner FS Hufen, 2015, 561, 565). Prüfungspraxis versteht darunter insbes. auch Tätigkeit der auf Veranlassung der Gebietskörperschaft bestellten AR-Mitglieder; sie will prüfen, ob diese „angemessenen Einfluss auf das Unternehmen ausgeübt, die Geschäftsführung ausreichend überwacht und bei ihrer Tätigkeit auch die bes. Interessen des Bundes berücksichtigt haben" (Zavelberg FS Forster, 1992, 723, 726). Dem ist vorbehaltlich näherer Prüfung des für Vertreter von Gebietskörperschaften im AR geltenden Pflichtenrahmens (→ Rn. 59 ff.) grds. beizupflichten. Unscharfe Formulierung „Betätigung … bei Unternehmen" (§ 44 I HGrG) erfasst zwar unmittelbar nur Betätigung der Körperschaft als Aktionärin. § 395 I Fall 2 setzt jedoch voraus, dass auch Tätigkeit der AR-Mitglieder geprüft wird; § 44 I HGrG, § 92 BHO/LHO sind deshalb entspr. auszulegen. Allg. Geschäftsführungsprüfung ist indessen nicht veranlasst (MüKoAktG/Schockenhoff Vor § 394 Rn. 101) und auch nicht zulässig, weil AR Geschäfte nicht zu führen hat (→ § 76 Rn. 2, 5, 62; zu Abgrenzungsschwierigkeiten bzgl. einzelner Prüfungsgegenstände Burgi DÖV 2020, 121, 126 ff.). Gegenstand des Unterrichtungsrechts ist damit deutlich eingeschränkter als Gegenstand der erweiterten Abschlussprüfung nach § 53 I HGrG (→ Rn. 39; sa Steiner FS Hufen, 2015, 561, 567).

49 **Weitere Einschränkungen** ergeben sich aus verfassungsrechtl. vorgegebenem Prüfungsmaßstab (vgl. Burgi DÖV 2020, 121, 122). Auf Bundesebene (landesrechtl. Vorschriften: Piduch BHO Anh. Art. 114 GG) beschränkt Art. 114 II 1 GG Befugnisse des Rechnungshofs auf vergangenheitsbezogene Prüfung der **Rechnung** sowie der **Wirtschaftlichkeit** und **Ordnungsmäßigkeit** der Beteiligung (nicht: der Gesellschaft selbst). Für Wirtschaftlichkeit sind Kosten (Kapitaleinlage) zum wirtschaftlichen und bundespolitischen Nutzen ins Verhältnis zu setzen. Für Ordnungsmäßigkeit ist zu prüfen, ob für Körperschaft handelnde Personen sich pflichtgem. verhalten haben; maßgeblich sind allein ihre Erkenntnis- und Handlungsmöglichkeiten. Dies ist aber nicht als allg. Rechtmäßigkeits-

kontrolle zu verstehen; maßgeblich sind vielmehr allein Normen, die unmittelbaren Haushaltsvollzug regeln (Burgi DÖV 2020, 121, 122 f.).

IRd Betätigungsprüfung (→ Rn. 48) kann sich Rechnungsprüfungsbehörde „unmittelbar unterrichten". **Unterrichtungspflichtig ist Vorstand,** und nur er; Erteilung von Auskünften und Gewährung von Einsichtnahme ist nämlich Maßnahme der Geschäftsführung (§§ 76, 77). Vorstand kann nachgeordnetes Personal damit beauftragen, der Behörde die Unterrichtung zu ermöglichen. Im Konfliktfall (→ Rn. 52) gibt es aber keine Verpflichtung des Personals gegen den Willen des Vorstands; Behörde muss die ihr zustehenden Rechte dann gegen AG ausüben, die vom Vorstand vertreten wird (§ 78). Anders wäre es nur bei hoheitlicher Befugnis, die indessen nicht vorliegt (→ Rn. 47). 50

Einzelmaßnahmen. Zwecks örtl. Unterrichtung darf Behörde Geschäftsräume aufsuchen und dort Betrieb, Bücher und Schriften einsehen (§ 54 I HGrG). Wenig geschickte Formulierung gibt der Behörde der Sache nach die Rechte, die auch dem AR nach § 111 II zustehen (→ § 111 Rn. 34 ff.), allerdings mit der Maßgabe, dass sie nicht die Geschäftsführung des Vorstands, sondern die Betätigung der Gebietskörperschaft und der auf ihre Veranlassung bestellten AR-Mitglieder zu prüfen hat (→ Rn. 48). Auskünfte, die dafür erforderlich sind, müssen erteilt, Unterlagen entspr. zur Einsichtnahme zur Verfügung gestellt werden. Nach früher vertretener Auffassung (vgl. → 10. Aufl. 2012, Rn. 19 [Hüffer]) sind Unterlagen, mit denen pflichtwidriges Verhalten der AR-Mitglieder nachgewiesen werden soll, allerdings nur dann vorzulegen, wenn sie zuvor dem AR zugeleitet worden sind, da dessen Erkenntnismöglichkeiten maßgebend seien. Diese Einschränkung ist zu Recht als zu eng kritisiert worden. Zusätzliches Prüfungsrecht liefe bei diesem Verständnis ins Leere, da die dem AR vorgelegten Unterlagen den Rechnungshöfen idR schon nach § 69 Nr. 2 BHO bzw. entspr. landesrechtl. Vorschriften zugesandt werden. Auch wo nur substanzieller Verdacht besteht, dass Unterlagen ein Versäumnis des AR belegen können, kann Vorlage verlangt werden (zutr. MüKoAktG/Schockenhoff Vor § 394 Rn. 103; Zavelberg FS Forster, 1992, 723, 740). 51

dd) Grenzen der Unterrichtungsbefugnis. Grenzen der Unterrichtungsbefugnis ergeben sich aus ihrem Zusammenhang mit Betätigungsprüfung nach § 44 HGrG, § 92 BHO/LHO (→ Rn. 48 f.). Weil Befugnis mitgliedschaftliches, den Rechnungshöfen nur zur Ausübung überantwortetes Vorzugsrecht ist (→ Rn. 47), haben sie die Treupflichten zu beachten, die für Gebietskörperschaft als Aktionärin ggü. der AG bestehen (→ § 53a Rn. 13 ff., 19). Weil Vorzugsrecht den von der Körperschaft repräsentierten öffentl. Interessen dient, handelt es sich um ein eigennütziges Recht. Prüfungsbehörde ist danach gehalten, **willkürliche oder unverhältnismäßige Rechtsausübung** zu unterlassen (→ § 53a Rn. 16). Dabei gilt es auch zu beachten, dass Beteiligungsprüfung nach § 44 HGrG in erster Linie auf Grundlage der Berichte der beteiligten Gebietskörperschaft (§ 69 BHO) erfolgen und Unterrichtungsbefugnis erst **subsidiär** zur Anwendung gelangen soll (Grigoleit/Rachlitz § 395 Rn. 44; MüKoAktG/Schockenhoff Vor § 394 Rn. 91, 100). Eine für Betätigungsprüfung (→ Rn. 48) nicht erforderliche örtl. Unterrichtung ist unverhältnismäßig; AG muss in diesem Fall Auskünfte nicht erteilen und Einsichtnahme nicht ermöglichen (sa MüKoAktG/Schockenhoff Vor § 394 Rn. 104; wohl aA Zavelberg FS Forster, 1992, 723, 740). Daraus etwa resultierender Rechtstreit ist, weil er Ausübung von Aktionärsrechten betr., bürgerlich iSd § 13 GVG, also durch Klage vor den **ordentlichen Gerichten** auszutragen. Richtige Parteien sind AG und aufgrund seiner ges. Ausübungszuständigkeit der jeweilige Rechnungshof (NK-AktR/Breuer/Fraune Anh. §§ 394 f. Rn. 17; MüKoAktG/Schockenhoff Vor § 394 Rn. 93 f.; aA Grigoleit/Rachlitz Rn. 44: Gebietskörperschaft als Klagegegner). Mangelnde Erforderlich- 52 keit ist Einwand der AG, also von ihr darzulegen und zu beweisen. Geboten ist jedoch Beweiserleichterung nach Prinzip der Tatsachennähe, wenn sich Erforderlichkeit aus Tatsachen erschließen soll, über die nur die Prüfungsbehörde verfügt (→ § 243 Rn. 62).

53 **ee) Weitere Behandlung.** Ergebnis örtl. Unterrichtung geht in **Prüfungsbericht** ein, den Prüfungsbehörde gem. § 46 I HGrG, § 97 BHO/LHO den gesetzgebenden Körperschaften zwecks parlamentarischer Kontrolle zu erstatten hat (MüKoAktG/Schockenhoff Vor § 394 Rn. 105). Vgl. dazu und zu Folgeproblemen Erl. zu § 395.

54 **3. Aktienrecht und Haushaltsrecht: Gemeinden. a) Geltung der §§ 53, 54 HGrG für Gemeinden.** §§ 53, 54 HGrG sind zwar Bundesrecht, gelten aber auch dann unmittelbar, wenn Gemeinde an AG beteiligt ist. § 49 HGrG, nach dem §§ 50 ff. HGrG einheitlich und unmittelbar für Bund und Länder gelten, spricht mit den Ländern auch die Gemeinden an (unstr., s. zB Bauspach/Nowak Konzern 2008, 195, 204). Zugehöriges Verwaltungsinnenrecht ist in den Gemeindeordnungen der Länder enthalten (vgl. zB § 112 GO NW). Bedeutung dieser Vorschriften entspr. §§ 65 ff. BHO/LHO (→ Rn. 11).

55 **b) Einzelfragen zu § 53 HGrG.** Nach den Vorschriften der Gemeindeordnungen sind Gemeinden verpflichtet, ihre Rechte aus § 53 HGrG auszuüben. Formulierungen sind iE unterschiedlich (vgl. zB § 112 I Nr. 1 GO NW). Rechte aus § 53 HGrG stehen der Kommune kraft Ges. zu, wenn Voraussetzungen erfüllt sind, insbes. Gesellschaft prüfungspflichtig ist (→ Rn. 36). Zusätzliche Verankerung in der Satzung (dafür Cronauge, Kommunale Unternehmen, 1992, Rn. 337) ist (anders als für § 54 HGrG, → Rn. 57) entbehrlich, aber unschädlich. Dass Norm „nur mittelbar" gilt (so Kaufmann, Die Prüfung kommunaler Unternehmen, 1995, 32), ist nicht begründbar und widerspricht § 49 HGrG. Erweiterte Abschlussprüfung, insbes. der Ordnungsmäßigkeit der Geschäftsführung, erfolgt sinnvoll auf Basis des Fragenkatalogs gem. IdW Prüfungsstandards PS 720. IÜ kann auf Erl. in → Rn. 34 ff. verwiesen werden.

56 **Satzungsrechte.** Soweit Gemeindeordnungen vorsehen, dass nicht iSd § 53 HGrG mehrheitlich beteiligte Kommune auf satzungsmäßige Begr. von § 53 HGrG entspr. Rechten hinwirken soll (zB § 112 II GO NW), handelt es sich um **Verwaltungsinnenrecht,** das aktienrechtl. Zulässigkeit voraussetzt, aber nach seinem Geltungsanspruch nicht schaffen will und (Landesrecht) auch nicht schaffen kann. Aktienrechtl. Zulässigkeit bleibt jedenfalls fragwürdig. Zwar erscheint es möglich, durch Satzung ein § 53a relativierendes Vorzugsrecht zu schaffen (→ § 53a Rn. 5), doch ergeben sich Probleme im Hinblick auf § 23 V 2, wenn §§ 53, 54 HGrG, wie wohl richtig, als abschließende Ergänzung der §§ 394, 395 zu verstehen sind (→ Rn. 32). Dafür spricht auch § 67 BHO, der bei Minderheitsbeteiligung des Bundes an AG gerade keine Pflicht vorsieht, auf Einräumung der Rechte aus §§ 53, 54 HGrG hinzuwirken (vgl. MüKoAktG/Schockenhoff Vor § 394 Rn. 96).

57 **c) Einzelfragen zu § 54 HGrG.** Gemeinde soll darauf hinwirken, dass ihr Befugnisse gem. § 54 HGrG eingeräumt werden (zB § 112 I Nr. 2 GO NW; zT wird auch Sicherstellungspflicht begründet, etwa § 103 I 1 Nr. 5d GemO BW; zur Differenzierung Burgi/Habersack/Gaß § 21 Rn. 151; vgl. weiter Bauspach/Nowak Konzern 2008, 195, 204). Wie auch sonst (→ Rn. 44), gibt es also keine ges. Befugnis der Rechnungsprüfungsbehörde zur örtl. Unterrichtung bei AG (unscharf Giesen GHH 1989, 223). Vielmehr bedarf es einer **Satzungsgrundlage.** Soweit Recht danach begründet ist, steht es der Kommune als Aktionärin zu; Rechnungsprüfungsbehörde kann es nur ausüben (→ Rn. 47). Auch im kommunalen Bereich ist örtl. Unterrichtung Betätigungsprüfung der Gemeinde, nicht

des Unternehmens (zutr. zB VG Magdeburg BeckRS 2008, 34161 Rn. 19; Cronauge, Kommunale Unternehmen, 1992, Rn. 339; J.W. Schmidt ZögU 1981, 456). Sofern Gemeindeordnungen zT vorsehen, dass sich Rechnungsprüfung auch auf Unternehmen selbst erstrecken soll (§ 96a I Nr. 11, II SächsGemO), hat dies lediglich verwaltungsinterne Wirkung (Burgi/Habersack/Gaß § 21 Rn. 150); Verweis auf individuelle Umsetzung in Satzung ist wegen § 23 V 2 und abschließendem Charakter des § 54 HGrG problematisch (→ Rn. 56; so aber Burgi/Habersack/Gaß § 21 Rn. 150, 153).

Örtl. Unterrichtung setzt voraus, dass Gemeinde ein Rechnungsprüfungsamt **58** hat und diesem die Prüfung durch Ratsbeschluss übertragen ist (zB § 103 II Nr. 2 GO NW; s. weiter J.W. Schmidt ZögU 1981, 456, 469 f.). Nicht zutr. ist Annahme, bei Fehlen eines Rechnungsprüfungsamts (oder ohne Übertragungsbeschluss) könnte andere Gemeindedienststelle zur örtl. Unterrichtung schreiten (so aber Giesen GHH 1989, 223, 225). Derartige Befugnis des Aktionärs ist in § 54 HGrG nicht vorgesehen (zutr. J.W. Schmidt ZögU 1981, 456, 472) und wäre in der Sache, weil Selbstprüfung der Gemeinde ausscheidet, nichts anderes als die gerade unzulässige Betätigungsprüfung bei dem Unternehmen selbst.

4. Pflichtenrahmen für Vertreter von Gebietskörperschaften im Aufsichtsrat. a) Fragestellung und Grundposition. **59** Vertreter von Gebietskörperschaften im AR unterliegen verschiedenen und uU divergierenden Pflichtenbindungen. Das gilt namentl., wenn Beamte gem. § 101 II in AR entsandt werden. Die grds. bestehende beamtenrechtl. Bindung an Weisungen (§ 37 BRRG, § 55 S. 2 BBG und entspr. Vorschriften der Länder, zB § 58 S. 2 LBG NW) und die Verpflichtung des AR-Mitglieds zur eigenverantwortlichen Wahrnehmung des Gesellschafts- oder (gleichbedeutend verstandenen) Unternehmensinteresses (→ § 76 Rn. 63 ff.) können in ein Spannungsverhältnis geraten. Dieses ist zugunsten **eigenverantwortlicher Mandatswahrnehmung,** also gegen eine Bindung an Weisungen, aufzulösen (→ § 101 Rn. 10; → § 116 Rn. 8; → Rn. 60 f.). Davon zu trennen ist die Frage, ob Vertreter von Gebietskörperschaften berechtigt und verpflichtet sind, deren bes. Interessen iR ihrer eigenverantwortlichen Mandatswahrnehmung zur Geltung zu bringen. Diese Frage ist zu bejahen, soweit Unternehmensinteresse (→ § 76 Rn. 63 ff.) für Interessenabwägung Raum lässt (→ Rn. 63 f.).

b) Keine Weisungsbindung. aa) Meinungsstand. **60** In der Frage beamtenrechtl. Weisungsbindung von AR-Mitgliedern gibt es **vier Ansichten.** (1.) Nach einer Ansicht sind solche Weisungen schlichtweg unzulässig, ist AR-Mitglied also (aus Sicht des Beamtenrechts) kraft bes. ges. Vorschrift von Weisungsgebundenheit freigestellt (so BGHZ 36, 296, 306 = NJW 1962, 864; BGHZ 69, 334, 340 = NJW 1978, 104; BVerwGE 140, 300 Rn. 20 ff. = NJW 2011, 3735; OVG Münster AG 2009, 840, 842 f.; KK-AktG/Kersting Rn. 82 ff.; MüKoAktG/Schockenhoff Vor § 394 Rn. 57; Altmeppen NJW 2003, 2561, 2564; Lutter ZIP 2007, 1991 f.; Lutter/Grunewald WM 1984, 385, 396; Meier NZG 2003, 54, 56; Schmidt-Aßmann/Ulmer BB 1988 Sonderbeil. 13 S. 4 bei Fn. 9; R. Schmidt ZGR 1996, 345, 353 f.; Spindler ZIP 2011, 689, 694). (2.) Nach Gegenauffassung gilt beamtenrechtl. Weisungsbindung auch bei Wahrnehmung des AR-Mandats, und zwar selbst dann, wenn angewiesene Maßnahme nach Beurteilung des AR-Mitglieds nachteilig ist (so Ipsen JZ 1955, 593, 597; Stober NJW 1984, 449, 455; Neudenberger, Aufsichtsrat, 2023, 198 ff.; zumindest für Bericht und Informationsweitergabe auch GK-AktG/P.H. Huber/Fröhlich Rn. 31). (3.) Nach vermittelnder Ansicht besteht Weisungsbindung zwar im Grundsatz, aber nicht für nachteilige Maßnahmen, wobei AR-Mitglied über nachteiligen Charakter eigenverantwortlich zu entscheiden hat (vgl. VG Arnsberg ZIP 2007, 1988, 1990; MüKoAktG/Kropff, 2. Aufl. 2006, Vor §§ 394, 395 Rn. 114;

Schwintowski NJW 1995, 1316, 1317 ff., 1319; wohl auch KK-AktG/Mertens/Cahn § 101 Rn. 69). (4.) Eine letzte Ansicht differenziert zwischen Innen- und Außenverhältnis und will Weisungsfreiheit allein auf Außenverhältnis beschränken; im Innenverhältnis seien AR-Mitglieder aber an Weisungen der von ihnen repräsentierten Gebietskörperschaft gebunden (VG Köln BeckRS 2015, 43415; Hettlage FS Schmidt-Rimpler, 1957, 279, 295; Püttner JA 1980, 218 ff.; Schneider ZGR 1977, 335, 339 ff.; ähnliche Differenzierung auch in den Richtlinien für eine aktive Beteiligungsführung bei Unternehmen mit Bundesbeteiligung [→ Rn. 4] Tz. 75).

61 **bb) Stellungnahme.** Eine Weisungsbindung von AR-Mitgliedern ist mit der mittlerweile sowohl im Gesellschaftsrecht als auch im öffentl. Recht ganz hM abzulehnen, und zwar sowohl im Innen- als auch im Außenverhältnis, sowohl für nachteilige als auch für vorteilhafte oder neutrale Weisungen (ebenso BVerfGE 147, 50 Rn. 225 = NVwZ 2018, 51). Aktienrechtl. ergibt sich aus § 101 III 1, § 111 VI klar, dass es sich bei AR-Amt um **höchstpersönliches Amt** handelt, das selbst einer Stellvertretung nicht zugänglich ist (→ § 111 Rn. 86 ff. mwN – so auch aus öffentl.-rechtl. Sicht Brüning DVBl 2004, 1451, 1456; Gundlach/Frenzel/Schmidt LKV 2001, 246, 249; Wehrstedt MittRhNotK 2000, 269, 278). Entgegengesetzte These einer umfassenden beamtenrechtl. Weisungsbindung (2.) beruht auf älteren Ansätzen zu einem das Gesellschaftsrecht breitflächig überlagernden **Verwaltungsgesellschaftsrecht,** das heute in dieser Form auch im öffentl.-rechtl. Schrifttum nicht mehr propagiert wird (→ Rn. 14 ff.). Wenn Verwaltung sich dazu entschließt, in privatrechtl. Gestaltungsformen tätig zu werden, so muss sie auch deren **Funktionsvoraussetzungen** akzeptieren (sa VGH Kassel AG 2013, 35, 37). Ingerenzpflicht kann diese Vorgaben nicht zu Lasten außenstehender Gesellschafter oder sonstiger Stakeholder aufbrechen, sondern nur im Vorfeld der Beteiligung zu einer Formwahl veranlassen, die öffentl.-rechtl. Anforderungen hinreichend Rechnung tragen kann (→ Rn. 17 ff.; aA Neudenberger, Aufsichtsrat, 2023, 199 ff., der unter Verweis auf Einheit der Rechtsordnung und Erfordernis demokratischer Legitimation Vorrang beamtenrechtl. Weisungsbindung annimmt). Aus demselben Grund kann entgegen Auffassung (3.) beamtenrechtl. Weisungsrechte auch dann nicht bestehen, wenn sich daraus keine Nachteile für AG ergeben. Entgegengesetzte Sichtweise hat im Anschluss an zwei Entscheidungen des OVG Münster (NVwZ 2007, 609) und des VG Arnsberg (ZIP 2007, 1988, 1990) kurzfristig größere Beachtung gefunden, ist sodann aber sowohl vom OVG Münster selbst (AG 2009, 840, 842 f.) als auch vom BVerwG (BVerwGE 140, 300 Rn. 20 ff. = NJW 2011, 3735) zu Recht verworfen worden, da vorrangige aktienrechtl. Vorschriften auch für solche begrenzte Weisungsbindung keinen Raum lassen. Auch eine nur auf das Innenverhältnis beschränkte Weisungsbindung (4.) ist abzulehnen, da sie die Weisungsfreiheit der AR-Mitglieder zwar theoretisch aufrechterhalten, faktisch aber aushöhlen würde (abl. auch VGH Kassel AG 2013, 35, 36; aus dem Schrifttum statt vieler Schön ZGR 1996, 429, 450 f.). AR-Mitglied kann nicht als Diener zweier Herren zugleich den Interessen seines Unternehmens und der von ihm repräsentierten Körperschaft unterworfen sein (KK-AktG/Kersting Rn. 86; Raiser ZGR 1978, 381, 400 f.). Nachvollziehbar ist vor diesem Hintergrund Verweis auf Zweckprogrammierung der AG, die Gleichlauf öffentl. und unternehmerischer Interessen fördert und dadurch Dringlichkeit einer Weisungsbindung aus öffentl.-rechtl. Perspektive verringert (Burgi/Habersack/Gaß § 21 Rn. 104; Burgi/Habersack/Teichmann § 25 Rn. 117).

62 Durch Gesetz könnte eine **Weisungsbindung** geschaffen werden, allerdings wegen des bundesrechtl. Charakters des Aktiengesetzes **nur durch Bundesgesetz.** Die vor Inkrafttreten des AktG 1965 geführte, durch die Sondervorschrift

des **§ 70 II DGO 1935** (Weisungsrecht des Bürgermeisters) veranlasste Diskussion, ob die zunächst als Landesrecht fortgeltende Norm ein Weisungsrecht der Gemeinde bei kommunalen Beteiligungen zulasse (eingehend dazu Rob. Fischer AG 1982, 85, 87 ff.), ist aufgrund der abschließenden, nur in §§ 394, 395 Sondervorschriften enthaltenden Regelung des AktG 1965 (→ Rn. 5) überholt (heute wohl allgM; s. MüKoAktG/Schockenhoff Vor § 394 Rn. 58; Rob. Fischer AG 1982, 85, 90; Raiser ZGR 1978, 391, 399 ff.; Schmidt-Aßmann/Ulmer BB 1988 Sonderbeil. 13 S. 4; Schwintowski NJW 1995, 1316, 1317). Auf dieser Grundlage versteht sich von selbst, dass Weisungsrechte für kommunale Gebietskörperschaften durch die Gemeindeordnungen der Länder auch nicht neu geschaffen werden können. Soweit zB § 113 I 2 GO NW (→ Rn. 12) Bindung von AR-Mitgliedern an Ratsbeschlüsse vorsieht, setzt § 113 I 4 GO NW diese Regelung außer Geltung, weil aktienrechtl. anderes bestimmt ist (zu dieser unglücklichen Regelungstechnik → Rn. 16). Verallgemeinerung, nach der auch Mitglieder eines fakultativen AR einer kommunal beherrschten GmbH kraft Ges. weisungsfrei wären, ist nicht angezeigt (BVerwGE 140, 300 Rn. 20 ff. = NJW 2011, 3735; OVG Münster AG 2009, 840, 842 ff.; krit. dazu Weber-Rey/Buckel ZHR 177 [2013], 13, 24 ff.). Auf Vertretung der Gemeinde in der HV ist Weisungsfreiheit ohnehin nicht zu übertragen (dazu Erichsen, Die Vertretung der Kommunen in den Mitgliederorganen von juristischen Personen des Privatrechts, 1990, 45 f.; J. Koch VerwArch 102 [2011], 1, 3).

c) Angemessene Berücksichtigung der besonderen Interessen der öffentlichen Hand. aa) Berechtigung. AR-Mitglieder sind berechtigt, iR der ihnen aufgegebenen eigenverantwortlichen Mandatswahrnehmung die bes. Interessen der Gebietskörperschaft angemessen zur Geltung zu bringen, soweit nicht **Gesellschafts- oder Unternehmensinteresse als Schranke** der Ermessensausübung entgegensteht (BGHZ 69, 334, 339 = NJW 1978, 104; MüKoAktG/Schockenhoff Vor § 394 Rn. 52). Interessen der Öffentlichkeit (Gemeinwohl) sind nämlich in die den Leitungsorganen der AG aufgegebene Interessenabwägung einzubeziehen (→ § 76 Rn. 63 ff.), jedoch nur, soweit vorrangige Pflicht, für Bestand und dauerhafte Rentabilität des Unternehmens zu sorgen, dafür Raum lässt (→ § 76 Rn. 89). Nichts anderes gilt für Gemeindevertreter (Strukturierung des Begriffs bei J. Koch VerwArch 102 [2011], 1, 4 ff.) im AR kommunaler Beteiligungsunternehmen. Insoweit finden sich eher unglückliche Vorschriften, die Vertretern der Gemeinde im AR uneingeschränkt die Pflicht auferlegen, „die Interessen der Gemeinde zu verfolgen“ (vgl. § 113 I 1 GO NW). Zu solch einseitiger Parteinahme sind AR-Mitglieder nach § 76 I, § 93 I, § 116 nicht berechtigt, so dass Norm gem. Vorbehaltsklausel in § 113 I 4 GO NW für AG keine Geltung beansprucht. Konsequent sind unter diesem Blickwinkel und wegen eigenverantwortlicher Stellung des Vorstands nach § 76 I **Subsidiaritätsklauseln** des Gemeindewirtschaftsrechts, nach denen Gemeinden Rechtsform der AG nur dann wählen dürfen, wenn öffentl. Zweck nicht ebenso gut in anderer Rechtsform erfüllt wird oder erfüllt werden kann (zB § 108 IV GO NW; s. dazu Böttcher/Krömker NZG 2001, 590, 591 ff.; Ehlers NWVBl 2000, 1 f.). Soweit landesrechtl. zulässig, ist als andere Rechtsform auch rechtsfähige Anstalt öffentl. Rechts in Betracht zu ziehen (s. Ehlers NWVBl 2000, 1, 2 mwN; Hogeweg, Die kommunale Anstalt in Niedersachsen, 2007). 63

bb) Verpflichtung. Den AR-Mitgliedern eine mit ihrer Berechtigung (→ Rn. 63) inhaltlich korrespondierende Verpflichtung aufzuerlegen, erscheint möglich, weil insoweit keine aktienrechtl. Regelung entgegensteht (aA Waldsauer, Die Kommune als Adressatin widersprüchlicher Verpflichtungen, 2023, 196). Inhaltlich darf sie jedoch nicht in die alleinige Entscheidungszuständigkeit des AR-Mitglieds (→ Rn. 59, 61) eingreifen, also keine Weisungsbefugnis bzgl. 64

der im AR zu treffenden Maßnahmen zum Gegenstand haben. Auch Pflicht zur Amtsniederlegung, wie sie zB in § 113 I 3 GO NW oder in Anlagen 5 und 6 des B-PCGK, Stand 16.8.2021, jew. Nr. 6 der Mustererklärung (→ Rn. 4) vorgesehen ist, kann danach gem. § 113 I 4 GO NW keinen Bestand haben (so auch KK-AktG/Kersting Rn. 88; Grunewald NZG 2015, 609, 611). Praktisch bleiben deshalb nur **Konsultations- und Verständigungspflichten** übrig, die den Kern der AR-Tätigkeit nicht erreichen (MüKoAktG/Schockenhoff Vor § 394 Rn. 59). Inwieweit von dieser Möglichkeit Gebrauch gemacht worden ist, lässt sich nicht zuverlässig beurteilen; jedenfalls nicht durch § 65 VI BHO/LHO, weil Normen sich an zuständigen Minister, nicht an AR-Mitglied wenden (anders wohl Neudenberger, Aufsichtsrat, 2023, 187: Norm regelt Innenverhältnis zwischen AR-Mitglied und Gebietskörperschaft und betrifft daher auch Pflichtenstellung des AR-Mitglieds selbst), dagegen wohl durch § 113 I 1 GO NW. Beamtenrechtl. Weisungsbindung (→ Rn. 59, 61) greift auch hier nicht ein (wohl aA Richtlinien für eine aktive Beteiligungsführung bei Unternehmen mit Bundesbeteiligung [→ Rn. 4] Tz. 74 f.). Denkbar erscheint jedoch neben der Beamteneigenschaft bestehendes **öffentl.-rechtl. Auftragsverhältnis,** nach dem bes. Interessen der öffentl. Hand angemessen zu wahren sind. Das entspräche in den Ergebnissen den Abmachungen, die gem. Tz. 66. sowie Anlage 5 der Richtlinien für eine aktive Beteiligungsführung bei Unternehmen mit Bundesbeteiligung (→ Rn. 4) für solche AR-Mitglieder getroffen werden sollen, die einer beamtenrechtl. Weisungsbindung nicht unterliegen (sa Neudenberger, Aufsichtsrat, 2023, 196).

III. Berichte der Aufsichtsratsmitglieder gem. § 394

65 **1. Anwendungsbereich. a) An AG beteiligte Gebietskörperschaft.** § 394 lockert Verschwiegenheitspflicht für AR-Mitglieder, die auf Veranlassung einer Gebietskörperschaft in den AR gewählt oder entsandt worden sind, soweit sie einer Berichtspflicht unterliegen (→ Rn. 78 ff.). Um welche Körperschaft es sich handelt (Bund, Land, Gemeinde, Gemeindeverband), bleibt gleich. Für Wahl (§ 101 I) und Entsendung (§ 101 II) gelten allg. aktienrechtl. Grundsätze; insbes. sind ges. und statutarische Bestellungsvoraussetzungen zu beachten. Weitere öffentl.-rechtl. Vorgaben können hinzutreten, bei Bundesbeteiligungen etwa nach Bundesgremienbesetzungsgesetz (vgl. MüKoAktG/Schockenhoff Vor § 394 Rn. 42 f.).

66 Gebietskörperschaft muss an AG **beteiligt** sein. Das folgt zwar nicht aus Wortlaut des § 394, ist jedoch durch Überschrift des Ersten Teils („Sondervorschriften bei Beteiligung von Gebietskörperschaften") vorausgesetzt (MüKoAktG/Schockenhoff Rn. 13; Schmidt-Aßmann/Ulmer BB 1988 Sonderbeil. 13 S. 7; aA wohl v. Godin/Wilhelmi §§ 394, 395 Anm. 2). Mangels anderer Vorschrift genügt auch **Minderheitsbeteiligung** (GK-AktG/P. H. Huber/Fröhlich Rn. 20; S/L/Oetker Rn. 8; B/K/L/Pelz Rn. 2; MüKoAktG/Schockenhoff Rn. 14; aA Martens AG 1984, 29, 36 im Hinblick auf § 53 HGrG [→ Rn. 33], § 65 III BHO/LHO). Beteiligungsbegriff des § 271 I HGB (für dessen Heranziehung KK-AktG/Kersting Rn. 111 ff.; MüKoAktG/Schockenhoff Rn. 13) wird man aufgrund deutlich anders gelagerter bilanzrechtl. Teleologie hier nicht zugrunde legen dürfen (Lehnert, Befreiung von der Verschwiegenheitspflicht, 2021, 116 f.). Ob es sich um eine „ins Gewicht fallende Beteiligung" handelt (für dieses Erfordernis Schmidt-Aßmann/Ulmer BB 1988 Sonderbeil. 13 S. 7 bei Fn. 29), ist an dieser Stelle unbeachtlich, erhält aber Relevanz bzgl. Veranlassung (→ Rn. 68 ff.; wie hier GK-AktG/P. H. Huber/Fröhlich Rn. 21; MüKoAktG/Schockenhoff Rn. 14; Neudenberger, Aufsichtsrat, 2023, 240 f., der neben Wortlautargument zutr. darauf verweist, dass in § 395 enthaltener Auskunftszweck der

Kontrolle des entsandten Aufsichtsratsmitglieds unabhängig von Beteiligungshöhe Geltung beansprucht).

Der unmittelbaren steht die mittelbare Beteiligung gleich, wenn sie zur Veranlassung ausreicht (BeckOGK/Schall Rn. 6, 9). Beteiligungen jur. Personen des öffentl. Rechts begründen dagegen, jedenfalls seit gescheitertem Versuch einer tatbestandl. Ausweitung seitens des Bundesrates (Stellungnahme BR BT-Drs. 18/4349, 40 f.; gleichermaßen schon Stellungnahme BR BT-Drs. 17/8989, 25), mangels planwidriger Regelungslücke weder unmittelbare noch mittelbare Beteiligung einer Gebietskörperschaft, so dass § 394 f. nicht zur Anwendung kommen (vgl. die klar abl. Stellungnahme BuReg BT-Drs. 18/4349, 45, ebenso bereits Stellungnahme BuReg BT-Drs. 17/8989, 27; ausf. Neudenberger, Aufsichtsrat, 2023, 250 ff.). 67

b) Veranlassung. aa) Bei unmittelbarer Beteiligung. Wahl oder Entsendung des AR-Mitglieds muss von Gebietskörperschaft veranlasst sein. Veranlassung ist auf Bestellung eines Repräsentanten abzielende **Einflussnahme** der Gebietskörperschaft, die infolge ihrer Beteiligung für Bestellung des AR-Mitglieds **ursächlich** wird (GK-AktG/P. H. Huber/Fröhlich Rn. 23; KK-AktG/Kersting Rn. 117; Schmidt-Aßmann/Ulmer BB 1988 Sonderbeil. 13 S. 7; ausf. dazu bereits J. Koch VerwArch 102 [2011], 1, 4 ff.). Maßgeblich ist danach nicht das Innenverhältnis zwischen Vertreter und Gebietskörperschaft, sondern das **Außenverhältnis** zwischen Gebietskörperschaft und AG (J. Koch VerwArch 102 [2011], 1, 6 ff.; zust. KK-AktG/Kersting Rn. 117). 68

Nicht abschließend geklärt ist, welche Anforderungen an **Veranlassung** zu stellen sind. Schon aus Wortlaut des § 394 folgt, dass nicht nur Entsendung, sondern auch Wahl veranlasst sein kann, doch ist im letztgenannten Fall ursächlicher Beitrag nicht ohne weiteres zu identifizieren. Daraus folgende Rechtsunsicherheit ist im Hinblick auf weitreichende zivil-, disziplinar- und strafrechtl. Folgen, die sich für AR-Mitglied im Verhältnis zur Gebietskörperschaft, aber auch im Verhältnis zur AG ergeben können, schwer erträglich (s. schon J. Koch VerwArch 102 [2011], 1, 11 f.; J. Koch BOARD 2016, 251, 252; Kersting/Hauser FS Grunewald, 2021, 445, 454 f.). Kommunalrechtl. Schrifttum hat daraus zT die Folgerung gezogen, Veranlassung nur bei satzungsmäßig verankerten Entsendungs- oder Vorschlagsrechten zuzulassen (vgl. Nachw. bei J. Koch VerwArch 102 [2011], 1, 10 ff.), während aktienrechtl. Schrifttum die daraus resultierenden Gefahren vielfach nicht hinreichend problematisiert; zugelassen werden deshalb zT auch widerlegbare Vermutungen, die dann eingreifen sollen, wenn AR-Mitglied erkennbar der beteiligten Gebietskörperschaft zuzuordnen ist, etwa weil es sich um Beamten oder Angestellten der Gebietskörperschaft handelt (für Vermutung etwa Grigoleit/Rachlitz Rn. 18; ebenso, aber beschränkt auf mittelbare Beteiligungen S/L/Oetker Rn. 14; MüKoAktG/Schockenhoff Rn. 19). 69

Vorzugswürdig erscheint es, aus Gründen der **Rechtssicherheit** an Ursächlichkeitsnachweis hohe Anforderungen zu stellen und Veranlassung, sofern sie nicht ausdr. im Zuge des Wahlaktes zum Ausdruck gebracht wird (insbes. durch Aufnahme in Wahlvorschlag, → Rn. 82; → § 124 Rn. 26; weitergehend Lehnert, Befreiung von der Verschwiegenheitspflicht, 2021, 124: Kundgabe jederzeit durch AR-Mitglied oder Gebietskörperschaft möglich), nur dann anzunehmen, wenn Bestellung auf entspr. **Satzungsgrundlage oder Stimmenmehrheit in HV** beruht, die allerdings auch durch nachweisbare Absprache mit anderen Aktionären gesichert werden kann (ausf. J. Koch VerwArch 102 [2011], 1, 14 f.; ebenso für unmittelbare Beteiligung auch KK-AktG/Kersting Rn. 118; Kersting/Hauser FS Grunewald, 2021, 445, 456 f.; S/L/Oetker Rn. 13; NK-AktR/Stehlin Rn. 3; MüKoAktG/Schockenhoff Rn. 17; großzügiger GK-AktG/P. H. Huber/Fröhlich Rn. 24; ebenso Knöbber-Griesz, Aufsichtsverschwiegenheit und 70

Informationsprivileg, 2023, 243 f., der lediglich fordert, dass AR-Mitglieder „auch mit Stimmen der Gebietskörperschaft gewählt wurden" oder „Wahlentscheidung dem erkennbaren Willen der Gebietskörperschaft gefolgt ist"; zu weitergehenden rechtspolitischen Transparenzanforderungen → Rn. 82). Bloßer Vorschlag genügt jedenfalls noch nicht (KK-AktG/Kersting Rn. 118; BeckOGK/Schall Rn. 8; MüKoAktG/Schockenhoff Rn. 17).

71 Auch **gerichtl. bestellte AR-Mitglieder** können Informationsprivileg des § 394 nicht auslösen, selbst wenn Bestellung entspr. Vorschlag der Gebietskörperschaft vorausgeht (Neudenberger, Aufsichtsrat, 2023, 245; ähnlich KK-AktG/Kersting Rn. 119, der allerdings Ausnahme für den Fall annimmt, dass ausgeschiedener Vertreter der Gebietskörperschaft ersetzt werden soll; aA Bürgers/Körber/Lieder/Pelz Rn. 3; Lehnert, Befreiung von der Verschwiegenheitspflicht, 2021, 125 ff.). Für weitergehende Einschränkung nach den Motiven der Bestellung (Beteiligungsverwaltung oder „allg.-politische Aspekte") bietet § 394 keine Grundlage (GK-AktG/P. H. Huber/Fröhlich Rn. 24; KK-AktG/Kersting Rn. 117; J. Koch VerwArch 102 [2011], 1, 14; aA Martens AG 1984, 29, 31).

72 **bb) Bei mittelbarer Beteiligung.** Schwieriger stellt sich Beurteilung bei nur mittelbarer Beteiligung dar, wenn also etwa Gebietskörperschaft X ihre Beteiligung an Gesellschaft Z über Beteiligungsgesellschaft Y ausübt. In diesem Fall kann Veranlassung bejaht werden, wenn Bestellung der AR-Mitglieder bei Z durch Y von X maßgeblich beeinflusst worden ist. Welche **Anforderungen an Einflussnahme** zu stellen sind, ist auch hier ungeklärt. Veranlassung ist allenfalls dann unstreitig, wenn in Mehrheitseigentum der Gebietskörperschaft stehende Beteiligungsgesellschaft Y in Rechtsform einer GmbH organisiert ist und Hoheitsträger von Weisungsrecht der Gesellschafterversammlung gegenüber Geschäftsführer Gebrauch macht (Neudenberger, Aufsichtsrat, 2023, 247); vergleichbar eindeutig ist Veranlassung bei Zwischenschaltung einer AG, wenn AR der Beteiligungsgesellschaft mehrheitlich von Repräsentanten der Gebietskörperschaft iSd § 394 besetzt und Wahlentscheidung in Enkelgesellschaft Z als zustimmungsbedürftiges Geschäft des Vorstands der Beteiligungsgesellschaft iSd § 111 IV 2 ausgestaltet ist (MüKoAktG/Schockenhoff Rn. 19; Schmidt-Aßmann/Ulmer BB 1988 Sonderbeil. 13 S. 8).

73 Von diesen klaren Fällen abgesehen ist Meinungsstand schon deshalb verwirrend, weil hM an Veranlassung bei mittelbarer Beteiligung augenscheinlich wesentlich niedrigere Anforderungen stellt als bei unmittelbarer Beteiligung (zu Recht krit. KK-AktG/Kersting Rn. 121; Grigoleit/Rachlitz Rn. 18 Fn. 49; Kritik explizit zurückweisend Lehnert, Befreiung von der Verschwiegenheitspflicht, 2021, 129). Während bei unmittelbarer Beteiligung idR Stimmenmehrheit gefordert wird (→ Rn. 70), soll es hier genügen, dass rechtl. ungebundener Vorstand der zwischengeschalteten Beteiligungs-AG einer an ihn herangetragenen Bitte nachkommt, sofern angesichts weiterer Umstände **Repräsentanteneigenschaft** des Organmitglieds **zu vermuten** ist, namentl., weil es sich um Bediensteten der Körperschaft handelt (S/L/Oetker Rn. 14; MüKoAktG/Schockenhoff Rn. 19) oder weil sich Gebietskörperschaft bereits zuvor auf betr. Organmitglied verständigt hatte (GK-AktG/P. H. Huber/Fröhlich Rn. 25; Schmidt-Aßmann/Ulmer BB 1988 Sonderbeil. 13 S. 8) Aus Gründen der **Rechtssicherheit** ist es aber wie schon bei unmittelbarer Beteiligung wenig ratsam, rechtl. Beurteilung von kaum greifbaren Vermutungsregeln abhängig zu machen (→ Rn. 70).

74 Erforderlich ist daher auch hier **Mehrheitsbeteiligung** an Beteiligungsgesellschaft Y, sofern sich Ursächlichkeit nicht klar aus anderen Umständen (zB entspr. Absprachen mit weiteren Aktionären) ergibt (ausf. J. Koch VerwArch 102 [2011], 1, 15 ff.; zust. KK-AktG/Kersting Rn. 120 ff., der neben Mehrheitsbeteiligung

auch sonstige Formen der Abhängigkeit ausreichen lässt; strenger Neudenberger, Aufsichtsrat, 2023, 249: Vorstand der Beteiligungs-AG muss nach Prinzip doppelter Mehrheit legitimiert sein; aA MüKoAktG/Schockenhoff Rn. 19; Lehnert, Befreiung von der Verschwiegenheitspflicht, 2021, 130; gegen „schematische Handhabung" GK-AktG/P. H. Huber/Fröhlich Rn. 25). Für Verhältnis zwischen Tochter- und Enkelgesellschaft gilt sodann das in → Rn. 70 Gesagte, um Veranlassungskette zu komplettieren (vgl. Neudenberger, Aufsichtsrat, 2023, 249). Nach B-PCGK sollen etwaige Zweifel durch Erklärung des Repräsentanten beseitigt werden, in der er Veranlassung ausdr. anerkennt (Anlagen 5 und 6 des B-PCGK, Stand 16.8.2021, jew. Nr. 6 der Mustererklärung). Weil dadurch zwar Rechtssicherheit erzeugt, durch Anwendung des § 394 gleichzeitig aber auch Geheimnisschutz der Gesellschaft beeinträchtigt würde, kann entspr. Erklärung Prüfung obj. Veranlassung nach oben genanntem Maßstab nicht ersetzen (aA augenscheinlich Lehnert, Befreiung von der Verschwiegenheitspflicht, 2021, 132).

Sind **mehrere Gesellschaften zwischengeschaltet** und wird Einfluss der **75** Gebietskörperschaft damit noch weitergehend mediatisiert (namentl. bei Zwischenschaltung einer AG, § 76 I), verliert von hM angenommene Vermutungskaskade zunehmend an Plausibilität. Richtigerweise wird man hier Veranlassung nur dann annehmen können, wenn entscheidungsspezifischer Kausalbeitrag eindeutig dokumentiert ist (J. Koch VerwArch 102 [2011], 1, 17 f.; so zumindest auch die Empfehlung von Grigoleit/Rachlitz Rn. 18 mit Fn. 48). **Mitbestimmungsrechtl. Besonderheit:** Ist Vorstand der Y bei mehrstufiger Beteiligung gem. **§ 32 MitbestG** (→ § 78 Rn. 8a, 8b) an AR-Beschluss gebunden, so liegt Veranlassung vor, wenn Gebietskörperschaft im AR eine Beschlussfassung durchsetzt, nach der von ihr benannte Person in der Enkelgesellschaft AR-Mitglied werden soll (BeckOGK/Schall Rn. 9; MüKoAktG/Schockenhoff Rn. 18; aA Martens AG 1984, 29, 36 in Fn. 36).

2. Berichtspflicht. a) Fragestellung. Kernaussage des § 394 S. 1 liegt darin, **76** Repräsentanten einer Gebietskörperschaft im AR von allg. Verschwiegenheitspflicht gem. § 93 I 3, § 116 freizustellen (→ § 93 Rn. 62 ff.; → § 116 Rn. 6 f.). Der Vorschrift unterfallen damit nur solche Informationen, die vom sachlichen Anwendungsbereich der Vorschrift erfasst und deren Weitergabe nicht schon anderweitig gestattet ist (Grigoleit/Rachlitz Rn. 20). Ist der Anwendungsbereich eröffnet, sind AR-Mitglieder insofern von Verschwiegenheitspflicht freigestellt, als sie der Gebietskörperschaft Berichte zu erstatten haben. § 394 S. 1 macht Berichtspflicht also zur Voraussetzung der Freistellung, sieht sie aber nicht selbst vor (→ Rn. 2; insoweit allgM, s. MüKoAktG/Schockenhoff Rn. 20; Kropff FS Hefermehl, 1976, 327, 328; Schmidt-Aßmann/Ulmer BB 1988 Sonderbeil. 13 S. 8 mwN in Fn. 38; R. Schmidt ZGR 1996, 345, 352). Welche **Grundlage** Berichtspflicht haben muss, war lange Zeit sehr umstr. (→ Rn. 77 ff.), wobei im Mittelpunkt die Frage stand, ob auch beamtenrechtl. Weisungsbindung genügt, um Berichtspflicht zu begründen (Einzelheiten: → Rn. 83 f.). **Aktienrechtsnovelle 2016** hat insofern Klarstellung gebracht (→ Rn. 77 ff.). Weitergehende Ansätze im Referentenentwurf zur Aktienrechtsnovelle 2016, die darauf abzielten, Sitzungen bei entspr. Satzungsmaßgabe auch öffentl. abhalten zu können, sind aufgrund vielstimmiger und berechtigter Kritik (vgl. DAV-HRA NZG 2011, 217, 221; Bayer AG 2012, 141, 153; Bettenburg/Weirauch DÖV 2012, 352 ff.; Bungert/Wettich ZIP 2011, 160, 164; Bormann NZG 2011, 926 ff.; Weber-Rey/Buckel ZHR 177 [2013], 13, 20 f.) noch im Laufe des Gesetzgebungsverfahrens aufgegeben worden (sa Seibert/Böttcher ZIP 2012, 12, 17). Stets gilt es zu beachten, dass Berichtspflicht Verschwiegenheitspflicht nur dann iSd § 394 aufzuheben vermag, wenn sie gleichzeitig tauglichen Berichtsadressaten vorsieht (→ Rn. 86 ff.).

77 **b) Kein Erfordernis einer gesetzlichen Grundlage.** Sehr umstr. war lange Zeit, auf welcher Grundlage Berichtspflicht beruhen kann. Während überwiegend ges. Grundlage gefordert wurde, hielten andere auch beamtenrechtl. Weisungsbindung oder **jedes vertragliche Auftragsverhältnis** mit Berichtspflicht (§ 666 BGB) für ausreichend (Nachw. → 11. Aufl. 2014, Rn. 37 ff.). Diese letztgenannte Auffassung ist durch **Aktienrechtsnovelle 2016** ges. festgeschrieben worden (vgl. RegBegr. BT-Drs. 18/4349, 33). Ausdehnung ggü. bislang hM ist zu begrüßen: Wenn eine Gebietskörperschaft Wahl oder Entsendung eines AR-Mitglieds veranlassen kann und damit Verschwiegenheitspflicht ohnehin durchbrochen wird, so erscheint es wenig sinnvoll, wenn sie nicht das bestqualifizierte Mitglied entsenden kann, nur weil dieses keinen ges. Bindungen unterliegt.

78 **c) Mögliche Berichtsgründe. aa) Gesetzliche Regelung; Satzung.** Als Berichtsgrund nennt § 394 S. 3 zunächst ges. Regelungen. Entspr. Regelungen finden sich mittlerweile in zahlreichen **Vorschriften des kommunalen Wirtschaftsrechts** (s. zB § 113 V 1 GO NW, § 93 II 2 BayGO; zur Frage, ob Berichtspflicht ggü. Gemeinderat mit §§ 394 f. vereinbar ist, näher in → Rn. 89 f.). Es genügt aber auch jede andere Rechtsnorm iSd Art. 2 EGBGB, auch Rechtsverordnung (RegBegr. BT-Drs. 18/4349, 33). Durch Ausdehnung auf Rechtsgeschäft wird man auch Berichtspflicht kraft kommunaler Satzung als ausreichend anzusehen haben (KK-AktG/Kersting Rn. 126; MüKoAktG/Schockenhoff Rn. 23). Spezifischer Bezug zu §§ 394, 395 ist nicht erforderlich (J. Koch BOARD 2016, 251, 253; aA KK-AktG/Kersting Rn. 127). Mit weiterhin genannter Satzung ist allerdings nicht solche kommunale Satzung, sondern als (weitere) Berichtsgrundlage Satzung der AG gemeint und damit Zulässigkeit einer Abweichung iSd § 23 V 2 klargestellt (RegBegr. BT-Drs. 18/4349, 33; sa J. Koch BOARD 2016, 251, 254).

79 **bb) Rechtsgeschäft.** Entscheidende Erweiterung der Neuregelung liegt in Ausdehnung auf Berichtspflicht qua Rechtsgeschäft. Begriff ist bewusst weit gefasst, um **alle denkbaren Varianten** abzudecken, und soll neben vertraglicher Vereinbarung etwa auch Auftrag oder Nebenabrede mit Gebietskörperschaft erfassen (RegBegr. BT-Drs. 18/4349, 33). ZT wird vertreten, rechtsgeschäftl. vereinbarte Berichtspflicht müsse im Interesse der Gesellschaft inhaltlich klar umrissen, begrenzt und zweckgebunden sein (KK-AktG/Kersting Rn. 137 ff.; sehr restriktiv auch S/L/Oetker Rn. 25). Dagegen lässt sich neben Zweifeln an praktischer Umsetzbarkeit und Verweis auf bewusst weit gefassten Tatbestand vor allem anbringen, dass Unternehmensinteresse angesichts der Zweckbindung der konkreten Berichterstattung des AR-Mitglieds gem. § 394 S. 2 (→ Rn. 98 ff.) bereits hinreichend geschützt und restriktive Auslegung nicht erforderlich ist. Berichtspflicht kann inhaltlich daher durchaus weit gefasst sein (so ausdr. auch MüKoAktG/Schockenhoff Rn. 26).

80 Nach § 394 S. 3 kann rechtsgeschäftliche Bindung Berichtspflicht aber nur dann begründen, wenn sie AR in Textform (§ 126b BGB) **mitgeteilt** wird. Das war zunächst im ersten Entwurf noch nicht vorgesehen (vgl. noch RegBegr. BT-Drs. 17/8989, 8, 21), wurde dann auf vielstimmige Kritik des Schrifttums in RegBegr. zum VorstKoG aufgegriffen (RegBegr. BT-Drs. 17/14214, 9, 18 f.; zur vorangehenden Kritik vgl. DAV-HRA NZG 2012, 380, 383; Bungert/Wettich ZIP 2012, 297, 302; Sünner CCZ 2012, 107, 112; Weber-Rey/Buckel ZHR 177 [2013], 13, 16 m. Fn. 12), in RegBegr. der Aktienrechtsnovelle 2016 dann aber – ohne erkennbaren Grund – nicht wieder aufgenommen (RegBegr. BT-Drs. 18/4349, 33). Auf neuerliche Kritik des Schrifttums (vgl. J. Koch BB 2015, Heft 5, Die erste Seite; sa S/L/Oetker, 3. Aufl. 2015, Rn. 3 m. Fn. 6, 19 ff.) hat schließlich Rechtsausschuss entspr. Ergänzung wieder eingefügt (RAusschuss BT-Drs. 18/6681, 12 f.). Diese Ergänzung ist zu begrüßen, weil nur

auf diese Weise hinreichende Transparenz für alle Beteiligten hergestellt werden kann. Nach ursprünglicher Fassung wäre Umfang der zentralen Verschwiegenheitspflicht von **mündlichem Handschlagvertrag** innerhalb der Verwaltung abhängig gewesen, was im Hinblick auf damit verbundene Intransparenz nicht akzeptabel wäre.

Dieselbe Argumentation ist auch Vorstoß in Lit. entgegenzuhalten, nach dem Mitteilung an AR keine Wirksamkeitsvoraussetzung für Informationsprivileg des § 394 sein soll (so aber Neudenberger, Aufsichtsrat, 2023, 258 f. unter Verweis auf überzogene Haftungsgefahren des AR-Mitglieds; wie hier iE die ganz hM, vgl. etwa KK-AktG/Kersting Rn. 142). Weitergehende Folgerung, dass auch **Rechtsgeschäft selbst in Textform** zu erfolgen habe, wird man angesichts klaren Wortlauts lediglich als aus Praktikabilitätsgründen naheliegende Empfehlung, nicht aber als zwingende Vorgabe annehmen können (S/L/Oetker Rn. 25; Grigoleit/Rachlitz Rn. 25; Harbarth/v. Plettenberg AG 2016, 145, 154; J. Koch BOARD 2016, 251, 254; Söhner ZIP 2016, 151, 157; aA KK-AktG/Kersting Rn. 143; MüKoAktG/Schockenhoff Rn. 27; Belcke/Mehrhoff GmbHR 2016, 576, 579). Unbeachtlich ist auch, wer Mitteilung macht; sowohl Gebietskörperschaft als auch AR-Mitglied können AR informieren (S/L/Oetker Rn. 25; Grigoleit/Rachlitz Rn. 25; J. Koch BOARD 2016, 251, 254; aA KK-AktG/Kersting Rn. 147 ff.). Als Empfangsvertreter des AR agiert dabei der Vorsitzende (KK-AktG/Kersting Rn. 145; S/L/Oetker Rn. 25; Belcke/Mehrhoff GmbHR 2016, 576, 579; Neudenberger, Aufsichtsrat, 2023, 257). Mitteilung ggü. HV ist nicht erforderlich (MüKoAktG/Schockenhoff Rn. 27). **81**

Auch diese Lösung vermag indes noch nicht restlos zu befriedigen, weil gesteigerte Transparenz nicht erst bei Berichtspflicht ansetzen sollte, sondern schon bei Merkmal der **Veranlassung,** da bereits hier Rechtsunsicherheit entsteht (→ Rn. 68 ff.). Lösung könnte etwa darin bestehen, Veranlassung der Gebietskörperschaft in Wahlvorschlag aufzunehmen (ausf. → § 124 Rn. 26) oder sie – im Falle des § 121 VI (Vollversammlung) – im Protokoll gem. § 130 I festzuhalten. Eine allein im Innenverhältnis verbleibende rechtsgeschäftliche Regelung genügt hingegen nicht, und zwar weder hinsichtlich der Veranlassung als solcher noch hinsichtlich der Berichtspflicht. **82**

cc) Sonderfall beamtenrechtl. Weisungsbindung. Nicht ausdr. im Ges. genannt ist Berichtspflicht aufgrund beamtenrechtl. Weisungsbindung, etwa gem. § 62 I BBG, § 35 S. 2 BeamtStG oder vergleichbaren landesrechtl. Vorschriften, sofern entspr. Anordnung des Vorgesetzten vorliegt. Da aber auch sie letztlich auf Ges. beruht und entspr. Ausdehnung schon bislang von hM anerkannt wurde (vgl. Lutter/Grunewald WM 1984, 385, 397; Martens AG 1984, 29, 33; Will VerwArch 94 [2003], 248, 262; wohl auch AusschussB Kropff S. 496; dagegen KK-AktG/Kersting Rn. 128; Kersting/Hauser FS Grunewald, 2021, 445, 459 f.; S/L/Oetker Rn. 19 ff.; Schmidt-Aßmann/Ulmer BB 1988 Sonderbeil. 13 S. 19 ff.; Zöllner AG 1984, 147, 148 f.), ist anzunehmen, dass bewusst weit formulierender Gesetzgeber (→ Rn. 79) auch sie nicht ausschließen wollte (MüKoAktG/Schockenhoff Rn. 24; Neudenberger, Aufsichtsrat, 2023, 255 f.). Dagegen geäußerter Haupteinwand, Beamter sei nicht im Rahmen seines dienstrechtl. Pflichtenverhältnisses im AR tätig (S/L/Oetker Rn. 19), findet im Bewusstsein der Handelnden keine Grundlage: Beamter wird gerade mit Blick auf seine Amtsstellung berufen, so dass Aufgabenwahrnehmung seinem **Amtskreis zuzurechnen** ist (Grigoleit/Rachlitz Rn. 22; BeckOGK/Schall Rn. 11; MüKoAktG/Schockenhoff Rn. 24). Darin liegt auch kein Widerspruch zur grds. Weisungsfreiheit des AR-Mitglieds (so aber explizit Lehnert, Befreiung von der Verschwiegenheitspflicht, 2021, 146), weil AktG für Bereich des Informationstransfers in § 394 Möglichkeit der Pflichtenbindung gerade selbst eröffnet **83**

(MüKoAktG/Kropf, 2. Aufl. 2006, Rn. 31 Fn. 72; ebenso MüKoAktG/Schockenhoff Rn. 24; Knöbber-Griesz, Aufsichtsverschwiegenheit und Informationsprivileg, 2023, 247). Auch in der Sache erscheint es kaum sinnvoll, berichtspflichtigen Personenkreis zu stark einzuschränken, weil dadurch Verschwiegenheitspflicht nicht gestärkt, sondern lediglich Körperschaft in ihrem personellen Auswahlermessen übermäßig eingeschränkt wird (sa BeckOGK/Schall Rn. 11; sa → Rn. 77).

84 Aus Gründen der Rechtssicherheit bedenkenswert ist Vorschlag, dass AR-Mitglied wegen **Treubindung** ggü. AG zur Offenlegung konkreter Berichtsanordnung verpflichtet ist (MüKoAktG/Schockenhoff Rn. 28; Knöbber-Griesz, Aufsichtsverschwiegenheit und Informationsprivileg, 2023, 248). Analoge Anwendung des § 394 S. 3 kommt angesichts des klaren Wortlauts aber nicht infrage (MüKoAktG/Schockenhoff Rn. 28; Knöbber-Griesz, Aufsichtsverschwiegenheit und Informationsprivileg, 2023, 248 und Fn. 214; aA Tayaranian, Vertraulichkeitsschutz bei öffentl. beherrschten AG, 2023, 133).

85 **3. Berichterstattung und Verschwiegenheitspflicht. a) Grundsatz.** Soweit Voraussetzungen des § 394 S. 1 vorliegen, insbes. ges., statutarische oder rechtsgeschäftliche Vorschrift zur Berichterstattung verpflichtet (→ Rn. 78 ff.), sind AR-Mitglieder, die Gebietskörperschaften repräsentieren, berechtigt und verpflichtet, diesen (→ Rn. 86) iR ihrer Berichterstattung auch solche Umstände bekanntzumachen, die ohne Sondervorschrift des § 394 unter ihre Pflicht zur Verschwiegenheit nach § 93 I 3, § 116 fielen (→ § 93 Rn. 62 ff.; → § 116 Rn. 6 f.). Lockerung der Verschwiegenheitspflicht ohne von § 394 S. 1 vorausgesetzten **funktionalen Bezug zur Berichtspflicht** bleibt unzulässig (Th. Mann GS Tettinger, 2007, 295, 305 f.; Spindler ZIP 2011, 689, 690 f.), wie auch § 394 S. 2 deutlich zeigt. IÜ entscheidet über Umfang, in dem Pflicht zur Verschwiegenheit gelockert wird, zunächst die ges. Vorschrift, die AR-Mitglied zur Verschwiegenheit verpflichtet. Soweit zB vorgesehen ist, dass über Angelegenheiten von bes. Bedeutung berichtet wird (§ 113 V 1 GO NW → Rn. 78), verbleibt es bei § 93 I 3, § 116, soweit bes. Bedeutung nicht vorliegt. Soweit Berichtspflicht ohne Einschränkung angeordnet wird, entscheidet AR-Mitglied nach seinem pflichtgem. Ermessen, inwieweit Zwecke der Berichterstattung es rechtfertigen, grds. bestehende Verschwiegenheitspflicht zurücktreten zu lassen (→ Rn. 99).

86 **b) Berichtsadressaten. aa) Allgemeines.** Über Berichtsadressaten entscheidet grds. **Organisationsrecht** der jeweiligen Gebietskörperschaft. Das wird idR Exekutive sein, die die Eigentümerfunktion im Außenverhältnis für die Gebietskörperschaft wahrnimmt (auf Bundesebene: beteiligungsführende Bundesministerien – vgl. Wilting AG 2012, 520, 533), doch ist auch anderweitige Zuständigkeitszuweisung denkbar. Dieses Zusammenspiel zwischen Aktien- und Verwaltungsorganisationsrecht gilt allerdings nur **in den Grenzen,** die sich **aus §§ 394, 395** ergeben. Berichtsadressat kann daher nur sein, wer Beteiligung der Gebietskörperschaft verwaltet oder prüft und damit nach § 395 verschwiegenheitspflichtig ist (OVG Münster NZG 2023, 660 Rn. 75; Knöbber-Griesz, Aufsichtsverschwiegenheit und Informationsprivileg, 2023, 257; Schmidt-Aßmann/Ulmer BB 1988 Sonderbeil. 13 S. 8 f.; Tayaranian, Vertraulichkeitsschutz bei öffentl. beherrschten AG, 2023, 136).

87 Streitig ist, ob Adressatenstellung zusätzlich davon abhängt, dass Berichtsempfänger **Vertraulichkeit auch tats. gewährleistet** (so die hM, etwa KK-AktG/Kersting Rn. 177; van Kann/Keiluweit DB 2009, 2251, 2253; J. Koch ZHR 183 [2019], 7, 22 ff.; Land/Hallermeyer AG 2011, 114, 119; Linnartz AG 2023 R76, R77 f.; Schmidt-Aßmann/Ulmer BB 1988 Sonderbeil. 13 S. 9; Schwintowski NJW 1990, 1009, 1014; Tayaranian, Vertraulichkeitsschutz bei öffentl. beherrschten AG, 2023; 138 f.; Weber-Rey/Buckel ZHR 177 [2013], 13, 17 f.; sa Kropff FS Hefermehl, 1976, 327, 340, 342; krit. Wilting AG 2012, 529, 533 ff.; vermittelnd Knöbber-Griesz, Aufsichtsverschwiegenheit und Informationsprivileg, 2023, 264: Weitergabe unzulässig, wenn Geheimnisschutz obj. gefährdet). Gegenansicht erkennt in §§ 394 f. keine Anhaltspunkte für ungeschriebenes Tatbestandsmerkmal (OVG Münster NZG 2023, 660 Rn. 73 ff.; daran anknüpfend Adenauer NZG 2023, 652, 656 f.) und verweist außerdem auf verfassungsrechtl. Legitimationserfordernis, das durch Beschränkung des Adressatenkreises beeinträchtigt sei (Burgi/Habersack/Burgi § 23 Rn. 56 f.; zu diesem Argumentationsmuster im Kontext parlamentarischer Auskunftspflichten noch → Rn. 93 f.). Teils wird auch Figur der praktischen Konkordanz bemüht, um Ausgleich gegenläufiger Interessen herzustellen (BeckOGK/Schall Rn. 15). Normverständnis der hM ist beizupflichten. Hierfür spricht neben telos der § 394 f., wonach Geheimnisschutz in AG nicht beeinträchtigt, sondern lediglich Kreis der Geheimniswahrer zwecks Interessensausgleichs auf Berichtsempfänger erweitert werden soll (Tayaranian NZG 2023, 1353, 1356), auch historischer Wille des Gesetzgebers (AusschussB Kropff S. 496; Neudenberger, Aufsichtsrat, 2023, 267).

Daraus folgt: Für eine Art Öffentlichkeitsarbeit von AR-Mitgliedern unter Verwendung von Gesellschaftsinterna ist von vornherein kein Raum (vgl. R. Schmidt ZGR 1996, 345, 352 f.; Schwintowski NJW 1990, 1009, 1010; Schwintowski NJW 1995, 1316, 1317). Dass Ratsfraktionen, einzelne Gemeinderatsmitglieder, Arbeitskreise uÄ Einrichtungen Berichtsempfänger sein könnten, ist schon nach Organisationsrecht der Gebietskörperschaften nicht erkennbar; entspr. Berichterstattung wäre ohne weiteres rechtswidrig (Schwintowski NJW 1995, 1316, 1317; iErg auch Meier, Gemeindehaushalt 1994, 248, 249, 250; vgl. aber zutr. Hinweis von KK-AktG/Kersting Rn. 179: kann sich ändern, wenn etwa durch Rechtsgeschäft Berichtspflicht begründet wird). Problematisch bleibt direkte Berichterstattung an Parlamente oder an Gemeinderat. Jedenfalls grds. ist auch sie unzulässig, weil solche Gremien Einhaltung der Verschwiegenheitspflicht nach § 395 nicht gewährleisten können (zutr. KK-AktG/Kersting Rn. 179; S/L/Oetker Rn. 32; MüKoAktG/Schockenhoff Rn. 39; Schmidt-Aßmann/Ulmer BB 1988, Sonderbeil. 13 S. 9; van Kann/Keiluweit DB 2009, 2251, 2253; sa Land/Hallermeyer AG 2011, 114, 120 f.; aA GK-AktG/P. H. Huber/Fröhlich Rn. 40 ff., 45 f.; Grigoleit/Rachlitz Rn. 30 f.; entgegen der hM zuletzt auch OVG Münster NZG 2023 660 Rn. 73 ff.; zum Urteil des OVG Münster s. zust. Adenauer NZG 2023, 652 ff. sowie abl. Linnartz AG 2023, R76 ff.; Tayaranian NZG 2023, 1353, 1356). Wo entspr. **organisatorische Sicherungen** zum Schutz der Vertraulichkeit doch bestehen, greift Ausnahme nicht ein (sa Land/Hallermayer AG 2011, 114, 119 f. für parlamentarische Fach- und Untersuchungsausschüsse); Gemeinderäte und Parlamente bzw. die jeweiligen Ausschüsse könnten insofern als Prüfpersonen iSd § 395 adressiert werden, sind also nicht per se von Informationsfluss ausgeschlossen, s. → § 395 Rn. 2. Befund stellt Berechtigung des Vertraulichkeitserfordernisses aber nicht grds. in Frage (so aber Wilting AG 2012, 529, 533 ff. mit Blick auf hinreichende Instrumentarien zur Gewährleistung von Vertraulichkeit auf Bundesebene; krit. dazu Weber-Rey/Buckel ZHR 177 [2013], 13, 18 mit Fn. 20). 88

bb) Gemeinderat als Berichtsempfänger. Danach ist es auch unzulässig, durch landesrechtl. Vorschrift, wie etwa **§ 113 V 1 GO NW,** den Rat zum tauglichen Berichtsadressaten zu machen (für Zulässigkeit OVG Münster NZG 2023, 660 Rn. 73 ff.; Vogel Städte- und Gemeinderat 1996, 252 f., 256; Traut, Corporate Governance von Kapitalgesellschaften der öffentlichen Hand, 2013, 132 f.). Daran ändert auch Pflicht der Ratsmitglieder zur Verschwiegenheit nichts (so aber OVG Münster NZG 2023, 660 Rn. 83). Vielmehr müsste auch die 89

Einhaltung dieser Pflicht hinlänglich gesichert erscheinen, etwa durch Begrenzung des Personenkreises und bes. organisatorische Vorkehrungen. Daran fehlt es. Insbes. reicht allein Möglichkeit, statt Plenum Ausschuss zu beauftragen (darauf verweisend OVG Münster NZG 2023, 660 Rn. 83), nicht aus, sofern – wie in NRW gem. § 58 I 4 GO NRW – sämtliche Ratsmitglieder bei Ausschusssitzung teilnahmeberechtigt sind (KK-AktG/Kersting Rn. 182). Fehl geht auch Verweis auf Empfangszuständigkeit des Gemeinderats als „realtypischem Hintergrund", den Gesetzgeber bei jüngster Novellierung des § 394 akzeptiert habe (OVG Münster NZG 2023, 660 Rn. 77 ff.; Grigoleit/Rachlitz Rn. 30): Gesetzesänderung 2016 erfolgte in Kenntnis der hM, nach der Vertraulichkeit gewährleistet sein muss; hätte Gesetzgeber Auskunft an Gemeinderat ermöglichen wollen, hätte entspr. Klarstellung erfolgen müssen (Linnartz AG 2023, R76, R77 f.; ebenso Tayaranian NZG 2023, 1353, 1356).

90 Weil insoweit also anderes bestimmt ist, entfällt gem. § 113 V 2 GO NW Pflicht der AR-Mitglieder, dem Rat unmittelbar Bericht zu erstatten (wie hier KK-AktG/Kersting Rn. 181; Bäcker FS Schwark, 2009, 101, 117 f.; Bauspach/Nowak Konzern 2008, 195, 200 f.; Belcke/Mehrhoff GmbHR 2016, 576, 578; Linnartz AG 2023, R76, R78; aA Adenauer NZG 2023, 652, 656). Daran beanstandeter „Vorrang des Gesellschaftsrechts" (BeckOGK/Schall Rn. 15) findet zumindest ggü. landesrechtl. Vorschriften in **Normenhierarchie des Art. 31 GG** hinreichende Basis (zutr. MüKoAktG/Schockenhoff Rn. 38). Gegenstimmen verweisen auf verfassungsrechtl. Ursprung landesrechtl. Auskunftsansprüche in Art. 20, 28 GG (vgl. explizit zu § 113 V 1 GO NRW Adenauer NZG 2023, 652, 656; iE ebenso Burgi/Habersack/Burgi § 23 Rn. 65). Dem lässt sich aber entgegenhalten, dass Art. 20, 28 GG lediglich Gestaltungsauftrag formulieren und Lesart der Gegenauffassung die Kernaussage des Art. 31 GG in ihr Gegenteil verkehrt (J. Koch ZHR 183 [2019], 7, 41; Lehnert, Befreiung von der Verschwiegenheitspflicht, 2021, 191).

91 Ob § 113 V 1 GO NW in dem Sinne aufrechterhalten werden kann, dass **Berichterstattung an Bürgermeister** als Vertreter des Rats (§ 40 II 2 GO NW) zu erfolgen hat, ist Frage des Kommunalverfassungsrechts. Sie ist aber wohl ohnehin von geringer praktischer Relevanz, weil Bürgermeister entweder selbst AR-Mitglied ist, im Kontext der Beteiligungsverwaltung Berichtsempfänger iSd §§ 394, 395 AktG ist (vgl. etwa Lehnert, Befreiung von der Verschwiegenheitspflicht, 2021, 189) oder Informationen im dienstlichen Verkehr (→ § 395 Rn. 7) erhält. Sofern **Rats- oder Kreistagsmitglieder** ihm ggü. Auskunftsansprüche geltend machen, etwa aus § 55 I 2 GO NRW, sind diese durch vorrangige aktienrechtl. Verschwiegenheitspflicht eingeschränkt (Dünchheim KommJur 2016, 441, 445 f.); jedenfalls sind sie, sofern darin Berichtspflicht iSd § 394 gesehen wird, im Einklang mit Behandlung der Auskunftspflichten ggü. dem Ratsplenum (→ Rn. 89 f.) zu begrenzen (s. zur alten Rechtslage Bracht NVwZ 2016, 108, 111). Daran hat auch Aktienrechtsnovelle 2016 nichts geändert (MüKoAktG/Schockenhoff Rn. 47; augenscheinlich zweifelnd aber Bracht NVwZ 2016, 108, 111).

92 **cc) Geheimnisschutz bei Auskunftspflicht des Berichtsadressaten.** Mit veränderten Vorzeichen stellt sich Frage des tauglichen Berichtsadressaten dann, wenn nicht schon Auskunft an den Empfänger selbst Geheimnisschutz durchbricht, sondern dieser mittelbar infrage gestellt wird, weil Berichtsempfänger wiederum selbst Transparenzpflichten unterliegt. In diesen Fällen geht es um **zwei Informationsbeziehungen,** die jew. gesondert zu betrachten sind: (1) Informationsbeziehung zwischen beteiligungsverwaltender Stelle/beteiligter Gebietskörperschaft und Anspruchsinhaber sowie (2) Informationsfluss von Unternehmen zu beteiligungsverwaltender Stelle (zur Differenzierung der Informationsebenen im Kontext verfassungsrechtl. Auskunftspflichten [→ Rn. 93 ff.] ausf. Burgi/Habersack/Burgi § 23 Rn. 34 ff.). Keine Beeinträchtigung der Geheimniswahrung geht von Auskunftspflichten auf Grundlage **bundes- oder landesrechtl. Informationsfreiheitsgesetze** (zB § 1 IFG Bund, § 4 IFG NW) aus. Betrifft Auskunftsbegehren Interna des Unternehmens, kann berichtspflichtiger öffentl. Träger auf gesellschaftsrechtl. Verschwiegenheitspflicht verweisen; die einschlägigen Vorschriften enthalten entspr. Klarstellungen (zB § 3 I Nr. 3 IFG Bund, § 4 II IFG NW); wo sie (auf Landesebene) fehlen, sind sie aus Art. 31 GG abzuleiten (OVG Koblenz DVBl 2016, 1274 Rn. 78 ff. [Nichtannahmebeschluss des BVerwG BeckRS 2017, 107957]; MüKoAktG/Schockenhoff § 395 Rn. 14; J. Koch BOARD 2016, 251, 253; J. Koch FS Schmidt-Preuß, 2018, 367, 371 ff.; J. Koch ZHR 183 [2019], 7, 36 ff.; Werner NVwZ 2019, 449, 454 f.). Weil öffentl. Träger Auskunft verweigern darf, kann er Verschwiegenheit gewährleisten und ist daher tauglicher Berichtsempfänger iSd § 394.

Erhebliche Beeinträchtigung des Geheimnisschutzes für Unternehmen mit hoheitlicher Beteiligung droht hingegen durch **parlamentarischen Informationsanspruch** des Bundestags ggü. Regierung, weil BVerfG hier Berufung auf aktienrechtl. Verschwiegenheitspflicht verwehrt hat (BVerfGE 147, 50 Rn. 194 ff. [insb. Rn. 296] = NVwZ 2018, 51; zust. Burgi/Habersack/Burgi § 23 Rn. 44; krit. J. Koch FS Schmidt-Preuß, 2018, 367, 378 ff.; zu verbleibenden Geheimhaltungsmöglichkeiten vgl. J. Koch ZHR 183 [2019], 7, 34 ff.; optimistischer Kersting WPg 2018, 392 ff.; zu etwaigen Schadensersatzfolgen → § 395 Rn. 9). Offen sind dagegen nach wie vor Auswirkungen des BVerfG-Urteils auf **Informationsbeziehung zwischen AG und Regierung.** Informationsbeschaffung über Vertreter in AR ist bedenklich, da Geheimhaltung nicht gewährleistet ist (→ Rn. 87; ausf. J. Koch ZHR 183 [2019], 7, 22 ff.; sa Kersting WPg 2018, 392, 395; großzügiger Schmolke WM 2018, 1913, 1917 ff.; Schockenhoff NZG 2018, 521, 527). Wachsende Zahl von Autoren spricht sich dagegen für verfassungskonforme Auslegung der §§ 394 f. und iErg für Überlagerung des Geheimhaltungsbedürfnisses aus (Lehnert, Befreiung von der Verschwiegenheitspflicht, 2021, 171 ff.; Neudenberger, Aufsichtsrat, 2023, 350 f.). 93

Richtigerweise ist **Lösung** aber zugunsten des Aktienrechts (→ Rn. 17) in Ergebnisverantwortung der beteiligungsverwaltenden Exekutive zu suchen: Diese muss sich mithilfe gesellschaftsrechtl. Gestaltungsmittel in die Lage versetzen, ihren parlamentarischen Informationspflichten zu genügen (Koch ZHR 183 [2019], 7, 26: Normbefehl richtet sich allein an Hoheitsträger; vgl. weiterführend Tayaranian, Vertraulichkeitsschutz bei öffentl. beherrschten AG, 2023, 108 ff., der als Gestaltungsmittel zur Lösung des Konflikts zwischen Verschwiegenheits- und Auskunftspflicht auf Garantieerklärung der Gebietskörperschaft verweist, die zumindest im Kontext vorrangiger parlamentarischer Informationspflicht iE aber wenig wirkungsvoll scheint). Als tauglicher Informationsmittler kommt insofern auch Vorstand als „Herr der Geschäftsgeheimnisse" (dazu allg. → § 116 Rn. 12) in Betracht (aA Neudenberger, Aufsichtsrat, 2023, 347). 94

Mitwirkungspflicht des Vorstands wird durch parlamentarischen Auskunftsanspruch zwar nicht begründet, doch ist es ihm gestattet, Regierung im Rahmen konzernrechtl. Zulässigkeit bei Informationsbeschaffung zu unterstützen (→ § 311 Rn. 36a ff.; ausf. J. Koch ZHR 183 [2019], 7, 13 ff.; Schmolke WM 2018, 1913, 1919; Tayaranian, Vertraulichkeitsschutz bei öffentl. beherrschten AG, 2023, 91 ff.; skeptisch MüKoAktG/Schockenhoff Rn. 45, der aber nicht hinreichend beachtet, dass BVerfG Anforderungen allein an Hoheitsträger, nicht an Gesellschaftsorgane formuliert). 95

Noch ungeklärt ist Übertragung dieser Grundsätze auf **landesverfassungsrechtl. Informationsansprüche** der Abgeordneten ggü. Regierung (ausf. J. Koch ZHR 183 [2019], 7, 42 f.; Schwill NVwZ 2019, 109 ff.). Rückgriff auf 96

Art. 31 GG scheint Interessenkonflikt insofern zu entschärfen, als landesverfassungsrechtl. Auskunftsanspruch durch höherrangige bundesrechtl. Verschwiegenheitspflicht begrenzt wird (so etwa HbgVerfG NVwZ-RR 2011, 425, 426; Schwill NVwZ 2019, 109, 113; Wefelmeier NdsVBl 2019, 365, 373 f.). Teile der Lit. und Rspr. bringen Art. 31 GG dagegen nicht zur Anwendung, sondern verweisen stattdessen darauf, dass das Erfordernis parlamentarischer Kontrolle bundesverfassungsrechtl. vorausgesetzt werde (BayVerfGH NVwZ 2007, 204, 207; Eidam NordÖR 2020, 105, 108; Neudenberger, Aufsichtsrat, 2023, 293 ff.: Art. 20 II 1 GG sei „Durchgriffsnorm"). Indes lösen einige Landesverfassungen Normenkonflikt ausdr. zugunsten einfachges. Geheimhaltungspflichten auf (vgl. etwa Art. 40 III 1 MVVerf; Art. 51 II SächsVerf; Art. 67 III 1 Nr. 1 ThürVerf). Besonderheit weist LVerfBerlin auf, die in Art. 49a I LVerfBerlin vorsieht, dass Vertreter des Landes in AR öffentl. beherrschter Unternehmen unmittelbar ggü. Abgeordnetenhaus auskunfts- und berichtspflichtig sind. Unterrichtung über vertrauliche oder geheimhaltungsbedürftige Angaben erfolgt gem. Art. 49a II LVerfBerlin ggü. zuständigem Ausschuss, der wiederum Gewähr für Vertraulichkeit oder die Geheimhaltung der ihm anvertrauten Informationen bieten muss.

97 **dd) Geheimnisschutz bei Transparenzpflicht des Unternehmens selbst.** Gravierendere Durchbrechungen aktienrechtl. Verschwiegenheitspflichten können sich überdies aus **Pressegesetzen** ergeben, die – anders als Informationsfreiheitsgesetze oder parlamentarische Auskunftspflichten – nicht gegen Hoheitsträger, sondern gegen öffentl. beherrschte AG selbst gerichtet sind. Hier sollen §§ 394, 395 nicht zur Anwendung kommen, sondern Geheimnisschutz wird allein durch wesentlich großzügigere presserechtl. Bestimmungen gewährleistet (so zu § 4 LPresseG NW BGH NJW 2017, 3153 Rn. 13 ff., 49 [peerblog]; krit. J. Koch FS Schmidt-Preuß, 2018, 367, 375 ff.; J. Koch ZHR 183 [2019], 7, 39 f.; vgl. dazu auch Gödeke/Jördening ZIP 2017, 2284 ff.; Tayaranian, Vertraulichkeitsschutz bei öffentl. beherrschten AG, 2023, 254 ff.).

98 **c) Inhalt und Form der Berichterstattung. aa) Allgemeines.** Soweit ges. Grundlage der Berichtspflicht nicht weitergehende Einschränkung enthält (→ Rn. 85), bestimmen sich die Grenzen, in denen von Verschwiegenheitspflicht dispensiert wird, nach **Zweck der Berichterstattung** (§ 394 S. 2). Sie bezweckt, Beteiligungsverwaltung durch notwendige Informationsgrundlage zu ermöglichen und Betätigung der Gebietskörperschaft (§ 44 HGrG, § 93 BHO) im Lichte der ihr zugewiesenen Aufgaben haushaltsrechtl. (zB §§ 65 ff. BHO/LHO) zu überwachen (MüKoAktG/Schockenhoff Rn. 32; S/L/Oetker Rn. 28). Erfasst sind daher jegliche Informationen von wesentlicher wirtschaftl. Bedeutung, die Gebietskörperschaft Möglichkeit planender und zielgerichteter Einwirkung auf Unternehmen verschaffen (S/L/Oetker Rn. 28; MüKoAktG/Schockenhoff Rn. 32; Schmidt-Aßmann/Ulmer BB 1988 Sonderbeil. 13 S. 9). Nach S. 2 ausgeschlossen sind hingegen detaillierte Berichte zu einzelnen Geschäftsvorfällen, außer diese sind iRd Beteiligungsverwaltung von Interesse (BeckOGK/Schall Rn. 13; MüKoAktG/Schockenhoff Rn. 32). Dem zT vertretenen extensiven Ansatz, nach dem zwecks demokratischer Legitimation bei öffentl. Mehrheitsbeteiligung grds. umfassend über Verhältnisse der Gesellschaft zu berichten ist (Neudenberger, Aufsichtsrat, 2023, 260 f.), kann dagegen nicht gefolgt werden, weil Einschränkung in S. 2 anderenfalls weitgehend leer liefe.(

99 Konkretisierung obliegt zunächst dem einzelnen **AR-Mitglied,** und zwar sowohl hinsichtlich der Entscheidung, ob Vorgang der Verschwiegenheitspflicht unterfällt, als auch hinsichtlich der Entscheidung, ob Zweck der Berichterstattung die Aufnahme in den Bericht erfordert. AR-Mitglied hat dabei Rechtsauffassung eines Vorgesetzten zu berücksichtigen, ist daran aber nicht gebunden (MüKoAktG/Schockenhoff Rn. 33). Nach aA obliegt Beurteilung der Erforderlichkeit

dagegen dem Berichtsempfänger (Neudenberger, Aufsichtsrat, 2023, 261; GK-AktG/P. H. Huber/Fröhlich Rn. 52). Dies mag zwar den Informationsfluss zugunsten einer effektiven Beteiligungsverwaltung beschleunigen (GK-AktG/P. H. Huber/Fröhlich Rn. 52), doch untergräbt Ansatz die zweckbezogene Begrenzung der Berichtspflicht, wenn Konkretisierung der Grenzen erst im Anschluss an tats. erfolgte Berichterstattung und durch Berichtsempfänger selbst erfolgen soll (Lehnert, Befreiung von der Verschwiegenheitspflicht, 2021, 196 f.).

Entgegen verbreiteter Auffassung steht AR-Mitglied bei seiner Beurteilung **kein Beurteilungs- oder Ermessensspielraum** zu (zutr. MüKoAktG/Schockenhoff Rn. 33; zust. GK-AktG/P. H. Huber/Fröhlich Rn. 52; Grigoleit/Rachlitz Rn. 32; Reichard GWR 2017, 72, 73; Schockenhoff NZG 2018, 521, 527; aA KK-AktG/Kersting Rn. 185 ff.; S/L/Oetker Rn. 28; Schmidt-Aßmann/Ulmer BB 1988 Sonderbeil. 13 S. 10). Insoweit besteht Gleichlauf zum Auskunftsverweigerungsrecht des Vorstands gem. § 131 III Nr. 1, das ebenfalls keinen Ermessensspielraum eröffnet (BeckOGK/Schall Rn. 14; → § 131 Rn. 89). Wie schon bei § 93 II können Subsumtionsschwierigkeiten allein die Bestandskraft einer Entscheidung nicht der gerichtl. Kontrolle entziehen; fehlende Vorwerfbarkeit bei abw. Würdigung des Gerichts kann, sofern man in diesem Fall überhaupt Pflichtwidrigkeit annehmen will, spätestens auf Verschuldensebene hinreichend berücksichtigt werden (→ § 93 Rn. 32). Inhaltliche Grenzen bestehen gleichermaßen bei schriftlicher wie mündlicher Berichterstattung (BeckOGK/Schall Rn. 16). 100

bb) Insbesondere: Vertrauliche Unterlagen. Auch bei der Frage, ob und in welchem Umfang AR-Mitglied der Gebietskörperschaft vertrauliche Unterlagen zur Verfügung stellen darf, muss es seine Entscheidung an dem Ziel ausrichten, **sinnvolle Betätigungsprüfung** zu ermöglichen. Weitergehende Einschränkung erscheint nicht generell angezeigt (MüKoAktG/Schockenhoff Rn. 34; Zavelberg FS Forster, 1992, 732; wohl auch AusschussB Kropff S. 496; aA Martens AG 1984, 29, 36 ff.). Für **Prüfungsbericht der Abschlussprüfer** (§ 321 HGB) einschließlich ihres Berichts nach § 313 (→ § 313 Rn. 14 f.) wird Vorlage unter den Voraussetzungen des § 53 I Nr. 3 HGrG ausdr. angeordnet. Daraus kann aber nicht im Umkehrschluss gefolgert werden, dass außerhalb des Anwendungsbereichs dieser Vorschrift Vorlage unzulässig sei (so aber Martens AG 1984, 29, 37 f.; Schmidt-Aßmann/Ulmer BB 1988 Sonderbeil. 13 S. 12). § 53 HGrG reicht in seinen Rechtsfolgen in mehrfacher Hinsicht über die in § 394 vermittelte Rechtsposition hinaus und geht deshalb in seinen materiellen Voraussetzungen auch dann nicht ins Leere, wenn man Vorlage des Prüfungsberichts auch ohne qualifizierte Beteiligung gestattet (wie hier die mittlerweile hM – s. GK-AktG/P. H. Huber/Fröhlich Rn. 54; KK-AktG/Kersting Rn. 167; Grigoleit/Rachlitz Rn. 28; BeckOGK/Schall Rn. 16; MüKoAktG/Schockenhoff Rn. 36). 101

Verschwiegenheitspflicht

395 (1) **Personen, die damit betraut sind, die Beteiligungen einer Gebietskörperschaft zu verwalten oder für eine Gebietskörperschaft die Gesellschaft, die Betätigung der Gebietskörperschaft als Aktionär oder die Tätigkeit der auf Veranlassung der Gebietskörperschaft gewählten oder entsandten Aufsichtsratsmitglieder zu prüfen, haben über vertrauliche Angaben und Geheimnisse der Gesellschaft, namentlich Betriebs- oder Geschäftsgeheimnisse, die ihnen aus Berichten nach § 394 bekanntgeworden sind, Stillschweigen zu bewahren; dies gilt nicht für Mitteilungen im dienstlichen Verkehr.**

(2) **Bei der Veröffentlichung von Prüfungsergebnissen dürfen vertrauliche Angaben und Geheimnisse der Gesellschaft, namentlich Betriebs- oder Geschäftsgeheimnisse, nicht veröffentlicht werden.**

I. Regelungsgegenstand und -zweck

1 Norm betr. Verschwiegenheitspflicht der Personen, die mit Beteiligungsverwaltung oder Betätigungsprüfung betraut sind (§ 395 I), sowie Verbot, vertrauliche Angaben und Gesellschaftsgeheimnisse iR von Prüfungsberichten zu veröffentlichen (§ 395 II). Sie steht im Zusammenhang mit § 394 und bezweckt **Schutz der AG,** indem sie Verschwiegenheitspflicht, die danach für Berichte der AR-Mitglieder im öffentl. Interesse nur eingeschränkt gilt (→ § 394 Rn. 2), auf Berichtsadressaten und Prüfungsbehörden erstreckt; sämtliche unmittelbaren und mittelbaren Berichtsempfänger iSd § 394 sind also nach § 395 verschwiegenheitspflichtig (KK-AktG/Kersting Rn. 190; MüKoAktG/Schockenhoff Rn. 1). Aktienrechtl. Grundsätze über Wahrung von Vertraulichkeit und Geheimnisschutz sollen dadurch im Wesentlichen unberührt bleiben (AusschussB Kropff S. 496).

II. Normadressaten

2 § 395 I Hs. 1 erstreckt Verschwiegenheitspflicht zunächst auf Personen, die mit **Beteiligungsverwaltung** betraut sind. Auf ihre dienstrechtl. Stellung als Beamter, Minister oder Angestellter kommt es nicht an, auch nicht auf die Rechtsform der Betrauung. Der Verschwiegenheitspflicht unterliegen gem. § 395 I Hs. 1 weiterhin Personen, die mit **Prüfungsaufgaben** betraut sind, nämlich damit, für eine Gebietskörperschaft deren Betätigung als Aktionärin oder die Tätigkeit der sie repräsentierenden AR-Mitglieder zu prüfen. Letztgenannter Punkt bezeichnet den sachlichen Schwerpunkt der Prüfungstätigkeit (→ § 394 Rn. 48). Auch insoweit kommt es auf die dienstrechtl. Stellung des umschriebenen Personenkreises nicht an. Prüfung erstreckt sich auf drei Ebenen (MüKoAktG/Schockenhoff Rn. 3 f.): Erfasst werden zunächst (1) Bedienstete, die mit **verwaltungsinterner Prüfung** (vgl. § 69 S. 2 BHO) betraut sind; hiervon erfasst ist auch ressortinterne Leitungsebene des für Beteiligungsverwaltung zuständigen Ministeriums. Prüfpersonen sind ferner (2) die Bediensteten der jeweiligen **Rechnungsprüfungsbehörde** (Rechnungshöfe; Gemeindeprüfungsämter). Verschwiegenheitspflichtig sind als Prüfpersonen nach § 395 I Hs. 1 zudem auch (3) **Abgeordnete oder Gemeinderatsmitglieder,** denen iR zuständiger Ausschüsse die Kontrolle der Beteiligungsverwaltung obliegt (→ Rn. 5 f.; GK-AktG/P. H. Huber/Fröhlich Rn. 8; MüKoAktG/Schockenhoff § 394 Rn. 39 ff.; § 395 Rn. 4; Kropff FS Hefermehl, 1996, 327, 340; aA Wilting AG 2012, 529, 535 f.). Soweit § 395 I Hs. 1 schließlich von einer Prüfung der Gesellschaft spricht, ist damit Sonderfall des § 104 BHO/LHO gemeint (Schäfer FS Geiger, 1974, 623, 625).

III. Pflicht zur Verschwiegenheit

3 **1. Umfang.** § 395 I Hs. 1 ist § 93 I 3 nachgebildet und entspr. auszulegen. Der Verschwiegenheitspflicht unterliegende **vertrauliche Angaben** sind deshalb alle Informationen, die mit Beteiligungsverwaltung oder Prüfung befasste Personen in dieser Eigenschaft erhalten (→ § 93 Rn. 63). **Gesellschaftsgeheimnisse** sind Tatsachen, die nicht offenkundig sind und dies auch nicht werden sollen, sofern obj. Geheimhaltungsbedürfnis besteht (→ § 93 Rn. 64). Maßgeblich ist danach allein Interesse der AG. Ebenfalls erfasst sind vertrauliche Berichte und vertrauliche Beratungen iSd § 116 S. 2 (MüKoAktG/Schockenhoff Rn. 5). Berichtsempfängern steht bei Prüfung der Reichweite der Verschwiegenheits-

pflicht kein Ermessens- oder Beurteilungsspielraum zu (KK-AktG/Kersting Rn. 198; MüKoAktG/Schockenhoff Rn. 5). Keine Verschwiegenheitspflicht gibt es im Verhältnis der AR-Mitglieder untereinander (Meier NZG 1998, 170).

Keine Beschränkung auf Berichtsinhalte. Seinem Wortlaut nach begründet § 395 I Hs. 1 Verschwiegenheitspflicht nur für Angaben und Geheimnisse, die dem betroffenen Personenkreis aus Berichten nach § 394, also aus Berichten der AR-Mitglieder (→ § 394 Rn. 76 ff.), bekanntgeworden sind. Sprachliche Einschränkung beruht jedoch auf unvollständiger Fallanschauung und ist misslungen. Verschwiegenheitspflicht besteht zunächst auch für **Unterlagen,** die den Berichten beigefügt sind (→ § 394 Rn. 101); sonst wäre der Umfang nämlich sachwidrig davon abhängig, wie AR-Mitglied Berichtsstoff auf Hauptteil und Anlagen seines Berichts verteilt (GK-AktG/P. H. Huber/Fröhlich Rn. 11; MüKoAktG/Schockenhoff Rn. 7). Verschwiegenheitspflicht besteht ferner für **Prüfungsberichte,** die nach § 53 I Nr. 3 HGrG (Text → § 394 Rn. 33) unmittelbar übersandt worden sind, und auch für Berichte und sonstige Informationen, die der Gebietskörperschaft als Ergebnis **örtl. Unterrichtung** nach § 54 HGrG (Text → § 394 Rn. 33) zugänglich werden (→ § 394 Rn. 44 ff.). Dem AktG 1965 zeitlich nachfolgende Regelung in §§ 53, 54 HGrG ist als Bestandteil des § 395 I zu lesen (S/L/Oetker Rn. 5; Grigoleit/Rachlitz Rn. 49; MüKoAktG/Schockenhoff Rn. 7; aA KK-AktG/Kersting Rn. 201; GK-AktG/P. H. Huber/Fröhlich Rn. 13 aufgrund einer überzogenen Verdrängung gesellschaftsrechtl. Prinzipien durch öffentl. Interessen; zu dieser grundlegenden Abwägung → § 394 Rn. 14 ff.). 4

2. Besonderheiten bei parlamentarischer und vergleichbarer Behandlung. Eine Berichtspflicht von AR-Mitgliedern ggü. parlamentarischen Gremien oder Gemeinderäten gibt es nicht (str., ausf. → § 394 Rn. 89 f., 93 f.). Deshalb kann sich Problem der Verschwiegenheitspflicht von Mitgliedern solcher Gremien bei richtiger Handhabung insoweit nicht stellen. Wenn falsch verfahren wird, AR-Mitglied etwa dem Gemeinderat oder seinen Ausschüssen Bericht erstattet, ist Verschwiegenheitspflicht der Berichtsempfänger in **erweiternder Auslegung** des § 395 I begründet, weil sie sich mit Prüfungsaufgabe, wenngleich zu Unrecht, selbst betraut haben (S/L/Oetker Rn. 6). 5

Andere Ausgangslage besteht, soweit Prüfungsergebnisse in die **Berichte der Rechnungsprüfungsbehörden** eingehen, die sie nach § 46 HGrG, § 97 BHO/LHO den gesetzgebenden Körperschaften jährlich zu erstatten haben. Mitglieder solcher Körperschaften sind iRd Entlastung der Regierung mit Prüfung der Beteiligungsverwaltung betraut und unterliegen deshalb der Pflicht zur Verschwiegenheit (→ Rn. 2). Weitergehend sind vertrauliche Sitzung des jeweiligen Gremiums mit entspr. Protokollführung und, soweit es um die Veröffentlichung von Prüfbemerkungen geht, deren Anonymisierung erforderlich (→ Rn. 8). 6

3. Mitteilungen im dienstlichen Verkehr. Pflicht zur Verschwiegenheit besteht gem. § 395 I Hs. 2 nicht für Mitteilungen im dienstlichen Verkehr. Begriff stammt aus dem Beamtenrecht (zB § 67 II Nr. 1 BBG) und bezeichnet dort Angaben, Auskünfte und Vorlagen innerhalb des zuständigen Ressorts sowie auf Anforderung auch ggü. anderen Behörden, sofern sie **mit der Verwaltungsangelegenheit unmittelbar befasst** sind (S/L/Oetker Rn. 7). § 395 I Hs. 2 ist entspr. auszulegen. Mitteilungen im dienstlichen Verkehr sind danach nur solche, die innerhalb der für Verwaltung oder Prüfung von Beteiligungen konkret zuständigen Dienststellen gemacht werden (MüKoAktG/Schockenhoff Rn. 9). Weil die als Empfänger dienstlicher Mitteilungen in Betracht kommenden Personen bei dieser Auslegung ihrerseits iSd § 395 I Hs. 1 betraut sind, bleibt aktienrechtl. Verschwiegenheitspflicht gewahrt (sa S/L/Oetker Rn. 8). Namentl. die Übermittlung an parlametarische (Kontroll-)Gremien wird von § 395 I Hs. 2 7 nicht erfasst (sa GK-AktG/P. H. Huber/Fröhlich Rn. 5 ff.; KK-AktG/Kersting Rn. 204; aA ausgehend von verfassungskonformer Auslegung Neudenberger, Aufsichtsrat, 2023, 350 ff.; Thode AG 1997, 547, 551 f.; ähnlich M. Mann AG 2018, 57, 62).

IV. Einschränkungen bei Veröffentlichung von Prüfungsergebnissen

8 Gem. § 395 II dürfen vertrauliche Angaben und Geheimnisse der Gesellschaft auch dann nicht veröffentlicht werden, wenn sie in Prüfungsergebnisse eingegangen sind. Norm ist auf **Berichterstattung der Rechnungsprüfungsbehörden** (bes. Rechnungshöfe) ggü. den gesetzgebenden Körperschaften (§ 46 HGrG, § 97 BHO/LHO) zugeschnitten (→ Rn. 6) und ist jedenfalls als Klarstellung notwendig, weil Berichte als Parlamentsdrucksachen allg. zugänglich sind (GK-AktG/P. H. Huber/Fröhlich Rn. 15; MüKoAktG/Schockenhoff Rn. 11 f.; Schäfer FS Geiger, 1974, 623, 636 ff.). Praxis verfährt, indem sie Prüfbemerkungen anonymisiert (Einzelheiten bei KK-AktG/Kersting Rn. 208). Das genügt dem aktienrechtl. Geheimnisschutz, sofern Öffentlichkeit aus den anonymisierten Bemerkungen keine Rückschlüsse auf vertrauliche Angaben oder Gesellschaftsgeheimnisse ziehen kann. Lässt sich das nicht ausschließen, so hat Veröffentlichung, notfalls schon Berichterstattung, zu unterbleiben. In Drucksache ist auf beabsichtigte Berichterstattung ggü. Rechnungsprüfungsausschuss in vertraulicher Sitzung hinzuweisen (KK-AktG/Kersting Rn. 208; MüKoAktG/Kropff, 2. Aufl. 2006, Rn. 75). Einen verfassungsrechtl. Vorrang der Berichtspflicht vor dem Geheimnisschutz gibt es nach richtiger Ansicht nicht (MüKoAktG/Schockenhoff Rn. 13). Erweiternde Auslegung des § 395 II mit dem Ziel, Veröffentlichung von Tatsachen schlechthin zu verbieten (KK-AktG/Zöllner, 1. Aufl. 1985, Rn. 7), dürfte entbehrlich sein, weil Ergebnis schon aus § 395 I folgt.

V. Rechtsfolgen

9 Bruch der Verschwiegenheitspflicht des § 395 ist **Amtspflichtverletzung** iSd § 839 BGB iVm Art. 34 GG; haftbar ist jeweilige Gebietskörperschaft. Pflichtverstoß kann für Beamte auch disziplinarrechtl. Folgen haben und überdies nach § 203 II StGB, § 353b StGB (nicht auch: § 404) strafbar sein (zu Einzelheiten vgl. KK-AktG/Kersting Rn. 216 ff.). Noch ungeklärt ist Frage, ob Verstoß gegen § 395 zivilrechtl. Haftungsfolgen auch in Ausnahmesituation auslösen kann, dass sich parlamentarische Auskunftspflicht des Berichtsempfängers durchsetzt (→ § 394 Rn. 93). Haftung der Gebietskörperschaft nach § 839 I BGB iVm Art. 34 GG lässt sich mit Figur einer doppelten Pflichtenbindung begründen, nach der Verschwiegenheitspflicht nur auf primärer Handlungsebene, nicht dagegen auf sekundärer Haftungsebene durch parlamentarische Auskunftspflicht verdrängt wird (ausf. Koch ZHR 183 [2019], 7, 30 ff.; aA Neudenberger, Aufsichtsrat, 2023, 347 ff.; Tayaranian, Vertraulichkeitsschutz bei öffentl. beherrschten AG, 2023, 265 f.). Zu weiteren Haftungsgefahren aus §§ 311 ff. vertiefend Koch ZHR 183 (2019), 7, 32 ff.

Zweiter Teil. Gerichtliche Auflösung

Voraussetzungen

396 (1) [1] **Gefährdet eine Aktiengesellschaft oder Kommanditgesellschaft auf Aktien durch gesetzwidriges Verhalten ihrer Verwaltungsträger das Gemeinwohl und sorgen der Aufsichtsrat und die Haupt-**

versammlung nicht für eine Abberufung der Verwaltungsträger, so kann die Gesellschaft auf Antrag der zuständigen obersten Landesbehörde des Landes, in dem die Gesellschaft ihren Sitz hat, durch Urteil aufgelöst werden. [2]Ausschließlich zuständig für die Klage ist das Landgericht, in dessen Bezirk die Gesellschaft ihren Sitz hat.

(2) **[1]Nach der Auflösung findet die Abwicklung nach den §§ 264 bis 273 statt. [2]Den Antrag auf Abberufung oder Bestellung der Abwickler aus einem wichtigen Grund kann auch die in Absatz 1 Satz 1 bestimmte Behörde stellen.**

I. Regelungsgegenstand und -zweck

1 Norm betr. Auflösung der AG wegen Gemeinwohlgefährdung. Sie sichert als Maßnahme der Gefahrenabwehr **staatliche Eingriffsmöglichkeit** unter Wahrung rechtsstaatlichen Verfahrens (Auflösungsklage und -urteil); vgl. RegBegr. Kropff S. 497. Praktische Bedeutung hat sie nicht erlangt. Parallelvorschriften mit Abweichungen iE sind § 62 GmbHG, § 81 GenG; frühere Entsprechung in § 43 BGB wurde 2009 aufgehoben (BGBl. 2009 I 3145); Ergänzungen enthalten § 38 KWG, § 304 VAG. Gegen § 396 und verwandte Vorschriften bestehen keine durchgreifenden verfassungsrechtl. Bedenken (hM, s. KK-AktG/Kersting Rn. 6 ff.; MüKoAktG/Schockenhoff Rn. 4). Soweit Bedenken früher wegen Unbestimmtheit des Tatbestandsmerkmals der Gemeinwohlgefährdung oder wegen Grundrechtsfähigkeit der jur. Person erhoben wurden (namentl. von Kohlmann AG 1961, 309, 312 f.), sind sie teils überholt, teils nicht überzeugend; überholt, weil Gemeinwohlgefährdung auf gesetzwidrigem Verhalten der Verwaltungsträger beruhen muss (BeckOGK/Spindler Rn. 3; anders noch § 288 AktG 1937: „Verstoß gegen Grundsätze verantwortungsbewusster Wirtschaftsführung"); nicht überzeugend, weil sie den Bestand der Norm mit Argumenten in Zweifel ziehen, denen bei ihrer Anwendung Rechnung zu tragen ist (Grundsatz der Verhältnismäßigkeit iwS → Rn. 5). Vereinsrechtl. Regelung in §§ 3, 17 VereinsG verdrängen § 396 nicht, da Voraussetzungen der Spezialität nicht gegeben sind und Einordnung als milderes Mittel (→ Rn. 5) im Hinblick auf weitergehende Befugnisse nicht tragfähig ist (HCL/Casper GmbHG § 62 Rn. 9; KK-AktG/Kersting Rn. 14; aA MüKoAktG/Schockenhoff Rn. 6).

II. Voraussetzungen der Auflösung

2 **1. Gemeinwohlgefährdung.** Begriff des **Gemeinwohls** bezeichnet die Interessen der Öffentlichkeit insges. oder jedenfalls breiter Verkehrskreise; Interessen der Aktionäre oder der Gesellschaftsgläubiger genügen nicht (so oder ähnlich GK-AktG/K. Schmidt Rn. 12; K. Schmidt NJW 1983, 1520, 1524; MüKoAktG/Schockenhoff Rn. 8). Gefährdung von „allg. Interessen der Volkswirtschaft" gehört dazu, ist aber nicht erforderlich (HCL/Casper GmbHG § 62 Rn. 16). **Gefährdung** liegt vor, wenn gegebener Zustand im konkreten Fall ohne Eingriff bei vernünftiger Prognose zur nachteiligen Beeinträchtigung der geschützten Interessen führen würde (polizeiliche Generalklausel; sa GK-AktG/K. Schmidt Rn. 12). Klimagefährdung genügt nicht (entspr. gedanklicher Brückenschlag bei Bachmann ZHR 187 [2023], 166, 185).

3 **2. Gesetzwidriges Verhalten.** Gemeinwohlgefährdung muss nach § 396 I 1 durch gesetzwidriges Verhalten der Verwaltungsträger eintreten. Darin liegt Abgrenzung zu einer vorrangigen Gemeinwohlbindung der AG, die es nicht gibt (→ § 76 Rn. 63 ff.; sa BeckOGK/Spindler Rn. 8). **Gesetzesbegriff** umfasst gem. Art. 2 EGBGB, Art. 2 EGHGB jede Rechtsnorm (nicht auch: die Satzung;

aA BAG AG 1990, 361, 362 zu § 97). Strafbewehrt oder vergleichbar sanktioniert muss sie nicht sein (BeckOGK/Spindler Rn. 9). Umstr. ist, ob für Anwendung des § 396 auch Verschulden Voraussetzung ist, soweit jeweiliger Tatbestand nur schuldhaft verwirklicht werden kann (so die bislang hM, s. S/L/Oetker Rn. 8; BeckOGK/Spindler Rn. 12). Angesichts der teleologischen Zuordnung der Norm zur Gefahrenabwehr sprechen nach den für diesen Bereich geltenden Grundsätzen die besseren Gründe gegen ein solches Erfordernis (KK-AktG/Kersting Rn. 21; Grigoleit/Rachlitz Rn. 4; GK-AktG/K. Schmidt Rn. 11; MüKoAktG/Schockenhoff Rn. 7). Am ehesten kommen Handlungen in Betracht, die nach §§ 134, 138 BGB verboten (→ § 23 Rn. 23) oder unter Genehmigungsvorbehalt gestellt sind, wenn Genehmigung nicht vorliegt (→ § 37 Rn. 14). **Verwaltungsträger** sind Mitglieder des Vorstands und des AR, und nur sie; also nicht HV oder ein Großaktionär (KK-AktG/Kersting Rn. 25; MüKoAktG/Schockenhoff Rn. 7; aA Becker ZSR 1988, 613, 629). AR-Mitglieder, die gegen gesetzwidriges Handeln der Vorstandsmitglieder nicht einschreiten, handeln aufgrund ihrer Überwachungspflicht (§ 111 I) selbst gesetzwidrig (BeckOGK/Spindler Rn. 11).

4 **3. Keine Abberufung der Verwaltungsträger.** Auflösung setzt nach § 396 I 1 weiter voraus, dass AR bzw. HV nicht für Abberufung der gesetzwidrig handelnden Verwaltungsträger sorgen. Nur sie sind gemeint, nicht auch andere Organmitglieder (MüKoAktG/Schockenhoff Rn. 9; teilw. aA noch v. Godin/Wilhelmi Rn. 5). Abberufung von Vorstandsmitgliedern erfolgt gem. § 84 IV (→ § 84 Rn. 49 ff.), von AR-Mitgliedern nach § 103 I, III–V (→ § 103 Rn. 2 ff., 9 ff.). Abberufung kann bis zur letzten mündlichen Verhandlung über die Auflösungsklage erfolgen; Regelung ist verfehlt (S/L/Oetker Rn. 10).

5 **4. Verhältnismäßigkeit.** Auflösung darf nur erfolgen, wenn sie verhältnismäßig iwS ist. Das folgt aus ihrem Charakter als hoheitliche, auf Gefahrenabwehr (→ Rn. 2) abzielende und damit dem materiellen Polizeibegriff unterliegende Maßnahme gegen eine grundrechtsfähige jur. Person (klar HCL/Casper GmbHG § 62 Rn. 4 ff.; sa MüKoAktG/Schockenhoff Rn. 9); zu den Rechtsfolgen → Rn. 8, 10. Verhältnismäßigkeit iwS setzt voraus: Eignung der Auflösung für Abwehr der Gemeinwohlgefährdung; ihre Erforderlichkeit iSd geringsten Eingriffs; Angemessenheit des Mittels bei Abwägung von Abwehr der konkreten Gefahr und Auflösungsfolgen (vgl. BeckOGK/Spindler Rn. 14). Ohne unzweideutige **Aufforderung** an die Gesellschaft, das näher bezeichnete gesetzwidrige Verhalten (→ Rn. 3) abzustellen, können diese Voraussetzungen allenfalls ausnahmsweise erfüllt werden (S/L/Oetker Rn. 11; weitergehend v. Godin/Wilhelmi Rn. 6: Aufforderung, Verwaltungsträger abzuberufen).

III. Auflösungsklage und -urteil

6 Behörde kann Auflösung nicht durch VA aussprechen, sondern nur einen darauf gerichteten „Antrag“ stellen (überzeugend BeckOGK/Spindler Rn. 16; aA GK-AktG/K. Schmidt Rn. 5 ff., 18). Zuständig ist oberste Landesbehörde (zB Wirtschaftsministerium) des jeweiligen Sitzlandes; bei Doppelsitz (→ § 5 Rn. 10) ist gem. Schlechterstellungsprinzip (→ § 14 Rn. 4) Zuständigkeit der obersten Behörde beider Sitzländer gegeben. Aus § 396 I 2 folgt, dass Antrag notwendig durch Klageerhebung gem. §§ 253 ff. ZPO gestellt wird. Auflösungsklage ist **Gestaltungsklage** (S/L/Oetker Rn. 12; → § 275 Rn. 20). Verfahren bestimmt sich mangels abw. Regelung vollständig nach ZPO (streitiges Verfahren). Auflösung tritt erst mit Rechtskraft des darauf gerichteten Gestaltungsurteils ein. Rechtspolitische Kritik an Rechtswegzuweisung bei S/L/Oetker Rn. 12.

7 **Zuständiges Gericht** ist gem. § 396 I 2 das LG des Gesellschaftssitzes (§ 5), und zwar ausschließlich. Funktionelle Zuständigkeit liegt gem. § 95 II Fall 2 GVG bei der KfH. Bei Doppelsitz (→ § 5 Rn. 10) kann Klage zwar von jeder zuständigen Behörde erhoben werden, doch ist ebenso wie für Anfechtungsklagen (str.; → § 246 Rn. 37) nur das LG örtl. zuständig, in dessen Bezirk sich der tats. inländische Verwaltungssitz befindet. **Revision** gegen Berufungsurteil ist nach allg. Grundsätzen zulässig, also bei Zulassung wegen grds. Bedeutung oder auf Nichtzulassungsbeschwerde (§§ 543, 544 ZPO).

8 Zuständige Behörde darf Antrag nur stellen, also Klage nur erheben, wenn Voraussetzungen des § 396 I 1 (→ Rn. 2 ff.) erfüllt sind, insbes. Verhältnismäßigkeit (→ Rn. 5) gewahrt ist. Pflichtwidrig erhobene Klage ist aber nicht unzulässig, sondern unterliegt der **Sachabweisung.** Das gilt insbes. auch, wenn vorgängige Aufforderung (→ Rn. 5) unterblieben ist. Beklagte Gesellschaft kann Klage unbegründet machen, indem sie Verwaltungsträger während des Rechtsstreits abberuft (→ Rn. 4).

IV. Auflösung und Abwicklung

9 Das der Klage stattgebende Urteil spricht die Auflösung aus (§ 396 I 1). Die werbende Gesellschaft wird also wie in den Fällen des § 262 I zur Abwicklungsgesellschaft (→ § 262 Rn. 2). Abwicklung bestimmt sich gem. § 396 II 1 nach §§ 264–273 (vgl. Erl. dazu). **Fortsetzungsbeschluss** (§ 274) kann nicht gefasst werden, und zwar nach Wegfall des Auflösungsgrundes, noch mit Zustimmung der obersten Landesbehörde (→ § 274 Rn. 6; MüKoAktG/Schockenhoff Rn. 11; S/L/Oetker Rn. 17; aA GK-AktG/K. Schmidt Rn. 21). § 274 ist nämlich in § 396 II 1 ausgeklammert (anders § 277 I) und das rechtskräftige Gestaltungsurteil kann auch durch die antragstellende Behörde nicht aus der Welt geschafft werden. **Abwickler** sind gem. § 265 I die bisherigen Vorstandsmitglieder (→ § 265 Rn. 3). Gem. § 265 III iVm § 396 II 2 kann die oberste Landesbehörde jedoch ihre Abberufung und die Bestellung anderer Abwickler verlangen, wenn dafür ein wichtiger Grund vorliegt (→ § 265 Rn. 8). Er ist dann gegeben, wenn gesetzwidriges Verhalten der Vorstandsmitglieder die Auflösung veranlasst hat (RegBegr. Kropff S. 497).

V. Staatshaftung

10 Pflichtwidrig erhobene Auflösungsklage kann unter den weiteren Voraussetzungen des § 839 BGB iVm Art. 34 GG Staatshaftung begründen. Entschädigungsausschluss des § 291 AktG 1937 ist in das geltende Recht nicht übernommen worden, um Ansprüche aus Amtspflichtverletzung nicht von vornherein auszuschließen. Auflösung ist aber keine Enteignung, sondern fällt in den Regelungsbereich des Art. 14 I 2 und II GG; sie ist deshalb auch nicht als solche entschädigungspflichtig (MüKoAktG/Schockenhoff Rn. 4; BeckOGK/Spindler Rn. 20).

Anordnungen bei der Auflösung

397 **Ist die Auflösungsklage erhoben, so kann das Gericht auf Antrag der in § 396 Abs. 1 Satz 1 bestimmten Behörde durch einstweilige Verfügung die nötigen Anordnungen treffen.**

I. Regelungsgegenstand und -zweck

1 Norm betr. einstw. gerichtl. Maßnahmen. Sie bezweckt **Sicherung des Gemeinwohls,** bis über Auflösungsklage (§ 396) entschieden ist. Vorläuferbestimmung war § 289 AktG 1937. Gesetzgeber hat 1965 im Wesentlichen klargestellt, dass Gericht im Verfahren der einstw. Verfügung tätig wird, genauer nach § 940 ZPO.

II. Voraussetzungen für Anordnungen

2 Erlass gerichtl. Anordnung hat drei Voraussetzungen: Auflösungsklage muss erhoben sein; Antrag der zuständigen obersten Landesbehörde muss vorliegen; Anordnung muss nötig sein. **Auflösungsklage** ist gem. § 253 I ZPO mit Zustellung der Klageschrift erhoben. Erforderlich ist also Rechtshängigkeit (§ 261 ZPO), nicht genügend Anhängigkeit durch bloße Einreichung (MüKoAktG/Schockenhoff Rn. 2), was allerdings sinnvoll wäre, weil Regelungsbedarf auch während des Zustellungsverfahrens bestehen kann. Keine Bedenken bestehen, wenn Antrag schon in Klageschrift oder zeitgleich mit ihr gestellt wird (BeckOGK/Spindler Rn. 4). Ohne **Antrag** kann jedoch nichts angeordnet werden. Gericht darf über den Antrag auch nicht hinausgehen (§ 308 I ZPO). Ob Anordnung **nötig** ist, bestimmt sich nach den zur Verhältnismäßigkeitsprüfung geltenden Grundsätzen (→ § 396 Rn. 5). Sie muss also geeignet und erforderlich sein, um der Gemeinwohlgefährdung vorläufig abzuhelfen, und ein angemessenes Mittel darstellen. Klageerhebung und Antrag ersetzen sonst für Anwendung des § 940 ZPO erforderliches streitiges Rechtsverhältnis. Auch Verfügungsgrund ist nicht eigens zu prüfen, sondern ergibt sich aus Notwendigkeit der Maßnahme.

III. Gerichtliche Maßnahmen

3 IRd Antrags (→ Rn. 2) entscheidet Gericht nach seinem Ermessen, welche Anordnung erforderlich ist (§ 938 I ZPO). Regelungsergebnis muss allerdings aktienrechtl. zulässig sein, um insbes. Vertrauen Dritter in Rechtsstruktur nicht zu gefährden (MüKoAktG/Schockenhoff Rn. 3; aA KK-AktG/Kersting Rn. 11 f.). Zulässig ist dagegen, dass Anordnung selbst in Geschäftsführung eingreift, indem sie dem Vorstand vorläufig untersagt, zB eine bestimmte Produktion zu betreiben oder bestimmte Anlagen zu exportieren. HM lässt auch zu, dass Verwaltungsträger, bes. Vorstandsmitglieder, vom Gericht abberufen oder neu bestellt werden (BeckOGK/Spindler Rn. 12, 14; MüKoAktG/Schockenhoff Rn. 4; aA für Bestellung noch v. Godin/Wilhelmi Rn. 3). Abberufung durch Gericht erscheint grds. möglich, ohne den Erfolg der Auflösungsklage zu gefährden, dürfte aber als vorläufige Maßnahme kaum in Betracht kommen (zust. BeckOGK/Spindler Rn. 13). Bestellung ist möglich, weil Gericht nicht an Kompetenzordnung des AktG gebunden ist (BeckOGK/Spindler Rn. 14).

IV. Verfahren

4 Zuständig ist Gericht der Hauptsache (§ 937 I ZPO; → § 396 Rn. 7). Es entscheidet auf Antrag (→ Rn. 2) im Verfahren der §§ 935 ff. ZPO. Seine Verfügung ist Regelungsverfügung nach § 940 ZPO (RegBegr. Kropff S. 498). Sie wirkt über die Rechtskraft des in der Hauptsache ergangenen Urteils hinaus, wenn sie nicht auf Antrag aufgehoben wird. Nach Rechtskraft kann das Gericht jedoch keine neue einstw. Verfügung erlassen. Unter den Voraussetzungen des § 945 ZPO ist das Bundesland, dem die antragstellende Behörde angehört, ohne Rücksicht auf Verschulden schadensersatzpflichtig (BeckOGK/Spindler Rn. 16).

Eintragung

398 **[1]Die Entscheidungen des Gerichts sind dem Registergericht mitzuteilen. [2]Dieses trägt sie, soweit sie eintragungspflichtige Rechtsverhältnisse betreffen, in das Handelsregister ein.**

I. Regelungsgegenstand und -zweck

1 Norm betr. Mitteilungspflicht des Prozessgerichts (§ 398 S. 1) und Verfahren des Registergerichts (§ 398 S. 2). Bezweckt ist zunächst **Publizität** der gerichtl. Entscheidungen, und zwar auch, soweit sie nicht eingetragen werden (s. § 9 I und II HGB), ferner bei deklaratorischen Eintragungen die **Vollständigkeit des HR** und bei konstitutiven Eintragungen (→ Rn. 3) das **Wirksamwerden** der angeordneten Maßnahme. Vorläufernorm ist § 290 AktG 1937.

II. Mitteilungspflicht

2 Mitteilungspflichtig ist nach § 398 S. 1 das **Prozessgericht,** das von Amts wegen handelt (hM – vgl. statt vieler MüKoAktG/Schockenhoff Rn. 1). Das folgt zwar nicht aus dem Wortlaut der Norm, aber aus ihrem systematischen Zusammenhang mit §§ 396, 397. Dass darüber hinaus aus Gründen der Gefahrenabwehr „alle Beteiligten" mitteilungspflichtig seien (dafür KK-AktG/Kersting Rn. 5), lässt sich dem Wortlaut ebenfalls nicht entnehmen und erscheint auch in der Sache nicht zwingend, da Mehrfachmitteilung Publizität nicht erhöht, wenn Publikationsorgan doch dasselbe bleibt. Mitzuteilen sind **Entscheidungen.** Das sind die Endentscheidungen im Hauptsacheverfahren nach § 396 und im Verfügungsverfahren nach § 397, und zwar gleichgültig, ob Klage oder Antrag erfolgreich sind oder abgewiesen werden, im zweiten Fall auch bei Abweisung als unzulässig (MüKoAktG/Schockenhoff Rn. 1; BeckOGK/Spindler Rn. 3). Auch auf Rechtskraft kommt es nicht an. Nicht mitzuteilen sind Entscheidungen, die nur der Prozessleitung dienen (unstr.). Über den Wortlaut hinaus mitteilungspflichtig ist Tatsache der Klageerhebung (nicht auch: die Klageschrift), weil sonst Mitteilung abweisender Entscheidungen keinen rechten Sinn ergibt (hM, vgl. KK-AktG/Kersting Rn. 8; MüKoAktG/Schockenhoff Rn. 2; aA [nur zweckmäßig] S/L/Oetker Rn. 15).

III. Eintragung

3 Eintragung in HR erfolgt, soweit Entscheidung eintragungspflichtige Rechtsverhältnisse betr. Prüfung obliegt Registergericht, das von Amts wegen handelt. Ob Eintragung nur **deklaratorische Bedeutung** hat (Regelfall, zB bei Auflösung → § 263 Rn. 3) oder **konstitutiv** wirkt (Ausnahmefall, zB bei Änderung der Vertretungsmacht von Vorstandsmitgliedern; vgl. § 78 iVm § 181 III), bestimmt sich danach, ob die jeweilige Maßnahme zu ihrer Wirksamkeit der Eintragung bedarf (hM, s. MüKoAktG/Schockenhoff Rn. 3; BeckOGK/Spindler Rn. 6). Gegenansicht (Eintragung immer deklaratorisch; so GK-AktG/Klug, 3. Aufl. 1975, Rn. 4; zust. KK-AktG/Kersting Rn. 14) ist vor allem mit § 181 III nicht vereinbar. Sie verwechselt die Wirksamkeit der Entscheidung mit der Wirksamkeit der von ihr angeordneten Maßnahme.

Dritter Teil. Straf- und Bußgeldvorschriften. Schlußvorschriften

Falsche Angaben

399 (1) **Mit Freiheitsstrafe bis zu drei Jahren oder mit Geldstrafe wird bestraft, wer**

1. **als Gründer oder als Mitglied des Vorstands oder des Aufsichtsrats zum Zweck der Eintragung der Gesellschaft oder eines Vertrags nach § 52 Absatz 1 Satz 1 über die Übernahme der Aktien, die Einzahlung auf Aktien, die Verwendung eingezahlter Beträge, den Ausgabebetrag der Aktien, über Sondervorteile, Gründungsaufwand, Sacheinlagen und Sachübernahmen oder in der nach § 37a Absatz 2, auch in Verbindung mit § 52 Absatz 6 Satz 3, abzugebenden Versicherung,**
2. **als Gründer oder als Mitglied des Vorstands oder des Aufsichtsrats im Gründungsbericht, im Nachgründungsbericht oder im Prüfungsbericht,**
3. **in der öffentlichen Ankündigung nach § 47 Nr. 3,**
4. **als Mitglied des Vorstands oder des Aufsichtsrats zum Zweck der Eintragung einer Erhöhung des Grundkapitals (§§ 182 bis 206) über die Einbringung des bisherigen, die Zeichnung oder Einbringung des neuen Kapitals, den Ausgabebetrag der Aktien, die Ausgabe der Bezugsaktien, über Sacheinlagen, in der Bekanntmachung nach § 183a Abs. 2 Satz 1 in Verbindung mit § 37a Abs. 2 oder in der nach § 184 Abs. 1 Satz 3 abzugebenden Versicherung,**
5. **als Abwickler zum Zweck der Eintragung der Fortsetzung der Gesellschaft in dem nach § 274 Abs. 3 zu führenden Nachweis oder**
6. **als Mitglied des Vorstands einer Aktiengesellschaft oder des Leitungsorgans einer ausländischen juristischen Person in der nach § 37 Abs. 2 Satz 1 oder § 81 Abs. 3 Satz 1 abzugebenden Versicherung oder als Abwickler in der nach § 266 Abs. 3 Satz 1 abzugebenden Versicherung**

falsche Angaben macht oder erhebliche Umstände verschweigt.

(2) **Ebenso wird bestraft, wer als Mitglied des Vorstands oder des Aufsichtsrats zum Zweck der Eintragung einer Erhöhung des Grundkapitals die in § 210 Abs. 1 Satz 2 vorgeschriebene Erklärung der Wahrheit zuwider abgibt.**

Unrichtige Darstellung

400 (1) **Mit Freiheitsstrafe bis zu drei Jahren oder mit Geldstrafe wird bestraft, wer als Mitglied des Vorstands oder des Aufsichtsrats oder als Abwickler**

1. **die Verhältnisse der Gesellschaft einschließlich ihrer Beziehungen zu verbundenen Unternehmen im Vergütungsbericht nach § 162 Absatz 1 oder 2, in Darstellungen oder Übersichten über den Vermögensstand oder in Vorträgen oder Auskünften in der Hauptversammlung unrichtig wiedergibt oder verschleiert, wenn die Tat nicht in § 331 Nr. 1 oder 1a des Handelsgesetzbuchs mit Strafe bedroht ist, oder**

2. in Aufklärungen oder Nachweisen, die nach den Vorschriften dieses Gesetzes einem Prüfer der Gesellschaft oder eines verbundenen Unternehmens zu geben sind, falsche Angaben macht oder die Verhältnisse der Gesellschaft unrichtig wiedergibt oder verschleiert, wenn die Tat nicht in § 331 Nr. 4 des Handelsgesetzbuchs mit Strafe bedroht ist.

(2) Ebenso wird bestraft, wer als Gründer oder Aktionär in Aufklärungen oder Nachweisen, die nach den Vorschriften dieses Gesetzes einem Gründungsprüfer oder sonstigen Prüfer zu geben sind, falsche Angaben macht oder erhebliche Umstände verschweigt.

Pflichtverletzung bei Verlust, Überschuldung oder Zahlungsunfähigkeit

401 (1) Mit Freiheitsstrafe bis zu drei Jahren oder mit Geldstrafe wird bestraft, wer es als Mitglied des Vorstands entgegen § 92 Abs. 1 unterläßt, bei einem Verlust in Höhe der Hälfte des Grundkapitals die Hauptversammlung einzuberufen und ihr dies anzuzeigen.

(2) Handelt der Täter fahrlässig, so ist die Strafe Freiheitsstrafe bis zu einem Jahr oder Geldstrafe.

Falsche Ausstellung von Berechtigungsnachweisen

402 (1) Wer Bescheinigungen, die zum Nachweis des Stimmrechts in einer Hauptversammlung oder in einer gesonderten Versammlung dienen sollen, falsch ausstellt oder verfälscht, wird mit Freiheitsstrafe bis zu drei Jahren oder mit Geldstrafe bestraft, wenn die Tat nicht in anderen Vorschriften über Urkundenstraftaten mit schwererer Strafe bedroht ist.

(2) Ebenso wird bestraft, wer von einer falschen oder verfälschten Bescheinigung der in Absatz 1 bezeichneten Art zur Ausübung des Stimmrechts Gebrauch macht.

(3) Der Versuch ist strafbar.

Verletzung der Berichtspflicht

403 (1) Mit Freiheitsstrafe bis zu drei Jahren oder mit Geldstrafe wird bestraft, wer als Prüfer oder als Gehilfe eines Prüfers über das Ergebnis der Prüfung falsch berichtet oder erhebliche Umstände im Bericht verschweigt.

(2) Handelt der Täter gegen Entgelt oder in der Absicht, sich oder einen anderen zu bereichern oder einen anderen zu schädigen, so ist die Strafe Freiheitsstrafe bis zu fünf Jahren oder Geldstrafe.

Verletzung der Geheimhaltungspflicht

404 (1) Mit Freiheitsstrafe bis zu einem Jahr, bei börsennotierten Gesellschaften bis zu zwei Jahren, oder mit Geldstrafe wird bestraft, wer ein Geheimnis der Gesellschaft, namentlich ein Betriebs- oder Geschäftsgeheimnis, das ihm in seiner Eigenschaft als

1. Mitglied des Vorstands oder des Aufsichtsrats oder Abwickler,

2. Prüfer oder Gehilfe eines Prüfers

bekanntgeworden ist, unbefugt offenbart; im Falle der Nummer 2 jedoch nur, wenn die Tat nicht in § 333 des Handelsgesetzbuchs mit Strafe bedroht ist.

(2) [1]Handelt der Täter gegen Entgelt oder in der Absicht, sich oder einen anderen zu bereichern oder einen anderen zu schädigen, so ist die Strafe Freiheitsstrafe bis zu zwei Jahren, bei börsennotierten Gesellschaften bis zu drei Jahren, oder Geldstrafe. [2]Ebenso wird bestraft, wer ein Geheimnis der in Absatz 1 bezeichneten Art, namentlich ein Betriebs- oder Geschäftsgeheimnis, das ihm unter den Voraussetzungen des Absatzes 1 bekanntgeworden ist, unbefugt verwertet.

(3) [1]Die Tat wird nur auf Antrag der Gesellschaft verfolgt. [2]Hat ein Mitglied des Vorstands oder ein Abwickler die Tat begangen, so ist der Aufsichtsrat, hat ein Mitglied des Aufsichtsrats die Tat begangen, so sind der Vorstand oder die Abwickler antragsberechtigt.

Verletzung der Pflichten bei Abschlussprüfungen

404a (1) Mit Freiheitsstrafe bis zu einem Jahr oder mit Geldstrafe wird bestraft, wer als Mitglied des Prüfungsausschusses einer Gesellschaft, die Unternehmen von öffentlichem Interesse nach § 316a Satz 2 des Handelsgesetzbuchs ist,

1. eine in § 405 Absatz 3b bezeichnete Handlung begeht und dafür einen Vermögensvorteil erhält oder sich versprechen lässt oder
2. eine in § 405 Absatz 3b bezeichnete Handlung beharrlich wiederholt.

(2) Ebenso wird bestraft, wer als Mitglied des Aufsichtsrats einer Gesellschaft, die Unternehmen von öffentlichem Interesse nach § 316a Satz 2 des Handelsgesetzbuches ist,

1. eine in § 405 Absatz 3c bezeichnete Handlung begeht und dafür einen Vermögensvorteil erhält oder sich versprechen lässt oder
2. eine in § 405 Absatz 3c bezeichnete Handlung beharrlich wiederholt.

Ordnungswidrigkeiten

405 (1) Ordnungswidrig handelt, wer als Mitglied des Vorstands oder des Aufsichtsrats oder als Abwickler

1. Namensaktien ausgibt, in denen der Betrag der Teilleistung nicht angegeben ist, oder Inhaberaktien ausgibt, bevor auf sie der Ausgabebetrag voll geleistet ist,
2. Aktien oder Zwischenscheine ausgibt, bevor die Gesellschaft oder im Fall einer Kapitalerhöhung die Durchführung der Erhöhung des Grundkapitals oder im Fall einer bedingten Kapitalerhöhung oder einer Kapitalerhöhung aus Gesellschaftsmitteln der Beschluß über die bedingte Kapitalerhöhung oder die Kapitalerhöhung aus Gesellschaftsmitteln eingetragen ist,
3. Aktien oder Zwischenscheine ausgibt, die auf einen geringeren als den nach § 8 Abs. 2 Satz 1 zulässigen Mindestnennbetrag lauten oder auf die bei einer Gesellschaft mit Stückaktien ein geringerer anteiliger Betrag des Grundkapitals als der nach § 8 Abs. 3 Satz 3 zulässige Mindesbetrag entfällt,

4. a) entgegen § 71 Abs. 1 Nr. 1 bis 4 oder Abs. 2 eigene Aktien der Gesellschaft erwirbt oder, in Verbindung mit § 71e Abs. 1, als Pfand nimmt,
   b) zu veräußernde eigene Aktien (§ 71c Abs. 1 und 2) nicht anbietet oder
   c) die zur Vorbereitung der Beschlußfassung über die Einziehung eigener Aktien (§ 71c Abs. 3) erforderlichen Maßnahmen nicht trifft,
5. entgegen § 120a Absatz 2 eine Veröffentlichung nicht, nicht richtig, nicht vollständig oder nicht rechtzeitig vornimmt oder
6. entgegen § 162 Absatz 4 einen dort genannten Bericht oder Vermerk nicht oder nicht mindestens zehn Jahre zugänglich macht.

(2) Ordnungswidrig handelt auch, wer als Aktionär oder als Vertreter eines Aktionärs die nach § 129 in das Verzeichnis aufzunehmenden Angaben nicht oder nicht richtig macht.

(2a) Ordnungswidrig handelt, wer

1. entgegen § 67 Absatz 4 Satz 2 erster Halbsatz, auch in Verbindung mit Satz 3, eine Mitteilung nicht, nicht richtig, nicht vollständig oder nicht rechtzeitig macht,
2. entgegen § 67a Absatz 3 Satz 1, auch in Verbindung mit Satz 2, jeweils auch in Verbindung mit § 125 Absatz 5 Satz 3, oder entgegen § 67c Absatz 1 Satz 2 oder § 67d Absatz 4 Satz 2 zweiter Halbsatz eine dort genannte Information nicht, nicht richtig, nicht vollständig oder nicht rechtzeitig weiterleitet,
3. entgegen § 67b Absatz 1 Satz 1, auch in Verbindung mit Absatz 2, jeweils auch in Verbindung mit § 125 Absatz 5 Satz 3, oder entgegen § 67c Absatz 1 Satz 1 oder § 67d Absatz 4 Satz 1 oder 3 eine dort genannte Information nicht, nicht richtig, nicht vollständig oder nicht rechtzeitig übermittelt,
4. entgegen § 67c Absatz 3 einen dort genannten Nachweis nicht, nicht richtig, nicht vollständig oder nicht rechtzeitig ausstellt,
5. entgegen § 67d Absatz 3 ein dort genanntes Informationsverlangen nicht, nicht richtig, nicht vollständig oder nicht rechtzeitig weiterleitet,
6. entgegen § 111c Absatz 1 Satz 1 eine Veröffentlichung nicht, nicht richtig, nicht vollständig oder nicht rechtzeitig vornimmt,
7. entgegen § 118 Absatz 1 Satz 3 oder 4, jeweils auch in Verbindung mit Absatz 2 Satz 2, oder entgegen § 129 Absatz 5 Satz 2 oder 3 eine dort genannte Bestätigung nicht, nicht richtig, nicht vollständig, nicht in der vorgeschriebenen Weise oder nicht rechtzeitig erteilt oder nicht, nicht richtig, nicht vollständig oder nicht rechtzeitig übermittelt,
8. entgegen § 134b Absatz 5 Satz 1 eine Information nach § 134b Absatz 1, 2 oder 4 nicht oder nicht mindestens drei Jahre zugänglich macht,
9. entgegen § 134c Absatz 3 Satz 1 eine Information nach § 134c Absatz 1 oder 2 Satz 1 oder 3 nicht oder nicht mindestens drei Jahre zugänglich macht,
10. entgegen § 134d Absatz 3 eine dort genannte Information nicht oder nicht mindestens drei Jahre zugänglich macht,
11. entgegen § 134d Absatz 4 eine Information nicht, nicht richtig, nicht vollständig oder nicht rechtzeitig gibt oder

12. entgegen § 135 Absatz 9 eine dort genannte Verpflichtung ausschließt oder beschränkt.

(3) **Ordnungswidrig handelt ferner, wer**

1. Aktien eines anderen, zu dessen Vertretung er nicht befugt ist, ohne dessen Einwilligung zur Ausübung von Rechten in der Hauptversammlung oder in einer gesonderten Versammlung benutzt,

2. zur Ausübung von Rechten in der Hauptversammlung oder in einer gesonderten Versammlung Aktien eines anderen benutzt, die er sich zu diesem Zweck durch Gewähren oder Versprechen besonderer Vorteile verschafft hat,

3. Aktien zu dem in Nummer 2 bezeichneten Zweck gegen Gewähren oder Versprechen besonderer Vorteile einem anderen überläßt,

4. Aktien eines anderen, für die er oder der von ihm Vertretene das Stimmrecht nach § 135 nicht ausüben darf, zur Ausübung des Stimmrechts benutzt,

5. Aktien, für die er oder der von ihm Vertretene das Stimmrecht nach § 20 Abs. 7, § 21 Abs. 4, §§ 71b, 71d Satz 4, § 134 Abs. 1, §§ 135, 136, 142 Abs. 1 Satz 2, § 285 Abs. 1 nicht ausüben darf, einem anderen zum Zweck der Ausübung des Stimmrechts überläßt oder solche ihm überlassene Aktien zur Ausübung des Stimmrechts benutzt,

6. besondere Vorteile als Gegenleistung dafür fordert, sich versprechen läßt oder annimmt, daß er bei einer Abstimmung in der Hauptversammlung oder in einer gesonderten Versammlung nicht oder in einem bestimmten Sinne stimme oder

7. besondere Vorteile als Gegenleistung dafür anbietet, verspricht oder gewährt, daß jemand bei einer Abstimmung in der Hauptversammlung oder in einer gesonderten Versammlung nicht oder in einem bestimmten Sinne stimme.

(3a) **Ordnungswidrig handelt, wer vorsätzlich oder leichtfertig**

1. entgegen § 121 Abs. 4a Satz 1, auch in Verbindung mit § 124 Abs. 1 Satz 3, die Einberufung nicht, nicht richtig, nicht vollständig oder nicht rechtzeitig zuleitet oder

2. entgegen § 124a Angaben nicht, nicht richtig oder nicht vollständig zugänglich macht.

(3b) **Ordnungswidrig handelt, wer als Mitglied des Prüfungsausschusses einer Gesellschaft, die Unternehmen von öffentlichem Interesse nach § 316a Satz 2 des Handelsgesetzbuchs ist,**

1. die Unabhängigkeit des Abschlussprüfers oder der Prüfungsgesellschaft nicht nach Maßgabe des Artikels 4 Absatz 3 Unterabsatz 2, des Artikels 5 Absatz 4 Unterabsatz 1 Satz 1 oder des Artikels 6 Absatz 2 der Verordnung (EU) Nr. 537/2014 des Europäischen Parlaments und des Rates vom 16. April 2014 über spezifische Anforderungen an die Abschlussprüfung bei Unternehmen von öffentlichem Interesse und zur Aufhebung des Beschlusses 2005/909/EG der Kommission (ABl. L 158 vom 27.5.2014, S. 77, L 170 vom 11.6.2014, S. 66) überwacht oder

2. dem Aufsichtsrat eine Empfehlung für die Bestellung eines Abschlussprüfers oder einer Prüfungsgesellschaft vorlegt, die den Anforderungen nach Artikel 16 Absatz 2 Unterabsatz 2 oder 3 der Verordnung (EU) Nr. 537/2014 nicht entspricht oder der ein Auswahlverfahren nach Artikel 16 Absatz 3 Unterabsatz 1 der Verordnung (EU) Nr. 537/2014 nicht vorangegangen ist.

(3c) **Ordnungswidrig handelt, wer als Mitglied des Aufsichtsrats einer Gesellschaft, die Unternehmen von öffentlichem Interesse nach § 316a Satz 2 des Handelsgesetzbuchs ist, der Hauptversammlung einen Vorschlag für die Bestellung eines Abschlussprüfers oder einer Prüfungsgesellschaft vorlegt, der den Anforderungen nach Artikel 16 Absatz 5 Unterabsatz 1 oder Unterabsatz 2 Satz 1 oder Satz 2 der Verordnung (EU) Nr. 537/2014 nicht entspricht.**

(4) **Die Ordnungswidrigkeit kann in den Fällen des Absatzes 2a Nummer 6 sowie der Absätze 3b und 3c mit einer Geldbuße bis zu fünfhunderttausend Euro, in den übrigen Fällen mit einer Geldbuße bis zu fünfundzwanzigtausend Euro geahndet werden.**

(5) **Verwaltungsbehörde im Sinne des § 36 Absatz 1 Satz 1 des Gesetzes über Ordnungswidrigkeiten ist**

1. die Bundesanstalt für Finanzdienstleistungsaufsicht
   a) in den Fällen des Absatzes 2a Nummer 6, soweit die Handlung ein Geschäft nach § 111c Absatz 1 Satz 1 in Verbindung mit Absatz 3 Satz 1 betrifft, und
   b) in den Fällen der Absätze 3b und 3c bei Gesellschaften, die Unternehmen von öffentlichem Interesse nach § 316a Satz 2 Nummer 2 und 3 des Handelsgesetzbuches sind,

2. das Bundesamt für Justiz in den Fällen der Absätze 3b und 3c, in denen nicht die Bundesanstalt für Finanzdienstleistungsaufsicht nach Nummer 1 Buchstabe b Verwaltungsbehörde ist.

406 *(aufgehoben)*

Zwangsgelder

407

(1) [1]**Vorstandsmitglieder oder Abwickler, die § 52 Abs. 2 Satz 2 bis 4, § 71c, § 73 Abs. 3 Satz 2, §§ 80, 90, 104 Abs. 1, § 111 Abs. 2, § 145, §§ 170, 171 Abs. 3 oder Abs. 4 Satz 1 in Verbindung mit Abs. 3, §§ 175, 179a Abs. 2 Satz 1 bis 3, 214 Abs. 1, § 246 Abs. 4, §§ 248a, 259 Abs. 5, § 268 Abs. 4, § 270 Abs. 1, § 273 Abs. 2, §§ 293f, 293g Abs. 1, § 312 Abs. 1, § 313 Abs. 1, § 314 Abs. 1 nicht befolgen, sowie Aufsichtsratsmitglieder, die § 107 Absatz 4 Satz 1 nicht befolgen, sind hierzu vom Registergericht durch Festsetzung von Zwangsgeld anzuhalten; § 14 des Handelsgesetzbuchs bleibt unberührt.** [2]**Das einzelne Zwangsgeld darf den Betrag von fünftausend Euro nicht übersteigen.**

(2) **Die Anmeldungen zum Handelsregister nach den §§ 36, 45, 52, 181 Abs. 1, §§ 184, 188, 195, 210, 223, 237 Abs. 4, §§ 274, 294 Abs. 1, § 319 Abs. 3 werden durch Festsetzung von Zwangsgeld nicht erzwungen.**

Übersicht

I. Regelungsgegenstand und -zweck

1 Norm betr. Registerzwang und dient der **Durchsetzung von Pflichten** der Gesellschaft, an deren Erfüllung auch ein öffentl. Interesse besteht. Regelungsschwerpunkt liegt in Enumeration des § 407 I 1 Hs. 1, die ihrerseits § 14 HGB ergänzt, nicht verdrängt (§ 407 I 1 Hs. 2). **Ergänzung des § 14 HGB** ist erforderlich, weil es um Pflichten geht, die nicht, wie nach § 14 HGB (Anmeldung, Zeichnung der Unterschrift, Einreichung), ggü. dem Registergericht zu erfüllen sind. Daneben erfährt § 14 HGB sachgerechte **Abwandlung** (§ 407 II; → Rn. 10). Mittel der Durchsetzung ist Zwangsgeld, also Beugemaßnahme (nicht: Strafe oder Bußgeld → Rn. 14). Regelung ist abschließend (KK-AktG/Altenhain Rn. 5; GK-AktG/Otto Rn. 3), soweit es um die im AktG selbst geregelten Pflichten geht; vgl. iÜ §§ 335, 340o HGB, § 21 PublG, § 316 UmwG.

II. Zwangsgeldbewehrung

2 **1. Normadressaten.** Zwangsgeldverfahren richtet sich gegen **Vorstandsmitglieder oder Abwickler,** die ihre Pflichten nicht erfüllen, also nicht gegen AG (ebenso BayObLGZ 2000, 11, 14 = FGPrax 2000, 74 zu § 21 S. 1 Nr. 1 PublG), auch nicht gegen Vorstand als Organ. Bei KGaA treten persönlich haftende Gesellschafter an die Stelle der Vorstandsmitglieder (§ 408 S. 2). Weil Vorstandsmitglieder oder Abwickler in Person mit Zwangsgeld bedroht werden, handeln sie bei Erfüllung der ihnen auferlegten Pflichten nicht organschaftlich für die AG, sondern als Schuldner einer ihnen auferlegten öffentl.-rechtl. Verpflichtung (MüKoAktG/Wendt Rn. 29; Großkomm HGB/J. Koch § 14 Rn. 15; aA HCL/Casper GmbHG § 78 Rn. 12; offenlassend BGHZ 105, 324, 327 f. = NJW 1989, 295; BeckOGK/Hefendehl Rn. 7 f.). Gegen **AR-Mitglieder,** bes. gegen AR-Vorsitzenden, findet Zwangsgeldverfahren idR nicht statt. § 407 I 1 sieht gegen sie gerichtetes Verfahren nämlich grds. nicht vor. Nach § 14 HGB wäre es zwar möglich („wer"), doch sind AR-Mitglieder zur Vornahme zwangsgeldbewehrter Handlungen nicht verpflichtet (GK-AktG/Otto Rn. 6; KK-AktG/Altenhain Rn. 3). Insbes. die Fälle, in denen AR-Vorsitzender bei Anmeldung von Kapitalmaßnahmen mitwirkt (§§ 184, 188, 195, 223, 237 IV 5), sind durch § 407 II vom Registerzwang ausgenommen. Ausn. gilt aber seit FISG 2021 für AR-Mitglieder in Unternehmen von öffentl. Interesse iSd § 316a S. 2 (→ § 100 Rn. 23). Auch sie können Adressaten eines Zwangsgeldverfahrens werden, wenn sie Pflicht zur Einrichtung eines Prüfungsausschusses nach § 107 IV 1 nicht erfüllen (→ § 107 Rn. 41 ff.).

3 Wenn **mehrere Vorstandsmitglieder** (oder Abwickler) mitwirken müssen, kann Zwangsgeldverfahren gegen jedes Mitglied stattfinden, das zur Mitwirkung bei der geschuldeten Maßnahme nicht bereit ist (OLG Hamm JMBl NW 1959, 32; KG RJA 9, 47, 50; GK-AktG/Otto Rn. 6). Auch **Stellvertreter** von Vor-

standsmitgliedern (§ 94) können Verfahrensadressaten sein, weil sie die vollen ges. Rechte und Pflichten eines Vorstandsmitglieds haben (→ § 94 Rn. 2). Erzwingungsverfahren findet aber nur statt, wenn Stellvertreter für die Maßnahme zuständig ist, die erzwungen werden soll (KG OLGR 27, 340, 341 f.; GK-AktG/Otto Rn. 6). Für AR-Mitglieder, die gem. § 105 II zu Stellvertretern von Vorstandsmitgliedern bestellt worden sind, gilt das mit der Maßgabe, dass es auf die Zuständigkeit des vertretenen Vorstandsmitglieds ankommt (vgl. § 105 Rn. 9; MüKoAktG/Wendt Rn. 10). Darin liegt keine Ausnahme von Grundsätzen in → Rn. 2, weil AR-Mitglied bei Ruhen des Mandats (§ 105 II 3) als Vorstand angesprochen wird (zust. NK-AktR/Poller/Ammon Rn. 13; unscharf GK-AktG/Otto Rn. 6).

2. Tatbestände. a) Pflichtenrahmen des § 407 I 1 Hs. 1. Nach der inso- 4
weit abschließenden (→ Rn. 1) Enumeration des § 407 I 1 Hs. 1 sind folgende Pflichten zwangsgeldbewehrt: Auslegung des Nachgründungsvertrags und Erteilung von Abschriften an Aktionäre, soweit sie nicht durch Internetpublizität ersetzt werden (§ 52 II 2–4 → § 52 Rn. 13); Veräußerung eigener Aktien (§ 71c; → § 71 Rn. 2 ff.); Anzeige der Aushändigung oder Hinterlegung neuer Aktien bei Gericht (§ 73 III 2; → § 73 Rn. 7 f.); Mindestangaben auf Geschäftsbriefen (§ 80 → § 80 Rn. 2 f.); Erstattung von Berichten an den AR (§ 90 → § 90 Rn. 4 ff.); Antrag auf Ergänzung des beschlussunfähigen AR (§ 104 I; → § 104 Rn. 2 ff.); Gewährung der Einsichtnahme und Ermöglichung der Prüfung (§ 111 II; → § 111 Rn. 34 ff.); Gestattung der Sonderprüfung (§ 145 → § 145 Rn. 2 ff.; auch bei entspr. Anwendung nach § 258 V 1 und im Fall des § 315); Vorlage von Abschlussunterlagen, Prüfungsbericht und Gewinnverwendungsvorschlag an den AR sowie Gewährung von Information an einzelne AR-Mitglieder (§ 170; → § 170 Rn. 2 f., 12 ff.); Bestimmung einer Nachfrist für Zuleitung des Prüfungsberichts des AR (§ 171 III; → § 171 Rn. 26), auch iVm § 171 IV 1 für IAS-Abschluss nach § 325 IIa HGB; → § 171 Rn. 27; auch bei entspr. Anwendung nach § 270 II 2; Einberufung der ordentlichen HV und Information der Aktionäre (§ 175 I bis III; → § 175 Rn. 2 ff., 5 ff.; auch bei entspr. Anwendung nach § 270 II 2 und [nur § 175 II] nach § 120 III 3, § 176 I 1, § 209 VI, § 337 III); Auslegung des Vertrags bei Vermögensübertragung zur Einsicht der Aktionäre und Erteilung von Abschriften, soweit sie nicht durch Internetpublizität ersetzt werden (§ 179a II 1–3 → § 179a Rn. 19); Aufforderung an Aktionäre zur Abholung neuer Aktien und deren Bek. (§ 214 I → § 214 Rn. 3 ff.); Bek. der Anfechtungs- bzw. Nichtigkeitsklage und des ersten Termins (§ 246 IV → § 246 Rn. 40; auch bei entspr. Anwendung nach § 251 III, § 254 II 1, § 255 III, § 257 II 1 bzw. nach § 249 I 1, § 250 III 1, § 253 II, § 256 VII); Bek. der Verfahrensbeendigung nach Anfechtungsprozess (§ 248a); Bek. der abschließenden Feststellungen bei Sonderprüfung wegen unzulässiger Unterbewertung (§ 259 V → § 259 Rn. 10); Angaben auf Geschäftsbriefen bei Abwicklung (§ 268 IV; → § 268 Rn. 8); Rechnungslegung der Abwickler (§ 270 I; → § 270 Rn. 6 ff., 14 ff.); Hinterlegung von Büchern und Schriften der abgewickelten AG (§ 273 II; → § 273 Rn. 10).

Aus dem **Konzernrecht:** Auslegung des Unternehmensvertrags sowie der 5
Jahresabschlüsse, Lageberichte, Vorstands- und Prüfungsberichte vor Zustimmungsbeschluss der HV sowie Erteilung von Abschriften (§ 293f; → § 293f Rn. 2 ff., 5); Auslegung dieser Unterlagen in HV (§ 293g I → § 293 Rn. 2); Aufstellung des Abhängigkeitsberichts (§ 312 I; → § 312 Rn. 2 ff., 11 ff.), und zwar auch nach Feststellung des Jahresabschlusses → § 312 Rn. 10; BGHZ 135, 107, 111 = NJW 1997, 1855); dessen Vorlage an den Abschlussprüfer (§ 313 I;→ § 313 Rn. 2 ff.); Vorlage von Abhängigkeits- und Prüfungsbericht an AR sowie Information der einzelnen AR-Mitglieder (§ 314 I → § 314 Rn. 2 f.).

Nicht mehr zwangsgeldbewehrt ist Bek. der gerichtl. Entscheidung über Ausgleich oder Abfindung (→ SpruchG § 14 Rn. 4).

6 **b) Rechnungslegung.** Durch Art. 2 BiRiLiG v. 19.12.1985 (BGBl. 1985 I 2355) sind aus der bis dahin geltenden Fassung des § 407 I 1 Hs. 1 die bilanzbezogenen Pflichten gestrichen worden (§§ 148, 160 V aF, § 163 I, III und V aF, §§ 165, 329, 330, 336 IV 1 und 2 aF, § 337 I aF). Zwangsgeldbewehrung der entspr., nunmehr im Dritten Buch des HGB geregelten Pflichten folgt jetzt aus §§ 335, 340o HGB, die aber antragsabhängig sind (anders § 21 PublG); Einzelnormen sind dort aufgeführt. Vgl. zur Übergangsregelung nach Art. 23 EGHGB noch ADS Art. 23 EGHGB Rn. 27 ff., 95 ff.

7 **c) Umwandlung.** Verselbständigung des Umwandlungsrechts durch UmwBerG 1994 (→ Rn. 1) hat zu einer ähnlichen Entwicklung geführt wie bei der Rechnungslegung (→ Rn. 6). Infolge Aufhebung des Vierten Buches aF (§§ 339–393 aF Rn. 1) sind mit Wirkung ab 1.1.1995 § 340d II und IV, § 361 II 1 und 2 aF aus § 407 I 1 Hs. 1 gestrichen worden. Mit Streichung des § 340d II und IV aF sind auch darauf aufbauende Verweisungsnormen entfallen (§ 352b I 4 aF, § 353 I 1 aF, § 354 II 1 aF, § 355 II 1 aF, § 356 II 1 aF, § 357 II 1 aF, § 358 II 1 aF, § 358a S. 2 aF, § 359 II 1 aF, § 360 II 1 aF). Einschlägig ist nunmehr § 316 UmwG. Norm ist § 407 nachgebildet und enumeriert mit Zwangsgeld bewehrte umwandlungsrechtl. Pflichten (§ 316 I 1 UmwG).

8 **d) Anmelde-, Einreichungs- und Zeichnungspflichten nach § 14 HGB. aa) Grundsatz des § 407 I 1 Hs. 2.** Gem. § 14 HGB iVm § 407 I 1 Hs. 2 ist Registergericht zunächst berechtigt und verpflichtet, vorgeschriebene **Anmeldungen** zwangsweise durchzusetzen; Grundsatz wird jedoch weitgehend durch § 407 II außer Kraft gesetzt (→ Rn. 10). Anmeldungen, die nach § 14 HGB erzwungen werden können, sind namentl. diejenigen nach §§ 81 (auch iVm § 94), 201, 298. Anmeldungen und Nachweise für Zweigniederlassungen sind in §§ 13, 13d ff. HGB geregelt (→ HGB § 13 Rn. 8; → HGB § 13e Rn. 3 ff.; → HGB § 13f Rn. 2 ff., 6); insoweit gilt § 14 HGB unmittelbar.

9 **Einreichung** von Dokumenten: § 14 HGB gilt jedenfalls für alle Pflichten, die ohne Rücksicht auf eine nicht erzwingbare Anmeldung (§ 407 II; → Rn. 10) zu erfüllen sind; zB Verpflichtung des Sonderprüfers, seinen Bericht nach § 145 IV 3 (→ § 145 Rn. 8), § 259 I 3 (→ § 259 Rn. 2), § 315 (→ § 315 Rn. 7) zum HR einzureichen. Nach früher hM (v. Godin/Wilhelmi Rn. 4 aE; KK-AktG/Zöllner Rn. 25) soll § 14 HGB ferner eingreifen, wenn **Anmeldung nicht nach § 407 II erzwingbar** ist, aber erfolgt und vorgeschriebene Unterlagen fehlen; das sind die Fälle der § 37 IV, § 52 VI, § 181 I 2 und 3, § 184 I 2, § 188 III, § 195 II, § 210 I, § 294 I 2, § 319 IV 2. Das ist dann richtig, wenn Registergericht trotz unvollständiger Unterlagen eingetragen hat (→ § 37 Rn. 19; → § 52 Rn. 16; RGZ 130, 248, 256; KGJ 41, A 123, 130; MüKoAktG/Wendt Rn. 20 f.; zust. GK-AktG/Otto Rn. 56 bei Fn. 1 mit missverständlichem Schlusssatz). IÜ, also vor Eintragung, ist durch Zwischenverfügung auf Mangel hinzuweisen und seine Beseitigung zu ermöglichen (§ 382 IV FamFG). Bleibt das fruchtlos, so ist die Anmeldung zurückzuweisen, nicht nach § 14 HGB zu verfahren (GK-HGB/J. Koch/Harnos § 14 Rn. 9; MüKoAktG/Wendt Rn. 21).

10 **bb) Ausnahmen nach § 407 II.** Norm sieht Ausnahmen vom allg. Registerzwang des § 14 HGB vor, der ohne sie eingreifen würde, aber weder erforderlich noch sachdienlich wäre; nicht erforderlich, weil Ausbleiben der gewollten Rechtsfolge (AG entsteht nicht, Satzungsänderung bleibt unwirksam) als Sanktion genügt, und nicht sachdienlich, weil Registergericht sonst anstelle der Beteiligten die Gesellschaftsverhältnisse positiv gestalten würde (MüKoAktG/Wendt Rn. 2). Hierher gehören: Anmeldung der Gesellschaft (§ 36 → § 36 Rn. 2 ff.); einer

Sitzverlegung (§ 45 → § 45 Rn. 2); eines nachgründenden Vertrags (§ 52 → § 52 Rn. 16); einer Satzungsänderung (§ 181 I → § 181 Rn. 2 ff.); eines Kapitalerhöhungsbeschlusses und seiner Durchführung (§§ 184, 188 → § 184 Rn. 2 f. bzw. → § 188 Rn. 2); eines Beschlusses über die bedingte Kapitalerhöhung (§ 195 → § 195 Rn. 2 f.); eines Beschlusses über die Kapitalerhöhung aus Gesellschaftsmitteln (§ 210 → § 210 Rn. 2); eines Beschlusses über die Kapitalherabsetzung (§ 223 → § 223 Rn. 2 f.); eines Beschlusses über die Kapitalherabsetzung durch Einziehung von Aktien (§ 237 IV → § 237 Rn. 37); eines Fortsetzungsbeschlusses nach Auflösung der AG (§ 274 → § 274 Rn. 7); eines Unternehmensvertrags (§ 294 → § 294 Rn. 2 ff.); der Eingliederung (§ 319 IV [§ 319 III aF; Textanpassung wurde infolge Redaktionsversehens übersehen] → § 319 Rn. 13).

Ähnlich wie § 407 I 1 Hs. 1 durch § 316 I 1 Hs. 1 UmwG ergänzt wird 11
(→ Rn. 7), erfährt auch § 407 II eine **Ergänzung durch § 316 II UmwG.** Norm sieht iE vor, welche Anmeldepflichten nicht im Zwangsgeldverfahren durchgesetzt werden, und beruht auf denselben Grundgedanken wie § 407 II (→ Rn. 10). Entspr. sind mit Wirkung ab 1.1.1995 § 345 I, § 353 V, §§ 364, 367, 371, 379, 390 aF aus § 407 II gestrichen worden. Soweit es in diesem Rahmen um Unterlagen bei nicht erzwingbarer Anmeldung geht (zB §§ 17, 146 II UmwG), sind die in → Rn. 9 entwickelten Grundsätze maßgeblich.

cc) Anmeldungen bei Zweigniederlassungen. Infolge Aufhebung des frü- 12
heren § 407 II 2 durch EHUG 2006 gibt es für Anmeldungen bei Zweigniederlassungen **keine bes. Vorschrift** mehr. Insbes. bedarf es nach Aufhebung des früheren § 13c HGB keiner Überstücke für die Zweigniederlassungen. Deshalb besteht auch für Zwangsmaßnahmen kein Raum. Nach § 12 I HGB, § 13 I HGB erfolgen die Anmeldungen elektronisch beim Gericht des Gesellschaftssitzes.

3. Rechtswidrigkeit und Verschulden. Verletzung der iE geregelten Pflich- 13
ten (→ Rn. 4–12) zieht Zwangsgeld nach sich, ohne dass es auf weitere positive Voraussetzungen ankäme. **Rechtfertigungsgründe** dürfen nicht eingreifen. Frage ist aber praktisch bedeutungslos; in Betracht kommt allenfalls rechtfertigender Notstand in rechtsanaloger Anwendung der § 228 BGB, § 34 StGB (MüKoAktG/Wendt Rn. 14). Stets **unerheblich** ist **Verschulden,** weil Zwangsgeld Beugemaßnahme und nicht Strafe ist (→ Rn. 14).

III. Zwangsgeld als Rechtsfolge (§ 407 I 2)

1. Rechtsnatur. Zwangsgeld ist **Beugemaßnahme,** nicht Strafe und nicht 14
Bußgeld (OLG München OLGZ 1982, 101, 102 zur gleichliegenden Frage bei § 888 ZPO; GK-AktG/Otto Rn. 4; KK-AktG/Zöllner Rn. 4; HCL/Ransiek GmbHG § 79 Rn. 3; Göhler NJW 1974, 825, 826). Überschrift vor § 399 (Straf- und Bußgeldvorschriften) ist irreführend und korrekturbedürftig. Sie beruht noch auf § 407 aF (Ordnungsstrafe, s. RegBegr. Kropff S. 509). Jetzige Gesetzesfassung geht zurück auf Art. 129 EGStGB v. 2.3.1974 (BGBl. 1974 I 469).

2. Höhe und Bemessung. Das einzelne Zwangsgeld darf Höchstbetrag von 15
5000 Euro nicht überschreiten (§ 407 I 2, der Art. 6 I 1 EGStGB [→ Rn. 14] insoweit verdrängt). Dieser Rahmen kann bei jeder Festsetzung ausgeschöpft werden. Addition von Zwangsgeldbeträgen bei wiederholter Festsetzung wegen andauernder Pflichtverletzung oder bei mehrfacher Festsetzung wegen verschiedener Nichtbefolgungen findet nicht statt (unstr.). **Mindestbetrag** liegt bei 5 Euro (Art. 6 I 1 EGStGB [→ Rn. 14]; früher: 1 DM, s. MüKoAktG/Wendt Rn. 16; ebenso GK-AktG/Otto Rn. 62).

16 **Bemessung** richtet sich zunächst nach Bedeutung des durchzusetzenden öffentl. Interesses, sodann nach der Zwangsgeldempfindlichkeit (bes. den wirtschaftlichen Verhältnissen) des Verpflichteten (BayObLGZ 1974, 351, 354; Hofmann Rpfleger 1991, 283), schließlich nach den Umständen der Pflichtverletzung. Naheliegend ist Aufschlag bei wiederholter Festsetzung (Hofmann Rpfleger 1991, 283). Verbreitet wird auch auf Verschulden des Verpflichteten abgehoben (Hofmann Rpfleger 1991, 283). Dem ist in dieser Form nicht zu folgen. Maßgeblich ist obj. Verhältnismäßigkeit, für die es auf den zu überwindenden Widerstand ankommt (MüKoAktG/Wendt Rn. 15; wohl auch BeckOGK/Hefendehl Rn. 18). In diesem Rahmen kann es allerdings eine Rolle spielen, ob Pflichtverletzung versehentlich oder willentlich begangen wird.

IV. Erzwingungsverfahren

17 **1. Überblick.** Maßgeblich sind (auch bei Einschreiten nach § 408; §§ 335, 340o HGB; § 21 PublG; § 316 UmwG) §§ 388–391 FamFG. Sachlich und örtl. ausschließlich zuständig ist Amtsgericht (§ 23a II Nr. 3 GVG) des Gesellschaftssitzes (§ 14), das durch den Rechtspfleger handelt (§ 3 Nr. 2 lit. d RPflG). Verfahren beginnt mit Einleitungsverfügung (§ 388 I FamFG), sobald Gericht glaubhafte Kenntnis eines sein Einschreiten rechtfertigenden Sachverhalts erhält. Gericht wird von Amts wegen tätig. Einleitungsverfügung muss Verpflichtung des Adressaten genau bezeichnen; eine Frist bestimmen; dem Adressaten aufgeben, innerhalb der Frist die Handlung vorzunehmen oder ihre Unterlassung durch Einspruch zu rechtfertigen; schließlich ziffernmäßig bestimmtes Zwangsgeld (nicht nur: Höchstbetrag) für den Fall androhen, dass weder das eine noch das andere erfolgt oder der Einspruch verworfen wird. Rechtsbehelf ist grds. nur der Einspruch (§§ 388 I, 390 FamFG). Beschwerde ist unzulässig, weil Einleitungsverfügung keine Endentscheidung darstellt (§ 58 FamFG; s. RegBegr. BT-Drs. 16/6308, 287), Erinnerung (§ 11 RPflG) nur statthaft, wenn Unzulässigkeit des Verfahrens geltend gemacht wird. Zwangsgeldfestsetzung erfolgt, wenn Handlung nicht vorgenommen und Einspruch nicht oder verspätet erhoben wird (§ 389 I FamFG) oder wenn Gericht Einspruch als unbegründet verwirft (§ 390 IV FamFG). Zugleich ist Festsetzung erneuten Zwangsgeldes anzudrohen (§ 389 I FamFG, § 390 V FamFG). **Rechtsmittel** gegen Festsetzung des Zwangsgeldes oder gegen Verwerfung des Einspruchs ist nach § 391 I FamFG Beschwerde (§§ 58 ff. FamFG) mit Monatsfrist des § 63 FamFG. Dasselbe gilt, wenn sich Rechtsmittel gegen Ablehnung der Verfahrenseinleitung oder gegen Rücknahme der Einleitungsverfügung richtet. Beschwerdebefugnis von Aktionären setzt gem. § 59 I FamFG Beeinträchtigung ihrer Rechte voraus, zu denen auch Antragsbefugnis nach § 315 S. 1 gehört (BGHZ 135, 107, 109 = NJW 1997, 1855; Schießl ZGR 1998, 871, 874 f.).

18 **2. AG als Beteiligte.** Zwangsgeldverfahren richtet sich zwar gegen Vorstandsmitglieder oder Abwickler (→ Rn. 2 f.), nicht gegen AG selbst. Gleichwohl ist sie Beteiligte im Einspruchs- oder Beschwerdeverfahren. Das gilt zunächst für konstitutiv wirkende Eintragungen (BGHZ 105, 324, 327 f. = NJW 1989, 295; BGHZ 117, 323, 325 ff. = NJW 1992, 1824; entgegenstehende Rspr. des BayObLG [Nachw. in BGHZ 105, 324, 327] ist überholt), aber nicht nur für sie. Auch bei nur deklaratorischen Eintragungen und Einreichungspflichten ist AG **einspruchs- und beschwerdeberechtigt,** weil sie von den zwangsgeldbewehrten Pflichten materiell betroffen wird (BGHZ 25, 154, 156 f. = NJW 1957, 1558 zur Genossenschaft; BayObLGZ 1962, 107, 110 = NJW 1962, 1014; MüKoAktG/Wendt Rn. 29 mwN). In den Verfahren nach §§ 335, 340o HGB (→ Rn. 6) ist allerdings zu beachten, dass sie nur auf Antrag stattfinden (anders

§ 21 PublG). Insoweit steht Beschwerde gegen zurückweisende Verfügungen nur dem Antragsteller zu (§ 59 II FamFG).

Mitteilungen an die Abschlussprüferaufsichtsstelle

407a (1) **Die nach § 405 Absatz 5 zuständige Verwaltungsbehörde übermittelt der Abschlussprüferaufsichtsstelle beim Bundesamt für Wirtschaft und Ausfuhrkontrolle alle Bußgeldentscheidungen nach § 405 Absatz 3b und 3c.**

(2) **[1] In Strafverfahren, die eine Straftat nach § 404a zum Gegenstand haben, übermittelt die Staatsanwaltschaft im Falle der Erhebung der öffentlichen Klage der Abschlussprüferaufsichtsstelle die das Verfahren abschließende Entscheidung. [2] Ist gegen die Entscheidung ein Rechtsmittel eingelegt worden, ist die Entscheidung unter Hinweis auf das eingelegte Rechtsmittel zu übermitteln.**

Strafbarkeit persönlich haftender Gesellschafter einer Kommanditgesellschaft auf Aktien

408 **[1] Die §§ 399 bis 407 gelten sinngemäß für die Kommanditgesellschaft auf Aktien. [2] Soweit sie Vorstandsmitglieder betreffen, gelten sie bei der Kommanditgesellschaft auf Aktien für die persönlich haftenden Gesellschafter.**

Geltung in Berlin

409 **(gegenstandslos)**

Inkrafttreten

410 **Dieses Gesetz tritt am 1. Januar 1966 in Kraft.**

Anhang

Deutscher Corporate Governance Kodex 2022

wie von der Regierungskommission am 28. April 2022 beschlossen

Inhalt

Präambel

Unter Corporate Governance wird der rechtliche und faktische Ordnungsrahmen für die Leitung und Überwachung eines Unternehmens verstanden. Der Deutsche Corporate Governance Kodex (der „Kodex") enthält Grundsätze, Empfehlungen und Anregungen für den Vorstand und den Aufsichtsrat, die dazu beitragen sollen, dass die Gesellschaft im Unternehmensinteresse geführt wird. Der Kodex verdeutlicht die Verpflichtung von Vorstand und Aufsichtsrat, im Einklang mit den Prinzipien der sozialen Marktwirtschaft unter Berücksichtigung der Belange der Aktionäre, der Belegschaft und der sonstigen dem Unternehmen verbundenen Gruppen (Stakeholder) für den Bestand des Unternehmens und seine nachhaltige Wertschöpfung zu sorgen (Unternehmensinteresse). Diese Prinzipien verlangen nicht nur Legalität, sondern auch ethisch fundiertes, eigenverantwortliches Verhalten (Leitbild des Ehrbaren Kaufmanns).

Die Gesellschaft und ihre Organe haben sich in ihrem Handeln der Rolle des Unternehmens in der Gesellschaft und ihrer gesellschaftlichen Verantwortung bewusst zu sein. Sozial- und Umweltfaktoren beeinflussen den Unternehmenserfolg und die Tätigkeiten des Unternehmens haben Auswirkungen auf Mensch und Umwelt. Vorstand und Aufsichtsrat berücksichtigen dies bei der Führung und Überwachung im Rahmen des Unternehmensinteresses.

Der **Kodex** hat zum Ziel, das duale deutsche Corporate Governance System transparent und nachvollziehbar zu machen. Der Kodex enthält Grundsätze, Empfehlungen und Anregungen zur Leitung und Überwachung deutscher börsennotierter Gesellschaften, die national und international als Standards guter und verantwortungsvoller Unternehmensführung anerkannt sind. Er will das Vertrauen der Anleger, der Kunden, der Belegschaft und der Öffentlichkeit in die Leitung und Überwachung deutscher börsennotierter Gesellschaften fördern.

Die **Grundsätze** geben wesentliche rechtliche Vorgaben verantwortungsvoller Unternehmensführung wieder und dienen hier der Information der Anleger und weiterer Stakeholder. **Empfehlungen** des Kodex sind im Text durch die Verwendung des Wortes **„soll"** gekennzeichnet. Die Gesellschaften können hiervon abweichen, sind dann aber verpflichtet, dies jährlich offenzulegen und die Abweichungen zu begründen („comply or explain"). Dies ermöglicht den Gesellschaften, branchen- oder unternehmensspezifische Besonderheiten zu berücksichtigen. Eine gut begründete Abweichung von einer Kodexempfehlung kann im Interesse einer guten Unternehmensführung liegen. Schließlich enthält der Kodex **Anregungen,** von denen ohne Offenlegung abgewichen werden kann; hierfür verwendet der Kodex den Begriff **„sollte".**

In Regelungen des Kodex, die nicht nur die Gesellschaft selbst, sondern auch ihre Konzernunternehmen betreffen, wird der Begriff „Unternehmen" statt „Gesellschaft" verwendet.

Die Aktionäre üben ihre Mitgliedschaftsrechte regelmäßig vor oder während der Hauptversammlung aus. **Institutionelle Anleger** sind für die Unternehmen von besonderer Bedeutung. Von ihnen wird erwartet, dass sie ihre Eigentumsrechte aktiv und verantwortungsvoll auf der Grundlage von transparenten und die Nachhaltigkeit berücksichtigenden Grundsätzen ausüben.

Der Kodex richtet sich an börsennotierte Gesellschaften und Gesellschaften mit Kapitalmarktzugang im Sinne des § 161 Absatz 1 Satz 2 des Aktiengesetzes. **Nicht kapitalmarktorientierten Gesellschaften** mögen die Empfehlungen und Anregungen des Kodex zur Orientierung dienen.

Für die Corporate Governance börsennotierter **Kreditinstitute und Versicherungsunternehmen** ergeben sich aus dem jeweiligen Aufsichtsrecht Besonderheiten, die im Kodex nicht berücksichtigt sind. Empfehlungen des Kodex gelten nur insoweit, als keine gesetzlichen Bestimmungen entgegenstehen.

A. Leitung und Überwachung

I. Geschäftsführungsaufgaben des Vorstands

Grundsatz 1

[1] Der Vorstand leitet das Unternehmen in eigener Verantwortung im Unternehmensinteresse. [2] Die Mitglieder des Vorstands tragen gemeinsam die Verantwortung für die Unternehmensleitung. [3] Der Vorstandsvorsitzende bzw. Sprecher des Vorstands koordiniert die Arbeit der Vorstandsmitglieder.

Grundsatz 2

Der Vorstand entwickelt die strategische Ausrichtung des Unternehmens, stimmt sie mit dem Aufsichtsrat ab und sorgt für ihre Umsetzung.

A.1

Der Vorstand soll die mit den Sozial- und Umweltfaktoren verbundenen Risiken und Chancen für das Unternehmen sowie die ökologischen und sozialen Auswirkungen der Unternehmenstätigkeit systematisch identifizieren und bewerten. In der Unternehmensstrategie sollen neben den langfristigen wirtschaftlichen Zielen auch ökologische und soziale Ziele angemessen berücksichtigt werden. Die Unternehmensplanung soll entsprechende finanzielle und nachhaltigkeitsbezogene Ziele umfassen.

Grundsatz 3

Der Vorstand legt für den Frauenanteil in den beiden Führungsebenen unterhalb des Vorstands Zielgrößen fest.

Empfehlung:

A.2

Der Vorstand soll bei der Besetzung von Führungsfunktionen im Unternehmen auf Diversität achten.

Grundsatz 4

Für einen verantwortungsvollen Umgang mit den Risiken der Geschäftstätigkeit bedarf es eines angemessenen geeigneten und wirksamen internen Kontrollsystems- und Risikomanagementsystems. Die Angemessenheit und Wirksamkeit des internen Kontrollsystems und des Risikomanagementsystems setzt deren interne Überwachung voraus.

Empfehlung:

A.3

Das interne Kontrollsystem und das Risikomanagementsystem sollen, soweit nicht bereits gesetzlich geboten, auch nachhaltigkeitsbezogene Ziele abdecken. Dies soll die Prozesse und Systeme zur Erfassung und Verarbeitung nachhaltigkeitsbezogener Daten mit einschließen.

Grundsatz 5

Der Vorstand hat für die Einhaltung der gesetzlichen Bestimmungen und der internen Richtlinien zu sorgen und wirkt auf deren Beachtung im Unternehmen hin (Compliance). Das interne Kontrollsystem und das Risikomanagementsystem umfassen auch ein an der Risikolage des Unternehmens ausgerichtetes Compliance Management System.

Empfehlungen und Anregung:

A.4

Beschäftigten soll auf geeignete Weise die Möglichkeit eingeräumt werden, geschützt Hinweise auf Rechtsverstöße im Unternehmen zu geben; auch Dritten sollte diese Möglichkeit eingeräumt werden.

A.5

Im Lagebericht sollen die wesentlichen Merkmale des gesamten internen Kontrollsystems und des Risikomanagementsystems beschrieben werden und soll zur Angemessenheit und Wirksamkeit dieser Systeme Stellung genommen werden.

II. Überwachungsaufgaben des Aufsichtsrats

Grundsatz 6

Der Aufsichtsrat bestellt und entlässt die Mitglieder des Vorstands, überwacht und berät den Vorstand bei der Leitung des Unternehmens und ist in Entscheidungen von grundlegender Bedeutung für das Unternehmen einzubinden. Überwachung und Beratung umfassen insbesondere auch Nachhaltigkeitsfragen.

Für Geschäfte von grundlegender Bedeutung legen die Satzung und/oder der Aufsichtsrat Zustimmungsvorbehalte fest.

Geschäfte mit nahestehenden Personen[1] bedürfen darüber hinaus unter Umständen von Gesetzes wegen der vorherigen Zustimmung des Aufsichtsrats.

Grundsatz 7

Der Aufsichtsratsvorsitzende wird vom Aufsichtsrat aus seiner Mitte gewählt. Er koordiniert die Arbeit im Aufsichtsrat und nimmt die Belange des Aufsichtsrats nach außen wahr.

Anregung:

A.6

Der Aufsichtsratsvorsitzende sollte in angemessenem Rahmen bereit sein, mit Investoren über aufsichtsratsspezifische Themen Gespräche zu führen.

III. Funktion der Hauptversammlung

Grundsatz 8

Die Aktionäre üben ihre Mitgliedschaftsrechte regelmäßig in der Hauptversammlung aus. Die Hauptversammlung entscheidet insbesondere über die Gewinnverwendung sowie die Entlastung von Vorstand und Aufsichtsrat und wählt die Anteilseignervertreter in den Aufsichtsrat sowie den Abschlussprüfer. Daneben entscheidet die Hauptversammlung über rechtliche Grundlagen der Gesellschaft, wie insbesondere Änderungen der Satzung, Kapitalmaßnahmen, Unternehmensverträge und Umwandlungen. Die Hauptversammlung beschließt grundsätzlich mit beratendem Charakter über die Billigung des vom Aufsichtsrat vorgelegten Vergütungssystems für die Vorstandsmitglieder, über die konkrete Vergütung des Aufsichtsrats und mit empfehlendem Charakter über die Billigung des Vergütungsberichts für das vorausgegangene Geschäftsjahr.

Anregungen:

A.7

Der Hauptversammlungsleiter sollte sich davon leiten lassen, dass eine ordentliche Hauptversammlung spätestens nach vier bis sechs Stunden beendet ist.

A.8

Der Vorstand sollte im Falle eines Übernahmeangebots eine außerordentliche Hauptversammlung einberufen, in der die Aktionäre über das Übernahmeangebot beraten und gegebenenfalls über gesellschaftsrechtliche Maßnahmen beschließen.

---

[1] Nahestehende Personen im Sinne von § 111a Abs. 1 Satz 2 AktG.

B. Besetzung des Vorstands

Grundsatz 9

Der Aufsichtsrat entscheidet im Rahmen gesetzlicher und satzungsmäßiger Vorgaben über die Anzahl der Vorstandsmitglieder, die erforderlichen Qualifikationen sowie über die Besetzung der einzelnen Positionen durch geeignete Persönlichkeiten. Der Aufsichtsrat gewährleistet die gesetzlich geregelte Mindestbeteiligung der Geschlechter oder legt im Rahmen gesetzlicher Vorgaben Zielgrößen für den Anteil von Frauen im Vorstand fest.

Empfehlungen:

B.1

Bei der Zusammensetzung des Vorstands soll der Aufsichtsrat auf die Diversität achten.

B.2

Der Aufsichtsrat soll gemeinsam mit dem Vorstand für eine langfristige Nachfolgeplanung sorgen; die Vorgehensweise soll in der Erklärung zur Unternehmensführung beschrieben werden.

B.3

Die Erstbestellung von Vorstandsmitgliedern soll für längstens drei Jahre erfolgen.

B.4

Eine Wiederbestellung vor Ablauf eines Jahres vor dem Ende der Bestelldauer bei gleichzeitiger Aufhebung der laufenden Bestellung soll nur bei Vorliegen besonderer Umstände erfolgen.

B.5

Für Vorstandsmitglieder soll eine Altersgrenze festgelegt und in der Erklärung zur Unternehmensführung angegeben werden.

C. Zusammensetzung des Aufsichtsrats

I. Allgemeine Anforderungen

Grundsatz 10

Der Aufsichtsrat setzt sich aus Vertretern der Aktionäre und gegebenenfalls Vertretern der Arbeitnehmer zusammen. Die Vertreter der Aktionäre werden in der Regel von der Hauptversammlung gewählt. Die Mitbestimmungsgesetze legen abhängig von der Zahl der Arbeitnehmer und der Branche fest, ob und gegebenenfalls wie viele Mitglieder des Aufsichtsrats von den Arbeitnehmern zu wählen sind. Die Anteilseignervertreter und die Arbeitnehmervertreter sind gleichermaßen dem Unternehmensinteresse verpflichtet.

Grundsatz 11

Der Aufsichtsrat ist so zusammenzusetzen, dass seine Mitglieder insgesamt über die zur ordnungsgemäßen Wahrnehmung der Aufgaben erforderlichen Kenntnisse, Fähigkeiten und fachlichen Erfahrungen verfügen und die gesetzliche Geschlechterquote eingehalten wird.

Empfehlungen:

C.1

Der Aufsichtsrat soll für seine Zusammensetzung konkrete Ziele benennen und ein Kompetenzprofil für das Gesamtgremium erarbeiten. Dabei soll der Aufsichtsrat auf Diversität achten. Das Kompetenzprofil des Aufsichtsrats soll auch Expertise zu den für das Unternehmen bedeutsamen Nachhaltigkeitsfragen umfassen. Vorschläge des Aufsichtsrats an die Hauptversammlung sollen diese Ziele berücksichtigen und gleichzeitig die Ausfüllung des Kompetenzprofils für das Gesamtgremium anstreben. Der Stand der Umsetzung soll in Form einer Qualifikationsmatrix in der Erklärung zur Unternehmensführung offengelegt werden. Diese soll auch über die nach Einschätzung der Anteilseignervertreter im Aufsichtsrat angemessene Anzahl unabhängiger Anteilseignervertreter und die Namen dieser Mitglieder informieren.

C.2

Für Aufsichtsratsmitglieder soll eine Altersgrenze festgelegt und in der Erklärung zur Unternehmensführung angegeben werden.

C.3

Die Dauer der Zugehörigkeit zum Aufsichtsrat soll offengelegt werden.

Grundsatz 12

Jedes Aufsichtsratsmitglied achtet darauf, dass ihm für die Wahrnehmung seiner Aufgaben genügend Zeit zur Verfügung steht.

Empfehlungen:

C.4

Ein Aufsichtsratsmitglied, das keinem Vorstand einer börsennotierten Gesellschaft angehört, soll insgesamt nicht mehr als fünf Aufsichtsratsmandate bei konzernexternen börsennotierten Gesellschaften oder vergleichbare Funktionen wahrnehmen, wobei ein Aufsichtsratsvorsitz doppelt zählt.

C.5

Wer dem Vorstand einer börsennotierten Gesellschaft angehört, soll insgesamt nicht mehr als zwei Aufsichtsratsmandate in konzernexternen börsennotierten Gesellschaften oder vergleichbare Funktionen und keinen Aufsichtsratsvorsitz in einer konzernexternen börsennotierten Gesellschaft wahrnehmen.

II. Unabhängigkeit der Aufsichtsratsmitglieder

Empfehlungen:

C.6

Dem Aufsichtsrat soll auf Anteilseignerseite eine nach deren Einschätzung angemessene Anzahl unabhängiger Mitglieder angehören; dabei soll die Eigentümerstruktur berücksichtigt werden.

Ein Aufsichtsratsmitglied ist im Sinne dieser Empfehlung als unabhängig anzusehen, wenn es unabhängig von der Gesellschaft und deren Vorstand und unabhängig von einem kontrollierenden Aktionär ist.

C.7

Mehr als die Hälfte der Anteilseignervertreter soll unabhängig von der Gesellschaft und vom Vorstand sein. Ein Aufsichtsratsmitglied ist unabhängig von der Gesellschaft und deren Vorstand, wenn es in keiner persönlichen oder geschäftlichen Beziehung zu der Gesellschaft oder deren Vorstand steht, die einen wesentlichen und nicht nur vorübergehenden Interessenkonflikt begründen kann.

Die Anteilseignerseite soll, wenn sie die Unabhängigkeit ihrer Mitglieder von der Gesellschaft und vom Vorstand einschätzt, insbesondere berücksichtigen, ob das Aufsichtsratsmitglied selbst oder ein naher Familienangehöriger des Aufsichtsratsmitglieds

– in den zwei Jahren vor der Ernennung Mitglied des Vorstands der Gesellschaft war,
– aktuell oder in dem Jahr bis zu seiner Ernennung direkt oder als Gesellschafter oder in verantwortlicher Funktion eines konzernfremden Unternehmens eine wesentliche geschäftliche Beziehung mit der Gesellschaft oder einem von dieser abhängigen Unternehmen unterhält oder unterhalten hat (z. B. als Kunde, Lieferant, Kreditgeber oder Berater),
– ein naher Familienangehöriger eines Vorstandsmitglieds ist oder
– dem Aufsichtsrat seit mehr als 12 Jahren angehört.

C.8

Sofern ein oder mehrere der in Empfehlung C.7 genannten Indikatoren erfüllt sind und das betreffende Aufsichtsratsmitglied dennoch als unabhängig angesehen wird, soll dies in der Erklärung zur Unternehmensführung begründet werden.

C.9

Sofern die Gesellschaft einen kontrollierenden Aktionär hat, sollen im Falle eines Aufsichtsrats mit mehr als sechs Mitgliedern mindestens zwei Anteilseignervertreter unabhängig vom kontrollierenden Aktionär sein. Im Falle eines Aufsichtsrats mit sechs oder weniger Mitgliedern soll mindestens ein Anteilseignervertreter unabhängig vom kontrollierenden Aktionär sein.

Ein Aufsichtsratsmitglied ist unabhängig vom kontrollierenden Aktionär, wenn es selbst oder ein naher Familienangehöriger weder kontrollierender Aktionär ist noch dem geschäftsführenden Organ des kontrollierenden Aktionärs angehört oder in einer persönlichen oder geschäftlichen Beziehung zum kontrollierenden Aktionär steht, die einen wesentlichen und nicht nur vorübergehenden Interessenkonflikt begründen kann.

C.10

Der Aufsichtsratsvorsitzende, der Vorsitzende des Prüfungsausschusses sowie der Vorsitzende des mit der Vorstandsvergütung befassten Ausschusses sollen unabhängig von der Gesellschaft und vom Vorstand sein. Der Vorsitzende des Prüfungsausschusses soll zudem auch unabhängig vom kontrollierenden Aktionär sein.

C.11

Dem Aufsichtsrat sollen nicht mehr als zwei ehemalige Mitglieder des Vorstands angehören.

C.12

Aufsichtsratsmitglieder sollen keine Organfunktion oder Beratungsaufgaben bei wesentlichen Wettbewerbern des Unternehmens ausüben und nicht in einer persönlichen Beziehung zu einem wesentlichen Wettbewerber stehen.

III. Wahlen zum Aufsichtsrat

Empfehlungen:

C.13

Der Aufsichtsrat soll bei seinen Wahlvorschlägen an die Hauptversammlung die persönlichen und die geschäftlichen Beziehungen eines jeden Kandidaten zum Unternehmen, den Organen der Gesellschaft und einem wesentlich an der Gesellschaft beteiligten Aktionär offenlegen. Die Empfehlung zur Offenlegung beschränkt sich auf solche Umstände, die nach der Einschätzung des Aufsichtsrats ein objektiv urteilender Aktionär für seine Wahlentscheidung als maßgebend ansehen würde. Wesentlich beteiligt im Sinn dieser Empfehlung sind Aktionäre, die direkt oder indirekt mehr als 10 % der stimmberechtigten Aktien der Gesellschaft halten.

C.14

Dem Kandidatenvorschlag soll ein Lebenslauf beigefügt werden, der über relevante Kenntnisse, Fähigkeiten und fachliche Erfahrungen Auskunft gibt; dieser soll durch eine Übersicht über die wesentlichen Tätigkeiten neben dem Aufsichtsratsmandat ergänzt und für alle Aufsichtsratsmitglieder jährlich aktualisiert auf der Internetseite des Unternehmens veröffentlicht werden.

C.15

Die Wahl der Anteilseignervertreter im Aufsichtsrat soll als Einzelwahl durchgeführt werden. Ein Antrag auf gerichtliche Bestellung eines Aufsichtsratsmitglieds der Anteilseignerseite soll bis zur nächsten Hauptversammlung befristet sein.

D. Arbeitsweise des Aufsichtsrats

I. Geschäftsordnung

Empfehlung

D.1

Der Aufsichtsrat soll sich eine Geschäftsordnung geben und diese auf der Internetseite der Gesellschaft zugänglich machen.

II. Zusammenarbeit im Aufsichtsrat und mit dem Vorstand

1. Allgemeine Anforderungen

Grundsatz 13

Vorstand und Aufsichtsrat arbeiten zum Wohle des Unternehmens vertrauensvoll zusammen. Gute Unternehmensführung setzt eine offene Diskussion zwischen Vorstand und Aufsichtsrat sowie in Vorstand und Aufsichtsrat voraus. Die umfassende Wahrung der Vertraulichkeit ist dafür von entscheidender Bedeutung.

2. Ausschüsse des Aufsichtsrats

Grundsatz 14

Die Bildung von Ausschüssen fördert bei größeren Gesellschaften regelmäßig die Wirksamkeit der Arbeit des Aufsichtsrats. Ein Prüfungsausschuss ist einzurichten.

Empfehlungen:

D.2

Der Aufsichtsrat soll abhängig von den spezifischen Gegebenheiten des Unternehmens und der Anzahl seiner Mitglieder fachlich qualifizierte Ausschüsse bilden. Die jeweiligen Ausschussmitglieder und der Ausschussvorsitzende sollen namentlich in der Erklärung zur Unternehmensführung genannt werden.

Grundsatz 15

Mindestens ein Mitglied des Prüfungsausschusses muss über Sachverstand auf dem Gebiet Rechnungslegung und mindestens ein weiteres Mitglied des Prüfungsausschusses über Sachverstand auf dem Gebiet Abschlussprüfung verfügen.

D.3

Der Sachverstand auf dem Gebiet Rechnungslegung soll in besonderen Kenntnissen und Erfahrungen in der Anwendung von Rechnungslegungsgrundsätzen und interner Kontroll- und Risikomanagementsysteme bestehen und der Sachverstand auf dem Gebiet Abschlussprüfung in besonderen Kenntnissen und Erfahrungen in der Abschlussprüfung. Zur Rechnungslegung und Abschlussprüfung gehören auch die Nachhaltigkeitsberichterstattung und deren Prüfung. Der Vorsitzende des Prüfungsausschusses soll zumindest auf einem der beiden Gebiete entsprechend sachverständig sein. Die Erklärung zur Unternehmensführung soll die betreffenden Mitglieder des Prüfungsausschusses nennen und nähere Angaben zu ihrem Sachverstand auf den genannten Gebieten enthalten. Der Aufsichtsratsvorsitzende soll nicht den Vorsitz im Prüfungsausschuss innehaben.

D.4

Der Aufsichtsrat soll einen Nominierungsausschuss bilden, der ausschließlich mit Vertretern der Anteilseigner besetzt ist und dem Aufsichtsrat geeignete Kandidaten für dessen Vorschläge an die Hauptversammlung zur Wahl von Aufsichtsratsmitgliedern benennt.

3. Informationsversorgung

Grundsatz 16

Die Information des Aufsichtsrats ist Aufgabe des Vorstands. Der Aufsichtsrat hat jedoch seinerseits sicherzustellen, dass er angemessen informiert wird. Der Vorstand informiert den Aufsichtsrat regelmäßig, zeitnah und umfassend über alle für das Unternehmen relevanten Fragen insbesondere der Strategie, der Planung, der Geschäftsentwicklung, der Risikolage, des Risikomanagements und der Compliance. Er geht auf Abweichungen des Geschäftsverlaufs von den aufgestellten Plänen und vereinbarten Zielen unter Angabe von Gründen ein. Der Aufsichtsrat kann jederzeit zusätzliche Informationen vom Vorstand verlangen.

Grundsatz 17

Der Aufsichtsratsvorsitzende wird über wichtige Ereignisse, die für die Beurteilung der Lage und Entwicklung sowie für die Leitung des Unternehmens von wesentlicher Bedeutung sind, unverzüglich durch den Vorsitzenden bzw. Sprecher des Vorstands informiert. Der Aufsichtsratsvorsitzende hat sodann den Aufsichtsrat zu unterrichten und, falls erforderlich, eine außerordentliche Aufsichtsratssitzung einzuberufen.

Empfehlung:

D.5

Der Aufsichtsratsvorsitzende soll zwischen den Sitzungen mit dem Vorstand, insbesondere mit dem Vorsitzenden bzw. Sprecher des Vorstands, regelmäßig Kontakt halten und mit ihm Fragen der Strategie, der Geschäftsentwicklung, der Risikolage, des Risikomanagements und der Compliance des Unternehmens beraten.

4. Sitzungen und Beschlussfassung

Empfehlungen:

D.6

Der Aufsichtsrat soll regelmäßig auch ohne den Vorstand tagen.

D.7

Im Bericht des Aufsichtsrats soll angegeben werden, an wie vielen Sitzungen des Aufsichtsrats und der Ausschüsse in Präsenz oder als Video- oder Telefonkonferenzen durchgeführt wurden und an wie vielen Sitzungen des Aufsichtsrats und der Ausschüsse die einzelnen Mitglieder jeweils teilgenommen haben.

III. Zusammenarbeit mit dem Abschlussprüfer

Grundsatz 18

Der Abschlussprüfer unterstützt den Aufsichtsrat bzw. den Prüfungsausschuss bei der Überwachung der Geschäftsführung, insbesondere bei der Prüfung der Rechnungslegung und der Überwachung der rechnungslegungsbezogenen Kontroll- und Risikomanagementsysteme. Der Bestätigungsvermerk des Abschlussprüfers informiert den Kapitalmarkt über die Ordnungsmäßigkeit der Rechnungslegung.

Empfehlungen:

D.8

Der Aufsichtsrat oder der Prüfungsausschuss soll mit dem Abschlussprüfer vereinbaren, dass dieser ihn unverzüglich über alle für seine Aufgaben wesentlichen Feststellungen und Vorkommnisse unterrichtet, die bei der Durchführung der Abschlussprüfung zu seiner Kenntnis gelangen.

D.9

Der Aufsichtsrat oder der Prüfungsausschuss soll mit dem Abschlussprüfer vereinbaren, dass dieser ihn informiert und im Prüfungsbericht vermerkt, wenn er bei Durchführung der Abschlussprüfung Tatsachen feststellt, die eine Unrichtigkeit der von Vorstand und Aufsichtsrat abgegebenen Erklärung zum Kodex ergeben.

D.10

Der Prüfungsausschuss soll mit dem Abschlussprüfer die Einschätzung des Prüfungsrisikos, die Prüfungsstrategie und Prüfungsplanung sowie die Prüfungsergebnisse diskutieren. Der Vorsitzende des Prüfungsausschusses soll sich regelmäßig mit dem Abschlussprüfer über den Fortgang der Prüfung austauschen und dem Ausschuss hierüber berichten. Der Prüfungsausschuss soll regelmäßig mit dem Abschlussprüfer auch ohne den Vorstand beraten.

IV. Aus- und Fortbildung

Grundsatz 19

Die Mitglieder des Aufsichtsrats nehmen die für ihre Aufgaben erforderlichen Aus- und Fortbildungsmaßnahmen eigenverantwortlich wahr.

Empfehlung:

D.11

Die Gesellschaft soll die Mitglieder des Aufsichtsrats bei ihrer Amtseinführung sowie den Aus- und Fortbildungsmaßnahmen angemessen unterstützen und über durchgeführte Maßnahmen im Bericht des Aufsichtsrats berichten.

V. Selbstbeurteilung

Empfehlung:

D.12

Der Aufsichtsrat soll regelmäßig beurteilen, wie wirksam der Aufsichtsrat insgesamt und seine Ausschüsse ihre Aufgaben erfüllen. In der Erklärung zur Unternehmensführung soll der Aufsichtsrat berichten, ob und wie eine Selbstbeurteilung durchgeführt wurde.

E. Interessenkonflikte

Grundsatz 20

Die Mitglieder von Vorstand und Aufsichtsrat sind dem Unternehmensinteresse verpflichtet. Sie dürfen bei ihren Entscheidungen weder persönliche Interessen verfolgen noch Geschäftschancen für sich nutzen, die dem Unternehmen zustehen. Vorstandsmitglieder unterliegen während ihrer Tätigkeit einem umfassenden Wettbewerbsverbot.

Empfehlungen:

E.1

Jedes Aufsichtsratsmitglied soll Interessenkonflikte unverzüglich dem Vorsitzenden des Aufsichtsrats offenlegen. Der Aufsichtsrat soll in seinem Bericht an die Hauptversammlung über aufgetretene Interessenkonflikte und deren Behandlung informieren. Wesentliche und nicht nur vorübergehende Interessenkonflikte in der Person eines Aufsichtsratsmitglieds sollen zur Beendigung des Mandats führen.

E.2

Jedes Vorstandsmitglied soll Interessenkonflikte unverzüglich dem Vorsitzenden des Aufsichtsrats und dem Vorsitzenden bzw. Sprecher des Vorstands offenlegen und die anderen Vorstandsmitglieder hierüber informieren.

E.3

Vorstandsmitglieder sollen Nebentätigkeiten, insbesondere konzernfremde Aufsichtsratsmandate, nur mit Zustimmung des Aufsichtsrats übernehmen.

F. Transparenz und externe Berichterstattung

Grundsatz 21

Die Gesellschaft behandelt die Aktionäre bei Informationen unter gleichen Voraussetzungen gleich.

Grundsatz 22

Anteilseigner und Dritte werden insbesondere durch den Konzernabschluss und den Konzernlagebericht (einschließlich CSR-Berichterstattung) sowie durch unterjährige Finanzinformationen unterrichtet.

Empfehlungen:

F.1

Die Gesellschaft soll den Aktionären unverzüglich sämtliche wesentlichen neuen Tatsachen, die Finanzanalysten und vergleichbaren Adressaten mitgeteilt worden sind, zur Verfügung stellen.

F.2

Der Konzernabschluss und der Konzernlagebericht sollen binnen 90 Tagen nach Geschäftsjahresende, die verpflichtenden unterjährigen Finanzinformationen sollen binnen 45 Tagen nach Ende des Berichtszeitraums öffentlich zugänglich sein.

F.3

Ist die Gesellschaft nicht zu Quartalsmitteilungen verpflichtet, soll sie unterjährig neben dem Halbjahresfinanzbericht in geeigneter Form über die Geschäftsentwicklung, insbesondere über wesentliche Veränderungen der Geschäftsaussichten sowie der Risikosituation, informieren.

Grundsatz 23

Aufsichtsrat und Vorstand berichten jährlich in der Erklärung zur Unternehmensführung über die Corporate Governance der Gesellschaft.

Empfehlungen:

F.4

Aufsichtsrat und Vorstand von börsennotierten, spezialgesetzlich regulierten Gesellschaften sollen in der Erklärung zur Unternehmensführung angeben, welche Empfehlungen des Kodex auf Grund vorrangiger gesetzlicher Bestimmungen nicht anwendbar waren.

F.5

Die Gesellschaft soll nicht mehr aktuelle Erklärungen zur Unternehmensführung und Entsprechenserklärungen zu den Empfehlungen des Kodex mindestens fünf Jahre lang auf ihrer Internetseite zugänglich halten.

G. Vergütung von Vorstand und Aufsichtsrat

I. Vergütung des Vorstands

Grundsatz 24

Der Aufsichtsrat beschließt ein klares und verständliches System zur Vergütung der Vorstandsmitglieder und bestimmt auf dessen Basis die konkrete Vergütung der einzelnen Vorstandsmitglieder.

Die Hauptversammlung beschließt grundsätzlich mit beratendem Charakter über die Billigung des vom Aufsichtsrat vorgelegten Vergütungssystems sowie mit empfehlendem Charakter über die Billigung des Vergütungsberichts für das vorausgegangene Geschäftsjahr.

Die Vergütungsstruktur ist bei börsennotierten Gesellschaften auf eine nachhaltige und langfristige Entwicklung der Gesellschaft auszurichten. Die Vergütung der Vorstandsmitglieder hat zur Förderung der Geschäftsstrategie und zur langfristigen Entwicklung der Gesellschaft beizutragen.

1. Festlegung des Vergütungssystems

Empfehlung:

G.1

Im Vergütungssystem soll insbesondere festgelegt werden,
- wie für die einzelnen Vorstandsmitglieder die Ziel-Gesamtvergütung bestimmt wird und welche Höhe die Gesamtvergütung nicht übersteigen darf (Maximalvergütung),
- welchen relativen Anteil die Festvergütung einerseits sowie kurzfristig variable und langfristig variable Vergütungsbestandteile andererseits an der Ziel-Gesamtvergütung haben,
- welche finanziellen und nichtfinanziellen Leistungskriterien für die Gewährung variabler Vergütungsbestandteile maßgeblich sind,
- welcher Zusammenhang zwischen der Erreichung der vorher vereinbarten Leistungskriterien und der variablen Vergütung besteht,
- in welcher Form und wann das Vorstandsmitglied über die gewährten variablen Vergütungsbeträge verfügen kann.

2. Festlegung der konkreten Gesamtvergütung

Empfehlungen:

G.2

Auf Basis des Vergütungssystems soll der Aufsichtsrat für jedes Vorstandsmitglied zunächst dessen konkrete Ziel- Gesamtvergütung festlegen, die in einem angemessenen Verhältnis zu den Aufgaben und Leistungen des Vorstandsmitglieds sowie zur Lage des Unternehmens steht und die übliche Vergütung nicht ohne besondere Gründe übersteigt.

G.3

Zur Beurteilung der Üblichkeit der konkreten Gesamtvergütung der Vorstandsmitglieder im Vergleich zu anderen Unternehmen soll der Aufsichtsrat eine geeignete Vergleichsgruppe anderer Unternehmen heranziehen, deren Zusammensetzung er offenlegt. Der Peer Group-Vergleich ist mit Bedacht zu nutzen, damit es nicht zu einer automatischen Aufwärtsentwicklung kommt.

G.4

Zur Beurteilung der Üblichkeit innerhalb des Unternehmens soll der Aufsichtsrat das Verhältnis der Vorstandsvergütung zur Vergütung des oberen Führungskreises und der Belegschaft insgesamt und dieses auch in der zeitlichen Entwicklung berücksichtigen.

G.5

Zieht der Aufsichtsrat zur Entwicklung des Vergütungssystems und zur Beurteilung der Angemessenheit der Vergütung einen externen Vergütungsexperten hinzu, soll er auf dessen Unabhängigkeit vom Vorstand und vom Unternehmen achten.

3. Festsetzung der Höhe der variablen Vergütungsbestandteile

Empfehlungen:

G.6

Die variable Vergütung, die sich aus dem Erreichen langfristig orientierter Ziele ergibt, soll den Anteil aus kurzfristig orientierten Ziele übersteigen.

G.7

Der Aufsichtsrat soll für das bevorstehende Geschäftsjahr für jedes Vorstandsmitglied für alle variablen Vergütungsbestandteile die Leistungskriterien festlegen, die sich – neben operativen – vor allem an strategischen Zielsetzungen orientieren sollen. Der Aufsichtsrat soll festlegen, in welchem Umfang individuelle Ziele der einzelnen Vorstandsmitglieder oder Ziele für alle Vorstandsmitglieder zusammen maßgebend sind.

G.8

Eine nachträgliche Änderung der Zielwerte oder der Vergleichsparameter soll ausgeschlossen sein.

G.9

Nach Ablauf des Geschäftsjahres soll der Aufsichtsrat in Abhängigkeit von der Zielerreichung die Höhe der individuell für dieses Jahr zu gewährenden Vergütungsbestandteile festlegen. Die Zielerreichung soll dem Grunde und der Höhe nach nachvollziehbar sein.

G.10

Die dem Vorstandsmitglied gewährten variablen Vergütungsbeträge sollen von ihm unter Berücksichtigung der jeweiligen Steuerbelastung überwiegend in Aktien der Gesellschaft angelegt oder entsprechend aktienbasiert gewährt werden. Über die langfristig variablen Gewährungsbeträge soll das Vorstandsmitglied erst nach vier Jahren verfügen können.

G.11

Der Aufsichtsrat soll die Möglichkeit haben, außergewöhnlichen Entwicklungen in angemessenem Rahmen Rechnung zu tragen. In begründeten Fällen soll eine variable Vergütung einbehalten oder zurückgefordert werden können.

4. Leistungen bei Vertragsbeendigung

Empfehlungen und Anregung:

G.12

Im Fall der Beendigung eines Vorstandsvertrags soll die Auszahlung noch offener variabler Vergütungsbestandteile, die auf die Zeit bis zur Vertragsbeendigung entfallen, nach den ursprünglich vereinbarten Zielen und Vergleichsparametern und nach den im Vertrag festgelegten Fälligkeitszeitpunkten oder Haltedauern erfolgen.

G.13

Zahlungen an ein Vorstandsmitglied bei vorzeitiger Beendigung der Vorstandstätigkeit sollen den Wert von zwei Jahresvergütungen nicht überschreiten (Abfindungs-Cap) und nicht mehr als die Restlaufzeit des Anstellungsvertrags vergüten. Im Falle eines nachvertraglichen Wettbewerbsverbots soll die Abfindungszahlung auf die Karenzentschädigung angerechnet werden.

G.14

Zusagen für Leistungen aus Anlass der vorzeitigen Beendigung des Anstellungsvertrags durch das Vorstandsmitglied infolge eines Kontrollwechsels (Change of Control) sollten nicht vereinbart werden.

5. Sonstige Regelungen

Empfehlungen:

G.15

Sofern Vorstandsmitglieder konzerninterne Aufsichtsratsmandate wahrnehmen, soll die Vergütung angerechnet werden.

G.16

Bei der Übernahme konzernfremder Aufsichtsratsmandate soll der Aufsichtsrat entscheiden, ob und inwieweit die Vergütung anzurechnen ist.

II. Vergütung des Aufsichtsrats

Grundsatz 25

Die Mitglieder des Aufsichtsrats erhalten eine Vergütung, die in einem angemessenen Verhältnis zu ihren Aufgaben und der Lage der Gesellschaft steht. Sie wird durch Beschluss der Hauptversammlung, gegebenenfalls in der Satzung festgesetzt.

Empfehlungen und Anregung:

G.17

Bei der Vergütung der Aufsichtsratsmitglieder soll der höhere zeitliche Aufwand des Vorsitzenden und des stellvertretenden Vorsitzenden des Aufsichtsrats sowie des Vorsitzenden und der Mitglieder von Ausschüssen angemessen berücksichtigt werden.

G.18

Die Vergütung des Aufsichtsrats sollte in einer Festvergütung bestehen. Wird den Aufsichtsratsmitgliedern dennoch eine erfolgsorientierte Vergütung zugesagt, soll sie auf eine langfristige Entwicklung der Gesellschaft ausgerichtet sein.

Grundsatz 26

Vorstand und Aufsichtsrat erstellen jährlich nach den gesetzlichen Bestimmungen einen Vergütungsbericht.

Sachverzeichnis

Fettgedruckte Zahlen bezeichnen die §§ des Aktiengesetzes, HGB oder SpruchG, magere die Randnummern